FAR EAST ENGLISH-CHINESE CHINESE-ENGLISH DICTIONARY

遠東英漢漢英雙向辭典

編 輯 者

遠東圖書公司編審委員會

遠東圖書公司印行

THE FAR EAST BOOK CO., LTD.

英 漢 辭 典

ENGLISH-CHINESE DICTIONARY

序

遠東圖書公司數十年來出版各類不同程度之英漢及漢英辭典數十種，深受廣大讀者歡迎。近年新詞語不斷增加，尤以科技、資訊方面變化最爲迅速。遠東圖書公司創辦人浦家麟先生秉持一貫追求新知之原則，特由編輯部同仁在編審委員會指導下，以梁實秋教授所主編的一系列英漢、漢英辭典爲基礎，參考英美最新出版之字典及各類工具書，廣收常用科技、資訊新詞語，以滿足各界讀者需要。

本辭典約 700 餘頁，小巧玲瓏，攜帶方便。同仁費時兩年餘，收錄單字、複合字、成語及例句六萬餘。常用單字約五千，加星號 *；最常用單字約二千，加雙星號 **，以資識別。

惟現代知識日新月異，辭典編校工作浩繁，吾人雖竭盡所能，猶恐有所疏漏，尚祈讀者不吝指正。

遠東圖書公司編審委員會謹識

1998 年 2 月

編輯體例說明

1. 本辭典所收單字、複合字、成語及例句約六萬餘。單字一律依字母順序統一編排，並以圓點「·」分音節，以 K.K.音標注音(衍生字重音標注方式例外，詳見說明 11.)。

2. ‡：表示特別重要之常用字，國中程度應熟悉者，約 2,000 字。例：**‡a·ble**
*：表示常用字，高中程度應熟悉者，約 5,000 字。例：***a·ban·don**

3. **ar·mor,** 〖英〗 **-mour**：表示美國拼法爲 **ar·mor,** 而英國則拼成 **ar·mour.** 本辭典以美國英語爲主。

4. 字形變化：(1)名詞之數，動詞變化，形容詞與副詞之比較級，如爲規則變化一概從略。
(2)(**-rr-**)如 **re·fer** 項下之(**-rr-**)表示其動詞變化爲 **re·ferred, re·fer·ring.**
(**-ck-**)如 **mim·ic** 項下之(**-ck-**)表示其動詞變化爲 **mim·icked, mim·ick·ing.**
(**-l-**, 〖英〗**-ll-**)如 **trav·el** 項下之(**-l-**, 〖英〗**-ll-**)表示其動詞變化，美式爲 **trav·eled, trav·el·ing.** 英式爲 **trav·elled, trav·el·ling.**
(3)其他不規則變化者採全拼方式。

5. Ⓤ Ⓒ：名詞有的字義可以數，其單數附有不定冠詞 a, an, 也有複數形，這種名詞稱爲「可數名詞」(Countable)，略作 Ⓒ；有時不能數，既不帶不定冠詞也沒有複數形，這種名詞則稱爲「不可數名詞」(Uncountable)，略作 Ⓤ.
專有名詞與用於稱呼的名詞以及特定之物則沒有 Ⓤ 或 Ⓒ 的標示。此外 Ⓤ 或 Ⓒ 也非絕對的，而只是爲了瞭解字義與增進學習效果的一種方法。
同一定義標示 Ⓤ Ⓒ 時，視其在句子中之含義而決定其爲 Ⓤ 或 Ⓒ.
例：***de·moc·ra·cy** [də`mɑkrəsɪ] *n.* ① Ⓤ 民主政治…。② Ⓒ 民主國家…
han·ker·ing [`hæŋkərɪŋ] *n.* Ⓒ (常 a ～)熱望；渴望…

6. (*sing.*)，(*pl.*)，(作 *sing.* 解)，(作 *pl.* 解)，(the ～)，(A-)：表示某釋義在使用時應作單數，複數，作單數解，作複數解，加冠詞，或大小寫等。
例：***al·might·y** … **—** *n.* (the A-)上帝。

7. ～：表示原單字在例句或注音中之全部省略。但原單字未超過兩個字母者，全拼出。
例：**‡a·bout** 項下之 The plane is ～ to take off.
áir·raid shèlter [`ɛr͵red ～]
～：表示原單字在成語中之全部省略。
例：**‡hit** 項下之成語 *～ it off*
-：表示原單字之部分省略。
例：**me·te·or·o·log·ic, -i·cal** 表示後者之完整拼法應爲 **me·te·or·o·log·i·cal,** 且與前者爲同一字。又如 **hear** 項下之 *H-! H-!* 係表示 *Hear! Hear!* 之省略。

8. 〔 〕：表示在此符號內之介系詞或副詞，常與原單字連用。
例：***a·bide** 項下②遵守〔by〕. 表示 **a·bide** 在當②義解時常與 by 連用。

9. ( )：表示此符號內之部分可予省略。
例：**flan·nel·et(te)** 表示 **te** 可有可無。
‡good 項下成語 *for ～ (and all)*，表示 *and all* 可有可無。

10. [ ]：表示此符號內之部分可替代其前面之字者。
例：**‡back** 項下成語 *get* [*put*] *one's* [*someone's*] *～ up*，表示 *get* 可以 *put* 替代。

11.衍生字：(1)若干衍生字係附於單字之後，分音節並在重音之後上方加注重音符號「ʹ」(請特別注意，此與國際音標將重音符號加注於重音之前，恰好相反)。

(2) — 表示原單字在衍生字中之全部省略，但如音節或重音與原單字有異，或省略後易於混淆者，則完全拼出。

例：‡**in·sist** 項下 **−ent,** *adj.* **−ence, −en·cy,** *n.* (各表示 **in·sist·ent, in·sist·ence, in·sist·en·cy**)

in·sip·id [ɪnˋsɪpɪd] *adj.* … **−in·si·pidʹi·ty,** *n.* (表示 **in·si·pidʹi·ty** 之重音節爲 **pid,** 與原單字之重音及音節不同，故在衍生字中全拼)。

(3) -：此細短橫線表示某衍生字注音之部分省略。

例：**−ad·sorpʹtion** [-ˋsɔrp-], *n.*

(4)衍生字與詞條意義不易聯想時，則酌加釋義。

12.成語：本辭典對有關各單字之重要成語，均盡量蒐集。部分成語，除解釋之外，更酌加例句。

例：‡**a·lone** 項下 *leave somebody* [*something*] ～ 聽其自然。*Leave me* ～. 不要管我。

13.例句：本辭典在篇幅許可範圍內，盡量增加常用字例句，而且條理分明，完全改進一般袖珍辭典無例句的缺點。

14.爲了在有限篇幅內收錄大量字彙，本辭典將複合字列入其前一單字之後。

例：fat farm(減肥中心)列於 fat 下，作 ∼ **fàrm**; New Testament(新約聖經)列於 new 下，作 **N∸ Téstament**; paternity leave(陪產假)列於 paternity 下，作 ∼ **léave**; sexual harassment(性騷擾)列於 sexual 下，作 ∼ **harássment**.

15.外來語：本辭典收錄之外來語除標明來源，必要時，並舉出相當之英語，以資比較。

例：**ex·em·pli gra·ti·a** [ɪgˋzɛmplaɪˋgreʃɪə] 〖拉〗 *adv.* 例如(= for example, 略作 **e.g.**)

16.〔注意〕：字彙中凡有闡釋必要者，如同義與反義之比較，正式與非正式之用法，標準與俚俗之差異，文法之規則與例外等，以〔注意〕標明之。

音標說明

在二十世紀初葉以前，國人學習英語發音，都是利用英美人士今天仍然通用的韋氏(Noah Webster)音標。1917 年英國語言學家 Daniel Jones 出版了以國際音標注音的 *Everyman's English Pronunciation Dictionary*，此後我們就逐漸採用國際音標。

顧名思義，國際音標原本是標注各國語言發音之用的，有人卻誤以爲祇有 Jones 音標是國際音標，這當然是不對的。全部國際音標的符號也不僅止於我們學習英語所用的這些。例如法、德等國的語言也可用國際音標注音，祇不過他們有若干特殊的發音，就另需我們學習英語中通常所沒有的符號(如 x, y, ϕ 等)。同理，在用於學習英語的國際音標中，也有極少數是在學習德、法等國語言中所用不著的，因爲他們根本沒有那種發音(如 θ, ð, tʃ 等)。

明白了以上的情形，我們應該不難瞭解，同是英語，既有 Jones 音標，爲甚麼又有 K.K.(美國兩位語言學家 John Samuel Kenyon 和 Thomas Albert Knott 二氏的簡稱)音標。因爲英美兩國英語的發音多少有些區別，前者乃專用於標注英國英語，而後者則適用於標注美國英語。

我們現在日常所聽到的英語，多數是美音，國民中學的英語課本也改用 K.K. 音標，所以 K.K. 音標的採用，目前已較 Jones 音標爲普遍。我們爲了參考的方便，特在這裡摘要列出兩種音標的對照，相信對於一般讀者應該是有所幫助的。

K.K. 與 Jones 音標對照表

vowels 母音			consonants 子音	
K.K.	Jones	Key Words	K.K. Jones 同	Key Words
i	i:	bee [bi; bi:]	b	bob [bɑb; bɔb]
ɪ	i	hit [hɪt; hit]	d	dad [dæd; dæd]
ɪ(r)	(iə)	here [hɪr; hiə]	f	fife [faɪf; faif]
ɛ	e	yes [jɛs; jes]	g ɡ	gag [gæg; ɡæɡ]
ɛ(r)	(ɛə)	there [ðɛr; ðɛə]	h	high [haɪ; hai]
æ	æ	sat [sæt; sæt]	k	kick [kɪk; kik]
ɑ	ɑ:	palm [pɑm; pɑ:m]	l	lull [lʌl; lʌl]
ɑ	ɔ	ox [ɑks; ɔks]	l̩	national [\`næʃənl̩; 'næʃənl̩]
ɔ	ɔ:	law [lɔ; lɔ:]	m	mom [mɑm; mɔm]
ʊ	u	book [bʊk; buk]	m̩	stop'em [\`stɑpm̩; 'stɔpm̩] (stop'em 為 stop them 之縮寫)
u	u:	tool [tul; tu:l]	n	noon [nun; nu:n]
ʌ	ʌ	cut [kʌt; kʌt]	n̩	pardoner [\`pɑrdn̩ɚ; 'pɑ:dn̩ə]
ɝ	ə:	bird [bɝd; bə:d]	p	pop [pɑp; pɔp]
ɚ	ə	better [\`bɛtɚ; 'betə]	r	red [rɛd; red]
ə	ə	about [ə\`baʊt; ə'baut]	s	souse [saʊs; saus]
e	ei	name [nem; neim]	t	tat [tæt; tæt]
o	ou	no [no; nou]	v	valve [vælv; vælv]
aɪ	ai	my [maɪ; mai]	w	way [we; wei]
aʊ	au	out [aʊt; aut]	j	yet [jɛt; jet]
ɔɪ	ɔi	boy [bɔɪ; bɔi]	z	zoo [zu; zu:]
(ɪr)	iə	mere [mɪr; miə]	ŋ	sing [sɪŋ; siŋ]
(ɛr)	ɛə	dare [dɛr; dɛə]	ʃ	shed [ʃɛd; ʃed], lash [læʃ; læʃ]
(or,ɔr)	ɔə	four [fɔr; fɔə]	tʃ	church [tʃɝtʃ; tʃə:tʃ]
(ʊr)	uə	tour [tʊr; tuə]	ʒ	pleasure [\`plɛʒɚ; 'pleʒə]
ju	ju:	use [juz; ju:z]	dʒ	judge [dʒʌdʒ; dʒʌdʒ]
			θ	thin [θɪn; θin]
			ð	thither [\`ðɪðɚ; 'ðiðə]
			hw	why [hwaɪ; (h)wai]

略 語 表 (I)

adj.	………adjective	形容詞
adv.	………adverb	副詞
art.	………article	冠詞
aux.	………auxiliary	助動詞
comp.	……comparative degree	比較級
conj.	………conjunction	連接詞
def. art.	…definite article	定冠詞
fem.	………feminine	陰性
gen.	………genitive	所有格
indef. art.	…indefinite article	不定冠詞
interj.	……interjection	感嘆詞
mas.	………masculine	陽性
n.	…………noun	名詞
nom.	………nominative	主格
obj.	………objective	受格
pl.	…………plural	複數
poss.	………possessive	所有格
pp.	…………past participle	過去分詞
ppr.	………present participle	現在分詞
prep.	………preposition	介系詞
pron.	………pronoun	代名詞
pt.	…………past tense	過去式
rel. pron.	…relative pronoun	關係代名詞
sing.	………singular	單數
superl.	……superlative degree	最高級
v.	…………verb	動詞
v.i.	………intransitive verb	不及物動詞
v.t.	………transitive verb	及物動詞
?	…………uncertain	或許；可能；不確定
&	…………and	及

略 語 表 (II)

【空】航空
【解】解剖學
【古】古語
【建】建築學
【天】天文學
【澳】澳洲
【生化】生物化學
【植】植物學
【英】不列顛(的)(英國；英語；英國的)
【加】加拿大(的)
【化】化學(的)
【中】中國的；中國語
【俗】俗語的；口語的
【電算】電子計算機
【蔑】輕蔑語
【方】方言
【荷】荷蘭
【經】經濟學
【電】電的；電學
【工】工程學
【法】法國的；法語
【地】地理學(的)
【德】德國的；德語
【希神】希臘神話
【徽】徽章
【史】歷史(的)
【昆】昆蟲學
【愛】愛爾蘭的；愛爾蘭語
【義】義大利的；義大利語
【日】日本的；日本語
【諧】戲謔語
【拉】拉丁語
【文】文學用語
【鄙】鄙俗語
【數】數學
【機】機械學
【醫】醫學(的)
【軍】軍語
【礦】礦業；礦冶
【影】電影
【樂】音樂
【廢】廢語
【古生】古生物學
【藥】藥學
【哲】哲學
【攝】攝影
【理】物理學(的)
【詩】詩中用語
【政】政治
【葡】葡萄牙的；葡萄牙語
【諺】諺語
【心】心理學
【無線】無線電
【罕】罕用語
【宗】宗教
【修】修辭學(的)
【羅神】羅馬神話
【俄】俄國的；俄語
【海】航海
【梵】梵語
【蘇】蘇格蘭；蘇格蘭的；蘇格蘭語
【貝】貝殼
【俚】俚語
【西】西班牙(的)
【紡】紡織
【視】電視
【土】土耳其的；土耳其語
【美】美國的；美語
【動】動物學(的)

A a **A a** *A a*

A

⁑**A** or **a** [*unstressed* ə, *stressed* e] *n.* Ⓤ Ⓒ (*pl.* **A's, a's**) ①英文字母之第一個字母。②甲(成績)。***from A to Z*** 從頭到尾。***not know from A to B*** 一無所知。**—** *adj.* or *indefinite article.* ①任一(=any). ②一(=one). ③每一(=each). ④某一(=some).

aard·vark [ˋɑrd͵vɑrk] *n.* Ⓒ〖動〗土豚(南非所產之食蟻獸)。

a·ba·ca [͵ɑbəˋkɑ] *n.* Ⓤ 馬尼拉麻。

a·back [əˋbæk] *adv.* 向後地。***be taken ~*** 吃驚；嚇了一跳。

ab·a·cus [ˋæbəkəs] *n.* Ⓒ (*pl.* **~es, -ci** [-͵saɪ]) 算盤。use [work] an ~ 打算盤。

a·baft [əˋbæft] *adv.*在船尾；向船尾。**—** *prep.*〖海〗在…之後。

ab·a·lo·ne [͵æbəˋlonɪ] *n.* Ⓒ〖動〗鮑魚。

***a·ban·don** [əˋbændən] *v.t.* ①放棄。②捨棄。③放縱；放肆。Do not ~ yourself to despair. 勿自暴自棄。**—** *n.* Ⓤ 狂放；放肆。— **ed,** *adj.*

a·ban·don·ment [əˋbændənmənt] *n.* Ⓤ ①放棄；拋棄。②〖法律〗遺棄。③放縱；放肆。

a·base [əˋbes] *v.t.* 貶抑；降低（職位、階級等)；使卑下。— **ment,** *n.*

a·bash [əˋbæʃ] *v.t.*使慚愧；使侷促不安。— **ed,** *adj.* — **ment,** *n.*

a·bate [əˋbet] *v.t.* ①減少；降低。②消除。**—** *v.i.* 減退。— **ment,** *n.*

ab·at·toir [͵æbəˋtwɑr] *n.* Ⓒ 屠宰場。

ab·bé [ˋæbe]〖法〗*n.* Ⓒ 修道院院長；方丈；長老；神父。

ab·bess [ˋæbɪs] *n.* Ⓒ 女修道院院長。

ab·bey [ˋæbɪ] *n.* ① Ⓒ 大修道院；庵堂。② Ⓤ (the ~, 集合稱)修道院之僧尼。③ Ⓒ (常 A-)大教堂。Westminster A- 倫敦西敏寺大教堂。

ab·bot [ˋæbət] *n.* Ⓒ 大修道院院長。

abbr(ev). abbreviated; abbreviation.

***ab·bre·vi·ate** [əˋbrivɪ͵et] *v.t.*縮寫；縮短。

ab·bre·vi·a·tion [ə͵brivɪˋeʃən] *n.* ① Ⓤ 簡略；縮短。② Ⓒ 縮寫字。

ABC [ˋeˋbiˋsi] *n.* (*pl.* **~'s, ~s** [~z]) ①(*pl.*)字母。② Ⓒ 初步；入門；基礎。the ~ of cooking 烹飪入門。

ABC American Broadcasting Company. 美國廣播公司。

ABC warfare atomic, biological, and chemical warfare. 核生化戰爭。

ABC weapons 核生化武器。

ab·di·cate [ˋæbdə͵ket] *v.t. & v.i.* ①放棄(權利)。②讓位；辭職。— **ab·di·ca′tion, ab′di·ca·tor,** *n.*

ab·do·men [æbˋdomən, ˋæbdəmən] *n.* Ⓒ (*pl.* **~s, ab·dom·i·na** [æbˋdɑmənə]) 腹部；下腹。— **ab·dom·i·nal** [æbˋdɑmənl̩, əb-], *adj.* 〔注 意〕**abdomen** 與 **belly** 同義；但 belly 較俗。在說腹部凸大時常用 belly.

ab·duct [æbˋdʌkt] *v.t.* 綁架；拐走。

ab·duc·tion [æbˋdʌkʃən] *n.* Ⓤ Ⓒ 誘拐。

ab·duc·tor [æbˋdʌktɚ] *n.* Ⓒ 誘拐者。

a·beam [əˋbim] *adv.*〖海〗與船之龍骨成直角地；橫地。

a·bed [əˋbɛd] *adv. & adj.*〖古〗在床上(的)。ill [sick] ~ 臥病。

ab·er·rant [æbˋɛrənt] *adj.* ①偏離常軌的。②異常的。— **ab·er′rance, ab·er′ran·cy,** *n.*

ab·er·ra·tion [͵æbəˋreʃən] *n.* Ⓤ Ⓒ ①越軌。②恍惚；錯亂。③差錯；毛病。an ~ in the computer 電腦的差錯。

a·bet [əˋbɛt] *v.t.* (**-tt-**) 煽動；教唆。***aid and ~***〖法律〗教唆。— **ment,** *n.*

a·bey·ance [əˋbeəns] *n.* Ⓤ ①中止；暫擱。②〖法律〗所有人未決定之狀態。

***ab·hor** [əbˋhɔr, æb-] *v.t.* (**-rr-**) 憎惡；痛恨。

ab·hor·rence [əbˋhɔrəns] *n.* ① Ⓤ 憎恨；嫌惡。② Ⓒ 憎惡之事物。

ab·hor·rent [əbˋhɔrənt] *adj.* ①嫌惡的〔of〕. ②極端相反的；悖逆的〔to〕. ③不相容的〔from〕. ④令人憎恨的。

a·bid·ance [əˋbaɪdn̩s] *n.* Ⓤ ①居住。②固守；遵守〔by〕.

***a·bide** [əˋbaɪd] *v.i.* (**a·bode** or **a·bid·ed**) ①居住。②遵守〔by〕. ③停留(於某處)；滯留〔at, in〕. **—** *v.t.* ①忍受。②等待。③毫無反對或疑問地接受。

a·bid·ing [əˋbaɪdɪŋ] *adj.* 永久的；不變的。

⁑**a·bil·i·ty** [əˋbɪlətɪ] *n.* ① Ⓒ (常 *pl.*) 才幹。② Ⓤ 技能。③ Ⓤ 能力。

ab·ject [æbˋdʒɛkt, ˋæbdʒɛkt] *adj.* ①不幸的。②卑屈的。— **ab·jec′tion,** *n.*

ab·jure [əbˋdʒur] *v.t.* ①誓絕。②鄭重放棄或撤銷。— **ab·ju·ra·tion** [͵æbdʒuˋreʃən], *n.*

ab·laut [ˋɑblaut] *n.* Ⓤ〖語言〗母音變換(如 drink, drank, drunk).

a·blaze [əˋblez] *adj.* ①着火的。②明亮的。The hall was ~ with lights. 大廳燈火輝煌。③激動的；忿怒的。

⁑**a·ble** [ˋebl̩] *adj.* ①能…的。②能幹的。③詳盡的。④〖法律〗有資格的。

a·ble-bod·ied [ˋebl̩ˋbɑdɪd] *adj.*強健的。§ ≈ **séaman** A.B.級水手；熟練之水手。

a·ble·ism [ˋebl̩ɪzm̩] *n.* Ⓤ 體格健全至上主義(對殘障者之歧視)。

a·ble-mind·ed [ˋebl̩ˋmaɪndɪd] *adj.* 能幹的；聰明的。

ab·lu·tion [æbˋluʃən] *n.* ① Ⓤ Ⓒ 淨身；沐浴。② Ⓒ (常*pl.*)〖宗〗洗禮；齋戒沐浴。③ Ⓤ 淨水(尤指洗禮用者)。***perform*** [***make***] ***one's ~s*** 齋戒沐浴。

a·bly [ˋeblɪ] *adv.* 能幹地。

ab·ne·gate [ˋæbnɪ͵get] *v.t.* ①棄權。②克己；自制。— **ab·ne·ga′tion,** *n.*

***ab·nor·mal** [æbˋnɔrml̩] *adj.* 變態的；畸形的；不正常的。

A

*__a·board__ [əˋbord, əˋbɔrd] *adv.* 在[到]船[飛機, 火車, 公共汽車]上。*All* ~*!* 請各位上船[車, 飛機]。— *prep.* 在船[車]上。
*__a·bode__ [əˋbod] *n.* Ⓒ住處; 住所。— *v.* pt. & pp. of **abide**.
*__a·bol·ish__ [əˋbɑlɪʃ] *v.t.* 廢止; 革除。—**a·ble,** *adj.* —**ment,** *n.*
__ab·o·li·tion__ [ˌæbəˋlɪʃən] *n.* Ⓤ①廢止; 革除。②(有時 A-)廢止黑奴制度。—**ism,** —**ist,** *n.*
__A-bomb__ [ˋeˌbɑm] *n.* Ⓒ原子彈。
__a·bom·i·na·ble__ [əˋbɑm(ə)nəbl̩] *adj.* ①可厭[惡]的。②不愉快的; 惡劣的。§ **A- Snówman** 雪人。
__a·bom·i·nate__ [əˋbɑməˌnet] *v.t.* 痛恨。
__a·bom·i·na·tion__ [əˌbɑməˋneʃən] *n.*①Ⓤ憎惡。②Ⓒ可憎事物或行爲。
__ab·o·rig·i·nal__ [ˌæbəˋrɪdʒənl̩] *adj.* 原始的; 土著的。— *n.* Ⓒ原住民; 土人。
__ab·o·rig·i·ne__ [ˌæbəˋrɪdʒəni] *n.* ①Ⓒ原住民; 土人。②(*pl.*)土生動植物。
__a·bort__ [əˋbɔrt] *v.i.* ①流產; 墮胎。②中止; 夭折; 中途失敗。③〖生物〗發育不全。— *v.t.* ①使墮胎。②使中止。—**ed,** *adj.*
__a·bor·tion__ [əˋbɔrʃən] *n.*①ⓊⒸ流產; 墮胎。②Ⓒ流產之胎兒。③Ⓒ未成熟或未完成之事物。④Ⓒ中止; 夭折。—**ist,** *n.* —**a·bor′tive,** *adj.*
*__a·bound__ [əˋbaund] *v.i.* 富於; 充滿。(in, with). The lake ~*s* in [with] fish. 這湖裏多魚。
‡__a·bout__ [əˋbaut] *prep.* ①關於。②近於。③在…周圍。④即將。The plane is ~ to take off. 飛機即將起飛。⑤在…附近。⑥在(某人)身邊; 手頭上有…。⑦到處。— *adv.* ①將近。②近處。③遍於。④大約。⑤向相反方向。— *adj.* ①在活動着。②流通的。③康復的。*be* ~ 在近處。
__a·bout-face__ [əˋbautˌfes] *n.* Ⓒ(常 *sing.*)①向後轉。②改變主意或態度。—[əˌbautˋfes] *v.i.* ①改變主意或態度。②轉至相反方向。
‡__a·bove__ [əˋbʌv] *prep.* ①於…之上。②地位高於。③超過。He is ~ reproach. 他是無可責難的。④勝於。A miser loves gold ~ his life. 一個守財奴愛財勝於其命。~ *all*最重要。*be* ~ *oneself* 趾高氣揚。— *adv.* ①在上; 上方。②在上文。— *adj.* 上述的。— *n.* (the ~)上述者; 如上者。
__a·bove·board__ [əˋbʌvˌbord] *adv.* & *adj.*光明磊落地[的]; 坦誠地[的]。
__a·bove·men·tioned__ [əˋbʌvˋmɛnʃənd] *adj.*上述的; 前述的。
__ab·ra·ca·dab·ra__ [ˌæbrəkəˋdæbrə] *n.* Ⓒ①符咒。②胡言。
__a·brade__ [əˋbred] *v.t.* & *v.i.*磨擦; 擦傷; 磨損。
__a·bra·sion__ [əˋbreʒən] *n.* ①Ⓤ磨擦; 擦傷。②Ⓤ磨損; 剝蝕。③Ⓒ剝蝕之物。
__a·bra·sive__ [əˋbresɪv] *adj.* 引起磨損或剝蝕的。— *n.* ⓊⒸ磨礎物; 研磨劑。
__a·breast__ [əˋbrɛst] *adv.* ①並肩地; 並排地。②趕得上; 不落伍。
__a·bridge__ [əˋbrɪdʒ] *v.t.* ①縮短; 刪節(指文字或語言)。②削減。③剝奪。
__a·bridg(e)·ment__ [əˋbrɪdʒmənt] *n.* ①Ⓤ縮短; 刪節。②Ⓤ剝奪; 削減。③Ⓒ(某書之)刪節[摘錄]本。
‡__a·broad__ [əˋbrɔd] *adv.* ①在國外。go ~到國外去。from ~ 從國外。②在戶外。③四處傳播。A rumor is ~. 謠言四播。
__ab·ro·gate__ [ˋæbrəˌget] *v.t.* 廢止。—**ab·ro·ga′tion,** *n.*
*__ab·rupt__ [əˋbrʌpt] *adj.*①突然的。②陡峭的; 險峻的。③唐突的; 粗率的。④突兀的; 不連貫的。* —**ly,** *adv.* —**ab·rup′tion,** *n.*
__ab·scess__ [ˋæbˌsɛs] *n.* Ⓒ潰瘍; 膿腫。
__ab·scond__ [æbˋskɑnd] *v.i.* 潛逃; 逃亡。—**ence,** *n.*
__ab·seil__ [ˋɑbzaɪl, ˋɑp-] *n.* Ⓤ〖登山〗沿繩子滑下的方法。— *v.i.* 沿繩子滑下。
‡__ab·sence__ [ˋæbsn̩s] *n.* ①ⓊⒸ缺席。②Ⓤ不注意。~ of mind 心不在焉。③Ⓤ缺乏。
‡__ab·sent__ [ˋæbsn̩t] *adj.* ①不在的; 缺席的。②不存在的; 缺乏的。③不關心的; 茫然的。—[æbˋsɛnt] *v.t.* 使缺席。—**ly,** *adv.*
__ab·sen·tee__ [ˌæbsn̩ˋti] *n.* Ⓒ缺席者; 缺勤者; 不在者。— *adj.* 缺席的; 不在的。§ ~ **bállot**缺席票。~ **vóte**缺席投票。
*__ab·sent-mind·ed__ [ˋæbsn̩tˋmaɪndɪd] *adj.* 心不在焉的; 茫然的。—**ly,** *adv.*
__ab·sinth(e)__ [ˋæbsɪnθ] *n.* Ⓤ①苦艾酒。②〖植〗苦艾。
*__ab·so·lute__ [ˋæbsəˌlut] *adj.*①完全的。②純粹的。~ alcohol 純酒精。③十全十美的。④絕對的。⑤眞正的; 確實的。⑥〖文法〗獨立的。§ ~ **addréss**〖電算〗絕對位址。~ **códing**〖電算〗絕對編碼。~ **majórity** 絕對多數。~ **mónarchy** 君主專制政體。—**ness,** *n.*
*__ab·so·lute·ly__ [ˋæbsəˌlutlɪ, ˌæbsəˋlutlɪ] *adv.* ①完全地。②肯定地; 絕對地。③〖美俚〗是; 正是如此。
__ab·so·lu·tion__ [ˌæbsəˋluʃən] *n.* ①Ⓤ免除; 赦免。②Ⓤ〖宗〗赦罪。③Ⓒ赦罪文。
__ab·so·lut·ism__ [ˋæbsəlutˌɪzəm] *n.* Ⓤ專制主義; 絕對論。
__ab·solve__ [æbˋsɑlv] *v.t.*①解除(義務、責任等)。②〖宗〗赦免。
*__ab·sorb__ [əbˋsɔrb] *v.t.* ①吸收。②使專心。He is ~*ed* in study. 他專心讀書。③占用(時間等)。
__ab·sorb·a·ble__ [əbˋsɔrbəbl̩] *adj.*可吸收的; 容易被吸收的。
__ab·sorbed__ [əbˋsɔrbd] *adj.* 專注的。
__ab·sorb·ent__ [əbˋsɔrbənt] *adj.* 能吸收的。— *n.* ⓊⒸ〖醫〗吸收劑。§ ~ **cótton** 脫脂棉; 藥棉。
__ab·sorb·er__ [əbˋsɔrbɚ] *n.* Ⓒ吸收器。a shock ~(汽車等的)避震器。
__ab·sorb·ing__ [əbˋsɔrbɪŋ] *adj.* ①吸收的。②極有趣的; 令人神往的; 引人

入勝的。
*ab·sorp·tion [əb`sɔrpʃən] *n.* Ⓤ ①吸收。②全神貫注〔in〕. ③〖生理〗吸收作用。④合併。— **ab·sorp'tive,** *adj.*
ab·stain [əb`sten] *v.i.* ①抑制；戒絕〔from〕. ②棄權。— **er,** *n.*
ab·ste·mi·ous [æb`stimiəs] *adj.* 飲食有度的；有節制的；適度的。
ab·sten·tion [æb`stɛnʃən] *n.* ①Ⓤ自制；戒絕〔from〕. ②ⓊⒸ棄權。
ab·sti·nence [`æbstənəns] *n.* Ⓤ①禁戒酒類或其他嗜慾。②節制。
***ab·stract** [æb`strækt, `æbstrækt] *adj.* ①抽象的。②理論上的。③難解的。**—**[æb`strækt] *v.t.* ①抽出；提煉。②摘錄。③轉移注意。④偷。**—**[`æbstrækt] *n.* Ⓒ①摘要。②抽象藝術品。*in the* ~在理論上；抽象地。§ ∼ **nóun**〖文法〗抽象名詞。
ab·stract·ed [æb`stræktɪd] *adj.* ①抽象化的。②心不在焉的。—**ly,** *adv.*
ab·strac·tion [æb`strækʃən] *n.* ①Ⓤ抽出。②Ⓒ抽象概念。③Ⓤ心不在焉。④Ⓒ〖美術〗抽象派作品。
ab·strac·tion·ism [æb`strækʃən,ɪzəm] *n.* Ⓤ〖美術〗抽象派。
ab·struse [æb`strus] *adj.* 深奧的；難解的。
***ab·surd** [əb`sɝd] *adj.* 荒謬的；可笑的。
ab·surd·i·ty [əb`sɝdətɪ, -`zɝ-] *n.* ①Ⓤ荒謬。②Ⓒ荒謬的事物[言行]。
***a·bun·dance** [ə`bʌndəns] *n.* Ⓤ 豐富；充足；多量。
***a·bun·dant** [ə`bʌndənt] *adj.* 豐富的；充足的。The country is ~ in natural resources. 這個國家天然資源豐富。— **ly,** *adv.*
***a·buse** [ə`bjuz] *v.t.* ①濫用。②虐待。③辱罵。**—**[ə`bjus] *n.* ①ⓊⒸ濫用；妄用。the ~ of privileges 濫用特權。②Ⓤ虐待。③Ⓤ辱罵。④Ⓒ(常*pl.*)惡習；弊端。
a·bu·sive [ə`bjusɪv] *adj.* ①濫用的。②辱罵的。③虐待的。
a·but [ə`bʌt] *v.i.* & *v.t.* (**-tt-**) 鄰接；緊靠。
a·but·ment [ə`bʌtmənt] *n.* ①Ⓤ鄰接；接界；交接處。②Ⓒ〖建〗墩柱；橋墩；橋台。③Ⓒ支撐點。
a·but·ting [ə`bʌtɪŋ] *adj.* 鄰接的；毗連的。
a·bys·mal [ə`bɪzml̩] *adj.* ①深淵的；地獄的。②深不可測的。
a·byss [ə`bɪs] *n.* ①Ⓒ深淵；任何深不可測之事物。②(the ~)地獄。
AC, A.C., a.c. alternating current. **A/C, a/c** account current.
a·ca·cia [ə`keʃə] *n.* Ⓒ〖植〗①洋槐。②相思樹。③阿拉伯樹膠。
***ac·a·dem·ic** [,ækə`dɛmɪk] *adj.* ①學院的；大學的。②〖美〗(大學的)人文學科的。③學究式的；學院派的。④理論上的；學術性的。⑤墨守成規的。**—** *n.* Ⓒ大學生；大學教師；學究。§ ∼ **fréedom** 學術(研究)自由。∼ **yéar** 學年。
ac·a·dem·i·cal [,ækə`dɛmɪkl̩] *adj.* =**academic.** **—** *n.* (*pl.*)大學禮服(=academic costume). —**ly,** *adv.*
ac·a·de·mi·cian [ə,kædə`mɪʃən] *n.* Ⓒ學會會員；協會會員；院士。
***a·cad·e·my** [ə`kædəmɪ] *n.* ①Ⓒ私立高級中學。②Ⓒ專科學校。③Ⓒ學會。④(the A-)學院派哲學。§ **A∼ Awárd** 奧斯卡金像獎。
ac·cede [æk`sid] *v.i.* ①同意；允諾。②就職；繼承。③加入。
ac·cel·er·ant [æk`sɛlərənt] *n.* Ⓒ①加速器；促進劑。②〖化〗觸媒。
***ac·cel·er·ate** [æk`sɛlə,ret] *v.t.* & *v.i.* ①加速。②催促。
ac·cel·er·a·tion [æk,sɛlə`reʃən] *n.* Ⓤ①加速。②〖理〗加速度。
ac·cel·er·a·tive [æk`sɛlə,retɪv] *adj.* 加速的；催促的。
ac·cel·er·a·tor [æk`sɛlə,retɚ] *n.* Ⓒ①加速者；加速物。②變速器；油門。③〖攝〗顯影促進劑。④〖理〗加速器。⑤〖化〗觸媒劑。
‡**ac·cent** [`æksɛnt] *n.* ①ⓊⒸ揚音；重音。②Ⓒ重音符號。③Ⓒ腔調；口音。He speaks French with an English ~. 他說法國話帶英國口音。④Ⓒ(常*pl.*)音調；語調；聲調。⑤Ⓒ強調。**—**[æk`sɛnt, `æksɛnt] *v.t.* ①重讀；加重音符號。②着重；強調。— **ac·cen'tual** [-tʃʊ-], *adj.*
ac·cen·tu·ate [æk`sɛntʃʊ,et] *v.t.* ①用重音讀。②加重；強調。— **ac·cen·tu·a'tion,** *n.*
‡**ac·cept** [ək`sɛpt] *v.t.* ①接受。②承認。③採納。④承擔。⑤承兌。
***ac·cept·a·ble** [ək`sɛptəbl̩] *adj.* ①可接受的。②合意的。③勉強夠格的。
***ac·cept·ance** [ək`sɛptəns] *n.* ⓊⒸ①領受。②承認。③信受(學說)。④〖商〗(票據、匯票等之)承兌；認付。
ac·cep·ta·tion [,æksɛp`teʃən] *n.* Ⓒ①公認的意義。②滿意的接受；良好的反應。③相信；信受。
ac·cep·tor [ək`sɛptɚ] *n.* Ⓒ①(亦作**accepter**)接受者。②〖商〗票據承兌人。③〖理〗接受體。
***ac·cess** [`æksɛs] *n.* ①Ⓤ接近；進入或使用之權。Professors have free ~ to the library. 教授可以自由使用圖書館。②Ⓤ接近之途徑或方法。③Ⓒ通路；入口。④Ⓒ(疾病的)發作；(怒氣的)爆發。⑤Ⓤ增加。**—** *v.t.* ①取得(連繫)。②〖電算〗存取(資料)。**—** *adj.* 〖視〗(節目、時段等)提供給一般觀衆的。§ ∼ **tíme** [**méthod**]〖電算〗存取時間[方法]。
ac·ces·sa·ry [æk`sɛsərɪ] *n.* & *adj.*=**accessory.**
ac·ces·si·ble [æk`sɛsəbl̩] *adj.* ①易近的；可進入的。②容易取得的；可達到的。③易受引誘[影響]的〔to〕. He is ~ to bribery. 他易於受賄。— **ac·ces'si·bly,** *adv.* — **ac·ces·si·bil'i·ty,** *n.*
ac·ces·sion [æk`sɛʃən] *n.* ①Ⓤ到達；接近。②Ⓤ就任；即位；繼承。③Ⓤ加入。④Ⓤ增加；追加。⑤Ⓒ增加物；獲得物。⑥ⓊⒸ同意；承認。
***ac·ces·so·ry** [æk`sɛsərɪ] *n.* Ⓒ①(常*pl.*)附件；附屬裝飾品。②從犯。~

A

after the fact 知情不報之從犯。～ *before the fact* 事前參與預謀之從犯。 **—** *adj.* ①附屬的。②幫兇的。

ac·ci·dence [ˋæksədəns] *n.* Ⓤ ①(任何課程的)初步；入門。②〖文法〗語形變化之規則。

‡**ac·ci·dent** [ˋæksədənt] *n.* ① Ⓒ 意外之事[災害]。② Ⓒ 偶然之事。③ Ⓤ 偶然性。**by** ～ 偶然。

*__ac·ci·den·tal__ [͵æksəˋdɛntl̩] *adj.* ①偶然的。②附帶的。③〖樂〗臨時記號的。**—** *n.* Ⓒ ①〖樂〗臨時記號(如♭, ♯, ♮等)。②偶發事物。—**ly,** *adv.*

ac·claim [əˋklem] *v.t.* & *v.i.* 歡呼；稱讚。**—** *n.* Ⓤ 歡呼；稱讚。

ac·cla·ma·tion [͵ækləˋmeʃən] *n.* Ⓤ ①歡呼；稱讚。②口頭表決。

ac·cli·mate [əˋklaɪmɪt] *v.t.* & *v.i.* 〖美〗(使)服水土；(使)適應。

ac·cli·ma·tize [əˋklaɪmə͵taɪz] *v.t.* & *v.i.* 〖英〗=**acclimate.**

ac·cliv·i·ty [əˋklɪvətɪ] *n.* Ⓒ 向上的斜坡。

ac·co·lade [͵ækəˋled] *n.* Ⓒ ①武士授與式。②賞賜；讚頌。

*__ac·com·mo·date__ [əˋkɑmə͵det] *v.t.* ①給方便；幫助。②容納；裝載(乘客)。③供給住宿。④使適應。⑤調解。

ac·com·mo·dat·ing [əˋkɑmə͵detɪŋ] *adj.* 肯通融的；好施惠的。

*__ac·com·mo·da·tion__ [ə͵kɑməˋdeʃən] *n.* ① Ⓤ (〖美〗常 *pl.*)暫時的住宿或膳宿。② ⓊⒸ 便利。③ Ⓤ 適應。④ ⓊⒸ 調解。⑤ Ⓤ 貸款。⑥ Ⓤ 助人之熱誠。⑦ Ⓤ (〖美〗常 *pl.*)車、船、飛機上的座位、房間、艙位等。§ ∼ **làdder** 舷梯。∼ **tràin**(火車)慢車。

ac·com·pa·ni·ment [əˋkʌmpənɪmənt] *n.* Ⓒ ①伴隨物。②〖樂〗伴奏。She sang to the ～ of the piano. 她演唱由鋼琴伴奏。

ac·com·pa·nist [əˋkʌmpənɪst] *n.* Ⓒ〖樂〗伴奏者。(亦作 **accompanyist**)

*__ac·com·pa·ny__ [əˋkʌmpənɪ] *v.t.* ①伴；陪。②隨行。③補充。④伴奏。

ac·com·plice [əˋkɑmplɪs] *n.* Ⓒ 從犯；同謀者。

*__ac·com·plish__ [əˋkɑmplɪʃ] *v.t.* 達到；完成；實現。

ac·com·plished [əˋkɑmplɪʃt] *adj.* ①完成的；實現的。an ～ fact 已成的事實。②熟練的；有成就的。③善社交而多才藝的。

*__ac·com·plish·ment__ [əˋkɑmplɪʃmənt] *n.* ① Ⓤ 實行；完成；達到。② Ⓤ 成就。③ Ⓒ (常 *pl.*)技藝；才能。

*__ac·cord__ [əˋkɔrd] *v.i.* 一致；相合。His actions ～*ed* with his belief. 他的行爲與信仰一致。**—** *v.t.* 給與。**—** *n.* ① Ⓤ 一致；相合。② Ⓒ 國際間協定。③ Ⓤ (顏色、音調等之)調和。④ Ⓤ (法庭外)和解。*of one's own* ～ 自動地。

*__ac·cord·ance__ [əˋkɔrdn̩s] *n.* Ⓤ ①一致；和諧。②賦與。*in* ～ *with* 依照。

ac·cord·ant [əˋkɔrdn̩t] *adj.* 一致的；調和的〔with, to〕.

‡**ac·cord·ing** [əˋkɔrdɪŋ] *adj.* ①相符的；一致的。②〖俗〗視…而定的。～ *as* 依照；如果。～ *to* 依照；根據。

*__ac·cord·ing·ly__ [əˋkɔrdɪŋlɪ] *adv.* 如前所說；於是。

ac·cor·di·on [əˋkɔrdɪən] *n.* Ⓒ 手風琴。

ac·cost [əˋkɔst] *v.t.* 向人搭訕；招呼。

‡**ac·count** [əˋkaʊnt] *n.* ① Ⓒ 報告；記事。② ⓊⒸ 原因。③ Ⓤ 計及；考慮。He takes no ～ of my warning. 他不理會我的警告。④ Ⓤ 價值。⑤ Ⓒ 戶頭；帳目。⑥ Ⓤ 利益。He did it on his own ～. 他爲了自己的利益而爲此。⑦ Ⓒ (常 *pl.*)據聞。*call to* ～ 要求說明；責問。*make much* [*little*] ～ *of* (不)重視。*on* ～ 作爲分期[部分]付款。*on* ～ *of* 因爲。*on no* ～ 決不。*take* ～ *of* **a.** 考慮；注意。**b.** 作筆記。*take into* ～ 考慮；計及。*turn to* ～ 利用。**—** *v.t.* & *v.i.* ①認爲；說明〔for〕. ②對…負責；引起(某種後果)。§ ∼ **bòok** 帳簿。∼ **cúrrent** 往來帳戶。∼ **dày** 結算日。

ac·count·a·ble [əˋkaʊntəbl̩] *adj.* ①應加解說的；有責任的。②可說明的。— **ac·count·a·bil′i·ty,** *n.*

ac·count·ant [əˋkaʊntənt] *n.* Ⓒ 會計員；主計員。§ ∼ **géneral** 會計主任。

ac·count·ing [əˋkaʊntɪŋ] *n.* Ⓤ 商業會計法；會計(學)；(記)帳；清理帳務。

ac·cou·ter, 〖英〗 **-tre** [əˋkutɚ] *v.t.* 供給服裝；裝備(尤指軍用品)。

ac·cou·ter·ment, 〖英〗**-tre-** [əˋkutəmənt] *n.*(*pl.*) ①衣著；服裝。②(武器、軍服以外之)裝備；配備。

ac·cred·it [əˋkrɛdɪt] *v.t.* ①歸功於。②信賴。③委派。④承認合格；備案。

ac·cred·it·ed [əˋkrɛdɪtɪd] *adj.* ①可接受的；可信賴的。②公認合格的；備案或立案的。

ac·cre·tion [əˋkriʃən] *n.* ① Ⓤ (自然的)增大。② Ⓒ 增加物。③ Ⓤ〖法律〗添附。

ac·crue [əˋkru] *v.i.* 自然增值。

*__ac·cu·mu·late__ [əˋkjumjə͵let] *v.t.* & *v.i.* 堆積；積聚。

ac·cu·mu·la·tion [ə͵kjumjəˋleʃən] *n.* ① Ⓤ 積聚。② Ⓒ 積聚物。

ac·cu·mu·la·tive [əˋkjumjə͵letɪv] *adj.* ①積聚的。②累積的。

ac·cu·mu·la·tor [əˋkjumjə͵letɚ] *n.* Ⓒ ①積聚者。②〖英〗蓄電池。③緩衝器。④〖電算〗累加器。

*__ac·cu·ra·cy__ [ˋækjərəsɪ] *n.* Ⓤ 正確性。

*__ac·cu·rate__ [ˋækjərɪt] *adj.* 正確的；準確的。—**ly,** *adv.*

ac·curs·ed [əˋkɜsɪd], **ac·curst** [-st] *adj.* ①被咒的；不幸的。②可惡的；討厭的。

ac·cu·sa·tion [͵ækjəˋzeʃən] *n.* ⓊⒸ ①控告。②指控之罪。

ac·cu·sa·tive [əˋkjuzətɪv] 〖文法〗 *adj.* 受格的。**—** *n.* ① (the ～)受格。② Ⓒ 受格之字。

ac·cu·sa·to·ry [əˋkjuzə͵torɪ] *adj.* 告發的；告訴的；非難的。

*__ac·cuse__ [əˋkjuz] *v.t.* & *v.i.* ①控告。They ～*d* him of taking bribes. 他們控告他受賄。②歸咎。

ac·cused [əˋkjuzd] *adj.* 被控告的。*the* ~〖法律〗被告。

ac·cus·er [əˋkjuzɚ] *n.* Ⓒ原告；控訴者；非難者。

***ac·cus·tom** [əˋkʌstəm] *v.t.* 使習慣；習慣於。~ oneself to cold weather 使自己習慣於冷的天氣。

***ac·cus·tomed** [əˋkʌstəmd] *adj.* 通常的；習慣的。

ace [es] *n.* Ⓒ ①(紙牌或骰子上的)么點。②一點；小點；微粒。③傑出的人才。④空戰英雄。⑤(網球賽中)發球得分。*an ~ in the hole* 到緊要關頭可資運用的某種具有決定性的事物；最後的王牌。*within an ~ of* 差一點；瀕於。— *adj.* 最優秀的。

a·cer·bic [əˋsɝbɪk] *adj.* (說話等)嚴厲的；尖刻的。an ~ remark 尖刻的話。

a·cer·bi·ty [əˋsɝbətɪ] *n.* Ⓤ ①苦；酸；澀。②苛刻；嚴苛。

ac·e·tate [ˋæsə,tet] *n.* Ⓤ①〖化〗醋酸鹽。②醋酸人造絲。

a·ce·tic [əˋsitɪk] *adj.* 醋的；醋質的；酸的。§ ~ **ácid**〖化〗醋酸。

a·ce·ti·fy [əˋsɛtə,faɪ] *v.t.* & *v.i.* 醋化；發酸。— **a·ce·ti·fi·ca′tion,** *n.*

ac·e·tone [ˋæsə,ton] *n.* Ⓤ丙酮；醋酮。

a·cet·y·lene [əˋsɛtḷ,in] *n.* Ⓤ〖化〗乙炔；電石氣。

***ache** [ek] *v.i.* ①疼痛。②渴望〔for, to do〕。— *n.* Ⓒ疼痛。

***a·chieve** [əˋtʃiv] *v.t.* ①完成；實現。②獲得。— *v.i.* 實現預期的結果。

***a·chieve·ment** [əˋtʃivmənt] *n.* ①Ⓤ完成；達成。②Ⓒ成就；事功；偉績。§ ~ **tèst**〖心〗成績測驗；學力測驗。

A·chil·les [əˋkɪliz] *n.* 阿奇里斯(荷馬史詩 *Iliad* 中之希臘英雄，傳說除踵部外，其全身刀槍不入)。§ ~(') **héel** 唯一之弱點；致命處。~(') **téndon**〖解〗阿奇里斯腱；跟腱。

ach·ing [ˋekɪŋ] *adj.* 疼痛的；心痛的。

ach·ro·mat·ic [,ækrəˋmætɪk] *adj.* ①無色的。②〖理〗消色差的；消色的。③〖生物〗非染色性的。

***ac·id** [ˋæsɪd] *n.* ①ⓊⒸ酸性物質。②ⓊⒸ〖化〗酸。③Ⓤ〖俚〗迷幻藥(=LSD)。④Ⓤ尖刻的話。— *adj.* ①〖化〗酸性的。②有酸味的。③尖酸的；尖刻的。§ ~ **ráin** 酸雨。~ **tést** (1)酸性試驗。(2)嚴密的考查；決定性的考驗。~ **trìp**〖俚〗用迷幻藥後之神志不清的感覺。

ac·id·head [ˋæsɪd,hɛd] *n.* Ⓒ〖俚〗服用迷幻藥(LSD)的人。

a·cid·i·ty [əˋsɪdətɪ] *n.* Ⓤ ①酸味；酸性。②酸量過多。

ac·id-tongued [ˋæsɪd,tʌŋd] *adj.* 說話刻薄的；譏刺的。

a·cid·u·lous [əˋsɪdʒələs] *adj.* ①微酸的。②性情乖僻的；彆扭的。③銳利的。— **ly,** *adv.* — **ness,** *n.*

***ac·knowl·edge** [əkˋnɑlɪdʒ] *v.t.* ①自認；承認。②承認…之主權或主張。③答謝；就…表示感謝。④表示注意到(所受的敬意等)。⑤〖法律〗公證。

ac·knowl·edged [əkˋnɑlɪdʒd] *adj.* 被認可的；公認的。— **ly,** *adv.*

ac·knowl·edg(e)·ment [əkˋnɑlɪdʒmənt] *n.* ①Ⓤ〖法律〗自白；承認。②Ⓒ謝禮。③Ⓒ收條；回執。④Ⓤ感謝。

ac·me [ˋækmɪ] *n.* (the ~)頂點；極致。

ac·ne [ˋæknɪ] *n.* Ⓤ〖醫〗痤瘡；粉刺。

ac·o·lyte [ˋækə,laɪt] *n.* Ⓒ ①〖宗〗沙彌。②侍者；新手。③〖天〗衛星。

a·corn [ˋekɚn] *n.* Ⓒ橡實；橡子。§ ~ **shèll**〖動〗藤壺。

a·cous·tic, -ti·cal [əˋkustɪk(ḷ)] *adj.* 聽覺的；聲學的；原聲的。§ ~ **guitár** 原聲吉他。~ **míne** 音響水雷。

a·cous·tics [əˋkustɪks] *n.* ①(作 *pl.* 解)建築物之音響效果。②Ⓤ聲學。

***ac·quaint** [əˋkwent] *v.t.* ①告知。②使熟悉；使認識；介紹。

***ac·quaint·ance** [əˋkwentəns] *n.* ①Ⓒ相識者。②Ⓤ熟悉。*make one's ~; make the ~ of* 結識。— **ship,** *n.*

ac·qui·esce [,ækwɪˋɛs] *v.i.* 默許；勉強同意〔in〕。— **ac·qui·es′cence,** *n.*

***ac·quire** [əˋkwaɪr] *v.t.* 得；獲得。— **ac·quired′,** *adj.* 習得的；後天養成的。

ac·quire·ment [əˋkwaɪrmənt] *n.* ①Ⓤ取得；習得。②Ⓒ(常 *pl.*)才藝。

ac·qui·si·tion [,ækwəˋzɪʃən] *n.* ①ⓊⒸ獲得(物)。②(*pl.*)學識；技能。

ac·quis·i·tive [əˋkwɪzətɪv] *adj.* 想獲得的；貪得的。— **ly,** *adv.*

ac·quit [əˋkwɪt] *v.t.* (**-tt-**) ①宣告無罪。②**a.** 表現；行爲。He ~*ted* himself well. 他潔身自愛。**b.**爲自己洗清。③卸脫(責任，義務)〔of〕。④清償(債務等)。

ac·quit·tal [əˋkwɪtḷ] *n.* ⓊⒸ ①(義務之)履行；(負債之)還清。②釋放。

ac·quit·tance [əˋkwɪtṇs] *n.* ①ⓊⒸ宣告無罪。②ⓊⒸ免除責任；償債。③Ⓒ收據。

***a·cre** [ˋekɚ] *n.* ①Ⓒ英畝(=43,560平方英尺)。②(*pl.*) **a.**土地。**b.**大量。

a·cre·age [ˋek(ə)rɪdʒ] *n.* Ⓤ英畝數。

ac·rid [ˋækrɪd] *adj.* 苦的；尖刻的。

a·crid·i·ty [æˋkrɪdətɪ] *n.* Ⓤ ①辛辣；尖刻。②刻薄話。

ac·ri·mo·ni·ous [,ækrəˋmonɪəs] *adj.* 辛辣的；尖刻的。— **ly,** *adv.*

ac·ri·mo·ny [ˋækrə,monɪ] *n.* Ⓤ苛刻；刻薄。

ac·ro·bat [ˋækrə,bæt] *n.* Ⓒ ①特技表演者；賣藝者。②善變者。

ac·ro·bat·ic [,ækrəˋbætɪk] *adj.* 特技表演(似)的；(似)賣藝者的。

ac·ro·bat·ics [,ækrəˋbætɪks] *n.* ①(作 *pl.*解)特技。②Ⓤ熟練的技巧。

ac·ro·nym [ˋækrənɪm] *n.* Ⓒ頭字語(如：radar 由 *ra*dio *d*etecting *a*nd *r*anging 等字之開頭字母所組成)。

ac·ro·pho·bi·a [,ækrəˋfobɪə] *n.* Ⓤ〖醫〗高空恐懼症；懼高症。

a·crop·o·lis [əˋkrɑpəlɪs] *n.* Ⓒ(古希臘城市之)衛城。

‡**a·cross** [əˋkrɔs] *prep.* ①橫過；越過。②在…那邊。③遇到。We came ~ our friends. 我們遇到朋友。④交叉。— *adv.* ①橫過。②交叉著。③被瞭解。

a·cross-the-board [əˋkrɔsðə-

ˋbord] *adj.* 全盤的；全面的。

a·cryl·ic [əˋkrılık] *adj.* 〖化〗壓克力的；(有關)丙烯類的。§ ∼ **ácid** 〖化〗丙烯酸。∼ **fíber** 〖化〗丙烯類纖維。

‡**act** [ækt] *n.* ①Ⓒ行爲；舉動。②(the ∼)動作過程。The thief was caught in the ∼ of stealing. 此賊在行竊時被捕。③Ⓒ(常 A-)〖戲劇〗一幕；一齣。④Ⓒ節目。⑤Ⓒ(常 A-)法令。∼ ***of God*** 〖保險，法律〗天災；不可抗力。∼ ***of grace*** **a.** 恩典。**b.** (A- of grace)大赦令。**—** *v.i.* ①行動。②作用。③扮演。④行爲；表現。⑤〖戲劇〗上演。⑥假裝。**—** *v.t.* 扮演。∼ ***as*** 充當。∼ ***for*** 代理。∼ ***on*** [***upon***] **a.** 遵照…行事。**b.**使…產生變化；影響。∼ ***one's age*** 行爲與年齡相稱。∼ ***out*** 用手勢及言語表演(某事件)。∼ ***up*** 〖俗〗 **a.** 行爲不良；出毛病。**b.** 作弄；開玩笑。∼ ***up to*** 履行；符合。〔注意〕**act** 如用作舉動或行爲之意時，是連綴動詞(linking verb)，其後可接形容詞：He *acts* old. 他舉動老邁。

ACT American College Test. 美國大學入學測驗。

act·ing [ˋæktıŋ] *adj.* ①代理的。②演出用的。**—** *n.* Ⓤ演技。

ac·tin·ic [ækˋtınık] *adj.* 化學線(作用)的；光化性的。∼ rays 〖理〗化學線。

ac·tin·ism [ˋæktın,ızəm] *n.* Ⓤ化學線作用。

ac·tin·i·um [ækˋtınıəm] *n.* Ⓤ〖化〗錒(放射性元素；符號 Ac)。

‡**ac·tion** [ˋækʃən] *n.* ①Ⓒ行爲。②Ⓤ動作；行動。③Ⓒ(常 *sing.*)演技。④ⓊⒸ戰鬥。⑤Ⓒ訴訟。⑥Ⓒ(常 *sing.*)作用；影響。⑦Ⓤ(故事或戲劇)情節。⑧Ⓒ(常 *sing.*)(機器)運作；裝置。⑨ⓊⒸ〖俚〗賭博；打賭。⑩(*pl.*)舉止。***out of*** ∼ (機器)不能動的；(人)無法活動的。***put…in*** [***into***] ∼ 將…付諸實行。***take*** ∼ **a.** 活動。**b.** 採取行動。**c.** 控告。§ ∼ **fìlm**=actioner. ∼ **pàinting** 動態美術。— **a·ble,** *adj.*

ac·tion·er [ˋækʃənɚ] *n.* Ⓒ動作(影)片。

ac·ti·vate [ˋæktə,vet] *v.t.* ①使產生活動。②〖理〗使具放射性。③〖化〗將…活性化。④淨化(污水)。§ ∼**d cárbon** 〖化〗活性碳。— **ac·ti·va′tion,** *n.*

ac·ti·va·tor [ˋæktə,vetɚ] *n.* Ⓒ①〖化〗觸媒；催化劑。②使活潑的人。

‡**ac·tive** [ˋæktıv] *adj.* ①活動的。an ∼ volcano 活火山。②活躍的。③積極的。④〖文法〗主動的。⑤活性的。⑥有效的。⑦激烈的。⑧尙未廢棄的。⑨能傳送信號的。⑩放射性的。**—** *n.* Ⓒ活躍的人或事物。§ ∼ **cápital** 流動資本。∼ **dúty** [**sérvice**] 現役。∼ **immúnity** 〖醫〗自動免疫性。∼ **vóice** 〖文法〗主動語態。— **ly,** *adv.*

ac·tiv·ism [ˋæktıv,ızəm] *n.* Ⓤ實踐主義。

ac·tiv·ist [ˋæktıvıst] *n.* Ⓒ實踐主義者。

‡**ac·tiv·i·ty** [ækˋtıvətı] *n.* ①Ⓤ活動；活躍。②(*pl.*)(各種)活動。③Ⓤ活動力。④Ⓤ(市況等)活絡。⑤Ⓤ〖化〗活動性；放射性。

***ac·tor** [ˋæktɚ] *n.* Ⓒ①男演員。②角色；有關人物。③行事的人。

***ac·tress** [ˋæktrıs] *n.* Ⓒ女演員。

‡**ac·tu·al** [ˋæktʃuəl] *adj.* ①眞實的；實際(上)的。②目前的。

ac·tu·al·i·ty [,æktʃuˋælətı] *n.* ①Ⓤ實在；眞實。②(*pl.*)現狀；事實。

‡**ac·tu·al·ly** [ˋæktʃuəlı] *adv.* ①實際上；事實上；實際地。②(表驚訝、意外)眞地；居然。

ac·tu·ate [ˋæktʃu,et] *v.t.* 使行動；使運作；激勵；開動(機器等)。

a·cu·i·ty [əˋkjuətı] *n.* Ⓤ①尖銳。②(疾病之)急劇。③敏銳。

a·cu·men [əˋkjumın] *n.* Ⓤ敏銳；洞察力。

ac·u·punc·ture [ˋækju,pʌŋktʃɚ] *n.* Ⓤ〖醫〗針灸；針灸術。**—** [,ækjuˋpʌŋktʃɚ] *v.t.* 針灸；針療。

ac·u·punc·tur·ist [,ækjuˋpʌŋktʃərıst] *n.* Ⓒ針灸醫生。

***a·cute** [əˋkjut] *adj.* ①銳的；尖的。an ∼ angle 銳角。②敏感的。③劇烈的。④嚴重的。⑤深刻的。⑥〖醫〗急性的。— **ly,** *adv.*

***ad** [æd] *n.* Ⓒ〖美俗〗廣告。

ad. adverb; advertisement.

***A.D.** [ˋeˋdi] Anno Domini. 西元；紀元。

ad·age [ˋædıdʒ] *n.* Ⓒ諺語；格言。

a·da·gio [əˋdadʒo] 〖義，樂〗 *adj.* & *adv.* 緩慢的[地]。**—** *n.* Ⓒ (*pl.* ∼**s**)慢板；慢板的曲子。

Ad·am [ˋædəm] *n.* 亞當(聖經中所稱人類的始祖)。***not know a person from*** ∼ 全然不認識(某人)。***the old*** ∼人性的弱點。§ ∼**'s àpple** 喉結。

ad·a·mant [ˋædə,mænt] *n.* Ⓤ硬石；堅硬物。**—** *adj.* 堅硬的；堅定的。

ad·a·man·tine [,ædəˋmæntın] *adj.* ①硬石製的。②堅定不移的。

Ad·am·ite [ˋædəm,aıt] *n.* Ⓒ①Adam 之後裔；人。②裸體(主義)者。

***a·dapt** [əˋdæpt] *v.t.* ①使適合；使適應〔to〕。②改編；改裝。**—** *v.i.* 適應。— **a·ble,** *adj.* — **a·dapt·a·bil′i·ty,** *n.*

ad·ap·ta·tion [,ædæpˋteʃən] *n.* ①Ⓤ適應。②Ⓤ改編。③Ⓒ改編本[物]。④Ⓤ〖生物〗適應環境的自然變化。

a·dapt·ed [əˋdæptıd] *adj.* ①改造的；改裝的；改建的；改寫[改編]的。an ∼ story for children 爲兒童改寫的故事。②適合的〔for, to〕。

a·dapt·er, a·dap·tor [əˋdæptɚ] *n.* Ⓒ①改編者。②〖電〗轉接器。

a·dap·tive [əˋdæptıv] *adj.* (可)適應的；適合的。— **ly,** *adv.*

‡**add** [æd] *v.t.* ①增加。②加起〔常 up〕。③補充地說；附言。**—** *v.i.* ①增加。②作加法。③累積。∼ ***in*** 包括。∼ ***to*** 增加。∼ ***up*** **a.**符合預期的數目。**b.**合理。∼ ***up to*** 總計達…；顯示。§ ∼**ing machìne** 加算器；計算機。

ad·dend [ˋædɛnd] *n.* Ⓒ〖數〗加數。

ad·den·dum [əˋdɛndəm] *n.* Ⓒ (*pl.* **-da** [-də])①附加物。②補遺；附錄。

ad·der[1] [ˋædɚ] *n.* Ⓒ一種毒蛇。

add·er[2] *n.* Ⓒ加者；加算器。

ad·dict [ˋædıkt] *n.* Ⓒ①耽溺於不良

嗜好的人。②酷愛…者；…迷。**—** [ə`dıkt] *v.t.* 使耽溺；使熱中。**—** *v.i.* 上癮。— **ad·dic′tive,** *adj.*

ad·dict·ed [ə`dıktıd] *adj.* 耽溺…的；嗜好…的；慣於…的。— **ness,** *n.*

ad·dic·tion [ə`dıkʃən] *n.* Ⓤ Ⓒ 耽溺；癖好；熱中。

***ad·di·tion** [ə`dıʃən] *n.* ① Ⓤ 附加。② Ⓒ 附加物。③ Ⓤ Ⓒ 加法。*in* ～此外。*in* ～ *to* 加於…上；除…外。

***ad·di·tion·al** [ə`dıʃənl̩] *adj.* 加添的；補充的。an ～ tax 附加稅。— **ly,** *adv.*

ad·di·tive [`ædətıv] *adj.* 附加的；追加的。**—** *n.* Ⓒ 添加物[劑]。

ad·dle [`ædl̩] *v.t.* & *v.i.* ①(使)混亂。②(使)腐壞。**—** *adj.* 昏亂的；腐壞的。

ad·dle·brained [`ædl̩͵brend], **ad·dle·head·ed** [-͵hɛdıd] *adj.* 頭腦不清的；糊塗的。

add-on [`æd͵ɑn] *n.* Ⓒ 附加配備；附加條款。**—** *adj.* 附加的；加裝的。

‡**ad·dress** [ə`drɛs, `ædrɛs] *n.* ① Ⓒ 講演。② Ⓒ 住址。③ Ⓤ 說話的態度。④ Ⓤ 本領；技巧。⑤ Ⓒ 正式請願。⑥(*pl.*)求愛；求婚。pay one's ～*es* to a lady 向女士求婚[示愛]。**—** [ə`drɛs] *v.t.* ①對(人)說話；發表演說。②寫住址。③稱呼。④忙著做。He ～*ed* himself to the work in hand. 他忙著做他手邊的工作。⑤使加注意。⑥獻殷勤。⑦引導；指引。⑧呈送；呈遞。⑨〖高爾夫〗瞄準。§ ～ **bòok** 通訊錄。

ad·dress·ee [͵ædrɛs`i] *n.* Ⓒ〖美〗收信人。

ad·dress·er, ad·dres·sor [ə`drɛsɚ] *n.* Ⓒ ①發信人。②發言人。

ad·duce [ə`djus] *v.t.* 引證；舉例；舉出。— **ad·duc′tion** [-`dʌk-], *n.*

ad·e·noids [`ædn̩͵ɔıdz] *n. pl.* 〖醫〗腺狀腫(尤指位於咽頭者)。

a·dept [ə`dɛpt] *adj.* 熟練的；老練的。～ *in* [*at*] 擅長；精通。**—** [`ædɛpt, ə`dɛpt] *n.* Ⓒ 高手；專家。

ad·e·qua·cy [`ædəkwəsı] *n.* Ⓤ 適當；充分；足夠。

***ad·e·quate** [`ædəkwıt] *adj.* ①適量的；足夠的。②適當的。③令人滿意的。④僅僅足夠的。— **ly,** *adv.*

***ad·here** [əd`hır] *v.i.* ①黏著；附著〔to〕。②堅持；執著〔to〕。③忠於；皈依〔to〕。**—** *v.t.* 使黏著。

ad·her·ence [əd`hırəns] *n.* Ⓤ ①黏著；附著。②忠誠；皈依。

ad·her·ent [əd`hırənt] *adj.* 黏著的；附著的。**—** *n.* Ⓒ 擁護者。

ad·he·sion [əd`hiʒən] *n.* Ⓤ ①黏著；附著。②皈依；忠實。③〖理〗附著力。④〖醫〗黏連。

ad·he·sive [əd`hisıv] *adj.* 有黏性的。**—** *n.* Ⓒ 有黏性的東西；接合劑。§ ～ **plàster** 橡皮膏。～ **tàpe** 膠布。

ad hoc [`æd`hɑk] 〖拉〗*adv.* & *adj.* 特別地[的]。

a·dieu [ə`dju] 〖法〗*interj.* & *n.* Ⓒ (*pl.* ～**s,** ～**x**[～z])再會；辭別。

ad in·fi·ni·tum [`æd͵ınfə`naıtəm] 〖拉〗*adv.* 無窮地；永遠地。

a·di·os [͵adı`os] 〖西〗*interj.* 再見!

adj. adjective.

ad·ja·cent [ə`dʒesn̩t] *adj.* ①鄰接的；毗連的〔to〕。②前後緊接著的。— **ad·ja′cen·cy,** — **ad·ja′cence,** *n.*

ad·jec·ti·val [͵ædʒık`taıvl̩] *adj.* 〖文法〗形容詞的。

‡**ad·jec·tive** [`ædʒıktıv]〖文法〗*n.* Ⓒ 形容詞。**—** *adj.* 形容詞的。

ad·join [ə`dʒɔın] *v.t.* & *v.i.* ①接界；臨近。②附；加。— **ing,** *adj.*

***ad·journ** [ə`dʒɝn] *v.t.* & *v.i.* ①延期；休會。②〖俗〗遷至別處；移往〔to〕。— **ment,** *n.*

ad·judge [ə`dʒʌdʒ] *v.t.* 宣判；裁定。— **ad·judg(e)′ment,** *n.*

ad·ju·di·cate [ə`dʒudı͵ket] *v.t.* & *v.i.* 判決；裁定〔in, on, upon〕。— **ad·ju·di·ca′tion,** *n.*

ad·junct [`ædʒʌŋkt] *n.* Ⓒ ①附屬物。②助手。③〖文法〗修飾語(如形容詞等)。**—** *adj.* 附屬的。

ad·junc·tive [ə`dʒʌŋktıv] *adj.* 附屬的；伴隨的；輔助的。— **ly,** *adv.*

ad·ju·ra·tion [͵ædʒʊ`reʃən] *n.* Ⓤ Ⓒ ①命令；嚴命。②祈求；懇請。

ad·jure [ə`dʒʊr] *v.t.* ①命令；嚴命。②懇請；祈求。

***ad·just** [ə`dʒʌst] *v.t.* ①調節；校準；調停。②〖保險〗理賠(償付額、損失等)。③使適應。**—** *v.i.* 適應。— **a·ble,** *adj.*

***ad·just·ment** [ə`dʒʌstmənt] *n.* ① Ⓤ Ⓒ 調整；修整。② Ⓤ Ⓒ 調停。③ Ⓒ 調節裝置。

ad·ju·tant [`ædʒətənt] *n.* Ⓒ ①〖軍〗副官。②助手。③禿鸛(印度產之大鸛)。**—** *adj.* 輔助的。— **ad′ju·tan·cy,** *n.* Ⓤ 副官之職位。

ad-lib, ad·lib [æd`lıb] *v.t.* & *v.i.* (**-bb-**)〖俗〗演出時臨時穿插詞句、樂曲等。**—** *n.* Ⓒ 即興表演。**—** *adj.* ①臨時穿插的。②隨意的。**—** *adv.* 隨意地。

ad·man [`æd͵mæn] *n.* Ⓒ (*pl.* **-men**) 〖美俗〗①廣告業者。②寫廣告的人。

***ad·min·is·ter** [əd`mınəstɚ] *v.t.* ①管理；照料。②實施；執行。③供給；給與。④配(藥)。⑤使宣(誓)。**—** *v.i.* ①擔任管理人；照料。②幫助。

ad·min·is·trate [əd`mınə͵stret] *v.t.* & *v.i.*＝**administer.**

***ad·min·is·tra·tion** [əd͵mınə`streʃən] *n.* ① Ⓤ 管理；經營。② Ⓒ 政府的行政部門；政府。③ Ⓤ 行政；施政。civil ～ 民政。④ Ⓤ 施行；給與；執行。～ of justice 審判。⑤ Ⓤ 管轄。⑥ Ⓤ (總統、內閣等之)任期。

***ad·min·is·tra·tive** [əd`mınə͵stretıv] *adj.* 管理的；行政上的。

ad·min·is·tra·tor [əd`mınə͵stretɚ] *n.* Ⓒ 管理者；行政官。

ad·mi·ra·ble [`ædmərəbl̩] *adj.* ①可欽佩的。②優良的；極佳的。

ad·mi·ra·bly [`ædmərəblı] *adv.* 可讚美地；極好地。

***ad·mi·ral** [`ædmərəl] *n.* Ⓒ ①艦隊總司令。②海軍上將。③海軍將官。④旗艦。⑤一種蝴蝶。*A- of the Fleet*

A

〖英〗海軍元帥。

ad·mi·ral·ty [ˋædmərəltɪ] *n.* ① Ⓤ海軍上將之階級或權力。②(the A-)英國海軍部(辦公大樓)。

***ad·mi·ra·tion** [͵ædməˋreʃən] *n.* ①Ⓤ欽佩；羨慕；讚賞〖of, for〗。②(the ～)令人讚賞的人或物。

‡**ad·mire** [ədˋmaɪr] *v.t.* ①欽佩；讚賞。②誇獎。③佩服(諷語)。④〖方〗喜歡(作某件事)。— *v.i.* 驚訝；驚異。—**ad·mir′er,** *n.*

ad·mir·ing [ədˋmaɪrɪŋ] *adj.* 佩服的；讚賞的。—**ly,** *adv.*

ad·mis·si·ble [ədˋmɪsəbḷ] *adj.* ①可接納的；可採信的。②可容許的。—**ad·mis·si·bil′i·ty,** *n.*

***ad·mis·sion** [ədˋmɪʃən] *n.* ①ⓊⒸ入學(許可)；入場(許可)；入會〖to, into〗。②Ⓤ門票費；入場費。③Ⓤ承認。④Ⓒ所承認之事實。§～ **fèe**入場費。

‡**ad·mit** [ədˋmɪt] *v.t.* (**-tt-**)①承認。②許入。③容納。④認爲有效。⑤〖美〗使獲得(地位、特權等)。⑥容許。— *v.i.* ①通向〖to〗. ②容許〖of〗. ③承認〖to〗. ～ *to the bar*〖美〗准予執行律師業務。

ad·mit·tance [ədˋmɪtn̩s] *n.* Ⓤ①入場(許可)。②准入；許入。

ad·mit·ted [ədˋmɪtɪd] *adj.* 不可否認的；明白的。—**ly,** *adv.*

ad·mix·ture [ædˋmɪkstʃɚ] *n.* ①Ⓤ混合。②Ⓒ混合物。

***ad·mon·ish** [ədˋmɑnɪʃ] *v.t.* 警告；勸告；儆戒。—**ment,** *n.*

ad·mo·ni·tion [͵ædməˋnɪʃən] *n.* ⓊⒸ勸告；訓誡；警告。

ad·mon·i·tor [ədˋmɑnətɚ] *n.* Ⓒ勸告者；訓誡者；勸諫者。

ad·mon·i·to·ry [ədˋmɑnə͵torɪ] *adj.* 勸告的；訓誡的；警告的。

a·do [əˋdu] *n.* Ⓤ騷擾；困難；騷動。It was all much ～ about nothing. 那完全是庸人自擾。

a·do·be [əˋdobɪ] *n.* ①Ⓤ泥磚。②Ⓤ製泥磚用的黏土。③Ⓒ泥磚房屋。

ad·o·les·cence [͵ædḷˋɛsn̩s] *n.* Ⓤ青春期；青年期(約12歲至22歲間)。—**ad·o·les′cent,** *n. & adj.*

***a·dopt** [əˋdɑpt] *v.t.* ①採用；採納(意見等)。②收養；立嗣。③正式通過；接受。—**a·ble,** *adj.*

a·dopt·ed [əˋdɑptɪd] *adj.* ①收養的；過繼的。an ～ son [daughter]養子[女]。②採用的。

a·dopt·ee [ə͵dɑpˋti] *n.* Ⓒ被收養的人。

a·dopt·er [əˋdɑptɚ] *n.* Ⓒ①養[義]父母。②採用者；任用者；採納者。

a·dop·tion [əˋdɑpʃən] *n.* ⓊⒸ①採用。②收養。

a·dop·tive [əˋdɑptɪv] *adj.* ①收養(關係)的。an ～ father [mother]養父[母]。②採用的；採取的。—**ly,** *adv.*

a·dor·a·ble [əˋdorəbḷ] *adj.* ①可崇拜的。②〖俗〗可愛的。

ad·o·ra·tion [͵ædəˋreʃən] *n.* Ⓤ崇拜；愛慕。

***a·dore** [əˋdor] *v.t.* ①敬重；崇拜。②〖俗〗極爲喜愛。— *v.i.* 崇拜。—**a·dor′er,** *n.* —**a·dor′ing·ly,** *adv.*

***a·dorn** [əˋdɔrn] *v.t.* 裝飾。

a·dorn·ment [əˋdɔrnmənt] *n.* ①Ⓤ裝飾。②Ⓒ裝飾品。

ADP automatic data processing. 〖電算〗自動資料處理。

ad·re·nal [ædˋrinḷ] *adj.* 副腎的；腎上腺的。— *n.* Ⓒ副腎；腎上腺。§ ～ **glànds** 腎上腺；腎上體；副腎。

a·dren·a·line [æˋdrɛnḷɪn] *n.* Ⓤ〖生化〗腎上腺素。

a·drift [əˋdrɪft] *adv. & adj.* ①(船)漂流地[的]。②(人)游移不定地[的]。*turn (a person)*～ 使(人)漂泊無依。

a·droit [əˋdrɔɪt] *adj.* 機巧的；熟練的。—**ly,** *adv.*

ad·sorb [ædˋsɔrb] *v.t.* 〖化〗吸附；聚集。—**ad·sorp′tion** [-ˋsɔrp-], *n.*

ad·sorb·ent [ædˋsɔrbənt] *adj.* 〖化〗有吸附力的；吸附性的。— *n.* ⓊⒸ吸附劑。

ad·u·late [ˋædʒə͵let] *v.t.* 諂媚；奉承。—**ad·u·la′tion,** *n.*

***a·dult** [əˋdʌlt, ˋædʌlt] *adj.* ①成長的；成人的。②成熟的；老成的。③適合成人的。— *n.* Ⓒ①成人。②〖生物〗成體；成蟲。—**ly,** *adv.*

a·dul·ter·ate [əˋdʌltə͵ret] *v.t.* 攙以劣等物質。—**a·dul·ter·a′tion,** *n.*

a·dul·ter·er [əˋdʌltərɚ] *n.* Ⓒ姦夫。

a·dul·ter·ess [əˋdʌltərɪs] *n.* Ⓒ淫婦。

a·dul·ter·y [əˋdʌltərɪ] *n.* Ⓤ通姦。—**a·dul′ter·ous** [-rəs], *adj.*

ad·um·brate [ædˋʌmbret] *v.t.* ①略示梗概。②預示。③蔭蔽。

adv. adverb.

***ad·vance** [ədˋvæns] *v.t.* ①使前進。②建議；提出。③擢升。④借貸；墊付。⑤增加；漲價。⑥促進。⑦提前。— *v.i.* ①前進；進行。②增加(數量、價錢)。③進步；生長。④升級。⑤(顏色等)醒目。— *n.* ①Ⓒ(常 *sing.*)前進。②ⓊⒸ進步；高陞。③Ⓒ漲價。④Ⓒ言歸於好的表示；(對異性的)挑逗。⑤Ⓒ(常 *pl.*)接近。⑥Ⓒ預支；貸款。*in* ～ **a.** 在前面。**b.** 預先。*in* ～ *of* 在…之前；比…進步。— *adj.* ①先期的。②在前的。§ ～ **cópy** 新書樣本。～ **guárd**〖軍〗前衛。～ **shéets** 樣張。

***ad·vanced** [ədˋvænst] *adj.* ①在前的。②進步的；高深的。③老的。§ ～ **stànding** (1)在他校所修習之學科的承認。(2)該被承認之學分；跨校學分

ad·vance·ment [ədˋvænsmənt] *n.* Ⓤ①前進；推進。②擢升；升級。③進步；發達。④增進。⑤預付。

‡**ad·van·tage** [ədˋvæntɪdʒ] *n.* ①Ⓤ利益；便利。②Ⓒ優勢〖over, of〗. *have an* ～ *over* 勝於。*have the* ～ *of* 佔有…的便宜[優勢]。*take* ～ *of (a person [thing])* 利用(人[物])。*to* ～ 有效地。*to one's* ～ 對…有利。*to the* ～ *of* 有利於。*turn (a thing) to* ～ 利用。— *v.t.* ①促進。②有助於。

***ad·van·ta·geous** [͵ædvənˋtedʒəs] *adj.* 有利的；便利的。—**ly,** *adv.*

ad·vent [ˋædvɛnt] *n.* ①(the ～)來臨。②(A-)**a.** 耶穌降臨。**b.** 降臨節。

ad·ven·ti·tious [ˌædvɛnˋtɪʃəs] *adj.* ①偶然的；未經計劃的。②〖生物〗偶生的。③〖醫〗偶發的。

‡**ad·ven·ture** [ədˋvɛntʃɚ] *n.* ① Ⓒ 奇遇。② Ⓤ 冒險。③ ⓊⒸ 商業的投機。**—** *v.t. & v.i.* 冒險嘗試。

ad·ven·tur·er [ədˋvɛntʃərɚ] *n.* Ⓒ 冒險者；投機分子。

ad·ven·ture·some [ədˋvɛntʃɚsəm] *adj.* 喜冒險的；極大膽的。

ad·ven·tur·ess [ədˋvɛntʃərɪs] *n.* Ⓒ女冒險者；女投機者。

ad·ven·tur·ism [ədˋvɛntʃəˌrɪzəm] *n.* Ⓤ (尤指政治、外交上的)冒險主義。

ad·ven·tur·ous [ədˋvɛntʃərəs] *adj.* 愛冒險的；膽大的；危險的。

‡**ad·verb** [ˋædvɜb] *n.* Ⓒ〖文法〗副詞。

ad·ver·bi·al [ədˋvɜbɪəl] *adj.* 副詞的。—**ly,** *adv.*

ad·ver·sar·y [ˋædvɚˌsɛrɪ] *n.* Ⓒ 對手；仇敵。

ad·verse [ədˋvɜs, ˋædvɜs] *adj.* ①逆的；反對的；不利的。～winds 逆風。②有敵意的；敵對的。—**ly,** *adv.*

ad·ver·si·ty [ədˋvɜsətɪ] *n.* ① Ⓤ 不幸。② Ⓒ (常 *pl.*)不幸的事；災難。

ad·vert [ədˋvɜt] *v.i.* 談及；注意〔to〕.

***ad·ver·tise** [ˋædvɚˌtaɪz, ˌædvɚˋtaɪz] *v.t.* ①登…的廣告；爲…作宣傳。②通知。**—** *v.i.* 登廣告。～ for a job 登廣告求職。～ *oneself* 自我宣傳。(亦作 **advertize**)

***ad·ver·tise·ment** [ˌædvɚˋtaɪzmənt] *n.* ⓊⒸ ①廣告。②宣傳。§ ∼ **cólumn** 廣告欄。

ad·ver·tis·er, -tiz·er [ˋædvɚˌtaɪzɚ] *n.* Ⓒ 廣告客戶。

***ad·ver·tis·ing** [ˋædvɚˌtaɪzɪŋ] *n.* Ⓤ廣告；廣告業。§ ∼ **màn** =adman.

ad·ver·tize [ˋædvɚˌtaɪz, ˌædvɚˋtaɪz] *v.* =**advertise.**

‡**ad·vice** [ədˋvaɪs] *n.* ① Ⓤ 勸告。Let me give you a piece of ～. 容我勸你。② Ⓒ (常 *pl.*)消息；(商業上的)通知。

ad·vis·a·ble [ədˋvaɪzəbl] *adj.* 合理的；可取的；適當的。

‡**ad·vise** [ədˋvaɪz] *v.t.* ①勸告；忠告。②通知。I will ～ you of my future plans. 我將告訴你我的未來計劃。**—** *v.i.* ①商量。②忠告。

ad·vised [ədˋvaɪzd] *adj.* ①深思熟慮的。②知情的；得到訊息的。

***ad·vis·er, -vi·sor** [ədˋvaɪzɚ] *n.* Ⓒ ①忠告者；顧問。②(美大學的)指導教授。

ad·vi·so·ry [ədˋvaɪzərɪ] *adj.* ① 勸告的；忠告的。②諮詢的；顧問的。**—** *n.* Ⓒ〖美〗(氣象等的)狀況報告。

ad·vo·ca·cy [ˋædvəkəsɪ] *n.* Ⓤ 辯護；主張；擁護；提倡。

***ad·vo·cate** [ˋædvəkɪt, -ˌket] *n.* Ⓒ ①辯護者。②提倡者。③替人說情者。**—**[ˋædvəˌket] *v.t.* 提倡；辯護。

adz(e) [ædz] *n.* Ⓒ 手斧。**—** *v.t.* 以手斧劈。

Ae·gé·an (Séa) [iˋdʒiən(～)] *n.* (the ～)愛琴海。

ae·gis [ˋidʒɪs] *n.* (the ～)①保護；支持。②〖希神〗Zeus 之神盾。***under the ～ of*** 在…庇護[支持]下。

Ae·ne·as [ɪˋniəs] *n.* 〖希神〗伊尼亞斯(特洛伊的一名英雄，古羅馬的創建者)。

ae·on [ˋiən] *n.* Ⓒ 永世；無限長的時間。

aer·ate [ˋeəˌret] *v.t.* ①暴露於空氣中。②充以空氣或氣體。③藉呼吸供給(血液)氧。§ ∼**d brèad(s)** 無酵母麵包。∼**d wàter** 碳酸水。—**aer·a′tion,** *n.*

***aer·i·al** [eˋɪrɪəl, ˋɛrɪəl] *adj.* ① 空氣的；在空中的。②輕飄如空氣的。③夢幻的。④與飛機有關的。⑤高懸的。⑥〖植〗氣生的。**—** *n.* Ⓒ 天線。§ ∼ **bòmb** (飛機)空投的炸彈。∼ **cùrrent** 氣流。∼ **làdder** 雲梯；消防梯。∼ **plánt** 氣生植物。∼ **ráilway** 高架鐵路；空中纜車。∼ **róot**〖植〗氣根。∼ **síckness** 暈機；航空病。

aer·i·al·ist [eˋɪrɪəlɪst, ˋɛrɪ-] *n.* Ⓒ 表演空中飛人特技者。

aer·ie [ˋɛrɪ] *n.* Ⓒ ① (鷹等的)巢。② (鷹等的)雛。③高山上之房舍、城市等。

aer·i·fy [eˋɪrəˌfaɪ] *v.t.* 使與空氣化合；使氣化。—**aer·i·fi·ca′tion** [ˌɛrəfəˋkeʃən], *n.*

aer·o [ˋeəro] *adj.* 飛機的；航空的。

aer·o·bat·ic [ˌeərəˋbætɪk] *adj.* 飛行技藝的。an ～ flight 飛行表演。

aer·o·bat·ics [ˌeərəˋbætɪks] *n.* ① Ⓤ 特技飛行術。②(作 *pl.* 解)(飛機一連串的)特技飛行表演。

aer·obe [ˋeərob] *n.* Ⓒ〖生物〗好氧性生物；(尤指)好氧細菌或微生物。

aer·o·bic [ˌeəˋrobɪk] *adj.* 好氧性細菌或微生物的。

aer·o·bics [ˌeəˋrobɪks] *n.* Ⓤ〖運動〗有氧舞蹈；有氧運動。

aer·o·drome [ˋɛrəˌdrom] *n.* Ⓒ〖英〗(小型的)飛機場。

aer·o·dy·nam·ics [ˌɛrodaɪˋnæmɪks] *n.* Ⓤ〖理〗空氣動力學；氣體力學。

aer·o·em·bo·lism [ˌɛrəˋɛmbəlɪzəm] *n.* Ⓤ〖醫〗高空[氣泡]栓塞。

aer·o·gram(me) [ˋeərəˌgræm] *n.* Ⓒ ①無線電報。②航空信[郵簡]。

aer·o·lite [ˋeəroˌlaɪt] *n.* Ⓒ 隕石。

aer·o·me·chan·ic [ˌɛromɪˋkænɪk] *n.* Ⓒ 飛機修理技工。**—** *adj.* 氣體力學的。

aer·o·me·chan·ics [ˌɛromɪˋkænɪks] *n.* Ⓤ 氣體力學。

aer·o·med·i·cine [ˌɛrəˋmɛdɪsn̩] *n.* Ⓤ 航空醫學。

aer·o·naut [ˋɛrəˌnɔt] *n.* Ⓒ ①飛艇或輕氣球之駕駛員。②飛艇之乘客。

aer·o·nau·ti·cal [ˌɛrəˋnɔtɪkl̩] *adj.* 航空(學)的。(亦作 **aeronautic**)

aer·o·nau·tics [ˌɛrəˋnɔtɪks] *n.* Ⓤ 航空學[術]。

aer·o·pause [ˋɛrəˌpɔz] *n.* Ⓤ〖空〗大氣界面(大氣層的最上層；超過此處飛機無法飛行)；大氣航空上限。

aer·o·phone [ˋɛrəˌfon] *n.* Ⓒ ①無線電話機。②助聽器。

aer·o·phore [ˋɛrəˌfɔr, -ˌfor] *n.* Ⓒ ①人工呼吸器。②(煤礦等的)送風機。

‡**aer·o·plane** [ˋɛrəˌplen] *n.* Ⓒ〖英〗飛機。

A

aer·o·sol [`ɛrə,sɑl] *n.* ① Ⓤ〖化〗液化氣體。② Ⓤ 煙；霧。③ Ⓒ 液化氣體容器。§ ∼ **bòmb** (殺蟲劑等)噴霧器。

aer·o·space [`ɛrə,spes] *n.* Ⓤ ① 地球大氣層內外；航空和宇宙航行空間。②航太工業。

aer·o·stat·ics [,ɛrə`stætɪks] *n.* Ⓤ 氣體靜力學。

Aes·chy·lus [`ɛskələs] *n.* 哀斯奇勒斯(525-456 B.C., 希臘悲劇詩人)。

Aes·cu·la·pi·us [,ɛskjə`lepɪəs] *n.* ①〖羅神〗埃斯丘勒皮俄斯(醫師, =〖希神〗Asclepius). ② Ⓒ 醫生。

Ae·sop [`isəp] *n.* 伊索(620? -? 560 B.C., 希臘寓言作家)。§ ∼**'s Fábles** 伊索寓言。— **Ae·so·pi·an** [i`sopɪən], *adj.* 伊索寓言式的。

aes·thete [`ɛsθit] *n.* Ⓒ 審美家；唯美主義者。

aes·thet·ic [ɛs`θɛtɪk] *adj.* ①美的；美學的。②審美的；藝術的。

aes·thet·i·cism [ɛs`θɛtəsɪzm] *n.* Ⓤ 唯美主義。

aes·thet·ics [ɛs`θɛtɪks] *n.* Ⓤ 美學。

aes·ti·vate [`ɛstə,vet] *v.i.* ①〖動〗夏眠。②(人)避暑。(亦作 **estivate**)

ae·ti·ol·o·gy [,itɪ`ɑlədʒɪ] *n.* Ⓤ 病因學；病源論。(亦作 **etiology**)

a·far [ə`fɑr] *adv.* ①在遠處。②遙遠地。∼ ***off*** 遠隔；遙遠。***from*** ∼ 自遠處。

af·fa·ble [`æfəbl̩] *adj.* 和藹可親的；殷勤的；溫柔的。— **af′fa·bly,** *adv.* — **af·fa·bil′i·ty,** *n.*

‡**af·fair** [ə`fɛr] *n.* Ⓒ ①事情。②(常 *pl.*)事務；職務；業務。public ∼*s* 公務。③東西。④愛情；戀情。a love ∼ 戀情；戀愛。∼ ***of honor*** 決鬥。

***af·fect**[1] [ə`fɛkt] *v.t.* ①影響。②感動。③感染。— [`æfɛkt] *n.* Ⓤ Ⓒ〖心〗感覺；感情。

af·fect[2] [ə`fɛkt] *v.t.* ①佯裝；假裝。②愛好；嗜好。③(動植物)生長於。

af·fec·ta·tion [,æfɪk`teʃən] *n.* Ⓤ Ⓒ ①虛飾；假裝。②裝腔作態。

af·fect·ed[1] [ə`fɛktɪd] *adj.* ①受影響的。②感動的。③受感染的；感受的。

af·fect·ed[2] *adj.* ①矯飾的；不自然的。②傾心的。③愛好的。— **ly,** *adv.*

af·fect·ing [ə`fɛktɪŋ] *adj.* 動人的；傷心的；可憐的。— **ly,** *adv.*

***af·fec·tion** [ə`fɛkʃən] *n.* ① Ⓤ 情愛；愛。②(*pl.*)愛慕；戀慕。③ Ⓒ 疾病。

***af·fec·tion·ate** [ə`fɛkʃənɪt] *adj.* 摯愛的；親切的。*— **ly,** *adv.*

af·fec·tive [ə`fɛktɪv] *adj.* ①感情的；情緒上的。②情緒激動的。

af·fi·ance [ə`faɪəns] *n.* Ⓤ ①誓約；婚約；訂婚。②信託；信心〔in〕。— *v.t.* 使訂婚；定親；下聘。

af·fi·da·vit [,æfə`devɪt] *n.* Ⓒ〖法律〗誓詞；口供。

af·fil·i·ate [ə`fɪlɪ,et] *v.t.* ①使合併；使聯合。②聯絡；結交〔with〕. ③收爲養子。④溯源。— *v.i.* 聯絡；密切聯繫；參加；加盟〔with〕.— [ə`fɪlɪɪt, -,et] *n.* Ⓒ ①支會；分會。②會員。③附屬公司；子公司。

af·fil·i·at·ed [ə`fɪlɪ,etɪd] *adj.* 附屬的；相關聯的；密切相關的。an ∼ company 附屬公司。

af·fil·i·a·tion [ə,fɪlɪ`eʃən] *n.* Ⓤ Ⓒ ①立嗣。②親密之關係。③(私生子之)父子關係的鑑定。④入會；加入；合併。⑤聯盟；關係。⑥推溯由來；溯源。

af·fined [ə`faɪnd] *adj.* ①姻親的。②同盟的。

af·fin·i·ty [ə`fɪnətɪ] *n.* ① Ⓤ Ⓒ 密切之關係。② Ⓤ Ⓒ 姻親；親戚關係。③ Ⓤ Ⓒ 類似。④ Ⓒ (常 *sing.*)吸引力。⑤ Ⓤ Ⓒ〖化〗親和力。⑥ Ⓒ 具有吸引力的人。§ ∼ **càrd** 認同卡。

***af·firm** [ə`fɝm] *v.t.* & *v.i.* ①斷言。②證實；批准；確認。— **a·ble,** *adj.*

af·fir·ma·tion [,æfə`meʃən] *n.* Ⓤ Ⓒ ①斷言；確定；肯定。②證實。

af·firm·a·tive [ə`fɝmə,tɪv] *adj.* 斷言的；贊成的；肯定的。— *n.* ① Ⓒ 贊成；認可。② Ⓒ 肯定語(句)。③(the ∼)贊成的方面。§ ∼ **áction**〖美〗鼓勵雇用少數民族、婦女障害者的措施。— **ly,** *adv.*

af·fix [ə`fɪks] *v.t.* ①使固定；貼上。②附加。③蓋(印)；簽署。④加上；連有。— [`æfɪks] *n.* Ⓒ ①附加物；附件。②詞綴(字首、字尾)。

af·flict [ə`flɪkt] *v.t.* 使痛苦。He is ∼*ed* with the gout. 他患痛風症。

af·flic·tion [ə`flɪkʃən] *n.* ① Ⓤ 痛苦；苦難。② Ⓒ 痛苦的原因。

af·flu·ence [`æfluəns] *n.* ① Ⓤ 富裕；豐富。②(an ∼)注入；匯聚。

af·flu·ent [`æfluənt] *adj.* ①富裕的。②暢流的。— *n.* Ⓒ 支流。

‡**af·ford** [ə`ford, ə`fɔrd] *v.t.* ①能堪；力足以(常與 can, could, be able to 連用)。I can't ∼ to pay such a high price. 我出不起這樣高的價錢。②產生。③供給；給與。

af·for·est [ə`fɔrɪst] *v.t.* 造林於；變(土地)成林區。— **af·for·est·a′tion,** *n.*

af·fray [ə`fre] *n.* Ⓒ 騷動；滋擾；打架(尤指於公共場所中的吵架)。

af·front [ə`frʌnt] *v.t.* ①侮辱；冒犯。②泰然面對。— *n.* Ⓒ 侮辱。

Af·ghan [`æfgən] *n.* ① Ⓒ 阿富汗人。② Ⓤ 阿富汗語。③ Ⓒ (亦作 **Afghan hound**)阿富汗獵犬。— *adj.* 阿富汗(人, 語)的。

Af·ghan·i·stan [æf`gænə,stæn] *n.* 阿富汗(首都 Kabul).

a·field [ə`fild] *adv.* ①遠離；在遠處。②離鄉背井。③離題地。④〖棒球〗在外野。

a·fire [ə`faɪr] *adv.* & *adj.* 燃燒地[的]。

a·flame [ə`flem] *adv.* & *adj.* ①著火地[的]。②殷切地[的]；興奮地[的]。

af·la·tox·in [,æflə`tɑksɪn] *n.* Ⓤ〖生化〗黃麴毒素(致癌物質)。

a·float [ə`flot] *adj.* & *adv.* ①飄浮的[地]。②在船上的[地]；在海上的[地]。③爲水所淹的[地]；氾濫的[地]。④漂蕩無定的[地]。⑤傳播甚廣的[地]。

a·foot [ə`fʊt] *adv.* & *adj.* ①徒步地[的]。②在進行中(的)；在準備中(的)。③行動地[的]；走動地[的]。

a·fore·men·tioned [ə`for`mɛn-

ʃənd] *adj.* 前述的；上述的。
a·fore·said [əˋfor,sɛd] *adj.* 前述的。
a·fore·thought [əˋfor,θɔt] *adj.* 預謀的；故意的。— *n.* Ⓤ 預謀；預想。
a·foul [əˋfaul] *adv.* & *adj.* ①衝突地[的]；互撞地[的]。②糾纏地[的]。*run* [*fall*] ~ *of* 和…相撞[衝突]；爲…所糾纏。
AFP Agence France Presse. 法國新聞社；法新社。
Afr. Africa(n).
‡**a·fraid** [əˋfred] *adj.* ①害怕的；畏懼的。She is ~ of dogs. 她怕狗。②擔心的；掛念的。③恐怕…(駁斥或糾正對方時較客氣的說法)。I'm ~ I can't help you. 我恐怕無法幫助你。
a·fresh [əˋfrɛʃ] *adv.* 再；重新。
‡**Af·ri·ca** [ˋæfrɪkə] *n.* 非洲。
*__Af·ri·can__ [ˋæfrɪkən] *adj.* ①非洲的。②非洲人的。— *n.* Ⓒ 非洲人。
Af·ri·can·ism [ˋæfrɪkən,ɪzəm] *n.* Ⓤ Ⓒ 源自非洲或非洲特有的方言[習性，性格]。
Af·ri·can·ize [ˋæfrɪkə,naɪz] *v.t.* 使非洲化。
Af·ri·kaans [,æfrɪˋkɑnz] *n.* Ⓤ 南非洲所用之荷蘭語。
Af·ri·ka·ner [,æfrɪˋkænɚ] *n.* Ⓒ 南非白人。
Af·ro [ˋæfro] *n.* Ⓒ & *adj.* 非洲髮型(的)；蓬鬆髮型(的)。
Af·ro-A·mer·i·can [ˋæfroəˋmɛrəkən] *n.* Ⓒ & *adj.* 美國黑人(的)；非洲血統的美國人(的)。
Af·ro-A·sian [ˋæfroˋeʃən] *adj.* 亞非居民的。— *n.* Ⓒ 亞非居民。
aft [æft] *adv.* & *adj.* 在[向]船尾。*fore and* ~ 從船首到船尾。
‡**af·ter** [ˋæftɚ] *prep.* ①在…之後。②追求；跟蹤。③於…後。④由於…之故。⑤次於。⑥雖然；儘管。⑦仿照；依從。~ *all* 終究；畢竟。*A- you.* 請先行。— *adv.* ①在後；隨後。②之後；以後。— *adj.* 後面的；後來的；之後的。— *conj.* 後於；在…之後。
af·ter·birth [ˋæftɚ,bɝθ] *n.* Ⓤ (常 the ~)〖醫〗胞衣；胎盤。
af·ter·care [ˋæftɚ,kɛr] *n.* Ⓤ〖醫〗病後或產後之調養。
af·ter-din·ner [ˋæftɚˋdɪnɚ] *adj.* 正餐[晚餐]後的。
af·ter·ef·fect [ˋæftərə,fɛkt] *n.* Ⓒ (常*pl.*)①餘波；後遺症。②〖醫〗副作用。
af·ter·glow [ˋæftɚ,glo] *n.* Ⓒ (常 *sing.*)①晚霞。②(灼熱金屬等之)殘熾。③(玩樂後的)餘味。
af·ter-hours [ˋæftɚ,aurz] *adj.* 公餘的；下班之後的。
af·ter·im·age [ˋæftɚ,ɪmɪdʒ] *n.* Ⓒ〖心〗殘像；遺留感覺；餘音；餘味。
af·ter·life [ˋæftɚ,laɪf] *n.* ① Ⓒ 來世。② Ⓤ 晚年。
af·ter·math [ˋæftɚ,mæθ] *n.* Ⓒ ①割後再生之草。②(尤指不幸的)結果；餘波。
af·ter·most [ˋæftɚ,most] *adj.* ①最後的。②〖海〗近船尾的。
‡**af·ter·noon** [,æftɚˋnun] *n.* Ⓤ 下午。— *adj.* 下午的。§ ~ **téa** (1)下午茶。(2)午後之社交集會。
af·ter·piece [ˋæftɚ,pis] *n.* Ⓒ (正戲後加演的)短喜劇。
af·ter·shock [ˋæftɚ,ʃɑk] *n.* Ⓒ 餘震。
af·ter·taste [ˋæftɚ,test] *n.* Ⓒ ①餘味；回味。②餘悸；餘恨。
af·ter·thought [ˋæftɚ,θɔt] *n.* Ⓤ Ⓒ ①回想。②追悔。③加添物。
‡**af·ter·ward(s)** [ˋæftɚwɚd(z)] *adv.* 以後；後來。
af·ter·word [ˋæftɚ,wɝd] *n.* Ⓒ (書籍等的)跋文；後記。
af·ter·world [ˋæftɚ,wɝld] *n.* Ⓒ 來世。
‡**a·gain** [əˋgɛn, əˋgen] *adv.* ①再；又。②此外。③回答。④另一方面。~ *and* ~; *time and* ~ 一再；屢次。*as much* [*many*] ~ 倍於。*be oneself* ~ 恢復常態；康復。
‡**a·gainst** [əˋgɛnst, əˋgenst] *prep.* ①逆；反對。②防備。③對著。④對比。⑤對照；以…爲背景。⑥抵禦。⑦靠；倚；接觸。He leaned ~ a wall. 他靠在牆上。⑧對著…打擊。⑨隔壁。
a·gape [əˋgep] *adv.* & *adj.* 目瞪口呆地[的]；張口呆望地[的]。
ag·ate [ˋægɪt, ˋægət] *n.* ① Ⓤ Ⓒ 瑪瑙。② Ⓤ 瑪瑙體活字(5 ½ point)。
‡**age** [edʒ] *n.* ① Ⓤ Ⓒ 年齡。② Ⓤ 壽命。③ Ⓒ 世紀；時代。④ Ⓤ 老年。⑤ Ⓒ (常 *pl.*)長時間。I haven't seen him for ~*s.* 我很久未看到他。⑥ Ⓤ 成年。*over* ~ 超過限定年齡。*under* ~ 未達限定年齡。— *v.i.* (**aged, ag(e)·ing**) 變老；成熟。— *v.t.* 使老。§ ~ **gròup** 年齡相仿之一群人。~ **lìmit** 退休年齡；年齡限制。
*__a·ged__ [ˋedʒɪd] *adj.* ①年老的。②(the ~)老者。③ [edʒd] 有…歲數的。a boy ~ six 六歲的男孩。
age·ing [ˋedʒɪŋ] *n.* =**aging.**
age·ism [ˋedʒɪzəm] *n.* Ⓤ 對老年人歧視之行爲；年齡歧視。—**ageˊist,** *n.*
age·less [ˋedʒlɪs] *adj.* ①長生不老的。②永恆的；不滅的。
age·long [ˋedʒ,lɔŋ] *adj.* 持久的；永續的；綿延的。
*__a·gen·cy__ [ˋedʒənsɪ] *n.* ① Ⓤ 作用；力量。② Ⓒ 代理處；經銷處。a sole ~ 獨家代理。③ Ⓤ 經售；代理(權)。④ Ⓒ 公私機構。*through* [*by*] *the* ~ *of...* 經…之手。
a·gen·da [əˋdʒɛndə] *n. pl.* (*sing.* **-dum** [-dəm])應辦之事；議事單；議程。〔注意〕**agenda** 已漸固定被當單數用，故現在複數一般用~s 或~.
*__a·gent__ [ˋedʒənt] *n.* Ⓒ ①代理人；經紀人；代理商。②媒介物。③原動力；動因。④藥劑。⑤官方工作人員。
age-old [ˋedʒ,old] *adj.* 存在很久的；古老的；久遠的。
ag·glom·er·ate [əˋglɑmə,ret] *v.t.* & *v.i.* (使)成團；(使)結塊；(使)凝聚。—[əˋglɑmərɪt] *adj.* ①聚結成塊的；凝聚的。②〖植〗群生的。—**ag·glom·er·aˊtion,** *n.*
ag·gran·dize [ˋægrən,daɪz] *v.t.* ①

A

加大；擴大；增強。②擴充。—**ment,** *n.*

ag·gra·vate [ˋægrə͵vet] *v.t.* ①加重；增劇；使惡化。②〖俗〗激怒。—**ag·gra·va′tion,** *n.*

ag·gre·gate [ˋægrɪgɪt] *adj.* 聚合的。—*n.* ①Ⓤ Ⓒ 集合；集合體。②(the ～)總數；合計。*in the* ～ 總計。—[ˋægrɪ͵get] *v.t. & v.i.* ①集合；團聚。②合計。

ag·gre·ga·tion [͵ægrɪˋgeʃən] *n.* ①Ⓤ集合；總合。②Ⓒ集合體；集團。

ag·gress [əˋgrɛs] *v.i.* 侵略；進攻。

ag·gres·sion [əˋgrɛʃən] *n.* Ⓤ Ⓒ ①進攻；侵略。②侵犯。

***ag·gres·sive** [əˋgrɛsɪv] *adj.* ①侵略的；攻擊的；挑釁的。②積極的；活潑的。—**ly,** *adv.*

ag·gres·sor [əˋgrɛsɚ] *n.* Ⓒ 攻擊者；侵略者；侵略國。

ag·grieve [əˋgriv] *v.t.* 使苦惱；迫害。

a·ghast [əˋgæst] *adj.* 驚駭的；恐怖的〔at〕.

ag·ile [ˋædʒəl] *adj.* 活潑的；動作敏捷的。

a·gil·i·ty [əˋdʒɪlətɪ] *n.* Ⓤ 動作的敏捷；機智；機敏。

ag·ing [ˋedʒɪŋ] *n.* Ⓤ①老化。②(葡萄酒等的)陳釀；(乾酪等的)熟化。

***ag·i·tate** [ˋædʒə͵tet] *v.t.* ①震動；使洶湧。②搖擺。③攪亂；煽動；激動。④熱烈討論；激烈辯論。—*v.i.* 煽動；鼓動；熱烈討論。

ag·i·tat·ed [ˋædʒə͵tetɪd] *adj.* ①激動的。②討論不休的。—**ly,** *adv.*

ag·i·ta·tion [͵ædʒəˋteʃən] *n.* ①Ⓤ劇烈的震動；搖動。②Ⓤ激動的狀態。③Ⓤ Ⓒ 煽動〔for, against〕.

ag·i·ta·tor [ˋædʒə͵tetɚ] *n.* Ⓒ ①煽動者；鼓動者；宣傳員。②攪拌器。

ag·it·prop [ˋædʒɪt͵prɑp] *adj.* (共黨之)煽動及宣傳的。—*n.* Ⓒ ①煽動及宣傳機構。②煽動家兼宣傳家。

a·glit·ter [əˋglɪtɚ] *adj. & adv.* 光輝燦爛的[地]。

a·glow [əˋglo] *adv. & adj.* 發紅地[的]；興奮地[的]。

ag·nos·tic [ægˋnɑstɪk] *adj.* 不可知論的。—*n.* Ⓒ不可知論者。

ag·nos·ti·cism [ægˋnɑstə͵sɪzəm] *n.* Ⓤ〖哲〗不可知論。

‡**a·go** [əˋgo] *adj.* 已往的；以前的。—*adv.* 已往；以前。

a·gog [əˋgɑg] *adv. & adj.* 因渴望或好奇而極度興奮地[的]。

ag·o·nize [ˋægə͵naɪz] *v.i.* ①煩惱；苦悶。②掙扎。—*v.t.* 使痛苦。

***ag·o·ny** [ˋægənɪ] *n.* ①Ⓤ 極大的痛苦。②Ⓒ 任何精神上的激動。§～ **còl·umn**(報紙之)私事諮詢專欄；答讀者問專欄。

ag·o·ra·pho·bi·a [͵ægərəˋfobɪə] *n.* Ⓤ〖醫〗廣場恐懼症。

a·grar·i·an [əˋgrɛrɪən] *adj.* ①土地的；土地之耕種或所有權的。②農業的。③野生的。—*n.* Ⓒ 主張平均地權者。

‡**a·gree** [əˋgri] *v.i.* ①同意。②相合；一致。③允諾；答應。④相宜。⑤〖文法〗一致。⑥和好相處。—*v.t.* 承認；同意。～ *to something* 同意某事。～ *with somebody* 同意某人。

***a·gree·a·ble** [əˋgriəbl] *adj.* ①令人愉快的。②合意的；適合的。Is that arrangement ～ to you? 那樣安排合你的意嗎? ③願意的；欣然贊同的。*make oneself* ～ *to somebody* 使自己與某人合得來。—**a·gree′a·bly,** *adv.*

***a·gree·ment** [əˋgrimənt] *n.* ①Ⓤ相合；一致；和諧；同意。②Ⓒ契約；協議；條約。③Ⓤ〖文法〗相應；一致。

ag·ri·busi·ness [ˋægrɪ͵bɪznɪs] *n.* Ⓤ農業綜合企業(包含加工、貯藏、販賣等有關事業)。

***ag·ri·cul·tur·al** [͵ægrɪˋkʌltʃərəl] *adj.* 農業的。

***ag·ri·cul·ture** [ˋægrɪ͵kʌltʃɚ] *n.* Ⓤ農業；農藝；農耕；農學。—**ag·ri·cul′tur·ist,** *n.*

a·gron·o·my [əˋgrɑnəmɪ] *n.* Ⓤ ①農藝學。②=**agriculture.** —**mist,** *n.*

a·ground [əˋgraʊnd] *adv. & adj.* (船)擱淺(的)；在地上(的)。

a·gue [ˋegju] *n.* Ⓤ ①〖醫〗瘧疾。②打寒顫；發冷。

***ah** [ɑ] *interj.* 感歎之聲。*Ah me!* 唉呀!

a·ha [ɑˋhɑ] *interj.* 感歎之聲。

‡**a·head** [əˋhɛd] *adv.* ①在前地。②進行。Go ～ with your work. 進行你的工作。③預先。④朝前。⑤超過；勝於。*get* ～〖俗〗成功。*get* ～ *of* 勝過。

a·hem [əˋhɛm] *interj.* 啊咳 (引起注意)；嗯(語塞時發音)。

a·hoy [əˋhɔɪ] *interj.* 〖海〗與遠處之人打招呼或呼喊其他船隻的聲音。

***aid** [ed] *v.t. & v.i.* ①幫助；援助。②促成。—*n.* ①Ⓤ 幫助；援助。②Ⓒ幫助者。③Ⓒ 助手。*call in one's* ～ 求人援助。*come to one's* ～ 援助。

aide [ed] *n.* Ⓒ副官；助理人員。

aide-de-camp [ˋeddəˋkæmp] *n.* Ⓒ (*pl.* **aides-de-camp**) (將軍、元帥等之)副官；侍從武官。(亦作 **aid-de-camp**)

AIDS [edz] *n.* Ⓤ〖醫〗後天性免疫不全症候群；愛滋病(爲 Acquired Immune Deficiency Syndrome 之略)。

ai·gret(te) [ˋegrɛt] *n.* Ⓒ①〖動〗(白)鷺。②鷺毛。③(倣製之)鷺毛飾。

ail [el] *v.t.* 使苦惱。—*v.i.* 生病。What ～*s* the child? 孩子那裏不舒服?

ai·lan·thus [eˋlænθəs] *n.* Ⓒ〖植〗臭椿；樗。

ai·ler·on [ˋelə͵rɑn] *n.* Ⓒ (常*pl.*) (飛機之)副翼；輔助翼。

ail·ment [ˋelmənt] *n.* Ⓒ疾病。

‡**aim** [em] *v.i. & v.t.* ①瞄準〔at〕. ②企圖；意欲〔at〕. —*n.* ①Ⓤ 瞄準。②Ⓒ目的。*take* ～ 瞄準。—**less,** *adj.*

ain't [ent] 〖俗〗原爲 am not 的縮寫；現擴充爲are not, is not, have not 和 has not 的縮寫。

‡**air** [ɛr] *n.* ①Ⓤ 空氣；大氣；天空。②Ⓒ 微風。③Ⓒ 曲調；旋律。④Ⓤ 公開表示；顯示。He gave ～ to his feelings. 他將心裏想說的話說了出來。⑤Ⓒ 態度；容貌。⑥(*pl.*)不自然的態度；裝腔作勢。He give himself ～*s.* 他裝

腔作勢。*get the* ~ **a.** 被開革。**b.**求愛被拒。*give the* ~ 開革(尤指臨時工)。(*up*) *in the* ~ 流傳的；未確定的。*off the* ~ 廣播停止。*on the* ~ 廣播。*put on* ~*s* 擺架子。*take the* ~ **a.** 出外散步。**b.** 〖美〗開始廣播。*travel by* ~ 航空旅行。*walk* [*tread*] *on* ~ 高興；快樂。— *v.t.* & *v.i.* ①晾；通風。②顯示；誇示。③散步。④廣播。§ ~ **alèrt** (1)等待戰鬥命令或敵機出現之飛行行動。(2)空襲警報。~ **attàck** 空襲。~ **bàg**〖美〗(汽車)安全氣囊。~ **bàse** 空軍基地。~ **blàdder** (1)(魚)鰾。(2)〖植〗氣囊。~ **bràke** 空氣煞車；空氣制動機。~ **càrgo** 空運貨物。~ **càstle** 空中樓閣。~ **còach**(票價低廉的)普通客機。~ **commànd** 〖美〗空軍指揮部。~ **conditioner** 空氣調節機。~ **condìtioning** 空氣調節設備。~ **contàiner** 空運集裝箱。~ **còrridor** 空中走廊(在外國控制區中取得的飛行航線)。~ **còver** (1)空中支援。(2)空中支援或護航之空軍武力。~ **cùshion** (1)氣墊；氣枕。(2)空氣防震裝置。~ **cùshion vèhicle** 氣墊船[車]。~ **exprèss** 航空快遞(郵件)。~ **fòrce** (1)空軍(略作A.F.)。(2)〖美〗航空隊。**Á- Fòrce Acàdemy** 空軍官校。~ **gàuge** [**gàge**] 氣壓計。~ **gùn** 氣槍。~ **hòle** (1)通風坑；氣窗。(2)〖美〗(河、湖等)結冰面之氣穴。~ **hòstess**〖英〗空中小姐。~ **jàcket** (1)機器上防止傳熱之氣套。(2)〖英〗充氣救生衣。~ **làne** 飛機航線。~ **lètter** 航空信。~ **lòck** (1)潛水箱不透氣的前室。(2)阻隔室。(3)氣塞。~ **màp** (航)空圖。~ **màss**〖氣象〗氣團。~ **màttress** 空氣墊；氣褥。~ **patròl** 空中偵察隊。~ **pìracy** 空中劫機。~ **plànt** 氣生植物。~ **pòcket** 氣潭；氣井。~ **pollùtion** 空氣污染。~ **prèssure** 氣壓。~ **pùmp** 排氣唧筒；抽氣機。~ **ràid** 空襲。~ **resìstance** 空氣阻力。~ **rìfle**(有膛線的)氣槍。~ **ròute** 飛機航線；航空線。~ **sàc** (1)氣袋。(2)〖鳥〗氣囊。(3)〖昆〗呼吸管之膨脹部分。~ **scòut** 飛行偵察員；偵察機。~ **sèrvice** (1)空勤。(2)航空運輸。~ **shàft** 通風管道。~ **spèed** 飛行速度。~ **stàtion** 飛機場；航空站。~ **tàxi** 短程用的不定期客機。~ **tràvel** 空中旅行。~ **umbrèlla**空中支援[掩護]。

air·borne [ˋɛr,born] *adj.* ①空降的；空運的。②空中傳播的。

air·brush [ˋɛr,brʌʃ] *n.* Ⓒ (一種用以噴漆之)噴霧器。(亦作 **air brush**)

air·bus [ˋɛr,bʌs] *n.* Ⓒ 空中巴士(中、短程距離用的大型客機)。

air-con·di·tion [ˋɛrkən,dɪʃən] *v.t.* 裝空氣調節設備於(房間、車廂等)。

air-con·di·tioned [ˋɛrkən,dɪʃənd] *adj.* 裝有冷[暖]氣設備的。

***air·craft** [ˋɛr,kræft] *n.* Ⓒ (*pl.* ~) 飛行器。§ ~ **càrrier** 航空母艦。

air·crew [ˋɛr,kru] *n.* Ⓒ (集合稱)飛機上之工作人員；空勤組(員)。

air·crew·man[ˋɛr,krumən] *n.* Ⓒ (*pl.* **-men**)機員；空勤人員。

air-cure [ˋɛr,kjur] *v.t.* 晾曬(煙葉等)於空氣中；用空氣處理。

air·drome [ˋɛr,drom] *n.* Ⓒ 飛機場。

air·drop [ˋɛr,drɑp] *n.* Ⓒ 空投。— *v.t.* (**-pp-**)以降落傘降落；空投。

air-dry [ˋɛr,draɪ] *v.t.* 晾乾。— *adj.* 晾乾的。

air·field [ˋɛr,fild] *n.* Ⓒ 飛機場。

air·fight [ˋɛr,faɪt] *n.* Ⓒ 空戰。

air·head [ˋɛr,hɛd] *n.* Ⓒ 空降陣地。

air·i·ly [ˋɛrəlɪ] *adv.* 輕快地；活潑地。

air·ing [ˋɛrɪŋ] *n.* ① Ⓤ Ⓒ 晾乾。② Ⓒ (常 *sing.*) 兜風。③ Ⓒ (常 *sing.*) 公開；公開討論。

air·less [ˋɛrlɪs] *adj.* 不通風的；沒有空氣的。

air·lift [ˋɛr,lɪft] *v.t.* & *n.* Ⓒ 空運。

air·lift·ing [ˋɛr,lɪftɪŋ] *n.* Ⓤ 空運。

***air·line** [ˋɛr,laɪn] *n.* Ⓒ ①定期航線。②〖美〗直線。③(常 *pl.*, 作 *sing.* 解, 常 A-)航空公司。§ ~ **hòstess** 空中小姐。

air·lin·er [ˋɛr,laɪnɚ] *n.* Ⓒ 定期客運班機。

air·log [ˋɛr,lɔg] *n.* Ⓒ ①調節飛彈射程之裝置。②航行計程器。(亦作 **air log**)

***air·mail** [ˋɛr,mel] *n.* Ⓤ 航空郵件；航空信。

air·man [ˋɛrmən] *n.* Ⓒ (*pl.* **-men**) ①飛行員。②空軍中最低級之士兵。

air-mind·ed [ˋɛr,maɪndɪd] *adj.* ①熱心航空的。②贊成多用飛機的。

air·park [ˋɛr,pɑrk] *n.* Ⓒ 小飛機場。

****air·plane** [ˋɛr,plen] *n.* Ⓒ 飛機。

****air·port** [ˋɛr,port] *n.* Ⓒ 飛機場。

air·proof [ˋɛrˋpruf] *adj.* 不通氣的；密不透氣的。— *v.t.* 使不透氣。

áir-raid shèlter [ˋɛr,red ~] *n.* Ⓒ 防空洞；防空壕。

air·ship [ˋɛr,ʃɪp] *n.* Ⓒ 飛艇；飛船。

air·ship [ˋɛr,ʃɪp] *v.t.* (**-pp-**) 〖美〗將…空運。

air·sick [ˋɛr,sɪk] *adj.* 航空病的；暈機的。— **ness,** *n.*

air·space [ˋɛr,spes] *n.* Ⓤ 領空。

air·strip [ˋɛr,strɪp] *n.* Ⓒ ①飛機跑道。②臨時機場。

air·tight [ˋɛrˋtaɪt] *adj.* ①不透氣的；密封的。②無懈可擊的。

air-to-air [ˋɛrtəˋɛr] *adj.* & *adv.* 空對空的[地]。~ missiles 空對空飛彈。

air-to-ground [ˋɛrtəˋgraund] *adj.* & *adv.* 空對地的[地]。

air-to-sur·face [ˋɛrtəˋsɝfɪs] *adj.* & *adv.* 空對地的[地]。

air·waves [ˋɛr,wevz] *n. pl.* 無線電或電視廣播。

air·way [ˋɛr,we] *n.* ① Ⓒ 航(空)線。② Ⓒ〖礦〗通風孔。③ Ⓒ〖美〗無線電廣播用的周率。④(A-) (*pl.*)航空公司。

air-wise [ˋɛr,waɪz] *adj.* 熟習航空的。

air·wom·an [ˋɛr,wumən] *n.* Ⓒ (*pl.* **-wom·en**)女飛行家。

air·wor·thy [ˋɛr,wɝðɪ] *adj.* 達於安全飛行標準的；適宜航空的。

air·y [ˋɛrɪ] *adj.* ①(像)空氣的。②輕快的；優美的。③空想的。④在空中的。⑤通風的。⑥〖俗〗裝腔作勢的。— **air′·i·ly,** *adv.* — **air′i·ness,** *n.*

***aisle** [aɪl] *n.* Ⓒ ①教堂、禮堂、教室、列車或劇院座椅中之縱直的通路。②任

何狹長之通路。③教堂的側廊。*down the* ~ (走)向神壇去行婚禮。
aisle-sit·ter [ˋaɪl,sɪtɚ] *n.* Ⓒ〖美〗坐在靠通道座位上的人(尤指劇評者)。
A.I.T. American Institute in Taiwan. (the ~)美國在台協會。
a·jar[1] [əˋdʒɑr] *adv. & adj.* (門)半開地[的]; 微開地[的]。
a·jar[2] *adv. & adj.* 不和諧地[的]。
a·kim·bo [əˋkɪmbo] *adv. & adj.* 兩手叉腰地[的]。
a·kin [əˋkɪn] *adj.* ①同血族的。②同性質的; 類似的。
Al 〖化〗aluminum. **Ala.** Alabama.
à la [ˋɑlə] 〖法〗 *prep.* 按…; 依照。
Al·a·bam·a [,æləˋbæmə] *n.* 阿拉巴馬(美國南部一州)。
Al·a·bam·an [,æləˋbæmən], **-bam·i·an** [-ˋbæmɪən] *n.* Ⓒ 美國阿拉巴馬州人。— *adj.* 阿拉巴馬州(人)的。
al·a·bas·ter [ˋælə,bæstɚ] *n.* Ⓤ雪花石膏。— *adj.* ①雪花石膏製的。②雪白光滑的。
à la carte [,ɑləˋkɑrt] 〖法〗 *adj. & adv.* 照菜單自行點菜的[地]。
a·lack [əˋlæk] *interj.* 〖古〗嗚呼!
a·lac·ri·tous [əˋlækrətəs] *adj.* 活潑的; 敏捷的。
a·lac·ri·ty [əˋlækrətɪ] *n.* Ⓤ 活潑; 敏捷。
A·lad·din [əˋlædɪn] *n.* 阿拉丁(天方夜譚中一少年)。
al·a·mo [ˋælə,mo] *n.* Ⓒ (*pl.* ~s)一種白楊。
à la mode [,ɑləˋmod] 〖法〗*adj.* ①流行的; 時髦的。②〖烹飪〗加冰淇淋的(甜點心)。— *adv.* 流行地; 時髦地。
*__a·larm__ [əˋlɑrm] *n.* ①Ⓤ驚慌; 恐懼。②Ⓒ警報。③Ⓒ警鈴; 警報器。— *v.t.* ①使驚慌; 使恐慌。②警告。③征召入伍。§~ **bèll** 警鐘; 警鈴。~ **clòck** 鬧鐘。~ **sìgnal** 警報; 警報器。
a·larm·ing [əˋlɑrmɪŋ] *adj.* 驚人的。
a·larm·ist [əˋlɑrmɪst] *n.* Ⓒ大驚小怪者。
*__a·las__ [əˋlæs] *interj.* 感歎聲(表示悲哀或愁苦)。
Alas. Alaska.
A·las·ka [əˋlæskə] *n.* (美國)阿拉斯加州。
A·las·kan [əˋlæskən] *adj.* (美國)阿拉斯加州的。— *n.* Ⓒ阿拉斯加人。
alb [ælb] *n.* Ⓒ〖基督教〗白麻布僧衣。
Al·ba·ni·a [ælˋbenɪə] *n.* ①阿爾巴尼亞(歐洲國名)。②〖詩〗蘇格蘭高地。
Al·ba·ni·an [ælˋbenɪən] *adj.* 阿爾巴尼亞(人, 語)的。— *n.* ①Ⓒ阿爾巴尼亞人。②Ⓤ阿爾巴尼亞語。
Al·ba·ny [ˋɔlbənɪ] *n.* 阿伯尼(美國紐約州之首府)。
al·ba·tross [ˋælbə,trɔs] *n.* Ⓒ ①〖鳥〗信天翁。②沈重的負擔; 障礙。
al·be·it [ɔlˋbiɪt] *conj.* 雖然。
al·bi·no [ælˋbaɪno] *n.* Ⓒ (*pl.* ~s) ①白化病者(皮膚、頭髮及眼睛缺乏正常色素的人)。②白變種。
*__al·bum__ [ˋælbəm] *n.* Ⓒ①貼相片、郵票等之簿冊。②唱片集。③來賓簽名簿。
al·bu·men [ælˋbjumən] *n.* Ⓤ①蛋白; 蛋清。②〖植〗胚乳。
al·bu·min [ælˋbjumɪn] *n.* Ⓤ〖生化〗蛋白質; 蛋白素。— **al·bu′mi·nous, al·bu′mi·nose,** *adj.*
al·che·mist [ˋælkəmɪst] *n.* Ⓒ 煉金術士。— **al·che·mis′ti·cal,** *adj.*
al·che·my [ˋælkəmɪ] *n.* Ⓤ (中世紀之)煉金術; 煉丹術。
*__al·co·hol__ [ˋælkə,hɔl] *n.* ⓊⒸ①〖化〗酒精; 乙醇。②酒。§~ **làmp** 酒精燈。—**ism,** *n.* Ⓤ酒精中毒。
al·co·hol·ic [,ælkəˋhɔlɪk, -ˋhɑl-] *adj.* (含)酒精的。— *n.* Ⓒ 酗酒者。
al·co·me·ter [ælˋkɑmɪtɚ] *n.* Ⓒ酒醉計; 醉度測量計。
al·cove [ˋælkov] *n.* Ⓒ 凹室; 壁龕; 牆壁凹入作書架等用的一部分。
al·der [ˋɔldɚ] *n.* Ⓒ赤楊。
al·der·man [ˋɔldɚmən] *n.* Ⓒ (*pl.* **-men**)①〖美〗市議員。②〖英〗市府參事。
ale [el] *n.* ⓊⒸ麥酒。
a·lee [əˋli] *adv. & adj.* 〖海〗向下風。
al·e·gar [ˋæləgɚ] *n.* Ⓒ麥酒醋。
ale·house [ˋel,haus] *n.* Ⓒ 麥酒店; 酒館。
*__a·lert__ [əˋlɜt] *adj.* ①留心的; 警覺的。②活潑的; 敏捷的。— *n.* Ⓒ①注意; 小心。②空襲警報; 暴風警報; 空襲或暴風警報期間。*on the* ~ 注意; 留意。— *v.t.* ①發空襲或暴風警報給…。②警告…作…準備; 警告。— **ly,** *adv.*
A·leu·tian [əˋluʃən] *adj.*阿留申群島的。— *n.* ①Ⓒ阿留申群島之土人。②(the ~s) 阿留申群島 (=Aleutian Islands).
Al·ex·an·der [,ælɪgˋzændɚ] *n.* 亞歷山大 (男子名)。§~ **the Gréat** 亞歷山大大帝。
Al·ex·an·dri·a [,ælɪgˋzændrɪə] *n.* 亞歷山卓港(在埃及尼羅河口)。
a·lex·i·a [əˋlɛksɪə] *n.* Ⓤ〖醫〗無閱讀能力; 失讀症。
al·fal·fa [ælˋfælfə] *n.* Ⓤ紫花苜蓿。
al·fred [ˋælfrɪd] *n.* 阿佛列 (849-899, West Saxons 王, 在位期間爲 871-899, 號稱 Alfred the Great)。
al·fres·co [ælˋfrɛsko] *adv. & adj.* 戶外地[的]; 露天地[的]。
al·ga [ˋælgə] *n.* Ⓒ (*pl.* **-gae** [-dʒi]) 〖植〗海藻; 藻類。— **al′gal** [-gəl], *adj.*
*__al·ge·bra__ [ˋældʒəbrə] *n.* Ⓤ代數(學)。— **al·ge·bra·ist** [ˋældʒə,bre·ɪst], *n.*
al·ge·bra·ic, -i·cal [,ældʒəˋbre·ɪk(l)] *adj.* 代數的。
Al·ge·ri·a [ælˋdʒɪrɪə] *n.* 阿爾及利亞(北非一國, 首都 Algiers). — **Al·ge′ri·an,** *adj. & n.*
Al·giers [ælˋdʒɪrz] *n.* 阿爾及爾(阿爾及利亞之首都)。
Al·gol, ALGOL [ˋælgɑl] *n.* Ⓤ〖電算〗算術語言(爲 *Algo*rithmic *Lan*guage 之略)。
Al·gon·qui·an [ælˋgɑŋkɪən] *n.*①Ⓤ亞爾崗金語(使用最廣的北美印第安語族)。②(the ~(s))亞爾崗金人(居住於加拿大渥太華河谷地區的印第安人)。
al·go·rithm [ˋælgə,rɪðəm] *n.* Ⓤ〖數〗算法; 計算程序; 規則系統。

a·li·as [ˋeliəs] *adv.* & *n.* Ⓒ別名；化名；假名。

Al·i Ba·ba [ˋælıˋbæbə, ˋɑlıˋbɑbə] *n.* 阿里巴巴(天方夜譚中的人物)。

al·i·bi [ˋæləˏbaı] *n.* Ⓒ①〖法律〗不在現場的答辯。②〖美俗〗託辭。— *v.i.* 辯解。— *v.t.* 爲(某人)作不在場的證詞。

***al·ien** [ˋeliən, ˋeljən] *n.* Ⓒ外國人。— *adj.* ①外國人的；外國的。②相反的；完全不同的〔to, from〕.

al·ien·a·ble [ˋeljənəbḷ] *adj.* 可轉讓的。— **al·ien·a·bil′i·ty,** *n.*

al·ien·ate [ˋeljənˏet] *v.t.* ①離間；使疏遠。②讓渡；割讓。— **al′ien·a·tor,** *n.* — **al′ien·a·tive,** *adj.*

al·ien·a·tion [ˏeljənˋeʃən] *n.* Ⓤ ①離間；疏遠。②讓渡；割讓。③精神錯亂。

al·ien·ist [ˋeljənıst] *n.* Ⓒ(供給法律證據之)精神病醫師；精神病研究者。

a·light[1] [əˋlaıt] *v.i.* ①下(車、馬等)〔from〕. ②降落。③偶遇〔on, upon〕.

a·light[2] *adj.* & *adv.* 發亮的[地]；燃著的[地]。

a·lign, a·line [əˋlaın] *v.t.* & *v.i.* ①排成直線；排列成行。②使合作；聯合。— **ment,** *n.*

****a·like** [əˋlaık] *adv.* & *adj.* 同樣地[的]；相似地[的]。— **ness,** *n.*

al·i·ment [ˋæləmənt] *n.* ⓊⒸ ①營養物；食物。②扶養。— [ˋæləˏmɛnt] *v.t.* 供給食物。

al·i·men·ta·ry [ˏæləˋmɛnt(ə)rı] *adj.* 有關飲食或營養的。§ ∼ **canál** [**tráct**] 消化管；消化道。

al·i·mo·ny [ˋæləˏmonı] *n.* Ⓤ①離婚贍養費。②生活費；扶養費。

al·i·quot [ˋælıkwət] *adj.* 〖數〗能整除的。— *n.* Ⓒ能整除之數。

****a·live** [əˋlaıv] *adj.* ①活的。②活躍的。③豐富的。*be* ∼ *to* 敏感；意識到。*be* ∼ *with* 充滿。*Look* ∼*!* 趕快！注意！

al·ka·li [ˋælkəˏlaı] *n.* ⓊⒸ (*pl.* ∼(**e**)**s**) 〖化〗鹼。— *adj.* 〖化〗鹼性的。

al·ka·line [ˋælkəˏlaın] *adj.* 含鹼的；鹼性的。∼ earth〖化〗鹼土。

al·ka·lin·i·ty [ˏælkəˋlınətı] *n.* Ⓤ鹼性。

al·ka·lize [ˋælkəˏlaız] *v.t.* & *v.i.* 「鹼化。」

al·ka·loid [ˋælkəˏlɔıd] *n.* Ⓒ〖生化〗生物鹼。— *adj.* 似鹼的；含鹼的。

Al·ko·ran [ˏælkoˋrɑn] *n.* 可蘭經。

****all** [ɔl] *adj.* ①完全的；全部的；一切的。②儘可能的。with ∼ speed 儘速。③僅有；只有。He is ∼ talk and no deed. 他只說不做。④〖俚〗完了。— *pron.* 全體；總數。∼ *in* ∼ **a.**完全地。**b.**最愛的。**c.**一般說來。*and* ∼ 連同。*at* ∼ **a.**全然。**b.**究竟。*for* ∼ (*that*)雖然；縱然。*for good and* ∼ 永遠。*if at* ∼ 假如果有其事。*in* ∼ 合計。*not at* ∼ 毫不。— *adv.* ①全部；全體。②同一；相等。∼ *alone* 獨自的。∼ *along* 自始至終。∼ *at once* **a.** 突然；忽然。**b.** 同時。∼ *but* **a.** 除了…全。**b.** 差不多。∼ *in* 〖俗〗疲倦。I'm ∼ in. 我累得要死。∼ *ready* 一切就緒。∼ *right* **a.**不錯。**b.**是(=yes). **c.**確然(=certainly). **d.**健康；安全。**e.**可以(含勉強意)。*A-* right! You will be sorry for it. 好吧，不過你要後悔的。∼ *the better* 更好。∼ *the same* 仍然；一樣地。∼ *the time* 始終。∼ *together* 一起。∼ *up* **a.**沒有希望了。**b.**〖印刷〗已全部排版。*be* ∼ *there* 〖俗〗**a.**神志清醒的。**b.**能幹的。§ ∼ **cléar** 空襲或其他危險解除的信號。**Â-Fóols' Dày** 愚人節(四月一日，又稱 April Fools' Day). **Â- Sáints' Dày** 萬聖節(十一月一日)。

Al·lah [ˋælə, ˋɑlə] *n.* 阿拉(爲回教之上帝或神)。

all-A·mer·i·can [ˋɔləˋmɛrəkən] *adj.* ①代表全美國的。②全係美國原料製成的。— *n.* Ⓒ全美代表選手。

all-a·round [ˋɔləˏraund] *adj.* 〖俗〗①多方面的；多才藝的。②普遍的；廣博的。③完全的。

al·lay [əˋle] *v.t.* ①使和緩。②使鎮靜；「解憂。」

all-day [ˋɔlˏde] *adj.* 持續整天的。

al·le·ga·tion [ˏæləˋgeʃən] *n.* Ⓒ①空言；推諉。②斷言；辯解；主張。

***al·lege** [əˋlɛdʒ] *v.t.* ①託言。②宣稱。

al·leged [əˋlɛdʒd] *adj.* ①有嫌疑的。②宣稱的。③作爲理由或辯解。— **al·leg′ed·ly** [-dʒıdlı], *adv.*

***al·le·giance** [əˋlidʒəns] *n.* ⓊⒸ對國家或君主的忠順；忠誠。

al·le·gor·i·cal [ˏæləˋgɔrıkḷ] *adj.* 比喩的；寓言的。(亦作 **allegoric**)

al·le·go·rist [ˋæləˏgorıst] *n.* Ⓒ諷喩家；寓言作家。

al·le·go·rize [ˋæləgəˏraız] *v.t.* ①以諷喩體敍述。②以諷喩含義解釋。— *v.t.* 使用諷喩。

al·le·go·ry [ˋæləˏgorı] *n.* ① Ⓤ 諷喩。②Ⓒ寓言。

al·le·gro [əˋlegro] 〖義〗〖樂〗 *adj.* & *adv.* 活潑的[地]；快速的[地]。— *n.* Ⓒ (*pl.* ∼**s**) 急速的調子。

al·le·lu·ia(h) [ˏæləˋlujə] *interj.* & *n.* =**hallelujah.**

all-em·brac·ing [ˋɔlımˋbresıŋ] *adj.* 範圍很廣的；包含全部的。an ∼ principle [view] 總括性的原理[見解]。

al·ler·gen [ˋæləˏdʒɛn] *n.* Ⓒ過敏原。

al·ler·gic [əˋlɝdʒık] *adj.* ①過敏症的。②患過敏症的。③〖俚〗具有強烈反感的。「②厭惡。」

al·ler·gy [ˋælədʒı] *n.* Ⓒ①過敏症。

al·le·vi·ate [əˋlivıˏet] *v.t.* 使緩和；減輕(痛苦)；安慰。— **al·le·vi·a′tion,** *n.* — **al·le′vi·a·tive,** *adj.* & *n.*

all-ex·pense [ˋɔlıkˋspɛns] *adj.* 包括一切費用的。

***al·ley** [ˋælı] *n.* Ⓒ ①弄；巷；胡同。②園林中之小徑。③保齡球之球道。*up one's* ∼ 〖俚〗正合其所長。

al·ley·way [ˋælıˏwe] *n.* Ⓒ ①〖美〗巷；衖。②窄道；小過道。

All·hal·lows [ˏɔlˋhæloz] *n.* =**All Saints' Day.**

***al·li·ance** [əˋlaıəns] *n.* ① ⓊⒸ 聯盟。② Ⓒ 同盟國。③ Ⓒ 聯姻；親戚。

A

④Ⓒ共通點。
al·lied [əˋlaɪd, ˋælaɪd] *adj.* ①聯盟的；同盟的。the *A-* Forces 盟軍；聯軍。②聯姻的。③類似的。
al·li·ga·tor [ˋæləˌgetɚ] *n.* ①Ⓒ短吻鱷(一種產於美洲的鱷魚)。②Ⓤ該種鱷魚之皮。③Ⓒ水陸兩用運兵船。
all-in [ɔlˋɪn] *adj.*〖英〗①包括全部的。②無限制的；自由式的。
al·lit·er·ate [əˋlɪtəˌret] *v.i.* & *v.t.* ①押頭韻〔with〕。②用頭韻。—**al·lit·er·a′tion,** *n.* —**al·lit′er·a·tive,** *adj.*
all-night [ɔlˋnaɪt] *adj.* 整夜(營業)的；通宵(服務)的。
al·lo·cate [ˋæləˌket] *v.t.* ①撥出。②按計畫分配。③定位置。
***al·lot** [əˋlɑt] *v.t.* (-tt-)①分配；攤派。②指定用途地分配；指派。—**ment,** *n.*
al·lot·ro·py [əˋlɑtrəpɪ] *n.* Ⓤ〖化〗同素異形；同素性。
al·lo·type [ˋæləˌtaɪp] *n.* Ⓤ同種抗原免疫球蛋白。
all-out [ˋɔlˋaʊt] *adj.* 儘可能的；徹底的。
all·o·ver [ˋɔlˋovɚ] *adj.* 布滿全面的；有布滿全面之花樣的。—[ˋɔlˌovɚ] *n.* Ⓤ印花布料。
‡**al·low** [əˋlaʊ] *v.t.* ①允許。②給與。③承認。④酌留。—*v.i.* 承認；容許〔of〕。~ *for* **a.**原諒；體諒。**b.**斟酌；考慮。**c.**準備；酌留。—**a·ble,** *adj.*
***al·low·ance** [əˋlaʊəns] *n.* Ⓒ①定量分配。②津貼；零用錢。③留餘地；預留。④承認；接受。⑤認可；寬容。⑥折扣；酌加[減]額。*make* ~ (*for*) 留餘地；原諒。—*v.t.* ①給零用錢或津貼。②按定量分配。
al·loy [ˋælɔɪ, əˋlɔɪ] *n.* Ⓒ①合金。②(金銀)成色。—[əˋlɔɪ] *v.t.* ①使成合金。②攙雜以劣質。
all-pow·er·ful [ˋɔlˋpaʊɚfəl] *adj.* 全能的。
all-pur·pose [ˋɔlˋpɝpəs] *adj.* 可作各種用途的。
all-round [ˋɔlˋraʊnd] *adj.* ①萬能的(選手等)；多才多藝的。②全面性的。
all·spice [ˋɔlˌspaɪs] *n.* ①Ⓒ甜胡椒。②Ⓤ甜胡椒所製之香料。
all-star [ˋɔlˌstɑr] *adj.* 第一流演員或選手組成的。§ **Áll-Star Gàme** 明星棒球賽。
all-time [ˋɔlˌtaɪm] *adj.* ①=**fulltime.** ②空前的。
al·lude [əˋl(ɪ)ud] *v.i.* 暗指；提及〔to〕。
al·lure [əˋl(ɪ)ʊr] *v.t.* 引誘；誘惑。—*n.* Ⓤ引誘；誘惑。—**ment,** *n.*
al·lur·ing [əˋlʊrɪŋ] *adj.* 誘惑的；迷人的；銷魂的。
al·lu·sion [əˋluʒən] *n.* ⓊⒸ引述；間接提及；暗指。
al·lu·sive [əˋlusɪv] *adj.* ①暗指的；引喻的。②多典故的；含典故的。
al·lu·vi·al [əˋluvɪəl] *adj.* 沖積的。—*n.* ⓊⒸ沖積土。
al·lu·vi·um [əˋluvɪəm] *n.* ⓊⒸ (*pl.* ~s, -vi·a [-vɪə])〖地質〗沖積層。
all-weath·er [ˋɔlˌwɛðɚ] *adj.* 全天候的；適於任何天氣狀況的。
all-white [ˋɔlˌhwaɪt] *adj.* 全白人的；白人專用的；排除有色人種的(團體、設施等)。
***al·ly** [əˋlaɪ] *v.t.* & *v.i.* ①聯合；結合；結盟〔to, with〕。②聯繫。③在血統或組織上發生關係。—[ˋælaɪ, əˋlaɪ] *n.* Ⓒ①同盟國。②伙伴；助手。③擁護者。
all-year [ˋɔlˌjɪr] *adj.* 全年度的。
al·ma ma·ter, Al·ma Ma·ter [ˋælməˋmetɚ]〖拉〗*n.* Ⓒ母校。
al·ma·nac [ˋɔlməˌnæk, ˋɔlmənɪk] *n.* Ⓒ年鑑；曆書。
***al·might·y** [ɔlˋmaɪtɪ] *adj.* ①萬能的。②〖俗〗非常的；甚大的。—*n.* (the A-)上帝。—*adv.*〖俗〗非常地。
al·mond [ˋɑmənd] *n.* ①ⓊⒸ杏仁。②Ⓒ杏樹。③Ⓒ形似杏仁之物。
al·mond-eyed [ˋɑməndˌaɪd] *adj.* 杏眼的；細長橢圓形眼的。
al·mon·er [ˋælmənɚ] *n.* Ⓒ救濟品分發員。
‡**al·most** [ɔlˋmost, ˋɔlˌmost] *adv.* 差不多；幾乎。
alms [ɑmz] *n. pl.* 施捨(物)；賙濟(品)。
alms·giv·ing [ˋɑmzˌgɪvɪŋ] *n.* Ⓤ施捨。
alms·house [ˋɑmzˌhaʊs] *n.* Ⓒ救濟院。
al·oe [ˋælo] *n.* ①Ⓒ〖植〗蘆薈。②(*pl.*, 作 *sing.*解)蘆薈油(瀉藥)。③Ⓒ〖美〗龍舌蘭。
a·loft [əˋlɔft] *adj.* & *adv.* ①到上面；在上面。②在桅上；在桅桿高處。
al·o·ha [əˋloə, ɑˋlohɑ]〖夏威夷語〗*interj.* ①歡迎！喂！②再見！—*n.* Ⓒ問候；致意。§ ∼ **shírt** 夏威夷襯衫。**the A∼ Státe** 夏威夷州之俗稱。
‡**a·lone** [əˋlon] *adj.* ①單獨的；孤單的。②獨特的；無雙的。*leave somebody* [*something*] ~ 聽其自然。*Leave me* ~. 不要管我。*let* ~ **a.** 聽其自然。**b.** 至於…更不必說。—*adv.* ①單獨地。②僅；獨。
‡**a·long** [əˋlɔŋ] *prep.* ①沿；循。②在…期間；在…過程中。③根據；按照。—*adv.* ①成一行地；縱長地。②向前。③共同。④近。~ *of*〖俗〗**a.**由於。**b.**作伴。*be* ~ 到一個地方。
a·long·shore [əˋlɔŋˌʃor] *adv.* ①沿岸；靠岸。②在岸上。
a·long·side [əˋlɔŋˋsaɪd] *adv.* 傍；靠；沿。—*prep.* 橫傍。
***a·loof** [əˋluf] *adv.* 遠離；躲開。hold oneself ~ from the crowd 避開人群超然絕俗。—*adj.* 冷漠的；疏遠的。—**ly,** *adv.*
‡**a·loud** [əˋlaʊd] *adv.* 高聲；大聲。
al·pac·a [ælˋpækə] *n.* ①Ⓒ〖動〗羊駝。②Ⓤ羊駝毛。③Ⓒ羊駝毛織物。
al·pha [ˋælfə] *n.* ⓊⒸ①希臘字母的第一個字母(Α, α)。②最初；開端。~ *and omega* 始終。~ *plus* 最高級的；最上等的。§ ∼ **párticle**〖理〗α質點。∼ **rāys**〖理〗α射線；甲射線。
***al·pha·bet** [ˋælfəˌbɛt] *n.* ①Ⓒ字母。②(the ~)初步；初階。
al·pha·bet·i·cal [ˌælfəˋbɛtɪkl] *adj.* 字母的；依字母順序的。(亦作 **alphabetic**)
al·pha·bet·ize [ˋælfəbəˌtaɪz] *v.t.*

①依字母次序排列。②以字母表示。

Al·pine [ˋælpaɪn] *adj.* ①阿爾卑斯山的。②(a-)高山的。

Al·pin·ist, al·pin·ist [ˋælpɪnɪst] *n.* Ⓒ登山家。

***Alps** [ælps] *n. pl.* (the ～) 阿爾卑斯山脈。

‡**al·read·y** [ɔlˋrɛdɪ] *adv.* 早已；業經。

al·right [ɔlˋraɪt] *adv. & adj.* =**all right.**

‡**al·so** [ˋɔlso] *adv.* 也；同樣地；並且；又；亦。— *conj.* =**and.**

al·so-ran [ˋɔlso,ræn] *n.* Ⓒ ①〖賽馬〗落選之馬。②〖俗〗失敗者；庸才。

alt [ælt] *n. & adj.* =**alto.**

alt. alternate; altitude; alto.

***al·tar** [ˋɔltɚ] *n.* Ⓒ①祭壇。②聖餐檯。③祈禱之所。*lead (a woman) to the* ～ 娶…爲妻。§ ～ **bòy** 輔祭(舉行彌撒時協助神父的男童)。

***al·ter** [ˋɔltɚ] *v.t.* ①更改；變更。②〖美〗爲(雄性動物)去勢；爲(雌性動物)割去卵巢。— *v.i.* 改變。— **a·ble,** *adj.*

al·ter·a·tion [,ɔltəˋreʃən] *n.* ⓊⒸ 變更；改變。

al·ter·cate [ˋɔltɚ,ket] *v.i.* 爭論；吵嘴〔with〕.

al·ter e·go [ˋæltɚˋigo]〖拉〗*n.* Ⓒ (*pl.* ～**s**)①密友；知己。②他我；個性之另一面。

***al·ter·nate** [ˋɔltɚ,net, ˋæl-] *v.i. & v.t.* ①輪流；交替〔with〕. ②〖電〗交流。— [ˋɔltɚnɪt, ˋæl-] *adj.* ①間隔的。②輪流的；交替的。③〖植〗互生的。— *n.* Ⓒ〖美〗①替代者。②備用演員。

al·ter·nat·ing [ˋɔltɚ,netɪŋ, ˋæl-] *adj.* 交替的；交流的。§ ～ **cúrrent** 〖電〗交流電(略作 AC, A.C., a.c.).

al·ter·na·tion [,ɔltɚˋneʃən] *n.* Ⓤ Ⓒ①交互；交替；輪流。②間隔；交錯。～ *of generations*〖生物〗世代交替。

***al·ter·na·tive** [ɔlˋtɝnətɪv, æl-] *adj.* ①二者任擇其一的。②選擇的。③另類的；非傳統[正統]的。～ theater 另類戲劇。— *n.* Ⓒ①二者擇一。②選擇之事物。

al·ter·na·tor [ˋɔltɚ,netɚ] *n.* Ⓒ〖電學〗交流發電機。

‡**al·though, al·tho** [ɔlˋðo] *conj.* 雖然；縱然；雖則；縱使。

al·tim·e·ter [ælˋtɪmətɚ] *n.* Ⓒ高度測量器；高度計。

***al·ti·tude** [ˋæltə,t(j)ud] *n.* ①Ⓤ高度。②Ⓒ(常 *pl.*)高處。③Ⓒ階級高權力大的職位。§ ～ **sìckness** 高空病。

al·to [ˋælto] *n.* (*pl.* ～**s**)〖樂〗Ⓤ 女低音；男高音。— *adj.* alto 的。

***al·to·geth·er** [,ɔltəˋgɛðɚ] *adv.* ①完全地。②總共。③總之。— *n.* (the ～)〖謔〗全裸。*in the* ～〖俗〗裸體。

al·tru·ism [ˋæltru,ɪzm] *n.* Ⓤ利他主義；愛他主義。— **al′tru·ist,** *n.* — **al·tru·is′tic,** *adj.*

al·um [ˋæləm] *n.* Ⓤ〖化〗明礬；白礬。

al·u·min·i·um [,æljəˋmɪnɪəm] *n.* 〖英〗=**aluminum.**

***a·lu·mi·num** [əˋlumɪnəm] *n.* Ⓤ〖化〗鋁。

a·lum·na [əˋlʌmnə] *n.* Ⓒ (*pl.* **-nae** [-ni]) 女校友；女畢業生。

a·lum·nus [əˋlʌmnəs] *n.* Ⓒ (*pl.* **-ni** [-naɪ]) 男校友；男畢業生。§ **alúmni associátion** 校友會。

al·ve·o·lar [ælˋviəlɚ] *adj.* ① **a.** 〖解〗肺泡的；氣泡的。**b.**齒槽的。②〖語音〗齒槽音的。

al·ve·o·li·tis [,ælviəˋlaɪtɪs] *n.* Ⓤ 〖齒〗齒槽炎。

al·ve·o·lus [ælˋviələs] *n.* Ⓒ (*pl.* **-li** [-,laɪ]) ①小洞；小孔。②〖解〗**a.**肺泡；氣泡。**b.**齒槽。③齒槽突起。

‡**al·ways** [ˋɔlwɪz, -wez] *adv.* ①永遠。②總是。③不斷地。

‡**am** [*stressed* æm, *unstressed* əm] *v.* be 的第一人稱，單數，現在，直說法。

AM amplitude modulation. 調幅。

Am. America; American. **A.M.** Master of Arts. 文學碩士。(亦作 **M.A.**)

***a.m., A.M.** [ˋeˋɛm] *adv. & adj.* 午前地[的]；上午地[的](爲〖拉〗ante meridiem(=before noon)之縮寫)。

a·mah [ˋɑmə] *n.* Ⓒ女傭；乳母；阿媽。

a·mal·gam [əˋmælgəm] *n.* ① Ⓤ Ⓒ汞合金；汞齊。②Ⓒ任何混合物。

a·mal·ga·mate [əˋmælgə,met] *v.t. & v.i.* ①與汞混合。②混合。

am·a·ryl·lis [,æməˋrɪlɪs] *n.* Ⓒ〖植〗孤挺花。

a·mass [əˋmæs] *v.t. & v.i.* ①積聚；蓄積。②集合。— **ment,** *n.*

***am·a·teur** [ˋæmə,tʃur] *n.* Ⓒ ①業餘者；愛好者。②技術不熟練者；無經驗的人。— *adj.* 業餘的。— **am·a·teur·ish** [,æməˋtɝɪʃ], *adj.* — **ism,** *n.*

am·a·to·ry [ˋæmə,torɪ] *adj.*戀人的；戀愛的；色情的。

***a·maze** [əˋmez] *v.t.* 使吃驚；使驚愕。— *n.* Ⓤ驚愕。

a·mazed [əˋmezd] *adj.* 吃驚的；驚奇[驚異]的。I was ～ at his conduct. 我對他的行爲感到驚愕。— **a·maz′ed·ly** [-zɪdlɪ], *adv.*

***a·maze·ment** [əˋmezmənt] *n.* ① Ⓤ驚愕；驚異。②Ⓒ使人驚異的事物。

***a·maz·ing** [əˋmezɪŋ] *adj.* 令人驚異的。— **ly,** *adv.*

Am·a·zon [ˋæmə,zɑn] *n.* ① (the ～)亞馬遜河。②〖希神〗亞馬遜族女戰士。③(a-) Ⓒ女中豪傑；高大而有男子氣概的女人。— **Am·a·zo·ni·an** [,æməˋzonɪən], *adj.*

***am·bas·sa·dor** [æmˋbæsədɚ] *n.* Ⓒ①大使。②代表。～ *extraordinary and plenipotentiary* 特命全權大使。— **am·bas·sa·do′ri·al** [-ˋdorɪəl], *adj.*

am·bas·sa·dor-at-large [æmˋbæsədərətˋlɑrdʒ] *n.* Ⓒ (*pl.* **am·bas·sa·dors-**)〖美〗無任所大使；巡迴大使。

am·bas·sa·dress [æmˋbæsədrɪs] *n.* Ⓒ①女大使。②大使夫人。

am·ber [ˋæmbɚ] *n.* Ⓤ①琥珀。②琥珀色。— *adj.* ①琥珀製的。②琥珀色的。

am·bi·dex·trous [,æmbəˋdɛkstrəs] *adj.* ①兩手都很靈巧的。②懷二心的。③極技巧的。

am·bi·ence [ˋæmbɪəns] *n.* Ⓒ 環境；周圍。(亦作 **ambiance**)

A

am·bi·ent [ˋæmbɪənt] *adj.* 周圍的。
am·bi·gu·i·ty [ˌæmbɪˋgjuətɪ] *n.* ①Ⓤ二種或二種以上的意義；曖昧；不分明。②Ⓒ曖昧的語意或文句。
***am·big·u·ous** [æmˋbɪgjuəs] *adj.* ①含糊的。②可疑的。—**ly,** *adv.*
am·bi·sex·trous [æmbəˋsɛkstrəs] *adj.* 兩性吸引的；兩性的。
am·bi·sex·u·al [ˌæmbɪˋsɛkʃuəl] *adj.* 兩性的；對兩性均具反應的。— *n.* Ⓒ陰陽人。
am·bit [ˋæmbɪt] *n.* Ⓒ (常*pl.*)界限；範圍；周圍。
***am·bi·tion** [æmˋbɪʃən] *n.* ①ⓊⒸ野心；雄心。②Ⓒ所希望的東西。— *v.t.* 急於獲得。
***am·bi·tious** [æmˋbɪʃəs] *adj.* ①有雄心或野心的。②熱望的。③矯飾的。
am·biv·a·lent [æmˋbɪvələnt] *adj.* (對同一人、物)同時具有矛盾情感的。— *n.* Ⓒ陰陽人。—**am·biv′a·lence,** *n.*
am·ble [ˋæmbl] *n.* (an ～)①溜蹄(馬之同側兩足同時並舉之步調)。②緩行。— *v.i.* 漫步；緩馳。—**am′bler,** *n.*
am·bro·si·a [æmˋbroʒɪə] *n.* ⓊⒸ①〖希、羅神〗神(仙)之食物。②美味；芳香之物。—**am·bro′si·al,** *adj.*
***am·bu·lance** [ˋæmbjələns] *n.* Ⓒ①救護車[船，飛機]。②昔時之野戰醫院。
am·bu·la·to·ry [ˋæmbjələˌtorɪ] *adj.* ①行走的；能走的。②宜於行走的。③動的。④〖醫〗不必臥床的。⑤〖法律〗可變更的。— *n.* Ⓒ走廊。
am·bus·cade [ˌæmbəsˋked] *n.* & *v.t.* & *v.i.* =**ambush.**
am·bush [ˋæmbuʃ] *n.* Ⓒ①埋伏。②伏兵。③埋伏之處。— *v.t.* & *v.i.* ①自埋伏處出擊。②伏(兵)於隱處。
a·mel·io·rate [əˋmiljəˌret] *v.t.* 改善；修正。— *v.i.* 變好。—**a·mel′io·ra·ble,** *adj.* —**a·mel·io·ra′tion,** *n.*
***a·men** [ˋeˋmɛn, ˋɑˋmɛn] *interj.* 阿門(祈禱終了時之語)；心願如是。— *n.* ⓊⒸ「阿門」之語。
a·me·na·ble [əˋminəbl] *adj.* ①有責任的；有服從之義務的。②願服從的；肯接受勸告的。—**a·me′na·bly,** *adv.* —**a·me·na·bil′i·ty,** *n.*
***a·mend** [əˋmɛnd] *v.t.* ①修改(法律等)。②改正；改良。
***a·mend·ment** [əˋmɛndmənt] *n.* ①Ⓒ修正案。②ⓊⒸ修正；改良。
a·mends [əˋmɛndz] *n.* (作*sing.* or *pl.*解)賠償；賠罪。
a·men·i·ty [əˋmɛnətɪ] *n.* ①(the ～)適意；溫和。②Ⓒ(常*pl.*)令人愉快之事物。
Amer. America; American.
A·mer·a·sian [əˋmɛrəʃən] *adj.* 美亞混血兒的。— *n.* Ⓒ美亞混血兒。
a·merce [əˋmɝs] *v.t.* ①罰鍰；罰金。②懲罰；罰科。—**ment,** *n.*
A·mer·eng·lish [əmɛˋrɪŋglɪʃ] *n.* Ⓤ美國英語。
‡**A·mer·i·ca** [əˋmɛrɪkə] *n.* ①美國。②南美或北美。③(*pl.*)南北美洲。
‡**A·mer·i·can** [əˋmɛrɪkən] *adj.* ①美國的。②美洲的。— *n.* Ⓒ①美國人。②美洲人。§ ～ **Énglish** 美語。～ **Índian** 美國印第安人。～ **plàn** 美式旅館之供膳制(膳宿及服務費合併計算制)。～ **Revolùtion** 美國獨立戰爭(1775-83)。
A·mer·i·can·ism [əˋmɛrəkənˌɪzəm] *n.* ①ⓊⒸ美國風俗習慣及特性。②Ⓒ美國常用字詞。③Ⓤ親美。
A·mer·i·can·ize [əˋmɛrəkənˌaɪz] *v.t.* & *v.i.* 美國化。—**A·mer·i·can·i·za′tion** [-nəˋzeʃən], *n.*
am·e·thyst [ˋæməθɪst] *n.* ①ⓊⒸ〖礦〗紫晶；紫水晶。②Ⓤ紫色。
a·mi·a·ble [ˋemɪəbl] *adj.* 和藹可親的；溫柔的；友善的。—**a′mi·a·bly,** *adv.*
am·i·ca·ble [ˋæmɪkəbl] *adj.* 友善的；和平的。—**am′i·ca·bly,** *adv.*
a·mid [əˋmɪd] *prep.* 在其中。
a·mid·ship(s) [əˋmɪdʃɪp(s)] *adj.* & *adv.* ①在船或飛機中部；向船或飛機中部；在船腹。②縱長的[地]。
a·midst [əˋmɪdst] *prep.* =**amid.**
a·mi·go [əˋmigo] *n.* Ⓒ(*pl.* ～**s**)朋友。
a·mí·no ácid [əˋmino～] *n.* Ⓒ〖化〗氨基酸。
a·miss [əˋmɪs] *adv.* 錯誤地；差錯地。Everything goes ～ with him. 他凡事不如意。*take*...～ 因而見怪。I hope you won't take it ～. 我希望你不會見怪。— *adj.* 錯誤的；差錯的。
am·i·ty [ˋæmətɪ] *n.* ⓊⒸ友善；和睦。
AMM antimissile missile. 反飛彈飛彈。
am·me·ter [ˋæmˌmitɚ] *n.* Ⓒ安培計；電表。
am·mo [ˋæmo] *n.* Ⓤ〖俗〗彈藥。
am·mo·nia [əˋmonjə, -nɪə] *n.* Ⓤ①氨。②(亦作**ammonia water**)氨水。
am·mu·ni·tion [ˌæmjəˋnɪʃən] *n.* Ⓤ彈藥；軍火。§ ～ **bèlt** 彈帶。
am·ne·sia [æmˋniʒ(ɪ)ə] *n.* Ⓤ〖醫〗健忘症。
am·ne·si·ac [æmˋniʒɪˌæk] *adj.* 健忘症的。— *n.* Ⓒ健忘症患者。
am·nes·ty [ˋæmˌnɛstɪ] *n.* Ⓤ大赦；特赦。— *v.t.* 大赦；特赦。
am·ni·o·cen·te·sis [ˌæmnɪosɛnˋtisəs] *n.* Ⓤ〖醫〗羊膜穿刺術。
a·moe·ba [əˋmibə] *n.* Ⓒ(*pl.* ～**s, -bae** [-bi])阿米巴；變形蟲。
a·moe·bic [əˋmibɪk] *adj.* ①變形蟲的。②阿米巴性的。
a·mok [əˋmʌk, əˋmɑk] *adv.* 狂怒地。
‡**a·mong** [əˋmʌŋ] *prep.* ①在…中；在一類中。②於…之間(分配)。③互相。〔注意〕**among, between** 均指在…之間。among通常指其受詞在兩個以上者。而between則指其受詞僅為兩個者。
a·mongst [əˋmʌŋst] *prep.* =**among.**
a·mor·al [eˋmɔrəl] *adj.* 超道德的；與道德無關的。—**i·ty** [ˌeməˋrælətɪ], *n.*
am·o·rous [ˋæmərəs] *adj.* ①好色的。②表示愛情的。—**ly,** *adv.*
a·mor·phous [əˋmɔrfəs] *adj.* ①無定形的；無組織的。②非結晶形的。
a·mor·tize [ˋæmɚˌtaɪz] *v.t.* 分期逐

漸償還(債務)。— **am·or·ti·za′tion,** *n.*

‡**a·mount** [əˋmaunt] *n.* ①(the ～)總數；總額。②Ⓤ效力；價值；程度。③Ⓒ數量。***gross*** ～ 約計；概數。***in*** ～ 在數量上。***net*** ～ 細數。— *v.i.* ①總計；共達。Our debt ～*ed* to two hundred dollars. 我們的債共達二百元。②等於；近於。③不啻。④成爲〔常 to〕.

a·mour [əˋmʊr]〖法〗*n.* Ⓒ(常 *pl.*)戀情；姦情。

a·mour-pro·pre [amurˋprɔ̃pr]〖法〗*n.* Ⓤ自尊；自愛。

A·moy [əˋmɔɪ] *n.* 廈門。

amp. amperage; ampere(s).

am·per·age [æmˋpɪrɪdʒ] *n.* Ⓤ安培數。

am·pere [ˋæmpɪr] *n.* Ⓒ安培(電流之單位)。

am·per·sand [ˋæmpɚsˌænd] *n.* Ⓒ &(表示 and 的符號)。

am·phet·a·mine [æmˋfɛtəˌmin] *n.* ⓊⒸ安非他命(興奮劑的一種)。

Am·phib·i·a [æmˋfɪbɪə] *n. pl.*〖動〗兩棲類。

am·phib·i·an [æmˋfɪbɪən] *n.* Ⓒ ①水陸兩棲的生物。②水陸兩用的飛機或坦克。— *adj.* 水陸兩棲的。

am·phib·i·ous [æmˋfɪbɪəs] *adj.* ①水陸兩棲或兩用的。②有兩種特性的。

am·phi·the·a·ter,〖英〗**-tre** [ˋæmfəˌθiətɚ] *n.* Ⓒ ①競技場。②圓形劇場。③四面環有小山的平地。

***am·ple** [ˋæmpḷ] *adj.* ①富足的；充足的。②廣大的；廣闊的。— **am′ply,** *adj.*

am·pli·fi·ca·tion [ˌæmpləfəˋkeʃən] *n.* Ⓤ ①擴大。②倍率。③〖電〗增幅。

am·pli·fi·er [ˋæmpləˌfaɪɚ] *n.* Ⓒ ①擴大者。②〖無線〗放大器；擴音機。

am·pli·fy [ˋæmpləˌfaɪ] *v.t.*①放大；擴大。②詳述。③加強(聲音或電流)。— *v.i.* 詳述〔on〕.

am·pli·tude [ˋæmpləˌtjud] *n.* Ⓤ ①廣闊。②豐富。③〖理〗振幅。§ ～ **modulátion**〖理〗振幅調節；調幅。

am·poule [ˋæmpul], **-pule** [-pjul] *n.* Ⓒ〖醫〗壺腹玻管；安瓿。

am·pu·tate [ˋæmpjəˌtet] *v.t.* ①切除；鋸掉。②減除；修剪(花草樹木等)。— **am·pu·ta′tion,** *n.*

am·pu·tee [ˌæmpjuˋti] *n.* Ⓒ被切斷手或足的人。

Am·ster·dam [ˋæmstɚˌdæm] *n.* 阿姆斯特丹(荷蘭首都)。

Am·trak [ˋæmtræk] *n.* 美鐵(全美鐵路客運公司)。

a·muck [əˋmʌk] *adv.* & *adj.*狂亂地[的]。***run*** ～ 發殺人狂；失去自制心。

am·u·let [ˋæmjəlɪt] *n.* Ⓒ護身符。

‡**a·muse** [əˋmjuz] *v.t.*①使笑；使樂。②消遣；娛樂。I ～*d* myself by reading detective stories. 我讀偵探小說消遣。— **a·mu′sive,** *adj.*

***a·muse·ment** [əˋmjuzmənt] *n.* ①Ⓤ有趣；娛樂。②Ⓒ供娛樂或消遣之事物[場所]。§ ～ **pàrk** 遊樂園。

***a·mus·ing** [əˋmjuzɪŋ] *adj.*①有趣的。②引人發笑的。

a·myg·da·la [əˋmɪgdələ] *n.* Ⓒ (*pl.* **-lae** [-ˌli])①杏仁。②〖解〗扁桃腺。

am·yl [ˋæmɪl] *n.* ⓊⒸ〖化〗戊烷基。

am·yl·ase[ˋæmɪˌles] *n.* Ⓤ澱粉酶。

‡**an** [*unstressed* ən, *stressed* æn] *adj.* or *indefinite article.* ①一個。②每；各。

a·nach·ro·nism [əˋnækrəˌnɪzəm] *n.*①ⓊⒸ時代錯誤。②Ⓒ過時或不合時宜的人或事物。— **a·nach·ro·nis′tic, a·nach′ro·nous,** *adj.*

an·a·con·da [ˌænəˋkɑndə] *n.* Ⓒ〖動〗森蚺(產於熱帶林的一種蟒蛇)。

an·aes·the·sia [ˌænəsˋθiʒə] *n.* = **anesthesia.**

an·aes·thet·ic [ˌænəsˋθɛtɪk] *n.* & *adj.*=**anesthetic.**

an·aes·the·tize [əˋnɛsθəˌtaɪz] *v.t.*=**anesthetize.**

an·a·gram [ˋænəˌgræm] *n.*①Ⓒ顛倒字母而成的字或短語(如將 lived 改爲 devil 即是)。②(*pl.*)此種遊戲或字謎。

a·nal [ˋenḷ] *adj.* 肛門的；近肛門的。

an·a·lects [ˋænəˌlɛkts] *n. pl.* 文選；語錄；選集。

an·al·ge·si·a [ˌænælˋdʒizɪə] *n.* Ⓤ〖醫〗①痛感缺失。②止疼法；無疼法。

an·al·ge·sic [ˌænælˋdʒizɪk] *adj.*〖醫〗痛感缺失的；止痛的。— *n.* ⓊⒸ鎮痛劑。(亦作 **analgetic**)

an·a·log(ue) [ˋænḷˌɔg] *n.* Ⓒ ①相似物。②〖生物〗相似器官。

an·a·log·ic, -i·cal [ˌænḷˋɑdʒɪk(ḷ)] *adj.* 類似的；類推的。

a·nal·o·gous [əˋnæləgəs] *adj.*類似的；相似的。— **ly,** *adv.*

***a·nal·o·gy** [əˋnælədʒɪ] *n.*①ⓊⒸ類似。②Ⓤ類推。③Ⓤ〖生物〗類似關係。

a·nal·y·sis** [əˋnæləsɪs] *n.* ⓊⒸ (*pl.* **-ses**[-ˌsiz])①分析。②梗概；要略；綱領。③〖數〗解析。in the last*** [***final***] ～ 總之；歸根結底。

an·a·lyst [ˋænḷɪst] *n.* Ⓒ分析者；解析者。

an·a·lyt·ic, -i·cal [ˌænḷˋɪtɪk(ḷ)] *adj.*分析的；解析的。§ ～ **chémistry** 分析化學。～ **geómetry**解析幾何學。

***an·a·lyze,**〖英〗**-lyse** [ˋænḷˌaɪz] *v.t.* ①分析。②審察；細察。

an·a·p(a)est [ˋænəˌpɛst] *n.* Ⓒ ①〖韻律〗抑抑揚格。②抑抑揚格的一行詩。— **an·a·p(a)es′tic,** *adj.*

an·ar·chism [ˋænɚˌkɪzəm] *n.* Ⓤ無政府主義。

an·ar·chist [ˋænɚkɪst] *n.* Ⓒ無政府主義者。

an·ar·chy [ˋænɚkɪ] *n.* Ⓤ ①無政府(狀態)。②混亂；無秩序。

a·nath·e·ma [əˋnæθəmə] *n.*①Ⓤ〖宗〗逐出教門。②ⓊⒸ詛咒。③Ⓒ遭人嫌惡之人或物。

an·a·tom·ic [ˌænəˋtɑmɪk] *adj.*①解剖的；解剖學上的。②構造上的。

a·nat·o·mist [əˋnætəmɪst] *n.* Ⓒ解剖者；解剖學者；分析者。

a·nat·o·mize [əˋnætəˌmaɪz] *v.t.*①解剖。②分析。

a·nat·o·my [əˋnætəmɪ] *n.*①ⓊⒸ解剖。②Ⓤ解剖學。human ～人體解剖學。③Ⓒ(動物或植物的)構造；身體結構。④Ⓒ(常 *sing.*)分析。

A

***an·ces·tor** [ˋænsɛstɚ] *n.* Ⓒ①祖先；祖宗。②起源。— **an·ces/tral,** *adj.*

an·ces·try [ˋænsɛstrɪ] *n.* Ⓤ祖先。

an·ces·tress [ˋænsɛtrɪs] *n.* Ⓒ ancestor 之女性。

an·chor** [ˋæŋkɚ] *n.* Ⓒ①錨。②使人覺得穩定[安全]的東西。③接力賽中最後接棒者。cast*** [***drop***] ***an*** ~ 拋錨。***ride*** [***lie, be***] ***at*** ~ 停泊。***weigh*** ~ **a.** 起錨。**b.** 出發；離去。— *v.t.* & *v.i.* ①拋錨；泊船。②穩定；穩固。

an·chor·age [ˋæŋkərɪdʒ] *n.*①Ⓤ停泊。②Ⓒ停泊所。③Ⓤ(又作an ~)停泊費。

an·cho·ret [ˋæŋkərɪt], **-rite** [-ˏraɪt] *n.* Ⓒ 隱士；隱遁者。— **an·cho·re·tic** [ˏæŋkəˋrɛtɪk], *adj.*

an·cho·vy [ˋæntʃəvɪ] *n.* ⓊⒸ 鯷類。~ sauce 鯷魚醬。

‡**an·cient** [ˋenʃənt] *adj.* ①古代的。②舊的；古的。— *n.* Ⓒ 老人。***the A- of Days*** 永恆之神；上帝。***the ~s*** 古代文明人(尤指古希臘、羅馬)。— **ly,** *adv.*

an·cil·la·ry [ˋænsəˏlɛrɪ] *adj.* 輔助的；附屬的〔to〕。— *n.* Ⓒ 輔助者。

‡**and** [*stressed* ɛnd, *unstressed* ənd, ən] *conj.* ①及；和。②而；則(含有結果之意)。③而；則(含有假定之意)。④而且(加重之意)。⑤而(相反之意)。⑥於是；然後。⑦同時。⑧用在句子的開頭以表示連續性。⑨特別用法。Come ~ see (=Come to see). 來看。***~/or*** 及/或(兩者或任一方)。***~ so on; ~ so forth*** 等等。***~ then*** 然後；其次。***~ yet*** 然而。〔注意〕**and** 是同位連接詞，其所連接之字、片語或子句必須在文法上屬於同類者。

an·dan·te [ænˋdæntɪ]〖義〗〖樂〗*adj.* & *adv.* 緩慢的[地]。— *n.* Ⓒ 行板。

an·dan·ti·no [ˏændænˋtino]〖義〗*adj.* & *adv.*〖樂〗微急的[地]。

An·der·sen [ˋændɚsn̩] *n.* 安徒生 (Hans Christian, 1805-75；丹麥童話作家)。

An·des [ˋændiz] *n. pl.* 安地斯山(南美西部之大山脈)。

and·i·ron [ˋændˏaɪɚn] *n.* Ⓒ (常*pl.*)(壁爐之)柴架。

an·drog·y·nous [ænˋdrɑdʒənəs] *adj.*①陰陽人的；雌雄同體的。②〖植〗有雌雄兩花的。

an·droid [ˋændrɔɪd] *n.* Ⓒ 機器人。

An·drom·e·da [ænˋdrɑmɪdə] *n.* ①〖希神〗安若美達(爲救國而以身做怪獸之祭禮，但被 Perseus 解救而成爲其妻之美女)。②〖天〗仙女座。

an·ec·dot·age [ˋænɪkˏdotɪdʒ] *n.* Ⓤ①(集合稱)逸事。②〖諧〗老耄；老年。

***an·ec·dote** [ˋænɪkˏdot] *n.* Ⓒ 軼事；逸事。— **an·ec·do/tal, an·ec·dot/ic(al)** [-ˋdɑtɪk(l̩)], *adj.* — **an/ec·dot·ist,** *n.*

a·ne·mi·a [əˋnimɪə] *n.* Ⓤ〖醫〗貧血(症)。(亦作 **anaemia**)

a·ne·mic [əˋnimɪk] *adj.* 貧血(症)的。

an·e·mom·e·ter [ˏænəˋmɑmətɚ] *n.* Ⓒ 風力計；風速計。

a·nem·o·ne [əˋnɛməˏni] *n.* Ⓒ〖植〗白頭翁；秋牡丹。

an·er·oid [ˋænəˏrɔɪd] *adj.* 不用液體的。an ~ barometer 無液氣壓[晴雨]計。— *n.* Ⓒ 無液氣壓[晴雨]計。

an·es·the·sia [ˏænəsˋθiʒə] *n.* Ⓤ 麻醉；麻木。

an·es·the·si·ol·o·gy [ˏænəsˏθiziˋɑlədʒɪ] *n.* Ⓤ〖醫〗麻醉學。— **an·es·the·si·ol/o·gist,** *n.*

an·es·thet·ic [ˏænəsˋθɛtɪk] *n.* Ⓒ 麻醉劑。— *adj.* 麻醉的；失去知覺的。

an·es·the·tist [əˋnɛsθətɪst] *n.* Ⓒ 麻醉師。

an·es·the·tize [əˋnɛsθəˏtaɪz] *v.t.* 使麻醉；使麻木。

an·eu·rism, -rysm [ˋænjəˏrɪzəm] *n.* Ⓒ〖醫〗動脈瘤。

a·new [əˋnju, əˋnu] *adv.* 再；重新；另。

an·gel** [ˋendʒəl] *n.* Ⓒ ①天使；天神。②完善可愛之人。③〖俚〗演戲的支助者；後臺老闆。evil*** [***fallen***] ~魔鬼。***good*** [***guardian***] ~吉神；守護神。§ ~ **càke**〖美〗一種白色蛋糕。

an·gel·ic, -i·cal [ænˋdʒɛlɪk(l̩)] *adj.* 天使的。

an·gel·i·ca [ænˋdʒɛlɪkə] *n.* ⓊⒸ①〖植〗當歸；白芷。②蜜餞的白芷莖。

An·ge·lus [ˋændʒələs] *n.* (the ~)①(天主教之)奉告祈禱。②奉告祈禱鐘。

‡**an·ger** [ˋæŋgɚ] *n.* Ⓤ怒；忿怒。He never speaks in ~. 他從不帶著怒氣說話。— *v.t.* & *v.i.* 激怒；發怒。

an·gi·na [ænˋdʒaɪnə] *n.* Ⓤ〖醫〗①喉頭炎。②心絞痛。§ ~ **péctoris** [ˋpɛktərɪs]〖醫〗心絞痛。

an·gi·o·sperm [ˋændʒɪoˏspɝm] *n.* Ⓒ〖植〗被子植物。

***an·gle**[1] [ˋæŋgl̩] *n.* Ⓒ ①角；隅；角落。②角度。③觀點；偏見。approach a topic from a new ~ 由一新觀點研究一個問題。— *v.t.* & *v.i.* ①以一角度移動。②轉向或彎曲成一角度。③偏重；側重。④歪曲…。§ ~ **ìron** [**bàr**] L字形鐵；角鐵。

an·gle[2] *v.i.* ①釣魚。②釣取。

an·gler [ˋæŋglɚ] *n.* Ⓒ①釣者。②爲達目的不擇手段者。③琵琶魚。

An·gles [ˋæŋglz] *n. pl.* 盎格魯族。

an·gle·worm [ˋæŋgl̩ˏwɝm] *n.* Ⓒ (作釣餌之)蚯蚓。

An·gli·an [ˋæŋglɪən] *adj.* 盎格魯族(Angles)的。— *n.* Ⓒ 盎格魯人。

An·gli·can [ˋæŋglɪkən] *adj.* 英國國教的。— *n.* Ⓒ 英國國教徒。— **ism,** *n.*

An·gli·cism [ˋæŋgləˏsɪzəm] *n.*①ⓊⒸ 英國習語。②ⓊⒸ〖美〗英國語調。③Ⓤ 英國化。

An·gli·cize [ˋæŋgləˏsaɪz] *v.t.* 使成英國派；使…英語化。— *v.i.* 英國化。

an·gling [ˋæŋglɪŋ] *n.* Ⓤ 釣魚(術)。

An·glo-A·mer·i·can [ˋæŋgloəˋmɛrəkən] *adj.*①英美兩國的。②英裔美國人的。— *n.* Ⓒ 英裔美國人。

An·glo-In·di·an [ˋæŋgloˋɪndɪən] *adj.* 英印的。— *n.* ①Ⓒ 英印混血兒。②Ⓤ 印度英語。

An·glo·ma·ni·a [ˏæŋgləˋmenɪə]

n. Ⓤ 醉心英國；英國狂。

An·glo·phile [ˋæŋglə,faɪl] *adj.* 親英的。— *n.* Ⓒ 親英(派)之人。

An·glo·phone [ˋæŋglə,fon] *n.* Ⓒ 以英語爲母語的人。— *adj.* 說英語的。

An·glo-Sax·on [ˋæŋgloˋsæksn̩] *n.* ① Ⓒ 典型的英國人。② Ⓤ 盎格魯撒克遜族或其語文。— *adj.* 盎格魯撒克遜族或其語文的。

An·go·la [æŋˋgolə] *n.* 安哥拉(非洲西南部之一共和國，首都 Luanda)。

An·go·ra [æŋˋgorə] *n.* ① [ˋæŋgərə] 安哥拉(土耳其國都 Ankara 之舊名)。② Ⓒ 安哥拉貓。③ Ⓒ 安哥拉羊。④ Ⓤ 安哥拉羊毛。

an·gri·ly [ˋæŋgrəlɪ] *adv.* 忿怒地。

‡**an·gry** [ˋæŋgrɪ] *adj.* ①怒的；忿怒的。②風雨交加的。③(傷口)腫脹的；痛楚的。④(對人)生氣的〔with〕；(對…事)生氣的〔at, about〕. § ～ **yòung mán** 1950 年代，其作品反映強烈的反傳統、反社會等不滿情緒的一群英國作家之任一。

angst [ɑŋ(k)st]〖德〗*n.* Ⓤ 憂世；痛苦；不安。

***an·guish** [ˋæŋgwɪʃ] *n.* Ⓤ 身心極度的痛苦。— *v.t.* & *v.i.* (使)痛苦。

an·guished [ˋæŋgwɪʃt] *adj.* 痛苦的；煩惱的。

an·gu·lar [ˋæŋgjələ˞] *adj.* ①有角的。②以角度測量的。③消瘦的。④笨拙的。

an·gu·lar·i·ty [,æŋgjəˋlærətɪ] *n.* ① Ⓤ 有角。② Ⓒ (常*pl.*) 有角的外形。③ Ⓤ 不屈。④ Ⓤ 笨拙。

an·il [ˋænɪl] *n.* ① Ⓒ〖植〗木藍。② Ⓤ 藍；靛。

a·nile [ˋænaɪl] *adj.* 似老嫗的；衰老的。

an·i·line, -lin [ˋænl̩,in] *n.* Ⓤ〖化〗苯胺。— *adj.* 苯胺的。

an·i·ma [ˋænɪmə] *n.* ⓊⒸ 生命；靈魂；人生之本。

an·i·mad·vert [,ænəmædˋvɝt] *v.i.* 批判；譴責；非難〔on, upon〕. — **an·i·mad·ver′sion** [-ˋvɝʒən], *n.*

‡**an·i·mal** [ˋænəml̩] *n.* Ⓒ ①動物。②獸。③殘暴的人。— *adj.* ①動物的。②肉體上的。§ ～ **húsbandry** 畜牧業。～ **kìngdom** 動物界。～ **spírits** 血氣；精力。— **ism,** *n.*

an·i·mal·cule [,ænəˋmælkjul] *n.* Ⓒ 微生物；微小的動物。

an·i·mal·i·ty [,ænəˋmælətɪ] *n.* Ⓤ ①獸性。②動物界。

an·i·mal·ize [ˋænəml̩,aɪz] *v.t.* ①賦與獸性；使耽於獸慾；使動物化。②使成動物性質。③〖美術〗賦與動物外形。

***an·i·mate** [ˋænə,met] *v.t.* ①賦予生命。②使活潑；使有生氣。③激動；激勵。④推動。⑤繪製。⑥使活動。—[ˋænəmɪt] *adj.* ①活的。②活潑的。

an·i·mat·ed [ˋænə,metɪd] *adj.* 有生氣的；活潑的。an ～ cartoon 卡通；動畫片。

an·i·ma·tion [,ænəˋmeʃən] *n.* ① Ⓤ 生氣；活潑。② Ⓤ 鼓舞。③ Ⓤ〖影〗卡通製作。④ Ⓒ 卡通片[電影]。

an·i·ma·tor [ˋænə,metə˞] *n.* Ⓒ ①鼓舞者。②〖影〗卡通片繪製者。

an·i·mism [ˋænə,mɪzəm] *n.* Ⓤ 萬物有靈論。

an·i·mos·i·ty [,ænəˋmɑsətɪ] *n.* ⓊⒸ 憎惡；仇恨〔against, toward〕.

an·i·mus [ˋænəməs] *n.* Ⓤ ①意旨；心意。②敵意；惡意。③〖法律〗意向；意圖。

an·i·on [ˋæn,aɪən] *n.* Ⓒ〖化〗陰離子。

an·ise [ˋænɪs] *n.* Ⓒ〖植〗大茴香。

an·i·seed [ˋænɪ,sid] *n.* Ⓤ 大茴香子。

An·ka·ra [ˋæŋkərə] *n.* 安卡拉(土耳其首都)。

***an·kle** [ˋæŋkl̩] *n.* Ⓒ 踝。

an·kle·bone [ˋæŋkl̩,bon] *n.* Ⓒ〖解剖〗踝骨。

an·kle-deep [ˋæŋkl̩ˋdip] *adj.* & *adv.* 深及踝部的[地]。

an·klet [ˋæŋklɪt] *n.* Ⓒ ①足踝飾品；腳鐐。②(女人之)短襪。

an·na [ˋænə] *n.* Ⓒ 安那(印度及巴基斯坦之貨幣名)。

an·nal·ist [ˋænl̩ɪst] *n.* Ⓒ 編年史之作者。

an·nals [ˋænl̩z] *n. pl.* ①紀年表；年鑑。②(學會等之)年報。

An·nam [əˋnæm] *n.* 安南(原爲法國的保護地，今爲越南之一部分)。

An·nap·o·lis [əˋnæpl̩ɪs] *n.* 亞那波里斯(美國馬利蘭州首府，美海軍官校所在地)。

an·neal [əˋnil] *v.t.* ①〖冶金〗使韌化；使退火。②鍛鍊(意志等)。

an·ne·lid [ˋænl̩ɪd] *n.* Ⓒ〖動〗環節動物。

an·nex [əˋnɛks] *v.t.* ①附加。②合併。③併吞；霸占。④蓋(印章)。⑤獲得。⑥侵占。—[ˋænɛks] *n.* Ⓒ 附屬物；附屬建築物。

an·nex·a·tion [,ænɛksˋeʃən] *n.* ① Ⓒ 附加物。② Ⓤ 附加；合併。

an·nexe [ˋænɛks] *n.*〖英〗= **annex.**

An·nie Oak·ley [ˋænɪˋoklɪ] *n.* Ⓒ〖俚〗免費入場券；優待券。

an·ni·hi·late [əˋnaɪə,let] *v.t.* 殲滅；徹底消滅。

an·ni·hi·la·tion [ə,naɪəˋleʃən] *n.* Ⓤ ①消滅；殲滅。②〖神學〗靈魂與肉體之毀滅。— **ism,** *n.* Ⓤ 靈魂寂滅論。

***an·ni·ver·sa·ry** [,ænəˋvɝsərɪ] *n.* Ⓒ & *adj.* ①周年(的)。②周年紀念(的)。

an·no Dom·i·ni [ˋænoˋdɑmə,naɪ]〖拉〗*adv.* 西元。(略作 **A.D.**)

an·no·tate [ˋæno,tet] *v.t.* & *v.i.* 註解；評註。— **an·no·ta′tion,** *n.*

***an·nounce** [əˋnaʊns] *v.t.* ①正式宣告；發表。②報到。③預示；預告。④顯示。⑤廣播(電臺節目)。— *v.i.* ①擔任廣播員。②宣布有意競選。

***an·nounce·ment** [əˋnaʊnsmənt] *n.* ⓊⒸ ①通告；布告；發表。②正式的或私人的通知。

***an·nounc·er** [əˋnaʊnsə˞] *n.* Ⓒ 播報員；廣播員。

***an·noy** [əˋnɔɪ] *v.t.* ①使不樂；使苦惱。②騷擾；傷害。— *v.i.* 煩擾；騷擾；傷害。*— **ance,** *n.* — **ing,** *adj.* — **ing·ly,** *adv.*

an·noyed [əˋnɔɪd] *adj.* ①心煩的；被惱怒的；煩惱的。an ～ look 煩惱的臉

A

色。②(對人)感到煩惱的〔with〕；(對事物)感到煩惱的〔at, about〕。

***an·nu·al** [ˋænjʊəl] *adj.* ①一年一次的。②年年的；全年的。an ～ income 全年的收入。③一年生的。**—** *n.* Ⓒ①年鑑；年報。②一年[季]生植物。§ ∼ **ríng** (樹木之)年輪。**— ly,** *adv.*

an·nu·i·ty [əˋnuətɪ] *n.* Ⓒ 年金；養老金。

an·nul [əˋnʌl] *v.t.* (**-ll-**)取消；宣告作廢。**— ment,** *n.*

an·nu·lar [ˋænjələ˞] *adj.* 環的；環狀的。

an·num [ˋænəm] *n.* Ⓒ 年；歲。per ～ 每年。

an·nun·ci·ate [əˋnʌnʃɪˏet] *v.t.* 通告；布告。

an·nun·ci·a·tion [əˏnʌnsɪˋeʃən] *n.* Ⓤ Ⓒ通告；布告。

an·nun·ci·a·tor [əˋnʌnʃɪˏetə˞] *n.* Ⓒ①通告者。②〖美〗電動喚人裝置。

an·ode [ˋænod] *n.* Ⓒ〖電〗陽極；正極。

an·o·dize [ˋænoˏdaɪz] *v.t.* 電鍍。

an·o·dyne [ˋænəˏdaɪn] *adj.* ①止痛的；鎮痛的。②緩和情緒的。**—** *n.* Ⓒ①止痛藥。②緩和情緒之物。

a·noint [əˋnɔɪnt] *v.t.* ①塗油；搽油。②〖宗〗塗油使神聖化。*the (Lord's) Anointed* **a.** 救世主。**b.** 古猶太王。**— ment,** *n.*

a·nom·a·lous [əˋnɑmələs] *adj.* 不規則的；反常的；破格的。

a·nom·a·ly [əˋnɑməlɪ] *n.* Ⓤ Ⓒ 反常事物。

a·non [əˋnɑn] *adv.* 〖古〗①不久；未幾。②他時。③立刻。*ever and* ～ 不時地。

anon. anonymous.

an·o·nym [ˋænəˏnɪm] *n.* Ⓒ ①假名；化名。②化名[匿名]之人。

an·o·nym·i·ty [ˏænəˋnɪmətɪ] *n.* Ⓒ 匿名；作者不詳。

a·non·y·mous [əˋnɑnəməs] *adj.*無名的；匿名的。**— ly,** *adv.*

a·noph·e·les [əˋnɑfəˏliz] *n.* Ⓒ (*pl.* ～)瘧蚊。

an·o·rak [ˋɑnəˏrɑk] *n.* Ⓒ 連兜帽的夾克。

an·o·rex·i·a [ˏænəˋrɛksɪə] *n.* Ⓤ 食慾減退；厭食症。

a·no·scope [ˋenəˏskop] *n.* Ⓒ〖醫〗肛門窺器；肛鏡。

‡**an·oth·er** [əˋnʌðə˞] *adj.* ①又一的；再的。②另一的；不同的。**—** *pron.*①又一。②另一；不同的東西。*one after* ～ 相繼地。*one way or* ～ 無論如何。

an·ox·i·a [ænˋɑksɪə] *n.* Ⓤ〖醫〗缺氧症；氧缺乏。

an·ox·e·mi·a [ˏænɑksˋimɪə] *n.* Ⓤ 〖醫〗缺氧血症。(亦作 **anoxaemia**)

ans. answer; answered.

an·ser·ine [ˋænsəˏraɪn] *adj.*①似鵝的。②愚笨的。(亦作 **anserous**)

‡**an·swer** [ˋænsə˞] *n.* Ⓒ①答覆。②解答；答案。*in* ～ *to* 應…而…。**—** *v.t.* ①答覆；回答。②適應；符合。③應付。④響應。⑤解答。**—** *v.i.*①答覆；回答。②對(某事)有責任。③符合。④發生作用或效果。⑤有反應。～ *back*〖俗〗頂嘴。**— er,** *n.*

an·swer·a·ble [ˋænsərəbl̩] *adj.*①有責任的；當負責的。②可答覆的。③合比例的；相關的〔to〕。④適當的〔to〕。

an·swer·ing [ˋænsərɪŋ] *adj.* 回答的。§ ∼ **sèrvice** 代客接聽電話服務站。∼ **machìne** 電話答錄機。

***ant** [ænt] *n.* Ⓒ 蟻。§ ∼ **lìon**〖動〗蛟蜻蛉之幼蟲；蟻獅；沙挼子。

ant. antonym.

ant·ac·id [æntˋæsɪd] *adj.*中和酸的；抗酸的。**—** *n.* Ⓤ Ⓒ〖醫〗制酸劑。

ant·al·gic [æntˋældʒɪk] *adj.*〖醫〗止痛的；鎮痛的。**—** *n.* Ⓤ Ⓒ 止痛藥。

an·tag·o·nism [ænˋtægəˏnɪzəm] *n.* Ⓤ Ⓒ 敵對；反對。

an·tag·o·nist [ænˋtægənɪst] *n.* Ⓒ ①敵手；反對者。②〖生理〗對抗肌。

an·tag·o·nis·tic [ænˏtægəˋnɪstɪk] *adj.*敵對的。**— ti·cal·ly,** *adv.*

an·tag·o·nize [ænˋtægəˏnaɪz] *v.t.* & *v.i.* 使成敵人；敵對；反對。

ant·aph·ro·dis·i·ac [ˏæntæfrəˋdɪzɪæk] *adj.*抑制性慾的。**—** *n.* Ⓤ Ⓒ 抑制性慾之藥品；鎮慾劑。

***ant·arc·tic** [æntˋɑrktɪk] *adj.*南極的。**—** *n.* (the A-)南極地區。§ ∼ **Círcle**南極圈。∼ **Ócean**南冰洋；南極海。

Ant·arc·ti·ca [æntˋɑrktɪkə] *n.* 南極洲。

an·te [ˋæntɪ] *v.t.* & *v.i.* 下賭注。**—** *n.* Ⓒ (常 *sing.*)賭注；賭金。

ant·eat·er [ˋæntˏitə˞] *n.* Ⓒ 食蟻獸。

an·te·bel·lum [ˋæntɪˋbɛləm] *adj.* 戰前的；美國南北戰爭之前的。

an·te·ced·ent [ˏæntəˋsidn̩t] *adj.*在先的；在前的〔常 to〕。**—** *n.*① Ⓒ (常 *pl.*)前例。②(*pl.*)**a.** 祖先。**b.** 出身；經歷。③ Ⓒ〖文法〗先行詞；前述詞。④ Ⓒ〖數〗前項。⑤ Ⓒ 前身。⑥ Ⓒ〖邏輯〗前提。**— an·te·ced′ence,** *n.*

an·te·cham·ber [ˋæntɪˏtʃembə˞] *n.* Ⓒ 前廳；來賓接待室。

an·te·date [ˋæntɪˏdet] *v.t.*①指定較早之日期於。②居先。③使較早發生。④預期；預料。

an·te·di·lu·vi·an [ˏæntɪdɪˋluvɪən] *adj.*① Noah 時之大洪水以前的。②太古的。③陳舊的。**—** *n.* Ⓒ①洪水時代以前的人[動、植物]。②老朽之人；舊式之人。

an·te·lope [ˋæntl̩ˏop] *n.* Ⓒ (*pl.* ～, ～s)〖動〗羚羊。

an·te·me·rid·i·an [ˏæntɪməˋrɪdɪən] *adj.* 午前的。

an·te me·rid·i·em [ˋæntɪməˋrɪdɪˏɛm] 〖拉〗*adv.* 午前。(略作 **A.M.** 或**a.m.**)

an·te·na·tal [ˏæntɪˋnetl̩] *adj.* 出生前的。

***an·ten·na** [ænˋtɛnə] *n.* Ⓒ ①(*pl.* **-nae**[-ni])觸鬚。②(*pl.* ～**s**)天線。

an·te·nup·tial [ˏæntɪˋnʌpʃəl] *adj.* 婚前的。

an·te·pe·nult [ˏæntɪˋpinʌlt] *n.* Ⓒ 倒數第三音節。**—** *adj.* 倒數第三音節的。(亦作 **antepenultimate**)

an·te·ri·or [ænˋtɪrɪə˞] *adj.* ① 前面[部]的〔to〕。②以前的；較早的〔to〕。

an·te·room [ˋæntɪˏrum] *n.* Ⓒ ①較

小的外室。②接待室。
an·them [ˋænθəm] *n.* Ⓒ①聖歌。②讚美歌。a national ～ 國歌。
an·ther [ˋænθɚ] *n.* Ⓒ〖植〗雄蕊之花粉囊；花藥。
ant·hill [ˋænt,hɪl] *n.* Ⓒ蟻丘；蟻塚。
an·thol·o·gy [ænˋθɑlədʒɪ] *n.* Ⓒ詩集；文選。— **an·thol'o·gist,** *n.*
an·thra·cite [ˋænθrə,saɪt] *n.* Ⓤ無煙煤。
an·thrax [ˋænθræks] *n.* Ⓤ〖醫〗癰；炭疽熱。
an·thro·po·cen·tric [,ænθrəpəˋsɛntrɪk] *adj.* ①人類中心主義的。②以人類之經驗和價值來觀察、解釋萬物的。
an·thro·poid [ˋænθrə,pɔɪd] *adj.* 似人類的。— *n.* Ⓒ類人猿。
an·thro·po·log·ic, -i·cal [,ænθrəpəˋlɑdʒɪk(ḷ)] *adj.* 人類學(上)的。— **an·thro·po·log'i·cal·ly,** *adv.*
an·thro·pol·o·gist [,ænθrəˋpɑlədʒɪst] *n.* Ⓒ人類學家。
an·thro·pol·o·gy [,ænθrəˋpɑlədʒɪ] *n.* Ⓤ人類學。
an·thro·po·mor·phism [,ænθrəpoˋmɔrfɪzṃ] *n.* Ⓤ神人同形或同性論。
an·thro·poph·a·gi [,ænθrəˋpɑfə,dʒaɪ] *n. pl.* (*sing.* **-gus**[-gəs])食人肉之人。— **an·thro·poph'a·gous,** *adj.*
an·ti [ˋæntaɪ, ˋæntɪ] *n.* Ⓒ (*pl.* ～**s**)〖俗〗持反對論者。— *adj.*反對的。
anti- 〖字首〗表「反對；抵抗；排斥」之義。
an·ti·a·bor·tion [,æntɪəˋbɔrʃən] *adj.* 反對墮胎的。— **ist,** *n.*
an·ti·air·craft [,æntɪˋɛr,kræft] *adj.* 防空的。an ～ gun 高射砲。
an·ti·al·ler·gic [,æntɪəˋlɝdʒɪk] *adj.* 〖醫〗抗過敏性的。
an·ti-art [,æntɪˋɑrt] *n.* Ⓤ反藝術(全面否定傳統藝術的藝術派系)。
an·ti·bal·lis·tic [,æntɪbəˋlɪstɪk] *adj.* 反彈道的。an ～ missile 反彈道飛彈(略作 ABM)。
an·ti·bi·ot·ic [,æntɪbaɪˋɑtɪk] *adj.* 〖生化〗抗生的。— *n.* Ⓒ抗生素。
an·ti·bi·ot·ics [,æntɪbaɪˋɑtɪks] *n.* ①(作 *pl.*解)抗生素。②(作 *sing.*解)抗生學。
an·ti·bod·y [ˋæntɪ,bɑdɪ] *n.* Ⓒ抗體。
an·ti·bus·er [,æntɪˋbʌsɚ] *n.* Ⓒ〖美〗反對以巴士接送學童的人。
an·tic [ˋæntɪk] *n.* Ⓒ (常 *pl.*)滑稽的姿勢或動作。— *adj.* 古怪的；滑稽的。— *v.i.* (**-ck-**)作滑稽的姿勢或動作。
an·ti·can·cer [,æntɪˋkænsɚ] *adj.* 抗癌的。～drugs 抗癌劑；制癌劑。
an·ti·christ [ˋæntɪ,kraɪst] *n.*①Ⓒ反對基督者。②(A-)假基督。
***an·tic·i·pate** [ænˋtɪsə,pet] *v.t.* ①預期；預測。②預先用掉(收入等)。③佔先。④預備。⑤預先考慮或說出。⑥提前。⑦使…提早發生。
***an·tic·i·pa·tion** [æn,tɪsəˋpeʃən] *n.* Ⓤ①預期；預料。in ～ of your success 預祝你成功。②預備。③佔先。
an·tic·i·pa·tive [ænˋtɪsə,petɪv] *adj.* 預期的；預料的；佔先著的。
an·tic·i·pa·to·ry [ænˋtɪsəpə,torɪ] *adj.* =**anticipative.**
an·ti·cler·i·cal [,æntɪˋklɛrɪkḷ] *adj.* 反對僧侶[教權]的。
an·ti·cli·max [,æntɪˋklaɪmæks] *n.*①Ⓒ突減(重要性、興趣等)。②Ⓤ〖修〗漸降法。
an·ti·cline [ˋæntɪ,klaɪn] *n.* Ⓒ〖地質〗背斜。
an·ti·clock·wise [,æntɪˋklɑkwaɪz] *adj.* 反時針方向的。
an·ti-com·mu·nism [,æntɪˋkɑmjʊ,nɪzəm] *n.* Ⓤ反共產主義。
an·tics [ˋæntɪks] *n. pl.* 怪異行爲。
an·ti·cy·clone [,æntɪˋsaɪklon] *n.* Ⓒ〖氣象〗反氣旋；高氣壓。
an·ti·daz·zle [,æntɪˋdæzl] *adj.*(汽車玻璃)防眩的。～glass 避眩玻璃。
an·ti·dem·o·crat·ic [,æntɪdɛməˋkrætɪk] *adj.* 反民主的。
an·ti·de·pres·sant [,æntɪdɪˋprɛsṇt] *n.* Ⓒ〖醫〗興奮劑。
an·ti·dote [ˋæntɪ,dot] *n.* Ⓒ①解毒劑；消毒藥。②對策(to)。— *v.t.* 解毒；消毒。— **an'ti·dot·al,** *adj.*
an·ti·dump·ing [,æntɪˋdʌmpɪŋ] *adj.* 反傾銷的。
an·ti·fer·til·i·ty [,æntɪfɝˋtɪlətɪ] *adj.* 抗繁殖的；避孕的。
an·ti·freeze [ˋæntɪ,friz] *n.* Ⓤ防凍劑。
an·ti·fric·tion [,æntɪˋfrɪkʃən] *adj.* 減少磨擦的。— *n.* ⓊⒸ潤滑劑。
an·ti·gas [,æntɪˋgæs] *adj.* 防毒(氣)的。
an·ti·gen [ˋæntədʒən] *n.* Ⓒ〖生物〗抗原。
an·ti·gun [,æntɪˋgʌn] *adj.* 取締槍械的。
an·ti·grav·i·ty [,æntɪˋgrævətɪ] *n.* Ⓤ無重力(狀態)。
an·ti-Ĝ suìt [,æntɪˋdʒi ～] *n.* Ⓒ(飛行員所著之)抗重力衣。
an·ti·he·ro [,æntɪˋhɪro] *n.* Ⓒ(*pl.* ～**es**)反英雄主角(小說或劇本中無英雄氣質的主角)。
an·ti·hi·jack·ing [,æntɪˋhaɪdʒækɪŋ] *adj.* 防止劫機的。
an·ti·his·ta·mine [,æntɪˋhɪstəmin] *n.* ⓊⒸ抗組織胺劑。
an·ti·in·fla·tion [,æntɪ·ɪnˋfleʃən] *adj.*〖經〗抑制通貨膨脹的。
an·ti-in·tel·lec·tu·al [,æntɪ,ɪntəˋlɛktʃʊəl] *adj.* 反知識的；反知識分子的。— *n.* Ⓒ反知識者。
an·ti·kid·nap·(p)ing [,æntɪˋkɪdnæpɪŋ] *adj.* 防止綁架的。
an·ti·knock [,æntɪˋnɑk] *n.* Ⓤ減震劑(加於燃料中以減低引擎爆音之物)。
an·ti·log·a·rithm [,æntɪˋlɔgərɪðəm] *n.* Ⓒ〖數〗反對數。
an·til·o·gy [ænˋtɪlədʒɪ] *n.* Ⓒ自相矛盾。
an·ti·mis·sile [,æntɪˋmɪsḷ] *adj.* 〖軍〗反飛彈的。an ～ missile 反飛彈飛彈。— *n.* Ⓒ反飛彈飛彈。
an·ti·mo·ny [ˋæntə,monɪ] *n.* Ⓤ〖化〗銻。
an·ti·nu·cle·ar [,æntɪˋnjuklɪr] *adj.* 反核子武器的；反核的。

an·ti·ox·i·dant [ˌæntɪ`ɑksədənt] *n.* Ⓒ〖化〗抗氧化劑。
an·ti·pas·to [ˌɑntɪ`pɑsto]〖義〗*n.* Ⓒ (*pl.* **-pas·ti**[-`pɑsti], **~s**)開胃的食品。
an·ti·pa·thet·ic, -i·cal [æn͵tɪpə`θɛtɪk(l̩)] *adj.* 流露出反感的；感到厭惡的。
an·tip·a·thy [æn`tɪpəθɪ] *n.*① Ⓤ 憎惡。② Ⓒ 被人憎惡之物。
an·ti·per·son·nel [ˌæntɪ͵pɝsə`nɛl] *adj.*〖軍〗用於殺傷人的。
an·ti·per·spi·rant [ˌæntɪ`pɝspərənt] *n.* Ⓒ 止汗劑。
an·ti·phlo·gis·tic [ˌæntɪflo`dʒɪstɪk] *n.* Ⓤ Ⓒ 消炎劑。— *adj.*消炎的。
an·ti·phon [`æntə͵fɑn] *n.* Ⓒ ①唱和詩歌。②交互輪唱之讚美詩。③回答。
an·ti·pode [`æntɪ͵pod] *n.* Ⓒ 正相反的事物。— **an·tip′o·dal,** *adj.*
an·tip·o·des [æn`tɪpə͵diz] *n. pl.* (the ～)①對蹠之地(地球上正相反之兩個地區)。②對蹠地之居民。
an·ti·pol·lu·tion [ˌæntɪpə`luʃən] *adj.* 反(環境)污染的。
an·ti·pov·er·ty [ˌæntɪ`pɑvətɪ] *adj.* 反貧窮的。
an·ti·pro·ton [ˌæntɪ`protɑn] *n.* Ⓒ〖理〗反質子。
an·ti·py·ret·ic [ˌæntɪpaɪ`rɛtɪk]〖醫〗*adj.* 退熱的。— *n.* Ⓒ 解熱劑。
an·ti·quar·i·an [ˌæntɪ`kwɛrɪən]*adj.* 古物的；博古家的。— *n.* Ⓒ =**antiquary.**
an·ti·quar·y [`æntɪ͵kwɛrɪ] *n.* Ⓒ 古物專家；骨董商人。
an·ti·quate [`æntə͵kwet] *v.t.*① 廢棄。②使古舊。— **an′ti·quat·ed,** *adj.*
***an·tique** [æn`tik] *adj.* ①過時的。②古老的。③舊式的。— *n.* ① Ⓒ 骨董。② (the ～)古代風格。
an·tiq·ui·ty [æn`tɪkwətɪ] *n.* ① Ⓤ 古；舊。② Ⓤ 古代。③ Ⓒ (常*pl.*)古器；古代的生活及風俗。
an·ti·re·jec·tion [ˌæntɪrɪ`dʒɛkʃən] *adj.* 防止排斥作用的。
an·ti·rust [ˌæntɪ`rʌst] *adj.* 防銹的。— *n.* Ⓤ Ⓒ 防銹劑。
an·ti·sci·ence [ˌæntɪ`saɪəns] *adj.* 反對科學的；科學無用論的。
an·ti-Sem·ite [ˌæntɪ`sɛmaɪt] *n.* Ⓒ 反對或排斥猶太人者。— **an·ti-Se·mit·ic** [ˌæntɪsə`mɪtɪk], *adj.* — **an·ti-Sem·i·tism** [ˌæntɪ`sɛmə͵tɪzm̩], *n.*
an·ti·sep·tic [ˌæntə`sɛptɪk] *adj.*防腐的；有消毒力的。— *n.* Ⓤ Ⓒ 防腐劑。
an·ti·se·rum [ˌæntɪ`sɪrəm] *n.* Ⓤ Ⓒ (*pl.* **~s, -se·ra** [-`sɪrə])抗毒血清。
an·ti·slav·er·y [ˌæntə`slevərɪ] *n.* Ⓤ 反對奴隸制度。— *adj.*反對奴隸制度的。
an·ti·smut [ˌæntɪ`smʌt] *adj.* 防止色情氾濫的。
an·ti·so·cial [ˌæntɪ`soʃəl] *adj.* ①不擅社交的。②反社會的；違反社會制度的。
an·ti·so·cial·ist [ˌæntɪ`soʃəlɪst] *n.* Ⓒ 反對社會主義者。
an·ti·spas·mod·ic [ˌæntɪspæz`mɑdɪk] *adj.* 〖醫〗 治痙攣的；鎮痙的。— *n.* Ⓒ 鎮痙劑。
an·ti-sun·burn [`æntɪ`sʌnbən] *adj.* 防日曬的。
an·ti·tank [ˌæntɪ`tæŋk] *adj.* 反坦克的。
an·tith·e·sis [æn`tɪθəsɪs] *n.* (*pl.* **-ses**[-͵siz])① Ⓤ 正相反。② Ⓤ 對照。③ Ⓤ〖修〗對比法。④ Ⓒ〖哲〗(辯證中之)反；反命題。
an·ti·thet·ic, -i·cal [ˌæntɪ`θɛtɪk(l̩)] *adj.* ①對照的；對比的；對偶的。②正相反的。
an·ti·tox·in(e) [ˌæntɪ`tɑksɪn] *n.* Ⓤ Ⓒ 抗毒素。— **an·ti·tox′ic,** *adj.*
an·ti·trade [`æntɪ͵tred] *adj.*反貿易風的。— *n.* Ⓒ (常 *pl.*) 反貿易風。
an·ti·trust [ˌæntɪ`trʌst] *adj.*反托辣斯的；反對資本兼併的。— **ism,** *n.*
an·ti·vi·ral [ˌæntɪ`vaɪrəl] *adj.*抗濾過性病毒原體的；抗病毒的。
an·ti·war [ˌæntɪ`wɔr] *adj.* 反戰的。
ant·ler [`æntlɚ] *n.* Ⓒ (常 *pl.*)鹿角；鹿角的叉枝。
an·to·no·ma·si·a [ˌæntəno`meʒə] *n.* Ⓒ〖修〗換稱；代名(例如：his Honor 作爲 a judge 的稱呼)。
***an·to·nym** [`æntə͵nɪm] *n.* Ⓒ 反義字。
ant·sy [`æntsɪ] *adj.* 〖美俗〗心神不寧的。
a·nus [`enəs] *n.* Ⓒ 肛門。
an·vil [`ænvɪl] *n.* Ⓒ ①鐵砧。②〖解〗(耳內的)砧骨。***on the ～*** 研討中。
***anx·i·e·ty** [æŋ(g)`zaɪətɪ] *n.* ① Ⓤ 憂慮；不安〔about, for〕. ② Ⓤ Ⓒ 渴望〔for, to do〕.
‡anx·ious [`æŋ(k)ʃəs] *adj.*①不安的；掛念的〔about, for〕. ②渴望的〔for〕. ③使人憂慮的。*— **ly,** *adv.*
‡an·y [`ɛnɪ] *adj.*①任何一個；不論那個。②有何；有多少。③任何；每一個。***at ～ rate*** 無論如何。— *pron.* ①任何一個；一個。②有何；任何。***if ～*** 即有；雖有。— *adv.* 略；稍。***～ good*** 有用；有益。***～ more*** **a.**(不)再；再也(不)。**b.** 另外；再。**c.** 現在。***～ more than*** 較…更(多，甚等)。
‡an·y·bod·y [`ɛnɪ͵bɑdɪ] *pron.*任何人。— *n.* Ⓤ 重要人物。Is he ～? 他是重要人物嗎? ***if ～*** 若有人。Smith can do it *if* ～. 若有人能做此，史密斯即能。〔注意〕**anybody** 與 **somebody** 都可作"重要人物"解。但 anybody 含有懷疑之意。somebody 則爲確定語氣且含有譏刺的成分。
***an·y·how** [`ɛnɪ͵haʊ] *adv.*①以任何方法。②無論如何。③隨便。
an·y·more [`ɛnɪmɔr, -mor] *adv.* (不)再；再也(不)。
‡an·y·one [`ɛnɪ͵wʌn] *pron.*任何人。〔注意〕當重音在 one 上時，any 與 one 應分寫成兩個字，one 可以指人或物。
an·y·place [`ɛnɪ͵ples] *adv.*〖俗〗無論何處；任何地方。
‡an·y·thing [`ɛnɪ͵θɪŋ] *pron.*任何事物。***～ but*** 並非；決非。She is ～ *but* beautiful. 她並不美麗。***if ～*** 若有任何情形…；若要說，不過…罷了。***like ～*** 〖俗〗非常。***not care ～ for*** 不在乎。***not think ～ of*** 不以爲意。

*__an·y·way__ [`ɛnɪˏwe] *adv.*①無論如何。②用任何方法；以任何方式。
__an·y·where__ [`ɛnɪˏhwɛr] *adv.*①任何地方；無論何處。②表數量之變動範圍。*get* ～〖俗〗進展；成功。
an·y·wise [`ɛnɪˏwaɪz] *adv.* 無論如何；決不。
A one [`e`wʌn] *adj.*〖俗〗一流的。
a·or·ta [e`ɔrtə] *n.* Ⓒ (*pl.* **～s, -tae** [-ti])〖解〗大動脈；主動脈。
a·or·tic [e`ɔrtɪk] *adj.* 大[主]動脈的。
a·or·ti·tis [ˏeɔr`taɪtɪs] *n.* Ⓤ〖醫〗主動脈發炎。
A.P. Associated Press. 美聯社。
a·pace [ə`pes] *adv.* 急速地；快地。
a·pache [ə`pæʃ] *n.* Ⓒ (巴黎等地的)流氓。§ ～ **dànce** 阿帕西舞(一種粗獷的雙人舞，通常男女一組)。
A·pach·e [ə`pætʃɪ] *n.* Ⓒ (*pl.* ～, ～**s**)阿帕契族人(印第安人之一部落)。
__a·part__ [ə`pɑrt] *adv.* ①拆開。②分開。③離開；除此。④各別；個別。～ ***from* 除…之外；此外。***joking*** ～ 認眞地說。***take*** ～ 拆開。
a·part·heid [ə`pɑrthet, -haɪt] *n.* Ⓤ 種族隔離制(行於南非)。
*__a·part·ment__ [ə`pɑrtmənt] *n.* Ⓒ〖美〗①公寓。②房間。③公寓式房屋。§ ～ **hòuse** [**buìlding**]〖美〗公寓房屋。
ap·a·thet·ic [ˏæpə`θɛtɪk] *adj.*冷淡的；缺乏情感的；無動於衷的；缺乏興趣的。—**i·cal·ly,** *adv.*
ap·a·thy [`æpəθɪ] *n.* Ⓤ 冷淡；漠不關心。with ～ 冷淡地。
ape [ep] *n.* Ⓒ ①猿。②猴子。③模仿者。④醜八怪。— *v.t.* 模仿。— *adj.* 瘋狂的。***go*** ～ ***over*** [***for***]〖美俚〗對…傾心。
Ap·en·nines [`æpəˏnaɪnz] *n. pl.* (the ～)亞平寧山脈(縱貫義大利半島)。
a·pep·si·a [e`pɛpsɪə] *n.* Ⓤ〖醫〗不消化；消化不良。(亦作 **apepsy**)
a·pe·ri·ent [ə`pɪrɪənt] *adj.* 輕瀉的。— *n.* Ⓒ 輕瀉劑。
a·pé·ri·tif [aperi`tif]〖法〗*n.* Ⓒ 飯前酒；開胃酒。
ap·er·ture [`æpətʃə] *n.* Ⓒ ①孔；隙。②〖光學〗鏡徑(球面鏡的口徑)。
a·pex [`epɛks] *n.* Ⓒ (*pl.* **～es, ap·i·ces** [`æpɪˏsiz])最高點；尖頂。
a·pha·sia [ə`feʒə] *n.* Ⓤ〖醫〗失語症。
a·phe·li·on [æ`filɪən] *n.* Ⓒ (*pl.* **-li·a** [-lɪə])〖天〗遠日點。
a·phid [`efɪd, `æfɪd] *n.* Ⓒ〖動〗蚜蟲。
a·phis [`efɪs, `æfɪs] *n.* (*pl.* **a·phi·des** [`æfɪˏdiz]) = **aphid.**
a·pho·ni·a [e`fonɪə] *n.* Ⓤ〖醫〗無發音能力；失音；瘖。
aph·o·rism [`æfəˏrɪzəm] *n.* Ⓒ 格言；警語。—**aph·o·ris′tic (al),** *adj.*
aph·ro·dis·i·ac [ˏæfrə`dɪzɪˏæk] *adj.* 引起性慾的。— *n.* Ⓤ Ⓒ 春藥。
Aph·ro·di·te [ˏæfrə`daɪtɪ] *n.*〖希神〗愛芙羅黛蒂(司愛與美之女神，相當於羅馬神話的 Venus)。
a·pi·a·rist [`epɪərɪst] *n.* Ⓒ 養蜂者。
a·pi·ar·y [`epɪˏɛrɪ] *n.* Ⓒ 養蜂場；蜂房。
a·pi·cul·ture [`epɪˏkʌltʃə] *n.* Ⓤ 養蜂(業)。
a·piece [ə`pis] *adv.* 每人；每個；各。
a·pi·ol·o·gy [ˏepɪ`ɑlədʒɪ] *n.* Ⓤ 蜜蜂學。
ap·ish [`epɪʃ] *adj.* ①似猿的。②模擬的；模仿他人的。③笨拙的。
Apl. April.
a·plen·ty [ə`plɛntɪ] *adv.* & *adj.*〖俚〗豐富地[的]。— *n.* Ⓤ〖美〗豐富。
a·plomb [ə`plɑm] *n.* Ⓤ ①鉛直；垂直。②泰然自若；沉著。
a·poc·a·lypse [ə`pɑkəˏlɪps] *n.* ① Ⓒ 天啓；啓示。② Ⓒ (世界之)大變動；大災難。③(A-)〖聖經〗啓示錄。—**a·poc·a·lyp′tic,** *adj.*
a·poc·ry·pha [ə`pɑkrəfə] *n. pl.* ①任何作者可疑的著作品；僞書。②(A-)〖宗〗僞經。—**a·poc′ry·phal,** *adj.*
a·pod·o·sis [ə`pɑdəsɪs] *n.* Ⓒ (*pl.* **-ses** [-ˏsiz])〖文法〗結句(條件句子中表結論或結果之子句)。
ap·o·gee [`æpəˏdʒi] *n.* Ⓒ ①〖天〗遠地點。②最高點；極點。
a·po·lit·i·cal [ˏepə`lɪtɪkl] *adj.* 非政治的。—**ly,** *adv.*
A·pol·lo [ə`pɑlo] *n.* ①〖希、羅神〗阿波羅神；太陽神。②美男子。
a·pol·o·get·ic [əˏpɑlə`dʒɛtɪk] *adj.* 辯解的；道歉的；認錯的。— *n.* Ⓒ (正式的)辯白；辯護。—**i·cal·ly,** *adv.*
a·pol·o·get·ics [əˏpɑlə`dʒɛtɪks] *n.* Ⓤ (基督教)護教學。
a·pol·o·gist [ə`pɑlədʒɪst] *n.* Ⓒ ①辯解者。②(基督教)護教學專家。
*__a·pol·o·gize__ [ə`pɑləˏdʒaɪz] *v.i.* ①道歉；謝罪。②作正式的辯護。
ap·o·logue [`æpəˏlɔg] *n.* Ⓒ 教訓；寓言。
*__a·pol·o·gy__ [ə`pɑlədʒɪ] *n.*① Ⓤ Ⓒ 道歉；謝罪。② Ⓒ 辯白；辯護；辯明。③ Ⓒ 勉強的代用物。It is a sad ～ for a hat. 這是一個勉強的帽子代用品。
ap·o·lune [`æpəˏlum] *n.* (the ～)遠月點(繞月軌道上離月球最遠之點；perilune 的反義)。
ap·o·phthegm [`æpəˏθɛm] *n.* = **apothegm.**
ap·o·plec·tic [ˏæpə`plɛktɪk] *adj.* ①(患)中風的。②易怒的。— *n.* Ⓒ ①(易)患中風者。②中風藥。
ap·o·plex·y [`æpəˏplɛksɪ] *n.* Ⓤ〖醫〗中風。cerebral ～ 腦溢血。
a·pos·ta·sy [ə`pɑstəsɪ] *n.* Ⓤ Ⓒ 背教；脫黨；變節。—**a·pos′tate,** *n.* Ⓒ 背教者；變節者。—**a·pos′ta·tize,** *v.i.*
a·pos·te·ri·o·ri [`epɑsˏtɪrɪ`oraɪ]〖拉〗*adj.* & *adv.*後天[經驗]的[地]；自結果追溯其原因的[地]；歸納的[地]。
a·pos·tle [ə`pɑsl̩] *n.* Ⓒ ①(A-)使徒(基督十二弟子之一)。②(主義、政策等之)提倡者。
ap·os·tol·ic [ˏæpəs`tɑlɪk] *adj.* ①使徒(時代)的。②羅馬教皇的。
*__a·pos·tro·phe__ [ə`pɑstrəfɪ] *n.*① Ⓒ〖文法〗**a.**省略符號，如：*can't.* **b.**所有格符號，如：*rat's* tail. **c.**形成複數形，

A

如：two *O's.* **d.**表示一字中之某一音不發，如：*'lectric* = electric. ② Ⓤ Ⓒ 〖修〗頓呼法。—**a·pos'tro·phize** [-ˌfaɪz], *v.t.* & *v.i.* —**ap·os·troph·ic** [ˌæpə`strɑfɪk], *adj.*

a·poth·e·car·y [ə`pɑθəˌkɛrɪ] *n.* Ⓒ 藥劑師；藥商。

ap·o·thegm [`æpəˌθɛm] *n.* Ⓒ 格言；箴言。

a·poth·e·o·sis [əˌpɑθɪ`osɪs] *n.* (*pl.* **-ses** [-siz]) ① Ⓤ 尊崇爲神。② Ⓤ 崇拜。③ Ⓒ 神聖之理想。

app. apparent(ly); appendix.

ap·pal(l) [ə`pɔl] *v.t.* (**-ll-**) 驚嚇；使驚駭。

Ap·pa·lá·chi·an Móun·tains [ˌæpə`lætʃɪən ～] *n. pl.* (the ～)阿帕拉契山脈(北美東部)。(亦作**Appalachians**)

ap·pall·ing [ə`pɔlɪŋ] *adj.* 駭人的。

***ap·pa·ra·tus** [ˌæpə`retəs, ˌæpə`rætəs] *n.* Ⓤ Ⓒ (*pl.* ～, ～**es**) ①儀器；器械。②器官。

ap·par·el [ə`pærəl] *n.* Ⓤ 衣服；裝飾。—— *v.t.* (**-l-**,〖英〗**-ll-**) 加以裝飾。

***ap·par·ent** [ə`pærənt, ə`pɛrənt] *adj.* ①顯然的；明白的。②可見的。③外表上的。

***ap·par·ent·ly** [ə`pærəntlɪ] *adv.* 顯然地。

ap·pa·ri·tion [ˌæpə`rɪʃən] *n.* ① Ⓒ 妖怪；幽靈。② Ⓤ (幽靈等的)出現。

***ap·peal** [ə`pil] *n.* Ⓤ Ⓒ ①吸引力；引起興趣。②懇求。③上訴。a court of ～ 上訴法庭。④訴諸。an ～ to arms 訴之於武力。—— *v.i.* ①求援；哀懇。②上訴。He ～*ed* against the judge's decision. 他不服法官的判決而上訴。③訴諸。④引起興趣；引人入勝；投人所好。This color ～*s* to me. 這顏色投我所好。—— *v.t.* 爲(某案)上訴。—**ing(ly)**, *adj.* (*adv.*)

‡**ap·pear** [ə`pɪr] *v.i.* ①出現。②顯得。③出版；發表。④公開出現。⑤覺得；覺察。***as it*** ～***s*** 似乎。He is quite well, *as it* ～*s.* 他似乎很健康。

ap·pear·ance** [ə`pɪrəns] *n.* ① Ⓤ Ⓒ 出現。② Ⓤ Ⓒ 外觀；儀表。③ Ⓤ Ⓒ 登臺。④ Ⓤ Ⓒ 出版。⑤ Ⓤ Ⓒ 外表的虛飾；體面。⑥ Ⓤ Ⓒ 出現之事物。⑦ Ⓤ Ⓒ 出庭。⑧(*pl.*)表面跡象或徵兆。at first*** ～ 初看。***for*** ～***' sake*** 爲了面子。***keep up*** [***save***] ～***s*** 維持面子。***make*** [***enter, put in***] ***an*** ～ 出面；出庭；到案；到達。***to all*** ～***s*** 顯然。

ap·pease [ə`piz] *v.t.* ①安靜；緩和。②滿足。③姑息；安撫。—**ment,** *n.*

ap·pel·lant [ə`pɛlənt] *n.* Ⓒ 上訴人。—— *adj.*〖法律〗控訴的；上訴的。

ap·pel·late [ə`pɛlɪt] *adj.*〖法律〗控訴的；上訴的。

ap·pel·la·tion [ˌæpə`leʃən] *n.* Ⓒ 名稱；稱呼。

ap·pend [ə`pɛnd] *v.t.* 附加；增補。

ap·pend·age [ə`pɛndɪdʒ] *n.* Ⓒ ①附屬物。②〖動〗附屬肢體。③下屬。

ap·pen·dec·to·my [ˌæpən`dɛktəmɪ] *n.* Ⓤ Ⓒ 〖外科〗闌尾切除術。

ap·pen·di·ci·tis [əˌpɛndə`saɪtɪs] *n.* Ⓤ 闌尾炎；盲腸炎。

***ap·pen·dix** [ə`pɛndɪks] *n.* Ⓒ (*pl.* ～**es, -di·ces** [-dəˌsiz]) ①附錄；附加物。②闌尾；盲腸。

ap·per·tain [ˌæpə`ten] *v.i.* 屬於；與…有關(to)。

***ap·pe·tite** [`æpəˌtaɪt] *n.* Ⓤ Ⓒ ①食慾。②慾念；肉慾。③嗜好。④慾望。

ap·pe·tiz·er [`æpəˌtaɪzə] *n.* Ⓒ ①開胃的食物。②刺激慾望之事物。

ap·pe·tiz·ing [`æpəˌtaɪzɪŋ] *adj.* 開胃的；促進食慾的。

***ap·plaud** [ə`plɔd] *v.i.* & *v.t.* ①鼓掌[歡呼]贊成或讚許。②稱讚。

***ap·plause** [ə`plɔz] *n.* Ⓤ ①鼓掌[歡呼]以示讚許。②稱讚。

‡**ap·ple** [`æpl] *n.* Ⓒ ①蘋果。②蘋果樹 ～ ***of discord*** 禍根(希臘神話，引起紛爭之金蘋果)。～ ***of Sodom*** [***Dead Sea***] 失望的根源(典出摘下即變成煙與灰的蘋果故事)。～ ***of the*** [***one's***] ***eye*** **a.** 瞳孔。**b.** 極珍愛之人或物；掌上明珠。***throw away the*** ～ ***because of the core*** 因噎廢食。§ ∼ **brándy** 蘋果白蘭地。∼ **bútter** 蘋果醬。∼ **píe** 蘋果派。

ap·ple·cart [`æplˌkɑrt] *n.* Ⓒ 販賣蘋果之手推車。***upset the*** [***one's***] ～ 破壞(某人)計畫。

ap·ple·jack [`æplˌdʒæk] *n.* Ⓤ 蘋果白蘭地；蘋果酒。

ap·ple·sauce [`æplˌsɔs] *n.* Ⓤ ①蘋果醬。②〖美俚〗胡說；假意之恭維。

ap·pli·ance [ə`plaɪəns] *n.* Ⓒ ①用具；器具。②電氣用具。③應用；適用。

ap·pli·ca·ble [`æplɪkəbl] *adj.* 適宜的；合用的。—**ap'pli·ca·bly,** *adv.*

***ap·pli·cant** [`æpləkənt] *n.* Ⓒ 申請人。an ～ for a position 求職者。

ap·pli·ca·tion** [ˌæplə`keʃən] *n.* ① Ⓤ Ⓒ 應用；用處；用途。② Ⓤ 適用；適合。③ Ⓤ Ⓒ 施用；敷用。④ Ⓤ 申請。⑤ Ⓒ 申請書。⑥ Ⓤ 專心；勤奮。⑦ Ⓒ 〖電算〗應用程式。on*** ～ ***to*** 向…申請。

ap·pli·ca·tor [`æpləˌketə] *n.* Ⓒ ①塗藥器。②敷用或噴射藥品的人。

ap·plied [ə`plaɪd] *adj.* 應用的。

ap·pli·qué [ˌæplɪ`ke]〖法〗*n.* Ⓤ ①貼花；縫飾。②縫飾或貼花之細工。—— *v.t.* 飾以貼花[縫飾]。

***ap·ply** [ə`plaɪ] *v.t.* ①敷；塗；用。②應用。③使用。④專心。He *applied* himself to learning French. 他專心學法文。—— *v.i.* ①應用；適用。②請求；申請。③專心；努力。

‡**ap·point** [ə`pɔɪnt] *v.t.* ①任命；派。②指定；約定。③設備；裝備。④命定。—— *v.i.* 運用任命的法定權力。

ap·point·ed [ə`pɔɪntɪd] *adj.* 指派的；約定的。

ap·point·ee [əpɔɪn`ti] *n.* Ⓒ 被任命者；被指定者。

ap·poin·tive [ə`pɔɪntɪv] *adj.* 任命的(爲 elective 之對)。

***ap·point·ment** [ə`pɔɪntmənt] *n.* ① Ⓤ 任命。② Ⓒ 職位。③ Ⓒ 約會。④(*pl.*)設備。

ap·por·tion [ə`porʃən] *v.t.* 分攤；分配。—**ment,** *n.*

ap·po·site [`æpəzɪt] *adj.*適當的；適切的。—**ly,** *adv.* —**ness,** *n.*

ap·po·si·tion [ˌæpəˋzɪʃən] *n.* Ⓤ①並置。②〖文法〗同位[格]。—**al,** *adj.*
ap·pos·i·tive [əˋpɑzətɪv] 〖文法〗*n.* Ⓒ同位語。— *adj.* 同位的。
ap·prais·al [əˋprezḷ] *n.* ①ⓊⒸ鑑定；品定。②Ⓒ評價；估價。
ap·praise [əˋprez] *v.t.* ①鑑定。②評價。— **ap·prais′er,** *n.*
ap·pre·ci·a·ble [əˋpriʃɪəbḷ] *adj.*可察覺的；可估計的；有一點的。
*__ap·pre·ci·ate__ [əˋpriʃɪˌet] *v.t.* ①重視；賞識。②察知；辨別。③感激。Your kind answer will be highly ～*d.* 如蒙賜覆，不勝感激。④抬高(價錢)。— *v.i.* 抬高價錢。
*__ap·pre·ci·a·tion__ [əˌpriʃɪˋeʃən] *n.* Ⓤ①評價；鑑識。②尊重；讚賞；鑑賞。③感激。④增值；漲價。
ap·pre·ci·a·tive [əˋpriʃɪˌetɪv] *adj.* 有賞識力的；表示感激的〔of〕.
ap·pre·hend [ˌæprɪˋhɛnd] *v.t.*①覺察；憂懼。②捕捉。③了解。— *v.i.*①理解。②憂懼。
ap·pre·hen·si·ble [ˌæprɪˋhɛnsəbḷ] *adj.*可理解的；可了解的〔to〕.
*__ap·pre·hen·sion__ [ˌæprɪˋhɛnʃən] *n.*①Ⓤ憂懼；恐怕。②ⓊⒸ逮捕。③Ⓤ了解；理解力。④Ⓤ意見；觀念。
ap·pre·hen·sive [ˌæprɪˋhɛnsɪv] *adj.* ①憂慮的〔of, for〕. ②易了解的。③有關理解力的。—**ly,** *adv.*
*__ap·pren·tice__ [əˋprɛntɪs] *n.* Ⓒ①學徒。He was bound ～ to a tailor. 他受約做裁縫的學徒。② 初學者。— *v.t.* 使爲學徒。—**ship,** *n.* ⓊⒸ學徒身分[年限]。
ap·prise, -prize [əˋpraɪz] *v.t.*報告；通知〔常 of〕.
*__ap·proach__ [əˋprotʃ] *v.t.*① 接近。② 逼近(性質、時間、情形等)。③向…接洽。④進行；致力於。— *v.i.*行進；迫近。— *n.*①Ⓤ行近。②Ⓒ相近的事。③Ⓒ步驟。④Ⓒ通路；入口。⑤Ⓒ(常 *pl.*)親近。He tried to make ～*es* to her. 他企圖向她親近。§ ～ **lìght** 進場燈(飛機場跑道上之著陸指示燈)。—**a·ble,** *adj.*
ap·pro·bate [ˋæprəˌbet] *v.t.* 許可；嘉許；核准。— **ap·pro′ba·to·ry,** *adj.*
ap·pro·ba·tion [ˌæprəˋbeʃən] *n.* Ⓤ許可；嘉許；核准。
ap·pro·pri·a·ble [əˋproprɪəbḷ] *adj.* 可專用的；可供私用的。
*__ap·pro·pri·ate__ [əˋproprɪɪt] *adj.*①適當的；正當的。②專屬的；適合的。— [əˋproprɪˌet] *v.t.*①撥(款)；撥爲某種用途的款〔for, to〕. ②占用。—**ly,** *adv.* — **ap·pro·pri·a′tion,** *n.*
ap·prov·a·ble [əˋpruvəbḷ] *adj.*可贊成的；可核准的。
*__ap·prov·al__ [əˋpruvḷ] *n.* Ⓤ①贊成；同意。②批准。③(正式的)承認。***on*** ～ 先看貨再買；包退包換。
*__ap·prove__ [əˋpruv] *v.t.*①贊成；贊許。②核准；批准。③證明爲；表明爲(常與反身代名詞連用)。— *v.i.* 贊成〔of〕.
ap·prov·er [əˋpruvɚ] *n.* Ⓒ①承認者；贊成者。②〖法律〗自首而告發共犯者。
*__ap·prox·i·mate__ [əˋprɑksəmɪt] *adj.* 近似的；大概的；大約正確的。— [əˋprɑksəˌmet] *v.i.* & *v.t.* 近於；(使)接近。*—**ly,** *adv.*
ap·prox·i·ma·tion [əˌprɑksəˋmeʃən] *n.* ①ⓊⒸ接近。②Ⓒ〖數〗近似值。
ap·pur·te·nance [əˋpɝtṇəns] *n.* Ⓒ①附屬物。②〖法律〗從物。
ap·pur·te·nant [əˋpɝtṇənt] *adj.* 附屬的；從屬的〔to〕. — *n.* Ⓒ附屬物。
*__Apr.__ April.
a·pri·cot [ˋeprɪˌkɑt, ˋæprɪˌkɑt] *n.*①Ⓒ杏。②Ⓒ杏樹。③Ⓤ杏黃色。
‡**A·pril** [ˋeprəl, -rɪl] *n.*四月。§ ～ **fóol** (1)在愚人節受愚弄之人。(2)在愚人節開的玩笑。～ **Fóols' Dày** 愚人節(四月一日)。
a·pri·o·ri [ˋepraɪˋoraɪ] 〖拉〗*adv.* & *adj.* 由因及果地[的]；由一般到具體地[的]；先驗地[的]；演繹地[的]。
a·pri·o·rism [ˌepraɪˋorɪzṃ] *n.* Ⓤ先驗說；演繹之推論；自原因推及結果之推論。
*__a·pron__ [ˋeprən, ˋepɚn] *n.* Ⓒ①圍巾；圍裙。②(機場的)停機坪。③前舞臺。— *v.t.* 著圍裙於。§ ～ **stríng** 圍裙帶。be tied to one's mother's [wife's] ～ strings 由母親[妻子]支配。
ap·ro·pos [ˌæprəˋpo] 〖法〗 *adj.* & *adv.* 適當的[地]；順便的[地]。～ ***of*** 關於；就…而論。
apse [æps] *n.* Ⓒ〖建〗(教堂之)半圓形或多邊形的後殿(通常在教堂之東面)。
*__apt__ [æpt] *adj.*①傾向的；易於的〔to〕. ②聰明的〔at〕. ③適當的。—**ly,** *adv.*
APT automatically programmed tools. 〖電算〗自動程式化工具。
apt. apartment.
ap·ti·tude [ˋæptəˌtjud] *n.* ⓊⒸ傾向；才能；穎悟。§ ～ **tèst** 性向測驗。
aq·ua [ˋækwə] *n.* ⓊⒸ (*pl.* ～**s, -uae** [-wi])水；溶液。— *adj.* 水色的。§ ～ **fórtis** [ˋfɔrtɪs] 硝酸。～ **régia** [ˋridʒɪə] 〖化〗王水。～ **vítae** [ˋvaɪtɪ] (1)酒精。(2)白蘭地；烈酒。
aq·ua·lung [ˋækwəˌlʌŋ] *n.* Ⓒ 水肺。
aq·ua·ma·rine [ˌækwəməˋrin] *n.* ①ⓊⒸ〖礦〗水藍寶石。②Ⓤ藍綠色。
aq·ua·naut [ˋækwəˌnɔt] *n.* Ⓒ①潛水人。②海底科學工作者。
aq·ua·plane [ˋækwəˌplen] *n.* Ⓒ滑水板。— *v.i.* 做滑水運動。
a·quar·i·um [əˋkwɛrɪəm] *n.* Ⓒ (*pl.* ～**s, -i·a** [-ɪə]) ①蓄魚之池或槽。②水族館。
A·quar·i·us [əˋkwɛrɪəs] *n.*①〖天〗寶瓶座。②寶瓶宮。
aq·ua·show [ˋækwəˌʃo] *n.* Ⓒ〖美〗水上技藝表演。
a·quat·ic [əˋkwætɪk] *adj.*①〖生物〗水生的；棲於水面或水中的。②水的。③〖運動〗水上的。— *n.*①Ⓒ水生的植物或動物。②(*pl.*)水中或水上運動。
aq·ue·duct [ˋækwɪˌdʌkt] *n.* Ⓒ①水道；溝渠；導水管。②高架式水道；水道橋。③〖解〗導管。

A

a·que·ous [ˋekwɪəs] *adj.* 水的；似水的；水成的。～ humor (眼球中之)水樣體[液]。～ rock 水成岩。

aq·ui·cul·ture [ˋækwə,kʌltʃɚ] *n.* Ⓤ 水產養殖；(植物的)溶液培養。(亦作 **aquaculture**)

aq·ui·line [ˋækwə,laɪn, -lɪn] *adj.*①鷹的；似鷹的。②彎曲的。

***Ar·ab** [ˋærəb] *n.* Ⓒ①阿拉伯人。②阿拉伯馬。— *adj.*阿拉伯(人)的。

ar·a·besque [,ærəˋbɛsk] *n.* Ⓒ①錯綜圖飾。②一種芭蕾舞姿。

A·ra·bi·a [əˋrebɪə] *n.* 阿拉伯。

A·ra·bi·an [əˋrebɪən] *adj.* 阿拉伯(人)的。— *n.* Ⓒ①阿拉伯人。②阿拉伯馬。§ ～ **bírd** 鳳凰。～ **cámel** 單峯駝。**the** ～ **Níghts** 天方夜譚(一千零一夜故事)。**the** ～ **Séa** 阿拉伯海。

Ar·a·bic [ˋærəbɪk] *adj.* 阿拉伯(人,語)的。— *n.* Ⓤ阿拉伯語。

ar·a·ble [ˋærəbl] *adj.* 適於耕種的。

a·rach·nid [əˋræknɪd] *n.* Ⓒ蜘蛛類之節肢動物。

ar·bi·ter [ˋɑrbɪtɚ] *n.* Ⓒ仲裁人；裁決人。— **arʹbi·tra·ble,** *adj.*

ar·bi·trage [ˋɑrbətrɪdʒ] *n.* Ⓤ①裁決；仲裁。② [ˋɑrbətrɪdʒ, ,ɑrbəˋtrɑʒ] 股票等之套利；套匯。

ar·bi·tra·geur [,ɑrbətrɑˋʒɜ] *n.* Ⓒ從事套利[套匯]的人。

***ar·bi·trar·y** [ˋɑrbə,trɛrɪ] *adj.* ①隨意的；任意的；專斷的。an ～ government 專制的政府。②武斷的；專制的。— **arʹbi·trar·i·ly,** *adv.* — **arʹbi·trar·i·ness,** *n.*

ar·bi·trate [ˋɑrbə,tret] *v.i.* & *v.t.* 仲裁；公斷。— **ar·bi·traʹtion, arʹbi·tra·tor,** *n.*

ar·bor[1] [ˋɑrbɚ] *n.* Ⓒ (*pl.* **ar·bo·res** [ˋɑrbə,riz])①〖植〗樹；喬木。②〖解〗(小腦之)活樹體。§ **Á- Dày**〖美〗植樹節。

ar·bor[2],〖英〗**-bour** [ˋɑrbɚ] *n.* Ⓒ①涼亭。②藤架。

ar·bo·re·al [ɑrˋborɪəl] *adj.*①樹的；喬木的。②棲於樹木的。

ar·bo·re·tum [,ɑrbəˋritəm] *n.* Ⓒ (*pl.* **-ta** [-tə], **~s**)植物園。

ar·bor·vi·tae [ˋɑrbɚˋvaɪtɪ] *n.* Ⓒ①〖解〗小腦活樹。②〖植〗側柏。

ar·bu·tus [ɑrˋbjutəs] *n.* Ⓒ〖植〗①楊梅。②五月花。

***arc** [ɑrk] *n.* Ⓒ①弧。②弧光。§ ～ **làmp** [**lìght**] 弧光燈。

ar·cade [ɑrˋked] *n.* Ⓒ ①〖建〗拱廊；騎樓。②有拱廊或騎樓之街道。a shopping ～ 拱廊市場。③(內設電視遊戲機等的)遊樂中心。

Ar·ca·di·a [ɑrˋkedɪə] *n.* ①阿爾卡笛亞(古希臘一山區)。②Ⓒ幽靜地；世外桃源。— **Ar·caʹdi·an,** *adj.* & *n.*

ar·cane [ɑrˋken] *adj.* 神祕的；祕密的；幽晦的。— **ly,** *adv.*

***arch**[1] [ɑrtʃ] *n.* Ⓒ ①拱門。a triumphal ～ 凱旋門。②弓形。— *v.t.* & *v.i.* 彎曲；蓋以拱；成爲弓形。

arch[2] *adj.* ①主要的。②奸詐的。③淘氣的。— **ly,** *adv.* — **ness,** *n.*

ar·cha·ic [ɑrˋke·ɪk] *adj.* ①古代的。②古文的。③已廢的。

ar·cha·ism [ˋɑrkɪ,ɪzəm] *n.* ①Ⓒ古語。②Ⓤ文學之古語風格。③Ⓤ古風。

arch·an·gel [ˋɑrkˋendʒəl] *n.* Ⓒ 大天使；天使長。

arch·bish·op [ˋɑrtʃˋbɪʃəp] *n.* Ⓒ 總主教。— **ric,** *n.* ⓊⒸ大主教之職銜或轄區。

arch·dea·con [ˋɑrtʃˋdikən] *n.* Ⓒ 副主教；副監督。— **ry,** *n.* ⓊⒸ 副主教之職銜[轄區, 宅邸]。

arch·di·o·cese [ˋɑrtʃˋdaɪə,sis] *n.* Ⓒ總主教之轄區。

arch·duch·ess [ˋɑrtʃˋdʌtʃɪs] *n.* Ⓒ ①大公之妃。②昔奧國之公主。

arch·duke [ˋɑrtʃˋdjuk] *n.* Ⓒ 大公(尤指昔奧國太子)。

arch·en·e·my [ˋɑrtʃˋɛnəmɪ] *n.* ①Ⓒ大敵。②(the ～)魔王；撒旦。

ar·ch(a)e·ol·o·gy [,ɑrkɪˋɑlədʒɪ] *n.* Ⓤ 考古學。— **ar·ch(a)e·o·log·i·cal** [,ɑrkɪəˋlɑdʒɪkl], *adj.* — **ar·ch(a)e·olʹo·gist,** *n.*

arch·er [ˋɑrtʃɚ] *n.* ① Ⓒ 射手；弓箭手。②(A-)〖天〗射手座。

arch·er·y [ˋɑrtʃərɪ] *n.* Ⓤ①箭術；射藝。②(集合稱)弓箭。

ar·che·type [ˋɑrkə,taɪp] *n.* Ⓒ 原型。

arch·fiend [ˋɑrtʃˋfind] *n.*① Ⓒ 大惡魔。②(the ～)撒旦。

Ar·chi·me·des [,ɑrkəˋmidiz] *n.* 阿基米德(287?-212 B.C., 希臘數學家、物理學家)。

ar·chi·pel·a·go [,ɑrkəˋpɛlə,go] *n.* (*pl.* ～(**e**)**s**)①Ⓒ多島之海。②Ⓒ列島。③(the A-)愛琴海。

***ar·chi·tect** [ˋɑrkə,tɛkt] *n.* Ⓒ ①建築師。②製造者；設計者；創造者。

ar·chi·tec·ton·ic [,ɑrkɪtɛkˋtɑnɪk] *adj.* ①建築術的。②組織的。③知識系統的。

ar·chi·tec·ton·ics [,ɑrkɪtɛkˋtɑnɪks] *n.* Ⓤ ①建築學。②結構設計。③〖哲〗體系論。

***ar·chi·tec·ture** [ˋɑrkə,tɛktʃɚ] *n.* ①Ⓤ 建築(學)。②Ⓤ 建築的式樣。③Ⓤ 建築的構造。④ⓊⒸ 建築物。⑤Ⓤ結構。— **ar·chi·tecʹtur·al,** *adj.*

ar·chi·trave [ˋɑrkə,trev] *n.* Ⓒ〖建〗軒緣；楣樑。

ar·chives [ˋɑrkaɪvz] *n. pl.*①檔案保存處。②文件；檔案。***family*** ～ 家譜。— **ar·chiʹval,** *adj.* — **ar·chi·vist** [ˋɑrkəvɪst], *n.*

arch·way [ˋɑrtʃ,we] *n.* Ⓒ拱門；拱道。

***arc·tic** [ˋɑrktɪk] *adj.* ①北極的。the *A-* circle 北極圈。the *A-* Ocean [Sea] 北冰洋。the *A-* Zone 北極帶。②極寒的。— *n.*①(the A-)北極地區。②(*pl.*)保暖的防水套鞋。

***ar·dent** [ˋɑrdn̩t] *adj.*①熱心的；熱情的。②燃燒的。— **arʹden·cy,** *n.*

ar·dor,〖英〗**-dour** [ˋɑrdɚ] *n.* ⓊⒸ①熱情；熱心。②灼熱。

ar·du·ous [ˋɑrdʒuəs] *adj.* ①費力的；困難的。②辛勤的。③陡峭的。

‡are[1] [ɑr] *v.* be 的現在式，直說法，複數(各人稱)或單數(第二人稱)。
are[2] [ɛr, ɑr] *n.* Ⓒ 一百平方公尺。
‡ar·e·a [ˋɛrɪə, ˋerɪə] *n.*① Ⓒ 地區；地域；地方。② ⓊⒸ 面積。③ Ⓒ 範圍。④ Ⓒ 空地；庭院。⑤ Ⓒ〖英〗地下室的門或窗前之低窪處。§ ~ **còde**(電話之)區域號碼。— **ar′e·al,** *adj.*
ar·e·a·way [ˋɛrɪə͵we] *n.* Ⓒ ①地窖門前之凹院。②〖美〗通道；過道。
ar·e·ca [ˋærɪkə] *n.* Ⓒ〖植〗檳榔(樹)。
a·re·na [əˋrinə] *n.* Ⓒ①(古羅馬之)鬥技場。②任何競爭之場所或地點。§ ~ **théater** 圓形劇場。
‡aren't [ɑrnt] = **are not.**
Ar·es [ˋeriz] *n.*〖希神〗愛力士(戰神)。
Arg. Argentina.
ar·gent [ˋɑrdʒənt] *n.* Ⓤ 銀；銀色。**—** *adj.* ①銀的。②銀白的。
Ar·gen·ti·na [͵ɑrdʒənˋtinə] *n.*阿根廷(南美洲一國，首都 Buenos Aires).
Ar·gen·tine [ˋɑrdʒən͵tin] *adj.* 阿根廷的。**—** *n.*① Ⓒ 阿根廷人。②(the ~) = **Argentina.**
Ar·gen·tin·e·an [͵ɑrdʒənˋtɪnɪən] *n.* Ⓒ 阿根廷人。
Ar·go [ˋɑrgo] *n.* ①(the ~)〖希神〗亞哥號(Jason 率人往 Colchis 求取金羊毛所乘之船)。②〖天〗南船座。
ar·gon [ˋɑrgɑn] *n.* Ⓤ〖化〗氬(符號 A).
ar·go·sy [ˋɑrgəsɪ] *n.* Ⓒ ①大商船。②大商船隊。
ar·got [ˋɑrgo] *n.* Ⓤ Ⓒ (黑社會之)暗語；隱語；(某一職業或團體的)慣用語。
‡ar·gue [ˋɑrgjʊ] *v.i.* ①辯論。~ for [against] a proposed law 辯論贊成[反對]某法律草案。②爭論。**—** *v.t.*①辯論。②主張。③說服；勸告。④證明。— **ar′gu·a·ble,** *adj.* — **ar′gu·er,** *n.*
***ar·gu·ment** [ˋɑrgjəmənt] *n.* ① ⓊⒸ 辯論；爭論。② ⓊⒸ 議論。③ Ⓒ 理由；論據。④ Ⓒ 導言；自序；大綱。
ar·gu·men·ta·tion [͵ɑrgjəmɛnˋteʃən] *n.* ⓊⒸ ①立論。②辯論；討論。
ar·gu·men·ta·tive [͵ɑrgjəˋmɛntətɪv] *adj.* ①爭論的。②好辯論的。
Ar·gus [ˋɑrgəs] *n.*①〖希神〗阿加斯(百眼巨人)。② Ⓒ 機警之看守人。
a·ri·a [ˋɑrɪə]〖義〗*n.* Ⓒ〖樂〗詠嘆調。
Ar·i·an[1] [ˋɛrɪən] *adj.* (古希臘神學家)阿萊亞斯(Arius)(派)的。**—** *n.* Ⓒ 阿萊亞斯派的信徒。— **ism,** *n.*
Ar·i·an[2] *adj.* & *n.* = **Aryan.**
ar·id [ˋærɪd] *adj.*①乾燥的；不毛的。②枯燥無味的。③呆板的。— **a·rid·i·ty** [əˋrɪdətɪ], *n.*
Ar·i·el [ˋɛrɪəl] *n.* 愛儷兒(莎翁劇本 *The Tempest* 中之精靈)。
Ar·ies [ˋɛriz] *n.*〖天〗①白羊座。②白羊宮。
ar·i·et·ta [͵ærɪˋɛtə] *n.* Ⓒ (*pl.* **~s, -et·te** [-ˋɛtə])〖樂〗小抒情曲；短調。
a·right [əˋraɪt] *adv.* 正確地。
***a·rise** [əˋraɪz] *v.i.*(**a·rose, a·ris·en**) ①發生；出現。②起來。③上升。④起源於〔from〕。
***a·ris·en** [əˋrɪzn̩] *v.* pp. of **arise.**
***ar·is·toc·ra·cy** [͵ærəˋstɑkrəsɪ] *n.*① Ⓒ 貴族。② Ⓒ 上流社會。③ Ⓤ Ⓒ 貴族政治(的國家)。
***a·ris·to·crat** [əˋrɪstə͵kræt, ˋærɪstə͵kræt] *n.* Ⓒ ①貴族。②主張貴族政治的人。③有貴族氣派的人。
a·ris·to·crat·ic, -i·cal [ə͵rɪstəˋkrætɪk(l̩), ͵ærɪstə-] *adj.* ①適合於貴族的。②貴族的。③貴族政治的。
Ar·is·tot·le [ˋærə͵stɑtl̩] *n.* 亞里斯多德(384-322B.C., 希臘哲學家)。
***a·rith·me·tic** [əˋrɪθmə͵tɪk] *n.*① Ⓤ 算術。② Ⓒ 算術教科書。**—** [͵ærɪθˋmɛtɪk] *adj.* (亦作 **arithmetical**) 算術的；有關算術的。
a·rith·me·ti·cian [ə͵rɪθməˋtɪʃən] *n.* Ⓒ 算術家。
Ariz. Arizona.
Ar·i·zo·na [͵ærəˋzonə] *n.* 亞利桑那(美國西南部一州)。
ark [ɑrk] *n.* Ⓒ ①〖聖經〗方舟(大洪水時 Noah 所乘之大船，見舊約創世紀)。②避難所。③〖聖經〗約櫃。
Ark. Arkansas.
Ar·kan·sas [ˋɑrkən͵sɔ] *n.* 阿肯色(美國中南部之一州)。
Ar·ling·ton [ˋɑrlɪŋtən] *n.* 阿靈頓(在華盛頓郊區，該處有無名英雄墓)。
‡arm[1] [ɑrm] *n.* Ⓒ ①臂。②似臂之物。an ~ of the sea 海灣。③衣袖。~ ***in*** ~ 挽臂；攜手。***at ~'s length*** 疏遠；不與之親近。***with folded ~s*** 袖手(旁觀)。***with open ~s*** 熱烈(歡迎)。§ ~ **bàdge** 臂章。
‡arm[2] *n.*①(*pl.*)武器；軍械。② Ⓒ 兵種；兵科。③(*pl.*)紋章。***appeal to ~s*** 訴諸武力。***bear ~s*** 當兵。***carry ~s*** 帶武器；肩槍。***in ~s*** 準備作戰。***small ~s*** 輕武器。***to ~s*** 準備打仗。***under ~s*** 準備戰爭；動員。***up in ~s*** **a.** 準備作戰。**b.**暴動；起義。**—** *v.t.* & *v.i.* 武裝；備戰。
ARM Anti-Radar Missile.反雷達飛彈。
ar·ma·da [ɑrˋmɑdə] *n.* ① Ⓒ 艦隊。② Ⓒ 龐大的車隊或飛機群。③(the A-) 1588 年西班牙派征英國之無敵艦隊。
ar·ma·dil·lo [͵ɑrməˋdɪlo] *n.* Ⓒ (*pl.* **~s**)〖動〗犰狳(中南美洲產)。
Ar·ma·ged·don [͵ɑrməˋgɛdn̩] *n.* ①〖聖經〗哈米吉頓(善與惡之決戰場)。② Ⓒ (國際間之)大決戰(場)。
ar·ma·ment [ˋɑrməmənt] *n.* Ⓒ ①兵力。②(軍艦要塞等之)大砲。③(常 *pl.*)軍備。
ar·ma·ture [ˋɑrmətʃɚ] *n.* Ⓒ ①甲冑。②〖生物〗防禦器官。③〖電〗電動子；電樞。④〖磁學〗接極子。⑤〖建〗補強料。
***arm·chair** [ˋɑrm͵tʃɛr] *n.* Ⓒ 有扶手的椅子。**—** *adj.*①安逸的。②理論性的。
armed [ɑrmd] *adj.* 武裝的。~ forces (陸海空)三軍。~ robbery 持械搶劫。
Ar·me·ni·a [ɑrˋminɪə] *n.* 亞美尼亞(前蘇聯之一共和國)。
arm·ful [ˋɑrm͵fʊl] *n.* Ⓒ (單臂或雙臂)一抱之量。
arm·hole [ˋɑrm͵hol] *n.* Ⓒ 衣服袖孔。
ár·mil·lar·y sphére [ˋɑrmɪ-

ˏlɛrɪ ～] *n.* Ⓒ〖天〗渾天儀。
ar·mi·stice [ˋarmǝstɪs] *n.* Ⓒ 休戰。 § **Á- Dày** 第一次世界大戰休戰紀念日(十一月十一日)。
arm·less [ˋarmlɪs] *adj.*①無臂的。②無武器的；無武裝的。
arm·let [ˋarmlɪt] *n.* Ⓒ ①〖英〗臂環；臂釧。②小海灣。
***ar·mor,** 〖英〗**-mour** [ˋarmɚ] *n.* Ⓤ ①甲冑。②鐵甲。③裝甲部隊。④裝甲。**—** *v.t.* 裝甲。§ ～ **plàte** 鋼板；裝甲板。— **ed,** *adj.*
ar·mor-clad [ˋarmɚˏklæd] *adj.* 裝甲的。
ar·mor·er [ˋarmǝrɚ] *n.* Ⓒ 製造[修理]兵器者；軍械士。
ar·mor·plat·ed [ˋarmɚˏpletɪd] *adj.* 裝鋼板的；裝甲的。
ar·mor·y [ˋarmǝrɪ] *n.* ①Ⓒ 軍械庫。②Ⓒ 兵工廠。③Ⓒ〖美, 加〗國民兵訓練中心。④Ⓤ 紋章(學)。⑤Ⓒ 武器。
arm·pit [ˋarmˏpɪt] *n.* Ⓒ 腋窩。
arm·rest [ˋarmˏrɛst] *n.* Ⓒ (椅子等的)扶手；靠臂。
arm's-length [ˋarmzˏlɛŋ(k)θ] *adj.* 不友善的；不親密的。
Arm·strong [ˋarmstrɔŋ] *n.* 阿姆斯壯(Neil, 1930-, 美國太空人, 1969年7月20日登陸月球；爲人類身臨月球第一人)。
arm-twist·ing [ˋarmˏtwɪstɪŋ] *n.* Ⓒ 壓力或影響。
‡**ar·my** [ˋarmɪ] *n.*①Ⓒ 軍隊。②Ⓒ (常the A-)陸軍。③Ⓒ 軍團。④(an ～ of)大群；群眾。§ ～ **còrps** 軍。
a·ro·ma [ǝˋromǝ] *n.* Ⓒ 芳香；風韻。
ar·o·mat·ic [ˏærǝˋmætɪk] *adj.*①芳香的。②〖化〗芳香族的。
a·ro·ma·tize [ǝˋromǝˏtaɪz] *v.t.* 使芳香；加香味。
***a·rose** [ǝˋroz] *v.* pt. of **arise.**
‡**a·round** [ǝˋraund] *prep.* ①環繞。②在四周；圍於。③〖美俗〗近於；在…近處；近…時；差不多。④〖美俗〗到處。**—** *adv.* ①環繞；在四周。His car circled ～. 他的車在兜圈子。②到處。③近處。④向相反方向地。⑤恢復意識。⑥活躍著。***have been*** ～ 人生經驗豐富。
a·round-the-clock [ǝˋraund-ðǝˋklak] *adj.* 日以繼夜的。
***a·rouse** [ǝˋrauz] *v.t.* ①喚醒。②喚起；使振作。
ARP, A.R.P. Air-Raid Precautions. 空襲預防措施。
ar·peg·gi·o [arˋpɛdʒɪˏo]〖義〗*n.* Ⓒ (*pl.* ～**s**)〖樂〗和音急速彈奏；琶音。
ar·rack [ˋærǝk] *n.* Ⓤ Ⓒ 燒酒(尤指以米或糖蜜釀造者)。(亦作 **arak**)
ar·raign [ǝˋren] *v.t.* ①〖法律〗提訊；傳問。②控告；責難。— **ment,** *n.*
‡**ar·range** [ǝˋrendʒ] *v.t.* ①排列；配置；整理。②處理；調解。③預備。④改寫(樂曲)。**—** *v.i.* ①協商。②安排；準備〔for, about〕.
‡**ar·range·ment** [ǝˋrendʒmǝnt] *n.* ①ⓊⒸ 布置。②ⓊⒸ 排列。flower ～ 插花。③ⓊⒸ 處理；調解。④Ⓒ (常*pl.*)準備〔for〕. ⑤Ⓒ 特別安排之事物。⑥Ⓤ 樂曲之改寫。
ar·rant [ˋærǝnt] *adj.*①完全的。②聲名狼藉的。
ar·ras [ˋærǝs] *n.* ⓊⒸ 花氈；掛氈。
ar·ray [ǝˋre] *v.t.*①盛裝。②排列；布署。**—** *n.*①Ⓤ 服裝。②Ⓤ 排陣。③Ⓤ 軍隊。④Ⓒ 序列。
ar·rear [ǝˋrɪr] *n.*(*pl.*)未做之事；拖欠之款；(工作、付款等的)延誤。***fall into*** ～***(s)*** 延滯。***in*** ～***(s)*** 拖欠；未付。***in*** ～ ***of*** 趕不上。***in*** ～***(s) with (work)*** (工作)落後。***work off*** ～***s*** 把延誤的工作補過來。
ar·rest** [ǝˋrɛst] *v.t.* ①逮捕。②吸引(注意)。③阻擋。**—** *n.* Ⓤ Ⓒ ①逮捕。②阻止。under*** ～ 被拘留。***under house*** ～ 被軟禁。— **ment,** — **er,** *n.*
ar·rest·ing [ǝˋrɛstɪŋ] *adj.*引人注意的；顯著的。
ar·rhyth·mi·a [ǝˋrɪðmɪǝ] *n.* Ⓤ〖醫〗心律不整。— **ar·rhyth′mic(al),** *adj.*
***ar·riv·al** [ǝˋraɪvl] *n.* ①ⓊⒸ 到達。②Ⓒ 抵達的人或物。
‡**ar·rive** [ǝˋraɪv] *v.i.*① 到達。②獲得(結果)；達到(目的)。③達到(某點或某階段)。④來臨。⑤成功；成名。
ar·ro·gance [ˋærǝgǝns], **-cy** [-sɪ] *n.* Ⓤ 傲慢；自大。
***ar·ro·gant** [ˋærǝgǝnt] *adj.* 傲慢的；自大的。— **ly,** *adv.*
ar·ro·gate [ˋærǝˏget] *v.t.* ①僭越；霸占。②不當地把…歸屬某人。— **ar·ro·ga′tion,** *n.*
***ar·row** [ˋæro] *n.* Ⓒ ①箭。②箭號(→)。
ar·row·head [ˋæroˏhɛd] *n.* Ⓒ①箭頭。②〖植〗慈姑。
ar·row·root [ˋæroˏrut] *n.* ①Ⓒ〖植〗葛。②Ⓤ 葛粉。
ar·roy·o [ǝˋrɔɪo] *n.* Ⓒ (*pl.* ～**s**)①乾涸之小谿谷。②小河；小溪。
arse [ars] *n.* Ⓒ〖英鄙〗臀部；屁股。
ar·se·nal [ˋarsṇǝl] *n.* Ⓒ 兵工廠；軍械庫。
ar·sen·ic [ˋarsṇɪk]〖化〗*n.* Ⓤ 砷；砒素。**—**[arˋsɛnɪk] *adj.* 砷的；砒素的。～ acid 砒酸。
ar·son [ˋarsṇ] *n.* Ⓤ (非法)縱火。
ar·son·ist [ˋarsṇɪst] *n.* Ⓒ 縱火犯。
‡**art**[1] [art] *n.* ①Ⓤ 藝術。②Ⓤ (常*pl.*)美術。③Ⓤ 人爲；人工。④ⓊⒸ 技術；技巧。⑤(*pl.*)詭計；詐術。⑥(*pl.*) **a.**(作*sing.*解)人文學科。**b.**(作*pl.*解)文理科。⑦Ⓤ(新聞、雜誌)圖片、圖畫等。§ ～ **gàllery** 美術館；畫廊。
art[2] *v.* 〖古, 詩〗be之第二人稱, 單數, 現在式, 直陳法(與thou連用)。
ar·te·ri·ole [arˋtɪrɪˏol] *n.* Ⓒ〖解〗小動脈；微動脈。
ar·te·ri·ol·o·gy[arˏtɪrɪˋalǝdʒɪ] *n.* Ⓤ 動脈學。
ar·te·ri·o·scle·ro·sis [arˋtɪrɪ-ˏosklɪˋrosɪs] *n.* Ⓤ〖醫〗動脈硬化。
ar·te·ri·tis [ˏartǝˋraɪtɪs] *n.* Ⓤ〖醫〗動脈炎。
ar·ter·y [ˋartǝrɪ] *n.* Ⓒ①動脈。②孔道；幹道；主要道路。
ar·té·sian wéll [arˋtiʒǝn ～] *n.* Ⓒ①噴水井；自流井。②〖美〗深水井。
art·ful [ˋartfǝl] *adj.*①狡詐的。②巧妙的；機敏的。③不自然的。— **ly,** *adv.*
ar·thri·tis [arˋθraɪtɪs] *n.* Ⓤ 關節炎。

ar·thro·pod [ˋɑrθrə͵pɑd] *adj.* 節足動物的。── *n.* Ⓒ 節足動物。
ar·thro·spore [ˋɑrθrə͵spor] *n.* Ⓒ 〖生物〗分節孢子。
Ar·thur [ˋɑrθɚ] *n.* (King～)亞瑟(昔不列顛傳說之國王，圓桌武士之領袖)。
ar·ti·choke [ˋɑrtɪ͵tʃok] *n.* Ⓤ Ⓒ 〖植〗朝鮮薊(其花可供食用)。
‡**ar·ti·cle** [ˋɑrtɪkḷ] *n.* Ⓒ ①論文；文章。②條款；條目；節目。③物品；物件。④〖文法〗冠詞。── *v.t.* ①逐條陳述。②訂約雇用。③列舉(罪狀)；控告。── *v.i.* ①約定。②訂契約。③控告；指責。
ar·ti·cled [ˋɑrtɪkəld] *adj.* 訂有契約的。an ～clerk 約雇店員。
ar·tic·u·lar [ɑrˋtɪkjəlɚ] *adj.* 關節的。
ar·tic·u·late [ɑrˋtɪkjəlɪt] *adj.* ①發音清晰的。②能言的。③有條不紊的。④〖解〗有關節的。── [ɑrˋtɪkjə͵let] *v.t.* & *v.i.* ①明言。②發音清晰。③(使)清晰；(使)清楚。④(使)互相連貫；(使)統一。⑤以關節連接。
ar·tic·u·la·tion [ɑr͵tɪkjəˋleʃən] *n.* ① Ⓤ Ⓒ 〖解〗節；關節；關節之結合。② Ⓤ 清晰的發音。
ar·tic·u·la·tor [ɑrˋtɪkjə͵letɚ] *n.* Ⓒ ①發音清晰之人；音節分明之人；發音矯正器。②發音器官。③接骨的人。
ar·ti·fact [ˋɑrtɪ͵fækt] *n.* Ⓒ ①(尤指有考古價值的)人工製品；加工品。②〖生物〗外來物質。
ar·ti·fac·ti·tious [͵ɑrtəfækˋtɪʃəs] *adj.* 人工製品的；加工的。
ar·ti·fice [ˋɑrtəfɪs] *n.* Ⓤ Ⓒ ①技巧；巧妙。②巧計；詭計。
***ar·ti·fi·cial** [͵ɑrtəˋfɪʃəl] *adj.* ①人造的。an ～flower 人造花。an ～eye 義眼。～insemination 人工授精。～intelligence 人工智慧。～rain 人造雨。～respiration 人工呼吸。an ～satellite 人造衛星。an ～tooth 假牙。②虛僞的。③武斷的。④〖生物〗人爲的。⑤(寶石)仿造的。─**ly,** *adv.*
ar·ti·fi·ci·al·i·ty [͵ɑrtə͵fɪʃɪˋælətɪ] *n.* ① Ⓤ 人爲；不自然。② Ⓒ 人造之物；人爲之事物；不自然之事物。
ar·til·ler·y [ɑrˋtɪlərɪ] *n.* Ⓤ ①大砲。②砲兵(隊)。③砲術。─**man,** *n.*
ar·ti·san [ˋɑrtəzṇ] *n.* Ⓒ 技工。
‡**art·ist** [ˋɑrtɪst] *n.* Ⓒ ①畫家。②藝術家。③長於技術者；能手。He is an ～ in words. 他長於寫作。
ar·tiste [ɑrˋtist] 〖法〗 *n.* Ⓒ ①技藝家；藝人。②極精於某一行業的人 (常爲幽默語)。
***ar·tis·tic, -ti·cal** [ɑrˋtɪstɪk(ḷ)] *adj.* ①美術的；藝術(家)的。②美妙的；精巧的。③有美感的。
art·ist·ry [ˋɑrtɪstrɪ] *n.* Ⓤ ①藝術之事業、性質。②藝術才能[手藝]。
art·less [ˋɑrtlɪs] *adj.* ①無技巧的；笨拙的。②自然的；天眞爛漫的。③單純的；簡明的。─**ly,** *adv.*
art·sy [ˋɑrtsɪ] *adj.* 假裝對藝術有興趣的；過分裝飾的；浮華的。
art·work [ˋɑrt͵wɝk] *n.* Ⓤ Ⓒ 美術品；藝術品。
art·y [ˋɑrtɪ] *adj.* 冒充藝術的；附庸風雅的。
art·y-craft·y [ˋɑrtɪˋkræftɪ] *adj.* 〖俗〗①(人)自命藝術家的；冒充懂藝術的。②(家具等)精緻而不實用的；華而不實的。
Ar·y·an [ˋɛrɪən] *adj.* ①印歐語的。②印歐語族的。── *n.* Ⓒ ①印歐語族之人。②(納粹德國指)猶太人以外之白種人(尤指北歐的)。
‡**as** [æz, əz] *adv.* ①相等；相同；同樣。②例如。***as against*** 比(對比之意)。***as*** [***so***] ***...as...*** 與…一樣地。***as compared with*** 比較。German, *as compared with* French, is difficult to learn. 德文較法文難學。***as for*** 至於。***as from*** 自(某日)起。***as long as*** 祇要。***as to*** 至於。── *conj.* ①同樣；像。②當；正值。③因爲。④雖；縱。Rich *as* he is, he is not happy. 他雖富，仍不樂。⑤結果。⑥以…而言。⑦到某種程度。***as if*** 儼若；好像。***as it is*** **a.** 事實上(用在句首)。**b.** 照原樣(用在句末)。***as it stands*** 照原樣。***as it were*** 好像是。***as though*** 好像；似乎。── *prep.* 充任；擔任。── *pron.* 照；如。Do the same thing *as* I do. 照我這樣做。
As 〖化〗arsenic.
ASA Acoustical Society of America. 美國音響協會；American Standards Association. 美國標準規格協會。
a.s.a.p., ASAP as soon as possible. 盡快。
ASAT Anti-Satellite. 反衛星(的)。
as·bes·tos, -tus [æsˋbɛstəs] *n.* Ⓤ 石綿。── *adj.* 石綿的；石綿製成的。
as·bes·to·sis [͵æsbɛsˋtosɪs] *n.* Ⓤ 〖醫〗石綿沈著病；石綿入肺病。
A.S.C.A.P. American Society of Composers, Authors and Publishers. 美國作曲家、作家及出版家協會。
as·ca·rid [ˋæskərɪd] *n.* Ⓒ 〖動〗蛔蟲。
***as·cend** [əˋsɛnd] *v.t.* & *v.i.* ①上升；攀登；登。～ to power 得勢；取得權位。②回溯。─**ing,** *adj.* ─**ance,** ─**ence,** ─**an·cy,** ─**en·cy,** *n.*
as·cend·ant, -ent [əˋsɛndənt] *adj.* ①上升的。②優越的；有權勢的。── *n.* ① Ⓤ 權勢；優越。② Ⓒ 祖先。
as·cen·sion [əˋsɛnʃən] *n.* ① Ⓤ 上升；升高。②(the A-)耶穌之升天。
***as·cent** [əˋsɛnt] *n.* ① Ⓤ Ⓒ 上升。② Ⓤ Ⓒ 攀登；登高。③ Ⓒ 斜坡；斜坡路。a rapid ～ 陡坡。④ Ⓤ Ⓒ 擢升。⑤ Ⓤ 回溯。
***as·cer·tain** [͵æsɚˋten] *v.t.* 發現；確定。─**a·ble,** *adj.* ─**ment,** *n.*
as·cet·ic [əˋsɛtɪk] *n.* Ⓒ ①修道者；苦行者。②禁慾者。── *adj.* (亦作 **ascetical**)苦行的；禁慾的。─**ism,** *n.*
ASCII [ˋæs͵ki] American Standard Code for Information Interchange. 〖電算〗美國國家標準資訊交換碼。
as·ci·tes [əˋsaɪtiz] *n.* Ⓤ 〖醫〗腹水。
a·scór·bic ácid [əˋskɔrbɪk ～] *n.* Ⓤ 抗壞血酸(即維他命 C)。

A

***as·cribe** [əˋskraɪb] *v.t.*①歸…於。②認爲…屬於。— **as·crib′a·ble,** *adj.*
as·crip·tion [əˋskrɪpʃən] *n.* Ⓤ①歸於；歸因。②(傳敎士)宣敎終了時所說"榮耀歸於上帝"等讚美詞。
ASEAN [ˋæsɪən] Association of Southeast Asian Nations. 東南亞國(家)協(會)。
a·seis·mic [eˋsaɪzmɪk, -ˋsaɪs-] *adj.* 抗地震的；耐震的。
a·sep·sis[əˋsɛpsɪs] *n.* Ⓤ〖醫〗①防腐法；無菌法。②無菌狀態。— **a·sep′tic,** *adj.* & *n.*
a·sex·u·al [eˋsɛkʃuəl] *adj.* 無性(生殖)的。— **a·sex·u·al′i·ty,** *n.*
***ash**[1] [æʃ] *n.*①Ⓤ(常 *pl.*)灰；灰燼。②(*pl.*)骨灰；屍體。③Ⓤ(常 *pl.*)火山灰。④Ⓤ灰色。⑤(*pl.*)蒼白；痕跡。§ **Á-Wédnesday** 聖灰日(封齋期之第一日)。
ash[2] *n.* ⓊⒸ〖植〗白楊。
***a·shamed** [əˋʃemd] *adj.* ①羞恥的；慚愧的。②恥於；不願。
ash·can [ˋæʃˏkæn] *n.* Ⓒ〖美〗①垃圾箱。②〖俚〗深水炸彈。
ash·en[1] [ˋæʃən] *adj.* 灰色的。
ash·en[2] *adj.* 白楊樹(做)的。
ash·en-faced [ˋæʃənˏfest] *adj.*臉色灰白的。
A-ship [ˋeˏʃɪp] *n.* Ⓒ原子動力船。
ash·lar,-ler [ˋæʃlɚ] *n.* ①ⓊⒸ建築用之方石。②Ⓒ方石築成之建築物。
ash·man [ˋæʃmən] *n.* Ⓒ(*pl.* **-men**)〖美〗清除垃圾之人。
***a·shore** [əˋʃor] *adj.* & *adv.*①向岸的[地]；上岸的[地]。②在陸地上的[地]。
ash-pale [ˋæʃˋpel] *adj.* 灰白色的；蒼白的。
ash·pan [ˋæʃˏpæn] *n.* Ⓒ(壁爐、火爐等下的)盛灰盤。
ash·pit [ˋæʃˏpɪt] *n.* Ⓒ(壁爐下的)盛灰坑。
ash·ram [ˋɑʃrəm] *n.* Ⓒ①〖美〗嬉皮聚集的地方。②(印度敎高僧的)隱居所。
ash·tray [ˋæʃˏtre] *n.* Ⓒ煙灰缸。
ash·y [ˋæʃɪ] *adj.* ①灰色的；灰白的。②有灰覆蓋的；灰的。
‡**A·sia** [ˋeʃə, ˋeʒə] *n.* 亞洲。§ ~ **Mínor** 小亞細亞(黑海與地中海間之亞洲部分)。
‡**A·sian** [ˋeʃən, ˋeʒən] *adj.* 亞洲(人)的。— *n.* Ⓒ亞洲人。
A·si·at·ic [ˏeʒɪˋætɪk] *adj.* & *n.* 〖蔑〗=**Asian.**
‡**a·side** [əˋsaɪd] *adv.* ①在旁地；側向地。②撇開。③縱然；儘管如此。④貯存。~ *from* **a.**除了。**b.**離開。— *n.* Ⓒ①旁白。②悄悄話。③離題之話。
as·i·nine [ˋæsnˏaɪn] *adj.* 像驢一樣的；愚魯的；冥頑的。
‡**ask** [æsk] *v.t.* & *v.i.*①詢問。②請求。③要；討價。④邀請。⑤需要。~ *about* 查詢。~ *after* 問候。~ *around* 到處打聽。~ *for* **a.**請求；要。**b.**訪問。~ *for it* 自討苦吃；自找麻煩。
a·skance [əˋskæns] *adv.* ①懷疑地；不贊許地。②側目地；斜地。(亦作**askant**)
a·skew [əˋskju] *adv.* ①歪地；斜地；側地。②不贊同地；輕視地。— *adj.* 歪的；斜的；側的。
ask·ing [ˋæskɪŋ] *n.* Ⓤ探問；請求。*for the* ~ 若索取即免費贈送。
a·slant [əˋslænt] *adv.* & *adj.* 斜地[的]；傾斜地[的]。— *prep.* 斜過。
‡**a·sleep** [əˋslip] *adj.*①睡著的。②不活潑的。③麻痺的。④死的。— *adv.*①睡；眠。He fell fast ~. 他熟睡了。②靜止狀態地。
ASM air-to-surface missile. 空對地飛彈。**A.S.M.E.** American Society of Mechanical Engineers. 美國機械工程學會。
a·so·cial [eˋsoʃəl] *adj.* 沒有社交性的；自我中心主義的。
asp [æsp] *n.* Ⓒ非洲產小毒蛇；(泛指)毒蛇。
as·par·a·gus [əˋspærəgəs] *n.* ⓊⒸ〖植〗蘆筍；龍鬚菜。
A.S.P.C.A. American Society for the Prevention of Cruelty to Animals. 美國動物保護協會。
***as·pect** [ˋæspɛkt] *n.* Ⓒ ①外觀；形勢。②外貌；神態。③觀點；方面。④方向；方位。
as·pen [ˋæspɪn] *n.* Ⓒ 〖植〗白楊。— *adj.* ①白楊樹的。②顫抖的。
as·per·i·ty [æsˋpɛrətɪ] *n.* Ⓤ ①粗糙；不平。②(氣候)嚴酷。③粗暴；刻薄。
as·perse [əˋspɝs] *v.t.*①誹謗。②灑；撒。— **as·pers′er, as·per′sion** [-ʒən, -ʃən], *n.*
***as·phalt** [ˋæsfɔlt] *n.* Ⓤ瀝青；柏油。— *v.t.* 以瀝青舖(路)。
as·pho·del [ˋæsfəˏdɛl] *n.* Ⓒ〖植〗日光蘭；水仙花。
as·phyx·i·a [æsˋfɪksɪə] *n.* Ⓤ〖醫〗窒息；悶死。
as·phyx·i·ate [æsˋfɪksɪˏet] *v.t.*使窒息。— **as·phyx·i·a′tion,** *n.*
as·pic [ˋæspɪk] *n.* Ⓤ肉類凍子(肉、魚、蛋、蕃茄等作成)。
as·pi·dis·tra [ˏæspɪˋdɪstrə] *n.* Ⓒ〖植〗蜘蛛抱蛋屬植物；葉蘭。
as·pir·ant [əˋspaɪrənt] *n.* Ⓒ抱負不凡者；候選人；考生〔to, after, for〕。— *adj.* 抱大願望的。
as·pi·rate [ˋæspərɪt] *n.* Ⓒ①氣音；[h]音。②氣音字。— *adj.* 氣音的；[h]音的。— [ˋæspəˏret] *v.t.* ①〖語音〗送氣發音。②〖醫〗用吸引器吸出；抽吸。
as·pi·ra·tion [ˏæspəˋreʃən] *n.* ⓊⒸ ①呼吸；呼氣。②渴望；熱望〔for, after〕。③〖語音〗送氣發音；氣音。④〖醫〗用吸引器吸出。
as·pi·ra·tor [ˋæspəˏretɚ] *n.* Ⓒ①抽氣機；吸氣機。②〖醫〗抽吸器；吸引器。
***as·pire** [əˋspaɪr] *v.i.*①熱望；抱大願望(與to, after, 或不定詞連用)。②升高；高聳。
as·pi·rin [ˋæspərɪn] *n.* ⓊⒸ〖藥〗阿斯匹靈。
as·pir·ing [əˋspaɪrɪŋ] *adj.*①抱大願望的；有大志的。②上升的；高聳的。
a·squint [əˋskwɪnt] *adv.* & *adj.* 側目地[的]；睨視地[的]。
ass [æs] *n.*①Ⓒ驢。②Ⓒ笨人；愚人。make an ~ of a person愚弄人。③Ⓒ〖美鄙〗屁股；肛門。④Ⓤ〖鄙〗性交。
as·sail [əˋsel] *v.t.*①攻擊；責罵。②詰問。③困擾。— **a·ble,** *adj.*— **ment,** *n.*

as·sail·ant [əˋselənt] *n.* Ⓒ攻擊者。
as·sas·sin [əˋsæsɪn] *n.* Ⓒ暗殺者。
as·sas·si·nate [əˋsæsn̩ˏet] *v.t.* ①暗殺; 行刺。②破壞; 詆毀。— **as·sas·si·na′tion, as·sas′si·na·tor,** *n.*
***as·sault** [əˋsɔlt] *n.*①Ⓒ突擊; 襲擊。②ⓊⒸ〖法律〗毆打; 威脅。③ⓊⒸ肉搏。④ⓊⒸ強姦。— *v.t.*攻擊; 襲擊。
as·say [əˋse] *v.t.* ①分析。②試驗。③嘗試。— *v.i.* ①試金。②礦苗經分析而知(含貴金屬量)。— [əˋse, ˋæse] *n.* Ⓒ ①分析; 試金。②被試驗[化驗]之物; 分析評估。— **er,** *n.*
as·sem·blage [əˋsɛmblɪdʒ] *n.*①Ⓒ聚集的人或物; 集會。②Ⓤ集合; (機器的)裝配。
***as·sem·ble** [əˋsɛmbl̩] *v.t.* ①集會; 集合。②裝配。— *v.i.* 集合; 聚集。
as·sem·bler [əˋsɛmblɚ] *n.* Ⓒ裝配的人或機器。
***as·sem·bly** [əˋsɛmblɪ] *n.* ①Ⓒ集會; 會合; 會議。②(the A-)〖美〗州議會的下院。③Ⓒ〖軍〗集合號。④Ⓤ機件的裝配。⑤Ⓒ(常A-)議會。the National *A-* 國民大會。§ ～ **lânguage** 〖電算〗組合語言。～ **lìne** 裝配線。～ **plànt** 裝配廠。
as·sem·bly·man [əˋsɛmblɪmən] *n.* Ⓒ (*pl.* **-men**)①議員。②(A-)〖美〗州議會下院之議員。
***as·sent** [əˋsɛnt] *v.i.*①同意; 贊成〔常to〕。②讓步。— *n.* Ⓤ同意; 贊成。
***as·sert** [əˋsɝt] *v.t.* ①確說; 斷言。②辯護; 維護。～ *oneself* **a.**維護自己的權利。**b.**出風頭。— **as·ser′tive,** *adj.*
as·ser·tion [əˋsɝʃən] *n.* ①Ⓒ聲明; 斷言。②Ⓤ主張; 辯護。
as·sess [əˋsɛs] *v.t.*①評估; 估定(財產數額等以課稅)。②評定(罰款、稅額等)。③課(稅或其他費用)。— **a·ble,** *adj.* — **ment, as·ses′sor,** *n.*
as·set [ˋæsɛt] *n.*①Ⓒ有價值[有用]的東西。②Ⓒ資產(的一項)。③(*pl.*)財產; 資產; 遺產。～*s and liabilities* 資產與負債。*personal* ～*s* 動產。*real* ～*s* 不動產。
as·set-strip·ping [ˋæsɛtˏstrɪpɪŋ] *n.* Ⓤ廉價收購公司, 將其資產出售謀利後再關閉的營運。
as·sev·er·ate [əˋsɛvəˏret] *v.t.*斷言; 確言。— **as·sev·er·a′tion,** *n.*
ass·head [ˋæsˏhɛd] *n.* Ⓒ愚蠢的人。
ass·hole [ˋæsˏhol] *n.* Ⓤ①〖鄙〗肛門。②〖俚〗愚蠢、可惡的人。— *adj.* 〖俚〗愚笨的; 可鄙的。
as·si·du·i·ty [ˏæsəˋdjuətɪ] *n.*①Ⓤ勤勉; 專心; 精勵。②(*pl.*)殷勤。
as·sid·u·ous [əˋsɪdʒuəs] *adj.*①勤勉的; 有恆的。②周到的。— **ly,** *adv.*
***as·sign** [əˋsaɪn] *v.t.*①分配; 分派。②指定。③指派; 選派。④〖法律〗讓渡; 過戶。⑤歸因; 歸咎。— *n.* Ⓒ (常*pl.*)(財產、權利讓渡之)受讓人。§ ～**ed cóunsel** 〖美〗公設辯護人。
as·sig·na·tion [ˏæsɪgˋneʃən] *n.*①Ⓤ分配。②Ⓤ(財產、權利等之)讓渡。③Ⓤ(會場、時間等之)指定; 選定。④Ⓒ約會(尤指幽會)。⑤Ⓒ歸因。
as·sign·ee [əsaɪˋni] *n.* Ⓒ〖法律〗受讓人; 受託人; 財產保管人。
***as·sign·ment** [əˋsaɪnmənt] *n.*①Ⓒ分派或指定的東西; 派定的工作。②Ⓤ分派; 分配。③Ⓤ〖法律〗讓渡。
as·sign·or [əsaɪˋnɔr] *n.* Ⓒ〖法律〗讓渡人; 委託者。(亦作 **assigner**)
as·sim·i·late [əˋsɪml̩ˏet] *v.t.*①吸收; 消化; 徹底了解。②同化; 使成一樣; 使類似〔to, with〕。③比較; 使相像; 使適應〔to, with〕。— *v.i.* 同化〔with〕。— **as·sim·i·la′tion,** *n.* — **as·sim′i·la·to·ry, as·sim′i·la·tive,** *adj.*
as·sim·i·la·tion·ism [əˏsɪməˋleʃəˏnɪzm̩] *n.* Ⓤ(指不同種族及文化的)同化政策; 同化主義。— **as·sim·i·la′tion·ist,** *n.*
***as·sist** [əˋsɪst] *v.t.* 幫助; 援助〔in〕。— *v.i.* ①幫助。②出席(會, 典禮等)〔常at〕。— *n.* Ⓒ①〖棒球〗助殺(幫助迫使打擊手或跑壘者出局之動作)。②幫助。
***as·sist·ance** [əˋsɪstəns] *n.* Ⓤ幫助。
***as·sist·ant** [əˋsɪstənt] *n.* Ⓒ①助手; 助教。②輔助物。— *adj.* ①幫助的。②輔助的。
as·sist·ant·ship [əˋsɪstəntˏʃɪp] *n.* Ⓒ(大學)研究生獎學金(該研究生同時為assistant)。
as·size [əˋsaɪz] *n.*①Ⓒ立法機關在會期中所決定之法案、條例等。②Ⓤ陪審團、推事助理之偵查; 其決定。③Ⓤ審判。
Assoc., assoc. association. associate;
as·so·ci·a·ble [əˋsoʃɪəbl̩] *adj.* ①可聯合的。②可聯想的〔with〕。③社交的。④〖醫〗交感的。— **as·so·ci·a·bil′i·ty,** *n.*
***as·so·ci·ate** [əˋsoʃɪˏet] *v.t.*①聯想。②聯合; 結交。③結合。— *v.i.*結交; 聯合。— [əˋsoʃɪɪt] *n.* Ⓒ ①同伴; 夥伴; 同事。②預備會員; 社員。③〖數〗伴隨。— *adj.* ①同伴的; 同事的。②預備會員的; 無全權的。③副的。an ～ professor 副教授。④聯合的。— **ship,** *n.*〔注意〕指與人聯合、結合或合夥時, 要用 associate with. 指在某方面合作或合夥時, 要用 associate in.
***as·so·ci·a·tion** [əˏsosɪˋeʃən, əˏsoʃɪˋeʃən] *n.* ①Ⓒ會; 協會; 團體。National Athletic *A-* 全國體育協會。②Ⓤ聯合; 結交。③Ⓤ聯想。*in* ～ *with* 與…聯合[結交, 有關連]。§ ～ **fòotball**〖英〗足球(=soccer).— **al,** *adj.*
as·so·ci·a·tive [əˋsoʃɪˏetɪv] *adj.*①聯合的。②〖數〗結合的。③聯想的。
as·so·nance [ˋæsənəns] *n.* Ⓤ①類音; 叶音。②〖韻律〗半韻; 半諧音(母音相同而子音不同)。— **as′so·nant,** *adj.*
as·sort [əˋsɔrt] *v.t.*①分類; 配合。②供給(各類貨品)。— *v.i.*①調和; 相配; 符合。②結交。— **ment,** *n.*
as·sort·ed [əˋsɔrtɪd] *adj.*①雜集的; 各色俱備的。～ biscuits 什錦餅干。②分類的。③相配的; 合適的。
Asst., asst. assistant.
as·suage [əˋswedʒ] *v.t.* 緩和; 減輕;

A

安撫。— **ment,** *n.*

***as·sume** [əˋs(j)um] *v.t.*①假定。Let us ～ it to be true. 讓我們假定這是眞實的。②擔任。③假裝。④僭取；擅用。⑤顯出；帶有。⑥採用。— *v.i.*傲慢；逞強。

as·sumed [əˋsumd] *adj.*①假裝的。an ～ name 化名。②假定的；假想的。③僭取的。— **as·sum′ed·ly** [-mɪdlɪ], *adv.* 大概；也許。

as·sum·ing [əˋsjumɪŋ] *adj.*傲慢的；獨斷的；僭越的。— *n.* Ⓤ傲慢；僭越；無禮。— **ly,** *adv.*

***as·sump·tion** [əˋsʌmpʃən] *n.*①Ⓒ假定。②ⓊⒸ擔任。③ⓊⒸ傲慢；僭越。④ⓊⒸ假裝。She bustled about with an ～ of authority. 她擺著一副權威的樣子忙來忙去。⑤(the A-)聖母升天(八月十五日)。— **as·sump′tive,** *adj.*

***as·sur·ance** [əˋʃurəns] *n.*①Ⓤ確信；信心。②Ⓒ保證。③Ⓤ信任；信賴。④Ⓤ自信。⑤Ⓤ厚顏；大膽。⑥Ⓤ〖英〗保險。

***as·sure** [əˋʃur] *v.t.* ①鄭重宣告。②保證。③使安全。④使確信。⑤保險。

as·sured [əˋʃurd] *adj.* ①確信的；一定的。②自信的。③保險的。— **as·sur·ed·ly** [əˋʃurɪdlɪ], *adv.*

as·sur·ing [əˋʃurɪŋ] *adj.* 確信的；使人有自信的。— **ly,** *adv.*

As·syr·i·a [əˋsɪrɪə] *n.* 亞述(亞洲西南部之古國)。

As·syr·i·an [əˋsɪrɪən] *adj.* 亞述(人，語，文化)的。— *n.*①Ⓒ亞述人。②Ⓤ亞述語(屬於閃族語系)。

AST Atlantic Standard Time (用於加拿大)大西洋標準時間。

as·ta·tine [ˋæstə͵tin] *n.* Ⓤ〖化〗砈(放射性元素；符號 At)。

as·ter [ˋæstɚ] *n.* Ⓒ①〖植〗紫菀。②〖生物〗星(狀)體。

as·ter·isk [ˋæstə͵rɪsk] *n.* Ⓒ 星標；星狀物。— *v.t.* 加上星標。

as·ter·ism [ˋæstə͵rɪzəm] *n.* Ⓒ ①〖天〗星群；星宿；星座。②〖礦〗星狀光彩。③三星狀標記(⁂或⁑)。

a·stern [əˋstɝn] *adv.*①在船尾；向船尾。②在後；向後。***fall*** ～ 落後。

as·ter·oid [ˋæstə͵rɔɪd] *adj.*星狀的。— *n.* Ⓒ ①〖天〗(其軌道在火星與木星間的)小行星。②〖動〗海盤車。

asth·ma [ˋæzmə] *n.* Ⓤ〖醫〗氣喘。

asth·mat·ic [æzˋmætɪk] *adj.*氣喘症的。— *n.* Ⓒ 氣喘症患者。

as·tig·mat·ic [͵æstɪgˋmætɪk] *adj.* 亂視的；散光的；糾正散光的。

a·stig·ma·tism [əˋstɪgmə͵tɪzəm] *n.* Ⓤ①〖醫〗散光；亂視。②〖光學〗像散現象。

a·stir [əˋstɝ] *adv.* & *adj.* ①活動地[的]；擾動地[的]。②起床。

ASTM, A.S.T.M. American Society for Testing Materials. 美國材料試驗學會。

***as·ton·ish** [əˋstɑnɪʃ] *v.t.* 使驚愕。

***as·ton·ished** [əˋstɑnɪʃt] *adj.*感到驚異的；驚嚇的。

as·ton·ish·ing [əˋstɑnɪʃɪŋ] *adj.* 可驚異的；可驚的。— **ly,** *adv.*

***as·ton·ish·ment** [əˋstɑnɪʃmənt] *n.*① Ⓤ 驚奇；驚愕。② Ⓒ 使人驚異的事物。

as·tound [əˋstaʊnd] *v.t.* 使大驚駭。— **ing(ly),** *adj.* (*adv.*)

as·tra·khan [ˋæstrəkən] *n.* Ⓤ①俄國羔皮；小羊皮(俄國東南部所產羔羊之卷毛黑皮)。②仿俄國羔皮之織物。

as·tral [ˋæstrəl] *adj.* 星的；如星的；多星的。an ～ body 天體；靈體。an ～ lamp 無影燈。

a·stray [əˋstre] *adv.*出正軌地；迷途地。***go*** ～走入歧途。***lead*** ～使入迷途。— *adj.* 出正軌的；迷途的。

a·stride [əˋstraɪd] *adv.* & *adj.*跨坐地[的]；跨騎地[的]。— *prep.*①跨騎。②在兩旁。

as·trin·gent [əˋstrɪndʒənt] *adj.*①收斂性的。②止血的。③嚴酷的；嚴肅的。— *n.* ⓊⒸ〖醫〗收斂劑。

as·tro·bi·ol·o·gy [͵æstrobaɪˋɑlədʒɪ] *n.* Ⓤ天體生物學。

as·tro·dy·nam·ics [͵æstrodaɪˋnæmɪks] *n.* Ⓤ天文動力學。

as·tro·ge·ol·o·gy [͵æstrodʒiˋɑlədʒɪ] *n.* Ⓤ太空地質學。

as·tro·labe [ˋæstrə͵leb] *n.* Ⓒ 星盤(昔天文觀測儀)。

as·trol·o·ger [əˋstrɑlədʒɚ] *n.* Ⓒ 占星家。

as·trol·o·gy [əˋstrɑlədʒɪ] *n.* Ⓤ 占星學[術]。— **as·tro·log′ic(al),** *adj.*

as·tro·me·te·or·ol·o·gy [͵æstro͵mitɪəˋrɑlədʒɪ] *n.* Ⓤ天體氣象學。

***as·tro·naut** [ˋæstrə͵nɔt] *n.* Ⓒ①太空旅行者；太空人。②太空學學者。

as·tro·nau·ti·cal [͵æstrəˋnɔtɪkl] *adj.* 太空飛行(員)的。

as·tro·nau·tics [͵æstrəˋnɔtɪks] *n.* Ⓤ太空學；太空航行學。

as·tro·nav·i·ga·tion [͵æstro͵nævəˋgeʃən] *n.* Ⓤ太空航行。

***as·tron·o·mer** [əˋstrɑnəmɚ] *n.* Ⓒ天文學家。

as·tro·nom·i·cal [͵æstrəˋnɑmɪkl] *adj.* 天文學的；星學的。§ ∼ **obsérvatory** 天文臺。∼ **télescope** 天文望遠鏡。∼ **tíme** 天文時。∼ **yéar** 回歸年。

***as·tron·o·my** [əˋstrɑnəmɪ] *n.* Ⓤ 天文學。

as·tro·pho·tog·ra·phy [͵æstrofoˋtɑgrəfɪ] *n.* Ⓤ天體照相術。

as·tro·phys·i·cist [͵æstroˋfɪzəsɪst] *n.* Ⓒ天體物理學家。

as·tro·phys·ics [͵æstroˋfɪzɪks] *n.* Ⓤ天體物理學。

as·tute [əˋstjut] *adj.*機敏的；狡猾的。— **ly,** *adv.* — **ness,** *n.*

A-sub [ˋe͵sʌb] *n.* Ⓒ〖俗〗核子潛艇。

a·sun·der [əˋsʌndɚ] *adj.* & *adv.*分開的[地]；星散的[地]。

***a·sy·lum** [əˋsaɪləm] *n.*①Ⓒ避難所。②Ⓒ救濟院。③Ⓒ精神病院。④Ⓤ〖國際法〗庇護。political ～ 政治庇護。

a·sym·me·try [eˋsɪmɪtrɪ] *n.* Ⓤ不對稱；不均勻。— **a·sym·met′ri·cal,** *adj.*

‡**at** [æt, ət] *prep.*①在(某地)；近(某處)。

He is *at* school.他在學校。②向；對準。Look *at* me.看著我。③處於…情形或狀態。*at* ease〖軍〗稍息。④工作；嘗試做。He sits *at* his desk all day.他終日工作。⑤經由。⑥在或近於某一時間。*at* sunrise日出。⑦因爲。⑧依照；應。We did it *at* his request.我們應他之請而做。⑨數額；價格。two books *at* a dollar each 兩本書，每本一元。⑩從。〔注意〕**at** 與 **in** 將一個表示地方或時間的字連繫到一個句子上，當這一地方或時間是指一點時，即用 **at.** 當這一地方或時間指一定範圍，即用 **in.**

At·a·lan·ta [ˌætl̩ˋæntə] *n.*〖希神〗阿妲蘭德(捷足善走之美麗少女)。

AT & T [ˌetiəndˋti] American Telephone and Telegraph. 美國電話電報公司。

at·a·vism [ˋætəˌvɪzəm] *n.*① Ⓤ 隔代遺傳；返祖(性)。② Ⓒ 隔代遺傳之實例。—**at·a·vis′tic(al),** *adj.*

ATC Automatic Tool Changer. 工具自動轉位裝置；Automatic Train Control. 自動控制火車裝置；Air Traffic Control. 航空交通管制。

‡**ate** [et] *v.* pt. of **eat.**

at·el·ier [ˋætl̩ˌje]〖法〗*n.* Ⓒ (畫家或雕刻家之)工作室；畫室。

a·the·ism [ˋeθɪˌɪzəm] *n.* Ⓤ 無神論。—**a′the·ist,** *n.* —**a·the·is′tic,** *adj.*

A·the·na [əˋθinə] *n.*〖希神〗雅典娜(智慧、技藝及戰爭的女神)。(亦作**Athene**)

ath·e·n(a)e·um [ˌæθəˋniəm] *n.* (*pl.* ~**s,** **-n(a)e·a** [-ˋniə]) ①(the A-) 雅典 Athena 女神廟。② Ⓒ 文藝[學術]俱樂部。③ Ⓒ 圖書室；文庫。

A·the·ni·an [əˋθiniən] *adj.* 雅典的。— *n.* Ⓒ 雅典人。

Ath·ens [ˋæθɪnz] *n.* 雅典(希臘首都；古希臘文明中心)。

ath·er·o·scle·ro·sis [ˌæθəˌrosklə ˋrosɪs] *n.* Ⓤ〖醫〗動脈(粥瘤)硬化。—**ath·er·o·scle·rot′ic,** *adj.*

a·thirst [əˋθɜst] *adj.*渴望的〔for〕.

***ath·lete** [ˋæθlit] *n.* Ⓒ 運動家；運動員。§ ∼**'s fóot**〖醫〗腳濕氣；香港腳。

***ath·let·ic** [æθˋlɛtɪk] *adj.* ①強壯活躍的。②運動的。an ∼ meeting 運動會。

ath·let·i·cism [æθˋlɛtəsɪzm̩] *n.* Ⓤ 對運動競賽的癖好；嗜好運動。

***ath·let·ics** [æθˋlɛtɪks] *n.*①(常作 *pl.* 解)運動(指各種競技)。② Ⓤ 運動(指體育技巧或理論)。

at-home [ətˋhom] *n.* Ⓒ (約定時日之)會客；家庭招待會。— *adj.*家用的；非正式的。an ∼ day 會客日。

a·thwart [əˋθwɔrt] *adv.* ①橫穿過地；斜地；橫跨著。②〖海〗船側朝風。—*prep.* ①橫過。②逆；反對。③〖海〗橫越航向。

a·tilt [əˋtɪlt] *adj. & adv.* ①傾斜的[地]。②作舉槍衝刺狀的[地]。***run*** [***ride***] ***∼ at*** [***against***] 向…挺槍衝刺。

At·lan·ta [ətˋlæntə] *n.*亞特蘭大(美國喬治亞州之首府)。

‡**At·lan·tic** [ətˋlæntɪk] *n.* (the ∼)大西洋。the North [South] ∼北[南]大西洋。— *adj.* 大西洋的；大西洋沿岸的。the ∼ Charter 大西洋憲章。the ∼ Ocean 大西洋。

At·lan·tis [ətˋlæntɪs] *n.* 亞特蘭提斯島(大西洋中之一神秘島嶼，據云最後陸沈海底)。

***at·las** [ˋætləs] *n.* Ⓒ (*pl.* ∼**·es**) ① 地圖；地圖集；地圖册。②(*pl.* **at·lan·tes** [ətˋlæntiz])男像柱。

At·las [ˋætləs] *n.* ①〖希神〗亞特拉斯(受罰以雙肩掮天之巨人)。② Ⓒ 掮負重擔之人。③ Ⓒ 擎天神飛彈。

ATM automatic-teller machine. 自動櫃員機。

***at·mos·phere** [ˋætməsˌfɪr] *n.*① (the ∼)大氣；空氣。② Ⓒ 氣壓。③ (*sing.*)環境。④(*sing.*)氣氛；氛圍。

at·mos·pher·ic, -i·cal [ˌætməsˋfɛrɪk(l̩)] *adj.*①大氣的；氣壓的。∼ pressure 氣壓。②氣氛的。

at·mos·pher·ics [ˌætməsˋfɛrɪks] *n. pl.*〖無線〗①天電干擾。②天電。

at. no. atomic number. 原子序。

at·oll [ˋætɑl] *n.* Ⓒ 環狀珊瑚島；環礁。

***at·om** [ˋætəm] *n.* Ⓒ ①原子。②極少量。§ ∼ **bòmb** 原子彈。—**ism,** *n.*

***a·tom·ic** [əˋtɑmɪk] *adj.*①原子的。②微粒的；極小的。§ ∼ **bómb** 原子彈。∼ **clóck**原子時鐘。∼ **clóud** 原子雲。∼ **énergy**原子能。∼ **físsion**原子核分裂。∼ **númber**〖理，化〗原子序(數)。∼ **píle**原子爐。∼ **pówer** 原子動力。∼ **théory**〖理，化〗原子說。∼ **wárfare** 原子戰爭。∼ **wárhead** 原子彈頭。∼ **wéapon** 原子武器。∼ **wéight**〖化〗原子量。**the** ∼ **áge** 原子時代。**the A∼ Énergy Commìssion** 原子能委員會。

a·tom·ics [əˋtɑmɪks] *n.* Ⓤ 原子學。

at·om·ize [ˋætəmˌaɪz] *v.t.* ①使成原子。②〖俚〗用原子彈轟炸。③噴成霧狀。

at·om·iz·er [ˋætəmˌaɪzɚ] *n.* Ⓒ 噴霧器。

a·ton·al [eˋtonl̩] *adj.*〖樂〗無調性的。—**a·to·nal′i·ty,** *n.*

a·tone [əˋton] *v.t. & v.i.*賠償；賠罪。

a·tone·ment [əˋtonmənt] *n.* ① Ⓤ Ⓒ 補償；贖罪。②(the A-)耶穌替世人贖罪之受難。

a·top [əˋtɑp] *adv.* 在上地。— *prep.* 在上面。

a·tri·um [ˋetriəm] *n.* Ⓒ (*pl.* **-tri·a** [-trɪə])①〖解〗心房；心耳；內耳窩。②〖建〗(古羅馬建築之)中庭。

a·tro·cious [əˋtroʃəs] *adj.*①兇暴的；殘忍的。②〖俗〗惡劣的；太過分的。

a·troc·i·ty [əˋtrɑsətɪ] *n.*① Ⓤ 兇惡；暴行。② Ⓒ〖俗〗嚴重的錯誤。

at·ro·phy [ˋætrəfɪ] *n.* Ⓤ 萎縮；衰退。— *v.t. & v.i.* (使)萎縮；(使)衰退。

At·ro·pos [ˋætrəˌpɑs] *n.*〖希神〗阿特羅波絲(司命運的三女神之一)。

at·ta·boy [ˋætəˌbɔɪ] *interj.*〖美俚〗好小子!

***at·tach** [əˋtætʃ] *v.t.*①結；縛；連接；參加〔to〕. ②使附屬。③加；附；認爲有；歸…於。④使親暱；使依戀。⑤〖軍〗(暫時的)委派；指派。⑥〖法律〗逮捕；拘留；查封。⑦簽署。— *v.i.*附著；連屬〔to, upon〕. —**a·ble,** *adj.*

at·ta·ché [ˌætəˋʃe]〖法〗*n.* Ⓒ (大使或

A

公使之)隨員；大[公]使館員。*naval* [*military*] ～(使館之)海[陸]軍武官。§～ càse 扁平的小型手提箱。

*__at·tach·ment__ [əˋtætʃmənt] *n.*①Ⓤ附著。②ⓊⒸ情感；愛慕；忠誠。③Ⓒ附件。④Ⓤ〖法律〗逮捕；拘留。⑤Ⓒ逮捕[拘留]令狀。

‡__at·tack__ [əˋtæk] *v.t.*①攻擊。②辱罵；(用文字或言語)攻擊。③(疾病)侵襲(常用被動語態)。④從事；著手。⑤對…有破壞性的效果。— *v.i.*攻擊。— *n.*①ⓊⒸ攻擊。②Ⓒ辱罵。③Ⓒ(疾病之)侵襲。④Ⓒ著手；從事。

__at·ta·girl__ [ˋætə,gɜl] *interj.*〖美俚〗好姑娘！(亦作 **attagal**)

*__at·tain__ [əˋten] *v.t. & v.i.*達到；成就；到達；得到〔to〕. —**a·ble,** *adj.* —**at·tain·a·bil′i·ty,** *n.*

__at·tain·der__ [əˋtendɚ] *n.*Ⓤ〖法律〗財產或公民權喪失。

__at·tain·ment__ [əˋtenmənt] *n.*①Ⓤ達到；成就。②Ⓒ造詣。③Ⓒ(常 *pl.*)學識；技能。

__at·taint__ [əˋtent] *v.t.*①使喪失公民權或財產。②羞辱。— *n.*Ⓤ汚點；恥辱。

__at·tar__ [ˋætɚ] *n.*Ⓤ花油；玫瑰油(精)。

__at·tem·per__ [əˋtɛmpɚ] *v.t.*①沖淡；稀釋。②調節。③使緩和；撫慰。

‡__at·tempt__ [əˋtɛmpt] *v.t.*①嘗試；企圖。②襲擊；攻擊；奪取。— *n.*Ⓒ①努力嘗試。②襲擊；攻擊〔常 on, upon〕. ③〖法律〗未遂行爲。

‡__at·tend__ [əˋtɛnd] *v.t.*①出席；到；參加。②照顧；侍候。③陪伴；隨至。— *v.i.*①料理；從事；照顧〔to〕. ②侍候；看護〔on, upon〕. ③注意；專心〔to〕. *A*- to my words. 注意我的話。④伴；隨至〔常 on, upon〕. Success usually ～*s* on one's effort. 成功常隨人之努力而至。⑤出席參加〔at〕.

*__at·tend·ance__ [əˋtɛndəns] *n.*①ⓊⒸ到；出席。②Ⓤ隨侍；隨從；侍候。③(*sing.*)出席人數；出席者。*dance* ～慇懃侍候。*in* ～負責；當值。

*__at·tend·ant__ [əˋtɛndənt] *n.*Ⓒ①侍者。②伴隨事物。③出席人。— *adj.*①陪從的。②伴隨的。③出席的。

‡__at·ten·tion__ [əˋtɛnʃən] *n.*①Ⓤ注意；專心。②(*pl.*)款待；慇懃。③Ⓤ立正姿勢或口令。*A*-! 立正！④Ⓤ禮貌。⑤Ⓤ關照。*call away the* ～分其神。*pay* ～*s to one* 慇懃款待某人。*stand at* ～直立不動。

__at·ten·tion-get·ting__ [əˋtɛnʃən,gɛtɪŋ] *adj.* 引人注意的。—**at′ten·tion-get·ter,** *n.*

*__at·ten·tive__ [əˋtɛntɪv] *adj.*①注意的〔to〕. ②慇懃的；關懷的；禮貌的〔to〕.

__at·ten·u·ate__ [əˋtɛnju,et] *v.t.*①使細；使薄。②稀釋。③減弱；減少。— *v.i.* 變細；變弱；變稀薄。—[əˋtɛnjuɪt] *adj.* 細的；薄的；稀薄的；減弱的。—**at·ten·u·a′tion,** *n.*

__at·test__ [əˋtɛst] *v.t.* ①證明；爲…作證。②使發誓。— *v.i.* 作證〔to〕. —**at·tes·ta′tion,** *n.*

*__at·tic__ [ˋætɪk] *n.*Ⓒ屋頂下閣樓；頂樓。

__At·tic__ [ˋætɪk] *adj.* ①Attica的；雅典的。②古雅的；文雅的。— *n.*①ⒸAttica人；雅典人。②ⓊAttica語。§～ **fáith** 絕對的忠實。～ **sált** [**wít**]文雅的雋語。

__At·ti·ca__ [ˋætɪkə] *n.*雅地加(希臘東南地區，雅典爲其中心)。

__at·ti·cism__ [ˋætɪ,sɪzəm] *n.*Ⓤ(常 A-)①雅典之語風或風格。②簡明優美之詞章。

__at·tire__ [əˋtaɪr] *v.t.*穿衣；盛裝。— *n.*Ⓤ衣服；服飾；盛裝。—**ment,** *n.*

*__at·ti·tude__ [ˋætə,tjud] *n.*Ⓒ①態度；看法。What is your ～ towards this problem? 你對這問題的看法如何？②姿態。*strike an* ～裝模作樣。

__at·ti·tu·di·nar·i·an__ [,ætə,tjudəˋnɛrɪən] *n.*Ⓒ裝模作樣的人；愛擺架子的人。—**at·ti·tu′di·nal,** *adj.*

__at·ti·tu·di·nize__ [,ætəˋtjudn̩,aɪz] *v.i.* 擺架子；裝模作樣；矯飾。

*__at·tor·ney__ [əˋtɜnɪ] *n.*Ⓒ①代理人。②律師。*letter of* ～委任狀。*power of* ～委託權；委託書。§～ **géneral** (1)首席檢察官；檢察長。(2)(A- G-)〖美〗司法部長。—**ship,** *n.*Ⓤ代理人[律師]之職務、身分等。

‡__at·tract__ [əˋtrækt] *v.t.* 吸引；引誘。—**ant,** *n.*Ⓒ(對昆蟲等的)引誘劑。

*__at·trac·tion__ [əˋtrækʃən] *n.*①Ⓤ吸引力。②Ⓒ吸引物。③Ⓤ〖理〗引力。

*__at·trac·tive__ [əˋtræktɪv] *adj.*①嫵媚的；動人的。②有引誘力的。

__at·trib·ut·a·ble__ [əˋtrɪbjutəbl̩] *adj.*可歸於…的；可歸因的〔常 to〕.

*__at·trib·ute__ [əˋtrɪbjut] *v.t.*諉於；屬於；歸因〔常 to〕.—[ˋætrə,bjut] *n.*Ⓒ①性質；特性；屬性。②象徵。③〖文法〗屬性修飾語。

__at·tri·bu·tion__ [,ætrəˋbjuʃən] *n.*①ⓊⒸ歸因；歸屬。②Ⓒ屬性。

__at·trib·u·tive__ [əˋtrɪbjətɪv] *adj.*①屬性的。②〖文法〗形容的；修飾的。— *n.*Ⓒ〖文法〗屬性形容詞；修飾語。

__at·tri·tion__ [əˋtrɪʃən] *n.*Ⓤ磨損；減少。a war of ～消耗戰。

__at·tune__ [əˋtjun] *v.t.* 使調和；使一致。

__Au__ 〖化〗aurum.

__au·ber·gine__ [ˋobɚ,ʒin]〖法〗*n.*①ⓊⒸ茄子。②Ⓤ茄色。

__au·burn__ [ˋɔbɚn] *adj.*赤褐色的；赭色的。— *n.*Ⓤ赤褐色；赭色。

__Auck·land__ [ˋɔklənd] *n.* 奧克蘭(New Zealand 一大城市及海港)。

__au cou·rant__ [okuˋrã]〖法〗*adj.* ①最新的(＝in the current of events). ②熟知時事的。

__auc·tion__ [ˋɔkʃən] *n.*ⓊⒸ拍賣。— *v.t.* 拍賣〔off〕.

__auc·tion·eer__ [,ɔkʃənˋɪr] *n.*Ⓒ拍賣人；競賣人。— *v.t.* 拍賣。

__au·da·cious__ [ɔˋdeʃəs] *adj.* 大膽的；無禮的；無恥的。—**ly,** *adv.*

__au·dac·i·ty__ [ɔˋdæsətɪ] *n.* ①Ⓤ大膽；厚顏無恥。②Ⓤ膽子。③Ⓒ大膽的言行。

*__au·di·ble__ [ˋɔdəbl̩] *adj.* 聽得見的。—**au′di·bly,** *adv.*

***au·di·ence** [ˋɔdɪəns] *n.*① Ⓒ 聽眾；觀眾；讀者；收聽者；收看者。② Ⓤ 聽取。③ Ⓒ 正式謁見；覲見。The ambassador was received in ～ by the President. 這大使覲見總統。§ ～ **chàmber** [**ròom**]覲見室；接見室。

au·di·ence-proof [ˋɔdɪəns,pruf] *adj.* (戲劇)一定賣座的。

au·di·o [ˋɔdɪ,o] *adj.*〖電〗成音頻率的；成音的。～ frequency〖理〗成音頻率。

audio-〖字首〗表「聽」之義。

au·di·o-vis·u·al [ˋɔdɪoˋvɪʒuəl] *adj.* 視聽的。～ aids 視聽教材。

au·dit [ˋɔdɪt] *v.t.* & *v.i.* ①稽核；檢查(帳目)。②旁聽(課程)。**—** *n.* Ⓒ 稽核；檢查。

au·di·tion [ɔˋdɪʃən] *n.*① Ⓤ 聽；聽力；聽覺。② Ⓒ (鑑定音質之)試聽。③ Ⓒ 所聽到之事物。**—** *v.t.* & *v.i.*(作)試聽。

au·di·tor [ˋɔdɪtɚ] *n.* Ⓒ ①旁聽者。②查帳員。③聽者。— **ship,** *n.*

au·di·to·ri·um [,ɔdəˋtorɪəm] *n.* Ⓒ (*pl.* **～s, -ri·a** [-rɪə])①(戲院等之)觀眾席；聽眾席。②禮堂。

au·di·to·ry [ˋɔdə,torɪ] *adj.* 耳的；聽覺的。**—** *n.* Ⓒ 聽眾；聽眾席；大禮堂。

au fond [oˋfɔ̃]〖法〗*adv.* 徹底地。

Aug. August.

Au·ge·an [ɔˋdʒiən] *adj.* ①〖希神〗奧吉亞斯(Augeas)的。②極髒的。§ ～ **stábles** (1)〖希神〗奧吉亞斯的牛圈(三十年未曾打掃，後由 Hercules 引進河水，於一日內洗淨)。(2)藏污納垢之地。

au·ger [ˋɔgɚ] *n.* Ⓒ 螺絲錐；錐子。

aught [ɔt] *pron.*任何事物；任何部分。**—** *n.* Ⓒ 零。**—** *adv.* 無論如何。

aug·ment [ɔgˋmɛnt] *v.t.* & *v.i.*①增大；增加。②〖樂〗增音。— **aug·men·ta′tion,** *n.*

au·gur [ˋɔgɚ] *n.* Ⓒ ①(古羅馬)占兆官。②預言者。**—** *v.t.* & *v.i.*占兆；預言；預示。～ ***well*** [***ill***] 示吉[凶]兆。

au·gu·ry [ˋɔgjərɪ] *n.* ① Ⓤ Ⓒ 占兆。② Ⓒ 徵兆。

au·gust [ɔˋgʌst] *adj.* 威嚴的；高貴的。— **ly,** *adv.*

⁑**Au·gust** [ˋɔgəst] *n.* 八月。

Au·gus·ta [ɔˋgʌstə] *n.* 奧古斯塔(美國 Maine 州首府)。

Au·gus·tan [ɔˋgʌstən] *adj.* ①奧古斯都(時代)的。②新古典主義時期的(尤指十八世紀之英國文學)。**—** *n.* Ⓒ 文藝全盛時期之作家。§ ～ **Àge** 拉丁文學之全盛時代(相當於奧古斯都大帝時期 27 B.C.-A.D.14)。

Au·gus·tine [ɔˋgʌstɪn] *n.* 奧古斯丁(Saint, 354-430, 早期基督教領袖)。

Au·gus·tin·i·an [,ɔgəsˋtɪnɪən] *adj.* 早期基督教會領袖的；其教義的。**—** *n.* Ⓒ 早期基督教會的信徒。

Au·gus·tus [ɔˋgʌstəs] *n.*奧古斯都(63 B.C. -A.D.14, 羅馬第一任皇帝)。

auk [ɔk] *n.* Ⓒ 海雀(北極海鳥之一種)。

auld [ɔld] *adj.*〖主蘇〗老的；古的。§ ～ **láng sýne**[ˋlæŋˋsaɪn](1)往日。(2)(A-L- S-)驪歌。

⁑**aunt** [ænt] *n.* Ⓒ ①姑母；姨母；舅母；嬸母；伯母。②慈善的老婦人。§ **Á-Sálly** (1)莎莉姑媽(一種節日遊戲)。(2)用於擊落煙斗遊戲中之木偶。(3)代人受過者。(4)眾人所攻擊[嘲笑]之對象。

aunt·y, aunt·ie [ˋæntɪ] *n.* Ⓒ ① aunt 之暱稱。②〖俚〗反飛彈飛彈。

au pair [oˋpɛr] *n.* Ⓒ 家庭打工留學生(爲學習某一國之語言或生活方式等而在該國之家庭幫忙料理家事等以換取免費膳宿之外籍留學生)。§ ～ **gìrl** 家庭打工女留學生。

au·ra [ˋɔrə] *n.* Ⓒ (*pl.* **～s, -rae** [-ri]) ①氣味；氣息。②(常 *sing.*)氣氛。③〖醫〗(病症之)先兆。

au·ral[1] [ˋɔrəl] *adj.* 氣味的；氣息的；先兆的。

au·ral[2] *adj.* 耳的；聽力的；聽覺的。

au·re·ole [ˋɔrɪ,ol] *n.* Ⓒ ①(神像之)光輪；光環。②(日月等之)暈。

au·ri·cle [ˋɔrɪkḷ] *n.* Ⓒ ①〖解〗**a.**外耳。**b.**心耳；心室。②〖生物〗耳狀物。

au·ric·u·lar [ɔˋrɪkjəlɚ] *adj.* ①耳的；聽覺的。②耳語[私語]的。③耳形的。④〖解〗耳郭的；心耳的。⑤傳聞的。

au·ro·ra [ɔˋrɔrə] *n.* Ⓒ (*pl.* **～s, -rae** [-ri])①黎明。②極光。③早期。§ ～ **austrális** [ɔsˋtrelɪs]南極光。～ **boreális** [,borɪˋelɪs]北極光。

Au·ro·ra [ɔˋrorə, ə-, -ˋrɔrə] *n.*〖羅神〗奧羅拉(曙光女神)。

au·ro·ral [ɔˋrorəl] *adj.* ①曙光的。②極光的。③燦爛的。

au·rum [ˋɔrəm] *n.* Ⓤ〖化〗金(符號 Au).

AUS, A.U.S. Army of the United States. 美國陸軍。

aus·cul·tate [ˋɔskəl,tet] *v.t.* & *v.i.*〖醫〗聽診。— **aus·cul·ta′tion,** *n.*

aus·pice [ˋɔspɪs] *n.* Ⓒ ①(常 *pl.*)前兆；吉兆。②(常 *pl.*)保護；贊助；主辦。③占卜(以鳥所做)。***under the ～s of*** 由…贊助或主辦。

aus·pi·cious [ɔˋspɪʃəs] *adj.*①幸運的。②吉兆的。— **ly,** *adv.*

Aus·sie [ˋɔsɪ] *n.* Ⓒ〖俚〗澳洲人。

Aus·ten [ˋɔstɪn] *n.* 奧斯汀(Jane, 1775-1817, 英國女小說家)。

aus·tere [ɔˋstɪr] *adj.*①苛刻的；嚴峻的。②嚴肅的。③樸素的。④酸澀的。

aus·ter·i·ty [ɔˋstɛrətɪ] *n.*① Ⓤ 嚴峻；苛刻；樸素。② Ⓒ (常*pl.*)禁慾生活。

aus·tral [ˋɔstrəl] *adj.*①南的；南方的。②(A-)澳大利亞的；澳大拉西亞的。

Aus·tral·a·sia [,ɔstrəlˋeʒə] *n.* 澳大拉西亞(澳洲、紐西蘭及附近南太平洋諸島總稱)。— **Aus·tral·a′sian,** *n.* & *adj.*

⁑**Aus·tral·ia** [ɔˋstreljə] *n.*①澳洲。②澳大利亞聯邦(首都 Canberra).

⁑**Aus·tral·ian** [ɔˋstreljən] *adj.* 澳洲(人，語，文化)的。**—** *n.* Ⓒ 澳洲人。§ ～ **bállot** 上有全部候選人名字的選票(始於澳洲，故名)。

Aus·tri·a [ˋɔstrɪə] *n.*奧地利(歐洲中部一國家，首都 Vienna).

Aus·tri·a-Hun·ga·ry [ˋɔstrɪəˋhʌŋgərɪ] *n.* 奧匈帝國。

Aus·tri·an [ˋɔstrɪən] *adj.* 奧地利的；奧國的。**—** *n.* Ⓒ 奧地利人。

Aus·tro·ne·sia [,ɔstroˋniʒə] *n.*

A

澳斯特羅尼西亞(中太平洋及南太平洋諸島之總稱)。

Aus·tro·ne·sian [ˌɔstro`niʒən] *adj.* Austronesia 的。— *n.*① Ⓒ Austronesia 之住民。② Ⓤ 一種通行於太平洋區之語言(包括印尼語); 南島語。

au·ta·coid [`ɔtəˌkɔɪd] *n.* Ⓤ 〖生理〗內分泌物。

au·tarch [`ɔtɑrk] *n.* Ⓒ 獨裁者; 專制者。— **au′tar·chist,** *n.*

au·tar·chic, -chi·cal [ɔ`tɑrkɪk(l̩)] *adj.* 專制的。

au·tarch·y [`ɔtɑrkɪ] *n.*① Ⓤ 專制。② Ⓒ 專制國家。③=**autarky.**

au·tar·kic, -ki·cal [ɔ`tɑrkɪk(l̩)] *adj.* 自給自足的。

au·tar·ky [`ɔtɑrkɪ] *n.* Ⓤ 經濟自足。

***au·then·tic** [ɔ`θɛntɪk] *adj.* ①可靠的。②真正的。— **au·then′ti·cal·ly,** *adv.*

au·then·ti·cate [ɔ`θɛntɪˌket] *v.t.* 鑑定; 證明。— **au·then·ti·ca′tion,** *n.*

au·then·tic·i·ty [ˌɔθən`tɪsətɪ] *n.* Ⓤ 眞實性; 確切性。

***au·thor** [`ɔθɚ] *n.* Ⓒ ①著作人。②某一作家的著作。③創始者。— **ship,** *n.*

au·thor·ess [`ɔθɚɪs] *n.* Ⓒ 女作家。

au·tho·ri·al [ɔ`θorɪəl] *adj.* 作家的; 創作者的。

au·thor·i·tar·i·an [əˌθɔrə`tɛrɪən] *adj.* ①主張服從權力的。②獨裁的。— *n.* Ⓒ 獨裁主義者。— **ism,** *n.*

au·thor·i·ta·tive [ə`θɔrəˌtetɪv] *adj.* ①權威的; 可信的。②命令的; 絕對的。③須服從的。— **ly,** *adv.*

***au·thor·i·ty** [ə`θɔrətɪ] *n.*① Ⓤ 權威; 權力。② Ⓒ (常*pl.*) 當局; 官府。the local *authorities* 地方當局。③ Ⓤ Ⓒ 引證; 根據; 可憑信之著作。④ Ⓒ 權威; 專家〔on〕. ⑤ Ⓤ 權限; 職權。

***au·thor·ize** [`ɔθəˌraɪz] *v.t.* ①授權。②認可。③裁定。④使成爲正當。— **au·thor·i·za′tion,** *n.*

au·thor·ized [`ɔθəˌraɪzd] *adj.* 經認可的; 經審定的。the *A*- Version 英王 James 一世欽定之聖經英譯本。

au·tism [`ɔtɪzəm] *n.* Ⓤ 〖心〗自閉症; 孤獨癖。— **au·tis′tic,** *adj.* & *n.*

***au·to** [`ɔto] *n.* Ⓒ (*pl.* ~**s**) 汽車(=automobile). § ~ **còurt**〖美〗汽車旅館(=motel). ~ **shòw** 汽車展示會。

auto-〖字首〗表「自己; 獨自; 自身」之義。

au·to·bahn [`otoˌbɑn] 〖德〗*n.* Ⓒ (*pl.* ~**s,** ~**en**[~ən]) 高速公路。

au·to·bi·og·ra·phy [ˌɔtəbaɪ`ɑgrəfɪ] *n.* Ⓒ 自傳。— **au·to·bi·og′ra·pher,** *n.*

au·to-chang·er [`ɔtəˌtʃendʒɚ] *n.* Ⓒ 自動換片的唱機。

au·to·cod·er [ˌɔtə`kodɚ] *n.* Ⓒ 〖電算〗自動編碼器。

au·toc·ra·cy [ɔ`tɑkrəsɪ] *n.* Ⓤ 獨裁政治。

au·to·crat [`ɔtəˌkræt] *n.* Ⓒ 專制君主; 獨裁者; 專橫霸道的人。— **au·to·crat′ic(al),** *adj.*

au·to·cross [`ɔtoˌkrɔs] *n.* Ⓒ 汽車越野賽。

au·to·cue [`ɔtokju] *n.* Ⓒ 〖英〗自動提示器。

au·to·cy·cle [`ɔtəˌsaɪkl̩] *n.* Ⓒ 機器腳踏車。

au·to·gi·ro [ˌɔto`dʒaɪro] *n.* Ⓒ (*pl.* ~**s**) 直昇飛機; 旋翼機。

au·to·graph [`ɔtəˌgræf] *n.* Ⓒ ①親筆。②手稿。— *adj.* 親筆寫的。— *v.t.* 親筆簽名; 親筆寫。

au·to·graph·ic [ˌɔtə`græfɪk] *adj.* ①親筆的; 眞跡的; 新書的; 親筆簽名的。②(儀器)自動記錄的。

au·tog·ra·phy [ɔ`tɑgrəfɪ] *n.* Ⓤ ①親筆; 筆跡。②原紙石版印刷術。

au·to·im·mune [ˌɔtoɪ`mjun] *adj.* 〖醫〗自身免疫(性)的。

au·to-in·tox·i·ca·tion [ˌɔtoɪnˌtɑksə`keʃən] *n.* Ⓤ 〖醫〗自體中毒。

au·to·mak·er [`ɔtəˌmekɚ] *n.* Ⓒ 〖美〗汽車製造廠商。

au·to·mat [`ɔtəˌmæt] *n.* Ⓒ 〖美〗①自動販賣機。②自動販賣式餐館。

au·to·mate [`ɔtəˌmet] *v.t.* & *v.i.* (使)自動化。

***au·to·mat·ic** [ˌɔtə`mætɪk] *adj.*①自動的。②無意識的; 機械的。— *n.* Ⓒ ①自動的機器。②自動步槍或手槍。§ ~ **cálling** 自動呼叫。~ **diréction fínder**(飛機之)自動定向器。~ **dríve**(汽車等)自動駕駛。~ **péncil** 自動鉛筆。~ **pílot** 自動駕駛儀。~ **pístol** 自動手槍。~ **rífle** 自動步槍。~ **trácking**(雷達等的)自動追蹤。~ **transmíssion** (汽車之)自動變速裝置。~ **túning** (電視等的)自動調諧。

***au·to·mat·i·cal·ly** [ˌɔtə`mætɪklɪ] *adv.* 自動地; 機械地。

***au·to·ma·tion** [ˌɔtə`meʃən] *n.* Ⓤ 自動操作; 自動控制。

au·tom·a·tism [ɔ`tɑməˌtɪzəm] *n.* Ⓤ ①自動(作用)。②〖生理〗自動性。③〖心〗無意識動作。

au·tom·a·tize [ɔ`tɑməˌtaɪz] *v.t.* & *v.i.*①使有自動裝置。②自動化。

au·tom·a·ton [ɔ`tɑməˌtɑn] *n.* Ⓒ (*pl.* ~**s, -ta** [-tə])①自然運行之事物。②機械裝置。③機械式動作之人或動物。

au·to·mech·a·nism [ˌɔto`mɛkəˌnɪzəm] *n.* Ⓒ 自動裝置。

***au·to·mo·bile** [`ɔtəməˌbil, ˌɔtə`mobil, ˌɔtəmə`bil] *n.* Ⓒ 汽車。— [ˌɔtə`mobɪl] *adj.* 自動的。— [ˌɔtəmə`bil, `ɔtəməbil] *v.i.* 乘汽車旅行。— **au·to·mo·bil′ist,** *n.*

au·to·mo·tive [ˌɔtə`motɪv] *adj.*①自動(推進)的。②(有關)汽車的。

au·ton·o·mous [ɔ`tɑnəməs] *adj.* ①自治的; 自主的。②〖生物〗有獨立機能的; 自發的。§ ~ **táriff** 自主關稅。

au·ton·o·my [ɔ`tɑnəmɪ] *n.*① Ⓤ 自治。② Ⓒ 自治區。

au·to·pi·a [`ɔtəˌpɪə] *n.* Ⓒ 汽車專用區。

au·top·sy [`ɔtɑpsɪ] *n.* Ⓒ ①驗屍。②事後分析。

au·to·stra·da [ˌɔto`strɑdə] 〖義〗*n.* Ⓒ (*pl.* ~**s, -de**[-de]) 高速公路。

au·to·sug·ges·tion [ˌɔtəsəg`dʒɛstʃən] *n.* Ⓤ 〖心〗自我暗示。

au·to·type [`ɔtəˌtaɪp] *n.* Ⓒ ①單色

照相版。②複寫；複製。— *v.t.*以上述過程複印。

‡**au·tumn** [ˋɔtəm] *n.* ① Ⓤ Ⓒ 秋。②(the ～)盛極而衰之時。the ～ of life 中年。— **au·tum′nal,** *adj.*

aux., auxil. auxiliary.

aux·il·ia·ry [ɔgˋzıljərı] *adj.*①協助的；輔助的。～coins 輔幣。an ～ verb 助動詞。②備用的。— *n.*① Ⓒ 幫助者。② Ⓒ 助動詞。③(*pl.*)外國援軍。

av. average; avoirdupois.

Av. Avenue. **A / V** audio-visual.

A.V. Authorized Version.

*__a·vail__ [əˋvel] *v.i.* 有用；有利；有效。— *v.t.* 幫助；利於。～ ***oneself of*** 利用。— *n.* Ⓤ 效用；利益。***of***[***to***] ***no*** ～ 無用。***without*** ～無益；無效。— **a·vail·a·bil′i·ty,** *n.*

*__a·vail·a·ble__ [əˋveləbḷ] *adj.*① 可利用的；近便的。②有效的。

av·a·lanche [ˋævḷ͵æntʃ] *n.* Ⓒ ①雪崩；山崩。②(常 an ～of) (信件等之)紛至沓來。— *v.i.* 崩落；湧至。

a·vant-garde [ɑvɑ̃ˋgard] 〖法〗*n.* Ⓤ 先鋒；前衛(=vanguard).
— **a·vant-gard′ism,** *n.* Ⓤ 前衛主義。

av·a·rice [ˋævərıs] *n.* Ⓤ 貪財；貪婪。— **av·a·ri·cious** [͵ævəˋrıʃəs], *adj.*

Ave., ave. avenue.

*__a·venge__ [əˋvɛndʒ] *v.t.* & *v.i.* 爲…報仇；報…之仇；報復。～***oneself on*** 報復。— **a·veng′er,** *n.*

*__av·e·nue__ [ˋævə͵nju] *n.* Ⓒ ①〖美〗大街。②林蔭大道。③方法；途徑。〔注意〕**street, avenue** 均指街道。street 指鄉村、市鎭、城市中的街道；兩旁均有房屋。avenue 指著名的大街，兩旁有漂亮的住宅或樹木。又大城市中縱橫相交的街道，南北者稱 avenue，東西者稱 street.

a·ver [əˋvɝ] *v.t.*(**-rr-**)①斷言。②〖法律〗主張；證明。— **ment,** *n.*

‡**av·er·age** [ˋævərıdʒ] *n.*① Ⓒ 平均數。② Ⓤ Ⓒ 普通；平常。***on an*** ～平均。— *adj.*①平均的。②普通的；平常的。— *v.t.*①平均之；求平均數。②平均分配。We ～8 hours' work a day. 我們每天工作平均八小時。

a·verse [əˋvɝs] *adj.* 不願意的；嫌惡的；反對的〔to〕.

a·ver·sion [əˋvɝʒən] *n.*① Ⓤ 嫌惡。② Ⓒ 厭惡之人或物。

a·vert [əˋvɝt] *v.t.* ①防止；避免；避開。②移開(目光)

a·vi·an [ˋevıən] *adj.* 鳥(類)的。

a·vi·ar·ist [ˋevıərıst] *n.* Ⓒ 飛禽飼養家。

a·vi·ar·y [ˋevı͵ɛrı] *n.* Ⓒ 大鳥籠；鳥舍。

a·vi·ate [ˋevı͵et] *v.i.*飛行；航行；駕駛飛機。

*__a·vi·a·tion__ [͵evıˋeʃən] *n.* Ⓤ ①航空；飛行。②航空術。

a·vi·a·tor [ˋevı͵etɚ] *n.* Ⓒ 飛行家；飛機駕駛員；飛行員。§ ∼'s **éar**航空中耳炎。

a·vi·a·tress [ˋevı͵etrıs] *n.* = **aviatrix.**

a·vi·a·trix [͵evıˋetrıks] *n.* Ⓒ 女飛行家；女飛機駕駛員。

av·id [ˋævıd] *adj.*貪婪的；熱望的〔for, of〕. — **a·vid·i·ty** [əˋvıdətı], *n.*

a·vi·on·ics [͵evıˋɑnıks] *n.* Ⓤ 航空電子學。— **a·vi·on′ic,** *adj.*

av·o·ca·do [͵ɑvəˋkɑdo] *n.* Ⓒ (*pl.* ～(**e**)**s**)鱷梨(樹)；酪梨(樹)。

av·o·ca·tion [͵ævəˋkeʃən] *n.* Ⓒ ①副業；嗜好。②〖俗〗本職；職業。

‡**a·void** [əˋvɔıd] *v.t.*①避免。②〖法律〗無效；取消。— **a·ble,** *adj.* — **ance,** *n.*

av·oir·du·pois [͵ævədəˋpɔız] *n.* Ⓤ ①常衡(16 英兩爲一磅，2,000 磅爲一噸)。②〖俗〗體重。(略作 **avoir.**)

a·vouch [əˋvautʃ] *v.t.* & *v.i.* ①承認。②保證。③斷言。— **ment,** *n.*

a·vow [əˋvau] *v.t.*承認；宣稱。— **al,** *n.*

a·vowed [əˋvaud] *adj.*承認的；宣稱的。— **a·vow′ed·ly** [-ıdlı], *adv.*

a·vun·cu·lar [əˋvʌŋkjəlɚ] *adj.* 伯[叔]父的；似伯[叔]父的。

aw [ɔ] *interj.* 噢！(表示抗議、懷疑、厭惡等)。

AWACS [ˋewæks] 機載警報和控制系統(=airborne warning and control system).

*__a·wait__ [əˋwet] *v.t.* & *v.i.* 等候；期待。

‡**a·wake** [əˋwek] *v.t.* (**a·woke** or **a·waked**)①使醒；喚醒。②喚起。— *v.i.* ①醒；起床。②覺醒；奮起〔常to〕. You must ～ to the realities of life. 你必須覺悟人生之現實。— *adj.* ①醒的。②覺醒的；深知的〔to〕.

*__a·wak·en__ [əˋwekən] *v.t.* & *v.i.* = **awake.**

a·wak·en·ing [əˋwekənıŋ] *adj.*喚醒的；激勵的。— *n.* Ⓤ Ⓒ ①喚醒。②振作。

*__a·ward__ [əˋwɔrd] *v.t.* ①授與；賞給。②判定；判斷。— *n.* Ⓒ ①獎賞；獎品。②判斷；裁決(書)。

*__a·ware__ [əˋwɛr] *adj.*①知覺的。②機警的〔of, that〕. — **ness,** *n.*

a·wash [əˋwɑʃ, əˋwɔʃ] *adv.* & *adj.* ①〖海〗與水面齊平地[的]。②覆有水地[的]。③充滿地[的]。

‡**a·way** [əˋwe] *adv.* ①在遠方；離開；不在。②轉方向。③繼續不斷地。She worked ～at her job. 她繼續不斷工作。④放棄；消逝；死亡。⑤立刻。～ ***back*** 早期；遠方。～***with*** 取去；離去(用在命令句中)。*A-* ***with*** you! 滾開！***do***[***make***]～***with*** **a.**取消；廢除。**b.**毀滅；殺害。***far and*** ～ 超過其他地。This is *far and* ～ the best.這個比其他要好得多。***look*** ～ 看別處。***right***[***straight***]～ 立即；即刻。— *adj.* ①遠離的。②不在的。③〖運動〗在對方之場地比賽的。④〖棒球〗出局的。

*__awe__ [ɔ] *v.t.* 使敬畏。— *n.* Ⓤ 敬畏。***stand***[***be***]***in*** ～ ***of*** 敬畏。— **less,** *adj.*

a·weigh [əˋwe] *adj.* 〖海〗拔起的；剛起離水底的(指錨言)。Anchors ～! 起錨了。

awe-in·spir·ing [ˋɔın͵spaırıŋ] *adj.* 令人肅然起敬[畏懼]的。

awe·some [ˋɔsəm] *adj.* 引起敬畏的。

awe-struck [ˋɔ,strʌk] *adj.* 敬畏的；充滿敬畏的。(亦作 **awe-stricken**)

***aw·ful** [ˋɔfʊl, ˋɔfl] *adj.* ①可怕的；莊嚴的。②〖俗〗非常的。③〖俗〗極壞的。**—** *adv.*〖俗〗非常；很。

***aw·ful·ly** [ˋɔflɪ] *adv.* ①可怕地；敬畏地；莊嚴地。②〖俗〗非常地。

a·while [əˋhwaɪl] *adv.* 暫時；片刻。

***awk·ward** [ˋɔkwəd] *adj.* ①笨拙的；無技巧的；不優美的。②不便的；麻煩的。③令人困惑的；使人侷促不安的。④困難的；危險的。⑤難應付的。§ ∼ **cústomer** 麻煩的傢伙。**the** ∼ **áge** 青春期；尷尬的年齡。—**ly,** *adv.*—**ness,** *n.*

awl [ɔl] *n.* Ⓒ 鑽子；尖鑽。

A.W.L., a.w.l. absent [absence] with leave.〖軍〗經准休假。

awn [ɔn] *n.* Ⓒ〖植〗芒；穀刺。—**awn′y,** *adj.*

awn·ing [ˋɔnɪŋ] *n.* Ⓒ 雨篷；遮日篷。—**ed,** *adj.*

‡**a·woke** [əˋwok] *v.* pt. & pp. of **awake.**

A.W.O.L., AWOL, a.w.o.l. absent without leave.〖軍〗擅自離職；不假外出。

a·wry [əˋraɪ] *adj. & adv.* ①歪、拗、或曲的[地]。②錯誤的[地]；斜曲的[地]。

‡**ax,**〖英〗**axe** [æks] *n.* Ⓒ ①斧。②解雇；費用的削減。***get the*** ∼〖俗〗被開除；被拒絕。***give the*** ∼ ***to***〖俗〗開除；拒絕。***have an*** ∼ ***to grind***〖俗〗有所企圖。**—** *v.t.* ①用斧砍或削(某物)。②大量削減(人員、經費等)。

axe-grind·ing [ˋæks,graɪndɪŋ] *adj.* 別有用心的；有企圖的(人物等)。

***ax·es**[1] [ˋæksiz] *n.* pl. of **axis.**

ax·es[2] [ˋæksɪz] *n.* pl. of **ax**(**e**).

ax·i·al [ˋæksɪəl] *adj.* 軸的。

ax·il·la [ækˋsɪlə] *n.* Ⓒ (*pl.* ∼**s, -lae** [-li]) ①〖解〗腋窩；腋。②〖植〗葉腋；枝腋。③(鳥)翼腋。

ax·i·om [ˋæksɪəm] *n.* Ⓒ ①〖數〗公理。②定理。

ax·i·o·mat·ic, -i·cal [,æksɪəˋmætɪk(l̩)] *adj.* ①公理的。②多眞理的。

***ax·is** [ˋæksɪs] *n.* (*pl.* **ax·es**) ① Ⓒ 軸。②(the A-)軸心國。

***ax·le** [ˋæksl̩] *n.* Ⓒ 輪軸。

ay[1] [e] *adv.* 〖古, 詩, 方〗永恆地。(***ever and***) ***ay*** 永久地。(亦作 **aye**)

ay[2] *interj.* (表痛苦或驚愕)唉！啊！***Ay me!*** 哀哉！

aye, ay [aɪ] *adv.* & *n.* Ⓤ Ⓒ 是(=yes).

a·zal·ea [əˋzeljə] *n.* Ⓒ 杜鵑花。

az·i·muth [ˋæzəməθ] *n.* Ⓒ 方位；方位角。

Az·tec [ˋæztɛk] *n.* ① Ⓒ 阿茲特克人(西班牙入侵前之墨西哥中部的印第安人)。② Ⓤ 阿茲特克語。**—** *adj.* 阿茲特克人[語, 文化]的。—**an,** *adj.*

az·ure [ˋeʒɚ, ˋæʒɚ] *n.* ① Ⓤ 青色；天青色。②(the ∼)碧空；青空。**—** *adj.* 天青色的。

az·u·rite [ˋæʒə,raɪt] *n.* Ⓤ〖礦〗石青；藍銅礦。

B b **B b** *B b*

B or **b** [bi] *n.* (*pl.* **B's, b's**) ① Ⓤ Ⓒ 英文之第二個字母。② Ⓒ B狀之物。③ Ⓤ Ⓒ (成績)乙。§ **B́ bàttery**〖電〗B電池。**B̀ còmplex** 複合維他命 B.

B.A. Bachelor of Arts. (亦作 **A.B.**)

baa [bæː] *n.* Ⓒ 羊叫；羊叫聲。**—** *v.i.* 作羊叫聲。

Ba·al [ˋbeəl] *n.* (*pl.* ∼**im** [∼ɪm]) ①腓尼基人的神；太陽神。② Ⓒ (有時 b-)邪神；偶像。

***bab·ble** [ˋbæbl̩] *v.i. & v.t.* ①說話模糊不淸。②嘮嘮叨叨。③作潺潺聲。**—** *n.* Ⓤ (又作 a ∼)①模糊的言語。②胡說。③潺潺之聲。—**bab′bler,** *n.*

bab·bling [ˋbæblɪŋ] *n.* ① Ⓤ Ⓒ 胡說。② Ⓒ 嬰兒發出的牙牙學語之聲。**—** *adj.* 胡說的；喋喋不休的。—**ly,** *adv.*

babe** [beb] *n.* Ⓒ ①嬰孩。②〖俚〗女孩子；女人(尤指漂亮者)。∼ ***in the wood(***s***) 易受騙的人。∼***s and sucklings*** 乳臭未乾的小伙子們。

Ba·bel [ˋbebl̩] *n.* ①〖聖經〗巴別(古巴比倫之一城及該城所建之塔)。② Ⓤ (常 b-)雜亂之聲。③ Ⓤ (常 b-)混亂嘈雜之處。④ Ⓒ (常 b-)無法實現之計畫。

ba·boon [bæˋbun] *n.* Ⓒ〖動〗狒狒。

ba·boon·er·y [bæˋbunərɪ] *n.* Ⓤ 笨拙；可笑；粗魯的行爲或態度。

‡**ba·by** [ˋbebɪ] *n.* Ⓒ ①嬰孩。②一家或一團體中最幼小的人。③有孩子氣的人。④〖俗〗女孩。⑤初生動物。**—** *adj.* ①嬰孩的。②年幼的；稚嫩的。a ∼ face 娃娃臉。**—** *v.t.* 縱容；如對嬰兒般對待。§ ∼ **bôom** (1947-1961 年間美國的)生育高峰，出生率激增。∼ **càrriage** 嬰兒車。∼ **fârm** 育嬰院；托兒所。

ba·by·hood [ˋbebɪ,hʊd] *n.* Ⓤ 幼兒期；嬰兒時代。

ba·by·ish [ˋbebɪɪʃ] *adj.* 嬰兒般的；孩子氣的。—**ly,** *adv.*

Bab·y·lon [ˋbæbl̩ən] *n.* ①巴比倫。② Ⓒ 奢華的或邪惡的城市。

Bab·y·lo·ni·a [,bæbl̩ˋonɪə] *n.* 巴比倫尼亞(亞洲一古國)。—**Bab·y·lo′ni·an,** *adj.*

ba·by-sit [ˋbebɪ,sɪt] *v.i.* (**-sat, -sitting**) 充任臨時褓姆；照顧嬰孩。

***ba·by-sit·ter** [ˋbebɪ,sɪtɚ] *n.* Ⓒ 臨時照顧幼兒者。

bac·ca·lau·re·ate [,bækəˋlɔrɪɪt] *n.* Ⓒ ①學士學位。②對畢業生之臨別訓辭。

bac·ca·ra(**t**) [,bækəˋrɑ]〖法〗*n.* Ⓤ 巴卡拉牌(一種紙牌賭博遊戲)。

bac·cha·nal [ˋbækənl̩] *adj.* ①屬於或像酒神 Bacchus 的。②鬧酒狂飲的。**—** *n.* Ⓒ ①信奉酒神 Bacchus 者。②酒徒。③醉後鬧酒者。

Bac·chic [ˋbækɪk] *adj.* ①酒神的。②(常 b-)鬧飲的；醉酒的。

Bac·chus [ˋbækəs] *n.* 〖羅神〗巴克斯。(酒神)
bac·cy [ˋbækɪ] *n.* Ⓤ〖俚〗煙草。(亦作 **bacco**)
Bach [bɑk, bɑx] *n.* 巴哈(Johann Sebastian, 1685-1750, 德國音樂家)。
***bach·e·lor** [ˋbætʃələ˞] *n.* Ⓒ①未婚男子。②學士。a *B-* of Arts 文學士。 — **hood,** — **ship,** *n.*
ba·cil·lus [bəˋsɪləs] *n.* Ⓒ (*pl.* **-li** [-laɪ]) ①桿狀細菌。②任何細菌。§ **B-Calmétte-Guerín** [kælˋmɛtgeˋræ̃] 卡介苗。(略作BCG) (參看BCG vaccine)
****back** [bæk] *n.* Ⓒ①背後；背部。②後衛球員。③後面；背面。***at one's ~; at the ~ of*** 在…幕後支持。***behind one's ~*** 在背後；暗中。***be on one's ~*** **a.** 臥病在床。**b.** 挑錯；找麻煩。***break one's ~*** 挫其脊背；使其負擔過重而不能勝任。***break the ~ of (something)*** 完成(某事)的最艱難部分。***get[put] one's[someone's] ~ up*** 生氣；使某人生氣。***put one's ~ into (something)*** 孜孜不倦地做(某事)。***see the ~ of (someone)*** 趕走(某人)。***turn one's ~ on*** 不理睬。***with one's ~ to the wall*** 處困境。**—** *v.t.* ①支持；擁護。②使向後退。③襯托。④背書。~ a check 背書支票。⑤下賭注於;打賭。⑥以…爲背景。**—** *v.i.* ①向後退。②〖海〗(風向)逆轉。~ ***down [off]*** 退出或放棄(如辯論、要求等)。~ ***out*** **a.**食言；背信。**b.**撤消；後退。~ ***up*** **a.**支持；擁護。**b.**向後移動。~ ***water*** **a.**後退；改變主意。**b.** 改變船的航向。**—** *adj.* ①後面的。②以前出版的；舊的。③拖欠的。~ pay 欠薪。~ rent 〖美〗欠租。④未開發的；邊遠的。**—** *adv.* ①落後。Illness kept him ~ in his work. 疾病使他工作落後。②回溯；以往。③回原處。④隱匿。⑤退後。~ ***and forth*** 來回；往復。~ ***from*** 遠離；在遠處。~ ***of*** **a.** 在後邊。**b.** 支持；幫助。***go ~ on a friend*** 背叛[出賣]朋友。***go ~ on one's word*** 未能實踐諾言；食言。***there and ~*** 來回。§ **~ dóor** 後門。**~ formàtion** 〖語言〗逆成法[字]。**~ númber** (1)過期出版物。(2)〖俗〗過時之人或物；骨董。**~ tàlk** 〖美〗回嘴；反唇相譏。
back-al·ley [ˋbækˋælɪ] *adj.* 陋巷的；卑劣的。§ **~ góssip** 流言蜚語。
back·bench·er [ˋbækˋbɛntʃə˞] *n.* Ⓒ後座議員(英國國會下院中在政黨中不居於領導地位，常坐在後座之議員)。
back·bite [ˋbæk͵baɪt] *v.t.* & *v.i.* (**-bit, -bit·ten** or **-bit**)背後誹謗(人)。
back·bit·ing [ˋbæk͵baɪtɪŋ] *n.* Ⓤ 誹謗；背後造謠中傷。
back·bone** [ˋbækˋbon] *n.* ①(the ~)背脊骨。②(the ~)主幹；中堅；主力。③Ⓤ毅力。to the ~*** 純粹的。
back·break·ing [ˋbæk͵brekɪŋ] *adj.* 勞力的；辛勞的。
back·court [ˋbæk͵kɔrt] *n.* Ⓒ (網球、籃球等的)後場(屬於守方之一半場地，於網球爲發線球和底線之間)。
back·door [ˋbæk͵dɔr] *adj.* 祕密的；不正當的。
back·drop [ˋbæk͵drɑp] *n.* Ⓒ 背景(幕)。
back·er [ˋbækə˞] *n.* Ⓒ①支援者。②(打字機的)墊紙。③(賽馬等的)賭客。
back·field [ˋbæk͵fild] *n.* Ⓤ〖足球〗後衛。
back·fire [ˋbæk͵faɪr] *n.* Ⓒ①(內燃機)逆火。②(槍等)向後的爆發火焰。③放火(爲防野火蔓延而在其前面預先放火燒成平地)。**—** *v.i.* ①(內燃機)發生逆火。②(林火或野火來前)預先放火。③招致相反結果。
back·gam·mon [ˋbæk͵gæmən] *n.* Ⓤ西洋雙陸棋戲。
***back·ground** [ˋbæk͵graʊnd] *n.* ①Ⓒ背景。②Ⓤ經歷；智識的背景。③Ⓤ(戲劇、電影、電視中的)配樂。
back·ground·er [ˋbæk͵graʊndə˞] *n.* Ⓒ〖美〗①(政府官員以不透露姓名爲協定，爲說明某政策或事件而舉行之)記者招待會；背景情況介紹會。②說明某政策或事件背景之公報。
back·hand [ˋbækˋhænd] *n.* Ⓒ①反手抽擊。②向左傾斜的書法。**—** *adj.* =**backhanded.**
back·hand·ed [ˋbækˋhændɪd] *adj.* ①反手打擊的。②諷刺的。③間接的。④(向左傾斜)逆寫的。
back·ing [ˋbækɪŋ] *n.* ①Ⓤ支持；擁護。②Ⓤ(又作 a ~，集合稱)支持者。③ⓊⒸ〖建〗隔板；內牆。
back·lash [ˋbæk͵læʃ] *n.* Ⓒ①反撞力；後座力。②激烈的反應。
back·list [ˋbæk͵lɪst] *n.* Ⓒ (出版社的)庫存圖書目錄；重版書目錄。
back·log [ˋbæk͵lɔg] *n.* Ⓒ ①〖美〗壁爐中墊底之大木頭。②備用物。③積壓待辦的事。
back·pack [ˋbæk͵pæk] *n.* Ⓒ〖美〗(裝物負在背上之)背箱。**—** *v.t.* (郊遊時)背負(食品、用具等)。
back·seat [ˋbækˋsit] *n.* Ⓒ①後座。②不重要之地位。§ **~ dríver** (1)不斷地告訴汽車司機如何開車的乘客。(2)多管閒事的人。
back·side [ˋbækˋsaɪd] *n.* Ⓒ ①背部；背後。②(常 *pl.*)臀部。
back·slap [ˋbæk͵slæp] *n.* Ⓒ輕拍背部以表親密或讚賞。**—** *v.t.* (**-pp-**)輕拍…的背部。
back·slide [ˋbæk͵slaɪd] *v.i.* (**-slid, -slid·den** or **-slid**)①墮落。②再犯；故態復萌。
back·space [ˋbæk͵spes] *v.i.* 按(打字機的)退格鍵。**—** *n.* Ⓒ (打字機上使滾筒後退的)退格鍵。
back·spin [ˋbæk͵spɪn] *n.* Ⓒ (球的)反旋轉。
back·stab [ˋbæk͵stæb] *v.t.* (**-bb-**)背後說人壞話；陷害。
back·stage [ˋbæk͵stedʒ] *adj.* ①在後臺的。②幕後的。**—** *n.* Ⓒ後臺。
back·stair(s) [ˋbæk͵stɛr(z)] *adj.* 祕密的；間接的。
back·stop [ˋbæk͵stɑp] *n.* Ⓒ①〖棒球〗擋球網。②〖俗〗棒球隊捕手。

back-street [ˋbæk͵strit] *adj.* 祕密的。an illegal ～ abortion 非法的祕密墮胎。
back·stretch [ˋbæk͵strɛtʃ] *n.* Ⓒ (徑賽跑道中)與終點直道平行並相對之部分。
back·stroke [ˋbæk͵strok] *n.* Ⓤ ①反擊；後座力。②(常 the ～)仰泳。
back·track [ˋbæk͵træk] *v.i.* 由原路退回。
back·up [ˋbæk͵ʌp] *n.* ①Ⓒ支援者；後備者。②Ⓤ支援。③Ⓒ〖電算〗備份。— *adj.* 預備的。
***back·ward** [ˋbækwɚd] *adj.* ①向後的。②返回的。③逆反的。④遲鈍的。⑤落後的。a ～ country 落後國家。⑥遲來的。⑦羞怯的；猶疑的。— *adv.* =**backwards.** ～(*s*) *and forward*(*s*) 上下地；往復地；徹底地。— **ness,** *n.*
***back·wards** [ˋbækwɚdz] *adv.* ①向後。②背向前；倒；逆。③退步。*fall* [*lean, bend*] *over* ～〖俗〗極力討好。〔注意〕**backward** 和 **backwards** 副詞可互用，但backwards 不可用爲形容詞。
back·wash [ˋbæk͵wɑʃ] *n.* (*sing.,* 常 the ～)①被(槳等)推向後面的回浪。②事件的餘波；後果。
back·wa·ter [ˋbæk͵wɔtɚ] *n.* ①Ⓤ逆流；水壩阻回的水。②Ⓒ窮鄉僻壤。
back·wind [ˋbæk͵waɪnd] *v.t.* (**-wound**) 倒捲(照相機內之膠捲等)。
back·woods [ˋbækˋwudz] *n. pl.* (常作 *sing.* 解)邊遠地區；遠離城鎮之森林地帶；半墾地。— *adj.*①荒地的；未開發的森林的。②粗野的。
back·woods·man [ˋbækˋwudzmən] *n.* Ⓒ (*pl.* **-men**)①居於邊遠地區者。②粗笨之人。
***back·yard** [ˋbækˋjɑrd] *n.* Ⓒ後庭；後院。
***ba·con** [ˋbekən] *n.* Ⓤ 醃燻的豬肉(尤指脊肋肉)。*bring home the* ～ **a.**謀生；賺錢糊口。**b.**完成某任務；成功。*save one's* ～ 使(某人)倖免於難。
Ba·con [ˋbekən] *n.* 培根(Francis, 1561-1626, 英國作家及哲學家)。
***bac·te·ri·a** [bækˋtɪrɪə] *n. pl.* (*sing.* **-ri·um**)細菌。
bac·te·ri·al [bækˋtɪrɪəl] *adj.* 細菌的。
bac·te·ri·cide [bækˋtɪrə͵saɪd] *n.* ⓊⒸ殺菌劑。
bac·te·ri·o·log·i·cal [bæk͵tɪrɪəˋlɑdʒɪkḷ] *adj.* 細菌學(上)的。～ warfare 細菌戰。
bac·te·ri·ol·o·gy [ˋbæk͵tɪrɪˋɑlədʒɪ] *n.* Ⓤ 細菌學。— **bac·te·ri·ol′o·gist,** *n.*
bac·te·ri·um [bækˋtɪrɪəm] *n.* sing. of **bacteria.**
‡**bad** [bæd] *adj.* (**worse, worst**)①不良的；邪惡的。②令人厭惡的。③有妨害的。④病痛的；不健康的。feel ～ 覺得不適。⑤無價值的；品質不佳的。⑥(指食物等)腐敗的。⑦遺憾的。⑧不適用的；賠本的；錯誤的。⑨僞造的。⑩〖俚〗一流的；極好的。*be* ～ *at* 拙於。*be in a* ～ *temper* 在生氣。*be in a* ～ *way* 生病；不幸。*go* ～ 壞了。*go from* ～ *to worse* 每況愈下。*have a* ～ *time* 過困難或痛苦的生活。*not half* ～ 相當好。*not so* ～ 還不壞。*too* ～ 可惜。— *n.* Ⓤ (the ～)不好的東西或狀態。*go to the* ～ 墮落；毀滅。*in* ～ **a.** 在危急狀態中。**b.** 失寵。*to the* ～ 拖欠；負債。— *adv.* 惡劣地(=badly). ～ *off* 窮困。§ ～ **ápple** 〖俚〗壞人。～ **débt** 呆帳。～ **égg** 〖俚〗(1)壞人。(2)無用的計畫。～ **hát** 〖英俚〗不老實或不道德的人。
***bade** [bæd] *v.* pt. of **bid.**
***badge** [bædʒ] *n.* Ⓒ徽章；標號；記號。
badg·er [ˋbædʒɚ] *n.* ①Ⓒ〖動〗貛。②Ⓤ 貛的毛皮。— *v.t.* 困擾。§ ～ **gàme** 仙人跳；美人計。**the B～ Stàte** 美國 Wisconsin 州的別稱。
bad·i·nage [ˋbædṇɪdʒ]〖法〗*n.* Ⓤ 嘲弄；揶揄。— *v.t.* 打趣；嘲弄。
bad·lands [ˋbæd͵lændz] *n. pl.* 崎嶇不毛之地區。
***bad·ly** [ˋbædlɪ] *adv.* (**worse, worst**) ①惡劣地。②甚；劇。～ *off* 窮困。
***bad·min·ton** [ˋbædmɪntən] *n.* Ⓤ 羽毛球。
bad-mouth [ˋbæd͵mauð] *v.t.*〖美俚〗誹謗。
bad-tem·pered [ˋbædˋtɛmpɚd] *adj.* 脾氣壞的；易發脾氣的。— **ly,** *adv.*
Bae·de·ker [ˋbedəkɚ] *n.* Ⓒ 旅行指南。
baff [bæf]〖高爾夫〗*v.i.* (擊球時以球桿之踵)擊地。— *n.* Ⓒ (使球高起的)刮地之一擊。
***baf·fle** [ˋbæfḷ] *v.t.* ①困惑；迷惑。②阻撓；妨礙。— *v.i.* 徒勞。— *n.* Ⓒ ①困惑。②隔(音)板。— **ment,** *n.* — **baf′fling,** *adj.*
baff·y[ˋbæfɪ] *n.* Ⓒ〖高爾夫〗四號木質短球桿。
‡**bag** [bæg] *n.* ①Ⓒ袋。②Ⓒ手提包；手提箱。③Ⓒ (常 *sing.*)獵獲物。They made a good ～. 他們獵獲頗豐。④Ⓒ〖棒球〗壘包。⑤Ⓒ (昆蟲體中之)囊。⑥Ⓒ (動物之)乳房。⑦(*pl.*)〖英俚〗褲子。～ *and baggage* 帶著全部財產；徹底地。*give one the* ～ **a.** 解雇。**b.** 拒婚。*hold the* ～〖俗〗**a.**一無所得；剩下兩手空空。**b.**(被弄得)負起責任或受過；背黑鍋。*in the* ～〖俗〗確實無疑；定能成功。— *v.t.*(**-gg-**)①裝入袋中。②獵獲；收集；順手牽羊。— *v.i.* 膨脹；如袋般鬆弛垂下。§ ～ **làdy** (常攜購物袋、衣著不整)浪跡於大城市的婦女。
Bag·dad [ˋbægdæd] *n.* 巴格達(伊拉克的首都)。
ba·gel [ˋbegəl] *n.* Ⓒ〖美〗形狀如 doughnut 的硬麵包。
***bag·gage** [ˋbægɪdʒ] *n.* Ⓤ (集合稱) ①行李。②〖軍〗輜重。
bag·ger [ˋbægɚ] *n.* Ⓒ (將貨品) 裝袋的人。
bag·gy [ˋbægɪ] *adj.* 膨脹的；似袋子的；鬆弛垂落的。
bag·man [ˋbægmən] *n.* Ⓒ (*pl.* **-men**) ①〖俚〗替人收、送賄賂或保護費的歹徒。②〖英〗旅行推銷員。
bag·pipe [ˋbæg͵paɪp] *n.* Ⓒ蘇格蘭的風笛。

bah [bɑ] *interj.* 哼!(表示輕視或不耐煩)。

Ba·ha·mas [bəˋhɑməz, bəˋhe-] *n.* ①(the ~, 作 *pl.* 解)巴哈馬群島。②(作 *sing.* 解)巴哈馬(巴哈馬群島組成的一獨立國家, 首都 Nassau)。

Bah·rain [bɑˋren] *n.* 巴林(波斯灣一國, 首都 Manama)。(亦作 **Bahrein**)

baht [bɑt] *n.* Ⓒ (*pl.* **~s, ~**)銖(泰國貨幣單位)。

bail[1] [bel] *n.* Ⓤ①保釋金。②保釋。*go*[*stand*] *~ for* (*a person*) 做(某人)的保釋人。*jump ~* 保釋中逃亡。*out on ~* 交保釋金獲釋。*surrender to one's ~* 保釋後出庭。**—** *v.t.* 保釋; 委託。*~ out* 保釋出。

bail[2] *v.t.* ①用桶汲(水)。②汲盡水〔out〕。**—** *v.i.* 汲水。*~ out* **a.**跳傘逃出。**b.**〖俚〗幫助遇到困難之人或公司。**—** *n.* Ⓒ①杓; 戽斗; 桶。②(曲棍球的)柱上橫木。

bail[3] *n.* Ⓒ壺或桶之半圓形把手。

bail·iff [ˋbelɪf] *n.* Ⓒ①州官的助手; 郡執行官的副手。②法庭的監守官。③管理或監督財產者。④(英國之)區鎭的地方長官。

bail·or [beˋlɔr] *n.* Ⓒ委託人。

bail·out, bail-out [ˋbel͵aʊt] *n.* Ⓒ①跳傘。②緊急援助(尤指以金錢救人之急)。**—** *adj.* 挽救行動的。

*__bait__ [bet] *n.* Ⓤ①餌。②任何誘惑物。**—** *v.t.* ①裝餌在(鉤上或陷阱中)。②迫之使怒; 縱犬迫獸(以取樂爲目的)。③誘惑。④逗; 戲弄; 使…苦惱。

bait-and-switch [ˋbetənˋswɪtʃ] *adj.*〖美〗以廣告上的廉價品引誘顧客買高價物品之作風的。

baize [bez] *n.* Ⓤ(做窗簾或桌布用的)厚羊毛氈。

⁑**bake** [bek] *v.t.* ①烘; 焙。②烘乾使硬。③曬之使乾。**—** *v.i.* 焙。**—** *n.* Ⓒ①烘; 焙。②燒烤聚餐。

Ba·ke·lite [ˋbekə͵laɪt] *n.* Ⓤ〖商標〗膠木; 電木。

*__bak·er__ [ˋbekɚ] *n.* Ⓒ①製或賣麵包糕點等的人。②小型輕便的爐子。§ **~'s dózen** 十三個。

bak·er·y [ˋbekərɪ] *n.* Ⓒ麵包店。

bak·ing [ˋbekɪŋ] *n.* ①Ⓤ焙; 烘。②Ⓒ一次所烘焙之量。**—** *adj.*〖俗〗灼熱的。**—** *adv.* 灼熱地。~hot 極熱。§ **~ pòwder** 醱粉。**~ sòda** 碳酸氫鈉; 發酵粉。

bak·sheesh, -shish [ˋbækʃiʃ] *n.* Ⓤ(土耳其、埃及、印度等地之)酒錢; 小費。

Ba·laam [ˋbeləm] *n.* ①〖聖經〗巴蘭(Mesopotamia 之一先知)。②(b-) Ⓒ〖俚〗(報紙等之)補白資料。

bal·a·cla·va [͵bæləˋklɑvə] *n.* Ⓒ羊毛製帽子之一種(除眼、鼻、口外, 把整個頭部罩住)。

⁑**bal·ance** [ˋbæləns] *n.* ①Ⓒ天平; 秤。②Ⓤ平衡; 均勢。③Ⓒ(收支等的)差額; 餘額。④Ⓤ〖體育〗平衡運動。⑤(B-)〖天〗天平座; 天平宮。*~ of power* 均勢。*~ of trade* 貿易差額。*hold the ~* 有決定之權。*in the ~* 未決定的。*strike a ~* **a.**結算帳目。**b.**公平解決。**—** *v.t.* ①以天平稱。②權衡(利害得失等)。③使平衡。④相抵。⑤結帳。**—** *v.i.* ①平衡; 相稱。②猶疑。§ **~ shèet** 資產負債表。

bal·anced [ˋbælənst] *adj.* ①安定的。②和諧的; 有條不紊的。§ **~ díet** 均衡飲食。

*__bal·co·ny__ [ˋbælkənɪ] *n.* Ⓒ①陽臺; 騎樓。②戲院裏的包廂。

*__bald__ [bɔld] *adj.* ①禿頭的; 光禿的。②無掩飾的; 明白的。

bal·der·dash [ˋbɔldɚ͵dæʃ] *n.* Ⓤ胡言亂語; 無意義的話。

bald-faced [ˋbɔld͵fest] *adj.* ①臉上有白斑的。②無掩飾的。

bald·head [ˋbɔld͵hɛd] *n.* Ⓒ①禿頭之人。②頭頂有白毛之鳥或獸。

bald·head·ed [ˋbɔldˋhɛdɪd] *adj.* 禿頭的。

bald·ing [ˋbɔldɪŋ] *adj.* 逐漸變禿的。

bal·dric [ˋbɔldrɪk] *n.* Ⓒ胸綬; 佩帶(用以掛劍、號角等)。

bale [bel] *n.*①Ⓒ(貨物的)包; 綑。②(*pl.*)貨物。**—** *v.t.* 將…打包。

bale·ful [ˋbelfəl] *adj.* 邪惡的; 有害的。—**ly,** *adv.* —**ness,** *n.*

Ba·li [ˋbɑlɪ] *n.* 巴里島(印尼的領土)。

Ba·li·nese [͵bɑləˋniz] *n.* (*pl.* ~)①Ⓒ巴里島居民。②Ⓤ巴里語。**—** *adj.* 巴里島的。

balk [bɔk] *v.i.* ①停止。②(馬)停蹄不前。③〖棒球〗做投球假動作。**—** *v.t.* ①阻礙。②錯過(機會)。**—** *n.* Ⓒ①障礙。②大樑。③〖棒球〗投手假裝投球的犯規動作。

Bal·kan [ˋbɔlkən] *adj.* ①巴爾幹半島(各國, 山脈)的。②巴爾幹諸國人民的。*the ~s; the ~ States* 巴爾幹各國。

balk·line [ˋbɔk͵laɪn] *n.* Ⓒ〖體育〗(田徑賽中的)起跑線。(亦作**balk line**)

balk·y [ˋbɔkɪ] *adj.* 〖美〗忽然停止不前進的; 倔強的。

⁑**ball**[1] [bɔl] *n.* ①Ⓒ球; 球狀物。②ⓊⒸ子彈。③Ⓤ球類運動。④Ⓒ〖棒球〗壞球。*~ and chain* **a.** 繫在囚犯脚部之鐵球與鐵鏈(以防其逃走)。**b.** 沉重的約束。**c.** 〖俚〗黃臉婆; 妻。*carry the ~* 負起主要責任。*have a lot* [*something*] *on the ~* 擅長; 有能力。*keep the ~ rolling* 使持續不懈。*on the ~* **a.** 提高警覺。**b.** 效率高。*play ~* **a.** 開始比賽; 恢復比賽。**b.** 開始某行爲。**c.** 合作。*start the ~ rolling* 開始進行某種工作。**—** *v.t.* & *v.i.* 揉成團; 成球狀。*~ up* 擾亂。§ **~ béaring** 球軸承。**~ pàrk** 棒球場。**~ pén** 原子筆(亦作 ballpoint pen, ballpoint)。

ball[2] *n.* Ⓒ舞會。

bal·lad [ˋbæləd] *n.* Ⓒ民謠; 民歌。

bal·lade [bəˋlɑd] *n.* Ⓒ①〖韻律〗三節聯韻詩。②〖樂〗敍事歌[曲]。

bal·last [ˋbæləst] *n.* Ⓤ①壓艙物。②(穩定氣球、飛船的)沙袋。③(鋪鐵路、公路路基的)碎石; 道渣。**—** *v.t.* ①供以壓艙物。②使鎭靜。③鋪沙石(於路基)。「蕾舞女(主角)。」
bal·le·ri·na [͵bæləˋrinə] *n.* Ⓒ芭
***bal·let** [ˋbælɪ, bæˋle] *n.* ⓊⒸ芭蕾舞(團)。§～ **dàncer** 芭蕾舞者。～ **slìpper(s)** [**shòe(s)**] 芭蕾舞鞋。
bal·lis·tic [bæˋlɪstɪk] *adj.* 彈道(學)的。§～ **míssile** 彈道飛彈。
bal·lis·tics [bæˋlɪstɪks] *n.* Ⓤ 彈道學。
bal·lon d'es·sai [balɔ̃dɛˋsɛ]〖法〗*n.* Ⓒ (*pl.* **bal·lons d'es·sai**) ①試放之氣球。②用以試探輿情之聲明。
bal·loon** [bəˋlun] *n.* Ⓒ氣球; 飛船。**—** *v.i.* ①乘輕氣球。②膨脹若氣球。③迅速增加。when the ～ goes up*** 當意料中的麻煩到來時。—**er,** *n.*
bal·loon·ist [bəˋlunɪst] *n.* Ⓒ氣球搭乘[操縱]者。
bal·lot** [ˋbælət] *n.* ①Ⓒ選舉票。②Ⓒ投票總數。③ⓊⒸ祕密投票的選舉。④ⓊⒸ投票。⑤ⓊⒸ抽籤。take a ～*** 由投票決之。**—** *v.i.* ①投票〔for, against〕。②抽籤。**—** *v.t.* ①向…拉票。②投票〔on, for〕。③以抽籤決定。
ball·play·er [ˋbɔl͵pleɚ] *n.* Ⓒ(棒)球員。
***ball·point** [ˋbɔl͵pɔɪnt] *n.* Ⓒ 原子筆。(亦作 **ballpoint pen**)
ball·room [ˋbɔl͵rum] *n.* Ⓒ大舞廳。§～ **dàncing** 交際舞。
balls-up [ˋbɔlz͵ʌp] *n.* Ⓤ〖俚〗混亂; 一團糟。
bal·ly·hoo [ˋbælɪ͵hu]〖俗〗*n.* Ⓤ①大吹大擂; 大肆宣傳。②喧噪。**—** *v.t. & v.i.* 大肆宣傳。
balm [bɑm] *n.* ⓊⒸ①鎮痛劑; 慰藉。②香脂; 香膏。③香味。
balm·y [ˋbɑmɪ] *adj.* ①溫和的; 柔軟的; 安慰的。②芳香的。
ba·lo·ney [bəˋlonɪ] *n.* ①ⓊⒸ燻製臘腸。②Ⓤ〖俚〗胡言; 荒謬。
bal·sam [ˋbɔlsəm] *n.* ①Ⓤ香膠; 香脂; 香油。②ⓊⒸ醫療或慰藉物。③Ⓒ產香膠的樹。
Bal·tic [ˋbɔltɪk] *adj.* 波羅的海(諸國)的。§ **the ～ Séa** 波羅的海。**the ～ Státes** 波羅的海諸國(從前的Estonia, Latvia, Lithuania三共和國)。
Bal·ti·more [ˋbɔltə͵mor] *n.* 巴爾的摩(美國馬里蘭州一海口)。
bal·us·ter [ˋbæləstɚ] *n.* ①Ⓒ欄杆的支柱。②(*pl.*)欄杆。「欄杆。」
bal·us·trade [͵bæləˋstred] *n.* Ⓒ
Bal·zac [ˋbælzæk] *n.* 巴爾札克(Honoré de, 1799-1850, 法國小說家)。
***bam·boo** [bæmˋbu] *n.* ⓊⒸ (*pl.* ～**s**)竹。**—** *adj.* 竹(製)的。～ shoots 竹筍。
bam·boo·zle [bæmˋbuzḷ] *v.t. & v.i.*〖俗〗①欺騙; 哄。②迷惑; 爲難。
***ban** [bæn] *v.t.* (**-nn-**)禁止。**—** *n.* Ⓒ①禁止; 禁令。②逐出教會。
ba·nal [ˋbenḷ] *adj.* 平凡的; 陳腐的; 瑣屑的。—**ly,** *adv.*
ba·nal·i·ty [bəˋnælətɪ] *n.* ⓊⒸ平凡; 陳腐; 陳腔濫調。
‡**ba·nan·a** [bəˋnænə] *n.* Ⓒ 香蕉(樹)。§～ **óil** 香蕉油。～ **repùblic**〖蔑〗香蕉共和國(指政治不安定而經濟高度依賴水果輸出、觀光事業及外資的中南美洲小國家)。～ **splìt** 香蕉船(以香蕉墊底上覆冰淇淋等之甜點)。
ba·nan·as [bəˋnænəz] *adj.* 僅見於下列成語中。***go ～***〖俚〗發狂的。
‡**band**[1] [bænd] *n.* Ⓒ①一群; 隊。②樂隊。③帶; 條紋。④波段; 波帶(無線電)。***beat the ～*** 精力充沛地; 豐富地。**—** *v.t. & v.i.* ①用帶綁…。②以帶或條紋爲記。§～ **sàw** 帶鋸。
‡**band**[2] *n.* Ⓒ①(常 *pl.*)束縛人之物; 械具; 枷; 鐐; 銬。②義務; 束縛。the nuptial ～*s* 婚約。
***band·age** [ˋbændɪdʒ] *n.* Ⓒ 繃帶。**—** *v.t. & v.i.* 縛以繃帶。
Band-Aid [ˋbænd͵ed] *n.* ①ⓊⒸ〖商標〗一種急救膠布; OK繃。②(band-aid) Ⓒ權宜措施; 彌補辦法。
ban·dan·(n)a [bænˋdænə] *n.* Ⓒ(有色印花之)大手帕; 大領巾或頭巾。
band·box [ˋbænd͵bɑks] *n.* Ⓒ(裝帽子或衣領等之)薄板箱或盒。
ban·deau [bænˋdo]〖法〗*n.* Ⓒ (*pl.* ～**x** [～z], ～**s**)細帶; 束髮帶。
ban·dit [ˋbændɪt] *n.* Ⓒ (*pl.* ～**s, ban·dit·ti** [bænˋdɪtɪ])強盜; 土匪。
band·mas·ter [ˋbænd͵mæstɚ] *n.* Ⓒ樂隊隊長或指揮。
ban·do·leer, -lier [͵bændəˋlɪr] *n.* Ⓒ子彈帶。
bands·man [ˋbændzmən] *n.* Ⓒ (*pl.* **-men**)樂隊隊員。
band·stand [ˋbænd͵stænd] *n.* Ⓒ(室外有頂棚的)演奏台。
band·wag·on [ˋbænd͵wægən] *n.* Ⓒ(遊行等的)樂隊花車; 得勢之一方。***climb***[***jump***]***on***[***aboard***]***the ～***〖俗〗趕時髦; 順應潮流。
ban·dy [ˋbændɪ] *v.t.* 往復投擲; 交換; 傳布。**—** *adj.* (腿)向外彎曲的。
ban·dy-leg·ged [ˋbændɪˋlɛgɪd, -ˋlɛgd] *adj.* 腿向外彎曲的。
bane [ben] *n.* ①(the ～)致命的事物; 禍根。②Ⓤ毒藥(用於複合詞, 如rat's-bane)。
bane·ful [ˋbenfəl] *adj.* 有害的; 有毒的。—**ly,** *adv.* —**ness,** *n.*
bang**[1] [bæŋ] *n.* Ⓒ①(砰然)重擊。②突然的巨響。in a ～*** 趕緊; 急忙。**—** *v.t. & v.i.* ①重擊; 猛撞上。②砰然關上。③灌輸。**—** *adv.* ①砰然。②突然地。③恰恰; 正巧。**—** *interj.* 砰; 轟隆一聲。
bang[2] *n.* Ⓒ (常 *pl.*) 垂前髮; 劉海。**—** *v.t.* 剪(髮)成劉海。
bang·er [ˋbæŋɚ] *n.* Ⓒ〖英俗〗①香腸。②爆炸; 鞭炮。③噪聲大的汽車。
Bang·kok [ˋbæŋkɑk] *n.* 曼谷(泰國首都)。
Ban·gla·desh [ˋbæŋglə͵dɛʃ] *n.* 孟加拉共和國 (原爲東巴基斯坦, 首都Dacca)。「②環飾。」
ban·gle [ˋbæŋgḷ] *n.* Ⓒ①手[腳]鐲。
bang-up [ˋbæŋ͵ʌp] *adj.*〖俚〗最好的; 一流的。
ban·ian [ˋbænjən] *n.* =**banyan.**

***ban·ish** [ˋbænɪʃ] *v.t.* ①驅逐出境；放逐。②擯棄；忘卻。—**ment,** *n.*

ban·is·ter [ˋbænɪstɚ] *n.* =**baluster.**

ban·jo [ˋbændʒo] *n.* Ⓒ (*pl.* ~(**e**)**s**) 班究琴；五絃琴。—**ist,** *n.*

***bank**[1] [bæŋk] *n.* ①Ⓒ一堆。②Ⓒ岸；堤。③Ⓒ淺灘；沙洲。④Ⓤ飛機轉彎時的傾斜。⑤Ⓒ路床之傾斜面。—*v.t.* ①圍以堤。②堆積。③使傾斜。④以灰覆火上使其慢慢焚燒。—*v.i.* ①成堆狀。②傾斜。③(飛機)傾斜轉彎。

⁑**bank**[2] *n.* ①Ⓒ銀行。②(the ~)莊家的賭本。③Ⓒ倉庫；血庫。④Ⓒ撲滿。—*v.i.* ①經營銀行業；與銀行來往。②存款。③(賭博)做莊(=hold the bank). —*v.t.* 存(款)於銀行。~ ***on*** [***upon***]依賴。§~ **accòunt** 銀行存款。~ **annùity** [**annùities**]〖英〗政府公債。~ **bàlance** (1)銀行存款餘額。(2)〖財務〗銀行在票據交換所的存款。~ **bìll** (1)〖英〗銀行匯票。(2)〖美〗紙幣；鈔票。~ **càrd** (銀行發行的)信用卡。~ **clèrk** 銀行職員。~ **dràft** 銀行匯票。*~ **hòliday**〖英〗銀行休假日(除星期日外每年六次的法定休假日)。~ **ínterest** 銀行利息。~ **nòte** 鈔票。~ **ràte** 銀行所定的貼現率。~ **resèrve** 銀行存底。~ **státement** 銀行結單。

bank[3] *n.* Ⓒ①一排。②(鋼琴、打字機等)鍵的一排。—*v.t.* 排成一序列。

bank·a·ble [ˋbæŋkəbl] *adj.* ①可存銀行的；銀行肯受理的。②有利可圖的。

bank·book [ˋbæŋk͵buk] *n.* Ⓒ銀行存摺。

***bank·er** [ˋbæŋkɚ] *n.* Ⓒ①銀行家。②(賭博)莊家。

bank·ing [ˋbæŋkɪŋ] *n.* Ⓤ銀行業。§~ **accòunt**〖英〗=bank account.

bank·roll [ˋbæŋk͵rol] *n.* Ⓒ財源；資金。—*v.t.*〖俗〗以金錢支持。

bank·rupt** [ˋbæŋkrʌpt, -rəpt] *n.* Ⓒ破產者。—*adj.* ①破產的。②全部歸空的；缺乏的；耗盡的〔常of, in〕. ***go ~ 宣告破產。—*v.t.* 使破產。

bank·rupt·cy [ˋbæŋkrʌptsɪ, -rəptsɪ] *n.* ①ⓊⒸ破產；倒閉。②Ⓤ淪喪；崩潰。

ban·ner [ˋbænɚ] *n.* Ⓒ①旗幟。②書有標語或口號的旗。③報紙上橫貫全頁的大標題。—*adj.* 領先的；優越的。§~ **hèad**[**lìne**] 橫貫全頁之大標題。

banns [bænz] *n. pl.* 教堂中的結婚預告。***call***[***ask***] ***the*** ~ 請求公布結婚預告。***forbid the*** ~ 對結婚預告提出異議。***publish the*** ~ 公布結婚預告。

***ban·quet** [ˋbæŋkwɪt] *n.* Ⓒ宴會；酒宴。—*v.t.* 宴客。—*v.i.* 宴飲。

ban·quette [bæŋˋkɛt] *n.* Ⓒ①踏垜(胸牆內射擊時立足用)。②〖美〗人行道。

ban·tam [ˋbæntəm] *n.* Ⓒ①(常 B-)矮脚雞。②短小精悍的人。③羽量級拳師。—*adj.* ①好鬥的。②輕的；小的。

ban·tam·weight [ˋbæntəm͵wet] *n.* Ⓒ①羽量級[最輕量級]拳擊手。②次輕量級摔跤運動員。

ban·ter [ˋbæntɚ] *v.t.* & *v.i.* & *n.* Ⓤ嘲弄；戲謔。

Ban·tu [ˋbænˋtu] *n.* (*pl.* ~(**s**)) ①Ⓒ班圖人(非洲黑人)。②Ⓤ班圖語。

ban·yan [ˋbænjən] *n.* Ⓒ榕樹。

ban·zai [ˋbanˋzɑ·i]〖日〗*interj.* 萬歲! —*adj.* 拚死的；自殺的。

ba·o·bab [ˋbeo͵bæb] *n.* Ⓒ〖植〗猢猻木(南非洲產之木棉科喬木)。

bap·tism** [ˋbæptɪzəm] *n.* ⓊⒸ①洗禮。②滌罪。③新生活的經驗。~ ***of fire 初臨戰場；考驗。—**bap·tis·mal** [bæpˋtɪzml], *adj.*

Bap·tist [ˋbæptɪst] *n.* Ⓒ①浸信會教友。②施洗者。

bap·tis·ter·y [ˋbæptɪstrɪ] *n.* Ⓒ浸禮所。(亦作 **baptistry**)

bap·tize [bæpˋtaɪz] *v.t.* & *v.i.* ①施洗禮；行浸禮。②入會。③命名。

⁑**bar** [bɑr] *n.* Ⓒ①棒；條。a ~ of soap 一條肥皂。②門閂；橫木。③障礙；阻礙航行之沙灘。Superstition is a ~ to progress. 迷信是進步之障礙。④樂譜的節線。⑤條紋(顏色或光線)。⑥法庭的被告席；法院。⑦(the ~)律師業；所有有資格出庭的律師。⑧酒館；酒吧。⑨金屬或布條徽章。⑩巴(壓力單位)。***be tried at***(***the***)~ 在法院受審。—*v.t.* (**-rr-**)①以橫木攔阻。②阻礙；妨害。③禁止。④飾以條紋。⑤排斥。—*prep.* 除…之外；除外。He is the best student, ~ none. 他是最好的學生，無人可比。§~ **còde** (商品識別)條碼。~ **sínister** (1)〖俚〗=bend sinister. (2)(the ~ sinister)〖文〗庶出。

barb [bɑrb] *n.* Ⓒ①倒鉤。②鬍。③植物的芒刺。④鳥毛的羽枝。⑤魚口邊的觸鬚。⑥帶刺的話。—*v.t.* 裝上倒鉤。

Bar·ba·di·an [bɑrˋbedɪən] *n.* Ⓒ巴貝多人。—*adj.* 巴貝多的。

***bar·bar·i·an** [bɑrˋbɛrɪən] *n.* Ⓒ野蠻人；沒有教養[粗野]的人。—*adj.* 野蠻的。

bar·bar·ic [bɑrˋbærɪk] *adj.* ①野蠻的。②俗麗的。

bar·ba·rism [ˋbɑrbə͵rɪzəm] *n.* ①Ⓤ野蠻。②Ⓒ蠻行；蠻性。③Ⓒ粗野的語言。

bar·bar·i·ty [bɑrˋbærətɪ] *n.* Ⓤ①殘忍。②粗鄙。

bar·ba·rize [ˋbɑrbə͵raɪz] *v.t.* & *v.i.* ①變野蠻、粗野。②用不雅的言語。

***bar·ba·rous** [ˋbɑrbərəs] *adj.* ①野蠻的；無人道的。②(語言、文體)不合常規的。—**ly,** *adv.*

bar·be·cue [ˋbɑrbɪ͵kju] *n.* ①Ⓒ炙烤全牲的野宴。②ⓊⒸ炙烤的全牲。③Ⓒ炙烤用之臺架。—*v.t.* ①炙烤全牲。②炙烤(魚、肉片)。(亦作 **barbeque**) §~ **sàuce** 烤肉醬(用番茄、香料等調製成的調味汁)。

barbed [bɑrbd] *adj.* ①有倒鉤的。②(言詞等)帶諷刺的。§~ **wíre** 有刺鐵絲(亦作 barbwire).

bar·bell [ˋbɑr͵bɛl] *n.* Ⓒ槓鈴(雙手用舉重運動器材)。

***bar·ber** [ˋbɑrbɚ] *n.* Ⓒ理髮匠。—*v.t.* 理髮；刮…之鬍子。§~**'s ìtch** [**ràsh**]鬚癬。~(**'s**) **pòle** 理髮店招牌桿。

bar·ber·ry [ˋbɑr͵bɛrɪ] *n.* Ⓒ〖植〗①伏牛花。②伏牛花漿果或子。

bar·ber·shop [ˋbɑrbɚ͵ʃɑp] *n.* Ⓒ理髮店。

bar·bi·tu·rate [bɑr`bɪtʃə,ret] *n.* Ⓤ Ⓒ 巴比妥酸鹽(用作鎮靜劑)。

Bar·ce·lo·na [,bɑrsə`lonə] *n.* 巴塞隆納(西班牙東北部港市)。

bard [bɑrd] *n.* Ⓒ ①古代 Celt 自編自彈自唱的遊唱詩人。②詩人。*B- of Avon* 阿文河畔的詩人(莎士比亞的別稱)。

B

⁑**bare** [bɛr] *adj.* ①赤裸的；無隱藏的。②空的〔of〕. ③簡單的。④僅有的。⑤用舊的；穿舊的。*believe a person's ~ word; believe a thing on a person's ~ word* 相信某人片面之詞。*lay ~* 揭露；暴露。— *v.t.* 使赤裸；暴露〔of〕. § ∼ **infinitive** 〖文法〗原形不定詞(未加 to 的不定詞，如I saw him run. 的 run).

bare·back(ed) [`bɛr,bæk(t)] *adv.* 不用馬鞍地。— *adj.* 無鞍的。

bare·faced [`bɛr,fest] *adj.* ①無鬍的。②無恥的。③公然的。

bare·foot(ed) [`bɛr,fʊt(ɪd)] *adj. & adv.* 赤足的[地]。

bare·hand·ed [`bɛr`hændɪd] *adj. & adv.* 空著手的[地]；赤手空拳的[地]；無憑藉的[地]。

bare·head·ed [`bɛr`hɛdɪd] *adj. & adv.* 光著頭的[地]；不戴帽的[地]。

bare·leg·ged [`bɛr`lɛg(ɪ)d] *adj. & adv.* 露腿的[地]；未穿襪子的[地]。

***bare·ly** [`bɛrlɪ] *adv.* ①僅；幾不能。②公開地；赤裸裸地。③貧乏地。

bare·ness [`bɛrnɪs] *n.* Ⓤ 赤裸；空乏；(房間等)無裝飾。

bar·fly [`bɑr,flaɪ] *n.* Ⓒ 流連於酒吧的人。

***bar·gain** [`bɑrgɪn] *n.* Ⓒ ①交易；合同；協議。②廉售或廉購的東西。*close a ~* 成交；達成協議。*drive a ~* 講價。*into* [*in*] *the ~* 另外。*strike* [*conclude, settle*] *a ~* 成交；達成協議。— *v.i.* ①議價。②交易；協議；訂約。③意料；希望〔for〕. § ∼ **básement** (百貨公司之)地下層廉價商店。∼ **cóunter** 廉價櫃臺。∼ **dáy** 廉價日。∼ **móney** 定金。∼ **sále** 大廉價。— **ing,** *n.*

barge [bɑrdʒ] *n.* Ⓒ ①平底載貨船；駁船。②大型遊艇。③戰艦司令官之座艇。④〖英〗船屋。— *v.t.* 由載貨船運送。— *v.i.* ①緩慢移動。②撞碰。③闖入。∼ *into* **a.** 干涉。**b.** 撞。— **bar·gee** [,bɑr`dʒi], — **man,** *n.*

barge-pole [`bɑrdʒ,pol] *n.* Ⓒ (駁船上用的)撐篙。*not touch* (*a thing*) *with a ~* 非常討厭；碰都不要碰。

bar·girl [`bɑr,gɜl] *n.* Ⓒ ①〖美俗〗酒吧女。②酒吧女侍。

bar·i·tone [`bærə,ton] 〖樂〗 *n.* Ⓤ ①上低音。②男中音。— *adj.* 上低音的；男中音的。

bar·i·um [`bɛrɪəm] *n.* Ⓤ〖化〗鋇。

⁑**bark**[1] [bɑrk] *n.* Ⓒ ①吠聲；狗叫。His ∼ is worse than his bite. 他的脾氣壞，但不陰險。②咆哮。— *v.i.* ①吠；狗叫。*Barking* dogs won't bite. 愛叫的狗不咬人(愛喧囂者不一定會做事)。②咆哮；喝叱。③〖俗〗咳嗽。④發出爆炸的聲音。⑤大聲招徠顧客。— *v.t.* 吼叫。∼ *at the moon* 徒勞地吵鬧。∼ *up the wrong tree* 認錯目標；看錯人。

***bark**[2] *n.* Ⓤ ①樹皮。②〖俚〗皮膚。③金雞納樹皮。— *v.t.* ①剝去樹皮。②覆以樹皮。③擦破皮膚。

bark[3] *n.* Ⓒ ①〖海〗三桅船。②〖詩〗(小)帆船。

bar·keep(er) [`bɑr,kip(ɚ)] *n.* Ⓒ ①酒吧店主。②酒保。

bark·er [`bɑrkɚ] *n.* Ⓒ ①會吠的動物；吵鬧者。②招徠客人者。

***bar·ley** [`bɑrlɪ] *n.* Ⓤ 大麥。§ ∼ **súgar** [**cándy**] 大麥糖。∼ **wáter** (病人飲用的)大麥湯。

bar·ley·corn [`bɑrlɪ,kɔrn] *n.* Ⓒ ①大麥粒。②長度名(等於 ⅓ 英寸)。*John B-* 烈酒；威士忌(諧語，擬人稱)。

bar·maid [`bɑr,med] *n.* Ⓒ 酒吧女侍。

bar mi(t)z·vah [`bɑr`mɪtsvə] *n.* Ⓒ ①猶太男子的成人禮(通常爲男孩之十三歲生日)。②行成人禮的少年。

barm·y [`bɑrmɪ] *adj.* ①有泡沫的。②〖英俚〗癡愚的；輕狂的。

***barn** [bɑrn] *n.* Ⓒ ①穀倉。②車房。§ ∼ **dánce** 〖美〗⑴美國鄉間在穀倉舉行的舞會。⑵一種方塊舞。∼ **ówl** 〖鳥〗倉鴞。∼ **swállow** 家燕。

bar·na·cle [`bɑrnəkḷ] *n.* Ⓒ ①藤壺(附於岩石、船底的甲殼動物)。②不易擺脫的人。

barn·storm [`bɑrn,stɔrm] *v.i.* 〖美俗〗在鄉間競選[演說旅行，巡迴演出]。

barn·storm·er [`bɑrn,stɔrmɚ] *n.* Ⓒ ①〖美〗鄉間演說家。②江湖藝人；次等之藝人。

barn·yard [`bɑrn,jɑrd] *n.* Ⓒ 穀倉近旁的場地。

***ba·rom·e·ter** [bə`rɑmətɚ] *n.* Ⓒ ①氣壓計；晴雨表。②測量器；顯示變化的事物。

bar·o·met·ric, -ri·cal [,bærə`mɛtrɪk(ḷ)] *adj.* 氣壓計(所示)的。

***bar·on** [`bærən] *n.* Ⓒ ①男爵。②中古英國因功封得采邑的貴族或其後代。③〖美〗大財主；豪商。④英國上院議員。

bar·on·age [`bærənɪdʒ] *n.* ① Ⓤ (集合稱)男爵；貴族。② Ⓒ 男爵之爵位[身份](=barony).

bar·on·ess [`bærənɪs] *n.* Ⓒ ①男爵夫人。②有男爵爵位之婦人。

bar·on·et [`bærənɪt] *n.* Ⓒ ①從男爵(低於男爵之爵位)。②從男爵爵位。

ba·ro·ni·al [bə`ronɪəl] *adj.* ①男爵的。②適於男爵的；宏大的；華麗的。

bar·o·ny [`bærənɪ] *n.* Ⓒ 男爵的領地、身分、爵位、稱謂等。

ba·roque [bə`rok] *adj.* ①(常 B-)巴洛克式藝術或建築的。②過分裝飾的；俗麗的。— *n.* (the ∼)巴洛克式藝術。

bar·o·scope [`bærə,skop] *n.* Ⓒ ①氣壓計。②空氣浮力計。

barque [bɑrk] *n.* =**bark**[3].

bar·rack [`bærək] *v.t. & v.i.* ①供給兵營；居於兵營。②〖澳，英〗爲某人或某隊吶喊加油或喝倒采。

bar·racks [`bærəks] *n. pl.* ①兵營。②臨時工房；簡陋大房舍。〔注意〕**bar-**

racks 一字可與單數或複數動詞連用。

bar·ra·cu·da [ˌbærəˋkudə] *n.* Ⓒ (*pl.* ~, ~s)梭魚之類。

bar·rage [bəˋrɑʒ] *n.* Ⓒ ①〖軍〗掩護砲火；彈幕。②(打擊、發問等的)連續。③[ˋbɑrɪdʒ] 堰；堰堤。

barre [bɑr] *n.* Ⓒ (練習芭蕾舞時用以保持平衡的)扶手；把桿。

barred [bɑrd] *adj.* ① 閂住的；有鐵條或木柵的。②有條紋的。③禁止的。

‡**bar·rel** [ˋbærəl] *n.* Ⓒ ①大桶；桶狀物。②一桶之量。③槍管。④大量。— *v.t.* (-l-, 〖英〗-ll-)裝入桶中。— *v.i.* 〖俚〗走[開]得很快。§ ~ **òrgan** 手風琴。

***bar·ren** [ˋbærən] *n.* Ⓒ (常 *pl.*)不毛之地。— *adj.* ①不生產的(指土地)。②不結實的。③不生育的。④愚笨的；無趣味的。⑤無效果的。⑥缺乏的〔常 of〕. — **ly,** *adv.* — **ness,** *n.*

bar·rette [bəˋrɛt] *n.* Ⓒ 女用髮夾。

bar·ri·cade [ˌbærəˋked] *n.* Ⓒ 臨時防禦工事；路障；障礙物。— *v.t.* 設柵防守；阻擋。

***bar·ri·er** [ˋbærɪɚ] *n.* Ⓒ ①障礙(物)〔to〕. a ~ to international trade 國際貿易的障礙。②界線。§ ~ **rèef** 堡礁(一種珊瑚礁)。

bar·ring [ˋbɑrɪŋ] *prep.* 除…以外。

bar·ris·ter [ˋbærɪstɚ] *n.* Ⓒ〖英〗律師。

bar·room [ˋbɑrˌrum] *n.* Ⓒ 酒館；酒吧。

bar·row[1] [ˋbæro] *n.* Ⓒ ①雙輪手推車。②獨輪車。

bar·row[2] *n.* Ⓒ ①塚；古墓。②獸穴。

bar·stool [ˋbɑrˌstul] *n.* Ⓒ 酒吧之高腳凳。

bar·tend·er [ˋbɑrˌtɛndɚ] *n.* Ⓒ (酒吧)調酒師。

***bar·ter** [ˋbɑrtɚ] *v.i.* 交換物品。— *v.t.* ①交換；物物交換〔for〕. ②得不償失；喪失〔away〕. — *n.* ① Ⓤ 物物交換。② Ⓒ 交換品；交易品。

bar·y·on [ˋbærɪˌɑn] *n.* Ⓒ〖理〗重子。

bar·y·tone [ˋbærəˌton] *n.* & *adj.* 〖樂〗=**baritone.**

bas·al [ˋbesl] *adj.* 基礎的；根本的。

ba·salt [bəˋsɔlt] *n.* Ⓤ〖地質〗玄武岩。— **ba·salt′ic,** *adj.*

‡**base**[1] [bes] *n.* Ⓒ ①底；地基；基礎。②基本原則。③根據。④柱脚；牆脚。⑤〖化〗鹽基；鹼。⑥〖棒球〗壘。⑦〖軍〗基地。⑧〖數〗基數。⑨(化妝或油漆等)最下面之一層。~ *on balls* 〖棒球〗(四壞球後)保送上壘。*get to first* ~ 獲得初步成功。*load the ~s* 〖棒球〗使滿壘。*off* ~ **a.** 〖棒球〗不在壘上。**b.** 〖俗〗大錯。**c.** (軍事基地)閑人免進。*on* ~ 〖棒球〗在壘上。— *v.t.* 基於；以…爲根據〔on〕. § ~ **càmp** (登山隊等的)紮營基地。~ **hít** 〖棒球〗安打。~ **lìne** (1)基(準)線。(2)〖棒球〗壘線。(3)〖網球〗(與網平行的)球場底線。~ **páy** 底薪；本俸。~ **prìce** 基本價。~ **rùnner**〖棒球〗跑壘員。~ **rùnning** 〖棒球〗跑壘。~ **stèaling** 〖棒球〗盜壘。~ **úmpire** 〖棒球〗棒球裁判。

base[2] *adj.* 卑鄙的；下賤的；劣等的。§ ~ **métal** 賤金屬。— **ly,** *adv.* — **ness,** *n.*

‡**base·ball** [ˋbesˋbɔl] *n.* Ⓤ 棒球。

base·board [ˋbesˌbord] *n.* Ⓒ ①〖建〗護壁板；脚板。②作爲基礎之板。

based [best] *adj.* (常構成複合字)①以…爲基礎的。②設基地[根據地](於…)的；以…爲根據地[地盤，基地]的。

base·less [ˋbeslɪs] *adj.* 無基礎的；無事實根據的。

base·man [ˋbesmən] *n.* Ⓒ (*pl.* **-men**)〖棒球〗壘手。

***base·ment** [ˋbesmənt] *n.* Ⓒ 地下室。

***ba·ses** [ˋbesiz] *n.* pl. of **basis.**

bas·es-load·ed [ˋbesɪzˌlodɪd] *adj.* 〖棒球〗滿壘的。a ~ homer 滿壘全壘打。

bash [bæʃ] *v.t.* & *n.* Ⓒ〖俗〗重擊。

bash·ful [ˋbæʃfəl] *adj.* 害羞的；羞怯的。— **ly,** *adv.* — **ness,** *n.*

Bá·shi Chánnel [ˋbɑʃɪ ~] *n.* 巴士海峽(在臺灣和菲律賓之間)。

‡**ba·sic** [ˋbesɪk] *adj.* ①基本的。②鹽基(鹼)性的。— *n.* ① Ⓒ (常 *pl.*)基礎；原理。② Ⓒ〖軍〗接受基本訓練的士兵。③ Ⓤ〖軍〗基本訓練；新兵訓練。§ **B~ English** 基本英語。~ **exémption** 基本免稅額。~ **ráte** 基本給與。~ **sálary** 基本薪俸。~ **wáge** 基本工資。

BASIC, Ba·sic [ˋbesɪk] *n.* Ⓤ〖電算〗培基(程式語言)(爲 Beginner's All-purpose Symbolic Instruction Code 之略)。

ba·si·cal·ly [ˋbesɪkəlɪ] *adv.* 基本地；主要地。

bas·il [ˋbæzl] *n.* Ⓤ〖植〗羅勒(臺灣俗稱九層塔)。

ba·sil·i·ca [bəˋsɪlɪkə, bəˋzɪlɪkə] *n.* Ⓒ (古羅馬之)會堂；長方形建築物。

bas·i·lisk [ˋbæsəˌlɪsk, ˋbæzə-] *n.* Ⓒ ①傳說中非洲沙漠之似龍、蛇等之怪物。②一種蜥蜴。

***ba·sin** [ˋbesn̩] *n.* Ⓒ ①盤；盆。②一盆的量。③(深)潭。④流域。⑤盆地。

***ba·sis** [ˋbesɪs] *n.* Ⓒ (*pl.* **-ses** [-siz]) ①基礎。②根據；起源。③(藥等的)主要成分；主藥。*on the ~ of* 根據…。

bask [bæsk] *v.i.* ①曝日；取暖。②沈浸於…中。— *v.t.* 使曝日。

‡**bas·ket** [ˋbæskɪt] *n.* Ⓒ ①籃；筐。②一籃的量。③籃狀物。④(籃球的)籃。⑤(籃球賽)得分。§ ~ **càse** 〖美俚〗(1)(因手術等)被切除四肢的人。(2)完全無能力之人[物]；喪失資格之人。~ **dínner** 〖美〗(大規模的)野餐。

‡**bas·ket·ball** [ˋbæskɪtˌbɔl] *n.* ① Ⓤ 籃球運動。② Ⓒ 籃球。

bas·ket·ful [ˋbæskɪtˌfʊl] *n.* Ⓒ 滿籃之量。a ~ of apples 一籃蘋果。

bas·ket·work [ˋbæskɪtˌwɝk] *n.* Ⓤ 柳條編織物；編籃技藝。

Basque [bæsk] *n.* ① Ⓒ 巴士克人 (Pyrenees 地區西部之一種族)。② Ⓤ 巴士克語。③(b-) Ⓒ 一種婦女之緊身上衣。— *adj.* 巴士人[語]的。

bas-re·lief [ˌbɑrɪˋlif] *n.* Ⓤ Ⓒ 淺浮雕。

bass[1] [bes] *adj.* 低音的。— *n.* ① Ⓤ 男低音。② Ⓒ 男低音歌者；低音樂器。③ Ⓤ 低音部。§ ~ **drúm** (管弦樂隊用的)大鼓。~ **víol** 〖樂〗一種低音之古提琴。

bass[2] [bæs] *n.* [C] (*pl.* ~, ~**es**)〖魚〗鱸魚類。

bas·set [ˋbæsɪt] *n.* [C]一種短腿獵犬。§~ **hòrn**〖樂〗巴賽管。

bas·si·net [ˌbæsəˋnɛt] *n.* [C] ①小兒的搖籃。②小兒睡車。

bass·ist [ˋbesɪst] *n.* [C]低音樂器[伸縮低音管]演奏者。

bas·soon [bæˋsun] *n.* [C]〖樂〗低音管；巴頌管。

bas·soon·ist [bæˋsunɪst] *n.* [C]巴頌管吹奏者。

Báss Stráit [ˋbæs ~] *n.* 巴斯海峽(位於澳洲與 Tasmania 島之間)。

bass·wood [ˋbæsˌwʊd] *n.*① [C] 菩提樹。② [U] 菩提樹材。

bast [bæst] *n.* [U] ①〖植〗韌皮部。②菩提樹等之內皮；韌皮纖維。

bas·tard [ˋbæstəd] *n.* [C] ①私生子。②劣等東西；贋品。③卑鄙的傢伙。— *adj.* ①私生的。②假的；劣的。

bas·tard·ize [ˋbæstəˌdaɪz] *v.t.* & *v.i.* ①宣告為私生子。②使墮落。

bas·tar·dy [ˋbæstədɪ] *n.* [U] 私生；庶出；私生之地位。

baste [best] *v.t.* ①稀疏的縫紉；假縫。②〖俗〗毆打；責罵。③烤肉時塗以油脂。

Bas·tille [bæsˋtil] *n.* ①(巴黎的)巴士底監獄。②(b-) [C] 古代的堡塞。③(b-) [C] 監獄。(②, ③亦作 **bastile**) §~ **Dày** 法國革命紀念日(七月十四日)。

bas·tion [ˋbæstʃən] *n.* [C] 稜堡；防禦工事。

‡**bat**[1] [bæt] *n.* [C] ①棒。②〖俗〗打擊。③狂歡；縱飲。go on a ~ 狂飲作樂。④(板球等之)擊球者。*at* ~ (棒球)上場擊球。*go to* ~ *for*〖俚〗幫助；為…辯護。*off one's own* ~ 靠自己力量。*right off the* ~ 立即。— *v.t.* (**-tt-**) ①用棒擊(球)；擊。②有…的打擊率。— *v.i.* 用棒擊球；輪到擊球。~ *around* **a.** 無目的地到處旅行。**b.** 討論。**c.** 〖棒球〗在一局中每一個打擊手均能輪流上場打擊。~ *in*〖棒球〗擊出安打使跑壘者回本壘得分。§~ **bòy** 棒球隊球童。

***bat**[2] *n.* [C] 蝙蝠。*blind as a* ~ 近乎全瞎。*have* ~*s in one's belfry*〖俚〗態度瘋狂；精神失常。

bat[3] *v.t.* (**-tt-**)〖俗〗眨(眼)。*not* ~ *an eye* 保持冷靜。

batch [bætʃ] *n.* [C] ①一次所烘的麵包。②一批；一組。§~ **pròcessing**〖電算〗分批處理。

bate [bet] *v.t.* ①壓制。②減弱；減少。— *v.i.* 減弱；減少。*with* ~*d breath* 屏息地。

‡**bath** [bæθ] *n.* [C] (*pl.* ~**s** [bæðz]) ①洗澡。take a ~ 洗澡。②洗澡水；浴缸。③浴室。④(常*pl.*)有溫[礦]泉之名勝地。⑤浴場。— *v.t.* & *v.i.*〖英〗替…洗澡；沐浴。§~ **màt** 浴室內供踏足之墊。~ **sàlts** 浴用鹽(使洗澡水芬芳或軟化)。~ **tòwel** 浴巾。

Bath [bæθ, bɑθ] *n.* ①〖英〗巴斯勳位[勳章]。②巴斯(英國城市名, 以溫泉著名)。§~ **brìck** 巴斯磨石(琢磨金屬)。~ **chàir**〖英〗輪椅(病人用, 有遮篷)。

‡**bathe** [beð] *v.t.* ①浸於；洗。②浸濕。Tears ~*d* his cheeks. 他淚流滿面。③浴於。④蓋；籠罩。— *v.i.* 入浴。— *n.* (a ~)海水[河水]浴。take a ~ 洗海水[河水]浴。— **bath'er,** *n.*

bath·house [ˋbæθˌhaus] *n.* [C] ①(公共)浴室；澡堂。②更衣室。

bath·ing [ˋbeðɪŋ] *n.* [U] 沐浴；游泳。§~ **bèach**〖美〗海水浴場。~ **bèauty** (選美比賽中的)泳裝佳麗。~ **bòx**〖英〗更衣室。~ **càp** 游泳帽。~ **dràwers** 游泳褲。~ **hòuse** 更衣所。~ **sùit** [〖英〗**còstume**] 游泳衣。

ba·thos [ˋbeθɑs] *n.* [U] ①〖修〗突降法。②平凡；陳腐。③誇張的哀惻。

bath·robe [ˋbæθˌrob] *n.* [C] 浴衣。

***bath·room** [ˋbæθˌrum] *n.* [C] 浴室。§~ **tìssue** 草紙；衛生紙。

bath·tub [ˋbæθˌtʌb] *n.* [C] 浴盆；浴缸。

bath·y·sphere [ˋbæθɪˌsfɪr] *n.* [C] 潛水箱。

ba·tik [ˋbɑtik] *n.* [U] ①蠟染。②蠟染布。— *v.t.* 以蠟染法染印。

ba·tiste [bæˋtist] *n.* [U] 上等細麻布。

bat·man [ˋbætmən] *n.* [C] (*pl.* **-men**) 侍役；勤務兵。

ba·ton [bæˋtɑn] *n.* [C] ①警棍。②〖樂〗指揮棒。③權杖。— *v.t.* (以棍)打。

bats·man [ˋbætsmən] *n.* [C] (*pl.* **-men**) (棒球等)打擊手。

bat·tal·ion [bəˋtæljən, bæ-] *n.* ① [C] 營；大隊。②(*pl.*)軍隊。③ [C] 群。

bat·ten[1] [ˋbætn̩] *v.i.* & *v.t.* (使)發育旺盛；(使)肥。

bat·ten[2] *n.* [C] ①木板；板條。②(支撐帆的)木棍。— *v.t.* 裝板條；釘木條。

bat·ter[1] [ˋbætə] *v.t.* & *v.i.* ①連擊；重擊。②敲碎；用壞。

bat·ter[2] *n.* [U] 蛋、麵粉、牛奶等和成之糊狀物。

***bat·ter**[3] *n.* [C] 擊球者；打擊手。§~**'s bòx**〖棒球〗打擊位置。

bat·tered [ˋbætəd] *adj.* ①打扁了的；用舊的。②(因生活困難等)憔悴的。

***bat·ter·y** [ˋbætərɪ] *n.* [C] ①一組類似或相聯的東西。②電池。③列砲。④砲兵連。⑤砲臺。⑥〖棒球〗投手和捕手。

bat·ting [ˋbætɪŋ] *n.* [U] ①擊球；打球動作。②棉胎；毛絮。§~ **àverage**〖棒球〗打擊率。~ **èye**〖棒球〗選球力。

‡**bat·tle** [ˋbætl̩] *n.* ① [U][C] 戰爭。②(the ~)勝利；成功。③ [C] 奮鬥。— *v.i.* & *v.t.* 戰；奮鬥。§~ **arrày** 戰鬥隊形[序列]；陣形。~ **crùiser** 巡洋戰艦。~ **crý** (戰鬥時助威的)吶喊；標語；口號。~ **fatìgue**〖心〗戰爭疲憊症[衰竭症]。~ **lìne** 戰線。~ **róyal** (*pl.* ~s royal)大混戰；激戰；扭鬥；激烈的爭論。

bat·tle-ax(e) [ˋbætl̩ˌæks] *n.* [C] ①戰斧。②〖俗〗苛刻的女人；母老虎。

bat·tle·dore [ˋbætl̩ˌdor] *n.* ① [C] 打毽板。② [U] 打毽遊戲。~ *and shuttlecock* 打毽遊戲。

bat·tle·field [ˋbætl̩ˌfild] *n.* [C] 戰場。

bat·tle·front [ˋbætl̩ˌfrʌnt] *n.* [C] 前線；前方。

bat·tle·ground [ˋbætḷˏgraʊnd] *n.* Ⓒ戰場。
bat·tle·ment [ˋbætḷmənt] *n.* Ⓒ(常 *pl.*)城垛; 鋸壁; 雉堞。
bat·tle·ship [ˋbætḷˏʃɪp] *n.* Ⓒ主力艦。
bat·ty [ˋbætɪ] *adj.* ①(似)蝙蝠的。②〖俚〗瘋狂的。③〖俚〗古怪的。
bau·ble [ˋbɔbḷ] *n.* Ⓒ①美觀的廉價貨; 玩具。②丑角手持之棒。
baud [bɔd] *n.* Ⓒ〖電算〗波特(傳達資料的速度單位)。
baulk [bɔk] *n.* & *v.* =**balk.**
baux·ite [ˋbɔksaɪt] *n.* Ⓤ〖礦〗鐵礬土。
Ba·var·i·a [bəˋvɛrɪə] *n.* 巴伐利亞(德國南部一地區, 昔為一獨立王國)。
Ba·var·i·an [bəˋvɛrɪən] *adj.* 巴伐利亞(人)的。**—** *n.*① Ⓒ 巴伐利亞人。② Ⓤ 巴伐利亞方言。
bawd [bɔd] *n.* Ⓒ 鴇母。
bawd·y [ˋbɔdɪ] *adj.*(言詞、談話等)淫穢的; 下賤的。—**bawd′i·ly,** *adv.*
bawd·y·house [ˋbɔdɪˏhaʊs] *n.* Ⓒ 妓院; 娼寮。
bawl [bɔl] *v.t.* & *v.i.* 大叫; 大喊。~ ***out*** 〖美俚〗責罵。**—** *n.* Ⓒ大叫; 號哭。
***bay**[1] [be] *n.* Ⓒ①海灣。②凹陷之地。
bay[2] *n.* Ⓒ①房屋之翼。②穀倉內堆乾草的地方。③船上的病室。④牆壁凹進之處。§ ∼ **wíndow** (1)凸窗。(2)〖俚〗(胖子的)大肚子。
bay[3] *n.* Ⓤ①狗吠聲。②窮途末路之狀態。***at*** ~ 處於窮途之境。***bring to*** ~ 圍困。***keep*** [***hold***] ***at*** ~ 阻止(敵人等)不使前進。***stand at*** ~ 作困獸之鬥。**—** *v.i.* & *v.t.* ①吠; 連續狂吠。②圍困。
bay[4] *n.* ①Ⓒ月桂樹。②(*pl.*)榮譽; 月桂冠。§ ∼ **lèaf** 月桂樹葉(可用為做菜之佐料)。∼ **rúm** 桂香水(一種刮鬍子後用的香水)。
bay[5] *n.* ①Ⓒ 紅棕色的馬。②Ⓤ 紅棕色。**—** *adj.* 紅棕色的。
bay·ber·ry [ˋbeˏbɛrɪ] *n.* Ⓒ ①月桂樹。②月桂樹之實。
bay·o·net [ˋbeənɪt] *n.* Ⓒ槍尖; 槍上的刺刀。***Fix*** [***Unfix***] ~***s!*** 〖口令〗上[下]刺刀! **—** *v.t.* 用刺刀刺。**—** *v.i.* 操刺刀。§ ∼ **chàrge** [**fèncing**] 刺刀衝鋒[刺刀術]。
bay·ou [ˋbaɪu] *n.* Ⓒ 美國南部之湖、河等的支流; 灣流。
Bay·reuth [ˋbaɪrɔɪt] *n.* 白萊特(西德東南部的一個城市; 作曲家 Wagner 所創的音樂節每年在此地舉行)。
ba·za(a)r [bəˋzɑr] *n.* Ⓒ ①市場; 商品陳列所。②百貨店; 小工藝品商店。③義賣場。a charity ~ 慈善義賣會。
ba·zoo·ka [bəˋzukə] *n.* Ⓒ火箭筒。
BB double black. 鉛筆的 2 B.
BB [ˋbiˏbi] *n.* Ⓒ 槍彈的標準口徑(0.18 吋)。§ **BB gún** 小型發條空氣槍。
B.B.A. Bachelor of Business Administration.
BBB treble black. 鉛筆的 3B; 〖美〗 Better Business Bureau.
B.B.C., BBC British Broadcasting Corporation. 英國廣播公司。
bbl. barrel. **bbls.** barrels.
BBS bulletin board system. 〖電算〗(電子)通信聯絡系統。
***B.C.**[1] before Christ. 西元前。
B.C.[2] British Columbia; Bachelor of Chemistry [Commerce].
BCG (**vaccine**) Bacillus Calmette-Guérin (vaccine). 卡介苗(預防肺結核之疫苗)。

‡**be** [bi] *v.i.* 現在, 直說法, 單數, **am** (第一人稱), **are** (第二人稱), **is**(第三人稱), 複數, **are;** 過去, 直說法, 單數, **was**(第一人稱), **were**(第二人稱), **was**(第三人稱), 複數 **were;** 過去分詞 **been;** 現在分詞 **being.** ①存在; 發生; 存留; 持續; 等於; 代表。②連結主詞和補語。You *are* late. 你晚了。③用作助動詞。**a.** 與現在分詞並用, 以成進行式或未來式。I *am* waiting. 我正在等候。**b.** 與過去分詞並用, 以成被動語態。The date *was* fixed. 日期已定。④表示將來、責任、意向、可能性及事前的安排。He is to *be* there at nine. 他將於九時在該處。⑤與動詞之過去分詞連用, 成為完成式。⑥值。⑦去過; 來過。He has *been* to New York. 他到過紐約。⑧作命令句。*Be* quiet! 不要作聲! ***be for*** 贊成。***so be it*** **a.** 聽其自然。**b.** 即使如此。
be- 〖字首〗加於名詞、形容詞或其他動詞之前, 形成動詞。如: become, befriend.
‡**beach** [bitʃ] *n.* Ⓒ海濱; 水濱; 海灘。***on the*** ~ **a.** 失業; 處於困境。**b.** 擔任陸上職務。**—** *v.t.* & *v.i.* ①移(船)靠岸。②(使)擱淺。§ ∼ **búggy** 沙灘車。∼ **umbrélla** (海濱)陽傘。∼ **wàgon** 〖美〗旅行車。
beach·comb·er [ˋbitʃˏkomɚ] *n.* Ⓒ①向岸滾來之巨浪。②在海濱或碼頭求乞者。
beach·head [ˋbitʃˏhɛd] *n.* Ⓒ〖軍〗灘頭陣地; 橋頭堡。
beach·wear [ˋbitʃˏwɛr] *n.* Ⓤ 海灘裝。
bea·con [ˋbikən] *n.* Ⓒ ①烽火; 信號。②無線電的信號(以引導飛機)。③浮標; 燈塔。④引導與警告之人、物或動作。**—** *v.t.* & *v.i.* ①舉烽火; 照耀。②引導; 警告。
bead** [bid] *n.* ①Ⓒ有孔之小珠。②(*pl.*)念珠; 珠串。③Ⓒ珠狀物; 滴。④Ⓒ(槍之)照門。draw*** [***take***] ***a*** ~ ***on*** 用槍瞄準。***tell*** [***say, count***] ***one's*** ~***s*** 禱告; 數念珠。**—** *v.t.* 串以珠; 飾以珠。**—** *v.i.* ①成珠; 成滴。②瞄準。
bead·ing [ˋbidɪŋ] *n.* Ⓤ Ⓒ ①珠細工。②〖建〗起珠線; 串珠狀緣飾。
bea·dle [ˋbidḷ] *n.* Ⓒ教區小吏; 差役。
bea·gle [ˋbigḷ] *n.* Ⓒ畢格爾獵犬(一種獵兔用之小獵犬)。**—** *v.i.* ①尾隨小獵犬後追蹤獵物。②〖美俚〗打聽某事始末。
***beak** [bik] *n.* Ⓒ①喙; 鳥嘴。②鳥嘴狀物。③(古戰艦)突出之船首。④〖美俚〗鼻。
beaked [bikt] *adj.* ①有喙的。②鳥嘴狀的; 鉤形的; 突出的。
beak·er [ˋbikɚ] *n.* Ⓒ①有傾口之燒杯。②大杯子。
be-all [ˋbiˏɔl] *n.* (the ~)所有; 全體; 最要緊的事。~ ***and end-all*** 最重

要的因素[人, 物]。

*__beam__ [bim] *n.* Ⓒ ①桁; 梁。②天平的橫桿; 秤桿; 天平。③光線; 光束。④船幅。⑤容光煥發。⑥無線電波束(指引飛機或船)。***fly*[*ride*] *the*** ~ 藉無線電波束之指示而飛行。***off the*** ~ **a.** 離正道; 迷路。**b.** 錯誤的。***on the*** ~ **a.** (船)與龍骨成直角; (飛機)依指示航線或方向飛行。**b.** 〖俗〗恰好。— *v.t.* & *v.i.* ①放(光); 照耀。②上梁。③廣播。④微笑; 開顏。§ ~ **antènna** 〖無線〗定向天線。~ **còmpass** 長脚圓規。~ **wèapon** 光束武器。~ **wínd** 〖海〗橫風。—**ing,** *adj.*

beamed [bimd] *adj.* ①有梁的。②照耀的。③〖無線〗定向的。

beam-ends [ˋbimˋɛndz] *n. pl.* 船梁末端。***on her*** ~ (船)幾乎傾覆。***on one's*** [***the***] ~ 在無可奈何的困境中(尤指經濟上的)。

*__bean__ [bin] *n.* Ⓒ ①豆; 產豆植物。②豆狀的果實。③〖俚〗頭。④〖英俚〗硬幣; 一分錢。⑤〖俗〗些許; 一點點。He doesn't know ~*s* about it. 他一點也不知道。***full of*** ~***s*** 〖俚〗精力充沛。***old*** ~ 〖英俚〗老頭; 老傢伙。— *v.t.* 擊打…之頭。§ ~ **bàll** 〖棒球〗擊中打擊手頭部的球。~ **càke** 豆粕; 豆餅。~ **cùrd** 豆腐。~ **pód** 豆莢。~ **sòup** (豌)豆湯。~ **spròuts** 豆芽。**B~ Tòwn** 波士頓(Boston)之別稱。

bean·feast [ˋbinˏfist] *n.* Ⓒ ①〖英〗雇主款待雇工的宴會。②〖俚〗宴會。

bean·pole [ˋbinˏpol] *n.* Ⓒ ①支竿。②〖俗〗瘦長之人。(亦作 **bean pole**)

bean·stalk [ˋbinˏstɔk] *n.* Ⓒ 豆莖。

‡**bear**[1] [bɛr] *v.t.* (**bore** or 〖古〗 **bare, borne** or **born**) ①負荷; 負重。②忍受。③生產。④負擔。⑤表示; 具有。⑥舉止。⑦抬。⑧強迫; 壓迫。⑨懷有; 記憶。⑩具有(某種身分或特性)。⑪享有(某種權利)或負有(某種責任)。⑫容許。⑬印[刻, 寫]有…。⑭引起; 惹起。⑮擔任(角色)。— *v.i.* ①生; 產生。②支持; 承載。③移; 向。④涉及。⑤正對著; 加諸於。⑥位於。⑦進; 行。~ ***arms*** 從軍。~ ***down*** 壓制; 平定。~ ***down on*** [***upon***] **a.** 向…逼進。**b.** 特別論及; 強調。**c.** 對…有重大影響。~ ***fruit*** 產生效果。~ ***in hand*** **a.** 處理; 管理。**b.** 主張; 控告; 指責。**c.** 允諾; 答應。~ ***out*** 證實。~ ***up*** 鼓起勇氣; 保持希望或信心。~ ***with*** 容忍; 忍耐。***bring to*** ~ 作有效之運用。

‡**bear**[2] *n.* ①Ⓒ 熊。②Ⓒ 鄙野之人。③Ⓒ 能力、耐力或興趣等勝過他人者。④(B-)熊星座。⑤Ⓒ (股票市場)空頭(爲 bull 之對)。⑥(B-)俄國。***be a*** ~ ***for*** 對(工作、辛勞等)特具耐力、興趣、才幹等。— *v.t.* 使…跌價。§ ~ **gàrden** (1)犬熊相鬥之遊戲場。(2)吵嚷混亂之場所。~ **hùg** 熱烈的擁抱。

bear·a·ble [ˋbɛrəbl̩] *adj.* 可忍受的; 支持得住的。—**bear'a·bly,** *adv.*

‡**beard** [bɪrd] *n.* Ⓒ ①鬚; 髯。②〖美俚〗留鬍子的人。③芒。***in spite of one's*** ~ 違反某人之意。***meet*** [***run***] ***in one's*** ~ 公然反對某人。***speak in one's*** ~ 喃喃地說。***take by the*** ~ 大膽攻擊。***to one's*** ~ 當面。— *v.t.* 公然反對。

beard·ed [ˋbɪrdɪd] *adj.* ①有鬚的。②有芒的。

beard·less [ˋbɪrdlɪs] *adj.* ①無鬚的; 不長鬚的。②無芒的。

bear·er [ˋbɛrɚ, ˋbærɚ] *n.* Ⓒ ①送信人; 持票人。②挑夫。③結實或開花之植物。④擔任者。⑤扈棺之人。

*__bear·ing__ [ˋbɛrɪŋ, ˋbær-] *n.* ①Ⓤ Ⓒ 意義。②(*pl.*)方向。③Ⓤ 忍耐。④Ⓤ(又作 a ~)舉止; 態度。⑤Ⓤ 產子; 結實。⑥Ⓒ(常 *pl.*)軸承。⑦Ⓒ(常 *pl.*)紋章。***in*** ~ 結果(實)。***lose*** [***be out of***] ***one's*** ~***s*** **a.** 迷失方向。**b.** 惶惑; 不知所措。***take one's*** ~***s*** 審度環境找出自己的位置。— *adj.* 能產的; 多產的。

bear·ish [ˋbɛrɪʃ] *adj.* ①粗暴的; 似熊的。②(股票等)看跌的。

bear·skin [ˋbɛrˏskɪn] *n.* ①Ⓤ 熊皮。②Ⓒ 熊皮製品。③Ⓒ (英國禁衛軍之)黑皮高帽。

*__beast__ [bist] *n.* ①Ⓒ 獸。②Ⓒ 可惡[凶惡]的人。Don't be a ~. 不要故意爲難。③Ⓒ 可惡的東西。④Ⓒ〖俚〗醜丫頭。⑤(the ~)獸性。the ~ in man 人的獸性。~ ***of burden*** 勞動用牲口; 馱獸。~ ***of prey*** 食肉獸。

beast·ly [ˋbistlɪ] *adj.* ①獸(性)的。②淫猥的。③令人討厭的。— *adv.* 〖英俗〗非常地; 過分地。

‡**beat** [bit] *v.t.* (**beat, beat·en** or **beat**) ①打; 連打。②擊敗。③〖樂〗打拍子。④開路; 踏平。⑤〖俗〗難倒。⑥欺騙; 詐取。⑦攪拌。⑧鼓(翼)。⑨通過; 遍查。— *v.i.* ①敲; 連打。②搏動; 跳動。③打擊; 衝擊。④(鼓)咚咚地響。⑤逆風循鋸齒狀路線行駛。⑥〖俗〗得勝。~ ***about*** [***around***] ***the bush*** 拐彎抹角地說或做。~ ***a retreat*** 鳴鼓退兵; 敗退。~ ***down*** **a.** 擊敗。**b.** 以講價壓低(價錢)。~ ***it*** **a.** 逃走。**b.** 急奔; 趕。***B- it!*** 離開! 走開! ~ ***one's brains*** 苦思。~ ***out*** **a.** 踏出(路等)。**b.** 擊敗。~ ***the air*** [***wind***] 白費精力地做事。~ ***the bushes*** [***woods***] 到處尋找。~ ***up*** **a.** 毒打。**b.** 與逆風或逆流掙扎前進。**c.** 打(蛋); 攪拌。**d.** 徵集; 召集。— *n.* ①Ⓒ 划; 頻擊。②Ⓒ 搏動; 跳動。③Ⓒ 節拍。④Ⓒ 常走之路; 巡邏。⑤(the ~)〖俗〗更強者。⑥=**beatnik.** ⑦Ⓒ〖新聞〗獨家報導。⑧Ⓒ(亦作 **news beat** [**run**])〖新聞〗記者所負責採訪之範圍。***off one's*** ~ **a.** 不再作慣常之工作。**b.** 非本行。***on the*** ~ 〖樂〗合乎節奏。— *adj.* 〖美俚〗①疲乏的。dead ~ 筋疲力盡。②驚訝的; 受嚇的。③beatnik 的; beatnik 特有的。§ **the ~ generátion** 反傳統的一代; 披頭世代(二次大戰後, 對人生失望, 只圖歡樂, 行爲乖僻的男女青年)。

‡**beat·en** [ˋbitn̩] *v.* pp. of **beat.** — *adj.* ①被責打的。②鍛打的。③被打敗的。④(路)被踏成的; 走出來的。⑤疲倦的。⑥破爛的。

beat·en-up [ˋbitn̩ˋʌp] *adj.* 破舊的。
beat·er [ˋbitɚ] *n.* Ⓒ打或攪拌的工具。
be·a·tif·ic [ˏbiəˋtɪfɪk] *adj.* 快樂的；祝福的。
be·at·i·fy [bɪˋætəˏfaɪ] *v.t.* ①賜福。②〖天主教〗行宣福禮。— **be·at·i·fi·caˊtion,** *n.* 「搏動。③Ⓒ敗北。」
beat·ing [ˋbitɪŋ] *n.* ①Ⓤ打。②Ⓤ
be·at·i·tude [bɪˋætəˏtjud] *n.* ①Ⓤ全福；至福。②Ⓤ祝福。③(the Beatitudes)〖聖經〗八福。
Bea·tle·ma·ni·a [ˏbitəlˋmenɪə] *n.* Ⓤ披頭四狂。
Bea·tles [ˋbitəlz] *n. pl.* (the ～)披頭四(英國搖滾樂團, 1962-70)。
beat·nik [ˋbitnɪk] *n.* Ⓒ反傳統一代的成員；披頭族的人。「破舊的。」
beat-up [ˋbitˋʌp] *adj.* 〖俗〗用舊了的；
beau [bo] 〖法〗 *n.* Ⓒ (*pl.* **～s, ～x** [boz])①喜修飾者；紈袴子弟。②情郎。**—** *v.t.* 爲…任護花使者。§ **～ idéal** 十全十美；至美。**～ mónde** [ˋboˋmɑnd] 上流社會。
Béau·fort scále [ˋbofɚt ～] *n.* (the ～)波福風力等級(依風速分風力爲0-12等級或18等級)。
Beau·jo·lais [ˏboʒəˋle] *n.* Ⓤ一種法國紅酒。
beaut [bjut] 〖俗〗*n.* Ⓒ美人；美好的東西(多用來諷刺)。**—** *adj.* 很棒的。
beau·te·ous [ˋbjutɪəs] *adj.* 美麗的。「師。」
beau·ti·cian [bjuˋtɪʃən] *n.* Ⓒ美容
‡**beau·ti·ful** [ˋbjutəfəl] *adj.* ①美麗的。②完美的。— **ness,** *n.*
***beau·ti·ful·ly** [ˋbjutəfəlɪ] *adv.* 美麗地；好。
beau·ti·fy [ˋbjutəˏfaɪ] *v.t.* 美化。**—** *v.i.* 變美。— **beau·ti·fi·caˊtion,** *n.*
‡**beau·ty** [ˋbjutɪ] *n.* ①Ⓤ美貌。②Ⓒ美人。③Ⓤ美。④Ⓒ美的事物。⑤Ⓒ優點。§ **～ pàrlor**[**shòp**]美容院。**～ slèep** 〖俗〗午夜前之睡眠。**～ spòt** (1)美人痣。(2)美景；名勝。
beau·ty-spe·cial·ist [ˋbjutɪˏspɛʃəlɪst] *n.* Ⓒ美容專家。
beaux [boz] *n.* pl. of **beau.** § **～ yéux** [boˋzjœ] (1)美目；明眸。(2)美貌。
bea·ver [ˋbivɚ] *n.* ①Ⓒ海狸。②Ⓤ海狸皮。③Ⓤ一種厚毛呢。④Ⓒ海狸皮帽。*eager* **～** 〖美俚〗工作勤奮者。**—** *v.i.* 勤奮工作。 **～** *away* [*at something*] 努力工作。
be·calm [bɪˋkɑm] *v.t.* ①因無風而使(船)停航(常用 pp.)。②使平靜。
‡**be·came** [bɪˋkem] *v.* pt. of **become.** 「因爲；由於。」
‡**be·cause** [bɪˋkɔz] *conj.* 因爲。**～** *of*
beck [bɛk] *n.* Ⓒ點頭或招手以示意。*be at one's* **～** *and call* 聽人命令；受人指揮。**—** *v.t. & v.i.* 打招呼。
Beck·et [ˋbɛkɪt] *n.* 貝克特(Saint Thomas à, 1118?-70, 英國坎特布里大主教, 因反對亨利二世對教會的政策而被暗殺)。
***beck·on** [ˋbɛkən] *v.i. & v.t.* 招手或點頭示意〔to〕. **—** *n.* Ⓒ招人行近之手勢。「蔽。②使混亂。」
be·cloud [bɪˋklaud] *v.t.* ①遮暗；蒙
‡**be·come** [bɪˋkʌm] *v.i.* (**be·came, be·come**)①變爲；成爲；轉爲。②〖古〗發生。**—** *v.t.* 適合；相稱。**～** *of* 降臨；遭遇。
be·com·ing [bɪˋkʌmɪŋ] *adj.* 適當的；合適的。— **ly,** *adv.*
Bec·que·rel [bɛkˋrɛl] *n.* 白克瑞爾(Antoine Henri, 1852-1908, 法國物理學家, 1903年獲諾貝爾物理獎)。§ **～ ráys** 白克瑞爾放射線。
‡**bed** [bɛd] *n.* ①Ⓒ床。②Ⓤ就寢(時間)。take a walk before ～ 睡前散散步。③Ⓤ婚姻。④Ⓒ墳墓。⑤Ⓒ基；底。⑥Ⓒ(花)壇；(苗)床。⑦Ⓒ層；地層。a ～ of coal 煤礦層。*get up on the wrong side of the* **～** 整天情緒不好。*go to* **～** 就寢。*lie on a* **～** *of horns* 如坐針氈。*lie on*[*in*] *the* **～** *one has made* 自作自受。*make the* **～** 整理床鋪。*take to one's* **～** **a.** 臥病。**b.** 上床睡覺。**—** *v.t.* (**-dd-**)①使睡。②安置；嵌入。③種植於苗床或花壇〔out〕. **—** *v.i.* ①臥；睡。②發生超友誼關係。
B.Ed. Bachelor of Education.
be·dab·ble [bɪˋdæbl̩] *v.t.* 潑濕；濺污。
be·daub [bɪˋdɔb] *v.t.* ①塗；污染。②過分裝飾；不當地修飾。
be·daz·zle [bɪˋdæzl̩] *v.t.* 使暈眩；使迷惑。— **ment,** *n.*
bed·bug [ˋbɛdˏbʌg] *n.* Ⓒ臭蟲。
bed·cham·ber [ˋbɛdˏtʃembɚ] *n.* Ⓒ臥房；寢室。「具。」
bed·clothes [ˋbɛdˏkloz] *n. pl.* 寢
bed·cov·er [ˋbɛdˏkʌvɚ] *n.* =**bedspread.**
bed·ding [ˋbɛdɪŋ] *n.* Ⓤ①被褥。②寢具；床。③基床；底床。
Bede [bid] *n.* 比得(Saint, 673-735, 英國修道士, 英國初期歷史的寫作者, 又稱 the Venerable Bede)。
be·deck [bɪˋdɛk] *v.t.* 裝飾；使美麗。
be·dev·il [bɪˋdɛvl̩] *v.t.* (**-l-,** 〖英〗 **-ll-**)①虐待；使苦惱。②蠱惑；使混淆。— **ment,** *n.*
be·dew [bɪˋdju] *v.t.* 沾濕。
bed·fel·low [ˋbɛdˏfɛlo] *n.* Ⓒ①同床者。②同事；夥伴。
bed-in [ˋbɛdˏɪn] *n.* Ⓒ露宿示威。
bed-in·ner [ˋbɛdˏɪnɚ] *n.* Ⓒ露宿示威者。「氣地穿著或裝飾。」
be·di·zen [bɪˋdɪzn̩, -ˋdaɪzn̩] *v.t.* 俗
bed·lam [ˋbɛdləm] *n.* ①Ⓤ喧擾；騷亂。②Ⓒ瘋人院。「燈。」
bed·lamp [ˋbɛdˏlæmp] *n.* Ⓒ床頭
bed·mate [ˋbɛdˏmet] *n.* Ⓒ①同床者。②夫；妻；情人；小老婆；姘婦。
Bed·ou·in [ˋbɛduɪn] *n.* Ⓒ (*pl.* **～, ～s**) ①貝多因人(居無定所的阿拉伯遊牧民族)。②流浪者。③遊牧的人。
bed·pan [ˋbɛdˏpæn] *n.* Ⓒ①暖床器。②(病人用的)便盆。
bed·post [ˋbɛdˏpost] *n.* Ⓒ床柱。*between you and me and the* **～** 暗地裏；祕密地。

bed·quilt [ˋbɛd͵kwɪlt] *n.* Ⓒ 棉被。
be·drag·gle [bɪˋdrægl̩] *v.t.* (衣服)拖髒；拖濕；拖皺。
be·drag·gled [bɪˋdrægl̩d] *adj.* 全身泥污的；滿身濕透的。
bed·rid·den [ˋbɛd͵rɪdn̩] *adj.* 臥病的；纏綿病榻的；久病不起的。
bed·rock [ˋbɛdˋrɑk] *n.* Ⓤ ①〖地質〗巖床。②根底；基礎。③最低點[額]。
bed·roll [ˋbɛd͵rol] *n.* Ⓒ 鋪蓋捲。
***bed·room** [ˋbɛd͵rum] *n.* Ⓒ 臥房。
bed-sit [ˋbɛd͵sɪt] *n.* =**bed-sitter.**
bed-sit·ter [ˋbɛd͵sɪtɚ] *n.* Ⓒ〖英俗〗臥房與起居間兼用的房間。
béd-sít·ting ròom [ˋbɛdˋsɪtɪŋ ～] *n.* =**bed-sitter.**
bed·sheet [ˋbɛd͵ʃit] *n.* Ⓒ 床單。
bed·side [ˋbɛd͵saɪd] *n.* Ⓒ 床側；枕邊。**—** *adj.* ①臨床的。②枕邊的；床側的。§ ～ **mánner** 醫生對病人的態度。
bed·sore [ˋbɛd͵sor] *n.* Ⓒ 褥瘡。
bed·spread [ˋbɛd͵sprɛd] *n.* Ⓒ 床單；床罩。
bed·spring [ˋbɛd͵sprɪŋ] *n.* Ⓒ 彈簧床面。
bed·stead [ˋbɛd͵stɛd, -stɪd] *n.* Ⓒ 床架。
bed·time [ˋbɛd͵taɪm] *n.* Ⓤ 就寢時間。
bed·wet·ter [ˋbɛd͵wɛtɚ] *n.* Ⓒ 尿床者。
bed-wet·ting [ˋbɛd͵wɛtɪŋ] *n.* Ⓤ 尿床。
‡**bee** [bi] *n.* Ⓒ ①蜂；蜜蜂。②〖美〗聚集；聚會。*have a ～ in one's bonnet* [*head*] **a.** 死心眼地祇想一件事。**b.** 有點瘋狂。*put the ～ on* 在金錢方面打(某人)的主意。*queen ～* 女王蜂。
bée·bee gùn [ˋbibi ～] *n.* Ⓒ 氣槍(=BB gun).
beech [bitʃ] *n.* ①Ⓒ 山毛櫸。②Ⓤ 其木材。§ ～ **màst**(落於地面的)櫸實(常作爲豬食)。— **en,** *adj.*
beech-nut [ˋbitʃ͵nʌt] *n.* Ⓒ 山毛櫸堅果。
beech·wood [ˋbitʃ͵wud] *n.* Ⓤ 山毛櫸木材；青剛木。
***beef** [bif] *n.* ①Ⓤ 牛肉。②Ⓒ (*pl.* **beeves** [bivz])長成待宰的牛。③Ⓤ〖俗〗肌力；力。④Ⓒ (*pl.* **～s**)〖俚〗牢騷；訴苦。**—** *v.i.* ①〖俚〗發牢騷。②增強〔up〕. § ～ **càttle** 肉牛。～ **èxtract** 濃縮牛肉汁。～ **téa** 濃牛肉湯。
beef·burg·er [ˋbif͵bɝgɚ] *n.* =**hamburger.**
beef·cake [ˋbif͵kek] *n.* Ⓤ〖美俗〗男性健美[裸體]照片。
beef·eat·er [ˋbif͵itɚ] *n.* Ⓒ ①食牛肉者。②(常 B-)英王之衛士。③倫敦塔之守衛人。④〖俚〗英國人。
beef·steak [ˋbif͵stek] *n.* ⓊⒸ 牛排。
beef-wit·ted [ˋbifˋwɪtɪd] *adj.* 愚鈍的。
beef·y [ˋbifɪ] *adj.* 強壯的；結實的。
bee·hive [ˋbi͵haɪv] *n.* Ⓒ ①蜂窩。②人口麕集而熱鬧之處所。
bee·keep·er [ˋbi͵kipɚ] *n.* Ⓒ 養蜂人。
bee·keep·ing [ˋbi͵kipɪŋ] *n.* Ⓤ 養蜂(業)。
bee·line [ˋbiˋlaɪn] *n.* Ⓒ 直線；最短之路。*make a ～ for* 走最短之路；匆匆趕赴。**—** *v.i.* 走最短之路。

Be·el·ze·bub [bɪˋɛlzɪ͵bʌb] *n.* ①〖聖經〗魔王；魔鬼。②Ⓒ 惡魔。③(Milton 之 *Paradise Lost* 中的)墮落天使。
‡**been** [bɪn] *v.* pp. of **be.**
beep [bip] *n.* Ⓒ 嘟嘟聲；嗶嗶聲；汽車喇叭聲。**—** *v.i.* & *v.t.* 發嘟嘟[嗶嗶]聲；鳴汽車喇叭。
beep·er [ˋbipɚ] *n.* Ⓒ ①發出嗶嗶聲的儀器。②〖俚〗無人駕駛飛機之遙控員。③携帶式呼叫器。
***beer** [bɪr] *n.* ⓊⒸ 啤酒。*～ and skittles*〖英〗遊樂。*in ～* 喝(啤酒)醉的。*small ～* 不重要的人或物。think *small ～* of someone 輕視某人。§ ～ **gàrden**(在屋外擺設桌椅的)庭園酒店。～ **hàll**〖美〗(有歌舞助興的)啤酒館。～ **mòney**(1)(通常指丈夫用以喝酒的)零用錢。(2)〖英〗(賞給僕役的)酒錢；小費。— **beer'y,** *adj.*
beer·house [ˋbɪr͵haus] *n.* Ⓒ〖英〗啤酒店。
bees·wax [ˋbiz͵wæks] *n.* Ⓤ 蜂蠟。**—** *v.t.* & *v.i.* 以蜂蠟塗、擦。
bees·wing [ˋbiz͵wɪŋ] *n.* Ⓒ ①陳年老酒表面上的薄膜。②有此種薄膜之陳年老酒。
beet [bit] *n.* ①Ⓒ 甜菜。②ⓊⒸ 甜菜根。§ ～ **sùgar** 甜菜糖。
Bee·tho·ven [ˋbetovən] *n.* 貝多芬(Ludwig van, 1770-1827, 德國作曲家)。
***bee·tle**[1] [ˋbitl̩] *n.* Ⓒ ①甲蟲。②笨人。③槌。**—** *v.i.* 急走。**—** *v.t.* 用大槌打破、撞開等。
bee·tle[2] *adj.* 突出的。**—** *v.i.* 突出。
bee·tle-browed [ˋbitl̩͵braud] *adj.* ①眉毛粗濃而突出的；凸額的。②慍色的；蹙額的。
beet·root [ˋbit͵rut, -͵rut] *n.* ⓊⒸ 甜菜根。
beeves [bivz] *n.* pl. of **beef.**
be·fall [bɪˋfɔl] *v.t.* & *v.i.* (**-fell, -fallen**)降臨；遭遇；發生。
be·fit [bɪˋfɪt] *v.t.* (**-tt-**)適宜；合式。— **ting,** *adj.*
be·fog [bɪˋfɑg] *v.t.* (**-gg-**) 罩入霧中；令困惑。
‡**be·fore** [bɪˋfor, bɪˋfɔr] *prep.* ①在…前面。②以前。③當…面前。④在前面；未來。⑤(寧…)而不願。⑥位在…之上。⑦在…之威力下。⑧擺在…面前(待解決或考慮)。*～ everything* 最先；第一。**—** *adv.* 在前；以前；早於。**—** *conj.* ①以前；前於。②(寧…)而不願。
be·fore·hand [bɪˋfor͵hænd] *adv.* ①事前；預先。②從前；曾經。**—** *adj.* ①預先的。②(在經濟上)進多於出的。*be ～ with* 先發制人。
be·foul [bɪˋfaul] *v.t.* ①污染；污穢。②誹謗。③糾纏。*～ one's own nest* 說自家人壞話；家醜外揚。
be·friend [bɪˋfrɛnd] *v.t.* 照顧；協助；待之如友。
be·fud·dle [bɪˋfʌdl̩] *v.t.* ①使酒醉昏迷。②使昏亂；使迷惑。— **ment,** *n.*
‡**beg** [bɛg] *v.t.* (**-gg-**)①求乞。②懇求。③(將未證實之事)視爲當然。④規避；躲避。**—** *v.i.* ①求乞。②請求。*～ a favor of* 請求…幫忙。*～ leave to* 請求准許。*～ off* 對不能出席請求原諒。*～ the question* (假定需解決的問

題已解決，藉以)迴避正題；迴避問題的實質。**go ～ging** 沒人要；不爲人所接受。***I ～ your pardon.*** **a.** 對不起。**b.** 請再說一遍。

‡**be·gan** [bɪˋgæn] *v.* pt. of **begin.**

be·get [bɪˋgɛt] *v.t.* (**be·got, be·got** or **be·got·ten, be·get·ting**)①爲…父；生(子)。②引起；產生。

***beg·gar** [ˋbɛgɚ] *n.* Ⓒ①乞丐。②很窮的人。③〖諧〗傢伙。— *v.t.* ①使之貧窮。②使不足。③減低…之價值。

beg·gar-my-neigh·bor [ˋbɛgɚmaɪˋnebɚ] *n.* Ⓤ (把對方手中的牌全吃光即爲全勝的)一種紙牌戲。(亦作 **beggar-your-neighbor**)

beg·gar-thy-neigh·bor [ˋbɛgɚðaɪˋnebɚ] *adj.* 使鄰國貧窮的(犧牲他國以維持本國的產業及就業機會的保護性貿易政策的)。

beg·gar·y [ˋbɛgərɪ] *n.* Ⓤ ①赤貧。②(集合稱)乞丐。

beg·ging [ˋbɛgɪŋ] *n.* Ⓤ行乞；乞討。— *adj.* 求乞的。

‡**be·gin** [bɪˋgɪn] *v.i.* (**be·gan, be·gun, be·gin·ning**)開始。— *v.t.* ①開始。②創始。③接近。④位於…之首。***to ～ with*** 第一；首則。***Well begun is half done.*** 好的開始是成功的一半。

***be·gin·ner** [bɪˋgɪnɚ] *n.* Ⓒ ①初學者；無經驗者。②開始者；創始者。

‡**be·gin·ning** [bɪˋgɪnɪŋ] *n.* Ⓒ ①開始。②(常 *pl.*)初期；萌芽階段。③起源。***from ～ to end*** 從頭到尾。

be·gird [bɪˋgɜd] *v.t.* (**-girt** or **～ed**) ①以帶捲繞。②包圍；圍繞。

be·gone [bɪˋgɔn] *interj.* 去！走開！— *v.i.* 去；走開。

be·go·ni·a [bɪˋgonjə] *n.* ①(B-)〖植〗球莖秋海棠屬。②Ⓒ秋海棠。

be·got [bɪˋgɑt] *v.* pt. & pp. of **beget.**

be·got·ten [bɪˋgɑtn̩] *v.* pp. of **beget.**

be·grime [bɪˋgraɪm] *v.t.* 弄髒。

be·grudge [bɪˋgrʌdʒ] *v.t.* ①嫉妒；羨慕。②吝嗇。

be·grudg·ing·ly [bɪˋgrʌdʒɪŋlɪ] *adv.* 不情願地；小氣地；吝嗇地。

be·guile [bɪˋgaɪl] *v.t.* ①欺騙；誘惑。②騙取。③消遣。④迷住。— *v.i.* 迷人。

be·guil·ing [bɪˋgaɪlɪŋ] *adj.* ①欺騙的。②有趣的。

‡**be·gun** [bɪˋgʌn] *v.* pp. of **begin.**

be·half** [bɪˋhæf] *n.* Ⓤ ①利益；便利或援助。②方面。in ～ of*** 爲了…(的利益)。***on ～ of*** **a.** 作…的代表。**b.** ＝**in behalf of.**

‡**be·have** [bɪˋhev] *v.i.* ①立身；舉動。②(機器等)開動；工作。③舉止適當或有禮貌。— *v.t.* 檢點；守規矩。*B-yourself!* 放規矩一點！

be·hav·ior,** 〖英〗**-iour** [bɪˋhevjɚ] *n.* Ⓤ ①行爲；品行。②儀態；態度。③(機器等之)活動狀態；(藥品等之)作用或功效。be on one's good*** [***best***]***～*** 行爲檢點。***put a person on his best ～*** 勸誡某人使其有良好的行爲。

be·hav·io(u)r·al [bɪˋhevjərəl] *adj.* 行爲的；與行爲有關的。§ **～ scí·ence** 行爲科學。

be·hav·io(u)r·ism [bɪˋhevjɚˌɪzəm] *n.* Ⓤ〖心〗行爲主義；行爲學派。— **be·havʹio(u)r·ist,** *n.*

be·head [bɪˋhɛd] *v.t.* 殺頭。

be·held [bɪˋhɛld] *v.* pt. & pp. of **behold.**

be·he·moth [bɪˋhiməθ] *n.* ①Ⓤ(常 B-)〖聖經〗巨獸。②Ⓒ〖美俗〗巨大或有力之人、獸、物等。

be·hest [bɪˋhɛst] *n.* Ⓒ吩咐；命令。

‡**be·hind** [bɪˋhaɪnd] *prep.* ①在後。②隱藏在後。③較遲於；晚於。④支持。⑤落後；不如。⑥留於身後。⑦在…的較遠的一邊。**～ *time*** 過時；逾期。— *adv.* ①在後。②落後。③保存著。④遲。⑤拖欠。***come up from ～*** 迎頭趕上。— *adj.* 在後的。— *n.* Ⓒ〖俗〗臀部。

be·hind·hand [bɪˋhaɪndˌhænd] *adv.* & *adj.* ①遲延(的)。②落後(的)。③拖欠(的)；欠債(的)。

be·hind-the-scenes [bɪˋhaɪndðəˋsinz] *adj.* ①幕後的。②祕密的。

be·hold [bɪˋhold] *v.t.* (**be·held**)①看。②將…視爲。— *interj.* 注視(祈請)；看呀。

be·hold·en [bɪˋholdən] *adj.* ①蒙恩的；銘感的。②依賴的〔常 to〕。

be·hoof [bɪˋhuf] *n.* Ⓒ (*pl.* **-hooves**) 利益。**in**[***for, to***]***one's ～*** 爲某人之故。

be·hoove [bɪˋhuv], 〖英〗 **-hove** [-ˋhov] *v.t.* ①理應；必需。②有必要。

beige [beʒ] *n.* Ⓤ ①本色毛呢；嗶嘰。②灰棕色。— *adj.* 灰棕色的。

Bei·jing [ˋbeˋdʒɪŋ] *n.* 北京(＝Peking).

be-in [ˋbiˌɪn] *n.* Ⓒ 在公共場所非正式的聚會。

‡**be·ing** [ˋbiɪŋ] *n.* ① Ⓤ 生命；存在；生存。②Ⓤ稟性；體質。③(B-)神。④Ⓒ人。human **～s** 人類。⑤ Ⓤ 本質。— *adj.* 現在。All is well, for the time ～. 目前一切都好。— *v.* ppr. of **be.**

Bei·rut [ˋberut, beˋrut] *n.* 貝魯特(黎巴嫩之首都)。

be·jew·eled [bɪˋdʒuəld] *adj.* ①被飾以珠寶的。a ～ blonde 一位妝飾得珠光寶氣的金髮女郎。②被[以…]裝飾的；被[以…]點綴的〔with〕. the sky ～ with stars 星星點綴著的天空。

bel [bɛl] *n.* Ⓒ〖理〗貝耳(音量比率單位)。

Bel. Belgian; Belgium.

be·la·bor, 〖英〗**-bour** [bɪˋlebɚ] *v.t.* ①〖古〗重打。②不斷地辱罵。③冗長地討論或分析。

be·lat·ed [bɪˋletɪd] *adj.* ①誤期的；太遲的。②陳舊的；過時的。

be·laud [bɪˋlɔd] *v.t.* 激賞；大爲褒獎。

be·lay [bɪˋle] *v.t.* & *v.i.* ①〖海〗繫(繩)於栓上。②(祈使語)〖俗〗停！*B-*(there)！停！ § **～ing pìn** 〖海〗止索栓。

belch [bɛltʃ] *v.i.* & *v.t.* ①打噎。②噴出。— *n.* Ⓒ①打噎；噴。②噴出物。

bel·dam(e) [ˋbɛldəm] *n.* Ⓒ 老太婆；(尤指)醜老太婆。

be·lea·guer [bɪˋligɚ] *v.t.* 包圍；圍攻。

bel-es·prit [ˌbɛlɛsˋpri] 〖法〗*n.* Ⓒ

(*pl.* **beaux-es·prits** [ˌbozɛsˋpri])富有才智的人；才子。

Bel·fast [ˋbɛlfæst] *n.* 貝爾法斯特(北愛爾蘭首都，爲一海港)。

bel·fry [ˋbɛlfrɪ] *n.* Ⓒ鐘樓。

Belg. Belgian; Belgium.

Bel·gian [ˋbɛldʒən] *n.* Ⓒ比利時人。**—** *adj.* 比利時(人)的。

Bel·gium [ˋbɛldʒ(ɪ)əm] *n.* 比利時(西歐一國，首都 Brussels)。

Bel·grade [ˋbɛlgred] *n.* 貝爾格勒(南斯拉夫首都)。

Bel·gra·vi·a [bɛlˋgrevɪə] *n.* 貝爾葛蕾維亞(倫敦海德公園附近之一高級住宅區)。

be·lie [bɪˋlaɪ] *v.t.* (**-lied, -ly·ing**)①掩飾；使人誤會。②辜負。

‡**be·lief** [bɪˋlif] *n.* Ⓤ①相信；信以爲眞。②信念。③宗教信仰。***beyond*** **～** 難以置信。***easy*** [***hard***] ***of*** **～** 令人易信[難信]的。***to the best of my*** **～** 我深信；我確信。

‡**be·lieve** [bɪˋliv] *v.t.* ①相信；接受其說。②信任。③以爲。**—** *v.i.* ①信以爲眞。②信仰。③以爲。**～** ***in*** **a.**確信。**b.**信任。**～** ***me*** 眞的；不騙你。***make*** **～** 假裝。—**be·liev′a·ble,** *adj.*

be·liev·er [bɪˋlivɚ] *n.* Ⓒ信者；信徒。

be·liev·ing [bɪˋlivɪŋ] *n.* Ⓤ 相信。**—** *adj.* 有信仰的；相信的。

Be·lí·sha béacon [bəˋliʃə ～] *n.* Ⓒ橫越路線指示標(又單稱 Belisha 或 beacon)。

be·lit·tle [bɪˋlɪtḷ] *v.t.* ①輕視；貶。②使…顯得微小。

Be·lize [bɛˋliz] *n.* 貝里斯(中美洲的一個國家，首都 Belmopan)。

‡**bell** [bɛl] *n.* Ⓒ①鐘；鈴。②鐘聲。③(常 *pl.*)輪船上報時的鐘。***bear*** [***ring, carry away***] ***the*** **～** 獲得獎品。(***as***) ***sound*** [***clear***] ***as a*** **～** 很健康[清楚]。***There is the*** **～.** 門鈴響了[客人來了]。**—** *v.t.* ①繫鈴於；置鐘於。②鳴鐘召(人)。**—** *v.i.* 變成鐘形。**～** ***the cat*** 做極危險的事。§ **～ bùoy** 帶有鈴的浮標。**～ fôunder** 鑄鐘者。**～ glàss** [**jàr**]鐘形的玻璃罩或容器。**～ mètal** 鐘銅(用以鑄鐘的銅與錫的合金)。**～s and whístles** (1)裝飾物；虛飾物。(2)豪華的最新技術設施。**～ tòwer**(教堂的)鐘樓；鐘塔。

bell-bot·tom [ˋbɛlˌbɑtəm] *adj.* 褲管成鐘形的。**—** *n.* (*pl.*) 喇叭褲。

bell-bot·tomed [ˋbɛlˌbɑtəmd] *adj.* 喇叭褲(管)的。

bell·boy [ˋbɛlˌbɔɪ] *n.* Ⓒ旅館侍者。

belle [bɛl] *n.* Ⓒ美女；美婦。

belles-let·tres [bɛlˋlɛtrə] 〖法〗*n.* Ⓤ純文學；純文藝。—**bel·let′rist,** *n.*

bel·let·rism [ˌbɛlˋlɛtrɪzəm] *n.* Ⓤ純文學至上主義。

bell·flow·er [ˋbɛlˌflauɚ] *n.* Ⓒ吊鐘花；風鈴草。

bell·hop [ˋbɛlˌhɑp] *n.* 〖美俚〗=bellboy.

bel·li·cose [ˋbɛləˌkos] *adj.* 好戰的；喜打鬥的；好爭吵的。a ～ nation 好戰的國家。—**bel·li·cos′i·ty,** *n.*

bel·lig·er·ent [bəˋlɪdʒərənt] *adj.* ①好戰的。②交戰的。**—** *n.* Ⓒ交戰國；交戰者。—**bel·lig′er·ence,** *n.*

bell·man [ˋbɛlmən] *n.* Ⓒ (*pl.* **-men**) ①鳴鐘者。②更夫。

bel·low [ˋbɛlo] *v.i.* ①(牛、象等)吼叫。②怒吼；咆哮。**—** *v.t.* 吼叫〔out, forth〕。**—** *n.* Ⓒ①(牛、象等的)吼聲。②(人的)吼叫。

bel·lows [ˋbɛloz] *n.* Ⓒ (*pl.* ～)①風箱。②肺。

bell·pull [ˋbɛlˌpul] *n.* Ⓒ (鐘、鈴等之)拉索；鐘繩；鈴扣。

bell·push [ˋbɛlˌpuʃ] *n.* Ⓒ (電鈴的)按鈕。

bell·weth·er [ˋbɛlˌwɛðɚ] *n.* Ⓒ①繫鈴之雄羊。②首領。

***bel·ly** [ˋbɛlɪ] *n.* Ⓒ①腹(部)；胃。②任何東西的內部或鼓出的部分。③食慾。**—** *v.t. & v.i.* (使)鼓脹。§ **～ dànce** 肚皮舞。**～ dàncer** 肚皮舞孃。**～ flòp** 〖俗〗腹部平擊水面的跳水法。**～ lànding** 機腹觸地的著陸。**～ láugh** 〖俗〗捧腹大笑。

bel·ly·ache [ˋbɛlɪˌek] *n.* ①ⓊⒸ腹痛。②Ⓒ〖俚〗抱怨；牢騷。**—** *v.i.* 〖俗〗抱怨；發牢騷。

bel·ly·band [ˋbɛlɪˌbænd] *n.* Ⓒ①(馬之)腹帶。②肚兜。

bel·ly·but·ton [ˋbɛlɪˌbʌtṇ] *n.* Ⓒ〖俗〗肚臍。

bel·ly·ful [ˋbɛlɪˌful] *n.* Ⓒ①滿腹之量。②(常 *sing.*)〖俚〗充分；十足。

bel·ly·land [ˋbɛlɪˌlænd] *v.t.* (駕駛員)使(飛機)作機腹著陸。

bel·ly-up [ˋbɛlɪˋʌp] *adj.* 〖俚〗死去的；破產的；倒閉的。

Bél·mont Stákes [ˋbɛlmɑnt ～] *n. pl.* (the ～, 作 *sing.* 解)貝爾蒙特賽馬(美國三大賽馬之一)。

‡**be·long** [bəˋlɔŋ] *v.i.* ①屬於(指關係或所屬)。②屬於(指主權)。③屬於(指配合)。④屬於(指社交地位)。⑤適合；對…合適或有用。

be·long·ings [bəˋlɔŋɪŋz] *n. pl.* ①所有物；財產。②親戚。③附屬物。

***be·lov·ed** [bɪˋlʌv(ɪ)d] *adj.* 所愛的。**—** *n.* (常 one's ～)所愛的人。

‡**be·low** [bəˋlo] *prep.* ①在…以下；不及。②不值得。③在…的下游。**—** *adv. & adj.* ①在下面。②在世上。③在地獄中。④在頁末；在下文。⑤在零下(指溫度)。***down*** **～** 在下面。

‡**belt** [bɛlt] *n.* Ⓒ①帶；帶狀物。②地帶。③連在機輪上的帶。***hit*** [***strike***] ***below the*** **～** 暗中傷人；作不公平的攻擊。***tighten one's*** **～** 儉省[束緊褲帶]。***under one's*** **～ a.** 在腹中；在肚裏。**b.** 爲某人之所有；在某人之手中。**—** *v.t.* ①圍繞以帶。②用帶繫上。③用帶打人。§ **～ lìne**(繞行城市的)環狀路線。

belt·ed [ˋbɛltɪd] *adj.* ①束帶的；佩戴帶的。②有條紋的。

belt·ing [ˋbɛltɪŋ] *n.* Ⓤ①帶類。②製帶用之材料。

belt-tight·en [ˋbɛltˌtaɪtṇ] *v.i.* 採取緊縮政策。

belt-tight·en·ing [ˋbɛltˌtaɪtṇɪŋ] *n.* Ⓤ強制性的節約。**—** *adj.* 節約的；節省開支的。

belt·way [ˋbɛlt͵we] *n.* Ⓒ〖美〗(都市周圍的)環狀公路(=〖英〗ring road).
be·moan [bɪˋmon] *v.t. & v.i.* 慟哭; 嘆息; 惋惜。
be·muse [bɪˋmjuz] *v.t.* 使困惑; 使獃。
‡bench [bɛntʃ] *n.* ①Ⓒ長凳; 長椅。②Ⓒ工作臺。③Ⓤ法官(的職位)。④Ⓤ法院。⑤Ⓒ一塊高起來而平坦的地。***on the ~* a.** 在法院坐在法官的席位。**b.** 和預備球員坐在一起。**—** *v.t.* ①供給長凳。②給予座位或職位。③使(運動員)離場。§ **~ dòg**(畜犬比賽時)展覽的狗。**~ jòckey** (1)〖棒球〗在場邊喧鬧以擾亂對方球員或裁判的隊員。(2)從旁搗亂或嚴厲批評的人。**~ màrk** (1)〖測量〗水準基標(在已知標高處所做的基本水準標記, 略作B.M.). (2)基準。**~ shòw** 畜犬展覽。**~ wàrmer** 〖棒球〗候補球員。**~ wàrrant** 〖法律〗法院拘票。
bench·er [ˋbɛntʃɚ] *n.* Ⓒ①英國四法學協會資深會員。②英國下議院議員。③槳手。
‡bend [bɛnd] *v.t.* (**bent**)①彎; 屈; 使曲。②使屈從。③致力; 專心。④轉向。⑤固定; 縛結。**—** *v.i.* ①彎曲; 轉。②屈身; 屈向。③屈服; 順從。④彎。⑤專心。***be bent on*** 決心。**—** *n.* Ⓒ①彎曲; 轉彎。②彎身; 鞠躬。③一種繩結。④紋章上之對角線。***the ~s*** 〖美俗〗潛水夫病。§ **~ sínister** 〖紋章〗(盾牌徽章上的)左對角斜線(從左上角到右下方, 表示庶出)。
bend·ed [ˋbɛndɪd] *v.* 〖古〗pt. & pp. of **bend.** **—** *adj.* 彎曲的。***on ~ knee(s)*** 跪著; 哀求著。
bend·er [ˋbɛndɚ] *n.* Ⓒ①佝僂之人。②用以彎曲他物之物。③〖美俚〗宴飲。④〖棒球〗曲球。⑤〖英俚〗六辨士錢幣。
‡be·neath [bɪˋniθ] *adv.* 在下(方)。**—** *prep.* ①在…下。②不足取; 不值得。His conduct is ~ contempt. 他的行爲極可鄙。③品級次於; 低於。④在…之壓力下或影響下。
Ben·e·dick [ˋbɛnə͵dɪk] *n.* ①班奈狄克(莎士比亞 *Much Ado About Nothing* 劇中之一獨身男子)。②(b-) Ⓒ新婚男子(=benedict).
Ben·e·dic·tine [͵bɛnəˋdɪktɪn] *n.* ①Ⓒ Saint Benedict 教團之僧侶。②(b-) Ⓤ該教團僧侶所釀之一種甜酒。
ben·e·dic·tion [͵bɛnəˋdɪkʃən] *n.* ⓊⒸ①祝福。②祝禱(尤指禮拜結束時所作者)。③(B-)〖天主教〗祝福儀式。
ben·e·fac·tion [͵bɛnəˋfækʃən] *n.* Ⓤ恩惠; 施惠; 捐助。
ben·e·fac·tor [ˋbɛnə͵fæktɚ] *n.* Ⓒ施主; 恩人。
ben·e·fac·tress [ˋbɛnə͵fæktrɪs] *n.* Ⓒ女施主; 女恩人。
ben·e·fice [ˋbɛnəfɪs] *n.* Ⓒ①聖職。②聖俸。
be·nef·i·cent [bəˋnɛfəsn̩t] *adj.* 仁慈的; 慈善的。—**ly,** *adv.* —**be·nef′i·cence,** *n.*
ben·e·fi·cial [͵bɛnəˋfɪʃəl] *adj.* 有益的; 有利的。
ben·e·fi·ci·ar·y [͵bɛnəˋfɪʃɪ͵ɛrɪ] *n.* Ⓒ①受益人; 受惠者(尤指承受遺產者)。②享受保險賠償者; 信託受益人。

ben·e·fit** [ˋbɛnəfɪt] *n.* ⓊⒸ①利益; 裨益。②恩惠。③善舉; 救濟金。~ of clergy*** 僧侶的特典(指僧侶犯罪不受普通法庭審訊之特典)。***give the ~ of the doubt*** 在未證實前先假定其爲眞或無罪。**—** *v.t.* 裨益; 有益於。**—** *v.i.* 獲益。§ **~ society[association]**〖保險〗互助會。

***be·nev·o·lent** [bəˋnɛvələnt] *adj.* 慈善的。—**be·nev′o·lence,** *n.*
Ben·gal [bɛnˋgɔl] *n.* 孟加拉(分屬印度和孟加拉共和國)。
Ben·ga·lese [͵bɛŋgəˋliz] *adj.* 孟加拉(人, 語)的。**—** *n.* Ⓒ (*pl.* ~) 孟加拉人。
Ben·ga·li [bɛnˋgɔlɪ] *n.* ①Ⓒ孟加拉人。②Ⓤ孟加拉語。**—** *adj.* 孟加拉(人, 語)的。
be·night·ed [bɪˋnaɪtɪd] *adj.* ①趕路到天黑的。②愚昧的。
be·nign [bɪˋnaɪn] *adj.* ①親切的。②良好的; 有益的。③(病等)良性的。—**be·nig·ni·ty** [bɪˋnɪgnətɪ], *n.*
be·nig·nant [bɪˋnɪgnənt] *adj.* ①仁慈的; 親切的。②有利的; 有益的。—**ly,** *adv.* —**be·nig′nan·cy,** *n.*
Be·nin [bəˋnɪn] *n.* 貝南(非洲幾內亞灣沿岸之一共和國)。
ben·i·son [ˋbɛnəzn̩] *n.* ⓊⒸ祝福; 幸福。
‡bent[1] [bɛnt] *v.* pt. & pp. of **bend.** **—** *adj.* ①彎曲的。②決心的; 熱心的; 傾心的。He is ~ on becoming a sailor. 他決心做水手。**—** *n.* Ⓒ嗜好; 志向; 傾向。***to[at] the top of one's ~*** 到忍耐力的極限。
bent[2] *n.* ⓊⒸ①草梗; 枯莖。②硬草; 雜草。
Ben·tham [ˋbɛnθəm] *n.* 邊沁(Jeremy, 1748-1832, 英國法學家及哲學家)。
Ben·tham·ism [ˋbɛnθəmɪzm̩] *n.* Ⓤ 邊沁學說; 功利主義。—**Ben′tham·ite** [-͵aɪt], *n.*
ben·thos [ˋbɛnθɑs] *n.* Ⓒ〖生物〗海底的動植物。
ben·to [ˋbɛnto]〖日〗*n.* Ⓒ (*pl.* ~**s**)木盒便當; 日本餐食。
be·numb [bɪˋnʌm] *v.t.* 使麻木; 使無感覺。
ben·zene [ˋbɛnzin] *n.* Ⓤ〖化〗苯。
ben·zine [ˋbɛnzin] *n.* Ⓤ〖化〗輕油精; 石油精。
ben·zol [ˋbɛnzol] *n.* Ⓤ〖化〗苯; 安息油(=benzene).
Be·o·wulf [ˋbeə͵wʊlf] *n.* ①盎格魯撒克遜時代之一史詩。②貝奧武夫(該史詩中之主人翁)。
be·queath [bɪˋkwið] *v.t.* ①遺贈; 遺留。②傳與。—**al,** *n.*
be·quest [bɪˋkwɛst] *n.* ①Ⓤ遺贈; 遺傳。②Ⓒ遺產。
be·rate [bɪˋret] *v.t.* 痛罵; 嚴責。
ber·ceuse [bɛrˋsøːz]〖法〗*n.* Ⓒ搖籃曲。
be·reave [bəˋriv] *v.t.* (~**d** or **be·reft**)①剝奪。②喪失親屬。—**ment,** *n.*
be·reaved [bəˋrivd] *v.* pt. & pp. of **bereave.** **—** *adj.* 喪失親屬的。
be·reft [bəˋrɛft] *v.* pt. & pp. of **bereave.** **—** *adj.* 被剝奪的。
be·ret [bəˋre, ˋbɛrɪt] *n.* Ⓒ貝雷帽(扁圓柔軟羊毛小帽)。
berg [bɝg] *n.* Ⓒ冰山(=iceberg).

Berg·son [ˋbɜgsn̩] *n.* 柏格森(Henri, 1859-1941, 法國哲學家)。
Berg·so·ni·an [ˏbɜgˋsonɪən] *adj.* 柏格森(哲學)的。── *n.* Ⓒ 柏格森哲學的學者。
ber·i·ber·i [ˋbɛrɪˋbɛrɪ] *n.* Ⓤ〖醫〗「腳氣病。
Bér·ing Séa [ˋbɪrɪŋ ～] *n.* (the ～)白令海。
Béring Stráit *n.* (the ～)白令海「峽。
Berke·ley [ˋbɜklɪ] *n.* 柏克萊(美國 California 西部的一個城市)。
***Ber·lin** [ˋbɜlɪn, bɜˋlɪn] *n.* 柏林。
Ber·lin·er [bɜˋlɪnɚ] *n.* Ⓒ 柏林市民。
berm(e) [bɜm] *n.* Ⓒ 崖徑；城牆與外壕間之狹路。
Ber·mu·da [bɚˋmjudə] *n.* 百慕達群「島(位於大西洋中)。
Bern(e) [bɜn] *n.* 伯恩(瑞士首都)。
***ber·ry** [ˋbɛrɪ] *n.* Ⓒ ①漿果(如草莓)。②(蟹、蝦等的)卵。── *v.i.* ①結漿果。②採漿果。
ber·serk [ˋbɜsɜk] *adj.* & *adv.* 發狂「的[地]。
berth [bɜθ] *n.* Ⓒ ①火車的臥舖；輪船中的艙位。②停泊的地方；可以有餘地使船迴轉的停泊處。③〖英俗〗差事；缺；職位。***give a wide ～ to*** 避開；遠避。── *v.t.* & *v.i.* ①停泊。②供給臥舖或艙位。
ber·yl [ˋbɛrəl] *n.* ① Ⓤ Ⓒ 綠寶石。「② Ⓤ 淺藍色。
be·ryl·li·um [bəˋrɪlɪəm] *n.* Ⓤ〖化〗鈹。
be·seech [bɪˋsitʃ] *v.t.* (**-sought** or 「**～ed**)懇求；哀求。
be·seech·ing [bɪˋsitʃɪŋ] *adj.* 懇求(般)的；哀求(似)的。－**ly,** *adv.*
be·seem [bɪˋsim] *v.t.* 適合於。
be·set [bɪˋsɛt] *v.t.* (**-set, -set·ting**) ①包圍。②圍攻。③鑲嵌。
be·set·ting [bɪˋsɛtɪŋ] *adj.* 包圍的；使不斷苦惱的；糾纏的。a ～ temptation [sin] 不易抗拒的誘惑[易犯的罪]。
be·shrew [bɪˋʃru] *v.t.*〖古〗咒詛。*B- me!* 天亡我！我該死！
‡**be·side** [bɪˋsaɪd] *prep.* ①在旁；在…邊。②於…以外。③和…比較。④離開；超出…以外。This is ～ the question. 這離開了本題。⑤與…同等。***～ oneself*** 發狂；忘形。
‡**be·sides** [bɪˋsaɪdz] *adv.* ①並且；又。②外加；更；於…之外。③其他。── *prep.* ①於…之外。②除卻；除…以外。
be·siege [bɪˋsidʒ] *v.t.* ①圍攻；圍。②困惱；包圍。－**ment,** *n.*
be·slav·er [bɪˋslævɚ] *v.t.* ①以口涎污濕。②諂媚。(亦作 **beslobber**)
be·smear [bɪˋsmɪr] *v.t.* 搽；塗抹。
be·smirch [bɪˋsmɜtʃ] *v.t.* ①玷污。②糟蹋(名譽等)。
be·som [ˋbizəm] *n.* Ⓒ 帚。
be·sot [bɪˋsɑt] *v.t.* (**-tt-**) 使糊塗。
be·sot·ted [bɪˋsɑtɪd] *adj.* ①昏愚的。②沉溺酒色的。
be·sought [bɪˋsɔt] *v.* pt. & pp. of 「**beseech.**
be·spat·ter [bɪˋspætɚ] *v.t.* ①玷污；濺污。②詆毀。
be·speak [bɪˋspik] *v.t.* (**-spoke, -spo·ken** or **-spoke**) ①〖英〗預約；預定。②表示；顯示。
be·spec·ta·cled [bɪˋspɛktəkl̩d] *adj.* 戴眼鏡的。
be·spoke [bɪˋspok] *v.* pt. & pp. of **bespeak.** ── *adj.*〖英〗預定的；定製的。
be·sprin·kle [bɪˋsprɪŋkl̩] *v.t.* ①灑布。②遍布。
Bés·se·mer pròcess [ˋbɛsəmɚ ～] *n.* (the ～)〖冶金〗柏賽麥氏煉鋼法。
‡**best** [bɛst] *adj.* superl. of **good.** ①最佳的；最好的。②最大的；最多的；大半。③最有用[利]的。***put one's ～ foot [leg] foremost [forward]*** 表現最佳的一面。── *adv.* superl. of **well.** ①最好地。②最；極。***as ～ one can*** 竭力；盡力。***had ～*** 最好。── *n.* ①(the ～)最好的部分；佼佼者。②(one's ～, the ～)極力。***at ～*** 充其量。***at one's ～*** 最佳狀況；巔峰狀態。***(all) for the ～*** **a.** 出於好意。**b.** 終會變得有利。***get [have] the ～ of*** 勝利。***in one's Sunday ～***〖英俗〗穿著最好的衣服。***make the ～ of*** 善用。***make the ～ of one's way*** 以最快的速度走。***to the ～ of one's belief*** 某人深信。***to the ～ of one's knowledge*** 就…所知。***to the ～ of one's power [ability]*** 盡…之力量[能力]。***with the ～*** 不下於他人。── *v.t.* 擊敗。── *aux. v.* 最好(＝had best)。§**～ mán** 男儐相。**～ séller**〖美〗暢銷書或唱片等；暢銷書[唱片]的作者。
bes·tial [ˋbɛstʃəl] *adj.* ①(似)野獸的。②獸性的。③野蠻的。－**bes·ti·al·i·ty,** [ˏbɛstʃɪˋælətɪ], *n.*
be·stir [bɪˋstɜ] *v.t.* (**-rr-**)使發奮；鼓舞；鼓勵。
***best-known** [ˋbɛstˋnon] *adj.* 最出「名的。
***be·stow** [bɪˋsto] *v.t.* ①贈；給予[on]。②用；利用。－**al,** *n.*
be·strew [bɪˋstru] *v.t.* (**～ed, ～ed** or **-strewn**)撒布；布滿。
be·stride [bɪˋstraɪd] *v.t.* (**-strode** or **-strid, -strid·den** or **-strid**)跨坐；跨過。
best-sell·er [ˋbɛstˋsɛlɚ] *adj.* 暢銷書[唱片]的。hit the ～ list 被列入暢銷書等目錄中。
best-sell·ing [ˋbɛstˋsɛlɪŋ] *adj.* 暢「銷的。
bet** [bɛt] *v.t.* (**bet** or **bet·ted, bet·ting**) ①打賭。②敢說；相信。I ～ he'll be late. 我敢說他一定會遲到。── *v.i.* 打賭。～ a person on*** 與人打…的賭。***You ～!***〖俗〗當然！真的！── *n.* Ⓒ ①打賭。②賭注；賭金。
be·ta [ˋbetə, ˋbitə] *n.* ① Ⓤ Ⓒ 希臘字母之第二字母(B, *β*)。② Ⓒ 一系列中之第二個。§**～ ràу**〖化〗*β* 射線。
be·take [bɪˋtek] *v.t.* (**-took, -tak·en**) ①去。～ oneself to town 進城。②致力於。～ oneself to hard study 用功讀書。***～ oneself to one's heels*** 逃走。
be·ta·tron [ˋbitəˏtrɑn] *n.* Ⓒ〖理〗電「子迴旋加速器。
be·tel [ˋbitl̩] *n.* Ⓤ〖植〗蒟醬。§**～ nùt** 檳榔。**～ pàlm** 檳榔樹。
bête noire [ˋbetˋnwɑr]〖法〗*n.* Ⓒ (*pl.* **bêtes noires** [～])可怕[討厭]的東西[人](＝bugbear)。
be·think [bɪˋθɪŋk] *v.t.* (**-thought**)

想；考慮。

Beth·le·hem [ˋbɛθlɪəm] *n.* 伯利恒(耶路撒冷一市鎮，爲耶穌之降生地)。

be·thought [bɪˋθɔt] *v.* pt. & pp. of **bethink.**

be·tide [bɪˋtaɪd] *v.t.* ①降臨。②預示。━ *v.i.* 發生。

be·times [bɪˋtaɪmz] *adv.* 早；及時。

be·to·ken [bɪˋtokən] *v.t.* ①指示；表示。②預示。

be·took [bɪˋtʊk] *v.* pt. of **betake.**

***be·tray** [bɪˋtre] *v.t.* ①出賣。②不忠於；辜負。③暴露；顯示。─ **al,** ─ **er,** *n.*

be·troth [bɪˋtrɔθ] *v.t.* 許配。

be·troth·al [bɪˋtrɔθəl] *n.* ⓊⒸ 婚約；許配；訂婚(禮)。

be·trothed [bɪˋtrɔθt] *n.* (one's ～) 未婚夫；未婚妻。━ *adj.* 已訂婚的。

‡**bet·ter**[1] [ˋbɛtɚ] *adj.* comp. of **good.** ①更好的；較優的。②(健康)較佳的。③較多的；較大的。the ～ part of a lifetime 一生中的大部分。***be ～ than one's word*** 行過其言。***no ～ than*** 簡直是。***no ～ than one should be*** 行爲不檢的；淫蕩的。***one's ～ feelings*** 本心；良心。***one's ～ self*** 良知。━ *adv.* comp. of **well.** ①更好地。②更多地。***～ off*** **a.** 景況更佳。**b.** 更快樂；更幸運。***go*** (***someone***) ***one ～*** 勝過。***had ～*** 最好。You ***had ～*** go now. 你最好現在就走。***think ～ of*** 熟思；再考慮。━ *n.*①(*sing.*)較好的東西或情形。②(*pl.*)長輩；勝於己者。***be the ～ for*** 因…反而更好。***for ～ or*** (***for***) ***worse*** 不論是好是壞。***for the ～*** 轉好。His health changed ***for the ～.*** 他的健康情形業已好轉。***get*** [***have***] ***the ～ of*** 勝於；超過。***so much the ～*** 那樣更好。***think the ～ of*** 對…更加尊敬。━ *v.t.* ①使進步；改良。②勝於。***～ oneself*** 獲得更佳職位；擢陞。━ *v.i.* 進步；有改善。§ ～ **hàlf** 〖俚〗(某人的)夫或妻。

bet·ter[2] *n.* Ⓒ 打賭者；賭博者。

bet·ter·ment [ˋbɛtɚmənt] *n.* Ⓤ 改良；改進。

bet·ting [ˋbɛtɪŋ] *n.* Ⓤ 打賭。

bet·tor [ˋbɛtɚ] *n.*＝**better**[2]**.**

‡**be·tween** [bəˋtwin] *prep.* ①在(兩者)之間(指時間或位置)。②…與…間的(指關係)。③在…的中間(指數量或性質)。④在…的某一方(指區別或選擇)。***～*** (***the***) ***cup and*** (***the***) ***lip*** 在緊要關頭；功敗垂成。***～ ourselves; ～ you and me; ～ you, me, and the post*** (這是)我們之間的祕密。***～ the lines*** 暗示；言外之意。━ *adv.* 在其間。***in ～*** **a.** 在中間。**b.** 擋路。

be·twixt [bəˋtwɪkst] *adv.* & *prep.* 〖古〗＝**between.** ***～ and between*** 在中間；既非此亦非彼；模稜兩可。

bev·a·tron [ˋbɛvə͵trɑn] *n.* Ⓒ〖理〗高能質子同步穩相加速器。

bev·el [ˋbɛvḷ] *n.* Ⓒ ①(亦作 **bevel square**)斜角規。②斜面；傾斜；斜角。━ *v.t.* & *v.i.* (**-l-,** 〖英〗**-ll-**)切成斜角。━ *adj.* 成斜角的；傾斜的。§ ～ **gèar** 斜齒輪。

***bev·er·age** [ˋbɛvrɪdʒ] *n.* Ⓒ 飲料。

Bév·er·ly Hílls [ˋbɛvɚlɪ ～] *n.* 比佛利山(美國洛杉磯附近的城市，著名影星住宅區)。

bev·y [ˋbɛvɪ] *n.* Ⓒ (年輕婦女、小鳥等的)群。

be·wail [bɪˋwel] *v.t.* & *v.i.* 悲傷。

be·ware [bɪˋwɛr] *v.i.* & *v.t.* 當心；小心。*B-* of fire. 當心火燭。

***be·wil·der** [bɪˋwɪldɚ] *v.t.* 使迷惑；使昏亂。─ **ment,** *n.*

be·wil·der·ing [bɪˋwɪldərɪŋ] *adj.* 爲難的；不知所措的。─ **ly,** *adv.*

be·witch [bɪˋwɪtʃ] *v.t.* ①施魔術於。②令人陶醉。─ **ment,** *n.* ─ **ing,** *adj.*

‡**be·yond** [bɪˋjɑnd] *prep.* ①越過；在…的那邊。②超過；晚於。③爲…所不能及；出乎…之外。④高於；超出。⑤較…更遠。⑥除…以外。***～ compare*** 無法比較(非常好)。***go ～ oneself*** 忘形；失態。***live ～ one's income*** [***means***] 入不敷出；揮霍無度。━ *adv.* 遠離；在遠處。***the life ～*** 來生；再世。━ *n.* (the ～)①未來。②遠方。***the*** (***great***) ***～*** **a.** 遠處。**b.** 來世。

Bey·routh [beˋrut] 〖法〗*n.*＝**Beirut.**

bez·ant [ˋbɛzṇt] *n.* Ⓒ ①(中世紀)拜占庭(Byzantine)帝國所發行的金幣。②(羅馬式建築中的)列圓飾。

bez·el [ˋbɛzḷ] *n.* Ⓒ ①鑿之刃角。②寶石之斜面。③(戒指)嵌寶石之座盤；(錶面)嵌鑲玻璃之槽。

be·zique [bəˋzik] *n.* Ⓤ 一種紙牌戲。

bf, b.f. 〖印刷〗boldface.

B-girl [ˋbi͵gɝl] *n.* Ⓒ 酒吧女郎；酒家女。

BGM Background Music.

B.H. bill of health.

bhang [bæŋ] *n.* Ⓤ 印度大麻。

BHC benzene hexachloride. 殺蟲劑。

b.h.p. brake horsepower. 制動馬力。

Bhu·tan [buˋtɑn] *n.* 不丹(印度東北之獨立王國，首都 Thimphu)。

Bhu·tan·ese [͵butəˋniz] *n.*① Ⓒ 不丹人。② Ⓤ 不丹語。━ *adj.* 不丹(人，語)的。

bi [baɪ] *adj.*＝**bisexual.**

bi- 〖字首〗表「雙；二」之義。

bi·an·nu·al [baɪˋænjuəl] *adj.* 一年二次的。

bi·as** [ˋbaɪəs] *n.* ⓊⒸ ①斜線。②〖保齡球〗使球斜進之力。③偏見。on the ～*** 斜斜地。━ *adj.* & *adv.* 傾斜的[地]；對角的[地]。━ *v.t.* (**-s-,** 〖英〗**-ss-**)使偏袒；使存偏見。§ ～ **bìnding** 斜裁布條。

bi·as(s)ed [ˋbaɪəst] *adj.* 存有偏見的。

bi·ath·lon [baɪˋæθlɑn] *n.* Ⓤ 〖滑雪〗越野射擊(包括滑雪和射擊兩項競賽)。

bi·ax·i·al [baɪˋæksɪəl] *adj.* 二軸的。

bib [bɪb] *n.* Ⓒ ①圍裙或工作服之上部。②(小孩用)圍兜；圍嘴。━ *v.t.* & *v.i.* (**-bb-**)飲；啜飲。

Bib. Bible; Biblical.

bib·cock [ˋbɪb͵kɑk] *n.* Ⓒ (嘴管下彎之)水龍頭。

bi·be·lot [ˋbɪblo] 〖法〗*n.* Ⓒ (櫃架上陳設之)小珍品。

Bibl., bibl. Biblical; bibliographical.

‡**Bi·ble** [ˋbaɪbḷ] *n.* ①(the ～)(基督教之)聖經。② Ⓒ 經典。③(b-) Ⓒ 公認爲

權威的書籍。§ ～ clàss(聖經)查經班。～ òath(手按聖經)莊嚴的宣誓。～ pàper 聖經紙。the ～ bèlt 聖經地帶(尤指美國南部 fundamentalism 信徒多的地方)。the ～ Socìety 聖經公會。—Bib·li·cal [ˋbɪblɪkl], *adj.*

biblio- 〖字首〗表「書; 聖經」之義。

bibliog. bibliographer; bibliographic; bibliography.

bib·li·og·ra·phy [ˏbɪblɪˋɑgrəfɪ] *n.* ①Ⓒ 參考書目; 參考文獻。②Ⓒ (某作者作品之)目錄。③Ⓤ 書籍學; 書誌學; 目錄學。—**bib·li·og′ra·pher,** *n.* —**bib·li·o·graph′ic(al),** *adj.*

bib·li·ol·o·gy [ˏbɪblɪˋɑlədʒɪ] *n.* Ⓤ①聖經學。②書誌學; 目錄學。

bib·li·o·ma·ni·a [ˏbɪblɪəˋmenɪə] *n.* Ⓤ 藏書狂。—**ni·ac**[-nɪˏæk], *n.* & *adj.*

bib·li·o·phile [ˋbɪblɪəˏfaɪl], **bib·li·o·phil** [-ˏfɪl] *n.* Ⓒ 藏書家。

bib·u·lous [ˋbɪbjələs] *adj.* ①耽於酒的。②吸取性的; 吸水的。

bi·cam·er·al [baɪˋkæmərəl] *adj.* 〖政〗兩院制的。

bi·carb [baɪˋkɑrb] *n.* Ⓤ〖俗〗小蘇打。

bi·car·bo·nate [baɪˋkɑrbənɪt] *n.* Ⓤ〖化〗重碳酸鹽。～ of soda 小蘇打; 碳酸氫鈉。

bi·cen·ten·ar·y [baɪˋsɛntəˏnɛrɪ] *adj.* & *n.* 〖英〗=**bicentennial.**

bi·cen·ten·ni·al [ˏbaɪsɛnˋtɛnɪəl] *adj.* ①存續二百年的。②每二百年發生一次的。—*n.* Ⓒ 二百周年紀念。

bi·ceps [ˋbaɪsɛps] *n.* ①Ⓒ〖解〗二頭肌(尤指上臂之雙頭肌)。②Ⓤ 臂力。

bi·chlo·rid [baɪˋklorɪd], **-ride** [-raɪd] *n.* Ⓤ〖化〗二氯化物。

bi·chro·mate [baɪˋkromɪt] *n.* Ⓒ〖化〗重鉻酸鹽。

bick·er [ˋbɪkə] *v.i.* ①爭吵; 爭論。②作潺潺聲。③閃爍; 顫動。—*n.* Ⓒ ①爭吵; 爭論。②潺潺聲。

bick·er·ing [ˋbɪkərɪŋ] *n.* Ⓤ 爭吵。

bi·con·cave [baɪˋkɑnkev] *adj.* 兩面凹的。

bi·con·vex [baɪˋkɑnvɛks] *adj.* 兩面凸的。

bi·cul·tur·al [baɪˋkʌltʃərəl] *adj.* 兩種不同文化混合的。—**ism,** *n.*

bi·cul·tur·al·ism [baɪˋkʌltʃərəˏlɪzm̩] *n.* Ⓤ 二元文化主義。

bi·cus·pid [ˋbaɪˋkʌspɪd] *adj.* 〖解〗雙尖的。—*n.* Ⓒ 雙尖牙; 前臼齒。

‡**bi·cy·cle** [ˋbaɪsɪkl] *n.* Ⓒ 腳踏車。—*v.i.* & *v.t.* 騎腳踏車。

bi·cy·clist [ˋbaɪˏsɪklɪst] *n.* Ⓒ 騎自行車者。

bid** [bɪd] *v.t.* (**bade** or **bad** or **bid, bid·den** or **bid, bid·ding**)①命令; 囑咐。②說; 致意。③出價。④(玩紙牌時)叫牌。⑤宣布。—*v.i.* ①出價; 投標。②尋求〔for〕。～ ***fair 似乎可能; 有機會。～ ***in*** 物主在拍賣場中出高價使自己得標。～ ***up*** 出更高叫價。—*n.* Ⓒ①出價。He made the highest ～ for this article. 這件東西他出價最高。②邀請。③叫牌。④嘗試。

b.i.d. 〖拉〗bis in die. 〖醫〗每日兩次。

***bid·den** [ˋbɪdn̩] *v.* pp. of **bid.**

bid·der [ˋbɪdə] *n.* Ⓒ ①出價人; 投標人。②命令者。③〖紙牌〗叫牌者; 開牌者。

bid·ding [ˋbɪdɪŋ] *n.* Ⓤ ①命令。②邀請。③(橋牌中之)叫牌。④出價。***at the ～ of*** 服從於。***do one's ～***服從某人。

bid·dy [ˋbɪdɪ] *n.* Ⓒ①小雞; 母雞。②〖美俗〗女傭。

bide [baɪd] *v.i.* & *v.t.* (**bode** or **bid·ed, bid·ed**)〖古, 方〗①居住。②繼續。③等待。～ ***one's time*** 等待良機。

bi·en·ni·al [baɪˋɛnɪəl] *adj.* ①二年一次的。②經歷或生長二年的。—*n.* Ⓒ①二年一次的事。②二年生的植物。

bier [bɪr] *n.* Ⓒ①棺架; 屍架。②棺材。

biff [bɪf] *v.t.* & *n.* Ⓒ〖美俚〗打; 擊。

bi·fo·cal [baɪˋfokl] *adj.* 有兩焦點的。—*n.* (*pl.*) 遠近兩用之眼鏡。

bi·fur·cate [ˋbaɪfəˏket, baɪˋfɝkɪt] *adj.* 分兩枝的; 成叉的。—[ˋbaɪfəˏket, baɪˋfɝket] *v.t.* & *v.i.* 成叉; 分爲兩枝。—**bi·fur·ca′tion,** *n.*

‡**big** [bɪg] *adj.* (-gg-)①大的。②已懷孕多時的。The woman is ～ with child. 那女人快生孩子了。③〖俗〗重要的; 偉大的。④誇大的。⑤充滿的。⑥寬大的。***too ～ for one's breeches*** [***pants, boots***] 顯示分外的自豪; 顯得自以爲是; 擺架子。—*adv.* 誇大。§ ～ bánd 人數眾多的爵士樂團。～ béat〖美俚〗搖滾樂。B～ Bén 英國倫敦國會大廈鐘樓上的大鐘。～ bùg [nòise, shòt, whéel]=bigwig. ～ bùsiness 大企業。～ chéese〖俚〗重要人物; 具有影響力的人。～ dèal (1)大生意。(2)〖美俚〗大事。(3)〖諷刺〗了不起! ～ ènd〖機〗大端(引擎連接桿的較粗的一端)。～ gáme (1)大的獵物。(2)大目標。～ gún〖俗〗大人物。～ idéa〖俚〗鬼主意; 目的。～ léague (1)〖運動〗美國二大職業棒球聯盟之一(=major league). (2)(類似美國二大職業棒球聯盟的)全國性活動或組織。～ móuth〖美俗〗大嘴巴; 多嘴的人。～ náme〖美〗知名人士; 聞人。～ tálk 大話; 吹牛。～ tíme〖俚〗(1)愉快的時光。(2)(尤指運動或娛樂界的)第一流。～ tóe 腳拇趾。～ tòp〖俗〗(1)馬戲團之主帳篷。(2)(the ～top)馬戲。～ trèe〖美〗〖植〗巨杉。**the B～ Àpple**〖美俚〗紐約市的綽號。**the ～ báng théory**〖天〗(宇宙起源的)大爆炸學說。**the B～ Dípper**〖美〗北斗七星。**the B～ Fíve** 世界五強(指第一次大戰後的美、英、法、義、日或指第二次大戰後的中、美、英、法、蘇)。**the ～ hòuse** (1)地方富豪的大邸宅。(2)〖美俚〗監獄; 感化院。**the ～ stíck**〖美〗(政治上或軍事上的)壓力。—**big′gish,** *adj.*

big·a·mist [ˋbɪgəmɪst] *n.* Ⓒ 重婚者。

big·a·mous [ˋbɪgəməs] *adj.* 重婚的。

big·a·my [ˋbɪgəmɪ] *n.* Ⓤ 重婚。

big-eyed [ˋbɪgˏaɪd] *adj.* ①有大眼睛的。②驚愕的; 吃驚的。

Big·foot [ˋbɪgˏfut] *n.* Ⓒ 傳說生存在美國和加拿大西北部的大腳長毛野人。

(亦作 Sasquatch)

big·head [ˋbɪɡ,hɛd] *n.* ①Ⓤ(動物的)大頭病。②Ⓤ自大。③Ⓒ自負者。

big·heart·ed [ˋbɪɡ,hɑrtɪd] *adj.* 親切的; 寬大的; 慷慨的。

big·horn [ˋbɪɡ,hɔrn] *n.* Ⓒ(*pl.* ~, ~s)(產於北美 Rocky 山脈中之)巨角野羊。

bight [baɪt] *n.* Ⓒ①海岸線之彎曲部分。②海灣。③彎曲。④繩圈。

big-lea·guer [ˋbɪɡˋliɡɚ] *n.* Ⓒ①〖運動〗major league 之一球員。②〖俗〗爲屬於 major league 之組織工作者。

big·mouthed [ˋbɪɡ,maʊðd] *adj.* 長舌的(人)。

big-name [ˋbɪɡˋnem] *adj.* ①有名的; 大名鼎鼎的。②包括知名人士的; 與知名人士有關的。

big·ot [ˋbɪɡət] *n.* Ⓒ①盲從一種主義或教條的人。②心地狹窄的人。③頑固者。

big·ot·ed [ˋbɪɡətɪd] *adj.*①固執己見的。②心地狹窄的。

big·ot·ry [ˋbɪɡətrɪ] *n.* Ⓤ持偏見之行爲或態度等。

big-time [ˋbɪɡˋtaɪm] *adj.* 〖美俚〗第一流的。

big-tim·er [ˋbɪɡˋtaɪmɚ] *n.* Ⓒ(在某行業或領域中)成名者。a television ~ 電視紅星。

big·wig [ˋbɪɡ,wɪɡ] *n.* Ⓒ〖俗〗權貴; 大亨。

bi·jou [ˋbiʒu] 〖法〗 *n.* Ⓒ (*pl.* ~x [~z])①珠寶。②小巧之珍物。— *adj.* 小巧玲瓏的。

***bike** [baɪk] 〖俗〗*n.* Ⓒ①脚踏車。②摩托車。— *v.t.* & *v.i.* ①騎脚踏車。②騎摩托車。

bike·way [ˋbaɪk,we] *n.* Ⓒ〖美〗自行車道。

Bi·ki·ni [bɪˋkinɪ] *n.*①比基尼(北太平洋中一珊瑚島, 1946 年原子彈試驗地)。②(b-) Ⓒ三點式女泳裝。

bi·la·bi·al [baɪˋlebɪəl] *adj.* ①〖植〗有兩唇的。②〖語音〗雙唇音的。— *n.* Ⓒ〖語音〗雙唇音(如 p,b,m)。

bi·lat·er·al [baɪˋlætərəl] *adj.* ①(在)兩邊的。②雙方的。— **ly,** *adv.*

bil·ber·ry [ˋbɪl,bɛrɪ] *n.* Ⓒ①〖植〗越橘。②越橘(果實)。

bile [baɪl] *n.* Ⓤ①膽汁。②壞脾氣; 乖戾。

bile·stone [ˋbaɪl,ston] *n.* Ⓒ〖醫〗膽石。

bi-lev·el [ˋbaɪˋlɛvl̩] *adj.* 上下兩層的。— *n.* Ⓒ〖建〗第一層有一半在地下而入口在地面上的兩層房子。

bilge [bɪldʒ] *n.* ①Ⓒ桶之腹部; 船腹。②Ⓤ船底的污水。③Ⓤ〖俚〗無聊的文章。— *v.i.* & *v.t.* (使)(船底)破漏。

bil·har·zi·a [bɪlˋhɑrzɪə] *n.*①Ⓒ血蛭; 血吸蟲。②Ⓤ血吸蟲病。

bi·lin·gual [baɪˋlɪŋɡwəl] *adj.* 兩種語言的; 能說兩種語言的。— **ism,** *n.*

bil·ious [ˋbɪljəs] *adj.* ①因膽汁過多所致的。②令人不快的; 乖戾的。

bilk [bɪlk] *v.t.* ①欺騙。②開溜; 賴(債等)。— *n.* ①Ⓤ欺騙。②Ⓒ騙子。

‡**bill**[1] [bɪl] *n.* Ⓒ①帳單; 發票。②紙幣; 鈔票。③廣告; 招貼。④項目單。⑤戲目。⑥法案; 議案。⑦匯票; 支票。⑧〖法律〗訴狀。~ ***of exchange*** 匯票。~ ***of fare*** a.菜單。b.節目單。~ ***of health***(船隻於航行期間所執的)健康證書。~ ***of lading*** 提單。***B- of Rights*** 〖英史〗權利法案。~ ***of sale*** 賣據。***fill the*** ~ 〖俗〗合乎條件。— *v.t.* ①記入帳。②用招貼通告。③貼海報等。§ ~ **bóok** 〖會計〗出納簿。~ **bròker** 證券經紀人。

bill**[2] *n.* Ⓒ鳥嘴。— *v.i.* ①(鳥類)接嘴。②調情。— *v.t.* (鳥等)用嘴啄取。~ ***and coo 接吻、愛撫等。

bill·board [ˋbɪl,bord] *n.* Ⓒ〖美〗告示板。

billed [bɪld] *adj.* 有鳥喙的。

bil·let[1] [ˋbɪlɪt] *n.* Ⓒ①士兵之住宿處; 宿營。②工作; 職位。— *v.t.* 指定(士兵)住宿之處。

bil·let[2] *n.* Ⓒ粗木棒。

bil·let-doux [ˋbɪlɪˋdu] 〖法〗*n.* Ⓒ (*pl.* **bil·lets-doux** [~z])情書。

bill·fold [ˋbɪl,fold] *n.* Ⓒ置錢物之皮夾。

bill·hook [ˋbɪl,hʊk] *n.* Ⓒ鉤刀; 鉤鐮。

bil·liard [ˋbɪljɚd] *adj.* 撞球戲的; 彈子戲的。— *n.* Ⓒ母球連撞兩球之一擊。§ ~ **bàll** 撞球。~ **cùe** 撞球桿。

bil·liards [ˋbɪljɚdz] *n.* Ⓤ彈子戲; 撞球。

bill·ing [ˋbɪlɪŋ] *n.* Ⓤ①海報上之演員表。②廣告; 宣傳。

bil·lings·gate [ˋbɪlɪŋz,ɡet] *n.* Ⓤ鄙俗之言語。

***bil·lion** [ˋbɪljən] *n.* Ⓒ〖美〗十億。

bil·lion·aire [,bɪljənˋɛr] *n.* Ⓒ巨富。

bil·lionth [ˋbɪljənθ] *adj.* ①第十億的。②十億分之一的。— *n.* Ⓒ①第十億個。②十億分之一。

bil·low [ˋbɪlo] *n.* Ⓒ①巨浪。②似巨浪之物。— *v.i.* (波濤)洶湧。— **bil′low·y,** *adj.*

bill·post·er [ˋbɪl,postɚ] *n.* Ⓒ張貼廣告者。

bil·ly [ˋbɪlɪ] *n.* Ⓒ①警棍。②棒。§ ~ **gòat** 〖俗〗雄山羊。

bil·tong [ˋbɪl,tɑŋ] *n.* Ⓤ(南非洲之)乾肉。

bim·bo [ˋbɪmbo] *n.* Ⓒ(*pl.* ~s, ~es)漂亮而沒大腦的女郎。

bi·met·al·lism [baɪˋmɛtl̩,ɪzəm] *n.* Ⓤ①複本位制(金銀二本位幣制)。②擁護此種制度之主義、行動或政策。— **bi·me·tal′lic,** *adj.*

bi·month·ly [baɪˋmʌnθlɪ] *adj.* & *adv.* ①兩個月一回的[地]。②一個月兩回的[地]。— *n.* Ⓒ雙月刊。

bin [bɪn] *n.* Ⓒ(貯藏食物、燃料之)箱或倉。— *v.t.* (-nn-)貯於箱或倉中。

bi·na·ry [ˋbaɪnərɪ] *adj.* 兩重的。— *n.* Ⓒ①雙體; 複體。②〖天〗雙子星。§ ~ **stár** 〖天〗雙子星。~ **sýstem** 〖理〗二元系。~ **thèory** 〖化〗二元說。

bin·au·ral [bɪnˋɔrəl] *adj.* ①用雙耳的。②立體迴音的。

‡**bind** [baɪnd] *v.t.* (**bound**)①縛; 綁。②束縛; 約束。③使負義務。④使受法規之拘束。⑤包紮。⑥滾(邊); 鑲(邊)。⑦裝訂。⑧使便祕。⑨使凝固; 使凝結。— *v.i.* ①凝固; 凝結。②約束; 拘束。~ ***oneself to*** 允諾; 保證。— *n.* Ⓒ縛或綁之物。***in a*** ~ 〖俚〗在困境中。

bind·er [ˋbaɪndɚ] *n.* Ⓒ①縛者。②

活頁紙的封面。③裝訂者。④使稻穗成束的收割機。⑤用以綑綁或黏附之物。

bind·er·y [ˋbaɪndərɪ] *n.* Ⓒ書籍裝訂廠。

bind·ing [ˋbaɪndɪŋ] *n.* ①Ⓤ 裝訂。②Ⓤ鑲邊。③ⓊⒸ束縛(物)。— *adj.* 有束縛力的。§～ **ènergy** 〖理〗結合能。

bin·dle [ˋbɪndḷ] *n.* Ⓒ〖俚〗(遊民所攜之)舖蓋捲。§～ **stìff** 〖美俗〗(尤指攜帶舖蓋捲的)流浪漢。

bind·weed [ˋbaɪnd,wid] *n.* Ⓤ〖植〗旋花類之野生草。

bine [baɪn] *n.* Ⓒ蔓；藤；葛。

Bi·nét-Sí·mon tèst [bi`ne`saɪmən ～] *n.* ⓊⒸ比內賽門智力測驗。

binge [bɪndʒ] *n.* Ⓒ〖俚〗狂飲。

bin·go [ˋbɪŋgo] *n.* Ⓤ〖美〗賓果遊戲。

bin·na·cle [ˋbɪnəkḷ] *n.* Ⓒ〖海〗羅盤針箱。

bi·noc·u·lar [baɪˋnɑkjələ˞] *adj.* 雙眼並用的。— *n.* (*pl.*) 雙目望遠鏡。

bi·no·mi·al [baɪˋnomɪəl] *adj.*①〖數〗二項(式)的。②〖生物〗二種名稱的。§～ **théorem** 〖數〗二項式定理；二項展開式。

bi·o·as·tro·nau·tics [,baɪo,æstroˋnɔtɪks] *n.* Ⓤ生物太空學。

bi·o·chem·i·cal [,baɪoˋkɛmɪkḷ] *adj.* 生物化學的。§～ **wárfare** 生化戰。

bi·o·chem·is·try [,baɪoˋkɛmɪstrɪ] *n.* Ⓤ①生物化學。②生化機能。— **bi·o·chem′ist,** *n.*

bi·o·cide [ˋbaɪə,saɪd] *n.* Ⓒ生物殺滅劑。

bi·o·clean [ˋbaɪo,klin] *adj.* 無菌的。

bio·de·grad·a·ble [,baɪodɪˋgredəbḷ] *adj.* 微生物可分解的。

bi·o·e·lec·tron·ics [,baɪoɪ,lɛkˋtrɑnɪks] *n.* Ⓤ生物電子學。

bi·o·en·gi·neer·ing [,baɪo,ɛndʒəˋnɪrɪŋ] *n.* Ⓤ生物工程學。

bi·o·eth·ics [,baɪoˋɛθɪks] *n.* Ⓤ生物倫理學。

bi·o·feed·back [,baɪoˋfid,bæk] *n.* Ⓤ生物回饋(法)(藉控制腦波以維持特定精神狀態)。

biog. biographer; biographic; biography.

bi·o·gen [ˋbaɪədʒən] *n.* Ⓒ〖生化〗生源體；生命素。

bi·o·gen·e·sis [,baɪoˋdʒɛnəsɪs] *n.* Ⓤ①生源論。②生物發生。

bi·o·ge·og·ra·phy [,baɪo,dʒiˋɑgrəfɪ] *n.* Ⓤ生物地理學。

bi·og·ra·pher [baɪˋɑgrəfə˞] *n.* Ⓒ傳記作家。

***bi·og·ra·phy** [baɪˋɑgrəfɪ] *n.* Ⓒ傳記。— **bi·o·graph′ic(al),** *adj.*

bi·o·haz·ard [ˋbaɪo,hæzə˞d] *n.* Ⓒ生物危害(對生命或健康的危害，尤指因生物實驗所造成者)。— *adj.* 與生物危害(預防或控制)有關的。

biol. biological; biology.

bi·o·log·i·cal [,baɪəˋlɑdʒɪkḷ] *adj.* 生物的；生物學的；有關生物(學)的。§～ **wárfare** 生物戰；細菌戰。

***bi·ol·o·gy** [baɪˋɑlədʒɪ] *n.* Ⓤ①生物學。②(集合稱)生物。③生命現象。— **bi·ol′o·gist,** *n.*

bi·ol·y·sis [baɪˋɑləsɪs] *n.* Ⓤ〖生物〗生物分解。— **bi·o·lyt·ic**[,baɪəˋlɪtɪk], *adj.*

bi·o·mass [ˋbaɪo,mæs] *n.* Ⓤ〖生物〗(單位面積或體積內存在的)生物數量。

bi·o·ma·te·ri·al [,baɪoməˋtɪrɪəl] *n.* Ⓤ〖醫〗合成生物材料。

bi·o·med·i·cal [,baɪoˋmɛdɪkḷ] *adj.*生物醫學的。§～ **enginéering** 生物工程學。

bi·o·med·i·cine [,baɪoˋmɛdəsṇ] *n.* Ⓤ生物醫學。

bi·o·met·rics [,baɪəˋmɛtrɪks] *n.* Ⓤ生物測定學；生物統計學。

bi·om·e·try [baɪˋɑmətrɪ] *n.* Ⓤ①壽命測定。②＝**biometrics.**

bi·on·ic [baɪˋɑnɪk] *adj.* ①生物工學的。②〖俗〗超人的。

bi·on·ics [baɪˋɑnɪks] *n.* Ⓤ生物工學(藉電子工程學開發並利用生物體機能的學問)。

bi·o·nom·ics [,baɪəˋnɑmɪks] *n.* Ⓤ生態學。

bi·o·phys·ics [,baɪoˋfɪzɪks] *n.* Ⓤ生物物理學。

bi·o·plasm [ˋbaɪo,plæzəm] *n.* Ⓤ原生質。

bi·o·plast [ˋbaɪo,plæst] *n.* Ⓤ原生質細胞。

bi·op·sy [baɪˋɑpsɪ] *n.* Ⓒ〖醫〗活體檢視(法)；活組織切片檢查(法)。

bi·o·rhythm [ˋbaɪo,rɪðəm] *n.* ⓊⒸ生物韻律(生物體內的週期性變化)。

bi·o·sat·el·lite [,baɪoˋsætḷ,aɪt] *n.* Ⓒ生物衛星(運載生物作太空環境研究之人造衛星)。

bi·o·sci·ence [,baɪoˋsaɪəns] *n.* Ⓤ太空生物學。— **bi·o·sci·en·tif′ic,** *adj.*

bi·o·sphere [ˋbaɪə,sfɪr] *n.* (the ～)生物圈。

bi·o·syn·the·sis [,baɪoˋsɪnθəsɪs] *n.* Ⓤ生物合成。

bi·o·ta [baɪˋotə] *n.* (集合稱)一地區[一時代]的動植物。

bi·o·tech·nol·o·gy [,baɪotɛkˋnɑlədʒɪ] *n.* Ⓤ生物工藝學。

bi·ot·ic, -i·cal [baɪˋɑtɪk(ḷ)] *adj.* 關於生命的；關於生物的。

bi·o·tin [ˋbaɪətɪn] *n.* ⓊⒸ維他命 H；生物素。

bi·o·tite [ˋbaɪə,taɪt] *n.* Ⓤ〖礦〗黑雲母。

bi·o·trans·for·ma·tion [,baɪə,trænsfə˞ˋmeʃən] *n.* ⓊⒸ生物轉化。

bi·o·vu·lar [baɪˋovjələ˞] *adj.* 由兩個卵巢而來的。

bi·par·ti·san, -zan [baɪˋpɑrtəzṇ] *adj.* 兩(政)黨的。

bi·par·tite [baɪˋpɑrtaɪt] *adj.* ①由二部組成的。②〖植〗深裂爲二的。

bi·ped [ˋbaɪpɛd] *n.* Ⓒ兩足動物。— *adj.* (亦作 **bipedal**)兩足的。

bi·plane [ˋbaɪ,plen] *n.* Ⓒ雙翼飛機。

bi·po·lar [baɪˋpolə˞] *adj.* 〖電〗雙極的。

bi·po·lar·i·za·tion [baɪ,poləraˋzeʃən] *n.* Ⓤ兩極化。

birch [bɝtʃ] *n.*①Ⓒ樺樹。②Ⓤ樺樹之木材。③Ⓒ笞責用之木條；樺條。— *v.t.* 用樺條打。

birch·en [ˋbɝtʃən] *adj.*樺樹的；樺木(製)的。

‡**bird** [bɝd] *n.* Ⓒ①鳥。②〖俚〗人。He's

a queer ～. 他是個怪人。*a ～ in the hand* 有把握的事。*～s of a feather* 同類之物。*Birds of a feather* flock together. 物以類聚。*～ of paradise* 〖鳥〗天堂鳥。*～ of passage* **a.** 候鳥。**b.** 時常移居的人。*～ of peace* 鴿子。*～ of prey* 食肉鳥；猛禽。*kill two ～s with one stone* 一舉兩得。*The early ～ catches the worm.* 〖諺〗早起之鳥獲蟲(喻作事趁早者得利)。§ ～ **dòg** 獵鳥用獵犬。～ **fàncier** (1)喜歡養鳥者。(2)鳥商。～**'s nèst** (1)燕窩。(2)野參。(3)〖海〗眺望臺。

bird·bath [ˋbɝd,bæθ] *n.* Ⓒ 水盤(供小鳥飲[戲]水用的)。

bird·brain [ˋbɝd,bren] *n.* Ⓒ 〖俚〗傻瓜。

bird-brained [ˋbɝd,brend] *adj.* 〖俗〗笨的；愚蠢的。

bird·call [ˋbɝd,kɔl] *n.* Ⓒ ①鳥聲。②吹出似鳥聲之哨子。(亦作 **bird call**)

bird·er [ˋbɝdɚ] *n.* Ⓒ 獵鳥者。

bird·house [ˋbɝd,haus] *n.* Ⓒ 鳥屋；大鳥籠；鳥舍。

bird·ie [ˋbɝdɪ] *n.* Ⓒ ①小鳥；鳥。②〖高爾夫〗較標準桿數少一桿而入洞。

bird·lime [ˋbɝd,laɪm] *n.* Ⓤ ①黏鳥膠。②圈套；甜言蜜語。

bird·man [ˋbɝd,mæn] *n.* Ⓒ (*pl.* **-men**) ①〖俗〗飛行員。②鳥類研究者。

bird·seed [ˋbɝd,sid] *n.* Ⓤ 鳥食。

bird's-eye [ˋbɝdz,aɪ] *adj.* ①鳥瞰的。②概觀的。③似鳥眼的。§ ～ **víew** (1)鳥瞰圖。(2)〖俗〗概觀。

bird-watch [ˋbɝd,wɑtʃ] *v.i.* 觀察野鳥。

bi·ret·ta [bəˋrɛtə] *n.* Ⓒ (天主教神職人員所戴之)四角帽；法冠。

Bir·ming·ham [ˋbɝmɪŋ,hæm] *n.* ①伯明罕(美國阿拉巴馬州中北部的一城市)。②[ˋbɝmɪŋəm] 伯明罕(英格蘭中部之一城市)。

Bi·ro [ˋbaɪro] *n.* Ⓒ (*pl.* **～s**) (常 b-) 〖英，商標〗一種原子[圓珠]筆的商品名稱。

‡**birth** [bɝθ] *n.* ① ⓊⒸ 出世；誕生。② Ⓤ 開始；起源。③ Ⓤ 生產；分娩。④ Ⓤ 身世；出身。§ ～ **certìficate** 出生證明書。～ **contròl** 節育。

‡**birth·day** [ˋbɝθ,de] *n.* Ⓒ 生日；誕辰。§ ～ **càke** 生日蛋糕。～ **sùit** 〖諧〗裸體。

birth·mark [ˋbɝθ,mɑrk] *n.* Ⓒ ①胎記；胎痣。②特點；特徵。

birth·place [ˋbɝθ,ples] *n.* Ⓒ 誕生地；發源地；發祥地。

birth·rate [ˋbɝθ,ret] *n.* Ⓒ 出生率；生育率。

birth·right [ˋbɝθ,raɪt] *n.* ⓊⒸ (常 *sing.*) ①與生俱來的權利；民權。②繼承權(尤指長子繼承權)。

birth·stone [ˋbɝθ,ston] *n.* Ⓒ 誕生石(象徵出生月分的寶石)。

***bis·cuit** [ˋbɪskɪt] *n.* ① Ⓒ 〖美〗小甜麵包。② Ⓒ 〖英〗餅乾。③ Ⓤ 灰棕色。

bi·sect [baɪˋsɛkt] *v.t.* ①分切爲二。②分爲二等分。—**bi·sec'tion,** *n.*

bi·sec·tor [baɪˋsɛktɚ] *n.* Ⓒ 〖數〗二等分線。

bi·sex·u·al [baɪˋsɛkʃuəl] *adj.* 〖生物〗①兩性的。②雌雄同體的。

bish·op [ˋbɪʃəp] *n.* Ⓒ 主教。

bish·op·ric [ˋbɪʃəprɪk] *n.* Ⓒ ①主教之轄區。②主教之職。

Bis·marck [ˋbɪzmɑrk] *n.* 俾斯麥 (Otto von, 1815-98, 德國政治家，德國第一任首相)。

bis·muth [ˋbɪzməθ] *n.* Ⓤ 〖化〗鉍。

bi·son [ˋbaɪsn̩] *n.* Ⓒ (*pl.* ～)美洲或歐洲的野牛。

bisque[1] [bɪsk] *n.* Ⓤ ①用魚、蝦、蛤等調製之一種濃羹。②用研碎之蛋白杏仁餅乾或其他核仁調製之一種冰淇淋。(亦作 **bisk**)

bisque[2] *n.* Ⓤ ①素瓷；本色陶器。②紅黃色。

bis·sex·tile [bɪˋsɛkstɪl] *n.* Ⓒ 閏年。

bis·ter, 〖英〗**-tre** [ˋbɪstɚ] *n.* Ⓤ ①(取自煤煙之)褐色顏料。②褐色。

bis·tro [ˋbɪstro] *n.* Ⓒ (*pl.* **～s**) 〖俗〗①小酒館。②酒保。

***bit**[1] [bɪt] *n.* ① Ⓒ 一小塊。②(a ～)有點；些許；少許。③(a ～)〖俗〗片刻。④ Ⓒ 〖美〗一角二分半。⑤ Ⓒ 〖英〗小銅錢。⑥ Ⓒ 鑽；螺旋錐。⑦ Ⓒ 〖電算〗位元。*～ by ～* 一點一點地。*do one's ～* 盡一己的本分。*give a person a ～ of one's mind* 坦白地指出一個人的錯誤，並指責之。*not a ～* 毫不。

bit[2] *n.* Ⓒ ①馬嚼口；馬勒。②拘束物；控制物。*take the ～ between [in] one's teeth* **a.** (馬)逃走。**b.** 脫出羈絆；反叛。—*v.t.* (**-tt-**)給(馬)帶嚼口；拘束。

‡**bit**[3] *v.* pt. & pp. of **bite.**

bitch [bɪtʃ] *n.* Ⓒ ①母狗；母狼；母狐。②〖俚〗賤女人。*son of a ～* 畜生!

bitch·y [ˋbɪtʃɪ] *adj.* 〖俚〗脾氣壞的；心眼壞的；懷惡意的；(適合)賤女人的。

‡**bite** [baɪt] *n.* ① Ⓒ 咬下的一塊；一口。② Ⓒ 咬；咬傷。③ Ⓒ 魚之呑餌。④ Ⓤ 劇痛。⑤ Ⓤ (酸類對金屬之)腐蝕。⑥ Ⓤ (齒輪等)卡緊。—*v.t.* (**bit, bitten** or **bit**)①咬。②穿刺。③刺激；刺痛。④侵蝕。⑤抓緊。⑥(用酸類)蝕刻。—*v.i.* ①咬。②嚼。③抓緊。*～ off more than one can chew* 貪多而吃不下；從事能力所不及之工作。*～ the dust* **a.** 倒於地上；被殺；陣亡。**b.** 失敗。

bit·er [ˋbaɪtɚ] *n.* Ⓒ 咬者。

bit·ing [ˋbaɪtɪŋ] *adj.* ①咬痛的；如刺的。②銳利的。—**ly,** *adv.*

‡**bit·ten** [ˋbɪtn̩] *v.* pp. of **bite.**

‡**bit·ter** [ˋbɪtɚ] *adj.* ①有苦味的。②難堪的。③嚴厲的。④刺痛的；嚴酷的。⑤痛苦的。⑥懷恨的。—*n.* (the ～, 常 *pl.*)苦。§ ～ **sàlt** 硫酸鎂；瀉鹽。

bit·ter·end [ˋbɪtɚˋɛnd] *adj.* 頑固的。

bit·ter-end·er [ˋbɪtɚˋɛndɚ] *n.* Ⓒ 〖俗〗頑固分子；主張硬拚到底的人。

***bit·ter·ly** [ˋbɪtɚlɪ] *adv.* ①苦澀地。②難堪地。③悲痛地。④殘酷地。

bit·tern [ˋbɪtɚn] *n.* Ⓒ 〖鳥〗小鷺。

bit·ter·ness [ˋbɪtɚnɪs] *n.* Ⓤ ①苦味。②悲痛；酷烈；諷刺。

bit·ter·root [ˋbɪtɚ,rut] *n.* Ⓒ 〖植〗苦根(一種馬齒莧，爲美國 Montana 之州花)。

bit·ter·sweet [ˋbɪtɚ,swit] *n.* ① Ⓒ 〖植〗白英。② Ⓤ 半苦半甜。—*adj.*

苦樂參半的。「很小的。
bit·ty [ˋbɪtɪ] *adj.* ①零碎的。②〖美方〗
bi·tu·men [bɪˋtjumən] *n.* Ⓤ瀝青。
bi·tu·mi·nous [bɪˋtjumənəs] *adj.* 瀝青的。§～ **cóal** 煙煤；生煤。
bi·valve [ˋbaɪˏvælv] *n.* Ⓒ①雙殼貝類。②〖植〗雙蒴子。 —— *adj.* 雙殼的。
biv·ou·ac [ˋbɪvuˏæk] *n.* Ⓒ露營(之處)。 —— *v.i.* (**-ack-**)露營。
bi·week·ly [baɪˋwiklɪ] *adj. & adv.* ①兩週一次的[地]。②每週二次的[地]。 —— *n.* Ⓒ雙週刊。
bi·year·ly [baɪˋjɪrlɪ] *adj. & adv.* 兩年一次的[地]；一年兩次的[地]。
biz [bɪz] *n.* 〖俚〗=**business.**
bi·zarre [bɪˋzɑr] *adj.* 古怪的。
bi·zar·re·rie [bizarəˋri] 〖法〗 *n.* ⓊⒸ奇怪；古怪；奇異之物。
bk. bank; book.
blab [blæb] *v.t. & v.i.* (**-bb-**)①洩漏(祕密)。②胡扯。
blab·ber·mouth [ˋblæbɚˏmaʊθ] *n.* Ⓒ長舌者。
‡**black** [blæk] *adj.* ①黑色的。②黑暗無光的。③黑人的。④汚穢的。⑤憂鬱的；悲慘的；暗淡的。⑥慍怒的。⑦兇惡的。⑧身穿黑衣的。⑨不榮譽的。～ ***and blue*** (被打得)青一塊紫一塊的。～ ***in the face*** 怒容；滿臉怒氣。 —— *n.* ①ⓊⒸ黑(色)。②Ⓤ黑衣；喪服。③Ⓒ(常*pl.*)黑人。～ ***and white*** **a.** 書寫或印刷的東西。**b.** 用黑白兩色畫的圖畫。 —— *v.t.* 使黑。 —— *v.i.* ①變黑。②暫失知覺。～ ***out*** **a.** 〖軍〗燈火管制。**b.** 失去記憶。§～ **árt** 魔術；妖術。～ **bèlt** (1)(常B- B-)黑人地帶(美國南部)。(2)〖柔道〗四段選手的黑色腰帶。～ **bìle** 〖古生理〗黑膽汁；憂鬱液(中古醫學視此爲人體四種體液之一，過多則引發憂鬱症)。～ **bòok** 黑名單。～ **bòx** 黑盒子(供自動控制用之電子裝置，如飛機上的自動儀器，用以收集情報等)。～ **brèad** 黑麵包。～ **cáp** 〖英〗(從前法官宣告死刑時戴的)黑(絨)帽。**B～ Códe** 限制美國黑人權利的任何法律。～ **cómedy** 黑色喜劇(以 black humor 編寫而成)。**B～ Còuntry** 英國英格蘭中部以 Birmingham 爲中心的工業區。**B～ Déath** 黑死病。～ **dóg** 〖俗〗沮喪。～ **ecónomy** 黑市交易。**B～ Énglish** 黑人(所講的)英語。～ **éye** (1)眼圈發黑。(2)〖俗〗恥辱。～ **flág** 海盜用的骷髏旗。～ **flý** 黑蠅；蚋。**B～ Fórest** 黑森林(德國西南部之森林地區)。**B～ Fríar** 〖天主教〗道明教會的修士。**B～ Fríday** 不祥的禮拜五。～ **fróst** 〖英〗(使植物之葉芽變黑之)黑霜。～ **góld** (1)煤。(2)石油。**B～ Hánd** 〖美〗黑手黨(專營敲詐或犯罪的黑社會組織)。～ **hóle** 〖天〗黑洞。～ **húmor** 黑色幽默。～ **íce** 黑冰(顏色與路面顏色看起來相同；對於駕車有危險性)。～ **ívory** (1)一種由碳化的象牙製成的顏料。(2)(集合稱)黑人奴隸；黑奴。～ **léad** 石墨。～ **léopard** 〖動〗黑豹。～ **létter** 粗體鉛字。～ **lìst** 黑名單。～ **mágic** 妖術。**B～ María** 運送囚犯的無窗卡車。～ **márk** 黑點(表示某人表現不佳或表示懲罰的記號)。～ **márket** 黑市。～ **marketéer** [**márketer**] 黑市商人。**B～ Máss** 惡魔彌撒(崇拜惡魔的人模仿天主教彌撒而舉行者)。**B～ Mónday** 黑色星期一(指1987年10月19日，世界證券市場股票價格暴跌的日子)。～ **móney** 〖美俚〗黑錢。**B～ Mónk** 本篤會(Benedictines)修士。**B～ Múslim**(反白人之)黑人回教徒。～ **pépper** 黑胡椒。**B～ Plágue** (1665年倫敦大流行的)黑死病(亦作 Great Plague)。～ **pòwder** 黑色火藥。～ **pówer**(常 B- P-)〖美〗黑人權力。～ **rát** 〖動〗黑鼠(一種家鼠)。**B～ Séa** 黑海。～ **shéep** 害群之馬。**B～ Shìrt** 黑衫黨黨員(義大利法西斯黨員)。～ **spót** 〖英〗車禍多的路段。～ **stúdies** 〖美〗黑人文化研究(課程)。～ **swán** 〖鳥〗黑天鵝(澳洲產雁亞科水禽)。～ **téa** 紅茶。～ **tíe** (1)黑色領結。(2)(男子之)半正式禮服。～ **wálnut** (1)〖植〗黑胡桃。(2)黑胡桃的果實。(3)黑胡桃木(材)。～ **wídow** 寇蛛(俗稱黑寡婦)。**the B～ Prínce** 黑王子(十六世紀英王 Edward Ⅲ 的長子 Edward 的別名)。**the B～ Stréam** 黑潮。—**ly,** *adv.*
black·a·moor [ˋblækəˏmʊr] *n.* Ⓒ①黑種人。②皮膚黧黑的人。
black-and-blue [ˋblækənˋblu] *adj.* (被打成)青一塊紫一塊的。
black-and-white [ˋblækənˋhwaɪt] *adj.* 黑白的；(圖片等)無彩色的。
black·ball [ˋblækˏbɔl] *n.* Ⓒ反對票。 —— *v.t.* 投票反對；投反對票阻止(某人)入會。「〖植〗黑莓。
black·ber·ry [ˋblækˏbɛrɪ] *n.* Ⓒ
black·bird [ˋblækˏbɝd] *n.* Ⓒ〖鳥〗烏鶇。「黑板。
‡**black·board** [ˋblækˏbord] *n.* Ⓒ
black·cur·rant [ˋblækˋkɝənt] *n.* Ⓒ〖植〗黑醋栗。
black·en [ˋblækən] *v.t.* ①使變黑；使變暗。②毀謗。 —— *v.i.* 變黑。
black-eyed [ˋblækˋaɪd] *adj.* ①黑眼睛的。②黑眼圈的。
black·fish [ˋblækˏfɪʃ] *n.* Ⓒ①黑鯨。②任何黑色之魚。
Black·foot [ˋblækˏfʊt] *n.* (*pl.* **-feet**)①Ⓒ黑腳族人(北美印第安人之一族)。②Ⓤ黑腳族語。
black·guard [ˋblægɚd] *n.* Ⓒ流氓；無賴。 —— *v.t.* 辱罵。 —— *adj.* ①粗鄙的；低俗的。②辱罵的。
black·guard·ly [ˋblægɚdlɪ] *adj.* 粗鄙的。 —— *adv.* 粗鄙地。
black·head [ˋblækˏhɛd] *n.* Ⓒ①〖鳥〗美洲所產之一種鴨。②黑頭粉刺。
black·heart·ed [ˋblækˏhɑrtɪd] *adj.* 壞心腸的；惡毒的。
black·ing [ˋblækɪŋ] *n.* Ⓤ①塗黑。②黑蠟；黑色鞋油。
black·ish [ˋblækɪʃ] *adj.* 稍黑的；帶黑色的。—**ly,** *adv.* —**ness,** *n.*
black·jack [ˋblækˏdʒæk] *n.* Ⓒ①用做武器的短棒。②〖紙牌〗二十一點。
black·leg [ˋblækˏlɛg] *n.* ①Ⓒ〖俗〗(賭博等的)騙子；郎中。②Ⓒ〖英〗罷工

期間上工之工人。

bláck-lèt·ter dày [ˋblæk,lɛtɚ～] *n.* Ⓒ 不幸的一天。

black·mail [ˋblæk,mel] *v.t.* & *n.* Ⓤ 敲詐；勒索。

black-mar·ket [ˋblækˋmɑrkɪt] *v.t.* 在黑市賣…。 — *v.i.* 作黑市買賣。 — *adj.* 黑市(交易)的。

black·ness [ˋblæknɪs] *n.* Ⓤ ①黑；黑暗。②兇惡；陰險。

black·out [ˋblæk,aʊt] *n.* Ⓒ ①燈火管制。②暫時失去視覺或知覺。③舞臺上之全部熄燈。

black·smith [ˋblæk,smɪθ] *n.* Ⓒ 鐵匠。

black·thorn [ˋblæk,θɔrn] *n.* Ⓒ ①黑刺李。②〖美〗山楂。

black-tie [ˋblækˋtaɪ] *adj.* 賓客需穿半正式禮服的。

black·top [ˋblæk,tɑp] *n.* ① Ⓤ 柏油。② Ⓒ 柏油路。 — *v.t.* 以柏油鋪。

blad·der [ˋblædɚ] *n.* Ⓒ ①〖解〗膀胱。②氣囊；魚鰾。③可充氣的囊袋。

blad·der·wort [ˋblædɚ,wɝt] *n.* Ⓒ〖植〗狸藻。

***blade** [bled] *n.* Ⓒ ①刀口。②刀；劍。③精於劍術者。④槳的扁平部分；槳身。⑤葉片；葉身。

blade·bone [ˋbled,bon] *n.* Ⓒ〖解〗肩胛骨。

blad·ed [ˋbledɪd] *adj.* 有葉片的；有刀刃的。

blah [blɑ] *n.* Ⓤ〖俚〗無意義；瞎說。 — *interj.* 瞎說!

blah-blah [ˋblɑ,blɑ] *v.t.* 反覆地說。

blahs [blɑz] *n.* (the ～)〖美俚〗情緒不佳或身體不適。

blain [blen] *n.* Ⓒ〖醫〗膿疱；水疱。

Blair House [ˋblɛr,haʊs] *n.* 美國總統的賓館(在 Washington, D.C.)。

blam(e)·a·ble [ˋbleməbl] *adj.* 可責備的；該譴責的；有過失的。

‡**blame** [blem] *v.t.* ①譴責；歸咎。②〖美俚〗咒罵。 ***be to ～*** 應該受責。*You are to ～.* 你應當受責。 — *n.* Ⓤ ①過失。②譴責；非難；歸咎。 — **ful,** *adj.* — **ful·ly,** *adv.*

blame·less [ˋblemlɪs] *adj.* 無可責難的；無過失的。 — **ly,** *adv.*

blame·wor·thy [ˋblem,wɝðɪ] *adj.* 該受非難的；值得挨罵的。

Blanc [blæŋk] *n.* (Mont ～) 白朗峰(在法國東南部，爲阿爾卑斯山之最高峰)。

blanch [blæntʃ] *v.t.* & *v.i.* 漂白；使變(蒼)白。

blanc·mange [bləˋmɑnʒ] 〖法〗*n.* ⓊⒸ (以牛乳及澱粉質製成之)牛乳凍。

bland [blænd] *adj.* ①溫柔的；慇懃的。②(氣候等)溫和的。 — **ly,** *adv.*

blan·dish [ˋblændɪʃ] *v.t.* & *v.i.* 甘言勸誘；諂媚；奉承。 — **ment,** *n.*

blank** [blæŋk] *n.* Ⓒ ①空白(處)。②茫然。③空包彈。④空白紙。*a ～ form* 空白表格。⑤沒有中獎的獎券。draw (a) ～***〖俗〗未成功；失敗。***in ～*** 留空白以便填寫。 — *adj.* ①空白的。②預留填寫位置的。③空的；單調的；無聊的。 — *v.t.* ①隱匿；使模糊不清。②〖運動〗使(對方)不得分。§ ～ **chéck** (1)空白支票。(2)全權。～ **endórsement** 背書。～ **(cassétte) tàpe** 空白卡帶。～ **vérse** 無韻詩。～ **wáll** 無法克服的障礙；毫無進展的狀態。 — **ly,** *adv.* ①茫然地。②完全地。

blan·ket** [ˋblæŋkɪt] *n.* ① Ⓒ 氈；毛毯。② (a ～ of) 任何如氈狀之覆蓋物。born on the wrong side of the ～*** 生爲私生子。***throw a wet ～ over*** 對…潑冷水。 — *v.t.* ①蓋以氈。②蓋；掩蓋。③妨阻〔常 out〕。 — *adj.* 總括的；全體的。

blank·ness [ˋblæŋknɪs] *n.* Ⓤ ①空白。②單調。③呆板。

blare [blɛr, blær] *v.t.* & *v.i.* 叫哮。 — *n.* (*sing.*)粗大的聲音；咆哮聲。

blar·ney [ˋblɑrnɪ] *n.* Ⓤ 諂媚話；奉承話。 — *v.i.* & *v.t.* 諂媚。

bla·sé [blɑˋze] 〖法〗 *adj.* (因過度享樂而)厭煩於享樂或人生的。

blas·pheme [blæsˋfim] *v.t.* & *v.i.* ①褻瀆(神祇)。②咒罵；辱罵。

blas·phe·my [ˋblæsfɪmɪ] *n.* ① Ⓒ 對上帝或神祇的褻瀆言行。② Ⓒ 咒罵之話語或行爲。③ Ⓤ 褻瀆上帝或神祇。 — **blasˋphe·mous(ly),** *adj.* (*adv.*)

***blast** [blæst] *n.* Ⓒ ①一陣疾風[空氣]。②吹；吹聲(如笛、喇叭等)。③爆炸。④吹風；輸風。 — *v.t.* ①炸毀；炸裂。②摧毀。③按喇叭。④咒罵。 — *v.i.* ①枯萎。②〖俚〗吸毒。§ ～ **àrea** 因爆炸而受損害、死傷之地區。～ **fùrnace** 鼓風爐。～ **pìpe** (1)送風管。(2)放氣管。～ **shèlter** 防爆炸之掩體(如防空洞等)。～ **wàve** 爆震波。～**ing càp** 雷管。～**ing pòwder** 黑色火藥。 — **ed,** *adj.*

blast-off [ˋblæst,ɔf] *n.* Ⓒ (火箭、飛彈等)升空；發射。

blas·tu·la [ˋblæstʃʊlə] *n.* Ⓒ (*pl.* **～s, -lae** [-,li])〖生物〗囊胚。

blat [blæt] (**-tt-**) *v.i.* 〖俗〗(小牛或羊之)鳴叫。 — *v.t.* 不加思索地說出。

bla·tant [ˋbletn̩t] *adj.* ①喧嘩的。②極顯著的。③厚顏的。 — **blaˊtan·cy,** *n.*

blath·er [ˋblæðɚ] *v.t.* & *v.i.* 胡說；喋喋不休。

blath·er·skite [ˋblæðɚ,skaɪt] *n.* 〖俗〗① Ⓤ 胡扯。② Ⓒ 胡說者。

blat·ter [ˋblætɚ] *v.t.* & *v.i.* 喋喋不休地說。 — *n.* Ⓤ 喋喋不休。

blaze**[1] [blez] *n.* ① Ⓒ 火焰。② Ⓒ (常 *sing.*)強烈的光。③ Ⓒ (常 *sing.*)爆發；激發。④(*pl.*)地獄。go to ～s***〖俚〗滾開(=go to hell)。***like ～s***〖俚〗猛烈地。 — *v.i.* ①燃；發焰。②發光；放光。③發怒。 — *v.t.* ①使發光。②使燃起。③明顯地表現。～ ***away***[***off***] 不斷地射擊。～ ***up*** **a.** 突然燃起。**b.** 突然發怒。

blaze[2] *n.* Ⓒ ①樹皮上的刻痕(用作記號)。②(馬、牛等)臉上的白斑。 — *v.t.* ①刻記號於樹皮(以標識道路)。②開拓；領導。～ ***a trail*** 做路標。

blaz·er [ˋblezɚ] *n.* Ⓒ 顏色鮮明之運動外衣。

blaz·ing [ˋblezɪŋ] *adj.* ①熾燃的。②燦爛的。③鮮明的。§ ～ **stár** (1)(美洲之)多種花色鮮明之植物。(2) 極引人注

意之人或物。
bla·zon [ˋblezn] *v.t.* ①宣布。②誇示。③描繪徽章於盾上。— *n.* Ⓒ①徽章。②徽章之描繪或解說。③炫示；誇示。—**ry,** *n.*
bldg. building.
bleach [blitʃ] *v.t.* & *v.i.* 漂白；變白。— *n.* ⓊⒸ漂白(劑)。
bleach·er [ˋblitʃɚ] *n.* Ⓒ①漂白者；漂布業者。②漂白劑；漂白器。③(常 *pl.*)〖美〗(球場等之)露天座位。
bleach·ing [ˋblitʃɪŋ] *n.* Ⓤ漂白。— *adj.* 漂白的。§ ∼ **pòwder** 漂白粉。
bleak [blik] *adj.* ①荒涼的。②寒冷的。③蒼白的；憂鬱的。—**ly,** *adv.*
blear [blɪr] *adj.* 朦朧的；模糊不清的。— *v.t.* 使模糊不清。—**ly,** *adj.*
blear-eyed [ˋblɪrˏaɪd] *adj.* ①淚眼模糊的。②目光淺近的。③患瞼緣炎的。
bleat [blit] *n.* Ⓒ (常*sing.*) 牛羊之鳴聲。— *v.i.* ①作牛羊鳴聲。②說廢話。③訴苦。— *v.t.* 以微弱的聲音說出。
bleb [blɛb] *n.* Ⓒ ①水庖；庖疹。②(水、玻璃等之)氣泡。—**bleb′by,** *adj.*
‡**bled** [blɛd] *v.* pt. & pp. of **bleed.**
‡**bleed** [blid] *v.i.* (**bled**)①流血。②受傷；流血而死。③悲痛。④流出汁液。⑤被勒索。— *v.t.* ①放血。②榨取金錢。③從…抽出(液體、氣體等)。
bleed·er [ˋblidɚ] *n.* Ⓒ ①抽(他人之)血者。②易出血者。
bleep [blip] *n.* Ⓒ短尖的聲音(發自無線電)。— *v.i.* 發嗶嗶聲。
bleep·er [ˋblipɚ] *n.* Ⓒ無線電呼叫器。
blem·ish [ˋblɛmɪʃ] *n.* Ⓒ污點；缺點。— *v.t.* ①污。②損傷。—**ment,** *n.*
blench[1] [blɛntʃ] *v.i.* 退縮；畏縮；退避。
blench[2] *v.t.* & *v.i.* (使)變蒼白。
***blend** [blɛnd] *v.i.* & *v.t.* (∼**ed** or 〖詩〗**blent**) ①混合；混雜。②配合；溶合。— *n.* Ⓒ混合(物)。
blend·er [ˋblɛndɚ] *n.* Ⓒ①混合東西的人。②攪拌器；〖美〗果汁機。
blend·word [ˋblɛndˏwɝd] *n.* Ⓒ混合語。
Blé·riot [ˋblɛrɪo] *n.* 布雷里奧(Louis, 1872-1936, 法國飛行家與發明家。
bless** [blɛs] *v.t.* (∼**ed** or **blest**)①祝福；祈禱。②賜福；降福。③讚美；頌揚。④使幸福；使快樂。⑤保佑；庇護(表驚嘆)。*B-* me! 哎呀！⑥感激；感謝；對…表好感。⑦在胸前畫十字。have not a penny to ∼ oneself with*** 貧無立錐之地；一文不名。
***bless·ed** [ˋblɛsɪd] *adj.* ①神聖的。②幸福的。③被咀咒的(=damned). ④(用以強調)所有的。§ **B∼ Sácrament** 聖餐禮。**B∼ Vírgin** 聖母瑪利亞。
bless·ed·ness [ˋblɛsɪdnɪs] *n.* Ⓤ幸福；福祉。single ∼(享)單身之福。
bless·ing** [ˋblɛsɪŋ] *n.* Ⓒ①祝福；祈福。②幸福。ask the*** ∼ (餐前)祈禱。
‡**blew** [blu] *v.* pt. of **blow.**
blight [blaɪt] *n.* ① Ⓤ (植物之) 枯萎病；蟲害。② Ⓒ 招致毀滅或挫敗的原因。— *v.t.* ①使枯萎。②毀壞。
blight·er [ˋblaɪtɚ] *n.* Ⓒ ①萎縮[受摧殘]之人或物。②〖英俚〗可厭之人。
blimp [blɪmp] *n.* Ⓒ〖俗〗軟式小飛艇。
‡**blind** [blaɪnd] *adj.* ①瞎的。②缺乏判斷力的。③盲目的。④隱蔽的；閉塞的；只有一個出口的。⑤盲人(用)的。⑥〖俚〗酒醉的。⑦無知覺的。— *v.t.* ①使瞎；使看不見。②蒙蔽；隱蔽。③使失去判斷力。— *n.*① Ⓒ (常 *pl.*)障蔽物；窗簾；百葉窗。②(the ∼, 作 *pl.* 解)盲人。§ ∼ **álley** (1)死巷；絕路。(2)困境。∼ **dáte** (1)陌生男女經第三者介紹而作的約會。(2)參加此種約會的男女。∼ **flýing** 儀器飛行。∼ **píg** [**tíger**]〖美俚〗非法售酒之處。∼ **spót** (1)盲點。(2)不明瞭、有偏見或不關心的事物。(3)(電視、無線電等)收視[聽]不佳之地區。∼ **wíndow** 假窗。—**ness,** *n.*
blind·er [ˋblaɪndɚ] *n.* Ⓒ ①遮眼者[物]。②〖美〗馬眼罩。
blind·fold [ˋblaɪndˏfold] *v.t.* ①將…的眼睛蒙起。②擋住…的視線。③欺騙；引入歧途。— *adj.* ①蔽目的。②輕率的。— *n.* Ⓒ蔽目的東西。
blind·ing [ˋblaɪndɪŋ] *adj.* 使目眩的。— *n.* Ⓒ塡補路面的沙石。—**ly,** *adv.*
blind·ly [ˋblaɪndlɪ] *adv.* ①摸索地。②盲目地。③不繼續地。
blind·man [ˋblaɪndmən] *n.* Ⓒ (*pl.* **-men**)盲人。§ ∼**'s búff** 捉迷藏。
blind·worm [ˋblaɪndˏwɝm] *n.* Ⓒ無脚蜥蜴。
***blink** [blɪŋk] *v.i.* & *v.t.* ①眨眼；霎眼。②閃光。③不理睬；忽視〔常 at〕. ④吃驚。— *n.* Ⓒ一瞥；霎眼；閃光。
blink·er [ˋblɪŋkɚ] *n.*① Ⓒ 十字路口之閃光燈。②(*pl.*)護目鏡。③ Ⓒ (常 *pl.*)馬眼罩。
blink·ing [ˋblɪŋkɪŋ] *adj.* ①眨眼的。②閃光的。③〖英俚〗完全的；道地的；混蛋的；討厭的。
blintz(e) [blɪnts(ə)] *n.* Ⓒ〖美〗(包有乳酪、水果的)熱薄餅。
blip [blɪp] *n.* Ⓒ①(雷達幕上之)影像；光點。②電視音響干擾。
***bliss** [blɪs] *n.* Ⓤ極大的幸福；天賜的福。—**ful(ly),** *adj.(adv.)*
blis·ter [ˋblɪstɚ] *n.* Ⓒ①膿疱；水泡。②(植物、金屬或油漆上面起的)浮泡。— *v.t.* & *v.i.* (使)生水泡。
blis·ter·ing [ˋblɪstərɪŋ] *adj.* ①(尤指因酷熱而)引起水泡的。②惱怒而有意傷害的。—**ly,** *adv.*
blithe [blaɪð] *adj.* 快樂的；無憂慮的。
blith·er [ˋblɪðɚ] *n.* Ⓤ 胡扯。— *v.i.* 〖俚〗胡扯；嘮叨。
blith·er·ing [ˋblɪðərɪŋ] *adj.* 嘮叨不休的；胡扯的。
blithe·some [ˋblaɪðsəm] *adj.* 歡樂的。
blitz [blɪts] *n.* Ⓒ〖軍〗閃電戰。— *v.t.* 對…作迅速而強烈的攻擊。
blitz·krieg [ˋblɪtsˏkrig] 〖德〗 *n.* & *v.t.* =**blitz.**
bliz·zard [ˋblɪzɚd] *n.* Ⓒ大風雪。
bloat [blot] *v.t.* & *v.i.* ①(使)膨脹。②醃燻(鯡魚等)。③自誇。—**ed,** *adj.*
blob [blɑb] *n.* Ⓒ一滴。— *v.t.* & *v.i.* (**-bb-**)濺；污。
bloc [blɑk] *n.* Ⓒ (爲某種共同目的而一致行動的)政治組織；集團。

‡**block** [blɑk] *n.* Ⓒ①一塊(木或石等)。②障礙物。③〖美〗(市街的)一區。④一組同樣的東西。⑤滑車。⑥斷頭臺。⑦拍賣臺。⑧〖鐵路〗一段有信號之鐵軌。⑨帽楦(帽子的模子)。⑩〖俗〗頭；腦袋。⑪(運動中給對方之)阻擋。⑫木刻板。⑬積木。***go to the* ~ a.** 上斷頭臺。**b.** 拍賣。**—** *v.t.* ①阻塞。②妨礙。③(用木塊或石塊)支撐。④阻擋(對方)。⑤排演。~ ***out*** [***in***]畫略圖。~ **up** 將…封鎖在內。§ ~ **and tácкle** 滑車裝置。~ **càpital** 〖印刷〗方體字(block letter)的大寫字母。~ **lètter** (1)木版字。(2)方體字。~ **plàne** 鉋平木板兩端所用的小鉋。~ **prìnt** 〖美術〗木板印刷的圖畫。~ **sìgnal** 〖鐵路〗閉塞號誌。~ **sỳstem** 〖鐵路〗閉塞號誌系統。

block·ade [blɑˋked] *n.* Ⓒ①封鎖。②障礙物。**—** *v.t.* ①封鎖。②阻礙。

block·bust·er [ˋblɑk͵bʌstɚ] *n.* Ⓒ①〖俚〗大型具高度破壞力的炸彈。②一鳴驚人者。③土地投機商。

block·bust·ing [ˋblɑk͵bʌstɪŋ] *adj.* 一鳴驚人的。**—** *n.* Ⓤ〖美〗房地投機者在較高尚住宅區放出謠言使屋主倉促以低價售房地產的手法。

block·er [ˋblɑkɚ] *n.* Ⓒ阻擋的人或物。

block·head [ˋblɑk͵hɛd] *n.* Ⓒ愚蠢的人。

block·house [ˋblɑk͵haus] *n.* Ⓒ①碉堡。②木堡。③圓木小屋。

bloke [blok] *n.* Ⓒ〖英俚〗(男)人；傢伙。

***blond(e)** [blɑnd] *adj.* & *n.* Ⓒ金髮碧眼白膚的(人)(女的稱爲 blonde, 男的稱爲 blond).

‡**blood** [blʌd] *n.* Ⓤ ①血；血液。②殺戮；流血。③ 血統；家世。④ 血氣；脾氣。⑤ 活力；生命力。~ ***and thunder*** 刺激而誇張的通俗劇。***B- is thicker than water.*** 血濃於水(親戚總比朋友親)。***draw first*** ~ 先下手；先得分。***have someone's ~ on one's head*** [***hands***]應對某人之死[不幸]負責。***in cold ~* a.** 殘酷地。**b.** 故意地；有意地。***make one's ~ run cold*** 使極度害怕。***taste*** ~ 嘗到甜頭。§ ~ **bànk** 血庫。~ **bàth** 大屠殺。~ **brǒther** (1)親兄弟。(2)不可分離之事。(3)拜把兄弟。~ **còunt** 血球計數。~ **donàtion** 捐血。~ **dònor** 捐[供]血者。~ **fèud** 血仇。~ **gròup** [**tỳpe**]血型。~ **gròuping** [**tỳping**]血型分類；血型鑑定。~ **hèat** 人體血溫(爲37°C或98.6°F). ~ **hǒrse** 純種馬；種馬。~ **mòney** (1)付給殺手的酬金。(2)付給被害人家屬之撫恤金。(3)爲免報復而付給的錢。(4)將兇犯交給警方所得的獎金。~ **plăsma** 血漿。~ **pòisoning** 血中毒；血毒症。~ **prèssure** 血壓。~ **pùrge** 整肅；大屠殺。~ **relátion** [**rélative**] 血親；骨肉。~ **rǒyal** 王族；皇家。~ **sàusage** 〖美〗用血(尤指豬血)與硬脂肪所做的香腸。~ **spòrts** 會有流血的運動或競技(如狩獵、鬥牛等)。~ **sùgar** 血糖。~ **tèst** 驗血。~ **transfùsion** 輸血(法)。~ **vèssel** 血管。

blood·cur·dling [ˋblʌd͵kɝdlɪŋ] *adj.* 令人毛骨悚然的。

blood·ed [ˋblʌdɪd] *adj.* ①有…血的。②純種的。

blood·hound [ˋblʌd͵haund] *n.* Ⓒ①一種大偵察獵犬。②〖俚〗偵探。

blood·less [ˋblʌdlɪs] *adj.* ①無血的；沒有血色的。②不流血的。③沒精打采的。④無情的。

blood·let·ting [ˋblʌd͵lɛtɪŋ] *n.* Ⓤ〖醫〗放血。

blood·line [ˋblʌd͵laɪn] *n.* Ⓒ(動物之)血統。

blood-red [ˋblʌdˋrɛd] *adj.* 血紅的；血染的。

blood·root [ˋblʌd͵rut] *n.* Ⓒ〖植〗血根草。

blood·shed [ˋblʌd͵ʃɛd] *n.* Ⓤ流血(事件)；殺害。

blood·shot [ˋblʌd͵ʃɑt] *adj.* 充血的；有血絲的。

blood·stain [ˋblʌd͵sten] *n.* Ⓒ血污；血跡。**—** *v.t.* 血染。

blood·stained [ˋblʌd͵stend] *adj.* ①有血跡的。②犯殺人罪的。

blood·stock [ˋblʌd͵stɑk] *n.* Ⓤ(集合稱)純種馬。

blood·stone [ˋblʌd͵ston] *n.* ⓊⒸ〖礦〗血玉髓；血石。

blood·stream [ˋblʌd͵strim] *n.* Ⓤ(常 the ~)(循環體內的)血流。

blood·suck·er [ˋblʌd͵sʌkɚ] *n.* Ⓒ①吸血動物[蟲]；水蛭。②剝削者。

blood·thirst·y [ˋblʌd͵θɝstɪ] *adj.* 嗜殺的；殘忍的。

***blood·y** [ˋblʌdɪ] *adj.* ①血的；血污的。②殘忍的；嗜殺的。③〖英鄙〗該死的；非常的。

blood·y-mind·ed [ˋblʌdɪˋmaɪndɪd] *adj.* ①殘忍的；凶狠的。②〖英俚〗故意刁難的；不易親近的。

‡**bloom** [blum] *n.* ①Ⓒ花。②Ⓤ花開的狀態。The cherry trees are in full ~. 櫻花盛開。③Ⓤ青春；壯盛時期。④Ⓤ面色紅潤。**—** *v.i.* ①開花。②繁盛。③處於最健康情況中。**—** *v.t.* ①使繁榮；使開花。②使光采；使美麗。

bloom·er[1] [ˋblumɚ] *n.* Ⓒ〖英俚,謔〗大錯；一大敗筆。

bloom·er[2] *n.* (*pl.*)(婦女運動時所穿長及膝部之)燈籠褲。

Bloom·field [ˋblum͵fild] *n.* 布魯姆費爾德(Leonard, 1887-1949, 美國語言學家)。

bloom·ing [ˋblumɪŋ] *adj.* ①開花的。②青春的。③繁榮的。

bloop [blup] *n.* Ⓒ(亦作 **blooper**)〖美俚〗①在大衆之前所犯的錯誤。②〖棒球〗落在內野與外野之間的飛球。**—** *v.t.* & *v.i.* ①做出愚蠢的事。②〖棒球〗打出落在外野與內野之間的飛球。

‡**blos·som** [ˋblɑsəm] *n.* ①ⓊⒸ花(尤指結果實者)。②Ⓤ花開的時期或狀態。**—** *v.i.* ①開花。②繁榮。

***blot** [blɑt] *n.* Ⓒ①汚漬；汚痕。②文字的刪除。③缺點；汚名。**—** *v.t.* (**-tt-**) ①弄髒。②(用吸墨紙)吸乾。③玷汚。~ ***out* a.** 遮蓋。**b.** 塗抹。**c.** 擦掉。**d.** 毀掉。§ ~**ting pàper** 吸墨紙。

blotch [blɑtʃ] *n.* Ⓒ①大汚漬；斑點。②皮膚上的紅疤。**—y,** *adj.*

blot·ter [ˋblɑtɚ] *n.* Ⓒ①吸墨紙。②記事簿。

*__blouse__ [blaʊs] *n.* Ⓒ①似襯衫的上衣。②(寬鬆的婦女或兒童之)短衫。③(美軍軍服之)短上衣。④罩衫。— *v.i.* & *v.t.*(使)寬鬆下垂。

B

‡**blow**[1] [blo] *n.* Ⓒ①打；毆打。②精神上的打擊。③〖樂〗吹奏。*at a*[*one*]～一擊而…。*come to ～s* 互毆。*strike a ～ for* [*against*] 贊成[反對]。

‡**blow**[2] *v.i.*(**blew, blown**) ①(風)吹。②爲風所捲。③吹氣。④喘息。⑤自誇。⑥響起。⑦爆炸〔up〕. — *v.t.* ①吹。②將空氣吹進…。③擤(鼻涕)。④自誇。⑤使喘氣。⑥吹奏。⑦(昆蟲)產卵於…之上。～ *hot and cold* 出爾反爾；拿不定主意。～ *in* [*into*] 偶然來訪；出其不意地出現。～ *off* 吹散。～ *one's lines* 忘記或說錯臺詞。～ *one's top* [*stack*] 大發雷霆。～ *out* **a.** 吹熄。**b.** 漏氣。～ *over* 平息；停止；被遺忘。～ *the whistle on* **a.** 〖運動〗罰。**b.** 宣告不合法或不誠實。**c.** 告發。～ *up* **a.** 打氣。**b.** 爆炸。**c.** 炸毀。**d.** 發脾氣。**e.** 形成。**f.** 放大(照片)。**g.** 斥責；辱罵。

blow[3] *v.t.* & *v.i.*(**blew, blown**) (使)開花。

blow-by-blow [ˋblo,baɪˋblo] *adj.* (如報導拳擊手之一舉一動)非常詳細的；詳盡入微的。— *n.* Ⓒ詳盡的敍述。

blow-dry [ˋblo,draɪ] *v.t.* (用吹風機)吹乾(頭髮)。

blow-dry·er [ˋblo,draɪɚ] *n.* Ⓒ手握式吹風機。

blow·er [ˋbloɚ] *n.* Ⓒ①吹者；吹奏物。②風箱；吹火筒。③〖俚〗吹牛者。

blow·fly [ˋblo,flaɪ] *n.* Ⓒ綠頭蒼蠅。

blow·gun [ˋblo,gʌn] *n.* Ⓒ吹箭筒。

blow-hard [ˋblo,hɑrd] *n.* Ⓒ〖俚〗大言不慚者。

blow·hole [ˋblo,hol] *n.* Ⓒ①(鯨魚的)噴水孔。②(地下室的)通風孔。

‡**blown** [blon] *v.* pp. of **blow**[2,3]

blow·out [ˋblo,aʊt] *n.* Ⓒ①爆破。②車胎爆裂。③保險絲燒斷。④〖俚〗盛大宴會。⑤(蒸氣、原油等的)噴出。

blow·torch [ˋblo,tɔrtʃ] *n.* Ⓒ(熔焊鉛管等的小型)噴燈。

blow·up [ˋblo,ʌp] *n.* Ⓒ①爆炸；爆發。②激怒；叱責。

blow·y [ˋblo·ɪ] *adj.* 颳風的；易吹亂的。

blowz·y [ˋblaʊzɪ] *adj.* ①紅臉的；日炙的。②不整潔的。(亦作 **blowzed**)

blub·ber[1] [ˋblʌbɚ] *n.* Ⓤ鯨脂。

blub·ber[2] *n.* Ⓤ泣訴。— *v.i.* & *v.t.* ①痛哭；泣訴。②哭腫(眼睛、臉)。— *adj.* (臉、眼因哭而)腫起的。

bludg·eon [ˋblʌdʒən] *n.* Ⓒ大頭棒。— *v.t.* ①棒打。②脅迫；恫嚇。

‡**blue** [blu] *n.* ①ⓊⒸ天藍色；青色。②Ⓤ藍色染料。③(*pl.*)憂鬱；沮喪。④(the ～)天空；海洋。⑤Ⓒ穿藍色衣服者。⑥Ⓒ〖英〗保守黨員。*into the ～* 至遠處；至未可知處；不見。*out of the ～* 突然；意外地。— *adj.* ①蔚藍的。②憂鬱的。③發青的。④希望渺茫的。⑤嚴厲的(道德、宗教等)。⑥詛咒的；猥褻的。～ *in the face* 臉色發青的。*once in a ～ moon* 罕；極少。— *v.t.* 將…染成青色。§ ∼ **blòod** (1)貴族的血統。(2)〖俗〗貴族。∼ **bòok** (1)藍皮書(英國國會之出版物，因書皮爲藍色，故稱)。(2)名人錄。∼ **chèese** 帶有藍紋的乳酪。∼ **chìp** (1)(撲克)藍色的高價籌碼。(2)績優股(熱門而可靠的股票)。**B∼ Cróss** 〖美〗藍十字會(一個非營利組織，代會員繳付若干醫藥費用)。∼ **dévils** (1)沮喪；憂鬱。(2)精神狂亂時的可怕幻想。∼ **fílm** [**móvie**] 色情電影。∼ **hélment** 聯合國和平部隊(因藍色頭盔故稱)。∼ **jày** 〖鳥〗(北美產的)藍背樫鳥。∼ **jèans** 藍色斜紋布料的牛仔褲[工作裝]。∼ **làw** 〖美〗嚴格的法律。∼ **Mónday** 〖俗〗沮喪的星期一(因週末假期後又開始工作而令人沮喪)。∼ **móon** 罕見的事物；極長的一段時間。∼ **péter** 出航旗。∼ **ríbbon** (英國嘉德勳章之)藍綬；最高榮譽。∼ **whále**〖動〗藍鯨。**the B∼ Bírd** 青鳥(源自 Maeterlinck 詩劇，象徵幸福)。

Blue·beard [ˋblu,bɪrd] *n.* ①藍鬍子(傳說中先後殺害六個妻子之人)。②Ⓒ無情、殘忍、變態的丈夫。

blue·bell [ˋblu,bɛl] *n.* Ⓒ鐘形花植物。

blue·ber·ry [ˋblu,bɛrɪ] *n.* Ⓒ〖植〗藍莓；藍莓的漿果。

blue·bird [ˋblu,bɝd] *n.* Ⓒ藍知更鳥。

blue-black [ˋbluˋblæk] *adj.* 深藍色的。

blue·bon·net [ˋblu,bɑnɪt] *n.* Ⓒ①山雀之類的鳥。②〖植〗矢車菊。

blue·bot·tle [ˋblu,bɑtl̩] *n.* Ⓒ①〖植〗矢車菊。②〖昆〗青蠅。

blúe-brick univérsity [ˋblu-,brɪk ～] *n.* ⓊⒸ〖英俗〗有優良傳統及地位的大學(如劍橋、牛津大學等)。

blue-col·lar [ˋbluˋkɑlɚ] *adj.* 藍領(階級)的；勞工的。

blue·fish [ˋblu,fɪʃ] *n.* Ⓒ①美洲大西洋海岸所產之青魚。②(一般的)青色魚。

blue·grass [ˋblu,græs] *n.* ①Ⓒ〖植〗藍草；早熟禾。②Ⓤ美國南方傳統的鄉村民謠。

blue·jack·et [ˋblu,dʒækɪt] *n.* Ⓒ水兵。

blue-pen·cil [ˋbluˋpɛnsl̩] *v.t.* (**-l-**, 〖英〗**-ll-**)以藍筆刪改。

blue·print [ˋblu,prɪnt] *n.* Ⓒ藍圖；詳細計畫。— *v.t.* 製…藍圖；詳細計畫。

blue-rib·bon [ˋblu,rɪbən] *adj.* 一流的；特選的。

blues [bluz] *n. pl.* ①憂鬱。②(常作 *sing.* 解)布魯士舞步。

blue·stock·ing [ˋblu,stɑkɪŋ] *n.* Ⓒ〖蔑〗女學者；才女；炫耀學識的女人。

bluff[1] [blʌf] *n.* 〖美〗①Ⓤ虛張聲勢；唬人。②Ⓒ虛張聲勢的人。*call someone's ～* 揭穿某人的虛僞。— *v.i.* 故弄玄虛。— *v.t.* 虛張聲勢以嚇(人)。

*__bluff__[2] *adj.* ①陡峭的。②坦直的；豪放的。— *n.* Ⓒ絕壁。— **ly,** *adv.*

blu·ing [ˋbluɪŋ] *n.* Ⓤ藍色漂白劑。

blu·ish [ˋbluɪʃ] *adj.* 淺藍色的。

*__blun·der__ [ˋblʌndɚ] *n.* Ⓒ大錯。— *v.t.* ①做錯。②脫口而出。— *v.i.* ①措施失當。②盲目或愚蠢地行動。～

away 不慎錯失。～ *on* [*upon*]無意中發現。

blun·der·buss [ˋblʌndɚ͵bʌs] *n.* Ⓒ①老式散彈短槍。②輕率者

***blunt** [blʌnt] *adj.* ①鈍的。②坦白的；直言的。③愚蠢的；粗魯的。── *v.t.* & *v.i.* 使鈍；變鈍。── *n.* Ⓒ鈍的東西。

blur [blɝ] (**-rr-**) *v.t.* ①使污黑。②使模糊。── *v.i.* 變模糊。── *n.* ①Ⓤ模糊。②Ⓒ污點。

blurb [blɝb] *n.* Ⓒ〖俗〗(印在書籍封面上的)誇大的廣告或介紹詞。

blur·ry [ˋblɝɪ] *adj.* 有污漬的。

blurt [blɝt] *v.t.* 不加思索地衝口說出〔常 out〕. ── *n.* Ⓒ不加思索的話。

***blush** [blʌʃ] *n.* ①Ⓒ赧顏。②Ⓤ紅色。*at* [*on*] *first* ～ 初見；乍看時。── *v.t.* 以臉紅來表達。── *v.i.* ①臉紅。②慚愧。

blush·er [ˋblʌʃɚ] *n.* Ⓒ胭脂。

blus·ter [ˋblʌstɚ] *v.i.* ①狂吹。②咆哮；誇言。③恫嚇。── *v.t.* ①威嚇。②咆哮地說。── *n.* Ⓤ①狂吹。②恫嚇。

blus·ter·y [ˋblʌstərɪ] *adj.* (天氣)狂風暴雨的。

blvd. boulevard. **BM** bowel movement. **BMEWS** [biˋmjuz]〖美軍〗Ballistic Missile Early Warning System. 彈道飛彈預警系統。**BMW**〖商標〗德國高級車。

bo·a [ˋboə] *n.* Ⓒ①蟒蛇。②女用毛皮圍巾。

boar [bor] *n.* ①Ⓒ雄豬。②Ⓒ野豬。③Ⓤ野豬肉。

‡**board** [bord] *n.* ①Ⓒ木板。②Ⓒ黑板；布告板。③Ⓒ厚紙板。④Ⓒ飯桌。⑤Ⓤ膳食。⑥Ⓒ理事會；董事會；(政府中的)部會。⑦Ⓒ舷(側)；甲板。*All on* ～*!*〖美〗請大家上車！～ *and lodging* 膳宿。～ *of directors* 董事會。～ *of health* 衛生局。～ *of trade* 商會。*go by the* ～ **a.** 從船甲板上落水。**b.** 被棄；被忽略。*on* ～ 上船；〖美〗上火車；在船[車]上。*on the* ～*s* 從事舞臺生涯。*sweep the* ～ **a.** 通吃。**b.** 獲極大成功。── *v.t.* ①用板蓋。②供膳；供膳宿。③上(船)；登(車)。── *v.i.* 寄膳；寄宿。～ *out* 在外面吃飯。～ *up* 用木板(把門窗)釘起。§ ～ **chàirman** 董事長。～ **fòot**〖美〗板呎(木材測量單位)。～ **gàme** 在盤上玩的遊戲(如西洋棋等)。～ **ròom** (1)董事會會議室。(2)(證券行的)交易場。

board·er [ˋbordɚ] *n.* Ⓒ①寄膳(宿)者。②寄宿生。

board·ing [ˋbordɪŋ] *n.* Ⓤ①寄膳(宿)。②供膳宿。③上船[火車]；登機。④攻擊或擄獲敵船。§ ～ **càrd** 登機證；登船證。～ **hòuse** (供膳食的)宿舍。～ **schòol** 寄宿制學校。

board·walk [ˋbord͵wɔk] *n.* Ⓒ〖美〗木板鋪成之道路。

***boast** [bost] *v.i.* 自誇〔of, about, that〕. ── *v.t.* ①誇(其所有)。②誇言。── *n.* Ⓒ自誇。─ **er,** *n.* ─ **ful,** *adj.*

‡**boat** [bot] *n.* Ⓒ①船。②船形的碗[盆]。*burn one's* ～*s* 破釜沉舟；斷絕退路。*have an oar in every man's* ～ 多管閒事。*in the same* ～ 同舟共濟。*miss the* ～〖俚〗**a.** 失敗。**b.** 錯過機會。*rock the* ～〖俗〗破壞現狀；壞事。── *v.i.* 乘船。── *v.t.* 以舟載運。§ ～ **hòok** 一端有鐵鉤之撐篙(用以將小舟勾近或推離某處)。～ **pèople** 海上難民。～ **ràce** 賽船；賽舟。～ **tràin**(與船期銜接的)港口聯運火車。

boat·el [boˋtɛl] *n.* Ⓒ可停靠遊艇的旅館。

boat·er [ˋbotɚ] *n.* Ⓒ平頂硬草帽。

boat·house [ˋbot͵haus] *n.* Ⓒ船庫。

boat·man [ˋbotmən] *n.* Ⓒ (*pl.* **-men**) ①船夫。②出租船者。(亦作 **boatsman**)

boat·swain [ˋbosn̩, ˋbot͵swen] *n.* Ⓒ掌帆長；水手長。

bob[1] [bab] *n.* Ⓒ①短髮。②秤錘。③釣竿線上的浮子；釣線上的蟲。④(馬之)截短之尾巴。── (**-bb-**) *v.t.* 剪短。── *v.i.* ①用牙齒咬住(上下浮動的東西)。②用繫有浮子的釣竿釣魚。

bob[2] (**-bb-**) *v.t.* 使上下疾動。── *v.i.* 上下疾動。～ *up* 突然出現。── *n.* Ⓒ疾速的動作。

bob[3] *n.* Ⓒ (*pl.* ～)〖英俚〗先令。

bobbed [babd] *adj.* ①截尾的。②剪短的；短髮的。

bob·ber [ˋbabɚ] *n.* Ⓒ①晃動的人[物]。②(釣魚的)浮子。③乘連橇者。

bob·bin [ˋbabɪn] *n.* Ⓒ線軸。

bob·ble [ˋbabl̩] *n.* Ⓒ①(輕微的)上下反覆搖蕩。②〖美俗〗笨拙的失誤。③〖棒球〗漏接。── *v.t.* 失(球)；漏接。

bob·by [ˋbabɪ] *n.* Ⓒ〖英俚〗警察。§ ～ **pìn** 金屬製彈簧狀髮夾。

bob·by·socks [ˋbabɪ͵saks] *n. pl.*〖俗〗短襪。

bob·by·sox·er [ˋbabɪ͵saksɚ] *n.* Ⓒ〖俗〗(醉心於時髦的)少女。

bob·cat [ˋbab͵kæt] *n.* Ⓒ〖動〗美洲野貓。

bob·o·link [ˋbabl̩͵ɪŋk] *n.* Ⓒ(美洲產之)食米鳥。(亦作 **ricebird**)

bob·sled [ˋbab͵slɛd] *n.* Ⓒ連橇。── *v.i.* (**-dd-**) 乘連橇。(亦作 **bobsleigh**)

bob·tail [ˋbab͵tel] *n.* Ⓒ①截短之尾。②截尾之動物。── *adj.* 截尾的。

bob·white [ˋbabˋhwaɪt] *n.* Ⓒ〖鳥〗山齒鶉(北美產林鶉亞科獵鳥)。

Boc·cac·ci·o [boˋkatʃɪ͵o] *n.* 薄伽丘 (Giovanni, 1313-75, 義大利詩人、小說家)。

bod [bad] *n.* Ⓒ〖英俗〗人(尤指男人)。

bode[1] [bod] *v.i.* & *v.t.* 預示。～ *ill* [*well*] 兇[吉]兆。─ **ment,** *n.*

bode[2] *v.* pt. of **bide.**

bo·de·ga [boˋdigə]〖西〗*n.* Ⓒ酒窖；酒店；雜貨店。

bod·ice [ˋbadɪs] *n.* Ⓒ(女人穿的)緊身胸衣。

bod·i·less [ˋbadɪlɪs] *adj.* 無體的；無形的。

bod·i·ly [ˋbadl̩ɪ] *adj.* ①身體上的。②具體的。── *adv.* ①親自。②全體地。

bod·ing [ˋbodɪŋ] *n.* ⓊⒸ預兆；惡兆。── *adj.* 預兆的；不吉的；凶兆的。

bod·kin [ˋbadkɪn] *n.* Ⓒ錐。

‡**bod·y** [ˋbadɪ] *n.* ①Ⓒ身體。②Ⓒ軀

幹。③Ⓒ主要部分。④Ⓒ屍體。⑤Ⓒ團體；隊。⑥Ⓒ人。⑦(*sing.*)實體；數量(許多)。⑧Ⓒ車[船, 機]身。*in a* ~ 全體。*keep* ~ *and soul together* 養活自己；苟延殘喘。— *v.t.* 使具體化。~ *forth* a. 賦予實體。b. 爲…之象徵。§ ~ **blòw** (1)〖拳擊〗向對手軀體的上半身毆打。(2)大敗北；大挫折。~ **bùilding** 強身。~ **córporate** 公司；〖法律〗法人團體。~ **examinàtion** 體格檢查。~ **lànguage** 肢體語言。**the** ~ **pólitic** 國家。

bod·y·guard [ˋbadɪ,gard] *n.* Ⓒ保鑣。

bod·y·work [ˋbadɪ,wɝk] *n.* Ⓤ ①車身的打造[修理]。②車身。

Boer [bor, bur] *n.* Ⓒ波爾人。— *adj.* 波爾人的。§ **the** ~ **Wàr** 波爾戰爭。

bof·fin [ˋbafɪn] *n.* Ⓒ〖英俗〗科學家。

bog [bag] *n.* ⓊⒸ沼澤。— *v.t.* & *v.i.* (**-gg-**) (使)陷於泥淖；(使)進退兩難〔down〕。

bo·gey [ˋbogɪ] *n.* Ⓒ①鬼怪(亦作**bogy**)。②〖高爾夫〗a. 每洞標準桿數。b. 超過某洞標準桿數一桿之記錄。③〖空軍俚〗不明飛機。

bog·gle[1] [ˋbagḷ] *v.i.* ①受驚；膽怯。②畏縮不前；躊躇。③閃爍其辭〔at, about〕。— *v.t.* ①弄糟；做壞。②使吃驚。— *n.* Ⓒ猶豫；退縮。

bog·gle[2] *n.* Ⓒ鬼怪；妖魔。

bo·gie [ˋbogɪ] *n.* Ⓒ①轉向車；臺車。②(戰車之)履帶輪。

bo·gle [ˋbogḷ] *n.* =boggle[2].

bo·gus [ˋbogəs] *adj.* 〖美〗假的；僞造的。— *n.* Ⓒ贗品。

bo·gy [ˋbogɪ] *n.* Ⓒ①妖怪。②使人害怕的人[物]。(亦作 **bogey, bogie**)

bo·g(e)y·man [ˋbogɪ,mæn] *n.* Ⓒ (*pl.* **-men**) (用以嚇唬小孩的)妖怪；使人害怕的事[物]。

Bo·he·mi·a [boˋhimɪə] *n.*①波希米亞(昔中歐一國家，現爲捷克一部分)。②Ⓒ (常 b-)玩世不恭者居住之地區或社交場合。

Bo·he·mi·an [boˋhimɪən] *adj.* ①波希米亞(人，語)的。②狂放不羈的。— *n.* ①Ⓒ波希米亞人。②Ⓤ波希米亞語。③Ⓒ狂放者。④Ⓒ吉卜賽人。

‡**boil**[1] [bɔɪl] *v.i.* & *v.t.* ①沸。②似沸。③發怒；激動。④烹煮。~ *away* a. 繼續沸騰。b. 煮乾。~ *down* a. 煮濃。b. 摘要。c. 顯示。~ *over* a. 因沸溢出。b. 發怒。— *n.* ①(a ~)沸騰。②(the ~)沸點。*be at* [*on*] *the* ~ 在沸點。*come to the* ~ 開始沸騰。

boil[2] *n.* Ⓒ疔；癤。

boil·er [ˋbɔɪlə] *n.* Ⓒ①煮沸器。②汽鍋。③盛熱水的桶。

boil·ing [ˋbɔɪlɪŋ] *n.*①Ⓤ沸騰；烹煮。②Ⓒ一次所煮之物。— *adj.* ①沸騰的。②激動的。③極熱的。§ ~ **pòint** 沸點。~ **wàter** 〖美俚〗麻煩事情。

bois·ter·ous [ˋbɔɪstərəs] *adj.* ①喧鬧的。②猛烈的；狂暴的。— **ly,** *adv.*

bo·la(s) [ˋbolə(s)] *n.* Ⓒ 繫有兩個以上鐵球之捕獸用繩索。

***bold** [bold] *adj.* ①勇敢的。②無禮的；魯莽的；厚顏無恥的。③顯眼的。④陡峭的。⑤富有想像力的。*make* ~ 膽敢；冒昧。I *made* ~ to offer my suggestion. 我冒昧提出了我的建議。— **ly,** *adv.* — **ness,** *n.*

bold·face[ˋbold,fes] *n.* Ⓤ〖印刷〗粗體鉛字；黑體字。

bold-faced [ˋboldˋfest] *adj.* ①厚顏的；莽撞的。②用粗體鉛字印刷的。

bole [bol] *n.* ①Ⓒ樹幹。②Ⓤ黏土。

bo·le·ro [boˋlɛro] *n.* Ⓒ (*pl.* ~**s**) ①波蕾若(一種輕快之西班牙舞蹈或其舞曲)。②前面開口之短上衣。

Bo·liv·i·a [bəˋlɪvɪə] *n.* 玻利維亞(南美之一國)。— **Bo·liv′i·an,** *adj.* & *n.*

boll [bol] *n.* Ⓒ(棉、亞麻等之)圓莢。§ ~ **wéevil** 〖昆蟲〗棉鈴象鼻蟲。

bol·lard [ˋbaləd] *n.* Ⓒ〖海〗繫船柱。

bol·locks [ˋbaləks] *n. pl.* 〖英鄙〗①睪丸。②無聊的事；胡扯。

bo·lo·gna [bəˋlonə] *n.* ⓊⒸ 波隆那香腸(內含雜樣肉類之燻製臘腸)。

Bol·she·vik [ˋbalʃə,vɪk] *n.* (*pl.* ~**s, Bol·she·vi·ki** [-,vɪkɪ]) ①布爾什維克。②Ⓒ俄國共產黨之一分子。③Ⓒ (有時 b-)激進分子。— *adj.* 共產黨的；激烈派的。— **vism,** *n.*

bol·ster [ˋbolstə] *n.* Ⓒ①長枕(墊)。②墊物；承板。— *v.t.* 支持；支撐〔up〕。

***bolt**[1] [bolt] *n.* Ⓒ①螺釘。②門閂。③霹靂；閃電。④逃亡。⑤一捲布[紙]。*a* ~ *from the blue* 晴天霹靂。*shoot one's* ~ 盡力而爲。— *v.i.* ①逃走；突然跳開。②〖美〗脫黨；拒絕擁護自己政黨的候選人。③狼吞虎嚥。— *v.t.* ①閂住。②〖美〗脫黨；不擁護自己政黨的政策。③射出。④囫圇吞下。⑤脫口說出。

bolt[2] *n.* Ⓒ 篩子。— *v.t.* ①篩。②細查；分開。

‡**bomb** [bam] *n.* Ⓒ①炸彈。②突發事件。③〖俚〗徹底的失敗。— *v.t.* 轟炸。— *v.i.* ①投彈。②完全失敗〔常 out〕。§ ~ **bày** (飛機中的)炸彈艙。~ **shèlter** 防空洞；避難室。

bom·bard [bamˋbard] *v.t.* ①砲轟。②攻擊；質問。— **ment,** *n.*

bom·bar·dier [,bambəˋdɪr] *n.* Ⓒ①〖軍〗投彈手。②砲兵下士。

bom·bast [ˋbambæst] *n.* ⓊⒸ誇大之辭；大話。— **bom·bas′tic,** *adj.*

bombed [bamd] *adj.* ①圓的；凸的。②〖俚〗(爲酒或毒品所)麻醉的。

bomb·er [ˋbamə] *n.* Ⓒ①轟炸機。②轟炸員。

bomb·proof [ˋbamˋpruf] *adj.* 避彈的。— *n.* Ⓒ防空壕。

bomb·shell [ˋbam,ʃɛl] *n.* Ⓒ①炸彈。②(常 *sing.*)突然引起騷動的人[事]。

bo·na fide [ˋbonəˋfaɪdɪ] 〖拉〗*adv.* & *adj.* 眞誠地[的]。

bo·na fi·des [ˋbonəˋfaɪdiz] 〖拉〗*n.* (作 *sing.*解) 誠意。

bo·nan·za [boˋnænzə] *n.* Ⓒ①富礦帶。②〖俗〗致富之源；幸運。

Bo·na·part·ism [ˋbonə,partɪzəm] *n.* Ⓤ①拿破崙主義之信仰或支持。②政治獨裁者之措施、學說等。

bon·bon [ˋban,ban] 〖法〗*n.* Ⓒ夾心糖。

***bond** [band] *n.* ①Ⓒ束縛；結合。②Ⓒ債券。③Ⓒ契約；合同；票據。④Ⓤ保結。⑤(*pl.*)禁錮；桎梏。⑥Ⓒ保證人。⑦Ⓤ(海關)扣留(交税後取出)。⑧Ⓒ砌磚[石]之方法。⑨ⓊⒸ結合；黏著。—*v.t.* ①以證券作抵押；抵押。②結合；砌合(磚石等)。③作保。—*v.i.* 接合；黏合；砌合 〔together〕. §～ **pàper** 證券紙。

***bond·age** [ˋbandɪdʒ] *n.* Ⓤ奴役；(習慣、情慾等的)奴隸；囚禁。

bond·ed [ˋbandɪd] *adj.* ①抵押的。②扣於關棧以保稅的(即繳稅後始可提取)。§～ **wárehouse** 保稅倉庫。

bond·hold·er [ˋband,holdɚ] *n.* Ⓒ債券持有人。—**bond′hold·ing,** *adj.*

bond·man [ˋbandmən] *n.* Ⓒ(*pl.* **-men**)①男奴。②中世紀之農奴。

bonds·man [ˋbandzmən] *n.* Ⓒ(*pl.* **-men**)①=**bondman.** ②保證人。

bond·wom·an [ˋband,wumən] *n.* Ⓒ(*pl.* **-wom·en**)女奴隸。

‡**bone** [bon] *n.* ①ⓊⒸ骨。②(*pl.*)骨骼；屍骸。③Ⓒ似骨的東西(如象牙、傘骨、骨牌等)。④(*pl.*)〖俗〗 **a.** 骰子。**b.** 身體。*feel in one's ～s* 確切知道。*have a ～ in the throat* 難於開口。*have a ～ to pick with* (*someone*) 對(某人)有抱怨。*make no ～s about* 毫無顧忌。*to the ～* 完全地；至極限。—*v.t.* ①除去骨頭。②以骨灰施肥於。—*v.i.* 苦讀。§～ **àsh** 骨灰。

bone·black [ˋbon,blæk] *n.* Ⓤ(漂白用)骨炭。(亦作 **bone black**)

bone-dry [ˋbonˋdraɪ] *adj.* ①極乾燥的。②〖美俗〗絕對禁酒的。

bon·er [ˋbonɚ] *n.* Ⓒ〖俚〗大錯。

bone·set [ˋbon,sɛt] *v.i.* (～, **-set·ting**)接骨；正骨。—**ter,** *n.*

bon·fire [ˋban,faɪr] *n.* Ⓒ在戶外或爲慶祝所舉的火。

bon·go[1] [ˋbaŋgo] *n.* Ⓒ(*pl.* **～s**)(非洲產)大羚羊。

bon·go[2] *n.* Ⓒ(*pl.* **～(e)s**)拉丁小鼓(一種用手指敲打的小鼓)。

bon·ho·mie [,banəˋmi] 〖法〗*n.* Ⓤ好性情；和藹。

bo·ni·to [bəˋnito] *n.* Ⓒ(*pl.* **～(e)s**)〖魚〗鰹。

bon·jour [bɔ̃ˋʒur] 〖法〗*interj.* 早安；日安。

bon·kers [ˋbaŋkɚz] *adj.* 〖俚〗腦筋有問題的；瘋的。

bon mot [bɔ̃ˋmo] 〖法〗*n.* Ⓒ合適的話；聰明的話；雋語。

Bonn [ban] *n.* 波昂(前西德首都)。

bon·net [ˋbanɪt] *n.* Ⓒ①婦孺所戴的軟帽。②保護用之覆蓋物。③蘇格蘭男用無邊軟帽。

bon·ny, bon·nie [ˋbanɪ] *adj.* ①美麗的。②好的。③健美的。—**bon′ni·ly,** *adv.*

bon·sai [ˋbansaɪ] 〖日〗*n.* Ⓒ(*pl.* ～)盆景。

bo·nus [ˋbonəs] *n.* Ⓒ①獎金；紅利。②額外酬金。③免費贈送的東西。

bon vo·yage [bɔ̃vwaˋja:ʒ] 〖法〗*interj.* 再會；一路順風；一路平安。

bon·y [ˋbonɪ] *adj.* 多骨的；骨瘦如柴的。

boo [bu] *interj.* 呸！(表輕視、不贊成或震驚之聲音)。—*n.* Ⓒ(*pl.* **～s**)噓聲。—*v.i.* 作噓聲。—*v.t.* 向…作噓聲。

boob [bub] *n.* ①Ⓒ〖美俚〗愚人。②(*pl.*)〖俗〗(女人的)乳房。

boo·by [ˋbubɪ] *n.* Ⓒ①呆子。②塘鵝。§～ **prìze** 末名獎品。

boo·by-trap [ˋbubɪ,træp] *n.* Ⓒ(亦作 **booby trap**)①(爲戲弄某人而設的)陷阱(如置物於門頂，有人開門時即落其身上)。②〖軍〗詭雷。—*v.t.* (**-pp-**)安設陷阱。

boog·ie-woog·ie [ˋbugɪˋwugɪ] *n.* Ⓤ〖樂〗布基烏基(一種快節奏的爵士樂)。

boo·hoo [ˋbu,hu] *v.i.* 號哭。—*n.* Ⓒ(*pl.* **～s**)號哭聲。

‡**book** [buk] *n.* Ⓒ①書。②卷。③簿冊。④歌劇之歌詞。⑤(常 *pl.*)帳簿。⑥(歌舞劇等之)劇本。⑦(賽馬等的)賭注帳冊。⑧裝訂如書之物(支票簿、郵票等)。*be in one's good* [*bad, black*] *～s* 爲某人所喜[所厭惡]。*bring to ～* **a.** 請求解釋。**b.** 斥責。*by the ～* 根據常規。*close the ～s* **a.**(結帳時)暫停記帳。**b.** 使…告結束。*in one's ～* 按某人的個人意見。*keep ～s* 記帳。*like a ～* 完全地；徹底地。*one for the ～* 值得記載的事蹟。*on the ～s* 有記載。*suit one's ～* 合於某人的計畫或希望。*the B- of Books* 聖經。*the B- of Changes* 易經。*throw the ～ at* 〖俚〗嚴厲處罰或斥責。*without ～* **a.** 憑記憶。**b.** 無權；無根據。—*v.t.* ①登記。②預定；約定。③託運。④控告。—*v.i.* ①登記。②訂座。§～ **lèarning** [**lòre**] (1)書本上的學問。(2)〖俗〗正規教育。～ **lòuse** 書蠹。～ **reviѐw** 書評。～ **vàlue** (1)〖經〗公司或股票之淨值。(2)帳簿上之價值。

book·bind·ing [ˋbuk,baɪndɪŋ] *n.* Ⓤ裝訂術[業]。

***book·case** [ˋbuk,kes] *n.* Ⓒ書架。

book·end [ˋbuk,ɛnd] *n.* Ⓒ(常*pl.*)書夾；書靠。

book·ie [ˋbukɪ] *n.* Ⓒ〖俚〗以賭賽馬爲生之人。

book·ing [ˋbukɪŋ] *n.* ⓊⒸ訂票。§～ **àgent** (1)代訂票的人。(2)(演員等之)經紀人。～ **clèrk** 售票員。～ **òffice** 〖英〗售票房；售票處。

book·ish [ˋbukɪʃ] *adj.* ①好讀書的。②迂腐的；拘泥的。③書上的。

book·keep·er [ˋbuk,kipɚ] *n.* Ⓒ簿記員。

book·keep·ing [ˋbuk,kipɪŋ] *n.* Ⓤ簿記。

book·let [ˋbuklɪt] *n.* Ⓒ小冊子。

book·mak·er [ˋbuk,mekɚ] *n.* Ⓒ①作者；編者。②以賭賽馬爲生的人。

book·mark(·er) [ˋbuk,mark(ɚ)] *n.* Ⓒ①書籤。②=**bookplate.**

book·mo·bile [ˋbukmo,bil] *n.* Ⓒ(設在車上的)流動圖書館。

book·plate [ˋbuk,plet] *n.* Ⓒ書本標籤。

book·sell·er [ˋbuk,sɛlɚ] *n.* Ⓒ書店老板。

***book·shelf** [ˋbuk,ʃɛlf] *n.* Ⓒ(*pl.* **-shelves**)書架；書櫥。

***book·shop** [ˋbuk,ʃap] *n.* Ⓒ書店。

book·stall [ˋbuk,stɔl] *n.* Ⓒ〖英〗書

報攤。

book·stand [ˋbuk͵stænd] *n.* Ⓒ ①書報攤。②書架。

***book·store** [ˋbuk͵stor] *n.* Ⓒ〖美〗書店。

book·worm [ˋbuk͵wɝm] *n.* Ⓒ ①蠹魚；書蟲。②書呆子。

B

***boom**[1] [bum] *n.* Ⓒ ①隆隆聲；營營聲。②繁榮。③景氣。④提高(候選人)聲望(之努力)。— *v.t.* ①以隆隆聲發出。②使繁榮。③廣為宣傳。④力促。— *v.i.* ①作隆隆聲；發低沉之聲音。②趨於繁榮。§ ～ tòwn 突然繁榮的新興都市。— ing, *adj.*

boom[2] *n.* Ⓒ ①〖海〗帆之下桁。②阻擋浮木漂走的欄木。③(起重機等的)吊桿。*lower the* ～〖俚〗採取嚴厲措施；禁止。

boo·mer·ang [ˋbumə͵ræŋ] *n.* Ⓒ ①回力棒(澳洲土人打獵時用的彎曲堅木，擲出後仍能返回原處)。②反跳回原處傷及使用者的東西。— *v.i.* 擲出後仍回至原處。

boon[1] [bun] *n.* Ⓒ ①恩惠；(請求或賜予的)恩澤。②請求。

boon[2] *adj.* ①仁慈的。②快樂的。

boon·docks [ˋbun͵dɑks] *n. pl.* (the ～) 內陸偏僻地方。

boor [bur] *n.* Ⓒ 舉止粗魯的人。

boor·ish [ˋburɪʃ] *adj.* 沒禮貌的；粗野的；粗魯的。

***boost** [bust] *v.t.* ①〖美俗〗由後推；推上。②〖俚〗為之吹噓。③〖俚〗提高；增加。④〖電〗升壓。— *n.* Ⓒ ①〖美俗〗推動；幫助。②〖美俚〗(價格、生產等之)提高。③〖俚〗在商店中行竊。— er, *n.*

boost·er [ˋbustɚ] *n.* Ⓒ ①後援者。②昇壓器。③助升火箭。§ ～ shòt (疫苗)第二次預防注射。

‡**boot**[1] [but] *n.* ① Ⓒ (常 *pl.*) 皮靴；長靴。② Ⓒ 古代夾足刑具。③ Ⓒ 踢。④ Ⓒ〖美俚〗新兵。⑤ (the ～)〖俚〗解雇。⑥ Ⓒ〖俚〗快感；刺激。⑦ Ⓒ〖電算〗啓動程式。*bet your* ～*s* 確信。*die in one's* ～*s; die with one's* ～*s on* 因公殉職；陣亡；意外死亡。*get the* ～ 被解雇。*give* (*one*) *the* ～ 解雇(某人)。*have* (*one's*) *heart in* (*one's*) ～*s* 失望；灰心。*lick the* ～*s of; lick someone's* ～*s* 諂媚；對…卑躬曲膝。*The* ～ *is on the other leg.* 情勢逆轉。*wipe one's* ～*s on* 以凌辱之態度對待。— *v.t.* ①穿上靴。②踢；激勵。③〖俚〗解雇；趕出。④〖電算〗啓動(程式)。§ ～ càmp 新兵訓練營。～ trèe 鞋楦。

boot[2] *n.* Ⓤ 利益；獲益。*to* ～ 除…之外；而且。

***booth** [buθ, buð] *n.* Ⓒ (*pl.* ～s [buðz]) ①(市場內之)攤位。②哨崗；電話亭。③(飯館中的)小間隔。④選舉投票隔間。

boot·leg [ˋbut͵lɛg] *n.* ① Ⓤ 私酒。② Ⓒ 靴統。— *v.i.* & *v.t.* (-gg-) 違法製造、運輸或販賣(酒等)。— *adj.* 違法製造、販賣或運輸的。— ger, *n.*

boot·less [ˋbutlɪs] *adj.* 無益的；無用的。— ly, *adv.* — ness, *n.*

boot·lick [ˋbut͵lɪk] *v.t.* & *v.i.*〖俚〗諂媚。— er, *n.*

boo·ty [ˋbutɪ] *n.* Ⓤ ①勝利品；俘獲物。②劫掠物。③獲利；獎品。

booze [buz]〖俗〗*n.* ① Ⓒ 飲酒；酒宴。② Ⓤ 酒。*on the* ～ 痛飲。— *v.i.* 痛飲。

booz·y [ˋbuzɪ] *adj.*〖俗〗①酒醉的。②嗜酒的。

bop [bɑp]〖俚〗*v.t.* (-pp-) 毆打；重擊。— *n.* Ⓒ 毆打。

bo-peep [boˋpip] *n.* Ⓤ 躲躲貓(把臉一隱一現以逗小孩之遊戲)。*play* ～ (政客)耍政治權術。

bo·rax [ˋborəks] *n.* Ⓤ 硼砂。

Bor·deaux [bɔrˋdo] *n.* ①波爾多(法國西南部之一海港)。② Ⓤ 該地所產的葡萄酒。§ ～ mìxture 波爾多混合劑(一種殺蟲劑)。

bor·del·lo [bɔrˋdɛlo] *n.* Ⓒ (*pl.* ～s) 妓院。

‡**bor·der** [ˋbɔrdɚ] *n.* Ⓒ ①邊；界線；邊緣。②邊境。③窄邊；滾邊。④狹長之花床。— *v.t.* ①鑲邊。②毗連。③作…之疆界。— *v.i.* ①接壤。②接近。Such an act ～s on folly. 這種行為近於愚蠢。～ *on* [*upon*] a. 毗連；鄰接。b. 近似；接近。

bor·der·land [ˋbɔrdɚ͵lænd] *n.* ① Ⓒ 邊疆。②(the ～)模糊含混之情境。

bor·der·line [ˋbɔrdɚ͵laɪn] *n.* Ⓒ (常 *sing.*)界線；國界。— *adj.* ①邊境上的。②在兩類之間的；不確定的。

***bore**[1] [bor] *v.t.* ①鑽；鑿。②排衆向前；鑽進〔常 through, into〕。— *v.i.* 鑽孔；穿孔。— *n.* Ⓒ ①孔。②管腔；槍鏜。③口徑；槍砲的口徑。

***bore**[2] *v.t.* 令人厭煩。— *n.* Ⓒ 討厭的人或事。— dom, *n.* — some, *adj.*

bore[3] *n.* Ⓒ ①海嘯。②激潮；高潮。

‡**bore**[4] *v.* pt. of **bear**[1].

bored [bord] *adj.* 感到厭煩的。

bor·er [ˋborɚ] *n.* Ⓒ ①穿孔者；鑽孔器。②在水果中鑽孔之蟲。

bo·ric [ˋborɪk] *adj.* (含)硼的。§ ～ ácid 硼酸。

bor·ing [ˋborɪŋ] *adj.* ①鑽孔用的。②令人厭倦的。— *n.* ① Ⓤ 鑽孔；打孔。② Ⓒ 鑽成之孔。③(*pl.*)鑽屑；鏜花。

‡**born** [bɔrn] *adj.* 天生的。— *v.* pp. of **bear**[1].

born-a·gain [ˋbɔrnəgɛn] *adj.* ①(對放棄過的信仰、事業等)重感興趣的。②復出的；東山再起的。

‡**borne** [born] *v.* pp. of **bear**[1]. 〔注意〕**borne** 是 bear 的過去分詞。當「生」解時，不加 by 的被動式用 born，如：He was born in 1900. 此外，仍用 borne，如：She had borne five children.

Bor·ne·o [ˋbornɪ͵o] *n.* 婆羅洲。

bo·ron [ˋborɑn] *n.* Ⓤ〖化〗硼。

bor·ough [ˋbɝo] *n.* Ⓒ ①〖美〗享有自治權的市鎮。②紐約市之一區。

‡**bor·row** [ˋbɑro] *v.t.* & *v.i.* 借。～ *trouble* 杞人憂天；悲觀。

bor·row·er [ˋbɑroɚ] *n.* Ⓒ 借用者。

borsch [bɔrʃ] *n.* Ⓤ 羅宋湯(俄式甜菜肉湯)。

bosh [bɑʃ] *n.* Ⓤ & *interj.*〖俗〗胡說。

***bos·om** [ˋbʊzəm] *n.* Ⓒ ①胸。②(衣服的)胸襟。③中心。④胸懷(感情之源); 心腹。⑤(女人之)乳房。— *adj.* 親密的; 知己的; 心腹的。— *v.t.* ①懷抱。②隱匿。

‡**boss**[1] [bɔs] 〖俗〗 *n.* Ⓒ ①工頭; 老板。②領袖; 首腦。— *v.t.* 指揮; 監督。— *v.i.* 做老板; 作威作福。— *adj.* 主要的; 第一流的。

boss[2] *n.* Ⓒ 突起物。

boss·y [ˋbɔsɪ] *adj.* 〖俗〗跋扈的。

Bos·ton [ˋbɔstn̩] *n.* 波士頓(美國麻薩諸塞州之首府)。 —**Bos·to·ni·an** [bɔsˋtonɪən], *adj.* & *n.*

bo·sun [ˋbosn̩] *n.* =**boatswain.**

bo·tan·i·cal [boˋtænɪkl] *adj.* 植物學的; 植物的。(亦作 **botanic**) § ∼ **gárden** 植物園。

bot·a·nist [ˋbɑtn̩ɪst] *n.* Ⓒ 植物學家。

bot·a·nize [ˋbɑtn̩͵aɪz] *v.i.* 採集植物; 研究植物。

bot·a·ny [ˋbɑtn̩ɪ] *n.* Ⓤ 植物學。

botch [bɑtʃ] *v.t.* ①拙劣地補綴。②笨拙地弄壞。— *n.* Ⓒ ①拙劣的補綴。②拙劣的工作。

‡**both** [boθ] *adj.* 二者的; 兩方的。— *pron.* 兩者。— *adv.* 並; 又; 兩皆。— *conj.* 而且; 既…而又; 兩皆。

‡**both·er** [ˋbɑðɚ] *n.* ①Ⓤ 麻煩; 困擾。②Ⓒ (常 *sing.*)可厭的人、事。③Ⓤ 焦慮; 煩心。④Ⓤ 努力; 盡心。— *v.t.* ①煩擾。②使焦慮。— *v.i.* 煩惱。∼ *one's head* [*oneself*] *about* 爲…焦慮。— *interj.* 〖主英〗討厭! —**some,** *adj.*

both·er·a·tion [͵bɑðəˋreʃən] *interj.* 可惡! 討厭! — *n.* ⓊⒸ 〖俗〗苦惱; 麻煩。

bo tree [ˋbo͵tri] *n.* Ⓒ 菩提樹。

‡**bot·tle** [ˋbɑtl̩] *n.* ①Ⓒ 瓶。②Ⓒ 一瓶容量。③(the ∼) **a.** 酒。**b.** (餵嬰兒用的)裝於瓶中的牛奶。He was raised on the ∼. 他是吃牛奶養大的。*hit the* ∼ 〖俗〗酗酒。— *v.t.* 裝入瓶中。∼ *up* **a.** 抑制; 隱藏。**b.** 擁塞。§ ∼ **bàby** 用奶瓶養育的嬰孩。∼ **gòurd** 〖植〗葫蘆。∼ **gréen** 深綠色。∼ **nòse** 酒糟鼻子。

bot·tled [ˋbɑtl̩d] *adj.* 瓶裝的。§ ∼ **gás** 筒裝(液化)瓦斯。

bot·tle-fed [ˋbɑtl̩͵fɛd] *adj.* 用牛乳養育的; 人工餵養的。

bot·tle-green [ˋbɑtl̩͵grin] *adj.* 深綠色的。

bot·tle·neck [ˋbɑtl̩͵nɛk] *n.* Ⓒ ①瓶頸。②狹道; 隘路。③障礙。

‡**bot·tom** [ˋbɑtəm] *n.* ①Ⓒ 底。②Ⓒ 基。③Ⓒ 水底。④Ⓒ 臀部。⑤(the ∼)基礎; 來源。⑥(the ∼)心底深處。⑦Ⓒ 船; 船底。⑧(the ∼)最低點。⑨Ⓒ 〖棒球〗(每一局之)下半局。*at (the)* ∼ 實際地; 基本地。*be at the* ∼ *of* 是…眞正的起因。*Bottoms up!* 〖俗〗乾杯! *go to the* ∼ (船)沉入水底。*knock the* ∼ *out of* (*an argument*)證明(某一論證)之錯誤。— *adj.* ①最後的; 最低的。②基本的。*bet one's* ∼ *dollar* 〖俚〗傾囊下注; 確信。— *v.t.* ①供以底或墊。②以…爲基礎〔常 on, upon〕。③使(潛艇)停在海底。④探究。— *v.i.* ①以某事爲根據或基礎〔on, upon〕。②到底。§ ∼ **lànd** 河邊的低地。∼ **líne** (1)(決算書的)最後一行; (總計的)純益。(2)首要之事; 基本要素。—**less,** *adj.*

bot·tom-line [ˋbɑtəm͵laɪn] *adj.* ①只關注成本的。②實際的(=realistic). ③基本的。

bot·tom-of-the-line [ˋbɑtəm əv ðə͵laɪn] *adj.* 最便宜的(產品)。

bot·u·lism [ˋbɑtʃə͵lɪzəm] *n.* Ⓤ 〖醫〗臘腸毒菌病。

bou·doir [buˋdwɑr] 〖法〗*n.* Ⓒ 女性之會客室或化妝室; 閨房。

bouf·fant [buˋfɑnt] 〖法〗*adj.* (頭髮、衣服等)鼓脹的; 蓬鬆的。

***bough** [baʊ] *n.* Ⓒ 樹枝。

‡**bought** [bɔt] *v.* pt. & pp. of **buy.**

bought·en [ˋbɔtn̩] *adj.* 〖美方〗買來的; 購進的。

bouil·lon [ˋbuljɑn] 〖法〗*n.* Ⓤ 肉湯; 牛肉湯。

boul·der [ˋboldɚ] *n.* Ⓒ 大鵝卵石。

boul·e·vard [ˋbulə͵vɑrd] *n.* Ⓒ 林蔭大道。

***bounce** [baʊns] *v.i.* ①跳; 反彈。②上下地跳; 狂怒而跳。③〖美俗〗(支票)退票。— *v.t.* ①使…跳。②〖俚〗拋出…。③〖俚〗解雇。∼ *back* 捲土重來。— *n.* ①ⓊⒸ 跳; 反躍。②Ⓤ 自誇; 吹噓。③(the ∼)〖俚〗解雇。④Ⓤ 彈力; 彈性。⑤Ⓤ 活力。— *adv.* ①像跳躍般地。②突然地。

bounc·er [ˋbaʊnsɚ] *n.* Ⓒ ①龐然大物。②〖俗〗愛吹噓的人。③〖俚〗(旅館等中的)保鏢。④跳躍之人或物。

bounc·ing [ˋbaʊnsɪŋ] *adj.* ①跳躍的。②強健的。③巨大的。

bounc·y [ˋbaʊnsɪ] *adj.* ①彈性好的。②有活力的。

‡**bound**[1] [baʊnd] *v.* pt. & pp. of **bind.** — *adj.* ①被縛的。②裝訂好的; 有封面的。③負有義務的。④一定的。⑤〖俗〗決心的。⑥深愛的。⑦患便祕的。*be* ∼ *up in* [*with*] **a.** 對…發生濃厚興趣; 專心於…。**b.** 同…有密切關係。

***bound**[2] *v.i.* & *n.* ⓊⒸ ①跳躍; 跳躍前行。②回跳; 反躍。

bound[3] *n.* (*pl.*) ①界限。②可以合法出入之地。*out of* ∼*s* **a.** 禁止入內的。**b.** 在界線之外。— *v.t.* ①限制。②形成…之界限。③指出疆界。— *v.i.* 接界〔on〕。

***bound**[4] *adj.* 準備要去的; 開往的。The train is ∼ for Tainan. 這火車準備開往臺南。

-bound 〖字尾〗表「往…去的; 被…限制的」之義。

***bound·a·ry** [ˋbaʊndərɪ] *n.* Ⓒ 界線; 境界。

bound·en [ˋbaʊndən] *adj.* ①受恩的。②義務的; 本分的。

bound·er [ˋbaʊndɚ] *n.* Ⓒ ①〖俗〗粗魯之人。②〖棒球〗跳得很高的滾地球。

bound·less [ˋbaʊndlɪs] *adj.* 無限的; 無窮的。

boun·te·ous [ˋbaʊntɪəs] *adj.* ①慷慨的; 好施的。②豐富的。

boun·ti·ful [ˋbauntəfəl] *adj.* = bounteous.
***boun·ty** [ˋbauntɪ] *n.* ① Ⓤ Ⓒ 慷慨；施與。② Ⓒ 獎金。
***bou·quet** [boˋke, buˋke] *n.* ① Ⓒ 花束。② Ⓤ Ⓒ 芳香。③ Ⓒ 恭維。
Bour·bon [ˋburbən] *n.* ① Ⓒ (政治上之)極端保守分子。②(b-) Ⓤ Ⓒ 波旁威士忌。*the* ~*s* 波旁皇族。
bour·geois [burˋʒwɑ] *n.* (*pl.* ~)① Ⓒ 中產[資產]階級的人。②(the ~, 集合稱)中產階級。— *adj.* ①中產[資產]階級的。②平凡的；普通的。
bour·geoi·sie [ˌburʒwɑˋzi] *n.* Ⓤ (the ~)①中產階級。②資產階級。
bout [baut] *n.* Ⓒ ①一個回合；一番；一巡。②發作。*this* ~ 此時；此次。
bou·tique [buˋtik]〖法〗*n.* Ⓒ 專售時裝、服飾等的委託店或小商店。
bo·vine [ˋbovaɪn] *adj.* ①牛的。②似牛的；遲鈍的。— *n.* Ⓒ 牛；似牛之動物。
‡**bow**[1] [bau] *v.t.* ①彎(腰)；俯(首)。②鞠躬以迎送(賓客)；鞠躬表示(謝意)。③屈服。— *v.i.* ①鞠躬。②屈服。~ *and scrape* 過於客氣；奴顏婢膝。~ *down* **a.** 壓彎。**b.** 崇拜。~ *out* **a.** 由…退出。**b.** 送出。*have a* ~*ing acquaintance with* 與(某人)為點頭之交。— *n.* Ⓒ 鞠躬。*make one's* ~ 初次與觀衆見面。*take a* ~ 上前謝幕。
‡**bow**[2] [bo] *n.* Ⓒ ①弓。②弓形物；彎曲的形狀。③蝶形領結。④樂弓。*have two strings to one's* ~ 有兩手準備。— *v.t.* & *v.i.* ①(使)彎曲。②用弓奏樂。§ ∠ **tíe** 蝶形領結。∠ **wíndow** 弓形窗；凸窗。
bow[3] [bau] *n.* Ⓒ 船首；飛機前部。~*s on* 直衝地。~*s under* 船首沒於浪中。*on the* ~ 在正前方向左右各 45°內。
bowd·ler·ize [ˋbaudləˌraɪz] *v.t.* 刪去(書中猥褻或不妥的文句)。
***bow·el** [ˋbauəl] *n.* ① Ⓒ (常 *pl.*)腸；內臟。②(*pl.*)內部。③(*pl.*)慈悲；憐憫。§ ∠ **mòvement** 通便。
bow·er [ˋbauə] *n.* Ⓒ ①樹蔭處；園亭。②〖詩〗村舍。③〖古〗閨房；寢室。
bow·ie [ˋbo·ɪ] *n.* Ⓒ 有鞘的鋼製單刃獵刀。(亦作 **bowie knife**)
***bowl**[1] [bol] *n.* Ⓒ ①碗；缽。②一碗的容量。③物的凹處；碗形的東西；煙斗的凹處。④大酒杯。⑤宴飲；飲酒。⑥形似碗缽的球場、音樂廳等建築。
bowl[2] *n.* ① Ⓒ (遊戲用的)木球。②(*pl.*, 作 sing. 解)滾木球戲(=lawn bowling)。③ Ⓒ (保齡球或 lawn bowling 中)球的一擲。— *v.t.* ①滾(木球)。②用球撞倒(木瓶)。③玩(保齡球)。— *v.i.* 滑動(如球)。~ *down*〖俗〗打倒。~ *over* 使狼狽；吃驚。
bow·leg [ˋboˌlɛg] *n.* Ⓒ (常 *pl.*)向外彎曲之腿；弓形腿；膝內翻。—**ged,** *adj.*
bowl·er[1] [ˋbolə] *n.* Ⓒ ①玩保齡球者。②〖板球〗投球手。
bowl·er[2] *n.* Ⓒ〖英〗一種圓頂硬禮帽。
bow·line [ˋbolɪn, -ˌlaɪn] *n.* Ⓒ〖海〗帆脚索。§ ∠ **knòt**〖海〗帆繩結。
bowl·ing [ˋbolɪŋ] *n.* Ⓤ ①保齡球戲。②〖板球〗投球。§ ∠ **àlley** (1)保齡球場。(2)滾保齡球球槽。∠ **grèen** 玩滾木球戲用的草地球場。∠ **pìn** 保齡球戲中的木瓶(共十個)。
bow·man [ˋbomən] *n.* Ⓒ (*pl.* **-men**) 射手；弓箭手。
bow·shot [ˋboˌʃɑt] *n.* Ⓒ (常 *sing.*) 一箭之遙；射距。
bow·sprit [ˋbauˌsprɪt] *n.* Ⓒ〖海〗船首斜桅。
bow·string [ˋboˌstrɪŋ] *n.* Ⓒ ①弓弦。②絞索。
bow·wow [ˋbauˋwau] *n.* Ⓒ ①犬吠聲。②=**dog.** — *v.i.* ①吠。②咆哮。
‡**box**[1] [bɑks] *n.* Ⓒ ①箱；盒；匣。②一箱的容量。③戲院的包廂。④席。a press ~ 記者席。⑤〖美, 棒球〗投手區；打擊區；教練區。⑥(報紙、雜誌上)花邊框出的文章。⑦〖英〗小屋；電話亭；衣箱。*a* ~ *and needle*〖海〗羅盤。*B- and Cox* 輪流;交替。*in a* (*tight*) ~ 處於窘境中。*in the wrong* ~ 不得其所；錯誤；困難。— *v.t.* ①裝於箱中。②(於競賽中)擋住(對手使他不能超前)〔常 in〕。~ *up* 關閉；拘禁。§ ∠ **òffice** (1)(戲院等之)售票處。(2)票房收入。(3)〖俗〗叫座的人或物(如影星、影片等)。
box[2] *n.* Ⓒ 一拳；一摑。— *v.t.* 掌擊；拳擊；摑。— *v.i.* 拳鬥。
box[3] *n.* ① Ⓒ 黃楊。② Ⓤ 黃楊木。
box·car [ˋbɑksˌkɑr] *n.* Ⓒ 有頂貨車；貨車車廂。
box·er [ˋbɑksə] *n.* Ⓒ ①將貨物裝箱之人或機器。②拳師；鬥拳者。
***box·ing** [ˋbɑksɪŋ] *n.* Ⓤ 拳擊。§ ∠ **glòve** 拳擊手套。∠ **màtch** 拳賽。∠ **rìng** 拳賽場地。∠ **wèights** 按拳擊手體重分的等級。
box·keep·er [ˋbɑksˌkipə] *n.* Ⓒ 戲院包廂之管理者。
box-of·fice [ˋbɑksˌɑfɪs] *adj.* ①票房的。②受歡迎而賺錢的；很賣座的。
box·wood [ˋbɑksˌwud] *n.* Ⓤ 黃楊木(材)。
‡**boy** [bɔɪ] *n.* Ⓒ ①男孩。②兒子。③僕人；茶房；侍者。④〖俗〗男人；傢伙。⑤男朋友。— *interj.* 好傢伙！哇！§ ∠ **scòut** 童子軍。
boy·cott [ˋbɔɪˌkɑt] *v.t.* & *n.* Ⓒ 杯葛；聯合抵制；排斥。
***boy·friend** [ˋbɔɪˌfrɛnd] *n.* Ⓒ〖俗〗男朋友；情郎。(亦作 **boy friend**)
***boy·hood** [ˋbɔɪhud] *n.* Ⓤ ①少年時代。②少年們。
boy·ish [ˋbɔɪɪʃ] *adj.* (似)小兒的；活潑的；孩子氣的。
bo·zo [ˋbozo] *n.* Ⓒ (*pl.* ~**s**)〖俗〗傢伙(尤指四肢發達、頭腦簡單者)。
Br. Britain; British.
bra [brɑ] *n.* Ⓒ 乳罩(=brassière).
***brace** [bres] *n.* ① Ⓒ 支撐的東西。② Ⓒ (*pl.* ~)一雙；一對。③ Ⓒ 鑽子的曲柄。a ~ and bit 曲柄鑽孔器。④ Ⓒ 大括弧(即{ })。⑤(*pl.*)〖英〗(褲子的)吊帶；背帶。⑥ Ⓒ (常 *pl.*)齒列矯正器。*take a* ~〖美〗鼓勇；奮力。— *v.t.* ①使穩固。②使振作。— *v.i.* 振作。~ *up* 奮起；振作。
brace·let [ˋbreslɪt] *n.* ① Ⓒ 手鐲；臂

鐲。②(*pl.*)〖俗〗手銬。

brac·er [ˋbresɚ] *n.* Ⓒ①護腕帶。②帶；索。③〖俚〗興奮劑；刺激性飲料；酒。

brac·ing [ˋbresɪŋ] *adj.* 增加氣力的；興奮的；使心神清爽的。— *n.* Ⓒ①拉緊或支撐的裝置。②帶。③刺激。

brack·en [ˋbrækən] *n.* Ⓤ蕨；羊齒。

***brack·et** [ˋbrækɪt] *n.* Ⓒ①三角形的托架。②(常 *pl.*)括弧。③納稅人按其收入的分類。in the low-income ～ 在收入少的分類內。— *v.t.* ①用托架托住。②置於括弧內。

brack·ish [ˋbrækɪʃ] *adj.* ①有鹽(味)的。②可厭的；作嘔的。

bract [brækt] *n.* Ⓒ〖植〗苞。

brad [bræd] *n.* Ⓒ 無頭釘；曲頭釘；角釘。

brad·awl [ˋbræd,ɔl] *n.* Ⓒ小錐。

brag [bræg] *n.* ①Ⓤ誇張。②Ⓒ誇張者；自誇者。— *v.i.* & *v.t.* (**-gg-**)誇張 [of, about]. — *adj.* 極好的。

brag·ga·do·ci·o [,brægəˋdoʃɪ,o] *n.* (*pl.* ～**s**)①Ⓒ自誇者。②Ⓤ自誇。

brag·gart [ˋbrægɚt] *n.* Ⓒ自誇者；大言者。— *adj.* 自誇的；矜誇的。

Brah·ma [ˋbrɑmə] *n.* ①〖印度神學〗梵天(衆生之父)。②Ⓒ印度產之牛。

Brah·man [ˋbrɑmən] *n.* Ⓒ (*pl.* ～**s**) ①婆羅門(印度四大階級中之最高者)之一分子。②印度產之牛。

Brah·man·ism [ˋbrɑmən,ɪzəm] *n.* Ⓤ婆羅門教。

Brah·min [ˋbrɑmɪn] *n.* Ⓒ (*pl.* ～, ～**s**)①=**Brahman.** ②很有學識或社會地位者。

Brahms [brɑmz] *n.* 布拉姆斯(Johannes, 1833-97, 德國作曲家及鋼琴家)。— **i·an,** *adj.* & *n.*

braid [bred] *v.t.* ①將髮或細帶編織在一起。②束以或飾以辮帶或花等。— *n.* Ⓒ①縧帶。an elastic ～ 鬆緊帶。②(常 *pl.*)辮子。③(髮上)飾帶。

Braille [brel] *n.* ①布雷爾(Louis, 1809-52, 法國盲人教師, 發明點字)。②Ⓤ(有時b-)盲人所用的點字法。— *v.t.* (有時 b-)以點字法寫出。

Braille·writ·er [ˋbrel,raɪtɚ] *n.* Ⓒ(有時 b-)點字打字機。

‡**brain** [bren] *n.* ①Ⓒ腦。②ⓊⒸ(常 *pl.*)智慧；智力。③(*pl.*)智囊。***beat one's ～s out*** 盡最大的努力去瞭解或做某事。***blow out one's ～s*** 舉槍擊頭自殺。***cudgel*** [***beat***] ***one's ～s*** 苦思；絞盡腦汁。***have something on the ～*** 專心貫注於某事。***pick someone's ～s***(自己不下工夫而去)請教他人；抄襲他人的想法。***turn the ～s of*** 使…驕傲或昏了頭。— *v.t.* 打破…之腦殼；打…之頭。§ ～ **dráin** 人才外流。～ **stòrm** (1)突然的精神錯亂。(2)〖俗〗心血來潮；靈機一動。**Bráins Trùst** 〖英〗(1)=brain trust. (2)(在電視或廣播中對觀衆或聽衆所提出的問題作即席解答的)專家小組。～ **trùst** 智囊團。～ **trùster** 智囊團中之一員。～ **wàve** (1)〖生理〗腦波。(2)〖俗〗靈感。

brain·child [ˋbren,tʃaɪld] *n.* Ⓒ (*pl.* **-chil·dren**)〖俗〗腦力創造物(指計畫、概念、創作等而言)。

brain·less [ˋbrenlɪs]*adj.* 沒有頭腦的；愚笨的。

brain·pow·er [ˋbren,paʊɚ] *n.* Ⓤ①腦力；智力。②(集合稱)智囊(團)。

brain·storm·ing [ˋbren,stɔrmɪŋ] *n.* Ⓤ羣策羣力；通力攻關(旨在通過集體討論設法解決疑難問題)。

brain·wash [ˋbren,wɑʃ] *v.t.* ①爲…洗腦。②以宣傳說服。— *n.* Ⓒ洗腦。

brain·wash·ing [ˋbren,wɑʃɪŋ] *n.* ⓊⒸ洗腦。

brain·work [ˋbren,wɝk] *n.* Ⓤ勞心工作。

brain·y [ˋbrenɪ] *adj.* 〖俗〗聰明的。

braise [brez] *v.t.* 燉(肉)；蒸(肉)。

***brake**[1] [brek] *n.* Ⓒ①(常 *pl.*)煞車；制動機。②麻梳。③大耙。— *v.t.* ①用煞車止住或遲緩(車)的行動。②用麻梳梳(麻)。③用耙耙碎。— *v.i.* 煞車。

brake[2] *n.* ①Ⓒ叢林。②Ⓤ蕨類植物。

brake·man [ˋbrekmən], 〖英〗 **brakes-** [ˋbreks-] *n.* Ⓒ (*pl.* **-men**) (列車的)煞車手。

bram·ble [ˋbræmbl̩] *n.* Ⓒ ①野薔薇；荊棘；懸鉤子。②有刺之灌木。

bran [bræn] *n.* Ⓤ糠；穀皮；麥麩。***bolt it to the ～*** 徹底調查。

‡**branch** [bræntʃ] *n.* Ⓒ①樹枝。②枝狀物；支流。③支店；分行；分局。④家族的分支。— *v.i.* ①分支。②逸出正軌。③分出來；發展出來。～ ***off*** 分支。～ ***out*** **a.** 發枝。**b.** 擴充(事業等)。

brand** [brænd] *n.* Ⓒ①種類。②商標；牌子。③烙印；打烙印的烙鐵。④污辱的標記。⑤一塊燃燒中的或部分燒過的木頭。snatch a ～ from the burning*** 搶救以免危險或毀滅。— *v.t.* ①打烙印於…。②加以污辱。③印(在心上)。④使…顯得突出。§ ～**ing ìron** 烙鐵；烙印。～ **nàme** 商標。

bran·dish [ˋbrændɪʃ] *v.t.* 揮動；舞動；揮。— *n.* Ⓒ揮動；舞動。

brand-name [ˋbrænd,nem] *adj.* 有(著名)商標名的；著名廠商的。～ goods 名牌貨。

brand-new [ˋbrændˋnju] *adj.* ①全新的。②(泛指)最近獲得的。

bran·dy [ˋbrændɪ] *n.* Ⓤ Ⓒ白蘭地酒。

brant [brænt] *n.* Ⓒ黑雁。

brash[1] [bræʃ] *n.* Ⓤ①殘枝。②碎片。

brash[2] *adj.* ①倉促的。②無禮的。

Bra·síl·ia [brəˋziljə] *n.* 巴西利亞(巴西新都)。

***brass** [bræs] *n.* ①Ⓤ黃銅。②Ⓒ銅器；銅管樂器。③Ⓤ〖俗〗錢。④(the ～)〖俗〗厚顏無恥。⑤(the ～, 集合稱)〖美俚〗高級軍官；領導人物。§ ～ **bánd** 〖樂〗銅管樂隊。～ **hát** 〖俚〗(1)(英軍之)參謀。(2)高級軍官。～ **ìnstrument** [**wínds**] 銅管樂器。

bras·se·rie [,bræs(ə)ˋri] 〖法〗*n.* Ⓒ啤酒店。

brass·ware [ˋbræs,wɛr] *n.* Ⓤ 黃銅器。

brass·y [ˋbræsɪ] *adj.* ①銅製的。②厚顏無恥的。③尖銳刺耳的。

brat [bræt] *n.* Ⓒ〖蔑〗乳臭小兒。

brat·ty [ˋbrætɪ] *adj.* 討厭的；無禮

B

的；放肆的。

bra·va·do [brəˋvɑdo]〖法〗*n.* Ⓤ Ⓒ (*pl.* ~(e)s) 浮誇；作威。

‡**brave** [brev] *adj.* ①勇敢的。②鮮艷的；炫耀的。③很好的；極成功的。— *n.* Ⓒ ①勇敢的人。②北美印第安戰士。— *v.t.* 抵抗；勇敢地面對；冒…之險。

***brav·er·y** [ˋbrevərɪ] *n.* Ⓤ ①勇敢。②華麗；華飾；華麗的衣服。

bra·vo [ˋbrɑvo] *interj.* (喝采聲)好！— *n.* Ⓒ (*pl.* ~(e)s) 叫好；喝采。

brawl [brɔl] *n.* ①Ⓒ 爭吵；打架。②(the ~)流水聲。— *v.i.* ①爭吵；打架。②淙淙而流。

brawn [brɔn] *n.* Ⓤ ①筋肉；膂力。②人力；勞力。— **brawn′y,** *adj.*

bray[1] [bre] *n.* Ⓒ 驢叫聲。— *v.i.* & *v.t.* ①驢叫。②嘶叫。③以高而沙啞的聲音說。

bray[2] *v.t.* 搗碎；搗成粉。

bra·zen [ˋbrezn̩] *adj.* ①黃銅的。②顏色如黃銅的。③聲音宏亮如喇叭的。④無恥的。— *v.t.* 厚顏無恥地作。~ *a thing out* [*through*] 厚顏地幹下去。

bra·zen-faced [ˋbrezn̩ˋfest] *adj.* 厚臉皮的；無恥的。

bra·zier [ˋbreʒɚ] *n.* Ⓒ ①火盆。②銅匠。

***Bra·zil** [brəˋzɪl] *n.* 巴西(南美洲最大的國家，首都 Brasília)。

Bra·zil·ian [brəˋzɪljən] *adj.* 巴西(人，文化)的。— *n.* Ⓒ 巴西人。

Braz·za·ville [ˋbræzəvɪl] *n.* 布拉扎維(剛果共和國之首都)。

***breach** [britʃ] *n.* ①Ⓒ 破裂。②ⓊⒸ 違(法)；毀(約)；破壞。a ~ of contract 毀約。③ ⓊⒸ 絕交；不和；口角。*stand in* [*throw oneself into*] *the* ~ a. 準備獨當難局。b. (在別人危難時)挺身相助；緊急中代表他人採取對策。— *v.t.* ①攻破；擊破。②違反。— *v.i.* (鯨魚等)躍出水面。

‡**bread** [brɛd] *n.* Ⓤ ①麵包。②食物；生計。③〖俚〗錢。~ *and butter* a. 麵包與牛油。b. 生計；必需品。c. 主要收入來源。~ *buttered on both sides* 鴻運高照。*break* ~ a. 共餐。b. 共享聖餐；舉行聖餐禮。*know which side one's* ~ *is buttered on* 知道自己的利益所在。*take the* ~ *out of one's mouth* 奪人之生計。§ ~ **lìne** 等待分發救濟食物的隊伍。

bread·bas·ket [ˋbrɛd͵bæskɪt] *n.* ①(the ~)產糧區。② Ⓒ〖俚〗胃；腹。③Ⓒ 麵包籃。

bread·fruit [ˋbrɛd͵frut] *n.* ①Ⓒ 麵包樹。②ⓊⒸ 麵包樹的果實。

‡**breadth** [brɛdθ] *n.* ①ⓊⒸ 寬度。②Ⓤ 寬宏大度。*by a hair's* ~ 間不容髮。*in* ~ 寬。*to a hair's* ~ 精確地。

bread·win·ner [ˋbrɛd͵wɪnɚ] *n.* Ⓒ 負擔家庭生計者。

‡**break** [brek] *v.t.* (**broke, bro·ken**) ①打破；粉碎。②違犯；違背。③挫傷。④弄壞。⑤減弱；阻擋。⑥使之中斷。⑦使馴服。⑧超越。⑨掘；耕。⑩洩露。⑪兌換…成零錢。⑫降級；免職。⑬棄絕(一習慣)。⑭斷絕。⑮使屈服。⑯〖新聞〗發布(消息)。⑰〖運動〗投(變化球)。⑱破案。— *v.i.* ①破碎；破裂。②闖入。③突然發生；突然改變。④挫折；衰弱。⑤破曉。⑥散開。⑦破產；倒閉。⑧分離。⑨發生故障；壞掉。⑩奔跑。⑪(在壓力下)屈服。⑫(球)轉向。⑬〖新聞〗被發布。⑭突然出現。⑮突然發出聲音。⑯價值或價格之大幅陡降。⑰〖植〗發生突變。~ *away* a.(如在賽跑等中)搶先開始；搶步。b.突然而去；逃走。c. 突然改變。d. 脫離；放棄；革除。~ *bulk* 從船上卸貨。~ *down* a. 失敗。b. 損壞；崩潰。c. 失去控制。d. 把…分為細目。~ *even* 不賺也不賠。~ *forth* 迸出；突然發出。~ *in* a. 訓練；馴養。b. 闖入。c. 打斷。d. 啓用。~ *in on* [*upon*]闖入。~ *into* a. 潛入；闖入。b. 進入新行業。c. 插入；打斷。~ *off* a. 突然停止。b. 絕交。~ *out* a. 發生。b. 發疹。c. 逃走。d. 準備使用。~ *through* 突破；透過。~ *up* a. 停止。b. 散開。c. 弄碎。d. 衰弱；衰退。e. 使哄堂大笑。~ *with* a. 絕交。b. 打破。— *n.* Ⓒ ①破。②損壞處；裂縫。③暫停。④〖俚〗笨話；失禮。⑤〖俚〗機會；運氣。⑥奔跑。⑦斷絕關係。⑧突變。⑨停電。⑩破曉；黎明；天亮。— **a·ble,** *adj.*

break·age [ˋbrekɪdʒ] *n.* ①Ⓤ 破損。②Ⓒ 裂口。③Ⓒ (常 *pl.*)賠償損失費。④Ⓒ (常 *pl.*)損毀物。

break·a·way [ˋbrekə͵we] *n.* Ⓒ ①脫離。②(牛、羊等)狂奔。

break·down [ˋbrek͵daʊn] *n.* Ⓒ ①體力不支；病倒。②崩潰；衰敗；損壞。③分析；分爲細目。

break·er [ˋbrekɚ] *n.* Ⓒ ①弄碎者。②軋碎機。③碎浪。④馴服者。

break-e·ven [ˋbrekˋivən] *adj.* 收支平衡的。§ ~ **pòint** 收支平衡點。

‡**break·fast** [ˋbrɛkfəst] *n.* Ⓤ 早餐。— *v.i.* 吃早餐。— *v.t.* 供以早餐。

break-in [ˋbrek͵ɪn] *n.* Ⓒ ①非法闖入(建築物)。②首次使用；試車。

break·neck [ˋbrek͵nɛk] *adj.* 非常危險的。

break·out [ˋbrek͵aʊt] *n.* Ⓒ ①逃走；突圍。②大規模的興起、出現等。

break·through [ˋbrek͵θru] *n.* Ⓒ ①突破。②(價錢等之)猛漲。

break·up [ˋbrek͵ʌp] *n.* Ⓒ ①解散；瓦解；終止。②分手；絕交。

break·wa·ter [ˋbrek͵wɔtɚ] *n.* Ⓒ 防波堤。

bream [brim] *n.* Ⓒ〖魚〗眞鯛。

***breast** [brɛst] *n.* Ⓒ ①胸部。②乳房。③心。*make a clean* ~ 完全承認。— *v.t.* & *v.i.* 奮勇前進。§ ~ **mìlk** 母奶。~ **wàll** 護壁。

breast·bone [ˋbrɛstˋbon] *n.* Ⓒ 胸骨。

breast-feed [ˋbrɛst͵fid] *v.t.* (**-fed**) 以母奶養育；給…餵奶[哺乳]。

breast·pin [ˋbrɛst͵pɪn] *n.* Ⓒ 胸針。

breast·plate [ˋbrɛst͵plet] *n.* Ⓒ ①(盔甲上之)護胸甲。②龜的腹甲。

breast·stroke [ˋbrɛst͵strok] *n.* Ⓤ (常 the ~)〖游泳〗俯泳；蛙式。

breast·work [ˋbrɛst͵wɝk] *n.* Ⓒ

〖軍〗胸牆。

‡breath [brɛθ] *n.* ①Ⓤ氣息。②(*sing.*)呼吸。③(a ～)微風。④Ⓒ花的香氣。⑤(*sing.*)極短時間。*below* [*under*] *one's* ～ 低聲。*catch one's* ～ 鬆一口氣。*hold one's* ～ 因恐懼、緊張或興奮而屏息。*in the same* ～ 同時。*lose one's* ～ 喘不過氣來；喘息。*out of* ～ 氣喘的。*save one's* ～ 不白費唇舌。*take a deep* ～ 作深呼吸。*take one's* ～ *away* 使大爲驚訝。*waste one's* ～ 白費唇舌。

breath·a·lyze, 〖英〗 **-lyse** [ˋbrɛθəˏlaɪz] *v.i.* & *v.t.* 測量(駕駛人)呼出的氣息中所含的酒氣。

breath·a·lyz·er, 〖英〗 **-lys·er** [ˋbrɛθəˏlaɪzɚ] *n.* Ⓒ體內酒精含量測定器；測醉器。

‡breathe [brið] *v.i.* ①呼吸。②吐氣；呼氣。③生存；活著。④說話。⑤(風)吹。— *v.t.* ①呼吸。②吐出。③注入。④說出。⑤使鬆一口氣。⑥使運動；使喘氣。⑦表現。～ *a word against* 對…表不平。～ *freely* 安心；鬆一口氣。～ *love* 喁喁談愛。～ *on* [*upon*] 玷污。～ *one's last* 斷氣；死。*not to* ～ *a word* [*syllable*] 保守祕密。

breath·er [ˋbriðɚ] *n.* Ⓒ〖俗〗短暫的休息。

breath·ing [ˋbriðɪŋ] *n.* ①Ⓤ呼吸。②Ⓤ微風。③(a ～)片刻。④Ⓤ發言。⑤(a ～)休息。§ ～ **spàce** 起碼的活動餘地或空間；喘息的時間。

breath·less [ˋbrɛθlɪs] *adj.* ①喘氣的。②屏息的。③無呼吸的；死的。

breath-tak·ing [ˋbrɛθˏtekɪŋ] *adj.* 令人提心吊膽的；使人興奮的。

***bred** [brɛd] *v.* pt. & pp. of **breed.**

breech [britʃ] *n.* Ⓒ①臀部。②(槍砲之)後膛。③物之後部。

breech·es [ˋbrɪtʃɪz] *n. pl.* ①馬褲；長及膝蓋的褲子。②〖俗〗褲子(＝trousers). *wear the* ～(女人)在家庭裏當家主事。§ ～ **bùoy** 短褲型之救生具。

***breed** [brid] *v.t.* & *v.i.* (**bred**) ①生育。②飼養；繁殖。③致生；惹起。④養育；訓練。～ *in and in* 血親結婚生育。— *n.* Ⓒ①種；族。②類；型。

breed·er [ˋbridɚ] *n.* Ⓒ①飼育者。②產子之動物。③原因。§ ～ **reàctor** [**pìle**] (原子)滋生反應器。

breed·ing [ˋbridɪŋ] *n.* Ⓤ①生育；畜養。②教養；行爲。③〖原子物理〗滋生。§ ～ **gròund** (1)(動物的)繁殖地。(2)(罪惡等的)溫床；滋生地。

***breeze**¹ [briz] *n.* ①ⓊⒸ微風。②Ⓒ騷動；爭吵。③Ⓒ易事。*bat* [*shoot*] *the* ～ **a.** 聊天。**b.** 胡說；誇張。*in a* ～ 輕易地。— *v.i.* ①吹微風。②〖俚〗輕鬆地行動。— **breez'y,** *adj.*

breeze² *n.* Ⓤ炭灰；炭渣。

breeze·way [ˋbrizˏwe] *n.* Ⓒ聯接兩棟房子的走廊或陽臺。

breth·ren [ˋbrɛðrən] *n. pl.* 同道；同教的教友。

breve [briv] *n.* Ⓒ①〖樂〗倍全音符。②〖法律〗令狀。③(母音上之)短音符。

bre·vi·ar·y [ˋbrivɪˏɛrɪ] *n.* Ⓒ(常 B-)〖天主教〗每日祈禱書。

brev·i·ty [ˋbrɛvətɪ] *n.* Ⓤ①短暫。②簡潔。

***brew** [bru] *v.t.* & *v.i.* ①釀造。②醞釀；孕育；形成。③泡(茶)。— *n.* ①Ⓒ釀造物(如啤酒)。②Ⓤ釀造；醞釀。— **er,** *n.*

brew·er·y [ˋbruərɪ] *n.* Ⓒ釀造所。

brew·ing [ˋbruɪŋ] *n.* ①Ⓤ釀造；醞釀。②Ⓤ泡製。③Ⓒ一次釀造之量。

brew-up [ˋbruˏʌp] *n.* ⓊⒸ〖英俗〗泡茶；(偶指)泡咖啡。

bri·ar [ˋbraɪɚ] *n.* ＝**brier.**

***bribe** [braɪb] *n.* Ⓒ賄賂。— *v.t.* & *v.i.* 賄賂。— **brib'a·ble,** *adj.* — **brib'er, brib'er·y,** *n.*

brib·ee [ˏbraɪbˋi] *n.* Ⓒ受賄者。

bric-a-brac, bric-à-brac [ˋbrɪkəˏbræk] 〖法〗 *n.* Ⓤ(集合稱)小古董；小古玩。

‡brick [brɪk] *n.* ①ⓊⒸ磚。②Ⓒ似磚的東西。③Ⓒ〖俚〗慷慨可靠的好人。*have a* ～ *in one's hat* 大醉；爛醉。*make* ～*s without straw* 作某物而缺乏必需的材料；爲無米之炊。— *v.t.* 砌以磚。§ ～ **chéese** 磚形乳酪塊。

brick·bat [ˋbrɪkˏbæt] *n.* Ⓒ①碎磚。②無情的批評；譏刺。

brick·kiln [ˋbrɪkˏkɪl(n)] *n.* Ⓒ磚窰。

brick·lay·er [ˋbrɪkˏleɚ] *n.* Ⓒ泥水匠；磚瓦匠。

brick·work [ˋbrɪkˏwɜk] *n.* ①Ⓒ磚造之建築物。②Ⓤ砌磚。

brid·al [ˋbraɪdl] *adj.* 新娘的；新婚的。— *n.* Ⓒ婚禮；婚禮之宴會。

***bride** [braɪd] *n.* Ⓒ新娘。

***bride·groom** [ˋbraɪdˏgrum] *n.* Ⓒ新郎。

brides·maid [ˋbraɪdzˏmed] *n.* Ⓒ女儐相。

brides·man [ˋbraɪdzmən] *n.* Ⓒ(*pl.* **-men**)男儐相。

‡bridge¹ [brɪdʒ] *n.* Ⓒ①橋。②船橋；艦橋。③鼻梁。④(假牙的)牙床；架子。⑤任何橋形物。⑥眼鏡中間的鼻梁架。*burn one's* ～*s* (*behind one*)截斷一切退路；破釜沉舟。— *v.t.* ①架橋於。②跨過；橫越。③度過。

bridge² *n.* Ⓤ橋牌(一種紙牌戲)。

bridge·head [ˋbrɪdʒˏhɛd] *n.* Ⓒ橋頭堡；灘頭陣地。

bridge·work [ˋbrɪdʒˏwɜk] *n.* Ⓤ〖牙科〗架橋；橋工。

bri·dle [ˋbraɪdl] *n.* Ⓒ①馬勒；韁轡。②拘束；抑制。— *v.t.* ①繫以韁轡。②克制；控制。— *v.i.* 昂首(表示憤怒、傲慢或輕視)。§ ～ **pàth** [**wày**]供騎馬之小路。

Brie [bri] *n.* Ⓤ一種白而軟的法國乾酪。

***brief** [brif] *adj.* ①簡單的；簡短的。②短時間的；短暫的。— *n.* ①Ⓒ摘要。②Ⓒ簡報。③Ⓒ(律師的)當事人。④(*pl.*)貼身的短內褲。*hold a* ～ *for* 爲…辯護；支持；保衛。*in* ～ 簡言之。*make* ～ *of* 使簡短。— *v.t.* ①節略；作…的提要。②對…作簡報；指示。

brief·case [ˋbrifˏkes] *n.* Ⓒ公事包。

brief·ing [ˋbrifɪŋ] *n.* Ⓤ Ⓒ ①任務講解。②簡報。

***brief·ly** [ˋbriflɪ] *adv.* ①簡單地。②簡言之。

bri·er [ˋbraɪɚ] *n.* Ⓒ ①荊棘。②〖植〗石南。③石南根製成之煙斗。

brig [brɪg] *n.* Ⓒ ①雙桅帆船。②(軍艦上之)牢房。③〖軍俚〗禁閉室。

B

bri·gade [brɪˋged] *n.* Ⓒ ①旅。②一隊的人。a fire ~ 消防隊。**—** *v.t.* 將…組成(隊或旅)。

brig·a·dier [ˏbrɪgəˋdɪr] *n.* Ⓒ ①旅長。②〖美軍〗陸空軍准將。(亦作 **brigadier general**)

brig·and [ˋbrɪgənd] *n.* Ⓒ 盜賊；土匪。

brig·and·age [ˋbrɪgəndɪdʒ] *n.* Ⓤ 搶劫；掠奪。

brig·an·tine [ˋbrɪgənˏtin] *n.* Ⓒ 一種雙桅船。

‡bright [braɪt] *adj.* ①光亮的；閃光的。②晴朗的。③聰明的；伶俐的。④明顯的；鮮艷的。⑤生氣勃勃的。⑥燦爛的；輝煌的。⑦活潑的；快樂的。⑧光明的。⑨著名的；輝煌的。**—** *adv.* 亮。*— **ly,** *adv.* *— **ness,** *n.*

***bright·en** [ˋbraɪtn̩] *v.i.* ①露出開朗愉快之狀。②放晴。③變亮。④趨於活潑。**—** *v.t.* ①使愉快；使生輝。②擦亮。③使明顯；使鮮艷。

brill [brɪl] *n.* Ⓒ 一種鰈類之魚。

bril·liance [ˋbrɪljəns], **-cy** [-sɪ] *n.* Ⓤ ①光亮；光輝。②卓越；傑出。

***bril·liant** [ˋbrɪljənt] *adj.* ①燦爛的；光輝的。②顯赫的。③有才能的。**—** *n.* Ⓒ (切成某形狀使特別發亮的)寶石。§ ~ **cùt** 截頂金字塔型切法。

***brim** [brɪm] *n.* Ⓒ ①(杯、碗等的)邊。②(帽的)邊。③(河、湖、川等之)邊緣。**—** *v.i.* & *v.t.* (**-mm-**) (使)盈滿。~ *over* 溢出。— **ful,** *adj.*

brim·stone [ˋbrɪmˏston] *n.* Ⓤ 硫黃。

brin·dle [ˋbrɪndl̩] *n.* ① Ⓤ 斑紋。② Ⓒ 有斑紋的動物。

brin·dled [ˋbrɪndl̩d] *adj.* 有斑紋的。

brine [braɪn] *n.* ① Ⓤ 鹽水。②(the ~)海洋；鹹水湖。§ ~ **pàn** 鹽田；鹽場。~ **pìt** 鹹泉；鹽井。

‡bring [brɪŋ] *v.t.* (**brought**) ①帶來；取來。②引來；使來。③影響；使致。④訴諸法庭。⑤能以(某價錢)出售。⑥使(由一狀態變至另一狀態)。~ *about* 使發生；致使。~ *around* [*round*] **a.** 使復甦。**b.** 使相信；說服。~ *back* 使復原；使被憶起。~ *down* **a.** 使降低。**b.** 捕殺；傷害。~ *forth* **a.** 提出。**b.** 致生。~ *forward* **a.** 提出。**b.** 出示；展示。~ *in* **a.** 產生；使賺到。**b.** 介紹。~ *off* **a.** 拯救。**b.** 〖俗〗使實現；做成。~ *on* 致使；促成。~ *out* **a.** 提出。**b.** 出版；使出現。~ *over* 使相信；說服。~ *to* **a.** 使復甦。**b.** 停止；阻礙。~ *to bear* 朝向；利用；加壓力於。~ (*a person*) *to his senses* 使(某人)認清是非利害。~ *to light* 發現；發掘；公布。~ *to pass* 使發生；促成。~ *under* 降服；制服。~ *up* **a.** 養育；撫養。**b.** 提出。**c.** 教養。**d.** 使突然停止。~ *up the rear* 殿後；壓隊。〔注意〕**bring, fetch** 均指攜帶某物給某人或至某地。bring 指從另一地方攜帶至自己所在地。fetch 指往某處取，並將之攜回。

bring·ing-up [ˋbrɪŋɪŋˋʌp] *n.* Ⓤ 撫養；教養。

***brink** [brɪŋk] *n.* Ⓒ (常 *sing.*)邊緣。*on the ~ of* 瀕於。

brink(s)·man [ˋbrɪŋk(s)mən] *n.* Ⓒ (*pl.* **-men**)採取邊緣政策的人。

brink(s)·man·ship [ˋbrɪŋk(s)mənˏʃɪp] *n.* Ⓤ 外交冒險政策。

brin·y [ˋbraɪnɪ] *adj.* 鹽水的；海水的；鹹的。*the* ~ 〖俗〗海。

***brisk** [brɪsk] *adj.* ①活潑的；敏捷的；興隆的。②強烈的。③起泡的。④熊熊的。**—** *v.i.* & *v.t.* (使)趨於活潑或興隆(up)。— **ly,** *adv.*

bris·ket [ˋbrɪskɪt] *n.* Ⓤ Ⓒ 獸類之胸肉[胸部]。

bris·tle [ˋbrɪsl̩] *n.* Ⓒ 剛毛；豬鬃。**—** *v.i.* & *v.t.* ①(毛髮)豎立；聳起。②林立；充滿。③發怒。

bris·tly [ˋbrɪsl̩ɪ] *adj.* ①有剛毛的；有刺毛的。②易怒的；好吵的。

Brit. Britain; British.

‡Brit·ain [ˋbrɪtən] *n.* 大不列顛。

Bri·tan·ni·a [brɪˋtænɪə] *n.* =**Britain.** — **Bri·tan′nic** [-ˋtænɪk], *adj.*

‡Brit·ish [ˋbrɪtɪʃ] *adj.* 英國(人)的。~ *Commonwealth of Nations* 英國聯邦；不列顛國協。§ ~ **Émpire** 大英帝國。~ **Ísles** 不列顛群島。— **er,** *n.*

Brit·on [ˋbrɪtən] *n.* Ⓒ ①英國人。②不列顛人(羅馬入侵時的塞爾特人)。

brit·tle [ˋbrɪtl̩] *adj.* ①脆的。②易怒的。**—** *n.* Ⓤ 酥糖。peanut ~ 花生糖。

broach [brotʃ] *n.* Ⓒ ①炙肉用的叉。②鑽；錐；鑿。③胸針。④教堂上之尖塔。**—** *v.t.* ①鑽孔(如開桶、罐等)。②初次提起或建議。

‡broad [brɔd] *adj.* ①闊的；寬的。②廣闊的。③寬宏的。④大概的；大略的。⑤光明的。⑥明顯的；坦率的。⑦粗野的。~ jokes 粗野的笑話。⑧無拘無束的。**—** *adv.* 完全地。**—** *n.* Ⓒ ①任何廣闊部分。②〖俚〗女人；行為浪蕩之女人。§ ~ **gáuge** [gáge] ⑴寬軌。⑵寬軌之鐵路或車輪。~ **jùmp** 跳遠。— **ly,** *adv.*

***broad·cast** [ˋbrɔdˏkæst] *v.t.* & *v.i.* (~ or ~**ed**)①廣播。②撒播。③傳布。**—** *n.* Ⓒ ①廣播；廣播節目。②播種；撒播。**—** *adj.* ①廣播的。②撒播的；播種的。③普遍的。**—** *adv.* ①以撒播方式。②廣布地。— **er,** *n.*

broad·cast·ing [ˋbrɔdˏkæstɪŋ] *n.* Ⓤ 〖無線〗廣播；播音。§ ~ **stàtion** 廣播電台。~ **stúdio** 播音室。

broad·cloth [ˋbrɔdˏklɔθ] *n.* Ⓤ ①(男用的)一種寬幅細毛織品。②(女用的)一種精細棉布或人造絲織品。

broad·en [ˋbrɔdn̩] *v.i.* & *v.t.* 變闊；放寬；增廣。

broad-gauge(d) [ˋbrɔdˋgedʒ(d)] *adj.* ①寬宏大量的。②寬軌的。

broad·loom [ˋbrɔdˏlum] *adj.* 寬幅的。

broad-mind·ed [ˋbrɔdˋmaɪndɪd] *adj.* 寬大為懷的；無偏見的。

broad·side [ˋbrɔd,saɪd] *n.* Ⓒ①舷側。②舷側砲(火)。③凶猛的攻擊。 — *adv.* ①側向地。②漫無計畫地；無特定對象地。～ ***on*** 側向地。

broad·sword [ˋbrɔd,sord] *n.* Ⓒ 腰刀；大砍刀。

Broad·way [ˋbrɔd,we] *n.* 百老匯(紐約大街名，爲戲院、夜總會等集中地)。

bro·cade [broˋked] *n.* ⓊⒸ 織錦；錦緞。 — *v.t.* 織成浮花錦緞。

broc·co·li [ˋbrɑkəlɪ] *n.* ⓊⒸ 花莖甘藍(俗稱花椰菜)。

bro·chure [broˋʃur] *n.* Ⓒ小冊子。

bro·gan [ˋbrogən] *n.* Ⓒ 粗而堅固之靴。

brogue [brog] *n.* ①(*sing.*)土腔(尤指愛爾蘭人說英語者)。②Ⓒ(常 *pl.*)厚底生皮鞋。③Ⓒ(常 *pl.*)拷花皮鞋(有裝飾性小洞的結實皮鞋)。

broil[1] [brɔɪl] *v.t.* & *v.i.* ①烤；燒炙。②曬；被曬。 — *n.* Ⓤ①烤肉；炙肉。②高熱。 — **ing,** *adj.*

broil[2] *n.* Ⓒ口角；爭鬧。 — *v.i.* 爭吵。

broil·er [ˋbrɔɪlɚ] *n.* Ⓒ①燒烤食物的人；燒烤器。②適於燒烤之嫩雞。

‡**broke** [brok] *v.* ①pt. of **break.** ②〖古〗pp. of **break.** — *adj.*〖俚〗破產的。***go*** ～〖俚〗變得一文不名的；破產。***go for*** ～ 孤注一擲；全力以赴(in).

‡**bro·ken** [ˋbrokən] *v.* pp. of **break.** — *adj.* ①破碎的。②折斷的；破裂的。③頹喪的。④不完全的。⑤間斷的。⑥馴服的。⑦凹凸不平的。⑧失約的。

bro·ken-down [ˋbrokənˋdaun] *adj.* ①毀壞的。②衰弱的。③不適用的。

bro·ken·heart·ed [ˋbrokənˋhɑrtɪd] *adj.* 傷心的。

bro·ker [ˋbrokɚ] *n.* Ⓒ經紀人；掮客。

bro·ker·age [ˋbrokərɪdʒ] *n.* Ⓤ①經紀業。②佣金；經紀費。

bro·mide [ˋbromaɪd] *n.* ①ⓊⒸ〖化〗溴化物。②Ⓒ〖俚〗庸俗、陳腐之言。③ⓊⒸ 溴化鉀(一種鎮靜、催眠藥物)。§～ **pàper**〖攝〗感光紙。

bro·mid·ic [broˋmɪdɪk] *adj.* 平凡庸俗的。

bro·mine [ˋbromin] *n.* Ⓤ〖化〗溴。

bron·chi·a [ˋbrɑŋkɪə] *n. pl.*〖解〗支氣管。

bron·chi·al [ˋbrɑŋkɪəl] *adj.* 支氣管的。

bron·chi·tis [brɑnˋkaɪtɪs] *n.* Ⓤ支氣管炎。— **bron·chit′ic** [-ˋkɪt-], *adj.*

bron·chus [ˋbrɑŋkəs] *n.* Ⓒ (*pl.* **-chi** [-kaɪ])〖解〗支氣管。

bron·co, -cho [ˋbrɑŋko] *n.* Ⓒ (*pl.* ～**s**)北美西部平原產的一種野馬。

bron·to·saur [ˋbrɑntə,sɔr] *n.* Ⓒ〖古生〗雷龍。

***bronze** [brɑnz] *n.* ①Ⓤ青銅(銅與錫的合金)。②Ⓤ青銅色；青銅色的顏料。③Ⓒ青銅器。 — *adj.* ①青銅製的。②青銅色的。 — *v.t.* 使成青銅色[褐色]。

brooch [brotʃ, brutʃ] *n.* Ⓒ女用胸針或領針(=broach).

brood** [brud] *n.* Ⓒ①一窩幼雛；同母的子女。②種；類；批。 — *v.t.* ①孵。②沉思；籌畫。 — *v.i.* ①孵。②深思；憂思。～ ***above [***over***] (氣氛)籠罩。～ ***over*** [***on***] 憂思；沉思。

brood·er [ˋbrudɚ] *n.* Ⓒ ①孵卵器。②沉思的人。

brood·y [ˋbrudɪ] *adj.* ①將孵卵的。②多產的。③抑鬱的；沈思的。

***brook**[1] [bruk] *n.* Ⓒ溪流；小河。

brook[2] *v.t.* 忍受；容忍；耐；捱。

brook·let [ˋbruklɪt] *n.* Ⓒ小溪。

Brook·lyn [ˋbruklɪn] *n.*布魯克林區(紐約市之一區)。

broom** [brum] *n.* Ⓒ①掃帚。②金雀花。A new ～ sweeps clean.*** 新官上任三把火。 — *v.t.* 掃。

broom·corn [ˋbrum,kɔrn] *n.* Ⓒ〖植〗高粱；蘆粟。

broom·stick [ˋbrum,stɪk] *n.* Ⓒ帚柄。

bros., Bros. brothers(通常用於公司、行號之名字中，如Smith *Bros.* & Co.).

broth [brɔθ] *n.* ⓊⒸ煮魚肉蔬菜的清湯。

broth·el [ˋbrɔθəl] *n.* Ⓒ妓院。

‡**broth·er** [ˋbrʌðɚ] *n.* Ⓒ ①兄弟。②同胞；同道；同仁；教友；會友；社友。③〖俚〗傢伙；老兄。～***s in arms*** 戰友；袍澤。***half*** ～同父異母或同母異父兄弟。— **ly,** *adj.* & *adv.*

broth·er·hood [ˋbrʌðɚ,hud] *n.* ①Ⓒ兄弟關係。②Ⓤ如兄弟的結合。③Ⓒ同業工會。

broth·er-in-law [ˋbrʌðəɪn,lɔ] *n.* Ⓒ (*pl.* **broth·ers-in-law**)姻兄弟。

brough·am [ˋbru(ə)m] *n.* Ⓒ 駕駛座在外面的四輪馬車或汽車。

‡**brought** [brɔt] *v.*pt. & pp. of **bring.**

brou·ha·ha [bruˋhɑhɑ] *n.* Ⓤ喧嘩；衆口喧騰；紛紛議論。

***brow** [brau] *n.* Ⓒ①額。②(常 *pl.*)眉；眉毛。③峭壁邊緣或頂端。

brow·beat [ˋbrau,bit] *v.t.* (**-beat, -beat·en**) 嚴詞叱責。

‡**brown** [braun] *n.* ①ⓊⒸ 棕色；褐色。②Ⓤ棕色或褐色的顏料。③Ⓒ棕色或褐色之物。 — *adj.* ①褐色的；棕色的。②皮膚呈褐色的；曬黑的。***do it up*** ～ 做得徹底、完善、完美。***in a ～ study*** 沉思；出神。 — *v.t.* & *v.i.*(使)變爲褐色。***be ～ed off***〖俚〗不滿意；生氣；厭煩。～ ***out*** 部分燈火管制。§～ **bréad** 全麥麵包。～ **páper** 棕色包裝紙；牛皮紙。～ **ríce** 糙米。～ **súgar** 紅糖。— **ish,** *adj.*

brown-bag [ˋbraun,bæg] *v.t.* & *v.i.*(**-gg-**)〖美俚〗自帶酒菜到餐館、俱樂部等。

brown·ie [ˋbraunɪ] *n.* Ⓒ①小精靈。②一種內有乾果的巧克力糖。③(B-)8-11歲的女童軍。④(B-)方形廉價照相機。

Brown·ing [ˋbraunɪŋ] *n.* ①白朗寧(Robert, 1812-89, 英國詩人)。②Ⓒ白朗寧(公司製造的)槍。§～ **automátic ríﬂe** 白朗寧自動步槍。

brown·out [ˋbraun,aut] *n.* Ⓤ〖美〗節電；燈火管制。

brown·stone [ˋbraun,ston] *n.* ①Ⓤ褐石。②Ⓒ用褐石造的房屋。

browse [brauz] *v.t.* ①食；嚙。②牧於。 — *v.i.* ①食[嚙]葉、嫩枝等。②瀏覽書

籍、圖書館等。③漫然地觀看店內或攤上之貨。— n. Ⓤ①嫩枝；嫩葉。②瀏覽。—brows′er, n. Ⓒ〖電算〗網路瀏覽器。

Bru·in [ˋbruɪn] n. (童話中的)熊先生。

***bruise** [bruz] v.t.①使受碰[擦，瘀]傷。②搗碎。③使受傷(指情感)。④碰損(金屬錠或成品)之外表。— v.i.①受傷。②受傷害(指情感)。— n. Ⓒ 打傷；瘀傷。

B

brunch [brʌntʃ] n. Ⓤ Ⓒ〖俗〗早午餐(早餐與午餐合而爲一)。— v.i. 吃早午餐。

Bru·nei [ˋbrʊˏnaɪ] n.汶萊(Borneo西北部之一國)。

bru·net [bruˋnɛt] adj.①暗色或褐色的。②髮、膚及眼睛呈褐色的。— n. Ⓒ髮、膚及眼睛呈褐色的男子。

bru·nette [bruˋnɛt] adj.=**brunet.** — n. Ⓒ髮、膚及眼睛均爲褐色之女子。

brunt [brʌnt] n.(the ～)衝擊主力。*bear the ～ of* 首當其衝。

‡**brush**[1] [brʌʃ] n. Ⓒ①刷子；畫筆；毛筆。②拂拭；刷。③輕擦；掠過。④小衝突。⑤動物的尾巴。⑥畫家的技藝。— v.t. ①拂拭；用刷子刷。②輕觸；掠過。— v.i. ①掠過；輕觸。②急速移動。～ *aside*[*away*] **a.** 排除。He ～*ed aside* all objections from his opponents. 他排除對方的一切異議。**b.**漠視；不理。～ *off*〖美俚〗**a.** 拒絕接見；驅逐。**b.** 漠視。～ *up* **a.** 清潔；拂拭。**b.** 溫習。～ *up on* 溫習。

brush[2] n.① Ⓤ 叢林。② Ⓤ 柴枝。③(the ～)未開拓地。

brush-fire [ˋbrʌʃˏfaɪr] adj. (突發而)小規模的；(戰爭)局部的。a ～ war 局部的戰爭。

brush·off [ˋbrʌʃˏɔf] n. (the ～)〖美俚〗突然放棄或拒絕。(亦作 **brush-off**)

brush·stroke [ˋbrʌʃˏstrok] n. Ⓒ(繪畫、書法的)一筆一畫；筆法。

brush·wood [ˋbrʌʃˏwud] n. Ⓤ①砍下的樹枝；柴枝。②密集的小樹叢。

brusque [brʌsk, brusk] adj. 唐突的；粗率的。(亦作 **brusk**)

Brus·sels [ˋbrʌsl̩z] n.布魯塞爾(比利時的首都)。§ ～ **spróuts**〖植〗芽甘藍。

***bru·tal** [ˋbrutl̩] adj.野蠻的；殘忍的；野獸的；不講理的。—**ly,** *adv.*

bru·tal·i·ty [bruˋtælətɪ] n.① Ⓤ 殘忍。② Ⓒ暴行。

bru·tal·ize [ˋbrutl̩ˏaɪz] v.t. 使殘忍；使具獸性；對(某人)採殘忍手段。

***brute** [brut] n.① Ⓒ 野獸。② Ⓒ 殘暴的人；愚蠢或好色的人。③(the ～)獸性。— adj. 殘忍的；愚蠢的；好色的。—brut′ish, adj.

Bru·tus [ˋbrutəs] n. 布魯特斯(Marcus, 85-42 B.C., 羅馬政客，暗殺凱撒者之一)。

B.S., B.Sc. Bachelor of Science.

BSE bovine spongiform encephalitis. 牛海綿狀組織腦炎；瘋牛病。

bub [bʌb] n. Ⓒ〖俗〗兄弟；小傢伙。

***bub·ble** [ˋbʌbl̩] n.① Ⓒ 氣泡。② Ⓤ 起泡；沸騰聲。— v.i.① 起泡。② 大笑。③潺潺而流。④沸騰。⑤激動。— v.t. ①使起泡。②欺騙。～ *over* **a.** 盈滿。**b.** 熱情洋溢。

bub·ble·gum [ˋbʌbl̩ˏgʌm] n. Ⓤ 泡泡糖。

bub·bly [ˋbʌblɪ] adj. 起泡的。

bu·bon·ic [bjuˋbɑnɪk] adj.〖醫〗橫痃的。§ ～ **plágue** 黑死病；淋巴腺鼠疫。

buc·ca·neer [ˏbʌkəˋnɪr] v.i. 做海盜。— n. Ⓒ 海盜。

Bu·cha·rest [ˏbukəˋrɛst] n.布加勒斯特(羅馬尼亞的首都)。

buck[1] [bʌk] n. Ⓒ①雄鹿；雄兔；公羊。②紈袴子。③〖俗〗人。④〖蔑〗美國印第安人或黑人(指男性)。⑤臺架。— v.i.①跳躍(使背上之物摔落)。②振作〔up〕. ③抵抗。— v.t.①使…摔下。②〖橄欖球〗帶球衝鋒。③奮戰；猛衝。～ *for*〖俚〗爲調升或利益而努力。～ *up* 變爲快樂或有活力。*feel* [*be*] *greatly* ～*ed* 精神大振。— adj. ①〖軍〗同一稱呼中之最低階的。②雄性的；公的。§ ～ **bèan**〖植〗睡菜。～ **prívate**〖美俗〗新兵；二等兵。

buck[2] n. Ⓒ 撲克牌戲中置於分牌者面前之物。*pass the* ～〖俗〗推諉責任。

buck[3] n. Ⓒ〖美俚〗一美元。

buck·a·roo [ˋbʌkəˏru, ˏbʌkəˋru] n. Ⓒ (*pl.* ～**s**) (美國西部的)牧童；牛仔。

buck·board [ˋbʌkˏbord] n. Ⓒ一種四輪馬車。

‡**buck·et** [ˋbʌkɪt] n. Ⓒ ①水桶。②水車的戽斗。③一桶的量。*give the* ～〖俗〗解雇。*kick the* ～〖俚〗死。§ ～ **brigáde** (1)(救火時)排成長龍以傳水桶的一隊人。(2)緊急組成的一群人。～ **shòp** 投機商店。

buck·et·ful [ˋbʌkɪtˏful] n. Ⓒ一桶(之量)〔of〕.

buck·eye [ˋbʌkˏaɪ] n. Ⓒ 七葉樹(果)。

Búck·ing·ham Pálace [ˋbʌkɪŋˏhæm ～] n. 白金漢宮(英國皇宮)。

buck·le [ˋbʌkl̩] n. Ⓒ ① 釦子。② 彎曲；皺。— v.t. & v.i.①扣住〔up〕. ②努力從事〔down〕. ③使彎曲或變形。

buck·ler [ˋbʌklɚ] n. Ⓒ 小圓盾。

buck·ram [ˋbʌkrəm] n. Ⓤ (裝訂書及西服襯裡用之)膠硬的粗布。

buck·saw [ˋbʌkˏsɔ] n. Ⓒ 一種雙手使用有框的鋸。

buck·shot [ˋbʌkˏʃɑt] n. Ⓤ 大型鉛彈。

buck·skin [ˋbʌkˏskɪn] n.① Ⓤ 鹿皮。②(*pl.*)鹿皮的褲或鞋。

buck·tooth [ˋbʌkˏtuθ] n. Ⓒ (*pl.* **-teeth**) 齙牙。—**ed,** *adj.*

buck·wheat [ˋbʌkˏhwit] n. Ⓤ 蕎麥(粉)。

bu·col·ic [bjuˋkɑlɪk] adj.①牧人的；牧歌(式)的。②鄉村的。

***bud** [bʌd] n. Ⓒ ①芽；花蕾。②未成熟的人[事]。*in* ～在發芽或含苞狀態中。*in the* ～ 處於未成熟或未發展的狀態。*nip in the* ～ 把…消滅於萌芽狀態；防止。— v.i. (**-dd-**)①發芽。②發育。— v.t. 接(芽)；移植。

Bu·da·pest [ˏb(j)udəˋpɛst] n.布達佩斯(匈牙利的首都)。

Bud·dha [ˋbudə] n. (the ～)佛；佛陀；浮屠。

Bud·dhism [ˋbudɪzəm] n. Ⓤ 佛教；佛法。

Bud·dhist [ˋbudɪst, ˋbu-] n. Ⓒ 佛教

徒。— *adj.* 佛教(徒)的。

bud·ding [ˋbʌdɪŋ] *adj.*①發芽的；開始發育的。②初露頭角的。

bud·dy [ˋbʌdɪ] *n.*〖美俗〗① Ⓒ 伙伴。②兄弟；喂(對男性較隨便的稱呼)。

budge [bʌdʒ] *v.i.* & *v.t.*①移動(常用否定式)。②(使)改變意見或立場。

***budg·et** [ˋbʌdʒɪt] *n.* Ⓒ ①預算。②根據預算而做的計畫。— *v.t.*設計使用。— *v.i.* 編預算。§ ∼ plàn 分期付款。— **ar·y,** *adj.*

Bue·nos Ai·res [ˋbwenɔsˋaɪres] *n.* 布宜諾斯艾利斯(阿根廷的首都)。

buff [bʌf] *n.*① Ⓤ 淺黃色之軟牛皮革。② Ⓤ 淺黃色。③(the ∼)〖俚〗赤裸。④ Ⓒ 磨光用之棒。⑤ Ⓒ〖俗〗水牛。*in the* ∼ 裸體。*strip to the* ∼將衣服剝光。— *v.t.*以棒磨光；使光軟如皮革。

buf·fa·lo [ˋbʌfḷ,o] *n.* Ⓒ (*pl.* ∼(e)s, ∼)牛；水牛。

Buf·fa·lo [ˋbʌfḷ,o] *n.* 布法羅(美國紐約州西部一城市；亦稱水牛城)。

buff·er[1] [ˋbʌfɚ] *n.* Ⓒ〖電算〗緩衝器。§ ∼ fùnd 緩衝基金。∼ stàte 緩衝國。

buff·er[2] *n.* Ⓒ ①磨光之人。②磨輪或磨棒。③〖俚〗守舊或無能者；老頭。

buf·fet[1] [buˋfe, ˋbufe] *n.* Ⓒ ①[bʌˋfe]餐具櫥。②快餐櫃臺。§ ∼ càr 餐車。∼ dínner[lúnch, súpper] 自助餐。

buf·fet[2] [ˋbʌfɪt] *n.* Ⓒ 手打；拳擊；打擊。— *v.t.* 手打；拳擊。

buf·foon [bʌˋfun] *n.* Ⓒ 丑角；滑稽劇演員。— **ish,** *adj.*

buf·foon·er·y [bʌˋfunərɪ] *n.* Ⓤ 滑稽。

***bug** [bʌg] *v.t.* (-gg-)〖俗〗①使煩惱。②裝置竊聽器。③趕快地離開〔常 out〕。④打擾。∼ *off*〖美俚〗匆匆離開。— *n.* Ⓒ ①小蟲(尤指臭蟲)。②〖俗〗病菌。③機器的缺點。④…迷。⑤〖電算〗錯誤。⑥隱藏之麥克風。

bug·a·boo [ˋbʌgə,bu] *n.* Ⓒ (*pl.* ∼s) 鬼怪。

bug·bear [ˋbʌg,bɛr] *n.* Ⓒ ①恐怖的事物。②專吃淘氣孩子的妖精。③主要的困難或難題。

bug-eyed [ˋbʌg,aɪd] *adj.*〖俚〗凸眼的。

bug·ger [ˋbʌgɚ] *n.* Ⓤ 雞姦者；男同性戀者。— *v.t.* & *v.i.* 雞姦。

bug·ger·y [ˋbugərɪ, ˋbʌgərɪ] *n.* Ⓤ〖英鄙，法律〗雞姦。

bug·gy [ˋbʌgɪ] *n.* Ⓒ ①〖美〗四輪單座之馬車。②〖英〗雙輪單座之馬車。

bug·house [ˋbʌg,haus]〖美俚〗*n.* Ⓒ 精神病院。— *adj.* 瘋狂的。

bu·gle [ˋbjugl] *n.* Ⓒ 號角；喇叭。— *v.t.* & *v.i.* 吹號角。— **bu′gler,** *n.*

‡**build** [bɪld] *v.t.* & *v.i.* (**built**)①建築；建造。②建立；創建。③信賴〔on, upon〕。∼ *in* 建(某物)使其成爲他物之一部分。∼ *up* **a.**增加；加強。**b.**讚揚；捧場。**c.**發展爲市區。— *n.*① Ⓤ Ⓒ 體格。② Ⓤ 工程；建造的式樣。

build-down [ˋbɪld,daun] *n.* Ⓤ Ⓒ 軍備裁減(尤指核子武器數量的裁減)。

***build·er** [ˋbɪldɚ] *n.* Ⓒ ①建築業者；營造商。②建立者；建造者。

‡**build·ing** [ˋbɪldɪŋ] *n.* ① Ⓒ 建築物。② Ⓤ 建築術；建築業。

build·up [ˋbɪld,ʌp] *n.* Ⓒ ①宣傳；揄揚。②建立。③集結。④累積；增強。

‡**built** [bɪlt] *v.* pt. & pp. of **build.** — *adj.*〖俚〗身段優美的。

built-in [ˋbɪltˋɪn] *adj.*①與建築結構連在一起的；嵌入的。②生就的；內在的。

built-up [ˋbɪltˋʌp] *adj.*①由數個部分組合而成的。②蓋滿了房屋的。

***bulb** [bʌlb] *n.* Ⓒ ①(植物的)球莖。②球莖狀物；電燈泡。— **bulb′ous,** *adj.*

Bul·gar·i·a [bʌlˋgɛrɪə] *n.* 保加利亞 (歐洲東南一國)。— **Bul·gar′i·an,** *adj.* & *n.*

bulge [bʌldʒ] *v.i.* 突出。— *v.t.* 使膨脹。— *n.* Ⓒ ①凸出物。②任何突然的增加。*get*[*have*] *the* ∼ *on*〖美俚〗對…占優勢。— **bulg′y,** *adj.*

bu·lim·i·a [bjuˋlɪmɪə] *n.* Ⓤ〖醫〗貪食症；易餓病。

***bulk** [bʌlk] *n.*① Ⓤ 大小；巨大。②(the ∼)大部分。③ Ⓤ 堆。④ Ⓤ 散裝貨。*in* ∼**a.** 散裝。**b.** 大量；批發。— *v.i.* & *v.t.* ①增大。②變爲重要。③溶和或混合。§ ∼ búying 大宗購買。— **bulk′y,** *adj.*

bulk·head [ˋbʌlk,hɛd] *n.* Ⓒ (常 *pl.*)①船艙之隔壁。②礦坑內之分壁。

***bull**[1] [bul] *n.*① Ⓒ 公牛。② Ⓒ 雄的大動物。③ Ⓒ 購買股票抬高其行市以謀利者；多頭。④ Ⓒ 彪形大漢。⑤(B-)〖天〗金牛座。⑥ Ⓒ〖俚〗警察；刑警。*a* ∼ *in a china shop* 魯莽的人；笨手笨腳動輒闖禍的人。*like a* ∼ *at a gate* 兇猛地。— *v.t.* & *v.i.* 抬高(股票)價格；(使)上漲。— *adj.*①公的。②粗壯的。③大號的。④價格上漲的。§ ∼ pèn (1)牛欄。(2)〖俗〗暴動發生時，感化院內集中囚犯之處所；監獄。(3)〖棒球〗救援投手練習投球之區域；救援投手。(4)臨時住所。∼ sèssion〖俗〗(小團體間的)自由討論或談話。∼ térrier bulldog 與 terrier 雜交所生之犬。

bull[2] *n.* Ⓒ 教皇勅書。

bull[3] *n.* ① Ⓒ 自相矛盾的錯誤。② Ⓒ〖美俗〗大失策；大失敗。③ Ⓤ〖美俚〗蠢話；胡說。*shoot* [*throw*] *the* ∼〖俚〗閒聊；吹牛。

bull·dog [ˋbul,dɔg] *n.* Ⓒ 牛頭犬。

bull·doze [ˋbul,doz] *v.t.*①〖美俗〗恐嚇。②用推土機推平。

bull·doz·er [ˋbul,dozɚ] *n.* Ⓒ〖美俗〗①恐嚇者。②推土機。

***bul·let** [ˋbulɪt] *n.* Ⓒ 子彈。

***bul·le·tin** [ˋbulətɪn] *n.* Ⓒ ①告示；公報。②小型雜誌或報紙。— *v.t.*公告；告示。§ ∼ bòard布告牌。∼ bòard sýstem 電子布告欄系統。

bul·let·proof [ˋbulɪt,pruf] *adj.* 防彈的。

bull·fight [ˋbul,faɪt] *n.* Ⓒ 鬥牛。

bull·fight·ing [ˋbul,faɪtɪŋ] *n.* Ⓤ 鬥牛。

bull·finch [ˋbul,fɪntʃ] *n.* Ⓒ〖鳥〗照鶯。

bull·frog [ˋbul,frɑg] *n.* Ⓒ 牛蛙。

bull·head·ed [ˋbul,hɛdɪd] *adj.*①似公牛頭的。②頑固的。

bull·horn [ˋbul,hɔrn] *n.* Ⓒ〖美〗(攜帶用)擴聲器。

bul·lion [ˋbʊljən] *n.* Ⓤ 金銀塊[條]。
bull·ish [ˋbʊlɪʃ] *adj.*①似公牛的。②〖商〗看漲的。③樂觀的。④愚頑的。
bul·lock [ˋbʊlək] *n.* Ⓒ 閹牛。
bull·ring [ˋbʊl,rɪŋ] *n.* Ⓒ 鬥牛場。
bull's-eye [ˋbʊlz,aɪ] *n.* Ⓒ ①靶心。②中靶心的一擊。③小圓窗；牛眼窗。
bull·shit [ˋbʊl,ʃɪt] *n.* Ⓤ〖俚，鄙〗胡說；廢話；誇張。
bul·ly[1] [ˋbʊlɪ] *n.* Ⓒ 欺凌弱小者；土霸。— *v.t.* 威脅；欺負。— *adj.*〖俗〗①豪俠的。②好的。— *interj.*〖俗〗好呀！
bul·ly[2] *n.* Ⓤ 罐頭牛肉(=bully beef).
bul·rush [ˋbʊl,rʌʃ] *n.* Ⓒ〖植〗①蘆葦。②香蒲。
bul·wark [ˋbʊlwək] *n.* Ⓒ ①(常 *pl.*)壁壘；堡壘。②防禦。③防波堤。④(常 *pl.*)甲板上之船舷。
bum [bʌm]〖美俗〗*n.* Ⓒ 遊手好閒者。*on the* ～ **a.**過遊蕩生活。**b.**〖俚〗損壞。— *v.i.* & *v.t.* (**-mm-**)遊蕩；乞食；依人爲生。— *adj.*劣質的。a ～ rap冤獄。
bum·ble [ˋbʌmbḷ] *v.i.*①拙劣地做事。②顛躓；跌倒。— *v.t.* 拙劣地做；弄糟。— *n.* Ⓒ 錯誤。
bum·ble·bee [ˋbʌmbḷ,bi] *n.* Ⓒ 大黃蜂。
bum·mer [ˋbʌmə] *n.* Ⓒ〖美俚〗①懶漢；遊手好閒的人；流浪者。②不愉快的經驗或事物。
***bump** [bʌmp] *v.t.*①撞；碰。②撞落。— *v.i.*①碰撞 (against, into)。②顛簸地走 (along)。～ *into* 意外碰到。～ *off*〖俚〗殺死。— *n.* Ⓒ ①碰撞；猛擊。②腫塊。③〖空〗上升氣流。
bump·er [ˋbʌmpə] *n.* Ⓒ ①(汽車)保險槓。②撞擊之人[物]。③緩衝之物。— *adj.* 豐盛的。
bump·kin [ˋbʌmpkɪn] *n.* Ⓒ 鄉巴佬。
bump·tious [ˋbʌmpʃəs] *adj.* 傲慢的。
bump·y [ˋbʌmpɪ] *adj.* 顛簸崎嶇的。
bun [bʌn] *n.* Ⓒ ①小圓甜麵包。②小圓圈捲髮式。*take the* ～ 占第一位。
***bunch** [bʌntʃ] *n.* Ⓒ ①束；球；串。②群。*best of the* ～ 精華；精英。*pick of the* ～ 一批或一群中之最佳者。— *v.t.* & *v.i.* 縛[紮]成束；群集。— **bunch'y,** *adj.*
bund [bʌnd] *n.* Ⓒ 堤岸；碼頭。
***bun·dle** [ˋbʌndḷ] *n.* Ⓒ ①捆；束；紮。②包；包裹。— *v.t.*①捆起；包紮。②推開；攆走(常 off, out)。— *v.i.* 急離；急去。～ *one out* [*off*] 匆匆趕走；攆出某人。～ *up* 穿著暖和衣服；裹暖。
bun·dling [ˋbʌndlɪŋ] *n.* Ⓤ (New England 昔日風俗)男女於求婚期間和衣同睡一床。
bung [bʌŋ] *n.* Ⓒ (桶口的)木塞。— *v.t.*①塞住(up)。②〖俚〗打腫(up)。
bun·ga·low [ˋbʌŋgə,lo] *n.* Ⓒ ①平房。②別墅；小屋。
bún·gee jùmp [ˋbʌndʒi～] *n.* Ⓒ 高空彈跳。
bung·hole [ˋbʌŋ,hol] *n.* Ⓒ 桶孔；桶口。
bun·gle [ˋbʌŋgḷ] *v.t.* & *v.i.* 搞壞。— *n.* Ⓒ 拙劣的工作。— **bun'gling,** *adj.*
bun·gler [ˋbʌŋglə] *n.* Ⓒ 技術不熟練的工人；敗事者。
bun·ion [ˋbʌnjən] *n.* Ⓒ〖醫〗拇趾黏液囊炎腫；拇囊腫。
bunk[1] [bʌŋk] *n.* Ⓒ (舟、車上)倚壁而設的床舖。— *v.i.*①睡此舖上。②〖俗〗睡眠。§ ～ **bèd** 雙層床。
bunk[2] *v.i.* & *n.* Ⓒ〖英俚〗逃避；逃跑。
bun·ker [ˋbʌŋkə] *n.* Ⓒ ①(船上)煤倉。②〖高爾夫〗穴；坑窪。③地下碉堡。— *v.t.*〖高爾夫〗擊(球)入穴。
bunk·house [ˋbʌŋk,haʊs] *n.* Ⓒ 工寮。
bun·ny [ˋbʌnɪ] *n.* Ⓒ ①〖兒〗兔子。②〖美俗〗松鼠。③兔女郎。
bunt [bʌnt] *v.t.* & *v.i.*①用頭或角牴撞。②〖棒球〗觸擊；短打。— *n.* Ⓒ ①牴觸。②〖棒球〗短打球。
bun·ting [ˋbʌntɪŋ] *n.* Ⓤ ①製旗用之薄布。②旗幟之集合稱(尤指船旗)。
Bun·yan [ˋbʌnjən] *n.* 班揚(John, 1628-88, 英國傳敎士及作家，*The Pilgrim's Progress* 之作者)。
bu·oy [bɔɪ, ˋbu·ɪ] *n.* Ⓒ ①浮標。②救生圈；救生衣(=*life buoy*)。— *v.t.*①用浮標作記號。②使浮起。③鼓勵；支持。～ *up* **a.**使不沉下去。**b.**支持。**c.**鼓勵。
buoy·an·cy [ˋbɔɪənsɪ] *n.* Ⓤ ①浮力。②輕鬆愉快(的心情)；開朗。③價格上漲的趨勢。
buoy·ant [ˋbɔɪənt] *adj.*①能浮的；有浮力的。②(價格)看漲的；(市場)買氣旺的。③快樂的；心情愉快的。
bur [bɜ] *n.* Ⓒ ①帶有芒刺之果實。②黏附著不離的東西。
bur·ble [ˋbɜbḷ] *v.i.*①作潺流之聲；起泡。②說話滔滔不絕。
***bur·den**[1] [ˋbɜdn̩] *n.* ①Ⓒ 負荷；重載。②Ⓒ 負擔；責任；重累。③Ⓤ 船的載貨量。④Ⓤ 船上所載貨物的重量。～ *of proof*〖法律〗舉證責任。— *v.t.* 使負擔。
bur·den[2] *n.* ①(the ～)主旨。②Ⓒ〖樂〗疊句；副歌。
bur·dened [ˋbɜdn̩d] *adj.*〖海〗須讓路給另一艘有優先航行權之船的。
bur·den·some [ˋbɜdn̩səm] *adj.*①累人的；麻煩的；沉重的。②〖海〗(指容積優先速度次之的商船)船體特大的。
bur·dock [ˋbɜ,dak] *n.* Ⓒ〖植〗牛蒡。
bu·reau [ˋbjʊro] *n.* Ⓒ (*pl.* **～s, ～x** [～z])①〖美〗五斗櫃；〖英〗寫字檯。②辦公處。③政府的機關；局。
bu·reauc·ra·cy [bjʊˋrakrəsɪ] *n.* Ⓤ ①官僚政治。②(集合稱)官吏。③官僚作風；繁文縟節。
bu·reau·crat [ˋbjʊrə,kræt] *n.* Ⓒ 官僚。— **bu·reau·crat'ic,** *adj.*
burg [bɜg] *n.* Ⓒ〖俗〗城；鎮。
bur·geon [ˋbɜdʒən] *n.* Ⓒ 芽；新芽。— *v.i.* & *v.t.* 萌發；發芽。
burg·er [ˋbɜgə] *n.* ⓊⒸ ①〖俗〗碎牛肉夾餅。②(用於複合詞)各種夾餅(如 turkeyburger)。
bur·gess [ˋbɜdʒɪs] *n.* Ⓒ〖英〗市民；鎮民。
burgh [bɜg] *n.* Ⓒ 市鎮。
burgh·er [ˋbɜgə] *n.* Ⓒ 自治市鎮之公民；市民。
bur·glar [ˋbɜglə] *n.* Ⓒ ①夜賊。②

竊賊。§～alàrm 自動警鈴；防盜鈴。
bur·glar·ize [ˋbɝgləˏraɪz] *v.t.* & *v.i.*〖俗〗(從某處)竊。
bur·glar·proof [ˋbɝgləˋpruf] *adj.* 防盜的。
bur·gla·ry [ˋbɝglərɪ] *n.* Ⓤ Ⓒ〖法律〗夜盜罪；盜竊罪；竊盜。
bur·gle [ˋbɝgl] *v.t.* & *v.i.*〖俗〗犯竊盜罪；竊盜。
Bur·gun·dy [ˋbɝgəndɪ] *n.*①勃艮地(法國東部一地名)。②(b-) Ⓤ 該地所產之葡萄酒。
***bur·i·al** [ˋbɛrɪəl] *n.* ① Ⓤ Ⓒ 埋葬。② Ⓒ 葬禮。§～gròund 墓地。— *adj.* 埋葬的。a ～ service 葬禮。
bur·lap [ˋbɝlæp] *n.* Ⓤ 粗麻布(製袋用)。
bur·lesque [bɚˋlɛsk] *n.*① Ⓒ 諷刺性或滑稽性之文字、圖畫或模仿。② Ⓤ〖美〗低級粗野之歌舞表演。— *v.t.* (用文字、圖畫或模仿)嘲弄。
bur·ly [ˋbɝlɪ] *adj.*①魁梧的；強壯的。②粗魯的。—**burˊli·ness,** *n.*
Bur·ma [ˋbɝmə] *n.*緬甸(東南亞一國，首都 Rangoon)。
Bur·mese [bɚˋmiz] *adj.* 緬甸(人，語)的。— *n.* (*pl.* ～)① Ⓒ 緬甸人。② Ⓤ 緬甸語。
‡**burn**[1] [bɝn] *v.i.* (**～ed** or **burnt**)①燃燒；燒燬。②感覺發熱。③發光。④熱中；焦思如焚。⑤**a.**〖化〗氧化。**b.**〖理〗核子分裂或結合。⑥(遊戲)接近隱藏之東西或猜中答案。⑦燒焦。⑧被曬黑或因熱而褪色。⑨下地獄。— *v.t.*①燒燬；焚燒。②使覺熱；生灼熱。③燒焦；灼傷。④曬。⑤燃燒；燒穿。⑥燒成。⑦〖化〗燃燒；氧化。⑧〖理〗利用(鈾等之)原子能。⑨很快地花盡。～ *down* **a.**全部焚燬。**b.**火力或燃料減弱。～ *oneself out* (因工作過度或生活無節制而)筋疲力盡。～ *out* **a.**燒壞。**b.**住所或工作場所等被燒光。～ *up* **a.**燒完；燒盡。**b.**使生氣；激怒。— *n.* Ⓒ ①燒傷；灼傷。②烤焙。
burn[2] *n.* Ⓒ〖蘇〗小河；小溪；小川。
burned-out [ˋbɝndˋaʊt] *adj.* 燒盡了的；用盡了的；因過度使用而損壞的；耗盡精力的。
burn·er [ˋbɝnɚ] *n.* Ⓒ①燈；燈頭。②火爐。a gas ～ 瓦斯爐。③火伕。
burn·ing [ˋbɝnɪŋ] *adj.*①燃燒的。②激烈的。③極嚴重的。§～glàss 火鏡(集中日光使生熱之凸透鏡)。
bur·nish [ˋbɝnɪʃ] *v.t.* & *v.i.* ①磨光。②使光滑。— *n.* Ⓤ 光澤。
bur·noose, -nous [bɚˋnus] *n.* Ⓒ (阿拉伯人所著)連有頭巾之外衣。
burn·out [ˋbɝnˏaʊt] *n.* Ⓒ ①毀滅性的火。②竭盡。③(火箭引擎的)熄火(時間，地點)。④(電器之被電流)燒毀。
‡**burnt** [bɝnt] *v.* pt. & pp. of **burn.**
burnt-out [ˋbɝntˋaʊt] *adj.*=**burned-out.**
burp [bɝp] *v.i.* & *n.* Ⓒ〖俚〗打噎；打嗝。
burr[1] [bɝ] *n.* Ⓒ ①=**bur.** ②牙醫用之鑽孔器。
burr[2] *n.* Ⓒ 喉音。— *v.i.* 用喉音說話。
bur·ri·to [bəˋrɪto] *n.* Ⓒ (*pl.* ～**s**)玉蜀黍餅的一種(上覆肉、乳酪再煮熟)。
bur·ro [ˋbɝo] *n.* Ⓒ (*pl.* ～**s**) (美西南部馱貨用的)小毛驢。
bur·row [ˋbɝo] *n.* Ⓒ (動物所掘之)地洞。— *v.t.* & *v.i.*①掘洞穴。②穴居；潛伏。③搜尋。
bur·sa [ˋbɝsə] *n.* Ⓒ (*pl.* ～**s, -sae** [-si])〖解〗囊。
bur·sar [ˋbɝsɚ] *n.* Ⓒ ①(大學內的)會計員。②〖蘇〗領獎學金的學生。

bur·sa·ry [ˋbɝsərɪ] *n.* Ⓒ①(大學內的)會計部門。②〖蘇〗大學之獎學金。
bur·si·tis [bɚˋsaɪtɪs] *n.* Ⓤ〖醫〗黏液囊炎。
‡**burst** [bɝst] *v.i.* (**burst**)①爆炸。②脹裂。③猝發。④突然而完全地顯現。— *v.t.* ①打破；突破。②將(複寫紙與其他紙張)分開。～ *in* **a.** 突然出現。**b.** 打斷。～ *out* 迸發；大呼；驚歎。— *n.* Ⓒ ①爆炸；猝發。②(自動武器之)連續發射。
Bu·run·di [buˋrʊndɪ] *n.*蒲隆地(中非一共和國，首都 Bujumbura)。
‡**bur·y** [ˋbɛrɪ] *v.t.*① 埋；葬。② 隱匿。③專心於。He *buried* himself in his work. 他專心工作。④遺忘；忘記。⑤使深入。
bur·y·ing [ˋbɛrɪɪŋ] *n.* Ⓤ 埋；葬。§～gròund 墳場；墓地。
‡**bus**[1] [bʌs] *n.* Ⓒ (*pl.* ～·(**s**)**es**)公共汽車；巴士。*miss the* ～未趕上公共汽車；〖俚〗失去機會。— *v.t.* (～(**s**)**ed,** ～·(**s**)**ing**)用巴士載。— *v.i.* 乘巴士。§*～stòp 公車站。
bus[2] *v.i.* & *v.t.* (～(**s**)**ed,** ～·(**s**)**ing**)〖美俗〗在餐廳打雜。
bus·boy [ˋbʌsˏbɔɪ] *n.* Ⓒ (餐廳之)打雜男工。
bus·by [ˋbʌzbɪ] *n.* Ⓒ (英輕騎兵之)高頂皮軍帽。
‡**bush** [bʊʃ] *n.*① Ⓒ 灌木；多枝的矮樹。② Ⓤ (常 the ～)未開墾之地。— *v.i.* 生密枝。— *v.t.* 以灌木覆蓋或保護。§～bàby〖動〗灌叢嬰猴。
Bush [bʊʃ] *n.* 布希(George Herbert Walker, 1924-, 美國第四十一位總統，任期 1989-93)。
bushed [bʊʃt] *adj.* ① 長滿灌木的。②〖俗〗疲倦的。
bush·el [ˋbʊʃəl] *n.* Ⓒ 蒲式耳(容量名，合八加侖，用以量穀)。
bush·fire [ˋbʊʃˏfaɪr] *n.* Ⓒ 矮林地之野火。
bush·ing [ˋbʊʃɪŋ] *n.* Ⓒ ①〖機〗軸襯；襯套。②〖電〗絕緣套。
bush·whack [ˋbʊʃˏhwæk] *v.t.* & *v.i.* ①徘徊森林中。②奇襲。③以鐮刀刈叢林。
bush·y [ˋbʊʃɪ] *adj.*①灌木叢生的。②濃密的。
bus·i·ly [ˋbɪzḷɪ] *adv.* 忙碌地。
‡**busi·ness** [ˋbɪznɪs] *n.*① Ⓤ Ⓒ 職業；職務。② Ⓤ 事件。③ Ⓤ 營業；商業。④ Ⓒ 商店。⑤ Ⓤ (戲劇)動作及表情。*B- is* ～. 公事公辦。*have no* ～ 無權。*It is none of one's* ～. 不關某人的事。*mean* ～ 認眞。*mind one's own* ～ 不管閒事。*on* ～ 因商務；因公；有事。*send (a person) about his* ～ 把(某人)打發走。§～càrd 業務用名片。～ English 商業英文。～hòurs 營業時間。～sètback 不景氣。
busi·ness·like [ˋbɪznɪsˏlaɪk] *adj.* 認眞的；井然有序的；實事求是的。

B

***busi·ness·man** [ˋbɪznɪs,mæn] *n.* Ⓒ (*pl.* **-men**) 商人。

busi·ness·wom·an [ˋbɪznɪs,wumən] *n.* Ⓒ (*pl.* **-wom·en**) 女實業家。

bus·(s)ing [ˋbʌsɪŋ] *n.* Ⓤ 搭校車通學。

busk [bʌsk] *v.i.* 〖英俚〗①沿街賣藝。②到鄉間演戲、賣藝。

busk·er [ˋbʌskə] *n.* Ⓒ 〖英俚〗街頭藝人。

bus·kin [ˋbʌskɪn] *n.* Ⓒ 厚底靴(古希臘及羅馬悲劇演員所穿)。

bus·load [ˋbʌs,lod] *n.* Ⓒ 一部巴士之裝載量。

bus·man [ˋbʌsmən] *n.* Ⓒ (*pl.* **-men**) 公共汽車之駕駛員或車掌。§ ∼'s **hóliday** 消磨於與日常工作類似之活動的假日。

bust[1] [bʌst] *n.* Ⓒ ①半身雕塑或畫像。②胸部(尤指女人者)。

bust[2] 〖俚〗*v.t. & v.i.* ①爆裂。②(使)破產。③(使)降級。④馴服。⑤拳打。— *n.* Ⓒ ①失敗；破產。②縱飲。③重打。

bust·er [ˋbʌstə] *n.* ①(常B-)〖俚〗小鬼；傢伙。②Ⓒ 破壞之人[物]。

***bus·tle**[1] [ˋbʌsḷ] *v.i.* 匆忙；迅速而喧擾地移動。— *v.t.* 催促；使忙碌。∼ *up* 趕快。— *n.* (*sing.*)緊張而喧擾的活動。

bus·tle[2] *n.* Ⓒ 裙撐。

bust-up [ˋbʌst,ʌp] *n.* Ⓒ ①〖美俚〗(婚姻、交情等的)破裂；分離。②喧鬧的大集會。③吵架；鬥毆。④〖俗〗爆炸。

bust·y [ˋbʌstɪ] *adj.* 大胸脯的(女性)。

‡**bus·y** [ˋbɪzɪ] *adj.* ①忙碌的。②(指電話線路)被佔用中的。Wait a minute; the line is ∼. 請等一等，電話佔線。③繁盛的；熱鬧的。④好管閒事的。⑤亂糟糟的；不和諧的。— *v.t.* 使忙。

bus·y·bod·y [ˋbɪzɪ,bɑdɪ] *n.* Ⓒ 好管閒事者；多嘴者。

‡**but** [*stressed* bʌt *unstressed* bət] *conj.* ①但是；然而。②除卻。③只有。④=**that.** I don't doubt ∼ he will do it. 我確信他將做這事。⑤=**that not**(在否定詞或問詞之後)。⑥用來強調感嘆句。*never*...∼ 必定。It *never* rains ∼ it pours.不雨則已，雨則傾盆；〖諺〗禍不單行。— *rel. pron.* 無不(=who not; which not). — *prep.* 除；除卻…之外。∼ *for* 如非。— *adv.*①僅；不過；只有。②如非(=if...not)。③至少(與can, could連用)。∼ *that* 要不是；如非。— *n.* Ⓒ (常*pl.*)限制；反對。

bu·tane [ˋbjuten] *n.* Ⓤ 〖化〗丁烷。

butch [butʃ] *adj.* 〖英俚〗男性化的；(同性戀女子)扮男子角色的。— *n.* Ⓒ 男性化的女人；(同性戀中)扮男子角色的女子。§ ∼ **cùt** 平頭(髮式)。

***butch·er** [ˋbutʃə] *n.* Ⓒ ①屠夫。②屠宰商；肉店。③殘殺者；劊子手。④〖美〗小販。— *v.t.*①屠；宰；殺。②殘殺。

butch·er·y [ˋbutʃərɪ] *n.*① Ⓤ 屠宰業。②Ⓒ 屠場。③Ⓤ 屠殺。

but·ler [ˋbʌtlə] *n.* Ⓒ 司膳的人；僕役長。§ ∼'s **pàntry** 備餐室。

butt[1] [bʌt] *n.* Ⓒ ①(武器、工具等)粗大之一端。②殘餘部分。③煙蒂。④靶；目標。⑤〖俚〗臀；屁股。⑥〖俚〗香煙。⑦譏笑或攻擊的對象。

butt[2] *n.* Ⓒ 大酒桶。

butt[3] *v.t. & v.i.* ①撞；以頭撞。②突出。∼ *in*[*into*]介入；干擾。∼ *out* 〖俚〗不介入；不管閒事。

butte [bjut] *n.* Ⓒ 〖美，加〗孤山；崗。

‡**but·ter** [ˋbʌtə] *n.* Ⓤ ①奶油。②似奶油之物。*look as if* ∼ *would not melt in* (*one's*) *mouth* 裝做害羞的樣子。*peanut* ∼ 花生醬。— *v.t.*①塗奶油於…上。②〖俗〗諂媚。∼ *up* 討好。

but·ter·cup [ˋbʌtə,kʌp] *n.* Ⓒ 〖植〗毛茛；金鳳花。

but·ter·fat [ˋbʌtə,fæt] *n.* Ⓤ 牛乳中之脂肪。

but·ter·fin·gers [ˋbʌtə,fɪŋgəz] *n.* (作*sing.*解)〖俗〗笨手笨脚者。

but·ter·fish [ˋbʌtə,fɪʃ] *n.* Ⓒ (*pl.* ∼, ∼**es**)白鯧。

***but·ter·fly** [ˋbʌtə,flaɪ] *n.*① Ⓒ 蝴蝶。② Ⓤ (the ∼)蝶泳。③ Ⓒ 見異思遷的人。§ ∼ **effèct** 蝴蝶效應(指較小的力在某一系統中能產生長期的重大效應)。∼ **tàble** 桌面折疊式桌子。

but·ter·milk [ˋbʌtə,mɪlk] *n.* Ⓤ 提去奶油之酸乳。

but·ter·nut [ˋbʌtənət] *n.* Ⓒ 白胡桃；白胡桃的堅果。

but·ter·scotch [ˋbʌtə,skɑtʃ] *n.* Ⓤ 奶油糖果。

but·ter·y [ˋbʌtərɪ] *adj.*①似奶油的；含奶油的。②〖俗〗諂媚的。— [ˋbʌtrɪ] *n.* Ⓒ ①酒窖。②備餐室。

but·tock [ˋbʌtək] *n.* Ⓒ (常*pl.*) 臀；屁股。

‡**but·ton** [ˋbʌtn̩] *n.*① Ⓒ 鈕扣。② Ⓒ 任何像鈕扣之物；電鈕。③(*pl.*)〖英俗〗旅館侍役。— *v.t. & v.i.* 扣(鈕扣)。

but·ton-down [ˋbʌtn̩,daun] *adj.* ①(襯衫領子)有鈕孔可扣在襯衫上的。②(襯衫)有此種領子的。

but·ton·hole [ˋbʌtn̩,hol] *n.* Ⓒ 鈕孔。— *v.t.*①開鈕孔於。②以縫鈕孔的針脚去縫。③強留人談話。

but·tress [ˋbʌtrɪs] *n.* Ⓒ ①扶牆；拱壁。②支持物。— *v.t.* ①以扶牆支持。②支持；加強。

bux·om [ˋbʌksəm] *adj.* 乳房豐滿的；健美活潑的。

‡**buy** [baɪ] *v.t.* (**bought**) ①買。②獲得。③賄賂；行賄。④全買。— *v.i.* 購物。∼ *off* 賄賂。∼ *on credit* 賒。∼ *out* 買進。∼ *over* 行賄。∼ *up* 全買。— *n.* Ⓒ 〖俗〗 ①所買之物。②交易；買賣。③合算的購買。

***buy·er** [ˋbaɪə] *n.* Ⓒ 買主；採購者。§ ∼'s **màrket** 買主市場(供過於求)。

***buzz**[1] [bʌz] *n.*① Ⓒ (蚊蠅和蜂等的)嗡嗡聲。② Ⓒ 多人低聲談話的雜聲。③ Ⓒ 耳語；謠言。④(a ∼) 〖俗〗電話。— *v.i.*①作嗡嗡聲。②發嘈雜聲。③匆忙地到處活動。— *v.t.*①使作嗡嗡聲。②謠傳。③〖俗〗打電話給…。④(飛機)低空掠過。⑤用buzzer 叫人。∼ *about* 〖俗〗匆忙而緊張地行動。∼ *off* 走開!

buzz[2] *n.* Ⓒ 〖俚〗平頭(=crew cut).

buz·zard [ˋbʌzəd] *n.* Ⓒ ①鵰。②〖美〗兀鷹。③〖俚〗貪婪者；卑劣者。

buzz·er [ˋbʌzə] *n.* Ⓒ ①發出似蜂音的電鈴。②發嗡嗡聲的東西。

buzz·word [ˋbʌz,wɝd] *n.* Ⓒ 流行用

語；專業術語。

B.V.M. Blessed Virgin Mary. 聖母瑪利亞。

‡by [baɪ] *prep.* ①近於；傍於。He built a house *by* the river. 他在河邊建屋。②沿；經；由。③賴以；藉以；經；由。④以量計。They buy eggs *by* the dozen. 他們買蛋以打計。⑤表示相乘(以計面積)。This table is two feet *by* four. 這桌子是二英尺寬四英尺長。⑥逐一。⑦依照；按照；以。⑧至於…程度。⑨對於。⑩當…的時候；在…的時候。⑪不遲於；在…以前。⑫向。⑬由…所生。⑭進；至。***by oneself*** 獨自。── *adv.*① 近；在旁。② 過去；已往。Those happy days are gone *by*. 那些快樂的日子已過去了。③(置)於旁；放開。④經過；越過。***by and by*** 不久；不一會兒。***by and large*** 就整個來說；一般說來。

by- 〖字首〗表示「在旁；旁邊的」。

by-and-by [ˋbaɪənˋbaɪ] *n.* (the ～) 未來。

bye [baɪ] *n.* Ⓒ (淘汰制比賽中，因比賽者爲奇數而)不經比賽即晉級者。***by the*** ～ 順便；卻說；附帶。(亦作 **by**)

***bye-bye** [ˋbaɪˋbaɪ] *interj.* 〖俗〗再見。

by-e·lec·tion [ˋbaɪɪˌlɛkʃən] *n.* Ⓒ (國會之)補選。

by·gone [ˋbaɪˌgɔn] *adj.*過去的；已往的。── *n.* (*pl.*)過去的事。

by(e)·law [ˋbaɪˌlɔ] *n.* Ⓒ ①〖英〗地方法。②附則；細則。

by·line [ˋbaɪˌlaɪn] *n.* Ⓒ (報刊等)每篇文章題目下作者署名之一行。── *v.t.* 署名於(報刊上之章)。

by·lin·er [ˋbaɪˌlaɪnɚ] *n.* Ⓒ 署名於報刊上之文章的作者或記者。

by·name [ˋbaɪˌnem] *n.* Ⓒ ①姓。②綽號；別名。

by·pass [ˋbaɪˌpæs] *n.* Ⓒ ①(用以疏散交通的)旁道。②(瓦斯等的)輔助管。③(電路中的)旁路。── *v.t.* (**～ed** or **-past**) ①在…設旁路。②繞過；繞…走。③規避。④(爲省事而)不顧。

by·path [ˋbaɪˌpæθ] *n.* Ⓒ (*pl.* **～s** [-ˌpæðz])小路；僻徑。

by·play [ˋbaɪˌple] *n.* Ⓒ (戲劇中)穿插的動作或談話。

by-prod·uct [ˋbaɪˌprɑdəkt] *n.* Ⓒ 副產品。

byre [baɪr] *n.* Ⓒ〖英〗牛棚；牛欄。

by·road [ˋbaɪˌrod] *n.* Ⓒ 間道；旁道；僻路。

By·ron [ˋbaɪrən] *n.* 拜倫 (George Gordon, 1788-1824, 英國詩人)。

by·stand·er [ˋbaɪˌstændɚ] *n.* Ⓒ 旁觀者。

byte [baɪt] *n.* Ⓒ〖電算〗位元組。

by·way [ˋbaɪˌwe] *n.* Ⓒ ①旁路。②研究、努力等之次要或輔助部分。

by·word [ˋbaɪˌwɝd] *n.* Ⓒ ① 俗諺。②可鄙或可笑的人[物]。

by-work [ˋbaɪˌwɝk] *n.* Ⓤ 副業；兼職。

By·zan·tine [bɪˋzæntɪn] *adj.*①拜占庭帝國的。②拜占庭式建築的。── *n.* Ⓒ 拜占庭古城的居民。§ ～ **Émpire** 拜占庭帝國。

By·zan·ti·um [bɪˋzænʃɪəm] *n.*拜占庭(古城名，今名伊斯坦堡)。

C c **C** **c** *C c*

C or **c** [si] *n.* (*pl.* **C's, Cs, c's, cs**) ① Ⓤ Ⓒ 英文字母之第三個字母。② Ⓤ〖樂〗C大調第一音階；C調。③ Ⓤ Ⓒ (學校成績中之)丙。④ Ⓤ (羅馬數字之)一百。⑤ Ⓒ〖美俚〗一百元鈔票。§ **C flát** 〖樂〗降C調。

C 〖化〗carbon. **©**copyright. 〖商〗已取得版權的；版權所有的。**CA** chronological age. 實齡。**Ca** calcium. **ca.** about. 約。(亦作 **c.**)

***cab** [kæb] *n.* Ⓒ ①計程車。②一種二輪或四輪的單馬車。③(火車頭之)駕駛員室。④貨運汽車之駕駛台。── *v.i.* (**-bb-**) 乘坐計程車。

CAB 〖英〗Citizens' Advice Bureau; Civil Aeronautics Board. 〖美〗民航局。

ca·bal [kəˋbæl] *n.* Ⓒ ①祕密集會。②陰謀。── *v.i.* (**-ll-**) 結黨；陰謀。

cab·al·le·ro [ˌkæbəˋljɛro, -ˋlɛro] *n.* Ⓒ (*pl.* **～s**)①西班牙紳士。②〖美西南部〗騎師；騎馬者。

ca·ba·ña [kɑˋbɑnjɑ] 〖西〗*n.* Ⓒ ①小屋。②(海濱等處之)浴室。(亦作**cabana**)

cab·a·ret [ˋkæbəˌrɛt] 〖法〗 *n.* ① Ⓒ 有歌舞助興之餐館。② Ⓤ Ⓒ 助興歌舞。

***cab·bage**[1] [ˋkæbɪdʒ] *n.* Ⓤ Ⓒ 甘藍菜(俗稱包心菜)。§ ～ **nèt** 煮包心菜時用的一種小網。～ **pàlm**〖植〗甘藍椰子。～ **ròse** 一種玫瑰。～ **trèe** 一種棕櫚。

cab·by [ˋkæbɪ] *n.*〖俗〗=**cabman.**

cab·driv·er [ˋkæbˌdraɪvɚ] *n.* Ⓒ 計程車司機；馬車夫。

***cab·in** [ˋkæbɪn] *n.* Ⓒ ①小屋；茅屋。②船艙。③飛機上駕駛員或乘客的艙位。④拖車或纜車上之臨時住處或座位。⑤軍艦上軍官之艙位。── *v.t.* & *v.i.* 禁閉於小屋中；拘束。§ ～ **bòy** 船上服務員。～ **clàss** 二等艙。～ **crùiser** 可住宿的遊艇。～ **fèver**生活在偏僻的地方或狹窄的空間等所產生的極度情緒不安。

cab·in-class [ˋkæbɪnˌklæs] *adj.* 二等艙的(客輪等)。

***cab·i·net** [ˋkæbənɪt] *n.* Ⓒ ①放置杯碟等的櫥或櫃。②(常 C-)內閣。③電唱機或電視機的外殼。④浴室。⑤展覽藝術品之房間。§ ～ **cóuncil** 內閣會議。

cab·i·net·mak·er [ˋkæbənɪtˌmekɚ] *n.* Ⓒ 製家具之細工木匠。

cab·i·net·work [ˋkæbənɪtˋwɝk] *n.* Ⓤ 細工家具；細木工。

***ca·ble** [ˋkebḷ] *n.*① Ⓤ Ⓒ 金屬製的巨纜。② Ⓤ Ⓒ 電纜。③ Ⓒ 海底電報。── *v.t.* & *v.i.*①用纜繫。②拍海底電報。§ ～ **càr** 纜車；鋼索吊車。～(**'s**) lèngth〖海〗鏈(航行的長度單位，通常爲100噚，相當於1/10浬)。~ ràilway 懸索鐵路；纜車道。~ télevision [TV] 有線電視。~ tràmway 纜車道。~ trànsfer〖美〗(國外)電匯。

ca·ble·gram [ˋkebḷ,græm] *n.* Ⓒ 海底電報。

cab·man [ˋkæbmən] *n.* Ⓒ (*pl.* **-men**) 車夫；駕車者；計程車司機。

ca·boo·dle [kəˋbudḷ] *n.* Ⓒ〖俚〗團；群。***kit and ~; the whole ~***〖俚〗全部；全體。

ca·boose [kəˋbus] *n.* Ⓒ ①〖美〗載貨火車之守車。②〖英〗船上之廚房。

cab·ri·o·let [,kæbrɪəˋle] *n.* Ⓒ ①篷式汽車。②有篷馬車。

cab·stand [ˋkæb,stænd] *n.* Ⓒ 計程車或馬車之停車處。

ca·ca·o [kəˋkeo] *n.* Ⓒ (*pl.* **~s**) ①可可樹。②可可子。§ ~ **bèan** 可可子。

cach·a·lot [ˋkæʃə,lɑt] *n.* Ⓒ〖動〗抹香鯨。

cache [kæʃ] *n.* Ⓒ ①隱藏食物、彈藥等供應品的地窖。②隱藏之食物或供應品。an arms ~ 貯藏的武器。③〖電算〗快取記憶體。— *v.t. & v.i.* 隱藏；貯藏。

ca·chet [kæˋʃe]〖法〗*n.* Ⓒ ①(公文等之)封印。②特徵；標識。③藥包；膠囊。

cack·le [ˋkækḷ] *n.* ①(*sing.*, 常 the ~)(母雞生蛋後的)咯咯啼聲。② Ⓤ 高聲喧談。③ Ⓒ 呵呵笑。— *v.i. & v.t.* ①(母雞生蛋後)咯咯啼。②喋喋而談。③呵呵笑。

ca·cog·ra·phy [kəˋkɑgrəfɪ] *n.* Ⓤ ①拙劣的書法。②錯誤的拼寫。

ca·coph·o·ny [kæˋkɑfənɪ] *n.* Ⓤ Ⓒ ①刺耳的聲音。②〖樂〗不和諧音。

cac·tus [ˋkæktəs] *n.* Ⓒ (*pl.* **~es, -ti** [-taɪ]) 仙人掌。

cad [kæd] *n.* Ⓒ 下流人。

CAD [kæd] computer-aided design.〖電算〗計算機輔助設計。

ca·dav·er [kəˋdævɚ] *n.* Ⓒ 屍體(尤指解剖用者)。

ca·dav·er·ous [kəˋdævərəs] *adj.* ①似屍的。②灰白的；憔悴的。

cad·die [ˋkædɪ] *n.* Ⓒ〖高爾夫〗①(裝運高爾夫球用具的)小型手推車。②球僮；桿弟(爲人背球桿、拾球之小僮)。a ~ bag 高爾夫球桿袋。— *v.i.* (**-died, -dy·ing**) 供差遣；當球僮。

cad·dy[1] [ˋkædɪ] *n.* Ⓒ 茶葉罐。

cad·dy[2] *n. & v.i.* =**caddie.**

ca·dence [ˋkedṇs] *n.* ① Ⓤ Ⓒ 韻律；聲調。② Ⓤ Ⓒ 聲音之抑揚頓挫。③ Ⓒ 樂章之結尾。— *v.t.* 使成節奏。— **caˊ-denced, ca·denˊtial,** *adj.*

ca·den·cy [ˋkedənsɪ] *n.* = **cadence.**

ca·den·za [kəˋdɛnzə]〖義〗*n.* Ⓒ〖樂〗裝飾樂段[曲]。

ca·det [kəˋdɛt] *n.* Ⓒ ①陸海空軍官校學生。②幼子或幼弟。③實習生。§ ~ **còrps**〖英〗學生軍訓隊。— **ship,** *n.*

cadge [kædʒ] *v.t. & v.i.*〖方〗叫賣。

Cad·il·lac [ˋkædḷ,æk] *n.* Ⓒ〖商標〗凱迪拉克(美國製高級汽車)。

cad·mi·um [ˋkædmɪəm] *n.* Ⓤ〖化〗鎘(金屬元素；符號 Cd)。

ca·dre [ˋkɑdɚ] *n.* Ⓒ ①〖軍〗負訓練之責的軍官及士兵；核心幹部。②骨架。

cae·cum [ˋsikəm] *n.* (*pl.* **-ca** [-kə]) = **cecum.**

Cae·sar [ˋsizɚ] *n.* ①凱撒(Gaius Julius, 100-44 B.C., 古羅馬的將軍、政治家及歷史家)。②羅馬皇帝之尊號。***appeal to ~*** 向最高當局陳情。— **e·an,** — **i·an** [sɪˋzɛrɪən], *adj.*

Caesárian operátion [**séction**] *n.* Ⓒ〖醫〗剖腹生產(術)。

***ca·fé** [kəˋfe, kæˋfe]〖法〗*n.* (*pl.* **-fés** [-ˋfez, -ˋfe]) ① Ⓒ 飲食店；飯館。② Ⓒ〖美〗酒店。③ Ⓒ 咖啡店。④ Ⓤ 咖啡。§ ~ **au láit** [kəˋfe·oˋle] (1)牛奶咖啡。(2)淺褐色。~ **nóir** [kəˋfeˋnwar] 純咖啡。

***caf·e·te·ri·a** [,kæfəˋtɪrɪə] *n.* Ⓒ〖美〗自助餐餐館。

caf·fein(e) [ˋkæfiɪn] *n.* Ⓤ〖化〗咖啡鹼；咖啡因。

caf·tan [ˋkæftən] *n.* Ⓒ 土耳其式長衫(長袖、腰部束帶)。

‡**cage** [kedʒ] *n.* Ⓒ ①籠；檻。②籠狀物。③監獄。— *v.t.* ①入籠；入檻；監禁。②〖籃球〗向(籃圈)投籃。§ ~ **bìrd** 養於籠中之鳥。

cag(e)·y [ˋkedʒɪ] *adj.*〖俚〗①謹小愼微的；諱莫如深的。②狡猾的；精明的。

ca·hoot [kəˋhut] *n.* (*pl.*)〖俚〗合夥。***go ~s; go in ~ with; go in ~s*** (與…)合夥；均分。***in ~(s)*** **a.** 合夥；結合。**b.** 同謀；(與…)勾結；狼狽爲奸。

CAI computer-assisted [aided] instruction.〖電算〗電腦輔助教學。

cai·man [ˋkemən] *n.* =**cayman.**

Cain [ken] *n.* ①〖聖經〗該隱(亞當與夏娃之長子，殺害其弟 Abel)。② Ⓒ 殺人者；殺兄弟者。***raise ~*** **a.** 發怒；施暴。**b.** 擾亂；引起紛亂。

cairn [kɛrn] *n.* Ⓒ ①圓錐形石堆(作爲紀念碑或地界界標者)。②(亦作 **cairn terrier**)(蘇格蘭原產的)小型㹴。

Cai·ro [ˋkaɪro] *n.* 開羅(埃及的首都)。

cais·son [ˋkesṇ] *n.* Ⓒ ①潛水箱；浮船箱。②彈藥箱[車]。§ ~ **disèase**〖醫〗潛水夫病。

cai·tiff [ˋketɪf] *n.* Ⓒ 鄙漢。— *adj.* 鄙下的。

ca·jole [kəˋdʒol]〖法〗*v.t.* 以甜言蜜語誘惑或欺騙。~ ***(a person) into*** [***out of***] 誘使(人)做[停止]。~ ***(a thing) out of (a person)*** (向人)花言巧語騙走(東西)。— **ment,** *n.*

ca·jol·er·y [kəˋdʒolərɪ] *n.* Ⓤ Ⓒ 甜言蜜語的誘惑；諂媚；勾引。

‡**cake** [kek] *n.* ① Ⓤ Ⓒ 糕；蛋糕；餅。② Ⓒ 薄扁的餅狀物。③ Ⓒ 塊狀的東西。a ~ of soap 一塊肥皂。***a piece of ~*** 容易的事。***~s and ale*** 好東西；生活中之樂趣。***My ~ is dough.***〖美俗〗(由未做成餅的麵團引申)我的計畫失敗了。***take the ~***〖俚〗**a.** 得第一名。**b.** 超過任何人。***the land of ~s*** 蘇格蘭的別號。***You cannot eat your ~ and have it.***〖諺〗兩者不可兼得；魚與熊掌不可兼得。— *v.t.* (以…)厚厚地黏結於…上。— *v.i.* 結塊。§ ~ **ìnk** 墨。

Cal. California.
cal·a·bash [ˋkælə,bæʃ] *n.* Ⓒ〖植〗葫蘆。
cal·a·boose [ˋkælə,bus] *n.* Ⓒ〖美俗〗監獄。
ca·lam·i·tous [kəˋlæmətəs] *adj.* 災難的; 悲慘的。—**ly,** *adv.* —**ness,** *n.*
***ca·lam·i·ty** [kəˋlæmətɪ] *n.* Ⓒ不幸之事; 災難。§ ∼ **hòwler** [**shòuter**]〖美〗杞人憂天者。
cal·car·e·ous, -i·ous [kælˋkɛrɪəs] *adj.*石灰(質)的; 含鈣(質)的。
cal·cif·er·ous [kælˋsɪfərəs] *adj.* (含)碳酸鈣的。
cal·ci·fy [ˋkælsə,faɪ] *v.t.* & *v.i.* ①(使)成石灰化; 鈣化。②(使)變頑固。
cal·cine [ˋkælsaɪn] *v.t.* & *v.i.* 燒成生石灰。
cal·cite [ˋkælsaɪt] *n.* Ⓤ〖礦〗方解石。
***cal·ci·um** [ˋkælsɪəm] *n.* Ⓤ〖化〗鈣(金屬元素; 符號 Ca). § ∼ **cárbonate** 碳酸鈣。∼ **hydróxide** 氫氧化鈣。
cal·cu·la·ble [ˋkælkjələbl̩] *adj.*①可計算的。②可依賴的。
***cal·cu·late** [ˋkælkjə,let] *v.t.*①計算。②估計。③打算。④〖美俗〗認爲; 覺得。⑤估價。— *v.i.* ①計算。②預料。
cal·cu·lat·ed [ˋkælkjə,letɪd] *adj.* ①計算的。②有意的; 計畫的。③適合的。
cal·cu·lat·ing [ˋkælkjə,letɪŋ] *adj.* ①計算的。②工於心計的。③有策略的。§ ∼ **machìne** 計算機。
***cal·cu·la·tion** [,kælkjəˋleʃən] *n.* ①ⓊⒸ計算。②Ⓒ計算(的結果)。③ⓊⒸ預料。④Ⓤ愼思。⑤Ⓤ估計。
cal·cu·la·tor [ˋkælkjə,letɚ] *n.* Ⓒ ①計算者。②計算機。
cal·cu·lous [ˋkælkjuləs] *adj.*〖醫〗結石性的。
cal·cu·lus [ˋkælkjələs] *n.* (*pl.* **-li** [-,laɪ], ∼**es**) ①Ⓤ微積分學。②Ⓒ〖醫〗結石。
Cal·cut·ta [kælˋkʌtə] *n.* 加爾各答(印度東北部的港口)。
cal·dron [ˋkɔldrən] *n.* Ⓒ大鍋。
‡**cal·en·dar** [ˋkæləndɚ] *n.* Ⓒ ①曆法; 日曆。②一覽表; 表; 紀錄; 開庭日程表。— *v.t.*登記。§ ∼ **dáy** 曆日(始於午夜終於次日午夜的 24 小時)。∼ **wàtch** 曆錶。∼ **yéar** 曆年(從元月一日至十二月三十一日的一段時間)。
***calf**[1] [kæf, kɑf] *n.* (*pl.* **calves**) ①Ⓒ小牛; 犢。②Ⓒ小象; 小鯨; 小海豹。③Ⓤ小牛皮; 犢皮。④Ⓒ〖俗〗笨拙的男子。*kill the fatted* ∼ 準備飲宴慶祝[歡迎]。§ ∼ **lòve** 童年戀愛。
calf[2] *n.* Ⓒ (*pl.* **calves**) 腓; 小腿。
calf·skin [ˋkæf,skɪn] *n.* Ⓤ小牛皮。
cal·i·ber,〖英〗**-bre** [ˋkæləbɚ] *n.*①Ⓒ(槍砲)口徑。②Ⓒ(砲彈或子彈之)直徑。③Ⓤ才幹。④Ⓤ品質; 質地。Her work is of the highest ∼. 她的工作質量最高。
cal·i·brate [ˋkælə,bret] *v.t.* ①量…之口徑。②校準…之刻度。
cal·i·co [ˋkælə,ko] *n.* ⓊⒸ (*pl.* ∼(e)s) ①〖美〗印花布。②〖英〗白棉布。— *adj.* ①印花布或白棉布做的。②有斑點的。
Calif. California.
***Cal·i·for·nia** [,kæləˋfɔrnjə] *n.*加利福尼亞州(美國西海岸的一州)。—**Cal·i·for′nian,** *adj.* & *n.*
cal·i·for·ni·um [,kæləˋfɔrnɪəm] *n.* Ⓤ〖化〗鉲(高度放射性元素; 符號Cf).
cal·(l)i·per [ˋkæləpɚ] *n.* Ⓒ(常*pl.*)彎腳規; 測徑器。
ca·liph [ˋkelɪf] *n.* Ⓒ回教國國王。
cal·iph·ate [ˋkælə,fet] *n.* Ⓒ caliph 之職權[轄區]。(亦作 **califate**)

cal·(l)is·then·ic [,kæləsˋθɛnɪk] *adj.* 柔軟體操的。
cal·(l)is·then·ics [,kæləsˋθɛnɪks] *n.* ①(作*pl.*解)柔軟體操; 運動。②Ⓤ柔軟體操法。
calk[1] [kɔk] *v.t.* 塡縫使不漏水。
calk[2] *n.* Ⓒ ①(附於馬蹄鐵上防滑之)尖鐵。②〖美〗靴底或後跟之尖鐵。— *v.t.* 加以尖鐵。
‡**call** [kɔl] *v.t.*①喊; 叫。②喚醒。③號令; 命令。④呼喚; 召喚。⑤令服務; 令服役。⑥召集。⑦打電話。⑧稱之爲; 定名。⑨視爲; 以爲。⑩點名。⑪催付。⑫〖牌戲〗要求攤牌。⑬學(鳥或動物)叫聲以引誘之。⑭邀請。⑮引起(注意)。⑯使來; 使發生。⑰〖俗〗要求(某人)爲某事提供證據。⑱〖俗〗非難; 責備。⑲〖運動〗判定。⑳〖運動〗中止(比賽)。— *v.i.* ①高聲說話; 大叫。②訪問。③要求; 命令。④打電話。⑤叫; 鳴; 吼。∼ *at* 到…作短暫訪問。∼ *attention to* 指出; 使注意。∼ *away*(從席位上)把(某人)叫走。∼ *back* **a.**喚回。**b.**撤銷。**c.**回電話。∼ *down* **a.**〖俗〗斥責。**b.**招致。∼ *for* **a.**取; 迎; 接。**b.**求援; 要求。∼ *forth* 喚起; 引起。∼ *in* **a.**收集。**b.**收回(不再流通)。**c.**邀請。∼ *off* **a.**取消。**b.**命令…停止。**c.**逐條讀出。∼ *on* [*upon*] **a.**請求。**b.**拜訪。∼ *out* **a.**大聲叫。**b.**召集。**c.**使顯現。∼ *over* (*names*) 點名。∼ *up* **a.**打電話。**b.**回憶; 回想。**c.**徵召…入伍。— *n.* Ⓒ ①呼叫聲。②(喇叭)號音; 鐘聲等。③邀請; 召喚。④拜訪。⑤需求。⑥理由。⑦付款要求。⑧叫; 喊。⑨鳥獸鳴叫之聲。⑩打電話。⑪〖運動〗裁定。*a close* ∼ 千鈞一髮; 死裡逃生。*on* ∼ **a.**即期支付的。**b.**已經準備妥當的。**c.**隨時待命的。*take a* ∼ 謝幕。*within* ∼ 叫聲能達的範圍之內。§ ∼ **bèll** 呼人鈴; 警鈴。∼ **gìrl** 應召女郎。∼ **lòan** 通知放款; 活期貸款(銀行可隨時要求借款人償還)。∼ **mòney**〖商〗活期借款。∼ **nùmber** [**màrk**] 圖書的編目號碼。
cal·la [ˋkælə] *n.* Ⓒ〖植〗水芋。
call-back [ˋkɔl,bæk] *n.* Ⓒ〖美俗〗①召回休假工人之通告。②與顧客之再度會商。③(製造商)產品收回檢修。§ ∼ **pày** 加班費。
call·er [ˋkɔlɚ] *n.* Ⓒ ①喊叫者。②召集者。③訪客。
cal·lig·ra·phy [kəˋlɪgrəfɪ] *n.* Ⓤ 書法; 墨寶。
call-in [ˋkɔlɪn] *n.* Ⓒ〖美〗將聽眾打進來的電話當場播出的廣播或電視節目。
call·ing [ˋkɔlɪŋ] *n.* ① Ⓒ 職業。②

U C 邀請；召喚。③ C 慾望。④ U C (會議之)召集。§ ∼ càrd 名片。
cal·li·o·pe [kəˋlaɪə,pi] *n.* C 蒸氣風琴；汽笛風琴。
cal·los·i·ty [kəˋlɑsətɪ] *n.* U ①皮膚硬結的狀態。②鐵石心腸。
cal·lous [ˋkæləs] *adj.* ①堅硬的；變硬的。②無情的；無感覺的。③起繭的。
cal·low [ˋkælo] *adj.* ①未生羽毛的。②沒有經驗的。
cal·lus [ˋkæləs] *n.* C 皮膚硬化的部分；老繭。
‡**calm** [kɑm] *adj.*①安靜的；無風浪的。②寧靜的；不激動的。— *n.* U 平靜；安靜。— *v.t.* 使安靜。— *v.i.* 變安靜〔常 down〕。*— **ly,** *adv.*
cal·ma·tive [ˋkælmətɪv] *adj.* 鎮靜的。— *n.* U C 鎮靜劑。
ca·lor·ic [kəˋlɔrɪk] *n.* U 熱。— *adj.* ①熱的。②卡路里的。
***cal·o·rie, cal·o·ry** [ˋkælərɪ] *n.* C 卡路里(熱量的單位，使1公克水升高攝氏1度所需的熱量)。
cal·o·rif·ic [,kæləˋrɪfɪk] *adj.* 生熱的；發熱的。
cal·u·met [ˋkælju,mɛt] *n.* C 北美印第安人所用之一種煙管(象徵和平)。
ca·lum·ni·ate [kəˋlʌmnɪ,et] *v.t.* 毀謗；中傷。— **ca·lum·ni·a′tion,** *n.*
ca·lum·ni·ous [kəˋlʌmnɪəs] *adj.* 中傷的；毀謗的。
cal·um·ny [ˋkæləmnɪ] *n.* U C 誹謗；讒言。
Cal·va·ry [ˋkælvərɪ] *n.*①髑髏岡(耶穌基督被釘十字架於此地)。②(c-) C 耶穌受難像。
calve [kæv] *v.i.* & *v.t.*①產(犢)。②崩解；崩落。
***calves** [kævz] *n.* pl. of **calf**[1] & **calf**[2].
Cal·vin [ˋkælvɪn] *n.* 喀爾文(John, 1509-64, 生於法國的瑞士宗教改革者)。
Cal·vin·ism [ˋkælvɪn,ɪzəm] *n.* U 喀爾文主義(強調神的絕對性等)。
ca·lyp·so [kəˋlɪpso] *n.* C (*pl.* **∼s, ∼es**)千里達島上土著所興起之一種爵士調即興歌曲。
ca·lyx [ˋkelɪks] *n.* C (*pl.* **∼es, ca·ly·ces** [ˋkælə,siz])花萼。
cam [kæm] *n.* C 〖機〗凸輪；鏗。
CAM [kæm] computer-aided manufacturing. 〖電算〗電腦輔助製造系統。
ca·ma·ra·de·rie [,kɑməˋrɑdərɪ] 〖法〗*n.* U 友愛；友誼。
cam·ber [ˋkæmbɚ] *v.t.* & *v.i.* 彎作弧形；翹曲。— *n.* U C ①小彎曲；眉形。②(機翼之)彎曲；(汽車前輪之)垂直斜度；曲弧度。
cam·bi·um [ˋkæmbɪəm] *n.* C (*pl.* **∼s, -bi·a** [-bɪə])〖植〗形成層。
Cam·bo·di·a [kæmˋbodɪə] *n.* 高棉；柬埔寨(東南亞之一國)。
cam·bric [ˋkembrɪk] *n.* U 麻紗白葛布(一種質料很薄的白色細葛布或棉布)。§ ∼ **téa**(含牛奶、糖、茶之)熱飲。
Cam·bridge [ˋkembrɪdʒ] *n.*①劍橋(英格蘭東部名城，爲Cambridgeshire郡之首府，因劍橋大學而著名)。②劍橋大學。③美國波士頓附近一城市，哈佛大學所在地。
cam·cord·er [ˋkæm,kɔrdɚ] *n.* C (手提式)攝、錄放影機；攝錄機。
‡**came** [kem] *v.* pt. of **come.**
***cam·el** [ˋkæml̩] *n.* C 駱駝。the Arabian [Bactrian] ∼ 單[雙]峯駱駝。
cam·el·back [ˋkæml̩,bæk] *n.* C 駱駝背。
ca·mel·lia [kəˋmiljə] *n.* C 〖植〗山茶(花)。
Cam·e·lot [ˋkæmə,lɑt] *n.*①卡麥勒(傳說中Arthur王之宮殿及朝廷所在地)。②刺激活動的時間或地點(尤指1961-1963甘迺迪當政時代和當時的華盛頓)。
Cam·em·bert [ˋkæməm,bɛr] *n.* U (法國 Camembert 地方所產)一種鬆軟的乾酪。
cam·e·o [ˋkæmɪ,o] *n.* C (*pl.* **∼s**)刻有浮雕之寶石。
‡**cam·er·a** [ˋkæmərə] *n.* C ①照相機。②(電視)攝影機。③(*pl.* **-er·ae** [-ə,ri])法官之私人辦公室。*in* ∼ 祕密地。§ ∼ **tùbe**〖視〗影像管。
cam·er·a·man [ˋkæmərə,mæn] *n.* C (*pl.* **-men**)①攝影師。②攝影記者。
cam·er·a-shy [ˋkæmərə,ʃaɪ] *adj.* 不喜歡照相的。
Ca·me·roun [,kæməˋrun] *n.* 喀麥隆(非洲西部一獨立國)。(亦作**Cameroon**)
cam·i·on [ˋkæmɪən] *n.* C 軍用卡車。
cam·i·sole [ˋkæmə,sol] *n.* C ①飾有花邊的無袖女用胸衣。②婦女化妝時所穿之短上衣。
cam·o·mile [ˋkæmə,maɪl] *n.* C 〖植〗甘菊。
cam·ou·flage [ˋkæmə,flɑʒ] 〖法〗*n.* U C ①掩飾。②〖軍〗僞裝。— *v.t.* 掩飾；僞裝。
‡**camp** [kæmp] *n.* ① C 營。② C 營地。③ C 住在營地的人；營兵。④ C 供臨時居住之營帳。⑤ U 野營生活。⑥ C (宗教等之)集團。⑦ U 軍中生活。*in the same* ∼ 意見相同；共同工作。— *v.i.* & *v.t.*(使)宿於營中。∼ *out* **a.** 過臨時的簡陋生活。**b.**露營。§ ∼ **béd** 行軍床。∼ **chàir** 輕便的帆布摺椅。∼ **fèver** 露營病(尤指斑疹傷寒)。∼ **mèeting** 野營佈道大會。— **er,** *n.*
***cam·paign** [kæmˋpen] *n.* C ①戰役。②活動；(選舉等的)運動。— *v.i.* ①從事運動。②打仗；作戰。
cam·paign·er [kæmˋpenɚ] *n.* C ①推行運動者。②老兵。
cam·pa·ni·le [,kæmpəˋnilɪ] *n.* C (*pl.* **∼s, -ni·li** [-ˋnili])鐘樓。
camp·fire [ˋkæmp,faɪr] *n.* C ①營火。②營火晚會。§ ∼ **gìrl** 美國露營少女團團員。
camp·ground [ˋkæmp,graʊnd] *n.* C 露營地。
cam·phor [ˋkæmfɚ] *n.* U 樟腦。§ ∼ **bàll** 樟腦丸。∼ **trèe** 樟腦樹。
cam·phor·ate [ˋkæmfə,ret] *v.t.*加樟腦於；使與樟腦化合。
camp·ing [ˋkæmpɪŋ] *n.* U 露營。
camp·site [ˋkæmp,saɪt] *n.* C 露營地。
camp·stool [ˋkæmp,stul] *n.* C 摺凳。
***cam·pus** [ˋkæmpəs] *n.* C 〖美〗①校園；校內。②大學(教育)。
camp·y [ˋkæmpɪ] *adj.* 〖俚〗裝模作樣的；不自然的。

cam·shaft [ˋkæm,ʃæft] *n.* Ⓒ〖機〗凸輪軸。

Ca·mus [kæˋmu] *n.* 卡繆(Albert, 1913-60, 法國短篇小說家、劇作家、散文家, 1957 年諾貝爾文學獎得主)。

‡**can**[1] [kæn, kən, kn̩] *aux. v.* (*pt.* **could**) ①能夠; 會。②〖俗〗可以(=may)。③有能力。④可能。～ ***but*** 祇能…罷了。～ ***not but*** [***help***]不能不; 不禁。～ ***not*** …***too*** 無論怎樣…也不爲過。

*__can__[2] [kæn] *n.* Ⓒ①罐子。②罐頭食品。③酒杯。④〖俚〗監獄。***in the*** ～〖影〗已完成製片。— *v.t.* (**-nn-**)①裝於罐頭。②〖美俚〗解雇; 免除。③〖俚〗停止。④〖俚〗丟棄。§ ～ **òpener** 開罐器。

Ca·naan [ˋkenən] *n.*①〖聖經〗迦南(現大部爲以色列所在地)。②Ⓒ樂土。

Ca·naan·ite [ˋkenən,aɪt] *n.*①Ⓒ迦南人。②Ⓤ迦南語。

‡**Can·a·da** [ˋkænədə] *n.* 加拿大。

*__Ca·na·di·an__ [kəˋnedɪən] *adj.* 加拿大(人)的。— *n.* Ⓒ加拿大人。

*__ca·nal__ [kəˋnæl] *n.* Ⓒ① 運河。②(體內的) 管。③水道; 溝; 渠。— *v.t.* (**-l-**, 〖英〗**-ll-**)①開運河於。②疏導。

ca·nal·ize [kəˋnælaɪz] *v.t.* ①開鑿運河於。②把(河)改造成運河。③導向。

can·a·pé [ˋkænəpɪ] 〖法〗*n.* Ⓒ加有菜餚、乾酪等之烤麵包或餅乾。

ca·nard [kəˋnɑrd] 〖法〗*n.* Ⓒ虛報。

*__ca·nar·y__ [kəˋnɛrɪ] *n.* ① Ⓒ 金絲雀。②Ⓤ淡黃色。§ ～ **bìrd** 金絲雀。

ca·nas·ta [kəˋnæstə] *n.* Ⓤ卡納斯特牌戲(使用兩副紙牌)。

Can·ber·ra [ˋkænbərə] *n.* 坎培拉(澳洲首都)。

can·can[ˋkænkæn] *n.* Ⓒ 康康舞(一種法國式舞蹈)。

*__can·cel__ [ˋkænsl̩] *v.t.*(**-l-**,〖英〗**-ll-**)①刪去; 以線劃去。②取消。③抵消。④加蓋註銷戳使作廢。— *v.i.*①互相抵消 [out]。②〖數〗相消; 相約。— *n.* ⓊⒸ①取消; 刪除。②被刪除之部分。③〖數〗約分。— **can·cel·la′tion,** *n.*

*__can·cer__ [ˋkænsɚ] *n.* ① ⓊⒸ 癌。②Ⓤ社會上之弊端。③(C-) Ⓤ〖天〗巨蟹座。— **ous,** *adj.*

can·de·la·brum [,kændl̩ˋebrəm] *n.* Ⓒ (*pl.* **～s, -bra** [-brə])枝狀大燭臺。

*__can·did__ [ˋkændɪd] *adj.*①坦白的。②公正的。§ ～ **cámera**(趁人不備偷拍鏡頭用的)小型快拍照相機。— **ly,** *adv.*

can·di·da·cy [ˋkændɪdəsɪ] *n.* ⓊⒸ候選人資格。

*__can·di·date__ [ˋkændə,det] *n.* Ⓒ ①候補者; 候選人。②應考者。

can·died [ˋkændɪd] *adj.* ①糖漬的; 蜜餞的。②(說話等)嘴甜的。

‡**can·dle** [ˋkændl̩] *n.* Ⓒ①蠟燭。②任何蠟燭狀物。③燭光。***burn the*** ～ ***at both ends*** 過分消耗精力[資財]。***not hold a*** ～ ***to*** 不能與…相比。***not worth the*** ～ 不值得的; 不合算的。§ ～ **hòlder** 燭臺。～ **pòwer** 燭光。

can·dle·light [ˋkændl̩,laɪt] *n.* Ⓤ燭光。

Can·dle·mas [ˋkændl̩məs] *n.* Ⓤ〖天主教〗聖燭節(二月二日)。

can·dle·stick [ˋkændl̩,stɪk] *n.* Ⓒ燭臺。

can·dle·wick [ˋkændl̩,wɪk] *n.* Ⓒ燭芯。

can·dor,〖英〗**-dour** [ˋkændɚ] *n.* Ⓤ①坦白; 誠意。②公平; 公正。

‡**can·dy** [ˋkændɪ] *n.* ⓊⒸ糖果。— *v.t.* ①製成糖果。②使(糖等)結晶。③覆以糖。— *v.i.* 結晶成糖。

*__cane__ [ken] *n.*①Ⓒ手杖。②Ⓒ鞭打用的杖。③Ⓒ長而有節的莖(如竹和甘蔗等)。④Ⓤ〖植〗甘蔗。— *v.t.* ①鞭笞。②以籐編製。§ ～ **cháir** 籐椅。

ca·nine [ˋkenaɪn] *adj.* (似) 犬的。— *n.* Ⓒ犬科動物。§ ～ **tòoth** 犬齒。

Ca·nis [ˋkenɪs] *n.*①〖動〗犬屬。②(c-) Ⓒ犬。§ ～ **Májor** 〖天〗大犬星座。～ **Mínor**〖天〗小犬星座。

can·is·ter [ˋkænɪstɚ] *n.* Ⓒ ①(裝茶葉等的)金屬罐。②濾毒罐。③榴霰彈。

can·ker [ˋkæŋkɚ] *n.* ① ⓊⒸ(口部的)潰瘍; 壞疽。②Ⓒ積弊; 弊害。— *v.t.* & *v.i.* ①使腐爛。②被 canker 所蝕。

*__canned__ [kænd] *adj.*①裝罐的。②〖俚〗錄音的; 灌成唱片的。③〖俚〗事前準備好的。

can·nel·lo·ni [,kænəˋlonɪ] 〖義〗*n.* Ⓤ義大利肉捲; 義大利酪捲(將五香碎肉或乾酪等塞入大通心麵烘製而成, 加番茄醬或奶油食之)。

can·ner [ˋkænɚ] *n.* Ⓒ〖美〗罐頭食品製造者。

can·ner·y [ˋkænərɪ] *n.* Ⓒ食品罐頭工廠。

Cannes [kæn, kænz] *n.* 坎城(法國東南部之一海港)。

can·ni·bal [ˋkænəbl̩] *n.* Ⓒ ①食人肉者。②食同類動物者。— *adj.* 同類相殘的。— **ism,** *n.* — **can·ni·bal·is′tic,** *adj.*

can·ni·bal·ize [ˋkænəbl̩,aɪz] *v.t.* ①食…之生肉。②拆下(機器)之零件(以供他用)。③(以舊零件)裝修或裝配。

can·non [ˋkænən] *n.* Ⓒ (*pl.* **～s,** ～) 大砲。§ ～ **bàll** 砲彈。～ **fòdder**〖俗〗砲灰; 士兵。～ **salùte** 禮砲。

can·non·ade [,kænənˋed] *n.* Ⓒ 連續砲擊。— *v.t.* & *v.i.* 砲轟。

‡**can·not** [ˋkænɑt] =**can not.**

can·ny [ˋkænɪ] *adj.* ①靈敏的。②謹愼的。③節儉的。④安靜的。

*__ca·noe__ [kəˋnu] *n.* Ⓒ獨木舟。***paddle one's own*** ～ 自食其力。— *v.i.* 乘獨木舟。

can·on[1] [ˋkænən] *n.* ①Ⓒ教規。②Ⓒ(常 *pl.*)法規; 原則。③(the ～)**a.** 聖典; 正經。**b.** 聖徒名單。

can·on[2] *n.* Ⓒ〖基督教〗牧師會會員。

ca·ñon [ˋkænjən] *n.*=**canyon.**

ca·non·i·cals [kəˋnɑnɪkl̩z] *n. pl.* 牧師禮服; 法衣。

can·on·ize [ˋkænən,aɪz] *v.t.* ①封爲聖徒。②褒揚。③承認合於教典或教規。④認可。— **can·on·i·za′tion,** *n.*

can·o·py [ˋkænəpɪ] *n.* Ⓒ ①床或寶座上之罩蓋。②天篷狀覆蓋物。③小型飛機上可滑動的機艙蓋。— *v.t.* 遮蓋。

cant[1] [kænt] *n.* Ⓤ①僞善之言。②(特殊階級等的)行話; 隱語。— *v.i.* ①做僞善的表示。②說隱語; 講黑話。

C

C

cant² *n.* [C] ①斜面；傾斜。②招致傾斜或旋轉的動作。— *v.t.* & *v.i.* ①斜切。②(使)傾斜或傾覆。

‡**can't** [kænt] =**can not.**

can·ta·loup(e) [ˋkæntḷ͵op] *n.* [C] 一種甜瓜。

can·tan·ker·ous [kænˋtæŋkərəs] *adj.* ①難相處的；好吵鬧的。②壞脾氣的。

can·ta·ta [kænˋtɑtə]〖義〗*n.* [C] 康塔塔(係一種以宗教爲內容的音樂作品，由獨唱演員演唱，有合唱隊伴唱)。

can·teen [kænˋtin] *n.* [C] ①隨身帶的水壺。②軍中福利社。③(工廠等的)餐廳。

can·ter [ˋkæntɚ] *n.* [C] (馬的)慢步小跑。— *v.i.* & *v.t.* (使)(馬)慢跑。

Can·ter·bur·y [ˋkæntɚ͵bɛrɪ] *n.* 坎特布里(英格蘭著名教堂，爲中世紀英國之宗教聖地)。§ ~ **bèll**〖植〗風鈴草。

can·ti·cle [ˋkæntɪkḷ] *n.* ① [C] 教堂禮拜用之頌歌。②(Canticles) 雅歌(聖經之一卷)。

can·ti·le·ver [ˋkæntḷ͵ivɚ] *n.* [C]〖建〗懸臂；懸桁。§ ~ **brídge** 懸臂橋(由兩個懸臂結構所造的橋)。

can·to [ˋkænto] *n.* [C] (*pl.* ~**s**) 長詩中的篇章。

can·ton [ˋkæntən] *n.* [C] (瑞士的)州。—[ˋkæntɑn] *v.t.* (給軍隊)駐紮。

Can·ton [kænˋtɑn, ˋkæntən] *n.* 廣州(中國廣東省省會)。

Can·ton·ese [͵kæntənˋiz] *n.* (*pl.* ~) ① [C] 廣東人。② [U] 廣東話。— *adj.* 廣東(人)的。

can·ton·ment [kænˋtɑnmənt] *n.* [C] 軍隊駐紮地。

can·tor [ˋkæntɔr] *n.* [C] (教堂中唱詩班之)領唱者。

***can·vas** [ˋkænvəs] *n.* ① [U] 帆布；畫布。② [C] 帆製的東西。③ [C] 油畫。*under* ~ **a.** 在帳幕中。**b.** 張帆。

can·vass [ˋkænvəs] *v.t.* ①細究。②討論。③向(人)拉票；招徠(顧客)。— *v.i.* ①拉票。②檢查。③討論。— *n.* [C] ①討論。②拉票。③細究。

***can·yon** [ˋkænjən] *n.* [C] 峽谷。*C- of Heroes* 歡迎歸國英雄的都市街道(指紐約下百老匯大街的一段街道)。

‡**cap** [kæp] *n.* [C] ①無邊便帽。②帽狀物。③蓋；頂。④頂部。~ *in hand* 謙恭地。*set one's* ~ *for* [*at*]〖俗〗(好)追求(男子)；向(男子)挑逗。— *v.t.* (**-pp-**) ①覆之以蓋或帽。②覆以；蓋以。③勝過(他人)。④完成；配合。⑤除…之蓋。— *v.i.* 脫帽以示敬。§ ~ **scrèw** 帽螺絲(釘)。

***ca·pa·bil·i·ty** [͵kepəˋbɪlətɪ] *n.* ① [U] 能力。② [U] 可能(性)。③ [C] (常 *pl.*) 可發展之能力。

***ca·pa·ble** [ˋkepəbḷ] *adj.* ①有能力的；能幹的。②表露才幹的。~ *of* **a.** 有能力的；有資格的。**b.** 有…可能的。**c.** 可容納…的。

ca·pa·cious [kəˋpeʃəs] *adj.* 容量大的。

ca·pac·i·tor [kəˋpæsətɚ] *n.* [C]〖電〗電容器(=condenser)。

***ca·pac·i·ty** [kəˋpæsətɪ] *n.* ① [U] 容量。② [U] 能力。③ [C] 地位；資格。

ca·par·i·son [kəˋpærəsn̩] *n.* ① [C] 馬衣；馬的裝飾物。② [U] 美服；行頭。— *v.t.* ①以馬衣遮(馬)。②打扮。

***cape¹** [kep] *n.* ① [C] 岬；海角。②(the C-) **a.** 好望角(=Cape of Good Hope)。**b.** 科德角(=Cape Cod)。

cape² *n.* [C] 披肩；披風。

ca·per¹ [ˋkepɚ] *n.* [C] ①跳躍。②戲弄；頑皮。*cut a* ~ 雀躍；作傻事；胡鬧。— *v.i.* 雀躍。

ca·per² *n.* [C]〖植〗續隨子(產於地中海沿岸)。

Cape·town [ˋkepˋtaun] *n.* 開普敦(南非聯邦南部之一城市)。

cap·il·lar·y [ˋkæpḷ͵ɛrɪ] *adj.* 毛細管(現象)的。— *n.* [C] ①毛細管。②〖解〗微血管。§ ~ **attráction** 毛細管引力。

‡**cap·i·tal¹** [ˋkæpətḷ] *n.* ① [C] 國都；首都；省會。② [C] 大寫字母。③ [U] 資金；資本。④ [U] (集合稱)資本家。*make* ~ *of* 利用。— *adj.* ①重要的；主要的。②好的；上等的。③死刑的。④嚴重的。§ ~ **góods**〖經〗資本財。~ **invéstment** 資金總額。~ **létter** 大寫字母。~ **lèvy** 資本稅。~ **pùnishment** 死刑。~ **shìp** 大型軍艦。

cap·i·tal² *n.* [C]〖建〗柱頭。

cap·i·tal-in·ten·sive [ˋkæpətḷɪnˋtɛnsɪv] *adj.* 資本密集的。

cap·i·tal·ism [ˋkæpətḷ͵ɪzəm] *n.* [U] 資本主義。

cap·i·tal·ist [ˋkæpətḷɪst] *n.* [C] 資本家。

cap·i·tal·is·tic [͵kæpɪtḷˋɪstɪk] *adj.* 資本家的；資本主義的。

cap·i·tal·ize [ˋkæpətḷ͵aɪz] *v.t.* ①用大寫字母寫。②變成資本；做資本用。③定(某公司之)資本額。④供給資本。⑤估價。— *v.i.* 利用〔on〕。— **cap·i·tal·i·za'tion,** *n.*

cap·i·ta·tion [͵kæpəˋteʃən] *n.* ① [U] 按人數計算。② [C] 人頭稅。

***Cap·i·tol** [ˋkæpətḷ] *n.* ①(the ~)〖美〗國會大廈。② [C] (常c-)美國州議會會堂。③古羅馬Jupiter神殿。§ ~ **Híll** 美國議會。

ca·pit·u·late [kəˋpɪtʃə͵let] *v.i.* (有條件地)投降。

ca·pon [ˋkepɑn] *n.* [C] 閹雞。

ca·price [kəˋpris] *n.* ① [U][C] 反覆無常；善變。② [C]〖樂〗幻想曲；隨想曲。

ca·pri·cious [kəˋprɪʃəs] *adj.* 多變的；反覆無常的；任性的。

Cap·ri·corn [ˋkæprɪ͵kɔrn] *n.* [U]〖天〗山羊座；魔羯宮。

cap·si·cum [ˋkæpsɪkəm] *n.* [C]〖植〗番椒；辣椒。

cap·size [kæpˋsaɪz] *v.t.* & *v.i.* (使)(船)傾覆。

cap·stan [ˋkæpstən] *n.* [C] 絞盤；起錨機。§ ~ **bàr** 絞盤桿。

cap·sule [ˋkæpsḷ, ˋkæpsjul] *n.* [C] ①(藥的)膠囊。②〖生理〗被囊。③〖植〗蒴；莢。④太空艙。⑤摘要。— *v.t.* ①以瓶帽密封。②節略。— *adj.* 簡要的。

‡**cap·tain** [ˋkæptɪn] *n.* [C] ①首領。②陸軍上尉；海軍上校；空軍上尉。③船[艦]長。④隊長(球隊或田徑隊等)。— *v.t.* 擔任…之隊長；統率。

cap·tion [ˋkæpʃən] *n.* [C] ①標題。②

插圖的說明。③電影字幕。

cap·tious [`kæpʃəs] *adj.* ①好吹毛求疵的；好責備人的。②詭辯的。

cap·ti·vate [`kæptə,vet] *v.t.* 迷惑。— **cap·ti·va′tion,** *n.*

***cap·tive** [`kæptɪv] *n.* Ⓒ ①俘虜。②被迷者。— *adj.* ①被俘的。②被迷住的。§ ～ **ballóon** 繫留氣球。～ **tèst**(飛彈等的)靜態試驗。

cap·tiv·i·ty [kæp`tɪvətɪ] *n.* Ⓤ ①囚禁。②被拘留的狀態。

cap·tor [`kæptɚ] *n.* Ⓒ 擄掠者；捕捉者。

***cap·ture** [`kæptʃɚ] *v.t.* ①擄獲。②捕捉；抓住。③占領。— *n.* ① Ⓒ 戰利品。② Ⓤ 擄獲；捕獲。③ Ⓤ 占領。

‡**car** [kɑr] *n.* Ⓒ ①車；汽車。②火車車廂。③氣球載人的懸籃。④有軌的車。⑤〖美〗電梯之機箱。§ ～ **dùmper**(貨車等的)自卸裝置。～ **pàrk**〖英〗停車場。～ **pòol** 汽車共乘制。～ **retàrder** 車輛減速器。～ **wàsh** 洗車場。

Ca·ra·cas [kə`rɑkəs] *n.* 卡拉卡斯(委內瑞拉之首都)。

ca·rafe [kə`ræf] *n.* Ⓒ 玻璃水瓶。

car·a·mel [`kærəml] *n.* ① Ⓤ 焦糖。② Ⓒ 牛奶糖。

car·a·mel·ize [`kærəml,aɪz] *v.t.* 加熱熔(糖)使焦。— *v.i.*(糖)熔化而變成焦黃。

car·a·pace [`kærə,pes] *n.* Ⓒ 甲殼；「甲；外殼。

car·at [`kærət] *n.* Ⓒ ①克拉(寶石重量的單位)。②開(純金爲 24 開)。(亦作 **karat**)

car·a·van [`kærə,væn] *n.* Ⓒ ①旅行隊。②旅行乘用之大篷車。

car·a·van·sa·ry [,kærə`vænsərɪ], **-se·rai** [-sə,raɪ] *n.* Ⓒ ①可以容納旅行車隊投宿的旅舍。②大旅舍。

car·a·way [`kærə,we] *n.* ① Ⓒ 〖植〗葛縷子；香芹。② Ⓤ (亦作 **caraway seeds**)香芹籽(用作香料)。

car·bide [`kɑrbaɪd] *n.* Ⓤ 〖化〗①碳化物。②碳化鈣。

car·bine [`kɑrbaɪn] *n.* Ⓒ 卡賓槍。

carbo- 〖字首〗表「碳」之義。

car·bo·hy·drate [,kɑrbo`haɪdret] *n.* Ⓒ 〖化〗醣；碳水化合物。

car·bol·ic [kɑr`bɑlɪk] *adj.* 石炭酸的。§ ～ **ácid**〖化〗石炭酸；酚。

***car·bon** [`kɑrbən] *n.* ① Ⓤ 〖化〗碳(符號 C)。② Ⓒ 副本；複寫本。③ Ⓤ 複寫紙。④ Ⓒ 碳棒。§ ～ **blàck**〖化〗炭黑；黑煙末(爲印刷油墨等的原料)。～ **cópy** (1)副本；複寫本。(2)一模一樣[極相像]的人或物〔of〕. ～ **dàting**〖考古〗(利用 carbon 14 的)放射性碳年代測定法。～ **dióxide**〖化〗二氧化碳。～ **monóxide**〖化〗一氧化碳。～ **pàper** 複寫紙。

car·bon·ate [`kɑrbənɪt, -,net] *n.* Ⓤ Ⓒ 碳酸鹽。— [`kɑrbə,net] *v.t.* 使變爲碳酸鹽；使碳化。— **car·bon·a′tion,** *n.* Ⓤ 碳化作用。

car·bon·ic [kɑr`bɑnɪk] *adj.* 含碳素的。§ ～ **ácid**〖化〗碳酸。

car·bon·if·er·ous [,kɑrbə`nɪfərəs] *adj.* ①含碳或煤的。②(C-)〖地質〗石炭紀[系]的。*the C-* 石炭紀。

car·bon·ize [`kɑrbən,aɪz] *v.t.* ①碳化。②以碳處理。— **car·bon·i·za·tion** [,kɑrbənɪ`zeʃən], *n.*

car·boy [`kɑrbɔɪ] *n.* Ⓒ (有木框或籐籃保護的)大玻璃瓶；酸瓶。

car·bun·cle [`kɑrbʌŋkl] *n.* Ⓒ ①〖醫〗疔。②粉刺。③紅玉；紅寶石。

car·bu·ret [`kɑrbə,rɛt] *v.t.* (-t-, 〖英〗-tt-)使與碳化合。

car·bu·ret·(t)or [`kɑrbə,retɚ] *n.* Ⓒ (引擎之)化油器。

car·cass, 〖英〗**-case** [`kɑrkəs] *n.* Ⓒ 動物的屍體。

car·cin·o·gen [kɑr`sɪnədʒən] *n.* Ⓒ 〖醫〗致癌物。

car·ci·no·ma [,kɑrsə`nomə] *n.* Ⓒ (*pl.* **～s, ～ta** [～tə])〖醫〗癌。

‡**card**[1] [kɑrd] *n.* ① Ⓒ 厚紙片；卡片。a calling [visiting] ～名片。a post～明信片。② Ⓒ 紙牌。③(*pl.*)紙牌戲。④ Ⓒ 〖俗〗(詼諧之)人。⑤ Ⓒ 節目單。*have a ～ up one's sleeve* 有錦囊妙計。*in*[*on*] *the ～s* 即將發生的；很可能的。*leave ～s* (*on*) 拜訪；訪人不遇留名片而歸。*one's best ～* 絕招；妙策。*play one's ～s* 心懷某種目的去做某事。*play one's last ～* 採取最後手段。*put one's ～s on the table* 攤牌；把自己的打算和盤托出。*speak by the ～* 精確地說。*the* (*proper*)*～* 正好的東西。— *v.t.* ①備置卡片。②記於卡片上。③用卡片標示。④〖運動〗得(分)。§ ～ **càtalog** (圖書館的)卡片目錄。～ **fìle** 卡片目錄。～ **ìndex** 卡片索引。～ **pùnch** 打卡機。～ **pùncher** 打卡員。～ **rèader** 〖電算〗讀卡機。～ **shàrk** 玩紙牌的高手。

card[2] *n.* Ⓒ 鋼絲刷。— *v.t.* 刷；梳(羊毛等)。

car·da·mom, -mum [`kɑrdəməm], **-mon** [-mən] *n.* Ⓒ 〖植〗小豆蔻。

***card·board** [`kɑrd,bord] *n.* Ⓤ 紙板。

card-car·ry·ing [`kɑrd,kærɪɪŋ] *adj.* 正式(獲准入黨或參加團體)的。

car·di·ac [`kɑrdɪ,æk] *adj.* ①心臟(病)的。②胃之上部的。— *n.* Ⓒ 心臟病患者。§ ～ **arrést** 心跳停止。～ **múscle** 心肌。～ **sýmptoms** 心臟病的徵候。～ **wàves**〖醫〗心波。

car·di·gan [`kɑrdɪgən] *n.* Ⓒ 羊毛衫。

car·di·nal [`kɑrdnəl] *adj.* ①首要的；基本的。②鮮紅色的。— *n.* ① Ⓤ 鮮紅色。② Ⓒ 天主教的樞機主教。③ Ⓒ 北美紅雀。④ Ⓒ 基數。§ ～ **flòwer** 〖植〗紅花山梗菜(之花)。～ **númber** [**númeral**] 基數。～ **póints** 基本方位(即東西南北)。～ **vírtues**〖哲〗基本道德。

card-in·dex [`kɑrd,ɪndɛks] *v.t.* 作卡片索引。

car·di·o·gram [`kɑrdɪə,græm] *n.* Ⓒ 心電圖。

car·di·o·graph [`kɑrdɪə,græf] *n.* Ⓒ 心動描記器。

car·di·ol·o·gy [,kɑrdɪ`ɑlədʒɪ] *n.* Ⓤ 心臟學。— **car·di·ol′o·gist,** *n.*

car·di·om·e·ter [,kɑrdɪ`ɑmətɚ] *n.* Ⓒ 〖醫〗心能測量器；心力計。

C

car·di·o·vas·cu·lar [ˌkardɪo`væskjulɚ] *adj.*〖醫〗心與血管的；循環系統的。§ ∼ **diséase** 心臟血管病。

card·sharp(·er) [`kard,ʃarp(ɚ)] *n.* Ⓒ 以詐術賭紙牌爲生者。

‡**care** [kɛr] *n.*① Ⓤ 憂慮；操心。② Ⓤ 小心；謹慎。③ Ⓤ 照顧；看護。④ Ⓒ 所顧慮[關心]之事。⑤ Ⓤ 關切；關懷。∼***of*** 由…轉交(略作c/o). ***take***[***have a***] ∼ 小心；謹慎。***take*** ∼***of*** **a.** 照顧；看護。**b.** 謹愼於。**c.** 處理。— *v.i.*① 關心；顧慮。②喜歡；愛好；願；欲。③照顧(for).

ca·reen [kə`rin] *v.t.* & *v.i.*①(修船時)使(船)傾倒。②(使)傾側。

***ca·reer** [kə`rɪr] *n.* ① Ⓒ 生涯；經歷。② Ⓒ 職業；事業。③ Ⓤ 急馳；飛奔。④ Ⓒ 所經之路；軌道。— *adj.* 職業的。a ∼ diplomat 職業外交家。— *v.i.* 急馳；飛奔〔about, along, through, over〕.

ca·reer·ism [kə`rɪrɪzm̩] *n.* Ⓤ 發跡第一主義。

ca·reer·ist [kə`rɪrɪst] *n.* Ⓒ ①野心家。②從事某項終生事業者。

care·free [`kɛr,fri] *adj.* ①無憂慮的。②無責任感的。

‡**care·ful** [`kɛrfəl] *adj.* ①謹慎的；小心的。②用心從事工作的。—**ly,** *adv.* —**ness,** *n.*

***care·less** [`kɛrlɪs] *adj.*①粗心的。②不正確的；疏忽的。③不負責的。④無憂慮的。—**ly,** *adv.* —**ness,** *n.*

***ca·ress** [kə`rɛs] *n.* Ⓒ & *v.t.* 撫愛。

car·et [`kærət] *n.* Ⓒ (校對時用的)脫字符號(如∧、∨等)。

care·tak·er [`kɛr,tekɚ] *n.* Ⓒ 看守者；管理者。§ ∼ **góvernment** 看守內閣；過渡時期的政府。

care·worn [`kɛr,worn] *adj.* 飽經憂患的。

car·fare [`kar,fɛr] *n.* Ⓤ 車資。

***car·go** [`kargo] *n.* Ⓤ Ⓒ (*pl.* ∼**(e)s**) (船、飛機等所載的)貨物。§ ∼ **bòat** 貨輪。

car·hop [`kar,hap] *n.* Ⓒ 汽車飯館之侍者。

Car·ib·be·an [ˌkærə`biən] *adj.* 加勒比海的。§ **the** ∼ **Séa** 加勒比海。

car·i·bou [`kærə,bu] *n.* Ⓒ (*pl.* ∼**s,** (集合稱)∼)北美馴鹿。

car·i·ca·ture [`kærɪkətʃɚ] *n.*① Ⓒ 諷刺畫；漫畫。② Ⓤ 作諷刺畫的技術。— *v.t.* 作畫諷刺。—**car'i·ca·tur·ist,** *n.*

car·ies [`kɛriz]〖拉〗*n.* Ⓤ 齲；骨瘍。

car·il·lon [`kærə,lan] *n.* Ⓒ ①鐘樂器。②鐘樂。

car·load [`kar,lod] *n.* Ⓒ 一車的量。

Car·lyle [kar`laɪl, `kar,laɪl] *n.* 卡萊爾(Thomas, 1795-1881, 蘇格蘭評論家、思想家及歷史家)。

car·man [`karmən] *n.* Ⓒ (*pl.* **-men**) 車夫。

Car·mel·ite [`karml̩,aɪt] *n.* Ⓒ 卡米爾(Carmel)教派之托缽僧或尼。

car·mine [`karmɪn] *n.* Ⓤ & *adj.* 洋紅色(的)。

car·nage [`karnɪdʒ] *n.* Ⓤ 大屠殺。

car·nal [`karnl̩] *adj.*肉體的；世俗的。

car·nal·i·ty [kar`nælətɪ] *n.* Ⓤ ①淫慾。②俗念。③性行爲。

car·na·tion [kar`neʃən] *n.*① Ⓒ 荷蘭石竹(康乃馨)。② Ⓤ 粉紅色。

Car·ne·gie [kar`negɪ] *n.*卡內基(Andrew, 1835-1919, 美國鋼鐵工業家及慈善家)。§ ∼ **Foundátion** 卡內基基金會。∼ **Háll** 卡內基音樂廳(在紐約市)。

***car·ni·val** [`karnəvl̩] *n.*① Ⓒ 巡迴表演的娛樂遊戲團。② Ⓤ 嘉年華會；狂歡節(四旬齋前之飲宴狂歡)。

car·ni·vore [`karnə,vor] *n.* Ⓒ ①肉食動物。②食蟲植物。

car·niv·o·rous [kar`nɪvərəs] *adj.* ①肉食的。②肉食動物的。

car·ol [`kærəl] *n.* Ⓒ ①歡樂之歌。②耶誕歌或讚美詩。Christmas ∼*s* 耶誕頌歌。— *v.i.* & *v.t.* (**-l-,**〖英〗**-ll-**)①歌頌。②歡唱。

Car·o·li·na [ˌkærə`laɪnə] *n.*卡羅來納(從前英國在北美之一殖民地)。***the*** ∼***s*** 美國南、北卡羅來納兩州。

car·om [`kærəm] *v.i.* 〖撞球〗擊出使母球連撞二球之一擊。

car·o·tene [`kærə,tin] *n.* Ⓤ〖化〗胡蘿蔔素；葉紅素($C_{40}H_{56}$). (亦作**carotin**)

ca·rot·id [kə`ratɪd] *n.* Ⓒ & *adj.*頸動脈(的)。

ca·rous·al [kə`rauzl̩] *n.* = **carouse.**

ca·rouse [kə`rauz] *n.* Ⓤ Ⓒ 狂歡的宴飲。— *v.i.* 痛飲；參加歡樂喜鬧的宴會。

car·ou·sel [ˌkærə`zɛl] *n.* Ⓒ ①〖美〗旋轉木馬(= merry-go-round). ②(機場裡爲旅客運送行李的)旋轉式輸送帶。

carp[1] [karp] *v.i.* & *v.t.*吹毛求疵；找碴兒。

carp[2] *n.* Ⓒ (*pl.* ∼**s,** ∼)①鯉魚。②鯉科的魚。

car·pal [`karpl̩] *n.* Ⓒ〖解〗腕骨。

car·pel [`karpl̩] *n.* Ⓒ〖植〗心皮。

***car·pen·ter** [`karpəntɚ] *n.* Ⓒ 木匠。a ∼*'s* rule折尺。a ∼*'s* square勾尺。— *v.i.*做木工。— *v.t.*以木工手藝製作。

car·pen·try [`karpəntrɪ] *n.* Ⓤ 木匠工作。

car·pet** [`karpɪt] *n.*① Ⓒ 地毯；毛毯。② Ⓤ 如毛毯鋪地的東西。on the*** ∼ **a.**在考慮中；在討論中。**b.**受責。— *v.t.* 鋪以地毯；鋪蓋。§ ∼ **bòmbing** 地毯式轟炸。∼ **knìght** 〖蔑〗未參戰之軍人。∼ **slìpper** 用氈製的室內男用拖鞋。∼ **snàke** 澳洲產有斑點的巨蟒。∼ **swèeper** 掃毯器。

car·pet·bag [`karpɪt,bæg] *n.* Ⓒ 氈製之旅行手提包。— *v.i.* (**-gg-**)〖美俚〗投機取巧。

car·pet·bag·ger [`karpɪt,bægɚ] *n.* Ⓒ 到他處藉投機取巧以圖謀利者。

car·pet-bomb [`karpɪt,bam] *v.t.* 對…作地毯式轟炸。

car·pet·ing [`karpɪtɪŋ] *n.* Ⓤ 氈布；毯。

carp·ing [`karpɪŋ] *adj.* 吹毛求疵的；找碴的。

car·port [`kar,port] *n.* Ⓒ 車棚。

car·rel(l) [`kærəl] *n.* Ⓒ 圖書館書庫中供個別讀者使用之卡座。

‡**car·riage** [`kærɪdʒ] *n.*① Ⓒ 客車。② Ⓒ 砲架；(機器的)臺架。③ Ⓤ 儀態；舉止。④ Ⓤ 運輸。⑤ Ⓤ 運費。§ ∼ **fórward** 〖英〗運費由收件人負擔。∼ **frée** 免付運費。

car·riage·way [ˋkærɪdʒ͵we] *n.* Ⓒ〖英〗①馬路。②(道路上之)車道。

***car·ri·er** [ˋkærɪɚ] *n.* Ⓒ ①運送人。②搬運的工具。③運輸機構。④貨架。⑤帶菌者；傳染疾病的媒介。⑥〖無線電〗載波。⑦〖化工〗載媒劑。⑧航空母艦。⑨使者；信差。§～ **pìgeon**傳信鴿。

car·ri·on [ˋkærɪən] *n.* Ⓤ 腐屍(肉)。— *adj.* ①腐爛的。②吃腐肉的。§～ **cròw** 吃腐肉的烏鴉；黑兀鷹。

***car·rot** [ˋkærət] *n.* Ⓒ胡蘿蔔。

car·rot·y [ˋkærətɪ] *adj.*①胡蘿蔔色的。②紅髮的。

car·rou·sel [͵kærəˋzɛl] *n.*=**carousel.**

‡**car·ry** [ˋkærɪ] *v.t.*①搬運；運送；攜帶。②支持；維持。③舉止；舉動。④勝；獲得；採納；通過。⑤帶有。⑥延伸；延續。⑦影響；感動。⑧可裝；可容納。⑨傳播。⑩身懷(胎兒)。⑪輸送(流體)。⑫〖簿記〗轉記；結轉。⑬〖數〗移上一位。— *v.i.* ①運送；攜帶。②達；及。③(子彈等)能射及。④(馬)有某種姿勢。～ *all before one* 勢如破竹；極為成功。～ *away* **a.** 深深地影響；吸引住；感動。**b.** 沖走。～ *forward* 〖會計〗將(一筆金錢)轉記於次頁、次欄或下一本帳簿。～ *off* **a.** 強行帶走。**b.** 獲得(獎品或榮譽)。**c.** 成功地對付。**d.** (疾病)奪去(生命)。～ *on* **a.** 經營。**b.** 繼續。～ *out* 完成；實行。～ *over* **a.** 遺留。**b.** 繼續；延續。～ *the day* 打勝仗。～ *through* **a.** 完成。**b.** 幫助度過難關。～ (*something*) *too far* 把(某事)做得太過分。— *n.* ①Ⓤ射程。②ⓊⒸ 運輸；水陸聯運。§～ **bàg**〖美〗購物袋(=〖英〗shopping bag).

car·ry·all [ˋkærɪ͵ɔl] *n.* Ⓒ ①一種四輪單馬雙座馬車。②兩排相對座位之一種汽車。

car·ry·ing [ˋkærɪɪŋ] *adj.*①運送的；運輸的。②響亮的。§～ **capàcity** 飽和基準；載貨量。～ **tráde** 運輸業。

car·ry·ing-on [ˋkærɪɪŋˋɑn] *n.* Ⓒ (*pl.* **car·ry·ings-on**)〖俗〗愚行；輕率之行為；醜事。

car·ry-on [ˋkærɪ͵ɑn] *adj.*上飛機可隨身攜帶的。

car·ry·out [ˋkærɪ͵aut] *adj.* & *n.* 〖美俗〗=**takeout.**

car·ry-o·ver [ˋkærɪ͵ovɚ] *n.* Ⓒ ①滯銷品。②〖簿記〗結轉。

car·sick [ˋkɑr͵sɪk] *adj.* 暈車的。—**ness,** *n.* Ⓤ 暈車。

***cart** [kɑrt] *n.* Ⓒ 二輪馬車；手拉車。*put the* ～ *before the horse*(做事)本末倒置。— *v.t.*用車運送。— *v.i.*駕車。§～ **hòrse**拖貨車的馬。～ **whèel** 車輪。

cart·age [ˋkɑrtɪdʒ] *n.* Ⓤ①貨車運輸。②貨車運費。

carte [kɑrt] *n.* Ⓒ 菜單。

carte blanche [ˋkɑrtˋblɑnʃ] 〖法〗*n.* Ⓤ ①全權委任。②自由處理權。

car·tel [ˋkɑrtl, kɑrˋtɛl] *n.* Ⓒ ①卡特爾(企業聯合)。②交換俘虜等之條約。

car·ter [ˋkɑrtɚ] *n.* Ⓒ 運貨馬車夫。

Car·thage [ˋkɑrθɪdʒ] *n.*迦太基(非洲北部一古國)。

car·ti·lage [ˋkɑrtḷɪdʒ] *n.* Ⓒ〖解〗軟骨。

car·ti·lag·i·nous [͵kɑrtəˋlædʒənəs] *adj.*軟骨(質)的。

cart·load [ˋkɑrt͵lod] *n.* Ⓒ ①一貨車之載量。②〖俗〗大量。

car·tog·ra·pher [kɑrˋtɑgrəfɚ] *n.* Ⓒ製圖者；繪製地圖者。

car·to·graph·ic, -i·cal [͵kɑrtəˋgræfɪk(ḷ)] *adj.*製圖的。

car·tog·ra·phy [kɑrˋtɑgrəfɪ] *n.* Ⓤ製圖；繪圖法。

car·ton [ˋkɑrtn̩] *n.* Ⓒ 紙板盒[箱]。

car·toon [kɑrˋtun] *n.* Ⓒ ①諷刺畫；漫畫。②(亦作 **animated cartoon**)卡通電影片。— *v.t.* & *v.i.* (使)…漫畫化；畫漫畫；畫諷刺畫。—**ist,** *n.*

car·tridge [ˋkɑrtrɪdʒ] *n.* Ⓒ ①〖兵〗子彈；彈藥筒。②照相軟片捲筒。③(電唱機)針頭。§～ **bèlt** 子彈帶。～ **bòx** 子彈盒[箱]。～ **pàper** 彈藥紙(厚而粗糙，用以製造彈藥筒、圖畫紙等)。

cart·wheel [ˋkɑrt͵hwil] *n.* Ⓒ ①車輪。②〖俗〗大型硬幣。③橫翻觔斗。— *v.i.* ①側翻觔斗。②車輪似地轉動。

***carve** [kɑrv] *v.t.*①切成碎片。②雕刻。③造成；創造〔常out〕. — *v.i.*①雕刻。②切肉。～ *for oneself* 自由行動。～ *up* 分割(肉等)；劃分(遺產等)。

carv·er [ˋkɑrvɚ] *n.* Ⓒ ①雕刻者。②切肉者。③切肉刀。*a pair of* ～*s* 一套切肉用具。

carv·ing [ˋkɑrvɪŋ] *n.* ⓊⒸ 雕刻(物)；切片。§～ **fòrk** 切肉叉。～ **knìfe** 切肉刀。

Cas·a·blan·ca [͵kɑsəˋblɑŋkə] *n.* 卡薩布蘭加(非洲摩洛哥西北部海港)。

cas·cade [kæsˋked] *n.* Ⓒ ①小瀑布。②(衣服的)波狀花邊。— *v.i.* 像瀑布般落下。

‡**case**[1] [kes] *n.*①Ⓒ事；例。②Ⓒ情形；狀況；場合。③Ⓒ訟案。④Ⓒ患者；病症。⑤ⓊⒸ〖文法〗格。⑥Ⓒ令人信服的理論。⑦Ⓒ〖俗〗奇人；怪人。⑧Ⓒ〖法律〗供詞。*as is often the* ～ *with* 那對…是常有之事。*as the* ～ *may be* 看情形；或許。*be in good* [*evil*]～ 境況(不)好；身體(不)好。*drop a* ～ 撤消訴訟。*in any* ～ 無論如何。*in* ～**a.** 以防(萬一)。**b.** 如果。**c.** 也許；說不定。*in* ～ *of* 倘；倘使。*in nine* ～*s out of ten* 十之八九。*in no* ～ 絕不。§～ **làw** 〖法律〗判例法。～ **stúdy** 個案研究。

‡**case**[2] *n.* Ⓒ ①箱；盒；套。②框。③一對；兩個。④一箱之容量。⑤〖印刷〗活字盤。*upper*[*lower*]～ 大[小]寫活字盤。— *v.t.*① 裝於箱、盒、套中。②〖美俚〗事前勘察(擬搶劫之處所)。③將表面糊裱。§～ **shòt** 榴霰彈。

case-by-case [ˋkesbaɪˋkes] *adj.* 一件一件個別處理的。

ca·sein [ˋkesɪɪn] *n.* Ⓤ〖生化〗酪蛋白。

case·ment [ˋkesmənt] *n.* Ⓒ (亦作 **casement window**) (兩扇的)門式窗。

case·work [ˋkes͵wɝk] *n.* Ⓤ 社會福利工作。—**er,** *n.*

***cash**[1] [kæʃ] *n.* Ⓤ①現金；現款。②錢；財富。～ *on delivery* 貨到付款(略作

C.O.D.)). *hard* ～ 硬幣。*in the* ～ 富裕。～ *down* 即付現款。── *v.t.* ①兌現；支現。②付款。～ *in* **a.** 以籌碼兌換現金。**b.**〖美俚〗將財產、股份等變賣以取得現金。**c.**〖美俚〗死亡。～ *in on* **a.** 靠…賺錢。**b.** 利用。§ ～ **accòunt** 現金帳目。～ **càrd** 自動提款卡。～ **cróp** 商品農作物。～ **dìscount** 現金折扣。～ **dispènser** 自動提款機。～ **règister** 收銀機。

cash² *n.* Ⓒ (*pl.* ～)小銅錢；方孔錢。

cash-and-car·ry [ˋkæʃənˋkærɪ] *adj.* 現金購物，由顧客自行運貨的。

cash·book [ˋkæʃˏbʊk] *n.* Ⓒ 現金簿。

cash·ew [kəˋʃu, ˋkæʃu] *n.* Ⓒ 腰果。

***cash·ier** [kæˋʃɪr] *n.* Ⓒ 出納員。a ～'s check 銀行本票。

cash-in [ˋkæʃˏɪn] *n.* Ⓤ 公債等的兌現。

cash·mere [ˋkæʃmɪr] *n.*① Ⓤ 喀什米爾產的一種輕暖羊毛。② Ⓒ 其圍巾或衣服。③ Ⓤ 其斜紋呢。

cash·o·mat [ˋkæʃəˏmæt] *n.* Ⓒ〖美〗自動提款機。

cas·ing [ˋkesɪŋ] *n.* ① Ⓒ 箱；套；鞘。② Ⓤ 包裝材料。③ Ⓒ (門窗的)框。④ Ⓒ〖美〗汽車外胎。⑤ Ⓒ 製香腸用的腸衣。

ca·si·no [kəˋsino] *n.* Ⓒ (*pl.* ～**s**) 俱樂部；娛樂場。

cask [kæsk] *n.* Ⓒ ①桶。②滿桶。

cas·ket [ˋkæskɪt] *n.* Ⓒ ①貯藏珠寶或信件的小箱。②〖美〗棺；柩。③骨灰盒。

Cás·pi·an Séa [ˋkæspɪən～] *n.* (the ～)裏海(歐亞兩洲間的內海)。

cas·sa·tion [kæˋseʃən] *n.* Ⓤ Ⓒ (案件、判決、選舉等之)取消；廢除。

cas·sa·va [kəˋsɑvə] *n.*① Ⓒ〖植〗參茨；樹薯。② Ⓤ 樹薯粉。

cas·se·role [ˋkæsəˏrol] *n.* Ⓒ ① 有蓋的蒸鍋。②砂鍋菜。

***cas·sette** [kæˋsɛt]〖法〗*n.* Ⓒ ①珠寶箱。②〖攝〗乾板匣。③(錄音帶、錄影帶等的)卡式匣。§ ～ **TV** 使用卡式錄影帶之電視。

cas·sia [ˋkæʃə] *n.* Ⓒ〖植〗肉桂。

Cas·si·o·pe·ia [ˏkæsɪəˋpiə] *n.*〖天〗仙后座。

cas·sock [ˋkæsək] *n.* Ⓒ 教士所穿著之法衣；袈裟。

***cast** [kæst, kɑst] *v.t.* (**cast**) ① 投；擲；拋。②投向；投射。③鑄造；鑄成。④〖戲劇〗分配角色。⑤捨棄；脫落；蛻。── *v.i.* ①投；擲。②鑄造。③計算。④思考；計畫；圖謀。⑤推測；搜尋；尋求 [about]. *be* ～ *down* 失望；沮喪。～ *about* 尋求；搜尋。～ *aside* 捨棄。～ *away* **a.** 拒絕。**b.** 遭遇海難。～ *back* 提及過去事；復回原態。～ *off* **a.** 放(船)；解纜。**b.** (編織衣物時的)收針。**c.** 放棄。～ *on* 編織成第一行針腳。～ (*in*) *one's lot with* 與…共患難。～ *out* 趕出。～ *up* **a.** 合計。**b.** 被沖浮到上面。── *n.*① Ⓒ 投；擲；拋。② Ⓒ 鑄成物；模子。③ Ⓒ 演員的陣容。④ (*sing.*)表情；容貌。⑤ Ⓤ 種類。⑥ Ⓒ 斜視。⑦ Ⓤ Ⓒ 計算。⑧(*sing.*)傾向。§ ～ **íron** 鑄鐵；生鐵。～ **stéel** 鑄鋼。

cas·ta·net [ˏkæstəˋnɛt] *n.* Ⓒ (常 *pl.*)〖樂〗響板。

cast·a·way [ˋkæstəˏwe] *n.* Ⓒ ①遭船難之人。②被棄之人或物。── *adj.*① 被人所擯棄的。②遇難的。

caste [kæst] *n.*① Ⓤ Ⓒ 印度的世襲階級。② Ⓤ 社會階級制度。*lose* ～ 失掉社會地位。

cast·er [ˋkæstɚ] *n.* Ⓒ ①投手；投擲者。②傢具之腳輪。③調味瓶；調味瓶架。④鑄造者。(②、③亦作 **castor**)

cas·ti·gate [ˋkæstəˏget] *v.t.*①懲治；譴責。②修訂。─ **cas·ti·ga′tion,** *n.*

cast·ing [ˋkæstɪŋ] *n.*① Ⓤ 鑄造。② Ⓒ 鑄件。③ Ⓤ 投擲。④ Ⓤ〖戲劇〗分派角色的工作。§ ～ **nèt** 撒網。～ **vóte** 決定性投票。

cast-i·ron [ˋkæstˋaɪɚn] *adj.* ①生鐵製的。②(胃等)健康的；強壯的。③(證據)難以推翻的。

‡**cas·tle** [ˋkæsl̩, ˋkɑsl̩] *n.* Ⓒ ① 城堡。②大宅邸。③(西洋棋中)城形之棋子。*build* ～*s*[*a* ～] *in the air* [*in Spain*] 築空中樓閣；做白日夢。── *v.t.* ①使安全。②將…圍起來。

cast·off [ˋkæstˏɔf] *adj.* 被丟棄的。── *n.* Ⓒ 遭遺棄之人或物。

cas·tor [ˋkæstɚ] *n.* ①＝**caster** ②③. ② Ⓒ 海狸。③ Ⓒ 海狸皮帽。④ Ⓤ 海狸香。§ ～ **bèan**〖植〗蓖麻子。～ **óil** 蓖麻油。～**-óil plànt** 蓖麻。

cas·trate [ˋkæstret] *v.t.*① 閹割。② 刪除。─ **cas·tra′tion,** *n.*

***cas·u·al** [ˋkæʒuəl] *adj.*①偶然的。②疏忽的；不在乎的。③臨時的；不定期的。── *n.* Ⓒ ①臨時工人。②受臨時救濟的人。③〖軍〗分遣兵。§ ～ **làborer** 散工；臨時工。～ **wàrd** 臨時救濟所。

cas·u·al·ty [ˋkæʒuəltɪ] *n.* ① Ⓒ 意外。② Ⓒ 災禍。③(*pl.*)〖軍〗死傷(人數)。④ Ⓒ 因意外而死傷的人或物。§ ～ **insùrance** 意外保險。

cas·u·ist [ˋkæʒuɪst] *n.* Ⓒ ①詭辯家。②決疑者。

cas·u·ist·ry [ˋkæʒuɪstrɪ] *n.* Ⓤ ①〖哲〗決疑論。②詭辯；曲解。

‡**cat** [kæt] *n.* Ⓒ ①貓。②貓科動物。③可鄙的女人。④〖俚〗爵士狂。*lead a* ～*-and-dog life*(夫妻間)經常吵架。*let the* ～ *out of the bag* 洩漏祕密。*rain* ～*s and dogs* 下傾盆大雨。*see which way the* ～ *jumps* 伺機而動。*turn the* ～ *in the pan* 見利思遷。*wait for the* ～ *to jump* 觀望形勢。§ ～ **bùrglar** 從上層樓窗或天窗進屋的盜賊。

CAT computerized axial tomography.〖醫〗電腦斷層攝影術。§ ～ **scàn** 電腦斷層攝影 [掃描]。～ **scànner** 電腦斷層攝影裝置。

cat·a·bol·ic [ˏkætəˋbɑlɪk] *adj.*〖生物〗分解代謝[作用]的(爲anabolic 之對)。

ca·tab·o·lism [kəˋtæbl̩ˏɪzəm] *n.* Ⓤ〖生物〗分解代謝；分解作用。

cat·a·clysm [ˋkætəˏklɪzəm] *n.* Ⓒ ①〖地質〗(地殼的)劇變。②(政治或社會的)劇變。③洪水。

cat·a·clys·mal [ˏkætəˋklɪzml̩], **-mic** [-mɪk] *adj.*①氾濫的。②劇變的。

cat·a·comb [ˋkætə,kom] *n.* Ⓒ (常 *pl.*) 地下墓穴。*the Catacombs* (羅馬的)墓窖。

cat·a·falque [ˋkætə,fælk] *n.* Ⓒ 靈柩臺；靈車。

Cat·a·lan [ˋkætl̩ən] *adj.* 加泰隆尼亞(人，語)的。— *n.* ① Ⓒ 加泰隆尼亞人。② Ⓤ 其語言。

cat·a·lep·sy [ˋkætə,lɛpsɪ] *n.* Ⓤ 〖醫〗強直性昏厥。(亦作 **catalepsis**)

***cat·a·log(ue)** [ˋkætl̩,ɔg] *n.* Ⓒ ① 目錄；貨物價目表。② 大學概況手冊。③ 任何一系列之事物。— *v.t.* ① 編目。② 歸類。— *v.i.* 做成編目。

ca·tal·y·sis [kəˋtæləsɪs] *n.* Ⓤ Ⓒ (*pl.* **-ses** [-,siz]) 〖化〗觸媒作用；催化作用；接觸反應。

cat·a·lyst [ˋkætl̩ɪst] *n.* Ⓒ 〖化〗觸媒；催化劑。

cat·a·lyt·ic [,kætl̩ˋɪtɪk] *adj.* 起催化作用的。— *n.* Ⓒ 觸媒；催化劑。§ ∼ **convérter** 汽車廢氣淨化器。

cat·a·ma·ran [,kætəməˋræn] *n.* Ⓒ ① 木筏。② 雙船身之遊艇。③ 〖俗〗好吵架的女人；潑婦。

cat·a·pult [ˋkætə,pʌlt] *n.* Ⓒ ① 彈弓。② 古代之弩砲。③ 軍艦甲板上放送飛機的彈射器。— *v.t.* & *v.i.* ① 發射；彈出。② 突然移動[飛，跳](進、出)。

cat·a·ract [ˋkætə,rækt] *n.* ① Ⓒ 大瀑布；洪流。② Ⓤ Ⓒ 〖醫〗白內障。

ca·tarrh [kəˋtɑr] *n.* Ⓤ ① 〖醫〗卡他；(鼻或喉的)黏膜炎。② 〖俗〗感冒。

***ca·tas·tro·phe** [kəˋtæstrəfɪ] *n.* Ⓒ ① 大災禍。② (悲劇性的)結局。③ 毀滅。— **cat·a·stroph′ic,** *adj.*

cat·bird [ˋkæt,bɝd] *n.* Ⓒ 貓鵲。

cat·boat [ˋkæt,bot] *n.* Ⓒ 獨桅艇。

cat·call [ˋkæt,kɔl] *n.* Ⓒ 仿貓叫聲(表示不滿或嘲弄)。— *v.t.* & *v.i.* 作貓叫聲以奚落或嘲弄。

⁑**catch** [kætʃ] *v.t.* (**caught**) ① 捕捉；捉住。② 得；傳；招；惹；感受。③ 接(球，尤指棒球)。④ 領悟；了解。⑤ 掛住；絆著。⑥ 趕上。⑦ 突然撞見；發覺。⑧ 令(人)注意。⑨ 握住。⑩ 欺騙。⑪ 擊中。⑫ 突然阻止或約束。— *v.i.* ① 絆住；掛住。② 鎖住；握住。③ 攫取；搶取。④ 著火。⑤ 傳染(如疾病)。⑥ 了解。⑦ 〖棒球〗充當捕手。∼ *at* **a.** 攫取；搶取。**b.** 急切地抓住。∼ *(a) cold* 感冒。∼ *it* 受斥責；受罰。∼ *on* **a.** 理解。**b.** 流行。∼ *up* **a.** 突然舉起或攫取。**b.** 向(某人)指出錯誤〖常 on〗。**c.** 受感染。∼ *up with* [*to*] 追隨；追及；趕上。— *n.* Ⓒ ① 捕捉；捕獲。② 掛鉤；鎖鏈。③ 捕獲物。④ 〖俗〗宜於締婚的對象。⑤ 數人輪唱的短歌。⑥ 〖棒球〗接球；捕手。⑦ 陷阱。— *adj.* ① 有趣而易記住的。② 容易上當的。§ ∼ **phràse** 標語；引人注目的詞句(亦作 catchphrase)。

catch·all [ˋkætʃ,ɔl] *n.* Ⓒ 裝雜物之袋、框、箱等。

***catch·er** [ˋkætʃɚ] *n.* Ⓒ ① 捕捉者；捕捉之機械。② 捕鯨船。③ 〖棒球〗捕手。

catch·ing [ˋkætʃɪŋ] *adj.* ① 有傳染性的。② 迷人的；動人的。

catch·pen·ny [ˋkætʃ,pɛnɪ] *adj.* 無價值的。— *n.* Ⓒ 無價值之物。

catch-22 [ˋkætʃ,twɛntɪˋtu] *n.* Ⓒ (*pl.* ∼**'s,** ∼**s**) (常C-) 〖俗〗無可奈何的矛盾狀態；進退兩難的困境。

catch·up [ˋkætʃəp] *n.* Ⓤ 番茄醬。

catch·word [ˋkætʃ,wɝd] *n.* Ⓒ ① 標語；口號。② 〖印刷〗標字；書眉(字典或目錄等頁上端之該頁的首字或末字)。

catch·y [ˋkætʃɪ] *adj.* 〖俗〗① (令人喜愛而)易記的。② 令人迷惑的。

cat·e·chism [ˋkætə,kɪzəm] *n.* ① Ⓤ 教義問答。② Ⓒ 任何科目之一套問答教本。③ Ⓤ 問答教授法。

cat·e·chist [ˋkætəkɪst] *n.* Ⓒ ① 問答式教學者。② 質問者。③ 〖宗〗傳道師。

cat·e·chize, -chise [ˋkætə,kaɪz] *v.t.* ① 以問答法教學。② 質問。

cat·e·gor·i·cal [,kætəˋgɔrɪkl̩] *adj.* ① 絕對的；無條件的。② 明確的。③ 屬於某一範疇的。④ 〖邏輯〗斷言的。§ ∼ **impérative** (康德哲學中之)無上命令(乃良心至上的道德律)。

cat·e·go·rize, -rise [ˋkætəgə,raɪz] *v.t.* 將…分類；把…歸類。— **cat·e·go·ri·za′tion, cat·e·go·ri·sa′tion,** *n.*

cat·e·go·ry [ˋkætə,gorɪ] *n.* Ⓒ 類；種；部門。

ca·ter [ˋketɚ] *v.i.* ① 備辦食物〖for〗。② 迎合；滿足〖to, for〗。— *v.t.* 供給酒食與服務。

ca·ter·er [ˋketərɚ] *n.* Ⓒ 備辦食物的人。

cat·er·pil·lar [ˋkætɚ,pɪlɚ] *n.* Ⓒ ① 蝶或蛾之幼蟲；毛蟲。② 戰車；履帶車。

cat·er·waul [ˋkætɚ,wɔl] *v.i.* ① (貓)叫春。② 發出像貓叫春的吵鬧聲。— *n.* Ⓒ 貓叫春聲。

cat·fish [ˋkæt,fɪʃ] *n.* Ⓒ (*pl.* ∼, ∼**es**) 鯰魚。

cat·gut [ˋkæt,gʌt] *n.* Ⓤ 腸弦[線](由羊腸製成，用作弦樂器、球拍的弦線或外科手術的縫線)。

ca·thar·sis [kəˋθɑrsɪs] *n.* Ⓤ Ⓒ (*pl.* **-ses** [-siz]) ① 〖醫〗瀉法；通便。② 觀賞悲劇所得之淨化情感作用。

ca·the·dra [kəˋθidrə] *n.* Ⓒ (*pl.* **-drae** [-dri]) ① 主教座。② 主教之職位。③ 權威人士之座位。④ 講座。

***ca·the·dral** [kəˋθidrəl] *n.* Ⓒ ① 主教的座堂。② 大教堂。— *adj.* (主教)座堂的。§ ∼ **glàss** 半透明有花紋的玻璃。

Cath·er·ine [ˋkæθrɪn] *n.* 凱薩琳(女子名)。(亦作 **Catharine, Katharine, Katherine**) § ∼ **whèel** (1) 旋轉爲輪之煙火。(2) 輪狀圓窗。

cath·e·ter [ˋkæθətɚ] *n.* Ⓒ 〖醫〗導尿管。

cath·ode [ˋkæθod] *n.* Ⓒ 〖電〗陰極。§ ∼**-rày tùbe** (電視等的)陰極射線管。

***cath·o·lic** [ˋkæθəlɪk] *adj.* ① (C-) 天主教的。② 一般的。③ 寬容的。— *n.* (C-) Ⓒ 天主教徒。§ **C∼ Chúrch** 天主教會。

Ca·thol·i·cism [kəˋθɑlə,sɪzəm] *n.* Ⓤ 天主教之教義、信仰及組織等。

cath·o·lic·i·ty [,kæθəˋlɪsətɪ] *n.* Ⓤ ① 普遍性。② 寬容。

cat·house [ˋkæt,haus] *n.* Ⓒ 〖俚〗妓院。

cat·i·on [ˋkæt,aɪən] *n.* Ⓒ 〖化〗陽離子。

cat·kin [ˋkætkɪn] *n.* Ⓒ 〖植〗葇荑花。

C

cat·nap [ˋkæt͵næp] *n.* Ⓒ 小睡；假寐。**—** *v.i.* (**-pp-**)假寐；小睡。
cat·nip [ˋkætnɪp] *n.* Ⓒ〖植〗貓薄荷。
cat-o'-nine-tails [͵kætəˋnaɪn͵telz] *n.* Ⓒ (*pl.* ～)①九尾鞭(用以鞭撻罪人者)。②〖植〗香蒲。
cát's crádle [ˋkæts～] *n.* Ⓤ 翻線戲。
cat's-eye [ˋkæts͵aɪ] *n.* Ⓒ〖礦〗貓眼「石；貓兒眼。
Cáts·kill Móuntains [ˋkæts͵kɪl～] *n.* (the ～)卡茲奇山(在美國紐約州之東南部，為避暑勝地)。(亦作 Catskills)
cat's-paw [ˋkæts͵pɔ] *n.* Ⓒ ①受人愚弄者。②〖海〗貓爪風；使海面起輕波之和風。
cat·sup [ˋkætsəp] *n.*＝**catchup.**
cat·tail [ˋkæt͵tel] *n.* Ⓒ〖植〗①葇荑花序之花。②香蒲。
cat·tish [ˋkætɪʃ] *adj.* 似貓的；狡猾「的。
‡cat·tle [ˋkætl̩] *n.* (集合稱，作*pl.*解)①牛；家畜；牲口。②〖蔑〗畜生。
cat·tle-lift·er [ˋkætl̩͵lɪftɚ] *n.* Ⓒ 偷家畜之賊；偷牛賊。
cat·tle·man [ˋkætl̩mən] *n.* Ⓒ (*pl.* **-men**)牧畜者。
cat·ty *adj.*＝**cattish.**
CATV Community Antenna Television. 有線電視。
cat·walk [ˋkæt͵wɔk] *n.* Ⓒ ①橋樑旁側之步行小道。②飛機等內之甬道。
Cau·ca·sia [kɔˋkeʒə] *n.* 高加索(黑海與裏海間的地區)。
Cau·ca·sian [kɔˋkeʃən] *n.*① Ⓒ 高加索人種；白種人。②高加索地方。**—***adj.* 高加索人的；白種人的。
cau·cus [ˋkɔkəs] *n.* Ⓒ ①〖美〗政黨預備會議。②〖英〗政黨中之決策機構。
cau·dal [ˋkɔdl̩] *adj.* 〖動〗尾部的。
‡caught [kɔt] *v.* pt. & pp. of **catch.**
caul·dron [ˋkɔldrən] *n.*＝**caldron.**
cau·li·flow·er [ˋkɔlə͵flaʊɚ] *n.* Ⓒ 花椰菜(俗名菜花)。§ ∸ **éar** 拳擊者因多次受傷而變畸形的耳朵。
caulk [kɔk] *v.t.*＝**calk**¹.
caus·al [ˋkɔzl̩] *adj.* 原因的；形成原因的。
cau·sal·i·ty [kɔˋzælətɪ] *n.* Ⓤ ①緣由；起因。②因果關係。
cau·sa·tion [kɔˋzeʃən] *n.* Ⓤ ①起因；原因。②因果律。
caus·a·tive [ˋkɔzətɪv] *adj.* ①原因的。②〖文法〗表原因的；使役的。～ verbs 使役動詞。**—** *n.* Ⓒ〖文法〗使役動詞。
‡cause [kɔz] *n.* ①ⓊⒸ原因；緣由。② Ⓤ 理由；動機；根據。③ Ⓒ 理想；目標。④Ⓒ訴訟；訟事。*make common ～ with* 與…團結一致；支持。**—** *v.t.* 致使(發生)；起因於。— **less,** *adj.*
cause·way [ˋkɔz͵we] *n.* Ⓒ ①堤道。②石子路；公路。
caus·tic [ˋkɔstɪk] *adj.* ①腐蝕性的；苛性的。②刻薄的；譏刺的。**—** *n.* Ⓤ Ⓒ 腐蝕劑。§ ∸ **sóda** 苛性鈉。
cau·ter·ize [ˋkɔtə͵raɪz] *v.t.*〖醫〗燒灼；腐蝕；灸。— **cau·ter·i·za′tion,** *n.*
***cau·tion** [ˋkɔʃən] *n.* ① Ⓤ 謹慎；小心。② Ⓒ 警告。③ Ⓒ〖俗〗極不平常的人或物。**—** *v.t.* 警告；提醒。— **ary,** *adj.*
***cau·tious** [ˋkɔʃəs] *adj.*極小心的；慎重的。— **ly,** *adv.* — **ness,** *n.*
cav·al·cade [͵kævl̩ˋked] *n.* Ⓒ 騎兵隊、車隊等的行列；一隊人馬。
cav·a·lier [͵kævəˋlɪr] *n.* Ⓒ ①騎士。②豪俠。③(C-)(英國查理一世與議會戰爭時之)保王黨黨員。**—** *adj.* ①豪俠的。②傲慢的。— **ly,** *adv.*
cav·al·ry [ˋkævl̩rɪ] *n.* Ⓤ (集合稱)騎兵隊。
cav·al·ry·man [ˋkævl̩rɪmən] *n.* Ⓒ (*pl.* **-men**)騎兵。
***cave** [kev] *n.* Ⓒ 洞；穴；窟。**—** *v.t. & v.i.* ①掘洞。②(使)崩陷。～ *in* **a.** 崩塌陷。**b.**〖俗〗讓步；屈服。§ ∸ **dwèller** (1)(石器時代的)穴居人。(2)〖俗〗公寓居民。∸ **màn** (1)石器時代之穴居人。(2)〖俗〗粗野男人。
ca·ve·at [ˋkevɪ͵æt] *n.* Ⓒ〖法律〗中止訴訟手續之申請。
cave-in [ˋkev͵ɪn] *n.* Ⓒ ①(礦坑等之)塌陷；崩陷。②塌陷處。
***cav·ern** [ˋkævɚn] *n.* Ⓒ 巨穴。— **ous,** 「*adj.*
cav·i·ar(e) [͵kævɪˋɑr] *n.* Ⓤ 魚子醬。～ *to the general* 曲高和寡。
cav·il [ˋkævl̩] *v.i.* (**-l-,**〖英〗**-ll-**) 吹毛求疵；挑剔〔at, about〕.
cav·i·ty [ˋkævətɪ] *n.* Ⓒ ①穴。②洞；槽。③〖生理〗腔；窩。
ca·vort [kəˋvɔrt] *v.i.*〖美俗〗騰躍。
ca·vy [ˋkevɪ] *n.* Ⓒ〖動〗天竺鼠。
caw [kɔ] *n.* Ⓒ 烏鴉叫聲。**—** *v.i.*(烏鴉)鳴叫。
Cax·ton [ˋkækstən] *n.* 卡克斯頓(William, 1422?-91, 英國第一位印刷家)。
cay [ke, ki] *n.* Ⓒ沙洲；岩礁；小島。
cay·enne [kaɪˋɛn] *n.*① Ⓒ〖植〗辣椒。② Ⓤ 辣椒(末)。(亦作**cayenne pepper**)
cay·man [ˋkemən] *n.* Ⓒ (*pl.* **～s**)(中、南美所產之)鱷魚。
Cb〖化〗columbium. **CB** citizens band.
CBW chemical and biological warfare. 生化戰爭。
CCTV closed-circuit television. 閉路電視。**Cd**〖化〗cadmium. **CD** Civil Defense; compact disk.
CD-ROM [͵sidiˋrɑm] compact disc read-only memory. 唯讀光碟；小型電腦磁碟。
***cease** [sis] *v.i. & v.t.* ①停止。②終止。**—** *n.* Ⓤ 停止。without ～不斷地。
cease-fire [ˋsisˋfaɪr] *n.* Ⓒ 停戰。
cease·less [ˋsislɪs] *adj.* 永不停止的。
ce·cum [ˋsikəm] *n.* Ⓒ (*pl.* **-ca** [-kə]) 盲腸；闌腸。(亦作 **blind gut**)
CED Committee for Economic Development.〖美〗經濟開發委員會。
***ce·dar** [ˋsidɚ] *n.* Ⓒ 西洋杉；香柏。
cede [sid] *v.t.* 割讓；轉讓。
ce·dil·la [sɪˋdɪlə] *n.* Ⓒ 法文等C字母下之"̧"符號(表ç讀[s]音，如：façade).
‡ceil·ing [ˋsilɪŋ] *n.* Ⓒ ①天花板。②飛機所能達到的最高度。③最高的限度。④自地面至最低雲層間之距離。
cel·an·dine [ˋsɛlən͵daɪn] *n.* Ⓒ

(*pl.* ～)白屈菜。
***cel·e·brate** [ˋsɛlə͵bret] *v.t.*①慶祝；祝賀。②褒揚；稱頌。③公開舉行儀式。④宣布；發表。— *v.i.* ①慶祝。②舉行宗教儀式(尤指彌撒)。— **cel′e·bra·tor,** *n.*
cel·e·brat·ed [ˋsɛlə͵bretɪd] *adj.* 著名的。
***cel·e·bra·tion** [͵sɛləˋbreʃən] *n.*①Ⓒ慶祝的典禮或儀式。②Ⓤ慶祝。
ce·leb·ri·ty [səˋlɛbrətɪ] *n.*①Ⓒ名人。②Ⓤ名譽。
ce·ler·i·ty [səˋlɛrətɪ] *n.* Ⓤ敏捷。
cel·er·y [ˋsɛlərɪ] *n.* Ⓤ芹菜。§ ∼ **càbbage** 白菜。
ce·les·ta [səˋlɛstə] *n.* Ⓒ〖樂〗鐘琴。
***ce·les·tial** [səˋlɛstʃəl] *adj.* ①天的；天上的。a ～ sphere 天體球。②天國的。— *n.* Ⓒ天堂之居民。
cel·i·ba·cy [ˋsɛləbəsɪ] *n.* Ⓤ獨身生活。
cel·i·bate [ˋsɛləbɪt] *n.* Ⓒ 獨身者。— *adj.* 獨身的。
‡**cell** [sɛl] *n.* Ⓒ①(寺院的)小室；密室。②(監獄裡的)小囚房。③細胞。④電池。⑤團體中的小組織。 § ∼ **wáll** 細胞壁。
***cel·lar** [ˋsɛlə] *n.* ①Ⓒ地窖。②Ⓒ酒窖。③Ⓒ藏酒。④(the ～)〖美俗〗運動比賽之末名。
(′)**cel·list** [ˋtʃɛlɪst] *n.* Ⓒ大提琴手(＝violoncellist).
(′)**cel·lo** [ˋtʃɛlo] *n.* Ⓒ (*pl.* ～**s**) 大提琴；低音提琴(爲 violoncello 之略)。
cel·lo·phane [ˋsɛlə͵fen] *n.* Ⓤ玻璃紙。
cel·lu·lar [ˋsɛljələ] *adj.*①細胞狀的。②多孔的。§ ∼ **phóne** 行動電話。
cel·lule [ˋsɛljul] *n.* Ⓒ〖解〗小細胞。
cel·lu·loid [ˋsɛljə͵lɔɪd] *n.* Ⓤ①賽璐珞；假象牙。②〖美俗〗影片。
cel·lu·lose [ˋsɛljə͵los] *n.* Ⓤ〖生化〗纖維素。
Cel·si·us [ˋsɛlsɪəs] *adj.* 攝氏的。§ ∼ **thermómeter** 攝氏溫度計。
Celt [sɛlt] *n.* Ⓒ塞爾特人。
Celt·ic [ˋsɛltɪk] *adj.* 塞爾特人[語]的。— *n.* Ⓤ塞爾特語。
***ce·ment** [səˋmɛnt] *n.* Ⓤ①水泥。②結合物。— *v.t.* & *v.i.*①(使)結合；強固。②砌以水泥。§ ∼ **blóck** 〖建〗水泥磚。∼ **mìxer** 水泥攪拌機。
***cem·e·ter·y** [ˋsɛmə͵tɛrɪ] *n.* Ⓒ墓地。
cen·o·taph [ˋsɛnə͵tæf] *n.* Ⓒ (尤指爲陣亡者修建的)紀念碑。
Ce·no·zo·ic [͵sinəˋzoɪk] *adj.*〖地質〗新生代的。
cen·ser [ˋsɛnsə] *n.* Ⓒ香爐。
cen·sor [ˋsɛnsə] *n.* Ⓒ①檢查員(檢查新聞、書籍、戲劇、電影、廣播等者)。②羅馬監察吏(負責調查人口及人民行爲者)。— *v.t.* 檢查(新聞、書籍、戲劇等)。— **ship,** *n.* — **cen·so′ri·al,** *adj.*
cen·so·ri·ous [sɛnˋsorɪəs] *adj.*吹毛求疵的。— **ly,** *adv.*
***cen·sure** [ˋsɛnʃə] *n.* Ⓤ & *v.t.* 責難；非難。— **cen′sur·a·ble,** *adj.*
cen·sus [ˋsɛnsəs] *n.* Ⓒ戶口調查。
‡**cent** [sɛnt] *n.* Ⓒ分(一元的百分之一)。
cen·taur [ˋsɛntɔr] *n.* ①Ⓒ〖希神〗人首馬身怪物。②(C-)〖天〗人馬座。
cen·tau·ry [ˋsɛntɔrɪ] *n.* Ⓒ〖植〗矢車菊。
cen·ta·vo [sɛnˋtavo] *n.* Ⓒ (*pl.* ～**s**) 分；仙(墨西哥、菲律賓、古巴等的貨幣單位)。
cen·ten·ar·y [ˋsɛntə͵nɛrɪ] *n.* Ⓒ ①百年。②百年紀念。— *adj.* 一百年的；百年一次的；百年紀念的。
cen·ten·ni·al [sɛnˋtɛnɪəl] *adj.* 一百年的；百歲的；百年一次的；百年紀念的。— *n.* Ⓒ百年紀念(的慶典)。
‡**cen·ter,** 〖英〗**-tre** [ˋsɛntə] *n.* ①Ⓒ圓的中心；球體的中心。②Ⓒ中央；中心(點)。③Ⓒ在中心位置的人[物]。④Ⓒ中鋒。⑤(the C-)(議會中之)中間派。～ ***of gravity***〖理〗重心。— *v.t.* ①置於中心位置。②集中〖in, at, on, about, around〗. — *v.i.* 集中(於)。— *adj.* 中央的；正中的。§ ∼ **fíeld**〖棒球, 壘球〗中外野。∼ **fíelder**〖棒球, 壘球〗中外野手。
cen·ter·fold [ˋsɛntə͵fold] *n.* Ⓒ 雜誌[書籍]中摺疊起來的跨頁大型圖畫。
cen·ter·piece [ˋsɛntə͵pis] *n.* Ⓒ中央部位裝飾品。
cen·tes·i·mal [sɛnˋtɛsəml̩] *adj.*百分之一的；百分法的；百進的。
centi- 〖字首〗米突制中表「百；百倍；百分之一」等義。
***cen·ti·grade** [ˋsɛntə͵gred] *adj.* 攝氏的。§ ∼ **thermómeter** 攝氏溫度計。
cen·ti·gram, 〖英〗**-gramme** [ˋsɛntə͵græm] *n.* Ⓒ公毫；兣(一公克的百分之一)。(略作 **cg.**)
***cen·ti·li·ter,** 〖英〗**-tre** [ˋsɛntl̩͵itə] *n.* Ⓒ公勺(1／100 公升)。(略作 **cl.**)
cen·time [ˋsantim] 〖法〗 *n.* Ⓒ生丁(法國或瑞士貨幣單位)。
***cen·ti·me·ter,** 〖英〗**-tre** [ˋsɛntə͵mitə] *n.* Ⓒ公分。
cen·ti·pede [ˋsɛntə͵pid] *n.* Ⓒ〖動〗蜈蚣。(亦作 **centiped**)
***cen·tral** [ˋsɛntrəl] *adj.*①在[近]中央的。②主要的。— *n.* Ⓒ〖美〗電話總機。 § **C∼ América** 中美洲。∼ **bánk** 中央銀行。∼ **góvernment** 中央政府。∼ **héating** 中央暖氣系統。**C∼ Intélligence Àgency**〖美〗中央情報局(簡稱 CIA). ∼ **nérvous sỳstem** 中樞神經系統。**C∼ Néws Àgency** 中央通訊社。**C∼ Párk** 中央公園(在美國紐約市 Manhattan 區的大公園)。∼ **prócessing ùnit** 〖電算〗中央處理機(略作 C.P.U.). **C∼ (Stándard) Tíme**(美國的)中央標準時間。— **ly,** *adv.*
cen·tral·ism [ˋsɛntrəl͵ɪzəm] *n.* Ⓤ中央集權主義[制度]。
cen·tral·ize [ˋsɛntrəl͵aɪz] *v.t.* & *v.i.*①集中；聚集。②集中管理；統一。— **cen·tral·i·za′tion,** *n.*
cen·tric [ˋsɛntrɪk] *adj.*①中心的；中心點的。②〖生理〗神經中樞的。
cen·trif·u·gal [sɛnˋtrɪfjʊgl̩] *adj.* 離心的。§ ∼ **fórce**〖理〗離心力。
cen·tri·fuge [ˋsɛntrə͵fjudʒ] *n.* Ⓒ 離心機。
cen·trip·e·tal [sɛnˋtrɪpətl̩] *adj.*向心(力)的。§ ∼ **fórce**〖理〗向心力。
cen·trism [ˋsɛntrɪzəm] *n.* Ⓤ中間主

義；溫和[穩健]主義。
cen·trist [ˋsɛntrɪst] *n.* Ⓒ 政治上走中間路線之人；中立派議員。— *adj.* (政治上)溫和派的；中間路線的。
cen·tu·ri·on [sɛnˋtjurɪən] *n.* Ⓒ (古羅馬之)百人隊隊長。
‡**cen·tu·ry** [ˋsɛntʃərɪ] *n.* Ⓒ ①百年；一世紀。②一百個。§ ∼ **plànt**〖植〗龍舌蘭。
ce·phal·ic [səˋfælɪk] *adj.* 頭(部)的。
ce·ram·ic [səˋræmɪk] *adj.* 陶器的；製陶的。— *n.* Ⓒ 陶器。§ ∼ **glàze** 釉。∼ **tìle** 瓷磚。
ce·ram·ics [səˋræmɪks] *n.* ①Ⓤ 製陶業。②(作 *pl.* 解)陶器。
*__ce·re·al__ [ˋsɪrɪəl] *n.* ①Ⓒ 穀類。②Ⓒ 穀實。③ⓊⒸ 由穀類所做的食品。
cer·e·bel·lum [ˌsɛrəˋbɛləm] *n.* Ⓒ (*pl.* ∼**s**, **-la** [-lə])〖解〗小腦。
ce·re·bral [ˋsɛrəbrəl] *adj.*〖解〗大腦的；腦的。∼ palsy 腦性小兒麻痺。
cer·e·brate [ˋsɛrəˌbret] *v.i.* 用腦；思考。— **cer·e·bra′tion,** *n.*
cer·e·brum [ˋsɛrəbrəm] *n.* Ⓒ (*pl.* ∼**s**, **-bra** [-brə])〖解〗大腦。
cere·ment [ˋsɪrmənt] *n.* Ⓒ (常*pl.*)壽衣。
cer·e·mo·ni·al [ˌsɛrəˋmonɪəl] *adj.* ①儀式的。②正式的。— *n.* Ⓒ 禮儀；儀式。— **ly,** *adv.*
cer·e·mo·ni·ous [ˌsɛrəˋmonɪəs] *adj.* ①正式的；隆重的。②講究儀式的。
*__cer·e·mo·ny__ [ˋsɛrəˌmonɪ] *n.* ①Ⓒ 典禮；儀式。②Ⓤ 禮節；禮儀。*stand on* ∼ 拘於禮節。
ce·rise [səˋriz]〖法〗*n.* Ⓤ & *adj.* 鮮紅色(的)；櫻桃色(的)。
cert. certainly; certificate; certify.
‡**cer·tain** [ˋsɜtn̩] *adj.* ①確實的；無疑的。②確定的。③可靠的。④某。⑤若干的；某種程度的。*make* ∼ 弄確實；弄清楚。— *n.* 僅見於下列成語中的習慣用法。*for* ∼ 一定。
‡**cer·tain·ly** [ˋsɜtn̩lɪ] *adv.* ①必然地；確實；無疑地。②可以；當然。
*__cer·tain·ty__ [ˋsɜtn̩tɪ] *n.* ①Ⓤ 無疑；確信。②Ⓒ 免不了[已成]的事實。
*__cer·tif·i·cate__ [səˋtɪfəkɪt] *n.* Ⓒ 證明書。a birth ∼ 出生證明書。— [səˋtɪfəˌket] *v.t.* ①授證書予。②以證書授權予。— **cer·ti·fi·ca′tion,** *n.*
cer·tif·i·cat·ed [səˋtɪfəˌketɪd] *adj.*〖英〗(完成職業訓練)檢定合格的。a ∼ nurse 合格的護士。
cer·ti·fied [ˋsɜtəˌfaɪd] *adj.* 經證明的；有證明文件的。§ ∼ **chéck** 保付支票。∼ **mílk** 合格牛乳。∼ **públic accóuntant**〖美〗(有合格證件的)會計師。
cer·ti·fy [ˋsɜtəˌfaɪ] *v.t.* ①證明。②保證。③證明合格；授給執照。— *v.i.* ①證明〔to〕。②保證〔for〕。
cer·ti·tude [ˋsɜtəˌtjud] *n.* Ⓤ 確實性；確信。
ce·ru·le·an [səˋrulɪən] *adj.* 天藍色「的。」
ce·ru·men [səˋrumən] *n.* Ⓤ 耳垢。
Cer·van·tes Sa·a·ve·dra [səˋvæntizˌsɑɑˋveðrɑ] *n.* 塞凡提斯 (Miguel de, 1547-1616, 西班牙小說家,「唐・吉訶德傳」之作者)。
cer·vi·cal [ˋsɜvɪkl̩] *adj.*〖解〗頸部的；子宮頸的。
cer·vi·ci·tis [ˌsɜvəˋsaɪtəs] *n.* Ⓤ Ⓒ〖醫〗子宮頸炎。
ces·sa·tion [sɛˋseʃən] *n.* Ⓤ Ⓒ 停止；中止。∼ *of arms*[*hostilities*]停戰；休戰。
ces·sion [ˋsɛʃən] *n.* ⓊⒸ 讓與；割讓。
cess·pool [ˋsɛsˌpul] *n.* Ⓒ ①污水池；污水溝；化糞池。②污穢場所。
ces·tode [ˋsɛstod]〖動〗*n.* Ⓒ 條蟲。
ce·ta·cean [sɪˋteʃən] *adj.* 鯨類的；鯨的。— *n.* Ⓒ 鯨；鯨類動物。
Cey·lon [sɪˋlɑn] *n.* ①錫蘭島。②錫蘭 (Sri Lanka 的舊名)。
Cé·zanne [seˋzan] *n.* 塞尚 (Paul, 1839-1906, 法國畫家)。
Cf〖化〗californium. **cf.**〖拉〗confer (= compare). **cg.** centigram(me)(s).
C.G. Coast Guard. **ch., Ch.** chapter; chief; church; check.
cha-cha(-cha) [ˋtʃɑˌtʃɑ(ˋtʃɑ)] *n.* Ⓒ 恰恰舞。
chafe [tʃef] *v.t.* ①擦熱；擦傷。②激怒。— *v.i.* ①摩擦；擦傷。②發怒〔at, under〕. — *n.* Ⓒ ①擦熱；擦傷。②激怒。§ **cháfing dìsh** (1)火鍋。(2)保暖鍋。
chaf·er [ˋtʃefɚ] *n.* Ⓒ〖昆〗金龜子。
chaff [tʃæf] *n.* Ⓤ ①穀殼；糠。②廢物；瑣屑之物。③惡作劇。*be caught with* ∼ 容易上當。— *v.t.* & *v.i.* 愚弄；戲弄；開玩笑。
chaf·finch [ˋtʃæˌfɪntʃ] *n.* Ⓒ 蒼頭燕「雀。」
cha·grin [ʃəˋgrɪn] *n.* Ⓤ 煩悶；懊惱。— *v.t.* 使煩悶或懊惱。
‡**chain** [tʃen] *n.* ①ⓊⒸ 鏈。②Ⓒ 連續的事物。③(*pl.*)腳鏈；桎梏；監禁。④Ⓒ 測量用的測鏈。⑤Ⓒ〖化〗(原子的)連鎖。⑥Ⓒ 連鎖店。— *v.t.* ①以鏈繫之。②束縛。③禁錮。— *v.i.* 做成鏈條。§ ∼ **ármor**[**máil**]鎖子甲。∼ **brídge** 鐵鏈吊橋。∼ **gàng** 用鐵鏈鎖住之一群囚犯。∼ **lètter** 連鎖信；幸運函(受信人須轉致他人者)。∼ **reàction** (1)〖理〗連鎖反應。(2)(事件的)連鎖反應。∼ **sàw** 鏈鋸。∼ **stìtch** 鏈狀針腳；鏈縫。∼ **stòre** 連鎖店。
chain-smoke [ˋtʃenˌsmok] *v.i.* & *v.t.* 連續不斷地吸煙。
‡**chair** [tʃɛr] *n.* ①Ⓒ 椅子。②(the ∼) 職位；地位。③Ⓒ (會議)主席。④Ⓒ 電椅。*get the* ∼〖美俗〗被判坐電椅的死刑。*take the* ∼ **a.** 會議開始。**b.** 主持會議。— *v.t.* ①使就座。②使就…職位。③任…之主席。§ ∼ **bèd** 坐臥兩用牀。∼ **càr** 有可調整座椅之火車車廂。∼ **lìft** 空中纜椅。
*__chair·man__ [ˋtʃɛrmən] *n.* Ⓒ (*pl.* **-men**) ①主席。②會長；議長；委員長。— **ship,** *n.*
chair·per·son [ˋtʃɛrˌpɜsn̩] *n.* Ⓒ〖美〗主席(男女通用)。
chair·warm·er [ˋtʃɛrˌwɔrmɚ] *n.* Ⓒ〖俗〗①長坐在旅館門廳中休息的人(非付錢的客人)。②懶得做事的人。
chaise [ʃez] *n.* Ⓒ 一種輕便馬車。
chaise longue [ˋʃezˋlɔŋg]〖法〗*n.*

Ⓒ (*pl.* **chaises longues, ~s**) 躺椅。

chal·ced·o·ny [kælˋsɛdṇɪ] *n.* Ⓤ Ⓒ〖礦〗玉髓。

chal·cog·ra·phy [kælˋkɑgrəfɪ] *n.* Ⓤ 雕銅術；銅版雕刻術。

cha·let [ʃæˋle] *n.* Ⓒ ①瑞士山中牧人所居之小屋。②瑞士農舍式的小屋。

chal·ice [ˋtʃælɪs] *n.* Ⓒ ①〖宗〗聖餐杯。②杯；高腳酒杯。③〖植〗杯狀花。

‡**chalk** [tʃɔk] *n.* ① Ⓤ 白堊。② Ⓤ Ⓒ 粉筆。*by a long ~* 懸殊。*French ~* 滑石(裁縫用)。— *v.t.* ①用粉筆寫。②塗上白堊。*~ out* **a.** 標出。**b.** 計畫。*~ up* **a.** 記下。**b.** 歸咎於。**c.** 得分。

chalk·board [ˋtʃɔk,bord] *n.* Ⓒ (淺色的)黑板。

chalk·y [ˋtʃɔkɪ] *adj.*①白堊的；含白堊的。②質地或顏色像白堊的。

‡**chal·lenge** [ˋtʃælɪndʒ] *v.t.*①向…挑戰。②邀請比賽。③盤問。④懷疑；詰難。— *n.* Ⓒ ①挑戰。②邀請比賽。③盤問。— **chal′leng·er,** *n.*

chal·leng·ing [ˋtʃælɪndʒɪŋ] *adj.*①引起競爭性興趣的。②挑撥的；煽動的。— **ly,** *adv.*

cham·ber [ˋtʃembɚ] *n.* ① Ⓒ 房間；寢室。②(the ~) (立法或司法的)議事廳。③ Ⓒ 自由職業所組織的團體。④ Ⓒ 槍膛。⑤ Ⓒ (動植物體中之)窩；穴。⑥(*pl.*)〖英〗套房。⑦(*pl.*)律師[法官]的辦公室。§ **~ còncert** 室內樂演奏會。**~ còuncil** 祕密會議。**~ còunsel**〖英〗私人之法律顧問。**~ mùsic**〖樂〗室內樂。**~ òpera** 小型歌劇。**~ òrchestra**〖樂〗室內樂團。**~ pòt** 尿壺；夜壺。

cham·ber·lain [ˋtʃembɚlɪn] *n.* Ⓒ ①國王之侍從；內臣。②貴族的管家。③會計員；收款員。*Lord C-* 侍從長。*Lord Great C-(of England)* (英國之)掌禮大臣。

Cham·ber·lain [ˋtʃembɚlɪn] *n.* 張伯倫(Neville, 1869-1940, 英國首相, 以與 Hitler 簽訂慕尼黑協定而著名)。

cham·ber·maid [ˋtʃembɚ,med] *n.* Ⓒ (旅館等的)女侍。

cha·me·le·on [kəˋmilɪən] *n.* Ⓒ ①〖動〗變色龍[蜥蜴]。②善變的人。

cham·fer [ˋtʃæmfɚ] *n.* Ⓒ ①槽；凹線。②斜面。— *v.t.*①在…上刻槽或凹線。②削去(木材、石材)的稜角。

cham·ois [ˋʃæmɪ] *n.* (*pl.* **~,-oix**[~z]) ① Ⓒ 臆羚。② Ⓤ 羚羊皮；麂皮。

champ[1] [tʃæmp] *v.t.* (馬)大聲地嚼。— *v.i.*①(興奮得)牙齒顫響。②(怒得)咬牙切齒。*~ at the bit* 顯得不耐煩。— *n.* Ⓤ 咀嚼有聲；重嚼。

champ[2] *n.*〖俗〗=**champion.**

cham·pagne [ʃæmˋpen] *n.* Ⓤ Ⓒ 香檳酒。

***cham·pi·on** [ˋtʃæmpɪən] *n.* Ⓒ ①奪得錦標者；冠軍。②爲人[主義]而奮鬥者；擁護者；鬥士。— *adj.* ①優勝的。②〖俗〗第一流的。— *v.t.* 擁護。§ **~ bèlt** 優勝帶；錦標帶。*— **ship,** *n.*

Champs É·ly·sées [ʃɑ̃zeliˋze] *n.* (the ~)香榭里舍大道(巴黎著名的繁華大街)。

‡**chance** [tʃæns] *n.* ① Ⓒ 機會。② Ⓤ Ⓒ 可能。③ Ⓤ Ⓒ 或然。④ Ⓤ 命運；幸運；僥倖。⑤ Ⓒ 冒險。⑥ Ⓒ 偶然事件的發生；機緣。*by ~* 偶然地。*Let us leave it to ~.* 聽其自然吧! *on the ~* 也許有可能。*take one's ~* 碰碰運氣。*the main ~* 獲利最大的機會。— *v.i.* ①偶然發生。②不期而遇(on, upon)。— *v.t.* 冒險。— *adj.* 偶然的。

chan·cel [ˋtʃænsḷ] *n.* Ⓒ 聖壇所。

chan·cel·ler·y [ˋtʃænsələrɪ] *n.*① Ⓤ Ⓒ chancellor 之職位[辦事處]。② Ⓒ 大使館、領事館等之辦事處。

chan·cel·lor [ˋtʃænsəlɚ] *n.* Ⓒ ①〖英〗大臣。②〖美〗法院的首席法官。③(某些大學的)大學校長。— **ship,** *n.*

chan·cer·y [ˋtʃænsərɪ] *n.*①(the C-)〖英〗大法官的法庭。② Ⓒ〖美〗衡平法院；記錄所。

chan·cre [ˋʃæŋkɚ] *n.* Ⓤ〖醫〗下疳。

chanc·y [ˋtʃænsɪ] *adj.*①危險的；靠不住的。②〖蘇〗帶來好運的。— **chanc′iness,** *n.*

chan·de·lier [,ʃændḷˋɪr] *n.* Ⓒ 枝形「吊燈(架)。」

chan·dler [ˋtʃændlɚ] *n.* Ⓒ ①雜貨零售商。②蠟燭製造者；蠟燭商。

‡**change** [tʃendʒ] *v.t.*①變更；使改變。②替換；更換。③交換。④兌換。⑤變成(into)。— *v.i.*①變更；改變；變化。②更換；交換。③換乘交通工具。④換衣服。*~ over* (使)改變；轉換；更迭。— *n.* ① Ⓤ Ⓒ 變更。② Ⓤ Ⓒ 轉變；變化。③ Ⓤ 找錢。④ Ⓤ 小幣；零錢。⑤(*pl.*)一組鐘可鳴奏的順序。⑥(C-) Ⓤ 交易所。*ring the ~s* **a.** 敲鐘敲出各種調子。**b.** 以不同方法做事或說明。— **ful,** *adj.*

change·a·ble [ˋtʃendʒəbḷ] *adj.*①可換的；可改變的。②變色的；變形的。③易變的。— **ness, change·a·bil′i·ty,** *n.*

change·less [ˋtʃendʒlɪs] *adj.* 不變的；確定的。

change·ling [ˋtʃendʒlɪŋ] *n.* Ⓒ 傳說中神仙劫走漂亮小孩後所留下的醜小孩。

change·mak·er [ˋtʃendʒ,mekɚ] *n.* Ⓒ 換零錢機。

change·o·ver [ˋtʃendʒ,ovɚ] *n.* Ⓒ ①(生產方法、裝備、方針等之)轉變。②(內閣之)改組。

change·room [ˋtʃendʒ,rum] *n.* Ⓒ 「更衣室。」

change-up [ˋtʃendʒ,ʌp] *n.* Ⓒ〖棒球〗變速球。

***chan·nel** [ˋtʃænḷ] *n.* ① Ⓒ 河床。② Ⓒ 海峽。③ Ⓤ 水道之較深處。④ Ⓒ 溝；槽。⑤(*pl.*)途徑；方面。⑥ Ⓒ (無線電或電視)頻道。— *v.t.* (**-l-,**〖英〗**-ll-**)①形成溝渠；鑿渠。②引導。

chan·son [ˋʃænsən]〖法〗*n.* Ⓒ 歌。

chant [tʃænt] *n.* Ⓒ ①歌曲；旋律。②聖歌；讚美詩。③單調的語調。— *v.i. & v.t.* ①唱。②歌頌。③單調地說。— **er,** *n.*

chan·ti·cleer [ˋtʃæntɪ,klɪr] *n.* Ⓒ 「公雞。」

chant·(e)y [ˋʃæntɪ] *n.* Ⓒ 船歌。

***cha·os** [ˋkeɑs] *n.* Ⓤ ①混亂。②(宇宙未成前之)混沌狀態。— **cha·ot′ic,** *adj.*

chap[1] [tʃæp] *v.t. & v.i.* (**-pp-**) (皮膚)

皺裂粗糙。— *n.* Ⓒ (常 *pl.*) 皺裂。
*__chap__[2] *n.* Ⓒ 〖俗〗傢伙；小伙子。
chap[3] *n.* Ⓒ (常 *pl.*) ①顎。②頰。
chap. chaplain; chapter.
chap·ar·ral [ˌtʃæpəˋræl] *n.* Ⓒ 〖美〗①矮橡林。②荆棘叢；矮叢。
*__chap·el__ [ˋtʃæpl̩] *n.* ① Ⓒ 小禮拜堂。② Ⓒ 大建築物內的禮拜堂。③ Ⓒ (學校、王宮內之) 禮拜堂。④ Ⓤ 小禮拜堂中之禮拜。⑤ Ⓒ 〖英〗(國教以外的) 禮拜堂。
chap·er·on(e) [ˋʃæpəˌron] *n.* Ⓒ (陪少女上交際場所的) 女伴。— *v.t.* 陪隨；伴護。
chap·fall·en [ˋtʃæpˌfɔlən] *adj.* 憂鬱的；沮喪的。
chap·lain [ˋtʃæplɪn] *n.* Ⓒ (社團、醫院、軍中等之) 牧師。
chap·let [ˋtʃæplɪt] *n.* Ⓒ ①花冠。②祈禱時所用之念珠。
Chap·lin [ˋtʃæplɪn] *n.* 卓別林 (Charles Spencer, 1889-1977, 英國諷刺滑稽劇及電影演員、導演及製片家)。
Chap·lin·esque [ˌtʃæplɪnˋɛsk] *adj.* 卓別林式的；(尤指) 像卓別林主演的一個好心而笨拙又喜裝紳士儀態之窮浪人的。
‡__chap·ter__ [ˋtʃæptɚ] *n.* Ⓒ ①章；篇。②分會；分社。③教士團體。***a ~ of accidents*** 一連串意外事件。***~ and verse*** **a.** 詳細地引經據典。**b.** 〖俚〗規程；規章。**c.** 詳細資料。§ ~ **hòuse** (1)牧師會之場所或會堂。(2)〖美〗(大學兄弟會或姐妹會) 集會所。
char[1] [tʃɑr] *v.t.* & *v.i.* (**-rr-**) ①(把…) 燒成炭。②(把…) 燒焦。— *n.* ① Ⓒ 燒焦之物。② Ⓤ 木炭。
char[2] *n.* ① Ⓒ 〖英〗charwoman 之簡稱。② (*pl.*) 兼差性零工。— *v.t.* & *v.i.* (**-rr-**) 做零工；打雜。
char[3] *n.* Ⓤ 〖英俗〗茶。
‡__char·ac·ter__ [ˋkærɪktɚ, -ək-] *n.* ① Ⓤ Ⓒ 性格；氣質；特質；特性。② Ⓤ 人格；品性；德性。③ Ⓤ 地位；身分；資格。④ Ⓒ (有名的) 人；人物。⑤ Ⓒ (劇中或書中) 人物；角色。⑥ Ⓒ 〖英〗品性或服務證明書。⑦ Ⓒ 風評；名聲。⑧ Ⓒ 記號；符號。⑨ Ⓒ 文字。***in ~*** 合適的[地]。***out of ~*** 不合適的[地]。§ ~ **àctor** 性格男演員。~ **àctress** 性格女演員。~ **assassinàtion** 毀謗名譽。~ **skètch** 人物短評；性格描寫。
*__char·ac·ter·is·tic__ [ˌkærɪktəˋrɪstɪk] *adj.* 特性的。— *n.* Ⓒ 特質；特徵。— **char·ac·ter·is′ti·cal·ly**, *adv.*
char·ac·ter·ize [ˋkærɪktəˌraɪz] *v.t.* ①描述。②表特點；以…爲特性。— **char·ac·ter·i·za′tion**, *n.*
cha·rade [ʃəˋred] *n.* (*pl.*, 作 *sing.* 解) 手勢猜字。
char·coal [ˋtʃɑrˌkol] *n.* ① Ⓤ 木炭。② Ⓒ 木炭筆。③ Ⓒ 木炭畫。§ ~ **bùrner** (1)木炭爐[窰]。(2)燒木炭者。
‡__charge__ [tʃɑrdʒ] *v.t.* ①裝；載。②使(電池) 充電。③命令；指示。④控訴；歸罪於。⑤索價。⑥賒帳。⑦攻擊；突擊。⑧加負擔於。— *v.i.* ①猛衝；猛攻。②索價。***~ off*** **a.** 因虧損而減少。**b.** 把…歸因於。— *n.* ① Ⓤ Ⓒ 負載；負荷。② Ⓤ 責任；職責。③ Ⓤ 委託；照顧。④ Ⓒ 受照顧者。⑤ Ⓒ 命令。⑥ Ⓒ 控訴；歸咎。⑦ Ⓒ 費用；索價。⑧ Ⓤ 應付之款；債務。⑨ Ⓒ 攻擊；突擊。⑩ Ⓤ Ⓒ 電荷。***bring a ~ against*** 控告。***give (a person) in ~*** 將(某人)交付警方。***in ~ (of)*** 負責管理。***take ~ of*** 管理；接管。§ ~ **accòunt** 〖美〗記帳戶頭。~ **càrd** 簽帳卡；信用卡。~ **shèet** 〖英〗(警察局的) 黑名單。
charge·a·ble [ˋtʃɑrdʒəbl̩] *adj.* ①可被控訴的。②可記在某項帳目上的。
char·gé d'af·faires [ʃɑrˋʒedæˋfɛr] 〖法〗*n.* Ⓒ (*pl.* **char·gés d'af·faires** [ʃɑrˋʒez-]) 代辦；代理公[大]使。
charg·er [ˋtʃɑrdʒɚ] *n.* Ⓒ ①軍馬；戰馬。②充電器。
char·i·ness [ˋtʃɛrənɪs] *n.* Ⓤ ①謹愼；小心。②吝嗇；節儉。
char·i·ot [ˋtʃærɪət] *n.* Ⓒ 古時雙輪戰車。
char·i·ot·eer [ˌtʃærɪəˋtɪr] *n.* Ⓒ 戰車之御者。
char·i·ta·ble [ˋtʃærətəbl̩] *adj.* ①慈悲的；慈善的。②慷慨的。③寬厚的。
*__char·i·ty__ [ˋtʃærətɪ] *n.* ① Ⓤ 施與。② Ⓒ 慈善機關。③ Ⓤ 博愛；慈悲。④ Ⓤ 寬恕。§ ~ **bàll** [**cònert**] 慈善舞會[音樂會]。~ **hòspital** 慈善醫院。~ **schòol** 慈善學校。~ **shòw** 慈善義演。
char·la·tan [ˋʃɑrlətn̩] *n.* Ⓒ ①走江湖者；(假裝具有專門知識的) 騙子。②冒充內行者。③庸醫。— **ry**, *n.*
Char·le·magne [ˋʃɑrləˌmen] *n.* 查理曼大帝 (742-814, 世稱 Charles the Great)。
Charles·ton [ˋtʃɑrlztən] *n.* Ⓒ 查爾斯敦舞 (四分之四拍子的一種舞蹈)。
chár·ley hòrse [ˋtʃɑrlɪ ~] *n.* Ⓤ Ⓒ 〖美俗〗(由於過度之肌肉運動或受傷所引起之) 肌肉硬直。
*__charm__ [tʃɑrm] *n.* ① Ⓤ Ⓒ 魔力；誘惑力。② Ⓒ (常 *pl.*) (女子的) 姿色。③ Ⓒ 小飾品 (附於錶帶或錶鏈的)。④ Ⓒ 咒語；符咒。— *v.t.* ①使迷醉；使高興。②施以符咒。— *v.i.* ①迷人；悅人。②用符咒。§ ~ **schòol** 美姿學校。— **er**, *n.*
charmed [tʃɑrmd] *adj.* ①被迷住的；被施以符咒的。②似被符咒保護的。③喜悅的。
*__charm·ing__ [ˋtʃɑrmɪŋ] *adj.* 迷人的；嬌媚的。
char·nel [ˋtʃɑrnl̩] *n.* Ⓒ 停屍間；骨灰堂 (=charnel house)。
Char·on [ˋkɛrən] *n.* ①〖希神〗凱農 (在 Styx 河上渡亡靈往冥府之船夫)。② Ⓒ 〖謔〗渡船夫。
char·rette [ʃəˋrɛt] *n.* Ⓒ (專家參與的) 問題研討會；討論會。
*__chart__ [tʃɑrt] *n.* Ⓒ ①水路圖；航海圖。②圖；表。— *v.t.* ①將…製成圖表；記入海圖。②計畫。
*__char·ter__ [ˋtʃɑrtɚ] *n.* Ⓒ ①(政府發的) 特許狀。②分會或分社的設立許可(狀)。③憲章。***the C- of the United Nations*** 聯合國憲章。***the Great C-*** (英國) 大憲章。— *v.t.* ①特許。②包租；包賃。§ ~ **flìght** 包機。~ **mémber** 基本會員；發起人。~ **pàrty** (1)賃

船、飛機或車輛等的租約。⑵特權。

char·tered [ˋtʃɑrtəd] *adj.* ①特許的。②租賃的。§～ **accóuntant**〖英〗特許會計師(=〖美〗certified accountant).

Chart·ism [ˋtʃɑrtɪzəm] *n.* Ⓤ〖英史〗1838-48 年英國改進黨之人民憲章運動[主義]; 民權運動主義。— **Chart′ist,** *n. & adj.*

char·wom·an [ˋtʃɑr͵wʊmən] *n.* Ⓒ (*pl.* **-wom·en**)雜役女傭; 清潔婦。

char·y [ˋtʃɛrɪ] *adj.*①謹慎的。②害羞的。③吝嗇的。

***chase**[1] [tʃes] *v.t.* ①追捕; 捕獲。②追; 逐。— *v.i.* ①追。②〖俗〗急急掠過; 急進。— *n.*① Ⓤ Ⓒ 追捕; 追求。②(the ～)狩獵。③ Ⓒ 被獵的動物。*give* ～ 追; 追擊。

chase[2] *v.t.*①雕鏤。②施以雕鏤之裝飾。

chas·er[1] [ˋtʃesə] *n.* Ⓒ ①追者; 獵者。②驅逐機; 驅逐艦。③追擊砲; 反擊砲。④〖美俗〗酒後所飲之清淡飲料。

chas·er[2] *n.* Ⓒ 金屬雕刻師。

chasm [ˋkæzəm] *n.* Ⓒ ①深坑; 裂罅。②(感情、意見的)隔閡; 分歧

chas·sis [ˋʃæsɪ] *n.* Ⓒ (*pl.* ～ [～z]) ①(汽車等之)底盤。②砲架。③(飛機之)底部。④〖無線〗無線電接收機[發射機]之底盤。

chaste [tʃest] *adj.* ①貞節的。②純潔的。③樸素的。

chas·ten [ˋtʃesn̩] *v.t.*①懲戒。②磨練。③洗鍊。④緩和; 抑制。

chas·tise [tʃæsˋtaɪz] *v.t.* 責罰; 鞭打。— **ment,** *n.*

chas·ti·ty [ˋtʃæstətɪ] *n.* Ⓤ ①貞節。②純潔。③簡潔無華。

***chat** [tʃæt] *n.* Ⓤ Ⓒ 閒談。— *v.i.* (**-tt-**) 閒談。§～ **ròom**〖電算〗交談室。

châ·teau [ʃæˋto]〖法〗*n.* Ⓒ (*pl.* ～**s,** ～**x** [～z])①城堡。②別墅。

chat·tel [ˋtʃætl̩] *n.* Ⓒ ①(常 *pl.*)〖法律〗動產。②奴隸。

***chat·ter** [ˋtʃætə] *v.i.*①喋喋。②啁啾。③震顫作聲。— *v.t.*①絮絮不休地說。②使震顫作聲。— *n.* Ⓤ ①喋喋。②啁啾聲。③唧唧聲。

chat·ter·box [ˋtʃætə͵bɑks] *n.* Ⓒ 饒舌者。

chat·ty [ˋtʃætɪ] *adj.* 健談的; 好閒談的。

Chau·cer [ˋtʃɔsə] *n.* 喬塞(Geoffrey, 1340?-1400, 英國詩人)。

chauf·feur [ˋʃofə, ʃoˋfɝ]〖法〗*n.* Ⓒ 司機。— *v.i.* 當司機; 開車。

chau·vin·ism [ˋʃovɪn͵ɪzəm] *n.* Ⓤ ①盲目的愛國主義。②盲目的排外或排他主義。— **chau′vin·ist,** *n.*

‡**cheap** [tʃip] *adj.* ①價廉的。②不值錢的。③吝嗇的。*feel* ～ 感到慚愧。*hold* ～ 蔑視。— *adv.* 便宜地。— *n.* 用於下列片語。*on the* ～ 低廉地; 經濟地。— **ly,** *adv.*

cheap·en [ˋtʃipən] *v.t.*①減價; 削價。②貶損價值。— *v.i.* 減價; 跌價。

cheap-jack, cheap·jack [ˋtʃip͵dʒæk] *n.* Ⓒ (尤指先抬價後減價的)攤販。

cheap·skate [ˋtʃip͵sket] *n.* Ⓒ〖俚〗吝嗇鬼。

***cheat** [tʃit] *v.t.* ①欺騙。②詐取; 騙取。③避開; 躲避。— *v.i.* ①行騙。②〖俗〗(瞞著配偶等)拈花惹草。— *n.* ① Ⓒ 騙子。② Ⓤ Ⓒ 欺詐。

cheat·er [ˋtʃitə] *n.* Ⓒ 騙子。

‡**check** [tʃɛk] *v.t.* ①突然停止。②控制; 抑制。③阻止; 抵擋。④核對; 查驗。⑤做記號以表示核對或選擇〔常 off〕. ⑥使生裂縫。⑦暫存; 託運。⑧攻王棋; 將軍。— *v.i.*①證明無誤; 核對無誤。②查核。③停止。④攻王棋; 將軍。⑤開支票。⑥產生裂縫。～ *in* (投宿旅館等)辦理登記手續。～ *off* 驗訖。～ (*up*) *on* 調查; 檢查。～ *out* **a.** (從旅館等)辦妥手續離去。**b.**〖俚〗死。**c.** 檢查合格。～ *with* 核對無誤。— *n.* ① Ⓒ 遏止; 阻止。② Ⓒ 制止者; 遏止者。③ Ⓒ 核對。④ Ⓒ 檢訖的記號。⑤ Ⓒ 對號牌; 符證。⑥ Ⓒ 餐館的帳單。⑦ Ⓒ 支票。⑧ Ⓤ 方格花樣。⑨ Ⓤ 攻王棋; 將軍。*in* ～ 在控制中; 被阻止。§～**ing accòunt** 活期存款戶頭。

check·book [ˋtʃɛk͵bʊk] *n.* Ⓒ 支票簿。

checked [tʃɛkt] *adj.* 方格子花紋的。

check·er[1], 〖英〗 **cheq·uer** [ˋtʃɛkə] *v.t.*①使成格子花樣。②使交錯。③使多變化。— *n.*① Ⓒ 棋盤格花紋。② **a.** (*pl.*, 作 *sing.* 解)西洋棋(=〖英〗draughts). **b.** Ⓒ 西洋棋之棋子。

check·er[2] *n.* Ⓒ ①阻止之人或事物。②衣帽間管理員。③收款人。

check·er·board [ˋtʃɛkə͵bord] *n.* Ⓒ 西洋棋盤。

check·ered [ˋtʃɛkəd] *adj.*①有方格的。②多變的。

check·mate [ˋtʃɛk͵met] *v.t.* ①圍攻(王棋)。②完全擊敗。— *n.* Ⓤ Ⓒ ①擒王棋。②完全失敗。

check·off [ˋtʃɛk͵ɔf] *n.* Ⓤ 資方自勞工工資中代扣工會會費之辦法。

check-out [ˋtʃɛk͵aʊt] *n.* ① Ⓤ 付款退租旅館房間。② Ⓤ 應退租的時間。③ Ⓒ 檢查; 查驗。④ Ⓤ 結帳; 付款。§～ **còunter**〖美〗付帳櫃臺。

check·point [ˋtʃɛk͵pɔɪnt] *n.* Ⓒ 關卡。

check·roll [ˋtʃɛk͵rol] *n.* Ⓒ 點名冊。

check·room [ˋtʃɛk͵rum] *n.* Ⓒ 臨時寄物處。

check·up [ˋtʃɛk͵ʌp] *n.* Ⓒ〖美〗①核對; 審查; 檢定。②健康檢查。

check·writ·er [ˋtʃɛk͵raɪtə] *n.* Ⓒ 支票數字打孔機。

Ched·dar [ˋtʃɛdə] *n.* Ⓤ 一種乾酪。(亦作 **Cheddar cheese**)

‡**cheek** [tʃik] *n.*① Ⓒ 頰。② Ⓤ〖俗〗無禮; 厚顏。③ Ⓒ 任何類似頰的事物。④ Ⓒ (常 *pl.*)〖俚〗臀部。～ *by jowl* **a.**並肩; 緊靠著。**b.**親密的。— *v.t.*〖俗〗厚顏地提出; 大膽地講。§～ **tòoth** 臼齒。

cheek·bone [ˋtʃik͵bon] *n.* Ⓒ 頰骨; 顴骨。

cheek·y [ˋtʃikɪ] *adj.*〖俗〗厚顏的; 無恥的。

cheep [tʃip] *v.i.* 作吱喳聲。— *n.* Ⓒ 吱吱的叫聲。

‡**cheer** [tʃɪr] *n.* ① Ⓤ 喜悅; 愉快。② Ⓒ 歡呼; 喝采。③ Ⓤ 食物。④ Ⓤ 心情。⑤(*pl.*)〖主英〗乾杯。*be of good* ～ 不要垂頭喪氣。*What* ～*?* 你好嗎? *with good* ～ 愉快地。— *v.t.* ①令人喜悅[愉快]。②爲…歡呼。③喝采。

C

④鼓勵。— *v.i.* 喝采；歡呼。～ *up* 高興。— **less,** *adj.*

‡**cheer·ful** [ˋtʃɪrfəl] *adj.*①快樂的；高興的。②樂意的。③歡愉的。— **ness,** *n.*

cheer·i·o [ˋtʃɪrɪ,o] *interj.* 〖英〗①喂；再見。②=**hurrah.**

cheer·lead·er [ˋtʃɪr,lidɚ] *n.* [C] 啦啦隊隊長。

cheer·y [ˋtʃɪrɪ] *adj.*快樂的；高興的；愉快的。— **cheer′i·ly,** *adv.*

‡**cheese** [tʃiz] *n.* ① [U] [C] 乾酪。② [C] 〖俚〗首領。③(the ～)高級品。***hard ～*** 〖英俚〗倒楣；不順。***Say ～!*** 笑一個！ § ～ **càke** (1)乾酪餅。(2)〖俚〗半裸的美女照片。

cheese·burg·er [ˋtʃiz,bɝgɚ] *n.* [U][C] 起司漢堡。

cheese·cloth [ˋtʃiz,klɔθ] *n.* [U] 薄而稀鬆之棉布。

cheese·par·ing [ˋtʃiz,pɛrɪŋ] *n.* [U] ①無價值之物。②吝嗇。—*adj.*吝嗇的。

chees·y [ˋtʃizɪ] *adj.*①乾酪製的；似乾酪的。②〖俚〗下等的；低級的。

chee·tah [ˋtʃitə] *n.* [C] 〖動〗獵豹。

chef [ʃɛf] 〖法〗*n.* [C] ①主廚。②廚師。

Che·khov [ˋtʃɛkɔf] *n.* 柴可夫(Anton Pavlovich, 1860-1904, 俄國劇作家及小說家)。(亦作 **Tchekhov**)

chem. chemical; chemist; chemistry.

***chem·i·cal** [ˋkɛmɪkḷ] *adj.* 化學的。— *n.* [C] (常 *pl.*)化學藥品。§ ～ **bòmb** 化學彈。～ **enginéer** 化學工程師。～ **enginéering** 化學工程。～ **téxtile** 化學纖維。～ **wárfare** 化學戰。— **ly,** *adv.*

che·mise [ʃəˋmiz] 〖法〗*n.* [C] 英國維多利亞時代末期女用似襯衫的內衣。

chem·i·sette [,ʃɛmɪˋzɛt] *n.* [C] 婦女胸衣；緊胸襯衣。

***chem·ist** [ˋkɛmɪst] *n.* [C] ①化學家。②〖英〗藥劑師；藥商(即美國之druggist).

***chem·is·try** [ˋkɛmɪstrɪ] *n.* [U] ①化學。②化學性質、反應、現象等。

chem·o·ther·a·py [,kɛmoˋθɛrəpɪ] *n.* [U] 化學療法。

chem·ur·gy [ˋkɛmɝdʒɪ] *n.* [U] 農產化學。

che·nille [ʃəˋnil] *n.* [U] ①鬆絨線。②此種絨線之織品。

‡**cheque** [tʃɛk] *n.* [C] 〖英〗支票。

cheq·uer [ˋtʃɛkɚ] *n.* & *v.* 〖英〗= **checker**[1].

***cher·ish** [ˋtʃɛrɪʃ] *v.t.*①珍愛。②撫育；愛撫。③堅持；懷抱(希望等)。

che·root [ʃəˋrut] *n.* [C] 方頭雪茄菸。

‡**cher·ry** [ˋtʃɛrɪ] *n.*① [C] 櫻桃。② [C] 櫻桃樹。③ [U] 櫻木。④ [U] 如櫻桃的鮮紅。***have*** [***get***] ***two bites at the ～*** 有做某事的第二次機會；作第二次的嘗試。— *adj.* ①鮮紅如櫻桃的。～ lips 櫻唇。②櫻木製的。③(飲料、食物等)含櫻桃的。§ *～ **blòssom** 櫻花。～ **brándy** 櫻桃白蘭地酒。～ **píe** 櫻桃餅。～ **stòne** 櫻桃核。

cher·ub [ˋtʃɛrəb] *n.* [C] (*pl.* **cher·u·bim** [ˋtʃɛrjʊbɪm], **～s**)①〖聖經〗有翼的天使。②九級天使中之第二級天使。③天眞美麗的孩童。④有孩童般容貌的人。

che·ru·bic [tʃəˋrubɪk] *adj.* ①天使的。②天眞無邪的。③胖胖的。

cher·vil [ˋtʃɝvəl] *n.* [U] 〖植〗山蘿蔔。

***chess** [tʃɛs] *n.* [U] 西洋棋。

chess·board [ˋtʃɛs,bord] *n.* [C] 西洋棋盤。

chess·man [ˋtʃɛs,mæn] *n.* [C] (*pl.* **-men**) (西洋棋的)棋子。

‡**chest** [tʃɛst] *n.* [C] ①胸；胸部。②有蓋的大箱。③有屜的櫃。④(裝氣體之)密閉箱。⑤金庫。⑥資金。～ ***of drawers*** 五斗櫃。***get*** (***something***) ***off one's ～*** 〖俗〗傾吐心中的話[事]。§ ～ **tròuble** 胸部疾病。～ **vòice** 〖樂〗胸聲。

ches·ter·field [ˋtʃɛstɚ,fild] *n.* [C] ①男用長及膝部之外衣。②大型沙發。

chest·nut** [ˋtʃɛsnət, -,nʌt] *n.*① [C] 栗樹。② [C] 栗子。③ [U] 栗木。④ [U] 紅棕色；栗褐色。⑤ [C] 栗色馬。⑥ [C] 〖俗〗陳腐的話。pull*** (***someone's***) ***～s out of the fire***爲人火中取栗。— *adj.* ①栗(褐)色的。②(食物)含有栗子的；栗子做的。

che·vál glàss [ʃəˋvæl～] *n.* [C] 穿衣鏡。

Chev·ro·let [,ʃɛvrəˋle] *n.* [C] 〖商標〗雪佛蘭(美製汽車名)。

chev·ron [ˋʃɛvrən] *n.* [C] ①〖軍〗臂章。②〖紋章〗山形符號。③似山形之裝飾。

***chew** [tʃu] *v.t.* & *v.i.* ①咬碎；咀嚼。②熟思；玩味〔常over〕。③〖俗〗嚼煙草。— *n.*①(a ～)咬碎；咀嚼。② [C] 所嚼之物。§ *～**ing gùm** 口香糖。

chew·y [ˋtʃuɪ] *adj.* (食物等)不易咬碎的；(糖果等)需要咀嚼的。

chic [ʃik] *n.* [U] 式樣；時式；別致之款式。— *adj.* 漂亮的；別致的；高雅的。

***Chi·ca·go** [ʃɪˋkɑgo] *n.* 芝加哥(美國中西部一大城市)。

chi·cane [ʃɪˋken] *n.* ① [U] 奸謀。② [C] 〖橋牌〗無王牌之一手牌。— *v.i.* & *v.t.* 用詐術。

chi·can·er·y [ʃɪˋkenərɪ] *n.* [U][C] 奸計；狡猾手段。

Chi·ca·no [tʃɪˋkɑno] *n.* [C] (*pl.* **～s**) 墨西哥裔美國人。

chi·chi, chi-chi [ˋʃiˋʃi] *adj.* 裝作聰明的；故作時髦的；冒充雅致的。

chick [tʃɪk] *n.* [C] ①小雞；小鳥。②小孩。③〖俚〗少女；年輕婦女。

chick·a·dee [ˋtʃɪkə,di] *n.* [C] 山雀類。

‡**chick·en** [ˋtʃɪkɪn, -ən] *n.*① [C] 雛雞。② [C] 雞。③ [U] 雞肉。④ [C] 雛鳥。⑤ [C] 〖美俗〗年輕人；年輕女人；乳臭小兒。***count one's ～s before they are hatched*** 依賴尙未到手的利益；打如意算盤。— *adj.*①年輕的；小的。②雞肉做的。③〖俚〗膽小的。§ ～ **còop** 雞舍。～ **fèed** (1)雞飼料；鳥食。(2)〖美俚〗零錢；小錢。～ **pòx** 〖醫〗水痘。

chick·en-heart·ed [ˋtʃɪkɪnˋhɑrtɪd] *adj.* 膽小的；懦弱的。

chick·weed [ˋtʃɪk,wid] *n.* [U] 〖植〗蘩縷。

chic·o·ry [ˋtʃɪkərɪ] *n.* [U] 〖植〗菊苣(根可爲咖啡之代用品)。

chide [tʃaɪd] *v.t.* & *v.i.* (**chid·ed** or **chid** [tʃɪd], **chid·ed** or **chid** or **chid·den** [ˋtʃɪdṇ])叱責；譴責。

‡**chief** [tʃif] *n.* [C] 領袖；首領；首長。～ ***of staff*** **a.** 參謀長。**b.** (C- of S-)

〖美〗陸軍或空軍參謀長(約相當於中國之陸軍或空軍總司令)。*C- of the General Staff* 參謀總長。— *adj.* ①階級最高的。②主要的。§ ~ **éditor** 總編輯。~ **exécutive** (1)州長；政府最高首長。(2)(C- E-)〖美〗總統。~ **jústice** (1)首席法官。(2)(C- J-)〖美〗最高法院院長。

***chief·ly** [ˋtʃiflɪ] *adv.* ①大概地；多半地。②首要地；主要地。

chief·tain [ˋtʃiftɪn] *n.* Ⓒ ①酋長。②首領；領袖(尤指強盜的頭目)。

chif·fon [ʃɪˋfɑn] *n.* ① Ⓤ 一種絲質或人造絲質的薄紗。②(*pl.*)(女裝的)花邊[絲邊]等。

chif·fo(n)·nier [ˌʃɪfəˋnɪr] *n.* Ⓒ 帶鏡的有屜豎櫃。

chi·hua·hua [tʃɪˋwɑwɑ] *n.* Ⓒ 吉娃娃(一種墨西哥原產的小狗)。

chil·blain [ˋtʃɪlˌblen] *n.* Ⓒ (常 *pl.*)〖醫〗手腳上之凍瘡。

⁑**child** [tʃaɪld] *n.* Ⓒ (*pl.* **chil·dren**) ①嬰孩。②小孩。③兒子或女兒。④(常 *pl.*)後裔；後代。⑤(感情、興趣方面)似小孩的人。~ *of fortune* 命運的寵兒；幸運兒。*with* ~ 懷孕。§ ~ **abûse** 虐待兒童。~ **guídance** 兒童指導。~ **lábor** 童工。~ **psychólogy** 兒童心理學。~**'s plày** 輕而易舉的事；無謂的小事。~ **wélfare** 兒童福利。— **less,** *adj.* 無子女的。

child·bear·ing [ˋtʃaɪldˌbɛrɪŋ] *n.* Ⓤ 生產；分娩。

child·bed [ˋtʃaɪldˌbɛd] *n.* Ⓤ 分娩；生產。§ ~ **féver**〖醫〗產褥熱。

child·birth [ˋtʃaɪldˌbɝθ] *n.* ⓊⒸ 分娩；生產。

***child·hood** [ˋtʃaɪldˌhʊd] *n.* ⓊⒸ 兒童時期。

***child·ish** [ˋtʃaɪldɪʃ] *adj.* ①孩子氣的。②幼稚的；愚蠢的。— **ly,** *adv.* — **ness,** *n.*

child·like [ˋtʃaɪldˌlaɪk] *adj.* ①孩子氣的。②天眞無邪的。

Child·line [ˋtʃaɪldˌlaɪn] *n.*〖英〗兒童生命線(兒童恐懼或有問題而無熟人可談即撥此電話)。

child·mind·er [ˋtʃaɪldˌmaɪndɚ] *n.* Ⓒ 托嬰保姆。

⁑**chil·dren** [ˋtʃɪldrən] *n.* pl. of **child.**

Chil·e [ˋtʃɪlɪ] *n.* 智利(南美洲西南部的一國，首都 Santiago). — **an,** *adj. & n.*

chil·i [ˋtʃɪlɪ] *n.* Ⓒ (*pl.* ~**es**) 紅番椒。§ ~ **sàuce** 加紅番椒的番茄醬。

***chill** [tʃɪl] *n.* Ⓒ ①寒冷；寒凍。②寒慄。③掃興；沮喪。④冷淡。*take the* ~ *off* 去寒氣；使熱起來。— *adj.* ①寒冷的。②冷漠的。— *v.i.* 變冷。— *v.t.* ①使冷；使之冷凍。②令失望。

***chill·y** [ˋtʃɪlɪ] *adj.* ①寒冷的。②不友好的；態度冷淡的。③恐怖的。

***chime** [tʃaɪm] *n.* ① Ⓒ 一套發諧音的鐘。②(*pl.*)該鐘所發出的樂聲。③ Ⓤ 和諧。④ Ⓒ 門鈴。⑤ Ⓤ 諧音。— *v.t. & v.i.* ①鳴(鐘)；鳴(鐘)作樂聲。②擊(鐘)以報時。③發出和諧之聲。~ *in* 加入或插嘴。~ *in with* 同意；一致。

chi·me·ra [kəˋmɪrə] *n.* ①(C-)〖希神〗(獅頭、羊身、蛇尾之)吐火怪獸。② Ⓒ 怪物。③ Ⓒ 幻想；妄想。

⁑**chim·ney** [ˋtʃɪmnɪ] *n.* Ⓒ ①煙囪。②玻璃燈罩。③石頭、山、火山等的裂縫。§ ~ **càp** 煙囪蓋。~ **còrner** 火爐的角隅；爐邊。~ **pìece** 壁爐架。~ **pòt** 煙囪頂管。~ **stàlk** (高出屋面)煙突；工場之高煙囪。~ **swèep(er)** 掃煙囪的人。

chim·pan·zee [ˌtʃɪmpænˋzi] *n.* Ⓒ〖動〗非洲之小人猿；黑猩猩。

***chin** [tʃɪn] *n.* Ⓒ ①下頷；顎。②〖俗〗談話。*keep one's* ~ *up* 在逆境中不屈不撓。*up to the* ~ 深深陷(入…)。— *v.t.* (**-nn-**)①引體向上。②將(小提琴等)提到顎下。— *v.i.* ①聊天。②(單槓)引體向上。§ ~ **stràp** 帽帶。

***chi·na** [ˋtʃaɪnə] *n.* Ⓤ ①陶瓷；瓷器；陶器。②瓷製小雕像。— *adj.* 瓷製的。§ ~ **clày** 陶土；瓷土。

⁑**Chi·na** [ˋtʃaɪnə] *n.* 中國。§ ~ **wátcher** 中國問題專家。

Chi·na·man [ˋtʃaɪnəmən] *n.* Ⓒ (*pl.* **-men**)〖蔑〗中國人；華人。

Chi·na·town [ˋtʃaɪnəˌtaʊn] *n.* Ⓒ (在外國城市裏的)唐人街；中國城。

chinch [tʃɪntʃ] *n.* Ⓒ ①臭蟲。②麥虱(=chinch bug).

chin·chil·la [tʃɪnˋtʃɪlə] *n.* ① Ⓒ〖動〗南美產之栗鼠類。② Ⓤ 栗鼠類之毛皮。

chine [tʃaɪn] *n.* Ⓒ ①脊椎。②脊肉。③山脊；嶺。

⁑**Chi·nese** [tʃaɪˋniz] *n.* (*pl.* ~) ① Ⓒ 中國人。② Ⓤ 中文。— *adj.* 中國(人)的。§ ~ **bóxes** 母子盒[箱]。~ **cóstume** 唐裝。~ **ínk** 墨。~ **Kung fu** 中國功夫；國術。~ **lántern** 紙燈籠。~ **púzzle** 複雜難解之事；難解之謎。**the** ~ **Revolútion** 中國辛亥革命。**the** ~ **Wáll** 長城。

chink[1] [tʃɪŋk] *n.* Ⓒ 裂罅。— *v.t.* ①使成裂罅。②塞住(裂罅、裂縫等)。

chink[2] *n.* ①(a ~)(玻璃等之)叮噹聲。② ⓊⒸ〖俚〗錢幣；現款。— *v.t. & v.i.* (使)作叮噹聲。

chintz [tʃɪnts] *n.* Ⓤ 印花棉布。

chintz·y [ˋtʃɪntsɪ] *adj.* ①用印花棉布做的。②庸俗的；賤的；吝嗇的。

chin-up [ˋtʃɪnˌʌp] *n.* ⓊⒸ (單槓運動的)引體向上。— *adj.* 不洩氣的；保持士氣的；提高士氣的。

***chip** [tʃɪp] *n.* Ⓒ ①碎片；木屑。②(瓷器等的)缺口。③(常 *pl.*)小片食物。④圓形籌碼。⑤棕葉或草的細條。⑥〖電算〗晶片。*a* ~ *on one's shoulder* 好吵架的脾氣。*as dry as a* ~ 乾燥無味。— *v.t.* (**-pp-**)切爲小片；破爲碎片。— *v.i.* 碎裂。~ *in* **a.** 集資；共同援助。**b.** 插嘴。**c.** 用籌碼打賭。

chip·munk [ˋtʃɪpˌmʌŋk] *n.* Ⓒ〖動〗(北美產之)花栗鼠。

chip·per [ˋtʃɪpɚ] *adj.*〖美俗〗輕快的；活潑的；愉快的。

chirk [tʃɝk]〖美俗〗*adj.* 高興的；快活的。— *v.t. & v.i.* (使)變高興〔up〕.

chi·rog·ra·phy [kaɪˋrɑgrəfɪ] *n.* Ⓤ 書法；筆跡。

chi·rop·o·dy [kaɪˋrɑpədɪ] *n.* Ⓤ 手足病之治療。

chi·ro·prac·tic [ˌkaɪrəˋpræktɪk] *n.* Ⓤ 按摩脊椎之指壓法。

C

chi·ro·prac·tor [ˋkaɪrə,præktɚ] *n.* Ⓒ 按摩脊椎療病者。
***chirp** [tʃɝp] *v.i.* (鳥)吱喳而鳴；(蟲)唧唧而鳴。— *n.* Ⓒ 吱喳聲；唧唧聲。
chirp·y [ˋtʃɝpɪ] *adj.* ①〖俗〗快樂的。②吱喳叫的。— **chirp′i·ly,** *adv.*
chir·rup [ˋtʃɪrəp] *v.t.* & *v.i.* ①(鳥或蟋蟀等)吱喳鳴叫。②嘖嘖咂嘴(以策馬等)。— *n.* Ⓒ ①吱喳聲。②咂嘴聲。
chis·el [ˋtʃɪzl] *n.* Ⓒ 鑿子。— *v.t.* (-l-,〖英〗-ll-)①鑿；刻。②〖美俚〗詐取。
chit[1] [tʃɪt] *n.* Ⓒ ①芽。②小孩。③活潑之少女。— *v.i.* (-tt-)〖方〗發芽。
chit[2] *n.* Ⓒ ①〖英〗短信；便條。②小額掛帳之單據；借條。
chit·chat [ˋtʃɪt,tʃæt] *n.* Ⓤ 閒聊；聊天。
chit·ter·lings [ˋtʃɪtɚlɪŋz] *n. pl.* (豬等之)小腸。
chiv·al·ric [ˋʃɪvl̩rɪk] *adj.* 有武士氣概的；有武士風範的。
chiv·al·rous [ˋʃɪvl̩rəs] *adj.* 有武士風度的；俠義的。—**ly,** *adv.*
chiv·al·ry [ˋʃɪvl̩rɪ] *n.* ① Ⓤ 武士氣概。② Ⓤ 武士制度。③(集合稱，作 *pl.* 解)武士團；豪俠之士。
chive [tʃaɪv] *n.* Ⓒ〖植〗蝦夷葱。
chiv·(v)y [ˋtʃɪvɪ] *n.* Ⓒ 追獵；狩獵時之喊叫。— *v.t.* & *v.i* ①追逐；追獵。②使困窘；使煩惱。
chlor(o)-〖字首〗①表「綠」之義。②〖化〗表「氯」之義。
chlo·ral [ˋklorəl] *n.* Ⓤ〖化〗三氯乙醛。
chlo·rel·la [kləˋrɛlə] *n.* Ⓤ Ⓒ 綠藻。
chlo·ric [ˋklorɪk] *adj.*〖化〗(含)氯的。
chlo·ride [ˋkloraɪd] *n.* Ⓤ〖化〗氯化物。～ *of lime* 漂白粉。
chlo·rine [ˋklorin] *n.* Ⓤ〖化〗氯。
chlo·ro·form [ˋklorə,fɔrm] *n.* Ⓤ〖醫〗氯仿；哥羅仿(麻醉劑)。— *v.t.* 用氯仿麻醉[殺死]。
chlo·ro·phyl(l) [ˋklorə,fɪl] *n.* Ⓤ 葉綠素。
chlo·ro·quine [ˋklorə,kwɪn] *n.* Ⓤ〖藥〗氯奎寧(治療瘧疾的特效藥)。
chock [tʃɑk] *n.* Ⓒ ①墊木；楔子。②大船上安置救生艇的定盤。— *v.t.* ①用墊木或楔子墊阻。②置(小艇)於定盤上。— *adv.* 塞滿地。
chock-full [ˋtʃɑkˋfʊl] *adj.* 塞滿的。
‡**choc·o·late** [ˋtʃɔkəlɪt] *n.* ① Ⓤ Ⓒ 巧克力製品[飲料，糖]。② Ⓤ 黑褐色。— *adj.* ①巧克力製的。②黑褐色的。§ ∼ **sól-dier** 非戰鬥部隊的軍人。
‡**choice** [tʃɔɪs] *n.* ① Ⓤ Ⓒ 選擇。② Ⓒ 被選之人或物。③ Ⓤ Ⓒ 選擇的機會與權利。④(a ～ of...)備選的量和種類。⑤(the ～)精選或最佳的部分。— *adj.* ①慎選的；精選的。②上等的。
***choir** [kwaɪr] *n.* Ⓒ ①(教會的)唱詩班。②(常 *sing.*)教堂中唱詩班的席位。§ ∼ **lòft** (位於教堂二樓中央的)唱詩班席位。∼ **òrgan** 唱詩風琴。∼ **schòol** (英國教堂附設的)唱詩班學校。∼ **scrèen** (禮拜堂中)隔開唱詩班之圍屏。
choir·mas·ter [ˋkwaɪr,mæstɚ] *n.* Ⓒ 唱詩班的指揮。
choke** [tʃok] *v.t.* ①勒絞；使窒息。②因窒悶而使不能出聲。③阻塞；填塞。④使(火)熄滅。⑤壓制(情感)〔常 back, down〕。⑥阻止成長、進展等。— *v.i.* ①窒息。②阻塞。～ ***back [***down***] 忍住；抑制。～ ***off*** **a.** 窒息死。**b.** 放棄；終止。～ ***up*** **a.** 阻塞。**b.**〖俗〗因感情激動說不出話來。— *n.* Ⓒ ①窒息。②〖機〗閘口。
choked [tʃokt] *adj.* ①阻塞的；窒息的。②〖英俚〗厭煩的。
chok·er [ˋtʃokɚ] *n.* Ⓒ ①阻礙之人或事物。②〖俗〗**a.** 短項鍊。**b.** 高領。
chok·(e)y[1] [ˋtʃokɪ] *adj.* 使人窒息的。
chok·(e)y[2] *n.* (the ～)〖英印，英俚〗拘留所；監獄。
chol·er [ˋkɑlɚ] *n.* Ⓤ ①憤怒。②〖古〗膽汁。
chol·er·a [ˋkɑlərə] *n.* Ⓤ 霍亂。
chol·er·ic [ˋkɑlərɪk] *adj.* 易怒的。
cho·les·ter·ol [kəˋlɛstə,rol] *n.* Ⓤ〖生化〗膽固醇。
‡**choose** [tʃuz] *v.t.* (**chose, cho·sen**) ①選擇。②寧願。③欲；要。— *v.i.* ①選擇。②作決定。***cannot*** ～ ***but*** 不得不。
choos·(e)y [ˋtʃuzɪ] *adj.*〖美俚〗愛挑剔的；難以取悅的；苛求的。
***chop**[1] [tʃɑp] *v.t.* (-pp-) ①砍。②切碎。③切擊(網球)。④伐木以開路。— *v.i.* ①砍。②突然插入。— *n.* ① Ⓒ 砍。② Ⓒ 連骨的肉。③ Ⓒ 切擊。④ Ⓤ 隨風翻動的碎浪。§ ∼**ping blòck** [**bòard**] 砧板。∼**ping knìfe** 菜刀。∼ **súey** [ˋsuɪ] 雜碎(一種由肉及蔬菜炒成的雜炒菜；加在米飯上食用的美式中國菜)。
chop[2] *n.* ① Ⓒ (常 *pl.*)顎；下巴。②(*pl.*)〖俚〗口腔。③(*pl.*)海峽、山谷、深淵等的入口。
chop[3] *n.* Ⓒ ①圖章；印。②〖俚〗品質；等級。
chop·house [ˋtʃɑp,haʊs] *n.* Ⓒ 餐館(專門供應肉排類食品爲主)。
Cho·pin [ˋʃopæn] *n.* 蕭邦(Frédéric François, 1810-49, 波蘭鋼琴家及作曲家)。
chop·log·ic [ˋtʃɑp,lɑdʒɪk] *adj.* 好辯的；歪理的。
chop·per [ˋtʃɑpɚ] *n.* Ⓒ ①切物之人。②切割之機器或器具；刀；斧。③〖電〗斬波器；截波器。④〖俗〗直升機。⑤(常 *pl.*)牙齒。— *v.i.*〖俚〗乘直升機飛行。
chop·py [ˋtʃɑpɪ] *adj.* ①波浪起伏的。②(風等)不斷改變方向的。
chop·stick [ˋtʃɑp,stɪk] *n.* Ⓒ (常 *pl.*)筷子。
cho·ral [ˋkorəl] *adj.* ①合唱隊的。②合唱的。— *n.* Ⓒ 聖歌；合唱隊。
cho·rale [koˋrɑl] *n.* = **choral.**
chord [kɔrd] *n.* Ⓒ ①樂器的弦；琴線。②身體內的絃狀物。the vocal ～*s* 聲帶。the spinal ～ 脊髓。③〖樂〗和弦。④〖數〗弦。⑤情緒。
***chore** [tʃor, tʃɔr] *n.*〖美〗① Ⓒ 零工。②(*pl.*)家庭中或農場上之雜務。
cho·re·a [koˋriə] *n.* Ⓤ〖醫〗舞蹈症。
cho·re·og·ra·pher [,korɪˋɑgrəfɚ] *n.* Ⓒ (芭蕾舞等的)編導；指導者。
cho·re·og·ra·phy [,korɪˋɑgrəfɪ] *n.* Ⓤ 舞蹈術；舞蹈(尤指芭蕾舞)。
cho·ric [ˋkorɪk] *adj.*〖希臘戲劇〗合唱歌舞式的。

chor·is·ter [ˋkɔrɪstɚ] *n.* Ⓒ ①(教堂中)唱詩班之一員。②唱詩班指揮者。

chor·tle [ˋtʃɔrtl] *v.t. & v.i.*咯咯地歡笑。— *n.* (a ～)咯咯的笑(聲)。

***cho·rus** [ˋkorəs] *n.* Ⓒ ①(集合稱)合唱隊；合唱團。②歌曲中的複句(合唱部分)。③合唱隊所唱之歌。④異口同聲。*in* ～ 一起；共同。— *v.t. & v.i.* ①合唱。②同聲說。§ ～ **bòy** [**gìrl**] 歌舞劇中之男[女]歌手或舞者。

‡**chose** [tʃoz] *v.* pt. of **choose.**

‡**cho·sen** [ˋtʃozn̩] *v.* pp. of **choose.** — *adj.* 精選的。§ **the** ～ **péople** 上帝之選民(猶太人的自稱)。

chow [tʃau] *n.* ① Ⓒ 雄獅狗(中國狗之一種, 有厚毛, 舌爲深藍色)。② Ⓤ 〖俚〗食物。— *v.i.* 〖俚〗吃〔down〕.

chow·der [ˋtʃaudɚ] *n.* Ⓤ 〖美〗(用魚或蛤加豬肉、洋葱等所燉之)羹湯。

chow mein [ˋtʃauˋmen] 〖中〗*n.* Ⓤ 炒麵。

‡**Christ** [kraɪst] *n.* 基督。

chris·ten [ˋkrɪsn̩] *v.t.*①施洗禮使加入教會；施洗。②施洗禮以命名。③爲…命名(尤指船)。④〖俗〗首次使用。— **ing,** *n.* Ⓤ Ⓒ 洗禮、命名(儀式)。

Chris·ten·dom [ˋkrɪsn̩dəm] *n.* Ⓤ (集合稱)基督教國家；基督徒。

‡**Chris·tian** [ˋkrɪstʃən] *adj.* ①基督(教)的。②信基督的。③表現基督之精神的。④高尚的。— *n.* Ⓒ ①基督(教)徒。②〖俗〗高尚的人。§ ～ **náme** (1)教名；洗禮名。(2)名。～ **Scíence** 基督教科學派(認爲病和罪一樣, 都需靠上帝的永恆意識治癒)。

***Chris·ti·an·i·ty** [ˏkrɪstʃɪˋænətɪ, krɪsˋtʃænətɪ] *n.* Ⓤ ①基督教。②基督教的信仰[精神]。

Chris·tian·ize [ˋkrɪstʃənˏaɪz] *v.t.* 使成爲基督教徒；使基督教化。

‡**Christ·mas** [ˋkrɪsməs] *n.* Ⓤ 耶誕節；聖誕節。§ ～ **bòx**〖英〗耶誕禮金[禮物]。～ **càrd** 耶誕卡片。～ **Dày** 耶誕節。～ **Éve** 耶誕前夕。～ **gíft** 耶誕禮物。～ **trèe** 耶誕樹。

Christ·mas·tide [ˋkrɪsməsˏtaɪd] *n.* Ⓤ 耶誕節期(自十二月二十四日至一月六日)。

chro·mate [ˋkromet] *n.* Ⓤ Ⓒ 〖化〗鉻酸鹽。

chro·mat·ic [kroˋmætɪk] *adj.*①色彩的。②〖生物〗核染質的。③〖樂〗半音的。§ ～ **aberrátion** 〖光學〗色像差。～ **scále** 〖樂〗半音階。

chro·ma·tin [ˋkromətɪn] *n.* Ⓤ 〖生物〗染色質；核染質。

chrome [krom] *n.* Ⓤ ① = **chromium.** ②(亦作 **chrome yellow**)〖化〗鉻黃。§ ～ **stéel** 鉻鋼。

chro·mi·um [ˋkromɪəm] *n.* Ⓤ 〖化〗鉻(金屬元素；符號 Cr).

chro·mo·some [ˋkroməˏsom] *n.* Ⓒ 〖生物〗染色體。

chro·mo·sphere [ˋkroməˏsfɪr] *n.* Ⓒ 〖天〗(太陽周邊的)光焰層；色球。

chron·ic [ˋkrɑnɪk] *adj.*①(疾病)慢性的。②長期的。③慣常的。— **chron′i·cal·ly,** *adv.*

***chron·i·cle** [ˋkrɑnɪkl] *n.* ① Ⓒ 編年史；紀；年代記。② (the Chronicles)〖聖經〗歷代志。— *v.t.* 載入年代史。

chron·o·log·i·cal [ˏkrɑnəˋlɑdʒɪkl] *adj.* 按年代次序記載的。— **ly,** *adv.*

chro·nol·o·gist [krəˋnɑlədʒɪst] *n.* Ⓒ 年代學者。

chro·nol·o·gy [krəˋnɑlədʒɪ] *n.* Ⓒ 年代記；年表。

chro·nom·e·ter [krəˋnɑmətɚ] *n.* Ⓒ ①精密時計。②航海用之經線儀。

chrys·a·lis [ˋkrɪslɪs] *n.* Ⓒ (*pl.* **～es, chry·sal·i·des** [krɪˋsæləˏdiz]) ①蛹。②繭。③準備期；過渡期。

chry·san·the·mum [krɪsˋænθəməm] *n.* Ⓒ 菊；菊花。

Chrys·ler [ˋkraɪslɚ] *n.* Ⓒ 〖商標〗克萊斯勒(美國製的高級汽車)。

chub·by [ˋtʃʌbɪ] *adj.* 圓胖的。

chuck[1] [tʃʌk] *v.t.* ①輕叩；輕捏(下頷)。②抛擲；投擲。③〖英俚〗驅逐〔out〕. ④〖英俚〗辭職；解雇。*C- it!* 停！住手！住口！— *n.* Ⓒ ①抛擲；投擲。②輕叩或輕捏下頷。

chuck[2] *n.* ① Ⓤ 牛頸部與肩胛骨之間的肉。② Ⓒ 作爲塞子用的木塊。③ Ⓒ 〖機〗夾盤；夾頭。

chuck[3] *n.* Ⓒ 咯咯(母雞喚雛之聲)。— *v.t. & v.i.* 咯咯叫。

chuck·er-out [ˋtʃʌkɚˋaut] *n.* Ⓒ (*pl.* **chuck·ers-out**) 〖英〗保鏢。

***chuck·le** [ˋtʃʌkl] *v.i.*低聲輕笑。— *n.* Ⓒ 低聲的輕笑。

chuff [tʃʌf] *n.* Ⓒ ①粗野之人。②農夫。

chug [tʃʌg] *n.* Ⓒ 軋軋聲。— *v.i.* (**-gg-**) 發軋軋聲；軋軋而行。

chum [tʃʌm] *n.* Ⓒ 〖俗〗同室之友；密友。— *v.i.* (**-mm-**) ① 同室而居〔up〕. ②結爲好友〔up, with〕.

chum·my [ˋtʃʌmɪ] 〖俗〗*adj.* 親密的。— *n.* Ⓒ 室友；密友(=chum).

chump [tʃʌmp] *n.* Ⓒ ①厚木塊。②厚鈍之一端。③〖俚〗頭。④〖俗〗笨傢伙。

chunk [tʃʌŋk] *n.* Ⓒ ①〖俗〗厚塊(如肉等)。②〖美俗〗矮胖的人或動物。— **chunk′y,** *adj.*

‡**church** [tʃɝtʃ] *n.*① Ⓒ 禮拜堂；教堂。② Ⓤ 禮拜。③(the C-, 集合稱)基督徒。④ Ⓒ (常 C-)基督教的教派；教會。⑤(the ～)教會的職務。*enter the* ～ 從事神職。

church·go·er [ˋtʃɝtʃˏgoɚ] *n.* Ⓒ 經常按時到教堂做禮拜的人。

Church·ill [ˋtʃɝtʃɪl] *n.*邱吉爾(Winston L.S., 1874-1965, 英國首相, 1953年諾貝爾文學獎得主)。

church·man [ˋtʃɝtʃmən] *n.* Ⓒ (*pl.* **-men**) 牧師；傳教士。

church·ward·en [ˋtʃɝtʃˋwɔrdn̩] *n.* Ⓒ ①(英國國教及聖公會之)教會執事。②〖英俗〗陶土製之長煙斗。

church·yard [ˋtʃɝtʃˏjɑrd] *n.* Ⓒ 毗連教堂之庭院；(附屬於教會的)墓地。

churl [tʃɝl] *n.* Ⓒ ①農夫；鄉下人。②粗野之人。③吝嗇鬼。— **churl′ish,** *adj.*

churn [tʃɝn] *n.* Ⓒ ①攪乳器。②〖英〗大型牛乳桶。— *v.t. & v.i.*①攪拌(牛奶)以製奶油。②劇烈地轉動。③攪動。

chut [tʃʌt] *interj.* 咄! (表示不耐煩)。
chute [ʃut] *n.* Ⓒ ①瀑布; 急流。②瀉槽; 斜槽。③〖俗〗降落傘。
chut·ney, -nee [ˋtʃʌtnɪ] *n.* Ⓤ酸辣醬(印度調味品)。
chutz·pa(h) [ˋhʊtspə] *n.* Ⓤ〖美俚〗肆無忌憚; 厚顏無恥。
chyle [kaɪl] *n.* Ⓤ〖生理〗乳糜。
chyme [kaɪm] *n.* Ⓤ〖生理〗食糜。
CIA, C.I.A. Central Intelligence Agency.(美國)中央情報局。
ci·ca·da [sɪˋkedə] *n.* Ⓒ (*pl.* **~s, -dae** [-di])〖動〗蟬。
cic·a·trix [ˋsɪkətrɪks], **-trice** [-trɪs] *n.* Ⓒ (*pl.* **cic·a·tri·ces** [ˌsɪkəˋtraɪsiz])①〖醫〗瘢痕。②〖植〗葉痕。
Cic·e·ro [ˋsɪsəˌro] *n.* 西塞羅(Marcus Tullius, 106-43B.C., 羅馬政治家、演說家及作家)。
C.I.D. Criminal Investigation Department.〖英〗(倫敦警務署之)偵察課。
ci·der [ˋsaɪdɚ] *n.* ⓊⒸ ①蘋果酒(=〖英〗cyder). ②蘋果汁。
***ci·gar** [sɪˋgɑr] *n.* Ⓒ 雪茄煙。
‡**cig·a·ret(te)** [ˌsɪgəˋrɛt, ˋsɪgəˌrɛt] *n.* Ⓒ 香煙; 紙煙。§ ∼ **càse** 香煙盒。∼ **hòlder** 煙嘴。∼ **lìghter** (點香煙用的)打火機。∼ **pàper** 捲煙紙。
cil·i·a [ˋsɪlɪə] *n. pl.* (*sing.* **cil·i·um** [ˋsɪlɪəm]) ①〖解〗睫毛。②〖生物〗纖毛。
cinch [sɪntʃ] *n.* ①Ⓒ馬之腹帶。②(a ∼)〖俗〗緊握; 抓牢。③(a ∼)〖俚〗易做之事; 有把握之事。— *v.t.* ①緊繫腹帶於; 緊束。②〖俚〗確實把握住。
cin·cho·na [sɪnˋkonə] *n.*① Ⓒ〖植〗金雞納樹。②Ⓤ金雞納樹皮。
cin·der [ˋsɪndɚ] *n.*①Ⓒ煤渣; 餘燼。②(*pl.*)灰燼。
Cin·der·el·la [ˌsɪndəˋrɛlə] *n.*①灰姑娘(「仙履奇緣」中女孩名)。②Ⓒ未被發現的美女[人才]。
cine- 〖字首〗表「電影」之義。
cin·e·cam·e·ra [ˌsɪnɪˋkæmərə] *n.* Ⓒ電影攝影機。
cin·e·film [ˋsɪnɪfɪlm] *n.* Ⓒ 電影膠片。
‡**cin·e·ma** [ˋsɪnəmə] *n.* ①Ⓤ(常 the ∼)電影(事業)。②Ⓒ電影院。§ ∼ **fàn** [**gòer**]〖英〗影迷。
Cin·e·ma·Scope [ˋsɪnəməˌskop] *n.* Ⓒ〖商標〗新藝綜合體(弧形寬銀幕及立體音響發音的電影)。
cin·e·mat·ic [ˌsɪnəˋmætɪk] *adj.* 電影的。
cin·e·ma·tize [ˋsɪnəməˌtaɪz] *v.t.* & *v.i.*①攝製電影。②將…改編成電影。
cin·e·ma·tog·ra·pher [ˌsɪnəməˋtɑgrəfɚ] *n.* Ⓒ電影攝影師。
cin·e·ma·tog·ra·phy [ˌsɪnəməˋtɑgrəfɪ] *n.* Ⓤ電影拍攝術。
cin·é·ma vé·ri·té [ˋsɪnəməˌvɛrɪˋte]〖法〗*n.* Ⓒ 寫實主義的紀錄電影(方法)。
Cin·e·ra·ma [ˌsɪnəˋræmə] *n.* Ⓒ〖商標〗超銀幕立體電影。
cin·e·rar·i·um [ˌsɪnəˋrɛrɪəm] *n.* Ⓒ (*pl.* **-i·a** [-ɪə])置骨灰罎處。
cin·er·ar·y [ˋsɪnəˌrɛrɪ] *adj.* 骨灰的。
cin·na·bar [ˋsɪnəˌbɑr] *n.* Ⓤ ①〖礦〗辰砂; 硃砂。②朱紅色。
cin·na·mon [ˋsɪnəmən] *n.* Ⓤ ①肉桂(皮)。②肉桂色。— *adj.* 肉桂色的。
C.I.O. CIO Congress of Industrial Organizations.〖美〗產業勞工組織。
ci·pher [ˋsaɪfɚ] *n.*① Ⓒ 零(=0)。②Ⓒ無價值的人或物。③Ⓒ阿拉伯數字。④ⓊⒸ暗號; 密碼。— *v.t.* & *v.i.* 以暗號寫或記載。§ ∼ **còde** 密碼。
cir·ca [ˋsɝkə]〖拉〗*prep.* & *adv.*大約。
cir·ca·di·an [sɝˋkedɪən] *adj.* 以24小時爲周期的(如生理或行爲現象等)。§ ∼ **rhýthm** (生物的) 周期; 生理節奏。
‡**cir·cle** [ˋsɝkl] *n.* Ⓒ ①圓; 圈; 圓周。②圓形物; 圓狀物。③週期; 循環。④(常 *pl.*) 集團; …界。business ∼*s* 商界。⑤範圍。⑥天體的軌道[循行]。⑦戲院包廂中的座位。— *v.t.* ①環繞; 包圍。②環行; 繞…而行。— *v.i.* ①迴轉; 盤旋。②圍繞。
cir·clet [ˋsɝklɪt] *n.* Ⓒ小環(尤指裝飾用者)。
***cir·cuit** [ˋsɝkɪt] *n.* Ⓒ ①周圍。②被圍起的空間。③環行; 繞行一周。④**a.** 巡迴; 巡行。**b.** 做此巡迴的人。⑤巡迴區; 巡行區。⑥巡迴裁判(區)。⑦〖電〗電路。— *v.i.* & *v.t.* 巡迴。§ ∼ **brèaker** 斷路器。∼ **cóurt** 巡迴法院。
cir·cu·i·tous [sɚˋkjuɪtəs] *adj.* 迂曲的; 間接的。— **ly**, *adv.*
cir·cuit·ry [ˋsɝkɪtrɪ] *n.* Ⓤ ①電路圖。②電路系統。
***cir·cu·lar** [ˋsɝkjəlɚ] *adj.* ①圓的。②循環的; 環狀的; 巡迴的。③通告的。④間接的; 迂迴的。⑤傳閱的。— *n.* Ⓒ 傳單; 傳閱的文件。§ ∼ **létter** 傳閱的信件。∼ **sáw** 圓鋸。
***cir·cu·late** [ˋsɝkjəˌlet] *v.i.*①流通; 巡迴; (繞…)轉。②傳布; 分布。— *v.t.* 傳播; 使傳布。
cir·cu·lat·ing [ˋsɝkjəˌletɪŋ] *adj.* 循環的; 巡迴的。§ ∼ **cápital** 流動資金。∼ **décimal** 循環小數。∼ **líbrary** 巡迴圖書館。
***cir·cu·la·tion** [ˌsɝkjəˋleʃən] *n.* ①Ⓤ 流通; 傳布。② ⓊⒸ 循環。③(*sing.*)銷路; 發行量。④Ⓤ 通貨; 貨幣的流通。
cir·cu·la·tor [ˋsɝkjəˌletɚ] *n.* Ⓒ①(情報等的)傳布者; (尤指)到處散布謠言的人。②〖數〗循環小數。
cir·cu·la·to·ry [ˋsɝkjələˌtorɪ, -ˌtɔrɪ] *adj.* (尤指血液)循環的。
cir·cum·cise [ˋsɝkəmˌsaɪz] *v.t.*①〖宗〗爲…行割禮。②使淨心; 去邪念。
cir·cum·ci·sion [ˌsɝkəmˋsɪʒən] *n.* Ⓤ Ⓒ割禮; 割包皮。
***cir·cum·fer·ence** [sɚˋkʌmfərəns] *n.* Ⓒ圓周; 周圍。— **cir·cum·fer·en'tial**, *adj.*
cir·cum·flex [ˋsɝkəmˌflɛks] *adj.* 〖語音〗有音調符號的; (語調)抑揚的。— *v.t.* 加音調符號於(母音)。
cir·cum·lo·cu·tion [ˌsɝkəmloˋkjuʃən] *n.* Ⓒ 拐彎抹角說話。— **cir·cum·loc'u·to·ry**, *adj.* 間接的。
cir·cum·lu·nar [ˌsɝkəmˋlunɚ] *adj.* 繞行月球的。

cir·cum·nav·i·gate [ˌsɜkəm-ˋnævəˌget] *v.t.* 環遊。— **cir·cum·nav·i·ga′tion,** *n.*

cir·cum·scribe [ˌsɜkəmˋskraɪb] *v.t.*①劃界線；立界限；限制。②〖幾何〗畫(多邊形之)外接圓。

cir·cum·scrip·tion [ˌsɜkəm-ˋskrɪpʃən] *n.* Ⓤ限制；界限。

cir·cum·spect [ˋsɜkəmˌspɛkt] *adj.*愼重的；縝密周到的。— **cir·cum·spec′tion,** *n.*

cir·cum·stance** [ˋsɜkəmˌstæns] *n.*①(*pl.*)(行動或事件的)情形；情況。②Ⓤ(常*pl.*)現狀；環境。③(*pl.*)財力；境遇。④Ⓒ事件；意外的事。⑤Ⓤ細節；原委。⑥Ⓤ華飾；儀式。under*** [***in***] ***no*** **~*s***決不；無論如何都不…。***under***[***in***] ***the*** **~*s*** 在此情形之下。

cir·cum·stan·tial [ˌsɜkəm-ˋstænʃəl] *adj.* ①詳盡的。②依照情況的。~ evidence 情況[間接]證據。③不重要的；偶然的。

cir·cum·stan·ti·ate [ˌsɜkəm-ˋstænʃɪˌet] *v.t.* 詳細說明；證實。

cir·cum·vent [ˌsɜkəmˋvɛnt] *v.t.* ①阻遏。②勝過。③陷害；用計加以包圍。④繞行。— **cir·cum·ven′tion,** *n.*

***cir·cus** [ˋsɜkəs] *n.* Ⓒ①馬戲(團)。②〖俗〗有趣的人[物]。③歡樂的時光。④古羅馬之圓形競技場或其娛樂節目。

cir·rho·sis [sɪˋrosɪs] *n.* ⓊⒸ (*pl.* **-ses** [-siz])〖醫〗硬化；硬變。

cir·ro·cu·mu·lus [ˌsɪroˋkjumjələs] *n.* Ⓒ (*pl.* ~)〖氣象〗卷積雲。

cir·ro·stra·tus [ˌsɪroˋstretəs] *n.* Ⓒ (*pl.* ~)〖氣象〗卷層雲。

cir·rus [ˋsɪrəs] *n.* Ⓒ (*pl.* **cir·ri** [ˋsɪraɪ]) ①〖植〗卷鬚。②〖動〗觸毛。③ (*pl.* ~)〖氣象〗卷雲。

cis·sy [ˋsɪsɪ] *n.* Ⓒ〖美俚〗脂粉氣之男子。

cis·tern [ˋsɪstən] *n.* Ⓒ①水槽；貯水池。②〖解〗池。

cit·a·del [ˋsɪtədl] *n.* Ⓒ①(保衛城市之)城堡。②要塞。③避難處。

ci·ta·tion [saɪˋteʃən] *n.*① **a.** Ⓤ引證。**b.** Ⓒ引用文。②〖法律〗**a.** Ⓤ傳喚。**b.** Ⓒ傳票。③Ⓒ〖軍〗褒揚。④Ⓒ褒獎；獎狀。

***cite** [saɪt] *v.t.* ①引用；引證。②舉例。③召喚。④傳詢。⑤褒揚。

cit·i·fied [ˋsɪtɪˌfaɪd] *adj.*〖美〗有都市色彩的；都市化的(通常爲輕蔑語)。

cit·i·fy [ˋsɪtɪˌfaɪ] *v.t.*〖俗〗使都市化。

⁑**cit·i·zen** [ˋsɪtəzn̩] *n.* Ⓒ①市民。②公民；國民。③平民。④居民；棲息者。~ ***of the world*** 世界公民；四海爲家的人。§ ~**s bànd**〖美〗〖通訊〗市民波段；民用波段(專供私人無線電通訊使用的波段，略作 CB)。— **ly,** *adj.*

cit·i·zen·ry [ˋsɪtəzn̩rɪ] *n.* Ⓤ(集合稱)公民或市民。

cit·i·zen·ship [ˋsɪtəzn̩ˌʃɪp] *n.* Ⓤ①公民的身分。②公民的職責和權利。

cit·rate [ˋsɪtret] *n.* Ⓤ〖化〗檸檬酸鹽。

cit·ric [ˋsɪtrɪk] *adj.*取自檸檬的；檸檬的。§ ~ **ácid**〖化〗檸檬酸。

cit·rine [ˋsɪtrɪn] *adj.*似檸檬的；檸檬色的。— *n.* Ⓤ①檸檬色；淡黃色。②〖礦〗黃水晶。

cit·ron [ˋsɪtrən] *n.*①Ⓒ香橼(樹)。②Ⓤ香橼皮蜜餞。

cit·ron·el·la [ˌsɪtrəˋnɛlə] *n.* Ⓒ香茅。

cit·rus [ˋsɪtrəs] *n.* Ⓒ〖植〗柑橘屬植物。

⁑**cit·y** [ˋsɪtɪ] *n.* ①Ⓒ大城市；要鎭；都會。②(the ~)城市的全體居民。③(the C-)倫敦商業區。***fight*** **~** ***hall*** 〖美俗〗與官僚做無益的爭鬥。§ ~ **assèmbly** 市民大會。~ **cóuncilor** 市議員。~ **fáther** (1)〖美俗〗市議員。(2)市府官員；本市聞人。~ **háll** 市政府大廈；市府當局。~ **mánager** (由市議會所指派而非由人民公選之)管理市政者。~ **plán** [**plánning**] 都市計畫。~ **slícker** 打扮入時[油腔滑調]的人；都市人。

cit·y-state [ˋsɪtɪˋstet] *n.* Ⓒ (古希臘之)城邦。

civ·et [ˋsɪvɪt] *n.*①Ⓒ (亦作 **civet cat**)〖動〗麝貓。②Ⓤ麝貓香。

civ·ic [ˋsɪvɪk] *adj.*①城市的。②公民的；市民的。~ rights 公民權利。

civ·ics [ˋsɪvɪks] *n.* Ⓤ ①〖美〗公民(課程)。②市政學[論]。

***civ·il** [ˋsɪvl] *adj.* ①市民的；公民的。②國家的；政府的。③民事的。④文職的。⑤有禮貌的。⑥文明的。§ ~ **áction** 民事訴訟。~ **códe** 民法。~ **déath**〖法律〗褫奪公權終身。~ **defénse** 民防。~ **disobédience** 和平抵抗；不合作主義。~ **engineér** 土木工程師。~ **enginéering** 土木工程學。~ **láw** 民法。~ **líberty** 公民的言論和行動自由。~ **líst** (1)〖英〗皇室費。(2)政府人事費。~ **márriage** 公證結婚。~ **ríghts** 公民權。~ **sérvant** 文職公務員。~ **sérvice** 公職；文官制度。~ **wár** (1)內戰。(2)(the C- W-)(美國的)南北戰爭(1861-65)。~ **yéar** 公曆年(365天)。

ci·vil·ian [səˋvɪljən] *n.* Ⓒ 平民。— *adj.* 平民的。

ci·vil·i·ty [səˋvɪlətɪ] *n.* Ⓤ禮貌；慇懃。

***civ·i·li·za·tion** [ˌsɪvl̩əˋzeʃən,ˌsɪvl̩aɪˋzeʃən] *n.* ①ⓊⒸ文明；教化。②Ⓤ(集合稱)文明國家。③Ⓤ一種族或一國家的文化和生活方式。

***civ·i·lize** [ˋsɪvl̩ˌaɪz] *v.t.* ①使開化。②教導；使文雅。

civ·il·ly [ˋsɪvəlɪ] *adv.* ①謙恭地。②民法上。

***civ·i·lized** [ˋsɪvl̩ˌaɪzd] *adj.* ①文明(人)的；開化的。②有禮貌的；有教養的；高尙的。

clack [klæk] *n.* (a ~)①畢剝聲。②嘮叨。— *v.i.* ①發畢剝聲。②嘮叨。

clad [klæd] *v.* pt. & pp. of **clothe.**

⁑**claim** [klem] *v.t.* ①要求；請求。②聲言；主張。③需要。— *v.i.*①提出要求。②聲言；聲稱。— *n.* Ⓒ ①要求。②要求的權利。③所要求的東西。④使用者占有之公有土地。⑤保險等所請求之賠償。⑥聲言。***lay*** **~** ***to*** **a.**爭…之所有權。**b.**宣稱屬己。

claim·ant [ˋklemənt] *n.* Ⓒ請求者；申請者。

clair·voy·ance [klɛrˋvɔɪəns] *n.* Ⓤ①透視力；千里眼。②敏銳的洞察力。

clair·voy·ant [klɛrˋvɔɪənt] *adj.*①

透視的。②有敏銳的洞察力的。— *n.* Ⓒ有超人之洞察力的人。

clam [klæm] *n.* Ⓒ ①蛤；蚌；蚶。②〖美俗〗沈默寡言的人。③〖美俗〗銀幣；一元。— *v.i.* (-**mm**-)拾蛤；掘蛤。~ ***up***〖俚〗不講話；沈默。

clam·ber [ˋklæmbɚ] *v.i.* 攀爬；攀登。— *n.* (a ~)爬上；攀登。

clam·my [ˋklæmɪ] *adj.* 濕冷而黏的。

clam·or,**〖英〗**-our** [ˋklæmɚ] *n.* Ⓒ ①喧鬧。②大聲的要求或責難；輿論嘩然。— *v.i.* & *v.t.* 喧鬧；大聲的要求或責難。~ (*a person*) ***down 叱止(某人)說話。

clam·or·ous [ˋklæmərəs] *adj.* ①吵鬧的。②大聲疾呼的。— **ly,** *adv.*

clamp [klæmp] *n.* Ⓒ 鉗；夾子。— *v.t.* 用夾子夾住。~ ***down*** (***on***) 〖俗〗箝制；取締。

clamp·down [ˋklæmp,daʊn] *n.* Ⓒ 嚴禁。

clan [klæn] *n.* Ⓒ ①宗族；部落。②黨派；團體。③家族。

clan·des·tine [klænˋdɛstɪn] *adj.* 祕密的；暗中的。

clang [klæŋ] *n.* (a ~)①玎璫聲。②刺耳的喇叭聲。— *v.i.* & *v.t.* (使鐘、武器等)發玎璫聲。

clan·gor,〖英〗**-gour** [ˋklæŋgɚ] *n.* (a ~)①玎璫聲。②喧鬧聲。— *v.i.* 作玎璫聲。— **ous,** *adj.*

clank [klæŋk] *n.* (a ~)玎璫聲；磕隆磕隆(較clang聲為小)。— *v.i.* 玎璫作響。

clan·nish [ˋklænɪʃ] *adj.* ①氏族的；宗親的。②排他的。

clans·man [ˋklænzmən] *n.* Ⓒ (*pl.* **-men**)同宗；族人。

clap**[1] [klæp] *n.* ①Ⓒ突然的轟聲(如雷鳴)。② (a ~) 拍手聲；擊掌聲；碰撞聲。③ (a ~) 一擊；一拍。— *v.t.* (**-pp-**) ①鼓(掌)；拍(手)。②輕拍。③急置；急為。④使(面對面地)碰在一起。— *v.i.* ①擊；拍。②鼓掌。~ ***eyes on 注視；看。

clap[2] *n.* (the ~)〖俚〗淋病。

clap·board [ˋklæbɚd] *n.* Ⓤ Ⓒ 護牆板。

clap·per [ˋklæpɚ] *n.* Ⓒ ①鼓掌者。②鐘或鈴之擊錘。③〖俚〗舌。④(常*pl.*)響板。***like the ~s*** 很快地；拚命地。

clap·trap [ˋklæp,træp] *n.* Ⓤ 為引人注意或喝采的噱頭。

claque [klæk]〖法〗*n.* Ⓒ ①(受雇於戲院中)喝采者。②諂媚者；奉承者。

clar·et [ˋklærət] *n.* ① Ⓤ Ⓒ 紅葡萄酒。② Ⓤ 紫紅色。— *adj.* 紫紅色的。

clar·i·fi·er [ˋklærə,faɪɚ] *n.* Ⓒ ①淨化物；淨化器。②澄清劑。

clar·i·fy [ˋklærə,faɪ] *v.t.* ①使清淨；使澄清。②使明瞭；解釋。— *v.i.* ①澄清。②明瞭。— **clar·i·fi·caˊtion,** *n.*

clar·i·net [,klærəˋnɛt] *n.* Ⓒ 豎笛。

clar·i·on [ˋklærɪən] *n.* Ⓒ ①尖音小號。②〖詩〗尖音小號所發出之聲音。— *adj.* 響亮清澈的。

clar·i·ty [ˋklærətɪ] *n.* Ⓤ 明晰；透明。

***clash** [klæʃ] *n.* ①(a ~)撞擊聲(如刀劍鏗然聲)。② Ⓒ 衝突。③ Ⓒ 戰鬥。— *v.i.* & *v.t.* ①發撞擊聲。②衝突。③相撞；相遇。

***clasp** [klæsp] *n.* Ⓒ ①釦；鉤。②緊握；緊抱。— *v.t.* & *v.i.* ①緊抱；緊握。②用釦或鉤搭住。§ ~ **knìfe** 摺疊式小刀。

‡**class** [klæs, klɑs] *n.* ①Ⓒ種類；類別。② Ⓒ 班；級。③ Ⓤ Ⓒ 上課；上課時間；講授和講習之科目。④Ⓒ階級。⑤ Ⓒ 等級。⑥ Ⓒ 綱(動植物的分類)。⑦ Ⓒ同班的學生們；同期兵。⑧ Ⓤ〖俚〗優秀；卓越；風度。⑨Ⓒ教室。***the ~es*** 上流的人士。— *v.t.* ①分等級；分類。②將…分班或編級。§ ~ **cónsciousness** 階級意識。~ **dày**〖美〗畢業紀念日。~ **strúggle** [**wár**] 階級鬥爭。

clas·sic** [ˋklæsɪk] *adj.* ①第一等的；最高等的；典雅的。②古希臘、羅馬(文藝)的。③古典的。④在文學與歷史方面著名的。⑤傳統的；典型的。— *n.* Ⓒ ①第一流的文藝作家或著作。②有代表性之物。③〖俚〗傳統式樣的女裝。④傳統的(又有名的)儀式。⑤〖古〗= **classicist.** ***the Chinese ~s 四書五經；中國經書。***the ~s*** 古希臘、羅馬的文學；古典文學。§ **the ~ ráces**〖賽馬〗傳統賽馬(如英國的五大賽馬)。

***clas·si·cal** [ˋklæsɪkḷ] *adj.* ①第一等的。②精通古代典籍的。③正統的；標準的。④古典的；典雅的。~ school 古典派。§ ~ **árchitecture** 古典建築。~ **músic** 古典音樂。— **ly,** *adv.*

clas·si·cism [ˋklæsə,sɪzəm] *n.* Ⓤ ①古典主義。②擬古主義。

clas·si·cist [ˋklæsəsɪst] *n.* Ⓒ 古典學者；古典主義者。

***clas·si·fi·ca·tion** [,klæsəfəˋkeʃən] *n.* Ⓤ Ⓒ 分類。

clas·si·fied [ˋklæsə,faɪd] *adj.* ①分類的。②〖俗〗機密的。§ ~ **ád** [**advertísement**] 分類廣告。

***clas·si·fy** [ˋklæsə,faɪ] *v.t.* ①把…分類；列等。②〖美政府，軍〗將(文件等)列入機密類。

class·less [ˋklæslɪs] *adj.* ①無階級差別的。②不屬於任何階級的。

‡**class·mate** [ˋklæs,met, ˋklɑs,met] *n.* Ⓒ 同班同學。

‡**class·room** [ˋklæs,rum] *n.* Ⓒ 教室。

class·y [ˋklæsɪ] *adj.*〖俚〗上等的；時髦的；典雅的；精美的。

***clat·ter** [ˋklætɚ] *n.* ① (a ~) 噼啪聲；嘩啦聲。② Ⓤ 喧囂聲。— *v.i.* & *v.t.* (使)噼啪或嘩啦作響。

***clause** [klɔz] *n.* Ⓒ ①〖文法〗子句。a noun ~ 名詞子句。②(法律、條約等的)條款。a saving ~ 保留條款；附條。

claus·tro·pho·bi·a [,klɔstrəˋfobɪə] *n.* Ⓤ〖醫〗幽閉恐懼症。

claus·tro·pho·bic [,klɔstrəˋfobɪk] *adj.* 幽閉恐懼症的。

clave [klev] *v.*〖古〗pt. of **cleave**[2].

clav·i·chord [ˋklævə,kɔrd] *n.* Ⓒ〖樂〗翼琴(為鋼琴之前身)。

clav·i·cle [ˋklævəkḷ] *n.* Ⓒ〖解〗鎖骨。

cla·vier *n.* Ⓒ〖樂〗① [ˋklævɪɚ, kləˋvɪr] 樂器的鍵盤。② [kləˋvɪr] 鍵盤樂器。

***claw** [klɔ] *n.* Ⓒ ①爪。②(龍蝦、蟹等

的)鉗; 鳌。③似爪之物。— *v.t.* 用爪撕[挖]。§ ∼ **hàmmer** 拔釘鎚。

‡**clay** [kle] *n.* Ⓤ ①黏土。②土; 泥。③〖聖經〗肉體; 人身。§ ∼ **pígeon** (1)陶土飛靶。(2)〖俚〗處於挨打地位的人。∼ **pípe** 陶製煙斗。— **ey** [ˋkleɪ], *adj.*

‡**clean** [klin] *adj.* ①清潔的。②清白的。③愛乾淨的。④適於食物用的。⑤勻稱的; 整齊的。⑥新的; 洗淨的。⑦完全的。⑧俐落的。⑨不挾雜物的。⑩不產生放射塵的。⑪(稿子等)無刪改而易讀的。a ∼ copy 一份謄清稿。*come* ∼ 〖俚〗全部招供。*keep the hands* ∼ 廉潔清正。*make a* ∼ *breast of* 徹底懺悔; 吐露一切詳情。— *adv.* ①乾淨地。②完全地; 整個地。③技巧地; 熟練地。— *v.t.* 使清潔; 使乾淨。— *v.i.* 打掃; 除污〔up〕. ∼ *out* **a.** 清除。**b.** 用完; 用盡。**c.**〖俗〗將(不良分子)趕出。**d.**〖俚〗使一文不名。**e.** 將…清場。∼ *up* **a.** 使潔淨。**b.** 做完; 整理。**c.** 賺錢; 獲利。**d.** 肅清不法分子。§ ∼ **róom** (製造精密零件工廠等的)無塵室; (醫院的)無菌室。∼ **shéet** [**sláte**] 無污點的經歷。— **ness**, *n.*

clean-cut [ˋklinˋkʌt] *adj.* ①輪廓鮮明的。②形狀美好的。③清晰的。

clean·er [ˋklinɚ] *n.* Ⓒ ①清潔工。②(常 *pl.*)乾洗店。③清潔劑。④吸塵器。

***clean·ing** [ˋklinɪŋ] *n.* ①Ⓤ 洗濯; 掃除。②Ⓒ〖俗〗(投資等的)大損失。

clean-limbed [ˋklinˋlɪmd] *adj.* 四肢勻稱的; 姿勢優美的。

***clean·ly** [ˋklɛnlɪ] *adj.* ①清潔的。②愛乾淨的。—[ˋklinlɪ] *adv.* 清潔地; 俐落地。— **clean′li·ness**, *n.*

***cleanse** [klɛnz] *v.t.* 使清潔; 使純潔。

cleans·er [ˋklɛnzɚ] *n.* ①ⓊⒸ 清潔劑。②Ⓒ 洗滌者。

clean-shav·en [ˋklinˋʃevn̩] *adj.* 刮光鬍鬚的。

clean-up [ˋklin͵ʌp] *n.* Ⓒ ①清掃; 清潔。②〖俚〗賺錢(尤指暴利)。

‡**clear** [klɪr] *adj.* ①晴朗無雲的; 清亮的。②透明的。③白皙的。④嘹亮的。⑤清晰的; 明確的。⑥確信的; 無疑的。⑦無障礙的; 一覽無餘的。⑧暢通無阻的。⑨清白的; 無罪的; 無瑕疵的。⑩淨利的; 淨得的。a ∼ profit 淨利。⑪無限制的; 全然的。*keep* ∼ *of* 避開; 躲開。— *adv.* ①完全地。②不含糊地; 乾淨俐落地。— *v.t.* ①使乾淨。②移去; 去除。③越過; 跳過。④宣告…無罪; 證明…無罪。⑤除卻疑慮。⑥逐退; 掃蕩; 除去。⑦淨得; 獲得純利。⑧使(船)辦理出港手續。⑨交換清算(票據)。— *v.i.* ①放晴; 雲霧消散。②出港; 啓碇。③交換; 清算。④逃走。⑤明白。∼ *away* **a.** 消釋。**b.** 清除。**c.** 消散。∼ *off* **a.** 清除; 掃除。**b.** 償清。**c.** 放晴; 雲霧消散。**d.** 售清。**e.** 離開; 逃走。∼ *out* **a.** 售清。**b.** 離開。**c.** 掃除; 清除。**d.** 使囊空如洗。**e.** 趕走。∼ *up* **a.** 轉晴; 放晴。**b.** 使明瞭; 解釋。**c.** 打掃; 掃除。— *n.* Ⓒ ①空隙; 空間。②內部之長寬深。*in the* ∼ **a.** 內部之長寬深。**b.** 自由的。**c.** (通訊)用明碼的。**d.** 無罪的。— **ness**, *n.*

cléar-áir túrbulence [ˋklɪrˋɛr ∼] *n.* Ⓤ 晴空亂流。(略作 CAT)

clear·ance [ˋklɪrəns] *n.* ①ⓊⒸ 距離; 間隔。②ⓊⒸ 清除。a ∼ sale 減價清售存貨。③=**clearance papers.** ④Ⓒ 純益; 淨利。⑤Ⓤ 支票或期票的交換。⑥Ⓤ 森林之開墾。§ ∼ **pàpers** 出[入]港單(證明船隻通關手續已清)。

clear-cut [ˋklɪrˋkʌt] *adj.* ①輪廓分明的。②清晰的; 明確的。

clear·head·ed [ˋklɪrˋhɛdɪd] *adj.* 頭腦清楚的; 聰明的。

clear·ing [ˋklɪrɪŋ] *n.* ①Ⓒ 開墾的土地。②Ⓤ 銀行之票據交換。③(*pl.*)票據交換額。④Ⓤ 清除; 掃除。§ ∼ **hòuse** 票據交換所。

***clear·ly** [ˋklɪrlɪ] *adv.* ①明亮地; 清澄地。②明確地。③顯然地; 無疑地。

clear-sight·ed [ˋklɪrˋsaɪtɪd] *adj.* 眼光銳利的; 聰明的。

cleat [klit] *n.* Ⓒ ①楔; 栓。②〖海〗繫索栓。③〖電〗磁夾板。— *v.t.* ①栓住。②加栓於。

cleav·age [ˋklivɪdʒ] *n.* ①Ⓤ 劈開; 分裂。②Ⓒ 劈開處。③Ⓒ (政黨的)分裂。④Ⓤ〖生物〗(受精卵的)分裂。

cleave[1] [kliv] *v.t.* (**cleft** or **cleaved** or **clove, cleft** or **cleaved** or **cloven**) ①割開; 劈開; 分開。②穿過。③劈通; 打通。④砍下。⑤使分裂。— *v.i.* 分裂; 裂開。

cleave[2] *v.i.* (∼**d** or〖古〗**clave**, ∼**d**) 忠於; 固守〔to〕.

cleav·er [ˋklivɚ] *n.* Ⓒ ①屠刀。②切割者。

clef [klɛf] *n.* Ⓒ〖樂〗譜號。

cleft[1] [klɛft] *v.* pt. & pp. of **cleave**[1].

cleft[2] *n.* Ⓒ 裂縫; 裂口。— *adj.* 裂開的; 劈開的。*be in a* ∼ *stick* 進退維谷。§ ∼ **líp** 兔脣。

clem·a·tis [ˋklɛmətɪs] *n.* Ⓤ〖植〗女萎; 鐵線蓮。

clem·en·cy [ˋklɛmənsɪ] *n.* Ⓤ ①仁慈。②(氣候的)溫和。③和藹。

Clem·ens [ˋklɛmənz] *n.* 克雷門斯 (Samuel Langhorne, 1835-1910, 筆名 Mark Twain, 美幽默小說家)。

clem·ent [ˋklɛmənt] *adj.* ①仁慈的。②(氣候)溫和的。

clench [klɛntʃ] *v.t.* ①緊握; 咬緊。②牢牢抓住。③確定。— *v.i.* 握緊。— *n.* (a ∼) ①牢牢抓住。②釘緊。

Cle·o·pa·tra [͵kliəˋpetrə] *n.* 克麗歐佩脫拉(69-30 B.C., 古埃及女王, 51-49 B.C. 及 48-30B.C. 統治埃及)。

***cler·gy** [ˋklɝdʒɪ] *n.* (the ∼, 集合稱) 僧侶; 牧師。

***cler·gy·man** [ˋklɝdʒɪmən] *n.* Ⓒ (*pl.* **-men**) 牧師; 教士。

cler·ic [ˋklɛrɪk] *n.* Ⓒ 牧師; 傳教士。— *adj.* 牧師的。

cler·i·cal [ˋklɛrɪkl̩] *adj.* ①書記的; 抄寫員的。②牧師的。

***clerk** [klɝk] *n.* Ⓒ ①售貨員; 店員。②(政府機關的)書記。③辦事員。④〖古〗神職人員。— *v.i.* 做 clerk 的工作。

‡**clev·er** [ˋklɛvɚ] *adj.* ①聰明的。②巧妙的。③擅長的。be ∼ at 擅長…。④身手靈活的。— **ly**, *adv.* — **ness**, *n.*

clew [klu] *n.* Ⓒ ①(解決問題的)線索。

②線團；繩團。③帆的下角。— *v.t.*①拉 clew 張[收]帆。②將…纏成線團。

cli·ché [kli`ʃe]〖法〗*n.* Ⓒ 陳腔濫調。

***click** [klɪk] *n.* Ⓒ ①克啦聲；滴答聲。②掣子。— *v.i.*①作滴答聲。②〖俚〗情形良好；成功。③〖俗〗**a.**合得來。**b.**變爲清晰的。— *v.t.* 使克啦作響。

***cli·ent** [`klaɪənt] *n.* Ⓒ ①委託律師訴訟之當事人。②顧客。③〖電算〗顧客工作站；客戶端。

cli·en·tele [,klaɪən`tɛl] *n.* Ⓤ (集合稱) 顧客；常客。

***cliff** [klɪf] *n.* Ⓒ 懸崖；絕壁。§ ∼ **dwèller** ⑴懸岩洞人。⑵〖美俗〗大城市中公寓居民；都市居民。

cliff-hang·er [`klɪf,hæŋɚ] *n.* Ⓒ〖俗〗①緊張懸疑的連續劇[電影]。②扣人心弦的緊張比賽；到最後才能知道結果的競爭[比賽]。(亦作 **cliffhanger**)

cliff-hang·ing [`klɪf,hæŋɪŋ] *adj.* 緊張懸宕的；勝負難分的；扣人心弦的。

cli·mac·ter·ic [klaɪ`mæktərɪk] *n.* Ⓒ ①更年期。②任何緊要時期。— *adj.* ①更年期的。②重要時期的。

cli·mac·tic, -ti·cal [klaɪ`mæktɪk(l̩)] *adj.* 頂點的；極點的；高潮的。

***cli·mate** [`klaɪmɪt] *n.*① Ⓤ Ⓒ 氣候。tropical ∼ 熱帶性氣候。② Ⓒ 特殊氣候的地區。③ Ⓒ (某地域的) 風土；(某時代的) 思潮。

cli·mat·ic [klaɪ`mætɪk] *adj.* 氣候(上)的。

cli·ma·tol·o·gy [,klaɪmə`tɑlədʒɪ] *n.* Ⓤ 氣候學；風土學。

***cli·max** [`klaɪmæks] *n.* ① Ⓒ 頂點；極點。② Ⓤ〖修辭〗漸進法。③ Ⓒ 高潮。— *v.t.* & *v.i.*(使) 達頂點。

‡**climb** [klaɪm] *v.t.* & *v.i.*① 攀登。② 攀緣。∼ ***down*** **a.** 攀緣而下。**b.**放棄自己的地位；自認錯誤；屈服。— *n.* Ⓒ (常 *sing.*)①攀登。②攀登的地方。

climb·er [`klaɪmɚ] *n.* Ⓒ ①登山者。②攀緣植物。③力求上進的人；有野心者。④=**climbing irons.**

climb·ing [`klaɪmɪŋ] *adj.* 攀緣而上的；上升的。— *n.* Ⓤ 攀登。§ ∼ **ìrons** (登山用) 鐵爪器；鞋底釘。∼ **pàrty** 登山隊。∼ **pérch** [**físh**]〖魚〗攀木魚。∼ **ròse**〖植〗攀緣薔薇。

clime [klaɪm] *n.* Ⓒ〖詩〗① 氣候。②(常 *pl.*) 地方；地域。

clinch [klɪntʃ] *v.t.* ①敲彎(釘頭等)使釘牢。②釘牢(東西)。③確定。— *v.i.* ①敲彎釘頭。②揪扭；扭住。③熱烈擁抱。— *n.* ① Ⓒ 釘牢。②(a ∼)(拳擊手等的) 揪扭；扭住。③ Ⓒ 釘牢的釘。④ Ⓒ〖海〗一種繩結。

clinch·er [`klɪntʃɚ] *n.* Ⓒ ①敲平或敲彎釘頭之人[工具]。②決定性之言辭。

***cling** [klɪŋ] *v.i.* (**clung**) ①黏著；固守；堅持。∼ to a hope 抱著希望。②靠近；依附〔to〕。③緊握；擁抱。

cling·film [`klɪŋ,fɪlm] *n.* Ⓤ〖英〗保鮮膜；保潔膜。

cling·stone [`klɪŋ,ston] *adj.*果肉緊貼於核的。— *n.* Ⓒ ①(果肉緊貼於核之) 桃或梅子。②此種桃[梅]核。

***clin·ic** [`klɪnɪk] *n.* Ⓒ ①診所；專門醫院。a dental ∼ 齒科診所。②臨床的講習(班)。③諮詢處。

clin·i·cal [`klɪnɪk!] *adj.*臨床的。§ ∼ **díary** 病床日誌。∼ **médicine** [**pathólogy**] 臨床醫學 [病理學]。∼ **thermómeter** 體溫計。

cli·ni·cian [klɪ`nɪʃən] *n.* Ⓒ 臨床醫生。

clink [klɪŋk] *n.* ① (a ∼) 玎璫聲。② (the∼)〖俗〗監獄。— *v.i.* & *v.t.*玎璫作響。

clink·er [`klɪŋkɚ] *n.* Ⓤ Ⓒ 熔滓；鐵渣；熔岩。

clink·er-built [`klɪŋkɚ,bɪlt] *adj.* 以重疊之木板造成的；鱗狀搭造的(指木船言)。

Clin·ton [`klɪntən] *n.* 柯林頓(William J. (Bill), 1946-, 美國第四十二位總統)。

***clip**[1] [klɪp] *v.t.* (**clipped, clipped** or **clipt** [klɪpt], **clip·ping**) ① 剪；剪短；修剪…之毛。②〖俗〗用力一擊。③(在發音中)省略(尾音)。④削減；縮短。— *v.i.* ①剪掉；撕掉。②〖俗〗迅速行動。③剪報。— *n.* ① Ⓒ 修剪。② Ⓒ 一次剪下之羊毛。③(a ∼)〖俗〗迅速行動。④ Ⓒ〖俗〗重擊。§ ∼ **jòint**〖俚〗欺騙顧客或敲竹槓的公共娛樂場所。

clip[2] *v.t.* & *v.i.* (**-pp-**) 緊握；夾住。— *n.* Ⓒ ①夾子。②〖軍〗彈夾。

clip·board [`klɪp,bord] *n.* Ⓒ〖美〗附紙夾的寫字板。

clip-clop [`klɪp,klɑp] *n.* (a ∼) (馬蹄等的) 啪噠啪噠聲；(類似蹄聲之) 有節奏的脚步聲。— *v.i.* (**-pp-**) 啪噠啪噠地跑；發出啪噠啪噠聲。

clipped [klɪpt] *adj.*省略一部份的；發音短促而清脆的。§ ∼ **wórd**〖語言〗省略詞(例 ad, gent)。

clip·per [`klɪpɚ] *n.* ① Ⓒ 修剪者。② (*pl.*) 剪刀；剪毛器。③ Ⓒ 快船；快馬；大型客機。④ Ⓒ〖俗〗第一流的人或物。§ ∼ **shìp** 快速帆船。

clip·ping [`klɪpɪŋ] *n.* ① Ⓤ 修剪。② Ⓒ (報紙、雜誌等的) 剪報。③ Ⓒ 剪下的東西。

clique [klik] *n.* Ⓒ 朋黨；派系。— *v.i.*〖俗〗結成派系。

clo·a·ca [klo`ekə] *n.* Ⓒ (*pl.* **-cae** [-si]) ①〖動〗排泄腔。②下水道；暗溝。③廁所。

***cloak** [klok] *n.* Ⓒ ①外衣；斗篷。②藉口。— *v.t.* ①用外衣遮蔽。②掩飾；隱匿。

cloak-and-dag·ger [`klokən-`dægɚ] *adj.* 有關陰謀[間諜]活動的(電影、事件等)。

***cloak·room** [`klok,rum] *n.* Ⓒ ①衣帽間。②(車站中之) 寄物處。③〖英〗盥洗室。

clob·ber[1] [`klɑbɚ] *v.t.*①毆打。②使慘敗。

clob·ber[2]〖俚〗*n.* Ⓤ (集合稱) 衣服。

cloche [kloʃ] *n.* Ⓒ ①〖園藝〗鐘形玻璃罩。②吊鐘形女帽。

‡**clock** [klɑk] *n.* Ⓒ 時鐘；時計。***around the*** ∼ 二十四小時連續地。— *v.t.* 爲…計時。— *v.i.* 僅見於下列成語中。∼ ***in*** 上班打卡。∼ ***out*** 下班打卡。§ ∼ **wàtch** 報時錶；自鳴錶。∼ **wàtcher** 作事不起勁，老盼望下班的人。

clock·wise [`klɑk,waɪz] *adv.* & *adj.*

順時針移動方向地[的]；右轉地[的]。
clock·work [ˋklɑk,wɝk] *n.* Ⓤ 鐘錶的機械；發條裝置。*like* ～ 規律地；順利地。
clod [klɑd] *n.* Ⓒ ①土塊；泥塊。②傻瓜；老粗。
clog [klɑg] *n.* Ⓒ ①木屐；木底鞋。②木屐舞。 ③障礙(物)。 —— *v.i.* & *v.t.* (**-gg-**) ①妨礙；阻礙。②塞住。
cloi·son·né [,klɔɪzəˋne]〖法〗*adj.* 景泰藍製的。—— *n.* Ⓤ 景泰藍(磁器)。
clois·ter [ˋklɔɪstɚ] *n.* Ⓒ 修道院；寺院。—— *v.t.* 幽閉於修道院中；隱遁。
clois·tral [ˋklɔɪstrəl] *adj.* ①修道院的。②遁世的；隱居的。
clomp [klɑmp] *v.i.* 重踏著走。
clon(e) [klon] *n.* Ⓒ〖生物〗由無性生殖方式繁殖的生物。
clon·ing [ˋklonɪŋ] *n.* Ⓤ 無性繁殖。
‡**close**[1] [kloz] *v.t.* ①關；閉。②靠緊。③結束。④使閉塞。⑤辦妥。⑥關店打烊。⑦〖海〗靠近。—— *v.i.* ①關閉。②完畢。③圍集；圍困〔about, round〕。④格鬥；扭住互毆〔with〕。⑤同意；和解〔on, upon, with〕。⑥接近；靠近。⑦〖股票〗收盤。～ *about* 包圍。～ *down* [*up*] **a.** 關閉。**b.** 停止做生意。～ *in* (白天)漸漸變短。～ *in on* [*upon*] 圍住；迫近。～ *on* [*upon*] 遮蔽。～ *out* **a.** 賣完(底貨)；出清。**b.** 減價以求脫手。**c.** 結束買賣。～ *with* **a.** 與…達成協議。**b.** 與…搏鬥。—— *n.* Ⓒ (常*sing.*)完畢；終了。
‡**close**[2] [klos] *adj.* ①接近的；密接的。②密閉的；狹窄的。③緊密的。④親近的；親密的。⑤準確的；正確的。⑥徹底的；嚴謹的；密切的。⑦欠缺新鮮空氣的。⑧難以呼吸的；窒息的。⑨不喜多言的。⑩祕密的；隱藏的。⑪吝嗇的。⑫勢均力敵的；幾乎相當的。⑬嚴密的；精細的。⑭不公開的。⑮〖語音〗閉塞音的。*keep oneself* ～ 與人不相往來。—— *adv.* 接近地；緊密地；嚴密地。*lie* ～ 密藏著。*press a man* ～ 緊逼某人。§ ≃ **cáll** [**sháve**]〖美俗〗千鈞一髮的險境。≃ **corporátion**〖美〗股份不公開的公司。≃ **séason**〖英〗禁獵期。≃ **shòt**〖影〗特寫鏡頭。≃ **thíng** 千鈞一髮。≃ **vówel** 閉母音([i, u]等)。
— **ness**, *n.*
close-at-hand [ˋklosətˋhænd] *adj.* 在附近的；即將來臨的。
close-by [ˋklosˋbaɪ] *adj.* 附[臨]近的。
close-cropped [ˋklosˋkrɑpt] *adj.* 剪的短短的(頭髮、草等)。(亦作**close-cut**)
***closed** [klozd] *adj.* ①關閉的。*with* ～ *door* 禁止旁聽。②休業的。③〖語音〗(音節之)以子音爲結尾的。
clósed-cir·cuit télevision [ˋklozd,sɝkɪt ～] *n.* Ⓤ 閉路[有線]電視(略作 CCTV).
close·fist·ed [ˋklosˋfɪstɪd] *adj.* 吝嗇的。
close-fit·ting [ˋklosˋfɪtɪŋ] *adj.* 緊身的。
close-grained [ˋklosˋgrend] *adj.* 木紋細緻的；密實的。
close-hauled [ˋklosˋhɔld] *adj.*〖海〗張滿帆的；迎風航行的。
close-knit [ˋklosˋnɪt] *adj.* 組織嚴密的。
close-lipped [ˋklosˋlɪpt] *adj.* 閉口不說的；沈默的。
***close·ly** [ˋkloslɪ] *adv.* ①接近地。②緊密地。③親密地。
close·mouthed [ˋklosˋmaʊðd] *adj.* 閉口不言的；緘默的。
***clos·et** [ˋklɑzɪt] *n.* Ⓒ ①小櫥；小房間。②祕密研究或會客之小室。—— *v.t.* 關在私室中作密談。*be* ～*ed with* 與…密談。§ ≃ **dràma** [**plày**] 僅供閱讀的劇本。≃ **quèen** [**quèer, homosèxual**] 祕密同性戀者。
close-up [ˋklos,ʌp] *n.* Ⓒ ①〖影〗特寫。②詳細的觀察。
clos·ing [ˋklozɪŋ] *n.* ⓊⒸ & *adj.* 閉鎖(的)；終止(的)。§ ≃ **addrèss** 閉幕辭。≃ **prìce** [**quotàtion**]〖股票〗收盤價格。≃ **tìme** 打烊[下班]時間。
clo·sure [ˋkloʒɚ] *n.* ① ⓊⒸ 封閉；封鎖。② Ⓒ 封閉物。③ ⓊⒸ 終止。④ Ⓒ 終止討論以付諸表決之方法。
clot [klɑt] *n.* Ⓒ ①凝塊。②一小群。—— *v.i.* & *v.t.* (**-tt-**) (使)凝結。
‡**cloth** [klɔθ] *n.* (*pl.* **cloths** [klɔðz, klɔθs]) ① Ⓤ 布。② Ⓒ 特種用途的布(如：tablecloth 桌布等)。*lay the* ～ 鋪桌布準備開飯。*the* ～ 教士(職)。§ ≃ **bìnding** 布面精裝本。≃ **càp**〖英〗獵帽；鴨舌帽。≃ **mèasure** 布尺。≃ **yàrd** (衣料的)一碼(＝3 呎)。
***clothe** [kloð] *v.t.* (**clothed** or〖古〗**clad**) ①著(衣)。②供以衣著。③覆蓋。
‡**clothes** [kloz, kloðz] *n. pl.* (集合稱) ①衣服。②被褥。§ ≃ **bàsket** 置放髒衣服的籃子。≃ **drỳer** [**drìer**] 烘衣機。≃ **hànger** 衣架。≃ **mòth** 蠹蟲；蠹魚子。≃ **trèe**〖美〗衣帽架。
clothes·bag [ˋkloz,bæg] *n.* Ⓒ 裝換洗衣物的袋子。
clothes·horse [ˋkloz,hɔrs] *n.* Ⓒ 曬衣架。
clothes·line [ˋkloz,laɪn] *n.* Ⓒ 曬衣繩。
clothes-peg [ˋkloz,pɛg] *n.*〖英〗＝**clothespin.**
clothes·pin [ˋkloz,pɪn] *n.* Ⓒ 曬衣繩上夾衣服的夾子。
cloth·ier [ˋkloðjɚ] *n.* Ⓒ ①製或賣衣服的人。②(織)布商。
‡**cloth·ing** [ˋkloðɪŋ] *n.* Ⓤ (集合稱)衣服。
clo·ture [ˋklotʃɚ] *n.* ＝**closure.**
‡**cloud** [klaʊd] *n.* ① ⓊⒸ 雲。② Ⓒ 雲狀物。③ Ⓒ 大群。*a* ～ *of birds in flight* 成群的飛鳥。④ Ⓒ 使暗晦的事物。⑤(*pl.*)天空。⑥ Ⓒ 汚點。*have one's head in the* ～*s* **a.** 陷入幻想。**b.** 非現實的。*under a* ～ **a.** 受到懷疑。**b.** 失體面。—— *v.t.* & *v.i.* ①被雲遮蔽。②變陰沉；陰鬱。§ ≃ **càstle** 空中樓閣；幻想。≃ **chàmber**〖理〗雲室。≃ **drìft** 浮雲；流雲。≃ **níne**〖俚〗狂喜；無比幸福之狀態。≃ **ràck** 浮雲；流雲。≃ **sèeding** 種雲；雲催化。
cloud·burst [ˋklaʊd,bɝst] *n.* Ⓒ 驟雨；豪雨。
cloud-capped [ˋklaʊd,kæpt] *adj.* 聳入雲霄的。
cloud·land [ˋklaʊd,lænd] *n.* Ⓤ Ⓒ 仙境；神祕之國；夢幻世界。

C

cloud·less [ˋklaudlɪs] *adj.* 無雲的；晴朗的。

‡**cloud·y** [ˋklaudɪ] *adj.*①有雲的；多雲的。②如雲的；雲的。③不明朗的；朦朧的。④有斑紋的。— **cloud′i·ness,** *n.*

clout [klaut] *n.* ① Ⓒ〖俗〗敲；打。② Ⓤ 權力；影響力。③ Ⓒ〖棒球，俚〗長打。④ Ⓤ (尤指政治方面的)影響；力量；門路。— *v.t.*敲；打。

clove[1] [klov] *v.* pt. of **cleave**[1].

clove[2] *n.* Ⓒ〖植〗①丁香。②丁香花苞。③鱗莖；珠芽。§ ∼ **hìtch**〖海〗卷結(一種結繩法)。

clo·ven [ˋklovən] *v.* pp. of **cleave**[1]. — *adj.*① 分裂的。② 偶蹄的。*show the ∼ hoof* (魔鬼)顯現本性；現原形；露出馬腳。§ ∼ **hóof** (1)偶蹄。(2)撒旦或邪惡誘惑的象徵。

clo·ven-foot·ed [ˋklovənˋfutɪd] *adj.* ①分趾蹄的。②似惡魔的。

clo·ven-hoofed [ˋklovənˋhuft] *adj.*=**cloven-footed.**

***clo·ver** [ˋklovɚ] *n.* ⓊⒸ ①〖植〗苜蓿。②苜蓿科之植物。*be* [*live*] *in* ∼生活逸樂奢華。

clo·ver·leaf [ˋklovɚˏlif] *n.* Ⓒ (*pl.* ∼**s, -leaves**)似四葉苜蓿的公路立體交叉點。

clown [klaun] *n.* Ⓒ ①丑角；小丑。② 粗魯笨拙而無知識的人。— *v.i.* 扮小丑。— **ish,** *adj.*

cloy [klɔɪ] *v.t.*①使過飽。②使因過多享樂而生厭。

cloy·ing [ˋklɔɪɪŋ] *adj.* 因過多而令人厭膩的。— **ly,** *adv.*

‡**club** [klʌb] *n.* Ⓒ ①棒；棍。②擊球棒。③會社；俱樂部。④會所。⑤印有黑梅花的紙牌。— *v.t.* (**-bb-**)用棒擊。§ ∼ **càr** 有沙發、牌桌、小餐館的火車廂。∼ **láw** 暴力政治；私刑法律。∼ **mòss**〖植〗石松。∼ **sàndwich** 總滙三明治。∼ **sòda** 蘇打水。∼ **stèak** 小牛排。

club·(b)a·ble [ˋklʌbəbl̩] *adj.*〖俗〗①好交際的。②適於爲俱樂部會員的。

club·foot [ˋklʌbˋfut] *n.* Ⓒ (*pl.* **-feet**) 畸形足。— **ed,** *adj.*

club·house [ˋklʌbˏhaus] *n.* Ⓒ 俱樂部的房屋；會所。

cluck[1] [klʌk] *n.* Ⓒ 咯咯聲。— *v.t. & v.i.* 以咯咯聲呼叫。

cluck[2] *n.* Ⓒ〖俚〗愚笨的人。

***clue** [klu] *n.* Ⓒ ①線索；端倪。②線團。

clump [klʌmp] *n.* Ⓒ ①草叢；樹叢。②塊；團。③(常*sing.*) 笨重的腳步聲。— *v.t. & v.i.*①(使)叢生；(使)結塊。②重踏著走。

***clum·sy** [ˋklʌmzɪ] *adj.* ①笨拙的。②樣子不好看的。— **clum′si·ly,** *adv.* — **clum′si·ness,** *n.*

***clung** [klʌŋ] *v.* pt. & pp. of **cling.**

clunk [klʌŋk] *n.* (a ∼) & *v.i.* 咚(金屬等的撞擊聲)。

clunk·er [ˋklʌŋkɚ] *n.* Ⓒ〖美俚〗爛機器；破車。

***clus·ter** [ˋklʌstɚ] *n.* Ⓒ 串；簇；束；叢；群；團。a ∼ of grapes 一串葡萄。— *v.i. & v.t.* 叢生；群聚。§ ∼ **bòmb** 子母炸彈(爆炸時再散出許多小炸彈)。∼ **còllege** (大學的)獨立[專科]學院。

***clutch** [klʌtʃ] *v.i.* 抓牢；抓緊〔常at〕. A drowning man will ∼ at a straw. 急不暇擇(將溺死之人連一根草也要去抓)。— *v.t.* 抓住；緊抱住。— *n.*① (a ∼)緊握；緊抓。② Ⓒ (常 *pl.*)掌握。③ Ⓒ〖機〗離合子；離合器。

clut·ter [ˋklʌtɚ] *v.t.*使散亂；使雜亂。— *n.*(a ∼)混亂；喧鬧；雜亂。

cm. centimeter(s). **CNN** Cable News Network. 有線新聞電視網。**Co**〖化〗cobalt. **Co., co.** company; county. **c.o., c／o** care of.由…轉；carried over. 轉下頁；轉入。

co-〖字首〗表「聯合；伴同」之義。

***coach** [kotʃ] *n.*① Ⓒ 轎式大馬車；轎式汽車。② Ⓒ 鐵路的客車廂。③ Ⓒ 教導；教練。④ Ⓒ 爲準備某種考試而聘的私人教師。⑤ Ⓒ 公共汽車。⑥ Ⓤ (飛機上之)二等艙。— *v.t.*①以coach載運。②教授；訓練。§ ∼ **dòg** 守護馬車之犬。

coach-and-four [ˋkotʃənˋfor] *n.* Ⓒ 四匹馬牽引的馬車。

coach·er [ˋkotʃɚ] *n.* Ⓒ ①教練；練習指導員。②拉車之馬。

coach·man [ˋkotʃmən] *n.* Ⓒ (*pl.* **-men**)馬車夫；車夫。

co·ad·ju·tor [koˋædʒətɚ] *n.* Ⓒ ①助手；夥伴。②副主教。

co·ag·u·lant [koˋægjələnt] *n.* Ⓤ Ⓒ 凝固[結]劑；促凝劑。

co·ag·u·late [koˋægjəˏlet] *v.t. & v.i.*(使)凝結。— **co·ag·u·la′tion,** *n.*

‡**coal** [kol] *n.*① Ⓤ 煤；煤炭。② Ⓒ 燃燒中或燒過的煤塊等。③ Ⓤ 焦炭。*call* [*haul, drag, rake, take*] *over the ∼s* 責罵。*carry ∼s to Newcastle* 多此一舉 (Newcastle 是產煤地)。*heap ∼s of fire on one's head* 以德報怨而使人慚愧。§ ∼ **bèd**(熔爐中之)置煤處；煤層。∼ **bùnker** 煤庫；煤倉。∼ **fìeld** 煤礦區；煤田。∼ **gàs** 煤氣。∼ **hèaver** 搬運煤炭之人；煤夫。∼ **mèasure(s)**〖地質〗炭層。∼ **mìne** 煤礦；煤礦坑。∼ **òil** 煤油；石油。∼ **pìt** (1)煤礦；煤礦坑。(2)〖美〗燒焦炭處。∼ **scùttle** 煤簍。∼ **tàr** 煤焦油。

coal-black [ˋkolˏblæk] *adj.* 深黑的。

co·a·lesce [ˏkoəˋlɛs] *v.i.* ①(斷骨)癒合。②聯合；合併。— **co·a·les′cence,** *n.* — **co·a·les′cent,** *adj.*

coal·face [ˋkolˏfes] *n.* Ⓒ ①因採礦而露出的煤面。②採煤之礦區。

cóal·ing stàtion [ˋkolɪŋ ∼] *n.* Ⓒ 船舶或火車之加煤站。

co·a·li·tion [ˏkoəˋlɪʃən] *n.*① Ⓤ 聯合；結合。② Ⓒ 聯盟。§ ∼ **cábinet** [**mínistry**] 聯合內閣。

***coarse** [kors, kɔrs] *adj.*①粗的；粗糙的。②質粗的。③普通的；劣等的。④粗魯的；粗俗的。— **ly,** *adv.*

coars·en [ˋkorsn̩] *v.t. & v.i.*(使)變粗糙[粗野，低俗]。

‡**coast** [kost] *n.* ① **a.** Ⓒ 海岸。**b.** (the ∼)沿岸地方。②(a ∼)溜下山；滑下坡。③ Ⓒ 坡。*the C-*〖美〗太平洋海岸。*The ∼ is clear.*無人阻礙；危險已過。— *v.i.*①沿海岸而行。②向下滑行。

③順利進展。§∼ **guàrd** (1)(C·G-)美國海岸巡邏隊。(2)以救生及緝私爲任務的任何組織。

coast·al [ˋkostl̩] *adj.* 海岸的；沿岸的。

coast·er [ˋkostɚ] *n.* Ⓒ ①沿岸貿易的船。②滑行橇。③=**roller coaster.** ④茶杯墊。⑤放酒瓶的盤子。§∼ **bràke**(腳踏車的)倒煞車。

coast·ing [ˋkostɪŋ] *n.* Ⓤ ①沿岸航行；沿海貿易。②海岸線(圖)。§∼ **tràde** 沿海貿易。

coast·line [ˋkost,laɪn] *n.* Ⓒ 海岸線。

coast-to-coast [ˋkostuˋkost] *adj.* 〖美〗從太平洋岸到大西洋岸的；全美的。a ∼ TV network 全美電視網。

‡**coat** [kot] *n.* Ⓒ ①外衣。②獸皮；獸毛；羽毛。③樹皮。∼ ***of arms*** 盾形徽章；盾徽；中古騎士甲胄外面的罩袍等。∼ ***of mail*** 甲胄。— *v.t.* ①披以外衣。②覆；蓋；塗。§∼ **càrd** 紙牌中繪有人像之牌。

coat·ed [ˋkotɪd] *adj.* ①著外衣的。②(紙)磨光的。③加一層化學塗料使不透水的。

co·a·ti [koˋɑtɪ] *n.* Ⓒ (*pl.* **∼, ∼s**)〖動〗長鼻浣熊。(亦作 **coati-mondi, coati-mundi**)

coat·ing [ˋkotɪŋ] *n.*① Ⓤ Ⓒ 被覆物；外層。② Ⓤ 衣料。

coat·tail [ˋkot,tel] *n.* Ⓒ (常 *pl.*)(燕尾禮服的)下襬。

co·au·thor [koˋɔθɚ] *n.* Ⓒ 合著者。

***coax** [koks] *v.t.* & *v.i.*①用巧言誘哄；甘言勸誘。②以巧言誘哄得到。③巧妙地做。

co·ax·i·al [koˋæksɪəl] *adj.* 同軸的。§∼ **cáble** 同軸電纜。

cob [kɑb] *n.* Ⓒ ①硬圓塊。②雄天鵝。③矮而肥的小馬。④〖美〗玉蜀黍穗軸。

co·balt [ˋkobɔlt] *n.* Ⓤ ①〖化〗鈷(金屬元素；符號爲 Co)。②由鈷製的深藍顏料。§∼ **blùe** 鈷藍。∼ **60** 鈷之放射性同位素；鈷60。

cob·ble[1] [ˋkɑbl̩] *n.* Ⓒ 圓石子。— *v.t.* 鋪以圓石子。

cob·ble[2] *v.t.*①補綴。②粗劣的修補。

cob·bler [ˋkɑblɚ] *n.* Ⓒ ①補鞋匠。②〖美〗一種水果餅。

cob·ble·stone [ˋkɑbl̩,ston] *n.* Ⓒ 圓石。

Co·bol, COBOL [ˋkobl̩] *n.* Ⓤ〖電算〗通用商業語言(爲 *C*ommon *B*usiness *O*riented *L*anguage 之略)。

co·bra [ˋkobrə] *n.* Ⓒ 眼鏡蛇；毒帽蛇。

cob·web [ˋkɑb,wɛb] *n.* Ⓒ ①蜘蛛網；(一條)蛛絲。②薄細如蛛網的東西。③陰謀；圈套；陷阱。

co·ca [ˋkokə] *n.*① Ⓒ〖植〗古柯(南美產的藥用植物)。② Ⓤ 古柯葉。

Co·ca-Co·la [,kokəˋkolə] *n.* Ⓤ Ⓒ〖商標〗可口可樂。

co·cain(e) [koˋken] *n.* Ⓤ 古柯鹼。

coc·cus [ˋkɑkəs] *n.* Ⓒ (*pl.* **-ci** [-saɪ]) ①〖植〗小乾果。②〖醫〗球菌。

coch·i·neal [,kɑtʃəˋnil] *n.* Ⓤ ①臙脂蟲。②洋紅。

cock**[1] [kɑk] *n.* Ⓒ ①公雞。②雄鳥。③首領。④龍頭；活栓。⑤槍的扳機。⑥翹起(鼻子)；斜翻(眼睛)；翻起(帽邊)。⑦風信雞。⑧〖俚〗陰莖(=penis)。∼ ***of the walk〖俗〗一群人中之領導人；老大；頭子。— *v.t.*①豎起；歪斜。②扣扳機準備發射。— *v.i.*①扣扳機。②顯著地站立或豎起。

cock[2] *n.* Ⓒ (乾草等之)錐形小堆。

cock·ade [kɑkˋed] *n.* Ⓒ 帽章。

cock-a-doo·dle-doo [ˋkɑkə,dudl̩ˋdu] *interj.* & *n.* Ⓒ 公雞啼聲。

cock-a-hoop [,kɑkəˋhup] *adj.* & *adv.*①自負的[地]。②彎斜的[地]。

cock-and-bull [ˋkɑkənˋbʊl] *adj.* 荒誕無稽的。a ∼ story 無稽之談。

cock·a·too [,kɑkəˋtu] *n.* Ⓒ (*pl.* **∼s**)〖鳥〗(澳洲等地產的)鳳頭鸚鵡。

cock·a·trice [ˋkɑkətrɪs] *n.* Ⓒ 傳說中的毒蛇(瞪視能致人於死)。

cock·crow [ˋkɑk,kro] *n.* Ⓤ 雞鳴時刻；黎明。(亦作 **cockcrowing**)

cock·er [ˋkɑkɚ] *n.* Ⓒ〖動〗一種短腿、長毛、大耳下垂的小獵犬。(亦作 **cocker spaniel**)

cock·er·el [ˋkɑkərəl] *n.* Ⓒ 小公雞。

cock·eyed [ˋkɑk,aɪd] *adj.*①斜眼的；鬥雞眼的。②〖俚〗歪斜的。

cock·fight [ˋkɑk,faɪt] *n.* Ⓒ 鬥雞。

cock·fight·ing [ˋkɑk,faɪtɪŋ] *n.* Ⓤ 鬥雞(遊戲)。***beat*** ∼非常有趣的。

cock·horse [ˋkɑkˋhɔrs] *n.* Ⓒ 玩具木馬。

cock·le [ˋkɑkl̩] *n.* Ⓒ ①〖貝〗海扇(殼)。②小舟。***warm the ∼s of one's heart*** 使某人振奮。

cock·le·shell [ˋkɑkl̩,ʃɛl] *n.* Ⓒ = **cockle.**

cock·ney [ˋkɑknɪ] *n.*① Ⓒ 倫敦人。② Ⓤ 倫敦腔。— *adj.*倫敦(人)的。(亦作 **Cockney**)

cock·pit [ˋkɑk,pɪt] *n.* Ⓒ ①駕駛員的座艙。②鬥雞場。③屢經戰役的戰場。

cock·roach [ˋkɑk,rotʃ] *n.* Ⓒ 蟑螂。

cocks·comb [ˋkɑks,kom] *n.* Ⓒ ①(公雞的)雞冠。②〖植〗雞冠花。

cock·sure [ˋkɑkˋʃʊr] *adj.*①絕對可靠的；必定的。②過於自信的。

***cock·tail** [ˋkɑk,tel] *n.* Ⓤ Ⓒ ①雞尾酒。a ∼ party 雞尾酒會。②開胃的食品。③混合水果；以濃烈之醬調製的貝類食物。§∼ **lòunge**(飯館、機場大廈的)酒吧間。

cock·y [ˋkɑkɪ] *adj.*〖俗〗傲慢的。— **cockʹ i·ly,** *adv.* — **cockʹi·ness,** *n.*

co·co [ˋkoko] *n.* Ⓒ (*pl.* **∼s**) 椰子樹。§∼ **pàlm**=coconut palm.

***co·coa** [ˋkoko] *n.*① Ⓤ 可可粉。② Ⓒ 可可樹。③ Ⓤ 深褐色。

***co·co(a)·nut** [ˋkokənət] *n.* Ⓒ 椰子。§∼ **pàlm** [**trèe**] 椰子樹。

co·coon [kəˋkun] *n.* Ⓒ 繭；蠶繭。

cod [kɑd] *n.* Ⓒ〖魚〗鱈。∼-liver oil 魚肝油。

C.O.D., c.o.d. 〖美〗collect on delivery;〖英〗cash on delivery.

co·da [ˋkodə]〖義〗*n.* Ⓒ〖樂〗尾聲。

cod·dle [ˋkɑdl̩] *v.t.*①嬌養；溺愛；細心照顧。②用文火煮。

***code** [kod] *n.* Ⓒ ①法典；法規。the civil [criminal] ∼民[刑]法。②章程；

規則。③禮儀。④海陸軍信號制度。⑤暗號；電碼；代號。a telegraphic ～電碼。— *v.t.*譯成電碼。§ ∼ **bòok** 電報密碼本。

co·de·ine [ˋkodɪ͵in], **-de·in** [-dɪɪn] *n.* Ⓤ〖藥〗可待因(鎮靜[麻醉]劑)。

cod·fish [ˋkɑd͵fɪʃ] *n.* (*pl.* ～, ～**es**) =**cod.**

codg·er [ˋkɑdʒɚ] *n.* Ⓒ〖俗〗有怪癖之(老)人。

cod·i·cil [ˋkɑdəsl] *n.* Ⓒ 遺囑附錄。

cod·i·fy [ˋkɑdə͵faɪ] *v.t.*編成法典；編纂。— **cod·i·fi·ca′tion,** *n.*

co·ed, co-ed [ˋkoˋɛd] *n.* Ⓒ〖美俗〗(男女合校的)女生。

co·ed·i·tor [koˋɛdɪtɚ] *n.* Ⓒ 合編者。

co·ed·u·ca·tion [͵koɛdʒəˋkeʃən] *n.* Ⓤ 男女合校教育。— **al,** *adj.*

co·ef·fi·cient [͵koəˋfɪʃənt] *n.* Ⓒ ①〖數〗係數。②〖理〗率；係數。

coe·la·canth [ˋsilə͵kænθ] *n.* Ⓒ〖魚〗空棘魚(中生代硬骨魚類的一種, 1938年曾在非洲近海發現同種的魚類)。

co·e·qual [koˋikwəl] *adj.* & *n.* Ⓒ (地位或能力)相等的(人, 物)(=equal).

co·erce [koˋɝs] *v.t.*強迫；壓制。

co·er·cion [koˋɝʃən] *n.* Ⓤ ①強制。②高壓政治。

co·er·cive [koˋɝsɪv] *adj.*強制的；高壓的。§ ∼ **fórce**〖理〗抗磁力。

co·e·val [koˋivl] *adj.* 同時代的；同年代的。— *n.* Ⓒ 同時代者；同年代者。

co·ex·ist [͵koɪgˋzɪst] *v.i.* 同時存在；共存。— **ent,** *adj.*

co·ex·ist·ence [͵koɪgˋzɪstəns] *n.* Ⓤ 共存。

‡**cof·fee** [ˋkɔfɪ] *n.* ①ⓊⒸ 咖啡飲料；咖啡。②Ⓤ 咖啡子或粉末。③Ⓒ 咖啡樹。④Ⓤ 咖啡色。§ ∼ **bèan** 咖啡豆。∼ **brèak** 工作時之喝咖啡休息時間。∼ **cùp** 咖啡杯。∼ **grìnder** [**mìll**] 咖啡研磨機。∼ **gròunds** 咖啡渣。∼ **hòuse** [**shòp**] 咖啡館[屋]。∼ **pòt** 咖啡壺(亦作 coffeepot). ∼ **stàll** [**stànd**] 賣咖啡及點心之流動攤位。∼ **tàble** 茶几。

cof·fer [ˋkɔfɚ] *n.*① Ⓒ (存放金錢等貴重物品之)箱櫃。②(*pl.*)資金；財寶。

cof·fer·dam [ˋkɔfɚ͵dæm] *n.* Ⓒ ①圍堰。②沈箱；潛水箱。

***cof·fin** [ˋkɔfɪn] *n.* Ⓒ 棺；柩。*drive a nail into one's* ～(烟、酒、憂慮等)促人早死。— *v.t.* 納入棺中；收殮。

cog [kɑg] *n.* Ⓒ ①〖機〗嵌齒(輪)。②小人物。*slip a* ～ 做錯事。

co·gent [ˋkodʒənt] *adj.*強有力的；使人信服的。— **co′gen·cy,** *n.*

cog·i·tate [ˋkɑdʒə͵tet] *v.i.* 愼思；思考；沉思。— *v.t.* 計畫；設計。

cog·i·ta·tive [ˋkɑdʒə͵tetɪv] *adj.*①能思考的。②好思考的；善用心思的。

co·gnac [ˋkonjæk] *n.* ⓊⒸ (法國Cognac地方所產的)白蘭地酒；干邑酒。

cog·nate [ˋkɑgnet] *adj.* 同源的。— *n.* Ⓒ 同源之人、物或字。

cog·ni·tion [kɑgˋnɪʃən] *n.* Ⓤ ①認識；認識力。②所認識之事物；知識。

cog·ni·tive [ˋkɑgnətɪv] *adj.* 認識(力)的。(亦作**cognitional**) — **ly,** *adv.*

cog·ni·za·ble [ˋkɑgnəzəbḷ] *adj.*①可認知的。②〖法律〗可審問的。

cog·ni·zance [ˋkɑgnəzəns] *n.* Ⓤ ①認識。②認知的範圍。*have* ～ *of* 知道；察覺。*take* ～ *of* 注意到。

cog·ni·zant [ˋkɑgnəzənt] *adj.*①認識的；認知的。②〖法律〗審理(權)的。

co·hab·it [koˋhæbɪt] *v.i.*(男女)同居。— **co·hab·i·ta′tion,** *n.*

co·here [koˋhɪr] *v.i.* ①黏著；附著；凝結。②連貫；結合。

co·her·ent [koˋhɪrənt] *adj.*①一致的；連貫的。②黏著的；附著的。— **co·her′ence,** *n.*

co·he·sion [koˋhiʒən] *n.* Ⓤ ①附著；團結；凝結(力)；結合力。②〖理〗內聚力。— **co·he′sive,** *adj.*

co·ho [ˋkoho] *n.* Ⓒ (*pl.* ～, ～**s**)〖魚〗銀鮭。

co·hort [ˋkohɔrt] *n.* Ⓒ ①古羅馬軍團(legion)中之一大隊(約有300至600人)。②一隊兵。③一隊。

coif [kɔɪf] *n.* Ⓒ ①(修女戴於頭巾下緊箍著頭的)布帽。②鐵盔或皮帽。

coif·feur [kwɑˋfɝ]〖法〗*n.* Ⓒ 理髮師。

coif·fure [kwɑˋfjʊr]〖法〗*n.* Ⓒ ①髮式。②婦女的頭飾。

coign(e) [kɔɪn] *n.* Ⓒ ①外角；隅；隅石。②楔。～ *of vantage*有利的地位。

***coil** [kɔɪl] *v.t.* & *v.i.* 盤繞；捲。— *n.* Ⓒ ①捲。②螺旋。③〖電〗線圈。④髮捲。

‡**coin** [kɔɪn] *n.* ⓊⒸ 貨幣；硬幣；錢。*pay (a person) back in his own* ～ 以其人之道還治其人之身。— *v.t.*①鑄(硬幣)。②造(新字)。～ *money*〖俗〗發大財。

coin·age [ˋkɔɪnɪdʒ] *n.* Ⓤ ①貨幣的鑄造。②硬幣。③新創字及成語等。

***co·in·cide** [͵koɪnˋsaɪd] *v.i.*①同時發生；時間上相合。②一致；符合〔with〕.

co·in·ci·dence [koˋɪnsədəns] *n.* ⓊⒸ ①一致；符合。②同時發生或存在之事。

co·in·ci·dent [koˋɪnsədənt] *adj.*①同時發生的。②一致的；巧合的。— **co·in·ci·den′tal,** *adj.*

co·i·tion [koˋɪʃən], **co·i·tus** [ˋkoɪtəs] *n.* Ⓤ 性交。

coke [kok] *n.*① Ⓤ 焦炭。② Ⓤ〖俚〗古柯鹼。③(C-) ⓊⒸ〖俚〗可口可樂(=Coca-Cola). — *v.t.* & *v.i.*(使)變爲焦炭。

co·la [ˋkolə] *n.*① Ⓒ〖植〗可樂樹。② ⓊⒸ 可樂(飲料)。

col·an·der [ˋkʌləndɚ] *n.* Ⓒ 濾器；濾鍋。

‡**cold** [kold] *adj.*①寒冷的；涼的。②冷淡的；冷漠的。③冷靜的。④輕微的。⑤寒色的。*have* [*get*] ～ *feet* 怯懦起來。*in* ～ *blood* 冷靜地；鎮靜地。— *n.*① Ⓤ (常 the ～)寒冷。② ⓊⒸ 受寒；感冒；傷風。I had a ～ last night. 我昨晚感冒了。③ Ⓤ 冰點以下。*catch* [*take*] ～ 著涼；傷風。*out in the* ～ 遭受冷落。*throw* [*pour*] ～ *water on* 潑冷水；使沮喪。§ ∼ **crèam** 冷霜 (防皮膚粗糙的化妝品)。∼ **frònt**〖氣象〗冷鋒。∼ **pàck** (1)冰袋；冷毛巾。(2)(罐頭的)低溫處理法。∼ **sòre**〖醫〗唇疱疹(傷風、發高燒時出現於唇邊的疹

子)。～ stéel 利器(如刀、劍等鋼製武器)。～ stórage (1)(食物、毛皮、藥品等的)冷藏。(2)(計畫等的)停頓；擱置。～ wár (常 C-W-)冷戰。～ wàve (1)寒流。(2)冷燙。— ness, *n.*

cold-blood·ed [ˋkoldˋblʌdɪd] *adj.* ①冷血的。②殘忍的。

cold-heart·ed [ˋkoldˋhɑrtɪd] *adj.* 冷淡無情的。

cold·ly [ˋkoldlɪ] *adv.* 冷淡地；冷靜地。

cole·slaw [ˋkol,slɔ] *n.* Ⓤ 甘藍沙拉。

col·ic [ˋkɑlɪk] *n.* Ⓤ & *adj.* 腹痛(的)；疝痛(的)。

col·i·se·um [,kɑləˋsiəm] *n.*① Ⓒ 競技場；大表演場。②(C-) = Colosseum.

co·li·tis [koˋlaɪtɪs] *n.* Ⓤ〖醫〗結腸炎。

col·lab·o·rate [kəˋlæbə,ret] *v.i.* ①合作。②通敵。— col·lab′o·ra·tor, col·lab·o·ra′tion, *n.*

col·lab·o·ra·tion·ist [kə,læbəˋreʃənɪst] *n.* Ⓒ 通敵賣國者。

col·lage [kəˋlɑʒ] *n.* Ⓤ 拼貼。

col·la·gen [ˋkɑlədʒən] *n.* Ⓤ〖生化〗膠原質(蛋白)。

***col·lapse** [kəˋlæps] *v.i.* & *v.t.*① 倒塌；崩潰。②突然失敗；病倒。③摺疊。— *n.* ① Ⓤ 倒塌；崩潰。② Ⓤ 失敗。③ Ⓤ Ⓒ 體力不支。

col·laps·i·ble [kəˋlæpsəbḷ] *adj.* (傢具等)可摺疊的。

‡**col·lar** [ˋkɑlɚ] *n.* Ⓒ ①衣領。②項飾。③狗、馬等之項圈。④畜牲頸部皮毛之一圈顏色。⑤〖機〗軸鉗；環管。*against the* ～冒著困難；吃力地。*hot under the* ～發怒；興奮；激動。*slip the* ～逃避困難；逃脫。— *v.t.* ①扭住…的衣領；捉住。②〖俗〗逮捕；捉拿。③裝領於；加項圈於。

col·lar·bone [ˋkɑlɚˋbon] *n.* Ⓒ〖解〗鎖骨。

col·late [kɑˋlet, ˋkɑlet] *v.t.* ①對照；校勘。②整理(書籍的)頁碼。

col·lat·er·al [kəˋlætərəl] *adj.* ①並行的；附隨的。②旁系的。— *n.*① Ⓒ 旁系親屬。② Ⓤ 擔保物；抵押品。

col·la·tion [kɑˋleʃən] *n.*① Ⓤ 校勘；整理。② Ⓒ 齋期中可獲准之點心。

***col·league** [ˋkɑlig] *n.* Ⓒ 同事；同僚。

‡**col·lect** [kəˋlɛkt] *v.t.*①集合；收集。②集(款)；收回(款)；催繳(租稅等)。③蒐集。— *v.i.* ①聚集；積聚。②收款〔常 on〕。～ *on delivery* 貨到收款(略作C.O.D., c.o.d.)。— *adj.* & *adv.* 向收件人收款的[地]。

col·lect·a·ble, col·lect·i·ble [kəˋlɛktəbḷ] *adj.*可收集的。

col·lect·ed [kəˋlɛktɪd] *adj.* ①聚集的；積聚的。②鎮靜的；泰然的。

***col·lec·tion** [kəˋlɛkʃən] *n.*① Ⓤ 收集；收取。② Ⓒ 蒐集的東西。③ Ⓒ (常 *sing.*)聚集；積聚。④ Ⓒ 募集之款。

col·lec·tive [kəˋlɛktɪv] *adj.* 集合的；集體的；集團的。— *n.* Ⓒ ①集合名詞。②集體；集團。§ ～ agréement (1)(勞資間的)集體協議。(2)此等協議事項。～ bárgaining (勞資間的)集體談判。～ fárm〖俄〗集體農場。～ nóun 集合名詞。～ secúrity 集體安全保障。

col·lec·tiv·ism [kəˋlɛktɪv,ɪzəm] *n.* Ⓤ 集產[體]主義。— col·lec′tiv·ist, *n.*

col·lec·tor [kəˋlɛktɚ] *n.* Ⓒ ①收集者；蒐集者。②收款人。

col·leen [ˋkɑlin] *n.* Ⓒ〖愛〗女孩。

‡**col·lege** [ˋkɑlɪdʒ] *n.* Ⓒ ①大學內的學院。②獨立的高等學府；獨立的學院。③學會；社團。

col·le·gian [kəˋlidʒən] *n.* Ⓒ 大學(畢業)生。

col·le·giate [kəˋlidʒɪɪt] *adj.*①大學的；學院的。②大學生的。

***col·lide** [kəˋlaɪd] *v.i.* ①碰撞。②衝突；抵觸。

col·lie [ˋkɑlɪ] *n.* Ⓒ 長毛牧羊犬。

col·lier [ˋkɑljɚ] *n.* Ⓒ〖英〗①煤礦工人。②運煤船；運煤船船員。

col·lier·y [ˋkɑljərɪ] *n.* Ⓒ 煤礦場及其建築與設備。

***col·li·sion** [kəˋlɪʒən] *n.* Ⓤ Ⓒ ①撞；碰。②衝突；抵觸。*come into* ～ *with* 與…衝突；抵觸。

col·lo·cate [ˋkɑlo,ket] *v.t.* & *v.i.*①配置。②排列。③(詞語)搭配。

col·lo·ca·tion [,kɑloˋkeʃən] *n.* ① Ⓤ 排列；安排。② Ⓒ〖文法〗連語；搭配。

col·loid [ˋkɑlɔɪd] *n.* Ⓤ〖化〗膠體；膠質。— *adj.* 膠質的；膠狀的。— col·loi′dal [kəˋlɔɪdḷ], *adj.*

colloq. colloquial(ly); colloquialism.

col·lo·qui·al [kəˋlokwɪəl] *adj.*俗語的；會話的。— ly, *adv.*

col·lo·qui·al·ism [kəˋlokwɪəl,ɪzəm] *n.* Ⓒ 俗語；白話；口語。

col·lo·qui·um [kəˋlokwɪəm] *n.* Ⓒ (*pl.* ～s, -qui·a [-kwɪə])非正式之會議；座談會；研討會。

col·lo·quy [ˋkɑləkwɪ] *n.* Ⓒ ①談話。②會議。③以對話體寫的文章。

col·lo·type [ˋkɑlə,taɪp] *n.* Ⓤ〖印刷〗珂羅版。

col·lude [kəˋlud] *v.i.* 共謀；串騙〔with〕。

col·lu·sion [kəˋluʒən] *n.* Ⓤ 共謀；串騙；勾結。

co·logne [kəˋlon] *n.* Ⓤ 古龍水(一種香水)。

Co·lom·bi·a [kəˋlʌmbɪə] *n.*哥倫比亞(南美洲之一國，首都波哥大Bogotá). — Co·lum′bi·an, *adj.*

Co·lom·bo [kəˋlʌmbo] *n.*可倫坡(斯里蘭卡之首都)。

***co·lon**[1] [ˋkolən] *n.* Ⓒ 冒號(：)。

co·lon[2] *n.* Ⓒ (*pl.* ～s, co·la [-lə])〖解〗結腸。

***colo·nel** [ˋkɝnḷ] *n.* Ⓒ (陸空軍及海軍陸戰隊)上校。— cy, — ship, *n.*

co·lo·ni·al [kəˋlonɪəl] *adj.*①殖民地的。②(常 C-)〖美〗英屬十三州殖民地的。— *n.* Ⓒ 殖民地居民。

co·lo·ni·al·ism [kəˋlonɪəl,ɪzəm] *n.* Ⓤ 殖民政策；殖民地主義。

***col·o·nist** [ˋkɑlənɪst] *n.* Ⓒ ①開發殖民地者。②殖民地居民；移住之人民。

col·o·nize [ˋkɑlə,naɪz] *v.t.* & *v.i.*①殖民；拓殖。②建立殖民地。— col′o·niz·er, col·o·ni·za′tion, *n.*

col·on·nade [,kɑləˋned] *n.* Ⓒ〖建〗柱廊；列柱。

*col·o·ny [ˋkɑlənɪ] n. Ⓒ ①殖民。②殖民地。③僑民。④〖生物〗群落；群體。

‡col·or,〖英〗-our [ˋkʌlɚ] n. ①ⓊⒸ顏色；色彩；色素。②(pl.)顏料。③Ⓤ面色；臉紅；紅潤。④Ⓤ外表。⑤Ⓤ特色。⑥(pl.)徽章；有顏色的制服；彩色標幟。⑦Ⓒ(常 pl.)艦旗；軍旗。⑧Ⓤ藉口。⑨Ⓤ(某一時期或地區之)色彩。local ～ 地方色彩。***call to the ～s*** 號召從軍。***change ～*** 變臉色(面色變紅或蒼白)。***come off with flying ～s*** 奏凱歌；凱旋；大功告成。***join the ～s*** 從軍。***lend*** [***give***] ***～ to*** 使顯得可信；使像眞；對…加以渲染。***lose ～***面色變蒼白。***nail the ～s to the mast*** 決不投降。***show one's true ～s*** **a.**現出本來面目。**b.**宣布自己的意見或計畫。—*v.t.* ①爲…染色；爲…著色。②渲染；曲解。③使…有顯著特性。—*v.i.* 變色；臉紅。§ ∠ **blìndness** 色盲。∠ **bòx** 顏料盒。∠ **lìne**〖美〗白人與黑人在社會、政治及經濟上之界限。∠ **photógraphy** 彩色照相。∠ **prìnting** 彩色印刷。∠ **télevision** [ŤV]彩色電視。

col·or·a·ble [ˋkʌlərəbl] *adj.*①可著色的。②似眞的；似是而非的。③僞造的。

Col·o·rad·o [͵kɑləˋrædo] *n.*科羅拉多(美國西部之一州)。

col·o(u)r·a·tion [͵kʌləˋreʃən] *n.* Ⓤ染色；著色；色澤。

col·o·ra·tu·ra [͵kʌlərəˋtjurə] *n.*〖樂〗①Ⓤ花腔；華彩。②Ⓤ具有花腔之樂曲。③Ⓒ花腔女高音。

col·o(u)r-blind [ˋkʌlɚ͵blaɪnd] *adj.* 色盲的。

col·o(u)red [ˋkʌlɚd] *adj.* ①有色的；著色的。②黑人的。③帶有偏見的。

col·or·fast [ˋkʌlɚ͵fæst] *adj.* 不褪色的。

*col·o(u)r·ful [ˋkʌlɚfəl] *adj.* ①富有色彩的。②活現的；生動的；如畫的。

col·o(u)r·ing [ˋkʌlərɪŋ] *n.*①Ⓤ著色。②ⓊⒸ顏料。③Ⓤ(臉上的)氣色；血色。§ ∠ **màtter** 顏料；染料。

col·or·ist [ˋkʌlərɪst] *n.* Ⓒ ①著色者。②專門研究彩色之藝術家。

col·o(u)r·less [ˋkʌlɚlɪs] *adj.*①無色的。②無趣味的。③蒼白的。

co·los·sal [kəˋlɑsl] *adj.*巨大的。

Col·os·se·um [͵kɑləˋsiəm] *n.* (the ～)古羅馬之圓形大競技場。

co·los·sus [kəˋlɑsəs] *n.*(*pl.* **-los·si** [-ˋlɑsaɪ], **～es**)①Ⓒ巨大石像。②(C-) Rhodes 島(土耳其西南)上 Apollo 神之巨像。③Ⓒ巨大之物或人。

colt [kolt] *n.* Ⓒ ①雄駒(四歲或五歲以下者)。②〖俗〗無經驗的年輕人。

colt·ish [ˋkoltɪʃ] *adj.*小馬似的；輕佻的；放蕩的。

Co·lum·bi·a [kəˋlʌmbɪə] *n.*①哥倫比亞(美國南卡羅來納州之首府)。②〖詩〗美洲；美國。

col·um·bine [ˋkɑləm͵baɪn] *n.* Ⓒ〖植〗耬斗菜。

Co·lum·bus [kəˋlʌmbəs] *n.*哥倫布(Christopher, 1446?-1506；義大利人，於1492 年發現美洲)。§ ∠ **Dày** 哥倫布發現美洲紀念日(十月十二日)。

*col·umn [ˋkɑləm] *n.* Ⓒ ①〖建〗圓柱；柱。②細長而直如柱的東西。③(報紙的)欄；段。④軍隊的縱隊；艦隊的縱列。⑤專欄文章。

*col·um·nist [ˋkɑləmɪst] *n.* Ⓒ 專欄作家。

com-〖字首〗表「共同；完全」之義。

co·ma [ˋkomə] *n.* Ⓒ〖醫〗昏迷；昏睡。

com·a·tose [ˋkɑmə͵tos] *adj.*①〖醫〗昏睡的；昏迷的。②似昏迷的。

‡comb [kom] *n.* Ⓒ ①梳子。②用以清理毛、棉、麻等的梳。③梳狀的東西；用途如梳的東西。④蜂巢。⑤雞冠。⑥浪頭。***cut the ～ of a person***挫人銳氣；使屈服。—*v.t.* ①梳(髮)；刷(馬毛等)。②到處搜尋。—*v.i.* 起浪花。

*com·bat [ˋkɑmbæt, ˋkʌm-, kəmˋbæt] *v.i.* & *v.t.* (-t-,〖英〗-tt-)(與…)格鬥；爭鬥(with, against)。—[ˋkɑmbæt, ˋkʌm-] *n.* Ⓤ Ⓒ 戰鬥；爭鬥；格鬥。§ ∠ **càr** 裝甲車。∠ **fatìgue** 前線士兵的神經疲倦。∠ **tèam** 戰鬥聯隊。∠ **ùnit** 戰鬥部隊；戰鬥單位。

com·bat·ant [ˋkɑmbətənt] *adj.*①戰鬥的。②好鬥的。—*n.* Ⓒ 戰鬥員。

com·bat·ive [kəmˋbætɪv] *adj.*①好鬥的。②鬥志旺盛的。

comb·er [ˋkomɚ] *n.* Ⓒ ①梳刷之人或器具。②捲浪。

*com·bi·na·tion [͵kɑmbəˋneʃən] *n.*①ⓊⒸ聯合；結合；組合。②Ⓒ組合物。③Ⓤ〖化〗化合。④Ⓒ團體。⑤Ⓒ〖數〗組合。⑥Ⓒ(開鎖時之)暗碼。***in ～ with***與…共同。§ ∠ **lòck** 密碼鎖；對號鎖。

*com·bine [kəmˋbaɪn] *v.t.*①聯合；結合。②同時具有。—*v.i.*①化合。②聯合；結合；混合。—[ˋkɑmbaɪn, kəmˋbaɪn] *n.* Ⓒ ①〖美俗〗團體；組合。②〖美〗聯合收割打穀機。§ **combíning fòrm**〖文法〗複合用詞(只見於複合字而不單獨使用之語型)。

com·bined [kəmˋbaɪnd] *adj.*聯合的；結合的；合併的。§ ∠ **áction** 聯合行動；協同戰鬥。∠ **fléet** 聯合艦隊。∠ **operátions** 聯合作戰。

com·bo [ˋkɑmbo] *n.* Ⓒ (*pl.* **～s**) ①小型爵士樂隊。②〖俗〗聯合組織。

com·bus·ti·ble [kəmˋbʌstəbl] *adj.* ①易燃的。②易激動的。

com·bus·tion [kəmˋbʌstʃən] *n.* Ⓤ ①燃燒。②伴以高溫度和發光的氧化。

‡come [kʌm] *v.i.* (**came, come**) ①來。②到。③出現。④到達；及。⑤發生。⑥結果。⑦出身。⑧成爲；變爲。His dream *came* true.他的夢想實現了。⑨等於；總共。⑩有；裝；存。This dress ～*s* in four sizes.這衣服有四種尺寸。⑪注意(常作命令式)。—*v.t.*①〖俗〗做；爲。②達到(某一年齡)。***～ about*** **a.**發生。**b.**改變方向。***～ across*** **a.**偶然遇到；找到。**b.**〖俗〗交付；償付。***～ again***〖俚〗你說甚麼? 請再說一遍。***～ alive*** 活躍起來。***～ along*** **a.**伴隨；陪伴。**b.**進行；進步。**c.**趕快。***～ around*** [***round***] **a.**恢復知覺或健康。**b.**讓步；同意。**c.**訪問。***～ at*** **a.**攻擊；撲向。**b.**得到；找到。***～ away*** **a.**散開。

b.離開。c.發芽。~ *back* a.回來。b.〖俗〗恢復原狀或原位；捲土重來；憶起。c.〖俚〗還嘴。~ *between* a.分開；離間。b.居…間。~ *by* a.獲得。b.走近；經過。c.藉…爲交通工具而來。~ *down* a.下來；降下。b.下得大(如雨)。c.失掉(階級、金錢、地位)。d.傳遞；傳給。e.生病。f.減價；跌價。~ *down on* [*upon*] a.斥責；重責。b.突然攻擊。c.表示反對。~ *forward* 提出；自願效勞。~ *from* a.來自。b.出生於。~ *in* a.開始；開始使用…。b.進入。c.(競賽中)獲選。d.開始生產。~ *in handy* 可能有用。~ *into* a.繼承。b.進入。~ *of age* 成年。~ *off* a.舉行。b.結果。c.成功。d.離開。~ *on* [*upon*] a.進行；進展；發展。b.遇到；發現。c.上臺。d.開始；出現。e.〖俗〗趕快(常用命令式)。f.〖俗〗請(常用懇求語氣)。~ *out* a.出現。b.刊出。c.參加。d.初入社會。e.結果。~ *out with* a.洩露。b.說出。c.向大眾提供。~ *over* a.訪問。b.發生。c.占住；侵占。d.占上風。~ *through* a.成功。b.交出；付。c.經過；熬過；克服。~ *to* a.恢復知覺。b.發生。c.憶及。d.停止；下錨。e.總數達…。~ *to oneself* a.甦醒。b.變聰明；變機智。~ *to pass* 發生。~ *up* a.前來。b.生長；發展。c.出現。d.被提出討論。~ *up to* 達到某一水準。~ *up with* a.追及。b.取出。c.建議。~ *what may* 無論有何變化。

come-and-go [ˋkʌmənˋgo] *adj.* 來去不定的；易變的。

come·back [ˋkʌm͵bæk] *n.* Ⓒ ①〖俗〗回復；重返；復辟；東山再起。②〖俚〗巧妙的應答。

co·me·di·an [kəˋmidɪən] *n.* Ⓒ ①喜劇演員。②喜劇作家。③滑稽人物。

co·me·di·enne [kə͵midɪˋɛn] *n.* Ⓒ 喜劇女演員。

come·down [ˋkʌm͵daʊn] *n.* Ⓒ 衰落；退步；(階級、地位等之)低落。

‡**com·e·dy** [ˋkɑmədɪ] *n.* ①ⓊⒸ 喜劇。②Ⓒ 有趣的事情。

come-hith·er [͵kʌmˋhɪðɚ] *adj.* 引誘的。

come·ly [ˋkʌmlɪ] *adj.* ①漂亮的。②合宜的。—come′li·ness, *n.*

come-on [ˋkʌm͵ɑn] *n.* Ⓒ〖美俚〗誘人的東西；宣傳單；(招攬顧客的)商品。

com·er [ˋkʌmɚ] *n.* Ⓒ ①來者；新來者。②〖俚〗有成功希望的人或事。

co·mes·ti·ble [kəˋmɛstəbl̩] *adj.* 可食的。— *n.* Ⓒ (常 *pl.*) 食品；食物。

***com·et** [ˋkɑmɪt] *n.* Ⓒ 彗星。

come·up·pance [kʌmˋʌpəns] *n.* Ⓒ〖美俚〗應得之責罰；因果報應。

***com·fort** [ˋkʌmfɚt] *v.t.* ①安慰；鼓舞。②使安逸；使舒適。— *n.* ①Ⓤ 安慰；慰藉。②Ⓤ 安樂；舒適。③Ⓒ 使生活安樂之人或物；舒適的設備。§ ~ **stàtion** [**ròom**]〖美〗公共廁所。~ **stòp**〖美〗(公路長途客車方便旅客的)休息停車。—less, *adj.*

‡**com·fort·a·ble** [ˋkʌmfɚtəbl̩] *adj.* ①安逸的；安樂的；舒適的；愉快的。②(覺得)舒服的。③令人安慰的。④(收入等)充裕的；豐富的。*—com′fort·a·bly, *adv.*

com·fort·er [ˋkʌmfɚtɚ] *n.* Ⓒ ①安慰者；安慰之物。②〖美〗棉被。③羊毛圍巾。

com·frey [ˋkʌmfrɪ] *n.* Ⓒ〖植〗紫草科植物。

com·fy [ˋkʌmfɪ] *adj.*〖俗〗=**comfortable.**

***com·ic** [ˋkɑmɪk] *adj.* ①使人發笑的；滑稽的。②喜劇的。③連環圖畫的。— *n.* Ⓒ ①喜劇演員。②喜劇影片。③(常 the ~s) (報紙、雜誌的)漫畫欄。§ ~ **bòok** 漫畫書。~ **ópera** 喜劇性[滑稽]歌劇。~ **strìp** 連載漫畫；連環圖畫。

com·i·cal [ˋkɑmɪkl̩] *adj.* 滑稽的；詼諧的；可笑的。

***com·ing** [ˋkʌmɪŋ] *n.* ⓊⒸ 到來。~*s* and goings 活動。— *adj.* ①其次的；將來的。②〖俗〗將成名的。

com·i·ty [ˋkɑmətɪ] *n.* Ⓤ 禮讓；禮儀。~ *of nations* 國際禮儀。

***com·ma** [ˋkɑmə] *n.* Ⓒ 逗點(,)。

***com·mand** [kəˋmænd] *v.t.* ①命令。②統率；指揮。③應得；博得。④控制；克制。— *v.i.* ①指揮。②俯視。— *n.* ①Ⓒ 命令。②Ⓤ 統率權；指揮權。③Ⓒ 管轄下的軍隊、艦隊或地區。④Ⓤ 控制。⑤Ⓤ 支配；使用；運用。*at one's* ~ 供某人支配；擁有。§ ~ **càr** 指揮車。~ **módule** (太空船之)指揮艙；駕駛艙。~ **pàper**〖英〗(內閣大臣奉王命向國會提出之)重要報告或文件。~ **perfórmance**〖英〗御前表演。~ **pòst**〖美軍〗(戰地)指揮部(略作 C.P.)。

com·man·dant [͵kɑmənˋdænt] *n.* Ⓒ 司令官；指揮官。

com·man·deer [͵kɑmənˋdɪr] *v.t.* ①徵募(兵丁等)；徵用。②〖俗〗霸占。

***com·mand·er** [kəˋmændɚ] *n.* Ⓒ ①司令官；指揮官。②海軍中校；副艦長。~ *in chief* a.統帥；總司令。b.陸軍、海軍或空軍某部分的司令官。

com·mand·ing [kəˋmændɪŋ] *adj.* ①指揮的。②有威儀的。③眺望無阻的。

com·mand·ment [kəˋmændmənt] *n.* Ⓒ ①戒律。②〖聖經〗聖誡。*the Ten Commandments*〖聖經〗十誡。

com·man·do [kəˋmændo] *n.* Ⓒ (*pl.* ~(e)s)〖英〗突擊隊(員)。

com·mem·o·rate [kəˋmɛmə͵ret] *v.t.* ①紀念。②慶祝。

com·mem·o·ra·tion [kə͵mɛməˋreʃən] *n.* Ⓤ 紀念；慶祝。*in* ~ *of* 紀念。

com·mem·o·ra·tive [kəˋmɛmə͵retɪv] *adj.* (亦作 **commemoratory**) 紀念的；慶祝的。— *n.* Ⓒ 紀念之物。

***com·mence** [kəˋmɛns] *v.t.* 開始；著手。— *v.i.* 開始。

com·mence·ment [kəˋmɛnsmənt] *n.* Ⓤ ①開始。②畢業典禮。

com·mend [kəˋmɛnd] *v.t.* ①稱讚。②推薦。③委託；託付。④引起興趣；給以良好印象。—a·ble, *adj.*

com·men·da·tion [͵kɑmənˋdeʃən] *n.* ①Ⓤ 稱讚；讚揚。②Ⓒ 獎狀。

com·mend·a·to·ry [kəˋmɛndə͵torɪ] *adj.* 推薦的；稱讚的。

C

com·men·su·ra·ble [kə`mɛnʃərəbl] *adj.*①同標準的；同數量的；同程度的。②相稱的；適當的〔to〕.

com·men·su·rate [kə`mɛnʃərɪt] *adj.*①同量的；同大小的。②相稱的。③可以用同一標準比較的。

***com·ment** [`kɑmɛnt] *n.* ①Ⓤ©註解；註釋；批評。He made no ～ on the subject. 他對這問題未作批評。②Ⓤ閒談；談話；談論。— *v.i.*①註釋；批評〔on, upon〕. ②談論。

C

com·men·tar·y [`kɑmən,tɛrɪ] *n.* ©①註解；註釋。②評註；評語。

com·men·tate [`kɑmən,tet] *v.t.*評論。— *v.i.*〖廣播〗時事評論。

com·men·ta·tor [`kɑmən,tetɚ] *n.* ©①註釋者；評註者。②時事評論家。

***com·merce** [`kɑmɜs] *n.* Ⓤ①商業；貿易。②交往；社交。

***com·mer·cial** [kə`mɜʃəl] *adj.*①商業的。②商用的。③工業用的。④由廣告資助的。— *n.* © 廣告節目。§ ～ **àgency** 商業徵信機構。～ **bréak**(電視或廣播節目中)插播廣告。～ **pàper** 商業票據。～ **tráveler**〖英〗旅行推銷員。— **ism,** *n.* — **ly,** *adv.*

com·mer·cial·ize [kə`mɜʃəl,aɪz] *v.t.* ①使商業化。②使商品化。

com·mie [`kɑmɪ] *n.* © (常 C-) (常用於稱呼)共產黨員。(亦作 **commy**)

com·mi·nate [`kɑmə,net] *v.t.* & *v.i.* 威嚇；詛咒。

com·min·gle [kə`mɪŋgl] *v.i.* & *v.t.* 混合；摻合；混雜。

com·mis·er·ate [kə`mɪzə,ret] *v.t.* 憐憫；同情。— *v.i.*弔慰；慰問〔with〕. — **com·mis·er·a′tion,** *n.*

com·mis·sar·i·at [,kɑmə`sɛrɪət] *n.*①©〖軍〗軍需處。②Ⓤ食物供應。

com·mis·sar·y [`kɑmə,sɛrɪ] *n.* ©①軍需官。②(軍隊、礦場、林場中的)供應食物及日用品的商店。

***com·mis·sion** [kə`mɪʃən] *n.*①Ⓤ©委託；委任；委任狀。②©陸海軍的任命書。③Ⓤ陸海軍的職位和權力。④Ⓤ授權；授予之權力。⑤©委託代辦的事。⑥©委員會。⑦Ⓤ行爲。⑧Ⓤ©佣金；酬勞金。*in* ～ **a.**服役的。**b.**可用的。*on* ～ 委託。*out of* ～ **a.**退役的。**b.**不能用的。— *v.t.* ①委任；授權；委託。②任命。～*ed* officers 少尉以上的軍官。③使(船艦)服現役。§ ～ **hòuse** 證券經紀公司。

com·mis·sion·aire [kə,mɪʃən`ɛr] *n.* ©〖英〗(戲院、旅館等的)門警。

com·mis·sion·er [kə`mɪʃənɚ] *n.* ©①委員；(考察團等之)團員。②政府中某一部門的長官。

***com·mit** [kə`mɪt] *v.t.*(-tt-)①委託；委任。He ～*ted* himself to the doctor's care. 他將自己(健康)委請醫生照料。②藏於；付於。③監禁；下獄。④授與；付託。⑤作；犯。～ suicide 自殺。⑥發交(議案等)於委員會。⑦束縛；受拘束。— **ment,** *n.*

com·mit·tal [kə`mɪtl] *n.* Ⓤ© ①監禁；禁閉。②獻身。③埋葬。

***com·mit·tee** [kə`mɪtɪ] *n.* © 委員會。*standing* ～ 常務委員會。

com·mit·tee·man [kə`mɪtɪmən] *n.* © (*pl.* **-men**)委員。

com·mode [kə`mod] *n.* © ①櫥櫃。②洗臉臺。③室內便器。

com·mo·di·ous [kə`modɪəs] *adj.* ①寬敞的。②方便的；合宜的。— **ly,** *adv.*

com·mod·i·ty [kə`mɑdətɪ] *n.* © 商品；物品。

com·mo·dore [`kɑmə,dor] *n.* © ①〖美〗海軍准將。②〖英〗艦隊司令官。③資深船長。④遊艇俱樂部的主席。

‡**com·mon** [`kɑmən] *adj.* ①公有的；共有的。②聯合的；團結的。③一般的；常見的。～ knowledge 常識。④熟識的。⑤普通的；無職位的。⑥劣等的；低等的；下賤的。⑦粗俗的。～ manners 俗態。⑧〖數〗公有的。— *n.*①©(常 *pl.*)公地。②Ⓤ普通股。*in* ～ **a.**相同；相似。**b.**共有的；公用的。*on short* ～*s* 缺乏足夠的食物。*out of the* ～ 不平常的。§ ～ **cárrier** 運輸業者。～ **cóld** 傷風。～ **cóuncil** 市議會；市民大會。～ **denóminator**〖數〗公分母。～ **fáctor** [**divísor**]〖數〗公因數。～ **fráction**〖數〗分數。～ **génder**〖文法〗通性(陽性陰性通用者，如 parent 等)。～ **láw** 不成文法；習慣法。～ **méasure** (1)〖數〗公度；公測度。(2)(亦作 common time)〖樂〗普通拍子；4／4拍子。～ **múltiple**〖數〗公倍數(略作 C.M.)。～ **nóun**〖文法〗普通名詞。～ **schòol** 公立小學(有時也包含中學部)。～ **sénse** (1)常識(累積人生經驗所得的思考力、判斷力)。(2)(一般的)見解；常理。**the C～ Márket**(歐洲)共同市場。

com·mon·al·i·ty [,kɑmən`ælətɪ] *n.* Ⓤ①共通性。②=**commonalty.**

com·mon·al·ty [`kɑmənəltɪ] *n.* Ⓤ (集合稱)平民百姓；人民。

com·mon·er [`kɑmənɚ] *n.* ©①平民。②(牛津大學)自費生(無獎學金者)。

com·mon-law [`kɑmən`lɔ] *adj.*有關[依據]習慣法的。§ ～ **wífe** 依據習慣法結合的妻子。

***com·mon·ly** [`kɑmənlɪ] *adv.* 通常地；普通地；普遍地。

***com·mon·place** [`kɑmən,ples] *adj.*①普通的；平凡的。②陳腐的。— *n.* ©①老生常談；陳腐之言。②普通的事物。

com·mons [`kɑmənz] *n. pl.* 平民。*the C-*〖英〗下議院(=House of Commons).

com·mon·sense [`kɑmən`sɛns] *adj.*常識的。(亦作 **common-sense**)

com·mon·weal [`kɑmən,wil] *n.* (the ～)大眾福利。

com·mon·wealth [`kɑmən,wɛlθ] *n.*①©共和國。②Ⓤ(集合稱)國民。③©聯邦。④©美國的一州。*the C- of Australia* 澳大利亞聯邦。*the C- of Independent States* 獨聯體(前蘇聯國家體制瓦解後幾個獨立國家組成的聯邦)。*the C-* (*of Nations*)不

列顚國協。

com·mo·tion [kəˋmoʃən] *n.* Ⓤ Ⓒ 騷動；暴動；騷擾。

com·mu·nal [ˋkɑmjunl] *adj.* ①公有的。②公社內的；社區內的。③社區或公社間的。— **ism,** *n.* — **ly,** *adv.*

com·mune[1] [kəˋmjun] *v.i.* ①密談〔with〕. ②感覺與(某人或物)有密切關係。③接受聖餐。

com·mune[2] [ˋkɑmjun] *n.* Ⓒ ①(法國、比利時、義大利、西班牙等國的)最小地方行政區；自治村。②公社。

com·mu·ni·ca·ble [kəˋmjunɪkəbl] *adj.* ①可傳達的。②可傳染的。

com·mu·ni·cant [kəˋmjunɪkənt] *n.* Ⓒ ①領受聖餐者。②報音信者。

***com·mu·ni·cate** [kəˋmjunəˌket] *v.t.* ①傳染；傳授；傳遞。②傳達；告知。③授聖體給…。— *v.i.* ①聯絡；通信。～ with a person 與人聯絡。②相通；相連。③接受聖餐；領聖體。

***com·mu·ni·ca·tion** [kəˌmjunəˋkeʃən] *n.* ① Ⓤ 傳達或交換思想、意見、消息等。② Ⓒ 書信公文或電訊等。③ Ⓤ 交通工具；聯絡方法。

com·mu·ni·ca·tions [kəˌmjunəˋkeʃənz] *n.* Ⓤ 交通；通訊系統；傳播(學)。～ officials 交通官員。a world ～ network 世界性通訊網。

com·mu·ni·ca·tive [kəˋmjunɪˌketɪv] *adj.* ①愛說話的。②通訊的。

com·mun·ion [kəˋmjunjən] *n.* ① Ⓤ 共有；共享。② Ⓤ 交際；友誼；交換思想和情感。③ Ⓒ 教友；教會。④ Ⓤ 領聖餐禮；聖餐(式)。*hold ～ with oneself* 深思。*Holy C-* 聖餐。*in ～ with nature* 與自然同化。

com·mu·ni·qué [kəˌmjunəˋke] 〖法〗*n.* Ⓒ 官報；公報。

***com·mu·nism** [ˋkɑmjuˌnɪzəm] *n.* Ⓤ 共產主義。

***com·mu·nist** [ˋkɑmjunɪst] *n.* Ⓒ ①共產主義者。②(C-)共產黨員。— *adj.* ①共產主義(者)的。②(C-)共產黨的。— **com·mu·nisˊtic,** *adj.*

***com·mu·ni·ty** [kəˋmjunətɪ] *n.* ① Ⓒ (同住一地，具相同文化和歷史背景的)社區。② Ⓒ 團體。③ Ⓤ (又作a～)共有；共享。④ Ⓒ 同居一起之動物；同生一處之植物。⑤(the～)公眾。§ ～ **anténna tèlevision** 社區共同天線電視。～ **cènter** 社區活動中心。～ **chèst** 社區福利基金。～ **cóllege**(美國)社區大學。～ **sínging**(未經演練的)團體合唱。

com·mu·ta·tion [ˌkɑmjuˋteʃən] *n.* ① Ⓤ 變換。② Ⓤ 交換。③ Ⓤ Ⓒ 折算；代換償付。④ Ⓤ 〖美〗以定期車票通勤。⑤ Ⓤ 〖法律〗減刑。§ ～ **tìcket**〖美〗定期[回數]車票(=〖英〗season ticket).

com·mute [kəˋmjut] *v.t.* ①變換。②減刑。③代換償付；折償。— *v.i.* ①代換；折償。②〖美〗使用定期票乘車往返。

com·mut·er [kəˋmjutɚ] *n.* Ⓒ 〖美〗用定期票通勤者。

***com·pact**[1] [kəmˋpækt] *adj.* ①固結的；緊密的。②簡潔的。③小巧的。— *v.t.* ①壓緊；束緊。②簡化；使簡潔。— *v.i.* 結緊；固結。— [ˋkɑmpækt] *n.* Ⓒ ①有鏡小粉盒。②小型汽車。§ ～ **dísc** 雷射唱片(略作CD). — **ly,** *adv.*

com·pact[2] [ˋkɑmpækt] *n.* Ⓒ 契約。

com·pact·or [kəmˋpæktɚ] *n.* Ⓒ 壓土機；夯土機。(亦作 **compacter**)

‡**com·pan·ion** [kəmˋpænjən] *n.* Ⓒ ①同伴；伴侶；朋友。②情趣相投者。③種類、大小、顏色等能相匹配的東西。— **a·ble,** *adj.*

com·pan·ion·ship [kəmˋpænjənˌʃɪp] *n.* Ⓤ 友誼；交往。

com·pan·ion·way [kəmˋpænjənˌwe] *n.* Ⓒ 〖造船〗甲板通往船艙之梯；該梯之升降口。

‡**com·pa·ny** [ˋkʌmpənɪ] *n.* ① Ⓤ 一群人。② Ⓤ 為社交目的而聚集的人；為某種目的結合一起的一群人。③ Ⓤ 同伴；陪伴。④ Ⓒ 連(陸軍單位)。⑤ Ⓒ 公司；行號。⑥ Ⓤ 同一群中之其他人們。*be good* [*poor, bad*] ～ 良伴[無趣的同伴]。*for* ～陪伴；伴隨。*in* ～在人中；當眾。*in* ～ (*with*) (與…)一同；一起。*keep* [*bear*] *a person* ～ 與人為伴。*keep* ～ **a.**與人結交；與人為伍。**b.**(戀愛中之)形影不離。*keep good* [*bad*] ～ 與好人[壞人]為伍。*part* ～ *with* **a.**與…離別。**b.**與…分道揚鑣；與…斷絕交往。**c.** 與…持反對意見。§ ～ **commànder**〖軍〗連長。～ **màn** 著重公司利益甚於同事利益者。～ **mànners** 虛禮；客套。～ **stóre** 員工福利社。～ **ùnion** ⑴商店、工廠等員工組成的獨立工會。⑵被雇主所控制的工會。

com·pa·ra·ble [ˋkɑmpərəbl] *adj.* ①可比擬的〔to〕. ②可比較的〔with〕. — **comˊpa·ra·bly,** *adv.*

***com·par·a·tive** [kəmˋpærətɪv] *adj.* ①比較的。②比較研究的。— *n.* (the ～)比較級。§ ～ **degrée**〖文法〗比較級。～ **líterature** 比較文學。

com·par·a·tive·ly [kəmˋpærətɪvlɪ] *adv.* 比較地；相當地。

‡**com·pare** [kəmˋpɛr] *v.t.* ①比較〔常with〕. ②喻；比擬〔常to〕. — *v.i.* ①匹敵；相比〔with〕. ②競爭。*not to be* ～*d with* **a.** 與…相差極遠。**b.** 不如[及]。

***com·par·i·son** [kəmˋpærəsn] *n.* Ⓤ Ⓒ ①比較。②比擬；相似。③〖文法〗比較。*by* ～ 同其他比較時。*in* ～ *with* 較之；比較。§ ～ **shòpper** 派往同業店中去購物，以探聽行情的雇員。

com·part·ment [kəmˋpɑrtmənt] *n.* Ⓒ ①間隔；區劃。②火車上小隔間。

com·part·men·tal·ize [kəmˌpɑrtˋmɛntlˌaɪz] *v.t.* 區分；區劃；劃分。

***com·pass** [ˋkʌmpəs] *n.* Ⓒ ①指南針。②境界；周圍。③範圍。④(聲音或樂器所能及的)音域。⑤(常*pl.*)兩腳規；圓規。§ ～ **càrd**(航海羅盤之)盤面。

***com·pas·sion** [kəmˋpæʃən] *n.* Ⓤ 憐憫；同情。

com·pas·sion·ate [kəmˋpæʃəˌnet] *v.t.* 憐憫；體恤；對…表同情。— [kəmˋpæʃənɪt] *adj.*慈悲的；有同情心的；深表同情的。

com·pat·i·ble [kəmˋpætəbl] *adj.*

①能共處的；能共存的；相容的〔with〕. ②彩色電視節目可在黑白電視機收視的。—com·pat·i·bil'i·ty, n.

com·pa·tri·ot [kəm`petrɪət] n. Ⓒ 同胞。— adj. 同國的。

com·peer [kəm`pɪr] n. Ⓒ ①地位相等的人。②同志；夥伴。

*__com·pel__ [kəm`pɛl] v.t.(-ll-)①強迫；迫使。②強行要求。—ling, adj.

com·pen·di·ous [kəm`pɛndɪəs] adj. 簡潔的。(亦作 compendiary)

com·pen·di·um [kəm`pɛndɪəm] n. Ⓒ (pl. ~s, -di·a [-dɪə]) 摘要；概略。

*__com·pen·sate__ [`kampən,set] v.t. ①償還；賠償。②報酬。— v.i. 補償；抵補〔for〕. —com·pen'sa·to·ry, adj.

*__com·pen·sa·tion__ [,kampən`seʃən] n.①Ⓤ補償；賠償。②Ⓒ賠償金；賠償物。③Ⓒ報酬〔for〕. ④Ⓤ〖心〗補償作用。

com·pere [`kampɛr] n. Ⓒ 節目主持人。— v.t. 主持(節目)。

*__com·pete__ [kəm`pit] v.i. ①競爭。②比賽。

com·pe·tence [`kampətəns], **-cy** [-sɪ] n. ①Ⓤ能力。②(a ~)相當的財產。③Ⓤ資格；權限；權能。

*__com·pe·tent__ [`kampətənt] adj.①能幹的；勝任的。②有資格的。

*__com·pe·ti·tion__ [,kampə`tɪʃən] n. ①Ⓤ競爭。②Ⓒ比賽。③Ⓤ競爭者。

com·pet·i·tive [kəm`pɛtətɪv] adj. ①競爭的。②經得起競爭的。

com·pet·i·tor [kəm`pɛtətɚ] n. Ⓒ 競爭者；敵手。

com·pi·la·tion [,kampɪ`leʃən] n. ⓊⒸ編輯；編纂(物)。

com·pile [kəm`paɪl] v.t. ①編輯；編纂。②編列。

com·pil·er [kəm`paɪlɚ] n. Ⓒ ①編纂者；編輯人。②〖電算〗編譯程式。~ language 編譯程式語言。

com·pla·cent [kəm`plesn̩t] adj.自滿的；自得的；得意的。—com·pla'cence, com·pla'cen·cy, n.—ly, adv.

‡__com·plain__ [kəm`plen] v.i. ①抱怨；不滿〔of, against〕. ②訴苦〔of〕. ③控訴；投訴。

com·plain·ant [kəm`plenənt] n. Ⓒ①訴苦[投訴]者。②原告。

*__com·plaint__ [kəm`plent] n.①Ⓤ訴苦。②Ⓒ控訴；投訴。③Ⓒ疾病。

com·plai·sant [kəm`plezn̩t] adj. ①慇懃的；彬彬有禮的。②順從的。—com·plai'sance, n.

com·plect·ed [kəm`plɛktɪd] adj. =complexioned.

com·ple·ment [`kampləmənt] n. Ⓒ①補足(物)。②足量；全數。③〖數〗餘角。④〖文法〗補語。—[`kamplə,mɛnt] v.t. 補足；補充。

com·ple·men·ta·ry [,kamplə`mɛntərɪ] adj.①補足的；補充的。②互補的。③〖文法〗有補語作用的。

‡__com·plete__ [kəm`plit] adj.①完整的；全部的。②徹底的；絕對的。③完畢的；終了的。④技藝高明的。— v.t.①完成。②使完全；使完整。—ness, n.

‡__com·plete·ly__ [kəm`plitlɪ] adv.①完全地。②徹底地；十分地。

*__com·ple·tion__ [kəm`pliʃən] n. ⓊⒸ①完成(的狀態)。②完成(指行爲)。

*__com·plex__ [kəm`plɛks, `kamplɛks] adj.①合成的；複合的。②複雜的；錯綜的。—[`kamplɛks] n. Ⓒ①複雜事物。②成見。③〖心〗情結。④綜合物。§ ~ fràction〖數〗繁分數。~ séntence〖文法〗複句(含一個主要子句及一個或一個以上的附屬子句)。

com·plex·ion [kəm`plɛkʃən] n. Ⓒ①面色；膚色；氣色。②外觀；形勢。the ~ of the war 戰況。

com·plex·ioned [kəm`plɛkʃənd] adj. 有(某種)膚色的。

com·plex·i·ty [kəm`plɛksətɪ] n. ①Ⓤ複雜。②Ⓒ複雜之事物。

com·pli·ance [kəm`plaɪəns], **-cy** [-sɪ] n. Ⓤ①順從。②應允。***in ~ with*** 聽從。—com·pli'ant, adj.

*__com·pli·cate__ [`kamplə,ket] v.t.①使複雜；使起糾紛。②使惡化。

*__com·pli·cat·ed__ [`kamplə,ketɪd] adj. 複雜的。

com·pli·ca·tion [,kamplə`keʃən] n.①Ⓒ糾紛；難以解決的紛擾。②Ⓒ併發症。③Ⓤ複雜化。

com·plic·i·ty [kəm`plɪsətɪ] n. Ⓤ 共謀；串通作弊。

*__com·pli·ment__ [`kampləmənt] n. ①Ⓒ恭維；敬意；稱讚。②(pl.)致意；問候；道賀。Give my best ~s to your father. 請代我向你的父親問候。***the ~s of the season*** 敬賀佳節(聖誕節及年節間的致意語)。***With the ~s of....***敬贈(作者贈書給他人時用語)。—[`kamplə,mɛnt] v.t. ①稱讚；恭維〔on〕. ②送禮；餽贈〔with〕. ③祝賀；問候。— v.i. 稱讚；恭維。

com·pli·men·ta·ry [,kamplə`mɛntərɪ] adj. ①讚美的；恭維的。②〖美〗免費的。§ ~ tícket 招待券；優待券。

*__com·ply__ [kəm`plaɪ] v.i. 應允；同意；順從〔with〕.

com·po·nent [kəm`ponənt] adj.組成的；成分的。— n. Ⓒ成分。

com·port [kəm`port] v.t. 舉止；行爲。— v.i. 適合；相稱〔with〕. —ment, n.

*__com·pose__ [kəm`poz] v.t. & v.i.①組成；構成。②著；撰；作曲。③使安靜；鎭定(心神)。④調停；和解。

com·posed [kəm`pozd] adj. 安靜的；鎭靜的；泰然自若的。

*__com·pos·er__ [kəm`pozɚ] n. Ⓒ①作曲家。②作家；著作者。③調停者。

com·pos·ite [kəm`pazɪt] adj. 混合成的；湊集成的。— n. Ⓒ合成物；複合物。§ ~ phótograph (由兩張以上照片合併而成的)合成照片。~ pórtrait 拼湊肖像(據見證人描述疑犯的各部特徵而繪成的肖像)。

*__com·po·si·tion__ [,kampə`zɪʃən] n. ①Ⓒ組織；成分。②Ⓤ著作；作品。③Ⓒ(學生的)作文。④Ⓤ寫作。⑤Ⓤ

(藝術作品等之)結構；布局。⑥Ⓒ混合物。⑦Ⓤ性質；素質。⑧Ⓤ和解。⑨Ⓤ〖印刷〗排字。⑩Ⓒ樂曲。

com·pos·i·tor [kəm`pazɪtɚ] *n.* Ⓒ①排字工人。②排字機。

com·post [`kampost] *n.* Ⓤ 混合肥料；堆肥。

com·po·sure [kəm`poʒɚ] *n.* Ⓤ 泰然自若；鎮靜；沉著。

com·pote [`kampot] *n.* ①Ⓤ蜜餞。②Ⓒ(裝糖果的)高腳盤。

***com·pound** [kam`paund] *adj.* 合成的；複合的；混合的。— *v.t.* ①混合；攙合；調合。②調解；和解。③增加。④算複利；以複利計算。⑤組成；構成。— *v.i.* ①結合。②調停；和解。～ *a felony*〖法律〗接受金錢以私了訴訟。— [`kampaund] *n.* Ⓒ①複合字。②混合物。③化合物。§ ～ **éye**(昆蟲等之)複眼。～ **frácture** 複合骨折。～ **ínterest** 複利。～ **séntence**〖文法〗複合句。

com·pra·dor(e) [ˏkamprə`dɔr] *n.* Ⓒ(中國及東方其他國家之)洋商的經紀人；買辦。

***com·pre·hend** [ˏkamprɪ`hɛnd] *v.t.* ①了解；領悟。②包括；包含。

com·pre·hen·si·ble [ˏkamprɪ`hɛnsəbḷ] *adj.* 能理解的。— **com·pre·hen·si·bil′i·ty,** *n.*

com·pre·hen·sion [ˏkamprɪ`hɛnʃən] *n.* Ⓤ①理解力。②包含；含蓄。

***com·pre·hen·sive** [ˏkamprɪ`hɛnsɪv] *adj.* ①包羅萬象的；廣博的。②有理解力的。§ ～ **schòol**(課程內包括普通中學與職校學科的)綜合制中學。

***com·press** [kəm`prɛs] *v.t.*①緊壓；壓縮；壓榨。②鎮壓。— [`kamprɛs] *n.* Ⓒ(止血用)繃帶；壓布。§ ～**ed petròleum gàs** 液化瓦斯。— **com·pres′sion, com·pres′sor,** *n.* — **i·ble,** *adj.*

com·prise, -prize [kəm`praɪz] *v.t.* ①包括；包含。②構成。

***com·pro·mise** [`kamprəˏmaɪz] *v.t.* ①和解；妥協。②危及；連累；洩密。— *v.i.*①和解。②姑息；妥協；退讓。— *n.* ①ⓊⒸ和解；互讓了事。②Ⓒ調停的結果；協議。

com·pro·mis·ing [`kamprəˏmaɪzɪŋ] *adj.* 損壞名譽[聲譽]的；惹人懷疑的。

comp·trol·ler [kən`trolɚ] *n.* Ⓒ(會計、銀行的)主計員；稽核員。

com·pul·sion [kəm`pʌlʃən] *n.*①Ⓤ強迫；強制。②Ⓒ強烈慾望。

com·pul·sive [kəm`pʌlsɪv] *adj.*①強迫的；強制的。②禁不住的。

***com·pul·so·ry** [kəm`pʌlsərɪ] *adj.* ①強迫的；強制的；義務的。～ education 義務教育。②必修的。— **com·pul′so·ri·ly,** *adv.*

com·punc·tion [kəm`pʌŋkʃən] *n.* Ⓤ追悔；良心不安。

com·pute [kəm`pjut] *v.t.* & *v.i.* 計算；估計〔at〕. § **compúting machíne** 電子計算機；計算機(=computer). — **com·pu·ta′tion,** *n.*

***com·put·er, -pu·tor** [kəm`pjutɚ] *n.* Ⓒ①計算者。②電子計算機；電腦。§ ～ **dáting** 電腦擇偶。～ **dáting àgency** 電腦擇偶社。～ **gráphics** 電腦繪圖。～ **lànguage** 電腦語言。～ **módelling** 電腦造型。～ **prógrammer** 電腦程式設計師。～ **scíence**〖電算〗電腦科學。～ **scíentist**〖電算〗電腦科學家。～ **vírus**〖電算〗電腦病毒。

com·put·er·ese [kəmˏpjutə`riz] *n.* Ⓤ電子計算機[電腦]專門用語。

com·put·er·ize [kəm`pjutəˏraɪz] *v.t.* 使電腦化。§ ～**d áxial tomógraphy**〖醫〗電腦斷層攝影；CT 掃描(略作 CAT). — **com·put·er·i·za′tion,** *n.*

com·put·er·nik [kəm`pjutɚˏnɪk] *n.* Ⓒ電腦操作人員；電腦迷。

***com·rade** [`kamræd, `kamrɪd] *n.* Ⓒ①同伴；夥伴；同事。②共產黨員。～ *in arms* 武裝同志；戰友。

com·rade·ship [`kamræˏʃɪp] *n.* Ⓤ 友誼；同志之誼；朋友關係。

com·sat [`kamˏsæt] *n.* Ⓒ 通訊衛星(由 communications satellite 合成)。

con[1] [kan] *adv.*反對。*pro and* ～正反兩面地。— *n.* Ⓒ(常 *pl.*)反對(者)；反對的理由。*pros and* ～*s* 正反兩面。

con[2] *v.t.*(-nn-)①細心研讀。②諳記。

con[3] 〖美俚〗*adj.*詐欺的。— *v.t.*(-nn-)詐欺；騙取財物。§ ～ **màn** 〖俚〗騙子(=con artist).

con-〖字首〗=**com-**.

con·cat·e·nate [kan`kætṇˏet] *v.t.* 連結；連鎖。— *adj.* 連鎖的。

con·cave [kan`kev] *adj.* 凹面的；凹的。— [`kankev] *n.* Ⓒ凹面；凹。— **con·cav′i·ty,** *n.*

***con·ceal** [kən`sil] *v.t.*①隱藏；隱匿。②對…保守祕密。— **ment,** *n.*

***con·cede** [kən`sid] *v.t.* & *v.i.*①承認；(不情願地)承認…爲事實。②讓與；容許。③勉強承認。

***con·ceit** [kən`sit] *n.* ①Ⓤ自誇；自負。②Ⓒ觀念；意見。③Ⓒ奇異的想法。*be out of* ～ *with something* 對某物[事]不再滿意；對某物[事]厭倦。

con·ceit·ed [kən`sitɪd] *adj.* ①自負的。②〖俗〗奇想的。

con·ceiv·a·ble [kən`sivəbḷ] *adj.* 可料到的；可了解的。

***con·ceive** [kən`siv] *v.t.* & *v.i.* ①想像；構思；設想。②了解。③懷孕。

***con·cen·trate** [`kansṇˏtret] *v.t.* & *v.i.*①集中。②注意；專心〔on, upon〕. ③濃縮。— *n.* ⓊⒸ濃縮物。

***con·cen·tra·tion** [ˏkansṇ`treʃən] *n.* ①ⓊⒸ集中。②Ⓤ注意；專心。③Ⓤ濃縮。§ ～ **càmp** 集中營。

con·cen·tric [kən`sɛntrɪk] *adj.*同中心的。

***con·cept** [`kansɛpt] *n.* Ⓒ概念。

***con·cep·tion** [kən`sɛpʃən] *n.* ①ⓊⒸ想像；想像力。②ⓊⒸ觀念；概念。③ⓊⒸ懷孕。prevent ～ 避孕。④Ⓒ計畫。

con·cep·tu·al [kən`sɛptʃuəl] *adj.* 「概念的。」

con·cep·tu·al·ize [kən`sɛptʃuəˏlaɪz] *v.t.* 使概念化。

C

‡**con·cern** [kən\`sɝn] *v.t.*①關係；與之有關；涉及。②使擔心；使關心。*as* ~*s* 關於。*as far as...is* ~*ed* 關於；至於。~ *oneself* **a.**注意。**b.**顧慮；介意。—*n.*①Ⓒ事務；事。②Ⓒ利害關係。③Ⓤ憂慮；關懷；掛念。④Ⓒ關心事。⑤Ⓒ公司；商店。〔注意〕concern 與 in 或 with 連用，以表示「參與」或「與…有關」。concern 與 for 或 about 連用時，表示「關懷」或「擔憂」。

‡**con·cerned** [kən\`sɝnd] *adj.*①掛念的；憂慮的。②有關的。the authorities ~ 有關當局。③被牽累的。

***con·cern·ing** [kən\`sɝnɪŋ] *prep.*關於[有關]…。

‡**con·cert** [\`kɑnsɝt] *n.* ①Ⓒ音樂會。②Ⓤ一致；和諧。*in* ~一致；共同。§~ **gránd**(演奏會用的)大型平台鋼琴。

con·cert·ed [kən\`sɝtɪd] *adj.*①協同的；一致的。②〖樂〗協調的。

con·cert·go·er [\`kɑnsɝt͵goɚ] *n.* Ⓒ常去音樂會的人。

con·cer·ti·na [͵kɑnsɚ\`tinə] *n.* Ⓒ六角手風琴。

con·cert·mas·ter [\`kɑnsɚt͵mæstɚ] *n.* Ⓒ交響樂團之第一提琴手。

con·cer·to [kən\`tʃɛrto] *n.* Ⓒ (*pl.* ~**s**)〖樂〗協奏曲。

con·ces·sion [kən\`sɛʃən] *n.* ①ⓊⒸ讓步。②Ⓒ特許權；讓給之物。③Ⓒ租界；租地。

con·ces·sion·aire [kən͵sɛʃən\`ɛr] *n.* Ⓒ受讓人；特許權所有者。

con·ces·sion·ar·y [kən\`sɛʃə͵nɛrɪ] *adj.* 讓步的。

con·ces·sive [kən\`sɛsɪv] *adj.* 讓步的。§~ **cláuse**〖文法〗讓步子句。

conch [kɑŋk, kɑntʃ] *n.* Ⓒ (*pl.* **conchs** [kɑŋks], **conch·es** [\`kɑntʃɪz]) ①〖動〗海螺；貝類。②介殼；貝殼。

con·chol·o·gy [kɑŋ\`kɑlədʒɪ] *n.* Ⓤ介類學；貝類學。

con·cierge [͵kɑnsɪ\`ɛrʒ]〖法〗*n.* Ⓒ①看門人。②(公寓)管理員。

con·cil·i·ate [kən\`sɪlɪ͵et] *v.t.*①安慰；取悅於。②調解；調停。—**con·cil·i·a·to·ry** [kən\`sɪlɪə͵torɪ], *adj.*

con·cil·i·a·tion [kən͵sɪlɪ\`eʃən] *n.* Ⓤ①撫慰；懷柔。②修好；和好。③和解。

con·cise [kən\`saɪs] *adj.*簡明的；概括的。—**ly,** *adv.* —**ness,** *n.*

con·clave [\`kɑnklev] *n.* Ⓒ①樞機主教互選教皇之密室及會議。②祕密會議。

***con·clude** [kən\`klud] *v.t.*①結束；使完畢。~ a speech 結束演講。②結論；推斷。③訂立；締結。④決定；斷定。—*v.i.* ①終結；結束。②推斷。③決定。

***con·clu·sion** [kən\`kluʒən] *n.* Ⓒ①完結；終了。②結論。arrive at a ~得到結論。③結果。④訂立；締結。⑤最後的決定。⑥推論；推斷。*in* ~最後；總之。*try* ~*s with* 與…爭勝負。

con·clu·sive [kən\`klusɪv] *adj.*確定的；決定性的；最後的。—**ly,** *adv.*

con·coct [kɑn\`kɑkt] *v.t.*①調製；混合。②編造；虛構。③計畫。—**con·coc′tion,** *n.*

con·com·i·tant [kɑn\`kɑmətənt] *adj.* 相伴的；附隨的。—*n.* Ⓒ相伴物；附隨物。—**con·com′i·tance,** *n.*

con·cord [\`kɑnkɔrd, \`kɑŋ-] *n.* Ⓤ①和諧。②(國與國間的)友善；親睦。③〖樂〗諧和；和聲。④〖文法〗(人稱、性、數、格等之)一致。

con·cord·ance [kɑn\`kɔrdṇs] *n.*①Ⓤ和諧；一致。②Ⓒ重要語詞索引。

con·cord·ant [kɑn\`kɔrdṇt] *adj.*和諧的；一致的〔with〕. —**ly,** *adv.*

con·course [\`kɑnkors] *n.* Ⓒ①匯集；會合。②群集。

***con·crete** [\`kɑnkrit, kɑn\`krit] *adj.* ①實在的；具體的。②混凝土的；水泥的。—*n.* ①Ⓤ混凝土；水泥。②(the ~)具體(性)。

con·cu·bine [\`kɑŋkju͵baɪn] *n.* Ⓒ妾；姘婦。

con·cu·pis·cent [kɑn\`kjupəsṇt] *adj.* 慾望強烈的；色慾強的；好色的。

con·cur [kən\`kɝ] *v.i.* (**-rr-**) ①同意；意見一致〔in, with〕. ②同時發生。③協力〔with〕. —**con·cur′rence,** *n.*

con·cur·rent [kən\`kɝənt] *adj.*①同時發生的。②合作的。③和諧的。

con·cus·sion [kən\`kʌʃən] *n.* ⓊⒸ①震動；衝擊。②腦震盪。

***con·demn** [kən\`dɛm] *v.t.*①反對；責難。②招禍；致令有罪。③宣告不合用或不宜服役。④宣告有罪；判罪。⑤宣告無可救藥。⑥沒收；充公。⑦使處於(某種地位)。—**con·dem·na′tion,** *n.*

con·demned [kən\`dɛmd] *adj.*①被責難的；被判罪的。②(財產)被沒收的。§~ **céll** [**wárd**] 死囚牢。

***con·dense** [kən\`dɛns] *v.t.*①使壓縮；使凝縮。②使簡潔。③使凝結。④使聚集(如光線等)。—*v.i.* 凝縮；凝結。—**con·den·sa′tion,** *n.*

con·densed [kən\`dɛnst] *adj.*①縮小的。②濃縮的。§~ **mílk** 煉乳。

con·dens·er [kən\`dɛnsɚ] *n.* Ⓒ①〖電〗電容器。②凝結器。

con·de·scend [͵kɑndɪ\`sɛnd] *v.i.*屈尊；俯就；降格相從。—**ing,** *adj.* —**con·de·scen′sion,** *n.*

con·di·ment [\`kɑndəmənt] *n.* Ⓤ調味品；佐料。

‡**con·di·tion** [kən\`dɪʃən] *n.*①Ⓤ(又作 a ~)情況；健康情形。②Ⓒ地位；身分。③Ⓒ條件。④Ⓤ(身體的)異常；疾病。⑤Ⓒ補考。⑥Ⓒ〖文法〗條件子句。*in* ~ 健康情形良好。*on*[*upon*]~ *that* 假使；在…條件下。—*v.t.*①調節。②附以條件。

***con·di·tion·al** [kən\`dɪʃənḷ] *adj.*①有條件的。②〖文法〗表示條件的。—**ly,** *adv.*

con·di·tion·er [kən\`dɪʃənɚ] *n.* Ⓒ①調節者。②調節劑。③調節器；空調設備。an air ~ 空氣調節器。

con·do [\`kɑndo] *n.* (*pl.* ~**s**) = **condominium.**

con·do·la·to·ry [kən\`dolə͵torɪ] *adj.* 弔唁[慰]的。

con·dole [kən\`dol] *v.i.* 哀悼；慰問〔with〕.

con·do·lent [kən`dolənt] *adj.* 弔慰的；哀悼的。— **con·do′lence,** *n.*
con·dom [`kɑndəm] *n.* Ⓒ (男性爲避孕、防性病用的)保險套。
con·do·min·i·um [ˌkɑndə`mɪnɪəm] *n.* Ⓒ①共同管轄區。②〖美〗各戶產權獨立可自由買賣的公寓[大廈]。
con·done [kən`don] *v.t.* 寬恕；通姦宥恕。— **con·do·na′tion,** *n.*
con·dor [`kɑndɚ] *n.* Ⓒ〖鳥〗兀鷹(南美產的大型鳥)。
con·duce [kən`djus] *v.i.* 有助於；貢獻；引起〔to, toward〕.
con·du·cive [kən`djusɪv] *adj.* 促成的；有助益的〔to〕.
***con·duct** [`kɑndʌkt] *n.* Ⓤ ①行爲；舉動。②處理；經營。③指引；引導；嚮導。—[kən`dʌkt] *v.t.* ①行爲；舉止。②處理；經營。③指揮。④引導；嚮導。⑤傳導。— *v.i.* 領導；指揮。
con·duc·tion [kən`dʌkʃən] *n.* Ⓤ ①傳導。②輸送。
con·duc·tive [kən`dʌktɪv] *adj.* 傳導性的；有傳導力的。— **con·duc·tiv′i·ty,** *n.* Ⓤ 傳導性。
***con·duc·tor** [kən`dʌktɚ] *n.* Ⓒ ①領導者；指揮者；管理者。②樂隊指揮者。③車掌。④傳導體；導體。⑤避雷針。
con·duit [`kɑnd(ʊ)ɪt] *n.* Ⓒ①導管；水管；油管。②線管(藏納電線者)。
***cone** [kon] *n.* Ⓒ ①圓錐；圓錐體。②毬果(如松毬等)。③似圓錐形的東西。
con·fab·u·late [kən`fæbjəˌlet] *v.i.* 談論；閒談。— **con·fab·u·la′tion,** *n.*
con·fec·tion [kən`fɛkʃən] *n.* Ⓒ 糖果；點心；蜜餞。
con·fec·tion·er [kən`fɛkʃənɚ] *n.* Ⓒ 糖果糕點類之製造[販賣]人。§ ∼**s' súgar** 特級細砂糖。
con·fec·tion·er·y [kən`fɛkʃənˌɛrɪ] *n.* Ⓤ (集合稱)糖果糕點等。
con·fed·er·a·cy [kən`fɛdərəsɪ] *n.* Ⓒ ①聯盟；同盟。②共謀；私黨。***the C-*** 美國南部邦聯(＝the Confederate States of America).
con·fed·er·ate [kən`fɛdərɪt] *adj.* ①同盟[聯合]的。②(C-)美國南北戰爭時南部同盟的。— *n.* Ⓒ ①同盟者[國]；聯合者。②共犯；同謀者。③(C-)美國南北戰爭時擁護南部邦聯者。—[kən`fɛdəˌret] *v.t.* & *v.i.* (使…)結成同盟；聯合。
con·fed·er·a·tion [kənˌfɛdə`reʃən] *n.*① Ⓤ 同盟；聯合。② Ⓒ 同盟國；聯邦。
con·fer[1] [kən`fɝ] *v.t.* (-rr-) ①賜予；頒給。②賦與。— *v.i.* 商量；商議〔with〕.
con·fer[2] 〖拉〗 *v.t.* (-rr-)比較；參照。(略作 **cf., conf.**)
***con·fer·ence** [`kɑnfərəns] *n.* Ⓒ 會議；談判；討論會。
***con·fess** [kən`fɛs] *v.t.*①承認；自白。②表示；聲明。③懺悔；告解(尤指對神父告解)。④聽告解。— *v.i.* ①承認；自認。②懺悔。
con·fessed [kən`fɛst] *adj.*①公認的；明白的。②自認的；自白的；告解的。

***con·fes·sion** [kən`fɛʃən] *n.* ⓊⒸ① 自白。②認罪；懺悔。— **al,** *n.* & *adj.*
con·fes·sor [kən`fɛsɚ] *n.* Ⓒ①自白者。②聽告解的神父。
con·fet·ti [kən`fɛtɪ] *n.* (作 *sing.*解)(婚禮或狂歡時所投擲之)五彩碎紙。
con·fi·dant [ˌkɑnfə`dænt, `kɑnfəˌdænt] *n.* Ⓒ 密友；知己。
***con·fide** [kən`faɪd] *v.i.*①信任；信賴〔in〕. ②告以祕密或私事以示信賴。— *v.t.* ①透露(祕密)〔to〕. ②交託；信託；託付〔to〕.
***con·fi·dence** [`kɑnfədəns] *n.*① Ⓤ 信任；信賴。② Ⓤ 自信。③ Ⓒ 祕密。§ ∼ **gàme**[〖英〗**trìck**](獲得對方信任之後的)欺詐。∼ **màn** 騙子。
***con·fi·dent** [`kɑnfədənt] *adj.*① 確信的；完全相信的〔of, that〕.②自信的；大膽的。— *n.* Ⓒ密友；知己。— **ly,** *adv.*
***con·fi·den·tial** [ˌkɑnfə`dɛnʃəl] *adj.*①機密的；祕密的。②參與機密的。③信任他人的。— **ly,** *adv.*
con·fi·den·ti·al·i·ty [ˌkɑnfɪˌdɛnʃɪ`ælɪtɪ] *n.* Ⓤ 機密性；祕密性。
con·fid·ing [kən`faɪdɪŋ] *adj.* 深信的；易信的。
con·fig·u·ra·tion [kənˌfɪgjə`reʃən] *n.* Ⓒ 輪廓；外貌；形狀；方位。
con·fig·ure [kən`fɪgjɚ, -gɚ] *v.t.* ①使形成。②(尤指電腦用語)裝配；配置(某物)。
***con·fine** [kən`faɪn] *v.t.* ①限制〔to, within〕. ②監禁〔in〕. ③臥病；分娩。④控制。—[`kɑnfaɪn] *n.* Ⓒ (常 *pl.*)疆界；境界。— **ment,** *n.*
con·fined [kən`faɪnd] *adj.*分娩中的。
***con·firm** [kən`fɝm] *v.t.* ①證實。②認可；批准。③使堅定。④〖宗〗施堅信禮。⑤證明確實收到。
con·fir·ma·tion [ˌkɑnfɚ`meʃən] *n.*① ⓊⒸ 認可；證實；確定。② Ⓤ 證明；證據。③ ⓊⒸ〖宗〗堅信禮。
con·firm·a·tive [kən`fɝmətɪv] *adj.* 確定的；確認的；批准的；認可的。
con·firm·a·to·ry [kən`fɝməˌtorɪ] *adj.* ①確證的；確定的；確認的(＝confirmative). ②〖宗〗堅信禮的。
con·firmed [kən`fɝmd] *adj.*①證實的;確認的。②習慣的。③(疾病)長期的。
con·fis·cate [`kɑnfɪsˌket] *v.t.* 充公；沒收。— **con·fis·ca′tion,** *n.*
con·fis·ca·to·ry [kən`fɪskəˌtorɪ] *adj.* 沒收的；充公的。
con·fla·gra·tion [ˌkɑnflə`greʃən] *n.* Ⓤ大火。
con·flate [kən`flet] *v.t.*(兩種不同的版本)合併。— **con·fla′tion,** *n.*
con·flict** [kən`flɪkt] *v.i.* ①爭鬥；戰鬥〔with〕. ②爭執；抵觸〔with〕. —[`kɑnflɪkt] *n.* ⓊⒸ ①爭鬥；戰爭(尤指長期的)。②爭執；抵觸。∼ ***of interest 從事公務者可能因執行公務而獲私利。— **ing,** *adj.*
con·flu·ence [`kɑnfluəns] *n.* ①ⓊⒸ (河)匯流處。② Ⓒ 群集；群眾。— **con′flu·ent,** *adj.* & *n.*
con·flux [`kɑnflʌks] *n.*＝ **confluence.**

C

con·form [kən`fɔrm] *v.t.*使相似；使一致；使順應〔to〕. — *v.i.* ①遵從；依照。②相合；一致。— **a·ble,** *adj.*
con·for·ma·tion [ˌkɑnfɔr`meʃən] *n.* Ⓤ Ⓒ 構造；形態。
con·form·ist [kən`fɔrmɪst] *n.* Ⓒ ①遵奉傳統者。②(C-)英國國教徒。
con·form·i·ty [kən`fɔrmətɪ] *n.* Ⓤ①一致。②〖英史〗信奉國教。
con·found [kɑn`faʊnd] *v.t.* ①使惶惑；使狼狽。②混淆；分不清。③打敗；破壞。*C- it!* 討厭！該死的！— **ed,** *adj.*
C
***con·front** [kən`frʌnt] *v.t.*①面對。②相對。③對照；比較。
con·fron·ta·tion [ˌkɑnfrən`teʃən] *n.* Ⓤ Ⓒ ①(軍事、政治的)對立；衝突。②〖法律〗(在法庭的)對質。
Con·fu·cian [kən`fjuʃən] *adj.* 孔子的；儒家的。— *n.* Ⓒ 儒家學者。
Con·fu·cius [kən`fjuʃəs] *n.* 孔子。
‡**con·fuse** [kən`fjuz] *v.t.* ①使混亂。②二者之中不能辨別。 *— **con·fused′,** *adj.* — **con·fus′ed·ly** [～ɪdlɪ], *adv.*
***con·fu·sion** [kən`fjuʒən] *n.* Ⓤ①混亂。②惶惑。③混淆不清。
con·fute [kən`fjut] *v.t.*證明(某人)錯誤；駁倒(某人)。— **con·fu·ta′tion,** *n.*
con·ga [`kɑŋgə] *n.* Ⓒ 康加舞。
con·gé [`kɑnʒe] 〖法〗*n.* Ⓒ ①撤職；免職。②正式之告別；辭行。
con·geal [kən`dʒil] *v.t.* & *v.i.* (使…)凝結；(使…)凍結。
con·gee [`kɑndʒi] *n.* Ⓤ 稀飯；粥。(亦作 **conjee**)
con·ge·la·tion [ˌkɑndʒə`leʃən] *n.* ①Ⓤ凝固；凝結。②Ⓒ凝結物。
con·ge·la·tive [ˌkɑndʒə`letɪv] *adj.* 會凝固的；有凝結作用的。
con·gen·ial [kən`dʒinjəl] *adj.* ①意氣相投的。②適合的(事物)；適意的。
con·gen·i·tal [kən`dʒɛnətl̩] *adj.*天生的；先天的。
con·ger [`kɑŋgɚ] *n.* Ⓤ Ⓒ 海鰻。
con·ge·ries [kɑn`dʒɪriz] *n.* (作 *sing.* or *pl.*解)聚集；堆積；團塊。
con·gest [kən`dʒɛst] *v.t.* & *v.i.*①充滿；擁塞。②(使)充血。
con·ges·tion [kən`dʒɛstʃən] *n.* Ⓤ ①充滿；擁塞。②充血。
con·ges·tive [kən`dʒɛstɪv] *adj.* 〖醫〗充血的；充血性的。
con·glo·ba·tion [ˌkɑnglo`beʃən] *n.* Ⓤ 球體；團塊；圓形物。
con·glom·er·ate [kən`glɑməˌret] *v.t.* & *v.i.*(使)成一團；集聚。— [kən`glɑmərɪt] *adj.*集聚而成的。— *n.* Ⓒ ①聚集物。②〖地質〗礫岩。
con·glom·er·a·tion [kənˌglɑmə`reʃən] *n.* ①Ⓤ Ⓒ 聚集(物)；團塊。②Ⓤ 多元混合商業組織。
con·glom·er·a·tor [kən`glɑməˌretɚ] *n.* Ⓒ 多元混合組成的龐大商業公司之首腦人物。
***con·grat·u·late** [kən`grætʃəˌlet] *v.t.*①慶賀；祝賀。②私自慶幸。
***con·grat·u·la·tion** [kənˌgrætʃə`leʃən] *n.* ①Ⓤ 祝賀；慶賀。②(*pl.*)賀詞；祝詞。*Congratulations!* 恭喜!
con·grat·u·la·to·ry [kən`grætʃələˌtorɪ] *adj.*慶賀的；祝賀的。
con·gre·gant [`kɑŋgrɪgənt] *n.* Ⓒ 聚集者；會眾中的一員。
con·gre·gate [`kɑŋgrɪˌget] *v.t.* & *v.i.* 集合；聚集。
con·gre·ga·tion [ˌkɑŋgrɪ`geʃən] *n.* ①Ⓤ 集合；會集。②Ⓒ 集合的人或東西；集會。③Ⓒ 宗教的集會或會眾。
con·gre·ga·tion·al [ˌkɑŋgrɪ`geʃənl̩] *adj.*①會眾的；集會的。②(C-)〖基督教〗公理(教會)的。— **ist,** *n.* & *adj.*
***con·gress** [`kɑŋgrəs] *n.* Ⓤ①國家立法的機關(尤指共和國的)。②(C-)美國的國會；美國國會會期。
con·gres·sion·al [kən`grɛʃənl̩] *adj.* ①會議的。②(C-)美國國會的。
con·gress·man [`kɑŋgrəsmən] *n.* Ⓒ (*pl.* **-men**) (常 C-)美國國會議員(尤指眾院議員)。
con·gress·per·son [`kɑŋgrəsˌpɝsn̩] *n.* Ⓒ美國國會議員。
con·gress·wom·an [`kɑŋgrəsˌwʊmən] *n.* Ⓒ (*pl.* **-wom·en**) (常 C-)國會女議員(尤指眾院女議員)。
con·gru·ent [`kɑŋgruənt] *adj.* ①一致的；相合的。②〖幾何〗全等的。
con·gru·ous [`kɑŋgruəs] *adj.*符合的；一致的〔to, with〕.
con·ic, -i·cal [`kɑnɪk(l̩)] *adj.* 圓錐的；圓錐形的。
co·ni·fer [`konəfɚ] *n.* Ⓒ 針葉樹；毬果植物。— **co·nif′er·ous,** *adj.*
conj. conjugation; conjunction.
con·jec·tur·a·ble [kən`dʒɛktʃərəbl̩] *adj.* 可推測的。
con·jec·ture [kən`dʒɛktʃɚ] *n.* Ⓤ Ⓒ 推測；臆測；猜想。— *v.t.* & *v.i.* 推測；猜想。— **con·jec′tur·al,** *adj.*
con·join [kən`dʒɔɪn] *v.t.* & *v.i.* 結合；聯合。
con·joint [kən`dʒɔɪnt] *adj.* 聯合的；相連的；共同的。— **ly,** *adv.*
con·ju·gal [`kɑndʒʊgl̩] *adj.* 婚姻的。
con·ju·gate [`kɑndʒəˌget] *v.t.*①〖文法〗列出動詞的詞性變化。②成對；結合。
con·ju·ga·tion [ˌkɑndʒə`geʃən] *n.* Ⓤ Ⓒ ①聯合；配合。②〖文法〗動詞之變化。
con·junct [kən`dʒʌŋkt] *adj.*聯合的；結合的。
con·junc·tion [kən`dʒʌŋkʃən] *n.* ①Ⓤ Ⓒ 結合；連結。②Ⓒ〖文法〗連接詞。*in ～ with* 連同；共同。
con·junc·ti·va [ˌkɑndʒʌŋk`taɪvə] *n.* Ⓒ (*pl.* **～s, -vae** [-vi]) 〖解〗結膜。
con·junc·tive [kən`dʒʌŋktɪv] *adj.* 連接的。— *n.* Ⓒ〖文法〗連接詞。
con·junc·ti·vi·tis [kənˌdʒʌŋktə`vaɪtɪs] *n.* Ⓤ〖醫〗結膜炎。
con·junc·ture [kən`dʒʌŋktʃɚ] *n.* Ⓒ①連接。②局面；時機；危機。
con·jure [`kʌndʒɚ, `kɑndʒɚ] *v.t.* ①行魔術。②以咒召遣〔常 up〕. ③回憶〔常 up〕. ④[kən`dʒʊr] 懇求。— *v.i.* 施魔法；耍魔術。

con·jur·er, -or [ˋkʌndʒərə] *n.* Ⓒ①魔術師。②行咒法者。
conk [kaŋk] *v.t.* 毆打(某人的)頭。～ *out* **a.**(引擎)故障的。**b.**睡著的。
‡**con·nect** [kəˋnɛkt] *v.t.* ①連接；結合〔常 with〕. ②聯想。③貫通。— *v.i.* ①連結；連接。②聯絡；接駁。
con·nect·ed [kəˋnɛktɪd] *adj.* 有關連的；有關係的。
con·nect·er, con·nec·tor [kəˋnɛktə] *n.* Ⓒ連接之人[物]；連接器。
Con·nect·i·cut [kəˋnɛtɪkət] *n.* 康乃狄克州(美國東北部一州)。
***con·nec·tion** [kəˋnɛkʃən] *n.* ①Ⓤ連接。②Ⓒ交通工具。③ⓊⒸ關係。④Ⓒ派系；宗派。⑤Ⓒ連接物。⑥ⓊⒸ聯想。*in ～ with* 關於。
con·nec·tive [kəˋnɛktɪv] *adj.* ①連接的。②聯合的。— *n.* Ⓒ〖文法〗連接詞。§ **～ tìssue**〖生物〗結締組織。
cónn·ing tòwer [ˋkanɪŋ～] *n.* Ⓒ①(軍艦)司令塔；駕駛臺。②(潛艇)瞭望塔。
con·nive [kəˋnaɪv] *v.i.* ①假裝沒看見；默許；縱容。②共謀。— **con·niv′ance, con·niv′ence,** *n.*
con·nois·seur [ˌkanəˋsɜ] *n.* Ⓒ(藝術品之)鑑定家；行家。— **ship,** *n.*
con·no·ta·tion [ˌkanəˋteʃən] *n.* Ⓒ涵義；暗示。
con·not·a·tive [ˋkanəˌtetɪv] *adj.* ①含蓄的；暗示的〔of〕. ②〖邏輯〗內包的；內涵的。
con·note [kəˋnot] *v.t.* ①暗示；含意；包含。②〖邏輯〗內涵；包攝。
con·nu·bi·al [kəˋnubɪəl] *adj.* 婚姻的；夫婦的。— **ly,** *adv.*
***con·quer** [ˋkaŋkə, ˋkɔŋkə] *v.t.* 攻取；征服。— *v.i.* 得勝。— **a·ble,** *adj.* — **ing·ly,** *adv.*
con·quer·or [ˋkaŋkərə] *n.*①Ⓒ征服者；勝利者。②(the C-)征服者(英王威廉一世之稱號)。
***con·quest** [ˋkaŋkwɛst] *n.* ①Ⓤ征服。②Ⓒ略取的土地；戰利品。
con·quis·ta·dor [kanˋkwɪstəˌdɔr] *n.* Ⓒ (*pl.* **～s, -do·res**[kanˌkwɪstəˋdɔriz])〖西〗①十六世紀征服墨西哥和秘魯之西班牙人。②征服者。
***con·science** [ˋkanʃəns] *n.* ⓊⒸ良心。a bad [guilty]～ 有愧於心。*for ～(')sake* 爲良心起見。*have something on one's ～* 問心有愧；內疚。*in all ～*〖俗〗**a.** 當然。**b.** 正當地；合理地。
con·science-strick·en [ˋkanʃənsˌstrɪkən] *adj.* 良心不安的。
con·sci·en·tious [ˌkanʃɪˋɛnʃəs] *adj.* ①有良心的；正直的。②謹愼的；盡責的。§ **～ objéctor** 因反對戰爭或基於宗教信仰而不肯服兵役的人。— **ly,** *adv.* — **ness,** *n.*
***con·scious** [ˋkanʃəs] *adj.* ①覺得的；知道的。②自覺的。③有知覺的；有意識的。④有意的。— **ly,** *adv.*
***con·scious·ness** [ˋkanʃəsnɪs] *n.* Ⓤ①知覺；意識。②自覺。
con·scious·ness-rais·ing [ˋkanʃəsnɪsˋrezɪŋ] *n.* Ⓤ意識提升。
con·script [ˋkanskrɪpt] *adj.* 被徵入伍的；徵召的。— *n.* Ⓒ徵集入伍的兵士。— [kənˋskrɪpt] *v.t.* 徵召；徵用。— **con·scrip′tion,** *n.*
con·se·crate [ˋkansɪˌkret] *v.t.* ①奉爲神聖；尊崇；貢獻。②任聖職。③獻(身)；委(身)〔to〕. ④使成爲神聖。
con·sec·u·tive [kənˋsɛkjətɪv] *adj.* ①連續的。②〖文法〗表示結果的。
con·sen·sus [kənˋsɛnsəs] *n.* Ⓒ①(意見的)一致。②輿論。

***con·sent** [kənˋsɛnt] *v.i. & n.* Ⓤ同意；答應；許可。
***con·se·quence** [ˋkansəˌkwɛns] *n.* ①Ⓒ結果；影響。②Ⓤ重要。③Ⓤ重要的地位。*in ～(of)*由於…。*take the ～s* 接受後果；自作自受。
con·se·quent [ˋkansəˌkwɛnt] *adj.* ①是由於…的；是來自…的〔on, upon〕. ②邏輯上必然的。— *n.* Ⓒ結果；影響。
con·se·quen·tial [ˌkansəˋkwɛnʃəl] *adj.* ①結果的。②重要的。
***con·se·quent·ly** [ˋkansəˌkwɛntlɪ] *adv.* 因此；所以。
con·ser·va·tion [ˌkansəˋveʃən] *n.* Ⓤ①保存；保藏。②政府對於森林、水利的保護。③受保護的森林或區域。
con·ser·va·tion·ist [ˌkansəˋveʃənɪst] *n.* Ⓒ(資源之)保護管理論者；(自然風景之)保護論者。
***con·serv·a·tive** [kənˋsɜvətɪv] *adj.* ①保守的。②謹愼的。— *n.* Ⓒ①保守者。②(C-)英國保守黨員。§ **C～ Pàrty** (英國之)保守黨。— **con·serv′a·tism,** *n.* — **ly,** *adv.*
con·ser·va·tor [ˋkansəˌvetə] *n.* Ⓒ①保護者。②[kənˋsɜvətə](博物館等之)管理員；〖英〗(河川等之)管理委員。③[kənˋsɜvətə]〖法律〗監護人。
con·serv·a·to·ry [kənˋsɜvəˌtorɪ] *n.* Ⓒ①溫室；暖房。②音樂學校。
con·serve [kənˋsɜv] *v.t.* ①保存；保全。②使成蜜餞。— [ˋkansɜv, kənˋsɜv] *n.* ⓊⒸ (常 *pl.*)蜜餞；果醬。
‡**con·sid·er** [kənˋsɪdə] *v.t.* ①思考；考慮。②認爲；視爲。③尊重；重視。④留意；研究。— *v.i.* 考慮；熟思。
***con·sid·er·a·ble** [kənˋsɪdərəbl] *adj.* ①值得考慮的；重要的。②不少的；相當多的。— *n.* Ⓤ〖美俗〗多。
***con·sid·er·a·bly** [kənˋsɪdərəblɪ] *adv.* 非常地；頗。
***con·sid·er·ate** [kənˋsɪdərɪt] *adj.* 體諒的；體貼的。— **ly,** *adv.* — **ness,** *n.*
***con·sid·er·a·tion** [kənˌsɪdəˋreʃən] *n.* ①Ⓤ考慮。②Ⓒ理由。③Ⓤ體恤；斟酌。④Ⓤ重要。⑤Ⓒ報酬。⑥Ⓤ尊敬。*in ～ of* 顧及；因爲。*on no ～* 決不。*take...into ～* 顧及；考慮。*under ～* 在考慮中。
con·sid·ered [kənˋsɪdəd] *adj.* ①經考慮的；經熟思的。②受尊敬的。
***con·sid·er·ing** [kənˋsɪdərɪŋ] *prep.* 顧及；就…而論；照…情形而言。— *adv.* 總而言之。
con·sign [kənˋsaɪn] *v.t.* ①移交。②

委託。③指定或留作。④傳遞。⑤託賣。—**or**, —**er**, —**ment**, *n.*

con·sign·ee [ˌkɑnsaɪˋni] *n.* Ⓒ 收件人；受託者；承銷人。

*__con·sist__ [kənˋsɪst] *v.i.* ①組成；爲…所製〔of〕. ②存在；在於〔in〕. ③相容；並存；符合〔with〕.

con·sist·en·cy [kənˋsɪstənsɪ], **-ence** [-əns] *n.* ①Ⓒ 堅實。②ⓊⒸ 稠度；濃度。③Ⓒ 一致；一貫。

*__con·sist·ent__ [kənˋsɪstənt] *adj.* ①前後一貫的；不矛盾的；一致的。②相合的。—**ly**, *adv.*

con·so·la·tion [ˌkɑnsəˋleʃən] *n.* ①Ⓤ 安慰；慰藉。②Ⓒ 可安慰的人[事，物]。§ ∼ **prize** 精神獎；安慰獎。

con·sol·a·to·ry [kənˋsɑləˌtorɪ] *adj.* 安慰的；撫慰的。

*__con·sole__[1] [kənˋsol] *v.t.* 安慰。

con·sole[2] [ˋkɑnsol] *n.* Ⓒ ①〖建〗(裝飾用的)螺形支柱。②(風琴的)演奏台。③收音機[電視機]的座架。

con·sol·i·date [kənˋsɑləˌdet] *v.i.* & *v.t.* ①(使)堅強；(使)鞏固；強化。②統一；合併。§ ∼**d school**〖美〗聯合學校。—**con·sol·i·da′tion**, *n.*

con·som·mé [ˌkɑnsəˋme]〖法〗*n.* Ⓤ 清燉肉湯。

con·so·nance [ˋkɑnsənəns] *n.* Ⓤ ①協調；一致。②聲音之和諧。

*__con·so·nant__ [ˋkɑnsənənt] *n.* Ⓒ 子音；子音字母。—*adj.* 一致的；和諧的〔to, with〕.

con·sort [ˋkɑnsɔrt] *n.* Ⓒ ①配偶；夫或妻。②國王[女王]之配偶。③同事；夥伴。—[kənˋsɔrt] *v.t.* & *v.i.* ①陪伴；結交。②調和；協調。

con·sor·ti·um [kənˋsɔrʃɪəm] *n.* Ⓒ (*pl.* **-ti·a** [-ʃɪə]) ①銀行團；財團。②國際協會；共同體。

*__con·spic·u·ous__ [kənˋspɪkjuəs] *adj.*①顯著的。②引人注目的。—**ly**, *adv.*

con·spir·a·cy [kənˋspɪrəsɪ] *n.* ⓊⒸ 陰謀；共謀；謀叛。

con·spir·a·tor [kənˋspɪrətɚ] *n.* Ⓒ 共謀者；陰謀者；謀叛者。

con·spir·a·to·ri·al [kənˌspɪrəˋtorɪəl] *adj.* 陰謀[共謀]的。

con·spire [kənˋspaɪr] *v.i.* ①共謀；圖謀；陰謀。②協同；一致行動。

con·sta·ble [ˋkɑnstəbḷ] *n.* Ⓒ〖英〗警察；警官。

con·stab·u·lar·y [kənˋstæbjəˌlɛrɪ] *n.* Ⓒ (集合稱)警察隊；保安隊。

con·stan·cy [ˋkɑnstənsɪ] *n.* Ⓤ ①不變；恆久性。②忠誠；不屈不撓。

*__con·stant__ [ˋkɑnstənt] *adj.* ①不變的。②有恆的。③忠貞的。

*__con·stant·ly__ [ˋkɑnstəntlɪ] *adv.* ①不變地。②不斷地。③時常地。

con·stel·la·tion [ˌkɑnstəˋleʃən] *n.* Ⓒ ①〖天〗星座；星群。②明麗如星群。

con·ster·na·tion [ˌkɑnstɚˋneʃən] *n.* Ⓤ 驚愕；恐怖；驚惶失措。

con·sti·pate [ˋkɑnstəˌpet] *v.t.*〖醫〗使便祕。—**con·sti·pa′tion**, *n.*

con·stit·u·en·cy [kənˋstɪtʃuənsɪ] *n.* Ⓒ ①選舉區之全體選民。②選舉區。③顧客。

con·stit·u·ent [kənˋstɪtʃuənt] *adj.* ①有選舉權的。②有創制權的。③組成的；成分的。—*n.* Ⓒ ①構成分子；成分。②選民；選舉者。

*__con·sti·tute__ [ˋkɑnstəˌtjut] *v.t.* ①構成。②任命；選定。③設立；制定。

*__con·sti·tu·tion__ [ˌkɑnstəˋtjuʃən] *n.* ①Ⓤ 構成；構造。②Ⓒ 體格。③Ⓒ 性情。④Ⓤ 設立。⑤Ⓒ 憲法。⑥Ⓤ 法律；命令。⑦Ⓤ 任命。

con·sti·tu·tion·al [ˌkɑnstəˋtjuʃənḷ] *adj.* ①憲法的；法治的。②體質的；生來的。—*n.* Ⓒ〖俗〗保健運動[散步]。§ ∼ **mónarchy** 君主立憲政體。—**ly**, *adv.* —**ism**, *n.*

con·sti·tu·tion·al·i·ty [ˌkɑnstəˌtjuʃənˋælətɪ] *n.* Ⓤ 立憲；法治；符合憲法。

con·strain [kənˋstren] *v.t.* ①強迫。②受拘束；拘禁。③抑制。—**ed**, *adj.* —**con·straint′**, *n.*

con·strict [kənˋstrɪkt] *v.t.* ①壓縮；使收緊。②使緩慢或停止。—**con·stric′tion**, *n.* —**con·stric′tive**, *adj.*

*__con·struct__ [kənˋstrʌkt] *v.t.* ①構造；建築；設計。②作(圖)。—[ˋkɑnstrʌkt] *n.* ①Ⓤ 建造；建築。②Ⓒ 建築[建造]物。③Ⓒ〖心〗構思；概念。—**or**, *n.*

*__con·struc·tion__ [kənˋstrʌkʃən] *n.* ①Ⓤ 建築；構造。②Ⓤ 建築法；結構；建築式。③Ⓒ 建築物。④Ⓒ 解釋。⑤Ⓒ〖文法〗造句法。⑥Ⓤ 作圖(法)。

con·struc·tive [kənˋstrʌktɪv] *adj.* ①建設性的。②構造上的；組織的。

con·struc·tiv·ism [kənˋstrʌktɪvˌɪzəm] *n.* Ⓤ〖藝術〗構成派。

con·strue [kənˋstru] *v.t.* ①分析。②解釋；推斷。—*v.i.* ①分析句子的結構。②可被解釋；可被分析。

con·sul [ˋkɑnsḷ] *n.* Ⓒ ①領事。②古羅馬的執政官。§ ∼ **géneral** 總領事。—**ship**, *n.*

con·su·lar [ˋkɑnsḷɚ, ˋkɑnsjələ] *adj.* 領事的。

con·su·late [ˋkɑnsḷɪt] *n.* Ⓒ ①領事館。②領事之職權[任期]。

*__con·sult__ [kənˋsʌlt] *v.t.* ①請教；就教於。②諮詢。③參考；查閱。④顧及；顧念。—*v.i.* 商量〔with〕.

con·sult·an·cy [kənˋsʌltənsɪ] *n.* ⓊⒸ 顧問醫師之職。

con·sult·ant [kənˋsʌltənt] *n.* Ⓒ ①諮詢者。②顧問；專員。

*__con·sul·ta·tion__ [ˌkɑnsḷˋteʃən] *n.* ①ⓊⒸ 請教；諮詢。②Ⓒ 商議；會議。③Ⓤ 參考。

con·sul·ta·tive [kənˋsʌltətɪv] *adj.* 諮詢的；協議的。(亦作**consultatory**, **consultive**) —**ly**, *adv.*

con·sult·ing [kənˋsʌltɪŋ] *adj.* ①諮詢的；就教的。②作顧問的。a ∼ engineer 顧問工程師。a ∼ physician 顧問醫師。③專門診視的。a ∼ room 診室。

con·sum·a·ble [kənˋsuməbḷ] *adj.* 可消耗[消費]的；能用盡的。—*n.* Ⓒ (常 *pl.*)消耗品。

*__con·sume__ [kən\`sum] *v.t.* ①消耗；耗盡。②食盡或飲完。③燒毀。④浪費。—*v.i.* 憔悴而死(away). ~*d with* 被…所充滿。

*__con·sum·er__ [kən\`sumə] *n.* Ⓒ 消費者(爲 producer 之對)。§ ~ __príce ìndex__〖經〗消費者物價指數(略作CPI). ~(__s'__) __gòods__〖經〗消費品。

__con·sum·er·ism__ [kən\`sumə,rɪzəm] *n.* Ⓤ 保護消費者利益主義。

__con·sum·er·ist__ [kən\`sumərɪst] *n.* Ⓒ 贊成保護消費者主義的人。

__con·sum·mate__ [\`kɑnsə,met] *v.t.* ①成就；完成。②完婚。—[kən\`sʌmɪt] *adj.* 至上的；完全的；圓滿的。—__con·sum·ma′tion,__ *n.*

__con·sump·tion__ [kən\`sʌmpʃən] *n.* Ⓤ ①消耗；用盡。②消耗量。③〖古〗肺病；結核病。

__con·sump·tive__ [kən\`sʌmptɪv] *adj.* ①〖古〗害肺病的。②消費的。

‡__con·tact__ [\`kɑntækt] *n.* ① Ⓤ 接觸。② Ⓤ 聯繫。③ Ⓤ〖電〗電路中之接觸。④ Ⓒ〖醫〗與傳染病接觸者。—*v.t.*〖俗〗與人接觸。—*v.i.* 發生接觸。§ ~ __flỳing__ [__flìght__]〖空〗目視飛行。~ __lènses__ 隱形眼鏡。

__con·ta·gion__ [kən\`tedʒən] *n.* ① Ⓒ 接觸傳染病。② Ⓤ 傳染。③ ⓊⒸ 不良影響；道德敗壞。

__con·ta·gious__ [kən\`tedʒəs] *adj.* ①接觸傳染的。②易感染的；蔓延的。③傳播疾病的。

‡__con·tain__ [kən\`ten] *v.t.* ①包含。②容納。③等於。④抑制(情緒等)；容忍。⑤可被(某數)除盡。

__con·tain·er__ [kən\`tenə] *n.* Ⓒ 箱；罐；貨櫃；容器。§ ~ __càr__ 貨櫃車。~ __shìp__ 貨櫃船；集裝箱船。

__con·tain·ment__ [kən\`tenmənt] *n.* Ⓤ 圍堵；牽制；抑制。

__con·tam·i·nate__ [kən\`tæmə,net] *v.t.* ①汚染。②使(人、心等)敗壞。—__con·tam·i·na′tion,__ *n.*

*__con·tem·plate__ [\`kɑntəm,plet] *v.t.* ①注視。②沉思；考慮。③預期。④意欲；打算。—*v.i.* 沉思；默想。

__con·tem·pla·tion__ [,kɑntəm\`pleʃən] *n.* Ⓤ ①凝視；沉思。②期待；希望。③研討；考慮。*have* (*a thing*) *in* ~ 籌畫(某事物)；企圖做…。—__con′tem·pla·tive,__ *adj.*

__con·tem·po·ra·ne·ous__ [kən,tɛmpə\`renɪəs] *adj.* 同時代的；同一時期的。—__ly,__ *adv.*

*__con·tem·po·rar·y__ [kən\`tɛmpə,rɛrɪ] *adj.* ①同時代的。②同年齡的。③現代的。—*n.* Ⓒ ①同時代的人。②同年齡的人。③同時代或同日期的雜誌[報紙]。

*__con·tempt__ [kən\`tɛmpt] *n.* Ⓤ ①輕視。②恥辱。③藐視。*in* ~ *of* 輕視；蔑視。—__i·ble,__ *adj.*

__con·temp·tu·ous__ [kən\`tɛmptʃuəs] *adj.* 輕蔑的；瞧不起人的。

*__con·tend__ [kən\`tɛnd] *v.i.* ①爭鬥；競爭。②爭論；辯論。—*v.t.* 主張。

__con·tend·er__ [kən\`tɛndə] *n.* Ⓒ (尤指競賽中的)競爭者。

*__con·tent__[1] [kən\`tɛnt] *v.t.* 使滿足。—*adj.* ①滿足的。②願意的。—*n.* Ⓤ 滿足。*to one's heart's* ~ 如意地；盡情地。

*__con·tent__[2] [\`kɑntɛnt, kən\`tɛnt] *n.* ①(*pl.*)所容之物；內容。②(*pl.*)書報等的內容；目錄。③ Ⓤ 面積；容積。

*__con·tent·ed__ [kən\`tɛntɪd] *adj.* 知足的；滿意的。

__con·ten·tion__ [kən\`tɛnʃən] *n.* ① Ⓤ 爭論；辯論。② Ⓒ 主張；論點。

__con·ten·tious__ [kən\`tɛnʃəs] *adj.* (人)好辯的；(問題等)引起爭論的。

*__con·tent·ment__ [kən\`tɛntmənt] *n.* Ⓤ 滿意；知足。

*__con·test__ [\`kɑntɛst] *n.* Ⓒ ①競爭；比賽。②爭鬥；爭論。—[kən\`tɛst] *v.t. & v.i.* ①爭取；爭奪。②爭論；爭辯。—__ant,__ *n.* Ⓒ 競爭者；選手。

*__con·text__ [\`kɑntɛkst] *n.* ⓊⒸ ①上下文。②某事之前後關係[情況]。—__con·tex·tu·al__ [kən\`tɛkstʃuəl], *adj.*

__con·tig·u·ous__ [kən\`tɪgjuəs] *adj.* ①接觸的。②鄰近的。—__con·ti·gu·i·ty__ [,kɑntɪ\`gjuətɪ], —__ness,__ *n.* —__ly,__ *adv.*

__con·ti·nence__ [\`kɑntənəns], __-cy__ [-sɪ] *n.* Ⓤ ①自制；節制。②節慾。

‡__con·ti·nent__[1] [\`kɑntənənt] *n.* ① Ⓒ 洲；大陸。②(the C-) 歐洲大陸。

__con·ti·nent__[2] *adj.* 自制的；節慾的。

*__con·ti·nen·tal__ [,kɑntə\`nɛntl] *adj.* ①洲的；大陸的。②(常C-) 歐洲大陸的。—*n.* Ⓒ (常 C-)歐洲大陸人。

__con·tin·gence__ [kən\`tɪndʒəns] *n.* ① Ⓤ 接觸。②=__contingency.__

__con·tin·gent__ [kən\`tɪndʒənt] *adj.* ①偶然的；意外的。②有條件的。③可能而不定的。—*n.* Ⓒ 分遣(艦)隊；代表團。—__ly,__ *adv.* —__con·tin′gen·cy,__ *n.* Ⓒ 偶發事件。

*__con·tin·u·al__ [kən\`tɪnjuəl] *adj.* 不停的；連續的；頻頻的。*—__ly,__ *adv.*

__con·tin·u·ance__ [kən\`tɪnjuəns] *n.* ① Ⓤ 連續；繼續。② Ⓒ 續篇。③ Ⓤ〖法律〗延期。

__con·tin·u·a·tion__ [kən,tɪnju\`eʃən] *n.* ① Ⓤ 連續；延長。② Ⓒ 續前；續篇。③ Ⓒ 添附物。§ ~ __schòol__ 補習學校。

‡__con·tin·ue__ [kən\`tɪnju] *v.t.* ①繼續；連續。②(中斷後)繼續；恢復。③續作；續登。④留住；使持續。⑤延期。—*v.i.* ①繼續；連續。②持久。③留。④延續。⑤(中斷後)繼續。

__con·ti·nu·i·ty__ [,kɑntə\`nuətɪ] *n.* ① Ⓤ 連續；密切的關連。② Ⓒ 電影分景劇本；影片組合。

*__con·tin·u·ous__ [kən\`tɪnjuəs] *adj.* 不斷的；連續的。*—__ly,__ *adv.*

__con·tin·u·um__ [kən\`tɪnjuəm] *n.* Ⓒ (*pl.* __con·tin·u·a__ [-juə]) ①連續。②〖數〗連續統；閉聯集。

__con·tort__ [kən\`tɔrt] *v.t.* 扭歪；使彎。—__con·tor′tion,__ *n.*

__con·tor·tion·ist__ [kən\`tɔrʃənɪst] *n.* Ⓒ (可隨意彎曲身體的)雜技表演者。

C

con·tour [ˋkɑntur] *n.* Ⓒ 輪廓；外形界線；海岸線。── *v.t.* 畫輪廓；畫地形線。§ ∼ **lìne(s)** 等高線。

con·tra¹ [ˋkɑntrə] *prep.* 相反；反對。── *adv.* 相反地。

con·tra² *n.* Ⓒ (常 C-) (尼加拉瓜的)反政府游擊隊員。

contra- 〖字首〗表「反對；相反」之義。

con·tra·band [ˋkɑntrə͵bænd] *n.* Ⓤ ①違法交易；走私。②走私貨；違禁品。── *adj.* ①禁運的。②違法的(交易)。

con·tra·bass [ˋkɑntrə͵bes] *n.* Ⓒ 〖樂〗(倍)低音大提琴。

con·tra·cep·tion [͵kɑntrəˋsɛpʃən] *n.* Ⓤ 避孕(法)。

con·tra·cep·tive [͵kɑntrəˋsɛptɪv] *adj.* 避孕的。── *n.* Ⓒ 避孕藥[用具]。

***con·tract** [kənˋtrækt] *v.t.* ①收縮。②皺。③縮短；省略。④感受；感染。⑤ [ˋkɑntrækt] 締結；訂立。── *v.i.* ①收縮。②訂約。── [ˋkɑntrækt] *n.* Ⓒ ①合同；契約。②婚約。

con·trac·tion [kənˋtrækʃən] *n.* ① Ⓤ 收縮；縮短。② Ⓤ Ⓒ (字母之) 省略。③ Ⓤ 緊縮(資金)。④ Ⓤ 約束。

con·trac·tor [ˋkɑntræktɚ] *n.* Ⓒ 承包者；立約者。

con·trac·tu·al [kənˋtræktʃuəl] *adj.* 契約上[性]的。─ **ly,** *adv.*

***con·tra·dict** [͵kɑntrəˋdɪkt] *v.t.* & *v.i.* ①否認。②反駁。③相反；牴觸；矛盾。─ **con·tra·dic′to·ry,** *adj.*

con·tra·dic·tion [͵kɑntrəˋdɪkʃən] *n.* Ⓤ ①否定；反駁；否認。②矛盾。

con·tra·dis·tinc·tion [͵kɑntrədɪˋstɪŋkʃən] *n.* Ⓤ 對比；對照之區別。

con·trail [ˋkɑntrel] *n.* Ⓒ 〖空〗凝結尾流(飛機在飛行時尾部形成之似雲物)。

con·tral·to [kənˋtrælto] *n.* (*pl.* **∼s, -ti** [-ti]) ① Ⓤ 女低音。② Ⓒ 女低音歌手。

con·trap·tion [kənˋtræpʃən] *n.* Ⓒ 〖俗〗機巧品；(新奇的)機械。

con·tra·ry** [ˋkɑntrɛrɪ] *adj.* ①反對的；正相反的。②逆的；不利的。③ [kənˋtrɛrɪ] 固執的；彆扭的。── *adv.* 反對地；相反地。── *n.* ① Ⓒ (常 *pl.*) 相反的事物。②(the ∼)正相反。by contraries*** 與預期相反。***on the*** **∼** 相反地。***to the*** **∼** 有相反的情形。

***con·trast** [ˋkɑntræst] *n.* ① Ⓤ Ⓒ 差別；明顯的差異。② Ⓤ 對比；對照；反襯。③(a ∼)對照物。── [kənˋtræst] *v.t.* 對比；對照。── *v.i.* 成對比。

con·tra·vene [͵kɑntrəˋvin] *v.t.* ①違反；抵觸。②破壞；侵犯。③否定；反駁。─ **con·tra·ven′tion,** *n.*

con·tre·temps [kõtrəˋtɑ̃] 〖法〗*n.* Ⓒ (*pl.* ∼)令人尷尬的事。

***con·trib·ute** [kənˋtrɪbjut] *v.t.* ①捐助；貢獻。②投(稿)。── *v.i.* ①捐助。②助成；促成。③投稿。─ **con·trib′u·tor** [-bjətɚ], *n.*

***con·tri·bu·tion** [͵kɑntrəˋbjuʃən] *n.* ① Ⓤ 捐助；貢獻。② Ⓒ 捐助的東西。③ Ⓤ 投稿。④ Ⓒ 稅。

con·trib·u·tive [kənˋtrɪbjutɪv] *adj.* ①貢獻的；捐助的。②促成的。

con·trib·u·to·ry [kənˋtrɪbjə͵torɪ] *adj.* 有貢獻的；捐助的；有助於…的。

con·trite [ˋkɑntraɪt] *adj.* 悔罪的；痛悔的。─ **con·tri·tion** [kənˋtrɪʃən], *n.*

con·triv·ance [kənˋtraɪvəns] *n.* ① Ⓒ 發明物；機械裝置。② Ⓤ 設計。③ Ⓤ 設計或發明的才能。④ Ⓒ 計畫。

con·trive [kənˋtraɪv] *v.t.* ①發明；設計。②圖謀。③以計謀達成。── *v.i.* ①設法；計畫。②圖謀。─ **con·triv′er,** *n.*

con·trived [kənˋtraɪvd] *adj.* 不自然的；做作的。

‡**con·trol** [kənˋtrol] *n.* ① Ⓤ 管理；支配。② Ⓤ 抑制；克制。③(*pl.*)操縱裝置。④ Ⓒ 對照標準；核對。⑤ Ⓒ 精靈。⑥ Ⓤ 控制。⑦ Ⓤ 〖棒球〗控球能力。***be beyond*** **∼** 不能控制。***be out of*** **∼** 失去控制；不能操縱。***be under*** **∼** 受控制；受鎮壓。***keep under*** **∼** 抑制；克制。── *v.t.* (-ll-) ①指揮；管理。②抑制；約束。③調節；操縱。④核對(帳目)。§ ∼ **stìck** (飛機之)操縱桿。

con·trol·la·ble [kənˋtroləbl] *adj.* 可管理的；可控制的；能操縱的。

con·trolled [kənˋtrold] *adj.* 受約束的；克制的。

con·trol·ler [kənˋtrolɚ] *n.* Ⓒ ①主計員；查帳員。②管理者；指揮者。③操縱器。

***con·tro·ver·sy** [ˋkɑntrə͵vɝsɪ] *n.* Ⓤ Ⓒ 爭論；辯論。

con·tu·ma·cious [͵kɑntjuˋmeʃəs] *adj.* ①不服從命令的。②〖法律〗抗傳的。

con·tu·me·li·ous [͵kɑntjuˋmilɪəs] *adj.* 侮慢的；無禮的。

con·tu·me·ly [ˋkɑntjumәlɪ] *n.* Ⓤ Ⓒ ①(言語或行爲)傲慢；無禮。②侮辱。

con·tuse [kənˋtjuz] *v.t.* 打傷；撞傷；挫傷。─ **con·tu′sion,** *n.*

co·nun·drum [kəˋnʌndrəm] *n.* Ⓒ (含詼諧、雙關之意的)謎語。

con·ur·ba·tion [͵kɑnɝˋbeʃən] *n.* Ⓒ 〖文〗集合都市；大都市圈。

con·va·lesce [͵kɑnvəˋlɛs] *v.i.* 恢復健康；漸癒。

con·va·les·cence [͵kɑnvəˋlɛsn̩s] *n.* Ⓤ ①漸癒。②病後復原期。

con·va·les·cent [͵kɑnvəˋlɛsn̩t] *adj.* 漸癒的；復原期患者(用)的。── *n.* Ⓒ 恢復健康中的病人。

con·vec·tion [kənˋvɛkʃən] *n.* Ⓤ ①傳達。②〖氣象〗對流。③〖理〗(熱或電之)對流。§ ∼ **cùrrent**〖電〗對流電流。

con·vene [kənˋvin] *v.i.* 集會；集合。── *v.t.* 召集；票傳。

con·ven·ience** [kənˋvinjəns] *n.* ① Ⓤ 方便；適合。② Ⓒ (常 *sing.*)便利的事物。③ Ⓒ 〖英〗廁所。at one's*** **∼** 在方便的時候。***for*** **∼*' sake*** 爲方便起見。§ ∼ **fòod** 速食。∼ **gòods** (糖果、雜誌等很容易買到的)日常用品。∼ **stòre** 便利商店。

***con·ven·ient** [kənˋvinjənt] *adj.* ①方便的；合宜的；舒適的。②近便的；易得的。 *─ **ly,** *adv.*

con·vent [ˋkɑnvɛnt] *n.* Ⓒ ①修女[修士]之團體。②(多指女)修道院。

*con·ven·tion [kən`vɛnʃən] n. ① Ⓒ集會；(正式派代表出席的)會議。② Ⓒ (會議的)代表；使節。③ Ⓒ 條約；協約；契約。④ ⓊⒸ 習俗；習慣。⑤ Ⓒ〖美政〗政黨提名大會。

*con·ven·tion·al [kən`vɛnʃənl] adj. ①傳統的；習慣的。②協定上的；依條約的。③形式上的。④陳舊的；因襲的。— ism, — ist, n. — ly, adv.

con·ven·tion·al·i·ty [kən,vɛnʃən`ælətɪ] n.① Ⓤ 隨俗；因襲傳統。② Ⓒ慣例；老套。

con·ven·tion·al·ize [kən`vɛnʃənḷ,aɪz] v.t. 使遵從習俗或慣例。

con·ven·tion·eer [kən,vɛnʃə`nɪr] n. Ⓒ 參加集會的人；與會代表。(亦作 conventioner)

con·verge [kən`vɜdʒ] v.i. & v.t. ①集中於一點。②收斂。

con·ver·gence [kən`vɜdʒəns] n. ⓊⒸ 集中；輻合；收斂。

con·ver·sant [`kɑnvɚsṇt] adj. ①精通…的；嫻熟的〔with〕. ②親近的。

‡con·ver·sa·tion [,kɑnvɚ`seʃən] n. ⓊⒸ 會話；談話；座談。— al, adj.

con·ver·sa·tion·ist [,kɑnvɚ`seʃənɪst] n. Ⓒ 有口才的人；健談者。(亦作 conversationalist)

con·verse¹ [kən`vɜs] v.i. 談話。—[`kɑnvɜs] n. Ⓤ 談話。

con·verse² [kən`vɜs] adj. 倒轉的。—[`kɑnvɜs] n. (the ~) ①反對；相反的說法。②〖邏輯〗逆定理；逆命題。

con·verse·ly [kən`vɜslɪ] adv. ①相反地。②(修飾整句)反言之；反過來說。

*con·ver·sion [kən`vɜʃən] n. ① ⓊⒸ 轉變；變換。② ⓊⒸ 信仰的改變。③ Ⓤ 換算。

*con·vert [kən`vɜt] v.t. ①轉變；改變；將…改裝。②使改變信仰。③兌換。—[`kɑnvɜt] n. Ⓒ 改變信仰或意見的人。— i·ble, adj.

con·vert·er [kən`vɜtɚ] n. Ⓒ ①轉換者。②鍊鋼轉化爐。③〖電〗變流器。

con·vex [kɑn`vɛks] adj. 凸狀[面]的。—[`kɑnvɛks] n. Ⓒ 凸面；凸透鏡。— con·vex'i·ty, n.

*con·vey [kən`ve] v.t. ①運送；運輸。②傳遞；傳達。③(合法的)讓與。④傳導。— a·ble, adj.

con·vey·ance [kən`veəns] n.① Ⓤ 運送；運輸。② Ⓤ 傳達；傳遞。③ ⓊⒸ〖法律〗讓與；讓與證書。④ Ⓒ 舟車；交通工具。

con·vey·er, -or [kən`veɚ] n. Ⓒ 運送者[機]；搬運器；轉運帶。§ ~ bèlt 轉運帶。

*con·vict [kən`vɪkt] v.t. ①證明有罪。②判爲有罪；宣告有罪。③使知罪。—[`kɑnvɪkt] n. Ⓒ 罪犯。

*con·vic·tion [kən`vɪkʃən] n. ① ⓊⒸ 定罪；判罪。② Ⓤ 說服；信服。③ ⓊⒸ 堅信；信念。

con·vic·tive [kən`vɪktɪv] adj. ①有說服力的。②定罪的。— ly, adv.

*con·vince [kən`vɪns] v.t. 使相信；說服。

con·vinc·ing [kən`vɪnsɪŋ] adj. 令人心服的；能說服人的。

con·viv·i·al [kən`vɪvɪəl] adj. ①歡宴的；歡樂的。②愉快的。

con·vo·ca·tion [,kɑnvə`keʃən] n. Ⓤ ①(會議之)召集。②會議(尤指宗教或學術上的)。③(C-)英國敎士會議。

con·vo·lute [`kɑnvə,lut] adj. 旋繞的；迴旋狀的。— v.t. & v.i. 旋繞。

con·vo·lut·ed [`kɑnvə,lutɪd] adj. 旋繞的；迴旋狀的。

con·voy [kən`vɔɪ] v.t. 護送；護衛。—[`kɑnvɔɪ] n. ① Ⓤ 護送。② Ⓒ (集合稱)護送隊。③ Ⓒ 被護送的人[船隻]。

con·vulse [kən`vʌls] v.t. ①震動；使騷動。②痙攣；抽搐。③使…哄堂大笑。

con·vul·sion [kən`vʌlʃən] n. Ⓒ ①震動；騷動。②〖醫〗痙攣；驚風症。③(常 pl.)大笑。*throw into ~s* 使起痙攣；使捧腹大笑。— con·vul'sive, adj.

co·ny [`konɪ] n. ① Ⓒ 家兎。② Ⓤ 兎的毛皮。

coo [ku] n. Ⓒ (pl. ~s) 鵠鵠聲(如鴿子)。— v.i. ①作鵠鵠聲。②喁喁情話。— v.t. 低聲而言。

‡cook [kuk] n. Ⓒ 廚子。— v.t. ①烹調；煮。②〖俗〗a. 竄改；揑造。b. 毀壞。— v.i. ①烹調；煮。②擔任廚子。③〖俗〗發生。~ *one's goose* 破壞…計畫。~ *up* 〖俗〗a. 計劃。b. 揑造。

cook·book [`kuk,buk] n. Ⓒ 食譜。

cook·er [`kukɚ] n. Ⓒ ①鍋；炊具。②(常 pl.)烹調用的水果。

cook·er·y [`kukərɪ] n.① Ⓤ〖英〗烹飪；烹調術。② Ⓒ〖美〗廚房。

*cook·ie [`kukɪ] n. Ⓒ 餅乾。

*cook·ing [`kukɪŋ] adj. 烹調用的。— n. Ⓤ 烹調；烹調法。§ ~ àpple 烹調用的蘋果。~ stòve 烹飪用爐子。

cook·out [`kuk,aut] n. Ⓒ ①野外烹調聚會。②此種聚會之食物。

cook·shop [`kuk,ʃɑp] n. Ⓒ 小飯館；小菜館。

Cóok's tóur [`kuks~] n. Ⓒ 安排好的走馬看花式的遊覽。

cook·ware [`kuk,wɛr] n. Ⓤ (集合稱)烹調用具。

cook·y [`kukɪ] n. =cooky.

‡cool [kul] adj. ①微冷的；涼的。②涼爽的。③冷靜的。④冷淡的。⑤大膽的；無禮的。⑥〖俗〗不折不扣的。⑦寒色的。— n. (the ~)涼爽；涼爽的部分[地方，時間]。— v.t. & v.i. ①(使)冷。②(使)冷靜。③(使)失去興趣。~ *it* 〖俚〗鎮靜。~ *off* 〖俗〗變冷靜。~ *one's heels* 等候良久。— ness, n.

cool·ant [`kulənt] n. ⓊⒸ 冷卻劑。

cool·er [`kulɚ] n. Ⓒ ①冷卻器。②清涼劑。③〖俚〗監獄。④冷氣機。

cool-head·ed [`kul`hɛdɪd] adj. 頭腦冷靜的。

Coo·lidge [`kulɪdʒ] n. 柯立芝(John Calvin, 1872-1933, 美國第30位總統；其任期爲 1923-29)。

coo·lie, -ly [`kulɪ] n. Ⓒ 苦力；小工。

cool·ly [`kulɪ] adv. 冷靜地；冷淡地。

coon [kun] *n.* Ⓒ〖俗〗①浣熊。②黑人(帶有輕蔑之意)。

coop [kup] *n.* Ⓒ (雞、兎等之)籠、欄等。— *v.t.* ①關入籠[欄]內〔常 up, in〕。②拘禁〔常 up, in〕。

co-op [ko`ɑp] *n.* Ⓒ〖俗〗消費合作社。(亦作 **coop**)

coop·er [`kupɚ, `kʊ-] *n.* Ⓒ 箍桶匠。

***co·op·er·ate** [ko`ɑpə,ret] *v.i.* ①合作；協力。②相助。— **co·op′er·a·tor,** *n.*

***co·op·er·a·tion** [ko,ɑpə`reʃən] *n.* ①Ⓤ合作；協力；協同。②Ⓒ合作社。

***co·op·er·a·tive** [ko`ɑpə,retɪv] *adj.* 合作的；協力的。— *n.* Ⓒ 合作社。§ ～ **stóre** 合作社商店。

co-opt [ko`ɑpt] *v.t.* ①(由原任委員)選舉(新委員)。②吸收；同化。③籠絡；收買。④強佔。— **co-op·ta′tion,** *n.*

co·or·di·nate [ko`ɔrdn̩ɪt] *adj.* ①同等的；同格的。②〖文法〗對等的；同位的。～ conjunctions 對等連接詞。③〖數〗座標的。— *n.* ① Ⓒ 同等的人或物。② (*pl.*)〖數〗座標。— [ko`ɔrdn̩,et] *v.t.* ①使同等。②調和。— **co·or·di·na′tion,** *n.* — **co·or′di·na·tive,** *adj.*

coot [kut] *n.* Ⓒ ①〖鳥〗大鷭(水鳥)。②〖俗〗愚人。

coot·ie [`kutɪ] *n.* Ⓒ ①〖俚〗蝨。②〖蘇〗木碗。(亦作 **cooty**)

cop [kɑp]〖俚〗*n.* Ⓒ 警察。— *v.t.* (**-pp-**) 抓；捉；獲得。

co·part·ner [ko`pɑrtnɚ] *n.* Ⓒ 合作者；合夥人。

***cope**[1] [kop] *v.i.* 對抗；對付〔with〕。

cope[2] *n.* Ⓒ (教士主禮時穿著之)長袍。

Co·pen·ha·gen [,kopən`hegən] *n.* 哥本哈根(丹麥的首都)。

Co·per·ni·can [ko`pɝnɪkən] *adj.* 哥白尼(學說)的。§ ～ **sỳstem** 地動說(地球與其他行星繞行太陽的學說)。

Co·per·ni·cus [ko`pɝnɪkəs] *n.* 哥白尼(Nicolaus, 1473-1543, 波蘭人, 現代天文學之創始者)。

cop·i·er [`kɑpɪɚ] *n.* Ⓒ ①謄寫者。②剽竊者；仿效者。

co·pi·lot [ko`paɪlət] *n.* Ⓒ (飛機之)副駕駛員。

cop·ing [`kopɪŋ] *n.* Ⓒ〖建〗石頭頂蓋；蓋梁。

co·pi·ous [`kopɪəs] *adj.* ①豐富的；饒多的。②長篇累牘的。— **ly,** *adv.*

***cop·per**[1] [`kɑpɚ] *n.* ①Ⓤ 銅。②Ⓒ 銅器。③Ⓒ 銅幣。④Ⓤ 銅色。— *adj.* ①銅(製)的。②銅色的。

cop·per[2] *n.* Ⓒ〖俚〗警察。

cop·per·head [`kɑpɚ,hɛd] *n.* Ⓒ ①銅斑蛇(北美之毒蛇)。②(C-)美國內戰時同情南方之北方人。

cop·per·plate [`kɑpɚ,plet] *n.* Ⓤ Ⓒ〖印刷〗銅版；銅版印刷。

cop·per·smith [`kɑpɚ,smɪθ] *n.* Ⓒ 銅匠。

cop·pice [`kɑpɪs] *n.* ＝**copse.**

cop·ra [`kɑprə] *n.* Ⓤ 乾椰子肉。

copse [kɑps] *n.* Ⓒ 矮樹叢。

cop·ter [`kɑptɚ] *n.* Ⓒ〖俗〗直升機(＝helicopter)。

Cop·tic [`kɑptɪk] *n.* Ⓤ 埃及古語。— *adj.* 埃及土人的；埃及基督徒的。

cop·u·late [`kɑpjə,let] *v.i.* 性交。— **cop·u·la′tion,** *n.*

cop·u·la·tive [`kɑpjə,letɪv] *adj.* ①〖文法〗連繫辭的。②性交的。

‡**cop·y** [`kɑpɪ] *n.* ①Ⓒ 複本；謄本；複製品。②Ⓒ 摹本；範本。③Ⓒ (一次刊行的)部；冊；分。④Ⓤ〖影〗拷貝。⑤Ⓤ 原稿。⑥Ⓤ 寫作的題材。⑦Ⓤ〖新聞〗(人或事之)新聞價值。— *v.t.* & *v.i.* ①抄寫。②模仿。§ ～ **protéction**〖電算〗防拷貝保護。

cop·y·book [`kɑpɪ,bʊk] *n.* Ⓒ 字帖；習字簿。— *adj.* 平凡的；老套的。

cop·y·cat [`kɑpɪ,kæt] *n.* Ⓒ〖俗〗模仿他人動作或工作的人。

cop·y·ist [`kɑpɪɪst] *n.* Ⓒ ①抄寫者；謄寫者。②模仿者。

cop·y·read [`kɑpɪ,rid] *v.t.* (**-read** [-,rɛd])〖美〗校訂與編輯(原稿)。

cop·y·read·er [`kɑpɪ,ridɚ] *n.* Ⓒ〖新聞〗編輯；校訂人。

***cop·y·right** [`kɑpɪ,raɪt] *n.* Ⓤ Ⓒ 版權；著作權。— *adj.* 有著作權[版權]的。— *v.t.* 取得版權。

cop·y·writ·er [`kɑpɪ,raɪtɚ] *n.* Ⓒ 廣告文字撰稿人。

co·quet [ko`kɛt] *v.i.* (**-tt-**) (女子)賣弄風情；獻媚。

co·quet·ry [`kokɪtrɪ] *n.* ⓊⒸ (女子)玩弄男子；賣弄風情。

co·quette [ko`kɛt] *n.* Ⓒ 賣弄風情之女子。

co·quet·tish [ko`kɛtɪʃ] *adj.* 賣俏的；賣弄風情的。

cor·a·cle [`kɔrəkl̩] *n.* Ⓒ (以枝條作骨架，外覆防水布的)輕便小舟。

***cor·al** [`kɑrəl] *n.* ① ⓊⒸ 珊瑚(製品)。② Ⓤ 珊瑚色。— *adj.* ①珊瑚製的。②珊瑚色的。§ ～ **rèef** 珊瑚礁。

cor·bel [`kɔrbl̩] *n.* Ⓒ〖建〗翅托；牛腿。— *v.t.* (**-l(l)-**) 以翅托支撐。§ ～ **táble**〖建〗(支撐欄杆或滴水飛簷的)挑簷。

***cord** [kɔrd] *n.* ①ⓊⒸ 細繩；索；紘。②ⓊⒸ 絕緣的小電線。③Ⓒ 腱；索狀組織。④ⓊⒸ 楞條(布)。

cord·age [`kɔrdɪdʒ] *n.* Ⓤ (集合稱)繩索；索具。

cord·ed [`kɔrdɪd] *adj.* ①用繩綑的。②繩製的。③有稜條的。④(木材依 cord 爲單位)成堆的。⑤(肌肉)拉緊的。

Cor·del·ia [kɔr`diljə] *n.* ①考狄麗亞(女子名)。②莎士比亞所著「李爾王」中之人物，爲李爾王三女中最小而惟一忠心於他者。

***cor·dial** [`kɔrdʒəl] *n.* ⓊⒸ ①興奮劑；補品；強心劑。②利久酒(＝liqueur)。— *adj.* ①熱心的；眞誠的。②興奮的；提神滋補的。— **ly,** *adv.*

cor·dial·i·ty [kɔr`dʒælətɪ] *n.* ①Ⓤ 熱誠；懇摯。②(*pl.*)熱誠之言行。

cord·ite [`kɔrdaɪt] *n.* Ⓤ 線狀火藥；紐形火藥。

cord·less [`kɔrdlɪs] *adj.* 無線電的；以電池供電的。

cor·don [`kɔrdn̩] *n.* Ⓒ ①飾帶；綬帶。②〖軍〗警戒線；哨兵線。

cor·don bleu [kɔrdɔ̃`blœ]〖法〗*n.* Ⓒ (*pl.* **cor·dons bleus**[～]) ①(法國

波旁王朝時授與騎士之)最高勳章。②帶此種勳章的人。③某行業之佼佼者(尤指一流廚師)。

cor·do·van [ˋkɔrdəvən] *adj.* 哥德華皮革的。— *n.* Ⓤ 哥德華皮革。

cor·du·roy [ˏkɔrdəˋrɔɪ] *n.* ① Ⓤ 燈芯絨。②(*pl.*)燈芯絨褲。

***core** [kor] *n.* ① Ⓒ 果心(如梨、蘋果等含子的果心)。②(the ~)中心或最重要的部分。③ Ⓒ〖電〗心; 心線。— *v.t.* 去(果)心。— **cor′er,** *n.*

co·re·li·gion·ist [ˏko·rɪˋlɪdʒən-ɪst] *n.* Ⓒ 信奉同一宗教之人。

co·re·spond·ent [ˏko·rɪˋspɑndənt] *n.* Ⓒ〖法律〗離婚案中通姦之共同被告。

cor·gi [ˋkɔrgɪ] *n.* Ⓒ (威爾斯產的)一種短腿、身長、頭似狐狸的小狗。

cor·i·an·der [ˏkorɪˋændɚ] *n.* Ⓤ Ⓒ〖植〗胡荽。

Co·rin·thi·an [kəˋrɪnθɪən] *adj.* ①古希臘城市科林斯(人)的。②科林斯式建築的。— *n.* ① Ⓒ 科林斯人。②(*pl.*)聖經新約中哥林多前書及後書。

***cork** [kɔrk] *n.* ① Ⓤ 軟木。② Ⓒ 軟木製的東西。③ Ⓒ 軟木塞。④ Ⓒ 瓶塞。— *v.t.* ①用瓶塞塞緊。②阻止; 抑制。

cork·screw [ˋkɔrkˏskru] *n.* Ⓒ 拔塞鑽; 螺絲錐。— *adj.* 螺旋形的。— *v.t.* & *v.i.* (使…)作螺旋式移動。

cor·mo·rant [ˋkɔrmərənt] *n.* Ⓒ ①〖鳥〗鸕鶿; 鵜鶘。②貪心的人; 饕餮者。— *adj.* 貪婪的; 貪吃的。

‡**corn**[1] [kɔrn] *n.* ① Ⓤ〖美〗玉蜀黍。② Ⓒ 玉蜀黍粒。③ Ⓤ〖英〗一般的穀類, 尤指小麥。④ Ⓤ〖蘇, 愛〗燕麥。⑤ Ⓤ〖俗〗老套而陳舊的笑話、故事、音樂等。— *v.t.* 用濃鹽水醃。§ ~ **brèad**〖美〗玉米麵包。~ **chìp** 玉米片。

corn[2] *n.* Ⓒ 脚上生的雞眼。*step*[*tread*] *on one's ~s* 觸及某人的傷心處。

corn·cob [ˋkɔrnˏkɑb] *n.* Ⓒ〖美〗①玉蜀黍之穗軸。②此種穗軸製之煙斗。

cor·ne·a [ˋkɔrnɪə] *n.* Ⓒ〖解〗(眼)角膜。

‡**cor·ner** [ˋkɔrnɚ] *n.* Ⓒ ①角; 隅。②隱僻之處。③遠處; 地區。④(常 a ~)窮境; 窘境。⑤壟斷; 囤積。⑥兩條街連接處。⑦邊緣。*cut ~s* **a.** 走近路。**b.** 節省時間、金錢等。*turn the ~* 脫險; 度過危機。— *v.t.* & *v.i.* ①迫至一隅。②使之困窘。③壟斷; 獨佔。④〖俚〗(汽車)急轉彎。

cor·ner·stone [ˋkɔrnɚˏston] *n.* Ⓒ ①基石; 隅石。②基礎; 要素。

cor·net [ˋkɔrnɪt] *n.* Ⓒ ①〖樂〗短號。②圓錐形紙袋。③圓錐形(冰淇淋)蛋捲。

corn·field [ˋkɔrnˏfild] *n.* Ⓒ 稻田; 麥田; 玉蜀黍田。

corn·flakes [ˋkɔrnˏfleks] *n. pl.* 玉蜀黍片(拌糖、牛奶等當早餐吃的)。

corn·flow·er [ˋkɔrnˏflaʊɚ] *n.* Ⓒ〖植〗矢車菊。

cor·nice [ˋkɔrnɪs] *n.* Ⓒ〖建〗飛簷; 檐板。

Cor·nish [ˋkɔrnɪʃ] *adj.* ①英國康瓦耳郡的。②康瓦耳人[語]的。— *n.* Ⓤ 康瓦耳語(1800 年以前該地居民使用的古方言)。

corn·meal [ˋkɔrnˏmil] *n.* Ⓤ ①玉蜀黍粗粉。②〖美〗玉米片。

corn·starch [ˋkɔrnˏstɑrtʃ] *n.* Ⓤ 玉蜀黍澱粉。

cor·nu·co·pi·a [ˏkɔrnəˋkopɪə] *n.* ①(the ~)〖希神〗豐饒的角(傳說為幼時的宙斯神哺乳的羊角)。②(a ~)豐富〔of〕。③ Ⓒ 圓錐形的容器。

corn·y [ˋkɔrnɪ] *adj.* ①生穀的; 多穀的; 穀製的。②〖俚〗陳腔濫調的。③〖俚〗過於傷感的。

co·rol·la [kəˋrɑlə] *n.* Ⓒ〖植〗花冠。

cor·ol·lar·y [ˋkɔrəˏlɛrɪ] *n.* Ⓒ ①〖數〗系。②推論。③必然結果。

co·ro·na [kəˋronə] *n.* Ⓒ (*pl.* **~s, -nae** [-ni])〖天〗日月之暈; 日冕。

cor·o·nar·y [ˋkɔrəˏnɛrɪ] *adj.* ①冠的; 花冠的。②〖解〗冠狀的; 心臟的。— *n.* Ⓒ = **coronary thrombosis.** § ~ **árteries**[**véins**] (心臟之)冠狀動脈[靜脈]。~ **occlúsion** 冠狀動脈閉塞。~ **thrombósis**(心臟之)冠狀動脈血栓症。

cor·o·na·tion [ˏkɔrəˋneʃən] *n.* Ⓒ 加冕; 加冕禮。

cor·o·ner [ˋkɔrənɚ] *n.* Ⓒ 驗屍官。§ ~**'s ínquest** 驗屍。~**'s júry** 驗屍陪審團(驗屍時見證)。

cor·o·net [ˋkɔrənɪt] *n.* Ⓒ ①小冠冕(如公爵、伯爵等所戴者)。②冠狀頭飾。

corp., Corp. corporal; corporation.

cor·po·ra [ˋkɔrpərə] *n.* pl. of **corpus.**

cor·po·ral[1] [ˋkɔrp(ə)rəl] *adj.* ①肉體的。②個人的。— **ly,** *adv.*

cor·po·ral[2] *n.* Ⓒ〖軍〗下士。

cor·po·rate [ˋkɔrpərɪt] *adj.* ①團體的; 法人組織的。②共同的。

***cor·po·ra·tion** [ˏkɔrpəˋreʃən] *n.* Ⓒ ①團體; 公司; 社團。②法人。③〖俗〗凸出之腹部; 大肚子。

cor·po·re·al [kɔrˋporɪəl] *adj.* ①肉體的。②物質的。③有形的; 具體的。

corps [kor] *n.* Ⓒ (*pl.* ~ [~z]) ①軍中的特種部隊。②〖軍〗軍團; 兵團。③團體。~ *de ballet* (集合稱)芭蕾舞團。

corpse [kɔrps] *n.* Ⓒ 屍體(尤指人的)。

corps·man [ˋkormən] *n.* Ⓒ (*pl.* **-men**) ①〖美〗(海軍)醫藥兵。②醫務兵。③任何 corps 之一員。

cor·pu·lent [ˋkɔrpjələnt] *adj.* 肥胖的; 肥大的。— **cor′pu·lence,** *n.*

cor·pus [ˋkɔrpəs] *n.* Ⓒ (*pl.* **-po·ra** [-pərə]) ①身體(尤指屍體)。②(文獻、法典等之)全集。

cor·pus·cle [ˋkɔrpəsl] *n.* Ⓒ ①血球。②微粒子。— **cor·pus′cu·lar,** *adj.*

cor·ral [kəˋræl] *n.* Ⓒ ①畜欄。②(捕捉象等之)圍欄。③防禦攻擊之圓形車陣。— *v.t.* (**-l-,**〖英〗**-ll-**)驅入畜欄。

‡**cor·rect** [kəˋrɛkt] *adj.* ①正確的; 無誤的。②得當的; 適當的。— *v.t.* ①改正; 修正。②醫治; 克服。— **ness,** *n.* *— **ly,** *adv.*

***cor·rec·tion** [kəˋrɛkʃən] *n.* ① Ⓤ Ⓒ 改正; 修正; 校正。② Ⓤ Ⓒ 改正的東西; 正誤。③ Ⓤ 懲戒。*house of ~* 懲戒所; 感化院。*under ~* 尚待訂正。

cor·rect·i·tude [kəˋrɛktəˏt(j)ud]

n. Ⓤ (品行)端正；適宜；得體。

cor·rec·tive [kəˋrɛktɪv] *adj.* ①改正的；矯正的。②中和的(藥)。— *n.* Ⓒ①矯正物；改善法。②中和物。

cor·re·late [ˋkɔrəˏlet] *v.i.* 關連。— *v.t.* 使相關連。— *n.* Ⓒ 有相互關係之人[物]。

cor·re·la·tion [ˏkɔrəˋleʃən] *n.* Ⓤ Ⓒ 相互關連；關連。

cor·rel·a·tive [kəˋrɛlətɪv] *adj.* 關連的；相關的。— *n.* Ⓒ 相關物[詞]。§ ～ **conjúnctions**〖文法〗相關連接詞。

C

***cor·re·spond** [ˏkɔrəˋspɑnd] *v.i.* ①調合；符合〔with, to〕. ②相當；相似〔to〕. ③通信。

***cor·re·spond·ence** [ˏkɔrəˋspɑndəns] *n.* ①ⓊⒸ 符合；相似。②Ⓤ 通信。③Ⓤ (集合稱)信件。§ ～ **còurse** 函授課程。～ **schòol** 函授學校。

***cor·re·spond·ent** [ˏkɔrəˋspɑndənt] *n.* Ⓒ①通信者；投稿者。②通信員；記者。a war ～ 戰地記者。③有商務關係者。④與他物相當或相似的東西。

***cor·re·spond·ing** [ˏkɔrəˋspɑndɪŋ] *adj.* ①相當的；一致的〔to, with〕. ②通信的。— **ly,** *adv.*

***cor·ri·dor** [ˋkɔrədɚ, ˋkɑr-] *n.* Ⓒ①〖建〗走廊；迴廊。②[-ˏdɔr]〖地〗走廊地帶。*the Polish C-* 波蘭走廊。

cor·ri·gen·dum [ˏkɔrɪˋdʒɛndəm] *n.* (*pl.* **-da** [-də])①Ⓒ (書籍等)需改正之錯。②(*pl.*, 作 *sing.* 解)勘誤表。

cor·ri·gi·ble [ˋkɔrədʒəbḷ] *adj.* 可改正的；易矯正的。

cor·rob·o·rate [kəˋrɑbəˏret] *v.t.* ①確定；確證。②堅定；鞏固。

cor·rob·o·ra·tive [kəˋrɑbəˏretɪv] *adj.* 確定的；確證的；強壯性的。

cor·rode [kəˋrod] *v.t.* & *v.i.* ①腐蝕；侵蝕。②損害；損傷。

cor·rod·i·ble [kəˋrodəbḷ] *adj.* 會腐蝕的；可腐蝕的。(亦作 **corrosible**)

cor·ro·sion [kəˋroʒən] *n.* Ⓤ ①腐蝕；侵蝕。②衰敗；漸失。③腐蝕物。

cor·ro·sive [kəˋrosɪv] *adj.* 腐蝕的；侵蝕的。— *n.* Ⓒ 腐蝕物；腐蝕劑。

cor·ru·gate [ˋkɔrəˏget] *v.t.* & *v.i.* (使)起皺紋。—[ˋkɔrəgɪt, -ˏget] *adj.* 有皺紋的；波狀的。— **cor·ru·ga′tion,** *n.*

cor·ru·gat·ed [ˋkɔrəˏgetɪd] *adj.* 皺的；有皺紋的；波狀的。§ ～ **íron** 波狀鐵皮。～ **páper** 波狀紙或紙板。

***cor·rupt** [kəˋrʌpt] *adj.* ①腐敗的；貪汚的。②不潔的。③語言轉訛的。④腐爛的。— *v.t.* ①使腐爛；使腐敗。②使墮落。③用賄賂收買。④使(言語)轉訛。— *v.i.* 腐敗；腐爛。— **i·ble,** *adj.*

cor·rup·tion [kəˋrʌpʃən] *n.* ①Ⓤ 腐化；墮落；貪汚。②Ⓤ 賄賂；收賄。③Ⓤ 腐爛。④Ⓒ 轉訛或誤用(指語言)。

cor·sage [kɔrˋsɑʒ] *n.* Ⓒ ①(女用)緊身上衣。②(女性裝飾在胸前、腰或肩部的)花束。

cor·sair [ˋkɔrsɛr] *n.* Ⓒ 海盜(船)。

cor·set [ˋkɔrsɪt] *n.* Ⓒ (常 *pl.*)(女用)束腹。

cor·tège [kɔrˋteʒ]〖法〗*n.* Ⓒ ①行列；儀仗。②扈從；隨從。

cor·tex [ˋkɔrtɛks] *n.* Ⓒ (*pl.* **-ti·ces** [-tɪˏsiz], **～es**)①(植物之)皮層；樹皮。②(腦或腎等之)皮層；皮質。

cor·ti·sone [ˋkɔrtɪˏson] *n.* Ⓤ 可體松(一種荷爾蒙用以治療關節炎)。

co·run·dum [kəˋrʌndəm] *n.* Ⓤ〖礦〗金剛砂；剛玉。

cor·us·cate [ˋkɔrəsˏket] *v.i.* ①閃光；閃爍。②(才氣)煥發。

cor·vet(te) [kɔrˋvɛt] *n.* Ⓒ ①舊時中型巡洋艦。②千噸級之小軍艦(用於驅逐潛水艇或護航)。

cor·y·phée [ˏkɔrəˋfe]〖法〗*n.* Ⓒ (芭蕾舞)首席舞星。

co·ry·za [kəˋraɪzə] *n.* Ⓤ〖醫〗鼻炎；鼻傷風。

cos [kɑs, kɔs] *n.* ⓊⒸ 一種萵苣。

C.O.S., c.o.s. cash on shipment.

Co·sa Nos·tra [ˋkozəˋnostrə]〖義〗*n.* 科薩諾斯特拉(美國黑手黨的一個秘密犯罪組織)。

Cós·by Shòw [ˋkɑzbɪ ～] *n.* (the ～)天才老爹(電視節目)。

co·se·cant [koˋsikənt] *n.* Ⓒ〖數〗餘割。(略作 **cosec**)

cosh [kɑʃ] *n.* Ⓒ〖主英俚〗(用做武器的)短棒。— *v.t.* 用短棒打(某人的)頭。

co·sign [koˋsaɪn] *v.t.* & *v.i.* 連署；共同署名(於…)。

co·sig·na·to·ry [koˋsɪgnəˏtorɪ] *adj.* 連名簽署的。the ～ powers 連署國。— *n.* Ⓒ 連署人；連署國。

co·sine [ˋkosaɪn] *n.* Ⓒ〖數〗餘弦。

cos·met·ic [kɑzˋmɛtɪk] *n.* Ⓒ (常 *pl.*)化粧品。— *adj.* 化粧用的。

cos·me·tol·o·gist [ˏkɑzmɪˋtɑlədʒɪst] *n.* Ⓒ 美容師。— **cos·me·tol′o·gy,** *n.*

cos·mic [ˋkɑzmɪk] *adj.* ①宇宙的。②廣大無邊的。③秩序井然的；和諧的。§ ～ **dúst**〖天〗宇宙塵。～ **radiátion** [**ráy**]宇宙射線；宇宙線。

cos·mol·o·gy [kɑzˋmɑlədʒɪ] *n.* Ⓤ 宇宙論(討論宇宙起源或構造)。

cos·mo·naut [ˋkɑzməˏnɔt] *n.* Ⓒ (尤指前蘇聯的)太空人(美稱astronaut)。

cos·mo·pol·i·tan [ˏkɑzməˋpɑlətn̩] *adj.* ①四海爲家的；世界主義的。②分布於世界各地的。— *n.* Ⓒ 四海爲家的人。— **ism,** *n.* Ⓤ 世界主義；四海一家的主義。

cos·mo·po·lit·i·cal [ˏkɑzməpəˋlɪtɪkḷ] *adj.* 世界性政策的。

cos·mos [ˋkɑzməs] *n.* (*pl.* **～, ～·es**) ①Ⓤ (井然有序之)宇宙(爲混沌之對)。②Ⓤ 秩序。③Ⓒ〖植〗大波斯菊。

co·spon·sor [koˋspɑnsɚ] *n.* Ⓒ 共同主辦人。

cos·set [ˋkɑsɪt] *n.* Ⓒ①親手飼養之羔羊；寵愛之小羊。②寵物。— *v.t.* 寵愛；珍愛；溺愛；縱容。

‡**cost** [kɔst] *n.* ①Ⓒ 價；價值；費用。②Ⓤ 損失；犧牲。③(*pl.*)訴訟費。*at all ～s; at any ～* 無論作何犧牲。*at the ～ of* 損失；犧牲。*～ and freight*〖商〗貨價包括運費(略作C. & F.). *～ of living* 生活費。*to one's ～* 算

作某人的損失；歸某人負擔。— *v.t.* (cost)①值(若干)；需(價若干)。②費；需。③令遭損失；令受犧牲。§ ∼ accòuntant [clèrk] 成本會計師。∼ accòunting 〖商〗成本會計。∼ effíciency [effěctiveness] 成本效率。∼ inflátion 成本增加引起的通貨膨脹。∼ prìce 成本價格；進貨價格。∼ ùnit 成本單位。

cos·tal [ˋkastl] *adj.* 〖解〗肋骨的；肋骨附近的。

co-star [ˋkoˋstar] *n.* Ⓒ 共演者；配角。— *v.i.* & *v.t.*(-rr-)(使)共演；當配角。

Cos·ta Ri·ca [ˋkastəˋrikə] *n.* 哥斯大黎加(中美洲一國家)。

cost-ben·e·fit [ˋkɔstˋbɛnəfɪt] *adj.* 〖經〗本益比數的；成本效益(分析)的。§ ∼ anàlysis 成本效率分析。

cost-ef·fec·tive [ˋkɔstəˋfɛktɪv], **-ef·fi·cient** [-ˋfɪʃənt] *adj.* 成本效率的。

cos·tive [ˋkastɪv] *adj.* 便祕的。

***cost·ly** [ˋkɔstlɪ] *adj.* ①昂貴的；貴重的。②奢侈的；浪費的。

cost-of-liv·ing [ˋkɔstəvˋlɪvɪŋ] *adj.* 生活費的。§ ∼ allòwance 生活費用津貼。∼ ìndex 生活費指數。

cost-plus [ˋkɔstˋplʌs] *adj.* (對實際成本)利益增加的；成本加利潤的。

cost-push [ˋkɔst͵pʊʃ] *n.* =cost inflation.

***cos·tume** [ˋkastjum] *n.* Ⓤ Ⓒ ①服裝；服裝的式樣。②舞臺裝；劇裝。③戶外的服裝。—[kasˋtjum] *v.t.* 著服裝。§ ∼ pìece [plày] 古裝劇。

cos·tum·er [kasˋtjumə] *n.* Ⓒ 衣商(特指裁製、售賣或出租劇裝、舞衣者)。

cos·tum·i·er [kasˋtjumɪə] *n.* = costumer.

co·sy [ˋkozɪ] *adj.* 溫暖而舒適的；安逸的。— *n.* Ⓒ 茶壺上保暖的棉墊；暖罩。

cot¹ [kat] *n.* Ⓒ ①窄床(尤指帆布床)。②〖英〗小兒床(四周圍常有欄杆者)。

cot² *n.* Ⓒ 小屋；茅屋。

co·tan·gent [koˋtændʒənt] *n.* Ⓒ 〖數〗餘切。

cote [kot] *n.* Ⓒ (家禽的)棚；窩；欄。

co·ten·ant [koˋtɛnənt] *n.* Ⓒ 共同租地人；共同佃戶；合租人。

co·te·rie [ˋkotərɪ] *n.* Ⓒ (因共同興趣而組成的)小團體。

co·til·l(i)on [koˋtɪljən] *n.* Ⓒ ①(十八世紀源於法國)一種活潑輕快的社交舞。②此種舞曲。

***cot·tage** [ˋkatɪdʒ] *n.* Ⓒ ①小屋。②別墅。§ ∼ chèese (由脫脂凝乳作成的)鬆軟白乾酪(亦作 Dutch cheese).

cot·tag·er [ˋkatɪdʒə] *n.* Ⓒ ①住茅屋者。②〖美〗在度假勝地有別墅之人。

cot·ter [ˋkatə] *n.* Ⓒ ①楔；鍵。②= cotter pin. § ∼ pìn 〖機〗開尾栓。

‡**cot·ton** [ˋkatn̩] *n.* Ⓤ ①棉花。②棉樹。③棉紗；棉線。④棉布。— *v.i.* 〖俗〗①交友。②喜歡；贊成〔to, with〕. § ∼ bátting 棉胎。C- Bèlt〖美〗美國南部產棉地帶。∼ gìn 軋棉機。∼ mìll 紗廠；紡織廠。∼ spìnner (1)紡織工人。(2)紡紗業者；紗廠廠主。∼ wóol (1)棉花；原棉。(2)〖英〗脫脂棉花。(3)安逸的生活。∼ yárn 棉紗。

cot·ton·mouth [ˋkatn̩͵maʊθ] *n.* Ⓒ 南美產之一種有毒大水蛇。

cot·ton·seed [ˋkatn̩͵sid] *n.* Ⓤ 棉子。§ ∼ òil 棉子油。

cot·ton·tail [ˋkatn̩͵tel] *n.* Ⓒ (美國產之)白尾野兔。

cot·ton·wood [ˋkatn̩͵wʊd] *n.* Ⓒ 〖植〗白楊。

cot·y·le·don [͵katlˋidn̩] *n.* Ⓒ ①〖植〗子葉。②〖解〗絨毛葉。

***couch** [kaʊtʃ] *n.* Ⓒ ①臥榻；長沙發。②隱藏之所；獸穴。— *v.t.* ①措辭；表達。②放低(矛等)預備攻擊。③使橫臥；使偃臥。— *v.i.* ①橫臥；偃臥。②埋伏；潛伏。

couch·ant [ˋkaʊtʃənt] *adj.* ①俯伏的；(動物)蹲著的。②〖紋章〗(野獸)擡頭伏臥狀的。

cou·chette [kuˋʃɛt] *n.* Ⓒ 有臥鋪的火車廂。

cou·gar [ˋkugə] *n.* Ⓒ 美洲豹。

cough** [kɔf] *v.i.* ①咳嗽。②(引擎等)爆發不連續的噗噗聲。— *v.t.* 咳出〔up, out〕. ∼ ***up a. 咳出。b. 付出。c. 吐露。— *n.* ①(a ∼)咳；咳嗽。②(a ∼)咳嗽病。③Ⓒ 咳聲。§ ∼ dròp [lòzenge] 鎮咳藥片。

‡**could** [kʊd] *v.* pt. of **can.** ①表示簡單過去(常用於附屬子句)。②表示客氣。*C-* you do this for me? 你能爲我做這事嗎? ③表示假定。④表示沒有把握。

‡**could·n't** [ˋkʊdn̩t] =could not.

cou·lee [ˋkulɪ] *n.* Ⓒ ①〖地質〗熔岩流。②〖美西部〗深谷；斜壁谷。

cou·lomb [kuˋlam] *n.* Ⓒ 庫；庫侖(電量之實用單位)。

‡**coun·cil** [ˋkaʊnsl̩] *n.* Ⓒ ①會議。②市或鎮的議會。③顧問委員會。

coun·cil·man [ˋkaʊnsl̩mən] *n.* Ⓒ (*pl.* -men)①市議會議員；鎮民代表。②參議；議員。

coun·ci·lor, 〖英〗 **-cil·lor** [ˋkaʊnsl̩ə] *n.* Ⓒ (州、市、鎮等議會之)議員；評議員；顧問。

coun·sel** [ˋkaʊnsl̩] *n.* ①Ⓤ 商議；商量。②Ⓤ 勸告；忠告。③Ⓒ (集合稱時作 *pl.* 解)法律顧問；律師。④Ⓤ 計畫；企圖。keep one's own ∼*** 守祕密。— *v.t.* (-l-, 〖英〗-ll-)①勸告；忠告。②建議；主張。— *v.i.* 商議；商量；商討。

coun·sel·(l)ing [ˋkaʊnslɪŋ] *n.* Ⓤ 輔導服務。

***coun·se·lor,** 〖英〗 **-sel·lor** [ˋkaʊnslə] *n.* Ⓒ ①顧問；(使館)參事。②法律顧問。

‡**count¹** [kaʊnt] *v.t.* ①點數；數。②計算；清點。③計及；包括。④以爲；想；視爲。— *v.i.* ①數；計算。②信賴；憑藉；期望〔on, upon〕. ③有價值；有用。④總計達某數目。⑤得分。∼ ***for much*** [***little, nothing***] 很有[很少，沒有]價值。∼ ***in*** 包括。∼ ***off*** 挑出；選出；點出。∼ ***out*** a. 宣告失敗(拳賽時，被對手打倒，數至十秒仍不能起立)。b. 出席者不足法定人數而宣告延會。c. 計算投票時，非法地使一部分選

票失效，從而控制選擧。**d.** 忽略；不算在內。—*n.* ①Ⓤ©數；計算。②©控訴的條款。③Ⓤ考慮；注意。④©事項。⑤Ⓤ〖拳擊〗(給被打倒者再起的機會)數十秒。⑥©〖棒球〗好壞球之報數。***keep*** [***lose***] ~ ***of*** 數(不)淸。

count² *n.* ©伯爵(歐洲大陸的稱號，相當於英國的earl)。

count·a·ble [ˋkaʊntəbl] *adj.* 可數的。—*n.* ©〖文法〗可數名詞。

count·down [ˋkaʊntˏdaʊn] *n.* ©(按預定時間實行計畫之)倒數計時。

C

coun·te·nance [ˋkaʊntənəns] *n.* Ⓤ①面容；表情。②面貌；容貌。③應許；鼓勵。④鎭靜；沉著。***keep one's*** ~ 保持鎭靜。***put*** (***a person***) ***out of*** ~ 使之局促不安。—*v.t.* 鼓勵；贊助；默認；允許。

count·er¹** [ˋkaʊntɚ] *n.* © ①籌碼。②〖美〗櫃臺。③計算機。④劣幣；僞幣。under the*** ~ 非法地；祕密地。

coun·ter² *adv.* & *adj.* 相反地[的]；反對地[的]。—*n.* © ①反對；反對物。②〖拳擊〗還擊。③(鞋底之)後跟。—*v.t.* & *v.i.* ①反對。②〖拳擊〗還擊。

counter- 〖字首〗表「相反；相對」之義。

coun·ter·act [ˏkaʊntɚˋækt] *v.t.* 抵消；中和。—**coun·ter·ac′tion,** *n.*

coun·ter·ac·tive [ˏkaʊntɚˋæktɪv] *adj.* 中和性的；反作用的。—*n.* ©反作用劑；中和劑；中和力。

coun·ter·at·tack [ˋkaʊntərəˏtæk] *n.* © 反攻；反擊。—[ˏkaʊntərəˋtæk] *v.t.* & *v.i.* 反攻；反擊。

coun·ter·bal·ance [ˋkaʊntɚˏbæləns] *n.* © ①平衡；平衡力。②平衡裝置。—[ˏkaʊntɚˋbæləns] *v.t.* ①使平衡；使抵消。②配以平衡裝置。

coun·ter·blow [ˋkaʊntɚˏblo] *n.* ©①反擊；逆襲。②〖拳擊〗攔擊拳。

coun·ter·claim [ˋkaʊntɚˏklem] *n.* ©反要求；反訴。—[ˏkaʊntɚˋklem] *v.i.* 反訴〔for, against〕。

coun·ter·clock·wise [ˏkaʊntɚˋklɑkˏwaɪz] *adj.* & *adv.* 反時針方向的[地]。

coun·ter·con·di·tion·ing [ˏkaʊntɚkənˋdɪʃənɪŋ] *n.* Ⓤ〖心〗反制約(作用)。

coun·ter·cul·tur·al [ˏkaʊntɚˋkʌltʃərəl] *adj.* 反文化的。

coun·ter·cul·ture [ˋkaʊntɚˋkʌltʃɚ] *n.* Ⓤ (1960-70 年代年輕人的)反傳統文化。

coun·ter·es·pi·o·nage [ˏkaʊntɚˋɛspɪənɪdʒ] *n.* Ⓤ反間諜(活動)。

coun·ter·feit [ˋkaʊntɚfɪt] *adj.* 贋造的；假冒的。—*v.t.* & *v.i.* 贋造；僞造。—*n.* © 贋品；僞造品。—**er,** *n.*

coun·ter·foil [ˋkaʊntɚˏfɔɪl] *n.* ©〖英〗(支票、收據、匯票等之)存根。

coun·ter·in·tel·li·gence [ˏkaʊntərɪnˋtɛlədʒəns] *n.* Ⓤ〖軍〗①反情報；反間諜活動。②反情報機構。

coun·ter·mand [ˏkaʊntɚˋmænd] *v.t.* 撤回或取消(已發出的命令、訂貨等)。—[ˋkaʊntɚˏmænd] *n.* Ⓤ© 收回成命；取消訂貨。

coun·ter·meas·ure [ˋkaʊntɚˏmɛʒɚ] *n.* ©抵制手段；對策。

coun·ter·of·fen·sive [ˏkaʊntərəˋfɛnsɪv] *n.* ©〖軍〗(守軍之)反攻；反擊；逆襲。

coun·ter·pane [ˋkaʊntɚˏpen] *n.* ©床罩；床單。

coun·ter·part [ˋkaʊntɚˏpɑrt] *n.* ©①副本。②極相似的人或物；互相配對的東西。③互相補充的東西。

coun·ter·plot [ˋkaʊntɚˏplɑt] *v.i.* & *v.t.* (**-tt-**)將(計)就計；用計謀對抗。—*n.* ©反計；對抗策略。

coun·ter·poise [ˋkaʊntɚˏpɔɪz] *n.* Ⓤ© ①均衡；平衡(力)。②足以抗拒之力。③秤錘；砝碼。—*v.t.* 使平衡。

coun·ter·pro·duc·tive [ˏkaʊntɚprəˋdʌktɪv] *adj.* ①反效果的。②使達不到預期目標的。

coun·ter·pro·pos·al [ˋkaʊntɚprəˏpozl] *n.* Ⓤ© 對案；反建議。

coun·ter·rev·o·lu·tion [ˏkaʊntɚˏrɛvəˋluʃən] *n.* Ⓤ© 反革命。

coun·ter·sign [ˋkaʊntɚˏsaɪn] *n.* ©〖軍〗口令。—*v.t.* 連署；副署。

coun·ter·sink [ˋkaʊntɚˏsɪŋk] *v.t.* (**-sank, -sunk**)鑽大(孔)以便旋入螺絲釘。—*n.* ©鑽孔工具；旋裝螺絲釘頭之孔眼。

coun·ter·spy [ˋkaʊntɚˏspaɪ] *n.* ©反間諜。

coun·ter·ten·or [ˋkaʊntɚˏtɛnɚ] *n.* Ⓤ〖樂〗男聲中音。

coun·ter·weigh [ˏkaʊntɚˋwe] *v.t.* & *v.i.* 抵消；彌補。

coun·ter·weight [ˋkaʊntɚˏwet] *n.* =**counterbalance.**

count·ess [ˋkaʊntɪs] *n.* ©伯爵夫人；女伯爵。

count·ing [ˋkaʊntɪŋ] *n.* Ⓤ© 計算；開票。§ ~ **fràme**(教兒童計數的)計數器。~ **machìne** 計算機。~ **nùmber** 〖數〗自然數。~ **ròom**〖美〗= counting-house.

count·ing·house [ˋkaʊntɪŋˏhaʊs] *n.* ©帳房；會計室。

***count·less** [ˋkaʊntlɪs] *adj.* 無數的。

coun·tri·fied, -try- [ˋkʌntrɪˏfaɪd] *adj.* ①鄉野的。②粗俗的。

‡**coun·try** [ˋkʌntrɪ] *n.* ① © 國；國家；國土。② Ⓤ 地方；地域。③ (the ~) 國民；全國。④ © 家鄉；故土。⑤ (the ~) 鄉村；鄉間。—*adj.* 鄉間的。§ ~ **clùb** 鄉間俱樂部。~ **cóusin** 鄉巴佬。~ **géntleman** 鄉紳。~ **hòuse** 別墅。~ **mùsic** 鄉村音樂。

coun·try-dance [ˋkʌntrɪˏdæns] *n.* ©土風舞。

coun·try·man [ˋkʌntrɪmən] *n.* © (*pl.* **-men**)①鄉下人。②同胞；同國人。

coun·try·seat [ˋkʌntrɪˏsit] *n.* © ①別墅。②〖英〗鄉紳的住宅。

‡**coun·try·side** [ˋkʌntrɪˏsaɪd] *n.* ① Ⓤ 鄉間。② (the ~) 村民。③ Ⓤ 地方。

coun·try-wide [ˋkʌntrɪˋwaɪd] *adj.* 遍及全國的。

coun·try·wom·an [ˋkʌntrɪ-

ˌwʊmən] *n.* Ⓒ (*pl.* **-wom·en**)①村婦。②女同胞。

***coun·ty** [ˋkaʊntɪ] *n.* Ⓒ ①〖美〗郡(僅次於州的行政區)。②〖英，愛〗州或郡。§ ∽ **fámily** 郡世居望族。∽ **séat** 郡政府所在地。∽ **tówn** 郡的首邑。

coup [ku] *n.* Ⓒ ①突然而有效的一擊；出乎意料的行動。②政變。～ *de grâce* [kudəˋgrɑs] 致命之一擊；最後的一擊。～ *d'état* [ˋkudeˋtɑ] 武力政變。

coupe [kup] *n.* Ⓒ ①〖美俗〗有車廂的四輪馬車。②雙門小轎車。

‡**cou·ple** [ˋkʌpl̩] *n.* Ⓒ ①一對；一雙。②夫婦；情侶。③〖俗〗幾個。**—** *v.t.* ①連合；連接。②聯繫；聯想。**—** *v.i.* ①連結；成對。②交配；交媾。〔注意〕在日常談話中，couple 相等於數目字 two. 但俗用亦作「數個」或「幾個」解(＝a few, several)。

cou·pler [ˋkʌplɚ] *n.* Ⓒ 聯結器。

cou·plet [ˋkʌplɪt] *n.* Ⓒ〖詩〗對句；雙韻。

cou·pling [ˋkʌplɪŋ] *n.* ① Ⓤ 聯結。② Ⓒ 聯結器。③ Ⓒ (連結車廂的)輓鉤。

cou·pon [ˋkupɑn] *n.* Ⓒ ①可撕下的利息單、聯票等。②(商店的)優待券。③配給券。

‡**cour·age** [ˋkɜɪdʒ] *n.* Ⓤ 勇敢；勇氣。*pluck up* [*take*] ～ 鼓起勇氣。*take ～ in both hands* 鼓起勇氣作事；敢作敢爲。

***cou·ra·geous** [kəˋredʒəs] *adj.* 有勇氣的；勇敢的。— **ly,** *adv.*

cour·gette [kʊrˋʒɛt] *n.* Ⓤ Ⓒ〖英〗綠皮胡瓜(＝zucchini)。

cour·i·er [ˋkʊrɪɚ] *n.* Ⓒ ①送遞快信的信差；特使。②旅行團的服務員；導遊。

‡**course**[1] [kors, kɔrs] *n.* ① Ⓤ 過程。② Ⓒ 方向；方針。③ Ⓒ 行爲；做法。④ Ⓒ 所經之路。⑤ Ⓒ 連續的事物。⑥ Ⓒ 課程。⑦ Ⓒ 一道菜。⑧ Ⓒ 跑馬場或球場。⑨ Ⓒ 磚、瓦、石等的層列。*as a matter of ～* 作爲必然的結果。*in due ～* 在適當的時候；到時候。*in the ～ of* 當…期間；在…過程中。*of ～* 自然；當然。**—** *v.i.* & *v.t.* ①運行；馳行；流行。②狩獵。

course[2]**, 'course** *adv.* 〖俗〗＝ of course.

course·ware [ˋkorsˌwɛr] *n.* Ⓤ〖電算〗教學用軟體。

‡**court** [kort, kɔrt] *n.* ① Ⓒ 庭院。② Ⓒ 短街。③ Ⓒ 球場。④ Ⓤ Ⓒ 朝廷。⑤ Ⓤ 朝臣。⑥ Ⓤ Ⓒ 法院。⑦(the ～, 集合稱)法官。⑧ Ⓤ 求寵；殷勤；求愛。*～ of justice* [*judicature*]法院。*High C- of Parliament*(等於最高法院的)英國國會。*pay ～ to* **a.** 向…討好。**b.** 向…求愛。*put out of ～* 不顧；蔑視。**—** *v.t.* & *v.i.* ①求愛。②乞惠。③招致。④引誘。§ ∽ **càrd**〖英〗繪有人面的紙牌。∽ **drèss** 宮廷服；朝服。∽ **plàster** 宮廷橡皮膏。

***cour·te·ous** [ˋkɜtɪəs] *adj.* 有禮貌的；殷勤的。— **ly,** *adv.*

cour·te·san, -zan [ˋkortəzn̩] *n.* Ⓒ (昔時貴族或富豪專用之)高級妓女。

***cour·te·sy** [ˋkɜtəsɪ] *n.* ① Ⓤ 禮貌；殷勤。② Ⓤ 恩惠；允許。③ Ⓤ 禮儀；謙恭。④ [ˋkɜtsɪ] ＝**curtsy.** *by* [*of*] ～ 禮貌上；好意上；情面上。

court·house [ˋkortˌhaʊs] *n.* Ⓒ ①法院。②〖美〗郡政府所在地。

cour·ti·er [ˋkortɪɚ, ˋkɔr-, -tjɚ] *n.* Ⓒ ①朝臣。②奉承者。

court·ly [ˋkortlɪ] *adj.* ①適於做朝臣的。②有禮貌而威嚴的；謙恭的；優雅的。③奉承的。— **court'li·ness,** *n.*

court-mar·tial [ˋkortˋmɑrʃəl] *n.* Ⓒ (*pl.* **courts-, ～s**)①軍事法庭。②軍事審判。**—** *v.t.* (**-l-,** 〖英〗**-ll-**)軍事審判。

court·room [ˋkortˌrum] *n.* Ⓒ 法庭。

court·ship [ˋkortʃɪp] *n.* Ⓤ Ⓒ 求愛；求愛時期。

court·yard [ˋkortˌjɑrd] *n.* Ⓒ 庭院。

***cous·in** [ˋkʌzn̩] *n.* Ⓒ ①堂[表]兄、弟、姊、妹。②遠親。*call ～s* (*with*) 稱兄道弟。*～ once removed* ＝**second cousin.** *second ～*(第二代)遠堂[表]兄、弟、姊、妹。

cou·ture [kuˋtʊr]〖法〗*n.* ① Ⓤ 女裝業。②(集合稱)女裝設計師。

cou·tu·ri·er [kuˋtʊrɪˌe, -rɪɚ]〖法〗*n.* Ⓒ 女裝設計師。

cove [kov] *n.* Ⓒ 小海灣；小灣。

cov·e·nant [ˋkʌvənənt] *n.* Ⓒ 契約；盟約；契約書。**—** *v.i.* & *v.t.* 締結盟約。

cov·ent [ˋkʌvənt, ˋkɑv-] *n.* Ⓒ 女修道院。§ **C∽ Gárden** ⑴英國倫敦之一廣場。⑵該廣場中之一劇院。

Cov·en·try [ˋkɑvəntrɪ] *n.* 科芬特里(英格蘭中南部一城市)。*send* (*a person*) *to ～* 拒絕與(某人)講話或來往。

‡**cov·er** [ˋkʌvɚ] *v.t.* ①蓋。②遮蔽。③占(時間或空間)。④穿衣；包裹起。⑤掩飾；掩藏。⑥掩護；庇護。⑦通過；走過。⑧包括；論及。⑨供給；抵償；足敷。⑩對…瞄準；使在火力距離以內；掩護(部隊等)。⑪戴帽於。⑫採訪(新聞)。⑬接受賭注。⑭購買(貨物、股票等)以備將來交貨或以防將來損失。⑮孵(蛋)。⑯淹沒。⑰交配。*～ against* 抵償。*～ in* 用泥土填(洞等)。*～ over* 蓋起；被覆。*～ up* **a.** 隱藏。**b.** 包庇別人。**—** *n.* ① Ⓒ 蓋子；封面。② Ⓤ 隱蔽；掩蔽。③ Ⓒ (餐桌上的)一份餐具。*break ～*(動物等)由樹叢或樹林中衝出。*take ～* 託庇；隱藏。*under ～* **a.** 在安全地方。**b.** 祕密地；藉口。**c.** 裝在信封中。*under ～ of* **a.** 在…掩蔽下。**b.** 假託；假藉；藉口。*under the same ～* 隨函。§ ∽ **chárge** 服務費；娛樂費。∽ **gìrl**〖俗〗(雜誌的)封面女郎。

cov·er·age [ˋkʌvərɪdʒ, ˋkʌvrɪdʒ] *n.* Ⓤ ①某事物所包含或掩蓋之量、範圍、程度等。②〖保險〗保險項目。③賠償債務之準備金總額。④〖財政〗通貨發行之準備金。⑤〖新聞〗報導之範圍。

cov·er·all [ˋkʌvɚˌɔl] *n.* Ⓒ (常 *pl.*)有袖之上下連身工作服。

cov·ered [ˋkʌvɚd] *adj.* ①有覆蓋的。②遮蔽的；隱藏的。③戴帽的。§ ∽ **wágon** 有篷大馬車；篷車。

cov·er·ing [ˋkʌvərɪŋ] *n.* Ⓒ 覆蓋物。

§～ lètter 說明書或附信。
cov·er·let [ˋkʌvəlɪt] *n.* Ⓒ 床單；被單。
cov·ert [ˋkʌvət] *adj.* ①暗地的；掩蔽的。②〖法律〗在丈夫保護下的。— *n.* ①Ⓒ掩蔽處；庇護所。②Ⓒ鳥獸隱藏之叢林。③(*pl.*)蔽覆羽翮基部之覆羽。
cov·er-up [ˋkʌvəˏʌp] *n.* (a～)隱蔽；隱藏；掩飾。
cov·et [ˋkʌvɪt] *v.t.* & *v.i.* 貪；垂涎；妄圖。— **ous,** *adj.*
cov·ey [ˋkʌvɪ] *n.* Ⓒ①一群鳥(尤指鷓鴣等)。②一群人。
cow¹ [kaʊ] *n.* Ⓒ①母牛。②大的雌性動物。
cow² *v.t.* 恐嚇；嚇。
cow·ard [ˋkaʊəd] *n.* Ⓒ 膽小的人；膽怯者。— *adj.* 膽怯的；害怕的。
cow·ard·ice [ˋkaʊədɪs] *n.* Ⓤ 怯懦。
cow·ard·ly [ˋkaʊədlɪ] *adj.* & *adv.* 卑怯的[地]；膽小的[地]。
cow·bell [ˋkaʊˏbɛl] *n.* Ⓒ 母牛之頸鈴。
cow·boy [ˋkaʊˏbɔɪ] *n.* Ⓒ 牛仔；牧童。
cow·catch·er [ˋkaʊˏkætʃə] *n.* Ⓒ (火車、機車前之)排障器。
cow·er [ˋkaʊə] *v.i.* 畏縮；退縮。
cow·girl [ˋkaʊˏgɜl] *n.* Ⓒ 在牧場上照料牛馬的婦女。
cow·hand [ˋkaʊˏhænd] *n.* Ⓒ 牛仔。
cow·herd [ˋkaʊˏhɜd] *n.* Ⓒ 牧牛者。
cow·hide [ˋkaʊˏhaɪd] *n.* ①ⓊⒸ 牛皮。②Ⓒ 牛皮鞭。
cowl [kaʊl] *n.* Ⓒ①連有頭巾的修道士服。②煙筒頂上的旋轉罩；通風帽。③汽車中包括擋風玻璃和儀器板的部分。
cow·lick [ˋkaʊˏlɪk] *n.* Ⓒ 一簇扭曲的頭髮。
cowl·ing [ˋkaʊlɪŋ] *n.* Ⓒ (飛機的)整流罩。
cow·man [ˋkaʊmən] *n.* Ⓒ (*pl.* **-men**) ①牧場主人。②〖英〗牧牛者。
cow·pox [ˋkaʊˏpɑks] *n.* Ⓤ 牛痘。
cow·punch·er [ˋkaʊˏpʌntʃə] *n.* 〖美俗〗=**cowboy.**
cow·slip [ˋkaʊˏslɪp] *n.* Ⓒ〖植〗野櫻草。
cox·comb [ˋkɑksˏkom] *n.* Ⓒ①〖植〗雞冠花。②花花公子。
cox·swain [ˋkɑksn̩] *n.* Ⓒ 舵手。
coy [kɔɪ] *adj.* ①害羞的。②賣弄風情的。
coy·o·te [kaɪˋot(ɪ)] *n.* Ⓒ①(北美大草原之)土狼。②〖美〗惡棍。
coy·pu [ˋkɔɪpu] *n.* Ⓒ (*pl.* **～s,** ～) 〖動〗(產於南美洲之)河鼠。
coz·en [ˋkʌzn̩] *v.t.* & *v.i.* 欺騙；欺哄。— **age,** *n.*
co·zy [ˋkozɪ] *adj.* & *n.* =**cosy.** — **co′zi·ly,** *adv.* — **co′zi·ness,** *n.*
CPU Central Processing Unit. 〖電算〗中央處理單元。
crab [kræb] *n.* ①Ⓒ蟹。②Ⓒ脾氣乖戾的人。③Ⓒ起重機；絞車。④(the C-)〖天〗巨蟹座。⑤Ⓤ吹毛求疵。⑥Ⓒ〖植〗沙果；花紅(=crab apple). — *v.t.* (-bb-)①〖俗〗弄壞；糟蹋。②抱怨；批評。③使乖戾。④使斜行。
crab·bed [ˋkræbɪd] *adj.* ①乖戾的；暴躁的。②複雜而難解的。
crab·by [ˋkræbɪ] *adj.* 執拗的；暴躁的；乖戾的。
crab·wise [ˋkræbˏwaɪz] *adv.* ①橫斜地。②小心地。
crack [kræk] *n.* Ⓒ①裂縫；龜裂。②爆炸聲；噼啪聲。③突然的重擊。④〖俗〗瞬息；頃刻。in a ～馬上。⑤〖美俚〗嘗試；努力。⑥〖美俚〗笑話；玩笑。***the ～ of doom*** 世界末日之雷聲。— *v.i.* & *v.t.* ①破裂。②重擊。③(使)發爆裂聲。④打開。⑤解答；解開。⑥破壞。～ ***a person*** [***thing***] ***up*** 盛讚一個人[物]。～ ***down*** 〖美俚〗採取嚴厲手段。～ ***up*** **a.** 墜毀。**b.** 身心疲憊；解體。**c.** 使汽車粉碎。**d.** 〖美俚〗捧腹大笑。— *adj.* 〖俗〗一流的。
crack·brain [ˋkrækˏbren] *n.* Ⓒ 頭腦不正常者。
crack·brained [ˋkrækˋbrend] *adj.* 顛狂的；精神錯亂的。
crack·down [ˋkrækˏdaʊn] *n.* Ⓒ 嚴厲手段；懲罰行動。
cracked [krækt] *adj.* ①破碎的；破裂的。②破損的。③聲音嘶啞的。
crack·er [ˋkrækə] *n.* Ⓒ①薄而脆的餅乾。②鞭炮。③彩包拉炮(拉扯兩端即起爆炸)。④美國南部之窮苦白人。⑤敲破者；破碎器。
crack·er·jack [ˋkrækəˏdʒæk] *adj.* & *n.* Ⓒ〖俚〗能力極強的(人)；極佳的(物)。
crack·ers [ˋkrækəz] *adj.* 〖英俚〗瘋狂的；狂熱的。
crack·ing [ˋkrækɪŋ] *n.* Ⓤ〖化〗裂煉；熱裂；裂化。
crack·le [ˋkrækl̩] *v.i.* & *v.t.* ①發噼啪聲；(使)發爆裂聲。②產生裂紋。— *n.* ①(*sing.*)爆裂聲。②Ⓤ裂紋。
crack·ling [ˋkræklɪŋ] *n.* Ⓤ①連續的爆裂或噼啪聲。②烤豬肉的脆皮。
crack·ly [ˋkræklɪ] *adj.* 發爆裂聲的；發噼啪聲的。
crack·pot [ˋkrækˏpɑt] 〖俗〗 *n.* Ⓒ 狂想之人；顛狂的人。— *adj.* 狂想的；想入非非的；顛狂的。
crack-up [ˋkrækˏʌp] *n.* Ⓒ①(飛機等之)撞碎。②〖俗〗精神或體力崩潰。
-cracy 〖字尾〗表「統治(權)；政體」之義，如：democracy.
cra·dle [ˋkredl̩] *n.* Ⓒ①搖籃。②發源地。③淘金器。④支船架。⑤附於大鐮刀上的配禾架。***from the ～ to the grave*** 從生到死；一生中。— *v.t.* ①搖小兒使睡；置小兒於搖籃內。②撫育；生長。③刈割。④在淘金器內淘洗。⑤置於支架上。
cra·dle·song [ˋkredl̩ˏsɔŋ] *n.* Ⓒ 搖籃曲；催眠曲。
craft [kræft] *n.* ①Ⓤ技巧；技術。②Ⓒ行業。③Ⓒ(集合稱)同業公會。④Ⓤ詭計。⑤Ⓒ(*pl.* ～)船；飛機。***arts and ～s*** 美術與工藝。***the gentle ～*** 釣魚術；釣魚同好。— *v.t.* 靠技術製作；精製。§～ ùnion 同業工會。
crafts·man [ˋkræftsmən] *n.* Ⓒ (*pl.* **-men**)①工匠；手藝精巧的人。②藝術家。
crafts·man·ship [ˋkræftsmənˏʃɪp] *n.* Ⓤ 技巧；技術。
craft·y [ˋkræftɪ] *adj.* 狡猾的。— **craft′i·ly,** *adv.* — **craft′i·ness,** *n.*
crag [kræg] *n.* Ⓒ 峭壁；危岩。— **ged**

[ˋkrægɪd], —gy, *adj.*
cram [kræm] *v.t.* (-mm-) ①塡塞。②塞滿；擁擠。③吃得太快或太多。④〖俗〗匆匆記誦。— *v.i.* ①貪食。②倉卒準備應試〔常 up〕。— *n.* ① Ⓒ 擁擠。② Ⓤ 臨時抱佛脚。
cram·mer [ˋkræmɚ] *n.* Ⓒ ①為應付考試臨時抱佛腳的學生。②採用塡鴨式教學的教師。
cram·ming [ˋkræmɪŋ] *n.* Ⓤ 塡鴨式之教育。
cramp[1] [kræmp] *n.* ① Ⓒ 抽筋。②(*pl.*)腹部絞痛；發痧。— *v.t.* 使抽筋。
cramp[2] *n.* Ⓒ ①鐵搭；鐵箍；夾子。②約束(之事物)。— *v.t.* ①以鐵箍扣緊。②妨礙；限制；抑制。③監禁。
cramped [kræmpt] *adj.* ①狹窄的。②偏狹的。③(字體)難辨認的。
cram·pon [ˋkræmpən] *n.* Ⓒ ①(用以起重之)鐵鉤。②(常 *pl.*)靴鐵(防滑用)。(亦作 **crampoon**)
cran·ber·ry [ˋkræn,bɛrɪ] *n.* Ⓒ 蔓越橘。
*__crane__ [kren] *n.* Ⓒ ①〖動〗鶴。②起重機。— *v.t.* ①以起重機搬動。②伸(頸)。— *v.i.* ①(鶴般)伸頸。②〖俚〗躊躇。
cra·ni·al [ˋkrenɪəl] *adj.* 頭蓋骨的。
cra·ni·um [ˋkrenɪəm] *n.* Ⓒ (*pl.* **-ni·a** [-nɪə], ~s)頭蓋；頭蓋骨。
crank [kræŋk] *n.* Ⓒ ①〖機〗曲柄。②(言語、思想等之)反覆無常。③〖美俗〗瘋狂或古怪的人。— *adj.* ①〖海〗不穩的。②活潑的。③困難的。— *v.t.* ①製成曲柄形。②裝以曲柄。③以曲柄轉搖。— *v.i.* ①搖曲柄。②彎曲而行。
crank·shaft [ˋkræŋk,ʃæft] *n.* Ⓒ 〖機〗曲軸。
crank·y [ˋkræŋkɪ] *adj.* ①任性的；暴躁的。②〖海〗搖蕩不穩的。③(建築物、機器等)不穩的；鬆弛的。④奇癖的。⑤彎彎曲曲的。— **crank′i·ly,** *adv.*
cran·ny [ˋkrænɪ] *n.* Ⓒ 裂縫。
crap [kræp] *v.i.* (-pp-) ①〖鄙〗排泄。②〖俚〗做愚事。— *n.* ① Ⓤ 排泄物。②(a ~)排泄。③ Ⓤ 胡說；假話。
crape [krep] *n.* =**crepe.**
craps [kræps] *n.* Ⓤ 〖美〗雙骰子的賭博。
crap·shoot·er [ˋkræp,ʃutɚ] *n.* Ⓒ 賭雙骰(craps)之人。
‡**crash**[1] [kræʃ] *n.* Ⓒ ①突然的轟聲；破碎聲。②飛機的墜落；猛撞。③失敗；破產。— *v.t.* ①猛使破裂。②猛力前進。③〖俗〗不買票進(場)。④〖空〗使(飛機)緊急降落。— *v.i.* ①轟隆一聲地破碎[倒塌]。②(飛機)迫降；墜毀。③衝撞作聲。④闖。⑤失敗(指金錢與商業)。§ ~ **hèlmet** 安全帽。
crash[2] *n.* Ⓤ (用作毛巾等之)粗布。
crash-land [ˋkræʃ,lænd] *v.t.* & *v.i.* 〖空〗(使飛機)緊急降落。
crass [kræs] *adj.* 愚蠢的。
crate [kret] *n.* Ⓒ ①板條箱。②〖美俚〗舊汽車；破飛機。— *v.t.* 裝入大板條箱。
cra·ter [ˋkretɚ] *n.* ① Ⓒ 火山口。② Ⓒ (爆炸炸成的)彈坑。③(C-)〖天〗巨爵座。— *v.i.* & *v.t.* (使)成坑。
cra·vat [krəˋvæt] *n.* Ⓒ ①領結。②領巾。③〖醫〗三角布繃帶。
*__crave__ [krev] *v.t.* & *v.i.* ①渴望；熱望〔for〕。②請求；懇求。③要求。
cra·ven [ˋkrevən] *adj.* 懦弱的。— *n.* Ⓒ 懦夫。***cry*** ~ 投降。
craw [krɔ] *n.* Ⓒ ①(鳥或昆蟲之)嗉囊。②任何動物之胃。
craw·fish [ˋkrɔ,fɪʃ] *n.* Ⓒ (*pl.* ~, ~es)小龍蝦。
‡**crawl** [krɔl] *v.i.* ①爬行。②匍匐。③徐行。④感覺若有蟲爬。— *v.t.* ①行於…之上。②諂媚。— *n.* ①(a ~)爬行；徐行。② Ⓤ 自由式(游泳)。

crawl·er [ˋkrɔlɚ] *n.* Ⓒ ①爬行者。②爬行動物。
crawl·y [ˋkrɔlɪ] *adj.* 〖俗〗有蟲爬肌膚之感的；悚然的。
cray·fish [ˋkre,fɪʃ] *n.* Ⓒ (*pl.* ~, ~es)小龍蝦。
cray·on [ˋkreən] *n.* Ⓒ ①有色的粉筆；蠟筆；炭筆。②此種筆作的畫。— *v.t.* ①以此種筆畫。②策畫。
craze [krez] *n.* Ⓤ Ⓒ ①為時不久的強烈興趣。②一時的風尚。③瘋狂；瘋狂。④陶器之裂痕。— *v.t.* & *v.i.* ①(使)發狂。②(使)(陶、瓷器)生裂痕。
crazed [krezd] *adj.* 狂熱的；狂怒的。He was ~ with grief. 他悲痛逾恆。
‡**cra·zy** [ˋkrezɪ] *adj.* ①瘋狂的；發狂的。②〖俗〗狂熱的。§ ~ **bòne** 上膊骨(尺骨神經通過處，碰撞則臂及手會發痲)(亦作 funny bone)。~ **quìlt** (1)碎布縫成的坐褥。(2)雜亂不完整之物。
creak [krik] *v.i.* & *v.t.* ①作輾軋聲。②勉強進行或發展。— *n.* Ⓒ (常 *sing.*)輾軋聲。— **creak′y,** *adj.*
‡**cream** [krim] *n.* ① Ⓤ 乳酪；乳脂；乳皮。② Ⓤ Ⓒ 乳酪所製的食品。③ Ⓤ Ⓒ 化妝用品；面霜。④(the ~)精華；最好的部分。⑤ Ⓤ 乳酪色；淡黃色。~ ***of the crop*** 最佳部分。***get the ~ of*** 提取…之精華；拔萃。— *v.i.* ①成乳皮。②起泡沫。— *v.t.* ①撇(乳酪)；掬取(乳皮)。②加乳酪於(茶、咖啡等)。③擷取精華。④和以奶油、糖等使成乳脂狀的東西。§ ~ **pùff** 奶油泡芙。
cream·er [ˋkrimɚ] *n.* Ⓒ ①裝乳酪之小瓶。②乳酪分離器。③冷凍乳酪之冰箱。④撇取乳酪之人或器具。
cream·er·y [ˋkrimərɪ] *n.* Ⓒ ①乳酪製造廠。②乳酪販賣處。
cream·y [ˋkrimɪ] *adj.* 似乳酪的；含乳酪的。
crease [kris] *n.* Ⓒ ①摺痕；皺摺。②〖板球〗投手與打擊手的界線。— *v.t.* ①使皺；使有摺痕。②使擦傷。— *v.i.* 變皺。
‡**cre·ate** [krɪˋet] *v.t.* ①創造；建立。②製造；產生；致使。③封爵。— *v.i.* ①創造；創作。②〖英俚〗發牢騷。
*__cre·a·tion__ [krɪˋeʃən] *n.* ①(the C-)(上帝的)創造天地。② Ⓤ (集合稱)世界；宇宙；萬物。③ Ⓤ 創作；產生。④ Ⓤ 封爵。⑤ Ⓒ 作品。
cre·a·tion·ism [krɪˋeʃən,ɪzəm] *n.* Ⓤ 上帝創造人類靈魂說。
*__cre·a·tive__ [krɪˋetɪv] *adj.* 有創造力的；創造的；創作的。
cre·a·tiv·i·ty [,krieˋtɪvətɪ] *n.* Ⓤ 創造力。
*__cre·a·tor__ [krɪˋetɚ] *n.* ① Ⓒ 創造者；

創作者。②(the C-)上帝。

‡**crea·ture** [ˋkritʃə] *n.* Ⓒ ①人；動物。②傀儡；聽人驅使者；依人為生者。③受造之物。④(常 the ～)〖主方〗酒；威士忌。§ ～ **cómforts**物質的享受(尤指食物)。

crèche[kreʃ]〖法〗*n.* Ⓒ ①托兒所。②棄兒教養院。

cre·dence [ˋkridn̩s] *n.* Ⓤ ①相信。②可信任。③憑證；證件。*letter of* ～ 介紹信；(大使、公使等所呈遞的)國書。

cre·den·tial [krɪˋdɛnʃəl] *n.* Ⓒ (常 *pl.*)證件；外國使臣所遞的國書；介紹信。

cred·i·ble [ˋkrɛdəbl̩] *adj.* 可信的；可靠的。—**cred·i·bil′i·ty,** *n.*

***cred·it** [ˋkrɛdɪt] *n.* ①Ⓤ信託；信任。②Ⓤ信用。③**a.** ⓊⒸ存款。**b.** Ⓒ貸方。④Ⓤ延緩付款的期限。⑤Ⓤ貸款。⑥Ⓤ名譽；名望；光榮。⑦(a ～)帶給榮譽之事物。⑧Ⓒ學分。⑨Ⓒ(常 *pl.*)(戲劇、電影等)對原作者及其他有貢獻者的謝啓或姓名表。*do one* ～; *do* ～ *to one* 為某人增光。*give* ～ *to* 相信。*letter of* ～ 信用狀。*on* ～ 賒帳。*reflect* ～ *on* 使…光榮；為…增光。—*v.t.* ①相信；信賴。②記於帳簿之貸方。③給予學分。④歸功於〖to〗。§ ～ **càrd** 信用卡；簽帳卡。～ **hòur**〖教育〗學分。～ **sàle** 賒賣。～ **ùnion** 信用合作社。

cred·it·a·ble [ˋkrɛdɪtəbl̩] *adj.* ①可稱譽的。②可歸功(於某人或某事)的。

cred·it·a·bly [ˋkrɛdɪtəblɪ] *adv.* 可稱譽地；有好名聲地。

cred·i·tor [ˋkrɛdɪtə] *n.* Ⓒ債權人；貸方。

cre·do [ˋkrido] *n.* Ⓒ (*pl.* **～s**) ①〖宗〗信條。②任何信條。

cre·du·li·ty [krəˋdulətɪ] *n.* Ⓤ輕信。

cred·u·lous [ˋkrɛdʒələs] *adj.* 輕信的；易受騙的。—**ness,** *n.*

creed [krid] *n.* Ⓒ ①〖宗〗教條。②任何信仰的信條。③宗教；宗派。*the (Apostles') C-* 使徒信條。

***creek** [krik] *n.* Ⓒ ①小溪；小河。②〖主英〗小港；小灣。

creel [kril] *n.* Ⓒ ①柳條魚籃。②〖紡〗線軸架。

***creep** [krip] *v.i.* **(crept)** ①爬行。②蔓延；盤旋。③皮膚有蟲爬的感覺。④緩行。⑤(時間、歲月等)不知不覺地來臨或消逝。⑥潛行。—*n.* ①Ⓒ爬行；徐行。②(*pl.*)若有蟲爬的感覺。③Ⓤ蠕動；變形。*give one the* **～s** 使某人驚恐、戰慄。

creep·er [ˋkripə] *n.* ①Ⓒ匍匐之人或物；爬蟲。②ⓊⒸ蔓草。③Ⓒ〖動〗旋木雀。④Ⓒ鐵鉤。⑤(*pl.*)(鞋底)防滑的薄鐵片。

creep·y [ˋkripɪ] *adj.* ①爬行的。②皮膚上有蟲爬行之感的；悚然的。③緩行的；蠕動的。④鬼鬼祟祟的。

cre·mate[ˋkrimet] *v.t.* 火葬；燒成灰。—**cre·ma′tion,** *n.*

cre·ma·to·ri·um [ˌkriməˋtorɪəm] *n.* Ⓒ (*pl.* **～s, -ri·a** [-rɪə]) = **crematory.**

cre·ma·to·ry [ˋkriməˌtorɪ] *n.* Ⓒ 火葬場；焚屍爐。

cren·el·(l)ate [ˋkrɛnl̩ˌet] *v.t.* ①開以垛口；設槍眼或砲門。②〖建〗使成鋸齒形。

Cre·ole [ˋkriol] *n.* ①Ⓒ生長於西印度群島和西屬美洲的歐洲人後裔。②Ⓒ美國路易西安那州之法國人後裔。③(c-) Ⓒ沿墨西哥灣各州歐洲人與黑人之混血兒。④Ⓤ上述各州中所用的法國方言。—*adj.* Creole 的。§ **the** ～ **Státe** 美國路易西安那州的俗稱。

cre·o·sote [ˋkriəˌsot] *n.* Ⓤ木餾油；木焦油(防腐劑)。

crepe, crêpe [krep] *n.* ①Ⓤ縐紗。②Ⓤ縐紋紙。③Ⓒ黑喪章；孝布。④ⓊⒸ一種薄煎餅。§ ～ **pàper** 縐紋紙。～ **rúbber** 一種做鞋底的生膠。～ **suzétte** [suˋzɛt] (*pl.* ～s suzette, ～ suzettes)牛奶薄煎餅。

***crept** [krɛpt] *v.* pt. & pp. of **creep.**

cre·pus·cu·lar [krɪˋpʌskjələ] *adj.* 晨曦的；黃昏的；朦朧的。

cre·scen·do [krəˋʃɛndo] *adj.* & *adv.*〖樂〗漸強的[地]；漸響的[地]。—*n.* Ⓒ (*pl.* **～s, ～es**) ①〖樂〗(音之)漸強。②漸趨高潮。

cres·cent [ˋkrɛsn̩t] *n.* ①Ⓒ新月；彎月；半鉤月。②Ⓒ新月形的東西。③Ⓤ回教勢力；土耳其帝國勢力。—*adj.* ①新月形的。②逐漸增加的。

cre·sol [ˋkrisol] *n.* Ⓤ〖化〗甲酚。

cress [krɛs] *n.* Ⓤ〖植〗水芹；水堇。

***crest** [krɛst] *n.* Ⓒ①鳥的冠。②盔上的裝飾(如羽毛)；盔。③頂。④盾形徽號、紋章等上端的飾章。⑤馬、狗等的頸脊。⑥動物頸脊上長的毛(如馬鬃)。⑦任何物體之頂部。⑧洪水之最高點(如河中水位)。⑨〖建〗脊飾。

crest·ed [ˋkrɛstɪd] *adj.* 有冠毛的；有頂飾的。

crest·fall·en [ˋkrɛstˌfɔlən] *adj.* 垂頭喪氣的。

Crete [krit] *n.* 克里特(地中海東部之一島，屬希臘)。

cre·tin [ˋkritɪn] *n.* Ⓒ矮呆病者；白癡。

cre·tin·ism [ˋkritɪnˌɪzəm] *n.* Ⓤ〖醫〗矮呆病；癡呆症。

cre·tonne [krɪˋtɑn] *n.* Ⓤ (做窗帘等之)印花棉布。

cre·vasse [krəˋvæs] *n.* Ⓒ (冰河、堤壩等之)裂縫；罅隙。

crev·ice [ˋkrɛvɪs] *n.* Ⓒ裂縫；罅隙。

‡**crew**[1] [kru] *n.* Ⓒ ①水手；全體船員(包括長官)；飛機上的全體機員。②一群共同工作的人。③一群；一組。§ ～ **cùt** 海軍髮式；平頭。

crew[2] *v.* pt. of **crow**[1].

crew·man [ˋkrumən] *n.* Ⓒ (*pl.* **-men**)船員；機員。

crib [krɪb] *n.* Ⓒ ①(嬰兒之)有欄小床。②小屋。③秣槽；芻槽。④(貯藏穀物、鹽等之)木桶；倉。⑤〖俗〗(學生用之)逐字對照譯本。⑥〖俗〗剽竊(他人之文字或思想)。⑦〖俚〗保險箱。⑧狹窄之空間。⑨貯水庫。⑩(考試時之)夾帶的紙條。—*v.t.* **(-bb-)**①關進(狹小地方)。②偷；剽竊。③在…裝設秣槽。

crib·bage [ˋkrɪbɪdʒ] *n.* Ⓤ一種紙牌遊戲。§ ～ **bòard** 做 cribbage 遊戲用木板。

crick [krɪk] *n.* Ⓒ 肌肉痙攣。—*v.t.* 引起痙攣；扭傷。

***crick·et**[1] [ˋkrɪkɪt] *n.* Ⓒ 蟋蟀。

***crick·et**[2] *n.* Ⓤ 板球。— **er,** *n.*
***crick·et**[3] *n.* Ⓒ 小脚凳。
cri·er [ˋkraɪɚ] *n.* Ⓒ ①傳令員；叫賣者。②哭喊者。
‡**crime** [kraɪm] *n.* Ⓒ 罪；罪行。commit a ～ 犯罪。
Cri·me·a [kraɪˋmiə, krɪ-] *n.* (the ～)克里米亞(俄國西南部黑海中一半島)。— **Cri·me′an,** *adj.*
***crim·i·nal** [ˋkrɪmənl̩] *n.* Ⓒ 犯罪者。— *adj.* 犯罪的；犯法的。～ law 刑法。
crim·i·nate [ˋkrɪməˏnet] *v.t.* 使負罪；定罪。
crim·i·nol·o·gist [ˏkrɪməˋnɑlədʒɪst] *n.* Ⓒ 犯罪學家；刑事學家。
crim·i·nol·o·gy [ˏkrɪməˋnɑlədʒɪ] *n.* Ⓤ 犯罪學；刑事學。
crimp [krɪmp] *v.t.* ①使摺縐。②使(頭髮等)捲縮。③妨礙。— *n.* Ⓒ ①摺疊；摺縐。②摺縐物；波紋。③(常*pl.*)鬈髮。
crim·ple [ˋkrɪmpl̩] *v.t.* & *v.i.* 縮緊；鬈縮。
crim·son [ˋkrɪmzn̩] *n.* Ⓤ 深紅色。— *adj.* 深紅色的。— *v.t.* & *v.i.* 變爲深紅色；面赧。
cringe [krɪndʒ] *v.i.* ①畏縮；抖縮。②奉承；諂媚；卑躬。— *n.* Ⓤ 畏縮；奉承。
crin·kle [ˋkrɪŋkl] *v.t.* & *v.i.* ①(使)縐；(使)縮。②(使)作沙沙聲。— *n.* Ⓒ ①縐；波紋。②沙沙聲。
crin·kly [ˋkrɪŋklɪ] *adj.* 多皺褶的；起皺的；捲縮的；波狀的。
crin·o·line [ˋkrɪnl̩ɪn] *n.* ① Ⓤ 襯布或襯架；裙襯。② Ⓒ 帶襯的裙。
crip·ple [ˋkrɪpl] *n.* Ⓒ 跛的人或動物。— *v.t.* ①使跛；使成殘廢。②使失戰鬥力；受損傷；削弱。
***cri·sis** [ˋkraɪsɪs] *n.* Ⓒ (*pl.* **-ses** [-siz]) ① 危機。②(疾病的)危險期。③(歷史上的)轉捩點；決定性事件。
***crisp** [krɪsp] *adj.* ①(食物)脆的；酥的；乾硬而易碎的。②乾脆的；明快的。③起皺的；捲曲的；起波紋的。④(蔬菜)新鮮的；(空氣、天氣等)使精神爽快的。～ air 新鮮宜人的空氣。— *v.i.* & *v.t.* 使脆；捲起。— **ly,** *adv.*
crisp·y [ˋkrɪspɪ] *adj.* =**crisp.**
criss·cross [ˋkrɪsˏkrɔs] *adj.* 成十字狀的。— *adv.* 互相交叉。— *v.t.* 用十字線作記號；交叉成爲十字狀。— *v.i.* 來回交織。— *n.* Ⓒ 十字記號；交叉。
cri·te·ri·on [kraɪˋtɪrɪən] *n.* Ⓒ (*pl.* **-ri·a** [-rɪə], ～**s**) (評斷之)標準；準繩。
***crit·ic** [ˋkrɪtɪk] *n.* Ⓒ ①批評家；評論家。②吹毛求疵者。
***crit·i·cal** [ˋkrɪtɪkl] *adj.* ①批評的。②有判斷力的。③危急的。a ～ moment 危機；重要關頭。④決定性的。⑤吹毛求疵的。— **ly,** *adv.*
***crit·i·cism** [ˋkrɪtəˏsɪzəm] *n.* ① Ⓤ Ⓒ 批評；吹毛求疵；非難。② Ⓒ 評論；批評的文章。
***crit·i·cize** [ˋkrɪtəˏsaɪz] *v.t.* & *v.i.* 批評；非難。
cri·tique [krɪˋtik] *n.* ① Ⓤ 批評；評論。② Ⓒ 批評的文章[書]。
crit·ter, -tur [ˋkrɪtɚ] *n.* 〖美俗〗= **creature.**

croak [krok] *n.* Ⓒ (蛙、鴉等的)哇哇聲；嗄聲。— *v.t.* & *v.i.* ①哇哇叫；發嗄聲。②悽慘地說。— **er,** *n.*
Cro·a·tia [kroˋeʃə] *n.* 克羅埃西亞(歐洲東南部一地區)。
Cro·a·tian [kroˋeʃən] *adj.* Croatia 的。— *n.* ① Ⓒ Croatia 人。② Ⓤ 其語言。
cro·chet [kroˋʃe] *v.t.* & *v.i.* 用鉤針織。—[ˋkrɑtʃɪt] *n.* Ⓤ 鉤針織物。
crock [krɑk] *n.* Ⓒ ①瓦罐。②碎瓦片。
crock·er·y [ˋkrɑkərɪ] *n.* Ⓤ 陶器；瓦器。
croc·o·dile [ˋkrɑkəˏdaɪl] *n.* ① Ⓒ 鱷魚。② Ⓤ 鱷魚皮。§ ～ **tears** 假哭；假慈悲。
croc·o·dil·i·an [ˏkrɑkəˋdɪlɪən] *adj.* ①鱷魚的；似鱷魚的。②假慈悲的。— *n.* Ⓒ 鱷魚類之動物。
cro·cus [ˋkrokəs] *n.* Ⓒ (*pl.* ～**es, cro·ci** [-saɪ])〖植〗番紅花。
croft [krɔft] *n.* Ⓒ 〖英〗(住宅附近之)小農地；租來的小農場。
croft·er [ˋkrɔftɚ] *n.* Ⓒ 〖英〗佃農。
crois·sant [krwɑˋsɑn] 〖法〗*n.* Ⓒ 新月形麵包；牛角麵包。
Cro-Mag·non [kroˋmægnɑn] *n.* Ⓤ & *adj.* 古石器時代居於歐洲大陸之原始人(的)。
Crom·well [ˋkrɑmwəl] *n.* 克倫威爾(Oliver, 1599-1658, 英國將領、政治家, 1653-58 任英國監國)。
crone [kron] *n.* Ⓒ 乾癟老太婆。
cro·ny [ˋkronɪ] *n.* Ⓒ 密友。
cro·ny·ism [ˋkronɪˏɪzəm] *n.* Ⓤ 任用親信(而不論被任用者之才幹)。
crook [krʊk] *n.* Ⓒ ①彎；鉤。②任何物之彎曲部分。③惡棍；賊。④牧人用之手杖。*on the* ～ 狡詐地；以不正當方法。— *v.t.* ①彎曲。②用鉤鉤住。③〖俚〗欺騙；詐取。— *v.i.* 彎曲。
crook·ed [ˋkrʊkɪd] *adj.* ①彎曲的。②〖美俗〗不正直的。③歪斜的。
croon [krun] *v.t.* & *v.i.* 輕哼；低唱。
croon·er [ˋkrunɚ] *n.* Ⓒ ①輕哼低唱者。②低聲哼唱流行抒情歌曲之歌手。
‡**crop** [krɑp] *n.* Ⓒ ①收成。②農作物。③鳥的嗉囊。④帶圈而不帶皮條之馬鞭；鞭柄。⑤短髮。⑥一組；一群。— *v.t.* (**-pp-**) ①種植。②刈；割；剪短。③(動物)吃(草)。— *v.i.* ①無意中出現。②收成。③(礦脈)露出地面〔常 out, up〕。～ *up* 突然出現[發生]。
crop-dust·ing [ˋkrɑpˏdʌstɪŋ] *n.* Ⓤ (由空中對農作物)噴灑農藥。
crop·per [ˋkrɑpɚ] *n.* Ⓒ ①種植者。②農作物。③〖俗〗重摔；慘敗；崩潰。
cro·quet [kroˋke] 〖法〗*n.* Ⓤ 槌球遊戲。
cro·quette [kroˋkɛt] 〖法〗*n.* Ⓒ 炸肉丸；炸魚丸。
cro·sier [ˋkroʒɚ] *n.* Ⓒ 牧杖(主教或修道院長所持用者)。
‡**cross** [krɔs] *n.* Ⓒ ①十字架。②各種似十字形的東西。③十字形。④苦難。⑤十字路。⑥異種交配；混合種。***bear*** [***take up***] ***one's*** ～ 忍受苦難。***take the*** ～ 宣誓參加十字軍。***the C-*** **a.** 釘死耶穌的十字架。**b.** 耶穌的受難和死；

耶穌救贖世人。**c.** 基督教。**—** *v.t.* ①作十字於；劃十字。②劃橫線。③交叉。④橫過；越過；渡過。⑤錯過。⑥使雜交。⑦公開反對。**—** *v.i.* ①交叉。②橫過；渡過。③錯過。④雜交。~ ***a person's hand with a piece of money*** 給某人(尤指卜者)錢。~ ***a person's path*** 遇到；與某人有瓜葛。~ ***oneself*** 在胸前劃十字。~ ***one's fingers*** 交叉手指(表示祈求好運)。~ ***one's heart*** (***and hope to die***)〖俗〗(兒童習語，說時常於胸前劃十字)憑良心說；說老實話。~ ***one's mind*** 想起。~ ***one's t's and dot one's i's*** 劃t字上的橫線，加i字上的點；(喻)言行謹慎周詳。**—** *adj.* ①橫的。②乖戾的。③逆的；反對的。④雜交的。***as ~ as two sticks*** 脾氣極壞。§ ~ **bùn** 上有十字架花飾的圓麵包。~ **fíre** (1)〖軍〗交叉射擊。(2)內心衝突引起的困境。(3)交相指責。~ **réference** 對照；前後參照。~ **sèction** (1)橫斷面；橫截面；剖面圖。(2)典型人物；樣品。— **ly,** *adv.* — **ness,** *n.*

cross·bar [ˋkrɔs͵bɑr] *n.* C ①閂；橫木。②足球場的球門橫木。③跳高架之橫竿。④單槓。

cross·bench [ˋkrɔs͵bɛntʃ] *n.* C (英國上下兩院之)中立議員席。

cross·bones [ˋkrɔs͵bonz] *n. pl.* (通常畫於骷髏下)二股骨交叉之圖形。

cross·bow [ˋkrɔs͵bo] *n.* C 石弓；弩。

cross·breed [ˋkrɔs͵brid] *v.t. & v.i.* (**-bred**)異種交配；雜交。**—** *n.* C 雜種。

cross-coun·try [ˋkrɔsˋkʌntrɪ] *adj.* 越野的。**—** *n.* U C 越野賽。

cross-cul·tur·al [ˋkrɔsˋkʌltʃərəl] *adj.* 超越文化界限的；多種文化的。

cross·cur·rent [ˋkrɔs͵kɝənt] *n.* C ①(橫斷主流的)逆流。②(常 *pl.*)反對[相反]的趨勢〔of〕.

cross·cut [ˋkrɔs͵kʌt] *n.* C ①直路；捷徑。②橫鋸。**—** *adj.* 橫鋸的；橫切的。§ ~ **sàw** 橫切鋸。

crossed [krɔst] *adj.* ①十字的；交叉的。②劃橫線的。a ~ check 畫線支票。③作十字押的。④被阻礙的。

cross-ex·am·ine [ˋkrɔsɪgˋzæmɪn] *v.t.* ①盤詰。②〖法律〗盤問；反詰問。— **cross′-ex·am·i·na′tion,** *n.*

cross-eyed [ˋkrɔsˋaɪd] *adj.* 對視眼的；內斜視的。

cross-fer·ti·lize [ˋkrɔsˋfɝtḷ͵aɪz] *v.t.&v.i.* (使)異花受精；(使)異體受精。— **cross′-fer·ti·li·za′tion,** *n.*

cross-grained [ˋkrɔsˋgrend] *adj.* ①木材紋理不規則的。②執拗的；倔強的；剛愎的。

***cross·ing** [ˋkrɔsɪŋ] *n.* ① U C 橫過；橫渡。② C 街道河流等之過渡處或穿越道。③ C 交叉點。④ C 阻礙；反對。⑤ U C 雜交。⑥ C 鐵路路軌交叉點之銜接；道岔。

cross-leg·ged [ˋkrɔsˋlɛg(ɪ)d] *adj. & adv.* 盤著腿的[地]；翹著腿的[地]。

cross·o·ver [ˋkrɔs͵ovɚ] *n.* C ①(鐵路之)轉線軌。②〖生物〗同型染色體之局部交換。③天橋。④U 型管。⑤男女雙方交換位置的一種舞步。

cross·patch [ˋkrɔs͵pætʃ] *n.* C〖俚〗脾氣乖戾的人。

cross·piece [ˋkrɔs͵pis] *n.* C 橫木；橫檔；閂。

cross-pur·pose [ˋkrɔsˋpɝpəs] *n.* C 相反的目的。***at ~s*** 互相誤解；相互矛盾。

cross-ques·tion [ˋkrɔsˋkwɛstʃən] *v.t.* =**cross-examine.**

cross-re·fer [͵krɔsrɪˋfɝ] *v.t. & v.i.* (**-rr-**)參照；對照。

cross·road [ˋkrɔs͵rod] *n.* C ①交叉路。②(常 *pl.*, 作 *sing.* or *pl.* 解)十字路口。***at the ~s*** 面臨抉擇。

cross-stitch [ˋkrɔs͵stɪtʃ] *n.* C 一種十字形針法。**—** *v.t. & v.i.* 以此種針法縫。

cross·trees [ˋkrɔs͵triz] *n. pl.*〖海〗桅頂橫桁。

cross·walk [ˋkrɔs͵wɔk] *n.* C 行人穿越道；斑馬線。

cross·way [ˋkrɔs͵we] *n.* =**cross-road.**

cross·wise [ˋkrɔs͵waɪz], **-ways** [-͵wez] *adv.* ①橫亙地；交叉地。②作十字形地。③相反地。

cróss·word pùzzle [ˋkrɔs͵wɝd ~] *n.* C 塡字遊戲；縱橫字謎。(亦作 **cross word**)

crotch [krɑtʃ] *n.* C ①(樹枝之)交叉處。②人體兩腿分叉處。

crotch·et [ˋkrɑtʃɪt] *n.* C ①怪想；奇思。②〖樂〗四分音符。

crotch·et·y [ˋkrɑtʃətɪ] *adj.* 耽於幻想的；有怪癖的。

***crouch** [krautʃ] *v.i.* ①蹲伏。②畏縮。**—** *n.* (a ~)蹲伏；屈膝姿勢。

croup[1] [krup] *n.* U〖醫〗格魯布性喉頭炎；義膜性喉炎。

croup[2] *n.* C (馬等之)臀部。

crou·pi·er [ˋkrupɪɚ] *n.* C ①賭桌上收付賭注之人。②公宴時的副主席。

crow[1] [kro] *n.* C ①雞叫。②嬰孩歡笑聲。**—** *v.i.* (**crowed** or **crew, crowed**) ①雞叫。②自鳴得意。③(嬰孩)格格笑。

crow**[2] *n.* C 烏鴉。a white ~ 珍奇之物。as the ~ flies*** 成直線地；取捷徑地。***eat ~***〖俗〗被迫做厭惡或羞辱之事。

crow·bar [ˋkro͵bɑr] *n.* C 鐵橇；橇棍。

‡**crowd** [kraud] *n.* ① C (集合稱)群衆。②(the ~)民衆。③ C〖俗〗一夥。④(a ~ of)許多；一堆。a ~ of papers and books 一堆文件和書。**—** *v.i.* ①聚集。②擠進。**—** *v.t.* 擠滿。— **ed,** *adj.* 擁擠的。

crow·foot [ˋkro͵fut] *n.* C (*pl.* **~s, -feet**)①〖植〗毛茛。②〖軍〗鐵蒺藜。

‡**crown** [kraun] *n.* ① C 王冠。②(the ~, the C-)王權。③(the ~, the C-)國王；王后。④ C 冠狀物(如錨頂)。⑤ C 花冠。⑥ C 榮譽。⑦ C 頭。⑧ C 頂。⑨ C 英國的銀幣(値五先令)。**—** *v.t.* ①加冕。②加榮譽於。③加冠於。④完成；結束。⑤處於…之頂；籠罩…之頂。§ ~ **cólony** 英國直轄殖民地。~ **lánd** 君主的土地。~ **prínce** 皇太子；皇儲。~ **príncess** (1)皇太子之妃。(2)將繼承王位的公主。

crown·ing [ˋkraʊnɪŋ] *adj.* 無上的；至高的。a ～ glory 無上光榮。

crow's-feet [ˋkroz͵fit] *n. pl.* 眼外角之皺紋；魚尾紋。

crow's-nest [ˋkroz͵nɛst] *n.* Ⓒ〖海〗桅樓；眺望臺；守望處。

cro·zier [ˋkroʒɚ] *n.* ＝**crosier.**

cru·ces [ˋkrusiz] *n.* pl. of **crux.**

cru·cial [ˋkruʃəl] *adj.* ①嚴重的；艱苦的。②有決定性的；極重要的。

cru·ci·ble [ˋkrusəbl̩] *n.* Ⓒ ①坩堝。②嚴酷的考驗。

cru·ci·fix [ˋkrusə͵fɪks] *n.* Ⓒ①苦像(耶穌釘於十字架的像)。②十字架。

cru·ci·fix·ion [͵krusəˋfɪkʃən] *n.* ①ⓊⒸ釘死於十字架。②(the C-)耶穌之釘死於十字架。③Ⓒ耶穌被釘十字架之圖畫或塑像。

cru·ci·form [ˋkrusə͵fɔrm] *adj.* 十字形的。

cru·ci·fy [ˋkrusə͵faɪ] *v.t.* ①釘死十字架上。②虐待。

crud [krʌd] *n.* Ⓒ〖俚〗①渣滓。②廢人。③可鄙的人[事物]。

***crude** [krud] *adj.* ①未提煉的；未加工。～ oil原油。②粗野的。～ manners 粗魯的態度。③粗糙的；粗製濫造的。—**ly,** *adv.* —**ness, cru′di·ty,** *n.*

****cru·el** [ˋkruəl] *adj.* ①殘忍的；殘酷的。②悲慘的；悽慘的。—**ly,** *adv.*

***cru·el·ty** [ˋkruəltɪ] *n.* ①Ⓤ殘酷；無情。②Ⓒ殘酷的行爲。

cru·et [ˋkruɪt] *n.* Ⓒ①餐桌上用的調味瓶。②調味瓶架(＝cruet stand)。

cruise [kruz] *v.i.* ①(船艦)巡航。②一地又一地旅行。③乘坐飛機以最省油之速度飛行。④慢速行車以招攬生意或巡查。—*n.* Ⓒ巡航；海上巡邏；漫遊。

cruis·er [ˋkruzɚ] *n.* Ⓒ①巡洋艦。②(有船艙及其他設備的)遊覽用汽艇[遊艇]。③警察巡邏車。

crul·ler [ˋkrʌlɚ] *n.* Ⓒ〖美〗一種油煎小圓餅。

crumb [krʌm] *n.* ①Ⓒ麵包屑；餅屑。②Ⓤ麵包心。③Ⓒ小量；少許。

crum·ble [ˋkrʌmbl̩] *v.t.* & *v.i.* 弄碎；粉碎；崩潰。—**crum′bly,** *adj.*

crum·my [ˋkrʌmɪ]〖俚〗*adj.* 質劣的；難看的；骯髒的；無價值的。

crum·pet [ˋkrʌmpɪt] *n.* Ⓒ熱煎餅。

crum·ple [ˋkrʌmpl̩] *v.t.* & *v.i.* ①變皺；成摺。②突然倒下。～ ***up*** **a.** 揉皺；使皺。**b.** 征服；擊敗。**c.** 崩潰；損害。

crunch [krʌntʃ] *v.t.* & *v.i.* ①嘎扎有聲地吃。②(脚、輪等)嘎扎地碾踏過；壓、磨或踩踏有聲。—*n.* ①(*sing.*)咬碎；咬嚼聲。②(*sing.*)壓磨；踩踏；嘎扎聲。③(the ～, 有時 a ～)危機；轉捩點。

crunch·y [ˋkrʌntʃɪ] *adj.*〖俗〗鬆脆的；易裂的。—**crunch′i·ness,** *n.*

crup·per [ˋkrʌpɚ] *n.* Ⓒ①兜在馬尾下的皮帶。②馬的臀部。

cru·sade [kruˋsed] *n.* Ⓒ①(常 C-)十字軍。②社會除惡運動。③宗教戰爭。—*v.i.* 加入十字軍。—**cru·sad′er,** *n.*

cruse [kruz] *n.* Ⓒ瓶；罐；罈子。

***crush** [krʌʃ] *v.t.* ①壓破。②揉皺。③壓碎。④壓服。—*v.i.*①起皺紋。②擠入。—*n.*①Ⓤ壓碎。②(*sing.*)擁擠。③Ⓒ〖俗〗迷戀；迷戀之對象。

crush·er [ˋkrʌʃɚ] *n.* Ⓒ①軋碎機；碎石機；榨油機。②軋碎機操作員。③令人心服的論點[回答]。

crush·ing [ˋkrʌʃɪŋ] *adj.* ①壓破的；壓碎的。②決定性的。③壓倒性的。

***crust** [krʌst] *n.* ①Ⓤ麵包皮。②Ⓤ任何麵餅的外殼。③ⓊⒸ堅硬的外殼、外皮或外層。—*v.t.* & *v.i.* 蓋以硬皮；(使)結硬皮。

crus·ta·cean [krʌsˋteʃən] *n.* Ⓒ〖動〗甲殼類動物。—*adj.* 甲殼類的。

crust·y [ˋkrʌstɪ] *adj.* ①有硬皮的；似外殼的。②乖戾的；粗暴的。

crutch [krʌtʃ] *n.* Ⓒ①拐杖。②支持物。③〖海〗叉柱；槳架。④叉狀物。

crux [krʌks] *n.* (*pl.* ～**·es, cru·ces** [ˋkrusiz])①Ⓒ緊要關頭。②Ⓒ要點。③Ⓒ難題。④(C-)Ⓤ〖天〗十字座。

****cry** [kraɪ] *v.i.* ①呼；喊；大聲呼號。②號哭；哭泣。③(動物)叫；啼；鳴；嗥。—*v.t.* ①乞；求；懇求。②大叫；大聲呼喊。③叫賣；公開宣告。④使哭至某種程度。～ ***down*** **a.** 喝止。**b.** 輕視。～ ***for*** **a.** 哭著要；要求。**b.** 急需。～ ***off*** 撤回；取消；毀約。～ ***one's eyes*** [***heart***] ***out*** 痛哭。～ ***out*** 大叫；埋怨。～ ***to*** 呼籲；禱告。～ ***up*** 大聲稱讚。—*n.* Ⓒ ①呼；喊；叫。②哭泣。③動物的啼叫聲。④叫賣聲。⑤標語；口號。⑥大聲說話或叫喊。⑦輿論。⑧懇求。***a far*** ～ **a.** 遠的距離。**b.** 大的差別。***in full*** ～ 緊追。***within*** ～ (***of***) 在呼叫聲可以達到的地方。

cry·ba·by [ˋkraɪ͵bebɪ] *n.* Ⓒ①愛哭之人(尤指小孩)。②軟弱者；愛訴苦者。

cry·ing [ˋkraɪɪŋ] *adj.* ①號泣的。②顯著的；緊急的。

cry·o·gen·ics [͵kraɪəˋdʒɛnɪks] *n.* Ⓤ低溫學。—**cry·o·gen′ic,** *adj.*

crypt [krɪpt] *n.* Ⓒ地窖；地穴；地下墓。

cryp·tic, -ti·cal [ˋkrɪptɪk(l̩)] *adj.* 祕密的；神祕的。

cryp·to·gam [ˋkrɪptə͵gæm] *n.* Ⓒ隱花植物。

cryp·to·gram [ˋkrɪptə͵græm] *n.* Ⓒ密碼；暗號。

cryp·tog·ra·phy [krɪpˋtɑgrəfɪ] *n.* Ⓤ①密碼學。②密碼使用法。

***crys·tal** [ˋkrɪstl̩] *n.* ①**a.** Ⓤ水晶。**b.** Ⓒ水晶製之裝飾品。②Ⓒ錶面玻璃。③Ⓤ精製的玻璃。④Ⓒ結晶(體)。⑤Ⓒ〖無線〗晶體(檢波用礦石)。—*adj.* ①水晶製的。②透明如水晶的。③〖無線〗晶體檢波器的。§ ∼ **bàll** (占卜)水晶球。∼ **detéctor**〖無線〗晶體檢波器。∼ **gàzer** 水晶球占卜師。∼ **gàzing** (1)水晶球占卜術。(2)揣測；預測。

crys·tal-clear [ˋkrɪstl̩ˋklɪr] *adj.* ①水晶般透明的；清澈晶瑩的。②非常清楚的。

crys·tal·line [ˋkrɪstl̩ɪn] *adj.* ①水晶的；結晶狀的。②透明的。

crys·tal·lize [ˋkrɪstl̩͵aɪz] *v.t.* & *v.i.* ①(使)結晶。～*d* sugar 冰糖。②覆以糖霜；包以糖。～*d* fruits 蜜餞果類。③(使)(計畫等)具體化。—**crys·tal·li·za′tion,** *n.*

CT Connecticut.

cub [kʌb] *n.* [C] ①(獅、熊、狐、虎等之)幼兒。②〖諧〗生手；初出茅廬者。an unlicked ～無經驗之小伙子。③幼童軍。§～**scòut**幼童軍(8-10歲的童子軍)。

Cu·ba [ˋkjubə] *n.* 古巴(西印度群島中最大的島國，首都 Havana)。

Cu·ban [ˋkjubən] *adj.* 古巴的；古巴人的。— *n.* [C] 古巴人。

cub·by [ˋkʌbɪ] *n.* [C] 小而幽閉之處；小房間。(亦作 **cubbyhole**)

* **cube** [kjub] *n.* [C] ①正六面體；立方體。②立方。— *v.t.* ①使成立方體。②用一數自乘三次。§～ **róot** 立方根。

cu·bic [ˋkjubɪk] *adj.* ①立方體的。～ measure 容量。②三次方的。a ～ equation 三次方程式。

cu·bi·cle [ˋkjubɪkl] *n.* [C] 小寢室。

cub·ism [ˋkjubɪzəm] *n.* [U] 〖美術〗立體派繪畫作風。— **cub′ist,** *n.*

cu·bit [ˋkjubɪt] *n.* [C] 腕尺(自肘至中指端之長，約 18-22 吋)。

cuck·old [ˋkʌkḷd] *n.* [C] 妻子與人通姦的男人；烏龜。— *v.t.* 與(某人)之妻通姦。

* **cuck·oo** [ˋkuku, kuˋku] *n.* [C] (*pl.* ～**s**) ①布穀鳥；杜鵑。②布穀鳥之鳴聲。— *adj.* 〖美俚〗瘋狂的；愚蠢的。§～ **clòck** 布穀鳥報時鐘。

cu·cum·ber [ˋkjukʌmbɚ] *n.*① [C] 〖植〗胡瓜(俗稱黃瓜)。② [U][C] 胡瓜的果實。***cool as a*** ～ 冷靜。

cud [kʌd] *n.* [U] 反芻動物從胃中吐出重嚼之食物。***chew the*** [***one's***] ～ 反芻；熟思。

cud·dle [ˋkʌdl] *v.t.* 撫愛地擁抱。— *v.i.* ①擁抱；撫抱。②貼著身睡；蜷曲著睡。— *n.* (a ～)擁抱；摟抱。

cud·dle·some [ˋkʌdḷsəm] *adj.* 適於擁抱的；令人想擁抱的。

cud·dly [ˋkʌdlɪ] *adj.* ①愛擁抱的。②＝**cuddlesome.**

cudg·el [ˋkʌdʒəl] *n.* [C] 粗短的棍。***take up the ～s for*** 保衛；極力辯護。— *v.t.* (**-l-,** 〖英〗 **-ll-**) 以粗短的棍擊之。～ ***one's brains*** 絞腦汁；苦思。

* **cue**[1] [kju] *n.* [C] ①線索；提示；暗示。②〖戲劇〗(暗示其他演員出場或發言的)尾白[語]。③劇中的角色。

cue[2] *n.* [C] ①髮辮。②(依順序等候的人、車輛的)行；隊；長龍。③〖撞球〗球桿。

cuff[1] [kʌf] *n.* ① [C] 袖口。② [C] 西裝褲脚的反摺部分。③(*pl.*)手銬。§～ **lìnk** 男子襯衫的袖扣。

cuff[2] *n.* [C] & *v.t.* 掌擊；掌摑；撞擊。

cui·rass [kwɪˋræs] *n.* [C] 保護身軀之胸冑與背冑。

cui·ras·sier [ˌkwɪrəˋsɪr] *n.* [C] 著甲冑之騎兵。

cui·sine [kwɪˋzin] *n.* ①[U] 烹調；烹飪法。②[C] 廚房。

cu·li·nar·y [ˋkjuləˌnɛrɪ] *adj.* 廚房的；烹調(用)的。

cull [kʌl] *v.t.* 選擇；揀出；採摘(花)。— *n.* [C] 剔除之物；揀剩之物。

culm [kʌlm] *n.* [U] ①煤屑；碎煤。②下等無煙煤。

cul·mi·nate [ˋkʌlməˌnet] *v.i.* ①達於頂點；達最高潮〔in〕。②升至最高點；形成最高點〔常 in〕。③〖天〗(天體)達到子午線；升至最高度。

cul·mi·na·tion [ˌkʌlməˋneʃən] *n.* [U]①頂點；極點。②最高潮。③〖天〗中天。

cu·lottes [kjuˋlɑts] *n. pl.* (女用)褲裙。

cul·pa·ble [ˋkʌlpəbl] *adj.* 該受譴責的。— **cul·pa·bil′i·ty,** *n.*

cul·prit [ˋkʌlprɪt] *n.* [C] 犯人；罪人。

cult [kʌlt] *n.* [C] ①〖宗〗禮拜儀式。②(對人或主義)崇拜。③時尚；流行。④信徒；教派。⑤(集合稱)崇拜者。

cul·ti·va·ble [ˋkʌltəvəbḷ] *adj.* 可耕種的；可培養的。

* **cul·ti·vate** [ˋkʌltəˌvet] *v.t.* ①耕種。②教化；培養。③致力(藝術、科學等)。

cul·ti·vat·ed [ˋkʌltəˌvetɪd] *adj.* ①在耕種中的。～ land 耕地。②由栽培而生長的。③有教養的；優雅的。

cul·ti·va·tion [ˌkʌltəˋveʃən] *n.* [U] ①耕種。②教化；培養。

cul·ti·va·tor [ˋkʌltəˌvetɚ] *n.* [C] ①耕種者；培養者。②鬆土除草機。

⁑**cul·tur·al** [ˋkʌltʃərəl] *adj.* ①栽培的。②教養的。③文化的；人文的。§～ **lág** 〖社會〗文化遲滯[落後]。

cul·tu·ra·ti [ˌkʌltʃəˋrɑtɪ] *n. pl.* 文化人士；有教養的人士。

⁑**cul·ture** [ˋkʌltʃɚ] *n.* ① [U] 教養；文雅。② [C] 文明；文化。③ [U] 培養；教化。④ [U] 耕種。⑤ [U] 細菌的培養。⑥ [C] 以培養基培殖之物。— *v.t.* ①耕種。②〖生物〗以培養基培殖。§～ **àrea** 文化區。～ **cènter** 文化中心。～ **còmplex** 文化結叢(多種文化特質相互關聯而以其中某一特質爲主導者)。～ **mèdium** 培養基(微生物之養料)。～ **shòck** 文化衝擊。～ **tràit** 文化特質。

cul·tured [ˋkʌltʃɚd] *adj.* ①有修養的。②被養殖的。a ～ pearl 養珠。

cul·vert [ˋkʌlvɚt] *n.* [C] ①暗渠；陰溝。②地下電纜。

cum [kʌm, kum] 〖拉〗 *prep.* 連同；附帶；兼(＝with, including)。～ ***dividend*** 〖股票〗帶息(的)(略作 cum div., 爲 ex dividend 之對)。～ ***grano salis*** [ˋgrɑnoˋsɑlɪs] 保留地；打折扣地。～ ***laude*** [ˋlɔdɪ] 以優等(優異學業成績)。

cum·ber [ˋkʌmbɚ] *v.t.* & *n.* [C] ①阻礙。②拖累。— **some,** *adj.*

cum·brous [ˋkʌmbrəs] *adj.* 累贅的。

cum·in [ˋkʌmɪn] *n.* [U] 〖植〗小茴香。

cu·mu·late [ˋkjumjəˌlet] *v.t.* & *v.i.* 累積；堆積。— [ˋkjumjəlɪt] *adj.* 堆積的。

cu·mu·la·tive [ˋkjumjəˌletɪv] *adj.* 累積的。

cu·mu·lus [ˋkjumjələs] *n.* (*pl.* **-li** [-ˌlaɪ]) ① [U][C] 〖氣象〗積雲。②(a ～)堆積。

cu·ne·i·form [ˋkjunɪəˌfɔrm] *adj.* ①楔形的。②楔形文字的。— *n.* [U] (古波斯、亞述等國之)楔形文字。

* **cun·ning** [ˋkʌnɪŋ] *adj.* ①狡猾的。②巧妙的。③〖美俗〗可愛的；迷人的。— *n.* [U] 狡猾。— **ly,** *adv.*

⁑**cup** [kʌp] *n.* ① [C] 杯；酒杯。② [C] 一杯的量。③ [C] 杯形物。④ [U] 杯中物；

酒。⑤ C 獎杯。⑥ C 命運; 經歷。a bitter ～苦命; 苦事。*in one's ～s* 醉酒。── *v.t.* (**-pp-**)①使成杯形。②以杯盛。③用吸血器替…放血。

cup·bear·er [ˋkʌp,bɛrɚ] *n.* C 司酒者; 嘗酒者。

***cup·board** [ˋkʌbɚd] *n.* C 碗櫥; 食櫥; 小櫥。§ ∽ **lòve** 有企圖的愛。

cup·cake [ˋkʌp,kek] *n.* C 杯子蛋糕。

cup·ful [ˋkʌp,ful] *n.* C 一滿杯。

Cu·pid [ˋkjupɪd] *n.* ①〖羅神〗丘比特(愛神)。②(c-) C 丘比特的畫[雕像]。§ ∽**'s bów** (1)丘比特(式)的弓。(2)(雙)弓形的(上)嘴唇形狀[線條]。

cu·pid·i·ty [kjuˋpɪdətɪ] *n.* U 貪婪。

cu·po·la [ˋkjupələ] *n.* C ①圓屋頂。②圓頂閣。③迴旋砲塔。

cup·pa [ˋkʌpə] *n.* C (常*sing.*)〖英俗〗一杯茶。

cup·ping [ˋkʌpɪŋ] *n.* U〖醫〗杯吸法; 吸器放血法。

cur [kɝ] *n.* C ①雜種狗。②下流胚子。

cur·a·ble [ˋkjurəbl] *adj.* 可醫治的(病); 可矯正的(缺點)。

cu·ra·çao, -çoa [,kjurəˋso] *n.* U (加苦橙皮所釀成之)柑香酒。

cu·ra·cy [ˋkjurəsɪ] *n.* U C 副牧師之職位或職務。

cu·rate [ˋkjurɪt] *n.* C〖宗〗副牧師。

cur·a·tive [ˋkjurətɪv] *adj.* 治病的; 有治病效力的。── *n.* C 藥物; 補救。

cu·ra·tor [kjuˋretɚ] *n.* C (博物館、圖書館、美術館等之)館長。

***curb** [kɝb] *n.* C ①馬勒; 馬銜。②抑制; 阻擋物。③路的邊欄; 邊石。④〖美〗(證券股票)場外市場。── *v.t.* ①勒(馬)。②抑制。③加邊石。§ ∽ **márket** 股票場外交易市場。

curb·stone [ˋkɝb,ston] *n.* C 邊石。

curd [kɝd] *n.* U ①(常 *pl.*)凝乳。②凝乳狀之物。

cur·dle [ˋkɝdl] *v.i.* & *v.t.* ①凝結。②變稠; 變濃厚。～ *the*[*one's*] *blood* 嚇得戰慄。

‡**cure** [kjur] *v.t.* ①醫癒。②治療; 袪除(惡習)。③醃; 曬乾或燻製。── *v.i.* ①治療。②痊癒。── *n.* C ①醫治; 痊癒。②醫法; 補救方法。③藥劑。④精神上的監督; 宗教上之職務。─ **less,** *adj.*

cu·ré [kjuˋre]〖法〗*n.* C 牧師。

cure-all [ˋkjur,ɔl] *n.* C 萬靈藥。

cur·few [ˋkɝfju] *n.* C ①古代晚間令人熄燈安睡的鐘聲。②宵禁。

Cu·rie [ˋkjurɪ, kjuˋri] *n.* 居里夫人(Marie, 1867-1934, 生於波蘭之法國女物理學家及化學家, 爲鐳的發現者)。§ ∽ **pòint** [**tèmperature**]〖理〗居里點(發生磁性變態的溫度)。

cu·rie [ˋkjuri] *n.* C〖理〗居里(質射單位)。

cu·ri·o [ˋkjurɪ,o] *n.* C (*pl.* **～s**)古玩; 古董; 珍品。

***cu·ri·os·i·ty** [,kjurɪˋɑsətɪ] *n.* ① U 求知慾。② U 好奇; 好奇心。③ C 珍奇的事物。

***cu·ri·ous** [ˋkjurɪəs] *adj.* ①求知的; 好問的; 好奇的。②好管閒事的。③奇特的; 古怪的。④精細的。*─ **ly,** *adv.*

cu·ri·um [ˋkjurɪəm] *n.* U〖化〗鋦(放射性元素; 符號 Cm)。

***curl** [kɝl] *v.t.* & *v.i.* ①捲成小圈(如頭髮)。～ one's lips 抿嘴; 撇嘴。②捲曲; 盤旋。～ *up* **a.** 捲起。**b.** 蜷伏。── *n.* ①(*pl.*)捲髮。② C 盤旋; 彎曲的東西。③ C 旋繞。

curl·er [ˋkɝlɚ] *n.* C 捲髮夾。

cur·lew [ˋkɝlu] *n.* C〖鳥〗麻鷸。

curl·i·cue [ˋkɝlɪ,kju] *n.* C ①裝飾性的捲曲。②(尤指書法等的)花體。

curl·ing [ˋkɝlɪŋ] *n.* U〖蘇〗一種冰上滾石的遊戲。§ ∽ **ìron**[**tòng**](常 *pl.*)捲髮或燙髮之鉗。∽ **stòne** 冰上滾石遊戲用的有柄石頭。

curl·y [ˋkɝlɪ] *adj.* ①捲曲的; 有波紋的。②有捲曲物的; 有捲髮的。

cur·mudg·eon [kɚˋmʌdʒən] *n.* C 守財奴; 脾氣壞而愛爭吵的人。

cur·rant [ˋkɝənt] *n.* C ①一種小而無核的葡萄乾。②〖植〗紅醋栗。

cur·ren·cy [ˋkɝənsɪ] *n.* ① U C 通貨; 貨幣。hard ～ 硬幣。② U 流通; 通用; 流行。

***cur·rent** [ˋkɝənt] *n.* ① C 水流或氣流。② U C 電流。③ C 趨向。── *adj.* ①流通的; 通行的。②現在的。the ～ month 本月。§ ∽ **accóunt** 活期存款(戶頭)。∽ **Énglish** 現代英語。

cur·ric·u·lum [kəˋrɪkjələm] *n.* C (*pl.* **～s, -la** [-lə])課程。§ ∽ **vítae** [ˋvaɪti]履歷; 簡歷。─ **cur·ric'u·lar,** *adj.*

cur·ry[1] [ˋkɝɪ] *n.* ① U 咖哩粉(亦作 **curry powder**)。② U C 咖哩所調製的食品。── *v.t.* 用咖哩調製。

cur·ry[2] *v.t.* 梳刷(馬等之毛)。～ *favor* (*with*) 曲意逢迎; 拍馬屁。

cur·ry·comb [ˋkɝɪ,kom] *n.* C 馬梳。── *v.t.* 用馬梳梳刷。

***curse** [kɝs] *v.t.* (**cursed** or **curst**) ①祈禱上帝降禍於。②詛咒。③使受罪; 使感痛苦。He was ～*d* with boils. 他爲疔瘡所苦。── *v.i.* 詛咒。── *n.* C ①祈求上帝降禍於人; 詛咒。②殃禍; 禍因。③惡言; 咒罵的話。④被詛咒之物。*Curses come home to roost.* 害人反害己。*not care* [*give*] *a ～ for* 毫不顧及; 不以…爲意。

curs·ed [ˋkɝsɪd, kɝst] *adj.* ①被咒的。②可憎的。③痛苦的。─ **ly,** *adv.*

cur·sive [ˋkɝsɪv] *adj.* 草書的; 草書體的。── *n.* U C 行書; 草書原稿。

cur·sor [ˋkɝsɚ] *n.* C〖英〗(計算尺或電腦畫面上的)游標。

cur·so·ry [ˋkɝsərɪ] *adj.* 匆促的; 粗略的。

curst [kɝst] *v.* pt. & pp. of **curse.** ── *adj.* =**cursed.**

curt [kɝt] *adj.* ①簡短的; 草率的。②簡慢的。─ **ly,** *adv.* ─ **ness,** *n.*

cur·tail [kɚˋtel] *v.t.* 縮短; 減縮。─ **ment,** *n.*

‡**cur·tain** [ˋkɝtn̩, -tɪn] *n.* C ①帳; 幕; 窗帘。The ～ falls[drops]. 閉幕。②掩蔽; 隔絕; 掩蔽之物。── *v.t.* ①掛幕於。②掩蔽。§ ∽ **càll** 觀衆要求演員出場謝幕時之呼聲。∽ **fìre** 彈幕。∽ **lècture** 妻子在枕邊對丈夫之責備。∽ **ràiser** 正戲前之配戲; 開場戲。

curt·s(e)y [ˋkɜtsɪ] *n.* Ⓒ 女人行的鞠躬禮(包括彎身和屈膝)。*drop*[*make*] *a* ~(女人)行鞠躬禮。—*v.i.* 行女人鞠躬禮。

cur·va·ceous [kɜˋveʃəs] *adj.* 〖俗〗曲線玲瓏的。

cur·va·ture [ˋkɜvətʃɚ] *n.* Ⓤ Ⓒ ①彎曲; 屈曲。②〖數〗曲率。

‡**curve** [kɜv] *n.* Ⓒ ①曲線。②彎曲。③曲線規。④〖棒球〗曲球。—*v.t.* & *v.i.* (使)彎曲。

cur·vet [ˋkɜvɪt] *n.* Ⓒ 馬之騰躍。—[ˋkɜvɪt, kɚˋvɛt] *v.i.* & *v.t.* (-tt-, -t-)騰躍。

C

***cush·ion** [ˋkʊʃən, -ɪn] *n.* Ⓒ ①墊子; 坐褥。②坐墊狀的東西。③撞球桌面四周之彈性襯裏。④減輕撞擊震動之物。⑤減輕痛苦、負擔或有助於舒適之事物。—*v.t.* ①裝置褥墊於。②減輕緩和(撞擊、痛苦等)。

cush·y [ˋkʊʃɪ] *adj.* 〖俚〗(工作等)容易的; 舒適的。

cusp [kʌsp] *n.* Ⓒ 尖端; 尖頭。

cus·pi·dor [ˋkʌspə͵dɔr] *n.* Ⓒ 〖美〗痰盂。

cuss [kʌs] 〖美俗〗 *n.* Ⓒ 詛咒。—*v.t.* & *v.i.* 詛咒; 咒罵。

cuss·ed [ˋkʌsɪd] *adj.* 〖俗〗①=**cursed**, ②執拗的; 彆扭的; 頑固的。—**ly**, *adv.* —**ness**, *n.*

cus·tard [ˋkʌstɚd] *n.* Ⓒ (雞蛋牛乳和糖製成的)軟凍。

cus·to·di·an [kʌsˋtodɪən] *n.* Ⓒ 保管人; 管理人。

cus·to·dy [ˋkʌstədɪ] *n.* Ⓤ ①監督; 監視; 保護。②監禁; 拘留。*be in* ~ 爲警方所扣留。*take into* ~ 逮捕。

‡**cus·tom** [ˋkʌstəm] *n.* ①Ⓒ 習慣。②Ⓒ 習俗; 風俗; 慣例。③Ⓤ 主顧的經常照顧。—*adj.* 定製的。

***cus·tom·ar·y** [ˋkʌstəm͵ɛrɪ] *adj.* 習常的; 慣常的。—**cus′tom·ar·i·ly**, *adv.*

***cus·tom·er** [ˋkʌstəmɚ] *n.* Ⓒ ①顧客; 主顧。②〖俗〗傢伙; 人。

cus·tom·house [ˋkʌstəm͵haus] *n.* Ⓒ 海關。

cus·tom·ize [ˋkʌstə͵maɪz] *v.t.* 定製; 定做。

cus·tom-made [ˋkʌstəmˋmed] *adj.* 定做的; 訂製的。

‡**cus·toms** [ˋkʌstəmz] *n. pl.* ①進口稅。②(the C-, 作 *sing.* 解)海關。the *C-* formalities 海關手續。§ ~ **bròker** 報關行(爲進、出口商報關而賺取佣金者)。~ **ùnion** 關稅聯盟。

‡**cut** [kʌt] *v.t.* (**cut, cut·ting**) ①割; 切; 剪。②劈開。③縮減; 減少。④刺。⑤〖網球〗斜打; 切擊。⑥〖俗〗不與交往; 不睬。⑦缺席。⑧溶解。⑨(牌戲)切(牌)。⑩相交。⑪長牙。⑫〖俗〗不再繼續〔常 out〕。⑬剪輯(影片)。—*v.i.* ①割; 切; 裁。②被割; 被切。③取捷徑; 走近路〔across, through〕。④刺。⑤長牙。⑥〖俗〗匆匆離開。*be* ~ *out for* 生來適合於。~ *across* **a.** 走近路穿過。**b.** 超越(黨派、階級等)。~ *a loss* [*one's losses*] 趁早脫手。~ *and run* 急忙逃竄。~ *at*(以刀、棍等)對準猛打; 傷害; 毀滅。~ *away* **a.** 砍掉; 切除。**b.** 逃走。~ *back* **a.** 剪去其一端使短(如樹枝)。**b.** 重提前事(如小說、電影等)。**c.** 減少或停止。~ *both ways* **a.** (論點等)對雙方都適用; 兩面都說得通。**b.** (行動)有好處也有壞處。~ *down* **a.** 砍倒。**b.** 使減少。**c.** 毀滅; 破壞。**d.** 修改(衣服)使小。~ *in* **a.** 突入; 衝入。**b.** 攙言; 插嘴。**c.** 舞伴中一人(常爲女的)突然爲人邀去共舞; 截舞。**d.** 搶先; 超車。~ *into* 打斷(談話); 插嘴。~ *off* **a.** 切去; 截斷; 斷絕。**b.** 使終止。**c.** 剝奪繼承權。~ *on* 趕路; 趕忙。~ *one's coat to fit* [*according to*] *one's cloth* 依自己財力作事; 量入爲出。~ *out* **a.** 切去; 刪去。**b.** 造成…形狀。**c.** 〖俚〗停止。**d.** 取代; 擊敗。~(*something*) *short* 切[刪]短(某事物); 打斷; 插嘴。~ *teeth* 長牙。~ *to the bone* 減至最低[少]限度。~ *up* **a.** 切碎。**b.** 嚴酷批評(人)。**c.** 〖俗〗使…難受。**d.** 頑皮; 惡作劇。~ *up rough* 〖俗〗吵鬧; 發脾氣。—*adj.* ①切過的。②琢磨過的。③降低的; 減縮的。~ *and dried* **a.** 預先準備的。**b.** 呆板的。—*n.* ①Ⓒ 割; 切; 剪; 割傷; 切傷; 傷痕。②Ⓒ 溝渠; 渠道。③Ⓒ 切開的片、塊等。④(*sing.*)(裁剪的)樣式。⑤Ⓒ 降低; 減少。⑥Ⓒ 重擊; 猛擊(用刀劍或鞭等)。⑦Ⓒ 斜擊; 切擊(如網球等)。⑧Ⓒ 傷人感情的言行; 中傷。⑨(the ~)〖俗〗佯爲不識。⑩Ⓒ (唱片裡的)一首歌。⑪Ⓒ〖俗〗缺課。⑫Ⓒ 切牌。⑬Ⓒ〖美俗〗分贓; 分得的份。⑭Ⓒ 捷徑。*a* ~ *above* 〖俗〗勝過一籌。§ ~ **gláss** 雕花玻璃。

cu·ta·ne·ous [kjuˋtenɪəs] *adj.* 皮膚的。

cut·a·way [ˋkʌtə͵we] *adj.* (衣服之)下擺裁成圓角的。a ~ coat 常禮服。—*n.* Ⓒ ①常禮服。②揭去外殼之機器(使參觀者能看到內部的結構)。

cut·back [ˋkʌt͵bæk] *n.* Ⓒ ①減少; 削減。②(電影、故事等)倒敍。

***cute** [kjut] *adj.* ①〖美〗美麗嬌小而可愛的。②聰明的; 狡猾的。③裝模作樣的。—**ly**, *adv.* —**ness**, *n.*

cute·sy, -sie [ˋkjutsɪ] *adj.* 自以爲聰明的。

cu·ti·cle [ˋkjutɪkl] *n.* Ⓒ〖解〗表皮。

cut·las(s) [ˋkʌtləs] *n.* Ⓒ (古時水手所用之)短厚而微彎的刀。§ ~ **fish** 隱足魚。

cut·ler [ˋkʌtlɚ] *n.* Ⓒ 刀剪等之製造、修理或販賣者。

cut·ler·y [ˋkʌtlərɪ] *n.* Ⓤ ①(集合稱)刀、剪等利器; 餐具(如刀、叉、匙等)。②刀、劍製造業。

cut·let [ˋkʌtlɪt] *n.* Ⓒ 供燒烤或煎炸的薄肉片。

cut·off [ˋkʌt͵ɔf] *n.* Ⓒ ①近路。②〖機〗停汽; 切斷。

cut·out [ˋkʌt͵aut] *n.* Ⓒ ①(內燃機之)排氣閥。②布或紙上可剪下的圖案花樣等。③〖電〗斷流器。

cut-price [ˋkʌt͵praɪs] *adj.* ①減價的。②減價出售的。

cut·purse [ˋkʌt͵pɜs] *n.* Ⓒ 扒手。

cut·ter [ˋkʌtɚ] *n.* Ⓒ ①切割者; 截切器。②裁剪衣服者。③〖影〗影片剪輯者。④快艇; 軍艦用小艇。

cut·throat [ˋkʌt,θrot] *n.* Ⓒ 兇手; 刺客。 — *adj.* ①兇狠的。②激烈的; 拚命的。§ ～ **competítion** 無情競爭。
cut·ting [ˋkʌtɪŋ] *n.* ①ⓊⒸ 切; 割。②Ⓒ 切下或割下之部分。③Ⓤ〖影〗剪接。④Ⓒ〖英〗剪報。⑤Ⓒ 插枝。 — *adj.* 刺骨的; 尖刻的。— **ly,** *adv.*
cut·tle·fish [ˋkʌtḷ,fɪʃ] *n.* Ⓒ (*pl.* ～, ～**es**)〖動〗烏賊; 墨魚。
cut·up [ˋkʌt,ʌp] *n.* Ⓒ〖美俚〗扮小丑或開玩笑以引人注意的人(或動作)。
cut·worm [ˋkʌt,wɝm] *n.* Ⓒ〖昆〗夜蛾。
cwt. hundredweight.
cy·a·nide [ˋsaɪə,naɪd] *n.* ⓊⒸ〖化〗氰化物。(亦作 **cyanid**)
cyber-〖字首〗表「電腦(網路)」之義。
cy·ber·na·tion [,saɪbɚˋneʃən] *n.* Ⓤ 電腦化自動控制。full automation and ～ 全自動控制。
cy·ber·net·ics [,saɪbɚˋnɛtɪks] *n.* Ⓤ 控制論; 神經機械學(電腦與人類神經系統之比較研究)。
cy·ber·space [ˋsaɪbɚ,spes] *n.* Ⓤ 計算機化世界; 賽博空間。
cy·borg [ˋsaɪbɔrg] *n.* Ⓒ 受控機體(在科幻小說(SF)中, 身體的一部分被電子裝置替代或控制的人)。
cyc·la·men [ˋsɪkləmən] *n.* Ⓒ〖植〗仙克萊屬植物。
***cy·cle** [ˋsaɪkḷ] *n.* Ⓒ ①周期; 循環(期)。②成套的有關英雄或重要事蹟之故事、詩歌或稗史等作品。③〖電〗周波。 — *v.i.* ①循環。②騎脚踏車。— **cy·clic(al)** [ˋsaɪklɪk(ḷ)], *adj.*
cy·clist [ˋsaɪklɪst] *n.* Ⓒ 騎脚踏車者。
cy·clom·e·ter [saɪˋklɑmətɚ] *n.* Ⓒ ①圓弧測定器。②計程表。
cy·clone [ˋsaɪklon] *n.* Ⓒ ①旋風。②颶風。— **cy·clon·ic** [saɪˋklɑnɪk], *adj.*
cy·clo·p(a)e·di·a [,saɪkləˋpidɪə] *n.* Ⓒ 百科全書; 百科辭典(encyclopedia 之簡體)。— **cy·clo·p(a)e′dic,** *adj.*
Cy·clops [ˋsaɪklɑps] *n.* Ⓒ (*pl.* **Cy·clo·pes** [saɪˋklopiz])〖希神〗獨眼巨人。
cy·clo·tron [ˋsaɪklə,trɑn] *n.* Ⓒ〖理〗迴旋磁力加速器(一種使原子核分裂之裝置)。
cyg·net [ˋsɪgnɪt] *n.* Ⓒ 小天鵝。
***cyl·in·der** [ˋsɪlɪndɚ] *n.* Ⓒ ①圓筒; 圓柱體。②〖機〗汽缸。③〖印刷〗滾筒。 — **cy·lin′dric(al),** *adj.*
cym·bal [ˋsɪmbḷ] *n.* Ⓒ 鐃; 鈸。
cyn·ic [ˋsɪnɪk] *adj.* & *n.* Ⓒ ①憤世嫉俗的(人)。②(C-)犬儒學派的(人)。
cyn·i·cal [ˋsɪnɪkəl] *adj.* ①懷疑人生之價值的。②譏刺的; 冷嘲的。
cyn·i·cism [ˋsɪnə,sɪzəm] *n.* ⓊⒸ ①(C-)犬儒哲學。②譏嘲的言詞或見解。
cy·no·sure [ˋsaɪnə,ʃur] *n.* Ⓒ ①指針; 引導物。②引人注目的對象。
cy·pher [ˋsaɪfɚ] *n.* & *v.* =**cipher.**
cy·press [ˋsaɪprəs] *n.* ①Ⓒ 柏樹。②Ⓤ 柏樹木。③Ⓒ (用作誌哀之)柏樹枝。
Cyp·ri·an [ˋsɪprɪən] *adj.* ①塞浦路斯的; 塞浦路斯人的; 塞浦路斯語的。②淫蕩的; 放縱的。 — *n.* ①Ⓒ 塞浦路斯人。②Ⓤ 希臘之塞浦路斯方言。③Ⓒ **a.** 放蕩之人。**b.** 妓女。
Cyp·ri·ot [ˋsɪprɪət], **Cyp·ri·ote** [ˋsɪprɪ,ot] *n.* ①Ⓒ 塞浦路斯人。②Ⓤ 塞浦路斯島之希臘方言。 — *adj.* 塞浦路斯的; 其居民或其語言的。
Cy·prus [ˋsaɪprəs] *n.* 塞浦路斯(地中海東部之一島, 原屬英, 於 1960 年宣布獨立成爲共和國, 首都 Nicosia)。
Cy·ril·lic [sɪˋrɪlɪk] *adj.* 古斯拉夫之字母的。
cyst [sɪst] *n.* Ⓒ〖生物〗胞囊; 包囊; 囊腫。
cys·ti·tis [sɪsˋtaɪtɪs] *n.* Ⓤ〖醫〗膀胱炎。
cy·tol·o·gy [saɪˋtɑlədʒɪ] *n.* Ⓤ 細胞學。
cy·to·plasm [ˋsaɪtə,plæzəm] *n.* Ⓒ〖生物〗細胞質。
czar [zɑr] *n.* Ⓒ ①沙皇(舊時俄國皇帝的稱號)。②獨裁者。③掌權者。
cza·ri·na [zɑˋrinə] *n.* Ⓒ ①沙皇之妻。②舊時俄國女王之稱號。
czar·ism [ˋzɑrɪzəm] *n.* Ⓤ 專制[獨裁]政治。
Czech [tʃɛk] *n.* ①Ⓒ 捷克人。②Ⓤ 捷克語。 — *adj.* 捷克斯拉夫(人, 語)的。
Czech·o·slo·vak, Czech·o-Slo·vak [,tʃɛkəˋslovæk] *adj.* 捷克斯拉夫人[語]的。 — *n.* ①Ⓒ 捷克斯拉夫人。②Ⓤ 捷克斯拉夫語。
Czech·o·slo·va·ki·a, Czech·o-Slo·va·ki·a [,tʃɛkasloˋvækɪə] *n.* 捷克斯拉夫共和國(歐洲中部的國家, 首都爲 Prague)。— **Czech·o·slo·va′ki·an, Czech·o-Slo·va′ki·an,** *adj.* & *n.*

D d **D d** *D d*

D or **d** [di] *n.* (*pl.* **D's, d's**) ①ⓊⒸ 英文字母之第四個字母。②Ⓤ〖樂〗C 大調音階中之第二個音或音符。
dab[1] [dæb] *v.t.* & *v.i.* (**-bb-**) 輕拍; 輕撫; 塗敷。 — *n.* Ⓒ ①輕拍; 塗敷。②少量。
dab[2] *n.* Ⓒ〖俗〗能手; 專家; 老手〔at〕.
dab·ble [ˋdæbḷ] *v.i.* ①戲水; 玩水。②涉獵; 淺嘗〔in, at〕. — *v.t.* (以手、脚等)戲水; 濺溼。
Dac·ca [ˋdækə] *n.* 達卡(孟加拉共和國首都)。
dace [des] *n.* Ⓒ (*pl.* ～, **dac·es**) 雅羅魚。
da·cha [ˋdɑtʃə] *n.* Ⓒ (俄國)鄉間別墅。
dachs·hund [ˋdɑks,hund]〖德〗*n.* Ⓒ 獵獾狗(一種身長腿短的獵犬)。
Da·cron [ˋdekrɑn] *n.* ⓊⒸ〖商標〗達克龍(一種合成纖維)。
dac·tyl [ˋdæktɪl] *n.* Ⓒ〖詩〗揚抑抑格。— **dac·tyl′ic,** *adj.*
***dad** [dæd] *n.* Ⓒ〖俗〗爸; 爹。
Da·da [ˋdɑdɑ, ˋdɑdə] *n.* Ⓤ 達達派[主義](1916-22 年間興起的虛無主義藝術運

動)。— **ist,** *n.* Ⓒ 達達派的藝術家。
— **Da·da·is'tic,** *adj.*

Da·da·ism [ˋdɑdəɪzm̩] *n.* = **Dada.**

***dad·dy** [ˋdædɪ] *n.* Ⓒ ①〖俗〗爸爸; 爹。②〖俚〗以金錢換取少女歡心之中年人。

dad·dy-long·legs [ˋdædɪˋlɔŋ-lɛgz] *n.* Ⓒ (*pl.* ～) ①〖美〗盲蜘蛛 (= harvestman). ②〖英方〗長脚蚊。(亦作 **daddy longlegs**)

***daf·fo·dil** [ˋdæfə,dɪl] *n.* Ⓒ 黃水仙。

daf·fy [ˋdæfɪ] *adj.* 〖俗〗①顛狂的。②愚笨的。

daft [dæft] *adj.* =**daffy.**

dag·ger** [ˋdægɚ] *n.* Ⓒ ①短劍; 匕首。②〖印刷〗劍號 (†)。at ～s drawn*** 互相仇視; 劍拔弩張。***look ～s at*** 怒目相視。

da·guerre·o·type [dəˋgɛrə,taɪp] *n.* ①Ⓤ 銀版照相術。②Ⓒ 銀版攝影照片。— *v.t.* 以銀版照相法拍攝。

dahl·ia [ˋdæljə, ˋdɑl-, ˋdel-] *n.* Ⓒ 〖植〗天竺; 牡丹; 大麗花。

Da·ho·mey [dəˋhomɪ, dɑˋhome] *n.* 達荷美(西非的一個共和國, 1976年改稱 Benin, 首都 Porto Novo). — **Da-ho'me·an,** *n.* & *adj.*

‡dai·ly [ˋdelɪ] *adj.* 每日的。～ bread 每日的糧食。～ newspapers 日報。one's [the] ～ dozen 每日的體操。— *n.* Ⓒ ①日報。②〖英〗不寄宿的傭人; 白天做家務的女傭。— *adv.* 每日地。

***dain·ty** [ˋdentɪ] *adj.* ①嬌小的; 嬌美的。②講究的。③美味的。— *n.* Ⓒ 適口的食物。— **dain'ti·ly,** *adv.*
— **dain'ti·ness,** *n.*

dai·qui·ri [ˋdaɪkərɪ] *n.* Ⓤ Ⓒ 台克利酒(由甜酒、檸檬汁及糖調配而成的雞尾酒)。

***dair·y** [ˋdɛrɪ] *n.* Ⓒ ①擠奶棚; 奶油[乳酪]製造廠。②酪農場。③售牛奶、乳酪、奶油、乾酪的商店。— *adj.* 酪農的; 乳酪的。§ ～ **càttle** 乳牛。～ **fàrm** 牛奶場; 酪農場。～ **fàrmer** 酪農業者。～ **fàrming** 酪農業。— **ing,** *n.* Ⓤ 酪農[乳品]業。

dair·y·maid [ˋdɛrɪ,med] *n.* Ⓒ 酪農場的女工。

dair·y·man [ˋdɛrɪmən] *n.* Ⓒ (*pl.* **-men**) ①酪農場的男工。②奶棚的棚主。③乳製品銷售業者。

da·is [ˋde·ɪs, des] *n.* Ⓒ (常 *sing.*) 講臺; 壇; 高座。

dai·sy** [ˋdezɪ] *n.* Ⓒ ①雛菊; 延命菊。②〖俚〗第一流之物[人]。push up daisies*** 〖俗〗死。— *adj.* 〖俚〗第一流的。

Dak. Dakota.

Da·ko·ta [dəˋkotə] *n.* (*pl.* ～, ～**s**) 達科塔(美國中部地方, 分南北兩州)。

dale [del] *n.* Ⓒ 山谷; 谷。

Dal·las [ˋdæləs] *n.* 達拉斯(美國 Texas 東北部的一個城市)。

dal·ly [ˋdælɪ] *v.i.* ①調情。②玩忽。③閑蕩。— *v.t.* 荒廢(時光)〔away〕.
— **dal'li·ance,** *n.*

Dal·ma·tian [dælˋmeʃ(ɪ)ən] *n.* Ⓒ 大麥町犬。

dam**[1] [dæm] *n.* ① Ⓒ 水壩; 堤; 堰。② Ⓤ 爲壩所蓄阻的水。③ Ⓒ 壩狀物。— *v.t.* (**-mm-**) ①築堤; 築壩; 築壩攔(水)。②控制; 抑制〔up〕. ***～ up one's feelings 控制情感。

dam[2] *n.* Ⓒ ①母獸。②〖蔑〗母親。

‡dam·age [ˋdæmɪdʒ] *n.* ① Ⓤ 損害; 傷害; 損失。② (*pl.*) 賠償損失費。③ (the ～)〖俚〗費用; 代價。— *v.t.* 損害; 毀傷。

Da·mas·cus [dəˋmæskəs] *n.* 大馬士革(敍利亞之首都)。

dam·ask [ˋdæməsk] *n.* Ⓤ ① 錦緞; 斜紋布; 花布。②深薔薇色; 粉紅色。— *adj.* ①緞子的。②深薔薇色的。

dame [dem] *n.* ①(D-)夫人(常作稱號)。②Ⓒ 貴婦人。③Ⓒ〖美俚〗女人; 妓女。

damn** [dæm] *v.t.* & *v.i.* ①指摘。②咒罵。*D-* it all! 該死。*D-* you! 該死! I'll be ～*ed* if I'll go. 我絕不去。③遭天譴。～ with faint praise*** 寓貶於褒。— *n.* Ⓒ 咒罵。I don't care a ～. 我絕不在乎。— *adj.* 〖俚〗要命的; 非常的。

dam·na·ble [ˋdæmnəbl̩] *adj.* ① 該死的。②討厭的。③〖俗〗很壞的。

dam·na·tion [dæmˋneʃən] *n.* Ⓤ ①指責; 詛咒。②毀滅; 天譴。— *interj.* 該死! 糟了! — **dam·na·to·ry** [ˋdæmnə,torɪ], *adj.*

damned [dæmd] *adj.* ①應罰的; 被墮地獄的。②討厭的。③〖俗〗被咒的; 該死的。— *adv.* 〖俗〗非常地; 極。

Dam·o·cles [ˋdæmə,kliz] *n.* 達摩克利茲(Syracuse 暴君 Dionysius 一世之諂臣, 常言王者多福, 其君因以一髮懸劍, 命其燕飲其下, 藉喻王者之福猶斯)。***sword of ～*** 幸福中隱藏的危險。

damp** [dæmp] *adj.* 潮濕的。— *n.* Ⓤ ①濕氣; 水氣。②(礦坑中之)毒氣。③沮喪。cast a ～ over*** 使沮喪。— *v.t.* ①使潮濕。②使挫折。③熄滅。§ ～ **còurse** (舖於牆壁下端之)防濕層。～ **squìb** 枉費心機之事。— **ish,** *adj.*

damp·en [ˋdæmpən] *v.t.* ①使潮濕。②使沮喪。— *v.i.* 變潮濕。

damp·er [ˋdæmpɚ] *n.* Ⓒ ①掃興的人[物]。②(火爐的)節氣閘。③(鋼琴的)斷音裝置; 制振器。

dam·sel [ˋdæmzl̩] *n.* Ⓒ〖古〗少女; 處女。

dam·son [ˋdæmzn̩] *n.* Ⓒ 西洋李子(樹)。

Dan. Daniel; Danish.

dance** [dæns] *v.i.* ①跳舞。②跳躍。— *v.t.* ①使跳舞。②逗弄(嬰兒)。～ to another tune*** 改變主意或態度。— *n.* ① Ⓒ 跳舞; 舞蹈。②(the ～) 舞步; 舞技。③ Ⓒ 舞曲。④ Ⓒ 舞會。§ ～ **hàll** 舞廳。*— **danc'er,** *n.*

‡danc·ing [ˋdænsɪŋ] *n.* Ⓤ 跳舞。§ ～ **gìrl** 舞女。～ **pàrtner** 舞伴。～ **salòon** 〖美〗舞廳。

dan·de·li·on [ˋdændɪ,laɪən] *n.* Ⓒ 〖植〗蒲公英。

dan·der [ˋdændɚ] *n.* Ⓤ〖俗〗①怒氣。②脾氣。***get one's ～ up*** 〖俗〗發怒。

dan·dle [ˋdændl] *v.t.* (在膝上或懷抱中)逗弄(嬰兒)。

dan·druff [ˋdændrəf] *n.* Ⓤ 頭皮屑。

dan·dy [ˋdændɪ] *n.* Ⓒ ①好打扮的男

人。②〖俚〗優良或上等的東西。— *adj.* ①上等的。②花花公子的；好打扮的。

Dane [den] *n.* ①Ⓒ丹麥人。②(the ～s)丹族。③Ⓒ丹族人。

‡**dan·ger** [ˋdendʒɚ] *n.* ⓊⒸ危險。***in* ～ (*of*)** 在危險中。***out of* ～** 脫險。§ ～ **mòney** 從事危險工作的額外津貼。～ **sìgnal** 危險信號。～ **zòne** 危險地帶。

‡**dan·ger·ous** [ˋdendʒ(ə)rəs] *adj.* 危險的。*— **ly,** *adv.*

dan·gle [ˋdæŋgḷ] *v.i.* ①懸擺；搖擺。②追隨；依附〔after〕。— *v.t.* 使懸擺。§ **dángling párticiple**〖文法〗不連結分詞。— **dan′gler,** *n.*

Dan·iel [ˋdænjəl] *n.* ①丹尼爾(男子名)。②〖聖經〗但以理(舊約所載之希伯來先知)。③舊約但以理書。

Dan·ish [ˋdenɪʃ] *adj.* 丹麥語[人]的。— *n.* Ⓤ丹麥語。

dank [dæŋk] *adj.* 陰濕的。

Dan·te [ˋdæntɪ] *n.* 但丁(Alighieri, 1265-1321, 義大利詩人)。— **an,** *adj.*

Dan·ube [ˋdænjub] *n.* (the ～)多瑙河。

Daph·ne [ˋdæfnɪ] *n.* ①〖希神〗黛芙妮(河神Peneus之女，爲Apollo神所襲，乃化身爲月桂樹而遁去)。②(d-) Ⓒ月桂樹。

dap·per [ˋdæpɚ] *adj.* ①漂亮整潔的。②矯健活潑的。

dap·ple [ˋdæpḷ] *adj.* 有斑點的；花斑的。— *v.t.* 加斑點於。— *n.* ⓊⒸ斑紋。— **dap′pled,** *adj.*

dap·ple-gray [ˋdæpḷˋgre] *adj.* 灰色而有黑斑的。— *n.* Ⓒ上述之馬。

Dar·da·nelles [͵dɑrdṇˋɛlz] *n.* (the ～)達達尼爾海峽(在土耳其歐亞兩大陸之間，連接馬爾馬拉海與愛琴海)。

‡**dare** [dɛr] *v.i.* (**～d** or **durst, ～d**) 敢；膽敢。He ～ not jump. 他不敢跳下。He does not ～ (to) speak. 他不敢說。— *v.t.* ①敢冒；不懼。②挑戰；挑激。***I* ～ *say*** 我以爲；我想。— *n.* Ⓒ挑激。

dare·dev·il [ˋdɛr͵dɛvḷ] *n.* Ⓒ 蠻勇之徒。— *adj.* 膽大的。

Dar es Sa·laam [͵dɑr ɛs səˋlɑm] *n.* 三蘭港(Tanzania 的首都及海港)。

*__dar·ing__ [ˋdɛrɪŋ] *n.* Ⓤ勇敢；大膽。— *adj.* ①勇敢的。②膽大的。

‡**dark** [dɑrk] *adj.* ①黑暗的。②暗色的；淺黑的。～ brown深棕色。③祕密的。④不易了解的。⑤兇惡的；邪惡的。⑥憂鬱的。⑦愚昧無知的。— *n.* Ⓤ①(the ～)黑暗。②夜；日暮。③暗色。***at* ～** 日暮時；天黑時。***in the* ～ a.** 在黑暗中。**b.** 不知；蒙在鼓裏。§ ～ **hórse**黑馬。(1)(賽馬時)實力未明的參賽馬。(2)意想不到的勁敵。～ **lántern** 可用罩子或黑玻璃遮蓋使光線不外射的燈籠。**the D～ Áges** 黑暗時代(約紀元476年至1000年)。**the D～ Cóntinent** 黑暗大陸(非洲大陸的舊稱)。— **ly,** *adv.* — **ish,** *adj.* 微暗的；淺黑的。

*__dark·en__ [ˋdɑrkən] *v.i.* 變黑暗；變陰沈。— *v.t.* ①使黑暗。②使帶黑色；使加深。③使難懂。④使瞎。⑤使陰沈；使憂鬱。～ ***one's door*** 拜訪某人。Don't ～ *my door* again. 別再來我家。

dark·ling [ˋdɑrklɪŋ] *adv.* & *adj.* 在黑暗中地[的]；幽暗地[的]。

*__dark·ness__ [ˋdɑrknɪs] *n.* Ⓤ①陰暗；黑暗。②無知。③曖昧；不明。④邪惡；陰險。⑤盲目。

dark·room [ˋdɑrk͵rum] *n.* Ⓒ暗房。

dark·some [ˋdɑrksəm] *adj.*〖詩〗①憂愁的。②模糊不清的。③陰暗的。

dark·y [ˋdɑrkɪ] *n.* Ⓒ〖蔑〗黑人。

*__dar·ling__ [ˋdɑrlɪŋ] *n.* Ⓒ 親愛的人。— *adj.* 鍾愛的；可愛的。

darn[1] [dɑrn] *v.t.* 縫補；補綴。— *n.* Ⓒ補綴處。— **er,** *n.*

darn[2] *v.t.* & *n.*〖美俗〗= **damn.**

darned [dɑrnd] *adj.* & *adv.* = **damned.**

dar·nel [ˋdɑrnḷ] *n.* Ⓒ〖植〗毒麥。

*__dart__ [dɑrt] *n.* ①Ⓒ鏢。②(a ～)突進；猛衝。③Ⓒ(昆蟲的)螫；刺。④(*pl.*, 作 *sing.*解)擲鏢遊戲。⑤短縫；縫合褶。— *v.t.* & *v.i.* ①投擲。②投射。③突發；急馳。

dart·board [ˋdɑrt͵bord] *n.* Ⓒ(擲鏢遊戲用的)圓靶。

Dar·win [ˋdɑrwɪn] *n.* 達爾文(Charles Robert, 1809-82, 英國生物學家，進化論之創立者)。— **ism,** — **ist,** *n.*

*__dash__ [dæʃ] *v.t.* ①擲；猛撞。②濺潑；澆；淋。③使失望；使挫折。④摻雜。⑤迅速完成。⑥〖俗〗= **damn.** — *v.i.* 衝撞；突進。— *n.* ①(a ～)少量。②(a ～)突進；突擊。③Ⓤ(常 the ～)衝撞。④Ⓒ(常 *sing.*)短跑。the 100-meter ～ 百米短跑。⑤Ⓤ銳氣。⑥Ⓒ破折號(—)。⑦Ⓒ急寫的一筆。⑧Ⓒ(電報中之)長音。⑨(a ～)虛飾。⑩Ⓒ(汽車之)儀表板。***at a* ～** 急進；速發。***cut a* ～**〖俗〗賣弄自己；炫耀。— **dash′y,** *adj.* 華麗的；炫耀的。

dash·board [ˋdæʃ͵bord] *n.* Ⓒ①(汽車等之)儀表板。②(馬車等前部之)遮泥板。③〖海〗防波板。

dash·ing [ˋdæʃɪŋ] *adj.* ①勇敢的；活躍的。②時髦的；炫耀的。

das·tard [ˋdæstɚd] *n.* Ⓒ懦夫；膽小的人。— **ly,** *adj.*

DAT digital audiotape.

*__da·ta__ [ˋdetə] *n. pl.* (*sing.* **da·tum**) ①資料。②觀察所得之事實。§ ～ **bànk** [**bàse**]〖電算〗資料庫。～ **pròcessing** 資料處理。〔注意〕在非正式英語中，data 常與單數動詞連用。但在正式英語中，仍視 data 爲一複數名詞。

‡**date**[1] [det] *n.* ①Ⓒ日期；年月日。②ⓊⒸ年代；時代。③Ⓒ〖俗〗約會(尤指與異性的約會)。④Ⓒ〖俗〗約會之對象。***out of* ～**過時的；陳舊的。***to* ～** 到目前爲止。***up*[*down*] *to* ～**及時的；最新式的；直至最近的。— *v.i.* ①有記日期。②始自某時期。— *v.t.* ①記載日期。②斷定時代。③與…約會。§ ～ **lìne** 國際換日線。～ **stàmp** 戳記；郵戳。

date[2] *n.* Ⓒ棗椰樹(之果)。

dat·ed [ˋdetɪd] *adj.* ①載明日期的。②過時的。

date·less [ˋdetlɪs] *adj.* ①無日期的。②無限期的。③太古的。④歷久而趣味

不滅的。⑤〖美〗沒有約會(對象)的。
date·line [ˋdet,laɪn] *n.* Ⓒ 日期欄(報紙等載明發稿日期與地點之處)。
da·tive [ˋdetɪv] 〖文法〗*adj.* 與格的。 — *n.* Ⓒ 與格。
da·tum [ˋdetəm] *n.* (*pl.* **-ta**) Ⓒ 資料；材料；論據。
daub [dɔb] *v.t.* & *v.i.* ①塗；搽。②(拙劣地)繪畫；裝飾。— *n.* ① ⓊⒸ 粉塗之物。② Ⓒ 拙劣之畫。③ ⓊⒸ 塗、搽(之動作)。— **er,** *n.*
‡**daugh·ter** [ˋdɔtɚ] *n.* Ⓒ ①女兒。②(某種族的)女後裔。③關係如女兒者。— **ly,** *adj.* (似)女兒的。
daugh·ter-in-law [ˋdɔtərɪn,lɔ] *n.* Ⓒ (*pl.* **daugh·ters-in-law**)兒媳婦。
daunt [dɔnt] *v.t.* ①恐嚇。②使失去勇氣或信心。
dau·phin [ˋdɔfɪn] *n.* Ⓒ 〖史〗法國皇太子的稱號(用於1349年至1830年間)。
dav·en·port [ˋdævən,port] *n.* Ⓒ ①〖美〗長沙發。②〖英〗小型寫字檯。
Da·vid [ˋdevɪd] *n.* ①大衛(男子名)。②〖聖經〗大衛(以色列第二代國王)。
da Vin·ci [dəˋvɪntʃɪ] *n.* 達文西。
Dá·vis Cúp [ˋdevɪs ～] *n.* (the ～)戴維斯杯(國際網球錦標賽)。
dav·it [ˋdævɪt] *n.* Ⓒ (船旁的)吊柱；吊艇架。
daw [dɔ] *n.* Ⓒ ①〖動〗寒鴉。②〖古〗笨人；傻子。
daw·dle [ˋdɔdḷ] *v.i.* & *v.t.* 浪費光陰；閒蕩；怠惰〔away〕。— **daw′dler,** *n.*
‡**dawn** [dɔn] *n.* ① ⓊⒸ 黎明；破曉。②(the ～)開端。— *v.i.* ①天曙；破曉。②(漸爲人)了解〔on〕。③開始發展。
‡**day** [de] *n.* ① Ⓤ 白天；白晝；日間。② Ⓒ 一日；一晝夜。③ Ⓒ 工作天。④ ⓊⒸ 紀念日。⑤ Ⓒ (常 *pl.*)時期；時代。⑥ Ⓒ (常 *pl.*)壽命。⑦(the ～)某天的事件；(尤指)勝負；勝利。⑧ Ⓤ 全盛時期。***all (the) ～ long*** 終日。***by ～*** 日間。***by the ～*** 按日計算地。***～ after ～*** 一天又一天；一連許多天。***～ and night; night and ～*** 晝夜；日夜。***～ in and ～ out*** 每天。***end one's ～s*** 死。***from ～ to ～*** **a.**日益。**b.**每日；日日。***have one's ～*** 有過輝煌的時代。***one of these ～s*** 將來有一天；最近的將來。***the other ～*** 前幾日。***this ～ week*** 上星期或下星期的今天。***win the ～*** 獲得勝利。§ **～ bèd** 〖美〗坐臥兩用長椅(亦作 daybed). **～ bòy** 〖主英〗(寄宿學校之)通學男生。**～ còach** 〖美〗普通客車。**～ làborer** 按日計酬的勞工。**～ lètter** 〖美〗日間遞送的電報(較普通電報低廉但稍遲緩)。**～ nùrsery** 日間托兒所。**～ pàck** (郊遊用之)背包。**～ relèase cóurse** 〖英〗工人之在職訓練課程。**～ retúrn** 〖英〗限當日使用之來回車票。**～ schòol** (1)(對寄宿制學校而言的)通學學校。(2)(對夜校而言的)日校。**～ shìft** 日間勤務(者)。
***day·break** [ˋde,brek] *n.* Ⓤ 破曉；黎明。
day-by-day [ˋdebaɪˋde] *adj.* 逐日的；每天的。
day-care [ˋde,kɛr] *adj.* 〖美〗日間照料學前兒童的。a ～ center 托兒所。
day·dream [ˋde,drim] *n.* Ⓒ 白日夢；幻想。— *v.i.* 作白日夢；耽於幻想。— **er,** *n.*
Day-Glo [ˋde,glo] *n.* Ⓤ 〖商標〗幻彩發光漆。
***day·light** [ˋde,laɪt] *n.* ① Ⓤ 日光。② Ⓤ 破曉；黎明。③ Ⓤ 白晝；日間。④ Ⓤ (事情)明朗化。⑤(*pl.*)〖俗〗意識。§ **～ róbbery** (1)白天搶劫。(2)暴利。**～ sáving (tìme)** 日光節約時間；夏令時間(=〖英〗Summer time).
***day·time** [ˋde,taɪm] *n.* (the ～)日間；白晝。— *adj.* 白天的。
day-to-day [ˋdetəˋde] *adj.* ①每日的；逐日的。②過一天算一天的。
daze [dez] *v.t.* 使惶惑；使眩暈；使恍惚。— *n.* (a～)目眩；恍惚。— **daz′ed-ly,** *adv.*
***daz·zle** [ˋdæzḷ] *v.t.* ①以強光使目眩。②使迷惑。— *n.* (*sing.*)閃耀；眩目的強光。
daz·zling [ˋdæzlɪŋ] *adj.* 眩目的；燦爛的。— **ly,** *adv.*
DBS direct broadcast satellite. 直播衛星。
D.C. District of Columbia. 哥倫比亞特區(指美國首都華盛頓市Washington D.C., 以別於華盛頓州)。
DCC digital compact cassette.
DDT, D.D.T. dichloro-diphenyl-trichloroethane. 一種殺蟲劑。
de- 〖字首〗①剝奪；分離。②否定；相反。③下；貶。④衍出。⑤重；倍。
dea·con [ˋdikən] *n.* Ⓒ (教會之)執事。— **ry,** *n.* Ⓤ 其職位。
‡**dead** [dɛd] *adj.* ①死的。②無生命的。③如死的。a ～ sleep 酣睡。④無生氣的。～ water 死水。⑤麻木的。⑥(語言)不通行的。⑦無風趣的。⑧熄滅的。⑨〖電〗未充電的。— *adv.* 全然地；完全地。— *n.* ①(the ～, 集合稱)死人。② Ⓤ 最暗或最冷的時期。§ **～ àir** (1)〖無線〗廣播的中斷。(2)不流通的空氣。**～ dùck** 無價值之人[物]。**～ ènd** (1)(道路之)盡頭；死巷。(2)僵局；絕境。**～ hèat** (競爭者成績相同之)不分勝負；平手。**～ lètter** (1)無法投遞的信件。(2)失效的法令。**D～ Sèa** 死海(世界上最低之鹽水湖)。**～ shót** (1)射中目標之子彈。(2)射擊高手。**～ sòldier** 〖俚〗空酒瓶。**the ～ cènter** 正中心；〖機〗死點。
dead·beat [ˋdɛd,bit] *n.* Ⓒ 賴債者；游手好閒者。
dead·en [ˋdɛdṇ] *v.t.* ①使麻木；使鈍；使弱；減緩。②隔阻。— *v.i.* ①變鈍。②失去活力。— **ing,** *n.* Ⓒ 〖建〗隔音材料。
dead·head [ˋdɛd,hɛd] *n.* Ⓒ ①(使用優待券等的)免費入場者；免費乘客。②無能者。
dead·line [ˋdɛd,laɪn] *n.* Ⓒ 最後期限；截止時間。
dead·lock [ˋdɛd,lɑk] *n.* ① Ⓤ 僵持；停頓。② Ⓒ 非彈簧式安全鎖。— *v.t.* 使停頓。
***dead·ly** [ˋdɛdlɪ] *adj.* ①致命的。②深仇的；勢不兩立的。③如死的。④極度的。⑤使墮入地獄的。— *adv.* ①如死地。②〖俗〗非常地。— **dead′li·ness,** *n.*
dead-pan, dead·pan [ˋdɛd,pæn]

adj. & adv. 〖俚〗面部無表情的[地]。
dead·weight [ˋdɛd,wet] n. Ⓤ ①沈重的(靜止)物體。②重負；重載。
dead·wood [ˋdɛd,wud] n. Ⓤ ①枯枝。②無用之人或物。
deaf** [dɛf] adj. ①聾的。②不願聽的；不理會的。～ ***and dumb 聾且啞的。
deaf·en [ˋdɛfən] v.t. ①使聾。②被噪聲震聾。
deaf·en·ing [ˋdɛfənɪŋ] n. Ⓤ 隔音裝置。— adj. 令人耳聾的。
deaf-mute [ˋdɛfˋmjut] n. Ⓒ 聾啞者。— adj. 聾啞的。— **deaf′-mut′ism,** n. Ⓤ 聾啞狀態。
****deal**[1] [dil] v.i. (**dealt**) ①涉及；討論〔with〕. ②處分；對待〔with〕. ③交易〔with, in〕. ④處理〔with〕. ⑤分配(尤指分紙牌)。— v.t. ①分配。②給以；加於。③發紙牌。 ～ ***in*** 買賣。～ ***with*** **a.** 對付；來往。**b.** 處理；考慮。**c.** 對待。**d.** 討論；論及。— n. ① Ⓒ〖俗〗交易。② Ⓒ〖俗〗(商業的或政治的)協議(尤指密約)。③(a ～)〖俗〗對待；待遇。④(a ～)量；數量。⑤(the ～)發紙牌。⑥(D-) Ⓒ (政治、經濟或社會)政策。the New *D-* (羅斯福的)新政。***a great*** [***good***] ～ 許多。
deal[2] n. Ⓤ 松木木材。
***deal·er** [ˋdilɚ] n. Ⓒ ①商人。②發牌者；莊家。
de·a·lign·ment [diəˋlaɪmənt] n. Ⓤ Ⓒ 政黨解組。
deal·ing [ˋdilɪŋ] n. ① Ⓤ (對人的)態度。②(pl.)交際；友誼；交易。
****dealt** [dɛlt] v. pt. & pp. of **deal**[1].
dean [din] n. Ⓒ ①教務主任；教務長；學院院長。②訓導長；學監。③(教會中)首席司祭。④團體中資格最老者。
****dear** [dɪr] adj. ①親愛的；可愛的。②寫信時的稱呼。*D-* sir 敬啓者。③昂貴的；索價高的(店鋪)。④寶貴的。— n. Ⓒ 親愛的人。— adv. 昂貴地。— interj. 啊；呀。Oh, ～!; *D-* me!; *D-,* ～! 啊呀！天呀！不得了！ § ～ **Jóhn(lètter)** 絕交信。
dear·est [ˋdɪrɪst] n. (稱呼)親愛的；心愛的人。
***dear·ly** [ˋdɪrlɪ] adv. ①誠摯地；由衷地。②高價地。
dearth [dɜθ] n. (a ～) ①缺乏；少。②饑饉。
dear·y [ˋdɪrɪ] n.〖俗〗(稱呼)親愛的人；親親；小寶貝(母親稱小孩)。
****death** [dɛθ] n. ① Ⓤ Ⓒ 死亡。② Ⓤ 死亡的狀態。③(the ～)死因。④(the ～)毀滅；終止。⑤(D-)死神。***be at ～'s door*** 瀕於死亡。***to ～*** 到極點；非常的。***to the ～*** 至死方休。§ ～ **certìficate** 死亡證明書。～ **dùty**〖英〗遺產稅。～ **màsk** (以石膏壓在死人臉上製成之)死人面具。～ **ràte** 死亡率。～ **rôll** 死亡名單；死亡人數。～ **tàx** = death duty. ～ **wàrrant** 死刑判決書。
death·bed [ˋdɛθ,bɛd] n. Ⓒ (常 sing.) ①臨死時所臥之床。②臨終。
death·blow [ˋdɛθ,blo] n. Ⓒ (常 sing.) 致命之打擊。
death·less [ˋdɛθlɪs] adj. 不朽的。
death·ly [ˋdɛθlɪ] adj. ①如死的。②致死的。— adv. ①如死地。②非常地。
death's-head [ˋdɛθs,hɛd] n. Ⓒ (象徵死亡之)骷髏(畫)。
death·trap [ˋdɛθ,træp] n. Ⓒ 死亡陷阱(指危險場所)。
death·watch [ˋdɛθ,watʃ] n. Ⓒ ①守靈。②死囚行刑前夜之看守者。
deb [dɛb] n.〖美俗〗= **debutante.**
de·ba·cle [deˋbakl]〖法〗n. Ⓒ ①(冰河的)潰裂。②崩潰；瓦解。③(軍隊的)潰散；潰敗。
de·bar [dɪˋbar] v.t. (**-rr-**)阻止；禁止；排除。
de·bark [dɪˋbark] v.t. 使登陸；使上岸。— v.i. 登陸；上岸。
de·base [dɪˋbes] v.t. ①貶低；貶降。②貶值。— **ment,** n.
***de·bate** [dɪˋbet] v.t. & v.i. ①討論；辯論。②考慮。— n. Ⓤ Ⓒ ①討論。②辯論。— **de·bat′er,** n.
de·bauch [dɪˋbɔtʃ] v.t. ①使誤入歧途；誘使放蕩。②姦淫；敗壞。— n. Ⓒ ①放蕩。②暴飲暴食。
deb·au·chee [,dɛbɔˋtʃi] n. Ⓒ 放蕩者。
de·bauch·er·y [dɪˋbɔtʃərɪ] n. ① Ⓤ 放蕩。② Ⓒ (常 pl.) 墮落的行爲。
de·ben·ture [dɪˋbɛntʃɚ] n. Ⓒ ①債券。②(海關發給的)退稅憑單。
de·bil·i·tate [dɪˋbɪlə,tet] v.t. 使衰弱；使虛弱。— **de·bil′i·ty,** n.
deb·it [ˋdɛbɪt] n. Ⓒ 借方；負債。— v.t. ①使負債。②〖簿記〗登入借方。
deb·o·nair(e) [,dɛbəˋnɛr] adj. ①心境愉快的。②溫文有禮的。
de·brief [diˋbrif] v.t. 聽取(完成特定任務者)的報告；詢[盤]問。— v.i. (完成特定任務者)接受詢問。— **ing,** n.
de·bris [dəˋbri, ˋdebri] n. Ⓤ ①殘骸；瓦礫堆。②〖地質〗岩屑。
****debt** [dɛt] n. ① Ⓒ 債；債務。② Ⓤ 負債。③ Ⓤ Ⓒ 恩情；恩惠。～ ***of honor*** 信用欠款；賭債。***get*** [***run***] ***into*** ～ 負債。***in*** ～ 欠債；負債。
debt·or [ˋdɛtɚ] n. Ⓒ 債務人；借方。
de·bug [diˋbʌg] v.t. (**-gg-**)〖電算〗除去(程式語言中的錯誤)。
de·bunk [diˋbʌŋk] v.t.〖美俗〗①暴露；揭穿。②揭…之短；反駁。
de·but, dé·but [dɪˋbju]〖法〗n. Ⓒ ①初次在社交場露面。②初次登臺。
deb·u·tante, déb·u·tante [,dɛbjuˋtant]〖法〗n. Ⓒ ①初入社會之少女。②初次登臺之女明星。
Dec. December.
deca-〖字首〗表「十；十倍」之義。
***dec·ade** [ˋdɛked, dɛkˋed] n. Ⓒ ①十年。②由十所構成的一組。
de·ca·dence [dɪˋkedṇs] n. Ⓤ 衰落；墮落；衰微；頹廢。
de·ca·dent [dɪˋkedṇt] adj. ①衰落的。②(十九世紀末葉之文藝)頹廢期的；頹廢派的。— n. Ⓒ ①衰落者；式微者。②頹廢派之作家或藝術家。
de·caf·fein·ate [diˋkæfə,net] v.t. 從(咖啡等)中除去咖啡因。
dec·a·gon [ˋdɛkə,gan] n. Ⓒ 十邊形；十角形。

dec·a·gram, 〖英〗 **-gramme** [`dɛkə͵græm] *n.* Ⓒ 公錢。
dec·a·he·dron [͵dɛkə`hidrən] *n.* Ⓒ (*pl.* ～**s, -dra** [-drə]) 十面體。
dec·a·li·ter, 〖英〗 **-tre** [`dɛkə͵litɚ] *n.* Ⓒ 公斗。
Dec·a·log, -logue [`dɛkə͵lɔg] *n.* (the ～) 十誡 (=the Ten Commandments). (亦作 **decalog, decalogue**)
dec·a·me·ter, 〖英〗 **-tre** [`dɛkə͵mitɚ] *n.* Ⓒ 十公尺；公丈。
de·camp [dɪ`kæmp] *v.i.* ①逃亡。②離營；撤營。— **ment,** *n.*
de·cant [dɪ`kænt] *v.t.* 將(液體)慢慢倒出(俾將沈澱物留於原容器中)。
de·cant·er [dɪ`kæntɚ] *n.* Ⓒ 玻璃酒瓶；傾注器；傾析器。
D
de·cap·i·tate [dɪ`kæpə͵tet] *v.t.* 斬首；砍頭。— **de·cap·i·ta′tion,** *n.*
dec·a·syl·lab·ic [͵dɛkəsɪ`læbɪk] *adj.* 十音節(之詩行)的。
de·cath·lon [dɪ`kæθlɑn] *n.* Ⓤ 十項運動。
***de·cay** [dɪ`ke] *v.i.* ①衰弱；衰微；衰退。②腐敗；腐爛。**—** *n.* Ⓤ ①漸漸衰落；漸漸退化。②腐敗；腐爛。③〖理〗蛻變。— **ed** [～d], *adj.*
***de·cease** [dɪ`sis] *n.* Ⓤ 死亡。**—** *v.i.* 死亡。
de·ceased [dɪ`sist] *adj.* ①死亡的。②(the ～) 死者。
***de·ceit** [dɪ`sit] *n.* ①Ⓤ 欺騙；虛僞。②Ⓒ 詭計。
de·ceit·ful [dɪ`sitfəl] *adj.* 欺詐的；愚弄人的。
***de·ceive** [dɪ`siv] *v.t.* 欺騙。**—** *v.i.* 欺詐；行騙。— **de·ceiv′er,** *n.* — **de·ceiv′a·ble,** *adj.*
de·cel·er·ate [di`sɛlə͵ret] *v.t.* & *v.i.* 減速；減緩。— **de·cel·er·a′tion,** *n.*
‡**De·cem·ber** [dɪ`sɛmbɚ] *n.* 十二月。
***de·cen·cy** [`disn̩sɪ] *n.* ① Ⓤ 端莊；莊重；謙恭有禮。②(*pl.*) 正當的行爲。
***de·cent** [`disn̩t] *adj.* ①合乎禮節的。②適當的。③可尊重的。④尙佳的。⑤正經的。— **ly,** *adv.*
de·cen·tral·ize [di`sɛntrəl͵aɪz] *v.t.* ①劃分；分散(權力等)。②疏散。— **de·cen·tral·i·za′tion,** *n.*
de·cep·tion [dɪ`sɛpʃən] *n.* ①Ⓤ 欺騙。②Ⓒ 虛幻騙人的東西；詭計。— **de·cep′tive(ly),** *adj.*(*adv.*)
dec·i·bel [`dɛsə͵bɛl] *n.* Ⓒ 〖理〗分貝。
‡**de·cide** [dɪ`saɪd] *v.t.* ①決定；決心。②解決；判決。③使決定。**—** *v.i.* ①決定。②判決。
***de·cid·ed** [dɪ`saɪdɪd] *adj.* ①無疑的；確定的。②堅定的；堅決的。*— **ly,** *adv.*
de·cid·u·ous [dɪ`sɪdʒuəs] *adj.* ①每年落葉的。②(按季節或生長期)脫落的。a ～ tooth 乳齒。
dec·i·gram, 〖英〗 **-gramme** [`dɛsə͵græm] *n.* Ⓒ 公銖(十分之一克)。
dec·i·li·ter, 〖英〗 **-tre** [`dɛsə͵litɚ] *n.* Ⓒ 公合(十分之一公升)。
dec·i·mal [`dɛsəml̩] *adj.* 十進的。**—** *n.* Ⓒ 小數。
dec·i·mate [`dɛsə͵met] *v.t.* ①(尤指古羅馬)將(叛亂者等)每十人殺一人。②(傳染病、戰爭等)大批殺死。③把(敵手等)打得落花流水。
dec·i·me·ter, 〖英〗 **-tre** [`dɛsə͵mitɚ] *n.* Ⓒ 公寸(十分之一公尺)。
de·ci·pher [dɪ`saɪfɚ] *v.t.* 譯解(密碼)；解(謎)。— **a·ble,** *adj.* — **ment,** *n.*
‡**de·ci·sion** [dɪ`sɪʒən] *n.* ① ⓊⒸ 決定；決心；判決。② Ⓤ 果斷。③ Ⓒ 判決書。
***de·ci·sive** [dɪ`saɪsɪv] *adj.* ①決定性的。②堅定的。— **ly,** *adv.* — **ness,** *n.*
deck** [dɛk] *n.* Ⓒ ①甲板；艙面。②(紙牌之)一組或一副(通常爲52張)。clear the ～s*** 準備戰鬥。***on ～*** 〖俗〗 **a.** 準備妥當。**b.** 準備出場(如棒球賽中投手之接替等)。**—** *v.t.* 裝飾；打扮。§ **～ chàir** 輕便折疊椅(可折疊的坐臥兩用椅)。**～ pàssenger** 〖海〗統艙旅客。
deck·le [`dɛkl̩] *n.* Ⓒ ①(製紙用)定紙框。②(手工製紙)毛邊(=deckle edge).
de·claim [dɪ`klem] *v.t.* 高聲朗誦。**—** *v.i.* ①(用美麗的辭藻)演說；巧辯。②叱責；抗辯〔against〕。③唱高調。— **dec·la·ma′tion,** *n.*
de·clam·a·to·ry [dɪ`klæmə͵torɪ] *adj.* 朗誦的；誇張的。
dec·la·ra·tion** [͵dɛklə`reʃən] *n.* ① ⓊⒸ 宣言；聲明；宣言書。② Ⓒ (關稅等的)申報(書)。③ Ⓒ 〖法律〗陳述。the D- of Independence*** (美國)獨立宣言。
de·clar·a·tive [dɪ`klærətɪv] *adj.* ①宣言的。②〖文法〗陳述的。
de·clar·a·to·ry [dɪ`klærə͵torɪ] *adj.* =**declarative.**
‡**de·clare** [dɪ`klɛr] *v.t.* ①公告；宣告。②斷言；聲稱。③申報(應納稅的東西等)。**—** *v.i.* 宣言；表示；自白。***～ for*** [***against***] 贊成[反對]。***～ war*** [***peace***] 宣戰[宣布和平]。
de·clas·si·fy [di`klæsə͵faɪ] *v.t.* 撤銷(文件等)之機密。
de·claw [di`klɔ] *v.t.* 拔除…的爪。
de·clen·sion [dɪ`klɛnʃən] *n.* 〖文法〗 ① Ⓤ (名詞、代名詞、形容詞之)語尾變化。② Ⓒ 語尾變化相同的字。
de·clin·a·ble [dɪ`klaɪnəbl̩] *adj.* 〖文法〗可以變化語尾[語形]的。
dec·li·na·tion [͵dɛklə`neʃən] *n.* ① Ⓤ 謝絕；婉辭。② ⓊⒸ 〖天〗赤緯。③ ⓊⒸ 〖理〗磁偏角；偏角；偏差。
de·cline** [dɪ`klaɪn] *v.t.* ①謝絕；婉謝。②使傾斜；低垂(頭)。**—** *v.i.* ①婉拒；婉謝。②傾斜。③衰落；減退。④減低；降落；跌落。⑤〖文法〗使(名詞、代名詞、形容詞)做(格的)變化。**—** *n.* Ⓒ (常 *sing.*) ①衰微；衰退；下跌；下落。②任何東西的最末一部分。③下坡。④消耗性的疾病；肺病。fall into a ～*** 體力衰退(尤指患肺病者)。— **de·clin′ing,** *adj.*
de·cliv·i·ty [dɪ`klɪvətɪ] *n.* ⓊⒸ 下傾的斜面。— **de·cliv′i·tous,** *adj.*
de·coct [dɪ`kɑkt] *v.t.* 煎；熬(藥草等)。— **de·coc′tion,** *n.*
de·code [di`kod] *v.t.* 將(密碼等)譯成普通文字。

de·cod·er [di`kodɚ] *n.* Ⓒ ①密碼譯員。②解碼器；譯碼機[器]。
dé·colle·té [,dekɑl`te] 〖法〗 *adj.* ①露出頸部和肩部的。②穿露肩衣服的。
de·col·o·nize [di`kɑlə,naɪz] *v.t.* 給與政治獨立；使脫離殖民地狀態。—**de·col·o·ni·za′tion,** *n.*
de·col·o(u)r [di`kʌlɚ] *v.t.* 使脫色；漂白。
de·com·pose [,dikəm`poz] *v.i.* & *v.t.* ①(使)分解。②(使)腐爛。—**de·com·pos′er,** *n.* Ⓒ 〖生態〗分解者。
de·com·po·si·tion [,dikɑmpə`zɪʃən] *n.* Ⓤ ①分解。②腐敗。
de·com·pres·sion [,dikəm`prɛʃən] *n.* Ⓤ 減壓。§ ∼ **chàmber** 減壓室；氣壓調節室。∼ **sìckness**潛水夫病。
de·con·ges·tant [,dikən`dʒɛstənt] *n.* Ⓤ Ⓒ 充血緩和劑。
de·con·tam·i·nate [,dikən`tæmə,net] *v.t.* ①(化學戰之)消除毒氣。②(原子爆炸後之)清除輻射塵。③將…消毒。—**de·con·ta·mi·na′tion,** *n.*
de·con·trol [,dikən`trol] *v.t.* (-ll-) 解除管制。— *n.* Ⓤ Ⓒ 撤除管制。
dé·cor [de`kɔr] 〖法〗 *n.* Ⓤ Ⓒ ①舞臺裝飾。②裝飾之格調。③室內裝飾。
***dec·o·rate** [`dɛkə,ret] *v.t.* ①裝飾。②爲…作室內裝修。③授以勳章。—**dec′o·ra·tor,** *n.*
***dec·o·ra·tion** [,dɛkə`reʃən] *n.* ① Ⓤ Ⓒ 裝飾(品)。② Ⓒ 勳章。§ **D∸ Dày** 〖美〗陣亡將士紀念日(五月三十日)。
dec·o·ra·tive [`dɛkə,retɪv] *adj.* 裝飾的；裝潢的。
dec·o·rous [`dɛkərəs] *adj.* 合宜的；有禮的；端莊的。—**ly,** *adv.*
de·co·rum [dɪ`korəm] *n.* ① Ⓤ 禮節合宜。② Ⓒ (常 *pl.*)(上流社會的)慣例和禮儀。
de·coy [dɪ`kɔɪ, `dikɔɪ] *n.* Ⓒ 媒鳥；引誘物。—[dɪ`kɔɪ] *v.t.* 引誘；誘害〔into, out of〕。
***de·crease** [dɪ`kris, ,di`kris] *v.i.* & *v.t.* (使)減少。—[`dikris, ,di`kris] *n.* ① Ⓤ Ⓒ 減少。② Ⓒ 減少之量〔in〕。*on the* ∼ 在減少中。
de·cree [dɪ`kri] *n.* Ⓒ ①命令；法令；布告。②〖法律〗判決；裁判。③天命。— *v.t.* & *v.i.* 頒令；判定；天命註定。
de·crep·it [dɪ`krɛpɪt] *adj.* ①衰老的。②破舊的。—**de·crep′i·tude,** *n.*
de·crim·i·nal·ize [di`krɪmənə,laɪz] *v.t.* 使不算犯法；使合法化。
de·cry [dɪ`kraɪ] *v.t.* ①責難；公開譴責。②輕視；貶低。—**de·cri′er,** *n.*
de·crypt [di`krɪpt] *v.t.* 解(密碼)；譯(電)。
de·cum·bent [dɪ`kʌmbənt] *adj.* ①躺下的；橫臥的。②〖植〗(幹、枝)彎下的。
***ded·i·cate** [`dɛdə,ket] *v.t.* ①供奉；奉獻。②獻身；委身；致力。③題獻。—**ded·i·ca′tion,** *n.* —**ded′i·cat·ed, ded′i·ca·to·ry,** *adj.*
de·duce [dɪ`djus] *v.t.* ①演繹；推論〔from〕。②對…追本溯源。
de·duct [dɪ`dʌkt] *v.t.* 扣除；減除。
de·duc·tion [dɪ`dʌkʃən] *n.* ① Ⓤ Ⓒ 減除。② Ⓒ 扣除額。③ Ⓒ 推論。④ Ⓤ Ⓒ 演繹(法)。—**de·duc′tive,** *adj.*
***deed** [did] *n.* Ⓒ ①行爲。②事業；功績。③證書；契據。*in* ∼ 事實地。
dee·jay [`di`dʒe, -,dʒe] *n.* Ⓒ 唱片音樂節目主持人(=disc jockey).
deem [dim] *v.t.* & *v.i.* 認爲；視爲。
de-em·pha·size [di`ɛmfə,saɪz] *v.t.* 對…不予強調。—**de-em′pha·sis,** *n.*
‡deep [dip] *adj.* ①深的(爲 shallow 之對)。②深奧的。③銘心的。④專心的。⑤強烈的。⑥(顏色等)濃的；深的。⑦聲音低沈的。⑧狡猾的。— *adv.* ①深深地。②(時間)深遠地。③強烈地。— *n.* ①(*pl.*)(指河海)深處。②(the ∼)大海。§ ∼ **fréeze** 靜止狀態；冬眠狀態。∼ **spáce** (包括太陽系以外的)外太空。∼ **thróat** 告發內情者。—**ness,** *n.*
deep·en [`dipən] *v.t.* ①使(加)深。②使濃。③使強烈。④使低沈。— *v.i.* ①變深。②(顏色)變濃；變深。③變強烈；變醇。④變低沈。
deep-laid [`dip`led] *adj.* 祕密策劃的。
***deep·ly** [`diplɪ] *adv.* ①強烈地。②(聲音)深沈地。③巧妙地。
deep-root·ed [`dip`rutɪd] *adj.* 根深柢固的。
deep-sea [`dip`si] *adj.* 深海的；遠洋的。
deep-seat·ed [`dip`sitɪd] *adj.* ①深層的。②根深柢固的。
deep-set [`dip,sɛt] *adj.* (眼睛等)深陷的。
‡deer [dɪr] *n.* Ⓒ (*pl.* ∼)鹿。
deer·skin [`dɪr,skɪn] *n.* Ⓤ 鹿皮。
de·face [dɪ`fes] *v.t.* ①傷毀(外表或美觀)。②銷毀；毀滅。—**ment,** *n.*
de fac·to [di`fækto] 〖拉〗 *adv.* & *adj.* 事實上(的)(爲 de jure 之對)。
de·fal·cate [dɪ`fælket] *v.i.* 〖法律〗盜用公款。—**de·fal′ca·tor, de·fal·ca′tion,** *n.*
de·fame [dɪ`fem] *v.t.* 誹謗；中傷；損毀名譽。—**def·a·ma′tion,** *n.* —**de·fam′a·to·ry,** *adj.*
de·fault [dɪ`fɔlt] *n.* Ⓤ ①不履行責任；不履行契約。②拖債；不還債。③缺席；(球賽中)不出場。④不出庭；不到案。*judgment by* ∼ 缺席判決。— *v.t.* & *v.i.* ①疏怠職責；不履行(條約)。②拖欠(債務)。③缺席。④不出庭；缺席裁判。—**er,** *n.*
‡de·feat [dɪ`fit] *v.t.* ①擊敗。②使失敗[受挫]。— *n.* ① Ⓤ 打敗；戰勝。② Ⓤ Ⓒ 失敗；敗北。—**ism,** —**ist,** *n.*
def·e·cate [`dɛfə,ket] *v.t.* 澄清；除去(汚物)。— *v.i.* ①澄清；除汚。②通便。—**def·e·ca′tion,** *n.*
***de·fect** [dɪ`fɛkt, `difɛkt] *n.* Ⓒ 過失；缺點。— *v.i.* 變節；叛變；投奔敵方〔to〕。—**de·fec′tor,** *n.*
de·fec·tion [dɪ`fɛkʃən] *n.* Ⓤ Ⓒ ①缺點；失敗。②背叛；脫黨；變節。
***de·fec·tive** [dɪ`fɛktɪv] *adj.* ①有缺點的；不完美的。②智慧或行爲不健全的。— *n.* Ⓒ 身心不健全者。—**ly,** *adv.*

*__de·fence__ [dɪˋfɛns] *n.* 〖英〗＝**defense.**
‡__de·fend__ [dɪˋfɛnd] *v.t.* ①保護；保衛〔from, against〕. ②辯護。③〖法律〗作…之辯護律師。── *v.i.* 〖法律〗作辯護。
__de·fend·ant__ [dɪˋfɛndənt] *n.* Ⓒ 被告。── *adj.* 被告的。
__de·fend·er__ [dɪˋfɛndɚ] *n.* Ⓒ ①保護者；防守者。②〖運動〗衛冕者。
*__de·fense__ [dɪˋfɛns] *n.* ① Ⓤ 防護；防禦。② Ⓒ 防禦物。③ Ⓤ 自衛。④ Ⓒ (球賽中) 防守員；守方。⑤ Ⓒ (常*sing.*) 〖法律〗答辯。⑥ (the ～) 被告方。*in ～ of* 保衛。*make a ～* 防禦。
__de·fense·less__ [dɪˋfɛnslɪs] *adj.* 無防備的。— **ness,** *n.*
__de·fen·si·ble__ [dɪˋfɛnsəbl̩] *adj.* 可防禦的；可辯護的。— **de·fen·si·bil′i·ty,** *n.* — **de·fen′si·bly,** *adv.*
*__de·fen·sive__ [dɪˋfɛnsɪv] *adj.* ①防禦的。②守勢的。── *n.* Ⓤ (常 the ～)防禦；守勢。*be on the ～*準備自衛的狀態。— **ly,** *adv.*
__de·fer__[1] [dɪˋfɝ] *v.t. & v.i.* (**-rr-**)延緩；展期。— **ment,** *n.*
__de·fer__[2] *v.i.* (**-rr-**)服從；順從〔to〕.
__def·er·ence__ [ˋdɛfərəns] *n.* Ⓤ ①服從；順從。②敬意。
__def·er·en·tial__ [ˏdɛfəˋrɛnʃəl] *adj.* 「恭順的。」
__de·ferred__ [dɪˋfɝd] *adj.* ①延期的。②擱置的。③ (存款) 定期的。§ ～ **annú·ity** 後支年金 (購買後一定期間才開始支付)。～ **chárge**〖會計〗遞延借項 (爲未來業務而作的開支)。～ **íncome** 遞延所得 (由每次薪資中扣除一部分，等退休時連本帶利付給者)。～ **páyment** 延期付款。～ **sháre** [**stóck**] 〖經〗後配股 (紅利及其他權利比普通股等級低的股票)。～ **tél·egram** 慢遞電報(費用便宜)。
*__de·fi·ance__ [dɪˋfaɪəns] *n.* Ⓤ 挑戰；輕視；違抗。*bid ～ to* 蔑視。*in ～ of* 蔑視；不顧。
__de·fi·ant__ [dɪˋfaɪənt] *adj.* 大膽反抗「的；挑釁的。」
__de·fi·cien·cy__ [dɪˋfɪʃənsɪ] *n.* ① Ⓤ Ⓒ 缺乏；不足。② Ⓒ 不足額。§ ～ **disèase** 維他命缺乏症；營養失調。
*__de·fi·cient__ [dɪˋfɪʃənt] *adj.* ①有缺點的；不完全的。②不足的；缺乏的。
__def·i·cit__[ˋdɛfəsɪt]*n.* Ⓒ 不足額；赤字。
__de·file__[1] [dɪˋfaɪl] *v.t.* ①弄髒。②褻瀆。③使受損。— **ment,** *n.*
__de·file__[2] *n.* Ⓒ 小路；狹谷。
*__de·fine__ [dɪˋfaɪn] *v.t.* ①下定義。②詳細說明。③立界限。④使清楚。— **de·fin′a·ble,** *adj.*
__de·fin·i·en·dum__ [dɪˏfɪnɪˋɛndəm] *n.* Ⓒ (*pl.* **-en·da** [-ˋɛndə])被下定義的詞。
__de·fin·i·ens__ [dɪˋfɪnɪˏɛnz] *n.* Ⓒ (*pl.* **de·fin·i·en·ti·a** [dɪˏfɪnɪˋɛnʃɪə])定義。
*__def·i·nite__ [ˋdɛfənɪt] *adj.* ①明白的；確定的。②一定的。③〖文法〗限定的。the ～ article 定冠詞。*— **ly,** *adv.*
*__def·i·ni·tion__ [ˏdɛfəˋnɪʃən] *n.* ① Ⓤ Ⓒ 定義。② Ⓤ (透鏡的)鮮明度；(收音機收音)精確度；(電視等)清晰度。
__de·fin·i·tive__ [dɪˋfɪnətɪv] *adj.* ①確定的；最後的。②限定的。── *n.* Ⓒ 〖文法〗限定詞(this, all 等)。— **ly,** *adv.*
__de·flate__ [dɪˋflet] *v.t.* ①放出(氣球、車胎)中之空氣。②緊縮通貨。③使…沮喪。── *v.i.* ①洩氣。②(通貨)緊縮。
__de·fla·tion__ [dɪˋfleʃən] *n.* ① Ⓤ 放出空氣。② Ⓤ Ⓒ 通貨緊縮。— **ar·y,** *adj.*
__de·flect__ [dɪˋflɛkt] *v.t. & v.i.* (使)偏斜；(使)偏離；(使)轉向。— **de·flec′·tion,** *n.* — **de·flec′tive,** *adj.*
__de·flow·er__ [dɪˋflauɚ] *v.t.* ①摧毀…之花。②奪去(婦女)之貞節；蹂躪。③破壞精華；奪美；毀汚。— **er,** *n.*
__De·foe__ [dɪˋfo] *n.* 狄福(Daniel, 1660?-1773, 英國小說家)。
__de·fog__ [ˋdiˋfɔg] *v.t.* (**-gg-**)除(玻璃上的)霧。— **ger,** *n.*
__de·fo·li·ant__ [diˋfolɪənt] *n.* Ⓤ Ⓒ 脫葉劑；落葉劑。
__de·fo·li·ate__ [diˋfolɪˏet] *v.t.* 去…之葉；除葉。── *v.i.* 落葉。
__de·for·est__ [diˋfɔrɪst] *v.t.* 採伐森林；清除樹林；濫伐…的山林。
__de·form__ [dɪˋfɔrm] *v.t.* ①使不成形；使殘廢。②使醜；使變形。
__de·form·i·ty__ [dɪˋfɔrmətɪ] *n.* ① Ⓒ 畸形；殘廢。② Ⓒ (人格、藝術品等之)瑕疵。③ Ⓤ 醜陋。
__de·fraud__ [dɪˋfrɔd] *v.t.* 詐取；欺騙。
__de·fray__ [dɪˋfre] *v.t.* 付給；支付。— **al,** — **ment,** *n.*
__de·frost__ [diˋfrɔst] *v.t.* ①去冰或霜。②使(凍的食物)解凍。— **er,** *n.*
__deft__ [dɛft] *adj.* 熟練的；敏捷的；靈巧的。— **ly,** *adv.* — **ness,** *n.*
__de·funct__ [dɪˋfʌŋkt] *adj.* ①死的。②非現存的。*the ～* 死人(法律名詞)。
__de·fuse, de·fuze__ [diˋfjuz] *v.t.* ①拆除(炸彈)的信管。②解除…的危機。
*__de·fy__ [dɪˋfaɪ] *v.t.* ①公然反抗；蔑視；不顧。②抵禦。③挑；激。
__de Gaulle__ [dəˋgol] *n.* 戴高樂(Charles André Joseph Marie, 1890-1970, 法國將軍及總統)。
__de·gen·er·a·cy__ [dɪˋdʒɛnərəsɪ] *n.* Ⓤ①退化；退步。②墮落。
*__de·gen·er·ate__ [dɪˋdʒɛnəˏret] *v.i.* ①退步；墮落。②〖生物〗退化。── [dɪˋdʒɛnərɪt] *adj.* ①退步的；墮落的。②退化的。── *n.* Ⓒ ①墮落者。②退化的東西。— **de·gen′er·a·tive,** *adj.*
__de·gen·er·a·tion__ [dɪˏdʒɛnəˋreʃən] *n.* Ⓤ ①退步；墮落。②〖生物〗退化。③〖生理〗變質；變性。
__deg·ra·da·tion__ [ˏdɛgrəˋdeʃən] *n.* Ⓤ ①惡化；退步。②免職；罷黜。③〖地質〗剝蝕；漸崩。
*__de·grade__ [dɪˋgred] *v.t.* ①降級；降職。②使墮落；使惡化。③〖地質〗使漸崩。④減低價格、力量、純度等。── *v.i.* ①墮落。②降等。
‡__de·gree__ [dɪˋgri] *n.* ① Ⓤ Ⓒ 等級；階段；程度。② Ⓒ 親等。③ Ⓤ 地位。④ Ⓒ 度數。⑤ Ⓒ 學位。⑥ Ⓒ〖數〗次。⑦ Ⓒ〖樂〗階；音度。⑧ Ⓒ〖文法〗級。*by ～s* 漸漸地；漸次。*to a ～* **a.** 非常地。**b.**有些兒。*to the last ～* 非常。
__de·gree-day__ [dɪˋgriˋde] *n.* Ⓒ 戶外每日平均溫度之單位。

de·hu·man·ize [di`hjumə,naɪz] *v.t.* 使失掉人性；獸化。

de·hu·mid·i·fy [,dihju`mɪdə,faɪ] *v.t.* 除溼氣。— **de·hu·mid′i·fi·er,** *n.* Ⓒ除溼器。

de·hy·drate [di`haɪdret] *v.t.* & *v.i.* 脫水；變乾。— **de·hy·dra′tion,** *n.*

de·ice [di`aɪs] *v.t.* 除冰。— **de·ic′er,** *n.* Ⓒ除冰器。

de·i·fi·ca·tion [,diəfə`keʃən] *n.* Ⓤ神化。

de·i·fy [`diə,faɪ] *v.t.* ①把…奉爲神；祀爲神。②崇拜…如神。

deign [den] *v.i.* 降低身份；屈尊。— *v.t.* 俯允；賜予。

de·ism [`diɪzəm] *n.* Ⓤ ①自然神教。②〖哲〗理神論。— **de′ist,** *n.* — **de·is′tic(al),** *adj.*

de·i·ty [`diətɪ] *n.* ① Ⓤ 神性。② Ⓒ 神。*the D-* 上帝。

dé·jà vu [,deʒɑ`vu, -`vju] 〖法〗*n.* Ⓤ 〖心〗似曾相識(對於初次經驗的事有似曾經驗過的錯覺)。

de·ject [dɪ`dʒɛkt] *v.t.* 使沮喪；使氣餒。— **ed,** *adj.*

de·jec·ta [dɪ`dʒɛktə] *n. pl.* 排泄物；糞便。

de·jec·tion [dɪ`dʒɛkʃən] *n.* Ⓤ 頹喪；憂鬱。

de ju·re [di`dʒurɪ] 〖拉〗*adv.* & *adj.* 法理上(的)；權利上(的)。

Del·a·ware [`dɛlə,wɛr] *n.* 德拉威(美國東部濱大西洋之一州)。

‡**de·lay** [dɪ`le] *v.t.* ① 延期；延緩。② 耽擱。— *v.i.* 拖延。— *n.* ⓊⒸ 耽擱；遲滯。*without* ~ 勿延；立即。

de·lec·ta·ble [dɪ`lɛktəbl̩] *adj.* 令人愉快的；使人高興的。

de·lec·ta·tion [,dilɛk`teʃən] *n.* Ⓤ 歡樂；愉快。

***del·e·gate** [`dɛlə,get, `dɛləgɪt] *n.* Ⓒ ①代表。②美國衆議院中一地區(未設州)的代表。— [`dɛlə,get] *v.t.* ①委派…爲代表。②委託。

del·e·ga·tion [,dɛlə`geʃən] *n.* ① Ⓤ 授權；委託；派遣代表。② Ⓒ 代表團。

de·lete [dɪ`lit] *v.t.* 消除；刪去。

del·e·te·ri·ous [,dɛlə`tɪrɪəs] *adj.* 有害的；有毒的。— **ly,** *adv.*

***de·lib·er·ate** [dɪ`lɪbərɪt] *adj.* ①深思熟慮的；有意的。②愼重的；不慌不忙的；從容不迫的。— [dɪ`lɪbə,ret] *v.t.* & *v.i.* 考慮；熟思；商議。*— **ly,** *adv.*

de·lib·er·a·tion [dɪ,lɪbə`reʃən] *n.* ① ⓊⒸ 愼思熟慮。② ⓊⒸ 審議。③ Ⓤ 從容。

de·lib·er·a·tive [dɪ`lɪbə,retɪv] *adj.* ①愼重的。②討論的；評議的。

***del·i·ca·cy** [`dɛləkəsɪ] *n.* ① Ⓤ 細緻；精緻；優美。② Ⓤ 靈敏；敏感。③ Ⓤ 微妙；精巧。④ Ⓤ 關心；體諒。⑤ Ⓤ 虛弱。⑥ Ⓒ 佳餚；美味。

***del·i·cate** [`dɛləkət, -kɪt] *adj.* ①纖細的；精美的。②美味的；佳餚的。③纖弱的；脆弱的。④微妙的；需愼重的。⑤靈敏的；敏感的。⑥體諒的。— **ly,** *adv.*

del·i·ca·tes·sen [,dɛləkə`tɛsn̩] *n.* ① Ⓒ 熟食店。② Ⓤ 熟菜；現成菜餚。

***de·li·cious** [dɪ`lɪʃəs] *adj.* ①美味的；好吃的。②使人愉快的。— **ly,** *adv.*

‡**de·light** [dɪ`laɪt] *n.* ① Ⓤ 欣喜；愉快。② Ⓒ 愛好的事物。*take ~ in* 樂於；嗜好。*to the ~ of* 使喜悅。— *v.t.* 使喜悅。— *v.i.* 喜好〔in〕.

***de·light·ed** [dɪ`laɪtɪd] *adj.* 快樂的。

***de·light·ful** [dɪ`laɪtfəl] *adj.* ①歡樂的；愉快的。②可愛的。— **ly,** *adv.*

de·lim·it [dɪ`lɪmɪt] *v.t.* 定…的界限；限定。— **de·lim·i·ta′tion,** *n.*

de·lin·e·ate [dɪ`lɪnɪ,et] *v.t.* 描畫；畫出輪廓；記述。— **de·lin·e·a′tion,** *n.*

de·lin·quen·cy [dɪ`lɪŋkwənsɪ] *n.* ⓊⒸ ①怠忽。②過失。③違法；犯罪。

de·lin·quent [dɪ`lɪŋkwənt] *adj.* ①怠忽職務的。②犯法的。③有過失的。④(稅款等)過期未付的。— *n.* Ⓒ 犯過[犯法]的人。

de·lir·i·ous [dɪ`lɪrɪəs] *adj.* ①昏迷的。②精神錯亂的。③狂言囈語的。④特別興奮的。— **ly,** *adv.*

de·lir·i·um [dɪ`lɪrɪəm] *n.* ⓊⒸ (*pl.* **~s, -i·a** [-rɪə]) ①(暫時的)精神狂亂。②狂語；囈語。

‡**de·liv·er** [dɪ`lɪvɚ] *v.t.* ①遞送；交付。②發言；陳述。③加(重擊)；投。④拯救；釋放。⑤爲…接生。She was *~ed* of a boy. 她產下一男孩。⑥〖俗〗爲某候選人拉(選票)。~ *oneself of* 說出。

de·liv·er·ance [dɪ`lɪvərəns] *n.* Ⓤ ①釋放；救出。②意見；判決。

***de·liv·er·y** [dɪ`lɪvərɪ] *n.* ① ⓊⒸ 分送；遞送。② Ⓒ 分娩。③ Ⓤ 演說技巧。④ ⓊⒸ 投球(法)。⑤ ⓊⒸ 發射；釋放。⑥ ⓊⒸ 交出；棄守。

dell [dɛl] *n.* Ⓒ (兩邊有樹的) 小山谷；幽谷。

de·louse [di`laus] *v.t.* 除虱；去虱。

del·phin·i·um [dɛl`fɪnɪəm] *n.* Ⓒ (*pl.* **~s, -i·a** [-nɪə])飛燕草。

del·ta [`dɛltə] *n.* ⓊⒸ ①三角洲。the Nile *D-* 尼羅河三角洲。②希臘字母的第四個字母(Δ, δ). ③三角形之物。

de·lude [dɪ`lud] *v.t.* 欺騙；迷惑。

del·uge [`dɛljudʒ] *n.* Ⓒ ①大水災；洪水；豪雨。②(常 a ~)狂湧而至的東西。*the D-* 聖經創世紀中諾亞時代的大洪水。— *v.t.* ①泛濫。②湧至。

de·lu·sion [dɪ`l(ɪ)uʒən] *n.* ① Ⓤ 欺瞞；迷惑。② Ⓒ 謬見；妄念；幻想。

de·lu·sive [dɪ`lusɪv] *adj.* 欺騙的；虛妄的；令人錯解的。

de·luxe [dɪ`lʊks] *adj.* 華美的；華麗的。— *adv.* 豪華地。(亦作 **de luxe**)

delve [dɛlv] *v.t.* & *v.i.* ①〖古〗掘。②蒐求；發掘。

dem·a·gog(ue) [`dɛmə,gɔg] *n.* Ⓒ 煽動政治家。

dem·a·gog·ic [,dɛmə`gɑdʒɪk] *adj.* 煽動群衆的；煽惑的。

‡**de·mand** [dɪ`mænd] *v.t.* ①要求。②詰問；查詢。③需要。④〖法律〗**a.** 召喚。**b.** 提出正式要求。— *n.* ① Ⓒ 要求；請求。②(*sing.*)需求。③ Ⓒ 〖法律〗請求(權)。*in great* ~ 需要甚大。*on* ~ 來取即付。§ ~ **bill** 即期匯票。~ **deposit** 活期存款。— **a·ble,** *adj.* — **er,** *n.*

de·mand·ing [dɪ`mændɪŋ] *adj.* 過分要求的；苛求的。— **ly,** *adv.*
de·mand-pull [dɪ`mænd,pul] *n.* Ⓤ需求引發的通貨膨脹。(亦作**demand-pull inflation**)
de·mar·cate [dɪ`market] *v.t.* ①定界線。②區別；區分。
de·mar·ca·tion [,dimar`keʃən] *n.* ①Ⓒ界限；界線。②Ⓤ定界限[界線]。
de·mean [dɪ`min] *v.t.* ①舉止；行爲。②貶抑；降低。
de·mean·or, 〖英〗**-our** [dɪ`minɚ] *n.* Ⓤ ①行爲；態度；風度。②(臉上的)表情。
de·ment·ed [dɪ`mɛntɪd] *adj.* 瘋狂的；精神錯亂的。
de·men·tia [dɪ`mɛnʃɪə] *n.* Ⓤ〖醫〗痴呆。senile ～ 老人痴呆症。
de·mer·it [di`mɛrɪt] *n.* Ⓒ ①過失；缺點。②〖教育〗扣分；記過。
de·mesne [dɪ`men] *n.* ① Ⓤ (土地的)領有。② Ⓒ 佔有地。③ Ⓒ 封建領地。④ Ⓒ〖法律〗私有地。
dem·i·god [`dɛmə,gad] *n.* Ⓒ 半神半人；神人。
dem·i·john [`dɛmə,dʒan] *n.* Ⓒ 細頸大罎。
de·mil·i·ta·rize [di`mɪlətə,raɪz] *v.t.* ①廢除軍備。②解除軍事控制。
dem·i·monde [`dɛmɪ,mand] 〖法〗 *n.* Ⓒ行爲放蕩的女人。
de·mise [dɪ`maɪz] *n.* Ⓤ ①死亡。②讓位。③(產業之)讓與；遺贈。— *v.t.* ①遺贈或讓與(產業)。②讓位。
dem·i·tasse [`dɛmə,tæs] *n.* Ⓒ ①盛黑咖啡之小杯。②一小杯黑咖啡。
dem·o [`dɛmo] *n.* Ⓒ (*pl.* **～s**)〖俗〗①示威運動。②試聽錄音帶。③展示品。
de·mo·bi·lize [di`mobḷ,aɪz] *v.t.* 遣散；改編(軍隊等)；使復員。— **de·mo·bi·li·za′tion,** *n.*
***de·moc·ra·cy** [də`makrəsɪ] *n.* ① Ⓤ 民主政治；民主政體。② Ⓒ 民主國家。③(D-)美國的民主黨。④(the ～)民衆。
***dem·o·crat** [`dɛmə,kræt] *n.* Ⓒ ①民主主義者。②(D-)美國民主黨黨員。
***dem·o·crat·ic** [,dɛmə`krætɪk] *adj.* ①民主主義的；民主政體的。②(D-)美國民主黨的。§ **the D- Párty**美國民主黨。— **dem·o·crat′i·cal·ly,** *adv.*
de·moc·ra·tize [də`makrə,taɪz] *v.t.* & *v.i.*(使)民主化；(使)平民化。— **de·moc·ra·ti·za′tion,** *n.*
de·mog·ra·pher [dɪ`magrəfɚ] *n.* Ⓒ人口統計學家。
de·mog·ra·phy [dɪ`magrəfɪ] *n.* Ⓤ 人口統計學。— **de·mo·graph′ic,** *adj.*
de·mol·ish [dɪ`malɪʃ] *v.t.* ①毀壞；破壞；推翻。②〖俗〗吃光。
dem·o·li·tion [,dɛmə`lɪʃən] *n.* ① ⓊⒸ 破壞；毀壞。②(*pl.*)被破壞之物；廢墟。
de·mon [`dimən] *n.* Ⓒ ①惡鬼；惡魔。②兇惡的人。③〖俗〗狂熱者；高手。
de·mo·ni·ac [dɪ`monɪ,æk] *adj.* (亦作 **demoniacal**)①魔鬼的；似魔鬼的。②著魔的；凶惡的。— *n.* Ⓒ 著魔之人；狂暴者。
de·mon·ic [di`manɪk] *adj.* ①惡魔(似)的。②著魔的。
de·mon·ism [`dimən,ɪzəm] *n.* Ⓤ ①對鬼怪之信仰。②=**demonology.**
de·mon·ol·o·gy [,dimən`alədʒɪ] *n.* Ⓤ 鬼神學。
de·mon·stra·ble [`dɛmənstrəbl] *adj.* 可證明的；可表明的；可示範的。
***dem·on·strate** [`dɛmən,stret] *v.t.* ①證明。②(用標本或實驗)施教。③當衆表演；誇示…之好處(以求出售貨物)。④表露(情緒)。— *v.i.* ①示威。②炫耀軍力。— **dem′on·stra·tor,** *n.*
***dem·on·stra·tion** [,dɛmən`streʃən] *n.* ⓊⒸ ①證明。②表演；示範。③感情之表現或流露。④示威；炫耀武力。
de·mon·stra·tive [dɪ`manstrətɪv] *adj.* ①明白表示的；說明的。②證實的；令人信服的〔常 of〕。③論證的。④坦率表露感情的。⑤〖文法〗指示的。— *n.* Ⓒ〖文法〗指示詞(this, that等)。
de·mor·al·ize [dɪ`marəl,aɪz] *v.t.* ①敗壞(道德)。②使沮喪；使無鬥志。③使混亂。— **de·mor·al·i·za′tion,** *n.*
De·mos·the·nes [dɪ`masθə,niz] *n.* 狄摩西尼斯(384?-322 B.C., 古希臘之演說家及政治家)。
de·mote [dɪ`mot] *v.t.* 降級(爲 promote 之對)。
de·mot·ic [di`matɪk] *adj.* 民衆的；通俗的。
de·mul·cent [dɪ`mʌlsn̩t] *adj.* 〖醫〗緩和的。— *n.* ⓊⒸ 緩和劑；鎮痛劑。
de·mur [dɪ`mɝ] *v.i.* (**-rr-**)①猶豫；提出異議；抗議；反對〔at, to〕。②〖法律〗抗辯。— *n.* Ⓤ 異議；抗議。
de·mure [dɪ`mjur] *adj.* ① 嚴肅的；端莊的。②假裝正直的；假裝謹慎的。
de·mur·rage [dɪ`mɝɪdʒ] *n.* Ⓤ〖商〗①延滯。②延滯罰金；延期停泊費；貨車停留費。
de·mys·ti·fy [di`mɪstə,faɪ] *v.t.* ①解開…的神祕[謎]。②啓蒙。
den [dɛn] *n.* Ⓒ ①獸穴。②舒適之私室。③藏匿的處所。— *v.i.* (**-nn-**)住於污穢的地方。
de·na·tion·al·ize [di`næʃənl̩,aɪz] *v.t.* ①剝奪國籍；褫奪公民資格。②解除國有。③使失去獨立國資格。— **de·na·tion·al·i·za′tion,** *n.*
de·nat·u·ral·ize [di`nætʃrəl,aɪz] *v.t.* ①使違本性；使不自然。②剝奪公民權；剝奪國籍。
de·na·ture [di`netʃɚ] *v.t.* 使(物質等)變性；除去…之特性。
den·gue [`dɛŋgɪ] *n.* Ⓤ〖醫〗登革熱(熱帶傳染病)。
***de·ni·al** [dɪ`naɪəl] *n.* ① ⓊⒸ 否認；否定。② ⓊⒸ 拒絕。③ Ⓤ 抑制。
de·ni·er [dɪ`naɪɚ] *n.* Ⓒ 否認者；拒絕者。
den·i·grate [`dɛnə,gret] *v.t.* ①塗污；塗黑。②毀壞(他人)之名譽；玷辱。— **den·i·gra′tion,** *n.*
den·im [`dɛnəm] *n.* ① Ⓤ 丁尼布(厚而粗之斜紋棉布)。②(*pl.*)丁尼布製的衣服。

den·i·zen [ˋdɛnəzn̩] *n.* Ⓒ ①公民; 居民。②歸化者。③外來語; 外來之動植物。 — *v.t.* ①給予永住權。②使歸化。

Den·mark [ˋdɛnmɑrk] *n.* 丹麥(北歐一國, 首都 Copenhagen)。

de·nom·i·nate [dɪˋnɑmə͵net] *v.t.* 命名。 —[dɪˋnɑmənɪt] *adj.* 有名稱的。

de·nom·i·na·tion [dɪ͵nɑməˋneʃən] *n.* ①Ⓒ名稱。②Ⓤ命名。③Ⓒ宗派; 分派。④Ⓒ(重量、長度、貨幣等之)單位; 面額。⑤Ⓒ(人或物之)種類。— **al,** *adj.*

de·nom·i·na·tor [dɪˋnɑmə͵netɚ] *n.* Ⓒ①〖數〗分母。②命名者。

de·no·ta·tion [͵dinoˋteʃən] *n.* ①Ⓤ表示; 指示。②Ⓒ名稱; 符號。③Ⓒ(辭句之)意義。④Ⓤ〖邏輯〗外延。

de·no·ta·tive [dɪˋnotətɪv] *adj.* ①指示的; 表示的。②〖邏輯〗外延的; 概述的(爲connotative之對)。— **ly,** *adv.* — **ness,** *n.*

de·note [dɪˋnot] *v.t.* ①指示; 表示。②意味。

de·noue·ment [deˋnumɑ̃] 〖法〗 *n.* Ⓒ結局; 收場。

***de·nounce** [dɪˋnaʊns] *v.t.* ①公開指摘; 當衆指責。②告發; 揭發。③通知廢止(如條約等)。

***dense** [dɛns] *adj.* ①緊密的; 濃密的。②愚鈍的。— **ly,** *adv.* — **ness,** *n.*

***den·si·ty** [ˋdɛnsətɪ] *n.* ⓊⒸ①稠密; 濃密。②密度。③愚鈍。

dent [dɛnt] *n.* Ⓒ①凹; 缺口。②齒狀突出物。③弱點; 損害。— *v.t.* 使凹下。— *v.i.* 凹下; 成鋸齒狀。

***den·tal** [ˋdɛntl̩] *adj.* ①牙齒的; 齒科醫術的。a ～ surgeon 牙醫。②〖語音〗齒音的。— *n.* Ⓒ〖語音〗齒音。

denti- 〖字首〗表「齒」之義。

den·ti·frice [ˋdɛntə͵frɪs] *n.* ⓊⒸ牙膏、牙粉、洗牙的藥水等。

den·tin(e) [ˋdɛntin] *n.* Ⓤ齒骨質; 象牙質。

***den·tist** [ˋdɛntɪst] *n.* Ⓒ牙科醫生。

den·tist·ry [ˋdɛntɪstrɪ] *n.* Ⓤ牙醫業; 牙醫術。

den·ti·tion [dɛnˋtɪʃən] *n.* ⓊⒸ①齒之發育; 生齒。②齒列; 齒系。

den·ture [ˋdɛntʃɚ] *n.* Ⓒ(常 *pl.*)一副牙齒; (尤指)一副假牙。

de·nu·cle·ar·ize [diˋnjuklɪə͵raɪz, -ˋnu-] *v.t.* 禁止…核子武裝; 使非核化。

de·nude [dɪˋnjud] *v.t.* ①使裸露; 剝下。②剝奪。③〖地質〗剝蝕。— **den·u·da′tion,** *n.*

de·nun·ci·ate [dɪˋnʌnsɪ͵et] *v.t.* = **denounce.**

de·nun·ci·a·tion [dɪ͵nʌnsɪˋeʃən] *n.* ⓊⒸ①公開的指責。②告發。③廢止條約等的正式通知。④警告; 威脅。

de·ny** [dɪˋnaɪ] *v.t.* ①否認; 否定。②拒絕。③使(某人)不接見訪客。～ ***oneself 自制。～ ***oneself to*** 不會客。

de·o·dor·ant [diˋodərənt] *adj.* 除臭氣的。— *n.* ⓊⒸ除臭劑; 防臭劑。

de·o·dor·ize [diˋodə͵raɪz] *v.t.* 除…之臭; 防臭。

de·o·dor·iz·er [diˋodə͵raɪzɚ] *n.* ⓊⒸ防臭物; 除臭劑。

de·on·tol·o·gy [͵diɑnˋtɑlədʒɪ] *n.* Ⓤ義務論; 道義學(倫理學之一)。

de·ox·i·dize [diˋɑksə͵daɪz] *v.t.* 除氧; 使(氧化物)還原。

de·ox·y·ri·bose [dɪ͵ɑksəˋraɪbos] *n.* Ⓤ脫氧核糖。

***de·part** [dɪˋpɑrt] *v.i.* ①離去; 離開; 出發。②違反; 放棄〖from〗. ③死。

de·part·ed [dɪˋpɑrtɪd] *n.* (the ～)死人。— *adj.* 死的; 過去的。

‡**de·part·ment** [dɪˋpɑrtmənt] *n.* ①Ⓒ部門。②Ⓒ(大學的)系; 科; 所。③Ⓒ(行政組織的)部; 局; 處; 司; 科。④Ⓒ(法國等的)行政區。⑤(D-)〖美軍〗衛戍區。§ *～ **stòre** 百貨公司。— **de·part·men′tal,** *adj.*

de·part·men·tal·ize [dɪ͵pɑrtˋmɛntl̩͵aɪz] *v.t.* 把…分爲部門。

de·par·ture** [dɪˋpɑrtʃɚ] *n.* ①ⓊⒸ離去; 出發。②ⓊⒸ變更; 違反〖from〗. ③Ⓒ新行動或方針的開始。a new ～ 新政策; 新方針。take one's*** ～ 離去。

‡**de·pend** [dɪˋpɛnd] *v.i.* ①信賴; 信任〖on, upon〗. ②依賴; 依靠〖on, upon〗. ③視…而定〖on, upon〗. ④懸; 垂〖from〗. ⑤〖文法〗附屬於其他字句。⑥無法決定; 懸宕。I may go to Europe or I may not, it all ～*s.* 我去不去歐洲, 要看情形(決定)。～ ***upon it*** 無疑地。— **a·ble,** *adj.* — **a·bly,** *adv.*

de·pen·dant [dɪˋpɛndənt] *adj.* & *n.* = **dependent.**

***de·pend·ence** [dɪˋpɛndəns] *n.* Ⓤ①信賴; 信任。②依賴; 依靠。③視…而定。④隸屬; 順從。⑤所依賴的人或東西。

de·pend·en·cy [dɪˋpɛndənsɪ] *n.* ①Ⓤ依賴; 信任。②Ⓒ附屬物。③Ⓒ屬國; 屬地。

***de·pend·ent** [dɪˋpɛndənt] *adj.* ①依賴的; 從屬關係的。②關連的; 受影響的。③下垂的。— *n.* Ⓒ①依賴他人者; 侍從; 隨員。②家眷。

de·per·son·al·ize [diˋpɝsənə͵laɪz] *v.t.* 〖主美〗①使失去人格。②剝奪…的個性。

de·pict [dɪˋpɪkt] *v.t.* ①描畫。②敍述。— **de·pic′tion,** *n.*

dep·i·late [ˋdɛpə͵let] *v.t.* 去…之髮; 爲…去毛。— **dep·i·la′tion,** *n.*

dep·i·la·tor [ˋdɛpə͵letɚ] *n.* Ⓒ脫毛者; 脫毛器。

de·pil·a·to·ry [dɪˋpɪlə͵torɪ] *adj.* 去毛髮的; 除毛性的。— *n.* ⓊⒸ脫毛劑。

de·plane [diˋplen] *v.i.* ①下飛機。②從飛機上卸下。

de·plete [dɪˋplit] *v.t.* ①使空虛; 用盡。②〖醫〗放血。— **de·ple′tion,** *n.*

de·plor·a·ble [dɪˋplorəbl̩] *adj.* ①悲哀的; 可嘆的。②不幸的。— **de·plor′a·bly,** *adv.*

***de·plore** [dɪˋplor] *v.t.* 悲痛; 深悔。

de·ploy [dɪˋplɔɪ] *v.t.* & *v.i.* ①〖軍〗散開成戰鬥隊形。②部署。③展開。

de·pop·u·late [diˋpɑpjə͵let] *v.t.* 減少…之人口; 使人口減少。

de·port [dɪ`port] *v.t.* ①驅逐出境；放逐。②舉止；持身(與反身代名詞連用)。

de·por·ta·tion [ˏdipor`teʃən] *n.* 🅄移送；放逐。

de·por·tee [ˏdipor`ti] *n.* 🄲被放逐者。

de·port·ment [dɪ`portmənt] *n.* 🅄風度；行為；態度。

de·pose [dɪ`poz] *v.t.* ①免職；廢(王位)。②宣誓作證。— *v.i.* (尤指以書面的)作證。— **de·pos′al,** *n.*

***de·pos·it** [dɪ`pɑzɪt] *v.t.* ①放置。②貯存；存儲。③沈澱。④抵押；交保證金。— *n.* ① 🅄🄲 堆積物；沈澱物。② 🅄🄲〖礦〗礦床。③ 🄲 (常 *sing.*)存放物；存款。a current[fixed]～ 活期[定期]存款。④ 🄲 (常 *sing.*)押金；保證金。⑤🄲保管處。*on* ～ 置存；存於銀行。§～ **mòney** 定金；保證金。～ **sàfe** 保險箱。～ **slìp** 存款單。

dep·o·si·tion [ˏdɛpə`zɪʃən] *n.* ① 🅄廢位；革職。②🅄 沈澱。③🄲 沈澱物。④🅄證言。⑤🄲口供(書)。

de·pos·i·tor [dɪ`pɑzɪtɚ] *n.* 🄲 ①寄託者；存款者。②沈澱器；鍍金槽。

de·pos·i·to·ry [dɪ`pɑzəˏtorɪ] *n.* 🄲①受託者；保管者。②儲藏室；寶庫。

de·pot [`dipo, `dɛpo] *n.* 🄲 ①庫房；倉庫。②火車站；公共汽車站；航空站。③ 軍械庫；補給站。④ 新兵訓練站。§～ **shìp** 海軍補給艦；母艦。

de·prave [dɪ`prev] *v.t.* 使敗壞；使腐敗。— **de·prav·i·ty** [dɪ`prævətɪ], *n.*

de·praved [dɪ`prevd] *adj.* 敗壞的；墮落的；邪惡的。

dep·re·cate [`dɛprəˏket] *v.t.* 抗議；不贊成。— **dep·re·ca′tion,** *n.* — **dep′re·cat·ing·ly,** *adv.*

dep·re·ca·to·ry [`dɛprəkəˏtorɪ] *adj.* ①不贊成的；反對的。②表示歉意的；求恕的。

de·pre·ci·ate [dɪ`priʃɪˏet] *v.t.* & *v.i.* ①減價；跌價。②輕視；毀謗。③貶值。— **de·pre′ci·at·ing·ly,** *adv.*

de·pre·ci·a·tion [dɪˏpriʃɪ`eʃən] *n.* 🅄①貶值。②輕視；毀謗。③折舊。

dep·re·date [`dɛprɪˏdet] *v.t.* & *v.i.* 劫掠；掠取；蹂躪。

dep·re·da·tion [ˏdɛprɪ`deʃən] *n.* 🄲 (常 *pl.*)搶奪的行為；劫掠。

***de·press** [dɪ`prɛs] *v.t.* ①壓下；降低。②使沮喪。③使不活潑；使蕭條。④減價；貶值。⑤〖樂〗降調。

de·pres·sant [dɪ`prɛsn̩t] *adj.* 有鎮靜作用的。— *n.* 🄲 鎮靜劑。

de·pressed [dɪ`prɛst] *adj.* 憂傷的；降低的；經濟蕭條的。§～**área** 貧窮地區；不景氣的地區。

***de·pres·sion** [dɪ`prɛʃən] *n.* ① 🅄🄲 降低。② 🄲 窪穴；凹陷。③ 🅄🄲 愁苦；沮喪。④ 🅄〖商〗蕭條；不景氣。⑤ 🄲 不景氣時代。⑥ 🅄〖醫〗抑鬱症。⑦ 🄲〖氣象〗低氣壓。

de·pres·sive [dɪ`prɛsɪv] *adj.* ①沮喪的；(令人)抑鬱的。②壓抑的；降低的。— *n.* 🄲憂鬱症患者。

de·pres·sur·ize, -ise [dɪ`prɛʃəˏraɪz] *v.t.* 使減壓。

***de·prive** [dɪ`praɪv] *v.t.* ①奪去；剝奪；使喪失〔of〕. An accident ～d him of his sight. 意外的事使他失明。②使不能享受。③撤職。

de·pro·gram [di`progræm] *v.t.* (**-m-, -mm-**)〖美〗使除去受洗腦所產生的影響。

****depth** [dɛpθ] *n.* ① 🅄🄲 深；深度。② 🅄🄲 縱深。③(the ～)最內部；深處。④🅄 深奧。⑤🅄 深厚；濃厚。⑥🅄 低沉。⑦(*pl.*)知識或道德上之低落。***out of*** [***beyond***] ***one's*** ～ **a.** 入水至沒頂的深度。**b.** 不能理解；力所不及。§～ **chàrge**[**bòmb**]深水炸彈。～ **psychòlogy** 深層心理學。

dep·u·ta·tion [ˏdɛpjə`teʃən] *n.* ① 🄲 代理者；代表團。② 🅄 代表或代理人之指派。

de·pute [dɪ`pjut] *v.t.* 指定、委託或授權(某人)為代理或代表。

dep·u·tize [`dɛpjəˏtaɪz] *v.t.* 委為代表。— *v.i.* 充任代表〔for〕.

***dep·u·ty** [`dɛpjətɪ] *n.* 🄲 ①代理人；代表。②副主管。③議員。④副警長。— *adj.* 代理的；副的。

de·rail [di`rel] *v.t.* 使 (火車) 出軌。— *v.i.* 出軌。— **ment,** *n.*

de·rail·leur [dɪ`relɚ] *n.* 🄲 脚踏車的多段變速裝置。

de·range [dɪ`rendʒ] *v.t.* ①擾亂。②使精神錯亂；使發狂。— **ment,** *n.*

de·ranged [dɪ`rendʒd] *adj.* ①混亂的；錯亂的。②瘋狂的。

de·ra·tion [di`reʃən] *v.t.* 停止(物品之)配給。

Der·by [`dɝbɪ, `dɑrbɪ] *n.* ①英國之大賽馬會(德貝伯爵所創立)。② 🄲 賽馬會。③(a d-)(有獎的)公開賽。④ 🄲 (d-)圓頂窄邊絲質之禮帽。§～ **Dày** 英國德貝大賽馬會的日子。

de·reg·u·late [di`rɛgjəˏlet] *v.t.* 撤消對…的管制規定。

der·e·lict [`dɛrəˏlɪkt] *adj.* ①被棄的。②疏忽職務的。— *n.* 🄲 ①被棄漂流於海上之船。②被遺棄的人或物。③疏忽職務的人。— **der·e·lic′tion,** *n.*

de·ride [dɪ`raɪd] *v.t.* 嘲笑；愚弄。— **de·rid′ing·ly,** *adv.*

de·ri·sion [dɪ`rɪʒən] *n.* ① 🅄 嘲笑；愚弄。② 🄲 笑柄。— **de·ri·sive** [dɪ`raɪsɪv], **de·ri′so·ry,** *adj.*

der·i·va·tion [ˏdɛrə`veʃən] *n.* ① 🅄 引出；誘導出。② 🅄 起源；由來。③〖文法〗**a.** 🅄🄲 衍生。**b.** 🄲 衍生語。

de·riv·a·tive [də`rɪvətɪv] *adj.* 引出的；衍生的。— *n.* 🄲 ①引出之物；誘導而來之物。②衍生字；引申字。

***de·rive** [də`raɪv] *v.t.* ①獲得；得來〔from〕. ②起源；由來；出自。③推論；推究。④追溯根源；溯源。— *v.i.* 起源；出自〔常 from〕.

der·ma [`dɝmə] *n.* 🅄〖解〗① 眞皮。②(一般之)皮膚。— **der′mal,** *adj.*

der·ma·ti·tis [ˏdɝmə`taɪtɪs] *n.* 🅄 皮膚炎。

der·ma·tol·o·gy [ˏdɝmə`tɑlədʒɪ] *n.* 🅄 皮膚學；皮膚病學。

der·ma·to·sis [ˏdɝmə`tosɪs] *n.* 🅄

Ⓒ (*pl.* **-ses** [-siz])〖醫〗皮膚病。
der·o·gate [ˋdɛrəˏget] *v.i.* ①取去；減除；減損〔常 from〕. ②變壞；減退；退步〔常 from〕. — **der·o·ga′tion,** *n.*
de·rog·a·to·ry [dɪˋrɑgəˏtorɪ] *adj.* ①損毀(名譽)的；誹謗的。②降低價值的；有損…的。
der·rick [ˋdɛrɪk] *n.* Ⓒ ① 起重機。②油井的鐵架塔。
der·rin·ger [ˋdɛrɪndʒɚ] *n.* Ⓒ〖美〗迪林格手槍(大口徑短筒之手槍)。(亦作 **deringer**)
des·cant [dɛsˋkænt] *v.i.* ①詳論〔on, upon〕. ②合唱；合奏。—[ˋdɛskænt] *n.* ① Ⓒ〖詩〗歌曲。② Ⓤ Ⓒ〖樂〗**a.** 高音部。**b.** 變奏。
Des·cartes [deˋkɑrt] *n.* 笛卡爾(René, 1596-1650, 法國哲學家及數學家)。
***de·scend** [dɪˋsɛnd] *v.i.* ①下降。②傳下來；由來；出自。③屈身。④突擊；襲擊。⑤遞減。— *v.t.* 降落。— **ent,** *adj.* 「孫；後裔。
***de·scend·ant** [dɪˋsɛndənt] *n.* Ⓒ 子
***de·scent** [dɪˋsɛnt] *n.* ① Ⓤ Ⓒ 降下；降落。② Ⓒ 下坡路。③ Ⓤ 遺傳；遺留。④ Ⓤ 世系；血統。⑤ Ⓤ 襲擊。⑥ Ⓤ 墮落；屈身。
‡**de·scribe** [dɪˋskraɪb] *v.t.* ① 敍述；記述；描寫；形容。②畫；描摹；作圖。
***de·scrip·tion** [dɪˋskrɪpʃən] *n.* ① Ⓤ Ⓒ 敍述；描寫；說明。② Ⓒ 種類。*beyond* ~ 難以描寫；難以形容。*— **de·scrip′tive,** *adj.*
de·scry [dɪˋskraɪ] *v.t.* 遠遠看到。
Des·de·mo·na [ˏdɛzdəˋmonə] *n.* 戴絲笛夢娜 (Shakespeare 所著悲劇 *Othello* 中，男主角Othello的貞潔妻子)。
des·e·crate [ˋdɛsɪˏkret] *v.t.* 褻瀆；把(神物)供俗用。— **des·e·cra′tion,** *n.*
de·seg·re·gate [diˋsɛgrəˏget] *v.t.* & *v.i.* 取消種族隔離。— **de·seg·re·ga′tion,** *n.* 「(受訓人員)。
de·se·lect [ˏdisɪˋlɛkt] *v.t.* 中途淘汰
***des·ert**[1] [ˋdɛzɚt] *n.* Ⓒ ①沙漠。②不毛之地。— *adj.* 沙漠的；荒蕪不毛的。
***de·sert**[2] [dɪˋzɝt] *v.t.* ①放棄；遺棄。②〖軍〗開小差；潛逃。③失去；離去。— *v.i.* ①〖軍〗開小差；棄職潛逃。②離開；他往。— **er, de·ser′tion,** *n.*
de·sert[3] [dɪˋzɝt] *n.*(*pl.*)應得的賞罰。
de·sert·ed [dɪˋzɝtɪd] *adj.* ①荒蕪的；荒廢的；爲人所棄的。②人跡罕至的。
‡**de·serve** [dɪˋzɝv] *v.t.* 應得；應受(賞罰等)。— *v.i.* 應得報酬。
de·served [dɪˋzɝvd] *adj.* 應得的；當然的。— **de·serv′ed·ly** [-vɪdlɪ], *adv.*
de·serv·ing [dɪˋzɝvɪŋ] *adj.* ①相當的；值得的。②有功的；功績的。③應得的。— **ly,** *adv.* 「**habillé.**
des·ha·billé [ˏdɛzəˋbil] *n.* =**dis-**
des·ic·cate [ˋdɛsəˏket] *v.t.* ①使完全乾涸；使乾。②乾貯(食物)。— *v.i.* 變乾。— **des·ic·ca′tion,** *n.*
de·sid·er·a·tum [dɪˏsɪdəˋretəm] *n.* Ⓒ (*pl.* **-ta** [-tə])所願望之物；迫切需要之物。
***de·sign** [dɪˋzaɪn] *n.* ① Ⓤ 圖案設計。② Ⓒ 圖案；設計圖。③ Ⓒ 計畫；腹案。④(*pl.*)企圖；圖謀〔on, upon〕. — *v.t.* ①作圖案；打圖樣；設計。②計畫；設計；盤算。③企圖。④意欲。— *v.i.* ①作圖案；打圖樣；設計。②企圖；志願。— **ing,** *adj.* & *n.*
***des·ig·nate** [ˋdɛzɪgˏnet] *v.t.* ①指示；標明。②指派；派定；任命。③指名；命名。—[ˋdɛzɪgnɪt, -ˏnet]*adj.* 選派好的。§ ∼**d hítter**〖棒球〗指定代打者。— **des·ig·na′tion,** *n.*
***de·sign·er** [dɪˋzaɪnɚ] *n.* Ⓒ ①設計家；計畫者；打圖樣的人。②陰謀者。
***de·sir·a·ble** [dɪˋzaɪrəbl] *adj.* 值得要的；合意的；良好的。— **de·sir·a·bil′i·ty,** *n.* — **de·sir′a·bly,** *adv.*
‡**de·sire** [dɪˋzaɪr] *v.t.* ①想要；意欲；願望。②請求；要求。*leave much to be* ~*d* 缺點不少。*leave nothing to be* ~*d* 一點缺點也沒有。— *n.* ① Ⓤ Ⓒ 願望；渴望。② Ⓤ Ⓒ 性慾；情慾。③ Ⓒ (常 *sing.*)想要的東西。
de·sir·ous [dɪˋzaɪrəs] *adj.* 渴望的；希望的。 「〔from〕.
de·sist [dɪˋzɪst] *v.i.* 止；停止；斷念
‡**desk** [dɛsk] *n.* ① Ⓒ 書桌；辦公桌。② Ⓒ 教堂講道台。③ Ⓒ (旅館等的)櫃台。④(the ~)〖美〗(報館的)編輯部。⑤ Ⓒ 樂譜架。§ ∼ **wòrk** 文書工作。
***des·o·late** [ˋdɛslɪt] *adj.* ① 荒涼的；無人煙的；荒廢的。②被棄的；孤獨的。③不幸的；可憐的；絕望的。④淒涼的。—[ˋdɛslˏet] *v.t.* ①使荒蕪；使無人煙。②使悲慘。③遺棄。— **ly,** *adv.*
des·o·la·tion [ˏdɛslˋeʃən] *n.* Ⓤ ① 無人煙；荒蕪；荒廢。②悲慘；淒涼。③荒地；廢墟。
***de·spair** [dɪˋspɛr] *n.* Ⓤ ①失望；絕望。②(常 the ~)令人失望的人或物。— *v.i.* 失望；絕望；斷念〔of〕.
de·spair·ing [dɪˋspɛrɪŋ] *adj.* (感到)絕望的。 「**dispatch.**
des·patch [dɪˋspætʃ] *v.t.* & *n.*〖英〗=
des·per·a·do [ˏdɛspəˋredo] *n.* Ⓒ (*pl.* ~(**e**)**s**)惡漢；亡命之徒。
***des·per·ate** [ˋdɛspərɪt] *adj.* ①絕望的；嚴重的；危險的。②因無望而不惜冒險的。③極度的；非常的。— **ly,** *adv.* — **des·per·a′tion,** *n.*
des·pi·ca·ble [ˋdɛspɪkəbl] *adj.* 可鄙的；卑劣的。— **des′pi·ca·bly,** *adv.*
***de·spise** [dɪˋspaɪz] *v.t.* 輕視；蔑視。
***de·spite** [dɪˋspaɪt] *n.* Ⓤ 侮辱；危害。*in* ~ *of* 不管；不顧(=in spite of). — *prep.* 不顧；雖然；縱使。— **ful,** *adj.*
de·spoil [dɪˋspɔɪl] *v.t.* 掠奪；搶劫。
de·spond [dɪˋspɑnd] *v.t.* 失掉勇氣；失去希望；沮喪〔of〕. — **ence,** — **en·cy,** *n.* — **ent,** *adj.*
des·pot [ˋdɛspət] *n.* Ⓒ 暴君；專制君主。 「暴虐的。
des·pot·ic [dɪˋspɑtɪk] *adj.* 專制的；
***des·sert** [dɪˋzɝt] *n.* Ⓤ Ⓒ 餐後甜點。
de·sta·bi·lize, -lise [diˋstebəˏlaɪz] *v.t.* 使不安定；打破平衡。
***des·ti·na·tion** [ˏdɛstəˋneʃən] *n.* Ⓒ ①目的地。②預定的目的；意圖。

des·tine [ˋdɛstɪn] *v.t.* ①指定；預定。②命運注定。***be ~d for* a.** 指定；預定。**b.** 開往。—**des′tined,** *adj.*

***des·ti·ny** [ˋdɛstənɪ] *n.* ①ⓊⒸ命運。②(the Destinies)命運三女神。

des·ti·tute [ˋdɛstə,tjut] *adj.* ①缺乏的；窮困的。②無；沒有〔常of〕。—**des·ti·tu′tion,** *n.*

‡**de·stroy** [dɪˋstrɔɪ] *v.t.* ①毀壞；破壞。②毀滅；消滅；殺戮。③使無效。

de·stroy·er [dɪˋstrɔɪɚ] *n.* Ⓒ①破壞者；毀滅者。②驅逐艦。

de·struct [dɪˋstrʌkt] *v.t.* 使(飛彈等)自毀；爆破。**—** *v.i.* 自殺。**—** *n.* Ⓒ(飛彈的)空中爆破。**—** *adj.* 用以摧毀(飛彈)的。

de·struct·i·ble [dɪˋstrʌktəbl̩] *adj.* 可破壞的；易毀壞的。

***de·struc·tion** [dɪˋstrʌkʃən] *n.* Ⓤ①毀壞；毀滅。②毀滅的原因。—**ist,** *n.* Ⓒ破壞主義者。

***de·struc·tive** [dɪˋstrʌktɪv] *adj.* ①破壞的；毀壞的(爲 constructive 之對)。②消極的；否定的；有害的。

des·ue·tude [ˋdɛswɪ,tjud] *n.* Ⓤ廢止；停用(爲 consuetude 之對)。

des·ul·to·ry [ˋdɛsl̩,torɪ] *adj.* 無次序的；散漫的；無目的的。—**des′ul·to·ri·ly,** *adv.* —**des′ul·to·ri·ness,** *n.*

***de·tach** [dɪˋtætʃ] *v.t.* ①分開；解開；分離(爲 attach 之對)。②指派擔任特種任務；分遣。—**a·ble,** *adj.*

de·tached [dɪˋtætʃt] *adj.* ①分開的；分離的。②超然的；公平的。

de·tach·ment [dɪˋtætʃmənt] *n.* ①Ⓤ解開；分離。②Ⓒ〖軍〗支隊；分遣的艦隊。③Ⓤ分遣。④Ⓤ公平；客觀。

‡**de·tail** [ˋditel, dɪˋtel] *n.* ①Ⓤ枝節；小事。②ⓊⒸ細目；細節。③ⓊⒸ詳委；詳情。④ⓊⒸ細部的描畫。⑤Ⓒ〖軍〗特派的小隊。***go* [*enter*] *into* ~** 詳述。***in* ~** 詳細地。**—**[dɪˋtel] *v.t.* ①詳述；縷陳。②(陸海軍)選派；特派。③列舉。§ ~ **màn**〖美〗藥品推銷員。—**ed,** *adj.*

***de·tain** [dɪˋten] *v.t.* ①使延遲；留住；阻止。②拘留；扣押。

***de·tect** [dɪˋtɛkt] *v.t.* 發現；查出；探獲。—**a·ble,** *adj.* —**de·tec′tion,** *n.*

de·tec·ta·phone [dɪˋtɛktə,fon] *n.* Ⓒ〖美〗電話竊聽器。

***de·tec·tive** [dɪˋtɛktɪv] *n.* Ⓒ偵探。**—** *adj.* ①偵探的。②偵查的；探究的。

de·tec·tor [dɪˋtɛktɚ] *n.* Ⓒ①發現者。②〖無線〗檢波器。

dé·tente [deˋtɑ̃t]〖法〗*n.* ⓊⒸ國際上緊張關係之緩和。

de·ten·tion [dɪˋtɛnʃən] *n.* ⓊⒸ①阻止；延遲。②監禁；拘留；(罰學生)留校。§ ~ **hòme**〖美〗少年觀護所。

de·ter [dɪˋtɝ] *v.t.* (**-rr-**)①妨礙；阻礙；脅阻。②防止；延緩。—**ment,** *n.*

de·ter·gent [dɪˋtɝdʒənt] *adj.* 潔淨的；有洗淨力的。**—** *n.* ⓊⒸ清潔劑。

de·te·ri·o·rate [dɪˋtɪrɪə,ret] *v.t. & v.i.* (使)變壞；墮落。—**de·te·ri·o·ra′tion,** *n.*

***de·ter·mi·na·tion** [dɪ,tɝməˋneʃən] *n.* ①ⓊⒸ決心。②Ⓤ決定；確定。③Ⓤ測定。

de·ter·mi·na·tive [dɪˋtɝmə,netɪv] *adj.* 決定的；限定的；指定的。**—** *n.* Ⓒ①決定者；限定者。②〖文法〗指示代名詞；限定詞。

‡**de·ter·mine** [dɪˋtɝmɪn] *v.t.* ①決心；決意。②決定；決斷。③確定；限定；規定。④使下決心。⑤測定。⑥了結；使終結。⑦限制。**—** *v.i.* ①決心；決定。②終結；終止。

***de·ter·mined** [dɪˋtɝmɪnd] *adj.* ①決然的；堅決的。②下定決心的。

de·ter·min·er [dɪˋtɝmɪnɚ] *n.* Ⓒ①〖文法〗限定詞(a, the, each, some, this, his 等)。②決定者。

de·ter·rent [dɪˋtɝrənt] *adj.* 阻止的；制止的。**—** *n.* Ⓒ①阻礙之物；制止物。②嚇阻武力。

de·test [dɪˋtɛst] *v.t.* 深深憎恨；深惡；憎惡。—**a·ble,** *adj.*

de·tes·ta·tion [,ditɛsˋteʃən] *n.* ①Ⓤ深惡；厭惡。②Ⓒ憎恨的人或物。

de·throne [dɪˋθron] *v.t.* 廢黜(君王)；推翻權威地位。—**ment,** *n.*

det·o·nate [ˋdɛtə,net] *v.t.* 使爆炸；使爆裂。**—** *v.i.* (轟然一聲)大爆炸。—**det·o·na′tion,** *n.*

det·o·na·tor [ˋdɛtə,netɚ] *n.* Ⓒ①起爆管；雷管。②炸藥。

de·tour [ˋditʊr, dɪˋtʊr] *n.* Ⓒ便道；繞行之路；迂路。**—** *v.t. & v.i.* 繞道而行；迂迴。

de·tox·i·fy [diˋtɑksə,faɪ] *v.t.* 使戒去毒癮[酒癮]；給…解毒。—**de·tox·i·fi·ca′tion,** *n.*

de·tract [dɪˋtrækt] *v.t.* ①去掉；減損。②轉移。**—** *v.i.* 減損；貶抑〔常from〕。—**de·trac′tion,** *n.*

de·train [diˋtren] *v.t.* 自火車卸下。**—** *v.i.* 下火車。

det·ri·ment [ˋdɛtrəmənt] *n.* ①Ⓤ損害；傷害。②Ⓒ(常 *sing.*)損害的原因。—**det·ri·men′tal,** *adj.*

de·tri·tus [dɪˋtraɪtəs] *n.* Ⓤ①〖地質〗岩屑。②瓦礫；碎片。

De·troit [dɪˋtrɔɪt] *n.* 底特律(美國密西根州的工業城市，以汽車工業聞名)。

deuce [djus] *n.* ①Ⓒ二點(骰子或紙牌)。②Ⓤ〖網球〗平手(即比數 40-40)。③Ⓤ惡運；災難。④(the ~)魔鬼。⑤(the ~)究竟。***Go to the ~!*** 滾開!

deu·ter·on [ˋdjutə,rɑn] *n.* Ⓤ〖理〗重氫子；氘核。

de·val·u·ate [diˋvælju,et] *v.t.* ①減少…之價值；使減價。②使(錢幣)減值；使貶值。—**de·val·u·a′tion,** *n.*

de·val·ue [diˋvælju] *v.t.* =**devaluate.**

dev·as·tate [ˋdɛvəs,tet] *v.t.* ①使荒廢；蹂躪；破壞。②使不知所措。

dev·as·tat·ing [ˋdɛvəs,tetɪŋ] *adj.* ①使荒廢的；破壞性的。②壓倒性的；激烈的。③〖俗〗(很)棒的；有效的；厲害的。

dev·as·ta·tor [ˋdɛvəs,tetɚ] *n.* Ⓒ蹂躪者；破壞者。

‡**de·vel·op** [dɪˋvɛləp] *v.t.* ①發展。②

使顯影；沖洗。③顯示。④揭露；披露。⑤逐漸擴大或擴充。— *v.i.* ①進步；發展；進展。②發育；生長。③變化；進化。④顯影。

de·vel·oped [dɪˋvɛləpt] *adj.* 已發展的；已開發的。

de·vel·op·er [dɪˋvɛləpɚ] *n.* ①Ⓒ發展者；顯示者。②ⓊⒸ〖攝〗顯像劑；顯色劑。

de·vel·op·ing [dɪˋvɛləpɪŋ] *adj.* 開發[發展]中的；在開發途中的。

***de·vel·op·ment** [dɪˋvɛləpmənt] *n.* ①Ⓤ發展；發育；進展。②Ⓒ發展之物。③Ⓤ開發。④Ⓒ開發地；新社區。⑤Ⓒ新事實[情況]。⑥Ⓤ〖攝〗顯影。— **de·vel·op·men′tal,** *adj.*

de·vi·ant [ˋdivɪənt] *adj.* 逸出正軌的；反常的。— *n.* Ⓒ異常者；變態者。

de·vi·ate [ˋdivɪˏet] *v.i.* 逸出正軌；離題〔from〕。— *v.t.* 使逸出正軌。

de·vi·a·tion [ˏdivɪˋeʃən] *n.* ⓊⒸ①逸出正軌；離題。②偏差程度。③(思想)偏差。

de·vi·a·tion·ism [ˏdivɪˋeʃənˏɪzm̩] *n.* Ⓤ(政治上的)偏差(主義)。— **de·vi·a′tion·ist,** *n.*

de·vice** [dɪˋvaɪs] *n.* Ⓒ①發明或創造的東西；裝置。②策略；詭計。③圖案；紋章。④題銘。leave a person to his own ~s*** 聽其自行設法。

dev·il** [ˋdɛvl] *n.* ①Ⓒ魔鬼；惡魔。②(the D-)魔王；撒旦(=Satan)。③Ⓒ邪惡的幽靈。④Ⓒ極兇惡之人。⑤Ⓒ〖俗〗精力充沛之人。⑥Ⓒ調皮者。⑦(the ~)該死！眞想不到！⑧(the ~)究竟。⑨Ⓤ(常 the ~)絕不…。⑩Ⓒ印刷廠之學徒。a***[***the***]***~ of a…***不得了的；嚇人的。***between the ~ and the deep sea*** 進退兩難。***give the ~ his due*** 即使對壞人也要公平對待；平心而論。***go to the ~*** **a.**(道德上的)墮落；染惡習。**b.** 滾開。**c.** 徹底失敗；希望落空。***raise the ~***〖俗〗**a.** 引起大騷擾。**b.** 狂歡。***the ~ take the hindmost*** **a.** 魔鬼抓那落後的人(喻：後下手遭殃)。**b.** 聽天由命。***the ~ to pay*** 前途艱巨；大難。— *v.t.* & *v.i.* (**-l-,** 〖英〗**-ll-**)〖俗〗戲弄；困擾；虐待。§ **~'s ádvocate** 故意唱反調之人。**~'s fôod càke**(色味皆濃之)巧克力蛋糕。**Dévil's Tówer** 魔鬼塔。

dev·il(l)ed [ˋdɛvl̩d] *adj.* 加有辛辣之調味品的。

dev·il·fish [ˋdɛvl̩ˏfɪʃ] *n.* ①Ⓤ章魚。②Ⓒ〖魚〗蝠魟。

dev·il·ish [ˋdɛvlɪʃ] *adj.* 如惡魔的；殘酷的。

dev·il-may-care [ˋdɛvl̩mɪˋkɛr] *adj.* 不在意的；無所顧慮的。

dev·il·(t)ry [ˋdɛvl̩(t)rɪ] *n.* ①ⓊⒸ惡行；惡作劇。②Ⓤ快活；活力。

de·vi·ous [ˋdivɪəs] *adj.* ①繞道的；偏僻的。②不正直的；有偏差的。

***de·vise** [dɪˋvaɪz] *v.t.* ①設法；計畫；發明。②遺囑贈予(財產)。— *n.* Ⓤ遺贈的財產。

dev·i·see [dɪˏvaɪˋzi] *n.* Ⓒ〖法律〗接受遺贈者。

de·vi·sor [dɪˋvaɪzɚ] *n.* Ⓒ〖法律〗遺贈人；遺產贈與者。

de·vi·tal·ize [dɪˋvaɪtl̩ˏaɪz] *v.t.* ①殺死。②減少…之活力；使弱。

de·void [dɪˋvɔɪd] *adj.* 缺乏的；空的；無的〔of〕。

de·volve [dɪˋvɑlv] *v.t.* 傳下；授與；委任；移交；使負擔。— *v.i.* 傳下；授與；移歸。

***de·vote** [dɪˋvot] *v.t.* ①專心從事；獻身。②供奉；供獻。③將…作某種專用。

***de·vot·ed** [dɪˋvotɪd] *adj.* ①忠實的；摯愛的；專心的；熱心的。②獻身於…的；奉獻的。— **ly,** *adv.* — **ness,** *n.*

dev·o·tee [ˏdɛvəˋti] *n.* Ⓒ專心從事者；獻身者。

***de·vo·tion** [dɪˋvoʃən] *n.* ①Ⓤ摯愛；熱愛。②Ⓤ忠實；專心。③(*pl.*)祈禱。④Ⓤ信仰；虔敬。— **al,** *adj.*

***de·vour** [dɪˋvaʊr] *v.t.* ①吞食；貪食；狼吞虎嚥。②貪婪地注視或諦聽。

de·vout [dɪˋvaʊt] *adj.* 虔敬的；虔誠的；忠誠的。— **ly,** *adv.* — **ness,** *n.*

***dew** [dju] *n.* ①Ⓤ露。②ⓊⒸ如露的東西；小粒的水珠(如淚珠、汗珠等)。— *v.t.* & *v.i.* 用露水等沾濕；沾潤。§ **~ pòint**〖理〗露點。

dew·drop [ˋdjuˏdrɑp] *n.* Ⓒ露滴；露珠。

Dew·ey [ˋdjuɪ] *n.* 杜威(John, 1859-1952, 美國教育家及哲學家)。§ **~(déci-mal) classificàtion** [**sỳstem**] 杜威式十進分類法。

dew·lap [ˋdjuˏlæp] *n.* Ⓒ(牛等)喉部之垂肉。

dew·y [ˋdjuɪ] *adj.* ①帶露水的；露濕的。②〖詩〗清爽的。— **dew′i·ly,** *adv.*

dex·ter [ˋdɛkstɚ] *adj.* ①右手的；右側的。②〖紋章〗右邊的。③好徵兆的。

dex·ter·ous [ˋdɛkst(ə)rəs] *adj.* ①機巧的。②腦筋靈活的。— **ly,** *adv.* — **dex·ter·i·ty** [dɛksˋtɛrətɪ], *n.*

dex·tral [ˋdɛkstrəl] *adj.* 右側的；用右手的；右旋的。

dex·trose [ˋdɛkstros] *n.* Ⓤ〖化〗葡萄糖。

dex·trous [ˋdɛkstrəs] *adj.* =**dexterous.**

di-〖字首〗①表「二次；二倍；二」之義。②dis- 或 dia- 之變體。

di·a·be·tes [ˏdaɪəˋbitɪs] *n.* Ⓤ〖醫〗糖尿病。

di·a·bet·ic [ˏdaɪəˋbɛtɪk] *adj.* (患)糖尿病的。— *n.* Ⓒ糖尿病患者。

di·a·bol·ic, -i·cal [ˏdaɪəˋbɑlɪk(l̩)] *adj.* 殘酷的；窮兇極惡的。

di·ab·o·lism [daɪˋæbəˏlɪzəm] *n.* Ⓤ①魔法。②魔鬼的性格。③信仰魔鬼。

di·a·crit·i·cal [ˏdaɪəˋkrɪtɪkl̩] *adj.* 示區別的；能分辨的。§ **~ márk** 附加於字母之發音記號(如 ä, â, é 所加之¨, ˆ, ´等)。

di·a·dem [ˋdaɪəˏdɛm] *n.* Ⓒ①王冠；冕。②王權；王位。

di·ag·nose [ˏdaɪəgˋnos] *v.t.*〖醫〗診斷。

di·ag·no·sis [ˏdaɪəgˋnosɪs] *n.* ⓊⒸ(*pl.* **-ses** [-siz])①診斷。②審察；查究眞象。— **di·ag·nos′tic** [-ˋnɑstɪk], *adj.*

di·ag·nos·tics [ˏdaɪəgˋnɑstɪks] *n.* Ⓤ〖醫〗診斷法[術]。

di·ag·o·nal [daɪˋægənl̩] *adj.* ①斜的；斜紋的。②對角線的。— *n.* Ⓒ①

對角線。②斜紋布。— **ly,** *adv.*

***di·a·gram** [ˋdaɪə͵græm] *n.* Ⓒ 圖樣；圖表。— *v.t.* **(-m-,** 〖英〗**-mm-)** 用圖表示；作成圖表。

di·a·gram·mat·ic, -i·cal [͵daɪəgrəˋmætɪk(l̩)] *adj.* ①圖樣的；圖表的。②概略的；大體的。— **di·a·gram·mat′i·cal·ly,** *adv.*

***di·al** [ˋdaɪəl] *n.* Ⓒ ①日規；日晷儀(=sundial). ②(鐘錶、羅盤、磅秤、電表等的)針[標度]盤。③(電話的)號碼盤。— *v.t. & v.i.* **(-l-,** 〖英〗**-ll-)** 撥電話號碼。§ ∼ **phòne** 撥號式電話。 **the ∼ tòne** (電話)發信音(話機中表示可以撥號的嗡嗡聲)。

***di·a·lect** [ˋdaɪə͵lɛkt] *n.* ⓊⒸ ①方言。②(某職業、階層的)專業用語。— *adj.* 方言的。— **di·a·lec′tal,** *adj.* 方言的。

di·a·lec·tic [͵daɪəˋlɛktɪk] *adj.* ①辯證(法)的。②=**dialectal.** — *n.* Ⓤ ①(常 *pl.*)論理學；邏輯。②〖哲〗辯證法。

di·a·lec·ti·cal [͵daɪəˋlɛktɪkl] *adj.* ①辯證(法)的。②方言的。

***di·a·log(ue)** [ˋdaɪə͵lɔg] *n.* ①ⓊⒸ 對話。②Ⓤ 對話式文學作品；對話體。③ⓊⒸ (戲劇等的)對白；對話。

di·al·y·sis [daɪˋæləsɪs] *n.* ⓊⒸ (*pl.* **-ses** [-͵siz]) ①分離；分解。②〖化〗濾膜分析；滲析。— **di·a·lyt′ic,** *adj.*

***di·am·e·ter** [daɪˋæmətɚ] *n.* Ⓒ 直徑。— **di·am′e·tral,** *adj.*

di·a·met·ric, -ri·cal [͵daɪəˋmɛtrɪk(l̩)] *adj.* ①直徑的；沿直徑的。②直接的；絕對的。③正相反的。— **di·a·met′ri·cal·ly,** *adv.*

‡**dia·mond** [ˋdaɪmənd] *n.* ①ⓊⒸ 金剛鑽；鑽石。②Ⓒ 亮晶如鑽石的小東西。③Ⓒ (紙牌)紅色的方塊。④Ⓒ〖棒球〗內野；棒球場(含內外野)。⑤Ⓒ 菱形。⑥Ⓒ (切玻璃用的)鑽刀。⑦(*pl.*)(紙牌中的)方塊牌。∼ *cut* ∼ 強中更有強中手；勢均力敵。∼ *in the rough* 有好資質而態度壞的人(亦作 rough diamond). § ∼ **wédding** 鑽石婚(結婚第60[75]週年紀念)。

Di·an·a [daɪˋænə] *n.* 黛安娜(羅馬神話之處女女神，爲狩獵及月亮之守護神)。

di·a·pa·son [͵daɪəˋpezn̩] *n.* Ⓒ〖樂〗①悅耳之曲調；諧音。②全音域。③標準調。④(管風琴之)音栓；音叉。

di·a·per [ˋdaɪəpɚ] *n.* ①Ⓒ (嬰兒之)尿布。②Ⓤ 有菱形花紋之麻布[棉布]。③Ⓤ 菱形花紋。

di·aph·a·nous [daɪˋæfənəs] *adj.* (尤指布)透明的。

di·a·phragm [ˋdaɪə͵fræm] *n.* Ⓒ ①〖解〗橫隔膜。②〖機〗隔板。③(電話機的)振動板。④〖攝〗光圈。— **di·a·phrag·mat′ic,** *adj.*

di·ar·rh(o)e·a [͵daɪəˋriə] *n.* Ⓤ 〖醫〗腹瀉。

‡**di·a·ry** [ˋdaɪərɪ] *n.* Ⓒ 日記；日記簿。— **di′a·rist,** *n.*

di·a·stase [ˋdaɪə͵stes] *n.* Ⓤ〖生化〗澱粉酵素；澱粉酶；糖化素。

di·a·ton·ic [͵daɪəˋtɑnɪk] *adj.* 〖樂〗全音階的。

di·a·tribe [ˋdaɪə͵traɪb] *n.* Ⓒ 惡罵；苛評；誹謗。

dib·ble [ˋdɪbl̩] *n.* Ⓒ 小鍬；挖洞鑽。— *v.t.* ①用小鍬等在(地中)挖洞。②用小鍬等挖洞種植。

dice [daɪs] *n. pl.* (*sing.* **die**) ①骰子。②(作 *sing.* 解)骰子戲；賭博。③骰子形；小方塊。— *v.i.* 玩擲骰子遊戲；以擲骰子賭博。— *v.t.* ①切成骰子形[小方塊]。②賭骰子輸掉。③以方塊爲飾；做方塊記號。

dice·box [ˋdaɪs͵bɑks] *n.* Ⓒ 骰子筒(擲骰子用)。

dic·ey [ˋdaɪsɪ] *adj.* 〖英俗〗聽天由命的；靠不住的；不確定的。

di·chot·o·my [daɪˋkɑtəmɪ] *n.* ①Ⓒ 兩半；二分。②Ⓤ〖邏輯〗二分法。③ⓊⒸ〖植〗對生。④Ⓒ〖天〗弦。

dick [dɪk] *n.* Ⓒ ①〖美俚〗偵探。②〖俗〗人；傢伙。③〖鄙〗男人性器。

Dick·ens [ˋdɪkɪnz] *n.* 狄更斯(Charles, 1812-70, 英國小說家)。

dick·er [ˋdɪkɚ] *n.* ⓊⒸ ①交易；小生意。②磋商。③交易之商品。④政治上之討價還價。— *v.t. & v.i.* ①交易；做小生意。②討價還價；斤斤較量。

dick·(e)y [ˋdɪkɪ] *n.* Ⓒ ①(婦人襯衣胸前之)胸衿。②(男子之)襯衣虛衿。③(小孩之)涎圍；涎巾。④小鳥。⑤驢；公驢。⑥(馬車中供僕人等乘坐之)後座。— *adj.* 〖俗〗不穩的；靠不住的；弱的。

dick·y·bird [ˋdɪkɪ͵bɝd] *n.* Ⓒ 小鳥。

dic·ta [ˋdɪktə] *n.* pl. of **dictum.**

dic·ta·graph [ˋdɪktə͵græf] *n.* Ⓒ 竊聽器。

Dic·ta·phone [ˋdɪktə͵fon] *n.* Ⓒ 〖商標〗口授錄音機。

***dic·tate** [ˋdɪktet, dɪkˋtet] *v.t. & v.i.* ①聽寫；口授。②指定；命令。— [ˋdɪktet] *n.* Ⓒ (常 *pl.*) (理性、良心等的)命令；指揮。

***dic·ta·tion** [dɪkˋteʃən] *n.* ①Ⓤ 命令。②ⓊⒸ 口授令人筆錄；聽寫(測驗)。

dic·ta·tor [ˋdɪktetɚ, dɪkˋtetɚ] *n.* Ⓒ ①獨裁者。②口授令人筆錄者。

dic·ta·to·ri·al [͵dɪktəˋtorɪəl] *adj.* 獨裁的；專橫的；傲慢的；蠻橫的。

dic·ta·tor·ship [ˋdɪktetɚ͵ʃɪp] *n.* ①ⓊⒸ 獨裁者的職位[任期]；獨裁權。②Ⓒ 獨裁制度[國家]。

dic·tion [ˋdɪkʃən] *n.* Ⓤ ①語法；句法；用字；措辭。②發音。

‡**dic·tion·ar·y** [ˋdɪkʃən͵ɛrɪ] *n.* Ⓒ 字典；辭典。consult a ∼ 查字典。

Dic·to·graph [ˋdɪktə͵græf] *n.* Ⓒ 〖商標〗(電話)偵聽器。

dic·tum [ˋdɪktəm] *n.* Ⓒ (*pl.* **-ta** [-tə], ∼**s**) ①格言。②正式聲明。

‡**did** [dɪd] *v.* pt. of **do.**

di·dac·tic, -ti·cal [daɪˋdæktɪk(l̩)] *adj.* ①教誨的；教訓的。②好教誨[說教]的。

did·dle [ˋdɪdl] *v.t. & v.i.* ①〖俗〗欺；騙；哄。②毀滅(某人)。③虛擲光陰。

‡**did·n't** [ˋdɪdn̩t] =**did not.**

didst [dɪdst] *v.* 〖古，詩〗do 之第二人稱，單數，過去式。

‡**die**[1] [daɪ] *v.i.* **(died, dy·ing)** ①死亡；死。∼ by one's own hand 自殺而死。②枯萎；凋謝。③消失；漸息〔常 away, out, down〕。④〖俗〗渴望；切望。He is *dying* to go to sea. 他切望航海。⑤強

烈地感覺到。⑥消逝。～ *away* 漸漸消失。～ *down* **a.** 漸息；漸漸衰亡。**b.** 枯萎。～ *from* 因…致死。～ *hard*(觀念、信仰等)不易根絕。～ *of* 因…而死。～ *off* 相繼死亡。～ *out* **a.** 漸漸消滅。**b.** 完全停止[終結]。*never say* ～ 不灰心；不失去希望。

die² *n.* Ⓒ (*pl.* **dice**)①骰子。The ～ is cast. 已做決定，不能再改。②小立方塊。③(*pl.* ～**s**)印模；螺絲模；壓穿臺。§～ **càsting** 模鑄(品)。

die-hard [ˋdaɪˏhɑrd] *adj.* 頑強的；抵抗到底的。**—** *n.* Ⓒ 頑強的人。

di·e·lec·tric [ˏdaɪəˋlɛktrɪk] 〖電〗*adj.* 介體的；介質的；絕緣的。**—** *n.* Ⓒ 介體；介質；非導體；絕緣體。

di·er·e·sis [daɪˋɛrəsɪs] *n.* Ⓒ (*pl.* **-ses** [-ˏsiz])①(二連續母音之)分開。②分音符(在二連續母音之第二個上加「¨」，表須分開發音，如 coöperate)。

die·sel [ˋdizl] *n.* Ⓒ ①柴油機。②柴油船 [火車，汽車等]。§～ **èngine** [**mòtor**]柴油機。～ **òil** [**fùel**]柴油。

***di·et¹** [ˋdaɪət] *n.* ①ⓊⒸ 飲食。②Ⓒ 選定的飲食(指養病或設法增減體重時所規定的飲食)。He is on a ～. 他在節食。**—** *v.i.* & *v.t.* 照規定而飲食。§～ **fòod**減肥食品；(治療或控制疾病的)特別飲食。～ **pìll**〖美〗減肥藥丸[膠囊]。

***di·et²** *n.* Ⓒ (常 the D-)(日本、瑞典等之)議會；國會。

di·e·tar·y [ˋdaɪəˏtɛrɪ] *adj.* 有關飲食的；照規定飲食的。**—** *n.* Ⓒ (醫院、監獄等中規定之)日常飲食。

di·e·tet·ic [ˏdaɪəˋtɛtɪk] *adj.* 有關飲食衛生的；飲食學的。

di·e·tet·ics [ˏdaɪəˋtɛtɪks] *n.* Ⓤ 飲食學；營養學。

di·e·ti·tian, -cian [ˏdaɪəˋtɪʃən] *n.* Ⓒ 飲食學家；營養學家。

***dif·fer** [ˋdɪfɚ] *v.i.* ①相異；不同〔from〕。②意見相左[不合]〔from, with〕。

‡**dif·fer·ence** [ˋdɪf(ə)rəns] *n.* ①Ⓤ Ⓒ 不同。②Ⓤ 差額。③Ⓒ (常 *pl.*)爭論；意見衝突。*make some* [*no, a great*]～ 有些[沒有，甚大]差別。*split the* ～ **a.** 折中。**b.** 妥協。

‡**dif·fer·ent** [ˋdɪf(ə)rənt] *adj.* ①不同的〔from〕。②差異的；各別的。③與衆不同的。

dif·fer·en·tial [ˏdɪfəˋrɛnʃəl] *adj.* ①差別的。②有區別之作用的。③〖機〗差動的；應差的。④〖數〗微分的。**—** *n.* Ⓒ①(可相比的事物之)差別。②〖機〗差動齒輪。§～ **cálculus**〖數〗微分學。～ **equátion** 微分方程式。～ **géar**〖機〗差動齒輪；差速齒輪。

dif·fer·en·ti·ate [ˏdɪfəˋrɛnʃɪˏet] *v.t.* ①使有區別；使變異。②辨別；區分。③求微分；微分。**—** *v.i.* ①變爲有分別；分化。②辨別〔between〕。— **dif·fer·en·ti·a′tion,** *n.*

dif·fer·ent·ly [ˋdɪf(ə)rəntlɪ] *adv.* 不同地；有分別地。

‡**dif·fi·cult** [ˋdɪfəˏkʌlt] *adj.* ①困難的；費力的；難懂的。②難以取悅的；難以共處的。③令人憂煩或焦慮的。

‡**dif·fi·cul·ty** [ˋdɪfəˏkʌltɪ] *n.* ①Ⓤ 困難。②Ⓒ 難事；難題；障礙。③Ⓒ (常 *pl.*)逆境；經濟困難。④Ⓒ 異議；爭論。*make* [*raise*] *a* ～ 刁難。

dif·fi·dent [ˋdɪfədənt] *adj.* ①羞怯的；缺乏自信的。②謙虛的。— **ly,** *adv.*

dif·fract [dɪˋfrækt] *v.t.* ①分解；分散。②〖理〗使(光波、音波、電波等)衍射。— **dif·frac′tion,** *n.*

dif·fuse [dɪˋfjuz] *v.t.* ①流布；傳播；廣布。②擴散；散布。**—** *v.i.* ①傳播。②擴散。③(氣體、油等)因擴散而混合。**—**[dɪˋfjus] *adj.* ①散布的；擴散的。②散漫的；冗長的。③展開的。

dif·fu·sion [dɪˋfjuʒən] *n.* Ⓤ ①流布；普及。②(文體等之)散漫。③〖理〗擴散(作用)。— **dif·fu′sive,** *adj.*

‡**dig** [dɪg] *v.t.* (**dug, dig·ging**)①掘；鑿。②用鋤翻(土)。③掘出。④發現；發掘(事實)〔up, out〕。⑤穿刺；衝刺；插入。⑥〖俚〗看；注意。⑦〖俚〗懂；了解。**—** *v.i.* ①掘；翻(土)。②鑿通〔through, into, under〕。③〖俗〗苦讀。④〖俚〗住。～ *in* 〖俗〗**a.** 苦讀。**b.** 掘壕自衛。**c.** 埋。～ *into* 〖俗〗**a.** 努力於。**b.** 動用。**c.** 苦心研究。～ *out* **a.** 挖出；掘出。**b.** 奔跑。**c.** 匆匆出發；匆匆地走。～ *up* **a.** 掘出。**b.** 掘；翻(土)。**c.** 尋出。**d.** 捐款；出錢。**—** *n.* ①Ⓒ〖俗〗衝；刺。②Ⓒ 諷刺。③Ⓒ〖美俗〗苦讀的學生。④Ⓒ 掘；刺；戳。⑤(*pl.*, 作 *sing.* 解)〖英俗〗學生宿舍。

***di·gest** [dəˋdʒɛst] *v.t.* ①消化。②了解；融會。③忍受。④浸漬。⑤摘要；分類。**—** *v.i.* 消化。**—**[ˋdaɪdʒɛst] *n.* Ⓒ 分類；摘要。— **i·ble,** *adj.* — **di·gest·i·bil′i·ty,** *n.*

***di·ges·tion** [dəˋdʒɛstʃən] *n.* ⓊⒸ 消化(力)。

di·ges·tive [dəˋdʒɛstɪv] *adj.* ①消化的。②助消化的。**—** *n.* Ⓒ 消化劑。

dig·ger [ˋdɪgɚ] *n.* Ⓒ ①挖掘者；掘地獸。②掘鑿的器具。

dig·ging [ˋdɪgɪŋ] *n.* ①Ⓤ 挖掘。②(*pl.*, 作 *sing.* or *pl.* 解)礦區；礦地(尤指金礦)。③(*pl.*)從礦中採出之物。④(*pl.*)〖英俗〗寓所；寄宿舍。

dig·it [ˋdɪdʒɪt] *n.* Ⓒ ①手指或足趾。②阿拉伯數字。

dig·it·al [ˋdɪdʒɪtl] *adj.* ①手指的；指狀的。②數字的。a ～ watch 數字式手錶。③數位的。a ～ audiotape 數位音響錄音帶。a ～ compact cassette player 數位卡帶放音機。a ～ compact disc 數位雷射唱片。**—** *n.* Ⓒ ①手指。②(鋼琴等的)鍵。§～ **compúter**〖電算〗數字型電子計算機。

dig·i·tal·is [ˏdɪdʒəˋtelɪs] *n.* ①Ⓒ〖植〗毛地黃。②Ⓤ 毛地黃劑(毛地黃乾葉製的強心劑)。

dig·i·tate [ˋdɪdʒəˏtet] *adj.* ①〖動〗有指[趾]的。②〖植〗掌狀的。③指狀的；掌狀的。(亦作 **digitated**) — **ly,** *adv.*

dig·ni·fied [ˋdɪgnəˏfaɪd] *adj.* 威嚴的；高貴的；莊嚴的。

dig·ni·fy [ˋdɪgnəˏfaɪ] *v.t.* 使尊榮；使顯貴；加以尊號。

dig·ni·tar·y [ˋdɪgnəˏtɛrɪ] *n.* Ⓒ 高

D

貴的人物；顯要的人物。

dig·ni·ty** [`dɪgnətɪ] *n.* ①Ⓤ高尚的品德；高貴。②Ⓤ威嚴；尊嚴。③Ⓒ高位；顯爵。④Ⓤ光榮；神聖。beneath one's ~*** 有傷尊嚴；有失身分。

di·gress [də`grɛs, daɪ-] *v.i.* 離開本題〔from〕. —**di·gres′sion,** *n.* —**di·gres′sive,** *adj.*

dike[1] [daɪk] *n.* Ⓒ ①堤。②溝。③堤道。④障礙物；屏障。— *v.t.* 圍以堤；設堤(防水)。

dike[2] *v.t.* 使穿漂亮衣服〔常 out, up〕.

dike[3] *n.* =**dyke**[2].

di·lap·i·dat·ed [də`læpə,detɪd] *adj.* 毀壞的；倒塌的；破舊的。

di·late [daɪ`let] *v.t.* 使擴大；使膨脹。— *v.i.* ①擴大；膨脹。②詳述；誇張〔on, upon〕. —**dil·a·ta·tion** [,dɪlə`teʃən], **di·la′tion,** *n.*

dil·a·to·ry [`dɪlə,torɪ] *adj.* ①慢的；不慌不忙的。②遲緩的；拖延的。

***di·lem·ma** [də`lɛmə, daɪ-] *n.* Ⓒ ①左右爲難；進退兩難。②〖邏輯〗兩端論法；雙關[雙刀]論法。

dil·et·tan·te [,dɪlə`tæntɪ] *n.* Ⓒ (*pl.* **~s, -ti** [-tɪ])業餘藝術愛好者。— *adj.*業餘藝術愛好的。—**dil·et·tant′-ism, dil·et·tan′te·ism,** *n.*

***dil·i·gence** [`dɪlədʒəns] *n.* Ⓤ勤勉。

***dil·i·gent** [`dɪlədʒənt] *adj.* 勤勉的；用心的。—**ly,** *adv.*

dill [dɪl] *n.* Ⓤ〖植〗蒔蘿。

dil·ly·dal·ly [`dɪlɪ,dælɪ] *v.i.* (三心二意地)浪費時間。

di·lute [dɪ`lut] *v.t.* & *v.i.* ①稀釋；沖淡。②使(顏色)變淡。③(使)變弱；(使)變低劣。— *adj.* ①稀薄的；淡的。②無力的。—**di·lu′tion,** *n.*

di·lu·vi·al [dɪ`luvɪəl] *adj.* ①洪水的；(特指)Noah 時之洪水的。②〖地質〗洪水所積成的；洪積(期)的。

dim** [dɪm] *adj.* (**-mm-**)①微暗的；不亮的。②模糊的；不清楚的。③朦朧的；意識不清的。④(聲音)微弱的。⑤(視力)看不清的。⑥(顏色)暗淡無光澤的。⑦(頭腦)遲鈍的。⑧希望不大的。take a ~ view of*** 對…無動於衷或持悲觀或懷疑的看法。— *v.t.* (**-mm-**) 使暗淡；使模糊。— *v.i.* 變暗淡；變模糊[朦朧]。

dime** [daɪm] *n.* Ⓒ〖美〗一角硬幣；一角。a ~ a dozen*** 多得不稀罕。§~ **nóvel** 廉價小說(便宜而煽情的平裝本小說)。~ **stòre** 廉價品商店。

***di·men·sion** [də`mɛnʃən] *n.* Ⓒ ①尺寸(長、寬、厚)。②(常 *pl.*)大小；範圍。③〖數, 理〗次元。④幅員；廣延(性)。⑤重要性。—**al,** *adj.*

***di·min·ish** [də`mɪnɪʃ] *v.t.* ①減少；使變小。②詆病；貶抑。— *v.i.* 減少；縮小。

di·min·u·en·do [də,mɪnjʊ`ɛndo]〖樂〗*adj.* & *adv.* 漸弱的[地]。— *n.* Ⓒ (*pl.* ~(**e**)**s**)漸弱(樂節)。

dim·i·nu·tion [,dɪmə`njuʃən] *n.* ①Ⓤ縮小；減少；變小。②Ⓒ減少之量。

di·min·u·tive [də`mɪnjətɪv] *adj.* ①小的。②縮小的；變小的。③〖文法〗表示「小」的(如 -let, -kin 等語尾稱爲 diminutive suffixes). — *n.* Ⓒ ①極小的人[物]。②表示「小」的字或字中的一部分(如 streamlet 指小溪)。

dim·i·ty [`dɪmətɪ] *n.* Ⓤ 凸紋棉布(一種薄棉布)。

dim·ly [`dɪmlɪ] *adv.* 昏暗地；渾沌不清地。

dim·mer [`dɪmɚ] *n.* ①Ⓒ使暗淡之人[物]。②Ⓒ〖電〗減光器；制光裝置。③(*pl.*)〖美〗停車(信號)燈。

dim-out, dim·out [`dɪm,aut] *n.* Ⓒ ①部分的燈火管制。②半黑暗狀態。

dim·ple [`dɪmpl̩] *n.* Ⓒ ①酒渦；靨。②地[水]面上的微凹處。③波紋。— *v.t.* & *v.i.* ①(使)現酒渦。②(使)起波紋。

dim·wit [`dɪm,wɪt] *n.* Ⓒ〖俗〗傻瓜。—**ted,** *adj.*

din [dɪn] *n.* ⓊⒸ喧聲；嘈聲。— *v.i.* (**-nn-**)喧嘩。— *v.t.* 絮聒不休地說。

dine** [daɪn] *v.i.* 用餐；進膳。— *v.t.* 宴請。~ ***out 在外邊[不在家]吃飯。

din·er [`daɪnɚ] *n.* Ⓒ ①用膳者。②〖美〗(火車的)餐車。

di·nette [daɪ`nɛt] *n.* Ⓒ小餐廳。

ding [dɪŋ] *v.t.* & *v.i.* ①鳴(鐘)；叮噹地響。②〖俗〗一再地說；反覆強調使生印象。— *n.* Ⓒ鐘聲；叮噹聲。

ding·dong [`dɪŋ,dɔŋ] *n.* Ⓤ ①(鐘聲的)叮噹。②任何與鐘聲相似的聲音。— *adj.* ①拉鋸式的。②〖俗〗猛烈的(鬥爭、競爭等)。— *adv.* 叮叮噹噹地。

din·ghy, din·g(e)y [`dɪŋgɪ] *n.* Ⓒ艦載的小艇；小舟；輕舟。

din·gle [`dɪŋgl̩] *n.* Ⓒ小峽谷。

din·go [`dɪŋgo] *n.* Ⓒ (*pl.* **~es**) 澳洲野犬。

din·gy [`dɪndʒɪ] *adj.* ①骯髒的。②昏暗的。—**din′gi·ly,** *adv.*

din·ing [`daɪnɪŋ] *n.* ⓊⒸ 用餐；餐食。§~ **càr**(火車之)餐車。~ **hàll** 大餐廳。*~ **ròom** 飯廳。~ **tàble** 餐桌。

dink, DINKS double income, no kids. 頂克族(夫妻雙職雙份收入, 不撫養小孩的上班族)。

dink·y [`dɪŋkɪ] *adj.* ①〖俚〗小的；不重要的；無意義的。②〖英俗〗整齊的；精緻的；漂亮的。

‡**din·ner** [`dɪnɚ] *n.* ①ⓊⒸ(一日的)主餐(午餐或晚餐)。②Ⓒ宴會。§~ **bèll** 通知開飯之鐘[鈴]；開飯鐘。~ **hòur** [**tìme**] 正餐時刻。~ **jàcket** [**còat**] 男子無尾晚禮服。~ **pàrty** 宴會。~ **sèrvice**[**sèt**]一套正餐用的餐具。~ **tàble** 餐桌。~ **thèater** 餐館劇場。~ **wàgon** 有脚輪之餐具臺。〔注意〕英美的工人階級和中下層階級的 **dinner** 指午餐；有閒階級和上層階級(尤指大城市中)的 **dinner** 指晚餐。用冠詞 a 時表一頓一頓的飯食，不用時通常表示吃飯這件事。

di·no·saur [`daɪnə,sɔr] *n.* Ⓒ恐龍。

DINS Double Income, No Sex. 頂士族(雙方均有收入, 但因忙於工作或照顧小孩而致長期無性生活的夫妻)。

dint [dɪnt] *n.* ①Ⓒ凹痕；凹處。②Ⓤ力；力量。***by ~ of*** 由於；憑藉；靠。— *v.t.* 在…上擊出凹痕。

di·o·cese [ˋdaɪə͵sis] *n.* Ⓒ 主教轄區。
di·ode [ˋdaɪod] *n.* Ⓒ〖電〗①半導體整流組件。②兩極(眞空)管。
Di·og·e·nes [daɪˋɑdʒə͵niz] *n.* 戴奧眞尼斯(412?-323B.C., 希臘犬儒學派哲學家)。
Di·o·ny·sus, -sos [͵daɪəˋnaɪsəs] *n.* 〖希神〗戴奧尼索斯(古希臘酒神與戲劇之神)。
di·ox·ide [daɪˋɑksaɪd] *n.* Ⓒ〖化〗二氧化物。
di·ox·in [daɪˋɑksɪn] *n.* Ⓤ Ⓒ〖化〗戴奧辛(用於除草劑等)。
***dip** [dɪp] *v.t.* (**dipped** or **dipt, dip·ping**) ①沾; 浸。②降後復升起。③行浸禮。④掬; 汲。⑤伸(入)。⑥浸於液體以染之。⑦使陷入經濟困難。── *v.i.* ①沾水; 浸水。②傾斜。③下降。④伸入掬取。⑤涉獵; 瀏覽。～ into a book 瀏覽一本書。⑥請安; 行禮。── *n.* ① Ⓒ 浸。② Ⓤ 浸液。③ Ⓒ 傾斜; 斜坡。④ Ⓒ (地面之)凹處。⑤ Ⓒ 浸洗。⑥ Ⓒ 浸芯蠟燭。⑦ Ⓒ (湯等)一杓。⑧ Ⓒ (物價之)下跌。⑨ Ⓒ〖俚〗扒手。
diph·the·ri·a [dɪfˋθɪrɪə] *n.* Ⓤ〖醫〗白喉。— **diph·ther′ic,** *adj.*
diph·thong [ˋdɪfθɔŋ] *n.* Ⓒ〖語音〗雙母音(如 ɔɪ, aʊ 等)。
di·plo·ma [dɪˋplomə] *n.* Ⓒ (*pl.* **~s, ~ta**[～tə])①文憑。②(權力、特權、榮譽等的)證書; 獎狀; 執照。
***di·plo·ma·cy** [dɪˋploməsɪ] *n.* Ⓤ ①外交。②外交手腕。
***dip·lo·mat** [ˋdɪplə͵mæt] *n.* Ⓒ ①外交家。②有權謀的人。
***dip·lo·mat·ic** [͵dɪpləˋmætɪk] *adj.* ①外交的。②有外交手腕的; 圓滑的。§～ **còrps** [**bódy**] 外交使節團。～ **immúnity** 外交豁免權。～ **sèrvice** 外交勤務。
di·plo·ma·tist [dɪˋplomətɪst] *n.* ＝**diplomat.**
dip·per [ˋdɪpɚ] *n.* ① Ⓒ 浸者; 汲取者。② Ⓒ 長柄杯[杓]。③(D-)〖天〗**a.** (大熊星座之)北斗七星(＝the Big Dipper). **b.** (小熊星座之)北斗七星(＝the Little Dipper). ④ Ⓒ〖鳥〗河鳥。
dip·so·ma·ni·a [͵dɪpsəˋmenɪə] *n.* Ⓤ 耽酒狂; 酗酒病。
dip·so·ma·ni·ac [͵dɪpsəˋmenɪ͵æk] *n.* Ⓒ 耽酒狂之人; 酗酒病患者。
dip·tych [ˋdɪptɪk] *n.* Ⓒ ①古羅馬之記事板。②(特指)雙連圖畫。
dire [daɪr] *adj.* ①可怕的; 可悲的。②非常的; 極度的。
‡**di·rect** [dəˋrɛkt, daɪ-] *v.t.* ①管理; 指導; 指揮; 命令。②指示方向; 指引。③指向; 針對。④書寫住址。── *v.i.* ①指揮。②指導; 引導。── *adj.* ①直的。②最近的; 最短的; 捷徑的。③直接的。④直系的。⑤坦白的; 確實的。⑥剛好; 恰好。This is the ～ opposite of that. 這個剛好與那個相反。── *adv.* 直接地。§～ **áction** 直接行動(違法的政治活動, 尤指罷工等)。～ **cúrrent** 直流電。～ **évidence**(證人所提的)直接證據。～ **máil**(分別向廣大群衆投寄的)直接郵件。～ **mèthod**(語言等之)直接教學法。～ **óbject** 〖文法〗直接受詞。～ **prímary** [**eléction**]〖美〗直接初選[預選](選民直接選出政黨候選人)。～ **spéech**〖文法〗直接敍述。～ **táx** 直接稅。
***di·rec·tion** [dəˋrɛkʃən, daɪ-] *n.* ① Ⓤ 管理; 監督; 指揮。② Ⓒ (常 *pl.*)指導; 指引; 命令; 說明。③ Ⓒ 方面; 方向。④ Ⓒ (常 *pl.*)住址。⑤ Ⓒ 趨勢; 傾向。§～ **fìnder** 〖無線〗定向儀。
di·rec·tion·al [dəˋrɛkʃənḷ, daɪ-] *adj.* ①方向的。②〖無線〗定向的。
di·rec·tive [dəˋrɛktɪv, daɪ-] *adj.* ①指揮的; 指導的。②指向的。── *n.* Ⓒ 指令; 訓令; 指導。
***di·rect·ly** [dəˋrɛktlɪ, daɪ-] *adv.* ①直接地。②即刻地; 立即。③全然地。～ opposite 全然相反。④〖英俗〗立即(＝as soon as).
***di·rec·tor** [dəˋrɛktɚ, daɪ-] *n.* Ⓒ ①指揮者; 指導者; 管理者。②理事; 董事。③ **a.**〖戲劇〗演出者。**b.**電影的導演。§～**'s chàir** 導演椅(輕便的折疊式扶手椅)。— **ship,** *n.*
di·rec·to·rate [dəˋrɛktərɪt] *n.* ① Ⓒ 董事會。② Ⓤ 董事的地位[身分]。
di·rec·to·ry [dəˋrɛktərɪ] *n.* Ⓒ ①人名住址簿。a telephone ～ 電話簿。②指南; 寶鑑。── *adj.* 指導的; 勸告的。
dire·ful [ˋdaɪrfəl] *adj.* 可怕的; 悲慘的。
dirge [dɝdʒ] *n.* Ⓒ 喪曲; 輓歌。
di·ri·gi·ble [ˋdɪrədʒəbḷ] *n.* Ⓒ 可駕駛的輕氣球; 飛船。── *adj.* 可操縱的。
dirk [dɝk] *n.* Ⓒ 短劍; 匕首。── *v.t.* 以短劍刺。
‡**dirt** [dɝt] *n.* Ⓤ ①垃圾; 汚穢物。②泥土。③無價值的東西。④卑鄙。⑤地面。⑥〖美俚〗醜聞。***eat*** **～** 忍受屈辱。***throw*** [***fling***] **～ *at somebody*** 誹謗人。§～ **fàrm** 自耕農的耕地; 小農場。～ **fàrmer** 〖俗〗自耕農。～ **ròad** 泥路; 砂土路。
dirt-cheap [ˋdɝtˋtʃip] *adj.* & *adv.* 毫無價值的[地]; 賤如糞土的[地]。
‡**dirt·y** [ˋdɝtɪ] *adj.* ①汚穢的; 髒的。②卑劣的。③暴風雨的。④(顏色)不鮮明的; 渾濁的。⑤凶狠的。── *v.t.* 弄髒。── *v.i.* 變髒。§～ **línen** 家醜; 見不得人的事。～ **òld mán** 好色老頭。～ **póol**〖美俗〗卑劣的計謀。～ **wórd** 猥褻的話。～ **wòrk** (1)卑劣的行爲。(2)打雜工作。— **dirt′i·ly,** *adv.*
dis- 〖字首〗①表「分開; 分離; 離去; 全然」或「否定; 相反」之義。②表「兩次; 雙」之義(爲 di-之異體用於 s 之前)。
dis·a·bil·i·ty [͵dɪsəˋbɪlətɪ] *n.* Ⓤ ①無力; 無能。②〖法律〗無能力; 無資格。§～ **insùrance** 殘障保險。
dis·a·ble [dɪsˋebḷ] *v.t.* ①使無能力; 使殘廢; 使失去能力。②使在法律上無資格。— **ment,** *n.* — **dis·a′bled,** *adj.*
dis·a·buse [͵dɪsəˋbjuz] *v.t.* 解惑; 釋疑; 矯正。
***dis·ad·van·tage** [͵dɪsədˋvæntɪdʒ] *n.* ① Ⓒ 不便; 不利情況。② Ⓤ (名譽、金錢等)損失。③ Ⓒ 缺點; 缺陷。
dis·ad·van·taged [͵dɪsədˋvæntɪdʒd] *adj.* 貧窮的。
dis·ad·van·ta·geous [dɪs͵ædvənˋtedʒəs] *adj.* 不利的; 招致傷害的。

D

dis·af·fect [ˏdɪsəˋfɛkt] *v.t.* ①使不滿意；使生惡感。②使生二心。—**dis-af·fec′tion,** *n.*

dis·af·fect·ed [ˏdɪsəˋfɛktɪd] *adj.* ①不友善的。②不忠的。③憤憤不平的。

***dis·a·gree** [ˏdɪsəˋgri] *v.i.* ①不合；不一致〔with〕. ②意見不合；爭論。③(食物、氣候等)不適宜。*—**ment,** *n.*

***dis·a·gree·a·ble** [ˏdɪsəˋgriəbl̩] *adj.* 不合意的；令人不愉快的；脾氣不好的。—**dis·a·gree′a·bly,** *adv.*

dis·al·low [ˏdɪsəˋlaʊ] *v.t.* ①不准；不許可。②拒絕接受；拒絕。—**ance,** *n.*

***dis·ap·pear** [ˏdɪsəˋpɪr] *v.i.* ①不見；消失。②不存在；絕跡。*—**ance,** *n.*

‡**dis·ap·point** [ˏdɪsəˋpɔɪnt] *v.t.* ①使失望。②使受挫折；阻礙。③對…失信。

***dis·ap·point·ed** [ˏdɪsəˋpɔɪntɪd] *adj.* 失望的；沮喪的。

***dis·ap·point·ment** [ˏdɪsəˋpɔɪnt-mənt] *n.* ① Ⓤ 失望；挫折。② Ⓒ 使人失望的人[事，物]。

dis·ap·pro·ba·tion [ˏdɪsæprə-ˋbeʃən] *n.* =**disapproval.**

***dis·ap·prov·al** [ˏdɪsəˋpruvl̩] *n.* Ⓤ不承認；不贊成。

dis·ap·prove [ˏdɪsəˋpruv] *v.i.* & *v.t.* 不贊成；不准許；非難。

dis·ap·prov·ing·ly [ˏdɪsəˋpruv-ɪŋlɪ] *adv.* 非難地；不贊成地。

dis·arm [dɪsˋɑrm] *v.t.* ①繳械；解除武裝；裁軍。②消除(敵意或懷疑)。③使無害。—*v.i.* 裁減軍備；解除武裝。

dis·ar·ma·ment [dɪsˋɑrməmənt] *n.* Ⓤ 裁減軍備；解除武裝。

dis·arm·ing [dɪsˋɑrmɪŋ] *adj.* 排除警戒心[懷疑心]的；消除怒氣的。

dis·ar·range [ˏdɪsəˋrendʒ] *v.t.* 擾亂；弄亂。—**ment,** *n.*

dis·ar·ray [ˏdɪsəˋre] *n.* Ⓤ ①雜亂；毫無秩序。②衣冠不整。—*v.t.* 使亂；使無秩序。

dis·as·sem·ble [ˏdɪsəˋsɛmbl̩] *v.t.* 「解開；分解。」

dis·as·so·ci·ate [ˏdɪsəˋsoʃɪˏet] *v.t.* =**dissociate.**

***dis·as·ter** [dɪzˋæstɚ] *n.* Ⓤ 災禍；不幸。§～ **àrea** 災區。

***dis·as·trous** [dɪzˋæstrəs] *adj.* 造成災禍的；招致不幸的；造成重大傷害的。

dis·a·vow [ˏdɪsəˋvaʊ] *v.t.* 不承認；否認；推翻(前言)。—**al,** —**er,** *n.*

dis·band [dɪsˋbænd] *v.t.* 解散(軍隊)。—*v.i.* ①解散。②潰散。—**ment,** *n.*

dis·bar [dɪsˋbɑr] *v.t.* (**-rr-**)〖法律〗取消律師資格；取消(律師)出庭權利。—**ment,** *n.*

dis·be·lief [ˏdɪsbəˋlif] *n.* Ⓤ 不信；「懷疑；疑惑。」

dis·be·lieve [ˏdɪsbəˋliv] *v.t.* & *v.i.* 不信；懷疑；疑惑。

dis·bur·den [dɪsˋbɝdn̩] *v.i.* & *v.t.* 解除(責任、重擔)；擺脫；卸除。

dis·burse [dɪsˋbɝs] *v.t.* & *v.i.* 支出；付出。—**ment, dis·burs′er,** *n.*

disc [dɪsk] *n.* =**disk.** §～ **bràke** 碟煞。～ **hàrrow** 圓盤犁(一種農具)。～ **jòckey** (電台的)唱片音樂節目主持人(略作 D.J.).

dis·card [dɪsˋkɑrd] *v.t.* ①拋棄；棄絕；摒除。②〖牌戲〗擲出(無用的牌)。—[ˋdɪskɑrd] *n.* ① Ⓤ 拋棄。② Ⓒ 被棄的人[物]。③ Ⓤ Ⓒ 擲出之紙牌。

***dis·cern** [dɪˋzɝn, -ˋsɝn] *v.t.* & *v.i.* ①目睹；認識；洞悉。②辨別；辨識。—**i·ble,** —**ing,** *adj.* —**ment,** *n.*

***dis·charge** [dɪsˋtʃɑrdʒ] *v.t.* ①將(貨)從船上卸下。②發射。③放出；流出。④完成任務；執行職務。We have to ～ ourselves of our duties. 我們要盡我們的職責。⑤解除職務；開除；開釋。⑥還債。⑦送走；放行〔from〕. ⑧放電。⑨流出(膿)。⑩洗除(布之顏色)。⑪免除(破產者)償還舊債。⑫解約。—*v.i.* ①卸載；卸貨。②放出；流出。③出膿。④發射。⑤(染料)可洗除。—*n.* ① Ⓤ 卸貨。② Ⓤ Ⓒ 發射；爆炸。③ Ⓤ 釋放；放行。④ Ⓤ 開除。⑤ Ⓤ Ⓒ 放電。⑥ Ⓤ Ⓒ 放出；流出。⑦ Ⓤ 盡職。⑧ Ⓤ 償還。

dis·ci·ple [dɪˋsaɪpl̩] *n.* Ⓒ ①信徒；門徒。②耶穌十二使徒之一。—**ship,** *n.*

dis·ci·pli·nar·i·an [ˏdɪsəplɪˋnɛr-ɪən] *n.* Ⓒ 訓練者；維持紀律者。—*adj.* 訓練的；紀律的。

dis·ci·pli·nar·y [ˋdɪsəplɪnˏɛrɪ] *adj.* ①懲戒的。②紀律的；嚴格的。

***dis·ci·pline** [ˋdɪsəplɪn] *n.* ① Ⓤ 教訓；訓練。② Ⓤ 服從規律；紀律；風紀。③ Ⓤ 懲戒；懲罰。④ Ⓤ 修行；宗教戒律。⑤ Ⓒ 訓練法。⑥ Ⓒ 學科；學問。—*v.t.* ①懲罰。②訓練；控制。

dis·claim [dɪsˋklem] *v.t.* & *v.i.* ①否認；否認與…有關。②放棄權利。

***dis·close** [dɪsˋkloz] *v.t.* 揭發；洩露；暴露。—**dis·clo′sure** [-ˋkloʒɚ], *n.*

dis·co [ˋdɪsko] *n.* (*pl.* ～**s**) ①=**disco-theque.** ② Ⓤ 迪斯可音樂。

dis·col·or, 〖英〗**-our** [dɪsˋkʌlɚ] *v.t.* 使變色；使褪色；弄髒。—*v.i.* 變色；褪色。—**dis·col·or·a′tion,** *n.*

dis·com·fit [dɪsˋkʌmfɪt] *v.t.* ①挫敗；擊潰；推翻(計畫等)。②使混亂；使困窘。—**dis·com′fi·ture,** *n.*

***dis·com·fort** [dɪsˋkʌmfɚt] *n.* ① Ⓤ 不舒服；難過。② Ⓒ 招致不安之事物。—*v.t.* 使覺不舒服。

dis·com·mode [ˏdɪskəˋmod] *v.t.* 使煩惱；使不方便；擾亂。

dis·com·pose [ˏdɪskəmˋpoz] *v.t.* ①使不安；使失常；使心亂。②弄亂；使不整齊。—**dis·com·po′sure,** *n.*

dis·con·cert [ˏdɪskənˋsɝt] *v.t.* ①使驚惶；使不安。②妨礙；破壞；擾亂。—**ment,** *n.* —**ing,** *adj.*

dis·con·nect [ˏdɪskəˋnɛkt] *v.t.* 使分離；斷絕。—**dis·con·nec′tion,** *n.*

dis·con·nect·ed [ˏdɪskəˋnɛktɪd] *adj.* ①分離的；脫離的。②不連貫的。

dis·con·so·late [dɪsˋkɑnsl̩ɪt] *adj.* ①孤獨的；絕望的；哀傷的；不快的。②令人哀傷的；淒涼的。③(氣氛等)沈悶的；鬱悶的。—**ly,** *adv.*

dis·con·tent [ˏdɪskənˋtɛnt] *adj.* 不滿意的〔with〕. —*n.* Ⓤ 不滿意。—*v.t.* 使不滿足。—**ed,** *adj.*

dis·con·tin·ue [ˌdɪskən`tɪnjʊ] *v.t.* & *v.i.* 停止；廢止；放棄。— **dis·con·tin′u·ance, dis·con·tin·u·a′tion,** *n.*
dis·con·ti·nu·i·ty [ˌdɪskɑntə`nuətɪ] *n.* Ⓤ ①間斷。②〖數〗不連續。
dis·con·tin·u·ous [ˌdɪskən`tɪnjʊəs] *adj.* 中斷的；不連續的。
***dis·cord** [`dɪskɔrd] *n.* ⓊⒸ ①不一致。②意見不合；爭論。③〖樂〗音調不和諧。④雜亂的聲音。
dis·cord·ant [dɪs`kɔrdn̩t] *adj.* ①不調和的；不一致的。②不悅耳的；嘈雜的。— **ly,** *adv.* — **dis·cord′ance,** *n.*
dis·co·theque [ˌdɪskə`tɛk]〖法〗*n.* Ⓒ 迪斯可舞廳；夜總會；酒吧。
***dis·count** [`dɪskaunt, dɪs`kaunt] *v.t.* ①折扣。～ 5% for cash payment 現金付款，打九五折。②貼現。③不全置信。④減少(興趣、價值或效用)。
—[`dɪskaunt] *n.* ⓊⒸ ①折扣。②貼現。③不全置信。*at a* ～ **a.** 打折扣。**b.** 不受重視。**c.** 不全置信。§ ～ **bròker** 〖商〗票據掮客業者(＝billbroker). ～ **hòuse** [**stòre, shòp**] 廉價商店。～ **ràte**〖商〗貼現率。— **a·ble,** *adj.*
dis·coun·te·nance [dɪs`kauntənəns] *v.t.* & *n.* Ⓤ ①不贊成；不支持。②(使)羞愧。
***dis·cour·age** [dɪs`kɝɪdʒ] *v.t.* ①使失去勇氣；使沮喪。②勸阻〔from〕。③阻礙；妨礙；阻撓。— **ment,** *n.*
dis·cour·ag·ing [dɪs`kɝɪdʒɪŋ] *adj.* ①令人失意的；使人氣餒的；使人沮喪的。②阻止的。— **ly,** *adv.*
dis·course [`dɪskors, dɪ`skors] *n.* ①Ⓒ 演講；論文；講道。②Ⓤ 談話。**—**[dɪ`skors] *v.i.* & *v.t.* 談話；演講。
dis·cour·te·ous [dɪs`kɝtɪəs] *adj.* 無禮貌的；不恭敬的；粗魯的。— **ly,** *adv.*
‡**dis·cov·er** [dɪ`skʌvɚ] *v.t.* ①發現；看到。②〖古〗顯露；洩露。— **er,** *n.*
***dis·cov·er·y** [dɪ`skʌvərɪ] *n.* ①ⓊⒸ 發現；發明。②Ⓒ 發現[發明]的東西。§ **D**～ **Dày** 新大陸發現紀念日(10月12日或十月的第二個星期一，＝Columbus Day)。
dis·cred·it [dɪs`krɛdɪt] *v.t.* ①不信任；懷疑。②玷辱。③使失去權威性。**—** *n.* Ⓤ ①懷疑。②恥辱；丟面子。
dis·cred·it·a·ble [dɪs`krɛdɪtəbl̩] *adj.* 不名譽的；無信用的。
***dis·creet** [dɪ`skrit] *adj.* 言行謹慎的；小心的；賢明的。— **ly,** *adv.*
dis·crep·ant [dɪ`skrɛpənt] *adj.* 不同的；矛盾的。— **dis·crep′an·cy,** *n.*
dis·crete [dɪ`skrit] *adj.* ①各別的；分立的。②抽象的。— **ly,** *adv.*
***dis·cre·tion** [dɪ`skrɛʃən] *n.* Ⓤ ①隨意處理；自由選擇。②謹慎；明辨。*at* ～ 隨意地。*years* [*age*] *of* ～ 成年。
dis·cre·tion·ar·y [dɪ`skrɛʃənˌɛrɪ] *adj.* 無條件的；自由裁量的。
***dis·crim·i·nate** [dɪ`skrɪməˌnet] *v.i.* ①歧視〔against〕；區別待遇。②分別；辨別。**—** *v.t.* 分別；區別。
—[dɪ`skrɪmənɪt] *adj.* 有辨識力的。
dis·crim·i·nat·ing [dɪ`skrɪməˌnetɪŋ] *adj.* ①有辨識力的。②辨別的。③有差別的。
***dis·crim·i·na·tion** [dɪˌskrɪmə`neʃən] *n.* Ⓤ ①辨別；區別。②歧視；差別的待遇。③辨別力；鑑別的能力。
dis·cur·sive [dɪ`skɝsɪv] *adj.* 散漫的；無層次的。— **ly,** *adv.* — **ness,** *n.*
dis·cus [`dɪskəs] *n.* (*pl.* ～**es, -ci** [-saɪ]) ①Ⓒ 鐵餅。②(the ～)擲鐵餅。
‡**dis·cuss** [dɪ`skʌs] *v.t.* ①討論；商討；議論。②享受(飲食)之滋味。
dis·cus·sant [dɪ`skʌsənt] *n.* Ⓒ (參加)討論者。
‡**dis·cus·sion** [dɪ`skʌʃən] *n.* ⓊⒸ 討論；商討；辯論；議論。
dis·dain [dɪs`den] *v.t.* ①鄙視；輕視。②不屑爲。**—** *n.* Ⓤ 輕視；輕蔑。— **ful,** *adj.* — **ful·ly,** *adv.*
‡**dis·ease** [dɪ`ziz] *n.* ⓊⒸ ①疾病。②弊病。
dis·em·bark [ˌdɪsɪm`bɑrk] *v.t.* & *v.i.* 登岸；(自船上)卸貨。— **dis·em·bar·ka′tion,** *n.*
dis·em·bod·y [ˌdɪsɪm`bɑdɪ] *v.t.* 使(靈魂等)脫離肉體。— **dis·em·bod′i·ment,** *n.* — **dis·em·bod′ied,** *adj.*
dis·em·bow·el [ˌdɪsɪm`bauəl] *v.t.* (**-l-,**〖英〗**-ll-**)切腹取腸；除去…之內臟。
dis·en·chant [ˌdɪsɪn`tʃænt] *v.t.* 解除魔法；使醒悟。— **ment,** *n.*
dis·en·cum·ber [ˌdɪsɪn`kʌmbɚ] *v.t.* 排除障礙；排除憂煩。
dis·en·fran·chise [ˌdɪsɪn`frænˌtʃaɪz] *v.t.* ＝**disfranchise.**
dis·en·gage [ˌdɪsɪn`gedʒ] *v.t.* ①使解約。②釋放；解脫。③〖化〗使游離。**—** *v.i.* 脫離；斷絕關係。— **ment,** *n.*
dis·en·tan·gle [ˌdɪsɪn`tæŋgl̩] *v.t.* 清理(混亂)；解開；解決(糾紛)。**—** *v.i.* 解開；鬆開。— **ment,** *n.*
dis·es·tab·lish [ˌdɪsə`stæblɪʃ] *v.t.* ①廢除；廢止。②廢除(教會的)國教制度。— **ment,** *n.*
dis·fa·vor,〖英〗**-vour** [dɪs`fevɚ] *n.* Ⓤ ①不喜歡；不贊成。②失寵；失衆望；輕視。**—** *v.t.* 不贊成；不喜歡；輕視。
dis·fig·ure [dɪs`fɪgjɚ] *v.t.* 破壞(姿容、形狀、價值等)。— **ment,** *n.*
dis·fran·chise [dɪs`fræntʃaɪz] *v.t.* ①褫奪…之公權(尤指選舉權)。②剝奪…之特權。— **ment** [-tʃɪzmənt], *n.*
dis·gorge [dɪs`gɔrdʒ] *v.t.* & *v.i.* ①吐出。②流出。③交還。
***dis·grace** [dɪs`gres] *n.* ① Ⓤ 不名譽；恥辱。②(a ～)招致恥辱的事物。**—** *v.t.* ①玷辱。②解職。
dis·grace·ful [dɪs`gresfəl] *adj.* 不名譽的；可恥的。— **ly,** *adv.*
dis·grun·tle [dɪs`grʌntl̩] *v.t.* 使不悅。— **dis·grun′tled,** *adj.*
***dis·guise** [dɪs`gaɪz] *v.t.* ①改裝。②僞裝。③隱匿；掩飾。**—** *n.* ①Ⓤ 假裝；化裝；僞裝。a blessing in ～ 因禍得福。②ⓊⒸ 假託；託辭；藉口。
***dis·gust** [dɪs`gʌst] *n.* Ⓤ 厭惡；令人作嘔。**—** *v.t.* 使厭惡，使嫌惡。I'm ～*ed* at her affectation. 我討厭她的裝

腔作勢。— **ful,** *adj.*
dis·gust·ing [dɪsˋgʌstɪŋ] *adj.* 令人厭惡的；令人作嘔的。— **ly,** *adv.*
‡**dish** [dɪʃ] *n.* Ⓒ①碟；盤。②碟中的菜。③一碟的量。④碟狀的東西。— *v.t.* ①盛於碟中。②使呈碟形。③〖俗〗擊潰；使沮喪；欺騙。— *v.i.* 凹陷。~ ***out*** **a.** 上(菜)。**b.** 供應；供給。**c.** 〖俚〗說得極爲動聽。
dis·ha·bille [ˏdɪsəˋbil] *n.* Ⓤ便裝。
dis·har·mo·ny [dɪsˋhɑrmənɪ] *n.* Ⓤ不調和；不融合。— **dis·har·mo′ni·ous,** *adj.*
dish·cloth [ˋdɪʃˏklɔθ] *n.* Ⓒ(擦洗盤碟用之)抹布。§ ∼ **góurd** 〖植〗絲瓜。
dis·heart·en [dɪsˋhɑrtn̩] *v.t.* 使沮喪；使氣餒。— **ment,** *n.* — **ing,** *adj.*
di·shev·eled, 〖英〗 **-elled** [dɪˋʃɛvl̩d] *adj.* 不整潔的；蓬亂的。
***dis·hon·est** [dɪsˋɑnɪst, dɪz-] *adj.* 不誠實的；欺詐的。— **ly,** *adv.*
dis·hon·es·ty [dɪsˋɑnɪstɪ, dɪz-] *n.* ①Ⓤ不誠實。②Ⓒ欺詐；偷竊的行爲。
***dis·hon·or,** 〖英〗**-our** [dɪsˋɑnɚ] *n.* Ⓤ①不名譽；恥辱。②不名譽之事。③(支票之)拒付；退票。— *v.t.* ①侮辱；玷辱。②拒絕支付或接受(支票等)；不兌現。a ∼*ed* check 空頭支票。
dis·hon·or·a·ble [dɪsˋɑnərəbl̩] *adj.* 不名譽的；可恥的。§ ∼ **dischárge** 〖軍〗不榮譽免職。
dish·pan [ˋdɪʃˏpæn] *n.* Ⓒ 洗碗碟之淺桶。§ ∼ **hánds** 因家務而變粗糙的手。
dish·rag [ˋdɪʃˏræg] *n.* Ⓒ抹布。
dish·wash·er [ˋdɪʃˏwɑʃɚ] *n.* Ⓒ洗碗碟之人[機器]。
dish·y [ˋdɪʃɪ] *adj.* 〖俚〗吸引人的。
dis·il·lu·sion [ˏdɪsɪˋluʒən] *v.t.* 使從迷夢中醒悟。— *n.* Ⓤ覺醒；理想破滅(感)。— **ment,** *n.* 「Ⓒ障礙。
dis·in·cen·tive [ˏdɪsɪnˋsɛntɪv] *n.*
dis·in·cli·na·tion [ˏdɪsɪnkləˋneʃən] *n.* Ⓤ不感興趣；厭惡；不中意。
dis·in·cline [ˏdɪsɪnˋklaɪn] *v.t.* & *v.i.* (使)厭惡；(使)不願。
dis·in·fect [ˏdɪsɪnˋfɛkt] *v.t.* ①將…消毒。②淨化。— **dis·in·fec′tion,** *n.*
dis·in·fect·ant [ˏdɪsɪnˋfɛktənt] *n.* ⓊⒸ消毒劑。— *adj.* 消毒的。
dis·in·fla·tion [ˏdɪsɪnˋfleʃən] *n.* =**deflation.**
dis·in·for·ma·tion [ˏdɪsɪnfɚˋmeʃən] *n.* Ⓤ(故意供給敵方諜報人員的)假情報。
dis·in·gen·u·ous [ˏdɪsɪnˋdʒɛnjuəs] *adj.* 奸詐的；不坦白的；不誠懇的。
dis·in·her·it [ˏdɪsɪnˋhɛrɪt] *v.t.* 剝奪…之繼承權。— **ance,** *n.*
dis·in·te·grate [dɪsˋɪntəˏgret] *v.t.* & *v.i.* ①(使)分解。②(使)崩潰。
dis·in·te·gra·tion [ˏdɪsɪntəˋgreʃən] *n.* Ⓤ ①分解。②崩潰。③(放射性元素)蛻變。④〖地質〗崩解。
dis·in·ter [ˏdɪsɪnˋtɝ] *v.t.* (**-rr-**) ①從墳墓中挖出。②使顯現。— **ment,** *n.*
dis·in·ter·est·ed [dɪsˋɪntərəstɪd] *adj.* ①公正的；無私的。②漠不關心的。
dis·join [dɪsˋdʒɔɪn] *v.t.* & *v.i.* 分離；拆散；散開。
dis·joint [dɪsˋdʒɔɪnt] *v.t.* ①使關節脫離。②使分裂；使解體。③使失去連繫。
dis·junc·tive [dɪsˋdʒʌŋktɪv] *adj.* ①分離的。②〖文法〗反意的。— *n.* Ⓒ〖文法〗反意連接詞。
***disk** [dɪsk] *n.* Ⓒ ①圓盤(狀的東西)。②唱片。③鐵餅(=discus)。④〖電算〗磁碟。§ ∼ **drìve** 磁碟機。∼ **jòckey** (電臺之)唱片音樂節目主持人 (=disc jockey, 略作 D.J.)。∼ **óperating sýstem** 磁碟作業系統。
disk·ette [ˋdɪskɛt, dɪsˋkɛt] *n.* Ⓒ〖電算〗軟性磁碟片(=floppy disk)。
***dis·like** [dɪsˋlaɪk] *n.* Ⓤ Ⓒ 嫌惡；憎嫌。— *v.t.* 嫌惡；憎嫌。
dis·lo·cate [ˋdɪsloˏket, dɪsˋloket] *v.t.* ①使脫臼。②使混亂。
dis·lo·ca·tion [ˏdɪsloˋkeʃən] *n.* ⓊⒸ①脫臼。②擾亂。③〖地質〗斷層。
dis·lodge [dɪsˋlɑdʒ] *v.t.* ①驅逐；逐退。②移出。— **dis·lodg(e)′ment,** *n.*
dis·loy·al [dɪsˋlɔɪəl] *adj.* 不忠的；背叛的。— **ly,** *adv.* — **ty,** *n.*
***dis·mal** [ˋdɪzml̩] *adj.* ①憂鬱的；黯淡的。②陰沉的。— *n.* (*pl.*) 沮喪。
dis·man·tle [dɪsˋmæntl̩] *v.t.* ①拆除(房屋等之)家具等；拆卸(船上的)設備。②拆散。③剝脫(衣服、遮蓋等)。
***dis·may** [dɪsˋme] *n.* Ⓤ ①喪膽；驚慌。②希望之突然幻滅。— *v.t.* 使喪膽；使驚慌。
dis·mem·ber [dɪsˋmɛmbɚ] *v.t.* ①割斷四肢；肢解。②分割；瓜分。
***dis·miss** [dɪsˋmɪs] *v.t.* ①解散。②使告退。③開除；罷免。④摒除；放棄。⑤〖法律〗不受理。— **al,** *n.* — **i·ble,** *adj.*
dis·mount [dɪsˋmaʊnt] *v.i.* 下馬；下車。— *v.t.* ①使從馬上落下。②拆卸。
Dis·ney [ˋdɪznɪ] *n.* 狄斯耐(Walt, 1910-66, 美國卡通影片監製人)。§ ∼ **Wórld** 狄斯耐世界(位於美國佛羅里達州奧蘭多近郊)。
Dis·ney·land [ˋdɪznɪˏlænd] *n.* 狄斯耐樂園。
dis·o·be·di·ent [ˏdɪsəˋbidɪənt] *adj.* 不服從的；違命的。— **ly,** *adv.* — **dis·o·be′di·ence,** *n.*
***dis·o·bey** [ˏdɪsəˋbe] *v.t.* & *v.i.* 不服從；違命。
dis·o·blige [ˏdɪsəˋblaɪdʒ] *v.t.* ①不施惠於人；不通融。②得罪。③爲難；使感不便。— **dis·o·blig′ing,** *adj.*
***dis·or·der** [dɪsˋɔrdɚ] *n.* ①Ⓤ無秩序；混亂。②ⓊⒸ騷動。③ⓊⒸ疾病；不適。— *v.t.* ①使紊亂。②致病。
dis·or·der·ly [dɪsˋɔrdɚlɪ] *adj.* ①不整齊的；無秩序的；混亂的。②不守法的；騷動的。
dis·or·gan·ize [dɪsˋɔrgəˏnaɪz] *v.t.* 破壞規律或組織；使紊亂。
dis·o·ri·ent [dɪsˋɔrɪˏɛnt] *v.t.* ①使失去方位。②使失去判斷力；使迷惑。③使偏歪。(亦作 **disorientate**)
dis·own [dɪsˋon] *v.t.* 不承認爲己所有。
dis·par·age [dɪˋspærɪdʒ] *v.t.* ①輕

視。②毀謗；貶抑；責難。— **ment,** *n.*

dis·pa·rate [ˋdɪspərɪt] *adj.* 不同的；不相像的；異種[類]的。

dis·par·i·ty [dɪsˋpærətɪ] *n.* Ⓤ Ⓒ 不同；不等；不一致。

dis·pas·sion [dɪsˋpæʃən] *n.* Ⓤ ①冷靜。②公平。— **ate**(**ly**), *adj.*(*adv.*)

***dis·patch** [dɪˋspætʃ] *v.t.* ①派遣；發；送。②速辦。③殺死。④〖俗〗吃掉。— *n.* ① Ⓤ 派遣；發送。② Ⓒ 快信；急件(公文)；新聞專電；電報。③ Ⓤ 速辦；急速。do something with ～ 趕辦某事。④ Ⓤ 殺戮。⑤ Ⓒ 發送代理者。

dis·patch·er [dɪsˋpætʃɚ] *n.* Ⓒ ①派遣者。②(車輛等之)調度員。

dis·pel [dɪˋspɛl] *v.t.* (**-ll-**) 袪除；驅散。

dis·pen·sa·ble [dɪˋspɛnsəbḷ] *adj.* ①能分配的。②可寬恕的。③不必要的。

dis·pen·sa·ry [dɪˋspɛnsərɪ] *n.* Ⓒ ①藥房。②診所。

dis·pen·sa·tion [ˌdɪspənˋseʃən] *n.* ① Ⓤ Ⓒ 分與；賜與。② Ⓒ 分配的東西。③ Ⓒ 天意。④ Ⓤ 特赦(尤指天主教)。⑤ Ⓒ 特赦狀。⑥ Ⓤ Ⓒ (法律之)特免權。

dis·pense** [dɪˋspɛns] *v.t.* ①分配；施與。②實施。③配(藥)。④赦免；免除。～a person from some obligation 豁免某人之義務。— *v.i.* 特免；宥恕。～ ***with **a.** 免除；省卻。**b.**無需；不必要；不用(=do away with)。

dis·pens·er [dɪsˋpɛnsɚ] *n.* Ⓒ ①分配者；施與者。②執行者。③販賣機。④配藥者；藥劑師。

dis·per·sal [dɪˋspɜsḷ] *n.* Ⓤ 解散；疏散。

***dis·perse** [dɪˋspɜs] *v.t.* ①使疏散；使解散。②使分散。③傳播。④使消散。— *v.i.* ①分散。②消散。

dis·per·sion [dɪˋspɜʃən] *n.* Ⓤ ①散布；散亂。②〖理〗分散。— **dis·per′·sive,** *adj.*

dis·pir·it [dɪˋspɪrɪt] *v.t.* 使乏勇氣；使喪志。

dis·place [dɪsˋples] *v.t.* ①代替。②移置；排(水)。③免職。④使離鄉背井。§ ∼**d pérson** (戰爭、暴政等下之)難民(略作DP)。— **ment,** *n.*

***dis·play** [dɪˋsple] *v.t.* ①展覽；陳列。②展開；張開。③顯露；表現出。④誇示。⑤(印刷時用大號字)使顯明。— *n.* ① Ⓤ Ⓒ 陳列；展覽。② Ⓤ 誇示；炫耀。③ Ⓒ 展示品。④ Ⓒ (電腦螢光幕之)顯示。§ ∼ **àd**(**vertising**) 以醒目的方式刊載之廣告。

***dis·please** [dɪsˋpliz] *v.t.* 使不快；使生氣。

dis·pleas·ing [dɪsˋplizɪŋ] *adj.* 使人不愉快的。

dis·pleas·ure [dɪsˋplɛʒɚ] *n.* Ⓤ 微怒；不滿。

dis·port [dɪˋsport] *v.i.* & *v.t.* (～ oneself) ①嬉戲。②玩。— *n.* Ⓤ 娛樂。

dis·pos·a·ble [dɪˋspozəbḷ] *adj.* ①可自由處置的；可隨意使用的。～ income 可用收入(扣除所得稅後的個人所得)。②用後即可丟棄的。～ diapers 紙尿布。— *n.* Ⓒ (常 *pl.*)用完即丟之物。

dis·pos·al** [dɪˋspozḷ] *n.* Ⓤ ①排列；布置。②處理；支配。③出售。at one's*** ～ 聽其使用。§ ∼ **bàg**(交通工具、旅館等內的)污物處理袋。

dis·pose** [dɪˋspoz] *v.t.* ①排列；配置；處置。②使傾向；使易於。— *v.i.* 處置；決定。Man proposes, (but) God ～*s.* 謀事在人，成事在天。～ ***of **a.** 處分；處理。**b.** 收拾。**c.** 賣去。

dis·posed [dɪˋspozd] *adj.* 有…傾向的。***be well***[***ill***]～ ***towards*** 對…友善[不友善]。

dis·pos·er [dɪˋspozɚ] *n.* Ⓒ 廚房廢棄物處理器。

***dis·po·si·tion** [ˌdɪspəˋzɪʃən] *n.* ① Ⓤ 性情；脾氣。② Ⓤ Ⓒ 排列；配置。③ Ⓤ 傾向。④ Ⓤ 處置。⑤ Ⓤ 處理權。⑥(*pl.*)軍隊之部署。

dis·pos·sess [ˌdɪspəˋzɛs] *v.t.* ①強奪(他人財產)。②剝奪；使失去。③逐出。— **ed,** *adj.* — **dis·pos·ses′sion,** *n.*

dis·proof [dɪsˋpruf] *n.* ① Ⓒ 反證。② Ⓤ 反駁。

dis·pro·por·tion [ˌdɪsprəˋporʃən] *n.* ① Ⓒ 不平衡[不相稱]之處。② Ⓤ 不平衡；不相通。— **al,** *adj.*

dis·pro·por·tion·ate [ˌdɪsprəˋporʃənɪt] *adj.* 不成比例的；不相稱的；不平衡的。

dis·prove [dɪsˋpruv] *v.t.* 證明為誤；舉反證。

dis·put·a·ble [dɪˋspjutəbḷ, ˋdɪspjutəbḷ] *adj.* 易引起爭論的。

dis·pu·tant [ˋdɪspjutənt, dɪˋspjutṇt] *n.* Ⓒ 爭論者。— *adj.* 爭論的。

dis·pu·ta·tion [ˌdɪspjuˋteʃən] *n.* Ⓤ Ⓒ 爭論；討論。

dis·pu·ta·tious [ˌdɪspjuˋteʃəs] *adj.* 好議論的；好爭論的。

dis·pute** [dɪˋspjut] *v.i.* & *v.t.* ①辯論；爭論。②競爭。③爭吵。④反駁；駁斥。⑤抵抗。— *n.* ① Ⓤ Ⓒ 辯論；爭論。② Ⓒ 爭吵。beyond*** ～ 無爭論餘地；無疑。***in*** ～ 在爭論中。

dis·qual·i·fi·ca·tion [ˌdɪskwɑləfəˋkeʃən] *n.* Ⓤ 取消資格；不合格。

dis·qual·i·fy [dɪsˋkwɑləˌfaɪ] *v.t.* ①使不適合；使不能做事。②取消…的資格。

dis·qui·et [dɪsˋkwaɪət] *v.t.* 使不安；使憂煩。— *n.* Ⓤ 憂慮；不安；動搖。

dis·qui·e·tude [dɪsˋkwaɪəˌtjud] *n.* Ⓤ 憂慮；不安。

dis·qui·si·tion [ˌdɪskwəˋzɪʃən] *n.* Ⓒ 論文；專論。

dis·re·gard [ˌdɪsrɪˋgɑrd] *n.* Ⓤ 不理；輕視。— *v.t.* 不注意；忽視。

dis·re·pair [ˌdɪsrɪˋpɛr] *n.* Ⓤ 失修；頹廢；破爛。

dis·rep·u·ta·ble [dɪsˋrɛpjətəbḷ] *adj.* ①名譽不好的。②不體面的。

dis·re·pute [ˌdɪsrɪˋpjut] *n.* Ⓤ 名譽壞；聲名狼籍。

dis·re·spect [ˌdɪsrɪˋspɛkt] *n.* Ⓤ 不敬；無禮。— **ful,** *adj.* — **a·ble,** *adj.*

dis·robe [dɪsˋrob] *v.t.* & *v.i.* 脫衣(尤指官服)；使裸露。

dis·rupt [dɪsˋrʌpt] *v.t.* ①使分裂。②使中斷。③使陷入混亂。— *adj.* 中斷的。— **dis·rup′tion,** *n.*

dis·sat·is·fac·tion [ˌdɪssætɪsˋfækʃən] *n.* Ⓤ 不滿意；不滿足。

D

dis·sat·is·fac·to·ry [ˌdɪssætɪs`fæktərɪ] *adj.* 令人不滿的。
dis·sat·is·fy [dɪs`sætɪsˌfaɪ] *v.t.* 使不滿[不平]。— **dis·sat′is·fied,** *adj.*
dis·sect [dɪ`sɛkt] *v.t.* ①切開; 解剖。②詳細研究; 分析。③分辨出來〔常out〕。— **dis·sec′tion,** *n.*
dis·sem·ble [dɪ`sɛmbḷ] *v.t.* ①隱藏; 掩飾(眞情、行爲等)。②假裝; 瞞混。— *v.i.* 掩飾眞情、行爲等。— **dis·sem′bler,** *n.*
dis·sem·i·nate [dɪ`sɛməˌnet] *v.t.* 散布; 傳播。— **dis·sem·i·na′tion,** *n.*
dis·sen·sion [dɪ`sɛnʃən] *n.* Ⓤ 衝突; 紛爭。
dis·sent [dɪ`sɛnt] *v.i.* ①不同意; 持異議。②反對國教。— *n.* Ⓤ ①不同意; 反對。②(常D-)反叛國教。— **er,** *n.*
dis·sen·tient [dɪ`sɛnʃənt] *n.* Ⓒ 不贊成者。— *adj.* 不贊成的。
dis·ser·ta·tion [ˌdɪsə`teʃən] *n.* Ⓒ 論文; 學位論文。
dis·serv·ice [dɪs`sɜvɪs] *n.* Ⓤ 傷害; 損害。
dis·sev·er [dɪ`sɛvə] *v.t.* & *v.i.* 分離; 割開。— **ance,** *n.*
dis·si·dent [`dɪsədənt] *adj.* 持異議的; 背離國教的。— *n.* Ⓒ ①唱反調者。②背離國教者。— **dis′si·dence,** *n.*
dis·sim·i·lar [dɪ`sɪmələ] *adj.* 不同的; 不相似的。
dis·sim·i·lar·i·ty [dɪˌsɪmə`lærətɪ] *n.* ①Ⓤ 不同; 不相似。②Ⓒ 相異點。
dis·sim·u·late [dɪ`sɪmjəˌlet] *v.t.* & *v.i.* 假裝; 掩飾(感情等); 欺瞞。— **dis·sim·u·la′tion,** *n.*
dis·si·pate [`dɪsəˌpet] *v.t.* ①使消散; 驅散。②浪費。— *v.i.* ①消散。②放蕩。— **dis·si·pa′tion,** *n.*
dis·so·ci·ate [dɪ`soʃɪˌet] *v.t.* ①斷絕關係; 分離。②〖化〗分離。~ ***oneself from*** 斷絕和…之關係; 否認和…有關係。— **dis·so·ci·a′tion,** *n.*
dis·sol·u·ble [dɪ`sɑljəbḷ] *adj.* ①可分解的。②可解除的。③可溶解的。— **dis·sol·u·bil′i·ty,** *n.*
dis·so·lute [`dɪsəˌlut] *adj.* 放蕩的; 淫樂的。
dis·so·lu·tion [ˌdɪsə`luʃən] *n.* Ⓤ ①分解。②解除; (議會等之)解散。③毀滅; 瓦解。④死亡。⑤溶解。
dis·solve** [dɪ`zɑlv] *v.t.* ①溶解。②解散; 解除。③分解。④〖法律〗宣告無效; 取消。— *v.i.* ①溶解。②消失。③解散。④流淚。~[be*** ~***d***] ***in tears*** 眼淚汪汪; 成爲淚人兒。— *n.* Ⓤ〖影〗漸隱; 溶暗。§ **dissólving víew**〖影〗漸隱畫面。— **dis·solv′a·ble,** *adj.*
dis·so·nance [`dɪsənəns] *n.* ①Ⓤ 不調和; 不協調。②ⓊⒸ〖樂〗不諧和音。— **dis′so·nant,** *adj.*
dis·suade [dɪ`swed] *v.t.* 勸阻〔常from〕. — **dis·sua′sion** [-ʒən], *n.* — **dis·sua′sive,** *adj.*
dis·syl·la·ble [dɪ`sɪləbḷ] *n.* Ⓒ〖語音〗二音節之字。
dist. district.
dis·taff [`dɪstæf] *n.* ①Ⓒ (手紡用之)捲線桿。②(the ~)婦女之事務。③(the ~) 女性。— *adj.* 女性的。§ **the ~ sìde** 女系; 母系。
‡**dis·tance** [`dɪstəns] *n.* ①ⓊⒸ 距離。②(*sing.*)遙遠; 遠處。③(*sing.*)(時間之)經過。④ⓊⒸ〖樂〗音程。⑤ⓊⒸ 冷淡; 疏遠。⑥ⓊⒸ 差異。***a long ~ call*** 長途電話。***from***[***at***] ***a ~*** 由[在]遠處。***in the ~*** 在遠處。***keep a person at a ~*** 冷待某人(不與親近)。***keep one's ~*** 不與親近。— *v.t.* ①超過; 遠勝。②使不接近。
‡**dis·tant** [`dɪstənt] *adj.* ①遠離的; 遠隔的〔from〕。②遙遠的。③遠族的。a ~ relative 遠親。④冷淡的。⑤分明的; 不連接的。— **ly,** *adv.*
dis·taste [dɪs`test] *n.* Ⓤ ①嫌惡; 憎厭。②不愛吃[喝]。— **ful,** *adj.*
dis·tem·per[1] [dɪs`tɛmpə] *n.* ①Ⓤ 犬瘟熱。②ⓊⒸ 病; (身心之)不健康。③ⓊⒸ 不安; 騷動。
dis·tem·per[2] *n.* ①Ⓤ (壁畫等用之)膠畫顏料。②Ⓒ 用膠畫顏料所作之畫。③Ⓤ 其畫法。
dis·tend [dɪ`stɛnd] *v.i.* & *v.t.* (使)擴張; 膨脹。— **dis·ten′tion,** *n.*
dis·till, 〖英〗**-til** [dɪ`stɪl] *v.t.* & *v.i.* (**-ll-**)①蒸餾。②由蒸餾而得; 精鍊。③精選出。④(使)滴下。⑤由蒸餾而除去。§ **~ed líquor** 蒸餾而得之酒(如威士忌)。**~ed wáter** 蒸餾水。
dis·till·er [dɪ`stɪlə] *n.* Ⓒ ①蒸餾器。②蒸餾(酒)者。
dis·till·er·y [dɪ`stɪlərɪ] *n.* Ⓒ 蒸餾所; 釀酒廠。
***dis·tinct** [dɪ`stɪŋkt] *adj.* ①分別的; 不同的〔from〕. ②清楚的; 明確的。③非凡的。
dis·tinc·tion** [dɪ`stɪŋkʃən] *n.* ①ⓊⒸ 區別。②Ⓤ 特徵。③Ⓤ 高貴; 卓越。④Ⓒ 榮譽。⑤Ⓤ 殊勳; 優異的成績。~ ***without a difference 假的區別; 人爲的區別。
***dis·tinc·tive** [dɪ`stɪŋktɪv] *adj.* 示區別的; 特殊的; 辨別性的。— **ly,** *adv.*
dis·tinct·ly [dɪ`stɪŋktlɪ] *adv.* ①清楚地。②無疑地; 不錯地。③特有地。
***dis·tin·guish** [dɪ`stɪŋgwɪʃ] *v.t.* ①區別; 辨別〔from〕. ②認明; 辨識。③做爲…之特徵; 表特性。④(~ oneself)使揚名; 使顯著。He ~*ed* himself by his bravery. 他因勇敢而揚名。⑤分類。— *v.i.* 區別; 辨別〔between〕. — **a·ble,** *adj.*
***dis·tin·guished** [dɪ`stɪŋgwɪʃt] *adj.* ①著名的; 傑出的。②高貴的。
***dis·tort** [dɪs`tɔrt] *v.t.* ①扭歪; 扭曲; 使變形。②曲解; 誤傳。
dis·tor·tion [dɪs`tɔrʃən] *n.* ①Ⓤ 扭曲; 變形。②Ⓒ 變形之物; 曲解之事。
***dis·tract** [dɪ`strækt] *v.t.* ①分心; 轉移(意向)。②困擾; 迷惑。③使精神錯亂。④使輕鬆; 使娛樂。
dis·tract·ed [dɪ`stræktɪd] *adj.* ①心煩意亂的; 精神錯亂的; 發狂的。②精神或注意力分散的。— **ly,** *adv.*
dis·trac·tion [dɪ`strækʃən] *n.* Ⓤ ①分散注意力。②心煩。
dis·train [dɪ`stren] *v.t.* 〖法律〗扣押

(動產等)。— **dis·traint′**, *n.*

dis·traught [dɪ`strɔt] *adj.* ①心神分散的。②發狂的。

***dis·tress** [dɪ`strɛs] *n.* ① Ⓤ 痛苦; 悲痛; 憂愁。②(a ~)痛苦之原因。③ Ⓤ窮困。④Ⓤ危險; 困難。— *v.t.* ①使痛苦; 使悲愁。②逼使; 迫使。§ ~ **càll** [**sìgnal**] 求救[遇難]呼號[信號]。

dis·tressed [dɪ`strɛst] *adj.* ①痛苦的。②賤賣的。§ ~ **área** 災區。

dis·tress·ful [dɪ`strɛsfəl] *adj.* ①痛苦的; 苦惱的。②不幸的; 悲慘的。

‡**dis·trib·ute** [dɪ`strɪbjut] *v.t.* ①分配; 分發。②分布; 散布。③分類。

***dis·tri·bu·tion** [ˌdɪstrə`bjuʃən] *n.* ① ⓊⒸ 分配; 頒發。② Ⓤ 分布; 散布。③ Ⓒ (消費品的)供銷。④ Ⓒ 分配的東西。⑤Ⓤ分類。⑥Ⓤ銷售量。

dis·trib·u·tive [dɪ`strɪbjətɪv] *adj.* ①分配的。②〖文法〗個別的。— *n.* Ⓒ〖文法〗個別詞(each, every, either等)。

dis·trib·u·tor [dɪ`strɪbjətɚ] *n.* Ⓒ ①分配者; 分送之人。②〖商〗貨物之配售人或商號。③〖機〗配電器。

‡**dis·trict** [`dɪstrɪkt] *n.* Ⓒ ①行政區; 管區。②地區; 地方。§ ~ **attórney** 地方法院檢察官。~ **cóurt** 地方法院。

dis·trust [dɪs`trʌst] *v.t.* 不信; 疑惑。— *n.* Ⓤ不信任; 疑惑。

dis·trust·ful [dɪs`trʌstfəl] *adj.* 不信任的; 懷疑的。*be ~ of* 對…懷疑。

***dis·turb** [dɪ`stɝb] *v.t.* ①攪亂; 擾亂。②妨礙。③使煩惱; 使心亂。— **ed**, — **ing**, *adj.*

***dis·turb·ance** [dɪ`stɝbəns] *n.* Ⓤ Ⓒ①擾亂。②騷動。③憂慮; 不安。

dis·un·ion [dɪs`junjən] *n.* Ⓤ ①分裂; 分離。②不統一; 不和。

dis·u·nite [ˌdɪsjʊ`naɪt] *v.t. & v.i.* (使)分離; (使)分裂; (使)不和。

dis·u·ni·ty [dɪs`junɪtɪ] *n.* Ⓤ不統一。

dis·use [dɪs`jus] *n.* Ⓤ 不用; 廢止。

***ditch** [dɪtʃ] *n.* Ⓒ 壕溝。*die in the last ~* 戰至最後而死。— *v.t.* ①以壕溝圍繞。②使墜溝中。③使(飛機)迫降於水面上。④放棄。⑤〖俚〗擺脫; 逃避。— *v.i.* ①掘溝。②(飛機)水面迫降。

dith·er [`dɪðɚ] *n.* (a ~, 〖英〗the ~s) 戰慄; 震動。— *v.i.* 戰慄; 震動。

dit·to [`dɪto] 〖義〗*n.* (*pl.* **~s**) ① Ⓤ 同上; 同前(略作 **do., d°**)。② Ⓒ (常 *pl.*) 代表同上之符號(″)。③ Ⓤ〖俗〗相同的事。— *v.t.* 重複; 複製。— *adv.* 同前地; 同樣地。§ ~ **machìne** 複印機。~ **màrk** 同上、同前之符號(″)。

dit·ty [`dɪtɪ] *n.* Ⓒ 小曲; 歌謠。

di·u·ret·ic [ˌdaɪjʊ`rɛtɪk] *adj.* 〖醫〗利尿的。— *n.* ⓊⒸ 利尿劑。

di·ur·nal [daɪ`ɝnḷ] *adj.* 白晝的。

di·va [`divə] 〖義〗 *n.* Ⓒ (*pl.* **~s, -ve** [-ve]) 歌劇中之首席女角。

di·van [`daɪvæn, dɪ`væn] *n.* Ⓒ ①無靠背之長沙發椅。②(土耳其等國的)國務會議; 會議室; 法庭。

***dive** [daɪv] *v.i.* (**~d** or **dove, ~d**) ①(頭部向下)跳水。②俯衝。③潛水。④突然插入。⑤突然消失。⑥潛心研究。⑦驟降。— *n.* Ⓒ①潛水。②(飛機)俯衝。③〖美俗〗低級酒館; 賭窟。④〖英〗(地下室中的)小飯館。⑤埋頭研究。⑥急奔。⑦驟降。§ ~ **bòmber** 俯衝轟炸機。

dive-bomb [`daɪvˌbɑm] *v.t. & v.i.* 俯衝轟炸。

***div·er** [`daɪvɚ] *n.* Ⓒ ①潛水者。②潛水鳥。③〖俗〗潛水艇。④俯衝轟炸機。

di·verge [də`vɝdʒ] *v.i.* ①分歧; 分出。②差異。③逸出正軌。§ **divérging léns**〖光學〗發散透鏡。— **di·ver′gent**, *adj.* — **di·ver′gence**, *n.*

di·vers [`daɪvɚz] *adj.* 不同的; 種種的。— *pron.* (作 *pl.*解) 若干。

***di·verse** [də`vɝs, daɪ-] *adj.* ①不同的; 互異的。②種種的; 有變化的。

di·ver·si·fi·ca·tion [dəˌvɝsəfə`keʃən] *n.* ①Ⓤ多樣化; 形形色色。②Ⓒ變化。③ⓊⒸ (投資的)分散。

di·ver·si·fy [də`vɝsəˌfaɪ] *v.t. & v.i.* (使)作多種變化; (使)多樣化。

di·ver·sion [də`vɝʒən] *n.* ①ⓊⒸ 轉向; 轉變; (資金的)挪用; 轉用。②Ⓒ 娛樂。③Ⓒ 迂迴的路。④Ⓒ〖軍〗聲東擊西。— **ar·y**, *adj.*

di·ver·si·ty [də`vɝsətɪ, daɪ-] *n.* Ⓤ Ⓒ①完全不同。②變化多端。

***di·vert** [də`vɝt, daɪ-] *v.t.* ①使轉向。②使轉變注意力或思想等。③消遣; 娛樂。*~ oneself* **a.** 轉向。**b.** 自娛; 消遣。

di·vest [də`vɛst] *v.t.* ①剝除; 脫去。②放棄。③剝奪。— **di·vest′i·ture**, — **ment**, *n.*

‡**di·vide** [də`vaɪd] *v.t.* ①分割; 分。②分界; 隔開〖from〗。③分配〖among, between〗。④等分; 除。⑤分類。⑥使意見不同。— *v.i.* ①分開。②分歧。③〖英〗表決。— *n.* Ⓒ ①〖美〗分水嶺。②分界線。§ **the Gréat D~** (1)北美洲分水嶺。(2)(命運的)關鍵。(3)死。

div·i·dend [`dɪvəˌdɛnd] *n.* Ⓒ ①股息。②報酬; 效益。③〖數〗被除數。

di·vid·er [də`vaɪdɚ] *n.* ① Ⓒ 分開者; 分配者。②(*pl.*)圓規。

div·i·na·tion [ˌdɪvə`neʃən] *n.* Ⓤ Ⓒ①預言; 占卜。②先見。

***di·vine** [də`vaɪn] *adj.* ①神的; 如神的。②神聖的。③超人的; 非凡的。④〖俗〗極好的。*the ~ Being* 神; 上帝。— *n.* Ⓒ神學者; 牧師。— *v.t. & v.i.* 預言。§ ~ **sérvice**禮拜式; 祈禱禮。**divíning ròd** 卜杖。**the D~ Còmedy** 神曲。**the D~ Óffice**〖宗〗聖務日課(時間)。— **ly**, *adv.* — **di·vin′er**, *n.*

div·ing [`daɪvɪŋ] *n.* Ⓤ 潛水; 跳水。§ ~ **bèll** 潛水箱; 潛水鐘(內儲空氣, 人們可於其中在水下工作)。~ **bòard** (游泳池等的)跳板。~ **sùit** 潛水衣。

di·vin·i·ty [də`vɪnətɪ] *n.* ① Ⓤ 神性。②(the D-)神; 上帝。③ Ⓤ 神學。§ ~ **schòol** 神學院。

di·vis·i·ble [də`vɪzəbḷ] *adj.* ①可分的。②〖數〗可除盡的〖by〗。

***di·vi·sion** [də`vɪʒən] *n.* ①Ⓤ分開; 劃分; 分配。②Ⓤ除法。③Ⓒ分界線。④ Ⓒ 區分; 部分章節。⑤ Ⓒ〖軍〗師。⑥Ⓤ分裂; 不和。⑦Ⓒ〖英〗分組表決。⑧ Ⓒ〖運動〗級。⑨ Ⓒ (公司、機關等

之)部門。～ ***of labor*** 分工。～ ***of powers*** **a.** 〖政〗(立法、行政、司法的)三權分立。**b.** 〖美政〗(中央與地方的)主權分立；分權。—**al,** *adj.*

di·vi·sive [dəˋvaɪsɪv] *adj.* ①區劃的；分區的。②離間的；造成不和的。

di·vi·sor [dəˋvaɪzɚ] *n.* Ⓒ〖數〗除數；約數。a common ～ 公約數。

***di·vorce** [dəˋvors] *n.* ①ⓊⒸ離婚。②Ⓒ(常 *sing.*)分離；分裂。— *v.t.* ①使離婚；和…離婚。②分離；分開。§～ **còurt** 離婚法庭。—**ment,** *n.*

di·vor·cé [dəˏvorˋse] 〖法〗*n.* Ⓒ離了婚的男子。

di·vor·cée, -cee [dəˏvorˋsi, -ˋse] 〖法〗*n.* Ⓒ離了婚的女子。

di·vulge [dəˋvʌldʒ] *v.t.* 洩露；揭穿；走漏。

div·vy [ˋdɪvɪ] 〖俚〗*v.t.* & *v.i.* 分享；分攤(常 up)。— *n.* ⓊⒸ分配；分紅。

Dix·ie [ˋdɪksɪ] *n.* 美國南部各州之別稱(亦作 **Dixie Land**)。

Dix·ie·land [ˋdɪksɪˏlænd] *n.* Ⓤ ①=**Dixie.** ②(亦作 **Dixieland jazz**)狄克西蘭爵士樂。

D.I.Y. do-it-yourself.

***diz·zy** [ˋdɪzɪ] *adj.* ①暈眩的；昏亂的；迷惑的。②使人暈眩的；令人昏亂的。③〖俗〗愚蠢的。— *v.t.* 使暈眩；使昏亂。—**diz′zi·ly,** *adv.* —**diz′zi·ness,** *n.*

D.J. disc jockey; district judge.

Dja·kar·ta [dʒəˋkartə] *n.* 雅加達(印尼之首都)。(亦作 **Jakarta**)

dm. decimeter(s). 公寸。

DMA direct memory access. 〖電算〗直接記憶存取。

DNA deoxyribonucleic acid. 去氧核糖核酸。

Dnie·per [ˋnipɚ] *n.* (the ～)聶伯河(發源於俄國西部經白俄與烏克蘭注入黑海；為歐洲第三大河)。

‡**do**[1] [du] *v.t.* (**did, done**) ①做；實行；執行。②盡力而為。*Do* your best. 盡力做。③完成。④演出；扮演；製片。⑤致有；致使。Your work *does* you credit. 你的工作使你博得好名譽。⑥翻譯。⑦給與。We must *do* him justice. 我們一定要對他作出公正的評判。⑧處理。⑨適合。⑩解決。⑪烹調；煮。⑫通過；行經。We *did* eighty miles in an hour. 我們一小時行了八十英里(指乘汽車)。⑬欺騙。You have been *done*! 你受騙了！⑭參觀；觀光。Have you *done* Paris yet? 你去巴黎觀光過嗎？⑮招待。⑯毀掉。That has *done* me. 那把我(的機會等)毀了。⑰使疲憊不堪。⑱服(刑)。⑲任(職)。⑳創造。— *v.i.* ①做；實行。②進行；行動。③起居；經過(指健康)。How do you *do*? 你好嗎？④適合；足(表示滿意)。⑤發生。⑥完成。⑦〖文法〗作助動詞。**a.** 加重動詞的語氣。Please *do* stay. 務請留此。**b.** 用於疑問句。*Do* you feel cold? 你覺得冷嗎？**c.** 用於表示否定句。*Don't* go now. 現在不要去。**d.** 用以替代前述之動詞，以避免重複。My dog goes where I *do*. 我去那裡，我的狗跟到那裡。**e.** 用於倒裝句，在 rarely, hardly, little 等字之後。Rarely *did* she laugh. 她難得笑。***do away with*** **a.** 廢除。**b.** 殺。***do by*** 待(人)。***do down*** 打敗；擊敗。***do for*** (***someone***) **a.** 〖俚〗殺死或傷害(某人)。**b.** 照料；照顧(某人)。***do for*** (***something***) 適用於。***do in*** **a.** 欺騙。**b.** 疲乏至死；累得要命。**c.** 〖俗〗殺。***do over*** 重新做過。***do up*** 〖俗〗**a.** 扣起；束起。**b.** 重新裝修(如油漆等)。**c.** 收拾齊整。**d.** 疲乏。**e.** 包好。***do with*** **a.** 利用。**b.** 忍受。**c.** 需要。***do without*** 免除；不用。***have something*** [***nothing***] ***to do with*** 和…有[無]關係。— *n.* Ⓒ (*pl.* **dos, do's**) ①〖方〗騷動。②〖英〗熱鬧的聚會。③作戰；演習。④(常 *pl.*)應行之事。⑤〖英俗〗欺騙；欺詐。

do[2] [do] *n.* ⓊⒸ (*pl.* **dos**) 〖樂〗固定唱法時之C音。

do. ditto.

DOA dead on arrival. 送達醫院即死亡。

do·a·ble [ˋduəbl] *adj.* 可為的；可行的；能做的。

DOB date of birth. 出生日期。

dob·bin [ˋdabɪn] *n.* Ⓒ農場用之馴良的馬。

Do·ber·man (pin·scher) [ˋdobɚmən(ˋpɪnʃɚ)] *n.* Ⓒ篤賓犬。

doc·ile [ˋdasl] *adj.* ①聽話的；溫順的；馴良的。②可教的。

do·cil·i·ty [doˋsɪlətɪ] *n.* Ⓤ溫順；馴良。

dock[1] [dak] *n.* Ⓒ ①〖美〗碼頭。②船塢。— *v.t.* 拖船入船塢；將(船)靠碼頭。— *v.i.* ①進入船塢；靠碼頭。②(兩艘太空船)連接或銜接。

dock[2] *n.* (*sing.*, 常 the ～)(法庭中的)被告席。

dock[3] *n.* Ⓒ動物尾巴的多肉而結實之部分。— *v.t.* ①剪短(尾巴)。②減少。

dock[4] *n.* ⓊⒸ〖植〗酸模；羊蹄。

dock·et [ˋdakɪt] *n.* Ⓒ ①〖法律〗(待判決之)訴訟事件表。②(一般之)摘要；概略。— *v.t.* 記載要領；摘記。

dock·ing [ˋdakɪŋ] *n.* Ⓤ ①入塢。②(兩艘太空船之)接合或連接。— *adj.* 入塢的。

dock·yard [ˋdakˏjard] *n.* Ⓒ造船所；修船所。

‡**doc·tor** [ˋdaktɚ] *n.* Ⓒ ①醫生。②(略作 Dr.)博士；博士學位。a *D*- of Laws 法學博士。③修護者。— *v.t.* ①醫治。②〖俗〗修理。③〖俗〗假造；竄改。§～'s **degrèe** (1)博士學位。(2)醫學士學位。

doc·tor·al [ˋdaktərəl] *adj.* ①博士的；博士學位的。②有博士學位的。

doc·tor·ate [ˋdaktərɪt] *n.* Ⓒ博士學位[頭銜，資格]。

doc·tri·naire [ˏdaktrɪˋnɛr] *n.* Ⓒ純理論家。— *adj.* 教條的；純理論的。

doc·tri·nair·ism [ˏdaktrɪˋnɛrɪzm] *n.* Ⓤ空論主義；教條主義。

***doc·trine** [ˋdaktrɪn] *n.* ⓊⒸ ①教義；教條。②學說；主義。—**doc′tri·nal,** *adj.*

doc·u·dra·ma [ˋdakjəˏdramə] *n.* Ⓒ〖視〗(根據眞實事件改編的)記實戲劇。

***doc·u·ment** [ˋdakjəmənt] *n.* Ⓒ公文；文書；證件。— [ˋdakjəˏmɛnt] *v.t.* ①使(小說、影片等)包含史實。②用文書證明。—**doc·u·men′tal,** *adj.*

***doc·u·men·ta·ry** [ˏdakjəˋmɛntərɪ] *adj.* ①文件的；文書上的。②(電影等)記錄事實的。a ～ film 記錄影片。── *n.* Ⓒ 記錄影片；記實小說[戲劇]。—**doc·u·men'tar·i·ly,** *adv.*

doc·u·men·ta·tion [ˌdɑkjəmɛnˋteʃən] *n.* Ⓤ ①文書、證件等之提供。②文件、證明之應用。

dod·der [ˋdɑdɚ] *v.i.* ①(因老弱等而)搖擺；蹣跚。②窳劣。—**ed,** *adj.*

***dodge** [dɑdʒ] *v.i.* ①躲開；閃避。②逃避責任。── *v.t.* ①躲避。②規避；推託；作遁辭。── *n.* Ⓒ ①躲避；閃避。②〖俗〗巧計；詭計。§～ **bàll** 躲避球。

dodg·er [ˋdɑdʒɚ] *n.* Ⓒ ①躲避者；閃避者；規避者。②善於矇混者。

dodg·y [ˋdɑdʒɪ] *adj.* ①閃避的；支吾的；詭譎的。②〖俚〗巧妙的；精緻的。

do·do [ˋdodo] *n.* Ⓒ (*pl.* ～s, ～es) 渡渡鳥(古代之一種巨鳥；今已絕跡)。

doe [do] *n.* Ⓒ ①雌鹿。②雌兔。

do·er [ˋduɚ] *n.* Ⓒ 行爲者；實行家。

‡**does** [dʌz] *v.* do[1] 的第三人稱，單數，現在式。

doe·skin [ˋdoˌskɪn] *n.* ① Ⓒ 雌鹿皮。② Ⓤ 杜斯金呢(一種質似雌鹿皮之細軟毛織品)。

‡**does·n't** [ˋdʌzn̩t] =**does not.**

doff [dɑf] *v.t.* 脫去(衣、帽等)。

‡**dog** [dɔg] *n.* ① Ⓒ 犬；狗。② Ⓒ 任何犬科動物(特指雄的)。③ Ⓒ 類似犬之動物。④ Ⓒ 卑鄙的人。⑤ Ⓒ 傢伙。⑥ Ⓒ 鐵鉤；薪架。⑦(the D-)〖天〗大小犬星座。⑧(the ～s) 賽狗。⑨(*pl.*)〖俚〗脚。*a ～ in the manger* 狗占馬槽；占着茅坑不拉屎的人。*～ eat ～* 同類相殘。*Every ～ has his day.* 每人在一生中皆有得意之日。*give to the ～s* 因無價值而擲去。*go to the ～s* 潦倒；變糟。*lead a ～'s life* 過窮苦的生活。*not even a ～'s chance* 毫無機會。*put on the ～*〖俚〗裝闊；擺威風。*teach an old ～ new tricks* 使老頑固接受新知識。*throw to the ～s* 不屑而棄之；棄如敝屣。── *v.t.* (-gg-) ①追蹤；追隨。②使困惱。③=**damn.** ④以鐵鉤弄緊。§～ **bìscuit** 餵狗之硬餅乾。～ **còllar** 犬之頸圈。～ **dàys** 大熱天；三伏天。～ **fòx**〖動〗雄狐。～ **Làtin** 不合文法之拉丁文。～ **pàddle** 狗扒式游泳法。～ **ràce** 狗的賽跑；賽犬。～ **ràcing** 賽狗。～ **ròse** 歐洲野薔薇(作樹籬)。～ **tàg** (1)狗之識別牌。(2)〖俚〗軍人佩帶之識別牌。**the D～ Stàr**〖天〗天狼星。

dog·cart [ˋdɔgˌkɑrt] *n.* Ⓒ ①狗拖小車。②雙輪小馬車。

dog·catch·er [ˋdɔgˌkætʃɚ] *n.* Ⓒ 捕狗人。

dog-ear [ˋdɔgˌɪr] *n.* Ⓒ 書頁之摺角。── *v.t.* 將書頁摺角。—**ed,** *adj.*

dog-eat-dog [ˋdɔgitˌdɔg] *n.* Ⓤ 狗咬狗；自相殘殺。── *adj.* 自相殘殺的。

dog·fish [ˋdɔgˌfɪʃ] *n.* Ⓒ (*pl.* ～, ～·es)〖魚〗角鯊。

dog·ged [ˋdɔgɪd] *adj.* 頑強的；固執的。*It's ～ that does it.* 天下無難事，只怕有心人。—**ly,** *adv.*

dog·ger·el [ˋdɔgərəl] *n.* Ⓤ 拙句；打油詩。

dog·gie [ˋdɔgɪ] *n.* =**doggy.** §～ **bàg** (把在餐廳吃剩的菜帶回家的)剩菜袋。

dog·gish [ˋdɔgɪʃ] *adj.* ①犬的；似犬的。②乖戾的；鄙野的。③〖俗〗時髦的。

dog·gy [ˋdɔgɪ] *n.* Ⓒ〖兒〗小犬；小狗。

dog·house [ˋdɔgˌhaʊs] *n.* Ⓒ 犬舍。*in the ～*〖俚〗失寵。

do·gie [ˋdogɪ] *n.* Ⓒ (美國西部之)失去母牛的小牛；迷失的小牛。

dog·leg [ˋdɔgˌlɛg] *n.* Ⓒ (如狗後脚般)彎曲成く狀的東西。

dog·ma [ˋdɔgmə] *n.* (*pl.* ～s, ～·ta [～tə]) ① Ⓤ Ⓒ 教條；信條；教理。② Ⓒ 獨斷之見。

dog·mat·ic, -i·cal [dɔgˋmætɪk(l̩)] *adj.* ①教義上的；教理的。②武斷的。—**dog·mat'i·cal·ly,** *adv.*

dog·ma·tism [ˋdɔgməˌtɪzəm] *n.* Ⓤ ①教條主義。②獨斷主義。—**dog'ma·tist,** *n.*

dog·ma·tize [ˋdɔgməˌtaɪz] *v.t.* & *v.i.* 武斷；獨斷地主張。

do-good·er [ˋduˌgʊdɚ] *n.* Ⓒ (不切實際的)社會改革家。—**do'-good,** *adj.*

dog's-ear [ˋdɔgzˌɪr] *n.* & *v.t.* =**dog-ear.** —**ed,** *adj.*

dog-tired [ˋdɔgˋtaɪrd] *adj.*〖俗〗極疲倦的。

dog·tooth [ˋdɔgˌtuθ] *n.* Ⓒ (*pl.* **-teeth**) ①犬牙。②〖建〗齒飾；角錐形飾。

dog·trot [ˋdɔgˌtrɑt] *n.* Ⓒ (常 *sing.*) 小跑步。

dog·wood [ˋdɔgˌwʊd] *n.* Ⓒ〖植〗山茱萸。

doi·ly [ˋdɔɪlɪ] *n.* Ⓒ (墊於餐盤、飾物等下面之)小布巾；墊子。

‡**do·ing** [ˋduɪŋ] *n.* ①(*pl.*)行爲；活動；所做之事。② Ⓤ 做；實行。③(*pl.*)(想不出名字的)小東西。④ Ⓒ〖英俗〗責罵。

do-it-your·self [ˌduɪtjɚˋsɛlf] *adj.* 爲業餘者使用或裝配而設計的。── *n.* Ⓤ 自己做(裝配、修理等)。

Dól·by Sỳstem [ˋdolbɪ ～] *n.*〖商標〗杜比系統(一種能除去雜音的錄放音電子裝置)。

dol·drums [ˋdɑldrəmz] *n. pl.* (the ～) ①憂悶；消沉。②不景氣；低潮。③(近赤道之海洋)無風帶。

dole [dol] *n.* ① Ⓒ (常 *sing.*)賑濟(品)；少量的東西。②(the ～)失業救濟金。*go[be] on the ～* 接受政府的失業救濟金。── *v.t.* 布施；微量分配〔常 out〕。§～ **quèue** 失業人口。

dole·ful [ˋdolfəl] *adj.* 悲哀的；憂愁的；陰鬱的。—**ly,** *adv.*

‡**doll** [dɑl] *n.* Ⓒ ①洋娃娃。②美麗而無知識的女人。③美麗的孩子。④溫柔體貼的女人。⑤〖俚〗美男子。── *v.t.* & *v.i.* 穿戴漂亮入時之服裝〔up, out〕。

‡**dol·lar** [ˋdɑlɚ] *n.* Ⓒ ①元；圓(美國和加拿大，墨西哥等所用的貨幣單位)。②價值一元的銀幣或紙幣。③美金。§～ **àrea** 美元區域。～ **diplòmacy** 美元外交；財力外交。～ **gàp**[**shòrtage**](在國際貿易上因入超所造成的)美元差距。～ **màrk**[**sìgn**]美元記號(即$或＄)。

doll·house [ˋdɑlˌhaʊs] *n.* Ⓒ ①娃娃之家；玩具房子。②玩具似的(小)房子。(亦作 **doll's house**)

dol·lop [ˋdɑləp] *n.* Ⓒ 塊；團。

dol·ly [ˋdalɪ, ˋdɔlɪ] *n.* Ⓒ ①〖兒〗洋娃娃。②〖影, 視〗移動式攝影機座臺。
do·lo·mite [ˋdaləˏmaɪt] *n.* Ⓤ〖礦〗白雲石。
do·lor, 〖英〗**-lour** [ˋdolɚ] *n.* Ⓤ「〖詩〗悲哀。」
dol·or·ous [ˋdalərəs] *adj.* 悲哀的; 憂愁的; 悲痛的。
dol·phin [ˋdalfɪn] *n.* Ⓒ 海豚。
dol·phi·na·ri·um [ˏdalfəˋnærɪəm] *n.* Ⓒ 海豚水族館。
dolt [dolt] *n.* Ⓒ 笨拙之人; 傻瓜。
dolt·ish [ˋdoltɪʃ] *adj.* 笨重的; 愚蠢的。
do·main [doˋmen] *n.* ①Ⓒ 領土; 領地; 版圖。②Ⓒ (思想或活動的)範圍。③Ⓤ〖法律〗(土地之)完全所有權。
***dome** [dom] *n.* Ⓒ ①圓頂。②如圓頂的東西。§ ～ **lìght** (汽車等的) 車內燈。
***do·mes·tic** [dəˋmɛstɪk] *adj.* ①屬於家的; 家務的。②適合家庭的; 善理家務的。③馴良的。④屬於本國的。⑤國內製造的。— *n.* ①Ⓒ 僕人。②(*pl.*) 國貨。§ ～ **ánimal** 家畜。～ **fôwl** 家禽。～ **scíence** [**ecónomy**] 家政(學); 家庭經濟。— **do·mes′ti·cal·ly,** *adv.*
do·mes·ti·cate [dəˋmɛstəˏket] *v.t.* ①使習於家事; 使喜歡家庭生活。②養馴; 馴服; 培育。③使感覺舒服自由(如在家中)。— **do·mes·ti·ca′tion,** *n.*
do·mes·tic·i·ty [ˏdomɛsˋtɪsətɪ] *n.* ①Ⓤ 家庭生活(之愛好)。②Ⓒ (常 *pl.*)家事。
dom·i·cile [ˋdaməsḷ] *n.* Ⓒ ①家; 住所。②〖法律〗正式居住地。
***dom·i·nant** [ˋdamənənt] *adj.* ①有統治權的; 有支配力量的; 最有勢力的。②〖遺傳〗優性的; 顯性的。a ～ character [trait] 顯性性狀。③高於其他的(樹、山峰等)。④〖樂〗全音階之第五調的。— **dom′i·nance,** *n.* — **ly,** *adv.*
***dom·i·nate** [ˋdaməˏnet] *v.t.* & *v.i.* ①統治; 支配; 管轄。②凌駕; 俯臨。③占重要位置。— **dom·i·na′tion,** *n.*
dom·i·neer [ˏdaməˋnɪr] *v.i.* 弄權; 作威作福〔over〕. — **ing,** *adj.*
Do·min·i·can [dəˋmɪnɪkən] *adj.* 多明尼加共和國的。— *n.* Ⓒ 多明尼加共和國國民。§ **the** ～ **Repúblic** 多明尼加共和國(在西印度群島)。
***do·min·ion** [dəˋmɪnjən] *n.* ①Ⓤ 主權; 統治權。②Ⓤ 支配; 控制。③Ⓒ 領土。④(D-) Ⓒ 英國自治領。
dom·i·no [ˋdaməˏno] *n.* (*pl.* ～**(e)s**) ①Ⓒ 化粧舞衣(附帶有頭巾與面罩的外衣)。②Ⓒ (骨、象牙等製的)骨牌。③(*pl.*, 作 *sing.*解) 骨牌遊戲。§ ～ **effêct** 骨牌效應。**the** ～ **thèory** 骨牌理論; 連鎖反應理論。
don[1] [dan] *n.* ①(D-)先生(西班牙人所用之尊稱)。②Ⓒ 西班牙紳士; 西班牙人。③Ⓒ 著名的人。④Ⓒ〖俗〗(牛津或劍橋大學的)導師; 院長; 得獎學金的研究生。
don[2] *v.t.* (**-nn-**)穿(衣)。
Do·ña [ˋdonjɑ] 〖西〗*n.* 小姐; 太太(西班牙之敬稱語, 與名字連同使用)。
Dón·ald Dúck [ˋdanəld ～] *n.* 唐老鴨(Disney卡通影片中的一隻鴨子名)。
do·nate [ˋdonet] *v.t.* 捐贈; 贈與。— **do·na′tion,** *n.*
‡**done** [dʌn] *v.* pp. of **do**[1]. — *adj.* ①妥當的。②已完成工作的; 已達到目的的。③疲乏的。④已成過去的; 結束的。
Don Ju·an [danˋdʒuən] *n.* ①唐璜(西班牙傳奇故事中之風流漢)。②Ⓒ 花花公子; 放蕩者。
***don·key** [ˋdaŋkɪ] *n.* Ⓒ ①驢。②蠢人; 頑固的人。§ ～ **jàcket**(工人穿的)厚夾克。～**'s yèars**〖俚〗很長的時間。
do·nor [ˋdonɚ] *n.* Ⓒ 給予者; 捐贈者。
do-noth·ing [ˋduˏnʌθɪŋ] *adj.* 游手好閒的; 懶惰的。— *n.* Ⓒ 懶人。
Don Quix·o·te [danˋkwɪksət, ˏdankɪˋhotɪ] *n.* 唐・吉訶德(西班牙作家Cervantes 所著小說的主角)。
‡**don't** [dont] =**do not.**
do·nut [ˋdonət, -ˏnʌt] *n.* ⓊⒸ 油煎圈餅(=doughnut).
doo·dad [ˋdudæd] *n.* Ⓒ〖俗〗①小飾物; 小玩意兒。②美觀而無用的東西。
doo·dle [ˋdudḷ] *v.i.* & *v.t.* ①混過(時間)。②胡寫亂畫; 不用心地畫。— *n.* Ⓒ ①愚笨。②塗鴉; 亂寫。
doo·dle·bug [ˋdudḷˏbʌg] *n.* Ⓒ ①蟻獅幼蟲。②(探礦、地下水之)卜杖; 占棒。
***doom** [dum] *n.* ①ⓊⒸ 命運(尤指惡運); 劫數; 毀滅; 死亡。②Ⓤ 世界末日的審判。— *v.t.* ①註定…。②判罪。
doom·say·er [ˋdumˏseɚ] *n.* Ⓒ 預言將有災難的人。
dooms·day [ˋdumzˏde] *n.* Ⓤ ①世界末日。②〖古〗定罪日; 判決日。
dooms·day·er [ˋdumzˏdeɚ] *n.* = **doomsayer.**
‡**door** [dor, dɔr] *n.* Ⓒ ①門; 戶。②(常 *sing.*)門口。③一戶。④入口; 門戶。*lay* (*something*) *at a person's* ～ 歸咎某人。*show a person the* ～ 下逐客令。§ ～ **chàin** 防盜鍊。～ **chèck** [**clòser**] 門緩閉器。～ **mìrror** 車門後視鏡。～ **mòney** (遊樂場等之)入場費。
door·bell [ˋdorˏbɛl] *n.* Ⓒ 門鈴。
door·keep·er [ˋdorˏkipɚ] *n.* Ⓒ 守門人; 門房。
door·knob [ˋdorˏnab] *n.* Ⓒ 門把。
door·man [ˋdorˏmæn] *n.* Ⓒ (*pl.* **-men**) 看門人。
door·mat [ˋdorˏmæt] *n.* Ⓒ (門口之)擦鞋墊。
door·nail [ˋdorˏnel] *n.* Ⓒ 門釘。*dead as a* ～ 死定了; 僵死了。
door·plate [ˋdorˏplet] *n.* Ⓒ 門牌。
***door·step** [ˋdorˏstɛp] *n.* Ⓒ 門階。
***door·way** [ˋdorˏwe] *n.* Ⓒ 門口。
door·yard [ˋdorˏjard] *n.* Ⓒ〖美〗庭園; 天井。
dope [dop] *n.* ①Ⓤ 濃液; (塗機翼等之)明膠。②Ⓤ 油脂(如潤滑油等)。③Ⓤ〖俚〗麻醉藥。④Ⓤ〖美俚〗情報; 密告。⑤Ⓒ〖美俚〗笨人; 傻子。⑥Ⓒ〖美俚〗麻藥中毒者。— *v.t.* ①使(人)吸食麻醉藥。②〖俚〗擬定; 想出; 預測〔out〕. § ～ **fiend** [**àddict**]〖俚〗麻醉藥慣用者。～ **pùsher** 販毒者。
dope·y [ˋdopɪ] *adj.* 〖俗〗昏昏沈沈的。
Dor·ic [ˋdɔrɪk, ˋdar-] *adj.* ①多利斯(人)的。②〖建〗陶立克式的。— *n.* Ⓤ

①多利斯方言。②〖建〗陶立克式。

dorm [dɔrm] *n.* Ⓒ〖俗〗宿舍(=dormitory).

dor·mant [ˋdɔrmənt] *adj.* ①蟄伏的; 睡眠狀態的。②休止的。③匿名的。④不動的; 靜止的。— **dor′man·cy,** *n.*

dor·mer [ˋdɔrmɚ] *n.* Ⓒ (屋頂斜坡上凸出之)天窗; 老虎窗。(亦作 **dormer window**)

dor·mi·to·ry [ˋdɔrmə͵torɪ] *n.* Ⓒ 宿舍。

dor·mouse [ˋdɔr͵maʊs] *n.* Ⓒ (*pl.* **-mice**) 冬眠鼠; 睡鼠。

dor·sal [ˋdɔrsl̩] *adj.* ①〖動〗背脊的。②〖植〗(葉等)背面的; 背生的。③〖語音〗舌背的。— *n.* Ⓒ ①〖動〗背部[鰭]。②〖語音〗舌背音。

DOS [dɔs] disk operating system. 磁盤操作[控制]系統。

dos·age [ˋdosɪdʒ] *n.* ① Ⓤ 配藥。② Ⓒ (常 *sing.*)劑量; 一服之量。

***dose** [dos] *n.* Ⓒ ①一服(藥); 一劑(藥)。②(刑罰、苦役等的)一次。— *v.t.* ①配藥。②令服藥。

do·sim·e·ter [doˋsɪmətɚ] *n.* Ⓒ 用量計(尤指測放射量者)。

dos·si·er [ˋdɑsɪ͵e] 〖法〗*n.* Ⓒ 檔案; 案卷。

Dos·to·ev·ski [͵dɑstɔˋjɛfskɪ] *n.* 杜斯妥也夫斯基(Feodor Mikhailovich, 1821-81, 俄國小說家)。

‡**dot**[1] [dɑt] *n.* Ⓒ ①點; 小點。②如小點的東西。③極小之物。***off one's ~*** 精神失常。***on the ~*** 〖俗〗準時。— *v.t.* (**-tt-**)①加小點於。②點綴於…。③(匆匆) 記下。— *v.i.* 打小點; 作小點記號。***~ the i's and cross the t's*** 把事情作得有條不紊; 一絲不苟。

dot[2] *n.* Ⓒ〖法律〗妝奩。

dot·age [ˋdotɪdʒ] *n.* Ⓤ ①老朽。②溺愛。

do·tard [ˋdotɚd] *n.* Ⓒ 老耄者; 年老昏憒之人; 老糊塗。

dote [dot] *v.i.* ①年老昏憒。②溺愛[on, upon].

doth [dʌθ] *v.* 〖古〗=**does.**

dot·ty [ˋdɑtɪ] *adj.* ①有小點的; 以點記的。②〖俗〗脚步不穩的。③〖俗〗低能的; 瘋狂的; 昏憒的。④熱中…的。

‡**dou·ble** [ˋdʌbl̩] *adj.* ①雙重的; 雙層的。②加倍的。③兩面的; 表裡不一的。④雙重的; 兩用的。⑤兩人用的。⑥由二重不同性質聯合起來的。⑦〖植〗重瓣的。— *adv.* ①加倍地。②雙重地。sleep ~ 兩人共寢。— *n.* ① Ⓤ 二倍; 加倍。② Ⓒ 相像的人或物。③(*pl.*,作 *sing.*解)(網球、桌球等之)雙打。④ Ⓒ 急轉彎; 突然的向後轉。⑤ Ⓒ 摺疊。⑥ Ⓒ〖棒球〗二壘安打。— *v.t.* ①使加倍; 兩倍於。②(在一劇中)扮演二種角色。③擔任(某角色之)替身。④摺; 彎。⑤使彎身。⑥反覆。⑦繞行。— *v.i.* ①增加一倍。②摺疊。③跑步。④在一劇中扮演兩種角色。⑤擔任某角色之替身。~ ***back*** **a.** 折回去; 向後急跑(以避危險)。**b.** 拉回; 摺疊。~ ***up*** **a.** 彎; 屈。**b.** 摺疊。**c.** 與別人共宿一床、一室等。§ ~ **ágent** 反間諜。~ **bár**〖樂〗(樂譜上之)雙縱線。~ **báss**〖樂〗低音提琴。~ **béd** 雙人床。~ **bíll** 同場演出的兩個節目。~ **bóiler** 雙層鍋。~ **chín** 雙下巴。~ **clútch**〖機〗雙離合器。~ **créam**〖英〗濃的(生)奶油。~ **cróss** 欺騙; 出賣。~ **crósser** 欺騙者; 出賣者。~ **dágger** 雙短劍的記號(‡)。~ **dáte**〖俗〗雙對約會。~ **éagle** (1)(1849-1933 年發行的)美國金幣(相當於二十美元)。(2)〖高爾夫〗低於標準桿數(par)二桿進洞。~ **éntry** 複式簿記。~ **fáult**(網球等的)雙誤。~ **féature**〖影〗兩片連映; (一部)上下兩集的電影。~ **flát**〖樂〗重降記號(*bb*)。~ **génitive** [**posséssive**]〖文法〗雙重所有格。~ **indémnity** 保險費之雙倍付給(如被保人之意外死亡者)。~ **négative**〖文法〗雙重否定。~ **pláy**〖棒球〗雙殺。~ **quótes** 雙引號(“ ”)。~ **róom** 雙人房。~ **shárp**〖樂〗重升記號(×)。~ **shíft** 兩班制; 二部制。~ **stándard** 雙重標準。~ **stár**〖天〗雙星(緊密相連之二星, 藉望遠鏡始可分辨者)。~ **stéal**〖棒球〗雙盜壘。~ **súmmer tìme**〖英〗雙重夏令時間(比格林威治時間提早兩小時, 比夏令時間提早一個小時)。~ **táke** (1)經短時的心不在焉後突然注意到而驚訝的行動。(2)回頭再看的行動。~ **taxátion** 雙重課稅。**D~ Tén**[**Tènth**] 雙十節。~ **tìme** (1)〖軍〗跑步。(2)快步。(3)雙倍工資。— **dou′bly,** *adv.*

dou·ble-bar·rel(l)ed [ˋdʌbl̩ˋbærəld] *adj.* ①雙管的(槍); 雙筒的(望遠鏡)。②雙重的。③模稜兩可的。

dou·ble-breast·ed [ˋdʌbl̩ˋbrɛstɪd] *adj.* 雙排鈕扣的; 對襟的。

dou·ble-check [ˋdʌbl̩ˋtʃɛk] *v.t.* & *v.i.* 仔細檢查。— *n.* Ⓒ 仔細檢查。

dou·ble-cross [ˋdʌbl̩ˋkrɔs] *v.t.* 〖俚〗欺騙; 出賣。

dou·ble-deal [ˋdʌbl̩ˋdil] *v.i.* (**-dealt**) 欺騙; 詐欺。

dou·ble-deal·er [ˋdʌbl̩ˋdilɚ] *n.* Ⓒ 口是心非者; 言行不一者。

dou·ble-deal·ing [ˋdʌbl̩ˋdilɪŋ] *n.* Ⓤ 表裡不一的言行。— *adj.* 表裡不一的; 口是心非的。

dou·ble-dig·it [ˋdʌbl̩ˋdɪdʒɪt] *adj.* 二位數的; 百分之十以上的。

dou·ble-dyed [ˋdʌbl̩ˋdaɪd] *adj.* ①染兩次的。②惡名昭彰的。

dou·ble-edged [ˋdʌbl̩ˋɛdʒd, -ˋɛdʒɪd] *adj.* ①雙口的; 兩刃的。②雙重的。

dou·ble-faced [ˋdʌbl̩ˋfest] *adj.* ①僞裝的; 口是心非的。②有兩表面的。

dou·ble-head·er [ˋdʌbl̩ˋhɛdɚ] *n.* Ⓒ ①(兩棒球隊同日連續舉行的)兩場賽。②兩火車頭拖的列車。

dou·ble-joint·ed [ˋdʌbl̩ˋdʒɔɪntɪd] *adj.* 具有(可前後左右自由移動的)雙重關節的。

dou·ble-park [ˋdʌbl̩ˋpark] *v.i.* & *v.t.* (與停在路邊的車)並排停車。

dou·ble-quick [ˋdʌbl̩ˋkwɪk] *adj.* & *adv.* 快速的[地]。— *n.* Ⓤ 跑步; 快步(=double time).

dou·ble·speak [ˋdʌbl̩͵spik] *n.* Ⓒ 欺人之談。

dou·blet [ˋdʌblɪt] *n.* Ⓒ ①(十五、十六世紀歐洲男子穿的)緊身上衣。②一

對。③一對中之一；相似物之一。

dou·ble-talk [ˋdʌbḷ,tɔk] *n.* Ⓤ 含糊其詞的言談；不知所云的話。

dou·bloon [dʌˋblun] *n.* Ⓒ 達布倫 (昔西班牙之金幣名)。

‡**doubt** [daʊt] *v.t.* 懷疑；猶疑；不信。 — *v.i.* 懷疑〔of〕. — *n.* Ⓤ Ⓒ 疑慮；疑懼；懷疑。***beyond*** [***no, out of, without***]***~*** 無疑地。***give a person the benefit of the ~*** 未有確證前，假定其無罪。

***doubt·ful** [ˋdaʊtfəl] *adj.* ①可疑的；未確定的。②懷疑的。③猶豫不決的。④(結果)難以預測的；不明朗的。⑤不可靠的；有問題的。—**ly,** *adv.*

***doubt·less**(**ly**) [ˋdaʊtlɪs(lɪ)] *adv.* 無疑地；確定地。

dou·ceur [duˋsɜ] 〖法〗*n.* ①Ⓒ賞錢；小費。②Ⓒ賄金。③Ⓤ和藹可親。

douche [duʃ] *n.* Ⓒ〖醫〗灌洗。

dough [do] *n.* Ⓤ①生麵糰；麵糰。②〖美俚〗錢；金錢。

dough·boy [ˋdo,bɔɪ] *n.* Ⓒ ①〖美俚〗步兵。②湯糰；油炸的麵糰。

dough·nut [ˋdonət, -,nʌt] *n.* ⓊⒸ 油炸圈餅；甜甜圈。

dough·ty [ˋdaʊtɪ] *adj.* 〖古，諧〗勇敢的；堅強的。

dough·y [ˋdoɪ] *adj.* ①如麵糰的；糊狀的。②軟弱而蒼白的。

dour [dur, dʊr] *adj.* ①冷峻的；陰鬱的。②〖蘇〗嚴厲的；倔強的。

douse [daʊs] *v.t.* ①浸…入水；潑水。②〖俚〗熄滅(燈)。③〖俗〗脫去(衣服等)。④〖海〗急速降下(帆等)。

***dove**[1] [dʌv] *n.* Ⓒ①鴿；鳩。②〖俗〗主張和平者；非戰者(爲 hawk 之對)。③純潔可愛的女人或小孩。§ **~ còlor** 淺紫[紅]灰色。

dove[2] [dov] *v.* 〖俗〗 pt. of **dive.**

dove·cote [ˋdʌv,kot], **-cot** [-,kɑt] *n.* Ⓒ 鴿舍；鴿棚。

dove·tail [ˋdʌv,tel] *n.* Ⓒ〖木工〗鳩尾榫；楔形榫頭。— *v.i. & v.t.* ①用鳩尾榫接合。②密合；切合。

Dow [daʊ] *n.*(the ~) = **Dow Jones average.**

dow·a·ger [ˋdaʊədʒɚ] *n.* Ⓒ①寡婦；寡婦。②〖俗〗貴婦；年長之婦女。***Empress D-*** 皇太后。

dow·dy [ˋdaʊdɪ] *adj.* 衣衫襤褸的；粗鄙的。— *n.* Ⓒ衣服襤褸之婦女。

dow·er [ˋdaʊɚ] *n.* Ⓒ①寡婦財產(得自亡夫之遺產)。②嫁妝。③稟賦；天分。— *v.t.* ①給寡婦應得之財產。②給與嫁妝。③賦予(才能)〔with〕.

Dów Jónes àverage [**ìndex**] [ˋdaʊˋdʒonz ~] *n.*(the ~)道瓊指數(紐約市 Dow-Jones 公司所發表，表示美國證券市場漲跌情形)。

‡**down**[1] [daʊn] *adv.* ①由上而下地。②在下邊地。③向南；南下。④(健康)衰退；(意志)消沈。⑤自古至今(指時間)。⑥(數量、地位、程度等)下降；降低。⑦寫下；記下。⑧付現。⑨病倒。⑩抑制；壓制。***~ to the ground*** 完全地。***~ with*** 打倒。— *prep.* ①順沿而下。②(指時間)…以來。③到…中；到…裏。— *adj.* ①向下的。a ~ train 下行車。②在下的。③病倒的。④沮喪的。⑤頭次的(付款)。 a ~ payment of $10 十元的頭次付款。***~ and out*** **a.** 貧病潦倒。**b.** 拳賽時被打倒。***~ in the mouth*** 〖俗〗面容憂戚的。— *v.t.* ①擊敗；打倒。②呑下。③抑制。④擊落。⑤放下。***~ tools*** 停止工作。— *n.* ①Ⓒ下；向下的行動。②(*pl.*)失敗；厄運。***have a ~ on someone*** 不喜歡某人；怨恨某人。

down[2] *n.* Ⓤ軟毛；柔毛；軟髮。

down[3] *n.* ①Ⓒ沙丘。②(*pl.*)草原。

down-at-heel [ˋdaʊnətˋhil] *adj.* 衣衫襤褸的。

down·beat [ˋdaʊn,bit] *adj.* 哀愁的；悲觀的。— *n.* Ⓒ〖樂〗下拍；強拍。

down·cast [ˋdaʊn,kæst] *adj.* ①垂視的。②沮喪的。— *n.* ⓊⒸ①向下看。②覆沒；瓦解。③〖礦〗通風坑。

down·fall [ˋdaʊn,fɔl] *n.* Ⓒ①滅亡；衰落。②落下；降下。

down·grade [ˋdaʊn,gred] *n.* Ⓒ 向下之斜坡。***on the ~*** 走下坡地；日趨潦倒。— *adj. & adv.* 向下坡的[地]。— *v.t.* ①將(某人)降級減薪。②減少；降低…之重要性。

down·heart·ed [ˋdaʊnˋhɑrtɪd] *adj.* 鬱悶的；沮喪的；無精打采的。

down·hill [ˋdaʊn,hɪl] *adv. & adj.* 向下地[的]；下坡地[的]。***go ~*** **a.** 下坡。**b.** 衰頹；走下坡路。

down-home [ˋdaʊnˋhom] *adj.* 〖美俗〗美國南部作風的；鄉土的；淳樸的。

Dówn·ing Strèet [ˋdaʊnɪŋ ~] *n.* ①(英國)唐寧街(首相官邸所在)。②英國政府。

down·load [ˋdaʊn,lod] *v.t.* 〖電算〗下載(將主電腦的資料傳送到終端機)。

down·play [ˋdaʊn,ple] *v.t.* 不重視。

down·pour [ˋdaʊn,por] *n.* Ⓒ大雨。

down·range [ˋdaʊnˋrendʒ] *adj. & adv.* 沿已定路線由(火箭或飛彈)發射台向目標發射的[地]。

down·right [ˋdaʊn,raɪt] *adj.* ①徹底的。②正直的。— *adv.* 徹底地。

down·riv·er [ˋdaʊn,rɪvɚ] *adj.* 下游的。— *adv.* 向下游。

down·side [ˋdaʊnˋsaɪd, -,saɪd] *adj.* 下側的。— *n.* Ⓒ下邊；底面。

down·size [ˋdaʊnˋsaɪz] *v.t.* 〖美〗使小型化。— **down′sized,** *adj.*

Dówn's sýndrome [ˋdaʊnz ~] *n.* Ⓤ〖醫〗唐氏症候群(昔稱 Mongolism 蒙古症)。

down·stage [ˋdaʊnˋstedʒ] *adv.* 向[在]舞臺前。— *adj.* 前臺的。

‡**down·stairs** [ˋdaʊnˋstɛrz] *adj. & adv.* 樓下的[地]。— [,daʊnˋstɛrz] *n.* Ⓤ樓下。

down·stream [ˋdaʊnˋstrim] *adj. & adv.* 下游的[地]；順流的[地]。

down·swing [ˋdaʊn,swɪŋ] *n.* Ⓒ①〖高爾夫〗向下揮桿動作。②衰落；減低。

down-the-line [ˋdaʊnðəˋlaɪn] *adj. & adv.* 徹底的[地]；誠心誠意的[地]。

down-to-earth [ˋdaʊntəˋɜθ] *adj.*

①樸實的；不傲慢的。②實際的；現實的。

*down·town [ˋdaʊnˋtaʊn] *adj.* 商業區的。— *adv.* 到[在]商業區。— *n.* Ⓒ 商業區；鬧區。

down·trod(den) [ˋdaʊnˋtrɑd(n̩)] *adj.* 受壓制的；被蹂躪的。

down·turn [ˋdaʊn,tɝn] *n.* Ⓒ (景氣、物價等的)下降；不振。

*down·ward [ˋdaʊnwɚd] *adj.* 向下的；下降的。— *adv.* ①向下地。②衰微地。③自…以降。

down·wards [ˋdaʊnwɚdz] *adv.* = downward.

down·wind [ˋdaʊnˋwɪnd] *adj.* & *adv.* 順風的[地]。— *n.* Ⓤ 順風。

down·y [ˋdaʊnɪ] *adj.* ①柔軟的。②軟毛做成的。③覆有軟毛的。④平靜的。

dow·ry [ˋdaʊrɪ] *n.* Ⓒ ①嫁妝；陪嫁物。②稟賦；天才。

dowse[1] [daʊs] *v.t.* =**douse.**

dowse[2] [daʊz] *v.i.* 用卜杖探測水源、礦藏等。§ **dówsing ròd** 卜杖。

dox·ol·o·gy [dɑksˋɑlədʒɪ] *n.* Ⓒ ①(讚頌上帝的)讚美詩。②讚歌。

doz. dozen(s).

*doze [doz] *v.i.* 小睡。— *v.t.* 瞌睡中度過(out, away)。~ ***off*** 打瞌睡。— *n.* (a ~)微睡；假寐。— **doz'y,** *adj.*

‡doz·en [ˋdʌzn̩] *n.* Ⓒ 一打；十二個。~***s of*** 一大堆的；很多的。〔注意〕**dozen** 的複數爲 dozens. 但在數目字後則仍爲 dozen.

D.P., DP data processing. 數據處理；displaced person. 難民。

***Dr., Dr** doctor; Drive(用於街名)。

drab[1] [dræb] *n.* Ⓤ ①土褐色。②單調。— *adj.* (**-bb-**)①單調的；枯澀的。②土褐色的。

drab[2] *n.* Ⓒ ①不整潔之婦女。②娼妓。— *v.i.* (**-bb-**)嫖妓。

*draft [dræft] *n.* ① Ⓤ Ⓒ 氣流；通風。② Ⓒ 調節空氣的設備。③ Ⓒ 圖樣；設計。④ Ⓒ 草稿。⑤(the ~)徵募兵士。⑥ Ⓤ 所徵的兵。⑦ Ⓒ 〖英〗分遣隊；特遣隊。⑧ Ⓤ 拉；曳。⑨ Ⓤ 〖商〗票據的開付。⑩ Ⓒ 匯票；支票。⑪ Ⓤ (船的)吃水。⑫ Ⓒ 飲；一飲的量。⑬ Ⓒ 吸進；吸進之空氣。⑭ Ⓤ 從桶中汲飲啤酒等。— *v.t.* ①作草圖；起草。②拉開；曳去。③徵募。§ ~ **bèer** 生啤酒。~ **bòard**〖美〗兵役委員會。~ **dòdger**〖美〗逃避兵役者。~ **hòrse** 拖馬；曳馬。— **er,** *n.* Ⓒ 起草[立案]者。

draft·ee [dræfˋti] *n.* Ⓒ 被徵召的士兵。

drafts·man [ˋdræftsmən] *n.* Ⓒ (*pl.* **-men**)①起草者。②製圖員。

draft·y [ˋdræftɪ] *adj.* 通風良好的。

‡drag [dræg] *v.t.* (**-gg-**)①拖曳。②勉強通過。③(用網或爪錨)在…中撈物。④耙耕。— *v.i.* ①拖曳。②拖著腳步走。③拖延；落後。④拖網撈取。~ ***on*** [***out***]拖延太久。~ ***one's feet*** 拖步而行。— *n.* ① Ⓤ Ⓒ 拖曳；牽引。② Ⓒ 大耙。③ Ⓒ 被拖曳的東西。④ Ⓒ 阻礙物。⑤ Ⓤ 吃力的前進。⑥ Ⓒ 一吸。⑦ Ⓤ 阻力。⑧ Ⓤ 〖俚〗勢力；背景。⑨ Ⓒ 〖俚〗街；路。⑩ Ⓤ (男子之)女裝；(女子之)男裝。⑪ Ⓒ 野獸留下的氣味。§ ~ **búnt**〖棒球〗觸擊短打。~ **chàin** (1)〖造船〗制動鏈。(2)障礙。~ **quèen**〖美俚〗扮女裝的男同性戀者。~ **ràce**〖美俚〗(短程)加速比賽(以¼哩，約四百公尺直線跑道舉行的改裝汽車競速比賽)。

drag·gle [ˋdrægl̩] *v.t.* & *v.i.* ①拖污；拖溼；拖曳。②落後。

drag·net [ˋdræg,nɛt] *n.* Ⓒ ①拖網。②搜捕之羅網；警網。

*drag·on [ˋdrægən] *n.* ① Ⓒ 龍。② Ⓒ 兇惡的人。③ Ⓒ 嚴厲的女監管人。④(the D-)〖天〗天龍座。***sow*** ~***'s teeth*** 撒下不和或毀滅的種子，對己對他人均不利。§ **D~ Bóat Féstival**(中國)端午節。~**'s blòod** 龍血樹脂(一種產於馬來西亞之紅色樹脂)。— **ish,** *adj.*

drag·on·et [ˋdrægənɪt] *n.* Ⓒ ①小龍；幼龍。②一種有明亮顏色之海魚。

drag·on·fly [ˋdrægən,flaɪ] *n.* Ⓒ 〖昆〗蜻蛉。

dra·goon [drəˋgun] *n.* Ⓒ ①龍騎兵。②凶暴的男人。— *v.t.* 以武力逼迫。

*drain [dren] *v.t.* ①漸次排出(水)。②使乾竭；使流盡。③剝奪；使耗盡。④飲。— *v.i.* ①徐徐流出。②漸次流盡。— *n.* ① Ⓒ 水管；陰溝。② Ⓒ 精力、時間、金錢的消耗。③ Ⓒ 外流。④(*pl.*)排水系統。⑤ Ⓤ 排水。⑥(*pl.*)=**dregs.** ***go down the*** ~ 化爲烏有。§ ~**ing bòard**(廚房流理台旁的)瀝乾板。

drain·age [ˋdrenɪdʒ] *n.* Ⓤ ①排水；排泄。②排水設備。③排水的區域。④排出的東西(如水等)。§ ~ **bàsin** 排水盆地；流域。~ **sỳstem** 排水系統。

drain·pipe [ˋdren,paɪp] *n.* Ⓒ 排水管。§ ~ **tróusers** 緊身褲。

drake[1] [drek] *n.* Ⓒ 公鴨。***play ducks and*** ~***s*** 打水漂。

drake[2] *n.* Ⓒ 蜉蝣。(亦作 **drake fly**)

dram [dræm] *n.* Ⓒ ①特拉姆(衡量單位；在藥衡中等於八分之一兩；常衡中等於十六分之一兩)。②液體容量單位(等於1／123 品脫)。③少量之酒。④微量；一點點。

*dra·ma [ˋdræmə, ˋdrɑmə] *n.* ① Ⓒ 戲劇；劇本。② Ⓤ 劇作；戲劇文學。③ Ⓤ Ⓒ (一連串的)戲劇性事件。

*dra·mat·ic [drəˋmætɪk] *adj.* ①戲劇的。②戲劇性的。~ monologue 戲劇性獨白。— **dra·mat'i·cal·ly,** *adv.*

dra·mat·ics [drəˋmætɪks] *n.* ① Ⓤ 演技。②(作 *pl.* 解)業餘者演出之戲劇。③(作 *pl.* 解)〖美俗〗裝腔作勢之行爲。

drám·a·tis persónae [ˋdræmətɪs ~]〖拉〗 *n. pl.* (常 the ~)登場人物；劇中人物。

dram·a·tist [ˋdræmətɪst] *n.* Ⓒ 劇作家。

dram·a·tize [ˋdræmə,taɪz] *v.t.* 編爲戲劇。— **dram·a·ti·za'tion,** *n.*

‡drank [dræŋk] *v.* pt. of **drink.**

drape [drep] *v.t.* ①(以衣服、布等)覆蓋；裝飾。②摺綴(衣服)；整理(衣服)。③懸掛。— *n.* Ⓒ ①(常 *sing.*)懸掛的布。②(常 *pl.*)厚窗帘。

drap·er [ˋdrepɚ] *n.* Ⓒ 〖英〗布商。

dra·per·y [ˋdrepərɪ] *n.* Ⓤ Ⓒ ①〖英〗織物；布料。②〖英〗布業。③有優美摺

綴的帘子或衣著。

*__dras·tic__ [ˋdræstɪk] *adj.* 猛烈的；果斷的；徹底的。－__dras′ti·cal·ly,__ *adv.*

__draught__ [dræft] *n.* & *v.t.*=__draft.__〔注意〕__draught__ 在美國多用在 a *draught* of fish(一網所得之魚)，a ship's *draught*(船的吃水)，a *draught* of ale (一口酒)等意義；用作其他意義時，則多用 draft.

‡__draw__ [drɔ] *v.t.*(__drew, drawn__)①拉；曳。②(船)吃(水)。③吸引。④吸入(空氣)。⑤引起。⑥拔出。⑦汲(水)；取。⑧使流出。⑨取出(臟腑)。⑩支領；提取。⑪寫(支票、匯票等)。⑫產生。⑬推論。⑭發出(聲)。⑮拉長。⑯拉之使變形；使縮。⑰畫。⑱起草；草擬。⑲使(茶)泡出味道。⑳〖運動〗成和局。㉑抽籤。— *v.i.* ①拉；曳。②移動〔on, off, out, near〕. ③通風。④拔出(刀、槍等)〔on〕. ⑤作畫。⑥收縮。⑦不分勝負。⑧(茶等)泡出味道。⑨拈鬮決定。⑩汲水。⑪吸引人(尤指觀衆)。⑫(船)吃水。～ ***a parallel between…*** 指出…之間的相同。～ ***away*** a.拉走；退走。b.(於比賽中)超越對手。～ ***back*** a. 拉起；退後。b. 遲疑；不守諾言。～ ***down*** a. 拉下。b. 招致。～ ***down the curtain*** a. 閉幕。b. 無話可說了。～ ***in*** 變短。～(***something***) ***in*** a. 吸引；拉進；縮進。b. 特別留意。c. 收回。～ ***it mild*** 〖俚〗不誇張。～ ***off*** a. 撤退。b. 排除(水)。～ ***on*** a. 使出現；招致。b. 穿起。c. 依賴。d. 接近。～ ***oneself up*** 站直；坐直。～ ***out*** a. 拉長。b. 使說出(實情)。～ ***round*** 湊近。～ ***the long bow*** 誇張。～ ***together*** a. 靠近。b. 協力。～ ***up*** a. 草擬。b. 靠近。c. 停止。d. 排列。e. 提取；汲取。— *n.* Ⓒ①拉；抽；拔。②吸引人的東西。③不分勝負。④吊橋可以移動的部分。⑤抽籤。

__draw·back__ [ˋdrɔ͵bæk] *n.* ①Ⓒ缺點；障礙。②Ⓤ Ⓒ退稅；退款。

__draw·bridge__ [ˋdrɔ͵brɪdʒ] *n.* Ⓒ(可開合之)吊橋。

__draw·ee__ [drɔˋi] *n.* Ⓒ(支票、匯票等)付款人。

*__draw·er__ [drɔr] *n.* ①Ⓒ抽屜。②(*pl.*)內褲。③[ˋdrɔɚ] Ⓒ製圖者；開票人；提款人。

*__draw·ing__ [ˋdrɔ·ɪŋ] *n.* ①Ⓤ製圖。②Ⓤ圖畫；素描。③Ⓒ抽籤。§ ～ __bòard__ 製圖板。～ __pàper__ 圖畫紙；製圖用紙。～ __pén__(製圖用之)鴨嘴筆；繪圖筆。～ __pìn__〖英〗圖釘。～ __ròom__ (1)客廳；會客室。(2)〖美〗(火車上的)專用車廂。～ __tàble__ 製圖桌。

__drawl__ [drɔl] *v.t.* & *v.i.* 慢吞吞地說。— *n.* Ⓒ慢吞吞說話的方式。

‡__drawn__ [drɔn] *v.* pp. of __draw.__ — *adj.*①拔出鞘的。②平手的。③(臉)歪曲的。④被吸引著的。§ ～ __bútter__ 奶油醬。～ __wòrk__ 抽絲織花手工。

__drawn-out__ [ˋdrɔn͵aʊt] *adj.* 拖長的。

__dray__ [dre] *n.* Ⓒ大型運貨馬車。— *v.t.* 以馬車運。

*__dread__ [drɛd] *v.t.* & *v.i.* 害怕；恐懼。— *n.* ①Ⓤ畏懼；恐怖。②Ⓒ(常 *sing.*) 可怕的人或事物。— *adj.* ①可怕的。②令人敬畏的。

*__dread·ful__ [ˋdrɛdfəl] *adj.* ①可怕的。②〖俗〗不愉快的；不合意的。③非常的；極度的。－__ly,__ *adv.*

__dread·nought, -naught__ [ˋdrɛd͵nɔt] *n.* Ⓒ無畏戰艦；重級戰艦。

‡__dream__ [drim] *n.* Ⓒ①夢。②幻想；夢想；空想。③夢中之人或事物。— *v.i.* & *v.t.*(__dreamed__ or __dreamt__)①夢；做夢。②夢想；幻想〔of〕. ～ ***away one's time***[***life***]虛度光陰[一生]。～ ***up*** 〖俗〗構思；創造；設計(發明物等)。§ ～ __tèam__ (1)夢幻球隊(指 1992 年巴塞隆納奧運會上，由 NBA 巨星組成的美國籃球隊)。(2)由最佳人選組成的班子。

__dream·boat__ [ˋdrim͵bot] *n.* Ⓒ〖俚〗①合乎理想的事物。②夢中情人。

__dream·land__ [ˋdrim͵lænd] *n.* Ⓤ Ⓒ ①夢境；夢鄉。②幻想世界。

__dream·less__ [ˋdrimlɪs] *adj.* 無夢的。

__dream-scape__ [ˋdrim͵skep] *n.* Ⓒ (想像中的、超現實的)夢幻景象。

__dream·y__ [ˋdrimɪ] *adj.* ①夢的；多夢的。②如夢的；幻想的。③朦朧的。－__dream′i·ly,__ *adv.* －__dream′i·ness,__ *n.*

__drear__ [drɪr] *adj.* 〖詩〗=__dreary.__

*__drear·y__ [ˋdrɪrɪ, ˋdrirɪ] *adj.* ①(人)憂鬱的；寡歡的。②(景象)淒涼的。③(天氣)陰沉的。④(話)無聊的。－__drear′i·ly,__ *adv.* －__drear′i·ness,__ *n.*

__dredge__ [drɛdʒ] *n.* Ⓒ①挖泥機。②撈網。— *v.t.* ①撈取；挖(泥)。②疏浚。

__dredg·er__ [ˋdrɛdʒɚ] *n.* Ⓒ①挖泥船；疏浚機。②疏浚工人。

__dregs__ [drɛgz] *n. pl.* ①渣滓；糟粕。②最無用的部分。③微量。***drink***[***drain***] ***to the*** ～ 喝乾；歷盡辛酸。

*__drench__ [drɛntʃ] *v.t.* 浸；浸透；淋濕。— *n.* Ⓤ①浸。②大雨。

‡__dress__ [drɛs] *n.* Ⓤ Ⓒ 服裝；衣服；禮服。— *v.t.*(__dressed__ or __drest__)①使穿衣。②裝飾。③準備。④整理；處理。⑤烹調。⑥整列(隊伍)。— *v.i.* ①穿衣。②穿燕尾服；著晚禮服。③〖軍〗整隊。～ ***down*** 〖俗〗a. 斥責。b. 鞭打。～ ***up*** a. 盛裝。b. 粉飾。§ ～ __círcle__ 包廂；特別座。～ __cóat__ 燕尾服。～ __paràde__〖軍〗閱兵大典。～ __rehéarsal__ 〖戲劇〗彩排；正式預演。～ __shírt__ 男用襯衫(尤指著於禮服內者)。～ __súit__ (男用)禮服；晚禮服。～ __úniform__〖軍〗軍禮服。

__dress·er__[1] [ˋdrɛsɚ] *n.* Ⓒ①穿衣者。②(劇場的)服裝師。③裹傷者。

__dress·er__[2] *n.* Ⓒ①〖美〗化妝臺。②餐具櫥。

__dress·ing__ [ˋdrɛsɪŋ] *n.* ①Ⓤ著衣；衣服。②Ⓤ Ⓒ調味品。③Ⓤ塞入雞腹內調味的東西。④Ⓒ繃帶；藥膏。⑤Ⓤ肥料。§ ～ __bàg__ [__càse__] 化妝[洗臉]用品盒。～ __gòwn__[__sàck__]晨衣。～ __ròom__ 後台；化妝室。～ __stàtion__〖軍〗(接近火線的)包紮站；急救站。

__dress·ing-down__ [ˋdrɛsɪŋˋdaʊn] *n.* Ⓒ〖俗〗①譴責；懲戒。②打；打擊。

__dress·mak·er__ [ˋdrɛs͵mekɚ] *n.* Ⓒ

(製女服與童裝的)裁縫。
*__dress·mak·ing__ [ˋdrɛs,mekɪŋ] *n.* Ⓤ女衣裁製；女衣裁縫業。
__dress·y__ [ˋdrɛsɪ] *adj.* 〖俗〗①服飾考究的。②時髦的。③盛裝的。
‡__drew__ [dru] *v.* pt. of **draw.**
__drib·ble__ [ˋdrɪbl] *v.i.* & *v.t.* ①滴下；垂涎。②〖籃球〗運(球)。③(足球等)盤(球)。── *n.* Ⓒ ①一滴；涓滴。②運球；盤球。③〖俗〗毛毛雨。
__drib·(b)let__ [ˋdrɪblɪt] *n.* Ⓒ微量。
‡__dried__ [draɪd] *v.* pt. & pp. of **dry.** ── *adj.* 乾燥的。～ milk 奶粉。
__dri·er__ [ˋdraɪɚ] *n.* Ⓒ ①使乾燥的人或東西；乾燥劑。②乾燥機。
*__drift__ [drɪft] *n.* ①ⓊⒸ漂流；被沖走。②ⓊⒸ(一般的)移動；傾向；趨勢。③Ⓤ聽任自然；聽天由命。④Ⓒ(雪等之)吹積(物)；漂流物。⑤Ⓤ〖地質〗漂積物；冰磧。⑥(*sing.*)主旨；大意。── *v.t.* ①沖漂。②吹積。── *v.i.* ①漂流。②無目的地遊蕩。③被吹積。§ ∼ **ìce** 流冰；浮冰。∼ **nèt** 漂網；流網。
__drift·er__ [ˋdrɪftɚ] *n.* Ⓒ漂流物。
__drift·wood__ [ˋdrɪft,wud] *n.* Ⓤ被潮水沖到河岸的木頭；水上浮木。
*__drill__[1] [drɪl] *n.* ①Ⓒ鑽；錐。②Ⓤ訓練；操練。③ⓊⒸ反覆練習。── *v.t.* & *v.i.* ①鑽。②鑽孔於。③訓練；教練。§ ∼ **bòok** 練習簿。∼ **prèss** 〖機〗鑽床。
__drill__[2] *n.* Ⓒ①播種機。②播種時地上挖出的淺畦。── *v.t.* 以播種機播(種)。
__dri·ly__ [ˋdraɪlɪ] *adv.* =**dryly.**
‡__drink__ [drɪŋk] *v.i.* (**drank, drunk**)①喝；飲。②飲酒。③舉杯祝賀〔to〕。── *v.t.* ①飲。②吸收(水分)。③飲酒祝賀。～ (*something*) *in* **a.** 吸取。**b.** 欣賞。── *n.*① ⓊⒸ飲料；水；酒。②(the ～)大海；海洋。*in* ～ 醉酒。§ ∼**s machìne** 熱飲販賣機(尤指咖啡販賣機)。∼**s pàrty** 雞尾酒會。
__drink·a·ble__ [ˋdrɪŋkəbl] *adj.* 可飲用的。── *n.* (*pl.*)飲料。
__drink·er__ [ˋdrɪŋkɚ] *n.* Ⓒ飲酒者。
__drink·ing__ [ˋdrɪŋkɪŋ] *n.* Ⓤ①飲；飲用。②飲酒。── *adj.* ①飲用的。②好飲酒的。§ ∼ **fòuntain** 自動飲水器。∼ **wàter** 飲用水。
*__drip__ [drɪp] *v.i.* & *v.t.* (**dripped** or **dript, drip·ping**)滴落；滴下。── *n.* ①Ⓒ(常 *pl.*)水滴；點滴。②(*sing.*)水滴聲。③Ⓤ〖建〗滴水石。④Ⓒ〖美俗〗乏味的人。§ ∼ **còffee** 滲漏式咖啡。
__drip-dry__ [ˋdrɪp,draɪ] *v.i.* (尼龍等)滴乾。── *adj.* 隨洗隨乾的。
__drip·ping__ [ˋdrɪpɪŋ] *n.* ①Ⓤ滴下；滴落。②Ⓒ(常 *pl.*)水滴。③Ⓤ(〖美〗常 *pl.*)(炙肉時的)肉汁。── *adj.* ①濕透的。②滴滴答答滴下的。
__drip·py__ [ˋdrɪpɪ] *adj.* 滴落的。
‡__drive__ [draɪv] *v.t.* (**drove, driv·en**)①驅使；迫使。②駕駛。③推動。④趕走；驅逐。⑤努力經營。⑥打(球)；擊(球)。⑦挖掘(隧道、油井等)。⑧釘入；打進。⑨盡力完成。── *v.i.* ①駕駛；開車。②打球；擊球。③向前疾駛。～ *at* 用意所在。～ *away at* 努力做。*let* ～ 打擊；瞄準。── *n.* ①Ⓒ駕駛；駕車出遊。②Ⓒ車道(=〖美〗driveway)。③Ⓤ力量；精力。④Ⓒ活動。⑤ⓊⒸ驅策力。⑥ⓊⒸ〖機〗傳動。⑦Ⓒ〖軍〗大規模攻勢。⑧Ⓒ(被驅的)一群；一堆。⑨ⓊⒸ(球之)一擊。
__drive-in__ [ˋdraɪv,ɪn] *adj.* 免下車的。── *n.* Ⓒ(顧客不必下車的)路邊服務式的速簡餐廳(等)；露天電影院。
__driv·el__ [ˋdrɪvl] *v.i.* (**-l-,** 〖英〗**-ll-**)①流涎；流涕。②胡說八道。── *v.t.* ①笨拙地說。②浪費。── *n.* Ⓤ①流涎。②無聊的話。
‡__driv·en__ [ˋdrɪvən] *v.* pp. of **drive.**
*__driv·er__ [ˋdraɪvɚ] *n.* Ⓒ①馬車夫。②司機。③牧人。④監工；工頭。⑤〖機〗轉動輪。⑥一種高爾夫球桿。⑦趕牛[馬]者。§ ∼**'s lìcense**(汽車)駕駛執照。∼**'s pérmit**〖美〗臨時駕照。∼**'s sèat**⑴駕駛員座位。⑵領導地位。

__drive-through__ [ˋdraɪv,θru] *adj.* 可駕車經過的。── *n.* Ⓒ不下車即可購用餐點的速食餐廳。
__drive·way__ [ˋdraɪv,we] *n.* Ⓒ①私用車道。②馬路；汽車道。
*__driv·ing__ [ˋdraɪvɪŋ] *adj.* ①推進的。②精力充沛的。③驅策的。④猛烈的。── *n.* Ⓤ①駕駛。②〖高爾夫〗長打。
__driz·zle__ [ˋdrɪzl] *v.i.* 下細雨；下毛毛雨。── *n.* Ⓤ毛毛雨。─ **driz'zly,** *adj.*
__droit__ [drɔɪt] 〖法〗*n.* Ⓒ①(法律上之)權利。②(常 *pl.*)稅；關稅。
__droll__ [drol] *adj.* 滑稽的。
__droll·er·y__ [ˋdrolərɪ] *n.* ⓊⒸ①滑稽之事。②笑話。③詼諧。
__drom·e·dar·y__ [ˋdrɑmə,dɛrɪ] *n.* Ⓒ單峰駱駝。
__drone__ [dron] *n.* Ⓒ①雄蜂。②懶人。③無線電遙控的無人飛機。── *v.i.* & *v.t.* ①閒散度日。②作嗡嗡聲。③單調低聲說。
__drool__ [drul] *v.i.* & *v.t.* ①流口水。②〖俚〗胡言。── *n.* Ⓤ①口水。②〖俚〗無聊話。
*__droop__ [drup] *v.i.* ①下垂；低垂。②憔悴；消沈；枯萎。③〖詩〗下沈。── *n.* (*sing.*)下垂；低垂。─ **droop'y,** *adj.*
‡__drop__ [drɑp] *n.* ①Ⓒ滴；液滴。②Ⓒ下降；落下。③Ⓒ(常 *sing.*)下降的距離。④Ⓒ少量的液體。⑤(*pl.*)以滴計量的藥水。⑥Ⓒ(信箱等)投遞口。*a* ～ *in the bucket* [*ocean*] 滄海一粟。── *v.i.* (**dropped** or **dropt, drop·ping**)①滴下。②落下 ③跌倒。④終止。⑤退出〔常 out〕。⑥下降；下跌。⑦緩緩流下。⑧退後；落後。⑨過訪〔常 in, by, over〕。── *v.t.* ①使滴下。②使跌下；使落下。③生下；生產。④無意[偶然]地說出。⑤投寄。⑥射落。⑦卸(貨)。⑧漏寫[讀]；去掉。⑨放低聲音。⑩終止；作罷。⑪〖美〗開除(學生)；解雇。⑫輸(錢)。～ *across* (*a person*) 〖俗〗偶遇(某人)。～ *away* 離開；減少。～ *behind* 落伍；落後。～ *in* 偶然過訪。～ *off* **a.**減少。**b.**睡著。**c.**離開。～ *out* 不參與；離去；(中途)退出；退學。§ ∼ **cùrtain**〖戲劇〗(舞臺前的)垂幕。∼ **hàmmer**〖機〗落錘。∼

scène〖戲劇〗⑴景幕。⑵(每幕之)結局。
drop-dead [ˋdrɑpˋdɛd] *adj.* 令人羨慕的；引人注目的。
drop·let [ˋdrɑplɪt] *n.* Ⓒ小滴。
drop-off [ˋdrɑp,ɑf] *n.* Ⓒ①降低；減少。②陡然的下降。
drop-out, drop·out [ˋdrɑp,aʊt] *n.* Ⓒ①中途退學(者)。②落後(者)。③脫離(者)。④〖橄欖球〗反攻踢。
drop·per [ˋdrɑpɚ] *n.* Ⓒ〖醫〗滴管。
drop·ping [ˋdrɑpɪŋ] *n.* Ⓒ①滴落。②(常 *pl.*)滴下物。③(常 *pl.*)鳥獸糞。
drop·sy [ˋdrɑpsɪ] *n.* Ⓤ〖醫〗水腫；浮腫。— **drop′si·cal,** *adj.*
dross [drɔs] *n.* Ⓤ①渣滓。②無用之物。— **dross′y,** *adj.*
***drought** [draʊt] *n.* Ⓒ①久旱。②乾；乾燥。— **drought′y,** *adj.*
‡**drove**[1] [drov] *v.* pt. of **drive.**
drove[2] *n.* Ⓒ①一群動物(如牛、羊等)。②一群的人。
‡**drown** [draʊn] *v.i.* 淹溺；溺死。— *v.t.* ①使淹死；溺死。②消除。③使氾濫。④淹沒；壓制。— **ing,** *n.* — **ed,** *adj.*
drowse [draʊz] *v.i.* ①假寐；打瞌睡。②發呆。— *v.t.* ①使昏睡。②糊里糊塗地度過[away]. — *n.*(a ～)瞌睡。
drow·sy [ˋdraʊzɪ] *adj.* ①半睡的。②沉寂的；呆滯的。③令人昏昏欲睡的。— **drow′si·ness,** *n.* — **drow′si·ly,** *adv.*
drub [drʌb] *v.t.* (**-bb-**)①棒打；毆打。②徹底打敗。— **drub′ bing,** *n.*
drudge [drʌdʒ] *n.* Ⓒ 作苦工的人。— *v.i.* 作苦工。
drudg·er·y [ˋdrʌdʒərɪ] *n.* Ⓤ 沉悶、辛苦、或無興趣之工作。
***drug** [drʌg] *n.* Ⓒ①藥物；藥劑。②麻醉藥品。③無銷路的貨。*a ～ on* [*in*] *the market*滯銷貨。— *v.t.*(**-gg-**) ①在…中混入麻醉藥；下藥於…。②用藥使麻醉。③使如醉如癡。§ ∼ **rehabilitátion cènter** 煙毒勒戒所。
drug·gist [ˋdrʌgɪst] *n.* Ⓒ ①藥商；藥劑師。②drugstore 的經營者。
***drug·store** [ˋdrʌg,stor] *n.* Ⓒ〖美〗藥房；雜貨店。
dru·id [ˋdruɪd] *n.* Ⓒ (常 D-)督伊德教的祭司。— **dru·id′ic,** *adj.* — **ism,** *n.* Ⓤ督伊德教。
‡**drum** [drʌm] *n.* Ⓒ①鼓。②(常 *sing.*)鼓聲。③鼓形的東西。④〖機〗鼓輪。⑤〖解〗鼓膜；鼓室。— *v.i.*(**-mm-**)①擊鼓。②咚咚地敲打。— *v.t.* ①擊鼓奏(曲)。②鳴鼓召集。③反覆進言；絮絮不休。*～ out* 開除。*～ up* **a.** 召集。**b.** 招徠(生意)。**c.** 喚起；爭取。**d.** 想出；捏造。§ ∼ **màjor**〖軍〗鼓樂隊隊長。∼ **majorétte** 鼓樂隊的女隊長。
drum·beat [ˋdrʌm,bit] *n.* Ⓒ鼓聲。
drum·mer [ˋdrʌmɚ] *n.* Ⓒ ①鼓手。②〖美〗旅行推銷員；外務員。
drum·stick [ˋdrʌm,stɪk] *n.* Ⓒ①鼓槌。②鼓槌形之物(如雞腿等)。
‡**drunk** [drʌŋk] *v.* pp. of **drink.** — *adj.* ①醉的。②陶醉的。*～ as a lord* 酩酊大醉。*get ～* 喝醉。— *n.* Ⓒ①醉酒者。②酒宴。
drunk·ard [ˋdrʌŋkəd] *n.* Ⓒ 醉漢；酒徒；酒鬼。
***drunk·en** [ˋdrʌŋkən] *adj.* ①醉的。②酒後的。③酗酒的。— **ness,** *n.*
drupe [drup] *n.* Ⓒ核果。
‡**dry** [draɪ] *adj.* ①乾的。②乾旱的；乾燥的。③乾涸的。④缺奶的。⑤無淚的。⑥口渴的。⑦枯燥無味的。⑧無甜味的。⑨禁酒的。⑩冷淡的。*～ as a bone* 非常乾的。*not ～ behind the ears* 不懂世故的。— *v.t.* & *v.i.*(使)乾。*～ up* **a.** 乾涸。**b.** 停止說話。**c.** 失去創造力。— *n.* ①Ⓒ〖美俗〗主張禁酒者。②Ⓤ 乾燥；乾旱。§ ∼ **bàttery**[**cèll**]乾電池。∼ **cléaner** ⑴乾洗店[工人]。⑵乾洗劑。∼ **cléaning** 乾洗。∼ **dòck** 乾船塢。∼ **fárming** 旱地耕作(法)。∼ **gòods**〖美〗布疋；布料；服飾品。∼ **íce** 乾冰。∼ **láw** 禁酒令。∼ **méasure** 乾量(穀粒等的計量)。∼ **nùrse**(不餵奶的)保姆。∼ **rót** ⑴(木材的)枯朽。⑵(道德、社會的)腐敗；墮落。∼ **rún** ⑴試車。⑵模擬會議。⑶〖美〗練習飛行。⑷(泛指)演練；預演。∼ **wàsh** ⑴洗乾的衣物(未燙的洗濯物)。⑵乾河床。— **ness,** *n.*
dry·ad [ˋdraɪəd] *n.* Ⓒ〖希神〗森林女神；樹精。
dry-clean [ˋdraɪˋklin] *v.t.* 乾洗。
dry·er [ˋdraɪɚ] *n.* =**drier.**
dry-eyed [ˋdraɪ,aɪd] *adj.*(人)不流淚的；不哭泣的；不表哀傷的。
dry·ly [ˋdraɪlɪ] *adv.* ①乾燥地。②枯燥無味地。③冷淡地。
dry-shod [ˋdraɪˋʃɑd] *adj.* & *adv.* 鞋[脚]未濕的[地]。
DS, D.S. Doctor of Science.
du·al [ˋdjuəl] *adj.* 二的；二重的。— **ize,** *v.t.* 使二元化。
du·al·ism [ˋdjuəl,ɪzəm] *n.* Ⓤ〖哲〗二元論。— **du′al·ist,** *n.*
dub[1] [dʌb] *v.t.*(**-bb-**)①授以勳爵。②起綽號。
dub[2] *v.t.* (**-bb-**)〖影〗改換影片之錄音；爲(影片)配音。
du·bi·e·ty [djuˋbaɪətɪ] *n.* Ⓤ 懷疑。
du·bi·ous [ˋdjubɪəs] *adj.* ①懷疑的。②可疑的。③曖昧的。— **ly,** *adv.*
Dub·lin [ˋdʌblɪn] *n.* 都柏林(愛爾蘭共和國的首都)。
du·cal [ˋdjukl] *adj.* 公爵(領地)的。
duc·at [ˋdʌkət] *n.* Ⓒ古歐洲之金[銀]幣名；貨幣。
duch·ess [ˋdʌtʃɪs] *n.* Ⓒ 公爵夫人；女公爵。
duch·y [ˋdʌtʃɪ] *n.* Ⓒ公爵領地；公國。
***duck**[1] [dʌk] *n.* ①Ⓒ鴨；母鴨。②Ⓤ鴨肉。③Ⓒ親愛的人或小動物。④Ⓒ〖俚〗人；傢伙。⑤Ⓒ零分；鴨蛋。*a ～'s egg* 零分。*like water off a ～'s back* 無效果。(*take to something*) *like a ～ to water* 自然地。§ ∼ **sóup**〖美俚〗輕而易舉的事。
duck[2] *v.i.* & *v.t.* ①潛入水中；浸(頭)入水即出。②急速低(頭)或彎(身)。③閃避(打擊)。④〖俗〗逃避。— *n.* Ⓒ①低下頭。②短時潛入水中。
duck·bill [ˋdʌk,bɪl] *n.* Ⓒ鴨嘴獸。
duck·ling [ˋdʌklɪŋ] *n.* Ⓒ小鴨。
duck·weed [ˋdʌk,wid] *n.* Ⓤ〖植〗浮

萍；浮萍屬植物。
duck·y [ˋdʌkɪ] *adj.* 〖俚〗①最好的。②令人愉快的。③可愛的。— *n.*(用於稱呼)〖英俚〗親愛的。
duct [dʌkt] *n.* Ⓒ ①(導水、空氣等的)管；輸送管。②排泄管。③包電纜之管。
duc·tile [ˋdʌktḷ] *adj.* ①(金屬等)可延展的。②柔軟的；易塑的。③馴順的。
duct·less [ˋdʌktlɪs] *adj.* 無導管的；無管的。§～ **glánd** 〖解〗內分泌腺。
dud [dʌd] *n.* Ⓒ〖俚〗①(常 *pl.*)衣服。②不中用的東西[人]。③啞彈。— *adj.* 失效的；不中用的；假的。
dude [djud] *n.* Ⓒ ①花花公子。②〖美西俚〗都市人。§～ **rànch** 度假[觀光]農場。
dudg·eon [ˋdʌdʒən] *n.* Ⓤ 憤怒。*in high* ～ 極爲憤怒。
***due** [dju] *adj.* ①到期的；應付給的。②適當的；合宜的。in ～ course 順序；及時。in ～ time 在適當的時期。③應到的；預期的。④充分的。⑤由於；起因於[to]. *become*[*fall*]～期滿；到期。— *n.* Ⓒ ①(常 *sing.*)應得的東西。②(常 *pl.*)稅；費用。*give* (*a person*) *his* ～ 公平待人；善待他人。— *adv.* 正向地；直接地。
du·el [ˋdjuəl] *n.* Ⓒ 決鬥；相鬥。— *v.i.* (**-l-**,〖英〗**-ll-**) 決鬥。— (**l**)**ist**, — (**l**)**er**, *n.* Ⓒ 決鬥者；鬥爭者。
du·et [djuˋɛt] *n.* Ⓒ 二部合唱曲；二重奏。
duf·fel, duf·fle [ˋdʌfḷ] *n.* Ⓤ ①有厚毛之粗毛衣。②運動員或露營者之輕便用具。§～ **bàg** 雜物袋；帆布袋。
duff·er [ˋdʌfɚ] *n.* Ⓒ 愚人。
****dug** [dʌg] *v.* pt. & pp. of **dig**.
dug·out [ˋdʌg,aut] *n.* Ⓒ ①防空洞。②獨木舟。③棒球場邊之球員休息室。
***duke** [djuk] *n.* ① Ⓒ 公爵。② Ⓒ (公國之)君主。③(*pl.*)〖俚〗手；拳頭。
duke·dom [ˋdjukdəm] *n.* ① Ⓒ 公爵所管轄之地區；公國。② Ⓤ 公爵之爵位。
dul·cet [ˋdʌlsɪt] *adj.* 美妙的；悅耳的。
dul·ci·mer [ˋdʌlsəmɚ] *n.* Ⓒ 德西馬琴；洋琴(用小鎚擊打的絃琴，爲鋼琴的前身)。
****dull** [dʌl] *adj.* ①鈍的。②暗晦的；陰沈的。③不聰明的；笨的。④單調的；乏味的。⑤不景氣的。⑥(感覺)遲鈍的；(痛苦等)隱約的。a ～ pain 隱痛。⑦(貨物)滯銷的。— *v.t.* ①使鈍。②使暗晦；使麻木。— *v.i.* 變鈍。— **dul**(**l**)**′ness**, *n.* — **dul′ly**, *adv.*
dull·ard [ˋdʌlɚd] *n.* Ⓒ 愚人；蠢物。
***du·ly** [ˋdjulɪ] *adv.* ①正當地；適當地。②及時地；按時地。③足夠地。
***dumb** [dʌm] *adj.* ①啞的。②沉默的。③〖美俗〗愚笨的。§～ **shòw** (1)默劇；啞劇。(2)做手勢。
dumb·bell [ˋdʌm,bɛl] *n.* Ⓒ ①(常 *pl.*)啞鈴。②〖美俗〗笨漢。
dumb·found [dʌmˋfaund] *v.t.* 使人啞然失聲；使人驚惶失色。
dumb-struck [ˋdʌm,strʌk] *adj.* 張口結舌的；嚇呆了的。
dumb-wait·er [ˋdʌmˋwetɚ] *n.* Ⓒ 遞送食物之升降機。
dum·dum [ˋdʌmdʌm] *n.* Ⓒ 達姆彈。
dum-dum [ˋdʌmdʌm] *n.* Ⓒ〖俚〗笨蛋；蠢貨。
dum·my [ˋdʌmɪ] *n.* Ⓒ ①啞子。②人像模型；人形靶。③〖美俗〗愚笨的人。④(橋牌中的)明家；將牌攤出的人。⑤傀儡人物。⑥名義上的人物。⑦冒充貨。— *adj.* 仿造的；假的；名義上的。§～ **rún** 預演；排演；演習。
***dump** [dʌmp] *v.t.* ①傾倒。②賤賣；傾銷。③丟棄；放棄。— *n.* Ⓒ ①垃圾堆；垃圾場。②傾銷；傾倒。③〖俚〗破舊不潔之處所。§～ **trùck**(車身可向後傾斜以傾出裝載物的)貨車；垃圾車。
dump·cart [ˋdʌmp,kɑrt] *n.* Ⓒ 傾卸車(一種車身可以斜豎而傾出裝載物的鐵道車輛)。
dump·ing [ˋdʌmpɪŋ] *n.* Ⓤ ①(垃圾等的)傾倒。②傾銷；大批廉價出售。
dumps [dʌmps] *n. pl.* 〖俗〗憂鬱。
dump·y [ˋdʌmpɪ] *adj.* 矮而肥的。
dun [dʌn] *adj.*(**-nn-**) ①黃褐色的；暗褐色的。②陰暗的。— *n.* ① Ⓤ 黃褐色。② Ⓒ 暗褐色的馬。
dunce [dʌns] *n.* Ⓒ 愚蠢的人；劣等生。§～(**'s**) **càp** 笨蛋帽(從前懶惰學生受罰所戴的圓錐形紙帽)。
dun·der·head [ˋdʌndɚ,hɛd] *n.* Ⓒ 愚人。
dune [djun] *n.* Ⓒ (海邊的)沙丘。
dung [dʌŋ] *n.* Ⓤ (牛馬等之)糞便；水肥。— *v.t.*(給土地)施肥；上糞。
dun·ga·ree [,dʌŋgəˋri] *n.* ① Ⓤ 粗布。②(*pl.*)粗布製的工作服。
dun·geon [ˋdʌndʒən] *n.* Ⓒ ①地牢。②城堡的主樓。
dung·hill [ˋdʌŋ,hɪl] *n.* Ⓒ 糞堆；堆肥。
dunk [dʌŋk] *v.t.* & *v.i.* ①浸泡(麵包、餅等)於咖啡、牛奶等中。②〖籃球〗灌籃。— *n.* Ⓒ (亦作 **dunk shot**)〖籃球〗扣籃。
dun·lin [ˋdʌnlɪn] *n.* Ⓒ (*pl.* ～, ～**s**)〖鳥〗鷸類。
dun·nage [ˋdʌnɪdʒ] *n.* Ⓤ 行李；隨身物品。
du·o [ˋduo]〖義〗*n.* Ⓒ (*pl.* ～**s**) ①〖樂〗二重奏曲[者]。②(表演者之)一對。
du·o·de·num [,djuəˋdinəm] *n.* Ⓒ (*pl.* ～**s**, **-na** [-nə])〖解〗十二指腸。
du·op·o·ly [djuˋɑpəlɪ, du-] *n.* Ⓒ 〖經〗(對某一商品的)雙頭賣主壟斷。
dupe [djup, dup] *v.t.* 欺騙；詐欺。— *n.* Ⓒ ①(易)受欺騙的人。②傀儡。— **dup′er**, *n.*
du·ple [ˋdjupḷ] *adj.* ①二倍的；二重的。②〖樂〗二拍子的。§～ **tìme**[**mèasure**]二拍子。
du·plex [ˋdjuplɛks] *adj.* 雙倍的；二重的。§～ **hóuse**〖美〗雙拼式房屋。
du·pli·cate [ˋdjupləkɪt, -,ket] *adj.* ①完全相同的；副的。②雙重的；成雙的。— *n.* Ⓒ 相同的東西；副本；複本。— [ˋdjuplə,ket] *v.t.* ①製複本；複製。②倍之；加倍。③使再發生；重複；重犯。— **du·pli·ca′tion**, *n.*
du·pli·ca·tor [ˋdjuplə,ketɚ] *n.* Ⓒ 複印機。
du·plic·i·ty [djuˋplɪsətɪ] *n.* Ⓤ 欺騙；言行不一。
***du·ra·ble** [ˋdjʊrəbl] *adj.* 耐久的。

— du·ra·bil′i·ty, *n.* — du′ra·bly, *adv.*
du·ral·u·min [djʊˋræljʊmɪn] *n.* Ⓤ杜拉鋁(一種輕而堅固之鋁合金)。
du·ra·tion [djʊˋreʃən] *n.* Ⓤ Ⓒ持續的時間。
du·ress(e) [ˋdjʊrɪs] *n.* Ⓤ ①威脅；強迫。②監禁；束縛。
du·ri·an, -on [ˋdʊrɪən] *n.* Ⓒ ①(東南亞所產之)榴槤果樹。②榴槤。
‡**dur·ing** [ˋdjʊrɪŋ] *prep.* ①在…期間。②在…期間中的某一時間。
durst [dɜst] *v.* pt. of **dare.**
***dusk** [dʌsk] *n.* Ⓤ①傍晚；黃昏。②昏暗。— *adj.* 昏暗的；黃昏的。
dusk·y [ˋdʌskɪ] *adj.* 薄暗的；(膚色)微黑的；悽慘的。— **dusk′i·ly,** *adv.* — **dusk′i·ness,** *n.*
‡**dust** [dʌst] *n.* ① Ⓤ 灰塵；塵埃。② Ⓤ 紛擾；混亂。③ Ⓤ 粉末。④ Ⓤ 遺骸。⑤(the ～)塵土。⑥ Ⓤ 無價值的廢物。***make***[***raise***]***a*** ～ 揚起灰塵；引起騷動。***shake the*** ～ ***off one's feet*** 憤然而去。***throw*** ～ ***in a person's eyes*** 欺騙他人。— *v.t.* ①拂去灰塵。②撒(粉末)於…上。§ ～ **bòwl** (1)黃塵地帶(乾旱多塵暴之地)。(2)(the D- B-)美國落磯山脈東部的大草原地帶。～ **càrt**〖英〗垃圾車。～ **còver** 防塵罩。～ **jàcket**(書)套[皮]。～ **stòrm** 塵暴。
dust·bin [ˋdʌstˏbɪn] *n.* Ⓒ〖英〗垃圾箱；(屋外用)垃圾桶。
dust·er [ˋdʌstɚ] *n.* Ⓒ ①打掃灰塵的人；除塵器；撢子。②防塵之長外衣。
dust·man [ˋdʌstmən] *n.* Ⓒ (*pl.* -men)〖英〗清道夫。
dust·pan [ˋdʌstˏpæn] *n.* Ⓒ 畚箕。
***dust·y** [ˋdʌstɪ] *adj.* ①多灰塵的；灰塵厚積的。②如灰塵的；如粉的。③灰色的。④枯燥無味的。— **dust′i·ly,** *adv.*
Dutch** [dʌtʃ] *adj.* ①荷蘭(人，語，文化)的。②〖俚〗德國的。go*** ～〖俗〗各自付帳。***talk to someone like a*** ～ ***uncle*** 嚴厲地教訓某人。— *n.* ①(the ～)荷蘭人(集合稱)。②(the ～)〖俚〗德國人。③ Ⓤ 荷蘭語。④ Ⓤ〖俚〗德國語。§ ～ **áuction** 降價拍賣。～ **cáp** (1)荷蘭帽。(2)(避孕用)子宮帽。～ **cóurage**〖俗〗酒後之勇。～ **dóor** 兩截門。～ **tréat**[**párty**]〖俗〗各自付帳的聚餐。
Dutch·man [ˋdʌtʃmən] *n.* Ⓒ (*pl.* -men)①荷蘭人；荷蘭船。②〖俚〗德國人。
du·te·ous [ˋdjutɪəs] *adj.* =**dutiful.**
du·ti·a·ble [ˋdjutɪəbl̩] *adj.* (貨品)應課稅的；有稅的。
du·ti·ful [ˋdjutɪfəl] *adj.* 盡責的；孝順的；服從的。— **ly,** *adv.* — **ness,** *n.*
‡**du·ty** [ˋdjutɪ] *n.* Ⓤ Ⓒ ①義務；責任；本分。②(常 *pl.*)職務；任務。③孝順；尊敬；敬意。④稅；關稅。***do*** ～ ***for*** 充作；當…用。***off***[***on***]～下[上]班；(不)值班。§ ～ **càll** 禮貌性的拜訪。
du·ty-free [ˋdjutɪˋfri] *adj.* 免(關)稅的。a ～ shop 免稅店。— *adv.* 免稅地。
***dwarf** [dwɔrf] *n.* Ⓒ (*pl.* ～**s, dwarves** [-vz])矮子；侏儒；較矮小的動物[植物]。— *adj.* 矮小的。— *v.t.* 阻礙發育；使矮小。— **ish,** *adj.*
***dwell** [dwɛl] *v.i.* (**dwelt** or **dwelled**) ①居住。②評述；詳論(on, upon)。
dwell·er [ˋdwɛlɚ] *n.* Ⓒ居住者；居民。
dwell·ing [ˋdwɛlɪŋ] *n.* ① Ⓤ 居住。② Ⓒ 住宅；寓所。
***dwelt** [dwɛlt] *v.* pt. & pp. of **dwell.**
***dwin·dle** [ˋdwɪndl̩] *v.i.* 縮減；減少。
***dye** [daɪ] *n.* Ⓤ Ⓒ ①顏料；染料。②色；色彩；染色。— *v.t.* (**dyed, dye·ing**) ①染；染色於。②著色於。③染污。— *v.i.* ①染色。②被染；受染。— **dy′er,** *n.*
dyed-in-the-wool [ˋdaɪdn̩ðəˋwʊl] *adj.* 徹底的。
dye·ing [ˋdaɪɪŋ] *n.* Ⓤ 染色(法)；染色業。
dye·stuff [ˋdaɪˏstʌf] *n.* Ⓤ Ⓒ 染料。
‡**dy·ing** [ˋdaɪɪŋ] *adj.* ①將死的；瀕死的；臨終的。②將終的；近於結束的。
dyke[1] [daɪk] *n.* & *v.t.* =**dike**[1].
dyke[2] *n.* Ⓒ〖俚〗女同性戀者。
***dy·nam·ic** [daɪˋnæmɪk] *adj.* ①活動的；精力充沛的。②動力(學)的。③〖醫〗機能上的。— *n.* (*sing.*)(原)動力。— **dy·nam′i·cal·ly** *adv.*
dy·nam·ics [daɪˋnæmɪks] *n.* ① Ⓤ〖理〗動力學。②(作 *pl.* 解)任何事物之成長、變遷及發展史。
dy·na·mite [ˋdaɪnəˏmaɪt] *n.* Ⓤ 炸藥。— *v.t.* 用炸藥爆破。
dy·na·mo [ˋdaɪnəˏmo] *n.* Ⓒ (*pl.* ～**s**) ①發電機。②〖俗〗有活力有個性的人(尤指能鼓舞他人者)。
dy·nast [ˋdaɪnæst] *n.* Ⓒ (世襲的)君主；帝王；統治者。
dy·nas·ty [ˋdaɪnəstɪ] *n.* Ⓒ 朝代；王朝。— **dy·nas·tic** [daɪˋnæstɪk], *adj.*
dys·en·ter·y [ˋdɪsn̩ˏtɛrɪ] *n.* Ⓤ 痢疾；赤痢。— **dys·en·ter′ic,** *adj.*
dys·func·tion [dɪsˋfʌŋkʃən] *n.* Ⓤ〖醫〗官能不良；官能紊亂。
dys·lex·i·a [dɪsˋlɛksɪə] *n.* Ⓤ〖醫〗閱讀能力部分喪失；讀字困難。— **dys·lex′ic,** *adj.*
dys·pep·sia [dɪˋspɛpʃə] *n.* Ⓤ〖醫〗消化不良症。
dys·pep·tic [dɪˋspɛptɪk] *adj.* ①消化不良的。②憂鬱的。— *n.* Ⓒ 患消化不良症的人。— **dys·pep′ti·cal·ly,** *adv.*
dysp·ne·a [dɪspˋniə] *n.* Ⓤ〖醫〗呼吸困難。— **dysp·ne′ic,** *adj.*
dys·pro·si·um [dɪsˋprosɪəm] *n.* Ⓤ〖化〗鏑(磁性最強的一種稀有金屬元素；符號為 Dy)。
dys·to·pi·a [dɪsˋtopɪə] *n.* Ⓒ ①反理想國(非理想化的地方)。②〖俚〗有缺陷的社會。— **dys·to′pi·an,** *adj.*
dys·tro·phy [ˋdɪstrəfɪ] *n.* Ⓤ 營養不良[失調]。(亦作 **dystrophia**)
dz. dozen.

E e **E e** ℰ ℯ

E or **e** [i] *n.* Ⓤ Ⓒ (*pl.* **E's, e's** [iz]) 英文字母之第五個字母。§ **the É làyer** 〖通訊〗E層。

‡each [itʃ] *adj.* 每; 每一; 各個。**—** *pron.* 各個; 各人; 每人。~ **other** 互相; 相互。**—** *adv.* 每人; 每件(物)。〔注意〕**each other** 與 **one another** 有時也有混用的, 但嚴格說來 each other 限於二者之間, one another 則用於三者以上之間。

‡ea·ger [ˋigɚ] *adj.* ①渴望的; 切望的。②焦急的; 急切的。§ ∼ **béaver**〖俗〗(爲討好上司而)特別賣力工作者。

***ea·gle** [ˋigl] *n.* Ⓒ ①鷹。②鷹狀之圖案。③〖高爾夫〗比標準桿少兩桿。

ea·gle-eyed [ˋigl͵aɪd] *adj.* 目光銳利的。

ea·glet [ˋiglɪt] *n.* Ⓒ 小鷹。

ea·gle·wood [ˋigl͵wʊd] *n.* Ⓒ〖植〗沉香木。

ea·gre [ˋigɚ, ˋegɚ] *n.* Ⓒ (衝向河口之)海潮。

‡ear¹ [ɪr] *n.* ① Ⓒ 耳。②(*sing.*)聽覺; 聽力。③ Ⓒ 耳狀物。***A word in your* ~.** 讓我偷偷地告訴你一件事。***be all ~s*** 傾聽。***fall on deaf ~s*** 未受注意。***gain the ~ of*** 使(人)相信。***give ~ to*** 聽; 傾聽。***go in one ~ and out the other*** 左耳進右耳出; 耳邊風。***have [keep] an ~ to the ground*** 〖俗〗留意社會的動向[輿論]。***have [win] a person's ~*** 受人寵顧。***over head and ~s*** 全神貫注於…。***turn a deaf ~ to...*** 對…充耳不聞。***up to the ~s*** 深陷於…之中。§ ∼ **trùmpet** 喇叭型助聽器。

ear² *n.* Ⓒ 穗。**be in (the) ~** 正在長穗。

ear·ache [ˋɪr͵ek] *n.* Ⓤ Ⓒ 耳痛。

ear·drop [ˋɪr͵drɑp] *n.* Ⓒ 耳墜。

ear·drum [ˋɪr͵drʌm] *n.* Ⓒ 鼓膜。

ear·flap [ˋɪr͵flæp] *n.* Ⓒ (常 *pl.*)耳罩(附於帽側)。

ear·ful [ˋɪr͵fʊl] *n.* (an ~)〖俗〗滿耳的(閒)話。

earl [ɜl] *n.* Ⓒ〖英〗伯爵。

ear·lap [ˋɪr͵læp] *n.* ① = **earflap.** ② = **earlobe.** ③ Ⓒ 外耳; 耳殼。

earl·dom [ˋɜldəm] *n.* Ⓤ 伯爵的爵位[爵號]。

ear·less [ˋɪrlɪs] *adj.* ①無耳狀物的。②聾的。

Èarl Grévy [͵ɜl ~] *n.* Ⓤ 一種茶(其內添加一種油的成分, 具有特殊風味)。

ear·lobe [ˋɪr͵lob] *n.* Ⓒ 耳垂。

‡ear·ly [ˋɜlɪ] *adv.* 開始; 開端; 初; 早。**—** *adj.* 初期的。§ ∼ **bìrd** (1)早起者。(2)(開會等)比規定時間早到者。∼ **clósing (dày)**〖英〗(商店)提早關店(日)。**the É- Énglish stýle** 早期英國哥德式(1180-1250 英國建築式樣)。— **ear'li·ness,** *n.*

ear·mark [ˋɪr͵mɑrk] *n.* Ⓒ ①(加於牛、羊等耳朵上的)耳號(以表示所有權)。②(常 *pl.*)特徵。**—** *v.t.* ①加以耳號、記號。②指定(款項等)做特殊用途。

ear·muff [ˋɪr͵mʌf] *n.* Ⓒ (常 *pl.*) (禦寒用的)耳套。

‡earn [ɜn] *v.t.* ①賺(錢); 謀(生)。②應得。**—** *v.i.* 獲得收入。~ ***one's living*** 自行謀生; 自立。— **er,** *n.*

ear·nest** [ˋɜnɪst] *adj.* 熱心的; 誠摯的。**—** *n.* Ⓤ 認眞; 嚴肅性。in* ~** 熱心地; 認眞地。— **ly,** *adv.* — **ness,** *n.*

***earn·ing** [ˋɜnɪŋ] *n.* ① Ⓤ 賺; 掙錢。②(*pl.*)工資; 薪水; 所得。

ear·phone [ˋɪr͵fon] *n.* Ⓒ 耳機。

ear·piece [ˋɪr͵pis] *n.* Ⓒ ①(常 *pl.*)〖英〗耳罩。②(常 *pl.*)眼鏡脚。③(聽診器等的)聽筒。④ = **earphone.**

ear·plug [ˋɪr͵plʌg] *n.* Ⓒ (常 *pl.*) (防水、隔音用的)耳塞。

***ear·ring** [ˋɪr͵rɪŋ] *n.* Ⓒ (常 *pl.*)耳環。

ear·shot [ˋɪr͵ʃɑt] *n.* Ⓤ 聽力所及之距離。

ear·split·ting [ˋɪr͵splɪtɪŋ] *adj.* 震耳欲聾的。

‡earth [ɜθ] *n.* ① Ⓤ (the ~)地球。② Ⓤ (the ~)地球上的居民。③(the ~)人世間; 塵世。④ Ⓤ (the ~) (陸)地。⑤ Ⓤ Ⓒ 泥土。⑥ Ⓒ (狐狸等之)洞穴; 地洞。⑦ Ⓤ〖電〗接地。***come back [down] to* ~** 重返現實中。***on* ~ a.**全世界; 世界上。**b.**(加強疑問詞)到底; 究竟。***run (a thing) to* ~** 窮究到底。**—** *v.t.* ①用土掩蓋。②把…接到地下。③將(狐狸)趕入洞中。

earth·en [ˋɜθən] *adj.* ①土製的。②陶製的。

earth·en·ware [ˋɜθən͵wɛr] *n.* Ⓤ ①陶器; 瓦器。②陶土。

earth·ling [ˋɜθlɪŋ] *n.* Ⓒ ①世人; 凡人。②地球人; 人類。

***earth·ly** [ˋɜθlɪ] *adj.* ①地球的。②塵世的。

***earth·quake** [ˋɜθ͵kwek] *n.* Ⓒ 地震。§ ∼ **cénter** 震央[源]。∼ **shòck** 地震的震動。∼ **wàve** 震波。

earth·quake-proof [ˋɜθkwek-ˋpruf] *adj.* 防震的。

earth·rise [ˋɜθ͵raɪz] *n.* Ⓤ 地出(從月球或太空船上所看到的地球彷彿從月球地平線上升起的景像)。

earth·shak·ing [ˋɜθ͵ʃekɪŋ] *adj.* 重大的; 驚天動地的。

earth·ward [ˋɜθwɚd] *adv.* & *adj.* (朝著)地球方向(的); 向地面(的)。

earth·wards [ˋɜθwɚdz] *adv.* = **earthward.**

earth·work [ˋɜθ͵wɜk] *n.* ① Ⓤ (泥)土工。② Ⓒ 泥土築成之防禦工事。

earth·worm [ˋɜθ͵wɜm] *n.* Ⓒ 蚯蚓。

earth·y [ˋɜθɪ] *adj.* ①似泥土的; 土質的。②現實的。

ear·wax [ˋɪr͵wæks] *n.* Ⓤ 耳垢。

ear·wig [ˋɪr͵wɪg] *n.* Ⓒ〖昆〗地蜈蚣; 蠼螋。

ease** [iz] *n.* Ⓤ ①舒適; 安逸。②容易; 不費力。③不緊張。at (one's)* ~** 安逸。***ill at* ~** 心神不寧。***take one's* ~** 休息。***with* ~** 容易地。**—** *v.t.* ①使舒適; 減輕(痛苦等)。②放鬆。③使容易。**—** *v.i.* ①減輕。②小心移動。

ea·sel [ˋizḷ] *n.* Ⓒ 畫架；黑板架。
‡**eas·i·ly** [ˋizılı] *adv.* ①容易地。②輕鬆地。③無疑地。④很可能地。
‡**east** [ist] *n.* ①(the ～)東；東方。②(the E-)亞洲諸國。③(the E-)美國東部。***to the ～ of...*** 在…之東。**—** *adj.* ①在[向]東方的。②從東方來的。**—** *adv.* 向東方地。§ **the É- Chína Séa**東海。**the É- Índies**東印度(群島)。
***Eas·ter** [ˋistɚ] *n.* Ⓤ (基督教的)復活節。§ **∠ Dày** 復活節日。**∠ ègg** 復活節彩蛋(復活節之禮品)。
east·er·ly [ˋistɚlı] *adj.* ①東方的；東向的。②由東方來的。**—** *adv.*①向東方。②自東方。**—** *n.* Ⓒ 東風。
‡**east·ern** [ˋistɚn] *adj.* 東方的；東邊的；自東方來的。§ **the É- (Órthodox) Chúrch** 希臘正教；東羅馬正教。**the É- Hémisphere** 東半球。**the É- Róman Émpire** 東羅馬帝國。**É- (Stándard) Tìme**(美國的)東部(標準)時間(比G(M)T慢五小時；略作E.(S.)T.)。
East·ern·er [ˋistɚnɚ] *n.* Ⓒ ①美國東部之居民。②(e-)東部[東方]人。
east·ern·most [ˋistɚn͵most] *adj.* 最東的；極東的。
***east·ward** [ˋistwɚd] *adv. & adj.* 向東地[的]。**—** *n.* (the ～)東方。
east·wards [ˋistwɚdz] *adv.* ＝**eastward.**
‡**eas·y** [ˋizı] *adj.* ①容易的；輕易的。②舒適的；安樂的。③從容自如的。④鬆弛的。***on ～ street*** 在舒適的環境中。**—** *adv.* 輕易地；安適地。***take it [things]～*** 不要緊張。§ **∠ chàir** 安樂椅；安樂處境。**∠ márk**〖俗〗易受騙的人；易受利用的人。**∠ móney**(1)不費勞力賺得的錢。(2)用欺詐得來的錢。 —**eas′i·ness,** *n.*
eas·y·go·ing [ˋizıˋgoıŋ] *adj.* 做事懶散的；隨遇而安的。
‡**eat** [it] *v.t.* (**ate, eat·en**)①吃；食。②嚙；吞。③蛀蝕成。④侵蝕；腐蝕。**—** *v.i.* ①吃；食；吃飯。②侵蝕；腐蝕。~ ***away [into]*** 侵蝕。~ ***one's heart out*** 極度悔恨或悲痛。~ ***one's words*** 取消前言。~ ***up*** **a.** 把…吃光；食盡。**b.**〖俚〗主動接受；照單全收。**—** *n.* (*pl.*)〖俗〗食物；用餐。—**er,** *n.*
eat·a·ble [ˋitəbḷ] *adj.* 可食的；可吃的。**—** *n.* (*pl.*)可食用的東西；食品。
‡**eat·en** [ˋitn̩] *v.* pp. of **eat.**
eat·er·y [ˋitərı] *n.* Ⓒ〖俚〗小餐館；食堂。
eat·ing [ˋitıŋ] *n.* Ⓤ ①吃；食。②食物。§ **∠ hòuse [plàce]** 飲食店。
eau de Co·logne [͵odəkəˋlon] *n.* Ⓤ 科隆(香)水；古龍水。
eaves [ivz] *n. pl.* 屋簷。
eaves·drop [ˋivz͵drap] *v.i.* (**-pp-**) 偷聽。—**per,** —**ping,** *n.*
ebb** [ɛb] *n.* ①(the ～)退潮。②(*sing.*)衰退。the ～ and flow*** **a.** 漲潮與退潮。**b.** 人事滄桑。**—** *v.i.* ①(潮)退。②衰退。§ **∠ tìde** 退潮。
eb·on·ite [ˋɛbən͵aıt] *n.* Ⓤ 硬橡膠。
eb·on·y [ˋɛbənı] *n.* Ⓒ 烏木；黑檀。**—** *adj.* ①烏木製的。②烏黑的。

e·bul·lient [ıˋbʌljənt] *adj.* 沸騰的；興高采烈的；熱情充溢的。
eb·ul·li·tion [͵ɛbəˋlıʃən] *n.* ① Ⓤ 沸騰。② ⓊⒸ 激發；洋溢。③ ⓊⒸ (溶岩、水等)湧溢；噴出。
ec·ce ho·mo [ˋɛksıˋhomo]〖拉〗*n.* Ⓒ 戴著荊棘冠冕的耶穌畫像。
***ec·cen·tric** [ıkˋsɛntrık] *adj.* ①古怪的；怪癖的。②(圓)不同中心的。**—** *n.* Ⓒ①古怪的人。②偏心器。③離心圓。
ec·cen·tric·i·ty [͵ɛksənˋtrısətı] *n.*① Ⓤ 怪癖性；古怪性。② Ⓒ 怪行；奇癖。③ Ⓒ 離心率。
Ec·cle·si·as·tes [ı͵kliziˋæstiz] *n.* 傳道書(舊約聖經中之一卷)。
ec·cle·si·as·tic [ı͵kliziˋæstık] *n.* Ⓒ 傳教士。**—** *adj.* ＝**ecclesiastical.**
ec·cle·si·as·ti·cal [ı͵kliziˋæstıkḷ] *adj.* ①教會的。②牧師的；教士的。
ECG electrocardiogram. 心電圖。
ech·e·lon [ˋɛʃə͵lan] *n.*〖軍〗① Ⓒ (常 *pl.*)指揮階層。② ⓊⒸ 梯隊；梯次隊形。**—** *v.t. & v.i.* 列成梯隊。
e·chi·no·derm [ɛˋkaınə͵dɝm] *n.* Ⓒ〖動〗棘皮動物。
e·chi·nus [ɛˋkaınəs] *n.* Ⓒ (*pl.* **-ni** [-naı])①〖動〗海膽。②〖建〗凸圓線脚。
***ech·o** [ˋɛko] *n.* Ⓒ (*pl.* **～es**) ①回聲；回音。②附和者。③〖無線〗回波。**—** *v.i. & v.t.* 發回聲；共鳴。§ **∠ sòunder** 回音測深儀。—**e·cho′ic,** *adj.*
ech·o·lo·ca·tion [͵ɛkoloˋkeʃən] *n.* Ⓤ〖動〗回音定位(蝙蝠、海豚等藉音波測定物體存在的能力)。
é·clair [eˋklɛr]〖法〗*n.* ⓊⒸ 手指形巧克力奶油小餅。
é·clat [ıˋkla]〖法〗*n.* Ⓤ ①輝煌成就。②大聲喝采。
ec·lec·tic [ıkˋlɛktık] *adj.*〖哲〗折衷的。**—** *n.* Ⓒ 折衷派之人。—**ec·lec′ti·cism,** *n.*
e·clipse [ıˋklıps] *n.* Ⓒ (日、月)蝕。**—** *v.t.* ①蝕；遮掩。②使失色；凌駕。
e·clip·tic [ıˋklıptık] *n.* (the ～)〖天〗黃道。**—** *adj.* ①黃道的。②蝕的。
ec·logue [ˋɛklɔg] *n.* Ⓒ 牧歌；田園詩。
ECM European Common Market. 歐洲共同市場。
ec·o·ca·tas·tro·phe [͵ɛkokəˋtæstrəfı, ͵iko-] *n.* Ⓒ (環境污染造成的)大規模或世界性的生態災難。
ec·o·cide [ˋɛko͵saıd] *n.* Ⓤ 生態滅絕。
ec·o·freak [ˋiko͵frik] *n.* Ⓒ〖蔑〗熱心的環境保護論者。
E. co·li [ˋiˋkolaı]〖拉〗*n.* Ⓒ 大腸桿菌。
e·col·o·gy [ıˋkalədʒı] *n.* Ⓤ ①〖生物〗生態學。②社會生態學。—**ec·o·log′i·cal,** *adj.* —**e·col′o·gist,** *n.*
e·con·o·met·rics [ı͵kanəˋmɛtrıks] *n.* Ⓤ 計量經濟學。
***ec·o·nom·ic** [͵ikəˋnamık, ͵ɛk-] *adj.* ①經濟學的。②經濟(上)的。
***ec·o·nom·i·cal** [͵ikəˋnamıkḷ, ͵ɛk-] *adj.* ①經濟的；節儉的；節省的。②經濟學的。—**ly,** *adv.*
***ec·o·nom·ics** [͵ikəˋnamıks, ͵ɛk-] *n.* Ⓤ 經濟學。

*e·con·o·mist [ɪˋkɑnəmɪst, i-] n. Ⓒ①經濟學家。②節約者；儉省的人。
e·con·o·mize [ɪˋkɑnə,maɪz] v.t. & v.i. 節儉；節約；儉省。
*e·con·o·my [ɪˋkɑnəmɪ, i-] n. ①Ⓤ經濟。②ⓊⒸ節約。③Ⓒ經濟制度。§ ∼ clàss 經濟艙；二等艙。
ec·o·sphere [ˋiko,sfɪr] n. Ⓒ生態圈。
ec·o·sys·tem [ˋɛko,sɪstəm] n. Ⓒ「(常the ∼)生態系統。」
ec·ru [ˋɛkru] adj. 淡褐色的；米色的。— n. Ⓤ淡褐色。(亦作 **écru**)
*ec·sta·sy [ˋɛkstəsɪ] n. ⓊⒸ①狂喜。②恍惚；出神。
ec·stat·ic [ɪkˋstætɪk] adj. ①狂喜的。②出神的；入迷的。— n. ①Ⓒ易發狂喜或神情恍惚之人。②(pl.)狂喜。
ec·to·derm [ˋɛktə,dɝm] n. Ⓒ〖生物〗外胚層；(腔腸動物等之)外細胞層。
ec·to·plasm [ˋɛktə,plæzəm] n. Ⓤ①〖生物〗外質；細胞外層質。②(據說發自靈媒身體的)心靈體。
ECU European Currency Unit. 歐洲貨「幣單位。」
Ec·ua·dor [ˋɛkwə,dɔr] n. 厄瓜多爾(南美洲西北部之一國，首都 Quito)。
ec·u·men·i·cal [,ɛkjuˋmɛnɪkḷ] adj. ①一般的。②〖宗〗全基督教會的。
ec·ze·ma [ˋɛksəmə] n. Ⓤ〖醫〗濕疹。
-ed 〖字尾〗①表規則動詞的過去式，過去分詞。②加於名詞之後構成形容詞。
ed·dy [ˋɛdɪ] n. Ⓒ①逆流；漩渦。②旋風。— v.i. & v.t. ①成逆流。②洄漩。
e·del·weiss [ˋedḷ,vaɪs]〖德〗n. Ⓒ〖植〗高山薄雪草。
e·de·ma [ɪˋdimə] n. ⓊⒸ (pl. ∼s, ∼ta [∼tə])〖醫〗水腫；浮腫。
E·den [ˋidn̩] n. ①〖聖經〗伊甸園。②Ⓒ樂園。
‡edge [ɛdʒ] n. ①Ⓒ邊緣；端。②Ⓒ刀刃；鋒。③(sing.)尖銳；銳利。④Ⓒ(常 sing.)〖俗〗占上風。⑤(sing.)言語等的尖刻。*on* ∼ **a.** 緊張的。**b.** 渴望的。*set on* ∼ 使急於…。*set [put] one's teeth on* ∼ **a.**使某人感到不舒服[惱怒，厭惡]。**b.** 刺激。*take the* ∼ *off* 挫其銳氣；鈍其鋒芒。— v.i.徐進；側進。— v.t. ①加邊於。②加刃於。③側身擠進；漸移。
edged [ɛdʒd] adj. 銳利的；鋒利的。
edge·ways [ˋɛdʒ,wez], **-wise** [-,waɪz] adv. 以刃(或邊緣)朝外地；向邊緣地。*get a word in* ∼ 插嘴。
edg·ing [ˋɛdʒɪŋ] n. ①Ⓒ邊飾。②Ⓤ「鑲邊。」
edg·y [ˋɛdʒɪ] adj. 躁急的。
ed·i·ble [ˋɛdəbḷ] adj. 可食的。
e·dict [ˋidɪkt] n. Ⓒ敕命；布告；詔書。
ed·i·fi·ca·tion [,ɛdəfəˋkeʃən] n. Ⓤ陶冶；啓迪；敎化。
ed·i·fice [ˋɛdəfɪs] n. Ⓒ①大建築物。「②體系。」
ed·i·fy [ˋɛdə,faɪ] v.t. 陶冶；敎化。
Ed·i·son [ˋɛdəsn̩] n. 愛迪生(Thomas Alva, 1847-1931, 美國發明家)。
*ed·it [ˋɛdɪt] v.t. ①編輯；校訂。②剪輯(影片、錄音帶等)。
*e·di·tion [ɪˋdɪʃən] n. Ⓒ版本；版。a pocket ∼ 袖珍版。
*ed·i·tor [ˋɛdɪtɚ] n. Ⓒ編者；主筆。*chief* ∼; ∼ *in chief* 主編；總編輯。
*ed·i·to·ri·al [,ɛdəˋtorɪəl, -ˋtɔr-] adj. ①編輯的；主筆的。②社論的。— n. Ⓒ社論；時評。
EDP electronic data processing. 〖電算〗電子資料處理。
ed·u·ca·ble [ˋɛdʒəkəbḷ] adj.可教育的；可塑的。(亦作 **educatable**)
‡ed·u·cate [ˋɛdʒə,ket, -dʒʊ-] v.t. 教育；培養(愛好等)。— **ed′u·ca·tor,** n.
*ed·u·cat·ed [ˋɛdʒə,ketɪd] adj. ①受過教育的。②根據資料或經驗的。
*ed·u·ca·tion [,ɛdʒəˋkeʃən, -dʒʊ-] n. ⓊⒸ教育。
*ed·u·ca·tion·al [,ɛdʒəˋkeʃənl, -dʒʊ-] adj. ①教育(上)的。②教育性的。§ ∼ **párk** 〖美〗教育公園(為多所中學、小學學生設立之公園式佈局的教育設施)。∼ **psychólogy** 教育心理學。∼ **sýstem** 教育制度。∼ **technólogy** 應用於教育的科技。∼ **télevision** 教學電視。
ed·u·ca·tion·ese [,ɛdʒə,keʃəˋniz] n. Ⓤ教育界行話。
ed·u·ca·tion·ist [,ɛdʒəˋkeʃənɪst] n. Ⓒ教育家；教育學者。
ed·u·ca·tive [ˋɛdʒə,ketɪv] adj. ①教育的。②教育上的；含有教育意義的。
e·duce [ɪˋdjus] v.t. ①引出；顯出。②推斷出；演繹出。③〖化〗析出。
e·duct [ˋidʌkt] n. Ⓒ①引出之物。②推論的結果。③〖化〗游離物。
ed·u·tain·ment [,ɛdʒʊˋtenmənt] n. Ⓒ〖視〗(專為小學生設計的)教育娛樂節目。
-ee 〖字尾〗表「動作接受者」之義。
EEC, E.E.C. European Economic Community. 歐洲經濟共同組織。
eek [ik] interj. 哇；唷；呀！(極度驚嚇時所發出的聲音)。
eel [il] n. ⓊⒸ鰻；鱔魚。
e'en [in] adv. 〖詩，方〗= **even**[1].
EEO equal employment opportunity. 工作機會均等。
-eer 〖字尾〗名詞字尾，以表「與…有關之人或物；寫作者；製作者」之義。
e'er [ɛr] adv. 〖詩〗= **ever.**
ee·rie, ee·ry [ˋɪrɪ] adj. ①怪誕的；可怖的。②膽小的。
ef·face [ɪˋfes] v.t. 消除；抹殺；沖淡。— **ment,** n.
‡ef·fect [əˋfɛkt, ɪ-, ɛ-] n. ①ⓊⒸ結果；效果；效力。②(sing.)感觸；印象。③(pl.)動產。④ⓊⒸ影響；效驗。⑤(sing.)意旨；意思；大意(前面加to)。*for* ∼ 做樣子；使人發生預期之印象。*give* ∼ *to* 使生效。*in* ∼ **a.** 實際上(= in fact)。**b.** 生效的。*of no* ∼ 無效。*take* ∼ **a.** 生效；奏效。**b.** 開始發生作用。*to the* ∼ *that* 大意是說。— v.t. 實現；產生(效果)。
*ef·fec·tive [əˋfɛktɪv, ɪ-] adj. ①有效的。②生效的。— **ly,** adv.
ef·fec·tu·al [əˋfɛktʃʊəl] adj. ①有效的；收效的。②有法律效力的。— **ly,** adv.
ef·fec·tu·ate [əˋfɛktʃʊ,et] v.t. 使實現；使有效；實踐；貫徹。
ef·fem·i·na·cy [əˋfɛmənəsɪ] n.

ef·fem·i·nate [əˋfɛmənɪt] *adj.* 娘Ⓤ娘娘腔；柔弱。「娘腔的。
ef·fer·ent [ˋɛfərənt] *adj.* 〖生理〗輸出的；傳出的。— *n.* Ⓒ傳出神經。
ef·fer·vesce [ˏɛfəˋvɛs] *v.i.* ①沸騰；冒泡。②激動；活潑；興奮。— **ef·fer·ves′cence,** *n.* — **ef·fer·ves′cent,** *adj.*
ef·fete [ɛˋfit] *adj.* ①筋疲力盡的。②(土地等)無生產力的。
ef·fi·ca·cious [ˏɛfəˋkeʃəs] *adj.* 有效的。
ef·fi·ca·cy [ˋɛfəkəsɪ] *n.* Ⓤ效力。
*__ef·fi·cien·cy__ [əˋfɪʃənsɪ, ɪ-] *n.* Ⓤ效能；效率。§ ~ **enginèer** [**èxpert**]〖美〗效率專家。~ **tèst** 效率試驗。
*__ef·fi·cient__ [əˋfɪʃənt, ɪ-] *adj.* ①有效率的；最經濟的。②能勝任的。
ef·fi·gy [ˋɛfədʒɪ] *n.* Ⓒ肖像；雕像。
ef·flu·ent [ˋɛfluənt] *adj.* 流出的。— *n.* ①ⓊⒸ廢棄物。②Ⓒ水流。③Ⓤ污水。
ef·flu·vi·al [ɛˋfluvɪəl] *adj.* 臭氣的；穢氣的。
ef·flu·vi·um [ɛˋfluvɪəm] *n.* Ⓒ (*pl.* **~s, -vi·a** [-vɪə]) 惡臭；臭氣。
ef·flux [ˋɛflʌks] *n.* Ⓒ流出物。
‡**ef·fort** [ˋɛfət] *n.* ①ⓊⒸ(常 *pl.*)努力；奮力。②Ⓒ(努力的)成果；作品。— **less,** *adj.* 不費力的；不盡力的。
ef·fron·ter·y [əˋfrʌntərɪ] *n.* Ⓤ厚顏無恥。
ef·ful·gent [ɛˋfʌldʒənt] *adj.* 光輝的；燦爛的。— **ef·ful′gence,** *n.*
ef·fuse [ɛˋfjuz] *v.t.* & *v.i.* ①流出；瀉出。②散布。
ef·fu·sion [əˋfjuʒən] *n.* ①Ⓤ流出；瀉出。②Ⓒ流出物。③Ⓤ(思想、感情之)迸發。
ef·fu·sive [ɛˋfjusɪv] *adj.* 感情橫溢的。
*__e.g.__ 〖拉〗exempli gratia (=for example). 例如。
e·gal·i·tar·i·an [ɪˏgælɪˋtɛrɪən] *adj.* 平等主義的。— *n.* Ⓒ平等主義者。— **ism,** *n.*
‡**egg** [ɛg] *n.* Ⓒ①蛋；卵。②卵形物。③〖俚〗炸彈；水雷。*a bad* ~〖俚〗壞蛋；壞人。*in the* ~ 在早期；尚未發展的。*lay an* ~〖俚〗(演出等)全然不受歡迎。*put all one's ~s in one basket* 孤注一擲。*teach one's grandmother to suck ~s* 班門弄斧。*tread* [*walk*] *upon ~s* 小心翼翼；當心。— *v.t.* 慫恿；鼓勵(on)。§ ~ **fóo yúng** [ˋfuˋjʌŋ] 芙蓉蛋(中國菜名)。~ **ròll**〖美〗(中國菜之)春捲。~ **whìte** 蛋白。
egg·head [ˋɛgˏhɛd] *n.* Ⓒ〖美俚〗①書獃子。②理想主義者。
egg·nog [ˋɛgˏnɑg] *n.* ⓊⒸ蛋酒。
egg·plant [ˋɛgˏplænt] *n.* ⓊⒸ〖植〗茄子。
egg·shell [ˋɛgˏʃɛl] *n.* Ⓒ蛋殼。
eg·lan·tine [ˋɛglənˏtaɪn] *n.* Ⓒ〖植〗野薔薇。
e·go [ˋigo] *n.* (*pl.* **~s**) ①ⓊⒸ我；自我。②Ⓤ〖俗〗自大；自尊心。§ ~ **idèal** 自我理想。~ **trìp** 利己的行爲。
e·go·cen·tric [ˏigoˋsɛntrɪk] *adj.* 自我中心的；利己主義的。
e·go·ism [ˋigoˏɪzəm] *n.* Ⓤ①自我主義。②自私。③自負。— **e′go·ist,** *n.*
e·go·ma·ni·a [ˏigoˋmenɪə] *n.* Ⓤ過分自私；自大狂；利己癖。
e·go·tism [ˋigəˏtɪzəm] *n.* Ⓤ①自負。②自我吹噓。③自私。— **e′go·tist,** *n.* — **e·go·tis′tic(al),** *adj.*
e·go-trip [ˋigoˏtrɪp] *v.i.* (**-pp-**)表現自我；追求個人名利。— **per,** *n.*
e·gre·gious [ɪˋgridʒəs] *adj.* 非常的；過分的。
e·gress [ˋigrɛs] *n.* ①Ⓤ出去。②Ⓤ外出權。③Ⓒ出口；排出口。
e·gret [ˋigrɪt] *n.* Ⓒ①白鷺。②白鷺羽毛(做裝飾物)。③〖植〗冠毛。
*__E·gypt__ [ˋidʒəpt, ˋidʒɪpt] *n.* 埃及(非洲東北部之一國，首都 Cairo)。
E·gyp·tian [ɪˋdʒɪpʃən, i-] *adj.* 埃及(人，語)的。— *n.* ①Ⓒ埃及人。②Ⓤ古埃及語。
E·gyp·tol·o·gy [ˏidʒɪpˋtɑlədʒɪ] *n.* Ⓤ埃及古物學。— **E·gyp·tol′o·gist,** *n.*
eh [e, ɛ] *interj.* (表疑問和驚訝)呃? 啊!
ei·der [ˋaɪdə] *n.* Ⓒ棉凫；絨鴨。
ei·der·down [ˋaɪdəˏdaun] *n.* ①Ⓤ棉凫之絨毛。②Ⓒ凫絨被。
Éif·fel Tówer [ˋaɪfl ~] *n.* (the ~) (巴黎)艾菲爾鐵塔(建於 1889 年，高 984 英尺)。
‡**eight** [et] *n.* ⓊⒸ八；八個。— *adj.* 八(個)的。
eight·ball [ˋetˏbɔl] *n.* Ⓒ①撞球中有「8」記號之黑球。②〖俗〗無定向擴音器。*behind the* ~〖俚〗處於不利地位。
‡**eight·een** [eˋtin, ˋeˋtin] *n.* ⓊⒸ十八；十八個。— *adj.* 十八(個)的。
‡**eight·eenth** [ˋeˋtinθ] *adj.* 第十八的；十八分之一的。— *n.* ①Ⓤ(常 the ~)第十八。②Ⓒ十八分之一。
eight·fold [ˋetˋfold] *adj.* & *adv.* 八倍的[地]；八重的[地]。
‡**eighth** [etθ] *adj.* 第八的；八分之一的。— *n.* ①Ⓤ(常 the ~)第八。②Ⓒ八分之一。③Ⓒ〖樂〗第八音。§ ~ **nòte**〖樂〗八分音符。
*__eight·i·eth__ [ˋetɪɪθ] *adj.* 第八十的；八十分之一的。— *n.* ①Ⓤ(常 the ~)第八十。②Ⓒ八十分之一。
‡**eight·y** [ˋetɪ] *n.* ⓊⒸ八十；八十個。— *adj.* 八十(個，人)的。
Ein·stein [ˋaɪnstaɪn] *n.* 愛因斯坦(Albert, 1879-1955, 美國物理學家，發明相對論)。§ ~ **thèory**〖理〗相對論。
ein·stein·i·um [aɪnˋstaɪnɪəm] *n.* Ⓤ〖化〗鑀(放射性元素；符號 Es)。
Eir·e [ˋɛrə] *n.* 愛爾蘭共和國之舊稱。
Ei·sen·how·er [ˋaɪznˏhauə] *n.* 艾森豪(Dwight David, 1890-1969, 美國第34位總統，任期 1953-61 年)。
‡**ei·ther** [ˋiðə, ˋaɪðə] *adj.* (二者之)任一；每一；二者。— *pron.* 二者之一。— *adv.* 也；亦。— *conj.* (與 or 連用)不是…就是…。
ei·ther-or [ˋiðəˋɔr] *adj.* 〖英〗兩者擇一的；別無他途的。
e·jac·u·late [ɪˋdʒækjəˏlet] *v.i.* & *v.t.* ①突然排出(液體)；射出。②突然說出；喊叫。— **e·jac·u·la′tion,** *n.*

— **e·jac′u·la·to·ry,** *adj.*
e·ject [ɪ`dʒɛkt] *v.t.* ①噴出；投出。②逐出；罷黜。— **ment,** *n.*
e·jec·tion [ɪ`dʒɛkʃən] *n.* ①Ⓤ噴出；投出。②Ⓤ逐出；罷黜。③Ⓒ噴出物；排泄物。§ ～ **càpsule**(飛機上救生用之)緊急彈射艙。～ **sèat**(緊急情況時連駕駛員一同彈出飛機之)彈射座椅。
eke [ik] *v.t.* 增加；補充〔out〕.
***e·lab·o·rate** [ɪ`læbərɪt] *adj.* 精心計畫的；精巧的。—[ɪ`læbə,ret] *v.t.* 精心製作。— *v.i.*擬定(計畫)；推敲(文章)〔常 on, upon〕. — **ly,** *adv.*
e·lab·o·ra·tion [ɪ,læbə`reʃən] *n.* ①Ⓤ苦心經營。②Ⓒ精心之作。③Ⓤ精密；精緻。
e·lab·o·ra·tive [ɪ`læbə,retɪv] *adj.* 苦心經營的；精緻的。
e·land [`ilənd] *n.* Ⓒ〖動〗(非洲產之)大羚羊。
e·lapse [ɪ`læps] *v.i.* (時間)溜走；(光陰)逝去。
***e·las·tic** [ɪ`læstɪk] *adj.* ①有彈性的。②(感情等)易於復原的。— *n.* ①Ⓤ鬆緊帶。②Ⓒ橡皮筋。
e·las·tic·i·ty [ɪ,læs`tɪsətɪ] *n.* Ⓤ彈性。
e·late [ɪ`let] *v.t.* 使興奮；使得意。
e·lat·ed [ɪ`letɪd] *adj.* 興高采烈的。
e·la·tion [ɪ`leʃən] *n.* Ⓤ得意洋洋。
‡**el·bow** [`ɛl,bo] *n.* Ⓒ ①肘。②肘狀物。*be out at* (*the*) *~s* **a.**衣衫襤褸的。**b.**貧窮。*be up to the ~s* 埋頭於(工作等)。*rub ~s with* 與…來往。— *v.t.* & *v.i.* 以肘推；擠。§ ～ **grèase** 費臂力工作；重活。
el·bow·room [`ɛlbo,rum] *n.* Ⓤ充裕的活動空間、場所；自由行動的範圍。
‡**eld·er**[1] [`ɛldɚ] *adj.* ①年長的；前輩的。②較優先的。③從前的。— *n.* Ⓒ ①前輩。②年長者。〔注意〕**elder** 特指兄弟姊妹間的較長者，但表長幼關係時，不能以之代替 older.
el·der[2] *n.* Ⓒ〖植〗接骨木。
eld·er·ly [`ɛldɚlɪ] *adj.* 稍老的。
‡**eld·est** [`ɛldɪst] *adj.* 最年長的。
El·do·ra·do, El Do·ra·do [,ɛldə`rɑdo]〖西〗*n.* (*pl.* **~s**) ①理想中的黃金國。②Ⓒ寶山。
‡**e·lect** [ɪ`lɛkt] *v.t.* ①推選；選舉。②選擇；決定。— *adj.* 選出的。— *n.* (the ～)①上帝的選民。②特權階級；領導階級。— **a·ble,** *adj.*
***e·lec·tion** [ɪ`lɛkʃən] *n.* ⓊⒸ 選擇；選舉。§ ～ **campàign** 競選活動。～ **dày** 選舉日。～ **dìstrict** 選區。
e·lec·tion·eer [ɪ,lɛkʃən`ɪr] *v.i.* 競選；作競選活動。— **ing,** *n.*
e·lec·tive [ɪ`lɛktɪv] *adj.* 被選出的；選任的。— *n.* Ⓒ選修科目。
e·lec·tor [ɪ`lɛktɚ] *n.* Ⓒ ①有選舉權者。②(美國總統與副總統的)選舉人。
e·lec·tor·al [ɪ`lɛktərəl] *adj.* 選舉的；選舉人的。§ ～ **vóte**〖美〗總統與副總統選舉團所投的票。**the ～ cóllege**〖美〗(總統與副總統的)選舉團。— **ly,** *adv.*
e·lec·tor·ate [ɪ`lɛktərɪt] *n.* Ⓒ①選民；選舉團。②選舉區。
‡**e·lec·tric** [ɪ`lɛktrɪk, ə-] *adj.* 電的；用電的；生電的。§ ～ **cháir** 電椅(刑具)。～ **cúrrent**電流。～ **éel**電鰻(南美產的鰻魚，能放出強烈電力)。～ **éye**〖理〗電眼；光電管。～ **fán** 電扇。～ **guítar** 電吉他。～ **íron** 電熨斗。～ **lámp** 電燈。～ **sháver** 電動刮鬍刀。～ **shóck** (**thérapy**) 電擊(療法)。～ **wáve** 電波。
‡**e·lec·tri·cal** [ɪ`lɛktrɪkl] *adj.* ①= **electric.** ② 與電有關的。§ ～ **tran-scríption** (1)錄音廣播。(2)廣播錄音盤。
***e·lec·tri·cian** [ɪ,lɛk`trɪʃən] *n.* Ⓒ〖美〗電工技師；電機師。
***e·lec·tric·i·ty** [ɪ,lɛk`trɪsətɪ, ə-, ,ilɛk-] *n.* Ⓤ電；電流；電學。
e·lec·tri·fy [ɪ`lɛktrə,faɪ] *v.t.* ①充電。②使電化。③使震驚。— **e·lec·tri·fi·ca·tion** [ɪ,lɛktrəfə`keʃən], *n.*
electro- 〖字首〗表「電」之義。
e·lec·tro·car·di·o·gram [ɪ,lɛk-tro`kɑrdɪə,græm] *n.* Ⓒ心電圖。
e·lec·tro·car·di·o·graph [ɪ,lɛktro`kɑrdɪə,græf] *n.* Ⓒ〖醫〗心動電流描記器。
e·lec·tro·chem·is·try [ɪ,lɛk-tro`kɛmɪstrɪ] *n.* Ⓤ電化學。
e·lec·tro·cute [ɪ`lɛktrə,kjut] *v.t.* ①施以電刑。②誤觸電致死。— **e·lec·tro·cu′tion,** *n.*
e·lec·trode [ɪ`lɛktrod] *n.* Ⓒ(常 *pl.*)電極。
e·lec·tro·dy·nam·ic [ɪ,lɛktro-daɪ`næmɪk] *adj.* 電動力學的。
e·lec·tro·dy·nam·ics [ɪ,lɛk-trodaɪ`næmɪks] *n.* Ⓤ電動力學。
e·lec·tro·en·ceph·a·lo·graph [ɪ,lɛktroɛn`sɛfələ,græf] *n.* Ⓒ腦波計。
e·lec·trol·y·sis [ɪ,lɛk`trɑləsɪs] *n.* Ⓤ①電解。②〖外科〗電解療法(以電流破壞腫瘤、痣、毛根等)。
e·lec·tro·lyte [ɪ`lɛktrə,laɪt] *n.* ⓊⒸ 電解質；電解液。— **e·lec·tro·lyt·ic** [ɪ,lɛktrə`lɪtɪk], *adj.*
e·lec·tro·lyze [ɪ`lɛktrə,laɪz] *v.t.* 電解。— **e·lec·tro·ly·za′tion,** *n.*
e·lec·tro·mag·net [ɪ,lɛktro-`mægnɪt] *n.* Ⓒ電磁石。
e·lec·tro·mag·net·ic [ɪ,lɛk-tromæg`nɛtɪk] *adj.* ①電磁的；電磁鐵的。②電磁學的。§ ～ **fíeld** 電磁場。～ **spéctrum** 電磁波頻譜。～ **únit** 電磁單位。～ **wáve** 電磁波。
e·lec·tro·mag·net·ism [ɪ,lɛk-tro`mægnə,tɪzəm] *n.* Ⓤ電磁(學)。
e·lec·tro·mo·tive [ɪ,lɛktrə`motɪv] *adj.* 電動的；起電的。
e·lec·tro·mo·tor [ɪ,lɛktrə`motɚ] *n.* Ⓒ電動機；發電機。
***e·lec·tron** [ɪ`lɛktrɑn] *n.* Ⓒ〖理〗電子。§ ～ **bómb** 鎂殼燃燒彈。～ **gás**〖理〗電子氣。～ **gùn** 電子槍。～ **lèns** 電子透鏡。～ **mìcroscope** 電子顯微鏡。～ **òptics** 電子光學。～ **tùbe** 電子管。～ **vòlt** 電子伏特。
***e·lec·tron·ic** [ɪ,lɛk`trɑnɪk] *adj.* ①電子的。②由電子作用的。§ ～ **bráin** [**compúter**]電腦。～ **dáta prócess-**

ing sýstem 電子數據處理系統。～ engineéring 電子工程學。～ flásh 〖攝〗電子閃光燈。～ máil 電子郵件[郵政制度]。～ músic電子音樂。—e·lec·tron/i·cal·ly, *adv.*

***e·lec·tron·ics** [ɪˌlɛkˋtrɑnɪks, ə-] *n.* Ⓤ電子工程學。

e·lec·troph·o·rus [ɪˌlɛkˋtrɑfərəs] *n.* Ⓒ (*pl.* **-ri** [-ˌraɪ])〖理〗起電盤。

e·lec·tro·plate [ɪˋlɛktrəˌplet] *v.t.* 電鍍。— *n.* Ⓒ被電鍍的物品。

e·lec·tro·shock [ɪˋlɛktroˌʃɑk] *n.* Ⓤ〖醫〗(治療精神病的)電擊療法。

e·lec·tro·stat·ics [ɪˌlɛktrəˋstætɪks] *n.* Ⓤ靜電學。

e·lec·tro·type [ɪˋlɛktrəˌtaɪp] *n.* ①Ⓒ電鑄版。②Ⓤ電版鑄術。

el·e·gance [ˋɛləgəns] *n.* ①Ⓤ優雅。②Ⓤ(思考)俐落。③Ⓒ(常 *pl.*)優美之事物。(亦作 **elegancy**)

***el·e·gant** [ˋɛləgənt] *adj.* ①(指人)文雅的；高雅的。②(指物)優美的；雅潔的。③〖俗〗好的；上等的。— **ly,** *adv.*

el·e·gi·ac [ɪˋlidʒɪˌæk] *adj.* ①輓詩[歌]的。②哀悼的。— *n.* Ⓒ(常*pl.*)輓歌；輓詩。—**el/e·gist,** *n.*

el·e·gy [ˋɛlədʒɪ] *n.* Ⓒ輓歌；輓詩。

el·e·ment** [ˋɛləmənt] *n.* ①Ⓒ元素。②Ⓒ要素；成分。③Ⓒ(常 an ～)小量。④(常 ～s)集團；分子。⑤(the ～s)自然力量(指風、雨等)。be in one's ～*** 適得其所。***be out of one's ～*** 不得其所。***the Elements***聖餐中之麵包與酒。***the four ～s*** 四元素；四行(即土、水、風、火)。

el·e·men·tal [ˌɛləˋmɛntl] *adj.* ①元素的。②要素的。③自然力的。

***el·e·men·ta·ry** [ˌɛləˋmɛntərɪ] *adj.* ①基本的；初步的。②元素的。§～ schòol 小學。

‡**el·e·phant** [ˋɛləfənt] *n.* Ⓒ (*pl.* ～, ～s)象。

el·e·phan·tine [ˌɛləˋfæntin] *adj.* ①象的；如象的。②巨大的；笨拙的。

***el·e·vate** [ˋɛləˌvet] *v.t.* ①舉起；提高。②擢陞；提拔。③提高品質。

el·e·vat·ed [ˋɛləˌvetɪd] *adj.* ①高起的。an ～ railroad [railway]〖美〗高架鐵路。②高尚的；崇高的。③高興的。

el·e·va·tion [ˌɛləˋveʃən] *n.* ①Ⓒ高地。②(an ～)高度；海拔。③Ⓤ提高；擢陞。④Ⓤ高超。⑤Ⓒ〖建〗正視圖。

‡**el·e·va·tor** [ˋɛləˌvetɚ] *n.* Ⓒ①升降機。②電梯(=〖英〗lift)。③〖美〗穀倉。④(飛機的)升降舵。

‡**e·lev·en** [ɪˋlɛvən] *adj.* 十一(個)的。— *n.* ⓊⒸ十一；十一個。

‡**e·lev·enth** [ɪˋlɛvənθ] *adj.* 第十一(個)的；十一分之一的。***at the ～ hour*** 在最後一刻；在危急時。— *n.* ①Ⓤ(*the* ～)第十一。②Ⓒ十一分之一。

elf [ɛlf] *n.* Ⓒ (*pl.* **elves**)①小精靈。②喜歡惡作劇的孩子。③侏儒；矮子。— **ish,** *adj.*

elf·in [ˋɛlfɪn] *adj.* 小精靈的；像小精靈的。

e·lic·it [ɪˋlɪsɪt] *v.t.* 誘出；引出；抽出。—**e·lic·i·ta/tion,** *n.*

e·lide [ɪˋlaɪd] *v.t.* 省略(母音或音節)。

***el·i·gi·ble** [ˋɛlɪdʒəbl] *adj.* 合格的。— *n.* Ⓒ合格者。—**el·i·gi·bil/i·ty,** *n.*

***e·lim·i·nate** [ɪˋlɪməˌnet] *v.t.* ①除去；剔除；淘汰。②不予考慮。③〖生理〗排出(排泄物)。

e·lim·i·na·tion [ɪˌlɪməˋneʃən] *n.* ⓊⒸ①除去；削減。②排除；排泄。③〖數〗消去(法)。④〖運動〗預賽。§～ màtch [cồntest, ràce]預賽；淘汰賽。

e·lite [ɪˋlit, eˋlit] *n.* ①Ⓒ經挑選的人；精英。②Ⓤ(打字機的)艾利特字體。— *adj.* 精英的。—**e·lit/ism,** *n.*

e·lix·ir [ɪˋlɪksɚ] *n.* ①Ⓒ鍊金藥液。②(the ～)長生不老藥(=elixir of life)。③Ⓒ萬靈藥。

E·liz·a·beth [ɪˋlɪzəbəθ] *n.* ①伊利莎白(女子名)。②Elizabeth II, 伊利莎白二世(現任英國女王，1952-)。

E·liz·a·be·than [ɪˌlɪzəˋbiθən] *adj.* 伊利莎白(一世)女王的；伊利莎白(一世)時代的。— *n.* Ⓒ其時代的人。

elk [ɛlk] *n.* (*pl.* ～s, ～) ①Ⓒ〖動〗麋鹿；角鹿。②Ⓤ輕而韌的皮革。

ell [ɛl] *n.* Ⓒ厄爾(長度單位)。***Give him an inch and he'll take an ～.*** 〖諺〗得寸進尺。

el·lipse [ɪˋlɪps] *n.* Ⓒ橢圓；橢圓形。

el·lip·sis [ɪˋlɪpsɪs] *n.* (*pl.* **-ses** [-siz]) ①ⓊⒸ〖文法〗省略法。②Ⓒ省略符號(…或＊＊＊)。

el·lip·tic, -ti·cal [ɪˋlɪptɪk(l)] *adj.* ①橢圓的。②〖文法〗省略(法)的。

elm [ɛlm] *n.* ①Ⓒ榆樹。②Ⓤ榆木。

el·o·cu·tion [ˌɛləˋkjuʃən] *n.* Ⓤ演說法；朗誦法。— **ar·y** [～ˌɛrɪ], *adj.*

el·o·cu·tion·ist [ˌɛləˋkjuʃənɪst] *n.* Ⓒ①演說家。②教授演說術之專家。

e·lon·gate [ɪˋlɔŋget] *v.t. & v.i.* 延長；延伸。—**e·lon·ga/tion,** *n.*

e·lope [ɪˋlop] *v.i.* ①私奔。②逃亡。— **ment,** *n.*

***el·o·quence** [ˋɛləkwəns] *n.* Ⓤ雄辯；口才。

***el·o·quent** [ˋɛləkwənt] *adj.* 雄辯的；(口才、文體)動人的。— **ly,** *adv.*

El Sal·va·dor [ɛlˋsælvəˌdɔr] *n.* 薩爾瓦多(中美洲一共和國)。

‡**else** [ɛls] *adj.* 別的；其他的。— *adv.* ①此外；其他。②(常 or ～)否則；不然。

***else·where** [ˋɛlsˌhwɛr] *adv.* 在別處；在別的地方；往別的地方。

e·lu·ci·date [ɪˋlusəˌdet] *v.t.* 闡明；說明。—**e·lu·ci·da/tion,** *n.*

e·lude [ɪˋlud] *v.t.* ①躲避；逃脫。②困惑。

e·lu·sion [ɪˋluʒən] *n.* Ⓤ躲避；規避。

e·lu·sive [ɪˋlusɪv] *adj.* ①規避的；躲避的。②難懂的；難捉摸的。(亦作 **elusory**) — **ly,** *adv.* — **ness,** *n.*

E·ly·sée [eliˋze]〖法〗*n.* 愛麗賽宮(法國總統官邸)。

E·ly·sian [ɪˋlɪʒən] *adj.* 天堂的；幸福的；快樂的。***the ～ Fields***〖希神〗理想國土；極樂世界。

E·ly·si·um [ɪˋlɪʒɪəm] *n.* ①〖希神〗善人死後所居之樂土。②Ⓤ天堂。

'em [əm] *pron.*〖俗〗=**them.**

e·ma·ci·ate [ɪˋmeʃɪˌet] *v.t.* 使瘦弱；使憔悴。—**e·ma/ci·at·ed,** *adj.* —**e·ma-**

ci·a′tion, *n.*

e-mail, E-mail [ˋimel] *n.* = electronic mail.

em·a·nate [ˋɛmə͵net] *v.i.* 流出；發出；發散。— **em′a·na·tive,** *adj.*

em·a·na·tion [͵ɛməˋneʃən] *n.* ①Ⓤ發出；發散；放射。②Ⓒ發散物；放射物。③Ⓤ〖化〗放射性物質解體時放出之氣體。

e·man·ci·pate [ɪˋmænsə͵pet] *v.t.* 解放(奴隸)；解除(束縛)。— **e·man′ci·pa·tor,** *n.*

e·man·ci·pa·tion [ɪ͵mænsəˋpeʃən] *n.* Ⓤ解放；解脫；解除。§ **E∽ Proclamàtion** (1863年1月1日美國林肯總統所頒布之)黑奴解放令。

e·mas·cu·late [ɪˋmæskjə͵let] *v.t.* ①去勢。②使柔弱。③使(文章)失去雄偉氣勢。— [ɪˋmæskjəlɪt] *adj.* 去勢的；柔弱的。— **e·mas·cu·la′tion,** *n.*

em·balm [ɪmˋbɑm] *v.t.* ①塗敷香料、藥物於(屍體)以防腐。②銘記。

em·bank [ɪmˋbæŋk] *v.t.* 築堤護住[圍住]；築(鐵路的)路基。— **ment,** *n.*

em·bar·go [ɪmˋbɑrgo] *n.* Ⓒ (*pl.* ∼**es**) ①禁止船舶出入港口。②禁止通商。③禁止。***lift*** [***raise, take off***] ***the*** ∼ ***on*** 對…解禁。— *v.t.* ①禁止(船舶)出入港口；禁止(通商)。②扣押(船舶、貨物等)。§ ∽ **gòods** 禁運品。

em·bark [ɪmˋbɑrk] *v.i.* ①乘船；搭載。②著手；從事[on]。— *v.t.* ①裝於船上。②投(資)於某企業。— **em·bar·ka′tion,** *n.*

***em·bar·rass** [ɪmˋbærəs] *v.t.* ①使困窘。②妨礙。③使複雜化。

em·bar·rass·ment [ɪmˋbærəsmənt] *n.* ①Ⓤ困窘。②Ⓒ令人困窘之事[人]。③Ⓒ(常 *pl.*)財政困難。

***em·bas·sy** [ˋɛmbəsɪ] *n.* Ⓒ ①(集合稱)大使館的全體人員。②大使館。

em·bat·tle [ɛmˋbætḷ] *v.t.* ①布陣。②築以城垛。

em·bed [ɪmˋbɛd] *v.t.* (**-dd-**)①嵌於。②銘記於心。

em·bel·lish [ɪmˋbɛlɪʃ] *v.t.* ①裝飾；佈置。②修飾；潤色。— **ment,** *n.*

em·ber [ˋɛmbɚ] *n.* Ⓒ(常 *pl.*)餘燼。§ **É- dàys** 四季大齋日。

em·bez·zle [ɪmˋbɛzḷ] *v.t.* 盜用(公款、公物)；侵吞。— **ment,** *n.*

em·bit·ter [ɪmˋbɪtɚ] *v.t.* ①使苦；使痛苦；使難受。②激怒。— **ment,** *n.*

em·bla·zon [ɛmˋblezn̩] *v.t.* ①飾以紋章。②頌揚。— **ment,** *n.*

em·blem [ˋɛmbləm] *n.* Ⓒ ①象徵；標誌。②紋章；徽章。— *v.t.* 象徵。

em·blem·at·ic, -i·cal [͵ɛmbləˋmætɪk(ḷ)] *adj.* 象徵的；標誌的[of]。

em·bod·i·ment [ɪmˋbɑdɪmənt] *n.* ①Ⓤ賦與形體；具體化。②Ⓒ化身。

em·bod·y [ɪmˋbɑdɪ] *v.t.* ①使具體化；具體表現。②編入；收錄；包含。

em·bold·en [ɪmˋboldn̩] *v.t.* 鼓勵。

em·bo·lism [ˋɛmbə͵lɪzəm] *n.* Ⓤ①閏月；置閏。②〖醫〗(血管之)栓塞。

em·bos·om [ɛmˋbuzəm] *v.t.* ①包圍；環繞。②納諸懷中；珍愛。(亦作 imbosom) — **ed,** *adj.*

em·boss [ɪmˋbɔs] *v.t.* ①加浮雕花紋於…上。②印浮凸文字[圖樣]。— **ment,** *n.*

em·bow·er [ɛmˋbaʊɚ] *v.t.* 以樹葉遮蓋；隱於樹葉中。— *v.i.* 憩於樹蔭。

***em·brace** [ɪmˋbres] *v.t.* ①擁抱。②欣然接受。③包含。④圍繞。⑤信奉。— *v.i.* 互相擁抱。— *n.* Ⓒ擁抱。

em·bran·gle [ɪmˋbræŋgḷ] *v.t.* 使紛亂；使生糾紛。(亦作 **imbrangle**)

em·bra·sure [ɛmˋbreʒɚ] *n.* Ⓒ〖築城〗(碉堡等之)砲眼。

em·broi·der [ɪmˋbrɔɪdɚ] *v.t.* ①繡花於…。②潤飾(語言)。— *v.i.* 刺繡。

em·broi·der·y [ɪmˋbrɔɪdərɪ] *n.* Ⓤ①刺繡。②(故事等的)修飾。

em·broil [ɛmˋbrɔɪl] *v.t.* ①捲入糾紛中；牽連。②使混亂。— **ment,** *n.*

em·bry·o [ˋɛmbrɪ͵o] *n.* Ⓒ (*pl.* ∼**s**) ①〖植〗胚芽。②〖動〗幼蟲；胚胎。③初期；萌芽期。***in*** ∼ 初期的；在考慮中。

em·bry·ol·o·gy [͵ɛmbrɪˋɑlədʒɪ] *n.* Ⓤ胚胎學。— **em·bry·ol′o·gist,** *n.*

em·bry·on·ic [͵ɛmbrɪˋɑnɪk] *adj.* ①胚芽的；胚胎的；幼蟲的。②萌芽期的；未發達的。

em·cee [ˋɛmˋsi] 〖俚〗 *v.t.* 作(廣播節目等之)節目主持人。— *n.* Ⓒ司儀；節目主持人。

e·mend [ɪˋmɛnd] *v.t.* (文稿之)校訂。

e·men·da·tion [͵imɛnˋdeʃən] *n.* ①Ⓤ修正；修改。②Ⓒ校訂處。

em·er·ald [ˋɛmərəld] *n.* ①Ⓒ翡翠；綠寶石。②Ⓤ翠綠色。— *adj.* 翠綠色的。§ **the É- Ísle** 綠寶石島(愛爾蘭的別稱)。

***e·merge** [ɪˋmɝdʒ] *v.i.* ①出現；露出。②自…脫穎而出。— **e·mer′gence,** *n.*

e·mer·gen·cy** [ɪˋmɝdʒənsɪ] *n.* ⓊⒸ緊急事件；緊急需要。in case of*** ∼ 在緊急時。— *adj.* 緊急的。an ∼ exit 太平門。∼ measures 緊急應變措施。an ∼ brake 緊急煞車。

e·mer·gent [ɪˋmɝdʒənt] *adj.* ①出現的。②緊急的。

e·mer·i·tus [ɪˋmɛrətəs] *adj.* 名譽退休的。

Em·er·son [ˋɛmɚsn̩] *n.* 愛默生 (Ralph Waldo, 1803-82, 美國哲學家、散文家及詩人)。

em·er·y [ˋɛmərɪ] *n.* Ⓤ〖礦〗金剛砂。§ ∽ **clòth** 金剛砂布。∽ **pàper** 金剛砂紙；鑢紙。

e·met·ic [ɪˋmɛtɪk] 〖醫〗*adj.* 使人嘔吐的。— *n.* Ⓒ催吐劑。

em·i·grant [ˋɛməgrənt] *n.* Ⓒ移居他國者；僑民。— *adj.* 移民(他國)的。

em·i·grate [ˋɛmə͵gret] *v.i.* 遷居他國；移居。〔注意〕**emigrate** 指自本國移出。**immigrate** 指自他國移入。

em·i·gra·tion [͵ɛməˋgreʃən] *n.* ①ⓊⒸ(向國外)移居。②Ⓒ(一定期間內的)移民數。③Ⓤ(集合稱)移民。④Ⓤ出國[出境]管理。

é·mi·gré [ˋɛmə͵gre, emiˋgre] 〖法〗*n.* Ⓒ ①(因政治迫害而)移居者。②(因法國大革命而)逃亡者；亡命者。

em·i·nence [`ɛmənəns] *n.* ①Ⓒ高地；山丘。②Ⓤ(地位)崇高；(學問)卓越。③(E-)天主教對紅衣主教之尊稱。

***em·i·nent** [`ɛmənənt] *adj.* ①聞名的。②高的；巍峨的。③顯著的。④明顯的；突出的。—**ly,** *adv.*

e·mir [ə`mɪr] *n.* Ⓒ(阿拉伯之)酋長。

e·mir·ate [ə`mɪrɪt] *n.* Ⓒ酋長國。

em·is·sar·y [`ɛmə,sɛrɪ] *n.* Ⓒ①密使；使者。②特務；間諜。

e·mis·sion [ɪ`mɪʃən] *n.* ①ⓊⒸ發出；發射；發光。②ⓊⒸ發行(紙幣)。③Ⓒ放射物；發射物；流出物。

e·mit [ɪ`mɪt] *v.t.*(**-tt-**)①放射(光、熱等)。②發出(聲音)。③吐露(意見等)。④發行(紙幣)。

Em·my [`ɛmɪ] *n.* Ⓒ(*pl.* **-mies, ~s**)艾美獎(美國電視之最高榮譽獎)。

e·mol·lient [ɪ`mɑljənt] *adj.* 使柔軟的；使柔和的。—— *n.* ⓊⒸ(皮膚的)軟化劑；鎮痛劑。

e·mol·u·ment [ɪ`mɑljəmənt] *n.* Ⓒ(常*pl.*)薪俸；報酬。

e·mote [ɪ`mot] *v.i.* 〖俗〗表現感情。

***e·mo·tion** [ɪ`moʃən] *n.* ⓊⒸ情緒；感情。

***e·mo·tion·al** [ɪ`moʃən!] *adj.* ①情感的；情緒的。②訴諸情感的。③易受感動的。§~ **intélligence** 情緒智慧。

e·mo·tive [ɪ`motɪv] *adj.* 情感的；表達感情的；令人感動的。—**ly,** *adv.*

em·pan·el [ɪm`pæn!] *v.t.*(**-l-,** 〖英〗**-ll-**)①登錄…之姓名於陪審員名簿。②從陪審員名簿挑選(陪審員)。

em·pa·thize [`ɛmpə,θaɪz] *v.i.*(對…)移情〔with〕。

em·pa·thy [`ɛmpəθɪ] *n.* Ⓤ〖心〗移情作用。

***em·per·or** [`ɛmpərɚ] *n.* Ⓒ皇帝；君主。

***em·pha·sis** [`ɛmfəsɪs] *n.* ⓊⒸ(*pl.* **-ses** [-,siz])①強調。②加重語氣；重讀。

***em·pha·size** [`ɛmfə,saɪz] *v.t.* 強調；重讀。

***em·phat·ic** [ɪm`fætɪk] *adj.* ①有力的；強調的。②引人注目的；驚人的。—**em·phat′i·cal·ly,** *adv.* 完全地。

em·phy·se·ma [,ɛmfə`simə] *n.* Ⓤ〖醫〗氣腫；肺氣腫。

***em·pire** [`ɛmpaɪr] *n.* Ⓒ①帝國。②大企業。§ **the É- Stàte** 美國紐約州之別名。**the É- Stàte Buìlding** 帝國大廈。

em·pir·ic [ɛm`pɪrɪk] *n.* Ⓒ①經驗主義者。②庸醫。—— *adj.* =**empirical.**

em·pir·i·cal [ɛm`pɪrɪk!] *adj.* ①只憑經驗的。②經驗主義的。

em·pir·i·cism [ɛm`pɪrə,sɪzəm] *n.* Ⓤ經驗主義。—**em·pir′i·cist,** *n.*

em·place·ment [ɪm`plesmənt] *n.* ①Ⓤ定位置。②Ⓒ〖軍〗砲位。

em·plane [ɛm`plen] *v.t.* 把…裝上飛機。—— *v.i.* 乘飛機。

‡**em·ploy** [ɪm`plɔɪ] *v.t.* ①雇用。②從事於…。—— *n.* Ⓤ雇用。—**a·ble,** *adj.*

***em·ploy·e(e)** [ɪm`plɔɪ·i, ,ɛmplɔɪ`i] *n.* Ⓒ受雇者；員工。

***em·ploy·er** [ɪm`plɔɪɚ] *n.* Ⓒ雇主；老板。

em·ploy·ment** [ɪm`plɔɪmənt] *n.* ①Ⓤ職業；工作。②Ⓤ雇用。in the ~ of 受雇於。③Ⓤ使用；利用。④Ⓒ消遣。out of* ~** 失業。***take (a person) into* ~** 雇用(某人)。***throw (a person) out of* ~** 解雇(某人)。§~ **àgency**(民間的)職業介紹所。**E-Exchànge** 〖英〗職業介紹局。

em·po·ri·um [ɛm`porɪəm] *n.* Ⓒ(*pl.* **~s, -ri·a** [-rɪə])①商業中心。②大百貨商店。

em·pow·er [ɪm`pauɚ] *v.t.* 授權與…。

***em·press** [`ɛmprɪs] *n.* Ⓒ①皇后。②女皇。

em·presse·ment [ɑ̃prɛs`mɑ̃]〖法〗*n.* ⓊⒸ熱誠。

‡**emp·ty** [`ɛmptɪ] *adj.* ①空的。②空虛的。③〖俗〗餓的。④缺乏…的〔常 of〕。⑤(房屋)未住人的。—— *v.t.* 使變空。—— *v.i.* ①變空。②(河川)流入。—— *n.* Ⓒ(常*pl.*)空的東西。—**emp′ti·ness,** *n.*

emp·ty-hand·ed [`ɛmptɪ`hændɪd] *adj.* 徒手的；空手的。

emp·ty-head·ed [`ɛmptɪ`hɛdɪd] *adj.* 愚笨的。

em·py·re·al [ɛm`pɪrɪəl] *adj.* 最高天的；天空的。

em·py·re·an [,ɛmpə`riən] *n.* (the ~，常E-)①最高天(古人認爲由純火形成)。②天空。

e·mu [`imju] *n.* Ⓒ〖鳥〗鴯鶓。

em·u·late [`ɛmjə,let] *v.t.* 趕上或超過；與…競爭。—**em·u·la′tion, em′u·la·tor,** *n.* —**em′u·la·tive,** *adj.*

em·u·lous [`ɛmjələs] *adj.* ①競爭的；好勝的。②出於好勝心的。—**ly,** *adv.*

e·mul·si·fy [ɪ`mʌlsə,faɪ] *v.t.* 使成乳狀〔乳劑〕。—**e·mul·si·fi·ca′tion,** *n.*

e·mul·sion [ɪ`mʌlʃən] *n.* ⓊⒸ①乳狀液。②乳劑。③〖攝〗感光乳劑。

en- 〖字首〗(在p,b,m前作em-). ①在名詞前形成「放入；置入…之上」之義的動詞，如：engulf. ②在名詞或形容詞之前形成「使成爲…」之義的動詞，如enslave. ③在動詞前形成「…之中；當中」之義，如：enfold.

***en·a·ble** [ɪn`eb!] *v.t.* 使能夠。

en·act [ɪn`ækt] *v.t.* ①制定爲法律；規定。②扮演。③發生(常用於被動)。

en·act·ment [ɪn`æktmənt] *n.* ①Ⓤ(法律之)制定。②Ⓒ法規；法令。

e·nam·el [ɪ`næm!] *n.* Ⓤ①瓷釉；琺瑯。②瓷釉塗料。③(牙齒上之)琺瑯質。④亮漆。—— *v.t.*(**-l-,** 〖英〗**-ll-**)塗以瓷釉。

e·nam·el·ware [ɪ`næm!,wɛr] *n.* Ⓤ(集合稱)搪瓷器。

en·am·or, 〖英〗**-our** [ɪn`æmɚ] *v.t.* 引起愛憐；迷住。

en bloc [ɛn`blɑk]〖法〗*adv.* 全體地；總括地。***resign* ~** 全體辭職；總辭。

en·camp [ɪn`kæmp] *v.i.* 紮營；露營。—— *v.t.* 搭成營房。—**ment,** *n.*

en·cap·su·late [ɪn`kæpsə,let] *v.t.* ①將…裝入膠囊。②概括(事實等)。

en·case [ɪn`kes] *v.t.* =**incase.**

en·ceph·a·li·tis [,ɛnsɛfə`laɪtɪs] *n.* Ⓤ〖醫〗腦炎。Japanese ~ 日本腦炎。

en·chain [ɛn`tʃen] *v.t.* ①加鎖鍊於；束縛。②吸引(注意等)。

en·chant [ɪn`tʃænt] *v.t.* ①施魔法於。②使迷醉。*be ~ed with* 被…迷住。—**er,** *n.*

en·chant·ing [ɪn`tʃæntɪŋ] *adj.* 迷人的。

en·chant·ment [ɪn`tʃæntmənt] *n.* ①Ⓤ施魔法。②Ⓒ魔法；妖術。③Ⓤ魅力。④Ⓒ令人心醉的東西。

en·chant·ress [ɪn`tʃæntrɪs] *n.* Ⓒ ①妖婦；女巫。②迷人的女人。

en·chi·la·da [ˌɛntʃə`lɑdə] *n.* Ⓒ 墨西哥辣醬肉餡玉米餅。

en·ci·pher [ɛn`saɪfɚ] *v.t.* 將(電文)譯成密碼。—**ment,** *n.*

en·cir·cle [ɪn`sɝkl] *v.t.* ①環繞；包圍。②繞行。—**ment,** *n.*

en·clave [`ɛnklev] *n.* Ⓒ ①被包圍的領土。②少數民族集團。

***en·close** [ɪn`kloz] *v.t.* ①圍繞。②圍以籬[牆]。③(隨函)封入；附寄。

en·clo·sure [ɪn`kloʒɚ] *n.* ①Ⓤ圍繞。②Ⓒ圍場；圍牆；籬。③Ⓒ附件。

en·code [ɛn`kod] *v.t.* 將(電文)譯成密碼。

en·co·mi·um [ɛn`komɪəm] *n.* Ⓒ (*pl.* ~**s, -mi·a** [-mɪə]) 讚頌；頌辭。

en·com·pass [ɪn`kʌmpəs] *v.t.* ①包圍；圍繞；團團圍住。②包含。

en·core [`ɑŋkor, `ɑn-, -kɔr] *interj.* 再。—*n.* Ⓒ①要求再演。②經要求而再演唱之歌曲等。—*v.t.* 要求再演唱。

***en·coun·ter** [ɪn`kauntɚ] *v.i. & v.t.* ①遭遇(困難)；邂逅。②會戰。—*n.* Ⓒ①邂逅；遭遇。②會戰。

‡**en·cour·age** [ɪn`kɝɪdʒ] *v.t.* ①鼓勵；激勵。②援助；促進；助長。—**en·cour′-ag·ing,** *adj.*

***en·cour·age·ment** [ɪn`kɝɪdʒmənt] *n.*①Ⓤ鼓勵；激勵。②Ⓒ可作爲激勵[獎勵]之物。

en·croach [ɪn`krotʃ] *v.i.* 侵占；侵蝕。—**ment,** *n.*

en·crust [ɪn`krʌst] *v.t. & v.i.* = **incrust.**

en·cum·ber [ɪn`kʌmbɚ] *v.t.* ①妨害；阻礙。②煩擾。③負債。

en·cum·brance [ɪn`kʌmbrəns] *n.* Ⓒ①阻礙物；累贅。②家累。③〖法律〗(財產上之)負擔(抵押權、債務等)。

en·cyc·li·cal [ɛn`sɪklɪkl] *n.* Ⓒ 羅馬教皇之通諭。—*adj.* 傳閱的。

***en·cy·clo·p(a)e·di·a** [ɪnˌsaɪklə`pidɪə] *n.* Ⓒ百科全書。

en·cy·clo·p(a)e·dic, -di·cal [ɪnˌsaɪklə`pidɪk(l̩)] *adj.* ①百科全書的。②知識廣泛的；博學的。

en·cy·clo·p(a)e·dist [ɪnˌsaɪklə`pidɪst] *n.* Ⓒ百科全書編纂者。

‡**end** [ɛnd] *n.* Ⓒ①端點；末尾。②(常*pl.*)目的。③結局；結果。④限度；極限。⑤(常one's ~)死亡。⑥(常 *pl.*)殘片；殘屑。⑦(事業等之)部門。*at a loose ~*〖俗〗**a.** (無固定職業而)閒散的。**b.** 無所事事的。*be at an ~* 結束；完成。*come to an ~* 結束；完了。*~ for ~* 顛倒地；相反地。*~ on* 端頭直對(某物體)地；尖端碰尖端地。*~ to ~* 頭尾相接地。*from ~ to ~* 自始至終。*in[at] the ~* 最後；終於。*make an ~ of* 停止；廢除；消滅。*make both ~s meet* 使收支平衡。*meet one's ~* 死。*no ~* 非常。*no ~ of* 許多(的)。*on ~* **a.** 豎起；直立著。**b.** 連續地。*put an ~ to* 結束；停止。*to no ~* 徒然。*to the (bitter, very) ~* 到最後。*without ~* 無盡的。—*v.i. & v.t.* ①結束；終止。②死。*~ in* 結束；收場。*~ off [up]* 完結；完畢。§ *~* **màn** 行列中排在最後之人。*~* **prȍduct** (一連串變化之)最後結果。*~* **ȕse** (產品之)主要[基本]用途。

end-all [`ɛndˌɔl] *n.* (the ~) 一切事物之終了；結束；結局。

en·dan·ger [ɪn`dendʒɚ] *v.t.* 危及。

en·dán·gered spècies [ɪn`dendʒɚd~] *n.* 瀕臨絕種的(動、植物)品種。

en·dear [ɪn`dɪr] *v.t.* 使受鍾愛。

en·dear·ing [ɪn`dɪrɪŋ] *adj.* 深獲人心的；可愛的。—**ly,** *adv.*

en·dear·ment [ɪn`dɪrmənt] *n.* ①Ⓤ鍾愛。②Ⓒ表示鍾愛的行爲、話語等。

***en·deav·or,** 〖英〗**-our** [ɪn`dɛvɚ] *v.i.* 努力。—*n.* ⓊⒸ努力；竭力。

en·dem·ic [ɛn`dɛmɪk] *adj.* (某地方)特有的；地方性的。—*n.* Ⓒ風土病；地方性的病。—**en·dem′i·cal·ly,** *adv.*

***end·ing** [`ɛndɪŋ] *n.* Ⓒ①結局。②〖文法〗字尾。

en·dive [`ɛndaɪv] *n.* Ⓤ Ⓒ〖植〗菊萵苣。

***end·less** [`ɛndlɪs] *adj.* ①無窮盡的。②〖機〗環狀的。—**ly,** *adv.* —**ness,** *n.*

en·do·crine [`ɛndoˌkraɪn] *n.* Ⓒ〖生理〗①內分泌腺。②內分泌物。—*adj.* 內分泌的。an ~ gland 內分泌腺。

en·do·me·tri·o·sis [ˌɛndoˌmitrɪ`osɪs] *n.* Ⓤ〖醫〗子宮內膜異位。

en·dorse [ɪn`dɔrs] *v.t.* ①簽名於(票據等)的背面；背書。②認可；贊同。—**ment, en·dors′er,** *n.*

en·do·scope [`ɛndəˌskop] *n.* Ⓒ〖醫〗內視鏡；內診鏡。

***en·dow** [ɪn`dau] *v.t.* ①捐助；捐贈基金。②賦與；授與。

en·dow·ment [ɪn`daumənt] *n.* ①Ⓤ捐贈。②Ⓒ(常*pl.*)捐贈之財產。③Ⓒ(常 *pl.*)天資；才能。

en·due [ɪn`dju, -`du] *v.t.* 賦予(才能等)。

***en·dur·ance** [ɪn`djurəns, -`dur-] *n.* Ⓤ①耐久性。②忍耐。*beyond [past] ~* 忍無可忍的。

***en·dure** [ɪn`djur, -`dur] *v.i.* 忍耐；忍受。—**en·dur′a·ble,** *adj.*

en·dur·ing [ɪn`djurɪŋ, -`dur-] *adj.* 忍耐的；耐久的。

end·ways [`ɛndˌwez] *adj. & adv.* =**endwise.**

end·wise [`ɛndˌwaɪz] *adj. & adv.* ①末端向前或向上的[地]。②兩端相接的[地]。

en·e·ma [`ɛnəmə] *n.* Ⓒ (*pl.* ~**s,** ~**·ta** [~tə])〖醫〗灌腸劑；灌腸器；灌腸。

‡**en·e·my** [`ɛnəmɪ] *n.* ①Ⓒ敵人。②(the ~)敵軍；敵國。③Ⓒ有害物。—*adj.* 敵人的；敵國的。

***en·er·get·ic** [ˌɛnɚ`dʒɛtɪk] *adj.* ①

精力充沛的；有活力的。②積極的。—en·er·get'i·cal·ly, *adv.*
en·er·gize [ˋɛnəˏdʒaɪz] *v.t.* 供給…能量；使精力充沛；使有活力。— *v.i.* 活動；盡力而爲。
***en·er·gy** [ˋɛnədʒɪ] *n.* Ⓤ ①活力；精力。②〖理〗能；能量。
en·er·vate [ˋɛnəˏvet] *v.t.* 使衰弱；使無力。—en·er·va'tion, *n.*
en·fee·ble [ɪnˋfibl] *v.t.* 使弱；使衰。—ment, *n.*
en·fi·lade [ˏɛnfəˋled] 〖軍〗 *n.* Ⓤ 縱射。
***en·force** [ɪnˋfors, -ˋfɔrs] *v.t.* ①施行；實施(法律等)。②強迫；迫使(服從)。③加強；強調。—a·ble, *adj.*
en·force·ment [ɪnˋforsmənt, -ˋfɔrs-] *n.* Ⓤ 強迫；強制；實施；執行。
en·fran·chise [ɛnˋfræntʃaɪz] *v.t.* ①釋放；解放。②給予投票權；授以公民權。—en·fran'chise·ment [-tʃɪz-], *n.*
Eng. England; English.
***en·gage** [ɪnˋgedʒ] *v.i.* ①保證。②從事。③〖機〗銜接。④交戰。— *v.t.* ①與…訂婚(用被動式)。②忙於…。③預約(座位等)。④吸引(注意)。⑤與(敵軍)交戰。⑥〖機〗銜接；嚙合。～ *for* 保證；負責。
***en·gaged** [ɪnˋgedʒd] *adj.* ①已訂婚的。②忙碌的。③(電話)佔線的。④〖機〗相嚙合的。⑤(座位等)被預約的。
***en·gage·ment** [ɪnˋgedʒmənt] *n.* ①Ⓒ訂婚。②Ⓒ約會。③Ⓒ交戰。④Ⓒ雇用之期間。⑤Ⓤ〖機〗銜接。⑥(*pl.*)債務。*enter into*[*make*] *an* ～ (*with*)(與…)訂約。
en·gag·ing [ɪnˋgedʒɪŋ] *adj.* 美麗動人的；逗人喜愛的；迷人的。
en·gen·der [ɪnˋdʒɛndə] *v.t.* 產生；釀成。— *v.i.* 形成；發生。
‡**en·gine** [ˋɛndʒən] *n.* Ⓒ ①引擎；發動機。②火車頭。③機器。④消防車。§～ drìver 〖英〗火車司機。
***en·gi·neer** [ˏɛndʒəˋnɪr] *n.* Ⓒ ①機械師；技師；工程師。②〖軍〗工兵；輪機官。— *v.t.* ①監督。②巧妙地策畫。
***en·gi·neer·ing** [ˏɛndʒəˋnɪrɪŋ] *n.* Ⓤ ①工程學；工程。②技巧的策劃。
‡**Eng·land** [ˋɪŋglənd] *n.* 英格蘭；英國(首都 London)。—er, *n.*
‡**Eng·lish** [ˋɪŋglɪʃ] *adj.* 英國的；英國人的；英語的。— *n.* ①(the ～，集合稱)英國人。②Ⓤ英語；英文。*the King's* ～ 純正英語。— *v.t.* 譯爲英文。§～ hórn〖美、樂〗英國管。～ múffin〖美〗英式鬆餅。* the ～ Chánnel 英吉利海峽。
‡**Eng·lish·man** [ˋɪŋglɪʃmən] *n.* Ⓒ (*pl.* -men)英國人。
***Eng·lish·wom·an** [ˋɪŋglɪʃˏwumən] *n.* Ⓒ (*pl.* -women)英國女人。
en·gorge [ɛnˋgɔrdʒ] *v.t.* 貪婪地吞食。
en·graft [ɛnˋgræft] *v.t.* ①接(枝)。②灌輸。
en·grain [ɪnˋgren] *v.t.* =ingrain.
en·gram [ˋɛngræm] *n.* Ⓒ〖心〗印象。
***en·grave** [ɪnˋgrev] *v.t.* ①雕刻；刻。②銘記(於心)。—en·grav'er, *n.*
en·grav·ing [ɪnˋgrevɪŋ] *n.* ①Ⓤ雕刻術；鐫版術。②Ⓒ木刻版；銅版。
en·gross [ɪnˋgros] *v.t.* ①使全神貫注。②以大字寫；正式謄寫。③壟斷。
en·gulf [ɪnˋgʌlf] *v.t.* ①陷入(深淵)。②吞噬。
en·hance [ɪnˋhæns] *v.t.* 增加；提高。—ment, *n.*
e·nig·ma [ɪˋnɪgmə] *n.* Ⓒ (*pl.* ～s, ～ta[～tə]) 謎；難解的事[人]。—enig·mat·ic(al) [ˏɛnɪgˋmætɪk(l)], *adj.*
en·join [ɪnˋdʒɔɪn] *v.t.* ①吩咐；叮囑。②禁止。
‡**en·joy** [ɪnˋdʒɔɪ] *v.t.* ①享受；欣賞；歡喜。②享有。③獲得某種利益。
en·joy·a·ble [ɪnˋdʒɔɪəbl] *adj.* 可享受的；令人愉快的。
***en·joy·ment** [ɪnˋdʒɔɪmənt] *n.* ①ⓊⒸ快樂；樂趣。②Ⓤ(常 the ～)享受；享有。
en·kin·dle [ɛnˋkɪndl] *v.t.* & *v.i.* ①點燃(燈、火等)；燃起。②激起。
***en·large** [ɪnˋlɑrdʒ] *v.t.* 擴大；擴充。— *v.i.* ①擴大；擴充。②詳述(on)。—ment, *n.*
***en·light·en** [ɪnˋlaɪtn] *v.t.* 啓迪；教化。—ment, *n.* —ed [～d], *adj.*
en·list [ɪnˋlɪst] *v.t.* ①使入伍。②得…的贊助。— *v.i.* ①從軍。②參加。§～ed màn〖美〗下士士兵。
en·list·ment [ɪnˋlɪstmənt] *n.* ①Ⓤ兵籍登記。②Ⓒ服役之期限。
en·liv·en [ɪnˋlaɪvən] *v.t.* 使活潑；使愉快；使有生氣。
en masse [ɛnˋmæs] 〖法〗*adv.* 全體地。
en·mesh [ɛnˋmɛʃ] *v.t.* ①使陷入網中。②使陷於(困難)。
en·mi·ty [ˋɛnmətɪ] *n.* ⓊⒸ敵意。
en·no·ble [ɪˋnobl] *v.t.* ①使尊貴。②使成爲貴族；授以爵位。
en·nui [ˋɑnwi] 〖法〗*n.* Ⓤ 倦怠；無聊。
e·nor·mi·ty [ɪˋnɔrmətɪ] *n.* ①Ⓤ極惡。②Ⓒ(常 *pl.*)暴行。③Ⓤ龐大。
***e·nor·mous** [ɪˋnɔrməs] *adj.* ①極大的；巨大的。②極惡的。—ly, *adv.*
‡**e·nough** [əˋnʌf, ɪˋnʌf] *adj.* 足夠的；充分的。— *pron.* 夠；充足。— *adv.* 足夠地；充分地。*sure* ～ 的確地；確實地。— *interj.* 夠了！
en·plane [ɛnˋplen] *v.i.* 登(飛)機。
en·quire [ɪnˋkwaɪr] *v.t.* & *v.i.* = inquire.
en·quir·y [ɪnˋkwaɪrɪ] *n.* ⓊⒸ ①詢問；問題。②調查；查究。*make enquiries about* 詢問；探問。
en·rage [ɪnˋredʒ] *v.t.* 激怒；使暴怒。
en·rap·ture [ɪnˋræptʃə] *v.t.* 使狂喜；使出神。
***en·rich** [ɪnˋrɪtʃ] *v.t.* ①使富足；使肥沃。②充實。③提高…的營養價值。—ment, *n.*
***en·rol(l)** [ɪnˋrol] *v.t.*(-ll-)①登記。②加入；參加(與oneself 連用)。③徵募。④捲起。— *v.i.* 參加；加入。—ment, *n.*
en route [ɑnˋrut] 〖法〗*adv.* 在途中。
en·sconce [ɛnˋskɑns] *v.t.* ①藏匿；庇護。②安置；使安坐。

en·sem·ble [ɑn`sɑmbl] 〖法〗*n.* Ⓒ ①(常 the ～)整體；總效果。②全套服裝。③〖樂〗合奏；合唱。
en·shrine [ɪn`ʃraɪn] *v.t.* ①置於神龕內；奉祀於廟堂中。②珍藏；銘記。
en·shroud [ɛn`ʃraud] *v.t.*①給(死者)穿上壽衣。②掩蓋；覆蓋。
en·sign [`ɛnsaɪn] *n.* Ⓒ ①(船隻等爲表明國籍而懸掛的)旗。②[`ɛnsn̩]〖美〗海軍少尉。③〖英〗旗手。
en·si·lage [`ɛnslɪdʒ] *n.* Ⓤ ①牧草之新鮮保存法。②(新鮮貯藏的)牧草。 **—** *v.t.* 窖藏(秣草)。
en·slave [ɪn`slev] *v.t.* ①奴役；使爲奴隸。②束縛。— **ment,** *n.*
en·snare [ɛn`snɛr] *v.t.* 使陷於羅網；誘入陷阱。
en·sue [ɛn`su, -`sju] *v.i.* ①隨後發生。②產生。
***en·sure** [ɪn`ʃur] *v.t.* ①保證。②擔保獲得。③使得安全。
ENT ear, nose, and throat. 〖醫〗耳鼻喉。
en·tail [ɪn`tel] *v.t.* ①惹起；使負擔；使需要。②〖法律〗限制繼承。 **—** *n.* ①Ⓒ〖法律〗限定繼承之財產。②Ⓤ〖法律〗預定繼承人之順序。
***en·tan·gle** [ɪn`tæŋgl] *v.t.* ①使糾纏。②牽累；困惑。③使複雜。—**ment,** *n.*
en·tente [ɑn`tɑnt] 〖法〗*n.* ①Ⓒ協定；協約。②Ⓤ(集合稱)協約國。§ ～ **cordiále** [kɔr`djɑl] (國家間)協議；諒解。
‡**en·ter** [`ɛntɚ] *v.t.* ①進入。②加入；參加。③使(某人)參加或進入。④註明；登記。⑤開始；著手。⑥編入。⑦〖法律〗提出(訴訟)。⑧報關；申報海關。 **—** *v.i.* ①進入。②(演戲)上場。③入學；參加競賽。④開始〔on, upon〕. ～ ***into*** **a.** 著手處理。**b.** 開始。**c.** 體會。**d.** 參與。～ ***upon***[***on***] **a.** 開始；著手。**b.** 承受；得到。
en·ter·ic [ɛn`tɛrɪk] *adj.* 腸的。～ fever 傷寒。
en·ter·i·tis [͵ɛntə`raɪtɪs] *n.* Ⓤ〖醫〗腸炎。
***en·ter·prise** [`ɛntɚ͵praɪz] *n.* ①Ⓒ企業。②Ⓤ企業精神。③Ⓒ(做大膽、困難之)企劃。④Ⓒ公司。
en·ter·pris·ing [`ɛntɚ͵praɪzɪŋ] *adj.* ①有進取心的。②冒險性的。
***en·ter·tain** [͵ɛntɚ`ten] *v.t.* ①使娛樂；助興。②款待；招待。③懷著(感情、意見等)。 **—** *v.i.* 招待客人。
en·ter·tain·er [͵ɛntɚ`tenɚ] *n.* Ⓒ ①招待人。②表演娛樂節目的人。
en·ter·tain·ing [͵ɛntə`tenɪŋ] *adj.* 娛樂的；有趣的。
***en·ter·tain·ment** [͵ɛntə`tenmənt] *n.* ①Ⓒ文娛活動。②ⓊⒸ娛樂。③Ⓤ款待；招待。
en·thral(l) [ɪn`θrɔl] *v.t.*(**-ll-**)①迷惑。②使服從；奴役。— **ment,** *n.*
en·throne [ɪn`θron] *v.t.* ①擁立…爲王。②〖宗〗任…爲主教。③尊崇；推崇。— **ment,** *n.*
en·thuse [ɪn`θjuz] *v.i.* & *v.t.*〖俗〗(使)熱中；(使)熱心。
***en·thu·si·asm** [ɪn`θjuzɪ͵æzəm] *n.* ①Ⓤ熱心；狂熱。②Ⓒ使人熱中之事物。
en·thu·si·ast [ɪn`θjuzɪ͵æst] *n.* Ⓒ 熱心者；狂熱者。
***en·thu·si·as·tic** [ɪn͵θjuzɪ`æstɪk] *adj.* 熱心的；滿腔熱誠的。— **en·thu·si·as′ti·cal·ly,** *adv.*
en·tice [ɪn`taɪs] *v.t.* 誘惑；引誘。～ a person to do(something wrong)誘使人做(壞事)。— **ment,** *n.*
***en·tire** [ɪn`taɪr] *adj.* ①整個的；全部的；完全的。②沒有破損的。③完整的。 *— **ly,** *adv.*
en·tire·ty [ɪn`taɪrtɪ] *n.* ①(the ～)全部。②Ⓤ完全。***in its*** ～ 整個地。
***en·ti·tle** [ɪn`taɪtl] *v.t.* ①定…的名稱。②使有資格；使有權。③稱呼。
en·ti·ty [`ɛntətɪ] *n.* ①Ⓤ存在。②Ⓒ實體；實存物。③Ⓤ本質。
en·tomb [ɪn`tum] *v.t.* ①埋葬。②作爲…之墓。—**en·tomb′ment,** *n.*
en·to·mol·o·gy [͵ɛntə`mɑlədʒɪ] *n.* Ⓤ昆蟲學。— **en·to·mol′o·gist,** *n.*
en·tou·rage [͵ɑntu`rɑʒ] 〖法〗*n.* Ⓒ 隨行人員。

en·tr'acte [ɑn`trækt] 〖法〗*n.* Ⓒ ①換幕間的休息。②插演節目。
en·trails [`ɛntrəlz] *n. pl.* 內臟。
en·train [ɪn`tren] *v.i.* 乘火車。 **—** *v.t.* 以火車輸送(部隊等)。
‡**en·trance**[1] [`ɛntrəns] *n.* ①Ⓒ入口；大門。②ⓊⒸ進入；入場。③Ⓤ入場權。***No*** ～***!*** 不准入內(標語)。§ ～ **examinátion** 入學[就職]考試。～ **fée** 入場費。
en·trance[2] [ɪn`træns] *v.t.* ①使恍惚；使出神。②使狂喜。— **ment,** *n.*
en·trant [`ɛntrənt] *n.* Ⓒ ①進入者。②參加競爭[比賽]者。③新進人員。
en·trap [ɪn`træp] *v.t.*(**-pp-**) ①使…中圈套。②使陷入困難[危險]。
***en·treat** [ɪn`trit] *v.t.* & *v.i.* 懇求。
en·treat·y [ɪn`tritɪ] *n.* ⓊⒸ懇求。
en·tree, -trée [`ɑntre] 〖法〗*n.* ①ⓊⒸ入場權。②Ⓒ〖美〗宴客之主菜。③Ⓒ兩道菜(魚與肉)之間所上的菜。
en·trench [ɪn`trɛntʃ] *v.t.* ①以壕溝防護。②確立。 **—** *v.i.* 侵害；侵犯〔常on, upon〕. — **ment,** *n.*
en·tre·pre·neur [͵ɑntrəprə`nɜ] 〖法〗*n.* Ⓒ ①包辦人。②企業家。
***en·trust** [ɪn`trʌst] *v.t.* 信賴；信託。
***en·try** [`ɛntrɪ] *n.* ①ⓊⒸ進入；入場。②Ⓒ入口。③Ⓒ(字典中所收的)字。④Ⓒ參加競賽之人。⑤ⓊⒸ登記。
en·twine [ɪn`twaɪn] *v.t.* & *v.i.* 使纏繞；編織。
en·twist [ɛn`twɪst] *v.t.* 纏；絞；搓合。
e·nu·mer·ate [ɪ`njumə͵ret] *v.t.* ①列舉。②計算；數。— **e·nu′mer·a·tive,** *adj.* — **e·nu·mer·a′tion,** *n.*
e·nun·ci·ate [ɪ`nʌnsɪ͵et, -ʃɪ-] *v.t.* & *v.i.* ①(清晰地)發音。②宣布；發表。— **e·nun·ci·a′tion,** *n.*
en·vel·op [ɪn`vɛləp] *v.t.* ①包；包裝。②包圍；掩藏。 **—** *n.* ＝**envelope.**
‡**en·ve·lope** [`ɛnvə͵lop] *n.* Ⓒ ①信

封。②封套。③(飛艇或氣球之)氣囊。

en·ven·om [ɛn`vɛnəm] *v.t.* ①使有毒。②使含惡意。

en·vi·a·ble [`ɛnvɪəbl̩] *adj.* 可羨慕的。— **en′vi·a·bly,** *adv.*

***en·vi·ous** [`ɛnvɪəs] *adj.* 嫉妒的；羨慕的。— **ly,** *adv.*

en·vi·ron [ɪn`vaɪrən] *v.t.* 包圍；環繞。

***en·vi·ron·ment** [ɪn`vaɪrənmənt] *n.* Ⓤ Ⓒ ①圍繞；環繞。②環境；周遭的狀況。

en·vi·ron·men·tal [ɪn,vaɪrən`mɛntl̩] *adj.* 環境的；周圍的。～ engineering 環境工程學。～ pollution 環境污染。～ resistance(限制人口增長的)環境阻力。— **ly,** *adv.* — **ist,** *n.*

en·vi·rons [ɪn`vaɪrənz] *n. pl.* 郊外；近郊。

en·vis·age [ɛn`vɪzɪdʒ] *v.t.* ①正視。②擬想；設想；打算。

en·vi·sion [ɛn`vɪʒən] *v.t.* 擬想(尚未實現之事)。

en·voy [`ɛnvɔɪ] *n.* Ⓒ ①使者。②特使；公使。***a peace*** ～ 和平使節。

***en·vy** [`ɛnvɪ] *n.* ①Ⓤ 嫉妒；羨慕。②(the ～)令人羨慕的事物[人]；羨慕的對象〔of〕. — *v.t.* 嫉妒；羨慕。

en·wrap [ɛn`ræp] *v.t.* (**-pp-**)①包；圍繞。②吸引；使心神貫注。

en·zyme [`ɛnzaɪm] *n.* Ⓒ〖化〗酵素；酶。

e·on [`iən, `iɑn] *n.* Ⓒ 無限長的期間；永遠。

E·os [`iɑs] *n.*〖希神〗伊奧斯(黎明女神)。

EP extended play. 慢速唱片(每分鐘45轉)。

ep·au·let(te) [`ɛpə,lɛt] *n.* Ⓒ〖軍〗肩章。

é·pée [e`pe]〖法〗*n.* Ⓒ 尖頭劍。

e·phem·er·a [ə`fɛmərə] *n.* Ⓒ (*pl.* **～s, -ae** [-,i])①生命短促之物。②蜉蝣。

e·phem·er·al [ə`fɛmərəl] *adj.* ①朝生暮死的；瞬息的。②一天的。

ep·ic [`ɛpɪk] *n.* Ⓒ 敍事詩；史詩。— *adj.* ①敍事詩的。②宏偉壯麗的。

ep·i·cen·ter, 〖英〗**-tre** [`ɛpɪ,sɛntɚ] *n.* Ⓒ①震源；震央。②中心。

ep·i·cure [`ɛpɪ,kjʊr] *n.* Ⓒ 講究飲食的人；美食家。

ep·i·cu·re·an [,ɛpɪkjʊ`riən] *adj.* ①好美食的；享樂主義的。②(E-)伊比鳩魯(派)的。— *n.* Ⓒ ①美食家。②(E-)享樂主義者；伊比鳩魯派的人。

Ep·i·cu·re·an·ism [,ɛpɪkjʊ`riən,ɪzəm] *n.* Ⓤ ① Epicurus 之哲學。②享樂主義。③(e-)美食主義。

Ep·i·cu·rus [,ɛpɪ`kjurəs] *n.* 伊比鳩魯(紀元前342? -270, 希臘哲學家)。

***ep·i·dem·ic** [,ɛpə`dɛmɪk] *n.* Ⓒ ①流行性傳染病。②(思想、式樣等的)流行。— *adj.* 流行性的；傳染性的。

ep·i·der·mis [,ɛpə`dɝmɪs] *n.* Ⓤ Ⓒ〖解〗表皮；上皮。— **ep·i·der′mal,** *adj.*

ep·i·glot·tis [,ɛpə`glɑtɪs] *n.* Ⓒ〖解〗會厭(軟骨)。

ep·i·gram [`ɛpə,græm] *n.* Ⓒ ①雋語；警句。②諷刺短詩。

ep·i·gram·mat·ic [,ɛpəgrə`mætɪk] *adj.* ①雋語的；(多)警句的。②(詩)諷刺的。

ep·i·graph [`ɛpə,græf] *n.* Ⓒ 碑文；題銘；題詞。

ep·i·lep·sy [`ɛpə,lɛpsɪ] *n.* Ⓤ〖醫〗癲癇症。

ep·i·lep·tic [,ɛpə`lɛptɪk] *adj.* 癲癇的。— *n.* Ⓒ 癲癇症患者。

ep·i·log(ue) [`ɛpə,lɔg] *n.* Ⓒ ①結語；尾聲。②(戲劇的)收場白。

ep·i·neph·rin(e) [,ɛpə`nɛfrɪn, -rin] *n.* Ⓒ〖生化〗腎上腺素。

E·piph·a·ny [ɪ`pɪfənɪ] *n.* ①(the ～)(基督教每年一月六日之)主顯節。②(e-) Ⓒ 直覺；洞察。

e·pis·co·pa·cy [ɪ`pɪskəpəsɪ] *n.*〖宗〗①Ⓤ 主教(統轄)制度。②Ⓤ 主教之職位[任期]。③(the ～, 集合稱)主教團。

e·pis·co·pal [ɪ`pɪskəpl̩] *adj.* ①主教(統轄)的。②(E-)英國國教的；監督派的。the *E-* Church 英國國教。

E·pis·co·pa·lian [ɪ,pɪskə`pelɪən] *n.* Ⓒ ①(e-)主教派教友。②聖公會教徒。— *adj.* ①(e-)主教統轄的。②= **episcopal ②.**

***ep·i·sode** [`ɛpə,sod, -,zod] *n.* Ⓒ ①(戲劇、小說中的)插曲。②〖樂〗插入曲。③〖影, 視〗影集中之一齣。— **ep·i·sod′ic(al),** *adj.*

e·pis·te·mol·o·gy [ɪ,pɪstə`mɑlədʒɪ] *n.* Ⓤ〖哲〗認識論。

e·pis·tle [ɪ`pɪsl̩] *n.* ①Ⓒ 書信。②(the E-)(新約聖經中的)使徒書。

e·pis·to·lar·y [ɪ`pɪstə,lɛrɪ] *adj.* ①書信的。②書信體的。

ep·i·taph [`ɛpə,tæf] *n.* Ⓒ 墓誌銘。

ep·i·tha·la·mi·um [,ɛpɪθə`lemɪəm] *n.* Ⓒ (*pl.* **～s, -mi·a** [-mɪə]) 祝婚詩歌。

ep·i·thet [`ɛpə,θɛt] *n.* Ⓒ ①性質形容詞。②渾名；綽號。

e·pit·o·me [ɪ`pɪtəmɪ] *n.* Ⓒ ①梗概；大要。②縮影；典型。

e·pit·o·mize [ɪ`pɪtə,maɪz] *v.t.* 成爲…的精萃；作…的摘要；爲…的縮影。

e plu·ri·bus u·num [`i`plurəbəs`junəm]〖拉〗= one out of many. 合衆爲一(美國箴言)。

***ep·och** [`ɛpək] *n.* Ⓒ ①新紀元。②時代；時期。③〖地質〗期；紀。④值得紀念的時期。⑤重大事故發生之時期。— **al,** *adj.*

ep·och-mak·ing [`ɛpək,mekɪŋ] *adj.* 開新紀元的；劃時代的。

Ep·som [`ɛpsəm] *n.* 艾普森(英格蘭東南部之一市鎮)。§ ～ **sàlt(s)** 瀉鹽。

EQ educational quotient. 教育商數；emotional intelligence quotient. 情緒智商。

eq·ua·ble [`ɛkwəbl̩] *adj.* ①寧靜的；穩定的；一致的。②(法律等)公平的。— **eq·ua·bil′i·ty,** *n.* — **eq′ua·bly,** *adv.*

‡**e·qual** [`ikwəl] *adj.* ①相等的；同樣的；同等的〔常to, with〕. ②平靜的。③均勻的；勢均力敵的。④足夠的。～ ***to*** 能勝任…的；有…之能力的。～ ***to the occasion*** 能處理局勢；能應急。— *n.* Ⓒ 對手；匹敵；相等物。— *v.t.* (**-l-,** 〖英〗**-ll-**)①等於。②可與…匹敵。§ ～ **sìgn**〖數〗等號(=)。～ **tìme**〖美〗(在電

台或電視上給予政治競爭對手的)等長免費政見廣播時間。

e·qual·i·tar·i·an [ɪˌkwɑləˋtɛrɪən] *adj.* 平等主義的。 — *n.* Ⓒ 平等主義者。— **ism,** *n.*

***e·qual·i·ty** [ɪˋkwɑlətɪ] *n.* Ⓤ ①相等; 平等。②(平面、運動等)均等。

e·qual·i·za·tion [ˌikwələˋzeʃən] *n.* Ⓤ ①平均; 平等化。②一律。

e·qual·ize [ˋikwəlˌaɪz] *v.t.* ①使平等; 使平均; 使平衡。②使整齊劃一。 — *v.i.* (與對手)得同分。

e·qual·iz·er [ˋikwəlˌaɪzɚ] *n.* Ⓒ ①使平等者。②均值器。③〖電〗均壓器。

***e·qual·ly** [ˋikwəlɪ] *adv.* 相等地; 同樣地。

e·qua·nim·i·ty [ˌikwəˋnɪmətɪ] *n.* Ⓤ 平靜; 鎮定。

e·quate [ɪˋkwet] *v.t.* ①使相等。②相提並論。③立方程式; 以方程式表示。

***e·qua·tion** [ɪˋkweʒən] *n.* ①Ⓒ〖數, 化〗等式; 方程式。②Ⓤ 相等; 平衡。— **al,** *adj.*

***e·qua·tor** [ɪˋkwetɚ] *n.* (the ～)赤道。

e·qua·to·ri·al [ˌikwəˋtorɪəl] *adj.* 赤道的; 近赤道的。

eq·uer·ry [ˋɛkwərɪ] *n.* Ⓒ ①英國皇室之侍從武官。②掌馬官。

e·ques·tri·an [ɪˋkwɛstrɪən] *adj.* 騎馬的; 騎術的。 — *n.* Ⓒ 騎馬者; 騎術家。— **ism,** *n.* Ⓤ 馬術。

e·ques·tri·enne [ɪˌkwɛstrɪˋɛn] *n.* Ⓒ 女馬師; 女騎術家。

e·qui·dis·tant [ˌikwəˋdɪstənt] *adj.* 等距離的。

e·qui·lat·er·al [ˌikwəˋlætərəl] *adj.* 等邊的。 — *n.* Ⓒ 等邊形。

e·qui·lib·ri·um [ˌikwəˋlɪbrɪəm] *n.* Ⓤ ①平衡; 均衡。②(對抗因素、力量的)均勢。③心理的平衡。

e·quine [ˋikwaɪn] *adj.* (似)馬的。

e·qui·noc·tial [ˌikwəˋnɑkʃəl] *adj.* ①晝夜平分(線)的。②春[秋]分的。 — *n.* ①(the ～)晝夜平分線。②Ⓒ(常 *pl.*)春[秋]分時之暴風雨。§ **the** ～ **círcle** [**líne**] 晝夜平分線; 赤道。

e·qui·nox [ˋikwəˌnɑks] *n.* Ⓒ ①春[秋]分。the spring[vernal]～ 春分。②晝夜平分點。

***e·quip** [ɪˋkwɪp] *v.t.* (**-pp-**)①設備; 裝備。②提供(知識、情感)。③穿著。

eq·ui·page [ˋɛkwəpɪdʒ] *n.* Ⓒ ①馬車、馬匹及其隨從。②裝備; 設備。③成套之用具。

***e·quip·ment** [ɪˋkwɪpmənt] *n.* Ⓤ ①設備; 裝備。②設備品; 供應品; 全套器具。③知識或技藝; 才能。

e·qui·poise [ˋɛkwəˌpɔɪz] *n.* ①Ⓤ 平衡。②Ⓒ 平衡物[力]; 秤錘; 砝碼。

eq·ui·ta·ble [ˋɛkwɪtəbl] *adj.* ①公平的; 公正的。②〖法律〗衡平法的。— **eq′ui·ta·bly,** *adv.*

eq·ui·ty [ˋɛkwətɪ] *n.* ①Ⓤ 公平[正]。②Ⓤ〖法律〗衡平法。③(*pl.*)普通股。

e·quiv·a·lence [ɪˋkwɪvələns] *n.* Ⓤ ①同等; 同值; 同義。②〖化〗等價; 當量。③〖數〗等勢; 等積。

***e·quiv·a·lent** [ɪˋkwɪvələnt] *adj.* ①相等的。②相當的。 — *n.* Ⓒ ①相等物。②〖文法〗相當對應語。

e·quiv·o·cal [ɪˋkwɪvəkl̩] *adj.* ①意義不明顯的; 模稜兩可的。②未決的。③靠不住的; 可疑的。— **ly,** *adv.*

e·quiv·o·cate [ɪˋkwɪvəˌket] *v.i.* 說模稜兩可的話; 矇混; 推托。— **e·quiv·o·ca′tion, e·quiv′o·ca·tor,** *n.*

-er 〖字尾〗①加於名詞後表與某物有關或居於某地之人, 如: hatter, cottager, New Yorker. ②加於名詞、名詞複合語或名詞片語之後表相屬之物或動作, 如: diner, double-header. ③加於動詞之後表做該動作之人或物, 如: sprayer, roller. ④加於若干形容詞及副詞之後形成比較級, 如: later, greater.

***e·ra** [ˋɪrə] *n.* Ⓒ ①(歷史上的)時代。②紀元。③〖地質〗代。

e·rad·i·cate [ɪˋrædɪˌket] *v.t.* ①根除; 撲滅。②連根拔除。— **e·rad′i·ca·ble,** *adj.* — **e·rad·i·ca′tion,** *n.*

***e·rase** [[ɪˋres] *v.t.* ①擦掉; 抹去。②洗掉(錄音)。③〖俚〗謀殺; 殺害。

***e·ras·er** [ɪˋresɚ] *n.* Ⓒ ①橡皮擦; 黑板擦。②擦去者; 刪除者。

e·ra·sure [ɪˋreʒɚ] *n.* ①Ⓤ 抹去; 擦掉。②Ⓒ 刪除之字(母); 擦拭的痕跡。

ere [ɛr] *prep.* 前於…。 — *conj.* ①在…以前。②與其…(寧願…)。

***e·rect** [ɪˋrɛkt] *adj.* 直立的; 豎起的。 — *v.t.* ①豎立; 使直立。②建築; 建立。③拼起; 裝起。— **ly,** *adv.*

e·rec·tion [ɪˋrɛkʃən] *n.* ①Ⓤ 直立。②Ⓤ 建設。③Ⓒ 建築物。④ⓊⒸ〖生理〗勃起。

er·e·mite [ˋɛrəˌmaɪt] *n.* Ⓒ 隱修士; 隱者。

erg [ɝg] *n.* Ⓒ〖理〗爾格(功之單位)。

er·go [ˋɝgo] 〖拉〗*adv.* & *conj.* 〖諧〗因此; 所以。

er·go·nom·ics [ˌɝgəˋnɑmɪks] *n.* Ⓤ 人類工程學; 人體工學(研究人與機械控制配合的工程學)。

E·rie [ˋɪrɪ] *n.* 伊利湖(介於美加兩國)。

er·is·tic [ɛˋrɪstɪk] *adj.* (亦作 **eristical**) 好爭論的。 — *n.* ①Ⓒ 辯論家。②Ⓤ 辯論術。— **er·is′ti·cal·ly,** *adv.*

er·mine [ˋɝmɪn] *n.* ①Ⓒ〖動〗貂; 白鼬。②Ⓤ 貂皮; 白鼬毛皮。③Ⓤ 國王、貴族或法官之地位[階級, 職責]。

e·rode [ɪˋrod] *v.t.* ①侵蝕; 腐蝕。②(逐漸地)損害。 — *v.i.* 被侵蝕〔away〕.

E·ros [ˋɪrɑs] *n.* 〖希神〗伊羅士(戀愛之神, 與羅馬之 Cupid 相當)。

e·ro·sion [ɪˋroʒən] *n.* Ⓤ 侵蝕; 腐蝕; 沖蝕。— **e·ro′sive,** *adj.*

e·rot·ic [ɪˋrɑtɪk] *adj.* 性愛的; 色情的。

e·rot·i·ca [ɪˋrɑtɪkə] *n. pl.* (常作 *sing.*解)色情書刊; 黃色書籍[圖片]。

***err** [ɝ] *v.i.* ①做錯; 犯錯。②犯罪。

***er·rand** [ˋɛrənd] *n.* Ⓒ ①差使。②使命; 任務。§ ～ **bòy** 供差使之僮僕。

er·rant [ˋɛrənt] *adj.* ①漂泊的; 遊俠的。②錯誤的; 離正途的。

er·rant·ry [ˋɛrəntrɪ] *n.* Ⓤ 遊俠行爲; 武士精神。

er·rat·ic [əˋrætɪk] *adj.* ①不穩定的; 反覆無常的; 不規律的。②乖僻的; 古

怪的。—— *n.* Ⓒ 古怪的人。— **er·rat'i·cal·ly,** *adv.*

er·ra·tum [ɪ`retəm] *n.* Ⓒ (*pl.* **-ta** [-tə]) (書寫或印刷中之)錯誤。

er·ro·ne·ous [ə`ronɪəs] *adj.* 錯誤的。

***er·ror** [`ɛrɚ] *n.* ①Ⓒ 錯誤；謬誤。②Ⓒ 過失。③Ⓤ 謬見；誤信。④Ⓒ〖數〗誤差。⑤Ⓒ〖棒球〗失誤。⑥Ⓒ〖法律〗誤審；違法。

er·satz [ɛr`zɑts] *adj.* 代用的。—— *n.* Ⓒ 代用品。

erst·while [`ɜst,hwaɪl] *adv.* & *adj.* 「以前(的)。」

e·ruct [ɪ`rʌkt], **e·ruc·tate** [ɪ`rʌktet] *v.t.* & *v.i.* 打嗝；噴出。— **e·ruc·ta'tion,** *n.*

er·u·dite [`ɛru,daɪt] *adj.* 博學的；飽學的。— **ly,** *adv.*

er·u·di·tion [,ɛru`dɪʃən] *n.* Ⓤ 學「識；博學。」

e·rupt [ɪ`rʌpt] *v.i.* ①爆發；迸出。②發疹。③長牙；生齒。—— *v.t.* 迸出；噴出。

e·rup·tion [ɪ`rʌpʃən] *n.* ⓊⒸ ①(火山)爆發；噴火。②(泉水)噴出。③〖醫〗出疹。④(牙齒)長出；冒出。

e·rup·tive [ɪ`rʌptɪv] *adj.* ①爆發的；噴火的。②噴出的；迸出的。③〖地質〗火成的。④〖醫〗發疹的。—— *n.* Ⓒ〖地質〗火成岩。

er·y·sip·e·las [,ɛrə`sɪpḷəs] *n.* Ⓤ〖醫〗丹毒。

e·ryth·ro·cyte [ɪ`rɪθro,saɪt] *n.* Ⓒ「〖解〗紅血球。」

es·ca·lade [,ɛskə`led] *n.* Ⓤ ①用梯攀登。②〖軍〗雲梯攻戰。—— *v.t.* 用梯攀登。

es·ca·late [`ɛskə,let] *v.t.* & *v.i.* ①增強；升高；擴大。②抬高；升起。— **es·ca·la'tion,** *n.*

***es·ca·la·tor** [`ɛskə,letɚ] *n.* Ⓒ ①自動梯。②升降之方法、工具。③步步高昇。§ ∼ **clàuse** (勞資協定中有關工資等的)伸縮條款。

es·ca·pade [`ɛskə,ped] *n.* ⓊⒸ 胡作非爲的惡作劇；大膽妄爲。

‡**es·cape** [ə`skep, ɪ-, ɛ-] *v.i.* ①逃脫；逃走〔from〕。②溢出；漏出。③免除；避免(懲罰、艱苦工作等)。④溜走；消滅。—— *v.t.* ①逃避；避免。②免受。③(言語等不禁)由(口裡)流露出來。A cry ∼*d* her lips. 她不自禁地喊起來。④未注意；忘記。—— *n.* ①ⓊⒸ 脫逃；逃。②Ⓒ 逃走之路；逃脫之方法。③Ⓤ 解悶；消遣。④Ⓒ 漏水；漏氣。*make one's* ∼ 逃走。§ ∼ **clàuse** 免責條款(契約中言明在某種情況下簽字者可不負責任之條款)。∼ **líterature** 逃避現實的文學。∼ **mèchanism**〖心〗逃避機制(逃避不愉快現實的方法)。∼ **rámp**[**róad, róute**] 避難道路。

es·cap·ee [əs,ke`pi, ɪs-, ɛs-] *n.* Ⓒ 逃亡者；逃獄者；亡命之徒。

es·cape·ment [ə`skepmənt] *n.* Ⓒ ①鐘錶內控制擺或擺輪速度之裝置。②打字機管制捲軸活動之裝置。

es·cap·ism [ə`skepɪzəm] *n.* Ⓤ 逃避現實。

es·cap·ist [ə`skepɪst] *adj.* 逃避主義的。—— *n.* Ⓒ 逃避現實者。

es·carp·ment [ɛ`skɑrpmənt] *n.* Ⓒ 懸崖；絕壁；陡坡。

es·cha·tol·o·gy [,ɛskə`tɑlədʒɪ] *n.* Ⓤ〖神學〗末世學；終世論(研究死亡、世界末日、來生等之學問)。

es·chew [ɛs`tʃu] *v.t.* 避開；遠離。— **al,** *adj.* & *n.*

***es·cort** [`ɛskɔrt] *n.* ①Ⓒ 護送者；護衛隊。②Ⓤ 護送；護衛。③Ⓒ 護花使者。—— [ɪ`skɔrt] *v.t.* 護送；護航。

es·crow [`ɛskro] *n.* Ⓒ〖法律〗(暫交第三者保存至所定條件完成後即交受讓人的)證書〖契據〗。

es·cutch·eon [ɪ`skʌtʃən] *n.* Ⓒ 飾有紋章的盾。*a blot on one's* ∼ 名譽上的汚點。

-ese〖字尾〗名詞或形容詞字尾，表「地方；國家；語言；文體；人民或居住者」之義，如：Chinese, Japanese.

Es·ki·mo [`ɛskə,mo] *n.* Ⓒ (*pl.* ∼, ∼**s**) 愛斯基摩人。—— *adj.* 愛斯基摩人的。§ ∼ **dòg** 愛斯基摩狗。— **Es·ki·mo'an,** *adj.*

ESL English as a second language. 當作第二語言的英語。

e·soph·a·gus [i`sɑfəgəs] *n.* Ⓒ (*pl.* **-gi** [-,dʒaɪ]) 食道。

es·o·ter·ic [,ɛsə`tɛrɪk] *adj.* ①祕傳的；奧祕的。②祕密的。③祕教的。

ESP extrasensory perception.

esp. especially.

es·pe·cial [ə`spɛʃəl] *adj.* 特別的；特殊的；格外的。

‡**es·pe·cial·ly** [ə`spɛʃəlɪ] *adv.* 特別地；主要地；多半；尤其。

Es·pe·ran·to [,ɛspə`rɑnto] *n.* Ⓤ 世界語(1887 年 Dr. Zamenhof 所創)。

es·pi·al [ɪ`spaɪəl] *n.* Ⓤ ①偵察；監視。②看出；發現。

es·pi·o·nage [`ɛspɪənɪdʒ] *n.* Ⓤ 間諜活動。

es·pla·nade [,ɛsplə`ned] *n.* Ⓒ (海「邊)遊憩場。」

es·pous·al [ɪ`spauzḷ] *n.* ①ⓊⒸ (主義、學說的)採納；擁護。②Ⓒ (常 *pl.*)訂婚；結婚。

es·pouse [ɪ`spauz] *v.t.* ①信奉；擁護(主義、學說)；支持。②嫁；娶。

es·pres·so [ɛs`prɛso]〖義〗*n.* (*pl.* ∼**s**) ①Ⓤ 蒸餾咖啡。②Ⓒ 一杯蒸餾咖啡。③Ⓒ 蒸餾咖啡煮沸器。④Ⓒ 供應蒸餾咖啡的咖啡館。

es·prit [ɛ`spri] *n.* Ⓤ 機智；聰明。∼ *de corps* [ɛ`spridə`kɔr]〖法〗團隊精神。

es·py [ə`spaɪ] *v.t.* 看出；探出。

Esq., Esqr. Esquire.

Es·quire [ə`skwaɪr] *n.* …先生(放在一個男人姓名後面的尊稱，例如：John Jones, *Esquire*).

-ess〖字尾〗名詞字尾，表「陰性；女性」「之義。」

***es·say** [`ɛsɪ, `ɛse] *n.* Ⓒ ①文章；論說文。②[ɛ`se, `ɛse] 試驗；企圖；嘗試〔at〕。—— [ə`se, ɛ`se] *v.t.* 嘗試；企圖。

es·say·ist [`ɛseɪst] *n.* Ⓒ 評論家；隨筆作家；散文家。

***es·sence** [`ɛsṇs] *n.* ①Ⓤ 本質；精髓；要素。②ⓊⒸ 香水。③ⓊⒸ 精；素。④Ⓤ〖哲〗存在。

***es·sen·tial** [ə`sɛnʃəl] *adj.* ①基本的；

必要的。②本質的；實質的。— *n.* Ⓒ (常*pl.*)要素；要點；本質。*— **ly,** *adv.*

E.S.T., EST, e.s.t. Eastern Standard Time. 〖美〗東部標準時間。

-est 〖字尾〗表形容詞或副詞之最高級。

‡**es·tab·lish** [ə`stæblɪʃ] *v.t.* ①建立；設立。②確立；認可；固定。③證實。④使成爲國教。⑤執業；開業。⑥安頓；定居。⑦安置；使任…職。

es·tab·lished [ə`stæblɪʃt] *adj.* ①已確立的；基礎鞏固的。②已制定的；已設立的。③國教的。the ～ church 國教。the *E-* Church 英國國教。

***es·tab·lish·ment** [ə`stæblɪʃmənt] *n.* ①Ⓤ建立；確立；制定。②Ⓒ建築物(如工廠、商店等)。③(the E-)〖英〗國教會。④Ⓤ〖軍〗編制；組織。⑤Ⓤ員額；定員。⑥Ⓒ家庭。⑦Ⓤ成家立業。⑧Ⓤ(常 the E-) **a.** 組織。**b.** 社會上現存的權力機構；某一行業之當權派。

es·tab·lish·men·tar·i·an [ə,stæblɪʃmɛn`tɛrɪən] *adj.* ①國教的(尤指英國國教會的)。②現存社會體制的；擁護現有權力機構的。

***es·tate** [ə`stet] *n.* ①Ⓒ地產。②Ⓤ(人生的)時期。③Ⓒ社會階級。④Ⓒ〖英〗社區。⑤Ⓤ〖法律〗財產。personal ～ 動產。real ～ 房地產；不動產。§～ **àgent**〖英〗房地產管理人[經紀人]。～ **tàx** 遺產稅。

***es·teem** [ə`stim] *v.t.* ①尊敬；尊重。②認爲。— *n.* Ⓤ尊重；尊敬。

es·ter [`ɛstə] *n.* Ⓒ〖化〗酯。

es·thet·ics [ɛs`θɛtɪks] *n.* =**aesthetics.**

es·ti·ma·ble [`ɛstəməbl] *adj.* ①值得尊敬的。②可估計的。

***es·ti·mate** [`ɛstəmɪt] *n.* Ⓒ意見；估計；評價；判斷。—[`ɛstə,met] *v.t.* & *v.i.* 評價；評定；估計。

es·ti·ma·tion [,ɛstə`meʃən] *n.* Ⓤ ①判斷；估計。②敬重。③預算。

Es·to·ni·a [ɛs`tonɪə] *n.* 愛沙尼亞(波羅的海沿岸小國，首都 Tallinn).

es·trange [ə`strendʒ] *v.t.* ①使疏遠。②隔離；遠離。③轉用他途；移作他用。— **ment,** *n.* — **es·tranged′,** *adj.*

es·tro·gen [`ɛstrədʒən] *n.* Ⓤ〖生化〗雌激素；動情激素。

es·tu·ar·y [`ɛstʃu,ɛrɪ] *n.* Ⓒ (河流的)入海口。

-et 〖字尾〗表「小」之義，如：islet.

et al. 〖拉〗① et alibi(= and elsewhere). 以及其他地方。②et alii(=and others). 以及其他者。

***etc.** 〖拉〗 et cetera. 及其他；等等。〔注意〕 etc. 主要用於參考書或商用文等，前面加逗號(只有一名詞時不加)，但不可再加 and.

et cet·er·a [ɛt`sɛtərə, -`sɛtrə] 〖拉〗 *adv.* 及其他；等等。

etch [ɛtʃ] *v.t.* ①蝕刻(銅版等)。②將…深印[銘記]。— *v.i.* 製作蝕刻[銅版]畫。

etch·ing [`ɛtʃɪŋ] *n.* ①Ⓒ蝕刻版畫。②Ⓤ蝕刻術；蝕刻法。

***e·ter·nal** [ɪ`tɜnl] *adj.* ①永恆的；不變的。②不滅的；永生的。③不停的。— *n.* ①(the E-)上帝。②(the ～)永恆不變之事物。§ **the E- Cíty** 永恆之城(羅馬之別稱)。**the ～ tríangle**(男女間的)三角關係。— **ly,** *adv.*

***e·ter·ni·ty** [ɪ`tɜnətɪ] *n.* ①Ⓤ永恆；無窮。②Ⓤ來世；永世。③(an ～)很長久的時間。④(*pl.*)不變的眞理或事實。the *eternities* 永恆不滅的眞理。

e·ther [`iθə] *n.* Ⓤ ①〖化〗醚。②(the ～)天空；太空。③〖理〗以太。④〖俗〗無線電廣播。

e·the·re·al [ɪ`θɪrɪəl] *adj.* ①輕的；如空氣的。②纖弱的；靈妙的。③天上的。④〖化〗醚的。— **i·ty** [ɪ,θɪrɪ`ælətɪ], *n.*

E·ther·net [`iθə,nɛt] *n.* 〖電算〗乙太網路。

eth·ic [`ɛθɪk] *adj.* =**ethical.** — *n.* Ⓒ道德規範；倫理。

***eth·i·cal** [`ɛθɪkl] *adj.* ①倫理的；道德的。②倫理學的。③〖藥〗憑處方出售的。— **ly,** *adv.*

***eth·ics** [`ɛθɪks] *n.* ①Ⓤ倫理學。②(作 *pl.*解)倫常；道德。

E·thi·o·pi·a [,iθɪ`opɪə] *n.* 衣索比亞(非洲東部之一國，首都爲Addis Ababa).

E·thi·o·pi·an [,iθɪ`opɪən] *adj.* 衣索比亞(人)的。— *n.* Ⓒ ①衣索比亞人。②黑人。

eth·nic, -ni·cal [`ɛθnɪk(l)] *adj.* ①種族的；人種的。②人種學的。③異教徒的。④民族的(尤指原始的)。

ethno- 〖字首〗表「種族；民族」之義。

eth·nog·ra·phy [ɛθ`nɑgrəfɪ] *n.* Ⓤ人種誌。— **eth·no·graph′ic,** *adj.*

eth·no·log·ic, -i·cal [,ɛθnə`lɑdʒɪk(l)] *adj.* 人種學的。

eth·nol·o·gy [ɛθ`nɑlədʒɪ] *n.* Ⓤ人種學。— **eth·nol′o·gist,** *n.*

e·thos [`iθɑs] *n.* (作*sing*解) ①性格氣質。②〖社會〗民族精神；社會思潮；風氣。

eth·yl [`ɛθəl] *n.* Ⓤ〖化〗乙基。§ ～ **álcohol** (1)普通酒精。(2)〖俗〗威士忌。

eth·yl·ene [`ɛθə,lin] *n.* Ⓤ〖化〗乙烯。

***et·i·quette** [`ɛtɪ,kɛt] *n.* Ⓤ禮節；禮法；禮儀。

E·ton [`itn̩] *n.* 伊頓(英國倫敦以西一城市，爲 Eton College 所在地)。§ ～ **cóllar** 伊頓衣領(掛於上衣領子上的白色寬領)。～ **Cóllege** 伊頓學院。～ **cróp**(女子之)男式髮型。～ **jácket** 伊頓中學(式)的上衣。

E·to·ni·an [i`tonɪən] *adj.* Eton 學院的。— *n.* Ⓒ Eton 學院學生[校友]。

é·tude [e`tjud] 〖法〗*n.* Ⓒ〖樂〗練習曲。

et·y·mo·log·i·cal [,ɛtəmə`lɑdʒɪkl] *adj.* 語源(學)的。— **ly,** *adv.*

et·y·mol·o·gy [,ɛtə`mɑlədʒɪ] *n.* ①Ⓒ語源。②Ⓤ語源學。

eu·ca·lyp·tus [,jukə`lɪptəs] *n.* Ⓒ (*pl.* ～**es, -ti** [-taɪ])〖植〗尤加利樹。

Eu·cha·rist [`jukərɪst] *n.* (the ～) ①聖餐。②聖餐之麵包與酒。

eu·clase [`jukles] *n.* Ⓤ〖礦〗藍柱石。

Eu·clid [`juklɪd] *n.* ①歐幾里得(希臘數學家，約生於紀元前三世紀，被稱爲幾何學之父)。②Ⓤ歐氏幾何學。

eu·gen·ic, -i·cal [ju`dʒɛnɪk(l)]

adj. ①優生(學)的。②有優良遺傳質的。
eu·gen·ics [juˋdʒɛnɪks] *n.* Ⓤ 優生學；人種改良學。— **eu·gen·ist** [ˋjudʒənɪst], *n.* Ⓒ優生學家。
eu·lo·gist [ˋjulədʒɪst] *n.* Ⓒ述說或寫作頌詞之人；頌揚者。
eu·lo·gize [ˋjulə͵dʒaɪz] *v.t.* 讚頌。
eu·lo·gy [ˋjulədʒɪ] *n.* ①Ⓒ頌詞。②Ⓤ頌揚。
eu·nuch [ˋjunək] *n.* Ⓒ太監；宦官。
eu·phe·mism [ˋjufə͵mɪzəm] *n.* ①Ⓒ委婉話；婉言。②Ⓤ委婉的說法。
eu·phe·mis·tic [͵jufəˋmɪstɪk] *adj.* 婉曲的；委婉說法的。
eu·phon·ic [juˋfɑnɪk] *adj.* ①和諧的；悅耳的。②使發音變爲容易的。
eu·pho·ni·ous [juˋfonɪəs] *adj.* 和諧的；悅耳的。
eu·pho·ny [ˋjufənɪ] *n.* ⓊⒸ①悅耳之音。②諧音；使發音變容易之趨勢。
eu·pho·ri·a [juˋfɔrɪə] *n.* Ⓤ〖心〗幸福感。— **eu·phor′ic,** *adj.*
Eu·phra·tes [juˋfretiz] *n.* (the～) 幼發拉底河(在亞洲西南部)。
eu·phu·ism [ˋjufju͵ɪzṃ] *n.* ①Ⓤ誇飾之文體。②Ⓒ華麗之詞藻。— **eu·phu·is′tic,** *adj.*
Eur·a·sia [juˋreʒə] *n.* 歐亞大陸。
Eur·a·sian [juˋreʒən] *adj.* ①歐亞(人)的。②歐亞混血的。**—** *n.* Ⓒ歐亞混血兒。
eu·re·ka [juˋrikə] *interj.* 我找到了(=I have found it! 歡呼用語)。
Eu·rip·i·des [juˋrɪpə͵diz] *n.* 尤里披蒂斯(480? -406B.C., 希臘悲劇作家)。
Eu·ro·bond [ˋjurə͵bɑnd] *n.* Ⓒ(美國或非歐洲之機構在歐洲發行、上市的)歐洲債券。
Eu·ro·cur·ren·cy [ˋjurə͵kɝənsɪ] *n.* Ⓤ歐洲通貨。
Eu·ro·dol·lar [ˋjurə͵dɑlɚ] *n.* Ⓒ歐洲美元(存於歐洲各銀行的美元)。
Eu·ro·mar·ket [ˋjurə͵mɑrkɪt] *n.* (the ～)歐洲市場。
‡**Eu·rope** [ˋjurəp] *n.* 歐洲。
‡**Eu·ro·pe·an** [͵jurəˋpiən] *adj.* 歐洲(人)的。**—** *n.* Ⓒ歐洲人。§ **the ～ Económic Commúnity** 歐洲經濟共同體。**the ～ plàn**〖美〗歐式旅館不供膳制。**the ～ Recóvery Prógram** 歐洲復興計書。
Eu·ro·pe·an·ize [͵jurəˋpiən͵aɪz] *v.t.* 使歐化。
eu·ro·pi·um [juˋropɪəm] *n.* Ⓤ〖化〗銪(金屬元素；符號 Eu)。
Eu·stá·chi·an tùbe [juˋstekɪən ～] *n.* Ⓒ〖解〗耳咽管；歐氏管。
eu·tha·na·sia [͵juθəˋneʒə] *n.* Ⓤ安樂死。
eu·then·ics [juˋθɛnɪks] *n.* Ⓤ環境優生學。
Eu·to·pi·a [juˋtopɪə] *n.* 烏托邦。
e·vac·u·ate [ɪˋvækju͵et] *v.t.* ①撤退；撤離。②撤空。③疏散。④使空；淸除。⑤剝奪。**—** *v.i.* 撤退；撤離。
e·vac·u·ee [ɪ͵vækjuˋi] *n.* Ⓒ被撤離的人；疏散者。
***e·vade** [ɪˋved] *v.t.* 規避；逃避；閃避。
e·val·u·ate [ɪˋvælju͵et] *v.t.* 評價；估價；估計。— **e·val·u·a′tion,** *n.*
ev·a·nesce [͵ɛvəˋnɛs] *v.i.* (逐漸)消失；消散。— **ev·a·nes′cence,** *n.*
ev·a·nes·cent [͵ɛvəˋnɛsənt] *adj.* ①(逐漸)消失的。②瞬息的；短暫的。
e·van·gel [ɪˋvændʒəl] *n.* Ⓒ①福音；佳音。②(E-)四福音書之一。③主義；指導原則。④=**evangelist.**
e·van·gel·i·cal [͵ivænˋdʒɛlɪkḷ] *adj.* (亦作 **evangelic**)①福音的；福音傳道的。②福音主義的。③熱衷的。**—** *n.* Ⓒ福音主義者。— **ism,** *n.* Ⓤ福音主義。
e·van·ge·lism [ɪˋvændʒə͵lɪzəm] *n.* Ⓤ①福音傳道。②福音主義。
e·van·ge·list [ɪˋvændʒəlɪst] *n.* Ⓒ①傳福音者。②(E-)四福音作者。
e·van·ge·lize [ɪˋvændʒə͵laɪz] *v.t.* ①以福音敎化之；佈道。②使皈依基督敎。**—** *v.i.* 傳播福音。
***e·vap·o·rate** [ɪˋvæpə͵ret] *v.t.* ①使蒸發。②去…的水分；煉。③使消失。**—** *v.i.* ①失去水分；蒸乾。②散發濕氣。③消失。§ **～d mílk** 無糖煉乳。
e·vap·o·ra·tion [ɪ͵væpəˋreʃən] *n.* Ⓤ①蒸發；蒸散；脫水。②消散；消失。
e·va·sion [ɪˋveʒən] *n.* ⓊⒸ①逃避；規避。②支吾搪塞；矇混。③逃脫。
e·va·sive [ɪˋvesɪv] *adj.* ①逃避的；迴避的。②不可捉摸的。— **ly,** *adv.*
***eve** [iv] *n.* ①Ⓒ前夕；前日。②〖詩〗=**evening.**
Eve [iv] *n.* 夏娃(Adam 之妻，聖經中所謂世界最初的女人)。
‡**e·ven**[1] [ˋivən] *adj.* ①平的；平坦的。②相齊的；同高的。③正規的；均匀的；沉靜的。④相等的。⑤(數目)偶數的。⑥整數的。an ～ mile 恰好一英里。⑦公正的。⑧不欠情的；兩相抵的。***get ～ with*** 報復。***of ～ date*** 同一日。**—** *v.t.* ①使平；使相等。②使平坦。③使得失相當〔常 up〕。**—** *adv.* ①正(當)；恰好。②甚至；即使。③愈加；更加〔more, better〕。④完全地。⑤平坦地。***break ～*** 得失相等。***～ if [though]*** 縱使；即使。— **ness,** *n.*
e·ven[2] *n.* Ⓤ〖古〗傍晚；黃昏。
e·ven·hand·ed [ˋivənˋhændɪd] *adj.* 不偏不倚的；公正的。
‡**eve·ning** [ˋivnɪŋ] *n.* ①ⓊⒸ晚間；夕；暮。②Ⓒ(…之)夜；晚會。③(the ～)晚年；末路；衰退期。§ **～ clàss** 夜校班。**～ clòthes [drèss]** 晚禮服。**～ edìtion [pàper]** 晚報。**～ prímrose**〖植〗待宵草；月見草。**～ schòol** 夜校。**～ stùdent** 夜校學生。**the ～ stár** 黃昏星；晚星。
e·ven·ly [ˋivənlɪ] *adv.* ①平坦地；平衡地；均匀地。②相等地。
e·ven·song [ˋivən͵sɔŋ] *n.* Ⓤ①(常 E-)英國國敎之晚禱。②天主敎之晚禱。
‡**e·vent** [ɪˋvɛnt] *n.* Ⓒ①(重要的)事情；事件。②結果。③〖運動〗項目。***at all ～s; in any ～*** 無論如何。***in the ～ of*** 倘若。
e·ven-tem·pered [ˋivənˋtɛmpɚd] *adj.* 鎭定的；不易生氣的。
e·vent·ful [ɪˋvɛntfəl] *adj.* ①多事故

的。②重大的；重要的。— **ly,** *adv.*

e·ven·tide [\`ivən,taɪd] *n.* Ⓤ〖詩〗日暮；黃昏。

e·ven·tu·al [ɪ\`vɛntʃuəl] *adj.* ①結果的；最後的。②可能的。*— **ly,** *adv.*

e·ven·tu·al·i·ty [ɪ,vɛntʃu\`ælətɪ] *n.* Ⓒ 可能性；可能發生的事件。

e·ven·tu·ate [ɪ\`vɛntʃu,et] *v.i.* 結果；終歸〔常 in〕。

‡**ev·er** [\`ɛvɚ] *adv.* ①曾；曾經(用於現在、現在完成及過去疑問句中)；無論何時(用於條件句及否定句中)。②究竟；到底(與疑問詞連用)；的確。③永遠。④如果；要是(用以強調驚奇、不耐等)。～ ***since***自從(較單用 since 語氣爲強)。～ ***so*** [〖俚〗***such***] 非常(=very). ***for*** ～(***and*** ～)***; for*** ～ ***and a day*** 永遠；永久。***hardly*** ～ 很少；幾乎不(語氣較 hardly 強)。

ever- 〖字首〗表示「永遠」之義。

Ev·er·est [\`ɛvrɪst] *n.* (Mount ～) 埃弗勒斯峰(又稱聖母峰，爲世界最高峰，高 8,848 公尺)。

ev·er·glade [\`ɛvɚ,gled] *n.* Ⓒ 沼澤地；溼地。***the Everglades***(美國 Florida 州南部之)大沼澤地。

ev·er·green [\`ɛvɚ,grin] *adj.* 常綠的(樹)。— *n.* ① Ⓒ 常綠植物；常綠樹；冬青。②(*pl.*)裝飾用的常綠樹枝。§ **É- Stàte** 美國華盛頓州的別稱。

ev·er·last·ing [,ɛvɚ\`læstɪŋ] *adj.* ①持久的；永恆的。②冗長的；令人厭倦的。— *n.* ① Ⓤ 永恆。②(the E-)永恆者(=God). — **ly,** *adv.*

ev·er·more [,ɛvɚ\`mor] *adv.* ①經常。②永久。***for*** ～ 永遠。

‡**eve·ry** [\`ɛvrɪ, \`ɛvərɪ] *adj.* ①每；每一；所有的。②所有可能的；最大可能的。～ ***bit*** **a.** 全部。**b.** 完全。～ ***now and then*** [***again***] 時時；有時。～ ***other*** **a.** 每隔一。**b.** 所有其他的。～ ***time*** 每當…時。～ ***way*** 從各方面看。～ ***which way*** 四面八方；零亂地。

‡**eve·ry·bod·y** [\`ɛvrɪ,bɑdɪ] *pron.* 每個人；人人。*E-* dresses in their best clothes. 每個人都穿上他們最好的衣服。

***eve·ry·day** [\`ɛvrɪ\`de] *adj.* ①每天的。②平日的。

‡**eve·ry·one** [\`ɛvrɪ,wʌn] *pron.* =**everybody.**

‡**eve·ry·thing** [\`ɛvrɪ,θɪŋ] *pron.* ①每樣事物；一切事物。②重於一切者。

‡**eve·ry·where** [\`ɛvrɪ,hwɛr] *adv.* 到處；處處。— *conj.* 無論何處。— *n.* Ⓤ〖俗〗所有的地方；到處。

e·vict [ɪ\`vɪkt] *v.t.* ①(依法)驅逐(租戶)。②追還(財產)。— **e·vic′tion,** *n.*

ev·i·dence** [\`ɛvədəns] *n.* Ⓤ ①證據。②證詞；作證。③跡象；痕跡。in*** ～ 顯然可見的。***turn state's*** [***queen's, king's***]～ 共犯反成爲檢方之證人。— *v.t.* ①顯示。②證明。

***ev·i·dent** [\`ɛvədənt] *adj.* 明白的；明顯的。*— **ly,** *adv.*

‡**e·vil** [\`ivḷ] *adj.* ①邪惡的。②有害的。③不幸的。— *n.* ① Ⓤ 邪惡；罪惡。return good for ～ 以德報怨。② Ⓒ 弊害；弊病。— *adv.* 邪惡地。***speak*** ～ ***of*** 講(人)壞話。§ **the É- Òne** 惡魔(指 Satan). — **ly,** *adv.*

e·vil·do·er [,ivḷ\`duɚ] *n.* Ⓒ 做壞事者。

e·vil·do·ing [,ivḷ\`duɪŋ] *n.* Ⓤ 惡行；惡事。

e·vil-mind·ed [\`ivḷ\`maɪndɪd] *adj.* 惡毒的；黑心的。

e·vince [ɪ\`vɪns] *v.t.* 表明；表示。

e·vis·cer·ate [ɪ\`vɪsə,ret] *v.t.* ①剜除(動物)的腸[內臟]。②刪除…的重要部分。

ev·i·ta·ble [\`ɛvətəbḷ] *adj.* 可避免的。

e·voc·a·tive [ɪ\`vɑkətɪv] *adj.* 喚起「的；召喚的。」

e·voke [ɪ\`vok] *v.t.* ①喚起；引起。②使追憶。— **ev·o·ca·tion** [,ɛvo\`keʃən], *n.*

***ev·o·lu·tion** [,ɛvə\`luʃən, -\`lju-] *n.* ① Ⓤ 進化；發展。② Ⓤ 進化論。③ Ⓒ〖軍〗機動演習。④ Ⓤ〖數〗開方。— **al,** *adj.*

ev·o·lu·tion·a·ry [,ɛvə\`luʃən,ɛrɪ] *adj.*①進化的；開展的。②進化論的。③機動演習的。

ev·o·lu·tion·ism [,ɛvə\`luʃənɪzṃ] *n.* Ⓤ 進化論。— **ev·o·lu′tion·ist,** *n.*

***e·volve** [ɪ\`vɑlv] *v.t.*①發展；計畫。②放出；放射出。③引出；推理。④〖生物〗進化。— *v.i.*演變；進化。— **ment,** *n.*

ewe [ju] *n.* Ⓒ 母羊。

ew·er [\`juɚ] *n.* Ⓒ (大口)水罐。

ex [ɛks] *n.* Ⓒ〖俗〗前夫；前妻。

ex- 〖字首〗①表「由…出來；從」之義，如：export. ②表「完全」之義，如：exterminate. ③表「前…」之義，如：ex-president.

ex·ac·er·bate [ɪg\`zæsɚ,bet] *v.t.*①使(病、痛等)加劇；加重。②激怒。— **ex·ac·er·ba′tion,** *n.*

‡**ex·act** [ɪg\`zækt] *adj.* ①正確的；精確的。②嚴格的；嚴厲的。— *v.t.* ①需要。②要求；強迫。

ex·act·ing [ɪg\`zæktɪŋ] *adj.* ①苛求的。②費力的。③強取的；勒索的。

ex·ac·tion [ɪg\`zækʃən] *n.* ① Ⓤ 勒索；強取。② Ⓒ 索取之物；稅。

ex·ac·ti·tude [ɪg\`zæktə,tjud] *n.* Ⓤ 正確；精密；嚴正。

***ex·act·ly** [ɪg\`zæk(t)lɪ] *adv.* 精確地；正確地；完全地。

***ex·ag·ger·ate** [ɪg\`zædʒə,ret] *v.t.* & *v.i.*誇大；誇張。— **ex·ag′ger·a·tor,** *n.*

ex·ag·ger·at·ed [ɪg\`zædʒə,retɪd] *adj.*誇張的；誇大的。

ex·ag·ger·a·tion[ɪg,zædʒə\`reʃən] *n.* ① Ⓤ 誇張。② Ⓒ 誇大的說法[表現，手法]。

ex·alt [ɪg\`zɔlt] *v.t.*①擢升；提高。②讚揚。③刺激(想像力等)。④加強(如顏色等)。⑤使得意。

ex·al·ta·tion [,ɛgzɔl\`teʃən] *n.* Ⓤ ①提高；擢升；讚揚。②意氣揚揚；狂喜；得意。

ex·alt·ed [ɪg\`zɔltɪd] *adj.* ①地位[身分]高尚的；高貴的。②崇高的。③意氣揚揚的；狂喜的。

***ex·am** [ɪg\`zæm] *n.* Ⓒ〖俗〗考試(=examination).

exam. examination; examine;

examined; examinee; examiner.
ex·am·i·nant [ɪg`zæmənənt] *n.* Ⓒ審問者；檢查者；審查者；檢察官。
‡**ex·am·i·na·tion** [ɪg͵zæmə`neʃən] *n.* ①ⓊⒸ檢查。a physical ～體格檢查。②ⓊⒸ審問。③Ⓒ考試。
‡**ex·am·ine** [ɪg`zæmɪn] *v.t.* ①檢查。②考試。③審問。④調查。
ex·am·i·nee [ɪg͵zæmə`ni] *n.* Ⓒ應試者。
ex·am·in·er [ɪg`zæmɪnɚ] *n.* Ⓒ主考者；審問者；檢查者。
‡**ex·am·ple** [ɪg`zæmpl̩] *n.* Ⓒ①實例。②樣本；標本。③模範。④警告。⑤先例。*for* ～ 例如。*make an* ～ *of somebody*懲一以儆百。*set an* ～*of somebody*給某人樹立一個楷模。*without* ～ 無先例。
ex·as·per·ate [ɛg`zæspə͵ret, ɪg-] *v.t.* 激怒；使(病苦、憤怒等)增劇。—**ex·as′per·at·ing,** *adj.*
ex·ca·vate [`ɛkskə͵vet] *v.t.* ①挖空。②挖掘；挖出。—**ex′ca·va·tor,** *n.*
ex·ca·va·tion [͵ɛkskə`veʃən] *n.* ①ⓊⒸ挖掘；發掘。②Ⓒ洞穴；坑道；發掘物。
***ex·ceed** [ɪk`sid] *v.t. & v.i.* 越過；超過；駕乎…之上。
ex·ceed·ing [ɪk`sidɪŋ] *adj.* 非常的；過度的。—**ly,** *adv.*
***ex·cel** [ɪk`sɛl] *v.t.* (**-ll-**)優於；勝過。— *v.i.* 特出；擅長。
ex·cel·lence [`ɛksl̩əns] *n.* ①Ⓤ特優；傑出。②Ⓒ優點；美德。
ex·cel·len·cy [`ɛksl̩ənsɪ] *n.* Ⓒ(常E-)閣下(對顯貴者之尊稱)。*Your E-*大人；閣下(對大使、大臣等之尊稱語)。
‡**ex·cel·lent** [`ɛksl̩ənt] *adj.* 最優的；特優的。—**ly,** *adv.*
ex·cel·si·or[1] [ɪk`sɛlsɪɚ] *adj.* 精益求精的(美國紐約州的箴言)。
ex·cel·si·or[2] *n.* Ⓤ細鉋花(包裝易碎物品時塡塞用)。
‡**ex·cept** [ɪk`sɛpt] *prep.* 除…之外。～ *for* 除去…一點之外；祇是(有表惋惜之意)。— *v.t.*把…除外；不包括…在內。— *v.i.*反對〔常 to, against〕. — *conj.* ①除去…一點之外；祇可惜〔常 that〕. ②〖古〗除非(=unless).〔注意〕**except**與**but**均意爲除外。except著重於「除去；除掉」。but則著重於「不予計入」，而非「除掉；除去」之意。
ex·cept·ed [ɪk`sɛptɪd] *adj.* 除外的；例外的。
ex·cept·ing[ɪk`sɛptɪŋ] *prep.* 除…外。
***ex·cep·tion** [ɪk`sɛpʃən] *n.* ①Ⓒ例外。②Ⓤ除外。③Ⓤ〖法律〗異議。*make an* ～ *of* 把…除外。*take* ～ *to* **a.**反對。**b.**生氣。*without* ～沒有例外。*with the* ～ *of* 除…之外。
***ex·cep·tion·al** [ɪk`sɛpʃənl̩] *adj.*①例外的；特別的。②優秀的。—**ly,** *adv.*
ex·cerpt [`ɛksɝpt] *n.* Ⓒ選錄；引述；摘錄。—[ɪk`sɝpt] *v.t.* 摘錄。
***ex·cess** [ɪk`sɛs] *n.*①Ⓤ過多之量；過度；過分。②Ⓤ(又作an ～)超額；超過數。③(*pl.*)暴行。④Ⓤ(飲食煙酒等的)無節制。*in* ～ *of* 較…爲多。*to* ～ 過度。— *adj.* 超額的。
***ex·ces·sive** [ɪk`sɛsɪv] *adj.* 過度的；極度的。—**ly,** *adv.* —**ness,** *n.*
‡**ex·change** [ɪks`tʃendʒ] *v.t.* ①交換；互換。②掉換。— *v.i.* ①交換。②調換。③兌換。— *n.*①ⓊⒸ交換；交易。②Ⓒ交換物。③Ⓒ交易所。④Ⓒ(電話)交換臺；電話總機。⑤Ⓤ(外幣的)兌換。an ～ bank 匯兌銀行。⑥Ⓤ(外幣的)匯率。⑦Ⓒ票據交換所。*in* ～ (*for*)交換。§ ∼ **ràte** 匯率。∼ **sèttlement** 結匯。∼ **stùdent**[**tèacher**] 交換學生[教師]。
ex·change·a·ble [ɪks`tʃendʒəbl̩] *adj.* 可交換的；可更換的；可兌換的。
ex·cheq·uer [ɪks`tʃɛkɚ] *n.* ①(*sing.*)國庫。②Ⓒ(常the ～)〖俗〗財源。③(E-)〖英〗財政部。
ex·cis·a·ble [ɪk`saɪzəbl̩] *adj.* ①應課稅的。②可切除的。
ex·cise[1] [ɪk`saɪz] *n.* Ⓒ(常the ～)(煙、酒等之)消費稅；貨物稅。— *v.t.* 課以消費稅。
ex·cise[2] *v.t.* ①切除。②刪除。—**ex·ci·sion** [ɪk`sɪʒən], *n.*
ex·cit·a·ble [ɪk`saɪtəbl̩] *adj.*易興奮的。
ex·cit·ant [ɪk`saɪtənt] *adj.* 刺激性的。— *n.* ⓊⒸ刺激物；興奮劑。
ex·ci·ta·tion [͵ɛksaɪ`teʃən] *n.* Ⓤ刺激；鼓舞。
‡**ex·cite** [ɪk`saɪt] *v.t.* ①激動；鼓舞；使興奮。②引起；招惹。③〖生理〗刺激。
***ex·cit·ed** [ɪk`saɪtɪd] *adj.*①興奮的。②活躍的。—**ly,** *adv.*
***ex·cite·ment** [ɪk`saɪtmənt] *n.*①Ⓤ興奮；刺激；騷動。②Ⓒ引起刺激或騷動之事物。
***ex·cit·ing** [ɪk`saɪtɪŋ] *adj.* 鼓舞的；令人興奮的。
‡**ex·claim** [ɪk`sklem] *v.i. & v.t.* 呼喊；驚叫；大呼。
***ex·cla·ma·tion** [͵ɛksklə`meʃən] *n.*①Ⓤ呼喊；感嘆。②Ⓒ感嘆詞。③Ⓒ感嘆句。§ *∼ **màrk**[**pòint**]感嘆號(！)。
ex·clam·a·to·ry [ɪk`sklæmə͵torɪ] *adj.* 驚嘆的；感嘆的。
***ex·clude** [ɪk`sklud] *v.t.* ①拒絕；除去。②逐出；排除。
ex·clu·sion [ɪk`skluʒən] *n.* Ⓤ①拒絕；除去。②排斥；排外。*to the* ～ *of* 排斥；把…除外。
***ex·clu·sive** [ɪk`sklusɪv] *adj.* ①不許外人加入的。②獨有的；獨佔性的。③限制嚴格的。④除外的。⑤孤高的。⑥唯一的；排他的。— *n.* Ⓒ①(報紙等的)獨家消息。②特有商品；專賣品。—**ness,** *n.*
ex·clu·sive·ly [ɪk`sklusɪvlɪ] *adv.* 排外地；獨佔地；專有地。
ex·com·mu·ni·cate [͵ɛkskə`mjunə͵ket] *v.t.*①逐出教會。②逐出；開除。— *n.* Ⓒ被逐出教會者。— *adj.* 被逐出教會的。—**ex·com·mu·ni·ca′tion, ex·com·mu′ni·ca·tor,** *n.*
ex·co·ri·ate [ɪk`skorɪ͵et] *v.t.* ①磨損[擦傷]…之皮；脫皮。②痛詆；責罵。
ex·cre·ment [`ɛkskrɪmənt] *n.* Ⓤ①排泄物。②(常*pl.*)糞。

ex·cres·cence [ɪk`skrɛsn̩s] *n.* [C] ①瘤；贅肉。②長出物(如指甲等)。③多餘物。— **ex·cres′cent,** *adj.*

ex·cre·ta [ɛk`skritə] *n. pl.*〖生理〗排泄物(糞便，汗，尿等)。

ex·crete [ɪk`skrit] *v.t.* 排泄；分泌。

ex·cre·tion [ɪk`skriʃən] *n.* ①[U]排泄；分泌。②[U][C](*pl.*)排泄物；分泌物。— **ex·cre′tive,** *adj.*

ex·cre·to·ry [`ɛkskrɪ,torɪ] *adj.*排泄的；分泌的。— *n.* [C]排泄器官。

ex·cru·ci·ate [ɪk`skruʃɪ,et] *v.t.*①施酷刑；拷打。②折磨；使痛苦。— **ex·cru′ci·at·ing,** *adj.*

ex·cul·pate [`ɛkskʌl,pet] *v.t.*剖白；辯解。— **ex·cul·pa′tion,** *n.*

***ex·cur·sion** [ɪk`skɜʒən,-ʃən] *n.* [C] ①遠足；短程旅行。②(費用優待的)遊覽旅行。§ ∼ **tìcket** 遊覽優待票。∼ **tràin** 遊覽列車。— **ist,** *n.*

ex·cur·sive [ɪk`skɜsɪv] *adj.* ①漫遊的。②散漫的。③離題的。

ex·cus·a·ble [ɪk`skjuzəbl̩] *adj.* 可寬恕的；可原諒的。

⁑**ex·cuse** [ɪk`skjuz] *v.t.*①原諒；寬恕。②辯解。③作爲…之理由。④免除。⑤不需要；可以不要。*E- me.* 對不起。∼ *oneself* **a.** 請求原諒。**b.** 請求准予離開。**c.** 請求准予不參加。— [ɪk`skjus] *n.* [U][C] ①藉口；託辭。②辯解；解釋。

ex div·i·dend [,ɛks`dɪvə,dɛnd] *adv.* & *adj.*〖股票〗除息；不附股利。

ex·e·cra·ble [`ɛksɪkrəbl̩] *adj.* 討厭的；可惡的；可咒的。

ex·e·crate [`ɛksɪ,kret] *v.t.* 咒罵；憎惡。— *v.i.* 咒罵。— **ex·e·cra′tion,** *n.*

***ex·e·cute** [`ɛksɪ,kjut] *v.t.*①實現；執行。②執行(法律)。③處決。④製作(藝術品等)。⑤演奏(樂曲)；演(戲)。⑥(以簽章)使(契約等)生效。

***ex·e·cu·tion** [,ɛksɪ`kjuʃən] *n.*①[U]實現；完成。②[U]執行。③[U]技巧；熟練。④[U][C]執行死刑。⑤[U](根據計畫或設計的)製作。⑥[U]〖法律〗(文件等)簽章生效。*carry* [*put*] (*something*) *into* ∼ 完成(一件事)；依照計畫實施(某事)。*do* ∼ **a.** 有摧毀的效果。**b.** 發生效果。— **er,** *n.*

***ex·ec·u·tive** [ɪg`zɛkjutɪv] *adj.* ①實行的；執行的。②行政的。— *n.*①[C]行政官。②[C]執行者；經理主管級人員。③(the ∼)(政府中的)行政部門；行政院。④(the E-)〖美〗總統。§ ∼ **òfficer** 行政官。∼ **órder**〖美〗(總統的)行政命令。**the E∼ Mánsion**〖美〗總統官邸(俗稱 the White House)。

ex·ec·u·tor [ɪg`zɛkjətɚ] *n.* [C] ①〖法律〗被指定執行遺囑者。②[`ɛksɪ,kjutɚ]執行者；實施者。

ex·e·ge·sis [,ɛksə`dʒisɪs] *n.* [U][C] (*pl.* **-ses** [-siz])(特指聖經的)註釋。

ex·em·plar [ɪg`zɛmplɚ] *n.* [C] 模範；範本；例。

ex·em·pla·ry [ɪg`zɛmplərɪ] *adj.* ①可爲模範的。②可作鑑戒的。③典型的。

ex·em·pli·fi·ca·tion [ɪg,zɛmpləfə`keʃən] *n.* ①[U]例示；例證。②[C]〖法律〗正式謄本。

ex·em·pli·fy [ɪg`zɛmplə,faɪ] *v.t.* ①例示；例證。②製作…之正本。

ex·em·pli gra·ti·a [ɪg`zɛmplaɪ`greʃɪə] 〖拉〗*adv.*例如(=for example, 略作 **e.g.**)。

ex·empt [ɪg`zɛmpt, ɛg-] *v.t.* 使免除(義務等)。— *adj.*被免除(義務等)的。— *n.* [C] 免除(稅、義務)者。— **ex·emp′tion,** *n.*

⁑**ex·er·cise** [`ɛksɚ,saɪz] *n.* ①[U][C]運動。②[C]習題。③[C]練習。④(*pl.*)〖美〗儀式；典禮。⑤(*pl.*)演習。⑥[U][C]心智活動或訓練。— *v.t.*①訓練。②運用；使用。③履行。④產生(作用)；影響。⑤吸引…之注意。⑥憂愁；惶恐。— *v.i.* 訓練；鍛鍊；運動。— **ex′er·cis·er,** *n.*

***ex·ert** [ɪg`zɜt] *v.t.* 運用；施行。

***ex·er·tion** [ɪg`zɜʃən] *n.* ①[U][C]努力；盡力。②[U]行使；運用。

ex·e·unt [`ɛksɪənt] 〖拉〗*v.i.*〖戲劇〗退場；下。

ex·ha·la·tion [,ɛksə`leʃən] *n.* [U][C]①呼出；呼氣；發出；蒸發。②發散物；蒸氣。

ex·hale [ɛks`hel] *v.t.* ①呼出；呼(氣)。②發出(氣、煙、味等)。— *v.i.* ①呼氣。②蒸發。③發出；散發。

***ex·haust** [ɪg`zɔst] *v.t.* ①用盡；耗盡。②使力竭。③抽盡。④評論；闡述詳盡。— *v.i.* ①放出。②排出氣體。— *n.* ①[U]廢氣。②[C]廢氣口；排氣口。§ ∼ **fùmes** [**gàs**] 排出的氣體[廢氣]。∼ **pìpe** 排氣管。— **i·ble,** — **ing,** *adj.*

ex·haust·ed [ɪg`zɔstɪd] *adj.* ①用盡的。My patience is ∼. 我的耐心已竭。②疲憊的。

***ex·haus·tion** [ɪg`zɔstʃən] *n.* [U] ①竭盡。②疲憊。

ex·haus·tive [ɪg`zɔstɪv] *adj.*①無遺漏的；徹底的。②消耗的；使枯竭的。

***ex·hib·it** [ɪg`zɪbɪt] *v.t.* ①表現；顯示。②展覽；陳列。③提示(證據)。④配(藥)。— *n.* [C] ①展覽品；陳列品。②〖法律〗證物；證件。

***ex·hi·bi·tion** [,ɛksə`bɪʃən] *n.*①[U](又作 an ∼)表現；顯露。②[C]展覽會；博覽會。③[C]陳列品。④[C](英國大學之)獎學金。

ex·hi·bi·tion·ism [,ɛksə`bɪʃən,ɪzəm] *n.* [U] ①表現癖。②〖醫〗下體裸露癖。— **ex·hi·bi′tion·ist,** *n.*

ex·hib·i·tor, ex·hib·it·er [ɪg`zɪbɪtɚ] *n.* [C] ①展覽者。②提供者。③電影院老闆或經理。

ex·hil·a·rate [ɪg`zɪlə,ret] *v.t.* 使高興；使興奮。— **ex·hil·a·ra′tion,** *n.*

ex·hil·a·rat·ing [ɪg`zɪlə,retɪŋ] *adj.* 令人歡喜[快樂]的。

ex·hort [ɪg`zɔrt] *v.t.* & *v.i.*勸告；勸誡。

ex·hor·ta·tion [,ɛgzɔr`teʃən] *n.* [U][C]勸誡；勸勉；規勸。

ex·hume [ɪg`zjum] *v.t.* ①從墓中掘出。②從默默無聞中發掘。

ex·i·gen·cy [`ɛksədʒənsɪ] *n.*① [U]

Ⓒ迫切；緊急。②(*pl.*)急切需要；緊急事件。(亦作 **exigence**)

ex·i·gent [ˋɛksədʒənt] *adj.*①緊急的；急需的。②所需極多的。

***ex·ile** [ˋɛgzaɪl, ˋɛksaɪl, ɪgˋzaɪl] *v.t.*放逐；流放。— [ˋɛgzaɪl, ˋɛksaɪl] *n.* ①Ⓤ放逐；流亡；流放。②Ⓒ被放逐者。③Ⓒ流亡國外者。

‡**ex·ist** [ɪgˋzɪst] *v.i.* ①存在；實有。②生存；活著。③發生；有。

***ex·ist·ence** [ɪgˋzɪstəns] *n.* Ⓤ ①存在；實存。②生存；生活。③發生。*call* [*bring*] *into* ~ 使產生；使成立。*come into* ~ 產生；發生。

ex·ist·ent [ɪgˋzɪstənt] *adj.* ①存在的；生存的。②實存的；現存的；既成的。— *n.* Ⓒ存在者；生存物。

ex·is·ten·tial [ˏɛgzɪsˋtɛnʃəl] *adj.* 存在(主義)的。— **ism,** *n.*

***ex·it** [ˋɛgzɪt, ˋɛksɪt] *n.* Ⓒ ①出口。②離去。③〖戲劇〗退場。— *v.i.*離去；〖戲劇〗退場。§ ~ **pòll**(投票後、計票前的)選情調查。~ **vìsa** 出境簽證。

exo- 〖字首〗表「外」之義。

ex·o·bi·ol·o·gy [ˏɛksəbaɪˋɑlədʒɪ] *n.* Ⓤ太空生物學。— **ex·o·bi·ol′o·gist,** *n.*

ex·o·crine [ˋɛksəˏkraɪn] *adj.*〖生理〗外分泌的。§ ~ **glànd** 外分泌腺。

ex·o·dus [ˋɛksədəs] *n.* ①Ⓒ (*sing.*)成群外出；大批離去。②(E-) (以色列人隨摩西之)離開埃及。③(E-)出埃及記(舊約聖經第二卷)。

ex of·fi·ci·o [ˏɛksəˋfɪʃɪˏo] 〖拉〗*adv.* 職權上。— *adj.* 依官職的；當然的。

ex·og·a·my [ɛksˋɑgəmɪ] *n.* Ⓤ異族結婚。— **ex·og′a·mous,** *adj.*

ex·on·er·ate [ɪgˋzɑnəˏret] *v.t.* ①免罪；證明無罪。②免除(責任、義務等)。— **ex·on·er·a′tion,** *n.*

ex·or·bi·tance [ɪgˋzɔrbətəns], **-cy** [-sɪ] *n.* Ⓤ (要求、價格)過高；過度。

ex·or·bi·tant [ɪgˋzɔrbətənt] *adj.*過度的；荒唐的。

ex·or·cise, -cize [ˋɛksɔrˏsaɪz] *v.t.* 驅除(人、地等之)邪怪。

ex·or·cism [ˋɛksɔrˏsɪzəm] *n.* ①Ⓤ驅邪；伏魔。②Ⓒ驅邪咒語[儀式]。

ex·o·sphere [ˋɛksəsˏfɪr] *n.* (the ~)大氣之最外層；外氣層。

ex·o·ter·ic [ˏɛksəˋtɛrɪk] *adj.*①外界的。②外行人亦懂的。③通俗的；公開的。

***ex·ot·ic** [ɪgˋzɑtɪk] *adj.* ①外來的；外國產的。②〖俗〗異國情調的；奇特的。— *n.* Ⓒ舶來品；外來物。

ex·ot·i·ca [ɪgˋzɑtɪkə] *n. pl.* 異國風物；珍奇品。

ex·ot·i·cism [ɪgˋzɑtəˏsɪzm̩] *n.* Ⓤ ①異國風味[情調]。②外來語(法)。

***ex·pand** [ɪkˋspænd] *v.t.* ①擴張；擴大；擴展。②展開。③增訂；增述。④闡述。— *v.i.* ①膨脹。②開放。③擴大；擴張；擴展。④闡述〖on, upon〗。⑤感到心花怒放。

ex·panse [ɪkˋspæns] *n.* Ⓒ (常 *pl.*)寬闊之空間；廣袤。the blue ~ of the sky 一望無際的藍天。

***ex·pan·sion** [ɪkˋspænʃən] *n.* ①Ⓤ擴張；脹大。②Ⓒ擴大之部分或形式。③ⓊⒸ〖數〗展開(式)。

ex·pan·sion·ism [ɪkˋspænʃənɪzm̩] *n.* Ⓤ①(通貨之)膨脹主義。②領土擴張主義。— **ex·pan′sion·ist,** *n.*

ex·pan·sive [ɪkˋspænsɪv] *adj.*①可擴張的；可擴展的。②能促起膨脹的。③廣闊的。④(胸襟)開闊的。— **ly,** *adv.*

ex·pa·ti·ate [ɪkˋspeʃɪˏet] *v.i.* 詳述；細說。— **ex·pa·ti·a′tion,** *n.*

ex·pa·tri·ate [ɛksˋpetrɪˏet] *v.t.*①使出國流亡；使移居國外。②使脫離國籍。— *n.* Ⓒ ①被放逐的人。②脫離國籍者。— *adj.* 被放逐的；亡命國外的。— **ex·pa·tri·a′tion,** *n.*

‡**ex·pect** [ɪkˋspɛkt] *v.t.*①預期；期待。②堅持；要求。③〖俗〗認爲。— *v.i.*①期待。②懷孕。

ex·pect·an·cy [ɪkˋspɛktənsɪ] *n.*①Ⓤ期望；預期；期待。②Ⓒ期望之物。(亦作 **expectance**)

ex·pect·ant [ɪkˋspɛktənt] *adj.* ①期待的。②即將生孩子的。— *n.* Ⓒ 期待之人。— **ly,** *adv.*

***ex·pec·ta·tion** [ˏɛkspɛkˋteʃən] *n.* ①Ⓤ期望；預料。②(*pl.*)預期之物；希望。*against* [*contrary to*] ~(*s*)(事)與願違。*answer* [*meet, come up to*] *one's* ~ 合乎理想；達到理想。*beyond* ~(*s*)出乎意料。~ *of life* 平均壽命。*in* ~ 預期；想望。

ex·pec·to·rant [ɪkˋspɛktərənt] *adj.*〖醫〗祛痰的。— *n.* ⓊⒸ 祛痰劑。

ex·pec·to·rate [ɪkˋspɛktəˏret] *v.t.* & *v.i.* 咳出(痰等)；吐痰；吐唾液。

ex·pe·di·ence [ɪkˋspidɪəns], **-cy** [-sɪ] *n.* Ⓤ①權宜；方便。②(事之)利害。

ex·pe·di·ent [ɪkˋspidɪənt] *adj.*①權宜的；方便的。②有利的；合算的。— *n.* Ⓒ 權宜之計。

ex·pe·dite [ˋɛkspɪˏdaɪt] *v.t.* ①使加速。②速辦。③發送(公文等)。

***ex·pe·di·tion** [ˏɛkspɪˋdɪʃən] *n.*①Ⓒ遠征；探險。②Ⓒ遠征隊；探險隊。③Ⓤ迅速行動。— **ar·y,** *adj.*

ex·pe·di·tious [ˏɛkspɪˋdɪʃəs] *adj.* 迅速的；敏捷的。— **ly,** *adv.*

***ex·pel** [ɪkˋspɛl] *v.t.* (-**ll**-)① 驅逐；逐出。②開除。

***ex·pend** [ɪkˋspɛnd] *v.t.* 花費；消耗(時間、金錢等)。— **a·ble,** *adj.*

***ex·pend·i·ture** [ɪkˋspɛndɪtʃɚ] *n.* ①Ⓤ消費；費用。②ⓊⒸ經費；開支。

‡**ex·pense** [ɪkˋspɛns] *n.* ① Ⓤ 費用；代價；花費。②Ⓤ犧牲；損失。③(*pl.*)…用的經費。*at one's* ~ 嘲弄某人。*at the* ~ *of* 由…付費；以…爲代價；犧牲。*go to the* ~ *of* 花費於。§ ~ **accòunt** 〖會計〗(薪資以外的)交際費；津貼。

***ex·pen·sive** [ɪkˋspɛnsɪv] *adj.* 昂貴的；奢華的。— **ly,** *adv.* — **ness,** *n.*

‡**ex·pe·ri·ence** [ɪkˋspɪrɪəns] *n.*①Ⓒ (具體的)經歷；閱歷。② Ⓤ 經驗；體驗。— *v.t.* 經驗；感受；體驗。

***ex·pe·ri·enced** [ɪkˋspɪrɪənst] *adj.* ①已有經驗的。②老練的。

ex·pe·ri·en·tial [ɪkˌspɪrɪˋɛnʃəl] *adj.*經驗(上)的；得諸經驗的。

‡**ex·per·i·ment** [ɪkˋspɛrəmənt] *n.* Ⓤ Ⓒ & *v.i.*實驗；試驗。

***ex·per·i·men·tal** [ɪkˌspɛrəˋmɛntl] *adj.*①實驗的；根據經驗的。②試驗性的。—**ly,** *adv.*

ex·per·i·men·ta·tion [ɪkˌspɛrəmɛnˋteʃən] *n.* Ⓤ 實驗(法)。

***ex·pert** [ˋɛkspɝt] *n.* Ⓒ 專家。—[ɪkˋspɝt, ˋɛkspɝt] *adj.* ①老練的；熟練的。②專家的；專門的。—**ly,** *adv.*

ex·per·tise [ˌɛkspɚˋtiz] *n.* ①Ⓒ專家的見解。②Ⓤ專門技術或知識。

ex·pi·ate [ˋɛkspɪˌet] *v.t.* 贖(罪)；補償。—**ex·pi·a′tion,** *n.*

ex·pi·a·to·ry [ˋɛkspɪəˌtorɪ] *adj.*補償的；贖罪的。

ex·pi·ra·tion [ˌɛkspəˋreʃən] *n.* Ⓤ ①期滿；終止。②呼出；放出。

ex·pir·a·to·ry [ɪkˋspaɪrəˌtorɪ] *adj.* 呼氣的；吐氣的。

ex·pire [ɪkˋspaɪr] *v.i.* ①滿期；終止。②熄滅；死亡。③呼氣。—*v.t.* 排出；呼氣。

ex·pi·ry [ɪkˋspaɪrɪ] *n.* Ⓤ 期滿；告終。

‡**ex·plain** [ɪkˋsplen] *v.t.* 解釋；說明；辯解。—*v.i.* 說明；解釋。～ ***away*** 以解釋將…消除。～ ***oneself*** 說明自己的心意[立場]。—**a·ble,** *adj.*

‡**ex·pla·na·tion** [ˌɛkspləˋneʃən] *n.* ⓊⒸ解釋；說明；辯解；剖白。

ex·plan·a·to·ry [ɪkˋsplænəˌtorɪ] *adj.* 解釋的；說明的。

ex·ple·tive [ˋɛksplɪtɪv] *n.* Ⓒ ①虛字；助詞(常指 it, there 等)。②咒罵語；感歎詞("Damn,""my goodness"等)。

ex·pli·ca·ble [ˋɛksplɪkəbl] *adj.*可說明的；可解釋的。

ex·pli·cate [ˋɛksplɪˌket] *v.t.* 解說；分析。—**ex·pli·ca′tion,** *n.*

ex·plic·it [ɪkˋsplɪsɪt] *adj.*①明白表示的。②直爽的。—**ly,** *adv.*

***ex·plode** [ɪkˋsplod] *v.i.* ①爆發；爆炸。②發作。③迅速擴張。—*v.t.* ①使爆發；使爆炸。②駁倒；推翻。

ex·plod·ed [ɪkˋsplodɪd] *adj.*(圖、模型等)分解各部分而顯示其相互關係的；分解(圖)的。

***ex·ploit** [ˋɛksplɔɪt, ɪkˋsplɔɪt] *n.* Ⓒ 功績；功勞。—[ɪkˋsplɔɪt] *v.t.* ①開發。②剝削。③利用。

ex·ploi·ta·tion [ˌɛksplɔɪˋteʃən] *n.* Ⓤ①剝削；榨取。②開發；拓墾。③利用。④廣告；宣傳。

***ex·plo·ra·tion** [ˌɛkspləˋreʃən] *n.* ⓊⒸ①探險。②探討。③〖醫〗觸診。

ex·plor·a·to·ry [ɪkˋsploraˌtorɪ] *adj.*①探險的；探究的。②試探性的；初步的。(亦作 **explorative**)

***ex·plore** [ɪkˋsplor, -ˋsplɔr] *v.t.* & *v.i.* ①探險；探測。②探究；研究。

***ex·plor·er** [ɪkˋsplorɚ] *n.* Ⓒ①探險家；探究者。②探查器；(醫學用)探針。

***ex·plo·sion** [ɪkˋsploʒən] *n.*①ⓊⒸ爆發；爆炸。② Ⓒ 爆炸聲。③ Ⓒ (笑聲)爆出。

***ex·plo·sive** [ɪkˋsplosɪv] *adj.*①爆炸的。②易發脾氣的。③爆發音的。—*n.* Ⓒ①爆炸物；炸藥。②爆發音(如b, p, t, d 等)。

Ex·po [ˋɛkspo] *n.* Ⓒ (*pl.* ～**s**) (萬國)博覽會(exposition 之略)。

ex·po·nent [ɪkˋsponənt] *n.* Ⓒ ①解釋者；說明者。②代表者；代表物；典型。③〖數〗指數；冪。

***ex·port** [ɪksˋport] *v.t.* 輸出；外銷。—[ˋɛksport] *n.*① Ⓒ (常 *pl.*)輸出品；出口貨。② Ⓤ 輸出；出口。—**er,** *n.*

ex·por·ta·tion [ˌɛksporˋteʃən] *n.* ①Ⓤ 輸出。②Ⓒ 輸出品。

***ex·pose** [ɪkˋspoz] *v.t.* ①暴露。②展覽；陳列。③揭穿。④曝光。

ex·posed [ɪkˋspozd] *adj.* 暴露的；無掩蔽的。

***ex·po·si·tion** [ˌɛkspəˋzɪʃən] *n.*①Ⓒ博覽會；展覽會。②ⓊⒸ說明；解釋。

ex·pos·i·to·ry [ɪkˋspazɪˌtorɪ] *adj.* 註解的；說明的。

ex·pos·tu·late [ɪkˋspastʃəˌlet] *v.i.* 勸戒；抗議。—**ex·pos·tu·la′tion,** *n.*

***ex·po·sure** [ɪkˋspoʒɚ] *n.* ① ⓊⒸ 曝露；揭發。②〖攝〗Ⓤ曝光。③(an ～) (房屋的)方位。④ Ⓤ (對幼兒等的)遺棄。§ ～ **mèter** (照相機)曝光表。

ex·pound [ɪkˋspaund] *v.t.* ①解釋；說明。②詳細說明；逐項敍述。

‡**ex·press** [ɪkˋsprɛs] *v.t.* ①表示；表達。②代表。③〖美〗以快遞郵寄；快遞。④擠出。—*adj.*①表明的。②特別的。③正確的。④快遞的。⑤快速的；特別快的。⑥〖英〗限時的(郵件等)。—*n.* ①Ⓒ〖英〗專差。② Ⓤ 快遞。③ Ⓒ 快車。—*adv.*① 直接地。② 快遞地。§ ～ **delívery** 快遞；限時專送。—**age,** *n.*

‡**ex·pres·sion** [ɪkˋsprɛʃən] *n.* ①ⓊⒸ 表達；表示。② Ⓒ 表現法；措辭；辭句。③ ⓊⒸ 表情；神色。***beyond*** [***past***] ～ 非言語或筆墨所能形容的。***find*** ～ ***in***以…表現[發洩]。—**al,** *adj.*

ex·pres·sion·ism [ɪkˋsprɛʃənˌɪzm] *n.* Ⓤ表現派；表現主義。

***ex·pres·sive** [ɪkˋsprɛsɪv] *adj.* ①表現的。②富有表情的；有含意的。

ex·press·ly [ɪkˋsprɛslɪ] *adv.* ①明白地；確切地。②特意地；專誠地。

ex·press·man [ɪkˋsprɛsmən] *n.* Ⓒ (*pl.* **-men**)快遞業者。

ex·press·way [ɪkˋsprɛsˌwe] *n.* Ⓒ 高速公路。

ex·pro·pri·ate [ɛksˋproprɪˌet] *v.t.* 沒收；徵用(土地、財產)。

ex·pul·sion [ɪkˋspʌlʃən] *n.* ⓊⒸ①驅逐；逐出。②開除。—**ex·pul′sive,** *adj.*

ex·punge [ɪkˋspʌndʒ] *v.t.* 除去；刪掉；消滅〔from〕。

ex·pur·gate [ˋɛkspɚˌget] *v.t.*①修訂；刪除。②使潔淨。—**ex·pur·ga′tion,** *n.*

***ex·quis·ite** [ˋɛkskwɪzɪt, ɪkˋs-] *adj.* ①精美的；纖美的。②劇烈的。③極度靈敏的。—*n.* Ⓒ 衣飾過度講究者。—**ly,** *adv.* —**ness,** *n.*

ex-serv·ice·man [ˋɛksˋsɝvɪs-mən] *n.* Ⓒ (*pl.* **-men**)〖英〗退役軍人。

ex·tant [ɪk`stænt] *adj.* 現存的；尚存的。
ex·tem·po·ra·ne·ous [ɪk͵stɛmpə`renɪəs] *adj.* 無準備的；即席的。
ex·tem·po·re [ɪk`stɛmpərɪ] *adv.* & *adj.* 臨時地[的]；即席地[的]。
ex·tem·po·rize [ɪk`stɛmpə͵raɪz] *v.i.* & *v.t.* 即席演說；隨意演奏或演唱。—**ex·tem·po·ri·za′tion,** *n.*
***ex·tend** [ɪk`stɛnd] *v.t.*①伸展；伸出。②延長；擴大。—*v.i.* ①伸延；延長。②伸出；突出。
ex·tend·ed [ɪk`stɛndɪd] *adj.* ①長期的；長久的。②伸出的；廣大的；擴張的。an ～ family 大家庭。③〖軍〗散開的。～ order 散開隊形。④(語義等)衍生的；引伸的。
ex·ten·sile [ɪk`stɛnsɪl] *adj.*〖動〗伸出的；可伸展的。
***ex·ten·sion** [ɪk`stɛnʃən] *n.* ①Ⓤ延長；伸展；擴充。②Ⓒ增加之物。③Ⓤ〖解〗牽伸術。④Ⓒ延期。⑤Ⓒ(電話)分機。⑥Ⓤ〖邏輯〗外延。§ ～ **còrd** 延長線。～ **educàtion** 推廣教育。～ **làdder** 伸縮梯子。～ **tàble** 折疊[伸縮]式桌子。～ **télephone** 電話分機。
***ex·ten·sive** [ɪk`stɛnsɪv] *adj.*廣闊的；廣泛的；大規模的。—**ly,** *adv.*
***ex·tent** [ɪk`stɛnt] *n.* ①(*sing.*)程度；範圍。②ⓊⒸ廣闊；淵博。
ex·ten·u·ate [ɪk`stɛnjʊ͵et] *v.t.*①使(罪過等)減輕；使人原諒。②減少；減弱。③爲…辯解。—**ex·ten·u·a′tion,** *n.*
ex·ten·u·at·ing [ɪk`stɛnjʊ͵etɪŋ] *adj.* 使減輕的；可斟酌的。
***ex·te·ri·or** [ɪk`stɪrɪɚ] *n.*Ⓒ①(常the ～)外部；外表。②(電影)外景。—*adj.* 外部的；外在的；外來的。
ex·ter·mi·nate [ɪk`stɝmə͵net] *v.t.* 消滅；消除。—**ex·ter·mi·na′tion,** *n.*
ex·ter·mi·na·tor [ɪk`stɝmə͵netɚ] *n.* ①Ⓒ消滅者；根除者。②Ⓤ殺蟲粉；驅蟲藥；老鼠藥。
***ex·ter·nal** [ɪk`stɝnḷ] *adj.*①外部的。②外用的。③外來的。～ capital 外來資本。④外界的；客觀的。⑤外表的；形式上的。⑥國外的；對外的。—*n.* ①Ⓒ外部；外面。②(*pl.*)外表。—**ly,** *adv.*
ex·ter·nal·ize [ɪk`stɝnḷ͵aɪz] *v.t.*①賦予形體；具體化。②使趨於外向。—**ex·ter·nal·i·za′tion,** *n.*
ex·ter·ri·to·ri·al [͵ɛkstɛrə`torɪəl] *adj.* 治外法權的。
***ex·tinct** [ɪk`stɪŋkt] *adj.*①滅種的；滅絕的。②熄滅了的；不再活動的。an ～ volcano 死火山。③已亡故的。④已不風行的。—**ex·tinc′tion,** *n.*
***ex·tin·guish** [ɪk`stɪŋgwɪʃ] *v.t.*①熄滅；撲滅。②消滅；滅絕。③使減色。④使沉默。⑤使…無效。—**a·ble,** *adj.*
ex·tin·guish·er [ɪk`stɪŋgwɪʃɚ] *n.* Ⓒ①滅火器。②消滅者；消滅物。
ex·tir·pate [`ɛkstɚ͵pet] *v.t.* 連根拔起；根除；滅絕。—**ex·tir·pa′tion,** *n.*
ex·tol(l) [ɪk`stɑl] *v.t.*(-ll-)頌揚；激賞。～ ***one to the skies*** 把某人捧上天。—**ment,** *n.*
ex·tort [ɪk`stɔrt] *v.t.* ①勒索；敲詐。②強索；逼(供)。③牽強附會。
ex·tor·tion [ɪk`stɔrʃən] *n.* ①Ⓤ強取；勒索。②(*pl.*)強取或勒索之行爲。—**ate** [～ɪt], *adj.* —**er,** —**ist,** *n.*
***ex·tra** [`ɛkstrə,-trɪ] *adj.*①額外的；特別的。②不包括在價目內的。③特佳的。—*n.* Ⓒ①額外的事物或人員。②〖美〗(報紙的)號外。③特級品。—*adv.*格外地。
extra-〖字首〗表「在外；外面；此外」之義。
***ex·tract** [ɪk`strækt] *v.t.* ①拔取；摘取；抽出。②得到。③榨取。④摘錄。—[`ɛkstrækt] *n.* ①Ⓒ摘錄；選粹。②ⓊⒸ濃縮物；精；素。—**ex·trac′tor,** *n.*
ex·trac·tion [ɪk`strækʃən] *n.*①ⓊⒸ拔出；摘出。②Ⓤ提煉。③Ⓒ拔出物；精萃。④Ⓤ血統；家世。
ex·tra·cur·ric·u·lar [͵ɛkstrəkə`rɪkjəlɚ] *adj.* 課外的。～ activities 課外活動。(亦作 **extracurriculum**)
ex·tra·dite [`ɛkstrə͵daɪt] *v.t.*①引渡(逃犯)。②獲得(逃犯)之引渡。—**ex·tra·di·tion** [͵ɛkstrə`dɪʃən], *n.*
ex·tra·le·gal [͵ɛkstrə`ligḷ] *adj.*超出法律管轄範圍的。
ex·tra·mar·i·tal [͵ɛkstrə`mærətḷ] *adj.* 婚姻外的(性經驗等)。
ex·tra·mu·ral [͵ɛkstrə`mjʊrəl] *adj.* ①城(牆)外的。②大學校園外的；校外的。③校際的(比賽等)。
ex·tra·ne·ous [ɪk`strenɪəs] *adj.*①外來的。②體外的。③無關係的。
***ex·traor·di·nar·y** [ɪk`strɔrdṇ͵ɛrɪ] *adj.* ①特別的；異常的。②特任的。③臨時的。—**ex·traor′di·nar·i·ly,** *adv.*
ex·trap·o·late [ɪk`stræpə͵let] *v.t.* ①延伸。②推延。③推測。
ex·tra·sen·so·ry [͵ɛkstrə`sɛnsərɪ] *adj.* 超感覺的。～ perception〖心〗超感覺力；第六感。
ex·tra·ter·res·tri·al [͵ɛkstrətə`rɛstrɪəl] *adj.* 地球以外的。
ex·tra·ter·ri·to·ri·al [͵ɛkstrə͵tɛrə`torɪəl] *adj.* 治外法權的。
ex·tra·ter·ri·to·ri·al·i·ty [͵ɛkstrə͵tɛrə͵torɪ`ælətɪ] *n.* Ⓤ治外法權。
ex·tra·u·ter·ine [͵ɛkstrə`jutərɪn] *adj.*〖解〗子宮外的。
***ex·trav·a·gance** [ɪk`strævəgəns] *n.* ①ⓊⒸ浪費；奢侈。②Ⓤ無節制；放縱。③Ⓒ荒唐的言行[想法]。
***ex·trav·a·gant** [ɪk`strævəgənt] *adj.*①奢侈的；浪費的；放縱的。②過度的。③茂盛的。—**ly,** *adv.*
ex·trav·a·gan·za [ɪk͵strævə`gænzə] *n.* ①Ⓒ狂詩；狂文；幻想曲；鬧劇。②Ⓤ狂言；癡想。
ex·tra·vert [`ɛkstrə͵vɝt] *n.* & *adj.* =**extrovert.**
ex·treme** [ɪk`strim] *adj.* ①盡頭的；最遠的。②極端的；偏激的。—*n.*Ⓒ①完全相反之事物。②(常*pl.*)極端。go to ～s*** 走極端。
***ex·treme·ly** [ɪk`strimlɪ] *adv.* 極端地；非常地。
ex·trem·ist [ɪk`strimɪst] *n.*Ⓒ走極

端者；極端主義者。
*ex·trem·i·ty [ɪk`strɛmətɪ] n.①Ⓒ末端；極點。②Ⓤ極度；極限。③(sing.)絕境。④Ⓒ(常pl.)極端的手段；激烈的行爲。⑤(pl.)手足；四肢。
ex·tri·cate [`ɛkstrɪ,ket] v.t. 使擺脫；解救〔from〕. —ex·tri·ca′tion, n.
ex·trin·sic [ɛk`strɪnsɪk] adj.①非固有的；附帶的。②外來的。
ex·tro·vert [`ɛkstro,vɜt] n. Ⓒ〖心〗個性外向之人。— adj. 外向的。
ex·trude [ɪk`strud] v.t. ①逼出；擠出。②逐出。—v.i.突出。—ex·tru′sion [-ʒən], n.
ex·u·ber·ant [ɪg`zjubərənt,-`zu-] adj. ①繁茂的；茂盛的。②豐富的；充溢的；充滿活力的。—ly, adv. —ex·u′ber·ance, ex·u′ber·an·cy, n.
ex·u·da·tion [,ɛksjʊ`deʃən] n. Ⓤ Ⓒ滲出(物)；流出(物)；汗水。
ex·ude [ɪg`z(j)ud, ɪk`s(j)ud] v.t. & v.i. (使)滲出；(使)流出。
ex·ult [ɪg`zʌlt] v.i. 歡騰；狂歡；大喜。—ex·ult′ant, adj.
ex·ul·ta·tion [,ɛgzʌl`teʃən, ,ɛksʌl-] n. Ⓤ狂歡；大喜；歡騰。
ex·urb [`ɛksɜb] n. Ⓒ城市之遠郊住宅區。—ex·ur′ban, adj.
ex·ur·bi·a [ɛk`sɜbɪə] n. Ⓤ(集合稱)城市遠郊。
‡eye [aɪ] n. Ⓒ ①眼睛。②(常pl.)眼神。③(常pl.)視力。④(常sing.)辨別力；眼光。⑤(常pl.)監視。⑥(常pl.)意見；觀點。⑦眼狀物(如針孔等)。⑧颱風眼。⑨〖俚〗偵探。*an ~ for an ~* 以牙還牙；以眼還眼。*be all ~s* 極欲看到；極注意。*have an ~ for* 能夠瞭解。*have an ~ to*著眼於。*have in one's ~* 在心中想。*in the public ~* a.常公開出現的。b. 眾所周知的。*keep an ~ out for*密切注意。*keep one's ~s open* 提高警覺。*make ~s at* 眉目傳情。*open one's ~s to* 使之注意。*see ~ to ~*完全同意。*shut one's ~s to*不管；不理。*up to the ~s in* 深陷於…之中。*with an ~ to*爲了(某目的)。—v.t. 看；注視。§ ~ bànk 眼庫。~ chàrt 視力檢查表。~ shàdow 眼影。~ sòcket 眼窩。
eye·ball [`aɪ,bɔl] n. Ⓒ眼球。
*eye·brow [`aɪ,braʊ] n. Ⓒ眉毛。
eye-catch·ing [`aɪ,kætʃɪŋ] adj.吸引人的；引人注目的。
eye·ful [`aɪ,fʊl] n.①(an ~)滿眼；一瞥所見的東西。②Ⓒ〖俚〗引人注目的人或物。
eye·glass [`aɪ,glæs] n.① Ⓒ(一片)眼鏡；單眼鏡。②Ⓒ洗眼杯。③Ⓒ(望遠鏡等之)接目鏡。④(pl.)一副眼鏡。
eye·hole [`aɪ,hol] n. Ⓒ ①眼窩。②視孔；窺視之孔。③=eyelet.
eye·lash [`aɪ,læʃ] n. Ⓒ睫毛。
eye·less [`aɪlɪs] adj. 無眼的；瞎眼〔失明〕的；盲目的。
eye·let [`aɪlɪt] n. Ⓒ ①眼孔；小孔(尤指穿帶子者)。②(孔眼之)鑲孔金屬環。
*eye·lid [`aɪ,lɪd] n. Ⓒ眼瞼；眼皮。
eye·lin·er [`aɪ,laɪnə] n.① Ⓒ 眼線筆。②Ⓤ眼線膏。
eye·ly·ser [`aɪ,laɪsə] n. Ⓒ眼分析器；眼蒸氣測醉器。
eye-o·pen·er [`aɪ,opənə] n. Ⓒ①〖美〗令人眼開之事物。②(起床時喝之)醒眼酒。
eye·piece [`aɪ,pis] n. Ⓒ(望遠鏡等之)接目鏡。
eye·shot [`aɪ,ʃɑt] n. Ⓤ視界；視野。
*eye·sight [`aɪ,saɪt] n. Ⓤ①視力；目力。②視野；視界。
eye·sore [`aɪ,sor] n. Ⓒ難看的東西；礙眼的東西。
eye·strain [`aɪ,stren] n. Ⓤ眼睛疲勞。
eye·tooth [`aɪ,tuθ] n. Ⓒ(pl. -teeth)犬齒。
eye·wash [`aɪ,wɑʃ] n. Ⓤ ①(亦作eyewater)洗眼藥水。②無稽之談。③言不由衷之談；阿諛。
eye·wit·ness [`aɪ`wɪtnɪs] n. Ⓒ目擊者；見證人。
ey·rie, ey·ry [`ɛrɪ] n. =aerie.
E·ze·ki·el [ɪ`zikɪəl] n. 〖聖經〗①以西結(紀元前六世紀時之希伯來先知)。②以西結書(舊約之一卷)。

F f **F f** *F f*

F or **f** [ɛf] n.(pl. **F's, f's** [~s])①Ⓤ Ⓒ英文字母之第六個字母。②Ⓤ〖樂〗C長調的第四音。§ **F láyer**〖通訊〗F層。
F 〖化〗fluorine. **F.** Fahrenheit; February; French; Friday.
fa [fɑ] n. Ⓤ Ⓒ〖樂〗全音階之長音階的第四音。
Fa·bi·an [`febɪən] adj.①拖延〔消耗〕戰略的。②費邊社的。§ the ~ Society 費邊社(主張以和平緩進手段實現社會主義，1884年創立於英國)。—ism, n.
*fa·ble [`febl̩] n. Ⓒ ①寓言。②傳說；神話。—v.i. 寫或說寓言；說謊。—v.t. 傳說。—fa′bled, adj.
*fab·ric [`fæbrɪk] n.① Ⓤ Ⓒ 布；織物。②Ⓤ結構；構造。③Ⓒ建築物。
fab·ri·cate [`fæbrɪ,ket] v.t.①建造；製造；裝配。②捏造；僞造。③創造。—fab·ri·ca′tion, fab′ri·ca·tor, n.
fab·u·list [`fæbjəlɪst] n. Ⓒ ①寓言家；編寓言者。②說謊者。
fab·u·lous [`fæbjələs] adj.①神話中的；寓言的。②難以置信的；驚人的。
fa·çade, fa·cade [fə`sɑd, fæ`sɑd] 〖法〗n. Ⓒ①建築物的正面。②(虛僞或做作的)外表。
‡face [fes] n. ①Ⓒ面部；臉。②Ⓒ表情。③Ⓒ表面。④Ⓒ正面。⑤Ⓤ厚顏。⑥Ⓤ尊嚴；面子。⑦Ⓒ票面價值。⑧Ⓒ外表。⑨Ⓒ面具。*~ to ~*面對面。*in (the) ~ of* 面臨。*in one's ~* a.正對著。b.公開地。*lose ~*失面子；丟臉。*make a ~* 做厭惡的表情。*on*

the ~ of it 就表面看。*pull* [*make*] *a long ~* 拉長臉；不高興。*set* [*put*] *one's ~ against* 反對。*to one's ~*當面。— *v.t.*①朝；向；臨。②面臨；對付。③覆蓋。④使(隊伍)轉向。⑤使面對。⑥將(石的)表面鑿光滑。— *v.i.* ①將臉轉向。②朝某一方向。*About ~!* 〖軍〗向後轉！*~ out* 堅持到底。*~ up to* a.勇敢面對。b.承認。*Left* [*Right*] *~!* 〖軍〗向左[右]轉！§ ~ **càrd** 繪有人面之紙牌(如King, Queen及Jack 等)。~ **guàrd** 護面罩。~ **lìfting** (1)整形美容術。(2)外觀上之改善。~ **pòwder** 撲面粉。~ **tòwel** 洗臉用毛巾。~ **vàlue** (1)面值。(2)表面之價值、意義等。

face·down [ˋfes,daʊn] *n.* Ⓒ〖美〗攤牌。— *adv.* 面朝下地。

face·less [ˋfeslɪs] *adj.*①無面孔的；無臉的。②無個人特性的。

face-lift [ˋfes,lɪft] *v.t.* ①爲…作外觀上的改善。②爲…作面部整形手術。— *n.*＝**face lifting.**

face-off [ˋfes,ɔf] *n.* Ⓒ〖美〗① 對立；對峙；攤牌。②(曲棍球賽等中的)開球。

face-sav·er [ˋfes,sevɚ] *n.* Ⓒ〖俗〗保全面子之事。

face-sav·ing [ˋfes,sevɪŋ] *adj.* 保全面子的。

fac·et [ˋfæsɪt] *n.* Ⓒ①(寶石等之)小平面；刻面。②(事物之)一面。

fa·ce·tious [fəˋsiʃəs] *adj.*①好開玩笑的。②玩笑性質的。③不認眞的；輕浮的。— **ly,** *adv.* — **ness,** *n.*

fa·cial [ˋfeʃəl] *adj.*①臉面的。②面部用的。~ tissue 面紙。— *n.* Ⓒ〖俗〗臉部按摩；美容。

fac·ile [ˋfæsl̩] *adj.* ①輕而易舉的；易得的。②靈巧的；能幹的。③隨和的。

fa·cil·i·tate [fəˋsɪlə,tet] *v.t.*①使容易。②幫助；促進。— **fa·cil·i·ta′tion,** *n.*

***fa·cil·i·ty** [fəˋsɪlətɪ] *n.* ① ⓊⒸ 熟練；敏捷；靈巧。②(*pl.*)設備。③Ⓤ容易；方便。④Ⓒ 隨和的性格。

fac·ing [ˋfesɪŋ] *n.*①Ⓤ面飾；覆面物(如覆牆等)。②Ⓤ(衣服的)鑲邊。③(*pl.*)(軍服之)領飾；袖飾。

fac·sim·i·le [fækˋsɪməlɪ] *n.*① Ⓒ 精摹；複製。②Ⓤ傳眞。*in ~* 逼眞地；一模一樣地。— *v.t.* 精摹；複製。

‡**fact** [fækt] *n.* Ⓒ①事實；眞相。②所主張之事。*after* [*before*] *the ~*〖法律〗犯罪之後[前]。*in ~*實際上。*in point of ~*眞實地；實際地。*the ~ that...* 事實是…。

fact-find·er [ˋfækt,faɪndɚ] *n.* Ⓒ 實情調查者。

***fac·tion** [ˋfækʃən] *n.* ①Ⓒ(政黨等中的)小派別；小黨派。②Ⓤ 黨爭；磨擦；不和。— **al, fac′tious,** *adj.*

fac·ti·tious [fækˋtɪʃəs] *adj.* ①人爲的；人工的。②不自然的。

***fac·tor** [ˋfæktɚ] *n.* Ⓒ ①因素；原動力。②〖數〗因數；因子。③代理人[商]。

fac·to·ri·al [fækˋtorɪəl] *adj.* ①代理商的。②〖數〗因數的；階乘的。

‡**fac·to·ry** [ˋfæktrɪ, -tərɪ] *n.* Ⓒ ①工廠。②製造處。§ **F~ Àcts** 工廠法。~ **shìp** 有處理鯨魚加工設備之捕鯨船。

fac·to·tum [fækˋtotəm] *n.* Ⓒ 雜役；聽差。

fac·tu·al [ˋfæktʃʊəl] *adj.* 事實的；實際的；確實的。— **ly,** *adv.* — **ism,** *n.*

***fac·ul·ty** [ˋfækl̩tɪ] *n.* Ⓒ ①才能；天賦；能力；技能。②(大學中的)分科；院；系。③(集合稱)一學校中的全體教員；大學或學院的全體教授。

fad [fæd] *n.* Ⓒ 一時之狂熱；時尙。

***fade** [fed] *v.i.*①褪色；退光；消退。②凋謝；枯萎；衰弱。③消失。— *v.t.*使褪色。*~ in* [*out*] (電影、無線電及電視中之)漸強[弱]。

fade-in [ˋfed,ɪn] *n.* ⓊⒸ〖影視，廣播〗淡入；漸顯；漸強。

fade-out [ˋfed,aʊt] *n.* ⓊⒸ〖影視，廣播〗淡出；漸隱；漸弱。

fae·ces [ˋfisiz] *n. pl.* ＝**feces.**

fa·er·ie, -er·y [ˋfeərɪ, ˋfɛrɪ] *n.* Ⓒ 仙女；仙境；仙國。— *adj.* (似)仙人的；纖巧可愛的。

fag [fæg] *v.t.* (**-gg-**) 勞役；使疲勞。— *v.i.*①努力工作至疲倦。②(爲高年級生)跑腿打雜。— *n.* (*sing.*)〖英俗〗苦工；費力之工作。§ ~ **ènd** (1)剩餘的廢物；末端。(2)布疋頭尾之散口邊。(3)繩索等之散端。

fag·got[1] [ˋfægət] *n.* Ⓒ〖俚〗男性同性戀者。

fag·got[2] *n.* 〖英〗＝**fagot.**

fag·ot [ˋfægət] *n.* Ⓒ 柴把；束薪。— *v.t. & v.i.* 捆；使成束。

***Fahr·en·heit** [ˋfærən,haɪt, ˋfɑrən-] *adj.* 華氏的(略作**F.**)。— *n.* ①Ⓒ華氏溫度計。②Ⓤ華氏溫度。

‡**fail** [fel] *v.i.*①失敗；受挫〔in, of〕。②不足；缺乏。③衰退。④破產。⑤忘記；忽略。⑥不及格。— *v.t.* ①無助於；使失望。②給…不及格；使失敗。③於…不及格。④缺少。— *n.* 僅用於下面用法。*without ~*一定；必定。

fail·ing [ˋfelɪŋ] *n.* Ⓒ ①失敗。②過失；缺點。— *prep.* 如果沒有。

fail-safe [ˋfel,sef] *adj.* 保全裝置的。

***fail·ure** [ˋfeljɚ] *n.* ①Ⓤ失敗。②Ⓒ失敗者。③ⓊⒸ衰弱；不足。④ⓊⒸ破產；倒閉。⑤Ⓤ 不存在；不在。⑥ⓊⒸ未做；忽略。

fain [fen] *adv.*〖古，詩〗欣然地；樂意地。

‡**faint** [fent] *adj.*①模糊的；不淸楚的。②微弱的；昏暈的。③無力的。— *v.i.* 昏暈；昏厥。— *n.* Ⓒ昏厥。

faint·heart·ed [ˋfentˋhɑrtɪd] *adj.* 怯懦的；膽小的。

faint·ly [ˋfentlɪ] *adv.* ①微弱地；無力地。②微微地。

‡**fair**[1] [fɛr] *adj.*①公平的；正直的。②應當的。③美好的；晴朗的。④相當的；尙可的。⑤淡色的；白的。⑥金髮碧眼白皮膚的。⑦整潔的。⑧淸晰的；淸白的。⑨有利的。⑩開闊的；無遮掩的。*~ and square*〖俗〗正直地；公平地。*~ to middling* 尙可；中等；馬馬虎虎。— *adv.* ①公正地。②直接地。③淸晰地。④美麗地。⑤完全；徹底地。— *n.* Ⓒ〖古〗女人；愛人。§ ~ **bàll**〖棒球〗界內球。~ **sèx** 女性；婦女。

— **ness,** *n.*

*__fair__² *n.* Ⓒ ①博覽會；展覽會。②市集。③義賣會。

fair·ground [ˋfɛr,graund] *n.* Ⓒ 賽會場所；露天市場。

fair-haired [ˋfɛrˋhɛrd] *adj.* 金髮的。

fair·i·ly [ˋfɛrɪlɪ] *adv.* ①如小神仙地。②優雅地(=gracefully).

*__fair·ly__ [ˋfɛrlɪ] *adv.* ①公平地。②相當地；尚可地。③正直地；誠實地。④清楚地。⑤徹底地。

fair-mind·ed [ˋfɛrˋmaɪndɪd] *adj.* 公正的；公平的。— **ness,** *n.*

fair-spo·ken [ˋfɛrˋspokən] *adj.* 甜言蜜語的。

fair-trade [ˋfɛrˋtred] *v.t.* ①訂定(商品之)最低零售價格。②按公平貿易協定銷售貨物。— *adj.* 公平交易的。

fair·way [ˋfɛr,we] *n.* Ⓒ ①航路。②〖高爾夫〗球座與終點間修整過的草地。

fair-weath·er [ˋfɛr,wɛðɚ] *adj.* ①晴天的。②可共安樂而難以共患難的。

*__fair·y__ [ˋfɛrɪ] *n.* Ⓒ 小仙子；小神仙。— *adj.* ①小神仙的。②如小神仙的；纖巧的。§ ~ **tàle** (1)神仙故事。(2)謊言。

fair·y·land [ˋfɛrɪ,lænd] *n.* Ⓒ ①仙國；仙境。②樂園。

fait ac·com·pli [fɛtakõˋpli]〖法〗*n.* Ⓒ (*pl.* **faits ac·com·plis** [~(z)]) 既成事實。

‡**faith** [feθ] *n.* Ⓤ ①信念；信心。②信仰。③宗教。④忠誠。⑤保證；諾言。***break*** (***one's***) ~ ***with somebody*** 對某人背信。***in*** ~ 實在。***in good*** ~ 老實地；誠懇地。***keep*** (***one's***) ~ ***with somebody*** 對某人守信。***put*** (***one's***) ~ ***in*** 相信。

‡**faith·ful** [ˋfeθfəl] *adj.* 忠實的；守信的。— *n.* (the ~) ①信徒。②忠誠分子。— **ness,** *n.*

*__faith·ful·ly__ [ˋfeθfəlɪ] *adv.* 忠實地。***Yours*** ~; ***F- yours*** 謹上；敬上。

faith·less [ˋfeθlɪs] *adj.* ①無信的；不忠的。②不可靠的。③無信仰的。

fake [fek] *n.* Ⓒ ①欺詐。②贗品。③騙子。— *adj.* 偽造的。— *v.t.* & *v.i.* ①偽造。②假裝。

fak·er [ˋfekɚ] *n.* Ⓒ〖俗〗①作偽者。②騙徒。③小販；攤販。

fa·kir [fəˋkɪr] *n.* Ⓒ 托鉢僧；行者。

fal·con [ˋfɔlkən] *n.* Ⓒ 鷹；獵鷹。

fal·con·ry [ˋfɔlkənrɪ] *n.* Ⓤ ①放鷹捕獵。②鷹獵訓練法。

‡**fall** [fɔl] *v.i.* (**fell, fall·en**) ①落下；跌下；下降。②倒下。③掛下；垂下。④低垂。⑤變壞；墮落。⑥被占領；推翻；毀壞。⑦因傷而倒下；死亡。⑧變爲；成爲。⑨來臨；來到。⑩偶然遇到；碰上。⑪發生。⑫留傳。⑬降低；減少；減弱。⑭沮喪。⑮流下；注入。⑯向；照向。⑰說出；透露。~ ***among*** 淪於…手中。~ ***asleep*** 睡著了。~ ***away*** **a.**減少；消滅；消退。**b.**衰微。**c.**疏遠；遺棄。**d.**被毀。~ ***back*** 後退。~ ***back on*** [***upon***] **a.**依靠。**b.**(亦作 fall back to)退守。~ ***behind*** **a.**落後。**b.**拖欠。~ ***down on*** 失敗。~ ***for***〖俚〗**a.**傾心。**b.**受騙。~ ***in*** **a.**排隊。**b.**塌陷。**c.**遇見。**d.**同意。**e.**跌入。~ ***into*** **a.**陷入。**b.**養成。**c.**分成。**d.**開始。~ ***in with*** 遇見。~ ***off*** **a.**消減；退步。**b.**掉下。**c.**(健康)衰退。**d.**離開。**e.**分手；背棄。~ ***on*** **a.**發生。**b.**攻擊。**c.**遭遇。~ ***on one's face*** 完全失敗。~ ***on one's feet*** 有好運道；化險爲夷。~ ***on one's knees*** 屈膝；下跪。~ ***out*** **a.** 吵架。**b.**解散。**c.** 結果是。~ ***over oneself*** 急於做某事。~ ***through*** 失敗；不能實現。~ ***to*** **a.**開始工作。**b.**開始吃。**c.**開始攻擊。**d.**落在。~ ***to pieces*** 破碎；崩潰。~ ***under*** **a.**屬於(某一項目)之下。**b.**爲…之責任。~ ***upon*** [***on***] 進攻。— *n.* ① Ⓒ 落；跌落；跌倒。②(*sing.*)跌差。③ Ⓤ 下垂。④ Ⓒ 適當的部位。⑤ Ⓤ Ⓒ 下降；降低。⑥ Ⓒ 下坡。⑦ Ⓤ Ⓒ〖美〗秋季。⑧ Ⓒ〖角力〗壓倒勝。⑨(*pl.*)瀑布。⑩ Ⓒ (常 *sing.*)墮落。⑪ Ⓒ (常 *sing.*)衰落；滅亡。***the F-*** 人類之墮落。〔注意〕**falls** 作瀑布解時，在形式上雖是複數，在意義上則是單數，或者視爲一集合名詞。作專有名詞時，falls 後常用單數動詞。

fal·la·cious [fəˋleʃəs] *adj.* ①欺騙的。②謬誤的。— **ly,** *adv.* — **ness,** *n.*

fal·la·cy [ˋfæləsɪ] *n.* ① Ⓒ 謬見；謬誤。② Ⓤ 謬論。③ Ⓤ 不鞏固。

fall·back [ˋfɔl,bæk] *n.* Ⓒ ①撤退；退路。②應急的辦法。

‡**fall·en** [ˋfɔlən] *v.* pp. of **fall.** — *adj.* ①落下的；倒下的。②被毀滅的。③死的。④墮落的。

fal·li·ble [ˋfæləbḷ] *adj.* 容易犯錯的。— **fal·li·bil′i·ty,** *n.*

fall·ing [ˋfɔlɪŋ] *n.* Ⓤ ①落下；陷落；顛覆；墮落。②(岩石的)崩落。— *adj.* 落下的；垂下的；減退的。§ ~ **stár** 流星。

fall·ing-out [ˋfɔlɪŋˋaut] *n.* Ⓒ (*pl.* **fall·ings-out,** ~**s**)爭吵；吵架。

fall·off [ˋfɔl,ɔf] *n.* Ⓤ 下降；減退；衰退。

Fal·ló·pi·an tùbe [fəˋlopɪən ~] *n.* Ⓒ〖解〗輸卵管。

fall·out [ˋfɔlˋaut] *n.* ① Ⓤ 輻射塵。② Ⓒ 剩餘之物。(亦作 **fall-out**)

fal·low [ˋfælo] *adj.* ①休耕的。②無教養的。— *n.* Ⓤ ①(又作 a ~)休耕地。②休耕。— *v.t.* 使(田地)休耕。

*__false__ [fɔls] *adj.* ①錯誤的。②欺騙的。③不忠實的；虛偽的。④假的；人造的。⑤誤稱的。***sail under*** ~ ***colors*** **a.**(船)懸別國國旗而航行。**b.** 冒充。— *adv.* 錯誤地；欺騙地。***play*** ~ 欺騙。§ ~ **bóttom**(箱子、抽屜等藏物用的)夾層底。~ **fáce** 面具。~ **téeth** 假牙。— **ly,** *adv.* — **ness,** *n.*

false·heart·ed [ˋfɔlsˋhɑrtɪd] *adj.* 不誠實的；背信的；欺騙的。

false·hood [ˋfɔls·hud] *n.* ① Ⓤ 虛假。② Ⓒ 謊言。③ Ⓤ 作偽；欺詐。

fal·set·to [fɔlˋsɛto]〖樂〗*n.* (*pl.* ~**s**) ① Ⓤ Ⓒ 假聲。② Ⓒ 假聲歌手。— *adj.* & *adv.* 假聲的[地]。

fals·ies [ˋfɔlsɪz] *n. pl.* ①〖俗〗(使胸罩鼓起來的)襯墊。②附有襯墊的胸罩。③假乳；義乳。

fal·si·fy [ˋfɔlsə,faɪ] *v.t.* ① 偽造；曲

解。②證明爲虛妄。— *v.i.* 造假；說謊。—fal·si·fi·ca′tion, *n.*

fal·si·ty [ˋfɔlsətɪ] *n.* ① Ⓤ 錯誤。② Ⓤ 不誠實；奸詐。③ Ⓒ 詐僞的行爲。

Fal·staff [ˋfɔlstæf] *n.* 孚斯塔夫(莎士比亞戲劇中愛吹噓、大膽、歡樂而肥胖之武士)。

fal·ter [ˋfɔltɚ] *v.i.* ① 口吃；結巴。② 躊躇；遲疑。③蹣跚；搖晃。— *v.t.* 支吾地說出；口吃地說出。— *n.* Ⓒ ①蹣跚。②支吾。—**ing·ly,** *adv.*

***fame** [fem] *n.* Ⓤ 名聲；名氣；聲譽。*come to* ~ 成名。— *v.t.* 使有名氣。

famed [femd] *adj.* 著名的；聞名的。

fa·mil·ial [fəˋmɪljəl] *adj.* ①家族的；家族特有的。②(疾病)家傳的。

‡**fa·mil·iar** [fəˋmɪljɚ] *adj.* ①日常的；見慣的。②熟悉的；通曉的。③親密的。④不必拘禮的；非正式的。⑤過分親密的。— *n.* Ⓒ 密友。—**ly,** *adv.*

***fa·mil·i·ar·i·ty** [fə,mɪlɪˋærətɪ] *n.* ① Ⓤ 親密；性關係。② Ⓤ 熟悉；精通。③ Ⓒ (常 *pl.*)親密之舉動。④ Ⓤ 狎暱；冒失。

fa·mil·iar·ize [fəˋmɪljə,raɪz] *v.t.* ① 使熟識。② 使成爲家喻戶曉。

F

‡**fam·i·ly** [ˋfæməlɪ] *n.* ① Ⓒ 家庭；家屬。② Ⓤ 子女。③ Ⓤ 家族。④ Ⓒ 〖生物〗族；科。⑤ Ⓒ 語系。— *adj.* 家庭的；適於家庭的。§ ~ **dóctor** [**physícian**] 家庭醫師。~ **nàme** 姓。~ **plánning** 家庭計畫。~ **trée** 家譜。

***fam·ine** [ˋfæmɪn] *n.* ① Ⓤ Ⓒ 饑荒。② Ⓒ 缺乏。

fam·ish [ˋfæmɪʃ] *v.i.* 饑餓；挨餓。— *v.t.* 使餓(常用於被動語態)。

‡**fa·mous** [ˋfeməs] *adj.* ①著名的。② 〖俗〗好的；優越的。—**ly,** *adv.*

***fan** [fæn] *n.* Ⓒ ①扇；風扇；扇狀物。②〖美俗〗迷；狂熱者。③簸穀機。— *v.t.* (-nn-)①搧；以扇驅。②煽動。③把…展成扇形。— *v.i.* 展開成扇狀〔常 out〕。§ ~ **bèlt** 〖機〗(汽車的)風扇皮帶。~ **clùb** (影、歌迷等組成的)俱樂部。

fa·nat·ic [fəˋnætɪk] *n.* Ⓒ 盲信者；宗教狂熱者。— *adj.* (亦作 **fanatical**) 盲信的；狂熱的。

fa·nat·i·cism [fəˋnætə,sɪzəm] *n.* Ⓤ 狂熱；盲目；盲從；宗教狂熱。

fan·cied [ˋfænsɪd] *adj.* ①空想的；虛構的。②受喜愛的。

fan·ci·er [ˋfænsɪɚ] *n.* Ⓒ (花、狗、鳥等的)玩賞者；飼養者。

fan·ci·ful [ˋfænsɪfəl] *adj.* ①希奇的；設計奇特的。②想像的；富於幻想的。

***fan·cy** [ˋfænsɪ] *n.* ① Ⓤ 想像；幻想；想像力。② Ⓤ Ⓒ 幻想的東西；觀念。③ Ⓒ 愛好；喜歡。④ Ⓒ 奇想。⑤ Ⓤ 鑑賞力。*take* [*catch*] *the* ~ *of* 討好某人；使某人注意。— *v.t.* ①想像；以爲；想。②想想看(表示驚訝等)。③喜歡。~ *oneself* 自以爲(了不起)。— *adj.* ①特製的；外表特別好看的。②特別裝飾的。③高度技巧的；花式的。④特選而昂貴的。⑤特別培育的。§ ~ (**drèss**) **báll** 化裝舞會。~ **dréss** 化裝舞會穿的服裝。~ **gòods** 裝飾品；精巧玩意兒。

fan·cy-free [ˋfænsɪˋfri] *adj.* ①未受(愛情)影響的。②無憂的。

fan·dan·go [fænˋdæŋgo] *n.* Ⓒ (*pl.* ~**s**)①(西班牙之)輕快三步舞。②其舞曲。③〖俗〗舞會。

fan·fare [ˋfæn,fɛr] *n.* ① Ⓒ 〖樂〗號曲。② Ⓤ 虛張之聲勢；誇耀。

fang [fæŋ] *n.* Ⓒ ①尖牙。②某物之長、細、尖的部分。③齒根。

fan·jet [ˋfæn,dʒɛt] *n.* Ⓒ 〖空〗①噴霧器。②渦輪引擎。③渦輪噴氣式飛機。

fan·tail [ˋfæn,tel] *n.* Ⓒ ①扇狀尾。②扇尾鴿、鳥或魚等。

fan·ta·sia [fænˋteʒ(ɪ)ə] *n.* Ⓒ ① 〖樂〗幻想曲。②奇幻事物。

fan·ta·size [ˋfæntə,saɪz] *v.t.* 幻想。— *v.i.* 耽於幻想。

***fan·tas·tic, -ti·cal** [fænˋtæstɪk(l̩)] *adj.* ①奇異的；怪誕的；不合理的。②奇形怪狀的。③空想的；幻想的。④難以置信的。⑤愚蠢的。—**fan·tas′ti·cal·ly,** *adv.*

fan·ta·sy [ˋfæntəsɪ] *n.* ① Ⓤ 想像；幻想；狂想。② Ⓒ 想像的東西。③ Ⓒ 〖樂〗幻想曲。

fan·zine [ˋfæn,zin] *n.* Ⓒ 愛好者雜誌(尤指爲科幻小說迷出版的雜誌)。

FAO Food and Agriculture Organization. 聯合國糧食及農業組織。

FAQ Frequently Asked Questions. 〖電算〗常見問題與解答。

‡**far** [fɑr] *adj.* (**far·ther** or **fur·ther, far·thest** or **fur·thest**) ① 遠的；遠方的。②較遠的。③久遠的。④廣遠的；遠大的。*a* ~ *cry* 長距離。— *adv.* ①甚遠地；久遠地。②很；大大地。③很晚地。*as* [*so*] ~ *as* **a.**像…那樣遠。**b.**就…而論。*by* ~ **a.**遠超過其他地；顯然地。**b.**很；極高。~ *and away* 非常；無疑地。~ *and near* 遠近；到處。~ *and wide* 廣布；普遍。~ *be it from me* 我不敢；我絕不會。~ *from it* 一點也不。*from* ~ 來自遠處。*go* ~ **a.** 成功；成名。**b.**持續長時間的。**c.**大有幫助。*how* ~ 至於甚麼距離、程度等。*in so* ~ *as* 至於…程度。*so* [*thus*] ~ 到目前爲止。*so* ~ *so good* 到目前爲止一切尚稱良好。§ * **the F∸ East** 遠東。

***far·a·way** [ˋfɑrəˋwe] *adj.* ①久遠的；遙遠的。②恍惚的；如夢的。

farce [fɑrs] *n.* ① Ⓤ Ⓒ 笑劇；鬧劇。② Ⓒ 滑稽可笑之事。③ Ⓤ 詼諧；滑稽。

far·ci·cal [ˋfɑrsɪkl̩] *adj.* 滑稽劇的；詼諧的；引人發笑的。

***fare** [fɛr] *n.* ① Ⓒ 車費；船費；票價。② Ⓒ 旅客；乘客。③ Ⓤ 食物。— *v.i.* ①享受飲食。②處境；經營。He ~*d* well in his business. 他生意做得不壞。③〖古〗行；旅行。

***fare·well** [ˋfɛrˋwɛl, ,fɛrˋwɛl] *interj.* 再會；祝你平安。— *n.* ① Ⓒ 告別辭。② Ⓤ 離別；辭別。③ Ⓒ 歡送會。— *adj.* 告別的；臨別的。

far-fetched [ˋfɑrˋfɛtʃt] *adj.* ①牽強的；不自然的。②來自遠方的。

far-flung [ˋfarˋflʌŋ] *adj.* 廣布的；範圍極廣的。

fa·ri·na [fəˋrinə] *n.* Ⓤ 穀粉；澱粉。

‡**farm** [farm] *n.* Ⓒ 農田；農場；飼養場。— *v.i.* 種田；飼畜。— *v.t.* 耕(田)；種植；豢養(家畜)。§ ∼ **hànd** 農場工人。

‡**farm·er** [ˋfarmɚ] *n.* Ⓒ 農夫；農人；農場經營者。

***farm·house** [ˋfarm,haus] *n.* Ⓒ 農舍。

farm·ing [ˋfarmɪŋ] *n.* Ⓤ ①農業；農作；耕作。②賦稅之承包。③出租。— *adj.* 農業的；耕種的。

farm·land [ˋfarm,lænd] *n.* Ⓤ 農地。

farm·stead [ˋfarm,stɛd] *n.* Ⓒ 農場及其建築物。

farm·yard [ˋfarm,jard] *n.* Ⓒ 農家庭院。

far-off [ˋfarˋɔf] *adj.* 久隔的；遙遠的。

far-out [ˋfarˋaut] *adj.* 〖美俚〗非常特別的；前衛的。

far·ra·go [fəˋrego] *n.* Ⓒ (*pl.* ∼**es**) 混成物；混雜。

far-reach·ing [ˋfarˋritʃɪŋ] *adj.* 影響遠大的；遠達的。

far·row [ˋfæro] *n.* Ⓒ 一窩小豬；一胎所生的小豬。— *v.t.* & *v.i.* 產(小豬)。

far·see·ing [ˋfarˋsiɪŋ] *adj.* ①有遠見的；有先見之明的。②能看得遠的。

far·sight·ed [ˋfarˋsaɪtɪd] *adj.* ①遠視的(眼)。②眼光遠大的。— **ness,** *n.*

fart [fart] 〖鄙〗 *n.* Ⓒ 屁。— *v.t.* & *v.i.* 放屁。

‡**far·ther** [ˋfarðɚ] comp. of **far.** *adj.* ①(指距離)更遠的；較遠的。②進一步的；另外的。— *adv.* ①更遠地；較遠地。②更加地；進一步地。③此外。∼ *on* 再向前；更向前。〔注意〕 **farther** 指具體的距離，**further** 則偏於抽象的程度。

far·ther·most [ˋfarðɚ,most] *adj.* 最遠的(＝furthermost)。

‡**far·thest** [ˋfarðɪst] *adj.* & *adv.* superl. of **far.** 最遠的[地]；最久的[地]。*at* (*the*) ∼ 最多；至遲。

far·thing [ˋfarðɪŋ] *n.* ① Ⓒ 法辛(英國小錢幣名)。②(a ∼, 用於否定句)價值微小之物。*not care a* ∼ 毫不在乎。*not worth a* (*brass*) ∼ 一文不值。

fas·ces [ˋfæsiz] *n. pl.* (*sing.* **fas·cis** [ˋfæsɪs]) ①(棒、桿等的)一束。②古羅馬代表權威的束棒。

fas·ci·a [ˋfæʃɪə] *n.* Ⓒ (*pl.* **-ci·ae** [-ʃɪ,i]) ①〖建〗挑口飾；(柱頭)盤座面。②[ˋfeʃə] (*pl.* ∼**s**) 〖英〗汽車儀錶板(＝dashboard)。③(商店前的)招牌。— **fas′ci·al,** *adj.*

fas·ci·ate [ˋfæʃɪ,et] *adj.* ①用帶子捆束的。②〖植〗簇生的；扁平的。③〖動〗具橫帶的。(亦作 **fasciated**) — **ly,** *adv.*

fas·ci·cle [ˋfæsɪkl̩] *n.* Ⓒ ①小束。②(書籍等之)分冊。③〖植〗(花、葉等之)束；簇；團。④〖解〗纖維束。

***fas·ci·nate** [ˋfæsn̩,et] *v.t.* 使迷惑；使著迷。— *v.i.* 迷人；令人入神。— **fas′ci·na·tor,** *n.*

***fas·ci·nat·ing** [ˋfæsn̩,etɪŋ] *adj.* 迷人的；吸引人的。

fas·ci·na·tion [,fæsn̩ˋeʃən] *n.* Ⓤ ①迷惑；銷魂。②魅力；魔力；嬌媚。

Fas·cism [ˋfæʃ,ɪzəm] *n.* Ⓤ 法西斯主義；獨裁的國家社會主義。

Fas·cist, fas·cist [ˋfæʃɪst] *n.* Ⓒ ①法西斯主義者。②法西斯黨員。

***fash·ion** [ˋfæʃən] *n.* ①(*sing.*)姿態；方式。② Ⓤ Ⓒ 時樣；風尚；時髦。③ Ⓤ (the ∼)時髦人物；名流。④ Ⓤ 形狀。⑤ Ⓤ 種類。*after* [*in*] *a* ∼ 勉強地；不太令人滿意地。*after the* ∼ *of* 模仿。*be the* ∼ 很流行。*in* [*out of*] ∼ (不)流行。*man of* ∼ 時髦人物。*set the* ∼ 開風氣之先。— *v.t.* ①做成…的形狀。②使配合。§ ∼ **bóok** 時裝錄。∼ **plàte** (1)時裝圖樣。(2)穿著時髦的人。

***fash·ion·a·ble** [ˋfæʃənəbl̩] *adj.* ①時髦的；流行的。②社交界的；上流社會的。— *n.* Ⓒ 時髦人物。

‡**fast**[1] [fæst, fast] *adj.* ①快的；迅速的。②牢固的。③忠實的。④放蕩的。⑤不易褪色的；耐久的。⑥激烈的。⑦深沉的；熟睡的。*pull a* ∼ *one* 欺詐；詭計。— *adv.* ①快地；迅速地。②堅定地；穩固地。③完全地；徹底地。④激烈地。*play* ∼ *and loose* (*with*) 玩弄；態度反覆無常。§ ∼ **fóod** 速食。

fast[2] *v.i.* 斷食；齋戒。— *n.* Ⓒ ①斷食；齋戒。②齋戒期。§ ∼ **dày** 齋戒日。

fast·back [ˋfæst,bæk] *n.* Ⓒ ①車篷向後傾斜的汽車。②此等汽車之車篷。

***fas·ten** [ˋfæsn̩, ˋfasn̩] *v.t.* ①裝牢；關鎖；縛；繫。②連結；加諸於。③盯住；使朝向〔upon〕。— *v.i.* ①牢；緊；附著。②緊抓；堅持〔on, upon〕。③集中注意〔on, upon〕。∼ (*something*) *off* 用結繫牢。∼ *one's eyes on* 注視。∼ (*something*) *up* 關緊並鎖牢。

fas·ten·er [ˋfæsn̩ɚ] *n.* Ⓒ ①牢繫者。②使牢繫之物。

fas·ten·ing [ˋfæsn̩ɪŋ, ˋfasnɪŋ] *n.* Ⓒ 繫結物；拴扣物(如門閂、鎖等)。

fast-food [ˋfæstˋfud] *adj.* 〖美〗速食的；快餐的。

fas·tid·i·ous [fæsˋtɪdɪəs] *adj.* 難以取悅的；挑剔的；苛求的。— **ly,** *adv.*

fast·ness [ˋfæstnɪs] *n.* ① Ⓤ 鞏固；堅牢。② Ⓒ 要塞；堡壘。③ Ⓤ 迅速。

fast-talk [ˋfæstˋtɔk] *v.t.* 〖美俚〗企圖用花言巧語說服[欺騙]〔into, out, of〕。

‡**fat** [fæt] *adj.* (**-tt-**) ①肥的；胖的。②豐富的；充實的。③遲鈍的。④給予好機會的。⑤厚的；寬的。⑥肥沃的。⑦有錢的。*a* ∼ *chance* 〖俚〗希望[機會]甚少。*a* ∼ *lot* 〖俚〗幾乎不。— *n.* ① Ⓤ 肥肉；脂肪。② Ⓤ Ⓒ 油類。③ Ⓒ 多餘之物。*chew the* ∼ 〖俚〗閒談。*live on the* ∼ *of the land* 生活奢侈。*The* ∼ *is in the fire.* **a.** 生米已成熟飯；木已成舟。**b.** 危機迫在眉睫。— *v.t.* (**-tt-**)使肥胖。— *v.i.* 變胖。§ ∼ **fàrm** 減肥中心。

***fa·tal** [ˋfetl̩] *adj.* ①致命的。②毀滅性的。③重大的；決定命運的。④不可避免的；宿命的。— **ly,** *adv.*

fa·tal·ism [ˋfetl̩,ɪzəm] *n.* Ⓤ ①宿命論；命運論。②宿命觀。— **fa′tal·ist,** *n.* — **fa·tal·is′tic,** *adj.*

fa·tal·i·ty [feˋtælətɪ] *n.* ① Ⓒ 災禍；死亡。② Ⓤ 致命。③(a ∼)命運；宿

F

命；天數。④Ⓒ(常*pl.*)災禍中之死者。
‡**fate** [fet] *n.*①Ⓤ命運；天命。②Ⓒ吉凶；禍福。③Ⓒ死；毀滅。④Ⓒ結局。*meet one's* ～死。*the Fates*〖希、羅神〗司命運之三女神。— *v.t.* 注定。
fat·ed [ˋfetɪd] *adj.* 命運決定了的；命數的；宿命的。
fate·ful [ˋfetfəl] *adj.* ①命運注定的。②重大的。③致命的。④預言的。
fat·head [ˋfæt,hɛd] *n.*Ⓒ愚鈍者；傻瓜。—**ed,** *adj.*
‡**fa·ther** [ˋfɑðɚ] *n.* ①Ⓒ父親。②Ⓒ(常*pl.*)祖先。③Ⓒ創始者；發明者。④(F-)神父。⑤(the F-)上帝(=God)。⑥(*pl.*)對長者之尊稱。⑦(*pl.*)古羅馬之參議員。⑧Ⓒ扶養者；養育者。⑨(*pl.*)元老。⑩Ⓤ起源。*The child is* ～ *to the man.* 童年決定其未來。*The wish is*～ *to the thought.* 願望決定思想。— *v.t.* ①爲…之父。②扶養；養育。③創造；負責。④認某人爲…之父。—**less,** *adj.*
fa·ther·hood [ˋfɑðɚ,hud] *n.*Ⓤ父親之身分；父權。
fa·ther-in-law [ˋfɑðərɪn,lɔ] *n.* Ⓒ(*pl.* **fa·thers-in-law**)①公公。②岳父。
fa·ther·land [ˋfɑðɚ,lænd] *n.*Ⓒ祖國。
fa·ther·ly [ˋfɑðɚlɪ] *adj.* ①父親的。②如父親的；慈愛的。
fath·om [ˋfæðəm] *n.*Ⓒ(*pl.* **～s,** ～)噚(長度名，=6英尺，用以量水深)。— *v.t.* ①量(水)的深淺。②徹底明白。
fath·om·less [ˋfæðəmlɪs] *adj.*①深不可測的。②難以理解的。
***fa·tigue** [fəˋtig] *n.*①Ⓤ疲倦；疲乏；疲勞。②Ⓒ(常*pl.*)勞累。③Ⓒ軍中雜役。— *v.t.* 使疲勞；使(心智)衰弱。
fat·ten [ˋfætn̩] *v.t.* ①催肥；養肥〖常up〗。②使增大[多]。— *v.i.* ①變肥。②增大[多]；成長。
fat·ty [ˋfætɪ] *adj.* ①(含)脂肪的；多脂肪的。②油膩的。— *n.*Ⓒ〖俗〗胖子。
fat·u·ous [ˋfætʃuəs] *adj.* ①愚蠢的。②不實在的；空虛的。—**fa·tu·i·ty** [fəˋtjuətɪ, -ˋtu-], *n.*
***fau·cet** [ˋfɔsɪt] *n.*Ⓒ(自來水管等之)龍頭。
Faulk·ner [ˋfɔknɚ] *n.* 福克納(William, 1897-1962, 美國名小說家)。
‡**fault** [fɔlt] *n.*①Ⓤ過錯；過失。②Ⓒ缺點；毛病。③Ⓒ〖地質〗斷層。④Ⓒ(網球等之)發球失誤。*at* ～**a.**錯誤(的)。**b.**茫然不知所措。*find* ～ 批評；吹毛求疵。*in* ～ 錯了。*to a* ～甚；過分。— *v.i.*①犯錯。②〖地質〗發生斷層。— *v.t.*①批評；認爲不妥。②將…做錯。③〖地質〗使發生斷層。
fault·find·er [ˋfɔlt,faɪndɚ] *n.*Ⓒ揭人短處者；吹毛求疵者。
fault·find·ing [ˋfɔlt,faɪndɪŋ] *adj.* 揭人短處的；挑剔的。— *n.*Ⓤ挑剔。
fault·less [ˋfɔltlɪs] *adj.* 毫無瑕疵的；完美的。
fault·y [ˋfɔltɪ] *adj.* 有缺點的；有錯誤的。
faun [fɔn] *n.*Ⓒ〖羅神〗傅恩(半人半羊狀之農牧神)。
fau·na [ˋfɔnə] *n.*ⓊⒸ(*pl.* **～s,** **～e** [-ni])(集合稱)(某區域、某時代的)全部動物；動物羣；動物區系。
Faust [faust] *n.* 浮士德。**a.** 日爾曼故事中之一人物，曾將其靈魂售與魔鬼以換取權力及知識。**b.** Goethe著之一悲劇。
faux pas [foˋpɑ] 〖法〗*n.*Ⓒ(*pl.* ～ [～z])失言；失禮；失態。
‡**fa·vor,**〖英〗**-vour** [ˋfevɚ] *n.*①ⓊⒸ恩寵；愛護；善意。②Ⓤ喜歡；同意；贊成。③Ⓤ偏好；私好。④Ⓒ信函。⑤Ⓒ贈品；紀念物。⑥ⓊⒸ特權。⑦Ⓒ利益。⑧Ⓒ(常*pl.*)(婦女)以身相許。*by* [*with*] *your* ～ 蒙你的允許。*find* ～ *in a person's eyes* 受寵於某人。*in* ～ *of* **a.**贊成；支持。**b.**有利於。**c.**支付給。*out of* ～ 不受歡迎。— *v.t.*①眷顧；愛護；贊成。②偏愛；徇私。③於…有利；幫助。④肖；似(指面貌)。⑤妥善照顧。
***fa·vo(u)r·a·ble** [ˋfevərəbl̩] *adj.* ①贊成的；贊許的。②有幫助的；順利的。③良好的。—**faˊvor·a·bly,** *adv.*
fa·vo(u)red [ˋfevɚd] *adj.* 有利的；占優勢的；有特權的。
‡**fa·vo(u)r·ite** [ˋfevərɪt] *adj.* 最喜愛的。— *n.*①Ⓒ最喜愛之人[物]。②Ⓒ享受特殊待遇的人。③(the ～)最有希望的獲勝者[馬]。
fa·vo(u)r·it·ism [ˋfevərɪt,ɪzəm] *n.*Ⓤ偏愛；徇私；偏袒。
fawn[1] [fɔn] *v.i.*①(犬)搖尾乞憐。②巴結；奉承。
fawn[2] *n.*①Ⓒ未滿一歲之幼鹿。②Ⓤ淡黃褐色。— *adj.* 淡黃褐色的。
fax [fæks] *n.*Ⓤ無線電傳眞(機)(=facsimile)。— *v.t.* 用無線電傳眞傳送。
fay [fe] *n.*=**fairy.**
faze [fez] *v.t.* 〖美俗〗使困擾；煩擾。
FBI, F.B.I. Federal Bureau of Investigation. 美國聯邦調查局。
fe·al·ty [ˋfiəltɪ] *n.*Ⓤ①(封建時代臣僕對主上之)效忠。②忠誠；信實。
‡**fear** [fɪr] *n.*①Ⓤ懼怕；恐懼。②Ⓤ敬畏。③ⓊⒸ擔心；憂慮。④Ⓤ可能；機遇。⑤Ⓒ令人懼怕之事物。*for* ～ (*that*)因恐；免得。*for* ～ *of* 因恐；恐有…之虞。*in* ～ *of* 懼怕。*without* ～ *or favor* 不偏不倚；公平地。— *v.t.*①懼怕。②擔心；恐怕。③敬畏。— *v.i.* ①懼怕。②擔心。
***fear·ful** [ˋfɪrfəl] *adj.*①可怖的；可怕的。②懼怕的；膽怯的。③〖俗〗很壞的；醜陋的；討厭的。④〖俗〗非常的；極端的。⑤擔心的。⑥〖俚〗敬畏的。—**ness,** *n.*
fear·ful·ly [ˋfɪrfəlɪ] *adv.* 〖俗〗頗；極；非常地；可怕地。
***fear·less** [ˋfɪrlɪs] *adj.* 無畏的；勇敢的。be ～ of... 無畏於…。
fear·some [ˋfɪrsəm] *adj.* 可怕的；膽怯的。
fea·si·ble [ˋfizəbl̩] *adj.*①可實行的；易實現的。②可能的；合理的。③合宜的；方便的。—**fea·si·bilˊi·ty,** *n.*
***feast** [fist] *n.*Ⓒ①饗宴；祝宴；宴樂。②〖宗〗節慶；節日。③賞心樂事。— *v.t.* & *v.i.* 款宴；(使)享受。
feat [fit] *n.*Ⓒ①功績；偉業。②絕技。
‡**feath·er** [ˋfɛðɚ] *n.*①Ⓒ羽毛。②Ⓤ鳥類。③Ⓒ極輕的東西。*a* ～ *in one's*

cap 值得驕傲的事物; 榮譽。*Fine ~s make fine birds.* 〖諺〗馬靠鞍裝, 人靠衣裳。*show the white ~*表示膽怯。—— *v.t.* 飾以羽毛; 插羽毛於。—— *v.i.* ①長羽毛; 形成羽狀〔常 out〕. ②像羽毛似地動搖。③像羽毛似地覆蓋。*~ one's nest*營私中飽。§ *~* **bèd** (1)羽毛床墊。(2)安樂的環境。

feath·er·bed [ˋfɛðɚ,bɛd] *v.i. & v.t.* (**-dd-**)①〖美〗限產超雇; 強迫雇用(較實際需要爲多之工人)。②嬌養; 溺愛。

feath·er·brain [ˋfɛðɚ,bren] *n.* Ⓒ 愚人; 低能者。— **ed,** *adj.*

feath·ered [ˋfɛðɚd] *adj.*①有羽毛的; 飾以羽毛的。②有翼的; 迅速的。③(箭)裝翎的。

feath·er·edge [ˋfɛðɚ,rɛdʒ] *n.* Ⓒ 〖建〗(易折或易曲之)薄邊。—— *v.t.*使有薄邊。— **feath′er·edged,** *adj.*

feath·er·weight [ˋfɛðɚ,wet] *n.* Ⓒ ①〖拳擊〗羽量級選手。②微不足道的東西[人]。

***fea·ture** [ˋfitʃɚ] *n.*① Ⓒ 容貌之部分。②(*pl.*)容貌; 相貌。③ Ⓒ 特徵; 外貌。④ Ⓒ 要點; 特別節目。⑤ Ⓒ 長片。⑥ Ⓒ (報章上的)特寫; 特輯。—— *v.t.*①使有特色; 爲…之特色。②〖俗〗以…爲號召。③與…相貌相似。④想像。⑤給予…顯著地位。

fea·ture-length [ˋfitʃɚˋlɛŋθ] *adj.* ①〖影〗達到正片應有長度的。②(期刊文等)達到特寫應有長度的。

Feb. February.

feb·ri·fuge [ˋfɛbrɪ,fjudʒ] *n.* Ⓒ ①退燒劑。②冷飲。

fe·brile [ˋfibrəl] *adj.*發燒的; 熱病的。

‡**Feb·ru·ar·y** [ˋfɛbru,ɛrɪ] *n.* 二月。

fe·ces [ˋfisiz] *n. pl.*①渣滓。②排泄物。

feck·less [ˋfɛklɪs] *adj.* ①無能的; 無精力的。②無思想的; 無目標的。

fe·cund [ˋfikənd] *adj.* 多產的; 肥沃的; 豐富的。— **fe·cun′di·ty,** *n.*

fe·cun·date [ˋfikən,det] *v.t.* ①使多產; 使豐饒。②〖生物〗使受孕; 使授精。

‡**fed** [fɛd] *v.* pt. & pp. of **feed.**

***fed·er·al** [ˋfɛdərəl] *adj.*①聯邦制的; 聯合的。②〖美〗聯邦政府的。③(F-)〖美〗南北戰爭中北部聯盟的。*F- Bureau of Investigation*〖美〗聯邦調查局(略作 FBI). —— *n.* (F-) Ⓒ ①〖美〗南北戰爭中北部聯盟支持者[士兵]。②聯邦主義者。§ **F~ Resérve Sỳstem** (美國)聯邦準備銀行制度。— **ism,** — **ist,** *n.* — **ize,** *v.t.*

fed·er·ate [ˋfɛdə,ret] *v.t. & v.i.*組成聯邦; 聯盟。——[ˋfɛdərɪt] *adj.* 聯盟的; 聯合的; 聯邦的。

fed·er·a·tion [,fɛdəˋreʃən] *n.* Ⓤ Ⓒ 聯盟; 聯邦; 聯合總會; 聯邦政府。

***fee** [fi] *n.* ① Ⓒ (付給律師、醫師等)禮金; 報酬。② Ⓒ 小費; 小帳。③ Ⓤ 〖法律〗世襲地。④ Ⓒ (常 *pl.*)學費; 會費。*hold in ~* 擁有。

***fee·ble** [ˋfibl] *adj.* 微弱的; 無效的。

fee·ble-mind·ed [ˋfiblˋmaɪndɪd] *adj.* 意志薄弱的; 低能的。

fee·bly [ˋfiblɪ] *adv.* ①無力地; 無效地。②微弱地。

‡**feed** [fid] *v.t.* (**fed**)①飼育; 餵養; 供養。②供原料。③使滿足。—— *v.i.*①吃; 食〔on, upon, off〕. ②供養; 飼養。*be fed up* (*with*)〖俚〗忍耐夠了; 厭煩。—— *n.*① Ⓤ 飼料。② Ⓤ 餵養。③ Ⓤ 一次所吃的飼料。④(a ~)〖俗〗用餐; 佳餚。⑤〖機〗輸送槽。*be off one's ~* 胃口不好。

feed·back [ˋfid,bæk] *n.* Ⓤ Ⓒ 〖電〗(眞空增幅器的)反饋; 回饋。

feed·er [ˋfidɚ] *n.* Ⓒ ①餵養者。②〖機〗供料裝置。③支線。④〖電〗饋電線。⑤奶瓶。⑥餵養器。

feed·ing [ˋfidɪŋ] *adj.*①飼養的; 供食的。a ~ bottle 〖英〗奶瓶(=〖美〗nursing bottle).②漸漸增強的。—— *n.* Ⓤ ①供食; 飼養。②〖機〗輸送; 供水; 供電。

feed·lot [ˋfid,lɑt] *n.* Ⓒ 家畜飼養場。

feed·stuff [ˋfid,stʌf] *n.* Ⓤ 飼料。

‡**feel** [fil] *v.i.* (**felt**)①摸起來是。②感覺。③有知覺。④用手摸索。⑤同情。⑥訴諸感情。—— *v.t.* ①感覺到。②敏感。③觸; 摸。④摸索; 探尋。⑤觸試。⑥受影響於。⑦以爲。*~ for* 同情於。*~ like* a.摸著像是。b.欲; 想。*~ one's way* 摸索著走。—— *n.* (*sing.*) ①觸摸。②感觸。③知覺; 觸覺。④直覺; 本能。

feel·er [ˋfilɚ] *n.* Ⓒ ①〖動〗觸角; 觸鬚。②試探; 試聽。

‡**feel·ing** [ˋfilɪŋ] *n.* ① Ⓤ 感覺; 知覺。② Ⓤ 同情。③(*pl.*)感情。④ Ⓤ Ⓒ 感想。⑤ Ⓒ 心情。⑥ Ⓤ 興奮。⑦ Ⓤ 感受性; 敏感的鑑賞力。—— *adj.* ①易感動的; 有同情心的。②動人的。③有感情的。— **ly,** *adv.*

‡**feet** [fit] *n.* pl. of **foot.**

***feign** [fen] *v.t.*①假裝; 裝作。②虛構; 杜撰; 假造。③想像。—— *v.i.* 做假; 佯裝。

feigned [fend] *adj.*①假的。a ~ illness 假病。②做作的; 虛僞的。③杜撰的; 想像的。

feint [fent] *n.* Ⓒ ①僞裝; 假裝。②聲東擊西的戰術。—— *v.i.* 聲東擊西; 作假擊; 佯攻。—— *v.t.* 騙。

feist·y [ˋfaɪstɪ] *adj.*①精力充沛的。②好鬥的; 脾氣壞的。

fe·lic·i·tate [fəˋlɪsə,tet] *v.t.* 祝賀; 慶賀。

fe·lic·i·tous [fəˋlɪsətəs] *adj.*①適當的; 得體的。②幸福的。— **ly,** *adv.*

fe·lic·i·ty [fəˋlɪsətɪ] *n.*① Ⓤ 幸福; 幸運; 快樂。② Ⓤ (措辭)適當; 巧妙。③ Ⓒ 巧妙的思想; 措辭巧妙的辭句。

fe·line [ˋfilaɪn] *adj.* ①貓(科)的。②似貓的。③狡猾的。—— *n.* Ⓒ 貓科動物。

‡**fell**[1] [fɛl] *v.* pt. of **fall.**

fell[2] *v.t.* ①打倒; 推倒。②砍伐(樹木)。③縫起(縫邊)。

fell[3] *adj.*①殘忍的; 兇猛的。②致死的。

fell[4] *n.* Ⓒ 獸皮; 毛皮。

fell[5] *n.* Ⓒ 〖蘇〗①荒野; 澤池。②小山; 丘陵。

‡**fel·low** [ˋfɛlo] *n.* Ⓒ ①〖俗〗男人。②同伴; 夥友; 同事; 同儕。③一對中之一。④〖俗〗情人; 情郎。⑤傢伙。⑥卑賤漢; 無用之人。⑦類似之人[物]; 相等者。⑧(得獎學金的)研究生。—— *adj.* 同伴的; 同事的; 同等的。§ *~* **féeling**

同情；同感。～ tráveler (1)旅伴。(2)(尤指共產黨的)同路人；同情者。
*fel·low·ship [ˋfɛlo,ʃɪp] n. ①Ⓤ交情；友誼；同伴關係。②Ⓤ參加；共處；協助。③Ⓒ大學內給研究生的獎學金。④Ⓒ會；團體；互助會。
fel·on [ˋfɛlən] n. ①Ⓒ〖法律〗重罪犯。②Ⓤ〖醫〗瘭疽。— adj. 殘忍的。
fe·lo·ni·ous [fəˋlonɪəs] adj. ①重罪犯的。②極惡的。
fel·o·ny [ˋfɛlənɪ] n. ⓊⒸ〖法律〗重罪。
‡felt[1] [fɛlt] v. pt. & pp. of feel.
felt[2] n. ①Ⓤ毛氈。②Ⓒ毛氈製品。— adj. 毛氈(製)的。a ～ hat 氈帽。
felt·ing [ˋfɛltɪŋ] n. Ⓤ製氈材料；製氈法。
fem. female; feminine.
‡fe·male [ˋfimel] n. Ⓒ ①女性。②雌性動、植物。— adj.女性的；雌的。
*fem·i·nine [ˋfɛmənɪn] adj. ①婦女的；適於婦女的；女子特有的。②婦女似的；柔弱的。③〖文法〗陰性的。
fem·i·nin·i·ty [,fɛməˋnɪnətɪ] n. Ⓤ①婦女氣質；柔弱。②娘娘腔。
fem·i·nism [ˋfɛmə,nɪzəm] n. Ⓤ男女平等主義；提高女權運動。— fem′i·nist, n.
fe·min·i·ty [fɛˋmɪnətɪ] n.＝femininity.
fem·i·nize [ˋfɛmə,naɪz] v.t. & v.i. (使)女性化。— fem·i·ni·za′tion, n.
fe·mur [ˋfimɚ] n. Ⓒ (pl. ～s, fem·o·ra [ˋfɛmərə])〖解〗股骨。
fen [fɛn] n. Ⓒ (常pl.)〖英〗沼澤；沼地。
‡fence [fɛns] n. Ⓒ ①圍牆；籬笆；柵欄。②劍術；擊劍。③巧辯；詭辯術。④買賣贓物者[處]。*come down on the right side of the* ～附和勝方。*on the other side of the* ～加入反對黨。*sit on the* ～騎牆；觀望。— v.t. ①圍以柵籬；築圍牆防衛。②保衛；警衛；保護。③買賣(贓物)。④閃避。— v.i. ①鬥劍；舞劍。②閃避；避開(質問)。～ *about* a.用柵圍住(某地)。b.預防。— fenc′er, n.
fence-mend·ing [ˋfɛns,mɛndɪŋ] n. Ⓤ〖美俗〗修好；復交；調停。— adj. 修好的；復交的。
fence-sit·ter [ˋfɛns,sɪtɚ] n. Ⓒ ①猶豫不決者。②(在爭論中)保持中立者；騎牆派。— fence′-sit·ting, n.
fence-strad·dler [ˋfɛns,strædlɚ] n. Ⓒ〖俗〗兩面討好者。— fence′-strad·dling, n. & adj.
fenc·ing [ˋfɛnsɪŋ] n. Ⓤ①劍術；鬥劍法。②築牆材料。③(集合稱)圍牆。④買賣贓物。⑤(對重要問題之)閃避。
fend [fɛnd] v.t. & v.i. ①抵擋；抵禦。②撫養；照管。～ *for oneself* 自謀生計。～ *off* 擋開；避開(災禍等)。
fend·er [ˋfɛndɚ] n. Ⓒ ①(汽車等的)擋泥板。②〖英〗(火車裝的)防撞板。③爐圍；炭欄。④(船旁之)防擦索；護舷墊。
fen·nel [ˋfɛnl] n. Ⓒ〖植〗茴香。
fe·ral [ˋfɪrəl] adj. ①野生的。②野蠻的；兇猛的。
fer·ment [fɚˋmɛnt] v.i.①發酵。②激動；紛擾。— v.t.①鼓勵；醞釀。②使發酵。— [ˋfɝmɛnt] n. ①Ⓒ酵母；發酵劑。②Ⓤ發酵。③Ⓤ激動。— fer·men·ta′tion, n.
fer·mi·um [ˋfɛrmɪəm] n. Ⓤ〖化〗鐨(放射性元素；符號 Fm).
fern [fɝn] n. ⓊⒸ羊齒(植物)。
fern·y [ˋfɝnɪ] adj. (多)羊齒植物的。
fe·ro·cious [fəˋroʃəs] adj.①殘忍的；兇猛的。②非常的。— ly, adv.
fe·roc·i·ty [fəˋrɑsətɪ] n. Ⓤ 兇猛；獰惡；殘暴。
fer·ret [ˋfɛrɪt] n. Ⓒ①〖動〗雪貂；白鼬(用以捕鼠、獵兔等)。②搜索者；偵探。— v.t. & v.i.①用雪貂打獵。②搜索；捕獵；偵察(out)。
fer·ric [ˋfɛrɪk] adj.①(含)鐵的。②〖化〗三價鐵的。
Fér·ris whêel [ˋfɛrɪs ～] n. Ⓒ摩天輪(一種供遊戲之豎立轉輪)。
ferro- 〖字首〗〖化〗表「含鐵」之義。
fer·ro·con·crete [,fɛroˋkɑnkrit] n. Ⓤ鋼筋混凝土。
fer·ro·mag·net·ic [,fɛromægˋnɛtɪk] adj. 鐵磁的。
fer·rous [ˋfɛrəs] adj.〖化〗(含)二價鐵的。
fer·rule [ˋfɛrəl] n. Ⓒ①金屬箍；金屬包頭。②〖機〗套圈。— v.t. 裝以金屬箍。
*fer·ry [ˋfɛrɪ] n. Ⓒ ①渡船。②渡口；渡頭。③空運。— v.t.①以船渡。②用飛機運送。
fer·ry·boat [ˋfɛrɪ,bot] n. Ⓒ渡船。
fer·ry·man [ˋfɛrɪmən] n. Ⓒ (pl. -men)擺渡人。
*fer·tile [ˋfɝtl] adj.①多產的；肥沃的；豐富的。②多產的；有繁殖力的。③富於創造力的。
fer·til·i·ty [fɝˋtɪlətɪ] n. Ⓤ①肥沃；豐饒；豐富。②(土地的)生產力。③繁殖[生育]力。～ drug 受胎藥。
fer·ti·lize [ˋfɝtl,aɪz] v.t. ①使肥沃；施肥於…。②〖生物〗使受精。
fer·ti·liz·er [ˋfɝtl,aɪzɚ] n. ①ⓊⒸ肥料。②Ⓒ受精媒介物。
fer·ule [ˋfɛrəl] n. Ⓒ教鞭；戒尺。— v.t. 用戒尺責打；打…的手心。
fer·vent [ˋfɝvənt] adj.①強烈的；熱情的。②熱的；白熱的。— ly, adv.
fer·vid [ˋfɝvɪd] adj.①熱情的；激情的；熱烈的。②熾熱的；似火的。— ly, adv.
fer·vor, 〖英〗-vour [ˋfɝvɚ] n. Ⓤ①熱誠；熱心。②熱；熾熱；白熱。
fes·tal [ˋfɛstl] adj.①節日的；假日的；祭日的。②歡樂的。
fes·ter [ˋfɛstɚ] v.i. & v.t.①(使)化膿。②(使)潰爛。③(使)煩惱；痛苦。— n. Ⓒ膿瘡；膿疹；潰爛。
*fes·ti·val [ˋfɛstəvl] n.①ⓊⒸ節日。②ⓊⒸ慶祝。③Ⓒ慶典。— adj. 節日的；喜慶的。
fes·tive [ˋfɛstɪv] adj.①節日的。②節日氣氛的；快樂的。
fes·tiv·i·ty [fɛsˋtɪvətɪ] n.①Ⓤ歡宴；作樂。②Ⓒ(常 pl.)慶典；慶祝活動。
fes·toon [fɛsˋtun] n. Ⓒ①花綵。②〖建〗垂花雕刻。— v.t. 飾以[作成]花綵。
fe·tal [ˋfitl] adj. 胎兒的；似胎兒的。
*fetch [fɛtʃ] v.t. ①取來；接來。②引出；使外出。③售得。④打擊。⑤〖俗〗吸引；

迷惑。⑥完成。— *v.i.*① 攜帶；帶來。②〖海〗航行；前進；駛。～ *and carry* (*for*)做雜事。～ *down* 打下(射擊物)；落(價)。～ *up* **a.**停止；停步。**b.**趕上。**c.**扶養。**d.**嘔吐。— *n.* Ⓒ ①帶來；拿來。②詭計；謀略。

fetch·ing [ˋfɛtʃɪŋ] *adj.* 〖俗〗吸引人的。

fete, fête [fet] 〖法〗*n.* Ⓒ 慶典；節日。— *v.t.*①宴請。②慶祝。③稱讚。

fet·id [ˋfɛtɪd] *adj.* 臭的；有惡臭的。

fet·ish, fet·ich(e) [ˋfitɪʃ] *n.* Ⓒ ①物神。②偶像。

fet·ish·ism [ˋfitɪʃɪzṃ] *n.* Ⓤ ①物神崇拜。②盲目的崇拜。③〖心〗戀物癖。

fet·lock [ˋfɛt,lɑk] *n.* Ⓒ ①距毛(馬蹄上長簇毛)。②球節(生距毛突起部分)。

fet·ter [ˋfɛtɚ] *n.* Ⓒ (常 *pl.*)① 足械；腳鐐。②束縛；囚禁。*be in* ～*s* 被扣上腳鐐；在囚禁中。— *v.t.* ①加以足械[腳鐐]。②束縛；限制。

fet·tle [ˋfɛtḷ] *n.* Ⓤ (身心之)狀態。*in fine*[*good*]～ 精神奕奕；身體健壯。

fe·tus [ˋfitəs] *n.* Ⓒ 胎兒；胎。

feud[1] [fjud] *n.* Ⓤ Ⓒ 家族之累世宿仇；不和。*at* ～ *with* 與…不和。

feud[2] *n.* Ⓒ 封地；領地；采邑；食邑。

feu·dal [ˋfjudḷ] *adj.*①封建(制度)的。②采邑的；封地的。— **ist,** — **ism,** *n.* — **feu·dal·is′tic,** *adj.*

feu·da·to·ry [ˋfjudə,torɪ] *adj.* 封建的；受封的。— *n.* Ⓒ ①家臣；諸侯。②領地；采邑。

‡**fe·ver** [ˋfivɚ] *n.*① Ⓤ 熱病；發燒；發熱。②(a ～)狂熱；激昂。§ ～ **hèat** (1)高燒。(2)狂熱。～ **thèrapy**〖醫〗發熱療法(用人工方法使發高燒以滅菌治病)。

***fe·ver·ish** [ˋfivərɪʃ] *adj.* ①發熱的；熱病的。②狂熱的。— **ly,** *adv.*

‡**few** [fju] *adj.*①很少的；不多的(不用冠詞 a, = not many). Very ～ people understood what he said. 極少人懂得他說的是什麼。②少數的；幾(個)(與冠詞 a 連用，=some). He has a ～ friends. 他有幾個朋友。～ *and far between* 稀少的。*no* ～*er than* 不少於；多達。*the* ～少數人。— *n.*(作 *pl.* 解)很少的人[物](不用 a)；數個人[物](與 a 連用)。Of my friends ～live in England. 我的朋友中，很少人住在英國。*a good* ～〖英俗〗相當多的(=quite a large number). ～ *or no* 幾無。*not a* ～ 不少的；許多的。*quite a* ～〖美俗〗相當多的；頗有幾個。— **ness,** *n.*

fez [fɛz] *n.* Ⓒ (*pl.* ～(z)es)土耳其帽。

fi·an·cé [,fiənˋse, fi,ɑnˋse, fiˋɑnse] 〖法〗*n.* Ⓒ 未婚夫。

fi·an·cée [,fiənˋse, fi,ɑnˋse, fiˋɑnse] 〖法〗*n.* Ⓒ 未婚妻。

fi·as·co [fiˋæsko] *n.* Ⓤ Ⓒ (*pl.* ～(e)s) 慘敗；大失敗。

fi·at [ˋfaɪət] *n.* Ⓒ ①命令。②認可；許可。§ ～ **mòney**〖美〗不兌換紙幣。

fib [fɪb] *n.* Ⓒ 無關緊要的謊言；小謊。— *v.i.* (**-bb-**)撒小謊。— **ber,** *n.*

***fi·ber,** 〖英〗**-bre** [ˋfaɪbɚ] *n.*① Ⓒ 纖維(質)。② Ⓤ 纖地。③ Ⓤ 性情。④ Ⓤ 骨氣；力量。⑤ Ⓤ 本質。⑥ Ⓒ 〖植〗鬚根。§ ～ **óptics** 光學纖維。

fi·ber·board [ˋfaɪbɚ,bord] *n.* Ⓒ 纖維板。

fi·ber·glass [ˋfaɪbɚ,glæs] *n.* Ⓤ 玻璃纖維。

fi·ber-op·tic [ˋfaɪbɚˋɑptɪk] *adj.* 纖維光學的。

fi·bril [ˋfaɪbrəl] *n.* Ⓒ 原纖維；纖絲。

fi·brin [ˋfaɪbrɪn] *n.* Ⓤ ①〖生理〗纖維蛋白；纖維素。②〖植〗麩質。

fi·broid [ˋfaɪbrɔɪd] *adj.* 纖維性的。

fi·bro·ma [faɪˋbromə] *n.* Ⓒ (*pl.* ～**s,** ～**ta** [～tə])〖醫〗纖維瘤。

fi·brous [ˋfaɪbrəs] *adj.* (有)纖維的；纖維狀的。— **ly,** *adv.* — **ness,** *n.*

fib·u·la [ˋfɪbjələ] *n.* Ⓒ (*pl.* **-lae** [-,li], ～**s**)〖解〗腓骨。

fick·le [ˋfɪkḷ] *adj.* 多變的；不專的。

***fic·tion** [ˋfɪkʃən] *n.*① Ⓤ 小說。② Ⓤ 想像；杜撰。③ Ⓒ 杜撰的故事。④ Ⓒ 〖法律〗假定；擬制。— **al,** *adj.*

fic·tion·al·ize [ˋfɪkʃənḷ,aɪz] *v.t.* 使…小說化。

fic·ti·tious [fɪkˋtɪʃəs] *adj.*①虛構的；假想的。②佯裝的；僞裝的。§ ～ **pérson** 〖法律〗法人。

fic·tive [ˋfɪktɪv] *adj.*①小說(創作)的。②想像的；虛構的；無稽的。— **ly,** *adv.*

fid·dle [ˋfɪdḷ] *n.* Ⓒ 〖俗〗小提琴。*be as fit as a* ～ 神采奕奕的。*play first* ～ 領頭。*play second* ～ 居次位。— *v.t.* ①〖俗〗(用小提琴)演奏。②虛度(光陰)。— *v.i.*①〖俗〗拉小提琴。②閑蕩。

fid·dler [ˋfɪdlɚ] *n.* Ⓒ ①小提琴手。②玩忽者；虛擲光陰者。

fid·dle·stick [ˋfɪdḷ,stɪk] *n.* Ⓒ ①小提琴的弓。②無聊事。③無價值之物。

fid·dle·sticks [ˋfɪdḷ,stɪks] *interj.* 胡說！瞎扯！

fid·dling [ˋfɪdlɪŋ] *adj.*①作無謂之事的；瑣細的；無用的；無益的。②演奏提琴的。— *n.* Ⓤ 演奏提琴。

***fi·del·i·ty** [faɪˋdɛlətɪ, fə-] *n.* Ⓤ ①忠貞；忠誠；節操。②盡職。③精確；正確；翔實。④〖無線〗傳眞性。

fidg·et [ˋfɪdʒɪt] *v.i.* 不停地動；煩躁；坐立不安。— *v.t.* 使不安。— *n.* Ⓒ ①煩躁不安。②坐立不安的人。— **y,** *adj.*

fi·du·ci·ar·y [fɪˋduʃɪ,ɛrɪ, -ˋdju-] *adj.*①受託領管的；受託人的；信託的。②信用發行的。— *n.* Ⓒ 受託者。

fie [faɪ] *interj.* 呸！咄！(表厭惡、輕蔑)。

fief [fif] *n.* Ⓒ 領地；封土；采邑。

‡**field** [fild] *n.*① Ⓒ 田地；田野。② Ⓒ 場地；運動場。③ Ⓒ 產地；(煤、油)田。④ Ⓒ 戰場；戰役。⑤ Ⓒ 範圍；領域。⑥ Ⓒ 〖理〗場(如磁場等)。⑦ Ⓒ 視界；視域。⑧ Ⓒ (海、天、冰等)廣濶一片。⑨ Ⓒ (畫等的)底；畫面。⑩ Ⓒ (電視中的)畫面。⑪ Ⓒ 活動場；舞臺。⑫ Ⓤ (集合稱)參加比賽者。*fair* ～ *and no favor* 公平無私。*hold the* ～ 堅守陣地。*in the* ～ **a.**實地。**b.**在某一行中。*take the* ～ 開戰；開賽。— *v.t.* ①〖棒球〗接(球)；截(球)。②送到戰場[競賽場]。§ ～ **artìllery**〖軍〗野砲；野戰砲兵。～ **dày** (1)運動比賽日。(2)〖軍〗野外演習日。(3)有重大事件的日子。～

evènt 田賽項目。~ glàss(es) 雙眼望遠鏡。~ gùn〖軍〗野砲。~ hòspital 野戰醫院。~ màrshal〖英〗陸軍元帥。~ òfficer 陸軍校級軍官。~ spòrts (1)戶外運動。(2)田賽。~ trìp (學生的)實地考察旅行。

field·er [ˋfildɚ] *n.* Ⓒ〖棒球, 板球〗守場員; 外野手。

field·piece [ˋfild,pis] *n.* Ⓒ 野戰砲(=field gun).

field-strip [ˋfild,strɪp] *v.t.* (-pp-) 拆卸(武器)以做清理、檢修。

field-test [ˋfild,tɛst] *v.t.* 作現場試驗。

field·work [ˋfild,wɝk] *n.*① Ⓤ (亦作 **field work**)野外調查工作。② Ⓒ〖軍〗野戰工事。

fiend [find] *n.* ① Ⓒ 惡魔。② Ⓒ 窮兇極惡的人。③ Ⓒ〖俗〗…迷; 狂。④ Ⓒ 傑出人才。⑤(the F-)魔鬼; 撒旦。—**ish,** *adj.*

‡**fierce** [fɪrs] *adj.*①兇猛的。②猛烈的。③〖俚〗很壞的。—**ly,** *adv.* —**ness,** *n.*

***fier·y** [ˋfaɪrɪ, ˋfaɪərɪ] *adj.*①火的; 燃燒的。②火紅的。③激情的; 激昂的。④火性的; (馬)烈性的。⑤發炎的。

fi·es·ta [fɪˋɛstə]〖西〗*n.* Ⓒ ①聖徒紀念日。②假日; 慶典。

fife [faɪf] *n.* Ⓒ 橫笛。a drum and ~ band 鼓笛樂隊。— *v.t. & v.i.* 吹橫笛。

FIFO [ˋfaɪ,fo] *n.* first in, first out.(庫存出貨次序)先進先出。

‡**fif·teen** [fɪfˋtin,ˋfɪfˋtin] *n.* Ⓤ Ⓒ 十五; 十五個; 15。— *adj.* 十五(個)的。

‡**fif·teenth** [fɪfˋtinθ] *adj.*①第十五的。②十五分之一的。— *n.* ① Ⓤ (常 the ~)第十五(個)。② Ⓒ 十五分之一。

‡**fifth** [fɪfθ] *adj.*①第五的。②五分之一的。— *n.*① Ⓤ (常 the ~)第五。② Ⓒ 五分之一。§ F~ Ávenue 第五街(紐約鬧街)。~ cólumn 第五縱隊; 奸細; 間諜。~ cólumnist 第五縱隊分子。~ whéel 多餘的事物[人]。—**ly,** *adv.*

***fif·ti·eth** [ˋfɪftɪɪθ] *adj.*① 第五十的。②五十分之一的。— *n.*① Ⓤ (常 the ~)第五十。② Ⓒ 五十分之一。

‡**fif·ty** [ˋfɪftɪ] *n.*① Ⓤ Ⓒ 五十(個)。②(*pl.*)五十到五十九之間。— *adj.* 五十(個)的。

fif·ty-fif·ty [ˋfɪftɪˋfɪftɪ] *adj. & adv.* 〖俗〗五十對五十的[地]。

fig [fɪg] *n.* ① Ⓒ〖植〗無花果(樹)。②(a ~)瑣屑; 少許。③ Ⓒ 表示輕蔑的手勢。*A ~ for...!* (那)有甚麼了不起!

‡**fight** [faɪt] *v.t.* (**fought**) ① 打(仗); 與…戰爭; 使戰鬥。②指揮; 操縱。③作戰取得…。— *v.i.* 戰爭; 打架; 奮鬥。~ *it out* 徹底解決; 一決雌雄。~ *one's way* 打開一條生路。~ *shy of* **a.**迴避。**b.**避免。~ *to a finish* 戰到底; 決勝負。— *n.* ① Ⓒ 戰役; 戰鬥。② Ⓒ 爭論; 爭鬥。③ Ⓤ 戰鬥力; 鬥志。④ Ⓒ 拳擊賽。*put up a good* ~ 奮勇戰鬥。*show* ~ 表示戰意。

***fight·er** [ˋfaɪtɚ] *n.* Ⓒ ①鬥士; 戰士。②職業拳擊手。③戰鬥機。

fight·er-bomb·er [ˋfaɪtɚˋbɑmɚ] *n.* Ⓒ 戰鬥轟炸機。

***fight·ing** [ˋfaɪtɪŋ] *n.* Ⓤ 戰鬥; 開火。§ ~ chánce 經努力而成功的機會。~ cóck (1)鬥雞。(2)好鬥的男子。

fig·ment [ˋfɪgmənt] *n.* Ⓒ 想像的事; 虛構; 無稽之談。

***fig·ur·a·tive** [ˋfɪgjərətɪv] *adj.*①比喻的; 假借的。②象徵的。③多修飾語的; 詞藻富麗的。—**ly,** *adv.* —**ness,** *n.*

‡**fig·ure** [ˋfɪgjɚ, ˋfɪgɚ] *n.* ① Ⓒ (阿拉伯)數字。②(*pl.*)(數字的)計算。③ Ⓒ 形象; 形體; 肖像。④ Ⓒ 圖形; 圖解。⑤ Ⓒ 人物; 名人。⑥ Ⓒ 體態; 風度; 相貌。⑦ Ⓒ 圖畫。⑧ Ⓒ 花式溜冰[舞步]。⑨ Ⓒ 圖案。⑩ Ⓒ 價錢。⑪ Ⓒ 輪廓。⑫ Ⓒ 象徵。⑬ Ⓒ〖修〗借喻。*a ~ of fun* 姿態滑稽的人。*a man of ~* 有聲望的人。*cut* [*make*] *a* (*brilliant, conspicuous*) ~ 露頭角; 放異彩。*cut a poor* [*sorry*] ~ 出醜; 露出可憐相。*cut no ~* 不足道; 算不得數。*~ of speech*〖修〗比喻。*go the whole ~* 徹底行動。*keep one's ~* 保持體態苗條。— *v.t.*①演算。②〖俗〗想; 認為。③用數字表示。④用圖表示。⑤加圖案。— *v.i.*①出名; 露頭角。②演算。~ *as* 扮演…角色。~ *in*〖俗〗**a.**算入。**b.**參加。~ *on* **a.**料想; 估計。**b.**依賴。~ *out* **a.** 演算出來。**b.** 理解。~ *out at* 總計。~ *up* 總計。§ ~ skàting 花式溜冰。

fig·ure·head [ˋfɪgjɚ,hɛd] *n.* Ⓒ ①船頭雕像。②有名無實的首領。

fig·ur·ine [,fɪgjəˋrin] *n.* Ⓒ 小雕像。

Fi·ji [ˋfidʒi] *n.*①斐濟(南太平洋之一國, 首都 Suva)。② Ⓒ 斐濟群島之居民。§ ~ Íslands 斐濟群島。

fil·a·ment [ˋfɪləmənt] *n.* Ⓒ ①細絲; 纖維。②(燈泡的)燈絲。③〖植〗花絲。—**ed,** *adj.* 有細絲的。

fil·bert [ˋfɪlbɚt] *n.* Ⓒ〖植〗榛樹; 榛子。

filch [fɪltʃ] *v.t.*偷竊; 竊取。—**er,** *n.*

***file**[1] [faɪl] *n.* Ⓒ ①卷宗; 公文箱。②案卷。③〖電算〗檔案。④行列。⑤〖軍〗縱隊。*keep on ~* 存檔; 歸檔。— *v.t.*①歸檔; 存檔。②把…排成縱隊前進。③提出; 申請。④〖新聞〗發電報; 發消息。— *v.i.*①列成縱隊行進。②〖美〗登記競選。③申請。§ ~ clèrk 檔案管理員。~ sèrver〖電算〗檔案伺服器。

***file**[2] *n.* Ⓒ 銼子; 銼刀。*bite* [*gnaw*] *a ~* 咬不動; 徒勞。— *v.t.*①用銼子銼。②修整; 精練。

file·fish [ˋfaɪl,fɪʃ] *n.* Ⓒ 魨; 鮭魚。

file·name [ˋfaɪl,nem] *n.* Ⓤ〖電算〗檔名。

fi·let [fɪˋle]〖法〗*n.*① Ⓤ (網格狀)花邊。② Ⓒ 肉片; 魚片(=fillet).

fil·i·al [ˋfɪlɪəl] *adj.* 子女的; 孝順的。

fil·i·bus·ter [ˋfɪlə,bʌstɚ] *n.*①〖美〗**a.** Ⓤ Ⓒ 妨礙議事。**b.** Ⓒ 妨礙[杯葛]議事者。② Ⓒ 未受本國命令而攻擊他國者; 掠奪兵; 海盜。— *v.i. & v.t.*①〖美〗阻礙議事之進行。②(未奉政府命令而)侵略他國。—**er,** *n.*

fil·i·gree [ˋfɪlə,gri] *n.* ① Ⓤ 金銀銅細絲工。② Ⓒ 過於精緻的東西。— *adj.* 飾有金銀絲細工的;作有精美圖案花紋的。

fil·ing[1] [ˋfaɪlɪŋ] *n.* Ⓤ (文件的)裝訂; 彙集。

fil·ing[2] *n.* ① Ⓤ 銼; 銼平。② Ⓒ (常 *pl.*)銼屑; 銼末。

Fil·i·pi·no [,fɪləˋpino] *n.* Ⓒ (*pl.*

~s)菲律賓人。— *adj.* 菲律賓的。

‡**fill** [fɪl] *v.t.* ①使滿；塡充；塞。②瀰漫；充滿；普及。③使滿足；使飽。④供應(貨物)。⑤塡(空)；補(缺)。⑥任職；補缺。— *v.i.* 滿；充滿。~ ***in*** **a.** 塡寫。**b.**塡滿。**c.**補缺。~ ***out*** **a.**塡好。**b.**脹滿；膨脹。**c.**使更完全；使內容更爲充實。~ ***the bill*** 滿足需要；合格。~ ***up*** 塡好；塡滿；答好。— *n.*①Ⓒ 塡塞物；塡料。②(one's ~)盡量；盡情。

fill·er [ˋfɪlɚ] *n.*① Ⓒ 塡裝之人[物]。②Ⓒ 塡塞物。③Ⓤ〖新聞〗補白(資料)。

fil·let [ˋfɪlɪt] *n.* Ⓒ ①束髮帶；細帶。②肉片；魚片。— *v.t.*①以帶束結。②切(魚、肉)成片。

fill-in [ˋfɪl,ɪn] *n.* Ⓒ ①替工；臨時塡補物。②摘要。③在等待時間所作之消遣。

fill·ing [ˋfɪlɪŋ] *n.* ⓊⒸ ①供塡塞用之物。②(織品的)緯紗。③塡充；充滿。§ ~ **stàtion** 汽車加油站。

fil·lip [ˋfɪləp] *v.t.* ①以指頭彈。②將…彈出去。③激動；刺激。— *v.i.* 彈指。— *n.* Ⓒ ①彈指。②刺激物；興奮物。***not worth a*** ~ 毫不足取。

fil·ly [ˋfɪlɪ] *n.* Ⓒ ①小雌馬。②〖俗〗活潑的小女孩。

‡**film** [fɪlm] *n.* ① Ⓤ (又作 a ~)薄膜；薄層。② ⓊⒸ 軟片；膠捲。③ Ⓒ 電影；影片。— *v.t. & v.i.* ①起一層薄膜。②適於上鏡頭。③拍電影。§ ~ **premìere** 影片首映。~ **stàr** 電影明星。

film·goer [ˋfɪlm,goɚ] *n.* Ⓒ〖英〗常看電影的人；電影迷。

film-mak·er [ˋfɪlm,mekɚ] *n.* Ⓒ ①(電影之)製作人；製片家；導演。②(照片之)軟片製作者。「片。」

film·strip [ˋfɪlm,strɪp] *n.* ⓊⒸ 幻燈

film·y [ˋfɪlmɪ] *adj.*①薄膜的；如薄膜的；極薄的。②覆有薄膜的；朦朧的。

***fil·ter** [ˋfɪltɚ] *n.* Ⓒ ①過濾器。②過濾材料。③〖電〗濾波器；(照相機之)濾光鏡。— *v.t.* 過濾。— *v.i.* ①滲入。②漏過；濾過。§ ~ **bèd** 濾水池。~ **pàper** 濾紙。~ **tìp** (1)濾嘴。(2)濾嘴香煙。

filth [fɪlθ] *n.* Ⓤ ①骯髒；污物。②醜行；猥褻語。

filth·y [ˋfɪlθɪ] *adj.*①污穢的。②醜惡的。③猥褻的。— **filth'i·ly,** *adv.*

fil·trate [ˋfɪltret] *v.t. & v.i.* 過濾。

fil·tra·tion [fɪlˋtreʃən] *n.* Ⓤ 過濾。

fin [fɪn] *n.* Ⓒ ①鰭。②鰭狀物。③〖空〗(飛機的)安定翼。

Fin. Finland; Finnish.

fi·nal** [ˋfaɪnḷ] *adj.*①最後的。②確定的。③〖文法〗表示目的的。— *n.* Ⓒ (常 *pl.*)期末考試；決賽。take one's*** ~***(s)*** 參加大考[決賽]。— **ist,** *n.*

fi·na·le [fɪˋnɑlɪ] *n.* Ⓒ ①樂曲[戲劇]的最後部分；最後一幕。②結局。

fi·nal·i·ty [faɪˋnælətɪ] *n.* ① Ⓤ 結局；最後；定局。② Ⓒ 最後的事物；最後的言行。「定。」

fi·na·lize [ˋfaɪnḷ,aɪz] *v.t.*完成；核

***fi·nal·ly** [ˋfaɪnḷɪ] *adv.*①最後地；最後一點。②決定地。③終於。

***fi·nance** [fəˋnæns, ˋfaɪnæns] *n.*① Ⓤ 財政；財務；財政學。②(*pl.*)財源；歲入；基金。— *v.t.* ①供以經費。②讓…賒帳。— *v.i.* 掌財政。

***fi·nan·cial** [fəˋnænʃəl, faɪ-] *adj.*財政的；財務的；金融的。§ ~ **yéar**〖英〗會計年度(＝〖美〗fiscal year). — **ly,** *adv.*

fin·an·cier [,fɪnənˋsɪr] *n.* Ⓒ ①財政家。②資本家；金融業者。

finch [fɪntʃ] *n.* Ⓒ 雀科鳴禽(如燕雀)。

‡**find** [faɪnd] *v.t.* (**found**) ①發現；找尋。②拾得；看見。③得到。④覺得；感覺。⑤發覺；探知；獲知。⑥判定；認定。⑦達於；自然成爲。⑧供給。— *v.i.*①(陪審團)作出裁決。②〖英〗打獵時發現獵物。~ ***it in one's heart*** 忍心(主要用於疑問句及否定句)。~ ***oneself*** 自知；發現自己的能力。~ ***one's feet*** **a.** 能站立與走路。**b.** 能獨立行動。~ ***one's way*** 到達。~ ***out*** 查出來；揭露；顯示。— *n.* Ⓒ ①發現。②發現物。

find·er [ˋfaɪndɚ] *n.* Ⓒ ①發現者。②(望遠鏡、顯微鏡或照相機上的)取景器。

fin de siè·cle [fæ̃dəˋsjɛkl]〖法〗*n.* (the ~) (十九)世紀末。— *adj.*世紀末的；頹廢的；委靡的。

***find·ing** [ˋfaɪndɪŋ] *n.*① Ⓤ 發現。② Ⓒ (常 *pl.*)發現物；心得。③ Ⓒ (常 *pl.*)判決；判定；結論。

‡**fine**[1] [faɪn] *adj.* ①優美的。②纖細的。③純的。④(布疋等)細密的；細緻的。⑤精細的。~ arts 美術。⑥晴朗的。⑦銳利的。⑧優雅的。⑨(衣服等)華麗的。⑩健康的。⑪(文章等)華而不實的。⑫美貌的；英俊的。⑬非常的。⑭(選手等)訓練有素的。— *adv.*〖俗〗很好地；優美地。— *v.t.* 使更精美；精鍊；澄清；使精細。— *v.i.* 變精美；變純良；變精細；澄清。— **ly,** *adj.*

fine**[2] *n.* Ⓒ 罰鍰；罰金。in*** ~ **a.**最後。**b.**總而言之。— *v.t.* 處以罰金。

fi·ne[3] [ˋfine]〖義〗*n.* Ⓒ〖樂〗終結。

fin·er·y [ˋfaɪnərɪ] *n.* Ⓤ 華麗的衣服、裝飾品等。

fine·spun [ˋfaɪnˋspʌn] *adj.*① 細紡的；纖細的。②不切實際的；微妙的。

fi·nesse [fəˋnɛs] *n.* Ⓤ ①技巧。②詭謀；策略。③〖橋牌〗偷牌。— *v.i. & v.t.* ①運用策略；施巧計。②〖橋牌〗偷牌。

‡**fin·ger** [ˋfɪŋgɚ] *n.* Ⓒ ①手指(常將大拇指除外)。②指狀物。③手指之寬度(¾英寸)。④手指之長度(4½英寸)。⑤關係；參與。***burn one's*** ~***s*** 多管閒事而自尋煩惱。***have a*** ~ ***in the pie*** **a.**參與。**b.**管閒事；干涉。***have (a subject) at one's*** ~***s' ends*** 精通。***keep [have] one's*** ~***s crossed*** 希望成功；祝好運。***lay a*** ~ ***on*** 傷害。***lay [put] one's*** ~ ***on*** **a.**明指。**b.**發現。***not lift a*** ~ 不採取任何行動。***One's*** ~***s are all thumbs.*** 某人笨手笨腳。***twist [turn] around one's little*** ~ 玩弄於股掌之上。— *v.t.* ①以手指摸[試]。②偷。③以手指彈奏(樂器)。④以某種指法彈奏。— *v.i.* ①以指撫摸。②用指彈。§ ~ **lànguage** 手語。~ **màrk** 指紋；指痕。~ **pàinting** 指畫(法)。~ **pôst** 指標；指南。

F

fin·ger·ing [ˋfɪŋgərɪŋ] *n.* Ⓤ ①指觸；撫弄。②〖樂〗指法(記號)。

fin·ger·nail [ˋfɪŋgɚ,nel] *n.* Ⓒ 手指甲。

fin·ger·print [ˋfɪŋgɚ,prɪnt] *n.* Ⓒ 指紋。— *v.t.* 取…之指紋。

fin·ger·tip [ˋfɪŋgɚ,tɪp] *n.* Ⓒ ①指尖；指頭。②保護指尖之物。*have ... at one's ~s* **a.**有…在手頭(即可使用)。**b.**與…熟悉；精通。*to one's [the] ~s* 完全地；充分地。

fin·i·al [ˋfɪnɪəl, ˋfaɪnɪəl] *n.* Ⓒ①〖建〗頂尖。②最高點。

fin·i·cal [ˋfɪnɪkl] *adj.* 過於講究細節的；苛求的；吹毛求疵的。

fin·ick·y [ˋfɪnɪkɪ] *adj.* = **finical.**

fin·is [ˋfɪnɪs] 〖拉〗*n.* Ⓤ 終；完；結束。

‡**fin·ish** [ˋfɪnɪʃ] *v.t.*①結束；完成。②用盡；吃完。③〖俚〗毀掉；殺；累死。④〖俗〗徹底征服；壓服。⑤修飾。⑥完成…之教育。— *v.i.* ①結束；終止。②完成。~ *off* **a.**結束；用完。**b.**毀掉；殺死。~ *up* **a.**完成；結束。**b.**用盡。~ *with* **a.**完成。**b.**斷交；絕交。— *n.* Ⓤ①終止；結束。②(又作a ~)最後一層塗飾。*be in at the ~* 目睹最後一幕。§~ **lìne** (賽跑的)終點線。

fi·nite [ˋfaɪnaɪt] *adj.* 有限的。~ verbs 限定動詞。

fink [fɪŋk] *n.* Ⓒ〖美俚〗①告密者。②破壞罷工者。

Fin·land [ˋfɪnlənd] *n.*芬蘭(北歐一國, 首都 Helsinki)。

Finn [fɪn] *n.* Ⓒ 芬蘭人。—**ic,** *adj.*

Finn·ish [ˋfɪnɪʃ] *adj.* 芬蘭(人, 語)的。— *n.* Ⓤ 芬蘭語。

fin·ny [ˋfɪnɪ] *adj.* ①有鰭的；鰭狀的。②多魚的。

fiord [fjord, fjɔrd] *n.* Ⓒ 峽灣。

fir [fɝ] *n.* ①Ⓒ 樅樹。②Ⓤ 樅木。

‡**fire** [faɪr] *n.* ①Ⓤ 火。②Ⓒ 爐火。③ⓊⒸ 火災。④Ⓤ 火光；閃光；光輝。⑤Ⓤ 熱情。⑥Ⓤ 劇痛；高熱；發炎。⑦Ⓒ(常 *pl.*)〖古〗磨難；苦難。⑧Ⓤ 砲火。*between two ~s* 兩面受敵。*catch [take] ~*著火。*go through ~ and water* 赴湯蹈火。*lay a ~*堆起燃料(準備生火)。*make a ~*生火。*miss ~* **a.**(槍砲)打不響。**b.**失敗。*on ~* 失火；在燃燒中。*open ~*開火；著手。*play with ~* 玩火；做危險之事。*set ~ to*放火。*set on ~* 放火焚燒。*set the Thames on ~* 做驚人之事。*There's no smoke without ~.* 無風不起浪。*under ~* **a.** 在砲火下。**b.**遭受抨擊。— *v.t.* ①點燃；使燃燒。②加添燃料。③燒…使乾。④激起。⑤拋；投；擲。⑥放(槍)；開(火)。⑦〖俗〗解職；辭退。— *v.i.* ①燃燒；起火。②開槍。③如火般發光。④激動。⑤射擊。~ *at [on]* 對…開槍。~ *away* **a.** 繼續開槍。**b.**〖俚〗繼續提出問題。~ *off* 發射(子彈)。~ *up* **a.**(給鍋爐等)生火。**b.**發怒。**c.**發動(機器)。§~ **alàrm** (1)火警警報。(2)火警警報器。~ **brigàde** 救火隊；消防隊。~ **clày** 火泥；耐火黏土。~ **còmpany** (1)消防隊。(2)〖英〗火災保險公司。~ **depàrtment** 消防隊(全體隊員)。~ **drìll** 消防訓練；消防演習。~ **èngine** 消防車。~ **escàpe** 太平梯；雲梯。~ **èxit** 太平門。~ **extìnguisher** 滅火器。~ **fìghter** 〖美〗消防隊員。~ **insùrance** 火險。~ **pòwer**〖軍〗火力。~ **sàle** 〖美〗火災品大拍賣。~ **stàtion** 消防站。~ **stèp** 〖軍〗塹壕內供射擊用之踏臺。~ **wàll** 〖建〗防火牆。

fire·arm [ˋfaɪr,ɑrm] *n.* Ⓒ (常 *pl.*)火器；輕武器(短槍等)。

fire·ball [ˋfaɪr,bɔl] *n.* Ⓒ①似火球之物。②大流星。③燒夷彈。④精力充沛的人。⑤〖棒球〗快速球。

fire·bomb [ˋfaɪr,bɑm] *n.* Ⓒ 燒夷彈。

fire·box [ˋfaɪr,bɑks] *n.* Ⓒ (火車頭等之)燃燒室。

fire·brand [ˋfaɪr,brænd] *n.* Ⓒ①燃燒的木柴；火把。②放火者；煽動者。

fire·break [ˋfaɪr,brek] *n.* Ⓒ (森林中或草原上之)防火線。

fire·brick [ˋfaɪr,brɪk] *n.* Ⓒ 耐火磚。

fire·bug [ˋfaɪr,bʌg] *n.* Ⓒ〖美俗〗放火犯；縱火犯。

fire·crack·er [ˋfaɪr,krækɚ] *n.* Ⓒ 爆竹；鞭炮。

fire·damp [ˋfaɪr,dæmp] *n.* Ⓤ (礦坑內之)甲烷；沼氣。

fire·dog [ˋfaɪr,dɔg] *n.* Ⓒ (爐之)薪架。

fire·fly [ˋfaɪr,flaɪ] *n.* Ⓒ 螢火蟲。

fire·guard [ˋfaɪr,gɑrd] *n.* Ⓒ ①爐欄。②防火巷。

fire·light [ˋfaɪr,laɪt] *n.* Ⓤ 火光。

***fire·man** [ˋfaɪrmən] *n.* Ⓒ (*pl.* **-men**) ①消防隊員。②火伕；管鍋爐者。③火車司爐。

***fire·place** [ˋfaɪr,ples] *n.* Ⓒ 壁爐。

fire·plug [ˋfaɪr,plʌg] *n.* Ⓒ 消防栓。

fire·proof [ˋfaɪrˋpruf] *adj.*防火的；耐火的。— *v.t.* 裝防火設備；使防火。

fire·side [ˋfaɪr,saɪd] *n.* Ⓒ (常 the ~)①爐邊。②家庭(生活)。

fire·trap [ˋfaɪr,træp] *n.* Ⓒ①無太平門的建築物。②易失火之建築物。

fire·wood [ˋfaɪr,wʊd] *n.* Ⓤ 柴薪。

fire·works [ˋfaɪr,wɝks] *n. pl.*①(作 *sing.*解)煙火。②激烈爭論。

fir·ing [ˋfaɪrɪŋ] *n.* Ⓤ ①焙燒；燒製。②用火；生火。③開砲；發射。④燃料；煤；薪。§~ **lìne** (1)火線；陣線；戰線。(2)火線上的士兵。(3)(活動的)第一線。~ **pàrty [squàd]** (1)喪禮時之禮砲隊。(2)執行死刑之射擊隊。~ **pìn**〖軍〗撞針。~ **rànge** 試射場；靶場。~ **stèp**=fire step.

‡**firm**[1] [fɝm] *adj.*①堅固的；堅硬的。②牢固的；穩固的。③堅定的；堅強的。④健康的；健全的。⑤(物價等)穩定的。*be as ~ as a rock* 穩如磐石。*be on ~ ground* 立腳點穩固。— *v.t.* 使堅固；使堅定。— *v.i.* ①變堅固；變堅定。②(物價等)回升。— *adv.* 堅定地。

***firm**[2] *n.* Ⓒ 商店；公司。

fir·ma·ment [ˋfɝməmənt] *n.* (the ~)蒼天；穹蒼。

***firm·ly** [ˋfɝmlɪ] *adv.* ①堅定地；穩固地。②斷然地；堅決地。

firm·ness [ˋfɝmnɪs] *n.* Ⓤ 穩固；堅強；堅牢。

firm·ware [ˋfɜm,wɛr] *n.* Ⓤ〖電算〗韌體(電腦硬體及軟體間的構成部分)。

‡**first** [fɜst] *adj.* ①第一的；最先的。②最重要的；首要的。③最微小的。④〖樂〗最高音的。***at* ～ *hand*** 直接地。***at* ～ *sight*[*view*]** 乍看之下。**～ *thing*** 立即。***in the* ～ *place*** 首先。**—** *n.*① Ⓤ(常 the ～)第一個；(月之)一日。② Ⓤ(比賽中之)冠軍；首名。③(the ～)開始；起首。④(*pl.*)一級品；上品。***at* ～** 最初；起初。***from* ～ *to last*** 自始至終。***from the* ～** 從開始起。**—** *adv.* ①首先地；最初地。②寧願。**～ *and last*** 總而言之；畢竟。**～ *of all*** 首先。**～ *off*** 馬上。**～ *or last*** 早晚。§ **～ àid** 急救。**～ báse** (通常無冠詞)〖棒球〗一壘。* **～ cláss** 第一流；第一級。**～ fínger** 食指。**～ frúits** (1)初結果實。(2)初次收益。**～ lády**〖美〗總統夫人；第一夫人。**～ lieuténant** (陸、空、陸戰隊)中尉。**～ náme**(姓名中之)名。**～ níght** (戲劇等之)首演。**—ly,** *adv.*

first·born [ˋfɜstˋbɔrn] *adj.*最先出生的；最年長的。**—** *n.* Ⓒ長子；長女。

*__first-class__ [ˋfɜstˋklæs] *adj.* (車廂等)頭等的；上等的。

first-de·gree [ˋfɜstdɪˋgri] *adj.*初級的；一級的。～ burn 初級灼傷。

first·hand, first-hand [ˋfɜstˋhænd] *adj.*直接的；第一手的。～ information 第一手資料。**—** *adv.* 直接地。

first·ling [ˋfɜstlɪŋ] *n.* Ⓒ (常 *pl.*)①(一類事物中之)最先者。②初產品；最初之結果。③〖動〗初產的幼畜。

first-night·er [ˋfɜstˋnaɪtɚ] *n.* Ⓒ 經常看(戲劇)首演的人；搶頭場的人。

first-rate [ˋfɜstˋret] *adj.* ①第一流的；最佳的。②〖俗〗很好的；極佳的。**—** *adv.* 〖俗〗很好地；極佳地。

first-run [ˋfɜstˋrʌn] *adj.*①(影片)首輪的。②專映首輪影片的。

firth [fɜθ] *n.* Ⓒ (尤指蘇格蘭境內之)窄狹的海灣；(江、河)入海口。

*__fis·cal__ [ˋfɪskl] *adj.*①國庫的。②財政的；會計的。§ **～ yéar**〖美〗會計年度。

‡**fish** [fɪʃ] *n.* (*pl.* **～es,**(集合稱)～)① Ⓒ 魚；魚類。② Ⓤ 魚肉。③ Ⓒ〖俚〗人。***drink like a* ～** 牛飲。***feel like a* ～ *out of water*** 覺得侷促不安；覺得情勢危急。***make* ～ *of one and flesh* [*fowl*] *of another*** 厚此薄彼。***have other* ～ *to fry*** 另有要事。**—** *v.t.* & *v.i.* ①釣魚；捕魚。②探求〔for〕。③企圖以詐術取得。**～ *in troubled waters*** 混水摸魚；趁火打劫。**～ *or cut bait*** 決定取捨。**～ *out*** 捕盡…中的魚。§ **～ fàrm** 魚塭；養魚場。**～ hàwk**〖鳥〗鶚。**～ stòry**〖俗〗大話；荒誕的故事。

fish·bowl [ˋfɪʃ,bol] *n.* Ⓒ ①金魚缸。②毫無遮蔽的地方。

fish·er [ˋfɪʃɚ] *n.* ① Ⓒ 漁夫；漁船(=fisherman)。② Ⓒ〖動〗食魚貂。③ Ⓤ 食魚貂毛皮。

*__fish·er·man__ [ˋfɪʃɚmən] *n.* Ⓒ (*pl.* **-men**)①漁夫。②漁船。

fish·er·y [ˋfɪʃərɪ] *n.*① Ⓒ (常 *pl.*)漁場。② Ⓤ 漁業。

fish·hook [ˋfɪʃ,hʊk, ˋfɪʃʊk] *n.* Ⓒ 釣魚鉤。

*__fish·ing__ [ˋfɪʃɪŋ] *n.*① Ⓤ 捕魚；釣魚。② Ⓒ 漁場。③ Ⓤ 捕魚權。§ **～ bànks** 淺水漁場。**～ bòat** 漁船。**～ gròund** 漁場。**～ lìne** 釣絲。**～ ròd** 釣竿。**～ tàckle** 釣具。**～ wòrm** 作魚餌之蟲。

fish·mon·ger [ˋfɪʃ,mʌŋgɚ] *n.* Ⓒ〖英〗魚商；魚販。

fish·pond [ˋfɪʃ,pɑnd] *n.* Ⓒ 養魚池。

fish·wife [ˋfɪʃ,waɪf] *n.* Ⓒ (*pl.* **-wives**) ①女魚販。②說話粗野的女人。

fish·y [ˋfɪʃɪ] *adj.*①魚腥味的；似魚的。②魚的。③多魚的。④〖俗〗可疑的。

fis·sion [ˋfɪʃən] *n.* Ⓤ ①分裂。②〖生物〗分裂生殖法。③〖理〗原子核分裂。§ **～ bòmb** 原子彈。

fis·sion·a·ble [ˋfɪʃənəbl] *adj.* (特指原子核)可分裂的。

fis·sure [ˋfɪʃɚ] *n.* Ⓒ ①裂縫。②裂開；分裂。**—** *v.t.* 使裂開；使生裂縫。**—** *v.i.* 裂開；分裂。

*__fist__ [fɪst] *n.* Ⓒ ①拳；拳頭。②〖俗〗手。③〖俗〗筆跡；手寫物。④〖印刷〗手形指標。**—** *v.t.* ①將(手)握成拳頭。②緊握。

fist·ic [ˋfɪstɪk] *adj.* 〖俗〗拳擊的。

fist·i·cuff [ˋfɪstɪ,kʌf] *n.* Ⓒ (常 *pl.*) 互毆；亂鬥。

‡**fit**[1] [fɪt] *v.i.* (**-tt-**)①合適；合宜。②預備。**—** *v.t.* ①適合於。②安裝；裝備。③使適應。**～ (*something*) *in*** 裝配好；湊配。**～ *in with*** 相合。**～ (*something*) *on*** 試穿。**～ *out*** 裝備；準備。**～*up*** 佈置；設備。**—** *adj.* (**-tt-**) ①合適的；適宜的。②對的；適當的。③準備妥當的。④〖俗〗幾乎要；就快要。⑤健康的。**—** *n.* ① Ⓤ 適合；適宜。② Ⓒ 適合之物。The coat is a good ～. 這衣服很合身。***see*[*think*]～** 決定。**—ness,** *n.* * **—ed,** *adj.*

*__fit__[2] *n.* Ⓒ①(病)發作；一陣。a ～ of coughing 一陣咳嗽。②(感情的)激發。***by* ～*s and starts*** 一陣陣地；不規則地。***give* (*a person*) *a* ～ [～*s*]**〖俗〗使(某人)大吃一驚或大怒。***have a* ～**〖俗〗大吃一驚；大怒。***when the* ～ *is on one*** 興之所至。

fit·ful [ˋfɪtfəl] *adj.* 斷斷續續的；一陣陣的。

fit·ter [ˋfɪtɚ] *n.* Ⓒ ①適合者；裝配者。②試樣裁縫師。

fit·ting [ˋfɪtɪŋ] *adj.* 適當的。**—** *n.* Ⓒ ①試穿。②(常*pl.*)設備；家具。**—ly,** *adv.*

‡**five** [faɪv] *n.* ① Ⓤ Ⓒ 五；5。② Ⓒ 五人籃球隊。③ Ⓒ 五個一組之物。**—** *adj.* 五(個)的。

five·fold [ˋfaɪvˋfold] *adj.* & *adv.* 五倍的[地]；五重的[地]。

fiv·er [ˋfaɪvɚ] *n.* Ⓒ〖俚〗①美國之五元鈔票。②英國之五鎊鈔票。

five-star [ˋfaɪvˋstɑr] *adj.*①五星的。②最高級的；第一流的。

‡**fix** [fɪks] *v.t.*①使穩固；使固定；縛緊；釘牢。②歸(咎)；委過；寄(希望)於。③安排；決定。④整理；修理。⑤注視；專心於。⑥吸引。⑦使(顏色等)持久不變。⑧〖攝〗定(影)。⑨作弊；賄賂。⑩

〖俗〗報復。— *v.i.* ①固定；穩固。②安定。③準備。④定居。～ *on*[*upon*]決定；選擇。～ *up* **a.**預備；安排。**b.**修理。**c.**和解；解決。**d.**打扮妥當。— *n.* ①Ⓒ(常 a ～)困境。②Ⓒ定位。③(a ～)〖俚〗賄賂。— **fix·a′tion,** *n.*

fix·a·tive [ˋfɪksətɪv] *adj.*①固定的。②防止褪色的。— *n.*ⓊⒸ①〖攝〗定影劑[液]。②〖染色〗定色劑；媒染劑。

***fixed** [fɪkst] *adj.*①固定的；一定的。②買通的。③僵硬的；直挺挺的。— **fix·ed·ly** [ˋfɪksɪdlɪ], *adv.*

fix·ing [ˋfɪksɪŋ] *n.* ①Ⓤ固定。②Ⓤ修理。③(*pl.*)〖美俗〗設備。

fix·i·ty [ˋfɪksətɪ] *n.* Ⓤ固定；穩定。

fix·ture [ˋfɪkstʃɚ] *n.* Ⓒ①裝置物；設備。②固定一職之人。③(日期確定的)運動會；運動項目。

fizz, fiz [fɪz] *v.i.* (**-zz-**)作嘶嘶聲。— *n.*①(a ～)嘶嘶聲。②ⓊⒸ發泡性飲料(如汽水)。

fiz·zle [ˋfɪzl] *v.i.* ①發微弱的嘶嘶聲。②〖俗〗失敗。～ *out* 結果失敗。— *n.* Ⓒ①嘶嘶聲。②〖俗〗失敗。

fjord [fjɔrd] *n.*=**fiord.**

flab [flæb] *n.* Ⓤ(身體的)贅肉。

flab·ber·gast [ˋflæbɚ͵gæst] *v.t.* 〖俗〗使大吃一驚；使發愣。

flab·by [ˋflæbɪ] *adj.*①鬆軟的；弱的。②肌肉鬆弛的。③薄弱的。— **flab′bi·ly,** *adv.* — **flab′bi·ness,** *n.*

flac·cid [ˋflæksɪd] *adj.* 軟弱的；鬆弛的；沒氣力的。— **ly,** *adv.* — **ness,** *n.*

‡**flag**[1] [flæg] *n.* ①Ⓒ旗幟；國旗。②Ⓒ旗狀物。③(*pl.*)鳥羽；鳥腿下半之茸毛。*strike the* [*one's*]～ **a.**(船長之)解職。**b.**投降。— *v.t.*(**-gg-**)①打旗號；打手勢〔有時down〕。②懸旗點綴。§ **F- Dày** (1)〖美〗國旗紀念日(六月十四日)。(2)(f- d-)〖英〗售旗募捐日。∠ **òfficer**海軍將官；艦隊司令。∠ **stàtion** [**stòp**]〖美〗信號停車站(見信號才停車的小站)。

flag[2] *n.* Ⓒ菖蒲；香蒲；其葉或花。

flag[3] *n.* Ⓒ(鋪路用之)大石板。

flag[4] *v.i.* (**-gg-**)①消沉；衰退。②枯萎。

flag·el·late [ˋflædʒə͵let] *v.t.*鞭打。

fla·gel·lum [fləˋdʒɛləm] *n.* Ⓒ(*pl.* **～s, -la** [-lə])①鞭子。②〖生物〗鞭毛。③〖植〗匍匐莖。

flag·eo·let [͵flædʒəˋlɛt] *n.* Ⓒ哨笛(管樂器)。

flag·ging[1] [ˋflægɪŋ] *n.* ①Ⓤ(集合稱)鋪路用之石板。②Ⓒ石板路。

flag·ging[2] *adj.*萎弱的；萎垂的。

flag·man [ˋflægmən] *n.* Ⓒ(*pl.* **-men**)①執旗者；旗手。②信號旗手。

flag·on [ˋflægən] *n.* Ⓒ①具有把手、壺蓋之細頸壺。②大肚酒壺。

flag·pole [ˋflæg͵pol] *n.* Ⓒ旗竿。

fla·grant [ˋflegrənt] *adj.*①窮兇極惡的。②至爲明顯的。— **fla′gran·cy,** *n.*

flag·ship [ˋflæg͵ʃɪp] *n.* Ⓒ旗艦。

flag·staff [ˋflæg͵stæf] *n.* Ⓒ旗杆。

flag·stone [ˋflæg͵ston] *n.* ①Ⓒ(鋪路用的)大石板。②(*pl.*)用大石板鋪的路。

flag-wav·ing [ˋflæg͵wevɪŋ] *n.* Ⓤ(激發強烈愛國心等之)搖旗吶喊。

flail [flel] *n.* Ⓒ 連枷(舊式打穀具)。— *v.t.* 用連枷打；敲擊。

flair [flɛr] *n.* Ⓤ①敏銳的覺察力[鑑別力，眼光]。②天賦；本領。

flak [flæk] *n.* Ⓤ①高射砲(火)。②抨擊；責難。§ ∠ **jàcket** [**vèst**] 防彈夾克[背心]。

***flake** [flek] *n.* Ⓒ①薄片；雪片。～*s* of snow 雪片。②薄薄一片[層]。— *v.i.* 成片剝落(如石塊)；(雪片般)飄落。— *v.t.* ①使成片剝落。②以薄片遮蓋。

flak·y [ˋflekɪ] *adj.*①薄片的；成片的。②易成片剝落的。

flam [flæm] *n.* ⓊⒸ〖俚〗謊話；虛僞。— *v.t.* & *v.i.*(**-mm-**)欺騙；詐僞。

flam·bé [flɑmˋbe] 〖法〗*adj.* & *n.* Ⓤ在食物上面澆酒點燃後端出的(食物)。

flam·beau [ˋflæmbo] *n.* Ⓒ(*pl.* **～x** [～z], **～s**)①火炬。②彩飾之大燭臺。

flam·boy·ant [flæmˋbɔɪənt] *adj.* ①燦爛的。②火焰式的。③誇張的；虛飾的。— **flam·boy′ance,** *n.*

‡**flame** [flem] *n.* ①Ⓤ(常*pl.*)火焰；燃燒。②Ⓒ火焰似的光芒。③Ⓒ激情；熱情。④Ⓒ(常 old ～)〖俗〗情人；愛人。⑤Ⓒ〖電算〗嘲弄、猥褻的電子郵件。*burst into* ～(**s**)燒起來。*commit to the* ～*s* 付之一炬。— *v.i.* ①焚燒。②變得(紅)如火焰。③激動；面紅。④發出亮光。— *v.t.* ①在火焰中燒。②用火焰傳遞消息。～ *up*[*out, with*]迸發。— **flam′ing,** *adj.*

fla·men·co [fləˋmɛŋko] *n.* Ⓤ(西班牙的)佛朗明哥舞(曲)。

fla·min·go [fləˋmɪŋgo] *n.* Ⓒ(*pl.* ～(**e**)**s**)〖鳥〗紅鶴；火鶴。

flam·ma·ble [ˋflæməbl] *adj.* 可燃性的；易燃燒的。

flan [flæn] *n.* Ⓒ含有乳酪、水果等之餡餅。

flange [flændʒ] *n.* Ⓒ輪緣；凸緣。— *v.t.* 裝以凸緣。

flank [flæŋk] *n.* Ⓒ①腰窩；腰窩肉。②側面。③〖軍〗側翼。— *v.t.* ①立於…之側；在…之側。②側面攻擊。③保衛側翼。

flan·nel [ˋflænl] *n.*①Ⓤ法蘭絨；絨布。②Ⓒ抹擦用的法蘭絨布塊。③(*pl.*)法蘭絨製的衣服。

flan·nel·et(te) [͵flænlˋɛt] *n.* Ⓤ棉織法蘭絨。

***flap** [flæp] *v.i.*(**-pp-**)①撲拍；飄動；吹動。②鼓翼；鼓翼而飛。— *v.t.* ①使飄動。②鼓(翼)。③拍打；拍擊。— *n.* Ⓒ①拍打；拍擊聲。②邊緣；口蓋(口袋蓋、信封塗膠之口蓋等)；活邊。③〖空〗(飛機的)襟翼。

flap·jack [ˋflæp͵dʒæk] *n.* Ⓒ烙餅；大薄煎餅。

flap·per [ˋflæpɚ] *n.* Ⓒ拍者；拍子；拍擊具。

***flare** [flɛr] *v.i.* ①閃耀；閃光。②(裙等)成喇叭狀。— *v.t.* ①以光發信號。②顯著地表露[呈現]。③使…向外逐漸展開。～ *up*[*out*] 突然發怒。— *n.*①Ⓤ閃光；閃耀。②Ⓒ閃光信號；照明彈。③(a ～)突然爆發。④ⓊⒸ(裙等的)喇叭狀。⑤Ⓒ展開之物。

flare-up [ˋflɛr͵ʌp] *n.* Ⓒ①(火焰、光等之)驟燃。②〖俗〗暴怒。

flash [flæʃ] *n.*① Ⓒ 閃光；閃爍；閃現。②(a ～)瞬間。③ Ⓒ〖美〗簡短新聞電報。④ Ⓒ 閃光燈。⑤ Ⓤ 浮華。— *v.i.* ①閃光；閃爍。②忽現；疾速馳過。③掠過；閃現。— *v.t.* ①使(光)閃現；以…突然照一下。②發出(訊號、電訊等)。§ ～ **bùlb**(照相的)閃光燈泡。～ **bùrn**(原子彈等熱放射造成的)閃光灼傷。～ **càrd**(教學用)閃視卡。～ **làmp**(攝影)閃光燈。～(**ing**) **pòint** 閃點；燃點。

flash·back [ˋflæʃ,bæk] *n.* Ⓤ Ⓒ (電影、小說的)倒敍。

flash-for·ward [ˋflæʃˋfɔrwəd] *n.* Ⓤ Ⓒ〖影〗預敍(未來事件)；預敍場面。

flash·gun [ˋflæʃ,gʌn] *n.* Ⓒ〖攝〗閃光槍(使閃光燈及快門同時操作的裝置)。

***flash·light** [ˋflæʃ,laɪt] *n.* Ⓒ ①(燈塔之)閃光信號燈。②〖美〗手電筒。③〖攝〗閃光燈；鎂光燈。

flash·y [ˋflæʃɪ] *adj.* 華麗的；虛飾的。

flask [flæsk] *n.* Ⓒ ①水瓶；燒瓶。②扁玻璃瓶；金屬瓶。

flat [flæt] *adj.*(**-tt-**)①平坦的；平直的。②淺的；薄的；扁的。③斷然的。④單調的。⑤平臥地上的；倒下的。⑥〖樂〗降半音的。⑦低沉的。⑧(市場)蕭條的；不景氣的。— *adv.*①〖樂〗降半音地。②平直地；臥倒地。③斷然地。*fall* ～ **a.** 直挺挺地跌倒。**b.**徹底失敗。～ *out* 以全速或最大努力。— *n.* ① Ⓒ 平面；平的部分。② Ⓒ〖樂〗降半音符號(♭)；降半音。③ Ⓒ 平地。④ Ⓒ 分層的公寓。⑤(*pl.*)女人之平底鞋。— *v.t.*(**-tt-**)使平。— *v.i.* 變平。— **ly,** *adv.*

flat·bed [ˋflæt,bɛd] *n.* Ⓒ 平台貨車；平板拖車。

flat·car [ˋflæt,kɑr] *n.* Ⓒ〖美俗〗無頂篷[邊板]之鐵路運貨車；平臺型貨車。

flat·fish [ˋflæt,fɪʃ] *n.* Ⓒ (*pl.* ～**es,** ～)比目魚。

flat·foot·ed [ˋflætˋfʊtɪd] *adj.*①扁平足的。②〖俗〗決然的；直截了當的。

flat·i·ron [ˋflæt,aɪən] *n.* Ⓒ 熨斗。

***flat·ten** [ˋflætn̩] *v.t.* ①使平。②打倒；摧毀。— *v.i.* ①變平。②倒下；屈服。～ *out* 使平；變平。

***flat·ter** [ˋflætə] *v.t.* 諂媚；阿諛；奉承。～ *oneself* 自以爲；自誇。— **er,** *n.* — **ing,** *adj.*

***flat·ter·y** [ˋflætərɪ] *n.* Ⓤ Ⓒ 阿諛之詞；諂媚。

flat·top [ˋflæt,tɑp] *n.* Ⓒ ①平頭(髮式)。②〖俚〗航空母艦。(亦作 **flat-top**)

flat·u·lence [ˋflætʃələns] *n.* Ⓤ ①胃腸氣脹。②浮誇。— **flat′u·lent,** *adj.*

flat·ware [ˋflæt,wɛr] *n.* Ⓤ (集合稱)扁平的餐具；盤碟類。

flat·wise [ˋflæt,waɪz], **-ways** [-,wez] *adv.* 扁平地；平放地。

flat·worm [ˋflæt,wɜm] *n.* Ⓒ 扁形蟲(如絛蟲、肝蛭等)。

Flau·bert [floˋbɛr] *n.* 福樓拜(Gustave, 1821-80, 法國小說家)。

flaunt [flɔnt] *v.i.*①誇示；炫耀。②飄蕩。— *v.t.* ①炫耀。②藐視。— *n.* Ⓤ 炫耀；藐視。— **flaunt′y,** *adj.*

flau·tist [ˋflɔtɪst] *n.*=**flutist.**

***fla·vor,**〖英〗**-vour** [ˋflevə] *n.*① Ⓤ Ⓒ 滋味；味道。② Ⓒ 特質；韻味。— *v.t.* 調味；使具特殊的風味。— **ing,** *n.* Ⓤ Ⓒ 調味品。

flaw [flɔ] *n.* Ⓒ ①裂縫；裂紋。②缺陷；瑕疵。— *v.t.* & *v.i.*(使)有裂縫；(使)有瑕疵。— **less,** *adj.*

flax [flæks] *n.* Ⓤ 亞麻(纖維)；亞麻紗。

flax·en [ˋflæksn̩] *adj.*①亞麻織的。②淺黃色的。

flax·seed [ˋflæks,sid, ˋflæk,sid] *n.* Ⓤ Ⓒ 亞麻仁[子]。

flay [fle] *v.t.* ①剝…的皮。②嚴責；苛評。③劫奪；掠奪。

flea [fli] *n.* Ⓒ 跳蚤。*a* ～ *in one's ear* 責備；刺耳的話；譏諷。§ ～ **bèetle** 一種危害植物之善跳小甲蟲。～ **còllar**(狗的)防蚤項圈。～ **màrket** [**fàir**]跳蚤市場。

flea·bite [ˋfli,baɪt] *n.* Ⓒ ①蚤咬；蚤咬之紅斑。②小傷痛。③少；微量。

fleck [flɛk] *n.* Ⓒ ①點；斑點。②小粒；微粒。— *v.t.* 飾以斑點。

flec·tion [ˋflɛkʃən] *n.* ① Ⓤ 屈曲；彎曲。② Ⓒ 彎曲部分。③ Ⓤ Ⓒ〖文法〗語形變化；屈折。— **al,** — **less,** *adj.*

***fled** [flɛd] *v.* pt. & pp. of **flee.**

fledge [flɛdʒ] *v.t.* 養育(雛鳥，以待其羽毛長成)。— *v.i.* 生羽毛。

fledg(e)·ling [ˋflɛdʒlɪŋ] *n.* Ⓒ ①剛生羽毛的雛鳥。②年輕無經驗的人。

***flee** [fli] *v.i.* (**fled**) ①逃走；逃跑；逃避。②飛馳而過；消逝。— *v.t.* 逃避。

fleece [flis] *n.*① Ⓤ 羊毛。② Ⓒ 一次剪下的羊毛。③ Ⓒ 似羊毛之物。— *v.t.* ①剪(羊)毛。②騙取(錢財等)；強奪。

fleec·y [ˋflisɪ] *adj.* ①羊毛一般的；柔而白的。②披有羊毛的。③羊毛製的。

***fleet**[1] [flit] *n.* Ⓒ ①艦隊。②一隊(飛機、汽車等)。§ ～ **àdmiral** (1)〖美〗海軍元帥。(2)〖英〗海軍總司令。**F～ Strèet** 倫敦之符立德街，爲報館集中地(現多用以表示英國報業界)。

fleet[2] *adj.* 快速的。— *v.i.* ①疾馳；飛逝。②變換位置。— **fleet′ing,** *adj.*

Flem·ing [ˋflɛmɪŋ] *n.* 佛來明(Sir Alexander, 1881-1955, 英國細菌學家，1929年發現盤尼西林，1945年獲諾貝爾醫學獎)。

***flesh** [flɛʃ] *n.*① Ⓤ 肉。② Ⓤ 食用肉。③(the ～)肉體；軀殼。④(one's (own) ～)骨肉。⑤(the ～)肉慾。⑥ Ⓤ 人類。～ *and blood* 血肉之軀。*go the way of all* ～ 死。*in the* ～ **a.** 本人。**b.**活生生的。*lose* ～ 變瘦；消瘦。*make a person's* ～ *creep*使某人毛骨悚然。*put on* ～ 發胖。§ ～ **flỳ** 〖昆〗大麻蠅；肉蠅。～ **wòund** 皮肉傷。

flesh-and-blood [ˋflɛʃənˋblʌd] *adj.* 實際存在的；眞實的。

flesh-col·ored [ˋflɛʃ,kʌləd] *adj.* 肉色的。

flesh·ly [ˋflɛʃlɪ] *adj.* 肉體的；肉慾的；塵世間的；放蕩的。

flesh·y [ˋflɛʃɪ] *adj.*①多肉的；肥胖的。②(似)肉的。③多果肉的。

fleur-de-lis [,flɜdəˋli(s)] *n.* Ⓒ (*pl.* **fleurs-de-lis** [,flɜdəˋliz]) ①〖植〗鳶尾。②鳶尾花[百合花]形之紋章。

flew [flu] *v.* pt. of **fly**[1].

flex[1] [flɛks] *v.t.* & *v.i.* 彎曲；褶曲。 — *n.* [U]①彎曲；褶曲。②〖俚〗鬆緊帶。
flex[2] *n.* [U][C]〖電〗花線；皮線。
*__flex·i·ble__ [ˋflɛksəbl̩] *adj.* ①易彎曲的；柔順的。②易適應的；有伸縮性的。③易操縱的；易說服的。§ ～ **fríend** 信用卡。— **flex·i·bil′i·ty,** *n.*
flex·(i·)time [ˋflɛks(ɪ)͵taɪm] *n.* [U] 彈性上班制。
flex·ure [ˋflɛkʃɚ] *n.* ①[C]屈曲部分。②[U]褶曲。
flib·ber·ti·gib·bet [ˋflɪbətɪ͵dʒɪbɪt] *n.* [C] 輕浮、多話之人(常指女人)。
flick [flɪk] *n.* [C] 輕擊；輕彈。— *v.t.* 輕彈；輕拂。§ ～ **knífe**〖英〗彈簧刀。
*__flick·er__ [ˋflɪkɚ] *v.i.* ①(火光)搖曳；明滅不定。②輕快顫動。— *n.*①[C](常 *sing.*)搖曳的火光。②(a ～)閃動。
fli·er [ˋflaɪɚ] *n.* [C] ①飛行之人[物]。②飛行家。③特快車[船]。④小傳單。
‡**flight** [flaɪt] *n.* ①[U][C] 飛行；飛翔。②[C] 航空；航程。③[C] 飛行班次。④[C] 飛行的鳥群。⑤[C]〖美〗飛行小隊。⑥[C] 一段(階梯)。⑦[U][C] 逃逸；逃亡。*put to* ～ 使逃走；擊退；驅散。*take(to)*～ 逃走。§ ～ **bàg** 航空旅行袋。～ **contròl** (1)飛行管制。(2)飛行管制室。～ **dèck** (1)(航空母艦之)飛行甲板。(2)駕駛艙。～ **enginéer** 飛行技師。～ **fèather** 撥風羽。～ **lieutènant**〖英〗空軍上尉。～ **lìne** (1)(機場的)飛機保養場。(2)飛行線。～ **òfficer**〖美〗空軍軍官。～ **pày**〖美空軍〗飛行津貼。～ **recòrder** 飛行記錄器。～ **sèrgeant**〖英〗飛行士官。～ **sìmulator** 飛行模擬機。～ **sùrgeon**〖美〗航空醫官。
flight·y [ˋflaɪtɪ] *adj.* 輕浮的；善變的。
flim·flam [ˋflɪm͵flæm] *n.* [U][C] ①囈語；夢話；胡說。②詐欺；詭計。
flim·sy [ˋflɪmzɪ] *adj.* 弱的；脆弱的。— *n.* [C] 薄紙；複寫紙。
flinch [flɪntʃ] *v.i.* & *n.* [C]畏縮；退縮。
*__fling__ [flɪŋ] *v.t.*(**flung**)①投；擲；拋；摔。②強投。③突然而迅速地派遣。④突然而迅速地說話。⑤推翻。— *v.i.*①急行；猛衝。②暴躁地衝踢。③謾罵〔常 out〕。— *n.* [C] ①投；擲；拋。②一種活潑的蘇格蘭舞。*have*[*take*]*a* ～ *at* **a.**試圖。**b.**嘲弄；譏笑。
flint [flɪnt] *n.* ①[U][C] 打火石；燧石。②[U] 堅硬之物。§ ～ **glàss** 鉛玻璃。
flint·lock [ˋflɪnt͵lɑk] *n.* [C] ①燧石發火裝置。②燧發槍。
flip [flɪp] *v.t.* & *v.i.*(**-pp-**)(以指)彈拋；彈投；輕彈。— *n.* [C] 輕彈；輕打。— *adj.* (**-pp-**)〖俗〗言語輕佻的；無禮的。§ ～ **sìde**〖俗〗唱片的反面；B面。
flip-flop [ˋflɪp͵flɑp] *n.*①[C] 朝後翻的斛斗。②[U] 劈啪聲。③[C]〖電〗觸發器；觸發電路。— *adv.* 發出劈啪聲地。— *v.i.* (**-pp-**)①朝後翻斛斗。②搖擺。
flip·pant [ˋflɪpənt] *adj.*言語尖刻的；輕率的。— **flip′pan·cy,** *n.*
flip·per [ˋflɪpɚ] *n.* [C] ①(海豹、企鵝等之)鰭狀之肢。②蛙鞋。
flip-top [ˋflɪp͵tɑp] *adj.*(罐子等)易開罐的；往上拉開蓋子的。
flirt [flɝt] *v.i.* ①賣弄風情；調情取樂。②玩弄。— *v.t.* ①急揮。②急投；急擲。— *n.* [C]①調情者。②搖動；擺動。— **flir·ta′tion,** *n.* — **flir·ta′tious,** *adj.*
flit [flɪt] *v.i.*(**-tt-**)①飛躍；輕而快地飛。②掠過。
flitch [flɪtʃ] *n.* [C] ①醃豬脇肉。②比目魚肉片。
fliv·ver [ˋflɪvɚ] *n.* [C]〖俚〗破舊便宜的汽車。
‡**float** [flot] *v.i.* ①漂；浮。②船漂行；漂流；浮動。③東飄西蕩。— *v.t.*使漂流；使漂動。— *n.* [C] ①浮物；漂流物；筏。②遊行車。③釣魚線上之浮標。④魚鰾。⑤(水車上的)蹼板；(輪船上的)輪翼。⑥(調節流水量的)浮球。⑦(水上飛機的)浮筒。§ ～ **glàss** 浮式玻璃(一種平板玻璃)。
float·er [ˋflotɚ] *n.* [C] ①漂浮者；漂浮物。②〖俗〗經常變換住所、職業等之人；流浪工人。
float·plane [ˋflot͵plen] *n.* [C] 水上飛機。
float·ing [ˋflotɪŋ] *adj.* 漂浮的；移動的；流動的。§ ～ **brídge** 浮橋。～ **cápital** 流動資本。～ **débt** 流動債務；短期債務。～ **dóck** 浮船塢。～ (**exchánge**) **ràte** 浮動(外幣)匯率。～ **ísland** (1)浮島。(2)覆有蛋白或奶油之乳蛋羹。～ **kídney**〖醫〗遊走腎；浮動腎。～ **ríb**〖解〗浮肋。～ **stóck**〖商〗流動股票。～ **vóte**流動選票。～ **vóter** 未決定投給任何一方的投票者。
floc·cu·lent [ˋflɑkjələnt] *adj.* 毛狀的；有柔毛的。
*__flock__ [flɑk] *n.* [C] ①羊群；獸群；鳥群。②人群；群眾。③同一教會之教徒。— *v.i.* 成群結隊而行；群集。
floe [flo] *n.* [C] (常*pl.*)大浮冰；浮冰塊。
flog [flɑg] *v.t.*(**-gg-**)體罰；鞭笞。
flog·ging [ˋflɑgɪŋ] *n.* [U][C] 鞭打。
‡**flood** [flʌd] *n.* ① [C] (常*pl.*) 洪水；氾濫；水災。②(a ～ or *pl.*)充溢；氾濫；洶湧。③ [C] 漲潮；滿潮(爲 ebb 之對)。*the F-* 聖經所述Noah時代的大洪水。— *v.t.* ①氾濫；淹沒。②注滿。③(信函)大量湧至。— *v.i.* ①氾濫。②湧進。§ ～ **contròl** 防洪。～ **plàin** 沖積平原。～ **tìde** 漲潮。～ **wàll** 防洪壁(作堤防用)。
flood·gate [ˋflʌd͵get] *n.* [C] 水門。
flood·ing [ˋflʌdɪŋ] *n.* [U] ①氾濫。②血崩；產後出血。
flood·light [ˋflʌd͵laɪt] *n.* [C] ①巨光燈；水銀燈。②巨光燈發出之強光。— *v.t.* 以巨光燈照耀。
‡**floor** [flor, flɔr] *n.*① [C] 地板；室內的地面。② [C] 樓層。the ground ～〖英〗底層；一樓。the first ～〖美〗底層；一樓；〖英〗二樓。③ [C] 底部。④(the ～)〖美〗發言權。*take the* ～(在會議中)發言。— *v.t.*①鋪設地板於。②打倒。③〖俗〗難倒；使困惑。§ ～ **èxercise** 地板體操。～ **làmp**(置於地板上的)座燈；落地燈。～ **lèader**〖美〗議會中的政黨領袖。～ **mànager** (1)政黨提名大會中候選人之助選員。(2)(旅館、百貨公司等)樓面業務經理。～ **plàn**(建築物之)平面圖。～ **prìce** 最低價格。～ **sàmple** 店中陳列用的電器用品、家具。～ **shòw**

(夜總會等的)歌舞表演。~ **spàce** 房間或房屋面積；建坪。

floor·board [ˋflor,bord] *n.* Ⓒ ①一塊地板。②汽車底部。

floor·ing [ˋflorɪŋ] *n.* ①**a.** Ⓒ 地板。**b.** Ⓤ (集合稱)地板。② Ⓤ 地板的材料。

floor·walk·er [ˋflor,wɔkɚ] *n.* Ⓒ 〖美〗大百貨公司中之巡視員。

floo·zy, floo·zie [ˋfluzɪ] *n.* Ⓒ 〖美俚〗妓女；娼妓。

flop [flɑp] *v.i.* (**-pp-**) ①啪嗒地跳動。②猛落。③突然轉變〔常over〕。④〖俗〗失敗。— *v.t.*①笨拙地拋下。②笨拙地撲擊。— *n.*①(a ~)笨重的落下；突然落下之聲音。② Ⓒ〖俗〗大失敗。

flop·house [ˋflɑp,haʊs] *n.* Ⓒ〖美俚〗廉價旅社。

flop·o·ver [ˋflɑp,ovɚ] *n.* Ⓒ〖視〗(因收視之干擾或調整不當而)畫面不斷地上下移動。

flop·py [ˋflɑpɪ] *adj.*〖俗〗軟弱的；鬆懈的；下垂的。§ ~ **dísk**〖電算〗軟磁碟。

flo·ra [ˋflorə, ˋflɔrə] *n.* (*pl.* **~s, -rae** [-ri]) ① Ⓤ Ⓒ (某區域、某時代的)植物。② Ⓒ (某區系之)植物誌。

flo·ral [ˋflorəl] *adj.* 花的；如花的；由花製成的。§ ~ **clóck** 花鐘。~ **émblem** 代表國家、州、都市等的花。

Flor·ence [ˋflɔrəns, ˋflɑr-] *n.* 佛羅倫斯(義大利中部一城市)。

flo·ri·cul·ture [ˋflorɪ,kʌltʃɚ] *n.* Ⓤ 花卉栽培；園藝。

flor·id [ˋflɔrɪd, ˋflɑrɪd] *adj.* ①顏色鮮麗的；氣色好的。②(藝術)華麗的。

Flor·i·da [ˋflɔrədə] *n.* 佛羅里達（美國東南部之一州）。

flor·in [ˋflɔrɪn] *n.* Ⓒ 佛羅林銀幣(一種英國銀幣，值二先令)。

flo·rist [ˋflorɪst] *n.* Ⓒ 花匠；花店。

floss [flɔs] *n.* Ⓤ ①(絲棉樹所產的)棉質纖維。②絲線。③絲線狀的東西(如玉蜀黍鬚)。§ ~ **sílk** (刺繡用之)散絲；粗絲；絲棉。— **floss′y,** *adj.*

flo·ta·tion [floˋteʃən] *n.*① Ⓤ 漂浮。② Ⓤ Ⓒ (商業的)開創；設立。③ Ⓤ Ⓒ (公債的)發行。

flo·til·la [floˋtɪlə] *n.* Ⓒ 小艦隊；艇隊。

flot·sam [ˋflɑtsəm] *n.* Ⓤ (遇難船隻的)殘骸[漂流貨物]。~ *and jetsam* **a.**被發現漂浮於海上或被浪打到岸上之遇難船殘骸或其船貨。**b.**各種各樣的瑣事；無價值之事物。**c.**漂流者；流浪者；游民。(亦作 **flotsan**)

flounce[1] [flaʊns] *n.* Ⓒ 衣裙上的荷葉邊裝飾。— *v.t.*飾以荷葉邊。

flounce[2] *v.i.* ①(因憤怒等)衝出[入]。②急動；急轉。— *n.* Ⓒ ①盛怒或不耐煩之舉動；拂袖。②急動；急轉。

floun·der[1] [ˋflaʊndɚ] *v.i.* ①掙扎；深陷。②慌亂地說或做。

floun·der[2] *n.* Ⓒ (*pl.* **~s, ~**)〖魚〗鰈(比目魚類，可食用)。

‡flour [flaʊr] *n.* Ⓤ ①麵粉；穀類之粉。②粉末；碎粉。— *v.t.*①研成粉末。②覆以麵粉；撒以粉末。§ ~ **mìll** 磨粉機；麵粉廠。— **flour′y,** *adj.*

***flour·ish** [ˋflɝɪʃ] *v.i.* ①茂盛；繁盛。②興隆；繁榮。③(手臂等)揮動；擺動。— *v.t.*①揮舞；搖(旗)。②寫花體字作裝飾。— *n.* Ⓒ ①搖動；揮舞。②花體字；修飾的詞藻；華麗的文體。③〖樂〗有震顫音的花腔。

flout [flaʊt] *v.t. & n.* Ⓒ 嘲弄；侮慢；輕視。

‡flow [flo] *v.i.*①流動；流洩。②暢流；流利。③飄懸；垂下。④來自；為…之結果。⑤氾濫。⑥流入；(潮)漲。— *v.t.* ①使流。②淹沒。— *n.*① Ⓤ 流動；流出。②(*sing.*)奔流；湧流。③ Ⓤ 流量。④(the ~)漲潮。⑤ Ⓤ 潮流；溪流；流水。⑥ Ⓤ 氾濫。§ ~ **dìagram** [**shèet**] =flowchart.

flow·chart [ˋflo,tʃɑrt] *n.* Ⓒ 流程圖；作業圖。

‡flow·er [ˋflaʊɚ] *n.* ① Ⓒ 花；花卉。②(the ~)精華；精粹。③(the ~)盛時；壯年；青春。④(*pl.*)〖化〗華(即昇華後所留下的微屑)。*in* ~ 開花中。— *v.i.* ①開花。②旺盛。— *v.t.* ①飾以花。②使開花。§ ~ **arràngement** 插花。~ **bùd** 花苞；蓓蕾。~ **gìrl**(1) 賣花女。(2)〖美〗結婚時持花的女童。~ **pìece** 花卉繪畫。~ **shòp** 花店。~ **shòw** 花展。

flow·er·bed [ˋflaʊɚ,bɛd] *n.* Ⓒ 花床；花壇。

flow·ered [ˋflaʊɚd] *adj.* 有花紋(裝飾)的。

flow·er·et [ˋflaʊrɪt] *n.* Ⓒ 小花。

flow·er·ing [ˋflaʊərɪŋ] *adj.* 有花的；會開花的。

flow·er·pot [ˋflaʊɚ,pɑt] *n.* Ⓒ 花盆。

flow·er·y [ˋflaʊrɪ, ˋflaʊərɪ] *adj.*①多花的。②絢麗的(文辭)。

flow·ing [ˋfloɪŋ] *adj.*①流動的。②流暢的。③飄垂的。④上漲的(潮)。

‡flown [flon] *v.* pp. of **fly**[1].

fl. oz. fluid ounce(s).

flt. flight.

***flu** [flu] *n.*〖俗〗=**influenza.**

flub [flʌb] *v.t.* (**-bb-**) 做錯；弄糟。— *n.* Ⓒ 錯誤；不佳的表現。

fluc·tu·ate [ˋflʌktʃʊ,et] *v.i.* 波動；動搖；變動。— **fluc·tu·a′tion,** *n.*

flue [flu] *n.* Ⓒ ①(煙囪的)通煙道。②(暖器之)通氣管。③(風琴管的)氣孔。

***flu·ent** [ˋfluənt] *adj.* ①流利的；流暢的。②寫作或說話流利的。— **ly,** *adv.* — **flu′en·cy,** *n.*

fluff [flʌf] *n.* ① Ⓤ 軟毛；柔毛；絨毛。② Ⓒ 鬆軟的絨毛團、塵塊或髮球。— *v.t.* & *v.i.* ①(使)鬆散；(使)鬆軟。②〖俚〗讀錯(臺詞等)。— **fluff′y,** *adj.*

***flu·id** [ˋfluɪd] *n.* Ⓤ Ⓒ 流體(包括液體和氣體)。— *adj.* ①流動的；流質的。②不固定的；易改變的。§ ~ **drám**液量特拉姆(1/8 fluid ounce). ~ **mechánics** 流體力學。~ **óunce** 液量盎斯。

fluke[1] [fluk] *n.* Ⓤ Ⓒ〖俚〗①(撞球戲等)倖中。②僥倖。— **fluk′y,** *adj.*

fluke[2] *n.* Ⓒ ①(常 *pl.*)錨爪；錨鉤。②尖端倒鉤。

fluke[3] *n.* Ⓒ ①蛭；肝蛭。②比目魚類。

flume [flum] *n.* Ⓒ ①峽溝；溪澗。②引水溝；人工水道。

flum·mer·y [ˋflʌmərɪ] *n.* ① Ⓤ Ⓒ 乳蛋甜點。② Ⓤ (常*pl.*)假殷懃；諛詞。

flum·mox [ˋflʌməks] *v.t.*〖俚〗使狼狽；使失措。
flump [flʌmp] *n.*(a ～)突落；砰然聲。— *v.t.* & *v.i.*猛然置放；砰然落下。
*__flung__ [flʌŋ] *v.* pt. & pp. of **fling.**
flunk [flʌŋk] *v.i.* & *v.t.*〖美俗〗①(使)不及格。②(因不及格)被退學〔out〕. ③(使)失敗。
flun·k(e)y [ˋflʌŋkɪ] *n.* Ⓒ ①〖蔑〗著制服的男僕人；隨從。②諂媚者。
fluo·resce [ˏfluəˋrɛs] *v.i.* 發螢光。
flu·o·res·cence [ˏfluəˋrɛsn̩s] *n.* Ⓤ 螢光。
fluo·res·cent [ˏfluəˋrɛsn̩t] *adj.* 螢光的。a ～ lamp 螢光燈；日光燈。
fluor·i·date [ˋfluərəˏdet] *v.t.* 在(飲水)中加少量之氟(以防兒童蛀牙)。
fluor·ide [ˋfluəˏraɪd] *n.* Ⓤ Ⓒ 氟化物。(亦作 **fluorid**)
fluor·ine, **-rin** [ˋfluəˏrin], [-rɪn] *n.* Ⓤ〖化〗氟(符號爲F).
fluo·rite [ˋfluəˏraɪt] *n.* Ⓤ Ⓒ〖礦〗氟石。
fluor·o·car·bon [ˏflurəˋkɑrbən] *n.* Ⓤ 冷媒。
fluor·o·scope [ˋflurəˏskop] *n.* Ⓒ〖醫〗螢光鏡[屏]。
flur·ry [ˋflɜɪ] *n.*① Ⓒ 一陣疾風。② Ⓒ 一陣驟雨[雪]。③(a ～)突然的興奮；激動；恐慌；困惑；擾亂。
*__flush__[1] [flʌʃ] *v.i.* ①(臉)發紅；發紅光。②激流。— *v.t.* ①使(臉)發紅。②沖洗；沖刷。③排水。④使興奮。— *n.* ① Ⓒ 面紅；紅光。②(a ～)激流；泛溢。③ Ⓤ (常 the ～)旺盛；活力。④(*sing.*)茂盛；茂生。⑤(a ～)一陣熱之感覺。§～ **tóilet** 抽水馬桶。
flush[2] *adj.*①齊平的；同高的。②富裕的；豐足的。③發紅的。④直接的。— *adv.* ①齊平地。②直接地；正面地。— *v.t.* 使齊平。
flush[3] *v.i.* & *v.t.* 突然驚起；(使鳥)突然飛起。— *n.*① Ⓤ 驚起。② Ⓒ 受驚飛起之鳥。
flush[4] *n.* Ⓒ〖牌戲〗同花；清一色。
flushed [flʌʃt] *adj.*①臉紅的。②(因喝酒、勝利而)臉上發紅的；興奮的。
flus·ter [ˋflʌstɚ] *v.t.* & *v.i.*(使)慌亂；(使)興奮。— *n.*(a ～)慌亂；興奮。
flute [flut] *n.* Ⓒ ①笛；橫笛。②長凹槽。— *v.t.*①用笛子吹出(曲調等)。②在(柱等上面)刻凹槽。— *v.i.* 吹笛子。
flut·ed [ˋflutɪd] *adj.* 有凹槽的。
flut·ing [ˋflutɪŋ] *n.* Ⓤ ①柱面上所刻之凹槽(飾紋)。②刻凹槽。
flut·ist [ˋflutɪst] *n.* Ⓒ 吹笛人。
*__flut·ter__ [ˋflʌtɚ] *v.i.* ①飄動。②鼓翼。③煩躁不安地動。④急跳；顫動。⑤快速而不規則地跳動。— *v.t.* ①使心亂。②(鳥)鼓(翼)。③使擺動。— *n.*① Ⓤ 擺動。②(*sing.*)鼓翼。③(a ～)煩惱。§～ **kĭck**(俯泳或仰泳時小腿部分的)上下交替擊水。
flu·vi·al [ˋfluvɪəl] *adj.*①河的。②河流作用的。③生於河中的。
flux [flʌks] *n.* ①(a ～)流動。② Ⓤ 不斷的改變。③ Ⓤ 熔接劑；助熔劑。
‡**fly**[1] [flaɪ] *v.i.*(**flew, flown**)①飛；空中航行。②飛奔。③(**fled**)逃走。④隨風飄揚。⑤(**flied**)〖棒球〗打高飛球。⑥突然變成。— *v.t.*①使飛；放(紙鳶)；懸(旗)。②(**fled**)逃出。③駕駛(飛機、飛船)。④空運。⑤逃避。～ ***at*** 猛烈攻擊。～ ***high;*** ～ ***at high game*** 有大志。～ ***in the face of*** 大膽反抗。～ ***off*** 突然逃脫。***let*** ～ **a.**射；抛；擲。**b.**怒斥。***make the money*** ～揮霍無度。***send a person*** ～***ing*** 驅逐某人。— *n.* Ⓒ ①衣服上的鈕釦蓋。②〖棒球〗高飛球。③飛行。***on the*** ～ 在飛行中。§～ **báll**〖棒球〗高飛球。～ **hálf**〖橄欖球〗飛毛腿球員。～ **shèet** (1)傳單。(2)用法說明書。
*__fly__[2] *n.* Ⓒ ①蒼蠅。②兩翼類昆蟲。③假蚊鉤(蟲形釣魚鉤)。***a*** ～ ***in the ointment*** 掃興的事；瑕疵。***a*** ～ ***on a wheel*** 自負之人。§～ **nèt** 防蠅網；防蠅、蚊等之窗紗。～ **swàtter** 蒼蠅拍。
fly·blow [ˋflaɪˏblo] *n.* Ⓒ 蠅卵；蛆。— *v.t.* (**-blew, -blown**)①產蠅卵於(肉等)中。②使玷染；玷污。
fly-by [ˋflaɪˏbaɪ] *n.*=**flyover.**
fly-by-night [ˋflaɪbaɪˏnaɪt] *adj.*①不可信任的。②短暫的。
fly·catch·er [ˋflaɪˏkætʃɚ] *n.* Ⓒ ①捕食昆蟲的鳥。②捕蠅器。
fly·er [ˋflaɪɚ] *n.*=**flier.**
fly-fish [ˋflaɪˏfɪʃ] *v.i.* 以假蚊鉤釣魚。
fly·ing [ˋflaɪɪŋ] *adj.*①飛的；飛行的。②飄揚的。③匆促的；飛快的。④逃亡的。— *n.* Ⓤ 飛；飛行。§～ **bòat** 水上飛機。～ **bòmb** 飛彈。～ **brìdge** 浮橋；艦橋。～ **bùttress**〖建〗拱柱；飛支柱。～ **cólors** (1)臨風招展的旗幟。(2)勝利；成功。～ **dóctor** 乘飛機應診的醫生。～ **físh** 飛魚。～ **fóx**〖動〗狐蝠。～ **júmp** 急行跳高。～ **lèmur**〖動〗貓猴(東南亞產)。～ **machìne** 飛機；飛船。～ **sáucer** [**dìsk**]飛碟。～ **squàd** 特遣小組；霹靂小組。～ **squírrel** 飛鼠。
fly·leaf [ˋflaɪˏlif] *n.* Ⓒ (*pl.* **-leaves**) 扉頁(書前或書後的空白頁)。
fly·o·ver [ˋflaɪˏovɚ] *n.* Ⓒ ①飛機低空分列飛行。②〖英〗公路上之陸橋。
fly·pa·per [ˋflaɪˏpepɚ] *n.* Ⓤ 捕蠅紙。
fly·past [ˋflaɪˏpæst] *n.* Ⓒ (閱兵之)空中分列飛行。
fly·speck [ˋflaɪˏspɛk] *n.* Ⓒ ①蠅糞斑。②小斑；污點。— *v.t.* 污以小斑。
fly·trap [ˋflaɪˏtræp] *n.* Ⓒ ①捕蠅器。②捕蠅草。
fly·weight [ˋflaɪˏwet] *n.* Ⓒ 蠅量級拳擊選手(體重在 112 磅以下)。
fly·wheel [ˋflaɪˏhwil] *n.* Ⓒ〖機〗整速輪；飛輪。
FM frequency modulation. 調頻。
foal [fol] *n.* Ⓒ 小馬；小驢。— *v.i.* & *v.t.*(馬、驢等)生仔。
*__foam__ [fom] *n.* Ⓤ ①水泡；泡沫。②〖詩〗海。— *v.i.* 起泡；(口)流泡沫。— *v.t.* 使起泡沫。§～ **extìnguisher** 泡沫滅火器。～ **rúbber** 泡沫乳膠。
foam·y [ˋfomɪ] *adj.* ①覆有泡沫的；起泡沫的。②由泡沫所成的。③如泡沫的。
fob[1] [fɑb] *n.* Ⓒ ①(男褲上之)錶袋。②露於錶袋外的短錶鍊。③此等錶鍊端之飾物。§～ chàin錶鍊。～ wàtch懷錶。
fob[2] *v.t.* (-bb-)欺騙。～ *off* 騙人。
f.o.b., F.O.B. free on board. 船上(或交通工具上)交貨價；離岸價格。
fo·cal[ˋfokl]*adj.*焦點的。§～ **dìstance** [**lèngth**]焦距。～ **plàne** 焦平面。～ **pòint** 焦點。
***fo·cus** [ˋfokəs] *n.*(*pl.* ～**es, -ci** [-saɪ])① Ⓒ〖理〗焦點。② Ⓤ 焦距。③ Ⓤ 配光。④ Ⓤ (問題)焦點。⑤ Ⓤ 震央。*in* ～清晰。*out of* ～ 模糊不清。**—** *v.t.* (**-s-,**〖英〗**-ss-**)①集中於焦點。②調節(鏡頭)；定…的焦點。③集中。**—** *v.i.* 集中於焦點；調節眼睛。
fod·der [ˋfɑdɚ] *n.* Ⓤ ①馬[牛]飼料。②無價值之人。
***foe** [fo] *n.* Ⓒ ①仇敵；敵人。②敵手；對手。
foet·id [ˋfitɪd] *adj.*=**fetid.**
foe·tus [ˋfitəs] *n.*=**fetus.**
***fog** [fɑg, fɔg] *n.* ⓊⒸ ①霧。②(照相底片上)不清楚之處；朦朧。*in a* ～〖俗〗困惑不解。**—** *v.t.*(**-gg-**)①(霧)籠罩；使朦朧。②使困惑。**—** *v.i.*①爲霧所籠罩。②〖攝〗變得模糊。§～ **bànk** 霧層。～ **làmp** [**lìght**](車輛)霧燈。～ **sìgnal** [**sìren**] 濃霧信號[警報]。
fog·bound [ˋfɑg,baʊnd] *adj.* 爲濃霧所阻而無法航行的；爲濃霧所包圍的。
fog·gy [ˋfɑgɪ,ˋfɔgɪ] *adj.* ①有濃霧的。②模糊的；困惑的。
fog·horn [ˋfɑg,hɔrn] *n.* Ⓒ 霧號；霧笛。
fo·g(e)y [ˋfogɪ] *n.* Ⓒ 守舊者；老頑固(前面常用 old 形容)。**—ish,** *adj.*
foi·ble [ˋfɔɪbl] *n.* Ⓒ 弱點；小缺點。
foil[1] [fɔɪl] *v.t.* 打敗；阻止。
***foil**[2] *n.*① Ⓤ 箔。② Ⓒ 襯托物；陪襯者。③ Ⓒ〖建〗葉形飾。④ Ⓒ 水翼船。
foil[3] *n.* Ⓒ 鈍頭劍(練習劍術時用)。
foist [fɔɪst] *v.t.*①蒙騙。②混入。
‡**fold** [fold] *v.t.* ①摺疊。②抱攏(兩臂)。③擁抱；緊抱。④籠罩。⑤關(羊)入欄。⑥包起。**—** *v.i.*摺疊。～ *up* **a.**摺疊起來。**b.**歇業；關閉。**c.**崩潰。**—** *n.* Ⓒ ①摺層；摺縫。②羊欄。③同一欄中之羊群。④一個教會的教徒。
-fold 〖字尾〗表「倍；重」之義。
fold·a·way [ˋfoldə,we] *adj.* 可摺收的；(椅子、床等)摺疊式的。
fold·er [ˋfoldɚ] *n.* Ⓒ ①摺疊者；摺疊器。②硬紙夾。③摺疊的小冊子。
fold·ing [ˋfoldɪŋ] *adj.* 摺疊的；有摺痕的。a ～ door 疊門；雙扇門。
fold·out [ˋfold,aʊt] *n.* Ⓒ (雜誌中的)摺頁。
fo·li·age [ˋfolɪɪdʒ] *n.* Ⓤ (集合稱)樹或植物的葉子。§～ **plànt** 觀葉植物。
fo·li·ate [ˋfolɪɪt] *adj.*①有葉的。②葉狀的。③有葉狀裝飾的。**—** [ˋfolɪ,et] *v.i.* ①生葉。②分成薄片。**—** *v.t.* ①打成箔。②〖建〗飾以葉形飾。③將(書)葉編號。
fo·li·a·tion [,folɪˋeʃən] *n.* ① Ⓤ 生葉。② ⓊⒸ〖建〗花葉形裝飾。③ Ⓤ (集合稱)葉。④ ⓊⒸ 製箔；敷箔。
fó·lic ácid [ˋfolɪk ～] *n.* Ⓤ〖生化〗葉酸。
fo·li·o [ˋfolɪ,o] *n.* Ⓒ (*pl.* ～**s**)①(書本等之)對開張；對摺紙(成兩張或四頁者)。②對摺本；對開本。③〖印刷〗頁碼。*in* ～(書)對開的。
***folk** [fok] *n.* ① (集合稱，作 *pl.* 解；但〖美俗〗*pl.*)人們；世人；某一階層或某一類的人。②(the ～)民族；種族。**—** *adj.* 民間的；民俗的。§～ **àrt** 民間藝術。～ **dànce** 土風舞。～ **mèdicine** 民間療法。～ **mùsic**民俗音樂。～ **ròck** 民歌搖滾舞曲。～ **sìnger**民(謠)歌手。*～ **sòng** 民歌；民謠。～ **tàle** [**stòry**] 民間故事。
folk·lore [ˋfok,lor] *n.* Ⓤ ①民間傳說；民俗。②民俗學。
folk·sy [ˋfoksɪ] *adj.*〖美俗〗①民間藝術風格的。②友善的；好交際的。
folk·way [ˋfok,we] *n.*(*pl.*)社會習俗；民風。
fol·li·cle [ˋfɑlɪkl] *n.* Ⓒ ①〖植〗蓇葖。②〖解〗濾泡；濾囊。
‡**fol·low** [ˋfɑlo] *v.t.* ①跟隨；追隨。②因…而發生。③循(路)。④從事(某種職業)；經營。⑤能聽懂；跟得上。⑥遵循；仿效。⑦注視；注意。⑧追趕。⑨繼承。⑩追求。**—** *v.i.*①追隨。②繼之而來。*as* ～*s* 如下。～ *through* 貫徹到底。～ *up* **a.**乘；趁。**b.**貫徹到底。**c.** 緊隨不捨。
***fol·low·er** [ˋfɑloɚ] *n.* Ⓒ ①跟隨者。②隨員。③信徒。④夥伴。⑤僕人。
‡**fol·low·ing** [ˋfɑləwɪŋ] *n.* Ⓒ 擁護者；崇拜者；徒眾。*the* ～ 如下。**—** *adj.*下列的；其次的。
fol·low-on [ˋfɑlo,ɑn] *adj.* 後繼的。
fol·low-through [ˋfɑlo,θru] *n.* ⓊⒸ〖運動〗完成動作。
fol·low-up [ˋfɑlo,ʌp, ˋfɑlə,wʌp] *n.* Ⓤ ①跟蹤。②經常發出的廣告信。③〖新聞〗追蹤報導。**—** *adj.*後續的。
***fol·ly** [ˋfɑlɪ] *n.*① Ⓤ 愚笨。② Ⓒ 愚行。
fo·ment [foˋmɛnt] *v.t.*煽動。
‡**fond** [fɑnd] *adj.*①愛；嗜好；喜歡〔of〕。②深情的。③溺愛的。④渴望的。
fon·dant [ˋfɑndənt] *n.* ⓊⒸ 奶油軟糖。
fon·dle [ˋfɑndl] *v.t. & v.i.* 撫弄；撫愛。
fond·ly [ˋfɑndlɪ] *adv.* ①喜愛地；情深地。②輕信地；天眞地。
fond·ness [ˋfɑndnɪs] *n.* Ⓤ ①溺愛。②嗜好。
fon·due [ˋfɑndu] *n.* ⓊⒸ 酒味乾酪醬。(亦作 **fondu**)
font [fɑnt] *n.* Ⓒ ①〖宗〗洗禮盆；聖水盆。②〖古〗泉；泉源。
‡**food** [fud] *n.*① ⓊⒸ 食物。② ⓊⒸ 養料；滋養品。③ Ⓤ 精神食糧；材料；資料。～ for thought 值得思考之事。§～ **àdditive** 食品添加劑。～ **bànk** 食物賑貧站。～ **chàin**〖生態〗食物鏈。～ **cȳcle**〖生態〗食物環。～ **fàddist** 相信某種食物有特殊醫效的人。～ **làbeling** 食品標示。～ **pòisoning** 食物中毒。～ **prȍcessor** 食物處理機。～ **pȳramid** 食物鏈塔狀層次圖。～ **stàmp**(美國政府發給貧民的)食品券。
food·stuff [ˋfud,stʌf] *n.* Ⓒ (常 *pl.*) 食品原料；糧食。
‡**fool**[1] [ful] *n.* Ⓒ ①愚人；獃子。②(昔日國王豢養的)弄臣；小丑。③受騙者。*be a* ～ *for one's pains* 做徒勞無功的事。*be no*[*nobody's*]～不傻；聰明。

make a ~ *of* 愚弄；欺騙。*play* [*act*] *the* ~裝傻。— *v.i.*①戲謔；開玩笑。②玩弄。③閒蕩。— *v.t.*愚弄；欺騙。~ *around*〖美俗〗**a.** 鬼混；遊手好閒。**b.**調戲。~ *away*〖美俗〗浪費。~ *with* 玩弄。§ ~'s **góld** 鐵礦或黃銅礦。~'s **páradise** 幻想的幸福；空想；空指望。

fool² *n.* 🅄🄲 果醬及乳油所製之食品。

fool·er·y [ˋfulərɪ] *n.* 🅄🄲 愚蠢的言行或想法。

fool·har·dy [ˋfulˏhardɪ] *adj.* 魯莽的。

***fool·ish** [ˋfulɪʃ] *adj.*愚蠢的；不智的；可笑的。—**ly,** *adv.*

fool·proof [ˋfulˋpruf] *adj.* ①愚人也能的。②極簡單的。③萬無一失的。

fools·cap [ˋfulzˏkæp] *n.*① 🄲 (丑角所戴的)錐形帽。② 🅄 大頁紙(寬爲12或13 ½英寸，長15到17英寸)。

‡**foot** [fʊt] *n.*(*pl.* **feet** [fit])① 🄲 腳。② 🄲 英尺(=12 inches)。③ 🅄 底部；基部。④ 🄲 (鞋、襪的)足部。⑤ 🅄 步兵。⑥ 🄲〖詩〗音步。⑦ 🅄 步行。⑧ 🅄 床或墳墓之下端。*be on one's feet* **a.** 站起(講演)。**b.** 病愈；復元。**c.** 經濟獨立；自立。*carry* (*a person*) *off his feet* **a.** 將某人捲[舉]起(如強風)。**b.** 使狂喜。*keep one's feet* 不跌倒。*on* ~ **a.** 徒步；步行。**b.** 進行中。*put one's* ~ *down* **a.** 立定腳跟，堅持立場。**b.**反對。*put one's* ~ *in* [*into*] *it* [*one's mouth*] 多管閒事惹出麻煩；犯難堪的錯誤。*set* ~ *on* [*in*] 踏上；進入。*set on* ~開始；發動。*sit at one's feet* 受業於某人；景仰效法某人。*stand on one's own feet* 自食其力；自立；獨立。*under* ~在某人腳下。— *v.i.*①步行。②跳舞。③(船等)移動。④結算〔up〕。— *v.t.*①步行。②做(襪子的)足部。③〖俗〗付(帳)。④跳舞。⑤建立。§ ~ **fâult**〖網球〗腳步犯規(發球踩線或越線)。~ **pàssenger** 行人。~ **sòldier** 步兵。~ **wàrmer** 暖腳器；腳爐。

foot·age [ˋfʊtɪdʒ] *n.* 🅄 ①英尺數；以英尺計算之長度。②影片之連續鏡頭。

fóot-and-móuth disèase [ˋfʊtənˋmaʊθ ~] *n.* 🅄 口蹄疫；口蹄病(牛、羊、豬等偶蹄動物的傳染病)。

‡**foot·ball** [ˋfʊtˏbɔl] *n.*① 🅄 橄欖球運動。② 🄲 橄欖球。③ 🅄〖英〗=**soccer.** § ~ **hòoligan**足球賽場地的滋事惡少。

foot·ball·er [ˋfʊtˏbɔlɚ] *n.* 🄲 足球隊員；橄欖球隊員。(亦作 **footballist**)

foot-bind·ing [ˋfʊtˏbaɪndɪŋ] *n.* 🅄 (中國古時婦女之)纏足。

foot·board [ˋfʊtˏbord] *n.* 🄲 ①踏足板；踏臺。②床之靠足一端的豎板。

foot·bridge [ˋfʊtˏbrɪdʒ] *n.* 🄲 (只供人行之)小橋；窄橋。

foot·cloth [ˋfʊtˏklɔθ] *n.* 🄲 ①地氈。②馬之披衫。

foot·ed [ˋfʊtɪd] *adj.* 有…腳的(常用於組成複合字，如：four-~ animal)。

foot·fall [ˋfʊtˏfɔl] *n.* 🄲 腳步；腳步聲。

foot·hill [ˋfʊtˏhɪl] *n.* 🄲 大山脈山麓之小丘。

foot·hold [ˋfʊtˏhold] *n.* 🄲 ①著足點；立足點。②鞏固的立足點；根據地。

foot·ing [ˋfʊtɪŋ] *n.*① 🅄🄲 立穩。②(*sing.*)立足點。③(*sing.*)地位。

foot·lights [ˋfʊtˏlaɪts] *n. pl.* 舞臺上的腳燈。

foot·ling [ˋfʊtlɪŋ] *adj.* 〖俗〗愚蠢的；傻的。

foot·loose [ˋfʊtˏlus] *adj.* 自由自在的。

foot·lock·er [ˋfʊtˏlakɚ] *n.* 🄲 士兵存放私人物件的小箱。

foot·man [ˋfʊtmən] *n.* 🄲 (*pl.* **-men**) 侍者；隨從。

foot·mark [ˋfʊtˏmark] *n.* 🄲 腳印。

foot·note [ˋfʊtˏnot] *n.* 🄲 (印在頁底的)註腳。— *v.t.* 加註腳。

foot·pace [ˋfʊtˏpes] *n.* 🄲 平常的步伐。

foot·path [ˋfʊtˏpæθ] *n.* 🄲 小徑；小路。

foot·print [ˋfʊtˏprɪnt] *n.* 🄲 足跡。

foot·race [ˋfʊtˏres] *n.* 🄲 競走；賽跑。

foot·rest [ˋfʊtˏrɛst] *n.* 🄲 腳凳。

foot·sie [ˋfʊtsɪ] *n.* 🅄〖俗〗調戲；偷情。*play* ~ *with* **a.**調戲；偷情。**b.** (尤指政治上之)祕密合作或結盟。

foot·sore [ˋfʊtˏsor] *adj.*腳痛的(尤指因走路過多而致的)。

***foot·step** [ˋfʊtˏstɛp] *n.* 🄲 ①腳步。②腳步聲。③步伐。④足跡。⑤階梯。*follow in one's* ~*s* 效法某人。

foot·stool [ˋfʊtˏstul] *n.* 🄲 腳凳。

foot·wear [ˋfʊtˏwɛr] *n.* 🅄 穿在腳上之物(如鞋、靴等)。

foot·work [ˋfʊtˏwɝk] *n.* 🅄 ①(拳擊、跳舞等之)步法；腿功。②跑腿的工作。③巧妙的策略運用。

foo·zle [ˋfuzḷ] *v.t.* & *v.i.*笨拙地做[擊]。— *n.* 🄲 笨拙之行爲；笨拙之一擊(高爾夫球)。

fop [fap] *n.* 🄲 紈袴子；花花公子。

fop·per·y [ˋfapərɪ] *n.* 🅄🄲 ①紈袴子之行爲、服飾等。②矯飾之物。

fop·pish [ˋfapɪʃ] *adj.*①紈袴子的。②時髦的；浮華的；矯飾的。

‡**for** [fɔr, fɚ] *prep.*①向；對；爲。②給；與；適於。③以…爲目的地；開往…的。④交換；替代；代表。⑤因爲；爲了。⑥贊成；支持。⑦作爲；當作。⑧就…而論；雖然。⑨經過(多少時間或距離)(注意 for 常被省略)。⑩若要(僅用於下列句式中)。It is impossible ~ me to go.要我去是不可能的。⑪希望；渴望；貪求。⑫表示對比。*F*· one enemy he has a hundred friends. 他有一敵而有百友(敵友之比爲一比一百)。⑬是。They know it ~ a fact.他們知道那是事實。~ *all I know* 就我所知。He may be in Africa ~ *all I know.* 就我所知，他可能在非洲。~ *the nonce* 暫時。*Oh,* ~.... 但願有…！— *conj.* 因；因爲。He felt no fear, ~ he was a brave man.他不感覺害怕，因他是一個勇士。

fo·ra [ˋforə, ˋfɔrə] *n.* pl. of **forum.**

for·age [ˋfɔrɪdʒ, ˋfar-] *n.* 🅄 ①牛馬之飼料。②搜尋糧食。③搜尋芻秣。④搶掠。— *v.i.* ①搜尋糧草。②搜尋〔for, about〕。— *v.t.*①從…處獲得或取到糧食。②蹂躪；劫掠。

for·as·much [ˌfɔrəz`mʌtʃ] *conj.* 鑒於；因爲；既然(as).

for·ay [`fɔre] *n.* Ⓒ①侵掠；蹂躪。②突襲。— *v.t. & v.i.*侵掠；劫掠。

***for·bade** [fə`bæd] *v.* pt. of **forbid.** (亦作 **forbad**)

***for·bear**[1] [fɔr`bɛr] *v.t. & v.i.* (**-bore, -borne**)①忍住；容忍。②自制；控制。

for·bear[2] [`fɔrˌbɛr] *n.*=**forebear.**

for·bear·ance [fɔr`bɛrəns] *n.* Ⓤ ①抑制。②耐性；自制。

***for·bid** [fə`bɪd] *v.t.*(**-bade** or **-bad, -bid·den** or **-bid, -bid·ding**)①禁止；不許。②命令離開；拒絕進入。③阻止。*God ~ that...!*但願(某事)不發生。

***for·bid·den** [fə`bɪdṇ] *adj.*被禁的。§ ~ **gróund** (1)禁地。(2)不准討論的話題。**the F~ Cíty**(北京之)紫禁城。**the ~ frúit** (1)〖聖經〗禁果。(2)不道德的快樂。

for·bid·ding [fə`bɪdɪŋ] *adj.*①形勢「險惡的。②冷峻的。」

***for·bore** [fɔr`bor, fə-] *v.* pt. of **forbear**[1].

***for·borne** [fɔr`born] *v.* pp. of 「**forbear**[1].」

‡**force** [fors, fɔrs] *n.*①Ⓤ力；力量；暴力。②Ⓤ感情的力量；道德的力量。③Ⓤ影響力；說服力；控制力。④Ⓒ自然力。⑤Ⓒ勢力；權力。⑥Ⓒ(常*pl.*)部隊；組織；武力。⑦Ⓤ法律上之效力；實施。⑧Ⓤ意義。⑨Ⓤ〖理〗力。*by ~* 以武力；以強力。*by ~ of* 藉…之力。*come*[*go*]*into ~*生效(指法律或章程)。*in ~* **a.** 在有效期間；在施行中。**b.**以壓倒之勢。*put into ~*實施；實行。— *v.t.*①強迫；迫使。②突破；強行。③強奪；強取。④用特殊方法使生長。⑤迫使(人或動物)做最大之努力。⑥攻克。⑦用暴力；加壓力。*~ one's hand* 逼某人；逼某人採取行動。§ ~ **pùmp**壓水唧筒。

forced [forst] *adj.*不得已的；強迫的；勉強的。— **forc·ed·ly** [`fɔrsɪdlɪ], *adv.*

force-feed [`fors`fid] *v.t.*(**-fed**)①強迫…飲食。②強迫…接受。

force·ful [`forsfəl] *adj.* 堅強的；強有力的；有效的。— **ly,** *adv.*

for·ceps [`fɔrsəps] *n.* Ⓒ (*pl.* ~, **-ci·pes** [-səˌpiz]) (醫生用的)鉗子；鑷子。

for·ci·ble [`forsəbl] *adj.*①有力的；能感動或說服的。②強行的。— **for′ci·bly,** *adv.*

ford [ford] *n.* Ⓒ 水淺可涉處；淺灘。— *v.t.*涉水；涉過(淺灘等)。

Ford [ford] *n.*福特(Henry, 1863-1947, 美國汽車製造者)。

***fore**[1] [for] *adj.*①在前部的；向前面的；在船首的。②(時間、順序等)在前的。— *adv.*在前地；向前地；在船首地。*~ and aft* 從船首到船尾；全船。— *n.* (the ~)前部；首；(船之)前檣。*to the ~* **a.** 在顯著位置。**b.** 在手邊；現成。

fore[2] *interj.* 〖高爾夫〗前面人注意！(以「防被球擊中)。」

fore- 〖字首〗表「前；先；預」之義。

fore-and-aft [`forənd`æft] *adj.* 〖海〗自船首至船尾的；縱的。

fore·arm[1] [`forˌɑrm] *n.* Ⓒ 前臂(肘至腕間之部分)。

fore·arm[2] [for`ɑrm] *v.t.* 預先武裝；準備。

fore·bear [`forˌbɛr] *n.* Ⓒ (常*pl.*)祖「先。」

fore·bode [for`bod] *v.t. & v.i.*①預示；預兆。②預感(不祥之事)。

fore·bod·ing [for`bodɪŋ] *n.* ⓊⒸ ①預言。②預感。

***fore·cast** [for`kæst] *v.t.*(**-cast** or **-cast·ed**) 預言；預測；預料；預報。— [`forˌkæst] *n.* Ⓒ①預言；預告；預測；預料；預報。②預兆。

fore·cas·tle [`foksl] *n.* Ⓒ①船首樓(甲板)。②前甲板下的水手艙。

fore·close [for`kloz] *v.t. & v.i.*①拒絕；阻止。②取消(抵押人)抵押品之贖回權。③提早關閉[解決，回答]。

fore·clo·sure [for`kloʒə] *n.* ⓊⒸ 〖法律〗抵押品贖取權之取消。

fore·court [`forˌkort] *n.* Ⓒ①(建築物之)前庭。②〖網球〗球場近網之前半部。③〖籃球〗球場接近進攻之籃框的部分。

fore·fa·ther [`forˌfɑðə] *n.* Ⓒ 祖先；祖宗。

fore·fin·ger [`forˌfɪŋgə] *n.* Ⓒ 食「指。」

fore·foot [`forˌfʊt] *n.* Ⓒ (*pl.* **-feet**) ①四足動物的前足。②船龍骨的前端。

fore·front [`forˌfrʌnt] *n.*(the ~)最前部；最前線。

fore·go [for`go] *v.t.*(**-went, -gone**) ①在…之前；先行。②=**forgo.**

fore·go·ing [for`go·ɪŋ] *adj.*前述的。

fore·gone [for`gɔn] *adj.*①先前的；過去的。②既定的。§ ~ **conclúsion** (1)不可避免的結果。(2)定論。

fore·ground [`forˌgraʊnd] *n.* (the ~)①前景。②最受人注意之地位。

fore·hand [`forˌhænd] *adj.* ①前面的。②〖網球〗正擊的。— *n.* Ⓒ 正擊。

fore·hand·ed [`for`hændɪd] *adj.*①〖網球〗正擊的。②隨機應變的。③謹慎的；節儉的。④富裕的。

‡**fore·head** [`fɑrɪd, `fɔrˌhɛd] *n.* Ⓒ 前額；前部。

‡**for·eign** [`fɔrɪn, `fɑrɪn] *adj.*①外國的；外來的；外交的。②不適宜的；無關連的。③〖醫〗異質的。④外地的。§ ~ **affáirs** 外交事務。~ **áid** 外援。~ **bíll** 國外匯票。~ **exchánge** 外匯。~ **pólicy** 外交政策。

‡**for·eign·er** [`fɔrɪnə, `fɑrɪnə] *n.* Ⓒ ①外國人。②外國船。③〖俗〗外地人。

fore·know [for`no] *v.t.*(**-knew, -known**)預知。

fore·knowl·edge [`forˌnɑlɪdʒ] *n.* 「Ⓤ預知。」

fore·land [`forlənd] *n.* Ⓒ①岬；崎；海角。②沿海地區。

fore·leg [`forˌlɛg] *n.* Ⓒ 獸的前腿。

fore·lock [`forˌlɑk] *n.* Ⓒ 前額之髮。

fore·man [`formən] *n.* Ⓒ (*pl.* **-men**) ①工頭；領班。②陪審團之主席。

fore·mast [`forˌmæst] *n.* Ⓒ 船的前檣。

***fore·most** [`forˌmost, `fɔrməst] *adj.* 最先的；第一的；首要的。— *adv.*最前。*first and ~*首先；第一。

fore·noon [`forˌnun, `fɔr-] *n.* Ⓒ 午前；上午。

fo·ren·sic [fə`rɛnsɪk] *adj.*①法庭的。

②辯論的。§ ∼ **médicine** 法醫學。

fore·or·dain [,forɔrˋden] *v.t.* 注定命運。

fore·paw [ˋfor,pɔ] *n.* Ⓒ (四足動物之) 前蹄。

fore·play [ˋfor,ple] *n.* Ⓤ 性交前的愛撫。

fore·run [forˋrʌn] *v.t.* (**-ran, -run, -run·ning**)〖罕, 古〗①預告; 預示。②爲…之先驅。③跑在前面。④超越。

fore·run·ner [ˋfor,rʌnɚ] *n.* Ⓒ ①先驅。②預兆。③祖先。

fore·sail [ˋfor,sel] *n.* Ⓒ〖海〗前檣主帆。

fore·see [forˋsi, fɔr-] *v.t.* & *v.i.* (**-saw** [-ˋsɔ], **-seen** [-ˋsin]) 先見; 預知。

fore·see·a·ble [forˋsiəbl] *adj.* 可預知的; 能預測的。

fore·shad·ow [forˋʃædo] *v.t.* 預示; 預兆。

fore·shore [ˋfor,ʃor] *n.* (the ∼) ①(高潮線與低潮線之間的)海浦。②渚; 海灘。

fore·short·en [forˋʃɔrtn̩] *v.t.*〖美術〗立體構圖中因表示遠近而縮小。

fore·sight [ˋfor,saɪt] *n.* Ⓤ ①先見之明; 遠見。②遠瞻未來。

fore·skin [ˋfor,skɪn] *n.* Ⓒ 包皮。

‡**for·est** [ˋfɔrɪst, ˋfɑr-] *n.* ① Ⓤ Ⓒ 森林; 森林地帶。②(a ∼) **a.** 許多; 很多。**b.** 林立之物。③ Ⓒ〖英〗狩獵場。— *v.t.* 植樹於; 使成林。§ ∼ **presèrve** 保護林。∼ **rànger**〖美〗森林警備員[保護員]。

fore·stall [forˋstɔl] *v.t.* ①先採取行動以預防或阻止。②占先一步; 先發制人。③壟斷(市場等)。

for·est·a·tion [,fɔrɪsˋteʃən] *n.* Ⓤ 造林。

for·est·er [ˋfɔrɪstɚ] *n.* Ⓒ ①林務官。②居住於森林地帶的人或獸。

for·est·ry [ˋfɔrɪstrɪ] *n.* Ⓤ ①森林學。②林業。③山林管理法。④〖罕〗森林地。

fore·taste [forˋtest] *v.t.* 預嘗; 先試。— [ˋfor,test] *n.* (a ∼) ①預嘗。②預期。

fore·tell [forˋtɛl, fɔr-] *v.t.* & *v.i.* (**-told**) 預言; 預測。

fore·thought [ˋfor,θɔt] *n.* Ⓤ ①事先的盤算。②預謀; 存心; 先見。

fore·to·ken [ˋfor,tokən] *n.* Ⓒ 預兆; 預示。— [forˋtokən] *v.t.* 成爲…的前兆; 預示。

fore·top [ˋfor,tɑp] *n.* Ⓒ ①〖海〗前桅樓。②(馬等之)額毛。③額前覆蓋之髮。

‡**for·ev·er** [fɚˋɛvɚ] *adv.* ①永遠地。②繼續地; 不斷地。∼ ***and ever*** 永遠地。

for·ev·er·more [fɚ,ɛvɚˋmor] *adv.* 永遠(forever 之強勢語)。

fore·warn [forˋwɔrn] *v.t.* 預先警告。

fore·wom·an [ˋfor,wumən] *n.* Ⓒ (*pl.* **-wom·en**) ①女工頭。②女陪審長。

fore·word [ˋfor,wɝd] *n.* Ⓒ 前言; 序。

for·feit [ˋfɔrfɪt] *v.t.* (因被沒收)喪失(所有權); (因過失、犯罪)喪失(職位、生命)。— *n.* Ⓒ ①喪失物; 沒收物。②罰鍰; 處罰。③違約罰金。— *adj.* 喪失的; 沒收的。

for·fei·ture [ˋfɔrfɪtʃɚ] *n.* ① Ⓤ (權利、名譽等)喪失。② Ⓒ 沒收物; 罰金。

for·gath·er [fɔrˋgæðɚ] *v.i.* ①聚集; 集合。②偶遇; 不期而遇。③交往〖with〗.

‡**for·gave** [fɚˋgev] *v.* pt. of **forgive.**

forge[1] [fɔrdʒ] *n.* Ⓒ ①鐵工廠。②鍛鐵爐。— *v.t.* ①打(鐵); 鍛造…。②僞造(文書、簽字等)。③編(假故事或謊話等)。— *v.i.* ①鍛鐵。②僞造文書。— **forg′er,** *n.*

forge[2] *v.i.* 徐緩推進〖常 ahead〗.

for·ger·y [ˋfɔrdʒərɪ] *n.* ① Ⓤ 僞造(文書)。② Ⓒ 僞造物。

‡**for·get** [fɚˋgɛt] *v.t.* & *v.i.* (**-got, -got·ten** or **-got, -get·ting**) 忘記; 忽略; 忽視。***F- it.*** 沒關係。∼ ***oneself*** **a.**失態; 忘形。**b.**忘我; 大公無私。**c.**心不在焉。

for·get·ful [fɚˋgɛtfəl] *adj.* ①健忘的; 不留心的。②〖古〗使遺忘的。

for·get-me-not [fɚˋgɛtmɪ,nɑt] *n.* Ⓒ〖植〗勿忘我; 琉璃草。

for·get·ta·ble [fɚˋgɛtəbl] *adj.* 可忘記的。

for·giv·a·ble [fɚˋgɪvəbl] *adj.* 可寬恕的; 可原諒的。

‡**for·give** [fɚˋgɪv] *v.t.* & *v.i.* (**-gave, -giv·en**) ①原諒; 赦免。②寬免; 放棄追索。— **for·giv′ing,** *adj.*

‡**for·giv·en** [fɚˋgɪvən] *v.* pp. of **forgive.**

for·give·ness [fɚˋgɪvnɪs] *n.* Ⓤ ①寬恕; 原諒。②寬仁之心。

for·go [fɔrˋgo] *v.t.* (**-went, -gone**) 棄絕; 拋棄; 放棄。

‡**for·got** [fɚˋgɑt] *v.* pt. & pp. of **forget.**

‡**for·got·ten** [fɚˋgɑtn̩] *v.* pp. of **forget.**

‡**fork** [fɔrk] *n.* Ⓒ ①叉; 肉叉。②耙。③似叉之物。④分叉處。⑤〖美〗河川之主要支流。— *v.t.* ①以叉叉(物)。②使分岔。— *v.i.* 成叉形; 分岔。∼ ***out*** [***over, up***]〖俗〗交出; 付出。

forked [fɔrkt] *adj.* 有叉的; 叉狀的。§ ∼ **tóngue** 謊言; 假話。

fork·ful [ˋfɔrkfəl] *n.* Ⓒ 一叉所舉之量。

fork·lift [ˋfɔrk,lɪft] *n.* Ⓒ〖機〗叉式升降機; 堆高機。§ ∼ **trúck** 堆高卡車。

for·lorn [fɚˋlɔrn] *adj.* ①孤零的。②可憐的; 絕望的。③被遺棄的〖有時 of〗. § ∼ **hópe** (1)渺茫的希望。(2)危險或孤注一擲的舉動。(3)敢死隊。

‡**form** [fɔrm] *n.* ① Ⓤ Ⓒ 形狀; 外貌; 形體。② Ⓤ Ⓒ 形式; 姿態。③ Ⓒ 制度。④ Ⓤ Ⓒ 禮節; 手續。⑤ Ⓒ 表格。⑥ Ⓒ (英國學校裡的)班; 級。⑦ Ⓒ 模型。⑧ Ⓒ 做事的方式。⑨ Ⓒ 種類。⑩ Ⓤ 身心的健康情況。⑪ Ⓒ 長凳。⑫ Ⓒ〖印刷〗板。⑬ Ⓤ Ⓒ〖文法〗型; 式。***good*** [***bad***] ∼ 合乎禮儀[失禮]的舉動。— *v.t.* ①構造; 作成; 變成。②養成。③排列。④組織。— *v.i.* ①形成。②產生。§ ∼ **lètter** 格式信函(內容一致而可以寄給許多不同的人的信函)。∼ **wòrd**〖文法〗形式詞、虛詞(句中表示關係之字, 如介系詞, 連接詞, 助動詞屬之)。

***for·mal** [ˋfɔrml] *adj.* ①正式的; 傳統的; 合乎禮儀的。②合式的; 合法的。③形式的; 形式上的(對內容而言)。

form·al·de·hyde [fɔrˋmældə,haɪd] *n.* Ⓤ〖化〗甲醛。

for·mal·ism [ˋfɔrml,ɪzəm] *n.* Ⓤ 形式主義; 拘泥虛禮。— **for′mal·ist,** *n.*

for·mal·i·ty [fɔrˋmælətɪ] *n.* ① Ⓤ 禮節; 儀式。② Ⓤ 拘泥形式; 嚴守禮

節。③ Ⓒ 形式上的行爲[事]。④ Ⓒ 形式或禮貌上該做的事。***go through due formalities*** 經正式的手續。***without*** ～不拘形式。

for·mal·ize [ˋfɔrml̩,aɪz] *v.t.*①使正式；形式化；使合禮儀。②賦以定形；使成形。 — *v.i.*正式化；合禮儀。

***for·mal·ly** [ˋfɔrməlɪ] *adv.* ①正式地。②就形式而言。

for·mat [ˋfɔrmæt] *n.* Ⓒ ①書刊之版式。②任何事之構成、方式等。③〖電算〗格式。

***for·ma·tion** [fɔrˋmeʃən] *n.*① Ⓤ 構成；組成。② Ⓤ Ⓒ 編組；隊形。③ Ⓒ 構成物。④ Ⓒ〖地質〗岩層；層。

form·a·tive [ˋfɔrmətɪv] *adj.*①使成形的。②形成的；發展的。③〖文法〗構成字的。 — *n.* Ⓒ〖文法〗構成字之要素(如字首、字尾等)。

‡**for·mer** [ˋfɔrmɚ] *adj.* ①前者的(爲 latter之對)。②往昔的。③早期的。④前一個的。⑤前任的。

***for·mer·ly** [ˋfɔrmɚlɪ] *adv.* 先前；從前。

for·mic [ˋfɔrmɪk] *adj.*①〖化〗蟻酸的。～ acid〖化〗蟻酸；甲酸。②螞蟻的。

For·mi·ca [fɔrˋmaɪkə] *n.* Ⓤ (有時 f-)〖商標〗(桌子家具等的)塑料貼面。

***for·mi·da·ble** [ˋfɔrmɪdəbl̩] *adj.*①可畏懼的；難以克服的。②可敬畏的。③強大的。 — **forˊmi·da·bly,** *adv.*

form·less [ˋfɔrmlɪs] *adj.*①無形狀的。②無一定形式的。

For·mo·sa [fɔrˋmosə] *n.*臺灣(正式名稱爲 Taiwan)。

***for·mu·la** [ˋfɔrmjələ] *n.* Ⓒ (*pl.* **～s, -lae** [-,li])①客套語；(法律文件或宗教儀式所用之)套語。②〖數〗公式。③〖化〗分子式。④製法(＝recipe).⑤〖醫〗處方。⑥做事之定規。⑦俗套。

for·mu·late [ˋfɔrmjə,let] *v.t.*①用公式表示。②有系統地陳述。③設計或規劃。 — **for·mu·laˊtion,** *n.*

for·ni·cate [ˋfɔrnə,ket] *v.i.*(未婚男女與異性)通姦。 — **for·ni·caˊtion,** *n.*

for·sake [fɚˋsek] *v.t.*(**-sook, -sak-en**)①遺棄；棄絕。②放棄；革除。

for·sak·en [fɚˋsekən] *v.* pp. of forsake. — *adj.*被棄的。

for·sook [fɚˋsʊk] *v.* pt. of **forsake.**

for·sooth [fɚˋsuθ] *adv.*〖古〗確實。

for·swear [fɔrˋswɛr] *v.t.*(**-swore, -sworn**)①誓絕；戒絕。②否認。③作僞證(與oneself連用)。 — *v.i.* 作僞證。

for·swore [fɔrˋswor] *v.* pt. of **forswear.**

for·syth·i·a [fɚˋsɪθɪə] *n.* Ⓤ〖植〗連翹(春天開黃花)。

fort** [fort] *n.* Ⓒ ①堡壘；砲臺。②〖北美〗易貨站。hold the*** ～ **a.** 防禦；(對批評之)辯護。**b.** 維持現狀。

for·te[1] [ˋfɔrtɪ]〖義〗*adj.* & *adv.*〖樂〗強音的[地]。(略作 **f.**)

forte[2] [fort] *n.* ①(one's ～)長處；擅長。② Ⓒ 劍身之最強部分。

forth** [forθ, fɔrθ] *adv.*①向前。②(自…)以後。③出外。④露出；出現。and so*** ～ 等等。

forth·com·ing [ˋforθˋkʌmɪŋ] *adj.* ①即將出現的。②隨時可得的。

forth·right [forθˋraɪt] *adj.*①坦白的；直率的。②直接的。 — *adv.*①一直往前地。②立即地。③直率地。

forth·with [forθˋwɪθ] *adv.* 立即。

***for·ti·eth** [ˋfɔrtɪɪθ] *adj.*①第四十的。②四十分之一的。 — *n.* ① Ⓤ (常 the ～)第四十。② Ⓒ 四十分之一。

for·ti·fi·ca·tion [,fɔrtəfəˋkeʃən] *n.*① Ⓤ 築城；設防。② Ⓒ (常 *pl.*)防禦工事。③ Ⓒ (常 *pl.*)堡壘；要塞。④ Ⓤ 加強。

for·ti·fy [ˋfɔrtə,faɪ] *v.t.*①加強。②設防。③加以滋養料(＝enrich).④增長心理上或道德上的力量。⑤增加酒精量。

for·tis·si·mo [fɔrˋtɪsə,mo]〖義〗*adj.* & *adv.*〖樂〗最強的[地]；最強音的[地]。(略作 **ff.**)

for·ti·tude [ˋfɔrtə,tjud] *n.* Ⓤ 堅忍；剛毅。

***fort·night** [ˋfɔrtnaɪt, -nɪt] *n.* Ⓒ (常 *sing.*)兩星期。

fort·night·ly [ˋfɔrtnaɪtlɪ] *adj.* ①二週一次的。②隔週發行的。 — *adv.* 二週一次地；隔週地。 — *n.* Ⓒ 雙週刊。

For·tran, FORTRAN [ˋfɔr,træn] *n.* Ⓤ〖電算〗公式翻譯程式(爲 Formula Translator 之略)。

for·tress [ˋfɔrtrɪs] *n.* Ⓒ ①堡壘。②安全處所。 — *v.t.* 以堡壘防守。

for·tu·i·tous [fɔrˋtjuətəs] *adj.*①偶然的；意外的。②幸運的。 — **ly,** *adv.*

for·tu·i·ty [fɔrˋtjuətɪ] *n.*① Ⓤ 偶然性；意外。② Ⓤ 偶然。③ Ⓒ 偶然之事故。

***for·tu·nate** [ˋfɔrtʃənɪt] *adj.*①幸運的。②帶來幸運的。 *— **ly,** *adv.*

‡**for·tune** [ˋfɔrtʃən] *n.* ① Ⓤ Ⓒ 財富。② Ⓤ 運氣；幸運。③ Ⓒ 命運。④(F-)命運女神。***make a*** ～發財。***seek one's*** ～碰運氣。***tell a person's*** ～算命。***try one's*** ～碰運氣。 — *v.i.*偶然發生。§ ～ **hùnter**(尤指藉結婚)想得到財產者；尋找富有的結婚對象者。

for·tune·tell·er [ˋfɔrtʃən,tɛlɚ] *n.* Ⓒ 算命者；看相者。

‡**for·ty** [ˋfɔrtɪ] *n.* Ⓤ Ⓒ 四十；四十個。 — *adj.*四十(個)的。

for·ty-five [ˋfɔrtɪˋfaɪv] *n.* Ⓒ ①每分鐘四十五轉的唱片。②〖美俗〗四五口徑手槍。

fo·rum [ˋforəm, ˋfɔrəm] *n.* Ⓒ (*pl.* **～s, -ra** [-rə])①古羅馬的市場與公共集會地。②討論會。③法庭。

‡**for·ward** [ˋfɔrwɚd] *adv.* ①繼續向前；向前面(＝forwards).②(把日期等)提早。 — *adj.*①向前的；前部的。②早的；早熟的。③迅速的。④鹵莽的。⑤進步的。⑥熱心的。⑦〖商〗未來的；預定的。 — *v.t.* ①轉遞；轉寄。②助長；促進。 — *n.* Ⓤ Ⓒ (足球等隊員的)前鋒。

for·ward·er [ˋfɔrwɚdɚ] *n.* Ⓒ 運送者；運輸(業)者。

for·ward·ing [ˋfɔrwɚdɪŋ] *n.* Ⓤ 運送；運輸(業)；發送；轉遞。

for·ward-look·ing [ˋfɔrwɚd,lʊkɪŋ] *adj.*進取的；積極的；進步的。

‡**for·wards** [ˋfɔrwɚdz] *adv.* ＝**for-**

ward.

for·went [fɔr`wɛnt] *v.* pt. of **forgo.**

fos·sil [`fasl̩] *n.* Ⓒ ①化石。②(常 old ～)老頑固；古物。— *adj.*①化石的。～ fuel 化石燃料。②陳腐的。

fos·sil·ize [`fasl̩,aɪz] *v.t.* & *v.i.*①(使)成化石。②(使)變成古板或頑固。— **fos·sil·i·za′tion,** *n.*

***fos·ter** [`fɔstɚ] *v.t.*①養育；撫育；看護。②心懷；存心。③鼓勵；助長。Ignorance ～*s* superstition. 無知助長迷信。— *adj.* 養育的；收養的。a ～ child 義子；養子。a ～ home 養父母之家。a ～ parent 養父[母]。

‡**fought** [fɔt] *v.* pt. & pp. of **fight.**

foul** [faul] *adj.* ①污穢的；惡臭的。②邪惡的。③(比賽)犯規的。④令人不舒服[不愉快]的。⑤(天氣)險惡的。⑥(言語)粗俗的。— *v.t.* ①使污穢。②(船)碰撞(船)。③與…糾纏。④(競技)對…犯規。⑤使污塞。— *v.i.*①變髒。②(船)碰撞。③糾結；塞住。④(競技)犯規。⑤〖棒球〗打出界外球。fall*** [***go, run***]～ ***of*** **a.**與…爭執不和；(船與船)互撞。**b.**與…衝突。**c.**攻擊。～ ***out*** 〖棒球〗打出界外球被接殺出局。～***up***〖美俗〗搞壞。— *n.* Ⓒ ①(競技)犯規。②〖美，棒球〗界外球。③相撞；糾纏。— *adv.*碰撞地；爭執不和地。§～ **báll**〖棒球〗界外球。～ **lìne** (1)〖棒球〗界線。(2)〖籃球〗邊線。～ **pláy** 犯規；欺詐；暴行。～ **shòt** 〖籃球〗(1)罰球。(2)罰球所得之一分。～ **típ**〖棒球〗擦棒球。

fou·lard [fu`lard] 〖法〗 *n.* ⓊⒸ①一種軟薄花綢。②此綢所製之領帶等。

foul·mouthed [`faul`mauðd] *adj.* 口出惡言的；出言不遜的。

foul-up [`faul,ʌp] *n.* Ⓒ〖俗〗①混亂；一團糟。②(機器之)故障。

‡**found**[1] [faund] *v.* pt. & pp. of **find.**

***found**[2] *v.t.* 建立；創設；以…爲基礎。— *v.i.*① 以…爲根據〔常 on, upon〕。②以…爲意見之根據〔常 on, upon〕。§～**ing fáther** (1)創始人；創立者。(2)(the Founding Father) (1787 年)美國憲法制定者。

found[3] *v.t.* ①鎔鑄(金屬)。②鑄造。

***foun·da·tion** [faun`deʃən] *n.*① Ⓒ 基礎；根據。② Ⓒ 基金；基金會。③ Ⓤ建設；建立。④=**foundation garment.** ⑤ Ⓤ粉底。§～**gàrment** 女人之內衣。～ **stòne** (1)基石。(2)基礎。

found·ed [`faundɪd] *adj.*(與 well, ill 連用)基礎[根據]…的。

found·er[1] [`faundɚ] *v.i.* ①浸水而沉沒。②跌倒；跌跛。— *v.t.* ①使(馬)跌跛。②使浸水而沉沒。

found·er[2] *n.* Ⓒ 建立者；創設者。§～ **mèmber** 創辦會員；發起人。

found·er[3] *n.* Ⓒ鑄造工；翻砂工。

found·ling [`faundlɪŋ] *n.* Ⓒ 棄兒；棄嬰。§～ **hòspital** 育幼院。

found·ry [`faundrɪ] *n.*① Ⓒ 鑄造工廠。②Ⓤ鑄造之成品。③Ⓤ鑄造(法)。

fount [faunt] *n.* Ⓒ ①泉源。②根源；來源。

***foun·tain** [`fauntn̩, -tɪn] *n.* Ⓒ ①噴泉；噴水池。②泉源；源流。③飲水器。④本源；出處。§～ **pèn** 鋼筆；自來水筆。

foun·tain·head [`fauntn̩,hɛd] *n.* Ⓒ(常 *sing.*)①水源。②根源。

‡**four** [for, fɔr] *n.* ⓊⒸ四；四個。***on all*** ～***s*** 匍匐。— *adj.* 四(個)的。

four-eyes [`for,aɪz] *n.* Ⓒ (*pl.* ～) 〖諧〗戴眼鏡的人；四眼田雞。

four·fold [`for,fold] *adj.* & *adv.* ①四倍的[地]。②四重的[地]；四摺的[地]。

four-foot·ed [`for`futɪd] *adj.* 有四足的。

Fóur-Ĥ Clùb, 4́-Ĥ Clùb [`for`etʃ ～] *n.* Ⓒ 四健會(以 head, hands, heart, health 爲座右銘，並以提高農技，推展公民教育爲宗旨的美國農村青年教育機構)。

four-in-hand [`forɪn,hænd] *n.*Ⓒ ①活結領帶。②一人駕馭之四馬馬車。

four-leg·ged [`for`lɛgɪd] *adj.*①四足的。②(帆船)有四根桅檣的。

four·pence [`forpəns] *n.* 〖英〗①Ⓤ四便士。②Ⓒ(從前的)四便士銀幣。

four·pen·ny [`for,pɛnɪ] *adj.*值四辨士的。

four·post·er [`for`postɚ] *n.* Ⓒ 四柱的床。

four·score [`for`skor] *adj.*〖古〗八十的。— *n.* ⓊⒸ八十。

four·some [`forsəm] *n.* Ⓒ①四人一組。②〖運動〗四人對抗賽；雙打。

four·square [`for`skwɛr] *adj.*①四方的；正方形的。②坦白的；率直的。

‡**four·teen** [`for`tin, `fɔr-] *adj.*十四(個)的。— *n.* ⓊⒸ十四；十四個。

‡**four·teenth** [`for`tinθ, `fɔr-] *adj.*①第十四(個)的。②十四分之一的。— *n.* ①Ⓤ第十四(個)。②Ⓒ十四分之一。

‡**fourth** [forθ, fɔrθ] *adj.*第四(個)的；四分之一的。— *n.*① Ⓤ 第四。② Ⓒ 四分之一。***the F- of July*** 七月四日(美國 1776 年獨立紀念日)。§～ **cláss** 〖美〗第四類郵件(即郵包)。**the** ～ **diménsion** 第四度空間(即時間)。**the** ～ **estáte** 第四階級(指新聞界)。**the F～ Wórld**第四世界(泛指資源貧乏而未開發的國家)。

four-wheel·er [`for`hwilɚ] *n.* Ⓒ ①〖英〗四輪馬車。②四輪車。

***fowl** [faul] *n.* (*pl.* ～**s,** ～) ① Ⓒ 家禽；(尤指)雞。②Ⓤ禽肉；雞肉。③Ⓒ〖古，詩〗鳥。— **er,** *n.* Ⓒ 捕鳥者。

fowl·ing [`faulɪŋ] *n.* Ⓤ 捕鳥；獵野禽。§～ **pìece** 鳥槍；獵槍。

‡**fox** [faks] *n.*① ⓊⒸ 狐(皮)。② Ⓒ 狡猾的人。③ Ⓒ〖美俚〗性感的女人。§～ **brùsh**狐尾。～ **térrier**獵狐小狗。～ **tròt** (1)狐步舞。(2)狐步舞曲。(3)〖馬術〗一種小跑步法。— **fox′y,** *adj.*

fox·glove [`faks,glʌv] *n.* Ⓒ〖植〗指頂花。

fox·hole [`faks,hol] *n.* Ⓒ〖軍〗散兵坑。

fox·hound [`faks,haund] *n.* Ⓒ狐猩(獵狐用的一種獵犬)。

fox·hunt [`faks,hʌnt] *v.i.* 獵狐。— **er,** — **ing,** *n.*

fox·tail [`faks,tel] *n.* Ⓒ ①狐尾。②〖植〗狐尾草。

foy·er [`fɔɪɚ] *n.* Ⓒ (戲院、旅館等的)

休息室；門廳；走廊。

fr. franc(s).

Fr. Father; France; French; Friar; Friday

fra·cas [ˋfrekəs] *n.* Ⓒ (*pl.* ~·es, 〖英〗~[ˋfrækɑz]) 吵鬧；打鬧；騷動。

***frac·tion** [ˋfrækʃən] *n.* Ⓒ ①部分；碎片；微量。②〖數〗分數。

frac·tion·al [ˋfrækʃənl] *adj.* ①〖數〗分數的。②極小的；極少的；瑣屑的。③〖化〗分段的；分級的。§ ~ **cúrrency** 輔幣。

frac·tious [ˋfrækʃəs] *adj.* 乖張的；易怒的；難駕馭的。

frac·ture [ˋfræktʃɚ] *n.* ① Ⓒ 裂口；裂縫。② Ⓤ 斷折。③ Ⓒ〖外科〗挫傷；骨折。**—** *v.t.* & *v.i.* 折斷；破碎。

***frag·ile** [ˋfrædʒəl] *adj.* 易碎的；脆的。— **fra·gil·i·ty** [fræˋdʒɪlətɪ], *n.*

***frag·ment** [ˋfrægmənt] *n.* Ⓒ 碎片；斷片。

frag·men·tar·y [ˋfrægmən͵tɛrɪ] *adj.* 殘破不全的；不完整的；不連接的。

frag·men·ta·tion [͵frægmənˋteʃən] *n.* ① Ⓤ 破碎；殘破。② Ⓒ (砲彈等之)爆裂。

frag·ment·ed [ˋfrægməntɪd] *adj.* ①成碎片的。②片斷的；不完整的。

fra·grance [ˋfregrəns], **-cy** [-sɪ] *n.* Ⓤ 香味；香氣。

***fra·grant** [ˋfregrənt] *adj.* 芳香的；馥郁的；愉快的。— **ly,** *adv.*

fraid·y-cat [ˋfredi͵kæt] *n.* Ⓒ 膽小鬼；懦夫。

***frail** [frel] *adj.* ①脆弱的；不堅實的；不鞏固的。②意志薄弱的；易受誘惑的。

frail·ty [ˋfreltɪ] *n.* ① Ⓤ 脆弱。② Ⓤ 意志薄弱。③ Ⓒ 品德上的缺點；過失。

‡**frame** [frem] *n.* ① Ⓒ 骨架；架子。② Ⓤ 身體；體格。③ Ⓒ 框架。④ Ⓒ 構造；組織。⑤(a ~ of mind)心境。⑥ Ⓒ〖保齡球〗一局。**—** *v.t.* ①構造；組織；設計。②給…裝框。③〖美〗誣陷。§ ~ **hóuse** 木架屋；木造居屋。

frame-up [ˋfrem͵ʌp] *n.* Ⓒ〖俗〗①陰謀詭計。②誣陷之計。

***frame·work** [ˋfrem͵wɝk] *n.* Ⓒ ①骨架；支架。②組織；體制。

franc [fræŋk] *n.* Ⓒ 法郎(錢幣名，通用於法國、比利時及瑞士)。

‡**France** [fræns] *n.* 法國；法蘭西(西歐一國，首都爲 Paris).

fran·chise [ˋfræntʃaɪz] *n.* ① Ⓒ 特權。② Ⓤ (the ~)選舉權。③ Ⓒ 經銷權。

fran·chi·see [͵fræntʃaɪˋzi] *n.* Ⓒ 經銷商。

Fran·cis·can [frænˋsɪskən] *adj.* & *n.* Ⓒ 天主教聖方濟修會的(修道士)。

fran·ci·um [ˋfrænsɪəm] *n.* Ⓤ〖化〗鍅(鹼性金屬元素；符號爲 Fr).

Fran·co [ˋfrɑŋko] *n.* 佛朗哥(Francisco, 1892-1975, 西班牙將軍，1939-47 爲元首)。

Fran·co·phone [ˋfræŋkə͵fon] *adj.* 講法語的。**—** *n.* Ⓒ 講法語的人。

fran·gi·ble [ˋfrændʒəbl] *adj.* 易碎的；脆弱的。

frank**[1] [fræŋk] *adj.* ①坦白的；率直的。②無掩飾的。be perfectly ~ with you*** 老實對你說。

frank[2] = **frankfurter.**

Frank [fræŋk] *n.* Ⓒ ①日耳曼民族之法蘭克人。②西歐人[居民]。— **ish,** *adj.*

Frank·en·stein [ˋfræŋkən͵staɪn] *n.* ①法蘭肯斯坦(Mary Shelley 所著之 Frankenstein 中之男主角名，後爲自己所創造的怪物所滅)。② Ⓒ 作法自斃者。③ Ⓒ 自尋的禍害。

frank·furt·er [ˋfræŋkfɚtɚ] *n.* Ⓒ (牛肉及豬肉混合製成的)法蘭克福香腸。(亦作 **frankforter**)

frank·in·cense [ˋfræŋkɪn͵sɛns] *n.* Ⓤ 乳香(主要用於供奉神祇)。

Frank·lin [ˋfræŋklɪn] *n.* 富蘭克林(Benjamin, 1706-90；美國的政治家、外交官、作家及物理學家)。

***frank·ly** [ˋfræŋklɪ] *adv.* ①坦白地；率直地。②坦白地說(修飾全句)。

frank·ness [ˋfræŋknɪs] *n.* Ⓤ 坦白；率直。

***fran·tic** [ˋfræntɪk] *adj.* 似發狂的；狂亂的。— **fran′ti·cal·ly,** *adv.*

frap·pé [fræˋpe]〖法〗*adj.* 冰涼的；冰凍的。**—** *n.* Ⓤ 冰凍飲料。

fra·ter·nal [frəˋtɝnl] *adj.* (如)兄弟的；友愛的。§ ~ **insúrance** 互助保險。

fra·ter·ni·ty [frəˋtɝnətɪ] *n.* ① Ⓤ 博愛。② Ⓒ 團體；同行。③ Ⓒ (美國大學生的)兄弟會。

frat·er·nize [ˋfrætɚ͵naɪz] *v.i.* 結交如兄弟；親善；友善地交往。— **fra·ter·ni·za′tion** [-nɪ-], *n.*

frat·ri·cide [ˋfrætrə͵saɪd] *n.* ① Ⓒ 殺害兄弟姊妹者。② Ⓤ 此種殺害行爲。

fraud [frɔd] *n.* ① Ⓤ 詐欺；欺騙。② Ⓒ 詐欺的行爲；騙人的事[人]。

fraud·u·lent [ˋfrɔdʒələnt] *adj.* ①詐欺的；詭詐的。②騙取的。— **ly,** *adv.* — **fraud′u·lence, fraud′u·len·cy,** *n.*

fraught [frɔt] *adj.* 充滿的；裝載著的；滿載的(常 with)。

fray[1] [fre] *n.* (the ~)①吵鬧；喧嘩。②爭吵；衝突。

fray[2] *v.t.* ①磨損；磨破。②使緊張。**—** *v.i.* 被磨損；破爛。

fraz·zle [ˋfræzl] *v.t.* & *v.i.*〖俗〗①擦損；(使)破爛。②(使)疲憊。

freak [frik] *n.* ① Ⓒ 畸形物。② Ⓤ Ⓒ 異想天開。③ Ⓒ **a.** …的狂熱者。**b.** 吸毒者。④ Ⓤ Ⓒ 反覆無常。— **ish,** *adj.*

freak-out [ˋfrik͵aut] *n.* Ⓒ〖俚〗①由吸毒引起的幻覺。②以吸毒逃避現實。

freak·y [ˋfrikɪ] *adj.* 異想天開的；怪異的(=freakish).

freck·le [ˋfrɛkl] *n.* Ⓒ (常 *pl.*)雀斑；痣。**—** *v.t.* & *v.i.* (使)生雀斑。

‡**free** [fri] *adj.* ①自由的；(國家等)獨立的。②空閒的。③無拘束的。④免費的。⑤直率的。⑥免稅的。⑦慷慨的。⑧不拘泥於規則[形式]的。⑨任性的；放縱的。⑩〖化〗游離的。***~ and easy*** 不拘禮儀的。***~ from*** [***of***] **a.** 無…的。**b.** 免…的；無…之憂的。***~ with*** 大方的。***make ~ with*** 隨意使用；對…隨便。***set ~*** 釋放。**—** *adv.* ①免費地。②隨意地。**—** *v.t.* ①釋放。②使免除。§

～ ágent(1)可自由行動的人。(2)〖美〗可自由與任何隊伍簽約的運動員。～ associátion〖心〗自由聯想(法)。～ béach 允許裸體的海灘。～ delívery 免費郵遞。～ hánd 全權；自由行動權。～ lánce (無特別契約的)著作家、藝術家等。～ lìst〖美〗可免稅輸入貨品之名單。～ lìver 好吃喝玩樂的人。～ lóve 自由性愛(主義)。～ pórt 自由港(進出口免稅的港口)。～ thrów〖籃球〗罰球。～ tráde 自由貿易。～ univérsity 自由大學(由學生自己組織的獨立大學，與一般的大學不同，偏重於討論、研究學生感興趣的問題)。～ vérse 自由詩體。～ wíll 自由意志。the ～ wórld (常 F-W-)自由世界。*— ly, *adv.*

-free〖字尾〗表「無…的；免除…的」之義。

free·bie [`fribɪ] *n.* Ⓒ〖美俚〗免費贈品。(亦作 **freebee**)

free·board [`fri͵bord] *n.* Ⓤ Ⓒ〖海〗乾舷(自吃水線至甲板間之部分)。

free·boot·er [`fri͵butɚ] *n.* Ⓒ 海盜。

free·born [`fri͵bɔrn] *adj.*①生而自由的。②自由民[不是奴隸]的。

freed·man [`fridmən] *n.* Ⓒ (*pl.* **-men**)解脫奴隸身分而得自由的人。

***free·dom** [`fridəm] *n.*① Ⓤ Ⓒ 自由；自由權。②(the ～)自由使用權。③ Ⓤ 奔放；磊落；率直。④ Ⓤ 優游閒適。⑤(the ～)豁免權；特權。⑥ Ⓤ 免除。～ *of the press* 新聞自由。～ *of the seas*〖國際法〗公海自由。§ ～ fíghter 自由鬥士。

freed·wom·an [`frid͵wumən] *n.* Ⓒ (*pl.* **-wom·en**)解脫奴隸身分而得自由之婦女。

free-fall [`fri`fɔl] *n.*① Ⓤ (物體靠重力作用而)自由落下。② Ⓤ Ⓒ (降落傘張開之前的)降落。

free-for-all [`frifɚ͵ɔl] *n.* Ⓒ ①可自由參加之競賽。②混戰；混鬥。

free-form [`fri͵fɔrm] *adj.* ①自由形態的。②不按傳統格式的。

free·hand [`fri͵hænd] *adj.* & *adv.* 手畫的[地]。

free-hand·ed [`fri`hændɪd] *adj.*慷慨的；好施與的。

free-heart·ed [`fri`hartɪd] *adj.*①慷慨的。②坦白的。

free·hold [`fri͵hold] *n.*① Ⓒ (終身或世襲之)不動產。② Ⓤ 上述不動產之自由保有權。

free·lance [`fri`læns] *v.i.*自由工作。— *adj.* & *adv.*無契約約束的[地]；自由投稿的[地]。

free-liv·ing [`fri`lɪvɪŋ] *adj.*①縱情享樂的；講究吃的。②〖生物〗(非寄生[共生])獨立生活的。

free·load [`fri`lod] *v.i.*〖美俗〗仰賴他人爲生；做食客。— **er,** *n.*

free·man [`frimən] *n.* Ⓒ (*pl.* **-men**)①自由人；自由民。②公民。③弗里曼(剽竊計量單位；以剽竊者 Leonard M. Freeman 的姓氏命名；一個 freeman 等於是100%剽竊)。

Free·ma·son [`fri͵mesn̩] *n.* Ⓒ 共濟會會員。

Free·ma·son·ry [`fri͵mesn̩rɪ] *n.* Ⓤ ①共濟會之主義、制度等。②(集合稱)共濟會之會員。③(f-)同病相憐。

free-range [`fri`rendʒ] *adj.*〖英〗(雞)放養的。

free-stand·ing [`fri`stændɪŋ] *adj.*(雕刻、建築物)自立的；自力撐持的。

free·stone [`fri͵ston] *n.* Ⓒ 肉與核容易分開的果子。— *adj.* 果肉與核容易分開的。

free·style [`fri͵staɪl] *n.* Ⓤ〖游泳〗自由式。

free·think·er [`fri`θɪŋkɚ] *n.* Ⓒ (宗教上)自由思想者。

free·way [`fri͵we] *n.* Ⓒ 高速公路。

free·wheel [`fri`hwil] *n.* Ⓒ (腳踏車後輪軸上之)飛輪。— *v.i.*①(車輛等)滑行。②自由自在地活動。

free·wheel·ing [`fri`hwilɪŋ] *adj.*(人)無拘無束的；隨心所欲的。

free·will [`fri`wɪl] *adj.*出於自動的；自願的；志願的。

‡**freeze** [friz] *v.i.*(**froze, fro·zen**)①結冰；凍結。②凍傷；凍斃。③(因恐怖等)僵硬；嚇呆。④酷寒。⑤感覺凍冷。⑥(因冷而)緊縮。— *v.t.*①使凍結；使結冰。②使冰冷；冷藏(食物)。③使凍傷[凍斃]。④使僵硬；使發呆。⑤〖俗〗限定(價格)；固定(職業)。⑥凍結(存款)。*F-!* 不要動！～ *out*〖俗〗逼走；去掉；攆走。*make one's blood* ～使惶恐；使戰慄。— *n.* (*sing.*)①凍結；結冰。②冰凍期。③(物價、工資等的)凍結。

freeze-dry [`friz`draɪ] *v.t.* 冷凍乾燥。

freeze-frame [`friz͵frem] *n.* Ⓒ〖影〗定格；靜止畫面。

freez·er [`frizɚ] *n.* Ⓒ ①製冰機。②冷藏器；冰箱。

freez·ing [`frizɪŋ] *adj.*①冰凍的；在冰點下的；寒冷的。②冷淡的。— *n.* Ⓤ 冰凍；冷凍(作用)。§ ～ pòint 冰點。

***freight** [fret] *n.*① Ⓤ 貨物(特指裝載於車、船上者)。② Ⓤ 運費。③ Ⓤ 運貨。④ Ⓒ 運貨火車。⑤ Ⓒ 負擔。— *v.t.*①裝貨於。②運輸(貨物)。③使負重。§ ～ càr 運貨車廂；卡車。～ tràin 貨運列車。— **er,** *n.*

‡**French** [frɛntʃ] *adj.*法國(人，語)的；法屬的。— *n.* ① Ⓤ 法語。②(the ～，作 *pl.*解)法國人。§ ～ dóor 法式的雙扇玻璃門。～ fríes〖美〗炸薯條。～ hórn〖樂〗法國號。～ kíss法國式接吻(舌頭相觸的熱吻)。～léave不辭而別。～ tóast法式土司(蘸牛奶、雞蛋後輕炸的麵包片)。～ wíndow(向庭院開的)雙扇落地窗。* the ～ Revolútion 法國大革命(1789-99)。

***French·man** [`frɛntʃmən] *n.* Ⓒ (*pl.* **-men**)①法國人。②法國船。

French·wom·an [`frɛntʃ͵wumən] *n.* Ⓒ (*pl.* **-wom·en**)法國婦女。

fren·zy [`frɛnzɪ] *n.* Ⓤ 暴怒；狂亂。— **fren′zied,** *adj.*

Fre·on [`frian] *n.* Ⓤ〖商標〗氟利昂；氟氯烷(電冰箱的冷凍劑)。

***fre·quen·cy** [`frikwənsɪ] *n.*① Ⓤ 頻仍；時常發生。② Ⓒ〖電〗周率。③ Ⓒ〖數〗頻率。§ ～ bànd 頻帶；波段。～

modulátion 調頻(略作 FM, F.M.).
‡**fre·quent** [ˋfrikwənt] *adj.*①時常發生的; 頻繁的; 屢次的。②隔著短距離的。 — [frɪˋkwɛnt] *v.t.*常去; 常在。
fre·quen·ta·tive [frɪˋkwɛntətɪv] *adj.*反覆的。 — *n.* Ⓒ〖文法〗反覆動詞(如 prickle 是 prick 的反覆動詞)。
*__fre·quent·ly__ [ˋfrikwəntlɪ] *adv.* 時常; 屢次。
fres·co [ˋfrɛsko] *n.*(*pl.* ~(e)s)① Ⓤ 作壁畫; 壁畫法。② Ⓒ 壁畫。*in* ~用壁畫法。 — *v.t.* 用壁畫法畫。
‡**fresh** [frɛʃ] *adj.*①新鮮的。②涼爽的; 清新的。③新奇的; 重新的。④淡的; 沒有鹽分的。～ water 淡水。⑤有生氣的。⑥健壯的; 年輕的。⑦無經驗的。⑧鮮艷的。⑨新到的; 剛出來的。⑩〖俚〗厚顏的; 無理的。⑪更多的。 — *adv.* 最近地; 剛剛。— **ly,** *adv.* — **ness,** *n.*
fresh·en [ˋfrɛʃən] *v.t.*①使新鮮; 使有生氣〔up〕。②去…之鹽分; 使變淡。③使清新; 使涼爽。 — *v.i.*①變爲新鮮。②成爲淡水。③變清新; 變涼爽。④(風)變強。⑤盥洗打扮〔up〕。— **er,** *n.*
fresh·et [ˋfrɛʃɪt] *n.* Ⓒ ①因暴雨[融雪]所造成的洪水。②入海的淡水溪流。
*__fresh·man__ [ˋfrɛʃmən] *n.* Ⓒ (*pl.* **-men**)①大學[高級中學]一年級學生。②新手; 初學者。
fresh-wa·ter [ˋfrɛʃˏwɔtɚ] *adj.*(生於)淡水的。(亦作 **freshwater**)
fret[1] [frɛt] *v.i.*(**-tt-**)①煩躁。②侵蝕。③(水面)起浪。④受磨損; 受侵蝕〔常 away〕。 — *v.t.*①磨損; 侵蝕。②使煩躁; 折磨。③使起皺紋。 — *n.*①(*sing.*)焦急; 煩躁。② Ⓤ 侵蝕; 磨損。③ Ⓒ 侵蝕[磨損]之處。
fret[2] *n.* Ⓒ 迴紋飾。 — *v.t.*(**-tt-**)以迴紋裝飾。§ ~ **sàw** 細工鋸; 鋼絲鋸。
fret[3] *n.* Ⓒ (絃樂器上之)琴格。
fret·ful [ˋfrɛtfəl] *adj.* 易怒的; 焦急的; 煩躁的。— **ly,** *adv.*
fret·work [ˋfrɛtˏwɝk] *n.* Ⓤ 迴紋細工。
Freud [frɔɪd] *n.* 佛洛伊德(Sigmund, 1856-1939, 奧地利心理分析及精神病學家, 提出潛意識理論)。
Freud·i·an [ˋfrɔɪdɪən] *adj.*佛洛伊德(之精神分析學派)的。§ ~ **slíp**〖俗〗(無意中洩露眞實欲望的)說溜嘴。— **ism,** *n.*
F.R.G. Federal Republic of Germany. 德意志聯邦共和國。
Fri. Friday.
fri·a·ble [ˋfraɪəbl̩] *adj.*脆的; 易碎的。
fri·ar [ˋfraɪɚ] *n.* Ⓒ (天主教的)修道士; 修道僧。
fric·as·see [ˏfrɪkəˋsi] 〖法〗*v.t.* 把(肉類)做成燉[油煎]肉丁。 — *n.* Ⓤ Ⓒ 燉[油煎]肉丁。
fric·a·tive [ˋfrɪkətɪv] 〖語音〗*adj.*由摩擦而產生的。 — *n.* Ⓒ 摩擦音。
*__fric·tion__ [ˋfrɪkʃən] *n.*① Ⓤ 摩擦。② Ⓤ Ⓒ 衝突; 不和。§ ~ **màtch** 摩擦火柴。~ **tàpe** 絕緣膠帶。— **al,** *adj.*
‡**Fri·day** [ˋfraɪdɪ] *n.* Ⓤ Ⓒ 星期五。
fridge [frɪdʒ] *n.* Ⓒ〖英俗〗冰箱(= refrigerator).

*__fried__ [fraɪd] *adj.* 煎炸的; 油炸的; 油煎的。 — *v.* pt. & pp. of **fry.**
‡**friend** [frɛnd] *n.* Ⓒ ①朋友; 贊助者。②(F-)基督教教友派信徒。③同胞; 屬同一組織的人。***be ~s with*** 與…有交情。***~ at court*** 有勢力的朋友。***make ~s again*** 重歸和好。***make ~s with*** 與…交友。— **less,** *adj.*
‡**friend·ly** [ˋfrɛndlɪ] *adj.*朋友似的; 友善的; 親切的。— **friend′li·ness,** *n.*
*__friend·ship__ [ˋfrɛndˏʃɪp] *n.* Ⓤ Ⓒ 友誼; 友情; 友善。
frieze[1] [friz] *n.* Ⓒ ①(牆等的)橫飾帶; 帶狀裝飾。②〖建〗腰線; 中楣。
frieze[2] *n.* Ⓤ 一種厚絨(作外衣用)。
frig·ate [ˋfrɪgɪt] *n.* Ⓒ ①主要爲偵察用之舊式掛帆的快速戰艦。②一種驅逐艦級的護衛艦。
frig·ging [ˋfrɪgɪŋ] *adj.* & *adv.*〖鄙〗討厭的[地]; 該死的[地]。
*__fright__ [fraɪt] *n.*① Ⓤ 驚駭; 受驚。②(a ～)〖俗〗奇醜之人; 怪物。***take ~ at*** 因…而吃驚。 — *v.t.* 使受驚; 嚇。
*__fright·en__ [ˋfraɪtn̩] *v.t.*①恐嚇; 使吃驚; 使駭怕。②嚇走〔常away, off〕。 — *v.i.* 吃驚。— **ing,** *adj.*
*__fright·ened__ [ˋfraɪtn̩d] *adj.*①受驚的; 受恐嚇的。②駭怕的。***be ~ at*** 受…驚駭。***be ~ of*** 害怕。— **ly,** *adv.*
*__fright·ful__ [ˋfraɪtfəl] *adj.*①可怕的; 令人毛骨悚然的。②驚人的; 駭人聽聞的。③〖俗〗討厭的; 不愉快的。④〖俗〗極大的; 非常的。— **ly,** *adv.*
frig·id [ˋfrɪdʒɪd] *adj.*①嚴寒的。②冷淡的; 無情的; 呆板的。③(女人)性冷感的。— **fri·gid′i·ty,** *n.*
frill [frɪl] *n.* ① Ⓒ (衣飾的)縐邊。②(*pl.*)〖美俗〗矯飾; 裝模作樣。③ Ⓒ 鳥獸頭部周圍的縫毛。 — *v.t.*鑲飾縐邊。
frill·y [ˋfrɪlɪ] *adj.* (衣服等)飾褶邊的。
*__fringe__ [frɪndʒ] *n.* Ⓒ ①(地毯等之)鬚邊; 縫。②額前垂髮; 劉海。③邊; 緣; 端。 — *v.t.*鑲…的邊飾。§ ~ **àrea** 接收邊緣地區(收聽[收視]不良的地區)。~ **bènefit** 附加福利(如保險、休假等)。~ **gròup** 非主流派。
frip·per·y [ˋfrɪpərɪ] *n.* ① Ⓒ (常 *pl.*)俗氣的服飾。② Ⓤ 誇示; 矯飾; 裝腔作勢。③ Ⓒ 瑣屑不值錢的東西。
Fris·bee [ˋfrɪzbi] *n.* Ⓒ〖商標〗飛盤。
frisk [frɪsk] *v.i.* 歡躍; 雀躍。 — *v.t.* ①雀躍; 歡躍; 高興地搖動。②〖俚〗搜身。③〖俚〗扒竊。— **frisk′y,** *adj.*
fris·son [friˋsɔ̃] 〖法〗*n.* Ⓒ (因興奮、喜悅而)顫抖。
frit·ter[1] [ˋfrɪtɚ] *v.t.* 浪費〔away〕.
frit·ter[2] *n.* Ⓒ 油炸果肉餡餅。
friv·o·lous [ˋfrɪvələs] *adj.* ①輕浮的; 妄動的。②無價值的; 不重要的。— **fri·vol·i·ty** [frɪˋvɑlətɪ], *n.*
friz(z) [frɪz] *v.t.* & *v.i.* (**-zz-**)(使)成鬈髮。 — *n.* (a～)鬈曲; 鬈髮。
friz·zle[1] [ˋfrɪzl̩] *v.t.* & *v.i.*(使)鬈曲。 — *n.*(a～)鬈髮; 鬈曲。— **friz′zly,** *adj.*
friz·zle[2] *v.i.* & *v.t.*(烹煎時)發吱吱聲。 — *n.* Ⓒ (烹煎時所發的)吱吱聲。
friz·zy [ˋfrɪzɪ] *adj.* 鬈髮的; 鬈曲的。

fro [fro] *adv.*向那邊；向後(用於下列成語中)。*to and* ~來回地；往返地。
frock [frɑk] *n.* Ⓒ長袍；罩袍；長工作服；僧袍。§~ **cȍat**(十九世紀男子所穿的雙排鈕扣的)長禮服。
***frog** [frɑg, frɔg] *n.* Ⓒ①蛙。②(紡錘形的)飾扣。*a* ~ *in the*[*one's*] *throat* 聲音嘶啞。§~ **kíck**〖游泳〗蛙式。
frog·man [ˋfrɑgmən, ˋfrɔg-] *n.* Ⓒ (*pl.* **-men**)蛙人；潛水夫。
frol·ic [ˋfrɑlɪk] *n.* Ⓒ ①嬉戲；作樂。②歡樂聚會。— *v.i.* (**-ick-**)嬉戲；作樂。— **some,** *adj.*
‡**from** [frɑm, frʌm, frəm] *prep.* ①從；自；由(表行動之起點)。②由(何處)；從(表來源、根源等)。③距；離〔常 away〕. It is three miles(away) ~ the town. 距城裡有三英里遠。④因；因爲(尤指疾病等)。suffer ~ a cold 患傷風。⑤以免；防止。⑥與(表比較、區別等)。I cannot tell one ~ the other. 我分辨不清這個與那個。⑦根據；依照。⑧又(表反覆動作)。
frond [frɑnd] *n.* Ⓒ①(羊齒植物、棕櫚等的)複葉。②葉狀體。
‡**front** [frʌnt] *n.*① Ⓒ (常 the ~)前部；前面；正面；開頭。②(the ~)前線；前方；戰地。③ Ⓒ 陣線。④(the ~)(河邊、街邊的)土地；濱。⑤(a ~)容貌。⑥(a ~)架子；傲氣。⑦ Ⓒ〖俗〗名譽領袖；幌子。⑧ Ⓒ 額。⑨ Ⓒ〖氣象〗鋒(面)。*come to the* ~出風頭；出名。*in* ~在前面。*in* ~ *of* 在…的前面。— *adj.*①前面的；正面的。②〖語音〗前舌面的。— *v.t.* & *v.i.* ①面向；朝對。②在…之前面。③面對；對抗；反抗；不懼。④作…之正面。§~ **bénch**〖英議會〗正面席(由議長所見的左右各最前排、右側爲內閣大臣席，左側爲在野黨領袖席)。~ **béncher**〖英議會〗正面席的議員；政黨領袖。~ **líne** 前線。~ **mȍney** 預付之訂金。~ **óffice**〖美〗總公司；(尤指)總管理處；總部。~ **pȁge** (報紙的)第一版。
front·age [ˋfrʌntɪdʒ] *n.* Ⓒ ①前面；正面。②屋前空地。
fron·tal [ˋfrʌntl] *adj.*①前面[正面]的。②額的；前額的。— *n.* Ⓒ ①前額骨。②〖建〗正面。③套在額上的飾品。
***fron·tier** [frʌnˋtɪr, frɑn-, ˋfrʌntɪr, ˋfrɑn-] *n.* Ⓒ ①邊境；邊界；邊疆。②(常 *pl.*)未開發的領域。— *adj.*邊界的；國境的。§~ **spírit**〖美〗拓荒精神。
fron·tiers·man [frʌnˋtɪrzmən] *n.* Ⓒ (*pl.* **-men**)邊疆居民；拓荒者。
fron·tis·piece [ˋfrʌntɪsˏpis] *n.* Ⓒ 卷頭插畫。
front-line [ˋfrʌntˏlaɪn] *adj.* (最)前線的。
front·let [ˋfrʌntlɪt] *n.* Ⓒ ①額飾。②(鳥、獸等之)前額部。
front-page [ˋfrʌntˋpedʒ] *adj.*(刊在)報紙第一版的；重要的。
front-run·ner [ˋfrʌntˋrʌnɚ] *n.* Ⓒ (比賽中)領先者。
***frost** [frɔst, frɑst] *n.*① Ⓤ 冰凍；嚴寒；冰點以下的溫度。② Ⓒ 嚴寒天氣。③ Ⓤ 霜。④ Ⓤ 冷酷。⑤ Ⓒ〖俚〗失敗。— *v.t.*①覆以霜(或似霜之物)。②(被霜)損害；凍死。— *v.i.*①結霜；結冰。②(油漆等)表面凝成似霜物。
frost·bite [ˋfrɔstˏbaɪt] *n.* Ⓤ 凍傷；凍瘡。— **frost′bit·ten,** *adj.*
frost·ed [ˋfrɔstɪd] *adj.*①(降)霜的。②冰凍的。③凍傷的。④覆以糖霜的。⑤表面呈霜狀的；無光澤的(玻璃)。⑥冷酷的。⑦快凍的。— *n.* Ⓤ Ⓒ 一種濃飲料(牛乳、糖漿、冰淇淋做成)。
frost·ing [ˋfrɔstɪŋ] *n.* Ⓤ ①糖霜(撒在糕餅表面)。②(玻璃等的)無光澤面。
frost·work [ˋfrɔstˏwɝk] *n.* Ⓤ ①(玻璃窗等上的)霜花。②霜花紋細工。
frost·y [ˋfrɔstɪ, ˋfrɑstɪ] *adj.*①寒冷的。②覆有霜的。③覆有似霜之物的。④冷淡的；無情的。⑤似霜的；灰白的。
froth [frɔθ] *n.* Ⓤ ①泡沫。②輕浮的事物；淺見；空談。— *v.i.* & *v.t.*起泡沫；發泡沫。— **froth′y,** *adj.*
frou·frou [ˋfrufru] *n.* Ⓒ ①(行動時衣裙所發的)沙沙聲。②(女裝)過多裝飾。
fro·ward [ˋfro(w)ɚd] *adj.*剛愎的；倔強的。
***frown** [fraʊn] *n.* Ⓒ 皺眉；不悅。— *v.i.* 皺眉；不悅〔常 on, upon〕. — *v.t.* 皺額表示；蹙眉責之。
frowz·y, frows·y [ˋfraʊzɪ] *adj.* ①不整潔的；懶散的。②臭的；難聞的。
‡**froze** [froz] *v.* pt. of **freeze.**
‡**fro·zen** [ˋfrozn̩] *v.* pp. of **freeze.** — *adj.*①結冰的。②極冷的。③凍僵的；凍死的。④因凍結而塞住的。§~ **fóod** 冷凍食品。
fruc·ti·fy [ˋfrʌktəˏfaɪ] *v.i.* & *v.t.* (使)結果實。
fruc·tose [ˋfrʌktos] *n.* Ⓤ〖化〗果糖。
***fru·gal** [ˋfrugl̩] *adj.* 節儉的；節省的。— **fru·gal′i·ty** [-ˋgælətɪ], *n.*
‡**fruit** [frut] *n.*① Ⓤ Ⓒ 水果。② Ⓤ Ⓒ 果實。③ Ⓒ (常*pl.*)成果；結果。— *v.i.* & *v.t.*(使)結果實。§~ **cȁke** 水果蛋糕。~ **flȳ** 果蠅。~ **jȕice** 果汁。~ **machíne**〖英〗吃角子老虎(一種賭具)。~ **sálad** 水果沙拉。~ **sȕgar** 果糖。
fruit·age [ˋfrutɪdʒ] *n.* Ⓤ ①結實。②(集合稱)果實。③結果；成果。
fruit·cake [ˋfrutˏkek] *n.* Ⓤ Ⓒ 水果蛋糕。
fruit·er·er [ˋfrutərɚ] *n.* Ⓒ〖主英〗水果商。
***fruit·ful** [ˋfrutfəl] *adj.*①多果實的；多產的；肥沃的。②有收穫的；有利的。
fru·i·tion [fruˋɪʃən] *n.* Ⓤ ①實現；成果。②享受。③結果實。
fruit·less [ˋfrutlɪs] *adj.* ①無結果的；徒勞的。②不結實的。
fruit·y [ˋfrutɪ] *adj.*①(味道)像水果的。②味醇的。③圓潤的(聲音等)。
frump [frʌmp] *n.* Ⓒ 衣衫不整潔、乖戾守舊的女人。— **ish, frump′y,** *adj.*
***frus·trate** [ˋfrʌstret] *v.t.*破壞；使無效；挫敗。*— **frus·tra′tion,** *n.*
***fry**[1] [fraɪ] *v.t.* & *v.i.* 油煎；油炸。— *n.* Ⓒ ①油炸食物。②〖美〗備有油炸食物的野餐會。
fry[2] *n.* Ⓒ (*pl.* ~)①魚苗。②魚苗群；群居的動物。③小東西；小生物；孩子。*small* ~ **a.**小孩子。**b.**不重要的人[物]。

fry·er, fri·er [ˋfraɪə] *n.* Ⓒ①油炸食品的人。②煎鍋；炸鍋。③適於油炸之食物。

frý·ing pàn [ˋfraɪŋ ～] *n.* Ⓒ 煎鍋；油炸鍋。

ft. feet; foot; fort; fortification.

FTC Federal Trade Commission.〖美〗聯邦貿易委員會。

fuch·sia [ˋfjuʃə] *n.*① Ⓒ〖植〗吊金鐘屬植物。② Ⓤ 紫紅色。— *adj.*紫紅色的。

fuck [fʌk]〖鄙〗*v.i.* 性交。— *v.t.*與…性交。— *n.*① Ⓒ (常 *sing.*)性交。② Ⓒ 性交的對象(尤指女人)。③(the ～)究竟；到底。— *interj.*(常～you)(表厭惡、困惑)他媽的！混帳！哎呀！

fuck·ing [ˋfʌkɪŋ] *adj.*〖俚，鄙〗可恨的。— *adv.* 非常地；極。

fuck·off [ˋfʌk,ɔf] *n.* Ⓒ〖俚，鄙〗辦事靠不住的人。

fuck·up [ˋfʌk,ʌp] *n.* Ⓒ〖俚，鄙〗差勁的人[物]；愚蠢。

fud·dle [ˋfʌdl̩] *v.t.*①灌醉；使爛醉。②使糊塗。

fud·dy-dud·dy [ˋfʌdɪ,dʌdɪ] *n.* Ⓒ〖俚〗①嘮叨難纏的人。②古板的人。

fudge [fʌdʒ] *n.*① Ⓤ Ⓒ 由糖、牛奶、奶油等混做的軟糖。② Ⓤ 胡言。

*__fu·el__ [ˋfjuəl] *n.*① Ⓤ Ⓒ 燃料。② Ⓤ 刺激物。— *v.t.* & *v.i.* (-l-,〖英〗-ll-)①加燃料(於)；加油(於)。②作為原動力。§～ òil 燃料油。

fug [fʌg] *n.* (a ～)〖俗〗(通風不良之)氣悶的狀態。

fu·gi·tive [ˋfjudʒətɪv] *n.* Ⓒ ①逃亡者；亡命徒。②短暫[不可捉摸]之物。— *adj.*①逃亡的。②瞬時即逝的。～ colors 易褪的顏色。③即興的。

fugue [fjug] *n.* Ⓒ〖樂〗賦格曲。

Füh·rer [ˋfjurə]〖德〗*n.* ①(der ～)元首(德國納粹希特勒的頭銜)。②(f-) Ⓒ 獨裁的領導者。

Fu·ji [ˋfudʒɪ, ˋfju-] *n.*富士山(在日本本州中南部)。

-ful〖字尾〗表「充滿…的；具有…特性的；易於…的」之義，如：beautiful, forgetful.

Ful·bright [ˋfʊl,braɪt] *n.* 傅爾布萊特(James William, 1905，美國政壇人物)。§～ Áct 傅爾布萊特法案(1946年美國國會通過以出售剩餘物資之款派遣美國學生到海外進修或選送外國學生到美國進修)。

ful·crum [ˋfʌlkrəm] *n.* Ⓒ (*pl.* ～s, -cra [-krə])〖機〗槓桿支點。

*__ful·fil(l)__ [fʊlˋfɪl] *v.t.* (-ll-)①實踐(諾言)；應驗(預言)；完成(任務)。②盡；履行(責任、義務等)。～ a duty 盡職。③滿足；令滿意。④充分發展潛在能力(通常作反身用法)。— ment, *n.*

‡**full** [fʊl] *adj.*①滿的；裝滿的。②豐富的。③完全的；充足的。④寬鬆的(衣服)。⑤(聲音)宏亮清晰的。⑥豐滿的。⑦同父母的。⑧(酒等)濃郁的。⑨滿帆的。⑩十足的。⑪到極限的。— *adv.* 完全地；端正地。— *v.i.*(月亮)變圓。— *n.* Ⓤ 最高[最充分]的境界[狀態]。***at*** ～全部地；徹底地。***in*** ～完全地；不省略地。***to the*** ～完全地。§～ hóuse〖牌戲〗有三張相同及另兩張相同之一手牌。～ márks 滿分。～ móon 滿月。～ páy全薪。～ proféssor(正)教授。～ spéed全速(地)。*～ stóp句點。

full·back [ˋfʊl,bæk] *n.* Ⓤ Ⓒ〖足球〗後衛。

full-blood·ed [ˋfʊlˋblʌdɪd] *adj.*①純種的。②有精神的。

full-blown [ˋfʊlˋblon] *adj.*①盛開的。②成熟的。③(帆等)張滿的。

full-dress [ˋfʊlˋdrɛs] *adj.*①穿禮服的。②正式的。③全力以赴的。④詳盡的。

full-fledged [ˋfʊlˋflɛdʒd] *adj.*①羽毛長全的(鳥)。②發育完全的；有充分資格的。

full-grown [ˋfʊlˋgron] *adj.* 成熟的；長成的。

full-length [ˋfʊlˋlɛŋθ] *adj.*①全長的；等身的。②(小說等)未刪節的。

full·ness [ˋfʊlnɪs] *n.* Ⓤ①充滿；滿；完全；十分。②肥滿。③(色、音等的)豐滿；豐富。(亦作 **fulness**)

full-scale [ˋfʊlˋskel] *adj.*①照原尺寸的。②全部的；完全的。

*__full-time__ [ˋfʊlˋtaɪm] *adj.*〖美〗全時間的；專任的。

*__ful·ly__ [ˋfʊlɪ] *adv.*①完全地；全部地。②充足地；十分地。

ful·mi·nate [ˋfʌlmə,net] *v.i.* ①猛烈攻擊；嚴詞譴責〔常 against〕。②怒喝。③猛烈爆發。— *v.t.*①使猛烈爆發。②嚴詞譴責。— *n.* Ⓒ ①〖化〗雷酸鹽。②一種強力炸藥。— **ful·mi·naˊtion**, *n.*

ful·some [ˋfʊlsəm] *adj.*過度的(諂媚、稱讚等)；令人作嘔的。

Ful·ton [ˋfultn̩] *n.* 富爾敦(Robert 1765-1815，美國工程師，輪船的發明者)。

*__fum·ble__ [ˋfʌmbl̩] *v.i.* & *v.t.*①摸索；搜尋。②拙笨地處理。③〖運動〗漏接(球)。— *n.* Ⓒ ①摸索；搜尋。②笨拙的處理。③漏接(球)；失(球)。

fume [fjum] *n.* (*pl.*)(有害的、氣味難聞而強烈的)煙、氣體等。— *v.i.*①散發臭氣；發出煙氣。②發怒。— *v.t.*①(以煙等)燻。②發出燻煙。

fu·mi·gate [ˋfjumə,get] *v.t.* 煙燻以消毒；燻。— **fu·mi·gaˊtion**, *n.*

‡**fun** [fʌn] *n.* Ⓤ①戲鬧；玩笑；樂趣。②有趣的人[事]。***have*** ～高興；開心。***in***[***for***]～玩笑地；非認真地。***make*** ～ ***of; poke*** ～ ***at*** 嘲弄；開玩笑。***out of*** ～開玩笑。

*__func·tion__ [ˋfʌŋkʃən] *n.* Ⓒ ①作用；機能。②責任；職責；職權。③典禮；儀式；正式集會。④〖數〗函數。— *v.i.* 擔任工作；有效用。

func·tion·al [ˋfʌŋkʃənl̩] *adj.*①官能的；機能的。②〖數〗函數的。③功能本位的；實用的；有多種用途的。

func·tion·al·ism [ˋfʌŋkʃənl̩,ɪzəm] *n.* Ⓤ (建築等的)實用主義。

func·tion·al·ist [ˋfʌŋkʃənl̩ɪst] *n.* Ⓒ 機能[實用]主義者。— *adj.*機能[實用]主義(者)的。

func·tion·ar·y [ˋfʌŋkʃən,ɛrɪ] *n.* Ⓒ 官員；公務員。

*__fund__ [fʌnd] *n.*① Ⓒ 專款；資金。②(a ～)貯藏；貯藏之量。③(*pl.*)現款。— *v.t.*①儲蓄(一筆錢)以備付息。②提供資金。③將公債由短期改長期。

*__fun·da·men·tal__ [,fʌndəˋmɛntl̩]

*adj.*①基本的；重要的。②〖樂〗基礎音的。— *n.* Ⓒ①(常 *pl.*)基本原理；基本法則。②〖樂〗基音。③〖理〗基諧波。

fun·da·men·tal·ism [͵fʌndə`mɛntḷ͵ɪzəm] *n.* Ⓤ基督教基本主義(絕對相信聖經之記載而排斥進化論)。— **fun·da·men′tal·ist,** *n.* & *adj.*

fund-rais·er [`fʌnd͵rezɚ] *n.* Ⓒ ①籌募基金者。②募款集會[宴會]。

fund-rais·ing [`fʌnd͵rezɪŋ] *n.* Ⓒ 籌款；募款。— *adj.* 籌款的；募款的。

***fu·ner·al** [`fjunərəl] *n.* Ⓒ 葬禮；喪禮。— *adj.*送殯的；喪禮用的。§ ～ **cèremony**[**sèrvice**]葬禮。～ **còlumn** 訃聞欄。～ **dirèctor** 殯葬業者。～ **hòme** [**pàrlor**] 殯儀館。

fu·ner·ar·y [`fjunə͵rɛrɪ] *adj.*葬禮的；埋葬的。

fu·ne·re·al [fju`nɪrɪəl] *adj.*① 喪禮的；似葬禮的。②陰森的；憂鬱的。

fun·gi [`fʌndʒaɪ] *n.* pl. of **fungus.**

fun·gi·cide [`fʌndʒə͵saɪd] *n.* ⓊⒸ 殺黴菌劑。

fun·gous [`fʌŋgəs] *adj.* 黴菌(狀)的。

fun·gus [`fʌŋgəs] *n.* (*pl.* **-gi** [-dʒaɪ], **～es**)① ⓊⒸ 蕈類；黴菌。② Ⓤ 長得很快的東西。— *adj.*黴菌的。

fu·nic·u·lar [fju`nɪkjələ] *adj.* ①繩索的；懸於繩索上的。②臍帶的。— *n.* Ⓒ纜車道(=funicular railway).

funk [fʌŋk] *n.*〖俗〗①(a ～)恐懼；怯懦。②Ⓒ 懦夫。

funk·y [`fʌŋkɪ] *adj.* 〖俗〗①恐懼的；怯懦的。②臭的；有臭味的。

fun·nel [`fʌnḷ] *n.* Ⓒ ①漏斗。②(汽船、火車等的)煙囪。③漏斗形的東西。④通氣道；通煙道。— *v.i.* (-l-, 〖英〗-ll-)通過漏斗。— *v.t.* 集中。

‡**fun·ny** [`fʌnɪ] *adj.*①有趣的；好玩的。②奇特的。*get* ～ *with...* 對(人)不敬。— *n.* ① Ⓒ 笑話；趣事。②(*pl.*)〖美〗連載漫畫。 § ～ **bòok** 漫畫書。～ **bùsiness**〖俚〗不道德的行爲。～ **pàper** (報紙上之)漫畫欄。

‡**fur** [fɜ] *n.*① Ⓤ 獸皮之軟毛；毛皮。② Ⓒ (常 *pl.*)毛皮衣。③ Ⓤ 舌苔。*make the* ～ *fly* **a.**惹是非；吵架。**b.**趕快地做。*stroke a person's* ～ *the wrong way* 激怒某人。— *v.t.* (-rr-)①覆以毛皮；襯以毛皮。②覆舌苔等。§ ～ **sèal** 〖動〗海狗。

fur·be·low [`fɜbḷ͵o] *n.* Ⓒ (常 *pl.*) ①(女服的)裙褶；裙飾。②俗麗的裝飾。

fur·bish [`fɜbɪʃ] *v.t.*① 擦亮；磨光〔up〕. ②刷新；重溫。

***fu·ri·ous** [`fjʊrɪəs] *adj.* 狂怒的；狂暴的；猛烈的。*fast and* ～極快的。

furl [fɜl] *v.t.* & *v.i.* 捲起；疊起。— *n.*(a ～)收疊。

fur·long [`fɜlɔŋ] *n.* Ⓒ 弗隆(長度名；=220 碼)。

fur·lough [`fɜlo] *n.* ⓊⒸ (軍人及公務員之)休假。— *v.t.*准假；給假。

fur·nace [`fɜnɪs] *n.* Ⓒ ①火爐；鎔爐。②極熱的地方。③嚴苛的試煉；磨鍊。(*be*) *tried in the* ～ 受過磨鍊；飽經風霜。

‡**fur·nish** [`fɜnɪʃ] *v.t.*①供給〔常 with〕. ②陳設；布置(房間)。— **er,** *n.*

fur·nish·ings [`fɜnɪʃɪŋz] *n. pl.* ①家具；室內陳設品。②〖美〗服飾品。

‡**fur·ni·ture** [`fɜnɪtʃɚ] *n.* Ⓤ①(集合稱)家具。②設備品；必需品。

fu·ror [`fjʊrɔr] *n.* ⓊⒸ ①熱狂；風靡。②狂怒。

fu·rore [`fjʊror] *n.*=**furor.**

furred [fɜd] *adj.* ①毛皮的。②毛皮製的。③穿毛皮衣的。④有舌苔的。

fur·ri·er [`fɜɪɚ] *n.* Ⓒ 皮貨商；縫製[修理]毛皮外衣的人。

fur·row [`fɜo] *n.* Ⓒ ①畦；犁溝。②車轍；輪溝。③(臉上的)皺紋。— *v.t.* ①犁；耕。②使起皺紋。

fur·ry [`fɜɪ] *adj.*①覆毛皮的；如毛皮的。②毛皮製的。③襯有毛皮的。④有舌苔的。⑤柔軟的。

‡**fur·ther** [`fɜðɚ] *adj.* comp. of **far.** ①較遠的；更遠的。②另外的；更多的。— *adv.*①較遠地；更進一步地。②此外；並且。*be* ～ *continued* 待續。— *v.t.*促進；贊助。

fur·ther·ance [`fɜðərəns] *n.* Ⓤ 促進；推廣；提高。

***fur·ther·more** [`fɜðɚ͵mor, -͵mɔr] *adv.* 再者；此外。

fur·ther·most [`fɜðɚ͵most] *adj.* 最遠的。

‡**fur·thest** [`fɜðɪst] superl. of **far.** *adj.* & *adv.* =**farthest.**

fur·tive [`fɜtɪv] *adj.*①偷偷的。②狡猾的。— **ly,** *adv.* — **ness,** *n.*

***fu·ry** [`fjʊrɪ] *n.* ①ⓊⒸ 憤怒；激憤。②Ⓤ狂暴；猛烈。③Ⓒ狂怒的人(尤指女人)。④(Furies)〖希、羅神〗復仇女神。

***fuse** [fjuz] *n.* Ⓒ①〖電〗保險絲。②導火線；導火管。— *v.t.* & *v.i.*①(使)融合。②結合。§ ～ **bòx** 電源保險絲箱。～ **wìre** 保險絲。

fu·se·lage [`fjuzḷɪdʒ, `fjuzḷ͵ɑʒ] *n.* Ⓒ 飛機機身。

fu·si·bil·i·ty [͵fjuzə`bɪlətɪ] *n.* Ⓤ ①熔性。②熔度。

fu·si·ble [`fjuzəbḷ] *adj.*易熔解的。

fu·sil·ier, -eer [͵fjuzḷ`ɪr] *n.* ① Ⓒ 燧石槍手。②(*pl.*)燧石槍團。

fu·sil·lade [͵fjuzḷ`ed] *n.* Ⓒ ①槍砲的齊射；連發。②(比喻)連續急發。

fu·sion [`fjuʒən] *n.* ①Ⓤ融解；融合。②ⓊⒸ 聯合；結合。③Ⓤ〖理〗核子融合。④ⓊⒸ (政黨的)聯合；合併。

***fuss** [fʌs] *n.*①ⓊⒸ無謂紛擾；小題大做。②Ⓒ 愛小題大做的人。— *v.i.*無謂紛擾；小題大做。— *v.t.*煩擾。

fuss·budg·et [`fʌs͵bʌdʒɪt] *n.* Ⓒ愛挑剔的人。

fuss·y [`fʌsɪ] *adj.*①愛挑剔的；難以取悅的。②過分裝飾的。③繁瑣的。

fus·tian [`fʌstʃən, `fʌstjən] *n.* Ⓤ ①斜紋布。②浮誇而無價值的話。— *adj.* ①斜紋布做的。②浮誇的；無價值的。

fus·ty [`fʌstɪ] *adj.*①霉臭的。②舊式的；頑固的。

***fu·tile** [`fjutḷ, -tɪl] *adj.* ①徒勞的；無益的。②瑣細的。

fu·til·i·ty [fju`tɪlətɪ] *n.* ①Ⓤ無用無益；徒勞。②Ⓒ (常 *pl.*)不重要的事。

‡**fu·ture** [`fjutʃɚ] *n.* ① Ⓤ (常the ～)

將來；未來。②Ⓒ前途。③(*pl.*)期貨。④Ⓤ(常the ～)〖文法〗未來式；未來時態。*for the ～; in (the) ～* 今後；在將來。*in the near ～*在不久的將來。— *adj.* 未來的；將來的。§ ～ **life** 來生；來世。～ **pérfect**〖文法〗未來完成式。～ **tènse**〖文法〗未來式。

fu·tur·ism [ˋfjutʃəˌɪzəm] *n.* Ⓤ未來派(在文學、音樂等方面拋棄傳統手法，強調表現當代生活中機器代替一切的忙亂現象)。

fu·tur·ist [ˋfjutʃərɪst] *n.* Ⓒ①未來派藝術家[作家]。②〖神學〗未來信徒(相信聖經中預言會實現者)。

fu·tu·ri·ty [fjuˋturətɪ] *n.*①Ⓤ未來；來生。②Ⓒ未來之狀態[事件]。

fu·tur·ol·o·gist [ˌfjutʃəˋrɑlədʒɪst] *n.* Ⓒ研究未來的學者。

fu·tur·ol·o·gy [ˌfjutʃəˋrɑlədʒɪ] *n.* Ⓤ未來學。—**fu·tur·o·log/i·cal,** *adj.*

fuze [fjuz] *n.*=**fuse.**

fuzz [fʌz] *n.* Ⓤ①絨毛；細毛。②(常the ～)〖美俚〗警官；警察。— *v.t.* & *v.i.* (使)變成絨毛狀；作絨毛狀飛散。

fuzz·y [ˋfʌzɪ] *adj.*①(似)絨毛的。②覆有絨毛的。③模糊的。

Gg G g *Gg*

G or **g** [dʒi] *n.* (*pl.* **G's, g's** [dʒiz])①ⓊⒸ英文字母之第七個字母。②Ⓤ〖樂〗C長調的第五音。③Ⓤ〖美俚〗一千元(grand之簡稱)。

G general (audiences). 普通級(電影)。

g. gauge; genitive; gender; gold; grain. **G.** German; Gulf.

gab [gæb] *n.* Ⓤ〖俗〗空談；饒舌。have the gift of (the) ～ 有口才。— *v.i.* (**-bb-**)空談；喋喋不休。

gab·ar·dine [ˋgæbɚˌdin, ˌgæbɚˋdin] *n.*=**gaberdine.**

gab·ble [ˋgæbḷ] *v.i.* & *v.t.* ①急而不清地說。②嚕囌。— *n.* Ⓤ 無意義的話。

gab·by [ˋgæbɪ] *adj.* 饒舌的。

gab·er·dine [ˌgæbɚˋdin] *n.*①Ⓤ軋別丁(布料)。②Ⓒ長而鬆的袍子。

ga·bi·on [ˋgebɪən] *n.* Ⓒ①(防禦工事之)泥籃[籮]。②(築河堤等之)石籃[籮]。

ga·ble [ˋgebḷ] *n.* Ⓒ〖建〗(尖頂屋之)山形牆。§ ～ **ròof** 人字[山]形屋頂。

ga·by [ˋgebɪ] *n.* Ⓒ〖俗〗愚人；呆子。

gad [gæd] *v.i.* (**-dd-**)閒逛；遊蕩。— *n.* Ⓤ遊蕩。*on* [*upon*] *the ～* 遊蕩著。

gad·fly [ˋgædˌflaɪ] *n.* Ⓒ①〖昆〗牛虻。②令人討厭的人。

gadg·et [ˋgædʒɪt] *n.* Ⓒ〖俗〗設計精巧的小機械。

gadg·et·ry [ˋgædʒətrɪ] *n.* Ⓤ(家庭用)機械類；(器具類)雜七雜八的東西。

Gael [gel] *n.* Ⓒ蓋爾人(蘇格蘭高地及愛爾蘭之Celt人)。

Gael·ic [ˋgelɪk] *adj.*蓋爾人的。— *n.* Ⓤ蓋爾語。

gaff [gæf] *n.* Ⓒ①大魚鉤[叉]。②(縱帆上緣的)斜桁。— *v.t.* 以大鉤拖(魚)。§ ～ **tópsail** 中桅帆(通常為三角形)；斜桁頂帆。

gaffe [gæf] *n.* Ⓒ過失；失態；謬誤。

gag [gæg] *n.* Ⓒ①塞口的東西。②官方的壓制言論自由。③〖俗〗演員加的額外話或動作；插科打諢。— *v.t.* (**-gg-**)①塞物於口使不能出聲。②壓制言論自由。③令人作嘔。— *v.i.* ①作嘔。②〖俗〗插科打諢。§ ～ **làw** [**rùle**]〖俗〗限制言論之法律；言論箝制令。

gage[1] [gedʒ] *n.* Ⓒ①象徵挑戰之物(如投擲手套等)。②挑戰。③抵押物。

gage[2] *n.* & *v.t.*=**gauge.**

gag·gle [ˋgægḷ] *n.* Ⓒ〖方〗①鵝群。②嘈雜的一群人(尤指女人)。③鵝叫聲。— *v.i.* (鵝)咯咯叫。

***gai·e·ty** [ˋgeətɪ] *n.*①Ⓤ歡樂；愉快；歡樂的氣象。②(*pl.*)樂事。③Ⓤ華麗(服飾等)。

***gai·ly** [ˋgelɪ] *adv.*①歡樂地。②華麗地。

****gain** [gen] *v.t.*①得到；獲得。②到達；抵達。③獲勝。④獲益；增加。— *v.i.* ①增進。②得利；獲益。～ *on* [*upon*] **a.** 接近；追及；趕上。**b.** 跑得快於。**c.** 侵蝕。～ *over* (*somebody*) 說服(某人)。～ *strength* 恢復體力。— *n.*①Ⓤ獲得之物。②Ⓒ增添。③Ⓤ獲取財富。be blinded by the love of ～ 利令智昏。④(*pl.*)贏餘；利潤。No pains, no ～*s* 不辛勞，無所獲。ill-gotten ～*s* 不義之財。

gain·er [ˋgenɚ] *n.* Ⓒ①獲得者；獲利者；勝利者。②後滾翻花式跳水。

gain·ful [ˋgenfəl] *adj.*有利益的；有報酬的。— **ly,** *adv.*

gain·ings [ˋgenɪŋz] *n. pl.*收入；收益。

gain·say [genˋse] *v.t.* (**-said**)否認(主用於否定語中)。

gait [get] *n.* Ⓒ步態；步法。

gait·er [ˋgetɚ] *n.* Ⓒ(常*pl.*)①綁腿；鞋罩。②長統橡膠鞋。

gal [gæl] *n.*〖俚〗=**girl.**

ga·la [ˋgelə] *n.* Ⓒ節日；慶祝。— *adj.*節日的。§ ～ **nìght**(劇院等之)特別演出之夜。

gal·ax·y [ˋgæləksɪ] *n.*①(the G-)天河；銀河。②Ⓒ一群顯赫的人。a ～ of talent一群才子。③Ⓒ一列燦麗奪目之物。

***gale** [gel] *n.* Ⓒ①狂風。②〖氣象〗強風。③(常*pl.*)一陣(鬧聲)。

ga·le·na [gəˋlinə] *n.* Ⓤ〖礦〗方鉛礦。

Gal·i·le·o [ˌgæləˋlio] *n.* 伽利略(全名Galileo Galilei, 1564-1642, 義大利物理及天文學家)。

gall[1] [gɔl] *n.* ①**a.** Ⓤ膽汁。**b.** Ⓒ〖古〗膽囊。②Ⓤ苦味。③Ⓤ怨恨。④Ⓤ〖美俗〗厚顏無恥。*dip one's pen in ～* 心懷怨恨地寫。～ *and wormwood* 深的怨恨；惡毒。

gall[2] *n.* Ⓒ①磨擦的傷。②令人煩惱之物。— *v.t.* ①磨傷。②使煩惱。

gall[3] *n.* Ⓒ蟲癭；五倍子；沒食子。

***gal·lant** [ˋgælənt] *adj.* ①英勇的；勇

G

敢的。②莊嚴的；壯麗的。③(對女人)慇懃的。— *n.* Ⓒ ①勇敢的人。②時髦的人。③(對女人)獻慇懃者。④情人；愛人。— **ly,** *adv.*

gal·lant·ry [ˋgæləntrɪ] *n.* Ⓤ ①勇敢；豪俠。②(對女人)極端慇懃。

gall·blad·der [ˋgɔl͵blædɚ] *n.* Ⓒ 〖解〗膽囊。(亦作 **gall bladder**)

gal·le·on [ˋgælɪən] *n.* Ⓒ (十五到十八世紀西班牙人的)大型帆船。

gal·le·ri·a [͵gæləˋrɪə] *n.* Ⓒ 玻璃圓頂的散步場所或庭院(如購物中心)。

***gal·ler·y** [ˋgælərɪ,-lrɪ] *n.* ① Ⓒ 走廊。② Ⓒ (戲院、教堂等中的)最高樓座。③ Ⓤ (最高樓座的)觀眾；聽眾。④ Ⓒ 美術陳列館；畫廊。⑤ Ⓒ 陳列的藝術品。*bring down the* ~博得滿堂采。*play to the* ~〖俗〗以迎合低級趣味的手段獲取一般人的稱讚。

gal·ley [ˋgælɪ] *n.* Ⓒ ①狹長之船。②大型划船。③軍艦上之廚房。§ ~ **pròof** 〖印刷〗尚未分成頁之校樣；長條校樣。~ **slâve** (1)船役奴隸[囚徒]。(2)做苦工的人。

Gal·lic [ˋgælɪk] *adj.* ①高盧(Gaul)的；高盧人的。②法國(人)的。

Gal·li·cism, g- [ˋgælə͵sɪzəm] *n.* Ⓤ Ⓒ ①(另一語言中的)法語成語[字句]。②法國的習俗、思考方式等。

gall·ing [ˋgɔlɪŋ] *adj.* 令人苦惱的；可恨的；難堪的。

gal·li·nule [ˋgælə͵njul] *n.* Ⓒ 鷭類的水鳥；鷭。

gal·li·pot [ˋgælə͵pɑt] *n.* Ⓒ ①陶製的藥罐。②〖俗〗草藥商人；藥劑師。

gal·li·um [ˋgælɪəm] *n.* Ⓤ 〖化〗鎵(稀有金屬元素；符號 Ga)。

gal·li·vant [ˋgælə͵vænt] *v.i.* 閒逛；與異性遊蕩。

gall·nut [ˋgɔl͵nʌt] *n.* Ⓒ 五倍子；沒食子。

***gal·lon** [ˋgælən] *n.* Ⓒ 加侖(液體量名)。

***gal·lop** [ˋgæləp] *n.* (a ~)(馬等)疾馳；飛奔。— *v.i.* ①騎快馬。②倉促而做；匆匆地做。③飛馳(如人或時間)。— *v.t.* 使(馬)飛馳。

gal·lows [ˋgæloz] *n.* (*pl.* ~**es,** ~)① Ⓒ 絞架。②(the ~)絞刑。*come to the* ~上絞架。*have the* ~ *in one's face* 看上去像被宣判絞刑似的。§ ~ **bìrd** 〖俗〗應處絞刑之人。~ **hùmor** 悽慘之幽默。~ **trèe** 絞首臺。

gall·stone [ˋgɔl͵ston] *n.* Ⓒ 〖醫〗膽石。

Gal·lup [ˋgæləp] *n.* 蓋洛普(George Horace, 1910-84, 美統計學家, 蓋洛普民意測驗之創始人)。§ ~ **pòll** 〖美〗蓋洛普民意測驗。

ga·lore [gəˋlor] *adv.* 豐富地。

ga·losh(e) [gəˋlɑʃ] *n.* Ⓒ (常 *pl.*)膠質套鞋。

Gals·wor·thy [ˋgɔlz͵wɝðɪ, ˋgælz-] *n.* 高爾斯華綏(John, 1867-1933, 英國小說家及劇作家, 曾獲1932年諾貝爾文學獎)。

ga·lumph [gəˋlʌmf] *v.i.* 昂首闊步；意氣揚揚地走。

gal·van·ic [gælˋvænɪk] *adj.* ①以化學作用產生電流的。②如被電擊的；震驚的。§ ~ **báttery** [**céll**] 電池。

gal·va·nism [ˋgælvə͵nɪzəm] *n.* Ⓤ ①由化學作用產生的電。②〖醫〗電療。

gal·va·nize [ˋgælvə͵naɪz] *v.t.* ①以鋅電鍍(鐵板)。②使驚嚇；激勵。③〖醫〗用電療以刺激(肌肉等)。— **gal·va·ni·za′tion,** *n.*

gal·va·nom·e·ter [͵gælvəˋnɑmətɚ] *n.* Ⓒ 電流計。

gal·va·no·scope [gælˋvænə͵skop] *n.* Ⓒ 電流檢查器。

Gam·bi·a [ˋgæmbɪə] *n.* 甘比亞(非洲西部沿岸一國, 首都 Banjul)。

gam·bit [ˋgæmbɪt] *n.* Ⓒ ①下棋開局時犧牲一個棋子以取優勢的一著棋。②任何爲取得優勢的策略或活動。

***gam·ble** [ˋgæmbl̩] *v.i.* ①賭博；打賭。②孤注一擲；冒險。— *v.t.* ①賭輸〔常away〕。②打賭。— *n.* ①(a ~)(孤注一擲之)冒險；投機。② Ⓒ 賭博；賭。

gam·bler [ˋgæmblɚ] *n.* Ⓒ 聚賭者；賭徒。*take a* ~*'s chance* 試試運氣。

gam·bling [ˋgæmblɪŋ] *n.* Ⓤ 賭博。

gam·boge [gæmˋbodʒ] *n.* Ⓤ ①籐黃；雌黃(一種褐色的樹脂, 用於醫藥、顏料)。②雌黃色。

gam·bol [ˋgæmbl̩] *v.i.* (**-l-,**〖英〗**-ll-**) 歡跳；雀躍。— *n.* Ⓒ (常*pl.*)歡躍；歡跳。

gam·brel [ˋgæmbrəl] *n.* Ⓒ ①(馬之)後腳踝關節。②(掛肉的)馬腳狀鐵鉤。

****game**[1] [gem] *n.* ① Ⓒ 遊戲；比賽。②(*pl.*)競技會；運動會。③ Ⓒ 一場(球賽等)；一局。④ Ⓒ (比賽中之)積分；得分。⑤ Ⓤ (集合稱)獵物。⑥ Ⓤ 受人欺侮、迫害等之對象。*be on*[*off*] *one's* ~玩得好[不好]。*big* ~大獵物(如獅、虎、象等)。*fly at higher* ~有大志。~ *of chance* 靠運氣取勝的遊戲。*have the* ~ *in one's hands* 有把握獲勝。*make* ~ *of* 取笑；戲弄。*play the* ~ (遊戲中)遵守規則；光明正大地幹。— *adj.* 勇敢的；有膽量的。*die* ~ 奮鬥至死。— *v.t.* 賭輸〔常 away〕。— *v.i.* 賭博。§ ~ **ànimal** 可狩獵的動物。~ **bìrd** 獵鳥。~ **fìsh** 供垂釣的魚。~ **làw(s)** 漁獵法。~ **lìcense** 狩獵許可證。~ **plàn**〖美〗策略。~ **pòint** 〖網球〗決定比賽勝負之一分。~ **presèrve** 禁獵區； 野生動物保護區。~**(s) thèory**〖數〗對策論；博奕論。

game[2] *adj.* 〖俗〗受傷的；跛的。

game·cock [ˋgem͵kɑk] *n.* Ⓒ ①鬥雞。②勇敢有生氣之人。

game·keep·er [ˋgem͵kipɚ] *n.* Ⓒ 獵場看守人。

games·man·ship [ˋgemzmən͵ʃɪp] *n.* Ⓤ 競賽時使用雖不光明但並非犯規之取巧方法；花招。

game·some [ˋgemsəm] *adj.* 好戲謔的；好作樂的。

game·ster [ˋgemstɚ] *n.* Ⓒ 賭徒；賭棍。

gam·ete [ˋgæmit] *n.* Ⓒ 〖生物〗接合體；配(偶)子。

gam·in [ˋgæmɪn] *n.* Ⓒ 流浪兒。

gam·ing [ˋgemɪŋ] *n.* Ⓤ 賭博。§ ~ **tàble** 賭桌。

gam·ma [ˋgæmə] *n.* Ⓤ Ⓒ ①希臘字母之第三字母(Γ, γ)(相當於英文字母 G, g)。②(一系列中)列爲第三者的符號。§ ~ **rày**s〖理〗γ 射線。

gam·mon [ˋgæmən]〖俗〗*n.* Ⓤ 胡說；欺詐。— *v.t.* & *v.i.* ①胡說。②裝胡塗。— *interj.* 胡說！
gamp [gæmp] *n.* Ⓒ〖英俗〗大傘。
gam·ut [ˋgæmət] *n.* (*sing.*) ①〖樂〗全音階；音域；譜表。②整個範圍。
gam·y [ˋgemɪ] *adj.* ①(森林等)多獵物的。②有活力的；勇敢的。③有野獸、野禽之氣味的。④有濃烈之味道的。
gan·der [ˋgændɚ] *n.* Ⓒ ①雄鵝。②蠢物；笨人。③〖俚〗一瞥。
Gan·dhi [ˋgandɪ] *n.* 甘地(Mohandas K., 1869-1948,印度政治、社會和宗教領袖)。
***gang** [gæŋ] *n.* Ⓒ ①群；隊。②幫(尤指專作惡事者)。③一組；一套(工具、機械等)。— *v.t.*〖俗〗①組成幫。②成群地攻擊。— *v.i.* 聯合在一起。～ *up on* 聯合對付(某人或某國)。§ ∼ **plòw** [**plòugh**] (1)有數個犁頭之犁。(2)結合犁。
Gan·ges [ˋgændʒiz] *n.* (the ～) 恆河(在印度北境)。
gan·gling [ˋgæŋglɪŋ] *adj.*〖俗〗(身體)瘦長的。
gang·plank [ˋgæŋ,plæŋk] *n.* Ⓒ (輪船之)跳板。
gan·grene [ˋgæŋgrin, gæŋˋgrin] *n.* Ⓤ 壞疽。— *v.t.* & *v.i.* (使)生疽；(使)腐化。— **ganˊgre·nous** [-grənəs], *adj.*
gang·ster [ˋgæŋstɚ] *n.* Ⓒ〖美俗〗歹徒；匪盜。a ～ film 匪盜影片。
gang·way [ˋgæŋ,we] *n.* Ⓒ ①〖英〗(兩排座位間的)通道。②(船與岸間的)跳板。③船上通道。— *interj.* 讓路！
gan·net [ˋgænɪt] *n.* Ⓒ 塘鵝。
gant·let¹ [ˋgæntlɪt] *n.* (the ～)夾鞭刑。*run the* ～ **a.** 受夾鞭刑。**b.** 受雙方夾擊。
gant·let² *n.* Ⓒ 鐵護手。
gan·try [ˋgæntrɪ] *n.* Ⓒ ①桶架。②(高架移動起重機之)構臺。
gaol [dʒel] *n.* & *v.*〖英〗=**jail.** — **er,** *n.*
***gap** [gæp] *n.* Ⓒ ①縫隙；缺口；漏洞。②間斷；空白。③意見、個性等之差異。④山間窄徑；山凹。*fill* [*stop, supply*] *a* ～ 補充所缺之物；補缺。— *v.t.* (**-pp-**) 造成縫隙。
gape [gep] *v.i.* ①裂開。②張嘴；張嘴注視。— *n.* Ⓒ ①裂口；裂隙。②張嘴；打呵欠。③張嘴凝望。
gar [gɑr] *n.* =**garfish.**
***ga·rage** [gəˋrɑʒ, gəˋrɑdʒ, ˋgærɑdʒ] *n.* Ⓒ ①汽車間；修車廠。②車庫。— *v.t.* 置於車庫；送入修車廠。§ ∼ **sàle** 家庭舊貨出售。
garb [gɑrb] *n.* Ⓤ 裝束；打扮；外觀。— *v.t.* 穿衣；打扮。～ oneself in... 穿…的服裝。～ oneself as a sailor 打扮成水手。
***gar·bage** [ˋgɑrbɪdʒ] *n.* Ⓤ ①廚房的剩飯殘羹。②無價值的東西。§ ∼ **càn** 垃圾箱。∼ **collèctor**〖美〗收垃圾的人；垃圾搬運夫。∼ **dispòser**〖美〗垃圾處理機。∼ **trùck** 垃圾車。
gar·ble [ˋgɑrbḷ] *v.t.* ①竄改；曲解。②無意中使(文字、電稿等)混亂或不清楚。
gar·bled [ˋgɑrbḷd] *adj.* (報導等)曲解事實的；斷章取義的；經竄改的；(說明等)混亂不清楚的。
gar·çon [,gɑrˋsɔ̃]〖法〗*n.* Ⓒ (旅館等之)男侍者；男服務員。
‡**gar·den** [ˋgɑrdṇ] *n.* Ⓒ ①花園；菜圃；果園。②(常*pl.*)公園。*G- of* Eden 伊甸園。*lead one up the* ～ *path*〖俗〗帶入歧途；欺騙；哄。— *v.i.* 栽培花木從事園藝。§ ∼ **apártment**〖美〗(低層之)花園公寓。∼ **cíty** 花園城市。∼ **párty** 園遊會。∼ **súburb**〖英〗花園式的郊外住宅區。∼ **wèdding** 露天(花園)婚禮。**the G∼ Státe** 美國 New Jersey 州之別稱。
***gar·den·er** [ˋgɑrdnɚ, ˋgɑrdṇɚ] *n.* Ⓒ 園丁；花匠；園藝家。
gar·de·nia [gɑrˋdinɪə] *n.* Ⓒ〖植〗梔子屬；梔子花。
gar·den·ing [ˋgɑrdṇɪŋ] *n.* Ⓤ 園藝。
Gar·field [ˋgɑrfild] *n.* 加菲貓(卡通人物)。
gar·fish [ˋgɑr,fɪʃ] *n.* Ⓒ 長嘴硬鱗魚。(*pl.* ～, ～**·es**)
gar·gle [ˋgɑrgḷ] *v.t.* & *v.i.* (以水等)漱(喉)。～ with salt water 以鹽水漱喉。— *n.* Ⓤ 含漱劑(用以漱口之藥水)。
gar·goyle [ˋgɑrgɔɪl] *n.* Ⓒ〖建〗承霤口；筧嘴。
gar·ish [ˋgɛrɪʃ, ˋgærɪʃ] *adj.* 炫耀的。
gar·land [ˋgɑrlənd] *n.* Ⓒ ①花圈。②詩歌選粹。— *v.t.* 飾以花圈。
gar·lic [ˋgɑrlɪk] *n.* Ⓤ 蒜；蒜頭。
***gar·ment** [ˋgɑrmənt] *n.* Ⓒ ①衣服；任何外衣。②外表。
gar·ner [ˋgɑrnɚ] *v.t.* ①收藏；儲藏。②獲取。— *n.* Ⓒ ①穀倉。②收藏物。
gar·net [ˋgɑrnɪt] *n.* ①ⓊⒸ〖礦〗石榴子石。②Ⓤ 深紅色。
gar·nish [ˋgɑrnɪʃ] *n.* Ⓒ ①食物上的裝飾。②裝飾品。— *v.t.* ①加裝飾。②在食物上加添配料或裝飾。
gar·nish·ee [,gɑrnɪˋʃi] *v.t.*〖法律〗①(以扣押令)扣押(債務人的財產)。②通告(人)扣押其財產。
gar·ni·ture [ˋgɑrnɪtʃɚ] *n.* ①Ⓤ 裝飾。②Ⓒ 飾物；(衣服之)配件；裝飾物。
gar·ret [ˋgærɪt] *n.* Ⓒ 頂閣；閣樓。
gar·ri·son [ˋgærəsṇ] *n.* Ⓒ ①衛戍部隊；駐軍。②要塞。— *v.t.* 鎮守。§ ∼ **artíllery** 要塞砲兵。∼ **càp**〖美軍〗船形軍帽。∼ **hóspital** 衛戍醫院。∼ **stàte** 實行軍國主義的國家。∼ **tówn** 有軍隊駐紮的市鎮。
gar·ru·lous [ˋgærələs] *adj.* 愛說閒話的。— **gar·ru·li·ty** [gəˋrulətɪ], *n.*
gar·ter [ˋgɑrtɚ] *n.* Ⓒ (常*pl.*) ①襪帶。②扣襯衫袖子的帶子。*Order of the G-* 嘉德勳位(英國歷史最久的最高勳位)。§ ∼ **bèlt**〖美〗吊襪帶。∼ **snàke**〖動〗(北美常見的)一種有黃色條紋的無毒小蛇。
‡**gas** [gæs] *n.* ①ⓊⒸ 氣體。②ⓊⒸ 煤氣；瓦斯；毒氣。③Ⓤ 笑氣(牙醫用做痲醉劑，即 N_2O).④Ⓤ〖美俗〗汽油。⑤Ⓤ〖俗〗空談；瞎吹牛。⑥Ⓒ〖俚〗**a.**有趣的人或事。**b.**給某人很大影響的人或事。*step on the* ～〖俚〗**a.**踩汽車的油門。**b.**加緊；匆忙。— *v.t.* (**-ss-**) ①供以煤氣。②以煤氣處理。③〖俗〗加汽油。④以毒氣攻擊；以毒氣殺害。— *v.i.*

〖俚〗空談；閒扯。§～ **attàck**〖軍〗毒氣攻擊。～ **bòmb**[**shèll**]毒氣彈。～ **bùrner** (1)煤氣爐。(2)煤氣噴嘴。～ **chàmber** (行刑用之) 毒氣室。～ **còoker** [〖美〗**rànge**] 〖英〗煤氣爐。～ **éngine** 氣體引擎；煤氣機。～ **fìeld** 天然氣田。～ **fìre**〖英〗煤氣爐。～ **gùzzler** 〖美俚〗耗油量多之(大型)汽車。～ **màsk** 防毒面具。～ **mèter** 瓦斯表。～ **òven** 煤氣爐。～ **pìpe** 煤氣管。～ **rìng** 一種圓形之輕便煤氣爐。～ **stàtion**〖美〗(汽車、機車之)加油站(=〖英〗petrol station). ～ **stòve** 煤氣爐。～ **tànk** (1)煤氣槽。(2)油箱。

gas·bag [ˋgæs,bæg] *n.* Ⓒ ①(飛艇、飛船等之)蓄氣囊。②〖俚〗愛瞎吹者。

gas·e·ous [ˋgæsɪəs] *adj.* ① 氣體的；似氣體的。②〖俗〗不具體的。

gash [gæʃ] *n.* Ⓒ (長而深之)創傷；切痕。— *v.t.* 深傷；深切。

gas·hold·er [ˋgæs,holdɚ] *n.* Ⓒ 瓦斯槽[筒，罐]。

gas·i·fy [ˋgæsə,faɪ] *v.t.* & *v.i.* (使)氣化。

gas·ket [ˋgæskɪt] *n.* Ⓒ (裝於活塞周圍或鐵管接通處以免漏氣等的)圈形或帶形填塞物。

gas·light [ˋgæs,laɪt] *n.* Ⓒ 煤氣燈。

gas·o·hol [ˋgæsə,hɔl] *n.* Ⓤ 汽油酒精(汽油與酒精混合之燃料)。

***gas·o·line, -lene** [ˋgæsl̩,in, ,gæsl̩ˋin] *n.* Ⓤ 〖美〗汽油(=〖英〗petrol).

gas·om·e·ter [gæsˋɑmətɚ] *n.* Ⓒ ①煤氣計量表。②煤氣槽；蓄氣器。

gasp** [gæsp, gɑsp] *v.i.* ① 喘息；喘氣。②渴望，渴求〔常 for, after〕. — *v.t.* 喘氣而語。— *n.* Ⓒ 喘息；喘氣。at one's* [*the*] *last* ～** 奄奄一息。

gas·sy [ˋgæsɪ] *adj.* ①(像)氣體的；充滿氣體的。②〖俗〗誇張的；空談的。③腸胃氣脹的。— **gas′si·ness,** *n.*

gas·tric [ˋgæstrɪk] *adj.* 胃(部)的。§～ **júice** 胃液。～ **úlcer** 胃潰瘍。

gas·tro·en·ter·i·tis [ˋgæstro,ɛntəˋraɪtɪs] *n.* Ⓤ〖醫〗腸胃炎。

gas·tro·in·tes·ti·nal [,gæstroɪnˋtɛstənl] *adj.* 腸胃的。

gas·tro·nome [ˋgæstrə,nom] *n.* = **gastronomer.**

gas·tron·o·mer [gæsˋtrɑnəmɚ] *n.* Ⓒ 美食家。

gas·tro·nom·ic [,gæstrəˋnɑmɪk] *adj.* 美食學的；烹飪學的。

gas·tron·o·my [gæsˋtrɑnəmɪ] *n.* Ⓤ 美食法；美食學。

gas·tro·pod [ˋgæstrə,pɑd] *n.* Ⓒ 〖動〗腹足類動物(如蝸牛等)。— *adj.* 腹足類動物的。

gas·works [ˋgæs,wɝks] *n.* Ⓒ (*pl.* ～)煤氣廠。

‡**gate** [get] *n.* Ⓒ ①圍牆門；籬笆門；大門。②登機門。③水門；水閘。④運動會、展覽會等的觀眾數；門票收入。

gate-crash [ˋget,kræʃ] *v.t.* & *v.i.* 〖俚〗未經邀請或購票而入場。

gate-crash·er [ˋget,kræʃɚ] *n.* Ⓒ 未受邀請而參加舞會、茶會或其他集會的人；看白戲者。

gate·house [ˋget,haʊs] *n.* Ⓒ ①傳達室。②閘門。

gate·keep·er [ˋget,kipɚ] *n.* Ⓒ 看門者；門房。

gáte-lèg(ged) táble [ˋget,lɛg(d)～] *n.* Ⓒ 活動桌子(可摺疊者)。

gate·post [ˋget,post] *n.* Ⓒ 門柱。

gate·way [ˋget,we] *n.* Ⓒ ①大門口。②通路。③方法；手段。

‡**gath·er** [ˋgæðɚ] *v.t.* ①集合；聚集。②採集；收拾。③漸增。④推斷；結論；瞭解。⑤打摺；摺皺。⑥吸引；喚起注意。⑦鼓起勇氣、努力等〔常up〕. — *v.i.* ①聚集；集合。②增加；漸增；積累。③蹙眉。～ ***oneself together*** 振起精神。— *n.* Ⓒ ①集合；聚集。②(常 *pl.*)衣服之褶。③收集之數量(如收成等)。

***gath·er·ing** [ˋgæðrɪŋ] *n.* Ⓒ ①集合；集結；聚會。②衣服之褶。

ga·tor, 'ga·tor [ˋgetɚ] *n.* 〖美俗〗=**alligator.**

GATT, G.A.T.T. General Agreement on Tariffs and Trade. 關稅暨貿易總協定。

gauche [goʃ] *adj.* 笨拙的；粗魯的。

gau·che·rie [,goʃəˋri, ˋgoʃə,ri] *n.* ① Ⓤ 笨拙；無手腕。② Ⓒ 笨拙的舉動。

Gau·cho, gau·cho [ˋgaʊtʃo] *n.* Ⓒ (*pl.* ～**s**) 高楚人；高楚牧人(南美西班牙人與印第安人之混血種族)。

gaud [gɔd] *n.* Ⓒ 俗麗之裝飾品。

gaud·y [ˋgɔdɪ] *adj.* 俗麗的。— **gaud′i·ly,** *adj.* — **gaud′i·ness,** *n.*

gauge** [gedʒ] *n.* Ⓒ ①標準度量。②計量器。③(鐵道)軌距；(汽車)輪距。take the* ～ *of*** 度量；計量。— *v.t.* ①精確計量。②估計；估量。

gaug·er [ˋgedʒɚ] *n.* Ⓒ ① 計量者[器]。②量器檢查官；收稅官。

Gau·guin [,goˋgɛ̃] *n.* 高更(Eugène Henri Paul, 1848-1903, 法國畫家)。

Gaul [gɔl] *n.* ①高盧(歐洲一古國，領有今義大利北部、法、比、荷等國)。② Ⓒ (用Celtic語的)高盧人。③ Ⓒ 法國人。

Gaull·ism [ˋgolɪzəm, ˋgɔ-] *n.* Ⓤ 戴高樂主義。

Gaull·ist [ˋgolɪst, ˋgɔ-] *n.* Ⓒ ①戴高樂之支持者。②第二次大戰期間在納粹占領下從事反抗運動的法國人。

gaunt [gɔnt, gɑnt] *adj.* ①憔悴的；骨瘦如柴的。②荒涼的。

gaunt·let[1] [ˋgɔntlɪt, ˋgɑnt-] *n.* Ⓒ ①(騎士戴的)鐵手套。②寬口粗大的長手套。***take up the* ～** **a.**接受挑戰。**b.**表示無畏。***throw down the* ～** 挑戰。

gaunt·let[2] *n.* =**gantlet**[1].

gauze [gɔz] *n.* Ⓤ ①薄紗；棉紗。②〖醫〗紗布。③薄霧。— **gauz′y,** *adj.*

‡**gave** [gev] *v.* pt. of **give.**

gav·el [ˋgævl̩] *n.* Ⓒ (法官等所用之)木槌；議事槌。

ga·vi·al [ˋgevɪəl] *n.* Ⓒ〖動〗恆河鱷。

ga·vot(te) [gəˋvɑt] *n.* Ⓒ ①嘉禾舞(法國舊式舞蹈)。②嘉禾舞曲。

gawk [gɔk] *n.* Ⓒ 呆子；笨拙的人。— *v.i.*〖俗〗呆視。— **gawk′y,** *adj.*

***gay** [ge] *adj.* ①歡欣的；輕快的。②五光十色的。③放蕩的。④〖俗〗同性戀的。

—n. Ⓒ〖俗〗(尤指男)同性戀者。
gay·e·ty [ˋgeətɪ] *n.*=**gaiety.**
gay·ly [ˋgelɪ] *adv.*=**gaily.**
Gá·za Stríp [ˋgezə ～] *n.* (the ～) 加薩走廊(地中海東岸一狹長地帶)。
***gaze** [gez] *v.i.* 凝視; 注視〔at, on, upon〕. —*n.* (*sing.*) 凝視; 注視; 凝望。—**gaz′er,** *n.*
ga·ze·bo [gəˋzibo] *n.* Ⓒ (*pl.* ～(**e**)**s**) 露臺; 陽臺; 涼亭。
ga·zelle [gəˋzɛl] *n.* Ⓒ〖動〗瞪羚(產於北非及亞洲)。
ga·zette [gəˋzɛt] *n.* Ⓒ ①報紙(主要用爲報刊名稱)。②政府之公報。—*v.t.* 刊載於公報上; 宣布(常用於被動式)。
gaz·et·teer [͵gæzəˋtɪr] *n.* Ⓒ 地名辭典。
GB 〖電算〗gigabyte. 十億位元組。
gear** [gɪr] *n.* ① Ⓒ 齒輪; 齒輪裝置; 聯動機; (汽車)排檔。② Ⓤ 工具; 道具。③ Ⓤ 馬具。in*** ～ 上檔; 運轉順利; 情況正常。***out of*** ～ **a.**機器不靈; 出了毛病。**b.**與馬達分開。—*v.t.* ①以齒輪連起。②開動; 發動(機器)。③裝上(齒輪); 安裝(機器等)。—*v.i.* ①配搭活動; 運動靈活。②準備; 安排; 計畫。
gear·box [ˋgɪr͵bɑks] *n.* Ⓒ ①齒輪箱[匣]。②(傳動裝置中之)變速箱。
gear·ing [ˋgɪrɪŋ] *n.* Ⓤ ①裝置齒輪。②傳動; 聯動。③傳動裝置; 齒輪裝置。
gear·shift [ˋgɪr͵ʃɪft] *n.* Ⓒ 操縱桿; 變速桿。
geck·o [ˋgɛko] *n.* Ⓒ (*pl.* ～(**e**)**s**)〖動〗壁虎; 守宮。
gee[1] [dʒi] *n.* Ⓒ〖英 俚〗馬。(〖兒〗作 **gee-gee**)
gee[2] *interj.* (感嘆語)哎啊!
geek [gik] *n.* Ⓒ 古怪的人
***geese** [gis] *n.* pl. of **goose.**
gee-whiz [ˋdʒiˋhwɪz] *adj*〖俚〗令人驚異的。
gee·zer [ˋgizɚ] *n.* Ⓒ〖俚〗古怪的人; (尤指)古怪的老人。
Géi·ger còunter [ˋgaɪgɚ ～] *n.* Ⓒ 蓋氏計算器(用以測量放射作用等)。
gei·sha [ˋgeʃə] *n.* Ⓒ (*pl.* ～, ～**s**) (日本之)藝妓。(亦作 **geisha girl**)
gel [dʒɛl] *n.* Ⓤ Ⓒ〖理化〗凝膠; 膠滯體; 乳膠體。—*v.i.* (**-ll-**) 膠化; 成凝膠狀。
gel·a·tin(e) [ˋdʒɛlətn̩, -tɪn] *n.* Ⓤ ①膠; 動物膠; 骨膠。②植物膠。—**ge·lat·i·nous** [dʒəˋlætənəs], *adj.*
geld [gɛld] *v.t.* (**geld·ed** or **gelt**) 閹割; 去(馬等)之勢。
geld·ing [ˋgɛldɪŋ] *n.* Ⓒ ①去勢的馬。②閹人; 太監。
gel·id [ˋdʒɛlɪd] *adj.* 似冰的; 冰冷的; 極寒冷的。
gelt [gɛlt] *v.* pt. & pp. of **geld.**
***gem** [dʒɛm] *n.* Ⓒ ①珠寶; 寶石。②精華; 佳作; 珍貴之物。③被尊敬或喜愛的人。—*v.t.* (**-mm-**) (似)飾以寶石。
gem·i·nate [ˋdʒɛmə͵net] *v.t.* & *v.i.* (使)成雙; (使)成對。—[ˋdʒɛmənɪt] *adj.* (亦作 **geminated**)〖生物〗(葉)雙生的; 成對的。
Gem·i·ni [ˋdʒɛmə͵naɪ] *n. pl.*〖天〗①雙子座。②雙子宮。
gem·(m)ol·o·gy [dʒɛˋmɑlədʒɪ] *n.* Ⓤ 寶石學。
gem·stone [ˋdʒɛm͵ston] *n.* Ⓒ 適於作爲飾物的寶石。
gen·der [ˋdʒɛndɚ] *n.* Ⓤ Ⓒ ①〖文法〗性。②〖俗〗性別。the female ～ 女性。
gene [dʒin] *n.* Ⓒ〖生物〗遺傳因子; 基因。§ ～ **splìcing** 基因接合。
ge·ne·a·log·i·cal [͵dʒinɪəˋlɑdʒɪkl] *adj.* 宗譜的。a ～ tree 家系圖。
ge·ne·al·o·gist [͵dʒinɪˋælədʒɪst] *n.* Ⓒ 系譜學者; 系譜家。
ge·ne·al·o·gy [͵dʒinɪˋælədʒɪ] *n.* ① Ⓒ 系譜; 家系。② Ⓒ 裔系。③ Ⓤ 系譜學。
gen·er·a [ˋdʒɛnərə] *n.* pl. of **genus.**
‡**gen·er·al** [ˋdʒɛnərəl] *adj.* ①普遍的; 一般的。②首席的; 階級最高的(用於官銜之後)。***as a*** ～ ***rule*** 照例地; 通常。—*n.* Ⓒ ①大體; 一般。②〖美〗陸軍二級上將; 將軍; 上將。***in*** ～ 就大體而論。§ ～ **eléction** 大選。**the G～ Assémbly** 聯合國大會(略作 GA).
gen·er·al·is·si·mo [͵dʒɛnərəlˋɪsə͵mo] *n.* Ⓒ (*pl.* ～**s**) 大元帥; 最高統帥; 委員長。
gen·er·al·i·ty [͵dʒɛnəˋrælətɪ] *n.* ① Ⓒ 概論; 通論。②(the ～)多數; 大部分。③ Ⓤ 一般性; 通性; 普遍性。
***gen·er·al·ize** [ˋdʒɛnərəl͵aɪz] *v.i.* & *v.t.* ①歸納; 概括; 綜合; 做出結論。②概括地說。③推廣。—**gen·er·al·i·za′tion,** *n.*
‡**gen·er·al·ly** [ˋdʒɛnərəlɪ] *adv.* ①通常。②概括地; 一般地。～ speaking 一般言之。③普遍地; 廣泛地。
gen·er·al-pur·pose [ˋdʒɛnərəlˋpɝpəs] *adj.* 多種用途的; 多目標的。
gen·er·al·ship [ˋdʒɛnərəl͵ʃɪp] *n.* ① Ⓤ 將才。② Ⓤ 指揮[管理, 領導]之才幹。③ Ⓒ 將官職位[身分, 階級, 任期, 權力]。
***gen·er·ate** [ˋdʒɛnə͵ret] *v.t.* ①產生; 造成。②創造。③生育(後代)。§ **génerating stàtion** [**plànt**] 發電廠。—**gen′er·a·tor,** *n.*
***gen·er·a·tion** [͵dʒɛnəˋreʃən] *n.* ① Ⓒ (集合稱)同時代的人; 一代人。② Ⓒ 代(約三十年)。③ Ⓒ (家族中之)一代; 一世。④ Ⓤ 產生; 發生。⑤ Ⓤ 生育後裔。⑥ Ⓒ 同一時期之產物(尤指產品之舊式者)。
ge·ner·ic [dʒəˋnɛrɪk] *adj.* ①〖生物〗屬的; 類的。②一般的; 非特殊的。
***gen·er·os·i·ty** [͵dʒɛnəˋrɑsətɪ] *n.* ① Ⓤ 慷慨。② Ⓤ 寬大; 大度。③ Ⓒ (常 *pl.*)慷慨或寬大的行爲。
‡**gen·er·ous** [ˋdʒɛnərəs] *adj.* ①有雅量的。②慷慨的。③豐富的。—**ly,** *adv.*
gen·e·sis [ˋdʒɛnəsɪs] *n.* (*pl.* **-ses** [-͵siz]) ① Ⓒ (常 the ～)根源; 發生; 創始。②(G-)創世記(舊約的首卷)。
ge·net·ic [dʒəˋnɛtɪk] *adj.* ①遺傳學的。②發生(論)的; 起源的。
ge·net·i·cist [dʒəˋnɛtəsɪst] *n.* Ⓒ 遺傳學家。
ge·net·ics [dʒəˋnɛtɪks] *n.* Ⓤ〖生物〗遺傳學; 發生學。
Ge·ne·va [dʒəˋnivə] *n.* 日內瓦(瑞士

G

西南部城市)。

Gen·ghis Khan [ˋdʒɛn·gɪzˋkɑn] *n.*成吉思汗(1162-1227,中國元太祖)。(亦作 **Jenghis Khan, Jenghiz Khan**)

***gen·ial** [ˋdʒinjəl] *adj.*①愉快的;和藹的;慇懃的。②幫助滋長的;暖和的。a ～ climate 暖和的氣候。— **ly,** *adv.*

ge·ni·al·i·ty [ˌdʒinɪˋælətɪ] *n.* Ⓤ 懇切;和藹;愉快;誠懇。

ge·nie [ˋdʒinɪ] *n.* Ⓒ (*pl.* **-ni·i**)〖回教神話〗神怪。

ge·ni·i [ˋdʒinɪˌaɪ] *n.* pl. of **genius** or **genie.**

gen·i·tal [ˋdʒɛnətḷ] *adj.* 生殖的。**—** *n.* (*pl.*) 生殖器。

gen·i·ta·li·a [ˌdʒɛnəˋteljə] *n. pl.* 生殖器;外陰部。

gen·i·tive [ˋdʒɛnətɪv] *adj.*〖文法〗所有格的。**—***n.* Ⓒ 所有格。

***gen·ius** [ˋdʒinjəs] *n.* (*pl.* **～es**) ① Ⓤ 天才;天賦。② Ⓒ 天才者;才子。③ (a ～)才能;強烈的性向。④(*sing.*)一個人[民族,時代,語言]等之特質或精神。⑤ Ⓒ (*pl.* **ge·ni·i**) 精靈;守護神。§ ～ **lóci** [ˋlosaɪ] 一個地方的風氣或特色。

Gen·o·a [ˋdʒɛnəwə, dʒəˋnoə] *n.*熱那亞(義大利西北部海港)。

gen·o·cide [ˋdʒɛnəˌsaɪd] *n.* Ⓤ (對人種等有計畫的)集團大屠殺;種族滅絕。

gen·o·type [ˋdʒɛnoˌtaɪp] *n.* Ⓒ〖生物〗因子型;遺傳型。

gen·re [ˋʒɑnrə]〖法〗*n.* Ⓒ (尤指藝術品的)類;型;式樣。

gent [dʒɛnt] *n.* Ⓒ〖諧〗紳士;男子。

gen·teel [dʒɛnˋtil] *adj.*①上流社會的。②有禮貌的;有教養的。③裝做貴族的;假裝爲紳士的。— **ism,** *n.* — **ly,** *adv.*

gen·tian [ˋdʒɛnʃən] *n.* Ⓤ Ⓒ〖植〗龍膽。

Gen·tile, gen·tile [ˋdʒɛntaɪl] *n.* Ⓒ ①非猶太人。②異教徒;基督教徒(以別於猶太教徒)。③〖美〗非 Mormon 教友。**—** *adj.* ①非猶太人的。②異教徒的。③非 Mormon 教的。

gen·til·i·ty [dʒɛnˋtɪlətɪ] *n.* Ⓤ ①高貴的出身或身分。②優美儀態;文雅風度。③假裝文雅。

‡**gen·tle** [ˋdʒɛntḷ] *adj.*①溫和的;溫柔的。②文雅的;高尙的。③輕輕的;低聲的。 *— **ness,** *n.*

gen·tle·folk(s) [ˋdʒɛntḷˌfok(s)] *n. pl.* 出身名門者;上流人士。

‡**gen·tle·man** [ˋdʒɛntḷmən] *n.* Ⓒ (*pl.* **-men**)①上流人;紳士;君子。②先生(普通對男子的尊稱)。Ladies and *Gentlemen* 諸位先生諸位女士。③貴族之侍從。④美國參院或眾院的男議員。— **like,** — **ly,** *adj.*

gen·tle·wom·an [ˋdʒɛntḷˌwumən] *n.* Ⓒ (*pl.* **-wom·en**) ①貴婦;淑女;有地位之婦女。②有教養之婦女;女士。③(貴婦之)女侍。

***gen·tly**[ˋdʒɛntlɪ]*adv.*①輕輕地;小心地。②逐漸地。

gen·try [ˋdʒɛntrɪ] *n.*(常 the ～, 作 *pl.* 解)①紳士;上流社會人士(尤指英國之僅次於貴族者)。②某一階級或社團的人們。③ Ⓤ 紳士之身分、地位。

gen·u·flect [ˋdʒɛnjuˌflɛkt] *v.i.* ①屈膝;跪拜。②屈從。

***gen·u·ine** [ˋdʒɛnjuɪn] *adj.*①眞正的;非僞造的。②誠懇的。③純種的。— **ly,** *adv.*

ge·nus [ˋdʒinəs] *n.* Ⓒ (*pl.* **gen·er·a, ～es**) ①種;類;屬。②〖生物〗屬。the ～ Homo 人類。③〖邏輯〗類概念。

geo-〖字首〗表「地球;土地;地面」之義。

ge·o·cen·tric [ˌdʒioˋsɛntrɪk] *adj.* ①以地球爲中心的。②由地球中心所見或測量的。

ge·o·chro·nol·o·gy [ˌdʒiokrəˋnɑlədʒɪ] *n.* Ⓤ 地質年代學。

ge·o·des·ic [ˌdʒiəˋdɛsɪk] *adj.* (亦作 **geodesical**) 測地線的。**—** *n.* Ⓒ 測地線;短程線。

ge·od·e·sy [dʒiˋɑdəsɪ] *n.* Ⓤ 測地學;大地測量。(亦作 **geodetics**)

ge·o·det·ic, -i·cal [ˌdʒiəˋdɛtɪk(ḷ)] *adj.* 用測地學測定的;測地學的。

geog. geographer; geographic; geographical; geography.

***ge·o·graph·ic, -i·cal** [ˌdʒiəˋgræfɪk(ḷ)] *adj.* 地理(學)的。— **ge·o·graph′i·cal·ly,** *adv.*

***ge·og·ra·phy** [dʒiˋɑgrəfɪ] *n.*① Ⓤ 地理(學)。②(the ～)地形。— **ge·og′ra·pher,** *n.*

ge·o·log·ic, -i·cal [ˌdʒiəˋlɑdʒɪk(ḷ)] *adj.* 地質學的。— **ge·o·log′i·cal·ly,** *adv.*

ge·ol·o·gy [dʒiˋɑlədʒɪ] *n.*① Ⓤ 地質學。② Ⓒ 有關地質學的書。③(the ～)某一地區之地質概況。— **ge·ol′o·gist,** *n.*

ge·o·mag·net·ism [ˌdʒioˋmægnəˌtɪzṃ] *n.* Ⓤ 地磁;地磁學。

ge·om·e·ter [dʒiˋɑmətɚ] *n.* Ⓒ ①幾何學家。②〖昆〗尺蠖。

***ge·o·met·ric, -ri·cal** [ˌdʒiəˋmɛtrɪk(ḷ)] *adj.* ①幾何(學)的。②整齊而有系統的。§ ～ **progréssion** 幾何級數。— **ge·o·met′ri·cal·ly,** *adv.*

ge·om·e·tri·cian [ˌdʒiəməˋtrɪʃən] *n.* Ⓒ 幾何學家。

***ge·om·e·try** [dʒiˋɑmətrɪ] *n.* Ⓤ 幾何學。

ge·o·phys·ics [ˌdʒioˋfɪzɪks] *n.* Ⓤ 地球物理學。— **ge·o·phys′i·cist,** *n.*

ge·o·pol·i·tics [ˌdʒioˋpɑlətɪks] *n.* Ⓤ 地緣政治學(研究地理與政治之關係)。

George [dʒɔrdʒ] *n.* ①聖喬治(St. George,英國的守護神)。②喬治(男子名)。

geor·gette [dʒɔrˋdʒɛt] *n.* Ⓤ 一種透明細薄縐紗。(亦作 **georgette crepe**)

Geor·gia [ˋdʒɔrdʒə, -dʒjə] *n.* 喬治亞(美國南部之一州)。

Geor·gian [ˋdʒɔrdʒən] *adj.*①英國王 George 一世至四世(1714-1830)的。②美國喬治亞州的。③英王 George 五世的。**—** *n.* Ⓒ ①美國喬治亞州居民。②喬治王時代之建築、藝術或裝飾形式。

ge·o·sta·tion·ar·y [ˌdʒioˋsteʃəˌnɛrɪ] *adj.*(人造衛星)由地球看起來靜止的。a ～ satellite 同步衛星。

ge·o·ther·mal [ˌdʒioˋθɜml] *adj.* 地熱的。

ge·ot·ro·pism [dʒiˋɑtrəˌpɪzəm] *n.* Ⓤ〖生物〗向地性;屬地性。

Ger. German; Germanic; Germany.

ge·ra·ni·um [dʒəˋrenɪəm] *n.*① Ⓒ〖植〗牻牛兒;天竺葵。② Ⓤ 鮮紅色。

ger·bil [ˋdʒɝbɪl] *n.* Ⓒ〖動〗沙鼠(生長於亞洲、非洲沙漠、草原之中小型老鼠)。
ger·i·at·ric [ˏdʒɛrɪˋætrɪk] *adj.* 老人(病)科的；老人的。
ger·i·at·rics [ˏdʒɛrɪˋætrɪks] *n.* Ⓤ 老人病科；老人醫學。
***germ** [dʒɝm] *n.* Ⓒ ①細菌；病菌。②種子；胚芽。③原始；根源。
ger·man [ˋdʒɝmən] *adj.* ①關係密切的(=germane). ②同父母的。③同(外)祖父母的。
⁑**Ger·man** [ˋdʒɝmən] *n.*① Ⓒ 德國人。② Ⓤ 德語；德文。—*adj.* 德國(人、語)的。
ger·mane[dʒɝˋmen] *adj.* 有密切關係的；恰當的。
Ger·man·ic [dʒɝˋmænɪk] *adj.* ①德國的。②日耳曼民族的。
ger·ma·ni·um [dʒɝˋmenɪəm] *n.* Ⓤ〖化〗鍺(稀金屬元素；符號 Ge).
⁑**Ger·ma·ny** [ˋdʒɝmənɪ] *n.* 德國。
ger·mi·cide [ˋdʒɝməˏsaɪd] *n.* Ⓤ Ⓒ 殺菌劑。—**ger·mi·cid′al,** *adj.*
ger·mi·nal [ˋdʒɝmənḷ] *adj.*① 幼芽的；胚種的。②細菌(狀)的。③原始的。
ger·mi·nate [ˋdʒɝməˏnet] *v.t.* & *v.i.* ①(使)發芽。②創造；(使)發生；(使)產生。—**ger′mi·nant,** *adj.*—**ger·mi·na′tion,** *n.*
ger·on·toc·ra·cy [ˏdʒɛrənˋtɑkrəsɪ] *n.*① Ⓤ 老年人統治；老人政治。② Ⓒ 由老年人所統治之國家[掌政之政府]。
ger·on·tol·o·gy [ˏdʒɛrənˋtɑlədʒɪ] *n.* Ⓤ 老人學。
ger·ry·man·der [ˋgɛrɪˏmændɚ] *v.t.* & *v.i.* ①〖美政〗爲己黨之利益擅自改劃(州、郡等之選區)。②不公平地操縱；竄改以獲非分之利益。—*n.* Ⓒ 爲己黨之利益所作之選區的擅自改劃。
***ger·und** [ˋdʒɛrənd, -ʌnd] *n.* Ⓒ〖文法〗動名詞。 —**ge·run·di·al** [dʒəˋrʌndɪəl], *adj.*
ger·un·dive [dʒəˋrʌndɪv] *adj.* 動名詞的。—*n.* Ⓒ〖拉〗動詞狀形容詞。
ge·stalt [gəˋʃtɑlt]〖德〗*n.* Ⓒ (*pl.* **~s, ge·stal·ten** [-tŋ]) (有時作 G-)〖心〗完形；經驗的整體。§ **~ psychólogy** 完形心理學；格式塔心理學。
Ge·sta·po [gəˋstɑpo] *n.* Ⓤ 蓋世太保(納粹德國之祕密警察)。
ges·ta·tion [dʒɛsˋteʃən] *n.* ① Ⓤ 懷孕。②(*sing.*)(計畫等的)孕育；形成。
ges·tic·u·late [dʒɛsˋtɪkjəˏlet] *v.i.* & *v.t.* 做表情或達意的動作或姿態。—**ges·tic·u·la′tion,** *n.*
***ges·ture** [ˋdʒɛstʃɚ] *n.* ① Ⓒ 手勢；表情；姿勢。② Ⓤ Ⓒ 姿態；表示。—*v.t.* & *v.i.*=**gesticulate.**
⁑**get** [gɛt] *v.t.* (**got, got** or **got·ten, get·ting**) ① 獲得；收到。② 得(病)；患(病)。③取；索。④購買；訂購。⑤使；令。I am going to ~(=have) my hair cut. 我要去理髮。⑥說服；促使。⑦弄；放；置；搬；移。⑧穿〔on〕。⑨瞭解；明白。⑩使困惑；難住。⑪準備；做(飯)；吃(飯)。⑫生產；生育(通常指動物)。⑬射中；擊中。⑭〖俗〗殺；殺死。⑮捉住；捕獲。—*v.i.* ①變成；變得(常與形容詞的比較級連用)。②去到；抵達。~ ***about*** a.行動。b.走動。c.旅行。d.散播。~ ***above oneself*** 自視很高。~ ***abroad*** 散傳。~ ***across*** a.使人了解；說明。b.成功。c.使渡過；使橫過。~ ***ahead*** 前進。~ ***along*** a.進展。b.相處。c.走；離開。d.度日；過活。~ ***along with*** a.與人相處。b.進步。c.滾開。~ ***around*** a.走動(=get about). b.規避。c.傳播。d.哄騙。~ ***at*** a.得到。b.意指。c.了解；發現。d.賄賂。~ ***away*** 逃脫。~ ***away with*** 逃避懲罰。~ ***back*** a.回來。b.取回。c.〖俚〗報仇〔常 at〕. ~ ***behind*** (在工作、功課等方面)落後。~ ***by*** a.躲過。b.勉強及格。~ ***down*** a.取下。b.下來。c.吞下。d.使疲倦；使無精神。~ ***down to*** (***one's work***) 靜下心(工作)。~ ***home*** 到家。~ ***in*** a.進入。b.回家。c.加入。d.進站；到達。e.進貨。f.當選。g.收割。h.收回(借款)。~ ***off*** a.下去；下車。b.脫下。c.付郵。d.起身；動身。e.開始。f.獲釋；被原諒；不受處罰。g.講(笑話)。h.講演。i.送走。j.使入睡。~ ***on*** a.搭[騎]上(巴士、火車、自行車等)。b.登上；爬上。c.相處。d.成功；繁榮。e.(使)進步。~ ***out*** a.下車。b.洩露出去。c.出版。~ ***out of*** a.放棄；棄絕。b.使說出；得自。c.躲閃；避免。~ ***over*** 恢復；痊癒。~ ***through*** a.完成。b.及格。c.抵達。d.通過。e.用盡。~ ***to*** a.開始；著手。b.〖美俚〗賄賂(某人)。c.接觸。~ ***together*** a.聚首。b.聚集；積聚。c.〖俗〗達成協議。~ ***up*** a.起床。b.準備；籌畫。c.打扮；穿起。d.起來。e.鼓勵；激勵。***have got***〖俗〗a.有(=have). *Have* you *got* a newspaper? 你有報紙嗎? b.必須；得；該(與不定詞連用)。I *have got* to go to the doctor's. 我得去看病。
get·a·way [ˋgɛtəˏwe] *n.* (*sing.*)〖俗〗①逃走；逃亡。②起跑；開始(賽跑)。
get-to·geth·er [ˋgɛttuˏgɛðɚ] *n.* Ⓒ〖美俗〗聯歡會。
Get·tys·burg [ˋgɛtɪzˏbɝg] *n.* 蓋茨堡(美國 Pennsylvania 州南部之一鎮，南北戰爭的古戰場)。§ **~ Addréss** 林肯於 1863 年 11 月 19 日在 Gettysburg 所作闡述民主主義精神之演說。
get·up [ˋgɛtˏʌp] *n.* Ⓒ〖俗〗①(書的)裝訂形式。②服式；裝束。
get-up-and-go [ˋgɛtˏʌpənˋgo] *n.* Ⓤ〖俗〗熱情；幹勁；魄力；精力；積極性。
gew·gaw [ˋgjugɔ] *n.* Ⓒ 華麗而無價值之物；小擺飾；玩具。
gey·ser [ˋgaɪzɚ, ˋgaɪsɚ] *n.* Ⓒ ①間歇泉。②[ˋgizɚ]〖英〗熱水鍋爐。
Gha·na [ˋgɑnə] *n.* 迦納(非洲西部一國家，首都 Accra).
ghast·ly [ˋgæstlɪ, ˋgɑst-] *adj.*①可怕的；恐怖的。②面色慘白的；面如死人的。—*adv.* 恐怖地；慘白地。
gher·kin [ˋgɝkɪn] *n.* Ⓒ 小黃瓜。
ghet·to [ˋgɛto] *n.* Ⓒ (*pl.* ~(**e**)**s**)①(城市中)猶太人之居住區。②〖美〗城市中黑人或其他少數民族聚居的區域。

G

*__ghost__ [gost] *n.* ①Ⓒ鬼；靈魂。②(*sing.*)一些；一絲；一點。③Ⓒ〖攝〗假像。*give up the* ~ 〖古〗死。— *v.t.* & *v.i.*爲人代筆。— **ly,** *adj.*

ghost·write [\`gost,raɪt] *v.t.* & *v.i.* 爲人代筆。— **ghost′writ·er,** *n.*

ghoul [gul] *n.* Ⓒ①(東方神話中的)食屍鬼。②殘忍的人。— **ish,** *adj.*

G.I., GI [\`dʒi\`aɪ] *adj.* ①美國陸軍的；由美國陸軍補給部所發出的(Government Issue之縮寫)。②〖俗〗服從規定的；標準的。— *n.* Ⓒ〖俗〗美國兵。§ **GÍ Jàne** 美國女兵。**GÍ Jòe** 美國大兵。

*__gi·ant__ [\`dʒaɪənt] *n.* Ⓒ ①巨人；大力士；偉人。②巨大的怪物。— *adj.*龐大的；巨大的。— **like,** *adj.*

gi·ant·ess [\`dʒaɪəntɪs] *n.* Ⓒ 女巨人。

gi·ant·ism [\`dʒaɪən,tɪzm̩] *n.* Ⓤ 〖醫〗巨人症。

giaour [dʒaur] *n.* Ⓒ 邪教徒；異教徒(回教徒對基督徒的蔑稱)。

gib·ber [\`dʒɪbɚ, \`gɪbɚ] *v.i.*嘰哩呱啦而言。— *n.* Ⓤ 嘰哩呱啦之言語。

gib·ber·ish [\`dʒɪbərɪʃ, \`gɪb-] *n.* Ⓤ 快而不清的言語；亂語。

gib·bet [\`dʒɪbɪt] *n.* Ⓒ 絞架；絞臺。

gib·bon [\`gɪbən] *n.* Ⓒ (東南亞產的)長臂猿。

gib·bous [\`gɪbəs] *adj.* ①圓形凸出的；凸狀的；隆起的。②(月等)凸圓的。③駝背的；佝僂的。

gibe [dʒaɪb] *v.i.* & *v.t.* 譏笑；嘲弄。— *n.* Ⓒ 嘲弄；辱罵〔at, about〕.

gib·lets [\`dʒɪblɪts] *n. pl.* 禽類內臟等之雜碎；雞、鴨、鵝的雜碎。

Gi·bral·tar [dʒɪb\`rɔltɚ] *n.*直布羅陀(西班牙南端之地區，英國之殖民地)。*the Strait of* ~ 直布羅陀海峽。

gid·dy [\`gɪdɪ] *adj.*①頭暈的；暈眩的。②使人頭暈的。③輕佻的；無聊的。— **gid′di·ly,** *adv.* — **gid′di·ness,** *n.*

Gide [ʒid] *n.* 紀德(André, 1869-1951, 法國小說家、批評家及散文家，1947年得諾貝爾獎)。

‡**gift** [gɪft] *n.*①Ⓒ 禮物。②Ⓤ 贈予；贈予權。③Ⓒ 天才；天賦。— *v.t.* 賦與(才能)(常用被動式)。§ ~ **certíficate** (百貨公司等之)禮券。

gift·ed [\`gɪftɪd] *adj.* 有天才的。

gig[1] [gɪg] *n.* Ⓒ①二輪單馬車。②(大船上之)輕便小艇。

gig[2] *n.* Ⓒ 魚叉。— *v.t.* & *v.i.*(-gg-)以魚叉捕(魚)。

gig[3] *n.* Ⓒ〖俗〗(爵士樂等僅限一次的)特約演奏。

gig·a·byte [\`gɪgə,baɪt] *n.* Ⓒ〖電算〗十億位元組。

*__gi·gan·tic__ [dʒaɪ\`gæntɪk] *adj.* 巨大的；龐大的；似巨人的。

gig·gle [\`gɪgl̩] *n.* Ⓒ 傻笑。— *v.i.* 格格地笑。

gig·o·lo [\`dʒɪgə,lo] *n.* Ⓒ (*pl.* ~**s**)①職業舞男。②吃軟飯之人。

Gí·la mónster [\`hilə~] *n.* Ⓒ (美國沙漠地方的)大毒蜥蜴。

gild[1] [gɪld] *v.t.*(~**ed** or **gilt**)①給…貼上金箔；給…鍍金；將…塗成金色。②虛飾；文飾。~ *the pill* 給藥丸鍍金；(引喻)虛飾外觀；粉飾太平。— **ing,** *n.*

gild[2] *n.* =**guild.**

gild·ed [\`gɪldɪd] *adj.*①貼金箔的；鍍金的；塗成金色的。②富有的；富豪的。§ ~ **yóuth** 大少爺；紈袴子弟。

gill[1] [gɪl] *n.* Ⓒ (常 *pl.*) (魚等的)鰓。

gill[2] [dʒɪl] *n.* Ⓒ 液量名(=¼ pint).

gil·lie, gil·ly [\`gɪlɪ] *n.* Ⓒ ①(昔蘇格蘭高地之)酋長的從僕。②(蘇格蘭高地之)獵人之嚮導。

gill·net [\`gɪl,nɛt] *v.t.* & *v.i.*(-**tt**-)用刺網捕魚。

gil·ly·flow·er [\`dʒɪlɪ,flauɚ] *n.* Ⓒ 〖植〗①紫羅蘭。②麝香石竹。

gilt [gɪlt] *v.* pt. & pp. of **gild.** — *n.* Ⓤ ①(鍍於他物上之)鍍金。②表面的裝飾。— *adj.* 鍍[燙]金的。

gilt-edge(d) [\`gɪlt\`ɛdʒ(d)] *adj.*①邊緣塗金的；(紙、書籍等)金邊的。②(證券等)上等的。③極佳的。

gim·crack [\`dʒɪm,kræk] *n.* Ⓒ 虛華而無用之物；小飾物。— *adj.*虛華而無用的。

gim·let [\`gɪmlɪt] *n.* Ⓒ 螺絲錐；鑽子。— *v.t.* 以鑽子鑽(孔)。

gim·me [\`gɪmɪ] (give me 讀音的變形)〖俚〗*adj.* 貪婪的；貪得無厭的。— *n.* (the ~s)貪婪；貪得無厭。

gim·mick [\`gɪmɪk] *n.* Ⓒ〖美俚〗①(魔術師等之)祕密裝置。②噱頭。

gin[1] [dʒɪn] *n.* ⓊⒸ 杜松子酒。

gin[2] *n.* Ⓒ ①軋棉機。②舉或拉重物之裝置(如絞盤等)。③陷阱。— *v.t.*(-**nn**-)①析出(棉花之籽)。②誘陷。

gin·ger [\`dʒɪndʒɚ] *n.* Ⓤ ①薑。②〖俗〗活潑；精力；元氣。③淡赤黃色。— *v.t.* ①使活潑；使有生氣〔up〕。②以薑佐…之味。§ ~ **ále** [**pòp**] 薑汁汽水。~ **bèer** 薑汁啤酒。

gin·ger·bread [\`dʒɪndʒɚ,brɛd] *n.* ①ⓊⒸ 薑餅。②Ⓤ 好看而無實用之物。— *adj.* 虛華的。

gin·ger·ly [\`dʒɪndʒəlɪ] *adj.* & *adv.* 極度小心謹慎的[地]。

gin·ger·snap [\`dʒɪndʒɚ,snæp] *n.* ⓊⒸ〖美〗薑汁餅乾(=〖英〗ginger nut).

ging·ham [\`gɪŋəm] *n.* Ⓤ 條格棉布。

gin·gi·vi·tis [,dʒɪndʒə\`vaɪtɪs] *n.* Ⓤ〖病理〗齒齦炎。

ging·ko, gink·go [\`gɪŋko, \`dʒɪ-] *n.* Ⓒ (*pl.* ~**es**)銀杏；白果樹。

gin·seng [\`dʒɪnsɛŋ] *n.* Ⓒ 人參(根)。

Gip·sy [\`dʒɪpsɪ] *n.* & *adj* =**Gypsy.**

gi·raffe [dʒə\`ræf, -\`rɑf] *n.* Ⓒ 長頸鹿。

gird [gɝd] *v.t.*(**girt** or ~**ed**)①束緊；束縛。②繫以帶；配以帶。③佩帶。④圍繞；圍起。⑤準備從事〔常 up〕.

gird·er [\`gɝdɚ] *n.* Ⓒ 桁；樑。

gir·dle [\`gɝdl̩] *n.* Ⓒ ①帶子；腰帶。②圍繞物；似帶狀物。— *v.t.*①以帶束縛；圍繞。②在…周圍繞行。

‡**girl** [gɝl] *n.* Ⓒ①女孩；少女。②女僕；女傭。③女職員。④〖俗〗愛人。⑤〖俗〗女人(不拘年齡)。⑥女兒。§ ~ **scòut** 〖美〗女童子軍。— **ish,** *adj.*

*__girl·friend__ [\`gɝl,frɛnd] *n.* Ⓒ 女朋友。

girl·hood [\`gɝlhud] *n.* Ⓤ ①少女時代。②女子們；婦女界；女流。

girt [gɜt] *v.* pt. & pp. of **gird.**
girth [gɜθ] *n.*① Ⓒ (馬等之)肚帶；繫帶。② Ⓤ Ⓒ 周圍；周量。
gist [dʒɪst] *n.*(the ～)要旨；要領；梗概。
‡**give** [gɪv] *v.t.*(**gave, giv·en**)①給予；贈予；賦予。②花去；報償。③供給；開藥給(病人)。④委託；讓渡。⑤傾心於；獻身於。⑥懲罰；課以。⑦開(會)；上演；演出。⑧傳染。⑨產生；產出。⑩發出(聲、光、熱)。⑪發表；宣布；聲明。⑫舉出；載入。— *v.i.*①贈給；捐贈；布施。②(對壓力之)不能支撐；彎曲；塌陷。③(氣候)變溫暖；(冰霜等)溶解。④通往；通到。～ ***and take*** 互相遷就。～ ***away*** **a.**贈送；捐贈。**b.**犧牲；失掉。**c.**背叛；暴露；洩露。**d.**頒發。**e.**把新娘的手放在新郎手中，表示她將受新郎照顧。～ ***back*** **a.**送還；歸還。**b.**回復。～ ***birth to*** **a.**生(孩子)。**b.**導致；造成。～ ***in*** 屈服；投降(=yield, surrender)。～ (***something***) ***in*** 呈交。～ ***off*** 發生；放出。～ ***one to understand*** 使人了解。～ ***out*** **a.**用完；用盡(=become used up)。**b.**疲倦。**c.**分發。**d.**公布；宣布。**e.**發出。～ ***over*** **a.**交給；交付；交出。**b.**停止做。**c.**縱於。～ ***up*** **a.**放棄。**b.**停止；戒除。**c.**投降。**d.**自首。**e.**讓給。～ ***way*** **a.**退後。**b.**坍塌。**c.**屈服；讓步。— *n.* Ⓤ ①彈性；彈力。②適應性。
give-and-take [ˋgɪvənˋtek] *n.* Ⓤ ①公平交易。②互相遷就；讓步。
give·a·way [ˋgɪvə,we] 〖俗〗 *n.* ① (*sing.*)(無意的)洩漏。② Ⓒ 贈品；免費樣品。③ Ⓒ (電視等之)有獎問答節目。
‡**giv·en** [ˋgɪvən] *v.* pp. of **give.** — *adj.*①約定的；指定的。②慣於；沉溺於；癖好。③設若；假使。④贈予的。§ ～ **náme** 教名；名(對姓而言)。
giv·er [ˋgɪvɚ] *n.* Ⓒ 給與者；施贈者。
giz·mo [ˋgɪzmo] *n.* Ⓒ (*pl.* **～s**)〖美俚〗(名稱已被遺忘或尚未定名的)機器；玩意兒；裝置。
giz·zard [ˋgɪzɚd] *n.* Ⓒ (鳥之)沙囊；第二胃(即眞胃)。
gla·cé [glæˋse] 〖法〗*adj.*①(布、皮等)光滑的。②(糕餅)覆有糖霜的。③凍結的；冷凍的。
gla·cial [ˋgleʃəl] *adj.*①冰的；冰河的；冰河期的。②似冰的；極冷的；冷淡的。
gla·cier [ˋgleʃɚ] *n.* Ⓒ 冰河。
‡**glad** [glæd] *adj.*(**-dd-**)①高興的；歡喜的(僅作predicate adjective用)。②使人歡樂的。§ ～ **èye**〖俗〗媚眼；秋波。～ **hànd**〖俗〗(有企圖或虛情假意的)熱烈歡迎。～ **rágs**〖俚〗考究的衣服(尤指晚禮服)。—**ness,** *n.*
glad·den [ˋglædn̩] *v.t.* 使快樂[興奮]。
glade [gled] *n.* Ⓒ 森林中的小空地。
glad·i·a·tor [ˋglædɪ,etɚ] *n.* Ⓒ ①(古羅馬)格鬥者。②精於辯論或格鬥之人。—**glad·i·a·to′ri·al,** *adj.*
glad·i·o·lus [,glædɪˋoləs] *n.* Ⓒ (*pl.* **-li** [-laɪ], **～es**)〖植〗劍蘭；唐菖蒲。(亦作**gladiola**)
***glad·ly** [ˋglædlɪ] *adv.* 高興地；歡喜地。
glad·some [ˋglædsəm] *adj.* ①高興的；快樂的。②可喜的；令人愉快的。
glair(e) [glɛr] *n.* Ⓤ (用於釉光或釉漿的)蛋白。
glam·o(u)r [ˋglæmɚ] *n.* Ⓤ 魅力；魔力；神奇的景色。§ ～ **bòy** [**gìrl**] 特別漂亮而衣著入時的男[女]。—**ous,** *adj.*
glam·o(u)r·ize [ˋglæmə,raɪz] *v.t.* ①使有魅力。②使光榮；讚美。
***glance** [glæns, glɑns] *n.* Ⓒ ①一瞥；一見。②閃耀。③擦過。— *v.t.* ①瞥閃。②瞥見。
glanc·ing [ˋglænsɪŋ] *adj.*①若無其事的(談到、觸及)；隨便的；偶而的。②(打擊等)歪向一邊的；偏離正軌的。
gland [glænd] *n.* Ⓒ〖解〗腺。—**glan·du·lar** [ˋglændʒəlɚ], *adj.*
glan·ders [ˋglændɚz] *n.* Ⓤ〖醫〗馬鼻疽；鼻疽。
***glare**[1] [glɛr] *n.* (*sing.*)①刺目的強光；強烈的閃光。②怒目而視。③炫目；耀目。— *v.i.* ①發出強光；閃耀。②怒視。— *v.t.* ①以怒視表示。②炫示。
glare[2] *n.* Ⓒ (冰等的)光滑的表面。— *adj.* 光滑而發亮的；似鏡面的。
glar·ing [ˋglɛrɪŋ] *adj.* ①閃耀的；耀目的。②怒視的。③昭彰的。—**ly,** *adv.*
glas·nost [ˋglæsnɑst] *n.* Ⓤ (前蘇聯Gorbachev採行的)開放政策。—**glas·nos·ti·an**[ˋglæsnɑstɪən], *adj.*
‡**glass** [glæs, glɑs] *n.*① Ⓤ 玻璃。② Ⓒ 玻璃杯；酒杯；一杯之量。③ Ⓒ 鏡子。④ Ⓤ 玻璃製品。⑤ Ⓒ 晴雨表。⑥ Ⓒ 望遠鏡。⑦(*pl.*)眼鏡。—*v.t.* ①裝以[嵌以]玻璃。②反射；反映。§ ～ **èye** 玻璃製義眼。
glass·blow·er [ˋglæs,bloɚ] *n.* Ⓒ 吹玻璃工人；吹玻璃器。
glass·blow·ing [ˋglæs,bloɪŋ] *n.* Ⓤ ①吹製玻璃；玻璃器製造。②玻璃器吹製術。
glass·ful [ˋglæs,fʊl, ˋglɑs-] *n.* Ⓒ 一杯之量。
glass·house [ˋglæs,haʊs] *n.* Ⓒ ①暖房。②玻璃廠。
glass·mak·ing [ˋglæs,mekɪŋ] *n.* Ⓤ 玻璃(器皿)製造術[工藝]。
glass·ware [ˋglæs,wɛr] *n.* Ⓤ (集合稱)玻璃器皿。
glass·work [ˋglæs,wɜk] *n.*① Ⓤ 玻璃(器)製造(業)。② Ⓤ 玻璃製品。③ (*pl.*, 作 *sing.* 解)玻璃廠。—**er,** *n.*
glass·y [ˋglæsɪ, ˋglɑsɪ] *adj.*①似玻璃的。②(目光)遲鈍的。
glau·co·ma [glɔˋkomə] *n.* Ⓤ〖醫〗綠內障；青光眼。—**tous,** *adj.*
glaze [glez] *v.t.*①裝玻璃於；用玻璃覆蓋。②上釉。③使(眼睛)呆滯。④使…表面光滑。— *v.i.*①變成爲光滑。②(眼神)變呆滯。— *n.* Ⓤ Ⓒ ①釉。②覆罩的一層。—**glazed** [～d], *adj.*
gla·zier [ˋgleʒɚ] *n.* Ⓒ 裝玻璃工人。
***gleam** [glim] *n.* Ⓒ ①微弱的閃光；一絲光線。②瞬息的一現。— *v.i.*①隱約閃光；閃爍。②忽現；突現。
glean [glin] *v.t. & v.i.* ①拾取(落穗)；自(稻田)拾落穗。②收集。—**er,** *n.*
glee [gli] *n.* ① Ⓤ 歡樂；高興。② Ⓒ

三部或四部男聲合唱曲(通常無伴奏)。§～ clùb 合唱團；合唱俱樂部。— **ful,** — **some,** *adj.*

glen [glɛn] *n.* Ⓒ峽谷；幽谷。

glen·gar·ry, G- [glɛn`gærɪ] *n.* Ⓒ(蘇格蘭高地人的)船型便帽。

glib [glɪb] *adj.* (**-bb-**)①口齒伶俐的；油腔滑調的。②(動作、態度等)敏捷的。③從容的。— **ly,** *adv.*

***glide** [glaɪd] *v.i.* ①滑翔；滑動。②溜走；飛逝。— *v.t.* 使滑動。— *n.* Ⓒ①滑動；滑步；滑翔。②〖樂〗滑唱；滑奏。③〖語音〗滑音。— **glid·ing,** *adj.*

glid·er [`glaɪdɚ] *n.* Ⓒ①滑翔機。②滑行的人或物。

glim·mer [`glɪmɚ] *n.* Ⓒ①微光；一絲光線。②隱約的一瞥。— *v.i.* 發微光；朦朧出現。

glim·mer·ing [`glɪmərɪŋ] *n.* Ⓒ①微光。②(常 *pl.*)跡象〔of〕。— **ly,** *adv.*

***glimpse** [glɪmps] *n.* Ⓒ①一瞥。get [catch] a ～ of 瞥見。②一閃。— *v.t.* & *v.i.* 瞥見；看一眼。

glint [glɪnt] *v.i.*①閃閃發光。②(箭矢)疾進；飛馳。— *n.* Ⓒ閃爍；閃光。

glis·sade [glɪ`sɑd] *n.* Ⓒ(登山者沿覆雪斜坡之)制動滑降。— *v.i.* 滑降。

glis·san·do [glɪ`sɑndo]〖義〗*n.* Ⓒ(*pl.* **-di** [-di], **～s**)〖樂〗滑奏；滑音；滑唱。— *adj.* 滑奏的；滑唱的；滑音的。— *adv.* 以滑奏法演奏地。

***glis·ten** [`glɪsn̩] *v.i.* 閃爍；輝耀。— *n.* Ⓒ閃爍；閃光。

glitch[glɪtʃ]*n.* Ⓒ〖美俚〗(偶發的)故障；毛病；失常。

***glit·ter** [`glɪtɚ] *v.i.* 閃爍；輝耀；燦爛。— *n.* Ⓤ①閃爍；輝耀；燦爛。②(集合稱)發亮的東西。— **ing,** *adj.*

glit·te·ra·ti [͵glɪtə`rɑtɪ] *n. pl.* 炫耀地出入社交圈的富人或名人。

gloam·ing [`glomɪŋ] *n.*(the ～)黃昏；薄暮。

gloat [glot] *v.i.*①愛慕地凝視；幸災樂禍地看或想；垂涎〔over〕.②滿足；竊喜。

glob [glɑb] *n.* Ⓒ①水珠。②(可塑性物質的)一團；一堆。

glob·al [`globl̩] *adj.* ①球形的。②全球的；全世界的。

glob·al·ism [`globə͵lɪzm̩] *n.* Ⓤ全球性干涉政策。— **glob′al·ist,** *n.*

***globe** [glob] *n.* ①Ⓒ球；球狀物。②(the ～)地球。③Ⓒ地球儀。④Ⓒ星球。— *v.t.* & *v.i.* (使)成球形。

globe·fish [`glob͵fɪʃ] *n.* Ⓒ(*pl.* ～, ～**es**)河豚。

globe·trot [`glob͵trɑt] *v.i.*(**-tt-**)周遊世界；環球旅行。— **ter,** *n.*

glo·bose [`globos] *adj.* 球狀的。

glob·u·lar [`glɑbjəlɚ] *adj.* ①球狀的；球形的。②由小球做成的。

glob·ule [`glɑbjul] *n.* Ⓒ極小的球體或一滴。

glob·u·lin [`glɑbjəlɪn] *n.* Ⓤ Ⓒ〖生化〗血球素；球蛋白。

glock·en·spiel [`glɑkən͵spil] *n.* Ⓒ〖樂〗①鐵琴。②鐘琴。③鐘組樂器。

***gloom** [glum] *n.* Ⓤ①幽暗。②憂鬱。— *v.i.*①變暗；變朦朧；變憂鬱。②現愁容；呈不豫之色。— *v.t.* 使暗；使朦朧；使憂鬱。

***gloom·y** [`glumɪ] *adj.* ①幽暗的；黑暗的。②抑鬱的；悲觀的。③使氣餒的。— **gloom′i·ly,** *adv.*

glop [glɑp] *n.* Ⓒ〖美俚〗①軟膠質物；濃稠的半流體物。②乏味[無價值]的東西。

Glo·ri·a [`glorɪə] *n.* ①(the ～)榮耀頌歌；頌樂。②(g-) Ⓒ上述之曲。③(g-) Ⓤ絲毛合織的有光布。

glo·ri·fy [`glorə͵faɪ, `glɔr-] *v.t.*①加榮耀於。②讚美；崇拜(上帝)。③使更美[壯麗]。— **glo·ri·fi·ca′tion,** *n.*

***glo·ri·ous** [`glorɪəs, `glɔr-] *adj.*①光榮的。②輝煌燦爛的。③〖俗〗爽快的；宜人的。— **ly,** *adv.*

glo·ry** [`glorɪ, `glɔrɪ] *n.* ①Ⓤ光榮。②Ⓒ光榮的成就。③Ⓤ壯麗。④Ⓤ輝煌；昌盛。⑤Ⓤ天國。⑥Ⓤ讚頌；榮耀。go to ～***〖俗〗死。— *v.i.*自豪；歡樂；得意〔in〕.

gloss[1] [glɔs] *n.* Ⓤ①光澤；光滑面。②虛飾；虛偽。— *v.t.* ①使光滑；加光澤於。②掩飾〔over〕.

gloss[2] *n.* Ⓒ①解釋；註釋。②字彙；語彙。— *v.t.* & *v.i.*①加註解。②在字彙中加(字)。

glos·sa·ry [`glɑsərɪ, `glɔs-] *n.* Ⓒ字彙；(特殊的或專門的)辭典。— **glos·sar′i·al** [-`sɛrɪəl], *adj.*

gloss·y [`glɔsɪ] *adj.* ①有光澤的；光滑的。～ hair 有光澤的頭髮。②似是而非的。

glot·tal [`glɑtl̩] *adj.*〖解〗聲門的；喉門的。

glot·tis [`glɑtɪs] *n.* Ⓒ(*pl.* ～**·es, glot·ti·des** [-tə͵diz])喉門；聲門。

glove** [glʌv] *n.* Ⓒ①手套。②拳擊手套；棒球手套。fit like a ～*** 恰合。***handle with kid ～s*** 溫和地對待。***take up the ～*** 應戰。***throw down the ～*** 挑戰。

glov·er [`glʌvɚ] *n.* Ⓒ製造手套者；手套商。

***glow** [glo] *n.*(*sing.*)①赤熱；白熱。②光輝；輝耀。③熱情；容光煥發。— *v.i.*①發紅光；熾燃；紅似火。②容光煥發。③表現熱心。

glow·er [`glaʊɚ] *v.i.*怒目而視；皺眉〔at〕. — *n.* Ⓒ怒目；皺眉。

glow·ing [`gloɪŋ] *adj.* ①赤熱的。②光輝的。③容光煥發的。④熱心的。

glow·worm [`glo͵wɝm] *n.* Ⓒ螢火蟲。

gloze [gloz] *v.t.* ①(原指)註釋；解釋。②掩飾〔常over〕.

glu·cose [`glukos] *n.* Ⓤ葡萄糖。

***glue** [glu] *n.* Ⓤ Ⓒ膠。— *v.t.* ①黏。②固著；黏附；使不移動。③塗以膠水。§～ snìffing 吸膠。— **glue′y,** *adj.*

glum [glʌm] *adj.*(**-mm-**)陰鬱的；沉默的；怏怏不樂的。

glut [glʌt] *v.t.*(**-tt-**)①使充滿；使吃飽；過分地吃。②過多地供應。③阻塞。— *n.* Ⓒ(常 *sing.*)①充足之量；大量。②過多的供應。

glu·ten [`glutn̩] *n.* Ⓤ麵筋；麩質。

glu·ti·nous [ˋglutɪnəs] *adj.* 黏的；膠質的；黏著性的。
glut·ton [ˋglʌtn̩] *n.* Ⓒ 貪食者；貪多者。He is a ～ for work. 他是一個工作狂。—**ous,** *adj.* —**glut′ton·y,** *n.*
glyc·er·in(e) [ˋglɪsrɪn] *n.* Ⓤ〖化〗甘油；丙三醇(＝glycerol)。
glyc·er·ol [ˋglɪsəˏrol, -ˏrɑl] *n.* Ⓤ〖化〗甘油；丙三醇。
gly·co·gen [ˋglaɪkədʒən] *n.* Ⓤ〖生化〗動物澱粉；糖原。
G-man [ˋdʒiˏmæn] *n.* Ⓒ (*pl.* **G-men**) 美國聯邦調查局人員(爲Government man之略)。
GMP Good Manufacturing Practice. 優良(藥品)生產和管理規範。
G.M.T. Greenwich Mean Time. 世界標準時間；格林威治時間。
gnarl [nɑrl] *n.* Ⓒ 木節；木瘤。
gnarled [nɑrld] *adj.*①多瘤節的；粗糙的。②(面容)飽經風霜的；性格乖戾的。
gnash [næʃ] *v.t. & v.i.* 咬(牙)；切(齒)。～ *the teeth* 咬牙切齒。—*n.* Ⓤ咬牙切齒。
gnat [næt] *n.* Ⓒ ①蚋。②〖英〗蚊。*strain at a ～ and swallow a camel* 小事拘謹而大事糊塗；見小不見大。—**gnat′ty,** *adj.*
gnaw [nɔ] *v.t. & v.i.* (**～ed, ～ed** or **gnawn** [nɔn])①咬；囓；噬。②咬成。③侵蝕；損壞。④使苦惱；折磨。
GNE gross national expenditure.
gneiss [naɪs] *n.* Ⓤ〖地質〗片麻岩。
GNI gross national income.
gnome¹ [nom] *n.* Ⓒ (傳說中居於地下保護珍藏之)地精；土地神。
gnome² [nom, ˋnomi] *n.* Ⓒ格言。
gnos·tic, -ti·cal [ˋnɑstɪk(l̩)] *adj.* ①知識的；關於知識的。②有知識的。
GNP gross national product.
gnu [nu] *n.* Ⓒ (*pl.* **～s,** ～)〖動〗角馬；牛羚(南非產似牛的一種大羚羊)。
GNW gross national welfare.
⁑**go¹** [go] *v.i.* (**went, gone**)①去；動身。*go* by train 乘火車。*go* swimming 去游泳。②離去；消失；過去。③通；達。④傾向；有助於。⑤結果；結局；成功。⑥歸於。The first prize *goes* to you. 第一獎歸你所得。⑦習慣於；過慣…之生活；經常處於。*go* hungry 經常挨餓。⑧變；逐漸。*go* bad 變壞。⑨開始；開動。Here *goes!* 開始！⑩判決；裁定。⑪依賴(權威等)；依…下判斷。⑫迎合；趕上。⑬坍場；折斷；跌落；失敗；死。⑭活動；運行；工作。⑮作…舉動；發出…聲音；作…姿勢。⑯裝進；納入。⑰出賣；賣給。⑱賣得…價錢。⑲是…；聽說；據說。The story *goes* that.... 故事是這樣的…。⑳流通；通用；通行。㉑稱爲；叫做。㉒至某種程度。㉓被除去；被廢棄；被花費；被失去。㉔將；要。It's *going* to rain. 快要下雨了。㉕有；備有(只用其現在分詞形式)。㉖一般說來…。㉗〖俗〗用以加強否定命令式的語氣。㉘招惹；惹來。㉙起訴；訴諸；控訴。㉚損壞；發生故障。—*v.t.*①賭；打賭。②〖俗〗忍耐；忍受。*as things* [*people*] *go* 就一般情形而言。*go about* **a.**忙於；著手；作。**b.**來去移動；走來走去。**c.**(謠言等)流傳。**d.**轉身；轉向。*go after* 追求。*go against* 違背；相反；不利於。*go ahead* **a.**不猶豫地向前進；做下去。**b.**進步；成功；勝過對方。*go along* 進行；進步。*Go along with you!* 滾你的！去你的！別胡說啦！*go and* (do) (考慮欠周地；不幸地)竟然做…。*go around* **a.**四處走動；走來走去。**b.**足夠分配。**c.**常與…在一起〔with〕。*go at* **a.**衝向；突擊；打擊。**b.**精力充沛地開始(進行)…。*go away* 離去。*go back* **a.**回去。**b.**回溯；追溯。*go between* 作中間人；作媒人；調停；斡旋。*go beyond* 超出；超過。*go by* **a.**過去；逝。**b.**受指導；遵照；依循。**c.**受…所控制。**d.**稱爲；名叫；叫做。*go down* **a.**(船)沉沒。**b.**(日)落；(月)下。**c.**吞下。**d.**受歡迎；被公認[相信，讚許]。**e.**被記得；永垂不朽。**f.**繼續不斷；延續。**g.**(風、海浪等)平息；平靜。**h.**(物價)下降；跌落。**i.**屈服；敗於…。**j.**(英牛津與劍橋兩大學用語)離開大學；退學。**k.**降下；下斜。*go far* 著名；成名；揚名。*go for* **a.**想得到…。**b.**讚許；贊助；支持。**c.**被認爲。**d.**襲擊。*go forth* 公布；宣布。*go forward* 前進。*go in* **a.**進入；放入。**b.**(日、月、星辰等)被雲所遮蓋。**c.**(板球戲等)開始一局比賽。*go in for* **a.**愛好；嗜好。**b.**參加。*go into* **a.**考慮；討論。**b.**從事。**c.**進入；加入；納入。**d.**調查；查究。**e.**穿著。**f.**變爲；發作。*go in with* 入股；聯合。*go off* **a.**爆炸；(槍、爆竹等)響。**b.**離去；(劇本中)退場。**c.**突發；突然說出或作出。**d.**發生。**e.**變壞；降低品質。**f.**完成；演出。**g.**逃走。**h.**(貨物)銷售；售出。*go on* **a.**繼續；持久。**b.**過去；消逝。**c.**接著。**d.**發生。**e.**穿進；戴進。**f.**〖板球〗投球。**g.**上臺；出場。**h.**繼續某種舉動。**i.**受支持；受資助；受救濟。*go out* **a.**熄滅。**b.**離開。**c.**參加社交活動；交際。**d.**離職；退休；下臺。**e.**過時；不流行。**f.**(婦女)離家工作。**g.**出國；到外國去。**h.**(年)終了。**i.**(心)同情；憐憫。**j.**(工人)罷工。*go over* **a.**視察；查看；複習。**b.**橫過；越過。**c.**投靠；轉向其他的政黨或宗教等。*go round* **a.**足夠分配。**b.**繞道；走彎路。**c.**拜訪。*go through* **a.**審閱；查閱。**b.**忍受；經歷。**c.**舉行；參加。**d.**做完；耗盡。**e.**被接納；被認可。*go under* **a.**淹沒；沉沒。**b.**失敗；破滅；被毀滅。*go up* **a.**(物價)上升；高漲；提高。**b.**爆炸；爆發。**c.**(建築物)蓋起。**d.**(英國牛津及劍橋兩大學用語)進入大學；入學。*go with* **a.**陪伴；同意。**b.**屬於；連同。**c.**與(異性)交往。*go without* 沒有。*go without saying* 不待言。It *goes without saying* that....(某事)自不待言。*let go* **a.**鬆手；放鬆。**b.**釋放。**c.**解雇。**d.**忘記；放棄；拋棄。*let oneself go* 發脾氣；任性。*so far as it goes* 就目前的情形而論。*to go* **a.**剩下；尚有。

b.〖俗〗(餐廳等食品)外帶的。── *n.* (*pl.* **goes**) ①Ⓤ去；進行。②Ⓤ〖俗〗精神；精力。③Ⓒ(常 *sing.*)〖俗〗事態；事件。④(the go)〖俗〗時尚；時髦。⑤Ⓒ〖俗〗嘗試；機會。⑥Ⓒ成功的事；勝利。***all*** [***quite***] ***the go*** 流行；時髦。***no go***〖俗〗不行；不要；沒有用；無價值。***on the go***〖俗〗活動；活躍；忙碌。

go² *n.* Ⓒ(日本之)圍棋。

goad [god] *n.* Ⓒ①(驅畜用之)刺棒。②刺激物。── *v.t.* 刺激；驅迫。

go-a·head [ˋgoə͵hɛd] *adj.*①前進的。②〖俗〗進取的；有冒險精神的。── *n.*〖俗〗①(*sing.*)前進；進步；前進的命令或信號。②Ⓒ有進取心的人。

***goal** [gol] *n.* Ⓒ①(賽跑之)終點。②(足球等)球門。③中一球；得一分。④目標。

goal·ie, goal·ee [ˋgolɪ] *n.*〖俗〗= **goalkeeper.**

goal·keep·er [ˋgol͵kipɚ] *n.* Ⓒ(足球等)守門員。

goat** [got] *n.* Ⓒ①山羊。②〖美俚〗代人受過者；替罪的人。③〖俚〗色鬼。get one's ～***〖美俚〗使人發怒或煩躁。

goat·ee [goˋti] *n.* Ⓒ山羊鬍鬚。

goat·herd [ˋgot͵hɝd] *n.* Ⓒ牧羊人。

goat·ish [ˋgotɪʃ] *adj.* ①(似)山羊的。②淫亂的；好色的。

goat·skin [ˋgot͵skɪn] *n.* Ⓤ羊皮；羊皮革。

gob¹ [gab] *n.* Ⓒ〖俚〗美國水兵。

gob² *n.* Ⓒ〖俚〗嘴。

gob·bet [ˋgabɪt] *n.* Ⓒ①小片；(生肉的)一塊；一口。②(原文或樂曲)的一段。

gob·ble¹ [ˋgabḷ] *v.t.* & *v.i.* 大吃；狼吞虎嚥。～ ***up***〖俗〗貪取；急攫。

gob·ble² *v.i.* 作咯咯聲(如火雞)。── *n.* Ⓒ咯咯聲。

gob·ble·de·gook, gob·ble·dy·gook [ˋgabḷdɪ͵gʊk] *n.* Ⓤ〖美俚〗官樣文章。

gob·bler [ˋgablɚ] *n.* Ⓒ雄火雞。

go-be·tween [ˋgobə͵twin] *n.* Ⓒ居間人；中間人。

Go·bi [ˋgobɪ] *n.* (the ～)戈壁(亞洲之一大沙漠)。(亦作 **Gobi Desert**)

gob·let [ˋgablɪt] *n.* Ⓒ高腳玻璃杯。

gob·lin [ˋgablɪn] *n.* Ⓒ惡鬼；小妖精。

go-by [ˋgo͵baɪ] *n.* (the ～)〖俗〗不理；忽視。give (a person or thing) the ～ 視同陌路；置之不顧。

go-cart [ˋgo͵kart] *n.* Ⓒ①(嬰兒)推車。②(嬰兒)習步車。③一種車身很低的單人遊戲車。

‡**god** [gad] *n.* ①(G-)Ⓤ上帝。②Ⓒ神；男神。③Ⓒ偶像；神像。***the ～s*** (戲院)頂層樓座；頂層樓座的觀衆。── *v.t.* (**-dd-**)奉爲神聖；崇拜。── *interj.* 表示失望、懷疑、絕望、厭煩等的感歎詞。§ **Gŏd's ácre** 墳場；公墓。

God-aw·ful [ˋgadˋɔfəl] *adj.* (有時作 g-)〖俗〗非常可怖[震驚]的。

god·child [ˋgad͵tʃaɪld] *n.* Ⓒ(*pl.* **-chil·dren**)教子；教女。

god·damn [ˋgadˋdæm] *interj.*〖俗〗(用以表示任何強烈之感情)該死；天殺! ── *n.* Ⓒ①(作強調或發誓)該死。②(a ～，用於否定句)〖俗〗毫；一點點。── *adj.* & *adv.* = **goddamned.** ── *v.t.* & *v.i.* (罵、發誓、強調等)該死。

god·damned [ˋgadˋdæmd] *adj.* 該死的；壞透了的。── *adv.* 極端地。

god·daugh·ter [ˋgad͵dɔtɚ] *n.* Ⓒ教女。

‡**god·dess** [ˋgadɪs] *n.* Ⓒ①女神。②絕代美女。

god·fa·ther [ˋgad͵faðɚ] *n.* Ⓒ①教父。②保護者；監護者。── *v.t.* 作…之教父。

God-fear·ing [ˋgad͵fɪrɪŋ] *adj.* 敬畏上帝的。

God·for·sak·en, g- [ˋgadfɚˋsekən] *adj.* ①見棄於神的；罪惡的。②〖俗〗荒蕪的；悽慘的。

God-giv·en [ˋgad͵gɪvən] *adj.* (有時作 g-)①神賜的。②絕好的。

God·head [ˋgadhɛd] *n.*①(the ～)上帝。②(g-)Ⓤ神性；神格。

god·hood [ˋgadhʊd] *n.* Ⓤ神格；神性。

god·less [ˋgadlɪs] *adj.* ①無神的。②不信神的。③邪惡的。

god·like [ˋgad͵laɪk] *adj.* 如神的；尊嚴的。

god·li·ness [ˋgadlɪnɪs] *n.* Ⓤ 神聖；虔敬。

god·ly [ˋgadlɪ] *adj.*①虔誠的；敬拜神的。the ～ 善男信女。②正當的。

god·moth·er [ˋgad͵mʌðɚ] *n.* Ⓒ教母。── *v.t.* 作…之教母。

god·par·ent [ˋgad͵pɛrənt] *n.* Ⓒ教父[母]。

god·send [ˋgad͵sɛnd] *n.* Ⓒ意外獲得的心愛物；天賜之物。

god·son [ˋgad͵sʌn] *n.* Ⓒ教子。

God·speed [ˋgad͵spid] *n.* Ⓤ成功；幸運。

go·er [ˋgoɚ] *n.* Ⓒ①去的人；出席者。②動的東西；鐘錶。

goes [goz] *v.* go 的第三人稱，單數，現在式，直說法。

Goe·the [ˋgetɪ] *n.* 歌德(Johann Wolfgang von, 1749-1832, 德國文學家)。

go-get·ter [ˋgoˋgɛtɚ] *n.* Ⓒ〖俚〗積極能幹的人；老手。

gog·gle [ˋgagḷ] *n.* (*pl.*)護目鏡。── *v.i.* & *v.t.* 瞪(眼)；睜視；轉動(眼睛)。── *adj.* 睜視的；眼球凸出的。

gog·gle-eyed [ˋgagḷ͵aɪd] *adj.* 凸眼的；圓睜睜的；睜視的。

Gogh [go] *n.* 梵谷(Vincent van, 1853-90, 荷蘭後期印象派畫家)。

go-go [ˋgo͵go] *adj.* ①阿哥哥舞的。②阿哥哥舞者的。③阿哥哥舞的夜總會的。④活潑的；時髦的。

‡**go·ing** [ˋgoɪŋ] *n.*①Ⓤ離去。②Ⓤ道路的狀況。③Ⓤ進度；進步。④(*pl.*)舉止。── *adj.*①進行中的；運轉的。②活動的；存在的。a ～ business [concern] 開張[營業發達]的商行。③目前的；現在的。***be ～ to*** 將要；就要；正打算。～ ***and coming*** 進退維谷的。～ ***on*** 將近；幾乎。

goi·ter, 〖英〗**-tre** [ˋgɔɪtɚ] *n.* Ⓤ〖醫〗甲狀腺腫。

go-kart [ˋgo͵kart] *n.* Ⓒ歌凱車(一種競賽用的四輪敞篷小汽車)。

‡**gold** [gold] *n.* Ⓤ①金；黃金。②錢財。③金幣。④貴重華麗之物。⑤金黃色。── *adj.* ①金製的；金的。②金黃色的。§ ～ **càrd** 簽帳金卡(信用卡的一種)。～

dìgger (1)掘金者。(2)〖俗〗以美色騙取男人金錢的女人。~ dùst 金粉；沙金。~ fèver 採金熱。~ léaf 金箔。~ mìne (1)金礦。(2)〖俗〗大富源。~ pláte(集合稱)金器。~ resèrve 黃金準備金之存量。~ rùsh 湧向新採金地之人潮。~ stàndard〖經〗金本位(制)。the G~ Còast (1)黃金海岸(西非海岸之一地區, 現爲 Ghana 國土之一部分)。(2)〖美俗〗高級住宅區。

gold·brick [ˋgold,brɪk] *n.* Ⓒ ①〖美俗〗假金磚。②〖美俗〗假物。③〖美軍俚〗藉故逃避工作者。— *v.i.* 〖俚〗逃避勤務；裝病。— *v.t.* 〖俚〗欺詐。

gold·bug [ˋgold,bʌg] *n.* Ⓒ 金甲蟲。

‡**gold·en** [ˋgoldn̩] *adj.* ①金製的(通常用 gold)。②金色的。③興盛的。④可貴的；重要的。⑤有才幹的。§ ~ àger〖美〗生活健康而滿足的老人(尤指 65 歲以上退休的老人)。~ méan 中庸之道。~ rúle 金科玉律。~ wédding 金婚(結婚五十周年紀念)。the ~ àge 黃金時代。the G~ Gáte 金門灣(連接太平洋與美國舊金山灣之海峽)。

gold·en·rod [ˋgoldn̩,rad] *n.* Ⓤ〖植〗紫菀科植物；秋麒麟草。

gold-filled [ˋgoldˋfɪld] *adj.* 包金的；(牙齒)塡金的。

gold·finch [ˋgold,fɪntʃ] *n.* Ⓒ 金翅雀。

gold·fish [ˋgold,fɪʃ] *n.* Ⓒ (*pl.* ~es, ~)金魚。

gold·smith [ˋgold,smɪθ] *n.* Ⓒ 金匠。

***golf** [galf, gɔlf] *n.* Ⓤ 高爾夫球 (運動)。— *v.i.*打高爾夫球。§ ~ clùb (1)高爾夫球桿。(2)高爾夫俱樂部。~ còurse [lìnks]高爾夫球場。—er, *n.*

Gol·go·tha [ˋgalgəθə] *n.* ①各各他(基督被釘於十字架之地)。②(g-) Ⓒ 墓地。③(g-) Ⓒ 受難之地；殉教[犧牲]之地。

Go·li·ath [gəˋlaɪəθ] *n.*①葛利亞(聖經所載被大衛殺死之巨人)。②(g-) Ⓒ 巨人；大力士。

gol·li·wog(g) [ˋgalɪ,wag] *n.* Ⓒ ①黑面、烱眼、奇裝之玩偶。②奇異醜陋之人。

gol·ly [ˋgalɪ] *interj.* (表驚訝) 天哪! (亦作 by [my] golly)

Go·mor·rah, Go·mor·rha [gəˋmarə] *n.*①〖聖經〗蛾摩拉(罪惡之城與鄰城 Sodom 同被神毀滅)。②Ⓒ 罪惡之城。

go·nad [ˋganæd] *n.* Ⓒ〖解〗生殖腺。

gon·do·la [ˋgandələ] *n.* Ⓒ ①威尼斯運河中航行之平底輕舟。②〖美〗平底船。③〖美〗無蓋貨車車廂。④(飛船等之)吊船；吊籃。

gon·do·lier [,gandəˋlɪr] *n.* Ⓒ gondola 的船夫。

‡**gone** [gɔn] *v.* pp. of **go.** — *adj.*①離去的。②失去的；無望的。③死去的。④〖美〗用完的；耗盡的。⑤失敗的；毀壞了的。⑥弱的；昏眩的。⑦過去的。*far* ~ **a.**深入；深陷。**b.**筋疲力竭的。**c.**瀕臨死亡的。~ *on* 〖俗〗迷戀的。

gon·er [ˋganɚ] *n.* Ⓒ〖俗〗無望的事[人]；無可救藥者；臨死者。

gong [gɔŋ] *n.* Ⓒ ①銅鑼。②鈴盅。

gon·na [ˋgɔnə] *v.*〖美俚〗= **going to.**

gon·or·rh(o)e·a [,ganəˋriə] *n.* Ⓤ〖醫〗淋病。

goo [gu] *n.* Ⓤ〖美俚〗黏性體。

goo·ber [ˋgubɚ, ˋgubɚ] *n.* Ⓒ〖美南部〗落花生。(亦作 **goober pea**)

‡**good** [gud] *adj.* (**bet·ter, best**) ①美好的；優良的；上等的。②有禮的。③適意的；愉快的。④有益的；宜於。⑤滿足的；充分的；很。⑥善良的；有德的。⑦負責的；忠實的；循規蹈矩的。⑧慈善的；和善的。⑨通達的；老練的。⑩新鮮的；純良的。⑪強健的；有力的。⑫有趣的。⑬眞正的；不假的。⑭有教養的。⑮價値相當的。⑯親密的。⑰合適的。⑱安全的；靠得住的。*as ~ as* 幾乎等於；實際上。*be ~ for nothing* 毫無用處。*feel ~*感覺健康舒適或得意洋洋。‡~ *evening*晚安(晚間見面時之用語)。~ *for* **a.**適於。**b.**能支付。**c.**值得。‡~ *morning*[*afternoon, day*]早[午，日]安。‡~ *night*晚安(晚間分別時或就寢時之用語)。*hold ~*有效。*in ~ health* 健康的。*make ~* **a.**修補。**b.**成功。**c.**恢復名譽。**d.**賠補；償付。**e.**履行；實現。**f.**證明；證實。*no ~*〖俗〗**a.**毫無用處。**b.**毫無價值。— *n.* Ⓤ ①善行；道德。②利益；好處；幸福。*come to no ~*結果失敗。*do somebody ~* 對某人有益。*for ~ (and all)*永久地。*to the ~* **a.**在有利的一方；作爲盈利；作純益。**b.**有益；有好處。— *interj.*(表滿意、愉快、同意等)好的! — *adv.*〖俗〗= **well.** ~ *and*〖俗〗很；極；非常。§ ~ lífe 正直的生活。

‡**good-by(e)** [gudˋbaɪ] *interj. & n.* Ⓒ (*pl.* ~**s**)再會；再見。

good-fel·low·ship [,gudˋfɛloʃɪp] *n.* Ⓤ 親交；親睦。

good-for-noth·ing [ˋgudfɚˋnʌθɪŋ] *adj.* 無益的；無用的。— *n.* Ⓒ無用之人。

good-heart·ed [ˋgudˋhartɪd] *adj.* 仁慈的；體諒的；寬厚的。

good-hu·mo(u)red [ˋgudˋjumɚd] *adj.* 高興的；愉快的；和善的。

***good-look·ing** [ˋgudˋlukɪŋ] *adj.* 貌美的；漂亮的。

good·ly [ˋgudlɪ] *adj.*①適意的；優良的。②漂亮的；美觀的。③頗多的。

***good-na·tured** [ˋgudˋnetʃɚd] *adj.* 和善的；溫厚的。

good-neigh·bor [ˋgudˋnebɚ] *adj.* 睦鄰的。

***good·ness** [ˋgudnɪs] *n.*①Ⓤ良；善；佳。②Ⓤ仁慈。Have the ~ to shut the door.請將門關上。③(the ~)美德；長處；精華。— *interj.*(表驚訝等)天呀! *For ~' sake!* 務請；千萬。*G- knows!*天曉得! *G- me [gracious] !* (表驚訝等)啊呀! 天呀! *Thank ~ !* 謝天謝地!

‡**goods** [gudz] *n. pl.* ①貨物(不與數目字連用)。②財產；所有物。③〖美〗布料；布。④〖英〗貨運。a ~ train運貨火車。*deliver the ~* **a.** 交貨；履行契約。**b.** 〖俚〗克盡責任。*get [have] the ~ on* 發現[知道]…之缺點。

good-sized [ˋgudˋsaɪzd] *adj.* 大型的。

good-tem·pered [ˋgudˋtɛmpɚd] *adj.* 好脾氣的；溫和的。

good·will [ˋgudˋwɪl] *n.* Ⓤ ①善意；親切；親善。②商譽；信譽。(亦作 **good will**)

good·y¹ [ˋgudɪ] 〖俗〗*n.* Ⓒ (常 *pl.*)好吃之物；糖果；餅。— *adj.* 偽善的；假道學的。— *interj.* 好呀!

good·y² *n.* Ⓒ ①身分低微之老婦。②對此等老婦之稱呼。

good·y-good·y [ˋgudɪˋgudɪ] *adj.* =goody¹. — *n.* Ⓒ 偽善者。

goof [guf] 〖俚〗*n.* Ⓒ ①呆子。②失誤。— *v.t.* 搞壞；弄糟〔常up〕。— *v.i.* ①犯錯。②混日子；打發時間〔off, around〕。

goof-off [ˋguf,ɔf] *n.* Ⓒ 逃避責任者。

goof·y [ˋgufɪ] *adj.* 〖俚〗愚蠢的；可笑的。

goon [gun] *n.* Ⓒ 〖俚〗①笨人。②(受雇恐嚇工人的)暴徒。

goose** [gus] *n.* (*pl.* **geese**) ① Ⓒ 鵝；雌鵝。② Ⓤ 鵝肉。③ Ⓒ 傻瓜。All his geese are swans.*** 他喜歡誇大。***kill the ~ that lays the golden eggs*** 斷絕財源。***the ~ hangs high*** 前途有望。§ ~ **ègg** 〖俚〗零分。~ **flèsh** [**pìmples, skìn**] 小疙瘩；雞皮疙瘩。~ **stèp** 〖軍〗正步。

goose·ber·ry [ˋgus,bɛrɪ] *n.* Ⓒ 醋栗。

goose·herd [ˋgus,hɝd] *n.* Ⓒ 飼鵝者。

goose·neck [ˋgus,nɛk] *n.* Ⓒ 曲如鵝頸之物。§ ~ **lámp** 活動曲頸檯燈。

goose-step [ˋgus,stɛp] *v.i.* (**-pp-**) 〖俗〗正步走。

G.O.P., GOP Grand Old Party.美國的共和黨(=the Republican Party).

go·pher [ˋgofɚ] *n.* Ⓒ ①囊頰獸。②一種地鼠。③(G-)美國 Minnesota 州居民。④(G-)國際網路上的文字導覽系統。

Gor·ba·chev [ˋgɔrbə,tʃɔf] *n.* 戈巴契夫(Mikhail S., 1931-, 前蘇聯共產黨總書記(1985-91),前蘇聯總統(1988-91))。

gore¹ [gor, gɔr] *n.* Ⓤ 血塊；凝血。

gore² *v.t.* (獸等)用角牴。

gore³ *n.* Ⓒ ①長三角形布；衽。②三角地帶。— *v.t.* 縫以長三角布。

gorge [gɔrdʒ] *n.* Ⓒ ①隘路；峽。②狹道、河流的阻塞物。***make one's ~ rise*** 使厭惡；使作嘔。— *v.t.* ①塞飽。②狼吞虎嚥。

***gor·geous** [ˋgɔrdʒəs] *adj.* ①燦爛的。②〖俚〗令人滿意的。— **ly,** *adv.*

Gor·gon [ˋgɔrgən] *n.* Ⓒ ①〖希神〗蛇髮女怪。②(g-)醜陋可怕之女人。

go·ril·la [gəˋrɪlə] *n.* Ⓒ ①大猩猩。②醜陋而粗暴之人。③〖俚〗流氓。

Gor·ki, -ky [ˋgɔrkɪ] *n.* 高爾基(Maxim, 1868-1936,俄國小說家、劇作家)。

gor·mand·ize [ˋgɔrmən,daɪz] *v.i.* & *v.t.* 大吃；拚命吃。

gorm·less [ˋgɔrmlɪs] *adj.* 〖英俗〗呆的；笨的。

gorse [gɔrs] *n.* Ⓤ 〖植〗荊豆(=furze).

gor·y [ˋgorɪ, ˋgɔrɪ] *adj.* ①染血的。②流血的；殘酷的。

gosh [gɑʃ] *interj.* (表驚愕)天哪! 啊呀!

gos·hawk [ˋgɑs,hɔk] *n.* Ⓒ 蒼鷹。

gos·ling [ˋgɑzlɪŋ] *n.* Ⓒ 小鵝。

go-slow [ˋgo,slo] *n.* Ⓒ 〖俗〗①怠工。②故意拖延之政策。③〖英〗減產。

gos·pel [ˋgɑspl] *n.* ①(the ~)福音。②(G-) Ⓒ 新約四福音書之一。③ Ⓒ 〖俗〗信仰；主義。④ Ⓤ 真理。§ ~ **trúth** 絕對真理。

gos·sa·mer [ˋgɑsəmɚ] *n.* Ⓤ ①蛛絲；游絲。②薄紗。③極薄的防水布[衣]。— *adj.*如游絲的；極輕而薄的。

***gos·sip** [ˋgɑsəp] *n.* ① Ⓤ Ⓒ 閒話；閒談。② Ⓒ 到處傳閒話的人。③ Ⓤ (報紙的)漫談；隨筆。— *v.i.* 說閒話；散播謠言。

gos·sip·mon·ger [ˋgɑsəp,mʌŋgɚ] *n.* Ⓒ 散布謠言者；愛談東家長西家短者；傳小道消息[內幕新聞]的人。

‡**got** [gɑt] *v.* pt. & pp. of **get.**

Goth [gɑθ] *n.* Ⓒ ①哥德人。②野蠻人。

***Goth·ic** [ˋgɑθɪk] *n.* Ⓤ ①哥德式的建築。②哥德語。③〖印刷〗哥德體活字。— *adj.* ①〖建〗哥德式的。②哥德人[語]的。③野蠻的。④〖印刷〗哥德體的。

got·ta [ˋgɑtə] 〖美俚〗=(**have, has) got to.** I ~ go. 我得走啦。

***got·ten** [ˋgɑtn̩] *v.* pp. of **get.**

Gou·da [ˋgaudə] *n.* Ⓤ Ⓒ 荷蘭扁圓形乾酪。

gouge [gaudʒ] *n.* Ⓒ ①半圓鑿。②半圓鑿所鑿的槽或孔。③〖俗〗詐欺。— *v.t.* ①(用半圓鑿)鑿。②〖俗〗詐欺。

gou·lash [ˋgulæʃ] *n.* Ⓤ Ⓒ 一種由菜、牛肉等合煮而成且有辣味的食品。

gourd [gord] *n.* Ⓒ ①葫蘆。②結葫蘆的植物。③葫蘆製容器。④南瓜屬植物。⑤葫蘆形的細頸瓶。

gour·mand [ˋgurmənd] *n.* Ⓒ 美食家；饕餮。

gour·met [ˋgurme] 〖法〗*n.* Ⓒ 能品評及精選美酒、美食的人。

gout [gaut] *n.* Ⓤ 〖醫〗痛風。— **gout'y,** *adj.*

‡**gov·ern** [ˋgʌvɚn] *v.t.* ①統治；管理。②控制；抑制。③支配；左右。④決定；規定。⑤〖文法〗限定(某字)應用於某一格或語態。— *v.i.*①統治；執行。②有決定性之影響力。— **a·ble,** *adj.*

gov·ern·ance [ˋgʌvɚnəns] *n.* Ⓤ ①統治；管理。②統治方式。

gov·ern·ess [ˋgʌvɚnɪs] *n.* Ⓒ 女家庭教師。

‡**gov·ern·ment** [ˋgʌvɚnmənt] *n.* ① Ⓤ 管轄；統治。② Ⓒ 政府；內閣。③ Ⓤ 政體。④ Ⓤ 政權；統治權。⑤ Ⓒ 管轄區域。⑥ Ⓤ 管理；支配。⑦ Ⓤ 〖文法〗需用；限定。— **gov·ern·men·tal** [,gʌvɚnˋmɛntl], *adj.*

***gov·er·nor** [ˋgʌvənɚ, ˋgʌvnɚ, ˋgʌvɚnɚ] *n.* Ⓒ ①統治者；管理者。②〖美〗州長。③省主席。④總督。⑤(俱樂部、社團、機關之)幹事；理事。⑥〖機〗調速機。§ ~ **géneral**總督。— **ship,** *n.*

govt., Govt. Government.

gown** [gaun] *n.*① Ⓒ 女人所穿之長服。② Ⓒ (法官、律師等所穿之)長服。③ Ⓒ 晨衣；睡袍。④ Ⓤ (集合稱)大學的教師或學生。take the ~*** 受聖職。— *v.t.* & *v.i.* (使)穿著長服。

Go·ya [ˋgɔɪjə] *n.* 哥雅(Francisco de, 1746-1828, 西班牙畫家)。
G.P. General Practitioner. 全科醫師; Grand Prix. 國際汽車大賽。
GPA grade point average. 〖教育〗學業成績總平均。 **GPO, G.P.O.** General Post Office. 郵政總局。
Gr. Grecian; Greece; Greek.
grab** [græb] *n.* Ⓒ ①攫取; 抓握。make a ～at a rope 抓握住繩子。②被抓握之物。have the ～ on***〖英俚〗占上風; 占便宜。 **—** *v.t. & v.i.* (**-bb-**)①急抓。②搶奪。§ ～ **bàg**〖美俗〗摸彩袋。
grab·by [ˋgræbɪ] *adj.* 〖俗〗貪婪的。
grace** [gres] *n.* ①Ⓤ優雅; 溫文。②Ⓤ善意; 親切; 仁慈。③Ⓤ(上帝的)恩典。④ⓊⒸ飯前[後]的簡短感恩祈禱。say (a) ～ 作簡短感恩祈禱。⑤(G-) Ⓒ閣下; 夫人(對公爵、公爵夫人、大主教等之尊稱)。His [Her, Your] G-(=He, She, You)閣下; 夫人。⑥Ⓤ緩期; 寬限。⑦Ⓤ謙和; 美德。⑧Ⓒ〖樂〗裝飾音。be in a person's good [bad] ～s*** 受某人之寵愛[憎惡]。***days of ～*** 票據等付款的寬限日期。***fall from ～*** **a.** 失寵。**b.**〖宗〗陷入罪惡生活。***the Graces***〖希神〗象徵光輝、喜悅、開花的三位姊妹女神。***with bad ～*** 不願意地; 勉強地。***with good ～***願意地; 欣然地。 **—** *v.t.* ①增光; 增色; 使增光榮。②〖樂〗加裝飾音。③使更美麗; 點綴。§ ～ **nòte**〖樂〗裝飾音。
***grace·ful** [ˋgresfəl] *adj.* 優雅的; 合度的。**—ly,** *adv.* **—ness,** *n.*
grace·less [ˋgreslɪs] *adj.* ①不美的。②不雅的; 粗野的。③邪惡的。④墮落的。**—ly,** *adv.* **—ness,** *n.*
gra·cious** [ˋgreʃəs] *adj.*①親切的; 仁慈的; 善意的; 和藹的(常指皇族人士, 如: His gracious Majesty). ②優裕的。 **—** *interj.* (表驚駭等) 天啊! ***Good ～!; G- me!; G- goodness! 天啊! **—ly,** *adv.* **—ness,** *n.*
gra·da·tion [greˋdeʃən] *n.* Ⓤ①(狀態、性質、程度、顏色等之)漸變。②定次序; 分等級。
‡grade [gred] *n.* Ⓒ ①〖美〗班; 年級。②階級; 等級。③同級或同等之人或事物。④〖美〗(學生的)分數; 成績; 等第。⑤〖美〗道路之傾斜; 傾斜度。***at ～*** 在同一水平面上。***make the ～*** **a.**上坡。**b.**克服困難; 成功。***on the up [down] ～***上升[下降]; 盛[衰]。***the ～s*** 小學。 **—** *v.t.* ①分…的等級。②〖美〗打…的分數; 評…的成績。③〖美〗使近於水平(如建築基地等)。 **—** *v.i.* ①屬於某等(級)。②漸變。§ ～ **cròssing**〖美〗(公路與鐵路或鐵路與鐵路之)平面交叉; 平交道。～ **schòol**〖美〗小學(=〖英〗primary school). ～ **separàtion**〖美〗(鐵路與道路等的)立體交叉。
grad·er [ˋgredɚ] *n.* Ⓒ①分等級之人。②〖美〗…年級生。a fourth ～四年級生。③〖土木〗平地機。
gra·di·ent [ˋgredɪənt] *n.* Ⓒ (鐵路、公路等之) 傾斜率; 坡度。
***grad·u·al** [ˋgrædʒuəl] *adj.* ①逐漸的; 漸次的。②坡度平緩的。 ***—ly,** *adv.*
grad·u·al·ism [ˋgrædʒuə͵lɪzəm] *n.* Ⓤ 漸進主義; 按步就班主義。
***grad·u·ate** [ˋgrædʒu͵et] *v.i.*①畢業; 得學位。②漸變。 **—** *v.t.*①〖美〗授與學位; 准予畢業。②刻度於(表、計、尺等)。③定等級。 **—** [ˋgrædʒuɪt] *n.* Ⓒ①畢業生; 取得學位者(在英國專指大學畢業生)。②有刻度的容器; 分度器。 **—** *adj.* 已得學士學位的; 研究生的。§ ～ **núrse**(從護理學校畢業的)護理人員; 護士。～ **schòol** 研究院; 研究所。～ **stúdent** 研究生。
grad·u·at·ed [ˋgrædʒu͵etɪd] *adj.* ①有刻度的。a ～ flask 有刻度的燒瓶。②分等級的; 定階級的。③累進的。～ taxation 累進課稅法。
***grad·u·a·tion** [͵grædʒuˋeʃən] *n.*①Ⓤ畢業; 得學位。②Ⓒ畢業典禮。③ⓊⒸ刻度; 分度。④Ⓤ分等; 分階級。
graf·fi·ti [grəˋfiti] *n. pl.* (*sing.* **-to** [-to]) (在牆壁等的)塗鴉; 塗寫[畫]。
graft¹ [græft, grɑft] *v.t. & v.i.* ①接枝。②〖外科〗移植(皮膚等)。 **—** *n.* Ⓒ①(接枝用的)嫩枝。②接枝。③〖外科〗(皮膚等之)移植。
graft²〖美俗〗*n.* Ⓤ①貪污。②貪污所得。 **—** *v.t. & v.i.* 貪污。
graft·er [ˋgræftɚ] *n.* Ⓒ①接枝之人。②〖美俗〗貪官污吏。
gra·ham [ˋgreəm] *adj.* 用全麥粉做的。§ ～ **brèad** 全麥麵包。
grail [grel] *n.* ①Ⓒ盤; 杯。②(the G-)聖杯。③Ⓒ長期追求的目標。
‡grain [gren] *n.* ①ⓊⒸ穀粒; 穀類; 穀物(在英國通常稱爲 corn). ②Ⓒ粒; 顆粒。③Ⓒ喱(=0.0648 gram,來自一麥粒之重)。④Ⓒ珍珠之重量單位(=¼克拉)。⑤Ⓒ少許; 微量。⑥Ⓤ木紋; 石紋。⑦Ⓤ天性; 脾氣。***against the [one's] ～***違反本性、興趣等。***in ～***本性的; 天生的。***with a ～ of salt*** 帶有保留。§ ～ **àlcohol** 乙醇; 酒精。～ **èlevator**〖美〗穀倉。
‡gram [græm] *n.* Ⓒ克; 公分。§ ～ **àtom**〖化〗克原子。
***gram·mar** [ˋgræmɚ] *n.*①Ⓤ文法; 語法。②Ⓒ文法書。§ ～ **schòol** (1)〖美〗初級中學。(2)〖英〗以升大學爲目的之中學。
gram·mar·i·an [grəˋmɛrɪən] *n.* Ⓒ文法家; 文法學者。
gram·mat·i·cal [grəˋmætɪkl] *adj.*①文法的。②合乎文法的。§ ～ **génder**〖文法〗語法上的性。**—ly,** *adv.*
gramme [græm] *n.*〖英〗=**gram.**
Gram·my [ˋgræmɪ] *n.* Ⓒ (*pl.* **～s, -mies**) 葛萊美獎(由美國國家錄音藝術科學學院, 每年頒發的最佳唱片、最佳歌星、歌曲等獎)。
gram·o·phone [ˋgræmə͵fon] *n.* Ⓒ留聲機(在美國常用 phonograph)。
gram·pus [ˋgræmpəs] *n.* Ⓒ ①〖動〗鯱; 逆戟鯨。②〖俗〗呼吸粗沉的人。
gra·na·ry [ˋgrænərɪ] *n.* Ⓒ ①穀倉。②產糧區。
‡grand [grænd] *adj.* ①雄偉的; 壯麗的;

堂皇的。②顯赫的；高貴的。③最高級的。④最重要的。⑤總計的。⑥〖俗〗完美的。⑦自負的。⑧大規模的；盛大的。 — *n.* Ⓒ ①=**grand piano.** ②〖美俗〗一千元。§ **G∼ Cányon** 大峽谷(美國 Arizona 州北部)。∼ **dúchy** 大公國。∼ **dúke** 大公爵(大公國的君主)。∼ **júry** 大陪審團。∼ **lódge**(祕密結社等的)總部。∼ **mál** [ˋgrænˋmæl]〖醫〗(癲癇)大發作。**G∼ Òld Párty** 美國共和黨。∼ **ópera**〖樂〗大歌劇。∼ **piáno** 平台型鋼琴；大鋼琴。∼ **slám** ⑴〖橋牌〗大滿貫。⑵〖棒球〗滿壘時之全壘打。⑶〖俚〗大成功。∼ **tóur** 巡迴旅行；教育旅行。—**ly,** *adv.* —**ness,** *n.*

gran·dad [ˋgrænˌdæd] *n.* 〖俗〗= **granddad.**

grand·aunt [ˋgrændˋænt] *n.* Ⓒ (外)祖父母的姐妹；姑婆；姨婆；舅婆。

***grand·child** [ˋgrændˌtʃaɪld] *n.* Ⓒ (*pl.* **-chil·dren** [-ˌtʃɪldrən]) 孫。

grand·dad, grand-dad [ˋgrænˌdæd] *n.* Ⓒ〖俗, 兒〗爺爺。

***grand·daugh·ter** [ˋgrændˌdɔtɚ] *n.* Ⓒ (外)孫女。

gran·dee [grænˋdi] *n.* Ⓒ ①大公(葡、西二國之貴族)。②大官；顯貴。

gran·deur [ˋgrændʒɚ] *n.* Ⓤ 偉大；高貴；莊嚴；富麗堂皇。

‡**grand·fa·ther** [ˋgrændˌfɑðɚ] *n.* Ⓒ ①祖父。②(常 *pl.*)祖先。§ ∼ **clóck** 爺爺鐘(大型擺錘時鐘)。

gran·dil·o·quence [grænˋdɪləkwəns] *n.* Ⓤ 大話；豪語；自我吹噓。

gran·di·ose [ˋgrændɪˌos] *adj.* ①宏偉的；富麗堂皇的。②虛華的；(文體)浮華的。—**gran·di·os′i·ty,** *n.*

***grand·ma** [ˋgræn(d)mɑ] *n.*〖俗〗= **grandmother.**

***grand·ma(m)·ma** [ˋgræn(d)ˌmɑmə, -məˌmɑ] *n.*〖俗〗= **grandmother.**

‡**grand·moth·er** [ˋgræn(d)ˌmʌðɚ] *n.* Ⓒ ①祖母。②(常 *pl.*)女的祖先。

grand·neph·ew [ˋgræn(d)ˋnɛfju] *n.* Ⓒ 姪孫；姪外孫。

grand·niece [ˋgræn(d)ˋnis] *n.* Ⓒ 姪孫女；姪外孫女。

***grand·pa** [ˋgræn(d)pɑ, ˋgræmpɑ] *n.* 〖俗〗= **grandfather.**

grand·pa·pa [ˋgræn(d)ˌpɑpə] *n.* 〖俗〗= **grandfather.**

***grand·par·ent** [ˋgræn(d)ˌpɛrənt] *n.* Ⓒ 祖父[祖母]。

Grand Prix [grɑ̃ˋpri]〖法〗*n.* Ⓒ ①國際長途大賽車。②(g- p-)最高獎；第一特獎。

grand·sire [ˋgræn(d)ˌsaɪr] *n.* Ⓒ〖古〗①祖父；祖先。②老人。

***grand·son** [ˋgræn(d)ˌsʌn] *n.* Ⓒ 孫子；外孫。

grand·stand [ˋgræn(d)ˌstænd] *n.* Ⓒ 正面觀眾席；大看臺。§ ∼ **plày**〖俗〗(在棒球賽等中)為討好觀眾而賣弄技巧。—**er,** *n.* Ⓒ 賣弄技巧的人。

grand·un·cle [ˋgrændˋʌŋkḷ] *n.* Ⓒ 父[母]之 uncle.

grange [grendʒ] *n.* Ⓒ ①農場。②〖英〗農莊。

gran·ite [ˋgrænɪt] *n.* Ⓤ 花崗石[岩]。

gran·ny, -nie [ˋgrænɪ] *n.* Ⓒ〖俗〗①祖母；奶奶。②老太婆。

gra·no·la [grəˋnolə] *n.* Ⓤ (燕麥片、果仁、果乾等混合牛奶的)早餐食品。

***grant** [grænt] *v.t.* ①允許；答應。②承認。③授與(權利等)；讓與(財產)。*take for ∼ed* 視為當然。 — *n.* ① Ⓤ 允許；授與；讓與。② Ⓒ 授與物；獎助金；贈款。

gran·tee [grænˋti] *n.* Ⓒ〖法律〗受讓人；受補助者。

grant-in-aid [ˋgræntɪnˋed] *n.* Ⓒ (*pl.* **grants-in-aid**) ①(中央對地方政府之)補助金；撥款。②獎助金。

gran·tor [ˋgræntɚ] *n.* Ⓒ〖法律〗授予者；讓渡人。

gran·u·lar [ˋgrænjəlɚ] *adj.* 粒的；粒狀的。

gran·u·late [ˋgrænjəˌlet] *v.t.* & *v.i.* ①(使)成粒狀。②(使)生小粒；(使)生肉芽。

gran·ule [ˋgrænjul] *n.* Ⓒ ①小粒。②粒狀物。

***grape** [grep] *n.* ① Ⓤ Ⓒ 葡萄。② Ⓒ 葡萄樹[藤]。*the ∼s of wrath* (象徵神怒的)憤怒的葡萄。

grape·fruit [ˋgrepˌfrut] *n.* ① Ⓤ Ⓒ 葡萄柚。② Ⓒ 葡萄柚樹。

grape·vine [ˋgrepˌvaɪn] *n.* ① Ⓒ 葡萄藤；葡萄樹。②(the ∼)謠言流傳的途徑；謠傳。

***graph** [græf] *n.* Ⓒ 曲線圖。 — *v.t.* 畫(曲線圖)；以曲線圖表示。§ ∼ **pàper** 方格紙；座標紙。

graph·ic, -i·cal [ˋgræfɪk(ḷ)] *adj.* ①生動的；逼真的。②圖表的；圖解的。③平面(藝術)的。④書寫的；文字的。§ ∼ **árts** 書畫刻印藝術。—**graph′i·cal·ly,** *adv.*

graph·ics [ˋgræfɪks] *n.* Ⓤ ①製圖法；製圖學。②圖表算法。

graph·ite [ˋgræfaɪt] *n.* Ⓤ 石墨。

graph·ol·o·gy [græˋfɑlədʒɪ] *n.* Ⓤ 筆跡學；圖解法。

grap·nel [ˋgræpnəl] *n.* Ⓒ 爪鉤；鉤錨。

grap·ple [ˋgræpḷ] *v.t.* 抓住；鉤住。 — *v.i.* ①用爪鉤抓。②格鬥；揪打。 — *n.* Ⓒ ①抓緊；揪打。②爪鉤；鉤竿。§ **gráppling ìron** [**hòok**] 爪鉤；鉤錨。

***grasp** [græsp] *v.t.* ①緊握；抓住；把持。②領會；瞭解。 — *v.i.* 做抓之動作〔常 at, for〕. ∼ *at* **a.** 欲抓取。**b.** 殷切地接受。 — *n.* (*sing.*) ①緊握；把握力。②控制(力)。③瞭解(力)。

grasp·ing [ˋgræspɪŋ] *adj.* ①抓的；把握住的。②貪婪的。

‡**grass** [græs] *n.* ① Ⓤ Ⓒ 青草；草。② Ⓤ 草地；草原；牧場。③ Ⓒ 禾本植物(如穀類等)。*go to ∼* **a.** 去牧場。**b.** 休息。*let no ∼ grow under one's feet* 及時行動；勿懈怠。*put*[*send, turn*]*out to ∼* **a.** 將牲畜趕到牧場。**b.**〖俗〗開除。 — *v.t.* ①用草覆蓋；使長草。②使吃草。§ ∼ **hánd** 漢字的草書。∼ **róots** ⑴農村地區。⑵一般人民。⑶基礎；根源。∼ **skiing** 滑草(運動)。∼ **wídow**(因丈夫去旅行等而)獨居的女人；分居(或離了婚)的女人。∼

wídower(因妻子去旅行等而)獨居的男人；離了婚的男人。

***grass·hop·per** [ˋgræs,hɑpɚ] *n.* Ⓒ①蚱蜢。②小型偵察機。

grass·land [ˋgræs,lænd] *n.* Ⓤ(常 *pl.*)牧場；草原；草原地帶。

grass·plot [ˋgræs,plɑt] *n.* Ⓤ草坪。

grass-roots [ˋgræsˋruts] *adj.*〖俗〗①民間的；一般民眾的。②鄉村的。

grass·y [ˋgræsɪ] *adj.*①草的。②多草的；草深的。③似草的；草綠色的。

grate[1] [gret] *n.* Ⓒ①壁爐之鐵欄；爐架。②門窗之鐵格子。③壁爐。

grate[2] *v.i.*①發生不愉快的影響。His rude manners ～ on me. 他的粗率無禮使我很不愉快。②磨擦發聲。③刺耳。—*v.t.*①使發磨擦聲；軋。②磨碎。

‡**grate·ful** [ˋgretfəl] *adj.* ①感謝的；感激的。②致謝意的。—**ly,** *adv.*

grat·er [ˋgretɚ] *n.* Ⓒ 磨碎器；擦菜板；擦子。

***grat·i·fy** [ˋgrætə,faɪ] *v.t.*①使高興。②使滿足。—**grat·i·fi·ca′tion,** *n.*

grat·ing[1] [ˋgretɪŋ] *n.* Ⓒ門窗之柵欄。

grat·ing[2] *adj.*①(聲音)刺耳的。②討厭的。—**ly,** *adv.*

grat·is [ˋgretɪs] *adv.* & *adj.* 免費地[的]。

***grat·i·tude** [ˋgrætə,tjud] *n.* Ⓤ 感激；感謝。

gra·tu·i·tous [grəˋtjuətəs] *adj.*①沒有報酬的；免費的。②無故的。③〖法律〗贈予的。—**ly,** *adv.*

gra·tu·i·ty [grəˋtjuətɪ] *n.* Ⓒ ①報酬；小費。②禮物；軍人退伍金。

‡**grave**[1] [grev] *n.*①Ⓒ墳墓；墓地。②(the ～)死。***beyond the*** ～ 死後；在陰間。***make someone turn in his*** ～ 使人死不瞑目。

***grave**[2] *adj.*①莊重的；嚴肅的。②嚴重的；重大的。③陰暗的；陰沉的。④〖語音〗抑音的。—**ly,** *adv.*

grave[3] *v.t.*(～**d,** ～**d** or **grav·en**) ①雕刻；刻鐫。②留下深刻印象；銘記。

grave·dig·ger [ˋgrev,dɪgɚ] *n.* Ⓒ 挖墳者。

***grav·el** [ˋgrævḷ] *n.* Ⓤ ①碎石。②腎砂；尿砂。—*v.t.*(-**l-,**〖英〗-**ll-**)①鋪碎石於(道路)。②使困惑；使苦惱。③〖俗〗使焦躁。§～ **pìt** 碎石坑；碎石採取場。～ **ròad** 碎石路。—**ly,** *adj.*

grav·el-blind [ˋgrævḷ,blaɪnd] *adj.* 幾乎失明的。

grav·en [ˋgrevən] *adj.*①雕刻的。②銘記的。—*v.* pp. of **grave**[3]. §～ **ímage** (1)塑像。(2)偶像。

grave·stone [ˋgrev,ston] *n.* Ⓒ 墓碑。

grave·yard [ˋgrev,jɑrd] *n.* Ⓒ 墓地。§～ **shìft** 大夜班。

grav·id [ˋgrævɪd] *adj.*妊娠的；懷孕的。

grav·i·tate [ˋgrævə,tet] *v.i.*①受重[引]力作用。②向一方移動的趨向；傾至一方。③被吸引〖常 to, toward〗.

***grav·i·ta·tion** [,grævəˋteʃən] *n.* Ⓤ①重力；引力(作用)。②(自然的)傾向[趨向]。

grav·i·ta·tion·al [,grævəˋteʃənḷ] *adj.*引力(作用)的；重力的。§～ **fíeld**〖理〗引力場；重力場。—**ly,** *adv.*

***grav·i·ty** [ˋgrævətɪ] *n.* Ⓤ ①地心引力；重力。②嚴肅；莊重。③嚴重；重大。§～ **mèter** 重差計；比重計。

gra·vy [ˋgrevɪ] *n.* Ⓤ ①肉湯。②用肉湯調製的濃汁。§～ **bòat** 船形肉汁器皿。～ **tràin**〖俚〗肥缺；好差事。

‡**gray,**〖英〗**grey** [gre] *n.* ①ⓊⒸ灰色。②Ⓤ灰布；灰色衣服。③Ⓒ灰色東西。④Ⓒ著灰衣之人。—*adj.* ①灰色的。②有灰髮的；有白髮的。③年老的；成熟的。④舊的；古老的。⑤陰沉的。—*v.t.* & *v.i.*(使)成灰色；變灰色。§～ **área** 灰區(指難以界定的知識領域或訊息；亦作 grey area). ～ **márket** 半黑市買賣。～ **màtter** (1)〖解〗灰白質。(2)〖俗〗智慧；頭腦。～ **múllet** 烏魚。～ **squírrel**〖動〗(北美產的)灰色大松鼠。—**ish,** *adj.*

gray·beard [ˋgre,bɪrd] *n.* Ⓒ老人。

gray·hound [ˋgre,haʊnd] *n.* = **greyhound.**

***graze**[1] [grez] *v.i.* & *v.t.*①吃青草。②放牧。—*n.* Ⓒ放牧。

graze[2] *v.t.* & *v.i.* ①磨擦。②擦傷皮膚。—*n.*①Ⓤ磨擦；輕觸。②Ⓒ(常 *sing.*)擦傷。

gra·zier [ˋgreʒɚ] *n.* Ⓒ畜牧業者。

GRE Graduate Record Examination. 研究所入學成績考試。

grease** [gris] *n.* Ⓤ ①油；脂肪。②未脫脂羊毛。—[griz, gris] *v.t.*①塗油。②塗油使滑潤。③〖俚〗賄賂。～ ***a person's hand[***palm***]賄賂某人。§～ **mònkey**〖俚〗技工。—**greas′y,** *adj.*

grease·paint [ˋgris,pent] *n.* Ⓤ(演員化妝用的)油彩。(亦作 **grease paint**)

‡**great** [gret] *adj.* ①巨大的。②非常的；很；極。③高貴的；地位高的。④著名的；偉大的。⑤〖俗〗很快活的。⑥眾多的。⑦盛大的；重要的。⑧〖俗〗擅長的；精明的。***G- Wall of China*** 萬里長城。—*adv.*〖俗〗順利地；得意地。§～ **ápe**〖動〗大猿。‡**G**～ **Brítain**大不列顛(包括 England, Scotland 和 Wales).～ **círcle** (1)(球面的)大圓(通過球中心的平面與球面所切成的圓)。(2)(地球面上的)大圈(以地心為中心點的地球外圈)。**G**～ **Dáne** 大丹狗。～ **gó**〖英俗〗牛津大學文學[數學]學士的最後考試。～ **pówer** 強國；大國。～ **séal**(常 the G- S-)〖英〗國璽。**the G**～ **Assíze** 最後審判。**the G**～ **Béar**〖天〗大熊座。**the G**～ **Chárter** 大憲章。**the G**～ **Depréssion** 大蕭條。**the G**～ **Lákes** 五大湖(在美、加邊界)。**the G**～ **Wár** 第一次世界大戰(1914-18)。

great·coat [ˋgret,kot] *n.* Ⓒ〖主英〗大衣；外套(美國多用 overcoat).

great-grand·child [,gretˋgrænd,tʃaɪld] *n.* Ⓒ (*pl.* **-chil·dren**) (外)曾孫；(外)曾孫女。

great-grand·daugh·ter [,gretˋgrænd,dɔtɚ] *n.* Ⓒ (外)曾孫女。

great-grand·fa·ther [,gretˋgrænd,fɑðɚ] *n.* Ⓒ (外)曾祖父。

great-grand·moth·er [ˌgret-ˋgrændˌmʌðɚ] *n.* Ⓒ (外)曾祖母。
great-grand·par·ent [ˌgret-ˋgrændˌpɛrənt] *n.* Ⓒ (外)曾祖父[母]。
great-grand·son [ˌgretˋgrænd-ˌsʌn] *n.* Ⓒ (外)曾孫。
great-heart·ed [ˋgretˋhɑrtɪd] *adj.* ①寬大的；高貴的。②勇敢的。
***great·ly** [ˋgretlɪ] *adv.*①很；非常地；大大地。②崇高地；偉大地。
***great·ness** [ˋgretnɪs] *n.* Ⓤ ①偉大；卓越。②大；巨大。③重要；重大。
greave [griv] *n.* Ⓒ (常 *pl.*)脛甲；護脛。
grebe [grib] *n.* Ⓒ鸊鷉(一種水鳥)。
Gre·cian [ˋgriʃən] *adj.*希臘(式)的。〔注意〕除指建築、美術、容貌外，Greek 較常用。
Gre·co-Ro·man [ˌgrikoˋromən] *adj.* 希臘羅馬的；受希臘羅馬影響的。
***Greece** [gris] *n.* 希臘(首都 Athens)。
***greed** [grid] *n.* Ⓤ貪慾；貪婪。
***greed·y** [ˋgridɪ] *adj.*①貪婪的；貪得的。②貪吃的。—**greed′i·ly,** *adv.*
***Greek** [grik] *adj.*希臘的；希臘人[語]的。—*n.*① Ⓒ 希臘人。② Ⓤ 希臘文[語]。③ Ⓤ 無法了解之語文等。§ ∼ **cróss** 正十字形[架]。∼ **fíre** 希臘火藥。∼ **gíft**別有用心[存心害人]的禮物。∼ (**Órthodox**) **Chúrch** 希臘正教。
‡**green** [grin] *n.*① Ⓤ Ⓒ 綠色；青色。② Ⓤ 綠色衣服。③ Ⓤ 綠色顏料[染料]。④ Ⓒ 草地；草原。⑤ Ⓒ〖高爾夫〗**a.**果嶺；球洞區。**b.**高爾夫球場。⑥(*pl.*)(裝飾用的)綠葉；綠枝。⑦(*pl.*)青菜。—*adj.* ①綠色的。②長滿綠草的。③青菜的。④未成熟的。⑤嫉妒的；臉發青的。⑥沒有經驗的；易受騙的。⑦生的。§ **G∼ Berèt** 美國特種部隊隊員。∼ **cárd** 綠卡(在美國居留的許可證)。∼ **còrn** 作蔬菜食用的玉米筍。∼ **líght** (1)交通號誌之綠燈。(2)〖俗〗核准；許可。∼ **manúre**〖農〗綠肥。∼ **ónion** 小洋葱。∼ **pépper** 青椒。∼ **revolútion**〖農〗綠色革命。∼ **téa** 綠茶。∼ **thúmb** 園藝技能。∼ **túrtle**〖動〗綠龜。—**ish,** *adj.* —**ness,** *n.*
green·back [ˋgrinˌbæk] *n.* Ⓒ〖美〗「俗」美鈔。
green·belt [ˋgrinˌbɛlt] *n.* Ⓤ Ⓒ 圍繞社區之綠化地帶。
green·er·y [ˋgrinərɪ] *n.* Ⓤ (集合稱)綠葉；綠樹。
green-eyed [ˋgrinˌaɪd] *adj.*嫉妒的。§ **the** ∼ **mónster** 嫉妒。
green·fly [ˋgrinflaɪ] *n.* Ⓒ (*pl.* ∼**s, -flies**)綠色蚜蟲。
green·gro·cer [ˋgrinˌgrosɚ] *n.* Ⓒ〖英〗果菜零售商(店)。
green·gro·cer·y [ˋgrinˌgrosərɪ] *n.*〖英〗① Ⓤ 蔬果業。② Ⓒ 蔬果店。
green·horn [ˋgrinˌhɔrn] *n.* Ⓒ〖俗〗①無經驗的人。②容易受騙的人。
green·house [ˋgrinˌhaus] *n.* Ⓒ 溫室。§ ∼ **effèct** 溫室效應。
green·ish [ˋgrinɪʃ] *adj.* 淺綠色的；略帶綠色的。
Green·land [ˋgrinlənd] *n.*格陵蘭(北美洲東北部之一島，屬丹麥)。
green·mail [ˋgrinˌmel] *n.* Ⓤ〖股票〗大量搜購某公司的股票，以期哄抬股價再出售圖利之舉。
green·room [ˋgrinˌrum] *n.* Ⓒ〖戲劇〗演員休息室；後臺。
green·stuff [ˋgrinˌstʌf] *n.* Ⓤ 蔬菜。
green·sward [ˋgrinˌswɔrd] *n.* Ⓤ 青草；草皮。
Green·wich [ˋgrɪnɪdʒ] *n.*格林威治(英國皇家天文臺所在地)。§ ∼ (**Méan**) **Tìme** 世界標準時。
green·wood [ˋgrinˌwʊd] *n.* (the ∼) 綠色森林。
‡**greet** [grit] *v.t.*①問候；致敬；打招呼。②歡迎；接受。③映入(眼簾)。
***greet·ing** [ˋgritɪŋ] *n.*① Ⓒ 問候；致敬歡迎。②(*pl.*)問候語；祝賀。
gre·gar·i·ous [grɪˋgɛrɪəs] *adj.*①群居的。②合群的。③社交的；愛交際的。④一群的；群眾的。—**ly,** *adv.*
Gre·go·ri·an [grɛˋgorɪən] *adj.*羅馬教皇的。§ **the** ∼ **cálendar** 格里高里曆(即今之陽曆)。
grem·lin [ˋgrɛmlɪn] *n.* Ⓒ (傳說中與飛機駕駛員搗亂的)小鬼；小妖精。
gre·nade [grɪˋned] *n.* Ⓒ〖軍〗手榴彈。
gren·a·dier [ˌgrɛnəˋdɪr] *n.* Ⓒ 手榴彈兵。
‡**grew** [gru] *v.* pt. of **grow.**
‡**grey** [gre] *n.* & *adj.* & *v.*=**gray.**
grey·hound [ˋgreˌhaund] *n.*① Ⓒ〖動〗靈猩(一種獵犬)。②(G-) Ⓒ 美國灰狗巴士。
grid [grɪd] *n.* Ⓒ ①鐵柵；格子。②(蓄電池中的)鉛板。③〖電〗(眞空管中之)柵極。④(地圖上的)座標方格。
grid·dle [ˋgrɪdl] *n.* Ⓒ (煎餅用的)淺鍋。
grid·dle·cake [ˋgrɪdlˌkek] *n.* Ⓤ Ⓒ 薄餅。
grid·i·ron [ˋgrɪdˌaɪɚn] *n.* Ⓒ ①(烤肉用之)烤架。②〖美〗橄欖球場。
grid·lock [ˋgrɪdˌlɑk] *n.* Ⓒ〖美〗全面性的交通阻塞。
‡**grief** [grif] *n.*① Ⓤ 悲傷。② Ⓒ 傷心事。*come to* ∼ 遭受困難；失敗。
grief-strick·en [ˋgrifˌstrɪkən] *adj.* 極度悲傷的。
griev·ance [ˋgrivəns] *n.* Ⓒ 苦況；委屈；冤情。
***grieve** [griv] *v.i.* & *v.t.* (使)傷心；(使)悲傷。
griev·ous [ˋgrivəs] *adj.*① 難受的；痛苦的；悲痛的。②嚴重的。③悲慘的。④重大的；難以原諒的。
grif·fin [ˋgrɪfɪn] *n.* Ⓒ〖希神〗半獅半鷲之怪獸。(亦作 **griffon**)
grill[1] [grɪl] *n.* Ⓒ ①烤架。②燒烤食品。③烤肉店(=grillroom)。④燒烤。—*v.t.* & *v.i.* ①炙；燒；烤。②嚴加拷問。
grill[2] *n.* =**grille.**
grille [grɪl] *n.* Ⓒ ①鐵柵；鐵欄。②鐵格子窗。
grill·room [ˋgrɪlˌrum] *n.* Ⓒ 烤肉店；烤肉館。
***grim** [grɪm] *adj.* (**-mm-**)①冷酷的；嚴厲的。②倔強的；不屈的。③猙獰的；陰森的；殘忍的。④可怕的。—**ly,** *adv.* —**ness,** *n.*
grim·ace [grɪˋmes] *n.* Ⓒ ①面部的歪

扭。②鬼臉。③獰笑。— *v.i.* 扮鬼臉。

grime [graɪm] *n.* Ⓤ ①污穢。②(道德上的)污點。— *v.t.* 使污濁; 使污穢。

grim·y [ˋgraɪmɪ] *adj.*污穢的; 骯髒的。

grin** [grɪn] *v.i.* & *v.t.*(-nn-)露齒; 露齒而笑。~ ***and bear it 逆來順受。— *n.* Ⓒ 露齒; 露齒笑。

***grind** [graɪnd] *v.t.*(**ground**)①磨碎(成粉)。②磨尖; 磨光; 磨損; 折磨。③磨擦。④迴轉; 轉動(磨機等)。⑤〖俗〗(教師)賣力地教授。— *v.i.*①磨; 擦。②〖俗〗刻苦用功〔常 away〕. ③可磨; 耐磨。— *n.*① Ⓤ 碾; 磨。②(*sing.*)苦工作; 繁重功課。③ Ⓒ 苦讀的學生。④ Ⓒ〖俚〗(跳舞)扭腰。

grind·er [ˋgraɪndɚ] *n.* Ⓒ ①研磨者。②磨器。③臼齒。

grind·ing [ˋgraɪndɪŋ] *n.* Ⓤ ①研磨。②摩擦。③〖俗〗填鴨式的教學方法。— *adj.* ①輾軋的; 嘎嘎作響的。②刺耳的。③費事的; 乏味的。~ toil 費事的苦役。④折磨人的。~ poverty 赤貧。 —**ly**, *adv.*

grind·stone [ˋgraɪnd͵ston] *n.* Ⓒ 砥石; 磨刀石。***hold*** [***keep, put***] ***one's nose to the*** ~ 不斷地苦幹。

grip** [grɪp] *n.*① Ⓒ (常 *sing.*)緊握; 抓牢。② Ⓒ 把手; 柄。③ Ⓒ 特殊握手方式。④ Ⓒ〖美〗手提箱[包]。⑤(*sing.*)控制。⑥(*sing.*)了解。come to*** ~***s*** **a.** 揪扭; 肉搏。**b.**認眞地處理(問題)。— *v.t.* (**-pp-, gript**) ①抓緊; 抓牢。②吸引(注意力)。— *v.i.* 抓緊。

gripe [graɪp] *v.t.* ①抓住; 控制。②使腹部絞痛。③〖俚〗煩擾。— *v.i.* ①抓牢。②腹部絞痛。③〖美俗〗發怨言。— *n.* ① Ⓤ 抓住; 掌握。② Ⓒ〖俚〗怨言。③(*pl.*)腹部絞痛。

grippe [grɪp] *n.*(the ~)〖俗〗流行性感冒。

grip·ping [ˋgrɪpɪŋ] *adj.* 引人注意的; 扣人心弦的。

grip·sack [ˋgrɪp͵sæk] *n.* Ⓒ 旅行袋; 手提包。

gris·ly [ˋgrɪzlɪ] *adj.*可怕的; 猙獰的。

grist [grɪst] *n.* Ⓤ 磨粉用的穀物。***All is*** ~ ***that comes to one's mill.*** 善於利用一切。***bring*** ~ ***to the mill*** 獲利; 有利。

gris·tle [ˋgrɪsḷ] *n.* Ⓤ 軟骨。

gris·tly [ˋgrɪsḷɪ] *adj.* (似)軟骨的。

grist·mill [ˋgrɪst͵mɪl] *n.* Ⓒ 磨粉廠; 磨坊。

grit [grɪt] *n.* Ⓤ ①砂礫。②粗砂石。③勇氣。— *v.t.*(**-tt-**)①磨擦輾軋。②覆以砂礫。— *v.i.* 發軋軋聲。—**ty**, *adj.*

grits [grɪts] *n.* (作 *sing.* or *pl.*解) ①粗碾小麥。②〖美〗粗碾玉蜀黍。

griz·zled [ˋgrɪzḷd] *adj.* (髮)灰色的。

griz·zly [ˋgrɪzlɪ] *adj.* 帶灰色的; 灰色(髮)的。— *n.* Ⓒ 大灰熊。

***groan** [gron] *n.* Ⓒ ①呻吟; 嘆息。②表示嘲諷、不贊成等的低沉的聲音。— *v.i.* ①呻吟。②負擔過重。③受苦; 受折磨。— *v.t.* 噓(某人); 呻吟地說。

***gro·cer** [ˋgrosɚ] *n.* Ⓒ 雜貨商。

***gro·cer·y** [ˋgrosərɪ] *n.* ① Ⓒ 雜貨店。②(*pl.*)日用雜貨。③ Ⓤ 食品雜貨業。

grog [grɑg] *n.* Ⓤ Ⓒ 摻水烈酒。

grog·gy [ˋgrɑgɪ] *adj.*〖俗〗①不穩的。②無力的。③酒醉的。

groin [grɔɪn] *n.* Ⓒ ①鼠蹊。②〖建〗穹稜。

grom·met [ˋgrɑmɪt] *n.* Ⓒ ①金屬孔眼。②索環。

groom [grum] *n.* Ⓒ ①馬夫。②新郎。— *v.t.*①餵(馬); 照顧(馬); 洗刷。②整飾。③〖美〗推薦; 培植(候選人)。

grooms·man [ˋgrumzmən] *n.* Ⓒ (*pl.* **-men**)男儐相。

groove [gruv] *n.* Ⓒ ①溝; 凹槽。②固定的方式; 習慣。***in the*** ~〖俚〗**a.**〖樂〗演奏出色的。**b.**完美的[地]。— *v.t.* 挖溝槽於。

groov·y [ˋgruvɪ] *adj.*①〖俗〗很帥的; 絕妙的; 時髦的。②〖俚〗順利的; 圓滿的。

***grope** [grop] *v.i.* 摸索; 盲目尋求〔after, for〕. — *v.t.* 摸索(路)。

gros·beak [ˋgros͵bik] *n.* Ⓒ〖鳥〗蠟嘴鳥。

gross** [gros] *adj.*①總共的。②未打折扣的。③重大的。④粗鄙的。⑤肥大的。⑥濃密的。— *n.* ①(the ~)總數; 總量。② Ⓒ (*pl.* ~)籮; 十二打(12 dozen). ***in(***the***)~ 總括地。— *v.t.* 總共賺得。§ ~ **nátional próduct**〖經〗國民生產毛額。~ **tón** 長噸(2,240 磅)。~ **wéight** 毛重。—**ly**, *adv.*

gro·tesque [groˋtɛsk] *adj.*①醜怪的。②古怪的; 可笑的。③〖藝術〗怪異派的。— *n.* Ⓒ 怪異的圖畫、雕刻、畫像等。—**ly**, *adv.* —**ness**, *n.*

grot·to [ˋgrɑto] *n.* Ⓒ (*pl.* ~(e)s)①巖穴。②(避暑用)洞室。

grot·ty [ˋgrɑtɪ] *adj.*(房間等的)不清潔的; 骯髒的。

grouch [grautʃ]〖俗〗*v.i.* 慍怒。— *n.* Ⓒ 慍怒的人。—**grouch′y**, *adj.*

****ground**¹ [graund] *n.*① Ⓤ 地; 土地; 土壤。②(the ~)地面。③(*pl.*)房屋四周的空地; 地基。④ Ⓤ (常 *pl.*)根據; 理由。⑤ Ⓒ (裝飾的)背景(=background); 底子。⑥(*pl.*)渣滓; 沉澱。⑦ Ⓤ〖無線〗接地。⑧(*pl.*)基礎; 根基。⑨ Ⓤ 底; 湖底。***above*** [***below***] ~ 活[死]的。***break*** ~ **a.**耕田。**b.**破土; 動工。***gain*** ~ **a.**前進; 佔領陣地。**b.**流傳; 得勢。***give*** ~ 撤退; 屈降。***lose*** (***one's***) ~ 讓步; 失勢。***run into the*** ~〖俗〗過分; 過度。***shift one's*** ~ 改變立場。***stand one's*** ~ 堅持立場。***take*** ~ 占領陣地。— *v.t.* ①放在地上。②使(船)觸礁; 使擱淺。③建立於基礎上。④教以基本知識; 打基礎。⑤使(電線等)接地。— *v.i.*(船)觸礁; 擱淺。§ ~ **báll** = grounder. ~ **contròl**(機場之)地面管制。~ **crèw**〖美〗(飛機的)地勤人員。~ **flóor** (1)〖英〗一樓。(2)〖美俗〗在買賣中最有利的地位。~ **gláss** 毛玻璃。~ **pìne** 扁葉石松。~ **plàn** (1)房屋設計平面圖。(2)初步計畫。~ **rènt**(建築物之)地租。~ **rùle** (1)球場規則。(2)基本規則。~ **spèed**〖空〗(飛機的)對地速度。~ **squìrrel**〖動〗地鼠。~ **stàff** (集合稱)〖英〗(1)(運動場地等的)管理員保修人員。(2)=ground crew. ~ **wàter** 地下水。~ **wìre**〖電〗(接)地線。~ **zéro**

(炸彈的)著地點。

*ground² v. pt. & pp. of grind.
—— adj. 磨過的；磨成粉的。

ground·break·ing [ˋgraund͵brekɪŋ] n. Ⓤ Ⓒ (建築工程之)破土(典禮)。

ground·er [ˋgraundɚ] n. Ⓒ〖棒球〗滾地球。

ground·hog [ˋgraund͵hɔg] n. Ⓒ (美國之)土撥鼠。§ G∸ Dày 土撥鼠出洞日(預測春天到來的日子，一般爲2月2日)。(亦作 ground hog)

ground·less [ˋgraundlɪs] adj. 無根據的；無理由的。

ground·nut [ˋgraund͵nʌt] n. Ⓒ 落花生。

ground·sel [ˋgraun(d)sl̩] n. Ⓤ〖植〗千里光。

ground·swell [ˋgraund͵swɛl] n. Ⓤ (由遠處暴風雨或地震引起的)巨浪。

ground-to-air [ˋgraundtuˋɛr] adj. 〖軍〗地對空的。

ground·work [ˋgraund͵wɝk] n. Ⓤ 基礎；根基；原理。

‡group [grup] n. Ⓒ ①組；群；集團；團體。②種類。—— v.t. & v.i.①聚合；成群。②分類。§ ∼ insùrance 團體保險。∼ márriage 集團結婚。∼ mìnd 群眾心理。∼ psychólogy 群眾心理學。∼ representátion 職業代表制(別於區域代表制)。∼ thérapy〖心〗團體治療法。

group·er [ˋgrupɚ] n. Ⓒ (pl. ∼s, ∼) 〖魚〗鱸科魚。

group·ie [ˋgrupɪ] n.Ⓒ〖俚〗搖滾樂團女歌迷。

group·ing [ˋgrupɪŋ] n. Ⓒ (常 sing.) 歸組；分組；分類。

grouse¹ [graus] n. Ⓒ (pl. ∼, grouses)松雞。

grouse² 〖俚〗v.i. 鳴不平；埋怨。—— n. Ⓒ 牢騷。

grove [grov] n. Ⓒ 叢樹；小樹林。

grov·el [ˋgrɑvl̩] v.i. (-l-,〖英〗-ll-)①五體投地；匍匐。②卑躬屈節。∼ *in the dust* [*dirt*] 趴在地上；搖尾乞憐。—er, n. —ing, adj.

‡grow [gro] v.i. (grew, grown) ①生長；發育。②增長；長大。③變成。—— v.t.①種植。②留；蓄。③發展；形成。∼ *into* a.長成。b.變爲。∼ *on* [*upon*] 對…逐漸增加效力。∼ *out of* a.長大得與…不相稱。b.由…而來。∼ *up* a.長大；成人。b.崛起。

grow·er [ˋgroɚ] n. Ⓒ①種植者；栽培者。②生長物；植物。

grow·ing [ˋgroɪŋ] n. Ⓤ 成長；發育；發達；栽培。—— adj. ①正值發育時期的。②增大的；發展中的。③適合生長的；促進成長的。§ ∼ pàins (1)(青少年)成長期之四肢神經痛；青春期的苦惱。(2)(事業等的)初期困難；生產之苦。

growl [graul] v.i. (犬等)作低吠聲〔at〕；咆哮；鳴不平；隆隆作響。—— v.t. 怒罵〔out〕。—— n. Ⓒ 吠聲；怒罵聲。

‡grown [gron] v. pp. of grow.
—— adj. 發育完成的；成年的。

*grown-up [ˋgronˋʌp] adj. 成年的；成年人的。—— [ˋgron͵ʌp] n. Ⓒ 成人。

*growth [groθ] n. ①Ⓤ 生長；發展。②Ⓒ 生長物。③Ⓒ〖醫〗腫瘤。④Ⓤ 栽培；培養。⑤Ⓤ 增加；擴張。

grub [grʌb] n. ①Ⓒ 蠐螬；蛆。②Ⓤ〖俚〗食物。—— v.i. (-bb-) ①掘；挖。②做苦工。—— v.t.①掘出；挖出(根等)。②〖俚〗餵；供給食物。§ G∸ Strèet (1)倫敦街名(即今 Milton Street，昔寒士集居之地)。(2)(集合稱)窮苦文人。

grub·by [ˋgrʌbɪ] adj.①污穢的；不潔的。②生蛆的。

grub·stake [ˋgrʌb͵stek] n. Ⓤ〖美〗(貸與新經營者、窮困者之)資金。
—— v.t. 供(人)資金。

grudge [grʌdʒ] n. Ⓒ 嫉妒；惡意；怨恨。
—— v.t. ①嫉妒。②吝惜；吝嗇。

grudg·ing [ˋgrʌdʒɪŋ] adj.①吝嗇的。②惡意的。③不願的。—ly, adv.

gru·el [ˋgruəl] v.t. (-l-,〖英〗-ll-) ①使筋疲力竭。②嚴詰；嚴懲。—— n. Ⓤ 粥。*have* [*get*] *one's* ∼〖俗〗受重罰。

gru·el·(l)ing [ˋgruəlɪŋ] adj.令人筋疲力竭的；嚴厲的。—— n. Ⓒ 嚴懲。

grue·some [ˋgrusəm] adj. ①令人毛骨悚然的。②討厭的。—ly, adv.

gruff [grʌf] adj.①(聲音)粗嘎的；沙啞的。②粗暴的；粗率的。—ly, adv.

*grum·ble [ˋgrʌmbl̩] v.i. & v.t.①喃喃訴苦；發怨言；鳴不平。②隆隆作響；(雷)鳴。—— n.① Ⓒ 怨言。②(sing.)隆隆聲；雷聲。—grumˊbler, n.

grump [grʌmp] n. Ⓒ 脾氣壞的人。

grump·y [ˋgrʌmpɪ] adj.性情乖戾的。

grunt [grʌnt] n. Ⓒ ①(豬等)咕嚕聲；輕微喉聲。②〖魚〗火魚。—— v.i. & v.t. ①(豬等)發咕嚕聲。②發怨言。

G-suit [ˋdʒi͵sut] n. Ⓒ (太空人等所穿之)重力衣；抗壓衣(=gravity suit)。

Guam [gwɑm] n.關島(位於西太平洋)。

gua·na·co [gwɑˋnɑko] n. Ⓒ (pl. ∼s)〖動〗(南美 Andes 山脈產之)栗色駱馬。

gua·no [ˋgwɑno] n. Ⓤ 海鳥糞。

*guar·an·tee [͵gærənˋti] n. Ⓒ ①擔保；保證。②擔保人；保證人。③被保證人。④保證書。⑤〖法律〗抵押品；抵押物。—— v.t. 保證；擔保。

guar·an·tor [ˋgærəntɚ] n. Ⓒ 保證人；擔保人。

guar·an·ty [ˋgærəntɪ] n. Ⓒ①保證；擔保。②保證書；抵押物。

‡guard [gɑrd] v.t. ①保衛；保護。②看守；看管。③當心。—— v.i. 預防；提防〔against〕。—— n.① Ⓒ 守衛者；防衛物。②Ⓤ 警戒。③Ⓒ 防護部隊。④Ⓒ (監獄的)看守(員)。⑤Ⓒ 車掌。⑥(G-) Ⓒ 禁衛軍。⑦Ⓤ (劍術、拳擊的)防守姿勢。*keep* [*mount*] ∼ 放哨；守望。*off* ∼ a.不當班。b.不備；疏忽。*off one's* ∼ 疏忽；不提防。*on* ∼ a.當班；值班。b.警戒。*on one's* ∼ 警戒著。*relieve* ∼ 換崗。*stand* ∼ *over* 站崗守衛。§ ∼ bòat 巡邏艇；監視船。∼ chàin (錶等的)扣鍊；錶鍊。

guard·ed [ˋgɑrdɪd] adj. ①被防護[監視]的。②謹愼的。—ly, adv.

guard·house [ˋgɑrd͵haus] n. Ⓒ ①禁閉室。②衛兵室。

guard·i·an [ˋgɑrdɪən] n. Ⓒ ①(法定)監護人。②保護人；監守人。

— *adj.* 保護的。§ ∼ ángel 守護天神。—**ship,** *n.*
guard·rail [ˋgard,rel] *n.* Ⓒ ①〖鐵路〗護軌。②(樓梯等之)護欄。
guard·room [ˋgard,rum] *n.* = **guardhouse.**
guards·man [ˋgardzmən] *n.* Ⓒ (*pl.* **-men**) ①衛兵。②〖美〗(屬於州的)國民兵。③〖英〗禁衛軍。
Gua·te·ma·la [,gwatəˋmalə] *n.* 瓜地馬拉(位於中美洲一共和國, 首都 Guatemala City).
gua·va [ˋgwavə] *n.* ① Ⓒ 番石榴樹。② Ⓤ Ⓒ 番石榴; 芭樂。
gu·ber·na·to·ri·al [,gjubənəˋtoriəl] *adj.* 〖美〗州長的。
gue(r)·ril·la [gəˋrɪlə] *n.* Ⓒ 游擊隊隊員; (常 *pl.*)游擊隊。— *adj.* 游擊(隊)的。
‡**guess** [gɛs] *v.t.* ①猜度; 臆測; 推測。②〖美俗〗想; 相信。— *v.i.* 猜想; 猜測。— *n.* Ⓒ 猜測。*by* ∼ 依推測。
‡**guest** [gɛst] *n.* Ⓒ 客人; 來賓; 旅客。the ∼ of honor (晚宴等的)貴賓。§ ∼ hòuse 上等旅館; 賓館。∼ ròom 客房。∼ wòrker 外籍工人; 外勞。
guff [gʌf] *n.* Ⓤ 〖俚〗①廢話。②反辯。
guf·faw [gʌˋfɔ] *n.* Ⓒ 哄笑; 大笑。— *v.i.* 捧腹大笑。
*__guid·ance__ [ˋgaɪdn̩s] *n.* Ⓤ ①指導; 領導; 嚮導。②〖空〗(無人駕駛的)導航。
‡**guide** [gaɪd] *v.t.* ①引導; 指導; 領導。②處理; 督導; 管理。— *n.* Ⓒ ①引導者; 嚮導; 導遊。②指南。③〖機〗導桿; 導體。④路標。§ ∼d míssile 導向飛彈。∼ dòg 導盲犬。∼d tóur 有人引導的(觀光)旅行。**guíding príncipIe** 指導原則。
guide·board [ˋgaɪd,bord] *n.* Ⓒ 路標; 路牌。
guide·book [ˋgaɪd,bʊk] *n.* Ⓒ 旅行指南。
guide·line [ˋgaɪd,laɪn] *n.* (*pl.*) ①指導方針。②指標。
guide·post [ˋgaɪd,post] *n.* Ⓒ 路標。
guild [gɪld] *n.* Ⓒ ①互助會; 協會。②(中世紀之)同業公會; 基爾特。
guild·hall [ˋgɪldˋhɔl] *n.* Ⓒ ①(公會集會用的)會館; 公所。②〖英〗市政廳。
guile [gaɪl] *n.* Ⓤ 狡計; 詐術; 騙術。—**ful,** *adj.*
guile·less [ˋgaɪllɪs] *adj.* 不狡猾的; 誠實的; 坦白的。
guil·le·mot [ˋgɪlə,mat] *n.* Ⓒ 海鳩。
guil·lo·tine [ˋgɪlə,tin] *n.* ①(the ∼)斷頭臺。② Ⓒ 切紙機。③(the ∼)〖英議會〗(為避免妨礙議事而)停止討論。— *v.t.* 將…(在斷頭臺上)斬首。
*__guilt__ [gɪlt] *n.* Ⓤ ①罪。②內疚。
guilt·less [ˋgɪltlɪs] *adj.* ①無罪的; 無辜的。②無知的; 無經驗的〔of〕.
*__guilt·y__ [ˋgɪltɪ] *adj.* ①有罪的; 犯罪的。②自覺有罪的; 心虛的。—**guilt′i·ly,** *adv.* —**guilt′i·ness,** *n.*
guin·ea [ˋgɪnɪ] *n.* Ⓒ ①昔英國金幣名。②〖動〗珠雞。§ ∼ fôwl 珠雞。∼ hèn 母珠雞。∼ pìg (1)〖動〗天竺鼠; 豚鼠。(2)供作實驗[觀察]之人[物]。

Guin·ea [ˋgɪnɪ] *n.* 幾內亞(西非之一共和國, 首都 Conakry).
Guin·ness [ˋgɪnɪs] *n.* Ⓤ 〖商標〗金氏(愛爾蘭金氏公司所產的黑啤酒)。*The* ∼ *Book of Records* 金氏世界記錄。
guise [gaɪz] *n.* ① Ⓒ (常 *sing.*)裝束; 打扮。② Ⓤ 外貌; 外表。③ Ⓤ 假裝。— *v.t.* 穿著; 打扮。
‡**gui·tar** [gɪˋtar] *n.* Ⓒ 吉他。—**ist,** *n.*
gulch [gʌltʃ] *n.* Ⓒ 〖美〗峽谷。
*__gulf__ [gʌlf] *n.* Ⓒ ①海灣。②深淵。③隔閡。§ the G∼ Strêam 墨西哥灣流。
gull[1] [gʌl] *n.* Ⓒ 〖鳥〗鷗。
gull[2] *n.* Ⓒ 易受愚弄之人。— *v.t.* 欺騙。
gul·let [ˋgʌlɪt] *n.* Ⓒ 食道; 咽喉。
gul·li·ble [ˋgʌləbl̩] *adj.* 易受騙的。—**gul′li·bly,** *adv.* —**gul·li·bil′i·ty,** *n.*
gul·ly [ˋgʌlɪ] *n.* Ⓒ 溪谷; (流水沖成的)溝渠。
gulp [gʌlp] *v.t.* & *v.i.* ①吞飲; 狼吞虎嚥。②抑制(嗚咽); 忍氣。— *n.* Ⓒ ①吞。②一次吞飲之量。
*__gum__[1] [gʌm] *n.* ① Ⓤ 樹膠; 樹脂。② Ⓤ 〖美〗口香糖。③ Ⓤ 橡皮。④ Ⓒ 橡膠樹。⑤(*pl.*)膠鞋; 橡皮套鞋。— *v.t.* (**-mm-**) ①用膠黏合。②使有黏性。— *v.i.* ①分泌樹膠。②變黏。§ ∼ bòots 橡膠靴。∼ rèsin 樹膠脂。∼ trèe 橡膠樹。
gum[2] *n.* Ⓒ (常 *pl.*)齒齦。
gum·bo [ˋgʌmbo] *n.* (*pl.* ∼**s**) ① Ⓒ 秋葵; 秋葵莢。② Ⓤ Ⓒ 加秋葵莢之(雞肉)湯。
gum·boil [ˋgʌm,bɔɪl] *n.* Ⓒ 〖醫〗齦膿腫。
gum·drop [ˋgʌm,drap] *n.* Ⓒ 〖美〗橡皮軟糖。
gum·my [ˋgʌmɪ] *adj.* ①樹膠的; 黏性的。②塗有樹膠的。③分泌樹膠液的。
gump·tion [ˋgʌmpʃən] *n.* Ⓤ 〖俗〗創業精神; 勇氣。
gum·shoe [ˋgʌm,ʃu] *n.* Ⓒ ①(常 *pl.*)〖俗〗橡膠套鞋。②(常 *pl.*)膠底靴。③〖俚〗警探; 警察。
‡**gun** [gʌn] *n.* Ⓒ ①槍; 砲。②似槍[砲]之物。③(鳴槍或砲的)信號; 敬禮。*go great* ∼*s* 〖俚〗迅速有效地做。*spike one's* ∼*s* 使無能為力。*stick to one's* ∼*s* 堅守立場。— *v.i.* (**-nn-**)放槍; 發砲; 用槍狩獵。∼ *for* **a.**搜尋。**b.**力求; 爭取。§ ∼ càrriage 砲架; 砲車。∼ contròl 槍枝管制。∼ mètal (1)砲銅。(2)暗灰色。∼ ròom (1)軍械室。(2)〖英〗(軍艦之)下級軍官室。
gun·boat [ˋgʌn,bot] *n.* Ⓒ 砲艇; 砲艦。§ ∼ diplómacy 砲艇外交; 武力外交。
gun·fight·er [ˋgʌn,faɪtə] *n.* Ⓒ 〖美〗(西部拓荒時期的)神槍手。
gun·fire [ˋgʌn,faɪr] *n.* Ⓤ 砲火; 砲轟。
gun·lock [ˋgʌn,lak] *n.* Ⓒ 槍機。
gun·man [ˋgʌn,mæn] *n.* Ⓒ (*pl.* **-men**) 〖美〗①持槍歹徒[殺手]。② = **gunfighter.**
gun·ner [ˋgʌnə] *n.* Ⓒ ①砲手。②(軍艦之)槍砲官。③帶槍獵人。
gun·ner·y [ˋgʌnərɪ] *n.* Ⓤ ①砲術。②槍砲之總稱。
gun·ny [ˋgʌnɪ] *n.* Ⓤ ①粗麻布。②麻布袋。
gun·play [ˋgʌn,ple] *n.* Ⓤ 〖美〗(手)槍戰。

gun·point [ˋgʌn,pɔɪnt] *n.* Ⓒ 槍口。*at* ～ 在槍口威脅下。

gun·pow·der [ˋgʌn,paudɚ] *n.* Ⓤ 火藥。

gun·run·ning [ˋgʌn,rʌnɪŋ] *n.* Ⓤ 軍火走私。— **gun′run·ner,** *n.*

gun·shot [ˋgʌn,ʃɑt] *n.* ① Ⓒ 射出的砲彈。② Ⓒ 射擊槍聲。③ Ⓤ 槍[砲]之射程。

gun·smith [ˋgʌn,smɪθ] *n.* Ⓒ 造[修]槍匠。

gun·stock [ˋgʌn,stɑk] *n.* Ⓒ 槍托。

gun·wale [ˋgʌnl̩] *n.* Ⓒ 船舷的上緣。

gur·gle [ˋgɝgl̩] *v.i.* & *v.t.* ①潺潺而流；作汩汩聲。②(喉嚨)作咯咯聲。— *n.*(*sing.*, 常 the ～)潺潺聲。

gu·ru [ˋguru] *n.* Ⓒ ①(印度教之)個人精神導師。②〖諧〗(精神的)指導者。

gush [gʌʃ] *v.i.*①湧出；傾流。②感情奔流；滔滔不絕地說[寫]。— *v.t.* 湧出；傾瀉。— *n.* ①(*sing.*)湧出；傾出。② Ⓒ 滔滔不絕的話。

gush·er [ˋgʌʃɚ] *n.* Ⓒ ①油井。②滔滔不絕地說話者；易動感情者。

gush·ing [ˋgʌʃɪŋ] *adj.* ①噴出的。②感情橫溢的。

gush·y [ˋgʌʃɪ] *adj.*=**gushing.**

gus·set [ˋgʌsɪt] *n.* Ⓒ (插接於衣物、手套中以加強或撐大用的)三角片。

gust [gʌst] *n.* Ⓒ ①突然颳起的強風；陣風；陣雨。②一陣。a ～ of anger 一陣憤怒。

gus·ta·to·ry [ˋgʌstə,torɪ] *adj.*嘗味的；味覺的。§ ～ **búds**(舌面之)味蕾。

gus·to [ˋgʌsto] *n.* Ⓤ ①(飲食的)滋味。②趣味；享樂。③(個人的)愛好；癖好。

gust·y [ˋgʌstɪ] *adj.*①(風、雨等)陣陣的；颳風的。②(笑等)突發的。

gut [gʌt] *n.* ①**a.** Ⓤ Ⓒ 腸。**b.** (*pl.*)內臟。②(*pl.*)〖俚〗勇氣。③(*pl.*)內容。④ Ⓤ 腸線(用做提琴絃及網球拍等)。— *v.t.* (**-tt-**)①取出內臟。②破壞…之內部。§ ～ **còurse**〖美俗〗(大學的)容易(取得學分)的課程。

gut·less [ˋgʌtlɪs] *adj.*〖俗〗膽怯的；膽小的。

guts·y [ˋgʌtsɪ] *adj.*〖俗〗有勇氣的；有勁的；有力的。

gut·ta-per·cha [ˋgʌtəˋpɝtʃə] *n.* Ⓤ 馬來樹膠。

gut·ter [ˋgʌtɚ] *n.* ① Ⓒ (街道旁的)排水溝。② Ⓒ (屋簷的)承霤；導水溝。③(the ～)貧民窟。④ Ⓒ〖保齡球〗球溝。— *v.i.*①(蠟燭)淌蠟。②成槽；成流。

gut·ter·snipe [ˋgʌtɚ,snaɪp] *n.* Ⓒ〖俗〗街頭貧兒；流浪兒。

gut·tur·al [ˋgʌtərəl] *adj.*①咽喉的。②出自喉嚨的。③〖語音〗喉音的。— *n.* Ⓒ〖語音〗喉音(如 g, k).

***guy**[1] [gaɪ] *n.* Ⓒ ①樣子古怪的人；稻草人。②〖美 俗〗人；傢伙(= fellow). — *v.t.*〖俗〗挖苦；嘲弄。

guy[2] *n.* Ⓒ 支索；拉線。— *v.t.*用支索撐住。

Guy·a·na [gaɪˋænə] *n.*蓋亞那(南美北部一國，首都 Georgetown).

Guy Fawkes [ˋgaɪˋfɔks] *n.* 蓋・佛克斯(1570-1606, 火藥陰謀事件的主謀).

guz·zle [ˋgʌzl̩] *v.i.* & *v.t.* 暴飲暴食；豪飲。

***gym** [dʒɪm] *n.*〖俗〗① Ⓒ 體育館。② Ⓤ 體育(學科)。§ ～ **shòe** 運動鞋。～ **sùit** 運動衣。

***gym·na·si·um** [dʒɪmˋnezɪəm] *n.* Ⓒ (*pl.* ～**s, -si·a** [-zɪə])①健身房；體育館。②(G-)德國大學預科學校。

gym·nast [ˋdʒɪmnæst] *n.* Ⓒ 體育家；健身運動家。

gym·nas·tic [dʒɪmˋnæstɪk] *adj.*體操的；體育的。

gym·nas·tics [dʒɪmˋnæstɪks] *n.*①(作 *pl.*解)體操。② Ⓤ 健身術。

gy·n(a)e·co·log·ic [,dʒaɪnɪkəˋlɑdʒɪk] *adj.* 婦科醫學的。

gy·n(a)e·col·o·gy [,dʒaɪnɪˋkɑlədʒɪ] *n.* Ⓤ〖醫〗婦科醫學。— **gy·n(a)e·col′o·gist,** *n.*

gyp [dʒɪp]〖俚〗*n.* ① Ⓒ 欺騙。② Ⓒ 騙子。③ Ⓤ 苦難。— *v.t.* & *v.i.* (**-pp-**) 欺騙；騙取。

gyp·sum [ˋdʒɪpsəm] *n.* Ⓤ〖礦〗石膏。

Gyp·sy [ˋdʒɪpsɪ] *n.* ① Ⓒ (亦作g-)吉普賽人。② Ⓤ 吉普賽語。③(g-) Ⓒ 似吉普賽人的人。— *adj.*(g-)吉普賽的。

gy·rate [ˋdʒaɪret] *v.i.* 迴旋。— **gy·ra′tion,** *n.*

gy·ra·to·ry [ˋdʒaɪrə,torɪ] *adj.* 迴旋的；旋轉(運動)的。

gy·ro [ˋdʒaɪro] *n.* Ⓒ (*pl.* ～**s**) ①=**gyroscope.** ②=**gyrocompass.**

gy·ro·com·pass [ˋdʒaɪro,kʌmpəs] *n.* Ⓒ 迴轉儀羅盤；環動羅盤。

gy·ro·scope [ˋdʒaɪrə,skop] *n.* Ⓒ 迴轉儀；方向陀螺儀。

gy·ro·sta·bi·liz·er [,dʒaɪrəˋstebə,laɪzɚ] *n.* Ⓒ 迴轉穩定器(減低船[飛機]的搖晃之裝置)。

gyve [dʒaɪv] *n.* Ⓒ (常 *pl.*)手銬；腳鐐。

H h **H h** *H h*

H or **h** [etʃ] *n.*(*pl.* **H's, h's** [ˋetʃɪz])① Ⓤ Ⓒ 英文字母之第八個字母。② Ⓤ 一系列中第八的符號。

H〖化〗hydrogen.

ha [hɑ] *interj.* 哈；噫(表驚異、快樂等)。

ha·be·as cor·pus [ˋhebɪəsˋkɔrpəs]〖拉〗*n.* Ⓤ〖法律〗人身保護令。

hab·er·dash·er [ˋhæbɚ,dæʃɚ] *n.* Ⓒ ①〖美〗男子服飾經售商。②經售零星服飾雜貨之商人。

hab·er·dash·er·y [ˋhæbɚ,dæʃərɪ] *n.*① Ⓒ〖英〗服飾雜貨商店。② Ⓒ〖美〗男子服飾店。③ Ⓤ (集合稱)〖美〗男子服飾用品。

ha·bil·i·ment [həˋbɪləmənt] *n.* ① Ⓒ (常 *pl.*)服裝；衣著。②(*pl.*)裝備。

⁑**hab·it** [ˋhæbɪt] *n.* ① Ⓤ Ⓒ 習慣；習性。②(*sing.*)神性；體質；心境。③ Ⓒ (動植物的)習性。④ Ⓒ 法衣；修道服；女子騎馬裝。***break off a*** ～ 革除習

慣。*form good ~s* 養成好習慣。*get [fall] into the ~ of* 養成…之習慣。*~ of body* 體質。*~ of mind* 性情；癖性。*have [be in] the[a] ~ of...* 有…的習慣。

hab·it·a·ble [ˋhæbɪtəbḷ] *adj.* 適於居住的。

hab·it·ant [ˋhæbətənt] *n.* Ⓒ 居民；居住者。

hab·i·tat [ˋhæbə,tæt] *n.* Ⓒ ①(動植物的)產地；棲息地。②居留地。

hab·i·ta·tion [,hæbəˋteʃən] *n.* ① Ⓤ 居住。② Ⓒ 住所。

hab·it-form·ing [ˋhæbɪt,fɔrmɪŋ] *adj.* (藥物等)易於上癮的。

*__ha·bit·u·al__ [həˋbɪtʃuəl] *adj.* ①習慣的；慣常的。②經常的。—**ly,** *adv.*

ha·bit·u·ate [həˋbɪtʃu,et] *v.t.* 使習慣於(反身用法)。~ oneself to hard work 使自己慣於艱苦的工作。—**ha·bit·u·a′tion,** *n.*

hab·i·tude [ˋhæbə,tjud] *n.* ① Ⓒ 習慣；習癖。② Ⓤ 性質；氣質；體質。

ha·bit·u·é [həˋbɪtʃu,e] 〖法〗*n.* Ⓒ 常客。

ha·ci·en·da [,hɑsɪˋɛndə] 〖西〗*n.* Ⓒ 〖中南美〗大田莊；農場；牧場；工場。

hack[1] [hæk] *v.t.* ①斧劈；亂砍。②以鋤耙(地)。③〖足球〗猛踢(對方)之脛。④〖籃球〗打(對方持球球員)之臂。⑤任意刪改。—*v.i.* ①亂砍。②乾咳。—*n.* Ⓒ ①(常 *sing.*)亂砍；亂劈。②(用鋤、斧等砍劈之)裂口；裂痕。③乾咳。④脛部被踢之傷口。

hack[2] *n.* Ⓒ ①〖美〗出租馬車。②〖俗〗出租汽車。③〖英〗出租之馬。④乘用之馬。⑤受雇之文人。—*v.t.*①出租(馬車)。②雇用(文人)。—*v.i.*①乘租賃的馬[馬車]出遊。②〖俗〗駕駛出租汽車。—*adj.* ①出租的；受雇的。②陳腐的。

hack·er [ˋhækɚ] *n.* Ⓒ ①電腦迷。②非法進入電腦通訊網的人。

hack·le[1] [ˋhækḷ] *n.* ① Ⓒ 麻梳。②(*pl.*)(雄雞等)頸部的細長羽毛。③ Ⓒ 蠅鉤(釣魚用之人造假蠅)。*with one's ~s up* 擺出欲搏鬥的架勢；發怒。

hack·le[2] *v.t. & v.i.* 亂砍；亂切。

hack·ney [ˋhæknɪ] *n.* Ⓒ ①騎乘之馬。②出租馬車。§ ∼ **càrriage** [**còach**] 出租馬車。

hack·neyed [ˋhæknɪd] *adj.* 陳腐的；平凡的。

hack·saw [ˋhæk,sɔ] *n.* Ⓒ (鋸金屬用的)鋼鋸。(亦作 **hack saw**)

‡**had** [hæd] *v.* pt. & pp. of **have.**

had·dock [ˋhædək] *n.* Ⓒ (*pl.* ~, ~**s**) 〖魚〗黑絲鱈。

Ha·des [ˋhediz] *n.* ①〖希神〗冥府。②(亦作**Pluto**)閻王。③(h-) Ⓤ〖俗〗地獄。

‡**had·n't** [ˋhædṇt] =**had not.**

hadst [hædst] *v.*〖古〗have 之第二人稱，單數，過去式。

haft [hæft] *n.* Ⓒ 刀柄；劍柄。

hag [hæg] *n.* Ⓒ ①醜老太婆；巫婆；女巫。②〖動〗八目鰻類魚。

Hag·ga·i [ˋhægɪ,aɪ] *n.* (舊約中之)哈該書。(略作 **Hag.**)

hag·gard [ˋhægɚd] *adj.* ①憔悴的；形容枯槁的。②(特指鷹)野性的。

hag·gle [ˋhægḷ] *v.i.* 爭論；討價還價〔about, over〕。—*n.* Ⓒ 講價；爭論。

hag·i·ol·o·gy [,hægɪˋɑlədʒɪ] *n.* Ⓤ 聖徒(傳)研究；聖徒傳；聖徒名錄。

hag·rid·den [ˋhæg,rɪdṇ] *adj.* 受夢魘侵擾的。

Hague [heg] *n.* (The ~) 海牙(荷蘭之行政首都，爲國際法庭所在地)。

hah [hɑ] *interj.* =**ha.**

ha-ha[1] [,hɑˋhɑ] *interj.* 哈哈！—*n.* Ⓒ 哈哈(笑聲)。

ha-ha[2] [ˋhɑ,hɑ] *n.* Ⓒ 低籬笆；低牆垣。

*__hail__[1] [hel] *v.t.* ①向…歡呼；致敬。②招呼；呼叫。—*v.i.* (向船)招呼；喊叫。~ *from* 來自。—*n.* Ⓒ ①歡呼；致敬。②呼喊；招呼。*within ~* 在可以招呼的距離以內。—*interj.* 〖詩〗歡呼或致賀之聲。*H- Mary!* 萬福瑪利亞！

*__hail__[2] *n.* ① Ⓤ 雹；冰雹。②(a ~ of...)(如雹之)一陣。a ~ of bullets 一陣槍彈。—*v.i.* ①下雹。②(如雹般地)落下。—*v.t.* 如冰雹般地撒下、投下或傾下。

hail-fel·low [ˋhelˋfɛlo] *n.* Ⓒ (亦作 **hail fellow**) 密友。—[ˋhel,fɛlo] *adj.* ①非常親密的。②(與人)親暱的；極要好的；熱絡的；很隨便的〔with〕。

hail·stone [ˋhel,ston] *n.* Ⓒ (一粒)冰雹。

hail·storm [ˋhel,stɔrm] *n.* Ⓒ 降雹；雹暴。

‡**hair** [hɛr] *n.* ① Ⓤ 髮；毛；獸毛。② Ⓒ 毛狀物。③ Ⓤ Ⓒ 〖植〗茸毛。④(a ~) 極小的空間；極微。be not worth a ~ 一文不值。*by the turn of a ~* 差一點兒；險些兒。*get in one's ~* 〖俗〗觸怒；使發躁。*keep one's ~ on* 〖俗〗保持鎮靜。*let one's ~ down* 〖俚〗**a.**將頭髮散開。**b.**放輕鬆。*make one's ~ stand on end* 使人毛髮悚然。*not turn a ~* 絲毫不爲所動。*tear one's ~ (out)* (悲傷或激怒之餘)扯頭髮。*to (the turn of) a ~* 完全一樣。§ ∼ **nèt** (女性用)髮網。∼ **shírt** (苦行者所著)粗毛布襯衣。∼ **trìgger** (槍之)微力扳機。

hair·breadth [ˋhɛr,brɛdθ] *adj.* 間不容髮的。a ~ escape 死裡逃生。—*n.* (a ~) 一髮之差；極狹。escape death by a ~ 死裡逃生；間不容髮。

hair·brush [ˋhɛr,brʌʃ] *n.* Ⓒ 毛刷。

hair·cloth [ˋhɛr,klɔθ] *n.* Ⓤ 毛布(馬鬃與駱駝毛合織成的布)。

*__hair·cut__ [ˋhɛr,kʌt] *n.* Ⓒ ①理髮。②男子髮型。

hair·do [ˋhɛr,du] *n.* Ⓒ (*pl.* ~**s**) (女人的)髮型；做頭髮。

hair·dress·er [ˋhɛr,drɛsɚ] *n.* Ⓒ (專爲女子理髮之)美髮師。〔注意〕爲男子理髮者爲 **barber.**

hair·dress·ing [ˋhɛr,drɛsɪŋ] *n.* Ⓤ 美容業。

hair·less [ˋhɛrlɪs] *adj.* 無髮的；禿頭的。

hair·line [ˋhɛr,laɪn] *n.* Ⓒ ①用(馬等之)毛製的線或細索。②(頭部之)髮際線。③極細之線。

hair·pin [ˋhɛr,pɪn] *n.* Ⓒ 夾髮針。—*adj.* (道路)U 形急轉彎的。

hair-rais·er [ˋhɛr,rezɚ] *n.* Ⓒ 〖俗〗驚人之故事；令人毛骨悚然之經歷。

hair-rais·ing [ˋhɛr,rezɪŋ] *adj.*

H

〖俗〗令人毛骨悚然的。

hairs·breadth, hair's-breadth [ˋhɛrz,brɛdθ] *n. & adj.* =**hairbreadth.**

hair·split·ting [ˋhɛr,splɪtɪŋ] *n.* Ⓤ *& adj.* 吹毛求疵(的)；拘泥細節(的)。

hair·spring [ˋhɛr,sprɪŋ] *n.* Ⓒ 游絲(鐘錶的細發條)。

hair·style [ˋhɛr,staɪl] *n.* Ⓒ 髮型。— **hair′styl·ist,** *n.*

hair-trig·ger [ˋhɛrˋtrɪgɚ] *adj.* 容易觸發的；一觸即發的。

hair·y [ˋhɛrɪ] *adj.* ①長有毛的；多毛的。②如毛的；毛狀的。③毛製的。

Hai·ti [ˋhetɪ] *n.* 海地(黑人共和國，位於西印度群島中，首都 Port-au-Prince)。— **Hai·ti·an,** *adj. & n.*

hake [hek] *n.* Ⓒ (*pl.* **~s, ~**) 鱈魚；鱈魚類之魚。

ha·la·tion [heˋleʃən] *n.* Ⓤ〖攝〗(照相底片上顯現之)光輪狀暈。

hal·berd [ˋhælbɚd] *n.* Ⓒ 戟(古兵器)。(亦作 **halbert**)

hal·cy·on [ˋhælsɪən] *n.* Ⓒ〖鳥〗翠鳥；魚狗。— *adj.* 平靜的；太平的。

hale[1] [hel] *adj.* 強壯的；矍鑠的。～ and hearty 老當益壯。

hale[2] *v.t.* 猛拉；拖曳。

‡**half** [hæf, hɑf] *n.* (*pl.* **halves**) ① Ⓤ Ⓒ 半；一半。② Ⓒ (球戲中之)半場時間。③ Ⓒ 幾乎相等的兩部分之一。④ Ⓒ〖美俗〗五角。⑤ Ⓒ〖棒球〗半局。***by* ～** 一半；過份地。***by halves*** 不完全。***do* (*something*) *by halves*** 半途而廢；有始無終。***go halves with* (*a person*) *in* (*a thing*)** 與(某人)平分(某物)。***not* (*the*) *～ of*** 僅其次要者；僅小部分。— *adj.* ①半個的；一半的。～ an hour; a ～ hour 半小時。②不完全的。***see with ～ an eye*** 一看就明白。— *adv.* ①一半地；部分地。②差不多；幾乎。***not* ～** 壓根兒不；毫不。§ ～ **blòod** 半血親(同父異母或同母異父)的關係。～ **bòot** 半長統靴。～ **bròther** 同母異父或同父異母兄弟。～ **cóck** 槍機半引而不能擊發之位置。～ **crówn** (1)英國銀幣名。(2)二先令六便士之值。～ **dóllar**〖美，加〗五角銀幣。～ **nòte**〖樂〗半音符；二分音符。～ **pìnt** (1)半品脫。(2)〖俗〗矮子。(3)〖俚〗無足輕重之人。～ **sìster** 同父異母或同母異父姊妹。～ **sòle** (鞋底之)前掌。～ **stĕp**〖樂〗半音。～ **tìme** (足球等之)上、下半場間的休息時間。〔注意〕**half a** 是一般的說法，比較正式的用法是 **a half.**

half-and-half [ˋhæfn̩ˋhæf] *adj.* ①兩者各半的。②兩者兼有的。— *adv.* 等量地；各半地。— *n.* Ⓤ Ⓒ ①兩者各半之混合物。②(黑啤酒與烈啤酒各半的)混合啤酒。

half·back [ˋhæf,bæk] *n.* Ⓤ Ⓒ (足球)中衛。

half-baked [ˋhæfˋbekt] *adj.* ①半熟的。②缺乏經驗的。③無事實根據的。④不完全的。

half-blood [ˋhæf,blʌd] *n.* Ⓒ ①半血親的兄弟、姊妹。②混血兒。

half-bred [ˋhæf,brɛd] *adj.* 雜種的；混血的。

half-breed [ˋhæf,brid] *n.* Ⓒ 混血兒；混合種。

half-caste [ˋhæf,kæst] *n.* Ⓒ ①混血兒。②歐亞混血兒。

half-cooked [ˋhæfˋkukt] *adj.* 半煮的；半熟的。

half-done [ˋhæfˋdʌn] *adj.* ①半完成的。②半熟的。

half-heart·ed [ˋhæfˋhɑrtɪd] *adj.* 不熱心的；無興趣的。— **ly,** *adv.*

half-hour [ˋhæfˋaur] *n.* Ⓒ 半小時。— *adj.* 半小時的。

half-length [ˋhæfˋlɛŋθ] *adj.* 半身(像)的。— *n.* Ⓒ 半身像。

half-life [ˋhæf,laɪf] *n.* Ⓤ〖理〗半衰期。

half-mast [ˋhæfˋmæst] *n.* Ⓤ (下)半旗。— *v.t.* 下半旗。

half-moon [ˋhæf,mun] *n.* Ⓒ ①半月。②半月形(物)。

half·pen·ny [ˋhepnɪ, ˋhepənɪ] *n.* Ⓒ (*pl.* **-nies, -pence**) ①半便士銅幣。②半便士之值。— *adj.* ①半便士的。②微不足道的；無價值的。

half·pen·ny·worth [ˋhepənɪ,wɜθ] *n.* (a ～) 值半便士之物；微量。

half-sole [ˋhæfˋsol] *v.t.* 加前掌於(鞋底)。

half-tim·er [ˋhæf,taɪmɚ] *n.* Ⓒ ①做半工者。②〖英〗半工半讀的學童。

half·tone [ˋhæf,ton] *n.* Ⓒ ①〖印刷〗網版圖。②〖美術〗半調色；間色。③〖樂〗半音。— *adj.* 網版的；半調色的。

half-track [ˋhæf,træk] *n.* Ⓒ〖軍〗半履帶車。

half-truth [ˋhæf,truθ] *n.* Ⓤ Ⓒ 半眞半假的陳述[話]。

‡**half·way** [ˋhæfˋwe] *adv.* 半路地。***go* [*meet*] ～** 妥協。— *adj.* ①在中途的。②不徹底的；部分的。§ ～ **hòuse** (1)兩地中間之小客棧。(2)中途地點。(3)折衷辦法。

half-wit [ˋhæf,wɪt] *n.* Ⓒ 魯鈍者。

half-wit·ted [ˋhæfˋwɪtɪd] *adj.* 遲鈍的；愚笨的。— **ly,** *adv.* — **ness,** *n.*

half-year·ly [ˋhæfˋjɪrlɪ] *adv. & adj.* 每半年地[的]。

hal·i·but [ˋhæləbət] *n.* Ⓒ (*pl.* **~s, ~**) 大比目魚。

hal·ite [ˋhælaɪt] *n.* Ⓤ 岩鹽。

hal·i·to·sis [,hæləˋtosɪs] *n.* Ⓤ〖醫〗口臭。

‡**hall** [hɔl] *n.* ① Ⓒ〖美〗通道；走廊。② Ⓒ 穿堂；門廳。③ Ⓒ 會堂。④ Ⓒ 辦公室。⑤ Ⓒ (大學裡的)宿舍；演講廳等。⑥ (the H-)〖英〗(地主的)府第。

hal·le·lu·jah, -iah [,hæləˋlujə] *interj. & n.* Ⓒ 哈利路亞(讚美上帝語)。

Hal·ley [ˋhælɪ] *n.* 哈雷(Edmund, 1656-1742, 英國天文學家)。§ ～**'s cómet**〖天〗哈雷彗星。

hall·mark [ˋhɔl,mɑrk] *n.* Ⓒ ①(金銀的)純度檢驗印記。②品質的證明。— *v.t.* 加刻純度檢驗證明印記。

***hal·lo(a)** [həˋlo] *interj. & n.* Ⓒ (*pl.* **~s**) ①喂！②啊！— *v.i. & v.t.* 招呼(某人)；歡呼。

hal·loo [həˋlu] *interj. & n.* Ⓒ (*pl.* **~s**) 呼叫；大聲喊叫(尤指引人注意或狩獵時嗾犬者)。— *v.t. & v.i.* 招呼；喊叫。

hal·low [ˋhælo] *v.t.*①使神聖。②視爲神聖而崇敬。

Hal·low·een, -e'en [ˌhæloˋin, ˌhɑl-] *n.* 萬聖節前夕(十月三十一日之夜)。

Hal·low·mas [ˋhæloˌmæs] *n.*萬聖節(十一月一日)。

hal·lu·ci·nate [həˋlusn̩ˌet] *v.t.* 引起幻覺；使有幻覺。— *v.i.* 發生幻覺。

hal·lu·ci·na·tion [həˌlusn̩ˋeʃən] *n.* ①Ⓤ©幻覺。②©幻覺所見之物或聽見之聲。

hal·lu·ci·na·to·ry [həˋlusnəˌtorɪ] *adj.* 引起幻覺的。～ drug 迷幻藥。

hal·lu·ci·no·gen [həˋlusnəˌdʒɛn] *n.* Ⓤ©幻覺劑。

hall·way [ˋhɔlˌwe] *n.* ©走廊；玄關。

ha·lo [ˋhelo] *n.* © (*pl.* ～(**e**)**s**)①(日月的)暈輪；光圈。②(神像等頭上所畫之)光環。③榮光。— *v.i.* 成暈輪。— *v.t.* 環以光輪。

***halt**[1] [hɔlt] *v.t.* & *v.i.*(使)立定；(使)停止前進。— *n.* ①(a ～)立定；停止行進。②© (火車停留的)小站；電車站。*call a* ～ 命令停止。

halt[2] *v.i.*①猶豫。②囁嚅而言。③(韻文等)有缺點。

hal·ter [ˋhɔltɚ] *n.* ©①韁繩。②絞首用繩索。③婦女之袒肩露背胸衣。

halt·ing [ˋhɔltɪŋ] *adj.*①跛的；有缺陷的。②躊躇的；曖昧的。—**ly**, *adv.*

halve [hæv] *v.t.*①二等分；平分。②減半。③〖高爾夫〗與對手以同樣桿數打完(一洞或一次比賽)。

‡**halves** [hævz] *n.* pl. of **half.**

hal·yard [ˋhæljɚd] *n.* © (帆、旗等的)升降索。

***ham** [hæm] *n.*①Ⓤ©火腿。②© (獸類之)大腿。③Ⓤ 腿肉。④© (常*pl.*)臀部。⑤©〖俚〗笨拙的演員。⑥©〖俚〗業餘無線電玩家；火腿族。

Ham·burg [ˋhæmbɝg] *n.*漢堡(德國西北部城市)。§ ∼ [h∸] **stèak** 漢堡牛肉餅(碎牛肉煎成的餅)。

***ham·burg·er** [ˋhæmbɝgɚ] *n.*①= **Hamburg steak.** ②© 漢堡；夾牛肉餅的三明治。

ham-fist·ed [ˋhæmˋfɪstɪd] *adj.*拳頭大的；笨拙的。(亦作 **ham-handed**)

ham·let [ˋhæmlɪt] *n.* ©小村莊。

Ham·let [ˋhæmlɪt] *n.* 哈姆雷特(莎士比亞四大悲劇之一；該劇中之主角名)。

‡**ham·mer** [ˋhæmɚ] *n.* ©①鎚；鐵鎚。②木槌。③〖樂〗琴鎚。④似鎚之物。⑤〖運動〗鏈球。*bring*[*send*] *to the* ～ 把…拿去拍賣。*come*[*go*] *under the* ～ 被拍賣掉。～ *and tongs*〖俗〗拚命；竭力。— *v.t.* ①鎚打；鎚成(某形狀)。②釘〔常 down, up〕。③用力敲打〔常 out〕. ④努力或費力地工作〔常 out, together〕. ⑤辯論時提出(有力的論點)(常與 home 連用)。— *v.i.* ①鎚打；敲打。②埋頭工作〔常 away〕. ～ (*away*) *at* 苦心研究。～ *out* **a.** 用鎚打成器；鎚平；用鎚打掉。**b.** 苦心推敲出。§ **the** ∼ **thròw** 擲鏈球運動。

ham·mer·head [ˋhæmɚˌhɛd] *n.* ©①鎚頭。②〖魚〗撞木鮫。

ham·mock [ˋhæmək] *n.* © 吊床。§ ∼ **chàir** 可折疊的帆布躺椅。

ham·per[1] [ˋhæmpɚ] *v.t.* 使不能行動自如；妨礙；阻礙；困累。

ham·per[2] *n.* ©有蓋提籃

ham·ster [ˋhæmstɚ] *n.* ©〖動物〗倉鼠(當寵物或實驗用)。

ham·string [ˋhæmˌstrɪŋ] *n.* ©〖解〗腿筋。— *v.t.* (**-strung** or ～**ed**)①使殘廢；使跛。②使受挫。

‡**hand** [hænd] *n.* ①© 手。②© (猴子的)腳；(高級脊椎動物的)前腳。③© 如手之物(如鐘錶之針)。④© 勞工；雇工。⑤© (常*pl.*)掌握；處理。⑥©方面；方向。⑦(a ～)關係；參與。⑧(a ～)筆跡；書法。⑨ (one's～) 簽名。⑩© 技巧；手法。⑪Ⓤ 拍手喝采。⑫(*sing.*)婚約。⑬© 一手寬(約四吋)。⑭©〖牌戲〗一手牌；競賽之一盤；玩牌者。⑮© 水手。⑯©人(就能力而言)。⑰(a ～)幫助。*a good* [*poor*] ～ *at* 巧[拙]於。*at first* [*second*]～直[間]接。*at* ～ **a.**近處；在手邊。**b.** 即將到來。*at one's* ～由某人之手。*at the* ～(*s*) *of* 被；受。*bear* [*give, lend*] *a* ～ 參加〔in〕；幫助〔with〕. *by* ～ 手工做的；用手的。*by the* ～*s of* 經…之手。*change* ～*s* (財產等)換主人；易手。*clean* ～*s* 無辜；清白。*come to* ～ 收到；找著。*eat*[*feed*] *out of one's* ～順從；易管理。*fight* ～ *to* ～ 短兵相接；肉搏。*from* ～ *to* ～ 用手傳遞。*from* ～ *to mouth* 僅夠餬口；毫無積蓄的。*gain* [*get*] *the upper* ～ 占優勢。*get a big* ～大受喝采。～ *and foot* 全心全力地。～ *and*[*in*] *glove with* 跟…很親密。～ *in* ～ **a.**手牽手地。**b.**共同地。～ *over* ～[*fist*] **a.**(如爬繩般)雙手交互地攀登。**b.** 進展快速。～*s down* 不費力；輕易地。*Hands off!* 不許動手！不要干涉！*Hands up!* 舉手(表示投降或同意)！～ *to* ～ 接近。*have one's* [*a*] ～ *in* 干預；熟習。*have one's* ～*s full* 事忙；無法分身。*in* ～ **a.**在控制下。**b.**擁有。**c.**工作已經著手。*join* ～*s* **a.**結成同夥。**b.**結婚。*lay* ～*s on* **a.**攫；取；拿。**b.**抓住。**c.**襲擊。**d.**按手祝福(某人)。*off* ～ 馬上；立即。*off one's* ～*s* **a.**不在某人掌握中。**b.**責任完成。*on all* ～*s*(從)四面八方。*on* ～ **a.**現有。**b.**在近處。**c.**〖美〗出席。*on one's* ～*s* 在某人監督或掌握中。*on the one* ～一方面。*on the other* ～ 另一方面。*out of* ～ **a.** 即時。**b.**難控制。*tie one's* ～*s*束縛；使某人無能爲力。*wash one's* ～*s of* 洗手不幹；拒絕對…負責。*with a heavy* [*an iron*] ～壓制地；用鐵腕。— *v.t.* ①交給；傳遞。②扶持；以手助。～ *down* **a.**傳遞。**b.**宣布。～ *in* 提出；遞進。～ *out* 分給；交給。～ *over* 移交；讓與。§ ∼ **bàggage** 手提行李。∼ **bràke** 手煞車。∼ **glàss** 放大鏡。∼**grenàde** 手榴彈。∼ **lànguage** 手語。∼ **lùggage** 〖英〗手提行李。∼ **móney** 定金。∼ **òrgan** 手搖風琴。

H

*__hand·bag__ [ˋhænd,bæg, ˋhæn-] *n.* Ⓒ①女用手提包。②小旅行袋。
__hand·ball__ [ˋhænd,bɔl] *n.* Ⓤ手球。
__hand·bar·row__ [ˋhænd,bæro] *n.* Ⓒ①手推車。②擔架。
__hand·bell__ [ˋhænd,bɛl] *n.* Ⓒ手搖鈴。
__hand·bill__ [ˋhænd,bɪl] *n.* Ⓒ傳單。
__hand·book__ [ˋhænd,bʊk] *n.* Ⓒ①手冊。②旅行指南。③(賽馬的)彩票簿。
__hand·breadth__ [ˋhænd,brɛdθ] *n.* Ⓒ掌幅；掌幅尺(約4吋)。
__hand·cart__ [ˋhænd,kɑrt] *n.* Ⓒ手推[拉]車。
__hand·clap__ [ˋhænd,klæp] *n.* Ⓒ拍手。
__hand·clasp__ [ˋhænd,klæsp] *n.* Ⓒ握手。
__hand·cuff__ [ˋhænd,kʌf] *n.* Ⓒ(常*pl.*)手銬。— *v.t.* 加手銬於…。
__hand·ed__ [ˋhændɪd] *adj.* ①有…手的。②慣用…手的。③由…人組成的。three-*handed* bridge 三人打的橋牌。
‡__hand·ful__ [ˋhænd,fʊl, ˋhæn-] *n.* Ⓒ①一撮；一把。②少數(人或物)。③〖俗〗難處理之人、事。
__hand·grip__ [ˋhænd,grɪp] *n.* ①Ⓒ握手。②Ⓒ握柄。③(*pl.*)扭打；格鬥。
__hand·gun__ [ˋhænd,gʌn] *n.* Ⓒ〖美〗手槍。
__hand·hold__ [ˋhænd,hold] *n.* Ⓒ①把握；掌握。②把手；把柄。
*__hand·i·cap__ [ˋhændɪ,kæp] *n.* Ⓒ①〖運動〗(優劣懸殊者作比賽時，所給予優者之)障礙。②〖運動〗障礙賽。③障礙；困難。— *v.t.* (**-pp-**)①加障礙於(比賽者)。②使處於不利的地位。
__hand·i·capped__ [ˋhændɪ,kæpt] *adj.* ①受障礙的。②身心殘障的。
__hand·i·craft__ [ˋhændɪ,kræft] *n.* ①Ⓤ手工；手藝。②Ⓤ需要手工技藝的行業。③Ⓒ(常*pl.*)手工藝品。
__Hand·ie-Talk·ie__ [ˋhændɪ,tɔkɪ] *n.* Ⓒ〖商標〗大哥大(可隨身攜帶的小型無線電話機)。
__hand·i·ly__ [ˋhændɪlɪ] *adv.* ①方便地。②靈巧地；熟練地。③容易地。
__hand·i·work__ [ˋhændɪ,wɝk] *n.* ①Ⓤ手工。②Ⓒ手工藝品。
‡__hand·ker·chief__ [ˋhæŋkɚtʃɪf,-,tʃif] *n.* Ⓒ①手帕。②圍巾。
__hand-knit(ted)__ [ˋhændˋnɪt(ɪd)] *adj.* 手工編織的。
‡__han·dle__ [ˋhændl] *n.* Ⓒ①柄；把手。②可乘之機；口實。③〖俗〗名字；頭銜。***fly off the ～*** 發怒；激動。— *v.t.* ①以手觸動；持；執；搬。②管理；指揮。③對付；對待。④〖美〗經銷；買賣。— *v.i.* 操作；舉動。
__han·dle·bar__ [ˋhændl,bɑr] *n.* Ⓒ①(常*pl.*)(腳踏車之)把手。②〖俗〗八字鬍。
__han·dler__ [ˋhændlɚ] *n.* Ⓒ①處理者。②(拳師、摔角者等之)經理人；教練。③(鬥犬或馬等之)訓練者。
__hand·less__ [ˋhændlɪs] *adj.* 無手的；笨手笨腳的。
__han·dling__ [ˋhændlɪŋ] *n.* Ⓤ①以手觸摸[握，使用]。②管理；處理。
__hand·made__ [ˋhændˋmed] *adj.* 手工做的。
__hand·maid__ [ˋhænd,med] *n.* Ⓒ①女僕；婢女。②作爲輔助的事物。(亦作 **handmaiden**)
__hand-me-down__ [ˋhænmɪ,daʊn]〖俚〗*adj.* ①現成的；便宜的。②舊的。— *n.* Ⓒ(常*pl.*)舊衣服；現成衣服。
__hand·out__ [ˋhænd,aʊt] *n.* Ⓒ①施捨品。②(免費的)廣告物品。③(報紙上發表之)公開聲名[啓事]。④傳單。
__hand·o·ver__ [ˋhænd,ovɚ] *n.* Ⓤ移交。
__hand-pick__ [ˋhændˋpɪk] *v.t.* ①用手摘。②用手挑選；精心挑選。
__hand-picked__ [ˋhændˋpɪkt] *adj.*①用手摘的。②精選的。
__hand·rail__ [ˋhænd,rel] *n.* Ⓒ扶手；欄干。
__hands-down__ [ˋhændzˋdaʊn] *adj.* ①容易的。②毫無疑問的。
__hand·sel__ [ˋhænsl] *n.* Ⓒ①賀禮；新年禮物；新郎給新娘的禮物。②第一次付款；第一筆生意所得之款。③初試；初嘗。— *v.t.* (**-l-,**〖英〗**-ll-**)①致送賀儀與…。②首先使用或嘗試。③爲…舉行開幕典禮。
__hand·set__ [ˋhænd,sɛt] *n.* Ⓒ(無線電之)手持話機(兼具收、發功能)。
__hand·shake__ [ˋhænd,ʃek] *n.* Ⓒ握手。
__hands-off__ [ˋhændzˋɔf] *adj.*袖手旁觀的；不干預的。
‡__hand·some__ [ˋhænsəm] *adj.* ①美觀的；英俊的；漂亮的。②相當大的。③慷慨的；大方的。④〖俗〗優美的；合宜的。⑤熟練的；得體的。***H- is that [as] ～ does.*** 唯善爲美。
__hand·spring__ [ˋhæn,sprɪŋ] *n.* Ⓒ翻觔斗。
__hand·stand__ [ˋhænd,stænd] *n.* Ⓒ倒立。
__hand-to-hand__ [ˋhændtəˋhænd] *adj.* 交手的；白刃戰的。
__hand-to-mouth__ [ˋhændtəˋmaʊθ] *adj.* & *adv.*①無隔宿之糧的[地]。②不儉省的[地]。
__hand·work__ [ˋhænd,wɝk] *n.* Ⓤ手工；精細工藝。—**ed,** *adj.*
*__hand·writ·ing__ [ˋhænd,raɪtɪŋ] *n.* ①Ⓤ(又作 a ～)筆跡；書法。②Ⓒ手寫物。***～ on the wall*** 災禍之預兆。
__hand·writ·ten__ [ˋhænd,rɪtn] *adj.* 手寫的。
*__hand·y__ [ˋhændɪ] *adj.*①便利的。②手熟的；敏捷的。③易於駕馭的。④在手邊的；容易取得的。
__hand·y-dand·y__ [ˋhændɪˋdændɪ] *n.* Ⓤ(猜對方那一手中握有東西的)猜猜看遊戲。
__hand·y·man__ [ˋhændɪ,mæn] *n.* Ⓒ(*pl.* **-men**)受雇做雜事的人。
‡__hang__ [hæŋ] *v.t.* (**hung** or **hanged**)①懸；掛；吊。②絞死。③釘十字架處死。④懸掛以點綴之。⑤垂(首)。⑥貼(紙等)在牆上。⑦拖延(時間)。⑧懸擱。⑨陳列。⑩(將門用鉸鏈)裝在門框上。⑪一種較輕的詛咒(＝damn). I'll be ～*ed* if I do. 我才不幹哩！— *v.i.*①懸；掛；吊。②吊死。③附著；纏住。④視…而定。⑤徘徊。⑥躊躇。⑦上十字架。⑧擱置。⑨飄浮在空中。⑩負荷。⑪注意；思考〔常on, upon〕. ⑫被陳列。***～ about***

[*around*] a.徘徊; 在附近。b.閒呆著。~ *back* 躊躇不前; 退縮。~ *by a hair*[*a single thread*]千鈞一髮。~ *fire* a.(槍等)發火慢。b.(事情)懸擱; 耽擱時間。~ *in the balance* 岌岌可危。~ *on* a.緊抱。b.不願讓(人等)走開、停下或離去。c.堅持。d.依恃; 斜靠。~ *out* a.前靠; 伸出身體。b.掛在外面。c.〖俚〗居住; 停留。~ *over* a.接近。b.威脅; 逼近。c.擱置。~ *together* a.(人等)團結一致。b.(物等)和諧一致。~ *up* a.放在鉤、栓等上面; 掛; 吊。b.掛斷電話。c.中止。—— *n.* ① Ⓤ 懸; 掛; 垂下狀態。②(the ~)〖美俗〗用法; 作法; 訣竅。③(the ~)〖美俗〗意義; 意念。④ Ⓒ 一點點。not care a ~ 毫不在乎。§ ~ **glíder** (1)滑翔翼。(2)從事滑翔翼運動者。~ **glíding** 滑翔翼運動。〔注意〕在正式英語中, **hang** 作「絞死」解時, 其變化為 hang, hanged, hanged. 作其他意義解時, 其變化為 hang, hung, hung.

hang·ar [ˋhæŋɚ] *n.* Ⓒ ①飛機庫。②棚廠。(〖英〗亦作 **hangarage**)

hang·dog [ˋhæŋ,dɔg] *adj.*①低賤的。②鬼鬼祟祟的。—— *n.* Ⓒ 卑賤的人。

hang·er [ˋhæŋɚ] *n.* Ⓒ ①懸掛者。②掛物之鉤或環。

hang·er-on [ˋhæŋɚˋɑn] *n.* Ⓒ (*pl.* **hang·ers-on**)依附者; 食客; 隨從者。

hang·ing [ˋhæŋɪŋ] *n.*① Ⓤ Ⓒ 絞死; 絞刑。② Ⓤ 懸掛; 垂掛。③ Ⓒ (常 *pl.*)窗帘; 幔帳。—— *adj.* ①應處絞刑的。②懸掛的。③位於高處或斜坡上的。

hang·man [ˋhæŋmən] *n.* Ⓒ (*pl.* **-men**)絞刑吏; 劊子手。

hang·nail [ˋhæŋ,nel] *n.* Ⓒ 指甲根上的肉刺; 逆臚。

hang·out [ˋhæŋ,aut] *n.* Ⓒ 〖俚〗(流氓等之)住處。

hang·o·ver [ˋhæŋ,ovɚ] *n.* (a ~) ①殘留物; 遺物。②〖美俚〗宿醉(酒醒後之殘餘影響)。③(藥物之)副作用。

hang·up [ˋhæŋ,ʌp] *n.* Ⓒ 〖俚〗委屈; 委靡; 阻礙等。

hank [hæŋk] *n.* Ⓒ 一束; 一捲(絲等)。

han·ker [ˋhæŋkɚ] *v.i.* 渴望。

han·ker·ing [ˋhæŋkərɪŋ] *n.* Ⓒ (常 a ~)熱望; 渴望。—— *adj.*熱望的; 切望的; 眷戀的。—**ly,** *adv.*

han·ky-pan·ky [ˋhæŋkɪˋpæŋkɪ] *n.* Ⓤ〖俗〗①幻術; 戲法。②騙術; 不道德的行為。③戲言; 輕佻之行為。

Ha·noi [hɑˋnɔɪ] *n.* 河內(越南首都)。

han·som [ˋhænsəm] *n.* Ⓒ 一馬二輪有蓋雙座小馬車(御者座位高踞車後者)。

hap [hæp] *n.*① Ⓒ 意外事件。② Ⓤ 運氣。—— *v.i.* (**-pp-**)偶然發生。

hap·haz·ard [ˋhæp,hæzɚd] *n.* Ⓤ 偶然; 偶然事件; 隨便。——[,hæpˋhæzɚd] *adj. & adv.* 偶然的[地]; 隨便的[地]。

hap·less [ˋhæplɪs] *adj.* 不幸的; 倒楣的。

‡**hap·pen** [ˋhæpən] *v.i.* ①發生; 偶然發生。②偶然; 恰巧。~ *on* 偶然發現。

***hap·pen·ing** [ˋhæpənɪŋ] *n.* Ⓒ (常*pl.*)事件。

‡**hap·pi·ly** [ˋhæpɪlɪ] *adv.* ①快樂地; 高興地。②幸運地。③適當地; 技巧地。

‡**hap·pi·ness** [ˋhæpɪnɪs] *n.* Ⓤ ①快樂; 幸福。②幸運。③適當。

‡**hap·py** [ˋhæpɪ] *adj.* ①高興的; 愉快的; 滿足的; 快樂的。②幸福的; 幸運的。③適當的; 成功的。④喜歡的(常用在複合字中)。a trigger-*happy* gangster 一個動不動就開槍的歹徒。§ ~ **dispátch** 〖婉言〗切腹。~ **evént**〖婉言〗孩子的誕生(喜事)。~ **fámily** 在同一個籠子裡相處得很好的不同種動物。~ **hòur** 快樂時刻(指酒吧飲料減價出售的那段時間)。~ **húnting gròund**(北美印第安人之)極樂世界。~ **lánding** 一路順風; 旅途愉快。~ **médium**(常 *sing.*)中庸之道。~ **reléase** 死。

hap·py-go-luck·y [ˋhæpɪ,goˋlʌkɪ] *adj.* 聽天由命的; 隨遇而安的。

ha·ra-ki·ri [ˋhɑrəˋkɪrɪ, ˋhærə-] 〖日〗*n.* Ⓤ 切腹自殺; 剖腹。(亦作 **hari-kari**)

ha·rangue [həˋræŋ] *n.* Ⓒ ①大聲疾呼的演說。②長篇的高談闊論。③雄辯。—— *v.t.* 向…作大聲疾呼。—— *v.i.* 高談闊論。

***ha·rass** [ˋhærəs, həˋræs] *v.t.*①侵擾; 襲擊。②使困苦; 使煩惱。

ha·rass·ment [ˋhærəsmənt] *n.*① Ⓤ 侵擾; 煩惱; 困苦。② Ⓒ 使煩惱之事物; 侵擾之事物。

har·bin·ger [ˋhɑrbɪndʒɚ] *n.* Ⓒ ①先驅; 先鋒; 先行報信者。②先兆。—— *v.t.* 作先鋒; 預兆。

‡**har·bor,** 〖英〗**-bour** [ˋhɑrbɚ] *n.* Ⓤ Ⓒ ①港。②避難所。—— *v.t.* ①庇護; 藏匿。②懷藏(惡意等)。—— *v.i.* 躲藏; 潛伏; 停泊。§ ~ **màster** 港務長。

‡**hard** [hɑrd] *adj.*①堅硬的。②結實的; 堅固的。③嚴重的; 嚴厲的。④辛苦的; 艱難的。⑤刻苦的; 堅忍的。⑥難堪的; 不悅的。⑦強烈的; 狂暴的。⑧無情的。⑨硬質的; 含有鹽分的。⑩〖美〗含酒精成分多的。⑪〖語音〗硬音的; 不濁的。⑫無法忍受的。⑬艱苦的。⑭無法否認的。⑮含有敵意的; 不友善的。~ *and fast* 嚴格的; 不許變動的; 牢不可破的。~ *of hearing* 略聾; 重聽。*have a ~ time of it* 受難; 受苦; 遭殃。—— *adv.*①努力地; 辛苦地; 強烈地。②堅硬地。③堅牢地; 緊地。④猛烈地; 竭力地。⑤接近地; 緊隨地。⑥用力地; 困難地。*be ~ put to it* 極端困難; 不知所措。*go ~ with* 受苦。~ *by* 近傍。§ ~ **cáse** (1)積習難改的人。(2)棘手案件。~ **cásh** (1)硬幣。(2)現款。~ **cíder** 發酵蘋果酒。~ **cóal** 無煙煤。~ **cópy** (1)(印在紙上)可讀的電腦資料; 硬拷貝。(2)清稿。~ **córe** (1)(黨派)核心中堅分子。(2)道路之底石。(3)(社會團體中之)頑固份子。~ **còurt** 硬地網球場。~ **cúrrency**〖經〗強勢貨幣。~ **dísk** 硬式磁碟。~ **drínk**[**líquor**]烈酒。~ **drínker** 酗酒者。~ **drúg** 成癮毒品。~ **féelings** 氣憤; 敵意。~ **gòods** 耐用商品(如汽車、家具、家庭電器等)。~ **hàt** 安全帽。~ **lábor** (1)勞役; 苦役。(2)激烈的勞動。~ **lánding**〖空〗

硬著陸。~ líne 強硬路線。~ lúck 不幸；壞運氣。~ móney 硬幣。~ nút 〖俗〗困難的事；難應付的人。~ pálate 硬顎。~ rúbber 硬橡膠；硬橡皮。~ sàuce 甜奶油汁。~ scíence 自然科學。~ séll 積極的推銷技術。~ shóulder (尤指公路邊供出拋錨汽車停靠的)表面堅硬的路肩。~ síte 地下飛彈發射基地。~ tímes 不景氣。

hard·back [ˋhard,bæk] *n.* Ⓒ 硬封面的書。

hard-bit·ten [ˋhardˋbɪtn̩] *adj.* 倔強的。

hard·board [ˋhard,bord] *n.* Ⓤ 〖建〗硬質纖維板。

hard-boiled [ˋhardˋbɔɪld] *adj.* ①(蛋)煮硬了的。②〖俗〗頑強的；冷酷無情的。③理智的。④〖俚〗硬挺的。

hard·bound [ˋhardˋbaʊnd] *adj.* = **hardcover.**

hard-core [ˋhard,kor] *adj.* ①核心的。②徹底的；堅定的。③(色情影片、書刊等)極端露骨的。④(毒癮等)成癮難癒的。⑤(失業者由於教育程度低等因素而)始終無法就業的。— *n.* Ⓒ ①極端露骨而大膽之色情電影或書刊。②(由於教育程度等因素而)長期失業者。

hard·cov·er [ˋhardˋkʌvɚ] *n.* Ⓒ 精裝書。— *adj.* 精裝的。

***hard·en** [ˋhardn̩] *v.t.*①使堅強；使堅固。②鍛鍊；使剛毅。— *v.i.* ①變硬；變堅強。②變得無情；堅定。③漲價。④(市場)穩定。

hard-fist·ed [ˋhardˋfɪstɪd] *adj.* ①有結實之雙手的；有臂力的。②吝嗇的；自私的。③殘酷的。(亦作 **hardfisted**)

hard·hat [ˋhard,hæt] *n.* Ⓒ 〖俗〗①建築工人。②極端保守主義者。

hard-head·ed [ˋhardˋhɛdɪd] *adj.* ①精明的；冷靜的。②實際的；不流於空想的。③頑固的。

hard·heart·ed [ˋhardˋhartɪd] *adj.* 硬心腸的。

har·di·hood [ˋhardɪ,hʊd] *n.* Ⓤ ①大膽；剛毅。②蠻勇；厚顏。③健壯。

har·di·ly [ˋhardḷɪ] *adv.* ①大膽地；剛毅地。②魯莽地。③刻苦耐勞地。

hard-lin·er [ˋhardˋlaɪnɚ] *n.* Ⓒ 〖俗〗主張採取強硬行動者；不妥協者。

‡**hard·ly** [ˋhardlɪ] *adv.*①幾乎不；大概不。I could ~ understand him. 我不大能懂他的意思。②剛剛；恰好(與when 連用)。He had ~ reached there when it began to snow.他剛一到達那裡，就下雪了。③努力地；刻苦地。④嚴厲地；刻薄地。~ *ever* 很少。

hard·ness [ˋhardnɪs] *n.* Ⓤ ①堅硬；硬度。②困難；難解。③嚴厲；冷酷。

hard-nosed [ˋhard,nozd] *adj.* = **hard-headed.**

hard-of-hear·ing [ˋhardəv-ˋhɪrɪŋ] *adj.* 不良於聽的；重聽的。

hard-on [ˋhard,an] *n.* Ⓒ 〖俗〗勃起。

hard-pressed [ˋhardˋprɛst] *adj.* ①受強烈之壓力的。②財政緊迫的。

***hard·ship** [ˋhardʃɪp] *n.* Ⓤ Ⓒ 困苦；艱難；辛苦。

hard·tack [ˋhard,tæk] *n.* Ⓤ 硬餅乾(作軍用口糧)。

hard·top, hard-top [ˋhard,tap] *n.* Ⓒ 硬頂轎車。

***hard·ware** [ˋhard,wɛr] *n.* Ⓤ ①五金器具。②軍火、武器等。③電子計算機、核子反應器等的零件。④(用於飛彈、飛機等中的)機器；零件。⑤〖電算〗硬體；硬件。

hard·wood [ˋhard,wʊd] *n.* Ⓤ 硬木(如橡木)。

hard·work·ing [ˋhardˋwɝkɪŋ] *adj.* 苦幹的。

***har·dy** [ˋhardɪ] *adj.*①強壯的。②需要膽量與勇敢的。③(植物)耐寒的。④魯莽的；輕率的。⑤能吃苦耐勞的。

Har·dy [ˋhardɪ] *n.* 哈代 (Thomas, 1840-1928, 英國詩人及小說家)。

hare [hɛr] *n.* Ⓒ (*pl.* **~s, ~**)野兔。***run with the ~ and hunt with the hounds*** 兩面討好。

hare·bell [ˋhɛr,bɛl] *n.* Ⓒ 〖植〗圓葉風鈴草；釣鐘柳。

hare·brained [ˋhɛrˋbrend] *adj.*輕率的；粗心的。

hare·lip [ˋhɛr,lɪp] *n.* Ⓤ Ⓒ 兔唇。— **hare′lipped** [-,lɪpt], *adj.*

har·em [ˋhɛrəm] *n.* Ⓒ ①(回教徒之)閨房。②(妻、妾、女僕等)女眷。

har·i·cot [ˋhærɪ,ko] *n.* Ⓒ 扁豆；扁豆莢。§ ~ **bèan** 扁豆。

hark [hark] *v.i.*聽(常用於命令語句)。— *v.t.*〖古〗聽。~ ***back*** **a.**(獵犬)循原路而返以求嗅跡。**b.**復原；舊事重提。

Har·lem [ˋharləm] *n.*哈林區(紐約市 Manhattan 東北部的黑人居住區)。

har·le·quin [ˋharləkwɪn] *n.* Ⓒ ①(常 H-)趣劇或啞劇中的諧角。②丑角。

har·lot [ˋharlət] *n.* Ⓒ 妓女。

‡**harm** [harm] *n.* Ⓤ 傷害；損害；害處。***H- set, ~ get.*** 害人反害己。— *v.t.* 傷害；損害；有害於。

***harm·ful** [ˋharmfəl] *adj.* 有害的。

***harm·less** [ˋharmlɪs] *adj.*①無害處的；無損害的。②無辜的；無惡意的。

har·mon·ic [harˋmanɪk] *adj.* ①調和的；和諧的。②〖樂〗和音的。— *n.* Ⓒ 〖樂〗陪音；和音。

har·mon·i·ca [harˋmanɪkə] *n.* Ⓒ 口琴。

har·mon·ics [harˋmanɪks] *n.* Ⓤ 〖樂〗和聲學。

***har·mo·ni·ous** [harˋmonɪəs] *adj.* ①協調的；調和的。②和睦的。③音調和諧的；悅耳的。— **ly,** *adv.*

har·mo·ni·um [harˋmonɪəm] *n.* Ⓒ 簧風琴。

har·mo·nize [ˋharmə,naɪz] *v.t.*①使調和；使一致。②〖樂〗加調和音(使成諧調)。— *v.i.* ① 和諧；一致；諧調；相稱。②和諧地演奏或唱。

***har·mo·ny** [ˋharmənɪ] *n.* ① Ⓤ 協調；調和。② Ⓤ 和睦；和平共處。③ Ⓤ Ⓒ 〖樂〗和聲；和聲法。

har·ness [ˋharnɪs] *n.* Ⓤ Ⓒ ①馬具。②降落傘繫在身體上的繩子。③牽小孩走路使不會摔倒的繩帶等。④〖古〗甲冑。***in ~***從事日常工作。***work*** [***run***] ***in ~*** 共同工作。— *v.t.* ①束以馬具；駕(馬)於車。②利用(水、瀑布等)使產生動力。

***harp** [harp] *n.* ① Ⓒ 豎琴。② Ⓒ 豎琴形之物。③(H-)〖天〗天琴座。— *v.i.* ①彈

豎琴。②不停地說〔on, upon〕. —**er,** —**ist,** *n.*

har·poon [hɑrˋpun] *n.* Ⓒ 銛；魚叉。**—** *v.t.* 以魚叉投射(魚)。

harp·si·chord [ˋhɑrpsɪ,kɔrd] *n.* Ⓒ 大鍵琴(鋼琴的前身，盛行於十六、十七、十八世紀)。

Har·py [ˋhɑrpɪ] *n.* Ⓒ ①〖希神〗首及身似女人，而翅膀、尾巴及爪似鳥之怪物。②(h-)殘酷貪婪之人。

har·ri·dan [ˋhærədən] *n.* Ⓒ 年老色衰之娼妓；惡婦；醜婆。

har·ri·er [ˋhærɪɚ] *n.* ① Ⓒ 獵兎狗。②(*pl.*)獵兎的人與狗。③ Ⓒ 越野賽跑者。

har·row [ˋhæro] *n.* Ⓒ 耙。***under the*** **~**受苦；遭難。**—** *v.t.* ①耙掘。②傷害；使傷心。③使受痛苦。—**ing,** *adj.*

har·ry [ˋhærɪ] *v.t.*①掠奪；蹂躪。②使痛苦；使苦惱。③不斷地困擾(人)。

***harsh** [hɑrʃ] *adj.*①粗糙的；刺耳的；刺目的。②嚴厲的；苛刻的。③殘酷的；無情的。④崎嶇不平的。⑤(味道)澀口的。—**ly,** *adv.* —**ness,** *n.*

hart [hɑrt] *n.* Ⓒ 雄鹿(尤指五歲以上之雄紅鹿)。

har·um-scar·um [ˋhɛrəmˋskɛrəm] *adj. & adv.*輕率的[地]；鹵莽的[地]。**—** *n.*① Ⓒ 冒失鬼。② Ⓤ 粗率的行爲。

Har·vard [ˋhɑrvɚd] *n.*美國哈佛大學(在 Massachusetts 州 Cambridge,創立於 1636 年，爲美國最早之學院)。

Har·vard·man [ˋhɑrvɚdmən] *n.* Ⓒ (*pl.* **-men**) (美國)哈佛大學畢業生。

***har·vest** [ˋhɑrvɪst] *n.* ① Ⓒ 收穫；收穫量；收穫物。② Ⓒ 收穫期。③(*sing.*)成果；結果。**—** *v.t. & v.i.* 收割；收穫。§ ~ **féstival**〖英〗收穫節(感謝豐收之教會祭典)。~ **flỳ** 秋蟬。~ **hóme** (1)收割結束。(2)慶祝收穫節。(3)收穫節所唱之歌。~ **mònth** 收割月(九月)。~ **móon** 秋分前後之滿月。

har·ves·ter [ˋhɑrvɪstɚ] *n.* Ⓒ ①收穫者。②收割機。

har·vest·man [ˋhɑrvɪstmən] *n.* Ⓒ (*pl.* **-men**) ①收割者。②〖動〗盲蛛。

‡**has** [hæz] *v.* have的第三人稱，單數，現在式，直說法。

has-been [ˋhæz,bɪn] *n.* Ⓒ〖俗〗過時的人或物；曾經紅過的人。

hash [hæʃ] *n.*① Ⓤ Ⓒ 熟肉末炒馬鈴薯泥。②(a ~)混雜；混雜物。③ Ⓤ 亂七八糟。***make a ~ of*** 弄糟。***settle a person's ~*** 使服貼；使啞口無言。**—** *v.t.* ①切細。②〖俗〗弄糟。③徹底討論或檢討。§ ~ **hòuse**〖美俚〗經濟小吃店。

hash·eesh, hash·ish [ˋhæʃiʃ] *n.* Ⓤ 印度大麻葉製造的一種麻醉藥。

‡**has·n't** [ˋhæznt] =**has not.**

hasp [hæsp] *n.* Ⓒ ①門窗、箱子等之鐵釦。②一束紗或線。**—** *v.t.*用鐵釦扣上。

has·sle [ˋhæsl] *n.* Ⓒ ①口角；激烈之爭論。②費力氣之工作[事]。**—** *v.t.* 使困擾。**—** *v.i.* 口角；激烈地爭論。

has·sock [ˋhæsək] *n.* Ⓒ ①膝墊(祈禱時跪用)。②有墊子的矮腳凳。③草叢。

hast [hæst] *v.*〖古〗have 之第二人稱，單數，現在式，直說法。

haste** [hest] *n.* Ⓤ 匆忙；急忙。H- makes waste; More ~ less speed.*** 欲速則不達；忙中有錯。***make ~*** 急忙；匆忙。**—** *v.t. & v.i.*=**hasten.**

***has·ten** [ˋhesn̩] *v.t.* 催促；促進。**—** *v.i.* 趕快；急行。

***hast·y** [ˋhestɪ] *adj.* ①匆匆的；急忙的。②草率的；率爾的。③易怒的；壞脾氣的。*—**hast'i·ly,** *adv.* —**hast'i·ness,** *n.*

‡**hat** [hæt] *n.* Ⓒ (有帽簷之)帽。***~ in hand*** 恭謹；謙和。***My ~!***〖俚〗唉呀！天啊！***send [pass] round the ~*** 募捐。***take off one's ~ to*** 對…表示敬意。***talk through one's ~***〖俚〗說大話；吹牛。**—** *v.t.* (**-tt-**) 戴帽子。§ ~ **trèe** 立式衣帽架。~ **trìck** (1)(板球賽)以三個球將對方三名打擊手三振出局。(2)(足球、曲棍球賽等)一人得三分。

hat·band [ˋhæt,bænd] *n.* Ⓒ 帽子的緞帶。

hat·box [ˋhæt,bɑks] *n.* Ⓒ 帽盒。

hatch[1] [hætʃ] *v.t.* ①孵(卵、雞)。②策畫；圖謀。**—** *v.i.* 孵化。**—** *n.* Ⓒ ①孵。②一窩所孵之雞。***~es, catches, matches, and dispatches***〖謔〗(報紙上之)出生、訂婚、結婚、死亡消息欄。

hatch**[2] *n.* Ⓒ ①艙口；艙門。②地板[天花板]上之開口。③艙口蓋；地窖蓋。④水門；閘。⑤(上下開合門的)下半扇門。under ~es*** **a.** 在甲板下。**b.** 被關著。

hatch·back [ˋhætʃ,bæk] *n.* Ⓒ 後門可向上打開的汽車。

hatch·er·y [ˋhætʃərɪ] *n.* Ⓒ 魚卵「孵化場。」

hatch·et [ˋhætʃɪt] *n.* Ⓒ ①手斧；斧頭。②(北美印第安人的)戰斧；鉞。***bury the ~*** 修睦；媾和。***dig [take] up the ~*** 開戰。§ ~ **fàce** 瘦削之臉。~ **màn**〖俗〗(1)職業殺手。(2)受雇撰寫中傷他人之報導的記者(等)。

hatch·way [ˋhætʃ,we] *n.* Ⓒ ①艙口。②地窖口。

‡**hate** [het] *v.t.* ①憎惡；憎恨。②不喜歡。**—** *n.* Ⓤ 憎恨；憎惡。§ ~ **càll [màil]** 故意騷擾人的(無聊)電話[信]。

hate·ful [ˋhetfəl] *adj.* 憎惡的；可憎的；討厭的。—**ly,** *adv.*

hate·mon·ger [ˋhet,mʌŋgɚ] *n.* Ⓒ 挑撥他人使對某人懷恨者。

hat·er [ˋhetɚ] *n.* Ⓒ 懷恨者。

hath [hæθ] *v.*〖古〗有(=has).

hat·pin [ˋhæt,pɪn] *n.* Ⓒ (女帽之)帽針。

***ha·tred** [ˋhetrɪd] *n.* Ⓤ 憎恨；仇恨。

hat·ter [ˋhætɚ] *n.* Ⓒ 製帽人；帽商。

haugh·ty [ˋhɔtɪ] *adj.* 傲慢的；驕傲的；不遜的。—**haugh'ti·ly,** *adv.*

haul** [hɔl] *v.t.* ①拖；拉。②運輸。③使降下〔常 down〕. **—** *v.i.* ①拖；拉；曳。②改變方向。~ down one's flag [colors]*** 投降。***~ off*** **a.** 將船開駛。**b.** 撤退。***~ up*** **a.** 改變航路。**b.** 使船轉爲迎風前進。**c.** 傳喚(人)到…。**d.** 停止。**—** *n.* ①(a ~)用力拖拉。②(a ~)拖拉的距離。③ Ⓒ (尤指)一網所獲之魚；收穫。

haul·age [ˋhɔlɪdʒ] *n.* Ⓤ 拖曳；牽引力；(貨物之)搬運；(貨物之)運費。

haul·er [ˋhɔlɚ] *n.* Ⓒ 拖運者；搬運者；

搬運工；運輸業者。

haunch [hɔntʃ, hantʃ] *n.* Ⓒ①(常 *pl.*)臀部。②(動物之)腰腿部。

***haunt** [hɔnt, hant] *v.t.* & *v.i.*①常到；常至。②(鬼)出沒。③縈繞於心。── *n.* Ⓒ(常 *pl.*)常到的地方。

haunt·ed [ˋhɔntɪd] *adj.* ①鬼常出沒的。②縈繞於懷的。③煩擾的。

haunt·ing [ˋhɔntɪŋ] *adj.*常浮現於腦海中的；不易忘懷的。—**ly,** *adv.*

haute cou·ture [ˏotkuˋtur]〖法〗*n.* Ⓤ①(集合稱)(製銷新款式的)高級服裝店。②(集合稱)名時裝設計師。③最新流行服裝款式。

haute cui·sine [ˏotkwɪˋzin]〖法〗*n.* Ⓤ①高級烹飪。②名菜；佳餚。

hau·teur [hoˋtɜ, o-]〖法〗*n.* Ⓤ傲慢。

Ha·van·a [həˋvænə] *n.* ①哈瓦那(古巴首都)。②Ⓒ哈瓦那雪茄煙。

‡**have** [hæv] *v.t.*(**had**)①有；包括有。②令；使。③必須；不得不(與 infinitive 連用)。④獲得；取用；吃；喝。⑤有(指抽象的事物)；表現。⑥享受；經歷。⑦進行；作。⑧允許；准；忍耐(多用否定式)。⑨說；宣稱；認爲。⑩記憶；牢記。⑪懂；通曉。⑫心存；蓄懷。⑬生；生產。⑭有(指人與人之間的某種關係)。⑮〖俗〗戰勝；使迷惑；打敗。⑯欺騙；瞞。⑰邀請；招待。⑱表示；表現。~ ***and*** (***to***) ***hold*** 保有。~ ***at*** (***a person***) 攻擊(某人)。***H- done!*** 算了吧！(= Stop!) ~ ***it coming***〖俗〗活該。~ ***it in for***〖俗〗懷恨。~ ***it out***(辯論)辯出個結果。***H- it your own way!***隨你的便吧。~ ***on*** **a.**穿(衣)；戴(帽)。**b.**有…安排[計畫]。~ ***to do with*** **a.**與…有關。**b.**爲…的伴侶[夥伴，朋友]；與…交往。***Let him*** ~ ***it!*** **a.**〖俗〗懲罰他！**b.** 坦白告訴他你對他的看法。── *aux. v.* 用以形成完成時態。── *n.* ①Ⓒ〖俚〗詐欺；詐騙。②(*pl.*, 常 the ~)有產者；富人；富國。the ~*s* and *have*-nots 富人與窮人。

ha·ven [ˋhevən] *n.* Ⓒ①港口；避風港。②避難所。

have-not [ˋhævˏnɑt] *n.* Ⓒ(常 *pl.*)〖俗〗窮人；窮國。

‡**have·n't** [ˋhævn̩t] =**have not.**

hav·er·sack [ˋhævəˏsæk] *n.* Ⓒ行軍糧袋；乾糧袋。

hav·oc [ˋhævək] *n.* Ⓤ大破壞；蹂躪；毀壞。***play*** ~ ***with*** [***among***]; ***make*** ~ ***of*** 大肆破壞。

haw[1] [hɔ] *n.* Ⓒ①山楂。②籬；庭園。

haw[2] *v.i.* 言語支吾；裝腔作勢地說「呃，嗯」。── *n.* Ⓒ呃；嗯；支吾聲。

haw[3] *interj.*〖美〗豁！(叱馬左轉之喝聲)。

Ha·wai·i [həˋwaɪjə] *n.*①夏威夷(美國之一州，首府Honolulu)。②=**Hawaiian Islands.** ③夏威夷島。

Ha·wai·ian [həˋwaɪjən] *adj.*夏威夷的。── *n.* ①Ⓒ夏威夷人。②Ⓤ夏威夷語。§ ∽ **guitár** 夏威夷吉他。**the** ∽ **Íslands** 夏威夷群島。

***hawk**[1] [hɔk] *n.* Ⓒ①鷹。②掠奪他人的人。③鷹派人物。── *v.i.* 以鷹獵鳥。

hawk[2] *v.t.* & *v.i.* ①沿街叫賣。②散播。

hawk[3] *v.i.* 清嗓子。── *v.t.* 咳出(痰等)。── *n.* Ⓒ清喉嚨時的聲音。

hawk·er [ˋhɔkə] *n.* Ⓒ①放鷹行獵者。②沿街叫賣之小販。

hawk-eyed [ˋhɔkˏaɪd] *adj.* 目光敏銳的。

hawk·ish [ˋhɔkɪʃ] *adj.*①似鷹的。②鷹派的；好戰的；主戰的。

haw·ser [ˋhɔzə, ˋhɔsə] *n.* Ⓒ大纜；大鐵索；錨鏈。

haw·thorn [ˋhɔˏθɔrn] *n.* Ⓒ〖植〗山楂。

Haw·thorne [ˋhɔˏθɔrn] *n.* 霍桑 (Nathaniel, 1804-64, 美國小說家)。

hay** [he] *n.* Ⓤ①乾草；秣。②〖俚〗少量之錢。make*** ~ ***of***使無效；弄亂。***Make*** ~ ***while the sun shines.*** 把握時機；打鐵趁熱。── *v.t.* ①製成乾草。②供給乾草。── *v.i.* 製乾草。§ ∽ **fêver** 乾草熱；花粉熱(過敏症)。

hay·cock [ˋheˏkɑk] *n.* Ⓒ田野中之圓錐形乾草堆；草垛。

hay·field [ˋheˏfild] *n.* Ⓒ牧草場。

hay·fork [ˋheˏfɔrk] *n.* Ⓒ乾草叉。

hay·loft [ˋheˏlɔft] *n.* Ⓒ乾草堆置場；乾草棚；秣棚。

hay·mak·er [ˋheˏmekə] *n.* Ⓒ①製乾草之人；火力乾草機。②〖俚〗〖拳擊〗擊倒對手之一擊。

hay·mow [ˋheˏmaʊ] *n.* Ⓒ乾草堆。

hay·rick [ˋheˏrɪk] *n.* =**haystack.**

hay·stack [ˋheˏstæk] *n.* Ⓒ(戶外)大乾草堆。

hay·wire [ˋheˏwaɪr] *n.* Ⓤ〖美〗綑乾草用之鐵絲。── *adj.*〖美俚〗①糾結雜亂的；混亂的。②瘋狂的；興奮的。

haz·ard** [ˋhæzəd] *n.*①Ⓒ冒險；危險。②Ⓤ偶然；運氣；孤注一擲。③Ⓒ〖高爾夫〗障礙地帶。④Ⓤ一種擲骰子戲。at all*** ~***s*** 不顧任何危險。── *v.t.*賭；冒…的危險。

haz·ard·ous [ˋhæzədəs] *adj.* 危險的；冒險的。§ ∽ **wáste**有毒(化學、放射)廢棄物。—**ly,** *adv.*

Haz·chem [ˋhæzkɛm] *n.* ⓊⒸ危險化學物標示。

***haze**[1] [hez] *n.* ①ⓊⒸ薄霧；陰霾；暈。②Ⓒ(思想等之)模糊不清。

haze[2] *v.t.* 戲弄(大學新生)。

ha·zel [ˋhezl̩] *n.*①Ⓒ榛。②Ⓤ榛木。③Ⓤ淡褐色(尤指眼睛的顏色)。── *adj.* ①榛(木)的。②淡褐色的。

ha·zel·nut [ˋhezl̩nət, -ˏnʌt] *n.* Ⓒ榛實。

ha·zy [ˋhezɪ] *adj.*①有薄霧的；暈的。②模糊的；朦朧的。— **haˊzi·ly,** *adv.* — **haˊzi·ness,** *n.*

H-bomb [ˋetʃˏbɑm] *n.* Ⓒ氫彈。

‡**he** [hi] *pron.* (*pl.* **they**)他；彼(第三人稱，單數，主格)。── *n.* Ⓒ①男孩；男人。②雄獸。

He〖化〗helium. **H.E.** His Eminence; His Excellency.

‡**head** [hɛd] *n.* Ⓒ (*pl.* ~**s**)①頭；頭部。②動物的頭。③任何物件的頂端[最前端部分]。④主要人物；領袖；首長；領袖的地位。⑤人。⑥(*pl.* ~)(牲畜等之)頭數。ten ~ of cattle 十頭牛。⑦圓如頭的東西。a ~ of cabbage 一顆包心菜。⑧工具的鎚擊[切割]部分。⑨鼓面(有皮

的部分)。⑩桶蓋。⑪理解力；智力。Two ～*s* are better than one.三個臭皮匠勝過諸葛亮。⑫要點；要旨；題目；標題。⑬危機；極點；結論。⑭(蒸汽、水等的)壓力；落差。⑮水源地；發源地。⑯泡沫；渣滓。⑰(常*pl.*)錢幣上有人像的一面。***an old ～ on young shoulders*** 年輕而有見識的人；少年老成。***by the ～ and ears*** 強迫地。***come to a ～*** **a.**化膿。**b.**趨於危險。***from ～ to foot*** 從頭到腳；全身。***give one his ～*** 讓某人隨意而爲。***go to one's ～*** **a.**使興奮。**b.**使眩暈；使醉。**c.**使自負。***～ and shoulders above*** 遠勝過。***～ over heels*** **a.**頭朝下。**b.**慌慌張張地；急促地。**c.**完全地；徹底地。***keep one's ～*** 保持冷靜的態度。***keep one's ～ above water*** **a.**保持浮起。**b.**〖喩〗不欠債。***lay ～s together*** 集議。***lose one's ～*** 失去理智；情感衝動。***make ～*** 往前擠；前進。***on[upon] one's ～*** 歸於某人之責任。***off [out of] one's ～***〖俗〗**a.**大爲激動。**b.**神經錯亂；瘋顚。**c.**置之腦後。***over one's ～*** **a.**超過某人的理解力。**b.**未與人商量。***put a thing[idea] out of one's ～*** 不再想某事[觀念]；放棄。***put (an idea) into a person's ～*** 提示(觀念)給某人；使想起。***turn one's ～*** 使人得意忘形。**—** *v.t.* ①爲首；領頭；在最前端。②使面向…(而行)。③主持；領導。④以頭撞、擊、頂。⑤冠以標題。⑥砍下(動物)的頭。**—** *v.i.* ①向某處[方向]前進。②(植物)長出頭。③〖美〗(河等)發源[in, from]。***～ off*** **a.**上前攔截。**b.**阻止；防止。§ ≈ **còld** 傷風。≈ **còunt** (1)清點人數。(2)民意調查。≈ **gàte** 水門。≈ **lòuse** 頭蝨。≈ **òffice** 總公司；總局。≈ **pìn** (亦作head-pin)(1)(保齡球戲中之)先頭之瓶。(2)〖俚〗最重要之人。≈ **stàrt** 領先；先起步。≈ **tàx** 人頭稅。

***head·ache** [ˋhɛd,ek] *n.* Ⓤ Ⓒ ①頭痛。②〖美〗令人頭痛的事物[情勢]。

head·band [ˋhɛd,bænd] *n.* Ⓒ (繞著頭的)束髮帶。

head·board [ˋhɛd,bord] *n.* Ⓒ 床頭板。

head·cheese [ˋhɛd,tʃiz] *n.* Ⓤ Ⓒ〖美〗碎肉凍(以豬之頭、腳肉切碎煮成)。

head·dress [ˋhɛd,drɛs] *n.* Ⓒ ①頭飾。②頭髮之梳式。

head·er [ˋhɛdɚ] *n.* Ⓒ ①加裝釘[針]頭的人[機器]。②〖俗〗(游泳之)倒栽葱。

head·first [ˋhɛdˋfɝst] *adv.*①頭向前地。②不顧前後地；急忙忙地。

head·gear [ˋhɛd,gɪr] *n.* Ⓤ①馬首之裝具。②戴在頭上之物；頭飾；帽子。

head·hunt [ˋhɛd,hʌnt] *n.* Ⓒ①野蠻人獵人頭之出征。②〖俚〗爲公司羅致高級職員。**—** *v.t. & v.i.*①外出獵人頭。②〖俚〗爲公司羅致(高級職員)；獵才；物色人才。

head·hunt·er [ˋhɛd,hʌntɚ] *n.* Ⓒ ①獵取人頭的野蠻人。②物色(公司)幹部級人才者。③人才介紹所。

head·hunt·ing [ˋhɛd,hʌntɪŋ] *n.* Ⓤ①野蠻人獵人頭的習俗。②物色人才。

head·ing [ˋhɛdɪŋ] *n.* Ⓒ①標題；題目。②〖海〗船頭方向。③〖空〗飛行方向。

head·land [ˋhɛdlənd] *n.* Ⓒ 岬；崎。

head·less [ˋhɛdlɪs] *adj.*①無頭的。②無首領的。③愚笨的。

***head·light** [ˋhɛd,laɪt] *n.* Ⓒ (汽車等的)前燈。

***head·line** [ˋhɛd,laɪn] *n.* ①Ⓒ報紙、雜誌上的標題。②(*pl.*)〖廣播〗(新聞報導開始時的)新聞提要。**—** *v.t.* ①爲…做標題；包括於標題中。②宣揚。

head·lock [ˋhɛd,lɑk] *n.* Ⓒ〖摔角〗將對手之頭緊挾於腋下之一種摔角法。

***head·long** [ˋhɛd,lɔŋ] *adv.*①頭向前地。②急速而用力地。③輕率地；鹵莽地。**—** *adj.*①頭向前的。②匆促而用力的。③輕率的。

head·man [ˋhɛdmən, ˋhɛd,mæn] *n.* Ⓒ (*pl.* **-men**)①酋長；首領。②工頭。

head·mas·ter [ˋhɛdˋmæstɚ, -ˋmɑs-] *n.* Ⓒ〖英〗(中學或小學)校長。

head·mis·tress [ˋhɛdˋmɪstrɪs] *n.* Ⓒ女校長。

head·most [ˋhɛd,most] *adj.*最前面的。

head-on [ˋhɛdˋɑn, -ˋɔn] *adj. & adv.* 頭向前的[地]；正面的[地]。

head·phone [ˋhɛd,fon] *n.* Ⓒ (常*pl.*)聽筒；耳機。

head·piece [ˋhɛd,pis] *n.* Ⓒ①頭盔；帽子。②頭；智力；理解。

***head·quar·ters** [ˋhɛdˋkwɔrtɚz, -,kwɔr-] *n.* (作 *sing.* or *pl.* 解)①總部；司令部。②大本營；總署。

head·room [ˋhɛd,rum] *n.* Ⓤ①(交通工具內)乘客頭至車頂的空間。②(橋等)頭上的空間高度。

head·set [ˋhɛd,sɛt] *n.* =**headphone.**

heads·man [ˋhɛdzmən] *n.* Ⓒ (*pl.* **-men**)劊子手。

head·stall [ˋhɛd,stɔl] *n.* Ⓒ 絡頭(套在馬等頭上)。

head·stand [ˋhɛd,stænd] *n.* Ⓒ 倒立；豎蜻蜓。

head·stone [ˋhɛd,ston] *n.* Ⓒ ①墓碑。②〖建〗基石。

head·strong [ˋhɛd,strɔŋ] *adj.* 頑固的。

head·wa·ters [ˋhɛd,wɔtɚz] *n. pl.* 河源；上游。

head·way [ˋhɛd,we] *n.* Ⓤ ①前進；行進。②進步；成功。③(同向而行的車輛、船隻)開行時間的間隔。④〖建〗淨空高度(地板至天花板的垂直距離)。

head·wind [ˋhɛd,wɪnd] *n.* Ⓒ 逆風。

head·work [ˋhɛd,wɝk] *n.* Ⓤ勞心的工作；腦力[精神]勞動。**—er,** *n.*

head·y [ˋhɛdɪ] *adj.*①任性的；頑固的；性急的。②易使人醉的。

***heal** [hil] *v.t.*①治癒；使復原。②使和解；平息。**—** *v.i.* 痊癒；復原。

heal·er [ˋhilɚ] *n.* Ⓒ①醫治者；醫師；(尤指)施行信仰療法的人。②治療。

‡**health** [hɛlθ] *n.* Ⓤ①健康；身體的狀況。②健康法；保健。public ～公共衛生。③蓬勃；繁榮。***drink a ～ to*** 舉杯祝…健康。§ ≈ **cènter** 綜合診所；保健中心。≈ **fòod** 健康食品。≈ **insùrance** 健康保險。≈ **sèrvice** 公共醫療(設施)；社會保健服務。≈ **vìsitor**〖英〗

(訪問家庭的)巡迴保健人員。

health·ful [ˋhɛlθfəl] *adj.* ①有益健康的；衛生的。②(精神上)健全的。

‡**health·y** [ˋhɛlθɪ] *adj.* ①健康[健壯]的。②看來健康的。③有益於健康的；衛生的。—**health'i·ly,** *adv.*

*__heap__ [hip] *n.* Ⓒ①堆。②許多；大量。③〖俚〗汽車(尤指舊車)。*be struck* [*knocked*] *all of a* ~〖俗〗嚇成一團；搞得一團糟。— *v.t.*①堆積；累積〔up〕。②濫給。③盛滿。— *v.i.*堆積如山。

‡**hear** [hɪr] *v.t.*(**heard**)①聽見；聽到(聲音)。②聞知；聽說。③傾聽(=listen to)。④審問。⑤聽從；允許；應允。— *v.i.* ①聽得見。②得到消息；接到信〔from, about, of〕。*H-! H-!*(喝采的聲音)好哇! 好哇! ~ *out*聽完。*will not* ~ *of it* 不聽從；不予考慮；不贊同。〔注意〕**hear** 指耳朵聽聲音的自然活動。**listen** 指主動聽一聲音，並求了解。

‡**heard** [hɝd] *v.* pt. & pp. of **hear.**

hear·er [ˋhɪrɚ] *n.* Ⓒ聽者；聽的人。

*__hear·ing__ [ˋhɪrɪŋ] *n.* ①Ⓤ聽；聽力；聽覺。②Ⓒ聽訟；審問。③Ⓒ發言[申辯]的機會。④意見[證言]聽取會。⑤Ⓤ聽力所及的距離。*out of* ~ 聽不見的。§~ **àid** 助聽器。

heark·en [ˋhɑrkən] *v.i.* 聽；傾聽。

hear·say [ˋhɪr͵se] *n.* Ⓤ謠傳；道聽途說。§~ **èvidence**〖法律〗傳聞證據。

hearse [hɝs] *n.* Ⓒ柩車；靈車。

‡**heart** [hɑrt] *n.* ①Ⓒ心；心臟。②Ⓤ心腸；心情；精神；熱誠。③Ⓒ中心；內部。④Ⓒ心形物。⑤Ⓒ心愛的人。a sweet ~ 情人。⑥Ⓒ橋牌上的紅心。*after one's own* ~正合己意的。*at* ~ **a.** 在思想與感情深處。**b.** 真正地。*break somebody's* ~ 使某人傷心。*by* ~ 憑記憶。*do one's* ~ *good* 使喜歡。*from* (*the bottom of*) *one's* ~ 真誠地；從心底地。*get to the* ~ *of* 發現…的祕密。*have a change of* ~ 改變主意。*have a* ~慈悲；同情。*have...at* ~ 將…牢記在心。*have one's* ~ *in one's boots* [*mouth*]嚇一跳。*have one's* ~ *in the right place* 懷好意[善意]。~ *and soul* 全心全力地。*in one's* ~ *of* ~*s* 在內心深處。*lose* ~ 灰心；喪氣。*lose one's* ~ *to somebody* 愛上某人。*near* [*close to*] *one's* ~ 親近的；最親愛的；重要的；寶貴的。*set one's* ~ *at ease* [*rest*]安心。*set one's* ~ *on some object* 渴望獲得某物。*take* ~ 振起精神；鼓起勇氣。*take* [*lay*]... *to* ~ **a.**認真；介意。**b.**傷心。*wear one's* ~ *on one's sleeve* 開誠布公。*with all one's* ~誠懇地；欣然地。§~ **attàck** 心臟病發作。~ **disèase** 心臟病。~ **fàilure** 心臟衰弱。~ **mùrmur**〖醫〗心雜音。

heart·ache [ˋhɑrt͵ek] *n.* Ⓤ傷心；心痛。

heart·beat [ˋhɑrt͵bit] *n.* ⓊⒸ心搏動。

heart·break [ˋhɑrt͵brek] *n.* Ⓤ傷心；悲痛；斷腸。—**ing,** *adj.*

heart·bro·ken [ˋhɑrt͵brokən] *adj.* 悲痛的。

heart·burn [ˋhɑrt͵bɝn] *n.* Ⓤ①〖醫〗胃痛；胃灼熱。②不平；嫉妒。

heart·en [ˋhɑrtn̩] *v.t.* 鼓勵；激勵。—**ing,** *adj.*

heart·felt [ˋhɑrt͵fɛlt] *adj.* 衷心的；至誠的。

*__hearth__ [hɑrθ] *n.* Ⓒ①爐床；爐邊。②家庭。

hearth·rug [ˋhɑrθ͵rʌg] *n.* Ⓒ 爐邊地毯。

hearth·side [ˋhɑrθ͵saɪd] *n.* Ⓒ爐邊。

hearth·stone [ˋhɑrθ͵ston] *n.* Ⓒ①爐底石。②家庭；爐邊。

heart·i·ly [ˋhɑrtɪlɪ] *adv.* ①衷心地；熱心地。②痛快地；盡情地。③完全地。

heart·land [ˋhɑrt͵lænd] *n.* Ⓒ心臟地帶；中心地帶。

heart·less [ˋhɑrtlɪs] *adj.* ①無情的。②無勇氣的；不熱心的。—**ly,** *adv.*

héart-lúng machìne [ˋhɑrtˋlʌŋ ~] *n.* Ⓒ心肺機。

heart·rend·ing [ˋhɑrt͵rɛndɪŋ] *adj.* 悲慘的；心碎的。

heart-search·ing [ˋhɑrt͵sɝtʃɪŋ] *n.* ⓊⒸ內省；自省。— *adj.* 反省的；自省的。

heart·sick [ˋhɑrt͵sɪk] *adj.* 悲痛的；苦惱的。

heart·strings [ˋhɑrt͵strɪŋz] *n. pl.* 深情；心弦。*break one's* ~ 使傷心。*pull at one's* ~ 打動某人的心弦。

heart·throb [ˋhɑrt͵θrɑb] *n.*①Ⓒ心跳。②(*pl.*)熱情。③Ⓒ愛人。

heart-to-heart [ˋhɑrttəˋhɑrt] *adj.* 坦率的；老老實實的。

heart-warm·ing [ˋhɑrt͵wɔrmɪŋ] *adj.* 溫馨感人的；可喜的。

heart·wood [ˋhɑrt͵wʊd] *n.* Ⓤ(樹木之)心材。

*__heart·y__ [ˋhɑrtɪ] *adj.* ①誠懇的；熱烈的。a ~ welcome 竭誠的歡迎。②強健的。③豐盛的；食慾旺盛的。④有精神的；豪爽的。⑤有力的。⑥(土壤)肥沃的。

‡**heat** [hit] *n.* ①Ⓤ熱；熱力。②Ⓤ熱度；溫度。③Ⓤ暑熱；暑氣。④(the ~)高潮；最激烈的階段。⑤Ⓒ(賽跑)賽一次。preliminary [trial] ~s 初賽。the final ~決賽。⑥Ⓤ溫暖；暖氣。⑦(a ~)一舉；一次的努力。He did a piece of painting at a single ~. 他一舉完成一幅畫。⑧Ⓤ(尤指雌性)動物之交尾期。in [on] ~ 在交尾期中。⑨Ⓤ熱情；感情激動。— *v.i.*①發熱。②激昂。— *v.t.*①使發熱。②使激動。③使沸騰。§~ **exhàustion**〖醫〗中暑衰竭。~ **lìghtning** 無雷聲之閃電。~ **ràsh** 痱子；汗疹。~ **shìeld**(火箭等之)防熱屏。~ **sìnk** 吸熱器。~ **wàve** (1)熱浪。(2)酷暑期。

heat·ed [ˋhitɪd] *adj.*①加熱的。②激烈的。

heat·er [ˋhitɚ] *n.* Ⓒ①火爐；暖氣設備；加熱器。②加熱之人。③〖俚〗手槍。

heath [hiθ] *n.*①Ⓤ〖植〗石南屬的常青灌木；石南。②Ⓒ(叢生石南的)荒地。*one's native* ~某人的故鄉。§~ **còck** 雄黑松雞。

hea·then [ˋhiðən] *n.* Ⓒ①(不信基督教[猶太教, 回教]之)異教徒。②粗野的人。— *adj.* 異教(徒)的。

heath·er [ˋhɛðɚ] *n.* Ⓤ 石南屬植物；石南。*set the ~ on fire* 火上加油。

heat·ing [ˋhitɪŋ] *n.* Ⓤ 暖氣(裝置)；加熱。§~ **pàd**(取暖用的)小電毯。

heat·stroke [ˋhit͵strok] *n.* Ⓤ 中暑。

***heave** [hiv] *v.t.*(**~d** or **hove**)①用力舉起。②抛；投；擲。③發出(歎聲等)。④使隆起；使凸起。⑤〖海〗提(錨)；拉(纜)。⑥嘔吐。 — *v.i.*① 拖；拉；曳〔on, at〕。②(波濤等)洶湧；起伏。③喘息。④要嘔吐。⑤隆起；凸起。*H- ho* [*away*]! 用力拉(水手拉錨時的呼聲)! *~ in sight*(船)駛入視線內。*~ to* 使船停駛；停止。 — *n.*① Ⓒ 舉起；抛。②(*sing.*)起伏。③(*pl.*, 作 *sing.* 解)馬喘症。

⁑**heav·en** [ˋhɛvən] *n.*① Ⓤ 天堂；天國。be in ~歸西天。② Ⓒ 任何想像中的極樂世界。③(H-)上帝(=God)；天。Good *Heavens!* 天啊！④ Ⓤ (常 *pl.*)天空。the starry ~*s* 星空。*move ~ and earth* 竭盡全力。

***heav·en·ly** [ˋhɛvənlɪ] *adj.* ①天國的；神聖的。②如天堂的。③天空的。~ bodies 天體。④〖俗〗卓越的。

heav·en-sent [ˋhɛvən͵sɛnt] *adj.* 天賜的；極巧的。

heav·en·ward [ˋhɛvənwɚd] *adj.* & *adv.* 向天空的[地]；向天國的[地]。

heav·en·wards [ˋhɛvənwɚdz] *adv.* 向天空地；向天國地。

***heav·i·ly** [ˋhɛvɪlɪ] *adv.* ①沈重地。②嚴重地；激烈地。③鬱悶地。

⁑**heav·y** [ˋhɛvɪ] *adj.* ①重的；沉重的。②大量的；猛烈的。③難堪的；苛刻的。④難應付的；難處理的。⑤嚴重的；重大的。⑥深邃的。⑦載滿的。⑧心情沉重的。⑨陰沉的。⑩厚的；粗的。⑪遲緩的；笨拙的。⑫沉悶的。⑬聲音高而悶的。⑭〖軍〗重武裝的。⑮未發酵好的。⑯〖化〗重的。⑰過量的。 — *n.* Ⓒ ①沉重的東西。②〖俗〗劇中的惡棍。③〖軍〗重武器。④〖俚〗重量級拳擊手。 — *adv.* 沉重地(=heavily)。*hang ~* 緩慢且沈悶地過去。§ ~ **artíllery**〖軍〗重砲(兵)。~ **bómber** 重轟炸機。~ **índustry** 重工業。~ **métal** (1)重金屬。(2)重砲。(3)強敵。~ **óil** 重油。~ **wáter**〖化〗重水。— **heav′i·ness,** *n.*

heav·y-du·ty [ˋhɛvɪˋdjutɪ] *adj.* ①耐用的。②重型的。③關稅高的。

heav·y-hand·ed [ˋhɛvɪˋhændɪd] *adj.* ①拙劣的。②暴虐的。

heav·y-heart·ed [ˋhɛvɪˋhɑrtɪd] *adj.* 心情沉重的；悲哀的；抑鬱的。

heav·y·set [ˋhɛvɪˋsɛt] *adj.*(人)身體矮胖的；健壯的。

heav·y·weight [ˋhɛvɪ͵wet] *n.* Ⓒ ①重量級拳擊手(體重超過175磅者)。②超過平均重量的人[物]。③重要人物。

He·bra·ic [hɪˋbreɪk] *adj.* 希伯來人[語，文化]的。

***He·brew** [ˋhibru] *n.*① Ⓒ 希伯來人；〖美〗猶太人。② Ⓤ 希伯來語。 — *adj.* 希伯來人[語]的；猶太人的。

hec·a·tomb [ˋhɛkə͵tom] *n.* Ⓒ ①大屠殺。②(古希臘羅馬)百牛大祭祀。

heck [hɛk]〖俚〗*n.* Ⓤ (發怒等的聲音或作強調語)到底；究竟。 — *interj.* 畜牲!

heck·le [ˋhɛkḷ] *v.t.*①(以難題)詰問(演說者)；使困惱。②(以麻梳)梳(麻等)。

heck·ler [ˋhɛklɚ] *n.* Ⓒ (以難題質問演說者的)詰問者。

heck·uv·a [ˋhɛkəvə] *adj.* 非常好的；出色的；極佳的。

hec·tare [ˋhɛktɛr] *n.* Ⓒ 公頃(面積之單位，=1萬平方公尺)。(略作 **ha.**)

hec·tic [ˋhɛktɪk] *adj.* ①發紅的。②發燒的。③〖俗〗興奮的。④有肺病跡象的。

hecto- 〖字首〗表「一百」之義。

hec·to·gram(me) [ˋhɛktə͵græm] *n.* Ⓒ 瓸；百公克；公兩。

hec·to·li·ter, 〖英〗**-tre** [ˋhɛktə͵litɚ] *n.* Ⓒ 公石；百公升。

hec·to·me·ter, 〖英〗**-tre** [ˋhɛktə͵mitɚ] *n.* Ⓒ 粨；公引(=100公尺)。

hec·tor [ˋhɛktɚ] *n.* Ⓒ 暴徒；威嚇者。 — *v.i.* & *v.t.* 威嚇；凌辱；作威作福。

⁑**he'd** [hid] =**he had; he would; he should.**

***hedge** [hɛdʒ] *n.* Ⓒ ①灌木樹籬。a quickset ~(由活樹圍成的)樹籬。②障壁或界限。③保護[防禦]之方法或工具。*be on the ~; sit on*(*both sides of*) *the ~* 取兩面態度；騎牆。 — *v.t.*①以樹籬圍。②包圍；限制。③做兩面投機以防損失；(賭博中)兩方下注。④閃避問題。⑤受到…之保護。 — *v.i.*①圍樹籬。②隱藏。③兩方下注。④閃爍其詞。§~ **màrriage** (1)祕密結婚。(2)不合法之結婚。~ **schòol**(昔愛爾蘭之)露天學校。~ **spàrrow** 籬雀。

hedge·hog [ˋhɛdʒ͵hɑg] *n.* Ⓒ ①美洲豪豬。②刺蝟。③〖軍〗拒馬等之障礙物。

hedge·row [ˋhɛdʒ͵ro] *n.* Ⓒ 灌木樹籬。

he·don·ism [ˋhidṇ͵ɪzəm] *n.* Ⓤ ①快樂主義。②〖心〗唯樂說；享樂主義。

hee·bie-jee·bies [ˋhibɪˋdʒibɪz] *n. pl.* (the ~)〖俗〗①(緊張、煩惱等引起的)焦躁；緊張不安。②強烈的厭惡。

heed [hid] *v.t.* & *v.i.* 注意；留意。 — *n.* Ⓤ 注意；留心。— **ful,** *adj.*

heed·less [ˋhidlɪs] *adj.* 不注意的；不留心的。be ~ of others 不留意他人的。

hee·haw [ˋhi͵hɔ] *n.* Ⓒ ①驢叫聲。②狂笑；傻笑。

***heel**¹ [hil] *n.* Ⓒ ①踵；脚後跟。②鞋[襪]的踵部[後跟]。③馬的後足。④像踵的東西。*at* (*one's*) *~*(*s*) 緊接後邊的。*come to ~* **a.**(狗)緊跟於主人之後。**b.**馴服。*down at the ~*(*s*) **a.**鞋後跟穿破的。**b.**襤褸的。*kick* [*cool*] *one's ~s* 等候；久候。*kick up one's ~s* 歡欣；興奮。*lay by the ~*(*s*) **a.** 囚禁。**b.** 獲得勝利。*on* [*upon*] *the ~s of* 緊接著。*show a clean pair of ~s; take to one's ~s* 逃脫；逃之夭夭。*to ~* **a.**緊隨在後。**b.**在控制之下。*turn on one's ~*(*s*) 急轉身。*under the ~ of* 在…的蹂躪之下。 — *v.t.*①裝鞋跟。②尾隨。③以鞋後跟踏(地板等)。 — *v.i.* ①尾隨而行。②用腳後跟跳舞。

heel² *v.i.*(船)傾向一邊。 — *v.t.* 使(船)傾向一邊。 — *n.* Ⓒ 傾側。

heft [hɛft] *n.* Ⓤ 重量。 **—** *v.t.* 舉起。

heft·y [ˋhɛftɪ] *adj.*〖俗〗強壯的；重的。

He·gel [ˋhegḷ] *n.*黑格爾(Georg Wilhelm Friedrich, 1770-1831, 德國的哲學家)。

he·gem·o·nism [hiˋdʒɛmə,nɪzṃ] *n.* Ⓤ 霸權主義。 — **he·gemˊo·nist,** *n.*

he·gem·o·ny [hiˋdʒɛmənɪ] *n.* Ⓤ 領導權；霸權。

Hei·del·berg [ˋhaɪdəl,bɝg] *n.* 海德堡(德國西南部城市，以大學及古城聞名)。

heif·er [ˋhɛfɚ] *n.* Ⓒ 三歲以下之小母牛。

heigh-ho [ˋheˋho] *interj.* 嗨嗬！(表示疲倦、失望、驚悸等之呼聲)。

‡**height** [haɪt] *n.*① Ⓤ 高；高度。② Ⓤ Ⓒ 身高。③ Ⓒ (常 *pl.*)高地；山岡。④ (the ～)頂點；極度。

height·en [ˋhaɪtṇ] *v.t.* ①增高；加高。②增進；增強。③加強(色彩)；誇張。 **—** *v.i.*①增高。②增加；提高。

Hei·ne [ˋhaɪnə] *n.* 海涅(Heinrich, 1797-1856, 德國詩人、批評家)。

hei·nous [ˋhenəs] *adj.* 極可憎的。

***heir** [ɛr] *n.* Ⓒ 嗣子；繼承人。§ ∼ **appárent** 法定繼承人。∼ **presúmptive** 雖爲繼承人但其繼承權可因近親之出生而消失的人。 — **less,** *adj.*

heir·ess [ˋɛrɪs] *n.* Ⓒ 女繼承人。

heir·loom [ˋɛrˋlum] *n.* Ⓒ 祖傳物。

heist [haɪst] *v.t.* & *v.i.*〖美俚〗搶；偷。 **—** *n.* Ⓒ 盜竊。 — **er,** *n.*

‡**held** [hɛld] *v.* pt. & pp. of **hold.**

Hel·en [ˋhɛlɪn] *n.*①海倫(女子名)。②〖希神〗海倫(絕世美女，因被 Troy 王子 Paris 帶走而引起特洛伊戰爭)。

hel·i·cal [ˋhɛlɪkḷ] *adj.* 螺旋形的。

hel·i·coid [ˋhɛlɪ,kɔɪd] *adj.* 螺旋形[狀]的。 **—** *n.* Ⓒ〖幾何〗螺旋體[面]。

***hel·i·cop·ter** [ˋhɛlɪ,kɑptɚ, ˋhi-] *n.* Ⓒ 直升機。 **—** *v.i.* & *v.t.*乘坐直升機。

helio- 〖字首〗表「太陽」之義(母音前爲 heli-)。

he·li·o·cen·tric [,hilɪoˋsɛntrɪk] *adj.*〖天〗以太陽爲中心的。

he·li·o·trope [ˋhiljə,trop] *n.*① Ⓒ〖植〗天芹菜屬植物。② Ⓤ 淡紫色。③ Ⓤ〖礦〗雞血石。

hel·i·port [ˋhɛlə,pɔrt] *n.* Ⓒ 直升機機場。

he·li·um [ˋhilɪəm] *n.* Ⓤ〖化〗氦(稀有氣體元素；符號 He)。

he·lix [ˋhilɪks] *n.* Ⓒ (*pl.* ∼**es, helices** [ˋhɛlɪ,siz])①螺旋；螺旋形之物。②〖解〗耳輪。

hell** [hɛl] *n.*① Ⓤ 地獄；冥府。② Ⓒ 邪惡的地方。③ Ⓤ 苦境；難境。④ Ⓤ 用以表示憤怒、煩惱、驚訝。Go to ～! 滾蛋！該死！What the ～ are you doing? 你到底在搞甚麼? ***a* ～ *of a... **a.**非常。**b.**很糟的。**c.**極好的。***be* ～ *on***〖俚〗**a.**苛刻於。**b.**有害於。§ ∼**'s ángel**(常 H-)魔鬼黨；飛車黨。

‡**he'll** [hil] ①=**he will.** ②=**he shall.**

hell·bent [ˋhɛl,bɛnt] *adj.*〖美俚〗①固執的；拼命的〔for, on〕。②以全速疾馳的。

Hel·lene [ˋhɛlin] *n.* Ⓒ 希臘人。

Hel·len·ic [hɛˋlɛnɪk] *adj.* 希臘(人, 語)的。

Hel·len·ism [ˋhɛlɪn,ɪzəm] *n.* ① Ⓤ 古希臘文化[精神]。② Ⓒ 希臘語法。

Hel·len·ist [ˋhɛlɪnɪst] *n.* Ⓒ ①用希臘語的人。②古代希臘文化研究者。

hell·hole [ˋhɛl,hol] *n.* Ⓒ ①不清潔、無秩序的地方。②下流場所。

hell·ish [ˋhɛlɪʃ] *adj.*①(來自)地獄的。②兇惡的。③〖俗〗令人討厭的。— **ly,** *adv.*

‡**hel·lo** [həˋlo] *interj.* 喂！哈囉！ **—** *v.i.* & *v.t.* 向人呼「喂!」。 **—** *n.* Ⓒ (*pl.* ∼**s**) 說 hello 的問候聲；引人注意的呼聲。§ ∼ **gìrl** 〖美俗〗女電話接線生。

helm [hɛlm] *n.* ① Ⓒ 舵；舵柄；駕駛盤。②(the ～)支配(權)；領導。 **—** *v.t.* 駕駛；掌舵。

hel·met [ˋhɛlmɪt] *n.* Ⓒ 盔；鋼盔。

hel·minth [ˋhɛlmɪnθ] *n.* Ⓒ 寄生蟲；腸蟲；蛔蟲。

helms·man [ˋhɛlmzmən] *n.* Ⓒ (*pl.* **-men**)舵手。

‡**help** [hɛlp] *v.t.* ①幫助；幫忙；援助。②資助；賙濟。③(餐席上)分配(菜等)。④減輕；減緩。⑤阻止；避免(常與 can, can't連用)。I can't ～ thinking that he is still alive. 我不能不認爲他尚活著。⑥促進；助長。 **—** *v.i.*①幫助；援助。②開飯；上菜。***cannot*** [***can't***] ～ ***but*** 不得不；禁不住。She *couldn't* ～ *but* plague her husband. 她令她丈夫頭痛。～ ***oneself to*** **a.** 自取(所需)。*H- yourself to* all you wish. 你要甚麼就拿好了。**b.** 擅取；侵占。～ ***out*** 協助；協助完成。***So*** ～ ***me God!*** 皇天在上！我敢對天發誓！ **—** *n.*① Ⓤ 幫助；救助；救濟。② Ⓒ 幫助者；助手。③ Ⓒ〖美〗僕人；佣人。a lady ～女僕。④ Ⓤ 補救辦法。⑤ Ⓒ 一人一份之食物。

help·er [ˋhɛlpɚ] *n.* Ⓒ①援助者；助手；有用之物。②幫佣者。

‡**help·ful** [ˋhɛlpfəl] *adj.* 有幫助的；有益的；有用的。— **ly,** *adv.* — **ness,** *n.*

help·ing [ˋhɛlpɪŋ] *n.* ① Ⓤ 輔助；援助。② Ⓒ (食物的)一份；一客。

***help·less** [ˋhɛlplɪs] *adj.* 無助的。

help·less·ly [ˋhɛlplɪslɪ] *adv.* 無助地；毫無辦法地。

help·mate [ˋhɛlp,met] *n.* Ⓒ ①夥伴；助手。②配偶；伴侶。

help·meet [ˋhɛlp,mit] *n.*= **helpmate.**

Hel·sin·ki [ˋhɛlsɪŋkɪ] *n.* 赫爾辛基(Finland首都)。

hel·ter-skel·ter [ˋhɛltɚˋskɛltɚ] *adv.* & *adj.* 倉皇地[的]；慌張地[的]。 **—** *n.* Ⓤ Ⓒ 慌張；狼狽。

helve [hɛlv] *n.* Ⓒ (斧、鎚等的)柄。

hem[1] [hɛm] *n.* Ⓒ ①衣服的褶邊。②邊緣。 **—** *v.t.* (**-mm-**)①縫…的邊。②包圍；關閉。～ ***out*** 閉門不納；排斥。

hem[2] *interj.* 哼！(表示懷疑或引人注意)。 **—** *n.* Ⓒ 哼聲。 **—** *v.i.* (**-mm-**)①發哼聲。②(講演時)停頓；吞吞吐吐。

he-man [ˋhi,mæn] *n.* Ⓒ (*pl.* **-men**)〖俗〗有男性魅力的男人。

he·mat·o·blast [ˋhɛmato,blæst] *n.* Ⓒ 血小板；成血細胞。

he·ma·tol·o·gy [,hɛməˋtɑlədʒɪ] *n.* Ⓤ 血液學。

Hem·ing·way [ˋhɛmɪŋ,we] *n.*海明威(Ernest, 1899-1961, 美國小說家)。

*__hem·i·sphere__ [ˋhɛməs,fɪr] *n.* [C] (地球、天體的)半球；半球體。

hem·line [ˋhɛmlaɪn] *n.* [C] (衣、裙之)底緣；下襬。

hem·lock [ˋhɛmlɑk] *n.* ① [C]〖植〗毒胡蘿蔔；毒芹。② [U] 該毒草提煉之毒藥。③ [C]〖美〗鐵杉。④ [U] 鐵杉木。

hemo-〖字首〗表「血」之義。

he·mo·glo·bin [,himəˋglobɪn] *n.* [U]〖生化〗血紅蛋白；血紅素。

he·mo·phil·i·a [,himəˋfɪlɪə] *n.* [U]〖醫〗血友症。

hem·or·rhage [ˋhɛmərɪdʒ] *n.* [U] [C] 出血。

hem·or·rhoids [ˋhɛmə,rɔɪdz] *n. pl.*〖醫〗痔。

he·mo·stat [ˋhimə,stæt, ˋhɛmə-] *n.* [C]〖醫〗止血鉗；止血劑。

he·mo·stat·ic [,himəˋstætɪk, ,hɛmə-] *adj.*〖醫〗止血的。— *n.* [C] 止血劑。

hemp [hɛmp] *n.* [U] ①大麻。②大麻纖維。③大麻製之麻醉劑。

hemp·en [ˋhɛmpən] *adj.* 大麻製的；似大麻的。

hem·stitch [ˋhɛm,stɪtʃ] *v.t.*(於布等之邊緣上)結垂綫。— *n.*① [C] 垂綫。② [U] 編結垂綫的針法。

*__hen__ [hɛn] *n.* [C] ①母雞。②雌鳥；雌性者。③〖俗〗(尤指好管閒事的)女人；長舌婦。***be like a ~ with one chicken; be like a ~ on a hot girdle*** 大驚小怪。***sell one's ~s on a rainy day*** 不會做生意。§ **~ pàrty**〖俗〗婦女的聚會。

*__hence__ [hɛns] *adv.* ①因此；所以；故。②從此時；從此地。③今後。④從此世。— *interj.* 滾開！ *H-!* 滾開！

hence·forth [,hɛnsˋforθ] *adv.*以後；今後。

hence·for·ward [,hɛnsˋfɔrwəd] *adv.* =**henceforth.**

hench·man [ˋhɛntʃmən] *n.* [C] (*pl.* **-men**)①親信。②忠實的追隨者。

hen·house [ˋhɛn,haus] *n.* [C] 雞舍。

hen·na [ˋhɛnə] *n.* [U] ①指甲花(亞熱帶灌木)。②(取自指甲花的)深橘紅色顏料(染頭髮等)。③紅褐色。

hen·peck [ˋhɛn,pɛk] *v.t.*(妻)駕馭(丈夫)；對(丈夫)囉嗦。

hen·pecked [ˋhɛn,pɛkt] *adj.* 懼內的。

hep·a·ti·tis [,hɛpəˋtaɪtɪs] *n.* [U]〖醫〗肝炎。~ A[B] A[B]型肝炎。

hepta-〖字首〗表「七」之義(在母音前作hept-)。

hep·ta·gon [ˋhɛptə,gɑn] *n.* [C] 七角形；七邊形。— **hep·tag′o·nal,** *adj.*

‡**her** [hɝ] *pron.*(she 的受格)她。— *adj.*(she 的所有格)她的。

He·ra [ˋhirə] *n.*〖希神〗希拉(Zeus之妻，司婦女與婚嫁之女神)。

her·ald [ˋhɛrəld] *n.* [C] ①傳令官。②使者；報信者。③司紋章的官。④先驅；前鋒。— *v.t.* 預報；宣布。

he·ral·dic [hɛˋrældɪk] *adj.* ①傳令(官)的；司紋章之官的。②紋章(學)的。

her·ald·ry [ˋhɛrəldrɪ] *n.* [U] ①紋章學。②(集合稱)紋章。

herb [ɝb, hɝb] *n.* [C] 草；藥草；香草。§ **~ dòctor** 草藥醫生。**~ gàrden** 中藥栽培場。**~ téa** [**wáter**] 湯藥；藥湯。

her·ba·ceous [hɝˋbeʃəs] *adj.*①草本植物的。②像葉的。

herb·age [ˋɝbɪdʒ, ˋhɝ-] *n.* [U] ①(集合稱)草本植物；草(尤指牧草)。②草本植物之多汁的莖與綠葉。

herb·al [ˋhɝbl̩, ˋɝbl̩] *adj.* 草的；草本的。— *n.* [C] 植物誌。§ **~ mèdicine**中藥。

herb·al·ist [ˋhɝbl̩ɪst, ˋɝbl̩-] *n.* [C] ①植物學家。②植物採集者。③草藥商。

herb·i·cide [ˋhɝbə,saɪd] *n.* [C] 除草劑。

her·bi·vore [ˋhɝbɪ,vor] *n.* [C] 草食動物。

her·biv·o·rous [hɝˋbɪvərəs] *adj.* 草食的。— **ly,** *adv.*

her·cu·le·an [hɝˋkjulɪən] *adj.* ①力大無比的。②極艱鉅的；需大力氣的。③(H-) Hercules 的。

Her·cu·les [ˋhɝkjə,liz] *n.* ①〖希神〗海克力斯(大力士)。②〖天〗武仙座。

*__herd__ [hɝd] *n.* ① [C] 獸群。②(the ~)〖蔑〗人群；群眾。③ [C] 牧人(多用於複合字中)。— *v.t.* ①使成群；放牧。②領一群人至某地。— *v.i.*成群;群集。§ **the ~ ìnstinct**〖心〗群居本能。

herds·man [ˋhɝdzmən] *n.* [C] (*pl.* **-men**)牧人。

‡**here** [hɪr] *adv.* ①在這裡；向這裡。②現在;這時。③今世。④用以喚起他人注意之詞。Look ~! 喂！ ***~ and now***現在；立刻；馬上。***~ and there*** 到處；處處。***~ below*** 在世界上；今世。***~ goes***〖俗〗啊，開始吧！這就動手吧！ ***~, there and everywhere*** 到處。***neither ~ nor there*** 不重要[切題]的。
— *n.* [U] ①這裡；此處(與介系詞連用)。②此生；今生。***over ~*** 在我這裡；在我這邊。***the ~ and now***目前。— *interj.* ①(喚人注意)喂！ ②(點名時之答語)到！有！

here·a·bout(s) [,hɪrəˋbaut(s)] *adv.* 在這附近。

here·af·ter [hɪrˋæftə] *adv.* & *n.* (the ~, a ~)①此後；將來。②來世。

here·by [hɪrˋbaɪ] *adv.* 藉此。

he·red·i·tar·y [həˋrɛdə,tɛrɪ] *adj.* ①世襲的；祖傳的。②遺傳的。

he·red·i·ty [həˋrɛdətɪ] *n.* [U] ①遺傳。②得自祖先的身心特性。

here·in [hɪrˋɪn] *adv.*①在此。②鑒於。

here·in·af·ter [,hɪrɪnˋæftə] *adv.* 在下；在下文中。

here·of [hɪrˋɑv] *adv.* 於此；關於此點。

here·on [hɪrˋɑn] *adv.*=**hereupon.**

her·e·sy [ˋhɛrəsɪ] *n.* [U] [C] 異端邪說；異教。

her·e·tic [ˋhɛrətɪk] *n.* [C] 異教徒。— *adj.* =**heretical.**

he·ret·i·cal [həˋrɛtɪkl̩] *adj.* 異端邪說的。

here·to [hɪrˋtu] *adv.* 至此。

here·to·fore [,hɪrtəˋfor, -ˋfɔr] *adv.* 至今；此時以前。

here·up·on [,hɪrəˋpɑn] *adv.* ①於此。②隨即。

here·with [hɪrˋwɪθ] *adv.*①同此；附

此。②因此；藉此。

her·it·a·ble [ˋhɛrətəbl] *adj.* ①可繼承的。②可遺傳的。

***her·it·age** [ˋhɛrətɪdʒ] *n.* Ⓒ (常 *sing.*)①遺產。②祖先遺留下之事物(如文化、傳統等)。③天賦的命運。

her·maph·ro·dite [hɜˋmæfrəˏdaɪt] *n.* Ⓒ ①〖生物〗雌雄同體；兩性動物。②陰陽人。— *adj.* 雌雄同體的；陰陽人的；具有相反性格的。

her·met·ic, -i·cal [hɜˋmɛtɪk(l̩)] *adj.* ①密封的。②鍊金術的。

her·mit [ˋhɜmɪt] *n.* Ⓒ 隱士；隱居者。§ ∼ **cràb**〖動〗寄居蟹。

her·mit·age [ˋhɜmɪtɪdʒ] *n.* Ⓒ 隱居之所。

her·ni·a [ˋhɜnɪə] *n.* Ⓤ Ⓒ (*pl.* **∼s, -ni·ae** [-nɪˏi])〖醫〗脫腸；疝氣。

‡**he·ro** [ˋhɪro] *n.* Ⓒ (*pl.* **∼es**)①英雄；勇士。②(小說、戲劇等之)男主角。③超越常人者。§ ∼ **wòrship** 英雄崇拜。

Her·od [ˋhɛrəd] *n.* 希律王(猶太王，以殘虐聞名)。

***he·ro·ic** [hɪˋro·ɪk] *adj.*①英勇的；英雄式的。②歌頌英雄的；英勇事蹟的。③大於實物的。④英雄故事詩的。⑤大膽的。⑥(文體等)崇高的；壯麗雄偉的。— *n.*① Ⓒ 英雄故事詩。②(*pl.*) **a.**咬文嚼字。**b.**誇張的言辭、感情或行爲。**c.**英雄體詩。§ ∼ **cóuplet** 英雄雙行體[詩]。

her·o·in [ˋhɛro·ɪn] *n.* Ⓤ 海洛英；嗎啡精。

***her·o·ine** [ˋhɛro·ɪn] *n.* Ⓒ ①女英雄；女傑。②(小說、戲劇等的)女主角。

her·o·ism [ˋhɛroˏɪzəm] *n.* Ⓤ ①英勇；英雄氣概。②勇敢的事蹟。

her·on [ˋhɛrən] *n.* Ⓒ 蒼鷺。

he·ro-wor·ship [ˋhɪroˏwɜʃɪp] *v.t.* (-p-,〖英〗-pp-)把…當作英雄崇拜。

her·pes [ˋhɜpiz] *n.* Ⓤ〖醫〗疱疹。

her·pe·tol·o·gy [ˏhɜpəˋtɑlədʒɪ] *n.* Ⓤ 爬蟲類與兩棲類動物學。

Herr [hɛr]〖德〗*n.* (*pl.* **∼·en** [ˋhɛrən]) ①先生；君。② Ⓒ 德國紳士。

her·ring [ˋhɛrɪŋ] *n.* ① Ⓒ 鯡魚。② Ⓤ 鯡魚肉。***packed as close as ∼s*** 擠得像(罐頭內的)沙丁魚一般。

her·ring·bone [ˋhɛrɪŋˏbon] *n.* Ⓒ ①鯡魚骨。②人字形。— *adj.*鯡魚骨狀的；人字形的。

‡**hers** [hɜz] *pron.* ①她的所有物。Is that his or ∼? 那個是他的還是她的? ②(of ∼)她的。

‡**her·self** [həˋsɛlf] *pron.*①她自己(her 的反身代名詞)。②(她)親自；(她)本人。She ∼ told me the news. 這消息是她親自告訴我的。(***all***) ***by*** ∼ **a.** 她獨力；她自行。**b.** 她單獨。

hertz [hɛrts, hɜts] *n.* Ⓒ〖理〗赫(頻率單位，每秒一周，略作 **Hz, hz**)。

‡**he's** [hiz] =**he is**[**has**].

hes·i·tant [ˋhɛzətənt] *adj.* ①猶豫的；躊躇的。②吞吞吐吐的。— **hes′i·tance, hes′i·tan·cy,** *n.*

‡**hes·i·tate** [ˋhɛzəˏtet] *v.i.*①猶豫；躊躇；遲疑。②不欲；不願。③停頓。④支吾其辭。

hes·i·tat·ing·ly [ˋhɛzəˏtetɪŋlɪ] *adv.*言語支吾地；吞吞吐吐地。

***hes·i·ta·tion** [ˏhɛzəˋteʃən] *n.* Ⓤ Ⓒ ①躊躇；遲疑。②停頓。③言語支吾。④不願意。

Hes·per·us [ˋhɛspərəs] *n.*黃昏星；金星。(亦作 **Hesper**)

hetero-〖字首〗表「其他；不同」之義(母音之前作 heter-).

het·er·o·dox [ˋhɛtərəˏdɑks] *adj.* 非正統的；異端的(爲 orthodox 之對)。

het·er·o·ge·ne·ous [ˏhɛtərəˋdʒinɪəs] *adj.*①不同類的；龐雜的。②由不同種類之物構成的。

het·er·o·sex·u·al [ˏhɛtərəˋsɛkʃuəl] *adj.*〖生物〗異性的；異性愛的。— *n.* Ⓒ 異性戀者。

het·er·o·sex·u·al·i·ty [ˏhɛtərəˏsɛkʃuˋælətɪ] *n.* Ⓤ 異性愛。

heu·ris·tic [hjuˋrɪstɪk] *adj.*(使學生)自行發展的；啓發式的。— *n.* (*pl.*, 作 *sing.* 解)啓發式教學法。

hew [hju] *v.t.*(**∼ed, ∼ed** or **hewn**)①砍；劈。②砍倒。— *v.i.*①砍；削。②奉行；遵守〔常 to〕。

hew·er [ˋhjuɚ] *n.* Ⓒ 砍伐者；採礦夫。

hex [hɛks]〖美方〗*v.t.* 蠱惑；使著魔。— *n.* Ⓒ ①女巫。②魔法。③不吉利的東西。

hexa-〖字首〗表「六」之義(母音前作 hex-).

hex·a·gon [ˋhɛksəˏgɑn] *n.* Ⓒ 六角形；六邊形。— **hex·ag′o·nal,** *adj.*

hex·a·he·dron [ˏhɛksəˋhidrən] *n.* Ⓒ (*pl.* **∼s, -dra** [-drə])六面體。

hex·am·e·ter [hɛksˋæmətɚ] *n.* Ⓒ 六音步的詩行。

‡**hey** [he] *interj.*(招呼人使之注意之聲)喂! *H*-! Stop! 喂! 止步!

hey·day [ˋheˏde] *n.*(the ∼)盛年；壯年；全盛時期。

hf half. **Hf**〖化〗hafnium. 鉿。**HF, H.F.**〖無線〗high frequency.

‡**hi** [haɪ] *interj.*(打招呼之聲)喂!

H.I. Hawaiian Islands.

hi·a·tus [haɪˋetəs] *n.* Ⓒ (*pl.* **∼, ∼·es**)①空隙；裂縫。②(文章中的)脫漏。

hi·ber·nal [haɪˋbɜnl] *adj.* 冬日的；寒冷的。

hi·ber·nate [ˋhaɪbɚˏnet] *v.i.* ①冬眠；蟄伏。②過冬；避寒。③退隱。— **hi·ber·na′tion,** *n.*

hi·bis·cus [haɪˋbɪskəs] *n.* Ⓒ〖植〗芙蓉。

hic·cup, hic·cough [ˋhɪkʌp] *n.* Ⓒ (常*pl.*)打嗝。— *v.i.* & *v.t.* 打嗝；打呃。

hick [hɪk] *n.* Ⓒ〖俗〗鄉下人；土裏土氣的人。

hick·o·ry [ˋhɪkərɪ, ˋhɪkrɪ] *n.*① Ⓒ 北美產之山胡桃樹。② Ⓤ 山胡桃木。

‡**hid** [hɪd] *v.* pt. & pp. of **hide**¹.

‡**hid·den** [ˋhɪdn̩] *v.* pp. of **hide**¹. — *adj.* 隱藏的；祕密的。

‡**hide**¹ [haɪd] *v.t.*(**hid, hid·den** or **hid**)①藏；躲避。②遮蔽。③保密；隱瞞。— *n.* Ⓒ〖英〗觀賞動物之隱藏處。

hide² *n.* ① Ⓤ Ⓒ 獸皮。② Ⓒ〖俗〗(人的)皮膚。***save one's ∼*** 逃避懲罰。***tan one's ∼*** 打某人一頓。

hide-and-seek [ˋhaɪdn̩ˋsik] *n.* Ⓤ 捉迷藏。(亦作 **hide-and-go-seek**)

hide·a·way [ˋhaɪdə,we] *n.* Ⓒ 隱藏處; 僻靜[隱秘]的地方。

hide·bound [ˋhaɪd,baʊnd] *adj.* ①(動物) 皮包骨的。②心地狹窄而固執的; 頑固的。③保守的; 守舊的。

***hid·e·ous** [ˋhɪdɪəs] *adj.*醜惡的; 可憎的; 可怕的。—**ly,** *adv.* —**ness,** *n.*

hide·out [ˋhaɪd,aʊt] *n.* Ⓒ〖俗〗(盜匪之)巢穴; 隱匿處。

hid·ing[1] [ˋhaɪdɪŋ] *n.*① Ⓤ 躲藏。② Ⓒ 藏匿處。

hid·ing[2] *n.* Ⓒ〖俗〗鞭打。

hie [haɪ] *v.i. & v.t.*(使)快走; 催促。

hi·er·ar·chy [ˋhaɪə,rɑrkɪ] *n.*① Ⓤ Ⓒ 僧侶統治[政治]; 教會組織。② Ⓤ Ⓒ (政府機構內的) 階級組織。③ Ⓒ〖生物〗階層 (如門、綱、目、科、屬、種等)。

hi·er·o·glyph [ˋhaɪərə,glɪf] *n.* Ⓒ ①象形文字。②難理解的文字。

hi·er·o·glyph·ic [,haɪərəˋglɪfɪk] *adj.* ①(古埃及)象形文字的。②(字)潦草難解的。—— *n.*(*pl.*)①(古埃及之)象形文字。②潦草難解的文字、數字等。

hi-fi [ˋhaɪˋfaɪ]〖俗〗 *adj.*=**high-fidelity.** —— *n.*=**high fidelity.**

hig·gle [ˋhɪgl̩] *v.i.* ①討價還價。②爭論。(亦作 **haggle**)

hig·gle·dy-pig·gle·dy [ˋhɪgl̩dɪˋpɪgl̩dɪ] *adv. & adj.*雜亂無章地[的]; 紊亂地[的]。—— *n.* Ⓤ 雜亂; 混亂。

****high** [haɪ] *adj.*①高的; 高大的。②高級的; 高等的; 高尚的。③極大的(=very great). ④(聲音、嗓子)尖銳的。⑤超乎尋常的。⑥主要的; 重要的。⑦昂貴的。⑧達於最高點的。⑨略微敗壞的; 略有臭味的。⑩傲慢的。⑪〖俗〗帶有酒意的; 酩酊的。⑫嚴重的。⑬興高采烈的。⑭奢侈的。⑮遙遠的。⑯極端的。⑰高地的; 內陸區的。~ *and low* 高低貴賤的(人們)。—— *adv.* ①高高地。②奢侈地。~ *and dry* **a.** (船)擱淺。**b.** 陷入困境。~ *and low* 到處。*run* ~ (海)起風浪; (情緒)激昂。—— *n.*① Ⓤ 高處。② Ⓒ 高氣壓區域。③ Ⓤ〖汽車〗最高速; 高速檔。④ Ⓒ〖俗〗最高紀錄。⑤ Ⓤ Ⓒ〖俗〗中學。*on* ~ **a.** 高高在上; 在天空中。**b.** 在天堂中。§ ~ **béam**〖汽車〗遠光(遠距離用向上的前燈光線)。~ **blóod prèssure** 高血壓。~ **cómedy**(主題嚴肅, 含意深長的)高級喜劇。~ **commíssioner**(常 H- C-)高級專員(大英國協相互派駐的大使級代表)。~ **cóurt** 高等法院。~ **dày** 節日。~ **fidélity**(收音機、電唱機之)高度傳眞性。~ **fréquency**〖無線〗高頻率(數)(3-30 megahertz). **H- Gérman** 高地德語(今日德國之標準語)。~ **hórse** 驕傲的態度或脾氣; 藐視的態度。~ **jìnks** 喧鬧; 狂歡作樂。~ **jùmp** 跳高。~ **jùmper** 跳高者。~ **lìght** (1)〖攝〗光亮部分。(2)(新聞、節目等之)最精彩之場面; 最有趣之事件; 最重要之點; 最顯著之部分。**H- Máss**〖天主教〗(有燒香、奏樂等的)大彌撒。~ **nóon** (1)中午。(2)極點; 最高峰。~ **príest** (1)高僧; (尤指古代猶太教的)大祭司。(2)(主義、運動等的)主要提倡者; 領導者。~ **rìse**高層大廈。* ~ **schòol**〖美〗中學。~ **spìrits** 快樂; 歡欣。~ **spót**(活動中)最顯著[精彩]的部分, (尤指)最值得回憶的部分〔of〕. **H- Strèet**〖英〗大街(在牛津 Oxford 通常叫 the High). ~ **stýle** 最時髦的[最新流行的]高級式樣。~ **táble** 英國大學中院長、導師等的餐桌; 貴賓桌。~ **téa**〖英〗黃昏茶點;「高茶」。~ **technólogy** 高度[尖端]科技。~ **tíde** (1)高潮(時)。(2)最高點。~ **tíme** (1)正是時候(再遲就爲時已晚); 早該。(2)〖俗〗一段狂歡享樂時間; 飲酒作樂。~ **tréason** 叛國; 叛逆罪。**the** ~ **commánd** (1)〖軍〗最高司令部[指揮部]; 統帥部。(2)(機關中的)領導部門。**the H- Cóurt (of Jústice)**〖英〗高等法院(英格蘭、威爾斯的最高法院民事部)。**the** ~ **séas** 公海; 外海。**the** ~ **wíre**(尤指馬戲團走鋼索的)高空鋼索。〔注意〕**high, tall** 均作「高」解。high 常指物(但不指人)。tall 可指人亦可指物。

high·ball [ˋhaɪ,bɔl] *n.* Ⓤ Ⓒ 混有冰、汽水或薑汁的威士忌酒。

high·born [ˋhaɪ,bɔrn] *adj.*出身名門的; 出身高貴的。

high·boy [ˋhaɪ,bɔɪ] *n.* Ⓒ〖美〗有足之高屜櫃。

high·brow [ˋhaɪ,braʊ]〖俚〗 *n.* Ⓒ 有高深學問的人; 自炫博學的人。—— *adj.* 有高深學問的; 自炫博學的。

high·chair [ˋhaɪ,tʃɛr] *n.* Ⓒ 小孩吃飯時所用之高腳椅。

high-class [ˋhaɪˋklæs] *adj.*高級的; 上流的; 上等的。

high-def·i·ni·tion [ˋhaɪ,dɛfəˋnɪʃən] *adj.*〖視〗高清晰度的。

high·er-up [ˋhaɪəˋʌp] *n.* Ⓒ〖美俗〗職位或地位較高的人。(亦作 **high-up**)

high·fa·lu·tin [,haɪfəˋlutn̩], **-ting** [-tɪŋ] *adj.*〖俗〗驕傲的; 虛飾的。

high-fi·del·i·ty [ˋhaɪfəˋdɛlətɪ] *adj.* 高度傳眞的。

high·fli·er, -fly·er [ˋhaɪ,flaɪɚ] *n.* Ⓒ ①高飛之鳥[蝴蝶, 人]; 高空飛行家。②抱負極高之人; 野心家。

high-flown [ˋhaɪˋflon] *adj.*① 高尙的; 崇高的。②誇大的; 虛飾的。

high·fly·ing [ˋhaɪˋflaɪɪŋ] *adj.*高飛的; 高空飛行的。

high-grade [ˋhaɪˋgred] *adj.*高級的; (品質) 高等的。

high-hand·ed [ˋhaɪˋhændɪd] *adj.* 專橫的; 橫暴的; 高壓的。

high-hat [ˋhaɪ,hæt]〖俚〗 *v.t. & v.i.* 擺架子; 對人驕傲。—— *adj.* ①擺架子的; 勢利的。②時髦的; 漂亮的。

high·jack [ˋhaɪ,dʒæk] *v.*〖美俗〗=**hijack.** —**er,** *n.*

***high·land** [ˋhaɪlənd] *n.* ① Ⓒ 高地。②(*pl.*)丘陵地帶。—— *adj.*高地的; 丘陵地帶的。

high-lev·el [ˋhaɪˋlɛvəl] *adj.*①高階層的。②高級的。③高空的。

high·light [ˋhaɪ,laɪt] *v.t.* ①〖攝〗投強光使顯著。②使顯著; 強調。—— *n.* Ⓒ (常 *pl.*) =**high light.**

***high·ly** [ˋhaɪlɪ] *adv.*①高度地; 有利

地；高貴地。②很；極。③高價地。
high-mind·ed [ˋhaɪˋmaɪndɪd] *adj.* 品格高尚的；慷慨的。
high·ness [ˋhaɪnɪs] *n.*① Ⓤ 高；高度；高尚。②(H-)大人；閣下；殿下。
high-pitched [ˋhaɪˋpɪtʃt] *adj.*① 聲調高的。②高傲的。③坡度大的。
high-pow·ered [ˋhaɪˋpauɚd] *adj.* ①馬力大的；高性能的。②精力充沛的。
high-pres·sure [ˋhaɪˋprɛʃɚ] *adj.* ①高壓的。②〖氣象〗高氣壓的。③強迫的。— *v.t.*〖俗〗強迫；強行推銷。
high-pro·file [ˋhaɪˋprofaɪl] *adj.* 高姿態的。
high-rank·ing [ˋhaɪ,ræŋkɪŋ] *adj.* 高位的；高階層的。
high·rise [ˋhaɪˋraɪz] *adj.* (大廈等)高層的。
high·road [ˋhaɪˋrod] *n.* Ⓒ ①大道；公路。②直接而容易的方法。
high-sound·ing [ˋhaɪˋsaʊndɪŋ] *adj.*(文體、頭銜等)派頭大的；誇張的。
high-speed [ˋhaɪ,spid] *adj.*高速度的。
high-spir·it·ed [ˋhaɪ,spɪrɪtɪd] *adj.*①高傲的。②勇敢的。③烈性的。
high-strung [ˋhaɪˋstrʌŋ] *adj.*敏感的；易激動的；神經過敏的；緊張的。
high-style [ˋhaɪˋstaɪl] *adj.* 最新款式的；最時髦的。
high·tail [ˋhaɪ,tel] *v.i.*〖俗〗匆忙走開；迅速撤退。
high-tech [ˋhaɪˋtɛk] *adj.* 高科技的。— *n.* Ⓤ =**high technology.**
high-ten·sion [ˋhaɪˋtɛnʃən] *adj.* 〖電〗高壓的。
high-test [ˋhaɪˋtɛst] *adj.*①經嚴格試驗的。②(汽油)沸點低的。
high-toned [ˋhaɪˋtond] *adj.*① 調子高的。②高尚的。③〖美〗曲高和寡的。
hígh-wáter màrk [ˋhaɪˋwɔtɚ~] *n.* Ⓒ ①高水標；(海岸的)高潮線。②顚峰〔of〕.
***high·way** [ˋhaɪ,we] *n.* Ⓒ ①大道；公路。②直截的途徑。
high·way·man [ˋhaɪ,wemən] *n.* Ⓒ (*pl.* **-men**)攔路搶劫者；強盜。
high-wire [ˋhaɪˋwaɪr] *adj.* 如走高空繩索般危險的。
H.I.H. His[Her] Imperial Highness. (日本等的)太子[太子妃]。
hi·jack [ˋhaɪ,dʒæk] *v.t.* & *v.i.* 〖美俗〗劫奪(飛機)；劫持(貨物)。— **er,** *n.*
hi·jack·ing [ˋhaɪ,dʒækɪŋ] *n.* Ⓤ Ⓒ 搶劫；劫機。
***hike** [haɪk] *v.i.*①〖俗〗徒步旅行；遠足；行軍。②舉高；升高〔常 up〕. — *v.t.*① 猛提高(物價等)。②揚起；拉高；拉起。— *n.* Ⓒ ①徒步旅行；遠足。②升起。— **hik′er,** *n.*
***hik·ing** [ˋhaɪkɪŋ] *n.* Ⓤ 遠足；徒步旅行。
hi·lar·i·ous [həˋlɛrɪəs] *adj.*①高興的；熱鬧的。②有趣的；妙的。
‡**hill** [hɪl] *n.* Ⓒ ①小山；丘陵。②小土堆。③根上堆有泥土之植物。④坡路。— *v.t.*①堆土堆於根上。②堆成小丘。§ ∼ **mỳna** 〖鳥〗鷯哥。∼ **stàtion**(印度等地的)山中避暑地。
hill·bil·ly [ˋhɪl,bɪlɪ] *n.* Ⓒ〖美俗〗①南部山林地帶之人；山地人。②山地民謠。§ ∼ **mùsic** 山地民謠(以濃重的美國南部山岳地帶腔調唱的鄉村音樂)。
hill·ock [ˋhɪlək] *n.* Ⓒ小丘。
hill·side [ˋhɪl,saɪd] *n.* Ⓒ山坡。
hill·top [ˋhɪl,tap] *n.* Ⓒ山頂；山巓。
hill·y [ˋhɪlɪ] *adj.* ①多小山的。②如小山的。
hilt [hɪlt] *n.* Ⓒ (劍或刀等的)柄。(*up*) *to the* ∼ 完全地；徹底地。
‡**him** [hɪm] *pron.* (he 的受格)他；彼。
H.I.M. His[Her] Imperial Majesty. 聖上；陛下。
Him·a·la·yas [hɪˋmaləjəz] *n. pl.* (the ∼)喜馬拉雅山脈。(亦作**the Himalaya, Himalaya Mountains**) — **Him·a·la′yan,** *adj.*
‡**him·self** [hɪmˋsɛlf] *pron.* ①他自己(him 的反身代名詞)。②(他)親自(用以加強語勢)。③平時[正常]的他。He felt like ∼ again. 他感到復原了。(***all***) ***by*** ∼ **a.** 他獨力；他自行。**b.** 他單獨。
***hind**[1] [haɪnd] *adj.* 在後的；後部的。— **most,** *adj.* 最後(面)的。
hind[2] *n.* Ⓒ三歲或三歲以上的雌紅鹿。
***hin·der**[1] [ˋhɪndɚ] *v.t.* 妨礙；阻止。— *v.i.*成爲阻礙。
hind·er[2] [ˋhaɪndɚ] *adj.* 後面的；後部的。
Hin·di [ˋhɪndi] *n.* Ⓤ北印度語。
hind·most [ˋhaɪnd,most] *adj.* 最後的；最後面的。
hind·quar·ter [ˋhaɪndˋkwɔrtɚ] *n.* Ⓒ ①(常 *pl.*)(牛、羊肉等之)臀及後腿。②尾部；後端。
hin·drance [ˋhɪndrəns] *n.*① Ⓤ 防礙；阻礙。② Ⓒ 阻礙物。
hind·sight [ˋhaɪnd,saɪt] *n.*① Ⓒ 〖軍〗(槍等之)照門。② Ⓤ 〖謔〗事後聰明。
Hin·du, -doo [ˋhɪndu] *n.* Ⓒ 印度人；印度教教徒。— *adj.*印度(人，語文)的；印度教的。— **ism,** *n.* Ⓤ 印度教。
hinge** [hɪndʒ] *n.* Ⓒ ①絞鏈；關鍵；樞紐。②主旨；要點。off the*** ∼***s*** (身體)活動不靈的；(精神)錯亂的。— *v.t.* ①裝以鉸鏈。②使依靠。— *v.i.*①依鉸鏈而轉動。②以…爲轉移。
***hint** [hɪnt] *n.* ① Ⓒ 暗示；提示。② (a ∼)少量；少許。— *v.t.* & *v.i.* 暗示；示意〔at〕.
hin·ter·land [ˋhɪntɚ,lænd] *n.* Ⓤ Ⓒ ①海岸後方地區；內地。②(常 *pl.*) 偏僻地區；背地。③港口腹地。
hip**[1] [hɪp] *n.* Ⓒ臀；屁股。on***[***upon***] ***the*** ∼ 蒙受不利；處於不利地位。— *interj.* 歡呼聲，如：*H-*, ∼, hurrah! § ∼ **bàth** 坐浴。∼ **flàsk** 攜帶用的扁平小酒瓶(放於後面的褲袋中)。∼ **jòint** 〖解〗股關節。∼ **pòcket** (褲子的)臀部口袋；後口袋。∼ **ròof** 〖建〗斜脊屋頂。
hip[2] *n.* Ⓒ 玫瑰花的莢。
hip·bone [ˋhɪp,bon] *n.* Ⓒ〖解〗無名骨；髖骨。
hip·hop [ˋhɪp,hap] *n.* Ⓤ ①嬉蹦舞(曲)(一種街頭賣藝的舞蹈或樂曲)。②嬉蹦族(的文化模式)。
hipped [hɪpt] *adj.* 〖俗〗被(…)迷住的；熱心於…的〔on〕.

hip·pie [`hɪpi] *n.* Ⓒ 嬉皮。
hip·po [`hɪpo] *n.* Ⓒ (*pl.* **~s**)〖俗〗河馬。
Hip·poc·ra·tes [hɪ`pɑkrə,tiz] *n.* 希波克拉底(460?-377B.C., 希臘醫生, 有醫藥之父之稱)。
hip·po·drome [`hɪpə,drom] *n.* Ⓒ ①(古希臘、羅馬之)跑馬場; 競技場。②馬戲場。
hip·po·pot·a·mus [,hɪpə`pɑtəməs] *n.* Ⓒ (*pl.* **~·es, -mi** [-,maɪ]) 河馬。(略作 **hippo**)
hip·ster [`hɪpstɚ] *n.* Ⓒ〖俚〗①爵士音樂迷。②=**beatnik.** ③趕時髦的人。
‡**hire** [haɪr] *v.t.* ①雇; 請。②租用。~ *out* 出租。— *n.* Ⓤ 工資; 租金; 租用。*for* [*on*] ~ 爲臨時雇用的; 出租的。〔注意〕租房屋或田地, 須用 rent, 但租屋若屬臨時性的, 也可用 hire.
hire·ling [`haɪrlɪŋ] *n.* Ⓒ ①專爲金錢之工作者。②受雇而工作者。— *adj.* 被雇傭的; 專爲金錢的。
hire-pur·chase [`haɪr`pɝtʃəs] *n.* Ⓤ〖英〗①分期付款。②分期付款銷貨法。
hir·er [`haɪrɚ] *n.* Ⓒ 雇主; 雇用者。
Hi·ro·shi·ma [`hɪro`ʃimə] *n.* 廣島(日本本州西南岸城市, 1945年8月6日爲美國原子彈所襲擊)。
hir·sute [`hɝsut] *adj.* ① 多毛的。②〖動, 植〗有鬃毛的。③毛的; 毛質的。
‡**his** [hɪz, ɪz] *pron.* ①(he 的所有格)他的。②(he 的所有代名詞)他的(所有物)。
His·pan·ic [hɪs`pænɪk] *adj.* 西班牙的; 西班牙語系[諸國]的; 拉丁美洲的。— *n.* Ⓒ〖美〗(在美國講西班牙語的)拉丁美洲人; 拉丁美洲裔的居民。
***hiss** [hɪs] *v.i.* & *v.t.* ①發嘶嘶聲。②以噓聲說明或表示。— *n.* Ⓒ 嘶嘶聲; 嗤嗤聲。§ ~**ing sòund**〖語音〗ㄙ聲 (指牙齒磨擦音中的 [s, z])。
hist [hɪst] *interj.* 噓!
***his·to·ri·an** [hɪs`torɪən] *n.* Ⓒ 歷史學家。
***his·tor·ic** [hɪs`tɔrɪk] *adj.* ①歷史上著名的; 有歷史性的。~ times 有歷史記載的時期。②=**historical.**
***his·tor·i·cal** [hɪs`tɔrɪkḷ,-`tɑrɪkḷ] *adj.* ①歷史上的; 眞實的。②依據歷史的。③有關歷史的。— **ly,** *adv.*
‡**his·to·ry** [`hɪstrɪ, `hɪstərɪ] *n.* ① Ⓤ 歷史。② Ⓤ 沿革; 過去。③ Ⓒ 對所發生之事的述說。④ Ⓒ 歷史書[劇]。
his·tri·on·ic [,hɪstrɪ`ɑnɪk] *adj.* ①演員的; 戲劇上的。②做戲的; 假扮的。
his·tri·on·ics [,hɪstrɪ`ɑnɪks] *n.* ① Ⓤ 演戲。②(作 *pl.*解) 做作。
‡**hit** [hɪt] *v.t.* (**hit, hit·ting**) ①擊(球); 打(球)。②打中; 命中(目標)。③碰撞。④〖美俗〗到達。⑤攻擊; 抨擊。⑥打擊; 使受創。⑦找到; 發現。⑧猜中。— *v.i.* ①(朝…)打去〔at〕。②撞到〔on, against〕。③(內燃機汽缸內)點火。~ *it off*〖俗〗相處甚善; 相合。~ *off* **a.** 模仿。**b.** 巧妙地表示出。~ *on* [*upon*] **a.** 無意中遇見。**b.** 偶然發現; 忽然想起; 猜中。— *n.* Ⓒ ①打; 擊。②攻擊; 抨擊。③〖棒球〗安打。④有效的文字表現。⑤(嘗試、演出等之)成功。~ *or miss* 隨便; 馬虎。§ ~ **màn**〖美俚〗職業殺手。~ **paràde** 流行歌[暢銷曲]等的排行榜; 暢銷曲目錄。
hit-and-run [`hɪtn̩`rʌn] *adj.* ①(汽車等) 撞倒行人就逃走的。②〖棒球〗打帶跑的。
hitch [hɪtʃ] *v.t.* ①急動; 猛拉。②繫住; 鉤住。— *v.i.* ①被繫住; 被拉住。②跛行。— *n.* Ⓒ ①急動; 猛拉。②障礙; 阻礙。③(暫時栓物用的)結。
***hitch·hike** [`hɪtʃ,haɪk] *v.i.* 搭便車旅行。— **hitch'hik·er,** *n.*
hith·er [`hɪðɚ] *adv.* 到此處(=here). ~ *and thither* 到處。— *adj.* 在這邊的。
hith·er·to [,hɪðɚ`tu] *adv.* 迄今; 至今。
Hit·ler [`hɪtlɚ] *n.* 希特勒 (Adolf, 1889-1945, 納粹黨魁, 於1933-45任德國總理)。— **ism,** *n.*
hit·ter [`hɪtɚ] *n.* Ⓒ ①〖棒球〗打擊手。②打擊之物[人]。
HIV [hɪv] Human Immunodeficiency Virus.〖醫〗人體免疫缺乏病毒。
hive [haɪv] *n.* Ⓒ ①蜂房。②群蜂。③鬧市; 鬧區。④一大群麇集的人。— *v.t.* ①置(蜂)於蜂房中。②儲藏(蜜)於蜂房中。— *v.i.* ①進入蜂房。②如蜂一般地集居於一處。
hives [haɪvz] *n. pl.* (作*sing.* or *pl.*解)〖醫〗蕁麻疹。
h'm [həm] *interj.* =**hem**[2]**; hum.**
H.M. His [Her] Majesty.
H.M.S.〖英〗His [Her] Majesty's Ship [Service].
ho(a) [ho] *interj.* ①(表示嘲笑、喜悅、或驚愕之聲)嗬! ②引起注意之聲。
hoar [hor] *adj.* ①灰白的。②灰白頭髮的; 年老的。③鋪滿白霜的。— *n.* Ⓤ ①灰白(色)。②白髮。③白霜。
hoard [hord, hɔrd] *v.i.* & *v.t.* 貯藏金錢、貨物等〔up〕。— *n.* Ⓒ 貯藏物。
hoard·ing [`hordɪŋ] *n.* ① Ⓤ 貯藏。②(*pl.*)貯藏物。③ Ⓒ 招貼板; 廣告牌。④ Ⓒ (工地四周的)圍籬。⑤ Ⓤ 囤積。
hoar·frost [`hor,frɔst] *n.* Ⓤ 白霜。
***hoarse** [hors] *adj.* ①嘶啞的; 粗嗄的。②發嘶啞聲的; 聲音粗嗄的。
hoar·y [`horɪ] *adj.* ①灰白的; 鬚髮斑白的。②古代的。
hoax [hoks] *n.* Ⓒ ①惡作劇。②騙局。— *v.t.* 用騙局欺詐。
hob [hɑb] *n.* Ⓒ 火爐後面或旁邊的鍋架。
hob·ble [`hɑbḷ] *v.i.* ①蹣跚。②跛行。— *v.t.* ①使跛行。②將(馬)腿綑縛以阻其行動。— *n.* ① Ⓤ 跛行。② Ⓒ 束縛馬腿用的繩或帶。③ Ⓤ 困境; 困難。
***hob·by** [`hɑbɪ] *n.* Ⓒ ①嗜好; 癖好。②=**hobbyhorse.**
hob·by·horse [`hɑbɪ,hɔrs] *n.* Ⓒ (兒童玩具)木馬; 搖馬; 旋轉木馬。
hob·gob·lin [`hɑb,gɑblɪn] *n.* Ⓒ 妖魔; 惡鬼。
hob·nail [`hɑb,nel] *n.* Ⓒ (釘於鞋跟之)平頭釘。
hob·nob [`hɑb,nɑb] *v.i.* (**-bb-**) ①交好; 親睦〔常 with〕。②共飮; 碰杯。
ho·bo [`hobo] *n.* Ⓒ (*pl.* **~(e)s**)〖美〗①游民; 流氓。②流動工人。
Hób·son's chóice [`hɑbsənz ~] *n.* Ⓤ 不容挑選(祇能接受或拒絕)。

hock[1] [hɑk] *n.* Ⓒ (馬牛等的)後腳踝關節。

hock[2] *n.* Ⓤ 德國萊茵河地區所產之白葡萄酒。

hock[3] *v.t.* & *n.* Ⓤ〖美俚〗典當；典質。

*__hock·ey__ [ˋhɑkɪ] *n.* Ⓤ 曲棍球。

ho·cus [ˋhokəs] *v.t.* (**-s-,**〖英〗**-ss-**) ①欺騙。②加麻醉劑於(飲料)中；使麻醉。

ho·cus-po·cus [ˋhokəsˋpokəs] *n.* Ⓤ ①(變戲法之)咒語。②戲法；魔術。③詭計；欺騙。— *v.t.* & *v.i.* (**-s-,**〖英〗**-ss-**)欺騙；戲弄。

hod [hɑd] *n.* Ⓒ ①搬運磚瓦、灰泥等物之工具。②煤斗。

hodge·podge [ˋhɑdʒˏpɑdʒ] *n.* (a ～)混雜物；雜食。

hoe [ho] *n.* Ⓒ 鋤頭。— *v.t.* & *v.i.* (用鋤頭)鋤；掘。

hoe·cake [ˋhoˏkek] *n.* Ⓤ Ⓒ〖美〗玉米餅。

hoe·down [ˋhoˏdaʊn] *n.* Ⓒ ①一種農村舞。②農村舞的曲子(帶有民謠色彩)。③農村舞舞會；喧鬧的舞會。

hog [hɑg] *n.* Ⓒ ①豬；長成的豬。②〖俗〗自私者；貪婪者。***go*** (***the***) ***whole*** ～ 盡力而爲之。— *v.t.* (**-gg-**) ①〖美俚〗貪取。②彎背(如豬狀)。—**gish,** *adj.*

ho·gan [ˋhogɔn] *n.* Ⓒ (北美印第安人Navaho 族用泥和樹枝蓋的)草屋。

hogs·head [ˋhɑgzˏhɛd] *n.* Ⓒ ①可容100至140加侖之大桶。②液量單位(合63加侖)。

hog·wash [ˋhɑgˏwɑʃ] *n.* Ⓤ ①豬食；殘湯剩菜。②空洞的話或文章；劣作。

hoi pol·loi [ˋhɔɪpəˋlɔɪ] *n. pl.* (the ～) (希臘)民眾；百姓；烏合之眾。

hoist [hɔɪst] *v.t.* 升高；升起；舉起。— *n.* Ⓒ ①升高；舉起。②起重機。

hoi·ty-toi·ty [ˋhɔɪtɪˋtɔɪtɪ] *adj.* ①輕佻的；浮誇的。②易怒的；傲慢的。— *interj.* (表驚訝或藐視聲)噯喲!

Hok·kai·do [hɑˋkaɪdo] *n.* 北海道(日本四大島之一)。

ho·kum [ˋhokəm] *n.* Ⓤ〖俚〗無聊話。

‡**hold**[1] [hold] *v.t.* (**held**) ①握住；拿住。②使固定不動；按住。③支撐；托住不墜。④握有；持；抱著。⑤使…保持(某種狀態)。⑥容納；裝。⑦掌握；保持；固執。⑧舉行；開(會)。⑨堅守。⑩法庭裁決。⑪抑制；約束。⑫信仰；堅信。⑬守信；守約。⑭占有。⑮保留。⑯扣留。— *v.i.* ①停留；維持；抑制。②持久不壞。③堅守。④有效。⑤繼續。⑥保持。～ ***back*** **a.**克制。**b.**抵擋。**c.**隱而不宣。**d.**保有；扣留。～ ***forth*** **a.**演說；說教；長篇大論地講。**b.**給予；提議。～ ***good*** 有效。～ ***in*** **a.** 壓抑。**b.** 忍耐；忍住。～ ***off*** **a.** 使離開；使不接近。**b.** 抵抗。**c.** 延緩。～ ***on*** **a.**繼續下去。**b.** 抓住。**c.** 堅持下去。**d.** 不要掛斷電話。～ ***one's ground*** [***one's own***] 堅持自己的地位或立場；不讓步。～ ***out*** **a.** 伸出。**b.** 給予。**c.** 拖延；延續。**d.** 支持。**e.**〖俚〗不使發生。**f.** 維持。**g.**〖俚〗扣壓；保留。～ ***over*** **a.** 展期；延擱。**b.** 逾期延續。**c.** 保存。～ ***true*** 適用。～ ***up*** **a.**〖美〗攔路搶劫。**b.** 妨礙…。**c.** 經久。**d.** 舉出；提出。**e.** 擁護；支持。**f.** 保持地位或現狀。～ ***with*** **a.** 同意；贊成。**b.** 原諒。— *n.* ①Ⓤ Ⓒ 把握；把持力。②Ⓒ 支持物。③Ⓤ 掌握；把持。④Ⓒ 擒拿法。⑤Ⓒ〖樂〗音之持續。⑥Ⓒ 監牢。⑦Ⓒ〖古〗堡壘。⑧Ⓒ 預約。***get*** ～ ***of*** 獲得；取得。

hold[2] *n.* Ⓒ (船之)貨艙；船艙。

hold·all [ˋholdˏɔl] *n.* Ⓒ ①旅行用之大帆布袋。②放雜物的大袋。

hold·back [ˋholdˏbæk] *n.* Ⓤ 妨礙；箝制；阻止。

hold·down, hold-down [ˋholdˏdaʊn] *n.* Ⓒ 抑制；節制。

hold·er [ˋholdɚ] *n.* Ⓒ ①持有人；所有人。②支持物。③票據持有人。

hold·fast [ˋholdˏfæst] *n.* Ⓒ 緊握之物；把握之物(如鉤、箝等)。

hold·ing [ˋholdɪŋ] *n.* ①Ⓤ 土地保有。②Ⓒ (常 *pl.*) (股票、債券等)財產。§～ **còmpany** 控股公司；母公司。

hold·out [ˋholdˏaʊt] *n.* Ⓒ (在集團活動、交涉中)拒絕協調的人。

hold·o·ver [ˋholdˏovɚ] *n.* Ⓒ ①留任者。②繼續上映[上演]的電影[戲]。

hold·up [ˋholdˏʌp] *n.* Ⓒ ①〖俗〗攔路搶劫。②(交通之)阻塞。

‡**hole** [hol] *n.* Ⓒ ①洞；孔；穴。②簡陋的居所。③〖俗〗瑕疵；缺點。④〖俗〗困境；窘境。***pick*** ～***s in*** 對…吹毛求疵。— *v.t.* ①鑽(洞)；打(洞)；鑿(洞)。②打(高爾夫球)入洞。～ ***out*** 打高爾夫球入洞。～ ***up*** **a.** 入洞過冬。**b.** 隱居或藏匿一段時期。

hole-and-cor·ner [ˋholənˋkɔrnɚ] *adj.*〖俗〗祕密的；偷偷的。

‡**hol·i·day** [ˋhɑləˏde] *n.* Ⓒ ①假日；節日。②(常 *pl.*)假期。

hol·i·days [ˋhɑləˏdez] *adv.* 在假日。

ho·li·ness [ˋholɪnɪs] *n.* Ⓤ 神聖。***His*** [***Your***] ***H-*** 教皇陛下；教宗。

hol·la, hol·loa [ˋhɑlə] *interj.* & *n.* & *v.*＝**hollo.**

Hol·land [ˋhɑlənd] *n.* 荷蘭。

hol·ler [ˋhɑlɚ]〖美俚〗*v.t.* & *v.i.* 呼喊；叫喊。— *n.* Ⓒ holler 之叫聲。

hol·lo [ˋhɑlo] *interj.* 喂! — *n.* Ⓒ (*pl.* ～**s**) hollo之叫聲。— *v.t.* & *v.i.* ①叫 hollo；喂喂地叫。②叱喊(獵犬)。

*__hol·low__ [ˋhɑlo] *adj.* ①空的；中空的。②凹陷的。③空虛的。④虛僞的；假的。⑤饑餓的；空腹的。— *n.* Ⓒ ①洞；孔；穴。②山谷。— *v.t.* & *v.i.* (使)成空洞〔常 out〕。— *adv.*〖俗〗徹底地。***beat all*** ～ 徹底擊敗。—**ness,** *n.* —**ly,** *adv.*

hol·low-eyed [ˋhɑloˏaɪd] *adj.* 眼睛凹陷的。

hol·ly [ˋhɑlɪ] *n.* Ⓤ Ⓒ 冬青類植物(耶誕節裝飾用)。

hol·ly·hock [ˋhɑlɪˏhɑk] *n.* Ⓒ〖植〗蜀葵。

Hol·ly·wood [ˋhɑlɪˏwʊd] *n.* 好萊塢(在洛杉磯(Los Angeles)市，爲美國電影工業中心)。§ **the** ～ **Bówl** 好萊塢劇院。

Holmes [homz] *n.* 福爾摩斯(Sherlock, 英國 Sir Arthur Conan Doyle 所著偵探小說中之名探)。

hol·o·caust [ˋhɑləˏkɔst] *n.* ①Ⓒ 燔

祭(燒全獸的祭禮)。② Ⓒ 大屠殺; 浩劫。③(the H-)(二次大戰納粹對猶太人)大屠殺。

hol·o·graph [ˋhɑləˏgræf] *n.* Ⓒ 親筆文書。— *adj.* 親筆的。

ho·log·ra·phy [həˋlɑgrəfɪ] *n.* Ⓤ 雷射光攝影術。— **hol·o·graph′ic,** *adj.*

hol·ster [ˋholstɚ] *n.* Ⓒ 手槍皮套。

***ho·ly** [ˋholɪ] *adj.* ①神賜的; 神聖的。②聖潔的; 至善的。③宗教的。§ **H∠ Commúnion** 聖餐禮。**H∠ Gráil** 聖杯。**H∠ Lànd** 聖地(即巴勒斯坦)。**∠ órders** 聖職。**H∠ Trínity** 三位一體。**the H∠ Bíble** 聖經。**the H∠ Cíty** 聖城。**the H∠ Fáther** 羅馬教皇。**the H∠ Ghóst [Spírit]** 聖靈(三位一體之第三位, 透過耶穌而及於世人的神靈)。**the H∠ Róman Émpire** 神聖羅馬帝國。

ho·ly·day [ˋholɪˏde] *n.* Ⓒ 宗教之祭日; 聖日。(亦作 **holy day**)

ho·ly·stone [ˋholɪˏston] *n.* Ⓒ (磨甲板之)磨石。— *v.t.* & *v.i.* 用磨石磨。

hom·age [ˋhɑmɪdʒ, ˋɑm-] *n.* Ⓤ ①效忠; 臣服。②尊崇; 敬意。③(封建制度之)主僕關係。

hom·burg [ˋhɑmbɝg] *n.* Ⓒ 翹邊帽。

‡home [hom] *n.* ① ⓊⒸ 家; 家庭; 家園。② Ⓤ 家鄉; 祖國。③ Ⓒ 庇護所; 避難所。④ Ⓒ 動植物之棲息地。*at* ~ **a.**在家裡。**b.**無拘束; 舒適; 安詳。**c.**接見客人; 會客。**d.**(球賽等)在本地或本隊球場舉行。*be at ~ in* 熟習; 精通。— *adv.* ① 在[到, 向]家(= at [to, toward] home). ②恰中地。③深入地。*bring ~*弄清楚; 強調。— *adj.* ①家的; 家庭內的。②國內的; 本國的。— *v.i.* ①回家。②成家。— *v.t.* ①送返家。②供以家。§ **∠ báse [plàte]** 〖棒球〗本壘。**∠ compúter** 家用電腦。**H∠ Depártment** 〖英〗內政部。**∠ económics** 家政學 (亦作 home ec). **∠ lòan** 抵押貸款。**∠ páge** 〖電算〗首頁。**∠ rúle** 地方自治。**∠ rún**〖棒球〗全壘打。**the H∠ Cóunties** 倫敦周圍諸郡。**the ∠ frònt**(戰時)大後方(之平民)。

home·bod·y [ˋhomˏbɑdɪ] *n.* Ⓒ 常留在家中的人; 家庭主義者。

home·bred [ˋhomˋbrɛd] *adj.*①在家裡[國內]長大的; 家裡飼養的; 國產的。②沒教養的; 不懂世故的; 粗野的。

home-brew [ˋhomˋbru] *n.* ⓊⒸ 自釀之飲料(啤酒等)。— **ed,** *adj.*

home·com·ing [ˋhomˏkʌmɪŋ] *n.* Ⓒ ①歸家; 歸國。②大專或中學每年一度之校友集會。

home·grown [ˋhomˋgron] *adj.* (水果、蔬菜等)自家種植的。

home·land [ˋhomˏlænd] *n.* Ⓒ 祖國; 故鄉。

home·less [ˋhomlɪs] *adj.*無家可歸的。

home·like [ˋhomˏlaɪk] *adj.* 如在家的; 友好的; 熟悉的; 舒適的。

home·ly [ˋhomlɪ] *adj.*①家常的。②樸素的。③〖美〗不漂亮的。a ~ girl 一個不漂亮的女孩。④似家的; 令人思家的。⑤友善的。— **home′li·ness,** *n.*

***home·made** [ˋhomˋmed] *adj.*①自家製的; 自製的。②本國製造的。

home·mak·er [ˋhomˏmekɚ] *n.* Ⓒ 〖美〗主婦。

ho·me·o·path [ˋhomɪəˏpæθ] *n.* Ⓒ 順勢療法醫師。

ho·me·op·a·thy [ˏhomɪˋɑpəθɪ] *n.* Ⓤ 順勢療法。

hom·er [ˋhomɚ] *n.* Ⓒ 〖俗〗①〖棒球〗= **home run.** ② = **homing pigeon.**

Ho·mer [ˋhomɚ] *n.* 荷馬(古希臘詩人, 約生於西元前九世紀左右)。

***home·sick** [ˋhomˏsɪk] *adj.* 思家的; 害懷鄉病的。— **ness,** *n.*

home·spun [ˋhomˏspʌn] *adj.*①手織的。②樸素的; 粗野的。— *n.* Ⓤ ①手織物。②一種鬆疏而堅韌之毛織物。

home·stay [ˋhomˏste] *n.* Ⓒ 〖美〗客居外國家庭(期間)。

home·stead [ˋhomˏstɛd] *n.* Ⓒ ①〖美〗家園; 田園; 農家。②美加政府授予的自耕土地。§ **∠ làw** 有關公地放領之法律。— **er,** *n.*

home·stretch [ˋhomˋstrɛtʃ] *n.* Ⓒ ①(賽馬或賽跑)最後之直線賽程。②任何工作之最後部分。

home·town [ˋhomˋtaʊn] *adj.*家鄉的。— *n.* Ⓒ 家鄉。

home·ward [ˋhomwɚd] *adv.* (亦作 **homewards**)向家而(行)。~ bound 回航的。— *adj.*歸家的; 回國的。

home·ward-bound [ˋhomwɚd-ˋbaʊnd] *adj.* 往本國的; 回航(中)的。

‡home·work [ˋhomˏwɝk] *n.* Ⓤ ①在家裡做的工作(尤指替工廠所做者)。②課外應預習的功課; 家庭作業。

hom·ey [ˋhomɪ] *adj.*〖俗〗如家的; 安適的; 友善的。

hom·i·cide [ˋhɑməˏsaɪd] *n.*① Ⓒ 殺人者。② Ⓤ 殺人。— **hom·i·cid′al,** *adj.*

hom·i·let·ic [ˏhɑməˋlɛtɪk] *adj.*說教學的; 說教的。

hom·i·let·ics [ˏhɑməˋlɛtɪks] *n.* Ⓤ 說教術。

hom·i·ly [ˋhɑmlɪ] *n.* Ⓒ 講道。

hom·ing [ˋhomɪŋ] *adj.* ①歸家的; 能識歸路的。②自動導向的。§ **∠ mìssile** 自動導向飛彈。**∠ pìgeon** 傳信鴿。**∠ torpèdo** 自動導向魚雷。

hom·i·ny [ˋhɑmənɪ] *n.* Ⓤ 碾碎的玉米; 玉米粥; 玉米片。

ho·mo [ˋhomo] *n.* Ⓒ (*pl.* **~s**)〖俚〗= **homosexual.**

Ho·mo [ˋhomo] 〖拉〗 *n.* (*pl.* **Hom·i·nes** [ˋhɑməˏniz]) ① Ⓤ 人屬(靈長類之一屬)。②(h-) Ⓒ 人。

homo- 〖字首〗表「相同」之義。

ho·mo·ge·ne·ous [ˏhoməˋdʒinɪəs] *adj.* ①同類的; 相似的。②以類似成分所組成的。③〖數〗齊次的。④〖理〗均質的。

ho·mog·e·nize [hoˋmɑdʒəˏnaɪz] *v.t.* 使性質相同; 使均質。

hom·o·graph [ˋhɑməˏgræf] *n.* Ⓒ 同形異義字。

ho·mol·o·gous [hoˋmɑləgəs] *adj.* ①相同的; 對應的。②〖化〗同族的。③〖生物〗對應的; 異形同源的(器官)。

ho·mol·o·gy [hoˋmɑlədʒɪ] *n.* Ⓤ ①

相同(關係)；對應。②〖生物〗(器官之)相同。③〖化〗(化合物之)同族關係。

hom·o·nym [ˋhɑmə,nɪm] *n.* Ⓒ ①同音異義字。②同名之人。

Ho·mo sa·pi·ens [ˋhomoˋsepɪ,ɛnz] *n.* Ⓤ〖生物〗人類。

ho·mo·sex·u·al [,homəˋsɛkʃuəl] *adj.*①同性戀的。②同性的。— *n.* Ⓒ 同性戀者。

ho·mo·sex·u·al·i·ty [,homə,sɛkʃuˋælətɪ] *n.* Ⓤ 同性戀。

hom·y [ˋhomɪ] *adj.* =**homey.**

Hon. Honorable.

hon·cho [ˋhantʃo] *n.* Ⓒ (*pl.* ~**s**) 主事者；老闆；頭子。

Hon·du·ras [hanˋdurəs] *n.*宏都拉斯(中美洲東北部之一共和國，首都爲Tegucigalpa)。

hone [hon] *n.* Ⓒ 細磨刀石。— *v.t.*(在細磨刀石上)磨。

‡**hon·est** [ˋanɪst] *adj.*①誠實的；忠實的。②坦白的；直率的。③未攙雜的；純淨的；眞的。④以正當手段獲得的。§ ~ **bróker** 中立的仲裁者。

***hon·est·ly** [ˋanɪstlɪ] *adv.* 誠實地；坦白地；正當地。— *interj.* (表示埋怨、疑惑、生氣)哎啊!

***hon·es·ty** [ˋanɪstɪ] *n.* Ⓤ 誠實；正直。*H-* is the best policy. 誠實爲上策。

***hon·ey** [ˋhʌnɪ] *n.*① Ⓤ 蜂蜜。② Ⓤ 甜蜜。③ Ⓒ 愛人。— *adj.*甜蜜的；親愛的。— *v.t.* 加蜜；甜言蜜語地說出。— *v.i.* 說甜言蜜語〔常 up〕。

hon·ey·bee [ˋhʌnɪ,bi] *n.* Ⓒ 蜜蜂。

hon·ey·comb [ˋhʌnɪ,kom] *n.* Ⓒ ①蜂巢；蜂房。②似蜂巢之物。— *v.t.*①作許多小洞於。②滲透至各部分。— *v.i.* 作成蜂巢形。

hon·ey·dew [ˋhʌnɪ,dju] *n.*① Ⓤ 樹蜜。② Ⓤ 蚜蟲分泌之蜜。③ Ⓤ Ⓒ 蜜瓜。

hon·eyed, -ied [ˋhʌnɪd] *adj.*①甜的。②多蜂蜜的。③甜如蜂蜜的；美妙的。④逢迎的；阿諛的。

***hon·ey·moon** [ˋhʌnɪ,mun] *n.* Ⓒ ①蜜月(即結婚後的第一個月)；蜜月假期。②任何和諧的期間。③初期和諧的新關係。— *v.i.*度蜜月〔常 in, at〕。

hon·ey·suck·le [ˋhʌnɪ,sʌkl] *n.* Ⓤ Ⓒ〖植〗忍冬；金銀花。

Hong Kong [ˋhaŋˋkaŋ] *n.*香港。(亦作 **Hongkong**)

honk [hɔŋk] *n.* Ⓒ ①雁鳴。②如雁鳴之聲。— *v.t. & v.i.* 作雁鳴聲；按(喇叭)。

honk·y-tonk [ˋhaŋkɪ,taŋk] *n.* Ⓒ〖美俚〗下等酒館、夜總會或舞廳。

Hon·o·lu·lu [,hanəˋlulə] *n.* 檀香山；火奴魯魯(夏威夷州首府)。

‡**hon·or,** 〖英〗**-our** [ˋanɚ] *n.*① Ⓤ 名譽；信用。② Ⓤ 尊敬；敬重。③(H-)閣下。His *H-* the Judge. 法官閣下。④(an ~)被引以爲榮之人或物。⑤ **a.** (*pl.*)(在學校中的)優等。**b.**(*sing.*)爲優等學生開的高級課程。⑥(the ~)(領受上位者的好意，邀請的一種)榮幸。⑦ Ⓤ 尊敬之行爲；敬禮；致敬。⑧ Ⓤ 榮譽感；廉恥心；自尊心。⑨ Ⓤ 貞節；貞操。*be bound in ~ to do something* 道義上應作某事。*birthday ~s* 祝壽儀式。*do ~ to* **a.**尊敬；敬重。**b.**使…爲之增光。*do the ~s*作主人招待賓客；盡地主之誼。*have the ~ of* [*to*]…有…的榮幸(客套語)。*in ~ of* 尊敬；向…表敬意；紀念。*upon* [*on*] *one's ~* 以名譽擔保。— *v.t.* ①尊敬；使榮耀。②(人、銀行等)承兌；如期支付(支票等)。~ a check 承兌支票。§ ~ **guàrd** 儀隊。~ **rôll** 優等生名冊；榮譽名冊。~**s lìst** 接受表揚人員之名單。~ **sỳstem** 〖美〗(學校考試時的)榮譽制度。

***hon·or·a·ble** [ˋanərəbl] *adj.* ①可敬的。②榮譽的；光榮的。③有爵位的；地位高的。④(*H-*)加於人名前之敬稱語(略作 **Hon.**)。§ ~ **méntion** 未入選之佳作；優異獎。— **hon′or·a·bly,** *adv.*

hon·or·ar·y [ˋanə,rɛrɪ] *adj.*①榮譽的。②名譽的。③道義上的。

hon·or·if·ic [,anəˋrɪfɪk] *adj.*尊敬的；尊稱的。— *n.* Ⓒ ①尊稱。②(中文及日文中的)敬語。

hooch [hutʃ] *n.* Ⓤ Ⓒ〖美俚〗酒；(特指)私酒。

***hood**[1] [hud] *n.* Ⓒ ①頭巾；兜帽。②似頭巾之物。③(汽車)引擎蓋。

hood[2] *n.* Ⓒ〖美俚〗流氓；地痞。

-hood 〖字尾〗①表「性質；狀態；階級；身分；境遇」之義。②有時接形容詞表「狀態」之義。③表示「集合體」，義爲「圈；界；團體；社會」。

hood·ed [ˋhudɪd] *adj.*①戴頭巾的。②附有罩[蓋]的。

hood·lum [ˋhudləm] *n.* Ⓒ〖美俚〗流氓；不良少年。

hoo·doo [ˋhudu] *n.* Ⓒ (*pl.* ~**s**)①=**voodoo.** ②〖俗〗不吉利之人[物]。③〖俗〗倒楣。— *v.t.* 〖俗〗使倒楣；使不幸。

hood·wink [ˋhud,wɪŋk] *v.t.* ①蒙混；欺騙。②蔽目。③遮蓋；藏匿。

hoo·ey [ˋhuɪ] 〖美俚〗*interj.* 胡說!— *n.* Ⓤ 瞎話；胡鬧。

***hoof** [huf, huf] *n.* Ⓒ (*pl.* ~**s, hooves**) ①(馬、牛等之)蹄。②〖俚〗(人之)腳。③〖方〗有蹄之動物。*on the ~* (指家畜)活著的。*under the ~* 備受蹂躪。

hoof·beat [ˋhuf,bit, ˋhuf-] *n.* Ⓒ 蹄聲。

***hook** [huk] *n.* Ⓒ ①鉤；釣鉤。②鐮刀。③急遽的彎曲。④地岬；地角；鉤狀岬。⑤投球所成之曲線。⑥〖拳擊〗鉤拳。*by ~ or* (*by*) *crook* 用各種方法；不擇手段。*get* [*give*] *the ~*丟掉差事。*~, line, and sinker*〖俗〗完全地；一齊地。*on one's own ~* 獨力。— *v.t.*①掛(物)於鉤上；用鉤鉤住。②用鉤釣(魚)。③彎成鉤形。④鉤射(球)。⑤〖拳擊〗用鉤拳打。— *v.i.*①彎曲如鉤。②用鉤鉤住。③(魚)上鉤。*~ up* **a.**用鉤鉤住或鉤緊。**b.**裝(收音機、電話等)。§ ~ **and ládder** (**trùck**) 〖美〗附有雲梯的消防車(=ladder truck). ~ **shôt** 〖籃球〗單手勾射投籃。

hook·a(h) [ˋhukə] *n.* Ⓒ 水煙筒。

hooked [hukt] *adj.* 鉤狀的。

hook·er [ˋhukɚ] *n.* Ⓒ ①用鉤鉤住的物[人]。②〖美俚〗妓女。③〖俚〗(飲料的)一口；一杯。④鉤球員。

hook·nose [ˋhuk,noz] *n.* Ⓒ 鷹鉤鼻。

hook·up [ˋhʊk͵ʌp] *n.* Ⓒ ①〖無線〗聯播；轉播。②〖電〗線路(圖)。③〖俗〗(政黨或政府間的)聯盟。④連接。

hook·worm [ˋhʊk͵wɜm] *n.*① Ⓒ 鉤蟲。② Ⓤ 鉤蟲病。

hook·y [ˋhʊkɪ] *n.* Ⓤ〖俚〗逃學(僅用於 to play *hooky* 片語中)。

hoo·li·gan [ˋhulɪgən] *n.* Ⓒ〖俗〗流氓；不良少年。

hoop [hʊp, hup] *n.* Ⓒ ①(桶等之)箍。②鐵環(兒童玩具)。③昔時婦女襯裙用之籐圈。④槌球戲之弓形小門。⑤任何圈狀物。— *v.t.*①加箍於(桶等)。②包圍。§ ∽ **skìrt** 用環圈撐開的裙子。

hoo·ray [huˋre, hu-] *interj. & v.i. & v.t.* = **hurrah.**

hoos(e)·gow [ˋhusgaʊ] *n.* Ⓒ〖美俚〗監獄。

hoot [hut] *n.* Ⓒ ①梟叫聲。②表示反對或輕蔑之叫囂。③汽笛、汽車喇叭等聲音。④一點點。*not care a* ~ 毫不在乎。*not worth a* ~毫無價值。— *v.t. & v.i.*①梟叫。②作梟叫。③叫囂(表示輕蔑或反對)。④〖英〗按汽車喇叭。

hoot·er [ˋhutɚ] *n.* Ⓒ ①叫囂之人。②梟。③汽笛；警笛；(汽車)喇叭。

Hoo·ver[1] [ˋhuvɚ] *n.* 胡佛(Herbert Clark, 1874-1964, 美國第31位總統 1929-33)。 § **the** ∽ **Dám**胡佛水壩。

Hoo·ver[2] *n.* Ⓒ〖商標〗(英國 Hoover 公司製的)真空吸塵器。

‡**hop**[1] [hɑp] *v.i.* (**-pp-**) ①跳躍。②〖俗〗跳舞。③飛行；做短程旅行。— *v.t.*①跳過。②跳上(移動中的車輛)。~ *off* (飛機)起飛。— *n.* Ⓒ ①跳躍。②〖俗〗飛行。③〖俗〗跳舞。④短程旅行。~, *skip, and jump* (田賽)三級跳遠。

hop[2] *n.* Ⓒ〖植〗蛇麻草；忽布。

‡**hope** [hop] *n.* ① Ⓤ 希望；信心。② Ⓒ 所希望之事物。*past* [*beyond*] ~ 無望的；不會成功的。— *v.t. & v.i.* 希望；期望。~ *against* ~ 在絕望中抱存希望。~ *for* 希望得到。§ ∽ **chèst**〖美俗〗(1)嫁妝。(2)嫁妝箱。

***hope·ful** [ˋhopfəl] *adj.* 有希望的；樂觀的；懷希望的。— *n.* Ⓒ 有希望、前途的人。— **ly,** *adv.* — **ness,** *n.*

***hope·less** [ˋhoplɪs] *adj.* 無希望的；絕望的。a ~ illness絕症。— **ly,** *adv.*

hop·head [ˋhɑp͵hɛd] *n.* Ⓒ〖俚〗有毒癮的人；吸毒鬼。

hop-o'-my-thumb [ˋhɑpəmaɪˋθʌm] *n.* Ⓒ 矮人；侏儒。

hop·per [ˋhɑpɚ] *n.* Ⓒ ①跳躍者；跳躍物。②蚱蜢；跳躍的昆蟲。③漏斗。

hop·ping [ˋhɑpɪŋ] *adj.* ①到處奔忙的。②忙碌的。

hop·scotch [ˋhɑp͵skɑtʃ] *n.* Ⓤ 跳房子(兒童遊戲)。

horde [hord] *n.* ①(a ~ of, ~s of)群衆；大群。② Ⓒ 遊牧部落。

hore·hound [ˋhor͵haʊnd] *n.* Ⓤ Ⓒ〖植〗(原產歐洲之)野生苦汁薄荷。

***ho·ri·zon** [həˋraɪzn̩] *n.* Ⓒ ①地平線。②(常 *pl.*)(思想、經驗等的)限度；範圍；眼界。

***hor·i·zon·tal** [͵hɔrəˋzɑntl̩] *adj.* 與地平線平行的；水平的；橫的(爲 vertical 之對)。— *n.* Ⓒ (the ~)水平線；水平面。— **ly,** *adv.*

hor·mone [ˋhɔrmon] *n.* Ⓒ 荷爾蒙。— **hor·mo·nal** [hɔrˋmonl̩], *adj.*

***horn** [hɔrn] *n.* Ⓒ ①(牛羊等頭上之)角。②鹿角。③(其他動物的)觸角。④角質；角製之物。⑤挖空獸角而成之容器。⑥號角；喇叭。⑦示警之裝置；汽笛。⑧似角之物。⑨新月之鉤尖。*blow one's own* ~ 〖俗〗自誇；吹牛。*draw* [*pull*] *in one's* ~*s* 退縮。*on the* ~*s of a dilemma* 處於進退維谷之境。— *v.t.* 用角觸；用角刺。~ *in*(*on*)〖俗〗干涉；闖入。— **less,** *adj.*

horn·beam [ˋhɔrn͵bim] *n.* Ⓒ〖植〗鵝耳櫪；千金榆。

horn·blende [ˋhɔrn͵blɛnd] *n.* Ⓤ〖礦〗角閃石。

horn·book [ˋhɔrn͵bʊk] *n.* Ⓒ ①角帖書。②初學入門書。

horned [hɔrnd] *adj.* 有角的；有角形突起的。§ ∽ **ówl**〖鳥〗角鴞。∽ **tóad**〖動〗角蟾。

hor·net [ˋhɔrnɪt] *n.* Ⓒ 大黃蜂。*arouse* [*stir up*] *a* ~*'s nest* 四處樹敵。*bring a* ~*'s nest about one's ears* 招惹麻煩。

horn·pipe [ˋhɔrn͵paɪp] *n.* Ⓒ ①角笛號管。②號管舞。③號管舞曲。

horn·y [ˋhɔrnɪ] *adj.* ①角(質)的。②有角的。③堅硬如角的。④〖俚〗淫亂的。

hor·o·scope [ˋhɔrə͵skop] *n.* Ⓒ ①占星術。②算命所用之天宮圖。

hor·ren·dous [hɔˋrɛndəs] *adj.* 可怖的；驚人的。

***hor·ri·ble** [ˋhɔrəbl̩] *adj.* ①可怕的；可怖的。②〖俗〗極可憎的；極可厭的。

hor·ri·bly [ˋhɔrəblɪ] *adv.* ①可怕地。②〖俗〗非常地。

hor·rid [ˋhɔrɪd, ˋhɑr-] *adj.* ①可怕的。②〖俗〗極可厭的。

hor·rif·ic [hɔˋrɪfɪk] *adj.*可怖的。

hor·ri·fy [ˋhɔrə͵faɪ, ˋhɑr-] *v.t.* ①嚇；使恐怖；使戰慄。②使厭惡。

***hor·ror** [ˋhɔrɚ] *n.* ① Ⓤ 恐怖；戰慄。②(a ~)極度憎惡。③ Ⓒ 恐怖之原因。④ Ⓒ〖俗〗極壞或極討厭之物。*the* ~*s*〖俗〗**a.** 戰慄；憂鬱。**b.** 發酒瘋。

hor·ror-strick·en [ˋhɔrɚ͵strɪkən] *adj.* 驚恐的；戰慄的。

hors d'oeu·vre [ɔrˋdœvrə]〖法〗*n.* Ⓒ (*pl.* ~(**s**))(常 *pl.*)開胃小菜。

‡**horse** [hɔrs] *n.* ① Ⓒ 馬；雄馬。② Ⓤ 騎兵。③ Ⓒ 三脚架。④ Ⓒ (健身用)木馬。⑤ Ⓒ〖美俚〗(考試作弊用之)小抄。*a* ~ *of another*[*a different*]*color* 完全是另一回事。*eat* [*work*] *like a* ~ 大吃[努力工作]。*from the* ~*'s mouth*〖俚〗來自可靠的來源。*hold one's* ~*s* 鎮靜；不衝動。*look a gift* ~ *in the mouth* 挑剔禮物的缺點。— *v.t.* ①供以馬。②置於馬上。③〖俗〗猛推。④取笑；揶揄。— *v.i.* 騎馬。~ *around*〖俚〗起哄，胡鬧。§ ∽ **chèstnut** 〖植〗七葉樹(之實)。∽ **làtitudes**(北大西洋之)無風帶。∽ **òpera**〖美俚〗西部片。∽ **ràce** [**ràcing**] 賽

H

馬。～ sènse〖俗〗常識。～tràde (1)〖美〗馬匹交易。(2)精明的交易。～tràder (1)買賣馬匹的人；馬販。(2)精於討價還價的人。

***horse·back** [ˋhɔrs,bæk] *n.* Ⓤ 馬背。— *adv.* 在馬背上。

horse·fly [ˋhɔrs,flaɪ] *n.* Ⓒ馬蠅。

horse·hair [ˋhɔrs,hɛr] *n.* Ⓤ ①馬鬃；馬尾毛。②馬鬃織的織物。

horse·hide [ˋhɔrs,haɪd] *n.* ①Ⓤ馬皮；馬革。②Ⓒ〖俚〗棒球。

horse·man [ˋhɔrsmən] *n.* Ⓒ (*pl.* **-men**)①騎馬者。②騎兵。③馬術師。

horse·man·ship [ˋhɔrsmən,ʃɪp] *n.* Ⓤ馬術。

horse·play [ˋhɔrs,ple] *n.* Ⓤ 喧鬧的娛樂；惡作劇。

***horse·pow·er** [ˋhɔrs,pauɚ] *n.* Ⓤ Ⓒ (*pl.* ～)馬力。

horse·rad·ish [ˋhɔrs,rædɪʃ] *n.* ①ⓊⒸ〖植〗辣根；西洋山萮菜。②Ⓤ 辣根製調味品。

horse·shoe [ˋhɔrʃ,ʃu, ˋhɔrs-] *n.* Ⓒ①蹄鐵。②U 形物。— *v.t.* 裝蹄鐵於(馬)。§ ～ cráb〖動〗鱟。～ màgnet 馬蹄形磁鐵。

horse·tail [ˋhɔrs,tel] *n.* Ⓒ①馬尾。②〖植〗木賊屬植物。

horse·whip [ˋhɔrs,hwɪp] *n.* Ⓒ 馬鞭。— *v.t.* (**-pp-**)笞以馬鞭。

horse·wom·an [ˋhɔrs,wumən] *n.* Ⓒ (*pl.* **-wom·en**)女騎師。

hors·y [ˋhɔrsɪ] *adj.* ①馬的；似馬的。②愛馬的；愛賽馬的。

hor·ta·to·ry [ˋhɔrtə,torɪ] *adj.* 督促的；勸告的。(亦作 **hortative**)

hor·ti·cul·tur·al [,hɔrtɪˋkʌltʃərəl] *adj.* 園藝(學)的。

hor·ti·cul·ture [ˋhɔrtɪ,kʌltʃɚ] *n.* Ⓤ園藝(學)。

hor·ti·cul·tur·ist [,hɔrtɪˋkʌltʃərɪst] *n.* Ⓒ園藝學家。

ho·san·na [hoˋzænə] *interj.* 和撒那(讚美上帝語)。— *n.* Ⓒ 讚美(上帝)聲。

***hose** [hoz] *n.*(*pl.* ～)①(集合稱，作 *pl.* 解)長統襪。②Ⓒ 昔日男用緊身褲。③ⓊⒸ (*pl.* **hos·es**)軟水管；橡皮管。— *v.t.* 以軟水管澆洗。

ho·sier [ˋhoʒɚ] *n.* Ⓒ襪商。

ho·sier·y [ˋhoʒərɪ] *n.* Ⓤ (集合稱)①襪類。②襪業。

hos·pice [ˋhɑspɪs] *n.* Ⓒ ①(宗教團體經營的)旅客招待所。②救濟院。

***hos·pi·ta·ble** [ˋhɑspɪtəbl] *adj.* ①招待慇懃的。②寬容的。③不固執己見的〔常 to〕. — **hos′pi·ta·bly,** *adv.*

‡**hos·pi·tal** [ˋhɑspɪtl] *n.* Ⓒ①醫院。②(用於專有名詞中)慈善機構。§ ～ shìp 醫療船。～ tràin 醫療列車。

***hos·pi·tal·i·ty** [,hɑspɪˋtælətɪ] *n.* Ⓤ好客；款待；慇懃。

hos·pi·tal·i·za·tion [,hɑspɪtləˋzeʃən] *n.* ⓊⒸ①住院(治療)。②住院期間。§ ～ insúrance 醫療保險。

hos·pi·tal·ize [ˋhɑspɪtl,aɪz] *v.t.* 使住院；送入醫院。

***host**[1] [host] *n.* Ⓒ①主人。②旅館主人。③寄生物的寄主。④主電腦。§ ～ cèll 寄生細胞。

host[2] *n.* (a ～ of, ～s of)①極多；大群。②軍隊。③天體。

Host [host] *n.* (the ～)〖宗〗聖體；聖餐儀式[彌撒]中的麵包。

hos·tage [ˋhɑstɪdʒ] *n.* Ⓒ 人質。*give ～s to fortune* 聽天由命。

hos·tel [ˋhɑstl] *n.* Ⓒ 青年招待所。

hos·tel·ry [ˋhɑstlrɪ] *n.* Ⓒ〖古〗旅館；客棧。

***host·ess** [ˋhostɪs] *n.* Ⓒ ①女主人。②旅館女主人。③(客機之)空中小姐。④(餐廳、火車、巴士等之)服務小姐。

***hos·tile** [ˋhɑstɪl] *adj.* ①敵方的。the ～ army 敵軍。②懷敵意的。

***hos·til·i·ty** [hɑsˋtɪlətɪ] *n.* ① Ⓤ 敵意；敵對。②(*pl.*)戰爭狀態。③ Ⓤ 反對；抵抗。④(*pl.*)戰爭；戰鬥。

hos·tler [ˋhɑslɚ] *n.* Ⓒ (旅館的)馬夫。

‡**hot** [hɑt] *adj.* (**-tt-**)①熱的；灼熱的。②辛辣的。③激動的；激烈的。a ～ temper 暴躁脾氣。④興趣濃厚的；熱心的；熱烈的。⑤新的；新鮮的；強烈的。⑥逼近的；緊迫的。⑦〖俚〗非法得來的。⑧正在流行的；很受歡迎的；銷路好的。*in ～ blood* 激昂。*make a place too ～ for (a person)* 使(某人)待不下去。— *adv.* ①熱狀地；熱烈地。②趁熱。*get it ～* 被痛罵。*Give it him ～!* 〖俗〗對他斥責。— *v.t.* & *v.i.* (**-tt-**)〖英俗〗溫熱〔常 up〕. § ～ áir〖俚〗空話；誇張之辭。～ àtom 熱原子。～ càke (在淺鍋上煎的)薄餅。～ dǒg (1)= frankfurter. (2)熱狗(夾香腸之小麵包)。～ lìne (1)熱線(兩政府首腦間隨時保持暢通的直接電話線)。(2)〖美〗電話諮詢服務。～ móney〖俗〗熱錢(爲逃避貶值或爲更高利潤從一國突然轉移到另一國的資金)。～ pàck 〖醫〗熱敷布。～ pànts 熱褲。～ plàte (1)煤氣爐；電爐。(2)餐廳出售的熱食。(3)保溫盤。(4)(烹調用)鐵板；烤盤。～ potáto (1)〖英俗〗烤洋芋。(2)〖俗〗棘手的問題；難題；燙手山芋。～ rǒd〖美俚〗(舊車拆卸改裝的)減重高速汽車。～ spǒt〖俗〗(1)(政治、軍事的)紛爭地帶。(2)夜總會；遊樂街。～ spríng 溫泉。～ stúff 〖俚〗性感的女人；淫穢之物(黃色書刊等)。～ tìcket 風雲人物。～ tùb 大型木製熱水浴盆。～ wár 熱戰；交戰。— **ly,** *adv.* — **ness,** *n.*

hot-air [ˋhɑt,ɛr] *adj.* 熱[暖]氣的。§ ～ ballòon 熱氣球。

hot·bed [ˋhɑt,bɛd] *n.* Ⓒ①溫床。②極易於滋長(惡事)之環境。

hot-blood·ed [ˋhɑtˋblʌdɪd] *adj.* ①易怒的。②輕率的。③情感強烈的。

hotch·potch [ˋhɑtʃ,pɑtʃ] *n.* ① Ⓤ Ⓒ雜煮；雜燴。②〖英〗=**hodgepodge.**

‡**ho·tel** [hoˋtɛl] *n.* Ⓒ 旅館；旅社。

ho·te·lier [,hotəˋlɪr] *n.* Ⓒ 旅館經理或老闆。(亦作 **hotelkeeper**)

ho·tel·keep·ing [hoˋtɛl,kipɪŋ] *n.* Ⓤ旅館業。

hot·foot [ˋhɑt,fut] 〖俗〗 *adv.* 飛速地；急忙地。— *v.i.* 趕忙；急忙。

hot·head·ed [ˋhɑtˋhɛdɪd] *adj.* ①易

怒的。②急躁的；鹵莽的。

hot·house [ˋhɑt,haʊs] *n.* Ⓒ 溫室；暖房。§ ∠ **schóol** 超前教育學校(對兒童進行超前教育的學校)。

hot-short [ˋhɑtˋʃɔrt] *adj.* 熱脆性的。

hot·shot [ˋhɑt,ʃɑt]*n.* Ⓒ ①有才幹者；藝高自負者。②快速貨車。

hot·spur [ˋhɑt,spɝ] *n.* Ⓒ 性急的人。

hot-tem·pered [ˋhɑtˋtɛmpəd] *adj.* 性急的；暴躁的；易怒的。

***hound** [haʊnd] *n.* Ⓒ ①獵犬。②可鄙的人。*follow the ~s; ride to ~s* 帶一群獵犬狩獵。**—** *v.t.* ①用獵犬狩獵。②追捕。③嗾使；激勵。

‡**hour** [aʊr] *n.* Ⓒ ①小時；鐘頭。②時期；時間。③時刻；鐘點。④固定的時間。⑤短的時間。⑥一節課；堂。*after ~s* 下班以後。*keep bad* [*late*] *~s* 晚睡晚起；遲出遲歸。*keep good* [*early*] *~s* 早睡早起；早出早歸。*of the ~*現時的。*the small ~s* 清晨時間。§∠ **hànd** 時針；短針。

hour·glass [ˋaʊr,glæs] *n.* Ⓒ 滴漏；更漏。

hour·ly [ˋaʊrlɪ] *adv.* ①每小時。②常常。③隨時地。**—** *adj.* ①以小時計的。②每小時一次的。③時常的。

‡**house** [haʊs] *n.* Ⓒ (*pl.* **hous·es** [ˋhaʊzɪz])①房屋；住宅。②家庭；家族。③住處；家。④倉庫。⑤議會。⑥議會會所。⑦商號。⑧戲院。⑨(集合稱)觀衆；聽衆。⑩(H-)貴族或王室家族；王朝。*bring down the ~* 博得滿場喝采。*clean ~* **a.**打掃房屋。**b.**肅清(弊害)。*~ and home* 家；家庭(強調語)。*~ of cards* **a.**(小孩)用紙牌作成的房子。**b.**不牢靠的結構或計畫。*~ of detention* 看守所。*~ of God* 教會；教堂。*keep a good ~* 過著豐衣足食的生活；厚待客人。*keep ~* **a.** 成家。**b.** 料理家事、家務。**c.**(與…)住同一房屋〔with〕. *keep open ~*隨時歡迎客人來臨。*like a ~ afire* [*on fire*]〖俚〗迅速；馬上。*on the ~*免費地；由公家或業主支付地。*play ~*(兒童)辦家家酒。*put* [*set*] *one's ~ in order* **a.** 整頓事務。**b.**改過；修身。**—** [haʊz] *v.t.* ①供給房屋；供給住所。②貯藏(物品)。**—** *v.i.* 居住。§∠ **àgent**〖英〗房地產經紀人。∠ **arrèst** 軟禁。∠ **pàrty** ⑴招待過夜的別墅宴會。⑵此種宴會之全體賓客。∠ **physícian** 駐院(內科)醫師。∠ **sùrgeon** 駐院(外科)醫師。

house·boat [ˋhaʊs,bot] *n.* Ⓒ 船屋(供居住之船隻)。

house·bound [ˋhaʊs,baʊnd] *adj.*無法外出的；待在家裡的。

house·break·er [ˋhaʊs,brekə] *n.* Ⓒ 侵入住宅圖謀不軌者；強盜。

house·bro·ken [ˋhaʊs,brokən] *adj.* 訓練成習慣良好的(貓、狗等)。

house·clean [ˋhaʊs,klin] *v.t.* 清潔房屋。**—** *v.i.* 做清潔房屋工作。

house·coat [ˋhaʊs,kot]*n.* Ⓒ 婦女家居長衣。

house·fly [ˋhaʊs,flaɪ] *n.* Ⓒ 家蠅。

***house·hold** [ˋhaʊs,hold, -,old] *n.* ① Ⓒ 家庭；家屬。② Ⓤ 家事；家務。**—** *adj.* ①家庭的；家務的。②普通的；家常的。§ ∠ **wórd** 家喻戶曉之字、名字等。

house·hold·er [ˋhaʊs,holdə] *n.* Ⓒ ①房主；住屋者。②家長；戶長。

house·keep·er [ˋhaʊs,kipə] *n.* Ⓒ ①主婦。②女管家。③(旅館、醫院等之)女管理人。

house·keep·ing [ˋhaʊs,kipɪŋ] *n.* Ⓤ ①家事；家政。②家務管理。

house·lights [ˋhaʊs,laɪts] *n. pl.* 戲院或講堂內觀衆席之照明燈光。

house·maid [ˋhaʊs,med] *n.* Ⓒ 女佣人；女僕。

house·man [ˋhaʊsmən] *n.* Ⓒ (*pl.* **-men**)①男佣人；男僕。②〖英〗(駐院的)實習醫師(=〖美〗intern).

house·mas·ter [ˋhaʊs,mæstə] *n.* Ⓒ ①戶長；家長。②(男校)舍監。

house·moth·er [ˋhaʊs,mʌðə] *n.* Ⓒ 女舍監。

house·par·ent [ˋhaʊs,pɛrənt] *n.* Ⓒ (學生宿舍的)舍監；(孤兒院)管理員。

house·per·son [ˋhaʊs,pɝsn̩] *n.* Ⓒ 料理家務的人；管家的人。

house·plant [ˋhaʊs,plænt]*n.* Ⓒ 室內盆栽植物。

house-proud [ˋhaʊs,praʊd] *adj.* (主婦等)講究家庭擺設的。

house-rais·ing [ˋhaʊs,rezɪŋ] *n.* Ⓒ〖美〗蓋屋會(在鄉村中鄰居來幫忙蓋房子的聚會)。

house·room [ˋhaʊs,rum] *n.* Ⓤ (房屋)住人或放東西的地方。

house·sit [ˋhaʊs,sɪt] *v.i.* (**-sat, -sit·ting**)〖美〗(幫別人)看守房子。

house-to-house [ˋhaʊstəˋhaʊs] *adj.* 挨戶的；逐戶的。

house·top [ˋhaʊs,tɑp] *n.* Ⓒ屋頂。*cry* [*publish, shout*] *from the ~(s)* 公開宣揚。

house·wares [ˋhaʊs,wɛrz] *n. pl.* 家庭用具(如廚具等)。

house·warm·ing [ˋhaʊs,wɔrmɪŋ] *n.* Ⓒ 喬遷慶宴。

***house·wife** [ˋhaʊs,waɪf] *n.* Ⓒ (*pl.* **-wives**)家庭主婦。**—ly,** *adj.*

house·wif·er·y [ˋhaʊs,waɪfrɪ, ˋhʌzɪfrɪ] *n.* Ⓤ 家政；家事。

***house·work** [ˋhaʊs,wɝk] *n.* Ⓤ 家事。

hous·ing [ˋhaʊzɪŋ] *n.* ① Ⓤ 供給住宅。② Ⓤ (集合稱)房屋；住宅。③ Ⓒ 袒護；避難(所)。④ Ⓒ〖機〗框；架構。

hove [hov] *v.* pt. & pp. of **heave.**

hov·el [ˋhʌvl̩] *n.* Ⓒ ①簡陋小屋；茅舍。②牛舍；雜物室。

***hov·er** [ˋhʌvə, ˋhɑvə] *v.i.* ①翱翔；盤旋。②守在近旁。③搖曳不定。

Hov·er·craft [ˋhʌvə,kræft] *n.* Ⓒ (*pl.* ~)〖商標〗氣墊船[車]。

‡**how** [haʊ] *adv.* ①怎樣；如何。②身體怎樣。*H-* are you? (熟人間用)你好嗎? *H-* do you do? (初次見面的朋友間)你好嗎? ③多少。*H-* old is he? 他的年紀有多大? ④多麼；何等(用於驚歎句中)。*H-* well she sings! 她唱得多麼好聽啊!

⑤價錢多少。⑥爲甚麼；爲何。*H-* is it that you are late? 你爲甚麼遲到？ ⑦何種速度。⑧何種狀態。***And ~!*** 〖俗〗當然。***H- about...?*** 你覺得怎樣？ ***H- come?*** 〖俗〗爲何？ **~ *else*** 別的有甚麼(辦法等)；此外如何。***H- so?*** 爲甚麼是這樣？ ***H- then?*** 這是甚麼意思？ **—** *n.* (the ~)方法。the ~ and why of it 此事之方法及理由。

how·be·it [haʊˋbiɪt] *adv.* 雖然如此；然而。**—** *conj.* 〖古〗雖然。

how·dah [ˋhaʊdə] *n.* Ⓒ 象轎(象背上可供乘坐涼亭狀座位)(=houdah).

how·dy [ˋhaʊdɪ] *interj.* 〖美俗〗喂！您好！(見面時的問候語)。

how·e'er [haʊˋɛr] *conj. & adv.* = **however.**

‡**how·ev·er** [haʊˋɛvɚ] *adv.* ①無論如何。②可是；然而；究竟。**—** *conj.* 不管用什麼方法；〖古〗雖然。

how·itz·er [ˋhaʊɪtsɚ] *n.* Ⓒ 榴彈砲。

***howl** [haʊl] *v.i.* ①(犬、狼等)吠；嘷；咆哮。②怒號；哀號。③高聲叫囂。**—** *v.t.* ①吼叫著說出。②吼叫。**—** *n.* Ⓒ①嘷叫；呼號。②哀號；怒吼。

howl·er [ˋhaʊlɚ] *n.* Ⓒ 號叫之人或發出號叫聲之物。

how·so·ev·er [ˌhaʊsoˋɛvɚ] *adv.* =**however.**

hoy [hɔɪ] *interj.* 嗬！喂！(呼船或趕牲畜之聲)。

HP, H.P., hp, h.p. horsepower. **H.P.** 〖電〗high power; high pressure; high priest. **hr.** hour(s). **hrs.** hours. **HTML** Hypertext Markup Language. 超文字標記語言。

hub [hʌb] *n.* Ⓒ①輪軸。②中心。

hub·bub [ˋhʌbʌb] *n.* (*sing.*) 嘈雜；喧囂。

hub·by [ˋhʌbɪ] *n.* Ⓒ〖俗〗丈夫。

hub·cap [ˋhʌbˌkæp] *n.* Ⓒ 輪軸蓋(遮蓋汽車輪軸外側的金屬盤)。

hu·bris [ˋhjubrɪs] *n.* Ⓤ 狂妄自大；傲慢。

huck·le·ber·ry [ˋhʌklˌbɛrɪ] *n.* Ⓒ越橘(樹)。

huck·ster [ˋhʌkstɚ] *n.* Ⓒ①叫賣小販；零售商。②〖美俗〗廣告業者。

hud·dle [ˋhʌdl] *v.i.* 擠成一團；縮成一團。**—** *v.t.* ①使成一團。②匆忙或胡亂地作(事)、穿(衣)等。**—** *n.* Ⓒ①一堆；一團。②混亂；雜亂。③〖橄欖球〗賽前球員之列隊。④〖俗〗祕密的會談。

Hud·son [ˋhʌdsn] *n.* (the ~)哈得孫河(在美國 New York 州東部)。

hue[1] [hju] *n.* ⓊⒸ 顏色；色度；色彩。

hue[2] *n.* Ⓒ 喊叫聲。***~ and cry*** **a.** 追捕罪犯之喊叫。**b.** 此種追捕。**c.** 高聲喧嚷著反對或責難。

huff [hʌf] *n.* (a ~) 發怒；憤怒。**—** *v.t.* ①開罪；使怒。②脅迫。**—** *v.i.* 氣憤；生氣。**— ish, huff'y,** *adj.*

hug** [hʌg] *v.t.* (**-gg-**)①緊抱；摟抱。②堅持；固執。③保持靠近。~ oneself*** 竊喜；深自慶幸。**—** *n.* Ⓒ緊抱；摟抱。

***huge** [hjudʒ] *adj.*巨大的。**— ly,** *adv.*

Hu·go [ˋhjugo] *n.*雨果(Victor Marie, 1802-85, 法國詩人、小說家及劇作家)。

huh [hʌ] *interj.* 哼！哈！什麼？(表輕蔑、疑問等)。

hu·la [ˋhulə], **hu·la-hu·la** [ˋhuləˋhulə] *n.* Ⓒ 草裙舞(一種夏威夷土風舞)。§ **~ hòop** 呼拉圈。

hulk [hʌlk] *n.* Ⓒ①廢船。②監獄船。③笨重的大船。④笨重的人[物]；大漢。

hulk·ing [ˋhʌlkɪŋ] *adj* 笨重的；粗大的。

hull[1] [hʌl] *n.* Ⓒ①殼；莢；皮。②果托。③覆被物。**—** *v.t.* 去殼；去皮。

hull[2] *n.* Ⓒ 船身；(水上飛機之)機身；(飛艇之)艇身。

hul·la·ba(l)·loo [ˋhʌləbəˌlu] *n.* Ⓒ (*pl.* **~s**) (常 a ~)喧囂；騷擾。

***hum** [hʌm] *v.i.* (**-mm-**) ①作嗡嗡聲。②閉唇低唱。③〖俗〗忙碌；活躍起來。**—** *v.t.* 閉口低唱。**—** *n.* ①(*sing.*)營營聲；閉口低唱。② Ⓒ (表示不滿、猶豫等之)m聲。**—** *interj.* (似m聲，表示猶豫、不滿等)哼；哦。

‡**hu·man** [ˋhjumən] *adj.* ①人物的；人類的。a ~ being 人。②似人類的。③與人類有關的。④有同情心的。**—** *n.* ①Ⓒ人。②(the ~)人類。

***hu·mane** [hjuˋmen] *adj.* ①仁愛的；慈悲的；人道的。②人文的；高尚的；文雅的。**— ly,** *adv.* **— ness,** *n.*

***hu·man·ism** [ˋhjumənˌɪzəm] *n.* Ⓤ①人性；人情；人道。②人文主義；人本主義。**— hu'man·ist,** *n.*

hu·man·is·tic [ˌhjumənˋɪstɪk] *adj.* ①人性的；人情的；人道的。②人文學者的。③人文主義的。

hu·man·i·tar·i·an [hjuˌmænəˋtɛrɪən] *n.* Ⓒ人道主義者；慈善家；博愛者。**—** *adj.* 人道主義的；慈善的；博愛的。**— ism,** *n.*

hu·man·i·ty** [hjuˋmænətɪ] *n.* Ⓤ①(集合稱)人類。②人性。③人道；仁慈。the humanities*** **a.** 希臘拉丁語言文學。**b.** 人文學科(包括語言、文學、哲學、藝術等)。

hu·man·ize [ˋhjuməˌnaɪz] *v.t.* ①教化；感化。②賦予人性。**—** *v.i.* 成爲人；變爲有人性。

hu·man·kind [ˋhjumənˌkaɪnd] *n.* Ⓤ (集合稱)人類。

hu·man·ly [ˋhjumənlɪ] *adv.* ①像人地。②依人類的角度來判斷。

hu·man·oid [ˋhjuməˌnɔɪd] *adj.* (形態、行動等)酷似人類的。**—** *n.* Ⓒ科幻小說(SF)中的星球人。

hum·ble** [ˋhʌmbl] *adj.* ①卑下的；微賤的。②謙遜的；謙恭的。③低的；矮的。eat ~ pie*** 低聲下氣地。**—** *v.t.* 使卑下；抑低；挫(他人的銳氣等)。**— ness,** *n.* **— hum'bly,** *adv.*

hum·bug [ˋhʌmˌbʌg] *n.* ①Ⓤ欺詐；詐僞之言行。②Ⓒ 吹牛的人；騙子。③Ⓤ空洞的話。**—** *v.t.* (**-gg-**)欺騙。**—** *v.i.* 行騙。**—** *interj.* 胡說！瞎扯！

hum·ding·er [ˋhʌmˋdɪŋɚ] *n.* Ⓒ〖美俗〗非常出色的人[物]。

hum·drum [ˋhʌmˌdrʌm] *adj.* 單調的。

hu·mer·us [ˋhjumərəs] *n.* Ⓒ (*pl.* **-mer·i** [-məˌraɪ])〖解〗上膊骨；肱骨。

hu·mid [ˋhjumɪd] *adj.* 潮的；濕潤的。

hu·mid·i·fi·er [hju`mɪdə,faɪɚ] *n.* Ⓒ 濕潤機[器]。

hu·mid·i·fy [hju`mɪdə,faɪ] *v.t.* 使(空氣等)濕潤；使潮濕。

hu·mid·i·ty [hju`mɪdətɪ] *n.* Ⓤ ①潮濕；濕氣。②濕度。

***hu·mil·i·ate** [hju`mɪlɪ,et] *v.t.* 使丟臉；貶抑；屈辱。—**hu·mil′i·at·ing,** *adj.*

hu·mil·i·a·tion [hju,mɪlɪ`eʃən] *n.* ⓊⒸ丟臉；貶抑；屈辱；謙卑。

***hu·mil·i·ty** [hju`mɪlətɪ] *n.* ①Ⓤ謙遜；謙恭；謙卑。②(*pl.*)謙恭之行爲。

hum·ming·bird [`hʌmɪŋ,bɝd] *n.* Ⓒ(美洲產之)蜂雀。

hum·mock [`hʌmək] *n.* Ⓒ①圓丘；圓岡。②(冰原上之)冰丘。

hu·mon·gous [hju`mʌŋgəs] *adj.* 〖俚〗非常龐大的。

‡**hu·mor,** 〖英〗**-mour** [`hjumɚ, `ju-] *n.*① Ⓤ幽默；可笑；滑稽。②Ⓤ氣質；性情。③Ⓤ(又作 a ～)興致；心情；情緒。in a good[a bad, an ill]～心情好[不佳]。④Ⓒ〖古生理〗體液。—**less,** *adj.*

hu·mo(u)r·ist [`hjumərɪst, `ju-] *n.* Ⓒ①富幽默感者。②幽默作家。

***hu·mo(u)r·ous** [`hjumərəs, `ju-] *adj.* 富幽默感的；滑稽的。—**ly,** *adv.*

hump [hʌmp] *n.* Ⓒ①圓形之隆起物；(駝)峰；(人身上之)瘤。②圓丘；岡。—*v.t.* 使隆起成圓丘形；駝(背)。

hump·back [`hʌmp,bæk] *n.* Ⓒ ①駝背。②駝背的人；駝子。

hump·backed [`hʌmp,bækt] *adj.* ①駝背的。②弓起的；隆起的。

humph [hʌmf] *interj.* 哼！(表疑惑、不滿聲)。

Hump·ty Dump·ty [`hʌmptɪ`dʌmptɪ] *n.*①哈姆地・達姆地(鵝媽媽童謠集中的蛋形人)。②Ⓒ矮胖的人。③Ⓒ一旦弄壞就不能恢復原狀的東西；一倒難起的人。

hu·mus [`hjuməs] *n.* Ⓤ腐植土。

Hun [hʌn] *n.* Ⓒ①匈奴人。②破壞者；野蠻人。

hunch [hʌntʃ] *n.* Ⓒ①圓形之隆起物；肉峰。②(餅等之)厚片；塊。③〖美俗〗直覺；第六感。—*v.t.* 彎(背)；聳(肩)。—*v.i.* ①前進。②彎腰駝背。

hunch·back [`hʌntʃ,bæk] *n.* Ⓒ駝背人；駝子(=humpback)。

‡**hun·dred** [`hʌndrəd] *n.* Ⓒ百；百個。—*adj.* ①一百(個)的。②(a～)好幾百的；衆多的。

hun·dred·fold [`hʌndrəd,fold] *adj.* & *adv.* 一百倍的[地]。—*n.* (a ～)一百倍。

***hun·dredth** [`hʌndrədθ] *adj.* ①(常 the ～)第一百(個)的。②百分之一的。—*n.* ①Ⓤ(常 the ～)第一百。②Ⓒ百分之一。

hun·dred·weight [`hʌndrəd,wet] *n.* Ⓒ(*pl.* ～**s,** (在數詞之後)～)英擔(重量單位，英爲112磅，美爲100磅)。(略作 **cwt.**)

‡**hung** [hʌŋ] *v.* pt. & pp. of **hang.**

Hun·gar·i·an [hʌŋ`gɛrɪən] *adj.* 匈牙利(人，語)的。—*n.* ①Ⓒ匈牙利人。②Ⓤ匈牙利語。

Hun·ga·ry [`hʌŋgərɪ] *n.* 匈牙利(中歐國名，首都 Budapest)。

‡**hun·ger** [`hʌŋgɚ] *n.* ①Ⓤ饑餓。②(a ～)渴望；慾望。—*v.i.* ①餓；飢餓。②渴望；極想(for, after)。—*v.t.* 使饑餓。§～ **cùre**饑餓療法。～ **strìke** 絕食抗議。

hung·o·ver [`hʌŋ`ovɚ] *adj.* 〖美俚〗①感到宿醉的。②如宿醉般難過的。

‡**hun·gry** [`hʌŋgrɪ] *adj.* ①饑餓的。②渴望的(for)。③貧乏的。④饑饉的；荒年的。—**hun′gri·ly,** *adv.*

hunk [hʌŋk] *n.* Ⓒ〖俗〗大塊；厚片。

hun·kers [`hʌŋkɚz] *n. pl.* 臀部。

‡**hunt** [hʌnt] *v.t.* ①狩獵。②在(某地區)狩獵；搜索(某地之)獵物。③用(馬、狗等)狩獵。④追尋；尋求。⑤捕捉；追逐。—*v.i.* ①狩獵。②尋求。③遍索；仔細搜索。～ ***down*** 追捕或尋找，不達目的不休。～ ***up*** 仔細尋找。—*n.* Ⓒ①狩獵。②追尋；搜索。③狩獵會。

***hunt·er** [`hʌntɚ] *n.* Ⓒ①狩獵者；獵人。②獵馬；獵犬。③尋找某物者。

***hunt·ing** [`hʌntɪŋ] *n.* Ⓤ狩獵(尤指獵狐)；探尋；追求。§～ **bòx** 獵舍。

hunt·ress [`hʌntrɛs, -trɪs]*n.* Ⓒ女獵人

hunts·man [`hʌntsmən] *n.* Ⓒ(*pl.* **-men**)〖英〗①獵人。②管獵犬者。

hur·dle [`hɝdl] *n.* ①Ⓒ(置於跑道上的)欄。②(*pl.*, 作 *sing.*解)跳欄賽跑。③Ⓒ障礙；困難。—*v.t.* ①跳越；跳過。②克服。—**hur′dler,** *n.*

***hurl** [hɝl] *v.t.* ①用力投擲。②憤慨地說出。

hurl·er [`hɝlɚ] *n.* Ⓒ①投擲者。②〖棒球〗投手。

hurl·y-burl·y [`hɝlɪ,bɝlɪ] *n.* Ⓤ(又作 a ～)騷擾；喧囂。

***hur·rah** [hə`rɔ] *interj.* & *n.* Ⓒ歡呼聲。—*v.i.* 歡呼；呼萬歲。—*v.t.* 以歡呼迎接[鼓勵]。

***hur·ri·cane** [`hɝɪ,ken] *n.* Ⓒ①颶風；暴風；暴風雨。②(怒氣或其他強烈情感的)暴發。§～ **dèck**(內河船上的)上層甲板。～ **làmp** 馬燈；防風燈。

hur·ried [`hɝɪd] *adj.* 匆忙的；草率的。

hur·ried·ly [`hɝɪdlɪ] *adv.* 匆促地。

‡**hur·ry** [`hɝɪ] *v.i.* 匆忙；慌張；趕快。—*v.t.* 催促；驅趕。—*n.* Ⓤ①匆忙；慌張。②匆忙之行動。***in a*** ～ **a.**匆促地。**b.** 〖俗〗容易地。**c.** 〖俗〗願意地。

hur·ry-scur·ry, hur·ry-skur·ry [`hɝɪ`skɝɪ] *adv.* 慌忙地；急迫地；倉猝地。—*adj.*慌張的；倉猝的。—*n.* Ⓤ慌張；倉皇。—*v.i.*倉皇前進；倉猝行事。

‡**hurt** [hɝt] *v.t.*(**hurt**)①使疼痛；傷害。②使苦惱；使傷心。—*v.i.* 疼痛；傷人感情；有害。—*n.* ①ⓊⒸ疼痛；傷害。②ⓊⒸ創傷；傷口。③Ⓤ損害；不良影響。—*adj.* ①受傷的。②傷感情的。③損壞的。—**less,** *adj.*

hurt·ful [`hɝtfəl] *adj.* ①(給肉體、精神上)帶來痛苦的。②(對健康等)有害的。—**ly,** *adv.* —**ness,** *n.*

hur·tle [`hɝtl] *v.i.* ①碰撞；衝擊。②

急動；突進。③鳴響。── *v.t.* 使猛撞；使衝撞。

‡**hus·band** [ˋhʌzbənd] *n.* Ⓒ 丈夫。── *v.t.* 節儉地使用。

hus·band·man [ˋhʌzbəndmən] *n.* Ⓒ (*pl.* **-men**) 農夫。

hus·band·ry [ˋhʌzbəndrɪ] *n.* Ⓤ ①耕種；務農。②家政；節儉。

hush** [hʌʃ] *v.t.* 使肅靜；發「噓」聲使安靜。── *v.i.* 肅靜；緘默。～ ***up **a.** 隱瞞。**b.**〖俗〗使肅靜。── *n.* ⓊⒸ 肅靜；安靜。── *interj.* 肅靜！不要吵！§ ～ **mòney** (塞嘴的)賄賂；遮羞費。

hush-hush [ˋhʌʃˏhʌʃ] *adj.* 祕密的；暗中進行的。

husk [hʌsk] *n.* Ⓒ ①(果物或穀類的)外殼；皮；莢。②剩下外殼的東西。── *v.t.* 剝…的皮或殼。

husk·y[1] [ˋhʌskɪ] *adj.* ①(多)殼的；似殼的。②(聲音)沙啞的。③〖俗〗壯碩的。— **husk′i·ly,** *adv.* — **husk′i·ness,** *n.*

husk·y[2] *n.* ① Ⓒ 愛斯基摩犬。②(H-) **a.** Ⓒ 愛斯基摩人。**b.** Ⓤ 愛斯基摩方言。

hus·sar [hʊˋzɑr] *n.* Ⓒ 輕騎兵。

hus·sy [ˋhʌsɪ, ˋhʌzɪ] *n.* Ⓒ ①賤婦。②輕佻或粗野之女子。

hus·tings [ˋhʌstɪŋz] *n.* (the ～, 作 *sing.* or *pl.* 解)〖英〗①候選人發表政見之講臺。②競選演說之講臺[場地]。③選舉手續。

hus·tle [ˋhʌsl] *v.i.* ①〖俗〗趕忙著做。②擁擠；推擁而進。── *v.t.*①驅趕；驅逐。②猛推；亂擠。③催促。── *n.* Ⓤ 亂擠；推擁。

hus·tler [ˋhʌslɚ] *n.* Ⓒ ①行動家；有才幹的人。②〖俗〗活躍人物；做事極端積極者。③〖俚〗騙徒。④〖俚〗妓女。

***hut** [hʌt] *n.* Ⓒ 簡陋的小屋；茅舍。── *v.t.* (-tt-) 供應小屋。── *v.i.* 住小屋。

H

hutch [hʌtʃ] *n.* Ⓒ ①養小動物之圈欄(尤指兔箱)。②茅屋；小舍。③箱。

huz·za(h) [həˋzɑ, hʊˋzɑ] *interj.* & *n.* & *v.* =**hurrah.**

hwy. highway.

hy·a·cinth [ˋhaɪəˏsɪnθ] *n.* ① Ⓒ〖植〗風信子。② Ⓤ〖礦〗紅風信子石。

hy·brid [ˋhaɪbrɪd] *n.* Ⓒ ①雜種；混血兒；混合物。②〖語言〗混合語。── *adj.* 雜種的；混成之物的；混合語的。

hy·brid·ize [ˋhaɪbrɪdˏaɪz] *v.t.* 使雜交。── *v.i.* 產生雜種。

hy·dra [ˋhaɪdrə] *n.* (*pl.* **～s, -drae** [-dri]) ①(H-)〖希神〗九頭怪蛇。② Ⓒ 難根除之禍害。③ Ⓒ〖動〗水螅。④(H-)〖天〗海蛇座。

hy·dran·gea [haɪˋdrendʒə] *n.* Ⓒ 繡球花；八仙花。

hy·drant [ˋhaɪdrənt] *n.* Ⓒ 給水栓；消防栓。

hy·drate [ˋhaɪdret] *n.* ⓊⒸ 水化物；氫氧化物。── *v.t.* & *v.i.* (使)成水化物；(使)與水化合。

hy·drau·lic [haɪˋdrɔlɪk] *adj.* ①水力(學)的。②用水發動的；水壓的。③在水中硬化的。

hy·drau·lics [haɪˋdrɔlɪks] *n.* Ⓤ 水力學。

hy·dric [ˋhaɪdrɪk] *adj.*〖化〗(含)氫的。

hy·dro·car·bon [ˏhaɪdroˋkɑrbən] *n.* Ⓒ 碳氫化合物。

hy·dro·chló·ric ácid [ˏhaɪdroˋklɔrɪk ～] *n.* Ⓤ 氫氯酸；鹽酸。

hy·dro·dy·nam·ics [ˏhaɪdrodaɪˋnæmɪks] *n.* Ⓤ 流體動力學。

hy·dro·e·lec·tric [ˏhaɪdro·ɪˋlɛktrɪk] *adj.* 水電的；水力發電的。— **hy·dro·e·lec·tric′i·ty,** *n.*

hy·dro·foil [ˋhaɪdrəˏfɔɪl] *n.* Ⓒ ①水翼船。②(水翼船上的)水翼。

***hy·dro·gen** [ˋhaɪdrədʒən, -dʒɪn] *n.* Ⓤ〖化〗氫(符號 H). § ～ **bòmb** 氫彈(=H-bomb). ～ **peroxíde** 過氧化氫。

hy·dro·gen·ate [ˋhaɪdrədʒənˏet] *v.t.* 使與氫化合；使含氫。

hy·drog·ra·phy [haɪˋdrɑgrəfɪ] *n.* Ⓤ 水文學；水道測量學。

hy·drol·y·sis [haɪˋdrɑləsɪs] *n.* ⓊⒸ (*pl.* **-ses** [-ˏsiz])〖化〗水解(作用)。

hy·drom·e·ter [haɪˋdrɑmətɚ] *n.* Ⓒ 液體比重計。

hy·drop·a·thy [haɪˋdrɑpəθɪ] *n.* Ⓤ〖醫〗水療法。

hy·dro·pho·bi·a [ˏhaɪdrəˋfobɪə] *n.* Ⓤ〖醫〗狂犬病；恐水症。— **hy·dro·pho′bic,** *adj.*

hy·dro·phone [ˋhaɪdrəˏfon] *n.* Ⓒ ①水聽器。②水管測漏儀。

hy·dro·plane [ˋhaɪdrəˏplen] *n.* Ⓒ ①水上滑行艇。②水上飛機。③(潛艇之)水平舵。(亦作 **hydroairplane**)

hy·dro·pon·ics [ˏhaɪdrəˋpɑnɪks] *n.* Ⓤ 水耕法。

hy·dro·pow·er [ˋhaɪdroˏpauɚ] *n.* Ⓤ 用水力發電所產生之電。

hy·dro·sphere [ˋhaɪdrəˏsfɪr] *n.* ① Ⓤ 大氣中之水氣。② Ⓒ (地球之)水圈。

hy·dro·stat·ics [ˏhaɪdrəˋstætɪks] *n.* Ⓤ 流體靜力學；靜水學。

hy·dro·ther·a·py [ˏhaɪdrəˋθɛrəpɪ] *n.* Ⓤ 水療法。

hy·drous [ˋhaɪdrəs] *adj.* ① 含水的。②含氫的。

hy·drox·ide [haɪˋdrɑksaɪd] *n.* Ⓒ〖化〗氫氧化物。

hy·(a)e·na [haɪˋinə] *n.* Ⓒ ①〖動〗土狼；鬣狗。②殘酷的人；貪婪的人。

hy·giene [ˋhaɪdʒin, ˋhaɪdʒɪˏin] *n.* Ⓤ 衛生學；保健法。— **hy′gien·ist,** *n.*

hy·gi·en·ic [ˏhaɪdʒɪˋɛnɪk] *adj.* ①衛生的；保健的。②衛生學的。

hy·gi·en·ics [ˏhaɪdʒɪˋɛnɪks] *n.* Ⓤ 衛生學。

hy·grom·e·ter [haɪˋgrɑmətɚ] *n.* Ⓒ 濕度計。

hy·gro·scope [ˋhaɪgrəˏskop] *n.* Ⓒ〖理〗驗濕器。

hy·ing [ˋhaɪɪŋ] *v.* ppr. of **hie.**

Hy·men [ˋhaɪmən] *n.* ①〖希神〗海曼(司婚姻之神)。②(h-) Ⓒ 處女膜。

hy·me·ne·al [ˏhaɪməˋniəl] *adj.* 婚姻的；結婚的。── *n.* Ⓒ 婚禮頌歌。

***hymn** [hɪm] *n.* Ⓒ 讚美詩；聖歌。── *v.t.* & *v.i.* 唱讚美詩讚美；唱讚美歌。

hym·nal [ˋhɪmnəl] *n.* Ⓒ 讚美詩集。── *adj.* 讚美詩的。

hymn·book [ˋhɪmˏbʊk] *n.* Ⓒ 讚美詩集；聖歌集。

hype [haɪp] *n.* 〖俚〗①=**hypodermic.** ②[C]吸毒成癮者。③[U]誇大的廣告。④[C]欺騙；騙局。**—** *v.t.* ①欺騙(人)。②誇張地宣傳…。③增加…。④(注射毒品似地)使…興奮。「的。

hyped-up [ˋhaɪptˋʌp] *adj.* 〖俚〗興奮

hy·per·a·cid·i·ty [ˏhaɪpərəˋsɪdətɪ] *n.* [U]〖醫〗胃酸過多症。

hy·per·ac·tive [ˏhaɪpɚˋæktɪv] *adj.* 極度活躍的。

hy·per·bo·la [haɪˋpɝbələ] *n.* [C]〖數〗雙曲線。

hy·per·bo·le [haɪˋpɝbəˏli] *n.* [U]〖修〗誇張法。

hy·per·bol·ic, -i·cal [ˏhaɪpɚˋbɑlɪk(l̩)] *adj.*①誇張法的。②雙曲線的。

hy·per·crit·i·cal [ˏhaɪpɚˋkrɪtɪkl̩] *adj.*酷評的；苛求的；吹毛求疵的。

hy·per·es·the·sia [ˏhaɪpərɛsˋθiʒə] *n.* [U]〖醫〗感覺過敏。

hy·per·in·fla·tion [ˏhaɪpərɪnˋfleʃən] *n.* [U]過度通貨膨脹。

hy·per·mar·ket [ˋhaɪpɚˏmɑrkɪt] *n.* [C]〖英〗(通常設在郊外的)大規模超級市場。「子。

hy·per·on [ˋhaɪpəˏrɑn] *n.* [C]〖理〗超

hy·per·sen·si·tive [ˏhaɪpɚˋsɛnsətɪv] *adj.* ①過度敏感的。②〖醫〗神經過敏的；過敏症的。

hy·per·sex·u·al [ˏhaɪpɚˋsɛkʃuəl] *adj.* 性慾極強的；非常好色的。

hy·per·son·ic [ˏhaɪpɚˋsɑnɪk] *adj.* 〖理〗高超音速的(指超音速5倍以上的)。

hy·per·ten·sion [ˏhaɪpɚˋtɛnʃən] *n.* [U]①壓力過大。②〖醫〗高血壓。

hy·per·ten·sive [ˏhaɪpɚˋtɛnsɪv] *adj.* 高血壓的。**—** *n.* [C]高血壓患者。

hy·per·text [ˋhaɪpɚˏtɛkst] *n.* [C]〖電算〗超文字(在電腦上一篇文章中的某些關鍵字可開啓另一篇文章或說明)。

hy·per·thy·roid·ism [ˏhaɪpɚˋθaɪrɔɪdˏɪzəm] *n.* [U]〖醫〗甲狀腺(機能)亢進。

***hy·phen** [ˋhaɪfən] *n.* [C]連字號(-)。**—** *v.t.* 以連字號(-)連接。

hy·phen·ate [ˋhaɪfənˏet] *v.t.* 以連字號連接。

hyp·no·sis [hɪpˋnosɪs] *n.* [U]①催眠狀態。②催眠術。

hyp·no·ther·a·py [ˏhɪpnoˋθɛrəpɪ] *n.* [U]催眠療法。

hyp·not·ic [hɪpˋnɑtɪk] *adj.* ①催眠(術)的。②易於催眠的。**—** *n.* [C]①易受催眠之人。②催眠藥。

hyp·no·tism [ˋhɪpnəˏtɪzəm] *n.* [U]①催眠術。②催眠。③催眠狀態。

hyp·no·tist [ˋhɪpnətɪst] *n.* [C]施催眠術者；催眠術士。

hyp·no·tize [ˋhɪpnəˏtaɪz] *v.t.* ①施催眠術。②〖俗〗使著迷；使恍惚。

hy·po[1] [ˋhaɪpo] *n.* [U]〖化〗硫代硫酸鈉(洗相片時作定影之用)。

hy·po[2] *n.* (*pl.* ~**s**) =**hypodermic.**

hy·po·chon·dri·a [ˏhaɪpəˋkɑndrɪə] *n.* [U]〖精神病〗憂鬱症；臆想病。

hy·po·chon·dri·ac [ˏhaɪpəˋkɑndrɪˏæk] *adj.* 患憂鬱症的。**—** *n.* [C]憂鬱症患者。

***hy·poc·ri·sy** [hɪˋpɑkrəsɪ] *n.* ①[U]僞善；矯飾。②[C]僞善的行爲。

***hyp·o·crite** [ˋhɪpəˏkrɪt] *n.* [C]僞君子。— **hyp·o·crit′i·cal,** *adj.*

hy·po·der·mic [ˏhaɪpəˋdɝmɪk] *adj.* ①皮下注射的。②皮下的。**—** *n.* [C]①皮下注射器。②皮下注射。

hy·po·tax·is [ˏhaɪpəˋtæksɪs] *n.* [U]〖文法〗附屬關係；附屬結構。

hy·po·ten·sion [ˏhaɪpəˋtɛnʃən] *n.* [U]〖醫〗低血壓。

hy·po·ten·sive [ˏhaɪpəˋtɛnsɪv]〖醫〗*adj.* 低血壓的。**—** *n.* [C]低血壓病患。

hy·pot·e·nuse [haɪˋpɑtn̩ˏjus] *n.* [C]〖數〗(直角三角形之)斜邊。

hy·poth·e·cate [haɪˋpɑθəˏket] *v.t.* 抵押；擔保。

hy·po·ther·mi·a [ˏhaɪpəˋθɝmɪə] *n.* [U]〖醫〗體溫過低。

***hy·poth·e·sis** [haɪˋpɑθəsɪs] *n.* [C] (*pl.* **-ses** [-ˏsiz]) (科學上的)假設；學說。

hy·poth·e·size [haɪˋpɑθəˏsaɪz] *v.i.* 假設。**—** *v.t.* 作爲假設。

hy·po·thet·ic, -i·cal [ˏhaɪpəˋθɛtɪk(l̩)] *adj.* 假說的；假定的。

hy·po·thy·roid·ism [ˏhaɪpəˋθaɪrɔɪdˏɪzəm] *n.* [U]〖醫〗甲狀腺機能減退。

hys·sop [ˋhɪsəp] *n.* [U]①〖植〗牛膝草。②〖聖經〗祓禊木。

hys·ter·ec·to·my [ˏhɪstəˋrɛktəmɪ] *n.* [U][C]〖醫〗子宮切除。

hys·te·ri·a [hɪsˋtɪrɪə] *n.* [U]①歇斯底里症；癔病。②病態的興奮。

hys·ter·ic [hɪsˋtɛrɪk] *adj.* =**hysterical.** **—** *n.* [C]易發歇斯底里之人。

***hys·ter·i·cal** [hɪsˋtɛrɪkl̩] *adj.* ①患歇斯底里症的；(情緒)過度狂烈的；不可抑制的。②非常可笑的。— **ly,** *adv.*

hys·ter·ics [hɪsˋtɛrɪks] *n.* (作*sing.* or *pl.* 解)①歇斯底里症的發作；發狂。②〖俗〗笑不止。

hystero-〖字首〗表「子宮」之義。

hys·ter·ol·o·gy [ˏhɪstəˋrɑlədʒɪ] *n.* [U]〖醫〗子宮學。

hys·ter·ot·o·my [ˏhɪstəˋrɑtəmɪ] *n.* [U]〖外科〗子宮切開(術)。

Hz, hz 〖理〗hertz.

I i **I i** *I i*

I[1] or **i** [aɪ] *n.* (*pl.* **I's, Is, i's, is** [aɪz]) ①[U][C]英文字母之第九個字母。②[U]羅馬數字的1(如III=3, IX=9)。

⁑**I**[2] *pron.* (*pl.* **we**)我(第一人稱單數主格)。

i·am·bic [aɪˋæmbɪk]〖英詩〗*adj.* 抑揚格的。**—** *n.* [C]①抑揚格。②(常 *pl.*)抑揚格詩。

i·am·bus [aɪˋæmbəs] *n.* [C] (*pl.* **-bi** [-baɪ], ~**es**)〖韻律〗短長格；抑揚格。

ib., ibid. ibidem.

I

I·be·ri·a [aɪˋbɪrɪə] *n.* 伊比利半島(包括西班牙及葡萄牙兩國之一大半島)。
i·bex [ˋaɪbɛks] *n.* Ⓒ (*pl.* ~**es, ib·i·ces** [ˋɪbɪ,siz]) 高地山羊。
i·bi·dem [ɪˋbaɪdɛm] 〖拉〗*adv.* 在(前面所引用之)同一書[章, 頁, 處]中; 同上; 同前。(略作 **ib., ibid.**)
i·bis [ˋaɪbɪs] *n.* Ⓒ (*pl.* ~, ~**es**)〖鳥〗朱鷺; 鶚。
IBM, I.B.M. International Business Machines (Corporation).〖商標〗國際商業機器(公司)。
ICBM, I.C.B.M. intercontinental ballistic missile. 洲際彈道飛彈。
‡**ice** [aɪs] *n.* ① Ⓤ 冰。② Ⓒ 果凍; 冰淇淋。③ Ⓤ (糕點上的)糖霜。④ Ⓤ 冷淡。⑤冰毒(一種易於上癮的結晶狀毒品)。 ***break the*** ~ **a.** 破除矜持; 開始(融洽)。**b.** 著手做(困難之事)。***cut no*** ~ 無甚價值; 無影響; 嚇不倒。***on*** ~ **a.** 〖俚〗(對成功或實現)有把握。**b.** (為將來而)準備。**c.**擱置。***on thin*** ~在危險的境況中。— *v.t.* ①冰凍; 冷藏。②使結冰。③加糖衣於(糕點)上。§ ∼ **bàg** 冰袋; 冰枕。*∼ **créam** 冰淇淋。∼ **cùbe**(冰箱冷凍室之)小冰塊。∼ **fìeld** (1)冰原(漂浮於海面的大塊冰層)。(2)(陸地上的)冰原。∼ **flòe**(1)(海上漂浮的)小冰原。(2)(板狀的)浮冰(指較 ice field 小者)。∼ **hòckey** 〖運動〗冰上曲棍球。∼ **pàck** (1)浮冰群。(2)冰袋。∼ **pìck** 冰鋤。∼ **shèet**(長久覆蓋陸地的)大冰原。∼ **skàtes** 溜冰鞋。∼**tòngs** 冰鉗。∼ **trày** 製冰盤。∼ **wàter** 冰水。**the** ∼ **àge**〖地質〗(1)冰河時代。(2)(I-A-)更新世冰河期。
*__ice·berg__ [ˋaɪs,bɝg] *n.* Ⓒ①冰山。②〖俗〗冷峻的人。
ice·boat [ˋaɪs,bot] *n.* Ⓒ①冰上滑行的船。②破冰船。
ice·bound [ˋaɪs,baund] *adj.* 冰封的(海港、河流等)。
ice·box [ˋaɪs,bɑks] *n.* Ⓒ〖美〗冰箱。
ice·break·er [ˋaɪs,brekɚ] *n.* Ⓒ①破冰船。②碎冰機。
ice·cap [ˋaɪs,kæp] *n.* Ⓒ①(高山等上之)冰帽; 冰冠。②冰枕。
ice-cold [ˋaɪsˋkold] *adj.* ①冰冷的。②冷若冰霜的; 無感情的。
ice-cream [ˋaɪsˋkrim] *adj.* 冰淇淋的。
iced [aɪst] *adj.* ①覆以冰的; 含冰的; 冰凍的。②覆有糖霜的。
ice·house [ˋaɪs,haus] *n.* Ⓒ①冰庫。②(愛斯基摩人之)冰屋。③製冰廠。
Ice·land [ˋaɪslənd] *n.* 冰島(北大西洋一共和國, 首都 Reykjavik).
Ice·land·er [ˋaɪs,lændɚ] *n.* Ⓒ 冰島人。
Ice·lan·dic [aɪsˋlændɪk] *adj.* 冰島的。— *n.* Ⓤ 冰島語。
ice·man [ˋaɪs,mæn] *n.* Ⓒ (*pl.* **-men**)〖美〗送冰人; 售冰人; 製冰人。
ice·rink [ˋaɪs,rɪŋk] *n.* Ⓒ (室內的)溜冰場。
ice-skate [ˋaɪs,sket] *v.i.* 溜冰; 滑冰。
ich·neu·mon [ɪkˋnjumən] *n.* Ⓒ①〖動〗貓鼬。②〖昆〗姬蜂。
ich·thy·ol·o·gy [,ɪkθɪˋɑlədʒɪ] *n.* Ⓤ魚類學。
i·ci·cle [ˋaɪsɪkl̩] *n.* Ⓒ冰柱; 垂冰。
ic·ing [ˋaɪsɪŋ] *n.* Ⓒ ①(覆於糕點上的)糖衣。②〖氣象〗結冰。
ick·y [ˋɪkɪ] *adj.*〖俚〗①討厭的。②黏的。
i·con [ˋaɪkɑn] *n.* Ⓒ ①(希臘教會之)聖像。②畫像; 偶像。③〖電算〗圖象。
i·con·o·clasm [aɪˋkɑnə,klæzəm] *n.* Ⓤ聖[畫]像破壞; 偶像破壞; 迷信之破除。
i·con·o·clast [aɪˋkɑnə,klæst] *n.* Ⓒ①反對崇拜偶像者。②破除傳統[迷信]者。— **i·con·o·clas′tic,** *adj.*
i·co·nol·a·try [,aɪkəˋnɑlətrɪ] *n.* Ⓤ偶像崇拜。
i·con·o·scope [aɪˋkɑnə,skop] *n.* Ⓒ〖視〗映像管。
I.C.R.T. International Community Radio of Taipei. 台北國際社區廣播電台。
*__i·cy__ [ˋaɪsɪ] *adj.* ①似冰的; 極冷的。②多冰的。③冰的。④冷淡的。— **i′ci·ly,** *adv.* — **i′ci·ness,** *n.*
‡**I'd** [aɪd] I should [would, had]之略。
I·da·ho [ˋaɪdə,ho] *n.*愛達荷(美國西北部之一州)。
I.D. card identity card. (亦作**ID card**)
‡**i·de·a** [aɪˋdiə, -ˋdɪə] *n.* ① Ⓒ 主意; 意見; 辦法。② Ⓒ 感覺。③ ⓊⒸ 理念; 觀念。④ ⓊⒸ 了解; 認識。⑤ Ⓒ 幻想。§ ∼ **màn**(在商業機構中)提供新構想[花樣]的人。
*__i·de·al__ [aɪˋdiəl, aɪˋdil, aɪˋdɪəl] *n.* Ⓒ ①理想。②理想的事物[人]。— *adj.* ①理想的。②想像中的。— **ly,** *adv.*
i·de·al·ism [aɪˋdiəl,ɪzəm] *n.* Ⓤ唯心論; 理想主義; 觀念論。
i·de·al·ist [aɪˋdɪəlɪst] *n.* Ⓒ 理想主義者; 追求理想而不顧實際的人。
*__i·de·al·is·tic__ [,aɪdiəlˋɪstɪk] *adj.*高尚理想的; 理想主義的; 不切實際的。
i·de·al·ize [aɪˋdiəl,aɪz] *v.t.* 將…理想化; 視…為理想。— *v.i.* 理想化。
i·den·tic [aɪˋdɛntɪk] *adj.* ①=**identical.** ②〖外交〗(文書)同文的。
*__i·den·ti·cal__ [aɪˋdɛntɪkl̩] *adj.* ①同一的。②完全相同的。③完全符合的。
*__i·den·ti·fi·ca·tion__ [aɪ,dɛntəfəˋkeʃən] *n.* ⓊⒸ①認明; 鑑定; 證明。②證件。§ ∼ **càrd** 身分證。
*__i·den·ti·fy__ [aɪˋdɛntə,faɪ] *v.t.* ①認明; 認出; 鑑定。②作認明[識別]之方法。③認為係同一的(with). ④使有關係; 聯合; 支持; 參與(with).—**i·den′ti·fi·a·ble,** *adj.*
i·den·ti·kit [aɪˋdɛntəkɪt] *n.* Ⓒ 剪輯臉部照片的拼集裝置。
*__i·den·ti·ty__ [aɪˋdɛntətɪ] *n.* ① ⓊⒸ 本人; 眞面目; 身分。② Ⓤ 同一性質; 同一。③ Ⓒ〖美俗〗身分證。§ ∼ **càrd** 身分證(亦作ID card, I.D. card). ∼ **crìsis** 自我認識[性格認同]危機。
id·e·o·gram [ˋɪdɪə,græm] *n.* Ⓒ①表意[會意]文字。②記號(如: 7, =, & 等)。
id·e·o·graph [ˋɪdɪə,græf] *n.* =**ideogram.**
id·e·ol·o·gy [,aɪdɪˋɑlədʒɪ] *n.* Ⓤ Ⓒ 意識; 意識形態; 觀念學。—**i·de·o-**

log′i·cal, *adj.*

id·i·o·cy [ˋɪdɪəsɪ] *n.* ①Ⓤ白癡。②Ⓒ極愚蠢的行爲。

***id·i·om** [ˋɪdɪəm] *n.* ⓊⒸ①習語；成語；慣用語法。②方言。③某一民族之特別語法。

id·i·o·mat·ic, -i·cal [ˌɪdɪəˋmætɪk(l̩)] *adj.* ①慣用的；合於習慣用法的。②具有某一語言特性的。— **id·i·o·mat′i·cal·ly,** *adv.*

id·i·op·a·thy [ˌɪdɪˋɑpəθɪ] *n.* Ⓒ〖醫〗自發症；原發病；特發病。

id·i·o·syn·cra·sy [ˌɪdɪəˋsɪnkrəsɪ] *n.* Ⓒ個人心理之特點；癖性。

id·i·o·syn·crat·ic [ˌɪdɪosɪnˋkrætɪk] *adj.* 特癖的；特性的；特質的；特異體質的。

***id·i·ot** [ˋɪdɪət] *n.* Ⓒ①白癡。②極蠢之人。§ ～ **bòx**〖俚〗電視機。～ **lìght** 車況預示燈。— **id·i·ot·ic** [ˌɪdɪˋɑtɪk], *adj.*

***i·dle** [ˋaɪdl̩] *adj.* ①閒散的。②懶惰的。③無用的；無益的。④無根據的。～ rumors 無根據的謠言。— *v.i.* ①遊手好閒；不作事。②浪費時間；虛擲時光。③(機器)(以低速)空轉。— *v.t.* ①浪費；虛擲。②使停止工作。— **i′dly,** *adv.*

***i·dle·ness** [ˋaɪdl̩nɪs] *n.* Ⓤ怠惰；懶惰。

i·dler [ˋaɪdlɚ] *n.* Ⓒ懶惰者。

***i·dol** [ˋaɪdl̩] *n.* Ⓒ①偶像。②〖聖經〗邪神。③崇拜物。④幻想。⑤謬論。

i·dol·a·ter [aɪˋdɑlətɚ] *n.* Ⓒ①偶像崇拜者。②(盲目的)崇拜者。

i·dol·a·trous [aɪˋdɑlətrəs] *adj.* ①崇拜偶像的。②盲目崇拜的。

i·dol·a·try [aɪˋdɑlətrɪ] *n.* Ⓤ①偶像崇拜。②過度崇信。

i·dol·ize [ˋaɪdl̩ˌaɪz] *v.t.* ①偶像化。②過度崇拜[讚揚]。

i·dyl(l) [ˋaɪdl̩] *n.* Ⓒ①田園詩；牧歌。②田園風景。

i·dyl·lic [aɪˋdɪlɪk] *adj.* ①適於抒情詩的。②簡單而美妙的。

i.e. 〖拉〗id est (=that is, that is to say). 即；就是。

‡**if** [ɪf] *conj.* ①假使；假設；倘若。②〖俗〗縱令；即使。③何時(=whenever). *If* I feel any doubt, I inquire. 我一有疑惑就問。④是否(=whether). ⑤與否定式連用, 表示驚異或憎惡。And *if* he didn't try to knock me down! 令人可驚的是他竟想把我打倒! ***if it were not for*** 若不是…的話。***if only*** 若…就好了；要是…多好! — *n.* Ⓒ①假設。②條件。

IFC International Finance Corporation. 國際金融機構。

if·fy [ˋɪfɪ] *adj.* 〖俗〗靠不住的；可疑的。

ig·loo [ˋɪglu] *n.* Ⓒ (*pl.* ～**s**) 愛斯基摩人用雪塊砌成的圓頂小舍。(亦作 **iglu**)

ig·ne·ous [ˋɪgnɪəs] *adj.* ①火的。②〖地質〗火成的。～ rocks 火成岩。

ig·nis fat·u·us [ˋɪgnɪsˋfætʃʊəs] 〖拉〗*n.* Ⓒ (*pl.* **ig·nes fat·u·i** [ˋɪgnizˋfætʃʊˌaɪ]) ①燐火；鬼火。②引人入迷途的東西；不切實際的計畫[目標]。

ig·nite [ɪgˋnaɪt] *v.t.* ①使發火。②使灼熱；使發赤熱之光。③煽動；激動。— *v.i.* 發火；著火。

ig·ni·tion [ɪgˋnɪʃən] *n.* ①Ⓤ點火；發火。②Ⓒ(內燃機內的)發火裝置。

ig·no·ble [ɪgˋnobl̩] *adj.* ①卑鄙的；下流的。②出身低微的。③不名譽的；可恥的。④品質低劣的。

ig·no·min·i·ous [ˌɪgnəˋmɪnɪəs] *adj.* 可恥的；不名譽的；屈辱的。— **ly,** *adv.*

ig·no·min·y [ˋɪgnəˌmɪnɪ] *n.* ⓊⒸ①羞恥；不名譽。②醜行；可恥的行爲。

ig·no·ra·mus [ˌɪgnəˋreməs] *n.* Ⓒ無知的人。

***ig·no·rance** [ˋɪgnərəns] *n.* Ⓤ無知；不知；不熟悉。

***ig·no·rant** [ˋɪgnərənt] *adj.* ①無知識的；未受教育的。②不明白的。

***ig·nore** [ɪgˋnor, -ˋnɔr] *v.t.* 不理睬；忽視；對…裝作不知。

i·gua·na [ɪˋgwɑnə] *n.* Ⓒ〖動〗鬣蜥蜴。

I.H.P., i.h.p. indicated horsepower. 指示馬力。

i·kon [ˋaɪkɑn] *n.* =**icon.**

Il·i·ad [ˋɪlɪəd] *n.* 伊里亞德(希臘著名史詩, 相傳爲 Homer 所著)。

ilk [ɪlk] *n.* (*sing.*)〖俗〗家族；同類；同地。***of that*** ～ **a.** 同名的。**b.** 同種的；同類的。

‡**ill** [ɪl] *adj.* (**worse, worst**)①生病的。②邪惡的；惡劣的。～ will 惡意。③不順利的；不幸的。④不佳的；有缺點的。～ ***off*** 過得不好。***I- weeds grow apace.*** 〖諺〗莠草生長得快；(喻)小人當道。***It's an ～ wind that blows nobody any good.***〖諺〗無人得到好處的風, 可就眞是壞風(再怎麼惡劣的風, 還是有人獲益；幾家歡樂幾家愁)。— *n.* ①Ⓒ疾病。②Ⓤ惡事；傷害。③Ⓤ不幸。～***at ease*** 侷促不安。***take*** ～ 對…生氣；爲…冒犯。— *adv.* ①惡意地；有害地。②不利地；不幸地。③嚴酷地；殘忍地。④困難地；幾乎不能地。

‡**I'll** [aɪl] =**I shall**[**will**].

ill-ad·vised [ˋɪlədˋvaɪzd] *adj.* 欠考慮的；愚蠢的。

ill-bred [ˋɪlˋbrɛd] *adj.* 沒教養的；粗野的；無禮的。

ill-dis·posed [ˋɪldɪsˋpozd] *adj.* ①懷惡意的；有敵意的。②不贊成的。

***il·le·gal** [ɪˋligl̩] *adj.* ①不合法的；違法的。②不合規定的。— **ly,** *adv.*

il·le·gal·i·ty [ˌɪliˋgælətɪ] *n.* ①Ⓤ非法；犯規。②Ⓒ非法行爲。

il·leg·i·ble [ɪˋlɛdʒəbl̩] *adj.* (字跡)難讀的；難認的。— **il·leg·i·bil′i·ty,** *n.*

il·le·git·i·mate [ˌɪlɪˋdʒɪtəmɪt] *adj.* ①非婚生的。②不合法的。

ill-fat·ed [ˋɪlˋfetɪd] *adj.* ①苦命的。②不幸的；不吉的。

ill-fa·vored [ˋɪlˋfevɚd] *adj.* ①(人或臉色)難看的。②令人不快的。

ill-got·ten [ˋɪlˋgɑtn̩] *adj.* 來路不正的。

ill-hu·mo(u)r [ˋɪlˋhjumɚ] *n.* Ⓤ惡劣的情緒；壞脾氣。(亦作 **ill humor**)

il·lib·er·al [ɪˋlɪbərəl] *adj.* ①氣度狹隘的。②吝嗇的。③無教養的。

il·lic·it [ɪˋlɪsɪt] *adj.* 不法的；被禁止的。— **ly,** *adv.*

I

il·lim·it·a·ble [ɪˋlɪmɪtəbl] *adj.* 無限的。
ill-in·formed [ˋɪlɪnˋfɔrmd]*adj.* 孤陋寡聞的；消息不靈通的。
Il·li·nois [ˏɪləˋnɔɪ(z)] *n.* 伊利諾(美國中西部之一州)。
il·lit·er·a·cy [ɪˋlɪtərəsɪ] *n.* Ⓤ ①文盲。②無教育；無學識。
il·lit·er·ate [ɪˋlɪtərɪt] *adj.* ①不能讀寫的；目不識丁的。②知識淺陋的；缺乏教育的。**—** *n.* Ⓒ文盲。
ill-judged [ˋɪlˋdʒʌdʒd] *adj.* 不明智的；愚昧的；魯莽的；不合時宜的。
ill-man·nered [ˋɪlˋmænɚd] *adj.* 無禮貌的；不客氣的；粗野的。
ill-na·tured [ˋɪlˋnetʃɚd] *adj.* 性情惡劣的；根性不良的；乖張的。
‡**ill·ness** [ˋɪlnɪs] *n.* ⓊⒸ 不健康；疾病。
il·log·i·cal [ɪˋlɑdʒɪkl] *adj.* ①不合邏輯的。②不合常理的。—**ly,** *adv.*
ill-starred [ˋɪlˋstɑrd] *adj.* 命運壞的；倒霉的。
ill-tem·pered [ˋɪlˋtɛmpɚd] *adj.* 壞脾氣的；易怒的；暴躁的。
ill-timed [ˋɪlˋtaɪmd] *adj.* 不合時宜的。
ill-treat [ˏɪlˋtrit] *v.t.* 虐待。
***il·lu·mi·nate** [ɪˋluməˏnet] *v.t.* ①(以燈光)照明；照亮。②闡釋；說明。③以燈裝飾(街道、房屋等)以示慶祝。④啓蒙；啓發。
***il·lu·mi·na·tion** [ɪˏluməˋneʃən] *n.* ①Ⓤ照明。②Ⓤ亮度。③Ⓤ闡釋。④(*pl.*)燈飾。⑤(*pl.*)(書籍、字母之)彩飾。⑥Ⓤ啓蒙；啓發。
il·lu·mine [ɪˋlumɪn] *v.t.* ①(以燈光)照亮；照明。②啓蒙；啓發。
ill-us·age [ˋɪlˋjusɪdʒ] *n.* Ⓤ 虐待；苛待。
ill-use [ˋɪlˋjuz] *v.t.* 虐待。**—** [ˋɪlˋjus] *n.* Ⓤ虐待。
***il·lu·sion** [ɪˋluʒən] *n.* ①ⓊⒸ幻影。②Ⓒ錯覺；幻想；錯誤的想法[判斷]。
il·lu·sive [ɪˋlusɪv] *adj.* 虛幻的；迷惑人的；欺騙的。
il·lu·so·ry [ɪˋlusərɪ] *adj.* 虛幻的；迷惑人的。
***il·lus·trate** [ˋɪləstret, ɪˋlʌstret] *v.t.* ①舉例說明。②加插圖於(書等)。
***il·lus·tra·tion** [ɪˏlʌsˋtreʃən] *n.* ①Ⓒ插圖。②Ⓒ實例。③Ⓤ例證。
il·lus·tra·tive [ɪˋlʌstrətɪv, ˋɪləsˏtretɪv] *adj.* 闡釋的；說明的。
il·lus·tra·tor [ˋɪləsˏtretɚ] *n.* Ⓒ ①畫插圖者。②圖解[說明]者。
il·lus·tri·ous [ɪˋlʌstrɪəs] *adj.* ①著名的；顯赫的。②光榮的。—**ly,** *adv.*
‡**I'm** [aɪm] =**I am.**
‡**im·age** [ˋɪmɪdʒ] *n.* Ⓒ ①像；肖像。②塑像。③形象。④概念；想像。⑤化身。**—** *v.t.* ①作…之像。②想像出。③反映。④描繪；以象喻描寫。
im·age·ry [ˋɪmɪdʒrɪ] *n.* Ⓤ (集合稱) ①意象。②象喻；直喻。③像；雕像。
im·ag·i·na·ble [ɪˋmædʒɪnəbl] *adj.* 可想像的;可能的。try every means ～ 試用一切可能的方法。
***im·ag·i·nar·y** [ɪˋmædʒəˏnɛrɪ] *adj.* 想像的；假想的；虛構的。
***im·ag·i·na·tion** [ɪˏmædʒəˋneʃən] *n.* ⓊⒸ①想像；幻想。②想像力。
im·ag·i·na·tive [ɪˋmædʒəˏnetɪv] *adj.* ①富於想像的。②幻想的。
‡**im·ag·ine** [ɪˋmædʒɪn] *v.t.* & *v.i.* ①想像；幻想。②假想；猜想。③想；以爲。
im·bal·ance [ɪmˋbæləns] *n.* ⓊⒸ ①不平衡。②〖醫〗(內分泌等)失調。
im·be·cile [ˋɪmbəsḷ] *n.* Ⓒ ①心智能力極低者(近乎白癡)。②極愚蠢的人。**—** *adj.* ①低能的。②極愚蠢的。
im·be·cil·i·ty [ˏɪmbəˋsɪlətɪ] *n.* ①Ⓤ低能；愚蠢。②Ⓒ極愚蠢之言行。
im·bibe [ɪmˋbaɪb] *v.t.* ①飲。②吸入；吸取。③(心智活動的)吸收；接受。～ ideas [knowledge,etc.] 吸收思想[知識等]。
im·bro·glio [ɪmˋbroljo] *n.* Ⓒ (*pl.* **～s**)①糾紛；糾葛。②意見紛歧。③(戲劇等)錯綜複雜的情節。
im·bue [ɪmˋbju] *v.t.* ①灌輸；影響。②浸染。
IMF, I.M.F. International Monetary Fund. 國際貨幣基金會。
im·i·ta·ble [ˋɪmɪtəbl] *adj.* 可模仿的。
‡**im·i·tate** [ˋɪməˏtet] *v.t.* ①模仿；仿效；效法。②學；模擬。③假裝；冒充。
im·i·ta·tion** [ˏɪməˋteʃən] *n.* ⓊⒸ ①模仿；仿效。②模擬。in ～ of*** 模仿；仿效。**—** *adj.* 假造的；冒充的。
im·i·ta·tive [ˋɪməˏtetɪv] *adj.* ①喜模仿的。②模仿[擬]的。③假的；偽造的。
im·i·ta·tor [ˋɪməˏtetɚ] *n.* Ⓒ模仿者。
im·mac·u·late [ɪˋmækjəlɪt] *adj.* ①潔淨的；無瑕的。②純潔的；無罪的。§ **the I- Concéption** 無原罪的懷胎(天主教義所稱聖母瑪利亞之懷胎)。
im·ma·te·ri·al [ˏɪməˋtɪrɪəl] *adj.* ①不重要的。②非物質的；精神的。
im·ma·ture [ˏɪməˋtjur] *adj.* 未成熟的；發育未完成的；發展未完全的。—**im·ma·tu'ri·ty,** *n.*
im·meas·ur·a·ble [ɪˋmɛʒərəbḷ] *adj.* 不能衡量的；無限的。
im·me·di·a·cy [ɪˋmidɪəsɪ] *n.* ①Ⓤ直接；即時(性)。②(*pl.*)目前之需要。
***im·me·di·ate** [ɪˋmidɪɪt] *adj.* ①立即的；即刻的。②直接的。③最接近的。one's ～ family 近親屬。④近的；鄰近的。⑤目前的；當前的。
‡**im·me·di·ate·ly** [ɪˋmidɪɪtlɪ] *adv.* ①立即；即刻。②直接地。
im·me·mo·ri·al [ˏɪməˋmorɪəl] *adj.*太古的;人所不能記憶的。from time ～ 從太古起。
***im·mense** [ɪˋmɛns]*adj.* 極廣大的；無邊的；無量的。—**ly,** *adv.*
im·men·si·ty [ɪˋmɛnsətɪ] *n.* Ⓤ無限；無邊；無際的空間。
im·merse [ɪˋmɝs] *v.t.* ①使浸沒。②使深陷於。be ～*d* in debt陷於債務中。③沈溺於。④給…施洗禮。
im·mersed [ɪˋmɝst] *adj.*①被浸入(液體)的。②熱衷於(…)的；埋首於(…)的〔in〕. I am wholly ～ in this business at present.我目前完全投入於這工作。

im·mer·sion [ɪˋmɝʃən] *n.* ①Ⓤ浸入。②ⓊⒸ洗禮。③Ⓤ沈溺；專心；熱衷。§～ **hèater** 浸入式的加熱器。
*__im·mi·grant__ [ˋɪməgrənt, -ˌgrænt] *n.* Ⓒ①(自外國移入的)移民。②自國外引進的動[植]物。— *adj.* (自外國)移入的；移民的。
im·mi·grate [ˋɪməˌgret] *v.i.* & *v.t.* 「自外國移入。
im·mi·gra·tion [ˌɪməˋgreʃən] *n.* ①ⓊⒸ移居入境。②Ⓒ移民數。
im·mi·nence [ˋɪmənəns] *n.* ①Ⓤ逼近。②Ⓒ即將來臨之事物；緊迫的危險[禍患]。(亦作 **imminency**)
im·mi·nent [ˋɪmənənt] *adj.* ①即將來臨的；逼近的。②迫在眉睫的。—**ly,** *adv.*
im·mis·ci·ble [ɪˋmɪsəbḷ] *adj.* 不融和的；難混合的(with).
im·mit·i·ga·ble [ɪˋmɪtəgəbḷ] *adj.* 不能減輕的；不可緩和的。
im·mo·bile [ɪˋmobḷ] *adj.* ①不能(被)移動的。②不動的；不變的；靜止的。— **im·mo·bil′i·ty,** *n.*
im·mo·bi·lize [ɪˋmobḷˌaɪz] *v.t.* ①固定；使不動。②使(軍隊等)不能動員。
im·mod·er·ate [ɪˋmɑdərɪt] *adj.* 無節制的；極端的。—**ly,** *adv.*
im·mod·est [ɪˋmɑdɪst] *adj.* ①粗魯的；無禮的。②厚顏無恥的。③無節制的。④放肆的；不貞的。—**ly,** *adv.*
im·mo·late [ˋɪməˌlet] *v.t.* ①犧牲。②爲祭神而用火燒死；以…爲犧牲。
im·mor·al [ɪˋmɔrəl] *adj.* ①不道德的；邪惡的。②淫蕩的。—**ly,** *adv.*
im·mo·ral·i·ty [ˌɪməˋrælətɪ] *n.* ①Ⓤ不道德；罪惡；淫蕩。②Ⓒ(常 *pl.*)不道德的行爲。
*__im·mor·tal__ [ɪˋmɔrtḷ] *adj.* ①不死的；永遠的。②神祇的；神聖的。③聲名永垂不朽的。— *n.* ①(*pl.*)(古希臘羅馬的)神祇。②Ⓒ不朽的人物。
*__im·mor·tal·i·ty__ [ˌɪmɔrˋtælətɪ] *n.* Ⓤ①不朽。②不朽的聲名。
im·mor·tal·ize [ɪˋmɔrtḷˌaɪz] *v.t.* 使不朽；使永存。
im·mov·a·bil·i·ty [ɪˌmuvəˋbɪlətɪ] *n.* Ⓤ固定(性)；不動(性)。
im·mov·a·ble [ɪˋmuvəbḷ] *adj.* ①不可移動的；固定的。②堅定不移的。③不動的。④不動感情的。— *n.* Ⓒ(常 *pl.*)不動產。
im·mune [ɪˋmjun] *adj.* ①免除的；被豁免的(如免付捐稅等)。②免疫的。
im·mu·ni·ty [ɪˋmjunətɪ] *n.* Ⓤ①免疫(性)。②(捐稅等的)免除。
im·mu·nize [ˋɪmjəˌnaɪz] *v.t.* 使免疫。— **im·mu·ni·za′tion,** *n.*
im·mu·nol·o·gy [ˌɪmjəˋnɑlədʒɪ] *n.* Ⓤ免疫學。
im·mure [ɪˋmjʊr] *v.t.* 幽禁；囚禁。
im·mu·ta·ble [ɪˋmjutəbḷ] *adj.* 不變的；不易的。— **im·mu·ta·bil′i·ty,** *n.*
imp [ɪmp] *n.* Ⓒ①小鬼。②頑童。
*__im·pact__ [ˋɪmpækt] *n.* ⓊⒸ①衝突；撞擊。②撞擊力。③影響。— [ɪmˋpækt] *v.t.* ①塡裝；壓緊。②擊中。— *v.i.* ①撞擊。②發生影響。
im·pact·ed [ɪmˋpæktɪd] *adj.* ①壓緊的。②〖醫〗陷在顎骨中長不出的(牙齒)；嵌入的。
im·pair [ɪmˋpɛr] *v.t.* 削弱；損害；傷害。— **ment,** *n.*
im·pale [ɪmˋpel] *v.t.* ①(以尖物)刺住[刺穿]。②處以刺刑。— **ment,** *n.*
im·pal·pa·ble [ɪmˋpælpəbḷ] *adj.* ①無法感觸到的。②難理解的。
im·pan·el [ɪmˋpænḷ] *v.t.* (-**l**-, 〖英〗-**ll**-)〖法律〗①列名派充爲陪審員。②(從名單中)選陪審員。
im·part [ɪmˋpɑrt] *v.t.* ①分給；傳授。②通知；告知。
im·par·tial [ɪmˋpɑrʃəl] *adj.* 公平的；不偏不倚的；光明正大的。
im·par·ti·al·i·ty [ˌɪmpɑrˋʃælətɪ] *n.* Ⓤ公平；無私；光明正大。
im·part·i·ble [ɪmˋpɑrtəbḷ] *adj.* (土地等)不可分的。
im·pass·a·ble [ɪmˋpæsəbḷ] *adj.* ①不能通行的。②無法流通的。
im·passe [ɪmˋpæs] 〖法〗*n.* Ⓒ①僵局。②死路；死巷。
im·pas·si·ble [ɪmˋpæsəbḷ] *adj.* ①不感覺痛苦的。②麻木的。③無感情的。
im·pas·sioned [ɪmˋpæʃənd] *adj.* 充滿熱情的；慷慨激昂的；熱烈的。
im·pas·sive [ɪmˋpæsɪv] *adj.* ①不動感情的；冷淡的。②無知覺的。③不能傷害的。— **im·pas·siv′i·ty,** *n.*
im·pa·tience [ɪmˋpeʃəns] *n.* Ⓤ①性急；暴躁。②難耐；難忍。③焦急。
*__im·pa·tient__ [ɪmˋpeʃənt] *adj.* ①不耐煩的；不能忍受的。②焦急的。③表示不耐煩的。～ ***of*** 不能忍受。—**ly,** *adv.*
im·peach [ɪmˋpitʃ] *v.t.* ①指責。②控告。③檢舉。— **ment,** *n.*
im·pec·ca·ble [ɪmˋpɛkəbḷ] *adj.* 無瑕疵的；完善的；純潔的。
im·pe·cu·ni·ous [ˌɪmpɪˋkjunɪəs] *adj.* 貧窮的；身無分文的；一文莫名的。
im·pede [ɪmˋpid] *v.t.* 妨礙；阻礙。
im·ped·i·ment [ɪmˋpɛdəmənt] *n.* Ⓒ①妨礙；阻礙；妨礙物。②結巴；口吃。
im·pel [ɪmˋpɛl] *v.t.* (-**ll**-) ①推進。②逼迫；驅使。
im·pend [ɪmˋpɛnd] *v.t.* ①迫近；逼近。②懸空。
im·pend·ing [ɪmˋpɛndɪŋ] *adj.* ①可能就要發生的。②迫切的；逼近的。
im·pen·e·tra·ble [ɪmˋpɛnətrəbḷ] *adj.* ①不能穿過[進入]的。②不接納的。③不可理解的。④〖理〗不可入的。— **im·pen′e·tra·bly,** *adv.*
im·pen·i·tent [ɪmˋpɛnətənt] *adj.* & *n.* Ⓒ無悔意的(人)；不悔悟的(人)。
im·per·a·tive [ɪmˋpɛrətɪv] *adj.* ①急需的；必要的。②命令式的；令人必須服從的。③〖文法〗祈使法的。the ～ mood 祈使法；祈使語氣。— *n.* ①Ⓒ命令。②〖文法〗**a.** (the ～)祈使法。**b.** Ⓒ祈使法的動詞[句子]。③Ⓒ需要。
im·per·cep·ti·ble [ˌɪmpəˋsɛptəbḷ] *adj.* ①不能感覺到的。②微小的。— **im·per·cep′ti·bly,** *adv.*
*__im·per·fect__ [ɪmˋpɝfɪkt] *adj.* ①不完全的；有缺點的。②〖文法〗未完成的；半過去的。—**ly,** *adv.*
im·per·fec·tion [ˌɪmpəˋfɛkʃən]

n. ①Ⓤ不完善；不完全。②Ⓒ缺點。

***im·pe·ri·al** [ɪm`pɪrɪəl] *adj.* ①帝國的；皇帝的；至尊的。His *I-* Majesty 國王陛下；皇上。②宗主國[權]的。③壯麗的；堂皇的。④宏大的；質地最優的。⑤英國度量衡制的。— *n.* Ⓒ皇帝髭(蓄於唇下之小鬚)。§～ **gállon** 英國(法定)加侖(約等於 1.2 美國加侖)。

im·pe·ri·al·ism [ɪm`pɪrɪəl,ɪzəm] *n.* Ⓤ①帝國主義。②霸業。

im·pe·ri·al·ist [ɪm`pɪrɪəlɪst] *n.* Ⓒ帝國主義者。— *adj.* 帝國主義的。

im·pe·ri·al·is·tic [ɪm,pɪrɪəl`ɪstɪk] *adj.* 帝國主義的。

im·per·il [ɪm`pɛrəl] *v.t.* (**-l-**, 〖英〗**-ll-**)使陷於危險中；危及。

im·pe·ri·ous [ɪm`pɪrɪəs] *adj.* ①傲慢的；專橫的。②迫切的；必需的。

im·per·ish·a·ble [ɪm`pɛrɪʃəbl̩] *adj.* 不滅的；不朽的。— **im·per′ish·a·bly,** *adv.*

im·per·ma·nent [ɪm`pɝmənənt] *adj.* 非永久的。

im·per·me·a·ble [ɪm`pɝmɪəbl̩] *adj.* 不能貫穿的；不透(水等)的。

im·per·mis·si·ble [,ɪmpɝ`mɪsəbl̩] *adj.*不許可的。

im·per·son·al [ɪm`pɝsn̩l] *adj.* ①非個人的；一般的。②不具人格的。③〖文法〗無人稱的。④客觀的。— **ly,** *adv.*

im·per·son·al·ize [ɪm`pɝsənə,laɪz] *v.t.* 使非個人[人格]化。

im·per·son·ate [ɪm`pɝsn̩,et] *v.t.* ①扮演。②模仿。③人格化。— **im·per·son·a′tion, im·per′son·a·tor,** *n.*

im·per·ti·nent [ɪm`pɝtn̩ənt] *adj.* ①無禮的；粗暴的；傲慢的。②不切題的；不相干的。—**im·per′ti·nence,** *n.*

im·per·turb·a·ble [,ɪmpɚ`tɝbəbl̩] *adj.* 鎮靜的；不易激動的。

im·per·vi·ous [ɪm`pɝvɪəs] *adj.* ①不透的；不能滲透的。②不受影響的。

im·pe·ti·go [,ɪmpɪ`taɪgo] *n.* Ⓤ〖醫〗小膿疱疹。

im·pet·u·os·i·ty [,ɪmpɛtʃʊ`ɑsətɪ] *n.*①Ⓤ激烈；熱烈。②Ⓒ激烈之動作[感情]；急躁的言行。

im·pet·u·ous [ɪm`pɛtʃʊəs] *adj.* ①猛烈的。②輕舉妄動的。— **ly,** *adv.*

im·pe·tus [`ɪmpətəs] *n.* ⓊⒸ①衝力。②推動力；原動力；刺激。

im·pi·e·ty [ɪm`paɪətɪ] *n.* ①Ⓤ不敬神；邪惡。②Ⓤ不恭；不敬；不孝順。③Ⓒ無信仰[邪惡]的言行。

im·pinge [ɪm`pɪndʒ] *v.i.* ①打擊；衝擊。②侵害；侵犯。③影響。— **ment,** *n.*

im·pi·ous [`ɪmpɪəs] *adj.* (對上帝)不信的；不虔敬的；邪惡的。

imp·ish [`ɪmpɪʃ] *adj.* 頑皮[惡作劇]的。

im·plac·a·ble [ɪm`plekəbl̩] *adj.* 難和解的；難平息的；深仇的。

im·plant [ɪm`plænt] *v.t.* ①灌輸；注入。②嵌入。③〖醫〗移植。④種植；培植。— *n.* Ⓒ〖醫〗植入物。

im·plau·si·ble [ɪm`plɔzəbl̩] *adj.* 不似眞實的；難於相信的。

im·ple·ment [`ɪmpləmənt] *n.* Ⓒ工具；器具。—[`ɪmplə,mɛnt] *v.t.* ①提供…工具。②實現；實施；執行。

im·ple·men·ta·tion [,ɪmpləmɛn`teʃən] *n.* Ⓤ①履行；完成；實行。②補充；彌補。

im·pli·cate [`ɪmplɪ,ket] *v.t.* ①牽連；涉及。②暗示。③使糾纏；使糾結。—**im·pli·ca′tion,** *n.*

im·plic·it [ɪm`plɪsɪt] *adj.* ①暗含的。②絕對的；毫不懷疑的。— **ly,** *adv.*

im·plied [ɪm`plaɪd] *adj.* 含蓄的；暗示的；言外的。— **ly,** *adv.*

im·plode [ɪm`plod] *v.i.* & *v.t.* ①〖語音〗內爆(隨口中吸氣向內爆開)；發成內爆音。②(眞空管)向內側破裂。

***im·plore** [ɪm`plor, -`plɔr] *v.t.* & *v.i.* 懇求；哀求；苦求。— **im·plor′ing,** *adj.*

***im·ply** [ɪm`plaɪ] *v.t.* ①暗示；暗指；意含；含…的意思。②意指；認爲。

im·po·lite [,ɪmpə`laɪt] *adj.* 無禮貌的；粗魯的。— **ly,** *adv.* — **ness,** *n.*

im·pol·i·tic [ɪm`pɑlə,tɪk] *adj.* 失策的；不智的；不利的；不得宜的。

im·pon·der·a·ble [ɪm`pɑndərəbl̩] *n.* Ⓒ〖理〗不可稱量之物。

***im·port** [ɪm`port, -`pɔrt] *v.t.* ①輸入；進口。②含…的意思。— *v.i.*有重大關係。—[`ɪmport, -pɔrt]*n.* ①Ⓒ(常 *pl.*)輸入品；進口貨。②Ⓤ輸入；進口。③Ⓤ(常 the ～)涵義。④Ⓤ重要性。— **er, im·por·ta′tion,** *n.*

‡**im·por·tance** [ɪm`pɔrtn̩s] *n.* Ⓤ①重要(性)。②自大；驕傲。③重要的地位。

‡**im·por·tant** [ɪm`pɔrtn̩t] *adj.* ①重要的；重大的。②顯要的。— **ly,** *adv.*

im·por·tu·nate [ɪm`pɔrtʃənɪt] *adj.* 強求的；纏擾的。— **ly,** *adv.*

im·por·tune [,ɪmpɚ`tjun] *v.t.* & *v.i.* 強求；(以…)煩。— **im·por·tu′ni·ty,** *n.*

***im·pose** [ɪm`poz] *v.t.* ①課(稅)；加(負擔、懲罰)於。②強使。③騙他人買(贋品等)。④〖印刷〗將…裝版。— *v.i.* 利用；欺騙。～ *on*[*upon*] **a.** 利用。**b.** 欺騙。**c.** 打擾。

im·pos·ing [ɪm`pozɪŋ] *adj.* 顯眼的；壯麗的；堂皇的。

im·po·si·tion [,ɪmpə`zɪʃən] *n.* ①Ⓤ(稅等之)徵；課。②Ⓒ課徵物；稅；負擔。③Ⓒ〖英〗(處罰學生的)作業。④Ⓒ欺騙；欺詐。⑤Ⓒ占便宜；利用。

‡**im·pos·si·ble** [ɪm`pɑsəbl̩] *adj.* ①不可能的。②做不到的。③令人無法忍受的。— **im·pos′si·bly,** *adv.* — **im·pos·si·bil′i·ty,** *n.*

im·post [`ɪmpost] *n.* Ⓒ稅；進口稅；關稅。

im·pos·tor [ɪm`pɑstɚ] *n.* Ⓒ騙子。

im·pos·ture [ɪm`pɑstʃɚ] *n.* ⓊⒸ①欺騙。②欺騙行爲。

im·po·tent [`ɪmpətənt] *adj.* ①無行動能力的；虛弱的。②〖醫〗陽萎的。—**im′po·tence,** *n.*

im·pound [ɪm`paʊnd] *v.t.* ①將(獸類)關入欄中。②扣留(物)。③聚集(水)。

im·pov·er·ish [ɪm`pɑvərɪʃ] *v.t.* ①使成貧困。②耗盡(地力)；使(土壤)貧瘠。③用盡；竭盡。— **ment,** *n.*

im·prac·ti·ca·ble [ɪm`præktɪkəbḷ] *adj.* ①不能實行的；不切實際的。②難駕馭的；固執的。③不能用的。

im·prac·ti·cal [ɪm`præktɪkḷ] *adj.* 不切實際的；不能實行的；不實用的。

im·pre·cate [`ɪmprɪ͵ket] *v.t.* 詛咒；祈求天降禍於。— **im·pre·ca′tion,** *n.*

im·pre·cise [͵ɪmprɪ`saɪz] *adj.* 不精確的；不正確的。— **ly,** *adv.*

im·preg·na·ble [ɪm`prɛgnəbḷ] *adj.* ①難攻取的；鞏固的。②(卵)可以受精的。— **im·preg·na·bil′i·ty,** *n.*

im·preg·nate [ɪm`prɛgnet] *v.t.* ①使懷孕[受胎]。②〖生物〗使受精；使結實。③使充滿；使飽和。④灌輸；注入。**—**[ɪm`prɛgnɪt] *adj.* ①懷孕的。②飽和的；充滿的。— **im·preg·na′tion,** *n.*

im·pre·sa·ri·o [͵ɪmprɪ`sɑrɪ͵o] 〖義〗*n.* Ⓒ (*pl.* ~**s**) (歌劇團)經理人。

***im·press**[1] [ɪm`prɛs] *v.t.* ①使有深刻印象。②給以影響；使感動。③銘記；印入記憶。④蓋印於；蓋(印)。**—** *v.i.* 引人注目；給人以深刻印象。**—**[`ɪm-prɛs] *n.* Ⓒ ①印象；印記；痕跡；記號；特徵。②刻銘；蓋印。③表記；徽章。

im·press[2] *v.t.* ①強迫徵兵。②徵召；徵用。③引用；利用。④積極說服。

im·pressed [ɪm`prɛst] *adj.* 深受感動的；銘記的〔by, at, with〕.

***im·pres·sion** [ɪm`prɛʃən] *n.* ①Ⓒ印象。②Ⓤ影響；效果。③Ⓒ(常 *sing.*)(不確定的)感覺。④Ⓒ印；印痕。⑤ⓊⒸ蓋印；銘刻。⑥Ⓒ〖印刷〗一版所印之總數；第…版。

im·pres·sion·a·ble [ɪm`prɛ-ʃənəbḷ] *adj.* 易受感動的；易受影響的。

im·pres·sion·ism [ɪm`prɛʃən-͵ɪzəm] *n.* Ⓤ〖藝術〗印象主義；印象派；印象主義作風。— **im·pres′sion·ist,** *n.*

***im·pres·sive** [ɪm`prɛsɪv] *adj.* 感人的；給人深刻印象的。

im·print [`ɪmprɪnt] *n.* Ⓒ ①印跡；痕跡。②印象；印記。③書封底[內封面]上所印的出版者姓名、出版時間與地點、印刷者的姓名等。**—**[ɪm`prɪnt] *v.t.* 蓋印於；印刻。

im·pris·on [ɪm`prɪzṇ] *v.t.* ①下獄；禁錮；收押。②拘束；限制；關閉。

***im·pris·on·ment** [ɪm`prɪzṇmənt] *n.* Ⓤ下獄；坐牢；禁錮；拘禁。

im·prob·a·ble [ɪm`prɑbəbḷ] *adj.* 未必然的；似不可信的。— **im·prob′-a·bly,** *adv.* — **im·prob·a·bil′i·ty,** *n.*

im·promp·tu [ɪm`prɑmpt(j)u] *adj.* & *adv.*未事先準備的[地]；臨時的[地]；即席的[地]。

***im·prop·er** [ɪm`prɑpɚ] *adj.* ①不合適的；不適當的。②錯誤的；不標準的。③不道德的；下流的。§ ∼ **fráction** 〖數〗假分數。— **ly,** *adv.*

im·pro·pri·e·ty [͵ɪmprə`praɪətɪ] *n.* ①Ⓤ不適當；不正當。②Ⓒ不正當的行爲。③Ⓒ語詞的誤用。

‡**im·prove** [ɪm`pruv] *v.t.* ①改良；改善；增進。②利用。③增高(土地、財產)的價值。**—** *v.i.* ①改良；改善；進步。②漲價。∼ ***on***[***upon***]改良；改進。

***im·prove·ment** [ɪm`pruvmənt] *n.* ①Ⓤ改良；改善；進步。②Ⓒ改進[進步]之處。③Ⓤ利用。④Ⓤ(土地、不動產等)價值之提高。⑤ⓊⒸ裝修；修建。⑥Ⓒ二者相較下較好之人[事物]。

im·prov·i·dent [ɪm`prɑvədənt] *adj.* ①無遠見的；不顧未來的。②無節儉習慣的。— **im·prov′i·dence,** *n.*

im·pro·vise [`ɪmprə͵vaɪz] *v.t.* & *v.i.* ①即席而作。②臨時製作。— **im-prov·i·sa′tion,** *n.*

im·pro·vised [`ɪmprə͵vaɪzd] *adj.* 即席而作的；即興的。

im·pru·dent [ɪm`prudṇt] *adj.* 不謹慎的；輕率的。— **im·pru′dence,** *n.*

im·pu·dent [`ɪmpjədənt] *adj.* 鹵莽的；厚顏的；卑鄙的。— **im′pu·dence,** *n.*

im·pugn [ɪm`pjun] *v.t.* 指責；駁斥。

***im·pulse** [`ɪmpʌls] *n.* ①Ⓒ刺激；推動；推進。②ⓊⒸ情感的衝動。

im·pul·sion [ɪm`pʌlʃən] *n.* ⓊⒸ ①衝動；激動。②刺激；推動力。

im·pul·sive [ɪm`pʌlsɪv] *adj.* ①易衝動的。②有推動力的。③激動的；刺激性的。— **ly,** *adv.* — **ness,** *n.*

im·pu·ni·ty [ɪm`pjunətɪ] *n.* Ⓤ(懲罰、損失、傷害等之)免除。***with*** ∼ 不受懲罰地；無虞地；無妨地。

im·pure [ɪm`pjʊr] *adj.* ①髒的；不純潔的。②同他物相混雜的。③不道德的；淫猥的。— **im·pu′ri·ty,** *n.*

im·pute [ɪm`pjut] *v.t.* 歸罪於；歸咎於；諉於〔to〕. — **im·put′a·ble,** *adj.*

‡**in** [ɪn] *prep.* ①在…內；在…中(表示場所與方向)。②進；入(=into). ③在(環境、情況)下。④用。⑤在…方面；對於。⑥在(時間)以內；過(若干時間)。*in* January 在一月裡。⑦與動名詞連用，中文譯法不定。⑧其尙有無數習慣用法，茲分爲六大類：**a.**指明地點者。*in* church 在教堂中。**b.**指明狀態或原因者。*in* color 彩色的。**c.** 指明狀態或情況者。**d.** 構成一般副詞短語者。*in* the beginning 在當初；在開始。*in* the first place 第一點。**e.** 構成複合介系詞者。*in* time of 若遇…時。*in* want of 需要。**f.** 構成複合連接詞者。*in* the way...像…一樣地。***in that*** 因爲；由於。**—** *adv.* ①在家。②(火)燃燒著。③(車、船)到達；抵站；靠碼頭。④上市。⑤與其他動詞連用，其意義約可分七大類：**a.** 進；入。make one's way *in* 向裡邊走去。**b.** 不出去；(留)在家裡。stay [keep] *in* 留[守]在家裡。**c.** 拜訪。**d.** 向內部；向裡面。**e.** 穿入；穿進。join *in* 加入。**f.** 與 find 或 follow 連用。My friend went *in* and I followed him *in*. 我的朋友進去，我就跟著他進去。**g.** 與其他及物動詞連用。He pushed me *in*. 他把我推了進去。***be in on*** 參與。***in for*** 注定；一定得到[遇到]。***in for it*** **a.** 鐵定要做。**b.** 定會倒楣[挨罵]。***in with*** 與…友善；與…熟悉。**—** *adj.* ①內的；在內的。②進來的。③當權的；執政的。**—** *n.* ①(the ins)執政黨；政府黨。②Ⓒ〖美俗〗門路；關係；受提拔的機會。③(the ins)〖板球〗攻方。***the ins and the***

I

outs 執政黨與在野黨。
in. inch(es).
in·a·bil·i·ty [ˌɪnəˋbɪlətɪ] *n.* Ⓤ 無能力；無才能；無力量。
in ab·sen·tia [ˌɪnəbˋsɛnʃɪə]〖拉〗*adv.* 不在；缺席(=in(one's) absence). be awarded a degree ～未在現場接受學位。
in·ac·ces·si·ble [ˌɪnəkˋsɛsəbl̩] *adj.* ①不能進入的；難達到的；難得到的。②難以親近的。③難懂的；難解的。—**in·ac·ces·si·bil′i·ty,** *n.*
in·ac·cu·rate [ɪnˋækjərɪt] *adj.* 不準確的；杜撰的；有錯誤的。—**in·ac′cu·ra·cy,** *n.* —**ly,** *adv.*
in·ac·tion [ɪnˋækʃən] *n.* Ⓤ 不活動；懶散。
in·ac·ti·vate [ɪnˋæktəˌvet] *v.t.* ①使不活潑；使不活動。②撤銷。
in·ac·tive [ɪnˋæktɪv] *adj.* ①不活動的；懶惰的。②停止活動的。—**in·ac·tiv′i·ty,** *n.*
in·ad·e·quate [ɪnˋædəkwɪt] *adj.* 不充分的；不適當的；不合格的；不勝任的。—**ly,** *adv.* —**in·ad′e·qua·cy,** *n.*
in·ad·mis·si·ble [ˌɪnədˋmɪsəbl̩] *adj.* ①不能承認的。②不可接受的。
in·ad·vert·ent [ˌɪnədˋvɝtn̩t] *adj.* ①不注意的；粗心的；疏忽的。②非故意的；偶然的；無意的。—**ly,** *adv.* —**in·ad·vert′ence, in·ad·vert′en·cy,** *n.*
in·ad·vis·a·ble [ˌɪnədˋvaɪzəbl̩] *adj.* 不妥的；失策的；不智的。
in·al·ien·a·ble [ɪnˋeljənəbl̩] *adj.* 不能讓與的；不可剝奪的。
in·am·o·ra·ta [ɪnˌæməˋrɑtə]〖義〗*n.* Ⓒ 情婦；姘婦；情人。
in·ane [ɪnˋen] *adj.* ①愚蠢的。②無意義的。③空的；空虛的。—*n.* (the ～) 太空；無限的空間。—**ly,** *adv.*
in·an·i·mate [ɪnˋænəmɪt] *adj.* ①無生命的。②單調的；死氣沈沈的。
in·a·ni·tion [ˌɪnəˋnɪʃən] *n.* Ⓤ ①營養失調。②無精神。
in·an·i·ty [ɪnˋænətɪ] *n.* ①Ⓤ 愚蠢。②Ⓒ 無意義的言行。③Ⓤ 空虛。
in·ap·pli·ca·ble [ɪnˋæplɪkəbl̩] *adj.* 不能適用[應用]的。
in·ap·pre·ci·a·ble [ˌɪnəˋpriʃɪəbl̩] *adj.* 微不足道的；毫無價值的。
in·ap·proach·a·ble [ˌɪnəˋprotʃəbl̩] *adj.* ①不可接近的；難於接近的。②無敵的。
in·ap·pro·pri·ate [ˌɪnəˋproprɪɪt] *adj.* 不合宜的；不適合的；不當的。
in·apt [ɪnˋæpt] *adj.* ①不適宜的；不合適的。②笨拙的。—**in·apt′i·tude,** *n.*
in·ar·tic·u·late [ˌɪnɑrˋtɪkjəlɪt] *adj.* ①發音[說話]不清楚的。②啞的。③不善辭令的。④〖解，動〗無關節的。
in·ar·tis·tic [ˌɪnɑrˋtɪstɪk] *adj.* ①非藝術的。②無高尚趣味的。
in·as·much [ˌɪnəzˋmʌtʃ] *adv.* 因為；既然(與 as 連用)。
in·at·ten·tion [ˌɪnəˋtɛnʃən] *n.* Ⓤ ①不注意；粗心。②疏忽的行為。—**in·at·ten′tive(ly),** *adj.* (*adv.*)
in·au·di·ble [ɪnˋɔdəbl̩] *adj.* 聽不見的；無法聽到的。—**in·au′di·bly,** *adv.*
in·au·gu·ral [ɪnˋɔgjərəl] *adj.* ①就職的；就任的。②落成的。—*n.* Ⓒ ①就職演說。②就職典禮。
in·au·gu·rate [ɪnˋɔgjəˌret] *v.t.* ①舉行就職典禮；使就任。②開創；創始。③為…舉行開幕式[落成典禮]。
in·au·gu·ra·tion [ɪnˌɔgjəˋreʃən] *n.* ⓊⒸ ①就職；就職典禮。②開創；創始。③開幕式；開幕。§ **I∠ Dáy** (美國總統之)就職日。
in·aus·pi·cious [ˌɪnɔˋspɪʃəs] *adj.* 不幸的；凶兆的；不吉的。—**ly,** *adv.*
in-be·tween [ˌɪnbəˋtwin] *n.* Ⓒ 介乎中間的事物。—*adj.* 介乎中間的。
in·board [ˋɪnˌbord] *adv.* & *adj.*〖海〗在船內地[的]；在船艙中部地[的]。
in·born [ɪnˋbɔrn] *adj.* 天生的；天賦的；先天的。
in·bound [ˋɪnˋbaund] *adj.* ①開向本國的；歸航的。②開往市內的。
in·bred [ɪnˋbrɛd] *adj.* ①天生的。②同血統繁殖的。
in·breed [ɪnˋbrid] *v.t.* (**in·bred**) ①使生於內部；內生。②使同族[近親]繁殖。
in·breed·ing [ˋɪnˌbridɪŋ] *n.* Ⓤ〖生物〗近親交配；同種繁殖。
inc. inclosure; incorporated.
in·cal·cu·la·ble [ɪnˋkælkjələbl̩] *adj.* ①不可數的；無數的。②預料不到的；難預測的。③不定的；不可靠的。—**in·cal′cu·la·bly,** *adv.*
in·can·desce [ˌɪnkənˋdɛs] *v.i.* & *v.t.* (使)白熱化。—**in·can·des′cence,** *n.*
in·can·des·cent [ˌɪnkənˋdɛsn̩t] *adj.* ①發白熱光的。②光亮的。
in·can·ta·tion [ˌɪnkænˋteʃən] *n.* ⓊⒸ 咒語；咒文；魔法；念咒。
***in·ca·pa·ble** [ɪnˋkepəbl̩] *adj.* 無能力的；不能的。～ *of* **a.** 無能力[權力]做。**b.** 不容許。**c.** (法律上)無資格做。
in·ca·pac·i·tate [ˌɪnkəˋpæsəˌtet] *v.t.* ①使不能；使不適於。②〖法律〗褫奪資格。—**in·ca·pac′i·ty,** *n.*
in·car·cer·ate [ɪnˋkɑrsəˌret] *v.t.* 監禁。—**in·car·cer·a′tion,** *n.*
in·car·nate [ɪnˋkɑrnɪt] *adj.* 具有肉體的；成為人形的。—[ɪnˋkɑrnet] *v.t.* ①使具有…形體。②使具體化；實現。—**in·car·na′tion,** *n.*
in·case [ɪnˋkes] *v.t.* ①裝入箱內。②包裹；包住。
in·cau·tious [ɪnˋkɔʃəs] *adj.* 不注意的；不謹慎的。
in·cen·di·ar·y [ɪnˋsɛndɪˌɛrɪ] *adj.* ①縱火的。②煽動的。—*n.* Ⓒ ①縱火者。②煽動者。③燃燒彈。
in·cense[1] [ˋɪnsɛns] *n.* Ⓤ ①(供神所焚燒的)香(料)。②(香所發之)煙[香氣]。③諂媚；奉承。—*v.t.* ①敬香；上香。②焚香燻染。—*v.i.* 敬香；上香。
in·cense[2] [ɪnˋsɛns] *v.t.* 激怒；激動。
in·cen·tive [ɪnˋsɛntɪv] *n.* ⓊⒸ 刺激；鼓勵；動機。
in·cep·tion [ɪnˋsɛpʃən] *n.* Ⓒ 開始；開端。
in·cer·ti·tude [ɪnˋsɝtəˌtjud] *n.* Ⓤ 不確實；疑惑。
***in·ces·sant** [ɪnˋsɛsn̩t] *adj.* 不絕的；

不斷的; 無盡的。—**ly,** *adv.*

in·cest [ˋɪnsɛst] *n.* Ⓤ 亂倫; 血親相姦。— **in·ces′tu·ous** [-tʃuəs], *adj.*

‡inch [ɪntʃ] *n.* ① Ⓒ 吋; 英寸(=1/12 英尺)。②(an ~)些微; 絲毫。③(*pl.*) 身高。***by ~es*** 逐漸地。***every ~*** 完全地。***~ by ~*** 漸漸地。***within an ~ of*** 幾乎。**—** *v.i. & v.t.* 慢慢前進; 慢慢移動。

in·cho·ate [ɪnˋko·ɪt] *adj.* 剛開始的; 早期的; 不完全的; 未發展的。

in·ci·dence [ˋɪnsədəns] *n.* (*sing.*) (事件、影響等的)發生(率)。

***in·ci·dent** [ˋɪnsədənt] *n.* Ⓒ ①事件。②(小說、戲劇、詩中的)事件; 插曲。③事變。④附帶的事物。**—** *adj.* ①易於發生的。②附帶的。

in·ci·den·tal [ˌɪnsəˋdɛntl̩] *adj.* ①隨帶的; 附屬的。②偶然的; 臨時的。**—** *n.* ① Ⓒ 偶發事件。②(*pl.*)雜費。

in·ci·den·tal·ly [ˌɪnsəˋdɛntl̩ɪ] *adv.* ①附帶地; 偶然地。②順便一提。

in·cin·er·ate [ɪnˋsɪnəˌret] *v.t.* ①燒成灰。②焚化; 火葬。— **in·cin′er·a·tor,** *n.* Ⓒ 焚化爐。

in·cip·i·ent [ɪnˋsɪpɪənt] *adj.* ①剛開始的。②初期的。

in·cise [ɪnˋsaɪz] *v.t.* ①切入; 切開。②刻; 雕。— **in·ci·sion** [-ˋsɪʒən], *n.*

in·ci·sive [ɪnˋsaɪsɪv] *adj.* ①鋒利的。②尖銳的。—**ly,** *adv.*

in·ci·sor [ɪnˋsaɪzɚ] *n.* Ⓒ 〖解〗切齒; 前齒; 門牙。

in·cite [ɪnˋsaɪt] *v.t.* 引起; 鼓動。—**ment,** *n.*

in·ci·vil·i·ty [ˌɪnsəˋvɪlətɪ] *n.* ① Ⓤ 粗魯; 無禮。② Ⓒ 粗魯[無禮]的言行。

in·clem·ent [ɪnˋklɛmənt] *adj.* 嚴寒的; 有狂風暴雨的; 惡劣的。

***in·cli·na·tion** [ˌɪnkləˋneʃən] *n.* ① ⓊⒸ 傾向。② ⓊⒸ 意願; 愛好。③(*sing.*)傾斜(度)。④ Ⓒ 傾斜面。

***in·cline** [ɪnˋklaɪn] *v.i.* ①愛好; 傾向。②傾斜。**—** *v.t.* ①使傾向; 使有意於。②使低; 使彎; 使前傾。**—**[ˋɪnklaɪn, ɪnˋklaɪn] *n.* Ⓒ 傾斜(面)。§ **~d pláne** 斜面。

***in·clined** [ɪnˋklaɪnd] *adj.*①想的; 有意於…的。②傾斜的。

in·close [ɪnˋkloz] *v.t.* =**enclose.**

in·clo·sure [ɪnˋkloʒɚ] *n.* =**enclosure.**

‡in·clude [ɪnˋklud] *v.t.* 包括; 包含; 連…算在內。

in·clu·sion [ɪnˋkluʒən] *n.* ① Ⓤ 包括。② Ⓒ 包含的東西。

***in·clu·sive** [ɪnˋklusɪv] *adj.* ①包括的; 包含的〔常 of〕. ②包括一切的。

in·cog·ni·to [ɪnˋkɑgnɪˌto] *adj. & adv.* 隱姓埋名的[地]。

in·co·her·ent [ˌɪnkoˋhɪrənt] *adj.* ①(思想等)無條理的; 無邏輯的。②語無倫次的。③不聯貫的; 前後不一致的。—**in·co·her′ence,** *n.*

in·com·bus·ti·ble [ˌɪnkəmˋbʌstəbl̩] *adj. & n.* Ⓒ 不能燃燒的(東西)。

***in·come** [ˋɪnˌkʌm, ˋɪŋˌkʌm] *n.* Ⓤ Ⓒ 收入; 所得。§ **~ tàx** 所得稅。

in·com·er [ˋɪnˌkʌmɚ] *n.* Ⓒ 進來者; 新進者; 接任者。

in·com·ing [ˋɪnˌkʌmɪŋ] *adj.* ①進來的。②繼任的; 新任的。

in·com·men·su·ra·ble [ˌɪnkəˋmɛnʃərəbl̩] *adj.* ①不能比較的。②〖數〗無公約數的; 不能通約的。

in·com·men·su·rate [ˌɪnkəˋmɛnʃərɪt] *adj.* ①不成比例的; 不相稱的。②不能比較的。

in·com·mode [ˌɪnkəˋmod] *v.t.* ①使感覺不便; 使感到不適。②擾亂; 妨礙。

in·com·mo·di·ous [ˌɪnkəˋmodɪəs] *adj.*①不寬敞的。②不方便的。

in·com·mu·ni·ca·ble [ˌɪnkəˋmjunɪkəbl̩] *adj.* 不能以言語表達的。

in·com·mu·ni·ca·do [ˌɪnkəˌmjunɪˋkɑdo] *adj.* ①被禁止與外界接觸的。②(犯人等)被單獨監禁的。

in·com·pa·ra·ble [ɪnˋkɑmpərəbl̩] *adj.* ①無比的。②不能比較的。— **in·com′pa·ra·bly,** *adv.*

in·com·pat·i·ble [ˌɪnkəmˋpætəbl̩] *adj.* 不相容的; 不能共存的; 矛盾的。— **in·com·pat·i·bil′i·ty,** *n.*

in·com·pe·tent [ɪnˋkɑmpətənt] *adj.* 不能勝任的; 不合格的。— **in·com′pe·tence, in·com′pe·ten·cy,** *n.*

in·com·plete [ˌɪnkəmˋplit] *adj.* 不完全的; 不足的。—**ness,** *n.* —**ly,** *adv.*

in·com·pre·hen·si·ble [ˌɪnkɑmprɪˋhɛnsəbl̩] *adj.* 不能理解的。— **in·com·pre·hen·si·bil′i·ty,** *n.*

in·com·press·i·ble [ˌɪnkəmˋprɛsəbl̩] *adj.* 不能壓縮的。

in·con·ceiv·a·ble [ˌɪnkənˋsivəbl̩] *adj.* ①不可思議的。②〖俗〗難以令人相信的。— **in·con·ceiv′a·bly,** *adv.*

in·con·clu·sive [ˌɪnkənˋklusɪv] *adj.* 未獲得結論的; 非決定性的。

in·con·gru·ent [ɪnˋkɑŋgruənt] *adj.* 不協調的; 不合適的。

in·con·gru·i·ty [ˌɪnkɑŋˋgruətɪ] *n.* ① Ⓤ 不相稱。② Ⓒ 不相稱之物。

in·con·gru·ous [ɪnˋkɑŋgruəs] *adj.* ①不合適的; 不適宜的; 不相稱的〔with〕. ②不和諧[協調]的; 不一致的。

in·con·se·quent [ɪnˋkɑnsəˌkwɛnt] *adj.* ①不合邏輯的。②不連貫的。— **in·con′se·quence,** *n.*

in·con·se·quen·tial [ˌɪnkɑnsəˋkwɛnʃəl] *adj.* ①不重要的; 繁瑣的。②不合邏輯的; 不切題的。

in·con·sid·er·a·ble [ˌɪnkənˋsɪdərəbl̩] *adj.* 不重要的; 微小的。

in·con·sid·er·ate [ˌɪnkənˋsɪdərɪt] *adj.* ①不顧及他人的〔of〕. ②輕率的。—**ly,** *adv.* —**ness,** *n.*

in·con·sist·ent [ˌɪnkənˋsɪstənt] *adj.* ①前後不一致的; 矛盾的〔with〕. ②不協調的。③無定見的; 多變的。—**ly,** *adv.* — **in·con·sist′en·cy,** *n.*

in·con·sol·a·ble [ˌɪnkənˋsoləbl̩] *adj.* 不能慰藉的; 傷心的。— **in·con·sol′a·bly,** *adv.*

in·con·spic·u·ous [ˌɪnkən-

ˋspɪkjuəs] *adj.* 不引人注意[顯眼]的。
in·con·stant [ɪnˋkɑnstənt] *adj.* ①無常的; 多變的; 無定向的。②不專的; 輕浮的。— **in·con′stan·cy,** *n.* — **ly,** *adv.*
in·con·test·a·ble [͵ɪnkənˋtɛstəbl̩] *adj.* 無可置辯的; 明顯的; 不容置疑的。— **in·con·test′a·bly,** *adv.*
in·con·ti·nent [ɪnˋkɑntənənt] *adj.* 〖醫〗失禁的。— **in·con′ti·nence,** *n.*
in·con·tro·vert·i·ble [͵ɪnkɑntrəˋvɜtəbl̩] *adj.* 無爭辯餘地的; 明確的。— **in·con·tro·vert′i·bly,** *adv.*
in·con·ven·ience [͵ɪnkənˋvinjəns] *n.* (亦作 **inconveniency**) ① Ⓤ 不便; 困難。② Ⓒ 不便[困難]之事。— *v.t.* 使感不便[困難]。
in·con·ven·ient [͵ɪnkənˋvinjənt] *adj.* 不方便的; 麻煩的。— **ly,** *adv.*
in·con·vert·i·ble [͵ɪnkənˋvɜtəbl̩] *adj.* (紙幣)不能兌換的; 不能變換的。— **in·con·vert·i·bil′i·ty,** *n.*
in·con·vin·ci·ble [͵ɪnkənˋvɪnsəbl̩] *adj.* 無法使人信服的。
in·cor·po·rate [ɪnˋkɔrpə͵ret] *v.t.* ①合併; 併入; 編入。②組成公司。③具體表現。④混合。— *v.i.* ①合併; 結合。②組成法人。— [ɪnˋkɔrpərɪt] *adj.* ①合併的; 併入的。②公司組的。③具體化的。— **in·cor·po·ra′tion,** *n.*
in·cor·po·rat·ed [ɪnˋkɔrpə͵retɪd] *adj.* ①結合[合併]的。② **a.** 法人[公司]組織的。**b.**〖美〗有限責任的(附於公司名稱後, 相當於英國的 Ltd., 略作 Inc.). an ～ company 有限公司。
in·cor·po·re·al [͵ɪnkɔrˋporɪəl] *adj.* ①無形體的。②精神的。
in·cor·rect [͵ɪnkəˋrɛkt] *adj.* ①不正確的; 錯誤的。②不適當的。— **ly,** *adv.*
in·cor·ri·gi·ble [ɪnˋkɔrɪdʒəbl̩] *adj.* 無可救藥的; 積習難改的; 根深蒂固的。— **in·cor′ri·gi·bly,** *adv.*
in·cor·rupt·i·ble [͵ɪnkəˋrʌptəbl̩] *adj.* ①廉潔的。②不腐朽的。
‡**in·crease** [ɪnˋkris] *v.i.* & *v.t.* 增加; 增多; 增大。— [ˋɪnkris, ˋɪŋ-] *n.* ① Ⓤ Ⓒ 增長; 增加; 增進。② Ⓒ 增加額; 增加量。*on the* ～ 在增加中。
***in·creas·ing·ly** [ɪnˋkrisɪŋlɪ] *adv.* 逐漸地; 漸增地。
***in·cred·i·ble** [ɪnˋkrɛdəbl̩] *adj.* 難以置信的; 可疑的。— **in·cred′i·bly,** *adv.*
in·cre·du·li·ty [͵ɪnkrəˋdjulətɪ] *n.* Ⓤ 不信; 懷疑。
in·cred·u·lous [ɪnˋkrɛdʒələs] *adj.* 不肯輕信的; 不相信的。
in·cre·ment [ˋɪnkrəmənt] *n.* ① Ⓤ 增加; 增進。unearned ～(地價)自然增值。② Ⓒ 增加數量。③ Ⓤ 盈餘。
in·crim·i·nate [ɪnˋkrɪmə͵net] *v.t.* ①將(事物)視爲(…的原因)。②控告。
in·crust [ɪnˋkrʌst] *v.t.* ①給…覆以硬殼; 在…上包[塗]硬的外層。②鑲嵌。(亦作 **encrust**)
in·cu·bate [ˋɪnkjə͵bet] *v.t.* ①鳥孵(蛋)。②籌畫。③培養(細菌)。— *v.i.* ①孵卵。②(計畫等)形成。
in·cu·ba·tion [͵ɪnkjəˋbeʃən] *n.* Ⓤ ①孵卵; 孵化。②疾病的潛伏期。
in·cu·ba·tor [ˋɪnkjə͵betɚ] *n.* Ⓒ ①孵卵器; 孵化器。②早產嬰兒保育器。
in·cul·cate [ɪnˋkʌlket, ˋɪnkʌl͵ket] *v.t.* 諄諄教誨; 灌輸(思想、知識等)。
in·cul·pate [ɪnˋkʌlpet, ˋɪnkʌl͵pet] *v.t.* ①控告; 歸罪。②使成有罪; 連累。
in·cum·ben·cy [ɪnˋkʌmbənsɪ] *n.* Ⓒ ①義務。②在職期間。
in·cum·bent [ɪnˋkʌmbənt] *adj.* ①使負有義務的。②在職的; 現任的。— *n.* Ⓒ 在職者; 在職的牧師。
in·cur [ɪnˋkɜ] *v.t.* (**-rr-**) ①遭遇; 蒙受。～ debts 負債。②招致; 引起。
in·cur·a·ble [ɪnˋkjʊrəbl̩] *adj.* 不能治癒的。— **in·cur′a·bly,** *adv.*
in·cu·ri·ous [ɪnˋkjʊrɪəs] *adj.* ①無好奇心的。②不關心的。
in·cur·sion [ɪnˋkɜʒən, -ʃən] *n.* Ⓒ ①入侵; 襲擊。②流入。
in·curve [ˋɪn͵kɜv] *n.* Ⓒ 內曲; 彎曲。— [ɪnˋkɜv] *v.t.* & *v.i.* (使)內曲。
in·debt·ed [ɪnˋdɛtɪd] *adj.* ①負債的。②(因受恩惠而)感激的。— **ness,** *n.*
in·de·cent [ɪnˋdisn̩t] *adj.* ①無禮的; 猥褻的。～ assault[exposure]猥褻性的非禮[有傷風化的暴露]。②不適當的; 不合理的。— **in·de′cen·cy,** *n.*
in·de·ci·pher·a·ble [͵ɪndɪˋsaɪfrəbl̩] *adj.* ①不可辨讀的。②(密碼)譯不出來的。
in·de·ci·sion [͵ɪndɪˋsɪʒən] *n.* Ⓤ 「優柔寡斷。」
in·de·ci·sive [͵ɪndɪˋsaɪsɪv] *adj.* ①無決定性的。②優柔寡斷的。
in·dec·o·rous [ɪnˋdɛkərəs] *adj.* 不適宜的; 不雅的; 失禮的。
‡**in·deed** [ɪnˋdid] *adv.* ①的確; 實在(表示贊同對方的意見)。It is ～ very good. 那的確很好。②眞正; 的確(表示自己確定的意見)。There are ～ exceptions to this rule. 這規則的確有許多例外。③實在; 的確(用以加強 very 等字的語氣)。Thank you very much ～. 實在非常感謝你。— *interj.* 眞的! 的確! (表同意、驚異或反語等)。"He spoke to me about you." "*I-!*" 「他曾對我談起你。」「眞的!」(表驚訝的口吻)。
in·de·fat·i·ga·ble [͵ɪndɪˋfætɪgəbl̩] *adj.* 不疲倦的; 不屈不撓的。
in·de·fen·si·ble [͵ɪndɪˋfɛnsəbl̩] *adj.* ①不能防守的。②無法辯護的。
in·de·fin·a·ble [͵ɪndɪˋfaɪnəbl̩] *adj.* ①難下定義的。②不明確的。
***in·def·i·nite** [ɪnˋdɛfənɪt] *adj.* ①不確定的。②(時間等)未確定的。③〖文法〗不定的。§ ～ **árticle**〖文法〗不定冠詞(即 a 或 an). ～ **prónoun**〖文法〗不定代名詞(如 some, any 等)。— **ly,** *adv.*
in·del·i·ble [ɪnˋdɛləbl̩] *adj.* ①難擦掉的。②不可磨滅的; 難忘的。
in·del·i·cate [ɪnˋdɛləkət] *adj.* ①(話等)粗鄙的。②不適當的; 下流的; 粗野的。— **in·del′i·ca·cy,** *n.*
in·dem·ni·fy [ɪnˋdɛmnə͵faɪ] *v.t.* ①賠償; 償付。②使免受傷害、損失等。— **in·dem·ni·fi·ca′tion,** *n.*

in·dem·ni·ty [ɪn`dɛmnətɪ] *n.* ①Ⓒ(對於損害或損失之)賠償；賠款。②Ⓤ(對於損害或損失之)保險。

in·dent[1] [ɪn`dɛnt] *v.t.* ①(邊緣)使成鋸齒狀。②(特指一段文字的首行)縮進排印(或書寫)。③(向…)訂購。—*v.i.* ①形成鋸齒狀邊緣。②訂立契約。③縮進排印或書寫。—[ɪn`dɛnt, `ɪndɛnt] *n.* Ⓒ①鋸齒狀缺痕。②契約。③縮印。④訂貨單。

in·dent[2] *v.t.* ①留凹痕於…；使…凹入。②蓋(印等)。—[`ɪndɛnt] *n.* Ⓒ凹痕；凹處；窪地。

in·den·ta·tion [ˌɪndɛn`teʃən] *n.* ①Ⓤ成鋸齒狀。②Ⓒ缺口；凹入處。

in·den·ture [ɪn`dɛntʃɚ] *n.* Ⓒ①契約；合同。②(常 *pl.*)服務契約；學徒契約。—*v.t.* 以契約束縛。

***in·de·pend·ence** [ˌɪndɪ`pɛndəns] *n.* Ⓤ獨立；自立；自主。§ **I~ Dày** 美國獨立紀念日(七月四日)。

***in·de·pend·ent** [ˌɪndɪ`pɛndənt] *adj.* ①獨立的；自主的；不依賴他人的。②(脫離…而)獨立的；(與…)無關的〔of〕。③獨立性強的。④〖文法〗獨立的。—*n.* Ⓒ①〖政〗中立派；無黨派者。②有獨立思想的人。§ **~ cláuse**〖文法〗獨立子句。

in·de·pend·ent·ly [ˌɪndɪ`pɛndəntlɪ] *adv.* 自立地；獨立地。~ ***of*** 與…無關。

in-depth [`ɪn`dɛpθ] *adj.* 深入的；徹底的。

in·de·scrib·a·ble [ˌɪndɪ`skraɪbəbl̩] *adj.* 難以形容的；不可名狀的。

in·de·struct·i·ble [ˌɪndɪ`strʌktəbl̩] *adj.* 不能毀滅的。

in·de·ter·mi·na·ble [ˌɪndɪ`tɝmɪnəbl̩] *adj.* 不能確定的；難決定的。

in·de·ter·mi·nate [ˌɪndɪ`tɝmənɪt] *adj.* ①不確定的。②含糊的。

in·de·ter·mi·na·tion [ˌɪndɪˌtɝmə`neʃən] *n.* Ⓤ①不確定。②不果斷。

in·dex** [`ɪndɛks] *n.* Ⓒ (*pl.* **~es, in·di·ces** [`ɪndəˌsiz])①索引。②標記；表徵；指標。③指針。④指數。a price ~ 物價指數。~ ***of living 生活指數。—*v.t.* ①給…編索引；編入索引中。②指示出。§ **~ càrd**索引卡。**~ fínger** 食指。**~ nùmber**〖數〗指數。

‡**In·di·a** [`ɪndɪə] *n.* 印度(亞洲南部之一國，首都 New Delhi)．§ **~ ínk** 墨(汁)。**~ pàper** 聖經紙。**~ rúbber** 彈性橡膠；(擦鉛筆字用的)橡皮擦。

‡**In·di·an** [`ɪndɪən] *n.* ①Ⓒ〖美〗印第安人。②Ⓤ印第安語。③Ⓒ印度人；東印度群島人。—*adj.* ①〖美〗印第安人的。②印度的；東印度群島的。§ **~ clùb**瓶狀體操棒。**~ còrn** 玉蜀黍。**~ fìle** 單行縱隊。**~ gìver**〖美俗〗把禮物送人後又索回者。**~ méal** 碾碎的玉米粉。**~ súmmer** (1)(深秋、初冬之)小陽春。(2)(老年之)回春期。**~ wrèstling** 比腕力。**the ~ Ôcean** 印度洋。

In·di·an·a [ˌɪndɪ`ænə] *n.* 印第安那州(美國中西部之一州)。

***in·di·cate** [`ɪndəˌket] *v.t.* ①指示；指出。②象徵；暗示。③表示需要(某種療法)。—**in·dic′a·to·ry,** *adj.*

***in·di·ca·tion** [ˌɪndə`keʃən] *n.* ①ⓊⒸ指示；指標；象徵。②Ⓒ(計器的)度數之指示。③ⓊⒸ徵候。

in·dic·a·tive [ɪn`dɪkətɪv] *adj.* 指示的；表示的；象徵的〔of〕. —*n.* ⓊⒸ〖文法〗直陳法。

in·di·ca·tor [`ɪndəˌketɚ] *n.* Ⓒ①指示者；指示物。②(信號)指示器。③〖機〗壓力指示器。④〖化〗指示劑。

***in·di·ces** [`ɪndəˌsiz] *n.* pl. of **index.**

in·dict [ɪn`daɪt] *v.t.* 〖法律〗控訴；控告；起訴。~ a person for riot 控告人以暴亂罪。—**a·ble,** *adj.*

in·dict·ment [ɪn`daɪtmənt] *n.* ①Ⓤ起訴；控告。②Ⓒ起訴狀[書]。

In·dies [`ɪndɪz] *n. pl.* (the ~)①東印度群島。②西印度群島。③印度區域。

***in·dif·fer·ence** [ɪn`dɪfərəns] *n.* Ⓤ①無興趣；不重視；漠不關心。②不重要；無足輕重。

***in·dif·fer·ent** [ɪn`dɪfərənt] *adj.* ①不感興趣的；漠不關心的。②沒有關係的；無重要性的。③不好不壞的。④中立的。⑤〖理〗中性的。—**ly,** *adv.*

in·dig·e·nous [ɪn`dɪdʒənəs] *adj.* ①(某地)土產的。②天生的；固有的。

in·di·gent [`ɪndədʒənt] *adj.* 貧窮的；貧乏的。

in·di·gest·i·ble [ˌɪndə`dʒɛstəbl̩] *adj.*①難消化的。②難理解的。

in·di·ges·tion [ˌɪndə`dʒɛstʃən] *n.* Ⓤ消化不良症；未被消化的狀態。

***in·dig·nant** [ɪn`dɪgnənt] *adj.* 憤慨的；不平的〔at (對行爲), over (對事), with(對人)〕. —**ly,** *adv.*

***in·dig·na·tion** [ˌɪndɪg`neʃən] *n.* Ⓤ憤怒；憤慨；義憤。§ **~ mèeting** 聲討大會。

in·dig·ni·ty [ɪn`dɪgnətɪ] *n.* ①Ⓤ輕蔑；侮辱。②Ⓒ侮辱性的言行。

in·di·go [`ɪndɪˌgo] *n.* Ⓤ靛青。

***in·di·rect** [ˌɪndə`rɛkt] *adj.* ①間接的；迂迴的。~ tax 間接稅。②非直接相關的；次要的。③(表達等)兜圈子的。④〖文法〗間接的。an ~ object 間接受詞。—**ly,** *adv.*

in·di·rec·tion [ˌɪndə`rɛkʃən] *n.* Ⓤ①迂迴；兜圈子。②不誠實；欺騙。

in·dis·cern·i·ble [ˌɪndɪ`zɝnəbl̩, -`sɝn-] *adj.* 不能識別的；看不見的。

in·dis·ci·pline [ɪn`dɪsəplɪn] *n.* Ⓤ訓練不足；無紀律。

in·dis·creet [ˌɪndɪ`skrit] *adj.* 不審慎的；輕率的。—**ly,** *adv.*

in·dis·cre·tion [ˌɪndɪ`skrɛʃən] *n.* ①Ⓤ不謹愼；輕率。②Ⓒ不審愼的言行。

in·dis·crim·i·nate [ˌɪndɪ`skrɪmənɪt] *adj.* ①雜亂的；混亂的。②不辨善惡的。③無偏袒的。—**ly,** *adv.*

in·dis·crim·i·na·tion [ˌɪndɪˌskrɪmə`neʃən] *n.* Ⓤ無差別；無區別。

***in·dis·pen·sa·ble** [ˌɪndɪ`spɛnsəbl̩] *adj.* 不可缺少的；絕對必要的。—*n.* Ⓒ不可缺少之物。

in·dis·pose [ˌɪndɪ`spoz] *v.t.* ①使不適合；使不合格。②使不願意；使嫌惡。

in·dis·posed [ˌɪndɪ`spozd] *adj.* ①不願意的；嫌惡的。②微感不適的。
in·dis·po·si·tion [ˌɪndɪspə`zɪʃən] *n.* Ⓤ Ⓒ ①微恙；不適。②不願；不欲；嫌惡〔to, towards〕.
in·dis·put·a·ble [ˌɪndɪ`spjutəbl̩] *adj.* 不容置辯的；確實的；明白的。—**in·dis·put′a·bly,** *adv.*
in·dis·sol·u·ble [ˌɪndɪ`sɑljəbl̩] *adj.* ①(物質)不可分解[溶解]的。②不變的；堅固的。
in·dis·tinct [ˌɪndɪ`stɪŋkt] *adj.* 不清楚的；模糊的。
in·dis·tin·guish·a·ble [ˌɪndɪs`tɪŋgwɪʃəbl̩] *adj.* 不能區別的；不能辨別的。—**in·dis·tin′guish·a·bly,** *adv.*
in·dite [ɪn`daɪt] *v.t.* 著作；撰寫。
‡**in·di·vid·u·al** [ˌɪndə`vɪdʒuəl] *n.* Ⓒ ①個人；個體。②人。—*adj.* ①個別的；單獨的；特別的。②獨特的；有特性的。③個人用的。—**ly,** *adv.*
in·di·vid·u·al·ism [ˌɪndə`vɪdʒuəlˌɪzəm] *n.* Ⓤ ①個人主義。②利己主義。③個體；個性。
in·di·vid·u·al·ist [ˌɪndə`vɪdʒuəlɪst] *n.* Ⓒ ①利己主義者。②個人主義者；擁護個人主義的人。
in·di·vid·u·al·is·tic [ˌɪndəˌvɪdʒuəl`ɪstɪk] *adj.* 個人[利己]主義的。
in·di·vid·u·al·i·ty [ˌɪndəˌvɪdʒu`ælətɪ] *n.* ① Ⓤ 個性；個人的人格。②(*pl.*)特質；特徵。③ Ⓒ 個人；個體。
in·di·vid·u·al·ize [ˌɪndə`vɪdʒuəlˌaɪz] *v.t.* 使有個性；使特殊化。
in·di·vis·i·ble [ˌɪndə`vɪzəbl̩] *adj.* ①不能分割的。②〖數〗不能整除的；除不盡的。—*n.* Ⓒ 不能分割的東西；極微分子。—**in·di·vis·i·bil′i·ty,** *n.*
Indo- 〖字首〗表「印度(人)的」之義。
In·do·chi·na [`ɪndo`tʃaɪnə] *n.* ①中南半島。②(前法屬)印度支那。
In·do·chi·nese [`ɪndotʃaɪ`niz] *adj.* ①中南半島(民族, 語言)的。②印度支那語系的。—*n.* Ⓒ (*pl.* ～) 中南半島人；印度支那人。
in·doc·ile [ɪn`dɑsl̩] *adj.* 難教的；難制馭的；不順從的。—**in·do·cil′i·ty,** *n.*
in·doc·tri·nate [ɪn`dɑktrɪnˌet] *v.t.* ①灌輸學說、信仰或主義。②教導；教。—**in·doc·tri·na′tion,** *n.*
In·do-Eu·ro·pe·an [ˌɪndəˌjurə`piən] *adj.* ①印歐的。②印歐語系的。—*n.* Ⓤ 印歐語系。
in·do·lent [`ɪndələnt] *adj.* 懶惰的。—**ly,** *adv.* —**in′do·lence,** *n.*
in·dom·i·ta·ble [ɪn`dɑmətəbl̩] *adj.* 不能征服的；不屈不撓的；好勝的。—**in·dom′i·ta·bly,** *adv.*
In·do·ne·sia [ˌɪndo`niʃə] *n.* 印尼共和國(首都 Jakarta).
In·do·ne·sian [ˌɪndo`niʃən] *adj.* 印尼人[語, 共和國]的。—*n.* ① Ⓒ 印尼人。② Ⓤ 印尼語。
***in·door** [`ɪnˌdor] *adj.* 戶內的；室內的。
***in·doors** [`ɪn`dorz] *adv.* 在戶內；入戶內。
in·dorse [ɪn`dɔrs] *v.t.* =**endorse.**
in·du·bi·ta·ble [ɪn`djubɪtəbl̩] *adj.* 無疑的；明確的。
***in·duce** [ɪn`djus] *v.t.* ①引誘；說服。②招致；惹起。③〖電〗感應。④歸納。
in·duce·ment [ɪn`djusmənt] *n.* ① Ⓤ 勸誘；誘導。② Ⓤ Ⓒ 引誘物；刺激；動機。
in·duct [ɪn`dʌkt] *v.t.* ①使(正式)就任。②引入(處所、座位)；介紹。③〖美〗徵召入伍。④使正式加入(會社等)。
in·duc·tion [ɪn`dʌkʃən] *n.* ① Ⓤ 〖電〗感應；誘導。② Ⓤ Ⓒ 〖邏輯〗歸納法。③ Ⓤ Ⓒ 就職式；聖職就任式。④ Ⓤ Ⓒ 〖美〗徵兵。⑤ Ⓒ (新進職員之)訓練。§ ～ **còil**〖電〗感應圈。
in·duc·tive [ɪn`dʌktɪv] *adj.* ①歸納的。②感應的；誘導的。③誘人的。
***in·dulge** [ɪn`dʌldʒ] *v.t.* ①放任；縱容。②遷就。③〖天主教〗赦免；恕罪。—*v.i.* 縱情；任意；耽溺。
in·dul·gence [ɪn`dʌldʒəns] *n.* ① Ⓤ 放任；恣縱；耽溺〔in〕. ② Ⓒ 所耽溺之事；嗜好。③ Ⓤ 恩惠；特權。④ Ⓤ 〖天主教〗免罪；赦免。⑤ Ⓤ 縱容；遷就。
in·dul·gent [ɪn`dʌldʒənt] *adj.* 放任的；縱容的；溺愛的。—**ly,** *adv.*
in·du·rate [`ɪndjuˌret] *v.t.* ①使堅硬。②使無感覺。③使習慣於。④使建立。—*v.i.* ①硬化。②變得無感覺。—[`ɪndjurɪt] *adj.* 硬化的；無感覺的。
‡**in·dus·tri·al** [ɪn`dʌstrɪəl] *adj.* ①工業的；實業的。an ～ school 工業學校。②產業工人的。§ ～ **árts** 工藝(尤指學校中之工藝科目)。～ **desígn** 工業設計。～ **diséase** 工業病；職業病。～ **párk**〖美〗工業園區。**the I～ Revolútion** 工業革命；產業革命(尤指十八世紀末至十九世紀初發生於英國者)。
in·dus·tri·al·ism [ɪn`dʌstrɪəlˌɪzəm] *n.* Ⓤ 工業主義；產業主義。
in·dus·tri·al·ist [ɪn`dʌstrɪəlɪst] *n.* Ⓒ 實業[企業]家。
in·dus·tri·al·ize [ɪn`dʌstrɪəlˌaɪz] *v.t.* ①使工業[產業]化。②將…組成企業。—**in·dus·tri·al·i·za′tion,** *n.*
***in·dus·tri·ous** [ɪn`dʌstrɪəs] *adj.* 勤勉的。
‡**in·dus·try** [`ɪndəstrɪ] *n.* ① Ⓤ 勤勉。② Ⓤ 工業；製造業。③ Ⓒ …業。the tourist ～ 觀光業。
in·e·bri·ate [ɪn`ibrɪˌet] *v.t.* ①使醉。②激勵；鼓舞。—[ɪn`ibrɪɪt] *n.* Ⓒ 酒徒；醉漢。—*adj.* 大醉的；酩酊的。—**in·e·bri·a′tion,** *n.*
in·e·bri·e·ty [ˌɪnɪ`braɪətɪ] *n.* Ⓤ 醉；酩酊；嗜酒癖。
in·ed·i·ble [ɪn`ɛdəbl̩] *adj.* 不宜食用的。
in·ef·fa·ble [ɪn`ɛfəbl̩] *adj.* ①言語難以形容的。②(不能說出地)神聖的。
in·ef·face·a·ble [ˌɪnə`fesəbl̩] *adj.* 不可磨滅的；不能消除的。
in·ef·fec·tive [ˌɪnə`fɛktɪv] *adj.* ①無效的；無用的。②無能力的。
in·ef·fec·tu·al [ˌɪnə`fɛktʃuəl] *adj.* ①無效果的；無益的。②無力的。
in·ef·fi·ca·cious [ˌɪnɛfə`keʃəs] *adj.* 無效的。—**ly,** *adv.*

in·ef·fi·cient [͵ɪnə`fɪʃənt] *adj.* ①(機器等)效率很低的。②無能的；無用的。— **in·ef·fi′cien·cy,** *n.*
in·el·e·gant [ɪn`ɛləgənt] *adj.* 不優美的；不雅緻的；粗俗的。
in·el·i·gi·ble [ɪn`ɛlɪdʒəbl̩] *adj.* ①不合格的；沒有資格的。②不適當的。— *n.* Ⓒ無資格者；不合格者。
in·e·luc·ta·ble [͵ɪnɪ`lʌktəbl̩] *adj.* 難免的；不能抵抗的。
in·ept [ɪn`ɛpt] *adj.* ①不合適的。②荒謬的；愚蠢的。③拙於…的。
in·ept·i·tude [ɪn`ɛptə͵tjud] *n.* ①Ⓤ不適宜；愚蠢。②Ⓒ愚蠢的言行。
in·e·qual·i·ty [͵ɪnɪ`kwɑlətɪ] *n.* ①Ⓤ不平等；不平均。②Ⓒ不平之處。③ⓊⒸ〖數〗不等式。
in·eq·ui·ta·ble [ɪn`ɛkwɪtəbl̩] *adj.* 不公平的；不公正的。
in·eq·ui·ty [ɪn`ɛkwətɪ] *n.* ①Ⓤ不公平；不公正。②Ⓒ不公平的事[行爲]。
in·e·rad·i·ca·ble [͵ɪnɪ`rædɪkəbl̩] *adj.* 根深蒂固的；不能根絕的。
in·ert [ɪn`ɝt] *adj.* ①〖物〗無自動力的。②不活潑的。③〖化〗不起化學作用的；非活性的。— **ly,** *adv.* — **ness,** *n.*
in·er·tia [ɪn`ɝʃə] *n.* Ⓤ①不活動；遲鈍。②〖理〗惰性；慣性。
in·es·cap·a·ble [͵ɪnə`skepəbl̩] *adj.* 無法逃避的；不可避免的。
in·es·sen·tial [͵ɪnə`sɛnʃəl] *adj.* 不要緊的；可無的。— *n.* Ⓒ(常 *pl.*)非必要的東西。
in·es·ti·ma·ble [ɪn`ɛstəməbl̩] *adj.*不能估計的；無價的。
***in·ev·i·ta·ble** [ɪn`ɛvətəbl̩] *adj.* 不可避免的。— **in·ev′i·ta·bly,** *adv.* — **in·ev·i·ta·bil′i·ty,** *n.*
in·ex·act [͵ɪnɪg`zækt] *adj.* 不精確的；不正確的。
in·ex·act·i·tude [͵ɪnɪg`zæktə͵tjud] *n.*①Ⓤ不正確；不精密。②Ⓒ不正確的東西。
in·ex·cus·a·ble [͵ɪnɪk`skjuzəbl̩] *adj.* 無可辯解的；不能原諒的。
in·ex·haust·i·ble [͵ɪnɪg`zɔstəbl̩] *adj.* ①用不完的。②不倦的。— **in·ex·haust′i·bly,** *adv.*
in·ex·o·ra·ble [ɪn`ɛksərəbl̩] *adj.* ①無情的；殘酷的。②不爲所動的。
in·ex·pe·di·ent [͵ɪnɪk`spidɪənt] *adj.* 不合權宜的；不合宜的；失策的。
in·ex·pen·sive [͵ɪnɪk`spɛnsɪv] *adj.* 價廉的；不貴重的。— **ly,** *adv.*
in·ex·pe·ri·ence [͵ɪnɪk`spɪrɪəns] *n.* Ⓤ無經驗；缺乏經驗。
in·ex·pe·ri·enced [͵ɪnɪk`spɪrɪənst] *adj.* 無經驗的；缺乏經驗的。
in·ex·pert [͵ɪnɪk`spɝt] *adj.* 外行的；不熟練的。
in·ex·pli·ca·ble [ɪn′ɛksplɪkəbl̩] *adj.* 不可解釋的；不能理解的。
in·ex·press·i·ble [͵ɪnɪk`sprɛsəbl̩] *adj.* 無法表達的；難以形容的。
in·ex·pres·sive [͵ɪnɪk`sprɛsɪv] *adj.* 無表情的。
in·ex·tin·guish·a·ble [͵ɪnɪk`stɪŋgwɪʃəbl̩] *adj.* 不能撲滅的。
in ex·tre·mis [͵ɪnɪk`strimɪs]〖拉〗*adv.* ①臨死之時。②在危急狀態中。
in·ex·tri·ca·ble [ɪn`ɛkstrɪkəbl̩] *adj.* ①不能解脫的。②糾纏的。
in·fal·li·bil·i·ty [ɪn͵fælə`bɪlətɪ] *n.* Ⓤ絕無謬誤；絕對可靠性。
in·fal·li·ble [ɪn`fæləbl̩] *adj.* ①絕無謬誤的。②絕對確實的。③必然的。— *n.* Ⓒ絕對可靠的人[物]。
in·fa·mous [`ɪnfəməs] *adj.* ①可恥的。②聲名狼藉的。— **ly,** *adv.*
in·fa·my [`ɪnfəmɪ] *n.* ①Ⓤ不名譽；醜名。②Ⓒ(常 *pl.*)可恥的行爲。
***in·fan·cy** [`ɪnfənsɪ] *n.* Ⓤ①幼年(期)。②初期。③〖法律〗未成年。
***in·fant** [`ɪnfənt] *n.* Ⓒ①嬰兒；幼兒。②法定未成年者(〖美〗指未滿二十一歲)。— *adj.* ①嬰兒的；幼年的。②初期的；幼稚的。③未成年的。§ ~(**s'**) **schòol** 幼兒學校；小學的幼兒部。
in·fan·ti·cide [ɪn`fæntə͵saɪd] *n.* ①Ⓤ殺嬰(罪)。②Ⓒ殺嬰犯；殺嬰者。
in·fan·tile [`ɪnfən͵taɪl] *adj.* ①嬰兒的。~ paralysis 小兒麻痺症。②似嬰兒的；幼稚的。③初期的。
in·fan·try [`ɪnfəntrɪ] *n.* Ⓤ①(集合稱)步兵。②步兵團。
in·fan·try·man [`ɪnfəntrɪmən] *n.* Ⓒ(*pl.* **-men**)步兵。
in·fat·u·ate [ɪn`fætʃʊ͵et] *v.t.* ①使愚蠢；使糊塗。②迷戀。
in·fat·u·at·ed [ɪn`fætʃʊ͵etɪd] *adj.* ①昏頭昏腦的。②入迷的；迷戀的。— **ly,** *adv.*
in·fat·u·a·tion [ɪn͵fætʃʊ`eʃən] *n.* Ⓤ①迷惑。②迷戀；醉心。
***in·fect** [ɪn`fɛkt] *v.t.* ①傳染；傳播(病菌)於。②影響；使受感染。
in·fec·tion [ɪn`fɛkʃən] *n.* ①Ⓤ傳染；感染。②Ⓒ傳染病。③Ⓤ染惡習；壞影響。— **in·fec′tive,** *adj.*
***in·fec·tious** [ɪn`fɛkʃəs] *adj.* ①傳染性的。②易傳染的；易傳播的。
***in·fer** [ɪn`fɝ] *v.t.* & *v.i.* (**-rr-**)①推論；推斷。②暗指。— **a·ble,** *adj.*
in·fer·ence [`ɪnfərəns] *n.* ①Ⓤ推斷；推論。②Ⓒ推斷之結果；結論。
***in·fe·ri·or** [ɪn`fɪrɪɚ] *adj.* ①(階級)下級的；較低的。②(品質、程度)差的。~ *to* **a.**(階級)較低的。**b.** (品質)較差的。— *n.* Ⓒ①部下；屬員。②低劣[人]物。
***in·fe·ri·or·i·ty** [ɪn͵fɪrɪ`ɑrətɪ] *n.* Ⓤ初等；下級；低劣。§ ~ **còmplex** 自卑感；自卑情結。
in·fer·nal [ɪn`fɝnl̩] *adj.* ①地獄的。②兇惡的。③〖俗〗可憎的；可惡的。§ ~ **machíne** 定時炸彈；偽裝的炸彈。— **ly,** *adv.*
in·fer·no [ɪn`fɝno] *n.* (*pl.* **~s**)①(the ~)地獄。②Ⓒ大火。
in·fer·tile [ɪn`fɝtl̩] *adj.* ①不肥沃的。②無生殖力的。
in·fest [ɪn`fɛst] *v.t.* 擾亂；蹂躪；群居於。— **in·fes·ta′tion,** *n.*
in·fi·del [`ɪnfədl̩] *n.* Ⓒ①無信仰者。

②異教徒。— *adj.* 不信教的；異教的。

in·fi·del·i·ty [ˌɪnfəˋdɛlətɪ] *n.* ①Ⓤ無宗教信仰。②Ⓤ(夫婦間的)不貞。③Ⓤ背信。④Ⓒ不貞的行爲。

in·field [ˋɪnˏfild] *n.* ①Ⓒ農家周圍的耕地。②(the ～)〖棒球, 板球〗**a.** 內野。**b.** (集合稱)內野手。

in·field·er [ˋɪnˏfildɚ] *n.* Ⓒ〖棒球, 板球〗內野手。

in·fight·ing [ˋɪnˏfaɪtɪŋ] *n.* Ⓤ①貼近戰；肉搏戰。②內鬨。

in·fil·trate [ɪnˋfɪltret] *v.t.* & *v.i.* ①浸透；浸潤。②滲透；突破(陣線)。— **in·fil·tra′tion,** *n.*

in·fil·tra·tor [ɪnˋfɪltretɚ] *n.* Ⓒ滲透者。

***in·fi·nite** [ˋɪnfənɪt] *adj.* ①無限的；無窮的。②極大的。— *n.* ①(the I-)上帝(=God)。②(the ～)無窮數；無限量。

in·fin·i·tes·i·mal [ˌɪnfɪnəˋtɛsəml] *adj.* ①微小的；極微的。②〖數〗無限小的。— *n.* Ⓒ無限小；極微之量。§～ **cálculus**〖數〗微積分。

***in·fin·i·tive** [ɪnˋfɪnətɪv]〖文法〗*n.* ⓊⒸ不定詞。在若干動詞如：feel, hear, see, let, watch, have, make之後，若需要infinitive做受詞補語時，習慣不用"to". I made him *go*. 我使他去的。— *adj.* 不定詞的。

in·fin·i·tude [ɪnˋfɪnəˏtjud] *n.* ①Ⓤ無限。②(an ～ of)無數；無限量。

in·fin·i·ty [ɪnˋfɪnətɪ] *n.* ①Ⓤ無窮；無盡。②(an ～ of)無數；無限量。③Ⓤ〖數〗無限大。*to* ～ 無窮盡。

in·firm [ɪnˋfɝm] *adj.* ①虛弱的。②意志薄弱的。③不堅固的。— **ly,** *adv.*

in·fir·ma·ry [ɪnˋfɝmərɪ] *n.* Ⓒ①醫務室。②醫院。

in·fir·mi·ty [ɪnˋfɝmətɪ] *n.* ①Ⓤ虛弱。②Ⓒ疾病。③Ⓒ(心理或性格上的)弱點。

***in·flame** [ɪnˋflem] *v.t.* ①使激動。②使熱；使腫；使發炎。— *v.i.*①變激動。②發炎。③著火。

in·flamed [ɪnˋflemd] *adj.* ①(身體的某一部位)發炎的；紅腫的。②興奮的；激動的(with)。③(臉等)漲紅著。

in·flam·ma·ble [ɪnˋflæməbl] *adj.* ①易燃的。②易激動的；易怒的。— *n.* Ⓒ可燃物。— **in·flam·ma·bil′i·ty,** *n.*

in·flam·ma·tion [ˌɪnfləˋmeʃən] *n.* ①ⓊⒸ發炎；炎症。②Ⓤ點火；燃燒。③Ⓤ憤怒。

in·flam·ma·to·ry [ɪnˋflæməˏtorɪ] *adj.*①有煽動性的。②引起炎症的。

in·flat·a·ble [ɪnˋfletəbl] *adj.* ①可充氣的；可膨脹的。②(橡皮艇、備胎等)充氣後使用的；膨脹式的。

in·flate [ɪnˋflet] *v.t.* ①(灌入氣體)使脹大。②使得意洋洋。③使(通貨)膨脹；使(物價)上漲。— **in·flat′ed,** *adj.*

in·fla·tion [ɪnˋfleʃən] *n.* ①Ⓤ脹大；膨大。②Ⓤ誇張。③ⓊⒸ通貨膨脹。

in·fla·tion·ar·y [ɪnˋfleʃənˏɛrɪ] *adj.* ①使膨脹的。②通貨膨脹的。§～ **spíral** 惡性通貨膨脹。

in·flect [ɪnˋflɛkt] *v.t.* ①調節(音調)。②〖文法〗變字形。③使(內向)彎曲。

in·flec·tion [ɪnˋflɛkʃən] *n.* ①ⓊⒸ音調變化。②Ⓤ〖文法〗變化；語尾變化。③ⓊⒸ彎曲；曲折。— **al,** *adj.*

in·flex·i·ble [ɪnˋflɛksəbl] *adj.* ①堅定的；不屈的。②不可變的。③不易變曲的。— **in·flex·i·bil′i·ty,** *n.* — **in·flex′i·bly,** *adv.*

in·flex·ion [ɪnˋflɛkʃən] *n.* = **inflection.**

***in·flict** [ɪnˋflɪkt] *v.t.* ①予以(打擊)；加(害)。～ a blow [wound, etc.] on someone 予人以打擊[傷害等]。②使受累；使負擔(痛苦等)。

in·flic·tion [ɪnˋflɪkʃən] *n.* ①Ⓤ傷害；打擊。②Ⓒ(所受的)痛苦；刑罰。

in-flight [ˋɪnˋflaɪt] *adj.* 在飛行途中的；飛機上的。

in·flo·res·cence [ˌɪnfloˋrɛsn̩s] *n.* Ⓤ①開花。②〖植〗花序。③(集合稱)花。

in·flow [ˋɪnˏflo] *n.* ①Ⓤ流入。②Ⓒ流入物。③Ⓒ流入量。

‡**in·flu·ence** [ˋɪnfluəns] *n.* ①Ⓤ影響；感化力(on)。②Ⓤ權力；勢力。③Ⓒ有影響力的人；有勢力者。④Ⓤ〖電〗感應。— *v.t.* ①影響；感化。②促使採取某種行動。

***in·flu·en·tial** [ˌɪnfluˋɛnʃəl] *adj.* ①有影響力的；有勢力的。②運用勢力的。

in·flu·en·za [ˌɪnfluˋɛnzə] *n.* Ⓤ流行性感冒。

in·flux [ˋɪnˏflʌks] *n.* ①ⓊⒸ流入。②Ⓒ河流之會合處。

in·fo [ˋɪnfo] *n.* Ⓤ〖俗〗(information之略)情報。

‡**in·form** [ɪnˋfɔrm] *v.t.* 通知；報告。— *v.i.* 告發；密告。— **er,** *n.*

***in·for·mal** [ɪnˋfɔrml] *adj.* ①非正式的；不拘禮儀的。②(字、詞等)俗用的；通俗的。— **ly,** *adv.*

in·for·mal·i·ty [ˌɪnfɔrˋmælətɪ] *n.* ①Ⓤ非正式；簡略。②Ⓒ簡略[不拘形式]的作法。

in·form·ant [ɪnˋfɔrmənt] *n.* Ⓒ①通知者；告密者。②(提供某地方固有之文化、語言等資料之)資料供應者。

in·for·mat·ics [ˌɪnfɚˋmætɪks] *n.* Ⓤ資訊學。

‡**in·for·ma·tion** [ˌɪnfɚˋmeʃən] *n.* Ⓤ①消息；情報(about, on)。②知識；見聞。③報告；通知。④〖法律〗告發；告訴。lay ～ against a person 告發某人。⑤詢問處；服務臺。⑥〖電算〗資訊。§～ **dèsk** 詢問處；服務台。～ **hìghway** 訊息高速公路(通過光纖電纜實行電腦聯網的通訊系統，亦作data [super] highway)。～ **pròcessing** 資訊處理。～ **scìence** 資訊科學。— **al,** *adj.*

in·form·a·tive [ɪnˋfɔrmətɪv] *adj.* 供給知識[情報]的；有教育價值的。

in·formed [ɪnˋfɔrmd] *adj.* 見聞廣的；精明的；消息靈通的。

in·fra [ˋɪnfrə]〖拉〗*adv.* 在下；以下(指書之前後)。See ～ p. 40. 參看以下第四十頁。

in·frac·tion [ɪnˋfrækʃən] *n.* ①Ⓤ犯法；違反。②Ⓒ違反的行爲；犯規。

in·fra·red [ˌɪnfrəˋrɛd] *adj.*〖理〗紅

外線的。～rays 紅外線。
in·fra·struc·ture [ˋɪnfrə,strʌktʃɚ] *n.* Ⓒ 基本設施。
in·fre·quent [ɪnˋfrikwənt] *adj.* ①罕見的。②稀疏的。—**ly,** *adv.*
in·fringe [ɪnˋfrɪndʒ] *v.t.* & *v.i.* 侵犯；侵害；違背〔on, upon〕。—**ment,** *n.*
in·fu·ri·ate [ɪnˋfjurɪ,et] *v.t.* 激怒。
in·fuse [ɪnˋfjuz] *v.t.* ①注入；灌輸。②浸；泡製。—**in·fu′sion** [-ʒən], *n.*
-ing 〖字尾〗加於原形動詞之後造成動名詞及現在分詞。
***in·gen·ious** [ɪnˋdʒinjəs] *adj.* 頭腦靈敏的；有發明天才的。—**ly,** *adv.*
in·gé·nue [æ̃ʒeˋny]〖法〗*n.* Ⓒ ①天眞無邪的女子。②演天眞少女之女演員。
in·ge·nu·i·ty [,ɪndʒəˋnuətɪ] *n.* ① Ⓤ 智巧；發明[設計]之才能；創造力。② Ⓒ 精巧的裝置或機器。
in·gen·u·ous [ɪnˋdʒɛnjuəs] *adj.* ①坦白的；老實的。②誠樸的；天眞的。
in·gest [ɪnˋdʒɛst] *v.t.* 攝取(食物等)。
in·gle·nook [ˋɪŋgl̩,nuk] *n.* Ⓒ 爐邊。
in·glo·ri·ous [ɪnˋglorɪəs] *adj.* 不名譽的；羞辱的。
in·got [ˋɪŋgət] *n.* Ⓒ (金屬)鑄塊；金條。
in·grain [ɪnˋgren] *v.t.* (習慣等)使根深蒂固。—[ˋɪn,gren] *n.* Ⓒ 生染的棉紗、羊毛。
in·grained [ɪnˋgrend] *adj.* 根深蒂固的；天生的。
in·grate [ˋɪngret] *n.* Ⓒ 忘恩負義者。
in·gra·ti·ate [ɪnˋgreʃɪ,et] *v.t.* 逢迎；討好。～ ***oneself with*** 迎合。
in·grat·i·tude [ɪnˋgrætə,tjud] *n.* Ⓤ 忘恩負義。
***in·gre·di·ent** [ɪnˋgridɪənt] *n.* Ⓒ (混合物的)成分；組成分子。
in·gress [ˋɪngrɛs] *n.* ① Ⓤ 進入。② Ⓤ 入場權(爲egress之對)。③ Ⓒ 入口。
in·grow·ing [ˋɪn,groɪŋ] *adj.* ①生在內面的。②(腳趾甲)生入肉中的。
in·grown [ˋɪn,gron] *adj.* ①向內生的。②腳趾甲向肉內生長的。
in·gui·nal [ˋɪŋgwɪnl̩] *adj.* 〖解〗鼠蹊部的；腹股溝的。
***in·hab·it** [ɪnˋhæbɪt] *v.t.* 居住於；占據。—**a·ble,** *adj.* (地方)適於居住的。
***in·hab·it·ant** [ɪnˋhæbətənt] *n.* Ⓒ 居民；居住者。
in·hal·ant [ɪnˋhelənt] *n.* Ⓒ 吸入器；吸入劑。
in·hale [ɪnˋhel] *v.t.* 吸入；把…吸進肺裡。
in·hal·er [ɪnˋhelɚ] *n.* Ⓒ ①吸入器。②吸入者。③空氣過濾器。
in·har·mo·ni·ous [,ɪnhɑrˋmonɪəs] *adj.* 不和諧的；不協調的。
in·here [ɪnˋhɪr] *v.i.* ①(性質等)存在；固有；具有。②(權利等)歸屬於。
in·her·ence [ɪnˋhɪrəns], **-cy** [-sɪ] *n.* Ⓤ 固有；與生俱來；天賦。
***in·her·ent** [ɪnˋhɪrənt] *adj.* 與生俱來的。—**ly,** *adv.*
***in·her·it** [ɪnˋhɛrɪt] *v.t.* ①由遺傳而得。②繼承。—*v.i.* 繼承財產。—**a·ble,** *adj.* —**in·her′i·tor,** *n.*
***in·her·it·ance** [ɪnˋhɛrətəns] *n.* ① Ⓤ 繼承(權)。② Ⓒ (常 *sing.*)繼承物；遺產。§～ **tàx** 〖法律〗遺產稅。
in·hib·it [ɪnˋhɪbɪt] *v.t.* ①抑制。②禁止。～ someone from doing something 禁止某人做某事。—**ed,** *adj.*
in·hi·bi·tion [,ɪnhɪˋbɪʃən] *n.* Ⓤ Ⓒ ①抑制(力)。②禁止。
in·hib·i·tor [ɪnˋhɪbətɚ] *n.* Ⓒ 〖化〗抗化劑；抑制劑。
in·hos·pi·ta·ble [ɪnˋhɑspɪtəbl̩] *adj.* ①冷淡的；不親切的。②荒涼的；不毛的；無遮蓋的。
in·hos·pi·tal·i·ty [,ɪnhɑspəˋtælətɪ] *n.* Ⓤ 不善款待；冷淡；不親切。
in-house [ˋɪn,haus] *adj.* & *adv.* (機構、集團等)內部的[地]。
in·hu·man [ɪnˋhjumən] *adj.* ①無情的；殘忍的；無人性的。②非人類的。
in·hu·mane [,ɪnhjuˋmen] *adj.* 不近人情的；薄情的；不人道的。
in·hu·man·i·ty [,ɪnhjuˋmænətɪ] *n.* ① Ⓤ 殘暴；無人性。② Ⓒ (常 *pl.*)殘暴[不人道]之行爲。
in·im·i·cal [ɪnˋɪmɪkl̩] *adj.* ①不友善的；有敵意的〔to〕. ②不利的；有害的；抵觸的〔to〕.
in·im·i·ta·ble [ɪnˋɪmətəbl̩] *adj.* ①無法模仿的。②無比的；無雙的。
in·iq·ui·tous [ɪˋnɪkwətəs] *adj.* 不公正的；邪惡的。
in·iq·ui·ty [ɪˋnɪkwətɪ] *n.* ① Ⓤ 不法；邪惡。② Ⓒ 不法[不義]之行爲。
***in·i·tial** [ɪˋnɪʃəl] *adj.* 最初的；開始的。—*n.* Ⓒ ①(一字的)起首字母。②(常 *pl.*)姓名起首字母。—*v.t.* (-l-,〖英〗-ll-) 簽姓名的起首字母於。—**ly,** *adv.* 起先；最初。
in·i·ti·ate [ɪˋnɪʃɪ,et] *v.t.* ①創始；發起。②使加入(會等)。③引(人)入某種學科的知識；啓蒙。—[ɪˋnɪʃɪɪt] *n.* Ⓒ ①新入會者。②受教者。—*adj.* ①新進的；新入會的。②啓蒙的；入門的。
in·i·ti·a·tion [ɪ,nɪʃɪˋeʃən] *n.* ① Ⓤ 創始；發起。② Ⓤ 正式加入(社團等)。③ Ⓒ 入會式；入社式。④ Ⓤ 入門。§～ **fèe**(俱樂部等之)入會費。
***in·i·ti·a·tive** [ɪˋnɪʃɪ,etɪv] *n.* ① Ⓤ 初步；起首；主動。② Ⓤ 主動力；進取的精神。③(the ～)創制權。—*adj.* 自發的。
in·i·ti·a·tor [ɪˋnɪʃɪ,etɚ] *n.* Ⓒ 創始者；發起人；教導者；傳授者。
***in·ject** [ɪnˋdʒɛkt] *v.t.* ①注射。②投入；加入。③注入；灌入。*—**in·jec′tion,** *n.* Ⓤ Ⓒ 注射(液)。—**in·jec′tor,** *n.* Ⓒ 注射器。
in·ju·di·cious [,ɪndʒuˋdɪʃəs] *adj.* 欠考慮的；不智的。—**ly,** *adv.*
in·junc·tion [ɪnˋdʒʌŋkʃən] *n.* Ⓒ ①命令；訓令。②〖法律〗禁止令；強制令。
‡**in·jure** [ˋɪndʒɚ] *v.t.* ①傷害；損害。②傷害(感情)。
in·jured [ˋɪndʒɚd] *adj.* ①受損害的；受傷的。②受委曲的；生氣的。
in·ju·ri·ous [ɪnˋdʒurɪəs] *adj.* ①有害的〔to〕. ②不公平的；誹謗的。
***in·ju·ry** [ˋɪndʒərɪ] *n.* Ⓤ Ⓒ ①傷害；

損害。②冤屈；屈辱。
*in·jus·tice [ɪn`dʒʌstɪs] n. ①U不公正；不公平。②C不公正的行爲。
‡ink [ɪŋk] n. U墨水；油墨。—v.t.①塗墨水於；以墨水沾污。②以墨水劃掉(out)。§ ~ bòttle 墨水瓶。
ink·blot [`ɪŋk,blɑt] n. C ①墨水痕跡。②〖心〗墨跡測驗(=inkblot test).
ínk-jet prínter [`ɪŋk,dʒɛt ~] n. C〖電算〗針孔噴墨印表機。
ink·ling [`ɪŋklɪŋ] n. U①略知；微覺。have[get, give]an ~ of略有所知。②暗示。
ink·pad [`ɪŋk,pæd] n. C 打印台；印泥。
ink·stand [`ɪŋk,stænd] n. C 墨水瓶；墨水架。
ink·stone [`ɪŋk,ston] n. C硯。
ink·well [`ɪŋk,wɛl] n. C墨水池。
ink·y [`ɪŋkɪ] adj. ①如墨的；黑的。②染有墨水的；用墨水寫的。
in·laid [ɪn`led] adj. 嵌入的；鑲嵌的。—v. pt. & pp. of inlay.
*in·land [`ɪnlənd] adj. ①內陸的；內地的。an ~ sea 內(陸)海。②國內的；非外國的。—[`ɪn,lænd, `ɪnlənd] n. C(一國之)內地；腹地。—adv. 在內地；向內地。§ the Í- Séa(日本本州的)瀨戶內海。
in-law [`ɪn,lɔ] n. C(常 pl.)〖俗〗姻親。
in·lay [ɪn`le] v.t. (-laid)鑲；嵌。—[`ɪn,le] n. ①U鑲嵌。②C〖牙科〗鑲補(填塞蛀牙的合金等)。③C鑲嵌圖案。④C〖園藝〗接枝。
in·let [`ɪn,lɛt] n. C①港口。②通路；入口。③鑲嵌物
in-line [`ɪn`laɪn] adj. 〖機〗(內燃機器中汽缸)直列式排列的。§ ~ skáte 直排溜冰鞋。
in·mate [`ɪnmet] n. C①同屋居住者。②住院者；入獄者；(救濟院等)被收容者。
in·most [`ɪn,most] adj. ①最內部的；最深處的。②祕藏於心中的；最奧祕的。
*inn [ɪn] n. C(一般樓下經營飲食店兼小酒館的舊式兩層樓)旅館；客棧。
in·nards [`ɪnɚdz] n. pl. 〖方〗①內臟。②(物之)內部。
in·nate [ɪ`net, ɪn`net] adj. 天生的；固有的。
*in·ner [`ɪnɚ] adj. ①內部的；內心的；精神的。the ~ life 精神生活。②親密的；祕密的。§ ~ cíty 市中心。~ éar 內耳。—most, adj. & n.
*in·ning [`ɪnɪŋ] n. ①C〖棒球〗一局。②(〖英〗pl., 作 sing. 解)執政時期。
inn·keep·er [`ɪn,kipɚ] n. C旅館主人。
*in·no·cence [`ɪnəsn̩s], -cy [-sɪ] n. U①無罪。②天眞無邪。③無知。
*in·no·cent [`ɪnəsn̩t] adj. ①無罪的。②天眞無邪的。③無害處的。④無知的。⑤缺乏…的(of)。—n. C①無罪的人；天眞無邪的人。②無知的人。—ly, adv.
in·noc·u·ous [ɪ`nɑkjʊəs] adj. 無害的；無毒的。
in·no·vate [`ɪnə,vet] v.i. 改革(on, upon, in)。—v.t. 發明；創始。—in·no·va′tion, in′no·va·tor, n.
in·nu·en·do [,ɪnjʊ`ɛndo] n. UC (pl. ~(e)s)暗指；影射；諷刺。
*in·nu·mer·a·ble [ɪ`njumərəbl̩, ɪn`nju-] adj. 無數的；數不盡[淸]的。—in·nu′mer·a·bly, adv.
in·ob·serv·ance [,ɪnəb`zɝvəns] n. U不注意；玩忽；怠慢；不遵守。
in·oc·u·late [ɪn`ɑkjə,let] v.t. & v.i. ①給…接種(疫苗)；注射預防針。be ~d against smallpox 種牛痘預防天花。②攙入。③注入；向…灌輸。—in·oc·u·la′tion, n.
in·of·fen·sive [,ɪnə`fɛnsɪv] adj. 無害的；無礙的；不令人討厭的。
in·op·er·a·ble [ɪn`ɑpərəbl̩] adj. ①〖外科〗不能動手術的。②不能實行的。
in·op·er·a·tive [ɪn`ɑpə,retɪv] adj. 無效的；無益的。
in·op·por·tune [,ɪnɑpɚ`tjun, ɪn,ɑp-] adj. 不合時宜的；不適合的。
in·or·di·nate [ɪn`ɔrdn̩ɪt] adj. 無節制的；放肆的；過度的。—ly, adv.
in·or·gan·ic [,ɪnɔr`gænɪk] adj. ①無生活機能的。②〖化〗無機的。
in·pa·tient [`ɪn,peʃənt] n. C住院病人(爲 outpatient 之對)。
in·put [`ɪn,pʊt] n. U①置入之物[量]。②〖機, 電〗輸入(量)。③〖電算〗輸入(將資料轉移至電腦內的步驟)。
in·quest [`ɪnkwɛst] n. C①死因審訊；驗屍。②(集合稱)驗屍陪審團。
‡in·quire [ɪn`kwaɪr] v.t. & v.i. ①詢問。②調查。~ *after* 問候。~ *for* a. 訪問。b. 查詢。~ *into* 調查。—in·quir′er, n.
in·quir·ing [ɪn`kwaɪrɪŋ] adj. 愛追究的；好奇的；懷疑的。—ly, adv.
*in·quir·y [ɪn`kwaɪrɪ, `ɪnkwərɪ] n. UC詢問；問題；調查。
in·qui·si·tion [,ɪnkwə`zɪʃən] n. UC ①調查。②〖法律〗審訊。
in·quis·i·tive [ɪn`kwɪzətɪv] adj. ①好奇的；好問的。②好管閒事的。
in·quis·i·tor [ɪn`kwɪzətɚ] n. C調查者；審訊者。
in·quis·i·to·ri·al [ɪn,kwɪzə`torɪəl] adj. 愛盤根究底的；過分好奇的。
in·road [`ɪn,rod] n. C(常 pl.)①攻擊；襲擊。②損害；侵蝕。
in·rush [`ɪn,rʌʃ] n. C湧入；侵入；流入。
*in·sane [ɪn`sen] adj. ①患精神病的；瘋狂的。②爲瘋人設的。③極愚蠢的。
in·san·i·tar·y [ɪn`sænə,tɛrɪ] adj. 不衛生的；有害健康的。
in·san·i·ty [ɪn`sænətɪ] n. ①U瘋狂。②U愚頑。③UC瘋狂之事。
in·sa·tia·ble [ɪn`seʃɪəbl̩] adj. 不知足的；貪求的。
in·sa·ti·ate [ɪn`seʃɪɪt] adj. 無饜的。
in·scribe [ɪn`skraɪb] v.t. ①書寫，雕刻於…。②將(詩、歌)題獻給。③登記。④深刻於。⑤〖幾何〗使內接。§ ~d stòck 記名股票。
in·scrip·tion [ɪn`skrɪpʃən] n. ①U(銘)刻。②C題名；題字；碑銘。③C(書中的)題獻；獻詞。
in·scru·ta·ble [ɪn`skrutəbl̩] adj.

不可了解的；不可測度的。

in·seam [ˋɪn͵sim] *n.* Ⓒ (袖口、褲管、長靴等的)內側縫線。

‡**in·sect** [ˋɪnsɛkt] *n.* Ⓒ ①昆蟲。②卑鄙的人。

in·sec·ti·cide [ɪnˋsɛktə͵saɪd] *n.* ⓊⒸ 殺蟲劑。

in·sec·ti·vore [ɪnˋsɛktə͵vor] *n.* Ⓒ 食蟲動物[植物]。

in·se·cure [͵ɪnsɪˋkjʊr] *adj.* ①不安全的；有危險的。②不可靠的；不堅固的。—**in·se·cu′ri·ty,** *n.*

in·sem·i·nate [ɪnˋsɛmə͵net] *v.t.* ①播種於；種植。②使(人工)受精。—**in·sem·i·na′tion,** *n.*

in·sen·sate [ɪnˋsɛnset, -sɪt] *adj.* ①無感覺的。②無情的。③愚鈍的。

in·sen·si·ble [ɪnˋsɛnsəbḷ] *adj.* ①無感覺力的；遲鈍的。②不知的。③不省人事的；昏迷的。④不易被感覺到的。—**in·sen′si·bly,** *adv.* —**in·sen·si·bil′i·ty,** *n.*

in·sen·si·tive [ɪnˋsɛnsətɪv] *adj.* 無感覺的；無感受性的；感覺遲鈍的〔to〕。—**in·sen·si·tiv′i·ty,** *n.*

in·sen·ti·ent [ɪnˋsɛnʃɪənt] *adj.* 無知覺的；無感覺的；無生命的；無情的。—**in·sen′ti·ence, in·sen′ti·en·cy,** *n.*

in·sep·a·ra·ble [ɪnˋsɛpərəbḷ] *adj.* 不能分離的〔from〕. —— *n.* (*pl.*)不可分的人[物]。—**in·sep′a·ra·bly,** *adv.*

***in·sert** [ɪnˋsɝt] *v.t.* 插入；嵌入；刊載。—— [ˋɪnsɝt] *n.* Ⓒ ①嵌入物；插入物。②〖影〗插入面。

in·ser·tion [ɪnˋsɝʃən] *n.* ① Ⓤ 插入；刊入。② Ⓒ 插入物；刊入物。③ Ⓒ (衣服接縫處之)飾帶。

in-serv·ice [ˋɪnˋsɝvɪs] *adj.* 在職的。

in·set [ɪnˋsɛt] *v.t.* (**-set, -set·ting**)插入；嵌入。——[ˋɪn͵sɛt] *n.* Ⓒ 插入物；插頁；插畫。

in·shore [ˋɪn͵ʃor] *adj.* 向海岸的；近海岸的。——[ˋɪnˋʃor] *adv.* 向海岸。

‡**in·side** [ˋɪnˋsaɪd] *n.* ①(*sing.*, 常 the ～)內部；內面；內側。②(*pl.*)內臟。③(*sing.*, 常 the ～)內幕(消息)。④ Ⓒ (跑道)內圈。—— *adj.* ①內部的；靠內面的。②熟知內幕[內情]的；祕密的。③〖俚〗內線的。④戶內的。—— *adv.* 在裡面；在內部；在戶內。～ ***of*** 在(某時間或空間)之內。～ ***out*** **a.** 翻轉地；裡在外地。**b.** 完全地；徹底地。——[ɪnˋsaɪd] *prep.* ①在…裡面；在內。②在…結束以前。§ ∼ **tráck** (1)(跑道的)內圈。(2)〖俗〗有利地位；優先權利。

in·sid·er [ɪnˋsaɪdɚ] *n.* Ⓒ ①內部的人；團員；會員。②〖俗〗熟知內幕的人。

in·sid·i·ous [ɪnˋsɪdɪəs] *adj.* ①狡猾的；陰險的。②暗中活動的。

***in·sight** [ˋɪn͵saɪt] *n.* ⓊⒸ 洞察(力)；見識。—**ful,** *adj.*

in·sig·ni·a [ɪnˋsɪgnɪə] *n. pl.* 徽章；勳章；標幟。

in·sig·nif·i·cant [͵ɪnsɪgˋnɪfəkənt] *adj.* 不重要的；無意義的；微小的。—**in·sig·nif′i·cance,** *n.* —**ly,** *adv.*

in·sin·cere [͵ɪnsɪnˋsɪr] *adj.* 不誠懇的；無誠意的；不誠實的。—**in·sin·cer′i·ty,** *n.*

in·sin·u·ate [ɪnˋsɪnjʊ͵et] *v.t.* ①暗指；暗示。②使迂迴的潛入(與反身代名詞連用)。～ oneself into a person's favor 紆曲求寵。③使慢慢滋長。

in·sip·id [ɪnˋsɪpɪd] *adj.* ①(食物)沒有味道的；淡而無味的；不好吃的。②乏味的；缺乏風味的；枯燥的；不精采的。—**in·si·pid′i·ty,** *n.*

‡**in·sist** [ɪnˋsɪst] *v.i.* 堅持；極力主張；強調〔on, upon〕. —— *v.t.* 堅持；強調。—**ent,** *adj.* —**ence,** —**en·cy,** *n.*

in·so·bri·e·ty [͵ɪnsəˋbraɪətɪ] *n.* Ⓤ 不節制；暴飲；酗酒。

in·so·far [͵ɪnsoˋfɑr] *adv.* 至…程度；在…的範圍〔常 as〕.

in·sole [ˋɪn͵sol] *n.* Ⓒ 鞋的內底；鞋墊。

in·so·lent [ˋɪnsələnt] *adj.* 粗野的；無禮的；侮慢的；蠻橫的。—**ly,** *adv.* —**in′so·lence,** *n.*

in·sol·u·ble [ɪnˋsɑljəbḷ] *adj.* ①不能溶解的。②不能解決的；難以解釋的。

in·sol·vent [ɪnˋsɑlvənt] *adj.* 無力償付債務的；破產的。—— *n.* Ⓒ 破產者。—**in·sol′ven·cy,** *n.*

in·som·ni·a [ɪnˋsɑmnɪə] *n.* Ⓤ 失眠(症)。—**in·som′ni·ac,** *adj.*

in·so·much [͵ɪnsəˋmʌtʃ] *adv.* 至如此程度；就此程度而言。～ ***as*** **a.** 由於；因為。**b.** 到…的程度。

in·sou·ci·ant [ɪnˋsusɪənt] 〖法〗*adj.* 不注意的；漫不經心的；無憂無慮的。—**in·sou′ci·ance,** *n.*

***in·spect** [ɪnˋspɛkt] *v.t.* ①檢查；檢閱；審查。②調查；視察；巡察。

***in·spec·tion** [ɪnˋspɛkʃən] *n.* ⓊⒸ 調查；檢查；視察；檢閱。

in·spec·tor [ɪnˋspɛktɚ] *n.* Ⓒ ①檢查員；督學；視察員；巡視員。②檢閱官。③巡官。—**ship,** *n.*

***in·spi·ra·tion** [͵ɪnspəˋreʃən] *n.* ① Ⓤ 靈感；啓示。② Ⓒ 妙策。③ Ⓒ 鼓勵者；激勵之事物。④ Ⓤ 鼓勵；鼓舞。⑤ Ⓤ 指示；授意。⑥ Ⓤ 神的感召。⑦ Ⓤ 吸入；吸氣。—**al,** *adj.*

***in·spire** [ɪnˋspaɪr] *v.t.* ①使感動；鼓舞。②激發；激起。③影響。④教唆；煽動。⑤賜給靈感。⑥造成；導致。⑦吸入(空氣)。—— *v.i.* ①給與靈感。②吸氣。—**in·spired′,** *adj.*

in·spir·ing [ɪnˋspaɪrɪŋ] *adj.* 使人振奮的；鼓舞的；激勵的。

in·spir·it [ɪnˋspɪrɪt] *v.t.* 鼓舞；激勵。

in·sta·bil·i·ty [͵ɪnstəˋbɪlətɪ] *n.* Ⓤ 不穩固；不穩定；反覆無常。

***in·stal(l)** [ɪnˋstɔl] *v.t.* (**-ll-**) ①任命；使就職。②安置。③裝設。

in·stal·la·tion [͵ɪnstəˋleʃən] *n.* ① Ⓤ 就任；就職。② Ⓤ 裝設。③ Ⓒ 裝置物；裝設的機器。④ Ⓒ 就職典禮。

in·stal(l)·ment [ɪnˋstɔlmənt] *n.* Ⓒ ①(叢書)一冊；(連載刊物)一回。②分期付款。§ **the ∼ plān** 分期付款購買辦法。

‡**in·stance** [ˋɪnstəns] *n.* ① Ⓒ 實例；例證。② Ⓒ 階段；場合；步驟。③

(*sing.*)請求；建議。④ Ⓒ 訴訟程序。***at the ～ of*** 應…的請求或建議。***for ～*** 例如。***in the first ～*** 首先；第一。**—** *v.t.* 引以爲例；示例證明。

in·stant** [ˋɪnstənt] *n.* ① Ⓒ 瞬間；頃刻。② Ⓤ Ⓒ〖俗〗速食食品[飲料]。on the ～***立刻；立即。***the ～(that)***一經…(立即)。**—** *adj.* ①立刻的。②緊急的。③速食的；即溶的。§ **～ nóodles** 速食麵。**～ réplay** 即時重播。***—ly,** *adv.*

in·stan·ta·ne·ous [ˏɪnstənˋtenɪəs] *adj.* ①即時的；瞬間的。②即刻的；立刻的；同時發生的。**—ly,** *adv.*

in·state [ɪnˋstet] *v.t.* 使就任；任命。

‡**in·stead** [ɪnˋstɛd] *adv.* 代替；更換。***～ of*** 代替…。

in·step [ˋɪnˏstɛp] *n.* Ⓒ①脚背。②鞋襪等的脚背部分。

in·sti·gate [ˋɪnstəˏget] *v.t.* 鼓動；煽動；教唆。**—in′sti·ga·tor,** *n.*

in·stil(l) [ɪnˋstɪl] *v.t.* (**-ll-**)①逐漸灌輸。②徐徐滴入。**—in·stil·la′tion,** *n.*

***in·stinct**[1] [ˋɪnstɪŋkt] *n.* ① Ⓤ Ⓒ 本能。② Ⓒ (常*pl.*)直覺(能力)；第六感。

in·stinct[2] [ɪnˋstɪŋkt] *adj.* 充滿的；瀰漫的〔with〕.

in·stinc·tive [ɪnˋstɪŋktɪv] *adj.* 本能的；天生的；直覺的。**—ly,** *adv.*

***in·sti·tute** [ˋɪnstəˏtjut] *v.t.* ①創立；設立；制定。②開始；著手。③任命。**—** *n.* Ⓒ①會；學會；學院；研究所。②會館。③原則；習俗。

***in·sti·tu·tion** [ˏɪnstəˋtjuʃən] *n.* ① Ⓒ社會或教育事業機構(如教會、學校、醫院等)。② Ⓒ 慣例；風俗；制度。③ Ⓤ 創立；設立；制定。④ Ⓒ 法規；法律。⑤ Ⓒ 會；社；院。⑥ Ⓒ〖俗〗知名之士；著名人物。**—al,** *adj.*

in·sti·tu·tion·al·ize [ˏɪnstəˋtjuʃənlˏaɪz] *v.t.* ①使制度化或習俗化。②使在學院中生長或訓練。③使(精神病患者)住院。**—in·sti·tu·tion·al·i·za′tion,** *n.*

***in·struct** [ɪnˋstrʌkt] *v.t.* ①教授；教導。②命令；指示。③通知。

***in·struc·tion** [ɪnˋstrʌkʃən] *n.* ① Ⓤ 教授；教導。② Ⓒ (常*pl.*)指示；命令。③ Ⓒ (常*pl.*)使用說明書。④ Ⓒ (常*pl.*)〖電算〗指令。**—al,** *adj.*

***in·struc·tive** [ɪnˋstrʌktɪv] *adj.* 教訓的；有益的；教育性的。

***in·struc·tor** [ɪnˋstrʌktɚ] *n.* Ⓒ ①教師。②〖美〗大學講師。

‡**in·stru·ment** [ˋɪnstrəmənt] *n.* Ⓒ ①工具；手段；方法；傀儡。②器械；儀器。③樂器。④法定文件。§ **～ bòard[pànel]**儀表板。**～ flỳing** 儀器(導行)飛行法。**～ lànding** 儀器(導行)著陸(法)。

in·stru·men·tal [ˏɪnstrəˋmɛntl] *adj.* ①有功用的；有幫助的。②樂器的。③(使用)儀器的。**—ist,** *n.* **—ly,** *adv.*

in·stru·men·tal·i·ty [ˏɪnstrəmɛnˋtælətɪ] *n.* ① Ⓤ 幫助；助力。② Ⓒ手段；工具。③ Ⓒ 執行部門。

in·stru·men·ta·tion [ˏɪnstrəmɛnˋteʃən] *n.* Ⓤ ①〖樂〗管絃樂法；樂器演奏(法)。②器具[儀器]之使用。

in·sub·or·di·nate [ˏɪnsəˋbɔrdṇɪt] *adj.*犯上的；不服從的。

in·sub·stan·tial [ˏɪnsəbˋstænʃəl] *adj.* ①脆弱的。②想像的；不實在的。

in·suf·fer·a·ble [ɪnˋsʌfrəbḷ] *adj.* 不可忍受的；難堪的；難受的。

in·suf·fi·cient [ˏɪnsəˋfɪʃənt] *adj.* ①不充足的；不夠的。②不能勝任的。**—in·suf·fi′cien·cy,** *n.*

in·su·lar [ˋɪnsələ˞] *adj.* ①島的；島國性的；島民的。②島國根性的；胸襟褊狹的。**—ism, —i·ty,** *n.*

in·su·late [ˋɪnsəˏlet] *v.t.* ①使(電、熱、聲等)與外界絕緣。②隔離；使孤立。**—in′su·la·tor, in·su·la′tion,** *n.*

in·su·lin [ˋɪnsəlɪn] *n.* Ⓤ〖生化〗胰島素(治療糖尿病)。

***in·sult** [ɪnˋsʌlt] *v.t.* 侮辱；對…無禮。**—**[ˋɪnsʌlt] *n.* ① Ⓤ 侮辱；侮慢；無禮。② Ⓒ 侮辱的行爲。③ Ⓒ〖醫〗損傷。

in·su·per·a·ble [ɪnˋsupərəbḷ] *adj.* 不能超越[克服]的。

in·sup·port·a·ble [ˏɪnsəˋportəbḷ] *adj.* 不能忍受的；無理的。

in·sur·a·ble [ɪnˋʃurəbḷ] *adj.* 可保險的；適於保險的。

***in·sur·ance** [ɪnˋʃurəns] *n.* Ⓤ ①保險。②保險業。③保險額。④保險費(=premium)。⑤保證。§ **～ àgent** 保險經紀人。**～ pòlicy** 保險單。〔注意〕「保險」美作 **insurance.** 英作 **assurance.**

***in·sure** [ɪnˋʃur] *v.t.* ①使確定；保證；確保。②投保；保險。

in·sured [ɪnˋʃurd] *adj.* ①加入保險的。②(the～，當名詞用)被保險者；保戶。

in·sur·er [ɪnˋʃurɚ] *n.* Ⓒ ①保險業者；保險公司。②保證人。

in·sur·gence [ɪnˋsɝdʒəns] *n.* Ⓤ Ⓒ 暴動；叛亂。

in·sur·gent [ɪnˋsɝdʒənt] *n.* Ⓒ (常*pl.*)①起事[暴動]者；叛徒。②〖美〗叛黨者。**—** *adj.*起事的；暴動的；叛亂的。

in·sur·mount·a·ble [ˏɪnsɚˋmauntəbḷ] *adj.* 難越過的；不能克服的。

in·sur·rec·tion [ˏɪnsəˋrɛkʃən] *n.* Ⓤ Ⓒ 起義；暴動；叛亂。

in·tact [ɪnˋtækt] *adj.* 未觸動的；完整的。

in·take [ˋɪnˏtek] *n.* ① Ⓒ (水、氣體流入溝、管等之)入口；引入口。② Ⓤ 吸入[攝取]量。③ Ⓒ (瓶、襪等的)窄細部分；收縮處。

in·tan·gi·ble [ɪnˋtændʒəbḷ] *adj.* ①不能觸摸的。②難弄明白的；模糊的。

in·te·ger [ˋɪntədʒɚ] *n.* Ⓒ ①整數。②完整[完全]之物。

in·te·gral [ˋɪntəgrəl] *adj.* ①構成整體必需的。②〖數〗整數的；積分的。③完整的；整個的。**—** *n.* Ⓒ①整體；完整物。②〖數〗整數；積分。

in·te·grate [ˋɪntəˏgret] *v.t.* ①使完全。②使整體化；使合而爲一。③表示…之總數[平均值]。④〖數〗求…之積分。⑤取消種族隔離。**—** *v.i.* 種族融合。

in·te·grat·ed [ˋɪntəˏgretɪd] *adj.* 整體的。§ **～ círcuit** 積體電路(略作 IC).

in·te·gra·tion [ˏɪntəˋgreʃən] *n.* Ⓤ ①統合；完成；調整。②〖數〗積分

法。③種族[宗教]融合。— **ist,** *n.*
***in·teg·ri·ty** [ɪn`tɛgrətɪ] *n.* Ⓤ①誠篤；正直；廉正。②完整；無缺。
in·teg·u·ment [ɪn`tɛgjəmənt] *n.* Ⓒ皮膚；外殼；外皮。
***in·tel·lect** [`ɪntḷ,ɛkt] *n.* ①Ⓤ理智；知性；智力。②(the ～(s))知識分子。
***in·tel·lec·tu·al** [,ɪntḷ`ɛktʃuəl] *adj.* ①智力的。②需用智慧的。③聰明的；理智的。— *n.* Ⓒ知識分子。— **ly,** *adv.*
in·tel·lec·tu·al·i·ty [,ɪntḷ,ɛktʃu`ælətɪ] *n.* Ⓤ理智；智力。
***in·tel·li·gence** [ɪn`tɛlədʒəns] *n.* ①Ⓤ智力；才智。②Ⓤ情報；消息。③Ⓤ情報機構。④Ⓒ(常I-)神；靈。§ ～ **depàrtment**[**bùreau**]情報局；情報部。～ **quòtient** 智力商數；智商(略作IQ). ～ **tèst** 智力測驗。
***in·tel·li·gent** [ɪn`tɛlədʒənt] *adj.* 有才智的；伶俐的；聰明的。— **ly,** *adv.*
in·tel·li·gent·si·a [ɪn,tɛlə`dʒɛntsɪə, -`gɛnt-] *n.* Ⓤ(常the ～)(集合稱)知識階級；知識分子。
in·tel·li·gi·ble [ɪn`tɛlɪdʒəbḷ] *adj.* 可理解的；易領悟的。— **in·tel′li·gi·bly,** *adv.*
In·tel·sat [`ɪntɛl,sæt] *n.* ①國際電信衛星通訊機構(爲International Telecommunications Satellite (Consortium)之略)。②國際商業通訊衛星。
in·tem·per·ate [ɪn`tɛmpərɪt] *adj.* ①無節制的；過度的。②飲酒過度的。③(氣候等)酷烈的。— **in·tem′per·ance,** *n.*
****in·tend** [ɪn`tɛnd] *v.t.* ①意欲；意指；打算。②設計；計畫。
in·tend·ed [ɪn`tɛndɪd] *adj.* ①有計畫的；故意的。②未來的。③已訂婚的。— *n.* (one's ～)〖俗〗未婚夫[妻]。
***in·tense** [ɪn`tɛns] *adj.* ①非常的；強烈的；劇烈的。②緊張的。③熱情的；熱烈的；熱心的。— **ly,** *adv.*
in·ten·si·fy [ɪn`tɛnsə,faɪ] *v.t.* ①使強烈。②〖攝〗加強明暗度。— *v.i.* 變強烈；增強。— **in·ten·si·fi·ca′tion,** *n.*
in·ten·sion [ɪn`tɛnʃən] *n.* Ⓤ①(精神上的)緊張；努力。②強烈。③強度。④〖邏輯〗內涵(爲extension之對)。
***in·ten·si·ty** [ɪn`tɛnsətɪ] *n.* Ⓤ①強烈；熱烈。②緊張。③(熱、光等之)強度。
***in·ten·sive** [ɪn`tɛnsɪv] *adj.* ①徹底的；集中的；密集的。②強烈的；劇烈的。③〖農〗密集栽培的；集約栽培的。④〖文法〗加強的；增強語氣的。— *n.* Ⓒ①使增強的東西。②增強語氣的字。§ ～ **cáre ùnit** 加護病房(略作ICU)。— **ly,** *adv.*
in·tent** [ɪn`tɛnt] *n.* Ⓤ①〖法律〗意旨；意向。②目的；計畫。③意義；意思。to all ～s and purposes*** 實際上；事實上。***with good*** [***evil***]～好[惡]意地。— *adj.* ①專心的；專注的。②熱心的。③決心的。— **ly,** *adv.*
***in·ten·tion** [ɪn`tɛnʃən] *n.* ①Ⓤ意旨；意向；目的；意圖。②(*pl.*)結婚的意向。③Ⓒ擬議中的事物；目的。§ ～ **agréement** 意向協定。
in·ten·tion·al [ɪn`tɛnʃənḷ] *adj.* 故意的；有目的的。— **ly,** *adv.*
in·ter [ɪn`tɜ] *v.t.* (**-rr-**)埋葬。
inter- 〖字首〗表「交互；在…之間；在(一群)中」之義。
in·ter·act [,ɪntə`ækt] *v.i.* 交互作用；互相影響。— **in·ter·ac′tion,** *n.*
in·ter·ac·tive [,ɪntə`æktɪv] *adj.* 交互作用的；互相影響的。
in·ter·breed [,ɪntə`brid] *v.t.* & *v.i.* (**-bred**) (使)混種；雜交繁殖。
in·ter·ca·lar·y [ɪn`tɜkə,lɛrɪ] *adj.* ①(曆法)閏的。②插入的。
in·ter·ca·late [ɪn`tɜkə,let] *v.t.* ①加添(日、月等)於曆中；閏。②插入。
in·ter·cede [,ɪntə`sid] *v.i.* ①代爲懇求；說人情。②從中調停。
***in·ter·cept** [,ɪntə`sɛpt] *v.t.* ①中途攔截。②竊聽；截獲。③截斷(水、電等)。④〖運動〗截(球)。⑤〖數〗截切；截取。— [`ɪntə,sɛpt] *n.* ⓊⒸ①截取；妨礙。②〖數〗截距。— **in·ter·cep′tion,** *n.*
in·ter·cep·tor [,ɪntə`sɛptə] *n.* Ⓒ①攔截者；障礙物。②〖軍〗攔截機。
in·ter·ces·sion [,ɪntə`sɛʃən] *n.* ①Ⓤ仲裁；代求情。②ⓊⒸ代禱。
in·ter·ces·sor [,ɪntə`sɛsə] *n.* Ⓒ調停者；仲裁者。
in·ter·change [,ɪntə`tʃendʒ] *v.t.* ①交換；互換。②輪換；交替。— [`ɪntə,tʃendʒ] *n.* ①ⓊⒸ交換。②ⓊⒸ交替。③Ⓒ立體交叉道。— **able,** *adj.*
in·ter·col·le·giate [,ɪntəkə`lidʒɪɪt] *adj.* 大學[學院]之間的。
in·ter·com [`ɪntə,kɑm] *n.* Ⓒ〖俚〗對講機(爲intercommunication system之略)。
in·ter·com·mu·ni·cate [,ɪntəkə`mjunə,ket] *v.i.* ①互通消息。②(房間等)相通。— **in·ter·com·mu·ni·ca′tion,** *n.*
in·ter·con·nect [,ɪntəkə`nɛkt] *v.t.* & *v.i.* (使)互相連接[連絡]。
in·ter·con·ti·nen·tal [,ɪntə,kɑntə`nɛntḷ] *adj.* 大陸間的；洲際的。an ～ ballistic missile洲際彈道飛彈。
***in·ter·course** [`ɪntə,kors, -,kɔrs] *n.* Ⓤ①交際；交通。②心靈的溝通；靈交。③性交；交媾。
in·ter·de·pend [,ɪntədɪ`pɛnd] *v.i.* 互相依賴。
in·ter·de·pend·ence [,ɪntədɪ`pɛndəns] *n.* Ⓤ相倚；互賴。(亦作**interdependency**)
in·ter·de·pend·ent [,ɪntədɪ`pɛndənt] *adj.* 相倚的；互賴的。
in·ter·dict [,ɪntə`dɪkt] *v.t.* ①禁止。②限制。③〖宗〗停止…之教權。④封鎖。— [`ɪntə,dɪkt] *n.* Ⓒ①禁令。②〖宗〗停止教權。— **in·ter·dic′tion,** *n.*
in·ter·dis·ci·pli·nar·y [,ɪntə`dɪsəplḷ,nɛrɪ] *adj.* 各學科間合作的；跨越多種領域的；科際整合的；(不同領域相互間的)共同(研究)的。～ research 科際研究。
****in·ter·est** [`ɪntərɪst, `ɪntrɪst] *n.* ①ⓊⒸ興趣；關心。②Ⓒ所愛好之事物；嗜好。③Ⓒ股份；所有權。④Ⓒ(常*pl.*)利益；利害。⑤Ⓤ利息。～

rates 利率。⑥ U 重要(性)。⑦(*pl.*)夥伴；同業者。the moneyed ～*s* 金融業者。*in the* ～(*s*) *of* 爲…計；爲對…有利。*take* (*an*) ～ *in* 愛好；關心。—— *v.t.* ①使感興趣。②與…有關係。§～ gròup 利益團體。

‡**in·ter·est·ed** [ˋɪntərɪstɪd, ˋɪntrɪstɪd] *adj.* ①感興趣的。②不公平的；偏私的。③有利害關係的。

‡**in·ter·est·ing** [ˋɪntərɪstɪŋ, ˋɪntrɪstɪŋ] *adj.* 引起興趣的；有趣的。

in·ter·face [ˋɪntəˏfes] *n.* C ①(兩者間的)(分)界面；交界面；切點；共通的問題。②〖電算〗接口；界面。

***in·ter·fere** [ˏɪntəˋfɪr] *v.i.* ①衝突；抵觸；妨害〔常 with〕。②干涉；干預〔常 in〕。③仲裁；調停。④〖理〗干擾。⑤〖運動〗(犯規)妨礙(對方選手)。

***in·ter·fer·ence** [ˏɪntəˋfɪrəns] *n.* U ①衝突；干涉；插嘴。②〖無線〗干擾。③〖運動〗(犯規)妨礙對方。

in·ter·fer·on [ˏɪntəˋfɪrɑn] *n.* U C〖生化〗干擾素(應病毒的感染而生，而能抑制病毒成長的物質)。

in·ter·fuse [ˏɪntəˋfjuz] *v.t.* ①充滿；滲入。②使混合。—— *v.i.* 混合。

in·ter·ga·lac·tic [ˏɪntəgəˋlæktɪk] *adj.* 〖天〗星系際的。

in·ter·im [ˋɪntərɪm] *n.* 過渡時間；暫時；臨時。*in the* ～在其間；在其時。—— *adj.* 過渡時期的；暫時的。

***in·te·ri·or** [ɪnˋtɪrɪə] *n.* ①(the ～)內部；內面。②(the ～)內政。③(the ～)(一國之)內地；腹地。④ C 室內圖。—— *adj.* ①在內的；內部的。～ decoration 室內裝潢。②內地的。③內政的；國內的。④祕密的。⑤心靈的。

in·ter·ject [ˏɪntəˋdʒɛkt] *v.t.* 投入其間；突然插入(語詞等)。

***in·ter·jec·tion** [ˏɪntəˋdʒɛkʃən] *n.* ① C 感歎詞。② U (語詞之)插入。

in·ter·lace [ˏɪntəˋles] *v.t.* & *v.i.* ①編織。②(使)交織；(使)組合。

in·ter·lard [ˏɪntəˋlɑrd] *v.t.* 使有變化；混入。

in·ter·lay [ˏɪntəˋle] *v.t.* (**-laid**)①插入中間。②插於中間點綴〔常 with〕。

in·ter·leaf [ˋɪntəˏlif] *n.* C (*pl.* **-leaves**) 插頁；插入之空白紙。

in·ter·leave [ˏɪntəˋliv] *v.t.* 插以空白紙。

in·ter·line[1] [ˏɪntəˋlaɪn] *v.t.* ①插(字等)於行間。②寫、印於行間。—— [ˋɪntəˏlaɪn] *n.* C 插入之行。

in·ter·line[2] [ˏɪntəˋlaɪn] *v.t.* (衣服裏面之間)加襯層。

in·ter·lin·e·ar [ˏɪntəˋlɪnɪə] *adj.* ①插於行間的。②含有相間排列之兩種文字[譯文]的。

in·ter·link [ˏɪntəˋlɪŋk] *v.t.* 環接；使連鎖。——[ˋɪntəˏlɪŋk] *n.* C 連環；連鎖。

in·ter·lock [ˏɪntəˋlɑk] *v.i.* 結合；連結；互鎖。—— *v.t.* 連繫；結合。

in·ter·lo·cu·tion [ˏɪntələˋkjuʃən] *n.* U C 對話；問答。

in·ter·loc·u·tor [ˏɪntəˋlɑkjətə] *n.* C 談話[對話]者。

in·ter·lop·er [ˏɪntəˋlopə] *n.* C ①無照營業者。②(非法)闖入者；干涉者。

in·ter·lude [ˋɪntəˏlud] *n.* C ①空檔時間。②節目間之插樂；插曲。③(多幕劇之)幕間節目。

in·ter·mar·riage [ˏɪntəˋmærɪdʒ] *n.* U 異族通婚；近親結婚。

in·ter·mar·ry [ˏɪntəˋmærɪ] *v.i.* (不同種族或階級間)通婚；近親結婚。

in·ter·med·dle [ˏɪntəˋmɛdl̩] *v.i.* 干涉；管閒事〔in, with〕。

in·ter·me·di·ar·y [ˏɪntəˋmidɪˏɛrɪ] *n.* C 中間人；居間者；媒介物。—— *adj.* ①媒介的。②中間的。

***in·ter·me·di·ate**[1] [ˏɪntəˋmidɪɪt] *adj.* 中間的；居間的。—— *n.* C ①中間物。②調停者。③中型車。

***in·ter·me·di·ate**[2] [ˏɪntəˋmidɪˏet] *v.i.* 作中間人；干預。

in·ter·ment [ɪnˋtɝmənt] *n.* U C 埋葬；土葬。

in·ter·mez·zo [ˏɪntəˋmɛtso]〖義〗*n.* C (*pl.* **～s, -zi** [-sɪ]) ①插劇；插曲；幕間表演。②間奏曲。

in·ter·mi·na·ble [ɪnˋtɝmɪnəbl̩] *adj.* 冗長的。— **in·ter′mi·na·bly,** *adv.*

in·ter·min·gle [ˏɪntəˋmɪŋgl̩] *v.t.* & *v.i.* 混合；攙雜。

in·ter·mis·sion [ˏɪntəˋmɪʃən] *n.* ① U C 活動暫停；中止；中斷。② C 休息時間。

in·ter·mit [ˏɪntəˋmɪt] *v.t.* & *v.i.* (**-tt-**)暫停；中止；間斷；間歇。

in·ter·mit·tent [ˏɪntəˋmɪtn̩t] *adj.* 斷續的；間歇的。— **ly,** *adv.*

in·ter·mix [ˏɪntəˋmɪks] *v.t.* & *v.i.* 使混合；使混雜。

in·ter·mix·ture [ˏɪntəˋmɪkstʃə] *n.* ① U 混合。② C 混合物。

in·tern[1] [ɪnˋtɝn] *v.t.* (在一定區域內)拘留；禁閉。

in·tern[2] [ˋɪntɝn] *n.* C〖美〗住院實習醫生。—— *v.i.* 任住院實習醫生。

***in·ter·nal** [ɪnˋtɝnl̩] *adj.* ①內部的(爲 external 之對)。②內服的；口服的。③國內的；內政的。④主觀的；精神的；心靈的。⑤內在的；本質上的。⑥體內的。～ medicine 內科醫學。§ ～ révenue〖美〗國內稅收。—— *n.* ①(*pl.*)內臟。② C (事物的)本質；實質。— **ly,** *adv.*

in·ter·nal-com·bus·tion [ɪnˋtɝnl̩kəmˋbʌstʃən] *adj.* 〖機〗內燃的。an ～ engine 內燃機。

‡**in·ter·na·tion·al** [ˏɪntəˋnæʃənl̩] *adj.* 國際的。*I- Certificate of Vaccination* 國際預防接種證明書(俗稱 Yellow Book)。*I- Court of Justice* 國際法庭。—— *n.* (I-) C 國際社會主義者與國際共產主義者之組織。§～ bídding 國際招標。Í- Phonétic Álphabet 國際音標(略作 IPA)。the ～ dáte lìne 國際換日線。the Í- Lábor Organizàtion 國際勞工組織(略作 I.L.O.)。the ～ láw 國際法；國際公法。— **ly,** *adv.*

In·ter·na·tio·nale [ˏɪntəˏnæʃəˋnæl]

〖法〗*n.* (the ～)共產國際歌(共產主義者、勞工所唱的革命歌)。

in·ter·na·tion·al·ism [͵ɪntɚ`næʃənḷ͵ɪzəm] *n.* Ⓤ 國際主義。—**in·ter·na′tion·al·ist,** *n.*

in·ter·na·tion·al·ize [͵ɪntɚ`næʃənḷ͵aɪz] *v.t.* 國際化；使歸數國共管。

in·terne [`ɪntɝn] *n.* =**intern²**.

in·ter·ne·cine [͵ɪntɚ`nisɪn] *adj.* ①互相毀滅的；兩敗俱傷的。②致命的。

in·tern·ee [͵ɪntɝ`ni] *n.* Ⓒ (戰爭中被視爲俘虜而)被拘留者。

In·ter·net [`ɪntɚ͵nɛt] *n.* Ⓒ〖電算〗網際網路；國際互聯網絡。§ ～ **sérvice províder** 網際網路服務提供者。

in·tern·ist [ɪn`tɝnɪst] *n.* Ⓒ〖醫〗內科醫師。

in·tern·ment [ɪn`tɝnmənt] *n.* Ⓤ 拘留；禁閉。

in·tern·ship [`ɪntɝn͵ʃɪp] *n.* ⓊⒸ 實習之職位[服務期限]。

in·ter·pel·late [͵ɪntɚ`pɛlet, ɪn`tɝpɪ͵let] *v.t.* (會議中議員向政府官員)質詢。—**in·ter·pel·la′tor, in·ter·pel·la′tion,** *n.*

in·ter·pen·e·trate [͵ɪntɚ`pɛnə͵tret] *v.t.* & *v.i.* 滲透；貫通。

in·ter·per·son·al [͵ɪntɚ`pɝsənḷ] *adj.* 人與人之間的；人際關係的。

in·ter·phone [`ɪntɚ͵fon] *n.* Ⓒ (船、飛機等之)內部電話；對講機。

in·ter·plan·e·tar·y [͵ɪntɚ`plænə͵tɛrɪ] *adj.*〖天〗行星間的；在行星間的；太陽系內的。

in·ter·play [`ɪntɚ͵ple] *n.* Ⓤ 相互作用。—[͵ɪntɚ`ple] *v.i.* 相互作用。

In·ter·pol [`ɪntɚ͵pol] *n.* 國際刑警組織(International Police 之略)。

in·ter·po·late [ɪn`tɝpə͵let] *v.t.* & *v.i.* ①加入字句以改(書等)。②添進(字句等)。③〖數〗在級數中插入(中項)。

in·ter·pose [͵ɪntɚ`poz] *v.t.* ①置於…之間；使介入。②插入(話語)以打斷談話；提出(異議)。—*v.i.* ①介於二者間；插入。②仲裁；調停。③插嘴；干涉。—**in·ter·po·si′tion,** *n.*

***in·ter·pret** [ɪn`tɝprɪt] *v.t.* ①解釋；闡明。②演出；演奏。③了解；認爲。—*v.i.* ①口譯。②解說。

***in·ter·pre·ta·tion** [ɪn͵tɝprɪ`teʃən] *n.* ⓊⒸ ①解釋；解說。②演出；演奏。③翻譯；口譯。

in·ter·pre·ta·tive [ɪn`tɝprɪ͵tetɪv] *adj.* 解釋的；說明的。

***in·ter·pret·er** [ɪn`tɝprɪtɚ] *n.* Ⓒ ①解釋者。②翻譯員。

in·ter·ra·cial [͵ɪntɚ`reʃəl] *adj.* 各種族間的。

in·ter·reg·num [͵ɪntɚ`rɛgnəm] *n.* Ⓒ (*pl.* ～**s, -na** [-nə]) ①(帝位的)空位期。②(政治上的)過渡期。

in·ter·re·late [͵ɪntərɪ`let] *v.t.* & *v.i.* (使)相互關連。—**in·ter·re·la′tion·ship,** *n.*

in·ter·re·lat·ed [͵ɪntərɪ`letɪd] *adj.* 互相關連的；相關的。

in·ter·ro·gate [ɪn`tɛrə͵get] *v.t.* 訊問；審問。—*v.i.* 提出問題。—**in·ter′ro·ga·tor,** *n.*

in·ter·ro·ga·tion [ɪn͵tɛrə`geʃən] *n.* ⓊⒸ 詰問；訊問；審問。

***in·ter·rog·a·tive** [͵ɪntə`rɑgətɪv] *adj.* ①疑惑的。②問句的；疑問的。～ adverb 疑問副詞。—*n.* Ⓒ〖文法〗疑問詞；疑問句。

in·ter·rog·a·to·ry [͵ɪntə`rɑgə͵torɪ] *adj.* 疑問的；質問的；訊問的。—*n.* Ⓒ ①疑問；質問；詢問。②〖法律〗書面質詢。

‡**in·ter·rupt** [͵ɪntə`rʌpt] *v.t.* ①打斷(談話、工作等)；打擾。②遮斷；妨礙。③使中斷。—*v.i.* 打斷；插嘴。

in·ter·rupt·er, in·ter·rup·tor [͵ɪntə`rʌptɚ] *n.* Ⓒ ①遮斷者[物]；阻礙者[物]。②〖電〗斷續器；斷流器。

***in·ter·rup·tion** [͵ɪntə`rʌpʃən] *n.* ⓊⒸ 妨礙；中斷。

in·ter·scho·las·tic [͵ɪntɚskə`læstɪk] *adj.* (中、小學之)校際的。

in·ter·sect [͵ɪntɚ`sɛkt] *v.t.* ①貫穿。②相交。—*v.i.* 交叉。

***in·ter·sec·tion** [͵ɪntɚ`sɛkʃən] *n.* ① Ⓒ 交叉點。② Ⓤ 交叉。③ Ⓒ〖幾何〗交點；交叉線。

in·ter·space [`ɪntɚ͵spes] *n.* Ⓤ (兩物之間的)空間；空隙；間隔；中間。—[͵ɪntɚ`spes] *v.t.* ①留空間於…。②占…之空間。

in·ter·sperse [͵ɪntɚ`spɝs] *v.t.* ①點綴。②散置；散布。

in·ter·state [͵ɪntɚ`stet] *adj.* (美國之)州與州間的；州際的。

in·ter·stel·lar [͵ɪntɚ`stɛlɚ] *adj.* 星際的。

in·ter·stice [ɪn`tɝstɪs] *n.* Ⓒ (常*pl.*)裂口；空隙；罅隙。

in·ter·twine [͵ɪntɚ`twaɪn] *v.t.* & *v.i.* 糾纏；纏繞；編結。

in·ter·twist [͵ɪntɚ`twɪst] *v.t.* & *v.i.* 絞合；搓合。

in·ter·ur·ban [͵ɪntɚ`ɝbən] *adj.* 城市間的；市鎮間的。

in·ter·val** [`ɪntɚvḷ] *n.* Ⓒ ①中間時間(常指休息、或間隔之時間)。②間隔；距離。③〖樂〗音程。at ～s*** **a.** 時時。**b.** 處處。

in·ter·vene [͵ɪntɚ`vin] *v.i.* ①插入；介入。②干涉；調停。③衝突；阻撓。—**in·ter·ven′tion,** *n.*

‡**in·ter·view** [`ɪntɚ͵vju] *n.* Ⓒ ①接見；會見；(應徵等)面談。②(記者)採訪；訪問記(錄)。—*v.t.* ①接見；會見。②採訪。—*v.i.* 面談；晤談。—**er,** *n.*

in·ter·weave [͵ɪntɚ`wiv] *v.t.* & *v.i.* (**-wove** or ～**d, -wo·ven** or **-wove** or ～**d**) ①交織；織合。②混合。

in·tes·tate [ɪn`tɛstet] *adj.* ①未留遺囑的。②未按遺囑處分的。—*n.* Ⓒ 未留遺囑之死者。

in·tes·ti·nal [ɪn`tɛstɪnḷ] *adj.* 腸的。

in·tes·tine [ɪn`tɛstɪn] *n.* Ⓒ (常 *pl.*) 腸。—*adj.* 國內的；內部的。

in·ti·ma·cy [`ɪntəməsɪ] *n.* ① Ⓤ 親密；親近。② Ⓒ (常 *pl.*)親密的行爲。

③Ⓤ(與異性的)性關係；私通。

*in·ti·mate[1] [ˋɪntəmɪt] *adj.* ①親密的；親近的。②內心的；心底的。③私人的；祕密的。④熟稔的；親切的。⑤詳細的。⑥有性關係的。— *n.* Ⓒ(常 one's ～)密友。— **ly,** *adv.*

in·ti·mate[2] [ˋɪntə,met] *v.t.* ①暗示。②宣布；通知。— **in·ti·ma′tion,** *n.*

in·tim·i·date [ɪnˋtɪmə,det] *v.t.* 恐嚇；脅迫。— **in·tim·i·da′tion,** *n.*

‡**in·to** [ˋɪntu, ˋɪntʊ] *prep.* ①進入…之內；深入…之中。②成為(…之狀況)。turn water ～ ice 使水變成冰。③〖數〗除。

*in·tol·er·a·ble [ɪnˋtɑlərəbl] *adj.* 難耐的；無法忍受的。

in·tol·er·ant [ɪnˋtɑlərənt] *adj.* ①(尤指宗教方面)不容有異說的；偏執的。②不能忍受的；不寬容的〔of〕. — **in·tol′er·ance,** *n.* — **ly,** *adv.*

in·to·nate [ˋɪnto,net] *v.t.* & *v.i.* ①=**intone.** ②以某種聲調說[唱]。

*in·to·na·tion [,ɪntoˋneʃən] *n.* ①Ⓤ誦讀；朗誦；吟唱。②ⓊⒸ(語言之)語調；音調。③〖樂〗調音。

in·tone [ɪnˋton] *v.t.* ①抑揚其聲。②吟唱；吟誦。— *v.i.* 吟誦。

in to·to [ɪnˋtoto] 〖拉〗 *adv.* 整個地；全部；完全(=in a whole).

in·tox·i·cant [ɪnˋtɑksəkənt] *n.* Ⓒ酒精飲料；麻醉劑。— *adj.* 醉人的。

*in·tox·i·cate [ɪnˋtɑksə,ket] *v.t.* ①使醉。②使興奮。— **in·tox·i·ca′tion,** *n.*

in·tox·i·cat·ing [ɪnˋtɑksə,ketɪŋ] *adj.* ①能使人醉的。②(酒類)蒸餾的。③令人興奮的。

in·trac·ta·ble [ɪnˋtræktəbl] *adj.* 難駕馭的；難處理的；倔強的。

in·tra·mu·ral [,ɪntrəˋmjʊrəl] *adj.* ①校內的。②城市內的；建築物內的。

in·tra·net [ˋɪntrə,nɛt] *n.* Ⓒ〖電算〗企業網際網路。

in·tran·si·gence [ɪnˋtrænsədʒəns] *n.* Ⓤ不讓步；不妥協；強硬。

in·tran·si·gent [ɪnˋtrænsədʒənt] *adj.* 不妥協的。— *n.* Ⓒ(政治上)不妥協的人。

in·tran·si·tive [ɪnˋtrænsətɪv] 〖文法〗*adj.* (動詞)不及物的。— *n.* Ⓒ不及物動詞。— **ly,** *adv.*

in·tra·pre·neur [,ɪntrəprəˋnɜ] *n.* Ⓒ大公司專為發展新產品、創立新制度等而高薪延聘的特殊人員。

in·tra·state [,ɪntrəˋstet] *adj.* 〖美〗州內的。

in·tra·u·ter·ine [,ɪntrəˋjutərɪn] *adj.* 子宮內的。an ～ device 子宮內避孕裝置。

in·trench [ɪnˋtrɛntʃ] *v.t.* & *v.i.* = **entrench.**

in·trep·id [ɪnˋtrɛpɪd] *adj.* 無畏的；勇猛的。

in·tri·cate [ˋɪntrəkɪt] *adj.* 錯綜複雜的；難懂的。— **in′tri·ca·cy** [-kəsɪ], *n.*

in·trigue [ɪnˋtrig] *n.* ①ⓊⒸ陰謀。②Ⓒ私通。③Ⓤ錯綜複雜的劇情。— *v.i.* ①設陰謀〔against〕. ②私通〔with〕. — *v.t.* 激起…的好奇和興趣。

in·trin·sic [ɪnˋtrɪnsɪk] *adj.* 本身的；實質的；固有的。

‡**in·tro·duce** [,ɪntrəˋdjus] *v.t.* ①納入；引入；傳入。②插入。③提倡；採用。④介紹；推薦。⑤提出；貢獻。⑥使認識；使熟悉。⑦為…之始；引導。⑧引進(外來物)。

*in·tro·duc·tion [,ɪntrəˋdʌkʃən] *n.* ①ⓊⒸ介紹；推薦。②Ⓤ輸入；傳入。③Ⓤ採用；使用。④Ⓒ初步；入門。⑤Ⓒ前言；緒論；序文。⑥Ⓒ〖樂〗前奏曲。

in·tro·duc·to·ry [,ɪntrəˋdʌktərɪ] *adj.* 介紹的；序文的；入門的。

in·tro·spect [,ɪntrəˋspɛkt] *v.i.* & *v.t.* 內省；自省。— **in·tro·spec′tive,** *adj.*

in·tro·spec·tion [,ɪntrəˋspɛkʃən] *n.* Ⓤ內省；自省；反省。

in·tro·vert [,ɪntrəˋvɜt] *v.t.* ①使內向；使內省。②使向內彎曲。— [ˋɪntrə,vɜt] *n.* Ⓒ個性內向者；慣於自省之人。— *adj.* ①向內彎的。②有內向性格的。

*in·trude [ɪnˋtrud] *v.i.* 闖入；侵擾〔upon〕. — *v.t.* ①把(觀點等)強加於…。～ one's views upon others 強使他人採納己見。②強擠入。— **in·trud′er,** *n.*

in·tru·sion [ɪnˋtruʒən] *n.* ⓊⒸ①侵入；妨礙。②(意見等的)強加於人〔upon〕.

in·tru·sive [ɪnˋtrusɪv] *adj.* ①闖入的；干擾的。②〖地質〗形成侵入岩的。

in·trust [ɪnˋtrʌst] *v.t.* =**entrust.**

in·tu·it [ˋɪntjʊɪt] *v.t.* & *v.i.* 直覺；直觀；由直覺[直觀]獲知。

in·tu·i·tion [,ɪntjʊˋɪʃən] *n.* ①ⓊⒸ直覺；第六感。②Ⓒ直覺知識。

in·tu·i·tive [ɪnˋtjuɪtɪv] *adj.* (憑)直覺的。— **ly,** *adv.*

in·un·date [ˋɪnən,det] *v.t.* 淹沒；氾濫；使充滿。

in·un·da·tion [,ɪnənˋdeʃən] *n.* ⓊⒸ淹沒；氾濫；洪水。

in·ure [ɪnˋjʊr] *v.t.* 鍛鍊；使堅強；使慣於。— *v.i.* ①生效；適用。②有助益。

*in·vade [ɪnˋved] *v.t.* ①侵犯；侵略。②擁入；強入。③遍布；充滿。④侵害；干擾。*— **in·vad′er,** *n.*

*in·va·lid[1] [ˋɪnvəlɪd] *n.* Ⓒ病人；病弱者。— *adj.* ①有病的；殘廢的。②供病人用的。— [ˋɪnvə,lɪd] *v.t.* ①使(因殘病而)退役。②使病弱；使殘廢。

in·val·id[2] [ɪnˋvælɪd] *adj.* 無效的；無用的；不成立的(為 valid 之對)。

in·val·i·date [ɪnˋvælə,det] *v.t.* 使無效；使無價值；使作廢。

in·val·u·a·ble [ɪnˋvæljəbl] *adj.* 無價的；非常貴重的。

in·var·i·a·ble [ɪnˋvɛrɪəbl] *adj.* 不變的。

*in·var·i·a·bly [ɪnˋvɛrɪəblɪ] *adv.* 不變地；一定地。

*in·va·sion [ɪnˋveʒən] *n.* ⓊⒸ侵犯；侵入；侵害。— **in·va′sive,** *adj.*

in·vec·tive [ɪnˋvɛktɪv] *n.* ①Ⓤ痛罵；大罵；猛烈抨擊。②Ⓒ(常 *pl.*)咒語；罵人話。— *adj.* 痛斥的；大罵的。

in·veigh [ɪnˋve] *v.i.* 猛烈抨擊；痛罵〔against〕.

in·vei·gle [ɪnˋvigl] *v.t.* 誘騙；誘惑；誘陷。

‡**in·vent** [ɪnˋvɛnt] *v.t.* ①發明；創作。②虛構；杜撰(謊言等)。

‡**in·ven·tion** [ɪn`vɛnʃən] *n.* ①Ⓤ發明。②Ⓒ發明物。③Ⓒ虛構的故事。
in·ven·tive [ɪn`vɛntɪv] *adj.* 發明的; 有發明才能的; 顯示出創造力的。
***in·ven·tor** [ɪn`vɛntɚ] *n.* Ⓒ 發明家; 發明者。
in·ven·to·ry [`ɪnvən,torɪ] *n.* ①Ⓒ目錄; 存貨清單。②Ⓤ〖美〗盤點; 清點。—*v.t.* 編列目錄; 清點存貨。
in·ver·ness [,ɪnvɚ`nɛs] *n.* Ⓒ①一種披肩可卸除之長大衣。②其披肩。
in·verse [ɪn`vɜs] *adj.* (位置、方向等)倒轉的。—*n.* ①(the ～)相反; 倒數。②Ⓒ相反之物。—**ly,** *adv.*
in·ver·sion [ɪn`vɜʃən] *n.* ⓊⒸ ①倒轉; 倒置; 反轉。②倒轉物; 反轉物; 倒置物。③〖修〗倒裝法。④〖樂〗轉位。
in·ver·sive [ɪn`vɜsɪv] *adj.* 顚倒的; 逆的; 使倒轉的; 使轉換的。
***in·vert** [ɪn`vɜt] *v.t.* ①上下顚倒; 倒轉。②前後倒置; 轉換。③〖樂〗轉位。*～ed commas* 〖英〗引號(如' '或" ")(=quotation marks). —[`ɪnvɜt] *n.* Ⓒ①顚倒之物。②同性戀者。
in·ver·te·brate [ɪn`vɜtəbrɪt] *adj.* ①無脊椎(動物)的。②意志薄弱的。—*n.* Ⓒ①無脊椎動物。②無骨氣的人。
***in·vest** [ɪn`vɛst] *v.t.* ①投(資)。②花費。③籠罩; 包圍。④授權給。⑤(以正式儀式)使就職。⑥賦予。⑦使穿著。—*v.i.* ①投資〔in〕. ②〖俗〗購買〔in〕. —**in·ves′tor,** *n.*
***in·ves·ti·gate** [ɪn`vɛstə,get] *v.t.* & *v.i.* 調查; 研究。—**in·ves′ti·ga·tor,** *n.*
***in·ves·ti·ga·tion** [ɪn,vɛstə`geʃən] *n.* ⓊⒸ 調查; 研究; 審查。
in·ves·ti·ture [ɪn`vɛstətʃɚ] *n.* ①Ⓤ敍任; 授與。②Ⓒ敍任式; 授爵式。
***in·vest·ment** [ɪn`vɛstmənt] *n.* ①ⓊⒸ投資。②Ⓒ投資之資本。③Ⓒ投資的對象。④Ⓤ正式就職; 正式授權。⑤Ⓤ衣著。⑥Ⓒ圍攻。§ ～ **còmpany** [**trùst**]投資(信託)公司。
in·vet·er·ate [ɪn`vɛtərɪt] *adj.* ①習慣已深的; 成嗜癖的。②根深蒂固的; 難改的。—**in·vet′er·a·cy,** *n.*
in·vid·i·ous [ɪn`vɪdɪəs] *adj.* ①招嫉妬的; 惹人惡感的。②易招怨恨的。
in·vig·or·ate [ɪn`vɪgə,ret] *v.t.* 使有活力; 鼓舞。
in·vin·ci·ble [ɪn`vɪnsəbḷ] *adj.* 不可征服的; 無敵的; 難以克服的。
in·vi·o·la·ble [ɪn`vaɪələbḷ] *adj.* ①不可褻瀆的; 神聖的。②無法破壞的。
in·vi·o·late [ɪn`vaɪəlɪt] *adj.* 未受侵犯的; 未被破壞的; 未被褻瀆的。
***in·vis·i·ble** [ɪn`vɪzəbḷ] *adj.* ①不可見的; 看不見的。②無從覺察的。—*n.* Ⓒ 看不見的人[物]。—**in·vis′i·bly,** *adv.* —**in·vis·i·bil′i·ty,** *n.*
‡**in·vi·ta·tion** [,ɪnvə`teʃən] *n.* ①ⓊⒸ邀請; 招待。②Ⓒ請柬; 請帖。③Ⓒ引誘; 誘惑; 招致。§ ～ **càrd** [**tìcket**] 請帖[招待券]。
‡**in·vite** [ɪn`vaɪt] *v.t.* ①邀請。②請求; 懇請。③招致; 引起。④引誘; 誘惑。—[`ɪnvaɪt] *n.* 〖俗〗=**invitation.**
in·vit·ing [ɪn`vaɪtɪŋ] *adj.* 誘惑人的; 引人動心的。—**ly,** *adv.*
in·vo·ca·tion [,ɪnvə`keʃən] *n.* ①Ⓤ祈禱。②Ⓒ召喚惡魔的咒語; 咒文。③ⓊⒸ(法律的)行使; 實施。
in·voice [`ɪnvɔɪs] *n.* Ⓒ〖商〗發票; 發貨單。—*v.t.* 開發票; 開列帳單。
in·voke [ɪn`vok] *v.t.* ①求(神)保佑; 祈求。②懇求; 乞求。③以法術召(鬼)。
in·vol·un·tar·y [ɪn`vɑlən,tɛrɪ] *adj.* 非本意的; 無心的; 本能的; 〖生理〗不隨意的。—**in·vol′un·tar·i·ly,** *adv.*
in·vo·lute [`ɪnvə,l(ɪ)ut] *adj.* ①紛亂的; 複雜的。②〖植〗(葉等)內捲的。③〖動〗捲成螺狀的。—**in·vo·lu′tion,** *n.*
***in·volve** [ɪn`vɑlv] *v.t.* ①包括。②影響; 牽涉; 拖累。③使陷於。④使糾纏; 使變複雜。⑤專心於。⑥包圍; 包裹。—**ment,** *n.*
in·volved [ɪn`vɑlvd] *adj.* ①牽涉在內的。②複雜的。③專注的。
in·vul·ner·a·ble [ɪn`vʌlnərəbḷ] *adj.* ①不會受傷害的。②無懈可擊的。
***in·ward** [`ɪnwɚd] *adj.* ①內在的; 內心的。②向中心的。③內陸的。④(聲音)不清楚的。⑤精神上的。—*adv.* ①向內地。②在內心地。—*n.*(*pl.*)〖俗〗腸; 內臟。—**ly,** *adv.* —**ness,** *n.*
in·wards [`ɪnwɚdz] *adv.* =**inward.**
Io. Iowa.
I/O input/output. 〖電算〗輸入或輸出。
IOC International Olympic Committee. 國際奧林匹克委員會。
i·o·dide [`aɪə,daɪd] *n.* ⓊⒸ〖化〗碘化物。
i·o·dine [`aɪə,daɪn, -,din], **-din** [-dɪn] *n.* Ⓤ①〖化〗碘。②碘酒。
i·on [`aɪən] *n.* Ⓒ〖理〗離子。
i·on·ize [`aɪən,aɪz] *v.t.* & *v.i.* (使)分解成離子; 電離。
i·on·o·sphere [aɪ`ɑnə,sfɪr] *n.* (the ～)〖理〗電離層。
i·o·ta [aɪ`otə] *n.* ①ⓊⒸ希臘字母的第九個字母(Ι, ι). ②(an ～)些微; 一點; 極少量。
IOU, I.O.U. [`aɪ,o`ju] *n.* Ⓒ (*pl.* **～s, ～'s**)借據(源出 I owe you).
I·o·wa [`aɪəwə] *n.* 愛荷華(美國中西部之一州, 首府 Des Moines).
IQ, I.Q. intelligence quotient.智商。
IRA Irish Republican Army. 愛爾蘭共和軍。
I·ran [aɪ`ræn, i`rɑn] *n.* 伊朗(國名, 位於亞洲西南部, 首都 Teheran).
I·ra·ni·an [aɪ`renɪən] *adj.* 伊朗(人)的; 伊朗語系的。—*n.* ①Ⓒ伊朗人。②Ⓤ伊朗語。
I·raq, I·rak [i`rɑk] *n.* 伊拉克(國名, 位於亞洲西南部, 首都 Baghdad).
I·ra·qi [ɪ`rɑkɪ] *n.* ①Ⓒ伊拉克人。②Ⓤ伊拉克語。—*adj.* 伊拉克的; 伊拉克人[語]的。
i·ras·ci·ble [aɪ`ræsəbḷ] *adj.* 易怒的; 暴躁的。
i·rate [`aɪret] *adj.* 發怒的; 生氣的。
IRC International Red Cross. 國際紅十字會。
ire [aɪr] *n.* Ⓤ憤怒; 怒氣。—**ful,** *adj.*

*Ire·land [ˋaɪrlənd] n. 愛爾蘭。

ir·i·des·cent [ˏɪrəˋdɛsn̩t] adj. 呈虹色的；現暈光的。— ir·i·desˊcence, n.

i·rid·i·um [aɪˋrɪdɪəm] n. Ⓤ〖化〗銥(金屬元素；符號 Ir)。

i·ris [ˋaɪrɪs] n. ① Ⓒ (pl. ~·es)(眼球的)虹膜。② Ⓒ (pl. ir·i·des [ˋaɪrɪˏdiz]) 鳶尾屬植物。③(I-)〖希神〗彩虹女神。

*I·rish [ˋaɪrɪʃ] adj. 愛爾蘭的；愛爾蘭人[語]的。— n. ①(the ~)愛爾蘭人。② Ⓤ 愛爾蘭語。— man, — wo·man, n.

irk [ɜk] v.t.令(人)厭煩[厭倦]；使苦惱。— some, adj.

‡i·ron [ˋaɪən] n. ① Ⓤ 鐵。② Ⓒ 鐵器。③ Ⓒ 熨斗。④(pl.)鐐銬。⑤ Ⓤ 毅力；堅定不移的意志。⑥ Ⓒ〖高爾夫〗鐵頭球桿。⑦ Ⓒ〖俚〗手槍。⑧ Ⓒ 烙鐵。⑨ Ⓒ (常 pl.)馬鐙。⑩ Ⓤ〖醫〗鐵質。⑪ Ⓤ〖藥〗鐵劑。*have too many ~s in the fire* 同時要辦的事務太多。*rule with a rod of ~[with an ~ hand]* 施高壓政策。*Strike while the ~ is hot.* 打鐵趁熱。— adj.①鐵製的。②似鐵的；堅強的。③苛刻的；殘酷的。— v.t. ①熨燙(衣服等)。②裝以鐵；用鐵鋪蓋。— v.i. 燙衣服。~ *out*〖俗〗a. 燙衣服。b. 消除(困難、歧見等)。§ ~ cúrtain 鐵幕。~ lúng 鐵肺(人工呼吸器)。the Í- Àge〖考古〗鐵器時代。

i·ron·bound [ˋaɪənˏbaund] adj. ①鐵包的。②堅固的。③險阻的。

i·ron·clad [ˋaɪənˋklæd] adj. ①裝甲的。②嚴格的。— n. Ⓒ 裝甲艦。

i·ron·fist·ed [ˋaɪənˋfɪstɪd] adj.①無情的。②吝嗇的。

i·ron-gray, 〖英〗-grey [ˋaɪənˋgre] adj. 鐵灰色的。

i·ron·hand·ed [ˋaɪənˋhændɪd] adj. 鐵腕的；嚴厲的。

i·ron-heart·ed [ˋaɪənˋhɑrtɪd] adj. 鐵石心腸的。

*i·ron·ic, -i·cal [aɪˋrɑnɪk(l̩)] adj. (用反語以)譏諷的；幽默的。— i·ronˊ-i·cal·ly, adv.

i·ron·ing [ˋaɪənɪŋ] n. Ⓤ 熨衣服。§ ~ bòard 熨衣板。

i·ron·mon·ger [ˋaɪənˏmʌŋgɚ] n. Ⓒ〖英〗五金商；鐵器商。

i·ron·mon·ger·y [ˋaɪənˏmʌŋgərɪ] n. 〖英〗Ⓤ 鐵器類；鐵器業。

i·ron·smith [ˋaɪənˏsmɪθ] n. Ⓒ 鐵匠；鐵工。

i·ron·stone [ˋaɪənˏston] n. Ⓤ 鐵礦(石)。

i·ron·ware [ˋaɪənˏwɛr] n. Ⓤ 鐵器；五金。

i·ron·wood [ˋaɪənˏwud] n.① Ⓒ 木質堅實之樹。② Ⓤ 木質堅實的木材。

i·ron·work [ˋaɪənˏwɜk] n. Ⓤ (構造物)鐵製部分；鐵製品。

i·ron·works [ˋaɪənˏwɜks] n. Ⓒ (pl. ~)鐵工廠；煉鐵廠。

*i·ro·ny [ˋaɪrənɪ] n. ① Ⓤ〖修〗反語法。② Ⓤ 諷刺；挖苦。③ Ⓒ 諷刺的話。④ Ⓒ 意外的結局。

ir·ra·di·ate [ɪˋrediˏet] v.t. ①照耀；使發光。②啓發；啓迪。③用紫外線[放射線]處理。— v.i. 發光；照耀。

ir·ra·tion·al [ɪˋræʃənl] adj. 不合理的；無理性的。— ly, adv.

ir·re·claim·a·ble [ˏɪrɪˋkleməbl̩] adj. 不能回復的；不能開墾的。

ir·rec·on·cil·a·ble [ɪˋrɛkənˏsaɪləbl̩] adj. 不能和解的；不能相容的。— n. Ⓒ (政治上)不妥協者。

ir·re·cov·er·a·ble [ˏɪrɪˋkʌvərəbl̩] adj. 不能挽回的；不能治療的。

ir·re·deem·a·ble [ˏɪrɪˋdiməbl̩] adj. ①不能償還的(政府公債等)。②不能兌現的(紙幣)。③不能挽救的。

ir·re·duc·i·ble [ˏɪrɪˋdjusəbl] adj. ①不能減縮的。②難復原的。

ir·ref·ra·ga·ble [ɪˋrɛfrəgəbl] adj. 不可辯駁的；不可否認的。

ir·ref·u·ta·ble [ɪˋrɛfjutəbl] adj. 不能反駁的。

*ir·reg·u·lar [ɪˋrɛgjəlɚ] adj. ①不規則的；不合常規的。②不整齊的；不一致的。③〖文法〗變化不規則的(動詞等)。④不合法的。⑤不合規格的。— n. Ⓒ ①(常 pl.)非正規軍。②(常 pl.)不合規格之物品。③不規則的東西。— ly, adv. — ir·reg·u·larˊi·ty, n.

ir·rel·e·vant [ɪˋrɛləvənt] adj. 不相關的；離題的。— ir·relˊe·vance, n.

ir·re·li·gion [ˏɪrɪˋlɪdʒən] n. Ⓤ 無宗教；無信仰；反宗教。— ir·re·liˊgious, adj.

ir·re·me·di·a·ble [ˏɪrɪˋmidɪəbl̩] adj. 不能補救的；無可救藥的。

ir·re·mov·a·ble [ˏɪrɪˋmuvəbl̩] adj. 不能移動的；不能撤免的。

ir·rep·a·ra·ble [ɪˋrɛpərəbl] adj. ①不能修補的。②不能挽回的。

ir·re·place·a·ble [ˏɪrɪˋplesəbl̩] adj. 不能替換的；不能代替的。

ir·re·press·i·ble [ˏɪrɪˋprɛsəbl̩] adj. 不能壓服的；不能抑制的。

ir·re·proach·a·ble [ˏɪrɪˋprotʃəbl̩] adj.無可責難的；無過失的。

ir·re·sist·i·ble [ˏɪrɪˋzɪstəbl, ˏɪrrɪ-] adj.①不可抵抗的。②不能壓制的。③極爲誘惑人的。④不能反駁的。— ir·re·sistˊi·bly, adv.

ir·res·o·lute [ɪˋrɛzəˏlut] adj. 無決斷力的；優柔寡斷的；猶豫不決的。— ir·res·o·luˊtion, n.

ir·re·spec·tive [ˏɪrɪˋspɛktɪv] adj. 不顧的；不論的；不拘的(of)。

ir·re·spon·si·ble [ˏɪrɪˋspɑnsəbl̩] adj. 不須負責任的；無責任感的。

ir·re·spon·sive [ˏɪrɪˋspɑnsɪv] adj. 無反應的；不起感應的(to)。

ir·re·triev·a·ble [ˏɪrɪˋtrivəbl̩] adj. 不能恢復的；不能復原的；不能補救的。— ir·re·trievˊa·bly, adv.

ir·rev·er·ent [ɪˋrɛvərənt] adj. 不敬的；不恭的。— ir·revˊer·ence, n.

ir·re·vers·i·ble [ˏɪrɪˋvɜsəbl̩] adj. ①不能倒逆的；不能倒轉的。②不能取消[變更]的。

ir·rev·o·ca·ble [ɪˋrɛvəkəbl] adj. 不能撤回的；不能取消的。

ir·ri·ga·ble [ˋɪrɪgəbl] adj. 可灌溉的。

ir·ri·gate [ˋɪrə͵get] *v.t.* ①灌溉。②〖醫〗沖洗。

***ir·ri·ga·tion** [͵ɪrəˋgeʃən] *n.* Ⓤ ①灌溉。②〖醫〗注洗(法)。

ir·ri·ta·ble [ˋɪrətəbl] *adj.* ①易怒的; 性急的。②過敏的。—**irˊri·ta·bly,** *adv.* —**ir·ri·ta·bilˊi·ty,** *n.*

ir·ri·tant [ˋɪrətənt] *adj.* 有刺激性的。—— *n.* Ⓒ刺激劑[物]。

***ir·ri·tate** [ˋɪrə͵tet] *v.t.* ①激怒。②使過敏。③刺激。—**irˊri·tat·ing,** *adj.*

ir·ri·ta·tion [͵ɪrəˋteʃən] *n.* ①Ⓤ急躁; 生氣; 發怒。②Ⓒ使人急躁的事[物]。③ⓊⒸ發炎; 刺痛。

ir·rup·tion [ɪˋrʌpʃən] *n.* ⓊⒸ入侵; 闖入。

IRS, I.R.S. Internal Revenue Service.〖美〗國稅局。

‡**is** [ɪz, z, s] *v.i.* be 的第三人稱, 單數, 現在式, 直說法。

ISBN International Standard Book Number. 國際標準圖書編號。

ISDN Integrated Service Digital Network.〖電算〗整合服務數位網路。

i·sin·glass [ˋaɪzɪŋ͵glæs] *n.* Ⓤ①魚膠。②〖礦〗雲母。

***Is·lam**[ˋɪsləm]*n.* Ⓤ①伊斯蘭教; 回教。②(集合稱)回教徒。③回教國。—**ism,** *n.*

Is·lam·a·bad [ɪsˋlɑmə͵bɑd] *n.*伊斯蘭馬巴德(巴基斯坦首都)。

Is·lam·it·ic [͵ɪsləˋmɪtɪk] *adj.* 伊斯蘭的; 回教(徒)的。(亦作 **Islamic**)

‡**is·land** [ˋaɪlənd] *n.* Ⓒ①島; 島嶼。②似島之物; (街道之)安全島。③(航空母艦右舷的)甲板室; 艦臺等。—**er,** *n.*

isle [aɪl] *n.* Ⓒ〖詩〗島; 嶼。***The British Isles*** 不列顛群島。

is·let [ˋaɪlɪt] *n.* Ⓒ小島。

ism [ˋɪzəm] *n.* Ⓒ主義; 學說; 論。

‡**is·n't** [ˋɪznt] =**is not.**

i·so·bar [ˋaɪsə͵bɑr] *n.* Ⓒ①〖氣象〗等壓線。②〖理, 化〗同量素。

i·soch·ro·nous [aɪˋsɑkrənəs] *adj.* 等時(性)的。

i·so·gloss [ˋaɪsə͵glɑs] *n.* Ⓒ〖語言〗等語線(語言地圖上區分語言特徵的線)。

***i·so·late** [ˋaɪsl͵et, ˋɪs-] *v.t.* ①使隔離; 使孤立。②〖化〗分解; 使游離。—**iˊso·lat·ed** [～ɪd], *adj.*

i·so·la·tion [͵aɪslˋeʃən] *n.* Ⓤ①隔離; 孤立; 游離。②〖電〗絕緣。③〖化〗分離。—**ism,** —**ist,** *n.*

i·so·met·ric,-ri·cal [͵aɪsəˋmɛtrɪk(l)] *adj.* 等大的; 等積的; 等角的。

i·sos·ce·les [aɪˋsɑsl͵iz] *adj.* (三角形)等邊[等腰]的。

i·so·therm [ˋaɪsə͵θɝm] *n.* Ⓒ〖氣象〗等溫線。

i·so·tope [ˋaɪsə͵top] *n.* Ⓒ〖化〗同位素(原子序相同, 原子量相異之元素)。

Is·ra·el [ˋɪzrɪəl] *n.* ①以色列(猶太國家, 首都 Jerusalem)。②(集合稱, 作 *pl.*解)猶太人。③〖聖經〗Jacob 的別名。

Is·rae·li [ɪzˋrelɪ] *n.* Ⓒ (*pl.* ～**s,** ～) 以色列人; 猶太人。——*adj.* 以色列(人)的; 猶太(人)的。

Is·ra·el·ite [ˋɪzrɪəl͵aɪt] *n.* Ⓒ以色列人; 猶太人; 希伯來人。

is·su·ance [ˋɪʃuəns] *n.* Ⓤ①發給; 配給。②發行; 發布。

is·sue** [ˋɪʃu, ˋɪʃju] *v.t.* ①發行; 出版。②發出; 發給。③冒出。—— *v.i.* ①冒出; 流出。②結果。③發出; 出。④起於; 發生。⑤發行。—— *n.* ①Ⓤ發行。②Ⓒ(雜誌之)期。③Ⓤ發出。④Ⓤ流出。⑤Ⓒ流出物。⑥Ⓒ結果; 後果。⑦Ⓒ(常 *sing.*)配給(物)。⑧Ⓒ爭論點。⑨Ⓤ(集合稱)〖法律〗子(女)。at*** ～ 爭論中的。***in the*** ～ 結局。***join*** ～ ***with*** 與…爭辯。***make an*** ～ (***of***) 挑起爭辯。***take*** ～ 不同意。

Is·tan·bul [͵ɪstɑnˋbul] *n.* 伊斯坦堡(土耳其之一城市, 舊稱君士坦丁堡)。

isth·mi·an [ˋɪsmɪən] *adj.* ①地峽的。②(I-)巴拿馬地峽的。③(I-)科林斯地峽的。

isth·mus [ˋɪsməs] *n.* Ⓒ (*pl.* ～·**es, -mi** [-maɪ]) ①地峽。②〖解〗峽部。

‡**it** [ɪt] *pron.* (*pl.* **they**)①它; 牠(第三人稱, 單數, 中性, 主格及受格; 可指無生物, 動物, 有時亦指幼兒)。②那個; 這個(=that, this)。③作無人稱動詞及無人稱結構之主詞, 多指自然現象、時間與距離。④置於句首作假主詞, 以代替後述較長之短語[子句]。⑤用作動詞的含糊受詞。He lorded *it* over us. 他對我們逞威風。⑥作以述詞所分開之關係代名詞的前述詞。*It* was a blue car that passed. 過去的是一輛藍色轎車。—— *n.* Ⓤ①(捉迷藏遊戲之)鬼。②〖俗〗理想; 極致。③〖俚〗性感; 魅力。

It., Ital. Italian; Italic; Italy.

***I·tal·ian** [ɪˋtæljən] *adj.* 義大利的; 義大利人[語]的。—— *n.*①Ⓒ義大利人。②Ⓤ義大利語。

I·tal·ian·ize [ɪˋtæljən͵aɪz] *v.i.* & *v.t.* (使)有義大利風格; 使義大利化。

***i·tal·ic** [ɪˋtælɪk] *adj.* 用義大利體[斜體]字印刷的。—— *n.*①(常 *pl.*)義大利體字; 斜體字。②(I-)義大利語系。

i·tal·i·cize [ɪˋtælə͵saɪz] *v.t.* ①用義大利體[斜體]印刷。②用斜字體表示。

‡**It·a·ly** [ˋɪtlɪ] *n.* 義大利(國名, 位於南歐地中海岸, 首都 Rome)。

***itch** [ɪtʃ] *n.* ①(an ～)癢。②(the ～)疥癬。③Ⓒ(常 *sing.*)渴望; 渴想。—— *v.i.* ①發癢。②渴望; 渴想。—**itchˊy,** *adj.*

itch·ing [ˋɪtʃɪŋ] *n.* Ⓒ①癢。②渴望。—— *adj.* ①癢的。②渴望著的。③貪財的; 貪得的。***have an*** ～ ***palm*** 貪財。

***i·tem** [ˋaɪtəm] *n.* Ⓒ①條; 款; 項目。②一條新聞。——[ˋaɪtɛm] *adv.* 又; 同樣地。

i·tem·ize [ˋaɪtəm͵aɪz] *v.t.* 詳細列舉; 分項列出。

it·er·ate [ˋɪtə͵ret] *v.t.* 重複[做]。—**it·er·aˊtion,** *n.* —**itˊer·a·tive,** *adj.*

i·tin·er·ant [aɪˋtɪnərənt] *adj.* ①巡迴的。②(臨時工人)流動的。—— *n.* Ⓒ巡迴工作者。—**i·tinˊer·an·cy,** *n.*

i·tin·er·ar·y [aɪˋtɪnə͵rɛrɪ] *n.* Ⓒ①旅行計畫。②旅行日誌。③旅行指南。—— *adj.* 巡迴的; 旅行的。

i·tin·er·ate [aɪˋtɪnə͵ret] *v.i.* ①巡迴; 遊歷。②巡迴傳教[審判]。

‡**it'll** [ˋɪtl] ①=**it will.** ②=**it shall.**

‡**its** [ɪts] *pron.* (it的所有格)它的; 牠的。

‡**it's** [ɪts] ①=**it is.** ②=**it has.**
‡**it·self** [ɪt`sɛlf] *pron.* ①(它)本身。②它自己。(*all*) *by* ～ **a.**自行；單獨地。**b.**獨自。*in* ～ 本質上。*of* ～ 自行。
-ity 〖字尾〗表「狀態；特性」之義。
‡**I've** [aɪv] =**I have.**
i·vied [`aɪvɪd] *adj.* 長滿常春藤的。
***i·vo·ry** [`aɪvərɪ] *n.* ①Ⓤ象牙。②(*pl.*)牙齒。③Ⓤ乳白色。④Ⓒ(常 *pl.*)〖俚〗**a.**鋼琴的鍵盤。**b.**骰子。§～ **tówer** 象牙塔(與世隔絕之夢想境界)。**the Í- Cóast** 象牙海岸(非洲西部之一共和國，首都 Abidjan)。
i·vy [`aɪvɪ] *n.* Ⓤ常春藤。§**the Í- Léague** 常春藤聯盟(美國東部八所著名大學之聯合會)。

J j J j

J or **j** [dʒe] *n.* ⓊⒸ (*pl.* **J's, j's** [～z]) 英文字母之第十個字母。
jab [dʒæb] *v.t.* & *v.i.* (**-bb-**)刺；戳。—*n.* Ⓒ①刺；戳。②〖俗〗皮下注射。
jab·ber [`dʒæbɚ] *v.t.* & *v.i.*快而含糊地說。—*n.* Ⓤ含糊不清的話或聲音。
ja·bot [ʒæ`bo] *n.* Ⓒ(女裝)胸部褶飾。
jack [dʒæk] *n.*①Ⓒ(常J-)男子；少年；傢伙。②Ⓒ起重機；千斤頂。③Ⓒ〖牌戲〗傑克。④Ⓒ船首旗。⑤Ⓒ(常J-)水手；水兵。⑥Ⓒ〖英俚〗警官。⑦Ⓒ〖英〗保齡球戲用以瞄準之小球。⑧Ⓒ〖電〗插座。*J- of all trades*博而不精之人。—*v.t.* 抬起；提醒。～ *up* **a.**用起重工具抬起。**b.**〖俗〗提高(價格、工資等)。**c.**〖俗〗申斥；責罵。§～ **stàff** 〖海〗船首旗竿。
jack·al [`dʒækɔl] *n.* Ⓒ①〖動〗胡狼。②卑鄙之人；走狗。
jack·a·napes [`dʒækə,neps] *n.* Ⓒ①頑童。②自負之人。
jack·ass [`dʒæk,æs] *n.* Ⓒ①公驢。②愚蠢的人。
jack·boot [`dʒæk,but] *n.* Ⓒ(過膝的)長統靴。
jack·daw [`dʒæk,dɔ] *n.* Ⓒ〖鳥〗穴鳥。
***jack·et** [`dʒækɪt] *n.* Ⓒ①短外衣；夾克。②(書籍、唱片的)封套。③馬鈴薯的皮。④毛皮。⑤公文卷宗。
jack·ham·mer [`dʒæk,hæmɚ] *n.* Ⓒ一種用壓縮空氣操作的輕便鑽。
jack-in-the-box [`dʒækɪnðə,bɑks] *n.* Ⓒ玩偶盒(打開盒蓋即跳出玩偶的玩具盒)。
jack-in-the-pul·pit [`dʒækɪnðə`pulpɪt] *n.* Ⓒ〖植〗(北美產之)黃花菖蒲。
jack·knife [`dʒæk,naɪf] *n.* Ⓒ (*pl.* **-knives**)①〖美〗大摺刀；水手刀。②鎌刀式跳水。
jack-of-all-trades [,dʒækəv`ɔl,tredz] *n.* Ⓒ (*pl.* **jacks-**)(有時 J-)萬能先生；萬事通(尤指手工靈活者)。
jack-o'-lan·tern [`dʒækə,læntɚn] *n.* Ⓒ①(萬聖節前夕雕成人面狀的空心)南瓜燈。②鬼火；磷火。
jack·pot [`dʒæk,pɑt] *n.* Ⓒ〖牌戲〗累積賭金。*hit the* ～〖俚〗得到驚人的成功；中大獎。
jack·screw [`dʒæk,skru] *n.* Ⓒ螺旋千斤頂。
jack·straw [`dʒæk,strɔ] *n.*①Ⓒ稻草人。②**a.**(*pl.*, 作 *sing.* 解)一種將多數之麥桿、木片等丟擲桌上一次撿一根，不得觸動其他之遊戲。**b.**Ⓒ上述遊戲所用之麥桿、木片等。③Ⓒ小人物。
jack-tar [`dʒæk`tɑr] *n.* Ⓒ〖俗〗水兵；水手。(亦作 **Jack Tar**)
Ja·cob [`dʒekəb] *n.*〖聖經〗雅各(Isaac之次子，猶太人之祖先)。
jade[1] [dʒed] *n.*①ⓊⒸ翡翠；玉。②Ⓒ玉製飾物。③Ⓤ翡翠色；綠色。
jade[2] *n.* Ⓒ①瘦馬；老馬；駑馬。②〖謔〗名譽不好[水性楊花]的女人。—*v.t.* & *v.i.*①(使)疲倦。②(使)乏味；(使)厭膩。—**jad'ed,** *adj.*
jag [dʒæg] *n.* Ⓒ(岩石等的)尖銳的突出；鋸齒形缺口。—*v.t.* (**-gg-**) 使成鋸齒狀。—**jag'ged,** *adj.*
jag·uar [`dʒægwɑr, `dʒægjʊ,ɑr] *n.* Ⓒ〖動〗美洲虎。
jai a·lai, jai-a·lai [,haɪə`laɪ] 〖西〗 *n.* Ⓤ回力球。
***jail** [dʒel] *n.*①Ⓒ監牢；牢獄；拘留所。②Ⓤ拘留；監禁。—*v.t.*下獄；監禁。§～ **delìvery** 劫獄。〔注意〕**jail** 英國拼爲 **gaol,** 讀音相同。
jail·bird [`dʒel,bɝd] *n.* Ⓒ①〖俗〗犯人；囚犯。②慣犯。
jail·break [`dʒel,brek] *n.* Ⓒ越獄。
jail·er, -or [`dʒelɚ] *n.* Ⓒ獄卒。
Ja·kar·ta [dʒə`kɑrtə] *n.* 雅加達(印尼首都)。
ja(l)·lop·y [dʒə`lɑpɪ] *n.* Ⓒ〖美俚〗老爺車；破舊的飛機。
jal·ou·sie [,ʒælʊ`zi] *n.* Ⓒ百葉窗。
***jam**[1] [dʒæm] *v.t.* (**-mm-**)①壓緊；擠緊。②夾傷；擠傷。③推開；擠。④塞滿；塞入。⑤使(機械等)發生故障。⑥〖無線〗干擾(信號)。—*v.i.*①(機械等)發生故障。②擁塞。—*n.* Ⓒ①擁擠之人群；堆積之物。②〖美俗〗困難；障礙。③妨礙；擁擠。
***jam**[2] *n.* Ⓤ①果醬。②〖英俚〗愉快[輕鬆]的事。
Ja·mai·ca [dʒə`mekə] *n.*牙買加(西印度群島中一島，首都爲 Kingston).
jamb(e) [dʒæm] *n.* Ⓒ(門、窗、壁爐等之)側柱。
jam·bo·ree [,dʒæmbə`ri] *n.* Ⓒ①〖美俗〗喧鬧之宴會或娛樂。②童軍大會。
jam-packed [`dʒæm`pækt] *adj.* 〖美俗〗塞緊的；擠得透不過氣的。
Jan. January.
jan·gle [`dʒæŋgl] *v.i.*①(鈴)亂響。②爭吵。—*v.t.*①亂搖(鈴)使發刺耳之聲。②爭論。③刺激；使不安。—*n.* Ⓤ①噪音；亂吵。②口角。
jan·i·tor [`dʒænətɚ] *n.* Ⓒ管門者；守衛；〖美〗(大樓等的)管理員。
‡**Jan·u·ar·y** [`dʒænjʊ,ɛrɪ] *n.* 正月。
Ja·nus [`dʒenəs] *n.*〖羅神〗堅納斯(門

神，頭部有兩副面孔)。
Ja·nus-faced [`dʒenəs,fest] *adj.*①有兩副面孔的(如Janus). ②有兩種對比性質的。③欺詐的。④看到或覺察兩種相反方面的。
Jap [dʒæp] *adj.*日本(人)的。— *n.* Ⓒ『蔑』日本人。
Jap. Japan; Japanese.
ja·pan [dʒə`pæn] *n.* Ⓤ漆；漆器。— *v.t.* (-nn-)漆以日本漆。
‡**Ja·pan** [dʒə`pæn, dʒæ-] *n.* 日本(國名，位於亞洲東部，首都爲 Tokyo).
‡**Jap·a·nese** [,dʒæpə`niz] *adj.* 日本(人)的；日語的。— *n.* (*pl.* ~)①Ⓒ日本人。②Ⓤ日語；日文。
Jap·a·nesque [,dʒæpə`nɛsk] *adj.* 日本式的。
jape [dʒep] *n.* Ⓒ戲謔；嘲弄。— *v.t.* & *v.i.* 戲謔；嘲弄。
ja·pon·i·ca [dʒə`pɑnɪkə] *n.* Ⓒ『植』山茶。
‡**jar**[1] [dʒɑr] *n.* Ⓒ①大口瓶。②一瓶之量。
jar[2] *n.* Ⓒ①搖撼；震動。②軋轢聲。③衝突；不和。④刺激。— *v.t.* (-rr-)①震驚；震動。②使作軋轢聲。③刺激。— *v.i.*①衝突；爭執。②作軋轢聲。③震動；刺激。— **jar′ring,** *n.* & *adj.*
jar·di·niere [,dʒɑrdn̩`ɪr] *n.* Ⓒ(裝飾用之)花盆；花架。
jar·gon [`dʒɑrgən] *n.* Ⓤ Ⓒ①專業術語。②難懂的話。③喋喋不休的閒談。— *v.i.* ①說行話。②閒談。
jas·min(e) [`dʒæsmɪn] *n.*① Ⓤ Ⓒ『植』茉莉。②Ⓤ淺黃色。
Ja·son [`dʒesn̩] *n.* 『希神』傑森(率領Argonauts至Colchis國尋得金羊毛)。
jas·per [`dʒæspɚ] *n.* Ⓤ Ⓒ碧玉。
ja·to [`dʒeto] *n.* Ⓒ (*pl.* ~s) 噴射輔助起飛。
jaun·dice [`dʒɔndɪs] *n.* Ⓤ①黃疸病。②偏見。
jaun·diced [`dʒɔndɪst] *adj.*①患黃疸病的。②妒羨的；乖僻的；有偏見的。take a ~ view of... 對…持偏頗的看法[懷偏見]。
jaunt [dʒɔnt] *v.i.* 遠足；遊覽。— *n.* Ⓒ遠足；徒步旅行。§ ~ing **càr** 愛爾蘭的一種雙輪馬車。
jaun·ty [`dʒɔntɪ] *adj.*①活潑的。②漂亮時髦的。③洋洋得意的。— **jaun′ti·ly,** *adv.* — **jaun′ti·ness,** *n.*
Ja·va [`dʒɑvə] *n.*①爪哇。②Ⓤ爪哇咖啡。③Ⓤ (常j-)『美俚』咖啡。§ ~ **màn** 『人類學』爪哇猿人。
Jav·a·nese [,dʒævə`niz] *adj.*爪哇[人，語]的。— *n.* (*pl.* ~)①Ⓒ爪哇人。②Ⓤ爪哇語。
jave·lin [`dʒævlɪn] *n.*①Ⓒ標槍。②(the ~)擲標槍之運動項目。
***jaw** [dʒɔ] *n.*①Ⓒ頷；顎。②(*pl.*)(鉗子之)鉗口；(山谷或海峽之)狹口。③(*pl.*)險境。④Ⓤ Ⓒ『俗』喋喋不休；斥責。— *v.i.* & *v.t.* 『俚』①嘮叨；閒談。②責罵。
jaw·bone [`dʒɔ,bon] *n.* Ⓒ (下)顎骨。
jaw·break·er [`dʒɔ,brekɚ] *n.* Ⓒ『俗』①非常難讀的字。②硬糖果。
jay [dʒe] *n.* Ⓒ①『鳥』樫鳥。②『俚』愛講話的人；笨蛋。
jay·walk [`dʒe,wɔk] *v.i.*『俗』不遵守交通規則而穿越馬路。— **er,** *n.*
***jazz** [dʒæz] *n.* Ⓤ①爵士樂。②爵士舞。③狂噪。④『俚』活潑；熱鬧。⑤『俚』大話。— *adj.* (似)爵士樂的。— *v.t.* ①奏(樂曲)成爵士音樂。②『俚』使有活力〔常up〕。— *v.i.* ①跳爵士舞。②快活地行動〔常 up〕.
jazz·y [`dʒæzɪ] *adj.*①爵士樂的。②活潑的。— **jazz′i·ly,** *adv.*
***jeal·ous** [`dʒɛləs] *adj.*①嫉妒的；妒羨的。②注意的；審愼的。③忠實的；愛惜的。— **ly,** *adv.*
***jeal·ous·y** [`dʒɛləsɪ] *n.* ①Ⓤ嫉妒；妒忌。②Ⓒ妒忌的行爲[言詞]。
***jean** [dʒin, dʒen] *n.*① Ⓤ 斜紋布。②(*pl.*) **a.**斜紋布工作服。**b.**『俚』褲子；牛仔褲。
jeep [dʒip] *n.* Ⓒ吉普車。— *v.i.* 乘吉普車。
jeer [dʒɪr] *v.i.* & *v.t.*①嘲弄；揶揄〔at〕. ②以嘲笑驅走〔off〕. — *n.* Ⓒ 嘲弄；譏評。
Jef·fer·son [`dʒɛfɚsn̩] *n.* 哲斐遜(Thomas, 1743-1826, 於1801-09年任美國第三位總統)。
Je·ho·vah [dʒɪ`hovə] *n.*耶和華(舊約聖經中對上帝的稱呼)。
je·june [dʒɪ`dʒun] *adj.* ①空洞的。②缺乏營養的。③枯燥無味的。
je·ju·num [dʒɪ`dʒunəm] *n.* Ⓒ (*pl.* **-na** [-nə])『解』空腸。
Jek·yll [`dʒikl] *n.* (Dr. ~)吉柯醫生(Robert Louis Stevenson之名著*Dr. Jekyll and Mr. Hyde*中之主角)。~ and Hyde 雙重人格。
jell [dʒɛl] *v.i.*『美俗』①成凍子。②(計畫等)定案。— *v.t.*使成凍子；使定案。
Jell-O [`dʒɛlo] *n.* Ⓤ『商標』果凍。
***jel·ly** [`dʒɛlɪ] *n.*① Ⓤ Ⓒ 凍子；果凍。② Ⓤ (又作 a ~)似凍子之物。— *v.i.* 成凍子。— *v.t.*①使成凍子。②塗凍子於…上。
jel·ly·fish[`dʒɛlɪ,fɪʃ] *n.* (*pl.* ~, ~·es) ①Ⓒ水母；海蜇。②Ⓤ海蜇皮。③Ⓒ『俗』意志薄弱之人。
jem·my [`dʒɛmɪ] *n.* 『英俚』①=**jimmy.** ②Ⓤ Ⓒ燒羊頭。— *v.t.* =**jimmy.**
jen·net [`dʒɛnɪt] *n.* Ⓒ (西班牙種)小馬。
jen·ny [`dʒɛnɪ] *n.* Ⓒ①紡紗機。②自動起重機。
jeop·ard·ize [`dʒɛpɚd,aɪz] *v.t.*使瀕於險境；冒…之危險。
jeop·ard·y [`dʒɛpɚdɪ] *n.* Ⓤ危險；危難。
jer·bo·a [dʒɚ`boə] *n.* Ⓒ『動』跳鼠。
jer·e·mi·ad [,dʒɛrə`maɪæd] *n.* Ⓒ 悲歎；悲傷的故事。
***jerk**[1] [dʒɝk] *n.* Ⓒ①急拉；急停；急動。②(肌肉的)痙攣。③『俚』未經世故的人；笨蛋。— *v.t.*①急拉；急推；急拋。②抽水。— *v.i.* ①急動；顛簸而行；急停。②結結巴巴地說。
jerk[2] *v.t.* 乾製(肉)。— *n.* Ⓤ Ⓒ肉乾。
jer·kin [`dʒɝkɪn] *n.* Ⓒ ①(十六、十七世紀男人穿的)短皮上衣。②女背心。
jerk·wa·ter [`dʒɝk,wɔtɚ] *n.* Ⓒ 支線專用之火車。— *adj.* ①支線的。②『俗』小的；不重要的。
jerk·y [`dʒɝkɪ] *adj.*①急動的；急停的；痙攣性的。②『俚』愚笨可笑的。

J

jer·ry [ˋdʒɛrɪ] *n.* Ⓒ①〖英俚〗便器。②偷工減料的營造商。
jer·ry-build·er [ˋdʒɛrɪ͵bɪldɚ] *n.* Ⓒ偷工減料的營造商。
jer·ry-built [ˋdʒɛrɪ͵bɪlt] *adj.*偷工減料的。
Jer·sey [ˋdʒɝzɪ] *n.*①澤西島(法國海岸附近之英屬島嶼)。②Ⓒ澤西產之乳牛。③(j-)Ⓤ(女用)緊身內衣。④(j-)Ⓒ緊身套頭衫。⑤(j-)Ⓤ巧織毛料。
Je·ru·sa·lem [dʒəˋrusələm] *n.*耶路撒冷(以色列的首都)。
jess [dʒɛs] *n.* Ⓒ(繫鷹足之)足帶。
jes·sa·mine [ˋdʒɛsəmɪn] *n.*=**jasmin(e).**
***jest** [dʒɛst] *n.* Ⓒ①笑話;滑稽。②嘲弄。③嘲笑的對象;笑柄。*in* ~不認眞地。— *v.i.*①講笑話;開玩笑〔常with〕.②取笑〔常at〕. — *v.t.*嘲笑;嘲弄。
jest·book [ˋdʒɛst͵bʊk] *n.* Ⓒ笑話集。
jest·er [ˋdʒɛstɚ] *n.* Ⓒ小丑;弄臣。
Jes·u·it [ˋdʒɛʒuɪt] *n.* Ⓒ①耶穌會會士。②(j-)陰謀家;虛僞者。
‡**Je·sus** [ˋdʒizəs] *n.* ①耶穌。②上帝。— *interj.* 表誓言或強烈的懷疑、敬畏、失望、痛苦等。
***jet**[1] [dʒɛt] *n.* Ⓒ①噴射;噴出。②噴射口。③噴射機。④噴出物。— *v.i.* & *v.t.*(-**tt**-)①迸出;射出。②乘坐噴射機。§ ~ **éngine** 噴射引擎。~ **làg**(長時間飛行的)時差失調。~ **pláne** 噴射機。~ **strèam** (1)噴射氣流。(2)火箭或噴射引擎之廢氣。
jet[2] *n.* Ⓤ①〖礦〗黑玉。②漆黑。— *adj.* ①黑玉所製的。②漆黑的。
jet-black [ˋdʒɛtˋblæk] *adj.*漆黑的。
jet-hop [ˋdʒɛt͵hɑp] *v.i.*(-**pp**-)乘噴射機至各地旅行。
jet·lin·er [ˋdʒɛt͵laɪnɚ] *n.* Ⓒ噴射客機。
jet·port [ˋdʒɛt͵pɔrt] *n.* Ⓒ噴射機機場。
jet-pro·pelled [ˋdʒɛtprəˋpɛld] *adj.* 噴射推進式的。
jet·sam [ˋdʒɛtsəm] *n.* Ⓤ船舶遇難時爲減輕負擔而拋棄之貨物。
jet-set·ter [ˋdʒɛt͵sɛtɚ] *n.* Ⓒ乘噴射機到處旅遊的闊佬;往來各地辦事[旅行]的富豪[著名人士]。
jet-ski [ˋdʒɛtski] *n.* Ⓒ滑水車。
jet·ti·son [ˋdʒɛtəsn̩] *v.t.*(船或飛機遇難時)向船[機]外投棄(貨物)。— *n.* Ⓤ拋出船[機]外之貨物。
jet·ty[1] [ˋdʒɛtɪ] *n.* Ⓒ防波堤;碼頭。
jet·ty[2] *adj.* 烏黑的。
***Jew** [dʒu, dʒɪu] *n.* Ⓒ猶太人。
‡**jew·el** [ˋdʒuəl, ˋdʒɪuəl] *n.* Ⓒ①珠寶。②珠寶飾物。③貴重的物或人。④錶中之寶石。— *v.t.*(-**l**-,〖英〗-**ll**-)飾以珠寶。
jew·el·er [ˋdʒuələ] *n.* Ⓒ①珠寶商。②鐘錶商;鐘錶匠。(〖英〗亦作**jeweller**)
jew·el·ler·y [ˋdʒuəlrɪ] *n.* 〖英〗=**jewelry.**
***jew·el·ry** [ˋdʒuəlrɪ] *n.* Ⓤ(集合稱)珠寶;鑲嵌有寶石之飾物。
Jew·ess [ˋdʒuɪs] *n.* Ⓒ〖蔑〗猶太女人。
***Jew·ish** [ˋdʒuɪʃ, ˋdʒjuɪʃ] *adj.*猶太的;猶太人的;似猶太人的。
Jew·ry [ˋdʒurɪ] *n.*①Ⓤ(集合稱)猶太人;猶太民族。②Ⓒ猶太人居住區;猶太(人)街。
Jew's-harp, Jews'-harp [ˋdʒuz͵hɑrp] *n.* Ⓒ單簧口琴。
jib[1] [dʒɪb] *n.* Ⓒ①船首三角帆。②起重機之迴旋臂。*the cut of one's* ~〖俗〗風采;裝束。
jib[2] *v.i.*(-**bb**-)側行或後退而不前進;逡巡不前。— *v.t.*轉移或移動(帆、帆桁等)。§ ~ **bòom**〖海〗第二斜桅。
jibe[1] [dʒaɪb] *v.* & *n.* =**gibe.**
jibe[2] *v.i.* 同意;與…相和諧。
jiff [dʒɪf], **jif·fy** [ˋdʒɪfɪ] *n.* (a ~)〖俗〗一瞬間。*in a* ~ 馬上。
jig [dʒɪg] *n.* Ⓒ①捷格舞(一種輕快的舞蹈)。②捷格舞曲。③特種魚鉤。④篩。*in* ~ *time*〖俗〗馬上。*The* ~ *is up.*一切都完了。— *v.t.*(-**gg**-)①跳(捷格舞)。②搖動。— *v.i.* ①跳捷格舞。②蹦跳。③用jig魚鉤釣魚。④用礦篩搖篩。
jig·ger [ˋdʒɪgɚ] *n.* Ⓒ①計量杯。②〖美俚〗新玩意兒。③〖高爾夫〗鐵頭球桿。④〖海〗補助帆。⑤〖通信〗振動變壓器。
jig·ger·mast [ˋdʒɪgɚ͵mæst] *n.* Ⓒ(四桅船之)後桅。
jig·gle [ˋdʒɪgl̩] *v.t.* & *v.i.* 輕搖;微動。— *n.* Ⓒ輕搖;微動。
jig·saw [ˋdʒɪg͵sɔ] *n.* Ⓒ①鋼絲鋸;鏤花鋸。②(亦作**jigsaw puzzle**)拼圖玩具。
Jill [dʒɪl] *n.* Ⓒ(常j-)少女;情人;妻。
jilt [dʒɪlt] *v.t.*遺棄;拋棄(情人)。— *n.* Ⓒ拋棄戀人的女子。
Jim [dʒɪm] *n.* 吉姆(男子名)。§ ~ **Crów**〖美俚〗(1)老烏(對黑人之蔑稱)。(2)對黑人之不平等待遇;種族分離。~ **Crówism** (1)黑白(人)分離作法或政策。(2)反黑人的情緒。
jim·my [ˋdʒɪmɪ] *n.* Ⓒ(盜賊用之)鐵撬。— *v.t.* 撬開(門、窗等)。
jin·gle [ˋdʒɪŋgl̩] *v.i.* ①作玎璫聲。②(詩句)充滿簡單的韻及重覆字句。③作玎璫聲而行走。④押韻。— *v.t.*使作玎璫聲。— *n.* Ⓒ①玎璫聲。②聲韻鏗鏘之詩篇。③一種二輪馬車。
jin·go [ˋdʒɪŋgo] *n.* Ⓒ (*pl.* ~**es**)侵略主義者;極端愛國主義者;主戰論者。*by* (*the living*) ~! 誓必;一定。— *adj.* 侵略主義的。
jin·go·ism [ˋdʒɪŋgo͵ɪzəm] *n.* Ⓤ侵略主義;強硬之外交政策。—**jin′go·ist,** *n.* —**jin·go·is′tic,** *adj.*
jink [dʒɪŋk] *v.i.*①急轉。②躲開。— *n.* (*pl.*)喧嚷;狂歡。
jin·ni, jin·nee [dʒɪˋni] *n.* Ⓒ (*pl.* **jinn** [dʒɪn])〖回教神話〗神靈;靈魔。
jinx [dʒɪŋks]〖美俚〗*n.* Ⓒ不祥之人[物];掃帚星。— *v.t.* 使(某人)倒楣[失敗]。
jit·ney [ˋdʒɪtnɪ] *n.* Ⓒ〖美俚〗① 五分;五分鎳幣。②五分錢一次的公共汽車。
jit·ter [ˋdʒɪtɚ] *v.i.* 〖美俚〗神經過敏;心神不定。— *n.* (the ~s)〖俚〗神經過敏;焦躁;恐慌。—**jit′ter·y,** *adj.*
jit·ter·bug [ˋdʒɪtɚ͵bʌg] *n.* Ⓒ ①〖俚〗熱門音樂迷。②吉特巴。— *v.i.* (-**gg**-)〖俚〗跳吉特巴舞。
jive [dʒaɪv] *n.*〖俚〗①Ⓤ搖擺樂。②Ⓒ

隨搖擺樂起舞之舞蹈。③Ⓤ無意義或欺騙的話。── *v.i.*①奏搖擺樂。②隨搖滾樂起舞。── *v.t.*欺騙(某人)。

‡job [dʒab] *n.* Ⓒ①工作。②職責；任務。③〖美俗〗職位；職業。④包工；散工。⑤〖俗〗事件；事情。⑥瀆職；貪汚。⑦〖俚〗盜竊；犯罪。⑧〖俚〗人或事(尤指引起注意者)。⑨〖印刷〗零星工作。***on the*** **~**〖俚〗盡職的。── *v.t.* **(-bb-)**①購買(大量貨物)以分售零售商；買賣；經紀；租賃。②分包(工作)給人。③假公濟私。④開革。⑤欺騙。── *v.i.* ①做散工。②作經紀。③假公濟私。── *adj.* ①包工的；臨時雇用的。②大宗的。§ **~ lòt**(廉價)整批出售的貨物。─ **less,** *adj.* 無業的；失業(中)的。

Job [dʒob] *n.*〖聖經〗①約伯(希伯來之族長)。②(舊約中之)約伯記。

job·ber [ˋdʒabɚ] *n.* Ⓒ ①〖英〗股票經紀人。②批發商。③做散工者。④假公濟私者。

job·ber·y [ˋdʒabərɪ] *n.* Ⓤ假公濟私；瀆職行爲；貪污舞弊。

job·hold·er [ˋdʒab͵holdɚ] *n.* Ⓒ ①有固定職業的人。②〖美〗政府職員。

job-hop [ˋdʒab͵hap] *v.i.* **(-pp-)**屢換職業；經常跳槽。─ **per,** *n.*

job-hunt [ˋdʒab͵hʌnt] *v.i.* 找工作求職。─ **er,** *n.*

jock [dʒak] *n.* Ⓒ〖俗〗賽馬的騎師。

jock·ey [ˋdʒakɪ] *n.* Ⓒ①賽馬的騎師。②〖俗〗駕駛人；操作者。── *v.t. & v.i.* ①(賽馬時)騎(馬)。②欺騙；耍手段。③〖俗〗駕駛(飛機、汽車)。§ **~ clùb** 賽馬俱樂部。

jo·cose [dʒoˋkos] *adj.* 詼諧的；滑稽的。─ **ly,** *adv.* ─ **jo·cos′i·ty,** *n.*

joc·u·lar [ˋdʒakjəlɚ] *adj.* 滑稽的。

joc·und [ˋdʒakənd] *adj.* 歡樂的；高興的。─ **jo·cun′di·ty** [-ˋkʌn-], *n.*

jodh·purs [ˋdʒadpɚz] *n. pl.* 馬褲。

***jog** [dʒag] *v.t.* **(-gg-)**①推動；輕搖；輕撞。②喚起(記憶)。── *v.i.* 搖晃前進；沉重緩慢而行。── *n.* Ⓒ ①輕推；搖動。②慢步。③暗示。§ **~ tròt** (1)蹣跚；緩步。(2)單調的生活；常規。

jog·ging [ˋdʒagɪŋ] *n.* Ⓤ慢跑。

jog·gle [ˋdʒagl] *v.t. & v.i.*①輕搖；震動。②搖曳而行〔on, along〕。── *n.* Ⓒ搖動；震動。

Jo·han·nes·burg [dʒoˋhænɪs͵bɝg] *n.*約翰尼斯堡(南非共和國一工業都市)。

john [dʒan] *n.* Ⓒ (有時 J-)〖俚〗①廁所。②嫖客。

John [dʒan] *n.* 〖聖經〗①(新約)約翰福音。②約翰(耶穌的門徒)。③施洗者約翰。§ **~ Búll** (1)英國人。(2)典型的英國人。**~ Dóe** (1)甲方(法律或正式文件上所用之假定之人)。(2)張三(一般人)。

John·ny [ˋdʒanɪ] *n.* ①(j-) Ⓒ男人；少年；傢伙。②強尼(男子名)。③(j-) Ⓒ花花公子。

john·ny·cake [ˋdʒanɪ͵kek] *n.* Ⓤ Ⓒ〖美〗玉米餅(玉蜀黍粉製成之餅)。

‡join [dʒɔɪn] *v.t.* ①連接；接合；聯合。②會合；交接。③使締交；使聯姻。④回；歸。⑤加入；參加。⑥隨同。⑦接近；毗連。⑧會戰；交戰。── *v.i.*①加入；參加。②聯合。③伴隨；一同。④毗連。⑤從軍〔常 up〕。**~ *battle*** 交戰；會戰。**~ *forces*** (***with***) (與)合作；聯合行動。**~ *up***〖俗〗入伍；從軍。── *n.* Ⓒ連接處；接縫處。

join·er [ˋdʒɔɪnɚ] *n.* Ⓒ ①聯合者；接合物。②細工木匠。③〖俗〗加入許多俱樂部及社團的人。

join·er·y [ˋdʒɔɪnərɪ] *n.* Ⓤ ①細木匠業；細木工。②細木工的製品。

joint** [dʒɔɪnt] *n.* Ⓒ①連接物；連接處。②〖解〗關節。③大塊(肉)。④接合(方式)。⑤〖俚〗不正派的場所。out of*** **~** **a.** 脫節；脫臼。**b.** 不吉利。**c.** 不相稱。── *v.t.*①(用連接物)接合。②自關節切斷；分節。── *adj.* ①共同的；連帶的。②共有的。***J- Chiefs of Staff*** 〖美〗參謀首長聯席會議。§ **~ státement** 聯合聲明。─ **ly,** *adv.*

joint·ed [ˋdʒɔɪntɪd] *adj.*接合的；有接縫的；有關節的。

joint-stock [ˋdʒɔɪntˋstak] *adj.*合資的；股份組織的。§ **~ còmpany**[**corporàtion**] 股份公司。

join·ture [ˋdʒɔɪntʃɚ] *n.* Ⓒ〖法律〗寡婦所得產。

joist [dʒɔɪst, dʒɔɪs] *n.* Ⓒ 托梁；小桁。

‡joke [dʒok] *n.* Ⓒ①笑話；玩笑；幽默。②笑柄；取笑之對象。③惡作劇。④過於容易的事。***a practical*** **~** 惡作劇。***have*** **~**(***with somebody***) (與人)開玩笑。***in*** **~**玩笑地。***make a*** **~** ***about something*** 把某事當做兒戲。***no*** **~**不是兒戲；重要的事。***play a*** **~** ***on somebody*** 捉弄人。***see a*** **~** 識幽默。***take a*** **~** 經得起開玩笑。── *v.i.* 說笑話；開玩笑。── *v.t.* 取笑；愚弄。

jok·er [ˋdʒokɚ] *n.* Ⓒ ①愛講笑話者；詼諧者。②〖英俚〗傢伙。③小丑牌；飛牌；百搭。④取巧。

jok·ing [ˋdʒokɪŋ] *adj.* 戲謔的；打趣的；(當著)開玩笑的。─ **ly,** *adv.*

jol·li·fy [ˋdʒalə͵faɪ] *v.t.*〖俗〗使愉快；使高興。── *v.i.* 飲酒作樂；歡樂。

jol·li·ty [ˋdʒalɪtɪ] *n.* ⓊⒸ 快樂；歡宴。

***jol·ly** [ˋdʒalɪ] *adj.*①高興的；愉快的。②宜人的；爽快的。③**a.**很；非常的。**b.**大的。④〖英俗〗(飲酒而心情)愉快的；微醉的。── *adv.*〖英俗〗極；很；非常。── *v.t. & v.i.* 〖俗〗恭維；奉承。§ **~ bòat**(大船上所攜帶的)小艇。**J~ Róger** 海盜[骷髏]旗。

jolt [dʒolt] *v.t.* 使搖；使顛簸。── *v.i.* 顛簸而行；搖晃。── *n.* Ⓒ ①顛簸；搖動。②震驚。③令人震驚之事。─ **jolt′y,** *adj.*

Jo·nah [ˋdʒonə] *n.*①〖聖經〗約拿(希伯來的先知)。②約拿書(舊約聖經之一卷)。③ Ⓒ 不祥的人[物]。

Jones [dʒonz] *n.*瓊斯(Daniel, 1881-1967, 英國語音學家)。

jon·quil [ˋdʒaŋkwɪl] *n.* Ⓒ〖植〗長壽花；黃水仙。

Jor·dan [ˋdʒɔrdn̩] *n.*①約旦(亞洲西南部之一國，其首都爲 Amman)。②約旦河(巴勒斯坦境內之一河流)。

josh [dʒaʃ] 〖美俚〗 *n.* Ⓒ 戲謔。── *v.t.*

& *v.i.* 揶揄；(無惡意地)開玩笑。

joss [dʒɑs] *n.*① Ⓒ (中國之)神像；菩薩。② Ⓤ Ⓒ 〖俚〗好運；機會。③ Ⓒ 〖英俚〗工頭；老闆。§ ～ **hòuse** (中國的)神廟。～ **stìck** (中國祭神用之)香。

jos·tle [ˋdʒɑsḷ] *v.t.*推擠。— *v.i.*①推擠(如在人群中)〔常 with, against〕。②競爭。— *n.* Ⓒ 擁擠；推撞。

jot [dʒɑt] *n.* (a ～)些微；少量。***not a*** ～ 一點也不。— *v.t.* (**-tt-**) 匆匆而記；略記〔down〕。

joule [dʒaul] *n.* Ⓒ 〖理〗焦耳(電能之實用單位，$=10^7$ 爾格)。

jounce [dʒaʊns] *v.i.* & *v.t.* & *n.* Ⓒ 震動；搖撼；顛簸。

***jour·nal** [ˋdʒɝnḷ] *n.* Ⓒ ①日誌；日記。②期刊；報紙；雜誌。③分類帳；流水帳。④〖機〗軸頸。

jour·nal·ese [ˏdʒɝnḷˋiz] *n.* Ⓤ 新聞文體；新聞用語。

***jour·nal·ism** [ˋdʒɝnḷˏɪzəm] *n.* Ⓤ ①新聞學；新聞業。②(集合稱)報章雜誌。③報章雜誌上之文章。

***jour·nal·ist** [ˋdʒɝnḷɪst] *n.* Ⓒ ①新聞記者；新聞工作者。②記日記者。

jour·nal·is·tic [ˏdʒɝnḷˋɪstɪk] *adj.* 新聞事業的；新聞雜誌特有的。

‡**jour·ney** [ˋdʒɝnɪ] *n.* Ⓒ 旅行；旅程。***break one's*** ～(***at***)中途逗留。— *v.i.* 旅行。

jour·ney·man [ˋdʒɝnɪmən] *n.* Ⓒ (*pl.* **-men**)①熟練工人。②(學徒滿期的)職工。

joust [dʒʌst] *n.* Ⓒ ①(騎士之)馬上長槍比武。②(常 *pl.*)比賽；競技。— *v.i.*馬上用長槍比武。

Jove [dʒov] *n.*=**Jupiter.** ***by*** ～***!*** **a.**表驚異、快樂等歎詞。**b.**發誓用語。

jo·vi·al [ˋdʒovɪəl] *adj.*①快活的；和氣的；快樂的。②(J-) Jove 的。

jowl [dʒaul] *n.* Ⓒ ①(常 *pl.*)下顎；顎。②(常 *pl.*)頰。③(胖子)下顎之垂肉。④魚頭。⑤(家畜的)喉部垂肉。

‡**joy** [dʒɔɪ] *n.*① Ⓤ 歡喜；高興。② Ⓒ 樂事。***for*** ～由於高興而(做某事)。***to the*** ～ ***of***令…極爲快樂或高興。— *v.i.* & *v.t.* (使)快樂。— **less,** *adj.*

Joyce [dʒɔɪs] *n.*喬伊斯(James, 1882-1941, 愛爾蘭作家)。

***joy·ful** [ˋdʒɔɪfəl] *adj.* 歡喜的；快樂的；高興的。— **ly,** *adv.* — **ness,** *n.*

joy·ous [ˋdʒɔɪəs] *adj.* 快樂的；高興的。— **ly,** *adv.*

joy-ride [ˋdʒɔɪˏraɪd] *v.i.*〖俗〗駕車兜風。

jr., Jr. Junior.

ju·bi·lant [ˋdʒubḷənt] *adj.* 歡呼的；喜洋洋的。— **juˊbi·lance,** *n.*

ju·bi·la·tion [ˏdʒubḷˋeʃən] *n.*① Ⓤ 歡呼；喜悅。② Ⓒ (常 *pl.*)歡欣慶祝。

ju·bi·lee [ˋdʒubḷˏi] *n.*① Ⓒ 猶太五十年節。② Ⓤ 歡騰；狂歡節。③ Ⓒ 二十五或五十周年紀念。④ Ⓒ 天主教大赦年。

Ju·dah [ˋdʒudə] *n.* ①〖聖經〗猶大(**a.**Jacob 之第四子。**b.**猶大後裔)。②古巴勒斯坦南部之一王國。

Ju·da·ism [ˋdʒudɪˏɪzəm] *n.* Ⓤ ①猶太教。②猶太主義；信奉猶太教。③(集合稱)猶太人。

Ju·das [ˋdʒudəs] *n.*①〖聖經〗猶大(即出賣耶穌者)。② Ⓒ 出賣朋友的人。③ Ⓒ (常 j-) (門等的)窺視孔。

‡**judge** [dʒʌdʒ] *n.* Ⓒ ①司法官；推事；審判官。②裁判者。③鑑識家。④士師(古以色列的統治者)。— *v.t.*①審判。②裁判；判斷；評判。③鑑定；識別。④認爲。⑤批評；譴責。— *v.i.* ①當法官；審判。②判斷；估計。～ ***by*** [***from***]由…觀之；由…看來。§ ～ **ádvocate**〖軍〗軍法官；檢察官。～ **ádvocate géneral**〖軍〗軍法處長；軍法局長。

judg(e)·ment** [ˋdʒʌdʒmənt] *n.*① Ⓤ Ⓒ 審判；判決。② Ⓤ 判斷力。③ Ⓤ Ⓒ 判斷；意見。④ Ⓒ 天譴；報應。⑤(J-)〖神學〗最後審判。the*** (***Day of***) ***J-***(基督教所謂的)最後審判日；世界末日。§ **J～ Dày**〖神學〗世界末日；最後審判日。～ **sèat** 推事席；審判官席。

ju·di·ca·to·ry [ˋdʒudɪkəˏtorɪ] *adj.* 裁判的；司法的。— *n.*① Ⓒ 裁判所；法庭。② Ⓤ 司法行政。

ju·di·ca·ture [ˋdʒudɪkətʃɚ] *n.*① Ⓤ 司法行政。② Ⓤ 司法權。③ Ⓤ 法官的權威[職權]。④ Ⓒ (集合稱)司法官。

ju·di·cial [dʒuˋdɪʃəl] *adj.*①法庭的；法官的；司法的。②公正的。③法官或法院裁決的。

ju·di·ci·ar·y [dʒuˋdɪʃɪˏɛrɪ] *n.* ①(the～)司法部。② Ⓒ 司法組織。③(the ～) (集合稱)法官。— *adj.*司法的；法院的；法官的。

ju·di·cious [dʒuˋdɪʃəs] *adj.*賢明的；深思遠慮的。— **ly,** *adv.* — **ness,** *n.*

ju·do [ˋdʒudo]〖日〗*n.* Ⓤ 柔道。

***jug** [dʒʌg] *n.*① Ⓒ 壺；細頸瓶。② Ⓒ 壺中物。③ Ⓤ Ⓒ 〖俚〗監獄。— *v.t.* (**-gg-**) ①〖俚〗關進監獄。②裝入壺中。③在陶製鍋中燉(肉)。

jug·gle [ˋdʒʌgḷ] *v.t.* ①變(戲法)；耍(把戲)。②騙取。③竄改。④似漏接後又抓住。— *v.i.* ①變戲法。②欺瞞。— *n.* Ⓒ ①變把戲；魔術。②騙術。

jug·gler [ˋdʒʌglɚ] *n.* Ⓒ 變戲法者；行騙者。

jug·gler·y [ˋdʒʌglərɪ] *n.* Ⓤ ①戲法；幻術。②詐欺。

jug·u·lar [ˋdʒʌgjəlɚ] *adj.*①頸[喉]部的。②頸靜脈的。— *n.*① Ⓒ 〖解〗頸靜脈。②(the ～) (對方的)最大弱點。

‡**juice** [dʒus] *n.* ① Ⓤ Ⓒ 汁；液。② Ⓤ 〖美俚〗酒。③(*pl.*)體液。④ Ⓤ 〖美俚〗電。⑤ Ⓤ 〖俚〗汽油。⑥ Ⓤ 精華；活力。⑦ Ⓤ 〖美俚〗不合理的利息；暴利。

juic·er [ˋdʒusɚ] *n.* Ⓒ ①果汁機；榨汁機。②燈光技師。③〖美俚〗酒鬼。

***juic·y** [ˋdʒusɪ] *adj.*①多汁液的。②有趣的；生動的。

ju·jube [ˋdʒudʒub] *n.* Ⓒ ①〖植〗棗樹；棗實。②棗形或棗味之糖果。

juke·box [ˋdʒukˏbɑks] *n.* Ⓒ 自動點唱機。

Jul. July.

ju·lep [ˋdʒulɪp] *n.* Ⓒ ①〖美〗一種白蘭地或威士忌加糖、冰及薄荷等之混合飲料。②用以調和藥物之糖水。

ju·li·enne [ˏdʒulɪˋɛn]〖法〗*n.* Ⓤ 配以

菜片[絲]之清湯。— *adj.* (蔬菜等)切成絲或片的。

Jul·ius Cae·sar [ˋdʒuljəsˋsizə] ①參看 **Caesar.** ②莎翁一悲劇名。

***Ju·ly** [dʒuˋlaɪ] *n.* 七月。

jum·ble [ˋdʒʌmbl̩] *v.t.* 混合; 混雜。— *v.i.*混雜; 亂成一團。— *n.*(a ～) ①一團; 一堆。②雜亂。§～ **sàle** 義賣。

jum·bo [ˋdʒʌmbo] *n.* Ⓒ (*pl.* **～s**) ①龐然大物; 巨漢; 巨無霸; 巨獸。②= **jumbo jet.** — *adj.*超大的; 巨大的。§～ **jét** 巨無霸噴射客機。

jump** [dʒʌmp] *v.i.* ①跳; 躍。②猛跳; 驚跳。③突升。④〖俗〗趕忙服從。⑤〖俚〗充滿著活動。⑥開始某事、戰役、攻擊等(尤指大規模者)。⑦越過。⑧突然改變。⑨省略(字、數目等)。⑩快速升級。— *v.t.*①使跳。②跳過。③(西洋棋中)跳過而吃(對方之棋子)。④〖俚〗逃離。⑤漏掉; 略去。⑥欺騙。⑦〖美俚〗跳上(火車)。⑧跳級; 越級。⑨使越級上升。⑩時間未到而先開始。⑪突然增加。⑫突然攻擊。～ ***a claim 強占他人(地產等之)產權。～ ***at*** 欣然接受。～ ***down someone's throat*** 責罵某人。～ ***the rails***[***track***](火車等)出軌。～***upon*** [***on***]責罰; 突擊。— *n.* ① Ⓒ 跳; 躍。② Ⓒ 驚跳。③ Ⓒ 突升; 突增。④ Ⓒ 跳躍之距離。⑤ Ⓒ (西洋棋中)吃對方棋子之一著。⑥(the ～s)〖俗〗神經緊張; 憂慮。***have*** [***get***] ***the*** ～ ***on***〖俚〗比…佔先; 勝過。***high*** [***broad***] ～ 跳高[遠]。***on the*** ～匆匆忙忙。§～ **àrea**〖軍〗傘兵降落區。～ **ròpe** 跳繩遊戲(繩)。～ **sùit** 跳傘衣。

jump·er[1] [ˋdʒʌmpə] *n.* Ⓒ ①跳躍者; 跳躍選手。②跳蟲(跳蚤等)。

jump·er[2] *n.* ① Ⓒ 工作服上衣。② Ⓒ 無袖短袿。③ Ⓒ〖英〗(穿在blouse等外面之)套頭毛衣④(*pl.*)連衫褲童裝。

jump·y [ˋdʒʌmpɪ] *adj.*①跳動的; 痙攣的。②神經質的。

Jun. June; Junior.

***junc·tion** [ˋdʒʌŋkʃən] *n.*① Ⓤ 聯絡; 連接。② Ⓒ (河流)會合處; (鐵路等)交叉點。

junc·ture [ˋdʒʌŋktʃə] *n.* ① Ⓒ 接合點。② Ⓤ 接合; 連合。③ Ⓒ 時機; 危機。④ Ⓤ Ⓒ〖語音〗相鄰音節之連合。

***June** [dʒun] *n.* 六月。

***jun·gle** [ˋdʒʌŋgl̩] *n.*①(the ～)叢林。② Ⓒ 叢林地帶。③ Ⓒ 混亂; 複雜。④ Ⓒ (大都市等)複雜而危險的地方。⑤ Ⓒ〖美俚〗無情而激烈的生存競爭之地。§～ **féver** 叢林熱。

jun·gle·gym [ˋdʒʌŋgl̩ˋdʒɪm] *n.* Ⓒ (供兒童爬的)立體方格攀登架。

***jun·ior** [ˋdʒunjə] *adj.*①年少的; 年幼的。②職位低的。③(四年制中學或大學)三年級生的。④日期較後的。⑤資淺的。— *n.* ①(one's ～)**a.** 年少者。**b.** 職位低者。② Ⓒ〖美〗(四年制中學或大學)三年級學生。③ Ⓒ 年輕人; (尤指)少女。§～ **cóllege** (二年制)專科學校。～ **hígh schòol** 初級中學。

ju·ni·per [ˋdʒunəpə] *n.* Ⓒ〖植〗杜松。

junk[1] [dʒʌŋk] *n.* Ⓤ ①破爛物。②〖俚〗垃圾。③便宜貨。④〖俚〗麻醉藥; (尤指)海洛英。— *v.t.*〖俚〗當作廢物; 丟掉。§～ **fòod** 垃圾食品; 零食。

junk[2] *n.* Ⓒ 中國大帆船。

jun·ket [ˋdʒʌŋkɪt] *n.*① Ⓤ Ⓒ 凍奶食品; 乳酪。② Ⓒ 宴會; 野宴。③ Ⓒ 遊覽。— *v.i.* 遊覽; 郊外野宴。

junk·ie [ˋdʒʌŋkɪ] *n.* Ⓒ〖俗〗①有毒癮者。②舊貨商。

junk·man [ˋdʒʌŋk,mæn] *n.* Ⓒ (*pl.* **-men**)買賣破舊爛物者; 舊貨商。

Ju·no [ˋdʒuno] *n.* ①〖羅神〗茱諾(羅馬女神, Jupiter之妻, 專司婚姻及生育, 相當於希臘女神 Hera). ② Ⓒ 貴婦人。

jun·ta [ˋdʒʌntə] *n.* Ⓒ ①(政變後的)軍事政權; 臨時政府。②(西班牙或拉丁美洲的)議會; 會議。

jun·to [ˋdʒʌnto] *n.* Ⓒ (*pl.* **～s**) (政治性之)祕密會議; 祕密結社; 私黨。

***Ju·pi·ter** [ˋdʒupətə] *n.*①〖羅神〗朱比特(羅馬主神)。②〖天〗木星。

Ju·ras·sic [dʒuˋræsɪk]〖地質〗*adj.* 侏羅紀的。— *n.*(the ～)侏羅紀[層]。

ju·rid·i·cal [dʒuˋrɪdɪkl̩] *adj.* 審判上的; 司法上的; 法律上的。§～ **dàys** 開庭日。

ju·ris·dic·tion [,dʒurɪsˋdɪkʃən] *n.* ① Ⓤ 司法權; 裁判權。② Ⓤ 管轄權。③ Ⓒ 管轄區。④ Ⓤ 支配(權); 控制。

ju·ris·pru·dence [,dʒurɪsˋprudn̩s] *n.* Ⓤ〖法律〗法理學; 法律學。***medical*** ～ 法醫學。

ju·ris·pru·dent [,dʒurɪsˋprudn̩t] *adj.* 精通法律的。— *n.* Ⓒ 法理學者; 法學家。

ju·rist [ˋdʒurɪst] *n.* Ⓒ ①法律學者; 法理學家; 法學權威。②法學作家。

ju·ris·tic, -ti·cal [dʒuˋrɪstɪk(l̩)] *adj.* ①法學(家)的。②法律的。

ju·ror [ˋdʒurə] *n.* Ⓒ ①陪審團之一員。②審查委員; 評判員。③宣誓人。

***ju·ry** [ˋdʒurɪ] *n.* Ⓒ (集合稱)①陪審團。②(比賽等之)評判委員會。§～ **bòx**陪審員席。

ju·ry·man [ˋdʒurɪmən] *n.* Ⓒ (*pl.* **-men**)陪審員。

***just**[1] [dʒʌst] *adj.*①公平的; 正直的。②合法的; 正當的。③應當的; 應得的。④確實的; 精確的。⑤允當的。⑥有正當理由的。⑦眞正的。— **ly,** *adv.* — **ness,** *n.*

just**[2] *adv.*①正好; 剛巧。②幾乎不; 僅僅地。③正要; 正欲。④剛才; 剛剛。⑤請(較 please 隨便)。⑥(試)…看! ⑦〖俗〗十分; 頗; 眞正。⑧祇不過是; 僅…而已。⑨接近地。～ ***about 正是…附近。～ ***now*** **a.**剛才。**b.**此刻。～ ***so*** 正是如此; 對極了。

jus·tice** [ˋdʒʌstɪs] *n.*① Ⓤ 正義; 公道; 公理。② Ⓤ 公平; 合理。③ Ⓤ 應得的回報; 報應。④ Ⓤ 法律的制裁; 審判。⑤ Ⓒ 法官; 保安官。⑥(J-)正義女神。bring to*** ～使歸案受審。***do*** ～ ***to*** **a.**公平對待。**b.**賞識; 欣賞。***do oneself*** ～ 盡量發揮能力; 作優良表現。

jus·ti·fi·a·ble [ˋdʒʌstə,faɪəbl̩] *adj.*可辯明的; 有理由的。

jus·ti·fi·ca·tion [,dʒʌstəfəˋkeʃən] *n.* Ⓤ ①辯護；辯明。②理由；口實。③〖神學〗釋罪。④〖印刷〗整版。

***jus·ti·fy** [ˋdʒʌstəˏfaɪ] *v.t.*①證明…爲正當；替…辯護。②證明確有其事。③認爲無罪。④將(鉛字各行)排成適當長度。

Jus·tin·i·an [dʒʌsˋtɪnɪən] *n.* 查士丁尼一世(483-565, 東羅馬帝國皇帝)。the ~ Code 查士丁尼法典。

jus·tle [ˋdʒʌsl̩] *v.* & *n.* =**jostle.**

jut [dʒʌt] *v.i.* (**-tt-**)突出；伸出。**—** *n.* Ⓒ突出部分；尖端。

jute [dʒut] *n.* Ⓤ〖植〗黃麻；黃麻纖維。

jut·ting [ˋdʒʌtɪŋ] *adj.* 突出的；凸出的。a ~ chin 突出的下巴。

ju·ve·nes·cent [ˏdʒuvəˋnɛsn̩t] *adj.*①達青年期的；年輕的。②看來年輕的。③返老還童的。

ju·ve·nile [ˋdʒuvənl̩] *adj.* ①幼年的；少年的。②適於少年的。③不成熟的。**—** *n.* Ⓒ①年少者。②兒童讀物。③演少年的演員。§ ~ **delínquent** 少年罪犯。~ **ófficer** 主管少年犯罪的警官。

ju·ve·nil·i·a [ˏdʒuviˋnɪlɪə] *n. pl.* 少年時代之作品(集)。

ju·ve·nil·i·ty [ˏdʒuvəˋnɪlətɪ] *n.*① Ⓤ少年；年輕。② Ⓤ (集合稱)少年男女。③(*pl.*)未成熟[幼稚]的言行。

jux·ta·pose [ˏdʒʌkstəˋpoz] *v.t.*並列；並置。—**jux·ta·po·si′tion** [-pəˋzɪʃən], *n.*

K k **K k** *K k*

K or **k** [ke] *n.*(*pl.* **K's, Ks** [kez])① ⓊⒸ 英文字母之第十一個字母。② Ⓒ K字形(之物)。§ **Ḱ ràtion**〖美軍〗(三包一份的)K號乾糧包。

ka·bu·ki [kɑˋbuki]〖日〗*n.* Ⓤ (the ~)歌舞伎。

Ka·bul [ˋkɑbʊl] *n.*喀布爾(阿富汗之首都)。

Kaf·fir [ˋkæfɚ] *n.* (*pl.* ~(**s**))① Ⓒ卡非爾人(南非洲班圖族的黑人)；(輕蔑)非洲黑人。② Ⓤ卡非爾語。

kai·ser [ˋkaɪzɚ] *n.* (the ~)皇帝(昔時德國、奧國、神聖羅馬帝國等皇帝之尊稱)。

kale [kel] *n.*① ⓊⒸ 無頭甘藍。② Ⓤ〖蘇〗蔬菜；菜湯。③ Ⓤ〖美俗〗現金。

ka·lei·do·scope [kəˋlaɪdəˏskop] *n.* Ⓒ ①萬花筒。②(常 *sing.*)不斷改變之事物。—**ka·lei·do·scop′ic,** *adj.*

Ka·le·va·la [ˏkɑlɪˋvɑlə] *n.* (the ~)芬蘭民族史詩。

ka·li·um [ˋkelɪəm] *n.* Ⓤ〖化〗鉀。

Kam·chat·ka [kæmˋtʃætkə] *n.* 堪察加半島(位於俄國東北亞)。

ka·mi·ka·ze [ˏkɑmɪˋkɑzɪ]〖日〗*n.* ① Ⓤ 神風(第二次世界大戰中駕駛飛機撞敵艦的肉彈戰術)。② Ⓒ 神風特攻隊飛機[駕駛員]。**—** *adj.* 神風特攻隊的。

kan·ban [ˋkɑnˋbɑn]〖日〗*n.* Ⓤ日本豐田汽車公司首創的生產管理方式(標榜庫存爲零，或近於零)。

kan·ga·roo [ˏkæŋgəˋru] *n.* Ⓒ (*pl.* ~**s,** ~)袋鼠。§ ~ **cóurt**〖俗〗私設[非法]的法庭。

Kan·sas [ˋkænzəs] *n.* 堪薩斯(美國中部之一州)。—**Kan′san,** *adj.* & *n.*

Kant [kænt] *n.*康德(Immanuel, 1724-1804,德國哲學家)。—**i·an,** *adj.* & *n.*

Kao·hsiung [ˋgaʊˋʃjuŋ] *n.* 高雄(中國臺灣省西南部之一海港)。

ka·o·li·ang [ˏkaolɪˋæŋ]〖中〗*n.* Ⓤ 高粱(酒)。

ka·o·lin(e) [ˋkeəlɪn] *n.* Ⓤ 高嶺土；白陶土。

ka·on [ˋkeɑn] *n.* Ⓒ〖理〗K介子。

ka·pok [ˋkepɑk] *n.* Ⓤ木棉；木絲棉。

ka·put(t) [kəˋpʊt] *adj.*〖俗〗被毀壞的；被擊敗的。

Ka·ra·chi [kəˋrɑtʃɪ] *n.*喀拉蚩(巴基斯坦城市)。

ka·ra·o·ke [ˏkɑrɑˋoke] *n.*① Ⓒ 伴唱機。② Ⓤ 伴唱。

kar·at [ˋkærət] *n.*=**carat.**

ka·ra·te [kəˋrɑtɪ]〖日〗*n.* Ⓤ 空手道。

kar·ma [ˋkɑrmə] *n.* Ⓤ ①〖印度教〗羯磨；業。②〖佛教〗因緣。③命運；宿命。

Kash·mir [kæʃˋmɪr] *n.*①喀什米爾(印度西北部)。②(k-)=**cashmere.**

Kat·man·du [ˏkɑtmɑnˋdu] *n.* 加德滿都(尼泊爾首都)。

ka·ty·did [ˋketɪˏdɪd] *n.* Ⓒ (美洲產)螽斯。

kay·ak [ˋkaɪæk] *n.* Ⓒ愛斯基摩人用的皮船。

ka·zoo [kəˋzu] *n.* Ⓒ (*pl.* ~**s**)一種吹奏的玩具樂器。

Keats [kits] *n.* 濟慈(John, 1795-1821, 英國詩人)。

ke·bab, ke·bob [kəˋbɑb] *n.* Ⓤ Ⓒ喀巴布；串烤羊肉。

kedge [kɛdʒ]〖海〗*v.t.* & *v.i.* 收拋在船前方的錨鍊以使(船)前移。**—** *n.* Ⓒ (亦作 **kedge anchor**)小錨。

keel [kil] *n.* Ⓒ ①(船、飛機)龍骨。②〖詩〗船。*on an even* ~平穩的；平放的。**—** *v.t.* & *v.i.*①裝以龍骨。②(使)傾覆。~ *over* **a.**傾覆。**b.**暈倒。

keel·haul [ˋkilˏhɔl] *v.t.*① 將(人)用繩子拖過船底(爲一種刑罰)。②嚴責。

***keen**[1] [kin] *adj.* ①鋒利的；銳利的。②刻骨的；尖刻的。③銳敏的；敏捷的。④聰明的。⑤(感情)強烈的。⑥熱心的；渴望的(常與 about, for 或不定詞連用)。—**ly,** *adv.* —**ness,** *n.*

keen[2]〖愛〗*n.* Ⓒ (慟哭死者的)哀哭；輓歌。**—** *v.t.* & *v.i.* 爲死者慟哭。

****keep** [kip] *v.t.* (**kept**)① 保存；保持；保留。②保藏；收藏。③保守(祕密等)。④經售；經銷。⑤養護；維持；養活。⑥管理；經理；經營。⑦遵守；履行。⑧保持(狀態、活動等)。⑨防止；預防〖from〗。⑩慶祝；紀念。⑪保護；保衛。⑫餵；飼養。⑬抑制；忍住。⑭保持有用的狀態。⑮保管；照顧。⑯蓄(妾)；金屋藏(嬌)。⑰保持在原位。⑱保持(職位)。⑲繼續遵循。**—** *v.i.*①保持；維持(原狀)。②能保存；能持久不壞。③續留原處。④遠離；不接觸〖常 away, back, off, out〗。⑤約束；抑制。~ *at*

堅持。~ ***back*** **a.**擋住。**b.**遠離。**c.**拒絕洩露。~ ***in touch with*** 與…保持聯繫。~ ***in with***〖俗〗與…保持友誼。~ ***it up*** 照目前的情形繼續下去。~ ***on*** (***doing something***) 繼續(做某事)；不斷。~ ***to*** **a.**遵奉；遵照。**b.**局限。*K-to* the right [left].〖標語〗行人靠右[左]。~ ***to oneself*** **a.**不與他人交往。**b.**保守祕密。~(***something***) ***under*** 控制；壓制。~ ***up*** **a.**保持；繼續下去。**b.**保存。**c.**使浮起；支撐不倒下。**d.**不落後。**e.**忍受；忍耐。~ ***up with*** 保持與…同樣的速度；趕得上。── *n.*① Ⓤ 生活必需品；生活費。② Ⓒ (砲臺或城堡)最堅實部分。***for ~s*** **a.**歸優勝者所有的。**b.**〖俗〗永久地。**c.**認眞的。

***keep·er** [ˋkipɚ] *n.* Ⓒ ①看守人；監護人。②管理員。③〖運動〗守門員。

keep·ing [ˋkipɪŋ] *n.* Ⓤ ①保管；保存；保護。②飼養；飼料；食物。③紀念。④一致；協調。

keep·sake [ˋkip,sek] *n.* Ⓒ 紀念物；贈品。

keg [kɛg] *n.* Ⓒ ①小桶(容量通常在五至十加侖以下)。②稱釘子的衡量名(等於100磅)。

Kel·ler [ˋkɛlɚ] *n.* 海倫・凱勒(Helen Adams, 1880-1968, 美國盲啞女作家)。

kelp [kɛlp] *n.* Ⓤ ①大海藻。②海草灰。

ken [kɛn] *n.* Ⓤ 眼界；知識範圍；領悟；見地。

Ken. Kentucky.

Ken·ne·dy [ˋkɛnədɪ] *n.* 甘迺迪(John Fitzgerald, 1917-63,美國政治家, 於1961-63任美國第三十五位總統)。§ ~ **Cápe** 甘迺迪角(在美國Florida州東部, 爲火箭試驗中心所在地)。~ (**Internátional**) **Áirport** (紐約市的)甘迺迪(國際)機場。

ken·nel[1] [ˋkɛnl̩] *n.* Ⓒ ①狗舍。②(常 *pl.*)飼狗場。③狗群。④不佳的住處。── *v.t.* & *v.i.* (**-l-,**〖英〗**-ll-**)置於狗舍；畜養於狗舍中。

ken·nel[2] *n.* Ⓒ 溝渠；水溝。

Ken·tuck·y [kənˋtʌkɪ] *n.*肯塔基(美國中東部之一州)。

Ken·ya [ˋkɛnjə] *n.* 肯亞共和國(非洲東部, 原爲英國殖民地, 首都 Nairobi).

****kept** [kɛpt] *v.* pt. & pp. of **keep.**

ker·a·tin [ˋkɛrətɪn] *n.* Ⓤ〖化〗角質素(含於指甲、毛髮等)。

ker·a·ti·tis [,kɛrəˋtaɪtɪs] *n.* Ⓤ〖醫〗(眼睛的)角膜炎。

kerb [kɝb] *n.* Ⓒ〖英〗(街頭的)邊石；井欄石(=curb).

kerb·stone [ˋkɝb,ston] *n.* Ⓒ 邊石；欄石。

ker·chief [ˋkɝtʃɪf] *n.* Ⓒ ①(昔婦人的)頭巾。②手帕。③圍巾。

kerf [kɝf] *n.* Ⓒ ①(鋸或斧之)切痕；鋸口。②鋸下或砍下之物。

ker·nel [ˋkɝnl̩] *n.* Ⓒ ①核；仁。②穀粒；麥粒。③中心；要點。

ker·o·sene, -sine [ˋkɛrə,sin, ,kɛrəˋsin] *n.* Ⓤ〖美〗煤油；火油。

ketch [kɛtʃ] *n.* Ⓒ〖海〗一種雙桅帆船。

ketch·up [ˋkɛtʃəp] *n.* Ⓤ 蕃茄醬。(亦作 **catsup, catchup**)

ket·tle** [ˋkɛtl̩] *n.* Ⓒ 壺；罐；鍋。~ ***of fish **a.**爲難的處境；一團糟。**b.** 正考慮中之事。

ket·tle·drum [ˋkɛtl̩,drʌm] *n.* Ⓒ 定音鼓。

****key**[1] [ki] *n.*① Ⓒ 鑰匙。② Ⓒ 解答；答案。③ Ⓒ 解答之書；題解。④(the ~)地理上的要衝；門戶。⑤ Ⓒ (鋼琴、打字機等的)鍵。⑥ Ⓒ〖樂〗調；主調音。⑦ Ⓒ 聲調；音調；格調；風格。⑧ Ⓒ 栓；楔。⑨ Ⓒ (上發條等用之)鑰匙。── *adj.* 最主要的；基礎的；機要的。── *v.t.* ①調音。②使帶有…語調。③鎖上。~ ***up*** **a.** 提高勇氣和精神；激勵。**b.** 提高音調。§ ~ **índustry** 基本工業。~ **móney** (房客在住以前取得鑰匙時付給房東的)保證金；押金；權利金。~ **pùnch** 打卡機；打孔機。~ **ríng** 鑰匙環。~ **wórd** 關鍵語；主要字。—**ed** [~d], *adj.* 有鍵的。

key[2] *n.* Ⓒ 低島；暗礁。

key·board [ˋki,bord] *n.* Ⓒ (鋼琴或打字機的)鍵盤。

key·hole [ˋki,hol] *n.* Ⓒ 鑰匙孔。

key·note [ˋki,not] *n.* Ⓒ ①〖樂〗主音；主調音。②主旨。③(政黨)施政方針。

key·punch [ˋki,pʌntʃ] *v.t.*在(卡片或紙帶上)打孔。—**er,** *n.*

key·stone [ˋki,ston] *n.* Ⓒ ①〖建〗楔石；拱心石。②要旨；根本原理。

kg. keg(s); kilogram(s).

khak·i [ˋkɑkɪ] *n.* Ⓤ ①土黃色；卡其色。②黃色卡其布。③(常 *pl.*)卡其布的制服；卡其褲。── *adj.* 土黃色的；卡其布的。

khan[1] [kɑn] *n.* Ⓒ ①可汗；汗(韃靼與蒙古人對君主的尊稱)。②(中亞細亞、阿富汗等地)酋長或官吏之稱號。

khan[2] *n.* Ⓒ 簡陋驛店；商棧。

Khmer [kmɛr] *n.*①高棉(中南半島之一國, 原名Cambodia, 首都爲金邊)。② Ⓒ 高棉人。③ Ⓤ 高棉語。

kib·butz [kɪˋbuts] *n.* Ⓒ (*pl.* **-but-zim** [-buˋtsim])(以色列)集體農場。

kib·itz [ˋkɪbɪts] *v.i.*〖美俗〗①從背後看別人玩紙牌。②(尤指看牌人)多嘴出主意；多管閒事。—**er,** *n.*

ki·bosh [ˋkaɪbɑʃ] *n.* Ⓤ〖俚〗夢話；胡說。***put the ~ on***〖俚〗挫敗；制服。

****kick** [kɪk] *v.t.* ①踢；蹴。②踢中；踢贏。③使汽車加速。④(槍砲等)後坐。⑤〖俚〗戒毒。── *v.i.* ①踢；(馬)踢跳。②(槍於發射時)後坐。③〖俗〗埋怨；反抗。④活躍。~ ***around***〖俚〗**a.**虐待(他人)。**b.**討論或考慮(建議、計畫等)。~ ***back*** **a.** 踢回；還擊。**b.** 〖俚〗付回扣；行賄。~ ***in*** **a.**付款。**b.**死亡。~ ***off*** **a.** (足球比賽)開球。**b.**〖俚〗死。**c.**〖俚〗發起；領頭。~ ***out*** 開除。~ ***up*** **a.**〖俚〗開始；引起。**b.**踢起。── *n.*① Ⓒ 踢。② Ⓒ (足球)球員。③ Ⓒ〖美俚〗興奮；刺激。④ Ⓤ〖俗〗彈力；力氣。⑤ Ⓒ (槍發射時的)後坐力。⑥ Ⓒ 抱怨；反對。***get more ~s than halfpence*** 得不償失。***get the ~***〖俚〗被解雇。§ ~ **stàrt(er)** (機車等的)腳踏起動板。

kick·back [ˋkɪk,bæk] *n.* Ⓤ Ⓒ ①〖美俗〗強烈的反應。②〖俚〗退回贓物。③〖美俗〗佣金。④回扣。

kick·ball [ˋkɪk,bɔl] *n.* Ⓒ 兒童踢球

戲(規則與棒球類似，但球較大，不以棒打，而以腳踢)。
kick·off [ˋkɪk,ɔf] *n.* Ⓒ①〖足球〗(比賽開始時之)開球。②〖俚〗開始。
kick·shaw [ˋkɪkʃɔ] *n.* Ⓒ①精緻的開胃菜。②無用的裝飾；無用之物。
kick·stand [ˋkɪk,stænd] *n.* Ⓒ(腳踏車或摩托車後輪上可收放的)支架。
kick·up [ˋkɪk,ʌp] *n.* Ⓒ〖俗〗騷動。
‡**kid**[1] [kɪd] *n.*① Ⓒ 小山羊。② Ⓤ 小山羊皮[肉]。③(*pl.*)小山羊皮手套或鞋。④Ⓒ〖俗〗小孩。
kid[2] *v.t.* & *v.i.*(**-dd-**)〖俗〗①逗；哄騙。②嘲弄。
kid·dy, -die [ˋkɪdɪ] *n.* Ⓒ〖俗〗小孩。§～ **càr** 小孩的三輪車。
kid·nap [ˋkɪdnæp] *v.t.*(**-p-,**〖英〗**-pp-**)①誘拐(兒童)。②綁架；勒贖。—(**p**)**er,** —(**p**)**ing,** *n.*
kid·ney [ˋkɪdnɪ] *n.*①Ⓒ腎。②Ⓒ腰子(作食用)。③(*sing.*)個性；天性；種類。§～ **bèan** 菜豆。～ **machìne** 人工腎臟。～ **stòne** 腎結石。
Kier·ke·gaard [ˋkɪrkə,gard] *n.* 齊克果(Sören Aabye, 1813-55, 丹麥哲學家及神學家)。
Ki·ev [kiˋɛv, ˋkiɛv] *n.* 基輔(烏克蘭共和國首都)。
‡**kill** [kɪl] *v.t.* ①殺；宰。②破壞；摧毀；扼殺。③使(議案等)不能通過；阻擱。④刪去(字、項目等)。⑤抵消；中和。⑥〖俗〗壓制；制服。⑦消遣；排遣。⑧浪費(時間)。⑨徹底征服。⑩使(聲音)減低或消失。⑪使精疲力竭。— *v.i.* ①殺害。②被殺。③令人神魂顛倒。～ ***off*** a.徹底毀滅；屠殺。b.〖俚〗消除。～ ***with kindness*** 過於熱心助人反而害人。— *n.*①(the ～)(狩獵時)射中。②(*sing.*)(獵獲的)動物。
kill·deer [ˋkɪl,dɪr] *n.* Ⓒ〖動〗(北美產之)雙胸斑沙鴴。
kill·er [ˋkɪlɚ] *n.* Ⓒ①殺生者(指人、動物或物)；殺人者(尤指職業兇手)。②(亦作 **killer whale**)逆戟鯨。
kill·ing [ˋkɪlɪŋ] *adj.*①殺害的；致死的。②〖俗〗極迷人的。③〖俗〗笑死人的。— *n.*① Ⓤ 謀殺；殺戮。②(a ～)〖俗〗大發利市(尤指股票投機)。— **ly,** *adv.*
kill-joy [ˋkɪl,dʒɔɪ] *n.* Ⓒ 掃興之人；煞風景。(亦作 **killjoy**)
kill-time [ˋkɪl,taɪm] *adj.*消磨時間的。
kiln [kɪl, kɪln] *n.* Ⓒ 窰；爐。
***ki·lo** [ˋkɪlo] *n.* Ⓒ (*pl.* ～**s**) ① 公斤(=kilogram). ②公里(=kilometer).
kilo- 〖字首〗表「千」之義。
kil·o·bit [ˋkɪlə,bɪt] *n.* Ⓒ〖電算〗千位元。

kil·o·byte [ˋkɪlə,baɪt] *n.* Ⓒ〖電算〗千位元組(=1,024 位元)。
kil·o·cal·o·rie [ˋkɪlə,kælərɪ] *n.* Ⓒ〖理〗大卡(熱量單位，等於1,000卡)。
kil·o·cy·cle [ˋkɪlə,saɪkl] *n.* Ⓒ〖電〗千周；千周率。
‡**kil·o·gram,** 〖英〗 **-gramme** [ˋkɪlə,græm] *n.* Ⓒ 公斤(=2.2046磅)。
kil·o·hertz [ˋkɪlə,hɜts] *n.* Ⓒ (*pl.* ～)〖電〗千赫。
kil·o·li·ter, 〖英〗**-tre** [ˋkɪlə,litɚ] *n.* Ⓒ 公秉；千公斤(=264.17 加侖)。
kilom. kilometer(s).
‡**kil·o·me·ter,**〖英〗**-tre** [ˋkɪlə,mitɚ] *n.* Ⓒ 公里(=1,000 公尺)。
kil·o·ton [ˋkɪlə,tʌn] *n.* Ⓒ ①千噸。②相當於千噸黃色炸藥之爆炸力。
kil·o·watt [ˋkɪlə,wat] *n.* Ⓒ〖電〗瓩(=1,000 watts).
kil·o·watt-hour [ˋkɪlə,watˋaʊr] *n.* Ⓒ〖電〗瓩時；度(電力單位)。
kilt [kɪlt] *n.* Ⓒ (蘇格蘭高地男子所著之)褶疊短裙。— *v.t.* 打褶；撩起。
kil·ter [ˋkɪltɚ] *n.* Ⓤ〖美俗〗(身心等的)良好狀態。
ki·mo·no [kəˋmonə] *n.* Ⓒ (*pl.* ～**s**) ①日本和服。②婦女寬大之晨衣。
kin [kɪn] *n.* Ⓤ (集合稱)①家族；親戚。②親戚關係。③性質相似之物；地位職業等相似之人。***next of*** ～最近親。***of*** ～ 有親屬關係。— **ship,** *n.*
-kin 〖字尾〗表「小」之義。
‡**kind**[1] [kaɪnd] *adj.*①慈愛的；親切的；和藹的。②仁慈的；溫和的。③宜人的。
‡**kind**[2] *n.* ①Ⓒ種；類；屬。②Ⓤ性質。***in*** ～ a.以貨(代錢)。b.同樣地。c.實質上；本質上。～ ***of***〖俗〗有一點；有幾分(作副詞用)。***of a*** ～ a. 同種的；同類的。b. 品質極低劣的。
kin·der·gar·ten [ˋkɪndɚ,gartn̩] *n.* ⓊⒸ 幼稚園。
kin·der·gart·ner,-gar·ten·er [ˋkɪndɚ,gartnɚ] *n.* Ⓒ ①幼稚園教師；保姆。②幼稚園兒童；幼生。
kind-heart·ed [ˋkaɪndˋhartɪd] *adj.* 好心腸的；仁慈的。
***kin·dle** [ˋkɪndl] *v.t.* ①點燃；使著火。②使發紅光；使明亮。③引起；激起。— *v.i.* ①燃燒；著火。②興奮；激動。
kin·dling [ˋkɪndlɪŋ] *n.* Ⓤ ① 點燃；點火。②(情緒之)激怒。③引火之易燃物。
kind·ly** [ˋkaɪndlɪ] *adj.* ①親切的。②宜人的。③(土地等)有利於…生長的。— *adv.* ①和善地；親切地。②誠懇地。③請(=please). ***take ～ ***to*** 欣然接受；泰然處之。— **kind′li·ness,** *n.*
***kind·ness** [ˋkaɪndnɪs] *n.* ① Ⓤ 仁慈；親切；和藹。②Ⓒ仁慈的行爲。
***kin·dred** [ˋkɪndrɪd] *n.* Ⓤ ①(集合稱)家族；親戚。②家族關係；親戚關係。③相似。— *adj.* ①同宗的；同族的。②同源的；同系的。③類似的。
kin·e·mat·ics [,kɪnəˋmætɪks] *n.* Ⓤ〖理〗運動學。
kin·e·scope [ˋkɪnɪ,skop] *n.* Ⓒ ①(電視機之)影像放映眞空管。②(電視)錄像。— *v.t.*(電視)錄像。
ki·net·ic [kɪˋnɛtɪk] *adj.*①〖理〗運動的。②由運動而起的。§～ **árt**動態藝術。～ **énergy**〖理〗動能。
ki·net·ics [kɪˋnɛtɪks] *n.* Ⓤ〖理〗動力學。
kin·folk(s) [ˋkɪn,fok(s)] *n. pl.* 〖方〗=**kinsfolk(s)**.
‡**king** [kɪŋ] *n.*① Ⓒ 君王；君主。② Ⓒ〖美俗〗(某界的)鉅子；大王。③ Ⓒ 被喻爲王者。④ Ⓒ (棋子中的)王；將；帥。⑤ Ⓒ (紙牌中的)老K. ⑥(K-)上帝；基督。***K- of Kings*** a.萬王之王(耶穌基督)。b.(古代東方諸國之)皇帝。§～ **cóbra**〖動〗眼鏡王蛇。～ **cráb**〖動〗(1)鱟

(=horseshoe crab). ⑵阿拉斯加大螃蟹。**K⁓ Kóng** 大金剛(在美國科幻小說中出現的大猩猩)。**K⁓ Léar** 李爾王(莎翁四大悲劇之一及其主角)。**⁓ sàlmon**〖魚〗大鱗鮭魚(北太平洋產的一種最大的鮭魚)。**K⁓'s [Quéen's] Cóunsel**〖英〗王室顧問律師。**⁓'s ránsom**大量之金錢；高價。**⁓'s wéather**〖俗〗好天氣。**the K⁓ Jámes Vérsion [Bíble]** 欽定的聖經譯本。**the K⁓'s Ênglish**標準英語。**—ship,** *n.*

King [kɪŋ] *n.* 金恩 (Martin Luther, Jr., 1929-68 美國黑人民權運動領袖, 1964 年獲諾貝爾和平獎)。

king·bird [ˋkɪŋ͵bɝd] *n.* Ⓒ ①(北美產)必勝鳥。②極樂鳥之一種。

***king·dom** [ˋkɪŋdəm] *n.*① Ⓒ 王國。② Ⓒ 所支配的地方。③ Ⓒ 自然三界之一。④(the ～)神之國；天國。

king·fish [ˋkɪŋ͵fɪʃ] *n.* Ⓒ ①(美、澳產)王魚。②〖俗〗首腦；鉅子。

king·fish·er [ˋkɪŋ͵fɪʃɚ] *n.* Ⓒ〖鳥〗魚狗；翠鳥。

king·ly [ˋkɪŋlɪ] *adj.*①王的；國王的。②適於君王的。③儼若君王的；高貴的。**—** *adv.*君王地；儼若君王地。

king·pin [ˋkɪŋ͵pɪn] *n.* Ⓒ①〖俗〗主腦之人或物。②(保齡球之)中央瓶。

king-size(d) [ˋkɪŋ͵saɪz(d)] *adj.*〖美俗〗特大的。

kink [kɪŋk] *n.* Ⓒ ①(線、繩、索等之)扭結；糾纏。②頸、背等處之痙攣。③(性格的)彆扭；乖僻。**—** *v.t. & v.i.* (使)糾結；(使)絞。

kink·y [ˋkɪŋkɪ] *adj.*①(頭髮等)糾結的；捲縮的。②〖美〗古怪的；乖僻的。

kins·folk(s) [ˋkɪnz͵fok(s)] *n. pl.* 親戚；血族。

kins·man [ˋkɪnzmən] *n.* Ⓒ (*pl.* **-men**)親屬；親戚(指男性者，女性者爲 kinswoman)。

ki·osk [kɪˋɑsk] *n.* Ⓒ①(土耳其式之)涼亭。②公共電話亭；報攤；音樂臺。

kip [kɪp] *n.* Ⓤ Ⓒ 小獸皮(牛犢、羔羊等之生皮)。

kip·per [ˋkɪpɚ] *v.t.* 把…鹽醃並燻製。**—** *n.*① Ⓒ (產卵季中或季後之)雄鮭。② Ⓤ Ⓒ 燻鮭魚。

kirk [kɝk] *n.* Ⓒ〖蘇〗教會；禮拜堂。

kirsch(·was·ser) [ˋkɪrʃ(͵vɑsɚ)] *n.* Ⓤ 櫻桃酒。

kis·met [ˋkɪzmɛt] *n.* Ⓤ 命運。

‡**kiss** [kɪs] *v.t. & v.i.*①吻；和…接吻。②輕拂；接觸。～ ***hands***(大臣等被授任時)吻君王的手。～ ***the book*** [***the Bible***] 在法庭上吻聖書而宣誓。～ ***the dust*** [***ground***]受辱；被殺。**—** *n.* Ⓒ ①吻；接吻。②輕拂。§ **⁓ing cóusin [kín]**〖美俗〗⑴親戚。⑵親近的人。**⁓ing disèase**〖醫〗傳染性單核血球病。

kiss·er [ˋkɪsɚ] *n.* Ⓒ ①接吻的人。②〖俚〗嘴；嘴唇；臉。

kiss-of-life [ˋkɪsəvˋlaɪf] *adj.*〖英〗口對口的。～ respiration treatment 口對口的人工呼吸法。

kit[1] [kɪt] *n.*① Ⓤ (兵士或水手之)裝備。② Ⓒ (旅行、運動等的)一套用具；一組工具；工具箱[袋]。③ Ⓒ〖英〗(軍人等的)行囊。

kit[2] *n.* Ⓒ 小貓(=kitten).

‡**kitch·en** [ˋkɪtʃɪn,-ən] *n.* Ⓒ ①廚房。②炊具；廚房用具。**—** *adj.* 廚房用的。§ **⁓ càbinet** ⑴〖美俗〗(政府首長之)智囊團。⑵廚房內的餐具櫃。**⁓ gàrden** 家庭菜圃。**⁓ mìdden**〖考古〗貝塚。**⁓ políce**〖軍〗⑴(集合稱)炊事兵。⑵炊事勤務。**⁓ sìnk** 廚房清洗槽。**⁓ ùnit**〖英〗整套廚房設備(包括洗濯臺、調理臺、瓦斯爐、棚架等)。

kitch·en·et(te) [͵kɪtʃɪnˋɛt] *n.* Ⓒ (公寓等的)小廚房。

kitch·en·maid [ˋkɪtʃɪn͵med] *n.* Ⓒ 廚師之助手；燒飯女工。

kitch·en·ware [ˋkɪtʃɪn͵wɛr] *n.* Ⓤ 廚房用具。

***kite** [kaɪt] *n.* Ⓒ ①風箏；紙鳶。fly a ～放風箏。②〖動〗鳶。③任何高而輕的帆。④〖商〗爲舉債而開的支票。⑤騙子。**—** *v.i.*輕快地移動。

kith [kɪθ] *n.* Ⓤ (集合稱)朋友；親友。～ ***and kin*** **a.**親朋好友。**b.**親戚。

kitsch [kɪtʃ] *n.* Ⓤ 投大眾所好的膚淺[通俗]作品。

kit·ten** [ˋkɪtn̩] *n.* Ⓒ 小貓。have ～s***〖俚〗煩惱；心煩意亂。

kit·ten·ish [ˋkɪtn̩ɪʃ] *adj.* ①似小貓的；頑皮的。②搔首弄姿的。

kit·ti·wake [ˋkɪtɪ͵wek] *n.* Ⓒ〖鳥〗三趾鷗。

kit·ty[1] [ˋkɪtɪ] *n.* Ⓒ (兒語或暱稱)小貓。

kit·ty[2] *n.* Ⓒ①賭錢時之抽頭錢。②賭注；下注。③儲蓄(尤指小額集存者)。

ki·wi [ˋkiwɪ] *n.* Ⓒ ①鷸鴕(產於紐西蘭，長嘴無翅)。②(K-)〖俗〗紐西蘭人。③奇異果；獼猴桃。

K.K.K., KKK Ku Klux Klan.

kl., kl kiloliter(s).

Klan [klæn] *n.*=**Ku Klux Klan.**

Klans·man [ˋklænzmən] *n.* Ⓒ (*pl.* **-men**)三 K 黨員。

klat(s)ch [klætʃ] *n.* Ⓒ〖美〗非正式的聚會；茶話會。

klax·on [ˋklæksən] *n.* Ⓒ (汽車的)警報用喇叭；高音警報器。

Klee·nex [ˋklinɛks] *n.* Ⓤ Ⓒ〖商標〗可麗舒(面紙，紙巾)。

klep·to·ma·ni·a [͵klɛptəˋmenɪə] *n.* Ⓤ 竊盜狂。

klep·to·ma·ni·ac [͵klɛptəˋmenɪ͵æk] *n.* Ⓒ 有竊盜狂的人。**—** *adj.*有竊盜習慣的；竊盜狂的。

klíeg lĭght [ˋklig ～] *n.* Ⓒ 強烈弧光燈(拍攝電影用)。(亦作 **kleig light**)

klu(d)ge [kludʒ] *n.* Ⓒ〖電算，俚〗解決硬體或軟體難題的程式、方法。

klutz [klʌts] *n.* Ⓒ〖美俚〗笨蛋；笨頭笨腦的人。**—klutz'y,** *adj.*〖美俚〗笨拙的。

km. kilometer(s).

knack [næk] *n.* Ⓒ (常*sing.*)技巧；竅門；訣竅；才能。

knack·er [ˋnækɚ] *n.* Ⓒ ①〖英〗屠宰廢馬商人。②收買廢屋、廢船者。

knap·sack [ˋnæp͵sæk] *n.* Ⓒ 背包；登山袋。

knave [nev] *n.* Ⓒ ①騙子；詭計多端的人。②〖牌戲〗=**jack** ③.

knav·er·y [ˋnevərɪ] *n.* ① Ⓤ 惡性；奸詐。② Ⓒ 欺詐的行爲。

knav·ish [ˋnevɪʃ] *adj.*奸詐的。—**ly,** *adv.*

knead [nid] *v.t.*①揉(土、麵粉等)。②按摩。③揑製；塑造。§ ∼**ing tròugh** 揉麵槽；揉麵缽。

‡**knee** [ni] *n.* Ⓒ ①膝；膝頭。②似膝之物；褲之膝部。*bring a person to his ∼s* 使某人屈膝；迫使屈服。*go on one's ∼s* 跪下；祈禱。*on the ∼s of the gods*非人所能控制地。— *v.t.* 用膝蓋碰或撞。§ ∼ **brèeches**(長及膝蓋的)短褲。∼ **jèrk** 〖醫〗膝反射。∼ **jòint** (1)膝關節。(2)〖機〗膝形節。

knee·cap [ˋni,kæp] *n.* Ⓒ ①膝蓋骨。②護膝。

knee-deep [ˋniˋdip] *adj.* 深及膝的；深可沒膝的。

knee-high [ˋniˋhaɪ] *adj.* 高及膝的。

knee-jerk [ˋni,dʒɝk] *adj.* (如膝反射等)本能反應的。

***kneel** [nil] *v.i.* (**knelt** or ∼**ed**) 跪下。

kneel-in [ˋnil,ɪn] *n.* Ⓤ 〖美〗祈禱示威(黑人湧進白人教堂作禮拜禱告，抗議種族歧視)。

knee·pad [ˋni,pæd] *n.* Ⓒ 護膝墊。

knee·pan [ˋni,pæn] *n.* Ⓒ 膝蓋骨。

knee·room [ˋni,rum] *n.* Ⓤ (汽車等座位的)容膝空間。

knell [nɛl] *n.* Ⓒ ①鐘聲(特指喪鐘)。②凶兆；不吉之兆。— *v.i.* ①發出喪鐘聲。②發出哀傷的、凶兆的或警告的聲音。— *v.t.* 以鐘聲宣布或召集。

***knelt** [nɛlt] *v.* pt. & pp. of **kneel.**

‡**knew** [nju, nu] *v.* pt. of **know.**

knick·ers [ˋnɪkɚz] *n. pl.* 燈籠褲。

knick·knack [ˋnɪk,næk] *n.* Ⓒ 小家具；小裝飾品；小衣飾；小古董。

‡**knife** [naɪf] *n.* Ⓒ (*pl.* **knives**)①有柄的小刀。②切割工具的刃部。*under the ∼*接受外科手術中。— *v.t.*①(用小刀)切割。②〖美俚〗圖用陰險手段擊敗。— *v.i.* 破(浪等)而前進。§ ∼ **grìnder** 磨刀匠；磨刀石。∼ **rèst** 餐桌上之刀叉臺。∼ **swìtch**〖電〗閘刀開關。

knife-edge [ˋnaɪf,ɛdʒ] *n.* Ⓒ ①刀刃。②刀刃形的山脊。

***knight** [naɪt] *n.* Ⓒ ①(中古時期的)騎士；武士。②爵士。③〖西洋棋〗有馬頭的棋子。— *v.t.* 授以爵位。

knight-er·rant [ˋnaɪtˋɛrənt] *n.* Ⓒ (*pl.* **knights-er·rant**)遊俠騎士。

knight·hood [ˋnaɪthʊd] *n.*① Ⓤ 騎士的身分。② Ⓤ Ⓒ (勳)爵士的爵位。③ Ⓤ 騎士本色。④(the ∼)勳爵士團。

knight·ly [ˋnaɪtlɪ] *adj.* 騎士的；謙恭的；俠義的。— *adv.* 英勇地。

knish [knɪʃ] *n.* Ⓒ 一種包有馬鈴薯、肉或乳酪餡的煎餅捲。

***knit** [nɪt] *v.t.* (**knit·ted** or **knit, knit·ting**) ①編織；編結。②皺起；皺眉。③黏合；接合。④將(碎片)拼合。— *v.i.*①編織毛線。②癒合(如碎骨)。

knit·ting [ˋnɪtɪŋ] *n.* Ⓤ ①編織；編結。②編織物。§ ∼ **machìne** 針織機。∼ **nèedle** 編織毛線所用的長針。

‡**knives** [naɪvz] *n.* pl. of **knife.**

***knob** [nɑb] *n.* Ⓒ ①節；瘤；球塊。②圓形或球形門[抽屜]柄。③小山；圓丘。

knob·by [ˋnɑbɪ] *adj.*①多節[瘤]的。②多圓丘[小山]的。③困難的。

‡**knock** [nɑk] *v.t.* 打擊；敲；撞；碰；碰倒。— *v.i.* ①敲擊。②(機器)發出如敲擊之聲。③互撞。④〖俗〗攻擊；批評；吹毛求疵。*∼ about [around]* **a.**〖俗〗流浪；漂泊；遊蕩。**b.**虐待。*∼ against* 偶然遇到。*∼ down* **a.**(拍賣時)賣(給出價最高者)。**b.**迫使減價。**c.**將…拆散；使解體(以便裝運)。**d.**擊倒；打倒；撞倒。**e.**拆毀；拆除。*∼ off* 〖俗〗**a.**下班。**b.**即席做成；匆匆做成。**c.**減價。**d.**擊敗。**e.**殺害；謀殺。*∼ out* **a.**〖拳擊〗擊倒；打敗。**b.**磕出(煙斗)中的煙灰。**c.**使筋疲力盡。*∼ over* **a.**打倒；打翻。**b.**震驚；嚇呆。*∼ up* **a.** 把(球)擊高。**b.**以敲門喚醒。**c.**使疲倦。**d.**草草做成。— *n.* Ⓒ ①打；擊；敲。②敲門(聲)。③爆聲。

knock·down [ˋnɑk,daʊn] *adj.*①壓倒性的。②折疊[組合]式的。③(價格之)壓低的；減至最低的。— *n.* Ⓒ ①擊倒；壓倒。②組合式家具。③〖美俚〗介紹。④減價；減少；折扣。

knock·er [ˋnɑkɚ] *n.* Ⓒ ①敲門者；來訪者。②門鎚；門環。

knock-knee [ˋnɑk,ni] *n.* Ⓒ 膝內翻；內八字腿。

knock·off, knock-off [ˋnɑk,ɔf] *n.* Ⓒ (尤指廉價的)仿造品(如流行的成衣款式)。

knock·out [ˋnɑk,aʊt] *n.* Ⓒ ①〖拳擊〗擊昏；打敗。②(使對方被擊昏之)一擊。③〖美俗〗漂亮的人；引人之物。— *adj.* ①擊昏的。②壓倒性的。

knock·wurst [ˋnɑk,wɝst] *n.* Ⓒ (加調味料的)熏臘腸。

knoll [nol] *n.* Ⓒ 小山；小丘；墩。

***knot** [nɑt] *n.* Ⓒ ①結；結節。②蝴蝶結。③群；簇。④木頭上的節瘤。⑤困難；糾紛。⑥節(記船之時速的單位)。— *v.t.* (**-tt-**)①結；包紮。②使結合；使糾結。③打結成(縫)。— *v.i.* ①打結。②糾纏；糾結。—**ted,** —**ty,** *adj.*

knot·hole [ˋnɑt,hol] *n.* Ⓒ (木材上之)節孔。

‡**know** [no] *v.t.* (**knew, known**)①知道；懂得；了解。②認識；熟識；認出。③經歷；嘗受。④辨識出；分別出。⑤對…有研究；精通。⑥記牢。— *v.i.*知道；懂得；了解。*∼ one's own business; ∼ what's what; ∼ a thing [move] or two* 精明能幹。— *n.* 僅見於下一習慣語中。*in the ∼* 〖俗〗熟悉內幕消息。—**a·ble,** *adj.*

know-how [ˋno,haʊ] *n.* Ⓤ 實用[專門]知識；技能；方法；祕訣。

know·ing [ˋnoɪŋ] *adj.* ①有學問的；博學的。②聰穎的；機警的。③自以爲無所不知的。④心照不宣的。

know·ing·ly [ˋnoɪŋlɪ] *adv.* ①心照不宣地。②故意地；有意地。

know-it-all [ˋnoɪt,ɔl] *n.* Ⓒ 〖俗〗不

懂裝懂[裝作無所不知]的人。— *adj.* 自以爲了不起的。

‡knowl·edge [ˋnɑlɪdʒ] *n.* Ⓤ ①知識；學識；學問。②知曉；了解。③熟悉；認識。*come to one's* ～爲某人獲悉。*to one's* ～ **a.**確知。**b.**(與否定詞連用)就某人所知。*to the best of my* ～據我所知。§ ～ **ecónomy** 知識經濟(指建立在知識和訊息的生產、分配和使用之上的經濟)。— **a·ble,** *adj.*

‡known [non] *v.* pp. of **know.**

knuck·le [ˋnʌkḷ] *n.* ① Ⓒ 指關節。② Ⓤ (小牛、豬之)膝關節肉。③ Ⓒ 〖機〗(連結的)鉤爪；關節。— *v.t.* & *v.i.* 以指節敲[壓，擦]；(打彈子時)把指節放於地上。～ *down* **a.**專心工作。**b.**(亦作 **knuckle under**)屈服。

knuck·le·head [ˋnʌkḷˏhɛd] *n.* Ⓒ 〖俗〗傻瓜；笨蛋。

knurl [nɝl] *n.* Ⓒ ①(木之)結節。②(金屬表面之)小粒；小隆起；(硬幣邊緣上之)刻痕。— **knurl'y,** *adj.*

KO, K.O., k.o. [ˋkeˋo] *n.* Ⓒ (*pl.* ～**'s**) 〖拳擊〗擊倒(=knockout).

ko·a·la [kəˋɑlə] *n.* Ⓒ 〖動〗(澳洲產之)無尾熊。

Ko·be [ˋkobɪ] *n.*神戶(日本本州一海港)。

Ko·dak [ˋkodæk] *n.* Ⓒ 〖商標〗柯達牌小型手提照相機。

kohl·ra·bi [ˋkolˋrɑbɪ] *n.* Ⓤ Ⓒ (*pl.* ～**es**) 〖植〗一種可食用之球莖甘藍。

ko·la [ˋkolə] *n.* Ⓒ 〖植〗①(亦作 **kola nut**)可樂果。②可樂樹(熱帶非洲產)。

ko·lin·sky [kəˋlɪnskɪ] *n.*① Ⓒ 〖動〗(亞洲產之)貂。② Ⓤ 貂皮。

kook [kuk] *n.* Ⓒ 〖俚〗怪人；瘋子；笨蛋。

kook·y [ˋkukɪ] *adj.* 〖俚〗①乖僻的；怪人的；笨蛋的。②瘋狂的。(亦作 **kookie**)

Ko·ran [koˋrɑn] *n.* (the ～)可蘭經(回教經典)。

‡Ko·re·a [koˋriə] *n.*韓國(第二次世界大戰以後分爲南韓與北韓)。

***Ko·re·an** [koˋriən] *adj.* 韓國(人，語)的。— *n.*① Ⓒ 韓國人。② Ⓤ 韓國語。

ko·sher [ˋkoʃɚ] *adj.* ①(食物等)合猶太教戒律的。②(商店、家庭等)販賣或使用合這類食物的。

Kow·loon [ˋkauˋlun] *n.*①九龍(香港對面之一半島)。②九龍港埠。

kow·tow [kauˋtau] *v.i.*①磕頭(係中文之譯音)。②恭服；順從。— *n.* Ⓒ 磕頭。(亦作 **kotow**)

kraal [krɑl] *n.* Ⓒ ①南非土人之小村莊。②牛羊之圍欄。

kraft [kræft] *n.* Ⓤ 牛皮紙。

kra·ter [ˋkretɚ] *n.* Ⓒ (古希臘及羅馬用以混合葡萄酒及水的)調酒器。

Krem·lin [ˋkrɛmlɪn] *n.* (the ～)克里姆林宮(在莫斯科，係前蘇聯政府及現俄國政府的中樞所在)。

krill [krɪl] *n.* Ⓒ (*pl.* ～) 〖動〗磷蝦(磷蝦目小浮游蝦狀甲殼動物的通稱)。

kro·na [ˋkronə] *n.* Ⓒ (*pl.* **-nor** [-nɔr]) 克朗(瑞典及冰島之貨幣單位)。

kro·ne [ˋkronɛ] *n.* Ⓒ (*pl.* **-ner** [-nɛr]) 克羅納(丹麥、挪威之貨幣單位)。

kryp·ton [ˋkrɪptɑn] *n.* Ⓤ 〖化〗氪(稀有氣體元素；符號 Kr).

KS Kansas.

Kt, Kt. 〖西洋棋〗knight. **kt.** karat [carat]; kiloton; knot.

Kua·la Lum·pur [ˋkwɑləˋlumpur] *n.*吉隆坡(馬來西亞聯邦之首府)。

Ku·blai Khan [ˋkublaɪˋkɑn] *n.*忽必烈汗(1216-94, 中國元朝開國者)。

ku·dos [ˋkjudɑs] *n.* Ⓤ 〖俗〗榮譽。

ku·du [ˋkudu] *n.* Ⓒ 〖動〗(南非產之)條紋羚。(亦作 **koodoo**)

kud·zu [ˋkudzu] *n.* Ⓤ 〖植〗(產於中國和日本的)葛藤。

Ku Klux Klan [ˋkjuˏklʌksˋklæn] *n.* (the ～) 〖美〗三 K 黨(**a.**內戰後於南方成立之祕密團體，以重建及保持白人優越地位爲宗旨。**b.**1915 年由生於美國之白人新教徒組成之祕密團體，以反舊教徒、猶太人、黑人及東方人爲宗旨)。(略作 **K.K.K.,** 亦作 **Ku Klux**)

ku·miss, ku·mys [ˋkumɪs] *n.* Ⓤ ①(昔韃靼人以馬乳或駱駝乳釀成之)乳酒。②(今歐美人以牛乳釀製之)牛乳酒。

kum·quat [ˋkʌmkwɑt] *n.* Ⓒ 金橘(樹)。

kung fu [ˏkuŋˋfu] *n.* Ⓤ 功夫；中國武術；中國功夫。

Kurd [kɝd, kurd] *n.*① Ⓒ 庫爾德人(主居住於土耳其、伊朗、伊拉克的遊牧回教徒)。② Ⓤ 庫爾德語。

Kú·ril(e) Íslands [ˋkurɪl～] *n. pl.* (the ～)千島群島。

Ku·wait [kuˋwet] *n.* 科威特(波斯灣西北隅一國，首都 Kuwait).

Ku·wai·ti [kəˋwetɪ] *adj.* 科威特(人)的。— *n.* Ⓒ 科威特人。

kW, kw kilowatt(s).

Ky. Kentucky.

ky·a·nite [ˋkaɪəˏnaɪt] *n.* Ⓤ 〖礦〗藍晶石。(亦作 **cyanite**)

ky·mo·graph [ˋkaɪməˏgræf] *n.* Ⓒ 〖醫〗描波器 (記錄脈搏、鼓動、呼吸等)。

Kyu·shu [ˋkjuʃu] *n.* 九州(日本四大島之一)。

L l L l

L or l [ɛl] *n.* (*pl.* **L's, Ls, l's, ls** [ɛlz]) ① Ⓤ Ⓒ 英文字母之第十二個字母。② Ⓤ 羅馬數字的 50(如：CL=150, XL=40, LV=55)。③(L) Ⓒ L 形之物；建築物在一端作直角伸出之側翼。

l. land; latitude; law; leaf; league; left; length; line; lira; liter; large.

la [lɑ] *n.* Ⓤ Ⓒ 〖樂〗長音階的第六音。

La 〖化〗 lanthanum.

La. Louisiana. **L.A.** Latin America; 〖美俗〗Los Angeles.

lab [læb] *n.*〖俗〗=**laboratory.**

*la·bel [ˋlebl] n. Ⓒ標籤；籤條。— v.t. (-l-,〖英〗-ll-)①貼標籤於。②指爲；稱爲。
la·bi·al [ˋlebɪəl] adj. 唇的。~ sounds 唇音(如：b, p, m 等)。— n. Ⓒ唇音。
la·bi·ate [ˋlebɪ,et] adj.①〖動〗(形狀、機能等)似唇的。②〖植〗唇形科的。
la·bi·um [ˋlebɪəm] n.(pl. -bi·a)①Ⓒ唇；唇形器官。②(pl.)陰唇。
‡la·bor,〖英〗-bour [ˋlebɚ] n. ①Ⓤ勞動；勞作。②Ⓒ工作。③Ⓤ勞工；勞動階級。④Ⓤ分娩；陣痛。~ *of love*出於愛心的工作。— v.i.①勞動；勞作。②緩慢顛簸而行。③分娩；陣痛。— v.t. ①仔細地分析解釋。②使疲倦。~ *under* 受…之苦；爲…所支配。§ ~ càmp (1)勞工營。(2)農場流動幫工的臨時住處。L~ Dày〖美〗勞工[勞動]節(九月的第一個禮拜一)。L~ Exchànge〖英〗勞工(職業)介紹所(現在的正式名稱爲Employment Service Exchange)。~ màrket 勞動市場。~ tùrnover (1)勞工周轉。(2)勞工周轉率。~ ùnion〖美〗工會。the L~ Pàrty 勞工黨；工黨。
*lab·o·ra·to·ry [ˋlæbrə,torɪ] n. Ⓒ①科學實驗室(尤指化學方面者)。②化學物品、藥品、炸彈等製造廠。
la·bo(u)red [ˋlebɚd] adj. ①緩慢的；困難的。②不流暢的；矯揉造作的。
la·bo(u)r·er [ˋlebərɚ] n. Ⓒ ①勞動者。②勞工。
la·bo(u)r·ing [ˋlebərɪŋ] adj. ①勞動的。②辛勞的。③因生產而痛苦的。
la·bo·ri·ous [ləˋborɪəs] adj.①費力的；艱難的。②努力的；勤勞的。③具見苦心的；不流利的。— ly, adv.
La·bo(u)r·ite [ˋlebə,raɪt] n. Ⓒ(英國的)工黨黨員。
la·bor-sav·ing [ˋlebɚ,sevɪŋ] adj. 省力的；節省人力的。
la·bur·num [ləˋbɝnəm] n. ⓊⒸ〖植〗金鏈花。
lab·y·rinth [ˋlæbə,rɪnθ] n.①Ⓒ迷宮。②Ⓒ複雜難解的事物。③Ⓒ複雜的關係或情況。④(L-)〖希神〗迷宮。⑤(the ~)〖解〗內耳。
lab·y·rin·thine [,læbəˋrɪnθɪn], -thi·an [-θɪən] adj. ①(似)迷宮的。②錯綜複雜的。
*lace [les] n. ①Ⓤ緞帶；絲帶；花邊；飾邊。②Ⓒ帶(如shoelaces等)。③ⓊⒸ加在食物[飲料]中的少量酒。— v.t. ①以帶結。②飾以花邊。③(以胸衣)束腰[up]。④編結。⑤加上[畫上]條紋。⑥〖俗〗鞭打。⑦攙酒於(飲料)。— v.i. 結帶子；用帶結。~ *into* a.打擊。b.嚴厲批評。
lac·er·ate [ˋlæsə,ret] v.t.①撕裂；劃破。②傷害(情感等)；使傷心。— lac·er·a'tion, n.
lace·work [ˋles,wɝk] n. Ⓤ 花邊(細工)；鏤空工藝。
lach·es [ˋlætʃɪz] n. (作 *sing.*解)〖法律〗(履行義務或主張權利之)懈怠。
lach·ry·mal [ˋlækrəml] adj.①眼淚的；分泌眼淚的。②哭泣的。
lach·ry·ma·to·ry [ˋlækrəmə,torɪ] n. Ⓒ〖考古〗淚壺。
lach·ry·mose [ˋlækrə,mos] adj.①悲慘的；令人落淚的。②好流淚的。
lac·ing [ˋlesɪŋ] n. ①Ⓤ飾花邊。②Ⓤ花邊裝飾。③(a ~)〖俗〗鞭打。
‡lack [læk] v.t. ①缺乏；沒有。②短少。— v.i. 缺乏；無。~ *in*在(某方面)缺少或不足。— n.①Ⓤ缺乏；無。②Ⓒ缺乏的東西。*for ~ of* 因缺少(某物)。*supply the ~* 供給所缺乏之物。
lack·a·dai·si·cal [,lækəˋdezɪkl] adj.①無精打采的；感傷的。②懶惰的。
lack·ey [ˋlækɪ] n. Ⓒ ①男僕；跟班。②卑躬屈膝者。
lack·ing [ˋlækɪŋ] adj. 缺少的；不夠的。
lack·lus·ter,〖英〗-tre [ˋlæk,lʌstɚ] adj. 無光澤的；黯淡的。
la·con·ic [ləˋkɑnɪk] adj. 簡潔的；簡明的。— la·con'i·cal·ly, adv.
lac·quer [ˋlækɚ] n. ①ⓊⒸ漆。②ⓊⒸ天然漆。③Ⓤ漆器。— v.t. 塗漆於。
la·crosse [ləˋkrɔs] n. Ⓤ長曲棍球。
lac·tate [ˋlæktet] v.i. 分泌乳；生乳。— n. Ⓤ〖化〗乳酸鹽。
lac·te·al [ˋlæktɪəl] adj.①乳的；乳狀的。②〖解〗輸送[輸入]乳糜的。
lac·tic [ˋlæktɪk] adj. 乳的；由乳而來的。§ ~ ácid〖化〗乳酸。
lacto-〖字首〗表「乳」之義。
lac·to·ba·cil·lus [,læktobəˋsɪləs] n. Ⓒ (pl. -li [-laɪ])〖細菌〗乳桿菌。
lac·to·gen·ic [,læktoˋdʒɛnɪk] adj. 催乳的。§ ~ hórmone〖生化〗催乳激素。
lac·tom·e·ter [lækˋtɑmətɚ] n. Ⓒ驗乳計。
lac·tose [ˋlæktos] n. Ⓤ〖化〗乳糖。
la·cu·na [ləˋkjunə] n. Ⓒ (pl. -nae [-ni], ~s)①孔；窩；凹。②空隙；裂口。③闕文；脫漏；空白。
la·cus·trine [ləˋkʌstrɪn] adj. 湖的；湖上的。
lac·y [ˋlesɪ] adj. 絲[緞]帶的；有花邊的。
*lad [læd] n. Ⓒ年輕人；小伙子。
*lad·der [ˋlædɚ] n. Ⓒ①梯。②進身的階梯；立身成名的步驟。③(襪子上因脫線而成的)梯形裂縫；抽絲。④類似梯之物。*get one's foot on the ~* 著手；開始。*kick down [away] the ~* 過河拆橋。§ ~ trùck〖美〗雲梯消防車。
lade [led] v.t.(lad·ed, lad·en or lad·ed)①裝載。②加負擔於。③以杓汲取。
lad·en [ˋledn̩] adj.載滿的；充滿的。a mind ~ with grief 充滿憂傷的心。
lad·ing [ˋledɪŋ] n. Ⓤ ①裝載。②(所裝載的)貨物。
la·dle [ˋledl̩] n. Ⓒ長柄杓。— v.t. ①以杓舀取[out]。②給予；贈送[out]。
‡la·dy [ˋledɪ] n. ①Ⓒ(有地位的)貴婦；淑女。②Ⓒ女人；婦人。③Ⓒ妻子。④(L-)〖英〗夫人(爲Lord之對)。*Our L~* 聖母瑪利亞。— adj. 女性的。a ~ doctor 女醫生。§ ládies' ròom 女廁。
la·dy·bug [ˋledɪ,bʌg] n. Ⓒ 瓢蟲。(亦作 ladybird)
la·dy·fin·ger [ˋledɪ,fɪŋgɚ] n. Ⓒ〖美〗一種指形蛋糕。

L

la·dy-in-wait·ing [ˋledɪnˋwetɪŋ] *n.* Ⓒ (*pl.* **la·dies-in-wait·ing**) 女王[公主]之侍女；宮女。
la·dy-kill·er [ˋledɪˏkɪlɚ] *n.* Ⓒ 〖俚〗使女性一見鍾情之男子。
la·dy·like [ˋledɪˏlaɪk] *adj.* ①風度雍容如貴婦的。②適於貴婦身分的。③溫雅的。「女性)；情婦。
la·dy·love [ˋledɪˏlʌv] *n.* Ⓒ 情人(指
la·dy·ship [ˋledɪˏʃɪp] *n.* Ⓒ 夫人(對貴族夫人的尊稱)。Your *L-* 夫人。
la·dy's-slip·per [ˋledɪzˏslɪpɚ] *n.* Ⓒ〖植〗①杓蘭屬植物。②〖美〗鳳仙花。
lag [læg] *v.i.* (**-gg-**) ①慢慢地走；落後〔常 behind〕。②逗留；延遲。— *n.* Ⓒ ①落後；遲延。②落後的人。
la·ger [ˋlɑgɚ] *n.* Ⓤ 儲藏啤酒。
lag·gard [ˋlægɚd] *adj.* 緩慢的；落後的。— *n.* Ⓒ 行動緩慢或落後者。
lag·ging[1] [ˋlægɪŋ] *n.* Ⓤ (汽缸等之)被覆物。「拖延的；緩慢的。
lag·ging[2] *n.* Ⓤ 落後；遲滯。— *adj.*
la·goon [ləˋgun] *n.* Ⓒ ①潟湖。②環形珊瑚島中之海水；礁湖。
la·ic [ˋleɪk] *n.* Ⓒ 常人；俗人(別於任神職者而言)。— *adj.* 常人[世俗人]的。
⁑**laid** [led] *v.* pt. & pp. of **lay**[1].
laid-back [ˋledˋbæk] *adj.* 從容不迫的；懶散的；悠哉的；逍遙自在的。
⁑**lain** [len] *v.* pp. of **lie**[2].
lair [lɛr] *n.* Ⓒ ①野獸的巢穴。②盜賊的藏身地。③〖英〗牛舍。
laird [lɛrd] *n.* Ⓒ〖蘇〗地主。
lais·sez-faire, lais·ser-faire [ˏlɛseˋfɛr]〖法〗*n.* Ⓤ ①不干涉主義；(自由)放任政策。②自由競爭。
la·i·ty [ˋleətɪ, ˋle·ɪtɪ] *n.* (the ～) ①俗人(別於僧侶、教士而言)。②外行人；門外漢(別於專家而言)。
⁑**lake**[1] [lek] *n.* Ⓒ 湖；湖水。§ **the L∸ Cóuntry [Dìstrict]** (英格蘭西北部的)湖泊區。**the L∸ pòets** 湖畔詩人(19世紀初居於英格蘭 Lake District 之 Wordsworth, Coleridge, Southey 等)。**the L∸ Státe** 美國Michigan 州的俗稱。
lake[2] *n.* Ⓤ ①深紅色顏料。②深紅色。
lake·side [ˋlekˏsaɪd] *n.* (the ～) 湖邊；湖畔；湖岸。「鞭笞。
lam[1] [læm] *v.i.* & *v.t.* (**-mm-**)〖俚〗打；
lam[2] 〖俚〗*n.* (the ～) 避罪逃亡；脫逃。*be on the* ～ 在逃；逃亡中。— *v.i.* (**-mm-**) 逃跑；脫逃。
la·ma [ˋlɑmə] *n.* Ⓒ 喇嘛僧。
La·ma·ism [ˋlɑməɪzəm] *n.* Ⓤ 喇嘛教。
la·ma·ser·y [ˋlɑməˏsɛrɪ] *n.* Ⓒ 喇嘛寺院。「娩的。
La·maze [ləˋmɑz] *adj.* 拉梅茲無痛分
*__lamb__ [læm] *n.* ①Ⓒ 小羊；羔羊。②Ⓤ 羔羊肉。③Ⓒ 年幼而天真無邪之人。*like a* ～ **a.** 溫順地；膽怯地。**b.** 易受騙地。*the L-* (*of God*) 耶穌基督。— *v.i.* 生小羊。
lam·ba·da [læmˋbɑdə] *n.* (the ～) 黏巴達(一種貼身舞)。
lam·bast(e) [læmˋbest] *v.t.* 〖俚〗①痛打。②嚴責。
lamb·da [ˋlæmdə] *n.* ⓊⒸ 希臘字母之第11字(Λ, λ).
lam·bent [ˋlæmbənt] *adj.* ①(火、光)輕輕搖曳的。②柔和地發光的；閃爍的。③輕妙的。— **lam′ben·cy,** *n.*
lamb·kin [ˋlæmkɪn] *n.* Ⓒ ①小羊。②對年輕人或幼兒之暱稱。
lamb·skin [ˋlæmˏskɪn] *n.* ⓊⒸ 小羊皮；羊皮紙。
*__lame__ [lem] *adj.* ①跛足的。②僵痛的。③理由不充足的。④不完全的。— *v.i.* 變跛；跛行。— *v.t.* ①使跛；使成殘廢。②使有缺點。§ ∸ **dúck** (1)再競選失敗的現任國會議員(尤指眾院議員)。(2)無能之人；無用之物(如廢船等)。
la·mé [læˋme, lɑ-]〖法〗*n.* Ⓤ 金銀絲織物(用於婦女晚禮服、聖袍等)。
la·mel·la [ləˋmɛlə] *n.* Ⓒ (*pl.* **-lae** [-li], **～s**) 薄板；薄片；薄葉；薄層。
*__la·ment__ [ləˋmɛnt] *v.i.* & *v.t.* ①哀悼；悲傷，慟哭。②悔恨。— *n.* Ⓒ ①悲傷；哀悼；慟哭。②哀歌；輓詩。③悔恨。
la·men·ta·ble [ˋlæməntəbl] *adj.* ①可悲的；悲慘的；令人悔恨的。②悲哀的。③可憐的；低劣的。
lam·en·ta·tion [ˏlæmənˋteʃən] *n.* ①Ⓤ 哀傷；哀痛；慟哭。②(Lamentations) (舊約中的)耶利米哀歌。③Ⓒ 悲嘆聲；哀歌。
lam·i·na [ˋlæmənə] *n.* Ⓒ (*pl.* **-nae** [-ˏni], **～s**) 薄片；薄層；薄膜。
lam·i·nate [ˋlæməˏnet] *v.t.* ①鎚打或輾壓(金屬)成薄板。②切成薄片。③覆以薄板。④疊合薄片作成。— *v.i.* 成為薄板或薄片。— [ˋlæmənɪt, -ˏnet] *adj.* 由薄片組成的；薄板[薄片]狀的。— **lam·i·na′tion,** *n.*
lam·i·nat·ed [ˋlæməˏnetɪd] *adj.* ①薄板狀的。②由薄層組成的。
⁑**lamp** [læmp] *n.* ①Ⓒ 燈。②Ⓒ〖詩〗(太陽、月亮等發光的)星球。③(*pl.*)〖俗〗眼睛。*smell of the* ～ 有下過苦工的痕跡。§ ∸ **chìmney** (煤油燈之)燈罩。∸ **òil** 燈油；煤油。
lamp·black [ˋlæmpˏblæk] *n.* Ⓤ 油煙；黑色顏料。
lamp·light [ˋlæmpˏlaɪt] *n.* Ⓤ 燈光。
lamp·light·er [ˋlæmpˏlaɪtɚ] *n.* Ⓒ ①點燈者；燈夫。②點燈用具。
lam·poon [læmˋpun] *n.* Ⓒ 譏嘲之文章。— *v.t.* 以詩、文攻擊或譏諷。
lamp·post [ˋlæmpˏpost] *n.* Ⓒ 路燈柱。
lam·prey [ˋlæmprɪ] *n.* Ⓒ 八目鰻。
lamp-shade [ˋlæmpˏʃed] *n.* Ⓒ 燈罩。「網路。
LAN local area network.〖電算〗區域
la·nai [ləˋnaɪ] *n.* Ⓒ (夏威夷式的)陽臺。
lance [læns, lɑns] *n.* Ⓒ ①輕騎兵所持之長矛。②戰士(特指執矛騎馬者)。③似槍矛之工具(如魚叉等)。④刺胳針。— *v.t.* ①以槍矛攻擊。②以刺胳針刺破或切開。
lanc·er [ˋlænsɚ] *n.* Ⓒ 槍騎兵。
lan·cet [ˋlænsɪt] *n.* Ⓒ ①〖外科〗柳葉刀；雙刃小刀。②尖頂拱(=lancet arch). ③尖頂窗(=lancet window).
⁑**land** [lænd] *n.* ①Ⓤ 陸地(對海空而言)。②Ⓤ 土地；田地。③Ⓒ 國土；國

L

家。④[U] 地產；(私有的)田地。*by* ～ 由陸路(旅行)。*Promised L-* 天國。 —*v.t.* ①使(飛機)降落；使著陸。②(自飛機、車或船上)卸下(客、貨)。③〖俗〗得到；獲得。④使處於(某種環境中)。⑤擊；打。—*v.i.* ①登岸；著陸〔at〕。②(罪犯等)落網。③(終於)到達。～ *on one's feet* 處於危險境地中而倖獲安全。§～ **àgency** ⑴地產買賣經紀業務。⑵土地管理(處)。～ **àgent** ⑴地產買賣經紀人或公司。⑵〖英〗地產管理人。～ **bànk** 土地銀行。～ **brèeze** 陸風(日落後由陸地吹向海的風)。～ **cràb** ⑴生活在海濱陸地上的一種小蟹；地蟹。⑵不習於坐船的人。～ **fòrces** 陸上部隊。～ **grànt**〖美〗政府撥給大學或鐵路等之土地。～ **mìne**〖軍〗地雷。～ **òffice**國有土地管理局。～ **ràil**〖鳥〗秧雞。～ **refòrm** 土地改革。～ **tàx** 土地稅；地租。

lan·dau [ˋlændɔ] *n.* [C] 蘭道馬車(四輪有頂篷可分兩半放下之馬車)。

land·ed [ˋlændɪd] *adj.*①擁有土地的。②由田地等構成的(指財產)。

land·er [ˋlændɚ] *n.* [C] (太空探險使用的)登陸艙。

land·fall [ˋlænd,fɔl] *n.* [U][C] ①〖空,海〗接近陸地；著陸。②〖海〗看到陸地。

land·fill [ˋlænd,fɪl] *n.* [C] (掩埋式)垃圾處理場。

land·hold·er [ˋlænd,holdɚ] *n.* [C] 地主；擁有土地者。

***land·ing** [ˋlændɪŋ] *n.* ①[U][C]登陸；上岸；(飛機)著陸。②[C] (船等)卸貨處；碼頭。③[C] 樓梯頂端的走廊；(樓梯階段間的)駐腳台。§～ **cràft** 登陸艇。～ **fìeld** 飛機起落場。～ **gèar** 起落架。～**nèt** 袋網；手網。～ **pàrty** 先頭登陸部隊。～ **plàce** (飛機之)降陸場。～ **stàge**棧橋(架於水上或浮於水上供人貨起落者)。～ **strìp** 飛機起落跑道。

***land·la·dy** [ˋlænd,ledɪ, ˋlæn,ledɪ] *n.* [C] ①女房東；女地主。②(旅舍、寄宿舍等之)女主人。

land·locked [ˋlænd,lɑkt] *adj.* ①爲陸地所包圍的(海灣等)。②(魚類)生活在與海水隔絕之水中的。

***land·lord** [ˋlænd,lɔrd, ˋlæn-] *n.* [C] ①房東；地主。②(旅舍等之)主人。

land·lub·ber [ˋlænd,lʌbɚ] *n.* [C] 〖海〗新水手；不慣於航海者(輕蔑語)。

land·mark [ˋlænd,mɑrk, ˋlæn-] *n.* [C] ①顯而易見的目標；地標。②(歷史上劃時代的)重要事件。③界石；界標。

land·mass [ˋlænd,mæs] *n.* [C] 大塊陸地。(亦作 **land mass**)

land·own·er [ˋlænd,onɚ] *n.* [C] 地主；擁有土地者。

land-poor [ˋlændˋpur] *adj.*〖俗〗擁有(許多)土地卻(因稅捐高而)窮困的。

***land·scape** [ˋlænskep, ˋlænd-] *n.* [C] ①(陸上)風景；山水。②山水風景畫。 —*v.t.* 使美化；使風景宜人。—*v.i.* 作庭園設計師。§～ **àrchitect**造園技師。～ **àrchitecture** 景觀藝術。～ **gàrdener** 庭園設計師。～ **gàrdening** 造園法[術]。

land·scap·er [ˋlænskepɚ]*n.* [C] 造園家；庭園設計師。

land·scap·ist [ˋlænskepɪst]*n.* [C] ①風景[山水]畫家。②園林建築師；造園師。

land·slide [ˋlænd,slaɪd] *n.* [C] ①山崩。②因崩裂所滑下的山石。③〖美〗(一政黨或候選人所得的)壓倒性勝利。

land·slip [ˋlænd,slɪp] *n.* [C]〖英〗山崩。

lands·man [ˋlændzmən] *n.* [C] (*pl.* **-men**) ①陸居者；陸上工作者。②初次航海之水手。

land·ward [ˋlændwɚd] *adv.* (亦作 **landwards**)向陸地地。—*adj.* 面向陸地的。

***lane** [len] *n.* [C] ①小路；小徑。②〖美〗單行道。③(城市中的)小巷；衚；弄。④(船或飛機的)航路。⑤賽跑跑道的一行。⑥保齡球道。§～ **clòsure** 修路圍籬。

lang·syne [læŋˋsaɪn] 〖蘇〗*adv.* 許久以前。—*n.* [U] 昔日；許久以前。

‡**lan·guage** [ˋlæŋgwɪdʒ] *n.* ①[U] 語言；文字。②[C] 國家或民族的語言文字。③[U] 語調；措辭。④[U] 其他表情達意的方法。⑤[U] 術語。⑥[U] 語言學。§～ **làboratory** 語言(實習)教室。

lan·guid [ˋlæŋgwɪd] *adj.*①精神不振的；軟弱無力的。②毫無興趣的；漠不關心的。③不活潑的；停滯的；遲緩的。

lan·guish [ˋlæŋgwɪʃ] *v.i.* ①變得衰弱無力；凋萎；憔悴。②渴望；苦思。She ～*ed* for home. 她苦思家鄉。③受苦；呻吟。④鬆弛；鬆懈。—**ment,** *n.*

lan·guish·ing [ˋlæŋgwɪʃɪŋ] *adj.*①日趨衰弱的。②憔悴的。③渴念的；含情脈脈的。④纏綿的；拖延的。

lan·guor [ˋlæŋgɚ] *n.* [U] ①無精力；衰弱；倦怠。②無興趣；沒精打采。③柔情。④不活潑；遲緩。⑤(氣壓的)沉悶。—**ous,** *adj.*

lank [læŋk] *adj.*①細長的。②(毛髮)平直的；無鬈曲的。

lank·y [ˋlæŋkɪ] *adj.* 瘦長的；細長的。—**lank′i·ly,** *adv.*

lan·o·lin(e) [ˋlænəlɪn] *n.* [U]〖化〗羊毛脂(製藥膏用)。

lan·tern [ˋlæntɚn] *n.* [C] ①燈籠；提燈。②(燈塔上的)燈火室。③〖建〗頂塔；天窗。④幻燈機。§～ **slìde** 幻燈片。

lan·tern-jawed [ˋlæntɚn,dʒɔd] *adj.* 下巴瘦削的；臉形瘦長的。

lan·tha·num [ˋlænθənəm] *n.* [U] 〖化〗鑭(金屬元素；符號 La)。

lan·yard [ˋlænjɚd] *n.* [C] ①(發砲用的)拉火索。②舟上繫物之短索。③水手套在頸上，以懸小刀或哨子等的繩索。

Lao [laʊ] *n.* (*pl.* ～, ～**s**) ①[C] 寮國人。②[U] 寮國語。—*adj.* 寮國(人, 語)的。

Laos [lauz] *n.* 寮國 (中南半島之一國, 首都 Vientiane)。

La·o·tian [leˋoʃən] *n.* [C] 寮國人。—*adj.* 寮國的。

Lao-tzu, Lao-tse [ˋlauˋdzʌ] *n.* 老子(604?-531B.C., 中國哲學家)。

***lap**[1] [læp] *n.* [C] ①膝部。②(坐下時)腰至兩膝部分的衣裙。③衣裙的下襬。④(任何東西)休息或養育之處。⑤環境；境遇。⑥控制範圍。⑦山坳。*in Fortune's* ～走運。§～ **dòg** 膝狗；巴兒狗

(常被置於膝上玩的小狗)(亦作 lapdog).

lap² *v.i.*(**-pp-**)①重疊; 層疊。②延伸。③包圍。— *v.t.* ①包裹。②使重疊。

lap³ *v.t.*(**-pp-**)①舐; 舐食。②輕拍; 輕擊。— *v.i.* ①輕拍; 輕擊。②舐。~ *up* **a.**〖俗〗熱烈地接受。**b.**吃或喝。— *n.*①Ⓒ舐。②Ⓒ被舐之物。③Ⓤ(給狗吃的)流體食物。④(the ~)(輕拍岸等的)漣漪聲。

lap·a·ro·scope [ˋlæpərə͵skop] *n.* Ⓒ〖醫〗腹腔鏡。

la·pel [ləˋpɛl] *n.* Ⓒ(西服上身的)翻領。

lap·ful [ˋlæp͵fʊl] *n.* Ⓒ滿膝; 滿兜。

lap·i·dar·y [ˋlæpə͵dɛrɪ] *adj.* ①雕刻寶石的。②刻在石上的; 碑文的。— *n.* ①Ⓒ寶石匠。②Ⓒ寶石鑑定家; 寶石商。③Ⓤ寶石雕刻。

lap·in [ˋlæpɪn]〖法〗*n.* ①Ⓒ兎子。②Ⓤ其毛皮。

lap·is laz·u·li [ˋlæpɪsˋlæzjə͵laɪ] *n.* ①ⓊⒸ〖礦〗青金石。②Ⓤ天藍色。

Lap·land [ˋlæp͵lænd] *n.* 拉布蘭(斯堪的那維亞半島的最北部)。

Lapp [læp] *n.*①Ⓒ拉布蘭人。②Ⓤ拉布蘭語。

lap·pet [ˋlæpɪt] *n.* Ⓒ①(衣、帽等之)垂下部分; 垂飾。②衣衿。③(火雞之)肉垂; 耳垂。

***lapse** [læps] *n.* Ⓒ ①失誤; 差錯; 筆誤。a ~ of the tongue 失言。②過失; 小疵。③流逝; 經過。④〖法律〗(特權等的)消滅; 終止。⑤倒退; 墮落。— *v.i.* ①過失。②失誤; 失足。③消滅; 終止; 失效。④塌陷。⑤滑過; 流過。⑥背教。⑦消失; 廢止。

lap·top [ˋlæp͵tap] *n.* Ⓒ手提式個人電腦; 膝上型微電腦[電子計算機]。

lap·wing [ˋlæp͵wɪŋ] *n.* Ⓒ田鳧。

lar·board [ˋlarbɚd] *n.* Ⓤ左舷。

lar·ce·ny [ˋlarsn̩ɪ] *n.*〖法律〗①ⓊⒸ竊盜。②Ⓤ竊盜罪。— **larˊce·nous,** *adj.*

larch [lartʃ] *n.* ①Ⓒ落葉松。②Ⓤ落葉松之木材。

lard [lard] *n.* Ⓤ豬油。— *v.t.* ①加豬油。②修飾(文章、演說等)。§ ∼ **òil** 由豬油提煉出之油。

lard·er [ˋlardɚ] *n.* Ⓒ食物貯藏室。

lar·es [ˋlɛriz] *n. pl.*(古羅馬之)家神。~ ***and penates*** **a.**家神。**b.**家財。

‡**large** [lardʒ] *adj.*①大的; 巨大的。②廣闊的; 無限制的。③大規模的; 大量的。④寬大的。⑤誇大的。⑥〖海〗順風的。— *n.*僅見於下列成語中的習慣用法。*at* ~ **a.**自由的。**b.**詳細地; 冗長地。**c.**一般的; 整個的。**d.**隨便地; 零亂地。**e.**代表一州或一區的。*in*(*the*)~ 大規模地; 廣義地; 一般地。— *adv.* ①誇大地。②順風地。§ ∼ **intéstine**〖解〗大腸。— **ness,** *n.*

large·heart·ed [ˋlardʒˋhartɪd] *adj.* 寬宏大量的。

***large·ly** [ˋlardʒlɪ] *adv.* ①大量地。②大半地; 主要地。

large-mind·ed [ˋlardʒ͵maɪndɪd] *adj.* 度量大的。

large-scale [ˋlardʒˋskel] *adj.* ①大規模的; 範圍大的。②大比例尺的(地圖)。

lar·gess(e) [ˋlardʒɪs] *n.* Ⓤ ①慷慨的贈與; (豐厚的)禮物。②慷慨幫助。

lar·ghet·to [larˋgɛto]〖樂〗*adj.* & *adv.* 稍緩慢的[地]。— *n.* Ⓒ (*pl.* ~**s**) 稍緩慢曲。

larg·ish [ˋlardʒɪʃ] *adj.* 頗大的。

lar·go [ˋlargo]〖樂〗*adv.* & *adj.* 極緩慢地[的]。— *n.* Ⓒ (*pl.* ~**s**) 緩慢曲。

lar·i·at [ˋlærɪət] *n.* =**lasso.**

***lark¹** [lark] *n.* Ⓒ雲雀; 百靈鳥。

lark² *n.* Ⓒ〖俗〗嬉戲; 玩笑; 歡樂。— *v.i.* 玩樂; 開玩笑; 自娛。

lark·spur [ˋlark͵spɝ] *n.* Ⓒ〖植〗飛燕草。

lar·va [ˋlarvə] *n.* Ⓒ (*pl.* **-vae** [-vi]) ①(昆蟲的)幼蟲。②幼蟲時期之動物(如蝌蚪)。— **larˊval,** *adj.*

lar·yn·gi·tis [͵lærɪnˋdʒaɪtɪs] *n.* Ⓤ 喉炎。

la·ryn·go·scope [ləˋrɪŋgə͵skop] *n.* Ⓒ〖外科〗喉鏡。

lar·ynx [ˋlærɪŋks] *n.* Ⓒ (*pl.* **la·ryn·ges** [ləˋrɪndʒiz], ~**es**) 喉頭(包括聲帶)。

la·sa·gna [ləˋzanjə] *n.* Ⓤ 義大利式鹵汁麵條(形狀寬而扁, 上澆肉末、乳酪、番茄汁等)。

las·civ·i·ous [ləˋsɪvɪəs] *adj.*①淫亂的; 好色的。②有挑逗性的。— **ly,** *adv.*

lase [lez] *v.i.*〖光學〗①(晶體)適於作雷射之用。②發出雷射光。

la·ser [ˋlezɚ] *n.* Ⓒ〖理〗雷射。§ ∼ **dìsk** 雷射影碟(亦作laser video disk). ∼ **dísk plàyer** 雷射唱機(=CD player). ∼ **prìnter** 雷射印表機。∼ **sùrgery** 雷射手術。

lash¹** [læʃ] *n.* ①Ⓒ鞭上皮條部分。②Ⓒ鞭撻。③Ⓒ睫毛。④(the ~)鞭刑。⑤Ⓒ鞭子。— *v.t.* ①鞭撻; 打。②前後揮動或打擊。③諷刺; 抨擊。④激動; 煽動。— *v.i.* ①擺動。②拍打; 抽打。③急動; 猛衝。④譏刺; 譏罵。~ ***out **a.**鞭撻; 打擊。**b.**責備; 責罵。

lash² *v.t.* 縛; 束; 綑; 紮。

lash-up [ˋlæʃ͵ʌp] *n.* Ⓒ〖俗〗應急辦法; 應急物。

lass [læs] *n.* Ⓒ①少女; 女孩。②愛人; 情婦。

las·sie [ˋlæsɪ] *n.* Ⓒ〖蘇〗小姑娘; 少女。

las·si·tude [ˋlæsə͵tjud] *n.* Ⓤ疲乏; 倦怠; 懶散。

las·so [ˋlæso] *n.* Ⓒ (*pl.* ~(**e**)**s**)套索; 一端有活結之繩索(用以擲出套牛、馬者)。— *v.t.* 以活結套索擲捕(牛、馬)。

‡**last¹** [læst, last] *adj.*①最後的; 末尾的。②最末的(指時間的順序)。③昨(晚); 上(週等); 去(年)。④唯一的; 最後的。⑤最近的; 最新(流行的)。⑥最不可能的; 最不適的。⑦最大的; 極端的。a paper of ~ importance 最重要的一篇文件。⑧決定性的; 結論的。— *adv.* ①最後地; 最末地。②最近一次地。~ *of all* 最後。— *n.*(the ~)最後之人或事物。*at* ~終於; 到底。*at long* ~(經過重重困難或不愉快的經歷之後)終於。*breathe*[*gasp*] *one's* ~ 死。*see the* ~ *of* 不再看見。*to the* ~ 至終; 始終; 到底。§ ∼ **dítch**〖美〗最後防線。∼ **náme**〖美〗姓(=sur-

name). **the L~ Júdgment**(世界末日之)最後審判。**the ~ stráw** 加上去後令人無法再忍受的負擔[行爲]。**the L~ Súpper**(耶穌與其使徒之)最後晚餐。**the ~ wórd** (1)(結束爭論的)最後一句話。(2)最後決定權。(3)定論。(4)最進步的型式；最新發明。

***last²** *v.i.* ①延續；持續。②支持；持久。③維持。— *v.t.* ①安然度過；生還〔常 out〕。②繼續滿足…之需要。~ *out* 維持過去；度過。

last³ *n.* Ⓒ 鞋楦。*stick to one's* ~ 堅守自己的崗位；只管自己的事。

last-ditch [ˋlæstˋdɪtʃ] *adj.* 最後防線上的；不再後退的。

last·ing [ˋlæstɪŋ,ˋlɑs-] *adj.* 持久的；永恆的。

last·ly [ˋlæstlɪ] *adv.*(依次列舉)最後一點；最後地。

last-min·ute [ˋlæstˋmɪnɪt] *adj.* 最後關頭的；最後一刻的。

Las Ve·gas [lɑsˋvegəs] *n.* 拉斯維加斯(位於美國 Nevada 州的賭城)。

lat. latitude. **Lat.** Latin.

latch [lætʃ] *n.* Ⓒ ①門閂。②小彈簧鎖；門鎖。*on the* ~ 祇栓著門閂，但沒有上鎖。— *v.t.* 以門栓(門等)。— *v.i.* ①栓。②抓住。③〖俗〗得到。④〖俗〗了解。

latch·key [ˋlætʃˏki] *n.* Ⓒ 門鎖鑰匙。§ ~ **chìld** 鑰匙兒童。

‡**late** [let] *adj.*(**lat·er** or **lat·ter, lat·est** or **last**)①遲的；晚的。②在後的；將盡的；末期的。③近來的；新近的。④亡故的；已故的。⑤已辭職的；前任的。*of* ~近來。— *adv.*(**lat·er, lat·est** or **last**)①遲；晚。②近來地；新近地。③以前；先前。*better* ~ *than never* 亡羊補牢(永不爲遲)。— **ness,** *n.*

late·com·er [ˋletˏkʌmɚ] *n.* Ⓒ 晚來者；新進者。

la·teen [læˋtin] *adj.* 〖海〗大三角帆的。a ~ sail 大三角帆。

***late·ly** [ˋletlɪ] *adv.* 近來；最近。

late-night [ˋletˏnaɪt] *adj.* 深夜的；午夜的。

la·tent [ˋletn̩t] *adj.* 潛在的；不易被覺察的；潛伏的。— **ly,** *adv.* — **la′ten·cy,** *n.*

‡**lat·er** [ˋletɚ] *adj.* comp. of **late.** 更遲的；更後的。— *adv.* 後來；稍後；隨後。~ *on* 後來；過些時。

lat·er·al [ˋlætərəl] *adj.* 旁邊的；側面的。— *n.* Ⓒ 側部；側生枝。

***lat·est** [ˋletɪst] *adj.* superl. of **late.** ①最遲的。②最近的；最新的。— *adv.* 最遲地；最近地。— *n.*(the ~)①最新流行物。②最新的消息。*at* (*the*) ~ 最遲；最晚。

la·tex [ˋletɛks] *n.* Ⓤ Ⓒ (*pl.* **lat·i·ces** [ˋlætəˏsiz], ~**es**) (橡膠樹等之)乳液。

lath [læθ, lɑθ] *n.* ①Ⓤ Ⓒ 板條。②Ⓒ 薄木片。③Ⓒ 瘦子。*as thin as a* ~ 骨瘦如柴。

lathe [leð] *n.* Ⓒ ①車床。②旋盤；鏇床。

lath·er [ˋlæðɚ] *n.* Ⓤ (又作 a ~)①肥皂泡沫。②(馬等之)汗沫。— *v.t.* ①塗以肥皂泡沫。②〖俗〗用力鞭打。③使緊張；使焦急〔常 up〕。

***Lat·in** [ˋlætɪn] *n.* ①Ⓤ 拉丁文。②Ⓒ 拉丁民族之人。③Ⓒ 南美洲人。④Ⓒ 古羅馬人。⑤Ⓒ 羅馬天主教徒。— *adj.* ①拉丁文的。②拉丁民族的。§ ~ **América** 拉丁美洲(即南美洲、中美洲、墨西哥及西印度群島等地)。~ **Américan** 拉丁美洲人。~ **Chúrch** 羅馬天主教會。~ **cróss** 拉丁十字；長十字形。**the ~ Quàrter**(巴黎 Seine 河南岸，學者及藝術家薈集之)拉丁地區。

La·ti·no [ləˋtino, læ-] *n.* Ⓒ (*pl.* ~**s**) 〖美〗拉丁美洲人。

***lat·i·tude** [ˋlætəˏtjud] *n.* ①Ⓤ 緯度；緯線。②(*pl.*)某緯度之地區。③Ⓤ (思想、行動等)範圍；自由。*out of one's* ~ 不是本行的；不合身份的。

lat·i·tu·di·nal [ˏlætəˋtjudən!] *adj.* 緯度的。— **ly,** *adv.*

lat·i·tu·di·nar·i·an [ˏlætəˏtjudn̩ˋɛrɪən] *adj.* 自由主義的。— *n.* Ⓒ 自由主義者。— **ism,** *n.*

la·trine [ləˋtrin] *n.* Ⓒ 廁所(尤指兵營或營地中者)。

***lat·ter** [ˋlætɚ] *adj.*①(the ~)後者的。②(時間上)較後的。— **ly,** *adv.*

lat·ter-day [ˋlætɚˋde] *adj.* 近代的；當今的。§ **L~ Sáint**〖美〗(摩門教)末日聖徒。

lat·tice [ˋlætɪs] *n.* Ⓒ (窗等的)格子。— *v.t.*①做成格子式樣。②裝格子於。

lat·tice·work [ˋlætɪsˏwɝk] *n.* Ⓤ ①格子細工。②(集合稱)格子。

Lat·vi·a [ˋlætvɪə] *n.* 拉脫維亞(1991 年脫離蘇聯獨立，位波羅的海沿岸)。— **Lat′vi·an,** *adj. & n.*

laud [lɔd] *v.t.* 褒獎；讚美。— **a·ble,** *adj.*

lau·da·num [ˋlɔdn̩əm] *n.* Ⓤ 鴉片酊(可用以止痛)。

laud·a·to·ry [ˋlɔdəˏtorɪ], **-tive** [-tɪv] *adj.* 讚賞的；褒揚的。

‡**laugh** [læf, lɑf] *v.i.* 笑。— *v.t.*①(藉笑)使消除〔away, off〕。②以笑表示。③笑得…。*He ~s best who ~s last.* 別高興得太早。~ *at* a.笑；嘲笑；嘲弄。b.對…一笑置之。~ *in one's face* 當面嘲笑某人。~ *off* 對…一笑置之。~ *on the wrong*[*other*]*side of one's mouth*〖俗〗煩惱；失望；幾乎要哭出來。— *n.*① Ⓒ (常 a ~)笑；笑柄。②(*pl.*)娛樂。*break into a* ~ 忽然笑起來。*have the last* ~ *on* 表面上似乎失敗但獲得最後的勝利或成功；佔優勢。*raise a* ~ 引人發笑。— **a·ble,** *adj.* — **a·bly,** *adv.*

laugh·ing [ˋlæfɪŋ] *adj.*①帶笑的；笑容滿面的。②可笑的；令人發噱的。It is no ~ matter.這沒什麼可笑的；這是正經事。— *n.* Ⓤ 笑(的動作)。§ ~ **gàs** 〖化〗笑氣(即N_2O)。~ **hyéna**〖動〗笑鬣狗。~ **jáckass** 笑鴗(一種澳洲產之鳥，其鳴聲似人笑聲)。— **ly,** *adv.*

laugh·ing·stock [ˋlæfɪŋˏstɑk] *n.* Ⓒ 笑柄；受人嘲笑者。

‡**laugh·ter** [ˋlæftɚ,ˋlɑf-] *n.* Ⓤ ①笑。②笑聲。

***launch** [lɔntʃ, lɑntʃ] *v.t.*① 使(船)入水；行入水式。②使(飛機)升空；發射(飛彈等)。③使(某人)從事。④開辦；

創辦。—*v.i.* 開始；著手。～ (*out*) *into* 狂熱於；熱心於。～*out* 開始；著手。—*n.* ①(*sing.*,常 the ～)入水(式)。②Ⓒ(軍艦所帶的)大艇。③Ⓒ遊艇。§ ∼ **pàd** = launching pad. ∼ **vèhicle** 推動太空船、人造衛星等進入軌道的火箭。

launch·ing [ˋlɔntʃɪŋ] *n.* ⓊⒸ ①開辦或創辦(之行動)。②發射(之行動)。§ ∼ **pàd** 火箭或飛彈發射台。∼ **sìte** 發射場。∼ **tùbe**(魚雷)發射管。

laun·der [ˋlɔndɚ] *v.t.*洗熨(衣服等)。—*v.i.* ①經洗。②洗熨衣服。

laun·der·ette [ˌlɔndəˋrɛt] *n.* = laundromat.

laun·dress [ˋlɔndrɪs] *n.* Ⓒ洗衣婦。

laun·dro·mat [ˋlɔndrəmæt] *n.* Ⓒ(營業性)自動洗衣店。

***laun·dry** [ˋlɔndrɪ,ˋlɑn-] *n.* ①Ⓒ洗衣店。②Ⓤ(the ～, 集合稱)〖俗〗所洗或送洗的衣服。

laun·dry·man [ˋlɔndrɪmən] *n.* Ⓒ(*pl.* **-men**)①洗衣工。②洗衣店所雇取送衣服者。

lau·re·ate [ˋlɔrɪɪt] *n.* Ⓒ ①桂冠詩人。②任何贏得榮譽者。—*adj.*①戴桂冠的。②有名的。—**ship,** *n.*

lau·rel** [ˋlɔrəl, ˋlɑr-] *n.* ①Ⓒ月桂樹。②Ⓤ桂樹葉。③(*pl.*)光榮；榮譽。④(*pl.*)勝利。look to one's ～s*** 愛惜名譽；保持紀錄。***rest on one's ～s*** 對既得之榮譽感到滿足。

la·va [ˋlɑvə, ˋlævə] *n.* Ⓤ①(火山流出的)熔岩。②(由熔岩凝結成的)火山岩。

lav·a·to·ry [ˋlævəˌtorɪ] *n.* Ⓒ①盥洗室；廁所。②臉盆；洗手缸。

lav·en·der [ˋlævəndɚ] *n.* Ⓤ①薰衣草。②薰衣草之乾花乾葉(用以薰衣物者, 使免爲蠹蟲所蝕)。③淡紫色。

la·ver [ˋlevɚ] *n.* Ⓤ〖植〗(供食用之)紫菜。

***lav·ish** [ˋlævɪʃ] *adj.* ①豐富的；過多的。②過度慷慨的；浪費的。—*v.t.* 浪費；濫用。—**ly,** *adv.* —**ness,** *n.*

‡**law** [lɔ] *n.* ①Ⓤ法律。②Ⓒ法律條文；法規。③Ⓤ法(律)學。④Ⓤ(常 the ～)法律業；律師業；司法界。⑤Ⓤ法律的手段[手續]；訴訟。⑥ⓊⒸ **a.** 規律；慣例；習慣。**b.** (宗教之)戒律；律法。**c.**(科學等之)法則；定律；原理。**d.**(藝術等之)原則；法。**e.**(競賽之)規則；規定。⑦Ⓤ(集合稱)〖俗〗警官；警察。***go to ～*** 訴諸法律。***lay down the ～*** 下令(指必須服從者)。***take the ～ into one's own hands*** 私行治罪或保衛自己的權益。§ ∼ **còurt** 法庭。

law-a·bid·ing [ˋlɔəˌbaɪdɪŋ] *adj.* 守法的；安分守己的。

law·break·er [ˋlɔˌbrekɚ] *n.* Ⓒ犯法者；罪犯。

***law·ful** [ˋlɔfəl] *adj.* ①合法的；法律所許可的。②法定的。reach ～ age 達到法定年齡。③依法的。④守法的。

law·giv·er [ˋlɔˌgɪvɚ] *n.* Ⓒ立法者。

law·less [ˋlɔlɪs] *adj.* ①沒有法律的；法律無法實行的。②目無法紀的；違法的。③難管訓的。

law·mak·er [ˋlɔˌmekɚ] *n.* Ⓒ立法者。

law·mak·ing [ˋlɔˌmekɪŋ] *adj.* 立法的。

***lawn**¹ [lɔn] *n.* Ⓒ①草地。②(網球等的)球場。§ ∼ **mòwer** 割草機。∼ **pàrty**〖美〗園遊會。∼ **tènnis** 網球(尤指需要草地球場者)。—**lawn'y,** *adj.*

lawn² *n.* Ⓤ一種薄麻布(用以製作女服、主教法衣袖子)。

Law·rence [ˋlɔrəns] *n.* ①勞倫斯(男子名)。②勞倫斯(David Herbert, 1885-1930, 英國小說家、詩人)。

law·ren·ci·um [lɔˋrɛnsɪəm]*n.* Ⓤ〖化〗鐒(放射性元素；符號 Lr)。

law·suit [ˋlɔˌsut] *n.* Ⓒ訴訟；訟案。

‡**law·yer** [ˋlɔjɚ] *n.* Ⓒ律師。

lax [læks] *adj.* ①散漫的。②不嚴謹的；馬馬虎虎的。③放縱的。④模糊的。⑤腹瀉的。—**i·ty** [ˋlæksətɪ], *n.*

lax·a·tive [ˋlæksətɪv] *adj.* ①通便的。②未被抑制的。—*n.* Ⓒ通便劑。

‡**lay**¹ [le] *v.t.* (**laid**)①置放；橫置；鋪設。②使。They ～ the land waste. 他們使該地區荒蕪。③產(卵)。④撲滅；消除；驅除。⑤準備；鋪設；布置。⑥提出；陳述。⑦課(稅)；下(令)。⑧以…爲背景(常用被動語態)。The scene of the story is *laid* in London. 這故事以倫敦爲背景。⑨覆蓋；塗(顏料等)。⑩打；擊。⑪打(賭)；賭(錢等)。⑫砌。⑬設計；安排。⑭歸咎；委諸於。⑮鋪平；攤平。⑯埋葬。⑰置於某一情況下。⑱搓(繩)。—*v.i.* ①產卵。②打賭；賭注。③努力從事。～ to one's work 努力工作。④計畫。～ ***about*** 向四面揮打。～ ***aside***[***by***] **a.** 貯藏；儲蓄。**b.** 推置一邊；棄置。**c.** 拋棄；革除。～ ***away*** **a.** 把…留作後用。**b.** 埋葬。～ ***bare*** 露出；揭開。～ ***down*** **a.** 使躺下。**b.** 藏(酒於地窖中)。**c.** 放棄；犧牲。**d.**計畫；設計。**e.**規定(規則、原則等)。～ ***for*** 準備伏擊。～ ***hold of*** 抓住。～ ***in*** 貯藏。～***into***(以拳頭)毆打；(以話)抨擊。～ ***off*** **a.** 駛(船)離(岸或他船)。**b.**〖美〗暫時解雇。**c.** 休息。～ ***on*** **a.** 猛(打)。**b.** 塗；敷。～ ***open*** **a.** 揭發。**b.** 使曝露。**c.** 切開。～ ***out*** **a.** 打開備用。**b.** 出現；呈現。**c.** 準備埋葬。**d.**〖俗〗擊倒；擊昏。**e.** 用(錢)。**f.** 計畫；設計。～ ***over*** **a.**〖俚〗優於；勝過。**b.** 擱置；擱延。～ ***to*** **a.** 努力工作。**b.** 減少船的搖動。**c.** 將船駛進船塢或其他安全地帶。～ ***up*** **a.** 貯藏。**b.** 使(船)入船塢。**c.** 臥床(用被動語態)。—*n.*①Ⓤ(常the ～)方位；位置；地形；地勢。②Ⓒ〖鄙〗性交(的對象)。

‡**lay**² *v.* pt. of **lie**².

lay³ *adj.* ①普通平民的；凡俗的(對牧師、僧侶而言)。②非屬於專門職業的(對律師、醫師等而言)；外行的。§ ∼ **ánalyst** 業餘精神分析家。∼ **fìgure**(美術家或商店的)人體模型；時裝模特兒模型。∼ **réader**〖基督教〗於禮拜時擔任讀使徒書等某一定部分工作的)俗人(信徒)讀經師。

lay⁴ *n.* Ⓒ①短抒情詩(尤指能唱者)。②歌。

láy·a·wày plán [ˋleə,we ～] *n.* Ⓒ商品預購法(先付定金，待餘款付清才取貨的辦法)。

lay-by [ˋle,baɪ] *n.* Ⓒ〖英〗①幹道旁邊之停車修理區。②〖鐵路〗旁軌；側線。

***lay·er** [ˋleɚ] *n.* Ⓒ①一層。②賭錢者。③產卵雞。④放置者。⑤〖園藝〗壓條。— *v.t.* 以壓條培植(新植物)。§ ～ **càke**〖美〗夾心蛋糕。

lay·ette [leˋɛt] *n.* Ⓒ新生嬰兒所用之全套衣物(包括衣服、被褥、雜物等)。

lay·man [ˋlemən] *n.* Ⓒ (*pl.* **-men**) ①門外漢；外行人(對專家而言)。②俗人(對教士而言)。

lay·off [ˋle,ɔf] *n.* Ⓒ①臨時解雇。②失業時期。③休息；中止活動。

lay·out [ˋle,aʊt] *n.* ①Ⓒ〖美〗設計；布置。②Ⓤ呈現；陳列。③Ⓒ設計之物。④Ⓒ一套工具。

lay·o·ver [ˋle,ovɚ] *n.* Ⓒ〖美〗中途停留。

lay·per·son [ˋle,pɜsn̩] *n.* ＝layman.

laze [lez] *v.i.* 懶散；怠惰。— *v.t.* 懶惰地打發(時光)〔away〕.

‡**la·zy** [ˋlezɪ] *adj.* ①懶惰的；怠惰的。②緩慢的；不活潑的。③令人懶惰的。§ ～ **Súsan**(置於餐桌中央便於取食之)大轉盤。—**laˊzi·ly,** *adv.* —**laˊzi·ness,** *n.*

la·zy·bones [ˋlezɪ,bonz] *n.* (常作 *sing.* 解)〖俗〗懶人；懶骨頭。

lb. (*pl.* **lbs., lb.**) libra. **L／C, l／c** letter of credit. **LD** laser disk. **Ld.** Limited; Lord.

lea [li] *n.* Ⓒ〖詩〗草原；牧場。

leach [litʃ] *v.t.* ①過濾(水等)。②濾取(可溶物質)。— *v.i.* 過濾。— *n.* ①Ⓤ過濾。②Ⓒ濾器。③Ⓤ濾劑；濾液。

‡**lead**[1] [lid] *v.t.* (**led**)①引導；嚮導。②牽引。③領導；率領。④過(生活)。⑤居首；爲第一名。— *v.i.* ①領導；率領；帶隊。②做嚮導；領路。③通；至；達。④(比賽中)領先。⑤被帶領。⑥居首。⑦出牌；首先打出。～ ***by the nose*** 完全掌握。～ ***off*** 開始；率先。～ ***on*** 使誤入歧途；使誤解。～ ***one a dance*****[*****chase*****]**令人焦急；使陷入困難。～ ***out*** **a.** 開始。**b.** 帶(舞伴)入舞池。～ ***the way*** 帶路。～ ***up to*** 漸次提及；鋪路。— *n.* ①(*sing.*) **a.** 最前頭(的位置)。**b.** 率先；指揮；領導力。②Ⓒ榜樣；模範。③**a.**(the ～)(賽跑的)冠軍；第一名。**b.**(a ～)領先(的差距)；優勢。④Ⓒ〖俗〗提示；線索；頭緒。⑤(the ～)〖戲劇〗主角；主要演員。⑥Ⓒ(新聞報導文之)開頭；第一段。§ ～ **tìme** (1)產品設計與實際生產間相隔之時間。(2)訂貨至交貨所隔之時間。

***lead**[2] [lɛd] *n.* ①Ⓤ鉛。②Ⓒ(測水深用的)鉛錘。③ⓊⒸ(鉛筆中的)鉛心。④Ⓤ槍彈。— *v.t.* ①以鉛接合；以鉛沉壓。②〖印刷〗塞鉛條於(活字)的行間。§ ～ **lìne**〖海〗測深繩；錘條。～ **péncil** 鉛筆。～ **pòisoning**〖醫〗鉛中毒。

lead·en [ˋlɛdn̩] *adj.* ①鉛製的。②鉛色的；淺黑色的。③沉重的。④沉悶的；意志消沉的。⑤低級的；低賤的。

‡**lead·er** [ˋlidɚ] *n.* Ⓒ①領袖；指揮者。②(報紙的)社論。③馬車之先導馬。④(釣絲上的)蚊鉤。§ ～ **wrìter**〖英〗(報紙之)社論作者；主筆。

***lead·er·ship** [ˋlidɚ,ʃɪp] *n.* ①Ⓤ領導地位；領導權。②Ⓤ領導能力。③Ⓒ領導階層。

lead-free [ˋlɛdˋfri] *adj.* 無鉛的。～ gasoline [petrol] 無鉛汽油。

lead-in [ˋlid,ɪn] *n.* Ⓒ①〖電〗天線引入線。②連接戶外輸電線與室內電表之電線。③序言；介紹辭。

***lead·ing**[1] [ˋlidɪŋ] *adj.* 領導的；指導的；主要的；在前的。— *n.* Ⓤ①領導；指導。②疏導。§ ～ **árticle** (1)社論。(2)報紙上的最重要消息；頭條新聞。～ **cáse**〖法律〗成爲判例之案件。～ **lády** 女強人；公司的女主管；影劇女主角。～ **líght** 重要人物；領導人物。～ **mán**〖戲劇〗男主角。～ **quéstion** 誘導性詢問[問題]。～ **stríngs** (1)(用以扶持幼兒步行的)扶手索。(2)嚴格的指導[管教]；束縛(常用 in ～ strings).

lead·ing[2] [ˋlɛdɪŋ] *n.* Ⓤ①鉛細工；鉛框。②〖印刷〗鉛條。

lead·off [ˋlid,ɔf] *n.* ①Ⓤ開始；著手。②Ⓒ〖棒球〗第一棒打擊手。— *adj.* (亦作 **lead-off**)起頭的；最先的。

lead-up [ˋlid,ʌp] *n.* Ⓒ準備階段。

‡**leaf** [lif] *n.* (*pl.* **leaves**)①Ⓒ樹葉；草葉。②Ⓒ(書的)一張；一葉(即兩面或兩頁)。③Ⓒ花瓣。④Ⓤ(金屬)箔。⑤Ⓒ(活邊桌之)活邊。⑥Ⓒ門扇；扉。***in*** ～ 生滿葉的；綠葉滿枝的。***take a*** ～ ***out of*****[*****from*****]*****one's book*** 仿傚某人。***turn over a new*** ～ 改過自新。— *v.i.* ①(樹)生葉。②翻書頁〔常 through〕. — *v.t.* 翻(書等)的頁。§ ～ **bùd**〖植〗葉芽；嫩葉。～ **mòld**腐葉土。

leaf·age [ˋlifɪdʒ] *n.* Ⓤ(集合稱)葉。

leaf·less [ˋliflɪs] *adj.* 無葉的。

leaf·let [ˋliflɪt] *n.* Ⓒ①小葉。②傳單；散葉印刷品；摺疊的印刷品。

leaf·let·eer [,liflɪˋtɪr] *n.* Ⓒ傳單的發放者或撰稿人。

leaf·stalk [ˋlif,stɔk] *n.* Ⓒ〖植〗葉柄。

leaf·y [ˋlifɪ] *adj.* ①多葉的；葉叢密的。②葉狀的。

league**[1] [lig] *n.* Ⓒ①聯盟；同盟。②〖美〗棒球聯合會。③種類。He is a bit out of your ～. 他是有一點跟你們格格不入。in*** ～ 聯合的；聯盟的。***the L-; the L- of Nations*** 國際聯盟。— *v.t.* *& v.i.* 組聯盟或同盟。

league[2] *n.* Ⓒ里格(長度名，約等於三英里)。

***leak** [lik] *n.* ①Ⓒ漏洞；漏隙。②Ⓒ漏出之物；漏出量。③Ⓒ漏電。④(a ～)〖俗〗撒尿。— *v.i.* ①漏；(水、光等經由洞、隙)流入或洩出。②(祕密等)洩漏〔out〕. — *v.t.* ①漏；使(水、氣體、光等)流入或洩出。②洩漏。

leak·age [ˋlikɪdʒ] *n.* ①ⓊⒸ漏；漏泄物。②Ⓤ(祕密等的)洩漏。

leak·y [ˋlikɪ] *adj.* 漏的；有漏隙的。

‡**lean**[1] [lin] *v.i.* (**leaned** or **leant**)①傾斜；傾側〔to〕. ②憑；靠〔against, on, over〕. ③傾身。④依賴；依靠〔on, upon〕. ⑤傾向；偏〔to, toward〕. — *v.t.*

使傾斜；使倚憑。~ ***over backward*** 〖俗〗**a.** 矯枉過正。**b.** 盡最大努力。— *n.* (a ~)傾斜；偏倚；彎曲。

*__lean²__ *adj.* ①瘦的。②歉收的；貧乏的。③稀薄的。— *n.* Ⓤ瘦肉。

lean·ing [ˋlinɪŋ] *n.* Ⓒ①傾斜。②傾向；嗜好；偏好。***the L- Tower of Pisa***(義大利)比薩斜塔。

‡**leant** [lɛnt] *v.* pt. & pp. of **lean¹**.

lean-to [ˋlin,tu] *n.* Ⓒ (*pl.* ~**s**)單斜面屋頂。

‡**leap** [lip] *n.* Ⓒ①跳；躍。②一躍之距離。③劇增。***a ~ in the dark*** 冒險。***by ~s and bounds*** 迅速地。— *v.i.* (**leaped** or **leapt**)①跳；躍；猛衝。②急速進步；飛躍。— *v.t.* ①跳過；躍過。②使跳過。***Look before you ~.*** 三思而後行。§ ∸ **yèar** 閏年。

leap·frog [ˋlip,frɑg, -,frɔg] *n.* Ⓤ跳蛙[跳背]遊戲。— *v.i.* (**-gg-**)作跳蛙式前進〔over〕.

‡**leapt** [lɛpt, lipt] *v.* pt. & pp. of **leap.**

‡**learn** [lɝn] *v.t.* (**learned** or **learnt**)①學習。②學會；(由學而)懂得。③聞及；獲悉。— *v.i.* ①學習。②聞；聞悉〔of〕. ~ ***by heart*** 默誦；默記。

*__learn·ed__ [ˋlɝnɪd] *adj.* ①有學問的；博學的。②學術性的。③有經驗的。

*__learn·er__ [ˋlɝnɚ] *n.* Ⓒ學習者；初學者。

*__learn·ing__ [ˋlɝnɪŋ] *n.* Ⓤ①學問；學識；學術。②學習。

‡**learnt** [lɝnt] *v.* pt. & pp. of **learn.**

lease [lis] *n.* Ⓒ租；租期；租約。***a new ~ of [on] life*** 由於健康恢復或煩惱解除而重新開始的生活。— *v.t.* ①租用。②租出。

lease·hold [ˋlis,hold] *n.* ⓊⒸ①租賃權。②租用之土地或建築物。— *adj.* 租得的。

lease·hold·er [ˋlis,holdɚ] *n.* Ⓒ土地租用人。

leash [liʃ] *n.* Ⓒ(牽狗等所用的)皮帶。***hold [have] in ~*** 控制。***strain at the ~*** 焦急地等待獲得允許做某事。— *v.t.* ①以皮帶束縛。②加以抑制。

‡**least** [list] *adj.* (常the ~)最小的；最少的；最不重要的。— *pron.* (常the ~)最少；最小；最少量。***at (the) ~*** 至少。***not in the ~*** 一點也不。***The ~ said the better.*** 說得愈少愈好。***to say the ~ of it*** 至少可以如此說(尚且不說其他)。— *adv.* 最少；最不；最沒有。~ ***of all*** 最不(應該)；尤其不。***not ~*** 頗；尤其。

least·wise [ˋlist,waɪz], **-ways** [-,wez] *adv.* 〖俗〗至少；無論如何。

*__leath·er__ [ˋlɛðɚ] *n.* ①Ⓤ皮革。②Ⓒ皮革製品。— *v.t.* ①覆以皮革。②〖俗〗鞭笞。§ ∸ **clòth** 皮布；防水布。∸ **pàper** 假皮紙。—**leath′er·y,** *adj.*

leath·er-bound [ˋlɛðɚ,baund] *adj.* (書)皮面的；皮裝的。

leath·er·ette [,lɛðəˋrɛt] *n.* Ⓤ假皮；人造皮。

leath·er·neck [ˋlɛðɚ,nɛk] *n.* Ⓒ〖俚〗美海軍陸戰隊員。

‡**leave¹** [liv] *v.t.* (**left**)①留置；置放。②遺置；忘記。③讓；聽任。④離開；離別；辭去。⑤(死後)遺留。⑥付託；委託；依賴。⑦剩餘。⑧走過；經過。⑨遺棄。⑩留下。⑪放棄或停止。⑫省略；遺漏；不提〔常 off, out〕.— *v.i.* ①出發；啓程；往；赴〔for〕. ②停止〔off〕. ③離去。~ ***behind*** 忘記攜帶。~ ***hold [go] of*** 放手；放掉。~ ***off*** **a.** 脫去(衣服)。**b.**戒除(習慣)；停止；放棄。~ ***out*** 遺漏；忽略；省略。~ ***over*** 剩下。~ ***somebody to himself [his own devices]***不管他；讓他隨便行動。

*__leave²__ *n.* ①Ⓤ許可；同意。②ⓊⒸ請假；准假；假期。③Ⓤ離開；告別。~ ***of absence*** 休假。~ ***of one's senses*** 發狂。***on ~*** 告假中；休假中。***take (one's) ~ (of)*** (向…)告別。

leaved [livd] *adj.* 有葉的；(有)…葉的。a narrow-*leaved* tree 狹葉樹。

leav·en [ˋlɛvən] *n.* ①Ⓤ酵；酵母。②ⓊⒸ(瀰漫社會的)影響力；潛在勢力。— *v.t.* ①使發酵。②影響；感化。

‡**leaves** [livz] *n.* pl. of **leaf.**

leave-tak·ing [ˋliv,tekɪŋ] *n.* ⓊⒸ告別；道別。

leav·ings [ˋlivɪŋz] *n. pl.* 渣滓；殘餘。

Leb·a·non [ˋlɛbənən] *n.* 黎巴嫩(地中海東岸的共和國，首都 Beirut).

lech·er [ˋlɛtʃɚ] *n.* Ⓒ好色之徒；色情狂。— *v.i.* 耽於色情。

lech·er·ous [ˋlɛtʃərəs] *adj.* 好色的；淫蕩的。—**lech′er·y,** *n.*

lec·i·thin [ˋlɛsəθɪn] *n.* Ⓤ〖生化〗卵磷脂；蛋黃素。

lec·tern [ˋlɛktɚn] *n.* Ⓒ①教堂中的讀經台。②講演台。

*__lec·ture__ [ˋlɛktʃɚ] *n.* Ⓒ①演講。②教訓；訓誡；譴責。— *v.t.* & *v.i.* ①對…演講。②訓誡；責罵。§ ∸ **hâll** 講堂；大教堂。∸ **ròom**講堂。∸ **thèater** 階梯式教室。∸ **tòur** 演講[講學]旅行。

lec·tur·er [ˋlɛktʃərɚ] *n.* Ⓒ①講演人；講課人。②(大學)講師。③訓誡者。

lec·ture·ship [ˋlɛktʃɚ,ʃɪp] *n.* Ⓤ講師之職位[地位]。

‡**led** [lɛd] *v.* pt. & pp. of **lead¹.**

LED light-emitting diode. 〖電子〗發光二極管。

ledge [lɛdʒ] *n.* Ⓒ①(牆壁等)突出之狹長部分。②岩石面之突出部分。

ledg·er [ˋlɛdʒɚ] *n.* Ⓒ①〖簿記〗總帳。②(蓋於墓上之)大石板。

lee [li] *n.* (the ~)①庇蔭(處)。②避風處。③〖海〗風吹向處；下風處。— *adj.* ①避風的。②下風處的。§ ∸ **shòre** (1)下風處的海岸。(2)危險的境地。

leech [litʃ] *n.* Ⓒ①〖動〗水蛭。②吸血鬼；高利貸；食客。③〖古〗醫生。

leek [lik] *n.* Ⓒ〖植〗韭葱。

leer [lɪr] *n.* Ⓒ秋波；媚眼；睨視。— *v.i.* & *v.t.* 送秋波；拋媚眼。

leer·y [ˋlɪrɪ] *adj.* ①送秋波的；拋媚眼的；睨視的。②〖俚〗多疑的〔of〕. ③〖俚〗狡猾的；機敏的。

lees [liz] *n. pl.* (常the ~)沉於杯底的殘渣。

lee·ward [ˋliwɚd] *adj.* 在下風方向的。— *adv.* 向下風地。— *n.* Ⓤ下風。

lee·way [ˋli,we] *n.* ① Ⓤ〖海〗風壓(船隻或飛機被風吹向下風處而離航線); 風壓差; 風壓角。② ⓊⒸ (時間之)損失; 落後。make up ～脫出逆境。③ ⓊⒸ〖俗〗活動的餘地; 充裕時間。

⁑**left**[1] [lɛft] *adj.* ①左方的; 左側的。②左翼的; 左傾的。— *n.* ①(the ～, one's ～)左方; 左側。② Ⓤ (常 the L-)急進派; 左派。— *adv.* ①在[向]左邊。turn ～ 向左轉。②左傾地。§ ∼ **wíng** (1)(政治上之)左翼(政黨); 急進派。(2)(球類運動之)左翼(隊員)。

⁑**left**[2] *v.* pt. & pp. of **leave**[1].

left-hand [ˋlɛftˋhænd] *adj.* ①左方的。②(用)左手的。③不自然的。

left-hand·ed [ˋlɛftˋhændɪd] *adj.* ①慣用左手的; 笨拙的。②用左手做的。③左旋的; 反時鐘方向的。④無誠意的。§ ∼ **márriage** 貴族男子與平民之婚姻; 門戶不相當之結婚。

left-hand·er [ˋlɛftˋhændɚ] *n.* Ⓒ ①慣用左手的人。②〖棒球〗左手投球者。③〖拳擊〗左手之擊打; 左拳; 突擊。

left·ist [ˋlɛftɪst] *n.* Ⓒ ①左派議員; 左派的人; 社會主義者。②左撇子。— *adj.* 左派的; 左翼的; 過激的。

léft-lúg·gage òffice [ˋlɛft-ˋlʌgɪdʒ ～]*n.* Ⓒ〖英〗行李存放處(=〖美〗checkroom, baggage room)。

left·o·ver [ˋlɛft,ovɚ] *adv.* 殘餘的; 賸下的。— *n.* Ⓒ (常*pl.*)剩餘物; 剩飯。

left·ward [ˋlɛftwɚd]*adv.* & *adj.*在左方(的); 向左(的)。

left·wards [ˋlɛftwɚdz] *adv.*= **leftward.**

left-wing [ˋlɛft,wɪŋ] *adj.* 左翼的; 急進的。— **er,** *n.*

left·y [ˋlɛftɪ] *n.* Ⓒ①〖美俚〗慣用左手的人; 左撇子(常用作綽號)。②〖棒球〗左手投手。③左派人士或社會主義者。

⁑**leg** [lɛg] *n.* Ⓒ①腿; 足。②衣物的腿部。③(桌、椅等的)脚。④旅行中的一段路程。***feel*** [***find***] ***one's*** **～*s*** (指嬰孩)能立; 能行走。***give a person a ～ up*** 扶人上馬; (轉爲)助人克服困難。***have not a ～ to stand on***(對自己的行動)無理由可申述。***on one's*** [***its***] ***last ～s*** 將死; 將失敗; 黔驢技窮。***pull a person's ～*** **a.** 開玩笑。**b.** 欺騙; 愚弄。***shake a ～***〖俗〗跳舞。***stretch one's ～s*** (久坐之後)出外散步。***take to one's ～s*** 逃逸。***walk a man off his ～s*** 使某人走得疲倦。— *v.i.* & *v.t.* (**-gg-**)〖俗〗走; 跑(常與 it 連用)。§ ∼ **báil**〖俚〗逃獄; 逃亡。∼ **shòw** 暴露大腿的表演; 大腿舞。∼ **wàrmer** 保暖腿套。

leg·a·cy [ˋlɛgəsɪ] *n.* Ⓒ ①〖法律〗遺產。②祖先傳下來的東西; 遺物。

le·gal** [ˋligl] *adj.* ①法律的; 法律上的。②法定的。③律師的。④合法的。§ ∼ **áge** 法定年齡。∼ **áid**〖法律〗法律援助(對窮困者提供訴訟費用的援助)。∼ **hóliday** 法定假日。∼ **ténder**〖法律〗法定貨幣; 法幣。∼ **wéight** 貨物之實重。—**ly,adv.*— **ism,** — **ist,** *n.*

le·gal·i·ty [lɪˋgælətɪ] *n.* Ⓤ ①合法(性); 正當。②墨守法規。

le·gal·ize [ˋligl,aɪz] *v.t.* 使合法。— **le·gal·i·za′tion,** *n.*

leg·ate [ˋlɛgɪt] *n.* Ⓒ①羅馬教皇的使節。②使節; 使者。

leg·a·tee [,lɛgəˋti] *n.* Ⓒ 受遺產者; 受遺贈者。

le·ga·tion [lɪˋgeʃən] *n.* Ⓒ①公使館全體人員。②公使館。

le·ga·to [lɪˋgɑto]〖義〗*adj.* & *adv.*〖樂〗圓滑的[地]。

***leg·end** [ˋlɛdʒənd] *n.* ① ⓊⒸ 傳奇; 傳說; 稗史。② Ⓤ 傳奇文學。③ Ⓒ 傳奇性人物。④ Ⓒ (錢幣或獎章上的)刻字。⑤ Ⓒ (繪畫、地圖等的)說明; 圖例。— **ar·y** [～,ɛrɪ], *adj.*

leg·er·de·main [,lɛdʒɚdɪˋmen] *n.* Ⓤ①魔術。②詐術。③詭辯。

leg·ged [ˋlɛgɪd, lɛgd] *adj.* 有(…)腿的。a four-*legged* animal 四足動物。

leg·ging [ˋlɛgɪŋ] *n.* Ⓒ (常 *pl.*)護脛; 裹腿; 綁腿。

leg·gy [ˋlɛgɪ] *adj.* ①長腿的。②腿長得很難看的。③(樹等)莖細長的。④暴露大腿的。— **leg′gi·ness,** *n.*

Leg·horn [ˋlɛgɚn,ˋlɛg,hɔrn] *n.* Ⓒ (有時 l-)來亨雞。

leg·i·ble [ˋlɛdʒəbl] *adj.* ①(字跡等)易讀的; 清楚的。②可看出的; 可辨認的。— **leg′i·bly,** *adv.* — **leg·i·bil′i·ty,** *n.*

le·gion [ˋlidʒən] *n.* ① Ⓒ 古羅馬之軍團。② Ⓒ 聲勢浩大之武裝人員; 軍隊。③(a ～ or *pl.*)衆多; 多數; 大批。***L- of Merit*** 美國之功勳勳章(由總統頒給美國或盟國之有功人員)。

leg·is·late [ˋlɛdʒɪs,let] *v.i.* & *v.t.* 制定法律; 立法。— **leg′is·la·tor,** *n.*

***leg·is·la·tion** [,lɛdʒɪsˋleʃən] *n.* Ⓤ ①立法; 制定法律。②法律。

***leg·is·la·tive** [ˋlɛdʒɪs,letɪv] *adj.* ①關於立法的。②有權制定法律的; 立法的。a ～ body 立法機構。③法律規定的。— *n.* Ⓒ立法機構。§ **L∸ Assémbly**(某些國家)兩院制立法機構之下院。**L∸ Cóuncil**(某些國家)兩院制立法機構之上院。— **ly,** *adv.*

***leg·is·la·ture** [ˋlɛdʒɪs,letʃɚ] *n.* Ⓒ立法機關; 議會。

le·git [ləˋdʒɪt]〖俚〗 *n.* = **legitimate drama.** — *adj.* =**legitimate.**

le·git·i·ma·cy [lɪˋdʒɪtəməsɪ] *n.* Ⓤ①合法性; 正當。②嫡出; 正統。

***le·git·i·mate** [lɪˋdʒɪtəmɪt] *adj.* ①合法的; 正當的。②嫡出的。③理由充足的; 合理的。— [lɪˋdʒɪtə,met] *v.t.* ①使合法; 認爲正當。②立爲嫡嗣。§ ∼ **dráma** (1)專門適用於舞台之戲劇。(2)文藝性之戲劇。∼ **stáge**[**théater**]舞臺戲劇。— **ly,** *adv.*

le·git·i·mize [lɪˋdʒɪtə,maɪz] *v.t.* = **legitimate.**

leg·less [ˋlɛglɪs] *adj.* 無腿的。

leg-pull·er [ˋlɛg,pulɚ]*n.* Ⓒ〖俚〗愚弄者; 惡作劇者。

leg-pull·ing [ˋlɛg,pulɪŋ]*n.* Ⓤ〖俚〗惡作劇; 愚弄。

leg-rest [ˋlɛg,rɛst] *n.* Ⓒ (病人用的)

leg·room [ˋlɛg͵rum] *n.* Ⓤ(座位前)「伸脚之地。」脚凳。
leg·ume [ˋlɛgjum] *n.* Ⓒ①荚果。②豆荚。③(作爲蔬菜的)豆類。
lei [le] *n.* Ⓒ(夏威夷人戴在頸上的)花圈。§ **Lˊ Dày**(夏威夷之)五朔節。
Leip·zig [ˋlaɪpsɪg,-sɪk] *n.* 來比錫(德國的一個都市，爲出版業中心)。
lei·sure** [ˋliʒɚ, ˋlɛʒɚ] *n.* Ⓤ①空閒；閒暇。②自在。at* ~ a.** 閒暇的。**b.** 慢慢地；不匆忙地。**c.** 失業。***at one's* ~** 當其空閒的時候。**—** *adj.* ①空閒的；閒暇的。②有空閒的。— **lei′sured** [~d], *adj.*
lei·sure·ly [ˋliʒɚlɪ, ˋlɛʒɚlɪ] *adj.* & *adv.* 從容的[地]；悠閒的[地]。
leit·mo·tif, -tiv [ˋlaɪtmo͵tif] *n.* Ⓒ①〖樂〗主導主題；主樂旨。②反覆出現的主題；中心思想。
lem·ming [ˋlɛmɪŋ] *n.* Ⓒ〖動〗(北極地方產)旅鼠。
***lem·on** [ˋlɛmən] *n.* ①Ⓒ檸檬(樹)。②Ⓤ檸檬色；淡黃色。③Ⓒ〖俚〗令人討厭之物；無價值之物。§ **~ dròp** 檸檬糖。**~ sòda**〖美〗檸檬蘇打水(一種有檸檬風味的碳酸飲料)。**~ sóle**〖魚〗檸檬鰈(大西洋產)。**~ squásh**〖英〗檸檬蘇打。**~ squéezer**檸檬榨汁器。**~ téa** 檸檬茶。
lem·on·ade [͵lɛmənˋed] *n.* ⓊⒸ「檸檬水。」
lem·on·y [ˋlɛmənɪ] *adj.* 有檸檬味的。
le·mur [ˋlimɚ] *n.* Ⓒ〖動〗(Madagascar 島產之)狐猴。
‡lend [lɛnd] *v.t.* (**lent**)①借出；借與。②貸(款)。③增添。④提供。⑤使(自己或本身)適合於。**~ *itself to*** 適合。**~ *oneself to*** 幫助；協助；參與。— **er,** *n.*
lend-lease [ˋlɛndˋlis] *n.* Ⓤ資援(二次大戰時美國通過租借法案，對盟國所作的物資、武器援助)。**—** *v.t.* 根據租借法案予以資援。§ **the Lénd-Léase Áct** 租借法案(美國國會於 1941 年 3 月授權總統對盟國援助之法案)。
‡length [lɛŋkθ, lɛŋθ] *n.* ①ⓊⒸ長；長度。②ⓊⒸ時間；期間。③Ⓒ一段；一截。④Ⓒ船或馬等的長度(競賽時作長度的單位)。***at full* ~** 全身伸展地。***at* ~ a.** 最後；終於。**b.** 時間很長地；詳盡地。***go* (*to*) *any* ~(*s*); *go all* ~*s*** 盡一切所能爲。
***length·en** [ˋlɛŋkθən, ˋlɛŋθ-] *v.t.* & *v.i.* (使)加長；變長。
length·wise [ˋlɛŋkθ͵waɪz], **-ways** [-͵wez] *adv.* & *adj.* 縱長地[的]。
length·y [ˋlɛŋkθɪ] *adj.* (演說、寫作、文體等之)冗長的；長而乏味的。
le·ni·ent [ˋlinɪənt] *adj.* 寬大的；溫和的；(刑罰)輕的。— **ly,** *adv.* — **le′ni·ence, le′ni·en·cy,** *n.*
Len·in [ˋlɛnɪn] *n.* 列寧(Nikolai, 1870-1924, 俄國共產黨領袖，建立蘇維埃政府)。
Len·in·grad [ˋlɛnɪngræd] *n.* 列寧格勒(俄國歐洲部分一城市，於 1991 年恢復原名 St. Petersburg)。
len·i·ty [ˋlɛnətɪ] *n.* ①Ⓤ富於慈悲心；寬厚。②Ⓒ寬厚之行爲。
***lens** [lɛnz] *n.* Ⓒ①透鏡；(照相機等的)鏡頭。②眼睛中之水晶體。
‡lent [lɛnt] *v.* pt. & pp. of **lend.**
Lent [lɛnt] *n.* 封齋期；四旬齋(自聖灰日起至復活節前夕之四十個週日，爲紀念耶穌在荒野禁食)。
Lent·en, l- [ˋlɛntən] *adj.* ①封齋期的。②貧乏的；陰鬱的；不開朗的。
len·til [ˋlɛntḷ] *n.* Ⓒ〖植〗扁豆。
len·to [ˋlɛnto]〖義〗*adj.* & *adv.*〖樂〗緩慢的[地]。
Le·o [ˋlio] *n.*〖天〗①獅子座。②獅子宮(黃道之第五宮)。
Le·o·nar·do da Vin·ci [͵liəˋnɑrdodəˋvɪntʃi] *n.* 達文西(1452-1519, 義大利畫家、雕刻家、建築家及工程師)。
le·o·nine [ˋliə͵naɪn] *adj.* ①(似)獅的。②威風凜凜的；勇猛的。
leop·ard [ˋlɛpɚd] *n.* Ⓒ豹。§ **~ càt** 豹貓(一種有斑點的野貓)。**~ fròg** 產於北美與中美的一種有斑點的青蛙。
le·o·tard [ˋliətɑrd] *n.* ①Ⓒ緊身運動衣。②(*pl.*)緊身褲。
lep·er [ˋlɛpɚ] *n.* Ⓒ痲瘋病患者。
lep·re·chaun [ˋlɛprə͵kɔn] *n.* Ⓒ〖愛爾蘭傳說〗妖精(常顯形爲矮小老人，告訴人寶藏之所在)。
lep·ro·sy [ˋlɛprəsɪ] *n.* Ⓤ痲瘋病。
lep·rous [ˋlɛprəs] *adj.* (患)痲瘋病的。
lep·ton [ˋlɛptɑn] *n.* Ⓒ〖理〗微子；輕粒子。
Les·bi·an [ˋlɛzbɪən] *adj.* ①Lesbos(希臘之一島)的。②(常 l-)(女性)同性戀的。~ love(女性間之)同性戀。③(常 l-)色情的。**—** *n.* Ⓒ(常 l-)(女性)同性戀者。— **ism,** *n.*
lése májesty [ˋliz ~] *n.* Ⓤ〖法律〗冒犯君主之罪；不敬罪；大逆罪。
le·sion [ˋliʒən] *n.* Ⓒ①傷害；損害。②〖醫〗(機能、組織或器官上之)損害。
Le·so·tho [ləˋsoto] *n.* 賴索托(非洲南部一王國，首都 Maseru)。
‡less [lɛs] *adj.* ①較小的；較少的。②(年紀、職位、重要性等)較小的。***nothing* ~ *than*** 至少；等於。**—** *adv.* ①較小；不及；較差。②較少；不如。**~ *and* ~** 越來越小[少]地。**~ *than*** 決不；毫不。***none the* ~ a.** 一點也不減少。**b.**仍然。**—** *pron.* 較少[小]之量或額。**—** *prep.* 不足；減除。
-less〖字尾〗表「無；缺；不能；不」之義。
les·see [lɛsˋi] *n.* Ⓒ賃借人；承租人。
***less·en** [ˋlɛsṇ] *v.t.* ①使小；減少。②藐視；抹煞。**—** *v.i.* 變小；變少；收縮。
***less·er** [ˋlɛsɚ] *adj.* 較少的；較小的；次要的。§ **~ pánda** 小貓熊。〔注意〕**less** 與 **lesser** 皆係**little** 的比較級，less 指數量，而 lesser 指價值或重要性。
‡les·son [ˋlɛsṇ] *n.* Ⓒ①功課；課業；課程；一課。②教訓；譴責。③日課(在禮拜儀式中誦讀的一段聖經)。***learn one's* ~** (從經驗中)獲取教訓。
les·sor [ˋlɛsɔr] *n.* Ⓒ出租人；地主。
***lest** [lɛst] *conj.* ①以免；因恐。②= **that**(用於表示恐懼、危險等字之後)。
‡let[1] [lɛt] *v.t.* (**let, let·ting**)①讓；允許。

②解散；放開。③讓(表示間接的命令)。④出租。⑤認爲；假設。**—** *v.i.* 被出租。~ *alone* a.別管；別干涉。b.更不必說；遑論。~ *be* 別找麻煩；別干預。~ *down* a. 放下；鬆下。b. 慢下來。c. 使失望。d. 羞辱。~ *fall* a. 使跌倒；丟下。b. 說出；吐出。~ *in* a. 捲入(麻煩)。b. 容許(某人)知道或參加(某事)。~ *into* a. 嵌入。b. 告知。~ *off* a. 放(槍砲)。b. 了事；算數；釋放。c. 讓…離去。~ *on* 〖俗〗a. 洩露(祕密等)。b. 假裝；使信。~ *out* a. 租出去。b.放出；洩出。c. 放寬；放大(衣服)。d. 〖俗〗解雇；開除；釋放。e. (學校)放學；(戲院)散場。~ *(something) pass* 忽視；不加重視。~ *up* 〖俗〗停止。~ *up on* 〖俗〗從寬發落；原諒。**—** *n.* Ⓒ 出租。

let[2] *v.t.* (**let·ted** or **let, let·ting**) 〖古〗阻礙；妨礙。**—** *n.* Ⓒ ①阻礙；妨礙。②(網球等發球時)球的碰網。*without ~ or hindrance* 毫無阻礙。

-let 〖字尾〗表「小」之義，如：ringlet 小環。

let·down [ˋlɛt,daʊn] *n.* Ⓒ ①減少；減退；弛緩。②〖俗〗失望。

le·thal [ˋliθəl] *adj.* ①致命的。②毀滅性的。— **le·thal·i·ty** [lɪˋθælətɪ], *n.*

le·thar·gic, -gi·cal [lɪˋθɑrdʒɪk(l̩)] *adj.* ①使人昏昏欲睡的。②(患)昏睡症的；懶散的。③遲滯的；不活潑的。

leth·ar·gy [ˋlɛθədʒɪ] *n.* Ⓤ (又作 a ~)①昏睡(病)。②無力氣；倦怠。

Le·the [ˋliθɪ] *n.* ①〖希神〗遺忘川(冥府中一河流，死者飲其水，則忘盡前生之事)。②Ⓤ 忘卻。— **Le·the′an**, *adj.*

‡**let's** [lɛts, lɛs] =**let us.**

‡**let·ter** [ˋlɛtɚ] *n.* ①Ⓒ 字母。②Ⓒ 書信；函。③Ⓒ (常 *pl.*)正式證書；許可證；特權狀。④(the ~, *sing.*)正確之用字；字義。⑤(*pl.*) a. 文學。a man of ~*s* 文人；文學家。b. 文學知識；文學修養。c. 寫作生涯。~ *of credit* 信用狀。*to the ~* (做)到每一細節。**—** *v.t.* ①寫字母於。②將…刻成字母。§~ **bòmb** 書信炸彈。~ **bòx** 〖英〗信箱(=mailbox). ~ **càrrier** 〖美〗郵差。~ **lòck** 字碼鎖。~ **pàper** 信紙。~ **prèss** 複印器。~**s pátent** 〖法律〗專利特許證。~ **wrìter** (1)寫信人。(2)尺牘。

let·ter-bound [ˋlɛtɚ,baʊnd] *adj.* 拘泥於字句的。

let·tered [ˋlɛtɚd] *adj.* ①受過教育的。②有學問的；博學的。③有文學修養的。④印有字母的；印有文字的。

let·ter·head [ˋlɛtɚ,hɛd] *n.* ①Ⓒ 印在信紙上的銜頭。②Ⓤ 有銜頭的信紙。

let·ter·ing [ˋlɛtərɪŋ] *n.* Ⓤ ①(書寫、雕刻之)文字。②文字之書寫、揭印或雕刻。

let·ter-per·fect [ˋlɛtɚˋpɝfɪkt] *adj.* ①完全記住(功課或臺詞)的。②(校對等)無訛的。

let·ter·press [ˋlɛtɚ,prɛs] *n.* ①Ⓒ 印刷物中的文字部分。②Ⓤ 凸版印刷。

*__let·tuce__ [ˋlɛtɪs, -əs] *n.* ①ⓊⒸ 萵苣。②Ⓤ〖俚〗鈔票；美鈔。

let·up [ˋlɛt,ʌp] *n.* ⓊⒸ〖美俗〗停止；中止；弛緩。

leu·co·cyte [ˋlukə,saɪt] *n.* Ⓒ〖生理〗白血球。

leu·k(a)e·mi·a [luˋkimɪə] *n.* Ⓤ〖醫〗白血球過多症；血癌。

leu·ko·cyte [ˋlukə,saɪt] *n.* Ⓒ〖生理〗白血球。

Le·vant [ləˋvænt] *n.* (the ~)地中海東部及愛琴海沿岸的國家和島嶼。

lev·ee[1] [ˋlɛvɪ] *n.* Ⓒ ①堤防；防洪堤。②碼頭。

lev·ee[2] [ləˋvi] *n.* Ⓒ ①接見會(君主或其他顯要人物於早晨起床後立即舉行者)。②〖美〗總統招待會。③〖英〗(宮廷的)午朝(下午二、三時召開，限男子)。

‡**lev·el** [ˋlɛvl̩] *adj.* ①平的；水平的；平坦的。②平衡的；健全的。③平等的；公平的。④平穩的。⑤平板的；單調的。⑥勢均力敵的。*do one's ~ best* 盡一切可能；盡最大努力。**—** *n.* ①ⓊⒸ 平面；水平面；水平線。②ⓊⒸ 高度。③Ⓒ 水平儀。④Ⓒ (社會、道德、知識上的)標準；程度。⑤Ⓒ 階層；階級。*find one's own ~* 找到與自己才幹相當的地位(或職業)。*on the ~* 〖俗〗誠實的[地]；直率的[地]。**—** *v.t.* (**-l-**, 〖英〗**-ll-**)①使平；使成水平；拆毀。②舉(槍)瞄準。③使同等；使相同。④針對(某話、意向等)。**—** *v.i.* ①(拿武器)瞄準；對準〔at〕。②變成平等；拉平。③坦白說話。~*off* a. 使…平坦。b.〖空〗作水平飛行。— **(l)er,** *n.*

lev·el-head·ed [ˋlɛvl̩ˋhɛdɪd] *adj.* 穩健的；頭腦清晰的；明智的。

lev·el·(l)ing [ˋlɛvl̩ɪŋ] *n.* Ⓤ ①使平；使平坦。②〖測量〗抄平；水平測量；高低測量。③平等運動。④〖語言〗(字形變化之)單純化。§~ **ròd**[**pòle, stàff**] (測量用之)準尺。

*__lev·er__ [ˋlɛvɚ, ˋlivɚ] *n.* Ⓒ 槓桿。**—** *v.t. & v.i.* 以槓桿移動；撬開。— **age** [~ɪdʒ], *n.*

le·vi·a·than [lɪˋvaɪəθən] *n.* ①(常 L-)〖聖經〗巨大海獸(爬蟲或鯨魚)。②Ⓒ 任何巨大之物(如巨艦等)。

Le·vis, Le·vi's [ˋlivaɪz] *n. pl.* 〖美商標〗藍色緊身工作褲；牛仔褲。

lev·i·tate [ˋlɛvə,tet] *v.i. & v.t.* 輕浮；浮於空中。

lev·i·ta·tion [,lɛvəˋteʃən] *n.* ⓊⒸ 藉魔術使身體浮於空中。

Le·vit·i·cus [ləˋvɪtɪkəs] *n.* 利未記(舊約聖經之第三書)。

lev·i·ty [ˋlɛvətɪ] *n.* ①Ⓤ 輕率；浮躁。②Ⓒ 輕率的舉動。

lev·y [ˋlɛvɪ] *v.t.* ①征稅。②徵集。③發動(戰爭)；作(戰)。**—** *v.i.* ①扣押。②仰賴。**—** *n.* Ⓒ ①徵稅；徵集。②徵集之錢；徵集之人。

lewd [lud] *adj.* 淫蕩的；猥褻的；好色的。— **ly,** *adv.* — **ness,** *n.*

Lew·is [ˋluɪs] *n.* 劉易斯(Sinclair, 1885-1951, 美國小說家，曾獲1930年諾貝爾文學獎)。

lex·i·cal [ˋlɛksɪkl̩] *adj.* 語句的；語彙的。

lex·i·cog·ra·pher [,lɛksəˋkɑgrəfɚ] *n.* Ⓒ 辭典編纂人。

lex·i·cog·ra·phy [,lɛksəˋkɑgrəfɪ] *n.* Ⓤ辭典編纂(法)。— **lex·i·co·graph′i·cal** [-ˋgræf-], *adj.*

lex·i·con [ˋlɛksɪkən] *n.* Ⓒ (*pl.* **-i·ca** [-ɪkə], **~s**)①(尤指希臘語、希伯來語、拉丁語及阿拉伯語之)辭典；字典。②專門字典。③字彙。

L.F., LF low frequency.〖無線〗低頻率；長波。

Lha·sa [ˋlɑsə] *n.* 拉薩(西藏之首府)。

Li〖化〗lithium.

li·a·bil·i·ty [ˌlaɪəˋbɪlətɪ] *n.* ① Ⓤ 義務；應該。②Ⓤ易患；易染。③(*pl.*)債務(爲assets之對)。④Ⓒ不利；缺點。

***li·a·ble** [ˋlaɪəbl] *adj.* ①可能遭受的。②易患的；易陷的。③應負責的；有責任的。④有義務的。⑤受控制的。

li·aise [lɪˋez] *v.i.* ①連絡〔with, between〕. ②當連絡官。

li·ai·son [ˌlieˋzɔ̃]〖法〗*n.* ①ⓊⒸ聯絡。②Ⓒ私通。③Ⓒ連音(指法語中一字不發音之子音字尾與其次一字之母音字首的連結發音者)。④Ⓤ〖烹飪〗變稠作料(如放在湯裡的太白粉等)。§ ∠ **ófficer** 連絡官。

***li·ar** [ˋlaɪɚ] *n.* Ⓒ說謊者。

Lib, lib [lɪb] *n.* Ⓤ(尤指婦女)解放運動。— *adj.* 與婦女解放運動有關的。

li·ba·tion [laɪˋbeʃən] *n.* Ⓒ①傾酒或油於地以祭神。②祭神之酒或油；奠酒。③〖謔〗酒。

li·bel [ˋlaɪbl] *n.* ① Ⓤ 文字誹謗。② Ⓤ 誹謗罪。③Ⓒ 誹謗或傷害名譽之事物。④ Ⓤ 誹謗；中傷。— *v.t.* (**-l-**, 〖英〗**-ll-**)①發表誹謗(人)的文章。②誹謗；中傷。— **(l)er,** *n.* — **(l)ous,** *adj.*

***lib·er·al** [ˋlɪbərəl] *adj.* ①慷慨的。②豐富的；充分的。③寬厚的。④自由主義的。— *n.* Ⓒ ①自由主義者(爲conservative之對)。②(L-)自由黨黨員。§ ∠ **árts** 文理科(包括藝術、自然科學、社會科學及人文學科，與實用科學相對)。∠ **educátion** 通才教育。L∠ **Pàrty**(英國之)自由黨。— **ist,** — **ism, lib·er·al′i·ty** [-ˋræl-], *n.* — **lib·er·al·is′tic,** *adj.* — **ly,** *adv.*

lib·er·al·ize [ˋlɪbərəlˌaɪz] *v.t.* & *v.i.*(使)自由主義化；變成寬厚。— **lib·er·al·i·za′tion,** *n.*

***lib·er·ate** [ˋlɪbəˌret] *v.t.* ①釋放；使獲自由；解放。②〖化〗使(物質)游離。— **lib·er·a′tion, lib′er·a·tor,** *n.*

Li·be·ri·a [laɪˋbɪrɪə] *n.* 賴比瑞亞(非洲西部之一國，首都Monrovia).

lib·er·tar·i·an [ˌlɪbɚˋtɛrɪən] *adj.* ①自由意志論的。②主張(思想、行動等之)自由的。— *n.* Ⓒ自由論者。

lib·er·tine [ˋlɪbɚˌtin] *n.* Ⓒ①放蕩者；淫蕩者。②宗教上的自由思想者。

***lib·er·ty** [ˋlɪbɚtɪ] *n.* ①Ⓤ自由；自由權。②(*sing.*)失禮；冒昧。③(*pl.*)特權。*at* ~ **a.** 空閒的；閒暇的。**b.** 失業。*take liberties* (*with*)太隨便；隨意改變(規則等)。§ L∠ **Bèll** 自由鐘(1776年美國宣布獨立時所鳴之鐘)。L∠ **bònd** 第一次世界大戰時美國發行之戰時公債。∠ **càp** 自由帽(昔日爲已獲自由的奴隸所戴之無沿帽，今作自由之表徵)。L∠ **Ísland** 自由島(在紐約灣內，自由神像在此島上，昔稱 Bedloe's Island). L∠ **shìp** 自由輪(美國於第二次大戰中建造之商船，每艘載重約11,000 噸)。

li·bid·i·nous [lɪˋbɪdnəs] *adj.* 好色的；挑逗情慾的；淫蕩的。

li·bi·do [lɪˋbaɪdo] *n.* ⓊⒸ (*pl.* **~s**) ①〖精神分析〗本能的衝動；生命力。②性衝動；性慾。

Li·bra [ˋlaɪbrə] *n.*〖天〗①天秤座。②天秤宮(黃道之第七宮)。

li·brar·i·an [laɪˋbrɛrɪən] *n.* Ⓒ圖書館員；圖書館長。

‡**li·brar·y** [ˋlaɪˌbrɛrɪ] *n.* Ⓒ①圖書館；圖書室。②文庫；叢書。③藏書。④書房。*L- of Congress* 美國國會圖書館。§ ∠ **bìnding** 書籍之結實的布封面。∠ **càrd** 借書證(亦作 borrower's card). ∠ **edìtion** 精裝本。∠ **scíence** 圖書館(管理)學。

li·bret·to [lɪˋbrɛto] *n.* Ⓒ (*pl.* **~s, -ti** [-tɪ])歌劇劇本。

Lib·y·a [ˋlɪbɪə] *n.* 利比亞(非洲北部之一國，1969年改制共和，正式名稱爲 Libyan Arab Republic, 首都 Tripoli). — **Lib′y·an,** *adj.* & *n.*

lice [laɪs] *n.* pl. of **louse.**

***li·cense, -cence** [ˋlaɪsn̩s] *n.* ①ⓊⒸ特許；許可。②Ⓒ執照；許可證。a driver's ~ 駕駛執照。③Ⓤ放肆；放縱。④Ⓤ(文學、美術等的)破格；不按格律。— *v.t.* 許可；特許。— **li′cens·er, li′cen·sor,** *n.*

li·censed [ˋlaɪsənst] *adj.* ①被認可的；領有執照的。a ~ house 領有經售酒類執照的商店。~ premises〖英〗特許賣煙酒的餐館。②社會公認的。

li·cen·see, -cee [ˌlaɪsn̩ˋsi] *n.* Ⓒ執照持有者。

li·cen·ti·ate [laɪˋsɛnʃɪɪt] *n.* Ⓒ領得開業執照者。

li·cen·tious [laɪˋsɛnʃəs] *adj.* 放蕩不拘的；放縱的；不守法則的。

li·chee [ˋlitʃi] *n.* = **litchi.**

li·chen [ˋlaɪkɪn, -kən] *n.* Ⓤ①〖植〗青苔；地衣。②〖醫〗苔癬。

lic·it [ˋlɪsɪt] *adj.* 合法的；正當的。

***lick** [lɪk] *v.t.* ①(以舌)舐。②(火)捲燒；(浪)沖洗。③〖俗〗打擊；戰勝；征服。~ *into shape* 整頓；使具規模。~ *one's chops*[*lips*]垂涎；滿足。~ *the dust* 被擊倒；被殺。— *n.* ①Ⓒ舐。②(a ~)極少之量；少許。③Ⓒ〖俗〗打；擊。④Ⓒ〖俗〗(動作、努力等之)一下。⑤Ⓤ〖俗〗速度。*a* ~ *and a promise* **a.** 馬虎的洗擦。**b.** 敷衍。— **ing,** *n.*

lic·o·rice [ˋlɪkərɪs] *n.* Ⓤ①〖植〗甘草。②甘草根[汁](製藥用)。

***lid** [lɪd] *n.* Ⓒ①蓋。②眼瞼(=eyelid).

‡**lie**[1] [laɪ] *n.* ①Ⓒ謊言。a white ~沒有惡意的謊言。②Ⓒ虛僞之行爲。③(the ~)對謊言[虛僞]之指控。*give the* ~ *to* (*something*)證實(某事)爲虛僞；反駁。— *v.i.* & *v.t.* (**~d, ly·ing**) ①撒謊；以謊言使…。②作假。§ ∠

detèctor 測謊器。

‡**lie**[2] *v.i.* (**lay, lain, ly·ing**) ①臥；躺。②在(某種狀態中)。③位於；在。④存在。⑤(死人)葬(在)；長眠地下。⑥〖法律〗成立；可獲准。～ ***by*** **a.** 休息。**b.** 未被使用。～ ***in*** **a.** 睡懶覺。**b.**(產婦)待產。～ ***off***(船)離岸[他船]不遠。～ ***over*** 擱延。～ ***to***(船)逆風時幾乎不能前進。～ ***up*** **a.** 臥床不起；不出門。**b.** (船)停在船塢；不使用。～ ***with*** **a.** 爲…之職責。**b.** 與…發生肉體關係。
—*n.* ① Ⓤ (常 the ～)位置；方向；形勢。the ～ of the land 地勢。② Ⓒ 動物經常出沒之所。③ Ⓒ〖英〗一臥；一躺。

Liech·ten·stein [ˋlɪktənˏstaɪn] *n.* 列支敦斯登(位於歐洲中部奧地利和瑞士之間的一個小公國；首都 Vaduz)。

lied [lid]〖德〗*n.* Ⓒ (*pl.* **lied·er** [ˋlidɚ])〖樂〗歌曲；短歌；抒情曲。

lie-down [ˋlaɪˏdaʊn] *n.* Ⓒ〖俗〗小睡；午睡；躺臥罷工[抗議]。

lief [lif] *adv.* 喜悅地；自願地。***would*** [***had***] ***as*** ～ 甘願；情願。

liege [lidʒ] *n.* Ⓒ ①主上；君王。②臣僕。—*adj.* ①(封建制度中)君主的；君王的。②臣僕的。

liege·man [ˋlidʒmən] *n.* Ⓒ (*pl.* **-men**) (封建制度下之)家臣。

lien [lin] *n.* Ⓒ〖法律〗留置權；質權；抵押權。

lieu [lu] *n.* Ⓤ 僅用於下列片語。***in*** ～ ***of*** 代替(=instead of)。

Lieut. Lieutenant.

lieu·ten·ant [luˋtɛnənt, lɪu-,〖英〗lɛf-] *n.* Ⓒ ①代理上級長官者；副官。②陸軍中尉[少尉]。③海軍上尉[中尉]。④助理人員；助手。***first*** [***second***]～〖美〗(陸軍、空軍或海軍陸戰隊之)中[少]尉。§ ～ **cólonel**〖美〗陸軍中校；空軍中校。～ **commánder**〖美〗海軍少校。～ **géneral**〖美〗陸軍中將；空軍中將。～ **góvernor** (1)〖美〗副州長。(2)〖英〗副總督。

‡**life** [laɪf] *n.* (*pl.* **lives**) ① Ⓤ 生命；性命。② Ⓒ 壽命。③ Ⓒ 一生；終身。④ Ⓤ 生活。⑤ Ⓒ 傳記。⑥ Ⓤ 精神；生氣；活力。⑦ Ⓒ 人；活的人。⑧ Ⓤ 存在之時間。⑨ Ⓤ (集合稱)生物。⑩ (the ～)力量或生氣等之來源。⑪ Ⓤ 社交活動。⑫ Ⓒ (死裏逃生後的)新生命；新機會。⑬ Ⓒ 生涯。⑭ Ⓤ 實物(非模型或圖片)。⑮ Ⓒ〖保險〗壽險對象。⑯ Ⓤ 人生。this ～ 今生；此生；今世。***as large*** [***big***] ***as*** ～ **a.** 與實物一般大小。**b.** 親自；毋容置疑。***bring*** [***come***] ***to*** ～ 使蘇醒；使復活。***for*** ～ 終身。***for one's*** [***dear, very***] ～ 爲了保全性命；拚命。***for the*** ～ ***of me*** 要我的命也…；無論如何也…。***true to*** ～ 與事實相符。§ ～ **annùity** 終身年金。～ **assùrance**〖英〗人壽保險(=life insurance). ～ **bèlt** 救生帶；浮帶。～ **brèath** 生氣。～ **bùoy** 救生圈[袋]。～ **còmpany** 人壽保險公司。～ **cỳcle**〖生物〗生活環(自最初卵之受精起而至再生殖下一代止之循環)。～ **expèctancy** 平均壽命(=expectation of life). **L**～ **Guàrds**〖英〗御林軍騎兵第一、二團。～ **hístory** (1)〖生物〗生活史(生物自初生至成熟之生活過程)。(2)〖生物〗=life cycle. ～ **insùrance** (1)人壽保險。(2)(保險公司付給之)人壽保險金。(3)(保險人付給保險公司之)人壽保險費。～ **jàcket** 救生衣。～ **lìne** (1)救生[救難]索；(喻)似救生索之物。(2)(手相)生命線。～ **nèt**(火災時之)救生網。～ **péer** 止於本身之貴族(子孫不能承襲)。～ **péerage** 非世襲貴族的爵位。～ **pòlicy** 人壽保險單。～ **presèrver**〖美〗救生工具(如衣、帶、圈等)。～ **ràft** 救生艇。～ **scíences** 生命科學。～ **séntence** 無期徒刑之判決。～ **spàn** 壽命(生物可能的最長生命)。～ **stỳle** 生活方式。～ **tènure** 終生職。～ **vèst** 救生衣。

life-and-death [ˋlaɪfənˋdɛθ] *adj.* 生死攸關的。

life·blood [ˋlaɪfˏblʌd] *n.* Ⓤ ①保持生命所必需的血液。②任何事物的主要部分或原動力。

life·boat [ˋlaɪfˏbot] *n.* Ⓒ 救生艇。

life·guard [ˋlaɪfˏgɑrd] *n.* Ⓒ ①(游泳場之)救生人員。②〖英〗英王侍衛。

***life·less** [ˋlaɪflɪs] *adj.* ①無生命的；死的。②無趣味的；枯燥無味的。③失去知覺的。④無生物的。—**ly,** *adv.*

life·like [ˋlaɪfˏlaɪk] *adj.* ①生動的；栩栩如生的。②(圖畫等)維妙維肖的。

life·long [ˋlaɪfˋlɔŋ] *adj.* 終身的。

life·man·ship [ˋlaɪfmənˏʃɪp] *n.* Ⓤ 虛張聲勢。

lif·er [ˋlaɪfɚ] *n.* Ⓒ〖俚〗被處無期徒刑者。

life·sav·er [ˋlaɪfˏsevɚ] *n.* Ⓒ ①救命者。②〖俚〗使人免於困難的人[物]。

life·sav·ing [ˋlaɪfˏsevɪŋ] *adj.* 救生(用)的；救難(用)的；救溺的。

life-size(d) [ˋlaɪfˋsaɪz(d)] *adj.* 與實物大小一樣的。

***life·time** [ˋlaɪfˏtaɪm] *n.* Ⓒ ①一生；終身。②有生之日。—*adj.* 終身的。

life·work [ˋlaɪfˋwɝk] *n.* Ⓤ 終身事業。

LIFO [ˋlaɪfo] *n.*〖經〗後進先出法(爲 last in, first out 之略)。

‡**lift** [lɪft] *v.t.* ①舉起；抬起；搬起。②(自土中)掘出。③晉升；擢升。④提高。⑤〖俗〗撿起；偷。⑥〖美〗償付；贖。⑦使向上突出。⑧解除(禁令等)。⑨抄襲。⑩帶；運送。—*v.i.* ①升高。②被舉起；被推起。③(霧等)消散。④向上突出。—*n.* Ⓒ ①高舉；舉起。②幫助；助手。③〖英〗電梯；升降機。

lift-off [ˋlɪftˏɔf] *n.* Ⓒ〖空〗(尤指火箭或直升機)升空；發射(時間)。

lig·a·ment [ˋlɪgəmənt] *n.* Ⓒ〖解〗韌帶。

lig·a·ture [ˋlɪgəˏtʃʊr] *n.* ① Ⓒ 綁縛之物；結合之物(如繃帶等)。② Ⓒ〖外科〗縫合線；縛線。③ Ⓤ 縛；綁。—*v.t.* 綁；縛；結紮。

‡**light**[1] [laɪt] *n.* ① Ⓤ 光；光線；光亮。② Ⓒ 發光物(如燈)；引火物(如火柴)。③ Ⓒ 火(=fire). ④ Ⓒ 光源。⑤ Ⓤ 照明；光度。⑥ Ⓤ 光明之處。⑦ Ⓤ (常 the ～)白天；日間。⑧ Ⓤ (常 the ～)

天明；破曉。⑨ Ⓒ 使光線進入之物(如窗戶等)。⑩ Ⓤ 了解；明白。⑪ Ⓒ 見解；事實的眞相。⑫ Ⓒ 顯赫人物；典範人物。⑬ Ⓤ 同意。⑭ Ⓤ 目光；臉上的光彩。⑮ Ⓒ 交通燈光號誌。⑯ Ⓤ (常the ～)日光。⑰ Ⓒ 眞理。⑱ Ⓤ 衆人之耳目。⑲ Ⓤ 〖古〗視力。⑳ Ⓒ 燈塔。㉑ (*pl.*)一個人所有的知識能力與思想能力等。***according to one's ～s*** 依據某人自己之意見、所知及良心。***in a good*** [***bad***] ～ 容[不]易看清的。***in the ～ of*** 從…的觀點。***see the ～*** (***of the day***) **a.** 出生。**b.** 得到正確的觀念。***stand in a person's ～*** 遮住某人的光；阻礙某人成功或進步之機會。***stand in one's own ～*** 遮住自己的光線；使自己名譽受損；損害自己的利益。***strike a ～*** 點火；點燈。***the ～ of one's countenance*** 允許；同意。**—** *adj.* ①光明的；明亮的。②淺色的；淡色的。③容光煥發的。**—** *v.t.* (**lit** or **～ed**) ①點燃。②供給光線；使光明。③使容光煥發。④使發光。⑤以燈引路。**—** *v.i.* ①變亮；轉爲光亮。②著火。③容光煥發。§ ～ **mèter** 曝光表；光度計。～ **pèn**〖電算〗光筆(在指示板上畫特定點或字，以便進行光電變換，輸入電腦)。

⁑light² *adj.* ①輕的。②(就體積論)分量輕的。③輕捷的；靈活的。④輕微的。a ～ wind 和風。⑤愉快的；高興的。⑥輕浮的；輕率的。⑦軟性的；通俗的。～ music 輕音樂。⑧輕巧的。⑨不重要的；微小的。⑩多孔的；含沙的。⑪味淡的；酒精成分不多的。⑫易消化的。⑬輕裝備的。⑭小規模的。⑮輕音的(音節)。⑯頭暈的。⑰載貨很少的；未載貨的。⑱(武器等)小型的；小口徑的。⑲淫蕩的；人盡可夫的。⑳易變的。***L- come, ～ go.*** 〖諺〗(指金錢)易來易去。***～ hand*** **a.**手的靈巧。**b.**手段高妙。***～ in the head*** **a.**頭暈的。**b.**愚蠢的。**c.**瘋狂的。***make ～ of*** 低估；輕視。**—** *adv.* ①輕輕地；容易地。②不帶東西地。§ ～ **áir**〖氣象〗軟風。～ **áircraft**(通常有一具螺旋槳的)小飛機；輕型飛機。～ **âle**(通常爲瓶裝的)淡啤酒。～ **bréeze**〖氣象〗輕風。～ **héavyweight** 重乙級選手(拳擊選手體重在161-175磅，摔角選手在176-191磅，舉重選手在168-180磅者)。～ **índustries** 輕工業。～ **ópera** 輕歌劇。

light³ *v.i.* (**～ed** or **lit**)①(自交通工具等)下來。②(鳥等)棲止。③偶遇。④突然落下。***～ into*** 〖俚〗攻擊。***～ out*** 〖俚〗突然離去。

***light·en¹** [ˋlaɪtn̩] *v.t.* ①使光明。②使淡。**—** *v.i.* ①變成光明；變亮。②閃電。

***light·en²** *v.t.* & *v.i.* ①減輕；使輕。②使輕鬆；使愉快。

light·er¹ [ˋlaɪtɚ] *n.* Ⓒ ①點火的人[物]。②打火機。

light·er² *n.* Ⓒ 駁船。**—** *v.t.* 以駁船運(貨)。

light-fin·gered [ˋlaɪtˋfɪŋgɚd] *adj.* ①善偷竊的。②手指靈巧的。

light-foot·ed [ˋlaɪtˋfʊtɪd] *adj.* 脚快的；脚步輕捷的。

light-head·ed [ˋlaɪtˋhɛdɪd] *adj.* ①頭昏眼花的。②輕率的。

light-heart·ed [ˋlaɪtˋhɑrtɪd] *adj.* 無憂無慮的；愉快的。**—ly,** *adv.*

light-horse·man [ˋlaɪtˏhɔrsmən] *n.* Ⓒ (*pl.* **-men**)輕騎兵。

light·house [ˋlaɪtˏhaʊs] *n.* Ⓒ燈塔。

light·ing [ˋlaɪtɪŋ] *n.* Ⓤ ①點燈；點火。②舞臺照明法。③照明。

***light·ly** [ˋlaɪtlɪ] *adv.* ①輕微地；輕輕地。②稍微地；微少地。③漠不關心地；輕蔑地。④輕率地。

light-mind·ed [ˋlaɪtˋmaɪndɪd] *adj.* 輕浮的；輕率的；浮躁的。

***light·ning** [ˋlaɪtnɪŋ] *n.* Ⓤ 閃電。§ ～ **bùg** [**bèetle**] 〖美〗螢火蟲(=firefly). ～ **ròd** [**condùctor**] 避雷針。

lights [laɪts] *n. pl.*(家畜之)肺臟。

light·ship [ˋlaɪtˏʃɪp] *n.* Ⓒ燈塔船。

light·some [ˋlaɪtsəm] *adj.* ①活潑的；輕巧的。②歡樂的。③輕浮的；瑣細的。

light·weight [ˋlaɪtˏwet] *n.* Ⓒ ①標準重量以下的人。②〖俗〗無能之人；不重要之人。③輕量級拳擊手(體重在127至135磅之間)。**—** *adj.* ①〖拳擊〗輕量級的。②不重要的。

light-year [ˋlaɪtˋjɪr] *n.* Ⓒ光年。

lig·nin [ˋlɪgnɪn] *n.* Ⓤ〖化〗木質素。

lig·nite [ˋlɪgnaɪt] *n.* Ⓤ〖礦〗褐炭。

lig·num vi·tae [ˋlɪgnəmˋvaɪtɪ] *n.* ① Ⓒ〖植〗癒瘡木。② Ⓤ 癒瘡木的木材。

lig·ro·in(e) [ˋlɪgroɪn] *n.* Ⓤ〖化〗石油英；石油醚。

lik·a·ble, like·a·ble [ˋlaɪkəbl̩] *adj.* 可愛的；有人緣的。

⁑like¹ [laɪk] *prep.* ①像；似；如。②依照；如同；像。③代表著…之特徵。***～ anything*** 〖俗〗非常；極其。***nothing ～*** 差得甚遠；沒有什麼能比得上。***something ～*** 差不多；幾乎。**—** *adj.* ①同樣的；相似的。They are as ～ as two peas. 他們相似極了。②可能會；像要。It looks ～ rain. 好像要下雨。③適於；高興於。I feel ～ working. 我現在覺得很願意工作。***L- father, ～ son.*** 有其父必有其子。**—** *adv.* ①〖俗〗或有可能地。*L-* enough it will rain. 很可能會下雨。②同樣地。③與…相同地。(***as***)***～ as not*** 很可能。**—** *n.* (the ～, one's ～)相似的人或事物。***and the ～*** 等等；及其同類者。***the ～***(***s***) ***of*** **a.** 類似之人[物]。**b.** 性質相同之物。**—** *conj.* 〖俗〗像；似；如。He looks ～ he will get the job. 他看來好像會得到那份工作。

⁑like² *v.t.* ①喜歡；愛好。②欲；想；願意(與should, would 連用)。I should ～ to stay here[go out]. 我想留在這裡[出去]。③特別喜歡；最愛。④對…有利；適合…的健康。I like lobster but it does not ～ me. 我喜歡吃龍蝦，但它有礙我的健康。⑤感覺。**—** *v.i.* 覺得喜歡。***as you ～*** 自由；隨便；如你所好。**—** *n.*(*pl.*)愛好；嗜好。

-like 〖字尾〗表「似…的；像…一般的；有…特徵的」之義，如：goldlike.

like·li·hood [ˋlaɪklɪˏhʊd] *n.* Ⓤ (又作 a ～)有可能之事；可能性。

***like·ly** [ˋlaɪklɪ] *adj.* ①有可能的。②合適的；如所期望的。③前途有望的。— *adv.* 或許；或有可能地。

like-mind·ed [ˋlaɪkˋmaɪndɪd] *adj.* 同心的；志趣相同的。

lik·en [ˋlaɪkən] *v.t.* 比喻爲。

***like·ness** [ˋlaɪknɪs] *n.* ①Ⓤ相像；相似。②Ⓒ相似之點。③Ⓒ相似物；肖像；照相。④Ⓤ容貌；相貌。

***like·wise** [ˋlaɪk͵waɪz] *adv.* ①同樣地。②也；亦。

***lik·ing** [ˋlaɪkɪŋ] *n.* (a ～)愛好；嗜好。

li·lac [ˋlaɪlək] *n.* Ⓤ①紫丁香花。②淡紫色。— *adj.* 淡紫色的。

lilt [lɪlt] *n.* Ⓒ①節律輕快的歌曲。②輕快活潑之動作。— *v.t.* & *v.i.* ①輕快地唱[奏]。②輕快地動。

***lil·y** [ˋlɪlɪ] *n.* Ⓒ〖植〗百合；百合花。～ *of the valley*〖植〗鈴蘭。— *adj.* 純白色的；純潔的；可愛的。§ ∠ **pàd**〖美〗(浮在水上的)睡蓮之葉。

lil·y-liv·ered [ˋlɪlɪˋlɪvəd] *adj.* 膽小的。

lil·y-white [ˋlɪlɪˋhwaɪt] *adj.* ①如百合般白的；潔白的。②清白的；無瑕疵的。

lim. limit.

Li·ma [ˋlimə] *n.* 利馬(秘魯首都)。

lí·ma bèan [ˋlaɪmə ～] *n.* Ⓒ〖植〗利馬豆(淺綠色扁豆)。

***limb** [lɪm] *n.* Ⓒ①(四)肢；手足。②(樹的)大枝。③(某物之)分支或後裔。④頑皮的小孩。*out on a* ～ 在不能後退的危險狀態。— *v.t.* 切斷…之手足。— **less,** *adj.*

lim·ber[1] [ˋlɪmbə] *n.* Ⓒ〖軍〗(砲)前車。

lim·ber[2] *adj.* ①柔軟的。②靈活的。— *v.i.* & *v.t.* (使)變柔軟靈活〔up〕.

lim·bo[1] [ˋlɪmbo] *n.* Ⓤ ①(常 L-)地獄邊緣之一地區。②遺忘；被遺棄[忽略]的狀態。

lim·bo[2] *n.* Ⓒ (*pl.* ～**s**)凌波舞(一種發源於西印度群島的舞蹈；舞者輪流將身體後仰，以蹲仰姿勢舞蹈鑽過逐次降低的橫竿底下)。

Lim·burg·er [ˋlɪmbɜgə] *n.* Ⓤ林堡乾酪(比利時 Limburg產，氣味濃烈)。

***lime**[1] [laɪm] *n.* Ⓤ①石灰。②黏鳥膠(=birdlime). — *v.t.* ①以石灰處理。②塗黏鳥膠於…。③以黏鳥膠捕(鳥)。

lime[2] *n.* Ⓒ菩提樹。§ ∠ **trèe** 菩提樹。

lime[3] *n.* Ⓒ①一種極像檸檬之芸香科樹；萊姆樹。②萊姆果。§ ∠ **grèen** 淺黃綠色。∠ **jùice** 萊姆果汁。

lime·light [ˋlaɪm͵laɪt] *n.* Ⓤ①**a.** 石灰光(以氫氧焰燃燒石灰時產生的強烈白光)。**b.** 聚光燈；水銀燈(舞臺照明用)。②(the ～)衆目注視的中心。*be in the* ～ 爲衆目所視。

lim·er·ick [ˋlɪmərɪk] *n.* Ⓒ五行滑稽詩。

lime·stone [ˋlaɪm͵ston] *n.* Ⓤ石灰石。

***lim·it** [ˋlɪmɪt] *n.* ①Ⓒ界限；邊界；極限。②Ⓒ(常 *pl.*)境界。③(*pl.*)範圍；區域。④(the ～)〖俗〗令人氣得無法忍受之人[物]。*within* ～*s* 在限度內地。*without* ～ 無限地。— *v.t.* ①定界限於…；限定。②〖法律〗確定；確切指派。— **less,** *adj.*

***lim·i·ta·tion** [͵lɪməˋteʃən] *n.* ①Ⓒ(常 *pl.*)缺陷。②ⓊⒸ限制。③ⓊⒸ〖法律〗有效時期。④Ⓒ限額。

***lim·it·ed** [ˋlɪmɪtɪd] *adj.* ①有限制的；有限的；狹窄的；少的。②(公司)有限(責任)的。— *n.* Ⓒ〖美〗特別快車(指火車、汽車等)。§ ∠ **áccess hìghway** 高速公路(=expressway). ∠ **cómpany** 有限責任公司。

limn [lɪm] *v.t.* ①描；畫。②描寫。

lim·ou·sine [ˋlɪmə͵zin] *n.* Ⓒ①轎車型之汽車。②接送旅客於機場與市區間之小型巴士。

limp[1] [lɪmp] *adj.* ①柔軟的；易曲的。②無力的；軟弱的。

***limp**[2] *v.i.* ①跛行。②(詩歌等)錯用音律。— *n.* (a ～)跛行。

lim·pet [ˋlɪmpɪt] *n.* Ⓒ〖貝〗蝛。

lim·pid [ˋlɪmpɪd] *adj.* ①清澈的；透明的。②明晰的；清楚的。— **ly,** *adv.* — **ness, lim·pid′i·ty,** *n.*

lin·age [ˋlaɪnɪdʒ] *n.* Ⓤ①排成一列[一直線]。②(原稿等之)行數。③按行數付的稿費。

linch·pin [ˋlɪntʃ͵pɪn] *n.* Ⓒ(軸端之)輪轄；制輪楔。

Lin·coln [ˋlɪŋkən] *n.* 林肯(Abraham, 1809-65, 美國第十六位總統)。

Lind·bergh [ˋlɪnbɜg] *n.* 林白(Charles Augustus, 1902-74, 美國飛行家，於1927年首次完成橫渡大西洋不著陸飛行)。

lin·den [ˋlɪndən] *n.* Ⓒ菩提樹；椴樹。

***line**[1] [laɪn] *n.* ①Ⓒ直線；線。②Ⓒ線條；筆劃。③Ⓒ繩；索；(電)線。④Ⓒ排；列。⑤Ⓒ(臉上的)皺紋。⑥Ⓒ(印刷物之)一行。⑦Ⓒ短簡；短函。Drop me a few ～*s* letting me know how you are. 請惠我數行，告訴我你的近況。⑧Ⓒ(常 *pl.*)運輸線路；運輸公司。a steamship ～ 輪船公司。⑨Ⓒ(球場等的)場線。⑩Ⓒ **a.** 嗜好；興趣；專長。**b.** 行業；本行。That's not my ～. 那不是我的本行。⑪Ⓒ貨品之一種。⑫Ⓒ〖數〗線。⑬(*pl.*)輪廓；外貌。⑭(*pl.*)結構設計。⑮Ⓒ邊界。⑯Ⓒ一連串有關之人[事物]。⑰Ⓒ家族；家系。⑱Ⓒ行程；方向。⑲Ⓒ(行動、行爲、思想之)方向；方針；主義。⑳Ⓒ(常*pl.*)最前線之戰壕或其他防禦工事。㉑(*pl.*)(兵士之)雙行。㉒Ⓒ部隊[船隻]之並列。㉓Ⓒ軍隊或艦隊之戰備佈署。㉔Ⓒ鐵軌。㉕(*pl.*)(劇本中演員之)臺詞。㉖Ⓒ〖樂〗五線譜中之一線。㉗(*pl.*)命運。㉘(*pl.*)韁繩。㉙Ⓒ一英寸之十二分之一。㉚(the ～, 常 L-)赤道。㉛Ⓒ詩句；詩節；詩篇。㉜Ⓒ〖足球〗手球線。㉝Ⓒ〖視〗掃描線。*all along the* ～ 在每一方面；到處。*bring* (*a person*) *into* ～ 使(某人)同意或合作。*down the* ～ 完全；從頭到尾。*draw the*[*a*] ～ 加限制；止於。*Hard* ～*s!* 眞倒楣！ *hold the* ～ 維持現狀。*in* ～ **a.** 排成隊。**b.** 同意。He is *in* ～ with our previous policy. 他同意我們先前的辦法。**c.** 準備就緒。**d.** 按順序。

in ~ of duty 執行職務中。*L- engaged* [*busy*]*!* (電話線路)有人講話。*on ~* 〖電算〗聯網；上網。*on the ~* **a.** 在兩者之中；兩者皆非。**b.** 暴露在危險中。**c.** 立即。**d.** 做妓女。*out of ~* **a.** 不同意；不和諧。**b.** 行爲不檢。**c.** 不妥當；不合適。**—** *v.t.* ①畫線於。②使生皺紋。③排成隊伍或行。④〖棒球〗(打擊手)使(擊出的球)直飛。**—** *v.i.* ①排隊；成行；成列。②相鄰接。③〖棒球〗擊出直飛球。§ ~ **dràwing** 線條畫(如鋼筆畫、鉛筆畫等)。~ **dríve**〖棒球〗直線飛球(=liner)。~ **engràving** (1)線雕(法)。(2)線雕銅版。(3)線雕銅版畫。~ **prìnter**〖電算〗高速列表機。

line² *v.t.* ①襯裏於(衣服)。②塡；裝。③當做襯裏。~ *one's purse* [*pocket*] 以錢裝入私囊。

lin·e·age [ˋlɪnɪɪdʒ] *n.* Ⓤ血統；家系。

lin·e·al [ˋlɪnɪəl] *adj.* ①直系的；正統的。②世襲的。③線的。④長度的。

lin·e·a·ment [ˋlɪnɪəmənt] *n.* Ⓒ (常 *pl.*)①容貌；相貌；輪廓。②特徵。

lin·e·ar [ˋlɪnɪɚ] *adj.* ①線的；直線的。②線做成的。③在一直線的。④長度的。⑤線狀的。⑥〖數〗一次的；線性的。§ ~ **méasure** 長度(inch, foot, yard 等)。~ **mótor**〖電〗線型馬達。~ **prógramming**〖數〗線性規畫。

line·back·er [ˋlaɪn͵bækɚ] *n.* Ⓒ〖美式足球〗(並列爭球線後的)後衛球員。

line·man [ˋlaɪnmən] *n.* Ⓒ (*pl.* **-men**) ①電報、電話線架設工或保養工。②〖足球〗前鋒。③〖鐵路〗巡道員。

***lin·en** [ˋlɪnɪn, -ən] *n.* Ⓤ ①亞麻布；亞麻線。②(常 *pl.*,集合稱)亞麻布製品。③(亦作 **linen paper**)亞麻紙。*wash one's dirty ~ in public* 向外宣揚家醜。**—** *adj.* 亞麻布製的。§ ~ **bàsket**〖英〗放待洗衣物的籃子(=laundry basket)。

***lin·er¹** [ˋlaɪnɚ] *n.* Ⓒ①〖美〗班輪；班機。an Atlantic ~ 航行大西洋的定期班輪。②劃線者。③=**line drive.**

lin·er² *n.* Ⓒ①加襯裏者。②襯裏物。③〖機〗(防止機器磨損的)襯墊；襯圈。

lines·man [ˋlaɪnzmən] *n.* Ⓒ (*pl.* **-men**) ①=**lineman.** ②(球賽等之)巡邊員；司線員。

line-up [ˋlaɪn͵ʌp] *n.* Ⓒ①陣列；陣容。②運動員之排列；配置。③(爲某種目的而聚集的)成員。(亦作 **lineup**)

ling [lɪŋ] *n.* Ⓤ〖植〗石南。

-ling〖字尾〗①附於名詞後表「小」之義(常含有輕蔑之義)，如：duckling. ②表「屬於…之人或物；與…有關者」之義，如：darling.

***lin·ger** [ˋlɪŋgɚ] *v.i.* ①逗留；徘徊；留戀。②遲緩。③(疾病)纏綿。④漫步。**—** *v.t.* 苟延(殘生)；浪費(光陰)〔常 away, out〕。~ *on*(人)苟延殘喘。

lin·ge·rie [ˋlænʒə͵ri] *n.* Ⓤ①女用內衣。②亞麻製品。

lin·go [ˋlɪŋgo] *n.* Ⓒ (*pl.* **~es**)〖諧,蔑〗①外國語言。②專門術語。

lin·gua fran·ca [ˋlɪŋgwəˋfræŋkə]〖義〗*n.* (*pl.* **~s, lin·guae fran·cae**)①Ⓤ一種混合語言(從前主要在地中海東部沿岸通商等時所使用的義大利語、西班牙語、阿拉伯語等)。②Ⓒ任何混合國際語言(如商人所用的洋涇濱英語之類)；共同語言；通用媒介。

lin·gual [ˋlɪŋgwəl] *adj.* ①舌的。②語言的。③〖語音〗舌音的。**—** *n.* Ⓒ〖語音〗舌音(字)(t, l 等)。

lin·guist [ˋlɪŋgwɪst] *n.* Ⓒ①語言學家。②通曉好幾種外國語文者。

lin·guis·tic [lɪŋˋgwɪstɪk] *adj.* ①語言上的。②語言學上的。

lin·guis·tics [lɪŋˋgwɪstɪks] *n.* Ⓤ語言學。

lin·i·ment [ˋlɪnəmənt] *n.* ⓊⒸ軟膏；塗敷藥。

lin·ing [ˋlaɪnɪŋ] *n.* ①ⓊⒸ(衣的)襯裏。②Ⓤ加襯裏。*Every cloud has a silver ~.* 禍中有福；否極泰來。

***link** [lɪŋk] *n.* Ⓒ①環；鏈環。②連結物；連鎖物；一環。③(常 *pl.*)襯衫之活袖扣。④英國之長度名(等於 7.92 英寸)。**—** *v.t.* ①連結；連繫。②挽(臂)。**—** *v.i.* 連結；環接。§ ~**ing vèrb**〖文法〗連繫動詞；綴系動詞

link·age [ˋlɪŋkɪdʒ] *n.* ①ⓊⒸ聯合；連鎖。②Ⓒ〖機〗傳桿裝置。

links [lɪŋks] *n. pl.* ①草地；(尤指)近海岸之沙丘。②高爾夫球場。

link·up [ˋlɪŋk͵ʌp] *n.* Ⓒ①結合；連接。②結合[連接]點。

lin·net [ˋlɪnɪt] *n.* Ⓒ〖鳥〗紅雀。

li·no·le·um [lɪˋnolɪəm] *n.* Ⓤ①油氈；油布。②地板布。

Lin·o·type [ˋlaɪnə͵taɪp] *n.*〖印刷〗①Ⓒ〖商標〗整行鑄排機。②Ⓤ使用此種排字機的印刷(法)。

lin·seed [ˋlɪn͵sid] *n.* ⓊⒸ亞麻仁；亞麻子。§ ~ **òil** 亞麻仁油；亞麻子油。

lint [lɪnt] *n.* Ⓤ①軟布。②(生棉的)棉屑；線頭；絨毛。

lin·tel [ˋlɪntḷ] *n.* Ⓒ〖建〗(門或窗上之)橫木；楣石。

‡**li·on** [ˋlaɪən] *n.* Ⓒ①獅。②異常勇猛的人。③名人。*beard the ~ in his den* 入虎穴取虎子；奮勇迫敵。*put one's head into the ~'s mouth* 置身險境。*the ~'s share* 最大或最好的部分。§ ~**'s províder** (1)胡狼。(2)供他人使喚者；作他人工具者。

‡**Li·on** [ˋlaɪən] *n.* ①(the ~)〖天〗獅子星；獅子座。②Ⓒ國際獅子會會員。

li·on·ess [ˋlaɪənɪs] *n.* Ⓒ雌獅。

li·on·heart·ed [ˋlaɪənˋhɑrtɪd] *adj.* 勇猛的；大膽的。

li·on·ize [ˋlaɪən͵aɪz] *v.t.* 把(某人)視爲名人。

‡**lip** [lɪp] *n.* ①Ⓒ脣。②Ⓒ(常 *pl.*)口。③Ⓒ(器皿等的)邊；緣；口。④Ⓒ樂器的吹口。⑤Ⓤ〖俚〗冒失的說話。None of your ~. 不要冒失地說話。*bite one's ~* 咬脣(表示困惑)；忍笑；抑制一種情感的表示。*hang on a person's ~s* 傾聽某人的每一言一字。*keep a stiff upper ~* 鼓足勇氣；不害怕；不氣餒。**—** *adj.* ①口頭的；不誠實的。②用雙脣發音的。**—** *v.t.* (**-pp-**) ①以嘴脣碰。②輕輕說出。③〖詩〗接吻。

— *v.i.* 用嘴唇吹奏樂器。§ ∼ sèrvice 口惠；空口的應酬話。∼ sỳnc(電影、電視等配音)對嘴；口的動作與錄音聲影一致。

lip·id [ˋlɪpɪd] *n.* Ⓤ〖生化〗油脂。

li·pol·y·sis [lɪˋpɑləsɪs, laɪ-] *n.* Ⓤ〖生化〗脂肪溶解(作用)。

li·po·pro·tein [ˏlaɪpəˋprotin, ˏlɪ-] *n.* Ⓤ〖生化〗脂蛋白。

lip·o·suc·tion [ˋlɪpoˏsʌkʃən] *n.* Ⓤ手術抽脂減肥法。

lip-read [ˋlɪpˏrid] *v.t.* (**-read** [-ˏrɛd]) 以唇讀法了解。— *v.i.* 運用唇讀法；讀唇。

lip-read·er [ˋlɪpˏridɚ] *n.* Ⓒ 讀唇者。

lip·read·ing [ˋlɪpˏridɪŋ] *n.* Ⓤ (聽覺障礙者的)讀唇法。

***lip·stick** [ˋlɪpˏstɪk] *n.* ⓊⒸ〖美〗口紅；唇膏。

liq. liquid; liquor.

liq·ue·fac·tion [ˏlɪkwɪˋfækʃən] *n.* Ⓤ液化；熔解。

liq·ue·fy [ˋlɪkwəˏfaɪ] *v.t.* & *v.i.* (使)液化；熔解。

li·queur [lɪˋkɝ, lɪˋkjʊr] *n.* ⓊⒸ 利口酒(含有強烈酒精及香味之甜酒)。

***liq·uid** [ˋlɪkwɪd] *n.* ①ⓊⒸ 液體。②Ⓒ 流音(l, r). — *adj.* ①液體的；稀的。②清澈的；明亮的；透明的。③清脆的；柔和的。④不定的；易變的。⑤〖商〗易變賣的。∼ assets 流動資產。⑥充滿淚水的。§ ∼ áir 液體空氣。∼ crýstal液體結晶(即有結晶性質之液體)。∼ crýstal displày 液晶顯示(器)。∼ méasure (1)液量。(2)液量單位。∼ óxygen 〖化〗液體氧；液態氧。∼ páraffin一種無臭無味的煤油(作瀉劑)。

liq·ui·date [ˋlɪkwɪˏdet] *v.t.* ①償付(債務)。②清理(公司)帳目。③清除；消滅。④殺戮。⑤變賣。— *v.i.* 清理債務。

liq·ui·da·tion [ˏlɪkwɪˋdeʃən] *n.* Ⓤ①清算；清理。②整肅。*go into* ∼ 破產。

liq·ui·da·tor [ˋlɪkwɪˏdetɚ] *n.* Ⓒ ①〖法律〗清算人。②(公司)帳目清理人。

li·quid·i·ty [lɪˋkwɪdətɪ] *n.* Ⓤ①流動性。②流動資產。③〖商〗資產折現力。

liq·uid·ize [ˋlɪkwəˏdaɪz] *v.t.* 使成流動體；使液化。

***liq·uor** [ˋlɪkɚ] *n.* ①Ⓤ Ⓒ 酒類。②ⓊⒸ 酒。③Ⓤ 滷汁；液體。④Ⓤ 藥湯(溶有藥物的水)。*in* ∼ 醉。— *v.t.* 灌以酒〔常 up〕. — *v.i.* 喝酒〔常 up〕.

liq·uo·rice [ˋlɪkərɪs] *n.* Ⓤ甘草。

li·ra [ˋlɪrə] *n.* Ⓒ (*pl.* **li·re** [ˋlɪre], **∼s**) 里拉(義大利及土耳其貨幣名)。

Lis·bon [ˋlɪzbən] *n.* 里斯本(葡萄牙首都)。

lisle [laɪl] *n.* Ⓤ①萊耳線(一種堅韌的棉線)。②其編織物(長襪、手套等)。

lisp [lɪsp] *n.* (a ∼)口齒不清(之發音)。— *v.i.* & *v.t.* ①將 s, z 發作[θ], [ð]. ②發音口齒不清；似小孩地說話。

lis·som(e) [ˋlɪsəm] *adj.* ①柔軟的。②輕快的；敏捷的。

‡**list**[1] [lɪst] *n.* Ⓒ①目錄；一覽表；冊；單；簿。②批發商之開價。③證券交易所所經營之股票的完整記載。— *v.t.* ①列於表上。②列成一表；造冊；編目錄。③列舉。④將…列為…(與 as 連用)。— *v.i.* 被列入目錄定價出售。

list[2] *n.* (a ∼) (船)傾側。— *v.i.* (船)傾側。— *v.t.* 使傾側。

list[3] *v.t.* & *v.i.* 〖古，詩〗聽。

‡**lis·ten** [ˋlɪsn̩] *v.i.* ①傾聽。②聽從；服從。Don't ∼ to him. 不要聽他的話。③〖俚〗聽起來似乎。∼ *in* **a.** 聽(收音機)廣播。**b.** 盜[竊]聽電話。§ ∼ing pòst (1)〖軍〗(偵察敵方軍事行動之)聽音哨。(2)情報站。

lis·ten·a·ble [ˋlɪsn̩əbl] *adj.* 值得一聽的。

***lis·ten·er** [ˋlɪsn̩ɚ, ˋlɪsnɚ] *n.* Ⓒ①聽者。②聽衆。

lis·ten·er-in [ˋlɪsn̩ɚˋɪn] *n.* Ⓒ (*pl.* **lis·ten·ers-in**)①無線電收聽者。②竊聽者。

list·ing [ˋlɪstɪŋ] *n.* ① Ⓤ **a.** 一覽表[名單，名冊]之編製。**b.** 記入(一覽表中)。②Ⓒ一覽表；名單[冊]。

list·less [ˋlɪstlɪs] *adj.* ①沒精打采的。②漠不關心的。—**ly,** *adv.* —**ness,** *n.*

‡**lit** [lɪt] *v.* pt. & pp. of **light**[1,3].

lit. literal; literally; literary; literature; liter(s); litre(s).

lit·a·ny [ˋlɪtn̩ɪ] *n.* ① Ⓒ〖宗〗連禱。②Ⓒ 冗長的說明；囉哩囉唆的話〔of〕. ③(the L-)(禱告中之)連禱文。

li·tchi [ˋlitʃi] *n.* Ⓒ 荔枝；荔枝樹。

líte bèer [ˋlaɪt ∼] *n.* Ⓤ低熱量啤酒(=light beer).

***li·ter,** 〖英〗**-tre** [ˋlitɚ] *n.* Ⓒ公升。

lit·er·a·cy [ˋlɪtərəsɪ] *n.* Ⓤ 有閱讀書寫之能力。

***lit·er·al** [ˋlɪtərəl] *adj.* ①完全依照原文或原本的；逐字的(翻譯)；精確的。∼ translation 直譯。②求實際的。③實實在在的；一點不誇張的。④字母的。a ∼ error 字母[排字]錯誤。⑤文字上的；字面上的。— *n.* Ⓒ 排字錯誤。

lit·er·al·ism [ˋlɪtərəlˏɪzəm] *n.* Ⓤ ①照字面解釋；拘泥字面意義。②直譯主義。③〖文藝〗寫實主義；直寫主義。

***lit·er·al·ly** [ˋlɪtərəlɪ] *adv.* ①逐字地；嚴格地；按字面地。②實在地；不誇張地。

***lit·er·ar·y** [ˋlɪtəˏrɛrɪ] *adj.* ①文學的；著作的。②精通文學的。

lit·er·ate [ˋlɪtərɪt] *adj.* ①能閱讀及寫作的。②受過教育的；精通文學的。— *n.* Ⓒ①能閱讀及寫作之人。②學者；文士。

lit·e·ra·ti [ˏlɪtəˋretaɪ, ˏlɪtəˋrɑtɪ] 〖拉〗*n. pl.* ①文人；學者。②文學界。

lit·e·ra·tim [ˏlɪtəˋretɪm] 〖拉〗*adv.* 逐字地；照字義地。

‡**lit·er·a·ture** [ˋlɪtərətʃɚ] *n.* Ⓤ ①文學。②文獻；著作。③著作生涯。④文學之研究。⑤〖俗〗任何印刷品；說明書。

lit·e·ra·tus [ˏlɪtəˋretəs] 〖拉〗*n.* sing. of **literati.**

lithe [laɪð] *adj.* 柔軟而有彈性的；易彎的。—**ly,** *adv.* —**ness,** *n.*

lithe·some [ˋlaɪðsəm] *adj.* =**lithe.**

lith·i·um [ˋlɪθɪəm] *n.* Ⓤ〖化〗鋰(金屬元素之最輕者；符號 Li).

lith·o·graph [ˋlɪθə͵græf] *n.* Ⓒ石印品；石版畫。— *v.t.* & *v.i.* 石印；以石版印刷。

li·thog·ra·phy [lɪˋθɑgrəfɪ] *n.* Ⓤ 「石版印刷術。」

lith·o·sphere [ˋlɪθə͵sfɪr] *n.* (the ～)岩石圈；地殼。

Lith·u·a·ni·a [͵lɪθjuˋenɪə] *n.* 立陶宛(波羅的海沿岸小國，首都Vilnius)。— **Lith·u·a′ni·an,** *adj.* & *n.*

lit·i·gant [ˋlɪtəgənt] *n.* Ⓒ訴訟當事人。— *adj.* 訴訟的。

lit·i·gate [ˋlɪtə͵get] *v.t.* & *v.i.* ①訴訟。②爭論。— **lit·i·ga′tion,** *n.*

li·ti·gi·ous [lɪˋtɪdʒɪəs] *adj.* ①好訟的。②可訴訟的；可爭的。③訴訟的。

lit·mus [ˋlɪtməs] *n.* Ⓤ石蕊色素(青色染料)；草藍。§～ **pàper** 石蕊試紙。

li·to·tes [ˋlaɪtə͵tiz] *n.* Ⓤ〖修〗間接肯定法；曲言法(以反面否定代替肯定，如not bad代替very good)。

***li·tre** [ˋlitɚ] *n.* 〖英〗=**liter.**

***lit·ter** [ˋlɪtɚ] *n.* ①Ⓤ(用後散置的)雜物；垃圾。②Ⓒ雜亂；零亂。③Ⓒ(豬、狗等)一胎所生的小豬小狗；一窩。④Ⓤ(用以造獸窩或保護農作物的)乾草。⑤Ⓒ擔架。⑥Ⓒ轎；輿。*in a* ～ (房間等)亂七八糟。— *v.t.* ①使雜亂。②產(小動物)。③用草鋪(狗、豬等)的窩〔常 down〕。— *v.i.* ①亂丟雜物。②(動物)生產。

lit·ter·bag [ˋlɪtɚ͵bæg] *n.* Ⓒ〖美〗塑膠垃圾袋。

lit·ter·bug [ˋlɪtɚ͵bʌg] *n.* Ⓒ亂丟垃「圾的人。」

‡**lit·tle** [ˋlɪtḷ] *adj.* (**less** or **less·er, least**)① 小的(爲 big 之對)。② 短的。③很少的；些微的(不用冠詞 a 有「幾乎沒有」或「實際等於沒有」之義。爲 much 之對)。④少許的；少量的；一些(須與冠詞 a 連用)。⑤瑣細的；不重要的。⑥氣量小的。⑦可愛的；可憐的。⑧有趣的。⑨卑鄙的。⑩小規模的。⑪無影響力的；卑微的。⑫微弱的；不強的。*but* ～ 祇一點。*go but a* ～ *way to* 差得遠。— *adv.* (**less, least**)① 很少(不用冠詞 a 有「幾乎不」之義)。②完全不。③稍微地；稍稍地(須與冠詞 a 連用)。That hat is a ～ too small. 那頂帽子有點嫌太小了。～ *less* [*better*] *than* 差不多等於。～ *more than* 不過。～ *short of* 幾近於。*not a* ～ 相當地。— *n.* (a ～)①一點點；少許；些許。②一會兒；短時間；短距離。*in* ～ 小規模的。～ *by* ～ 漸漸地；漸次地。～ *or nothing* 幾乎沒有甚麼東西(=hardly anything)。*make* ～ *of* 不重視；輕視。*not a* ～ 不少(的)；相當多(的)。*think* ～ *of* 看不起；輕視。§ **L- América** 小美洲(美國設在南極的探險基地)。～ **fínger**(手的)小指。～ **magazíne**(非營業性的)小型雜誌。**L- Rússia** 小俄羅斯(主要指Ukraine地區)。～ **théater** (1)小劇院；實驗劇場(演出實驗性戲劇的場所)。(2)(集合稱)適合小劇院的戲劇。～ **tóe**(脚的)小趾。**the L- Béar**〖天〗小熊座。**the L- Dípper**〖天〗小北斗七星。**the L- Lèague**〖美〗少年棒球聯盟。— **ness,** *n.*

lit·to·ral [ˋlɪtərəl] *adj.* (沿)海岸的。— *n.* Ⓒ沿岸地；沿海地區。

lit·ur·gy [ˋlɪtɚdʒɪ] *n.* ①Ⓒ禮拜儀式。②(the ～)禱告文式；祈禱文。③(the L-)聖餐儀式(尤指東方正教者)。— **li·tur′gic(al),** *adj.*

liv·a·ble [ˋlɪvəbḷ] *adj.* ①適於居住的；可住的。②適於同住的。③有生活價值的。

‡**live**[1] [lɪv] *v.i.* ①生；活；生存。②繼續活；繼續生存。③生活；過活。④居；住。⑤(指事物之)繼續；存留。⑥享受人生；高興地過日子。— *v.t.*①過(某種的生活)。～ a happy life 過快樂的生活。②(在生活中)實踐…。(*as sure*) *as I* ～ 極確實。～ *and let* ～ 互相容忍彼此的缺點；待人寬容如待己。～ *by* 賴…爲生。～(*something*) *down* 改過自新地生活使人忘掉(過去的過失)。～ *high* 過奢侈生活。～ *in* 寄宿於工作處。～ *it up* 享受人生；過快樂的日子。～ *on* **a.** 繼續活著(on 係 *adv.*)。**b.** 以…爲食；靠…過活(on 係 *prep.*)。～ *out* **a.** 活過(一定時期)；保持壽命。**b.** 不寄宿在工作處；通勤。～ *through* 活過；經過…而未死。～ *up to* 依(某種標準)生活；遵從(主義等)行動；實行…。～ *well* **a.** 過好日子。**b.** 過道德的生活。～ *with* 接受；忍受。*where one* ～*s* 〖俚〗要害。

***live**[2] [laɪv] *adj.* ①活的；有生命的。②燃燒的；熾熱的。～ coals 正燃著的煤。③(槍彈等)未爆發的；未用過的。④(電線)充電的。⑤精力充沛的。⑥〖美〗目前最爲人所關切的(問題等)。⑦〖俗〗最近的；最新的；摩登的；現代的。⑧動的；發動的。⑨未掘出的；天然的。⑩正用著的。⑪生動的。⑫現場傳播的。a ～ TV show 現場的電視演出。⑬鮮艷的。⑭〖諧〗(非假冒而是)眞的。— *adv.* 現場地。§～ **wíre** (1)有電流的電線。(2)〖俗〗精力充沛的人；很活躍的人。

live-in [ˋlɪv͵ɪn] *adj.* 寄宿於工作處的。

***live·li·hood** [ˋlaɪvlɪ͵hʊd] *n.* Ⓒ生計；營生。

live·long [ˋlɪv͵lɔŋ, ˋlaɪv-] *adj.* (時「間)長的；長久的。」

***live·ly** [ˋlaɪvlɪ] *adj.* ①活潑的。②鮮明的。③有生氣的。④驚險的。⑤生動的；寫實的。⑥興奮的。⑦彈性好的。⑧熱鬧的。⑨〖諧〗令人揑把冷汗的；令人頭痛的；令人慌亂的。⑩(空氣)新鮮的。⑪(船)破浪前進的。*make things* ～ *for* (*a person*) 使(某人)感困難或危險等。— *adv.* ①活潑地；生動地。②驚險地。

liv·en [ˋlaɪvən] *v.t.* 注以生命；使快活〔常 up〕。— *v.i.* 變爲活潑有力。

live-out [ˋlɪv͵aut] *adj.* 不寄宿於工作處的。

***liv·er**[1] [ˋlɪvɚ] *n.* ①Ⓒ肝臟。②ⓊⒸ肝(食物)。③Ⓤ肝的病態。④Ⓤ豬肝色；赤褐色。

liv·er[2] *n.* Ⓒ①生活者。a good ～ 懂得生活的人。②居民；居住者。

liv·er·ied [ˋlɪvərɪd] *adj.* 穿制服的。

Liv·er·pool [ˋlɪvɚ͵pul] *n.* 利物浦(英國西部海港)。

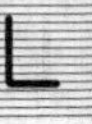

liv·er·wurst [ˋlɪvɚ,wɝst] *n.* Ⓤ Ⓒ〖美〗(以肝爲主製成的)臘腸。

***liv·er·y** [ˋlɪvərɪ] *n.* ① Ⓤ Ⓒ 男僕所穿之制服。② Ⓤ 特殊之服色、裝束或外貌等。③ Ⓒ〖美〗馬車出租店; 馬房; (船之)出租店。*in* ～ 穿著制服。*out of* ～ 穿便衣。§ ∼ **stàble**〖美〗馬車出租店; 馬匹寄養場。

liv·er·y·man [ˋlɪvərɪmən] *n.* Ⓒ (*pl.* **-men**)同業公會會員。

***lives** [laɪvz] *n.* pl. of **life.**

live·stock [ˋlaɪv,stak] *n.* (作 *sing.* or *pl.* 解)家畜。

liv·id [ˋlɪvɪd] *adj.* ①鉛色的; 土色的; 青灰色的。②青黑色的。

‡**liv·ing** [ˋlɪvɪŋ] *adj.* ①活的; 活在世上的。②強烈的; 現成的。③現行的; 現代的。④栩栩如生的。⑤生活的。*within* ～ *memory* 在當今人的記憶中。— *n.* ① Ⓤ 生計; 生存。② Ⓤ 生活; 生涯。③(the ～, 作 *pl.*解)生者; 現存者。§ ∼ **déath** (1)活地獄; 陰慘的生活; 生不如死的生活。(2)活埋。*∼ **ròom** 起居室; 客廳。∼ **wáge** (能維持最低水準之生活的)生活工資。

liz·ard [ˋlɪzɚd] *n.* Ⓒ ①〖動〗蜥蜴。②〖動〗壁虎(=house lizard). ③〖俚〗沉迷於歡樂場中之人。

'll [l]〖俗〗will 之縮寫(有時亦爲 shall 之縮寫)。

ll. lines.

lla·ma [ˋlamə] *n.* ① Ⓒ〖動〗駱馬; 駝馬。② Ⓤ 駝馬毛。

lo [lo] *interj.* 看呀! 瞧! 注意! *lo* and behold(表示驚訝的感嘆詞)你看!

‡**load** [lod] *n.* Ⓒ ①負擔; 負荷(物)。②車等所載之量(用於複合字中)。③〖機〗載荷。④(槍砲等的)裝填火藥; 裝彈。⑤〖電〗負荷。⑥(常*pl.*)很多。*～s of* 很多。*take a ～ off a person's mind* 使人解除憂慮; 使放心。— *v.t.* ①裝載; 裝貨物於(車、船等)。②堆積於; 使負擔。③大量地給與; 塡滿。④裝彈藥於。— *v.i.* ①裝貨; 載客。②裝子彈。③上車〔常 into〕. — *adv.* (*pl.*)〖俗〗很多; 大量。§ ∼ **lìne**〖海〗載重水線。— **er,** *n.*

load·ed [ˋlodɪd] *adj.* ①載重的; 裝著貨的。②裝有彈藥的。③裝塡著(鉛等)的。④〖美 俚〗酒醉的。⑤〖俚〗有錢的。⑥〖俗〗意味深長的; 有用意的。

load·ing [ˋlodɪŋ] *n.* Ⓤ ①裝載; (船等)上貨。②貨物; 船費。③裝塡; 塡藥。④(人壽保險)額外保險費。⑤負荷; 載荷。⑥〖電〗加載; 加電感。

load·stone [ˋlod,ston] *n.* Ⓤ Ⓒ 天然磁石。(亦作 **lodestone**)

***loaf**[1] [lof] *n.* (*pl.* **loaves**) ① Ⓒ 一條(麵包)。Half a ～ is better than no bread. 聊勝於無。② Ⓤ Ⓒ 大塊烤過的食物。③ Ⓒ 錐形糖塊。④ Ⓒ〖俚〗腦袋; 頭腦。Use your ～. 用你的頭腦。～ *of bread*〖俚〗腦筋; 頭腦。§ ∼ **sùgar** (1)塊糖。(2)圓錐形糖塊。

loaf[2] *v.i.* & *v.t.* 游手好閒; 虛擲光陰。— *n.* (a ～)游蕩; 不務正業。— **er,** *n.*

loam [lom] *n.* Ⓤ ①沃土。②壚坶(泥、沙、草等之混合物)。

***loan** [lon] *n.* ① Ⓤ 借; 借出[入]。② Ⓒ (公)債; 借出物; 貸款。③ Ⓒ 外來語(=loanword). — *v.t.* ①〖美〗借出(=lend). ②〖方〗借入(=borrow). — *v.i.* 供應貸款。§ ∼ **òffice** (1)貸款處。(2)當鋪。(3)公債購買所。

loan·word [ˋlon,wɝd] *n.* Ⓒ 外來語。

loath [loθ] *adj.* 不願意的; 勉強的。*nothing* ～ 非常樂意; 很高興。

loathe [loð] *v.t.* 厭惡; 嫌惡。

loath·ing [ˋloðɪŋ] *n.* Ⓤ 強烈的憎惡[厭惡]。— *adj.* 憎惡的。— **ly,** *adv.*

loath·some [ˋloðsəm] *adj.* 可厭的; 令人作嘔的。— **ly,** *adv.*

***loaves** [lovz] *n.* pl. of **loaf**[1].

lob [lab] *n.* Ⓒ ①〖網球〗高(緩)球。②〖板球〗低(緩)球。— *v.t.* (**-bb-**)向上拋投; 向上緩射。— *v.i.* ① 笨重而行〔常 along〕. ②擊緩而高曲之球。

***lob·by** [ˋlabɪ] *n.* Ⓒ ①廳; 廊; 休息室。②(議員用以接待民衆等的)民衆接待室。③〖美〗(議院外的)遊說議員者(集合稱)。— *v.t.* & *v.i.* ①遊說議員使通過(議案等)。②遊說(議員或議會)。

lob·by·ist [ˋlabɪɪst] *n.* Ⓒ〖美〗議院外之遊說[陳情]者; 活動議案通過者。

lobe [lob] *n.* Ⓒ ①耳垂。②〖植〗裂片; 瓣。③〖解〗葉(腦葉、肺葉等)。

lob·ster [ˋlabstɚ] *n.* ① Ⓒ 龍蝦。② Ⓤ 龍蝦肉(食物)。

‡**lo·cal** [ˋlok!] *adj.* ①地方的; 本地的。②局部的。③(火車)每站皆停的。— *n.* Ⓒ ①慢車。②地方新聞。③(工會等的)支部。④(常*pl.*)本地居民。§ ∼ **cólor**(文藝中的)地方色彩。∼ **góvernment** (1)地方政府。(2)地方自治(=local self-government). (3)地方政治學。∼ **óption** 地方居民所有之決定權(例如酒類等應否販賣等)。∼ **tíme** 當地時間。— **ism,** *n.* — **ly,** *adv.*

lo·cale [loˋkæl] *n.* Ⓒ (事件等的)現場。

lo·cal·i·ty [loˋkælətɪ] *n.* ① Ⓒ 位置; 所在地。② Ⓒ 地方; 區域。③ Ⓤ 一地方的外貌。④ Ⓤ 位置性。

lo·cal·ize [ˋlok!,aɪz] *v.t.* ①使地方化。②使限於局部。— *v.i.* 集於一部分; 限於局部。— **lo·cal·i·za′tion,** *n.*

***lo·cate** [ˋloket, loˋket] *v.t.* ①設置; 設立。②測出; 尋出…的位置。③指出或說明(某地)的位置。④爲…定位; 爲…定界限。— *v.i.*〖美〗定居。

***lo·ca·tion** [loˋkeʃən] *n.* ① Ⓤ 選定位置。② Ⓒ 位置; 地方; 場所。③ Ⓒ (電影的)外景拍攝地。The company is on ～. 該公司在拍外景。

loch [lak] *n.* Ⓒ〖蘇〗①湖。②海灣。

lo·ci [ˋlosaɪ] *n.* pl. of **locus.**

‡**lock**[1] [lak] *n.* Ⓒ ①鎖。②槍機。③(運河、船塢等的)水閘。④刹車。⑤獨佔。*～, stock, and barrel*〖俗〗全部; 完全地。*under ～ and key* 上鎖; 嚴密保管。— *v.t.* ①加鎖於; 鎖。②深陷於; 深藏於。③挽(臂)。④把…關在外面或裡面。⑤使卡住; 刹住。⑥用水閘使(船)通過。— *v.i.* ①鎖; 鎖住。②(船)通過水閘。③連鎖。*～ away* 鎖藏起來。*～ in* 鎖在房內。*～ out* **a.** 停工直至職工接受雇主的條件。**b.** 將…鎖在

外面。～ *up* **a.** 關鎖起來。**b.** 使固定。

lock[2] *n.* ① Ⓒ 鬈髮。②(*pl.*)頭髮。③ Ⓒ (乾草、羊毛等的)一把；小量。

lock·er [ˋlakə] *n.* Ⓒ ①上鎖之人。②(有鎖之)櫥櫃、抽屜等。

lock·et [ˋlakɪt] *n.* Ⓒ (懸於項鍊下之)小金盒；盒式小墜子。

lock-in [ˋlak,ɪn] *n.* Ⓒ ①〖美〗佔駐(某建築物)示威。②監禁。

lock·jaw [ˋlak,dʒɔ] *n.* Ⓤ 〖醫〗破傷風(＝tetanus)(的初期)；牙關緊閉症。

lock·keep·er [ˋlak,kipə] *n.* Ⓒ 閘門管理員。

lock-on [ˋlak,an] *n.* Ⓤ (雷達)自動追蹤。

lock·out [ˋlak,aut] *n.* Ⓒ 停工(雇主爲抵制工人非法要求而休業)。

locks·man [ˋlaksmən] *n.* Ⓒ (*pl.* **-men**) 水閘管理人。

lock·smith [ˋlak,smɪθ] *n.* Ⓒ 鎖匠。

lock·up [ˋlak,ʌp] *n.* ＝**jail.**

lo·co·mo·tion [,lokəˋmoʃən] *n.* Ⓤ 運動(力)；移轉(力)；運轉(力)。

***lo·co·mo·tive** [,lokəˋmotɪv] *n.* Ⓒ 火車機車；火車頭。**—** *adj.* ①移動的；運動的。②自力移動的。

lo·co·weed [ˋloko,wid] *n.* Ⓒ 〖植〗瘋草(動物食之則引起神經系統疾病)。

lo·cus [ˋlokəs] *n.* Ⓒ (*pl.* **lo·ci** [ˋlosaɪ], **lo·ca** [ˋlokə]) ①場所；位置；所在地。②〖幾何〗軌跡。③〖遺傳〗(染色體的)基因座。§ ～ **clássicus** 常被引證之章句。

lo·cust [ˋlokəst] *n.* ① Ⓒ 蝗蟲。② Ⓒ 蟬。③ Ⓒ 〖植〗刺槐。④ Ⓤ 刺槐之堅實防朽的木材。

lo·cu·tion [loˋkjuʃən] *n.* ① Ⓤ 語法；語風；語句。② Ⓒ 慣用語。

lode [lod] *n.* Ⓒ ①礦脈。②源；泉源。

lode·star [ˋlod,star] *n.* ① Ⓒ 指示方向之星。②(the ～)北極星。③ Ⓒ 指導原則；目標。(亦作 **loadstar**)

***lodge** [ladʒ] *v.t.* ①供以臨時住宿處。②使擊中；使射於(某處)。③儲藏；存放。④提呈；遞。**—** *v.i.* (臨時)住宿；寄宿。**—** *n.* Ⓒ ①門房。②(供遊獵者住宿的)小屋；〖美〗(觀光區等的)旅館。③(祕密會社的)分會；支部。④海狸、獺等的巢穴。

lodg·er [ˋladʒə] *n.* Ⓒ 房客；寄宿者。

***lodg·ing** [ˋladʒɪŋ] *n.* ① Ⓒ 臨時住宿處；寓所。②(*pl.*)寄居宿舍；公寓。③ Ⓤ 住宿；寄宿。§ ～ **hòuse** 公寓。

lodg(e)·ment [ˋladʒmənt] *n.* ① Ⓤ 提出；遞。② Ⓤ 住宿。③ Ⓒ 寓所；臨時住宿所。④ Ⓒ 貯藏物；沉澱物。⑤ Ⓒ 〖軍〗占領；占據。

lo·ess [ˋlo·ɪs] *n.* Ⓤ 〖地質〗黃土。

loft [lɔft, laft] *n.* Ⓒ ①閣樓；頂樓。②堆積乾草用之廐樓。③鴿房。④貨倉或商業建築的樓上。⑤(講堂、教堂的)樓廂。⑥〖高爾夫〗高擊。**—** *v.t.* 〖高爾夫〗將(球)擊高。

loft·y [ˋlɔftɪ, ˋlaftɪ] *adj.* ①高的；巍然的。②高超的；高尙的。③高傲的；傲慢的。— **loft′i·ly,** *adv.* — **loft′i·ness,** *n.*

***log** [lɔg, lag] *n.* Ⓒ ①(自樹上伐下的)圓木；原木。②航海日誌(＝logbook)。③(船運)測速器。**—** *v.t.* (**-gg-**) ①伐(木)。②記載於航海日誌中。③鋸(木材)。④(船)航行(某距離)。～ *in* [*on*] 〖電算〗載[進]入(系統)；簽到。～ *off* 退出(系統)；簽退。

lo·gan·ber·ry [ˋlogən,bɛrɪ] *n.* Ⓒ 洛干漿果；大楊[洛根]莓。

log·a·rithm [ˋlɔgə,rɪðəm] *n.* Ⓒ 〖數〗對數。

log·book [ˋlɔg,buk] *n.* Ⓒ ①航海日誌；航空日誌。②旅行雜誌。

log·ger [ˋlɔgə] *n.* Ⓒ 伐木者。

log·ger·head [ˋlɔgə,hɛd] *n.* Ⓒ ①蠢人；傻子。②一種大頭海龜；紅海龜。*at* ～*s* (*with*)與…相爭；不和。

log·gi·a [ˋladʒɪə] *n.* Ⓒ (*pl.* ～**s, -gie** [-dʒe])〖建〗(建築物一側俯臨庭院之)走廊。

log·ging [ˋlɔgɪŋ] *n.* Ⓤ 伐木(業)；伐木量。

***log·ic** [ˋladʒɪk] *n.* ① Ⓤ 邏輯；論理學；理則學。② Ⓒ 理則學書籍。③ Ⓤ 正確的推理。

***log·i·cal** [ˋladʒɪkl] *adj.* ①邏輯的；理則學的。②始終一致的。③當然的；不足爲奇的。④能推理的。— **ly,** *adv.*

lo·gi·cian [loˋdʒɪʃən] *n.* Ⓒ 邏輯學家；理則學家。

lo·gis·tics [loˋdʒɪstɪks] *n.* Ⓤ 〖軍〗後勤學。— **lo·gis′tic,** *adj.*

log·jam [ˋlɔg,dʒæm] *n.* Ⓒ ①河流中木材之阻塞。②停滯狀態；僵局。③擁擠；大量。**—** *v.i.* & *v.t.* (**-mm-**) ①擁塞；擁擠。②阻礙；妨礙。

lo·go [ˋlɔgo] *n.* (*pl.* ～**s**)〖俗〗＝**logotype.**

log·o·type [ˋlɔgə,taɪp] *n.* Ⓒ ①單語活字。②商標或公司名稱的圖案字。

log·roll [ˋlɔg,rol] *v.t.* & *v.i.* 〖美〗①〖政〗互相合作使(議案)通過。②(作家等)互相稱讚吹噓。— **ing,** *adj.*

loin [lɔɪn] *n.* ①(*pl.*)腰；腰部。② Ⓤ (動物的)腰肉。

loin·cloth [ˋlɔɪn,klɔθ] *n.* Ⓒ (野蠻人用的)纏腰布。

***loi·ter** [ˋlɔɪtə] *v.i.* 逍遙；閒蕩；且行且止；徘徊。**—** *v.t.* 荒廢；虛度(時光)。

loll [lal] *v.i.* ①憑倚；(懶洋洋地)站、坐或躺著。②下垂；伸出〖out〗. **—** *v.t.* (狗)任(舌頭)向外伸出〖out〗.

lol·li·pop, lol·ly- [ˋlalɪ,pap] *n.* Ⓒ ①棒棒糖。②糖果。③〖英俗〗交通號誌(派人在上下學時間持以維護學童過街安全的大圓牌桿)。

lol·lop [ˋlaləp] *v.i.* ①〖俗, 方〗懶散而行；懶洋洋地坐或躺著。②蹦跳地走；跳躍。**—** *n.* Ⓤ 〖英俗〗懶洋洋的走或坐臥；蹦蹦跳跳；跳躍。

Lom·bard [ˋlambəd, -bard] *n.* Ⓒ ①倫巴底人。②放債者；銀行家。§ ～ **Strèet** (1)倫巴德街(倫敦一街名，爲金融中心)。(2)倫敦金融界。

***Lon·don** [ˋlʌndən] *n.* 倫敦(英國的首都)。

lone [lon] *adj.* ①孤寂的(多用於詩中)。②孤立的；隔離的。③〖諧〗單身的；寡居的。§ ～ **párent** 單親(家庭)。～ **wólf** 〖俗〗喜歡單獨行動者。

****lone·ly** [ˋlonlɪ] *adj.* ①孤單的。②孤寂的；寂寞的；無依的。③偏僻的；人煙稀少的；荒涼的。④單獨的；孤立的。

§∼ hèarts〖俚〗急於物色結婚對象的中年男女。— lone′li·ness, *n.*

*__lone·some__ [ˋlonsəm] *adj.* 寂寞的；孤寂的(較 lonely 淒涼的意味更濃)。

‡__long__[1] [lɔŋ, lɑŋ] *adj.* ①(距離、長度等)長的。②(時間)長久的。③冗長的。④〖語音〗長音的。⑤費時很久的。⑥集中的。⑦(在某方面)充分的〔on〕. ***a ∼ face*** 愁眉苦臉。***a ∼ way*** [***distance***] (***off***)遠。***in the ∼ run*** 終久；最後。— *adv.* 長久地；長期地。***no ∼er*** 不再。***so***[***as***]***∼ as*** 如果；只要。— *n.* ①Ⓤ長期間。②Ⓒ〖語音〗長母音；長音節。③(the ∼)〖英俚〗暑假。***before ∼*** 不久(= soon). ***the ∼ and***(***the***) ***short of it*** 歸結起來；總之。§∼ dístance〖美〗長途電話；長途電話局。∼ dózen 十三個。∼ jùmp〖主英〗跳遠。∼ shòt (1)〖影〗遠拍。(2)希望不大或困難的事業。(3)〖俗〗得勝機會甚少的打賭。(4)成功希望不大的人。(5)贏的希望甚少的賽馬。∼ tón 長噸(=2,240磅)。∼ wàve〖無線〗長波。

*__long__[2] *v.i.* 渴望；熱望〔for, to do〕.

__long·boat__ [ˋlɔŋ,bot] *n.* Ⓒ從前商船上最大之艇。

__long·bow__ [ˋlɔŋ,bo] *n.* Ⓒ大弓；長弓。

__long-drawn__ [ˋlɔŋˋdrɔn] *adj.* 久延的；延長的。(亦作 **long-drawn-out**)

__lon·gev·i·ty__ [lɑnˋdʒɛvətɪ] *n.* Ⓤ長命；長壽。

__Long·fel·low__ [ˋlɔŋ,fɛlo] *n.* 朗非羅(Henry Wadsworth, 1807-82, 美國詩人，曾任哈佛大學近代語言教授)。

__long·hair__ [ˋlɔŋhɛr] *n.* Ⓒ ①〖俗〗知識分子。②(尤指)古典音樂家。③〖俚〗留長髮者(尤指男性嬉皮)。

__long·haired__ [ˋlɔŋ,hɛrd] *adj.* ①知識分子或古典音樂家等的。②留長髮者的。③嬉皮式的。

__long·hand__ [ˋlɔŋ,hænd] *n.* Ⓤ普通寫法(非 shorthand 或 typewriting).

__long·horn__ [ˋlɔŋ,hɔrn] *n.* Ⓒ長角動物；(尤指)長角牛。

*__long·ing__ [ˋlɔŋɪŋ] *n.* ⓊⒸ & *adj.* 渴望(的)；熱望(的)。

__long·ish__ [ˋlɔŋɪʃ] *adj.* 稍長的。

*__lon·gi·tude__ [ˋlɑndʒə,tjud] *n.* Ⓤ①經度；經線。②〖謔〗長。(略作 **long.**)

__lon·gi·tu·di·nal__ [,lɑndʒəˋtjudn̩l] *adj.* ①經度(線)的。②長度的。③縱的。

__long-lived__ [ˋlɔŋˋlaɪvd] *adj.* ①長壽的。②耐用的。

__lóng-plày·ing récord__ [ˋlɔŋ,ple-ɪŋ ∼] *n.* Ⓒ長時間唱片(通稱 LP 唱片，速度爲每分鐘 33 ⅓轉)。

__long-range__ [ˋlɔŋˋrendʒ] *adj.* ①長距離的；長射程的。②作久遠之計的。③長期的；久遠的。

__long·shore·man__ [ˋlɔŋ,ʃormən] *n.* Ⓒ (*pl.* **-men**)碼頭(裝卸)工人。

__long-sight·ed__ [ˋlɔŋˋsaɪtɪd] *adj.* ①有遠見的；見識高的。②遠視眼的。

__long-stand·ing__ [ˋlɔŋˋstændɪŋ] *adj.* 經年累月的。

__long-suf·fer·ing__ [ˋlɔŋˋsʌfərɪŋ] *adj.* 忍受長期痛苦與折磨的。— *n.* Ⓤ對長期痛苦與折磨的忍受；忍苦。

__long-term__ [ˋlɔŋ,tɜm] *adj.* 長期的。

__long·time__ [ˋlɔŋ,taɪm] *adj.* ①長期的。②耐久的；歷時甚久的。

__long-wind·ed__ [ˋlɔŋˋwɪndɪd] *adj.* ①氣息長的。②冗長的；囉囉嗦嗦的。— **ly,** *adv.* — **ness,** *n.*

__loo__ [lu] *n.* Ⓒ (*pl.* **∼s**)〖英俗〗廁所；洗手間。

__loo·fah__ [ˋlufə] *n.* Ⓒ ①〖植〗絲瓜。②絲瓜絡。

‡__look__ [lʊk] *v.i.* ①視；看；觀；望〔常 at〕. ②看來似乎是。③留心；注意。④(房屋等)面向；朝…。⑤尋找；搜查。⑥有…之趨勢。— *v.t.* ①尋找；訪問。②以眼色表示。③注視；看。④露出…的表情。⑤顯出(某歲數)。⑥檢查；視察〔常 over〕. ∼ ***after*** **a.** 照料。**b.** 目送。**c.** 注意。∼ ***ahead*** 前看；預測；未雨綢繆。∼ ***at*** **a.** 注視；盯。**b.**(在否定句中，尤其與 will, would 連用時)拒絕；輕視。He wouldn't ∼ *at* the proposal. 他拒絕這項提議。∼ ***back*** **a.** 回顧；回憶。**b.** (對事業等)不起勁；畏縮；停止不前。∼ ***down upon*** [***on***] 瞧不起。∼ ***for*** **a.** 尋找；採集。**b.** 期望。∼ ***forward to*** 期待；盼望。∼ ***into*** 調查；考查。∼ ***like*** 看來像是。∼ ***on*** **a.** 旁觀。**b.** 看。**c.** 和…同看(一本書)〔with〕. ∼ ***oneself*** 看起來跟往常一樣(健康)。∼ ***out*** 當心；注意。∼ ***over*** **a.** 校閱；看過一遍。**b.**忽略；寬恕。∼ ***round*** 事前仔細考慮；愼思而後行。∼ ***through*** **a.** 透過…看。**b.** 看穿；看破。**c.** 由…看出。∼ ***to*** **a.** 注意；照顧。**b.** 仰賴。**c.** 預期；期待。∼ ***up*** **a.** 漲價；繁榮。**b.** 仰視。**c.** (在字典中)查明。∼ ***up to*** 崇敬。— *n.* ①Ⓒ (常*sing.*)看；視；望；觀。②Ⓒ神色；外表；表情。③(*pl.*)容貌。④Ⓒ尋求；找。§∼ing glàss 鏡子。

__look-a-like__ [ˋlʊkə,laɪk] *n.* Ⓒ〖美〗外表酷似的人物或物。— *adj.* 酷似的。

__look·er__ [ˋlʊkɚ] *n.* Ⓒ ①觀者。②〖美俗〗美貌之(女)人。

__look·er-on__ [,lʊkɚˋɑn] *n.* Ⓒ (*pl.* **look·ers-on**)旁觀者。

*__look·out__ [ˋlʊk,aʊt] *n.* ①(*sing.*)注意；守望；謹防。②Ⓒ守望者；瞭望臺。③(*sing.*)遠景；前途。④(one's ∼)應注意的事。***on the ∼*** 注意；警戒。

__loom__[1] [lum] *n.* Ⓒ織布(機)。

__loom__[2] *v.i.* ①隱約可見。②(危險等)陰森地迫近。— *n.*(a ∼)隱約出現。

__loon__ [lun] *n.* Ⓒ①潛鳥(一種水鳥)。②懶人；愚人；無用的傢伙。③〖俗〗瘋子。

__loon·y__ [ˋlunɪ]〖俚〗*adj.* ①發瘋的。②蠢笨的；笨拙的。— *n.* Ⓒ狂人；瘋子。§∼ léft 極左派。

*__loop__ [lup] *n.* Ⓒ①(繩、帶、金屬線等所繞成的)圈；環。②環狀物。③〖空〗翻圈飛行；翻觔斗。④(鐵路之)環狀側線。⑤〖電算〗迴路；環路。— *v.t.* ①使成圈、環。②以圈、環結。— *v.i.* 自成圈環。∼ ***the*** ∼〖空〗翻觔斗(飛行)。

__loop·hole__ [ˋlup,hol] *n.* Ⓒ ①砲眼；小窗。②逃出口；(法規等的)漏洞。

‡__loose__ [lus] *adj.* ①未予束縛的；釋放

的。②寬大的；鬆的。③不牢的；不堅固的。④不精確的；不深入的。⑤放蕩的。⑥散裝的；無包裝的。⑦無拘束的；自由的。a ～ tongue 饒舌。⑧(身體)不結實的；樣子難看的。⑨(動作)隨便的；不準確的。*break* ～ 掙脫韁繩；逃出樊籠。*cast* ～ **a.** 解開；分開。**b.** 遣走；使自由飄泊。*come* ～ (結)鬆開；(被縛者)得脫。*cut* ～ **a.** 斷絕關係；分開。**b.** 脫逃；擺脫。**c.** 〖俗〗痛飲。**d.** 放棄約束；縱情。*let*[*set, turn*]～ **a.** 釋放；放任；放縱。**b.** 垮。— *v.t.* ①釋放；解囊；揚帆。②放(箭、槍)。

— *n.* Ⓤ解開；放任；放縱。*on the* ～ 〖俗〗**a.** 自由的；沒限制的。**b.** 歡樂的；痛飲的；放蕩的。**c.** 逃走在外的；逃亡中的。—**ly,** *adv.* —**ness,** *n.*

loose-leaf [ˋlus͵lif] *adj.*(筆記本等)活頁的。

***loos·en** [ˋlusn̩] *v.t.* ①使鬆；解(結)。②解除(便秘)。③放寬(限制)。— *v.i.* ①鬆弛。②放鬆。

loot [lut] *n.* Ⓤ ①(集合稱)贓物；戰利品。②〖俚〗(公務員等的)不正當收入。③金錢；資本。— *v.i.* & *v.t.* 掠奪。

lop [lɑp] *v.t.*(**-pp-**)砍伐；截去(樹枝)；修剪(樹木)〔off, away〕。— *v.i.* 無力地垂下；垂掛。— *n.* Ⓒ 垂耳的兔子。

lope [lop] *v.i.* & *v.t.* ①(兔等之)跳躍而行。②(馬等之)大步慢跑。— *n.* (a ～)大步慢跑。

lop-eared [ˋlɑp͵ɪrd] *adj.*(兔等)垂耳的。

lop·sid·ed [ˋlɑpˋsaɪdɪd] *adj.*(船等)傾向一方的；不對稱的。

lo·qua·cious [loˋkweʃəs] *adj.* ①多嘴的；好辯的。②(鳥等)喧噪的；吵鬧的。

lo·quat [ˋlokwɑt] *n.* Ⓒ〖植〗枇杷。

‡**lord** [lɔrd] *n.* ① Ⓒ〖英〗貴族；領主；上議院議員。②(L-)(對主教等的尊稱)閣下。③(L-)對有爵位的貴族的尊稱(冠於姓氏之前，如*Lord* Tennyson)。④(L-)上帝；耶穌基督；主。Good *L*-!(表驚訝或厭煩的感歎語)哦！天啊！*Lord's Supper* **a.**(耶穌)最後晚餐。**b.** 聖體聖事；聖餐。— *v.t.* ①統治。②使成貴族。— *v.i.* 作威作福。～ *it over* 逞威風。§ **L∼ Cháncellor** 〖英〗大法官(主持上議院、大法官庭和上訴法院)。**the L∼'s dày** 主日(即星期日)。—**ly,** *adv.* —**li·ness,** *n.*

lord·ship [ˋlɔrdʃɪp] *n.* ① Ⓤ 貴族的地位或階級。② Ⓒ (常 L-)閣下(對貴族的尊稱)。③ Ⓤ 統治；支配；所有權。

lore [lor] *n.* Ⓤ (特殊的)知識；學問。

lor·gnette [lɔrnˋjɛt] 〖法〗 *n.* Ⓒ ①長柄眼鏡。②(觀歌劇用的)有柄望遠鏡。

lorn [lɔrn] *adj.* ①〖詩〗孤單的；寂寞的。②〖古〗被棄的；毀壞的。

lor·ry [ˋlɔrɪ, ˋlɑrɪ] *n.* Ⓒ ①〖英〗卡車。②(車身長而低的)馬車。③(礦場鐵路用之)手推車。

***Los An·ge·les** [lɔsˋæŋgələs, -ˋændʒələs] *n.* 洛杉磯(美國加州西南部都市)。

‡**lose** [luz] *v.t.*(**lost**)①失；失落；遺失。②損失；失去。③輸掉；未能得到。④喪失(妻、子等)；(因死亡等)被剝奪。⑤未能趕上(火車等)。⑥浪費。⑦走入歧途。⑧沉迷；沉醉於(用被動式)。be *lost* in thought 沉思。⑨(用被動語態)滅亡；破壞。⑩使失去。⑪(鐘錶)走慢。⑫走失。— *v.i.* ①虧損；蒙損害。②失敗；輸。③(鐘錶)走慢。④遜色；減低價值、美麗等。～ *oneself* **a.** 迷路；迷惑。**b.** 入迷；迷醉。

los·er [ˋluzə] *n.* Ⓒ①失敗者；輸者。②〖俗〗做事老是做不好的人。

los·ing [ˋluzɪŋ] *adj.*①輸的；虧折的。②招致損失的。— *n.*① Ⓤ 失敗。②(*pl.*)(尤指投機、賭博等的)損失。

‡**loss** [lɔs] *n.* ① ⓊⒸ 損失；遺失；喪失。② ⓊⒸ 損失物；虧損。③ Ⓤ 未得逞；失敗；敗北。④ Ⓤ 浪費。⑤ Ⓤ 未能保持。⑥(*pl.*)〖軍〗傷亡(人數)；損害。⑦ Ⓒ〖保險〗死亡；傷害；損失額。*at a* ～ **a.** 虧本。**b.** 迷惑。§ ∼ **lèader** 犧牲品；廉價特銷商品。

‡**lost** [lɔst] *v.* pt. & pp. of **lose.**

— *adj.* ①遺失的；失落的。②輸的。③毀壞的。④浪費的。⑤迷失的。⑥困惑的。⑦沉迷的。～ *to* **a.** 不再為…所有。**b.** 漠然。

‡**lot**[1] [lɑt] *n.* ①(a ～, 常 *pl.*)〖俗〗許多。②(the ～)全部；全體；總量。*a* ～ (*of*)；～*s* (*of*)許多(的)；很多(的)。(指「數」或「量」均可)。

‡**lot**[2] *n.* ① Ⓒ 籤；鬮。② Ⓤ 抽籤或拈鬮決定法。③ Ⓤ 中籤。④ Ⓒ 運氣；命運。⑤ Ⓒ 一塊地。⑥ Ⓒ 一堆；一組；一包。⑦ Ⓒ 一批(貨物)。⑧ Ⓒ 電影攝影場。⑨ Ⓒ〖俗〗傢伙；人。*cast* [*draw*] ～*s* 抽籤(決定)。— *v.t.* 劃分(土地等)；分堆；分組。— *v.i.* 抽籤。

loth [loθ] *adj.* ＝**loath.**

lo·tion [ˋloʃən] *n.* ⓊⒸ〖藥〗洗劑；化粧水。

lot·ter·y [ˋlɑtərɪ] *n.* ① Ⓒ 彩票；獎券；抽獎。②(a ～)碰巧[偶然]之事。

lo·tus, -tos [ˋlotəs] *n.* ①Ⓒ〖植〗睡蓮。② Ⓤ〖希神〗落拓棗(據傳食該果後即做極樂的夢而忘卻塵世的痛苦)；忘憂樹。§ ∼ **posìtion** 蓮花坐姿(雙腿曲疊，雙臂置於膝上，用於瑜珈術)。

lo·tus-eat·er [ˋlotəs͵itə] *n.* Ⓒ 食落拓棗而忘卻勞苦的人；貪安逸的人。

‡**loud** [laʊd] *adj.* ①大聲的。②〖俗〗(衣服)庸俗的。③極度的；不斷的。be ～ in demands 不斷地需求。④吵鬧的。⑤〖俗〗冒失的。⑥強調的。⑦氣味難聞的；沖鼻的。— *adv.* 高聲地；大聲地。‡—**ly,** *adv.* —**ness,** *n.*

loud·hail·er [ˋlaʊdˋhelə] *n.* Ⓒ〖英〗擴聲器(＝megaphone)。

loud·mouth [ˋlaʊd͵maʊθ] *n.* Ⓒ大聲嚷嚷的人。

***loud·speak·er** [ˋlaʊdˋspikə] *n.* Ⓒ 擴音器。

Lou·i·si·an·a [͵luɪzɪˋænə, lu͵izɪ-] *n.* 路易西安那(美國南部之一州)。

***lounge** [laʊndʒ] *v.i.* & *v.t.* ①散漫怠惰地打發時間〔away〕。②懶懶地橫靠或坐著。③閒蕩；漫步〔about〕。— *n.* ① Ⓒ 臥榻；沙發。② Ⓒ 休息室；吸煙室。③(a ～)懶散；閒逸。④(a ～)漫步。§ ∼ **càr**火車上供乘客休息飲酒用之車

L

廂。~ **sùit**〖英〗日常所著的西裝。

loung·er [ˋlaʊndʒɚ] *n.* Ⓒ ①遊手好閒者。②躺椅。

loupe [lup] *n.* Ⓒ (珠寶匠所用的)高倍放大鏡。

lour [laʊr] *v.i.* ①皺眉頭；作怒相〔at, on, upon〕. ②作陰沉的臉色。③(天氣)呈陰霾昏暗狀。— **ing,** *adj.*

louse [laʊs] *n.* Ⓒ (*pl.* **lice**)①蝨。②(動、植物身上的)寄生蟲。— *v.t.* 除去蝨子。~ *up*〖俚〗弄糟；搞壞。

lous·y [ˋlaʊzɪ] *adj.* ①多蝨的；生蝨的。②〖俗〗汚穢的；卑鄙的。③〖俚〗充分供應的。

lout [laʊt] *n.* Ⓒ粗鄙之人；鄉下佬。

lou·ver [ˋluvɚ] *n.* Ⓒ①(中世紀建築物之)天窗。②氣窗；百葉窗。③(常*pl.*)〖建〗(羽板窗等之)羽板。

Lou·vre [ˋluvrə, ˋluvɚ, luv] *n.* (the ~) (巴黎的)羅浮宮(昔爲王宮；現爲博物館)。

lov·a·ble [ˋlʌvəbl̩] *adj.* 可愛的；惹人愛的。

‡**love** [lʌv] *n.* ①Ⓤ愛；親愛〔for, of, to, toward〕. ②Ⓤ愛好；喜好。③Ⓤ(親屬間的)問候。④Ⓒ愛人；情人。⑤Ⓤ戀愛；愛情。⑥Ⓒ〖俗〗惹人愛的人物；漂亮東西。⑦Ⓤ(上帝的)慈愛；(對上帝的)崇敬。⑧Ⓤ〖運動〗(網球)零點；零分；無得分。~ all 零比零。⑨(L-) **a.** Venus. **b.** Cupid. *for ~* **a.** 出於喜愛。**b.** 無價地。*for the ~ of* 爲…的緣故。*give ~ to* 致意；向(某人)問候。*in ~ with* 與…在戀愛中。*make ~ to* 向…求愛。*no ~ lost* 敵意；厭惡。— *v.t. & v.i.* ①愛；戀愛。②敬拜。③待以仁愛。④喜好；愛好。§ ~ **affàir** (1)戀愛事件；韻事。(2)對某種活動之迷戀。~ **àpple**〖古〗番茄。~ **chìld** 私生子。~ **fèast** (1)〖基督教〗愛餐(初期基督教徒間爲表示友愛之聚餐)。(2)(美以美教徒間之)愛餐會。(3)(促進感情之)聚餐。~ **knòt**(表示愛之)同心結。~ **màtch** 戀愛結婚；愛情的結合。~ **sèat** 雙人座椅；鴛鴦椅。

love·bird [ˋlʌv,bɝd] *n.* Ⓒ①情鳥(小鸚鵡類，產於非洲，雌雄間極恩愛)。②(常 *pl.*)愛侶。

love-in [ˋlʌv,ɪn] *n.* Ⓒ ①〖美〗群衆互相示愛的集會(抗議不人道政策的群衆示威)。②狂歡會。

love·less [ˋlʌvlɪs] *adj.* ①無愛情的。②得不到愛的。— **ly,** *adv.*

love·lock [ˋlʌv,lɑk] *n.* Ⓒ 17-18世紀流行之長及肩部的男性髮型。

love·lorn [ˋlʌv,lɔrn] *adj.* 失戀的；無人愛的。

‡**love·ly** [ˋlʌvlɪ] *adj.* ①可愛的；美麗的。②〖俗〗愉快的；有趣的。— *n.* Ⓒ〖俗〗美女。— **loveˊli·ness,** *n.*

love·mak·ing [ˋlʌv,mekɪŋ] *n.* Ⓤ ①求婚；調情。②性交。

‡**lov·er** [ˋlʌvɚ] *n.* ①Ⓒ愛好者；嗜好者。②Ⓒ愛人；情人。③(*pl.*)情侶。

love·sick [ˋlʌv,sɪk] *adj.* 害相思病的。

love·y-dove·y [ˋlʌvɪˋdʌvɪ] *adj.* 〖俚〗多愁善感的；多情的。

***lov·ing** [ˋlʌvɪŋ] *adj.* 親愛的；愛戀的。§ ~ **cùp** 愛杯(有兩個杯柄以便輪飲的大銀酒杯)。— **ly,** *adv.*

lov·ing-kind·ness [ˋlʌvɪŋˋkaɪndnɪs] *n.* Ⓤ 慈愛；仁慈。

‡**low**[1] [lo] *adj.* ①低的；矮的。②淺的。③低弱的。④微賤的。⑤消沉的。be in ~ spirits 意志消沉。⑥未開化的；低等的。⑦下流的。⑧虛弱的。⑨壞的。⑩低級的；粗野的；品格低劣的。***bring ~***使虛弱、貧困、或地位降低。***in ~ water*** 缺乏資金；缺乏銀錢。— *adv.* ①低下地；低聲地。②謙卑地。③近期地。④輸贏小地；花錢少地。***lay ~*** **a.** 擊倒。**b.** 殺死。*lie ~*〖俗〗靜待；藏匿不出。***play it ~ upon*** 虐待；冷待。— *n.* ①Ⓒ低者。②Ⓤ(汽車等之)低檔；低速。③Ⓒ低氣壓區。④Ⓒ最低點。§ **L~ Cóuntries** 北海沿岸之低地國家(今荷、比、盧三國)。**the L~ Chúrch**低教會派(較輕視聖職之特權、儀式、聖餐等之英國國教會之一派)。

low[2] *v.i.* (牛)鳴叫。— *n.* Ⓒ牛鳴。

low·ball [ˋlo,bɔl] *v.t.* 偏低估價。

low·born [ˋloˋbɔrn] *adj.* 出身低賤的；出身低微的。

low·bred [ˋloˋbrɛd] *adj.* 粗野的。

low·brow [ˋlo,braʊ]〖俗〗*n.* Ⓒ 對文藝活動不感興趣的人；庸俗之輩。— *adj.* 庸俗的；低級趣味的。

low-budg·et [ˋlo,bʌdʒɪt] *adj.* 低預算的；低預算做成的。

low·down [ˋloˋdaʊn] *adj.*〖俗〗身分卑下的；不誠實的。— [ˋlo,daʊn] *n.* (the ~)〖俚〗實情；內幕。

‡**low·er**[1] [ˋloɚ] *v.t.* ①降下；降低。②減低。③使(聲音等)低。④削弱；消減。⑤貶抑。— *v.i.* 降低。— *adj. & adv.* comparative of **low.** § ~ **cáse**〖印刷〗小寫字母盤(略作 l.c.)。**the ~ clásses** 下層階級(的人們)。**the L~ Hóuse** 下議院。**the ~ wórld** (1)陰間。(2)塵世。

low·er[2] [ˋlaʊɚ] *v.i.* =**lour.**

low·er·case [ˋloɚˋkes]〖印刷〗*adj.* 用小寫字型(印)的。— *v.t.* 用小寫字型排印。— *n.* Ⓤ小寫字體。

low·er·ing [ˋlaʊərɪŋ] *adj.* ①(天氣)陰霾的；昏暗的。②蹙眉的；不高興的。— **ly,** *adv.*

low·est [ˋloɪst] *adj.* superl. of **low.** ①最下的；最低的。②最小的。③最便宜的。§ ~ **cómmon denóminator** (1)〖數〗最小公分母(略作 L.C.D., l.c.d.). (2)爲廣大群衆所接受[理解]的事物。~ **cómmon múltiple**〖數〗最小公倍數(略作 L.C.M., l.c.m.).

low-fre·quen·cy [ˋloˋfrikwənsɪ] *adj.*〖無線〗低頻率的；長波的。

low-grade [ˋloˋgred] *adj.* 品質差的；低(等)級的。

low-key [ˋloˋki] *adj.* 低音(調)的；抑制的；不張揚的。(亦作 **low-keyed**)

low·land [ˋlo,lænd, -lənd] *n.* Ⓒ (常 *pl.*)低地。***the Lowlands*** 蘇格蘭東南部的低地。— *adj.* 低地的。

low·land·er [ˋloləndɚ] *n.* Ⓒ ①低地人。②(L-)蘇格蘭低地之人或居民。

L

low·life [ˋlo͵laɪf] *n.* Ⓒ (*pl.* ~**s**)〖俚〗卑鄙之人; 不道德的人。— *adj.* ①道德沉淪的。②不雅的。
low·ly [ˋlolɪ] *adj.* ①位低的。②卑下的; 謙卑的。— *adv.* ①低賤地。②謙遜地。③低聲地。④位置低下地。— **low′li·ness,** *n.*
low-ly·ing [ˋloˋlaɪŋ] *adj.* 低窪的; 低地的。
low-mind·ed [ˋloˋmaɪndɪd] *adj.* 心地卑劣的; 卑鄙的。
low-necked [ˋloˋnɛkt] *adj.* (婦女服裝)領口開得很低的。
low-pitched [ˋloˋpɪtʃt] *adj.* ①低調的; 柔和的。②(屋頂等)緩緩傾斜的。
low-spir·it·ed [ˋloˋspɪrɪtɪd] *adj.* 無精打采的; 憂鬱的。
lox [lɑks] *n.* Ⓤ〖化〗(亦作 **LOX**)液體氧(=liquid oxygen)。
***loy·al** [ˋlɔɪəl, ˋlɔjəl] *adj.* 忠誠的; 忠實的。— **ly,** *adv.* — **ism,** — **ist,** *n.*
***loy·al·ty** [ˋlɔɪəltɪ] *n.* Ⓤ 忠貞; 忠誠; 忠實。
loz·enge [ˋlɑzɪndʒ] *n.* Ⓒ①菱形。②菱形物。③錠劑; 藥片(治咳嗽等之藥片, 初為菱形, 故名)。
LP, Lp, L-p long-playing record.
LSD lysergic acid diethylamide. 迷幻藥。**l.s.d., L.S.D., £.s.d.**〖拉〗librae, solidi, denarii. 英鎊、先令、辨士; 金錢; 財物。**Ltd., ltd.**〖英〗limited.
Lu·an·da [luˋændə] *n.* 盧安達(Angola 之首都)。
lu·bri·cant [ˋlubrɪkənt] *n.* Ⓤ Ⓒ 潤滑油。— *adj.* 潤滑的。
lu·bri·cate [ˋlubrɪ͵ket] *v.t.* ①使潤滑; 加潤滑油。②使順利; 對…有幫助。— *v.i.* ①生潤滑作用。②喝醉; 喝酒。— **lu·bri·ca′tion, lu′bri·ca·tor,** *n.*
lu·bri·cious [luˋbrɪʃəs] *adj.* 淫蕩的; 猥褻的; 好色的。— **ly,** *adv.*
lu·bric·i·ty [luˋbrɪsətɪ] *n.* Ⓤ①平滑。②(精神的)不安定; 難以捉摸。③淫蕩; 猥褻; 好色。④狡猾。
lu·cent [ˋlusn̩t] *adj.* ①光輝的; 明亮的。②透明的。— **lu′cen·cy,** *n.*
lu·cid [ˋlusɪd] *adj.* ①明白易懂的。②神志清明的。③光輝的。④透明的。— **ly,** *adv.* — **lu·cid′i·ty,** *n.*
‡**luck** [lʌk] *n.* Ⓤ①機運; 運氣。②幸運; 好運。*as ~ would have it* 幸運地; 不幸地(視上下文而定)。*down on one's ~*〖俗〗不幸的; 遭不幸的。*for ~* 祝福; 求福。*in ~* 幸運。*Just my ~!* 我總是這樣倒楣! *out of ~* 不幸。*worse ~* 不幸的是; 更糟糕的是(用作句中插語)。— **less,** *adj.* — **less·ly,** *adv.*
***luck·i·ly** [ˋlʌkɪlɪ] *adv.* 幸虧; 僥倖; 幸運地。
‡**luck·y** [ˋlʌkɪ] *adj.* ①幸運的。②偶中的; 僥倖的。~ *bag*[*dip*]幸運袋; 摸獎箱。~ *dog* [*beggar*] 幸運兒。— **luck′i·ness,** *n.*
lu·cra·tive [ˋlukrətɪv] *adj.* 可獲利的; 待遇好的。— **ly,** *adv.*
lu·cre [ˋlukɚ] *n.* Ⓤ利益; 財富。
lu·cu·bra·tion [͵lukjuˋbreʃən] *n.* ①Ⓤ(夜間)燈下的用功; 夜間之沉思; 燈下創作。②(常 *pl.*)學術作品; 精心之作品。
lu·di·crous [ˋludɪkrəs] *adj.* 滑稽的; 可笑的。— **ly,** *adv.*
luff [lʌf] *v.t.* & *v.i.* 轉船首向風行駛。
lug[1] [lʌg] *v.t.* & *v.i.* (**-gg-**)①使勁拉; 用力拖。②〖俗〗(勉強地)牽入; 硬拖入。— *n.* ①Ⓒ(常 *sing.*)強拖; 拉曳。②(*pl.*)〖俚〗傲慢態度; 裝腔作勢。*put on ~s*〖美俚〗擺架子; 裝腔作勢。
lug[2] *n.* Ⓒ①突出部。②柄; 把手。③〖蘇俚〗耳朵; 耳垂。④〖俚〗笨人。
***lug·gage** [ˋlʌgɪdʒ] *n.* Ⓤ〖英〗行李(=〖美〗baggage)。
lug·ger [ˋlʌgɚ] *n.* Ⓒ 單桅或雙桅帆船(有斜桁者)。
lug·sail [ˋlʌg͵sel] *n.* Ⓒ〖海〗斜桁用的梯形帆。
lu·gu·bri·ous [luˋgjubrɪəs] *adj.* 悲哀的; 鬱鬱不樂的。
Luke [luk] *n.*〖聖經〗①路加(耶穌門徒, 路加福音作者)。②路加福音。
luke·warm [ˋlukˋwɔrm] *adj.* ①溫熱的。②冷漠的; 不熱心的。
lull [lʌl] *v.t.* ①使平靜; 使(嬰兒)入睡。②釋除; 消除。③使和緩; 使平息。— *v.i.* (風等)平息; 停息。— *n.* (a ~)稍息; 稍止; 間歇。
lull·a·by [ˋlʌlə͵baɪ] *n.* Ⓒ 搖籃曲; 催眠曲。
lum·ba·go [lʌmˋbego] *n.* Ⓤ〖醫〗腰痛。
lum·bar [ˋlʌmbɚ] *adj.*〖解〗腰(部)的。— *n.* Ⓒ 腰椎; 腰部動脈。
lum·ber[1] [ˋlʌmbɚ] *n.* Ⓤ①木材; 木料。②破舊家具; 無用雜物。— *v.t.* ①亂堆; 亂積。②砍倒(樹)以備做木料。— *v.i.* 砍倒樹木以做木料。— **er,** *n.*
lum·ber[2] *v.i.* 笨重地移動; (火車)隆隆作聲地向前駛。
lum·ber·ing [ˋlʌmbərɪŋ] *n.* Ⓤ 木材業。— *adj.* ①(移動時)笨重的。②移動時發出隆隆之聲的。
lum·ber·jack [ˋlʌmbɚ͵dʒæk] *n.* Ⓒ〖美〗伐木工人。
lum·ber·man [ˋlʌmbɚmən] *n.* Ⓒ (*pl.* **-men**)①伐木工人; 鋸木工人。②木材業者。
lum·ber·mill [ˋlʌmbɚ͵mɪl] *n.* Ⓒ 鋸木廠。
lum·ber·room [ˋlʌmbɚ͵rum] *n.* Ⓒ 堆置雜物之房間。
lum·ber·yard [ˋlʌmbɚ͵jɑrd] *n.* Ⓒ 木材堆置場。
lu·mi·naire [͵luməˋnɛr] *n.* Ⓒ 照明設備; 光源。
lu·mi·nar·y [ˋlumə͵nɛrɪ] *n.* Ⓒ①發光體(如日、月等)。②先知先覺; 導師。③名人。
lu·mi·nes·cence [͵luməˋnɛsn̩s] *n.* Ⓤ〖理〗無熱光; 冷光。
lu·mi·nous [ˋlumənəs] *adj.* ①發光的; 有光輝的。②光亮的; 有光澤的。③明晰的; 易懂的。④(房間等)光度足夠的。— **lu·mi·nos′i·ty** [-ˋnɑs-], *n.*
lum·mox [ˋlʌməks] *n.* Ⓒ〖美俗〗愚蠢不中用者; 傻瓜。
***lump** [lʌmp] *n.* Ⓒ①小塊。a ~ of

L

sugar 一塊(方)糖。②堆；團；大量。③傷腫；碰傷。④蠢笨的人。⑤〖俗〗大塊頭；體格高大壯健的人。*a* ~ *in the throat* 如骨鯁在喉。— *v.i.* ①成塊狀。②笨拙地移動。— *v.t.* ①將…堆成一堆；將…混在一起。②忍耐；忍受。If you don't like it, you will have to ~ it. 你若不喜歡它，你也必須忍耐。③做成塊狀。④使隆起或鼓出成塊狀。— **ish, lump′y,** *adj.*

lu·na·cy [ˋlunəsɪ] *n.* ① Ⓤ 月夜狂；瘋癲；精神錯亂。② Ⓒ (常 *pl.*)瘋狂的行動；不智之舉。

*__lu·nar__ [ˋlunɚ] *adj.* ①月的；陰曆的。②似月亮的；圓形或半月形的。§ ~ **cálendar** 陰曆。~ **pólitics** 空論。

lu·nate [ˋlunet] *adj.* 新月形的。

*__lu·na·tic__ [ˋlunə͵tɪk] *n.* Ⓒ ①瘋人；癲狂者。②極端愚蠢的人。— *adj.* ①瘋狂的。②為瘋人而設的。③極愚的。§ ~ **frínge** 〖俗〗狂熱者；極端分子。

‡**lunch** [lʌntʃ] *n.* ① ⓊⒸ 午餐。② Ⓒ 便餐。③ Ⓒ 〖美〗點心。— *v.i.* 進午餐。— *v.t.* 供給午餐。

*__lunch·eon__ [ˋlʌntʃən] *n.* ① ⓊⒸ 午餐。② Ⓒ 午宴(較 lunch 正式)。§ ~ **vòucher**(公務)餐券。

lunch·eon·ette [͵lʌntʃənˋɛt] *n.* Ⓒ 便餐館。

lunch·time [ˋlʌntʃ͵taɪm] *n.* Ⓤ 午餐時間。

*__lung__ [lʌŋ] *n.* Ⓒ ①肺臟；肺。②(常 *pl.*)(大城市內或附近之)廣場；空曠處。

lunge [lʌndʒ] *n.* Ⓒ 前衝；刺；戳；擊(如鬥劍等)。— *v.i.* 向前刺；戳；擊。— *v.t.* 將…朝前伸或刺；使朝前衝。

lung·fish [ˋlʌŋ͵fɪʃ] *n.* Ⓒ (*pl.* ~, ~**es**)〖動〗肺魚。

lu·pin(e)[1] [ˋlupɪn] *n.* Ⓒ〖植〗羽扇豆。

lu·pine[2] [ˋlupaɪn] *adj.* ①狼的。②貪吃的；貪婪的。③兇猛的；野蠻的。

lurch [lɝtʃ] *n.* Ⓒ ①(船等之)突然傾斜。②(醉漢的)東倒西歪；蹣跚之行動。③困境；進退維谷。④(比賽中)慘敗；一面倒。*leave* (*someone*) *in the* ~ 棄人於危難之中。— *v.i.* ①突然傾向或滑向一邊。②蹣跚而行。

*__lure__ [lʊr] *n.* Ⓒ ①誘惑；誘惑物。②誘鷹鳥。③〖釣魚〗餌。— *v.t.* 誘惑。

lu·rid [ˋlʊrɪd] *adj.* ①(顏色)深濃的；陰慘的。②可怖的；驚人的。③(天空等)火紅的。— **ly,** *adv.* — **ness,** *n.*

lurk [lɝk] *v.i.* ①藏躲；潛伏。②潛行。

lus·cious [ˋlʌʃəs] *adj.* ①味甘美的；濃郁的。②使人(讀之)身心愉快的(文章)。③性感的。

lush[1] [lʌʃ] *adj.* ①青葱的；嫩綠的；多汁的。②青草茂盛的。③豐富的。

lush[2] 〖俚〗 *n.* ① Ⓤ 酒。② Ⓒ 醉漢。— *v.t.* & *v.i.* ①飲酒。②給以酒。

*__lust__ [lʌst] *n.* ⓊⒸ ①貪慾；色慾；慾望。②熱愛。— *v.i.* ①貪求〔for, after〕。②有強烈之性慾。— **ful,** *adj.*

lus·ter, 〖英〗**-tre** [ˋlʌstɚ] *n.* Ⓤ ①光彩；光澤；光輝。②榮譽；光榮。③瓷器光澤的表面。④光亮的棉毛織物。— *v.t.*加光澤物於；使發光澤。

lus·trous [ˋlʌstrəs] *adj.* 有光澤的；光亮的。— **ly,** *adv.*

lust·y [ˋlʌstɪ] *adj.* 健壯的；精力充沛的。— **lust′i·ly,** *adv.* — **lust′i·ness,** *n.*

lute [lut] *n.* Ⓒ 琵琶；魯特琴。

lu·te·ti·um [luˋtiʃɪəm] *n.* Ⓤ〖化〗鎦(金屬元素；符號 Lu)。

Lu·ther [ˋluθɚ] *n.* 馬丁路德(Martin, 1483-1546, 德國神學家，宗教改革的領袖)。— **an,** *adj.* & *n.*

luxe [lʊks, lʌks] 〖法〗*n.* Ⓤ 上等；奢侈；華美。

Lux·em·burg [ˋlʌksəm͵bɝg] *n.* 盧森堡(位於德、法、比之間的一小國，首都為 Luxemburg)。

lux·u·ri·ant [lʌgˋʒʊrɪənt, lʌkˋʃʊr-] *adj.* ①繁茂的；叢生的(植物等)。②豐富的。③肥沃的；多產的。④(文體等)華麗的；絢爛的。— **ly,** *adv.*

lux·u·ri·ate [lʌgˋʒʊrɪ͵et] *v.i.* ①繁茂。②縱情享樂〔in〕。③沉溺於…中。

*__lux·u·ri·ous__ [lʌgˋʒʊrɪəs, lʌkˋʃʊr-] *adj.* ①豪華的；奢侈的；豐美的。②放縱的；浪費的。— **ly,** *adv.* — **ness,** *n.*

*__lux·u·ry__ [ˋlʌkʃərɪ] *n.* ① Ⓤ 奢侈；奢華。② Ⓒ 奢侈品。

Lu·zon [luˋzɑn] *n.* 呂宋(菲律賓群島中的最大島)。

-ly 〖字尾〗①附於形容詞造成副詞，如：boldly. ②造成「相似的；有…性質的」之義的形容詞，如：kingly. ③造成表「時間的反覆」之副詞或形容詞，如：hourly. ④造成表示「程度」的副詞，如：greatly. ⑤造成表示「方向」的副詞，如：northwardly. ⑥造成表示「次序」的副詞，如：thirdly. ⑦造成表「在某一時間」的副詞，如：recently.

ly·ce·um [laɪˋsiəm] *n.* ① Ⓒ 講堂；供講學的書院。② Ⓒ〖美〗做公開之學術講演〔討論〕的社團；文化活動。③(the L-)古代希臘學者亞里斯多德教授生徒之處；亞里斯多德哲學及其門徒。

lye [laɪ] *n.* Ⓤ 灰汁；鹼液。

‡**ly·ing** [ˋlaɪɪŋ] *adj.* 說謊的；假的。— *n.* Ⓤ 說謊(的習慣)；虛假。

ly·ing-in [ˋlaɪɪŋˋɪn] *n.* Ⓒ (*pl.* ~**s, ly·ings-in**)分娩；臨盆；生產。— *adj.* 生產的。a ~ hospital 產科醫院。

lymph [lɪmf] *n.* Ⓤ ①〖生理〗淋巴；淋巴液。②〖醫〗血清。§ ~ **glànd**〔**nòde**〕〖解〗淋巴腺；淋巴結。

lym·phat·ic [lɪmˋfætɪk] *adj.* ①淋巴(液)的。②淋巴性體質的；遲鈍的；軟弱的。— *n.* Ⓒ 淋巴管。

lynch [lɪntʃ] *n.* Ⓤ 私刑；私罰。— *v.t.* 加私刑；以私刑處死。§ ~ **lâw** 私刑。

lynx [lɪŋks] *n.* (*pl.* ~**es,** ~) ① **a.** Ⓒ 山貓。**b.** Ⓤ 山貓皮。②(the L-)〖天〗天貓座。

lynx-eyed [ˋlɪŋks͵aɪd] *adj.* 目光銳利的。

Ly·ons [ˋlaɪənz] *n.* 里昂(法國東部之一城市，法文作 Lyon)。

lyre [laɪr] *n.* Ⓒ 古希臘的七絃琴。

lyre·bird [ˋlaɪr͵bɝd] *n.* Ⓒ (澳洲產之)琴鳥。

lyr·ic [ˋlɪrɪk] *n.* ① Ⓒ 抒情詩。②(*pl.*)歌詞。③ Ⓒ 抒情詩人。— *adj.* ①抒情(詩)的。②歌唱的；適於歌唱的。

—**lyr′i·cal,** *adj.* —**lyr′i·cal·ly,** *adv.*

lyr·i·cism [ˋlɪrə,sɪzəm] *n.* Ⓤ 抒情詩體; 抒情詩風格。

lyr·i·cist [ˋlɪrɪsɪst] *n.* Ⓒ 抒情詩人。

lyr·ist [ˋlaɪrɪst, ˋlɪr-] *n.* Ⓒ ①彈奏七弦琴(lyre)者。②[ˋlɪrɪst] 抒情詩人。

ly·sin [ˋlaɪsɪn] *n.* ⓊⒸ〖生化〗細胞溶解素。

ly·sis [ˋlaɪsɪs] *n.*①Ⓒ〖醫〗(熱或病)消散; 減退。②Ⓤ〖生化〗(由於溶解素 lysin 之)細胞破壞; 溶解。

ly·sol [ˋlaɪsɑl] *n.* Ⓤ〖醫〗來舒爾(消毒藥水)。

lyt·ic [ˋlɪtɪk] *adj.* 〖生化〗(細胞)溶解的; 細胞溶解素(lysin)的。

M m M m *M m*

M or **m** [ɛm] *n.* (*pl.* **M's, m's** [ɛmz]) ①ⓊⒸ 英文字母第十三個字母。②Ⓤ 羅馬數字的 1,000。

*****'m** ①=**am.**如: I'*m* going.②=**him.** 如: Show'*m* in. ③=**madam.** 如: Yes'*m.*

ma [mɑ] *n.*〖俗〗媽(為 mamma 之略)。

*****ma'am** [mæm, mɑm] *n.*〖俗〗= **madam.**

Maas·tricht Trea·ty [ˋmɑstrɪkt ˋtritɪ] 馬斯特里赫特條約(旨在爲建立歐洲中央政府奠定基礎的條約)。

ma·ca·bre,-ber [məˋkɑbɚ] *adj.* (令人聯想到死般地)恐怖的; 陰森森的。

mac·ad·am [məˋkædəm] *n.*①Ⓤ (鋪路用)碎石。②Ⓒ 碎石路。—**ize,** *v.t.*

mac·a·da·mi·a [,mækəˋdemɪə] *n.* Ⓤ 昆士蘭果(夏威夷產的一種味似花生的堅果)。(亦作 **macadamia nut**)

Ma·cao [məˋkau] *n.* 澳門。

mac·a·ro·ni [,mækəˋronɪ] *n.* (*pl.* ~(**e**)**s**)①Ⓤ 通心粉; 通心麵。②Ⓒ (英國18世紀)醉心於法國或義大利式之時髦男子。

mac·a·roon [,mækəˋrun] *n.* Ⓒ 蛋白杏仁餅乾。

Mac·Ar·thur [məkˋɑrθɚ] *n.* 麥克阿瑟(Douglas, 1880-1964, 美國五星上將)。

ma·caw [məˋkɔ] *n.* Ⓒ 金剛鸚鵡。

Mac·beth [məkˋbɛθ] *n.*①馬克白(莎士比亞之悲劇)。②馬克白(其主角名)。

mace[1] [mes] *n.* Ⓒ ①鎚矛。②權杖; 職杖。

mace[2] *n.* Ⓤ 肉荳蔻。

mac·er·ate [ˋmæsə,ret] *v.t.*①浸軟。②使…憔悴。③折磨; 虐待。—*v.i.* ①(因被浸而)變軟。②消瘦。

Mach [mɑk] *n.* Ⓤ 馬赫(飛行速度與音速之比率)。§ ~ **nùmber**〖理〗馬赫值(即飛行速度與音速之比例值)。

mach·i·nate [ˋmækə,net] *v.i.* & *v.t.*圖謀(不軌); 陰謀(叛變)。—**mach·i·na′tion, mach′i·na·tor,** *n.*

****ma·chine** [məˋʃin] *n.* Ⓒ ①機器; 機械。②機械裝置; 機械作用。③汽車。④飛機。⑤〖美〗(操縱政黨之)核心。⑥機械般工作的人。⑦機構或工作體系。§ ~ **gùn** 機關槍。~ **lànguage**〖電算〗機器語言。~ **shòp** 機械工廠; 機械修理店。~ **tòol** 工作母機; 工具機。

ma·chine-gun [məˋʃin,gʌn] *v.t.* (**-nn-**)用機關槍掃射。

ma·chine-read·a·ble [məˋʃin,ridəbl̩] *adj.* 可直接用電腦處理的。

*****ma·chin·er·y** [məˋʃinərɪ] *n.* Ⓤ ①(集合稱)機器; 機械。②機械部分; 機械作用。③組織; 機關。

ma·chin·ist [məˋʃinɪst] *n.* Ⓒ ①機械師。②修理機械者; 製造機械者。

ma·chis·mo [mɑˋtʃizmɑ, məˋtʃɪz-]〖西〗*n.* Ⓤ 雄糾糾氣昂昂之男人氣魄。

ma·cho [ˋmɑtʃo]〖西〗*adj.*雄壯的; 有男人氣概的; 有膽量的。

mack·er·el [ˋmækərəl] *n.* Ⓒ (*pl.* ~, ~**s**)青花魚; 鯖。

mac(k)·in·tosh [ˋmækɪn,tɑʃ] *n.* ①Ⓒ 橡皮布雨衣。②Ⓤ 橡皮布。

mac·ra·mé [ˋmækrə,me]〖法〗*n.* Ⓤ (家具裝飾用之)流蘇; 花邊。

mac·ro·bi·ot·ics [,mækrobaɪˋɑtɪks] *n.* (作 *sing.*解)長壽術(以特殊飲食延年益壽)。

mac·ro·cosm [ˋmækrə,kɑzəm] *n.* ①(the ~)大宇宙; 大世界。②Ⓒ 全範圍; 總體。

mac·ro·ec·o·nom·ics [,mækroikəˋnɑmɪks] *n.* Ⓤ 總體[宏觀]經濟學(研究經濟體系中起作用的各種因素)。

ma·cron [ˋmekrən] *n.* Ⓒ (母音上之)長音記號。

mac·ro·scop·ic, -i·cal [,mækrəˋskɑpɪk(l̩)] *adj.* ①肉眼可見的; 肉眼的。②宏觀的。

****mad** [mæd] *adj.* (**-dd-**)①瘋狂的。His wife went ~. 他的妻子瘋了。②(風等)狂暴的; (心緒)狂歡的。③狂妄的; 狂熱的。④(犬)瘋的。⑤〖俗〗憤怒的; 生氣的〔at, about〕。⑥極爲愚蠢的; 不可理喻的。⑦著迷的。She is ~ about him. 她對他著了迷。***drive*** [***send***] ***a person*** ~ 逼人發狂。***like*** ~ 猛烈地; 迅速地。

Mad·a·gas·car [,mædəˋgæskɚ] *n.* 馬達加斯加共和國(非洲東南印度洋中之一島, 原名 Malagasy Republic)。

****mad·am** [ˋmædəm] *n.* Ⓒ① (*pl.* **mes·dames**)女士; 夫人(對女子之尊稱)。②(家庭)主婦。③喜發號施令的女人。④妓院老鴇。

*****mad·ame** [ˋmædəm]〖法〗*n.* Ⓒ (*pl.* **mes·dames**) 在法國對婦人之尊稱(=Mrs.); 夫人(在英美對外國已婚女性之稱呼)。(略作 **Mme., Mdme.**)

mad·cap [ˋmæd,kæp] *adj.* & *n.* Ⓒ 鹵莽的(人); 狂暴的(人)。

mad·den [ˋmædn̩] *v.t.* & *v.i.*①(使)瘋狂。②(使)大怒。—**ing,** *adj.*

mad·der [ˋmædɚ] *n.* Ⓤ①〖植〗茜草; 洋茜。②人造茜草染料; 深紅色。

‡**made** [med] *v.* pt. & pp. of **make.** —*adj.*①已製成的；已形成的。②特別準備的。③人工製的。④成功的。a ～ man 成功者。⑤創造的；捏造的。

mad·e·moi·selle [ˌmædəmə`zɛl] 〖法〗*n.* Ⓒ (*pl.* **～s, mes·de·moi·selles**) 法國對未婚女子之尊稱(＝Miss)；小姐。(略作 **Mlle., Mdlle.**)

made-to-or·der [`medtu`ɔrdɚ] *adj.* 定做的；如定做的。

made-up [`med`ʌp] *adj.* ①作成的；排好版的。②化了妝的。③虛構的。

mad·house [`mædˌhaus] *n.* Ⓒ①精神病院；瘋人院。②混亂吵鬧的地方。

Mad·i·son [`mædəsn̩] *n.* 麥迪生 (James, 1751-1836, 於 1809-17 任美國第四位總統)。§～ **Ávenue** 麥迪遜大道(紐約之一街道名)。

mad·ly [`mædlɪ] *adv.* ①瘋狂地。②猛烈地；狂熱地。③愚蠢地。

mad·man [`mædmən] *n.* Ⓒ (*pl.* **-men**) 瘋子。

***mad·ness** [`mædnɪs] *n.* Ⓤ①瘋狂；精神錯亂。②憤怒。③愚蠢的行為。

Ma·don·na [mə`dɑnə] *n.* ①(the ～)聖母瑪利亞。②Ⓒ聖母像。

Ma·drid [mə`drɪd] *n.* 馬德里(西班牙首都)。

mad·ri·gal [`mædrɪgl] 〖義〗*n.* Ⓒ①抒情短詩。②情歌。③〖樂〗牧歌。

mael·strom [`melstrəm] *n.* ①Ⓒ大漩渦。②Ⓒ(常 *sing.*)(感情、思想或情況之)大混亂。③(the M-)挪威西北部海上危險的大漩渦。

mae·nad [`minæd] *n.* Ⓒ①〖希神〗侍奉酒神 Bacchus 之女祭司。②行為狂亂的女人。

maes·tro [`maɪstro] 〖義〗*n.* Ⓒ (*pl.* **～s, -tri** [-tri])①名作曲家；名指揮家。②(藝術之)名家；大師。

Mae West [`me`wɛst] *n.* Ⓒ(飛行員之)救生衣(源自美國一性感女星之名)。

Ma(f)·fi·a [`mɑfɪə] *n.* Ⓒ ①(the ～, 集合稱)黑手黨(起於西西里島的黑社會祕密集團，後擴展至美國及其他國家)。②(m-)暴力集團。

mag [mæg] *n.* Ⓒ〖俗〗雜誌。

‡**mag·a·zine** [ˌmægə`zin, `mægəˌzin] *n.* Ⓒ①雜誌。②(城堡或戰艦之)火藥貯藏庫。③火藥庫；軍用倉庫。④(連發槍之)彈倉；彈夾。⑤(照相機中的)軟片盒。

Ma·gel·lan [mə`dʒɛlən] *n.* 麥哲倫 (Ferdinand, 1480?-1521, 葡萄牙航海家)。the Strait of ～麥哲倫海峽(在智利南端)。

ma·gen·ta [mə`dʒɛntə] *n.* Ⓤ①紫紅染料。②紫紅色。

mag·got [`mægət] *n.* Ⓒ①蛆。②狂想；空想。

Ma·gi [`medʒaɪ] *n. pl.* (*sing.* **Ma·gus** [`megəs])〖聖經〗(自東方來祝賀耶穌降生的)東方三賢人。

‡**mag·ic** [`mædʒɪk] *n.* Ⓤ ①魔法；巫術。②魔力；魅力。③魔術；變戲法。—*adj.* 魔術的；(似)有魔力的。

mag·i·cal [`mædʒɪkl] *adj.* 魔術的；不可思議的。—**ly,** *adv.*

***ma·gi·cian** [mə`dʒɪʃən] *n.* Ⓒ魔術師；術士。

Má·gi·not lìne [`mæʒəˌno～] *n.* 馬奇諾防線(1925-35年間法國在德、法邊境的防線，後為德軍所攻破)。

mag·is·te·ri·al [ˌmædʒɪs`tɪrɪəl] *adj.* ①長官的。②有權威的。③專橫的。

mag·is·tra·cy [`mædʒɪstrəsɪ] *n.* ⓊⒸ①magistrate 之職權、任期。②magistrate 之管區。③magistrate 之集合稱。

mag·is·trate [`mædʒɪsˌtret, -trɪt] *n.* Ⓒ①長官；政府中有執行法律權之官吏。②法官；推事。

mag·ma [`mægmə] *n.* Ⓤ〖地質〗岩漿。

Mag·na C(h)ar·ta [`mægnə`kɑrtə] *n.*①Ⓤ英國大憲章(為1215年英王John 為貴族等挾迫而承認之自由特書，是英國憲法的基礎)。②Ⓒ任何保證民權及政治自由之基本憲法。

mag·nan·i·mous [mæg`nænəməs] *adj.* 心地高尚的；度量寬大的；不卑鄙的。—**ly,** *adv.* —**mag·na·nim·i·ty** [ˌmægnə`nɪmətɪ], *n.*

mag·nate [`mægnet] *n.* Ⓒ鉅子；巨擘；大企業家。

mag·ne·sia [mæg`niʃə] *n.* Ⓤ〖化〗①氧化鎂。②含水碳酸鎂(俗稱瀉鹽)。—**mag·ne′sian,** *adj.*

mag·ne·si·um [mæg`niʃɪəm, -ʒɪəm] *n.* Ⓤ〖化〗鎂(金屬元素；符號 Mg)。

***mag·net** [`mægnɪt] *n.* Ⓒ①磁鐵；吸鐵石。②有吸引力之人或物。

***mag·net·ic** [mæg`nɛtɪk] *adj.*①有磁性的。②磁的；磁學的。③奪魂的；吸引人的。§～ **detéctor** 磁性檢波器。～ **fíeld**〖理〗(1)磁場。(2)磁場中之磁力。～ **néedle** 磁針。～ **póle**〖理〗磁極；磁北極。～ **stórm** 磁暴(因太陽黑點而起的地磁動亂)。—**mag·net′i·cal·ly,** *adv.*

mag·net·ics[mæg`nɛtɪks]*n.* Ⓤ磁學。

mag·net·ism [`mægnəˌtɪzəm] *n.* Ⓤ①磁性；磁力。②吸引力；魅力。③〖理〗磁學。

mag·net·ite [`mægnəˌtaɪt] *n.* Ⓤ〖礦〗磁鐵礦。

mag·net·ize [`mægnəˌtaɪz] *v.t.* ①使磁化。②吸引；魅惑。—*v.i.* 磁化。

mag·ne·to[mæg`nito] *n.* Ⓒ (*pl.* **～s**) 永磁發電機。

mag·ne·tom·e·ter [ˌmægnə`tɑmətɚ] *n.* Ⓒ〖理〗磁力計；地磁儀。

mag·ni·fi·ca·tion [ˌmægnəfə`keʃən] *n.* ①Ⓤ擴大。②ⓊⒸ〖光學〗倍率。③Ⓤ稱讚。④Ⓒ放大的複製品。

mag·nif·i·cence [mæg`nɪfəsn̩s] *n.* Ⓤ華麗；宏大；堂皇。

***mag·nif·i·cent** [mæg`nɪfəsn̩t] *adj.* ①華麗的；壯麗的；堂皇的。②高尚的；神聖的。③豐富的；富裕的。

mag·ni·fi·er [`mægnəˌfaɪɚ] *n.* Ⓒ①放大者；放大之物。②放大鏡。

***mag·ni·fy** [`mægnəˌfaɪ] *v.t.*①放大；擴大。②誇大；誇張；過份強調。§～**ing glàss** 放大鏡。

mag·nil·o·quent [mæg`nɪləkwənt] *adj.* 誇張的；誇大的。

***mag·ni·tude** [`mægnəˌt(j)ud] *n.*①

Ⓤ大小；積；量；長(度)。②Ⓤ重要；重大。③Ⓒ(星辰的)光度；星等。④Ⓒ(地震的)級數。

mag·no·lia [mæg`nolɪə] *n.* Ⓒ ①〖植〗木蘭。②木蘭花。

mag·num [`mægnəm] *n.* Ⓒ 大酒瓶(約裝 2 quarts).

mag·pie [`mæg,paɪ] *n.* Ⓒ ①鵲。②饒舌之人。

mag·uey [`mægwe] *n.* Ⓒ〖植〗龍舌蘭。

ma·ha·ra·ja(h) [,mahə`radʒə] *n.* Ⓒ (印度之)大君。

ma·ha·ra·nee, -ra·ni [,mahə`rani, mə`harani] *n.* Ⓒ (印度大君妃；女大君。

Mah·di [`madi] *n.* Ⓒ〖回教〗(將於世界末日降臨的)救世主。

mah-jong(g) [ma`dʒɔŋ]〖中〗*n.* Ⓤ 麻將(牌戲)。

ma·hog·a·ny [mə`hagənɪ] *n.*①Ⓤ Ⓒ〖植〗桃花心木；紅木。②Ⓤ桃花心木製成之家具。③Ⓤ紅褐色。

Ma·hom·et [mə`hamɪt] *n.* = **Mohammed.**

ma·hout [mə`haut] *n.* Ⓒ象奴；馭象者。

***maid** [med] *n.* Ⓒ ①少女；處女。②未婚女子。③女僕；婢。

***maid·en** [`medn̩] *n.* Ⓒ ①少女；處女。②蘇格蘭從前之斷頭臺。③初次競賽。**—** *adj.* ①少女的；處女的。②未試用過的；未墾殖的。③首次的；初次的。④未婚的。§ ∼ **náme** 女子婚前之姓。

maid·en·hair [`medn̩,hɛr] *n.* Ⓤ〖植〗過壇龍；石長生；孔雀草。

maid·en·head [`medn̩,hɛd] *n.* Ⓒ 處女膜。

maid·en·hood [`medn̩,hud] *n.* Ⓤ ①處女身分。②處女時代。

maid·en·ly [`medn̩lɪ] *adj.* ①如處女的；柔順的；嬌羞的。②處女的；少女的。— **maid′en·li·ness,** *n.*

‡**mail**[1] [mel] *n.*①Ⓤ(集合稱)郵件。②Ⓤ信件。③Ⓤ郵政。④Ⓒ郵船；郵車。**—** *v.t.* 郵寄。§ ∼ **òrder** 郵購。

mail[2] *n.* Ⓤ 盔甲。***a coat of*** ∼ 盔甲。

mail·bag [`mel,bæg] *n.* Ⓒ 郵袋。

***mail·box** [`mel,baks] *n.* Ⓒ ①(公用)郵筒。②(私人)信箱。

mail·man [`mel,mæn] *n.* Ⓒ (*pl.* **-men**)郵差。

mail-or·der [`mel,ɔrdə] *adj.*〖美〗郵購制的。§ ∼ **hòuse** 郵購商店。

maim [mem] *v.t.* 使殘廢。

‡**main** [men] *adj.* ①主要的；重要的。②最高度的。do something by ∼ strength [force] 傾全力做某事。**—** *n.*①Ⓒ(常 *pl.*)(輸送水及汽油等之)總管；幹線。②the ∼)〖詩〗海洋。③Ⓤ主要部分。***in the*** ∼ 就一般而論；大致上。§ ∼ **líne** (1)〖英〗(鐵路之)幹線。(2)〖俚〗主血管。

Maine [men] *n.* 緬因(美國東北部之一州)。

main·frame [`men,frem] *n.* Ⓒ〖電算〗主機。

***main·land** [`men,lænd, `menlənd] *n.* Ⓒ大陸；本土。

main·line [`men,laɪn] *v.i.*〖俚〗將麻醉藥品(尤指海洛因)直接注入靜脈。

***main·ly** [`menlɪ] *adv.* ①主要地。②大概；大部分。

main·mast [`men,mæst] *n.* Ⓒ〖海〗主桅；大桅。

main·sail [`men,sel] *n.* Ⓒ〖海〗大帆；主帆。

main·spring [`men,sprɪŋ] *n.* Ⓒ ①(鐘錶內的)主發條。②主要原因；主要動機；主要影響。

main·stay [`men,ste] *n.* Ⓒ (常 *sing.*) ①〖海〗支持主桅之繩索。②主要的依靠。

main·stream [`men,strim] *n.* ①(the ∼)(思想、運動等之)主流。②Ⓒ(河川之)主流。**—** *adj.* 搖滾音樂的。**—** *v.t.* 把(殘疾人)轉入正規班級[工作崗位]。

***main·tain** [men`ten, mən`ten] *v.t.* ①保持；維持。②贍養；供給。③堅持；主張；擁護。④保養(機器、道路等)。

***main·te·nance** [`mentənəns, -tɪn-] *n.* Ⓤ ①保持；保有。②支持；維持。③贍養費。④保養。

mai·son·(n)ette [,mezə`nɛt] *n.* Ⓒ〖主英〗①小住宅。②雙層公寓。

maize [mez] *n.* Ⓤ ①玉蜀黍。②黃色。

***ma·jes·tic, -ti·cal** [mə`dʒɛstɪk(l̩)] *adj.* 莊嚴的；高貴的；宏大的。— **ma·jes′ti·cal·ly,** *adv.*

***maj·es·ty** [`mædʒɪstɪ, `mædʒəstɪ] *n.* ①Ⓤ高貴；莊嚴。②Ⓤ最高權力。③Ⓤ(集合稱)王族。④(M-) Ⓒ 陛下。Your[His, Her] *M-* 陛下。

‡**ma·jor** [`medʒə] *adj.* ①較大的；較多的；主要的(爲 minor 之對)。②成年的。③(M-)較爲年長的(同姓學生)。Hobbes *M-* is not of a scientific bent. 年齡較大的 Hobbes 對科學不感興趣。**—** *n.* Ⓒ ①成年人(年屆二十一歲者)。②(陸、空軍)少校。③主修課程；主科。④主修某科目或課程的學生。⑤〖樂〗大調；長調。⑥〖邏輯〗大前提。**—** *v.i.*〖美〗主修〔in〕。§ ∼ **géneral** (陸、空軍)少將。∼ **kéy**〖樂〗長調。∼ **léague**〖美〗兩大職業棒球聯盟之一(指 American League 或 National League). ∼ **prémise**〖邏輯〗大前提。∼ **scàle**〖樂〗長音階。

***ma·jor·i·ty** [mə`dʒɔrətɪ, -`dʒar-] *n.*①Ⓤ多數；大半(爲 minority 之對)。②Ⓒ(常 *sing.*)(投票)超過之數；多得之票數。③Ⓒ(集合稱)多數黨。④Ⓒ(常 *sing.*)法定成年。⑤Ⓒ(常 *sing.*)陸、空軍少校之軍階。

‡**make** [mek] *v.t.*(**made**)①做；製造；造成；招致；創造。②致使；使之；使做；使看來像。③迫使；令。④成爲。She will ∼ him a good wife.她將成爲他的好妻子。⑤安排；整理。∼ a fire 生火。⑥得；賺。⑦〖俗〗管理；策動。⑧組成；等於；相等。Two and two ∼ four. 二加二等於四。⑨猜想；估計；計算。⑩到達；抵。⑪走；旅行。⑫接通(電路)。⑬給與。⑭被認爲是；足夠；足以。One swallow does not ∼ a summer. 一燕飛來不能認爲夏天已到(切忌以偏概全)。⑮判斷；解釋〔常 of〕. ⑯保證成功。⑰發表；說出。⑱及時到達。⑲〖俗〗趕上(火車、飛機等)。⑳獲得榮譽；

M

列入…。㉑立(契約、遺囑等)。**—** *v.i.* ①走動；進行；向…移動。②(潮汐等)漲起。③按指定的做。This toy stove ~ easily. 這個玩具火爐很容易做。~ ***a fool of*** 愚弄。~ ***after*** 追求；追趕。~ ***against*** 反對；不贊成。~ ***a scene*** 大鬧一番。~ ***away with*** **a.** 偷。**b.** 殺死。**c.** 用完；消耗光。~ ***for*** **a.** 移向；走向。**b.** 傾向；導向。**c.** 攻擊。**d.** 促進；有助於…。~ ***it*** 〖俗〗**a.** 達成某項特定目標。**b.** 成功。~ ***off*** 跑開；匆匆離開。~ ***off with*** 偷。~ ***one's way*** 前進。~ ***or break*** [***mar***] 使成功或失敗。~ ***out*** **a.** 做；成功。**b.** 分辨；證明。**c.** 寫(支票、帳目等)。**d.** 了解；解釋。**e.** 假裝。**f.** 湊足；完成(參看 **make up**)。**g.**〖美俗〗進展。~ ***over*** **a.** 更正；修改(衣服等)。**b.** 轉讓。~ ***up*** **a.** 組成；形成。**b.** 虛構；揑造。**c.** 和解；復交。**d.** 化妝。**e.** 整理(被褥)。**f.** 準備；製造。**g.** 完成。**h.** 重修；補考。**i.** 補償；彌補。~ ***up for*** 補償；賠償。~ ***up to*** 奉承；巴結。**—** *n.* Ⓤ Ⓒ ①製造方法。②樣式；牌子。③性質；性格。④製造量。⑤接通電路。***on the*** ~ 〖俗〗急求成功；急求得益。〔注意〕**made of** 與 **made from** 用法不同。通常原料被製成物品後仍具原質者，用 **of**；已失原質者用 **from**。

make-be·lieve [ˋmekbə͵liv] *n.*① Ⓤ 假裝；虛構。② Ⓒ 假裝者。**—** *adj.* 假裝的。

make-do [ˋmek͵du] *adj.* & *n.* Ⓒ (*pl.* ~s) = **makeshift**.

make-or-break [ˋmekɚˋbrek] *adj.* 成敗在此一舉的；孤注一擲的。

***mak·er** [ˋmekɚ] *n.* ① Ⓒ 製造者(主要用於複合字)。②(M-)上帝。③ Ⓒ 〖法律〗出期票人。

make·shift [ˋmek͵ʃɪft] *n.* Ⓒ ①暫用代替物。②權宜之計。**—** *adj.*①暫時代替的。②權宜的。

***make-up** [ˋmek͵ʌp] *n.* ① Ⓒ (常 *sing.*)天性；性格。② Ⓤ (又作 a ~)化妝品；化裝。③ Ⓒ (常 *sing.*)組織；組成的方法。④ Ⓒ 〖印刷〗排版；整版。⑤ Ⓒ (報紙的)版面。⑥ Ⓤ (演員之)扮相。⑦ Ⓒ 身體組織。⑧ Ⓒ 重修；補考。(亦作 **makeup**)

make·weight [ˋmek͵wet] *n.* Ⓒ ①補足重量之物。②塡補缺欠的人或物。

make-work [ˋmek͵wɝk] *n.* Ⓤ 〖美〗(爲不使員工閒下來或爲使失業者就業而分派的)無必要之工作。**—** *adj.* 非必要工作的。

mak·ing** [ˋmekɪŋ] *n.*①(the ~)成功之因素。②(*pl.*)原料；材料。③(*pl.*)所需之性質。④ Ⓒ 製成之物。⑤ Ⓒ 一次所產之量。⑥ Ⓤ 製作。⑦ Ⓤ 構造；組織。in the*** ~ 製作中；發展中。

mal- 〖字首〗表「壞；錯誤；不好」之義。

Ma·lac·ca [məˋlækə] *n.*麻六甲(馬來西亞聯邦南部之殖民地，又爲該地之首府)。Strait of ~麻六甲海峽(在馬來半島與蘇門答臘間)。

mal·a·chite [ˋmælə͵kaɪt] *n.* Ⓤ 〖礦〗孔雀石。

mal·ad·just·ed [͵mæləˋdʒʌstɪd] *adj.* ①處置不善的。②失調的。

mal·ad·just·ment [͵mæləˋdʒʌstmənt] *n.* Ⓤ 調節不善；不適應。

mal·a·droit [͵mæləˋdrɔɪt] *adj.* 笨拙的；拙劣的；愚鈍的。

mal·a·dy [ˋmælədɪ] *n.* Ⓒ ①疾病。②弊端；弊害。

Mal·a·gas·y [͵mæləˋgæsɪ] *n.* (*pl.* **~, -gas·ies**) ① Ⓒ 馬達加斯加人。② Ⓤ 馬達加斯加語。③馬達加斯加共和國(the Madagascar Republic)的原名。

ma·laise [mæˋlez] *n.* Ⓤ (病初發時)不舒服；抑鬱；微恙。

mal·a·prop·ism [ˋmæləprɑp͵ɪzəm] *n.*① Ⓤ Ⓒ 字之怪誕的誤用。② Ⓒ 被誤用之字。

mal·ap·ro·pos [͵mælæprəˋpo] 〖法〗*adv.* & *adj.* 不適當地[的]。

ma·lar·i·a [məˋlɛrɪə] *n.* Ⓤ ①〖醫〗瘧疾。②瘴氣。— **ma·lar′i·al,** *adj.*

ma·lar·k(e)y [məˋlɑrkɪ] *n.* Ⓤ 〖美俚〗無聊話；胡說；夢話。

Ma·la·wi [mɑˋlɑwɪ] *n.* 馬拉威(南非一國，首都 Lilongwe)。

Ma·lay [məˋle] *n.* & *adj.*=**Malayan.**

Ma·lay·a [məˋleə] *n.* ①馬來半島。②馬來亞(在馬來半島南部)。

Ma·lay·an [məˋleən] *n.* ① Ⓒ 馬來人。② Ⓤ 馬來語。**—** *adj.* 馬來半島的；馬來(人，語)的。

Ma·lay·sia [məˋleʒə] *n.* ①馬來群島。②馬來西亞(1963年獨立之一聯邦國家，首都 Kuala Lumpur)。

Ma·lay·sian [məˋleʃən] *n.* Ⓒ 馬來西亞人。**—** *adj.* 馬來西亞(人)的。

mal·con·tent [ˋmælkən͵tɛnt] *adj.* 不滿的；反抗(時政)的。**—** *n.*① Ⓒ 不滿者；反叛者。② Ⓤ 不滿。

Mal·dives [ˋmældaɪvz] *n.* 馬爾地夫(印度洋中一共和國，首都 Male)。

‡**male** [mel] *n.* Ⓒ 男人；雄性動物。**—** *adj.* ①陽性的；男性的；雄性的。②〖植〗有雄蕊的。

mal·e·dic·tion [͵mæləˋdɪkʃən] *n.* Ⓒ ①詛咒。②誹謗。

mal·e·fac·tor [ˋmælə͵fæktɚ] *n.* Ⓒ 罪犯；作惡者。

ma·lef·i·cent [məˋlɛfəsn̩t] *adj.* 有害的；罪行的。— **ma·lef′i·cence,** *n.*

ma·lev·o·lence [məˋlɛvələns] *n.* Ⓤ 惡意。

ma·lev·o·lent [məˋlɛvələnt] *adj.* 惡意的；惡毒的。— **ly,** *adv.*

mal·fea·sance [͵mælˋfizn̩s] *n.* Ⓤ Ⓒ ①惡行；惡事。②瀆職。

mal·for·ma·tion [͵mælfɔrˋmeʃən] *n.* ① Ⓤ 畸形。② Ⓒ 畸形之物。

mal·formed [mælˋfɔrmd] *adj.* 畸形的。

mal·func·tion [mælˋfʌŋkʃən] *n.* Ⓒ (器官之)機能障礙；(機器之)故障。**—** *v.i.* 發生故障。

Ma·li [ˋmɑlɪ] *n.* 馬利(非洲西部一共和國，首都 Bamako)。

***mal·ice** [ˋmælɪs] *n.* Ⓤ ①惡意；惡毒；

怨恨。②蓄意；預謀。§ ～ **afórethought**〖法律〗預謀不軌。

ma·li·cious [məˋlɪʃəs] *adj.* 懷惡意的；壞心腸的。— **ly,** *adv.* — **ness,** *n.*

ma·lign [məˋlaɪn] *v.t.* 詆毀；誹謗。 **—** *adj.*①邪惡的；有害的。②懷惡意的。

ma·lig·nant [məˋlɪgnənt] *adj.*①懷惡意的。②有害的。③惡性的。— **ly,** *adv.* — **ma·lig′nan·cy,** *n.*

ma·lig·ni·ty [məˋlɪgnətɪ] *n.* ①Ⓤ極大之惡意[憎恨]。②Ⓒ(常 *pl.*)惡意之行動。③Ⓤ(病之)惡性。

ma·lin·ger [məˋlɪŋgɚ] *v.i.* 裝病以逃避職務。

mall [mɔl] *n.* Ⓒ①樹蔭路。②購物中心。

mal·lard [ˋmæləd] *n.* ①Ⓒ野鴨。②Ⓤ野鴨肉。

mal·le·a·ble [ˋmælɪəbl̩] *adj.* ①(金屬之)可鍛的；可鎚薄的。②(人性之)能適應的。— **mal·le·a·bil′i·ty,** *n.*

mal·let [ˋmælɪt] *n.* Ⓒ①木槌。②(曲棍球或馬球之)球棍。

mal·low [ˋmælo] *n.* Ⓒ〖植〗錦葵(屬植物)。

malm·sey [ˋmɑmzɪ] *n.* Ⓤ (Madeira 產之)一種甘美的白葡萄酒。

mal·nour·ished [mælˋnɝɪʃt] *adj.* 營養失調[不良]的。

mal·nu·tri·tion [ˌmælnjuˋtrɪʃən] *n.* Ⓤ營養不良。

mal·oc·clu·sion [ˌmæləˋkluʒən] *n.* Ⓤ(牙齒)咬合不正。

mal·o·dor·ous [mælˋodərəs] *adj.* 有惡臭的。

mal·prac·tice [mælˋpræktɪs] *n.* ⓊⒸ①〖醫〗醫療失當。②瀆職。

malt [mɔlt] *n.* Ⓤ①麥芽。②啤酒。 **—** *v.t.* ①以麥芽釀造。②使成麥芽。 **—** *v.i.* 變成麥芽。

Mal·ta [ˋmɔltə] *n.* 馬爾他(地中海之島國，首都 Valletta)。

Mal·tese [mɔlˋtiz] *adj.*馬爾他島[人，語]的。 **—** *n.* (*pl.* ～)①Ⓒ馬爾他島人或居民。②Ⓤ馬爾他語。

mal·treat [mælˋtrit] *v.t.* 虐待；苛待。— **ment,** *n.*

ma·ma [ˋmɑmə] *n.* Ⓒ媽媽。

mam·ma [ˋmɑmə] *n.* ＝**mama.**

***mam·mal** [ˋmæml̩] *n.* Ⓒ哺乳動物。

mam·mal·o·gy [mæˋmælədʒɪ] *n.* Ⓤ哺乳動物學。— **mam·ma·log′i·cal,** *adj.* — **mam·mal′o·gist,** *n.*

mam·ma·ry [ˋmæmərɪ] *adj.* ①乳房的。the ～ gland〖解〗乳腺。～ cancer〖醫〗乳癌。②乳房狀的。

mam·mon [ˋmæmən] *n.* Ⓤ①(M-)財神。②(罪惡根源之)財富。③貪財。

mam·moth [ˋmæməθ] *n.* Ⓒ猛獁(冰河時代的長毛巨象)。 **—** *adj.* 龐大的。

mam·my [ˋmæmɪ] *n.* Ⓒ①媽媽(兒語)。②〖美俗〗(美國南部)黑人褓姆。

‡**man** [mæn] *n.*(*pl.* **men**)①Ⓒ男子。②ⓊⒸ(泛指)人；人類。*M-* is mortal. 人皆會死。③Ⓒ(常 *pl.*)男僕；男雇員；臣。④Ⓒ丈夫。～ and wife 夫妻。⑤Ⓒ(常 *pl.*)兵士。⑥Ⓒ男子漢；大丈夫。⑦(用於稱呼)喂！老兄！⑧Ⓒ一顆棋子。⑨Ⓒ所需的人。⑩Ⓒ人(作複合詞，如 postman 等)。*a* ～ *of the world* 精於世故者。*as one* ～ 一致。*be one's own* ～ 行動自由；爲所欲爲；自主。～ *about town* 社交活躍的人；經常出沒於遊樂場所的人(亦作 man-about-town)。～ *and boy* 從小到大。*to a* ～ 一致；皆。They all answered "yes" *to a* ～. 衆皆答是。*to the last* ～ 到最後一人。 **—** *v.t.*(**-nn-**)①供給人員。②使堅強；振作精神。～ oneself for dangers ahead 振作精神對付未來的危險。③操作；看守；堅守崗位。 **—** *interj.* 哎呀！(表示驚訝、熱衷的感嘆詞)。

man·a·cle [ˋmænəkl̩] *n.* Ⓒ(常 *pl.*)①手銬。②束縛。 **—** *v.t.* ①上手銬。②束縛。

‡**man·age** [ˋmænɪdʒ] *v.t.* ①處理；支配；駕馭。②完成；達成。③〖俗〗吃；收拾。④經營；管理；設法。 **—** *v.i.* ①辦事；處理事務。②生活；過活。③撐住；維持。

man·age·a·ble [ˋmænɪdʒəbl̩] *adj.* ①易管理的；易處理的。②溫順的。

***man·age·ment** [ˋmænɪdʒmənt] *n.* ①Ⓤ經營；支配；處理；管理。②ⓊⒸ經理；管理人員。③Ⓤ手段；技巧。④(the ～，集合稱)資方(以別於勞工階級)。

‡**man·ag·er** [ˋmænɪdʒɚ] *n.* Ⓒ①經理。a general ～ 總經理。②管理業務者；管家務者。③經紀人。

man·a·ge·ri·al [ˌmænəˋdʒɪrɪəl] *adj.*①經理的；管理者的。②經營(上)的；管理(上)的。

man·ag·ing [ˋmænɪdʒɪŋ] *adj.* ①管理的；經營的。②善經營的。③愛管閒事的。④節儉的；吝嗇的。

man-at-arms [ˋmænətˋɑrmz] *n.* Ⓒ(*pl.* **men-at-arms**)①士兵。②(中世紀之)重騎兵。

man·a·tee [ˌmænəˋti] *n.* Ⓒ〖動〗海牛。

Man·ches·ter [ˋmænˌtʃɛstɚ] *n.* 曼徹斯特(英格蘭之一城市，爲紡織業中心)。

Man·chu [mænˋtʃu] *n.* (*pl.* **～, ～s**) ①Ⓒ中國的滿族人。②Ⓤ滿族語。

Man·chu·ri·a [mænˋtʃurɪə] *n.* 滿洲(中國東北的舊稱)。

man·da·rin [ˋmændərɪn] *n.* ①Ⓒ滿清官吏。②(M-)Ⓤ中國官話；國語。③(亦作 **mandarin orange**)Ⓒ橘。§～ **dúck** 鴛鴦。

man·date [ˋmændet, -dɪt] *n.* Ⓒ①命令；訓令。②選民給予議員之權限。③委託統治權。④委託統治地；託管地。⑤(民法)委任；委託。 **—**[ˋmændet] *v.t.* 將(某地)委託統治；託管。

man·da·to·ry [ˋmændəˌtorɪ] *adj.* ①(含有)命令的。②〖法律〗無選擇自由的。③受委託統治的。④強迫性的。 **—** *n.* Ⓒ受委託統治的國家(＝mandatary)。

man-day [ˋmænˋde] *n.* Ⓒ人日(一人一天所做之工作量)；工作日。

man·di·ble [ˋmændəbl̩] *n.* Ⓒ〖解，動〗①(哺乳動物、魚類等之)顎；(特指)下顎；下顎骨。②鳥嘴之上[下]喙。③(昆蟲之)大顎。

man·do·lin(e) [ˋmændl̩ˌɪn, ˌmændl̩ˋɪn] *n.* Ⓒ曼陀林(樂器)。

man·drake [ˋmændrɪk] *n.* Ⓒ〖植〗曼陀羅花(可用以製藥)。

man·drel, -dril [ˋmændrəl] *n.* Ⓒ ①尖頭鋤；十字鎬。②〖機〗心軸；心棒；靜軸。

man·drill [ˋmændrɪl] *n.* Ⓒ 山魈(產於西非的一種大狒狒)。

mane [men] *n.* Ⓒ①鬃。②長而厚的頭髮。

man-eat·er [ˋmænˏitɚ] *n.* Ⓒ ①食人動物。②食人族。③一種大鯊魚。

Ma·net [məˋne] *n.* 莫內 (Edouard, 1832-83, 法國印象派畫家)。

***ma·neu·ver** [məˋnuvɚ] *n.* Ⓒ①(軍隊或艦隊之)調遣；換防。②(常 *pl.*)演習。③策略；巧計。—*v.t.*①調遣。②計誘。③操縱。—*v.i.* ①演習。②用計策。

man·ful [ˋmænfəl] *adj.*剛毅的；決斷的；有男子氣概的。—**ly,** *adv.*

man·ga·nese [ˋmæŋgəˏnis] *n.* Ⓤ〖化〗錳(金屬元素；符號 Mn).

mange [mendʒ] *n.* Ⓤ 畜疥；獸疥(家畜等所患之疥癬)。

man·ger [ˋmendʒɚ] *n.* Ⓒ牛馬之食槽。

man·gle[1] [ˋmæŋgl] *v.t.*①將(皮肉)撕裂。②(因錯誤而)傷害；損壞。

man·gle[2] *n.* Ⓒ軋布機；軋光機。—*v.t.* 以軋光機軋光。

man·go [ˋmæŋgo] *n.* Ⓒ (*pl.* ~(**e**)**s**) 芒果；芒果樹。

man·grove [ˋmæŋgrov] *n.* Ⓒ〖植〗紅樹林(紅樹科樹木, 長於熱帶河海口)。

man·gy [ˋmendʒɪ] *adj.* ①患疥癩的。②污穢的；齷齪的。③下賤的。

man·han·dle [ˋmænˏhændl] *v.t.* ①粗暴地對付。②以人力轉動或處理。

Man·hat·tan [mænˋhætn̩] *n.* 曼哈坦(紐約之市中心)。

man·hole [ˋmænˏhol] *n.* Ⓒ 人孔；出入孔(下水道供修理工人出入之孔穴)。

***man·hood** [ˋmænhʊd] *n.* Ⓤ①成年；成人。②勇氣；剛毅。③(集合稱)男子。

man-hour [ˋmænˋaʊr] *n.* Ⓒ 人時(一人一小時之工作量)。

man·hunt [ˋmænˏhʌnt] *n.* Ⓒ〖美〗搜捕逃犯。(亦作 **man hunt**)

ma·ni·a [ˋmenɪə] *n.* ① Ⓤ 癲狂；狂亂。②Ⓒ熱中；狂熱[for].

ma·ni·ac [ˋmenɪˏæk] *n.* Ⓒ 瘋子。a sex ~一個色情狂。—*adj.* 癲狂的；狂妄的。

ma·ni·a·cal [məˋnaɪəkl] *adj.* =**maniac.**

man·ic [ˋmenɪk] *adj.*①〖精神病〗癲狂的；躁狂的。②似發狂的；狂熱的。

man·ic-de·pres·sive [ˋmænɪkdɪˋprɛsɪv] *adj.*〖精神病〗癲狂與抑鬱交替發作的。—*n.* Ⓒ 患躁鬱症之人；時而興奮時而抑鬱之人。

man·i·cure [ˋmænɪˏkjʊr] *v.t.* & *v.i.* 修(指甲)。—*n.* ⓊⒸ修指甲。

man·i·cur·ist [ˋmænɪˏkjʊrɪst] *n.* Ⓒ修指甲師(通常爲女人)。

***man·i·fest** [ˋmænəˏfɛst] *adj.* 顯然的；明白的。—*v.t.* ①顯示；表示。②證明。③清列(船上所載之貨)；記入載貨單。—*n.* Ⓒ ①(船之)載貨單。②(陸上)運貨單。③(航空機上)旅客名單。

man·i·fes·ta·tion [ˏmænəfɛsˋteʃən] *n.* ①Ⓤ顯示；表明；證明。②Ⓒ顯示或證明的言行。③Ⓒ示威運動。④Ⓒ顯聖；顯靈。

man·i·fes·to [ˏmænəˋfɛsto] *n.* Ⓒ (*pl.*〖美〗~**es,**〖英〗~**s**)宣言。

man·i·fold [ˋmænəˏfold] *adj.* ①多種的；繁多的。②有許多部分的；多種形式的。③同時做多種事的；多倍的。—*n.* Ⓒ ①複寫本；繕本。②〖機〗歧管。③多樣之物。④複寫紙。—*v.t.* ①複寫；繕抄。②繁殖。

man·(n)i·kin [ˋmænəkɪn] *n.* Ⓒ ①侏儒；矮人。②人體解剖模型。③=**mannequin.**

ma·nil·a [məˋnɪlə] *n.* Ⓤ ①馬尼拉麻。②馬尼拉紙。

Ma·nil·a [məˋnɪlə] *n.* 馬尼拉(菲律賓首都)。

ma·nip·u·late [məˋnɪpjəˏlet] *v.t.* ①操作；使用；善理。②把持；操縱。③竄改；假造。—**ma·nip′u·la·tor,** *n.*

ma·nip·u·la·tion [məˏnɪpjəˋleʃən] *n.* ⓊⒸ ①(用手的)操縱；(器具之)使用(法)。②巧妙的操縱。③〖商〗(市場的)操縱。④(帳簿、數字之)竄改。⑤〖外科〗觸診。

ma·nip·u·la·tive [məˋnɪpjəˏletɪv] *adj.* 以手處理的；操縱的。

‡**man·kind** [mænˋkaɪnd] *n.* Ⓤ (集合稱)①人類。②男子；男性。

man·like [ˋmænˏlaɪk] *adj.*① 似(男)人的。②有男人氣質的(=manly).

***man·ly** [ˋmænlɪ] *adj.*①像男人的；強壯的；率直的；勇敢的。②適於男人的。—**man′li·ness,** *n.*

man-made [ˋmænˏmed] *adj.* ①人造的。②合成的。

man·na [ˋmænə] *n.* Ⓤ〖聖經〗嗎哪(昔以色列人在荒郊所獲得天降的食物)。

manned [mænd] *adj.* 有載人的；有人駕駛的。

man·ne·quin [ˋmænəkɪn] *n.* Ⓒ①時裝模特兒。②蠟或木製之人體模型。

‡**man·ner** [ˋmænɚ] *n.*① Ⓒ (常 *sing.*)做法；方式；樣子。②(a ~, one's ~)態度；舉止。③(*pl.*)禮貌；風俗；習俗。④ Ⓒ (文學、藝術的)風格；文體。***all ~ of*** 各種。***by all ~ of means*** 盡一切辦法；一定。***by no ~ of means*** 絕不。***in a ~*** 有幾分(=in a way; in some degree). ***make one's ~s***〖美方〗鞠躬、欠身等以示禮貌。***to the ~ born*** 生而習慣之；天生適於某種環境、地位、職業等。

man·nered [ˋmænɚd] *adj.*①有禮貌的。②有某種狀態的。③矯飾的。

man·ner·ism [ˋmænəˏrɪzəm] *n.*① Ⓤ固定的獨特格調、形式等(尤指文學、藝術作品中者)。②Ⓒ奇癖。

man·ner·ly [ˋmænəlɪ] *adj.* & *adv.* 有禮貌的[地]；客氣的[地]。

man·nish [ˋmænɪʃ] *adj.* ①(女人)像男人的。②男人特質的。

ma·noeu·vre [məˋnuvɚ] *n.* & *v.* 〖英〗=**maneuver.**

man-of-war [ˋmænəvˋwɔr] *n.* Ⓒ (*pl.* **men-of-war**)〖古〗軍艦。

ma·nom·e·ter [məˋnɑmətɚ] *n.* Ⓒ

①流[氣]體壓力計；氣壓計。②血壓計。
man·or [ˋmænɚ] *n.* Ⓒ ①(封建時代貴族之)采邑。②地主之田地。— **ma·no·ri·al** [məˋnorɪəl], *adj.*
man·pow·er [ˋmæn͵pauɚ] *n.* (*pl.* ~)① Ⓤ 人力。② Ⓒ 人力(功之單位，合1/10馬力)。③ Ⓤ 人力資源；可動員之人力。(亦作 **man power**)
manse [mæns] *n.* Ⓒ 牧師之住宅。
man·serv·ant [ˋmæn͵sɝvənt] *n.* Ⓒ (*pl.* **men·serv·ants**)男僕。
***man·sion** [ˋmænʃən] *n.* ① Ⓒ 大廈；邸。②(*pl.*)〖英〗公寓。§ **the M-́ Hóuse** 倫敦市長官邸。
man·slaugh·ter [ˋmæn͵slɔtɚ] *n.* Ⓤ①殺人。②〖法律〗過失殺人。
man·ta [ˋmæntə] *n.* Ⓒ ①(西班牙、中南美用的)披肩；斗篷。②蓋在馬背上的毛毯。③(亦作 **manta ray**)大鰩魚。
man·tel [ˋmæntl̩] *n.* Ⓒ ①壁爐上部及兩側之裝飾構造。②壁爐上之架子。
man·tel·piece [ˋmæntl̩͵pis] *n.* Ⓒ 壁爐架(=mantelshelf)。
man·til·la [mænˋtɪlə]〖西〗*n.* Ⓒ (西班牙及墨西哥婦女用的)連披肩之頭紗。
man·tis [ˋmæntɪs] *n.* Ⓒ (*pl.* **~es, -tes** [-tiz])螳螂。
man·tle [ˋmæntl̩] *n.* Ⓒ ①無袖外套；斗篷。②覆罩之物。③(煤氣燈之)燃罩。④=**mantel.** — *v.i.* ①罩；覆。②臉紅。③(鳥翼)伸展。④爲泡沫所覆。— *v.t.* (以斗篷)覆蓋。
man-to-man [ˋmæntəˋmæn] *adj.* ①(交談等)坦率的；直爽的；暢所欲言的。②(足球、籃球賽中)人盯人防守的。
man·tu·a [ˋmæntʃuə] *n.* Ⓒ 女用外套。
***man·u·al** [ˋmænjuəl] *adj.* ①手的；手製的。~ labor 手工。②用手操作的；手工的。③如手冊的。— *n.* Ⓒ ①手冊；袖珍本。②風琴鍵盤。③(槍等之)操練。§ **~́ tráining** 手工藝訓練。
***man·u·fac·ture** [͵mænjəˋfæktʃɚ] *v.t.*①製造。②將(原料)製成用品。③捏造；假造。④粗製濫造地大量寫(書)。— *n.*① Ⓤ 製造。② Ⓒ 製造品。
***man·u·fac·tur·er** [͵mænjəˋfæktʃərɚ] *n.* Ⓒ 製造業者；廠主。
man·u·fac·tur·ing [͵mænjəˋfæktʃərɪŋ] *adj.* 製造(業)的；從事製造業的。a ~ district 工業區。— *n.* Ⓤ 製造(業)。
man·u·mis·sion [͵mænjəˋmɪʃən] *n.* Ⓤ (奴隸之)解放。
man·u·mit [͵mænjəˋmɪt] *v.t.* (**-tt-**) 解放(奴隸)。
ma·nure [məˋnjur] *n.* Ⓤ肥料；糞肥。— *v.t.* 施肥。
***man·u·script** [ˋmænjə͵skrɪpt] *n.* ⓊⒸ草稿；原稿。— *adj.* 手寫的；打字機打出的。
Manx [mæŋks] *adj.* 曼島(Isle of Man)的；曼島人[語]的。— *n.* Ⓤ 曼島語。§ **~́ cát** 曼島貓(一種無尾貓)。
‡**man·y** [ˋmɛnɪ] *adj.* (**more, most**)許多的。***a good*** ~ 相當多的。***a great*** ~ 很多的。***as*** ~ 同數的；同樣多的。***be*** (***one***) ***too*** ~ ***for*** 勝過；優於。***be one too*** ~ **a.** 多餘的；多一個的。**b.** 礙事。~ ***a*** 許多的(=many)(其後須用單數名詞及動詞)。*M-* *a* student fails to pass in the examination. 許多學生考試不及格。— *n.* ① Ⓒ 許多。②(the ~)多數人；群眾。— *pron.* 許多人。
man·y-sid·ed [ˋmɛnɪˋsaɪdɪd] *adj.* ①多邊的。②多方面的；多才多藝的。
man·za·ni·ta [͵mænzəˋnitə] *n.* Ⓒ (美國西部產之)石南科常綠灌木。
Ma·o·ri [ˋmaurɪ, ˋmɑrɪ] *n.* (*pl.* **~, ~s**)① Ⓒ 毛利人(紐西蘭之土人)。② Ⓤ 毛利語。— *adj.* 毛利人[語]的。
mao-tai [ˋmau͵taɪ]〖中〗*n.* Ⓤ 茅臺酒。
‡**map** [mæp] *n.* Ⓒ ①地圖。②天體圖。③〖俚〗臉。***put...on the*** ~ 爲人所知。— *v.t.* (**-pp-**)①繪製…之地圖。②計畫〔out〕。
***ma·ple** [ˋmepl̩] *n.*① Ⓒ 楓樹。② Ⓤ 楓木；楓材。§ **~́ súgar** 楓糖。**~́ sýrup** 楓蜜。
map·ping [ˋmæpɪŋ] *n.* Ⓒ ①繪製地圖；製圖。②〖數〗映射。
mar [mɑr] *v.t.* (**-rr-**)損毀；損傷。
Mar. March.
mar·a·bou [ˋmærə͵bu] *n.* ① Ⓒ (西非產之)大鸛；(印度產之)禿鸛。② Ⓤ 鸛之羽毛。③ Ⓒ 鸛之羽毛製裝飾品。
mar·a·schi·no [͵mærəˋskino] *n.* Ⓤ 黑櫻桃酒。
***mar·a·thon** [ˋmærə͵θɑn] *n.* Ⓒ ①馬拉松(26哩385碼之長途賽跑)。②長途[持久]賽跑。③任何持久比賽。
ma·raud [məˋrɔd] *v.t.* 搶掠；劫奪。— *v.i.* 奪掠。— **er,** *n.*
***mar·ble** [ˋmɑrbl̩] *n.*① Ⓤ 大理石。② Ⓒ (遊戲中之)彈珠。③(*pl.*, 作 *sing.* 解)彈珠戲。④(*pl.*)一堆蒐集的雕刻品。— *adj.* 似大理石白、硬、涼的。— *v.t.* 使有大理石花紋。
mar·bled [ˋmɑrbl̩d] *adj.* ①大理石花紋的。②(食用肉)夾有脂肪的。~ meat 五花肉。
mar·ble·heart·ed [ˋmɑrbl̩ˋhɑrtɪd] *adj.* 冷酷無情的；鐵石心腸的。
mar·ca·site [ˋmɑrkə͵saɪt] *n.* Ⓤ〖礦〗白鐵礦。
mar·ces·cent [mɑrˋsɛsn̩t] *adj.*〖植〗萎凋的；枯萎但未掉落的。
march**[1] [mɑrtʃ] *v.i.* ①以整齊步伐進行。②進軍；行軍。③前進；行進。— *v.t.* 使前進〔off〕。— *n.* ① Ⓤ 前進；進軍；行軍。a ~ past 分列式。② Ⓒ 進行曲。③ Ⓤ 行程。④ Ⓤ 困難的長途行進。⑤(the ~)發展；進行。on the*** ~ 在行進中；發展中。***steal a*** ~ ***on*** **a.** 偷襲敵人。**b.** 著人先鞭；占先；占優勢。§ **~́ing òrders** 行軍命令。
march[2] *n.* Ⓒ (常 *pl.*)邊界；邊疆。
‡**March** [mɑrtʃ] *n.* 三月。(略作 **Mar.**)
march·er [ˋmɑrtʃɚ] *n.* Ⓒ 行軍者；遊行者。
mar·chion·ess [ˋmɑrʃənɪs] *n.* Ⓒ 侯爵夫人；女侯爵。
Mar·co Po·lo [ˋmɑrkoˋpolo] *n.* 馬可孛羅(1254?-1324?, 義大利旅行家，著有「東方見聞錄」)。

M

mare[1] [mɛr] *n.* Ⓒ 母馬；母驢。*Money makes the ~ go.* 有錢能使鬼推磨。*The gray ~ is the better horse.* 牝雞司晨。*win the ~ or lose the halter* 孤注一擲。

ma·re[2] [ˋmare] *n.* Ⓒ (*pl.* **ma·ri·a** [ˋmarɪə]) ①海。②月球表面的黑暗區(昔認爲海)。§ **M∸ Tranquillitátis** [træŋ,kwɪlɪˋtatɪs] 寧靜海(月球表面第一象限內之低窪處，人類第一次探月之Apollo 11 號太空人降落處)。

***mar·ga·rine** [ˋmardʒə,rin] *n.* Ⓤ 人造奶油。(亦作 **margarin**)

***mar·gin** [ˋmardʒɪn] *n.* Ⓒ ①邊；緣。②書頁邊之空白。③盈餘；利潤。④餘裕；餘地。⑤(證券交易所中的)保證金。⑥極限。⑦〖經〗最低報酬。— *v.t.* ①加邊緣於；留邊緣於；圍繞。②記於書頁邊空白處。③〖商〗交納保證金。

mar·gin·al [ˋmardʒɪnl] *adj.* ①邊緣的；寫或印於欄外的；有旁註的。②境界的。③邊際的。④〖商〗勉強能收支平衡的。⑤最起碼的。§ **∸ séa** 領海。

mar·gi·na·li·a [,mardʒəˋnelɪə] *n. pl.* 旁註；標註。

mar·gin·al·ize [ˋmardʒɪnə,laɪz] *v.t.* 忽略；排斥。

mar·gin·ate [ˋmardʒə,net] *v.t.* 加邊於；在…邊緣留空白。— *adj.* 加邊的；邊緣空白的。

mar·gue·rite [,margəˋrit] *n.* Ⓒ 〖植〗延命菊；雛菊。

mar·i·gold [ˋmærə,gold] *n.* Ⓒ 〖植〗金盞花。

ma·ri·jua·na, -hua·na [,marɪˋhwanə] *n.* Ⓤ ①大麻。②乾大麻葉。

ma·rim·ba [məˋrɪmbə] *n.* Ⓒ 馬林巴(木琴之一種)。

ma·ri·na [məˋrinə] *n.* Ⓒ 遊艇港；小艇停泊補給站。

mar·i·nate [ˋmærɪ,net] *v.t.* 用鹵汁醃泡(魚、肉)。

***ma·rine** [məˋrin] *adj.* ①海的；海中的；海中產的。②海船的；海軍的。— *n.* ①Ⓤ (集合稱)船隻；航海業。②Ⓒ 艦隊。③Ⓒ 海軍；水兵。④Ⓒ 海景；海景畫。⑤Ⓒ〖美〗海軍陸戰隊士兵。*Tell that [it] to the ~s!* 哪有那樣的事！§ **M∸ Còrps**〖美〗海軍陸戰隊。**∸ insúrance** 海上保險。

mar·i·ner [ˋmærənɚ] *n.* Ⓒ 水手；船員(=sailor)。

mar·i·o·nette [,mærɪəˋnɛt] *n.* Ⓒ (用線牽動之)木偶。

mar·i·tal [ˋmærətl] *adj.* 婚姻的。

mar·i·time [ˋmærə,taɪm] *adj.* ①海上的；近海的。②居於海濱的。③海的。~ law海上法。④海員的；航海的。

mar·jo·ram [ˋmardʒərəm] *n.* Ⓤ 〖植〗一種唇形科薄荷屬之植物。

****mark**[1] [mark] *n.* ①Ⓒ 符號；記號。②Ⓒ 分界線。③Ⓒ 標誌；符號。punctuation ~*s* 標點符號。④Ⓒ 分數；點數。He gained the full ~*s.* 他得了滿分。⑤Ⓒ 汚點；疤痕；痕跡。⑥Ⓒ (不會寫自己名字的人的)十字畫押。⑦Ⓒ 鵠的；目標。⑧(*sing.*, the ~)常態；標準。⑨Ⓒ 影響；印象。⑩Ⓤ 名譽。⑪Ⓒ (標價格、品質之)標籤；籤條。⑫(常 M-)〖軍〗武器型號，如：M-1 rifle M-1式步槍。⑬Ⓒ 被嘲笑、欺騙之對象。⑭Ⓒ 特徵。*below [up to] the ~* 低於[達到]標準。*beside the ~* **a.** 未中鵠的。**b.** 未成功。**c.** 離譜；不相干。*hit the ~* **a.** 中鵠的；達到目的。**b.** 中肯。*make one's ~* 成功；成名。*miss the ~* 未中鵠的；未成功；失誤。*on your ~(s)!* 預備！(賽跑時就位之口令)。*wide of the ~* **a.** 未中鵠的。**b.** 不切題的。— *v.t.* ①記分數於；列等級於。②加符號於；做標記於。③顯示；指明。④注意；留心。⑤加標籤[圖印等]於。⑥爲…之特徵；爲…之特色；使顯著。— *v.i.* 留心；注意；考慮。~ *down* 寫下；減價。~ *off* 劃分；區分。~ *out* 劃線分出。~ *out for* 選出。~ *time* **a.** 原地踏步。**b.** 耽擱。~*up* **a.** 加價；漲價。**b.** 加記號。

mark[2] *n.* Ⓒ 馬克(德國的貨幣名稱)。

mark·down [ˋmark,daʊn] *n.* Ⓒ ①降價。②降價的金額。— *adj.* 減價的。

marked [markt] *adj.* ①有記號的。②顯著的。③受監視[注意]的。

mark·er [ˋmarkɚ] *n.* Ⓒ ①作記號者。②記分員。③書籤。④籌碼。

****mar·ket** [ˋmarkɪt] *n.* ①Ⓒ 市場；市集。go to ~上市；趕集。②Ⓒ 市集上的群眾。③Ⓒ 市況；市面。④Ⓒ 食品店。⑤Ⓤ 銷路。⑥Ⓒ 推銷地區。⑦Ⓤ 一般的買賣。His house is in the ~. 他的房子在出售。⑧Ⓤ 需要。⑨Ⓤ 行業。*at the ~* 以時價(買、賣股票等)。*bring one's eggs [hogs] to a bad ~ [to the wrong ~]* **a.** 計畫失敗。**b.** 因求援對象錯誤而失敗。*on the ~* 出售中；上市。*play the ~*〖股票〗投機。— *v.i.* 在市集上買賣；交易。go ~*ing* 到市場上去做買賣。— *v.t.* ①出售。②帶(貨物)到市場出售。§ **∸ gàrden** 種植蔬果供應市場的果菜園。**∸ gàrdener** 菜[果]園經營者。**∸ prìce** 售價；市價。**∸ rèsearch** 市場研究；市場調查。

mar·ket·a·ble [ˋmarkɪtəbl] *adj.* 有銷路的；適合市場的。

mar·ket·eer [,markɪtˋɪr] *n.* Ⓒ 在市場賣東西的人；市場商人。

mar·ket·er [ˋmarkɪtɚ] *n.* Ⓒ 到市場的人；在市場做買賣的人。

mar·ket·ing [ˋmarkɪtɪŋ] *n.* Ⓤ ①在市場之交易；買賣。②市場商品。

mar·ket·place [ˋmarkɪt,ples] *n.* ①Ⓒ 市集；市場。②(the ~)商業界。

mark·ing [ˋmarkɪŋ] *n.* ①Ⓒ 記號；印記；斑點；條紋。②Ⓤ 記分。

marks·man [ˋmarksmən] *n.* Ⓒ (*pl.* **-men**)射手；善射者。

marks·man·ship [ˋmarksmən,ʃɪp] *n.* Ⓤ 箭術；射擊術。

Mark Twain [ˋmarkˋtwen] *n.* 馬克吐溫(1835-1910, 美國幽默作家，本名Samuel L. Clemens)。

mark·up [ˋmark,ʌp] *n.* Ⓒ ①漲價(額)。②〖商〗售價與成本之差額[比率]。

③〖印刷〗載在稿件上的有關排版之詳細指示。—**marl′y,** *adj.*

marl [marl] *n.* Ⓤ石灰泥(做肥料用)。

mar·lin [ˋmarlɪn] *n.* Ⓒ (*pl.* ~, ~**s**) 馬林魚(一種身體細長之深海大魚)。

***mar·ma·lade** [ˋmarml̩ˌed, ˌmarml̩ˋed] *n.* Ⓤ (用帶皮的橘子或檸檬等製成之)果醬。

mar·mo·set [ˋmarməˌzɛt] *n.* Ⓒ (中南美洲所產之)狨猴。

mar·mot [ˋmarmət] *n.* Ⓒ〖動〗土撥鼠。

ma·roon[1] [məˋrun] *n.*① Ⓤ 栗色; 茶色。② Ⓒ 紙炮; 警告煙火。—*adj.*栗色的; 茶色的。

ma·roon[2] *v.t.*①放逐於荒島。②使處於孤獨無助之境。—*v.i.*〖美方〗野外露營。—*n.* Ⓒ①避居於西印度群島及荷屬圭亞那之黑奴遺族。②被孤立的人。

mar·quee [marˋki] *n.* Ⓒ ①〖英〗(戶外野餐或花園茶會時用之)大帳幕。②(戲院等門外之)遮簷。

mar·quess [ˋmarkwɪs] *n.* =**marquis.**

mar·quis [ˋmarkwɪs] *n.* Ⓒ 侯爵。

mar·quise [marˋkiz] *n.* Ⓒ ①侯爵夫人; 侯爵之遺孀。②女侯爵。

‡**mar·riage** [ˋmærɪdʒ] *n.*① ⓊⒸ 婚姻; 結婚。②Ⓒ婚禮。③ⓊⒸ密切的結合。④ⓊⒸ商業合併。*give (a daughter) in*~嫁女。*take (a woman) in*~娶妻。§~ **lìnes** 結婚證書。

mar·riage·a·ble [ˋmærɪdʒəbl̩] *adj.* 適合結婚的; 可結婚的。

***mar·ried** [ˋmærɪd] *adj.*①已結婚的; 有夫[妻]的。②婚姻的; 夫妻的。③密切結合一起的。*get* ~ 結婚。

mar·row [ˋmæro] *n.*① Ⓤ〖解〗髓。②Ⓒ〖英〗食用葫蘆。

mar·row·bone [ˋmæroˌbon] *n.* Ⓒ含髓之骨(烹飪用)。

‡**mar·ry** [ˋmærɪ] *v.t.* ①結婚; 娶; 嫁。②嫁(女)〔常 off〕。③主持…的婚禮; 使正式結爲夫婦。④使密切結合一起。—*v.i.* ①結婚。②合併; 結合。

***Mars** [marz] *n.* ①〖羅神〗戰神。② Ⓤ 戰爭。③〖天〗火星。

Mar·seil·laise [ˌmarsl̩ˋez] 〖法〗*n.* Ⓤ (常 La ~)馬賽進行曲(法國國歌)。

Mar·seilles [marˋselz] *n.*①馬賽(法國東南部之一海港)。② Ⓤ 馬賽布(一種耐用的織花厚棉布)。

***marsh** [marʃ] *n.* ⓊⒸ 沼澤; 濕地。§~ **gàs** 沼氣; 甲烷。

***mar·shal** [ˋmarʃəl] *n.* Ⓒ①警官。②高級軍官; 元帥。③司儀者; 司禮官。④法警。—*v.t.*(**-l-,**〖英〗**-ll-**)①整列; 排列。②列隊備戰。③(用儀式)引導。—*v.i.* 按次序就位。

marsh·land [ˋmarʃˌlænd] *n.* ⓊⒸ 沼澤地帶。

marsh·mal·low [ˋmarʃˌmælo] *n.* ①Ⓒ〖植〗藥蜀葵(其根供藥用或作蜜餞糖果)。②ⓊⒸ軟糖。

mar·su·pi·al [marˋsjupɪəl] *n.* Ⓒ & *adj.* 有袋動物(的)(如袋鼠等)。

mart [mart] *n.* Ⓒ 市場; 商業中心。

mar·ten [ˋmartɪn] *n.* ①Ⓒ 貂鼠。② Ⓤ 貂皮。

mar·tial [ˋmarʃəl] *adj.*①戰爭的; 軍事的。②好戰的。③威武的。§~ **làw** 戒嚴令; 戒嚴法。—**ly,** *adv.*

Mar·tian [ˋmarʃɪən] *adj.* ①火星的。②戰神的。—*n.* Ⓒ 火星人。

mar·tin [ˋmartɪn] *n.* Ⓒ〖鳥〗岩燕。

mar·ti·net [ˌmartn̩ˋɛt] *n.* Ⓒ 厲行嚴格紀律的人(尤指海陸空軍軍官)。

mar·ti·ni [marˋtinɪ] *n.* ⓊⒸ馬丁尼酒(雞尾酒之一種)。

***mar·tyr** [ˋmartɚ] *n.* Ⓒ ①烈士; 殉道者。②受難者。*make a* ~ *of oneself* **a.** 犧牲。**b.** 故意裝出受難的樣子。—*v.t.* 使受苦; 使殉難。—**dom,** *n.*

***mar·vel** [ˋmarvl̩] *n.* Ⓒ 奇異之事物[景象]。—*v.i.* (**-l-,**〖英〗**-ll-**) 驚異〔at〕。—*v.t.* 對…感驚異; 因…感驚異。

***mar·vel·ous,** 〖英〗 **mar·vel·lous** [ˋmarvl̩əs] *adj.* ①令人驚嘆的; 不可思議的。②〖俗〗很棒的; 出色的。

Marx [marks] *n.* 馬克斯(Karl, 1818-83, 德國政治經濟學家、社會主義者)。

Marx·i·an [ˋmarksɪən] *adj.* 馬克斯(主義)的。—**Marx′ism,** *n.*

Mar·y [ˋmɛrɪ] *n.*〖聖經〗聖母瑪利亞(耶穌之母)(亦作 **the Virgin Mary**)。

Mar·y·land [ˋmɛrələnd] *n.* 馬里蘭州(美國東部大西洋岸之一州)。

mas·car·a [mæsˋkærə] *n.* Ⓤ 染睫毛[眉毛]油。

mas·cot [ˋmæskət] *n.* Ⓒ 吉祥之人[物]。

***mas·cu·line** [ˋmæskjəlɪn] *adj.*①男性的。②有男子氣概的; 雄壯的; 強有力的。③〖文法〗陽性的。④(女性之)像男人樣的。—*n.*①(the ~)〖文法〗陽性。②Ⓒ 陽性字; 陽性型式。

mas·cu·lin·i·ty [ˌmæskjəˋlɪnətɪ] *n.* Ⓤ男子氣概; 剛毅; 雄壯。

ma·ser [ˋmezɚ] *n.* Ⓒ〖理〗微波激射(器) (爲 *m*icrowave *a*mplification by *s*timulated *e*mission of *r*adiation 之略)。

mash [mæʃ] *n.* Ⓤ①用熱水泡的碎麥芽(釀啤酒用)。②一種牛馬等之飼料(由穀物、麥麩、熱水混於一起者)。③(又作a ~)任何糊狀東西。④〖英俚〗馬鈴薯泥。—*v.t.* ①搗碎使成糊狀。②加熱水於(碎麥芽)。—**er,** *n.*

***mask** [mæsk, mask] *n.* Ⓒ①假面具; 面罩。②掩飾; 僞裝。③=**masque**. ④防毒面具。*throw off one's* ~ 揭掉假面具。—*v.t.* ①戴假面具。②掩飾; 僞裝。③掩護; 擋住。④隱藏。—*v.i.*戴面具; 化裝。—**ed** [~t], *adj.* —**er,** *n.*

mas·och·ism [ˋmæzəˌkɪzəm] *n.* Ⓤ〖精神病〗受虐狂(以被異性奴役、虐待或傷害爲樂的一種變態性慾)。

mas·och·ist [ˋmæzəkɪst] *n.* Ⓒ 受虐狂。

ma·son [ˋmesn̩] *n.* Ⓒ①泥瓦匠。②(M-)共濟會(Freemason)會員。

Ma·son·ic [məˋsanɪk] *adj.* 共濟會(會員, 主義)的。

ma·son·ry [ˋmesn̩rɪ] *n.* Ⓤ①泥瓦砌工; 磚造物; 石造物。②泥瓦匠業; 泥瓦匠之技藝。③(M-)**a.**共濟會之主義或規則。**b.**(集合稱)共濟會會員。

masque [mæsk, mɑsk] *n.* Ⓒ 一種歌舞劇(十六、十七世紀盛行於英國)。

mas·quer·ade [ˌmæskə`red] *n.* Ⓒ ①化裝舞會。②僞裝。— *v.i.* ①參加化裝舞會。②喬裝; 僞裝。— **mas·quer·ad′er,** *n.*

***mass** [mæs] *n.* ①Ⓒ塊; 團。②Ⓒ(常 a ～)大量; 多數。③(the ～)大部分。④Ⓒ大小; 量。⑤Ⓤ〖理〗質量。⑥Ⓒ(美術作品中)團塊。*in the* ～ 大體而論; 整體地。*the* ～*es* 勞工階級; 平民。— *v.t.* & *v.i.* (使)集合。§ ～ **communicátion**(透過報紙、廣播、電視等的)大眾傳播。～ **média** 大眾傳播媒體。～ **prodúction** 大量[成批]生產。～ **psychólogy** 群眾心理。

Mass [mæs, mɑs] *n.* ⓊⒸ (有時 m-)(天主教的)彌撒。

Mas·sa·chu·setts [ˌmæsə`tʃusɪts] *n.* 麻薩諸塞州(位於美國東部)。

mas·sa·cre [`mæsəkɚ] *n.* Ⓒ 大屠殺。— *v.t.* 屠殺。

mas·sage [mə`sɑʒ] *n.* ⓊⒸ 按摩; 揉。— *v.t.*按摩; 揉。§ ～ **pàrlour** (1)按摩院。(2)妓院。— **mas·sag′ist,** *n.*

mas·seur [mæ`sɜ]〖法〗*n.* Ⓒ 男按摩師。

mas·seuse [mæ`sɜz]〖法〗*n.* Ⓒ 女按摩師。

mas·sif [`mæsɪf] *n.* Ⓒ〖地質〗①中央山塊。②斷層地塊。

***mas·sive** [`mæsɪv] *adj.* ①大而重的; 大塊的。②寬大的。③堅定的; 有力的。④宏偉的; 莊嚴的。⑤大量的。— **ly,** *adv.*

mass-pro·duce [`mæsprə`djus] *v.t.* & *v.i.* 大量[成批]生產。

***mast** [mæst, mɑst] *n.* Ⓒ ①檣; 桅。②直立之柱。

mas·tec·to·my [mæs`tɛktəmɪ] *n.* ⓊⒸ〖外科〗乳房切除(術)。

‡**mas·ter** [`mæstɚ, `mɑs-] *n.* ①Ⓒ主人; 指揮者; 雇主。②Ⓒ家長。③Ⓒ船長。④Ⓒ男教師; 校長。⑤(常 M-)(冠於少年名字前之尊稱)君; 小主人。⑥Ⓒ(精通工藝等之)專家; 名家。⑦Ⓒ藝術大師; 藝術大師所作的畫。⑧Ⓒ(常 M-)碩士。a *M-* of Arts 文學碩士。⑨(the M-)耶穌。⑩Ⓒ勝利者。⑪Ⓒ法院的書記官。⑫Ⓒ(用來複製普通唱片之)母片。⑬Ⓒ師傅(有資格收學徒的匠人)。⑭Ⓒ母機。*be* ～ *of* 精通。*be one's own* ～自由獨立的。～ *of ceremonies* 司儀。— *v.t.* ①馴伏; 征服; 支配。②精通。§ ～ **buílder** (1)建築包工者; 木匠師傅。(2)卓越的建築家。～ **hánd** 名家; 名匠。～ **kéy** 萬能鑰匙。～ **stròke** 極技巧的行動或收穫。

Mas·ter·Card [`mæstɚˌkɑrd] *n.* Ⓒ 萬事達卡(一種信用卡)。

mas·ter·ful [`mæstɚfəl] *adj.* ①喜權勢的; 專橫的。②巧妙的; 老練的。

mas·ter·ly [`mæstɚlɪ] *adj.* 巧妙的; 精巧的。— *adv.* 精巧地。

mas·ter·mind [`mæstɚˌmaɪnd] *n.* Ⓒ 大智之人; (尤指)運籌帷幄的人; 指揮者。— *v.t.* 策畫; 暗中指揮。

***mas·ter·piece** [`mæstɚˌpis, `mɑs-] *n.* Ⓒ ①絕妙之作。②傑作; 名著。

mas·ter·work [`mæstɚˌwɜk] *n.* =**masterpiece.**

***mas·ter·y** [`mæstərɪ] *n.* Ⓤ ①統治權; 控制權。②征服; 勝利。③(又作 a ～)精通〔of〕。④技巧; 知識。

mast·head [`mæstˌhɛd] *n.* Ⓒ ①桅梢。②報頭。

mas·ti·cate [`mæstəˌket] *v.t.* ①咀嚼。②磨爛。— **mas·ti·ca′tion,** *n.*

mas·tiff [`mæstɪf] *n.* Ⓒ 獒犬(耳及唇均下垂的一種看家犬)。

mas·ti·tis [mæs`taɪtɪs] *n.* Ⓤ〖醫〗乳腺炎; 乳房炎。

mas·to·don [`mæstəˌdɑn] *n.* Ⓒ 乳齒象(古代的一種似象之巨獸)。

mas·toid [`mæstɔɪd] *n.* Ⓒ 乳狀突起。

mas·tur·ba·tion [ˌmæstɚ`beʃən] *n.* Ⓤ 手淫。

***mat**[1] [mæt] *n.* Ⓒ ①蓆子; 墊子; 草蓆。②(用以墊燈、瓶、盤等之)小墊。③(常 a ～)一叢; 一團; 一簇。④(角力比賽場之)地板墊。— *v.t.* (-tt-) ①鋪蓆於…上。②纏結。— *v.i.* 結纏一起。

mat[2] *adj.* 無光澤的; (色澤)暗淡的。— *n.* Ⓒ 畫或相片的厚襯紙或襯邊。

mat·a·dor [`mætəˌdɔr] *n.* Ⓒ 鬥牛士。

‡**match**[1] [mætʃ] *n.* Ⓒ ①火柴。②點槍用的火繩。

‡**match**[2] *n.* ①(one's ～, a ～)對手; 相似之人或物; (相配之)一對。②Ⓒ比賽; 競爭。③Ⓒ(常 *sing.*)配偶; 婚姻。— *v.t.* ①相等; 相似。②相配。③匹配。④相對; 匹敵。⑤使一致。⑥對抗。⑦拼湊。⑧結婚。— *v.i.* ①相等; 適合。②相配。③聯姻; 匹配。§ ～ **póint**〖球戲〗結束勝分(網球、排球等決定比賽勝負的一分)。

match·book [`mætʃˌbuk] *n.* Ⓒ 對摺式紙火柴。

match·box [`mætʃˌbɑks] *n.* Ⓒ 火柴盒。

match·less [`mætʃlɪs] *adj.* 無比的。

match·lock [`mætʃˌlɑk] *n.* Ⓒ ①火繩槍。②火繩式發火裝置。

match·mak·er [`mætʃˌmekɚ] *n.* Ⓒ ①媒人。②(拳擊、摔角等之)安排比賽的人。③做火柴的人。

match·mak·ing [`mætʃˌmekɪŋ] *n.* Ⓤ ①火柴製造。②做媒; 說媒。③(拳擊、摔角等之)競賽之安排。

match·stick [`mætʃˌstɪk] *n.* Ⓒ 火柴棒。

match·wood [`mætʃˌwud] *n.* Ⓤ 做火柴棒的木材。

***mate** [met] *n.* Ⓒ ①一對或一雙中之一; 單隻(鳥)。②配偶; 夫或妻。③大副; 船員。④助手。⑤伙伴。— *v.t.* ①結伴。②使結成對; 使配對。③使符合; 使一致〔with〕。④結婚。— *v.i.* ①結伴。②結婚。③交配。

ma·ter [`metɚ] *n.* Ⓒ〖英俗〗母親。

‡**ma·te·ri·al** [mə`tɪrɪəl] *n.* ①ⓊⒸ材料; 布料。②Ⓤ資料。③(*pl.*)工具。— *adj.* ①物質的; 非精神的。②身體的; 肉體的。③重要的; 相關的〔常 to〕。

ma·te·ri·al·ism [mə`tɪrɪəlˌɪzəm] *n.* Ⓤ ①唯物論。②現實主義。— **ma-**

M

te′ri·al·ist, *n.* — ma·te·ri·al·is′tic, *adj.*

ma·te·ri·al·ize [mə`tɪrɪəl,aɪz] *v.t.*①使具體化；賦與實質。②使著重現實；使物質化。— *v.i.* ①成爲實體。②實現。— ma·te·ri·al·i·za′tion, *n.*

ma·te·ri·al·ly [mə`tɪrɪəlɪ] *adv.* ①物質上；肉體上。②實質上；大大地。

ma·ter·nal [mə`tɜnl̩] *adj.* ①母親的；似母親的。②母系的；母方的。

ma·ter·ni·ty [mə`tɜnətɪ] *n.* Ⓤ 母道；母性。— *adj.* 懷孕的；產婦的。§ ~ allòwance [bènefit] 〖英〗生育津貼。~ hòspital 產科醫院。~ lèave 產假。~ núrse 助產士。

***math** [mæθ] *n.*〖俗〗=mathematics.

***math·e·mat·ic, -i·cal** [,mæθə`mætɪk(l̩)] *adj.* ①數學的。②精確的。

math·e·ma·ti·cian [,mæθəmə`tɪʃən] *n.* Ⓒ 數學家。

‡**math·e·mat·ics** [,mæθə`mætɪks] *n.* Ⓤ 數學。

mat·i·nee, -née [,mætn̩`e] *n.* Ⓒ 下午所演之戲劇或音樂。§ ~ ìdol 受女性觀眾歡迎之男演員；風流小生。

ma·tri·arch [`metrɪ,ɑrk] *n.* Ⓒ 女家長；女族長。— chal, *adj.*

ma·tri·ar·chy [`metrɪ,ɑrkɪ] *n.* ①ⓊⒸ 女家長[族長]制；母權制。②Ⓒ 母權社會。

ma·tri·cide [`metrə,saɪd] *n.* ①Ⓤ 弑母。②Ⓒ 弑母者。

ma·tric·u·late [mə`trɪkjə,let] *v.t.* (大學中)准許…註冊入學。— *v.i.* 註冊入學。— ma·tric·u·la′tion, *n.*

mat·ri·mo·ny [`mætrə,monɪ] *n.* Ⓤ①婚姻；結婚。②婚姻生活。— mat·ri·mo′ni·al [-`monɪəl], *adj.*

ma·trix [`metrɪks] *n.* Ⓒ (*pl.* ma·tri·ces, ~es)①(生物)母體。②子宮。③〖生物〗細胞間質。④〖礦〗母岩。⑤〖印刷〗字模；紙型。

ma·tron [`metrən] *n.* Ⓒ ①年長之已婚婦女(尤指品格高尚者)；太太。②主婦；(機關、學校中之)保姆。③女舍監；護士長。

ma·tron·ly [`metrənlɪ] *adj.* 似主婦的。

‡**mat·ter** [`mætɚ] *n.* ①Ⓤ 實質；實體。②Ⓤ 物質；物體。③Ⓤ (書或印刷物之)資料；材料。④ⓊⒸ 理由；原因；根源。⑤Ⓒ 事實；事件；問題。⑥ⓊⒸ 數量；內容。⑦(the ~)困難。What's the ~ with the machine? 這部機器有甚麼毛病? ⑧Ⓤ 重要性。*as a ~ of fact* 事實上；實際上。*as ~s stand* [*as the ~ stands*] 照目前狀況。*for that ~*[*for the ~ of that*] 就那件事而論。*~ of course* 當然之事。*no ~* a. 無論；不管。b. 不重要；無關係。— *v.i.* ①關係重要(經常用於疑問句、否定句或假設句中)。②化膿。

mat·ter-of-fact [`mætərəv`fækt] *adj.* 事實的；實際的；平凡的。

Mat·thew [`mæθju] *n.* ①馬太(耶穌十二門徒之一)。②馬太福音。

mat·ting [`mætɪŋ] *n.* Ⓤ ①蓆、草等之編織物(如草蓆等)。②(集合稱)蓆。

mat·tock [`mætək] *n.* Ⓒ 鶴嘴鋤。

***mat·tress** [`mætrɪs] *n.* Ⓒ 床墊。

mat·u·rate [`mætʃu,ret] *v.i.* & *v.t.* (使)成熟。

***ma·ture** [mə`t(j)ur] *adj.* ①成熟的。②熟思的；審慎考慮過的。③(付款等)到期的。— *v.i.* ①成熟。②充分發展。③(票據等)到期。— *v.t.* ①使成熟。②審慎擬定。

***ma·tu·ri·ty** [mə`t(j)urətɪ] *n.* Ⓤ ①成熟(果實、人格等)。②完成；備齊(計畫等)。③(債務、支票等)到期。

maud·lin [`mɔdlɪn] *adj.*①易傷感的；愛落淚的。②酒後傷感而落淚的。

Maugham [mɔm] *n.*毛姆(William Somerset, 1874-1965, 英國小說家)。

maul [mɔl] *v.t.*①虐打；傷害。②〖美〗用大槌槌打。— *n.* Ⓒ 大槌。

maun·der [`mɔndɚ] *v.i.* ①絮聒。②徘徊；迷惘地言行。

Mau·pas·sant [`mopə,sɑnt] *n.* 莫泊桑(Guy de, 1850-93, 法國短篇小說家)。

mau·so·le·um [,mɔsə`liəm] *n.* Ⓒ (*pl.* ~s, -le·a [-`liə])壯麗之墓；陵墓。

mauve [mov] *n.* Ⓤ①淡紫色。②淡紫色染料。— *adj.* 淡紫色的。

ma·ven, ma·vin [`mevən] *n.* Ⓒ 〖美俚〗專家；行家；鑑賞家。

mav·er·ick [`mævrɪk] *n.* Ⓒ ①(美西部)未打烙印之牛；離開母牛而迷失的小牛。②〖俗〗(政治家、藝術家等的)特立獨行者。

maw [mɔ] *n.* Ⓒ①(動物之)胃或胃腔；(鳥之)嗉囊。②(某些動物之)喉、食道、顎或口腔。

mawk·ish [`mɔkɪʃ] *adj.*①令人作嘔的。②沒風味的。③傷感的。

max·im [`mæksɪm] *n.* Ⓒ①格言。②座右銘。

max·i·mal [`mæksəməl] *adj.* 最大的；最高的。— ly, *adv.*

max·i·mize [`mæksə,maɪz] *v.t.*使達最大或最高限度。

***max·i·mum** [`mæksəməm] *n.* Ⓒ (*pl.* ~s, -ma [-mə])① 最大量；最高點。②〖數〗極大(值)；最大(值)。— *adj.* 最高的；最大極限的。

max·i·skirt [`mæksɪ,skɜt] *n.* Ⓒ 迷嬉裙(長及足踝)。

‡**may** [me] *aux. v.* (might)①可能(多少與 perhaps 相當)。②可以(表許可)。③願(表願望或請求)。④俾可；欲(表目的)。⑤儘可。⑥能夠；能。

‡**May** [me] *n.* ①五月。②(one's ~)盛年；青春。③(m-) ⓊⒸ 山楂(花)。— *v.i.* (m-)慶祝五朔節；採山楂花。§ ~ Dày ⑴五朔節(5月1日舉行的春之祭典)。⑵國際勞動節。⑶=Mayday. § ~ flỳ 蜉蝣。~ quèen [Quèen] 五月皇后(May Day 所選出之美女)。

Ma·ya [`mɑjə] *n.* (*pl.* ~, ~s)① Ⓒ 馬雅人(中美印第安人之一族)。②Ⓤ 馬雅語。— *adj.* 馬雅人[語]的。

‡**may·be** [`mebi, `mebɪ] *adv.* & *n.* Ⓤ 大概；或許。〔注意〕maybe 是副詞或名詞。may be 是動詞片語。

May·day [`me,de] *n.* Ⓒ (船或飛機之)無線電求救信號。

M

May·flow·er [ˋme͵flauɚ] *n.* ①(the ～)五月花號船(1620 年清教徒自英渡美所乘者)。②(m-) Ⓒ 五月開花之植物；五月花。
may·hem [ˋmehɛm, ˋmeəm] *n.* Ⓤ ①〖法律〗身體傷害(罪)。② **a.**(故意的)破壞。**b.**〖俚〗大混亂。(亦作 **maihem**)
may·n't [ment] =**may not.**
may·on·naise [͵meəˋnez] *n.* Ⓤ 美乃滋；蛋黃醬。
***may·or** [ˋmeɚ] *n.* Ⓒ 市長。
may·or·al·ty [ˋmeərəltɪ] *n.* Ⓤ ①市長職位。②市長任期。
May·pole, m- [ˋme͵pol] *n.* Ⓒ 五月柱(慶祝五朔節時飾有花及彩條之柱)。
maze [mez] *n.* ① Ⓒ 迷宮。② Ⓤ 迷惘；惶惑。③ Ⓤ 混亂。— *v.t.*〖方〗使迷惘；使混亂。
ma·z(o)ur·ka [məˋzɜkə] *n.* Ⓒ 馬厝卡舞(波蘭之輕快舞蹈)；馬厝卡舞曲。
ma·zy [ˋmezɪ] *adj.* 如迷宮般複雜的。
MB〖電算〗megabyte(s).
Mc·Car·thy·ism [məˋkɑrθɪ͵ɪzəm] *n.* Ⓤ 麥卡錫主義(極端的反共主義，源自美國共和黨參議員 Joseph R. McCarthy 之名)。
Mc·Coy [məˋkɔɪ]〖美俚〗*n.* (the ～) 本人；眞實(=the real McCoy).
— *adj.* 本人的；眞貨的。
Mc·Don·ald's [məkˋdɑnəldz] *n.* Ⓒ〖商標〗①麥當勞(美國最大的漢堡連鎖店)。②麥當勞漢堡。
Md. Maryland. **M.D.**〖拉〗Medicinae Doctor(=Doctor of Medicine).
‡**me** [mi] *pron.*①(I 的受格)我。②〖俗〗代替 my(用於動名詞構造句)。Did you hear about *me* getting promoted? 你有沒有聽到我晉級的消息？ § **mé generàtion**(常 Me generation)指 1970, 1980 年代一群自私自利的年輕人。
ME, ME., M.E. Middle English.
mead[1] [mid] *n.* Ⓤ 蜂蜜酒。
mead[2] *n.*〖詩〗=**meadow.**
***mead·ow** [ˋmɛdo] *n.* ⓊⒸ ①草地。②河邊低草地。§ ∸ **làrk**(北美產之)野雲雀。— **meadˊow·y,** *adj.*
mea·ger,〖英〗**-gre** [ˋmigɚ] *adj.*①瘦的。②微薄的；不足的。③枯燥無味的。
‡**meal**[1] [mil] *n.* Ⓒ ①一餐。②一次吃完之食物。*～s on wheels* 將熱餐送至年老或殘廢者家中的一種服務。
meal[2] *n.* Ⓤ ①(各種穀類所碾之)粗粉。②(任何碾碎之)粉。
meal·time [ˋmil͵taɪm] *n.* Ⓤ 用餐時間。
meal·y [ˋmilɪ] *adj.*①似粉的；粉狀而乾的。②塗有粉的。③(面貌)蒼白的。
meal·y·mouthed [ˋmilɪˋmauðd] *adj.* 說話婉轉[拐彎抹角]的。
‡**mean**[1] [min] *v.t.* (**meant**)①意欲；打算。②意謂；意表。③有意義。④能引起。⑤指定；計畫。⑥有價值；有重要性。⑦作某種解釋。⑧造成某種結果。⑨註定適於作某種用途。He was *meant* for a soldier.他天生是一個軍人。— *v.i.*意欲；懷…意。He ～*s* well. 他出自好意。
***mean**[2] *adj.* ①(品質、等級)低劣的。②(社會地位)卑賤的；平庸的。③襤褸的。④卑鄙的。⑤吝嗇的；節約的。⑥不重要的；無價值的。⑦〖俗〗自卑的；慚愧的。⑧〖俗〗身體不適的。⑨〖俚〗優秀的；好的。⑩惱人的。*no* ～ 很好的。§ ∸ **strèets**都市中危險且生活困難之地區。— **ly,** *adv.* — **ness,** *n.*
***mean**[3] *adj.* 中間的；中庸的；平均的。*in the* ～ *time* [*while*] 當其時。— *n.* ①(*pl.*)方法；工具；手段。②(*pl.*)財產；財富。③ Ⓒ 中間；中庸。④ Ⓒ〖數〗**a.** 平均數。**b.**(比例)中項。*by all ～s* 必定；當然。*by any ～s* 無論如何；以任何方法。*by fair ～s or foul* 不擇手段。*by ～s of* 以；藉。*by no ～s* 決不。*by some ～s or other* 想盡辦法。§ ∸**s tèst**〖英〗對接受失業救濟者之財務調查。〔注意〕**means** 作方法、工具、手段解時，形式是複數，但在文法上作單數或複數名詞均可。means 當作財富解時，形式及文法上都是複數。
me·an·der [mɪˋændɚ] *v.i.*①蜿蜒而流。②漫遊。③閒談。— *n.* Ⓒ (常 *pl.*) 漫遊；迂迴之路。— **ing,** *n.* & *adj.*
‡**mean·ing** [ˋminɪŋ] *n.* ⓊⒸ ①意義；含義。②目的。— *adj.* 有意義的；(眼神)有意思的；含義深長的。He wore a ～ look. 他臉上帶有意義深長的表情。— **ly,** *adv.* — **ful,** *adj.*
mean·ing·less [ˋminɪŋlɪs] *adj.* 無意義的；無價值的；無目的的。
‡**meant** [mɛnt] *v.* pt. & pp. of **mean**[1].
***mean·time** [ˋmin͵taɪm] *n.*(the ～) 中間的時間；其時[間]；此際。— *adv.* 於其時；於此際。
***mean·while** [ˋmin͵hwaɪl] *adv.* & *n.* =**meantime.**
***mea·sles** [ˋmizḷz] *n.* Ⓤ ①麻疹。②風疹。
meas·ur·a·ble [ˋmɛʒrəbḷ] *adj.*可測量的。
‡**meas·ure** [ˋmɛʒɚ] *v.t.* & *v.i.* ①測量。②有…之尺度；大小爲…。③測度；估量；與…比較或競爭。④取出一定之量〔常 out, off〕。⑤〖詩〗走；去；經過(一段路程)。⑥當作…之衡量標準。⑦調整；改正。～ *one's length* 跌倒於地。～ *out* **a.** 仔細分配。**b.** 計量分配。～ *up* 符合標準；合格。— *n.* ① Ⓤ 大小；尺寸；分量。waist ～ 腰圍尺寸。② Ⓒ (常 a ～)丈量。③ Ⓒ 量度器。④ Ⓤ 量度標準；量度單位。the cubic[solid]～ 體積；容積。⑤ Ⓒ (評價、判斷等的)標準。⑥ ⓊⒸ 限度。⑦ ⓊⒸ〖詩，樂〗韻律；拍子；節線；小節。⑧ Ⓒ 舞。⑨ Ⓒ (常*pl.*)措施；步驟；手段。⑩ Ⓒ 議案；法令。⑪ Ⓒ〖數〗約數。⑫ Ⓤ 量出之一定量(大小，尺寸等)。⑬ Ⓤ 相當之量。⑭ Ⓒ 合理[適度]的規範。⑮(*pl.*)地層。*beyond* ～ 非常地；極度地。*for good* ～ 附加地；另外地。*give full* ～盡全力。*in a* ～有點兒；多少。*in great* ～大半。*made to* ～ (衣服)定做的。*set ～s to* 加限制於…。*take ～s* 採取行動。*take one's* ～ **a.** 判斷某人之性格。**b.** 量身材。
meas·ured [ˋmɛʒɚd] *adj.*①(步調)整齊的。②(語調)有韻律的。③(發言)愼重的。④適度的；基於標準的。

*__meas·ure·ment__ [ˋmɛʒɚmənt] *n.* ①Ⓤ計量; 測定(法)。②Ⓒ測定值。

‡__meat__ [mit] *n.* Ⓤ①食用之肉。②食物。～ and drink 飲食。③可食之部分。④飯; 餐。⑤內容; 實質。~ *and potatoes* 〖俗〗最重要或最基本的部分。

__meat-and-po·ta·toes__ [ˋmitənpəˋtetoz] *adj.*〖美俗〗最重要的; 基本的。

__meat·ball__ [ˋmit,bɔl] *n.* Ⓒ ① 肉丸。②〖俚〗笨拙的人; 飯桶。

__meat·y__ [ˋmitɪ] *adj.*①肉的; 有肉味的。②多肉的。③有內容的; 有思想的。

__Mec·ca__ [ˋmɛkə] *n.*(亦作**Mekka(h)**)麥加(沙烏地阿拉伯城市, 穆罕默德誕生地, 回教聖地)。

*__me·chan·ic__ [məˋkænɪk] *n.* Ⓒ①機匠; 技工。②修理機械之工人。

*__me·chan·i·cal__ [məˋkænɪkḷ] *adj.* ①機械上的; 機械製的。②無表情的; 呆板的。③機械學的。§～ **dráwing** 機器製圖。～ **enginéering** 機械工程。

__mech·a·ni·cian__ [,mɛkəˋnɪʃən] *n.* Ⓒ機械(工程)師; 機械學者; 機工。

__me·chan·ics__ [məˋkænɪks] *n.*①Ⓤ力學; 機械學。②(常the ～, 作*pl.* 解)機械部分; (製作)技巧。

*__mech·a·nism__ [ˋmɛkə,nɪzəm] *n.*①Ⓒ機械; 機械裝置。②Ⓒ結構; 機構。③Ⓤ手法; 技巧。④Ⓤ〖哲〗機械論。

__mech·a·nis·tic__ [,mɛkəˋnɪstɪk] *adj.* 機械論(者)的; 機械學的。

__mech·a·nize__ [ˋmɛkə,naɪz] *v.t.* ①使(軍隊、工廠等)機械化。②用機械工作。—**mech·a·ni·za′tion,** *n.*

*__med·al__ [ˋmɛdḷ] *n.* Ⓒ獎牌; 獎章; 勳章。

__med·al·(l)ist__ [ˋmɛdḷɪst] *n.* Ⓒ①受領獎牌者。②獎牌設計者; 獎牌匠。

__me·dal·lion__ [mɪˋdæljən] *n.* Ⓒ①大獎牌。②(有肖像等的)圓形浮雕。

*__med·dle__ [ˋmɛdḷ] *v.i.* 干預或擾亂(他人的事物)〔in, with〕。

__med·dle·some__ [ˋmɛdḷsəm] *adj.* 愛管閒事的。—**ly,** *adv.*

*__me·di·a__ [ˋmidɪə] *n.* pl. of **medium.** §～ **míx** 同時使用數種媒體(如影片、錄音帶、幻燈片等)的(戲院)演出。

__me·di·ae·val__ [,midɪˋivḷ] *adj.* = **medieval.**

__me·di·al__ [ˋmidɪəl] *adj.*①中間的; 中央的。②適中的; 普通的。—**ly,** *adv.*

__me·di·an__ [ˋmidɪən] *adj.* 中間的; 中央的。—*n.* Ⓒ①中間數字。②〖數〗中線。§～ **stríp** 中央分界帶; 車道中間的安全島(通常指植有樹木點綴者)。

__me·di·ate__ [ˋmidɪ,et] *v.i.* ①居於中間。②調停; 斡旋。—*v.t.* ①居間以促成。②做…之中間者。③促成(結果)。— [ˋmidɪɪt] *adj.* ①中間的。②間接的。—**ly,** *adv.* —**me′di·a·tor,** *n.*

__me·di·a·tion__ [,midɪˋeʃən] *n.* Ⓤ 仲裁; 斡旋; 調停。

__med·ic__ [ˋmɛdɪk] *n.* Ⓒ〖俗〗①醫生; 外科醫生。②醫學院學生; 實習醫生。

__med·i·ca·ble__ [ˋmɛdɪkəbḷ] *adj.*可治療的; 可醫的。

__med·i·caid__ [ˋmɛdɪked] *n.* Ⓤ (有時M-)〖美〗國民醫療補助(制度)。

‡__med·i·cal__ [ˋmɛdɪkḷ] *adj.* ①醫學的; 醫術的。②內科的。③醫藥的。—*n.* Ⓒ〖俗〗①醫生; 醫學院學生。②身體檢查。§～ **schòol** 醫學院。

__me·dic·a·ment__ [məˋdɪkəmənt, ˋmɛdɪkə-] *n.* ⓊⒸ醫藥; 藥劑。

__Med·i·care, m-__ [ˋmɛdɪ,kɛr] *n.* Ⓤ〖美, 加〗老人醫療保險制度。

__med·i·cate__ [ˋmɛdɪ,ket] *v.t.* ①以藥物治療。②加入藥品。

__med·i·ca·tion__ [,mɛdɪˋkeʃən] *n.* ①Ⓤ敷藥; 藥物治療。②ⓊⒸ藥物。

__me·dic·i·nal__ [məˋdɪsṇḷ] *adj.* 醫藥的; 治療的。—**ly,** *adv.*

‡__med·i·cine__ [ˋmɛdəsṇ] *n.* ①ⓊⒸ藥。②Ⓤ醫學。③Ⓤ內科。④Ⓤ醫生(行業)。⑤Ⓤ巫術。—*v.t.*給…服藥。§～ **bàll** 藥球運動(藉投、接一種大而重的實心皮球以鍛鍊肌肉)。～ **màn**(北美印第安人的)巫醫; 巫師。

__med·i·co__ [ˋmɛdɪ,ko] *n.* Ⓒ (*pl.* ～**s**)〖俗〗①醫生。②醫學院學生。

*__me·di·e·val__ [,midɪˋivḷ, ,mɛd-] *adj.* 中古的; 中世紀的; 中古風的。—**ism,** *n.*

__me·di·o·cre__ [ˋmidɪ,okɚ, ,midɪˋokɚ] *adj.* 平常的; 平凡的。

__me·di·oc·ri·ty__ [,midɪˋɑkrətɪ] *n.* ①Ⓤ平常; 平凡; 平庸。②Ⓒ平凡的人。

*__med·i·tate__ [ˋmɛdə,tet] *v.t.*想; 考慮。—*v.i.* 冥想; 回想。

__med·i·ta·tion__ [,mɛdəˋteʃən] *n.* Ⓤ沉思; 冥想。

__med·i·ta·tive__ [ˋmɛdə,tetɪv] *adj.* ①沉思的; 冥想的。②喜沉思的; 愛冥想的。—**ly,** *adv.*

*__Med·i·ter·ra·ne·an__ [,mɛdətəˋrenɪən] *adj.* 地中海的; 地中海沿岸地區的。—*n.* (the ～) 地中海 (= the Mediterranean Sea).

*__me·di·um__ [ˋmidɪəm] *adj.* 中間的; 中等的; 中庸的。—*n.* Ⓒ (*pl.* ～**s,-di·a**) ①中間物。②媒介物; 媒體。③生活條件; 環境。④〖美〗巫; 靈媒。⑤顏料溶解液。⑥〖醫〗細菌培養基。

__me·di·um-sized__ [ˋmidɪəmˋsaɪzd] *adj.* 中型的。

__med·ley__ [ˋmɛdlɪ] *n.* Ⓒ①混合; 混合物。②〖樂〗混合曲。—*adj.* 混合的。

__me·du·sa__ [məˋdjusə] *n.* Ⓒ (*pl.* **-sae** [-si], ～**s**) 〖動〗水母。

__meed__ [mid] *n.* Ⓒ〖詩〗報酬; 褒賞。

__meek__ [mik] *adj.*①溫順的; 謙和的。②馴服的。—**ly,** *adv.* —**ness,** *n.*

‡__meet__[1] [mit] *v.t.*(**met**)①遇; 逢。②接合; 相交; 會合。③迎接; 迎戰。④引見; 結識。⑤付(帳單、債務等)。⑥接觸。⑦會見。⑧滿足; 適合。⑨對付; 反抗。⑩面對。⑪經驗到; 受到。⑫聽到或看到。⑬互撞。—*v.i.* ①相遇。②會合; 相交。③結合; 和諧相合。④對付; 反抗。⑤集會。⑥相識。⑦同意。～(*up*) *with* **a.**得到。**b.**嘗到(經驗)。**c.**偶遇。—*n.* Ⓒ〖美〗①會; 集會; 競賽大會; 運動會。②集會者。③集會之處。

__meet__[2] *adj.* 適宜的; 合適的。

‡__meet·ing__ [ˋmitɪŋ] *n.* Ⓒ ①(常 *sing.*)會晤; 邂逅。②會; 集會。attend a ～

M

到會。③宗教集會。④交會處；會合處。§∼ hòuse 禮拜堂；教堂；聚會所。

mega-〖字首〗①表「大」之義, 如; megaphone. ②〖理〗表「一百萬倍」之義。

meg·a·buck [ˋmɛgə͵bʌk] *n.* Ⓒ〖美俚〗百萬美元。

meg·a·byte [ˋmɛgə͵baɪt] *n.* Ⓒ〖電算〗百萬位元組(記憶容量單位)。

meg·a·cy·cle [ˋmɛgə͵saɪkl̩] *n.* Ⓒ ①〖理〗百萬周。②〖無線〗兆周。

meg·a·hertz [ˋmɛgə͵hɝts] *n.* Ⓒ (*pl.* ∼)〖電〗百萬赫。(略作 **MHz**)

meg·a·jet [ˋmɛgədʒɛt] *n.* Ⓒ 超級巨無霸噴射客機。

meg·a·lo·ma·ni·a [͵mɛgələˋmenɪə] *n.* Ⓤ〖精神病〗妄想自大狂。

meg·a·lop·o·lis [͵mɛgəˋlɑpəlɪs] *n.* Ⓒ 特大城市；都會區(由幾個城市及郊區連成者)。(亦作 **megapolis**)

meg·a·phone [ˋmɛgə͵fon] *n.* Ⓒ 擴音器；傳聲筒。

meg·a·ton [ˋmɛgə͵tʌn] *n.* Ⓒ ① 100 萬噸。②相當於 100 萬噸 TNT 之爆炸威力(氫彈爆炸力之單位)。

meg·a·watt [ˋmɛgə͵wɑt] *n.* Ⓒ〖電〗百萬瓦特。

me·grim [ˋmigrɪm] *n.* ① ⓊⒸ〖醫〗偏頭痛。②(*pl.*)憂鬱。③Ⓒ幻想。

Me·kong [ˋmeˋkɑŋ] *n.* (the∼)湄公河(源於中國西部，下流入中南半島)。

mel·an·cho·li·a [͵mɛlənˋkolɪə] *n.* Ⓤ〖精神病〗憂鬱症。

mel·an·cho·li·ac [͵mɛlənˋkolɪ͵æk] *n.* Ⓒ 憂鬱症患者。

mel·an·chol·ic [͵mɛlənˋkɑlɪk] *adj.* ①憂鬱的。②患憂鬱症的。— *n.* Ⓒ 憂鬱症患者。

*__mel·an·chol·y__ [ˋmɛlən͵kɑlɪ] *n.* Ⓤ①憂鬱；悲哀。②沉思；愁思。— *adj.* ①憂鬱的；悲哀的。a∼ mood 憂鬱的心情。②使人悲傷的。③沉思的。

Mel·bourne [ˋmɛlbɚn] *n.* 墨爾本(澳洲東南部之一城市)。

meld *v.t.* & *v.i.*(使)融合；(使)結合。

me·lee, mê·lée [meˋle, ˋmele]〖法〗*n.* Ⓒ (常 *sing.*)混戰；群毆。

mel·io·rate [ˋmiljə͵ret] *v.t.* & *v.i.* 改善；改良。— **mel′io·ra·tive,** *adj.*

mel·lif·lu·ence [məˋlɪfluəns] *n.* Ⓤ甜蜜；流暢；甜美。

mel·lif·lu·ous [məˋlɪfluəs] *adj.* (話、音樂、聲音)甜蜜的；流暢的。(亦作 **mellifluent**)

*__mel·low__ [ˋmɛlo] *adj.* ①甜而多汁的；軟熟的。②成熟的；醇的。③圓熟的；老練的。④柔和而豐滿的。⑤肥沃的。⑥〖俚〗歡樂的；沉醉的。— *v.t.* & *v.i.* 使熟；變熟。— **ly,** *adv.* — **ness,** *n.*

me·lod·ic [məˋlɑdɪk] *adj.*旋律的；和諧的；悅耳的。— **me·lod′i·cal·ly,** *adv.*

me·lo·di·ous [məˋlodɪəs] *adj.* ① 和諧的；音樂的；悅耳的。②旋律優美的。

mel·o·dra·ma [ˋmɛlə͵drɑmə] *n.* ①Ⓒ 鬧劇；通俗劇。② Ⓤ 任何誇大刺激之文章或言語。

mel·o·dra·mat·ic [͵mɛlədrəˋmætɪk] *adj.* 通俗劇的。

*__mel·o·dy__ [ˋmɛlədɪ] *n.*① Ⓤ 優美的曲子；優美的音樂。② Ⓒ 歌曲。③ Ⓒ 旋律；曲調。

mel·on [ˋmɛlən] *n.* ⓊⒸ①瓜。②〖俗〗額外紅利。cut a ∼ 分紅；分贓。

‡**melt** [mɛlt] *v.t.* & *v.i.* (∼**ed,** ∼**ed** or **mol·ten**)①熔化；融化。②溶解。③逐漸消失；減弱。④漸混〔常into〕. ⑤軟化。∼ (*something*) *down* 熔毀。— *n.* ① Ⓤ 熔化(作用)。② Ⓒ 熔化物；溶解物。③ Ⓤ 熔化量；溶解量。

melt·ing [ˋmɛltɪŋ] *adj.* ①熔化的。②受感動的。③動人的；使人感傷的。§∼ **pòint** 熔點。∼ **pòt** (不同國籍或民族匯集而成的)文化熔爐。

‡**mem·ber** [ˋmɛmbɚ] *n.* Ⓒ ①團體中之一員；會員；社員。②議員。③肢體(特指腿或臂)。④ 組成分子。***M- of Congress***〖美〗國會議員(略作 M.C.).

*__mem·ber·ship__ [ˋmɛmbɚ͵ʃɪp] *n.*① Ⓤ 會員或社員資格。② Ⓒ (集合稱)全體會員。③(*sing.*) 會員數。§ ∼ **càrd** 會員證。∼ **fēe** 會費。

mem·brane [ˋmɛmbren] *n.*〖解〗① Ⓒ膜；薄膜。② Ⓤ 膜組織。

mem·bra·nous [ˋmɛmbrənəs, mɛmˋbre-] *adj.* 膜的；膜質的；膜狀的。

me·men·to [mɪˋmɛnto] *n.* Ⓒ (*pl.* ∼(**e**)**s**) 紀念品；遺物。§ ∼ **mō**ri [ˋmoraɪ]〖拉〗死之象徵(如骷髏)。

*__mem·o__ [ˋmɛmo] *n.* Ⓒ (*pl.* ∼**s**)〖俗〗備忘錄(＝memorandum).

mem·oir [ˋmɛmwɑr] *n.*① Ⓒ 研究報告。② Ⓒ 傳記。③(*pl.*)回憶錄；自傳。

mem·oir·ist [ˋmɛmwɑrɪst] *n.* Ⓒ 撰寫回憶錄的人；傳記作家。

mem·o·ra·bil·i·a [͵mɛmərəˋbɪlɪə]〖拉〗*n. pl.* 值得記憶的事；(大人物的)言行錄；(重大事件的)紀錄。

*__mem·o·ra·ble__ [ˋmɛmərəbl̩] *adj.*值得紀念的。

*__mem·o·ran·dum__ [͵mɛməˋrændəm] *n.* Ⓒ (*pl.* ∼**s, -da** [-də]) ①備忘錄。②便箋；摘要；非正式之記錄。③同一機構內之簽條。④〖法律〗買賣契約書。

*__me·mo·ri·al__ [məˋmorɪəl,-ˋmɔr-] *n.* Ⓒ①紀念物。②請願書；陳情書。— *adj.* ①追悼的。a ∼ service 追悼會。②紀念的。§ **M∼ Dāy**〖美〗陣亡將士紀念日。∼ **pàrk**〖美〗公墓。

me·mo·ri·al·ize [məˋmorɪəl͵aɪz] *v.t.* ①紀念。②向…上陳情書。

*__mem·o·rize__ [ˋmɛmə͵raɪz] *v.t.* ①記憶。②記錄；記下。

‡**mem·o·ry** [ˋmɛmərɪ] *n.* ① Ⓒ 記憶力。② **a.** Ⓤ 記憶。**b.** (*sing.*)記憶範圍。within living ∼在今人的記憶內。③ Ⓒ 記憶之人物或事物。④ Ⓒ 記得；紀念。⑤(*sing.*)記憶所及之時間。⑥ Ⓤ 死後之名望。⑦〖電算〗**a.** Ⓤ 記憶容量。**b.** Ⓒ 記憶體。*in ∼ of* 紀念。§∼ **bànk**〖電算〗記憶銀行；記憶體。

‡**men** [mɛn] *n.* pl. of **man.** §∼**'s ròom** [**lòunge**] 男廁所。

*__men·ace__ [ˋmɛnɪs] *n.* ⓊⒸ威脅；脅迫。— *v.t.* & *v.i.* 威嚇；脅迫。

mé·nage, me·nage [meˋnɑʒ]

〖法〗n. ①Ⓒ家庭。②Ⓤ家務管理。
me·nag·er·ie [məˋnædʒərɪ] *n.* Ⓒ巡迴動物園；動物展覽。
‡**mend** [mɛnd] *v.t.*修補；改良；改正錯誤。── *v.i.* ①恢復健康。②改進；進步。── *n.* ①Ⓤ改進。②Ⓒ改進之處。*on the ~* 在改善中；恢復健康。
men·da·cious [mɛnˋdeʃəs] *adj.*①好說謊的；不誠實的。②虛假的。
men·dac·i·ty [mɛnˋdæsətɪ] *n.*①Ⓤ說謊。②Ⓒ謊話；虛僞。
mend·er [ˋmɛndɚ] *n.* Ⓒ修理者；改善者；改良者。
men·di·can·cy [ˋmɛndɪkənsɪ] *n.* Ⓤ①乞丐(生活)。②托缽；行乞。
men·di·cant [ˋmɛndɪkənt] *adj.*行乞的。── *n.* Ⓒ①乞丐。②托鉢僧。
men·folk(s) [ˋmɛn,fok(s)] *n. pl.* 〖方〗男人們。
men·ha·den [mɛnˋhedn̩] *n.* Ⓒ (*pl.* ~, ~s) 鯡魚(用來煉油、作肥料)。
me·ni·al [ˋminɪəl] *adj.*①僕人的。②低賤的。③(人)做下賤工作的。── *n.* Ⓒ①賤僕。②下賤之人。
men·in·gi·tis [,mɛnɪnˋdʒaɪtɪs] *n.* Ⓤ〖醫〗腦膜炎。
men·o·pause [ˋmɛnə,pɔz] *n.* (the ~)〖生理〗停經；斷經期。
MENSA [ˋmɛnsə] *n.*國際資優人士組織(通過一項測驗，居各國前2%的頂尖人物方可入會)。
mensch [mɛntʃ] *n.* Ⓒ (*pl.* ~en [ˋmɛntʃən], ~es)〖俗〗受尊敬的人物。
men·ses [ˋmɛnsiz] *n.* (作 *sing.* or *pl.* 解)〖生理〗月經。
men·stru·al [ˋmɛnstruəl] *adj.* ①每月的；每月一次的。②月經的。
men·stru·ate [ˋmɛnstru,et] *v.i.* 月經來潮；行經。
men·stru·a·tion [,mɛnstruˋeʃən] *n.* ⓊⒸ月經；行經；經期。
men·su·ra·tion [,mɛnʃəˋreʃən] *n.* Ⓤ①測量；測量術。②測量學。
mens·wear [ˋmɛnz,wɛr] *n.* Ⓤ 男裝；男子服飾用品。
***men·tal** [ˋmɛntl̩] *adj.*①心理的。②用腦子的。~ arithmetic 心算。③精神病的。a ~ patient 精神病人。a ~ hospital 精神病院。④智力的；智能的。§ ~ **áge**〖心〗智力年齡；心理年齡。~ **deféctive** 智能不足者。~ **defíciency**〖心〗智能不足；智力缺陷。~ **héaling**〖美〗精神療法。─**ly,** *adv.*
men·tal·ism [ˋmɛntl̩,ɪzəm] *n.* Ⓤ ①〖哲〗唯心論。②〖心〗心靈主義。
men·tal·ist [ˋmɛntl̩ɪst] *n.* Ⓒ①心靈主義者。②具有心靈感應能力者。
men·tal·i·ty [mɛnˋtælətɪ] *n.* Ⓤ①智力。②心理狀態。
men·thol [ˋmɛnθol] *n.* Ⓤ〖化〗薄荷腦。
‡**men·tion** [ˋmɛnʃən] *v.t.* 提及；述及；談起。*Don't ~ it.* 不要客氣。*not to ~* 姑且不談。── *n.* ⓊⒸ陳述；提及。*at the ~ of* 一說到。*make ~ of* 提及。
men·tor [ˋmɛntɚ] *n.* Ⓒ好顧問；良師。
***men·u** [ˋmɛnju, ˋmenju] *n.* Ⓒ ①菜單。②菜餚；餐。③〖電算〗選單。
me·ow [mɪˋaʊ] *n.* Ⓒ貓叫聲。── *v.i.* (貓)咪咪地叫。
Meph·i·stoph·e·les [,mɛfəˋstɑfə,liz] *n.* ①墨菲斯托菲里斯(哥德所著「浮士德」中之魔鬼)。②Ⓒ誘惑者。
mer·can·tile [ˋmɝkən,taɪl] *adj.* 商人的；商業的。§ ~ **âgency** 商業徵信所。~ **marîne**(集合稱)一國商船。
mer·can·til·ism [ˋmɝkən,taɪl-ɪzm̩] *n.* Ⓤ ①重商主義。②商業主義；商人氣質。─**mer′can·til·ist,** *n.*
mer·ce·nar·y [ˋmɝsn̩,ɛrɪ] *adj.*爲金錢而工作的；被雇的。── *n.* Ⓒ①傭兵。②雇來的人。
mer·cer [ˋmɝsɚ] *n.* Ⓒ〖英〗布商；綢緞商。
***mer·chan·dise** [ˋmɝtʃən,daɪz] *n.* Ⓤ①商品。②存貨。── *v.t. & v.i.* ①交易；買賣。②展覽商品以吸引顧客。
mer·chan·dis·ing [ˋmɝtʃən,daɪzɪŋ] *n.* Ⓤ商品之廣告推銷。
‡**mer·chant** [ˋmɝtʃənt] *n.* Ⓒ①商人；零售商。②店主。── *adj.* 商業的。§ ~ **maríne** [**návy**](集合稱)(1)商船。(2)商船船員。~ **prínce** 富商。
mer·chant·man [ˋmɝtʃəntmən] *n.* Ⓒ (*pl.* **-men**)商船。
***mer·ci·ful** [ˋmɝsɪfəl] *adj.* 仁慈的；慈悲的。─**ly,** *adv.*
mer·ci·less [ˋmɝsɪlɪs] *adj.* 無慈悲心的；殘忍的。─**ly,** *adv.*
mer·cu·ri·al [mɝˋkjurɪəl] *adj.* ①水銀的；含水銀的。②活潑的；機智的；多變的。③(M-)水星的。
mer·cu·ri·al·ism [mɝˋkjurɪəl,ɪzm̩] *n.* Ⓤ水銀中毒；汞中毒。
***mer·cu·ry** [ˋmɝkjərɪ] *n.* ①Ⓤ水銀；汞。②Ⓒ溫度計中之水銀柱。③(M-)水星。④(M-)〖羅神〗莫丘里(諸神的使者，爲商人、盜賊等的守護神)。⑤Ⓒ使者。§ ~ **barómeter** 水銀氣壓計。
***mer·cy** [ˋmɝsɪ] *n.* ①Ⓤ仁慈；慈悲；憐憫。②Ⓒ(常*sing.*)天恩；恩惠。③Ⓤ寬恕。④Ⓤ慈善。*at the ~ of* 任…之處置；在…掌握中。*for ~'s sake* 請大發慈悲。*have* (*no, little, some*) *~ on*對…有[無，幾乎沒有，有些]慈悲心。§ ~ **kílling** 安樂死(=euthanasia)。
***mere**[1] [mɪr] *adj.* 祇；不過。
mere[2] *n.* Ⓒ〖詩，方〗小湖；池塘；海洋。
***mere·ly** [ˋmɪrlɪ] *adv.*僅；祇(=only)。
mer·e·tri·cious [,mɛrəˋtrɪʃəs] *adj.*①外表美麗的。②俗麗的；(文體)浮華的。③妓女的。
merge [mɝdʒ] *v.t.* 吞併；兼併；合併。── *v.i.* 吞沒；沒入；消沒。Twilight ~*d* into darkness. 黃昏漸漸消沒於黑暗中。
merg·er [ˋmɝdʒɚ] *n.* Ⓒ①合併；歸併。②合併者。
me·rid·i·an [məˋrɪdɪən, mɪ-] *n.*①Ⓒ子午線；經線。②(the ~)頂點；鼎盛期。the ~ of life壯年。── *adj.*①子午線的。②正午的。③頂點的；全盛的。
me·ringue [məˋræŋ] *n.* ①Ⓤ蛋白糖霜。②Ⓒ蛋白甜餅。
me·ri·no [məˋrino] *n.* (*pl.* ~s) ①Ⓒ

麥利諾羊。② Ⓤ 麥利諾羊毛(布)。③ Ⓤ 麥利諾羊毛紡成的線。

*__mer·it__ [ˋmɛrɪt] *n.* ① ⓊⒸ 優點；價值；功績；功勳。②(*pl.*)功過；是非曲直。③ Ⓒ (常*pl.*)本身的條件、長處、才幹等。*make a ～ of*以…自誇。— *v.t.* 應得。§～ **sỳstem** (美國文官)考績制度。

mer·i·toc·ra·cy [ˏmɛrəˋtɑkrəsɪ] *n.* ① Ⓒ 英才教育制度；(不靠背景的)實力主義(社會)。② Ⓤ (常 the ～，集合稱)精英階層。

mer·i·to·ri·ous [ˏmɛrəˋtorɪəs] *adj.* 應受褒賞的；有功的；有價值的。

mer·maid [ˋmɝˏmed] *n.* Ⓒ ①(雌)人魚；美人魚。②善泳之女子。

mer·man [ˋmɝˏmæn] *n.* Ⓒ (*pl.* **-men**) ①(雄)人魚。②善泳之男子。

mer·ri·ly [ˋmɛrɪlɪ] *adv.* 愉快地；高興地。

mer·ri·ment [ˋmɛrɪmənt] *n.* Ⓤ 歡樂；嬉戲。

‡**mer·ry** [ˋmɛrɪ] *adj.* ①嬉樂的；嬉戲的。②快樂的；愉快的。*M- Christmas to you!* 祝你耶誕快樂！*make ～* 取樂。§ **M- Éngland** (快樂的)英國(自古以來英國人對本國的稱呼)。

mer·ry-an·drew [ˋmɛrɪˋændru] *n.* Ⓒ 小丑；丑角。

mer·ry-go-round [ˋmɛrɪgoˏraund] *n.* Ⓒ ①(娛樂場之)旋轉木馬。②迅速之旋轉。

mer·ry·mak·er [ˋmɛrɪˏmekɚ] *n.* Ⓒ 作樂者；嬉戲者。

mer·ry·mak·ing [ˋmɛrɪˏmekɪŋ] *n.* Ⓤ 作樂；狂歡。

me·sa [ˋmesə] *n.* Ⓒ 高坪；臺地；高臺。

mes·dames [meˋdɑm] 〖法〗 *n.* pl. of **madam** or **madame.**

mesh [mɛʃ] *n.* ① Ⓒ 網孔；篩孔。②(*pl.*)網絲。③ Ⓤ 網。④ Ⓒ〖電〗絡。⑤(*pl.*)陷阱。*in ～*(齒輪)相嚙合。— *v.t. & v.i.* ①以網捕捉。②編織(網)。③(齒輪)嚙合。

mes·mer·ic [mɛsˋmɛrɪk] *adj.*催眠術的。

mes·mer·ism [ˋmɛsməˏrɪzəm] *n.* Ⓤ 催眠術。

mes·mer·ize [ˋmɛsməˏraɪz] *v.t.*① 施以催眠術。②吸引；迷住；迷惑。

Mes·o·lith·ic [ˏmɛsəˋlɪθɪk] *adj.*〖考古〗中石器時代的。

me·son [ˋmizɑn] *n.* Ⓒ〖理〗介子。

Mes·o·po·ta·mi·a [ˏmɛsəpəˋtemɪə] *n.* 美索不達米亞(亞洲西南部 Tigris 與 Euphrates 兩河間之地區)。

Mes·o·zo·ic [ˏmɛsəˋzo·ɪk] 〖地質〗*n.* (the ～)中生代。— *adj.* 中生代的。

*__mess__ [mɛs] *n.*① Ⓤ (又作 a ～)骯髒的一堆；雜亂的一團。The room was in a ～. 這屋子亂七八糟。②(a ～)紊亂；困難。You have made a ～ of the job. 你把這事弄糟了。③ Ⓤ 集體用膳(特指軍中)。④ Ⓤ (軍隊共食之)伙食。⑤ Ⓒ 一盤[餐]之食物。⑥ Ⓒ 流質食物。⑦ Ⓒ 多水而難吃的食物。⑧ Ⓒ 邋遢的人；(思考)混亂的人。— *v.t.* ①污；使紊亂〔常 up〕。②將(事務等)弄糟。③(軍中)供伙食。— *v.i.* ①共食；聚餐。②亂忙。*～ about* [*around*] **a.**亂忙；窮忙。**b.**浪費時間。**c.**鬼混。*～ in* [*with*] 管閒事。§～ **hàll** (軍隊等的)餐廳。～ **kìt** 攜帶用的一套餐具。

‡**mes·sage** [ˋmɛsɪdʒ] *n.* Ⓒ ①消息；音信。a congratulatory ～賀辭；賀電。②官方之(口頭或文字)報告。③神示；預言。④(信使之)任務。⑤(電影、戲劇、小說中之)寓意；教訓。

*__mes·sen·ger__ [ˋmɛsn̩dʒɚ] *n.* Ⓒ ①報信者；信差。②先驅；預兆。

Mes·si·ah [məˋsaɪə] *n.* ①(the ～) 彌賽亞(猶太人所期待的救世主)。②(the ～)基督。③(m-) Ⓒ 解救者。

mes·sieurs [ˋmɛsɚz] 〖法〗 *n. pl.* (*sing.* **mon·sieur**[məˋsjɝ])各位先生；諸君。

mess·room [ˋmɛsˏrum] *n.* Ⓒ (軍隊、工廠等的)餐廳。

Messrs. Messieurs(為 Mr. 之複數，用於有人名的公司名稱之前)。

mess·y [ˋmɛsɪ] *adj.* ①雜亂的；污穢的；紊亂的。②生活紊亂的。

mes·ti·zo [mɛsˋtizo] 〖西〗*n.* Ⓒ (*pl.* ～(**e**)**s**)(尤指西班牙或葡萄牙人與北美印地安人的)混血兒。

‡**met** [mɛt] *v.* pt. & pp. of **meet**[1].

me·tab·o·lism [məˋtæbl̩ˏɪzəm] *n.* Ⓤ〖生物〗①新陳代謝。②(昆蟲等之)變形。— **met·a·bol·ic** [ˏmɛtəˋbɑlɪk], *adj.*

me·tab·o·lize, 〖英〗**-lise** [məˋtæbl̩ˏaɪz] *v.t.*〖生物〗使新陳代謝；使變形；使變態。— *v.i.* 經過變形之過程。

‡**met·al** [ˋmɛtl̩] *n.*① ⓊⒸ 金屬。② Ⓒ〖化〗金屬元素。③ Ⓤ 鋪路用之碎石、煤屑等。④ Ⓤ 製玻璃或瓷器的熔漿。⑤ Ⓤ 質料；本質。⑥(*pl.*)〖英〗鐵路軌道。— *v.t.* (-l-,〖英〗-ll-)①以金屬覆蓋。②〖英〗以碎石鋪路。§～ **detéctor** 金屬探測器。

met·a·lan·guage [ˋmɛtəˏlæŋgwɪdʒ] *n.* ⓊⒸ〖語言〗元語言(用以分析、記述某種語言的更高層次的語言[符號]體系)。

met·a·lin·guis·tics [ˏmɛtəlɪŋˋgwɪstɪks] *n.* Ⓤ 元語言學(研究語言與其他文化因素之關係)。

met·al·ize [ˋmɛtl̩ˏaɪz] *v.t.* ①以金屬處理；覆以金屬。②使金屬化。

*__me·tal·lic__ [məˋtælɪk] *adj.*①金屬的。②似金屬的。a ～ voice 清脆的聲音。

met·al·lif·er·ous [ˏmɛtl̩ˋɪfərəs] *adj.* 含金屬的；產金屬的。

met·al·lur·gy [ˋmɛtl̩ˏɝdʒɪ] *n.* Ⓤ 冶金學[術]。— **met·al·lur′gi·cal,** *adj.*

met·al·work [ˋmɛtl̩ˏwɝk] *n.* Ⓤ ①金屬製品。②金屬製造。

met·al·work·ing [ˋmɛtl̩ˏwɝkɪŋ] *n.* ⓊⒸ 金屬製造；金屬加工。

met·a·mor·phic [ˏmɛtəˋmɔrfɪk] *adj.* ①變化的；變性的；變態的；變形的。②〖地質〗變質的。

met·a·mor·phose [ˏmɛtəˋmɔrfoz] *v.t.* 使變形。

met·a·mor·pho·sis [ˏmɛtəˋmɔrfəsɪs] *n.* ⓊⒸ (*pl.* **-ses** [-ˏsiz]) ①蛻變。②變質；變態。③〖醫〗變形；變態。

met·a·phor [ˋmɛtəfɚ] *n.* ⓊⒸ 隱喻；暗譬。

met·a·phor·i·cal [ˌmɛtəˋfɔrɪkl] *adj.* 隱喩的; 比喩的。— **ly,** *adv.*
met·a·phys·i·cal [ˌmɛtəˋfɪzɪkl] *adj.*①形而上學的。②極抽象的; 難了解的。— **ly,** *adv.*
met·a·phy·si·cian [ˌmɛtəfəˋzɪʃən] *n.* Ⓒ玄學家; 形而上學家。
met·a·phys·ics [ˌmɛtəˋfɪzɪks] *n.* Ⓤ形而上學; 玄學。
me·tas·ta·sis [məˋtæstəsɪs] *n.* Ⓤ Ⓒ (*pl.* **-ses** [-ˌsiz])〖醫〗癌症等(病毒)之轉移。
mete[1] [mit] *v.t.*①分配; 給與(賞罰)〔常 out〕。②〖詩〗衡量。
mete[2] *n.* Ⓒ分界石; 境界。
me·tem·psy·cho·sis [ˌmɛtəmsaɪˋkosɪs]*n.* Ⓤ Ⓒ *pl.*-**ses**[-siz])靈魂的再生; 轉生; 輪迴。
me·te·or [ˋmitɪɚ] *n.* Ⓒ①〖天〗流星。②〖俗〗移動快速的人或事物; 一夜間成名的人。— **me·te·or·ic** [ˌmitɪˋɔrɪk], *adj.*
me·te·or·ite [ˋmitɪɚˌaɪt] *n.* Ⓒ隕石。
me·te·o·roid [ˋmitɪəˌrɔɪd]*n.* Ⓒ〖天〗流星體; 隕星體。
me·te·or·o·log·ic, -i·cal [ˌmitɪərəˋlɑdʒɪk(l)] *adj.* 氣象的; 氣象學的。§ ∼ **obsérvatory** 氣象台。
me·te·or·ol·o·gy [ˌmitɪəˋrɑlədʒɪ] *n.* Ⓤ氣象學。— **me·te·or·ol′o·gist,** *n.*
‡**me·ter**[1] [ˋmitɚ] *n.* ①Ⓒ公尺; 米。②Ⓤ Ⓒ詩與音樂的韻律。
me·ter[2] *n.* Ⓒ計量器。a water ∼水表。— *v.t.*以計量器計量。§ ∼ **màid** 取締違規停車的(交通)女警; 停車錶女管理員。
meth·ane [ˋmɛθen] *n.* Ⓤ〖化〗沼氣; 甲烷。
meth·a·nol [ˋmɛθəˌnol] *n.* Ⓤ〖化〗甲醇。(亦作**methyl alcohol** 或 **wood alcohol**)
me·thinks [mɪˋθɪŋks] *v.* (*pt.* **methought**)〖古〗據我看來; 我以爲(=it seems to me)。
‡**meth·od** [ˋmɛθəd] *n.*①Ⓒ方法。②Ⓤ有條有理; 計畫。③Ⓒ順序; 程序。
me·thod·i·cal [məˋθɑdɪkl] *adj.*①有方法的; 有順序的。②做事有條不紊的。③緩慢而艱難的。— **ly,** *adv.*
Meth·od·ist [ˋmɛθədɪst] *n.* Ⓒ ①〖基督教〗美以美會教徒。②(m-)過分強調方法的人。
meth·od·ize [ˋmɛθəˌdaɪz] *v.t.* 使方式化[有條理, 有系統]。
meth·od·ol·o·gy [ˌmɛθədˋɑlədʒɪ] *n.* Ⓤ Ⓒ方法論。
me·thought [mɪˋθɔt] *v.* pt. of **methinks.**
meth·yl [ˋmɛθəl] *n.* Ⓤ & *adj.*〖化〗甲基(的)。
me·tic·u·lous [məˋtɪkjələs] *adj.* 極端注意瑣事的; 拘泥細節的。— **ly,** *adv.*
mé·tier [meˋtje]〖法〗*n.* Ⓒ行業; 職業; 專長。
me-too [ˋmiˋtu] *adj.*①模仿的; 仿效對方的。②〖美俚〗人云亦云的。
me-too·ism [ˋmiˋtuɪzəm] *n.* Ⓤ〖俗〗仿效主義; 附和人云亦云的作風; 採用反對黨的政綱、政見等。
‡**me·tre** [ˋmitɚ] *n.*〖英〗=**meter.**
met·ric [ˋmɛtrɪk] *adj.* ①米制的; 十進制的; 公制的。②測量的。③詩體的。§ ∼ **sỳstem** 米突制; 公制。
met·ri·cal [ˋmɛtrɪkl] *adj.* ①用詩體寫的。②測量的。
met·ri·ca·tion [ˌmɛtrɪˋkeʃən] *n.* Ⓤ (度量衡的)十進制[公制]換算。
met·ro [ˋmɛtro] *n.*(有時 M-, the ∼)(歐洲都市之)地下鐵。
met·ro·nome [ˋmɛtrəˌnom] *n.* Ⓒ〖樂〗節拍器。
***me·trop·o·lis** [məˋtrɑplɪs] *n.* ①(the ∼)首府; 主要城市。②Ⓒ大城市; 重要中心。
***met·ro·pol·i·tan** [ˌmɛtrəˋpɑlətn̩] *adj.*①大都市的。②母國的。③大主教區的。— *n.* Ⓒ①大都市之居民。②大主教。③母國的居民。
Met·ter·nich [ˋmɛtɚnɪk]*n.*梅特涅 (Prince von, 1773-1859, 奧國政治家及外交家)。
met·tle [ˋmɛtl] *n.* Ⓤ①勇氣; 精神。②性格。*be on* [*upon*] *one's* ∼ 奮發。*put one on one's* ∼ 激勵某人。
met·tle·some [ˋmɛtl̩səm] *adj.*有精神的; 勇敢的; 熱心的。
mew[1] [mju] *n.* Ⓒ 咪咪(貓叫聲)。— *v.i.* 作貓叫聲。
mew[2] *n.* Ⓒ海鷗。(亦作 **sea mew**)
mew[3] *v.t.* ①關(鷹)入籠。②把…關起來〔up〕。
mewl [mjul] *v.i.*(嬰兒)低聲啜泣。
Mex. Mexican; Mexico.
Mex·i·can [ˋmɛksɪkən] *adj.* 墨西哥的。— *n.* ①Ⓒ墨西哥人。②Ⓤ墨西哥語。§ ∼ **promótion**〖美俚〗不加薪的升級。∼ **Spánish** 墨西哥使用的西班牙語。∼ **Wár** 墨西哥戰爭(美國與墨西哥之戰, 1846-48)。∼ **wáve**(啦啦隊之)海浪式接龍。
Mex·i·co [ˋmɛksɪˌko] *n.*墨西哥(中美洲國家, 首都爲 Mexico City)。
mez·za·nine [ˋmɛzəˌnin] *n.* Ⓒ ①中層樓。②(戲院中之)包廂。
mez·zo [ˋmɛtso]〖義〗*adv.*〖樂〗中半; 適度地。∼ forte 中強。
mez·zo-so·pra·no [ˋmɛtsosəˋpræno] *n.* (*pl.* ∼**s, -ni** [-ni])〖樂〗①Ⓤ次女高音。②Ⓒ次女高音歌手。
mez·zo·tint [ˋmɛtsəˌtɪnt] *n.* ①Ⓤ一種銅板雕刻法。②Ⓒ此種銅板印製之物。
mg. milligram(s). **M.G.M.** Metro-Goldwin-Mayer.(美國之)米高梅影片公司。 **MHz**〖電〗megahertz.
mi [mi] *n.* Ⓤ Ⓒ〖樂〗長音階之第三音。
M.I., MI Michigan. **MIA** missing in action.
Mi·am·i [maɪˋæmə] *n.*邁阿密(美國 Florida 州東南部之一城市)。
mi·aow, mi·aou [mɪˋaʊ] *n.* & *v.* =**mew**[1]. (亦作 **miaul**)
mi·as·ma [maɪˋæzmə] *n.* Ⓒ (*pl.* ∼**s,** ∼**ta** [∼tə])瘴氣。
mi·as·mal [maɪˋæzml] *adj.* ①瘴氣的; 毒氣的。②有害的。
mi·ca [ˋmaɪkə] *n.* Ⓤ〖礦〗雲母。
Mi·caw·ber·ism [məˋkɔbərɪzm] *n.* Ⓤ幻想的樂天主義(出自Dickens 所著

David Copperfield小說中人物Micawber).
***mice** [maɪs] *n.* pl. of **mouse.**
Mich·ael·mas [ˋmɪkḷməs] *n.* 聖米迦勒節(九月二十九日)。§~ **tèrm**〖英〗秋季的學期(第一學期)。
Mi·chel·an·ge·lo Buo·nar·ro·ti [ˏmaɪkḷˋændʒəˏlo ˏbwɔnarˋrɔtɪ] *n.* 米開蘭基羅(1475-1564, 義大利雕刻家、畫家及建築家)。
Mich·i·gan [ˋmɪʃəgən] *n.*密西根(美國中西部的一州)。
Míck·ey Móuse [ˋmɪkɪ ~] *n.*①米老鼠(W. Disney 卡通漫畫的主角名)。②Ⓒ(常 m- m-)〖俚〗不重要[沒價值]的東西。③Ⓒ(常 m- m-)過分簡單[容易]的科目[課程]。
mick·le [ˋmɪkl] *adj. & adv. & n.* (a ~)〖古,蘇〗多;大。*Many a* [*Every*] *little makes a ~.* 積少成多;集腋成裘。
micro- 〖字首〗①表「極微小」之義。②表「擴大」之義。③表「一百萬分之一」之義(在母音前作micr-)。④表「顯微鏡的」之義。
mi·crobe [ˋmaɪkrob] *n.* Ⓒ ①微生物。②病菌。
mi·cro·bi·ol·o·gist [ˏmaɪkrobaɪˋalədʒɪst]*n.* Ⓒ 微生物學家;細菌學家。
mi·cro·bi·ol·o·gy [ˏmaɪkrobaɪˋalədʒɪ] *n.* Ⓤ 微生物學。
mi·cro·bus [ˋmaɪkroˏbʌs] *n.* Ⓒ〖美〗小型公車[巴士]。
mi·cro·chip [ˋmaɪkroˏtʃɪp] *n.* Ⓒ〖電〗微晶片(積體電路上的半導體零件)。
mi·cro·cir·cuit [ˋmaɪkroˏsɝkɪt] *n.* Ⓒ 積體電路(=integrated circuit).
mi·cro·com·put·er [ˏmaɪkrokəmˋpjutɚ] *n.* Ⓒ 微電腦。
mi·cro·cop·y [ˋmaɪkrəˏkapɪ] *n.* Ⓒ 縮影膠片版。
mi·cro·cosm [ˋmaɪkrəˏkazəm] *n.* Ⓒ ①小天地;小宇宙(爲 macrocosm 之對)。②人(作爲宇宙之縮影)。③縮圖。— **mi·cro·cos′mic**, *adj.*
mi·cro·ec·o·nom·ics [ˏmaɪkroˏikəˋnamɪks] *n.* Ⓤ 個體經濟學(以個別消費者、生產者、企業等的經濟行爲作研究對象, 爲macroeconomics之對)。
mi·cro·e·lec·tron·ics [ˏmaɪkroɪˏlɛkˋtranɪks] *n.* Ⓤ 微體電子學(處理電子回路的集積技術等)。
mi·cro·film [ˋmaɪkrəˏfɪlm] *n.* Ⓤ Ⓒ ①顯微膠片。②顯微鏡照相。— *v.t. & v.i.* 用顯微膠片攝影。
mi·cro·groove [ˋmaɪkrəˏgruv] *n.* Ⓒ 留聲機唱片上之細溝。
mi·cro·in·struc·tion [ˏmaɪkroɪnˋstrʌkʃən] *n.* Ⓒ〖電算〗微指令。
mi·cro·ma·nip·u·la·tion [ˏmaɪkroməˏnɪpjəˋleʃən] *n.* Ⓤ 顯微外科手術。
mi·crom·e·ter [maɪˋkramətɚ] *n.* Ⓒ 測微計(量極微小之距離、角度)。§~ **cáliper** 測微鏡。
mi·cron [ˋmaɪkran] *n.* Ⓒ (*pl.* **~s, mi·cra**)百萬分之一公尺;微米。
mi·cro·or·gan·ism [ˏmaɪkroˋɔrgənˏɪzəm] *n.* Ⓒ 微生物。
***mi·cro·phone** [ˋmaɪkrəˏfon] *n.* Ⓒ 麥克風。
mi·cro·print [ˋmaɪkrəˏprɪnt] *n.* Ⓒ 縮小複印圖片。— *v.t.* 縮小複印。
mi·cro·proc·es·sor [ˏmaɪkrəˋprasɛsɚ] *n.* Ⓒ〖電算〗微處理機。
mi·cro·pro·gram [ˏmaɪkrəˋprogræm]*n.* Ⓒ〖電算〗微程式。
***mi·cro·scope** [ˋmaɪkrəˏskop] *n.* Ⓒ 顯微鏡。
mi·cro·scop·ic, -i·cal [ˏmaɪkrəˋskapɪk (ḷ)] *adj.* ①微小的;僅用顯微鏡可見的。②精微的。③顯微鏡的;用顯微鏡的。
mi·cros·co·py [maɪˋkraskəpɪ] *n.* Ⓤ 顯微鏡使用(法);顯微鏡檢查。
mi·cro·sec·ond [ˋmaɪkrəˏsɛkənd] *n.* Ⓒ 百萬分之一秒;微秒。
mi·cro·sur·ger·y [ˋmaɪkroˏsɝdʒərɪ] *n.* Ⓤ 顯微外科手術。
mi·cro·tome [ˋmaɪkrəˏtom] *n.* Ⓒ (顯微鏡檢查用的薄片)切片機。
mi·cro·wave [ˋmaɪkrəˏwev] *n.* Ⓒ〖無線〗微波(波長在1公尺以下之電磁波)。§~ **òven** 微波爐。
mid [mɪd] *adj.*中部的;中間的;中央的。§~ **óff**〖板球〗在投手左側位置的野手;其位置。~ **ón**〖板球〗在投手右側位置的野手;其位置。
mid- 〖字首〗表「中;中部」之義。
mid·air [ˏmɪdˋɛr] *n.* Ⓤ 半空中。
Mi·das [ˋmaɪdəs] *n.*①麥得斯(希臘傳說中 Phrygia 之王, 能點物成金)。②Ⓒ 大富翁;善理財者。
***mid·day** [ˋmɪdˏde] *n.* Ⓤ & *adj.* 正午(的);中午(的)。
mid·den [ˋmɪdṇ] *n.* Ⓒ ①廚房內堆積之殘餘物。②〖方〗糞堆;垃圾堆。③〖考古〗(史前人類的)貝塚。
‡**mid·dle** [ˋmɪdl] *adj.*①中間的;中央的;正中的。②居中的;中等的。③中庸的;不極端的。— *n.* ①(the ~)中央;中間;中部;中心。②(the ~, one's ~)腰部。§ **M~ Áges** 中古時代。**M~ América** 中美洲。~ **cláss** (1)中流社會;中產階級。(2)〖英〗介於貴族及勞工間的中產階級。(3)中等;中層。~ **dístance** (1)〖繪畫〗中景。(2)〖徑賽〗中距離。~ **éar**〖解〗中耳。**M~ East** 中東。**M~ Énglish** 中古英語。~ **fínger** 中指。~ **lífe** (1)中年。(2)〖英〗中等生活。~ **nàme** 中間名。~ **schòol** 中學。~ **wáy** 中庸之道;中間路線。**M~ Wést** 美國中西部(=Midwest).
mid·dle-aged [ˋmɪdlˋedʒd] *adj.*中年的。
míd·dle-age spréad [ˋmɪdlˏedʒ ~] *n.* Ⓤ 中年(腰部)發福。
mid·dle·brow [ˋmɪdlˏbraʊ] *adj. & n.* Ⓒ 知識[學問, 教養等]中等程度的(人)。
mid·dle-class [ˋmɪdlˋklæs] *adj.* 「中產階級的。」
mid·dle·man [ˋmɪdlˏmæn] *n.* Ⓒ (*pl.* **-men**)①經紀人。②居間人。③傳播者。
mid·dle·most [ˋmɪdlˏmost]*adj.*正

中的；近中點的(=midmost).
mid·dle-of-the-road [ˋmɪdl̩-əvðəˋrod]*adj.*〖美〗中庸的；不走極端的。
mid·dle-sized [ˋmɪdl̩ˋsaɪzd] *adj.* 中等大小的。
mid·dle·weight [ˋmɪdl̩ˏwet] *n.* Ⓒ①體重中等之人。②(拳擊、摔角等之)中量級(147-160 磅)。
mid·dling [ˋmɪdlɪŋ] *adj.* (大小、品質、等級等)中等的。— *adv.*〖俗〗略爲；頗爲。— *n.* Ⓒ (常 *pl.*)①中等貨；次級品。②粗麵粉。
mid·dy [ˋmɪdɪ] *n.* Ⓒ①〖俗〗= **midshipman.** ② = **middy blouse.** § ∼ **blòuse** (婦女或兒童穿的)水手領罩衫。
Mid East, Mid·east [ˋmɪdˋist] *n.* (the ∼) = **Middle East.**
midge [mɪdʒ] *n.* Ⓒ①蚊、蚋等類的小蟲。②侏儒；矮人。
midg·et [ˋmɪdʒɪt] *n.* Ⓒ ①侏儒；矮人。②極小的東西。
mid·i [ˋmɪdɪ] *n.* Ⓒ迷地裝[裙]。(亦作 **longuette**)
mid·land [ˋmɪdlənd] *n.* Ⓒ (the ∼) 內陸；(一國)中部。***the Midlands***英格蘭中部諸郡。— *adj.* (在)內陸的。
mid-life [ˋmɪdˏlaɪf] *n.* Ⓤ中年(=middle age). § ∼ **crísis** 中年危機(中年時有感於青春已逝，而常覺得不快樂和缺乏信心等)。
mid·morn·ing [ˋmɪdˋmɔrnɪŋ] *n.* Ⓤ上午十時左右。
mid·most [ˋmɪdˏmost]*adj.*正中的；在中點的；近中點的。— *adv.*在正中地；在中間部分地。
‡**mid·night** [ˋmɪdˏnaɪt] *n.* Ⓤ & *adj.* 夜半(的)；午夜(的)。§ ∼ **féast**小宵夜(半夜吃的小點心，尤指住校小學生半夜偷偷起來吃的甜食)。
mid·point [ˋmɪdˏpɔɪnt] *n.* Ⓒ (常*sing.*)中心點；中央；中點。
mid·riff [ˋmɪdrɪf] *n.* Ⓒ①〖解〗橫膈膜。②軀幹的中央部分。
mid·ship·man [ˋmɪdˏʃɪpmən] *n.* Ⓒ (*pl.* **-men**)①美國海軍學校學生。②海軍少尉之候補軍官。
midst [mɪdst] *n.* (常 the ∼, one's ∼) 中間；中央。***in the ∼ of*** 在其中。— *prep.* 在…中間。— *adv.* 在中間。***first, ∼, and last***始終一貫；徹頭徹尾。
mid·stream [ˋmɪdˏstrim] *n.* Ⓤ 中流。
mid·sum·mer [ˋmɪdˋsʌmɚ] *n.* Ⓤ ①仲夏。②夏至期(六月二十一日左右)。§ **M∼ Dáy** 仲夏節(施洗者聖約翰的節日，6 月 24 日)。
mid·term [ˋmɪdˏtɝm] *adj.* (學期、總統任期等之)期中的。— *n.* ① Ⓒ (常 *pl.*)〖俗〗(大學等之)期中考試。② Ⓤ 學期期中。③ Ⓤ 任期期中。
mid·town [ˋmɪdˋtaʊn] *n.* Ⓒ 市中心區。— *adj.* (位於)市中心區的。
mid·way [ˋmɪdˋwe] *adj.* 中途的；中間的。— *adv.*在中途地。— *n.* Ⓒ ①中途；中間。②(博覽會中的)遊藝場；娛樂場。§ **M∼ Íslands** 中途島。
mid·week [ˋmɪdˋwik] *n.* Ⓤ ①一週的中間(指星期二、三、四，尤指星期三)。②(M-)(教友派教徒間之)星期三。— *adj.* 一週的中間的。
Mid·west [ˋmɪdˋwɛst] *n.* = **Middle West.**
mid·wife [ˋmɪdˏwaɪf] *n.* Ⓒ (*pl.* **-wives**) 助產士；接生婆。
mid·wife·ry [ˋmɪdˏwaɪfərɪ] *n.* Ⓤ ①助產(術)；接生(術)。②產科學。
mid·win·ter [ˋmɪdˋwɪntɚ] *n.* Ⓤ ① 仲冬。②冬至(十二月二十一日左右)。
mid·year [ˋmɪdˏjɪr] *adj.* ①年中的。②學年中的。③於(學)年中舉行的。— *n.* ① Ⓤ 年中。② Ⓤ 學年中。③ Ⓒ (常*pl.*)〖俗〗年中考試。
mien [min] *n.* Ⓒ (常 *sing.*)風采；態度。
miff [mɪf] 〖俗〗 *n.* (a ∼)生氣；惱怒。— *v.t.* 使生氣；激怒。— *v.i.* 發脾氣；生氣；作無謂的爭執。
miffed [mɪft] *adj.* 〖俗〗被激怒的。
MIG, Mig [mɪg] *n.* Ⓒ 米格機(前蘇聯製噴射戰鬥機)。
‡**might**[1] [maɪt] *aux. v.* pt. of **may.**①表過去之「許可；可能」等。②表「與現狀相反」之事。③表比 may 可能性較小之事。④用於客氣措辭中。You ∼ at least apologize. 你至少應該道歉吧。
might**[2] *n.* Ⓤ ①體力；氣力。②強權；權力；勢力。③智力；才幹。with ∼ and main; with all one's ∼*** 傾全力。
might·y** [ˋmaɪtɪ] *adj.*①強大的；有勢力的。②巨大的。high and ∼***〖俗〗很驕傲。— *adv.* 〖俗〗很；極。
mi·graine [ˋmaɪgren] *n.* Ⓤ Ⓒ偏頭痛。
mi·grant [ˋmaɪgrənt] *n.* Ⓒ移居之人或鳥獸等；候鳥。— *adj.* 移居的。
mi·grate [ˋmaɪgret] *v.i.* ①移動；移往。②(鳥、魚等)隨季節變化而移棲。
mi·gra·tion [maɪˋgreʃən] *n.* ① Ⓤ Ⓒ 移動；移住。② Ⓒ (鳥、魚等)成群移動。③ Ⓒ 成群遷徙的人或物。④ Ⓤ Ⓒ〖化〗分子中的原子移動。§ ∼ **státion** 候鳥觀測站。
mi·gra·to·ry [ˋmaɪgrəˏtorɪ] *adj.* 流動的；移動的。
Mi·ka·do, mi·ka·do [məˋkado]〖日〗*n.* Ⓒ (*pl.* ∼**s**) 日本天皇。
mike [maɪk] *n.* 〖俚〗= **microphone.**
mil [mɪl] *n.* Ⓒ①〖電〗密爾(千分之一英寸，計算電線直徑之單位)。② = **milliliter.**
mi·la·dy, -di [mɪˋledɪ] *n.* ①(常M-)夫人(從前歐洲人對英國貴婦之稱呼)；英國貴婦。② Ⓒ 貴婦；時髦婦女。
Mi·lan [mɪˋlæn] *n.* 米蘭(義大利北部之一城市)。— **Mil·an·ese′**, *n.* & *adj.*
milch [mɪltʃ] *adj.* 生乳的(牛、羊等)；爲擠乳而飼養的。***treat a person as a ∼ cow*** 將某人當作搖錢樹。
***mild** [maɪld] *adj.* ①溫柔的。②溫暖的。③軟甜的。④寬大的。⑤不嚴重的。— **ly**, *adv.* — **ness**, *n.*
mil·dew [ˋmɪlˏdju] *n.* Ⓤ①霉；黴。②〖植〗黴菌病。— *v.t.* & *v.i.* (使)生霉。— **mil′dew·y**, *adj.*
mil·dewed [ˋmɪlˏdjud] *adj.* ①發霉的。②〖植〗生黴菌病的。

‡mile [maɪl] *n.* ①Ⓒ哩；英里(5,280 英尺)。②(the ～)一英里賽跑。

***mile·age** [ˋmaɪlɪdʒ] *n.* Ⓤ①哩數；哩程。②(以英里計算之)旅費。③效益；用途。

mile·post [ˋmaɪl,post] *n.* Ⓒ哩程標。

mile·stone [ˋmaɪl,ston] *n.* Ⓒ ①哩程標；哩程碑。②劃時代的重大事件。

mi·lieu [miˋljɸ] 〖法〗*n.* Ⓒ (*pl.* **～s, ～x** [～]) (常 *sing.*) 環境。

mil·i·tant [ˋmɪlətənt] *adj.* 態度強硬的；從事戰鬥的；好戰的。— *n.* Ⓒ好戰者；態度強硬者。— **mil′i·tan·cy,** *n.*

mil·i·ta·rism [ˋmɪlətə,rɪzəm] *n.* Ⓤ軍國主義；黷武主義。

mil·i·ta·ris·tic [,mɪlətəˋrɪstɪk] *adj.* 軍國主義的。

mil·i·ta·rize [ˋmɪlətə,raɪz] *v.t.*①使軍國主義化；使軍隊化。②灌輸尙武精神；使好戰。— **mil·i·ta·ri·za′tion,** *n.*

***mil·i·tar·y** [ˋmɪlə,tɛrɪ] *adj.* ①軍人的；軍事的；戰爭的。②軍人所做的。③適於軍人的。④好戰的；尙武的。— *n.* (the ～,集合稱)軍隊；軍人。§ ～ **políce** 憲兵隊。～ **revíew** 閱兵式。～ **scíence** 軍事學。～ **sérvice** 兵役。

mil·i·tate [ˋmɪlə,tet] *v.i.* 發生作用；影響〔against, for〕。

mi·li·tia [məˋlɪʃə] *n.* (the ～, 集合稱)人民自衛隊；國民兵。

mi·li·tia·man [məˋlɪʃəmən] *n.* Ⓒ (*pl.* **-men**) 民兵；國民兵；自衛隊員。

‡milk [mɪlk] *n.* Ⓤ ①乳。②乳狀物。***cry over spilt ～*** 對無法挽回的事感到悲傷。***the ～ of human kindness*** 慈悲的心腸。— *v.t.*①擠(牛、羊等之)乳。②擠出…的汁或毒液。③榨取；勒索。④加牛奶於。— *v.i.* ①產乳。②擠奶。§ ～ **rùn** 〖俗〗走慣了的路；老路線。～ **shàke** 奶昔。～ **sùgar** 乳糖。～ **tòast** 和牛奶一道吃的麵包。～ **tòoth** 乳齒。

milk-and-wa·ter [ˋmɪlkənˋwɔtɚ] *adj.* 無力的；缺少魄力的；索然無味的。

milk·er [ˋmɪlkɚ] *n.* Ⓒ ①擠奶的人。②擠乳器。③乳牛。

milk·maid [ˋmɪlk,med] *n.* Ⓒ 擠乳婦；牛奶廠女工。

milk·man [ˋmɪlk,mæn, -mən] *n.* Ⓒ (*pl.* **-men**) 賣牛奶者；送牛奶者。

milk·sop [ˋmɪlk,sɑp] *n.* Ⓒ 懦夫；脂粉氣的男人。

milk-white [ˋmɪlk,hwaɪt] *adj.* 乳白色的。

milk·y [ˋmɪlkɪ] *adj.* ①乳狀的；乳白色的。②(含)乳的。③柔和的；軟弱的。§ **M～ Wáy** 天河；銀河。

mill** [mɪl] *n.* Ⓒ ①磨粉機；壓榨機。②製粉廠；磨坊。③工廠；製造廠。④〖俗〗拳戰。go*** [***put***] ***through the ～*** **a.** 得到徹底的訓練或經驗。**b.**由痛苦經驗中學習。— *v.t.*① 磨細；碾。② 磨成漿。③製造。④使(牛群等)亂轉。⑤〖俗〗以拳打；打。⑥軋齒邊於(錢幣)上。— *v.i.*①亂轉。②亂鬨鬨地推擠。③被磨。④〖俚〗拳鬥。§ ～ **whèel** 水車；水車的輪子。

mill·board [ˋmɪl,bord] *n.* Ⓤ厚紙；(做書皮用的)紙板。

mill·dam [ˋmɪl,dæm] *n.* Ⓒ (水車用的)水壩或水池。

mil·le·nar·i·an [,mɪləˋnɛrɪən] *adj.* 千年的；千福年的。— *n.* Ⓒ相信千福年說的人。

mil·le·nar·y [ˋmɪlə,nɛrɪ] *adj.* ①千的；成千的；千年(間)的。②千福年的。③信千福年之人的。

mil·len·ni·al [məˋlɛnɪəl] *adj.* 千年(間)的；千福年的。

mil·len·ni·um [məˋlɛnɪəm] *n.* (*pl.* **～s, -ni·a** [-nɪə]) ① Ⓒ 一千年；一千年之期間。② Ⓒ 千年紀念；千年祭。③ (the ～)〖神學〗千福年(基督將再臨統治人間的神聖的一千年)。④ Ⓒ (理想中將來之)太平盛世；黃金時代。

mil·le·pede [ˋmɪlə,pid] *n.* Ⓒ〖動〗馬陸；千足蟲。

mill·er [ˋmɪlɚ] *n.* Ⓒ ①廠主(特指麵粉廠主)；磨坊主。②粉蛾。

mil·les·i·mal [mɪˋlɛsəməl] *n.* Ⓒ & *adj.* 千分之一(的)。

mil·let [ˋmɪlɪt] *n.* Ⓤ稷；粟。

milli- 〖字首〗表「千分之一；毫」之義。

mil·li·bar [ˋmɪlɪ,bɑr] *n.* Ⓒ〖氣象〗毫巴(氣壓單位)。

mil·li·gram(me) [ˋmɪlə,græm] *n.* Ⓒ 千分之一公克；毫克。

mil·li·li·ter, 〖英〗**-tre** [ˋmɪlə,litɚ] *n.* Ⓒ 千分之一公升；公撮。

mil·li·me·ter, 〖英〗**-tre** [ˋmɪlə,mitɚ] *n.* Ⓒ 毫米；公釐。

mil·li·ner [ˋmɪlənɚ] *n.* Ⓒ 製造[販賣]女帽者。

mil·li·ner·y [ˋmɪlə,nɛrɪ] *n.* Ⓤ ①(集合稱)女帽。②女帽製造[販賣]業。

‡mil·lion [ˋmɪljən] *n.* (*pl.* **～, ～s**)① Ⓒ 百萬。②(*pl.*)數百萬；無數；多數。③(the ～)大眾。— *adj.* ①百萬的。②(常 a ～)無數的；多數的。

mil·lion·(n)aire [,mɪljənˋɛr] *n.* Ⓒ百萬富翁；大富豪。

mil·lionth [ˋmɪljənθ] *n.* & *adj.*① Ⓤ (常 the ～)第一百萬(的)。② Ⓒ 百萬分之一(的)。

mil·li·sec·ond [ˋmɪlə,sɛkənd] *n.* Ⓒ千分之一秒；毫秒。

mill·stone [ˋmɪl,ston] *n.* Ⓒ①石磨；磨石。②任何能研磨之物。③重擔。

milque·toast [ˋmɪlk,tost] *n.* Ⓒ 意志薄弱者；膽小者。

milt [mɪlt] *n.* Ⓤ魚之精液。

Mil·ton [ˋmɪltn̩] *n.* 密爾頓 (John, 1608-74, 英國詩人)。

mime [maɪm] *n.* Ⓒ ①丑角。②(古希臘羅馬之)一種笑劇。③此種笑劇演員。④啞劇動作。— *v.i.*扮演笑劇；扮演啞劇。— *v.t.* 以啞劇動作表演。

mim·e·o·graph [ˋmɪmɪə,græf] *n.* Ⓒ ①油印機。②油印品。— *v.t.* 用油印機油印。

mi·me·sis [mɪˋmisɪs] *n.* Ⓤ ①〖修〗模寫；模仿。②〖生物〗擬態。

mi·met·ic [mɪˋmɛtɪk] *adj.*①模仿的。②〖生物〗擬態的。③擬似的；類似的。

mim·ic [ˋmɪmɪk] *v.t.* (**-ck-**)①模仿以取笑；戲擬。②仿效；擬態。— *n.* Ⓒ

善於模仿之人或物。— *adj.* ①假裝的；模擬的。②模仿別人的。

mim·ic·ry [ˋmɪmɪkrɪ] *n.* Ⓤ ①戲擬；模仿。②〖生物〗擬態。

mi·mo·sa [mɪˋmosə] *n.* ⓊⒸ 含羞草。

min. minimum; minute(s).

mi·na·cious [mɪˋneʃəs] *adj.* 威脅的；脅迫的；恫嚇的。

min·a·ret [ˌmɪnəˋrɛt] *n.* Ⓒ (回教寺院之)尖塔。

mince [mɪns] *v.t.*①切碎；剁碎。②細分(土地等)。③矯飾地說或做。— *v.i.* ①言行矯飾。②裝腔作勢地走。— *n.* Ⓤ ①切碎物。②=**mincemeat.** § ∼ **píe** 碎肉餅(以 mincemeat 爲餡的圓形小餅，常於耶誕節時食用)。

mince·meat [ˋmɪnsˌmit] *n.* Ⓤ 餅餡(用碎肉、蘋果、葡萄乾等調合而成)。*make* ∼ *of* 徹底擊敗；徹底駁倒。

minc·ing [ˋmɪnsɪŋ] *adj.* ①矯飾的。②矯飾談吐、舉止的。③走碎步的。④剁碎用的。§ ∼ **machìne** 絞肉機。

‡**mind** [maɪnd] *n.*① ⓊⒸ (思想、感覺、行使意志的)心；意志；理性；精神。② Ⓤ 智力；理解力；悟性。③ Ⓒ (常*sing.*)心意；意向；欲望。④ Ⓤ 注意力；思想。⑤ Ⓤ 記憶；記性。⑥ Ⓒ 智者。*absence of* ∼心不在焉。*bear* [*keep*] *in* ∼ 記住；切記。*be in two* ∼*s* 猶疑不決。*be of one* [*a*] ∼ 一心。*be* [*go*] *out of one's* ∼ 發狂[瘋]；心神錯亂。*call* [*bring*] *to* ∼ 憶起；回憶。*change one's* ∼改變主意；變卦。*have a good* [*great*] ∼ *to* 幾欲。*have half a* ∼ *to...* 有幾分想要…。*have in* ∼ 欲；計畫。*have* (*something*) *on one's* ∼ 關心…；爲…而焦慮。*know one's own* ∼ 不糊塗；有一己之見。*make up one's* ∼ 決心。*Out of sight, out of* ∼. 久別情疏。*pass* [*go*] *out of* (*one's*) ∼ 被遺忘。*to one's* ∼ **a.**依(某人)之意；(某人)以爲。**b.**爲(某人)所喜歡。— *v.t.* ①記住；注意；留心。*M-* the step!請留心臺階！②照顧；看管。③服從。④介意；反對；關心(多用於疑問句、否定句及條件句中)。Would you ∼ shutting the door [coming here, etc.]? 請你關上門[到這裡來…等]可以嗎？ — *v.i.* ①注意；留意；當心。②服從。③關心；介意。∼ *one's own business* 管自己的事(毋管閒事)。*never* ∼ 毋介意；無疑。§ ∼'s **éye** 心眼；想像(力)。

mind-bend·ing [ˋmaɪndˌbɛndɪŋ] *adj.* 〖俚〗=**mind-blowing.**

mind-blow·ing [ˋmaɪndˌbloɪŋ] *adj.*〖俗〗①(藥物)引起幻覺的。②使人極度興奮的；使人震驚的。

mind-bog·gling [ˋmaɪndˌbɑglɪŋ] *adj.* 令人吃驚的；使人驚駭的。

***mind·ed** [ˋmaɪndɪd] *adj.*①有某種心向的。②有意的。③具有意志的。

mind·er [ˋmaɪndɚ] *n.* Ⓒ 照料者；看護人；看守人。

mind-ex·pand·er [ˋmaɪndɪkˌspændɚ] *n.* Ⓒ (引起幻覺的)麻醉劑。

mind-ex·pand·ing [ˋmaɪndɪkˌspændɪŋ] *adj.* 〖俗〗(藥物)有幻覺作用的；對知覺產生障礙的。

mind·ful [ˋmaɪndfəl] *adj.*①思索的；自覺的。②留神的；注意的。*be* ∼ *of* 注意。— **ly,** *adv.* — **ness,** *n.*

mind·less [ˋmaɪndlɪs] *adj.*①不聰慧的；愚鈍的。②不留心的；不注意的〔of〕. — **ly,** *adv.* — **ness,** *n.*

mind-set [ˋmaɪndˌsɛt] *n.* Ⓒ 思想傾向；思考態度。

‡**mine**[1] [maɪn] *pron.* 我的；我的東西[家人]。*of* ∼ 屬於我的。

***mine**[2] *n.* ① Ⓒ 礦坑。②(a ∼)富源。③ Ⓒ 地雷。④ Ⓒ 水雷。— *v.t.*①開礦；採礦。②掘(地道)；挖坑。③敷設地雷或水雷於。— *v.i.* ①掘礦。②挖掘。§ ∼ **fìeld** 布地[水]雷區。∼ **làyer** 布雷艇(亦作 minelayer). ∼ **swèeper** 掃雷艇[器]。∼ **wòrker** 礦工。

***min·er** [ˋmaɪnɚ] *n.* Ⓒ ①礦工。②地雷工兵。

***min·er·al** [ˋmɪnərəl] *n.* ① Ⓒ 礦物。② ⓊⒸ 無機物。③ Ⓒ (常 *pl.*)〖英〗礦泉水；蘇打水；汽水。— *adj.* (似)礦物的；含礦物的。§ ∼ **òil** 礦油。∼ **sprìng** 礦泉。∼ **wàter** 礦泉水；蘇打水；汽水。

min·er·al·o·gy [ˌmɪnəˋrælədʒɪ] *n.* Ⓤ 礦物學。— **min·er·al·og′i·cal,** *adj.* — **min·er·al′o·gist,** *n.*

***min·gle** [ˋmɪŋgl] *v.t.* ①混合。②結合；聯合。— *v.i.* ①相混。②相交；交往。

min·i [ˋmɪnɪ] *n.* Ⓒ①迷你裙[服裝]。②小型汽車；迷你車。— *adj.* 極小的；小型的。

mini- 〖字首〗表「體積或規模極小」之義，如：minibike.

min·i·a·ture [ˋmɪnɪətʃɚ] *n.* Ⓒ ①縮小之物；縮圖。②(象牙或精美牛皮紙上的)小畫像。— *adj.* 小規模的；纖小的。— *v.t.* 爲…之縮影。§ ∼ **càmera** 小型相機(通常用35mm以下的小軟片)。

min·i·a·tur·ize [ˋmɪnɪətʃəˌraɪz] *v.t.* 使…小型化∼ a computer使電腦小型化。

min·i·bike [ˋmɪnɪˌbaɪk] *n.* Ⓒ〖美〗迷你摩托車。

min·i·bus [ˋmɪnɪbʌs] *n.* Ⓒ 小型公車。

min·i·cab [ˋmɪnɪˌkæb] *n.* Ⓒ 小型計程車。

min·i·car [ˋmɪnɪˌkɑr] *n.* Ⓒ 小型汽車；迷你汽車。

min·i·com·put·er [ˋmɪnɪkəmˋpjutɚ] *n.* Ⓒ 迷你電腦；小型電腦。

min·im [ˋmɪnɪm] *n.* Ⓒ ①〖樂〗二分音符。②米尼姆(液量之最小單位，約等於一滴)。③極小之物。

min·i·mal [ˋmɪnɪml̩] *adj.* 最少的；最小的；最低的。

min·i·mize [ˋmɪnəˌmaɪz] *v.t.* ①使減至最小。②貶低；輕視。

***min·i·mum** [ˋmɪnəməm] *n.* Ⓒ (*pl.* ∼**s, -ma** [-mə]) 最小量；最低限度；最低點。— *adj.* ①最小的。②最低的。§ ∼ **wáge** 最低工資。

min·ing [ˋmaɪnɪŋ] *n.* Ⓤ ①採礦；採礦業。②敷設水雷或地雷。

min·ion [ˋmɪnjən] *n.* Ⓒ〖蔑〗受寵者；

寵臣。「〖視〗迷你影集。」
min·i·se·ries [ˋmɪnɪˏsɪrɪz] *n.* Ⓒ
min·i·skirt [ˋmɪnɪˏskɝt] *n.* Ⓒ 迷你裙。「小國。」
min·i·state [ˋmɪnɪˏstet] *n.* Ⓒ 獨立
‡**min·is·ter** [ˋmɪnɪstɚ] *n.* Ⓒ ①牧師。②部長。③公使。**—** *v.i.*①服侍；看護。②救助；捐助。③主持聖事。
min·is·te·ri·al [ˏmɪnəsˋtɪrɪəl] *adj.*①牧師、內閣或部長的；部長級的。②行政上的。③附屬的。
min·is·trant [ˋmɪnɪstrənt] *n.* Ⓒ 服侍者；輔佐者。
min·is·tra·tion [ˏmɪnəˋstreʃən] *n.* ⓊⒸ (常 *pl.*)服務；輔佐；援助。
min·is·try** [ˋmɪnɪstrɪ] *n.* ① Ⓒ (常 *sing.*)部長職務[任期]。②(the ～)教堂眾牧師。③ Ⓒ 政府諸部長；內閣。④ Ⓤ 服務；救助；捐助。⑤ Ⓒ 工具；手段。⑥ Ⓒ (常M-)部。M- of Education***〖中〗教育部。***M- of Finance***〖中〗財政部。***M- of Foreign Affairs***〖中〗外交部。
Min·i·track [ˋmɪnɪˏtræk] *n.*〖商標〗一種追蹤火箭或人造衛星之系統。
mink [mɪŋk] *n.*(*pl.* **~s,** ~) ① Ⓒ〖動〗貂。② Ⓤ 貂皮。③ Ⓒ 貂皮衣。
Minn. Minnesota.
min·ne·sing·er [ˋmɪnɪˏsɪŋɚ] *n.* Ⓒ (中古德國之)抒情詩人；吟遊詩人。
Min·ne·so·ta [ˏmɪnɪˋsotə] *n.* 明尼蘇達(美國中北部之一州)。
min·now [ˋmɪno] *n.* Ⓒ (*pl.* ~, **~s**) ①鰷魚。②小魚。
***mi·nor** [ˋmaɪnɚ] *adj.*①較小的；較次要的。②〖樂〗短音階的；小調的。③兩同姓孩子中之年紀較小的。④未成年的。⑤副修的(課程)。**—** *n.* Ⓒ ①未成年者。②〖美,教育〗副科(主科以外的課程)。③〖樂〗短音階；小調。**—** *v.i.* 副修某科〔in〕. § ∼ **kéy**〖樂〗小調。
***mi·nor·i·ty** [məˋnɔrətɪ, maɪ-] *n.* ① Ⓒ (常 *sing.*, 集合稱)少數。② Ⓤ 未成年。③ Ⓒ (常*sing.*, 集合稱)少數民族；少數黨(派)。§ ∼ **gòvernment** 少數黨政府。∼ **léader** 少數黨領袖。
mi·nor-league [ˋmaɪnɚˋlig] *adj.*〖美〗小職業球隊聯盟的。
min·ster [ˋmɪnstɚ] *n.* Ⓒ〖英〗①寺院的教堂。②大教堂。
min·strel [ˋmɪnstrəl] *n.* Ⓒ ①吟遊詩人。②〖詩〗歌唱者或詩人。③白人扮演黑人之滑稽歌唱表演(=minstrel show)。
min·strel·sy [ˋmɪnstrəlsɪ] *n.* Ⓤ ①吟遊詩人的詩(歌)。②(集合稱)吟遊詩人。③(吟遊詩人的)吟唱。「糖。」
mint[1] [mɪnt] *n.*① Ⓤ 薄荷。② Ⓒ 薄荷
mint[2] *n.*① Ⓒ 造幣廠。②(a ～)巨額；大量。③ Ⓒ 製造所；僞造所。**—** *v.t.* ①鑄造(錢幣)。②創造(新詞句等)。
min·u·end[ˋmɪnjʊˏɛnd] *n.* Ⓒ〖數〗被減數。
min·u·et [ˏmɪnjʊˋɛt] *n.* Ⓒ ①小步舞(十七世紀中葉的一種緩慢而莊嚴的舞步)。②小步舞曲。
***mi·nus** [ˋmaɪnəs] *prep.*①減。②缺少；無。**—** *adj.*①減的。②負的。**—** *n.* Ⓒ ①負號(−)。②負數。
mi·nus·cule [mɪˋnʌskjul] *n.* Ⓒ & *adj.*小寫字體(的)；小寫字(的)。
‡**min·ute**[1] [ˋmɪnɪt] *n.* ① Ⓒ 分；六十秒。②(*sing.*)片刻；瞬息。③ Ⓒ 分；一度之六十分之一。④(*pl.*)會議紀錄。***the*** ～ 一…即(=as soon as). I'll tell him *the* ～ (that)he gets here.等他一來到，我便告訴他。***to the*** ～ 一分不差；準時。***up to the*** ～ 最新式的。***wait a*** ～ 稍待。**—** *v.t.* ①量(時間或速度)。②作…之記錄。§ ∼ **bòok** (1)記錄簿；記事簿。(2)會議記錄。∼ **hànd**(時鐘的)分針。— **ly,** *adj.* & *adv.*
***mi·nute**[2] [məˋnjut, maɪ-] *adj.* ①微小的。②精密的。— **ly,** *adv.* — **ness,** *n.*
min·ute·man [ˋmɪnɪtˏmæn] *n.* Ⓒ (*pl.* **-men**)〖美史〗(獨立戰爭時期的)後備民兵。
mi·nu·ti·a [mɪˋnjuʃɪə] *n.* Ⓒ (*pl.* **-ti·ae** [-ʃɪˏi]) (常 *pl.*)細目；詳細；瑣事。
minx [mɪŋks] *n.* Ⓒ 輕浮的少女。
mips [mɪps] *n.* (*sing.*)〖電算〗每秒百萬條指令(爲 million instructions per second 之略)。
Mir [mɪr] *n.*〖俄〗和平號軌道太空站。
***mir·a·cle** [ˋmɪrəkl̩] *n.* Ⓒ ①奇蹟。②奇事。③驚人的例子。
mi·rac·u·lous [məˋrækjələs] *adj.* ①神奇的；不可思議的。②奇異的；非常的。③能創奇蹟的。— **ly,** *adv.*
mi·rage [məˋrɑʒ]〖拉〗*n.* Ⓒ ①海市蜃樓。②幻想；妄想。③(M-)〖軍〗(法國製的)幻象式戰鬥機。
mire [maɪr] *n.* Ⓤ ①泥濘；泥沼；沼池。②泥漿。③(the ～)困境。**—** *v.t.* ①使陷入泥濘。②使陷於困境中。**—** *v.i.* 陷入泥濘。
‡**mir·ror** [ˋmɪrɚ] *n.* Ⓒ ①鏡子。②寫眞；眞實之反映。③模範；典型。**—** *v.t.* 反映。§ ∼ **wrìting** 反寫；書寫顚倒。
***mirth** [mɝθ] *n.* Ⓤ 歡樂；歡笑；快活。— **ful,** — **less,** *adj.* — **ful·ly,** *adv.*
MIRV [mɝv] *n.* Ⓒ〖軍〗多彈頭分導重返大氣層運載工具；多彈頭飛彈(爲 Multiple Independently-targeted Reentry Vehicle 之略)。
mir·y [ˋmaɪrɪ] *adj.*①泥濘的；如沼澤的。②骯髒的；污穢的。
MIS management information system. 管理資訊系統。
mis-〖字首〗表「壞；錯誤；否定」之義。
mis·ad·ven·ture [ˏmɪsədˋvɛntʃɚ] *n.* ⓊⒸ 不幸；災難。
mis·al·li·ance [ˏmɪsəˋlaɪəns] *n.* Ⓒ ①(尤指身分)不相稱的通婚。②不相稱的結合。
mis·an·thrope [ˋmɪsənˏθrop] *n.* Ⓒ 厭惡人類者；討厭與人交往者。
mis·an·throp·ic [ˏmɪsənˋθrɑpɪk] *adj.* 厭惡人類的。
mis·an·thro·py [mɪsˋænθrəpɪ] *n.* Ⓤ 對人類之厭惡；厭世。
mis·ap·pli·ca·tion [ˏmɪsæpləˋkeʃən] *n.* ⓊⒸ 誤用；濫用。
mis·ap·ply [ˏmɪsəˋplaɪ] *v.t.* 誤用。
mis·ap·pre·hend [ˏmɪsæprɪ-

`hɛnd] *v.t.* 誤解。
mis·ap·pro·pri·ate [ˌmɪsəˋprоprɪˌet] *v.t.* ①誤用。②侵占；盜用。
mis·be·got·ten [ˌmɪsbɪˋgɑtn̩] *adj.* 私生的；庶出的。
mis·be·have [ˌmɪsbɪˋhev] *v.t.* & *v.i.* 行爲不端。
mis·be·hav·ior,〖英〗**-iour** [ˌmɪsbɪˋhevjɚ] *n.* Ⓤ 行爲不端；品行不良。
mis·cal·cu·late [mɪsˋkælkjəˌlet] *v.t.* & *v.i.*誤算；誤估；判斷錯誤。
— **mis·cal·cu·la′tion,** *n.*
mis·call [mɪsˋkɔl] *v.t.* 誤稱；叫錯。
mis·car·riage [mɪsˋkærɪdʒ] *n.* Ⓤ Ⓒ ①失敗。②(信件、貨物之)誤送；未達。③流產；小產。
mis·car·ry [mɪsˋkærɪ] *v.i.* ①不順遂；失敗。②(信件等之)誤投。③流產。
mis·cast [mɪsˋkæst] *v.t.*(**-cast**)對(戲劇)作不適當的角色安排。
mis·ceg·e·na·tion [ˌmɪsɪdʒəˋneʃən] *n.* Ⓤ 種族混淆；(尤指美國白人與黑人)異族通婚。
mis·cel·la·ne·ous [ˌmɪsl̩ˋenɪəs] *adj.*①各種的；多方面的。②多才多藝的。—**ly,** *adv.*
mis·cel·la·ny [ˋmɪsl̩ˌenɪ] *n.*① Ⓒ 混合。②(*pl.*)雜集；雜錄。
mis·chance [mɪsˋtʃæns] *n.* Ⓤ Ⓒ 不幸
mis·chief** [ˋmɪstʃɪf] *n.*① Ⓤ 傷害；危害；災禍。② Ⓒ 惡作劇者。play the ~ with*** 傷害；弄壞；弄糟。
mis·chief-mak·er [ˋmɪstʃɪfˌmekɚ] *n.* Ⓒ 惡作劇者；挑撥離間者。
***mis·chie·vous** [ˋmɪstʃɪvəs] *adj.*①有害的。②惡作劇的。—**ly,** *adv.*
mis·con·ceive [ˌmɪskənˋsiv] *v.t.* & *v.i.* 誤解；誤認。
mis·con·cep·tion [ˌmɪskənˋsɛpʃən] *n.* Ⓤ Ⓒ 誤解；錯誤的觀念。
mis·con·duct [mɪsˋkɑndʌkt] *n.* Ⓤ ①行爲不檢；持身不正。②處置不善；失策。③不貞；通姦。
mis·con·struc·tion[ˌmɪskənˋstrʌkʃən] *n.* Ⓤ Ⓒ 曲解；誤解。
mis·con·strue [ˌmɪskənˋstru, mɪsˋkɑnstru] *v.t.* 誤解；誤會。
mis·count [mɪsˋkaunt] *v.t.* & *v.i.* & *n.* Ⓒ 誤算；算錯。
mis·cre·ant [ˋmɪskrɪənt]*n.* Ⓒ 惡棍。
mis·date [mɪsˋdet] *v.t.* 誤塡…之日期；誤記日期(或年代)。
mis·deal [mɪsˋdil] *v.i.* & *v.t.* (**-dealt**)發錯(紙牌)。— *n.* Ⓒ (常 *sing.*)(紙牌的)發錯。
mis·deed [mɪsˋdid] *n.* Ⓒ 惡行；罪行。
mis·de·mean·or, 〖英〗**-our** [ˌmɪsdɪˋminɚ] *n.* Ⓒ ①〖法律〗輕罪。②卑劣的行爲；不軌的行爲。
mis·di·rect [ˌmɪsdəˋrɛkt] *v.t.*①指錯(方向、地址等)。②寫錯(信封上的地址)。③錯用。④指示錯誤。⑤瞄準不確。
mis·do·ing [mɪsˋduɪŋ] *n.* Ⓒ (常 *pl.*)惡行；犯罪。
mi·ser [ˋmaɪzɚ] *n.* Ⓒ 守財奴；吝嗇鬼。
‡**mis·er·a·ble** [ˋmɪz(ə)rəbl] *adj.* ①悲慘的；可憐的。②帶來苦痛與不幸的。③窮困的；卑賤的。④可恥的。
***mis·er·y** [ˋmɪzərɪ] *n.* Ⓤ Ⓒ ①痛苦；悲慘；不幸。②窮困；悲慘的環境。
mis·file [mɪsˋfaɪl] *v.t.* 將…歸錯檔。
mis·fire [mɪsˋfaɪr] *v.i.* & *n.* Ⓒ ①(槍砲、內燃機等)不發火；不著火。②失敗。
mis·fit [mɪsˋfɪt] *v.t.* & *v.i.*(**-tt-**)不適於；不適合。— [ˋmɪsˌfɪt] *n.* Ⓒ①不適合的東西。②不能適應環境、職位之人。
***mis·for·tune** [mɪsˋfɔrtʃən] *n.* Ⓤ Ⓒ 不幸；災禍。
mis·give [mɪsˋgɪv] *v.t.* (**-gave, -giv·en**)使懷疑；使焦慮(主詞常爲mind 或 heart)。
mis·giv·ing [mɪsˋgɪvɪŋ] *n.* Ⓤ (常 *pl.*)疑懼；焦慮。
mis·gov·ern [mɪsˋgʌvən] *v.t.* 治理不善；行惡政。—**ment,** *n.*
mis·guid·ed [mɪsˋgaɪdɪd] *adj.*被錯誤引導的；誤入歧途的。
mis·han·dle [mɪsˋhændl] *v.t.*①不當地使用；處理不當。②苛待；虐待。
mis·hap [ˋmɪsˌhæp, mɪsˋhæp] *n.* Ⓤ Ⓒ ①不幸之事；災禍。②惡運；不幸。
mis·hear [ˌmɪsˋhɪr] *v.t.* & *v.i.* (**-heard**)誤聽；聽錯。
mish·mash [ˋmɪʃˌmæʃ] *n.* Ⓤ 混雜物；雜集。
mis·in·form [ˌmɪsɪnˋfɔrm] *v.t.*誤報；誤傳。— **mis·in·for·ma′tion,** *n.*
mis·in·ter·pret [ˌmɪsɪnˋtɝprɪt] *v.t.* 誤譯；誤解。
mis·judge [mɪsˋdʒʌdʒ] *v.t.* & *v.i.*判斷不公；誤判。— **ment,** *n.*
mis·lay [mɪsˋle] *v.t.*(**-laid**)①誤置；處置不當。②將…置於不能記起之處。
***mis·lead** [mɪsˋlid] *v.t.*(**-led**)①領錯路；導入歧途。②使做錯事；使誤作。③使生錯誤思想；欺騙。
***mis·lead·ing** [mɪsˋlidɪŋ] *adj.* 導致錯誤的；使人易生錯覺的；易引起誤解的。
mis·man·age [mɪsˋmænɪdʒ] *v.t.* & *v.i.*管理不善；處置失當。— **ment,** *n.*
mis·match [mɪsˋmætʃ] *v.t.*誤將…配合；使做不適當的結合(尤指婚姻)。— *n.* Ⓒ ①不適當的配合；不適當的婚姻。②實力懸殊的比賽。
mis·name [mɪsˋnem] *v.t.* 誤稱；取名不當。
mis·no·mer [mɪsˋnomɚ] *n.* Ⓒ ①錯誤的名詞。②名詞或名字之誤用。
mi·sog·y·nist [mɪˋsɑdʒənɪst] *n.* Ⓒ 厭惡女人的人。
mi·sog·y·ny [mɪˋsɑdʒənɪ] *n.* Ⓤ 厭惡女人；對女人之憎恨。
mis·place [mɪsˋples] *v.t.*①誤置；誤放。②誤給(愛情、信任等)。
mis·print [*n.* mɪsˋprɪnt, ˋmɪsˌprɪnt *v.* mɪsˋprɪnt] *n.* Ⓒ & *v.t.* 印錯。
mis·pro·nounce [ˌmɪsprəˈnauns] *v.t.* & *v.i.* 發音錯誤。
mis·pro·nun·ci·a·tion [ˌmɪsprəˌnʌnsɪˋeʃən] *n.* Ⓤ Ⓒ 發音錯誤。
mis·quo·ta·tion [ˌmɪskwoˋteʃən] *n.* Ⓤ Ⓒ 錯誤的引用(句)。
mis·quote [mɪsˋkwot] *v.t.* & *v.i.*誤引。

M

mis·read [mɪsˋrid] *v.t.* (**-read** [-ˋrɛd]) 誤讀；誤解。

mis·re·port [ˏmɪsrɪˋpɔrt] *v.t.* 錯誤報導；誤報；謊報。— *n.* Ⓤ Ⓒ 誤報；謊報；報導不確實。

mis·rep·re·sent [ˏmɪsrɛprɪˋzɛnt] *v.t.* 誤傳；誤示；誤言。— **mis·rep·re·sen·ta′tion,** *n.*

mis·rule [mɪsˋrul] *n.* Ⓤ ①苛政。②混亂。— *v.t.* 治理不善；施以苛政。

‡**miss**[1] [mɪs] *v.t.* ①未擊中。②未抓住；未捉住。③未見；未遇；未得到。④失卻。⑤未趕上。⑥懷念；想念。⑦發現遺失。⑧逃過；避免。⑨省掉；漏去〔out〕。⑩忽略。— *v.i.* ①不中。②失敗。③未獲得〔of, in〕。— *n.* Ⓒ ①不中；不得。A ～ is as good as a mile. 失之毫釐，差之千里。②省略。③故意躲避。④逃脫。⑤流產。

‡**miss**[2] *n.* ① Ⓒ 女郎；少女。②(M-) 小姐(冠於未婚女子姓名前)。③小姐(用以稱呼陌生的年輕女性)。

Miss. Mississippi.

mis·sal [ˋmɪsl] *n.* Ⓒ (常 M-) 彌撒書。

mis·shap·en [mɪsˋʃepən] *adj.* 畸形的；殘缺的。

***mis·sile** [ˋmɪsl] *n.* Ⓒ ①投射出的武器(箭、子彈等)。②飛彈；火箭；導航飛彈。§ ∠ **rànge** 飛彈試射場。

mis·sile·man [ˋmɪslˏmæn] *n.* Ⓒ (*pl.* **-men**) 飛彈製造、發射或保養者；飛彈專家。

mis·sil(e)·ry [ˋmɪslrɪ] *n.* Ⓤ ①火箭、飛彈科學。②(集合稱) 飛彈。

***miss·ing** [ˋmɪsɪŋ] *adj.* 缺少的；不在的；失蹤的；行蹤不明的。§ ∠ **línk** 一完整體系中短少之物。

***mis·sion** [ˋmɪʃən] *n.* Ⓒ ①使命；任務。②使節團；負有特殊任務之團體。③傳教團體、工作、地區等。④人生之目的；天職。⑤〖軍事〗任務。

***mis·sion·ar·y** [ˋmɪʃənˏɛrɪ] *n.* Ⓒ 傳教士。— *adj.* ①傳教(士)的。②負有使命的。

mis·sis [ˋmɪsɪz] *n.* 〖俗〗①(the ～, one's ～) 妻子。②主婦；太太(僕人對主婦稱呼)。

Mis·sis·sip·pi [ˏmɪsəˋsɪpɪ] *n.* ① (the ～) 密西西比河。②密西西比州(在美國南部，首府 Jackson，略作 **Miss.**)。

mis·sive [ˋmɪsɪv] *n.* Ⓒ 公文；書信。

Mis·sour·i [məˋzurɪ] *n.* 密蘇里州(位於美國中西部)。*from* ～〖俗〗存疑的。

mis·spell [mɪsˋspɛl] *v.t.* (**-spelled** or **-spelt**) 拼錯。

mis·spend [mɪsˋspɛnd] *v.t.* (**-spent**) 浪費；徒費；虛度。

mis·state [mɪsˋstet] *v.t.* 誤說；僞述。— **ment,** *n.*

mis·step [mɪsˋstɛp] *n.* Ⓒ ①失足。②過失；失策。

mis·sus [ˋmɪsəz] *n.* 〖俗〗= **missis.**

‡**mist** [mɪst] *n.* ① Ⓤ Ⓒ 霧。② Ⓤ (*sing.*) 任何使朦朧不清的東西。③ Ⓤ (*sing.*) (眼睛) 朦朧不清。*be in a* ～ 在迷惑中。— *v.t.* 罩以霧；使模糊不清。— *v.i.* ①起霧。②變模糊。

‡**mis·take** [məˋstek] *n.* Ⓒ 錯誤；誤會；誤解。*and no* ～ 無疑地。*by* ～ 由於錯誤。*make a* ～ 犯錯。— *v.t.* (**-took, -tak·en**) ①誤認；誤會。He *mistook* you for your brother. 他誤將你當做你的哥哥。②誤選；選錯。— *v.i.* 犯錯。

‡**mis·tak·en** [məˋstekən] *v.* pp. of **mistake.** — *adj.* ①犯錯的。②錯誤的；判斷錯誤的；誤置的。— **ly,** *adv.*

mis·ter [ˋmɪstɚ] *n.* (M-) 先生(冠於人名或其職務名前的尊稱，略作 **Mr.**)。§ **M∠ Ríght** 如意郎君。

mis·time [mɪsˋtaɪm] *v.t.* ①弄錯…之時間。②(言語、行動等) 不合時機。

mis·tle·toe [ˋmɪslˏto] *n.* Ⓤ 〖植〗槲寄生(常用做聖誕樹的裝飾)。

‡**mis·took** [mɪsˋtuk] *v.* pt. of **mistake.**

mis·trans·late [ˏmɪstrænsˋlet] *v.t.* 誤譯。— **mis·trans·la′tion,** *n.*

mis·treat [mɪsˋtrit] *v.t.* 虐待；苛待。— **ment,** *n.*

***mis·tress** [ˋmɪstrɪs] *n.* ① Ⓒ 主婦；女主人。② Ⓒ (被視爲女性的) 支配者。③ Ⓒ 精通一學科之婦女。④ Ⓒ 女教師。⑤ (M-) 夫人(現已以 Mrs.或 Miss 代之)。⑥ Ⓒ 〖詩〗情婦；愛人。

mis·tri·al [mɪsˋtraɪəl] *n.* Ⓒ 〖法律〗①(因違反程序而) 無效之審判。②(因陪審員意見不一致而) 無結論之審判。

mis·trust [mɪsˋtrʌst] *v.t.* & *v.i.* 不信；懷疑。— *n.* Ⓤ (又作 a ～) 疑惑。

mist·y [ˋmɪstɪ] *adj.* 有霧的。

***mis·un·der·stand** [ˏmɪsʌndɚˋstænd] *v.t.* (**-stood**) 誤會；誤解。

***mis·un·der·stand·ing** [ˏmɪsʌndɚˋstændɪŋ] *n.* ① Ⓤ Ⓒ 誤解；誤會。② Ⓒ 不和；爭執。

***mis·un·der·stood** [ˏmɪsʌndɚˋstud] *v.* pt. & pp. of **misunderstand.**

mis·use [mɪsˋjus] *n.* Ⓤ Ⓒ 誤用；濫用。— [mɪsˋjuz] *v.t.* ①誤用；濫用。②虐待。

M.I.T., MIT Massachusetts Institute of Technology. 麻省理工學院。

mite[1] [maɪt] *n.* ① Ⓒ 小銅幣；小銅錢。② Ⓒ 數量很小的捐助。③ Ⓒ 幼兒；極小的東西。④ (a ～) 少許；一點點。

mite[2] *n.* Ⓒ 小蜘蛛；小蝨；小蟲。

mi·ter, 〖英〗**-tre** [ˋmaɪtɚ] *n.* Ⓒ ①主教法冠。②〖土木〗斜接。— *v.t.* 賜予主教法冠；升爲主教。

mi·tered [ˋmaɪtɚd] *adj.* ①帶著主教法冠的。②〖木工〗斜接的。

mit·i·gate [ˋmɪtəˏget] *v.t.* 使緩和；使減輕。— **mit·i·ga′tion,** *n.*

***mitt** [mɪt] *n.* ① Ⓒ 棒球手套。② = **mitten.** ③ Ⓒ 〖俚〗手。

mit·ten [ˋmɪtn̩] *n.* Ⓒ 拇指除外其他四指連在一起的手套。*get the* ～〖俗〗**a.** (男子) 求婚被拒。**b.** 被開除。*give the* ～〖俗〗**a.** (女子) 拒(某男子之) 求愛。**b.** 開除。

‡**mix** [mɪks] *v.t.* ①混合；混和。②使聯合一起。③加添；混於一起。④配製。⑤弄錯；搞錯。⑥〖動〗將…作異種交配。— *v.i.* ①相溶。②相處；交遊。③參與

(in). ④調合。⑤〖動〗異種交配。⑥〖拳擊〗激烈地互相出拳攻擊。***be ~ed up in*** 參與其事(多指不愉快或麻煩的事)。***~ it (up)***〖俚〗互毆;交戰。***~ up*** 相混;混亂。— *n.*①Ⓒ混合(物)。②(a ~)〖俗〗混亂。

***mixed** [mɪkst] *adj.*①混合的;由不同成分組成的。②不同種類的;各形各色的。③男女混合的。~ doubles(球類中的)男女混合雙打。④〖俗〗頭腦混亂的。§~ **blessing** 禍福參半。~ **farming** 混合農業。~ **grill** 什錦烤肉。~ **marriage**(種族不同或宗教不同之)混合婚姻。~ **media** 藝術的混合效應法(如表演、彩色燈光、錄音帶等多種媒介的混合運用)。~ **metaphor**〖修〗混合隱喻。~ **number**〖數〗帶分數。~ **train** 客貨混合列車。

mixed-me·di·a [ˋmɪkstˋmidɪə] *n.*=**multimedia.**

mixed-up [ˋmɪkstˋʌp] *adj.*頭腦混亂的;糊裡糊塗的;有神經衰弱傾向的。

mix·er [ˋmɪksɚ] *n.*①Ⓒ混合者[器]。②Ⓒ〖俗〗交際家。③Ⓤ調酒用的飲料。

***mix·ture** [ˋmɪkstʃɚ] *n.* ①Ⓤ混合;混淆。②Ⓤ Ⓒ混合劑;混合物。

mix-up [ˋmɪks,ʌp] *n.*Ⓒ①混亂;雜亂。②〖俗〗混戰。③混合的結果;混合物。

miz·(z)en [ˋmɪzn̩] *n.*Ⓒ①後帆(靠船尾桅桿之縱帆)。②=**mizzenmast.**

miz·(z)en·mast [ˋmɪzn̩məst] *n.* Ⓒ〖海〗①(三桅船之)後桅;尾桅。②(四、五桅船之)第三桅。

M.K.S. meter-kilogram-second.

mm. millimeter; millimeters.

MM. (Their) Majesties; Messieurs.

Mme. Madame.

mne·mon·ic [niˋmɑnɪk] *adj.*①幫助記憶的。②記憶的;記憶術的。

mne·mon·ics [niˋmɑnɪks] *n.*Ⓤ記憶術。

Mo. Missouri; Monday.

moan [mon] *n.*①Ⓒ呻吟(聲)。②(the ~)呼嘯聲。③Ⓒ牢騷;怨言。— *v.t. & v.i.*①呻吟。②抱怨;悲傷。

moan·ful [ˋmonfəl] *adj.* 悲歎的;呻吟的。— **ly,** *adv.*

moat [mot] *n.*Ⓒ壕溝。— *v.t.* 圍以壕溝。

***mob** [mɑb] *n.* ①Ⓒ群聚之民眾。②(the ~)民眾。③(the ~)暴民。— *v.t.* (-bb-)①群集圍攻。②湧向…;群集於。

***mo·bile** [ˋmobl̩] *adj.*①動的;自由流動、運動、移動或變動的。②易變的;迅速改變的。③〖軍〗機動的。

mo·bil·i·ty [moˋbɪlətɪ] *n.*Ⓤ①易變性;可動性;(人口)流動性。②〖軍〗機動性。

mo·bi·li·za·tion [,mobl̩əˋzeʃən] *n.*Ⓤ①〖軍〗動員。②流通。

mo·bi·lize [ˋmobl̩,aɪz] *v.t. & v.i.* ①動員。②(使)流通。③(使)運動。

MOBS [mɑbz]*n.* 多彈頭軌道轟炸系統(爲 *M*ultiple *O*rbit *B*ombardment *S*ystem 之略)。

mob·ster [ˋmɑbstɚ] *n.*Ⓒ〖美俚〗暴徒;盜匪。

moc·ca·sin [ˋmɑkəsn̩] *n.*Ⓒ①(常 *pl.*)(北美印第安人所穿的)鹿皮鞋。②一種毒水蛇;食魚蝮。

Mo·cha [ˋmokə] *n.* ①摩卡(阿拉伯西南端之一海港)。②(m-)Ⓤ摩卡咖啡。③(m-)Ⓤ一種製手套用的軟山羊皮。

***mock** [mɑk] *v.t.*①嘲弄;愚弄。②模仿以嘲弄。③模仿。④抵抗;抗拒。⑤欺騙。⑥輕視;忽視。— *v.i.*嘲弄;愚弄(at)。— *adj.*假的。— *n.*Ⓒ①嘲笑;戲弄。②仿造品。③受藐視的人或物。§~ **turtle soup**假鮮鼈湯(用犢肉煮成)。

mock·er·y [ˋmɑkərɪ] *n.*①Ⓤ嘲弄;挖苦。②Ⓒ(常 *sing.*)被嘲弄者;笑柄。③Ⓒ嘲弄性的模仿。④Ⓒ虛有其表之事。⑤Ⓒ徒勞無功。***make a ~ of somebody*** 嘲弄某人。

mock·ing·bird [ˋmɑkɪŋ,bɝd] *n.* Ⓒ嘲鶇。

mock·ing·ly [ˋmɑkɪŋlɪ] *adv.* 嘲弄地;愚弄地。

mock-up [ˋmɑk,ʌp] *n.*Ⓒ(飛機、機械等之)實物大模型。

mod [mɑd] *adj.*(有時 M-)〖俗〗(服裝等)前衛的;時髦的。— *n.*①Ⓒ時髦人物;「摩登族」的人。②Ⓤ最新流行之服裝。

mod·al [ˋmodl̩] *adj.*①形態上的。②〖文法〗語態的。③〖邏輯〗表示程式的。§~ **auxiliary (verb)**〖文法〗表動詞語態之助動詞(may, might, must, can, would, should 等均是)。

***mode** [mod] *n.*Ⓒ①作法;樣式;方式。②時式;風尚。③〖樂〗音階。④〖文法〗=**mood**[2].

***mod·el** [ˋmɑdl̩] *n.*Ⓒ①模型。②雛型;原型;設計圖。③模範;典型。④模特兒;時裝模特兒。⑤(服飾、汽車之)型;款式。⑥極相似的人。She's a perfect ~ of her mother. 她非常像她母親。— *v.t. & v.i.*(-l-,〖英〗-ll-)①塑造;作…的模型。②模仿;仿製。③爲(服裝)做模特兒。— *adj.* ①模範的。②作模型用的。

mo·dem [ˋmodɛm] *n.*Ⓒ〖電算〗調變解調器;數據機。

***mod·er·ate** [ˋmɑdərɪt] *adj.* ①適度的;有節制的。②溫和的;穩健的。③公平的;中等的。④有限的。— *n.*Ⓒ穩健之人。— [ˋmɑdə,ret] *v.t. & v.i.* ①(使)減輕;(使)緩和。②作主席;主持(會議);作仲裁者;作和事佬。

mod·er·ate·ly [ˋmɑdərɪtlɪ] *adv.*①適度地。②不過分地。

mod·er·a·tion [,mɑdəˋreʃən] *n.* Ⓤ①緩和;減輕。②適度;節制。③溫和。***in ~*** 適度。

mod·er·a·tor [ˋmɑdə,retɚ] *n.*Ⓒ①主席;議長。②仲裁者;調停者。③〖理〗(原子爐之中子)減速劑。④調節器。

‡**mod·ern** [ˋmɑdɚn] *adj.*①現代的;近世的。②新式的;時髦的。— *n.*Ⓒ(常 *pl.*)①現代人;近代人。②有新思想或鑑賞力的人。③現代派畫家。

mod·ern·ism [ˋmɑdɚn,ɪzəm] *n.*①Ⓤ現代作風;現代思潮;現代主義。②(M-)Ⓤ〖宗〗現代主義(依照科學原理解釋教義之謂)。③Ⓒ現代語法。

mod·ern·ist [ˋmɑdɚnɪst] *n.*Ⓒ現代主義者。

mod·ern·is·tic [ˌmɑdɚˋnɪstɪk] *adj.*①現代的。②現代見解和方法的。
mod·ern·ize [ˋmɑdɚnˌaɪz] *v.t.* & *v.i.*(使)現代化。—**mod·ern·i·za'tion,** *n.*
***mod·est** [ˋmɑdɪst] *adj.*①謙遜的；有禮貌的。②羞怯的。③莊重的；淑靜的。④不多要的；適度的。⑤質樸的。—**ly,** *adv.*
***mod·es·ty** [ˋmɑdəstɪ] *n.* Ⓤ①質樸。②羞怯。③謙遜；有禮。
mod·i·cum [ˋmɑdɪkəm] *n.*(a ～)少量；些微。
mod·i·fi·ca·tion [ˌmɑdəfəˋkeʃən] *n.* ⓊⒸ①(部分的)變更；修改；修飾。②減少；緩和。③意義的限制。④修改過的形式；變形。
mod·i·fi·er [ˋmɑdəˌfaɪɚ] *n.* Ⓒ①〖文法〗修飾語；形容語。②修改之人或物。
***mod·i·fy** [ˋmɑdəˌfaɪ] *v.t.*①變更；修改。②修飾；限制(意義)。③使減輕；使緩和。
mod·ish [ˋmodɪʃ] *adj.*流行的；時髦的。
mo·diste [moˋdist] *n.* Ⓒ裁製或經營時髦之女裝、女帽的人。
mod·u·lar [ˋmɑdʒulɚ] *adj.*①(家具、建材等)組合單元可按需要情形隨意更換或安排的。② module 或 modulus 的。
mod·u·lar·ize [ˋmɑdʒələˌraɪz] *v.t.*使…積木[模塊]化。
mod·u·late [ˋmɑdʒəˌlet] *v.t.*①調節；調整。②使柔；使緩。③改變聲調。④變更(電波)之周波數；調節頻率。
mod·u·la·tion [ˌmɑdʒəˋleʃən] *n.* Ⓤ Ⓒ①調節；緩和。②〖樂〗變調。③〖無線〗電波頻率之轉變；調幅。④(聲音之)抑揚。
mod·u·la·tor [ˋmɑdʒəˌletɚ] *n.* Ⓒ①調節者；調節物。②〖電信〗調幅器。
mod·ule [ˋmɑdʒul] *n.* Ⓒ①(流水測定之)單位。②(建材等之)標準尺寸；基本單位；組合單元。③〖建〗度(柱式之比例測定單位)。④組成單位或部分。⑤〖電算〗模組。
Mo·gul [ˋmogʌl] *n.* Ⓒ①蒙古人。②蒙兀兒人(十六世紀征服並統治印度者或其後裔)。③(m-)顯要人物。
mo·hair [ˋmoˌhɛr] *n.*①Ⓤ毛海(小亞細亞產的安哥拉羊毛)。②Ⓤ毛海織物。③Ⓒ毛海製成的衣服。
Mo·ham·med [moˋhæmɪd] *n.*穆罕默德(570?-632 A.D.)。
Mo·ham·med·an [moˋhæmədən] *adj.* 穆罕默德的；伊斯蘭教的；回教的。—*n.* Ⓒ回教徒；伊斯蘭教徒。—**ism,** *n.*
moi·e·ty [ˋmɔɪətɪ] *n.* Ⓒ (常 *sing.*)①〖法律〗(財產等之)一半；二分之一。②約一半。③部分。
moil [mɔɪl] *v.i.* 勞苦；辛勞；勞碌。
***moist** [mɔɪst] *adj.* ①潮濕的。②多雨的。a ～ season 雨季。③感傷的。
mois·ten [ˋmɔɪsn̩] *v.t.* 使濕潤；弄濕。—*v.i.* 變濕。
***mois·ture** [ˋmɔɪstʃɚ] *n.* Ⓤ①潮濕；水分；濕氣；水蒸氣。②降雨。
mois·tur·ize [ˋmɔɪstʃəˌraɪz] *v.t.*使潮濕。—*v.i.*變濕。
mol [mol] *n.* Ⓒ〖化〗克分子(量)；莫耳。
mo·lar [ˋmolɚ] *n.* Ⓤ 臼齒。—*adj.* ①臼齒的。②宜於研磨的。
mo·las·ses [məˋlæsɪz] *n.* Ⓤ糖蜜。
***mold**[1] [mold] *n.*①Ⓒ模子；鑄模；字模；鑄型。②Ⓒ鑄成物。③Ⓒ模型。④Ⓤ性質；氣概。—*v.t.*①造型；塑造；鑄。②磨練；鍛鍊。③(對思想性格等)產生影響。④造成。
mold[2] *n.* Ⓤ黴菌。—*v.i.* 發霉。—*v.t.*覆以黴。
mold[3] *n.* Ⓤ沃土；糞土(富有有機物之沃土)。
mold·er[1] [ˋmoldɚ] *v.t.*使腐朽；使崩壞。—*v.i.* 腐朽；敗壞〔常 away〕。
mold·er[2] *n.* Ⓒ塑造者；造模者。
mold·ing [ˋmoldɪŋ] *n.*①Ⓤ塑造；鑄造。②Ⓒ塑造[鑄造]物。③Ⓒ(常 *pl.*)〖建〗裝飾用的嵌線。
mold·y [ˋmoldɪ] *adj.*①發霉的。②舊式的；陳腐的。(亦作 **mouldy**)
mole[1] [mol] *n.* Ⓒ痣。
***mole**[2] *n.* Ⓒ〖動〗鼹鼠；田鼠。
mole[3] *n.* Ⓒ①防波堤；海堤。②防波堤所圍繞的海港。
mo·lec·u·lar [məˋlɛkjəlɚ] *adj.*分子的；由分子組成的。
***mol·e·cule** [ˋmɑləˌkjul] *n.* Ⓒ①〖理，化〗分子。②微點；些微。
mole·hill [ˋmolˌhɪl] *n.* Ⓒ①鼹鼠丘。②不重要的東西。***make a mountain out of a*** ～ 言過其實；誇大困難。
mole·skin [ˋmolˌskɪn] *n.*①ⓊⒸ鼹鼠毛皮。②Ⓤ一種厚棉布。③(*pl.*)此棉布製成之衣服(特指長褲)。
mo·lest [məˋlɛst] *v.t.*①妨害；干擾；騷擾。②調戲。—**mo·les·ta'tion,** *n.*
Mo·li·ère [ˌmolɪˋɛr] *n.*莫里哀(1622-73, 法國喜劇作家)。
moll [mɑl] *n.* Ⓒ〖俚〗①盜匪或流氓之姘婦。②妓女。
mol·li·fy [ˋmɑləˌfaɪ] *v.t.*①安慰；撫慰。②緩和；減緩。③使柔軟。
mol·lusk,〖英〗**-lusc** [ˋmɑləsk] *n.* Ⓒ軟體動物。
mol·ly·cod·dle [ˋmɑlɪˌkɑdl] *n.* Ⓒ①沒骨氣的男人。②喜被縱容的人。—*v.t.* 溺愛；嬌慣。
Mó·lo·tov cócktail [ˋmɑlətɔf ～] *n.* Ⓒ〖俚〗汽油手榴彈(攻擊戰車用)。
molt [molt] *v.i.*換毛；蛻皮。Birds ～. 鳥脫毛。—*v.t.* ①換(毛)；蛻(皮)。②丟棄。—*n.*①ⓊⒸ換毛或蛻皮(的時期)。②Ⓤ脫落之毛或皮。
mol·ten [ˋmoltn̩] *v.* pp. of **melt.** —*adj.*①熔化的。②鑄造的。
mol·to [ˋmolto]〖義〗*adv.*〖樂〗極；甚；非常。
mo·lyb·de·num [məˋlɪbdənəm] *n.* Ⓤ〖化〗鉬(化學元素；符號 Mo)。
***mom** [mɑm] *n.* Ⓒ〖俗〗母親；媽媽。
mom-and-pop [ˋmɑmənˋpɑp] *adj.*〖美俚〗(店鋪)由倆夫妻合開的；家庭式的；小型的。a ～ store 小商店。
****mo·ment** [ˋmomənt] *n.*①Ⓒ(常 a ～)瞬間；片刻。②Ⓤ(of ～)重要。③Ⓤ(常 *sing.*, the ～)〖理〗矩；力率；能率。④(the ～)現時。⑤Ⓒ階段；時期。⑥Ⓒ組成分子；要素。***the*** ～**=as soon as; the minute.** ***to the*** ～ 非常

M

準時的。

mo·men·tar·i·ly [ˋmomən,tɛrəlɪ] *adv.* ①暫時地；片刻地。②時時刻刻地。③隨時地。④立刻；馬上。

***mo·men·tar·y** [ˋmomən,tɛrɪ] *adj.* ①剎那的；轉瞬間的。②時時刻刻的；每刻的。—**ly,** *adv.*

mo·men·tous [moˋmɛntəs] *adj.*極重要的。

mo·men·tum [moˋmɛntəm] *n.* (*pl.* **~s, -ta** [-tə]) ①Ⓤ Ⓒ〖理〗動量。②Ⓤ動力；衝勁；推進力。

mom·ma [ˋmamə] *n.* Ⓒ ①〖俗〗媽媽(=mama). ②〖俚〗女人。

***mom·my** [ˋmamɪ] *n.* Ⓒ〖俗〗媽媽；媽咪。

Mon. Monday; Monsignor.

Mon·a·co [ˋmanə,ko] *n.* 摩納哥(法國東南海岸一小國；其首都)。

Mo·na Li·sa [ˋmonəˋlizə] *n.* (the ~)蒙娜麗莎(達文西 Leonardo da vinci 之著名人像畫)。

***mon·arch** [ˋmanək] *n.* Ⓒ ①帝王；統治者。②如帝王般的人或物。

mo·nar·chal [məˋnarkl] *adj.*王的；君主的；適合於君主的。

mo·nar·chic, -chi·cal [məˋnarkɪk(l)] *adj.* ①君主的。②君主政治[政體]的。③支持君主政治的。

mon·ar·chism [ˋmanə,kɪzəm] *n.* Ⓤ①君主制。②君主主義(論)。—**mon′ar·chist,** *n.*

mon·ar·chy [ˋmanəkɪ] *n.*① Ⓤ 君主政體。②Ⓒ君主國。

mon·as·ter·y [ˋmanəs,tɛrɪ] *n.* Ⓒ 修道院；(尤指)僧院。

mo·nas·tic [məˋnæstɪk] *adj.*①僧侶的；修道生活的。②僧院的；修道院的。③隱居的；禁慾的。

mon·au·ral [manˋɔrəl] *adj.*①單耳的。②非立體音響的；單聲道的。

‡Mon·day [ˋmʌndɪ] *n.* ⓊⒸ 星期一。

Mo·net [moˋne] *n.* 莫內(Claude, 1840-1925, 法國印象派畫家)。

mon·e·ta·rism [ˋmʌnətə,rɪzm, ˋmanə-] *n.* Ⓤ貨幣主義。

mon·e·tar·y [ˋmʌnə,tɛrɪ] *adj.* ①貨幣的；幣制的。②金融的；財政的。§ ~ **únit** 貨幣單位。

mon·e·tize [ˋmʌnə,taɪz] *v.t.*①鑄成貨幣。②定爲貨幣。③使成合法貨幣。

‡mon·ey [ˋmʌnɪ] *n.*①Ⓤ金錢；貨幣；財富。②(*pl.*)金額；資金；一筆錢。③Ⓤ 獎金(與 first, second 及 third 連用)。④Ⓤ〖經〗交換之媒介；貨物貨幣。***coin*** ~很快致富；暴富。***for one's*** ~據某人的看法、選擇或意願。***in the*** ~〖俚〗**a.**很富有。**b.**賽馬或賽狗之前三名。***make*** ~ 賺錢。***(pay)*** ~ ***down*** 現金交易。~ ***of account*** 計算[記帳]貨幣。***M- talks.*** 錢能通神。§ ~ **màrket** 金融市場。~ **òrder**匯票。~ **plàyer**〖俚〗(1)表現最佳者。(2)善下大注賭錢者。

mon·ey·bag [ˋmʌnɪ,bæg] *n.*① Ⓒ 錢袋。②(*pl.*)〖俗〗財富。③(*pl.*)〖俗〗富人。

mon·ey·chang·er [ˋmʌnɪ,tʃendʒə] *n.* Ⓒ①兌換業者。②兌換機。

mon·ey·grub·ber [ˋmʌnɪ,grʌbə] *n.* Ⓒ守財奴；財迷。

mon·ey·grub·bing [ˋmʌnɪ,grʌbɪŋ] *adj.* 積蓄錢財的。— *n.* Ⓤ蓄財；金錢之爭取。

mon·ey·lend·er [ˋmʌnɪ,lɛndə] *n.* Ⓒ放利者。

mon·ey·mak·ing [ˋmʌnɪ,mekɪŋ] *n.* Ⓤ 賺錢；蓄財。— *adj.* ①熱心賺錢的。②獲益的(事業等)。

mon·ger [ˋmʌŋgə] *n.* Ⓒ〖英〗販子；商人(多用於複合字，如 warmonger).

Mon·gol [ˋmaŋgəl] *n.*① Ⓒ 蒙古人。②Ⓤ蒙古語。— *adj.* 蒙古人[語]的。

Mon·go·li·a [maŋˋgolɪə] *n.* 蒙古。

Mon·go·li·an [maŋˋgolɪən] *n.*① Ⓒ蒙古人。② Ⓤ 蒙古語。③ Ⓒ 黃種人。— *adj.*①蒙古族[語]的。②黃種人的。③(常 m-)罹患蒙古症的。

Mon·gol·ism [ˋmaŋgəl,ɪzəm] *n.* Ⓤ〖醫〗蒙古症(唐氏症候群的舊稱)。

Mon·gol·oid [ˋmaŋgəl,ɔɪd] *adj.*似蒙古人種的；黃色人種的。— *n.* Ⓒ①黃種人。②(常 m-)患蒙古症者。

mon·goos(e) [ˋmaŋgus] *n.* Ⓒ〖動〗獴(產於印度，形似鼬，善捕殺鼠與蛇)。

mon·grel [ˋmaŋgrəl] *n.* Ⓒ ①雜種狗。②〖蔑〗混血兒。— *adj.* 雜種的。

mon·i·ker [ˋmanɪkə] *n.* Ⓒ ①徒步旅行者認路的記號。②〖俚〗姓名；綽號。

mon·ism [ˋmanɪzəm] *n.* Ⓤ〖哲〗一元論。

mo·ni·tion [moˋnɪʃən] *n.* Ⓤ Ⓒ ①勸告；警告；警戒。②〖法律〗(法庭之)傳喚。③〖宗〗(主教所發之)訓戒信。

***mon·i·tor** [ˋmanətə] *n.* Ⓒ ①級長；班長；監察員。②監視員；監聽員。③監視器；監聽器。④一種大蜥蜴。⑤〖機〗監控裝置。— *v.i.* & *v.t.*監視；監聽；截聽；控制。

mon·i·to·ry [ˋmanə,torɪ] *adj.* 勸告的；訓戒的；警告的。— *n.* Ⓒ 訓戒信。

monk [mʌŋk] *n.* Ⓒ僧侶；修道士。

‡mon·key [ˋmʌŋkɪ] *n.* ①Ⓒ猴；猿。②Ⓒ頑皮的孩子。③Ⓤ〖美俚〗吸毒癮。④Ⓒ〖英俚〗五百鎊。⑤Ⓤ〖英〗忿怒。***get [have, put] one's*** ~ ***up***〖英俗〗(使)發怒；(使)生氣。***have a*** ~ ***on one's back***〖俚〗**a.**有吸毒癮。**b.**沈重的負累。— *v.i.*〖美俗〗嘲弄；玩弄〔常 around, with〕. — *v.t.*①模仿；學樣。②戲弄；諷嘲。§ ~ **bùsiness [trìck]**〖俚〗(1)不正當的行爲。(2)輕佻的行爲；惡作劇的行爲。~ **cùp** 豬籠草。~ **jàcket**(昔時水手的)緊身短外套。~ **nùt**〖英俚〗落花生。~ **pùzzle**〖植〗智利松。~ **sùit**〖俚〗(1)制服。(2)(男用)禮服；晚禮服。~ **tìme** 夏天。~ **wrènch** 活動扳鉗；活口扳頭。

mon·key·ish [ˋmʌŋkɪɪʃ] *adj.*似猿猴的；頑皮的。

mon·key·shine [ˋmʌŋkɪ,ʃaɪn] *n.* Ⓒ(常 *pl.*)〖美俚〗惡作劇。

monks·hood [ˋmʌŋks,hʊd] *n.* Ⓒ〖植〗烏頭；附子(一種有毒植物)。

mon·o [ˋmano] *adj.*(唱片等)單聲(音)的；單耳的。— *n.* (*pl.* **~s**)①Ⓒ單聲唱片。②Ⓤ單聲重現。

mon·o·chrome [ˋmɑnəˏkrom] *n.* Ⓤ Ⓒ 單色畫(法)。— **mon·o·chro·mat′ic,** *adj.*
mon·o·cle [ˋmɑnək!] *n.* Ⓒ 單片眼鏡。
mon·o·cot·y·le·don [ˏmɑnəˏkɑt!ˋidn̩] *n.* Ⓒ 〖植〗單子葉植物。
mo·noc·u·lar [məˋnɑkjələ˞] *adj.* 單眼(用)的。
mon·o·cy·cle [ˋmɑnəˏsaɪk!] *n.* Ⓒ 「單輪車。」
mon·o·dra·ma [ˋmɑnəˏdrɑmə] *n.* Ⓒ 一人劇；獨腳戲。
mon·o·dy [ˋmɑnədɪ] *n.* Ⓒ ①(希臘悲劇)獨唱歌；悲歌。②輓歌；追悼詩。
mo·nog·a·my [məˋnɑgəmɪ] *n.* Ⓤ 一夫一妻(制)。— **mo·nog′a·mist,** *n.* —**mo·nog′a·mous,** *adj.*
mon·o·gram [ˋmɑnəˏgræm] *n.* Ⓒ 組合文字；花押字。
mon·o·graph [ˋmɑnəˏgræf] *n.* Ⓒ 專論；專文。(亦作 **monography**)
mon·o·lin·gual [ˏmɑnəˋlɪŋgwəl] *adj.* & *n.* Ⓒ 僅諳一種語言的(人)。
mon·o·lith [ˋmɑn!ˏɪθ] *n.* Ⓒ ①(一塊)巨石；獨石。②由一塊巨石製成的碑、柱、像等。③巨大的結構或組織。
mon·o·lith·ic [ˏmɑn!ˋɪθɪk] *adj.* ①由一塊巨石所形成的。②不分派別的；統一的。
mon·o·log(ue) [ˋmɑn!ˏɔg] *n.* Ⓤ Ⓒ ①獨白；獨語；獨腳戲。②長談；長篇大論。
mon·o·log·ist [ˋmɑnəˏlɔgɪst] *n.* Ⓒ ①獨白者；自言自語者。②演獨腳戲者。③獨霸談話者。
mon·o·ma·ni·a [ˏmɑnəˋmenɪə] *n.* Ⓤ (又作 a ～)〖醫〗偏執狂；專對一事的狂熱。
mon·o·ma·ni·ac [ˏmɑnəˋmenɪˏæk] *n.* Ⓒ ①偏執狂者。②專對一事狂熱的人。
mon·o·mer [ˋmɑnəmə˞] *n.* Ⓒ 〖化〗「單體。」
mon·o·met·al·lism [ˏmɑnəˋmɛt!ˏɪzəm] *n.* Ⓤ 單幣制。
mo·no·mi·al [moˋnomɪəl] 〖數〗 *adj.* 單項的；單名的。**—** *n.* Ⓒ 單項式。
mon·o·nu·cle·o·sis [ˏmɑnəˏnjuklɪˋosɪs] *n.* Ⓤ Ⓒ 〖醫〗單核白血球增多症。
mon·o·phon·ic [ˏmɑnəˋfɑnɪk] *adj.* ①〖樂〗無伴奏的。②無立體音響效果的。
mon·oph·thong [ˋmɑnəfˏθɔŋ] *n.* Ⓒ 〖語音〗單母音。
mon·o·plane [ˋmɑnəˏplen] *n.* Ⓒ 單翼飛機。
mo·nop·o·list [məˋnɑp!ɪst] *n.* Ⓒ ①專賣者；壟斷者。②主張或贊成專賣者。— **mo·nop·o·lis′tic,** *adj.*
mo·nop·o·lize [məˋnɑp!ˏaɪz] *v.t.* ①壟斷；專賣。②獨占；據爲己有。— **mo·nop·o·li·za′tion,** *n.*
***mo·nop·o·ly** [məˋnɑp!ɪ] *n.* ①(a ～)壟斷；獨占。②Ⓒ 專賣權；專賣品；專利權。③Ⓒ 獨占事業；專賣事業。④Ⓒ 專利公司。
mon·o·rail [ˋmɑnəˏrel] *n.* Ⓒ ①單軌。②單軌鐵路。
mon·o·syl·la·ble [ˋmɑnəˏsɪləb!] *n.* Ⓒ 單音節字(如yes, no等)。— **mon·o·syl·lab′ic,** *adj.*
mon·o·the·ism [ˋmɑnəθiˏɪzəm] *n.* Ⓤ 一神論；一神教。
mon·o·tone [ˋmɑnəˏton] *n.* (a ～) (聲調、文體、顏色等之)單調。**—** *v.i.* 單調地歌唱、吟唱、或朗誦。
***mo·not·o·nous** [məˋnɑtn̩əs] *adj.* ①單調的；無變化的。②因單調而使人厭倦的。— **ly,** *adv.* *— **mo·not′o·ny,** *n.*
mon·o·type [ˋmɑnəˏtaɪp] *n.* Ⓒ 〖印刷〗自動鑄字機；自動鑄字機鑄出之活字。
mon·ox·ide [mɑnˋɑksaɪd] *n.* Ⓤ Ⓒ 〖化〗一氧化物。
Mon·roe [mənˋro] *n.* 門羅(James, 1758-1831, 於1817-25任美國第五位總統)。§ **the ∼ Dóctrine** 門羅主義(美國門羅總統所創，主張歐洲國家不得干涉南北美洲事務)。
mon·sieur [məˋsjɜ] 〖法〗 *n.* (*pl.* **mes·sieurs**)先生(＝Mr., sir).
Mon·si·gnor [mɑnˋsinjə˞] *n.* (*pl.* **～s, Mon·si·gno·ri** [ˏmɑnsiˋnjɔri])閣下(對大主教等的敬稱，＝my lord).
mon·soon [mɑnˋsun] *n.* (the ～)①季風(印度洋與亞洲南部之季風，夏季從西南吹來，冬季自東北吹來)。②(印度之)西南季風季節；雨季。
***mon·ster** [ˋmɑnstə˞] *n.* Ⓒ ①怪物。②巨物[獸]。③惡人；殘酷之人。④任何醜惡或違反自然之物。**—** *adj.* 巨大的。
mon·stros·i·ty [mɑnˋstrɑsətɪ] *n.* ①Ⓒ 怪物。②Ⓤ 畸形；怪異。③Ⓒ 巨形；巨大之物。④Ⓤ 惡行。
***mon·strous** [ˋmɑnstrəs] *adj.* ①巨大的。②異形的；畸形的。③怪異的；荒誕的。④令人吃驚的；恐怖的。— **ly,** *adv.* — **ness,** *n.*
mon·tage [mɑnˋtɑʒ] *n.* ①Ⓤ Ⓒ 混合畫；混合畫之構成。②Ⓤ 〖影〗蒙太奇。
Mon·tan·a [mɑnˋtænə] *n.* 蒙大拿(美國西北部之一州)。
Mont Blanc [mɑntˋblæŋk] *n.* 白朗峰(阿爾卑斯山最高峰)。
Mon·te Car·lo [ˏmɑntɪˋkarlo] *n.* 蒙地卡羅(Monaco之一城市，俗稱賭城)。
Mon·tes·quieu [ˏmɑntəˋskju] *n.* 孟德斯鳩(Charles, 1689-1755, 法國的政治哲學家)。
Mon·te·vi·de·o [ˏmɑntəvɪˋdeo] *n.* 蒙特維多(烏拉圭之首都)。
****month** [mʌnθ] *n.* Ⓒ ①月。②一個月的期間(三十天)。∼ *of Sundays* 一段無限長的時期。
***month·ly** [ˋmʌnθlɪ] *adj.* ①每月的；(付款等)按月的；每月一次的。②供一個月用的。**—** *n.* ①Ⓒ 月刊。②(*pl.*)月經。§ ∼ **périod** 月經。
Mont·re·al [ˏmɑntrɪˋɔl] *n.* 蒙特婁(加拿大東南部 Quebec 省最大都市)。
***mon·u·ment** [ˋmɑnjəmənt] *n.* Ⓒ ①紀念碑。②紀念物。③界碑。④紀念文。⑤不朽功業[作品]。⑥出類拔萃。
***mon·u·men·tal** [ˏmɑnjəˋmɛnt!] *adj.* ①紀念碑的。②做爲紀念的。③似紀念碑的。④不朽的。⑤巨大的。
moo [mu] *n.* Ⓒ (*pl.* **～s**) 牛鳴聲。

— *v.i.* (牛)鳴叫。

mooch [mutʃ] 〖俚〗*v.i.* ①潛行。②流浪；漂泊。③揩油。— *v.t.* ①偷。②乞求；討。— **er,** *n.*

***mood**[1] [mud] *n.*① Ⓒ 心情；心境。②(*pl.*)易怒的情緒；壞情緒。

mood[2] *n.* Ⓤ Ⓒ 〖文法〗語氣；方式。

mood·y [ˋmudɪ] *adj.*①心情變幻不定的。②憂鬱的；不快的。

‡**moon** [mun] *n.*①(常 the ～)月亮。② Ⓤ 月光。③ Ⓒ 衛星。④ Ⓒ 一個月的時間。*cry for the* ～想做不能做到的事；想要得不到的東西。— *v.t.*閒度(時光)〔away〕.— *v.i.*①閒蕩〔about, around〕.②如癡如醉地想[看]。§ ～ **càke**〖中〗中秋月餅。～ **ròcket** 探月的火箭。～ **shòot** 探月火箭之發射。

moon·beam [ˋmun,bim] *n.* Ⓒ 月光。

moon·calf [ˋmun,kæf] *n.* Ⓒ (*pl.* **-calves**)①白癡；天生的低能者。②漫遊者。

moon·craft [ˋmun,kræft] *n.* Ⓒ 登陸月球之太空船。

moon·flight [ˋmun,flaɪt]*n.* Ⓒ 月球飛行。

***moon·light** [ˋmun,laɪt] *n.* Ⓤ 月光。— *adj.* 有月光的。— *v.i.* 兼差。—**er,** *n.*

moon·light·ing [ˋmun,laɪtɪŋ] *n.* Ⓤ 兼差。

moon·lit [ˋmun,lɪt] *adj.* 被月光照亮的。

moon·quake [ˋmun,kwek] *n.* Ⓒ 月震。

moon·rise [ˋmun,raɪz] *n.*① Ⓤ Ⓒ 月出。② Ⓒ 月出時刻。

moon·scape [ˋmun,skep]*n.* Ⓒ 月球上之景色。

moon·shine [ˋmun,ʃaɪn] *n.* Ⓤ ①月光。②胡言；妄想。③〖美俗〗私酒。

moon·shin·er [ˋmun,ʃaɪnɚ] *n.* Ⓒ 〖俚〗①偷運私酒者；釀造私酒者。②夜間做非法生意者。

moon·shot [ˋmun,ʃɑt] *n.* Ⓒ 月球[探月]火箭之發射。

moon·stone [ˋmun,ston] *n.* Ⓤ Ⓒ 〖礦〗月長石。

moon·struck [ˋmun,strʌk] *adj.* 昏迷的；發狂的。

moon·walk [ˋmun,wɔk] *n.* Ⓒ 月球漫步。

moon·y [ˋmunɪ] *adj.* ①月亮的。②夢幻的；恍惚的。

moor[1] [mʊr] *n.* Ⓒ (常 *pl.*)〖英〗①(長有石南屬植物 heather 的)曠野。②狩獵之地。

moor[2] *v.t.* ①使(船)碇泊。②使固定。— *v.i.* ①碇泊；下錨。②繫牢。

Moor [mʊr] *n.* Ⓒ 摩爾人(居於非洲西北部之回教人種)。

moor·age [ˋmʊrɪdʒ] *n.*① Ⓤ Ⓒ 碇泊。② Ⓒ 碇泊處。③ Ⓤ Ⓒ 碇泊費。

moor·ing [ˋmʊrɪŋ] *n.* Ⓤ 碇泊；繫船。

moor·land [ˋmʊr,lænd] *n.* Ⓤ (常 *pl.*)荒地；沼地。

moose [mus] *n.* Ⓒ (*pl.* ～)〖動〗麋。

moot [mut] *adj.*①有討論餘地的。②懷疑的。③假設的。— *v.t.*提出討論；辯論。— *n.* Ⓤ Ⓒ ①〖英史〗自由市民公會。②(法科學生)辯論會。

***mop**[1] [mɑp] *n.* Ⓒ ①拖把。②似拖把之物。— *v.t.* (**-pp-**)①洗擦；以拖把擦。②擦；揩。～ *the floor with*〖俗〗徹底擊敗(對方)。～ *up* **a.**狼吞虎嚥。**b.**完成。**c.**肅清。**d.**榨取(利益)。

mop[2] *v.i.*(**-pp-**)作鬼臉；作怪相。— *n.* Ⓒ 怪相；鬼臉。

mope [mop] *v.t.* & *v.i.* 抑鬱不樂。— *n.*① Ⓒ 抑鬱不樂的人。②(*pl.*)憂鬱。

mop·pet [ˋmɑpɪt]*n.* Ⓒ 〖俗〗小孩；娃兒。

mo·raine [moˋren] *n.* Ⓒ 〖地質〗(由冰河沖積成的)冰磧石。

***mor·al** [ˋmɔrəl] *adj.*①品行端正的；公正的。②能辨是非的。③道德的；道德上的。④教訓的。⑤精神上的；道義上的。⑥基於良心的。— *n.*① Ⓒ 教訓；寓意。②(*pl.*)品行；風化。③(*pl.*,作*sing.* 解)行爲原則；道德律；倫理學。§ ～ **láw** 道德律。～ **Re-Ármament (Móvement)** 道德重整運動。～ **sénse** 道德感；道義心。— **ly,** *adv.*

mo·rale [moˋræl] *n.* Ⓤ 士氣。

mor·al·ism [ˋmɑrəlɪzṃ] *n.*① Ⓤ 道德的教論；講道；教訓。② Ⓒ 格言。③ Ⓤ (別於宗教之)倫理主義；道德的實踐。

mor·al·ist [ˋmɔrəlɪst] *n.* Ⓒ 道德家。

***mo·ral·i·ty** [moˋrælətɪ] *n.*① Ⓤ 道德；道義。② Ⓤ 美德；德性。③ Ⓒ 教訓；寓意。④(*pl.*)倫理；道德律。⑤ Ⓒ (亦作 **morality play**)(十五、十六世紀之)道德劇。

mor·al·ize [ˋmɔrəl,aɪz] *v.t.*①以道德意義解說。②教以道德；賦以道德。③使道德化。— *v.i.*說教；教訓；以道德感化。

mo·rass [moˋræs] *n.* Ⓒ ①沼地；泥沼；濕地。②(常 *sing.*)困境。

mor·a·to·ri·um [,mɔrəˋtorɪəm] *n.* Ⓒ (*pl.* ～**s, -ri·a** [-rɪə])①〖法律〗延期償付。②延期償付之有效期。③停止；暫時禁止(令)。

mor·bid [ˋmɔrbɪd] *adj.*①(精神、思想)病態的；不健康的。②由病引起的；病的。③病理的；病理學的。～ anatomy 病理解剖學。④恶性的；可怕的。—**mor·bid′i·ty,** *n.*

mor·da·cious [mɔrˋdeʃəs] *adj.* ①有腐蝕力的。②刻毒的；尖酸刻薄的；譏刺的。— **ly,** *adv.*

mor·dant [ˋmɔrdṇt] *adj.*①諷刺的；尖酸的。②有腐蝕性的。③媒染的。④激烈的。— *n.* Ⓤ Ⓒ ①媒染劑。②(金屬)腐蝕劑。

‡**more** [mor] *adj.* comp. of **much, many,** superl., **most.**①更多的；更大的。②另外的；外添的；多餘的。— *pron.* ①更大的數量。②另外之數量；加添的數量。③更重要之人或物。— *adv.*①更(形容形容詞和副詞以造成比較級，相當於字尾 -er 之用途)。②(形容動詞)更多；更大。③再。④寧(=rather)；更甚。*all the* ～格外；越發。～ *and* ～越來越多。～ *or less* **a.**多少；有些。**b.**大約；大概；左右。**c.**一點也。～ *than* 多過；大過；比…更。～ *than ever* 越發；更加。*no* ～ **a.**不再。**b.**死。*no* ～ *than* **a.**不過；祇；僅(=only). **b.** 與…同樣不…；跟…

一樣不…。*the ~...the ~...*愈…愈…。*The* ~ they have, *the* ~ they want. 他們有的愈多, 則需要愈多。*(and) what's* ~再者; 更有甚者; 而且。

mo·rel [mə`rɛl] *n.* Ⓒ一種小蘑菇。

***more·o·ver** [mor`ovə,mɔr-] *adv.*而且; 此外。

mo·res [`moriz] *n. pl.* 〖社會〗社會的「傳統習俗。」

morgue [mɔrg] *n.* Ⓒ①(待人認領屍體的)陳屍所。②報館之資料室。③(資料室之)參考資料。

mor·i·bund [`mɔrə,bʌnd] *adj.*①將死的。②即將消滅的。

Mor·mon [`mɔrmən] *n.* Ⓒ摩門教教友。— **ism,** *n.*

morn [mɔrn] *n.* 〖詩〗=**morning.**

‡**morn·ing** [`mɔrnɪŋ] *n.*① ⓊⒸ 早晨; 上午。②(the ~)早期; 初期。*in the* ~在早晨; 在上午。— *adj.*①早晨的; 上午的。②(社交用語)午後的。§ ~ **càll** (1)晨間拜訪。(2)晨喚(旅館應房客之請在清晨以電話請房客起床)。~ **gòwn** 晨衣。~ **pàper**(報紙之)早報。~ **perfórmance** = matinee. ~ **práyer**(1)晨禱。(2)(M- P-)〖英國教〗晨禱。~ **ròom**(上午家人共用的)起居室。~ **sìckness**(懷孕初期之)晨吐; 害喜。**the** ~ **stár** 晨星(在日出前出現; 通常指金星)。

morn·ing-glo·ry [`mɔrnɪŋ,glorɪ] *n.*① ⓊⒸ〖植〗牽牛花。② Ⓒ 後勁不足者; 虎頭蛇尾者。

Mo·roc·can [mə`rɑkən] *adj.*摩洛哥(人)的。— *n.* Ⓒ摩洛哥人。

Mo·roc·co [mə`rɑko] *n.*① 摩洛哥(西北非洲一國家, 首都爲 Rabat). ② (m-) Ⓤ (亦作 **morocco leather**)摩洛哥山羊皮(裝訂書用)。

mo·ron [`morɑn] *n.* Ⓒ低能者。

mo·rose [mo`ros] *adj.*憂鬱的; 陰沉的; 壞脾氣的。

morph [mɔrf] *n.* Ⓒ〖生物〗(同種類中「的)變體。」

mor·phi·a [`mɔrfɪə], **mor·phine** [`mɔrfin] *n.* Ⓤ 嗎啡。

mor·phin·ism [`mɔrfin,ɪzm] *n.* Ⓤ ①〖醫〗嗎啡中毒。②嗎啡癮。

morpho- 〖字首〗表「形; 形態」之義。

mor·pho·gen·e·sis [,mɔrfə`dʒɛnəsɪs] *n.* Ⓒ〖胚胎〗形態[形體]發育(器官之結構上的發育)。

mor·phol·o·gy [mɔr`fɑlədʒɪ] *n.* Ⓤ ①〖生物〗形態學。②〖語言〗形態學; 構詞學。

mor·row [`mɔro] *n.*①(the ~)翌日; 次日。②〖古〗=**morning.**

Mórse códe [`mɔrs ~] *n.* Ⓤ〖電信〗摩爾斯電碼(用點與線表示字母的電碼)。

mor·sel [`mɔrsəl, -sl] *n.* Ⓒ ①一口。②一小片; 少量。

***mor·tal** [`mɔrtl] *adj.* ①不免一死的。②人的; 人類的。③致命的。④瀕死的; 臨終的。⑤拚命的; 不共戴天的。⑥非常的。⑦使靈魂死亡的。⑧漫長的。— *n.* Ⓒ ①必死的東西。②人; 人類。— **ly,** *adv.*

mor·tal·i·ty [mɔr`tælətɪ] *n.* Ⓤ ①必死的命運。②大規模死亡。③死亡率。§ ~ **tàble**〖保險〗死亡率統計表。

mor·tar[1] [`mɔrtə] *n.* Ⓤ 灰泥。— *v.t.*塗以灰泥; 以灰泥黏住(如磚)。

mor·tar[2] *n.* Ⓒ①臼; 乳鉢。②臼砲; 迫擊砲。— *v.t. & v.i.* 以迫擊砲攻擊。

mor·tar·board [`mɔrtə,bord] *n.* Ⓒ①灰泥板; 鏝板。②學士帽。

***mort·gage** [`mɔrgɪdʒ] *n.* ①ⓊⒸ 抵押。② Ⓒ 抵押單據。③ Ⓤ 義務; 精神負擔。— *v.t.* ①抵押。②誓約; 獻身於。§ ~ **lóan** 抵押貸款。

mort·ga·gee [,mɔrgɪ`dʒi] *n.* Ⓒ 承受抵押者。

mort·gag·er, mort·ga·gor [`mɔrgɪdʒə] *n.* Ⓒ 抵押者。

mor·tice [`mɔrtɪs] *n. & v.t.* = **mortise.**

mor·ti·cian [mɔr`tɪʃən] *n.* Ⓒ〖美〗「殯儀業者。」

mor·ti·fy [`mɔrtə,faɪ] *v.t.* ①使感到羞辱; 使蒙屈辱。②抑制(肉慾及情慾)。— *v.i.* ①生成壞疽; 成爲死肉。②禁慾。— **mor·ti·fi·ca'tion,** *n.* — **ing,** *adj.*

mor·tise [`mɔrtɪs] *n.* Ⓒ 枘穴; 榫眼。— *v.t.*①以枘穴接牢; 上榫。②接合。

mor·tu·ar·y [`mɔrtʃu,ɛrɪ] *n.* Ⓒ 停屍處; 陳屍處。— *adj.* ①死的; 死者的; 紀念死者的。②埋葬的。

mo·sa·ic [mo`ze·ɪk] *n.* ① Ⓤ 鑲嵌細工; 馬賽克。② Ⓒ 馬賽克畫; 鑲嵌畫。③ Ⓒ (常 *sing.*)鑲嵌式之物。— *adj.* 鑲嵌式的; 拼湊而成的。

Mo·sa·ic [mo`ze·ɪk] *adj.* 摩西的。

***Mos·cow** [`mɑsko] *n.* 莫斯科(前蘇聯首都)。

Mo·ses [`mozɪz] *n.* ①〖聖經〗摩西(先知及立法者, 率以色列人逃出埃及)。② Ⓒ 偉大領袖。

mo·sey [`mozɪ] *v.i.* 〖美俚〗①蹓躂而行。②漫步; 徘徊。③走開; 離去。

Mos·lem [`mɑzləm] *n.* Ⓒ (*pl.* ~, ~**s**)回教徒。— *adj.* 回教(徒)的。

***mosque** [mɑsk] *n.* Ⓒ 回教寺院; 清眞寺。

***mos·qui·to** [mə`skito] *n.* Ⓒ (*pl.* ~(e)s)①蚊。②英國的蚊式輕轟炸機。§ ~ **bòat** 魚雷快艇(=PT boat). ~ **cràft**(集合稱)小型艦艇; 小砲艇。~ **nèt** 蚊帳。

***moss** [mɔs] *n.* ⓊⒸ〖植〗苔。— *v.t. & v.i.*(使)生滿青苔。§ ~ **róse** 一種西洋薔薇。— **moss'y,** *adj.*

moss-grown [`mɔs,gron] *adj.*①生滿苔的。②落伍的; 守舊的。

‡**most** [most] *adj.* superl. of **much, many.** ①最多的; 最大的。②大多數的; 幾乎全部的。— *n.* ①(常the ~, 作 *sing.* 解)最多; 最大。②大部分。*at (the)*~ 至多。*make the ~ of* 善爲利用; 獲益。*the* ~ 〖俚〗極至; 觀止。— *adv.* ①最(主用以構成兩音節以上形容詞、副詞之最高級)。②極; 非常。③〖俗〗幾乎; 近乎(= almost, nearly).

‡**most·ly** [`mostlɪ] *adv.* ①主要地; 多半地。②通常。

mot [mo] 〖法〗*n.* Ⓒ 警句; 妙語。

mote [mot] *n.* Ⓒ①微塵。②小毛病。

***mo·tel** [mo`tɛl] *n.* Ⓒ〖美〗汽車旅館。

***moth** [mɔθ, mɑθ] *n.* Ⓒ ①蠹。②蛾。

moth·ball [ˋmɔθ,bɔl] *n.* Ⓒ 樟腦丸。*in*[*into*] *~s* (艦艇、飛機等)編入後備役的；暫封不用的。§ ~ **fléet**〖美俗〗海軍中之後備艦隊。

moth-eat·en [ˋmɔθ,itən] *adj.* ①蠹蛀的。②破舊的。

‡**moth·er** [ˋmʌðɚ] *n.* ①Ⓒ母親。②(the ~)根本；源泉。③(M-) Ⓒ婦女宗教社會首長；女修道院院長。④(M-)對老年婦女之稱呼。— *v.t.* ①對…盡母職。②收…爲義子；承認爲…的母親。③生。④照顧。⑤產生。§ ~ **cóuntry** 母國；祖國。~ **éarth** 大地。**M~ Góose rhỳme**〖美〗童謠。**M~ Náture** 大自然。**~'s bòy** 過分依戀母親的男孩。**Móther's Dày** 母親節。~ **shìp** 母船；補給船；護航船。**~'s mílk** 母乳。~ **supérior** 女修道院等之院長。~ **tóngue** 母語。~ **wít** 與生俱來的智慧；常識。—**hood,** *n.* —**ly,** *adj.*

moth·er·board [ˋmʌðɚ,bord] *n.* Ⓒ〖電算〗主機板。

moth·er-in-law [ˋmʌðərɪn,lɔ] *n.* Ⓒ (*pl.* **moth·ers-in-law**)婆婆；岳母。

moth·er·land [ˋmʌðɚ,lænd] *n.* Ⓒ ①祖國；故鄉。②發源地。

moth·er·less [ˋmʌðɚlɪs] *adj.* 無母的；母親已死的。

moth·er-of-pearl [ˋmʌðɚəvˋpɝl] *n.* Ⓤ (貝殼等之)珠母層；眞珠母。

Moth·er Te·re·sa [ˋmʌðɚ təˋrisə] (印度一生行善的)特里莎修女(1910-1997, 1979 年獲得諾貝爾和平獎，於 1997 年 9 月 5 日與世長辭)。

moth·proof [ˋmɔθ,pruf] *adj.* ①防蟲的。②不怕蟲的。— *v.t.* 加以防蟲處理。

mo·tif [moˋtif] *n.* Ⓒ ①(文學、藝術作品之)主題；主旨。②圖形；圖式。

mo·tile [ˋmotl̩] *adj.*〖生物〗能動的；有自動力的。

***mo·tion** [ˋmoʃən] *n.* ①Ⓤ運動；移動；動作。②Ⓒ姿態；位置的變動；手勢。③Ⓒ動議；提議。④Ⓒ動機；意向。*go through the ~s* 做…的動作[姿態]。*in ~* 在運行中；在移動中。— *v.t. & v.i.* 以手或頭示意。§ ~ **pícture** 電影。~ **sìckness** 暈車[船，機]。

mo·tion·less [ˋmoʃənlɪs] *adj.* 不動的；靜止的。

mo·tion-pic·ture [ˋmoʃənˋpɪktʃɚ] *adj.* 電影的。

mo·ti·vate [ˋmotə,vet] *v.t.* 引起動機；促起；激發。—**mo·ti·va′tion,** *n.*

***mo·tive** [ˋmotɪv] *n.* ①Ⓒ動機；目的。②=**motif.** — *adj.* 發動的。— *v.t.* =**motivate.** —**less,** *adj.*

mot·ley [ˋmɑtlɪ] *n.* ①Ⓒ雜色花衣(小丑所穿者)。②Ⓤ雜色。③Ⓤ混雜。— *adj.* ①雜色的。②混雜的。③穿雜色花衣的。

mo·to·cross [ˋmoto,krɔs] *n.* ⓊⒸ 機車越野賽。

***mo·tor** [ˋmotɚ] *n.* Ⓒ ①馬達。②發電機。③內燃機。④汽車。⑤〖解〗運動肌；運動神經。— *adj.* ①由發動機推動的。②運動肌或運動神經的。③推動的。— *v.i. & v.t.* 乘汽車旅行；以汽車載運。§ ~ **hòme** 活動房屋；露營車。~ **scòoter** 速克達(機車)。~ **shìp** 摩托船。~ **torpédo bòat** 魚雷快艇。~ **vàn**〖英〗有篷卡車。**the M~ Cíty** 汽車城(美國 Detroit 市的別稱)。

mo·tor·bike [ˋmotɚ,baɪk] *n.*〖英〗=**motorcycle.**

mo·tor·boat [ˋmotɚ,bot] *n.* Ⓒ 汽艇。

mo·tor·bus [ˋmotɚ,bʌs] *n.* Ⓒ 公共汽車。

mo·tor·cade [ˋmotɚ,ked] *n.* Ⓒ〖美〗汽車行列。— *v.i.*〖俗〗參加汽車隊行動。

***mo·tor·car** [ˋmotɚ,kɑr] *n.* =**automobile.**

mo·tor·cy·cle [ˋmotɚ,saɪkl̩] *n.* Ⓒ 機器腳踏車；機車。— *v.i.* 乘機車旅行。

mo·tor·cy·clist [ˋmotɚ,saɪklɪst] *n.* Ⓒ 乘機車者。

mo·tor·ist [ˋmotərɪst] *n.* Ⓒ 駕汽車者；乘汽車旅行者。

mo·tor·ize [ˋmotə,raɪz] *v.t.* ①裝發動機於(車)。②使動力化；使機械化。

mo·tor·man [ˋmotɚmən] *n.* Ⓒ (*pl.* **-men**) ①電車或電動火車司機。②管理發動機者。

mot·tle [ˋmɑtl̩] *v.t.* 使成雜色；弄斑駁。— *n.* Ⓒ 有雜色之斑點。

***mot·to** [ˋmɑto] *n.* Ⓒ (*pl.* **~es, ~s**) ①箴言；座右銘。②刻於某物上之銘辭；題辭；引用句；題句。

***mould** [mold] *v. & n.*〖英〗=**mold.**

moult [molt] *v. & n.*〖英〗=**molt.**

***mound** [maʊnd] *n.* Ⓒ ①堤；土堆。②小山；丘陵；假山。③〖棒球〗投手板。④一堆。

***mount**[1] [maʊnt] *v.t.* ①爬上；走上；登上。②使…騎乘；乘於馬上；備以馬。③裝備；裝設。④裝以框；裱裝。⑤供以服裝與道具。⑥演出(戲劇)。⑦擔任(守衛或警備)。⑧派(警衛人員)。— *v.i.* ①上升；增加；(物價等)上漲。②乘馬。③被裝置。— *n.* Ⓒ ①乘用馬。②框。③襯布；襯紙。④架。⑤騎馬。

***mount**[2] *n.* ①(M-)山。②Ⓒ〖手相〗宮(掌肉隆起處)。

‡**moun·tain** [ˋmaʊntn̩, -tɪn] *n.* ①Ⓒ山；高山。②(*pl.*)山脈。③Ⓒ高如山之物。④Ⓒ大量之物。⑤Ⓒ巨大的障礙。§ ~ **àsh** 花椒。~ **chàin** [**rànge**] 山脈。~ **gòat**〖動〗洛磯山羊(美國產)。~ **làurel**〖植〗(美國)闊葉山月桂。~ **lìon**〖動〗美洲獅。~ **sìckness**〖醫〗高山病。

moun·tain·eer [,maʊntn̩ˋɪr] *n.* Ⓒ ①山居者。②善於登山者。— *v.i.* 爬山。—**ing,** *n.*

***moun·tain·ous** [ˋmaʊntn̩əs] *adj.* ①多山的；山地的。②巨大的；如山的。

moun·tain·side [ˋmaʊntn̩,saɪd] *n.* Ⓒ (常 *sing.*)山腹；山坡。

moun·tain·top [ˋmaʊntn̩,tɑp] *n.* Ⓒ 山頂。

moun·te·bank [ˋmaʊntə,bæŋk] *n.* Ⓒ ①江湖醫生；江湖郎中。②騙子；炫言惑眾者。—**er·y,** *n.*

mount·ed [ˋmaʊntɪd] *adj.* 騎著馬的。

mount·ing [ˋmaʊntɪŋ] *n.* ①Ⓤ騎；乘；攀登。②Ⓒ砲架。③Ⓒ(寶石的)

鑲座。④Ⓤ袍裝。

***mourn** [morn, mɔrn] *v.t.* & *v.i.*①哀悼；悲悼；憂傷〔for, over〕。②惋惜。

mourn·er [ˋmornɚ] *n.* Ⓒ①哀悼者；送喪者。②懺悔者；悔罪者。

***mourn·ful** [ˋmɔrnfl] *adj.*悲哀的；悽慘的。— **ly,** *adv.*

mourn·ing [ˋmɔrnɪŋ] *n.* Ⓤ①悲哀；哀悼。②穿孝；戴孝；著喪服。③喪服。*put on* ～著喪服。§ ～ **bànd**(繞在衣袖上或帽上之)喪章。～ **bòrder**(表示哀悼的)黑邊；黑框。～ **còach**(黑色的)靈車；出殯車。～ **dòve**〖鳥〗北美產之一種野鴿(其鳴聲悽慘)。～ **rìng**(鑲有死者小像的)紀念戒指。

***mouse** [maʊs] *n.*(*pl.* **mice**)① Ⓒ 鼠；鼷鼠。②Ⓒ膽小或羞怯的人。③(a ～)淤血；青腫。④Ⓒ〖電算〗滑鼠；鼠標。—[maʊz] *v.i.* ①捕鼠。②窺伺(如貓尋鼠狀)。

mous·er [ˋmaʊzɚ] *n.* Ⓒ 捕鼠動物(貓、梟等)。

mouse·trap [ˋmaʊs͵træp] *n.* Ⓒ捕鼠器。

mous·sa·ka [muˋsɑkə] *n.* Ⓤ 茄片夾肉；茄合子(希臘菜名，覆以白醬汁和乾酪然後烤熟)。

mousse [mus] *n.* ⓊⒸ①慕絲(固定髮型用)。②泡沫冰淇淋。

mous·tache [ˋmʌstæʃ, məˋstæʃ] *n.*＝**mustache.**

mous·y [ˋmaʊsɪ] *adj.* (像老鼠般)膽怯的；內向的；羞怯的。

‡**mouth** [maʊθ] *n.* Ⓒ (*pl.* ～**s** [maʊðz])①嘴；口。②口狀物。③河口。④鬼臉；苦相。⑤發言人。⑥多言。*down in the* ～悲哀的；沮喪的。*have a big* ～說大話。*laugh on the wrong side of one's* ～ 失望；悲傷。*put words into a person's* ～ **a.**告訴某人說些甚麼。**b.**暗示或聲稱某人曾說這些話。*take the words out of a person's* ～ 搶先說某人所說的話。—[maʊð] *v.t.* ①將…置於口中；以口銜…；咬。②(裝腔作勢地)大聲說出…。③以口或唇舐、磨…。④以嘴唇不作聲地說。§ ～ **òrgan** 口琴。

mouth·breed·er [ˋmaʊθ͵bridɚ] *n.* Ⓒ吳郭魚。

***mouth·ful** [ˋmaʊθ͵fʊl] *n.* ① Ⓒ 一口；滿口。②Ⓒ少許；少量。③(a ～)長而難唸之字詞。④(a ～)〖俚〗意味深長的話；中肯的話。

mouth·piece [ˋmaʊθ͵pis] *n.* Ⓒ ①樂器之吹口。②馬銜。③發言人；機關報。⑤〖俗〗刑事辯護人；律師。

mouth-to-mouth [ˋmaʊθtəˋmaʊθ] *adj.* (人工呼吸)口對口的；嘴對嘴的。the ～ resuscitation口對口人工呼吸法。

mouth·wash [ˋmaʊθ͵wɑʃ] *n.* ⓊⒸ漱口藥水。

mouth-wa·ter·ing [ˋmaʊθˋwɔtərɪŋ] *adj.* 令人垂涎的；誘人的。

mou·ton [ˋmutɑn] *n.* Ⓤ (製成像海狸或海豹毛皮之)羊毛皮。

mov(e)·a·ble [ˋmuvəbl] *adj.* ①可動的；活動的。②〖法律〗動產的。③每年變動的；不定的。④可移動的。— *n.* Ⓒ (常 *pl.*)①(可移動之)家具。②〖法律〗動產。— **mov·a·bil'i·ty,** *n.*

‡**move** [muv] *v.t.* ①移動…的位置；搬動。②使…動。③使行動；迫使。④感動；激動；煽動。⑤(會議中正式)提議。— *v.i.* ①移動；轉動；進行。②採取行動。③移居。④移動棋子。⑤賣；售。⑥請求；懇求〔for〕。⑦活動；生活。⑧出發；走。～ *house* 搬家。～ *in* [*out*]遷入[出]。～ *on* 繼續前進(交通警察命令)。— *n.* Ⓒ ①一著棋；(棋等)輪到走。②處置；步驟。③行動；移動。④遷居；移居。*get a* ～ *on*〖俗〗趕快。*make a* ～ **a.**採取行動。**b.**自(席間等)起立。*on the* ～ **a.**在移動中；遷移。**b.**在行動。**c.**在進步中。**d.**忙碌的。— **mov'er,** *n.*

‡**move·ment** [ˋmuvmənt] *n.*① Ⓤ 動作；移動；運動。② Ⓒ (常 *pl.*)活動；行動。③ Ⓒ 移動；遷徙。④Ⓒ〖樂〗樂章。⑤Ⓤ (事件、形勢之)進展；發展。⑥Ⓒ (思想、觀念等之)趨勢；潮流。

‡**mov·ie** [ˋmuvɪ] *n.* Ⓒ〖美俗〗①影片。②電影院。*the* ～*s* 電影(指娛樂)。§ ～ **fàn** [**fìend**] 影迷。～ **hòuse** [**thèater**]〖俗〗電影院。～ **stàr**(電)影(明)星。

mov·ie·dom [ˋmuvɪdəm] *n.* Ⓤ 電影界；影壇(＝filmdom)。

mov·ie·go·er [ˋmuvɪ͵goɚ] *n.* Ⓒ看電影的人；(尤指)常看電影之人。

mov·ie·go·ing [ˋmuvɪ͵goɪŋ] *n.* Ⓤ 上電影院(之娛樂或習慣)；看電影。

mov·ie·mak·er [ˋmuvɪ͵mekɚ] *n.* Ⓒ電影製片者。

mov·ing [ˋmuvɪŋ] *adj.*①(會)動的。②使發生動作的。③動人的；令人感動的。§ ～ **pícture** 電影。

***mow**[1] [mo] *v.t.* (～**ed,** ～**ed** or **mown**) ①(用機器或鐮刀)割；刈。②掃射；射倒。③轟擊。～ *down* 殺死；擊潰。

mow[2] [maʊ] *n.* Ⓒ①乾草堆；禾堆。②禾草貯堆處；乾草棚。

mow·er [ˋmoɚ] *n.* Ⓒ刈草者；除草機。

mown [mon] *v.* pp. of **mow**[1]. — *adj.* 割下的。

mox·i·bus·tion [͵mɑksəˋbʌstʃən] *n.* Ⓤ〖醫〗艾灸；艾灼。

mox·ie [ˋmɑksɪ] *n.* Ⓤ〖俚〗①力氣；精力；勇氣。②技能；經驗。

Mo·zam·bique [͵mozəmˋbik] *n.* 莫三鼻克(南非一國，首都 Maputo)。

Mo·zart [ˋmozɑrt] *n.* 莫札特(Wolfgang Amadeus, 1756-91, 奧國作曲家)。

M.P. Member of Parliament; Metropolitan Police; Military Police.

mpg, m.p.g. miles per gallon. 每加侖汽油所駛英里數。**mph, m.p.h.** miles per hour. 時速。

‡**Mr., Mr** [ˋmɪstɚ] *n.*(*pl.* **Messrs.** [ˋmɛsɚz])先生(Mister之縮寫)。§ **Mr. Rìght** 如意郎君。

MRP manufacturer's recommended price.(廠商)建議售價。

‡**Mrs.** [ˋmɪsɪz, ˋmɪsɪs] *n.* (*pl.* **Mmes.** [meˋdɑm]) 太太；夫人(Mistress之縮寫)。*Mrs.* Smith 史密斯夫人。

MRV multiple reentry vehicle.多彈頭飛彈。**MS**〖美郵政〗Mississippi.
M.S(c). Master of Science.
***Ms.** [mɪz] *n.*(*pl.* **Mses., Ms's, Mss.** [ˋmɪzɪz])…女士(婦女已婚或未婚情況不詳時，加在其姓或姓名前使用)。
‡Mt. Mount.
Mts. Mountains; Mounts.
MTV music television. 音樂電視。
‡much [mʌtʃ] *adj.*(**more, most**)①多的；大量的。②很好的。— *adv.* ①多；甚；極。②幾乎；差不多。— *n.*(作*sing.*解)多；許多；大量。*as* ~(…*as*) **a.**(與…)同量。**b.**(與…)同限度。*be too* ~ *for* 非力所能抵敵者；(技術等)勝過。*how* ~ **a.**多少(量)。*How* ~ is there? 有多少? **b.** 多少錢；價值若干。**c.** 如何(程度)。*make* ~ *of* **a.**重視；器重。**b.**奉承。~ *as* 儘管。~ *of a size* [*height*]約同大[高]。*not* ~ *of* 不算很好的。*so* ~(…*as*)**a.**如此之多。**b.**如此程度。*that* [*this*]~ 那樣[這樣]多。*too* ~ 過多；過度。
much·ness [ˋmʌtʃnɪs] *n.* Ⓤ 大；大量。*much of a* ~ 大同小異。
mu·ci·lage [ˋmjuslɪdʒ] *n.* Ⓤ ①膠；膠水。②(植物分泌之)膠質。
muck [mʌk] *n.* Ⓤ①糞；糞肥；肥料。②汚物；垃圾；討厭之物。③〖俗〗雜亂。④拙劣作品。*make a* ~ *of* 弄髒；弄亂。— *v.t.* ①弄髒。②施肥於。③自…除去髒物。
muck·rake [ˋmʌk,rek] *v.t.* & *v.i.* 揭發醜聞。— *n.* Ⓤ醜聞(報導)。
muck·rak·er [ˋmʌk,rekɚ] *n.* Ⓒ 揭發貪汚腐敗者(尤指新聞記者)。
muck·rak·ing [ˋmʌk,rekɪŋ] *n.* Ⓤ& *adj.* 蒐集並揭發名人醜聞(的)；揭發貪汚腐敗(的)。
muck·worm [ˋmʌk,wɝm] *n.* Ⓒ①糞蛆。②守財奴；吝嗇者。③流浪兒童。
muck·y [ˋmʌkɪ] *adj.* ①(似)糞的。②汚穢的。③卑鄙的。
mu·cous [ˋmjukəs] *adj.* ①黏液的。②分泌黏液的。③有黏液的。§ ~ **mémbrane**〖生理〗黏膜。
mu·cus [ˋmjukəs] *n.* Ⓤ〖生物〗黏液。
***mud** [mʌd] *n.* Ⓤ ①泥。②誹謗。*throw*[*fling, sling*]~ *at* 講…的壞話。§ ~ **bàth** 泥浴；泥巴澡。~ **flàt** (落潮後的)泥灘。~ **hèn**〖鳥〗鷸；秧雞。~ **tùrtle**〖動〗(產於美國之)淡水龜。
mud·dle [ˋmʌdl] *n.* Ⓒ (常 a ~)一團糟；混亂。— *v.t.*①將…弄成一團糟。②使糊塗。③浪費。④使微醉。⑤使汚濁。— *v.i.*①微醉。②糊裡糊塗地混；愚蠢地想。~ *through* 混過去。
mud·dle·head [ˋmʌdl,hɛd] *n.* Ⓒ 頭腦不清者；糊塗蟲。
mud·dle·head·ed [ˋmʌdl,hɛdɪd] *adj.* 昏庸的；迷亂的。
***mud·dy** [ˋmʌdɪ] *adj.* ①泥的；泥濘的；泥汚的。②混亂的；不清楚的。③腐敗的。— *v.t.* ①使汚濁。②使混亂。
mud·guard [ˋmʌd,gard] *n.* Ⓒ (車輛之)擋泥板。
mud·sling·er [ˋmʌd,slɪŋɚ] *n.* Ⓒ 愛毀謗他人者。
mud·sling·ing [ˋmʌd,slɪŋɪŋ] *n.* Ⓤ (政界之)毀謗；中傷。
mu·ez·zin [mjuˋɛzɪn] *n.* Ⓒ (回教寺院的)通報禱告時刻的人。
muff [mʌf] *n.* Ⓒ ①暖手筒；皮手筒。②笨人。③〖球戲〗接球失誤。④〖機〗筒；保溫套。— *v.t.* ①〖球戲〗失(球)；漏接(球)。②〖俗〗拙劣地去作；做錯。— *v.i.* 〖俗〗拙劣地作。
muf·fin [ˋmʌfɪn] *n.* Ⓒ 鬆餅。
muf·fle [ˋmʌfl] *v.t.* ①圍裹。②蒙住…(使聲音低沉)。③抑制；壓抑。
muf·fler [ˋmʌflɚ] *n.* Ⓒ ①圍巾；頭巾。②消音裝置；消音器。③拳擊手套。
muf·ti [ˋmʌftɪ] *n.* ① Ⓤ 便服(爲軍服或制服之對)。② Ⓒ 回教法典解說者。
mug [mʌg] *n.* Ⓒ ①馬克杯(通指圓筒狀有柄之大杯)。②一馬克杯的量。③〖俚〗面孔；嘴。④易受騙者。— *v.t.*(**-gg-**) ①〖俚〗拍…之照(尤指依公務需要者)。②自背後以前臂扼頸襲擊(被害者等)。③皺眉表示。— *v.i.* 扮鬼臉。§ ~ **shòt**〖俚〗警察局檔案中的通緝犯照片。
mug·ger [ˋmʌgɚ] *n.* Ⓒ〖美俚〗從背後扼人頸部的強盜。
mug·gy [ˋmʌgɪ] *adj.* 悶熱的。
mug·wump [ˋmʌg,wʌmp] *n.* Ⓒ 〖美〗①(政治上)獨立分子。②騎牆者。
Mu·ham·mad·an [muˋhæmədən, mə-] *n.* & *adj.* = **Mohammedan.**
mu·lat·to [məˋlæto] *n.* Ⓒ (*pl.* **~s,** **~es**)黑白混血兒。
mul·ber·ry [ˋmʌl,bɛrɪ] *n.*① Ⓒ 桑樹。②Ⓒ桑椹。③Ⓤ深紫紅色。
mulch [mʌltʃ] *n.* Ⓤ (又作 a ~)〖園藝〗爲保護樹根而鋪於地面之一層稻草、樹葉和鬆土等；護根。— *v.t.* 覆以護根。
mulct [mʌlkt] *v.t.*①詐取；搶奪。②處以罰金。— *n.* Ⓒ罰金；罰鍰。
***mule** [mjul] *n.* Ⓒ①騾。②〖俗〗倔強之人。③一種紡織機。④無後跟的拖鞋。§ ~ **skìnner** 騾夫。
mul·ish [ˋmjulɪʃ] *adj.* 似騾的；倔強的。
mull¹ [mʌl] *v.t.* (加糖、香料等)溫熱(酒、啤酒等)。
mull² *v.t.* & *v.i.* 思索〔常 over〕.
mul·la(h) [ˋmʌlə] *n.* Ⓒ 師；先生(回教徒對回教高僧、學者等之尊稱)。
mul·le(i)n [ˋmʌlɪn] *n.* Ⓒ〖植〗毛蕊花屬之植物。
mul·let [ˋmʌlɪt] *n.* Ⓒ (*pl.* **~, ~s**)鯡鯢鰹。
mul·lion [ˋmʌljən] *n.* Ⓒ〖建〗(窗等之)豎框；直櫺。— **ed,** *adj.*
multi- 〖字首〗表「多；多倍」之義。
mul·ti-ac·cess [,mʌltɪˋæksɛs] *adj.* 〖電算〗多重存取的。
mul·ti·chan·nel [,mʌltɪˋtʃænl] *adj.* 〖無線〗多波段的；多頻道的。
mul·ti·col·o(u)red [,mʌltɪˋkʌlɚd] *adj.* 多色的。
mul·ti·dis·ci·pli·nar·y [,mʌltɪˋdɪsəplɪn,ɛrɪ] *adj.* 包括多種學科的。
mul·ti·fac·et·ed [,mʌltɪˋfæsɪtɪd] *adj.*①(寶石等)有多面的。②多方面的。③多才多藝的。
mul·ti·far·i·ous [,mʌltəˋfɛrɪəs]

adj. 種種的；各式各樣的；多方面的。
mul·ti·form [ˋmʌltəˌfɔrm] *adj.*多形的；多種的；各式各樣的。
mul·ti·func·tion(al) [ˌmʌltɪˋfʌŋkʃən(l̩)] *adj.* 多功能的。
mul·ti·lat·er·al [ˌmʌltɪˋlætərəl] *adj.* ①多邊的。②〖政〗多國參加的。§～ **tráde** 多邊貿易。
mul·ti·lin·gual [ˌmʌltɪˋlɪŋgwəl] *adj.*①用多種語言寫成的。②通曉多種語言的。
mul·ti·me·di·a [ˌmʌltɪˋmidɪə] *n. pl.*(集合稱時作 *sing.*解)多媒體。
mul·ti·mil·lion·aire [ˌmʌltəˌmɪljənˋɛr] *n.* Ⓒ大富豪；千萬富翁。
mul·ti·na·tion·al [ˌmʌltɪˋnæʃənl̩] *adj.*①多民族的；多國家的；跨國的。②跨國公司的。— *n.* Ⓒ跨國公司。
mul·ti·ple** [ˋmʌltəpl̩] *adj.*①複合的；複式的；多樣的。②〖數〗倍數的。— *n.* Ⓒ〖數〗倍數；倍量。least common*** ～ 最小公倍數(略作 L.C.M.)。§～ **ágriculture** 多角經營農業。～ **sclerósis**〖醫〗多數[多發]性硬化。～ **shóp** [**stóre**]〖英〗連鎖商店。
mul·ti·ple-choice [ˋmʌltɪpl̩ˋtʃɔɪs] *adj.*(考試)多重選擇的；複選的。
mul·ti·plex [ˋmʌltəˌplɛks] *adj.*①多種的；多樣的；複合的。②〖電信〗多重的；多工的。— **er,** — **or,** *n.*
mul·ti·pli·cand [ˌmʌltəplɪˋkænd] *n.* Ⓒ〖數〗被乘數。
mul·ti·pli·ca·tion [ˌmʌltəpləˋkeʃən] *n.*① ⓊⒸ 增多；增殖；倍加。②Ⓤ〖數〗乘法。§～ **tàble** 乘法表。
mul·ti·plic·i·ty [ˌmʌltəˋplɪsətɪ] *n.* Ⓤ多；眾多；多樣；重複。
mul·ti·pli·er [ˋmʌltəˌplaɪɚ] *n.* Ⓒ ①使增加[繁殖]者。②〖數〗乘數。③〖理〗(熱、電流、振動等之)放大器。
***mul·ti·ply** [ˋmʌltəˌplaɪ] *v.t.* & *v.i.* ①(使)繁殖；(使)增加；(使)增多。②〖數〗乘。7 *multiplied* by 9 is [equals] 63. 7 乘以 9 得 63。
mul·ti·pur·pose [ˌmʌltɪˋpɝpəs] *adj.* 多目標的。
mul·ti·ra·cial [ˌmʌltɪˋreʃəl] *adj.* 多種族的。
mul·ti·stage [ˋmʌltɪˌstedʒ] *adj.*(火箭等)分爲幾節的；多節的。
mul·ti·sto·ry,〖英〗**-sto·rey** [ˌmʌltɪˋstorɪ] *adj.*(樓)多層的。
mul·ti·task·ing [ˌmʌltiˋtæskɪŋ] *n.* Ⓤ〖電算〗多工處理。
***mul·ti·tude** [ˋmʌltəˌtjud] *n.* Ⓒ ①眾多。②群眾。
mul·ti·tu·di·nous [ˌmʌltəˋtjudn̩əs] *adj.* 眾多的；人數眾多的。
mul·ti·ver·si·ty [ˌmʌltɪˋvɝsətɪ] *n.* Ⓒ綜合大學(規模大，擁有許多學院、科系分散於各地之大學)。
mul·ti·vi·ta·min [ˌmʌltɪˋvaɪtəmɪn] *adj.* 多種維生素的。— *n.* Ⓒ綜合維生素劑。
mum[1] [mʌm] *adj.* 沉默的；無言的；不說話的。***Mum's the word !*** 不可對人說！ — *interj.* 禁聲；噓！
***mum**[2] *n.*=**mother.**

mum[3] *v.i.*(**-mm-**)演啞劇或假面劇。
mum·ble [ˋmʌmbl̩] *v.i.* & *v.t.* ①喃喃而言；囁嚅；咕噥。②無齒咀嚼；癟嘴嚼。— *n.* Ⓒ囁嚅；咕噥。
mum·ble·ty·peg [ˋmʌmbl̩tɪˌpɛg] *n.* Ⓤ〖美〗拋刀遊戲。
mum·bo jum·bo [ˋmʌmboˋdʒʌmbo] *n.*(*pl.* ～**s**)①(M- J-)非洲 Sudan 西部黑人部落之守護神。②Ⓒ迷信的崇拜物；偶像。③Ⓒ恐怖的東西。④Ⓤ無意義的唸咒；胡言亂語。
mum·mer [ˋmʌmɚ] *n.* Ⓒ①啞劇演員。②伶人(幽默用語)。
mum·mer·y [ˋmʌmərɪ] *n.* Ⓤ ①啞劇表演。②虛禮；虛僞的儀式。
mum·mi·fy [ˋmʌmɪˌfaɪ] *v.t.* ①使成木乃伊。②保存。③使乾枯。
mum·my[1] [ˋmʌmɪ] *n.* Ⓒ ①(古埃及之)木乃伊；乾屍。②瘦而乾癟之人。
***mum·my**[2] *n.* Ⓒ母親；媽咪(兒語)。
***mumps** [mʌmps] *n.* Ⓤ (常 the ～)耳下腺炎；腮腺炎。
munch [mʌntʃ] *v.t.* & *v.i.* ①用力咀嚼；大聲咀嚼。②用力咬動(下顎)。
mun·chies [ˋmʌntʃɪz] *n. pl.*〖俗〗①充作點心的食物。②(常 the ～)餓。
mun·dane [ˋmʌnden] *adj.*①世俗的；現世的。②宇宙的；世界的。
Mu·nich [ˋmjunɪk] *n.* 慕尼黑(德國巴伐利亞地區之首府)。
***mu·nic·i·pal** [mjuˋnɪsəpl̩] *adj.*①都市的；市的；市政的。②自治區的。③(以別於外交的)內政的。— *n.*(*pl.*)市政府或鎮公所發行的公債。
mu·nic·i·pal·i·ty [ˌmjunɪsəˋpælətɪ] *n.* Ⓒ自治市[區]。
mu·nic·i·pal·ize [mjuˋnɪsəpl̩ˌaɪz] *v.t.* ①使(某地)成爲市。②使歸市有；使歸市營。
mu·nif·i·cent [mjuˋnɪfəsn̩t] *adj.*寬厚的；慷慨的。— **mu·nif′i·cence,** *n.*
mu·ni·ment [ˋmjunəmənt] *n.*①Ⓒ防衛；保護。②(*pl.*)〖法律〗證書；契據。
mu·ni·tion [mjuˋnɪʃən] *n.* Ⓒ(常 *pl.*)軍火；軍需品。— *v.t.* 供以軍火。
mu·on [ˋmjuɑn] *n.* Ⓒ〖理〗μ 介子。
mu·ral [ˋmjurəl] *adj.* 壁(上)的；似壁的。— *n.* Ⓒ壁畫；壁飾。
mu·ral·ist [ˋmjurəlɪst] *n.* Ⓒ壁畫家。
mur·der** [ˋmɝdɚ] *n.* ⓊⒸ 謀殺。get away with*** ～〖俚〗做壞事而不受處罰。***M- will out.***〖諺〗如要人不知，除非己莫爲[殺人必然會敗露]。— *v.t.*①謀殺。②(因缺乏技術或知識而)損毀。— *v.i.* 犯謀殺罪。
***mur·der·er** [ˋmɝdərɚ] *n.* Ⓒ謀殺犯；兇手。
mur·der·ess [ˋmɝdərɪs] *n.* Ⓒ女謀殺犯；女兇手。
mur·der·ous [ˋmɝdərəs] *adj.* ①能殺害的；殘酷的；凶狠的。②殺人的。③很難的；極其危險的；非常費力的。
murk [mɝk] *n.* Ⓤ & *adj.* 〖詩〗黑暗(的)；陰暗(的)。(亦作 **mirk**)
murk·y [ˋmɝkɪ] *adj.*①黑暗的；陰暗的；模糊的。②不易懂的；含糊的。
***mur·mur** [ˋmɝmɚ] *n.*①Ⓒ連續之模糊聲。②Ⓒ細語；低語。③(a ～)低聲

的怨言。④ Ⓤ Ⓒ〖醫〗心臟跳動的雜音；診音。— v.t.低聲而言。— v.i.①作低而輕的模糊聲。②低語。③抱怨。
Múr·phy bèd [ˋmɝfɪ ～] n. Ⓒ〖美〗可摺疊收藏的床。
Múr·phy's Láw [ˋmɝfɪz ～] n. 任何幽默的經驗法則；墨菲法則。
mur·rain [ˋmɝɪn] n. Ⓤ①一種牛疫。②瘟疫。
mus. museum; music(al); musician.
mus·cat [ˋmʌskət] n.① Ⓒ (歐洲產之)一種香葡萄(muscatel之原料)。②=**muscatel** ①.
mus·ca·tel [͵mʌskəˋtɛl] n.① Ⓤ (產於法、義等國之)一種芳香、有甜味的白葡萄酒。②=**muscat** ①.
mus·cle** [ˋmʌsl̩] n.① Ⓤ Ⓒ 肌肉。② Ⓤ 膂力；力氣。③ Ⓤ 力量。not move a*** ～不動聲色。— v.i.干涉；侵入；強入〔in〕. — v.t.①使…之肌肉發達。②加強。③迫使他人讓步。
mus·cle·bound [ˋmʌsl̩͵baʊnd] adj. ①(因過度運動等而)肌肉僵硬的。②不靈活的。
mus·cle·man [ˋmʌsl̩͵mæn] n. Ⓒ (pl. **-men**)①肌肉發達的人。②受雇之惡棍；打手。
***mus·cu·lar** [ˋmʌskjələ˞] adj. ①肌的；肌肉的。②肌肉發達的；強壯的。§ ∼ **dýstrophy** 肌肉萎縮症。
mus·cu·la·ture [ˋmʌskjələtʃə˞] n. Ⓤ Ⓒ ①〖解〗肌肉組織；肌肉系統。②(組織良好的)結構。
muse [mjuz] v.i. & v.t.①沉思；冥想。②沉思地凝視；仔細端詳。③沉思地說。— n. Ⓤ 沉思。
Muse [mjuz] n.① Ⓒ 繆斯(司文學、藝術、科學等的九位女神之一)。② Ⓒ (常 one's ～, the ～)詩才；靈感。③(the m-)詩歌。④(m-) Ⓒ 詩人。
‡**mu·se·um** [mjuˋziəm, -ˋzɪəm] n. Ⓒ 博物院[館]。
mush[1] [mʌʃ] n. Ⓤ ①〖美〗玉米濃粥。②糊狀之物。③〖俗〗脆弱的感情；愚昧的談吐。
mush[2] 〖美, 加〗interj. 前進！跑！走！(對拖雪橇之狗發口令之聲音)。
***mush·room** [ˋmʌʃrum, -rʊm] n.① Ⓤ Ⓒ 蕈；菌；蘑菇。② Ⓒ 形狀似蕈之物；生長迅速之物。③ Ⓒ〖俗〗暴發戶。④ Ⓒ 蕈狀雲。— adj. ①(似)蕈的。②生長極速的。— v.i. 迅速生長或增加。The little town ～*ed* into a city. 那小鎮迅速發展成一城市。
mush·y [ˋmʌʃɪ] adj. ①(似玉米粥般)濃稠的。②心腸軟的；過於柔美傷感的。
‡**mu·sic** [ˋmjuzɪk] n. Ⓤ ①音樂。②樂曲。③悅耳之聲音。④樂譜。⑤音樂欣賞力。***face the*** ～〖俗〗勇敢地面對麻煩或困難。***set to*** ～ 爲…配曲。§ ∼ **bòx** 〖美〗音樂盒。∼ **hàll** (1)〖美〗音樂廳。(2)〖英〗雜耍戲院。∼ **stànd** 樂譜架。
‡**mu·si·cal** [ˋmjuzɪkl̩] adj. ①音樂的。②聲音美妙的。③配以音樂的。④喜愛音樂的。⑤精於音樂的。§ ∼ **bòx**〖英〗音樂盒。∼ **cháirs** 搶椅遊戲。— **ly,** adv.
mu·si·cale [͵mjuzɪˋkæl]〖法〗n. Ⓒ (社交上非正式的)音樂會。
mu·si·cas·sette [ˋmjuzəkæ͵sɛt] n. Ⓒ 卡式音樂帶。
‡**mu·si·cian** [mjuˋzɪʃən] n. Ⓒ ①音樂家。②樂師。③作曲家。
mu·si·cian·ship [mjuˋzɪʃən͵ʃɪp] n. Ⓤ 音樂演奏能力；音樂家之才氣[技巧]。
mu·si·col·o·gy [͵mjuzəˋkɑlədʒɪ] n. Ⓤ 音樂學。
musk [mʌsk] n. Ⓤ 麝香(之香氣)。§ ∼ **dèer**〖動〗麝香鹿。∼ **òx**〖動〗麝牛。
mus·ket [ˋmʌskɪt] n. Ⓒ 毛瑟槍；滑膛槍。
mus·ket·eer [͵mʌskəˋtɪr] n. Ⓒ 配備毛瑟槍之步兵。
mus·ket·ry [ˋmʌskɪtrɪ] n. Ⓤ ①(集合稱)毛瑟槍。②毛瑟槍射擊(術)。③(集合稱)毛瑟槍兵。
musk·mel·on [ˋmʌsk͵mɛlən] n. Ⓒ 甜瓜。
musk·rat [ˋmʌsk͵ræt] n. Ⓒ (pl. **～s,** ～)〖動〗麝鼠。
musk·y [ˋmʌskɪ] adj.似麝香的；有麝香味的。
Mus·lem, -lim [ˋmʌzləm] n. (pl. **～s,** ～) & adj.=**Moslem.**
mus·lin [ˋmʌzlɪn] n. Ⓤ ①馬斯林(一種細棉布)。②〖美〗印花布；棉布。
muss [mʌs] v.t. 〖美俗〗使混亂；使雜亂。— n. Ⓤ Ⓒ 混亂；雜亂。
mus·sel [ˋmʌsl̩] n. Ⓒ 貽貝；淡菜。
Mus·sul·man [ˋmʌsl̩mən] n. Ⓒ (pl. **～s**)回教徒。— adj.回教徒的。
muss·y [ˋmʌsɪ] adj. 〖美俗〗混亂的；雜亂的；凌亂的。
‡**must**[1] [mʌst] aux. v. ①不得不；必須；務必。②應該。③必定；必將。④偏巧。⑤必然。— n.(a ～)必須做、看、聽的事；必備之物。— adj. 〖俗〗絕對需要的；必須的。
must[2] n. Ⓤ (發酵前之)葡萄汁；新葡萄酒。
must[3] n. Ⓤ 霉臭；霉；黴。— v.i.發霉。
***mus·tache** [ˋmʌstæʃ, məˋstæʃ] n. Ⓒ (常 pl.)髭；小鬍子。
mus·ta·chio [məˋstɑʃo] n. (pl. **～s**) =**mustache.**
mus·tang [ˋmʌstæŋ] n. Ⓒ ①(美國平原之)野馬；半野馬。②〖美俚〗由士兵晉升的海軍軍官。
***mus·tard** [ˋmʌstə˞d] n. Ⓤ ①芥末；芥子粉；芥子泥。②〖植〗芥菜。§ ∼ **gàs** 芥子氣(一種糜爛性毒氣)。∼ **plàs·ter** 芥子膏。∼ **pòt** 芥末瓶(餐桌用)。
mus·ter [ˋmʌstə˞] v.t. ①集合；召集；集中。②鼓起；振作。— v.i.聚集；集合。～ ***in***(使)入伍。～ ***out***(使)退伍。— n. Ⓒ ①集合；召集；集中。②校閱；點兵。③召集人員名冊。④集合之人數。***pass*** ～ 符合要求；合格。
‡**must·n't** [ˋmʌsn̩t] =**must not.**
mus·ty [ˋmʌstɪ] adj. ①發霉的。②陳腐的；過時的。③沒有精神的。
mut(t) [mʌt] n. Ⓒ〖俚〗①笨人；愚蠢者。②雜種犬。
mu·ta·ble [ˋmjutəbl̩] adj.①易變的。②可變化的。— **mu·ta·bil'i·ty,** n.
mu·tant [ˋmjutənt] adj. ①變化的。②〖生物〗突變的。— n. Ⓒ〖生物〗由突變而產生之新種或新個體；變種。
mu·tate [ˋmjutet] v.t. & v.i.①變化。

M

N

②〖生物〗突變。③〖語音〗變化(母音)。
mu·ta·tion [mju`teʃən] *n.* ① Ⓤ Ⓒ 變化; 變形; 變質。②〖生物〗**a.** Ⓤ Ⓒ 突變。**b.** Ⓒ 突變新種。
***mute** [mjut] *adj.*①沉默的; 無言的。②啞的; 不能說話的。③(字母)不讀音的。— *n.* Ⓒ ①啞子。②弱音器。③不讀音之字母。— *v.t.* 消除[減弱]…之聲音; 使變柔。— **mut′ed,** *adj.*
mu·ti·late [`mjutḷ͵et] *v.t.*①切斷(手足等); 使殘廢。②剪掉(樹枝)。③刪改(故事、歌曲等)之主要部分而使不完整。
mu·ti·la·tion [͵mjutḷ`eʃən] *n.* Ⓤ Ⓒ 切斷; 毀傷。
mu·ti·neer [͵mjutṇ`ɪr] *n.* Ⓒ 反叛者; 背叛者。
mu·ti·nous [`mjutṇəs] *adj.* 反叛的; 背叛的。
mu·ti·ny [`mjutṇɪ] *n.* Ⓤ Ⓒ 叛變; 兵變。— *v.i.* 叛變; 反抗。
***mut·ter** [`mʌtə] *v.t.* & *v.i.*①喃喃低語。②作低沉聲響。③出怨言; 鳴不平。— *n.*(*sing.*)喃喃低語; 呢喃低語聲。
mut·ton** [`mʌtṇ] *n.* Ⓤ 羊肉。be as dead as*** ~死定了。§ ~ **chòp** (1)羊排; 羊肉片。(2)(*pl.*)絡腮鬍。
***mu·tu·al** [`mjutʃʊəl] *adj.* ①相互的。②〖俗〗共同的。§ ~ **fùnd** 共同基金[合股]投資公司。— **ly,** *adv.*
muu·muu [`mu͵mu] *n.* Ⓒ 夏威夷婦女之寬大棉布衣。
Mu·zak [`mjuzæk] *n.* Ⓤ〖商標〗(透過有線廣播在餐廳、工作場所等到處播放的)錄音配樂。
muz·zle [`mʌzḷ] *n.* Ⓒ ①(狗、狐、馬等動物之)鼻、口和顎之部分。②(動物之)口絡; 鼻籠。③槍口; 砲口。— *v.t.* ①戴口絡於(動物之口部)。②迫使緘默。§ ~ **velòcity**(槍彈的)初速。
muz·zle·load·er [`mʌzḷ͵lodə] *n.* Ⓒ 前膛槍; 前膛砲。
muz·zy [`mʌzɪ] *adj.*〖俗〗①沒有精神的; 呆癡的。②醉得發呆的; 酩酊的。
M.V.P. Most Valuable Player.
‡**my** [maɪ] *pron.* 我的。— *interj.* 哎呀! 天哪! (表示驚訝之詞)。
my·col·o·gy [maɪ`kɑlədʒɪ] *n.* Ⓤ 黴菌學。
my·co·tox·in [͵maɪko`tɑksɪn] *n.* Ⓒ 黴菌毒素。
my·na(h) [`maɪnə] *n.* Ⓒ (東南亞產的)八哥; 九官鳥。(亦作 **mina(h)**)
my·o·car·di·al [͵maɪə`kɑrdɪəl] *adj.*〖解〗心肌的。~ infarction 心肌梗塞。
my·o·car·di·o·graph [͵maɪo`kɑrdɪə͵græf] *n.* Ⓒ 心肌搏動描記器。
my·o·car·di·um [͵maɪə`kɑrdɪəm] *n.* Ⓒ (*pl.* **-di·a** [-dɪə])〖解〗心肌(層)。
my·ol·o·gy [maɪ`ɑlədʒɪ] *n.* Ⓤ ①肌肉學。②肌肉系統。
my·o·pi·a [maɪ`opɪə] *n.* Ⓤ〖醫〗近視。
my·op·ic [maɪ`ɑpɪk] *adj.*①近視的; 近視眼的。②缺乏遠見的。
my·o·py [`maɪəpɪ] *n.*＝**myopia.**
myr·i·ad [`mɪrɪəd] *n.* Ⓒ ①一萬。②無數; 極大數量。— *adj.* ①無數的。②形形色色的。
myrrh [mɝ] *n.* Ⓤ 沒藥(一種有香氣、帶苦味之樹脂, 用於藥劑及香料)。
myr·tle [`mɝtḷ] *n.* Ⓒ ①〖植〗桃金孃。②〖美〗蔓生的長春花屬植物。
‡**my·self** [mə`sɛlf, maɪ`sɛlf] *pron.*(*pl.* **our·selves**)①(我)親自(me 或 I 的加重語勢)。I ~ will go. 我要親自去。②我自己(me 的反身代名詞)。③自身; 自我。I am not ~ today. 我今天心神不定。(***all***) ***by*** ~ 無人幫助; 獨自。
‡**mys·te·ri·ous** [mɪs`tɪrɪəs] *adj.* 神祕的; 難解的。— **ly,** *adv.* — **ness,** *n.*
‡**mys·ter·y** [`mɪst(ə)rɪ] *n.*① Ⓤ Ⓒ 神祕; 祕密。② Ⓒ 不可思議之事。③ Ⓒ 奧理; 玄義。④ Ⓒ 祕密宗教儀式。⑤＝**mystery play.** § ~ **plày**神蹟劇(中古時代根據聖經事蹟編寫的戲劇)。
mys·tic [`mɪstɪk] *adj.*＝**mystical.** — *n.* Ⓒ 神祕主義者; 神祕家。
mys·ti·cal [`mɪstɪkḷ] *adj.*①不可思議的; 神祕的。②精神象徵的。③祕密之宗教儀式的。— **ly,** *adv.*
mys·ti·cism [`mɪstə͵sɪzəm] *n.* Ⓤ ①神祕主義。②神祕(的體驗); 玄想(的謬說)。③模糊之思想或空論。
mys·ti·fy [`mɪstə͵faɪ] *v.t.*①使迷惑。②使神祕[難解]。— **mys·ti·fi·ca′tion,** *n.*
mys·tique [mɪs`tik] *n.* Ⓤ ①神祕性; 神祕的氣氛。②祕訣; 神祕的技巧。
***myth** [mɪθ] *n.* ① Ⓤ Ⓒ 神話。② Ⓒ 任何虛構故事。③ Ⓒ 虛構的人或物。
myth·ic, -i·cal [`mɪθɪk(ḷ)] *adj.* ①神話的; 神話中的。②假的; 想像的; 虛構的。
myth·o·log·i·cal [͵mɪθə`lɑdʒɪkḷ] *adj.* 神話(學)的。— **ly,** *adv.*
my·thol·o·gist [mɪ`θɑlədʒɪst] *n.* Ⓒ 神話學家; 神話作者。
my·thol·o·gy [mɪ`θɑlədʒɪ] *n.* Ⓤ ①(集合稱)神話。②神話學。
myth·o·ma·ni·a [͵mɪθə`menɪə] *n.* Ⓤ 誇大狂; 渲染狂。
myx·o·ma·to·sis [͵mɪksəmə`tosɪs] *n.* Ⓤ〖醫〗黏液瘤病。

N n **N n** *N n*

N or **n** [ɛn] *n.*(*pl.* **N's, n's** [ɛnz])① Ⓤ Ⓒ 英文字母之第十四個字母。② Ⓒ〖數〗不定數。
n. north; northern; noun; neuter; noon; nominative; note; number.
'n [ən, ṇ] *conj.* ①＝**and.** ②＝**than.**
NAACP National Association for the Advancement of Colored People. 全國有色人種協進會。
nab [næb] *v.t.*(**-bb-**)〖俗〗①猛然抓住; 偷。②逮捕; 捉住。
na·bob [`nebɑb] *n.* Ⓒ ①(蒙兀兒帝國時代印度之)土著總督。②在印度發財後歸國之歐洲人。③富豪; 大富翁。

N

na·celle [nə`sɛl] *n.* Ⓒ ①(汽球之)吊籃。②〖空〗(飛機、飛船等之)艙。
na·cre [`nekɚ] *n.* Ⓤ珍珠母；珍珠層。
Na·der [`nedɚ] *n.* 納德(Ralph, 1934-, 美國保護消費者運動的發起人)。— **ism,** *n.* Ⓤ保護消費者運動[主義]。
na·dir [`nedɚ] *n.*①(the ～)天底。② Ⓒ (常 *sing.*)最低點；最壞之地步。
nag[1] [næg] *v.t.* & *v.i.*(**-gg-**)①絮聒不休地責罵；嘮叨〔常 at〕。②困擾；惱人〔常 at〕。— *n.* Ⓒ嘮叨不休的人。
nag[2] *n.* Ⓒ①供騎用的小馬。②〖俗〗馬。③駑馬；老馬。
Na·ga·sa·ki [ˌnægə`sɑkɪ] *n.* 長崎(日本九州西部之一海港)。
nag·ging [`nægɪŋ] *adj.* 嘮叨罵人的；挑剔的。(亦作 **naggish, naggy**)
nai·ad [`neæd] *n.* Ⓒ (*pl.* ～**s, nai·a·des**[-əˌdiz])①(亦作**Naiad**)〖希、羅神〗守護河泉的女神；水精。②年輕的女游泳者；善泳的女子。
***nail** [nel] *n.* Ⓒ①(手或腳的)指甲；鳥獸之爪。②釘子。*as hard as ～s*(身體)結實的；(心)冷酷的。*fight tooth and ～*盡全力以攻擊。*hit the ～ on the head*猜中；得其要領；一針見血。*on the ～* **a.**立即。**b.**在討論中。*to the ～*完全地；徹底地。— *v.t.*①用釘釘牢。②使固定；使不動。③〖俗〗抓住；捕獲。④〖俗〗覺察或揭發(謊言等)。⑤〖俚〗打；擊中。～ *a lie to the counter* 揭露謊言；拆穿西洋鏡。～ *(a person) down*使(某人)履行諾言。§ ∼ **fìle**指甲銼刀。∼ **pòlish**指甲油。∼ **pùller**拔釘器。∼ **scìssors** [**nìppers**] 指甲刀。
nail·brush [`nelˌbrʌʃ] *n.* Ⓒ 指甲刷。
nain·sook [`nensʊk] *n.* Ⓤ (原產印度之)一種薄棉布。
na·ïve, na·ive [nɑ`iv] 〖法〗*adj.*①天眞的；質樸的。②輕信的。— **ly,** *adv.*
na·ïve·té, na·ive·te [nɑˌiv`te] 〖法〗*n.*① Ⓤ 天眞；質樸。② Ⓒ (常*pl.*)天眞的話或行爲。
na·ïve·ty, na·ive·ty [nɑ`ivtɪ] *n.* =**naïveté.**
***na·ked** [`nekɪd] *adj.*①裸體的。②未遮蓋的；原原本本的。③顯然的；明白的。④貧乏的。⑤缺少的〔of〕。⑥〖法律〗未經證實的。*stark ～* 全裸；一絲不掛。— **ly,** *adv.* — **ness,** *n.*
nam·by-pam·by [`næmbɪ`pæmbɪ] *adj.* ①多愁善感的。②柔弱的；娘娘腔的。— *n.* Ⓒ①娘娘腔的男人。②傷感的詩文；傷感的談話。
‡**name** [nem] *n.* ① Ⓒ 名字；名稱。② Ⓒ 辱罵之話。③(a ～, one's ～)名譽；聲望。④ Ⓒ 名人。⑤ Ⓒ 名義；虛名。*by ～* **a.**叫做；名義上。**b.**指名。*call (a person) ～s* 辱罵。*Give a dog a bad ～ and hang him.* 給某人以惡名，那惡名即永難洗清。*in ～*就名義上說。*in the ～ of* **a.**爲…之緣故。**b.**爲；替。*to one's ～*屬於某人名下。— *v.t.* ①命名。②稱；呼(名字)。③指名；任命。④提及。⑤訂；指定。⑥提名。⑦指控。§ ∼ **dày** (1)命名日。(2)(股票)結算日；交割日。
name-drop [`nemˌdrɑp] *v.i.* (**-pp-**) (在談話或書信中)高攀名人顯要以抬高身價。— **name′-drop·per,** *n.*
name-drop·ping [`nemˌdrɑpɪŋ] *n.* Ⓤ name-drop 之作風。
name·less [`nemlɪs] *adj.* ①無名的。②不可名狀的；沒有名稱的。③匿名的；隱名的。④不齒的。⑤不著名的。⑥私生的；庶出的。
***name·ly** [`nemlɪ] *adv.* 即；就是。
name·plate [`nemˌplet] *n.* Ⓒ①(門上之)名牌。②(報刊等之)刊頭。(亦作 **name plate**)
name·sake [`nemˌsek] *n.* Ⓒ①同名的人或物。②從他人之名而取名者。
nance [næns] *n.* Ⓒ〖俚〗娘娘腔的男人；搞同性戀的男人。(亦作 **nancy**)
nan·keen, -kin [næn`kin] *n.* ① Ⓤ 南京棉布；紫花布。②(*pl.*)紫花布製之長褲。③ Ⓤ 紫花布色；淡黃色。
nan·ny [`nænɪ] *n.* Ⓒ〖英〗奶媽；奶奶；外婆。§ ∼ **gòat** 母山羊。
nan·o·me·ter [`nænoˌmitɚ] *n.* Ⓒ 十億分之一公尺。
nan·o·sec·ond [`nænoˌsɛkənd] *n.* Ⓒ 十億分之一秒。
***nap**[1] [næp] *n.* Ⓒ 小睡；午睡；微睡。take [have, get] a ～稍睡片刻。— *v.i.* (**-pp-**)①小睡；午睡。②不注意；無準備。
nap[2] *n.* Ⓤ (又作 a ～) (絨布等上的)細毛。— *v.t.* (**-pp-**)植毛於(織物等)上。
na·palm [`nepɑm] *n.*① Ⓤ (燃燒彈、火焰噴射器等所用之)膠態汽油。② Ⓒ 凝固汽油彈。
nape [nep, næp] *n.* Ⓒ (常 the ～ of the neck)後頸；頸背。
na·per·y [`nepərɪ] *n.* Ⓤ 桌布；餐巾。
naph·tha [`næpθə, `næfθə] *n.* ① Ⓤ 石油精。②=**petroleum.**
naph·tha·lin(e) [`næfθəlɪn] *n.* Ⓤ〖化〗萘；石腦油精。
***nap·kin** [`næpkɪn] *n.* Ⓒ①餐巾。②似餐巾之物(如小毛巾、尿布等)。
Na·ples [`nepḷz] *n.* 那不勒斯(義大利西南部海岸之一海港)。
na·po·le·on [nə`poljən, -lɪən] *n.* ① Ⓒ 昔法國金幣(=20 francs)。② Ⓤ 一種紙牌遊戲。③ Ⓒ 一種多層夾奶油的法國點心。
Na·po·le·on [nə`polɪən] *n.* 拿破崙(男子名)。～ *I* 拿破崙一世(1769-1821, 法國皇帝，在位期間 1804-15，本名 Napoleon Bonaparte)。
nap·py [`næpɪ] *n.* Ⓒ〖英俗〗尿布。
narc [nɑrk] *n.* Ⓒ〖美俚〗專門取締麻醉毒品之刑警。
nar·cis·sism [nɑr`sɪsˌɪzəm] *n.* Ⓤ ①自我陶醉[崇拜]。②〖精神分析〗自戀。
nar·cis·sis·tic [ˌnɑrsɪ`sɪstɪk] *adj.* 自我陶醉的；自我中心主義的。
Nar·cis·sus [nɑr`sɪsəs] *n.* (*pl.* ～**es, -cis·si** [-`sɪsaɪ])①〖希神〗那西塞斯(一美少年，因自戀其水中姿影，墜水溺死而化爲水仙花)。②(n-) Ⓒ〖植〗水仙屬之植物；水仙。
nar·co·lep·sy [`nɑrkəˌlɛpsɪ] *n.* Ⓤ〖醫〗頻睡病；發作性睡病；麻醉樣昏睡。

N

*nar·cot·ic [nɑr`kɑtɪk] n. Ⓒ ①(常 pl.)麻醉劑; 催眠藥。②吸毒者。— adj. ①麻醉的; 催眠的。②麻醉劑的。③治吸毒者用的。

nar·co·tism [`nɑrkə,tɪzəm] n. Ⓤ ①麻醉。②麻醉劑中毒; 吸毒成癮。

nar·co·tize [`nɑrkə,taɪz] v.t. 使麻醉。

nard [nɑrd] n.① Ⓒ〖植〗甘松。② Ⓤ 甘松香。

*nar·rate [næ`ret] v.t. & v.i. 敍述; 說明。 *— nar·ra′tor, nar·rat′er, n.

nar·ra·tion [næ`reʃən] n. ①Ⓤ 敍述。②Ⓒ故事。③Ⓤ〖文法〗敍述法。

nar·ra·tive [`nærətɪv] n. ①Ⓒ 故事。② Ⓤ 敍述; 講述。— adj. 敍事(體)的。

‡nar·row [`næro] adj.①窄的。②有限制的。③勉強的; 間不容髮的。④心胸狹窄的。⑤精密的; 仔細的。⑥貧乏的。⑦〖語音〗狹窄音的(如e, i 等)。⑧〖英方〗小器的。— n. Ⓒ ①(場所或物品之)狹窄部分。②(常 pl.)海峽; 峽谷; 隘路。— v.t. & v.i.①使狹窄; 變窄; 變細。②使眼光狹窄。§ ∼ bóat〖英〗(運河用的)狹長的船。— ly, adv.

nar·row-gauge [`næro`gedʒ] adj. ①〖鐵路〗窄軌的。②〖俗〗氣量小的。

nar·row-mind·ed [`næro`maɪndɪd] adj. 心胸狹窄的; 氣量小的。

nar·whal [`nɑrhwəl] n. Ⓒ〖動〗獨角鯨。(亦作 narwal, narwhale)

nar·y [`nɛrɪ, `nerɪ] adj.〖方, 俗〗=not any; no(與冠詞 a 或 an 連用)。

NASA, N.A.S.A. National Aeronautics and Space Administration. (美國)航空及太空總署。

na·sal [`nezl] adj. ①鼻的。②〖語音〗鼻音的。— n. Ⓒ〖語音〗鼻音; 鼻音字。

na·sal·ize [`nezl,aɪz] v.i. & v.t.發以鼻音; 鼻音化。— na·sal·i·za′tion, n.

nas·cent [`næsn̩t] adj. ①初生的; 初期的; 發生中的。②〖化〗新生態的。

Nas·ser [`nɑsɚ, `næsɚ] n. 納瑟(Gamal Abdel, 1918-70 埃及軍事領袖)。

na·stur·tium [næ`stɝʃəm] n. Ⓒ〖植〗金蓮花。

*nas·ty [`næstɪ] adj. ①骯髒的; 汚穢的。②淫猥的。③極不愉快的; 不爽快的。④危險的。⑤引起麻煩的。⑥不易對付的。⑦討人厭的。— nas′ti·ly, adv. — nas′ti·ness, n.

na·tal [`netl] adj. ①出生的。②〖詩〗故鄉的。

na·tal·i·ty [ne`tælətɪ] n. Ⓤ 出生(率)。

na·tant [`netn̩t] adj. 游泳的; 漂浮於水上的。

na·ta·to·ri·al [,netə`torɪəl] adj.游泳的; 適於游泳的。(亦作 natatory)

na·ta·to·ri·um [,netə`torɪəm] n. Ⓒ (pl. ∼s, -ri·a [-rɪə])(室內)游泳池。

‡na·tion [`neʃən] n. Ⓒ ①國家; 民族。②全體國民。

‡na·tion·al [`næʃənl] adj. ①國家的; 國民的。②全國性的。③國立的; 國有[營]的。§ ∼ ánthem 國歌。∼ bánk (1)國家銀行。(2)〖美〗國民銀行(聯邦政府認可的商業銀行)。N∼ Convéntion〖美〗政黨的全國大會(由各州的黨大會或直接初選選出的代表所組成, 提名總統、副總統候選人並決定政綱)。∼ débt 國債。N∼ Guárd(美國各州的)國民兵。∼ hóliday 國定假日。∼ íncome〖經〗國民所得[收入]。N∼ Insúrance(英國的)國民保險(制度)。the N∼ Léague 全國棒球聯盟(美國兩大職業棒球聯盟之一)。the N∼ Sócialist Pàrty(德國之)國家社會黨(即希特勒創立之納粹黨)。∼ mónument〖美〗(由聯邦政府管理的)古蹟; 史蹟。∼ párk 國家公園。∼ próduct〖經〗(每年度的)國民生產。∼ sérvice(常 N- S-)〖英〗國民兵役(1958年廢除)。

*na·tion·al·ism [`næʃənl̩,ɪzəm] n. Ⓤ 國家主義; 民族主義; 愛國心。

na·tion·al·ist [`næʃənl̩ɪst] n. Ⓒ 國家主義者; 民族主義者。— adj. 國家主義(者)的; 民族主義(者)的。— na·tion·al·is′tic, adj.

*na·tion·al·i·ty [,næʃən`ælətɪ] n. ① Ⓒ 國家; 國民。② ⓊⒸ 國籍。③ Ⓤ 國民性。④ Ⓤ 國家之地位。

na·tion·al·i·za·tion [,næʃənl̩ɪ`zeʃən] n. Ⓤ ①國家化。②歸化。

na·tion·al·ize [`næʃənl̩,aɪz] v.t.① 使國家化; 歸化。②使(土地、工業、鐵路等)歸國有。③使成爲國家。

na·tion·al·ly [`næʃənl̩ɪ] adv.① 由全國民; 舉國一致; 從國家立場; 以國家爲本位。②遍及全國。

na·tion·wide [`neʃən,waɪd] adj. 全國性的。

‡na·tive [`netɪv] n. Ⓒ ①本地人。②土著; 不甚開化之人。③土產的動物或植物。— adj.①生於某地或某國的。②本國的; 本土的。③生來的; 自然的; 天賦的。④土人的。⑤土產的; 土著的。⑥樸實的。go ∼ 過土人的生活。

na·tive-born [`netɪv`bɔrn] adj.土著的; 本地生的; 本國生的。

na·tiv·i·ty [ne`tɪvətɪ] n.① Ⓤ 誕生。②(the N-)基督誕生節日; 耶誕節。③(N-) Ⓒ 基督誕生圖。④ Ⓒ 天宮圖。

NATO, N.A.T.O., Nato [`neto] North Atlantic Treaty Organization. 北大西洋公約組織。

nat·ty [`nætɪ] adj. ①整潔的; 整飾的。②靈巧的。

‡nat·u·ral [`nætʃərəl] adj. ①天然的; 自然的; 非人造的。②本能的; 天賦的。③正常的; 不勉強的。④必然的; 當然的。⑤不矯揉造作的。⑥關於自然的。⑦〖樂〗本位音的。⑧不合法出生的。— n. Ⓒ ①自然物。②〖樂〗本位音。③白癡。④〖俗〗天才。⑤〖俗〗必定的成功。§ ∼ chíld 私生子。∼ chíldbirth 自然分娩。∼ déath自然死亡。∼ énemy天敵。∼ fóod天然食品。∼ gás天然瓦斯[氣]。∼ génder〖文法〗自然性別。∼ históriän博物學家; 博物誌的作者。∼ hístory (1)博物學。(2)博物誌。∼ lánguage 自然語言(相對於人工語言)。∼ láw 自然法則; 天理; 自然法。∼ resóurces 天然資源。∼ ríghts 天賦人權。∼ scíence 自然科學。∼ seléction

物競天擇；自然淘汰。— **ness,** *n.*

nat·u·ral·ism [ˋnætʃərəl,ɪzəm] *n.* Ⓤ自然主義；本能主義。

nat·u·ral·ist [ˋnætʃərəlɪst] *n.* Ⓒ ①博物學者。②自然主義者。

nat·u·ral·ize [ˋnætʃərəl,aɪz] *v.t.*①使歸化。②採納(外語、異俗)。③移植。④使自然化。⑤使習慣於。⑥用自然現象解釋。— *v.i.*①歸化。②適應新環境。③研究博物學。— **nat·u·ral·i·za'tion,** *n.*

‡**nat·u·ral·ly** [ˋnætʃərəlɪ] *adv.* ①自然地。②天然地；天生地。③必然地；不用說地。④不用人工地。

‡**na·ture** [ˋnetʃɚ] *n.* ①Ⓤ自然。②Ⓤ自然之道；人情；常理。③Ⓤ自然之生活。④Ⓤ Ⓒ天性；本性；性質；性情。⑤(*sing.*)種類；樣子。⑥Ⓤ實際；實況。⑦Ⓒ有特性之人。⑧Ⓤ活力；精力。⑨Ⓤ天生慾望；生理機能。⑩Ⓤ未開化的狀態。***by*** ~天生地。***in a state of*** ~裸體。***in the course of*** ~根據事物之常規。***in*** [***of***] ***the*** ~ ***of*** 類似。***pay the debt of*** ~; ***pay one's debt to*** ~死。§ ~ **stùdy** 自然現象之研究。~ **tràil** (爲觀察自然而設的)漫步道路。~ **wòrship** 自然崇拜。

na·tur·ist [ˋnetʃərɪst] *n.* Ⓒ裸體主義者。— *adj.* 裸體主義(者)的。

na·tur·o·path [ˋnetʃərə,pæθ] *n.* Ⓒ自然療法家；物理治療家。

na·tur·op·a·thy [,netʃəˋrɑpəθɪ] *n.* Ⓤ自然療法。

naught [nɔt] *n.* ①Ⓤ無。②Ⓒ零。***bring to*** ~ 破壞；擊敗。***set at*** ~ 藐視。

***naugh·ty** [ˋnɔtɪ] *adj.*①頑皮的；淘氣的。②不妥的；不適當的。— **naugh'ti·ly,** *adv.* — **naugh'ti·ness,** *n.*

nau·se·a [ˋnɔʒə, ˋnɔzɪə] *n.* Ⓤ ①反嘔；作嘔。②暈船。③厭惡。

nau·se·ate [ˋnɔʒɪ,et] *v.t.*①使作嘔。②厭惡。— *v.i.* 想嘔；感到惡心。

nau·se·at·ing [ˋnɔʒɪ,etɪŋ] *adj.* 使人作嘔的；使人厭惡的。— **ly,** *adv.*

nau·seous [ˋnɔʒəs, -zɪəs] *adj.* ①令人作嘔的。②令人厭惡的。

nau·ti·cal [ˋnɔtɪkl̩] *adj.* 船舶的；船員的；航海的。§ ~ **míle** 〖海，空〗海里；浬(距離單位)。

nau·ti·lus [ˋnɔtl̩əs] *n.* Ⓒ (*pl.* ~**es,** **-li** [-,laɪ])〖動〗①鸚鵡螺。②舡魚。

Nav·a·jo, -ho [ˋnævə,ho] *n.* (*pl.* ~, ~(**e**)**s**)①Ⓒ拿佛和族人(北美印第安人南部的一主要部族)。②Ⓤ拿佛和語。— *adj.* 拿佛和族人[語]的。

***na·val** [ˋnevl̩] *adj.* 海軍的；軍艦的。§ ~ **acàdemy** 海軍官校。~ **árchitect** 造船技師。~ **cadét** 海軍軍官學員。~ **fòrces** 海軍。~ **òfficer** 海軍軍官；〖美〗海關人員。

nave [nev] *n.* Ⓒ①教堂的中殿；本堂。②(車)轂。

na·vel [ˋnevl̩] *n.* Ⓒ①肚臍。②(the ~)中央；中心。③臍橙(亦作**navel orange**).

nav·i·ga·ble [ˋnævəgəbl̩] *adj.*①(河、海等)可航行的；適於航行的。②(船隻等)耐航的。③(船、飛機等)可操縱的。— **nav·i·ga·bil'i·ty,** *n.*

***nav·i·gate** [ˋnævə,get] *v.t.* ①駕駛(船隻、飛機等)。②航行於(海、河)。③以水運運(貨)。④飛行於(空中)。— *v.i.* ①航行。②駕駛；領航。

nav·i·ga·tion [,nævəˋgeʃən] *n.* Ⓤ ①航海；航行；航空。②航海術；航空術。

nav·i·ga·tor [ˋnævə,getɚ] *n.* Ⓒ①航海者。②精於航海術者。③海上探險者。④(飛機)領航員。⑤〖英〗=**navvy.**

nav·vy [ˋnævɪ] *n.* Ⓒ〖英〗鑿河或修路的工人；粗工。

***na·vy** [ˋnevɪ] *n.*①Ⓒ海軍。②Ⓒ海軍人員。③Ⓒ〖古，詩〗艦隊。④Ⓤ深藍色。§ ~ **blúe** 深藍色。**N**~ **Cróss**〖美海軍〗十字勳章。~ **yàrd**海軍船塢；海軍造船廠。

na·vy-blue [ˋnevɪ,blu] *adj.* 海軍藍的；深藍色的。

nay [ne] *adv.*①〖古〗不；否。②不只於此；而且。— *n.* ①Ⓤ不；否；反對；拒絕。②Ⓒ (投)反對票(者)。

nay·say·er [ˋne,seɚ] *n.* Ⓒ反對者；否認者；拒絕者。

Na·zi [ˋnɑtsɪ] *n.* Ⓒ納粹黨人；法西斯黨人。— *adj.* 納粹黨的。

Na·zi·fy [ˋnɑtsɪ,faɪ] *v.t.* 使納粹黨化。(亦作 **nazify**)

Na·zism [ˋnɑtsɪzəm] *n.* Ⓤ德國國家社會主義；納粹主義。(亦作 **Naziism**)

N.B., n.b. 〖拉〗nota bene. 注意(=note well).

NBC, N.B.C. National Broadcasting Corporation [Company]. (美國)國家廣播公司。

NCO, N.C.O. noncommissioned officer.

Nd 〖化〗neodymium.

N.D., N.Dak. North Dakota.

Ne 〖化〗neon. **NE** Nebraska; northeast; northeastern. **N.E.** New England; northeast; northeaster.

Ne·an·der·thal [nɪˋændɚ,tɑl] *adj.* 尼安德塔人的。

neap [nip] *n.* Ⓒ (亦作 **neap tide**)小潮；最低潮。— *adj.* 小潮的。

Ne·a·pol·i·tan [,niəˋpɑlətn̩] *adj.* 義大利那不勒斯(人)的。

‡**near** [nɪr] *adv.*①近(爲 far 之對)；不遠地。②密切地；親近地。③〖俗〗幾乎；差不多。***be*** ~ ***at hand*** **a.**在近旁。**b.**逼近；即將發生。***come*** ~ ***doing*** [***to do***] ***something*** 差一點做了某件事。— *adj.* ①近的。②親密的。③近親的。④直接的。⑤勉強的；間不容髮的。⑥左方的(爲 off 與 right 之對)。⑦極像的。⑧吝嗇的。— *prep.*(空間、時間等)接近；在…附近。— *v.t.* & *v.i.* 接近；走近。§ ~ **béer**〖美〗淡啤酒。**N**~ **Éast** 近東。~ **míss** (1)(轟炸、射擊的)接近擊中(目標)彈。(2)僅差毫釐。(3)〖空〗異常接近。~ **thíng**〖俗〗幾乎無勝算的比賽[選舉，冒險(等)]。— **ness,** *n.*

‡**near·by** [ˋnɪrˋbaɪ] *adj.* & *adv.*近旁的[地]；附近的[地]。

‡**near·ly** [ˋnɪrlɪ] *adv.*①幾乎；近乎(爲 quite 之對)。②密切地；親近地。③親密地。④精密地。⑤吝嗇地。***not*** ~絕

N

不；相差甚遠。
near·sight [ˋnɪr,saɪt] *n.* Ⓤ 近視。
***near·sight·ed** [ˋnɪrˋsaɪtɪd] *adj.* 近視的。— **ly,** *adv.* — **ness,** *n.*
***neat**[1] [nit] *adj.* ①整潔的；整齊的。②好整潔的。③優雅的。④靈巧的。⑤〖英〗(酒)純的。⑥簡潔的。⑦〖俚〗很棒的；美妙的。— **ly,** *adv.*
neat[2] *n.* Ⓒ (*pl.* ~)牛類動物；牛。— *adj.* 牛類的。
neath, 'neath [niθ, nið] *prep.*〖詩〗=**beneath.**
neb [nɛb] *n.* Ⓒ ①(鳥之)嘴；喙。②(動物之)鼻。③尖；尖端；筆尖。④〖廢〗(人之)嘴；口。
neb·bish [ˋnɛbɪʃ] *n.* Ⓒ 運氣不佳的人；倒楣鬼；無能[呆笨]的人。
Ne·bras·ka [nəˋbræskə] *n.* 內布拉斯加(美國中部之一州)。
neb·u·la [ˋnɛbjələ] *n.* Ⓒ (*pl.* **-lae** [-,li], **~s**)〖天〗星雲。— **neb′u·lar,** *adj.*
neb·u·lous [ˋnɛbjələs] *adj.* ①模糊的；渾濁的。②雲霧狀的。③〖天文〗星雲(狀)的。
***nec·es·sar·i·ly** [ˋnɛsə,sɛrəlɪ, ,nɛsəˋsɛrəlɪ] *adv.* 必要地；必然地。
‡**nec·es·sar·y** [ˋnɛsə,sɛrɪ] *adj.* ①必要的；必然的。②〖邏輯〗不能否定的。— *n.* (*pl.*)必需品；必要之物。
ne·ces·si·tate [nəˋsɛsə,tet] *v.t.* ①使成爲必需；需要。②迫使(主要用於被動式)。
ne·ces·si·tous [nəˋsɛsətəs] *adj.* ①窮的；貧困的。②必然的；不可避免的。
ne·ces·si·ty** [nəˋsɛsətɪ] *n.* ① Ⓤ (又作 a ~)需要；必要。② Ⓒ 必需品；必要物。③ Ⓤ 貧困。④ Ⓤ Ⓒ 必然的事。⑤ Ⓤ Ⓒ〖哲〗必然(性)。make a virtue of ~*** 爽快地去做非做不可的事。***N- is the mother of invention.*** 需要乃發明之母。***N- knows no law.*** 饑寒起盜心。***of ~*** 必然；不得已。
‡**neck** [nɛk] *n.* ① Ⓒ 頸。② Ⓒ 衣領。③ Ⓒ 似頸之物。④ Ⓤ Ⓒ 頸肉。⑤ Ⓒ〖建〗頸彎飾。⑥ Ⓒ (賽馬或賽狗等)一頸之差。***a stiff ~*** 頑強。***break one's ~***〖俗〗作極大努力。***get it in the ~*** a. 受嚴厲責罰。b. 受到當頭一棒。***~ and crop*** [***heels***]完全地。***~ and ~*** 並肩齊驅。***~ of the woods*** 地區；地方。***~ or nothing*** 拼命地；孤注一擲。***save one's ~*** 免受絞刑；得免一死。***stick one's ~ out*** 冒險；招惹禍事。***win by a ~*** 險勝。— *v.t.* & *v.i.*〖美俚〗擁抱；愛撫。
neck·band [ˋnɛk,bænd] *n.* Ⓒ 圍頸帶；(襯衣等之)領圈。
neck·er·chief [ˋnɛkətʃɪf] *n.* Ⓒ 圍巾；頸巾。
neck·ing [ˋnɛkɪŋ] *n.* ① Ⓒ〖建〗柱頂的小嵌線。② Ⓤ〖美俚〗(男女之)撫吻。
***neck·lace** [ˋnɛklɪs] *n.* Ⓒ 頸飾；項鍊。
neck·line [ˋnɛk,laɪn] *n.* Ⓒ 領口；領圈。
***neck·tie** [ˋnɛk,taɪ] *n.* Ⓒ 領帶。
neck·wear [ˋnɛk,wɛr] *n.* Ⓤ 圍頸物。
ne·crol·o·gy [nɛˋkrɑlədʒɪ] *n.* Ⓒ ①死亡名單。②訃聞。
nec·ro·man·cer [ˋnɛkrə,mænsɚ] *n.* Ⓒ 巫師；降神者。
nec·ro·man·cy [ˋnɛkrə,mænsɪ] *n.* Ⓤ ①巫術；通靈術。②魔術；妖術。— **nec·ro·man′tic,** *adj.*
ne·crop·o·lis [nɛˋkrɑpəlɪs] *n.* Ⓒ ①(古代都市之)墓地。②公共墓地。
ne·cro·sis [nɛˋkrosɪs] *n.* Ⓤ Ⓒ (*pl.* **-ses** [-siz])①〖醫〗壞死；壞疽。②〖植〗頹壞；黑斑症。
nec·tar [ˋnɛktɚ] *n.* Ⓤ ①〖希神〗神酒；瓊漿玉液。②可口的飲料。③未經沖淡的水果原汁。④花蜜。
nec·tar·ine [ˋnɛktə,rin] *n.* Ⓒ〖植〗油桃。
nee, née [ne]〖法〗*adj.* 娘家姓…的(置於已婚女子之姓後，以示其婚前之姓)。
‡**need** [nid] *n.* ① Ⓤ 需要；必需。② Ⓒ (常 *pl.*)缺少之物；必需之物。③ Ⓤ 缺乏；缺少。④ Ⓤ 困難之境；困難之時。A friend in ~ is a friend indeed. 患難之交始爲眞朋友。⑤ Ⓤ 窮困。***be in ~ of*** 需要。***have ~ to*** 必須；務必。***if ~ be*** 如果必須的話。— *v.t.* ①需要(幾與 want 之義相等)。②必要。— *v.i.* ①必要。②〖古〗需要。③窮困。
need·ful [ˋnidfəl] *adj.* 必須的；需要的。— *n.* (the ~)①所需之事物。do the ~ 做該做的事。②〖俚〗錢。
‡**nee·dle** [ˋnidl̩] *n.* Ⓒ ①針。②織針。③磁針。④注射針。⑤(松樹等之)針狀葉。⑥(留聲機)唱針。⑦(雕刻用)針狀刻刀。⑧尖岩；尖峰；方尖塔(=obelisk).⑨針狀活塞。***look for a ~ in a bundle of hay*** 大海撈針。— *v.t.* ①揶揄；嘲弄；激勵。②〖俚〗加酒精於(飲料)。— *v.i.* ①用針縫紉。②結晶成針狀。§ ~ **bàth** 噴霧狀淋浴。~ **bǒok** 針簿。~ **thèrapy** 針灸療法。~ **tìme**〖英〗(廣播節目中)唱片音樂播放時間。~ **vàlve**〖機〗針形閥；針狀活門。
nee·dle·point [ˋnidl̩,pɔɪnt] *n.* ① Ⓒ 針尖；針狀物之尖端。② Ⓤ 針繡；針繡花邊。
need·less** [ˋnidlɪs] *adj.* 不需要的；不必要的；多餘的。~ ***to say 不待言；當然。— **ly,** *adv.*
nee·dle·wom·an [ˋnidl̩,wʊmən] *n.* Ⓒ (*pl.* **-wom·en**)女裁縫。
nee·dle·work [ˋnidl̩,wɝk] *n.* Ⓤ 縫紉；刺繡；女紅。
‡**need·n't** [ˋnidn̩t] =**need not.**
needs [nidz] *adv.* 必要地；一定地。
need·y [ˋnidɪ] *adj.* 貧窮的。the poor and ~ 貧窮的人。— **need′i·ness,** *n.*
ne'er [nɛr] *adv.*〖詩〗=**never.**
ne'er-do-well [ˋnɛrdʊ,wɛl] *n.* Ⓒ 沒用的人；廢物。— *adj.* 無益[無用]的。
ne·far·i·ous [nɪˋfɛrɪəs] *adj.* 兇惡的；殘暴的。— **ly,** *adv.*
ne·gate [ˋniget] *v.t.* 否定；否認；取消；使無效。
ne·ga·tion [nɪˋgeʃən] *n.* ① Ⓤ Ⓒ 否定。② Ⓤ 虛無。③ Ⓤ〖文法〗否定。
***neg·a·tive** [ˋnɛgətɪv] *adj.* ①否定的。②消極的。③負的。④〖電〗陰性的。⑤〖攝〗負片的；底片的。⑥無病菌或徵候的。— *n.* ① Ⓒ 否定；否認。② Ⓤ (辯論中)反對之一面。③ Ⓒ 否定的回答、

手勢等。④Ⓒ拒絕。⑤Ⓒ陰電；陰極。⑥Ⓒ底片。⑦Ⓒ負數。⑧Ⓒ否決權。*in the* ～ 表示反對。— *v.t.*①否定。②反駁。③否認。④抵銷。§ ～ **grówth** 經濟的負成長。～ **íncome tàx**〖美〗低收入補助。～ **pláte**〖電〗陰極板。～ **póle** 陰極。～ **séntence** 否定句。～ **sígn** 負號。— **ly,** *adv.*

neg·a·tiv·ism [ˋnɛgətɪv,ɪzəm] *n.* Ⓤ①〖哲〗否定論；消極主義。②〖心〗反抗癖；反對傾向。— **neg′a·tiv·ist,** *n.*

*__ne·glect__ [nɪˋglɛkt] *v.t.*①疏忽；忽略。②棄置；不顧。③遺漏。— *n.* Ⓤ 疏忽；忽略。

ne·glect·ful [nɪˋglɛktfəl] *adj.* 不留心的；疏忽的。

neg·li·gé [negliˋʒe]〖法〗*n.* = **negligee.**

neg·li·gee [,nɛglɪˋʒe] *n.* ①Ⓒ(婦女套在睡衣上的)室內服。②Ⓤ便服。

*__neg·li·gence__ [ˋnɛglədʒəns] *n.* Ⓤ①怠慢；疏忽。②〖法律〗(疏忽造成的)過失。

*__neg·li·gent__ [ˋnɛglədʒənt] *adj.* ①疏忽的。②粗心的；大意的。③草率的；不注意的。

neg·li·gi·ble [ˋnɛglədʒəbḷ] *adj.*可忽略的；不足取的；不關重要的。

ne·go·ti·a·ble [nɪˋgoʃɪəbḷ] *adj.*①可磋商或談判的。②可轉讓的(尤指票據而言)。③(指道路、河流)可通行的。

*__ne·go·ti·ate__ [nɪˋgoʃɪ,et] *v.t.*①商議；商訂(條件等)。②出售；讓渡。③〖俗〗通過；經過。— *v.i.* 磋商；談判。

*__ne·go·ti·a·tion__ [nɪ,goʃɪˋeʃən] *n.* ⓊⒸ(常 *pl.*)交涉；談判。

ne·go·ti·a·tor [nɪˋgoʃɪ,etɚ] *n.* Ⓒ①商議者；磋商者；談判者。②出售者；讓渡者。

Ne·gress [ˋnigrɪs] *n.* Ⓒ Negro之女性。

Ne·gro [ˋnigro] *n.* Ⓒ (*pl.* ～**es**) ①黑人。②有黑人血統者。— *adj.*黑人的。

Ne·groid [ˋnigrɔɪd] *adj.*(有時 n-)(似)黑人的。— *n.* Ⓒ 黑人。

ne·gus [ˋnigəs] *n.* Ⓤ尼加斯酒(以葡萄酒、開水、糖、豆蔻及檸檬汁等製成)。

Neh·ru [ˋnɛru] *n.* 尼赫魯(Jawaharlal, 1889-1964, 於1947-64任印度總理)。

neigh [ne] *n.* Ⓒ馬嘶聲。— *v.i.*(馬)嘶。

‡**neigh·bor,**〖英〗**-bour** [ˋnebɚ] *n.* Ⓒ①鄰人；鄰居。②相近之人；鄰近之物。③同胞。— *v.t.*①鄰接；相鄰。②使接近；使靠近。— *v.i.* ①鄰接；相鄰。②友好；友善〔常 with〕. — *adj.*鄰近的；相鄰的。

‡**neigh·bo(u)r·hood** [ˋnebɚ,hʊd] *n.* ①(*sing.*)鄰近之地區；附近(地方)。②(*sing.*)區域；地方。③Ⓒ鄰人；四鄰。④Ⓤ鄰居之情誼。⑤Ⓤ近；接近。*in the* ～ *of* 在…之附近。

neigh·bor·ing [ˋnebərɪŋ] *adj.* 鄰近的；附近的；鄰界的。

neigh·bor·ly [ˋnebɚlɪ] *adj.*親善的；和睦的。— **neigh′bor·li·ness,** *n.*

‡**nei·ther** [ˋniðɚ, ˋnaɪðɚ] *conj.* 既非；既不；亦非。～ ...*nor*...既非…亦非…。— *adj.* 兩者皆不的。— *pron.* 兩者都不。

nel·son [ˋnɛlsṇ] *n.* Ⓒ〖角力〗肩下握頸(從背後由對方兩腋下伸過手去，交叉後，由左右勒緊對方頸背的招數)。

Nem·e·sis [ˋnɛməsɪs] *n.* (*pl.* **-ses** [-,siz])①〖希神〗娜美西斯(司復讎的女神)。②(n-) **a.** Ⓤ 天罰；報應。**b.** Ⓒ 懲罰者；報復者。**c.** Ⓒ強敵；無法勝過的對手。

neo-〖字首〗表「新；新近；新創」之義。

ne·o·clas·sic [,nioˋklæsɪk] *adj.*新古典主義的。— **ne·o·clas′si·cism,** *n.*

ne·o-Da·da [,nioˋdɑdɑ] *n.* Ⓤ 新達達主義(一種反傳統的藝術流派)。(亦作 **neo-Dadaism**)

ne·o·dym·i·um [,nioˋdɪmɪəm] *n.* Ⓤ〖化〗釹(稀金屬元素；符號 Nd)。

ne·o·lith·ic [,niəˋlɪθɪk] *adj.*新石器時代的。(亦作 **Neolithic**)

ne·ol·o·gism [niˋɑlə,dʒɪzəm] *n.*①Ⓤ使用新語；創造新義。②Ⓒ新語；新字(義)。③Ⓒ新說；新主義。④Ⓒ〖神學〗新教義。

ne·on [ˋniɑn] *n.* Ⓤ①〖化〗氖(氣體元素；符號 Ne)。②(亦作 **neon lamp**)霓虹燈。

ne·o·nate [ˋniə,net] *n.* Ⓒ〖醫〗新生兒(出生後不滿一個月的嬰兒)。

ne·o·phyte [ˋniə,faɪt] *n.* Ⓒ ①新入教者。②初學者；新手；生手。③〖天主教〗新聖司鐸。④新入修道院者。

ne·o·plasm [ˋnio,plæzṃ] *n.* Ⓒ〖醫〗腫瘍；贅瘤；贅疣。

Ne·o·pla·to·nism [,nioˋpletṇ,ɪzəm] *n.* Ⓤ〖哲〗新柏拉圖學派(綜合 Plato 之思想與東方神秘主義，三世紀時興起於 Alexandria)。

ne·o·prene [ˋnio,prin] *n.* Ⓤ尼奧普林(一種合成樹膠)。

Ne·pal [nɪˋpɔl] *n.*尼泊爾(印度與西藏之間的一小國，首都爲 Katmandu)。

*__neph·ew__ [ˋnɛfju, ˋnɛvju] *n.* Ⓒ姪兒；外甥。

ne·phri·tis [nɛˋfraɪtɪs] *n.* Ⓤ〖醫〗腎炎；腎臟炎。

ne plus ul·tra [ˋniplʌsˋʌltrə]〖拉〗*n.*(the ～)最高點；極點；極致。

nep·o·tism [ˋnɛpə,tɪzəm] *n.* Ⓤ 偏袒親戚；引用親戚；族閥主義；裙帶關係。

Nep·tune [ˋnɛptʃun,-tjun] *n.*①〖羅神〗納普敦(海神，希臘神話之Poseidon)。②海洋。③〖天〗海王星。

nep·tu·ni·um [nɛpˋtunɪəm] *n.* Ⓤ〖化〗錼(放射性元素；符號 Np)。

nerd [nɝd] *n.* Ⓒ〖俚〗討厭鬼；愚蠢而不中用的人。

Ne·re·id [ˋnɪrɪɪd] *n.*①〖希神〗妮瑞德(海的女神)。②(n-) Ⓒ〖動〗沙蠋；沙蠶。

‡**nerve** [nɝv] *n.*①Ⓒ神經。②(*pl.*)神經過敏。③Ⓤ勇氣；精力；膽量。④Ⓤ(又作 a ～)〖俚〗冒失；魯莽；厚顏。⑤Ⓒ葉脈；翅脈。⑥(*pl.*)中樞；主要部分。⑦Ⓒ筋。*get on one's* ～*s* 刺激人；攪得人不安。Turn off that radio; it's *getting on my* ～*s*! 把收音機關上，它攪得我心煩! *lose one's* ～ 失去勇氣；氣餒。*strain every* ～盡最大努力。— *v.t.*使有勇氣；予以力量；激勵。§ ～ **cèll**〖解〗神經細胞。～ **cènter**〖解〗神經中樞。～ **fìber**〖解〗神經纖

N

維。～ gàs 神經瓦斯。～ ìmpulse〖醫〗神經興奮。

nerve·less [ˋnɜvlɪs] *adj.*①沒有神經的。②沒有力氣或勇氣的；萎弱的。③冷靜的；沈著的。—**ly,** *adv.*

nerve-(w)rack·ing [ˋnɜv-ˏrækɪŋ] *adj.* 極令人頭痛[極傷腦筋]的。

‡**nerv·ous** [ˋnɜvəs] *adj.*①神經的；精神崩潰的。②神經質[過敏]的。③剛健的。④膽怯的。§ ～ **bréakdown** [**prostrátion**] 精神崩潰。～ **sỳstem** 神經系統。—**ly,** *adv.* —**ness,** *n.*

nerv·y [ˋnɜvɪ] *adj.*①強壯的；有力的。②勇敢的；大膽的。③〖美俚〗不害羞的；厚顏的。④〖英〗神經質的。

-ness 〖字尾〗表「性質；狀態；程度」之義，附於形容詞或分詞之後構成抽象名詞，如：bitter*ness,* tired*ness.*

‡**nest** [nɛst] *n.* Ⓒ①窠；鳥巢。②產卵育幼處。③溫暖安適之處。④(罪惡之)窠；巢窟。⑤一窠(鳥、獸等)。⑥一套(按大小順序，可重疊放置者)。— *v.i.* ①築巢。②獵尋鳥巢。③重疊。— *v.t.*①爲…築巢。②安頓；放置。§ ～ **ègg** (1)留窩蛋。(2)儲蓄。

nes·tle [ˋnɛsl̩] *v.i.* ①舒適地坐定；依偎。②築巢。— *v.t.*①擁抱；緊抱。②安頓；掩蔽。③舒適地安頓下來。

nest·ling [ˋnɛs(t)lɪŋ] *n.* Ⓒ ①雛鳥。②幼兒。

***net**[1] [nɛt] *n.*①Ⓒ網。②Ⓒ網狀物。③Ⓒ陷阱；羅網。④Ⓤ Ⓒ 網織品。⑤Ⓒ(網球等)觸網球。⑥Ⓒ〖俗〗電視網；廣播網。— *v.t.* (-tt-)①用網捕。②覆以網。③織成網。④以網做。⑤打(球)觸網。— *v.i.* 織網。

net[2] *adj.*①淨餘的。②最後的。— *n.* Ⓒ實價；淨利；淨重。— *v.t.* (-tt-)淨賺。§～ **éarnings** 實得報酬。～ **íncome** 淨所得；純收入。～ **nátional próduct** 〖經〗國民生產淨額。～ **prófit** 淨利。～ **tón** 淨噸；美噸。～ **wéight** 淨重。

Net Internet.〖電算〗網際網路。

neth·er [ˋnɛðɚ] *adj.* ①下界的；冥府的。the ～ world 陰間；冥府。②〖古，詩〗下面的。—**most,** *adj.*

Neth·er·lands [ˋnɛðɚləndz] *n.* (the ～)荷蘭(西歐一國，俗稱 Holland，行政首都爲 The Hague，名義首都爲 Amsterdam)。

net·ting [ˋnɛtɪŋ] *n.* ①Ⓤ網；結網。②Ⓤ撒網。③Ⓒ網狀編結物。

net·tle [ˋnɛtl̩] *n.* Ⓒ〖植〗蕁麻。*grasp the* ～毅然面對[解決]困難。— *v.t.*①以蕁麻刺或打。②刺激；激惱；惹怒。§～ **ràsh**〖醫〗蕁麻疹。

net·tle·some [ˋnɛtəlsəm] *adj.* 令人憤怒的；惱人的。

***net·work** [ˋnɛtˏwɜk] *n.* ①Ⓤ Ⓒ網。②Ⓒ網狀組織。③Ⓒ無線電或電視廣播網。④Ⓒ〖電算〗網路。

neu·ral [ˋnjʊrəl] *adj.* 神經(系統)的；神經中樞的。

neu·ral·gia [njʊˋrældʒə] *n.* Ⓤ〖醫〗神經痛。—**neu·ral′gic,** *adj.*

neur·as·the·ni·a [ˏnjʊrəsˋθinɪə] *n.* Ⓤ〖醫〗神經衰弱。

neu·ri·tis [njʊˋraɪtɪs] *n.* Ⓤ〖醫〗神經炎。

neu·rol·o·gist [njʊˋrɑlədʒɪst] *n.* Ⓒ神經學者；神經科專門醫師。

neu·rol·o·gy [njʊˋrɑlədʒɪ] *n.* Ⓤ神經(病)學。

neu·ron [ˋnjʊrɑn], **-rone** [-ron] *n.* Ⓒ〖解〗神經原；神經細胞。

neu·ro·sis [njʊˋrosɪs] *n.* Ⓤ Ⓒ (*pl.* **-ses** [-siz])〖醫〗神經病；神經官能症。

neu·ro·sur·ger·y [ˏnjuroˋsɜdʒərɪ, ˏnu-] *n.* Ⓤ神經外科(學)。

neu·rot·ic [njʊˋrɑtɪk] *adj.*患神經病的；過於神經質的。— *n.* Ⓒ神經病患。

neu·ro·trans·mit·ter [ˏnjuro-trænsˋmɪtɚ] *n.* Ⓒ神經傳遞素。

neut. neuter; neutral.

neu·ter [ˋnjutɚ] *adj.*①〖文法〗中性的。②〖生物〗不雌不雄的；無性的。③中間的；中立的。— *n.* ①Ⓒ中性字。②(the ～)中性。③Ⓒ中性動[植]物。

***neu·tral** [ˋnjutrəl] *adj.* ①中立的。②〖電，化〗中性的。③〖語音〗無性的；中性的。④無色的；微灰色的。⑤不確定的。— *n.* ①Ⓒ中立者；中立國。②Ⓒ戰時中立國國民。③Ⓤ〖機〗齒輪的空檔。

neu·tral·ism [ˋnjutrəlɪzəm] *n.* Ⓤ①中立主義[政策]。②中立。

neu·tral·i·ty [njuˋtrælətɪ] *n.* Ⓤ①中立。②〖化〗中性。

neu·tral·ize [ˋnjutrəlˏaɪz] *v.t.* ①使中立。②使無效；中和。—**neu′tral·iz·er, neu·tral·i·za′tion,** *n.*

neu·tret·to [njuˋtrɛto] *n.* Ⓒ (*pl.* ～**s**)〖理〗中介子。

neu·tri·no [njuˋtrino] *n.* Ⓒ (*pl.* ～**s**)〖理〗微中子。

neu·tron [ˋnjutrɑn] *n.* Ⓒ〖理〗中子。§～ **bòmb** 中子彈。

Ne·vad·a [nəˋvædə] *n.*內華達(美國西部之一州)。

‡**nev·er** [ˋnɛvɚ] *adv.* ①從未地；未曾地；永不地。②毫不；決不。～ *so* **a.**甚至…也不。**b.**無論怎樣。

nev·er-end·ing [ˋnɛvɚˋɛndɪŋ] *adj.* 不斷的。

nev·er·more [ˏnɛvɚˋmor] *adv.*永不再；決不再。

nev·er-nev·er [ˋnɛvɚˋnɛvɚ] *adj.* 〖俗〗①想像中的；非眞實的。②不易瞭解的；似乎不太可信的。— *n.* (the ～)〖英俚〗分期付款辦法。§～ **lànd** 童話中之國家；夢幻之國。

***nev·er·the·less** [ˏnɛvɚðəˋlɛs] *adv.* 雖然如此；不過；然而。

‡**new** [nju, nu] *adj.*①新的。②新生的；新來的；新製的。③初次用的；新鮮的。④不同的。⑤陌生的。⑥不熟悉的。⑦新式的。⑧剛來的。⑨更進一層的。— *adv.* ①新近地。②重新地。§ **N～ Frontíersman** (1)甘迺迪總統新境界之支持者。(2)甘迺迪當政時之閣員。～ **lóok**〖俗〗新式樣；最新流行的款式。～ **màn** 新派男子(指不以大男人主義者自居，而參與家務勞動的男人)。～ **móon** 新月。～ **pénny**〖英〗新便士。**N～ Téstament** 新約聖經。～ **wáve**(常 the N-

W-) (藝術、政治等的)新趨向；新潮流；新作風。‡N∸ Yéar 元旦。*N∸ Yèar's Dáy 一月一日；元旦(美、加常省略Day). N∸ Yèar's Éve 除夕。the N∸ Críticism 文學新批評(派)。the N∸ Déal 新政；新經濟政策(1933年美國總統F. D. Roosevelt開始實施，以社會保險與經濟復興爲主之革新政策)。the N∸ Frontíer 新境界(美國總統J.F. Kennedy所實施的積極政策)。the N∸ Wórld 新世界；新大陸(美洲)。the ∼ yéar 新年。— ness, *n.*

new·bie [ˋnju,bi] *n.* Ⓒ 新的或無經驗的網際網路使用者。

new·born [ˋnjuˋbɔrn] *adj.* ①剛出生的。②(生活)新生的；再生的。— *n.* Ⓒ 新生嬰兒。

new·com·er [ˋnju,kʌmɚ] *n.* Ⓒ ①新來者。②新到達之移民。

New Del·hi [,njuˋdɛlɪ] *n.* 新德里(印度共和國之首都)。

new·el [ˋnjuəl] *n.* Ⓒ ①(旋梯的)中心柱。②(梯頂及梯腳的)欄杆支柱。

New Eng·land [,njuˋɪŋglənd] *n.* 新英格蘭(美國之東北部)。

Newf. Newfoundland.

new·fan·gled [,njuˋfæŋgḷd] *adj.*①新近流行的。②喜新奇的。

New·found·land [,njufəndˋlænd] *n.* ①紐芬蘭(加拿大東岸之島嶼)。② [njuˋfaundlənd] Ⓒ 紐芬蘭犬。

New Guin·ea [,njuˋgɪnɪ] *n.* 新幾內亞(澳洲北方的一個島)。(略作**N.G.**)

New Hamp·shire [,njuˋhæmpʃɚ] *n.* 新罕布夏(美國東北部之一州)。

New Jer·sey [njuˋdʒɝzɪ] *n.* 新澤西州(美國東部一州)。(略作**N.J., NJ**)

new-laid [ˋnjuˋled] *adj.* (蛋)剛生下的。

***new·ly** [ˋnjulɪ] *adv.* ①新近；最近。②重新地；再度。③用新方法。

new·ly·wed [ˋnjulɪ,wɛd] *n.* ① Ⓒ 新婚者。②(*pl.*)新婚夫婦。

New Mex·i·co [njuˋmɛksə,ko] *n.* 新墨西哥州(美國西南部之一州)。

new-rich [ˋnjuˋrɪtʃ] *adj.* 新富的；暴發戶的。— *n.* (the ∼, 作*pl.*解)暴發戶。

‡**news** [njuz, nuz] *n.* Ⓤ ①新聞；消息。②(the ∼)(廣播、電視的)新聞(節目)。③新聞的材料；新奇的事；趣聞。④(N-)…報(用於報紙名)。*break the* ∼ (*to*)傳凶訊(給)。§ ∸ àgency[sèrvice]通訊社。∸ ànalyst 新聞[時事]評論家或分析者。∸ cònference 記者招待會。∸ flàsh 簡短的新聞電訊快報。∸ relèase (發給報社之)新聞稿。∸ stòry 新聞報導。∸ vàlue 新聞價值。the ∸ mèdia 新聞媒體。

news·a·gent [ˋnjuz,edʒənt] *n.* Ⓒ 〖英〗發賣報紙者。

news·beat [ˋnjuz,bit] *n.* Ⓒ ①新聞之獨家報導。②記者採訪新聞之機構或消息來源。

news·boy [ˋnjuz,bɔɪ] *n.* Ⓒ 報童；賣報童。

news·cast [ˋnjuz,kæst] *n.* Ⓒ 新聞廣播。— er, *n.*

news·deal·er [ˋnjuz,dilɚ] *n.* Ⓒ 〖美〗報紙[雜誌]經銷人。(亦作 **news dealer**)

news·girl [ˋnjuz,gɝl] *n.* Ⓒ 女報童。

news·hawk [ˋnjuz,hɔk] *n.* Ⓒ 〖俗〗記者；新聞特派員。

news·let·ter [ˋnjuz,lɛtɚ] *n.* Ⓒ ①(以特別訂戶爲對象的)時事通訊[評論]。②(公司、機關的)簡訊；業務通訊。

news·mag·a·zine [ˋnjuz,mægəzin] *n.* Ⓒ 〖英〗新聞雜誌；時事週刊。

news·mak·er [ˋnjuz,mekɚ] *n.* Ⓒ 〖美〗有新聞價值的人或事。

news·man [ˋnjuzmən] *n.* Ⓒ (*pl.* **-men**)①賣報人；送報人。②新聞記者。

news·mon·ger [ˋnjuz,mʌŋgɚ] *n.* Ⓒ 愛傳述新聞者；好閒談者。

‡**news·pa·per** [ˋnjuz,pepɚ, ˋnjus-] *n.* ① Ⓒ 報紙。② Ⓤ 新聞用紙；白報紙。

news·pa·per·man [ˋnjuz,pepɚ,mæn] *n.* Ⓒ (*pl.* **-men**)新聞記者。

news·print [ˋnjuz,prɪnt] *n.* Ⓤ 白報紙；新聞用紙。

news·reel [ˋnjuz,ril] *n.* Ⓒ 〖美〗新聞影片。

news·room [ˋnjuz,rum] *n.* Ⓒ 新聞編輯室。(亦作 **news room**)

news·stand [ˋnjuz,stænd] *n.* Ⓒ 書報攤。(亦作 **news stall**)

news·wor·thy [ˋnjuz,wɝðɪ] *adj.* 有報導[新聞]價值的。

news·y [ˋnjuzɪ] *adj.* 〖美〗①多新聞的。②饒舌的。— *n.* 〖俗〗＝**newsboy.**

newt [njut] *n.* Ⓒ 〖動〗水蜥；蠑螈。

New·ton [ˋnjutn̩] *n.* 牛頓(Isaac, 1642-1727, 英國科學家)。

‡**New York** [njuˋjɔrk] *n.* ①紐約州(略作**N.Y., NY**). ②紐約市(亦稱New York City, 或書寫爲New York, N.Y.).

***New Zea·land** [njuˋzilənd] *n.* 紐西蘭(大英國協在南太平洋之一會員國)。

‡**next** [nɛkst] *adj.* 最近的；其次的。∼ *door to* **a.**在…隔壁。**b.**差不多。∼ *to* **a.**相鄰。**b.**次於。**c.**幾乎。It is ∼ *to* impossible. 這幾乎不可能。— *adv.* ①下次。②(地點、時間、位置等)最近地。— *prep.* 與…鄰接。

next-door [ˋnɛks,dɔr] *adv.* & *adj.* 鄰家(的)；隔鄰(的)。

nex·us [ˋnɛksəs] *n.* Ⓒ (*pl.* ∼, ∼**es**)①連結；連鎖；關係。②〖文法〗敍述關係；表達關係。

Nfld. Newfoundland.

N.F.S. not for sale. **N.G.** National Guard; New Guinea. **N.H.** New Hampshire. **Ni** 〖化〗nickel.

ni·a·cin [ˋnaɪəsn̩] *n.* Ⓤ 〖化〗菸鹼酸。

Ni·ag·a·ra [naɪˋægrə] *n.* ①尼加拉河(在美、加交界處)。②＝**Niagara Falls.** ③(n-)(常a ∼of)蜂擁而至。§ ∸ Fálls(美、加交界的)尼加拉瀑布。

nib [nɪb] *n.* Ⓒ ①筆尖；筆嘴；鵝管筆的筆頭。②尖頭；尖端。③鳥嘴；喙。— *v.t.* (**-bb-**)裝以筆尖；修(筆尖)。

nib·ble [ˋnɪbḷ] *v.i.* ① 細咬；輕咬〔常at〕. ②做出有意接受的樣子。— *v.t.* 細咬；細嚼。— *n.* Ⓒ ①細咬；輕咬。②一小口；一小塊。

Nic·a·ra·gua [,nɪkəˋrɑgwə] *n.* 尼加拉瓜(中美一國，首都Managua).

N

‡**nice** [naɪs] *adj.*①好的；悅人的；漂亮的。②親切的；關心的。③精密的；精確的；微妙的；敏感的。④講究的。⑤狡黠的；棘手的。⑥適當的；合適的。⑦謹愼的。⑧文雅的。⑨〖諷〗壞的；難的；糟的。⑩美味的。⑪規矩的；可敬的。—**ly,** *adv.* —**ness,** *n.*

ni·ce·ty [ˋnaɪsətɪ] *n.* ①Ⓤ精確。②Ⓤ微細差異。③Ⓤ優雅。④Ⓒ(常 *pl.*)精美之物；珍饈。⑤Ⓒ(常 *pl.*)細節。*to a* ~ 正確地。

niche [nɪtʃ] *n.* Ⓒ①壁龕。②適當的位置。— *v.t.* 置於壁龕內；置於適當地位(通常用被動式)。

nick [nɪk] *n.*①Ⓒ刻痕；裂口；微凹。②(the ~)〖英俚〗監獄。*in the* ~ *of time* 正是時候；不遲。— *v.t.* ①刻痕於；弄缺。②以刻痕記錄。③割(馬尾)根部使尾翹高。④擊中；言中。⑤〖英俗〗逮捕。⑥欺詐；詐騙。

***nick·el** [ˋnɪkl] *n.*①Ⓤ〖化〗鎳(金屬元素；符號 Ni)。②Ⓒ〖美〗鎳幣。— *v.t.* (-l-,〖英〗-ll-)鍍鎳於。

nick·el-and-dime [ˋnɪkḷən-ˋdaɪm] *adj.* 瑣碎的；不重要的；便宜的；規模小的。— *v.t.* 對…錙銖必較；花極少的錢在…上。

nick·el·if·er·ous [ˌnɪkəˋlɪfərəs] *adj.* 含鎳的；產鎳的。

nick·el·o·de·on [ˌnɪkḷˋodɪən] *n.* Ⓒ①〖美〗(二十世紀初的)五分錢戲院。②自動點唱機(=jukebox)。

nick·nack [ˋnɪkˌnæk] *n.*=**knick-knack.**

***nick·name** [ˋnɪkˌnem] *n.* Ⓒ①綽號；渾名。②小名；暱稱。— *v.t.*①加綽號於。②叫錯名字。

nic·o·tine [ˋnɪkəˌtin], **-tin** [-tɪn] *n.* Ⓤ尼古丁(煙草中之毒素)。

nic·o·tin·ic [ˌnɪkəˋtɪnɪk] *adj.*〖化〗尼古丁的；菸鹼(酸)的。~ acid 菸鹼酸。

nic·o·tin·ism [ˋnɪkəˌtinɪzəm] *n.* Ⓤ菸鹼中毒。

***niece** [nis] *n.* Ⓒ姪女；甥女。

Nie·tzsche [ˋnitʃə] *n.* 尼采(Friedrich Wilhelm, 1844-1900, 德國哲學家)。

nif·ty [ˋnɪftɪ] *adj.* 時髦的；精巧的；極好的；漂亮的。

Ni·ger [ˋnaɪdʒɚ] *n.* 尼日(西非一共和國，首都 Niamey)。

Ni·ge·ri·a [naɪˋdʒɪrɪə] *n.* 奈及利亞(西非一國，首都 Lagos)。

nig·gard [ˋnɪgəd] *n.* Ⓒ吝嗇鬼；小氣鬼。— *adj.* ①吝嗇的；小氣的。②少的；不足的。—**ly,** *adj.* & *adv.*

nig·ger [ˋnɪgɚ] *n.* Ⓒ①〖俗〗黑人(=Negro)。②有黑人血統者。③〖蔑〗其他黑膚色人種。

nig·gle [ˋnɪgl] *v.i.* ①工作徒勞。②浪費時間於細節或瑣事。③吹毛求疵。—**nig′gling,** *adj.* & *n.*

nigh [naɪ] *adj.* & *adv.* & *prep.* & *v.* 〖古，詩，方〗=**near.**

‡**night** [naɪt] *n.* ①ⓊⒸ夜(爲 day 之對)。②Ⓒ(聚會等的)晚上；(…之)夜。③Ⓤ昏暗；黑暗。*have*[*pass*]*a good*[*bad*]~夜裡睡[不]好。*make a* ~ *of it* 通宵狂歡。§~ **bìrd** (1)夜鳥；夜鶯。(2)夜遊者。~ **blìndness**〖醫〗夜盲(症)。~ **càrt** 水肥車。~ **clèrk**(飯店的)夜間櫃臺員。~ **làtch**[**bòlt**]夜鎖；彈簧鎖。~ **lètter** 夜間電報。~ **òwl** (1)夜貓子。(2)貓頭鷹。~ **pìece** 夜景畫。~ **pòrter**(飯店、客棧的)夜間服務生。~ **sàfe**[〖美〗**depòsitory**](銀行)上班時間外的服務窗口；夜間保險箱。~ **schòol** 夜校。~ **stìck** 警棍。~ **swèat**〖醫〗盜汗；夜汗。~ **tàble**〖美〗床頭几。~ **wàtch** (1)守夜者。(2)守夜(時間)。~ **wátchman** 值夜者；守夜者；夜警。

night-blind [ˋnaɪtˌblaɪnd] *adj.* 患夜盲症的。

night·cap [ˋnaɪtˌkæp] *n.* Ⓒ①睡帽。②〖俗〗睡前酒。③〖俗〗運動節目之最後一項，尤指兩場棒球賽之第二場。

night·clothes [ˋnaɪtˌkloðz] *n. pl.* 睡衣。

night·club [ˋnaɪtˌklʌb] *n.* Ⓒ夜總會。

night·dress [ˋnaɪtˌdrɛs] *n.*=**night-gown.**

night·fall [ˋnaɪtˌfɔl] *n.* Ⓤ日暮；黃昏；傍晚。

night·glass [ˋnaɪtˌglæs,-ˋglɑs] *n.* Ⓒ夜間用之望遠鏡。

night·gown [ˋnaɪtˌgaʊn] *n.* Ⓒ(長的)睡衣。(亦作 **night robe**)

night·hawk [ˋnaɪtˌhɔk] *n.* Ⓒ①夜鷹。②〖俗〗夜遊者；夜間幹壞事的人。

***night·in·gale** [ˋnaɪtn̩ˌgel,ˋnaɪtɪn-,ˋnaɪtɪŋ-] *n.* Ⓒ夜鶯。

Night·in·gale [ˋnaɪtn̩ˌgel,-tɪŋ-] *n.* 南丁格爾(Florence, 1820-1910, 爲近代護理制度創始人)。

night·jar [ˋnaɪtˌdʒɑr] *n.* Ⓒ〖鳥〗蚊母鳥；歐夜鷹。

night·light [ˋnaɪtˌlaɪt] *n.* Ⓒ(寢室、病房等整夜開著的)夜明燈。

night·ly [ˋnaɪtlɪ] *adj.* ①每夜的。②〖詩〗夜間的。③如夜晚的。④夜晚活躍[發生]的。— *adv.* ①每夜地。②在夜間。

***night·mare** [ˋnaɪtˌmɛr] *n.* Ⓒ①夢魘；惡夢。②可怕的經驗。

night·mar·ish [ˋnaɪtˌmɛrɪʃ] *adj.* 如惡夢的；似夢魘的；可怕的。

night·shade [ˋnaɪtˌʃed] *n.* ⓊⒸ〖植〗①龍葵(=black nightshade)。②顚茄(=deadly nightshade)。

night·shirt [ˋnaɪtˌʃɜt] *n.* Ⓒ男用睡衣。

night·time [ˋnaɪtˌtaɪm] *n.* Ⓤ夜間。

night-vi·sion [ˋnaɪtˌvɪʒən] *n.* Ⓤ夜視力(在夜間或黑暗中能看清物體的能力)。

night·wear [ˋnaɪtˌwɛr] *n.* Ⓤ睡衣。

night·work [ˋnaɪtˌwɜk] *n.* Ⓤ夜工。

night·y [ˋnaɪtɪ] *n.* Ⓒ睡衣。

ni·hil·ism [ˋnaɪəlˌɪzəm] *n.* Ⓤ①〖哲〗虛無主義；極端懷疑論。②(N-)(俄國十九世紀末葉之)無政府主義。—**ni′-hil·ist,** *n.* —**ni·hil·is′tic,** *adj.*

-nik〖字尾〗〖俚〗表「反傳統及追求新奇事物者；…迷；…狂；與…有關的人」之義，如：peace*nik*.

nil [nɪl] *n.* Ⓤ無；零。

Nile [naɪl] *n.* (the ~)尼羅河。

N

Nilky [ˋnɪlkɪ] *n.* Ⓒ 多子女無收入的雙職工(係 no income, lots of kids 之略, 再加上 y)。

Ni·lot·ic [naɪˋlɑtɪk] *adj.* 尼羅河的; 尼羅河流域居民的。

nim·ble [ˋnɪmbḷ] *adj.* ①敏捷的; 迅速的; 靈活的。②聰明的; 伶俐的。③構思很靈巧的。— **nim′bly,** *adv.*

nim·bus [ˋnɪmbəs] *n.* Ⓒ (*pl.* **~es, -bi** [-baɪ])①(聖像頭上之)光輪; 靈光。②(附於神體的)祥雲。③〖氣象〗雨雲。

nin·com·poop [ˋnɪnkəm,pup] *n.* Ⓒ愚人; 傻子。

‡**nine** [naɪn] *n.*① Ⓤ Ⓒ 九。② Ⓒ 九個人[物]之一組。③ Ⓒ 棒球隊。***~ out of ten***十有八九。***the N-*** 司藝術、文學、科學的九女神(=the nine Muses)。
— *adj.* 九個的; 九的。

nine·fold [ˋnaɪn,fold] *adj.* & *adv.* 九倍的[地]; 九重的[地]。

nine·pins [ˋnaɪn,pɪnz] *n. pl.* (作 *sing.* 解)九瓶保齡球(戲); 九柱戲。

‡**nine·teen** [ˋnaɪnˋtin] *n.* ① Ⓤ Ⓒ 十九。②(作 *pl.* 解)十九個。— *adj.*十九的; 十九個的。***talk ~ to the dozen*** 不斷說話; 喋喋不休。

‡**nine·teenth** [ˋnaɪnˋtinθ] *adj.*第十九的。— *n.* ① Ⓤ (the ～)第十九。② Ⓒ 十九分之一。

*__nine·ti·eth__ [ˋnaɪntɪɪθ] *adj.*第九十的。— *n.* ① Ⓤ (the ～)第九十。② Ⓒ 九十分之一。

nine-to-five [ˋnaɪtəˋfaɪv] *adj.*從早上九點工作到下午五點的人[薪水階級, 上班族]的。— **nine′-to-fiv′er,** *n.*

‡**nine·ty** [ˋnaɪntɪ] *adj.*九十的; 九十個的。— *n.* Ⓤ Ⓒ 九十。

nin·ja [ˋnɪndʒə] *n.* Ⓒ (*pl.* **~, ~s**)(常 N-)日本之忍者。§ **N∸ Túrtle** 忍者(神)龜(連環漫畫中的海龜, 係兒童書刊中幻想的主人翁)。

nin·ny [ˋnɪnɪ] *n.* Ⓒ 愚人; 傻子。

‡**ninth** [naɪnθ] *adj.* 第九的。— *n.* ① Ⓤ (常 the ～)第九。② Ⓒ 九分之一。

*__nip__[1] [nɪp] *v.t.* (**-pp-**)①箝; 捏; 挾。②摘取; 剪下〔常 off〕。③使受(寒風等)傷害; 使枯萎。④刺痛。— *v.i.*①箝; 捏; 挾。②刺痛。③〖英俗〗急走; 急動〔off, away, along〕。***~ in the bud*** 在萌芽時摘取; 防患於未然。— *n.* (a ～)①箝; 挾; 捏。②霜害。③刺骨之寒冷。④一小塊; 一點兒。***~ and tuck*** (比賽中)旗鼓相當。

nip[2] *n.* Ⓒ (常*sing.*)小飲。— *v.t.* & *v.i.* (**-pp-**)喝少量的酒; 一點一點地喝。

nip·per [ˋnɪpɚ] *n.* ① Ⓒ 挾者; 摘取者。②(*pl.*)鑷子; 鉗。③(*pl.*)馬之前齒; 蟹之鉗。④(*pl.*)手銬; 腳鐐。⑤ Ⓒ 〖英俗〗小童。

nip·ple [ˋnɪpḷ] *n.* Ⓒ ①乳頭。②(奶瓶的)奶嘴。

Nip·pon [nɪˋpɑn, ˋnɪpɑn] 〖日〗 *n.* 日本。

Nip·pon·ese [,nɪpənˋiz] *adj.* 日本(人、語)的。— *n.* (*pl.* ～)① Ⓒ 日本人。② Ⓤ 日本語。

nip·py [ˋnɪpɪ] *adj.* ①刺骨的。②辛辣的。③〖英俗〗敏捷的。

nir·va·na [nɜˋvænə] *n.*① Ⓤ (N-)〖佛教〗涅槃; 極樂世界。② Ⓤ Ⓒ 無憂無慮的境界; (不受痛苦和煩惱折磨的)超脫。

nit [nɪt] *n.* Ⓒ (虱等之)卵; 幼蟲。

ni·ter, 〖英〗**-tre** [ˋnaɪtɚ] *n.* Ⓤ 〖化〗硝酸鉀; 硝酸鈉; 智利硝石。

nit-pick [ˋnɪt,pɪk] *v.t.* & *v.i.* (對…)挑剔; (對…)吹毛求疵。— **er,** *n.*

ni·trate [ˋnaɪtret] *n.* Ⓤ Ⓒ 硝酸鹽; 硝酸鉀; 硝酸鈉。— *v.t.* ①以硝酸處理。②使變成硝酸化物。— **ni·tra′tion,** *n.*

ni·tric [ˋnaɪtrɪk] *adj.*〖化〗①氮的; 含氮的。②硝石的。§ **∼ àcid** 硝酸。

ni·tride [ˋnaɪtraɪd] *n.* Ⓤ Ⓒ 〖化〗氮化物。

ni·tri·fy [ˋnaɪtrə,faɪ] *v.t.* & *v.i.*〖化〗①(使)與氮或氮化合物化合。②將硝酸鉀或硝酸鈉注入(土壤等)。③硝化。
— **ni·tri·fi·ca′tion,** *n.*

ni·trite [ˋnaɪtraɪt] *n.* Ⓤ Ⓒ 〖化〗亞硝酸鹽。

*__ni·tro·gen__ [ˋnaɪtrədʒən] *n.* Ⓤ 〖化〗氮(氣體元素; 符號 N)。

ni·tro·glyc·er·in(e) [,naɪtrəˋglɪsrɪn] *n.* Ⓤ 〖化〗硝化甘油。

ni·trous [ˋnaɪtrəs] *adj.*①硝石的; 含硝的。②(含)氮的。§ **∼ ácid**〖化〗亞硝酸。**∼ óxide**〖化〗一氧化二氮(N_2O)。

nit·ty-grit·ty [ˋnɪtɪˋgrɪtɪ] *n.* (the ～)〖俗〗(問題的)核心; 基本的事實。

nit·wit [ˋnɪt,wɪt] *n.* Ⓒ 〖俗〗蠢人。

Nix·on [ˋnɪksn̩] *n.* 尼克森(Richard Milhous, 1913-94, 1969-74 任美國第三十七位總統, 因水門事件辭職)。

N.J. New Jersey. **N.M., N.Mex.** New Mexico.

‡**no** [no] *n.* (*pl.* **no(e)s**)① Ⓤ Ⓒ 不; 否定。② Ⓤ Ⓒ 否認; 拒絕。③(*pl.*)否決; 投反對票者。— *adj.* ①沒有; 不。②差不多沒有的; 很少的。— *adv.* ①不。②毫不; 並不。§ **nó màn's lánd** (1)(國境之)無人區域; 荒地; 無主之土地(常為爭執之對象)。(2)(戰爭中兩方戰壕間之)眞空地帶。(3)〖俗〗(網球、手球等)球場中央一帶對球員不利之地方。

‡**No., N°, no.** [ˋnʌmbɚ] (*pl.* **Nos., N°s, nos.**) number.

no-ac·count [ˋnoəˋkaʊnt] *adj.*〖美俚〗無價值的; 不中用的。— *n.* Ⓒ 不中用的人。

No·ah [ˋnoə] *n.*〖聖經〗諾亞(希伯來之一族長, 上帝啓示其製一方舟, 以拯救自己、其家人、及各種動物雌雄各一脫離大洪水, 見舊約創世記)。§ **∼'s Árk** 諾亞方舟。

nob [nɑb] *n.* Ⓒ ①〖俚〗頭。②〖英俗〗富翁; 有地位之人。

No·bel [noˋbɛl] *n.* 諾貝爾(Alfred Bernhard, 1833-96, 瑞典工業家、慈善家, 發明炸藥, 創設 Nobel prizes)。§ **∼ prízes** 諾貝爾獎。

No·bel·ist [noˋbɛlɪst] *n.* Ⓒ 諾貝爾獎得獎人。

*__no·bil·i·ty__ [noˋbɪlətɪ] *n.* Ⓤ ①(the ～)貴族(階級)。②貴族出身。③高貴; 高尚。

*__no·ble__ [ˋnobḷ] *adj.*①貴族的。②高尚的。③卓越的。④寶貴的; 不易腐蝕或

N

生銹的。**—** *n.* Ⓒ (常 *pl.*) 貴族。 —**ness,** *n.* —**no'bly,** *adv.*

no·ble·man [ˋnoblmən] *n.* Ⓒ (*pl.* **-men**) 貴族。

no·ble-mind·ed [ˋnoblˋmaɪndɪd] *adj.* 心地高尚的；高潔的；心胸寬大的。

no·blesse [noˋblɛs] *n.* Ⓤ ①貴族之地位或出身。②(尤指法國之)貴族階級；貴族(集合稱)。

no·ble·wom·an [ˋnoblˏwʊmən] *n.* Ⓒ (*pl.* **-wom·en**) 貴婦。

‡**no·bod·y** [ˋnoˏbadɪ, ˋnobʌdɪ, -bədɪ] *pron.* 無人；無一人。**—** *n.* Ⓒ (常*sing.*) 不重要之人；庸碌之人。〔注意〕**nobody, nothing, nowhere** 均應連寫成一個單字。nobody 與 nothing 均作單數解。

nock [nak] *n.* Ⓒ ①箭尾端掛弦之處。②弓兩端掛弦之凹痕。

noc·tam·bu·lism [nakˋtæmbjəˏlɪzəm] *n.* Ⓤ 夢中步行；夢遊症。 —**noc·tam'bu·list,** *n.*

noc·tur·nal [nakˋtɝnl] *adj.* ①夜的；夜間的。②夜間活動的；夜出的；夜晚發生的。③(花)晝閉夜開的。

noc·turne [ˋnaktɝn] *n.* Ⓒ ①〖樂〗夜曲；夢幻曲。②〖美術〗夜景畫。

‡**nod** [nad] *v.i.* (**-dd-**) ①點頭。②點頭答應。③打盹；懈怠。④低垂；擺動。**—** *v.t.* ①點頭以表示。②使(某物)擺動[低垂]。(***Even***) ***Homer sometimes*** ~***s.*** 智者千慮，必有一失。**—** *n.* Ⓒ (常*sing.*) ①點頭。②打盹時之垂頭。③打盹。④同意。***land of*** ~ 睡鄉。

nod·al [ˋnodəl] *adj.* ①節的；結的。②〖理〗波節的。a ~ circle 波節圓。

nod·dle [ˋnadl] *n.* Ⓒ 〖俗，謔〗頭；腦袋。

node [nod] *n.* Ⓒ ①結；節；瘤。②〖植〗莖節(莖上生葉的部分)。③〖醫〗硬結腫。④〖天〗交點。⑤〖理〗節；波節(振動體的靜止點，中心點)。

no·dose [ˋnodos] *adj.* 多結節的。

nod·ule [ˋnadʒul] *n.* Ⓒ ①小節；小塊。②〖植〗結節。 —**nod'u·lar,** *adj.*

no·dus [ˋnodəs] *n.* Ⓒ (*pl.* **-di** [-daɪ]) ①結節。②〖醫〗硬結腫。③困難。

No·el [noˋɛl] *n.* ①〖詩〗聖誕節。② Ⓒ (n-) 聖誕詩歌。

no-fault [ˋnoˏfɔlt] *adj.* 〖美〗非過失的(一種汽車保險，不論是否為被保人之過失，其損失概由保險公司賠償)。

no-frills [ˋnoˏfrɪlz] *adj.* 〖俗〗(如客機上)不提供多餘服務的；無裝飾的；樸實無華的。

nog[1] [nag] *n.* Ⓒ 木釘；木栓；木磚。

nog[2]**, nogg** [nag] *n.* Ⓤ ①〖英〗一種烈啤酒。②〖美〗蛋酒。

nog·gin [ˋnagɪn] *n.* Ⓒ ①小杯；小量飲料(通常為¼ pint)。②〖俗〗頭。

no-go [ˋnoˏgo] *adj.* ①〖俚〗不順利的；決裂的；不成功的。②〖英俗〗(都市的某地區等)不許(對立團體之人)進入的。a ~ area 勢力範圍；地盤。③(尤指太空飛行等試驗)不宜繼續進行的。

no-good [ˋnoˏgʊd] *adj.* 毫無用處[價值]的。**—** *n.* Ⓒ 〖俚〗①毫無用處的人；流氓；無賴。②廢物。

no-hit·ter [ˋnoˋhɪtɚ] *n.* Ⓒ 〖棒球〗無安打球賽。

no·how [ˋnoˏhaʊ] *adv.* 〖方〗毫不；無論如何不。

‡**noise** [nɔɪz] *n.* ① Ⓤ Ⓒ 吵鬧聲；噪音。② Ⓤ Ⓒ 聲音；雜聲。③ Ⓤ 電訊中之干擾音。***make a*** ~ **a.**吵鬧。**b.**引起談論；引起注意。***make a*** ~ ***in the world*** 引起極大注意；成為聳人聽聞之事。**—** *v.t.* 謠傳；宣稱。**—** *v.i.* ①發出噪音。②議論；公開談論。§ ~ **pollù-tion** 噪音汚染。〔注意〕**noise** 特指不愉快的嘈雜、叫囂、刺耳、震耳之聲。**sound** 是泛指一般的聲音。

noise·less [ˋnɔɪzlɪs] *adj.* 無聲的；安靜的；聲音很輕的；不出聲的。

noise·less·ly [ˋnɔɪzlɪslɪ] *adv.* 輕聲地；寂然無聲地。

noise·proof [ˋnɔɪzˏpruf] *adj.* 防噪音的；防雜音的。

noi·some [ˋnɔɪsəm] *adj.* ①使人不快的；有惡臭的。②有害的；有毒的。 —**ly,** *adv.* —**ness,** *n.*

‡**nois·y** [ˋnɔɪzɪ] *adj.* 喧鬧的；嘈雜的。 —**nois'i·ly,** *adv.* —**nois'i·ness,** *n.*

nol-pros [ˏnalˋpras] *v.t.* (**-ss-**) 〖法律〗原告同意中止(訴訟)；撤銷(告訴)。

no·mad [ˋnomæd] *n.* Ⓒ ①遊牧民族(的人)。②流浪者。**—** *adj.* ①遊牧的。②流浪的。

no·mad·ic [noˋmædɪk] *adj.* ①遊牧的。②流浪的。 —**no·mad'i·cal·ly,** *adv.*

no·mad·ism [ˋnomædˏɪzəm] *n.* Ⓤ 遊牧生活；流浪。

no-man [ˋnoˏmæn] *n.* Ⓒ (*pl.* **-men**) 〖美俗〗性情乖僻者；常持相反意見者。

nom de plume [ˋnamdəˏplum] 〖法〗*n.* Ⓒ (*pl.* **noms de plume**) 筆名。

no·men·cla·ture [ˋnomənˏkletʃɚ, noˋmɛnklətʃɚ] *n.* ① Ⓤ Ⓒ (動植物分類學上的)學名命名法。② Ⓤ 專門名辭；術語。

nom·i·nal [ˋnamənl] *adj.* ①名義上的；無實權的。②極微薄的；象徵性的。③名字的。④〖文法〗名詞的。⑤記名的。§ ~ **vàlue** (股票等之)面額。 —**ly,** *adv.*

***nom·i·nate** [ˋnaməˏnet] *v.t.* ①提名為…之候選人。②任命；派定。

***nom·i·na·tion** [ˏnaməˋneʃən] *n.* Ⓤ Ⓒ 提名；任命；推薦。

nom·i·na·tive [ˋnamənətɪv] *adj.* ①〖文法〗主格的。②被提名或任命的。③(股票等)記名的。**—** *n.* Ⓒ ①主格。②主格語。

nom·i·na·tor [ˋnaməˏnetɚ] *n.* Ⓒ 提名者；推薦者；任命者。

nom·i·nee [ˏnaməˋni] *n.* Ⓒ 被提名的候選人；被任命者。

non- 〖字首〗表「無；不；非」之義。

non·ab·stain·er [ˏnanəbˋstenɚ] *n.* Ⓒ 飲酒者；不節制者。

non·ac·cept·ance [ˏnanəkˋsɛptəns] *n.* Ⓤ ①不接受。②〖商〗(票據的)不承兌。

non·age [ˋnanɪdʒ] *n.* Ⓤ ①〖法律〗未成年。②早期；未成熟期。

non·ag·gres·sion [ˏnanəˋgrɛʃən] *n.* Ⓤ (國與國之間的)不侵略。

non·al·co·hol·ic [ˏnanælkəˋhɔl-

ɪk] *adj.* 不含酒精的。

non·a·ligned [ˌnanəˋlaɪnd] *adj.* 不結盟的。

non·a·lign·ment[ˌnanəˋlaɪnmənt] *n.* Ⓤ 不結盟(主義); 政治中立。

non·ap·pear·ance [ˌnanəˋpɪrəns] *n.* Ⓤ (特指於法庭之)不出庭。

non·at·tend·ance [ˌnanəˋtɛndəns] *n.* Ⓤ 缺席; 不到; 不就學。

non·bel·lig·er·ent [ˌnanbəˋlɪdʒərənt] *adj.*非交戰(政策)的。**—** *n.* Ⓒ 非交戰國。

non·book [ˋnanˌbʊk] *n.* Ⓒ 爲滿足市場需要而無眞實價値的書。

nonce [nans] *n.* 特殊時間; 特殊場合; 現時; 目前。***for the*** **~** 目前; 暫時; 臨時地。**—** *adj.* 臨時的。a ~ word 僅爲特殊情況而拼成與使用之字。

non·cha·lant [ˋnanʃələnt] *adj.* 冷漠的; 滿不在乎的。**—ly,** *adv.* **—non′cha·lance,** *n.*

non·com·bat·ant [nanˋkambətənt] *n.* Ⓒ ①非戰鬥人員。②平民; 戰時未參與戰鬥的人。**—** *adj.*未參加戰鬥的。~ personnel 非戰鬥人員。

non·com·mer·cial [ˌnankəˋmɝʃəl] *adj.* 非營利性的。

non·com·mis·sioned [ˌnankəˋmɪʃənd] *adj.*無委任狀的; 未受任命的。§ **~ ófficer** 士官; 軍士(略作 N.C.O.).

non·com·mit·tal [ˌnankəˋmɪtḷ] *adj.* 不予承諾的; 不明確表示意見的; 含糊的; 曖昧的。

non·com·pli·ance [ˌnankəmˋplaɪəns] *n.* Ⓤ 不順從; 不讓步。

non·con·duc·tor [ˌnankənˋdʌktɚ] *n.* Ⓒ 〖理〗不良導體; 絕緣體。

non·con·form·ist [ˌnankənˋfɔrmɪst] *n.* Ⓒ ①不遵奉國教之人。②(常N-)不遵奉英國國教的基督新教徒。

non·con·form·i·ty [ˌnankənˋfɔrmətɪ] *n.* Ⓤ ①不遵從。②不遵奉國教; 非國教主義; 非國教教徒。③(常N-)不遵奉英國國教之基督教教義。

non·con·tent [ˋnankənˌtɛnt] *n.* Ⓒ (在英國上議院)投反對票(者)。

non·co·op·er·a·tion [ˌnankoˌapəˋreʃən] *n.* Ⓤ ①不合作。②(對政府之)反抗性的不合作。③(常 N-) (印度甘地派對英國之)不合作主義。

non·dair·y [nanˋdɛrɪ] *adj.* 不含牛奶[乳製品]的。

non·de·script [ˋnandɪˌskrɪpt] *adj.* 無特徵的; 難以分類的; 無可命名的。**—** *n.* Ⓒ 無特徵的人或物。

non·dis·tinc·tive [ˌnandɪˋstɪŋktɪv] *adj.* 無區別的; 非表示差異的。

non·drink·er [nanˋdrɪŋkɚ] *n.* Ⓒ 不飲酒的人。

non·du·ra·ble [nanˋdjʊrəbḷ] *adj.* 不耐久的。**—** *n.* (*pl.*) 不耐久之物。

⁑**none** [nʌn] *pron.* ①毫無(=not any). ②無一人; 無一物(=no one; not one). ③無人; 無物(=no persons or things, 通常當複數用, 故亦應用複數動詞)。**—** *adv.* 毫不。~ ***the less*** 然而。〔注意〕**none** 可作複數, 亦可作單數, 但現在則多作複數。

non·en·ti·ty [nanˋɛntətɪ] *n.* ① Ⓤ 非實在; 不存在。② Ⓒ 無足輕重之人; 無用之人或物。③ Ⓒ 想像之物。

non·es·sen·tial [ˌnanəˋsɛnʃəl] *adj.*非本質上的; 非主要的。**—** *n.* Ⓒ 非本質上之事物; 不必需之事物或人。

none·such [ˋnʌnˌsʌtʃ] *n.* Ⓒ (常 *sing.*)完美之典範。(亦作 **nonsuch**)

none·the·less [ˌnʌnðəˋlɛs] *adv.*然而; 儘管如此。

non·ex·ist·ence [ˌnanɪgˋzɪstəns] *n.*① Ⓤ 不存在; 無。② Ⓒ 非實在之物。**—non·ex·ist′ent,** *adj.*

non·fea·sance [nanˋfizṇs] *n.* Ⓤ 〖法律〗不履行義務。

non·fic·tion [nanˋfɪkʃən] *n.* Ⓤ 非小說性的文學作品(如傳記、歷史、小品文等)。**—al,** *adj.*

non·in·ter·fer·ence [ˌnanɪntɚˋfɪrəns] *n.* Ⓤ (尤指政治上的)不干涉。

non·in·ter·ven·tion [ˌnanɪntɚˋvɛnʃən] *n.* Ⓤ 不介入; 不干涉; 放任。

non·i·ron [nanˋaɪɚn] *adj.* (衣服)不需熨燙的;免燙的。

non·ju·ror [nanˋdʒʊrɚ] *n.* Ⓒ 拒絕宣誓者。

non·lead(·ed) [nanˋlɛd(ɪd)] *adj.* 無鉛的。~ gasoline 無鉛汽油。

non·met·al [nanˋmɛtḷ] *n.* Ⓤ Ⓒ 〖化〗非金屬(元素)。

non·me·tal·lic [ˌnanməˋtælɪk] *adj.* 〖化〗非金屬(性)的。

non·mor·al [nanˋmɔrəl,-ˋmar-] *adj.* 與道德[倫理]無關的。

non·nu·cle·ar [nanˋnjuklɪɚ] *adj.* 非核子(武器)的。

non·ob·serv·ance [ˌnanəbˋzɝvəns] *n.* Ⓤ 不遵守; 違反。

non·of·fi·cial [ˌnanəˋfɪʃəl] *adj.* 非官方的; 非正式的。

non·pa·reil [ˌnanpəˋrɛl] *adj.* 無上的; 無比的。**—** *n.* (常 the ~)舉世無雙之人或物。

non·par·ti·san, -zan [nanˋpartəzṇ] *adj.* 不屬於黨派的; 超黨派的。~ diplomacy 超黨派外交。

non·pay·ment [nanˋpemənt] *n.* Ⓤ 不支付; 未繳納。

non·per·form·ance [ˌnanpɚˋfɔrməns] *n.* Ⓤ 不履行; 不實行。

non·per·son [nanˋpɝsṇ] *n.* Ⓒ ①被認爲(從來)不存在的人。②沒有社會[法律]地位的人。

non·plus [nanˋplʌs] *v.t.* (**-s-,** 〖英〗**-ss-**)使困惑; 使窘困; 使爲難。**—** *n.* (a ~)困惑; 狼狽。

non·po·lit·i·cal [ˌnanpəˋlɪtɪkḷ] *adj.* 非政治性的。

non·pol·lut·ing [ˌnanpəˋlutɪŋ] *adj.* 無汚染的。

non·pro·duc·tive [ˌnanprəˋdʌktɪv] *adj.* ①不生產的; 無出產的。②與生產無直接關係的。

non·prof·it [nanˋprafɪt] *adj.* 非營利的; 無利可圖的。

non·pro·lif·er·a·tion [ˌnanproˌlɪfəˋreʃən] *n.* Ⓤ ①不增殖。②防止

(核子武器的)擴散; 不擴散。

non·res·i·dent [nɑn`rɛzədənt] *adj.* 不住在…的; 非本地居民的。— *n.* Ⓒ非居住者; 非本地居民。

non·re·sis·tant [͵nɑnrɪ`zɪstənt] *adj.* 不反抗(主義)的。— *n.* Ⓒ不反抗(主義)者。

non·re·stric·tive [͵nɑnrɪ`strɪktɪv] *adj.* ①無限制的。②〖文法〗非限定的。

non·sched·uled [nɑn`skɛdʒuld] *adj.* 不定期航空的; 未作安排的。

non·sec·tar·i·an [͵nɑnsɛk`tɛrɪən] *adj.* 不屬於任何宗派的; 無宗派的。

***non·sense** [`nɑnsɛns] *n.* Ⓤ無意義; 無意義的話或舉動。— *adj.*無意義的; 荒謬的。— *interj.* 胡說!

non·sen·si·cal [nɑn`sɛnsɪkḷ] *adj.* 無意義的; 荒謬的。— **ly,** *adv.*

non·sked [`nɑn`skɛd] *n.* Ⓒ〖俗〗不定期航空路線。

non·skid [`nɑn`skɪd] *adj.*(輪胎、道路等)不滑的。

non·stand·ard [`nɑn`stændəd] *adj.* (字、詞、發音等)不標準的; (泛指)不合標準的。

non·stick [`nɑn`stɪk] *adj.*不沾鍋的。

non·stop [`nɑn`stɑp] *adj.* & *adv.*中途不停的[地]; 中途不著陸的[地]; 直達的[地]。

non·such [`nʌn͵sʌtʃ] *n.* = **nonesuch.**

non·suit [nɑn`sut] *n.* Ⓒ〖法律〗訴訟之駁回。— *v.t.* 駁回…之訴訟。

non·sup·port [͵nɑnsə`port] *n.* Ⓤ ①〖法律〗不盡贍養義務。②缺乏擁護。

non·un·ion [nɑn`junjən] *adj.* ①不屬於工會的。②不承認或反對工會的。

non·vi·o·lence [nɑn`vaɪələns] *n.* Ⓤ①不訴諸暴力的主張、政策。②無暴力之存在。

non·vi·o·lent [nɑn`vaɪələnt] *adj.* 不訴諸暴力的。— **ly,** *adv.*

non·white [nɑn`hwaɪt] *n.* Ⓒ 非白(種)人。— *adj.* 非白(種)人的。

***noo·dle**[1] [`nudḷ] *n.* Ⓒ (常 *pl.*)麵條。

noo·dle[2] *n.* Ⓒ①笨人; 傻瓜。②〖俚〗頭; 腦袋。

nook [nʊk] *n.* Ⓒ ①角落; 屋隅。②隱蔽處; 僻遠處; 不引人注目之處。

‡**noon** [nun] *n.* Ⓤ①正午; 中午(=midday). ②(the ～)頂點; 全盛時代; 全盛期〔of〕. the ～ of life 壯年期。③〖詩〗午夜。— *adj.* 中午的。

noon·day [`nun͵de] *n.* Ⓤ正午。*as clear as* ～ 極爲明顯。— *adj.* 中午的; 正午的。

‡**no-one** [`no͵wʌn] *pron.* 沒有人(=nobody). (亦作 **no one**)

noon·time [`nun͵taɪm], **-tide** [-͵taɪd] *n.* =**noon.**

noose [nus] *n.* Ⓒ①活結; 繩套。②羅網; 圈套。— *v.t.*①以(繩)結成活套。②把…誘入圈套。

nope [nop] *adv.* 〖美俚〗=**no.**

‡**nor** [nɔr, nə] *conj.*①亦不(與 neither 連用)。②亦不; 又不。③〖詩〗=**neither** (與另一 nor 連用)。④〖詩〗既非…亦非(其前之 not 或另一 nor 省略時)。

Nor. North; Norway; Norwegian.

Nor·dic [`nɔrdɪk] *n.* Ⓒ北歐人。— *adj.* 北歐人的。

norm [nɔrm] *n.* Ⓒ (常 *pl.*)標準; 規範。

‡**nor·mal** [`nɔrmḷ] *adj.*①正常的; 正規的; 標準的; 典型的; 常態的。②〖幾何〗法線的; 垂直的; 正交的。③〖醫〗無病的。— *n.*① Ⓤ 常態; 標準。② Ⓒ〖幾何〗法線; 垂直線; 垂直面。§ ～ **schòol** 師範學校。— **cy, nor·mal′i·ty** [-mæl-], *n.* — **ize,** *v.*

nor·mal·i·za·tion [͵nɔrmḷə`zeʃən] *n.* Ⓤ正常化; 標準化。

***nor·mal·ly** [`nɔrmḷɪ] *adv.* ①正常地。②常態地; 通常地。

Nor·man [`nɔrmən] *n.* Ⓒ ①法國諾曼第人。②居住於 Normandy 之斯堪的那維亞人與法國人的混血兒。— *adj.* ①諾曼或諾曼第(人, 語言, 文化)的。②諾曼第式建築的。§ ～ **Cónquest** 諾曼人之征服英國(1066 年 William the Conqueror 率領之諾曼第軍隊於 Hastings 登陸征服英國。

Nor·man·dy [`nɔrməndɪ] *n.* 諾曼第(法國西北部之一地區, 第二次世界大戰期中盟軍登陸地點)。

Norse [nɔrs] *adj.*①古代斯堪的那維亞(人, 語)的。②挪威(人, 語)的。— *n.* (the ～, 作*pl.* 解)古代斯堪的那維亞人; 挪威人。

Norse·man [`nɔrsmən] *n.* Ⓒ (*pl.* **-men**)古代斯堪的那維亞人。

‡**north** [nɔrθ] *n.*①(the ～)北; 北方。(略作 **N**)②(亦作 **North**) (the ～)一國之北部。③(the N-)美國北部。④Ⓤ北風。*to* [*on, in*] *the* ～ *of* 在…之北。— *adj.* ①北方的; 在北部的。②來自北方的。— *adv.* 在北方; 向北方。§ **N-́ Atlántic Tréaty Organizàtion** 北大西洋公約組織(略作NATO). ***the N-́ Stár**〖天〗北極星。

Nórth América *n.* 北美。

Nórth Carolína *n.* 北卡羅來納(美國南部之一州, 略作 **N.C.**或 **NC**).

Nórth Dakóta *n.* 北達科塔(美國中北部之一州, 略作 **N. Dak.**).

north·east** [͵nɔrθ`ist] *adj.*①東北的。②向東北的。③來自東北的。④在東北的。— *n.* (the ～)①東北。②(向)東北的地方。— *adv.* 向[自, 在]東北地。～ ***by east 東北偏東(略作 **NEbE**). ～ ***by north*** 東北偏北(略作 **NEbN**).

north·east·er [͵nɔrθ`istə] *n.* Ⓒ東北(強)風。

north·east·er·ly [͵nɔrθ`istəlɪ] *adj.* & *adv.* ①在東北的[地]; 向東北的[地]。②來自東北的[地]。

‡**north·east·ern** [͵nɔrθ`istən] *adj.* ①東北方的; 在東北的; 向東北的。②來自東北的。

north·east·ward [͵nɔrθ`istwəd] *adv.* & *adj.* 向東北地[的]; 朝東北地[的]。— *n.* (the ～)東北(方); 東北地區。— **ly,** *adv.* & *adj.*

north·east·wards [͵nɔrθ`istwədz] *adv.* =**northeastward.**

north·er [`nɔrðə] *n.* Ⓒ〖美〗強烈北風。

north·er·ly [ˋnɔrðəlɪ] *adj. & adv.* ①向北的[地]。②來自北方的[地]。③北方的[地]。

‡**north·ern** [ˋnɔrðən] *adj.*①向北的。②來自北方的。③在北方的。④(N-)美國北方的。§ **N⁓ Íreland** 北愛爾蘭自治區。**⁓ líghts** 北極光。—**er,** *n.*

Nórthern Hémisphere *n.* (the ～)北半球。

north·ern·most [ˋnɔrðən,most] *adj.* 最北(端)的。

North·man [ˋnɔrθmən] *n.* Ⓒ (*pl.* **-men**) ①古代斯堪的那維亞人。②北歐人。

north-po·lar [,nɔrθˋpolɚ] *adj.* 「北極的。」

***Nórth Póle** *n.* (the ～)北極。

Nórth Séa *n.* (the ～)北海。

***north·ward** [ˋnɔrθwɚd] *adv. & adj.* 向北方地[的]。— *n.* (the ～)北方。—**ly,** *adj. & adv.*

***north·wards** [ˋnɔrθwɚdz] *adv.* = **northward.**

***north·west** [,nɔrθˋwɛst] *adj.* ①西北的。②向西北的。③來自西北的。④在西北的。— *n.* (the ～)①西北。②(向)西北的地方。— *adv.* 向[自, 在]西北地。

north·west·er [,nɔrθˋwɛstɚ] *n.* Ⓒ西北(強)風。—**ly,** *adj. & adv.*

north·west·ern [,nɔrθˋwɛstɚn] *adj.* ①在西北部的; (向)西北的。②來自西北的。③(N-)美國西北部的。

north·west·ward [,nɔrθˋwɛstwɚd] *adv. & adj.* 向西北地[的]。— *n.* (the ～)西北方[部]; 西北地區。—**ly,** *adj. & adv.*

north·west·wards [,nɔrθˋwɛstwɚdz] *adv.* = **northwestward.**

Nor·way [ˋnɔrwe] *n.* 挪威(歐洲西北部一國, 首都奧斯陸 **Oslo**)。

Nor·we·gian [nɔrˋwidʒən] *adj.*挪威(人, 語)的。— *n.* ①Ⓒ挪威人。②Ⓤ挪威語。

‡**nose** [noz] *n.*①Ⓒ鼻子。②(a ～)嗅覺。③(a ～)偵察的能力。a ～ for news 探聽消息的能力。④Ⓒ突出部分(如機首、船首等)。⑤(one's ～)干涉。***by a*** ～〖俚〗極微之差。***count ～s*** 清點人數。***cut off one's ～ to spite one's face*** 想報復別人而害了自己。***follow one's ～*** **a.**向前進; 直走。**b.**憑直覺。***lead (a person) by the ～*** 牽著一個人的鼻子[令之唯命是從]。***on the ～*** 直接地; 十分正確地。***pay through the ～*** 付出很高的價錢。***poke one's ～ into***干涉(他人之事)。***put someone's ～ out of joint*** **a.**破壞某人之計畫。**b.**奪人之寵。**c.**使某人難堪。***turn up one's ～ at*** 鄙視。***under someone's (very) ～*** 在…之面前;當著…的面。— *v.t.* ①嗅出; 靠嗅覺察出〔out〕. ②以鼻嗅。③以尖端推進。④以鼻磨擦。⑤用鼻子品聞[評](酒等)。— *v.i.* ①嗅〔常 at, about〕. ②(以鼻部或首部)挺進。③找; 探究; 探聽; 干涉。***～ out*** **a.**探出(祕密等)。**b.**險勝。§ **⁓ còne** 火箭或飛彈之圓錐狀頭部。**⁓ dìve** (1)飛機之垂直俯衝。(2)(如物價等)突降。**⁓ dròps** 點鼻藥。**⁓ jòb** 整鼻手術。**⁓ rìng** (1)(牛、豬等之)鼻圈。(2)(野蠻人之)環形鼻飾; 鼻環。

nose·band [ˋnoz,bænd] *n.* Ⓒ (馬等之)鼻羈。

nose·bleed [ˋnoz,blid] *n.* Ⓒ 鼻出「血。」

nose·dive [ˋnoz,daɪv] *v.i.* ①俯衝。②突降。

nose·gay [ˋnozˋge] *n.* Ⓒ花束; 花「球。」

nose·piece [ˋnoz,pis] *n.* Ⓒ①鼻覆; (盔或胄之)鼻甲; (馬之)鼻羈。②(顯微鏡)接物鏡之旋轉盤。

nose·wheel [ˋnoz,hwil] *n.* Ⓒ (飛機機頭之)降落輪。

nos·tal·gia [nɑˋstældʒɪə] *n.* Ⓤ①鄉愁; 懷鄉病。②懷古; 懷舊。—**nos·tal′gic,** *adj.*

***nos·tril** [ˋnɑstrəl] *n.* Ⓒ鼻孔。

nos·trum [ˋnɑstrəm] *n.* Ⓒ ①祕方; 萬靈丹; 成藥。②(解決問題之)妙策。

nos·y [ˋnozɪ] *adj.* 〖俗〗好管閒事的。

‡**not** [nɑt] *adv.* 不; 未。***～ a few*** 不少。〔文法〕(1)與助動詞或be 動詞連用, 形成否定句。(2)用以造成字或句的部分之否定。*N-* everybody thinks so. 不是每個人都這樣想。(3)等於以 that 起首的子句。I believe ～.=I believe that it is ～ so. 我相信不是這樣。

***no·ta·ble** [ˋnotəbl] *adj.*①值得注意的; 顯著的; 著名的。②可覺察的; 有相當分量的。— *n.* Ⓒ①著名人士; 名人。②值得注意之事物。—**no′ta·bly,** *adv.* —**no·ta·bil′i·ty,** *n.*

no·ta·rize [ˋnotə,raɪz] *v.t.* 公證; 公證人證明。

no·ta·ry [ˋnotərɪ] *n.* Ⓒ (法律)公證「人。」

no·ta·tion [noˋteʃən] *n.*①Ⓤ(使用特殊文字、記號的)表示法; 標記法。②Ⓒ(常 *sing.*)記載; 標示。③ⓊⒸ備忘錄; 筆記; 註釋。

notch [nɑtʃ] *n.* Ⓒ①V字形刻痕。②谷道。③〖俗〗程度; 等級。— *v.t.*①刻V字凹痕於。②刻痕計數。③計分。

‡**note** [not] *n.*①Ⓒ摘記; 筆記。②Ⓤ注意。③Ⓒ註解; 註釋。④Ⓒ短箋; 便條。⑤Ⓒ一個單音。⑥Ⓒ音符; 音鍵。⑦Ⓒ歌曲; 調子; 旋律。⑧Ⓤ名聲; 顯著。⑨Ⓒ期票; 定期付款票。⑩Ⓒ外交函件; 備忘錄; 通牒。⑪Ⓒ鳥鳴聲。⑫Ⓒ特徵。⑬Ⓒ紙幣。⑭Ⓤ重要性。⑮Ⓒ符號。***compare ～s***交換意見。***make a ～ of*** 記錄; 記下。***take ～ of*** 留心。***take ～s*** 做筆記。— *v.t.*①記錄。②注意; 留心。③註解。④指示; 表示。⑤特別提及。§ **⁓ brὸker** 票據經紀人。

***note·book** [ˋnot,bʊk] *n.* Ⓒ ①筆記本; 記錄簿; 練習簿。②期票簿。

***not·ed** [ˋnotɪd] *adj.*著名的; 顯著的。

note·less [ˋnotlɪs] *adj.*①不引人注目的; 平凡的; 無名的。②無聲(音)的。

note·pa·per [ˋnot,pepɚ] *n.* Ⓤ 信紙; 信箋; 便條紙。(亦作 **note paper**)

note·wor·thy [ˋnot,wɝðɪ] *adj.*值得注意的; 顯著的。

not-for-prof·it [ˋnɑtfɔrˋprɑfɪt]

adj. 非營利的；無利可圖的。

‡**noth·ing** [ˋnʌθɪŋ] *pron.*(作 *sing.*解) ①(什麼也)沒有。②不關緊要之事務；無足輕重之人；無能之人。***come to ~*** 完全失敗；無結果。***for ~*** a.無酬勞的；無收穫。b.免費。c.無理由；無緣故。d.無用地；白費地。***have ~ to do but*** [***except***]除…以外毫無辦法。***have ~ to do with*** 與…無關。***make ~ of*** a.不了解。b.輕視。c.不能做；未能利用。***~ but***[***except***]祇；不過。***~ doing***〖俗〗a.不行。b.完了；不幹了；算了(失敗或拒絕之詞)。***There is ~ to it.*** 沒有困難。***think ~ of*** a.認爲…容易。b.視…不重要或無價値。— *n.* ①Ⓤ無；零。He's five feet ~. 他身高五英尺整。②Ⓒ微不足道的人[事, 物]。③Ⓒ(常 *pl.*)瑣碎的話。— *adv.* 毫不。

noth·ing·ness [ˋnʌθɪŋnɪs] *n.* ①Ⓤ無；空；不存在的狀態；消滅。②Ⓤ無價値；空虛。③Ⓒ無價値之事物。④Ⓤ無知覺的狀態。

‡**no·tice** [ˋnotɪs] *n.*①Ⓤ注意。②Ⓤ警告。③Ⓒ標記；招牌。④ⓊⒸ告示；公告；啓事；通知。⑤Ⓤ預告。⑥Ⓒ(對新書等之)短評；評介。***take ~*** 注意；留意；看；(小孩)開始懂事。***take ~ of*** a.款待；禮遇。b.注意。— *v.t.* ①注意。②通知。③提及；評介。§ ~ **bòard** 布告板。

no·tice·a·ble [ˋnotɪsəbl̩] *adj.* ①顯明的；顯著的。②値得注意的。

no·tice·a·bly [ˋnotɪsəblɪ] *adv.* 顯眼地；顯著地。

no·ti·fi·ca·tion [ˌnotəfəˋkeʃən] *n.*①Ⓤ通知；通報；公告。②Ⓒ通知書；報告書。

***no·ti·fy** [ˋnotəˌfaɪ] *v.t.*①通知；使知。②報告；公告。③警告。

***no·tion** [ˋnoʃən] *n.*①Ⓒ觀念；概念。②Ⓒ意見；信仰。③Ⓒ意念；意向；企圖。④Ⓒ怪念頭；奇想。⑤(*pl.*)有用的雜物(如別針、針、線等)。§ ~ **stòre**〖美〗雜貨店。— **al,** *adj.*

no·to·ri·e·ty [ˌnotəˋraɪətɪ] *n.*①Ⓤ狼藉的名聲。②Ⓒ惡名昭彰者。

***no·to·ri·ous** [noˋtorɪəs] *adj.*①聲名狼藉的；罪惡昭彰的。②著名的；眾人皆知的。〔注意〕**notorious** 通常指因不名譽之原因而著名。**famous** 指因其成就或優越而著名。

No·tre Dame [ˌnotəˋdem]〖法〗*n.* ①聖母瑪利亞。②(巴黎之)聖母院。

not·with·stand·ing [ˌnɑtwɪθˋstændɪŋ, -wɪð-] *prep.* 縱使。— *conj.* 雖然。— *adv.* 雖然；然而。

nou·gat [ˋnugət, ˋnugɑ] *n.* ⓊⒸ牛軋糖(由果仁和蜜糖製成)。

nought [nɔt] *n.*=**naught.**

***noun** [naʊn] *n.* Ⓒ名詞。— *adj.*(亦作 **nounal**)名詞的；似名詞的。

***nour·ish** [ˋnɝɪʃ] *v.t.* ①滋養；給…營養。②懷有；孕育。③供給；支持；助長。— **ing,** *adj.*

nour·ish·ment [ˋnɝɪʃmənt] *n.* Ⓤ ①滋養品；養料。②營養；滋養。

nou·velle cui·sine [ˌnuvɛlkwɪˋzin]〖法〗*n.* Ⓤ新潮烹飪法(使用大量新鮮蔬果簡單烹調而不加調味料)。

Nov. November.

***nov·el** [ˋnɑvl̩] *adj.* 新奇的；異常的。— *n.* Ⓒ(長篇)小說。

nov·el·ette [ˌnɑvl̩ˋɛt] *n.* Ⓒ短篇或中篇小說。

nov·el·ist [ˋnɑvl̩ɪst] *n.* Ⓒ小說家。

no·vel·la [noˋvɛlə] *n.* Ⓒ(*pl.* **-le** [-li], **~s**)短篇故事；中篇小說。

nov·el·ty [ˋnɑvl̩tɪ] *n.*①Ⓤ新奇；新鮮。②Ⓒ新奇之事或物。③(*pl.*)新奇玲瓏之物；玩具；價廉之首飾等。

‡**No·vem·ber** [noˋvɛmbɚ] *n.*十一月。(略作 **Nov.**)

nov·ice [ˋnɑvɪs] *n.* Ⓒ①生手；新手；初學者。②見習修士或修女。③新入教者；新信徒。

no·vi·ti·ate [noˋvɪʃɪɪt] *n.* Ⓒ①見習(期間)。②修道院。③新手；初學者；見習僧。(亦作 **noviciate**)

‡**now** [naʊ] *adv.*①現在；此刻；馬上；立刻。②剛才。③當時；那時；然後。④(轉變話題時置於句首)且說；那麼。***~ and then*** [***again***] 有時；偶然。***~...~*** 時而…時而。***N- or never!*** 勿失良機！ — *n.* Ⓤ現在。— *conj.* 既然(與 that 連用)。

***now·a·days** [ˋnaʊəˌdez] *adv.*(亦作 **nowaday**)現今；時下。— *n.* Ⓤ現在；時下。

no·way(s) [ˋnoˌwe(z)] *adv.*絕不；毫不。

‡**no·where** [ˋnoˌhwɛr] *adv.* 無處。

nox·ious [ˋnɑkʃəs] *adj.* 有毒害的。

noz·zle [ˋnɑzl̩] *n.* Ⓒ①(水管等的)管嘴。②茶壺嘴。③(風箱等之)噴氣口。④〖俚〗鼻子。

Np〖化〗neptunium. **NSC** National Security Council.〖美〗國家安全會議。

NT, NT., N.T. New Testament.

nth [ɛnθ] *adj.*〖數〗第 n 項的；n 倍的；n 次的。***to the ~ degree***[***power***] a.〖數〗至 n 次。b.至無限；至極點。

nt. wt. net weight.

***nu·ance** [njuˋɑns] *n.* Ⓒ(色彩、音調措詞、意味、感情等的)細微差異。

nub [nʌb] *n.*①Ⓒ瘤；(煤等的)結；小塊。②(the ~)〖俗〗核心；要點。

nub·bin [ˋnʌbɪn] *n.* Ⓒ〖美〗①小瘤；小片。②發育不完全的玉米穗。③未成熟的果物。

nu·bile [ˋnjubl̩] *adj.*已到結婚年齡的(女人)。

nu·bil·i·ty [njuˋbɪlətɪ] *n.* Ⓤ(女子的)適婚期。

***nu·cle·ar** [ˋnjuklɪɚ, ˋnu-] *adj.* ①〖生物〗(細胞)核的；形成核的。②〖理〗(原子)核的。§ ~ **énergy**〖理〗核子能。~ **fámily** 核心家庭。~ **físsion**〖理化〗原子核分裂。~ **fúel** 核子燃料。~ **fúsion**〖理化〗原子核融合。~ **phýsics** 核子物理學。~ **plánt** 核能發電廠。~ **reáctor** 原子爐；核反應爐。~ **wárhead** 核子彈頭。

nu·cle·ar-pow·ered [ˋnjuklɪɚˋpaʊɚd] *adj.* 核子動力的；原子能推進的。

N

nu·cle·ate [ˋnjuklɪɪt] *adj.* 有核的。**—**[ˋnjuklɪˏet] *v.t.* & *v.i.* (使)成核。
nu·clé·ic ácid [njuˋkliɪk ～] *n.* Ⓤ〖生化〗核酸。
nu·cle·on [ˋnjuklɪɑn] *n.* Ⓒ〖理〗核子。
nu·cle·on·ics [ˏnjuklɪˋɑnɪks] *n.* Ⓤ核子學。
nu·cle·us [ˋnjuklɪəs] *n.* Ⓒ (*pl.* **-cle·i** [-klɪˏaɪ], **～es**)①中心；核心；核心組織。②〖理化〗原子核。③〖生物〗細胞核。④基礎；開端。
nude [njud] *adj.* ①赤裸裸的。②無覆蓋的；無草木的。**—** *n.* ① Ⓒ 裸體像畫。②(the ～)裸體。— **nud'ism, nu'di·ty,** *n.*
nudge [nʌdʒ] *v.t.* & *v.i.*以肘輕觸(以喚起注意或予以暗示)。**—** *n.* Ⓒ 輕推。
nu·ga·to·ry [ˋnjugəˏtorɪ] *adj.* ①無價值的；無用的。②無效的；無力的。
nug·get [ˋnʌgɪt] *n.* Ⓒ ①塊。②天然金塊。③有價值之物。
***nui·sance** [ˋnjusṇs] *n.* Ⓒ 討厭之人或物。§ ～ **tàx** 小額消費品稅。
nuke [njuk] *n.* Ⓒ〖美俚〗核武器。**—** *v.t.* 以核武器攻擊。
null [nʌl] *adj.*①無約束力的；無效的。②無意義的。③空的；無的；不存在的。④零。～ *and void* (指法律文件)無效。
nul·li·fy [ˋnʌləˏfaɪ] *v.t.*①使無效；廢棄；取消。②使不重要；使無意義；抵消。— **nul·li·fi·ca'tion,** *n.*
nul·li·ty [ˋnʌlətɪ] *n.*① Ⓤ 無效；作廢。② Ⓒ 不足道的人[物]。③ Ⓤ 無價值；無。
***numb** [nʌm] *adj.*麻木的；失去知覺的。**—** *v.t.* ①使麻木。②使昏迷。— **ly,** *adv.* — **ness,** *n.*
‡**num·ber** [ˋnʌmbɚ] *n.*① Ⓒ 數；數字。② Ⓤ (the ～)數目；總數。③ (a ～)若干；一些。④ Ⓒ (節目等)一節。⑤ Ⓒ (雜誌等)一期。the current ～ 最近一期。⑥ Ⓒ 號數(略作 **No.,** 複數作 **Nos.**)。⑦ Ⓤ Ⓒ〖文法〗數。⑧(*pl.*)〖文學，詩〗詩；韻律。⑨(*pl.*)算術。⑩(*pl.*)〖樂〗音符；樂譜。⑪ Ⓒ (歌唱或跳舞之)樂曲。*a ～ of* 一些；若干；許多。*beyond ～* 無數；多不勝數。*get*[*have*]*someone's ～*〖俚〗識破某人之眞正動機、意圖。*one's ～ is* [*was, will be*] *up*〖俚〗**a.**某人(已，將)遇到困難。**b.**某人面臨死亡。*without ～*無數。**—** *v.t.*①標以號數。②有；含有。③計有；達於…之數。④算作(某類或某集團)之一。⑤限數；限制。⑥數；計算。§ ～ **óne** (1)第一號。(2)第一號人物；首要人物。(3)〖俗〗小便。～ **plāte** (房屋的) 門牌；〖英〗(汽車等的)牌照。
nu·mer·a·ble [ˋnjumərəbḷ] *adj.* 可數的；可計算的。— **ness,** *n.*
***nu·mer·al** [ˋnjumərəl] *n.*① Ⓒ 數字。②(*pl.*)(學校頒給某項課外活動成績優異班級的)榮譽年號。**—** *adj.*①數字的。②代表數字的。
nu·mer·ate [ˋnjuməˏret] *v.t.* ①數；計算。②讀(數)。**—** *adj.* 有數理知識的。
nu·mer·a·tion [ˏnjuməˋreʃən] *n.* Ⓤ①計算(法)。②讀數(法)；命數法。
nu·mer·a·tor [ˋnjuməˏretɚ] *n.* Ⓒ ①〖數〗(分數中之)分子(爲 denominator 之對)。②計算者；計算器。
nu·mer·ic, -i·cal [njuˋmɛrɪk(ḷ)] *adj.*①數字(上)的。②以數字表示的。— **nu·mer'i·cal·ly,** *adv.*
***nu·mer·ous** [ˋnjumərəs] *adj.*① 極多的。②數目衆多的。
nu·mis·mat·ic [ˏnjumɪzˋmætɪk] *adj.* ①錢幣的；獎章的。②古幣學(家)的；收藏錢幣(者)的。
nu·mis·mat·ics [ˏnjumɪzˋmætɪks] *n.* Ⓤ 錢幣學；古幣學。
nu·mis·ma·tist [njuˋmɪzmətɪst] *n.* Ⓒ 古幣學家或收藏家。
num·skull [ˋnʌmˏskʌl] *n.* Ⓒ〖俗〗傻瓜；笨蛋。
***nun** [nʌn] *n.* Ⓒ 修女；尼姑。
nun·ci·o [ˋnʌnʃɪˏo] *n.* Ⓒ (*pl.* **～s**)羅馬教皇之使節；教廷大使。
nun·ner·y [ˋnʌnərɪ] *n.* Ⓒ 女修道院；尼姑庵。
nup·tial [ˋnʌpʃəl] *adj.*婚姻的；婚禮的。**—** *n.* (*pl.*)結婚；婚禮。
Nu·rem·berg [ˋnjurəmˏbɝg] *n.* 紐倫堡(爲國際審判納粹戰犯的所在地)。
‡**nurse** [nɝs] *n.* Ⓒ ①護士；看護。②保姆；乳母。③養育者；保護者。*put out to ～*將(嬰兒)交託保姆或乳母撫養。**—** *v.t.*①哺乳。②做…之保姆；看護。③養育；保護。④治療；療養。⑤小心使用或處置。⑥緊抱；擁抱。⑦蓄意。**—** *v.i.* ①做保姆[看護]。②(嬰兒)吃奶。③餵奶。
nurse·maid [ˋnɝsˏmed] *n.* Ⓒ 保姆。
nurs·er·y [ˋnɝsrɪ] *n.* Ⓒ ①育兒室。②苗圃；養殖場。③溫床；培育某物生長之環境或地區。④=**nursery school.** § ～ **rhȳme** 兒歌；童歌。～ **schōol** 托兒所；育幼院。～ **tāle**兒童故事；童話。
nurs·er·y·man [ˋnɝsrɪmən] *n.* Ⓒ (*pl.* **-men**)園主；園丁；苗圃工人。
nurs·ing [ˋnɝsɪŋ] *adj.*養育的。**—** *n.* Ⓤ (職業性的)養育；看護。§ ～ **bòttle** (嬰兒的) 奶瓶。～ **hòme**〖英〗(小規模的)私立療養院。～ **mòther** 養母。～ **schōol** 護士學校。
nurs(e)·ling [ˋnɝslɪŋ] *n.* Ⓒ ①嬰兒。②被小心照顧的人或物。
nur·ture [ˋnɝtʃɚ] *v.t.*①養育；教養。②滋養。**—** *n.* Ⓤ ①養育；教養。②滋養；食物。
***nut** [nʌt] *n.*① Ⓒ 核果；栗；胡桃；堅果。② Ⓒ 核仁。③ Ⓒ 螺釘帽。④ Ⓒ〖俚〗頭；腦殼。⑤ Ⓒ〖俚〗怪人；瘋子；熱愛者；迷。⑥ Ⓒ (常 *pl.*)〖英〗小煤塊。⑦(*pl.*)〖美鄙〗睪丸。*a hard*[*tough*]*～ to crack* **a.** 難題。**b.** 不易親近或了解的人。*～s and bolts* 基本特點或成分。*off one's ～*〖俚〗瘋狂的。**—** *v.i.* (-tt-)採集堅果；拾核果。§ ～ **càse**〖俗，謔〗瘋子。
N.U.T.〖英〗National Union of Teachers. 全國教師聯盟。
nut·brown [ˋnʌtˏbraʊn] *adj* 栗色的；赤褐色的。

nut·crack·er [ˋnʌt͵krækɚ] *n.* Ⓒ 胡桃鉗。
nut·meat [ˋnʌt͵mit] *n.* Ⓤ 堅果的[可食的]核仁。
nut·meg [ˋnʌtmɛg] *n.* Ⓒ〖植〗荳蔻(樹)。
nu·tri·a [ˋnjutrɪə] *n.* ① Ⓒ (南美產之)河鼠。② Ⓤ 其毛皮。
nu·tri·ent [ˋnjutrɪənt] *adj.* 滋養的; 營養的。— *n.* Ⓒ 滋養物; 營養物。
nu·tri·ment [ˋnjutrəmənt] *n.* Ⓤ Ⓒ ①營養品; 食物。②有助成長之物。
nu·tri·tion [njuˋtrɪʃən] *n.* Ⓤ ① 食物; 營養。②營養的供給。— **ist,** *n.* Ⓒ 營養專家; 營養學家。
nu·tri·tious [njuˋtrɪʃəs] *adj.* 滋養的; 營養的。
nu·tri·tive [ˋnjutrətɪv] *adj.* ①營養的; 關於營養的。②有滋養成份的。
nuts [nʌts]〖俚〗*adj.* 狂的; 瘋的; 笨的; 蠢的。***be*(*dead*)～ *on***〖俚〗**a.** 對…狂熱。**b.** …的能手。— *interj.* (表示討厭、失望、不信、拒絕等)哼! 不見得!
nut·shell [ˋnʌt͵ʃɛl] *n.* Ⓒ ① 堅果之殼。②小容器; 小房屋。③無價值之物。***in a*** ～ 簡述之。
nut·ty [ˋnʌtɪ] *adj.* ①多堅果的。②似堅果的。③〖俚〗極熱心的。④〖俚〗瘋狂的; 愚笨的。
nuz·zle [ˋnʌzl] *v.t.* ①(動物)將鼻插入。②以鼻觸或摩擦。— *v.i.* ①(動物)用鼻插入。②舒服地躺著; 依偎而睡。
n.w. northwest; northwestern.
NWA Northwest Airlines. 西北航空公司。
NWbW, N.W.bW. northwest by west.
N.Y., NY New York.
***ny·lon** [ˋnaɪlɑn] *n.* ① Ⓤ 尼龍。② (*pl.*)尼龍襪。
nymph [nɪmf] *n.* Ⓒ ① 寧芙(出現於河、海、山林、泉水的仙女)。②〖詩〗美貌女郎。③〖動〗(昆蟲的)蛹。
nym·pho·lep·sy [ˋnɪmfə͵lɛpsɪ] *n.* Ⓤ 著迷; 狂亂。
nym·pho·ma·ni·a [͵nɪmfəˋmenɪə] *n.* Ⓤ 淫亂症; 慕男狂; 女花癡。
N.Z., N.Zeal. New Zealand.

O o **O o** *O o*

O[1] or **o** [o] *n.* (*pl.* **O's, Os, o's, os, oes** [oz]) ① Ⓤ Ⓒ 英文字母之第十五個字母。② Ⓒ O形物。③ Ⓒ 零。§ **O lèvel**〖英教育〗普通課程(科目的考試)(爲 ordinary level 之略)。
***O**[2] [o] *interj.* 啊!
O〖化〗oxygen.
o' [ə] *prep.* ①of 之縮寫(如 o'clock; man-o'-war 等)。②on 之縮寫。
oaf [of] *n.* Ⓒ (*pl.* ～**s, oaves**) ① 畸形兒; 低能兒。②蠢人; 莽漢。— **oaf'ish,** *adj.* 愚蠢的; 癡呆的。
O·a·hu [oˋɑhu] *n.* 歐胡島(夏威夷群島中的第三大島, Honolulu即位於該島)。
***oak** [ok] *n.* (*pl.* ～, ～**s**) ① Ⓒ 橡樹。② Ⓤ 橡木。§ ～ **àpple**[**gàll**] 五倍子; 沒食子。
oak·en [ˋokən] *adj.* ①橡木製的。②橡樹的。
oa·kum [ˋokəm] *n.* Ⓤ〖海〗(自舊繩中解得之)麻絮(用以填塞船縫)。
oar** [or, ɔr] *n.* Ⓒ ① 櫓; 槳。② 槳手; 划櫓夫。③似槳之物。put in one's ～; put one's ～ in*** 干涉; 多管閒事。— *v.t. & v.i.* 用槳划; 划渡。
oar·lock [ˋor͵lɑk] *n.* Ⓒ 槳架。
oars·man [ˋorzmən] *n.* Ⓒ (*pl.* **-men**) 划槳者; 櫓夫。— **ship,** *n.* Ⓤ 划槳術。
OAS, O.A.S. Organization of American States. 美洲國家組織。
o·a·sis [oˋesɪs, ˋoəsɪs] *n.* Ⓒ (*pl.* **-ses** [-siz]) ①沙漠中之綠洲。②(枯燥、困難或厭煩之事中)一個輕鬆的變化。
oast [ost] *n.* Ⓒ (煙葉等之)乾燥窯。
oast-house [ˋost͵haus] *n.* Ⓒ (尤指 hop 之)烘烤室。
oat** [ot] *n.* Ⓒ ①(常 *pl.*)燕麥; 燕麥片。②〖詩〗麥笛。feel one's ～s***〖美俚〗**a.** 活潑; 雀躍; 精神飽滿。**b.** 得意揚揚。***sow one's wild ～s*** 年輕時縱情玩樂。
oat·cake [ˋot͵kek] *n.* Ⓒ 燕麥餅。
oat·en [ˋotn̩] *adj.* ①燕麥製成的。②燕麥莖製成的。
oath** [oθ] *n.* Ⓒ (*pl.* ～**s** [oðz]) ①誓約。②濫用神名; 咒詛; 誓語。on*(*one's*) ～** 發誓。***take*[*make*] *an* ～** 宣誓。
oat·meal [ˋot͵mil, -ˋmil] *n.* Ⓤ ①燕麥片。②燕麥片粥。
ob.〖拉〗obiter (= incidentally); oboe.
ob·bli·ga·to [͵ɑblɪˋgɑto] *adj.*〖樂〗必要的; 不可少的(伴奏)。— *n.* Ⓒ (*pl.* ～**s, -ti** [-ti]) (不可缺的)助奏; 助唱。
ob·du·rate [ˋɑbdjərɪt] *adj.* ① 無情的; 硬心腸的。②執迷不悟的; 倔強的。— **ly,** *adv.* — **ob'du·ra·cy,** *n.*
o·be·di·ence** [əˋbidɪəns] *n.* Ⓤ 服從; 孝順。in ～ to*** 服從。
o·be·di·ent** [əˋbidɪənt] *adj.* 服從的; 順從的; 孝順的。Your*(*most*)～ *servant*** 頓首; 謹啓; 拜上(正式或公開書信中結尾用語)。— **ly,** *adv.*
o·bei·sance [oˋbesn̩s] *n.* ① Ⓒ 對尊長表示敬意之動作(如鞠躬、屈膝等)。② Ⓤ 尊敬; 順從。— **o·bei'sant,** *adj.*
ob·e·lisk [ˋɑbl̩͵ɪsk] *n.* Ⓒ ①方尖形的碑。②〖印刷〗短劍符號(†)。
o·bese [oˋbis] *adj.* 肥胖的; 胖嘟嘟的。— **o·be'si·ty,** *n.*
‡**o·bey** [əˋbe, oˋbe] *v.t. & v.i.* 服從; 遵奉; 順從。
ob·fus·cate [ɑbˋfʌsket] *v.t.* ① 使暗; 使模糊。②使困惑[迷亂]; 使糊塗。— **ob·fus·ca'tion,** *n.*
o·bi [ˋobɪ]〖日〗*n.* Ⓒ (*pl.* ～**s,** ～) (日本婦女繫和服用的)寬腰帶。
o·bit·u·ar·y [əˋbɪtʃu͵ɛrɪ] *n.* Ⓒ 訃聞; 訃告(常附死者略傳)。— *adj.* 死亡的; 關於死者的。
obj. object; objective.

‡**ob·ject** [ˋɑbdʒɪkt] *n.* Ⓒ ①物體；物件。②(情感、思想或行動之)對象。③可憐、滑稽或愚蠢的人或物。④目的；目標。⑤〖哲〗客觀；客體；對象。⑥〖文法〗受詞。**—**[əbˋdʒɛkt] *v.i.*①反對〔to, against〕. ②拒絕。**—** *v.t.* ①提出(作爲)反對的理由。②拒絕。§ ∼ **bàll**〖撞球〗目的[目標]球。∼ **còde**〖電算〗目的碼；機器碼(=machine code). ∼ **lès·son** ⑴實物教學。⑵教訓實例。

ob·jec·ti·fy [əbˋdʒɛktə͵faɪ] *v.t.* ①使客觀化；把…視作對象。②使具體化；使現實化。— **ob·jec·ti·fi·caʹtion,** *n.*

***ob·jec·tion** [əbˋdʒɛkʃən] *n.*① Ⓤ Ⓒ 異議。② Ⓤ Ⓒ 反對；厭惡。③ Ⓒ 反對或拒絕之原因或理由。— **a·ble,** *adj.*

***ob·jec·tive** [əbˋdʒɛktɪv] *n.* Ⓒ ①目的；目標。②受格(的字)。③實物。④(望遠鏡等之)接物透鏡。**—** *adj.*①實體的。②客觀的。③受詞的。④目標的。— **ly,** *adv.*

ob·jec·tiv·ism [əbˋdʒɛktɪvɪzəm] *n.* Ⓤ〖哲，文〗客觀主義。

ob·jec·tiv·i·ty [͵ɑbdʒɛkˋtɪvətɪ] *n.* Ⓤ客觀性；對象性。

ob·jec·tor [əbˋdʒɛktɚ] *n.* Ⓒ 反對者。

ob·jet d'art [ɔbˋʒɛˋdɑr]〖法〗*n.* Ⓒ (*pl.* **ob·jets d'art** [∼])藝術品；骨董。

ob·jur·gate [ˋɑbdʒɚ͵get] *v.t.*嚴責；嚴叱；叱責。— **ob·jurʹga·to·ry,** *adj.*

ob·late [ˋɑblet] *adj.*〖幾何〗兩極扁平的；扁圓的。

ob·la·tion [ɑbˋleʃən] *n.*① Ⓤ (對神之)奉獻(式)；聖餐式。② Ⓒ (常 *pl.*)祭品；奉獻物。③ Ⓤ (給教會的)捐獻。

ob·li·gate [ˋɑblə͵get] *v.t.*①使負責；使負義務。②強迫。**—** *adj.*不可缺的；必須的。

***ob·li·ga·tion** [͵ɑbləˋgeʃən] *n.*① Ⓤ Ⓒ 義務；職責。② Ⓤ Ⓒ (法令、義務等之)束縛。③ Ⓤ Ⓒ 恩惠；人情債。④ Ⓒ 契約。⑤ Ⓒ 債務。

o·blig·a·to·ry [əˋblɪgə͵torɪ] *adj.* ①義務上的；必須做的。②有拘束力的。③強制的〔on, upon〕.

o·blige** [əˋblaɪdʒ] *v.t.*①使受(諾言、契約、職責等)束縛；強制。②賜；施於；加於。be ∼d to*** 不得不；必須。***be ∼d to somebody*** 感激某人。**—** *v.i.* 取悅；巴結；答應要求。

ob·li·gee [͵ɑblɪˋdʒi] *n.* Ⓒ ①受人施惠者。②〖法律〗債權人；權利人。

o·blig·ing [əˋblaɪdʒɪŋ] *adj.*親切的；熱心助人的；仁慈的。

o·blique [əˋblik] *adj.*①歪的；斜的。an ∼ angle 斜角。②間接的；迂曲的。③歪邪的；不正的。**—** *n.* Ⓤ Ⓒ 斜線(/)。**—** *v.i.* 歪偏；傾斜。

ob·lit·er·ate [əˋblɪtə͵ret] *v.t.* ①消滅；毀跡。②塗抹；擦掉(文字等)。— **ob·lit·er·aʹtion,** *n.*

ob·liv·i·on [əˋblɪvɪən] *n.* Ⓤ ①湮滅；埋沒。②遺忘；忘卻。③寬饒；特赦。

ob·liv·i·ous [əˋblɪvɪəs] *adj.* ①忘記的；不注意的〔of〕. ②使忘記的。— **ly,** *adv.* — **ness,** *n.*

ob·long [ˋɑblɔŋ] *n.* Ⓒ & *adj.* ①長方形(的)。②長橢圓形(的)。

ob·lo·quy [ˋɑbləkwɪ] *n.* Ⓤ ①(公眾的)譴責；辱罵。②不名譽；汚名；恥辱。③毀謗。

ob·nox·ious [əbˋnɑkʃəs] *adj.*令人不悅的；使人討厭的。— **ly,** *adv.*

o·boe [ˋobo, ˋobɔɪ] *n.* Ⓒ〖樂〗雙簧管(一種樂器)。— **oʹbo·ist,** *n.*

ob·scene [əbˋsin] *adj.*①猥褻的；淫穢的。②討厭的；厭惡的。— **ly,** *adv.* — **ob·scenʹi·ty** [-ˋsɛn-], *n.*

ob·scu·rant [əbˋskjurənt] *n.* Ⓒ 反啓蒙主義者；反開化主義者；蒙昧主義者。— **ism,** *n.*

***ob·scure** [əbˋskjur] *adj.*①無名的；微賤的。②隱藏的；幽僻的。③不清楚的。④朦朧的。⑤含糊的。**—** *v.t.*①使朦朧。②使意義含混。— **ob·scu·raʹtion,** *n.*

***ob·scu·ri·ty** [əbˋskjurətɪ] *n.* ① Ⓤ 陰暗；朦朧；晦澀；難解；含糊。② Ⓒ 晦澀之文字；不明之事。③ Ⓤ 卑微；默默無聞。④ Ⓤ 低賤的身分。⑤ Ⓒ 無名的人或地方。

ob·se·quies [ˋɑbsɪkwɪz] *n. pl.* 葬禮；葬儀。

ob·se·qui·ous [əbˋsikwɪəs] *adj.* 逢迎的；諂媚的；卑躬的。

ob·serv·a·ble [əbˋzɝvəbḷ] *adj.* ①可觀察的；可見的；顯而易見的。②顯著的。③可[應]遵行或慶祝的。— **obːservʹ·a·bly,** *adv.*

ob·serv·ance [əbˋzɝvəns] *n.*① Ⓤ (對法律或習慣之)遵守；奉行〔of〕. ② Ⓒ (常 *pl.*)慶祝典禮；宗教儀式。③ Ⓒ 遵守之習慣或規則。④ Ⓤ 觀察。⑤ Ⓒ 天主教修會或修道院規律。

ob·serv·ant [əbˋzɝvənt] *adj.* ①善於觀察的；機警的。②小心遵守的。

***ob·ser·va·tion** [͵ɑbzɚˋveʃən] *n.* ① Ⓤ 觀察力。② Ⓤ Ⓒ 覺察；注意。③ Ⓒ 觀察所得。④ Ⓒ 批評；評論。⑤ Ⓤ Ⓒ 觀測。§ ∼ **càr**〖鐵路〗瞭望車。∼ **pòst**〖軍〗觀測所；監視哨。— **al,** *adj.*

ob·serv·a·to·ry [əbˋzɝvə͵torɪ] *n.* Ⓒ 天文臺；氣象臺；瞭望臺。

‡**ob·serve** [əbˋzɝv] *v.t.*①看到。②觀察；監視。③評論；說。④保持；遵守。⑤慶祝；紀念。**—** *v.i.*觀察；注意。

***ob·serv·er** [əbˋzɝvɚ] *n.* Ⓒ ①注意者；觀察者；遵奉者。②評論者。③(出席會議之)觀察員。④〖空軍〗機上觀察員。

ob·sess [əbˋsɛs] *v.t.*(爲惡魔、妄念等)縈繞；使心神困擾。He was ∼*ed* with the idea of approaching death. 他爲即將死亡的念頭所困擾。— **ob·sesʹsive,** *adj.* — **ob·sesʹsion,** *n.*

ob·so·lesce [͵ɑbsəˋlɛs] *v.i.* 成爲過時；被淘汰。

ob·so·les·cent [͵ɑbsəˋlɛsn̩t] *adj.* ①行將作廢的。②〖生物〗漸趨消滅的；退化的。— **ob·so·lesʹcence,** *n.*

ob·so·lete [ˋɑbsə͵lit] *adj.* ①作廢的；已廢的。②落伍的。③〖生物〗只留下痕跡的；退化的。

***ob·sta·cle** [ˋɑbstəkḷ] *n.* Ⓒ 障礙；妨害物。§ ∼ **ràce** 障礙賽跑。

ob·stet·ric, -ri·cal [əbˋstɛtrɪk(ḷ)]

adj. ①產科的。②助產的。

ob·ste·tri·cian [ˌɑbstɛˋtrɪʃən] *n.* Ⓒ產科醫生。

ob·stet·rics [əbˋstɛtrɪks] *n.* Ⓤ產科醫學；接生術。

O

ob·sti·na·cy [ˋɑbstənəsɪ] *n.*① Ⓤ倔強；頑固。②Ⓒ頑強的行爲或態度。③Ⓤ(疾病)難治。

***ob·sti·nate** [ˋɑbstənɪt] *adj.* ①倔強的。②難控制的；難醫治的。—**ly,** *adv.*

ob·strep·er·ous [əbˋstrɛpərəs] *adj.*喧鬧的；無秩序的；暴亂的。—**ly,** *adv.*

***ob·struct** [əbˋstrʌkt] *v.t.*①阻隔；遮斷。②妨礙；遮蔽。

ob·struc·tion [əbˋstrʌkʃən] *n.*① Ⓒ障礙物。②Ⓤ障礙；閉塞；封鎖。③Ⓤ(議會中的)妨害或拖延手段。

ob·struc·tive [əbˋstrʌktɪv] *adj.*妨礙的；成爲障礙的。—— *n.* Ⓒ ①妨礙物；障礙。②(議事等的)妨礙者。

***ob·tain** [əbˋten] *v.t.* ①得；獲得。～a prize得獎。②達到(目的)。—— *v.i.* ①應用；流行。②如願以償。—**a·ble,** *adj.*

ob·trude [əbˋtrud] *v.t.*①強行提出；強使接受。②伸出。—— *v.i.* 擠入；闖入；打擾。—**ob·trud′er,** *n.*

ob·tru·sive [əbˋtrusɪv] *adj.* ①強行提出的；闖入的；強入的。②突出的。—**ob·tru′sion,** *n.*

ob·tuse [əbˋtus] *adj.*①不銳利的；鈍的。②鈍角的。③〖植〗(葉、花瓣等)端部呈圓形的。④(理解或感覺)遲鈍的；愚鈍的。—**ly,** *adv.*

ob·verse [əbˋvɜs, ˋɑbvɜs] *adj.* ①正面的(爲reverse之對)。②相對的。③〖植〗鈍頭形的；(葉)倒生的。——[ˋɑbvɜs] *n.* ①(the ～)(貨幣、獎章等之)正面。②(the ～)正面；前面。③Ⓒ相對物。④Ⓒ〖邏輯〗反換命題。

ob·vi·ate [ˋɑbvɪˌet] *v.t.* 排除；防止；避免(危險、困難等)。

***ob·vi·ous** [ˋɑbvɪəs] *adj.* 顯然的；明白的。*—**ly,** *adv.* —**ness,** *n.*

oc·a·ri·na [ˌɑkəˋrinə] *n.* Ⓒ洋壎(一種陶質蛋形吹奏器)。

oc·ca·sion** [əˋkeʒən] *n.*①Ⓒ特殊的時候[場合]。②Ⓒ特別的大事；節日；慶典；儀式。③ⓊⒸ機會；良機。④Ⓤ理由；原因。give ～ to***引起。***improve the*** ～利用時機；把握機會。***on*** ～有時。***on several ～s***屢次。***on the ～ of***在…的時候。***rise to the ～***善處難局。***take ～ to do***利用機會以作(某事)。—— *v.t.* 引起；惹起。

***oc·ca·sion·al** [əˋkeʒənl] *adj.*①有時候發生的；偶然的。②應時的。③備用的。—**ism,** *n.* Ⓤ機會論；偶因說。

***oc·ca·sion·al·ly** [əˋkeʒənlɪ] *adv.* 偶爾；有時。

Oc·ci·dent [ˋɑksədənt] *n.* ①(the ～)西方國家。②(the o-)西方。

oc·ci·den·tal [ˌɑksəˋdɛntl] *adj.*①(O-)西洋的；歐美國家的。②西方的。—— *n.* Ⓒ(常O-)西方人。—**ism,** *n.* Ⓤ西洋式[文化]。

oc·clude [əˋklud] *v.t.*封閉(通道、毛孔等)。—— *v.i.*〖醫〗(上下牙齒)咬合。—**oc·clu′sion,** *n.*

oc·cult [əˋkʌlt] *adj.*①玄奧的。②超自然法則的。③隱藏的。—— *n.* (the ～) ①神祕。②玄學。—— *v.t. & v.i.* 掩蓋。

oc·cu·pan·cy [ˋɑkjəpənsɪ] *n.* ①Ⓤ(土地、房屋等之)占有。②Ⓤ〖法律〗先占；占據。③Ⓒ居住期。

oc·cu·pant [ˋɑkjəpənt] *n.* Ⓒ①占有者；占領者。②〖法律〗占據者。

***oc·cu·pa·tion** [ˌɑkjəˋpeʃən] *n.*①ⓊⒸ職業。②Ⓤ占領。③Ⓤ居住。④Ⓒ居住期；占有期。⑤Ⓤ(工作等的)從事；從業。⑥ⓊⒸ消遣。

oc·cu·pa·tion·al [ˌɑkjəˋpeʃənl] *adj.*①職業(上)的；業務(上)的。②占領的。§ ～ **disèase**〖醫〗職業病。～ **házard** 職業上的危險或困擾。～ **thérapy**〖醫〗職業療法。

oc·cu·pi·er [ˋɑkjəˌpaɪɚ] *n.* Ⓒ占有者；占領者；居住人。

***oc·cu·py** [ˋɑkjəˌpaɪ] *v.t.*①占；填滿。②使忙碌；使從事。③占據；占領。④居住於。⑤居於；充任。

‡**oc·cur** [əˋkɜ] *v.i.*(**-rr-**)①發生。②被發現；存在。③被想起；使想到〔常to〕. An idea ～*red* to me. 我想起一計。

***oc·cur·rence** [əˋkɜəns] *n.*①Ⓤ發生；出現。of frequent ～經常發生的。②Ⓒ事件。

‡**o·cean** [ˋoʃən] *n.*①Ⓤ(常the ～)海洋。②(the ... O-)(五大洋的)…洋。③(an ～)廣漠；無限。§ ～ **bàsin**〖地質〗海洋盆地。～ **bèd** 海底[牀]。～ **flìght** 越洋飛行。～ **làne** 遠洋航線。～ **lìner** 郵輪；遠洋班輪。～ **tràmp** 無一定航線的遠洋貨輪。

o·cea·nar·i·um [ˌoʃəˋnɛrɪəm] *n.* Ⓒ(*pl.* **～s, -i·a** [-ɪə])海洋水族館。

o·cea·naut [ˋoʃəˌnɔt] *n.* Ⓒ海洋探險家；海洋工作人員。

o·cean-go·ing [ˋoʃənˌgoɪŋ] *adj.* 遠洋航行的。

O·ce·an·i·a [ˌoʃɪˋænɪə] *n.* 大洋洲。

O·ce·an·i·an [ˌoʃɪˋænɪən] *adj.* 大洋洲的；其人民的。—— *n.* Ⓒ大洋洲的居民。

o·ce·an·ic [ˌoʃɪˋænɪk] *adj.* ①大海的；大洋的。②居於海洋中的；海洋出產的。③似海洋的；廣大的。

o·ce·an·ics [ˌoʃɪˋænɪks] *n.* Ⓤ海洋學。

o·cea·nog·ra·pher [ˌoʃɪəˋnɑgrəfɚ] *n.* Ⓒ海洋學者。

o·cea·nog·ra·phy [ˌoʃɪənˋɑgrəfɪ] *n.* Ⓤ海洋學。

oc·e·lot [ˋosəˌlɑt] *n.* Ⓒ〖動〗(中、南美產之)豹貓。

o·cher, o·chre [ˋokɚ] *n.* Ⓤ①〖礦〗赭土；赭石(可作顏料用)。②黃土色。

‡**o'clock** [əˋklɑk] *adv.* 點鐘(=of the clock).

OCR optical character recognition.〖電算〗感光讀字；光學字元識別。

Oct. October.

oc·ta·gon [ˋɑktəˌgɑn] *n.* Ⓒ八角形；八邊形。—**oc·tag′o·nal** [-ˋtæg-], *adj.*

oc·ta·he·dron [ˌɑktəˋhidrən] *n.* Ⓒ(*pl.* **～s, -dra** [-drə])八面體。—**oc-**

ta·he′dral, *adj.*

oc·tane [`ɑkten] *n.* Ⓤ 〖化〗辛烷。§ ∼ **nùmber**[**ràting, vàlue**]辛烷值。

oc·tant [`ɑktənt] *n.* Ⓒ ①八分圓(45°之弧)。②八分儀。

oc·tave [`ɑktev, -tɪv] *n.* Ⓒ ①〖樂〗第八音；第八度音程；一個音階。②〖宗〗從節日起之第八天。③十四行詩(sonnet)中起首的八行；八行一節的詩。④八個的一組；一組中的第八個。

oc·ta·vo [ɑk`tevo] *n.* (*pl.* ∼**s**) ① Ⓤ 八開本；八開(略作 **8vo, 8°**)。② Ⓒ 八開本的書。— *adj.* 八開的。

oc·tet(te) [ɑk`tɛt] *n.* Ⓒ ①〖樂〗八重唱[奏，曲]；八重唱[奏]團。②十四行詩(sonnet)之前八行。③八個的一組。

octo- 〖字首〗表「八」之義。(亦作 **oct-**)

⁑**Oc·to·ber** [ɑk`tobɚ] *n.* 十月。

oc·to·ge·nar·i·an [͵ɑktədʒə`nɛrɪən] *adj.*八十(餘)歲的。— *n.* Ⓒ 八十(餘)歲的人。

oc·to·pus [`ɑktəpəs] *n.* Ⓒ (*pl.*∼**es, -pi** [-͵paɪ]) ①章魚。②似章魚的東西。

oc·tu·ple [`ɑktupl̩] *adj.*①八倍的。②由八個要素構成的。— *n.* Ⓒ 八倍。

oc·u·lar [`ɑkjəlɚ] *adj.*①眼睛的；視覺的。②像眼睛的。— *n.* Ⓒ 望遠鏡、顯微鏡等上的接目鏡。— **ly,** *adv.*

oc·u·list [`ɑkjəlɪst] *n.* Ⓒ眼科醫生。

OD [`o`di] *v.i.*〖俚〗服用過量的藥〔on〕.

OD Officer of the Day; Ordnance Department; outside diameter.

O.D. Officer of the Day; Old Dutch; olive drab; overdraft; overdrawn.

⁑**odd** [ɑd] *adj.*①剩餘的。②一雙或一組中的單隻的。③額外的；附加的。30 ∼ guests 三十多位客人。④奇數的(爲 even 之對)。⑤奇異的；古怪的。⑥臨時的；零星的。∼ moments 餘暇。⑦不尋常的；偏僻的。⑧(一雙中)不配的。— *n.*① Ⓒ 奇怪的事物。② Ⓤ 怪異；奇特。③ Ⓒ 〖高爾夫〗**a.**讓給對方的一桿。**b.**贏對方的一桿。§ ∼ **mán** (1)握有決定票的人。(2)〖英〗臨時工。

odd·ball [`ɑd͵bɔl] *n.* Ⓒ〖美俚〗奇人；怪人。— *adj.* 古怪的；乖僻的。

odd·i·ty [`ɑdətɪ] *n.*① Ⓤ 奇怪；古怪；怪癖。② Ⓒ 奇異或古怪之人或物。

odd-look·ing [`ɑd`lʊkɪŋ] *adj.* (樣子)古怪的；奇異的。

odd·ly [`ɑdlɪ] *adv.*①奇妙地；奇怪地。∼ enough 說來奇怪。②零碎地；成奇數。③剩餘地。④額外地。

odd·ment [`ɑdmənt] *n.*① Ⓒ (常 *pl.*) 殘餘之物；零頭。②(*pl.*)〖印刷〗書籍本文以外之部分。

***odds** [ɑdz] *n. pl.*①賭注與付款之差額。②(遊戲中給予較弱一方的)讓步；有利條件。③可能性；可能的機會。The ∼ are (that) he will come. 他大概會來。④分別(=difference)。⑤不平等。⑥恩惠。*at* ∼不睦；爭吵。*by all* ∼; *by long* ∼; *by* ∼毫無疑問地。*lay* [*give*] ∼ *of* 讓與…的有利條件。∼ *and ends* 殘餘；零星雜物。*the* ∼ *are* 很可能(=the chances are).

odds-on [`ɑdz`ɑn] *adj.*①有勝算的。②有希望的。

ode [od] *n.* Ⓒ (一種莊嚴的)抒情詩；頌；歌。*the Book of Odes* 詩經。

o·di·ous [`odɪəs] *adj.*可憎的；可厭的。

o·di·um [`odɪəm] *n.* Ⓤ①憎恨；厭惡。②譴責；非難；汚名。

o·dom·e·ter [o`dɑmətɚ] *n.* Ⓒ (汽車等之)里程錶。

o·don·tol·o·gy [͵odɑn`tɑlədʒɪ] *n.* Ⓤ①牙科學。②牙科醫術。

***o·dor,** 〖英〗**o·dour** [`odɚ] *n.* ① Ⓒ 氣味；臭氣。② Ⓒ 香氣。③ Ⓤ 名譽；聲望。④ Ⓒ 特有的風味。*be in bad* ∼ 聲名狼藉。— **less,** *adj.*

o·dor·if·er·ous [͵odə`rɪfərəs]*adj.* 芳香的；有香味的；有氣味的。

o·dor·ous [`odərəs] *adj.*有氣味的；芳香的。

O·dys·se·us [o`dɪsjus] *n.*〖希神〗奧迪修斯。(亦作 **Ulysses**)

Od·ys·sey [`ɑdəsɪ] *n.*①(the ∼)奧德賽(相傳爲 Homer 所作的史詩)。② Ⓒ (有時 o-)〖文〗長期的冒險旅行。

Oed·i·pus [`ɛdəpəs] *n.*〖希神〗伊底帕斯(解開 Sphinx 的謎語；但爲命運撥弄而弒父娶母之 Thebes 英雄)。§ ∼ **còmplex** 伊底帕斯情結；戀母情結。

oe·no·phile [`inə͵faɪl] *n.* Ⓒ 嗜酒者；品酒專家。

o'er [or, ɔr] *prep. & adv.*〖詩〗=**over.**

⁑**of** [ɑv, əv] *prep.*①屬於。②由…製成[組成]。a house *of* bricks 磚房。③表性質或狀態。a man *of* tact 機敏之人。④表距離、方向或位置。to the south *of* Italy 在義大利之南。⑤關於。accuse a person *of* taking bribes 控訴某人接受賄賂。⑥經；由(=through). die *of* grief 因悲傷而死。⑦除去；剝奪。cure a person *of* a disease 醫好某人之病。⑧從(=out of). She came *of* a noble family. 她出身於貴族門第。⑨在其中(=among).⑩表原因或動機等。be proud *of* 因…而驕傲。⑪表部分關係。a cup *of* tea 一杯茶。⑫表時間。*of* late years 近年來。⑬差…到。ten minutes *of* six 差十分鐘到六點。⑭表同格關係。the city *of* Rome 羅馬市。

⁑**off** [ɔf, ɑf] *prep.*① 脫落；離開。② 離。Keep ∼ the grass. 勿踐踏草地。③正在…之外。④ 從。⑤少於；低於。He offered me the goods at 10% ∼ the regular price. 他願將貨物以九折賣給我。∼ *color* 氣色不佳；身體不好。∼ *the map* 〖俗〗消滅；不復存在。— *adv.* ①脫下；除掉。②離開(=away). ③表距離之遠。a mile ∼ 一哩外。④表時間距離。⑤停止。Turn the water ∼. 把水關上。⑥表關係斷絕。⑦無工作。⑧漸衰；漸冷；漸減。cool ∼冷靜下來。⑨欺騙。⑩全；盡。Drink it ∼!乾杯! *be* ∼ **a.**離開。**b.**變壞；失常。∼ *and on* 有時；偶然。— *adj.*①斷的；停的。②休閒的。③(金錢、財產等)特殊情況的。④不佳的。an ∼ season in the woolen trade 羊毛生意清淡之時期。⑤身體不適的。⑥不新鮮的。⑦在右手邊的。⑧可能性不

大的。⑨向海的。⑩較遠的。⑪錯的。⑫失常的。⑬開始的。── *interj.*走開！躲開！～ *with* **a.**拿去！**b.**排除。── *n.* (the ～)(板球戲)擊球員的右前方。§ ～ **chànce** 很小的機會[希望]。～ **dày** 休息日。～ **lìmits** 禁區。～ **yèar** (1)沒有總統大選的年份。(2)荒年。

O

off. offered; office; officer; official.

of·fal [ˋɔfl] *n.* Ⓤ ①(動物)內臟。②廢棄之物；垃圾。

off-bal·ance [ˋɔfˋbæləns] *adj.* & *adv.* ①不穩固的[地]。②出乎意外的[地]。

off·beat [ˋɔf͵bit] *adj.*〖俗〗不平常的；奇異的。── *n.* Ⓒ〖樂〗弱拍；次強拍。

off-Broad·way [ˋɔfˋbrɔd͵we] *adj.* & *adv.* 非百老匯戲劇界的[地]；在百老匯以外地區演出的[地]。── *n.* Ⓤ (集合稱)美國紐約市百老匯(Broadway)街以外的地區上演的非商業性戲劇或其戲院。

off-cam·er·a [ˋɔfˋkæmərə] *adv.* & *adj.* ①在電影或電視鏡頭之外地[的]。②私生活地[的]。

off-col·o(u)r [ˋɔfˋkʌlɚ] *adj.* ①(寶石等)顏色不佳的。②氣色不好的；身體不好的。③下流的。

off-du·ty [ˋɔfˋdjutɪ] *adj.* ①不當班的；已經下班的。②下班後的。

***of·fence** [əˋfɛns] *n.*〖英〗＝**offense.**

***of·fend** [əˋfɛnd] *v.t.* ①觸怒；傷…感情。②使不快；使不悅。～ the eye刺目。── *v.i.*① 犯法。～ against custom 違犯習俗。②冒犯；得罪。

of·fend·er [əˋfɛndɚ] *n.* Ⓒ ①罪犯；犯規者。②得罪人的人。

***of·fense,** 〖英〗**-fence** [əˋfɛns] *n.*① Ⓒ 違反；犯規。② Ⓤ 傷感情；不悅；觸怒。③ Ⓤ 攻擊。④ Ⓒ (the ～, 集合稱)採取攻勢的人、隊、軍隊等。*give* ～使(某人)動怒[不悅]。*take* ～ 動怒。─ **less,** *adj.*

***of·fen·sive** [əˋfɛnsɪv] *adj.* ①討厭的；冒犯的；無禮的。②難聞的；難看的。③攻擊的；攻勢的。── *n.* ①(the ～)攻擊。②(積極的)活動。*take* [*act on*] *the* ～ 攻擊；採取攻勢。─ **ly,** *adv.* ─ **ness,** *n.*

‡**of·fer** [ˋɔfɚ, ˋɑfɚ] *v.t.*①呈贈；奉呈；獻。②設有；提供。③供奉；奉獻。④表現。⑤出價。⑥表示；施以。── *v.i.* ①發生；出現。if opportunity ～*s*如果有機會的話。②企圖；試。③供奉；奉獻。～ *one's hand* **a.**伸出手以握手。**b.**求婚。── *n.* Ⓒ ①給與；提供。②出價。③出售。be on ～出售。④提議。⑤求婚。

of·fer·ing [ˋɔfərɪŋ, ˋɑf-] *n.*① Ⓤ 供奉；奉獻。② Ⓒ 祭品。③ Ⓤ 呈贈；提供。④ Ⓒ 禮物。⑤ Ⓒ 上市之股票、公債等。

of·fer·to·ry [ˋɔfɚ͵torɪ] *n.* Ⓒ〖宗〗①奉獻詩歌；奉獻樂曲；奉獻儀式。②獻金；捐款。

off·hand [ˋɔfˋhænd] *adv.*即刻地；未經準備地。── *adj.*①即刻的；未經準備的。②不客氣的；隨便的。

‡**of·fice** [ˋɔfɪs, ˋɑfɪs] *n.*① Ⓒ 辦公室；事務所；公司；營業所。② Ⓤ (the ～, 集合稱)(辦公室的)全體職員。③ Ⓒ 政府的部、局、處等。④ Ⓒ 職務；職責。⑤(*pl.*)斡旋；幫忙。Through the good ～s of a friend, he was able to get a job. 經由友人幫忙，他找到了一份工作。⑥ Ⓒ〖宗〗聖事；日課。⑦ Ⓒ 儀式(尤指葬儀)。⑧(*pl.*)廚房；食物貯藏室。⑨ Ⓤ Ⓒ 官職；公職。⑩(the ～)〖英俚〗暗示。§ ～ **bòy** 工友。～ **buìlding**〖美〗辦公大樓。～ **còpy**公文正本；正式抄本。～ **gìrl** 女職員；女辦事員。～ **hòurs** (1)辦公時間；營業時間。(2)〖美〗門診時間。～ **hùnter**[**sèeker**]求官職者。～ **wòrker** 公司職員。

of·fice·hold·er [ˋɔfɪs͵holdɚ] *n.* Ⓒ 公務員；官吏。

‡**of·fi·cer** [ˋɔfəsɚ, ˋɑf-] *n.* Ⓒ ①軍官。②機上服務人員。③(居高位的)官員。④(商船的)高級船員。⑤公司中的高級職員。⑥警員；警官。～ *of the day*(略作 **O.D.**)值日官。～ *of the week* 值星官。── *v.t.* ①配以軍官[高級船員]。②指揮；指導。

‡**of·fi·cial** [əˋfɪʃəl] *n.* Ⓒ 官員；公務員；職員。public ～*s* 公務員。── *adj.*①公務上的；職務上的；官方的。②有權威的；正式的。③官僚的；形式化的。④〖藥〗法定的。*─ **ly,** *adv.*

of·fi·cial·dom [əˋfɪʃəldəm] *n.* Ⓤ ①官場；官僚。②(集合稱)公務員；官員。

of·fi·cial·ese [ə͵fɪʃəˋliz] *n.* Ⓤ 官話；公文用語。

of·fi·cial·ism [əˋfɪʃəl͵ɪzəm] *n.* Ⓤ ①官廳制度。②官派；形式主義；官僚主義。

of·fi·ci·ate [əˋfɪʃɪ͵et] *v.i.* ①執行職務；主持會議等。②司祭。

of·fi·cious [əˋfɪʃəs] *adj.*①好管閒事的。②(外交上)非官方的。─ **ly,** *adv.*

off·ing [ˋɔfɪŋ] *n.*①(the ～)(由岸上可以見到之)海面；洋面。② Ⓒ 與岸邊之距離；遠離岸邊之位置。*gain an* ～駛出海面。*in the* ～ **a.**從岸上可以望見的。**b.**在不遠之處。**c.**即將發生或出現；在醞釀中。*keep an* ～行駛海面(不靠岸)。

off·ish [ˋɔfɪʃ] *adj.*〖俗〗不喜歡交際的；冷漠的；冷冰冰的。

off-key [ˋɔfˋki] *adj.* ①走調的；不和諧的。②不適當的；有點畸形的。

off-li·cense [ˋɔf͵laɪsəns] *n.* Ⓒ〖英〗①准許賣酒的執照(但不得在店裡飲用)。②有上述執照的商店。── *adj.* 有上述執照的。(亦作 **off-licence**)

off-lim·its [ˋɔfˋlɪmɪts] *adj.* 禁止入內的；禁區的。

off-line [ˋɔf͵laɪn] *adj.* 〖電算〗離線的。

off-load [ˋɔf͵lod] *v.t.* & *v.i.* 卸貨。

off-peak [ˋɔfˋpik] *adj.* 離峰的；非尖峰時間的；閒散時間的。

off·print [ˋɔf͵prɪnt] *n.* Ⓒ (出版物中某文之)單獨重刊；選刊；抽印本。

off-sea·son [ˋɔfˋsizən] *adj.* & *adv.* (在)淡季的[地]。── *n.* Ⓒ 淡季。

off·set [ɔfˋsɛt] *v.t.* (**～, -set·ting**)①抵銷；彌補。②〖印刷〗以平版印刷。──[ˋɔf͵sɛt] *n.* Ⓒ ①補償。②(植物的)分枝；旁枝。③分支；支族；支脈。④

〖機〗迂迴管。⑤〖建〗牆上之凸出部分。⑥〖印刷〗平版印版。⑦出發；開始。

off·shoot [ˋɔf,ʃut] *n.* Ⓒ ①〖植〗旁枝；枝條。②分枝；支脈；支派；支流。③衍生物；引伸物。

off·shore [ˋɔfˋʃor] *adj.* 離海岸的；向海面的。～ fisheries 近海漁業。— *adv.* ①在近海處。②向海面。

off·side [ˋɔfˋsaɪd] *adj.* & *adv.*〖足球〗越位的[地]。— *n.*①(the ～)〖英〗(馬、馬車的)右側；(汽車)靠道路中央的一邊。② Ⓤ〖足球〗越位(爲犯規的位置)。

off·spring [ˋɔf,sprɪŋ] *n.* Ⓒ (*pl.* ～, ～**s**)①子孫；後裔。②結果；產物。

off·stage [ˋɔfˋstedʒ] *adj.*舞臺後面的；私生活的；保密的。— *adv.* 在舞臺後；往後臺；非正式地。

off-the-cuff [ˋɔfðəˋkʌf] *adj.* & *adv.*〖俗〗未預備的[地]；即席的[地]。

off-the-rec·ord [ˋɔfðəˋrɛkɚd] *adj.* & *adv.* 不留紀錄的[地]；非正式的[地]。

off-the-wall [ˋɔfðəˋwɔl] *adj.* 不尋常的；奇怪的。

off·track [ˋɔfˋtræk] *adj.* 〖美〗場外的(賽馬賭注)。～ betting 外圍賭馬。

oft [ɔft] *adv.*〖古〗=**often.**

‡**of·ten** [ˋɔfən, ˋɔftən] *adv.*時常地；屢次。***as ～ as...***每當。***every so ～***時時。***more ～ than not*** 大抵；多半。***once too ～*** (犯規等)次數太多一點。

of·ten·times [ˋɔfən,taɪmz] *adv.* = **often.**

o·gle [ˋogl̩] *v.t.* & *v.i.*送秋波；拋媚眼。— *n.* Ⓒ (常 *sing.*)秋波；媚眼。

o·gre [ˋogɚ] *n.* Ⓒ ①(童話中之)食人巨妖。②易怒的人。

o·gre·ish [ˋogərɪʃ] *adj.*可怕的；兇暴的。(亦作 **ogrish**)

‡**Oh, oh** [o] *interj.* (表驚奇、憂懼、快樂、悲傷、願望、呼喚等)啊！哎呀！唉！咦！— *n.* Ⓒ (*pl.* **oh's, ohs**)「啊！」,「呀！」之驚嘆語。

O·hi·o [oˋhaɪo] *n.*俄亥俄(美國中東部州名)。

ohm [om] *n.* Ⓒ〖電〗歐姆(電阻單位)。

-oid〖字尾〗表示「如…的(東西)；…狀的(東西)；…質的」之義，如：Negr*oid.*

‡**oil** [ɔɪl] *n.*① ⓊⒸ 油。②(*pl.*)油畫(顏料)。③ Ⓤ 石油。④ Ⓤ〖俚〗諂媚；奉承。***burn the midnight ～***讀書或工作至深夜。***pour ～ on troubled waters***平息風波；調解爭端。***strike ～*** **a.** 掘得油礦。**b.** 成暴富。— *v.t.* ①敷油於；浸以油。②賄賂。③使圓滑；使油滑。④溶化成(如奶油等)。— *v.i.* 化爲油。～ ***a person's palm*** 向某人行賄。～ ***the wheels[works]*** **a.** 藉圓滑行賄手段使事物順利發展。**b.** 疏通。§ ～ **càke** 油渣餅；豆餅。～ **cȍlor**(常 *pl.*)油畫顏料。～ **èngine** 石油引擎。～ **field** 油田。～ **làmp** 煤油燈。～ **pàint** (1)(常 *pl.*)油畫顏料。(2)油漆；油塗料。～ **pàinting** 油畫(術)。～ **prèss** 榨油器；油壓機。～ **shàle** 油頁岩。～ **tànker** 油輪。～ **wèll**〖美〗油井。

oil·berg [ˋɔɪl,bɝg] *n.* Ⓒ 大油輪(裝載量達二十萬噸以上者)。

oil·can [ˋɔɪl,kæn] *n.* Ⓒ 油罐(尤指用以注滑潤油者)。

oil·cloth [ˋɔɪl,klɔθ] *n.* ⓊⒸ 油布；防雨布；防水布。

oiled [ɔɪld] *adj.*①以油浸漬的；上了一層油的；塗了油的。②〖美〗喝醉的。

oil·er [ˋɔɪlɚ] *n.* Ⓒ ①加油者[器具]。②加油壺。③(常 *pl.*)〖美俗〗油布衣。④油輪；油船。

oil·man [ˋɔɪlmən] *n.* Ⓒ (*pl.* **-men**) 油商；製油者。

oil·pa·per [ˋɔɪl,pepɚ] *n.* Ⓤ 油紙；桐油紙。

oil·skin [ˋɔɪl,skɪn] *n.*① Ⓤ 油布；防水布。②(*pl.*)油布衣。

oil·y [ˋɔɪlɪ] *adj.*①油的；含油的。②塗或沾有油的。③圓滑的。—**oil'i·ly,** *adv.*

oink [ɔɪŋk]〖俗〗*v.i.* 發出豬叫聲。— *n.* Ⓒ 豬叫聲。

oint·ment [ˋɔɪntmənt] *n.* ⓊⒸ 藥膏；油膏。

‡**OK, O.K.** [ˋoˋke] *adj.* & *adv.*好；不錯。— *v.t.* (**OK'd** or **O.K.'d, OK'ing** or **O.K.'ing**)批准；認可。— *n.* Ⓒ (*pl.* **OK's, O.K.'s**)批准；認可；同意。

‡**o·kay** [ˋoˋke] *adj.* & *adv.* & *v.* & *n.*=**OK.** (亦作 **okeh, okey**)

O·khotsk [oˋkɑtsk] *n.* (the Sea of ～)鄂霍次克海(在俄國亞洲東北堪察加半島之西)。

O·ki·na·wa [,okɪˋnɑwə] *n.*沖繩(琉球群島之一)。

O·kla·ho·ma [,okləˋhomə] *n.*俄克拉荷馬(美國中南部之一州)。

o·kra [ˋokrə] *n.*① Ⓒ 秋葵。② Ⓤ (集合稱)秋葵莢(可食)。

‡**old** [old] *adj.* (**old·er** or **eld·er, old·est** or **eld·est**)①老的；年代久的。②年高的；高齡的。③有多少歲的(=of age; in age). ④不新鮮的。⑤破舊的。⑥古老的。⑦看來已老的。⑧老練的。⑨從前的。⑩熟悉的；親密的。⑪通常置於形容詞後以加強語氣。We had a fine ～ time. 我們玩得非常高興。— *n.*①(常 of ～)昔時。②(常...year-old)…歲的人或動物。§ ～ **áge** 老年(通常指 65 歲以上者)。～ **bóy** (1)〖英〗(男校的)畢業生；校友。(2)(the O- B-)〖俚〗魔鬼。(3)富有朝氣的老年人。～ **cháp [féllow]**〖英〗老兄(對熟識者之暱稱)。～ **cȍuntry**(移民之)故鄉。～ **Énglish**古英語(大約五至十一世紀的英語，略作 OE, O.E.). ～ **gírl** (1)〖英〗(女校的)畢業生；校友。(2)〖俗〗(the ～girl)老婆；母親。(3)(對妻、母親的親密稱呼)喂；老婆；媽。(4)老太婆。**Ó- Glóry** 美國國旗。～ **hánd** (1)老手；有經驗者。(2)〖澳〗有前科者。～ **lády** (1)老婦人。(2)(one's ～lady)(自己的)妻子；母親。～ **máid** 老處女。～ **mán** (1)老人。(2)(one's ～man)(自己的)丈夫；父親。～ **schȍol** (1)(常 one's ～ school)母校。(2)(the ～ school)保守派；舊派；傳統習俗的擁護者。～ **stóry** (1)老故事；不再新鮮之事物。(2)陳腔濫調。～ **wíves' tàle**(像老太婆所說的)無稽之談。**the Ó- Téstament**〖聖經〗舊約。**the Ó- Wórld** (1)舊世界(尤指歐洲)。(2)東半球。

old·en[1] [ˋoldn̩] *adj.*〖古〗往昔的；古老的。
old·en[2] *v.i.* & *v.t.*(使)變老；(使)變「舊。」
*__old-fash·ioned__ [ˋoldˋfæʃənd] *adj.* ①老式的；舊式的。②守舊的。
old·ie [ˋoldı] *n.* Ⓒ〖俗〗①陳腐的笑話[諺語]。②過去曾經流行的歌曲[影片]；懷念的老歌。③〖美俚〗老人。
old·ish [ˋoldıʃ] *adj.*稍老的；稍舊的。
old-line [ˋoldˋlaın] *adj.* ①歷史悠久的。②依從傳統的；保守的。
old-maid·ish [ˋoldˋmedıʃ] *adj.*似老處女的；古板的；吹毛求疵的。
old·ster [ˋoldstɚ] *n.* Ⓒ〖俗〗老人。
old-time [ˋoldˋtaım] *adj.* 往昔的；多年的。
old-tim·er [ˋoldˋtaımɚ] *n.* Ⓒ〖俗〗①前輩。②守舊者。③老人。
old-wom·an·ish [ˋoldˋwumənıʃ] *adj.* 老太婆似的；吹毛求疵的。
old-world [ˋoldˋwɝld] *adj.* ①太古的。②老式的。③舊世界的；東半球的。
o·le·ag·i·nous [ˏolıˋædʒənəs] *adj.* ①油質的。②油嘴滑舌的。
o·le·an·der [ˏolıˋændɚ] *n.* Ⓒ夾竹「桃。」
o·le·o·mar·ga·rin(e) [ˏolıəˋmardʒəˏrin] *n.* Ⓤ人造奶油。(亦作**margarine**) —**o·le·o·mar·gar′ic,** *adj.*
ol·fac·tion [alˋfækʃən] *n.* Ⓤ嗅覺。
ol·fac·to·ry [alˋfæktərı] *adj.* 嗅覺的。—— *n.* Ⓒ(常 *pl.*)嗅覺器官。
ol·i·garch [ˋalıˏgark] *n.* Ⓒ寡頭政治執政者[支持者]。
ol·i·gar·chy [ˋalıˏgarkı] *n.*①Ⓤ寡頭政治。②Ⓒ行寡頭政治的國家。③Ⓒ寡頭政治執政團。
ol·i·gop·o·ly [ˏaləˋgapəlı] *n.* Ⓒ寡頭賣主壟斷。
ol·i·gop·so·ny [ˏaləˋgapsənı] *n.* Ⓒ寡頭買主壟斷。
*__ol·ive__ [ˋalıv] *n.*①Ⓒ橄欖樹。②Ⓒ橄欖。③Ⓤ橄欖色。—— *adj.*黃綠色的；黃褐色的。§ ∼ **brànch** 橄欖枝(象徵和平)。∼ **crówn**(古希臘用以頒贈勝利者之)橄欖冠。∼ **dràb** ⑴深黃綠色。⑵(*pl.*)〖美軍〗(深黃綠色之)冬季軍服。∼ **gréen** 橄欖色。∼ **òil** 橄欖油。
ol·o·gy [ˋalədʒı] *n.* Ⓒ〖俗〗科學；學術。
-ology 〖字尾〗表「…學；…論」之義，「如：geology.」
O·lym·pi·a [oˋlımpıə] *n.*奧林匹亞(希臘南部一大平原，古代該地每四年舉行競賽一次)。
O·lym·pi·ad [oˋlımpıˏæd] *n.* Ⓒ①四年期間(古希臘兩次奧林匹克競技會的間隔時間)。②奧林匹克世界運動會。
O·lym·pi·an [oˋlımpıən] *adj.*①奧林帕斯山的。②威嚴的；崇高的。③奧林匹亞的。—— *n.* Ⓒ①〖希神〗奧林帕斯山十二神之一。②奧林匹克世運會選手。
*__O·lym·pic__ [oˋlımpık] *adj.*①古Olympia 的。②奧林匹克運動會的。—— *n.*(*pl.*)=**Olympic Games.** § ∼ **Gámes** ⑴古希臘人每四年舉行一次的競賽會。⑵奧林匹克運動會。
O·lym·pus [oˋlımpəs] *n.*①奧林帕斯山(古希臘神話中眾神所居之處)。②天堂；天國。
O·man [oˋmæn] *n.* 阿曼(阿拉伯東南部一回教國，首都 Muscat)。
om·buds·man [ˋamˏbudzmən] *n.* Ⓒ(*pl.* **-men** [-mən]) ①(瑞典、挪威、紐西蘭等國所設)調查人民對政府各部門投訴案件之專員。②意見調查員。
o·me·ga [oˋmɛgə] *n.*①ⓊⒸ希臘字母之最後一個字母(Ω, ω)。②(the ∼)最後一個；末尾。
om·e·let(te) [ˋam(ə)lıt] *n.* Ⓒ煎蛋捲。***You cannot make ∼s without breaking eggs.***〖諺〗做事不能畏首畏尾。
o·men [ˋomın, ˋomən] *n.* ⓊⒸ徵兆；預兆。—— *v.t.* 給…之預兆。
om·i·nous [ˋamənəs] *adj.* ①惡兆的；不祥的。②徵兆的；預兆的。It is ∼ of death. 它預兆死亡。—**ly,** *adv.*
o·mis·sion [oˋmıʃən] *n.* ①Ⓤ遺漏；省略；刪除。②Ⓒ遺漏之物；省略之物；刪除之物。***sins of* ∼**懈怠；應作之事而未作。
*__o·mit__ [oˋmıt, əˋmıt] *v.t.*(**-tt-**)①遺漏；略去；省去。②疏忽；忽略。
om·ni·bus [ˋamnəˏbʌs, ˋamnəbəs] *n.* Ⓒ①公共汽車；巴士；公共馬車(=bus)。②(某一作家或一科目的)全集；精選集。—— *adj.*總括的。an ∼ clause 總括的條款。an ∼ book [volume] 全集。
om·nip·o·tent [amˋnıpətənt] *n.* (the O-)全能的神[上帝]。—— *adj.*全能的。—**om·nip′o·tence,** *n.*
om·ni·pres·ent [ˏamnıˋprɛzn̩t] *adj.*無處不在的；到處都在的。—**om·ni·pres′ence,** *n.*
om·nis·cient [amˋnıʃənt] *adj.*全知的；無所不知的。—— *n.* (the O-)上帝。—**om·nis′cience,** *n.*
om·niv·o·rous [amˋnıvərəs] *adj.* ①雜食的。②濫讀的；無所不吸收的。
⁑**on** [an] *prep.*①在…之上。*on* the table 在桌上。②環繞；附著於…之上。He put a ring *on* her finger. 他把戒指戴在她的手指上。③接近；靠近。New York is situated *on* the Hudson River. 紐約瀕哈德遜河邊。④向…方向。The house looks out *on* the sea.這屋子面向大海。⑤表示動作。call *on* 拜訪。⑥藉；由。This news is *on* good authority.這項消息有正確的根據。⑦在…之時；當…之時。*on* Sunday 在星期日。⑧關於；論及。a book *on* animals 一本關於動物的書。⑨爲…之目的。⑩在其中。Who is *on* the committee?誰在此委員會中? ⑪在某種狀況中。*on* duty 值班。*on* sale 出售中。⑫在某基礎上；在某條件上。*on* equal terms 基於平等條件。⑬一次接一次。Defeat *on* defeat discouraged them. 一次一次的失敗使他們氣餒。⑭冒…之險。*on* pain of death 冒死亡之險。—— *adv.* ①在上。②相接；附著。hold *on* 握住。③指向(某地、某點或某目標)。look *on* 旁觀。④向前。march *on* 前進。⑤在某種情況、過程、狀態或行動中。Turn the gas *on.*打開煤氣。⑥以後；自從。later *on* 後來。***on and on***

繼續不斷地。*on to* 到…之上面(=onto). He jumped *on to* the shore.他跳到岸上。**—** *adj.*進行中的。The race is *on.* 競賽正進行中。**—** *n.* (the on)〖板球〗(打者的)左前方。

on·a·gain [ˋɑnə͵gɛn] *adj.*斷斷續續的。(亦作 **off-again**)

on-air [ˋɑnˋɛr] *adj.*(現場)廣播的。

o·nan·ism [ˋonən͵ɪzəm] *n.* Ⓤ ①體外射精；性交中斷避孕法。②手淫。

on·board [ˋɑnˋbɔrd] *adj.*安裝於(汽車、飛機、太空船等)的。

on-cam·er·a [ˋɑnˋkæmərə] *adv.* & *adj.* 在電影或電視鏡頭之內地[的]。

‡**once** [wʌns] *adv.*①一次地。②從前；曾經。③無論何時地；一旦。*more than* ～常常地。～ *again*[*more*]再一次。～ *and again* 重複地；再三地。～ (*and*) *for all* 堅決地；最終地。～ *in a while* 有時。～ *upon a time* 昔時。**—** *n.*Ⓤ一度；一回。*at* ～ **a.**立刻。**b.**同時。*for* ～ 至少一次。**—** *adj.* 一度的；從前的。**—** *conj.* 一旦…就。*O-* you cross the river you are safe. 你一旦渡過這河，便安全了。

once-o·ver [ˋwʌns͵ovɚ] *n.* Ⓒ (常 *sing.*)〖俚〗粗略的察看；草率的工作。

onc·er [ˋwʌnsɚ]*n.* Ⓒ〖英俗〗(凡事爲義務)只做一次的人；只有禮拜天上一次教堂的人。

on·co·gene [ˋɑŋkə͵dʒin] *n.* Ⓒ〖生物〗致癌基因。

on·co·gen·e·sis [͵ɑŋkoˋdʒɛnəsɪs] *n.* Ⓤ〖醫〗腫瘤形成。

on·col·o·gy [ɑŋˋkɑlədʒɪ] *n.* Ⓤ〖醫〗腫瘤學。—**on·co·log′ic,** *adj.*

on·com·ing [ˋɑn͵kʌmɪŋ] *adj.* 即將來臨的；接近的。**—** *n.* Ⓤ來臨；接近。

‡**one** [wʌn] *n.*① Ⓒ 1的數字[記號]。② Ⓤ Ⓒ 一；一人；一物；一個。*all in* ～ 合在一起。*at* ～ 一致。*make* ～ **a.**作爲一員。**b.**團結一致；結婚。～ *and all* 每個。～ *another* 互相(三者以上)。～ *by* ～逐一；陸續。～ *up on* 〖俗〗占上風。**—** *adj.*①一個的；單一的。②或有的(=some). ③相同的。④一致的。⑤某一的(=a certain).⑥(the ～)唯一的。*all* ～一樣的；相同的。**—** *pron.* ①某一人[物]。②任何人[物]。③同一人[物]。

one-armed [ˋwʌnˋɑrmd] *adj.*獨臂的；單臂式的。§ ∼ **bándit** 〖美俚〗吃角子老虎(一種賭具)。

óne-base hít [ˋwʌn͵bes ～] *n.* Ⓒ 〖棒球〗一壘安打。(亦作 **single**)

one-celled [ˋwʌnˋsɛld] *adj.* 〖生物〗單細胞的。

one-di·men·sion·al [ˋmʌndəˋmɛnʃənl] *adj.*①一次元的；一度[一維]空間的。②沒有深度的；膚淺的。

one-eyed [ˋwʌnˋaɪd] *adj.* ①一隻眼的；獨眼的。②(眼光、觀點)狹隘的。

one-horse [ˋwʌnˋhɔrs] *adj.* ①由一匹馬拉的。②〖俗〗不重要的；次要的。

O'Neill [oˋnil] *n.* 歐尼爾(Eugene Gladstone, 1888-1953, 美國劇作家，曾獲1936年諾貝爾文學獎)。

one-leg·ged [ˋwʌnˋlɛgɪd] *adj.*①獨腳的。②單方面的(如議論、觀點等)。

one-lin·er [ˋwʌnˋlaɪnɚ] *n.* Ⓒ〖美〗簡短的笑話或妙語。

one-man [ˋwʌnˋmæn] *adj.* 個人的；僅一人的。

one·ness [ˋwʌnnɪs] *n.* Ⓤ①單一；相同。②調和；一致。

óne-night stánd [ˋwʌn͵naɪt ～] *n.* Ⓒ ①(劇團等)一處[一夜]祇演一場。②作上述演出之地方、戲院等。

one-off [ˋwʌnˋɔf] 〖英〗 *adj.* 祇一次的；祇供一人使用的。a ～ stage 祇演出一次的舞台。**—** *n.* Ⓒ 祇用一次的東西。

óne-par·ent fámily [ˋwʌnpɛrənt-～] *n.* Ⓒ 單親家庭。

one-piece [ˋwʌnˋpis] *adj.* 單件的；上下連身的。

on·er·ous [ˋɑnərəs] *adj.*①繁重的；煩苛的。②〖法律〗負有義務的。

‡**one's**[1] [wʌnz] *pron.* (one 的所有格)一個人的；某人的；其人的。

one's[2] 〖俗〗one is 的縮寫。

one-seat·er [ˋwʌnˋsitɚ] *n.* Ⓒ 單人座的汽車[飛機]。

‡**one·self** [wʌnˋsɛlf] *pron.*自己；自身。*be* ～ **a.**能充分控制個人之身心。**b.**行動自然。*for* ～獨力；自立。

one-sid·ed [ˋwʌnˋsaɪdɪd] *adj.*①祇見問題之一面的。②偏袒的；有偏見的；倒向一面的；不公平的。③祇有一面的。

one·time [ˋwʌn͵taɪm] *adj.*①過去的；從前的。②祇發生過一次的。

one-to-one [ˋwʌntəˋwʌn] *adj.*①一比一的；成對比的。②〖數〗一對一的。

one-track [ˋwʌn͵træk] *adj.*①〖鐵路〗單軌的。②〖俗〗固執的；褊狹的。

one-up [ˋwʌnˋʌp] *v.t.*勝(人)一籌；高(人)一等。**—** *adj.*占上風的；高人一等的；搶先的。

one-up(s)·man·ship [͵wʌnˋʌp(s)mən͵ʃɪp] *n.* Ⓤ (在事業、社會地位、特權等)表現高人一等的作風。

one-way [ˋwʌnˋwe] *adj.*①單行(道)的。a ～ ticket 單程票。②單向的。

on·go·ing [ˋɑn͵go·ɪŋ] *adj.*前進的；行進的；進行中的。**—** *n.*① Ⓤ 進行；前進。②(*pl.*)程序；處置；行爲。

***on·ion** [ˋʌnjən] *n.* ① Ⓤ Ⓒ 洋葱。② Ⓤ 洋葱味。③ Ⓒ〖俚〗人；傢伙。

on·ion·skin [ˋʌnjən͵skɪn] *n.*① Ⓒ 洋葱皮。② Ⓤ 葱皮紙(半透明的薄紙)。

on-li·cence [ˋɑn͵laɪsəns] *n.* Ⓒ〖英〗賣酒執照；有此執照的店。

on-lim·its [ˋɑnˋlɪmɪts] *adj.*〖美〗開放的；准許進入的。

on-line [ˋɑn͵laɪn]*adj.*& *adv.*〖電算〗線上(式)的[地]。

on·look·er [ˋɑn͵lʊkɚ] *n.* Ⓒ 旁觀者。

on·look·ing [ˋɑn͵lʊkɪŋ] *adj.* 旁觀的；觀看(中)的。

‡**on·ly** [ˋonlɪ] *adj.*①唯一的；僅有的。②最優的。**—** *adv.*①祇；僅。②唯一。③只爲了…。*if* ～ 但願(=I wish). ～ *just* 剛剛(=just). ～ *too* 很(=very). **—** *conj.* ①但；不過。②(當從屬連接詞用)要不是…；如果沒有…。

on·o·mat·o·poe·ia [͵ɑnə͵mætə-

\`piə] *n.* ①Ⓤ擬聲。②Ⓒ擬聲語(如 buzz, cuckoo). ③Ⓤ〖修〗聲喻法。
on·rush [\`ɑn͵rʌʃ] *n.* Ⓒ (常 *sing.*)①猛衝。②(水的)急流；奔流。—**ing,** *adj.*
on-scene [\`ɑn\`sin]*adj.*現場(製作)的。an ～ report 現場報導。
on-screen [\`ɑn\`skrin] *adj.* & *adv.* 顯示在螢幕上的[地]。
on·set [\`ɑn͵sɛt] *n.*(the ～)①進攻。②開始。③發病。
on·shore [\`ɑn\`ʃor] *adv.* & *adj.*向陸地地[的]；在陸上地[的]。
on-site [\`ɑn͵saɪt]*adj.*現場的；實地的；在發生地點的。
on·slaught [\`ɑn͵slɔt] *n.* Ⓒ猛攻。
on·stage [\`ɑn\`stedʒ] *adj.* & *adv.*〖戲劇〗在舞臺上的[地]。
Ont. Ontario.
On·tar·i·o [ɑn\`tɛrɪ͵o]*n.*①安大略省(加拿大南部的一省，首府 Toronto，略作 **Ont.**)．②(Lake ～) 安大略湖 (在安大略省與美國紐約州之間，為五大湖中最小者)。
on-the-job [\`ɑnðə\`dʒɑb] *adj.*在職的。～training 在職訓練。
on-the-scene [\`ɑnðə\`sin] *adj.*現場的；當場的。
on-the-spot [\`ɑnðə͵spɑt] *adj.*①現場的；當場的。②立刻做成或發生的。
*__on·to__ [\`ɑntu, -tə] *prep.* 到…之上；在上。〔注意〕**onto** 與 **on to,** 在 on 做副詞用，to 為介詞時，亦可分寫為兩字。
on·tol·o·gy [ɑn\`tɑlədʒɪ] *n.* Ⓤ〖哲〗本體論；實體論。
o·nus [\`onəs] *n.* (the ～)負擔；責任；任務。
*__on·ward__ [\`ɑnwəd] *adv.*向前；前進。—*adj.* 向前的；前進的(=forward).
*__on·wards__ [\`ɑnwədz] *adv.*= **onward.**
on·yx [\`ɑnɪks] *n.* ⓊⒸ〖礦〗截子瑪瑙。
oo·long [\`ulɔŋ] *n.* Ⓤ烏龍茶。
oops [ups] *interj.*(表示驚訝、驚慌、輕微的道歉)糟糕；對不起。
ooze [uz] *v.i.*①慢慢地流。②慢慢地洩露〔out〕.③慢慢消失〔away〕.④冒出濕氣。—*v.t.*①淌(汗)。②流(血)。③流出。—*n.*①Ⓤ慢慢的滲流。②Ⓤ滲流的東西。③Ⓤ水底的軟泥。④ⓊⒸ沼澤地。—**ooz′y,** *adj.*
o·pac·i·ty [o\`pæsətɪ] *n.* Ⓤ①不透明(體)。②曖昧；意義模糊。③愚鈍。
o·pal [\`opl] *n.* ⓊⒸ〖礦〗貓眼石；蛋白石。
o·pal·esce [͵opə\`lɛs] *v.i.*發(似蛋白石的)乳白光。—**o·pal·es′cence,** *n.* —**o·pal·es′cent,** *adj.*
o·pal·ine [\`oplɪn] *adj.*①似蛋白石的。②發乳白光的。—*n.* Ⓤ①乳白玻璃。②乳白色。
o·paque [o\`pek] *adj.*①不透光的。②昏暗的。③難解的。④愚鈍的。⑤不傳導熱[電]的。—*n.* ①Ⓒ不透明體。②(the ～)黑暗。—**ly,** *adv.* —**ness,** *n.*
OPEC Organization of Petroleum Exporting Countries. 石油輸出國家組織。
‡**o·pen** [\`opən, \`opm] *adj.*①開的。②空的；空曠的。③未填滿的。④可進入的；可使用的；可自由競爭的。⑤不禁止的；開放的。⑥未遮蓋的。⑦公開的；公然的。⑧坦率的；開明的。⑨伸開的；展開的。⑩(商店、醫院、學校等)開著的；(展覽會等)參觀時間的。⑪未解決的；未決定的。⑫未結束的。⑬易受…感動的；招致…的。⑭〖印刷〗行距寬的。⑮〖語音〗**a.**開口發音的。**b.**以母音結尾的(音節)。⑯有網眼的。⑰不設防的。⑱(水道)未結冰的。⑲(支票)憑票即付的。—*n.* ①(the ～)**a.** 曠野；無垠大海；露天；戶外。**b.** 衆所周知。②Ⓒ(運動之)公開賽。*in* ～公然無隱。—*v.t.*①打開；睜開。②開墾。③暴露；展示。④表明；啓發。⑤開業。⑥開放。⑦開始。⑧〖海〗(移動船位) 使看得見。—*v.i.*①開；展開。②通向。③開始。④(商店)開張；營業。⑤展示；顯出。⑥發展。⑦說明；說出。⑧翻開。*O-* at page 12.翻到第十二頁。～ *up* **a.**打開；開。**b.**展開。**c.**開始；開始射擊。**d.**吐露眞情。§～ **áir** 戶外；露天。～ **bállot** 無記名投票。～ **bóok** 一目瞭然的事[物，情況]；清清楚楚的事[物]；沒有任何祕密的人。～ **chéque**〖英〗普通支票(未劃線的支票)。～ **círcuit**〖電〗斷路。～ **cíty**〖軍〗不設防之城市。～ **dóor** (1)門戶開放；自由進出。(2)門戶開放政策。～ **enróllment** [**admíssions**]〖美〗(大學)入學資格不加限制的政策。～ **hóuse** (1)(歡迎親友到家來的)家庭派對。(2)〖美俗〗(學校、宿舍、俱樂部等准許公衆參觀之)開放日。～ **létter** 公開信。～ **plán**〖建〗沒有明顯隔間的房間設計。～ **pórt** (1)自由港。(2)不凍港。～ **sándwich** 單片三明治。～ **schóol** 無學年制的學校。～ **séa** 公海。～ **sécret** 公開的祕密。～ **sésame** (1)(天方夜譚之 *Ali Baba and the Forty Thieves* 故事中)開盜穴洞門之咒語。(2)獲得許可、通過等之穩當方法；口令；開門的暗號。～ **shóp**〖美〗(不限定雇用工會會員之)開放工廠[商店]。～ **únion** 對新會員之加入無嚴格限制的工會。～ **vérdict**〖法律〗未定[存疑]裁決。～ **vówel**〖語音〗開口母音(如 æ, ɑ). **the Ó- Univérsity** (1)〖英〗(英國於 1970 年創設的)空中[開放]大學(可利用通訊方式接受大學教育)。(2)開放大學(指以電視、函授教學為主而無入學限制的大學)。
o·pen-air [\`opən\`ɛr] *adj.*戶外的；室外的；野外的；露天的。
o·pen-and-shut [\`opənən\`ʃʌt] *adj.*〖美俗〗一望而知的；明顯的。
o·pen-armed [\`opən\`ɑrmd] *adj.*伸開兩臂的；衷心的；歡迎的。
ó·pen-bóok examinátion [\`opən\`bʊk ～] *n.* Ⓒ開卷考試(可攜帶教科書或參考書的一種考試)。
o·pen-door [\`opən\`dor] *adj.*門戶開放的；機會均等的。
o·pen-end [\`opən\`ɛnd] *adj.* 無限制的。
o·pen-end·ed [\`opən\`ɛndɪd] *adj.* ①無限制的；自由的。②中途可變更的。
o·pen·er [\`opənə] *n.* Ⓒ ①開啓者；開始者。②開瓶[罐]器。③一連串比賽

之第一局。④事物之開始部分。

o·pen-eyed [`opən`aɪd] *adj.*①睜開眼睛的；機警的。②瞠目吃驚的。

o·pen-hand·ed [`opən`hændɪd] *adj.* 慷慨好施的。

o·pen-heart·ed [`opən`hartɪd] *adj.* ①坦白的；無隱私的。②慷慨的。

ó·pen-héart sùrgery [`opən-`hart ～] *n.* Ⓤ開心手術。

***o·pen·ing** [`opənɪŋ, `opnɪŋ] *n.*①Ⓒ口；穴；孔。②Ⓒ初步；開始。③Ⓒ空缺的職位。④Ⓤ張開。⑤Ⓒ機會。⑥Ⓒ空地；廣場。

***o·pen·ly** [`opənlɪ] *adv.* ①無隱地；公然地。②坦白地；率直地。

o·pen-mar·ket [`opən`markɪt] *adj.* 自由市場的。

o·pen-mind·ed [`opən`maɪndɪd] *adj.*虛心的；能接納新思想的；無偏見的。

o·pen-mouthed [`opən`mauðd, -θt] *adj.*①(因吃驚而)張大著口的。②垂涎的。③喧噪的。④廣口的(容器)。

o·pen-shelf [`opən`ʃɛlf] *adj.* 開架式的(借書人進入書庫自選書籍的)。

o·pen·work [`opən,wɜk] *n.* Ⓤ 網狀細工；留空眼之細工。

***op·er·a**[1] [`apərə] *n.*①Ⓒ歌劇。②Ⓒ歌劇曲譜或歌詞。③Ⓤ歌劇之演出。④Ⓒ歌劇院。§ ～ **clòak** 觀劇用的女外套。～ **glàsses**(觀劇用之)小型雙眼望遠鏡。～ **hàt**(可以縮扁之男用)大禮帽。～**hòuse** (1)歌劇院。(2)任何劇院。～ **wìndow** (汽車的)後側板小窗。

o·pe·ra[2] 〖拉〗*n.* pl. of **opus.**

op·er·a·ble [`apərəbḷ] *adj.*①〖醫〗可動手術的。②可實行的。

***op·er·ate** [`apə,ret] *v.i.* ①轉動。②起作用；影響(on, upon)。③奏效；生效。④施手術。⑤採取軍事行動。⑥買賣股票或公債。**—** *v.t.*①使運轉；管理；操縱。②產生；使發生。

op·er·at·ic [,apə`rætɪk] *adj.*(似)歌劇的；適於歌劇的。

op·er·at·ing [`apə,retɪŋ] *adj.*①手術用的。an ～ room 手術室。②經營[營運]上的。～ expenses 業務開支。§ ～ **sýstem**〖電算〗操作系統。

***op·er·a·tion** [,apə`reʃən] *n.*①ⓊⒸ作用；動作；工作。②Ⓤ運轉；操作；營運。③Ⓤ **a.** 實施。**b.** (藥物的)效能。④Ⓒ手術。⑤Ⓒ(常 *pl.*)軍事行動；軍事指揮部。⑥Ⓒ〖數〗運算。⑦Ⓒ交易；投機。*come*[*go*] *into* ～開始生效。*in* ～實行中；生效中。

op·er·a·tion·al [,apə`reʃənḷ] *adj.* ①操作上的；經營[營運]上的。②可使用的。③〖軍〗作戰的。§ ～ **reséarch** (〖美〗亦作 operations research)(1)〖經〗運籌學(以經營管理的合理化爲目標，應用數學等所作的多角性研究)。(2)〖軍〗作戰研究。

op·er·a·tive [`apə,retɪv] *adj.*①實施中的；生效的。②運轉的；活動的；工作的；生產的。③(靠)手術的。**—** *n.* Ⓒ①工人；技工。②偵探；特務。

***op·er·a·tor** [`apə,retɚ] *n.* Ⓒ ①工作者。②(電話)接線生；(電報)收發報員。③廠主；經營者。④施手術者。⑤證券經紀人。⑥〖俚〗精明幹練的人。

op·er·et·ta [,apə`rɛtə] *n.* Ⓒ (*pl.* **～s, -ti** [-ti])輕鬆活潑的小歌劇。

oph·thal·mi·a [af`θælmɪə] *n.* Ⓤ〖醫〗眼炎。

oph·thal·mic [af`θælmɪk] *adj.*①眼的；眼科的。②患眼炎的。

oph·thal·mol·o·gy [,afθæl`malədʒɪ] *n.* Ⓤ〖醫〗眼科學。**—oph·thal·mol′o·gist,** *n.*

o·pi·ate [`opɪɪt, -,et] *n.* Ⓒ 鴉片劑；麻醉劑。**—** *adj.*含有鴉片的；麻醉的。

o·pine [o`paɪn] *v.t.* & *v.i.*〖諧〗表達意見；以爲；想。

‡**o·pin·ion** [ə`pɪnjən] *n.*①Ⓒ意見；見解。②Ⓒ(常 *pl.*)主張；信念。③(an ～)判斷；評論。④Ⓤ輿論。*have no* ～ *of* 對…印象不佳。*have the courage of one's* ～*s* 敢於依自己的信念行動。§ ～ **pòll** 輿論調查。

o·pin·ion·at·ed [ə`pɪnjən,etɪd] *adj.* 固執的；武斷的。

o·pin·ion·a·tive [ə`pɪnjən,etɪv] *adj.*①意見的。②=**opinionated.**

o·pi·um [`opɪəm] *n.* Ⓤ鴉片。§ ～ **dèn** 鴉片館。～ **èater** 吸鴉片者。～ **pòppy**〖植〗罌粟。**the Ó- Wár** 鴉片戰爭(1839-42 年中英間之戰爭)。**—ism,** *n.* Ⓤ〖醫〗鴉片癮。

o·pos·sum [`pasəm, ə`pasəm] *n.* Ⓒ〖動〗鼩；負鼠。(亦作 **possum**)

***op·po·nent** [ə`ponənt] *n.* Ⓒ 對手；敵手；反對者。**—** *adj.* 敵對的。

op·por·tune [,apɚ`tjun] *adj.*合時宜的；恰逢其時的；及時的。**—ly,** *adv.*

op·por·tun·ism [,apɚ`tjunɪzəm] *n.* Ⓤ機會主義。**—op·por·tun′ist,** *n.*

‡**op·por·tu·ni·ty** [,apɚ`tjunətɪ] *n.* ⓊⒸ機會；時機。

op·pos·a·ble [ə`pozəbḷ] *adj.*可對立的；可相對的。

‡**op·pose** [ə`poz] *v.t.*①反對；反抗。②以…對抗。③使相對；使相向。**—** *v.i.* 採取反對行爲。

op·posed [ə`pozd] *adj.* 相對的；對立的。

‡**op·po·site** [`apəzɪt] *adj.* ①相對的；對立的。②相反的。③〖植〗對生的。**—** *n.* Ⓒ①相對的人或物。②反義語。**—** *prep.* 在…對面。**—** *adv.* 在對側地。§ ～ **númber** 處於相等或相當職位等之人。

***op·po·si·tion** [,apə`zɪʃən] *n.*①Ⓤ反對。②Ⓒ反對黨。③Ⓤ對照。

***op·press** [ə`prɛs] *v.t.*①壓迫；壓制。②壓抑。**—op·pres′sor,** *n.* Ⓒ壓迫者。

***op·pres·sion** [ə`prɛʃən] *n.* ⓊⒸ①鬱悶。②抑壓之情況。③壓迫。

op·pres·sive [ə`prɛsɪv] *adj.*①嚴苛的。②抑鬱的。**—ly,** *adv.* **—ness,** *n.*

op·pro·bri·ous [ə`probrɪəs] *adj.* 可恥的；不體面的；輕蔑的。**—ly,** *adv.*

op·pro·bri·um [ə`probrɪəm] *n.* Ⓤ①羞辱；不名譽。②非難；誹謗。

opt [apt] *v.i.*選擇；決定。～ *for* 選擇；贊成。～ *out* 撤退；退出；辭職。

op·ta·tive [`aptətɪv] *adj.*表願望的；

表祈願的。— *n.* Ⓒ 祈願語態(之動詞)。

op·tic [ˋɑptɪk] *adj.*眼睛的；視覺的。— *n.* Ⓒ (常 *pl.*)〖俗〗眼睛。

op·ti·cal [ˋɑptɪkl] *adj.*①眼的；視覺的。～art 視幻藝術。②幫助視力的。③光學的。～fiber 光學纖維。

op·ti·cian [ɑpˋtɪʃən] *n.* Ⓒ 眼鏡和光學儀器製造者或販賣商。

op·tics [ˋɑptɪks] *n.* Ⓤ〖理〗光學。

***op·ti·mism** [ˋɑptəˏmɪzəm] *n.* Ⓤ 樂觀；樂觀主義。— **op′ti·mist,** *n.*— **op·ti·mis′tic,** *adj.*

op·ti·mize [ˋɑptəˏmaɪz] *v.i.*樂觀；表示樂觀。— *v.t.*充分運用；盡量有效地利用。—**op·ti·mi·za′tion,** *n.*

op·ti·mum [ˋɑptəməm] *n.* Ⓒ (*pl.* **-ma** [-mə], **～s**)〖生物〗最適宜條件。— *adj.*最適宜的；最佳條件的。

***op·tion** [ˋɑpʃən] *n.*① Ⓤ 選擇(權)。② Ⓒ 選擇之事物。— **al,** *adj.*

op·tom·e·try [ɑpˋtɑmətrɪ] *n.* Ⓤ 視力檢定；驗光。

op·u·lent [ˋɑpjələnt] *adj.*①富有的；豐富的。②華麗的；奢侈的。— **ly,** *adv.*

o·pus [ˋopəs] *n.* Ⓒ (*pl.* **～es, o·pe·ra** [ˋɑpərə]) ①作品。②樂曲(略作 **op.**)。

‡**or** [ɔr, ɚ] *conj.*①抑；或。②否則；不然。③即；就是。***either...or...*** 不是…就是…。***or else*** 否則 (=if not). ***whether...or...***不論…或…。

-or〖字尾〗①表「動作；狀態；性質」之義，如：honor. ②表「…者；行為者」之義，如：inventor.

or·a·cle [ˋɔrəkl] *n.* Ⓒ ①神諭。②發布神諭的地方。③祭司。④賢人。

o·rac·u·lar [ɔˋrækjəlɚ] *adj.*①(似)神諭的。②意義含混的；難解的。

***o·ral** [ˋorəl, ˋɔrəl] *adj.*①口頭的；口述的。②口的。③〖語音〗口音的。— *n.* Ⓒ (常 *pl.*)〖俗〗口試。— **ly,** *adv.*

‡**or·ange** [ˋɔrɪndʒ] *n.* ① Ⓤ Ⓒ 橘；柑；橙。② Ⓒ 柑橘樹。③ Ⓤ 橘色；橙黃色。— *adj.*①柑橘的。②橘[橙]色的。§ ～ **blòssom** 橘花。～ **pèel** 橘子皮。～ **pékoe** 斯里蘭卡產的上等紅茶。**the Ó-Bòwl**〖美式足球〗柑橘杯橄欖球賽。

or·ange·ade [ˋɔrɪndʒˋed] *n.* Ⓤ 橘子水；橘子汽水。

or·ange·ry [ˋɔrɪndʒrɪ] *n.* Ⓒ 橘園；栽培橘樹之溫室。

o·rang-u·tan [oˋræŋuˏtæn] *n.* Ⓒ 婆羅洲與蘇門答臘的長臂巨猿。(亦作 **orangutan, orang-outang**)

o·ra·tion [oˋreʃən] *n.* Ⓒ (特別場合的正式)講演；演說。

or·a·tor [ˋɔrətɚ, ˋɑrətɚ] *n.* Ⓒ 演說者；講演者；演說家。

or·a·to·ri·o [ˏɔrəˋtorɪo] *n.* Ⓒ (*pl.* ～s)〖樂〗神劇。

or·a·to·ry [ˋɔrəˏtorɪ] *n.* Ⓤ ①演說術。②雄辯術；修辭。— **or·a·tor′i·cal,** *adj.* — **or·a·tor′i·cal·ly,** *adv.*

orb [ɔrb] *n.* Ⓒ ①球(體)。②日；月；星。③地球；世界。④(常 *pl.*)〖詩〗眼球；眼睛。⑤(象徵王權的)寶珠。

***or·bit** [ˋɔrbɪt] *n.* Ⓒ ①(天體或人造衛星繞行的)軌道。②生活的常軌；活動或經驗的範圍。③〖解〗眼窩；眼眶。④勢力範圍。— *v.t.*①繞軌道而行。②將(人造衛星)送入軌道。— *v.i.*繞軌道而行。— **al,** *adj.*

or·bit·er [ˋɔrbɪtɚ] *n.* Ⓒ (在軌道上)運轉者；繞行者；(尤指)人造衛星；繞行的太空船。

***or·chard** [ˋɔrtʃɚd] *n.*① Ⓒ 果園。② Ⓤ 果樹。— **or′chard·ist,** *n.*

‡**or·ches·tra** [ˋɔrkɪstrə] *n.* Ⓒ ①管絃樂隊。②管絃樂用的諸樂器。③(劇院中)樂隊演奏席。④〖美〗(舞台前的)頭等席。— **or·ches′tral,** *adj.*

or·ches·trate [ˋɔrkɪsˏtret] *v.t.* & *v.i.* 改編為管絃樂；作管絃樂曲。

or·chid [ˋɔrkɪd] *n.*① Ⓒ 蘭(花)。② Ⓤ 淡紫色。③(*pl.*)讚美辭。— *adj.* 淡紫色的。

or·dain [ɔrˋden] *v.t.*①註定；規定。②任命(聖職)。

or·deal [ɔrˋdil] *n.* Ⓒ 嚴酷之考驗；痛苦的經驗。

‡**or·der** [ˋɔrdɚ] *n.*① Ⓤ 次序；順序。② Ⓤ 常態。③ Ⓤ 情況；狀態。④ Ⓤ 常則。⑤ Ⓒ 體制；制度。⑥ Ⓒ (常 *pl.*)命令。⑦ Ⓒ 匯票。⑧ Ⓒ 訂貨(單)。⑨ Ⓒ 等級；種類。⑩ Ⓒ (常 *pl.*)階級；身分。⑪ Ⓒ (建築的)柱式。⑫ Ⓤ 會議程序；規程。⑬ Ⓒ (常 *pl.*)指示。⑭ Ⓒ〖生物〗目。⑮(*pl.*)神職。⑯ Ⓤ 整理。⑰ Ⓒ 修道會；(中世紀)騎士團。⑱ Ⓒ 公會。⑲ Ⓒ (常 O-)勳位；勳章。⑳ Ⓒ (常 *sing.*)儀式；典禮。㉑ Ⓒ (餐館中)的一客(飯菜)。***be made to*** ～訂做的。***by*** ～奉命令。***call to*** ～要求安靜(開始開會)；宣布開會。***in*** ～ **a.**整齊的；在良好的狀況中。**b.**工作正常的。**c.**遵守會議程序的。**d.**合適的。***in ～ that*** 俾使；為了(=so that). ***in ～ to*** (***do something***)俾能；欲…。***in short*** ～快地；迅速地。***on*** ～已訂購(貨尚未到)。***on the ～ of*** 與…相似；與…相同。***out of*** ～ **a.**壞了。**b.**不適合。**c.**違反會議規程。***take ～s*** 任神職。— *v.t.* ①整頓；整理。②命令；指令。③(向商店等)訂(貨)。④決定；評定。⑤任(神職)。— *v.i.* ①命令；下令。②訂貨。～ ***about*** [***around***] 驅使。§ ～ **bòok** (1)〖商〗訂貨簿。(2)〖軍〗命令簿。～ **fòrm** [**blànk**] 訂貨單。～ **pàper** 議事日程表。

***or·der·ly** [ˋɔrdɚlɪ] *adj.* ①有秩序的。②守秩序的。③傳令的；值班的。— *n.* Ⓒ ①傳令兵；勤務兵。②醫院的服務員。§ ～ **òfficer**〖軍〗(1)值日官。(2)〖英〗傳令兵。— **or′der·li·ness,** *n.*

or·di·nal [ˋɔrdn̩əl] *adj.* ①次序的；順序的。②〖生物〗目的；族的。— *n.* Ⓒ (亦作 **ordinal number**)序數。

or·di·nance [ˋɔrdn̩əns] *n.* Ⓒ ①法令；條例。②宗教儀式。③習俗。

***or·di·nar·i·ly** [ˋɔrdn̩ˏɛrəlɪ] *adv.* ①通常；平常。②普通地；一般地。

‡**or·di·nar·y** [ˋɔrdn̩ˏɛrɪ] *adj.*①通常的；普通的。②平凡的。— *n.*① (the ～) Ⓒ 普通狀態。②〖英〗(旅館中價格固定的)客飯。***in*** ～正規服的。***out of the*** ～例外的；特殊的。§ ～ **lével**〖英教育〗普通課程(=O level). ～

séaman〖海〗二等水手。
or·di·na·tion [ˌɔrdn̩`eʃən] *n.* U C 聖職任命(儀式); 按手禮。
ord·nance [`ɔrdnəns] *n.* U (集合稱)①砲; 軍械。②兵工。
or·dure [`ɔrdʒɚ, -djur] *n.* U ①排泄物; 糞; 肥料。②下流的言語。
ore [or, ɔr] *n.* U C (含金屬的)礦石。§～ **drèssing** 選礦。
ö·re [`ɸrə] *n.* C (*pl.* ～)歐爾(丹麥、挪威、瑞典的貨幣單位)。
Ore(g). Oregon.
Or·e·gon [`ɑrɪ,gɑn] *n.*奧勒岡(美國太平洋沿岸之一州)。§～ **píne**美國松。**the** ～ **Tráil** 奧勒岡道(從Missouri到Oregon,爲十九世紀移民及拓荒者常行之山道)。
***or·gan** [`ɔrgən] *n.* C ①器官。②機關; 機構; 機關報[雜誌]。③管風琴; 手風琴; 風琴。§～ **grìnder** 於街頭搖奏手風琴者。～ **lòft**(教堂中)放置風琴的位置。～ **pìpe**(管風琴的)音管。
or·gan·dy,-die [`ɔrgəndɪ] *n.* U 玻璃紗; 細薄而硬之棉織品。
***or·gan·ic** [ɔr`gænɪk] *adj.*①器官的。②有機的; 含碳的。③有組織的。④有機體的; 有機物的。⑤生來的; 固有的; 根本的。—**or·gan′i·cal·ly,** *adv.*
***or·gan·ism** [`ɔrgən,ɪzəm] *n.* C ①生物; 有機體。②社會組織; 機關。
or·gan·ist [`ɔrgənɪst] *n.* C 風琴手。
***or·gan·i·za·tion** [ˌɔrgənə`zeʃən] *n.*① U 組織; 構造。② C 機構; 結構。③ C 團體; 工會; 協會。④ C 有機體。§～ **chárt**(公司等)組織圖; 人事關係分析圖。～ **màn** 對組織唯命是從者。
***or·gan·ize** [`ɔrgən,aɪz] *v.t.*①組織; 編組; 使有系統化。②籌劃; 舉辦; 設立; 創設。③組成工會; 使加入工會。
or·gan·ized [`ɔrgən,aɪzd] *adj.*①有組織的; 編組的; 組織性的; 有計畫的。②有機(體)的。③組織成工會的; 加入工會的。
or·gan·iz·er [`ɔrgən,aɪzɚ] *n.* C 組織「者; 發起人。」
or·gasm [`ɔrgæzəm] *n.* U C〖生理〗性高潮。—**or·gas′mic,** *adj.*
or·gy [`ɔrdʒɪ] *n.*① C (常*pl.*)狂飲作樂。② C 恣縱; 恣意。③(*pl.*)古希臘、羅馬祭酒神的祕密儀式。
***o·ri·ent** [`orɪ,ɛnt] *v.t.* ①定方位。②使向東。③使適應(環境)。④使熟悉新環境、情勢等。⑤使向確定之方向; 朝; 向。—*v.i.*朝向東或其他方向。—[`orɪ,ɛnt,-ənt] *n.*①(the ～)東方; 東。② U (眞珠的)光澤。*the O-*東方諸國; 亞洲(特指遠東)。—[`orɪənt] *adj.*①〖詩〗東方的。②〖古〗上升的。③燦爛的; 光耀的。
***O·ri·en·tal** [ˌorɪ`ɛntl̩] *adj.*①東方諸國的; 亞洲的。②(o-)東(方)的。—*n.* C 東方人; 亞洲人。
o·ri·en·tate [`orɪɛn,tet] *v.*＝ori-「ent.」
***o·ri·en·ta·tion** [ˌorɪɛn`teʃən] *n.* U C ①東向; 使向東; 定方位。②決定方針; 定位。③〖心〗定向(認識環境以確定其與自身關係之能力)。④指示方向; 指導; 適應。⑤〖化〗配向; 定位。

o·ri·ent·ed [`orɪ,ɛntɪd] *adj.*取向的。be politically ～以政治爲取向的。
o·ri·en·teer·ing [ˌorɪɛn`tɪrɪŋ] *n.* U 徒步越野比賽(利用地圖與指南針,按照設於田野間的若干標識指示,比賽先到達目的地的一種賽跑)。

or·i·fice [`ɔrəfɪs, `ɑr-] *n.* C 開口; 孔; 洞。
o·ri·ga·mi [ˌɔrə`gɑmɪ]〖日〗*n.*① U 折紙; 折紙的藝術。② C 折紙而成之物。
‡**or·i·gin** [`ɔrədʒɪn, `ɑr-] *n.*① U C 起源; 原因。② U (常*pl.*)出身; 來歷。
‡**o·rig·i·nal** [ə`rɪdʒənl̩] *adj.*①原始的; 最初的。②新奇的。③有創作性的。④獨創的。⑤原作的; 原文的。—*n.*① C 原物; 原作品。②(the ～)原文。③ C 怪人。§～ **gúm** 郵票背面之原有膠質。～ **sín**〖天主教〗原罪。
***o·rig·i·nal·i·ty** [ə,rɪdʒə`nælətɪ] *n.* U ①創作力。②創意。③原始; 固有。
***o·rig·i·nal·ly** [ə`rɪdʒənl̩ɪ] *adv.* ①原來; 本來; 最初。②獨創性地; 富於創意地; 新奇地。
***o·rig·i·nate** [ə`rɪdʒə,net] *v.t.* 創始; 發明; 使產生。—*v.i.*①開始; 發源(起始於某地或某事, 多與in或from連用, 始於某人則用with或from). ②(車輛)起駛。
o·rig·i·na·tive [ə`rɪdʒə,netɪv] *adj.*有創作力的; 有發明之才能的。
o·ri·ole [`orɪ,ol] *n.* C 金鶯。
O·ri·on [o`raɪən] *n.*①〖天〗獵戶星座。②〖希神〗歐來恩(英俊的獵人)。
or·lon [`ɔrlən] *n.* U ①奧龍(一種合成纖維)。②(O-)其商標名。
or·mo·lu [`ɔrmə,lu] *n.* U ①金色黃銅(銅、鋅、錫之合金)。②鍍金用之金箔。
***or·na·ment** [`ɔrnəmənt] *n.*① C 裝飾品。② C 增添光彩之人[物]。③ U 裝飾。④ C〖樂〗裝飾音。—[`ɔrnə,mɛnt] *v.t.* 裝飾; 修飾。
***or·na·men·tal** [ˌɔrnə`mɛntl̩]*adj.* ①裝飾(用)的。②僅作爲裝飾的。—**or·na·men·ta′tion,** *n.* U 裝飾(品)。
or·nate [ɔr`net] *adj.*①裝飾華麗的。②(文體)華麗不實的。
or·ner·y [`ɔrnərɪ] *adj.* ①〖方〗故意刁難的; 壞脾氣的。②頑固的。③卑鄙的。
or·ni·thol·o·gy [ˌɔrnə`θɑlədʒɪ] *n.* U 鳥類學。—**or·ni·thol′o·gist,** *n.*
o·ro·tund [`orə,tʌnd] *adj.*①(聲音)宏亮的。②(文體或語調)誇張的。
***or·phan** [`ɔrfən] *n.* C ①孤兒。②被母親遺棄或失去母親的小動物。—*adj.* ①孤兒的。an ～ asylum 孤兒院。②無父[母]的; 無雙親的。—*v.t.*使成孤兒。
or·phan·age [`ɔrfənɪdʒ] *n.*① C 孤兒院。② U 孤兒的身分; (集合稱)孤兒。
or·phan·hood [`ɔrfən,hud] *n.* U 孤兒之身分[狀態]。
Or·phe·us [`ɔrfɪəs, -fjus] *n.*〖希神〗歐菲斯(阿波羅之子, 善彈琴)。
or·tho·clase [`ɔrθə,kles] *n.* U〖礦〗正長石。
or·tho·don·tia [ˌɔrθə`dɑnʃə] *n.* U 畸齒矯正術; 正牙學。

or·tho·don·tics [ˌɔrθəˋdɑntɪks] *n.*＝**orthodontia.**

*__or·tho·dox__ [ˋɔrθəˏdɑks] *adj.*①正統的(尤指宗教)。②傳統的；公認的。§ *O-* (**Eastern**) **Chúrch**〖基督教〗東方正教。

or·tho·dox·y [ˋɔrθəˏdɑksɪ] *n.* Ⓤ 正教；正統派之學說[信仰]；正統。

O

or·tho·e·py [ɔrˋθo·ɪpɪ] *n.* Ⓤ①正音法；正音學；發音學。②正音；標準音。—**or·tho'e·pist,** *n.* Ⓒ 正音學者。

or·thog·ra·phy [ɔrˋθɑgrəfɪ] *n.* Ⓤ①正確的拼字法；正字法。②〖幾何〗正投影法。

or·tho·p(a)e·dic [ˏɔrθəˋpidɪk] *adj.* 整形外科的；矯形術的。

or·tho·p(a)e·dics [ˏɔrθəˋpidɪks] *n.* Ⓤ 整形外科(術)。

or·thop·ter·ous [ɔrˋθɑptərəs] *adj.*〖昆〗直翅類的。

or·thop·tic [ɔrˋθɑptɪk] *adj.*〖眼科〗正視的。

or·thot·ics [ɔrˋθɑtɪks] *n.* Ⓤ〖醫〗斜眼矯正術；視軸矯正學。

or·to·lan [ˋɔrtələn] *n.* Ⓒ〖鳥〗(歐洲產)圃鵐。

Or·well [ˋɔrˏwɛl,-wəl] *n.* 歐威爾(George,1903-50 英國的諷刺小說家及散文家，本名 Eric Arthur Blair)

o·ryx [ˋorɪks] *n.* Ⓒ (*pl.* ～**·es,** ～)〖動〗(非洲產之)劍羚。

O·sa·ka [oˋsɑkə] *n.*大阪(日本本州南部之一海港)。

Os·car [ˋɔskɚ, ˋɑs-] *n.* Ⓒ 奧斯卡金像獎(美國電影藝術科學院頒授)。

os·cil·late [ˋɑslˏet] *v.i.*①擺動；在兩點間往返。②(意見、目的之)游移不定；躊躇。③〖理〗振動；振盪。—*v.t.* 使擺動；使振動[動搖]。—**os·cil·la'tion,** *n.*

os·cil·la·tor [ˋɑslˏetɚ] *n.* Ⓒ ①振動者。②〖電〗振盪器。

os·cil·lo·graph [əˋsɪləˏgræf] *n.* Ⓒ〖電〗示波器。

os·cil·lo·scope [əˋsɪləˏskop] *n.* Ⓒ〖電〗示波器；示波管。

os·cu·late [ˋɑskjəˏlet] *v.t.* & *v.i.*①〖謔〗接吻。②(使)密接[結合]。—**os'cu·la·to·ry,** *adj.* —**os·cu·la'tion,** *n.*

OSI open systems interconnection. 電腦系統連線。

o·sier [ˋoʒɚ] *n.* Ⓒ ①〖英〗一種柳樹。②其柳條(可編筐籃)。

Os·lo [ˋɑzlo] *n.* 奧斯陸(挪威之首都)。

os·mi·um [ˋɑzmɪəm] *n.* Ⓤ〖化〗鋨(金屬元素；符號 Os)。

os·mo·sis [ɑzˋmosɪs] *n.* Ⓤ〖生理〗滲透性。—**os·mot·ic** [ɑzˋmɑtɪk], *adj.*

os·prey [ˋɑsprɪ, ˋɔsprɪ] *n.* Ⓒ 鶚。

os·se·in [ˋɑsɪɪn] *n.* Ⓤ〖生化〗骨素；骨膠原。

os·se·ous [ˋɑsɪəs, -jəs] *adj.*由骨構成的；含骨的；似骨的。—**ly,** *adv.*

os·si·fy [ˋɑsəˏfaɪ] *v.t.*①〖生理〗使骨化。②使硬化。③使冷酷無情。—*v.i.* ①〖生理〗骨化。②硬化；僵化；不進步。—**os·si·fi·ca'tion,** *n.*

os·ten·si·ble [ɑsˋtɛnsəbl] *adj.*①外表的；表面的；假裝的。②可公開的；非機密的。③明顯的。—**os·ten'si·bly,** *adv.* 表面上。

os·ten·ta·tion [ˏɑstənˋteʃən] *n.* Ⓤ 誇張；誇耀；庸俗的華麗。

os·ten·ta·tious [ˏɑstənˋteʃəs] *adj.* 誇張的；虛飾的；炫耀的。—**ly,** *adv.*

os·te·o·my·e·li·tis [ˏɑstɪoˏmaɪəˋlaɪtɪs] *n.* Ⓤ〖醫〗骨髓炎。

os·te·o·path [ˋɑstɪəˏpæθ] *n.* Ⓒ 整骨療法家。

os·te·op·a·thy [ˏɑstɪˋɑpəθɪ] *n.* Ⓤ〖醫〗整骨療法。

os·te·o·po·ro·sis [ˏɑstɪopəˋrosɪs] *n.* Ⓤ〖醫〗骨質疏鬆症。

ost·ler [ˋɑslɚ] *n.*＝**hostler.**

os·tra·cism [ˋɑstrəˏsɪzəm] *n.* Ⓤ①古希臘之貝殼投票放逐(由公民投票決定，票書於貝殼上)。②放逐；排斥。

os·tra·cize [ˋɑstrəˏsaɪz] *v.t.*①以貝殼投票放逐。②排斥。③擯除。

os·trich [ˋɔstrɪtʃ] *n.* Ⓒ①鴕鳥。②自欺者；逃避現實者。§～ **belíef** 自欺欺人的想法。～ **fàrm** 鴕鳥飼養場。～ **pólicy** 鴕鳥政策(逃避現實的政策)。

O·thel·lo [oˋθɛlo] *n.*奧賽羅(莎士比亞四大悲劇之一)。

‡**oth·er** [ˋʌðɚ] *adj.* ①其它的；其餘的。②另外的；此外的。③別的；不同的。④不久以前的。The ～ day it rained. 前幾天曾下了雨。⑤從前的。in ～ times 從前。*none* ～ *than* 除…之外無他。～ *than* **a.**與…不同。**b.**除了。There is nobody ～ *than* John.這兒除了約翰之外沒有別人。～ *things being equal* 如果其它條件都一樣。*the* ～ *world* 死後之世界。—*pron.* 其他的人[物]。*among* ～*s* 在衆多之中；其中。*and* ～*s* …等。*of all* ～*s* 在所有的當中。*one after the* ～ 相繼地。—*adv.* 用其他方法。I can't do ～ than to go. 我祇有去。

oth·er-di·rect·ed [ˋʌðɚdɪˋrɛktɪd] *adj.* 受外力支配的；不自主的。

*__oth·er·wise__ [ˋʌðɚˏwaɪz] *adv.*①用不同的方法；不同地。②在其他方面。③在其它狀態。—*conj.*否則；不然。—*adj.*①不同的。②在其他方面的。③在不同情況之下的。

oth·er·world·ly [ˋʌðɚˋwɝldlɪ] *adj.*來世的；超脫塵俗的。

o·ti·ose [ˋoʃɪˏos] *adj.*①閒散的；懶惰的。②無益的；無效的。③多餘的。

o·ti·tis [oˋtaɪtɪs] *n.* Ⓤ〖醫〗耳炎。

Ot·ta·wa [ˋɑtəwə] *n.*渥太華(加拿大首都)。

ot·ter [ˋɑtɚ] *n.*(*pl.* ～**s,** ～) ①Ⓒ〖動〗水獺。②Ⓤ 水獺皮。

Ot·to·man [ˋɑtəmən] *n.* Ⓒ (*pl.*～**s**) ①土耳其人。②(o-)(有厚墊褥的)無靠背長椅。—*adj.*土耳其(人)的。

ouch [autʃ] *interj.*(表突然疼痛等)啊唷!

‡**ought**[1] [ɔt] *aux. v.*①應當(表義務)。②該(表願望)。③大概是。It ～ to rain soon. 大概就要下雨。

ought[2] *pron.* & *adv.*＝**aught.**

ought[3] *n.* Ⓒ〖俗〗零；全無(＝naught).

*__ounce__[1] [auns] *n.* Ⓒ ①盎斯；英兩(英國重量單位，常衡爲1／16 磅，金衡爲1／12 磅)。②液量盎斯。③少量。

ounce[2] *n.* Ⓒ〖動〗雪豹。
‡**our** [aʊr] *pron.* the possessive of we. 我們的；屬於我們的。
‡**ours** [aʊrz] *pron.*①我們的；屬於我們的。②我們的東西。
our·self [aʊr`sɛlf] *pron.*(作家、國王、法官等用語)我自己。
‡**our·selves** [aʊr`sɛlvz] *pron. pl.*①我們親自(we 或 us 之加重語勢)。②我們自己(us 的反身代名詞)。③我們自己的正常及健康狀態。(***all***) ***by*** ~ **a.**獨力無助的。**b.**我們單獨。
oust [aʊst] *v.t.*①逐出。②免職。③〖法律〗驅逐；剝奪。
oust·er [`aʊstɚ] *n.* Ⓤ①〖法律〗剝奪。②罷黜；免職。
‡**out** [aʊt] *adv.*①外出地；在外地；向外地。②(動作)突發地。③突出地。④高聲地。⑤出現；露出；洩漏。⑥出版；問世。⑦徹底地；完全地。⑧缺乏；缺貨。⑨(火)熄滅。⑩昏倒；不醒人事。⑪到期；過時。⑫發出；交出。⑬挑出；選出；掘出。⑭錯誤。⑮不和；起爭執。⑯〖棒球〗出局。⑰〖高爾夫〗打完前半局。***all*** ~〖俗〗完全地；徹底地；全心全意地。~ ***and away*** 遠；甚；無比。~ ***and home*** 來回。~ ***from under*** 解除困境；脫離艱局。‡~ ***of***(作介系詞用)。**a.**在外面。~ *of* the house 在房子外。**b.**因；由。act ~ *of* fear 因恐懼而爲之。**c.**表狀態。~ *of* breath 氣喘。~ *of* work 失業。**d.**在…的範圍外；向…達不到的地方。**e.**失去…；沒有…。~ ***of it*** 處於局外；不明局內事。**—** *adj.*①熄滅的。②破的；露出的。③特大的。④錯誤的。be ~ in one's calculations 計算錯誤。⑤外邊的。⑥外出的；借出的；出版的。⑦過時的；不流行的。⑧〖棒球〗出局的。⑨結束的；完結的。⑩失勢的；未掌握權力的；在野的。⑪(花)開的。⑫損失的。⑬不和的。⑭要出去的；將出去的。⑮罷工中的(= on strike)。~ ***for*** 努力想得到。~ ***to*** 努力想；極欲。**—** *v.i.*①現出；公布。②〖網球〗將球打出界外。**—** *v.t.*①擊倒(特指拳賽中)。②熄滅。③罷免。④向外伸出。**—** *n.*①(*pl.*)在野黨；不在職者。②Ⓒ缺點；弱點。③Ⓒ〖印刷〗漏排；排脫。④Ⓒ〖棒球〗出局者；出局。⑤(the ~)外緣；外邊。⑥Ⓒ退路；出路。***at ~s; on the ~s*** 爭執的；不和的。***make a poor*** ~不成功；搞不好。**—** *prep.*①出自；從…出。②〖俗〗沿著…離去。
out·age [`aʊtɪdʒ] *n.*①ⓊⒸ停用；停電；停水。②Ⓒ停電[水]期間。
out-and-out [`aʊtən`aʊt] *adj.*完全的；徹底的。
out-and-out·er [`aʊtn̩`aʊtɚ] *n.* Ⓒ〖俗〗①行家；精通者。②極端主義者。
out·back [`aʊt,bæk] *n.*(the ~)〖澳〗(人煙稀少的)內陸地區。
out·bal·ance [aʊt`bæləns] *v.t.*(在重量、價值、效果等方面)勝過…。
out·bid [aʊt`bɪd] *v.t.*(**-bid, -bid** or **-bid·den, -bid·ding**)(拍賣時)比…出更高的價錢。
out·board [`aʊt,bord] *adj.* & *adv.* 在船外的[地]；在舷側的[地]。
out·bound [`aʊt`baʊnd] *adj.*開往國外的；開往市郊的。
out·brave [aʊt`brev] *v.t.*①以勇氣勝過。②抵抗；向…挑戰。

***out·break** [`aʊt,brek] *n.* Ⓒ①爆發；發生。②暴亂；騷動。
out·build·ing [`aʊt,bɪldɪŋ] *n.* Ⓒ(與正屋分離之)附屬建築物(如穀倉等)。
out·burst [`aʊt,bɝst] *n.* Ⓒ①爆發；突發。②太陽黑子之爆發。
out·cast [`aʊt,kæst] *n.* Ⓒ被逐出者；流浪者。**—** *adj.* 被逐出的；被遺棄的。
out·class [aʊt`klæs] *v.t.*遠高於；遠優於；遠勝過。
***out·come** [`aʊt,kʌm] *n.* Ⓒ(常 *sing.*)結果；成果。
out·crop [`aʊt,krɑp] *n.* Ⓒ①(礦脈等)露出地面；露頭。②出現。**—**[,aʊt`krɑp] *v.i.*(**-pp-**)露出地面；出現。
out·cry [`aʊt,kraɪ] *n.* Ⓒ①叫喊；喧囂。②抗議。③拍賣；沿街叫賣。
out·curve [`aʊt,kɝv] *n.* Ⓒ〖棒球〗外曲球(爲 incurve 之對)。
out·dat·ed [aʊt`detɪd] *adj.*過時的。
out·dis·tance [aʊt`dɪstəns] *v.t.*(在競賽中)領先；勝過；超越。
out·do [aʊt`du] *v.t.*(**-did, -done**)超越；勝過。
***out·door** [`aʊt,dor] *adj.*①戶外的。②救濟院外的；醫院外的。
***out·doors** [`aʊt`dorz] *adv.* 在[向]戶外。**—** *n.* Ⓤ(常 the ~)戶外；野外。
***out·er** [`aʊtɚ] *adj.* 外部的；外面的。§ ∼ **cíty**〖美〗郊區。∼ **éar**〖解〗外耳。∼ **Mongólia** 外蒙古。∼ **plánet** 外行星(位於地球外側的行星)。∼ **spáce** 外太空。
out·er·most [`aʊtɚ,most] *adj.* 最外的；最遠的。
out·er·wear [`aʊtɚ,wɛr] *n.* Ⓤ(集合稱)外衣；外套。
out·face [aʊt`fes] *v.t.*盛氣凌人；輕侮。
out·fall [`aʊt,fɔl] *n.* Ⓒ河口；出口；(下水道的)排水口。
out·field [`aʊt`fild, -,fild] *n.*(the ~)〖棒球〗外野；(集合稱)外野手。
out·field·er [`aʊt`fildɚ] *n.* Ⓒ〖棒球〗外野手。
***out·fit** [`aʊt,fɪt] *n.* Ⓒ①用具；裝備；配備。②一行人；團體；部隊。③組織；機構。**—** *v.t.*(**-tt-**)①裝備。②供應。
out·fit·ter [`aʊt,fɪtɚ] *n.* Ⓒ旅行用品商；服飾品商。
out·flank [aʊt`flæŋk] *v.t.*①包圍(敵軍等)之側翼。②以計勝過；挫敗(對方)。
out·flow [`aʊt,flo] *n.*①Ⓤ流出；(情感的)奔放。②Ⓒ流出物。③Ⓒ流出量。
out·fox [aʊt`fɑks] *v.t.* 以計[智]勝過。
out·front [`aʊt`frʌnt] *adj.*〖美俗〗誠實的；坦白的。
out·gen·er·al [aʊt`dʒɛnərəl] *v.t.*(**-l-**,〖英〗**-ll-**)①以軍略勝。②使中計。
out·go [`aʊt,go] *n.*(*pl.* **~es**)①ⓊⒸ開支；支出。②Ⓒ外出；出發。③Ⓒ出口。**—** *v.t.*(**-went, -gone**)勝過。
out·go·ing [`aʊt,goɪŋ] *adj.* ①外出

的；離去的。②友善的；好交際的；外向的。— *n.*① ⓊⒸ 外出；出發。②(*pl.*)〖英〗開支；費用。

out-group [\`aut,grup] *n.* Ⓒ〖社會〗外群；他群(爲 in-group 之對)。

out·grow [aut\`gro] *v.t.* (**-grew, -grown**)①過大而不適於。②較…長得大或快。③因年長而放棄或革除。

out·growth [\`aut,groθ] *n.* Ⓒ ①自然的發展；結果。②衍生物。③枝條。

out·guess [aut\`gɛs]*v.t.*猜測；勝過。

out·house [\`aut,haus] *n.* Ⓒ ①=**outbuilding.** ②戶外廁所。

out·ing [\`autɪŋ] *n.* Ⓒ郊遊；遠足。

out·land [\`aut,lænd] *n.*① Ⓤ (莊園等之)靠近邊界之土地。② Ⓒ〖古〗外國。— *adj.*①境外的；邊遠的。②〖古〗外國的。—**er,** *n.* Ⓒ①外國人。②〖俗〗門外漢。

out·land·ish [aut\`lændɪʃ] *adj.*①奇異的。②異國風味的。

out·last [aut\`læst] *v.t.*①較…耐久；比…持久。②壽命較…長。

out·law [\`aut,lɔ] *n.* Ⓒ ①被放逐者。②不法之徒；無賴；罪犯。— *v.t.*①將…放逐。②使失去法律之保護。③使失去法律上的效力。④宣布…爲非法。

out·law·ry [\`aut,lɔrɪ] *n.* Ⓤ ①放逐；公權的剝奪。②非法化。

out·lay [\`aut,le] *n.*① Ⓤ 消耗。② Ⓒ (常 *sing.*)支出；費用。— [aut\`le] *v.t.* (**-laid**)花費。

***out·let** [\`aut,lɛt] *n.* Ⓒ ①出口；出路；排洩口。②銷路；市場。③某產品的經銷店。④插座。

***out·line** [\`aut,laɪn] *n.* Ⓒ ①外形；輪廓。②略圖；草稿。③要點；大綱。*in* ~ **a.**扼要地。**b.**以外形或輪廓顯示。— *v.t.* ①略述要點。②畫…之外形或輪廓；打…之草稿。

out·live [aut\`lɪv] *v.t.*①生存得比…更久；比…更經久。②久活而失去。

***out·look** [\`aut,luk] *n.* Ⓒ (常 *sing.*)①景色。②景況。③展望；看法；觀點。④看守；瞭望。⑤瞭望處。

out·ly·ing [\`aut,laɪɪŋ] *adj.*①偏僻的；邊遠的。②邊界[範圍]以外的。

out·ma·neu·ver,〖英〗**-noeu·vre** [,autmə\`nuvɚ] *v.t.*①以謀略勝；智勝。②機動性勝過。

out·match [aut\`mætʃ] *v.t.*勝過。

out·mod·ed [aut\`modɪd] *adj.*舊式的；過時的。

out·most [\`aut,most] *adj.* 最外面的；最遠的。

out·num·ber [aut\`nʌmbɚ] *v.t.*比…多；數目勝過…。

out-of-bounds [\`autəv\`baundz] *adv.*到界外。— *adj.*①禁止入內的；不得超越的；不許可的。②超出預料之外的。③〖運動〗界外的。

***out-of-date** [\`autəv\`det] *adj.* 過時的；落伍的。

out-of-doors [\`autəv\`dorz] *adj.* (亦作 **out-of-door**)=**outdoor.** — *n.* & *adv.*=**outdoors.**

out-of-pock·et [\`autəv\`pɑkɪt] *adj.*①付現款的。②無錢的；無產業的。

out-of-print [\`autəv\`prɪnt] *adj.*絕版的。— *n.* Ⓒ 絕版書刊。

out-of-sight [\`autəv\`saɪt] *adj.*〖俚〗了不起的；偉大的。

out-of-the-way [\`autə(v)ðə\`we] *adj.*①荒僻的；人跡罕至的。②不尋常的；奇怪的。③得罪人的；不得體的。

out-of-town [\`autəv\`taun] *adj.*位於市外的；外埠的。

out·pace [aut\`pes] *v.t.*①比…跑得快；追過。②勝過；凌駕。

out·pa·tient [\`aut,peʃənt] *n.* Ⓒ 門診病人(爲 inpatient 之對)。

out·per·form [,autpɚ\`fɔrm] *v.t.* (機器等性能方面)較…優越。

out·play [aut\`ple] *v.t.*打敗；(比賽之)技術優於…。

out·point [aut\`pɔɪnt] *v.t.*得分較多於。

out·post [\`aut,post] *n.* Ⓒ ①哨兵；前哨(站)。②邊境的殖民地。

out·pour [\`aut,por] *n.*① Ⓤ 流出；瀉出。② Ⓒ 瀉出之物。— [aut\`por] *v.t.* & *v.i.* 瀉出；流出。

out·pour·ing [\`aut,porɪŋ] *n.*① Ⓤ 流出；傾出。② Ⓒ 流出物。③ Ⓒ (常 *pl.*)感情流露。

***out·put** [\`aut,put] *n.* Ⓤ ①生產(額)；產量。②發揮；發出(力量)。③(機械動力之)輸出量。④〖電算〗輸出。

***out·rage** [\`aut,redʒ] *n.*① ⓊⒸ 暴行；迫害。② Ⓤ 憤慨；憤怒。— *v.t.*①觸犯；傷害。②激怒；蔑視。③非禮。

***out·ra·geous** [aut\`redʒəs] *adj.*①暴亂的。②極無禮的。③憤怒的。④離奇的。⑤〖美俗〗極好的。—**ly,** *adv.*

out·rank [aut\`ræŋk] *v.t.*①階級[地位]高於。②(重要性)超過。

ou·tré [u\`tre]〖法〗*adj.*逸出常軌的。

out·reach [aut\`ritʃ] *v.t.* & *v.i.*①超越。②伸出(手、腕等)。— [\`aut,ritʃ] *n.*① Ⓤ 範圍。②(the ~)伸出；延展。

out·ride [aut\`raɪd] *v.t.* (**-rode, -rid·den**)①騎得比…更快。②(船)安全渡過(暴風雨)。③超越。

out·rid·er [\`aut,raɪdɚ] *n.* Ⓒ ①騎從；侍衛。②開路先導車。③先驅。

out·rig·ger [\`aut,rɪgɚ] *n.* Ⓒ〖海〗舷外鐵架；裝有舷外鐵架的小艇；舷外浮材。

out·right [\`aut\`raɪt] *adv.*①率直地；坦白地。②立刻；即刻。③全然地。— [\`aut,raɪt] *adj.* ①完全的；徹底的。②率直的；坦白的。③全然的。

out·run [aut\`rʌn] *v.t.* (**-ran, -run, -run·ning**)①跑得較快。②勝過；追過；超過…的範圍。

out·sell [aut\`sɛl] *v.t.* (**-sold**)①銷數勝過。②較…銷售得快。

out·set [\`aut,sɛt] *n.* (the ~)開始；起初。

out·shine [aut\`ʃaɪn] *v.t.* (**-shone**)①照得比…更亮。②比…更好；勝過。

****out·side** [\`aut\`saɪd] *n.* (*sing.*, 常 the ~)①外部；外面。②外界。③(人之)外觀；外表。④極端。***at the (very)***~至多；充其量。~ ***in***外面向裏翻。— *adj.*①在外面的；外部的。②〖俗〗最高的；最大的。③局外的；門外的。④可能性極小的。⑤課外的；業餘的。— *adv.*①外面地；外部地。②在

外邊；在戶外。**be**[**get**]~ **of**〖俚〗吞；吃；喝。~ **of**〖俚〗**a.** 在…的外側。**b.** 除…之外。── [aut`said] *prep.* ①在外；超過…範圍。②〖俗〗除外。③超越界限。

out·sid·er [aut`saidə] *n.* Ⓒ ①在外之人。②圈外人；局外人；門外漢。③(競賽中)無獲勝機會的馬或選手。

out·size [`aut,saiz] *n.* Ⓒ ①特大號。②特大號之衣服(等)。── *adj.* (亦作 **outsized**) 特大的。

***out·skirts** [`aut,skɜts] *n. pl.* 郊外；市郊；郊區；邊界；邊緣。

out·smart [aut`smɑrt] *v.t.*〖美俗〗以機智勝過。

out·spo·ken [`aut`spokən] *adj.* 直言無隱的；坦白的。

out·spread [`aut,sprɛd] *adj.* 伸開的；展開的。──[aut`sprɛd] *v.t.* & *v.i.* (**-spread**) 伸開；展開。

***out·stand·ing** [`aut`stændiŋ] *adj.* ①傑出的；顯著的；突出的。②未付的；未完成的；未解決的。

out·stay [aut`ste] *v.t.* ①較…久留。②居留過長。

out·step [aut`stɛp] *v.t.* (**-pp-**) 踏過；越過。

out·stretch [aut`strɛtʃ] *v.t.* 伸出；擴張。

out·stretched [aut`strɛtʃt] *adj.* 伸開的；張開的；伸長的。

out·strip [aut`strip] *v.t.* (**-pp-**) ①超越；比…更快速。②勝過；優於。

out·take [`aut,tek] *n.* Ⓒ 影片或錄影帶被剪掉的部分。

out·talk [aut`tɔk] *v.t.* 舌戰勝過；講贏。

out·think [aut`θiŋk] *v.t.* (**-thought**) 思考上勝過；比…想得更快[正確]。

out-tray [`aut,tre] *n.* Ⓒ (辦公室的)發文盤[架]。

out·turn [`aut,tɜn] *n.* Ⓤ Ⓒ 產量。

out·vote [aut`vot] *v.t.* 以投票數勝過；得票數超過。

***out·ward** [`autwəd] *adj.* ①向外的；在外的。②外面的；外部的。③外表上的；顯而易見的。④表面的；肉體的。⑤〖藥〗外用的。── *adv.* ①向外。②在外。── *n.* Ⓒ ①外部；外面。②外界。③外表；外貌。

out·ward-bound [`autwəd-`baund] *adj.* 開往國外的。

out·ward·ly [`autwədli] *adv.* ①外表上；表面地。②向外地。③從外面看來。

***out·wards** [`autwədz] *adv.* = **outward.**

out·wear [aut`wɛr] *v.t.* (**-wore, -worn**) ①比…更耐久。②穿舊；穿破；用舊。③使筋疲力竭。

out·weigh [aut`we] *v.t.* ①比…重。②勝過；比…重要。③對…過於沉重。

out·wit [aut`wit] *v.t.* (**-tt-**) 以機智勝過；以智敗之；哄騙；欺瞞。

out·work [`aut,wɜk] *n.* ①Ⓤ〖英〗戶外工作。②Ⓒ (常 *pl.*) 外堡；外壘。──[aut`wɜk] *v.t.* ①在工作上勝過；比…做得更努力或更快。②完成；做完。

out·worn [`aut`worn] *adj.* ①疲倦的。②陳腐的；過時的。③穿壞的；穿破的。

ou·zo [`uzo] *n.* Ⓤ 加水飲用的希臘酒。

o·va [`ovə] *n.* pl. of **ovum.**

o·val [`ovl] *adj.* 卵形的；橢圓形的。── *n.* Ⓒ 卵形或橢圓形[之物]。§ **Ó-Óffice** (白宮內的)橢圓形總統辦公室。

o·va·ry [`ovəri, `ovri] *n.* Ⓒ ①〖動〗卵巢。②〖植〗子房。

o·va·tion [o`veʃən] *n.* Ⓒ 熱烈的歡迎；喝采。

***ov·en** [`ʌvən] *n.* Ⓒ 烤爐；烤箱。

ov·en·bird [`ʌvən,bɜd] *n.* Ⓒ ①(美國產之)橙頂林鶯。②(南美產之)灶鳥。

‡**o·ver** [`ovə] *prep.* ①在上空(未接觸的)。②在…之上；覆於…之上(相接觸的)。③遍於…之上。④橫過；越過。⑤在彼面；在彼方。⑥自…落下。He fell ~ the edge of the cliff. 他自山崖上跌下。⑦超過於；高於。⑧遍經。⑨在…的時間內。⑩關於。⑪支配；統治；在…之上位。⑫從頭到尾。⑬正從事…的時候；中途。⑭不同於。⑮透過；經過。⑯直到…之後[過後]。── *adv.* ①在上空。②遍及全面地。③橫過；越過。④在彼方。⑤落下。⑥顛倒；反轉。⑦再；又；反覆。⑧自始至終。I have read it ~. 我已全部讀完了。⑨交付。⑩太；過度(主要用於複合字中)。⑪一直；過(某時)。Please stay ~ till Monday. 請留到星期一。⑫自一邊到另一邊。⑬倒下。⑭在(某距離)以外。**all ~ a.** 遍布；到處。**b.** 完全地；徹底地。**c.** 完結。**all ~ with** 完畢；結束。~ **again** 再一次。~ **against a.** 對著；面對著。**b.** 對照著。~ **and above** 而且；加之。~ **and ~** (**again**) 再三。~ **here** 在這邊；在這裡。~ **there** 在那邊；在那裡。**Over** (**to you**)! 〖無線〗請回答! ── *adj.* ①在上的；表層的。②結束的。③剩餘的；多餘的。④過度的。⑤兩面都煎的(蛋)。He ordered two eggs ~. 他叫了兩個兩面都煎的蛋。── *n.* Ⓒ 過度之數量。

over- 〖字首〗①表「在上；外；優越；傑出」之義。②表「過度；太多」之義。③表「使低於；降服」之義。④表「橫過；越過」之義。

o·ver·a·chieve [,ovərə`tʃiv] *v.t.* & *v.i.* 超過(預期標準)。

o·ver·act [`ovə`ækt] *v.t.* & *v.i.* 動作過度；表演(角色)過火。

***o·ver·all** [`ovə,ɔl] *adj.* 全部的；全體的；全面的；全盤的。──[,ovə`ɔl] *adv.* ①大體上；就整個來說。②從頭到尾。── *n.* ①(*pl.*)工裝褲。②(*pl.*)防水長綁腿。③Ⓒ 工作服。

o·ver·arch [,ovə`ɑrtʃ] *v.t.* & *v.i.* 在…上形成拱形。

o·ver·arm [`ovə,ɑrm] *adj.* 舉手過肩的；由上向下的。

o·ver·awe [,ovə`ɔ] *v.t.* 威嚇；使畏縮；懾服。

o·ver·bal·ance [,ovə`bæləns] *v.t.* ①重量超過；壓倒。②使失平衡。── *n.* Ⓤ Ⓒ 超額；超量。

o·ver·bear [,ovə`bɛr] *v.t.* (**-bore, -borne**) ①壓倒；否決；威壓。②重過；勝過。── *v.i.* 結實[產子]過多。

o·ver·bear·ing [,ovə`bɛriŋ] *adj.* 自大的；專制的；傲慢的。

o·ver·bid [ˌovəˋbɪd] *v.t.* & *v.i.* (**-bid, -bid·ding**)①出價較(他人)爲高。②出價較(物)之價值爲高。—[ˋovəˌbɪd] *n.* Ⓒ所出之高價。

o·ver·blown [ˌovəˋblon] *adj.*①盛開期已過的(花)。②吹過的; 被颳去的; 已停歇的。③誇張的。

O

***o·ver·board** [ˋovəˌbord, -bɔrd] *adv.*在船外; 在水中。*go* ～做得太過火。*throw* ～**a.**丟入水中。**b.**排斥; 放棄。

o·ver·book [ˌovəˋbuk] *v.t.* & *v.i.* 接受超額預約(指飛機、輪船及旅館等)。

o·ver·brim [ˌovəˋbrɪm] *v.t.* & *v.i.* (**-mm-**)溢出邊緣; 滿溢。

o·ver·bridge [ˋovəˌbrɪdʒ] *n.* Ⓒ天橋; 陸橋。—*v.t.* 架天橋於…上。

o·ver·build [ˌovəˋbɪld] *v.t.*(**-built**) 在(土地)上建屋過多。

o·ver·bur·den [ˋovəˋbɜdn̩] *v.t.*使載重過多; 使負擔過重。—[ˋovəˌbɜdn̩] *n.* Ⓒ重擔; 重荷。

***o·ver·came** [ˌovəˋkem] *v.* pt. of **overcome.**

o·ver·ca·pac·i·ty [ˌovəkəˋpæsɪtɪ] *n.* ⓊⒸ生產力過剩。

o·ver·cast [ˋovəˌkæst, ˌovəˋkæst] *adj.* ①多雲的; 陰暗的。②憂鬱的。—*v.t.*(**-cast**)使陰暗。—*v.i.*變陰暗。

o·ver·charge [ˋovəˋtʃɑrdʒ] *v.t.* & *v.i.*①索價過高。②裝載過多。③誇張。—[ˋovəˌtʃɑrdʒ] *n.* Ⓒ過高的索價。

o·ver·cloud [ˌovəˋklaud] *v.t.*①使布滿雲層。②使昏暗; 使陰沉。—*v.i.* ①變昏暗。②變陰沉。

***o·ver·coat** [ˋovəˌkot] *n.* Ⓒ 大衣; 外套。

***o·ver·come** [ˌovəˋkʌm] *v.t.* (**-came, -come**)①壓倒; 克服; 擊敗。②(常用被動式)使軟弱; 使無能爲力〔with, by〕.

o·ver·con·fi·dence [ˋovəˋkɑnfədəns] *n.* Ⓤ 過度自信; 過分自恃。—**o′ver·con′fi·dent,** *adj.*

o·ver·crowd [ˌovəˋkraud] *v.t.* & *v.i.*(使)過度擁擠; (使)雜沓。

o·ver·do [ˋovəˋdu] *v.t.*(**-did,-done**) ①過分; 過火; 過於誇張。②煮[炒, 烤]得過久。③使疲倦; 竭盡。

o·ver·done [ˋovəˋdʌn] *adj.*①做得過分的。②煮得太久的。

o·ver·dose [ˋovəˌdos] *n.* Ⓒ 過量的藥劑。—[ˌovəˋdos] *v.t.*①配(藥)過量。②使服藥過量。

o·ver·draft [ˋovəˌdræft] *n.* Ⓒ〖商〗透支(額); (支票的)透支[開過頭]。(略作 **OD, O.D., O/D**)

o·ver·draw [ˋovəˋdrɔ] (**-drew, -drawn**) *v.t.*①透支(銀行存款等); 溢開(支票等)。②誇張。—*v.i.*透支。

o·ver·dress [ˋovəˋdrɛs] *v.t.* & *v.i.* 過度裝飾; 穿得太考究。

o·ver·drink [ˌovəˋdrɪŋk] *v.t.* & *v.i.*(**-drank, -drunk**)飲(酒)過量。

o·ver·drive [ˋovəˋdraɪv] *v.t.* (**-drove, -driv·en**)令[使]過度工作; 過度驅使。—*n.* ⓊⒸ〖機〗超速傳動。

o·ver·due [ˋovəˋdju] *adj.* ①支付期限過期的。②遲到的; 誤點的。

o·ver·eat [ˋovəˋit] *v.t.* & *v.i.*(**-ate, -eat·en**)吃得過量。

o·ver·em·pha·size, -sise [ˌovəˋɛmfəˌsaɪz] *v.t.* 過分強調。

o·ver·es·ti·mate [ˋovəˋɛstəmɪt] *v.t.* 對…估計過高。—*n.* ⓊⒸ過高的估計。—**o′ver·es·ti·ma′tion,** *n.*

o·ver·ex·cit·ed [ˋovərɪkˋsaɪtɪd] *adj.* 過分興奮的。

o·ver·ex·pose [ˋovərɪkˋspoz] *v.t.* 〖攝〗使感光過度。

o·ver·ex·tend [ˋovərɪkˋstɛnd] *v.t.* ①過分擴張。②使超過合理的限度。～ *oneself* 不自量力。

o·ver·feed [ˋovəˋfid] *v.t.* & *v.i.* (**-fed**)過度餵飼; (使)吃得太多。

o·ver·fill [ˋovəˋfɪl] *v.t.* 使滿溢; 過度填充。—*v.i.* 漲滿; 充滿。

o·ver·flight [ˋovəˌflaɪt] *n.* Ⓒ 飛越領空。cancel ～ rights 取消飛越領空權。

***o·ver·flow** [ˌovəˋflo] *v.t.*① 使(液體)流出; 溢出; 氾濫。②(人等)擠出。—*v.i.*①(液體)流出; 溢出; 氾濫。②充溢。③充滿; 擠出。—[ˋovəˌflo] *n.* Ⓒ氾濫; 洪水; 充溢。

o·ver·fly [ˌovəˋflaɪ] *v.t.* (**-flew, -flown**)飛越…上空; 侵犯…的領空。

o·ver·ground [ˋovəˌgraund] *adj.* 地上的(爲 underground 之對)。

o·ver·grow [ˋovəˋgro] *v.t.* & *v.i.* (**-grew, -grown**)①蔓延; 長滿。②生長過度; 生長過速。③長得大過…。

o·ver·grown [ˋovəˋgron, ˌovə-] *adj.*①長滿(草木等)的。②太繁茂的。③發育過速的; 長得太高的(人)。

o·ver·hand [ˋovəˌhænd] *adj.*①(打球等)舉手過肩的; (游泳)狗爬式的。②重複地穿縫的。—*adv.* ①舉手過肩地; 朝下打地。②重複穿縫地。③指關節朝上地。—*n.* Ⓒ (發球、游泳等)舉手過肩的姿勢。—*v.t.* 重複穿縫。

o·ver·hang [ˌovəˋhæŋ] *v.t.*(**-hung**) ①懸於…之上; 突出於…之上。②懸垂; 伸出。③威脅; 逼近。—*v.i.*①突出。②逼近。—[ˋovəˌhæŋ] *n.* Ⓒ①突出; 突出之物。②〖建〗懸垂之部分。

o·ver·haul [ˌovəˋhɔl] *v.t.*①(爲修理)徹底檢查; 仔細檢驗。②翻修。③追及; 趕上。—[ˋovəˌhɔl] *n.* Ⓒ徹底檢查; 檢驗; 翻修。

***o·ver·head** [ˋovəˋhɛd] *adv.*①在高處; 在上面; 在頭上。②全身地。—[ˋovəˌhɛd] *adj.* ①在上面的; 頭上的。②經常的; 一般性的。—*n.* Ⓒ①經常開支。②天花板。

***o·ver·hear** [ˌovəˋhɪr] *v.t.*(**-heard**) 無意中聽到; 從旁聽到。

o·ver·heat [ˌovəˋhit] *v.t.* & *v.i.*①過度加熱。②(使)過度興奮或激動。

o·ver·hung [ˌovəˋhʌŋ] *v.* pt. & pp. of **overhang.**

o·ver·in·dulge [ˌovərɪnˋdʌldʒ] *v.t.* & *v.i.*過度放任; 放縱; 使過度耽溺。—**o′ver·in·dul′gent,** *adj.* —**o′ver·in·dul′gence,** *n.*

o·ver·is·sue [ˋovəˋɪʃu, -ˋɪʃju] *n.* Ⓒ(紙幣、股票等之)濫發; 過度發行。

o·ver·joy [ˌovəˋdʒɔɪ] *v.t.*使大[狂]喜。—**ed,** *adj.*

o·ver·kill[ˌovəˋkɪl]*v.t.*超量毀傷[摧毀]。**—**[ˋovəˌkɪl] *n.* Ⓤ ①(核子武器等的)過度的殺傷威力。②(行動等的)過分；過火。

o·ver·land [ˋovəˌlænd] *adj.*陸上的；陸路的。**—** *adv.* 經由陸路地。

***o·ver·lap** [ˌovəˋlæp] *v.t.* & *v.i.* (**-pp-**)①重疊；重複。②部分時間相同。**—**[ˋovəˌlæp] *n.* ⓊⒸ ①重疊；重複。②重疊[重複]之部分。

o·ver·lay [ˌovəˋle] *v.t.*(**-laid**)①覆蓋；塗上；鋪；鍍。②壓倒；壓制。**—**[ˋovəˌle]*n.* Ⓒ ①外罩；小檯布。②鍍金。

o·ver·leaf [ˋovəˋlif] *adv.* 在(紙之)背面；在(書之)次頁。

o·ver·leap [ˌovəˋlip] *v.t.*(**-leaped** or **-leapt**)①跳過。②做得過分而使(自己)失敗。③忽略。

o·ver·load [ˌovəˋlod] *v.t.* ①使裝載過重；使充塡過度。②〖電〗給…過量充電。**—**[ˋovəˌlod] *n.* Ⓒ (常 *sing.*)過重負擔。

***o·ver·look** [ˌovəˋlʊk] *v.t.*①俯視；俯瞰。②看漏；未注意；忽略。③寬恕。④監督；管理；監視。

o·ver·lord [ˋovəˌlɔrd] *n.* Ⓒ 大地主；君主。

o·ver·ly [ˋovəlɪ] *adv.*非常；過度地。

o·ver·mas·ter [ˌovəˋmæstə] *v.t.* 征服；壓倒。— **ing·ly,** *adv.*

o·ver·much [ˋovəˋmʌtʃ] *adj.*過多的；過分的。**—** *adv.*過度地；極端地。

***o·ver·night** [ˋovəˋnaɪt] *adj.*①前一夜的；昨夜的。②過夜的；通宵的。③一夜之間的；突然的。**—** *adv.*①整夜地。②在前一夜。③一夜之間；忽然。**—**[ˋovəˌnaɪt] *n.* (the ～)前一夜；前晚。

o·ver·pass [ˋovəˌpæs] *n.* Ⓒ 天橋；陸橋；高架橋。**—**[ˌovəˋpæs] *v.t.* (**-passed** or **-past**)①越過。②超越。③忽略。

o·ver·pay [ˋovəˋpe] *v.t.*(**-paid**)過多償付；給錢過多。

o·ver·peo·pled [ˌovəˋpipḷd] *adj.* 人口過多的。

o·ver·play [ˌovəˋple] *v.t.* ①表演過火。②過分強調。③(競賽中)擊敗(對手)。**—** *v.i.* 誇張地表演。

o·ver·plus [ˋovəˌplʌs] *n.* Ⓒ 過剩。

o·ver·pop·u·late [ˌovəˋpɑpjəˌlet] *v.t.*使人口過多[過密]。— **o·ver·pop′u·lat·ed,** *adj.* — **o′ver·pop·u·la′tion,** *n.*

o·ver·pow·er [ˌovəˋpauə] *v.t.* ①勝過；打敗；克服。②壓服；壓倒。③給以過大動力。

o·ver·pow·er·ing [ˌovəˋpauərɪŋ] *adj.*強烈的；難抗拒的。

o·ver·price [ˌovəˋpraɪs] *v.t.*將…標價過高；對…索價過高。

o·ver·print [ˌovəˋprɪnt] *v.t.*〖印刷〗加印於(已印之物)上；套印。**—** *v.i.* 加印；覆印。**—**[ˋovəˌprɪnt] *n.* Ⓒ〖印刷〗加印；套印。

o·ver·pro·duce [ˋovəprəˋdjus] *v.t.* & *v.i.* 生產過剩。— **o′ver·pro·duc′tion,** *n.*

o·ver·pro·tect [ˌovəprəˋtɛkt]*v.t.* 過分保護。

o·ver·qual·i·fied [ˋovəˋkwɑləˌfaɪd] *adj.* 資格超過標準的；條件太好的。

o·ver·ran [ˌovəˋræn] *v.* pt. of **overrun.**

o·ver·rate [ˋovəˋret] *v.t.*高估。

o·ver·reach [ˌovəˋritʃ] *v.t.*①過度伸展。②越過(目標)；走過頭。③(以奸詐)勝過。④欺騙；哄。⑤普及。～ *oneself* 因不自量力[操之過急]而失敗。

o·ver·re·act [ˌovərɪˋækt] *v.i.* 反應過度〔to〕。

o·ver·ride [ˌovəˋraɪd] *v.t.*(**-rode, -rid·den**)①不顧；藐視；拒絕。②凌駕。③蹂躪。④把(馬)騎累。

o·ver·ripe [ˋovəˋraɪp] *adj.*過熟的。

o·ver·rule [ˌovəˋrul] *v.t.*①推翻；駁回；宣布無效。②克服；支配；壓制。

o·ver·run [ˌovəˋrʌn] *v.t.* (**-ran, -run, -run·ning**)①蔓延；蔓生(含有傷害之意)。②侵占；占領。③超過；逾出。**—** *n.* Ⓒ ①超出。②過量；過剩。

***o·ver·sea(s)** [ˌovəˋsi(z)] *adv.*在海外；在外國。**—**[ˋovəˋsi(z)] *adj.*①海外的；國外的。the ～ Chinese海外華僑。②外國的；來自海外的；往海外的。

o·ver·see [ˌovəˋsi] *v.t.*(**-saw, -seen**)督導；監督。— **o′ver·se·er,** *n.*

o·ver·sell [ˋovəˋsɛl] *v.t.*(**-sold**)①賣…過多。②過分誇獎…；賣空(股票等)。

o·ver·sexed [ˌovəˋsɛkst] *adj.*性慾過度旺盛的。

o·ver·shad·ow [ˌovəˋʃædo] *v.t.*①使失色；使相形見絀。②使暗；遮蔽；使蒙上陰影。③庇護；保護。

o·ver·shoe [ˋovəˌʃu] *n.* Ⓒ (常 *pl.*)(橡皮)套鞋。

o·ver·shoot [ˌovəˋʃut] *v.t.* (**-shot**)①射過頭；使超過適當限度。②超過；越過。**—** *v.i.* 射越；超過。～ *the mark* [*oneself*] 做得太過分。

o·ver·shot [ˌovəˋʃɑt] *v.* pt. & pp. of **overshoot.** **—** *adj.* ①上顎突出的。②上射式的(水車)(爲 undershot 之對)。

o·ver·sight [ˋovəˌsaɪt] *n.*① ⓊⒸ 失察；疏忽；看漏。② Ⓤ (又作 an ～)監督；監視；照顧。

o·ver·sim·pli·fy [ˌovəˋsɪmpləˌfaɪ] *v.t.*過度簡化；把…看得過分單純。—**o·ver·sim·pli·fi·ca′tion,** *n.*

o·ver·size [ˋovəˋsaɪz] *adj.*過大的；特大的。**—** *n.* Ⓒ 特大號(之物)。

o·ver·sleep [ˋovəˋslip] *v.i.* & *v.t.* (**-slept**)睡過頭。～ *oneself*睡過了頭。

o·ver·spend [ˋovəˋspɛnd] *v.t.* (**-spent**)花費超過(收入等)；用錢過多。**—** *v.i.* 過度花費；浪費。

o·ver·spill [ˋovəˌspɪl] *n.*① Ⓒ 溢出之物。② Ⓤ 溢出。③(常 *sing.*)〖英〗過剩的人口。

o·ver·spread [ˌovəˋsprɛd] *v.t.* & *v.i.*(**-spread**)滿布；覆蓋；蔓延。

o·ver·state [ˋovəˋstet] *v.t.*誇大敍述；誇張。— **ment,** *n.*

o·ver·stay [ˋovəˋste] *v.t.*停留超過(某一時間)。

o·ver·step [ˌovəˋstɛp] *v.t.*(**-pp-**)踏

過；超越…的界限。

o·ver·stock [ˌovɚˋstɑk] *v.t.* 充斥；存貨過多；供給過多。—[ˋovɚˌstɑk] *n.* [U][C] 備貨過多；供給過多。

o·ver·stretch [ˌovɚˋstrɛtʃ] *v.t.*過度伸張；伸張於…之上。

o·ver·strung [ˋovɚˋstrʌŋ] *adj.*緊張過度的；神經過敏的。

o·ver·sup·ply [ˌovɚsəˋplaɪ] *v.t.*過量供應。— [ˋovɚsəˌplaɪ] *n.* [U][C] 過量供應。

o·vert [ˋovɝt] *adj.*顯然的；公開的。

***o·ver·take** [ˌovɚˋtek] *v.t.*(**-took, -tak·en**)①追及；趕上。②襲擊；突襲。③壓倒；克服。—*v.i.*〖主英〗超車。

o·ver·task [ˌovɚˋtæsk] *v.t.* 使負擔過重之工作。

o·ver·tax [ˋovɚˋtæks, ˌovɚ-] *v.t.*①課以重稅；過度征收。②加以過重的負擔；使過度勞動。

o·ver-the-coun·ter [ˋovɚðəˋkaʊntɚ] *adj.*①店面交易的。②不需醫生處方的(藥品)。

***o·ver·throw** [ˌovɚˋθro] *v.t.* (**-threw, -thrown**)①打翻(東西)。②打倒；推翻(政府等)。③使瓦解；使毀滅。④〖棒球〗暴投。—[ˋovɚˌθro]*n.* [C] ①(常 *sing.*)推翻；瓦解。②〖棒球〗暴投。

***o·ver·time** [ˋovɚˌtaɪm] *n.* [U] ①額外的工作時間；加班的時間。②加班費。—*adv.* & *adj.* 超出時間地[的]。

o·ver·tone [ˋovɚˌton] *n.* [C] ①〖樂〗泛音。②(常 *pl.*)寓意；絃外之音。

o·ver·top [ˌovɚˋtɑp] *v.t.* (**-pp-**)①聳立於…之上。②超出；勝過。

o·ver·train [ˌovɚˋtren] *v.t.* & *v.i.*(運動員)過度訓練；練習過度。

o·ver·ture [ˋovɚtʃɚ] *n.* [C] ①(常 *pl.*)提議；提案。②〖樂〗序樂；序曲。

***o·ver·turn** [ˌovɚˋtɝn] *v.t.* & *v.i.*①(使)傾覆。②推翻；(使)瓦解。③顛倒。—[ˋovɚˌtɝn] *n.* [C]顛覆；滅亡；推翻。

o·ver·use [ˌovɚˋjuz] *v.t.*過度使用；濫用。—[ˋovɚˋjus] *n.* [U] 過度使用；濫用〔of〕.

o·ver·val·ue [ˌovɚˋvælju] *v.t.*對…估價過高；高估；過於重視。

o·ver·view [ˋovɚˌvju] *n.* [C] 概觀；概要；綱要。

o·ver·watch [ˋovɚˋwɑtʃ] *v.t.*看守；監視。

o·ver·ween·ing [ˋovɚˋwinɪŋ] *adj.* 過於自信的；傲慢的。

o·ver·weigh [ˋovɚˋwe] *v.t.*①較…爲重[重要]。②使負擔過重；壓迫。

o·ver·weight [ˋovɚˋwet] *adj.*過重的；超過規定重量的。—[ˋovɚˌwet] *n.* [U] (又作 an ～)超重。

***o·ver·whelm** [ˌovɚˋhwɛlm] *v.t.*①淹沒；傾覆。②擊潰；使粉碎。③控制；壓倒。④使窘。

***o·ver·whelm·ing** [ˌovɚˋhwɛlmɪŋ] *adj.* 壓倒性的；勢不可當的。—**ly,** *adv.*

***o·ver·work** [ˋovɚˋwɝk] *n.* [U] ①過度之工作。② [ˋovɚˌwɝk] 額外的工作。—[ˋovɚˋwɝk] *v.t.*使工作過度；使過度勞累；使用過度。—*v.i.* 工作過度；過度勞累。

o·ver·wrought [ˋovɚˋrɔt] *adj.*①過度緊張的。②過於考究的。

o·vi·duct [ˋovɪˌdʌkt] *n.* [C]〖解〗輸卵管。

o·void [ˋovɔɪd] *adj.*卵形的。—*n.* [C] 卵形物。

ov·u·late [ˋovjulet] *v.i.* 排卵。

ov·ule [ˋovjul] *n.* [C] ①〖生物〗小卵。②〖植〗胚珠。

o·vum [ˋovəm] *n.* [C] (*pl.* **o·va** [ˋovə])〖生物〗卵；卵細胞。

ow [aʊ] *interj.* 噢！哎唷！(表疼痛、驚愕的叫聲)。

‡**owe** [o] *v.t.*①欠(某人)債；負有(若干)債。②感恩；感激。③負有(義務)。④歸功於；由於。—*v.i.*欠〔for〕.

ow·ing [ˋo·ɪŋ] *adj.* ①負債的。②應付的；到期的。～ **to** 因爲；由於。

***owl** [aʊl] *n.* [C]①貓頭鷹；鴞。②(面貌)嚴肅的人。§～ **tràin** 夜車。—**ish,** *adj.*

owl·et [ˋaʊlɪt]*n.* [C] ①幼貓頭鷹；幼鴞。②(歐洲產之)一種小梟。

‡**own** [on] *adj.*①自己的。②親的；同胞的。***be one's ～ man*** 自己作主。***get*** (***a bit of***) ***one's ～ back***〖俗〗雪恥；報仇。—*v.t.*①擁有。②自認；承認。—*v.i.* 供認；自認〔to〕. ～ ***up***〖俗〗爽快承認。—*pron.*(one's ～)自己的所有物。***come into one's ～*** **a.** 自立；自覺。**b.** 得到應得的名譽、成功等。***hold one's ～*** **a.**堅持自己的立場；固守立場。**b.**支撐。***of one's ～*** 自己的；自己所有的。***on one's ～***〖俗〗獨力；憑自己。

‡**own·er** [ˋonɚ] *n.* [C] 物主；所有者。—**less,** *adj.*無主的。

own·er-oc·cu·pi·er [ˋonɚˋɑkjəpaɪɚ] *n.* [C]〖英〗自己房子自己住的人。

own·er·ship [ˋonɚˌʃɪp] *n.* [U] 所有權；主權。

***ox** [ɑks] *n.* [C] (*pl.* **ox·en**)公牛；閹牛(去勢之公牛)。

ox·al·ic [ɑksˋælɪk] *adj.*採自酢漿草的。～ acid〖化〗草酸。

ox·a·lis [ˋɑksəlɪs] *n.* [C]〖植〗酢漿草。

ox·bow [ˋɑksˌbo] *n.* [C]①(牛頸下之)U形牛軛。②(河流之)U形彎曲部分。

Ox·bridge [ˋɑksˌbrɪdʒ] *n.*〖英〗牛津大學與劍橋大學。

ox·cart [ˋɑksˌkɑrt] *n.* [C]牛車。

***ox·en** [ˋɑksn̩] *n.* pl. of **ox.**

ox-eyed [ˋɑksˌaɪd] *adj.* 眼睛大的。

Ox·ford [ˋɑksfɚd] *n.*①牛津(英國一城)。②牛津大學。③ [C] (常 *pl.*)淺口鞋。§ ～ **blúe** 深藍色。～ **gráy** 深灰色。～ **mòvement** 牛津運動(將天主教之教義及儀式納入英國國教宗教運動)。

ox·heart [ˋɑksˌhɑrt] *n.* [C]〖園藝〗一種心形的大甜櫻桃。

ox·hide [ˋɑksˌhaɪd] *n.* [U] 牛皮。

ox·i·da·tion [ˌɑksəˋdeʃən] *n.* [U]〖化〗氧化(作用)。

ox·ide [ˋɑksaɪd], **ox·id** [ˋɑksɪd] *n.* [U][C]〖化〗氧化物。

ox·i·dize [ˋɑksəˌdaɪz] *v.i.* & *v.t.*(使)氧化；(使)生銹。

ox·tail [ˋɑksˌtel] *n.* [U][C] 牛尾(用以製湯)。

ox·y·a·cet·y·lene [ˌɑksɪəˋsɛtl̩ˌin] *adj.*〖化〗氧乙炔的。

*ox·y·gen [ˋɑksədʒən] n. Ⓤ〖化〗氧。 —— adj.氧氣的。§～ màsk 氧氣罩。～ tènt(急救用)氧氣帳篷。
ox·y·gen·ate [ˋɑksədʒən,et] v.t. 〖化〗以氧處理；加氧於…；使氧化。
ox·y·mo·ron [,ɑksɪˋmorɑn] n. Ⓒ (pl. -ra [-rə], ～s) 〖修〗矛盾修飾法(例如：a wise fool).
ox·y·to·cin [,ɑksɪˋtosɪn] n. Ⓤ催產素。
o·yes, o·yez [ˋojɛs, ˋojɛz] interj. 聽！靜聽！肅靜！
*oys·ter [ˋɔɪstɚ] n. ⓊⒸ 蠔；牡蠣。§～ bànk [bèd, fàrm] 牡蠣養殖場。～ bàr(櫃台式的)蠔肉菜館。～ càtcher〖鳥〗蠣鷸。～ cràb 蠔中的寄生蟹。～ cràcker 與蠔肉同進食的圓形或六角形小鹹餅乾。～ cùlture 牡蠣養殖。
oz. ounce.
o·zone [ˋozon, oˋzon] n. Ⓤ ①〖化〗臭氧。②〖俗〗新鮮空氣。§～ làyer 臭氧層。
o·zo·nif·er·ous [,ozəˋnɪfərəs] adj.含臭氧的；生臭氧的。
o·zon·ize [ˋozə,naɪz] v.t.①以臭氧處理；使含臭氧。②使(氧)變成臭氧。—o·zo·ni·za′tion,n.
o·zon·iz·er [ˋozə,naɪzɚ]n. Ⓒ〖化〗臭氧發生器。
o·zo·no·sphere [oˋzɑnə,sfɪr] n. (the ～)〖氣象〗臭氧層。
ozs, ozs. ounces.

P p **P p** *P p*

P or p [pi] n. ⓊⒸ (pl. P's, p's [piz]) 英文字母的第十六個字母。***mind one's P's and Q's[p's and q's]***言行謹慎；循規蹈矩。
p. page; part; participle; past.
pa [pɑ] n. Ⓒ〖俗〗爸；父親。
Pa. Pennsylvania. p.a. participial adjective;〖拉〗per annum(＝by the year).
pab·u·lum [ˋpæbjələm] n. Ⓤ①食物。②精神食糧。
*pace [pes] n. ① Ⓒ (一)步；步子。② Ⓒ 步幅(約為 2 ½ 英尺)。③(a ～)步調；步伐；速度。④ Ⓒ (常 sing.)馬之躍行步法；溜蹄。⑤ Ⓒ (常 sing.)步態。***go the ～*** 進行極速；花費許多錢。***keep ～ with*** 與…並進；與…相匹敵。***put a person through his ～s*** 試驗某人的能力。***set the ～*** a. 定步調(以便他人跟隨)。b.立下榜樣。—— v.t. ①在…緩慢地走來走去。②以步測量。③使(馬)走慣某種步子。④為…調整步調。⑤引導。—— v.i. ①緩慢地走。②(馬)躍行；溜蹄。
paced [pest] adj. 步伐…的。
pace·mak·er [ˋpes,mekɚ] n. Ⓒ①(競走)定步調者。②引導者；前導者。③〖醫〗(心臟)起搏器(亦作 pacer).
pac·er [ˋpesɚ]n. Ⓒ ①徐行者；步測者。②＝pacemaker. ③溜蹄的馬。
pace·set·ter [ˋpes,sɛtɚ] n. ＝pacemaker.
pach·y·derm [ˋpækə,dɝm] n. Ⓒ〖動〗厚皮動物(象、河馬、犀牛等)。
pach·y·san·dra [,pækəˋsændrə] n. Ⓒ 富貴草(作草皮用)。
‡pa·cif·ic [pəˋsɪfɪk] adj. ①愛好和平的；求和的；和平的；安靜的。②(P-)太平洋(沿岸)的。‡the P- Ocean 太平洋。—— n.(the P-)太平洋。
pac·i·fi·ca·tion [,pæsəfəˋkeʃən] n. Ⓤ①和解；鎮定。②和約。③綏靖行動。
pac·i·fi·er [ˋpæsə,faɪɚ] n. Ⓒ ①安慰者；和解者；調停者；平定者。②(哄嬰兒用的)奶嘴。
pac·i·fism [ˋpæsə,fɪzəm] n. Ⓤ和平主義；綏靖主義；反戰主義。(亦作 pacificism)—pac′i·fist, n.
pac·i·fy [ˋpæsə,faɪ] v.t. ①平定；鎮壓(叛亂)。②撫慰；使平靜。③姑息。
‡pack[1] [pæk] n. ① Ⓒ 包裹；行李。② Ⓒ 一組。③ Ⓒ (獵狗、狼等)一群。④ Ⓒ 一副紙牌(通常為 52 張)。⑤ ⓊⒸ 浮冰堆。⑥ Ⓒ 背包。⑦ Ⓒ 裝箱[罐]量。⑧ Ⓒ 濕布；冰袋。⑨ Ⓒ 包裝；包裝法。—— v.t. ①包裝；綑紮〔up〕. ②裝填；塞滿。③擁擠。④把(食品)裝罐。⑤打發走；送走。⑥壓緊(使不漏水或漏氣)。⑦把包裹馱在(牲口)身上；負載。⑧〖俗〗搬運；攜帶。—— v.i. ①包裝；細紮。②緊擠在一起。③將物緊密堆放。④搬運貨物。⑤攜帶行裝騎馬旅行。***～ off [away]*** a. 打發走。b. 突然離開。***send (a person) ～ing*** 解僱；辭退；攆走。§～ ànimal 馱獸(用以搬運貨物之牛、馬等)。～ hòrse (1)馱馬。(2)做苦工的人。～ ìce積[浮]冰。～ ràt (1)〖動〗(北美產之)狐尾大林鼠(有搬運及儲藏小物件之習性)。(2)喜儲藏小物件者。
‡pack[2] v.t. 籠絡；操縱；串通(以作弊)。
*pack·age [ˋpækɪdʒ] n. Ⓒ ①包裹。②包裝。③整批。—— v.t. 包裝；裝箱。§～ stòre(只供外帶的)酒店。～ tòur [hòliday](旅行社代辦一切食宿交通的)包辦旅行。
*packed [pækt] adj. 擠得滿滿的；擁擠的。a ～ train 客滿的火車。
pack·er [ˋpækɚ] n. Ⓒ①包裝者；包裝機。②罐頭公司；罐頭業者。③挑夫。
*pack·et [ˋpækɪt] n. Ⓒ①包裹；小包；(郵件等的)一捆。②定期郵船(＝packet boat). ③群；組。④大量。⑤薪俸袋。⑥〖英俚〗大筆錢。⑦〖電算〗訊息封。
pack·ing [ˋpækɪŋ] n. Ⓤ①包裝；捆裝。②罐頭加工。③包裝材料；填料。§～ càse[bòx]裝運貨箱。～ hòuse [plànt]〖美〗食品包裝工廠。
pact [pækt] n. Ⓒ 協定；公約。
*pad[1] [pæd] n. Ⓒ ①襯墊；填料；墊子。②(動物脚底的)肉趾。③水面浮葉。④(可一頁頁撕下的)信紙本；便條紙本。⑤印色盒；印泥。⑥鞍褥。⑦(火箭之)發射臺。—— v.t.(-dd-)①(以棉絮等軟

物)裝塡；塡塞。②塡湊(文章等)篇幅〔常out〕。③對…加補白。④誇大；虛報。

pad² *v.t.*(**-dd-**)走路；徒步；踏平。— *v.i.* 慢慢地走。— *n.* Ⓒ ①〖英方〗道路；小徑。②笨重的聲音(如脚步聲)。

pad·ding [ˋpædɪŋ] *n.* Ⓤ ①塡塞物；塡料。②添湊語；補白。③塡塞；裝塡。

pad·dle¹ [ˋpædl̩] *n.* ①Ⓒ (短而闊的)槳；短槳。②Ⓤ 划(槳)。③Ⓒ (輪船等的)明輪翼。④Ⓒ 槳狀物(如擣衣板、乒乓球拍等)。— *v.i.* ①盪槳；用槳划。②用蹼輪或明輪前進。— *v.t.* ①用槳划(小船、獨木舟)。②(船等)用明輪翼划動。③〖俗〗(用槳等)拍打；笞責。～ ***one's own canoe*** 自力更生；自食其力。§ ～ **bòat** [**stèamer**] 明輪船。～ **whèel**(明輪船的)蹼輪；明輪。

pad·dle² *v.i.* ①涉水。②輕摩；玩弄。③用手划水。④蹣跚地走。

pad·dler [ˋpædlɚ] *n.* Ⓒ ①划獨木舟；划船者。②涉水者；涉泥漿者。

pad·dock [ˋpædək] *n.* Ⓒ ①(馬廐附屬的)小牧場。②(賽馬場的)圍場。

pad·dy [ˋpædɪ] *n.* ①Ⓤ 水稻。②Ⓒ 稻田；水田(亦作**paddy field**). a rice ～ 稻田。

Pad·dy [ˋpædɪ] *n.* Ⓒ〖俗〗帕弟(愛爾蘭人的綽號)。

pad·lock [ˋpæd,lɑk] *n.* Ⓒ 掛鎖；扣鎖。— *v.t.* ①鎖以掛鎖。②下令關閉。

pa·dre [ˋpɑdrɪ] *n.* Ⓒ ①神父；教士。②〖軍〗隨軍牧師。

pae·an [ˋpiən] *n.* Ⓒ 讚美歌；歡樂歌；凱歌。(亦作 **pean**)

pa·gan [ˋpegən] *n.* Ⓒ ①異教徒(指非基督教徒)。②無宗教信仰者。— *adj.* 異教的；異端的；無宗教信仰(者)的。— **ism,** *n.* — **ize,** *v.t.* & *v.i.*

‡**page¹** [pedʒ] *n.* Ⓒ ①頁。②紀錄。③(歷史上的)事件。— *v.t.*①標明…之頁數。②翻…之頁。— *v.i.* 翻頁。

page² *n.* Ⓒ ①(旅館、戲院等地的)服務員；男侍。②貴族之隨侍。③(中古)見習騎士。— *v.t.* ①(在旅館、俱樂部等地)喊名字找(某人)。②爲…之僮僕。

***pag·eant** [ˋpædʒənt] *n.* ①Ⓒ 花車遊行。②Ⓒ 歷史遺跡展覽；露天歷史劇。③Ⓤ 虛飾；壯觀；華麗。

pag·eant·ry [ˋpædʒəntrɪ] *n.* Ⓤ ①壯觀；盛觀；華麗。②虛飾；虛華。

page·boy [ˋpedʒ,bɔɪ] *n.* Ⓒ ①僮僕。②垂肩內捲的髮型。

pa·go·da [pəˋgodə] *n.* Ⓒ (東方寺院之)寶塔；浮屠。

pah [pɑ] *interj.*(表憎惡或輕蔑)呸！哼！

‡**paid** [ped] *v.* pt. & pp. of **pay.** — *adj.* ①有薪金的；受僱的。②已付淸的；已還帳的。③已付現款的。§ ～ **polìtical brőadcast**〖美〗(選舉期間)政黨付費的電視或廣播。

paid-up [ˋpedˋʌp] *adj.* 已付淸的；已繳淸全部費用的。

***pail** [pel] *n.* Ⓒ ①桶。②一桶之量。

pail·ful [ˋpel,fʊl] *n.* Ⓒ 一滿桶之量。

‡**pain** [pen] *n.* ①ⓊⒸ 疼痛；苦痛。②(*pl.*)勞苦；辛苦。***be at the ～s of*** 苦心…。***for one's ～s*** 作爲勞力的報酬。***on***[***upon, under***]～ ***of death*** 違者處死。***take ～s*** 辛苦工作。— *v.t.* 使痛苦。— *v.i.* 疼痛。

***pain·ful** [ˋpenfəl] *adj.* ①痛苦的。②勞苦的。③令人煩惱的。— **ly,** *adv.*

pain·kill·er [ˋpen,kɪlɚ] *n.* Ⓒ〖俗〗止痛藥；鎭痛劑。

pain·less [ˋpenlɪs] *adj.* ①無痛苦的。②容易的。— **ly,** *adv.* — **ness,** *n.*

pains·tak·ing [ˋpenz,tekɪŋ] *n.* Ⓤ & *adj.* 辛苦(的)；勞苦(的)；下工夫(的)。a ～ task 辛苦的工作。

‡**paint** [pent] *n.* ①ⓊⒸ 油漆；顏料。Fresh[Wet]～! 油漆未乾！②Ⓤ 香粉；胭脂。③Ⓒ 繪畫作品。— *v.t.* ①油漆；塗色於。②繪畫。③形容；描寫。④塗敷。⑤掩飾。— *v.i.* ①油漆；著色。②繪畫。③塗脂粉。～ ***the town red*** 〖俚〗(夜生活)狂歡。

paint·box [ˋpent,bɑks] *n.* Ⓒ 繪具匣[箱]。

paint·brush [ˋpent,brʌʃ] *n.* Ⓒ 畫筆；畫刷；油漆刷。

paint·ed [ˋpentɪd] *adj.* ①著了色的。②油漆了的。③搽了脂粉的。④假的；虛飾的。⑤如畫的。⑥色彩鮮明的。§ ～ **bűnting**(美國南部產之)羽色鮮明之雀科鳴禽。～ **cűp**〖植〗(北美產)花苞鮮艷之元參屬植物。

***paint·er¹** [ˋpentɚ] *n.* Ⓒ ①畫家。②油漆匠；油漆工。

paint·er² *n.* Ⓒ 舫索；纜索。

paint·er·ly [ˋpentəlɪ] *adj.* ①畫家的；畫家特有的。②適於繪畫藝術的。

‡**paint·ing** [ˋpentɪŋ] *n.* ①Ⓤ 繪畫；畫法。②Ⓒ (一幅)畫。③Ⓤ 著色；上漆。

‡**pair** [pɛr, pær] *n.* Ⓒ (*pl.* **～s,** ～)①一雙；一副。a ～ of gloves 一副手套。②(剪刀等)一把；(褲子)一條。a ～ of scissors 一把剪刀。③夫婦；配偶。④(動物的)偶；一對。⑤(議會中)對立兩方中約好互相放棄投票權之兩個會員；此種約定。(***quite***) ***another*** [***a different***] ～ ***of shoes*** [***boots***](完全是)另外一個問題。— *v.t.* & *v.i.* ①使成對；使成配偶；成對；配合。②(議會中)與對方一個會員約好互相放棄投票權。～ ***off*** 配成一對對。～ ***off with*** 〖俗〗和…結婚。〔注意〕在商業上或非正式用語中**pair**的複數常用pair, 如：six ～ of socks 六雙襪子。亦可用 pairs, 如：two ～*s* of trousers 兩條褲子。

pais·ley [ˋpezlɪ] *n.* Ⓤ (有時 P-)渦旋紋軟花呢(織品)。— *adj.* 花呢製的。

***pa·ja·mas,** 〖英〗 **py·ja·mas** [pəˋdʒæməz, pəˋdʒɑməz] *n. pl.* ①睡衣。②(回教徒等所穿之)寬長褲。

Pa·ki·stan [,pɑkɪˋstɑn] *n.* 巴基斯坦(亞洲一共和國，首都 Islamabad).

Pa·ki·sta·ni [,pɑkəˋstɑnɪ] *n.* Ⓒ (*pl.* **～s,** ～)巴基斯坦人。— *adj.* 巴基斯坦的。

***pal** [pæl] *n.* Ⓒ〖俗〗朋友；同志；夥伴。— *v.i.*(**-ll-**)結爲好友〔with〕.

‡**pal·ace** [ˋpælɪs, -əs] *n.* Ⓒ ①(常 P-)宮殿。②華廈。③供娛樂用的大廈。

pal·at·a·ble [ˋpælətəbl̩] *adj.* ①味美的；怡人的。②愉快的。

pal·ate [ˋpælɪt] *n.* ①Ⓒ口蓋；上顎。②Ⓒ味覺；味官。③ⓊⒸ嗜好；喜愛。—**pal·a·tal,** *adj.*
pa·la·tial [pəˋleʃəl] *adj.* ①(似)宮殿的。②宏大的；壯麗的。
pa·lav·er [pəˋlævɚ] *n.* ①Ⓒ談判；(不同民族間不協調的)交涉。②Ⓤ談話；閒談。③Ⓤ阿諛；奉承。—*v.i.* ①空談。②談判。—*v.t.* 阿諛；甘言誘騙。
‡**pale**[1] [pel] *adj.* ①蒼白的。②暗淡的。③無力的；微弱的。—*v.i.* 變蒼白；變暗。—*v.t.* 使變蒼白；使變微暗。§~ **ále** 淡啤酒(=light ale).
pale[2] *n.* ①Ⓒ柵；樁。②(the ~)界限。—*v.t.* 圍以柵。
pale·face [ˋpel,fes] *n.* Ⓒ(北美印第安人所稱之)白種人。
Pa·le·o·cene [ˋpelɪə,sin]〖地質〗*adj.* 古新世的。the ~ epoch 古新世(第三紀之最古期)。—*n.*(the ~)古新世。(亦作 **Palaeocene**)
pa·le·o·lith·ic [,pelɪəˋlɪθɪk]*adj.*舊石器時代的。
pa·le·ol·o·gy [,pelɪˋɑlədʒɪ] *n.* Ⓤ考古學。—**pa·le·o·log′i·cal,** *adj.*
pa·le·on·tol·o·gy [,pelɪɑnˋtɑlədʒɪ] *n.* Ⓤ古生物學;化石學。
Pal·es·tine [ˋpæləs,taɪn] *n.* 巴勒斯坦。
pal·ette [ˋpælɪt] *n.* Ⓒ①調色盤；調色板。②(某畫家專用的)色彩種類。
pal·i·mo·ny [ˋpæləmonɪ] *n.* Ⓒ 伴侶贍養費；伴侶財產協議(無婚姻關係之男女分居後被遺棄之一方所要求者)。
pal·in·drome [ˋpælɪn,drom] *n.* Ⓒ迴文；迴語(前後讀起均同之語句，如：eye 及 madam).
pal·ing [ˋpelɪŋ]*n.*①(*pl.*)柵；垣；圍籬。②Ⓒ樁。
pal·i·sade [,pæləˋsed] *n.* ①Ⓒ木樁；柵欄。②(*pl.*)(河邊的)斷崖。—*v.t.* 用柵欄圍繞。
pall[1] [pɔl] *n.* ①Ⓒ棺罩；柩衣。②(a ~)陰暗的幕罩。—*v.t.* 以柩衣覆蓋；以陰暗之幕罩住。
pall[2] *v.i.* (因過分而)生厭；失去興趣；乏味〔on, upon〕。—*v.t.* 使饜足(於美味等)；使生厭。
pall·bear·er [ˋpɔl,bɛrɚ] *n.* Ⓒ(出殯時的)扶棺者；抬棺者。
pal·let[1] [ˋpælɪt] *n.* Ⓒ草床；小床。
pal·let[2] *n.* Ⓒ①(陶工用)抹子。②(畫家用)調色板。③〖機〗(棘齒輪之)掣子；鎚墊；棘爪。④〖建〗製模板。
pal·li·ate [ˋpælɪ,et]*v.t.*①減輕(病、痛等)；緩和。②掩飾；辯解；減(罪)。—**pal·li·a′tion,** *n.*
pal·li·a·tive [ˋpælɪ,etɪv] *adj.* ①減輕的；緩和的。②辯解的；掩飾的。—*n.* Ⓒ①緩和劑。②辯解。
pal·lid [ˋpælɪd] *adj.* ①無色澤的；蒼白的。②暗淡的。③呆板的。
pal·lor [ˋpælɚ] *n.* Ⓤ(又作 a ~)無血色；蒼白。
pal·ly [ˋpælɪ] *adj.* 〖俚〗親密的；友好的。
palm**[1] [pɑm] *n.* Ⓒ①掌；手掌。②手掌之寬度(約為3至4英寸)。③(手套之)掌部。grease*** [***cross***] ***a person's ~*** 向某人行賄。 ***have an itching ~*** 貪財。—*v.t.* ①藏匿於掌中。②用手撫弄。~ ***off*** 以假物欺騙或賣。§~ **prínt** 掌紋。
palm[2] *n.* Ⓒ①棕櫚。②棕櫚枝葉(勝利之象徵)。***bear*** [***carry***] ***off the ~*** 獲勝。***yield the ~ to*** 向…認輸。§~ **ðil** 棕櫚油。**P~ Súnday** 聖枝主日(復活節前的禮拜日)。
palm·er [ˋpɑmɚ] *n.* Ⓒ①(昔 Palestine的)聖地朝聖者。②行腳僧；遊方僧。
pal·met·to [pælˋmɛto] *n.* Ⓒ (*pl.* ~**s,** ~**es**)〖植〗美國矮棕櫚。
palm·ist [ˋpɑmɪst] *n.* Ⓒ手相家。
palm·is·try [ˋpɑmɪstrɪ] *n.* Ⓤ①手相術。②(扒手等之)妙手；手上戲法。
palm·y [ˋpɑmɪ] *adj.* ①(似)棕櫚的；多棕櫚的；棕櫚成蔭的。②繁榮的；得勝的；得意洋洋的。
pal·o·mi·no [,pæləˋmino] *n.* Ⓒ (*pl.* ~**s**)帕洛米諾馬(鬃及尾毛為白色，其它部分為奶油色)。
pal·pa·ble [ˋpælpəbl] *adj.* ①可觸知的；摸得出的。②明顯的；明白的。③〖醫〗可觸診的。
pal·pi·tate [ˋpælpə,tet] *v.i.* ①(心臟)急速地跳動；忐忑。②顫動；發抖〔with〕。—**pal·pi·ta′tion,** *n.*
pal·sy [ˋpɔlzɪ] *n.* Ⓤ①麻痺；癱瘓；中風。②顫抖。—*v.t.* 使麻痺。
pal·sy-wal·sy [ˋpɔlzɪˋwɔlzɪ] *adj.* 〖俚〗親密的；很要好的。
pal·ter [ˋpɔltɚ] *v.i.* ①敷衍；矇混；搪塞；含糊其辭〔with〕。②殺價；討價還價。
pal·try [ˋpɔltrɪ] *adj.* ①無價值的；微不足道的。②卑鄙的。
pam·pas [ˋpæmpəz] *n. pl.* 南美大草原。§~ **gràss**〖植〗銀葦。
pam·per [ˋpæmpɚ] *v.t.* ①縱容；嬌養。②〖古〗使飲食過量。
***pam·phlet** [ˋpæmflɪt] *n.* Ⓒ①小冊子。②(有關時事的)小冊子刊物。
pam·phlet·eer [,pæmflɪˋtɪr] *n.* Ⓒ小冊子的作者。—*v.i.* 編寫小冊子；發行小冊子。
‡**pan**[1] [pæn] *n.* Ⓒ①平底鍋；盤。②任何似淺鍋之物；秤盤；淘金盤。—*v.t.* (**-nn-**)①淘洗(礦砂)；淘(金)。②捕獲。③在平鍋中燒(菜)。④〖俗〗嚴厲批評。~ ***out*** **a.** 結果；結局。**b.** 成功。
pan[2] *v.t.* & *v.i.* (**-nn-**)〖影〗(為攝取全景或跟著移動物而)上下、左右移動(鏡頭、攝影機)。
Pan [pæn] *n.* 〖希神〗潘恩(半人半羊的牧神)。
pan- 〖字首〗表「全；總；汎」之義。
pan·a·ce·a [,pænəˋsiə, -ˋsɪə] *n.* Ⓒ①萬靈藥。②萬全之策。
pa·nache [pəˋnæʃ] *n.* Ⓤ①(盔等之)羽飾。②誇示；假威風。
Pan·a·ma [ˋpænə,mɑ] *n.* ①巴拿馬(中美洲共和國，首都 Panama). ②(亦作 **Panama City**)巴拿馬城(即巴拿馬首都)。③巴拿馬地峽(介於南北美洲之間)。④Ⓒ(有時p-)巴拿馬帽(=panama hat). § **the ~ Canál** 巴拿馬運河。
Pan-A·mer·i·can [ˋpænəˋmɛrəkən] *adj.* 泛[全]美洲的。—**ism,** *n.*

P

pan·cake [ˋpæn͵kek] *n.* ①Ⓤ©薄煎餅。②©〖空〗平降；垂直降落。— *v.t.* & *v.i.* 平降。
pan·chro·mat·ic [͵pænkroˋmætɪk]*adj.*〖攝〗易於感受各色之光的；全色的。
pan·cre·as [ˋpænkrɪəs] *n.* © 胰臟。
pan·cre·at·ic [͵pænkrɪˋætɪk] *adj.* 胰臟的。
pan·da [ˋpændə] *n.* ©〖動〗貓熊。§～ **cár**〖英〗警察巡邏車。
pan·dem·ic [pænˋdɛmɪk] *adj.* ①(疾病)流行全國[全世界]的。②(疾病)流行性的。③普遍的。— *n.* © 全國[世界]性的流行病；傳染病。
pan·de·mo·ni·um [͵pændɪˋmonɪəm] *n.* ①(P-)群魔殿；地獄。②Ⓤ大混亂。③©大混亂的場所。
pan·der [ˋpændɚ] *n.* ©①誘人爲惡之徒；幫人做壞事的人。②淫媒。— *v.t.* & *v.i.* ①爲淫媒。②迎合。
Pan·do·ra [pænˋdorə] *n.*〖希神〗潘朵拉(Zeus爲懲罰Prometheus偷取天上之火種而命其下凡，是爲人間第一個女人)。§～**'s bóx** (1)潘朵拉的盒子(開啓之時，所盛一切災害罪惡全部從裡面跑出來散布於人間，祇有希望還留在裡面)。(2)〖喻〗意外災禍之源。
***pane** [pen] *n.* ©門窗上的單塊玻璃。
pan·e·gyr·ic [͵pænəˋdʒɪrɪk] *n.* ①©頌詞。②Ⓤ激賞。
***pan·el** [ˋpænl̩] *n.* ©①門窗上之方格。②畫板。③鑲板。④陪審員名單；陪審團。⑤狹長的畫或照片。⑥討論小組；小組委員會。⑦〖英〗健康保險醫師名單。— *v.t.* (**-l-**,〖英〗**-ll-**)裝格子於；鑲板於。§～ **discùssion** 小組討論會；座談會。～ **hèating**[嵌入式]放射式暖氣。～ **shòw** 電視猜謎節目。
pan·el·(l)ing [ˋpænəlɪŋ] *n.* Ⓤ(集合稱)鑲板。
pan·el·ist [ˋpænl̩ɪst] *n.* ©①小組討論會之參與者。②(問答節目等的)回答者。
***pang** [pæŋ] *n.* ©一陣突然的痛苦；劇痛；悲痛；苦悶。
pan·go·lin [ˋpæŋgəlɪn, pæŋˋgolɪn] *n.* ©〖動〗穿山甲。
pan·han·dle[1] [ˋpæn͵hændl̩] *n.* ©①鍋柄。②(有時P-)突出的狹長區域。
pan·han·dle[2] *v.t.* & *v.i.*〖俚〗在街頭行乞。
***pan·ic** [ˋpænɪk] *n.* ①Ⓤ©恐慌；驚惶。②©經濟恐慌。— *adj.* 恐慌的；驚惶的。— *v.t.* (**-ick-**)使恐慌；使驚惶。— *v.i.* 驚惶失措。
pan·ick·y [ˋpænɪkɪ] *adj.* 恐慌的；提心吊膽的；驚惶失措的。
pan·ic-strick·en [ˋpænɪk͵strɪkən] *adj.* 恐慌的；驚慌的。
pan·nier [ˋpænjɚ] *n.* ©①(掛於馱獸兩側的)馱籃。②背籃；肩筐。③(從前用以撐開婦女臀部衣裙之)鯨骨架。
pan·o·ply [ˋpænəplɪ] *n.* ①©全副盔甲。②Ⓤ富麗堂皇。
pan·o·ram·a [͵pænəˋræmə] *n.* ©①全景；全圖。②活動畫景；連續轉換之景。③範圍。— **pan·o·ram'ic,** *adj.*
***pan·sy** [ˋpænzɪ] *n.* ©①〖植〗三色紫羅蘭(=heartsease)。②〖俚〗同性戀的男子。③〖俚〗脂粉氣的男子。
***pant** [pænt] *n.* ©喘息；心悸。— *v.i.* ①喘息；喘氣；(心)猛烈跳動。②渴望〔for, after〕。— *v.t.* 喘著氣說…〔out〕。
pan·ta·loon [͵pæntl̩ˋun] *n.* ①©(常P-)(啞劇中爲小丑取笑對象的)傻老頭；老丑角。②(*pl.*)馬褲；褲子。
pan·the·ism [ˋpænθi͵ɪzəm] *n.* Ⓤ①宇宙即神論。②泛神論；多神崇拜。— **pan'the·ist,** *n.* — **pan·the·is'tic,** *adj.*
Pan·the·on [ˋpænθɪən] *n.* ①(the ～)萬神殿(羅馬之一圓頂廟宇)。②(the ～)偉人祠。③(p-)©衆神之廟。④(p-)©一民族的衆神。
pan·ther [ˋpænθɚ] *n.* © (*pl.* **～s,** ～)①豹。②美洲豹。③美洲虎。
***pant·ies** [ˋpæntɪz] *n. pl.* 婦女、兒童之短襯褲。
pan·to·mime [ˋpæntə͵maɪm] *n.* ①Ⓤ©啞劇；默劇。②Ⓤ©〖英〗童話劇。③Ⓤ手勢。— *v.i.* ①以手勢表示。②演啞劇。— **pan'to·mim·ist,** *n.*
pan·try [ˋpæntrɪ] *n.* ©餐具室；(冷凍)食品儲存室。
‡**pants** [pænts] *n. pl.*〖美俗〗褲子。
pant·suit [ˋpænt͵sut] *n.* ©(女用之)套裝。(亦作 **pants suit**)
pant·y [ˋpæntɪ] *adj.* 短襯褲的。§～ **hòse** 褲襪。
pant·y·waist [ˋpæntɪ͵west] *n.* ©〖美〗①(衣褲相連的)幼兒用內衣褲。②(幼兒般)柔弱的人；娘娘腔的人。
pap [pæp] *n.* Ⓤ①(嬰兒或病患吃的)流質食物(如麵包粥)。②純娛樂性讀物。
pa·pa [ˋpɑpə, pəˋpɑ] *n.* ©爸爸。
pa·pa·cy [ˋpepəsɪ] *n.* ①(the ～)羅馬教皇之職位；教皇權。②(the P-)教皇制度；教皇政治。③©教皇之系譜。④©歷代之全體羅馬教皇。
pa·pal [ˋpepl̩] *adj.* ①羅馬教皇的。②羅馬教皇制度的。③天主教的。
pa·pa·raz·zo [͵pɑpəˋrɑtso]〖義〗*n.* © (*pl.* **-raz·zi** [-ˋrɑtsi])專爲報章、雜誌追踪名流偷拍照片的自由攝影師[記者]。
pa·pa·ya [pəˋpaɪə, pəˋpɑjə] *n.* ①Ⓤ©木瓜。②©木瓜樹。
‡**pa·per** [ˋpepɚ] *n.* ①Ⓤ紙。②Ⓤ©壁紙。③©報紙。④Ⓤ文件；證件。⑤(*pl.*)身分證。⑥(*pl.*)船證；船照。⑦©論文。⑧©考卷。⑨©(學生之)作業。⑩©紙袋；紙包。⑪Ⓤ票據。long-term ～ 遠期支票。⑫Ⓤ鈔票。⑬©票。⑭Ⓤ(集合稱)〖俚〗免費招待的觀衆。***on ～*** **a.** 抄寫的；印的。**b.** 理論上的。**c.** 在籌備階段。**d.** 名義上；表面[書面]上。***send in one's ～s***〖英〗(軍官)提出辭呈。— *adj.* ①紙的。②薄的。③理論上的。④文字上的。⑤文書的。～ procedures 公文程序。⑥大部分由免費招待者構成的。⑦紙幣的。⑧平裝的。— *v.t.* ①糊紙；包以紙。②貼於紙上。③〖俚〗以免費招待的觀衆爲…湊熱鬧。④騙。§～ **bòy** 報僮。～ **clìp** 紙夾。～ **knìfe** 裁紙刀。～ **móney** 紙幣；鈔票。
pa·per·back [ˋpepɚ͵bæk] *n.* ①

Ⓤ平裝版[本]。②Ⓒ平裝書。— *adj.* (亦作 **paperbacked**) 平裝的。

pa·per·board [ˈpepɚˌbord] *n.* Ⓤ 厚紙板；硬紙板。— *adj.* 硬紙板做的。

pa·per·bound [ˈpepɚˈbaʊnd] *adj.* 平裝的(=paperback)。

pa·per-thin [ˈpepɚˌθɪn] *adj.* 薄如紙的；如紙一般薄的。

pa·per·weight [ˈpepɚˌwet] *n.* Ⓒ 書鎮；紙壓。

pa·per·work [ˈpepɚˌwɝk] *n.* Ⓤ 文書業務；書寫工作。

pa·pier-mâ·ché [ˈpepɚməˈʃe] 〖法〗*n.* Ⓤ 混凝紙。— *adj.* 混凝紙做的。

pa·pil·la [pəˈpɪlə] *n.* Ⓒ (*pl.* **-lae** [-li]) ①〖解〗乳頭。②乳頭狀小突起。

pa·pist [ˈpepɪst] 〖蔑〗*n.* Ⓒ 天主教徒；羅馬教徒。— *adj.* 羅馬天主教的。

pa(p)·poose [pæˈpus] *n.* Ⓒ 北美印第安人之幼兒。

pap·py [ˈpæpɪ] *adj.* 麵包粥似的；糊狀的。— *n.* Ⓒ〖俗〗爸爸。

pap·ri·ka [pæˈprikə] *n.* ①Ⓒ 乾辣椒。②Ⓤ 辣椒粉。

pa·py·rus [pəˈpaɪrəs] *n.* (*pl.* **-ri** [-raɪ]) ①Ⓤ 紙草；紙莎草。②Ⓤ 由紙草製成之紙。③Ⓒ 紙草上之古代紀錄。

par [pɑr] *n.* Ⓤ①同等；同等地位；同程度。②定額；標準；(健康或精神的)常態。③(股票等之)票面價值。above [below] ～ 用票面以上[下]的價格。④(又作 a ～)〖高爾夫〗標準桿數。***at*** ～ (股票)可以票面價購進的。***on a*** ～ ***with*** 和…同等；和…同價。***up to*** ～ 合乎平均或正常數量。— *adj.* ①平均的；正常的。②票面價額的。～ value 面值。

par·a [ˈpærə] *n.* ①Ⓒ〖俗〗跳傘者。②(*pl.*)傘兵部隊。

par·a·ble [ˈpærəbl] *n.* Ⓒ 寓言；比喻；譬語。

pa·rab·o·la [pəˈræbələ] *n.* Ⓒ 拋物線；碟形天線。

par·a·bol·ic[1] [ˌpærəˈbɑlɪk] *adj.* 拋物線(狀)的。

par·a·bol·ic[2] *adj.* 譬喻的；寓言的。

***par·a·chute** [ˈpærəˌʃut] *n.* Ⓒ①降落傘。②〖植〗(蒲公英等的)風散種子。— *v.t.* & *v.i.* ①跳傘。②由降落傘運送。

par·a·chut·ist [ˈpærəˌʃutɪst] *n.* Ⓒ 跳傘者；傘兵。

***pa·rade** [pəˈred] *n.* ①Ⓒ 行列；遊行。②Ⓒ 炫示；誇耀。make a ～ of one's virtues 炫示自己的優點。③Ⓒ 公共散步場所。④ⓊⒸ 閱兵；校閱。⑤Ⓒ 遊行場所。⑥ⓊⒸ 演奏會；演唱會。§ **paráde gròund** 校閱場。— *v.t.* ①遊行過(某處)。②炫示；誇耀。③檢閱(軍隊)。— *v.i.* ①列隊行進。②集合軍隊(以備檢閱或操演)。

par·a·digm [ˈpærəˌdɪm, -ˌdaɪm] *n.* Ⓒ①模範。②〖文法〗(詞類)變化表。

par·a·dig·mat·ic [ˌpærədɪgˈmætɪk] *adj.* ①典型的；可爲模範的；例證的。②〖文法〗變化例的；變化表的。

***par·a·dise** [ˈpærəˌdaɪs] *n.* ①(P-)天堂；天國。②(a ～)樂園。③(the P-)伊甸園(=the Garden of Eden)。④Ⓤ 極樂；至福。

par·a·dox [ˈpærəˌdɑks] *n.* ①ⓊⒸ 似非而是的議論。②Ⓒ 自相矛盾的話。③Ⓒ 充滿矛盾的人或事。— **par·a·dox′i·cal,** *adj.* — **par·a·dox′i·cal·ly,** *adv.*

par·a·drop [ˈpærəˌdrɑp] *n.* Ⓒ 空投。— *v.t.* (**-pp-**) (以降落傘)空投。

par·af·fin(e) [ˈpærəfɪn] *n.* Ⓤ①石蠟。②(亦作 **paraffin oil**) 石蠟油。— *v.t.* 塗以石蠟；注以石蠟。

par·a·gon [ˈpærəˌgɑn] *n.* Ⓒ 模範；典型之人或物。

***par·a·graph** [ˈpærəˌgræf] *n.* Ⓒ①(文章等)段；節。②新聞的一節；短評。③分段符號(如¶)。— *v.t.* ①分段。②寫有關…的短篇報導。

Par·a·guay [ˈpærəˌgwe, -ˌgwaɪ, ˌpɑrɑˈgwaɪ] *n.* 巴拉圭(國名，在南美洲中部，首都爲 Asunción)。

par·a·jour·nal·ism [ˌpærəˈdʒɝnəˌlɪzm̩] *n.* Ⓤ〖美〗帶有主編或採訪記者主觀色彩的報導文章。

par·a·keet [ˈpærəˌkit] *n.* Ⓒ〖鳥〗(小型的)長尾鸚鵡。

par·a·le·gal [ˌpærəˈligl] *n.* Ⓒ & *adj.* 律師的專職助手(的)。

par·al·lax [ˈpærəˌlæks] *n.* ⓊⒸ①〖天〗視差。②(照相機的鏡頭與窺鏡之)視差。

***par·al·lel** [ˈpærəˌlɛl] *adj.* ①平行的。②相同的；相似的。— *n.* Ⓒ①平行線；平行面。②緯線；緯度圈。③相似之物；相同之物。④對比；比較。⑤平行的狀態；平行。⑥〖電〗並聯。— *v.t.* (**-l-,** 〖英〗**-ll-**) ①(使)與…平行。②找相同的例。③對比；比較。④與…相同或相似。⑤平行放置。§ ∼ **bárs** 雙槓。

par·al·lel·ism [ˈpærəlɛlˌɪzəm] *n.* ①Ⓤ 平行。②Ⓒ 類似；對應；比較。③Ⓤ〖哲〗並行論。④Ⓤ〖修〗對句法。

par·al·lel·o·gram [ˌpærəˈlɛləˌgræm] *n.* Ⓒ 平行四邊形。

pa·ral·y·sis [pəˈræləsɪs] *n.* ⓊⒸ (*pl.* **-ses** [-ˌsiz]) ①〖醫〗麻痺。②無力；停滯；癱瘓狀態。

par·a·lyt·ic [ˌpærəˈlɪtɪk] *adj.* 麻痺的；無力的；中風的。— *n.* Ⓒ 患麻痺者；中風患者。

***par·a·lyze,** 〖英〗 **-lyse** [ˈpærəˌlaɪz] *v.t.* ①使麻痺。②使無能力。

par·a·med·ic [ˈpærəˌmɛdɪk] *n.* Ⓒ①傘兵部隊醫護兵。②醫務輔助員。

pa·ram·e·ter [pəˈræmətɚ] *n.* Ⓒ①〖數〗參數；媒介變數。②〖統計〗母數。③**a.** 特質；要因。**b.** 限制範圍；界限。— **par·a·met′ric,** *adj.*

par·a·mil·i·tar·y [ˌpærəˈmɪləˌtɛrɪ] *adj.* 輔助軍隊的；非正規軍的。

par·a·mount [ˈpærəˌmaʊnt] *adj.* 最重要的；最高的；至上的。

par·a·mour [ˈpærəˌmʊr] *n.* Ⓒ 情夫；情婦(=mistress)。

par·a·noi·a [ˌpærəˈnɔɪə] *n.* Ⓤ 偏執狂；妄想症。

par·a·noid [ˈpærəˌnɔɪd] *adj.* 偏執狂的。— *n.* Ⓒ 偏執狂患者。

par·a·nor·mal [ˌpærəˈnɔrml] *adj.* 超科學知性範圍的；超自然的。

par·a·pet [ˋpærəpɪt] *n.* Ⓒ ①〖建〗胸牆；胸壁。②(平臺、屋頂、橋樑等邊緣之)矮垣；欄杆。
par·a·pher·na·lia [͵pærəfəˋneliə] *n. pl.* ①隨身用品；行頭。②〖法律〗妻的所有物。③裝備。
par·a·phrase [ˋpærə͵frez] *v.t.* & *v.i.* 意譯；釋義；改述。— *n.* Ⓒ 意譯；釋義；改述。
par·a·ple·gi·a [͵pærəˋplidʒɪə] *n.* Ⓤ〖醫〗半身不遂。
par·a·psy·chol·o·gy [͵pærəsaɪˋkɑlədʒɪ] *n.* Ⓤ 心靈學(研究心電感應等超自然現象)。
par·a·site [ˋpærə͵saɪt] *n.* Ⓒ ①寄生蟲或寄生植物。②依人爲生者。
par·a·sit·ic [͵pærəˋsɪtɪk] *adj.* ①寄生的；依人爲生的。②由寄生物引起的。
par·a·sol [ˋpærə͵sɔl] *n.* Ⓒ (女用)陽傘。
par·a·thi·on [͵pærəˋθaɪɑn] *n.* Ⓤ 巴拉松(劇毒的農藥)。
par·a·thy·roid [͵pærəˋθaɪrɔɪd] *adj.* 〖解〗副甲狀腺的。～ glands 副甲狀腺。
par·a·troop [ˋpærə͵trup] *adj.* 傘兵的；空降部隊的。
par·a·troop·er [ˋpærə͵trupɚ] *n.* Ⓒ 傘兵。
par·a·troops [ˋpærə͵trups] *n. pl.* 傘兵部隊；空降部隊。
par·a·ty·phoid [͵pærəˋtaɪfɔɪd] *n.* Ⓤ 副傷寒；副腸熱病。
par a·vi·on [pɑrɑˋvjɔ̃]〖法〗*adv.* 航空郵遞。
par·boil [ˋpɑr͵bɔɪl] *v.t.* ①把…煮成半熟。②使過熱。
‡**par·cel** [ˋpɑrsl̩] *n.* ① Ⓒ 包裹。② Ⓒ 一片；一塊。③(a ～)一群。④ Ⓒ〖古〗部分。— *v.t.* (-l-,〖英〗-ll-) ①分成數分；分配〔常 out〕. ②〖海〗以帆布條包裹(繩纜等)。③包裝成包裹。§ ∼ **póst** ⑴郵政包裹業務。⑵包裹郵件。
parch [pɑrtʃ] *v.t.* ①炒；烘。②使(人)唇舌枯焦。③使乾透；使焦乾。— *v.i.* ①焦乾。②喉嚨乾渴。
parched [pɑrtʃt] *adj.* ①枯乾的；乾透的。②燒焦的；焦乾的；爛的。
parch·ing [ˋpɑrtʃɪŋ] *adj.* 焦乾的；灼熱的。～ heat 炎暑。
parch·ment [ˋpɑrtʃmənt] *n.* ① Ⓤ 羊皮紙。② Ⓒ 寫於羊皮紙上之文件。③ Ⓤ 假羊皮紙(用以製燈罩等物)。④ Ⓤ 咖啡豆的皮。
pard·ner [ˋpɑrdnɚ] *n.* Ⓒ partner之變體(通常向不認識的人打招呼時使用)。
‡**par·don** [ˋpɑrdn̩] *n.* ① Ⓤ Ⓒ 寬恕；原諒。I beg your ～. 請原諒我；請再說一遍。② Ⓒ 赦免；免罪。③ Ⓒ 赦免特狀；免罪符。— *v.t.* ①寬恕。②原諒。③赦免(罪犯)。
par·don·a·ble [ˋpɑrdn̩əbl̩] *adj.* 可寬恕的；可原諒的；可赦免的。
par·don·er [ˋpɑrdn̩ɚ] *n.* Ⓒ ①寬恕者；赦罪者。②〖宗〗賣赦罪符的人。
pare [pɛr, pær] *v.t.* ①剝；削。②削去；剝去(外皮)。③削減。～ *off* [*down, away*]削去(角、邊等)；減少(開支等)。
par·e·gor·ic [͵pærəˋgɔrɪk] *adj.* 止痛的；緩和的。— *n.* Ⓒ 止痛藥；緩和劑。
‡**par·ent** [ˋpɛrənt, ˋpærənt, ˋperənt] *n.* ① Ⓒ 父；母。②(*pl.*)雙親。③(*pl.*)祖先。④ Ⓒ 根源。
par·ent·age [ˋpɛrəntɪdʒ] *n.* Ⓤ ①出身；家系。②父或母的身分。
pa·ren·tal [pəˋrɛntl̩] *adj.* 父[母]親的；雙親的。～ love 父母親的愛。
***pa·ren·the·sis** [pəˋrɛnθəsɪs] *n.* Ⓒ (*pl.* **-ses** [-͵siz])①插句；插入句間的字或片語。②括弧( )。
par·en·thet·ic, -i·cal [͵pærənˋθɛtɪk(l̩)] *adj.* ①插句的；插入語的。②多用插句[插入語]的。
par·ent·ing [ˋpærəntɪŋ] *n.* Ⓤ 父母對小孩的養育。
Pár·ent-Téach·er Associà·tion [ˋpɛrəntˋtitʃɚ ～] *n.* Ⓒ〖教育〗教師家長會(即家長會或母姊會，略作P.T.A.)。
par·fait [pɑrˋfe, ˋpɑrfe]〖法〗*n.* Ⓤ Ⓒ 凍糕(冰淇淋加水果、糖蜜等製成之冰凍點心)。
pa·ri·ah [pəˋraɪə] *n.* Ⓒ ①(印度南部的)最下級人民；賤民。②被社會摒棄者。
par·i·mu·tu·el [ˋpærɪˋmjutʃʊəl] *n.* Ⓒ (*pl.* **～s** [～z], **par·is-mu·tu·els** [～])〖賽馬〗派利分成法(賭勝者除支付手續費外，將所有賭金照股平分的一種分彩法)；賭金計算器。
par·ing [ˋpɛrɪŋ] *n.* ① Ⓤ 剝；削；去皮。② Ⓒ (常 *pl.*)剝、削去之物。
‡**Par·is** [ˋpærɪs] *n.* 巴黎(法國的首都)。§ ∼ **gréen**〖化〗巴黎綠；乙醯亞砷酸銅(有毒的鮮綠色顏料及殺蟲劑)。
***par·ish** [ˋpærɪʃ] *n.* Ⓒ ①教區。②居於一教區之住民。③〖英〗地方自治區。④〖美〗(Louisiana 州之)縣。
pa·rish·ion·er [pəˋrɪʃənɚ] *n.* Ⓒ 一教區中之居民。
Pa·ri·sian [pəˋrɪʒən, pəˋrɪzɪən] *adj.* 巴黎(人)的；巴黎風格的。— *n.* Ⓒ 巴黎人或居民。
par·i·ty [ˋpærətɪ] *n.* Ⓤ ①同等；對等；同價；階級相等。②類似；相同。③〖商〗平價。④(本國貨幣折合外國貨幣之)折合數目。⑤(各種不同幣制、貨品等之)比率；比值。⑥(農人農產收入與生活支出之)平衡。
‡**park** [pɑrk] *n.* Ⓒ ①公園。②獵苑。③邸園。④停車處。⑤〖軍〗軍需品營地。⑥〖美〗山區中廣闊的谷地；森林中的空地。— *v.t.* ①停車於。②〖俗〗置於；放於；藏於。③將(軍車、砲等)安放於營地。④將…圍起。⑤留置。
par·ka [ˋpɑrkə] *n.* Ⓒ ①(愛斯基摩人的)皮製外衣。②〖美〗帶兜帽之外衣。
***park·ing** [ˋpɑrkɪŋ] *n.* ① Ⓤ (汽車等之)停車。No ～. 不准停車! ② Ⓒ 停車場所。§ ∼ **lòt** 停車場。∼ **mèter** 停車計時器。
Pár·kin·son's disèase [ˋpɑrkɪnsn̩z ～] *n.* Ⓤ〖醫〗巴金森病；震顫性麻痺症。
Pár·kin·son's láw [ˋpɑrkɪnsn̩z ～] *n.* Ⓤ 帕金森定律(英國經濟學家 C.N. Parkinson 的諷刺說法，如：

機關人員之增加與工作量無關，而是以固定比率自然增加)。

park·land [ˋpark,lænd] *n.* Ⓤ ①公園用地。②〖英〗(鄉間巨宅周圍的)綠地。

park·way [ˋpark,we] *n.* Ⓒ 兩旁有草坪及樹木之大道。

par·lance [ˋparləns] *n.* Ⓤ ①說法；語調；語法。②談話；(尤指)辯論。

par·ley [ˋparlɪ] *n.* Ⓒ 談判；商議；與敵人交涉〔with〕. — *v.i.* ①與敵人交涉。②商談。

***par·lia·ment** [ˋparləmənt] *n.* ①Ⓒ國會；議院。②(P-)英國國會。

par·lia·men·tar·i·an [,parləmɛnˋtɛrɪən] *n.* Ⓒ①議院法規專家；議會的雄辯家。②國會議員。

par·lia·men·ta·ry [,parləˋmɛntərɪ] *adj.* ①國會的；議院的。②議院制定的。③遵照議院法的。④(言語)適用於議會的。

***par·lor,** 〖英〗**-lour** [ˋparlɚ] *n.* Ⓒ ①客廳；會客室。②〖美〗(室內裝潢如客廳的)店鋪。a hairdresser's ～美容院。③旅舍中的私室。§ ～ **càr** 頭等客車。～ **gàme** 室內遊戲。

par·lour·maid [ˋparlɚ,med] *n.* Ⓒ〖英〗(在家中侍候用餐、接待來客的)女僕。

par·lous [ˋparləs] *adj.* ①危險的。②精明的。

Par·me·san [,parməˋzæn] *adj.* (來自)義大利 Parma 城的。— *n.* ⓊⒸ (亦作 **Parmesan cheese**) 巴馬乾酪。

Par·nas·sus [parˋnæsəs] *n.* 巴納塞斯山(希臘南部山名，爲古希臘祭 Apollo 及 Muses 之靈地)。

pa·ro·chi·al [pəˋrokɪəl] *adj.* ①教區的；地方性的。②狹小的。

par·o·dy [ˋpærədɪ] *n.* ①ⓊⒸ諷刺詩文。②Ⓒ拙劣的模仿。— *v.t.* ①歪改(他人之詩文)。②拙劣地模仿…。— **par'o·dist,** *n.*

pa·role [pəˋrol] *n.* ①(*sing.*)假釋。②Ⓤ誓言(尤指戰俘宣誓)。③Ⓒ口令(= password). — *v.t.* 使(俘虜)宣誓後釋放；假釋。

par·ox·ysm [ˋpærəks,ɪzəm] *n.* Ⓒ ①疾病發作。②(感情)突然激發。

par·quet [parˋke] *n.* ①Ⓤ拼花地板。②Ⓒ劇院之正廳；正廳之前排。— *v.t.* (-t-, 〖英〗-tt-)細工鑲嵌；鋪以鑲花地板。§ ～ **círcle**(劇院)正廳後排。

par·ra·keet [ˋpærə,kit] *n.* = **parakeet.**

par·ri·cide [ˋpærə,saɪd] *n.* ①Ⓤ弑親(罪)；殺父母(罪)；忤逆(罪)。②Ⓒ殺父母者；弑尊長者。

***par·rot** [ˋpærət] *n.* Ⓒ①鸚鵡。②學舌者；應聲蟲；機械式模仿他人行爲者。— *v.t.* ①像鸚鵡般重覆或模仿；機械式地模仿。②教(別人)重覆或模仿。

par·ry [ˋpærɪ] *v.t.* ①(格鬥時)擋開；躲開(武器、襲擊等)。②避開；迴避。— *n.* Ⓒ①擋開；閃避。②遁辭。

parse [pars] *v.t.* ①對(句子等)作文法上的分析。②分析；剖析。

Par·see, -si [ˋparsi, parˋsi] *n.* Ⓒ 印度之拜火教徒；祆教徒。

par·si·mo·ni·ous [,parsəˋmonɪəs] *adj.* 吝嗇的；極度儉省的。— **par'si·mo·ny,** *n.*

pars·ley [ˋparslɪ] *n.* Ⓤ〖植〗荷蘭芹；西洋芹；香芹。

pars·nip [ˋparsnəp] *n.* 〖植〗①Ⓒ防風草。②ⓊⒸ防風草根。

par·son [ˋparsn̩] *n.* Ⓒ①教區牧師。②牧師。

par·son·age [ˋparsn̩ɪdʒ] *n.* Ⓒ牧師住宅。

⁑**part** [part] *n.* ①Ⓒ部分；片段。②Ⓒ(構成整體之)一分。③Ⓤ本分；職分。④Ⓤ(辯論、競爭或爭吵中之)一方。⑤Ⓒ〖戲劇〗角色；臺詞。⑥Ⓒ(頭髮之)分界線。⑦(*pl.*)才能。⑧Ⓒ音部；樂曲之一部。⑨(*pl.*)區域；地方。***for my*** ～ 就我而論。***for the most*** ～ 通常；多半；大抵。***in good*** ～ 以友善或欣然的態度。***in*** ～ 一部分；有幾分。***on the*** ～ ***of someone*** **a.** 在某方面。**b.** 代表某方。～ ***and parcel*** 主要的部分。***play a*** ～ ***in*** 與…有關。***take*** ～ ***in*** 參加。***take someone's*** ～ 站在某人一方；偏袒某人。— *v.t.* ①分開；使分裂。②迫使分開；排開。③離開。④將(頭髮)分梳。⑤分配。— *v.i.* ①分開。②分離。～ ***from*** 離開。～ ***with*** 放棄；割愛。— *adj.* 部分的。— *adv.* 部分地；有幾分。§ ～ **sòng** 合唱的歌曲(通常爲男低音、男高音、女低音及女高音四部合唱)。

par·take [pɚˋtek, par-] *v.t.* & *v.i.* (**-took, -tak·en**)①分擔；分享；參與。②有幾分；略帶。

par·tak·er [parˋtekɚ] *n.* Ⓒ 參與者；分享者。

par·terre [parˋtɛr] *n.* Ⓒ花壇。

Par·the·non [ˋparθə,nan] *n.* (the ～)巴特農神殿(爲希臘雅典女神 Athena 之神殿)。

***par·tial** [ˋparʃəl] *adj.* ①一部分的。②偏袒的。③偏愛的。be ～ to sports 喜愛運動。

par·ti·al·i·ty [parˋʃælətɪ] *n.* ①Ⓤ偏袒；偏見。②(a ～)偏愛。

***par·tial·ly** [ˋparʃəlɪ] *adv.* ①部分地。②偏袒地；偏愛地。

par·tic·i·pant [pɚˋtɪsəpənt] *n.* Ⓒ 參與者；共享者；有關係者。— *adj.* 參與的；共享的；有關係的。

***par·tic·i·pate** [pɚˋtɪsə,pet, par-] *v.i.* & *v.t.* 分享；參與〔in, with〕.

par·tic·i·pa·tion [pɚ,tɪsəˋpeʃən, par-] *n.* Ⓤ參與；共享。

par·tic·i·pa·tor [pɚˋtɪsə,petɚ] *n.* Ⓒ分享者；參與者；參加者。

par·tic·i·pa·to·ry [pɚˋtɪsə,petərɪ, par-] *adj.* 提供參與機會的；直接參與的。§ ～ **demócracy** 參與的民主。

***par·ti·ci·ple** [ˋpart(ə)səpl̩, ˋpartə,sɪpl̩] *n.* Ⓒ 〖文法〗分詞。— **par·ti·cip'i·al,** *adj.*

***par·ti·cle** [ˋpartɪkl̩] *n.* Ⓒ ①極小量；分子；微粒。②〖理〗質點。③〖文法〗質詞(包括 preposition, conjunction, article 或 interjection). ④字首或字尾。

par·ti·col·o(u)red [ˋpartɪ,kʌlɚd] *adj.* ①雜色的。②各色各樣的。

‡par·tic·u·lar [pɚˋtɪkjələɚ] *adj.* ①單個的；單獨的。②個別的；各個的；獨有的。③特殊的；特別的。④難以取悅的；考究的。He is ～ about his food.他對食物很講究。⑤詳盡的。⑥要好的；知己的。—*n.* ① Ⓒ 事項；項目。②(*pl.*)詳情；細節。③(the ～)〖邏輯〗特稱；特殊。*in* ～ 特別地。

par·tic·u·lar·i·ty [pɚˏtɪkjəˋlærətɪ] *n.* ① Ⓤ 特別；特殊。② Ⓒ 特性；特徵。③ Ⓤ 詳細；仔細。④ Ⓒ 細節。⑤ Ⓤ 挑剔；講究。

P

par·tic·u·lar·ize [pɚˋtɪkjələˏraɪz] *v.t. & v.i.* 詳述；列舉。—**par·tic·u·lar·i·za′tion,** *n.*

‡par·tic·u·lar·ly [pɚˋtɪkjələlɪ] *adv.* ①特別地；特殊地。②異常地；顯著地。③詳細地。

part·ing [ˋpɑrtɪŋ] *n.* ① ⓊⒸ 離別；分別。② ⓊⒸ 分歧；分開。③ Ⓒ 分歧處。the ～ of the ways 道路之分歧處。—*adj.* ①離別的；臨別的。②離去的；消逝的。③分開的。

par·ti·san [ˋpɑrtəzn̩] *n.* Ⓒ ①黨夥；同黨者；黨派觀念強的人。②游擊隊員。—*adj.* ①黨派觀念強的。②游擊隊員的。(亦作 **partizan**)

par·ti·san·ship [ˋpɑrtəzn̩ˏʃɪp] *n.* Ⓤ 黨派性；黨派意識。

par·ti·tion [pɑrˋtɪʃən, pɚ-] *n.* ① Ⓤ 分隔；分割。② Ⓒ 分隔物；隔牆；隔間。③ Ⓒ〖植〗隔膜。—*v.t.* ①分割；瓜分；分配。②隔開。

par·ti·tive [ˋpɑrtətɪv]〖文法〗*n.* Ⓒ 表分詞(如 some of them 的 some)。—*adj.* 表分的；表示部分的。

***part·ly** [ˋpɑrtlɪ] *adv.* 部分地；有幾分地。

***part·ner** [ˋpɑrtnɚ] *n.* Ⓒ ①伙伴；合作者。②合夥人；股東。③配偶(夫或妻)。④舞伴；(比賽的)搭檔；同組的人。—*v.t.* ①做為(他人)的夥伴。②使(人們)成為夥伴。—*v.i.* 合夥；合股。

***part·ner·ship** [ˋpɑrtnɚˏʃɪp] *n.* ① Ⓤ 合夥；合作；協力。② Ⓒ 合夥公司。

par·took [pɚˋtʊk] *v.* pt. of **partake.**

par·tridge [ˋpɑrtrɪdʒ] *n.* Ⓒ (*pl.* **-tridg·es,** ～)山鶉。

***part-time** [ˋpɑrtˋtaɪm] *adj.* 部分時間的；兼任的。

part-tim·er [ˋpɑrtˋtaɪmɚ] *n.* Ⓒ 兼任者；兼職者。

par·tu·ri·tion [ˏpɑrtjuˋrɪʃən] *n.* Ⓤ 生產；分娩。

part·way [ˋpɑrtˏwe] *adv.* ①在中途；到半途。②到某種程度；有幾分；部分地。

‡par·ty [ˋpɑrtɪ] *n.* Ⓒ ① (集合稱) 團體；一夥。② (社交、遊戲等之) 集會；會。③政黨。④參與者；關係人。He was a ～ to our plot. 他是參加我們之計謀的一個。⑤ (合同、訴訟等中的) 一方。⑥〖諧〗人。—*adj.* ①政黨的；朋黨的。②參與的；有關係的。③共有的。④宴會的。§ ～ **lìne** (1)電話合用線。(2)連接宅邸的分界線。(3)一政黨採取的政策。～ **machíne** 黨機器 (政黨的核心人物)。

par·ve·nu [ˋpɑrvəˏnju] *n.* Ⓒ 崛起者；新貴；暴發戶。

pas·chal [ˋpæskl] *adj.* ①踰越節(Passover)的。②復活節(Easter)的。

‡pass [pæs, pɑs] *v.t.* ①經過。②穿過；通過。③傳遞。④圍；纏。⑤於…成功；使及格。⑥通過；批准。⑦度過；消磨。⑧使動；使進行；使前進。⑨超過。⑩評判；宣告。A judge ～*es* sentence on guilty persons.法官判決犯罪的人。⑪使流通；使用(偽幣)。⑫約定；保證。⑬使被接受。⑭力衝；衝刺。⑮排泄。—*v.i.* ①走過。②度過；過去。③傳遞；傳。④結束；消失。⑤死。⑥通過；及格。⑦變化。⑧發生。⑨被接受為；被認為；冒充〔for, as〕. ⑩評判；品評。⑪被忽略；不予計較。⑫流通；通用。⑬〖美俗〗暈厥；昏倒。⑭〖劍術〗刺。⑮通便；大便。⑯〖牌戲〗放棄叫牌機會。*bring to* ～ 引起;促起;達到。*come to* ～ 發生。～ *away* **a.** 死去；消逝。**b.** 結束；終止。～ *by* **a.** 經過。**b.** 疏忽；對…置之不理。**c.** 時間消失。～ *for* 被認為；被當做。～ *off* **a.** 以贋品充騙。**b.** 消滅；減退。**c.** 進行到底。～ *on* 死去。～ *out*〖俚〗**a.** 昏厥；失知覺。**b.** 死去。～ *over* **a.** 忽視。**b.** 死亡。**c.** 不把(某人)列入考慮。～ *up* 放棄；拋棄；拒絕。—*n.* ① Ⓤ 走過；經過。② Ⓒ 考試及格。③ Ⓒ 免費票；招待券。④ Ⓒ 執照；通行證。⑤(a ～)情況；境遇。⑥ Ⓒ (魔術家或催眠者等)手之動作。⑦ Ⓒ 狹路；隘口。⑧ Ⓒ 傳球。⑨ Ⓒ〖劍術〗刺。⑩ Ⓒ〖棒球〗四壞球保送上壘。§ ～**ed bàll**〖棒球〗捕手漏接。

pass·a·ble [ˋpæsəbl] *adj.* ①還好的；尚可的；可及格的。②可通行的；可渡過的。—**pass′a·bly,** *adv.*

***pas·sage** [ˋpæsɪdʒ] *n.* ① Ⓒ 通道；走廊。② Ⓒ 通行之方法或工具。③ Ⓤ 通行權。④ Ⓤ 經過；變遷。⑤ Ⓒ (文章或講演等)一節；一段。⑥ Ⓤ 橫過；航行。⑦ Ⓤ (議會等)核准；通過。⑧ ⓊⒸ (人與人的)招呼；交往。⑨ ⓊⒸ 互毆；交戰。⑩ Ⓒ〖樂〗樂節。§ ～ **bòat** 定期客輪。

pas·sage·way [ˋpæsɪdʒˏwe] *n.* Ⓒ 走廊；通道。

pass·book [ˋpæsˏbʊk] *n.* Ⓒ ①(銀行)存摺。②賒購帳簿。

pas·sé [pæˋse]〖法〗*adj.* 陳舊的；過時的。

‡pas·sen·ger [ˋpæsn̩dʒɚ] *n.* Ⓒ 旅客；乘客。

***pass·er-by** [ˋpæsɚˋbaɪ] *n.* Ⓒ (*pl.* **pass·ers-by**)過路客；行人。

***pass·ing** [ˋpæsɪŋ, ˋpɑs-] *adj.* ①經過的；路過的。②迅速的；短暫的。③目前的。④及格的。⑤非常的。⑥偶然的。—*adv.*〖古〗甚；極。—*n.* Ⓤ ①經過。②通過。③議案的通過。④考試及格。⑤消滅。⑥死亡。*in* ～ 順便(提起)。§ ～ **bèll** 喪鐘。

***pas·sion** [ˋpæʃən] *n.* ① Ⓤ 熱情；強烈的情感。②(a ～)激怒；忿怒。③ Ⓤ 愛情。④(*sing.*)愛好；嗜癖。⑤(*sing.*)熱望之對象；酷愛之物。⑥(the P-)耶穌在十字架上的受苦難。§ ～ **plày** 耶穌受難劇。

***pas·sion·ate** [\`pæʃənɪt] *adj.* ①熱情的；熱烈的。②易動感情的；易怒的。③多情的。— **ly,** *adv.*

pas·sion·flow·er [\`pæʃən,flauɚ] *n.* 🄲〖植〗西番蓮。

pas·sion fruit [\`pæʃən,frut] *n.* 🄲 百香果；西番蓮之果實。

pas·sion·less [\`pæʃənlɪs] *adj.*無熱情的；不爲感情所動的；冷靜的。

***pas·sive** [\`pæsɪv] *adj.* ①消極的；被動的。②不抵抗的。— *n.* (the ～)被動語態。§ ～ **resístance** 消極抵抗。～ **smóking** 吸二手煙。～ **vóice**〖文法〗被動語態。— **pas·siv′i·ty,** *n.*

pass·key [\`pæs,ki] *n.* 🄲 (能開各種鎖的)總鑰匙；萬能鑰。

Pass·over [\`pæs,ovɚ] *n.* (the ～)踰越節(猶太人在猶太曆一月十四日舉行祭典，以紀念其祖先脫離埃及而重回巴勒斯坦)。

***pass·port** [\`pæs,port] *n.* 🄲 ①護照。②〖喻〗手段。

pass·word [\`pæs,wɜd, \`pɑs-] *n.* 🄲 ①〖軍〗口令。②〖電算〗密碼。

‡**past** [pæst, pɑst] *adj.* ①過去的；結束的。②剛過去的。③卸任的。④〖文法〗過去的。— *n.* (*sing.*)①(the ～)過去；往時。②過去的生活；往事。③〖文法〗過去式。— *prep.* ①越過；走過；超越。②較…爲遲；晚於。— *adv.* 過；越過。§ ～ **máster** 專家；能手；高手；老手〔in, at, of〕. ～ **párticiple**〖文法〗過去分詞。～ **pérfect**〖文法〗過去完成式。

pas·ta [\`pɑstə] *n.* 🅄 麵糰(用以製造通心粉、義大利麵等)。

***paste** [pest] *n.* 🅄🄲 ①漿糊。②麵糰。③糊狀物。④鉛玻璃(製假寶石之原料)。⑤〖俚〗毆打；猛擊。— *v.t.* ①黏貼〔up, on, down, together〕. ②〖俚〗毆打；猛擊。③弄成漿；弄成麵糰狀。

paste·board [\`pest,bord] *n.* 🅄 ①紙板。②〖俚〗紙板製品(如紙牌、名片)。

pas·tel [pæs\`tɛl, \`pæs,tɛl] *n.* ①🄲 粉蠟筆。②🅄🄲 淡而柔和的色彩。③🄲 小品文。— *adj.* 粉蠟筆(畫)的；色調柔和的。

past·er [\`pestɚ] *n.* 🄲 ①貼紙。②黏貼人[物]。

pas·tern [\`pæstɚn] *n.* 🄲 (馬等足部「之)骹。」

pas·teur·ize [\`pæstə,raɪz] *v.t.* 以高熱殺菌；以巴斯德氏殺菌法殺菌。— **pas·teur·i·za′tion,** *n.*

pas·tiche [pæs\`tiʃ] *n.* ①🄲 (文學、美術的)模仿作品。②🅄 模仿(的手法)。③🄲 集錦；混成曲。

pas·tille [pæs\`til] *n.* 🄲 (菱形的)錠劑；香錠。

***pas·time** [\`pæs,taɪm] *n.* 🄲 娛樂；消遣。

pas·tor [\`pæstɚ] *n.* 🄲 牧師。

pas·to·ral [\`pæstərəl] *adj.* ①牧人的；牧人生活的。②用作牧場的；(土地等)適於牧畜的。③田園風光的；田園生活的。④牧師的。— *n.* 🄲 ①牧歌；田園詩[畫，劇]。②教書(牧師或主教寫給教區人民的公開信)。

pas·to·ral·ism [\`pæstərəlɪzṃ] *n.* 🅄 田園風味；牧歌體。

***pas·try** [\`pestrɪ] *n.* ①🅄 餡餅皮。②🅄🄲 糕餅(如 pie 等)。

pas·tur·age [\`pæstʃərɪdʒ] *n.* 🅄 ①畜牧(業)。②牧草(地)；牧場。

***pas·ture** [\`pæstʃɚ] *n.* ①🅄🄲 牧草地；牧場。②🅄 牧草。— *v.t.* ①放牧。②(家畜)吃草。— *v.i.* (家畜)吃草。

past·y[1] [\`pestɪ] *adj.* ①糊狀的；漿糊似的。②(臉色)蒼白的。

past·y[2] [\`pæstɪ, \`pɑstɪ] *n.* 🅄🄲〖英〗肉餡餅。

***pat**[1] [pæt] *v.t.* (**-tt-**)①(以掌等)輕拍。②撫拍(表示同情、贊同或愛情)。— *v.i.* ①啪嗒啪嗒地走或跑。②輕拍；輕撫。— *n.* ①(a ～)啪嗒聲。②🄲 輕拍(聲)。③🄲 小塊(特指奶油)。

pat[2] *adj.*合適的；中肯的。— *adv.* 合適地；確實地。*stand* ～堅守計畫或政策；不改變決定。

***patch** [pætʃ] *n.* 🄲 ①(衣服等的)補綻。②(一張)膏藥；膠布。③護眼片；眼罩。④美人斑(昔女人貼在臉上之小黑綢布)。⑤斑點；斑紋。⑥一小塊土地。*not a ～ on*遠不及…；比…差得遠。— *v.t.* ①補綴；彌縫。②用作補片。③用布片拼成。④匆促修理；草率作成〔up, together〕. ⑤用美人斑裝飾。§ ～ **tèst** 斑貼試驗；過敏性測驗。

patch·work [\`pætʃ,wɜk] *n.* ①🅄🄲 補綴[拼湊]的手工。②(a ～)雜湊之物；補綴物。

patch·y [\`pætʃɪ] *adj.* ①由補綴湊成的。②似補綴的；有斑紋的。

pate [pet] *n.* 🄲〖謔〗①頭；頭頂。②腦。

pâ·té [pɑ\`te]〖法〗*n.*①🅄🄲 肉[肝]末餅。②🄲 餡餅(=pie). ～ *de foie gras* [pɑ\`tedəfwɑ\`grɑ] 肥鵝肝餅。

pa·tel·la [pə\`tɛlə] *n.* 🄲 (*pl.* **-lae** [-li])〖解〗髕；膝蓋骨。

***pat·ent** [\`petṇt, \`pætṇt] *adj.* ①專利的；專賣的。②顯著的；公開的。③新奇的；巧妙的。— *n.* 🄲 ①特許狀。②專利(權)。③專利品。— *v.t.* 取得專利；給予專利。§ ～ **léather** (黑亮的)漆皮。～ **médicine** 成藥；專利藥品。**P**～ **Office** 專利局。～ **rìght** 專利權。

pat·ent·ee [,pætṇ\`ti] *n.* 🄲 專利權所有人。

pa·ter [\`petɚ] *n.* 🄲〖英俗〗父親。

pa·ter·fa·mil·i·as [\`petɚfə\`mɪlɪ,æs] *n.* 🄲 (常 *sing.*)〖謔〗家長；父。

pa·ter·nal [pə\`tɜnḷ] *adj.* ①(像)父親的；仁慈的。②父系的。

pa·ter·nal·ism [pə\`tɜnḷ,ɪzəm] *n.* 🅄 感情主義；家長政治。

pa·ter·ni·ty [pə\`tɜnətɪ] *n.* 🅄 ①父道；父職；父系。②(事物之)起源；根源。§ ～ **léave** 陪產假。

pat·er·nos·ter [\`petɚ\`nɑstɚ] *n.* 🄲 (常 P-) (拉丁文之)主禱文。

‡**path** [pæθ, pɑθ] *n.* 🄲 (*pl.* ～**s** [pæðz, pɑðz])①小徑；(花園中的)步道。②通路；軌道。③(人生的)道路；方針。

***pa·thet·ic** [pə\`θɛtɪk] *adj.* 哀憐的；悲慘的。— **pa·thet′i·cal·ly,** *adv.*

path·find·er [\`pæθ,faɪndɚ] *n.* 🄲 ①拓荒者；探險者；先導者。②〖美俚〗

(警察的)密探。③〖軍〗導航飛機。

path·less [ˋpæθlɪs, ˋpɑθ-] *adj.* 無路的; 人跡未到的; 未開拓的。

path·o·gen [ˋpæθədʒən] *n.* Ⓒ 病菌; 病原體。

pa·thol·o·gy [pæˋθɑlədʒɪ] *n.* Ⓤ ①病理學。②病理。③病狀。—**path·o·log′i·cal,** *adj.*

pa·thos [ˋpeθɑs] *n.* Ⓤ ①哀愁; 悲哀。②〖藝術〗動情力; 悲愴性。

path·way [ˋpæθˌwe] *n.* Ⓒ 徑; 小路。

‡**pa·tience** [ˋpeʃəns] *n.* Ⓤ ①容忍; 忍耐; 耐性。②堅忍; 耐苦。

‡**pa·tient** [ˋpeʃənt] *adj.* ①有耐心的; 有耐性的; 能忍耐的。②努力不懈的; 勤勉的。— *n.* Ⓒ 病人。—**ly,** *adv.*

pat·i·na [ˋpætɪnə] *n.* Ⓤ (又作 a ～) (銅器上的)綠銹; 銅綠。

pat·i·o [ˋpɑtɪˌo, ˋpatjo] 〖西〗 *n.* Ⓒ (*pl.* **～s**) (西班牙式房子的)內院。

pat·ois [ˋpætwɑ] 〖法〗*n.* ⓊⒸ (*pl.* ～ [～z]) 方言; 土語。

pa·tri·arch [ˋpetrɪˌɑrk] *n.* Ⓒ ①家長; 族長。②早期基督教之主教。③創始者。④元老。—**pa·tri·ar′chal,** *adj.*

pa·tri·arch·y [ˋpetrɪˌɑrkɪ] *n.* ①ⓊⒸ 家長[族長]政治。②Ⓒ 父系社會。

pa·tri·cian [pəˋtrɪʃən] *n.* Ⓒ 古羅馬之貴族; 一般之貴族。— *adj.* ①出身高貴的。②貴族的; 適於貴族的。

pat·ri·cide [ˋpætrɪˌsaɪd] *n.* ①Ⓤ 弑父罪。②Ⓒ 弑父者。—**pat·ri·cid′al,** *adj.*

pat·ri·mo·ny [ˋpætrəˌmonɪ] *n.* Ⓤ (又作 a ～) ①世襲財產; 祖傳產業。②教會之財產。③傳家之物; 遺傳; 繼承。—**pat·ri·mo′ni·al,** *adj.*

***pa·tri·ot** [ˋpetrɪət] *n.* Ⓒ 愛國者。

pa·tri·ot·ic [ˌpetrɪˋɑtɪk] *adj.* 愛國的; 有愛國心的; 愛國心強的。

pa·tri·ot·ism [ˋpetrɪəˌtɪzəm] *n.* Ⓤ 愛國心。

***pa·trol** [pəˋtrol] *n.* ①Ⓤ 巡邏; 巡查。The policemen are now on ～. 警察正在巡邏。②Ⓒ 巡邏者。③Ⓒ 巡邏隊; 斥候兵。④Ⓒ (集合稱)童子軍小隊。— *v.i.* & *v.t.* (**-ll-**)巡查; 巡邏。§ ～ **wàgon** 囚車。

pa·trol·man [pəˋtrolmən] *n.* Ⓒ (*pl.* **-men**) ①巡邏人; 巡查者。②〖美〗巡邏警察。

***pa·tron** [ˋpetrən] *n.* Ⓒ ①保護人; 資助人; 贊助人。②顧客; 主顧。③守護神。§ ～ **sáint** 守護聖徒; 守護神。

***pa·tron·age** [ˋpetrənɪdʒ, ˋpæt-] *n.* Ⓤ ①鼓勵; 支持; 資助; 庇護; 保護。②(顧客的)惠顧。③施恩的態度。④任命權; 牧師推薦權。

***pa·tron·ize** [ˋpetrənˌaɪz] *v.t.* ①照顧; 光顧。②以施恩的態度對待。③保護; 支援; 支持。—**pa′tron·iz·ing,** *adj.*

pat·ro·nym·ic [ˌpætrəˋnɪmɪk] *adj.* 取自父[祖]名的。— *n.* Ⓒ 取自父[祖]名的名字。

pa·troon [pəˋtrun] *n.* Ⓒ〖美史〗(昔 New York 州及 New Jersey 州在荷蘭政府管轄時)享有采地特權之地主。

pat·ten [ˋpætn̩] *n.* Ⓒ (常 *pl.*) (雨天穿之)木質套鞋; 木屐。

***pat·ter**[1] [ˋpætɚ] *v.i.* & *v.t.* ①發急速輕拍聲。②發輕拍聲行走。— *n.* (*sing.*)急速之輕拍聲。

pat·ter[2] *n.* Ⓤ ①快嘴話; 喋喋快語。②行話。— *v.t.* & *v.i.* 喋喋說出。

‡**pat·tern** [ˋpætɚn] *n.* Ⓒ ①圖案; 花樣; 樣式; 方式。②模範; 榜樣; 模型。③〖機〗模型。— *v.t.* 仿作; 摹製。— *v.i.* 形成花樣; 創造樣式。～***oneself after*** 模仿。§ ～ **bòmbing** 地毯式轟炸; 飽和轟炸。

pat·ty [ˋpætɪ] *n.* Ⓒ 小餡餅。

pau·ci·ty [ˋpɔsətɪ] *n.* (a ～) 稀少; 缺乏。

Paul [pɔl] *n.* (St. ～) 聖保羅(耶穌門徒之一)。

paunch [pɔntʃ] *n.* Ⓒ ①胃; 腹。②(肸子的)大肚子。③瘤胃。

pau·per [ˋpɔpɚ] *n.* Ⓒ 窮人; 貧民。

pau·per·ism [ˋpɔpɚˌɪzəm] *n.* Ⓤ ①貧窮; 貧困。②(集合稱)貧民。

pau·per·ize [ˋpɔpəˌraɪz] *v.t.* 使貧窮; 使成窮人。

pause** [pɔz] *v.i.* 中止; 躊躇。— *n.* Ⓒ ①中止; 躊躇。②停讀; 斷句; 句讀。③〖樂〗休止; 延長符號(𝄐或𝄑)。give*** (***a person***) ～ 使(人)躊躇。

pave** [pev] *v.t.* 鋪(街道等)。～ ***the way for [***to***] 爲…鋪路[預作安排]。

***pave·ment** [ˋpevmənt] *n.* ①Ⓤ 鋪設。②Ⓒ (用柏油等)鋪設的道路。③Ⓒ〖英〗(鋪設的)人行道。

pa·vil·ion [pəˋvɪljən] *n.* Ⓒ ①亭; 閣。②(園遊會等用之)大帳篷。③(運動場的)看台; 選手席。④〖解〗外耳。⑤(博覽會的)展示館。⑥(大醫院的)隔離式建築物。

pav·ing [ˋpevɪŋ] *n.* ①Ⓤ 鋪路之材料。②=**pavement.**

***paw** [pɔ] *n.* Ⓒ ①(貓、狗等有爪之)足掌。②〖俗〗手。— *v.t.* & *v.i.* ①(動物等)用足搔爬。②拙笨地處理。

pawl [pɔl] *n.* Ⓒ〖機〗(防止齒輪逆轉之)止輪具; 掣子。

pawn[1] [pɔn] *v.t.* ①典當; 抵押。②以…保證。— *n.* ①Ⓤ 質押; 典當。My watch is in ～. 我的錶當了。②Ⓒ 抵押物; 人質。§ ～ **tìcket** 當票。

pawn[2] *n.* Ⓒ ①(西洋棋的)卒; 兵。②被利用者; 爪牙。

pawn·bro·ker [ˋpɔnˌbrokɚ] *n.* Ⓒ 開當鋪者; 當鋪老闆。

‡**pay** [pe] *v.t.* (**paid**) ①付(款); 給與報酬。②償還。③對…有價值; 有利於。④給; 與; 致。⑤報應; 懲罰。— *v.i.* ①支付; 付款。②值得; 有利。③賠償; 受罰。～ ***as you go*** 〖美〗**a.**付現款(不賒帳)。**b.**量入爲出。**c.**從薪金中按期扣繳所得稅。～ ***back*** **a.** 歸還(欠債)。**b.** 報答。**c.** 報復。～ ***down***(分期付款之)即時支付。～ ***off*** **a.** 給薪解雇; 全部清還。**b.** 報仇。**c.** 有了補償; 有了收穫。**d.**〖俗〗付「保護費」。～ ***one's*** [***its***] ***way*** **a.** 付分內應付之款。**b.** 投資產生足夠盈利。～ (***a person***) ***out*** 報復(某人); 懲罰(某人)。～ (***money***) ***out*** 花費; 付

出。～ *out* a. 放(繩子、鍊條等)。b. 報復；懲罰。～ *up* 還清；付清。— *n.* ①Ⓤ報酬；薪俸；工資。②Ⓤ報償。③Ⓒ如期付款的人。*in the ～ of* 受…雇用；受…買通。§ ∠ dìrt 值得開採的礦脈；有利可圖的發現。∠ ènvelope 薪水[工資]袋。∠ rìse[ràise] 加薪。

***pay·a·ble** [ˋpeəbḷ] *adj.* ①到期的。②可付的；付得起的。③可獲利的。

pay·check [ˋpeˏtʃɛk] *n.* Ⓒ薪水支票。

pay·day [ˋpeˏde] *n.* Ⓒ發薪日。

pay·ee [peˋi] *n.* Ⓒ受款人；收款人。

pay·er [ˋpeɚ] *n.* Ⓒ交付人；付款人。

pay·mas·ter [ˋpeˏmæstɚ] *n.* Ⓒ(負責發薪餉之)出納員；軍需官。

***pay·ment** [ˋpemənt] *n.* ①ⓊⒸ支付。②Ⓒ支付金額。③Ⓤ報應；懲罰。

pay·off [ˋpeˏɔf] *n.* ①(*sing.*)支付(薪俸)；償還(借款)。②(*sing.*)付款日。③(*sing.*)報酬；報復。④Ⓒ〖美俗〗賄賂。⑤(*sing.*, 常 the ～)(事件等的)結局；高潮。

pay·o·la [peˋolə] *n.* Ⓤ〖俚〗紅包；賄賂。

pay·out [ˋpeˏaut] *n.* Ⓒ〖俚〗支出。

pay·roll [ˋpeˏrol] *n.* ①Ⓒ薪水冊；員工名冊。②(*sing.*)薪水册上應付薪資總額。

pay-TV [ˋpeˋtiˋvi] *n.* Ⓒ付費電視。

PBS Public Broadcasting System. 〖美〗公視。**pc.** piece; price(s). **PC** personal computer. 個人電腦。**pd.** paid.

***pea** [pi] *n.* (*pl.* **～s,** 〖古〗 **pease** [piz]) ①Ⓒ〖植〗豌豆。②ⓊⒸ豌豆(仁)。— *adj.* 豌豆似的。§ ∠ grḗen 黃綠色。

****peace** [pis] *n.* ①Ⓤ(又作 a ～)和平；太平。②Ⓤ(常 P-)媾和；和約。③Ⓤ平靜；寧靜。*be at ～ with* 與…和平相處。*hold*[*keep*] *one's ～* 保持緘默。*keep the ～* 維持社會安寧；維持治安。*make one's ～ with* 同…解決紛爭。*make ～* 謀和；談和。— *interj.* 靜！別高聲說話！§ ∠ màrch 和平示威。∠ ðfficer 治安官；警官。

peace·a·ble [ˋpisəbḷ] *adj.* ①和平的；平穩的。②愛好和平的；溫和的。

***peace·ful** [ˋpisfəl] *adj.* ①和平的；安靜的。②愛好和平的；喜安靜的。§ ∠ coexístence 和平共存。— **ly,** *adv.*

peace·mak·er [ˋpisˏmekɚ] *n.* Ⓒ調停人；仲裁人；和事佬。

peace·nik [ˋpisnɪk] *n.* Ⓒ〖俚〗反戰示威者；反戰份子。

peace·time [ˋpisˏtaɪm] *n.* Ⓤ & *adj.* 和平時期(的)；平時(的)。

***peach**[1] [pitʃ] *n.* ①ⓊⒸ桃子。②Ⓒ桃樹。③Ⓤ桃色。④(a ～)〖俚〗極好的東西；美人。

peach[2] *v.i.* & *v.t.* 〖俚〗告密〔against, on, upon〕.

***pea·cock** [ˋpiˏkɑk] *n.* Ⓒ①(雄)孔雀。②好虛榮的人。

pea·fowl [ˋpiˏfaul] *n.* Ⓒ(*pl.* ～, ～s) 孔雀(雌雄通用)。

pea·hen [ˋpiˏhɛn] *n.* Ⓒ雌孔雀。

***peak** [pik] *n.* Ⓒ①山峰；山頂。②孤峰。③頂點；最高點。④尖端。⑤帽舌。

peak·ed[1] [ˋpikɪd, pikt] *adj.* ①尖的；尖頂的。②(帽子)有帽簷的。

peak·ed[2] [ˋpikɪd] *adj.* 瘦削的；憔悴的。

***peal** [pil] *n.* Ⓒ①鐘聲；笑聲；拍手聲。②〖樂〗一組鐘；鐘樂。③宏亮的響聲。a ～ of thunder 雷聲隆隆。— *v.t.* & *v.i.* (使)響；(使)鳴。

***pea·nut** [ˋpiˏnʌt] *n.* ①ⓊⒸ落花生。②Ⓒ微小的人。③(*pl.*)極小之金額；不重要之事。

***pear** [pɛr] *n.* ①ⓊⒸ西洋梨。②Ⓒ梨樹。

***pearl** [pɝl] *n.* ①Ⓒ珍珠。②Ⓒ似珍珠狀物(如露珠、淚珠)。③Ⓒ(同類中)傑出者；珍貴之物。④Ⓤ珍珠色(淡藍灰色)。⑤Ⓤ珍珠母。⑥Ⓤ珍珠型鉛字(等於5磅因)。*cast* [*throw*] *～s before swine* 對牛彈琴。— *adj.* ①淡藍灰色的；珍珠色的。②結成小圓片的；珍珠狀的。— *v.i.* ①採集珍珠。②珍珠一般地滾動。— *v.t.* 在…鑲以珍珠。§ ∠ fìshery 採珠業；採珠場。∠ gráy 珍珠色。∠ ðyster 珍珠貝。

pearl·y [ˋpɝlɪ] *adj.* ①似珍珠的。②有珍珠的；飾以珍珠的。

pear-shaped [ˋpɛrˏʃept] *adj.* 梨狀的。

peas·ant [ˋpɛzṇt] *n.* Ⓒ①(歐洲的)農夫；佃農。②土包子。

peas·ant·ry [ˋpɛzṇtrɪ] *n.* Ⓤ(集合稱)農夫；佃農。

pease·pud·ding [ˋpizˋpudɪŋ] *n.* ⓊⒸ豆粉布丁。

pea·shoot·er [ˋpiˏʃutɚ] *n.* Ⓒ豆子槍(一種玩具)。

pea-soup·er [ˋpiˏsupɚ] *n.* Ⓒ〖英俗〗黃色濃霧。

peat [pit] *n.* ⓊⒸ泥炭；泥炭塊；土煤。— **peat′y,** *adj.*

pea·v(e)y [ˋpivɪ] *n.* Ⓒ伐木用皮維桿。

***peb·ble** [ˋpɛbḷ] *n.* ①Ⓒ小圓石；卵石。②Ⓤ(皮革、紙等上的)粗表面；粗紋。— *v.t.* ①製(革)使具粗雜表面。②用小圓石鋪砌。— **peb′bly,** *adj.*

pe·can [pɪˋkɑn] *n.* Ⓒ①一種大胡桃(產於美國南部)。②胡桃樹。

pec·ca·dil·lo [ˏpɛkəˋdɪlo] *n.* Ⓒ(*pl.* ～s, ～es) 輕罪；小過失。

pec·ca·ry [ˋpɛkərɪ] *n.* Ⓒ〖動〗西貒(美洲產的一種野豬)。

peck[1] [pɛk] *n.* ①Ⓒ配克(乾量單位，等於二加侖)。②(a ～)大量；許多。

***peck**[2] *v.t.* ①以喙啄食。②啄穿。③挖出；掘出。— *v.i.* ①啄。②一點點地慢慢吃〔at〕。— *n.* Ⓒ①啄擊。②被啄之痕跡或傷。③〖俗〗匆匆一吻。§ the ∠ing òrder (1)(禽鳥的)強弱次序。(2)〖謔〗(人類社會的)長幼尊卑次序。

peck·ish [ˋpɛkɪʃ] *adj.* ①〖英〗饑餓的。②〖美〗易怒的。

pec·ten [ˋpɛktən] *n.* Ⓒ(*pl.* **～s, pec·ti·nes** [-təˏniz]) ①〖解〗恥骨。②〖動〗櫛狀突起；櫛狀器官。

pec·tin [ˋpɛktɪn] *n.* Ⓤ〖化〗果膠。

pec·to·ral [ˋpɛktərəl] *adj.* 胸的；胸腔中的。

pec·u·late [ˋpɛkjəˏlet] *v.t.* & *v.i.* 侵吞(公款、公物)；挪用(公款、公物)。— **pec·u·la′tion, pec′u·la·tor,** *n.*

***pe·cu·liar** [pɪˋkjuljɚ] *adj.* ①奇異的；怪僻的。②特有的；特殊的。

pe·cu·li·ar·i·ty [pɪˌkjulɪˋærətɪ] *n.* ①Ⓤ©奇異；怪僻；怪異。②©特色；特徵；特性。

pe·cu·liar·ly [pɪˋkjuljəlɪ] *adv.* ①特別地；格外地；特殊地。②奇怪地；奇異地。

pe·cu·ni·ar·y [pɪˋkjunɪˌɛrɪ] *adj.* 金錢上的；金錢的。

ped·a·gog(ue) [ˋpɛdəˌgɑg] *n.* ©〖蔑〗①老師；教員。②賣弄學問的人。

ped·a·gog·ic,-i·cal [ˌpɛdəˋgɑdʒɪk(l̩)] *adj.* ①(小學)教師的。②教育學的；教學法的。

ped·a·go·gy [ˋpɛdəˌgodʒɪ] *n.* Ⓤ①教授；教學。②教育學；教授法。

***ped·al** [ˋpɛdl̩] *n.* ©(脚踏車或風琴等的)踏板。— *v.t. & v.i.* (-l-, 〖英〗-ll-) ①踏動踏板。②騎脚踏車。— *adj.* ①脚的；與脚有關的。②踏板的。

ped·ant [ˋpɛdn̩t] *n.* ©①腐儒；學究。②賣弄學問的人。

***pe·dan·tic** [pɪˋdæntɪk] *adj.* ①好賣弄學問的。②迂腐的。

ped·ant·ry [ˋpɛdn̩trɪ] *n.* Ⓤ©①擺學者的架子；賣弄學問。②迂腐。

ped·dle [ˋpɛdl̩] *v.i.* ①沿街叫賣。②當小販。— *v.t.* ①叫賣。②傳播(謠言)。

ped·dler [ˋpɛdlɚ] *n.* ©小販。

ped·es·tal [ˋpɛdɪstl̩] *n.* © ①(半身塑像、花瓶、檯燈等的)座；基座。②根基；基礎。*set a person on a* ～ 把某人當做十全十美；把某人理想化；崇拜某人。— *v.t.* (-l-, 〖英〗-ll-) 置於臺座上。

***pe·des·tri·an** [pəˋdɛstrɪən] *n.* ©步行者。— *adj.* ①徒步的。②平凡的；無詩意的。§～ **cróssing** 行人穿越道。

pe·di·at·ric [ˌpidɪˋætrɪk, ˌpɛdɪ-] *adj.* 〖醫〗小兒科的。

pe·di·a·tri·cian [ˌpidɪəˋtrɪʃən] *n.* ©小兒科醫師。(亦作 **pediatrist**)

pe·di·at·rics [ˌpidɪˋætrɪks, ˌpɛdɪ-] *n.* Ⓤ〖醫〗小兒科。

ped·i·cab [ˋpɛdɪkæb] *n.* ©(載客之脚踏)三輪車。

ped·i·cure [ˋpɛdɪˌkjʊr] *n.* Ⓤ© 修脚指甲(術)。

ped·i·gree [ˋpɛdəˌgri] *n.* ①©系譜。②Ⓤ©血統；門閥；家系。

ped·i·greed [ˋpɛdəˌgrid] *adj.* ①(純種家畜)血統可考的。②望族的。

ped·i·ment [ˋpɛdəmənt] *n.* ©〖建〗(古代建築之)山形牆；三角牆。

ped·lar [ˋpɛdlɚ] *n.* = **peddler.**

pe·dol·o·gy [pɪˋdɑlədʒɪ] *n.* Ⓤ土壤學。

pe·dom·e·ter [pɪˋdɑmətɚ] *n.* ©計步器；步程計。

peek [pik] *v.i.* 偷看；窺見。— *n.* (a ～)偷看；瞥望。

***peel** [pil] *n.* Ⓤ©果皮。— *v.t.* ①剝…之皮；去…之皮。②剝(皮)。— *v.i.* ①脫皮〔off〕。②〖俗〗脫衣。

peel·er [ˋpilɚ] *n.* ©①〖英俚〗警察；警員。②剝皮器。③〖美俚〗脫衣舞孃。

peel·ing [ˋpilɪŋ] *n.* ©(常 *pl.*)果皮；剝下的(尤指馬鈴薯)皮；剝皮。

***peep**[1] [pip] *v.i.* ①(自洞隙中)觀望；窺視。②微現；現出。— *n.* ①(a ～)一瞥；窺視。②(*sing.*, 常 the ～)出現。(the) ～ of day 破曉。§～**ing Tóm** 愛偷看(裸體女人的)男人。～ **shòw** (1)西洋鏡。(2)(透過小孔看的)低級表演。

peep[2] *n.* ©(小鳥)啾啾的叫聲。— *v.i.* ①(小鳥)啾啾叫。②悄聲說。

peep·hole [ˋpipˌhol] *n.* ©窺視孔。

***peer**[1] [pɪr] *n.* ©①同輩；同儕。②匹敵。without ～ 無匹敵的。③貴族。

peer[2] *v.i.* ①細看；凝視；窺視〔at, into〕。②出現。

peer·age [ˋpɪrɪdʒ] *n.* ①Ⓤ©貴族的地位或身分。②(the ～, 集合稱)貴族。③©貴族名鑑。

peer·ess [ˋpɪrɪs] *n.* ©①貴族夫人。②女貴族；貴婦。

peer·less [ˋpɪrlɪs] *adj.* 無匹敵的；無比的；無雙的；絕世的。

peeve [piv] *v.t.* 使惱怒；(使)變乖戾。

pee·vish [ˋpivɪʃ] *adj.* 脾氣乖張的；易怒的；好抱怨的。—**ly,** *adv.*

pee·wee [ˋpiˌwi] *n.* ©〖美俗〗矮子；小矮人；小動物；小東西。— *adj.* 矮小的。

***peg** [pɛg] *n.* ©①木栓；木釘。②釘子；掛釘。③塞桶洞用的木塞。④衣夾。⑤軫；琴鈕(用以調弦之鬆緊)。⑥藉口；遁詞。⑦〖俗〗等級；程度。⑧〖俗〗腿；(木製)義肢。*a* ～ *to hang (something) on* 做(某事)之藉口。*a square* ～ *in a round hole* 方枘圓鑿(指不適任的人)。*take a person down a* ～ *(or two)* 挫某人之銳氣；使受辱。— *v.t.* (**-gg-**) ①以木釘釘牢〔down, in, out〕。②以木標定界。③以固定價格拋售或收買(股票等)以穩定其價格。— *v.i.* ①勤快工作。②急行。§～ **lèg** (1)義肢。(2)裝有義肢的人。～ **tòp** (1)(梨形)陀螺。(2)(*pl.*)陀螺形褲子。

Peg·a·sus [ˋpɛgəsəs] *n.* 〖希神〗佩格索斯(Muses 所騎之飛馬)。

pe·jo·ra·tive [ˋpidʒəˌretɪv] *adj.* ①貶損的；變壞的；(使)惡化的(爲 meliorative 之對)。②輕侮的。

Pe·king [ˋpiˋkɪŋ] *n.* 北京(= Beijing). §～ **mán**〖人類學〗北京人。

pe·koe [ˋpiko] *n.* Ⓤ(印度、錫蘭產的)上等紅茶。

pe·lag·ic [pəˋlædʒɪk] *adj.* 遠洋的；大洋的；棲息於遠洋的。

pel·i·can [ˋpɛlɪkən] *n.* ©鵜鶘(食魚鳥)。

pel·la·gra [pəˋlegrə] *n.* Ⓤ〖醫〗玉蜀黍疹；糙皮病。

pel·let [ˋpɛlɪt] *n.* ©①小球；小丸。②小彈丸。③藥丸。

pell-mell, pell·mell [ˋpɛlˋmɛl] *adv.* ①雜亂地；混亂地。②紛忙地。— *adj.* ①紛亂的；混亂的。②倉促的。— *n.* Ⓤ©極度混亂。

pel·lu·cid [pəˋlusɪd] *adj.* ①清澈的；透明的。②易解的；明晰的。

pelt[1] [pɛlt] *n.* ©(獸類之)生皮；毛皮。

pelt[2] *v.t.* ①投擲；投擊。②拋出；使(雨等)急降。③(以惡言等)質問；攻擊。— *v.i.* ①投擲。②(雨)急降。③急行。— *n.* ①Ⓤ投擲。②©亂射。③Ⓤ疾走。*at full* ～ 全速地。

pel·vic [ˋpɛlvɪk] *adj.* 〖解〗骨盤的；骨盆的。

pel·vis [ˋpɛlvɪs] *n.* Ⓒ (*pl.* **~es, -ves** [-viz])〖解〗骨盆。
pem·(m)i·can [ˋpɛmɪkən] *n.* Ⓤ (北美印第安人所製之)乾肉餅。
‡**pen**¹ [pɛn] *n.* ① Ⓒ 筆；鋼筆。②(the ~, one's ~)文體；文章；文筆。③ (*sing.*)作家。— *v.t.*(**-nn-**)①寫。②起草(文件)。§ **~ nàme** 筆名。**~ pàl** 筆友。**~ pùsher**〖俗〗書記；辦事員。
pen² *n.* Ⓒ ①(家畜的)圍欄；圈；檻。②圍欄中的家畜。— *v.t.*(**penned** or **pent, pen·ning**)①關入欄中。②監禁；關閉〔up, in〕。
pe·nal [ˋpinḷ] *adj.* ①刑事(上)的；刑罰的。②應受處罰的。§ **~ còde** 刑法。**~ sérvitude** 勞役刑。
pe·nal·ize [ˋpinḷ,aɪz] *v.t.* ①宣告有罪。②規定應罰；科罰。③宣布犯規；處罰。④使…處於不利地位。
***pen·al·ty** [ˋpɛnḷtɪ] *n.* Ⓤ Ⓒ ①懲罰；刑罰。②罰金；違約金。③犯規的處罰。④不利；障礙。*under* [*on*] *~ of* 違者處以…之罰。§ **~ área**(足球)罰球區。
pen·ance [ˋpɛnəns] *n.* Ⓤ ①懺悔；(贖罪的)苦行。②〖天主教〗告解聖事。
pen-and-ink [ˋpɛnəndˋɪŋk] *adj.* 用筆墨書寫或描畫的。
‡**pence** [pɛns] *n.* pl. of **penny.**
pen·chant [ˋpɛntʃənt] *n.* Ⓒ (常 *sing.*)傾向；嗜好；愛好。
‡**pen·cil** [ˋpɛnsḷ] *n.* Ⓒ ①鉛筆；色筆。②似鉛筆之物；眉筆；口紅。③〖古〗畫筆。④〖光學〗光束。— *v.t.*(**-l-**,〖英〗**-ll-**)用鉛筆寫；用眉筆畫。§ **~ shàrpener** 削鉛筆機。
pend·ant [ˋpɛndənt] *n.* Ⓒ ①(項鍊、耳環、手鐲上的)垂飾。②天花板或屋頂之垂下飾物。— *adj.* =**pendent.**
pend·ent [ˋpɛndənt] *adj.* ①下垂的；懸垂的。②伸出的；凸出的。③懸而未決的。— *n.* =**pendant.**
pend·ing [ˋpɛndɪŋ] *adj.* 未決定的；待解決的。a ~ question懸案。— *prep.* ①在…之中。②在…前；直到。
pen·du·lous [ˋpɛndʒələs] *adj.* ①懸垂的。②擺動的；振動的。
pen·du·lum [ˋpɛndʒələm] *n.* Ⓒ 鐘擺。
pen·e·tra·ble [ˋpɛnətrəbḷ] *adj.* ①可透入的；可貫穿的；可滲透的。②可看破的；可洞察的。
***pen·e·trate** [ˋpɛnə,tret] *v.t.* ①穿入；透過。②刺入；刺破。③滲透；浸透。④洞察；了解。⑤侵入(市場)。⑥深深地感動；打動。— *v.i.* ①透入；侵入〔to, through, into〕。②洞察；看穿。③打動人心。—**pen·e·tra′tion,** *n.* —**pen′e·tra·tive,** *adj.*
pen·e·trat·ing [ˋpɛnə,tretɪŋ] *adj.* ①銳利的；貫穿的。②聰明的；有眼光的。
pen-friend [ˋpɛn,frɛnd] *n.* Ⓒ〖英〗筆友(=pen pal).
***pen·guin** [ˋpɛŋgwɪn] *n.* Ⓒ 企鵝。§ **~ sùit**〖俚〗太空衣。
pen·hold·er [ˋpɛn,holdɚ] *n.* Ⓒ ①鋼筆桿。②筆插；筆架。
pen·i·cil·lin [,pɛnɪˋsɪlɪn] *n.* Ⓤ〖藥〗盤尼西林；青黴素。
***pen·in·su·la** [pəˋnɪnsələ, -sjulə] *n.* Ⓒ 半島。—**pen·in′su·lar,** *adj.*
pe·nis [ˋpinɪs] *n.* Ⓒ (*pl.* **-nes** [-niz], **~es**)〖解〗陽物；陰莖。
pen·i·tent [ˋpɛnətənt] *adj.* 悔罪的；後悔的。— *n.* Ⓒ ①悔罪者。②〖天主教〗告解者；懺悔者。—**pen′i·tence,** *n.*
pen·i·ten·tial [,pɛnəˋtɛnʃəl] *adj.* ①悔悟的；悔罪的。②因懺悔而苦修的。
pen·i·ten·tia·ry [,pɛnəˋtɛnʃərɪ] *n.* Ⓒ ①感化院。②〖美〗監獄。— *adj.* ①悔罪的。②感化的。③應予懲罰的。
pen·knife [ˋpɛn,naɪf] *n.* Ⓒ (*pl.* **-knives**)小刀；削鉛筆刀。
pen·man [ˋpɛnmən] *n.* Ⓒ (*pl.* **-men**) ①書法家；善書法者。②文人；作家。③〖英〗謄寫員。
pen·man·ship [ˋpɛnmən,ʃɪp] *n.* Ⓤ ①書法；筆法。②寫作。
pen·nant [ˋpɛnənt] *n.* Ⓒ (軍艦等之)旒旗；小旗。
pen·ni·less [ˋpɛnɪlɪs] *adj.* 身無分文的；一文不名的；貧困的。
pen·non [ˋpɛnən] *n.* Ⓒ 槍騎兵團士兵所用之小旗。
pen·n'orth [ˋpɛnɚθ] *n.*〖俗〗=**pennyworth.**
Penn·syl·va·nia [,pɛnsḷˋvenjə] *n.* 賓夕凡尼亞(美國東部一州)。§ **~ Dútch** (1)(the ~ Dutch)德裔賓夕凡尼亞人。(2)(亦作Pennsylvania German)(德裔賓夕凡尼亞人所用的)混有英語的德語。
Penn·syl·va·nian [,pɛnsḷˋvenjən] *adj.*①賓夕凡尼亞州(人)的。②〖地質〗賓夕凡尼亞紀的。— *n.* ① Ⓒ 賓夕凡尼亞州人。②(the ~)〖地質〗賓夕凡尼亞紀。
‡**pen·ny** [ˋpɛnɪ] *n.* (*pl.* **pen·nies, pence**) ① Ⓒ 便士。② Ⓒ (*pl.* **pen·nies**)〖美，加〗一分錢(=cent). ③(a ~)小錢。*a bad ~* 不受歡迎之人或物。*a ~ for your thoughts* 默想。*a pretty ~* 巨額的金錢。*In for a ~, in for a pound.* 一不做，二不休。*turn* [*make*] *an honest ~* 正當地掙錢。
pen·ny-pinch·er [ˋpɛnɪ,pɪntʃɚ] *n.* Ⓒ 吝嗇鬼；小氣鬼。
pen·ny-a-line [,pɛnɪəˋlaɪn] *adj.* ①每行一便士的。②(原稿、著作等)便宜的；拙劣的。
pen·ny-a-lin·er [,pɛnɪəˋlaɪnɚ] *n.* Ⓒ (論行計資的)窮文人；下等文人。
pen·ny·weight [ˋpɛnɪ,wet] *n.* Ⓒ 英國金衡名(等於 24 克或 1/20 盎斯)。
pen·ny-wise [ˋpɛnɪˋwaɪz] *adj.* 省小錢的；惜分文的。
pen·ny·worth [ˋpɛnɪ,wɝθ] *n.* ① Ⓒ 一便士的東西[價值]。②(a ~, 常用否定句)少量。③ Ⓒ 上算的交易。*a good* [*bad*] *~* 有利[不利]的交易。
pe·nol·o·gy [piˋnɑlədʒɪ] *n.* Ⓤ 刑罰學；典獄學。
***pen·sion**¹ [ˋpɛnʃən] *n.* Ⓒ ①養老金；退休金；撫恤金。②獎金。— *v.t.* 給以養老金[恩俸等]。*~ off* 發給養老金使退休。§ **~ plàn** [**schème**]〖英〗退休制度(=〖美〗retirement plan).
pen·sion² [ˋpɑnsɪ,ɑn, pɑ̃ˋsjɔ̃]〖法〗*n.*

Ⓒ(歐洲大陸之)公寓；寄宿學校。

***pen·sion·er** [ˋpɛnʃənɚ] *n.* Ⓒ ①受年金[恩俸等]者。②受雇者。

pen·sive [ˋpɛnsɪv] *adj.* ①沉思的。②憂鬱的；哀思的。—**ly,** *adv.* —**ness,** *n.*

pent [pɛnt] *adj.* 被關閉的；被幽禁的。—*v.* pt. & pp. of **pen**².

pen·ta·gon [ˋpɛntə͵gɑn] *n.* Ⓒ①五角形。②(the P-)美國國防部五角大廈。

pen·tag·o·nal [pɛnˋtægənl] *adj.* 五角形的。

pen·tam·e·ter [pɛnˋtæmətɚ] *adj.* & *n.* Ⓒ(詩行)五音步的。

Pen·ta·teuch [ˋpɛntə͵tjuk] *n.* (the ～)摩西五書(聖經舊約的首五卷)。

pen·tath·lete [pɛnˋtæθlit]*n.* Ⓒ 五項運動選手。

pen·tath·lon [pɛnˋtæθlən] *n.* Ⓤ 五項運動。

Pen·te·cost [ˋpɛntɪ͵kɔst] *n.* ①〖基督教〗聖靈降臨節(＝Whitsunday). ②〖猶太教〗五旬節。

pent·house [ˋpɛnt͵haus] *n.* Ⓒ ①附於大建築物之棚舍。②築於大廈屋頂之小屋。

Pen·tium [ˋpɛntɪəm] *n.* Ⓒ〖電算〗Intel 公司生產的微處理機。

pent-up [ˋpɛntˋʌp] *adj.* 被關閉的；被幽禁的；鬱積的。

pe·nult [ˋpinʌlt, pɪˋnʌlt] *n.* Ⓒ 倒數第二個；(尤指)一字之倒數第二音節。

pe·nul·ti·mate [pɪˋnʌltəmɪt]〖語言〗*adj.* 倒數第二的。

pe·nu·ri·ous [pəˋnurɪəs] *adj.* ①貧窮的。②吝嗇的。③稀少的；不肥沃的。

pen·u·ry [ˋpɛnjərɪ] *n.* Ⓤ 貧窮；缺乏。

pe·on [ˋpiən] *n.* Ⓒ〖中南美〗①工人。②被迫工作以還債之人。

pe·on·age [ˋpiənɪdʒ] *n.* Ⓤ ①被迫勞役以抵債。②勞役償債制度。

pe·o·ny [ˋpiənɪ] *n.* Ⓒ 牡丹(花)；芍藥。

‡**peo·ple** [ˋpipl] *n.* ①(集合稱，作 *pl.* 解)人們；世人。② Ⓒ 民族。③(集合稱，作 *pl.* 解)(一地方之)居民；(某一階層；團體的)人。④(the ～)平民；老百姓；選民。⑤(one's ～)〖俗〗家人；親屬；祖先。—*v.t.* ①供以人民；居於。②飼養；生長。§ **Péople's pàrty**〖美史〗人民黨(1891-1904, 主張增加通貨、鐵路國有、限制私有土地等)。

pep [pɛp] *n.* Ⓤ〖俚〗精力；元氣；活力。—*v.t.*(-pp-)予以精神及氣力；激勵士氣(up).

***pep·per** [ˋpɛpɚ] *n.* ① Ⓤ 胡椒(粉)。② Ⓒ 胡椒屬植物。—*v.t.* ①灑以胡椒末調味。②以子彈密擊。③密布。§ ～ **pòt**〖英〗＝pepperbox.

pep·per-and-salt [ˋpɛpɚnˋsɔlt] *adj.* (布等)黑白相間的。

pep·per·box [ˋpɛpɚ͵bɑks] *n.* Ⓒ ①胡椒罐；胡椒瓶。②〖俚〗急性子的人。

pep·per·corn [ˋpɛpɚ͵kɔrn] *n.* Ⓒ ①乾胡椒；胡椒子。②象徵性租金。

pep·per·mint [ˋpɛpɚ͵mɪnt] *n.* ① Ⓤ 薄荷。② Ⓤ 薄荷油。③ Ⓒ 薄荷糖。

pep·per·y [ˋpɛpərɪ] *adj.* ①胡椒的。②似胡椒的；辛辣的。③(言詞等)尖刻的；譏刺的。④易怒的。

pep·py [ˋpɛpɪ] *adj.*〖美俚〗精力充沛的；活潑的；生氣勃勃的。

pep·sin(e) [ˋpɛpsɪn] *n.* Ⓤ ①胃液素；胃蛋白酶。②助消化藥。

pep·talk [ˋpɛp͵tɔk] *v.t.* & *v.i.*〖俗〗作精神講話；鼓勵；爲(人)打氣。

pep·tic [ˋpɛptɪk] *adj.* ①消化的；助消化的。②胃液素的；胃蛋白酶的。—*n.* Ⓒ 助消化藥；健胃劑。§ ～ **ùlcer**〖醫〗消化性潰瘍。

per** [pɚ] *prep.* ①每。②由；經。as*** ～ ***usual***〖俚〗照常(＝as usual). ～ ***annum*** 每年(略作 per an(n)., p.a.). ～ ***capita*** [ˋkæpɪtə] **a.**每人。**b.**〖法律〗平均分配的。

per·ad·ven·ture [͵pɝədˋvɛntʃɚ] *adv.*〖古〗①或者；也許。②偶然。

per·am·bu·late [pɚˋæmbjə͵let] *v.t.* & *v.i.* ①巡視；巡行。②徘徊(於某場所)；閒蕩。—**per·am·bu·la′tion,** *n.*

per·am·bu·la·tor [pɚˋæmbjə͵letɚ] *n.* Ⓒ ①嬰兒車。(略作 **pram**)②巡視者；勘查者。③計程器。

per·cale [pɚˋkel] *n.* Ⓤ 一種光滑細密的棉布。

per·ceiv·a·ble [pɚˋsivəbl] *adj.*可察覺的；有感覺的；可看到的；可領會的。—**per·ceiv′a·bly,** *adv.*

***per·ceive** [pɚˋsiv] *v.t.* ①感覺；知覺。②明白；理解。

‡**per·cent, per cent** [pɚˋsɛnt] *n.* (*pl.* ～)① Ⓒ 每百(%)。②(*pl.*)有固定利率之公債。③＝**percentage.** —*adj.* (與數字連用)百分之…的。

***per·cent·age** [pɚˋsɛntɪdʒ] *n.* ① Ⓒ 百分比；百分率。② Ⓤ〖俚〗利益。

per·cen·tile [pɚˋsɛntaɪl] *n.* Ⓒ〖統計〗百分位數。

per·cep·ti·ble [pɚˋsɛptəbl] *adj.* 易見的；可知覺的；可以認知的；看得出的。—**per·cep′ti·bly,** *adv.*

***per·cep·tion** [pɚˋsɛpʃən] *n.* ① Ⓤ 知覺力；感受。② Ⓒ 知覺的對象。

per·cep·tive [pɚˋsɛptɪv] *adj.* ①知覺的。②知覺敏銳的。③觀察入微的。

perch**¹ [pɝtʃ]*n.* Ⓒ ①(鳥類之)棲木；棲枝。②高的地位；安全的位置或地位。come off one's ～ 失勢；沒落。③車輛上御者之高座位。④英國長度名(5 ½ 碼，＝pole, rod). ⑤英國面積單位(30 ¼ 平方碼)。⑥(馬車的)轅桿。hop*** [***tip over***] ***the***～敗落；死。***knock one off one's*** ～ 打敗；殺死。—*v.i.* ①棲息；棲止(on, upon). ②站立；蹲；坐。—*v.t.*放置；擱置；安放(多用過去分詞)。

perch² *n.* Ⓤ Ⓒ (*pl.* ～**es,** ～)鱸；鱸類。

per·chance [pɚˋtʃæns] *adv.* ①或者；或許。②偶然；萬一。

per·cip·i·ent [pɚˋsɪpɪənt] *adj.* ①有知覺力的。②有鑑賞力的。—*n.* Ⓒ 知覺者；感覺靈敏的人。

per·co·late [ˋpɝkə͵let] *v.i.* 濾；滲透；滴出。—**per·co·la′tion,** *n.*

per·co·la·tor [ˋpɝkə͵letɚ] *n.* Ⓒ ①(附過濾器的)咖啡壺。②過濾器。

per·cus·sion [pɚˋkʌʃən] *n.* ① Ⓤ

Ⓒ 衝擊；碰撞。②(the ～, 集合稱)〖樂〗打擊樂器。③ⓊⒸ 震動；音響。④Ⓤ〖醫〗叩診法。§ ∼ càp 雷管。∼ ìnstrument 打擊樂器。

per·di·tion [pə`dɪʃən] *n.* Ⓤ ①毀滅；滅亡。②墮地獄。③地獄。

per·dur·a·ble [pə`djurəbl̩] *adj.* 持續的；持久的；不朽的；永久的。

per·dure [pə`djur] *v.i.* 持久；繼續。

per·e·gri·nate [`pɛrəgrɪ,net] *v.t.* & *v.i.* 遊歷；旅行。— **per·e·gri·na′tion, per′e·gri·na·tor,** *n.*

per·e·grine [`pɛrəgrɪn] *adj.* ①外國的；舶來的。②(鳥)移居的。— *n.* Ⓒ〖鳥〗隼(=peregrine falcon).

per·emp·to·ry [pə`rɛmptərɪ, `pɛrəmp,torɪ] *adj.* ①〖法律〗決定性的。②絕對的；斷然的。③專橫的；武斷的；高壓的。— **per·emp′to·ri·ly,** *adv.* — **per·emp′to·ri·ness,** *n.*

per·en·ni·al [pə`rɛnɪəl] *adj.* ①終年無間斷的。②永久的。③〖植〗多年生的。— *n.* Ⓒ 多年生植物。— **ly,** *adv.*

‡**per·fect** [`pɜfɪkt] *adj.* ①無瑕的；美好的。②完整的。③全然的。④熟練的。⑤(人選等)理想的。⑥純粹的。⑦絕對的。⑧徹頭徹尾的。⑨絲毫無謬誤的。⑩〖文法〗完成的。— *n.* Ⓒ〖文法〗完成式。— [pə`fɛkt] *v.t.* ①使完美無疵。②改良。③完成。§ ∼ gáme〖棒球〗完全比賽(全場不換投手而使對方無安打、無四壞球上壘及無得分之球賽)。∼ párticiple〖文法〗過去分詞(=past participle). ∼ pítch〖樂〗絕對音感。∼ rhýme 同音異義的韻(如 dear 和 deer). — **ness,** *n.*

per·fec·tion [pə`fɛkʃən] *n.* ①Ⓤ 完全；完備。②Ⓒ 完美之人或物。③(the ～)極致；典型。④Ⓤ 完成。come to ～成熟。*to* ～ 盡善盡美地。

per·fec·tion·ist [pə`fɛkʃənɪst] *n.* Ⓒ ①至善論者。②完美主義者。

***per·fect·ly** [`pɜfɪktlɪ] *adv.* 圓滿地；全然地；正確地。

per·fid·i·ous [pə`fɪdɪəs] *adj.* 不忠的；不義的；奸詐的。— **ly,** *adv.*

per·fi·dy [`pɜfədɪ] *n.* ⓊⒸ 背信；不忠；背叛；不誠實。

per·fo·rate [`pɜfə,ret] *v.t.* ①穿孔；打洞；貫穿。②(郵票接縫)打排孔。— *v.i.* 刺穿；貫穿〔into, through〕. — [`pɜfərɪt, -,ret] *adj.* 有孔的；打了洞的；鑿穿的；(尤指)刺有排孔的。

per·fo·ra·tion [,pɜfə`reʃən] *n.* ①Ⓤ 穿孔；貫穿；打洞。②Ⓒ 洞；孔；接縫孔。

per·fo·ra·tor [`pɜfə,retə] *n.* Ⓒ 穿孔器；穿孔機；穿孔者。

per·force [pə`fors] *adv.* 必需地；強迫地；不得已地。

***per·form** [pə`fɔrm] *v.t.* & *v.i.* ①做；行。～ one's duties 盡責任。②執行；履行。③表演；演(劇)；奏(樂)；唱。

***per·for·mance** [pə`fɔrməns] *n.* ①Ⓤ 履行；實行；執行。②Ⓤ 動作；行爲。③Ⓒ 扮演；演奏；奏樂；表演。

per·form·er [pə`fɔrmə] *n.* Ⓒ 演奏者；表演者；執行者；動作者。

***per·fume** [`pɜfjum] *n.* ①Ⓤ 香味；芳香。②ⓊⒸ 香水。— [pə`fjum] *v.t.* ①使香；薰香。②灑香水於。

per·fum·er·y [pə`fjumərɪ] *n.* ①Ⓤ (集合稱)香水。②Ⓤ 香水業。③Ⓒ 香水廠；香水銷售處。

per·func·to·ry [pə`fʌŋktərɪ] *adj.* ①敷衍的；馬虎的；機械性的。②不熱心的。— **per·func′to·ri·ly,** *adv.*

per·fuse [pə`fjuz] *v.t.* 灌；使充滿；鋪滿；灑遍；撒滿。

per·go·la [`pɜgələ] *n.* Ⓒ ①涼亭；陽臺；廊。②(藤蔓棚下之)蔭徑；藤蔓棚。

‡**per·haps** [pə`hæps] *adv.* 或許；可能。*P-* it will rain. 可能會下雨。

per·i·gee [`pɛrə,dʒi] *n.* Ⓒ〖天〗近地點(如月球軌道上最接近地球之點)。

per·i·he·li·on [,pɛrɪ`hilɪən] *n.* Ⓒ (*pl.* **-li·a** [-lɪə])〖天〗近日點(天體在其軌道上最接近太陽之點)。

***per·il** [`pɛrəl] *n.* ⓊⒸ 危險。This bridge is not safe; cross it at your ～. 此橋不安全，通過時有危險。

per·il·ous [`pɛrələs] *adj.* 危險的。

pe·rim·e·ter [pə`rɪmətə] *n.* Ⓒ ①周邊。②周長。③〖光學〗視野計。

per·i·na·tal [,pɛrɪ`netl] *adj.* 〖醫〗接近出生期的；出生前後的。

‡**pe·ri·od** [`pɪrɪəd] *n.* ①Ⓒ 期間。②Ⓒ 時期；時代；階段。③Ⓒ〖天〗周期。④Ⓒ〖地質〗紀。⑤Ⓒ (上課之)一節；一堂。⑥Ⓒ (常 *pl.*)月經期。⑦Ⓒ 句點(.)。⑧(a ～)結束。

pe·ri·od·ic [,pɪrɪ`ɑdɪk] *adj.* ①周期的；定時的。②不時發生的。③某一時期的。④〖文法〗完整句的。⑤〖修〗掉尾句的。§ ∼ láw〖化〗周期律。∼ táble〖化〗(元素)周期表。

***pe·ri·od·i·cal** [,pɪrɪ`ɑdɪkl̩] *n.* Ⓒ 期刊；雜誌。— *adj.* ①期刊的。②定期出版的。③周期的；定時的。

per·i·o·don·tal [,pɛrɪə`dɑntl] *adj.* 齒周膜的；牙周的。

per·i·o·don·tics [,pɛrɪə`dɑntɪks] *n.* Ⓤ 牙周病學。

per·i·pa·tet·ic [,pɛrəpə`tɛtɪk] *adj.* ①巡迴的；到處走的。②(P-)〖哲〗(亞里斯多德主張的)逍遙學派的。— *n.* Ⓒ ①到處行走的人。②(P-)逍遙學派學者。

pe·riph·er·al [pə`rɪfərəl] *adj.* ①周圍的；外圍的；次要的。②〖電算〗周邊裝置的。③〖解〗(神經)末梢的。— *n.* Ⓒ〖電算〗周邊裝置。— **ly,** *adv.*

pe·riph·er·y [pə`rɪfərɪ] *n.* Ⓒ ①(常 *sing.*)周圍。②(球形體之)表面；外圍。③(集合稱)〖解〗(神經)末梢之周圍。

pe·riph·ra·sis [pə`rɪfrəsɪs] *n.* (*pl.* **-ses** [-,siz]) ①Ⓤ〖修〗迂說法。②Ⓒ 拐彎抹角的說法。

per·i·phras·tic [,pɛrə`fræstɪk] *adj.* ①〖修〗迂說的。②拐彎抹角的。

per·i·scope [`pɛrə,skop] *n.* Ⓒ (潛水艇的)潛望鏡。

***per·ish** [`pɛrɪʃ] *v.i.* 死；毀滅；消失。— **ing,** *adj.*

per·ish·a·ble [`pɛrɪʃəbl̩] *adj.* 易壞

的；易滅的；易死的。—— *n.*(*pl.*)易壞之物。

per·i·to·ni·tis [ˌpɛrətəˋnaɪtɪs] *n.* Ⓤ〖醫〗腹膜炎。

per·i·wig [ˋpɛrəˌwɪg] *n.* Ⓒ 假髮。

per·i·win·kle [ˋpɛrəˌwɪŋkl] *n.* Ⓒ ①〖植〗長春花屬植物。②〖動〗濱螺。

per·jure [ˋpɜdʒɚ] *v.t.* 作僞證。The witness ～*d* himself. 該證人作僞證。—**per′jur·er,** *n.*

per·jured [ˋpɜdʒɚd] *adj.* 僞證的；犯僞證罪的。

per·ju·ry [ˋpɜdʒərɪ] *n.* Ⓤ 僞證；僞誓；僞證罪。

perk[1] [pɜk] *v.i.* ①(病後等)恢復元氣(up). ②行動敏捷。③趾高氣揚。—— *v.t.* ①豎起(up). ②裝扮(up). ～ *up* 快活起來；振作起來。

perk[2]=**perquisite**

perk·y [ˋpɜkɪ] *adj.* ①活潑的；意氣揚揚的。②裝腔作勢的；傲慢的。

perm [pɜm] *v.t.* & *v.i.* 燙髮。—— *n.* Ⓒ〖俗〗燙髮。

per·ma·frost [ˋpɜməˌfrɔst] *n.* Ⓤ (北極地方的)永久凍土層。

per·ma·nence [ˋpɜmənəns] *n.* Ⓤ 恆久；不變。

per·ma·nen·cy [ˋpɜmənənsɪ] *n.* ①=**permanence.** ②Ⓒ 長久不變之物或地位。

***per·ma·nent** [ˋpɜmənənt] *adj.* 永久的；不變的；耐久的。—— *n.* Ⓒ〖俗〗燙髮。§ ～ **préss** 免燙處理。～ **tóoth** 恆齒；永久齒。～ **wáve** 燙髮。—**ly,** *adv.*

per·me·a·ble [ˋpɜmɪəbl] *adj.* 可滲透的；可透過的。

per·me·ate [ˋpɜmɪˌet] *v.t.* & *v.i.* 瀰漫；遍布；充滿；滲透(into, through, among). —**per·me·a′tion,** *n.*

per·mis·si·ble [pɚˋmɪsəbl] *adj.* 可容許的；可承認的。

‡**per·mis·sion** [pɚˋmɪʃən] *n.* Ⓤ 許可；允許；准許。

per·mis·sive [pɚˋmɪsɪv] *adj.* ①表示准許的。②縱容的；放任的。

‡**per·mit** [pɚˋmɪt] *v.t.* & *v.i.* (**-tt-**) ①允許；容許(某人)。②准許；許可(事物)。～ *of* 容許。The situation does not ～ *of* any delay.這情況不容有任何耽擱。—— [ˋpɜmɪt, pɚˋmɪt] *n.* ①Ⓒ 許可證。an entry ～ 入境證。②Ⓤ 許可；准許。

per·mu·ta·tion [ˌpɜmjəˋteʃən] *n.* ①Ⓒ 交換。②ⓊⒸ〖數〗排列。

per·ni·cious [pɚˋnɪʃəs] *adj.* ①有害的；有毒的。②惡性的；致命的。～ anemia 惡性貧血。—**ly,** *adv.*

per·nick·et·y [pɚˋnɪkɪtɪ] *adj.* ①過分注意瑣事的。②須小心從事的。

per·o·ra·tion [ˌpɛroˋreʃən] *n.* Ⓒ ①(演說等的)結論。②慷慨陳辭。

per·ox·ide [pəˋrɑksaɪd] *n.* Ⓤ〖化〗①過氧化物。②過氧化氫。§ ～ **blónde** 以過氧化氫染成金髮的女人。

***per·pen·dic·u·lar** [ˌpɜpənˋdɪkjəlɚ] *adj.* ①垂直的。②垂直線的；成直角的。—— *n.* ①Ⓤ 垂直；直立姿勢。②Ⓒ 垂直線；垂直面。—**ly,** *adv.*

per·pe·trate [ˋpɜpəˌtret] *v.t.* ①犯(罪)；作(惡)。②開(玩笑)；行(詐)。—**per·pe·tra′tion, per′pe·tra·tor,** *n.*

***per·pet·u·al** [pɚˋpɛtʃuəl] *adj.* ①永久的。②終身的。③不斷的。④(花卉)整年開花的。§ ～ **cálendar** 萬年曆。

per·pet·u·ate [pɚˋpɛtʃuˌet] *v.t.* 使永存；使不朽。—**per·pet·u·a′tion, per·pet′u·a·tor,** *n.*

per·pe·tu·i·ty [ˌpɜpəˋtjuətɪ] *n.* ①Ⓤ 永存；永久。②ⓊⒸ 永存之物；永久財產。③Ⓒ 終身年金。*in* ～ 永遠地。

***per·plex** [pɚˋplɛks] *v.t.* ①使困窘；使迷惑。②使難解；使混亂。

per·plexed [pɚˋplɛkst] *adj.* ①困惑的；不知所措的。②雜亂的。

per·plex·ing [pɚˋplɛksɪŋ] *adj.* ①使人爲難的；使人困窘[困惑]的。②複雜的；麻煩的。—**ly,** *adv.*

per·plex·i·ty [pɚˋplɛksətɪ] *n.* ①Ⓤ 爲難；困惑。②Ⓒ 令人困惑的事。

per·qui·site [ˋpɜkwəzɪt] *n.* Ⓒ (常*pl.*)①(因職務而得的)額外收入；外快。②賞錢；小費。③特權；特殊待遇。

***per·se·cute** [ˋpɜsɪˌkjut] *v.t.* ①(宗教)迫害。②困惑；煩擾。

per·se·cu·tion [ˌpɜsɪˋkjuʃən] *n.* ⓊⒸ①(宗教上的)迫害。②迫害；煩擾。

per·se·cu·tor [ˋpɜsɪˌkjutɚ] *n.* Ⓒ 迫害者；虐待者。

Per·seph·o·ne [pɚˋsɛfənɪ] *n.* 〖希神〗①冥王之妻。②春之女神。

***per·se·ver·ance** [ˌpɜsəˋvɪrəns] *n.* Ⓤ 毅力；堅忍；堅持。

***per·se·vere** [ˌpɜsəˋvɪr] *v.i.* 堅忍；堅持。～ in one's studies 孜孜不倦。

per·se·ver·ing [ˌpɜsəˋvɪrɪŋ] *adj.* 堅持的；不屈不撓的。

Per·sia [ˋpɜʒə, ˋpɜʃə] *n.* 波斯(1935年更名爲Iran).

Per·sian [ˋpɜʒən, -ʃən] *adj.* 波斯(人，語)的。—— *n.* ①Ⓒ 波斯人。②Ⓤ 波斯語。§ ～ **blínds**〖建〗百葉窗。～ **cárpet**[**rúg**]波斯地毯。～ **cát**波斯貓。～ **Gúlf**波斯灣(伊朗與阿拉伯間之海灣)。～ **lámb**波斯羔；波斯羔之毛皮。

per·si·flage [ˋpɜsɪˌflɑʒ] *n.* Ⓤ 戲謔；嘲弄。

per·sim·mon [pɚˋsɪmən] *n.* ①Ⓒ〖植〗柿子樹。②ⓊⒸ 柿子。

***per·sist** [pɚˋzɪst, -ˋsɪst] *v.i.* ①堅持；固執。He ～*s* in doing it. 他堅持要做此事。②持久。③主張。

per·sist·ence [pɚˋzɪstəns, -ˋsɪst-], **-cy** [-sɪ] *n.* Ⓤ ①堅持；執意。②繼續存在；持續。

***per·sist·ent** [pɚˋzɪstənt, -ˋsɪst-] *adj.* ①執著的；堅持的。②繼續的；永續的。③一再出現的。—**ly,** *adv.*

‡**per·son** [ˋpɜsn̩] *n.* ①Ⓒ 人。②Ⓒ 身體；外貌。③ⓊⒸ〖文法〗人稱。the first [second, third] ～ 第一[二，三]人稱。④Ⓒ〖神學〗(三位一體的)位。

per·so·na [pɚˋsonə] 〖拉〗 *n.* (*pl.* **-nae** [-ni]) ①Ⓒ 人。②(*pl.*)(戲劇、小說等中的)人物。

per·son·a·ble [ˋpɜsn̩əbl] *adj.* 動人的；風度好的。

per·son·age [ˋpɝsn̩ɪdʒ] *n.* Ⓒ ①名人。②人。③(小說、戲劇等中的)人物。

‡**per·son·al** [ˋpɝsn̩l] *adj.* ①個人的；私人的。②本人的；親自的。③身體的；外貌的。④關於或針對個人的。～ abuse 人身攻擊。⑤說話或問題涉及私事的。⑥〖文法〗人稱的。⑦〖法律〗動產的。— *n.* Ⓒ〖美〗①有關個人之短聞。②有關私事的廣告；人事廣告。§ ～ **prónoun**〖文法〗人稱代名詞。～ **próp·erty**〖法律〗動產。

***per·son·al·i·ty** [ˌpɝsn̩ˋælətɪ] *n.* ① Ⓤ Ⓒ 個性。② Ⓤ Ⓒ 爲人。③ Ⓒ 名人；人物。④ Ⓤ Ⓒ 獨特氣質。§ ～ **cúlt** 個人崇拜。～ **tést**〖心〗人格測驗。

per·son·al·ize [ˋpɝsn̩lˌaɪz] *v.t.* ①使成爲私人的。～*d* stationery 私人信紙信封。②使人格化。③印個人姓名於。

***per·son·al·ly** [ˋpɝsn̩lɪ] *adv.* ①親自地。②就自己來說。③就人而論。

per·son·al·ty [ˋpɝsn̩ltɪ] *n.* Ⓤ〖法律〗動產(爲 realty 之對)。

per·son·ate [ˋpɝsnˌet] *v.t.* ①扮演；飾演。②假扮；僞裝。③冒充。④象徵；代表。— **per·son·a′tion,** *n.*

per·son·i·fi·ca·tion [pɚˌsɑnəfəˋkeʃən] *n.* ① Ⓤ Ⓒ 擬人(法)；人格化。②(the ～)化身；活例；典型。

per·son·i·fy [pɚˋsɑnəˌfaɪ] *v.t.* ①擬人化；視爲人。②爲…之化身。

***per·son·nel** [ˌpɝsn̩ˋɛl] *n.* Ⓤ (集合稱)(公司等的)人員；員工；全體職員。the bureau of ～ 人事室。

per·son-to-per·son [ˋpɝsntəˋpɝsən] *adj.* 私人間的；個人的。a ～ call〖美〗叫人電話。— *adv.* ①(以長途電話)叫人地。②親自地；面對面地。

***per·spec·tive** [pɚˋspɛktɪv] *n.* ① Ⓤ 透視法；遠近的配合。② Ⓒ 透視畫。③ Ⓤ (觀察問題的)視角；觀點。④ Ⓒ 前景；遠景；眼界。⑤ Ⓒ 前途；希望。— *adj.* 透視的；配景的。— **ly,** *adv.*

per·spi·ca·cious [ˌpɝspɪˋkeʃəs] *adj.* 聰慧的；明察的；敏銳的。— **per·spi·cac′i·ty** [-ˋkæsətɪ], *n.*

per·spic·u·ous [pɚˋspɪkjuəs] *adj.* ①(文體)明白易懂的。②=**perspica·cious.** — **per·spi·cu′i·ty,** *n.*

per·spi·ra·tion [ˌpɝspəˋreʃən] *n.* Ⓤ①汗。②流汗。

per·spire [pɚˋspaɪr] *v.i.* 流汗。— *v.t.* 自毛孔排出；滲出；流(汗)。

‡**per·suade** [pɚˋswed] *v.t.* 說服；勸誘；勸服；使相信。

***per·sua·sion** [pɚˋsweʒən] *n.* ① Ⓤ 說服；勸誘。② Ⓤ 說服力。③ Ⓤ (又作 a ～)信念。④ Ⓒ 教派。⑤ Ⓒ (常 *sing.*)〖謔〗種類。

per·sua·sive [pɚˋswesɪv] *adj.* 有說服力的；善於遊說的。

pert [pɝt] *adj.* ①無禮的；粗魯的。②〖方〗活潑的。③絢燦的。

per·tain [pɚˋten] *v.i.* ①屬於。②有關；關於。The letter does not ～ to politics. 這封信與政治無關。③適於。

per·ti·na·cious [ˌpɝtn̩ˋeʃəs] *adj.* ①頑固的；糾纏不放的。②堅持的；不屈不撓的。— **ly,** *adv.* — **per·ti·nac′i·ty** [-ˋæs-], *n.*

***per·ti·nent** [ˋpɝtn̩ənt] *adj.* ①有關的；關聯的。②適當的；中肯的；切題的。Your remark is not ～ to the subject. 你的話不切題。— **per′ti·nence, per′ti·nen·cy,** *n.*

per·turb [pɚˋtɝb] *v.t.* ①使心煩意亂。②擾亂；攪亂。— **per·tur·ba′tion,** *n.* — **per·turb′a·ble,** *adj.*

per·tus·sis [pɚˋtʌsɪs] *n.* Ⓤ〖醫〗百日咳。— **per·tus′sal,** *adj.*

Pe·ru [pəˋru] *n.* 秘魯(南美西岸之一共和國，首都 Lima)。

pe·ruke [pəˋruk] *n.* Ⓒ (十七、八世紀男用)長假髮。

pe·rus·al [pəˋruzl̩] *n.* Ⓤ Ⓒ 細讀；閱讀。

pe·ruse [pəˋruz] *v.t.* ①細讀；精讀。②讀；閱讀。

Pe·ru·vi·an [pəˋruvɪən] *adj.* 秘魯的；秘魯人的。— *n.* Ⓒ 秘魯人。

***per·vade** [pɚˋved] *v.t.* ①遍布；瀰漫；遍及；滲透。②走遍。— **per·va′·sion** [-ʒən], *n.* — **per·va′sive,** *adj.*

per·verse [pɚˋvɝs] *adj.* ①錯誤的。②與所希望者相反的。— **ly,** *adv.*

per·ver·sion [pɚˋvɝʒən] *n.* Ⓤ Ⓒ ①顛倒；倒置。②曲解；誤用。③〖心〗性慾倒錯；性變態。④惡化。

per·ver·si·ty [pɚˋvɝsətɪ] *n.* ① Ⓤ 邪惡；倔強。② Ⓒ 邪惡的行爲或性格。

per·vert [pɚˋvɝt] *v.t.* ①把…引入邪路。②曲解；扭曲；誤解。③誤用；濫用。— [ˋpɝvɝt] *n.* Ⓒ ①走上邪路者；行爲反常者。②性變態者。

per·vi·ous [ˋpɝvɪəs] *adj.* ①可滲透的；可透過的；可通過的。Glass is ～ to light. 玻璃是透光的。②有感受力的。

pe·se·ta [pəˋsɛtə] *n.* Ⓒ 披塞塔(西班牙銀幣名，與法郎價值同)。

pes·ky [ˋpɛskɪ] *adj.* 〖俗〗麻煩的；討厭的。

pe·so [ˋpeso] *n.* Ⓒ (*pl.* ～**s**) 披索(中南美、墨西哥及菲律賓之貨幣單位)。

pes·sa·ry [ˋpɛsərɪ] *n.* Ⓒ〖醫〗①子宮壓定器。②(避孕用)子宮套。

pes·si·mism [ˋpɛsəˌmɪzəm] *n.* Ⓤ 悲觀；悲觀主義。

pes·si·mist [ˋpɛsəmɪst] *n.* Ⓒ ①悲觀者。②悲觀主義者。— **pes·si·mis′·tic,** *adj.*

pest [pɛst] *n.* Ⓒ ①害蟲；有害的人或物。②(常 *sing.*)令人討厭的人或物。

pes·ter [ˋpɛstɚ] *v.t.* 使厭煩；使苦惱。

pes·ti·cide [ˋpɛstɪˌsaɪd] *n.* Ⓤ Ⓒ 殺蟲劑。

pes·ti·lence [ˋpɛstl̩əns] *n.* Ⓤ Ⓒ ①傳染病；(特指)鼠疫。②毒害。

pes·ti·lent [ˋpɛstl̩ənt] *adj.* ①傳染病的。②敗壞風俗的。③〖謔〗討厭的。

pes·ti·len·tial [ˌpɛstl̩ˋɛnʃəl] *adj.* =**pestilent.**

pes·tle [ˋpɛsl̩] *n.* Ⓒ 杵。— *v.t.* & *v.i.* 以杵搗；以杵研磨。

‡**pet**[1] [pɛt] *n.* Ⓒ①寵物。②受寵愛的人。— *adj.* 寵愛的；得意的。— *v.t.* (**-tt-**) 寵愛；愛撫。

pet² *n.* Ⓒ 慍怒；不悅。be in a ～在發怒中；生氣。**—** *v.i.* (**-tt-**)不悅；生氣。
pet·al [ˋpɛtḷ] *n.* Ⓒ 花瓣。
pe·tard [pɪˋtɑrd] *n.* Ⓒ 〖史〗(炸開城門的)一種爆炸裝置。***hoist with*** [***by, on***] ***one's own*** ～ 害人反害己。
pet·cock [ˋpɛtˏkɑk] *n.* Ⓒ (蒸汽引擎等之)小活栓；小龍頭。
pe·ter [ˋpitɚ] *v.i.* 漸小、漸弱而終於消失〔out〕。
Pe·ter [ˋpitɚ] *n.* ①(St. ～)彼得(耶穌十二門徒之一)。②彼得書(新約聖經卷名)。***rob*** ～ ***to pay Paul*** 東借西還。§ ～ **Pán** 彼得潘(童話故事小飛俠之主角，爲一名勇敢少年)。
pet·i·ole [ˋpɛtɪˏol] *n.* Ⓒ 〖植〗葉柄。
pet·it [ˋpɛtɪ] 〖法〗*adj.* 小的；微不足道的。§ ～ **bourgeóis** 小資產階級；小市民。～ **fármer** 小農。～ **fóur** 精緻小餅。～ **júry** = petty jury. ～ **mál** [mæl] 〖醫〗輕癲癇。
pe·tite [pəˋtit] 〖法〗*adj.* ①(形容婦女)嬌小的。②(婦女服裝)小號的。
***pe·ti·tion** [pəˋtɪʃən] *n.* Ⓒ ①陳情；請願。②〖法律〗請願書；陳情書；訴狀。③祈禱；懇求。**—** *v.t.* & *v.i.* ①請求；呈請。②祈求；懇求。**— ar·y,** *adj.*
pet·nap·ping [ˋpɛtˏnæpɪŋ] *n.* Ⓤ 〖美〗偷竊寵物。**— pet′nap·per,** *n.*
pet·rel [ˋpɛtrəl] *n.* Ⓒ 〖鳥〗海燕。
pet·ri·fac·tion [ˏpɛtrəˋfækʃən] *n.* ① Ⓒ 化石。② Ⓤ 成爲化石；石化。③ Ⓤ 嚇呆。
pet·ri·fy [ˋpɛtrəˏfaɪ] *v.t.* ①使堅硬；使僵化。②使石化。③使發呆。**—** *v.i.* ①發呆；變僵硬。②變成石。
pet·ro [ˋpɛtro] *adj.* 石油(工業)的。
pet·ro·chem·i·cal [ˏpɛtroˋkɛmɪkḷ] *n.* Ⓒ (常 *pl.*)石油化學品。
pet·ro·chem·is·try [ˏpɛtroˋkɛmɪstrɪ] *n.* Ⓤ ①石油化學。②岩石化學。
pet·ro·dol·lar [ˋpɛtrəˏdɑlɚ] *n.* (*pl.*)石油美元(石油國輸出石油所得的外匯)。
***pet·rol** [ˋpɛtrəl] *n.* Ⓤ 〖英〗汽油(=〖美〗gasoline).
***pe·tro·le·um** [pəˋtrolɪəm] *n.* Ⓤ 石油。crude [raw] ～ 原油。
pet·ti·coat [ˋpɛtɪˏkot] *n.* Ⓒ ①(婦女所穿的)襯裙。②裙狀的遮蓋物。③〖俗〗女人；女孩。**—** *adj.* ①女人的。～ government 女人掌權。②娘娘腔的。
pet·ti·fog·ger [ˋpɛtɪˏfɑgɚ] *n.* Ⓒ ①卑劣之律師；訟棍。②吹毛求疵[講歪理]的人。
pet·ti·fog·ging [ˋpɛtɪˏfɑgɪŋ] *adj.* ①卑劣的。②吹毛求疵的；小題大作的。
pet·tish [ˋpɛtɪʃ] *adj.* 易怒的；壞脾氣的。
pet·ti·skirt [ˋpɛtɪˏskɝt] *n.* Ⓒ 襯裙。
***pet·ty** [ˋpɛtɪ] *adj.* ①細小的；瑣碎的。②卑賤的；小器的；心胸狹窄的。③下級的。④小規模的。§ ～ **cásh** 小額的現金收支；零用錢。～ **júry** 小陪審團(由12人組成)。～ **ófficer** (海軍)士官。
pet·u·lant [ˋpɛtʃələnt] *adj.* 性急的；暴躁的。**— pet′u·lance, pet′u·lan·cy,** *n.*
pe·tu·nia [pəˋtjunjə] *n.* ① Ⓒ 〖植〗(南美產)矮牽牛。② Ⓤ 深紫紅色。
pew [pju] *n.* Ⓒ ①教堂中之一排座位；教堂內有靠背之長椅。②教堂內某一家族專用之廂席(=family pew).
pe·wee [ˋpiwi] *n.* Ⓒ 〖鳥〗京燕。
pew·ter [ˋpjutɚ] *n.* Ⓤ ①錫與鉛或其他金屬之合金；白鑞。②白鑞器。
PFC, Pfc. Private First Class. 一等兵。**pfd.** preferred.
pfen·nig [ˋpfɛnɪg] *n.* Ⓒ (*pl.* **～s, pfen·ni·ge** [ˋpfɛnɪgə])分尼(德國的貨幣單位，值1／100馬克，略作 **pf**(**g**).).
pg. page.
PG Parental Guidance. 〖美影〗兒童觀看時應由父母陪同觀賞的電影。**PG-13** 〖美影〗未滿 13 歲的兒童應由父母陪同觀賞的準普通級電影。**pH** 〖化〗氫離子指數。
pha·e·ton [ˋfeətṇ] *n.* Ⓒ ①一種輕快的四輪馬車。②一種旅行用敞篷汽車。
pha·lanx [ˋfelæŋks] *n.* Ⓒ (*pl.* **～es**) ①古希臘重武裝步兵列成密集的方陣。②密集隊形的排列。③大群集結的人[動物]。④(*pl.* **pha·lan·ges** [fəˋlændʒiz]) 指骨；趾骨。
phal·lus [ˋfæləs] *n.* Ⓒ (*pl.* **phal·li** [ˋfælaɪ], **～es**)①陰莖的圖像。②〖解〗陰莖。
phan·tasm [ˋfæntæzəm] *n.* Ⓒ ①幻象。②幻想；空想。③鬼魂；幽靈。
phan·tas·ma·go·ri·a [ˏfæntæzməˋgorɪə] *n.* Ⓒ ①連續變化的幻影[幻想]；幻覺效應。②變幻不定的光景。**— phan·tas·ma·gor′ic,** *adj.*
phan·tas·mal [fænˋtæzmḷ] *adj.* 幻影的；幽靈的；空想[幻想]的。
phan·ta·sy [ˋfæntəsɪ] *n.* =**fantasy.**
phan·tom [ˋfæntəm] *n.* Ⓒ ①幻影；幻像。②幽靈；鬼怪。③化身；象徵。④有名無實的人[事物]。**—** *adj.* 虛幻的；似鬼的。
Phar·aoh [ˋfɛro] *n.* Ⓒ 法老(古埃及王的尊稱)。
Phar·i·sa·ic, -i·cal [ˏfærəˋseɪk(ḷ)] *adj.* ①法利賽人的。②(p-)假裝虔誠的；拘泥形式的；僞善的。
Phar·i·see [ˋfærəˏsi] *n.* Ⓒ ①古猶太法利賽教派的教徒。②(p-)形式主義者；僞善者。
phar·ma·ceu·tic, -ti·cal [ˏfɑrməˋsjutɪk(ḷ)] *adj.* 製藥的；配藥的。
phar·ma·ceu·tics [ˏfɑrməˋsjutɪks] *n.* Ⓤ 調劑學；製藥學。
phar·ma·cist [ˋfɑrməsɪst] *n.* Ⓒ ①藥劑師。②製藥商。
phar·ma·col·o·gy [ˏfɑrməˋkɑlədʒɪ] *n.* Ⓤ 藥物學；藥理學。
phar·ma·co·p(o)e·ia [ˏfɑrməkəˋpiə] *n.* Ⓒ 處方書；藥劑書；藥典(尤指官方所刊印者)。
phar·ma·cy [ˋfɑrməsɪ] *n.* ① Ⓤ 製藥；配藥；藥劑學。② Ⓒ 藥房。
Pha·ros [ˋfɛrɑs] *n.* ①(the ～)(古埃及北部Alexandria 灣內之)法洛斯燈塔(世界七大奇觀之一)。②(p-) Ⓒ 燈塔；航線標識。
phar·yn·gi·tis [ˏfærɪnˋdʒaɪtɪs] *n.* Ⓤ 〖醫〗咽炎。

phar·ynx [ˋfærɪŋks] *n.* Ⓒ (*pl.* ~-**es, pha·ryn·ges** [fəˋrɪndʒiz])〖解〗咽。
*__phase__ [fez] *n.* Ⓒ ①局面；狀態；時期；階段。②〖天〗(月等的)變象；盈虧。— *v.t.* (逐步)計畫[實行]。
phase·down [ˋfez,daʊn] *n.* Ⓒ (一項計畫或作業之)漸次縮減。
phase-in [ˋfez,ɪn] *n.* Ⓒ 分段引進；逐步實行。
phase-out [ˋfez,aʊt] *n.* Ⓒ 逐步淘汰；分段結束。
Ph.D. Doctor of Philosophy.
pheas·ant [ˋfɛznt] *n.* (*pl.* ~**s**, ~)① Ⓒ〖鳥〗雉。②Ⓤ雉肉。
phe·nix [ˋfinɪks] *n.* =**phoenix.**
phe·nol [ˋfinol] *n.* Ⓤ〖化〗酚。
*__phe·nom·e·na__ [fəˋnɑmənə] *n.* pl. of **phenomenon.**
phe·nom·e·nal [fəˋnɑmənl] *adj.* ①現象的。②可由感官感知的。③非凡的。—**ly,** *adv.*
phe·nom·e·nol·o·gy [fɪ,nɑməˋnɑlədʒɪ] *n.* Ⓤ〖哲〗現象學。
*__phe·nom·e·non__ [fəˋnɑmə,nɑn] *n.* Ⓒ (*pl.* -**na** [-nə])①現象。②(*pl.* ~**s**) 特殊的人；特殊的事物。
pher·o·mone [ˋfɛrə,mon] *n.* Ⓒ〖生化〗外激素(若干動物爲引起其他同種動物之某一特定反應而分泌之物質)。
phew [fju] *interj.* 呸！啐！(表示憎厭、不耐、驚訝等之聲)。
phi·al [ˋfaɪəl] *n.* Ⓒ小瓶；小藥瓶。
Phi Be·ta Kap·pa [ˋfaɪ,betəˋkæpə] *n.* 成績優秀的美國大學生及畢業生所組成的榮譽學會。
Phil·a·del·phi·a [,fɪləˋdɛlfjə, -fɪə] *n.* 費城(美國賓州東南部之一城)。
phi·lan·der [fəˋlændə] *v.i.*(指男子)不貞誠地戀愛；玩弄女子。—**er,** *n.*
phi·lan·thro·pism [fəˋlænθrə,pɪzəm] *n.* Ⓤ博愛主義；仁愛。
phi·lan·thro·py [fəˋlænθrəpɪ] *n.* ①Ⓤ慈善心。②Ⓒ慈善事業。—**phi·lan′thro·pist,** *n.* —**phil·an·throp′ic** [-ˋθrɑp-], *adj.*
phi·lat·e·list [fəˋlætlɪst] *n.* Ⓒ集郵者；集郵家。
phi·lat·e·ly [fəˋlætlɪ] *n.* Ⓤ集郵。
phil·har·mon·ic [,fɪləˋmɑnɪk] *adj.* 愛(好音)樂的。— *n.* Ⓒ ①交響樂團。②(P-)愛樂協會。
Phil·ip·pine [ˋfɪlə,pin] *adj.* 菲律賓群島的；菲律賓人的。§ **the** ~ **Islands** 菲律賓群島。
Phil·ip·pines [ˋfɪlə,pinz] *n. pl.* (the ~)①菲律賓羣島。②菲律賓共和國(正式名稱爲 the Republic of the Philippines).
Phi·lis·tine [fəˋlɪstɪn] *n.* Ⓒ ①〖聖經〗非利士人(居於巴勒斯坦西南部)。②(p-)市儈；庸俗的人。③門外漢。— *adj.* ①非利士人的。②庸俗的；缺乏教養的。
phi·lis·tin·ism [fəˋlɪstɪn,ɪzəm] *n.* Ⓤ實利主義；平庸；庸俗；無教養。
phil·o·den·dron [,fɪləˋdɛndrən] *n.* Ⓒ〖植〗黃蘗。

phi·lol·o·gy [fɪˋlɑlədʒɪ] *n.* Ⓤ語言學(=linguistics).—**phi·lol′o·gist,** *n.* —**phil·o·log′i·cal** [-ləˋlɑdʒ-], *adj.*
*__phi·los·o·pher__ [fəˋlɑsəfə] *n.* Ⓒ ①哲學家。②達觀者；哲人。§ ~**s' stòne** 賢者之石；點金石。
phil·o·soph·ic, -i·cal [,fɪləˋsɑfɪk(l)] *adj.* ①哲學上的。②精於哲學的。③專心於哲學的。④賢明的；冷靜的；明達的；達觀的。—**phil·o·soph′i·cal·ly,** *adv.*
phi·los·o·phize [fəˋlɑsə,faɪz] *v.i.* 如哲學家般地思維或推理。
*__phi·los·o·phy__ [fəˋlɑsəfɪ] *n.* ①Ⓤ哲學。②Ⓒ人生觀。③Ⓒ哲理；原理。④Ⓤ明達；冷靜；徹悟。***Doctor of P-*** 博士學位；博士。
phil·ter,〖英〗**-tre** [ˋfɪltə] *n.* Ⓒ①春藥。②魔藥。— *v.t.* 用春藥迷住。
phle·bi·tis [flɪˋbaɪtɪs] *n.* Ⓤ〖醫〗靜脈炎。—**phle·bit′ic,** *adj.*
phlegm [flɛm] *n.* Ⓤ ①痰。②黏液。③遲鈍；冷漠。④冷靜；鎮定。
phleg·mat·ic, -i·cal [flɛgˋmætɪk(l)] *adj.* ①遲鈍的；冷漠的。②黏液質的。
phlox [flɑks] *n.* Ⓒ (*pl.* ~·**es,** ~)〖植〗①草夾竹桃。②草夾竹桃之花。
Phnom Penh [ˋnɑmˋpɛn] *n.* 金邊(高棉之首都)。
-phobe〖字尾〗表「懼怕…者」之義。
pho·bi·a [ˋfobɪə] *n.* Ⓤ Ⓒ 恐懼症；異常的恐怖；畏懼。
-phobia〖字尾〗表「…恐懼症」之義。
phoe·be [ˋfibɪ] *n.* Ⓒ (美國產的)一種京燕。
Phoe·bus [ˋfibəs] *n.*①〖希神〗費伯斯(太陽神，即 Apollo). ②〖詩〗太陽。
Phoe·ni·cia [fəˋnɪʃ(ɪ)ə] *n.* 腓尼基(敍利亞西海岸之古國)(=Phenicia). —**Phoe·ni′cian,** *adj.* & *n.*
phoe·nix [ˋfinɪks] *n.* Ⓒ 長生鳥(相傳此鳥於活五、六百年後，自焚爲灰，然後由灰中復生)；鳳凰。
phon [fɑn] *n.* Ⓒ〖理〗唪(聲響的強度單位)。
phone [fon] *n.* & *v.*〖美俗〗=**telephone.** § *~ **bòok**〖美〗電話簿。
*__phone·booth__ [ˋfon,buθ] *n.* Ⓒ 公共電話亭。
phone·card [ˋfon,kɑrd] *n.* Ⓒ電話卡。
pho·neme [ˋfonim] *n.* Ⓒ〖語音〗音素；音位(某語言之語音上最小單位)。
pho·ne·mic [foˋnimɪk] *adj.*〖語音〗音素的；音位的。(亦作 **phonematic**)
pho·ne·mics [foˋnimɪks] *n.* Ⓤ音素學；音位學。(亦作 **phonematics**)
pho·net·ic [foˋnɛtɪk] *adj.* ①語音的；語音學的。~ symbols 音標。②表示發音的。—**pho·net′i·cal·ly,** *adv.*
pho·ne·ti·cian [,fonəˋtɪʃən] *n.* Ⓒ語音學家。
pho·net·ics [foˋnɛtɪks] *n.* Ⓤ 語音學。
Phone·vi·sion [ˋfon,vɪʒən] *n.* Ⓤ Ⓒ〖商標〗顯像電話。
pho·ney [ˋfonɪ] *adj.* & *n.*〖美俚〗=**phony.**
phon·ic [ˋfɑnɪk, ˋfonɪk] *adj.* ①音的；

語音的；發音上的。②〖罕〗有聲的。
phon·ics [ˋfɑnɪks, ˋfonɪks] *n.* Ⓤ ①聲學；音響學。②(以發音爲重點的)基礎語音教學法。
phono-〖字首〗表「聲；音」之義。
pho·no·graph [ˋfonə,græf] *n.* Ⓒ〖美〗留聲機(=〖英〗gramophone).
pho·nog·ra·phy [foˋnɑgrəfɪ] *n.* Ⓤ①表音拼[寫]字法。②表音速記法。
pho·nol·o·gy [foˋnɑlədʒɪ] *n.* Ⓤ 音韻學；語音學(指語音的歷史研究)。
P
pho·ny [ˋfonɪ]〖美俚〗*adj.* 假的；僞造的。— *n.* Ⓒ①贋品。②騙子。
phos·phate [ˋfɑsfet] *n.* ① ⓊⒸ〖化〗磷酸鹽。② ⓊⒸ (常 *pl.*)含磷酸鹽之肥料。③ Ⓤ 加果汁及磷酸的汽水。
phos·phor [ˋfɑsfɚ] *n.* Ⓤ〖化〗磷。
phos·pho·resce [,fɑsfəˋrɛs] *v.i.* 發磷光；發磷火。
phos·pho·res·cence [,fɑsfəˋrɛsəns] *n.* Ⓤ 磷光；發磷光；鬼火。
phos·pho·res·cent [,fɑsfəˋrɛsənt] *adj.* 發磷光的；磷光性的。
phos·phor·ic [fɑsˋfɔrɪk] *adj.*〖化〗(五價)磷的；含磷的。～ acid 磷酸。
phos·pho·rous [ˋfɑsfərəs] *adj.* 含三價磷的；亞磷的。～ acid 亞磷酸。
phos·pho·rus [ˋfɑsfərəs] *n.* Ⓤ〖化〗磷(非金屬元素；符號 P).
***pho·to** [ˋfoto] *v.* & *n.* (*pl.* ～s)〖俗〗=**photograph.** § ～ **fínish** (1)〖賽馬〗終點攝影裁判(競賽時依攝影來判定勝負)。(2)勢均力敵的競賽。
photo-〖字首〗表「光；照相」之義。
pho·to·com·pos·er [ˋfotokəm,pozɚ] *n.* Ⓒ 照相排版機。
pho·to·com·po·si·tion [,foto,kɑmpəˋzɪʃən] *n.* Ⓤ 照相排版。
pho·to·cop·i·er [ˋfotə,kɑpɪɚ] *n.* Ⓒ 影印機。
pho·to·cop·y [ˋfotə,kɑpɪ] *n.* Ⓒ 影印本。— *v.t.* 影印。
pho·to·e·lec·tric [,foto·ɪˋlɛktrɪk] *adj.*〖理〗光電的；光電照相裝置的。§ ～ **céll** 光電管。
pho·to·en·grav·ing [,fotoɪnˋgrevɪŋ] *n.* ① Ⓤ 照相雕刻(術)；照相雕刻版。② Ⓒ 照相雕刻版之印刷品。
pho·to·gen·ic [,fotəˋdʒɛnɪk] *adj.* ①宜於藝術攝影的(人)；上鏡頭的。②〖生物〗發光(性)的。
pho·to·graph** [ˋfotə,græf] *n.* Ⓒ 相片；照片。take a ～; take ～s*** 照相。— *v.t.* & *v.i.* 攝影。
***pho·tog·ra·pher** [fəˋtɑgrəfɚ] *n.* Ⓒ①攝影者；攝影家。②照相館。
***pho·to·graph·ic** [,fotəˋgræfɪk] *adj.* ①攝影的；攝影術的；似相片的。②用於攝影的；攝製的。
***pho·tog·ra·phy** [fəˋtɑgrəfɪ] *n.* Ⓤ 攝影；攝影術。
pho·to·gra·vure [,fotəgrəˋvjur, -ˋgrevjɚ] *n.* ① Ⓤ 照相製版法。② Ⓒ 照相版；影印版。
pho·tom·e·ter [foˋtɑmətɚ] *n.* Ⓒ ①光度計。②感光計。
pho·tom·e·try [foˋtɑmətrɪ] *n.* Ⓤ 光度測定(法)；光度學。
pho·to·mon·tage [,fotəmɑnˋtɑʒ] *n.* ⓊⒸ 集錦照相(術)(爲求美術效果將數幀照片拼合爲一幀者)。
pho·to·mu·ral [,fotəˋmjurəl] *n.* Ⓒ 裝飾牆壁用的大照片。
pho·ton [ˋfotɑn] *n.* Ⓒ ①〖理〗光子；光量子。②〖醫〗光度(視網膜照明單位)。
pho·to·re·con·nais·sance [,fotorɪˋkɑnəsəns] *n.* Ⓤ 空中照相偵察。
pho·to·sen·si·tive [,fotəˋsɛnsətɪv] *adj.* 感光性的。
pho·to·stat [ˋfotə,stæt] *n.* Ⓒ ①(P-)〖商標〗直接影印機。②直接影印照片。— *v.t.* 用直接影印機拍攝。
pho·to·syn·the·sis [,fotəˋsɪnθəsɪs] *n.* Ⓤ〖生化〗光合作用。
phras·al [ˋfrezl] *adj.* 詞組的；片語的。
‡**phrase** [frez] *n.* ① ⓊⒸ 措辭；語法。② Ⓒ 成語；慣用語。③ Ⓒ 警句。④ Ⓒ〖文法〗片語。⑤ Ⓒ〖樂〗樂句。— *v.t.* ①措辭。②分(音符)爲節。
phrase·mon·ger [ˋfrez,mʌŋgɚ] *n.* Ⓒ 愛用華麗而空洞無意義詞句的人。
phra·se·ol·o·gy [,frezɪˋɑlədʒɪ] *n.* Ⓤ ①措辭；特殊的用語。②語詞；語詞表現法。
phras·ing [ˋfrezɪŋ] *n.* Ⓤ ①措辭；語法。②〖樂〗分節法。
phre·net·ic, -i·cal [frɪˋnɛtɪk(l̩)] *adj.* ①狂亂的。②狂熱的。
phre·nol·o·gy [frɛˋnɑlədʒɪ] *n.* Ⓤ 骨相學。—**phre·nol′o·gist,** *n.* —**phren·o·log′i·cal** [-əˋlɑdʒ-], *adj.*
phthi·sis [ˋθaɪsɪs] *n.* Ⓤ 肺結核。
phy·lum [ˋfaɪləm] *n.* Ⓒ (*pl.* **-la** [-lə]) ①〖生物〗門；類。②〖語言〗語系。
phys·ic [ˋfɪzɪk] *n.* ⓊⒸ ①藥；(尤指)瀉藥。②〖古〗醫術；醫學。
‡**phys·i·cal** [ˋfɪzɪkl] *adj.* ①身體的；肉體的。②物質的。③根據自然規律的；自然的。④物理學的。§ ～ **chémistry** 物理化學。～ **cúlture**[**educátion, tráining**]體育。～ **examinátion** 身體[體格]檢查。～ **geógraphy** 地文學；自然地理。～ **scíence** 物理學；自然科學。～ **thérapy** 物理療法。
phys·i·cal·ly [ˋfɪzɪklɪ] *adv.* ①依自然法則地。②在物質上。③肉體上。
***phy·si·cian** [fəˋzɪʃən] *n.* Ⓒ ①醫生。②內科醫生。
phys·i·cist [ˋfɪzəsɪst] *n.* Ⓒ 物理學家。
***phys·ics** [ˋfɪzɪks] *n.* Ⓤ 物理學。
phys·i·og·no·my [,fɪzɪˋɑgnəmɪ] *n.* ① Ⓒ 相貌。② Ⓤ 相學；相面術。③ ⓊⒸ 事物之外貌。④ Ⓤ 地貌。—**phys·i·og′no·mist,** *n.*
phys·i·og·ra·phy [,fɪzɪˋɑgrəfɪ] *n.* Ⓤ ①地文學；自然地理。②地貌學。—**phys·i·og′ra·pher,** *n.*
phys·i·ol·o·gy [,fɪzɪˋɑlədʒɪ] *n.* Ⓤ 生理學。—**phys·i·ol′o·gist,** *n.* —**phys·i·o·log′ic(al)** [-əˋlɑdʒ-], *adj.*
phys·i·o·ther·a·py [,fɪzɪoˋθɛrəpɪ] *n.* Ⓤ〖醫〗物理療法。
phy·sique [fɪˋzik] *n.* Ⓤ (又作 a ～) 體格；體形。

pi [paɪ] *n.* ①UC 希臘字母之第16個字母(Π, π). ② U〖數〗圓周率(以π代表, 近似值爲3.14159)。

pi·a·nis·si·mo [͵piəˋnɪsə͵mo]〖樂〗*adv. & adj.* 極弱地[的]。— *n.* C (*pl.* ～s)最弱音; 以最弱音演奏之一節或一個樂章。

***pi·an·ist** [pɪˋænɪst, ˋpiənɪst] *n.* C 彈鋼琴者; 鋼琴師。

‡**pi·an·o**[1] [pɪˋæno] *n.* C (*pl.* ～s)鋼琴。

pi·a·no[2] [pɪˋɑno] *adj. & adv.*〖樂〗柔軟的[地]; 降低的[地]; 減弱的[地]。

pi·an·o·forte [pɪˋænə͵fort] *n.* = piano[1].

pi·as·ter, -tre [pɪˋæstɚ] *n.* C 埃及、土耳其的銀幣。

pi·az·za [pɪˋætsə] *n.* C (*pl.* ～s, **pi·az·ze** [pɪˋætse]) ①[pɪˋæzə]〖美〗走廊。②(義大利等之城市的)廣場。③〖英〗有頂迴廊。

pic [pɪk] *n.* C (*pl.* **pix** [pɪks], ～s) ①〖美俚〗電影。②〖新聞〗照片。

pi·ca[ˋpaɪkə]*n.* U〖印刷〗12磅因(point)之活字。

pi·ca·dor [ˋpɪkə͵dɔr] *n.* C (以槍刺牛使牛發怒致鬥牛開始的)騎馬鬥牛士。

pic·a·resque [͵pɪkəˋrɛsk] *adj.* 以惡漢及其冒險爲題材的(傳奇小說)。

Pi·cas·so [pɪˋkɑso] *n.* 畢卡索(Pablo, 1881-1973, 西班牙畫家、雕刻家)。

pic·a·yune [͵pɪkɪˋjun] *adj.*(亦作 **picayunish**)無價值的。

pic·co·lo [ˋpɪkə͵lo] *n.* C (*pl.* ～s) 短笛。

‡**pick**[1] [pɪk] *v.t.* ①挑選; 選擇。②採; 摘。③鑿; 撬開。④剔; 挖。⑤扯去; 拔去(雞、鴨等)的毛。⑥撕開; 扯開。⑦找; 尋求。～ a quarrel 挑釁; 挑戰。⑧掏; 竊取。⑨啄食; 〖俗〗細食。⑩〖樂〗以指撥奏。— *v.i.* ①鑿; 刺; 挖。②撥食; 細食。③偷。④挑選。～ *and choose* 挑三揀四。～ *at* **a.** 以指彈; 以指拖拉。**b.** 細食; 一點一點地吃。**c.**〖俗〗挑…的毛病; 挑剔。～ *off* **a.** 一個個地射。**b.**〖棒球〗觸殺跑壘者。**c.** 拔去; 摘取。～ *on* **a.**〖俗〗作弄; 嘮叨指責; 惹惱。**b.** 選擇。～ *one's way*[*steps*]慎擇道路。～ *out* **a.** 選出。**b.** 分別出; 區別。**c.** 辨出(意義或含義)。～ *over* 仔細檢查而挑選。～ *to pieces* 把…批評得體無完膚。～ *up* **a.** 拾起; 拿起。**b.** 偶獲; 偶得; 求得。**c.** (無人教而)學得。**d.** 攜帶; 搭載。**e.** 鼓起(勇氣)。**f.** 改進。**g.** 再得到; 再開始。**h.** 增加速度。**i.** 偶然結識; 邂逅。**j.** 整理。**k.**〖俚〗逮捕。**l.** 偷竊。**m.** 重獲; 恢復(健康、勇氣等)。～ *up with* 同…交朋友。— *n.* ① U 挑揀; 選擇權。②(the ～)最優部分; 精華。

‡**pick**[2] *n.* C ①鑿子; 尖頭鋤。②尖的工具(常構成複合字)。a tooth*pick* 牙籤。

pick·a·back [ˋpɪkə͵bæk] *adv.* 在背[肩]上。— *adj.* 在背[肩]上。

pick·ax(e) [ˋpɪk͵æks] *n.* C 尖鋤; 鶴嘴鋤。

picked [pɪkt] *adj.* 精選的。

pick·er [ˋpɪkɚ] *n.* C ①啄者; 啄鳥; 掘者; 挖者; 剔者。②摘者; 採集者。③用牙籤之人。④扒手。⑤尖鎬。

pick·er·el [ˋpɪkərəl] *n.* C (*pl.* ～, ～s)狗魚。

pick·et [ˋpɪkɪt] *n.* C ①(常 *pl.*)尖樁; 籬笆之樁。②〖軍〗哨兵; 步哨。③(罷工時阻止工人上工及顧客前往購物的)糾察員。— *v.t.* ①以柵欄護。②繫(牲口)於樁上。③〖軍〗放步哨以警戒。④派遣糾察員於…。— *v.i.* 擔任糾察員。§ ～ **fénce** 柵欄。～ **lìne** (1)警戒線。(2)示威或罷工群衆排成之線。

pick·ing [ˋpɪkɪŋ] *n.* ① U 選擇; 採摘; 鑿掘; 扒竊。② C 採集之量。③(*pl.*)剩餘物; 殘物。④(*pl.*)贓物。

pick·le [ˋpɪkl̩] *n.* ① U (醃肉菜等的)醃汁; 泡菜水。② UC (常 *pl.*)醃黃瓜。③ UC (常 *pl.*)醃菜。④(a ～)〖俗〗困境。⑤ C 頑童。— *v.t.* 醃。

pick·led [ˋpɪkl̩d] *adj.* ①醃的; 醋泡的。②〖美俚〗醉的。

pick-me-up [ˋpɪkmɪ͵ʌp] *n.* C〖俗〗提神飲料; 興奮劑。

pick-off [ˋpɪk͵ɔf] *n.* C〖棒球〗(投手或捕手的)突然傳球觸殺跑壘手。

pick·pock·et [ˋpɪk͵pɑkɪt] *n.* C 扒手。—**ing,** *n.*

pick·up [ˋpɪk͵ʌp] *n.* ① UC 拾起。② C **a.**〖俗〗偶然結識; 邂逅。**b.** 中途搭車者。③ U (汽車的)加速。④ C 小型輕便貨車。⑤ UC〖俗〗進步; 改良。⑥ C〖棒球〗球著地後即將其接住。

pick·y [ˋpɪkɪ] *adj.*〖俗〗愛挑剔的; 吹毛求疵的。

‡**pic·nic** [ˋpɪknɪk] *n.* C ①野餐。go on a ～ 去野餐。②(常 *sing.*)〖俚〗歡樂的時光; 愉快的經驗; 輕易的工作。It's no ～. 不是容易的事。— *v.i.*(-ck-) ①去野餐。②以野餐方式吃。—**pic′nick·er,** *n.*

pi·co·sec·ond [ˋpɪkə͵sɛkənd] *n.* C 一兆分之一秒。

pi·cot [ˋpiko] *n.* C 花邊上飾邊之小環。

pic·to·graph [ˋpɪktə͵græf] *n.* C ①繪畫文字。②統計圖表。

pic·to·ri·al [pɪkˋtorɪəl] *adj.* ①圖畫的; 以圖畫表示的。②附插圖的。③如畫的; 生動的。— *n.* C 畫報; 畫刊。

‡**pic·ture** [ˋpɪktʃɚ] *n.* ① C 畫; 照片。②(a ～)景色。③(a ～)美麗之物。④(the ～)肖像; 化身。⑤(*pl.*)電影; 電影院。⑥(a ～)生動的描寫。⑦ C 印象; 記憶。*be out of the* ～ 不相干的; 不重要的。— *v.t.* ①畫。②想像。③生動地描述。§ ～ **bòok**(兒童的)圖畫書。～ **càrd** (1)(紙牌的)花牌(K, Q, J). (2)有圖畫的明信片。～ **hàt** 女用闊邊帽。～ **póstcard** 有圖畫的明信片。～ **tùbe**(電視機之)映像管。～ **wíndow** 眺望窗。～ **wrìting** 畫圖記事法; 象形文字。

***pic·tur·esque** [͵pɪktʃəˋrɛsk] *adj.* ①如畫的。②栩栩如生的; 生動的。

pic·ul [ˋpɪkʌl] *n.* C (*pl.* ～, ～s)擔(中國及東南亞地區之重量單位; 約60公斤)。

pid·dle [ˋpɪdl̩] *v.i. & v.t.* ①作無聊事情; 虛度(時光)。②〖兒〗小便; 尿尿。

pid·dling [ˋpɪdlɪŋ] *adj.* 瑣屑的；無用的；不足道的。

pidg·in [ˋpɪdʒɪn] *n.* Ⓤ Ⓒ 不純粹的語言(原爲"business"一字中國讀音之訛)。§～ **Énglish** 洋涇濱英語。

***pie**[1] [paɪ] *n.* Ⓤ Ⓒ 派；餡餅。§～ **chàrt** 圓形分格統計圖表(狀似切成塊之圓餅，故名)。～ **dìsh** 派皿；餡餅碟。

pie[2] *n.* =**magpie.**

pie·bald [ˋpaɪ,bɔld] *adj.* 兩色混雜的(尤指黑白或棕白兩色，特指馬等)。—*n.* Ⓒ 毛呈兩色混雜的馬。

‡**piece** [pis] *n.* Ⓒ ①片、塊、段、枝等；斷片。②部分。③(一套中的)一件。a ～ of furniture 一件家具。④貨幣。⑤樣本；例子。a ～ of news 一項消息。⑥(文學、藝術作品之)一首；一支；一篇。⑦槍；砲。⑧〖西洋棋〗重要棋子。*go to ～s* **a.** 裂爲碎片。**b.** 身心崩潰。*of a* [*one*] ～ 同一種類的；性質相似的。*speak one's* ～ 表示自己的意見。—*v.t.* ①修補；補綴。②結合；聯結。§～ **gòods** 疋頭；布疋(=yard goods)。～ **ràte** 論件計酬的工資。

piece·meal [ˋpis,mil] *adv.* ①一件件地；零碎地；逐漸地。②破碎地。—*adj.* 一件件的；逐漸的。

piece·work [ˋpis,wɝk] *n.* Ⓤ 計件工作。

pied [paɪd] *adj.* ①雜色的；有斑點的。②著雜色服裝的。

pied-à-terre [,pjedɑˋtɛr] 〖法〗*n.* Ⓒ (*pl.* **pieds-à-terre**) 臨時住宿處。

Pied·mont [ˋpidmɑnt] *n.* 皮得蒙高原(位於美國大西洋岸與 Appalachian 山脈之間)。

pier [pɪr] *n.* Ⓒ ①突堤碼頭。②防波堤。③橋脚；橋柱。④窗間壁；戶間壁。⑤方柱。§～ **glàss** 大穿衣鏡。

***pierce** [pɪrs] *v.t.* ①戳入；刺透。②穿洞於。③衝過；響徹。④識破；洞悉。⑤強烈地影響到。—*v.i.* 穿過；穿入。—**pierc'ing,** *adj.*

Pi·er·rot [,piəˋro] *n.* Ⓤ 皮耶羅(昔法國默劇中身穿白衣，面塗白粉的丑角)。

***pi·e·ty** [ˋpaɪətɪ] *n.* ①Ⓤ 虔敬。②Ⓤ 孝順；恭敬。③Ⓒ 虔敬的行爲；孝順的言行。

pif·fle [ˋpɪfl] 〖俗〗*v.i.* 胡說。—*n.* Ⓤ 胡言亂語；廢話。

pif·fling [ˋpɪflɪŋ] *adj.* 〖俗〗無意義的；無聊的；胡扯的。

***pig** [pɪg] *n.* ①Ⓒ 豬；小豬。②Ⓤ 豬肉。③Ⓒ〖俗〗(行動、外表)似豬的人；貪婪、骯髒、愚蠢、遲緩等的人。*make a ～ of oneself* 狼吞虎嚥。

***pi·geon** [ˋpɪdʒən, ˋpɪdʒɪn] *n.* Ⓒ ①鴿子。②〖俚〗易受騙的人；愚人。

pi·geon·hole [ˋpɪdʒən,hol] *n.* Ⓒ ①鴿籠中的隔室。②(寫字台及櫥中)裝文件等的架格。—*v.t.* ①置於架格中；貯存。②分類記存。③擱置。

pi·geon-toed [ˋpɪdʒən,tod] *adj.* 趾或脚向內彎的。

pig·ger·y [ˋpɪgərɪ] *n.* Ⓒ〖英〗豬舍；豬欄。

pig·gish [ˋpɪgɪʃ] *adj.* 如豬的；貪食的；不潔的。

pig·gy [ˋpɪgɪ] *n.* Ⓒ 小豬。—*adj.* =**piggish.** §～ **bànk** 豬形撲滿。

pig·gy·back [ˋpɪgɪ,bæk] *adj.* & *adv.* =**pickaback.**

pig·head·ed [ˋpɪgˋhɛdɪd] *adj.* 頑固的；愚頑的。

pig·let [ˋpɪglɪt] *n.* Ⓒ 小豬。

pig·ment [ˋpɪgmənt] *n.* ①ⓊⒸ 顏料。②Ⓤ〖生物〗色素。

pig·men·ta·tion [,pɪgmənˋteʃən] *n.* Ⓤ〖生物〗染色；色素形成。

pig·my [ˋpɪgmɪ] *adj.* & *n.* =**pygmy.**

pig·pen [ˋpɪg,pɛn] *n.* Ⓒ ①豬欄；豬圈。②骯髒的地方。

pig·skin [ˋpɪg,skɪn] *n.* ①Ⓤ 豬皮；豬革。②Ⓒ〖俗〗足球；橄欖球。

pig·sty [ˋpɪg,staɪ] *n.* =**pigpen.**

pig·swill [ˋpɪg,swɪl] *n.* =**pigwash.**

pig·tail [ˋpɪg,tel] *n.* Ⓒ ①辮子。②一種捲煙；撚草煙。

pig·wash [ˋpɪg,wɑʃ] *n.* Ⓒ ①豬食；泔水。②稀薄的劣等湯或飲料。

pike[1] [paɪk] *n.* Ⓒ 矛；槍。

pike[2] *n.* Ⓒ (*pl.* ～, ～**s**) 白斑狗魚。

pike[3] *n.* Ⓒ ①收費公路；鄉間公路。②收費站。③過路費。

pike·staff [ˋpaɪk,stæf] *n.* Ⓒ (*pl.* **-staves** [-,stevz]) 矛桿。*as plain as a ～* 極爲明顯的。

pi·laf(f) [pɪˋlɑf] *n.* =**pilau.**

pi·las·ter [pəˋlæstɚ] *n.* Ⓒ〖建〗半露方柱；挨壁柱(一半嵌在牆中之方柱)。

Pi·late [ˋpaɪlət] *n.* 〖聖經〗比拉多(Pontius, 審判耶穌之 Judea 總督)。

pi·lau [pəˋlo] *n.* ⓊⒸ 肉飯(米中加肉、魚及香料等)。

‡**pile**[1] [paɪl] *n.* ①Ⓒ 一堆；一批；一排。②(a ～ of, ～s of) 大堆；大量。③Ⓒ (常 *sing.*)〖俗〗大量金錢。④Ⓒ (火葬等時用的)柴堆。⑤Ⓒ 大建築物；一堆建築物。⑥Ⓒ 電池；電堆。⑦Ⓒ 核子反應爐。—*v.t.* ①堆起；堆疊。②積聚；儲蓄；積蓄〔up〕。③裝載；裝貨於(車)。—*v.i.* ①堆起；堆疊。②蜂湧而行。③積聚；積蓄〔up〕。～ *it on* 〖俗〗誇耀。

pile[2] *n.* Ⓒ 樁。—*v.t.* 用樁支撐或加固；打樁於。§～ **drìver**[**èngine**] 打樁機。

pile[3] *n.* Ⓤ ①軟毛；細毛。②絨毯上的絨毛。

piles [paɪlz] *n. pl.* 痔瘡。

pile·up [ˋpaɪl,ʌp] *n.* Ⓒ ①(工作、帳單等)堆積。②多數車輛之相撞；連環車禍；連環衝撞。

pil·fer [ˋpɪlfɚ] *v.t.* & *v.i.* 小量偷竊。

pil·grim [ˋpɪlgrɪm] *n.* Ⓒ ①朝聖者；朝山進香者。②旅客。③(P-)〖美〗1620年創立 Plymouth Colony 的清教徒。§ **The Pílgrim's Prógress** 天路歷程(John Bunyan 所著的宗教寓言小說)。

pil·grim·age [ˋpɪlgrəmɪdʒ] *n.* ①ⓊⒸ 朝聖(者)的旅途。②Ⓒ 漫長的旅途。③Ⓒ 人生；生命的途程。

***pill** [pɪl] *n.* ①Ⓒ 藥丸。②(the ～) 口服避孕丸。③Ⓒ 小彈丸。④Ⓒ〖俚〗球(尤指棒球和高爾夫球)。⑤Ⓒ〖俚〗惹人厭的人。⑥Ⓒ 不愉快但得忍受的事。

pil·lage [ˋpɪlɪdʒ] *v.t.* & *v.i.* 強劫；掠奪。—*n.* ①ⓊⒸ 強劫；掠奪。②Ⓒ 掠奪物。

*__pil·lar__ [ˋpɪlɚ] *n.* Ⓒ①柱子。②柱狀物。③重要的支持者；棟樑。④紀念柱。*be driven from ~ to post* **a.** 無目標地飄蕩。**b.** 到處碰壁；被逼得走投無路。§~ **bòx** [**pòst**]〖英〗郵筒。

pill·box [ˋpɪl,bɑks] *n.* Ⓒ①藥丸盒。②〖軍〗碉堡。

pil·lion [ˋpɪljən] *n.* Ⓒ①鞍褥(供婦女乘騎之用)。②二輪摩托車的後座。

pil·lo·ry [ˋpɪlərɪ] *n.* ①Ⓒ頸手枷(古時刑具)。②(the ~)受衆辱。**—** *v.t.* ①施以枷刑。②使受衆辱。

*__pil·low__ [ˋpɪlo] *n.* Ⓒ 枕頭。**—** *v.t.* ①枕於。②作爲…的枕頭。

pil·low·case [ˋpɪlo,kes], **-slip** [-,slɪp] *n.* Ⓒ枕套。

‡**pi·lot** [ˋpaɪlət] *n.* Ⓒ①(飛機的)駕駛員；飛行員。②領航員；舵手；領港員。③指導員；嚮導。*drop the ~* **a.** 領港員完成任務時令其離船。**b.** 開除可靠的顧問。**—** *v.t.* ①駕駛(飛機、船等)；領港。②嚮導；領導。**—** *adj.* ①示範的；實驗的。②領港的；導航的。③總的。§~ **ballòon** 測風氣球。~ **fìlm**〖視〗電視影集之樣片。~ **fìsh**領航魚；擬鰤。~ **làmp**[**lìght**]〖電〗指示燈(用以指示開關的位置或表示某電路在通電中)。~ **òfficer**〖英〗空軍少尉。—**less,** *adj.*

pi·men·to [pɪˋmɛnto] *n.* (*pl.* **~s,** ~)〖植〗①=**pimiento.** ②Ⓒ多香果。

pi·mien·to [pɪmˋjɛnto] *n.* Ⓒ(*pl.* **~s**)青椒；甜辣椒。

pimp [pɪmp] *n.* Ⓒ淫媒；拉皮條的人；妓院老板；老鴇。**—** *v.i.* 拉皮條；經營妓院。

pim·per·nel [ˋpɪmpɚ,nɛl, -nḷ] *n.* Ⓒ〖植〗紫蘩蔞。

pim·ple [ˋpɪmpḷ] *n.* Ⓒ 青春痘；粉刺；面皰。—**pim′pled** [~d], *adj.*

pim·ply [ˋpɪmplɪ] *adj.* 長粉刺的。

‡**pin** [pɪn] *n.* Ⓒ①大頭針。②飾針；別針；胸針。③有別針的徽章。④釘；栓。⑤支桨的木栓。⑥(樂器上調絃的)木栓。⑦〖保齡球〗木瓶。⑧(常 *pl.*)〖俗〗腿。⑨小而無價值的東西。⑩〖高爾夫〗(指示洞口的)旗杆。*not care a ~* 一點也不在乎。*on ~s and needles* 如坐針氈；坐立不安。**—** *v.t.*(**-nn-**)①(用針等)釘住。②使不能動。③使固守。④〖俚〗抓；逮捕。*~ down* 要求表示明確的意見或態度。*~ one's faith on* 堅決相信；絕對信賴。*~ something on someone*〖俚〗歸咎於某人；根據證據指控。§~ **mòney**〖俗〗女人的零用錢；私房錢；外快；小錢；零錢。

pin·a·fore [ˋpɪnə,for] *n.* Ⓒ ①(小孩)涎布；圍兜。②〖英〗(大人)胸巾圍裙。

pin·ball [ˋpɪn,bɔl] *n.* Ⓤ彈球戲。§~ **machìne** 彈球戲用的機器。

pince-nez [ˋpæns,ne]〖法〗*n.* Ⓒ(*pl.* ~ [~z])夾鼻眼鏡。

pin·cers [ˋpɪnsɚz] *n. pl.* ①鉗子；鑷子。②〖動〗(蝦、蟹的)螯。§~ **mòvement**〖軍〗鉗形攻勢；兩面夾攻。

*__pinch__ [pɪntʃ] *v.t.* ①挾；捏；擠。②使皺縮；使困苦。③〖俚〗逮捕。④〖俚〗偷竊。**—** *v.i.* ①壓；緊。②用錢吝嗇。*~ pennies* 吝嗇；節儉。**—** *n.* ①Ⓒ挾；捏；擠。②Ⓒ撮；捻。③(the ~)困苦；緊急。when it comes to the ~ 到緊急關頭時。④ⓊⒸ〖俚〗逮捕。⑤Ⓤ Ⓒ〖俚〗偷。§~ **hít**〖棒球〗代打者擊出的安打。~ **hítter** ⑴〖棒球〗代打者。⑵代理人；替身。~ **rúnner**〖棒球〗代跑者。

pinch-hit [ˋpɪntʃˋhɪt] *v.i.* (**~, -hit-ting**)①〖棒球〗代打。②〖俗〗代替〔for〕.

pin·cush·ion [ˋpɪn,kʊʃən] *n.* Ⓒ(裁縫用的)針墊。

*__pine__[1] [paɪn] *n.* ①Ⓒ 松樹。②Ⓤ 松木。§~ **cōne** 松毬；松果。~ **màrten**〖動〗(歐洲產的)松貂。~ **nèedle**松葉。~ **nùt** ⑴松仁；松子。⑵松果；松球。

pine[2] *v.i.* ①渴望；苦思〔常 for〕. ②消瘦；憔悴。~away 憔悴。

pin·e·al [ˋpɪnɪəl] *adj.* ①松毬狀的。②〖解〗松果腺[體]的。

pine·ap·ple [ˋpaɪn,æpḷ] *n.* ①Ⓤ Ⓒ鳳梨；波羅。②Ⓒ 鳳梨叢。③Ⓒ〖俚〗手榴彈。

pine·y [ˋpaɪnɪ] *adj.* =**piny.**

pin·feath·er [ˋpɪn,fɛðɚ] *n.* Ⓒ針羽(幼鳥的細線狀羽毛)。

ping [pɪŋ] *n.*(a ~)砰(槍聲)。**—** *v.i.* 發砰聲。

ping-pong [ˋpɪŋ,pɑŋ, -,pɔŋ] *n.* Ⓤ乒乓球(戲)；桌球(戲)。(亦作 **Ping-Pong, Ping-pong, table tennis**)

pin·head [ˋpɪn,hɛd] *n.* Ⓒ①針頭。②細小之物。③〖俚〗愚蠢之人。

pin·hole [ˋpɪn,hol] *n.* Ⓒ針孔；小孔。

pin·ion [ˋpɪnjən] *n.* Ⓒ①鳥翼之尖端部分；翮。②〖詩〗翼；翅。③鳥翅上的羽毛。④〖機〗小齒輪。**—** *v.t.* ①剪掉或縛住(鳥翼)使不能飛。②束縛。

*__pink__[1] [pɪŋk] *n.* ①Ⓤ Ⓒ粉紅色。②(the ~)典型；精華；極致。③Ⓒ石竹(花)。④ Ⓒ (常 P-)〖俗〗左傾份子。*in the ~* 很健康。**—** *adj.* ①淡紅色的。②〖俚〗左傾的。§~ **élephant**〖謔〗酒醉[吸毒]者的幻覺。~ **gìn** 粉紅杜松子酒。~ **lády** 粉紅佳人(一種雞尾酒)。~ **slìp**〖俚〗解僱通知。~ **tèa**〖俗〗正式茶會。

pink[2] *v.t.* ①(以刀、劍、矛等)刺、戳。②將(布邊)剪成鋸齒形。③裝飾。§~**ing shèars** 有鋸齒的剪刀。

pink·eye [ˋpɪŋk,aɪ] *n.* Ⓤ〖醫〗流行性結膜炎。

pink·ie [ˋpɪŋkɪ] *n.* Ⓒ〖俗〗小指。

pink·ish [ˋpɪŋkɪʃ] *adj.* 略帶淡紅色的。

pink·o [ˋpɪŋko] *n.* Ⓒ (*pl.* **~s, ~es**)〖蔑〗略微左傾的人。

pink·y [ˋpɪŋkɪ] *adj.* 帶粉紅色的。

pin·nace [ˋpɪnɪs, -əs] *n.* Ⓒ①(附屬於大船的)小艇；駁艇。②輕快的小帆船。

pin·na·cle [ˋpɪnəkḷ] *n.* Ⓒ①岩石的尖頂；尖峰。②極高的名望或地位。③頂點。④尖塔。**—** *v.t.* ①置於極高處。②築[飾]尖塔於。

pin·nate [ˋpɪnet] *adj.* ①羽狀的。②〖植〗有羽狀葉的。

pi·noc(h)·le [ˋpi,nʌkḷ] *n.* Ⓤ〖美〗二至四人玩的一種四十八張紙牌遊戲。

pi·ñon [ˋpɪnjən] *n.* Ⓒ〖美〗(Rocky 山

脈南部產之)矮松樹；其可食之果。

pin·point [ˋpɪn͵pɔɪnt] *n.* Ⓒ ①針尖。②瑣屑之物；一點點。③細小的標的；正確位置[目標]。── *v.t.* ①(插針於地圖上)指示正確的位置。②正確地瞄準。③精確顯示。── *adj.* 準確的。

pin·prick [ˋpɪn͵prɪk] *n.* Ⓒ ①針刺。②煩人的瑣事；刺耳的話。

pin·stripe [ˋpɪn͵straɪp] *n.* Ⓒ ①細直條紋。②細直條紋布的衣服。

pint [paɪnt] *n.* Ⓒ ①品脫(容量名，等於八分之一加侖)。②一品脫的容器。

P

pin·to [ˋpɪnto] *adj.* 黑白斑紋的。── *n.* Ⓒ (*pl.* **~s**)〖美〗①(黑白斑)馬。②(亦作 **pinto bean**)斑豆。

pint-size(d) [ˋpaɪnt͵saɪz(d)] *adj.* 〖俚〗較(一般)小的；小型的。

pin-up [ˋpɪn͵ʌp] *n.* Ⓒ ①〖俗〗(掛在牆上的)美女照片。②美女。── *adj.* ①漂亮的。②可掛在牆上的。(亦作 **pinup**)

pin·wheel [ˋpɪn͵hwil] *n.* Ⓒ ①紙風車(一種玩具)。②旋轉煙火。

pin·worm [ˋpɪn͵wɜm] *n.* Ⓒ 蟯蟲。

pin·y [ˋpaɪnɪ] *adj.* 似松樹的；松樹茂盛的(=piney)。

***pi·o·neer** [͵paɪəˋnɪr] *n.* Ⓒ ①拓荒者；開墾者。②先鋒；先驅。③〖軍〗工兵。── *v.t.* 開拓(道路)；為…開路。── *v.i.* 作先鋒[先驅者]。

***pi·ous** [ˋpaɪəs] *adj.* ①虔誠的。②以宗教為名的。③〖古〗孝順的。

pip[1] [pɪp] *n.* Ⓒ ①(橘子、梨等的)種子。②〖俚〗出衆的事或人。

pip[2] *n.* ①Ⓤ (家禽的)舌病。②(the ~)(人的)微恙；小毛病。③(the ~)〖英俚〗沮喪；煩躁。

pip[3] *n.* Ⓒ ①骰子或紙牌上的點。②〖英俚〗肩章上的星。③雷達上的映像。

pip[4] *n.* Ⓒ (廣播、電視報時用的)嗶嗶聲。

pipe** [paɪp] *n.* ①Ⓒ 管；導管；筒。②Ⓒ 煙斗。③Ⓒ 煙斗一次所裝的煙草。④Ⓒ 笛；簫。⑤(*pl.*)風笛。⑥Ⓒ 水手長的號笛。⑦Ⓒ 大酒桶。⑧Ⓒ 管狀物。*Put that in your ~ and smoke it.* 〖俗〗這事你好好考慮一下吧！這事你不聽也得聽。── *v.t.* & *v.i.* ①以管輸送。②供以管。③吹(笛)。④發呼聲。⑤以笛聲召集。~ ***down 〖俚〗沈默；住嘴。~ ***up*** 開始吹笛；說出。§ ≂ **clày** 煙斗泥(一種做陶製烟斗之白黏土)。≂ **clèaner** 清煙斗用的器具。≂**d músic** (在餐廳等)連續播放的柔和音樂；背景音樂。≂ **drèam** 妄想。≂ **òrgan** 〖樂〗管風琴。≂ **ràck** 煙斗架。

pipe·line [ˋpaɪp͵laɪn] *n.* Ⓒ ①(石油、瓦斯等的)管線。②祕密消息來源。

pip·er [ˋpaɪpɚ] *n.* Ⓒ 吹笛人。

pi·pet(te) [pɪˋpɛt] *n.* Ⓒ〖化〗吸量管。

pip·ing [ˋpaɪpɪŋ] *n.* Ⓤ ①(集合稱)管。②管樂器吹奏。③笛聲；尖聲；哭泣聲；小鳥鳴叫聲。④(衣服的)滾邊。── *adj.* ①吹笛的；發尖聲的。②太平的。the ~ times of peace 太平時代。~ ***hot*** 極熱[滾熱]的。── *adv.* 會絲絲作響地。

pip·pin [ˋpɪpɪn] *n.* Ⓒ 一種蘋果。

pip·squeak [ˋpɪp͵skwik] *n.* Ⓒ〖蔑〗小人物；沒用的傢伙。

pi·quant [ˋpikənt] *adj.* ①夠刺激的；令人過癮的；有趣的。②開胃的；辛辣而引起食慾的。③帶有尖刻意味的。─ **pi′quan·cy,** *n.*

pique [pik] *n.* ⓊⒸ 慍怒；不平之氣。── *v.t.* ①激怒；激起。②傷(自尊心等)。③引起感情或使採某行動。

pi·ra·cy [ˋpaɪrəsɪ] *n.* ⓊⒸ①海上搶劫。②侵害著作權；剽竊；非法翻印。

pi·ra·nha [pɪˋrɑnjə] *n.* Ⓒ〖魚〗比拉尼亞魚；食人魚(南美產熱帶魚)。

***pi·rate** [ˋpaɪrət, -rɪt] *n.* Ⓒ ①海盜。②海盜船。③侵害著作權者；剽竊者；盜印者。④掠奪者。── *v.t.* & *v.i.* ①掠奪；做海盜。②盜印；翻印。a ~*d* edition 海盜版；盜印本。─ **pi·ratic(al)** [paɪˋrætɪk(l̩)], *adj.*

pi·rogue [pəˋrog] *n.* Ⓒ ①(亦作 **piragua**)獨木舟。②雙桅平底小帆船。

pir·ou·ette [͵pɪruˋɛt] *n.* Ⓒ〖舞蹈〗趾尖旋轉。── *v.i.* 以趾尖旋轉。

Pi·sa [ˋpizə] *n.* 比薩(義大利西北部一城，以其斜塔聞名世界)。

pis·ca·to·ry [ˋpɪskə͵torɪ] *adj.* 魚的；漁夫的；漁業的。(亦作**piscatorial**)

Pis·ces [ˋpɪsiz] *n.* Ⓤ ①〖動〗魚綱。②〖天〗雙魚座；雙魚宮。

pish [pʃ, pɪʃ] *interj.* 呸！(表示輕視或不耐煩)。

piss [pɪs]〖鄙〗*v.i.* 撒尿。── *n.* Ⓤ 小便。

pissed [pɪst] *adj.*①生氣的。②醉酒的。

pis·tach·i·o [pɪsˋtɑʃɪ͵o] *n.* (*pl.* **~s**) ①Ⓒ〖植〗阿月渾子樹。②ⓊⒸ 阿月渾子；開心果。③Ⓤ 淡黃綠色。

pis·til [ˋpɪstl̩] *n.* Ⓒ〖植〗雌蕊。

pis·til·late [ˋpɪstl̩͵et] *adj.* 〖植〗雌蕊的；僅有雌蕊(而無雄蕊)的。

***pis·tol** [ˋpɪstl̩] *n.* Ⓒ 手槍。── *v.t.* (**-l-,**〖英〗**-ll-**)以手槍射擊。

pis·ton [ˋpɪstn̩] *n.* Ⓒ〖機〗活塞。

***pit**[1] [pɪt] *n.* ①Ⓒ 坑。②(the ~)地獄。③(the ~)〖英〗劇院正廳後面的部分；坐在正廳後面部分的觀衆。④Ⓒ (身體的)凹窩。the ~ of the stomach 心窩。⑤Ⓒ (常 *pl.*)痘痕。⑥Ⓒ 陷阱。⑦(the ~)暗伏的危險。⑧Ⓒ〖美〗(交易所中特定商品的)交易場所。⑨Ⓒ 鬥雞場；鬥犬場。── *v.t.*(**-tt-**)①使有痘痕或傷痕。②使相鬥。③置放於坑內。

pit[2]〖美〗*n.* Ⓒ (桃、梅等的)核。── *v.t.* (**-tt-**)去…的核。

pi·ta [ˋpitɑ, -tə] *n.* Ⓒ 披塔(中東人所食用的圓扁形麵包，加有肉、胡椒等)。

pit·a·pat [ˋpɪtə͵pæt] *adv.* ①(腳步)噼啪地。②(心)噗噗地。

pitch[1] [pɪtʃ] *n.* Ⓤ ①瀝青。②松脂。He who touches ~ shall be defiled therewith.〖諺〗近朱者赤，近墨者黑。── *v.t.* 塗以瀝青。

pitch**[2] *v.t.* ①擲；拋；投。②〖美〗〖棒球〗投(球)。③紮；釘牢。④置於固定地位。⑤〖樂〗定(一曲調的)基音。⑥〖俚〗努力推銷。── *v.i.* ①向前傾跌；向前跳。②(船首)上下顛簸。③紮營；張幕。④當投手。~ ***in **a.**〖俗〗努力工作。**b.** 參加；貢獻。~ ***into***〖俗〗攻擊；大

吃。～ ***on***[***upon***] 隨意挑選；決定。 **—** *n.* ① Ⓒ 擲；投。②(*sing.*)高度；程度；位置。③ ⓊⒸ 聲音的高低度。④Ⓤ (又作 a ～)傾斜度；坡度。⑤Ⓒ (天花亂墜的)推銷辭。***make a ～ for*** 〖俚〗作說服性的請求；爭取。§ ≃ **pìpe** 〖樂〗(定絃樂器等之音高的)律管；音笛。
pitch-black [ˋpɪtʃˋblæk] *adj.* 極黑的；漆黑的。
pitch·blende [ˋpɪtʃ,blɛnd] *n.* Ⓤ 瀝青鈾礦。
***pitch·er**[1] [ˋpɪtʃɚ] *n.* Ⓒ ①水罐。②一水罐的容量。
***pitch·er**[2] *n.* Ⓒ ①〖棒球〗投手。②投擲的人。
pitch·fork [ˋpɪtʃ,fɔrk] *n.* Ⓒ ①長柄乾草叉。②音叉。**—** *v.t.* ①以長柄叉舉起並擲出。②強使…進入；投進。
pit·e·ous [ˋpɪtɪəs] *adj.* 使人同情的；可憐的；悽慘的。
pit·fall [ˋpɪt,fɔl] *n.* Ⓒ ①捕捉動物的陷阱。②圈套；隱藏的危險。
pith [pɪθ] *n.* ① Ⓤ (雙子葉植物的)木髓。② Ⓤ 〖解〗髓；脊髓。③(the ～)精華；核心；要點。④ Ⓤ 精力；活力。⑤ Ⓤ 重要性。⑥ Ⓤ (文章的)氣勢。
Pith·e·can·thro·pus [,pɪθɪkænˋθropəs] *n.* Ⓒ (*pl.* **-pi** [-paɪ])〖人類學〗猿人屬。
pith·y [ˋpɪθɪ] *adj.* ①有力的。②簡扼的；含蓄的。③多木髓的；像木髓的。
pit·i·a·ble [ˋpɪtɪəbl] *adj.* ①令人同情[憐憫]的。②可憐又可鄙的；可悲的。 —**pit′i·a·bly,** *adv.*
pit·i·ful [ˋpɪtɪfəl] *adj.* ①使人同情的；可憐的。②感覺哀憐的。③可鄙的。
pit·i·less [ˋpɪtɪlɪs] *adj.* 無憐憫心的；無情的。—**ly,** *adv.*
pit·man [ˋpɪtmən] *n.* Ⓒ (*pl.* **-men**) 礦工。
pit·tance [ˋpɪtn̩s] *n.* Ⓒ ①微薄的薪俸或津貼。②少量；小分。
pit·ter-pat·ter [ˋpɪtɚ,pætɚ] *n.* (*sing.*) (下雨等)啪嗒啪嗒聲；連續急速的輕擊聲。**—** *adv.* (雨等)劈劈啪啪地。
Pitts·burgh [ˋpɪtsbɝg] *n.* 匹茲堡(美國 Pennsylvania 州西南部之一城市，爲鋼鐵中心)。
pi·tu·i·tar·y [pɪˋtjuə,tɛrɪ] *n.* Ⓒ 腦下垂體(=pituitary gland).
****pit·y** [ˋpɪtɪ] *n.* ①Ⓤ 同情；憐憫。②(*sing.*)憾事；可惜的原因[事]。***feel ～ for something*** 憐憫某事物。***have*** [***take***] ***～ on*** 表示憐憫。**—** *v.i.* & *v.t.* 同情；憐憫。
piv·ot [ˋpɪvət] *n.* Ⓒ ①旋軸；尖軸；樞軸。②中心點；基準點；要點。**—** *v.t.* 裝以旋軸；置於旋軸上。**—** *v.i.* 在旋軸上旋轉。—**al,** *adj.*
pix [pɪks] *n.* pl. of **pic.**
pix·el [ˋpɪksəl, -sɛl] *n.* Ⓒ 〖視〗圖元；圖素(構成螢幕影像之最小單位)。
pix·y, pix·ie [ˋpɪksɪ] *n.* Ⓒ 小精靈；小妖精。
pi(z)·zazz [pəˋzæz] *n.* Ⓤ 〖美俚〗①精力；精神；活力；生氣。②漂亮；時髦派頭。—**pi·zazz′y,** *adj.*
piz·za [ˋpitsə] *n.* ⓊⒸ 披薩；義大利脆餅。
piz·ze·ri·a [,pitsəˋriə] *n.* Ⓒ 披薩餅店；披薩餐館。
piz·zi·ca·to [,pɪtsɪˋkɑto] 〖樂〗 *adj.* & *adv.* 用指彈的[地]；撥絃奏的[地]。
plac·a·ble [ˋplekəbl] *adj.* 可撫慰的；寬容的。—**plac·a·bil′i·ty,** *n.*
***plac·ard** [ˋplækɑrd] *n.* Ⓒ 公告；布告；告示；招貼；海報。**—**[ˋplækɑrd, plæˋkɑrd] *v.t.* 以張貼布告公布。
pla·cate [ˋpleket] *v.t.* 撫慰；和解。
****place** [ples] *n.* ① Ⓒ 地點；場所。②Ⓒ 城；鎮；村；地方。③Ⓒ (特殊用途之)建築物；場所。④Ⓒ (常*sing.*, one's ～)住宅；住處。⑤Ⓒ 部分；點。⑥Ⓤ Ⓒ 正當的位置；自然的地位。⑦Ⓒ 身分；地位。⑧ Ⓒ 位子；座位。⑨ Ⓒ (one's ～)職分；職務。⑩Ⓒ 處境。⑪ Ⓒ 步驟。⑫ Ⓤ (戲劇等動作)進行的時間；進展的情形。⑬Ⓒ〖數〗位。⑭Ⓒ (常 *sing.*)比賽之前三名(尤指第二名)。***a ～ in the sun*** 有利之地位。***give*** [***make***] ***～ to*** 讓位於；向…屈服。***go ～s*** 〖俚〗事業一帆風順；有發展。***in ～*** 在正當的位置；適當。***in ～ of*** 代替。***know*** [***keep***] ***one's ～*** 明瞭自己的地位而安分守己；守本分。***out of ～*** **a.** 不得其所的。**b.**不適當。***put someone in his ～*** 挫某人之銳氣；給某人下馬威。***take ～*** 發生。***take the ～ of*** 代替。**—** *v.t.* ①放；安置。②任命。③認出。④投(資)。⑤訂(貨)；發出(訂單)；委託。⑥(比賽中)位列(前三名，尤指第二)。**—** *v.i.*(比賽中)名列前三名。§ ≃ **bèt** 〖英〗賭某匹馬將會進入前三名內[〖美〗前二名內]。≃ **càrd**(宴會等的)座位牌。≃ **kìck** 〖橄欖球，足球〗定位踢球。≃ **màt** 餐桌上墊布(用以擺放個人餐具)。≃ **sètting** (一人份的)一套餐具。
pla·ce·bo [pləˋsibo] *n.* Ⓒ (*pl.* **～s, ～es**)①〖天主教〗爲死者唱的晚禱歌。②〖醫〗安慰藥。③寬心的話。§ ≃ **effèct** 安慰劑效應(指某些藥對病人僅產生心理治療作用，並無實際的療效)。
place-kick [ˋples,kɪk] *v.t.* & *v.i.* 〖足球〗定位踢球；以定位踢得分。
place·ment [ˋplesmənt] *n.* ①(常 *sing.*, the ～)安置；布置；配置。②Ⓒ 職業介紹。③ⓊⒸ〖足球〗爲作定位踢而把球置於地上。§ ≃ **àgency** 〖美〗職業介紹所。≃ **tèst** (爲分級而作之)實力測驗。
pla·cen·ta [pləˋsɛntə] *n.* Ⓒ (*pl.* **～s, -tae** [-ti])①〖解〗胎盤。②〖植〗胎座。 —**pla·cen′tal,** *adj.*
plac·er [ˋplæsɚ] *n.* Ⓒ ①放物的人；安置者。②沖積礦床；砂礦。§ ≃ **gòld** 沙金。≃ **mìning** 砂礦開採。
plac·id [ˋplæsɪd] *adj.* 安靜的；平靜的；溫和的。—**pla·cid′i·ty,** *n.*
plack·et [ˋplækɪt] *n.* Ⓒ①(女裙的)開口。②(女裙的)口袋。
pla·gia·rism [ˋpledʒə,rɪzəm] *n.* ①Ⓤ 剽竊；抄襲。②Ⓒ 剽竊的事物。
pla·gia·rist [ˋpledʒərɪst] *n.* Ⓒ 剽竊者；抄襲者；文抄公。
pla·gia·rize [ˋpledʒə,raɪz] *v.t.* & *v.i.* 剽竊；抄襲。
pla·gia·ry[ˋpledʒərɪ] *n.* ①=plagia-

rism. ②=plagiarist.

*plague [pleg] n. Ⓒ①瘟疫；黑死病。②惹人煩惱的人或物。③災害；天譴。— v.t. ①折磨；使苦惱。②使患瘟疫。

plaice [ples] n.(pl. ~, plaic·es)①Ⓒ〖魚〗孫鰈。②Ⓤ孫鰈的肉。

plaid [plæd] n. ①Ⓤ(蘇格蘭高地人用的)格子花呢。②Ⓒ格子呢肩巾。

‡plain [plen] adj. ①明白的。②無裝飾的；樸素的。③單色的。④平淡的；淡泊的。⑤一般的；平常的。⑥不美的。⑦坦白的。⑧容易的。⑨平的；平坦的。⑩完全的；全然的。— adv. ①清晰地。②簡直。— n.①Ⓒ平原；平地。②(pl.)草原。§ ~ chócolate 不加牛奶的低糖巧克力。~ flóur 未加酸粉的麵粉。~ Jáne 相貌平庸的女性。~ sáiling 一帆風順；進展順利。*— ly, adv. — ness, n.

plain·clothes·man [ˋplenˋklozmən] n. Ⓒ(pl. -men)便衣警察[刑警]；偵探。

plains·man [ˋplenzmən] n. Ⓒ(pl. -men)平原居民。

plain-spo·ken [ˋplenˋspokən] adj. 直言不諱的。

plaint [plent] n. Ⓒ①不平；怨訴。②〖法律〗告訴；控訴。③〖古，詩〗悲歎。

plain·tiff [ˋplentɪf] n. Ⓒ〖法律〗原告。

plain·tive [ˋplentɪv] adj. 憂愁的；哀傷的；哀愁的。— ly, adv.

plait [plet] n. Ⓒ①髮辮；編繩。②褶。— v.t. ①把…編成辮。②褶疊；爲…打褶。

‡plan [plæn] n. Ⓒ①計畫；策略；方法。②(房屋等)圖案；設計圖。③(一城市的)街道圖。— v.t.(-nn-)①計畫；籌畫〔out〕。②設計；作…的圖樣。③意欲；打算。— v.i. 計畫。

‡plane[1] [plen] n. Ⓒ①平面；水平面。②水準；程度。③(飛機)翼面。④飛機。— adj. 平的；平面的。— v.i. ①搭機旅行。②滑行。③(快艇)微離水面行駛。§ ~ ángle 〖數〗平面角。~ geómetry 平面幾何學。

plane[2] n. Ⓒ鉋子。— v.t. 用鉋子將…鉋平。— v.i. 鉋平。

plane[3] n. Ⓒ 篠懸木(= plane tree).

*plan·et [ˋplænɪt] n. Ⓒ①行星。②〖星相〗能影響人生與世界大事的天體。

plan·e·tar·i·um [͵plænəˋtɛrɪəm] n. Ⓒ (pl. ~s, -tar·i·a [-ˋtɛrɪə])①行星儀。②天文館。

plan·e·tar·y [ˋplænə͵tɛrɪ] adj. ①行星的。②繞軌道移動的。③受命運星辰左右的。④流浪的；不定的。⑤俗世的。

plan·et·oid [ˋplænə͵tɔɪd] n. Ⓒ(火星與木星軌道間之)小行星。

plan·gent [ˋplændʒənt] adj. ①(波浪等)沖擊的；澎湃的。②(鐘聲)響徹的；悲切的。

plank [plæŋk] n. Ⓒ①厚板。②(政黨的)政綱條款。③支撐物。*walk the* ~ 被蒙著眼睛在突出的舷外行走而落海(昔時海盜處死俘虜的方法)。— v.t. ①鋪以厚板。②〖美〗在板上烹煎。③〖俗〗把…砰一聲放下〔down〕。④〖俗〗立刻付款〔down, out〕.

plank·ing [ˋplæŋkɪŋ] n. Ⓤ①蓋板；鋪板。②(集合稱)板。

plank·ton [ˋplæŋktən] n. Ⓤ〖生物〗浮游生物。

planned [plænd] adj. 計畫好的；有計畫的。§ ~ ecónomy 計畫經濟(由政府計畫，控制產、銷、價格等)。~ obsoléscence 人爲的商品陳廢(爲刺激需求故意製造不耐用商品，使之很快壞掉或過時的經營方法)。

plan·ner [ˋplænə˞] n. Ⓒ計畫者。

‡plant [plænt] n. ①Ⓒ植物；草木；苗木。②Ⓒ工廠。③Ⓤ設施；設備。④Ⓒ(常 sing.)〖俚〗騙局；欺詐。⑤Ⓒ(常 sing.)在歹徒中臥底的線民；引誘歹徒上當的計畫等。— v.t. ①栽培；種植；養殖(魚苗、卵、蠔等)。②安置；置放。③建立；建設。④灌輸；注入(主義、教義等)。⑤〖俚〗藏起(贓物)。⑥〖俚〗打出(一擊)；施出(一拳)。⑦殖民。⑧設置；派遣。⑨安置線民、反間諜等。§ ~ lòuse 蚜蟲。~ pathòlogy 植物病蟲害學。the ~ kìngdom 植物界。

plan·tain[1] [ˋplæntɪn] n. Ⓒ〖植〗車前草。

plan·tain[2] n. ⓊⒸ〖植〗芭蕉。

*plan·ta·tion [plænˋteʃən] n. Ⓒ①(大)農場；種植地。②植林。③殖民。

plant·er [ˋplæntə˞] n. Ⓒ①種植者；耕作者；栽培者。②農場主人。③播種機。④〖史〗早期殖民者。⑤花盆。

plaque [plæk] n. ①Ⓒ(用金屬、陶瓷等製成的)匾額；飾板。②Ⓒ胸章[徽章]飾物。③Ⓤ〖醫〗牙斑。

plash [plæʃ] n. Ⓒ(常 sing.)水的濺潑聲。— v.i. & v.t. 輕拍(水面)；作濺潑聲。— plash′y, adj.

plas·ma [ˋplæzmə] n. Ⓤ①原形質。②血漿。③乳漿。④〖礦〗綠玉髓。

*plas·ter [ˋplæstə˞] n. ①Ⓤ石膏。②ⓊⒸ膏藥。③Ⓤ熟[燒]石膏。~ *of Paris* 熟[燒]石膏。— v.t. ①在…上塗灰泥。②敷膏藥於…。③塗上一層厚的東西。④使平。§ ~ cást (1)石膏模型；石膏像。(2)〖醫〗石膏粉。

plas·ter·board [ˋplæstə˞͵bord] n. Ⓤ石膏板(以石膏爲夾心的薄板，用做牆壁)。

plas·tered [ˋplæstə˞d] adj. 〖諧〗酒醉的。

plas·ter·er [ˋplæstərə˞] n. Ⓒ泥水匠；塗石膏者。

plas·ter·ing [ˋplæstərɪŋ] n.①Ⓤ塗灰泥；泥水工程。②Ⓒ灰泥的塗層。

*plas·tic [ˋplæstɪk] adj. ①塑造的。②塑膠的。③易受影響的；有可塑性的。④〖外科〗整形的。⑤有創造性的。⑥〖生物〗成形性的。⑦非自然的。⑧不眞實的。— n. ⓊⒸ(常 pl.)可塑體；塑膠。§ ~ árts 造形美術(雕刻、製陶等)。~ explósive 塑膠炸藥。~ mòney 信用卡。~ súrgeon 整形外科醫生。~ súrgery 整形外科。

plas·tic·i·ty [plæsˋtɪsətɪ] n. Ⓤ①可塑性。②柔軟性；適應性。

plat [plæt] 〖美〗n. Ⓒ(土地的)圖面；地圖。— v.t. (-tt-)繪製…的圖面。

‡plate [plet] n. ①Ⓒ盤；碟；盤狀物。②(the ~)教會的捐款盤。③Ⓒ一盤所

盛之量。④Ⓒ(一餐中)一人所食之物。⑤Ⓤ(集合稱)金銀器皿；鍍金或鍍銀器皿。⑥Ⓒ〖攝〗感光板。⑦Ⓒ薄金屬板。⑧Ⓒ金屬片製的甲冑。⑨Ⓒ板狀的器官[組織](如鱗片)。⑩Ⓒ刻板；電鑄版；以刻板或電鑄版印的印刷品。⑪Ⓒ〖棒球〗本壘[投手]板。⑫Ⓒ(常 *sing.*)假牙床。⑬Ⓒ〖電〗極板。⑭Ⓒ盛在一盤的全餐。⑮(the ～)(競賽的)金銀獎杯。⑯(*pl.*)〖謔〗脚。⑰Ⓤ＝**plate glass.** —*v.t.* ①給…覆上金屬板。②覆鍍。§ ∼ **àrmor**(軍艦的)薄裝甲板。∼ **gláss**(上等)板玻璃；厚玻璃板。∼ **ràck** 餐具架(晾乾用)。∼ **ràil** 擺放裝飾器皿的橫架。

pla·teau [plæˋto] *n.* Ⓒ(*pl.* **∼s, ∼x** [∼z])①高地；高原。②〖心〗學習高原(學習過程中之停滯時期)。

plat·ed [ˋpletɪd] *adj.* ①電鍍的；裝甲的。②(織物)顏色表裡不一的。

plate·ful [ˋplet͵ful] *n.* Ⓒ一碟；一盤。

plate·let [ˋpletlɪt] *n.* Ⓒ血小板。

plat·en [ˋplætn̩] *n.* Ⓒ①(印刷機的)壓印板；壓印滾筒。②(打字機的)滾筒。

***plat·form** [ˋplæt͵fɔrm] *n.* Ⓒ①月台。②(政黨的)政綱。③講臺；舞臺。④(常 *sing.*)〖美〗政綱的發表；政策宣布。⑤客車的踏板。

plat·i·num [ˋplætn̩əm] *n.* Ⓤ①〖化〗鉑；白金。②白金色。§ ∼ **bláck**〖化〗鉑黑粉。∼ **blónde** 淡白金色頭髮的女子(多為染髮，非天然)。

plat·i·tude [ˋplætə͵tjud] *n.* ①Ⓒ陳腔濫調。②Ⓤ陳腐無味；單調；平凡。— **plat·i·tu′di·nous,** *adj.*

Pla·to [ˋpleto] *n.* 柏拉圖(427? -347 B.C., 希臘哲學家)。

Pla·ton·ic [pleˋtɑnɪk] *adj.* ①柏拉圖的。②(常 p-)友誼的；精神的。∼ love 柏拉圖式戀愛；精神戀愛。③理想的；不切實際的。

pla·toon [plæˋtun] *n.* Ⓒ①〖軍〗排。②小隊；組。

plat·ter [ˋplætɚ] *n.* Ⓒ①〖古〗(盛魚、肉等用的)大淺盤。②〖俚〗(棒球的)本壘板。③〖俚〗唱盤；唱片。

plat·y·pus [ˋplætəpəs] *n.* Ⓒ(*pl.* **∼es, -pi** [-͵paɪ])〖動〗鴨嘴獸。

plau·dit [ˋplɔdɪt] *n.* Ⓒ①(常 *pl.*)鼓掌喝采。②讚揚。

***plau·si·ble** [ˋplɔzəbl̩] *adj.* ①似眞實的；似合理的；似可信賴的。②會說話的；嘴巧的。— **plau′si·bly,** *adv.* — **plau·si·bil′i·ty,** *n.*

‡**play** [ple] *n.* ①Ⓤ遊戲；遊玩。②Ⓒ(遊戲或競賽中的)一次上場機會。③Ⓤ比賽。④Ⓤ比賽方法；技能。⑤ⓊⒸ玩笑。⑥(*sing.*)(光、色的)閃動。⑦Ⓤ活動範圍；運用自如；運轉；活動。⑧Ⓒ戲劇；劇本。⑨Ⓤ(對人的)態度；行爲；作風。⑩Ⓤ(又作 a ∼)賭博。***a ∼ on words*** 用雙關語。***as good as a ∼*** 十分有趣。***bring into ∼*** 利用。***come into ∼*** 開始行動。***in ∼*** **a.** 處於可比賽的狀態中。**b.** 開玩笑地。***out of ∼*** 處於非可比賽的狀態中。—*v.t.* ①參加(遊戲)；玩(球)。②與…比賽。③扮演(角色)。④彈(琴)；奏(曲)；吹(笛)。⑤開(玩笑)；行(詐欺)。⑥打賭或下注。⑦利用。⑧拉釣魚線使(魚)筋疲力竭。⑨放(錄音機、磁帶等)。—*v.i.* ①遊玩；玩耍。②參加遊戲。③扮演；假裝。④(輕快地)動(如閃耀、噴水等)；活動。⑤(機器、車輪等)自由運轉；自在運動。⑥賭博。⑦玩弄。⑧(唱機等)放音。***∼ along with*** 與…合作。***∼ a part*** 扮演一角色。***∼ at*** **a.** 假裝；假扮…玩。**b.** 不認眞地做。***∼ both ends against the middle*** 坐收漁利。***∼ down*** 減低…的重要性；不重視。***∼ fair[foul]***(不)公平處置。***∼ into the hands of*** 上…的當。***∼ off*** 加賽一場以決勝負。***∼ off one against the other[another]***使雙方互鬥以坐收漁利。***∼ on[upon]***利用。***∼ out*** **a.** 演完(一劇)。**b.** 結束。**c.** 使筋疲力竭。**d.** 陳舊。***∼ up*** 大事宣傳。***∼ up to***〖俗〗討好。***∼ with*** **a.** 以…自娛。**b.** 玩弄。§ ∼**ing càrd** 撲克牌；紙牌。

play·act [ˋple͵ækt] *v.i.* ①演戲。②假裝；作戲。

play·back [ˋple͵bæk] *n.* Ⓒ①(錄音帶、唱片等的)倒帶；回放。②倒帶裝置。

play·bill [ˋple͵bɪl] *n.* Ⓒ戲單[碼]。

play·boy [ˋple͵bɔɪ] *n.* Ⓒ花花公子。

‡**play·er** [ˋpleɚ] *n.* Ⓒ①遊戲者；運動員。②演員。③演奏者。④自動演奏器。⑤賭徒。⑥唱機。§ ∼ **piáno** 自動鋼琴。

play·fel·low [ˋple͵fɛlo] *n.* Ⓒ遊伴。

play·ful [ˋplefəl] *adj.* ①嬉戲的；喜遊玩的。②戲謔的。— **ly,** *adv.*

play·girl [ˋple͵gɝl] *n.* Ⓒ好交際應酬和尋樂的女子。

play·go·er [ˋple͵goɚ] *n.* Ⓒ常去看戲的人。

***play·ground** [ˋple͵graʊnd] *n.* Ⓒ①(學校的)運動場。②遊樂場。

play·group [ˋple͵grup] *n.* Ⓒ幼兒遊戲園。

play·house [ˋple͵haʊs] *n.* Ⓒ①劇院。②兒童遊戲室。③玩具小屋。

play·mate [ˋple͵met] *n.* Ⓒ遊伴。

play-off [ˋple͵ɔf] *n.* Ⓒ(雙方得分相等時的)最後決賽。

play·pen [ˋple͵pɛn] *n.* Ⓒ(可讓小孩在裡面玩的)幼兒圍欄。

play·room [ˋple͵rum] *n.* Ⓒ遊戲室。

play·thing [ˋple͵θɪŋ] *n.* Ⓒ①玩物；玩具。②被玩弄取樂的人。

play·time [ˋple͵taɪm] *n.* Ⓤ休息時間；遊戲時間。

play·wright [ˋple͵raɪt] *n.* Ⓒ劇作家。

pla·za [ˋplæzə] *n.* Ⓒ城市內的廣場。

***plea** [pli] *n.* Ⓒ①懇求；祈求。②(常 *sing.*, the ∼)辯解；答辯；藉口。③(常 *sing.*)〖法律〗抗辯。§ ∼ **bàrgaining**〖法律〗答辯協議。

***plead** [plid] *v.i.*(**plead·ed** or **pled**)①辯護；抗辯。②懇求；祈求。—*v.t.* ①爲…辯護。②以…爲口實；託稱。

plead·ing [ˋplidɪŋ] *n.* ①(*pl.*)(原告的)訴狀；(被告的)答辯狀。②ⓊⒸ辯護；申辯。

‡**pleas·ant** [ˋplɛzn̩t] *adj.* ①愉快的；可喜的；可愛的。②容易相處的。③(天氣)晴朗的。*— **ly,** *adv.* — **ness,** *n.*

pleas·ant·ry [ˋplɛzn̩trɪ] *n.* ①Ⓒ詼諧的笑話；幽默話。②Ⓤ幽默；詼諧。
‡**please** [pliz] *v.t. & v.i.* ①願意；期望；不反對。②使快樂；取悅。*if you* ～ a. 如君願意；請(常作 please). b. 表示驚訝、憤慨的感嘆句。～ *God* 如果上帝願意；如果可能。～ *oneself* 隨自己之意。
‡**pleased** [plizd] *adj.* 欣喜的；滿足的。
***pleas·ing** [ˋplizɪŋ] *adj.* 愉快的；嫵媚的；令人喜愛的。
pleas·ur·a·ble [ˋplɛʒ(ə)rəbl̩] *adj.* 愉快的；悅人的。

P

‡**pleas·ure** [ˋplɛʒɚ] *n.* ①Ⓤ快樂；享樂。②Ⓒ愉快之事物；樂趣。③Ⓤ俗世的享樂。④(*sing.*, 常 one's ～)願望；選擇；意志。*at one's* ～ 隨意；聽便。*take* ～ *in* 以…爲樂。*with* ～ 願意(=willingly). §～ **bòat** 遊艇。～ **gròund** 遊樂場；娛樂場。～ **trìp** 遊覽。**the** ～ **prìnciple** 快樂原理(認爲人有逃避不愉快，追求快樂之傾向)。
pleat [plit] *n.* Ⓒ(衣服上的)褶。— *v.t.* 打褶。
ple·be·ian [plɪˋbiən] *n.* Ⓒ ①(古羅馬之)平民。②庶民。③鄙俗之人。— *adj.* ①(古羅馬之)平民的；庶民的。②庸俗的。
pleb·i·scite [ˋplɛbəˏsaɪt] *n.* Ⓒ公民投票。
plec·trum [ˋplɛktrəm] *n.* Ⓒ (*pl.* **-tra** [-trə], **～s**) (彈弦樂器時戴於指上的金屬或骨製之)撥子；琴撥；義甲。
pled [plɛd] *v.* 〖美方〗 pt. & pp. of **plead.**
***pledge** [plɛdʒ] *n.* ①ⓊⒸ誓言；誓約；諾言；公約。②Ⓒ保證；信物。③ **a.** Ⓤ典當；抵押。**b.** Ⓒ典當物；抵押品。④Ⓒ祝酒。⑤Ⓒ預備會員。*take* [*sign*] *the* ～發誓[簽誓]戒酒。— *v.t.* ①誓言；保證。②以…作擔保。③飲酒祝…健康。④使發誓。⑤典當；抵押。
Pleis·to·cene [ˋplaɪstəˏsin] *adj.* 〖地質〗更新世的；洪積世的。
ple·na·ry [ˋplinərɪ] *adj.* ①完全的；絕對的；完美的。②全體出席的。
plen·i·po·ten·ti·ar·y [ˏplɛnəpəˋtɛnʃərɪ] *n.* Ⓒ全權大使。— *adj.* ①有全權的。②絕對的。
plen·i·tude [ˋplɛnəˏtjud] *n.* Ⓤ充足；充分；豐饒；豐富。
plen·te·ous [ˋplɛntɪəs] *adj.* 〖詩〗= **plentiful.**
plen·ti·ful [ˋplɛntɪfəl] *adj.* 很多的；豐富的。—**ly,** *adv.*
‡**plen·ty** [ˋplɛntɪ] *n.* Ⓤ ①豐富；多；充分。Don't hurry; there's ～ of time. 不要忙；我們有充分的時間。②富足。*in* ～豐富。*years of peace and* ～ 太平豐收之年。— *adj.* 充分的；豐富的。— *adv.* 十分；充足地。
ple·num [ˋplinəm] *n.* Ⓒ (*pl.* **～s, -na**) ①充滿物質的空間(爲 vacuum 之對)。②充滿；充實。③全體出席的會議；全會。§～ **ventilàtion** 壓力通風。
ple·o·nasm [ˋpliəˏnæzəm] *n.* ①Ⓤ〖修〗冗言法。②Ⓒ冗言；贅言(如：a false lie). —**ple·o·nas′tic,** *adj.*
pleth·o·ra [ˋplɛθərə] *n.* ①(a ～)過多；過剩。②Ⓤ〖醫〗多血症。—**ple′-thor·ic,** *adj.*
pleu·ri·sy [ˋplurəsɪ] *n.* Ⓤ〖醫〗肋膜炎；胸膜炎。
plex·us [ˋplɛksəs] *n.* Ⓒ (*pl.* **～es,** ～) ①〖解〗(神經、血管的)叢；網狀組織。②一堆錯綜複雜的事、思想。
pli·a·ble [ˋplaɪəbl̩] *adj.* ①易曲的；柔軟的。②柔順的。—**pli·a·bil′i·ty,** *n.*
pli·an·cy [ˋplaɪənsɪ] *n.* Ⓤ柔軟(性)；柔順。
pli·ant [ˋplaɪənt] *adj.* =**pliable.**
pli·ers [ˋplaɪɚz] *n. pl.* 鉗子。
plight[1] [plaɪt] *n.* Ⓒ(通常指惡劣的)情勢；處境；情況。
plight[2] *v.t.* ①宣誓；誓約。②以誓約束(尤指婚姻)。～ *one's troth* 訂婚約。— *n.* Ⓒ①誓言；保證。②訂婚。
plinth [plɪnθ] *n.* Ⓒ〖建〗(柱等的)基脚；柱脚。
Pli·o·cene [ˋplaɪəˏsin] 〖地質〗 *adj.* 鮮新世的；上新世的。— *n.* (the ～)鮮新世；上新世。
PLO Palestine Liberation Organization. 巴勒斯坦解放組織。
plod [plɑd] *v.t.* (**-dd-**)緩步或重步地行走。— *v.i.* ①重步或吃力地行走〔on, along〕. ②孜孜從事；辛苦工作〔at, away, through〕. — *n.* Ⓒ艱步而行；沉重之脚步聲。
plop [plɑp] *n.* (a ～)①噗通聲。②噗通落下。— *v.t.* (**-pp-**)使噗通一聲落下。— *v.i.* 噗通墜落。
plo·sive [ˋplosɪv] *n.* Ⓒ & *adj.* 〖語音〗破裂音(的)。
***plot** [plɑt] *n.* Ⓒ ①陰謀。②(戲劇、小說等之)情節。③一小塊土地。④地圖；圖表。— *v.t.* (**-tt-**)①密謀(壞事)；圖謀。②分(地)成小塊〔out〕. ③製…之圖。— *v.i.* 策畫；圖謀〔for, against〕.
plot·ter [ˋplɑtɚ] *n.* Ⓒ(常 *pl.*)圖謀者；陰謀者。
***plough** [plaʊ] *n.* & *v.* 〖英〗 =**plow.**
plov·er [ˋplʌvɚ] *n.* Ⓒ千鳥；鴴。
***plow** [plaʊ] *n.* ①Ⓒ犁。②Ⓒ犁形器具(如除雪機)。③Ⓤ耕地；田。④(P-)〖天〗北斗七星。⑤〖英俚〗(考試)不及格。*follow* [*hold*] *the* ～ 以耕田爲業。*put one's hand to the* ～開始工作；著手工作。— *v.t.* ①用犁耕(田)；耕(田)。②使生皺紋。③(船等)破(浪)前進。④使考試不及格。— *v.i.* ①耕犁。②辛苦地經過〔through〕. ③〖英俚〗考試落第。～ *the sands* 做無用之事；徒勞無功。
plow·man [ˋplaʊmən] *n.* Ⓒ (*pl.* **-men**) ①用犁者。②農夫。
plow·share [ˋplaʊˏʃɛr] *n.* Ⓒ犁刃。
ploy [plɔɪ] *n.* Ⓒ①(圖占優勢的)策略。②忙碌的工作[活動]。
***pluck** [plʌk] *v.t.* ①摘；採。②拔；拉。③〖俗〗搶劫；詐欺。④以指撥(樂器之絃)。— *v.i.* 拉；抓〔at〕. ～ *up* **a.** 連根拔起。**b.** 鼓起勇氣。— *n.* ①(a ～)猛拉；扯。②Ⓤ勇氣；膽量。
pluck·y [ˋplʌkɪ] *adj.* 有膽量的；有勇氣的；有骨氣的。
***plug** [plʌg] *n.* Ⓒ①塞子；栓。②消防

栓。③〖電〗插頭。④(內燃機的)火星塞。⑤(廣播節目中的)廣告。⑥老而無用的馬。§ P∸ and P∸ 〖電算〗即插即用。 — *v.t.* (-gg-)①以塞子塞住。②〖俚〗射擊；拳擊。③以廣告大事宣傳。— *v.i.* 孜孜從事。～ *in* 接上插頭通電。

***plum** [plʌm] *n.* ①Ⓒ李樹；梅樹。②Ⓒ李子；梅子。③Ⓒ(果餅中的)葡萄乾。④Ⓒ陳皮梅。⑤Ⓒ精品；美好之物；精華。⑥Ⓤ深紫色。§ ∼ **púdding** (英國耶誕節時食用的)葡萄乾布丁。

plum·age [ˋplumɪdʒ] *n.* Ⓤ(集合稱)(鳥類的全身)羽毛。

plumb [plʌm] *n.* Ⓒ①鉛錘；測水錘。②垂直。*off* [*out of*] ～不垂直。— *adj.* ①垂直的。②〖俗〗完全的；全然的。— *adv.* ①垂直地。②精確地。③全然地。— *v.t.* ①以鉛錘測定(是否垂直)；以鉛錘測深度〔up〕。②了解；探測。§ ∼ **bŏb** 鉛錘；線鉈。∼ **lìne** 錘線；鉛垂線；測深線。

***plumb·er** [ˋplʌmɚ] *n.* Ⓒ鉛管工人。

***plumb·ing** [ˋplʌmɪŋ] *n.* Ⓤ①修理水管(業)。②配管(工程)。③(集合稱)鉛管類。

***plume** [plum] *n.* Ⓒ①(常 *pl.*)羽毛。②(常 *pl.*)羽飾。③榮譽的標誌。*borrowed* ～*s* 自己沾著別人的榮耀。— *v.t.* ①飾以羽毛。②整刷…的羽毛。～ *oneself on* [*upon*] 自誇。

plum·met [ˋplʌmɪt] *n.* Ⓒ①鉛錘；測水深度的錘。②(釣絲上的)墜子。— *v.i.* 垂直下落。

plump[1] [plʌmp] *adj.* 圓胖的；豐滿的。— *v.i.* & *v.t.*(使)變成圓胖〔常 up, out〕。

plump[2] *v.i.* ①忽然落下。②〖英〗將選票只投給一人〔for〕。— *v.t.* 使突然而沉重地落下〔常 down〕。— *n.*(a ～)突然落下。— *adv.* 直接地；忽然地。— *adj.* 直接的；率直的。

***plun·der** [ˋplʌndɚ] *v.t.* & *v.i.* 搶劫；搶奪；掠奪。— *n.* Ⓤ①劫奪品。②劫奪；搶劫；掠奪。

***plunge** [plʌndʒ] *v.t.*投…入(水中、洞中等)；使陷入(某種狀態)〔into〕。— *v.i.* ①投入；跳入；陷入；鑽入〔into〕。②衝進；突進〔into, down〕。③猛顛；(船首、馬首等)突降。④狂賭；冒險；投機。— *n.* (*sing.*)①跳水。②突進。*take the* ～ 冒險從事。

plung·er [ˋplʌndʒɚ] *n.* Ⓒ①投入之人或物；跳入者；潛水者。②機器之突動部分(如活塞等)。③冒險的賭博者或投機者。④(活塞式)咖啡沖泡杯。⑤(通抽水馬桶等用的)橡皮吸盤。

plunk [plʌŋk] *v.t.* ①撥(弦等)；彈(弦樂器等)。②〖俗〗砰地拋出；砰地放下；驟推；猛擲〔down〕。— *v.i.* ①發出砰的聲音。②〖俗〗砰地墜落；重跌；重落〔down〕。— *n.*(a ～)〖俗〗①砰的墜落聲音；重落聲。②撥弦聲。

plu·per·fect [pluˋpɝfɪkt] *n.* Ⓤ Ⓒ & *adj.* 〖文法〗過去完成式(的)。

***plu·ral** [ˋplurəl] *adj.* 複數的。— *n.* ①Ⓤ複數。②Ⓒ複數形；複數詞。§ ∼ **márriage**(尤指摩門教)重婚。

plu·ral·ism [ˋplurəlɪzəm] *n.* Ⓤ①〖哲〗多元論。②〖宗〗(牧師的)兼任制。

plu·ral·ist [ˋplurəlɪst] *n.* Ⓒ①〖哲〗多元論者。②〖宗〗兼職者。

plu·ral·i·ty [pluˋrælətɪ] *n.* ①Ⓤ複數(性)。②Ⓒ大多數；大半。③Ⓒ得票差；相對多數(票)。④Ⓤ Ⓒ〖宗〗神職人員的兼職。

plu·ral·ize [ˋplurəl͵aɪz] *v.t.* 使成複數(形)；以複數(形)表示。— *v.i.* ①成爲複數。②〖宗〗兼職。

***plus** [plʌs] *prep.* ①加。②和(＝and also)。— *adj.* ①多的；加的。②表示多的。③陽的；正電的。— *n.* Ⓒ①加號；正號(＋)。②盈餘；餘額。③正數。

plush [plʌʃ] *n.* Ⓤ厚絨布。— *adj.* 〖俗〗豪華的；奢侈的。

plush·y [ˋplʌʃɪ] *adj.* ①絲絨(似)的。②豪華的。

Plu·tarch [ˋplutɑrk] *n.* 蒲魯塔克(46?–?120, 希臘傳記作家)。

Plu·to [ˋpluto] *n.* ①〖希、羅神〗普魯托(冥王)。②〖天〗冥王星。

plu·toc·ra·cy [pluˋtɑkrəsɪ] *n.* ①Ⓤ富豪政治。②Ⓒ(總稱)富豪；財閥。

plu·to·crat [ˋplutə͵kræt] *n.* Ⓒ①財閥。②富豪。— **plu·to·crat′ic,** *adj.*

Plu·to·ni·an [pluˋtonɪən] *adj.* ①Pluto 的。②地獄的；冥府的。

Plu·ton·ic [pluˋtɑnɪk] *adj.* ①＝**Plutonian.** ②(p-)〖地質〗火成(岩)的。

plu·to·ni·um [pluˋtonɪəm] *n.* Ⓤ〖化〗鈽(放射性元素；符號 Pu)。

plu·vi·al [ˋpluvɪəl] *adj.* ①雨的；多雨的。②〖地質〗雨成的。

plu·vi·om·e·ter [͵pluvɪˋɑmətɚ] *n.* Ⓒ雨量計。

plu·vi·ous [ˋpluvɪəs] *adj.*(多)雨的。

***ply**[1] [plaɪ] *v.t.* ①勤用。②勤於(工作、讀書)。③硬給。④追問；盤問。⑤(定期)往返於。— *v.i.* ①(定期)往返。②勤奮做事；孜孜工作。

ply[2] *n.* Ⓤ①層；摺；疊。②(紗、繩等之)股。③傾向；癖性。

Plym·outh [ˋplɪməθ] *n.* 普里茅斯(**a.** 英格蘭西南部之一城市。**b.** 美國 Massachusetts 州東南部之一市鎮)。§ ∼ **Róck** 普里茅斯岩石(爲紀念美國開國祖先抵達美國的一處史蹟)。

ply·wood [ˋplaɪ͵wud] *n.* Ⓤ夾板；合板。

***p.m., P.M.** [ˋpiˋɛm] *adv.* & *adj.* 下午(的)；午後(的)(爲〖拉〗post meridiem(＝afternoon)之略)。

P.M. Postmaster; Prime Minister.

pneu·mat·ic [njuˋmætɪk] *adj.* ①空氣的；氣體的。②含有空氣的。③由壓縮空氣推動或操作的。— *n.* Ⓒ①氣胎。②有氣胎的車輛。§ ∼ **dispátch** 氣送(信件、電報、包裹等由氣力輸送管發送的方法)。∼ **tíre** 充氣胎；橡膠胎。— **pneu·mat′i·cal·ly,** *adv.*

pneu·mat·ics [njuˋmætɪks] *n.* Ⓤ氣體力學。

pneu·mo·co·ni·o·sis [͵njumə͵konɪˋosɪs] *n.* Ⓤ〖醫〗肺塵沈著症。

pneu·mo·nia [njuˋmonjə, nu-, -nɪə] *n.* Ⓤ〖醫〗肺炎。— **pneu·mon′ic**

[-ˋmɑ-], *adj.*
Po [po] *n.* 波河(在義大利北部)。
Po 〖化〗polonium.
P.O., p.o. post office.
poach[1] [potʃ] *v.i. & v.t.* ①偷獵; 偷釣。②侵入(他人土地); 踐踏破壞(獵場)。③侵害(他人權利等)。— **er,** *n.*
poach[2] *v.t.* 把(蛋)直接打入正在沸騰的水[湯]中整個地煮。
pock [pɑk] *n.* Ⓒ 痘瘡; 麻窩。
‡**pock·et** [ˋpɑkɪt] *n.* Ⓒ ①衣袋; 口袋。②凹處。③不利的位置; 孤立地帶。④〖空〗氣穴。⑤〖地〗礦穴。⑥〖撞球〗球袋。⑦(袋鼠等的)腹袋。⑧(常 *sing.*)(口袋所帶的)錢; 財力。*be in* ~ **a.** 手頭有(錢)的。**b.** 賺錢。*be out of* ~ **a.** 賠錢。**b.** 失敗。*have a person in one's* ~ 可隨意控制某人。*put one's hand in one's* ~ 花錢。*put one's pride in one's* ~ 忍辱; 抑制自尊心。— *v.t.* ①關入; 封入。②把…裝進腰包; 侵呑。③遏止; 壓抑。④忍受。⑤竊取。⑥圍住。⑦〖撞球〗撞入球袋。⑧(競賽中)困住(對方)。— *adj.* ①可攜帶於衣袋中的。②袖珍的。§ ~ **mòney** 零用錢。~ **vèto** 〖美〗(總統或州長對議案的)擱置否決權。
pock·et·book [ˋpɑkɪt,bʊk] *n.* Ⓒ ①〖美〗女用手提包。②皮夾; 錢包。③小筆記簿。④袖珍本。
pock·et·ful [ˋpɑkɪt,fʊl] *n.* Ⓒ 滿袋; 一袋之量〔of〕.
pock·et-hand·ker·chief [ˋpɑkɪtˋhæŋkətʃɪf] *n.* Ⓒ 手帕。
pock·et·knife [ˋpɑkɪt,naɪf] *n.* Ⓒ (*pl.* **-knives**)(折疊式)小刀。
pock·et-size(d) [ˋpɑkɪt,saɪz(d)] *adj.* 袖珍型的。
pock·mark [ˋpɑk,mɑrk] *n.* Ⓒ 痘痕; 麻點。— *v.t.* 使有痘痕。
pod[1] [pɑd] *n.* Ⓒ ①豆莢; 蒴。②(飛機外部掩蓋引擎、武器等的)豆莢狀覆蓋。— *v.i.*(**-dd-**)結莢; 成莢; 生蒴。— *v.t.* 剝掉…的莢。
pod[2] *n.* Ⓒ (海豹、鯨等的)小群。— *v.t.*(**-dd-**)將(海豹等)聚集成群。
podg·y [ˋpɑdʒɪ] *adj.* 矮胖的。
po·di·a·trist [poˋdaɪətrɪst] *n.* Ⓒ 足醫; 腳病醫生。
po·di·a·try [poˋdaɪətrɪ] *n.* Ⓤ〖醫〗足醫術; 足醫學。
po·di·um [ˋpodɪəm] *n.* Ⓒ (*pl.* ~**s**, **-di·a** [-dɪə])①(管弦樂隊的)指揮臺; 講臺。②〖動〗足。
‡**po·em** [ˋpo·ɪm] *n.* Ⓒ ①詩; 韻文。②文字優美的作品。③富詩意的事物。
po·e·sy [ˋpo·ɪsɪ] *n.* 〖古〗= **poetry.**
‡**po·et** [ˋpo·ɪt] *n.* Ⓒ 詩人。§ ~ **láureate** 桂冠詩人。
po·et·as·ter [ˋpo·ɪt,æstɚ] *n.* Ⓒ 打油詩人; 劣等詩人。
po·et·ess [ˋpo·ɪtɪs] *n.* Ⓒ 女詩人。
*__po·et·ic, -i·cal__ [poˋɛtɪk(l̩)] *adj.* 詩的; 詩人的; 適合於詩或詩人的。§ ~ **lìcense** 詩的破格。
po·et·ics [poˋɛtɪks] *n.* Ⓤ 詩學; 詩論。
*__po·et·ry__ [ˋpo·ɪtrɪ] *n.* Ⓤ ① (集合稱) 詩。②寫詩的藝術。③詩情; 詩意。
pó·go stìck [ˋpogo ~] *n.* Ⓒ 彈簧單高蹺。
po·grom [ˋpogrəm] *n.* Ⓒ (有組織的)屠殺; 集體屠殺(尤指屠殺猶太人)。
poi [pɔɪ, ˋpo·ɪ] *n.* ⓊⒸ (夏威夷的)芋製食品; 芋泥餅。
*__poign·ant__ [ˋpɔɪnənt] *adj.* ①痛切的; 深刻的。②銳利的; 強烈的; 痛快的; 生動的。③辛辣的。— **poign'an·cy,** *n.*
poin·set·ti·a [pɔɪnˋsɛtɪə] *n.* Ⓒ 〖植〗猩猩木; 聖誕紅。
‡**point** [pɔɪnt] *n.* ①Ⓒ尖; 尖端。②Ⓒ點。③Ⓒ 地點; 場所。④Ⓤ 程度; 階段。⑤Ⓒ 項目; 細節。⑥Ⓒ 特點; 特質。⑦Ⓤ 必要; 目的; 寓意。⑧Ⓤ 效果; 適切。⑨Ⓒ 方位。⑩Ⓤ 時刻; (時間的)點。⑪Ⓒ 岬。⑫Ⓒ 分數。⑬Ⓤ〖印刷〗磅因(活字大小單位,約合1/72英寸)。⑭Ⓒ〖俗〗暗示。⑮Ⓤ 針織花邊。⑯(*pl.*)〖鐵路〗轉轍器。⑰Ⓒ〖教育〗學分。⑱Ⓒ 爭議之處; 論點。*at the* ~ *of* 即將; 瀕於。*at the* ~ *of the sword* 在暴力的威脅下; 在刀尖的威迫下。*be on* [*upon*] *the* ~ *of* 就要…之時。*beside the* ~ 離開本題[要點]。*carry* [*gain*] *one's* ~ 達到目的。*come to the* ~ **a.** 至緊要關頭。**b.** 到達要點。*in* ~ 合適的; 切題的。*in* ~ *of* 至於; 就…而言。*make a* ~ *of* 堅持; 強調; 認為必要或重要。~ *of view* 見解; 觀點。*stretch a* ~ (當作特例)特別通融。*to the* ~ 扼要; 中肯。— *v.t.* ①使尖; 使銳利。②劃上小點; 標點。③增加(言語、行動等的)力量。④指向。⑤瞄準。⑥(獵犬)指示獵物所在處。— *v.i.* ①指; 指示〔at, to〕。②表示; 指明。§ ~ **dùty**〖英〗(交通警察的)站崗; 值勤。~ **làce** 針織花邊; 手工花邊。~ **swìtch**(鐵路)轉轍機。~ **sỳstem** (1)(盲人)點字法。(2)〖教育〗分數制度。(3)〖印刷〗磅因制。
point-blank [ˋpɔɪntˋblæŋk] *adj. & adv.* ①直射的[地]。②坦白的[地]; 率直的[地]。
*__point·ed__ [ˋpɔɪntɪd] *adj.* ①有尖頭的; 尖的。②尖銳的; 尖刻的。③率直的。④顯著的; 加重的。⑤瞄準的。⑥針對著(某人)的。— **ly,** *adv.*
point·er [ˋpɔɪntɚ] *n.* ①Ⓒ 指示者; 指示物。②Ⓒ 教鞭。③Ⓒ (鐘錶、儀器等的)指針。④Ⓒ 獵物指示犬。⑤Ⓒ〖俗〗暗示。⑥(Pointers)〖天〗指極星。
point·less [ˋpɔɪntlɪs] *adj.* ①無尖的; 鈍的。②無力量的; 無意義的; 無目標的。③無分數的。
points·man [ˋpɔɪntsmən] *n.* Ⓒ (*pl.* **-men**)〖英〗①〖鐵路〗轉轍手。②交通指揮警察。
point-to-point [ˋpɔɪnttəˋpɔɪnt] *n.* Ⓒ 定點越野賽馬。
poise [pɔɪz] *n.* Ⓤ ①鎮定; 平靜; 鎮靜。②姿態。③平衡; 均衡。④躊躇; 猶豫。— *v.t.* ①使均衡。②考慮。— *v.i.* 均衡; 保持平衡。— **poised,** *adj.*
‡**poi·son** [ˋpɔɪzn̩] *n.* ①ⓊⒸ 毒藥; 毒物。②ⓊⒸ 敗壞道德之事。③(one's

～)〖謔〗酒類。④Ⓤ(原子爐的)有毒物質。—*v.t.* ①毒殺；毒害。②下毒。③敗壞。§～ **fáng** 毒牙。～ **gás** 毒氣。～ **ívy**〖植〗野葛。～ **óak** 〖植〗＝poison ivy [sumac]. ～ **súmac** 〖植〗一種有毒的漆樹。—**ed,** *adj.* —**er,** *n.*

poi·son·ing [ˋpɔɪzṇɪŋ] *n.* Ⓤ中毒。

***poi·son·ous** [ˋpɔɪzṇəs] *adj.* ①有毒的。②令人不能忍受的。③敗德的；有壞影響的。

poke**[1] [pok] *v.t.* ①刺；戳。②毆打。③插入；伸出。—*v.i.*①刺探；調查。②刺；戳。③伸出。～ ***fun of 嘲弄。～ ***one's nose into other people's business*** 管閒事。—*n.* Ⓒ①刺；戳。②毆打。

poke[2] *n.* Ⓒ〖方〗口袋；小袋。

pok·er[1] [ˋpokɚ] *n.* Ⓤ撲克牌戲。§～ **fâce** 撲克臉(無表情的臉)。

pok·er[2] *n.* Ⓒ ①撥火棍；火鉗。②刺、戳的人或物。

pok·er-faced [ˋpokɚ͵fest] *adj.* 面無表情的。

pok·(e)y [ˋpokɪ] *adj.* ①無精打采的；遲鈍的。②狹小擁擠的。③襤褸的。—*n.* Ⓒ〖俚〗監獄。

pol. political; politics. **Pol.** Poland; Polish.

Po·land [ˋpolənd] *n.* 波蘭(歐洲中部國名，首都爲 Warsaw).

po·lar [ˋpolɚ] *adj.* ①近北極或南極的；屬於北極或南極的。②(電池)正負極的。③磁極的。④極端相反的。§～ **bèar** 北極熊。～ **cáp**(火星的)極冠。～ **coórdinates**〖數〗極座標。～ **líghts** (南北)極光。

Po·lar·is [poˋlɛrɪs] *n.* ①〖天〗北極星。②Ⓒ北極星飛彈。

po·lar·i·ty [poˋlærətɪ] *n.* ⓊⒸ ①〖理〗兩極性；(陰、陽)極性；磁性引力。②(主義、性格等的)正相反。

po·lar·ize [ˋpolə͵raɪz] *v.t.*①〖電〗賦與極性；使極化。②〖光學〗使偏光。③使(思想等)偏向；使分裂。—**po·lar·i·za′tion,** *n.*

po·lar·iz·er [ˋpolə͵raɪzɚ] *n.* Ⓒ〖光學〗偏光器；起偏振鏡。

Po·lar·oid [ˋpolə͵rɔɪd] *n.*〖商標〗①Ⓤ起偏振片(用於太陽眼鏡等的人造偏振片)。②Ⓒ(亦作 **Polaroid camera**) 拍立得照相機。③(*pl.*)偏光眼鏡。

‡**pole**[1] [pol] *n.* Ⓒ 竿；柱；桿。—*v.t.* 〖美〗以竿撐(船)。§～ **vàult** [**jùmp**] 撐竿跳。

***pole**[2] *n.* Ⓒ ①(南、北)極。②極地。③磁極；電極。④任何球軸的兩端。⑤相對；相反。

Pole [pol] *n.* Ⓒ波蘭人。

pole·ax(e) [ˋpol͵æks] *n.* Ⓒ①戰斧；鉞。②殺家畜用的屠斧。

pole·cat [ˋpol͵kæt] *n.* Ⓒ①臭貓。②北美產的臭鼬類。

po·lem·ic [poˋlɛmɪk] *n.* Ⓒ ①爭論；辯論；論戰。②爭論者；辯論者。—*adj.* (亦作 **polemical**) 爭論的；辯論的。—**po·lem′i·cal·ly,** *adv.*

po·lem·ics [poˋlɛmɪks] *n.* Ⓤ ①辯論(術)。②(神學上的)論證法。

pole·star [ˋpol͵stɑr] *n.* ①(the ～, 常 P-)北極星。②Ⓒ指標；指導原則。

‡**po·lice** [pəˋlis] *n.* Ⓤ(集合稱，常 the ～)警察；警方。—*v.t.* ①使有秩序；整頓。②以警察管治(一地區)。§～ **bòx**[**stànd**]警察崗亭。～ **dòg** 警犬。～ **fòrce** 警力。～ **òffice**〖英〗警察局。‡～ **òfficer** 警員；警官。～ **sérgeant** 警佐。～ **stàte** 警察國家(用祕密警察來控制人民的集權國家)。～ **stàtion**〖美〗警察局。

‡**po·lice·man** [pəˋlismən] *n.* Ⓒ (*pl.* **-men**)警察；警員。

‡**po·lice·wom·an** [pəˋlis͵wʊmən] *n.* Ⓒ (*pl.* **-wom·en**)女警察。

***pol·i·cy**[1] [ˋpɑləsɪ] *n.* ①Ⓒ政策；方針。②Ⓤ權謀；智慧；深慮。

pol·i·cy[2] *n.* ①Ⓒ保險單。②Ⓤ搖彩賭博。

pol·i·cy·hold·er [ˋpɑləsɪ͵holdɚ] *n.* Ⓒ保險客戶；被保人。

po·li·o·my·e·li·tis [͵pɑlɪo͵maɪəˋlaɪtɪs] *n.* Ⓤ〖醫〗小兒麻痺症；脊髓灰白質炎。(亦作 **polio**)

pol·ish** [ˋpɑlɪʃ] *v.t.* ①磨光；擦亮。②使優雅；潤飾；洗鍊。—*v.i.* 發光澤；變爲光滑。～ ***off **a.**〖俗〗很快地用完；吃完；做完。**b.**〖俚〗幹掉(某人)；除掉(某人)。～ ***up*** 使成完美；改進。—*n.* ①Ⓤ(又作 a ～)光澤；光亮。②ⓊⒸ擦亮粉；光澤劑。③Ⓤ優雅；精良。—**ed** [～t], *adj.*

Po·lish [ˋpolɪʃ] *adj.* 波蘭(人，語)的。—*n.* Ⓤ波蘭語。

‡**po·lite** [pəˋlaɪt] *adj.* ①有禮貌的；客氣的。②文雅的；上流的。*—**ly,** *adv.* —**ness,** *n.*

pol·i·tic [ˋpɑlə͵tɪk] *adj.* ①有智慮的；明達的；精明的。②狡詐的。③有策略的；權宜的。④〖古〗政治(上)的。

‡**po·lit·i·cal** [pəˋlɪtɪkḷ] *adj.* ①政治學的。②政治(上)的。③政客的；政黨的。§～ **asýlum** 政治庇護。～ **párty** 政黨。～ **prísoner** 政治犯。～ **scíence** 政治學。～ **scíentist** 政治學家。—**ly,** *adv.*

***pol·i·ti·cian** [͵pɑləˋtɪʃən] *n.* Ⓒ 政治家；政客。〔注意〕**statesman** 常指好的政治家，**politician**則帶有輕蔑之意。

po·lit·i·cize [pəˋlɪtə͵saɪz] *v.t.* ①使政治化；使政黨化。②從政治上討論。—*v.i.* 從政；參與政事；談論政治。

pol·i·tick [ˋpɑlətɪk] *v.i.* 〖美俗〗從事政治性活動。

‡**pol·i·tics** [ˋpɑlə͵tɪks] *n.* ①Ⓤ政治；政治學。②(作 *pl.*解)政見；政綱。③(作 *sing.* or *pl.*解)策略；政策。

pol·ka [ˋpolkə] *n.* Ⓒ ①波卡舞(一種輕快雙人舞蹈)。②波卡舞曲。§～ **dòt** (衣料的)圓點花樣。

***poll** [pol] *n.* ①(*sing.*)投票；投票數；投票結果。②Ⓒ 選舉人名冊。③(*pl.*)〖美〗投票所。④Ⓒ〖謔〗人頭。⑤Ⓒ民意調查[問卷]。—*v.t.* ①獲(選票)。②投(票)。③登記…之選票。④(民意測驗中)訪問。⑤剪短(…之髮、毛)；鋸下(角、枝等)。§～ **tàx** 人頭稅。

pol·len [ˋpɑlən] *n.* Ⓤ 花粉。—*v.t.*

授以花粉。§ ∼ **cóunt** 花粉數(用以評估花粉熱患者之感染程度)。
pol·li·nate [ˋpɑlə͵net] *v.t.* 〖植〗授粉。
pol·li·na·tion [͵pɑləˋneʃən] *n.* Ⓤ 授粉；授粉作用。
poll·ing [ˋpolɪŋ] *n.* Ⓤ 投票。§ ∼ **bòoth** (投票所的)圈票處。∼ **dày** 投票日；選舉日。∼ **plàce** [〖英〗**stàtion**] 投票所。
pol·li·no·sis [͵pɑləˋnosɪs] *n.* Ⓤ 〖醫〗花粉病。
pol·li·wog [ˋpɑlɪ͵wɑg] *n.* Ⓒ 蝌蚪。
poll·ster [ˋpolstɚ] *n.* Ⓒ 從事民意測驗[調查]的人。
pol·lu·tant [pəˋlutn̩t] *n.* ⓊⒸ 污染物。
pol·lute [pəˋlut] *v.t.* 污染；玷污；褻瀆。
‡**pol·lu·tion** [pəˋluʃən] *n.* Ⓤ 玷污；污染；污穢。air ∼ 空氣污染。
pol·ly·wog [ˋpɑlɪ͵wɑg] *n.* =**polliwog.**
po·lo [ˋpolo] *n.* Ⓤ ①馬球。②(亦作 **water polo**)水球。§ ∼ **shìrt** 一種短袖、套頭、圓領的棉衫。
Po·lo [ˋpolo] *n.* 馬可波羅(Marco, 1254?-?1324, 義大利旅行家)。
pol·o·naise [͵pɑləˋnez] *n.* Ⓒ ①波羅奈舞曲；波蘭舞曲(慢步三拍子的波蘭民族舞曲)。②波蘭裙。
po·lo·ni·um [pəˋlonɪəm] *n.* Ⓤ 〖化〗釙(放射性元素；符號 Po)。
pol·ter·geist [ˋpoltɚ͵gaɪst] 〖德〗*n.* Ⓒ 吵鬧的鬼。
pol·troon [pɑlˋtrun] *n.* Ⓒ 膽小鬼；懦夫。— *adj.* 膽小的。
pol·troon·er·y [pɑlˋtrunərɪ] *n.* Ⓤ 膽小；怯懦。
pol·y [ˋpɑlɪ] *n.* Ⓒ (*pl.* ∼**s**) 〖英〗工藝學校；工技學院。
poly- 〖字首〗表「多…的；廣闊的」之義，如：*poly*angular. 多角的。
pol·y·an·dry [ˋpɑlɪ͵ændrɪ] *n.* Ⓤ ①一妻多夫(制)。②〖動〗一雌多雄。
pol·y·an·thus [͵pɑlɪˋænθəs] *n.* ⓊⒸ 〖植〗①西洋櫻草。②多花水仙。
pol·y·chro·mat·ic [͵pɑlɪkroˋmætɪk] *adj.* 多色的。
pol·y·chrome [ˋpɑlɪ͵krom] *adj.* 多色的；彩飾的；彩色印刷的。— *n.* Ⓒ 多色畫；彩像；色彩配合。— *v.i.* 以多色畫。
pol·y·clin·ic [͵pɑlɪˋklɪnɪk] *n.* Ⓒ 聯合診所；綜合醫院。
pol·y·es·ter [͵pɑlɪˋɛstɚ] *n.* Ⓤ 〖化〗多元酯；多元酯纖維。
pol·y·eth·yl·ene [͵pɑlɪˋɛθɪlin] *n.* Ⓤ 〖化〗聚乙烯。
po·lyg·a·my [pəˋlɪgəmɪ] *n.* Ⓤ 一夫多妻(制)。— **po·lyg′a·mist,** *n.* — **po·lyg′a·mous,** *adj.*
pol·y·glot [ˋpɑlɪ͵glɑt] *adj.* ①通曉數種語言的。②用數種語言寫成的。— *n.* Ⓒ ①通曉數種語言的人。②用數種語言寫成的書(如聖經)。
pol·y·gon [ˋpɑlɪ͵gɑn] *n.* Ⓒ 多角形；多邊形。— **po·lyg′o·nal,** *adj.*
pol·y·graph [ˋpɑlɪ͵græf] *n.* Ⓒ ①複寫器。②多產作家。③多元描記器。④測謊器。
pol·y·he·dron [͵pɑlɪˋhidrən] *n.* Ⓒ (*pl.* **-dra** [-drə], ∼**s**) 〖數〗多面體；多面形。— **pol·y·he′dral,** *adj.*
pol·y·mer [ˋpɑlɪmɚ] *n.* Ⓒ 〖化〗聚合體；聚合物。— **pol·y·mer′ic,** *adj.*
po·lym·er·i·za·tion [͵pɑlɪmərɪˋzeʃən] *n.* Ⓤ 〖化〗聚合(作用)。
Pol·y·ne·sia [͵pɑləˋniʒə] *n.* 玻里尼西亞(中太平洋之一群島)。
Pol·y·ne·sian [͵pɑləˋniʒən] *n.* ① Ⓒ 玻里尼西亞人。② Ⓤ 玻里尼西亞語。— *adj.* 玻里尼西亞(人，語)的。
pol·y·no·mi·al [͵pɑlɪˋnomɪəl] *adj.* ①多名的。②〖數〗多項的。③〖生物〗多名式的。— *n.* Ⓒ ①多名。②〖數〗多項式。③〖生物〗多名式學名。
pol·yp [ˋpɑlɪp] *n.* Ⓒ ①〖動〗水螅。②〖醫〗息肉(鼻道等黏膜的突起物、瘤腫)。
po·lyph·o·ny [pəˋlɪfənɪ] *n.* Ⓤ ①多音；多響。②〖樂〗複調音樂；對位法。— **pol·y·phon′ic,** *adj.*
pol·y·pro·pyl·ene [͵pɑlɪˋpropɪlin] *n.* Ⓤ 〖化〗聚丙烯。
pol·y·sty·rene [͵pɑlɪˋstaɪrin] *n.* Ⓤ 〖化〗多苯乙烯。§ ∼ **cemént** 強力膠。
pol·y·syl·la·ble [ˋpɑlə͵sɪləbl̩] *n.* Ⓒ 多音節字。— **pol·y·syl·lab′ic,** *adj.*
pol·y·tech·nic [͵pɑləˋtɛknɪk] *adj.* 多藝的；各種工藝的。— *n.* ⓊⒸ 工藝學校；工技學院。
pol·y·the·ism [ˋpɑləθi͵ɪzəm] *n.* Ⓤ 多神論；多神教。— **pol′y·the·ist,** *n.* — **pol·y·the·is′tic,** *adj.*
pol·y·un·sat·u·rat·ed [͵pɑlɪʌnˋsætʃə͵retɪd] *adj.* 〖化〗多重不飽和的。
pom [pɑm] *n.* Ⓒ 博美犬。
po·made [poˋmed] *n.* Ⓤ 髮乳。— *v.t.* 塗髮乳。
pome [pom] *n.* Ⓒ 〖植〗梨果(即蘋果、梨、榲桲等)。
pome·gran·ate [ˋpʌm͵grænɪt] *n.* Ⓒ ①石榴。②石榴樹。
pom·e·lo [ˋpɑməlo] *n.* Ⓒ (*pl.* ∼**s**) 〖植〗①柚子。②葡萄柚(=grapefruit).
Pom·er·a·ni·an [͵pɑməˋrenɪən] *n.* Ⓒ 博美犬。
pom·mel [ˋpʌml̩] *n.* Ⓒ ①鞍頭。②劍等的柄端。— *v.t.* (**-l-,** 〖英〗**-ll-**)以拳連續打；以柄頭打。
po·mol·o·gy [poˋmɑlədʒɪ] *n.* Ⓤ 果樹栽培學。
pomp [pɑmp] *n.* ① Ⓤ 盛況；壯觀。② (*pl.*)誇耀；誇示。
pom·pa·dour [ˋpɑmpə͵dor] *n.* Ⓤ 前髮梳高的女子髮型；一種向後梳起的男子髮型。
Pom·peii [pɑmˋpe·i] *n.* 龐貝(義大利西南部 Vesuvius 火山山麓之一古城，於西元 79 年因火山爆發而埋入地下)。
Pom·pey [ˋpɑmpɪ] *n.* 龐培(106-48 B.C., 羅馬大將及政治家)。
pom·pom [ˋpɑm͵pɑm] *n.* Ⓒ 高射機關砲；對空速射砲。(亦作 **pom-pom**)
pom·pon [ˋpɑmpɑn] *n.* Ⓒ ①絨球；絲球(婦女、孩童鞋帽上的裝飾)。②〖植〗乓乓大理花；絨球菊花。

pomp·ous[ˋpampəs] *adj.* ①誇大的；傲慢的；自大的。②華而不實的；鋪張的。—**ly,** *adv.* —**pom·pos′i·ty** [-ˋpas-], *n.*
ponce [pans] *n.* Ⓒ〖俚〗①皮條客；淫媒。②娘娘腔的男子。— *v.i.*(男人)扭扭捏捏四處招搖〔about〕.
pon·ceau [panˋso, ˋpanso] *n.*① Ⓒ〖植〗麗春花。② Ⓤ 鮮紅色(染料)。
pon·cho [ˋpantʃo] *n.* Ⓒ (*pl.* ~*s*) 南美人的一種斗篷。
‡**pond** [pand] *n.* Ⓒ 池塘。§ ∼ **lìly** 〖植〗睡蓮(=water lily). ∼**scùm** 死水上面浮的綠藻。
*__pon·der__ [ˋpandɚ] *v.t.* & *v.i.* 考慮；沉思〔on, over〕.
pon·der·able [ˋpandərəbl̩] *adj.* ①有重量的；可估計的。②可深慮的。
pon·der·ous [ˋpandərəs] *adj.* ①沉重的。②笨重的。③令人厭倦的。
pone [pon] *n.* Ⓤ Ⓒ 玉米麵包。
pong [paŋ] *n.* Ⓒ 惡臭；臭味。
pon·gee [panˋdʒi] *n.* Ⓤ 繭綢；府綢。
pon·iard [ˋpanjɚd] *n.* Ⓒ 匕首；短劍。— *v.t.* 以匕首[短劍]刺。
pon·tiff [ˋpantɪf] *n.* Ⓒ ①教皇；教宗。②〖古〗主教。③(猶太教)大祭司。
pon·tif·i·cal [panˋtɪfɪkl̩] *adj.* ①教皇的；教宗的。②主教的。③大祭司的。— *n.* (*pl.*)主教的祭服。
pon·tif·i·cate [panˋtɪfɪkɪt, -ˌket] *n.* Ⓒ pontiff 的職位或任期。— *v.i.* ①執行教宗的職務。②擔任主教。③武斷而倨傲地說；自以爲是。
pon·toon[1] [panˋtun] *n.* Ⓒ ①〖軍〗(用以支架浮橋的)浮舟。②(水上飛機的)浮筒；浮囊。③(亦作 **pontoon bridge**)浮橋。
pon·toon[2] *n.* Ⓤ 〖牌戲〗二十一點。
po·ny [ˋponɪ] *n.* Ⓒ ①小型馬。②〖俚〗學生所用的教科書之譯本或註釋本。③〖美〗一小杯的分量[酒]。④小型物。⑤〖英俚〗25鎊。§ ∼ **expréss** 〖美〗乘快馬送信的制度。
po·ny·tail [ˋponɪˌtel] *n.* Ⓒ 馬尾巴(一種髮型)。
pooch [putʃ] *n.* Ⓒ 〖方〗狗。
poo·dle [ˋpudl̩] *n.* Ⓒ 捲毛獅子狗。
poof[1] [puf] *n.* Ⓒ 〖英俚〗①同性戀男子。②娘娘腔的男人。
poof[2] *interj.* (表示突然出現或消失的感歎詞)哎喲!
pooh [pu] *interj.* (表輕蔑)呸！啐！
Pooh-Bah [ˌpuˋba] *n.* Ⓒ ①大官；(似)顯要的人物(出自Gilbert & Sulivan 所作的喜歌劇 *The Mikado* 中之人物名)。②(p-b-)身兼數職者。
pooh-pooh [ˋpuˋpu] *v.t.* & *v.i.* 輕蔑；藐視；嘲弄；嗤之以鼻。
‡**pool**[1] [pul] *n.* Ⓒ ①小池；水塘。②潭；淵。③水坑。
*__pool__[2] *n.* ① Ⓒ 總賭注；賭金。② Ⓤ (賭博性的)落袋撞球戲。③ Ⓒ 共同出資；合資。④ Ⓒ 合夥經營；共同管理；聯營。⑤ Ⓒ 集中備用的物資；儲備人員。— *v.t.* 合夥經營；聯營。
pool·room [ˋpulˌrum] *n.* Ⓒ 〖美〗①撞球場。②(賽馬等的)賭注登記處。
poop[1] [pup] *n.* Ⓒ ①船尾樓甲板；艉樓。②船尾。— *v.t.* ①(浪)打擊(船)的尾部。②以船尾受(浪)。
poop[2] *v.t.* 〖美俚〗使筋疲力竭。— *v.i.* ①疲乏。②(機械等)不能運轉；報廢。
‡**poor** [pur] *adj.* ①貧窮的。②壞的；拙劣的；質劣的。③少量的；薄弱的。④可憐的；不幸的。⑤瘦弱的；精神萎靡的。∼ ***man's***(比同類)差的；廉價的。— *n.*(the ∼, 集合稱)窮人。§ ∼ **bòx** (教會的)濟貧捐獻箱。∼ **fàrm**(公營的)濟貧農場。∼ **làw** 濟貧法。∼ **whíte** (美國南部的)貧困白人。—**ness,** *n.*
poor·house [ˋpurˌhaus] *n.* Ⓒ (昔日的)貧民救濟院。
*__poor·ly__ [ˋpurlɪ] *adv.* ①不足地；貧乏地。②壞地；拙劣地。— *adj.* 〖俗〗不適的；不健康的。
poor-mouth [ˋpurˌmauθ] *v.i.* & *v.t.* 〖美〗①嘆窮；哭窮。②講…的壞話；謙卑地說。
poor-spir·it·ed [ˋpurˋspɪrɪtɪd] *adj.* 無氣力的；懦弱的；怯懦的。
*__pop__[1] [pap] *v.i.* (-**pp**-)①發短促爆裂聲。②突然走動[移動]。③砰然裂開。④(眼睛)睜大或突出(表示驚訝等)。⑤(砰然)射擊。— *v.t.* ①突然伸出；突然放入。②〖俗〗射擊。③使發出「砰」聲。④〖俗〗典當。⑤突然發出(問題)。⑥爆炒(玉米)。∼***the question***〖俗〗求婚。— *n.* ① Ⓒ 短促爆裂聲。② Ⓒ 開槍。③ Ⓤ 氣泡飲料。— *adv.* 突然地；砰然地。§ ∼ **flý**〖棒球〗內野高飛球。
pop[2] *n.* Ⓒ〖俚〗爸爸；老伯。
*__pop__[3] *adj.* 〖俗〗流行的；大衆的；通俗的。— *n.* (*pl.*, 常作 *sing.*解)流行音樂會。§ ∼ **árt** 普普[大衆]藝術(1962 年起以紐約爲中心的前衛派美術運動)。
pop·corn [ˋpapˌkɔrn] *n.* Ⓤ 爆米花。
*__pope__ [pop] *n.* Ⓒ ①(常 P-)羅馬教皇；教宗。②擁有絕對權威的人。
Pope [pop] *n.* 波普(Alexander, 1688-1744, 英國詩人)。
Pop·eye [ˋpapˌaɪ] *n.* 卜派(美國卡通影片「大力水手」的主角)。
pop·eyed [ˋpapˌaɪd] *adj.* 突眼的；睜大眼睛的。
pop·gun [ˋpapˌgʌn] *n.* Ⓒ 玩具氣槍。
pop·in·jay [ˋpapɪnˌdʒe] *n.* Ⓒ 時髦的人；花花公子。
pop·lar [ˋpaplɚ] *n.* ① Ⓒ 〖植〗白楊。② Ⓤ 白楊木。
pop·lin [ˋpaplɪn] *n.* Ⓤ 毛葛。
pop·o·ver [ˋpapˌovɚ] *n.* Ⓒ 一種酥餅。
pop·pa [ˋpapə] *n.* Ⓒ 〖美〗爸爸(暱稱)。
pop·per [ˋpapɚ] *n.* Ⓒ ①(使)發短促爆裂聲的人或物。②爆炒玉米的鍋。
pop·py[1] [ˋpapɪ] *n.* ① Ⓒ 罌粟。② Ⓒ 罌粟花。③ Ⓤ 罌粟色；深紅色。
pop·py[2] *n.* Ⓒ 〖美俚〗父親(暱稱)。
pop·py·cock [ˋpapɪˌkak] *n.* Ⓤ 〖俗〗胡說；廢話。
Pop·si·cle [ˋpapsəkl̩] *n.* Ⓤ Ⓒ 〖商標〗冰棒。
pop-top [ˋpapˌtap] *adj.* 易開罐的。
pop·u·lace [ˋpapjəlɪs, -ləs] *n.* Ⓤ ①平民；民衆；老百姓。②居民。
‡**pop·u·lar** [ˋpapjəlɚ] *adj.* ①得衆望的；受人歡迎的。②普遍的；流行的。

P

③民衆的。④平易的；一般的。§ ~ vóte 〖美〗選民投票。— ly, *adv.*

*pop·u·lar·i·ty [ˌpɑpjəˋlærətɪ] *n.* Ⓤ流行；普遍；聲望。

pop·u·lar·ize [ˋpɑpjələˌraɪz] *v.t.* 使普遍；使流行；使得人心。— pop·u·lar·i·za'tion, *n.*

pop·u·late [ˋpɑpjəˌlet] *v.t.* ①居住於。②殖民於。

‡pop·u·la·tion [ˌpɑpjəˋleʃən] *n.* ①ⓊⒸ人口(數)。②(*sing.*)〖生物〗族群。

pop·u·lous [ˋpɑpjələs] *adj.* (地區)人口稠密的；人口多的。— ly, *adv.* — ness, *n.*

pop-up [ˋpɑpˌʌp] *n.* =pop fly. — *adj.* 自動彈起的。

por·ce·lain [ˋporslɪn, ˋpɔr-] *n.* Ⓤ ①瓷器。②(集合稱)瓷器類。

*porch [portʃ, pɔrtʃ] *n.* Ⓒ ①門廊。②陽台(=veranda).

por·cu·pine [ˋpɔrkjəˌpaɪn] *n.* Ⓒ ①〖動〗豪豬。②梳麻機。

pore[1] [por, pɔr] *v.i.* ①熟讀；熟視。②沉思；默想〔常 over, on, upon〕.

pore[2] *n.* Ⓒ毛孔；氣孔。

*pork [pork, pɔrk] *n.* Ⓤ豬肉。

pork·chop [ˋpɔrkˌtʃɑp] *n.* ⓊⒸ豬排。

pork·er [ˋporkɚ] *n.* Ⓒ食用豬。

pork·y [ˋporkɪ] *adj.* 肥胖的。

porn [pɔrn] *n.* 〖俚〗=pornography.

por·nog·ra·pher [pɔrˋnɑgrəfɚ] *n.* Ⓒ色情畫畫家；色情小說家。

por·nog·ra·phy [pɔrˋnɑgrəfɪ] *n.* Ⓤ春宮；色情畫；色情文學。— por·no·graph·ic [ˌpɔrnəˋgræfɪk], *adj.*

po·ros·i·ty [poˋrɑsətɪ] *n.* Ⓤ多孔(性)。

po·rous [ˋporəs] *adj.* ①多孔的。②可浸透的。

por·phy·ry [ˋpɔrfərɪ] *n.* Ⓤ〖地質〗斑岩。

por·poise [ˋpɔrpəs] *n.* Ⓒ 〖動〗鼠海豚。

por·ridge [ˋpɔrɪdʒ] *n.* Ⓤ麥片粥。

por·rin·ger [ˋpɔrɪndʒɚ] *n.* Ⓒ粥碗。

Porsche [pɔrʃ] *n.* Ⓒ〖商標〗保時捷(西德 Porsche 公司所製造的高級跑車)。

‡port[1] [port, pɔrt] *n.* ⓊⒸ①港；港口。②港市。③〖法律〗進口港。④〖俗〗機場。⑤〖電算〗埠。§ ~ authòrity 港務局。~ chàrges 港稅；入口稅；噸稅。

port[2] *n.* ⓊⒸ(葡萄牙原產的)(紅)葡萄酒。

port[3] *n.* =porthole.

port[4] *n.* Ⓤ(船或飛機的)左舷。— *adj.* 左舷的。— *v.t.* & *v.i.* (把舵、船等)轉向左邊。

port[5] *n.* ①Ⓤ舉止；態度。②(the ~)舉槍的姿勢。— *v.t.* 舉槍；托槍。

Port. Portugal; Portuguese.

*port·a·ble [ˋportəbl, ˋpɔr-] *adj.* 可攜帶的；可移動的。— *n.* Ⓒ手提式器具。— port·a·bil'i·ty, *n.*

por·tage [ˋportɪdʒ] *n.* ①ⓊⒸ兩水路間之陸運。②Ⓒ連水陸路。③ⓊⒸ搬運；運輸。④Ⓤ(又作 a ~)運費。— *v.t.* & *v.i.* 於兩水路間把(船、貨物等)轉到陸上運輸。

por·tal [ˋportl, ˋpɔr-] *n.* Ⓒ大門；入口；正門(常指堂皇者)。

Port-au-Prince [ˌportoˋprɪns, ˌpɔrt-] *n.* 太子港(海地首都)。

por·tend [porˋtɛnd] *v.t.* ①預兆；成爲…的前兆。②表示。

por·tent [ˋportɛnt] *n.* ①Ⓤ意味。②Ⓒ凶兆。③Ⓒ異常之人；怪事。

por·ten·tous [porˋtɛntəs] *adj.* ①不祥的。②令人驚異的。③自負的。

*por·ter[1] [ˋportɚ, ˋpɔr-] *n.* Ⓒ①搬運工人；挑夫。②〖美〗(火車中之)侍者。

por·ter[2] *n.* Ⓒ守門者。

por·ter[3] *n.* ⓊⒸ黑啤酒。

por·ter·age [ˋportərɪdʒ] *n.* ①Ⓤ搬運；搬運業。②Ⓤ(又作 a ~)運費。

por·ter·house [ˋportɚˌhaus] *n.* ⓊⒸ上等腰肉牛排(=porterhouse steak).

port·fo·li·o [portˋfolɪˌo, pɔrt-] *n.* (*pl.* ~s)①Ⓒ公事包；紙夾；文件夾。②Ⓤ部長[閣員]的職位。

port·hole [ˋportˌhol] *n.* Ⓒ①(船的)舷窗；(飛機的)圓窗；(城牆的)射擊孔。②〖機〗汽門。

por·ti·co [ˋportɪˌko] *n.* Ⓒ (*pl.* ~es, ~s)門廊；柱廊。

*por·tion [ˋporʃən, ˋpɔr-] *n.* ①Ⓒ部分。②Ⓒ(分配之)一分。③Ⓒ分得的遺產。④Ⓒ嫁妝；妝奩。⑤(*sing.*, one's ~)命運。— *v.t.* ①分配；分割。②給與遺產[嫁妝]。

Port·land [ˋportlənd, ˋpɔrt-] *n.* 波特蘭(美國Oregon 州西北部的一個港市)。

port·ly [ˋportlɪ] *adj.* ①肥胖的；身體碩大的。②莊嚴的。

port·man·teau [portˋmænto] *n.* Ⓒ (*pl.* ~s, ~x [~z]) ①〖主英〗(可對開的)旅行包[皮箱]。②混合詞(=portmanteau word).

*por·trait [ˋportret, ˋpɔr-, -trɪt] *n.* Ⓒ①人像；肖像；相片。②描寫；描述。③類[酷]似物；類型。— like, *adj.*

por·trai·ture [ˋportrɪtʃɚ] *n.* Ⓤ ①人像的繪畫。②人像；肖像。③生動的人物描寫。

*por·tray [porˋtre] *v.t.* ①畫像；描繪；寫眞。②扮演；飾演。

por·tray·al [porˋtreəl] *n.* ①Ⓤ描畫；描寫。②Ⓒ描畫[描寫]物；肖像。③Ⓤ飾演。

Ports·mouth [ˋportsməθ] *n.* 樸次茅斯(英格蘭南部之一海軍基地)。

Por·tu·gal [ˋportʃəgl] *n.* 葡萄牙(歐洲西南部國家，首都 Lisbon).

Por·tu·guese [ˋportʃəˌgiz, ˋpɔr-] *n.* (*pl.* ~)①Ⓒ葡萄牙人。②Ⓤ葡萄牙語。— *adj.* 葡萄牙(人，語)的。

*pose[1] [poz] *n.* ①Ⓒ姿勢。②ⓊⒸ裝模作樣；僞裝。③ⓊⒸ(心理上的)姿態；態度。— *v.i.* ①擺姿勢(供攝影等)。②假裝；自命〔as〕. — *v.t.* ①使成某種姿態。②說；陳述。

pose[2] *v.t.* 使…爲難題所困；窘困。

Po·sei·don [poˋsaɪdn̩] *n.* 〖希神〗波塞頓(海神)。

pos·er [ˋpozɚ] *n.* Ⓒ難題。

posh [pɑʃ] *adj.* 舒適的；高雅的；豪華的。

‡po·si·tion [pəˋzɪʃən] *n.* ①Ⓒ位置。②Ⓒ姿勢。③Ⓤ適當位置。④Ⓒ工

作；職位。⑤ⓊⒸ階級；地位。⑥Ⓒ見解；立場；態度。⑦Ⓤ〖軍〗陣地；陣勢。*in* ~ 在適當位置的。*out of* ~ 不在適當位置的。

***pos·i·tive** [ˋpɑzətɪv] *adj.* ①無問題的；確實的。②過分相信的；斷然的。③積極的；絕對的。④實在的。⑤實際的。⑥〖電〗正的；陽的。⑦〖數〗正的。⑧〖攝〗正片的。⑨〖文法〗原級的。—— *n.* ①(the ~)〖文法〗原級。②Ⓒ(電池的)陽極。③Ⓒ〖攝〗正片。④Ⓒ〖數〗正量；正數。⑤Ⓒ實在(物)。— **ness,** *n.*

***pos·i·tive·ly** [ˋpɑzətɪvlɪ] *adv.* ①積極地；確實地。②毫無疑問地。—— *interj.* 當然！(表示強烈的肯定)。

pos·i·tiv·ism [ˋpɑzətɪv,ɪzəm] *n.* Ⓤ①(亦作 **Positivism**)〖哲〗實證哲學；實證主義。②積極性；明確性；確信。

pos·i·tron [ˋpɑzɪ,trɑn] *n.* Ⓒ〖理〗陽電子；正電子。

pos·se [ˋpɑsɪ] *n.* Ⓒ ①(sheriff 召集的)民團。②(警察等的)一隊；一團。

***pos·sess** [pəˋzɛs] *v.t.* ①有；具有。②持有；占有。③支配；控制。④纏住；附體。~ *oneself of* 持有。— **pos·ses′sor,** *n.*

pos·sessed [pəˋzɛst] *adj.* ①著了魔的；瘋狂的。②鎮定的。*be* ~ *of* 擁有。

***pos·ses·sion** [pəˋzɛʃən] *n.* ①Ⓤ持有；握有；所有權。②(*pl.*)所有物；財產。③Ⓤ自制。④Ⓤ著魔。⑤Ⓒ領地；屬國。

***pos·ses·sive** [pəˋzɛsɪv] *adj.* ①所有的。②有占有慾的。③〖文法〗所有格的。—— *n.* ①(the ~)所有格。②Ⓒ所有格的字。§ ∼ **cáse**〖文法〗所有格。

***pos·si·bil·i·ty** [,pɑsəˋbɪlətɪ] *n.* ①Ⓤ(又作 a ~)可能(性)。②Ⓒ可能發生之事。③Ⓒ(常 *pl.*)展望；潛力。

‡**pos·si·ble** [ˋpɑsəbḷ] *adj.* ①可能(做到)的。②可能發生的。③可接受的；尚可的。—— *n.* ①(the ~)可能性。②Ⓒ合適的人；候選人。

‡**pos·si·bly** [ˋpɑsəblɪ] *adv.* ①可能地。②也許；或者。

pos·sum [ˋpɑsəm] *n.* Ⓒ〖美俗〗鼴(= opossum). *play* ~〖美俗〗偽裝；裝病；裝死；裝睡。

***post**[1] [post] *n.* Ⓒ①柱；支柱。②(競賽的)起點標；終點標。—— *v.t.* ①貼(布告等)。②公布；揭示。③公告不得侵入。

***post**[2] *n.* Ⓒ①哨站；崗位。②軍隊駐紮地。③哨兵；屯兵。④職位；工作。—— *v.t.* ①安置(哨兵)；駐紮。②任命…擔任軍職。§ ∼ **exchànge**〖美軍〗福利社。

‡**post**[3] *n.*〖英〗①Ⓤ(集合稱)郵件。②Ⓤ郵政(制度)。③Ⓤ(郵件的)收送。④(the ~)郵筒；郵局。*by* ~ 郵寄。—— *v.t.* ①郵寄。②告知；使知曉。③謄帳；過帳(從流水帳記入總帳)。—— *v.i.* 急行；趕路。—— *adv.* 迅速地。§ *∼ **òffice** 郵政局。

post-〖字首〗表「在後」之義。

***post·age** [ˋpostɪdʒ] *n.* Ⓤ郵費。§ *∼ **stàmp** 郵票。

***post·al** [ˋpostḷ] *adj.* 郵政的；郵局的。—— *n.* Ⓒ(亦作 **postal card, post card**)明信片。§ ∼ **còde** 郵遞區號。∼ **delìvery zòne** 郵遞區。∼ **òrder** 郵政匯票。∼ **sávings** 郵政儲金。

***post·box** [ˋpost,bɑks] *n.* = **mailbox.**

***post·card** [ˋpost,kɑrd] *n.* Ⓒ明信片。

post·date [,postˋdet] *v.t.* ①把…的日期填遲。②預填(支票等)之日期。a ~*d* bill 遠期支票。③(時間上)繼…之後。

***post·er** [ˋpostɚ] *n.* Ⓒ ①海報；大幅廣告。②貼海報[廣告]的人。

pos·te·ri·or [pɑsˋtɪrɪɚ] *adj.* ①背部的；後部的(為 anterior 之對)。②(順序、時間上)在後的。—— *n.* Ⓒ(常 *pl.*)身體的後部；臀部。

pos·ter·i·ty [pɑsˋtɛrətɪ] *n.* Ⓤ①後裔；子孫。②後代。

post·free [ˋpostˋfri] *adv.* & *adj.* ①免郵資(的)。②〖英〗郵資已付(的)。

post·grad·u·ate [postˋgrædʒuɪt] *n.* Ⓒ研究生。—— *adj.* 大學畢業後的；研究所的。

post·haste [ˋpostˋhest] *adv.* 急速地；迅速地。

post·hu·mous [ˋpɑstʃuməs] *adj.* ①死後出版的。②死後的。③父死後生的；遺腹的。

pos·til·(l)ion [poˋstɪljən] *n.* Ⓒ(前排)左馬的騎者；左馬御者。

post·in·dus·tri·al [,postɪnˋdʌstrɪəl] *adj.* 後工業化的。

post·ing [ˋpostɪŋ] *n.* ⓊⒸ(尤指軍職的)委任；派任。

***post·man** [ˋpostmən] *n.* Ⓒ(*pl.* **-men**) 郵差。

post·mark [ˋpost,mɑrk] *n.* Ⓒ郵戳。—— *v.t.* 蓋以郵戳。

post·mas·ter [ˋpost,mæstɚ] *n.* Ⓒ郵政局長。§ **P∼ Géneral**〖美〗郵政國營公司總裁(原為郵政部長)。

post·me·rid·i·an [,postməˋrɪdɪən] *adj.* 午後(發生)的。

post·mod·ern [postˋmɑdɚn] *adj.* 後現代(主義)的。

post·mod·ern·ism [postˋmɑdɚ,nɪzṃ] *n.* Ⓤ後現代主義(1970 年代主張揚棄或改變現代主義的藝術運動)。

post·mor·tem [postˋmɔrtəm] *adj.* ①死後的。②事後的。—— *n.* Ⓒ①驗屍；屍體解剖。②事後檢討。

post·na·tal [postˋnetḷ] *adj.* 出生後的；產後的。

post-of·fice [ˋpost,ɔfɪs] *adj.* 郵政[局]的。§ ∼ **bòx** 郵政信箱(略作 P.O.B.). ∼ **òrder** 郵政匯票(略作 P.O.O.).

post·paid [ˋpostˋped] *adj.* 郵資已付的。

***post·pone** [postˋpon] *v.t.* & *v.i.* 展緩；延擱。— **ment,** *n.*

post·po·si·tion [,postpəˋzɪʃən] *n.*〖文法〗①Ⓤ後置。②Ⓒ後置詞。— **post·pos′i·tive,** *adj.*

post·pran·di·al [postˋprændɪəl] *adj.*〖諧〗餐後的。

post·script [ˋpos·skrɪpt, ˋpost-] *n.* Ⓒ①(信中)附筆；再啓(略作 **P.S.**). ②(書等之)附錄；後記；跋。

pos·tu·late [ˋpɑstʃə,let] *n.* Ⓒ①假定；假說。②條件。③基本原理。—— *v.t.* ①主張；要求。②假定。③視…為當然。

pos·ture [ˋpɑstʃə] *n.* ①Ⓤ Ⓒ 姿勢。②Ⓒ (常 *sing.*)條件；情況；位置。③Ⓒ (常 *sing.*)心境。— *v.t.* 令取某種姿勢或態度。— *v.i.* ①取某種姿勢。②裝模作樣。— **pos′tur·al,** *adj.*

post·war [ˋpostˋwɔr] *adj.* 戰後的。

po·sy [ˋpozɪ] *n.* Ⓒ①花。②花束。

‡**pot** [pɑt] *n.* ①Ⓒ(常構成複合字)罐、壺、瓶、盆、鍋等容器。②Ⓒ便盆；夜壺。③Ⓒ〖俗〗(比賽的)獎牌。④Ⓒ一鍋[罐]之物[量]。⑤Ⓒ(一杯)酒。⑥Ⓤ〖俗〗大麻。⑦Ⓒ(常 *pl.*)〖俗〗一筆巨款。***go to ~*** 變壞；毀滅；沒落。***keep the ~ boiling*** **a.** 謀生。**b.** 使事情保有生氣。***The ~ calls the kettle black.*** 五十步笑百步。— *v.t.* (**-tt-**)①裝入鍋[罐，盆等]中。②貯於罐中。③在鍋中煮。④射擊。— *v.i.* 射擊。

po·ta·ble [ˋpotəbl] *adj.* 適於飲用的。— *n.* Ⓒ(常 *pl.*)飲料；酒。

po·tage [pɔˋtɑʒ] 〖法〗*n.* Ⓒ濃湯。

po·tas·si·um [pəˋtæsɪəm] *n.* Ⓤ〖化〗鉀。

po·ta·tion [poˋteʃən] *n.* ①Ⓤ飲；一飲。②Ⓒ(常 *pl.*)飲酒；酒宴。③Ⓒ飲料；酒類。

‡**po·ta·to** [pəˋteto] *n.* Ⓤ Ⓒ (*pl.* **~es**)馬鈴薯；洋芋。***hot ~*** 棘手的問題。§ **~ chíp** (1)〖美〗油炸馬鈴薯片。(2)〖英〗炸薯條。**~ crìsp**〖英〗油炸馬鈴薯片。

pot·bel·ly [ˋpɑtˏbɛlɪ] *n.* Ⓒ大肚子「(的人)。」

pot·boil·er [ˋpɑtˏbɔɪlə] *n.* Ⓒ〖俗〗爲賺錢而粗製濫造的作品[作家]。

pot-bound [ˋpɑtˏbaʊnd] *adj.* ①〖園藝〗根生滿花盆的。②無發展餘地的。

po·ten·cy [ˋpotn̩sɪ] *n.* ①Ⓤ力量；權勢。②Ⓤ功效；效能。③Ⓒ潛力。

po·tent [ˋpotn̩t] *adj.* ①強有力的；有效的。②有影響力的。③有性能力的。— **ly,** *adv.*

po·ten·tate [ˋpotn̩ˏtet] *n.* Ⓒ①有權勢者。②統治者；君主。③強國。

***po·ten·tial** [pəˋtɛnʃəl] *adj.* 可能的；潛在的。— *n.* Ⓤ(又作 a ~)①可能性。②電位。— **ly,** *adv.*

po·ten·ti·al·i·ty [pəˏtɛnʃɪˋælətɪ] *n.* ①Ⓤ可能性。②Ⓒ(常 *pl.*)潛力；潛在性。

pot·ful [ˋpɑtˏfʊl] *n.* Ⓒ一壺[鍋，罐等]「的量。」

pot·head [ˋpɑtˏhɛd] *n.* Ⓒ〖美俚〗吸大麻煙的人。

poth·er [ˋpɑðə] *n.* Ⓤ(又作 a ~)①騷動。②煙霧；塵霧。— *v.t.* 使困惱。— *v.i.* 困惱；心神不寧。

pot·herb [ˋpɑtˏɜb] *n.* Ⓒ①(煮食的)葉菜。②調味用的香料植物。

pot·hole [ˋpɑtˏhol] *n.* Ⓒ①(路面上的)坑洞。②〖地質〗地壺。

pot·hook [ˋpɑtˏhʊk] *n.* ①Ⓒ(S形的)掛鉤；鍋鉤。②Ⓒ(兒童習字用的)S字型。③(*pl.*)潦草難辨認的字。

pot·house [ˋpɑtˏhaʊs] *n.* Ⓒ〖英〗(低級的)小酒店。

po·tion [ˋpoʃən] *n.* Ⓒ①(藥等的)一服；一劑。②一種飲料。

pot·luck [ˋpɑtˏlʌk] *n.* Ⓤ①便飯；(每人各帶一味菜餚的)聚餐。②運氣。

pot·pie [ˋpɑtˏpaɪ] *n.* Ⓤ Ⓒ①一種肉餡餅。②加入肉丸子的燉菜。

pot·pour·ri [pɑtˋpʊrɪ] 〖法〗*n.* Ⓒ①百花香料；乾花瓣香包。②〖樂〗混成曲。③(文學)雜集。

Pots·dam [ˋpɑtsˏdæm] *n.* 波茨坦(德國之一城市)。§ **~ Declarátion** 波茨坦宣言(1945年7月26日經中、英、美三國領袖簽署，於 Potsdam 發表要求日本無條件投降的聯合宣言)。

pot·sherd [ˋpɑtˏʃɜd] *n.* Ⓒ陶器碎片。

pot·tage [ˋpɑtɪdʒ] *n.* Ⓤ Ⓒ濃湯。

pot·ted [ˋpɑtɪd] *adj.* ①盆栽的。②壺[罐，瓶]裝的。③〖俚〗喝醉的。④〖英俚〗簡化的；平易化的；膚淺的；錄音的。

pot·ter [ˋpɑtə] *n.* Ⓒ陶工；陶藝家。

pot·ter·y [ˋpɑtərɪ] *n.* ①Ⓤ陶器。②Ⓤ陶器製造術。③Ⓒ陶器場。

pouch [paʊtʃ] *n.* Ⓒ①小袋；小包；囊。②彈藥袋。③煙袋。④郵袋。⑤袋狀物。⑥(袋鼠等的)腹袋。

poul·ter·er [ˋpoltərə] *n.* Ⓒ〖英〗家禽販；雞鴨商。

poul·tice [ˋpoltɪs] *n.* Ⓒ敷劑；膏藥。— *v.t.* 敷藥於。

***poul·try** [ˋpoltrɪ] *n.* Ⓤ(作*pl.*解)家禽。

pounce [paʊns] *v.i.* ①突然跳躍。②突然撲向〔on, upon, at〕。— *v.t.* 撲過去抓住。— *n.* (*sing.*)猛撲；突襲。

‡**pound**[1] [paʊnd] *n.* Ⓒ (*pl.* **~, ~s**) ①磅(重量單位，常衡=16盎斯，金衡=12盎斯)。②鎊(英國貨幣單位)。§ **~ càke** 磅餅(用麵粉、糖、牛油各1磅配製而成)。

***pound**[2] *v.t.* & *v.i.* ①連擊；重擊。②擊碎；搗成粉。③沉重地走。④重敲發(聲)；鼕鼕地打。— *n.* ①Ⓤ用力打；接連的打擊。②Ⓒ用力的一擊。③Ⓒ敲打聲。

pound[3] *n.* Ⓒ流浪動物收容所。

pound-fool·ish [ˋpaʊndˋfulɪʃ] *adj.* 因小失大的。

‡**pour** [por, pɔr] *v.t.* ①使流；灌；倒；澆。②繼續不斷地發出、推出。③傾瀉；傾訴〔常 out〕。— *v.i.* 流；湧出；瀉。***~ cold water on*** 使沮喪；向…澆冷水。— *n.* Ⓒ①流；注；瀉。②傾盆大雨。

pout [paʊt] *v.t.* & *v.i.* 噘嘴。— *n.* Ⓒ①噘嘴。②(常 *pl.*)繃臉。

***pov·er·ty** [ˋpɑvətɪ] *n.* Ⓤ①貧窮。②(又作 a ~)缺乏；不足。③(土地的)不毛；貧瘠。

pov·er·ty-strick·en [ˋpɑvətɪˏstrɪkən] *adj.* 極度貧困的。

POW, P.O.W. (*pl.* **POWs, POW's**) prisoner of war. 戰俘。

pow·der** [ˋpaʊdə] *n.* ①Ⓤ Ⓒ粉；細粉。②Ⓤ化粧粉；爽身粉。③Ⓤ火藥。keep one's ~ dry*** 時時準備。***not worth ~ and shot*** 不值得費力。— *v.t.* ①使成粉。②塗以粉；搽粉。③撒。— *v.i.* ①成爲粉。②搽粉。§ **~ blúe** 淺灰藍色。**~ flàsk** 火藥筒。**~ magazìne** 火藥庫。**~ pùff** 粉撲。**~ ròom** 女用化妝室[洗手間]。

pow·dered [ˋpaʊdəd] *adj.* ①粉狀

的。～milk 奶粉。②搽了粉的。

pow·der·y [ˋpaudərɪ] *adj.* ①似粉的；粉狀的。②易粉碎的。③塗粉的。

‡**pow·er** [ˋpauɚ] *n.* ①Ⓤ力；能力。②(*pl.*)體力。③Ⓤ權力；勢力。④Ⓤ國力；軍力。⑤Ⓒ職權；權限。⑥Ⓒ〖數〗乘方；乘冪。⑦Ⓤ〖機〗動力；馬力；功率。⑧Ⓤ(透鏡的)倍率。⑨(*pl.*)神祇。*in* ～ (政黨等)在朝的。*the* ～*s that be* 當局者。§～ **bráke** 動力煞車。～ **plànt** 動力裝置；發電廠。～ **plày** 集中攻勢。～ **pòint** 〖英〗(電)插座。～ **pólitics** 強權政治[外交]。～ **shòvel** 動力鏟。～ **stàtion** 發電廠。～ **stéering** (汽車的)動力轉向。～ **strùcture** 權力機構。

pow·er·boat [ˋpauɚ͵bot] *n.* Ⓒ汽艇。

‡**pow·er·ful** [ˋpauɚfəl] *adj.* ①有力的；強的。②(藥物等)有特效的。③〖方〗很多的。—**ly,** *adv.* —**ness,** *n.*

pow·er·house [ˋpauɚ͵haus] *n.* Ⓒ①發電廠。②〖俚〗精力充沛的人。

pow·er·less [ˋpauɚlɪs] *adj.* 無力的；無權的；無效能的。—**ly,** *adv.*

pow·wow [ˋpau͵wau] *n.* Ⓒ①(北美印第安人爲醫病、狩獵等而舉行的)祈禱會；集會。②〖俗〗商談；會議；集會。— *v.i.* ①舉行會議。②行巫術。

pox [pɑks] *n.* 〖醫〗①Ⓤ水痘；天花。②(the ～)梅毒。

pp. pages; past participle; pianissimo.

P.P., p.p. parcel post; parish priest; postpaid.

ppd. postpaid; prepaid. **PPI** plan position indicator. 平面位置指示器。

PPP Point-to-Point protocol. 由電話線存取的網際網路所使用的傳輸協定。

ppr., p.pr. present participle.

P.Q. Province of Quebec.

pr. pair; present; price; printed; printing; pronoun. **Pr.** Priest; Prince; Provençal. **PR** public relations.

P.R. proportional representation; public relations; Puerto Rico.

prac·ti·ca·ble [ˋpræktɪkəbl̩] *adj.* ①可實行的。②能用的。

‡**prac·ti·cal** [ˋpræktɪkl̩] *adj.* ①實際的。②實用的；有用的。③經驗豐富的；有實地經驗的。④實質上的。⑤現實的。§～ **jóke** 惡作劇。

***prac·ti·cal·ly** [ˋpræktɪklɪ] *adv.* ①實際地[上]。②〖俗〗幾乎地。③實用地[上]。④實驗地。

‡**prac·tice** [ˋpræktɪs] *n.* ①Ⓤ實用；實行；應用。②ⓊⒸ練習；實習。③Ⓒ(常 *sing.*)習慣；常例。④Ⓒ(醫生或律師的)業務；生意。⑤Ⓤ(又作 *pl.*)策略；詭計。*in* ～ **a.** 實際上；事實上。**b.** (因練習而)純熟。*make a* ～ *of* 養成…之習慣。*out of* ～ (因練習不足而)生疏。— *v.t.* & *v.i.* ①練習；實習。②慣做；常爲。③以(醫生、律師等)爲業；執業；開業。④實行。⑤訓練；教練；使練習。⑥利用。(亦作**practise**) §～ **tèacher** 實習教師。～ **tèaching** 教學實習。

prac·ticed [ˋpræktɪst] *adj.* 熟練的；經驗豐富的。(亦作 **practised**)

prac·tic·ing [ˋpræktɪsɪŋ] *adj.* 正在活動的；開業中的。a ～ physician 開業醫師。

‡**prac·tise** [ˋpræktɪs] *v.t.* & *v.i.* 〖英〗=**practice.**

prac·ti·tion·er [prækˋtɪʃənɚ] *n.* Ⓒ開業醫師；律師。

prag·mat·ic, -i·cal [prægˋmætɪk(l̩)] *adj.* ①〖哲〗實用主義的。②忙碌的；好事的。③自負的；獨斷的。④實用本位的；實際的。

prag·mat·ics [prægˋmætɪks] *n.* Ⓤ語用學。

prag·ma·tism [ˋprægmə͵tɪzəm] *n.* Ⓤ〖哲〗實用主義。—**tist,** *n.* & *adj.*

prai·rie [ˋprɛrɪ] *n.* Ⓒ①大草原。②〖美方〗林中小空地。③牧場；草地。

‡**praise** [prez] *n.* ①Ⓤ讚美；稱讚；崇拜。②(*pl.*)頌詞。— *v.t.* ①稱讚；讚揚。②(以歌等)讚頌。

praise·wor·thy [ˋprez͵wɝðɪ] *adj.* 值得讚美的；令人欽佩的。

pra·line [ˋprɑlin] *n.* ⓊⒸ杏仁糖；胡桃糖。

pram [præm] *n.* Ⓒ〖英俗〗嬰兒車。

prance [præns] *v.i.* ①(馬)騰躍。②昂首闊步；神氣十足地走。③歡躍〔about〕. — *v.t.* 使(馬)騰躍。— *n.* (a～)跳躍；歡躍；昂首闊步。

prank[1] [præŋk] *n.* Ⓒ①戲謔。②惡作劇。

prank[2] *v.t.* & *v.i.* 盛裝；裝飾。

prat [præt] *n.* Ⓒ①(常 *pl.*)〖美俚〗臀；屁股。②〖英俚〗無能者；廢物；蠢貨。

prate [pret] *v.t.* & *v.i.* 喋喋不休；空談。— *n.* ⓊⒸ空談；廢話。—**prat′er,** *n.*

prat·fall [ˋpræt͵fɔl] *n.* Ⓒ〖俚〗①臀部著地的摔跤。②尷尬的失敗或錯誤。

prat·tle [ˋprætl̩] *v.i.* & *v.t.* ①閒談。②像小孩般說話。— *n.* Ⓤ閒談；無聊話；小兒般的咿呀之語。

Prav·da [ˋprɑvdə] *n.* 眞理報(前蘇聯共產黨機關報)。

prawn [prɔn] *n.* ①Ⓒ〖動〗斑節蝦。②Ⓤ斑節蝦的肉。— *v.i.* 捕斑節蝦。

‡**pray** [pre] *v.t.* & *v.i.* ①祈禱。②向…乞求；懇求。③請。

***prayer** [prɛr] *n.* ①Ⓤ祈禱；禱告。②Ⓒ(常 *pl.*)祈禱文。③Ⓤ(常 P-)祈禱式。④Ⓒ請願。⑤[ˋpreɚ] Ⓒ祈禱者。§～ **bòok** 祈禱書。

pre- 〖字首〗表「在…先；前；預先」之義。

***preach** [pritʃ] *v.t.* & *v.i.* ①傳教；說教。②宣講(教義等)。③講勸；倡導。④嘮叨。—**preach′y,** *adj.*

preach·er [ˋpritʃɚ] *n.* Ⓒ傳道者；牧師。

pre·ad·o·les·cence [͵priædəˋlɛsn̩s] *n.* Ⓤ青春期前的時期(通常指9歲至12歲)。

pre·am·ble [ˋpriæmbl̩] *n.* Ⓒ①(條約、憲法等的)序文；導言。②開場白。

pre·am·pli·fi·er [priˋæmplə͵faɪɚ] *n.* Ⓒ〖電〗前置放大器。

pre·ar·range [͵priəˋrendʒ] *v.t.* 預先安排[協商]；預定。—**ment,** *n.*

pre·a·tom·ic [͵priəˋtɑmɪk] *adj.* 原

子彈轟炸以前的；使用原子能之前的。

pre·car·i·ous [prɪˋkɛrɪəs] *adj.* ①不確定的；不可靠的。②危險的；不安定的。—**ly,** *adv.* —**ness,** *n.*

prec·a·to·ry [ˋprɛkə,torɪ] *adj.* (表示)懇求的；懇切的。

***pre·cau·tion** [prɪˋkɔʃən] *n.* Ⓤ Ⓒ (常 *pl.*)預防；防備；事先之準備；預防措施。—**ar·y,** *adj.*

***pre·cede** [priˋsid] *v.t.* & *v.i.* ①在前；在先；先行。②(地位等)高於；優於。

prec·e·dence [prɪˋsidn̩s], **-cy** [-sɪ] *n.* Ⓤ ①居前；領先。②地位的先後。③優先(權)。

prec·e·dent [ˋprɛsədənt] *n.* ① Ⓤ 先例；前例；慣例。② Ⓤ Ⓒ 〖法律〗判例。—[prɪˋsidn̩t] *adj.* 在先的；在前的。

pre·ced·ing [priˋsidɪŋ] *adj.* 在前的；在先的。the ～ day 前一日。

pre·cen·sor [prɪˋsɛnsɚ] *v.t.*(在書籍出版、影片放映前)預先審查。

pre·cen·tor [prɪˋsɛntɚ] *n.* Ⓒ (唱詩班的)領唱者。

pre·cept [ˋprisɛpt] *n.* Ⓤ Ⓒ ①箴言；教訓。Example is better than ～. 身教勝於言教。②(有關操作機器等的)規則。③〖法律〗令狀。

pre·cep·tor [prɪˋsɛptɚ] *n.* Ⓒ ①教訓者；導師。②(實習醫師的)指導醫師。

pre·ces·sion [prɪˋsɛʃən] *n.* Ⓤ Ⓒ ①先行；前進(運動)。②〖天〗歲差。

pre·cinct [ˋprisɪŋkt] *n.* Ⓒ ①(城市中指定用途的)區域；區。②管轄區域。③(常 *pl.*)(市鎮)境域；界域。

‡**pre·cious** [ˋprɛʃəs] *adj.* ①寶貴的；貴重的。②可愛的；珍愛的。③(言語、行爲等)矯揉造作的。④〖俗〗十足的；很糟的。⑤寶貝似的。—*adv.* 〖俗〗非常地。—*n.* (用於稱呼)〖俗〗寶貝。—**ly,** *adv.* —**ness,** *n.*

***prec·i·pice** [ˋprɛsəpɪs] *n.* Ⓒ ①懸崖。②極爲危急的情勢。

pre·cip·i·tant [prɪˋsɪpətənt] *adj.* ①突然的；急遽的。②下墜的；直竄的。③沉澱的。—*n.* Ⓒ 〖化〗沉澱劑。

***pre·cip·i·tate** [prɪˋsɪpə,tet] *v.t.* ①突然引起。②擲下；墜下；猛投。③使(空中水氣)凝爲雨露而落下。④使(溶解物)沉澱。—*v.i.* ①倒落；墜落；倉皇。②沉澱。③(空中水氣)凝結爲雨露落下。—[prɪˋsɪpə,tet, -tɪt] *adj.* ①急促的；突然的。②匆忙的；鹵莽的。—*n.* Ⓤ Ⓒ 〖化〗沉澱物。—**ly,** *adv.*

pre·cip·i·ta·tion [prɪ,sɪpəˋteʃən] *n.* ① Ⓤ (又作 a ～)猛然摔下；落下。② Ⓤ (又作 a ～)匆促；慌張；輕率。③〖化〗**a.** Ⓤ 沈澱。**b.** Ⓤ Ⓒ 沈澱物。④ Ⓤ 〖氣象〗降雨(量)；下雪。

pre·cip·i·tous [prɪˋsɪpətəs] *adj.* ①陡峭的。②急轉直下的。

pré·cis [preˋsi] 〖法〗*n.* Ⓒ (*pl.* ～ [～z])大綱；摘要；要旨。—*v.t.* 寫大綱；摘要。

***pre·cise** [prɪˋsaɪs] *adj.* ①精確的；正確的。②考究的；注意的。③嚴格的。*—**ly,** *adv.* —**ness,** *n.*

***pre·ci·sion** [prɪˋsɪʒən] *n.* Ⓤ (又作 a ～) & *adj.* 精密(的)；正確(的)。

pre·clin·i·cal [priˋklɪnɪkl̩] *adj.* 〖醫〗臨床前(期)的。

pre·clude [prɪˋklud] *v.t.* ①排除。②妨礙；阻止；使不可能。—**pre·clu′sion** [-ʒən], *n.* —**pre·clu′sive,** *adj.*

pre·co·cious [prɪˋkoʃəs] *adj.* ①早熟的。②〖植〗早開花的。—**pre·coc′i·ty** [-ˋkɑsətɪ], *n.*

pre·co·lo·ni·al [,prikəˋlonɪəl] *adj.* 淪爲殖民地以前的。

pre·con·ceive [,prikənˋsiv] *v.t.* 預想；事先考慮；預先形成(觀念等)。

***pre·con·cep·tion** [,prikənˋsɛpʃən] *n.* Ⓒ ①預想。②先入之見。③偏見；偏好。

pre·con·cert [,prikənˋsɜt] *v.t.* 預先安排。

pre·con·di·tion [,prikənˋdɪʃən] *n.* Ⓒ 先決條件；必需的條件；前提。

pre·cook [priˋkuk] *v.t.* 將(食物)預先烹調。—**ed,** *adj.*

pre·cur·sor [prɪˋkɜsɚ] *n.* Ⓒ ①先驅。②前兆。③前輩；先進。—**pre·cur′so·ry,** *adj.*

pre·date [priˋdet] *v.t.* ①塡比實際日期較早之日期。②(日期)先於。

pred·a·tor [ˋprɛdətɚ] *n.* Ⓒ ①掠奪者。②肉食動物。

pred·a·to·ry [ˋprɛdə,torɪ] *adj.* ①掠奪的。②肉食性的。

pre·dawn [priˋdɔn] *adj.* 黎明前的。

pre·de·cease [,pridɪˋsis] *v.t.* 〖法律〗死於…之前。

***pred·e·ces·sor** [,prɛdɪˋsɛsɚ] *n.* Ⓒ ①(某職位的)前任。②被取代之物。③祖先；先人。

pre·des·ti·nate [prɪˋdɛstə,net] *v.t.* ①命中註定；預定。②〖神學〗(神)預先安排。—[prɪˋdɛstənɪt] *adj.* ①命中註定的；宿命的。②預定的；前定的。—**pre·des·ti·na′tion,** *n.*

pre·des·tine [priˋdɛstɪn] *v.t.* 預定；注定。—**pre·des′ti·na·ble,** *adj.*

pre·de·ter·mine [,pridɪˋtɜmɪn] *v.t.* ①預先決定；註定。②使先有某種傾向。—**pre·de·ter·mi·na′tion,** *n.*

pre·de·ter·min·er [,pridɪˋtɜmɪnɚ] *n.* Ⓒ 〖文法〗前限定詞(用於限定詞前的字，如 all, both)。

pred·i·ca·ble [ˋprɛdɪkəbl̩] *adj.* 可斷定的；可肯定的。

pre·dic·a·ment [prɪˋdɪkəmənt] *n.* Ⓒ 處境；苦境；困境。

***pred·i·cate** [ˋprɛdɪkɪt] *n.* Ⓒ ①〖文法〗述詞；述語。②〖邏輯〗賓辭；屬性。—*adj.* 〖文法〗述詞的。—[ˋprɛdɪ,ket] *v.t.* ①宣稱(某事屬實)；斷言。②意含；意指。③使(陳述或行動)有根據。

***pred·i·ca·tive** [ˋprɛdɪ,ketɪv] *adj.* ①肯定的；斷定的。②〖文法〗敍述的；述語的。—**ly,** *adv.*

***pre·dict** [prɪˋdɪkt] *v.t.* & *v.i.* 預知；預言。—**pre·dic′tive,** *adj.*

pre·dict·a·ble [prɪˋdɪktəbl̩] *adj.* ①可預測的。②無創意的。

***pre·dic·tion** [prɪˋdɪkʃən] *n.* ① Ⓤ 被預言的事物。② Ⓒ 預言；預報。

pre·di·lec·tion [ˌpridḷ`ɛkʃən] *n.* Ⓒ 偏愛；偏好〔for〕.

pre·dis·pose [ˌpridɪs`poz] *v.t.* ①使傾向於；使偏向於。②使易患(某種病)。— **pre·dis·po·si′tion,** *n.*

***pre·dom·i·nant** [prɪ`dɑmənənt] *adj.* ①主要的；佔優勢的；傑出的。②顯著的；突出的；流行的。— **ly,** *adv.* — **pre·dom′i·nance,** *n.*

***pre·dom·i·nate** [prɪ`dɑməˌnet] *v.i.* 佔優勢；握主權〔over〕. — **pre·dom·i·na′tion,** *n.*

pree·mie [`primɪ] *n.* Ⓒ 早產兒。

pre·em·i·nent [prɪ`ɛmənənt] *adj.* 優越的；卓越的。— **ly,** *adv.* — **pre·em′i·nence,** *n.*

pre·empt [prɪ`ɛmpt] *v.t.* ①搶先取得或佔用。②預先佔有(公地)而取得先買權。(亦作**pre-empt, preëmpt**) — **pre·emp′tive,** *adj.* — **pre·emp′tor,** *n.*

preen [prin] *v.t.* ①(鳥)以喙整理(羽毛)。②(人)修飾打扮。③使得意；使自誇(與反身代名詞連用)。

pre·ex·ist [ˌpriɪg`zɪst] *v.i.* 先存；先存在；存在於前世。

pre·ex·ist·ence [ˌpriɪg`zɪstəns] *n.* Ⓤ (靈魂的)先存；前世。

pre·fab [`pri`fæb] *n.* Ⓒ 〖俗〗預製[組合]式房屋。

pre·fab·ri·cate [pri`fæbrəˌket] *v.t.* ①預製(房屋等的標準化部分)。②預造；預鑄。

***pref·ace** [`prɛfɪs] *n.* Ⓒ (書籍、演講的)序言；開端。— *v.t.* ①作爲…的序文；開始。②以序文介紹；爲…作序文。

pref·a·to·ry [`prɛfəˌtorɪ] *adj.* 序文的；引言的；作爲開場白的。

pre·fect [`prifɛkt] *n.* Ⓒ ①(古羅馬的)長官。②(法、義)地方行政長官。③〖英〗(學生)級長；班長。

***pre·fec·ture** [`prifɛktʃə] *n.* ① Ⓒ (常 P-)(法國的)省；(日本的)縣。② Ⓤ prefect 的職權[任期]。③ Ⓒ 其官邸。— **pre·fec′tur·al,** *adj.*

‡**pre·fer** [prɪ`fɝ] *v.t.* (**-rr-**)①較喜歡；偏好(多與 to, rather than 連用)。②提出；呈出。③提拔；擢升。

pref·er·a·ble [`prɛfrəbḷ] *adj.* 寧可取的；較合意的。— **pref′er·a·bly,** *adv.*

***pref·er·ence** [`prɛfərəns] *n.* ① Ⓤ 偏愛；偏好；選擇〔for〕. ② Ⓒ 嗜好物。③ Ⓤ Ⓒ 優先(權)。§ ～ **stòck**〖英〗優先股(=〖美〗preferred stock).

pref·er·en·tial [ˌprɛfə`rɛnʃəl] *adj.* ①優先的。②優惠的；特惠的。

pre·fer·ment [prɪ`fɝmənt] *n.* Ⓤ Ⓒ ①擢升；晉升。②(僧人等的)高職；高位。③提出。

pre·fig·ure [pri`fɪgjə] *v.t.* ①預示。②預想；揣測。

***pre·fix** [`priˌfɪks] *n.* Ⓒ 字首(例如un-kind中的un). — [pri`fɪks] *v.t.* ①加字首。②置於前。

preg·gers [`prɛgəz] *adj.* 〖英俚〗懷孕的。

***preg·nant** [`prɛgnənt] *adj.* ①懷孕的。②充滿的；富饒的〔with〕. ③有意義的；重要的。④極可能的。⑤富想像力的〔in〕. — **preg′nan·cy,** *n.*

pre·hen·sion [prɪ`hɛnʃən] *n.* Ⓤ ①捕捉；抓取。②領會；理解。

pre·his·tor·ic, -i·cal [ˌpri(h)ɪs`tɔrɪk(ḷ)] *adj.* 史前的。

pre·his·to·ry [pri`hɪst(ə)rɪ] *n.* ① Ⓤ 史前時代；史前史；史前學。②(a ～)(事件的)前期階段；經過〔of〕.

pre·in·dus·tri·al [ˌprin`dʌstrɪəl] *adj.* 工業化以前的。

pre·judge [pri`dʒʌdʒ] *v.t.* ①預斷；過早[貿然]判斷。②未審問而判決。— **ment,** *n.*

***prej·u·dice** [`prɛdʒədɪs] *n.* ① Ⓤ Ⓒ 偏見；成見〔against〕. ② Ⓤ〖法律〗傷害；損害。— *v.t.* ①使存偏見；使有成見。②傷害；損害。— **prej′u·diced** [～t], *adj.*

prej·u·di·cial [ˌprɛdʒə`dɪʃəl] *adj.* ①使生偏見的。②有害的。

prel·a·cy [`prɛləsɪ] *n.* ① Ⓒ 高級神職人員制度[職務]。② Ⓤ (the ～, 集合稱)高級教士團。

prel·ate [`prɛlɪt] *n.* Ⓒ ①高級神職人員(如主教、大主教)。②修道院院長。

***pre·lim·i·nar·y** [prɪ`lɪməˌnɛrɪ] *adj.* 初步的；開始的。— *n.* Ⓒ ①初賽。②(常 *pl.*)初步行動。

prel·ude [`prɛljud] *n.* Ⓒ ①序言；序幕；前奏；先驅。②〖樂〗序曲；前奏曲。— *v.t.* ①爲…之前奏；爲…序幕。②以前奏曲開始。— *v.i.* ①爲前奏；爲序幕。②奏序曲。— **pre·lu′sive,** *adj.*

pre·mar·i·tal [pri`mærətḷ] *adj.* 婚前的。～ sex 婚前性行爲。

pre·ma·ture [ˌpriməˋtjur] *adj.* ①未成熟的；太早的。②草率的；匆促的。— **ly,** *adv.* — **pre·ma·tu′ri·ty,** *n.*

pre·med [`primɛd, pri`mɛd] *adj.* 醫預科的(爲 premedical 之縮寫)。— *n.* (亦作 **premedic**) Ⓒ 醫預科學生。

pre·med·i·cal [pri`mɛdɪkḷ] *adj.* 醫預科的。

pre·med·i·tate [prɪ`mɛdəˌtet] *v.t.* & *v.i.* 預謀。— **pre·med′i·tat·ed,** *adj.* — **pre·med·i·ta′tion,** *n.*

***pre·mier** [`primɪə, prɪ`mɪr] *n.* Ⓒ 首相；內閣總理；行政院長。— [`primɪə] *adj.* 首要的；第一的。

pre·mière [prɪ`mɪr]〖法〗*n.* Ⓒ ①(戲劇)首演；(電影)首映。②女主角。

pre·mier·ship [`primɪəˌʃɪp] *n.* Ⓤ Ⓒ 首相、總理等的職位與任期。

***prem·ise** [`prɛmɪs] *n.* ① Ⓒ〖邏輯〗前提。②(*pl.*)(包括地基的)房屋；房產。③(*pl.*)〖法律〗前述事項。— [prɪ`maɪz, `prɛmɪs] *v.t.* & *v.i.* 設(爲)前題。

prem·iss [`prɛmɪs] *n.* Ⓒ〖邏輯〗前提。

pre·mi·um [`primɪəm] *n.* Ⓒ ①報酬；津貼。②獎金。③保險費。④額外費用[加價]。⑤(股票等的)超過面值。⑥學費(付予私人教師者)。***put*** [***set, place***] ***a*** ～ ***on*** 獎勵；誘發。

pre·mo·ni·tion [ˌprimə`nɪʃən] *n.* Ⓒ ①預先告誡；預警。②前兆；預感。

pre·mon·i·to·ry [prɪ`mɑnəˌtorɪ] *adj.* 預先告誡的；預警的；前兆的。

pre·na·tal [pri`netl] *adj.* 出生前的。
pre·nu·cle·ar [pri`njuklɪɚ] *adj.* 核子武器時代以前的。
***pre·oc·cu·pa·tion** [pri,ɑkjə`peʃən] *n.* ①Ⓤ先得；先佔。②Ⓒ成見。③Ⓤ全神貫注；出神。
***pre·oc·cu·py** [pri`ɑkjə,paɪ] *v.t.* ①盤據(心頭)；使出神。②預占；先占。*— **pre·oc/cu·pied,** *adj.*
pre·or·dain [,priɔr`den] *v.t.* 預先注定；命中注定。— **pre·or·di·na/tion,** *n.*
pre·owned [pri`ond] *adj.* 二手的；用過的。(亦作 **pre-owned**)
prep [prɛp] *n.* ①ⓊⒸ〖俗〗先修班；預備學校；補習學校。②Ⓤ〖英〗習題。③Ⓤ手術準備。④Ⓒ暖身運動。
prep. preparatory; preposition.
pre·pack [pri`pæk] *v.t.* =**pre-package.**
pre·pack·age [pri`pækɪdʒ] *v.t.* 出售前包裝(食品)。
pre·paid [pri`ped] *v.* pt. & pp. of **prepay.** — *adj.* 先付的；付訖的。
***prep·a·ra·tion** [,prɛpə`reʃən] *n.* ①Ⓤ(又作 a ～)準備；預備。②Ⓒ(常 *pl.*)準備的事物。③Ⓒ(調製成的)藥劑；配製(食)品。
pre·par·a·tive [prɪ`pærətɪv] *adj.* =**preparatory.** — *n.* ①Ⓒ準備之事物。②ⓊⒸ準備。
***pre·par·a·to·ry** [prɪ`pærə,torɪ] *adj.* ①預備的；準備的。②初步的。～ *to* 先於；作爲…之準備。§ ～ **schòol** (1)〖英〗(public school 的)預備學校。(2)〖美〗大學預科。
‡**pre·pare** [prɪ`pɛr] *v.t.* ①預備；準備。②配製(藥品等)；調製。③爲…之先導；爲…鋪路。— *v.i.* 預備；準備。— **pre·par/ed·ly** [-`pɛrɪd-], *adv.* — **pre·par/ed·ness,** *n.*
pre·pay [pri`pe] *v.t.* (**-paid**) 預付；先付。— **ment,** *n.*
pre·pon·der·ate [prɪ`pɑndə,ret] *v.t.* & *v.i.* ①數目超過；力量大過；影響力勝過。②佔優勢；佔主導地位。
***prep·o·si·tion** [,prɛpə`zɪʃən] *n.* Ⓒ介系詞；前置詞。— **al,** *adj.*
pre·pos·sess [,pripə`zɛs] *v.t.* ①使預先具有。②使有偏好[好印象](常用被動式)。③(感情、思想)影響；灌輸(常用被動式)。— **ing,** *adj.*
pre·pos·ses·sion [,pripə`zɛʃən] *n.* ①Ⓒ偏愛；好感。②Ⓒ成見；反感。③Ⓤ先佔；先得。④=**preoccupation.**
pre·pos·ter·ous [prɪ`pɑstərəs] *adj.* 反常的；荒謬的。— **ly,** *adv.*
prep·pie [`prɛpɪ] *n.* Ⓒ & *adj.* 預備學校學生(的)；(大學)預科生(的)。
pre·pro·duc·tion [,priprə`dʌkʃən] *adj.* 生產前(試驗)的。
pre·puce [`pripjus] *n.* Ⓒ〖解〗包皮。
Pre-Raph·a·el·ite [pri`ræfɪə,laɪt] *n.* Ⓒ①前拉斐爾派的人[畫家]。②拉斐爾(Raphael)之前的畫家。— *adj.* 前拉斐爾派的。
pre·re·cord [,prirɪ`kɔrd] *v.t.* 預先錄音[錄影]。
pre·req·ui·site [pri`rɛkwəzɪt] *n.* Ⓒ必要[先決]條件。— *adj.* 必須[先決]的。
pre·rog·a·tive [prɪ`rɑgətɪv] *n.* Ⓒ(常 *sing.*)特權；特典；大權。
pres·age [`prɛsɪdʒ] *n.* Ⓒ①預兆；前兆。②預知；預感。— [prɪ`sedʒ] *v.t.* ①成爲…預示；預兆。②預感。
pres·by·o·pi·a [,prɛzbɪ`opɪə] *n.* Ⓤ〖醫〗遠視眼；老花眼。
pres·by·ter [`prɛzbɪtɚ] *n.* Ⓒ①(教會中的)長老；祭司。②(聖公會的)牧師。
Pres·by·te·ri·an [,prɛzbə`tɪrɪən] *adj.* ①長老會的。②長老會制的。— *n.* Ⓒ長老會教友。— **ism,** *n.*
pre·school [`pri`skul] *adj.* 未屆學齡的；學前的。
pre·sci·ent [`prɛʃɪənt] *adj.* 有先見的；預知的。— **pre/sci·ence,** *n.*
***pre·scribe** [prɪ`skraɪb] *v.t.* & *v.i.* ①命令；規定；指定。②開藥方。
pre·script [prɪ`skrɪpt] *adj.* 命令的；規定的。— [`priskrɪpt] *n.* ⓊⒸ命令；規則；法律。
***pre·scrip·tion** [prɪ`skrɪpʃən] *n.* ①**a.** Ⓤ規定。**b.** Ⓒ法令；法規。②Ⓒ藥方；處方的藥。③Ⓤ〖法律〗時效。
pre·scrip·tive [prɪ`skrɪptɪv] *adj.* ①規定的。②〖法律〗因時效而取得的。③慣例的。
***pres·ence** [`prɛzn̩s] *n.* ①Ⓤ在場；出席。Your ～ is requested. 敬請光臨。②Ⓤ存在。③Ⓤ(又作 a ～)態度；風采。④Ⓤ謁見；面前。⑤Ⓒ(常 *sing.*)鬼怪；精靈。⑥Ⓤ〖樂〗臨場感。*in the ～ of* 在…面前。～ *of mind* 鎮定；平靜；沈著。
‡**pre·sent**[1] [prɪ`zɛnt] *v.t.* ①給；贈。②提出。③呈遞；送呈；呈獻。④介紹。⑤演出(戲劇等)。⑥呈現出。⑦指向；轉向。⑧出席。— [`prɛzn̩t] *n.* Ⓒ禮物；贈品。— **a·ble,** *adj.*
‡**pres·ent**[2] [`prɛzn̩t] *adj.* ①在場的；出席的。②現在的；此刻的。③〖文法〗現在的。— *n.* ①(the ～)現在；目前。②Ⓒ〖文法〗現在式。*for the ～* 目前；現在。§ ～ **párticiple**〖文法〗現在分詞。～ **pérfect**〖文法〗現在完成式。～ **ténse**〖文法〗現在式。— **ness,** *n.*
***pres·en·ta·tion** [,prɛzn̩`teʃən, ,prizɛn-] *n.* ①ⓊⒸ贈送；進呈。②Ⓤ提出。③ⓊⒸ演出。④ⓊⒸ介紹；引見。§ ～ **còpy** 贈送本。— **al,** *adj.*
pres·ent-day [`prɛzn̩t`de] *adj.* 今日的；現代的。
pre·sent·er [prɪ`zɛntɚ] *n.* Ⓒ①贈與者；提出者。②〖英〗節目主持人；新聞播報員。
pre·sen·ti·ment [prɪ`zɛntəmənt] *n.* Ⓒ(不祥的)預感。
***pres·ent·ly** [`prɛzn̩tlɪ] *adv.* ①不久地；即刻地。②目前；現在。
pre·sent·ment [prɪ`zɛntmənt] *n.* Ⓤ①敘述；陳述。②描寫。③演出(的節目)。④〖法律〗陪審團之控訴；公訴。
***pres·er·va·tion** [,prɛzɚ`veʃən]

n. Ⓤ保護；保存；保藏。

pres·er·va·tion·ist [ˌprɛzəˋveʃənɪst] *n.* Ⓒ自然保育者。

pre·serv·a·tive [prɪˋzɝvətɪv] *n.* ⓊⒸ防腐劑；保護物。— *adj.* ①保存的；有保存力的。②防腐的。

***pre·serve** [prɪˋzɝv] *v.t.* ①保護。②保持。③保存。④糖漬；鹽醃。⑤劃爲禁獵區。— *v.i.* 被保藏；被保存。— *n.* ①ⓊⒸ(常 *pl.*)蜜餞水果。②Ⓒ自然保護區；禁獵區。— **pre·serv'er,** *n.*

pre·set [priˋsɛt] *v.t.* (~, **-set·ting**)預先調整[安置]；預調。

pre·shrunk [priˋʃrʌŋk] *adj.* (衣料)預先縮水過的。

***pre·side** [prɪˋzaɪd] *v.i.* ①開會時做主席〔at, over〕. ②管理〔over〕.

pres·i·den·cy [ˋprɛz(ə)dənsɪ] *n.* Ⓒ president 的職權[任期]。

‡**pres·i·dent** [ˋprɛzədənt] *n.* Ⓒ①董事長；總經理；社長；會長；大學校長等。②(常 P-)總統。

pres·i·dent-e·lect [ˋprɛzɪdəntɪˋlɛkt] *n.* Ⓒ (*pl.* **pres·i·dents-e·lect**)當選而未就職的總統；總統當選人。

***pres·i·den·tial** [ˌprɛzəˋdɛnʃəl] *adj.* ①president 的。②統轄的；監督的；指揮的。

pre·sid·i·um [prɪˋsɪdɪəm] *n.* Ⓒ (*pl.* **~s, -i·a** [-dɪə])(前蘇聯政府的)常務委員會；主席團。

‡**press**[1] [prɛs] *v.t.* ①壓；按；擠；榨。②擁抱；緊抱。③使平；壓平。④力勸；敦促。⑤迫；逼。⑥催促。⑦堅持。⑧緊壓在(心頭等)。⑨努力進行；極力施行。— *v.i.* ①壓；壓迫。②擁擠；推進〔on, upon〕. ③緊迫；急迫。④極力要求。⑤熨平(衣服)。***be ~ed for time*** [***money***]時間緊迫[金錢拮据]。— *n.* ①(a ~)壓；擠；擁擠。②Ⓒ壓力機；壓榨機。③Ⓤ(常 the ~)印刷(術)。④Ⓒ印刷機；印刷廠。⑤Ⓤ(常 the ~)新聞界。⑥Ⓤ人群。⑦Ⓤ緊急。⑧Ⓒ壁櫥。⑨ⓊⒸ(衣服的)熨燙。***go to ~*** 付印；開始印刷。§ ~ **àgency** 通訊社。~ **àgent**(劇場的)新聞宣傳員。~ **bòx** 新聞記者席。~ **clìpping** 〖美〗剪報(=〖英〗press cutting). ~ **cònference** 記者會。~ **gàllery** 記者席。~ **làw** 出版法；新聞法規。~ **pròof** 稿件付印前之最後一次校閱。~ **relèase**(發給報社之)新聞稿。

press[2] *v.t.* ①強迫服兵役。②緊急時[臨時]徵用(車、船等)。

press·er [ˋprɛsɚ] *n.* Ⓒ①壓榨機。②燙衣人。

press·ing [ˋprɛsɪŋ] *adj.* ①迫急[緊急]的；近在眉睫的。②強求的；執拗的。

press·man [ˋprɛsmən] *n.* Ⓒ (*pl.* **-men**)①印刷工人。②〖英〗新聞記者。

press-up [ˋprɛsˌʌp] *n.* Ⓒ〖英〗伏地挺身(=〖美〗push-up).

***pres·sure** [ˋprɛʃɚ] *n.* ①Ⓤ壓。②ⓊⒸ壓力。③ⓊⒸ困窮；困厄。④Ⓤ緊急；匆忙。⑤Ⓤ壓迫(感)。§ ~ **còoker** 壓力鍋。~ **gàuge** 壓力計。~ **gròup** 壓力團體。~ **sùit**〖空〗壓力服。

pres·sur·ize [ˋprɛʃəˌraɪz] *v.t.* ①給(飛機座艙等)增壓。②對…施加壓力。

pres·ti·dig·i·ta·tion [ˌprɛstɪˌdɪdʒɪˋteʃən] *n.* Ⓤ變戲法；魔術；幻術。— **pres·ti·dig'i·ta·tor,** *n.*

***pres·tige** [ˋprɛstɪdʒ, prɛsˋtiʒ] *n.* Ⓤ威望；聲望。national ~ 國威。

pres·tig·i·ous [prɛsˋtɪdʒɪəs] *adj.* 享有聲望的；享有名聲的。

pres·to [ˋprɛsto] *adv.* ①〖樂〗急速地；快。②立刻地。

pre·sum·a·ble [prɪˋzuməbl] *adj.* 可假定的；可能的。— **pre·sum'a·bly,** *adv.* 或許；可能。

***pre·sume** [prɪˋzum] *v.t.* ①假定；推測。②敢於。— *v.i.* 佔便宜。

pre·sump·tion [prɪˋzʌmpʃən] *n.* ①Ⓤ無禮；傲慢；僭越；厚臉皮。②Ⓒ臆測；推定；設定。

pre·sump·tive [prɪˋzʌmptɪv] *adj.* 假定的；根據推斷的；推定的。***the heir ~*** 假定繼承人。— **ly,** *adv.*

pre·sump·tu·ous [prɪˋzʌmptʃuəs] *adj.* 僭越的；膽大妄爲的；無顧忌的。— **ly,** *adv.*

pre·sup·pose [ˌprisəˋpoz] *v.t.* ①預想；假定；推測。②必須先有；以…爲先決條件。— **pre·sup·po·si·tion** [ˌprisʌpəˋzɪʃən], *n.*

prêt-à-por·ter [ˌprɛtɑpɔrˋte]〖法〗*n.* Ⓒ成衣。

pre·tax [priˋtæks] *adj.* 未扣稅的；繳稅前收入的。

pre·teen [priˋtin] *adj.* & *n.* Ⓒ未滿十三歲的(孩童)。

***pre·tence** [prɪˋtɛns] *n.*〖英〗=**pretense.**

‡**pre·tend** [prɪˋtɛnd] *v.t.* ①佯裝；僞裝。②僞稱；佯稱。③聲稱；自命。④嘗試；企圖。— *v.i.* ①覬覦；主張；爭〔to〕. ②假裝。— **ed** [~ɪd], *adj.*

pre·tend·er [prɪˋtɛndɚ] *n.* Ⓒ①假裝者；僞託者。②(不當的)要求者。③覬覦王位者。

***pre·tense** [prɪˋtɛns] *n.* ①Ⓤ(又作 a ~)僞裝；掩飾；虛僞。②ⓊⒸ藉口；託辭；口實；僞稱。③Ⓤ虛飾。④Ⓤ炫耀；自負。

pre·ten·sion [prɪˋtɛnʃən] *n.* ①Ⓒ(常 *pl.*)要求。②Ⓒ自負。③Ⓤ虛飾。④ⓊⒸ口實；託詞。

pre·ten·tious [prɪˋtɛnʃəs] *adj.* ①虛飾的；矯飾的。②自負的；驕傲的。— **ly,** *adv.* — **ness,** *n.*

pret·er·it(e) [ˋprɛtərɪt] *n.* Ⓒ & *adj.*〖文法〗過去式(的)。

pre·ter·mit [ˌpritɚˋmɪt] *v.t.* (**-tt-**)①忽略；怠忽。②省略。— **pre·ter·mis'sion,** *n.*

pre·ter·nat·u·ral [ˌpritɚˋnætʃərəl] *adj.* ①超自然的；不可思議的。②異常的；奇特的。

pre·test [ˋpriˌtɛst] *n.* Ⓒ事先之試驗；(產品等的)預行試驗。— [prɪˋtɛst] *v.t.* & *v.i.* 預先測試。

***pre·text** [ˋpritɛkst] *n.* Ⓒ藉口。

Pre·to·ri·a [prɪˋtorɪə, -ˋtɔr-] *n.* 普利托里亞(南非共和國的行政首都)。

pret·ti·fy [ˋprɪtɪˌfaɪ] *v.t.*〖蔑〗(過份

地)修飾。

‡**pret·ty** [ˋprɪtɪ] *adj.* ①悅人的；漂亮的；精緻的。②很不好的。③太嬌嫩的。④〖俗〗好多的。**—** *adv.* 相當；頗。*sitting* ~〖俚〗**a.** 在享清福；處境優裕。**b.** 混得不錯。**—** *n.*(my ~, 用於稱呼)心肝；寶貝。**—** *v.t.* 使…美化〔常 up〕. —**pret′ti·ly,** *adv.*

pret·zel [ˋprɛtsl̩] *n.* Ⓒ 鹹脆捲餅。

***pre·vail** [prɪˋvel] *v.i.* ①盛行；流行。②佔優勢。③戰勝。④生效；有效。~ *on* [*upon, with*] 勸導；說服。

pre·vail·ing [prɪˋvelɪŋ] *adj.* ①佔優勢的。②盛行的；流行的。

***prev·a·lent** [ˋprɛvələnt] *adj.* 普遍的；流行的。—**prev′a·lence,** *n.*

pre·var·i·cate [prɪˋværə͵ket] *v.i.* 支吾其詞；搪塞。—**pre·var·i·ca′tion, pre·var′i·ca·tor,** *n.*

‡**pre·vent** [prɪˋvɛnt] *v.t.* ①阻礙；妨礙。②防止；預防；使…不發生。—**a·ble,** —**i·ble,** *adj.*

***pre·ven·tion** [prɪˋvɛnʃən] *n.* Ⓤ 防止；預防。

pre·ven·tive [prɪˋvɛntɪv] *adj.* 預防的；妨礙的。**—** *n.* Ⓒ ①預防措施[藥物]。②妨礙物。

pre·view [ˋpri͵vju] *n.* Ⓒ ①預先的察看或勘察。②〖影〗**a.**(公映前的)試映。**b.** 預告片。**—**[priˋvju] *v.t.* ①預先察看或勘察。②試映。

***pre·vi·ous** [ˋprivɪəs] *adj.* ①在前的；先前的。②〖俗〗過早的；過急的。~ *to* 在…以前。*— **ly,** *adv.*

pre·vi·sion [prɪˋvɪʒən] *n.* ⓊⒸ 先見；預知；預感。**—** *v.t.* 預見；預知。

pre·war [priˋwɔr] *adj.* 戰前的。

***prey** [pre] *n.* ①Ⓤ被捕食的動物。②Ⓤ捕食(習性)。③Ⓤ(又作 a ~)犧牲者[品]。**—** *v.i.* 捕食〔on, upon〕. ~ *on* [*upon*] **a.** 捕食。**b.** 掠奪；靠詐騙…的錢財過日子。**c.** 折磨；使痛苦。

‡**price** [praɪs] *n.* ①Ⓒ價格；價錢。②(*sing.*)代價。③Ⓤ〖古〗價值。④Ⓒ懸賞金。*at any* ~ 不惜任何代價。*what* ~ …何價[用]? **—** *v.t.*①定以價格。②問…之價。③估…之價。§ ~ **ìndex** 物價指數。~ **lìst** 價目表。~ **suppòrt**(政府用收購或補貼方式)穩定價格。~ **tàg** 價格(標籤)。~ **wàr** 削價競爭；價格戰。

príce-earn·ings rátio [ˋpraɪs͵ɜnɪŋz ~] *n.* Ⓒ 價格收益比率。

price·less [ˋpraɪslɪs] *adj.* ①無價的。②〖俗〗極有趣的；極荒謬的。

***prick** [prɪk] *n.* Ⓒ①尖銳物；刺。②刺痛；良心的責備。③戳刺。④刺點。*kick against the* ~*s* 作無謂之抵抗；螳臂擋車。**—** *v.t.* ①扎；刺；戳；穿孔。②以針孔標示。③刺痛。④驅策。⑤豎起(耳朵)。**—** *v.i.* ①刺。②感覺刺痛。③豎起〔up〕. ④策馬前進。~ *up the ears* **a.** 豎起耳朵。**b.** 仔細聽。

prick·le [ˋprɪkl̩] *n.* ①Ⓒ尖刺；刺。②(*sing.*)刺痛感。**—** *v.i.* 感覺刺痛。

prick·ly [ˋprɪklɪ] *adj.* ①多刺的。②如針刺的；刺痛的。③棘手的。§ ~ **héat** 痱子。~ **péar**〖植〗霸王樹。

‡**pride** [praɪd] *n.* ①Ⓤ自負；自大。②(*sing.*)引以為傲之人[物]。③Ⓤ(又作 a ~)驕傲；傲慢。④(the ~)全盛；強盛。⑤Ⓤ自豪；自尊(心)。⑥Ⓒ(常 *sing.*)(獅子的)群。**—** *v.t.* 自負；驕傲。~ *oneself on* 以…自傲。

***priest** [prist] *n.* Ⓒ教士；牧師；神父；祭司；僧侶。— **ly,** *adj.*

priest·ess [ˋpristɪs] *n.* Ⓒ 女教士；女祭司。

priest·hood [ˋprist·hʊd] *n.* Ⓤ ①僧職；聖職。②僧侶、聖職者之集合稱。

prig [prɪg] *n.* Ⓒ〖蔑〗①一本正經的人。②自命不凡者。— **gish,** *adj.*

prim [prɪm] *adj.*(-**mm**-)拘泥形式的；端端正正的。— **ly,** *adv.* — **ness,** *n.*

pri·ma·cy [ˋpraɪməsɪ] *n.* ①Ⓤ首位。②Ⓒ〖天主教〗primate 之職。

pri·mal [ˋpraɪml̩] *adj.* ①最初的；第一的；原始的。②主要的；基本的。

***pri·ma·ri·ly** [ˋpraɪ͵mɛrəlɪ, praɪˋmɛrəlɪ] *adv.* ①主要地；首要地；本來。②最初；首先。

***pri·ma·ry** [ˋpraɪ͵mɛrɪ, -mərɪ] *adj.* ①第一的；初步的；初級的。②基本的。③原來的；根本的。④首要的；主要的。⑤〖電〗原的；一次的。**—** *n.* Ⓒ ①最主要者。②〖美〗(政黨之)初選。§ ~ **áccent** [**stréss**]主重音。~ **cólor** 原色。~ **schòol**〖英〗小學。

pri·mate [ˋpraɪmɪt, -met] *n.* Ⓒ(常 P-)①〖英國教〗大主教。②〖天主教〗總主教。③〖動〗靈長類。

***prime**[1] [praɪm] *adj.* ①首要的；第一的；主要的。②最上等的；最佳的。③基本的；最初的；最早的。④〖數〗質數的。**—** *n.* ①(*sing.*, the ~, one's ~)全盛時期；最佳部分。②(*sing.*, the ~)初期；青春。§ ~ **merídian** 本初子午線。* ~ **mínister** 總理；首相。~ **móver**〖機〗原動力。~ **númber**〖數〗質數。~ **tíme**〖美〗(電視等的)黃金時段。

prime[2] *v.t.* ①上火藥於；裝雷管於。②塗頭道油漆。

prim·er[1] [ˋprɪmɚ] *n.* ①Ⓒ初學用書；初階。②Ⓤ〖印刷〗一種活字。

prim·er[2] [ˋpraɪmɚ] *n.* ①Ⓒ裝火藥者。②Ⓒ雷管；導火線。③ⓊⒸ底漆。

pri·me·val [praɪˋmivl̩] *adj.* 原始時代的；太古的；初期的。

prim·ing [ˋpraɪmɪŋ] *n.* Ⓒ ①點火藥；起爆劑。②底漆；塗底。

pri·mip·a·ra [praɪˋmɪpərə] *n.* Ⓒ (*pl.* ~**s,** -**rae** [-͵ri])初產婦。

***prim·i·tive** [ˋprɪmətɪv] *adj.* ①原始的；上古的。②最早的；最初的。

prim·i·tiv·ism [ˋprɪmətɪ͵vɪzm̩] *n.* Ⓤ ①原始主義；尚古主義。②〖美術〗原初主義。

pri·mo·gen·i·tor [͵praɪməˋdʒɛnətɚ] *n.* Ⓒ 祖先；始祖。

pri·mo·gen·i·ture [͵praɪməˋdʒɛnətʃɚ] *n.* Ⓤ ①長子的身分。②〖法律〗長子繼承制。

pri·mor·di·al [praɪˋmɔrdɪəl] *adj.* 原始的；最初的。

primp [prɪmp] *v.t. & v.i.* 裝飾；打扮。

prim·rose [ˋprɪm,roz] *n.* ①Ⓒ〖植〗櫻草；櫻草花。②Ⓤ淡黃色。

prim·u·la [ˋprɪmjulə] *n.* Ⓒ〖植〗櫻草科的植物。

pri·mus [ˋpraɪməs] *n.* Ⓒ〖商標〗手提式汽化爐。(亦作 **primus stove**)

prin. principal; principally; principle.

***prince** [prɪns] *n.* Ⓒ ①(常 P-)王子；太子。②(常 P-)(小國的)君主；諸侯。③泰斗。§ **P~ Chárming**(女孩子理想中的)白馬王子。**~ cónsort** 女王[女皇]的丈夫。**~ róyal** 皇太子；大王子。

prince·ly [ˋprɪnslɪ] *adj.* ①君王的；王子的；王侯的；皇家的。②似王子的；慷慨的；豐厚的。③尊貴的；莊嚴的。

***prin·cess** [ˋprɪnsɪs] *n.* Ⓒ (常 P-)①公主。②公爵夫人。③王妃。

Prince·ton [ˋprɪnstən] *n.* 普林斯頓(美國 New Jersey 州中部自治城市)。

***prin·ci·pal** [ˋprɪnsəpl̩] *adj.* 重要的；主要的。— *n.* Ⓒ (常 P-)長官；首長；校長。§ **~ párts** 動詞的三種主要形式，即現在式，過去式，過去分詞。

prin·ci·pal·i·ty [,prɪnsəˋpælətɪ] *n.* Ⓒ公國；侯國。

prin·ci·pal·ly [ˋprɪnsəpl̩ɪ] *adv.* 大抵；重要地；首要地；主要地。

***prin·ci·ple** [ˋprɪnsəpl̩] *n.* ① Ⓒ 本義；本質；眞諦。② Ⓒ 基本方針；主義。③Ⓒ根源；來源。④Ⓤ (常 *pl.*)正直；節操。⑤Ⓒ原理；原則。⑥Ⓒ〖化〗素。*in* ~ 原則上。*on* ~根據原則。

prin·ci·pled [ˋprɪnsəpl̩d] *adj.* ①有(道德)原則的；有節操的(常用於複合字)。②原則性(強)的。

prink [prɪŋk] *v.t. & v.i.* 打扮；裝飾。

‡**print** [prɪnt] *v.t.* ①印刷。②出版；刊行。③用印刷體寫。④印於；印花樣於。⑤曬印(相片等)。— *n.* ①Ⓤ印刷；印刷字體。②Ⓒ版畫。③ⓊⒸ印花布。④Ⓒ印痕。⑤Ⓒ印刷品；出版物；報紙。⑥Ⓒ版；模型。⑦Ⓒ(印出之)相片。⑧ Ⓒ(常 *sing.*)印象。*in* ~ 印好的；印刷中；出售中。*out of* ~ 絕版。

print·a·ble [ˋprɪntəbl̩] *adj.* 可印刷的；有出版價值的；可壓印成型的。

print·ed [ˋprɪntɪd] *adj.* ①印刷的。②印染的。§ **~ círcuit** 印刷電路。**~ màtter** 印刷品。

***print·er** [ˋprɪntɚ] *n.* Ⓒ ①印刷業者；排版工人。②印刷機。③〖電算〗印表機。§ **~'s dévil** 印刷廠的學徒。

***print·ing** [ˋprɪntɪŋ] *n.* ① Ⓤ 印刷(術)；印刷業。②Ⓤ印刷物。③Ⓤ印刷體。④Ⓒ一次印刷的份數。§ **~ ìnk** 印刷用油墨。**~ prêss** 印刷機。

print·out [ˋprɪnt,aut] *n.* Ⓒ〖電算〗印刷輸出；列印。

print·shop [ˋprɪnt,ʃap] *n.* Ⓒ①印刷廠；印刷所。②版畫店。

***pri·or**[1] [ˋpraɪɚ] *adj.* ①在前的；較早的。②較重要的。~ *to* 在…之前。

pri·or[2] *n.* Ⓒ小修道院院長；修道院副院長。

pri·or·ess [ˋpraɪərɪs] *n.* Ⓒ小修道院女院長；女修道院副院長。

pri·or·i·tize [praɪˋɔrətaɪz] *v.t.* 以優先順位排列。

***pri·or·i·ty** [praɪˋɔrətɪ] *n.* ①Ⓤ(時間、順序)在前；在先。②Ⓤ優先(權)。③Ⓒ優先事項。

pri·o·ry [ˋpraɪərɪ] *n.* Ⓒ小修道院。

***prism** [ˋprɪzəm] *n.* Ⓒ ①〖數〗稜柱(體)。②稜鏡；三稜鏡。

pris·mat·ic [prɪzˋmætɪk] *adj.* ①〖數〗稜柱(形)的。②稜鏡的；光譜的。

‡**pris·on** [ˋprɪzn̩] *n.* ① ⓊⒸ 監獄；牢。②Ⓤ監禁；禁錮；限制。go to ~ 坐牢。§ **~ brèaker** 越獄者。**~ brèaking** 越獄。**~ càmp** 囚犯[戰俘]集中營。**~ hòuse** 監獄。**~ vàn**〖英〗囚車。

***pris·on·er** [ˋprɪznɚ, ˋprɪzn̩ɚ] *n.* Ⓒ ①囚犯；犯人。②俘虜。a ~ of war 戰俘(略作POW). § **~'s báse**搶陣地[捉俘虜]遊戲。

pris·sy [ˋprɪsɪ] *adj.*〖俗〗拘謹的；矜持的。

pris·tine [ˋprɪstin] *adj.* ①原始的；原有的。②純正的；純淨的。

***pri·va·cy** [ˋpraɪvəsɪ] *n.* Ⓤ ①隱居；獨處。②祕密。in ~ 祕密地。③私事；隱私權；私生活。

‡**pri·vate** [ˋpraɪvɪt] *adj.* ①私人的；自用的。②民營的；私有的。③祕密的。④無官職的；平民的。⑤僻遠的；隱遁的。— *n.* ① Ⓒ 列兵；二等兵。②(*pl.*)私處；陰部。*in* ~ 祕密地。§ **~ mémber**〖英〗非內閣閣員之普通議員。**~ párts** 陰部。**~ sóldier** 列兵。

pri·va·teer [,praɪvəˋtɪr] *n.* Ⓒ ①(戰時徵用的)武裝民船。②武裝民船船員。— *v.i.*(私掠船)巡弋。

pri·vate·ly [ˋpraɪvɪtlɪ] *adv.* 私下地；不公開地；以私人身分。

pri·va·tion [praɪˋveʃən] *n.* ① Ⓤ Ⓒ(生活必需品的)匱乏；窮困。②Ⓤ剝奪；喪失；欠缺。

pri·va·tize [ˋpraɪvə,taɪz] *v.t.* 使民營化；使私營化。

priv·et [ˋprɪvɪt] *n.* Ⓤ〖植〗水蠟樹。

***priv·i·lege** [ˋprɪvl̩ɪdʒ] *n.* ⓊⒸ 特權；恩典；特殊利益。— *v.t.* 給與…特權；特許。

priv·i·leged [ˋprɪvl̩ɪdʒd] *adj.* 享有特權的。

priv·i·ly [ˋprɪvəlɪ] *adv.* 私下地；祕密地。

priv·y [ˋprɪvɪ] *adj.* ①與聞某事(之祕密)的〔to〕. ②私有的；私用的。— *n.* Ⓒ ①〖美〗屋外廁所。②〖法律〗當事人；利害關係人。§ **P~ Cóuncil**〖英〗樞密院(略作P.C.). **~ pùrse**〖英〗(國王的)私人支出費用。**P~ Séal**〖英〗御璽。

‡**prize**[1] [praɪz] *n.* Ⓒ①獎品。②競爭的目標。— *adj.* ①做爲獎品的。②該得獎的；一流的。③獲獎的。— *v.t.* ①珍視。②估價。§ **~ dày**(常 P- D-)(學校)一年一度的頒獎日。**~ mòney**獎金。

prize[2] *n.* Ⓒ ①戰利品；戰俘；(尤指)擄獲的船隻。②意外的收穫。

prize[3] *v.t. & v.i.* ①撬。~ open a box 撬開箱子。②打聽出。

prize·fight [ˋpraɪz,faɪt] *n.* Ⓒ 職業拳賽。

prize·fight·er [ˋpraɪz,faɪtɚ] *n.* Ⓒ 職業拳手。

pro¹ [pro] *adv.* 贊成地。—*n.* Ⓒ (*pl.* ~**s**) ①贊成者；提議者。②贊成的論點。③贊成票。

pro² *adj.* & *n.* Ⓒ (*pl.* ~**s**)〖俗〗=**professional.**

PRO Public Relations Officer. 公關人員。

***prob·a·bil·i·ty** [ˌprɑbəˋbɪlətɪ] *n.* ①Ⓤ可能性；機會。②Ⓒ可能發生的事。③Ⓤ〖數〗機率；或然率。*in all* ~ 很可能；大概(=probably).

‡**prob·a·ble** [ˋprɑbəbl̩] *adj.* ①或有的；大概的。②可能的。

‡**prob·a·bly** [ˋprɑbəblɪ] *adv.* 或許；大概。

pro·bate [ˋprobet] *n.*〖法律〗①Ⓤ遺囑之認證。②Ⓒ經認證之遺囑。—*adj.* 遺囑認證的。—*v.t.* 認證(遺囑)。

pro·ba·tion [proˋbeʃən] *n.* Ⓤ①察看；試用(期)。②緩刑(期)；監護。—**a·ry,** *adj.*

pro·ba·tion·er [proˋbeʃənɚ] *n.* Ⓒ①試讀生；被試用者；見習者。②緩刑犯。③留校察看生。

probe [prob] *v.t.* & *v.i.* ①探求；細察。②〖醫〗以探針探查。—*n.* Ⓒ①探察；調查。②探針(一種外科器械)。

pro·bi·ty [ˋprobətɪ] *n.* Ⓤ剛直；廉潔；正直；誠實。

‡**prob·lem** [ˋprɑbləm] *n.* Ⓒ①問題；難題。②(常 *sing.*)麻煩的人物；造成煩惱的原因。—*adj.* 有問題的；麻煩的。a ~ child 問題兒童。

prob·lem·at·ic, -i·cal [ˌprɑbləˋmætɪk(l̩)] *adj.* 有問題的；不確定的；可疑的。—**prob·lem·at′i·cal·ly,** *adv.*

pro·bos·cis [proˋbɑsɪs] *n.* Ⓒ (*pl.* ~**es, -bos·ci·des** [-ˋbɑsɪˌdiz]) ①(象等的)長鼻。②(昆蟲等的)針狀喙。③〖諧〗(人的)大鼻子。

pro·ce·dur·al [proˋsidʒərəl] *adj.* 程序(上)的；手續上的。

***pro·ce·dure** [prəˋsidʒɚ] *n.* ①Ⓒ手續；程序。②ⓊⒸ訴訟程序；議事程序。③Ⓤ(事情的)進行；進展。

***pro·ceed** [prəˋsid] *v.i.* ①(停止後)繼續進行；繼續前進。②(動作)開始進行。③發出。④〖法律〗起訴〔against〕.

pro·ceed·ing [prəˋsidɪŋ] *n.* ①Ⓤ行動；處置。②(*pl.*)會議記錄；年報。③(*pl.*)訴訟程序。④(*pl.*)經過。

pro·ceeds [ˋprosidz] *n. pl.* 營業額；銷售額；收入；收益。

‡**proc·ess** [ˋprɑsɛs, ˋprosɛs] *n.* ①ⓊⒸ進行；過程。②Ⓒ步驟；程序。③Ⓒ隆起；突起。④Ⓒ方法。⑤Ⓒ訴訟程序；傳票。serve a ~ on 對…發出傳票。—*v.t.* ①以特種方法處理或調製；對…加工。②對…起訴；對…發出傳票。—*adj.* 以特種方法加工處理的。

***pro·ces·sion** [prəˋsɛʃən, pro-] *n.* ①Ⓒ行列。②Ⓤ列隊行進；進行。

pro·ces·sion·al [prəˋsɛʃənl̩] *adj.* 列隊行進(用)的。

proc·es·sor [ˋprɑsɛsɚ] *n.* Ⓒ①〖電算〗處理機。②(農產品)加工業者。

***pro·claim** [proˋklem] *v.t.* ①正式宣布；聲明。②顯示。③宣布為非法；以法律禁止。④公開讚揚。

***proc·la·ma·tion** [ˌprɑkləˋmeʃən] *n.* ①Ⓒ聲明書；宣告書。②Ⓤ正式宣布；宣言；公布。

pro·cliv·i·ty [proˋklɪvətɪ] *n.* Ⓒ癖性；傾向；(壞的)習性〔to, towards〕.

pro·con·sul [proˋkɑnsl̩] *n.* Ⓒ(古羅馬的)地方長官。

pro·cras·ti·nate [proˋkræstəˌnet] *v.t.* & *v.i.* 拖延；延宕；遲滯；躭擱。—**pro·cras′ti·na·tor,** *n.*

pro·cras·ti·na·tion [proˌkræstəˋneʃən] *n.* Ⓤ拖延；延宕。

pro·cre·ate [ˋprokrɪˌet] *v.t.* & *v.i.* 生育；生殖；產生；產(子)。

pro·cre·a·tion [ˌprokrɪˋeʃən] *n.* Ⓤ生產；生殖；生育。

proc·tor [ˋprɑktɚ] *n.* Ⓒ①〖英大學〗(Oxford 與 Cambridge 的)學監；訓導長。②〖美〗監考人。

proc·u·ra·tor [ˋprɑkjəˌretɚ] *n.* Ⓒ①〖法律〗(訴訟)代理人。②(古羅馬的)地方稅吏。③檢察官。

***pro·cure** [proˋkjʊr] *v.t.* ①取得。②促成。③引誘；說服。—*v.i.* 蓄娼；拉皮條。—**ment,** *n.*

prod [prɑd] *v.t.* (**-dd-**) ①(以尖物)刺。②督促；激勵；刺激。—*v.i.* 刺；戳。—*n.* Ⓒ①刺；戳。②刺棒。③鼓勵的言語、行動等。

prod·i·gal [ˋprɑdɪgl̩] *adj.* ①浪費的；揮霍的。②過度慷慨的；濫用的〔常 of〕. ③豐富的。—*n.* Ⓒ浪子；揮霍者。—**prod·i·gal′i·ty** [-ˋgæl-], *n.*

pro·di·gious [prəˋdɪdʒəs] *adj.* ①龐大的。②奇異的；驚人的。

prod·i·gy [ˋprɑdədʒɪ] *n.* Ⓒ①奇才；神童。②令人驚奇的事物；奇觀。

‡**pro·duce** [prəˋdjus] *v.t.* ①製造；出產。②引起；導致。③生產(作物)；結(果實)。④產生。⑤出示；提出。⑥演出(戲劇等)。⑦〖數〗延長(線段)。—*v.i.* 創作；生產；出產。—[ˋprɑdjus] *n.* Ⓤ(集合稱)產品；農產。

***pro·duc·er** [prəˋdjusɚ] *n.* Ⓒ①生產者；製作者。②〖美〗電影製片人；(戲劇等)製作人。③〖英〗導演。

‡**prod·uct** [ˋprɑdəkt, -dʌkt] *n.* Ⓒ①產物；產品。②(數字)乘積。③結果。

***pro·duc·tion** [prəˋdʌkʃən] *n.* ①Ⓤ製造；生產。②Ⓒ產品。§ ~ **line** 生產線；作業線。

***pro·duc·tive** [prəˋdʌktɪv] *adj.* ①生產的；有生產力的。②〖經濟〗產生利益的。③肥沃的；豐饒的。④多產的。

pro·duc·tiv·i·ty [ˌprodʌkˋtɪvətɪ] *n.* ⓊⒸ生產力；創作力。

pro·em [ˋproɛm] *n.* Ⓒ序言；緒言。

prof [prɑf] *n.* Ⓒ〖俗〗教授。

Prof., prof. professor.

pro·fane [prəˋfen] *adj.* ①非神聖的；凡俗的。②污穢的；瀆神的。③異教的；邪教的。—*v.t.* ①褻瀆；玷污。②誤用。—**ly,** *adv.* —**ness,** *n.*

pro·fan·i·ty [prəˋfænətɪ] *n.* ①Ⓤ不敬；瀆神；冒瀆。②ⓊⒸ褻瀆的言語或行為。

***pro·fess** [prəˋfɛs] *v.t.* ①聲稱；表示。

②聲言；明言。③以…爲業。④僞稱；佯稱。

pro·fessed [prəˋfɛst] *adj.* ①公然宣稱的；公然的。②宣誓加入某教團的。③本行的；專門的。④自稱的；詐稱的。— **pro·fess′ed·ly** [-ˋfɛsɪdlɪ], *adv.*

***pro·fes·sion** [prəˋfɛʃən] *n.* ①Ⓒ職業；專業(尤指用腦者)。②Ⓤ(the ～, 集合稱)同業；同行。③ⓊⒸ宣布；宣示；表白；僞稱。

‡**pro·fes·sion·al** [prəˋfɛʃənl] *adj.* ①職業的；專業的。②從事專門職業的。③以…爲職業的。— *n.* Ⓒ①專業人員。②職業選手。— **ly,** *adv.*

pro·fes·sion·al·ism [prəˋfɛʃənl-ɪzm] *n.* Ⓤ①專業特性或方法。②專業精神。③職業選手身分。

pro·fes·sion·al·ize [prəˋfɛʃənl-ˌaɪz] *v.t. & v.i.*(使)職業化。

***pro·fes·sor** [prəˋfɛsɚ] *n.* Ⓒ ①教授。②〖俗〗=**teacher.** ③表白信仰者。

pro·fes·so·ri·al [ˌprofəˋsorɪəl] *adj.* 教授的；像教授的。

prof·fer [ˋprɑfɚ] *v.t. & n.* Ⓒ 提供；提出；貢獻。

***pro·fi·cient** [prəˋfɪʃənt] *adj.* 精通的；熟諳的 〖in, at〗. — *n.* Ⓒ 專家。— **ly,** *adv.* *— **pro·fi′cien·cy,** *n.*

***pro·file** [ˋprofaɪl] *n.* Ⓒ①側面像；橫斷面圖。②輪廓；外形。③人物簡介；小傳。— *v.t.* ①畫…的側面像[輪廓]。②對…做扼要描寫。③畫…的橫斷面圖。

***prof·it** [ˋprɑfɪt] *n.* ①ⓊⒸ(常 *pl.*)利潤；盈利。②Ⓤ利益。— *v.t. & v.i.* ①有利；有益。②獲利。§ ∼ **màrgin** 利潤率。∼ **shàring** 利潤分享(制)。

***prof·it·a·ble** [ˋprɑfɪtəbl] *adj.* ①有利的。②有益的。— **a·bly,** *adv.*

prof·it·eer [ˌprɑfəˋtɪr] *n.* Ⓒ 乘機獲暴利者；奸商。— *v.i.* 牟取暴利。

prof·li·gate [ˋprɑfləgɪt] *adj.* ①放蕩的；行爲不檢的。②浪費的。— *n.* Ⓒ 放蕩之徒；浪子。— **prof′li·ga·cy,** *n.*

***pro·found** [prəˋfaund] *adj.* ①極深的。②深刻的。③深奧的；奧妙的。— **pro·fun′di·ty** [-ˋfʌn-], *n.*

pro·found·ly [prəˋfaundlɪ] *adv.* ①深刻地。②深深地。③完全地(指耳聾之程度而言)。

pro·fuse [prəˋfjus] *adj.* ①很多的。②揮霍的。— **pro·fu′sion,** *n.*

pro·gen·i·tor [proˋdʒɛnətɚ] *n.* Ⓒ ①祖先；先驅。②起源；前身。

prog·e·ny [ˋprɑdʒənɪ] *n.* Ⓤ(集合稱)①子孫。②產物；成果。

pro·ges·ter·one [proˋdʒɛstəˌron] *n.* Ⓤ〖生理〗黃體脂酮；妊娠素。

prog·no·sis [prɑgˋnosɪs] *n.* ⓊⒸ (*pl.* **-ses** [-siz])①〖醫〗病狀預斷；預後。②預知；預測。

prog·nos·tic [prɑgˋnɑstɪk] *adj.* ①預兆的。②〖醫〗病狀預斷的；預後的。— *n.* Ⓒ①預兆；預知。②病狀預斷。

prog·nos·ti·cate [prɑgˋnɑstɪˌket] *v.t.*(由前兆)預測；預言；預示；預知。— **prog·nos·ti·ca′tion,** *n.*

***pro·gram** [ˋprogræm] *n.* Ⓒ ①節目表；節目。②計畫；進度表。③〖電算〗程式。— *v.t.*(**-m-, -mm-**)①爲…排節目表。②爲…擬計畫。③〖電算〗把…程式化。(亦作 **programme**) § ∼ **làn-guage**〖電算〗程式語言。∼**(m)ed léarning** 循序漸進式的學習。∼ **mùsic** 〖樂〗標題音樂。

pro·gram·ma·ble [ˋprogræməbl] *adj.* 可由程式控制的。

pro·gram·mer [ˋprogræmɚ] *n.* Ⓒ①節目編排者。②(電腦)程式設計師。

pro·gram·(m)ing [ˋprogræmɪŋ] *n.* Ⓤ ①〖電算〗程式設計。②〖教育〗編程序。③〖廣播, 視〗編排節目。

‡**prog·ress** [ˋprɑgrɛs, ˋpro-] *n.* ①Ⓤ進步；發展。make ∼進步。②Ⓤ前進。③Ⓒ(君主)巡遊。*in* ∼進行中。— [prəˋgrɛs] *v.i.* ①進步；發展。②前進；進行；進展順利。

pro·gres·sion [prəˋgrɛʃən] *n.* ①Ⓤ(又作 a ∼)前進；行進。②Ⓒ〖數〗級數。an arithmetic ∼ 等差[算術]級數。③Ⓤ進步；進展。

***pro·gres·sive** [prəˋgrɛsɪv] *adj.* ①前進的；漸進的；進行的。②進步的；革新的。③日益增長[嚴重]的。④向前流動的。⑤(稅率)累進的。⑥〖文法〗(動詞)進行式的。— *n.* Ⓒ ①進步論者。②(P-)進步黨(員)。§ **the P∼ Párty** 〖美史〗進步黨。

***pro·hib·it** [proˋhɪbɪt] *v.t.* ①禁止。We are ∼*ed* from smoking. 我們不准吸煙。②阻止；妨礙。

***pro·hi·bi·tion** [ˌproəˋbɪʃən] *n.* ①Ⓤ禁止。②Ⓒ禁令；禁律。③Ⓤ(常 P-)〖美〗禁酒；(1920-33 年)禁酒時期。

pro·hi·bi·tion·ist [ˌproəˋbɪʃən-ɪst] *n.* Ⓒ 禁酒論者。

pro·hib·i·tive [proˋhɪbɪtɪv] *adj.* ①禁止的。②令人不敢問津的(價格)。

pro·hib·i·to·ry [proˋhɪbəˌtorɪ] *adj.* =**prohibitive.**

***proj·ect** [ˋprɑdʒɛkt] *n.* Ⓒ①方案；計畫；企畫。②事業；企業；工程。— [prəˋdʒɛkt] *v.t.* ①計畫；設計。②投擲；射出。③用投影法作。④投射(光、影)；放映(電影)。⑤想出；使在心中形成。⑥表達；表現。⑦伸出；使突出。— *v.i.* 突出。

pro·jec·tile [prəˋdʒɛktl] *n.* Ⓒ 投射物；發射物；彈丸。— *adj.* ①投射的；推進的；發射的。②能發射的。

pro·jec·tion [prəˋdʒɛkʃən] *n.* ①Ⓤ投射；發射；放射〖of〗. ②Ⓤ〖繪畫〗投影(法)。③Ⓤ〖影〗放映。④ⓊⒸ〖心〗投射。⑤Ⓒ突出(物)。⑥Ⓤ計畫。⑦Ⓒ預測；推測。§ ∼ **bòoth** [**ròom**] (電影院的)放映室。

pro·jec·tive [prəˋdʒɛktɪv] *adj.* ①投影的；有投射力的。②〖心〗心象描述的；投射的。

pro·jec·tor [prəˋdʒɛktɚ] *n.* Ⓒ ①(電影等的)放映機。②計畫者；設計者。

pro·le·tar·i·an [ˌproləˋtɛrɪən] *adj.* 無產階級的。— *n.* Ⓒ無產階級者。

pro·le·tar·i·at [ˌproləˋtɛrɪət] *n.* ①(the ∼)(古羅馬的)最下層社會。②

Ⓤ (集合稱)無產階級；勞動階級。

pro-life [pro`laɪf] *adj.* 反對墮胎[人工流產]合法化的。

pro·lif·er·ate [pro`lɪfə,ret] *v.i.* ①(細胞等)增生；繁殖。②增加。── *v.t.* 使增生。─ **pro·lif·er·a′tion,** *n.*

pro·lif·ic [prə`lɪfɪk] *adj.* ①能生殖的；結很多果實的；肥沃的。②多產的；大量生產的。③豐富的。

pro·lix [pro`lɪks] *adj.* 冗長的；嚕囌的。─ **pro·lix′i·ty,** *n.*

P

pro·loc·u·tor [pro`lɑkjətɚ] *n.* Ⓒ ①會議主席。②代辯者；發言人。

pro·log(ue) [`prolɔg] *n.* Ⓒ ①開場白；序；序詩；序詞。②開端。

*__pro·long__ [prə`lɔŋ] *v.t.* 延長；拖長。

pro·lon·ga·tion [,prolɔŋ`geʃən] *n.* ①Ⓤ延長；拖長；延期。②Ⓒ延長或附加的部分。

prom [prɑm] *n.* Ⓒ①〖俗〗(大學或中學的)舞會。②〖英〗=**promenade.**

prom·e·nade [,prɑmə`ned] *n.* Ⓒ ①(悠閒的)散步；兜風；閒逛。②公衆散步的場所。③舞會。── *v.i.* 散步；漫步。── *v.t.* ①散步經過。②率領(人群)遊行。─ **prom·e·nad′er,** *n.*

Pro·me·the·us [prə`miθjəs, -jus] *n.* 〖希神〗普洛米修斯(因盜取天火給人類而受懲被縛於Caucasus 山之岩石上，其肝臟受老鷹啄食)。

prom·i·nence [`prɑmənəns] *n.* ①Ⓤ著名；顯著；卓越；聲望。②Ⓒ突出物；突起。

*__prom·i·nent__ [`prɑmənənt] *adj.* ①著名的；重要的。②顯著的。③突出的；突起的。─ **ly,** *adv.*

pro·mis·cu·ous [prə`mɪskjuəs] *adj.* ①雜亂的；一團糟的。②不加選擇的；男女混雜的；亂搞男女關係的。③〖俗〗不規則的。─ **prom·is·cu′i·ty,** *n.*

‡**prom·ise** [`prɑmɪs] *n.* ①Ⓒ諾言；約定。keep ～*s* 守諾言。break a ～ 失約；食言；失信。②Ⓤ預示；預兆。③Ⓤ(又作a ～)前途；希望；可能性。a writer of ～有希望的作家。── *v.t.* ①允諾；約定。②有…希望；預示。── *v.i.* ①約定。②有希望。§ **the Prómised Lánd** 許諾之地(上帝許給Abraham之地，即Canaan)；天國；嚮往之福地。

prom·is·ee [,prɑmɪ`si] *n.* Ⓒ〖法律〗受約者。

*__prom·is·ing__ [`prɑmɪsɪŋ] *adj.* 有希望的；有前途的；大有可爲的。

prom·is·so·ry [`prɑmə,sorɪ] *adj.* ①允諾的。②〖商業〗約定支付的。a ～ note 本票；期票。

pro·mo [`promo] *n.* Ⓒ (*pl.* ～**s**)〖俚〗電視節目預告。

prom·on·to·ry [`prɑmən,torɪ] *n.* Ⓒ①海角；岬。②〖解〗隆突。

*__pro·mote__ [prə`mot] *v.t.* ①升遷；擢升。②提倡；促進；增進；支援；鼓勵。③〖美〗宣傳促銷。④創辦。

pro·mot·er [prə`motɚ] *n.* Ⓒ ①擢升者。②支持者；贊助者；提倡者。③鼓舞者；後援者。④發起人；創辦人。

*__pro·mo·tion__ [prə`moʃən] *n.* ⓊⒸ ①晉陞；升遷。②促進；提倡；獎勵。③發起；創設。④促銷。

*__prompt__ [prɑmpt] *adj.* ①迅速的；敏捷的。②即時的；立刻的。── *v.t.* ①促使；激勵；鼓動。②喚起。③提示(演員等)；提醒。── *n.* Ⓒ ①(對演員等的)提詞；提示。②促進物。③〖商業〗欠帳償付期限。§～ **bòx** 提詞人的座位。～ **nóte** 即期支票；提示應付款額及日期的通知。*─ **ly,** *adv.* ─ **er,** ─ **ness,** *n.*

prompt·ing [`prɑmptɪŋ] *n.* Ⓤ ①(常 *pl.*)敦促；激勵。②提示。

promp·ti·tude [`prɑmptə,t(j)ud] *n.* Ⓤ迅速；敏捷；果斷。

prom·ul·gate [prə`mʌlget] *v.t.* ①公布；頒布。②傳播；散播。─ **prom′ul·ga·tor, prom·ul·ga′tion,** *n.*

pron. pronoun; pronounced; pronunciation.

*__prone__ [pron] *adj.* ①有…之傾向的；易於…的。be ～ to anger 易於發怒的。②俯臥的；面向下的。③手心向下平放的。④傾斜的；斜倚的。

prong [prɔŋ] *n.* Ⓒ ①尖的器具。②乾草耙。③(叉子等的)尖齒；尖頭。

pronged [prɔŋd] *adj.* 有尖頭的。

prong·horn [`prɔŋ,hɔrn] *n.* Ⓒ (墨西哥與美國西部產的)叉角羚。

pro·nom·i·nal [prə`nɑmənl, pro-] *adj.* ①代名詞的。a ～ adjective代名形容詞。②有代名詞性質的。

*__pro·noun__ [`pronaʊn] *n.* Ⓒ代名詞。

*__pro·nounce__ [prə`naʊns] *v.t.* ①發出…之音。②宣稱；斷言。③宣判；宣告。── *v.i.* ①發音。②發表聲明。③表示意見；斷定；下判斷。

pro·nounced [prə`naʊnst] *adj.* ①發出音的。②顯著的；明顯的；明白的；明確的。

pro·nounce·ment [prə`naʊnsmənt] *n.* Ⓒ ①發布；發表；公告；聲明。②意見；決定。

pron·to [`prɑnto] *adv.* 〖俚〗立即地；即刻地；疾速地。

*__pro·nun·ci·a·tion__ [prə,nʌnsɪ`eʃən] *n.* ⓊⒸ 發音；發音法。

*__proof__ [pruf] *n.* ①ⓊⒸ證明；證據。②ⓊⒸ〖法律〗證明文件；物證；證言。③Ⓒ考驗。④Ⓒ(常*pl.*)校樣；樣張(亦作**proof sheet**)。⑤Ⓤ(酒的)標準酒精度。⑥Ⓤ耐力。⑦Ⓒ〖數〗驗算；證明。***bring*** [***put***] ***to the*** ～試驗；實驗。***give*** ～ ***of*** 證明。***in*** ～ ***of*** 作爲…的證明。── *adj.* ①堅固的；有耐力的；不能透入的。②(酒類)標準酒精度的。── *v.t.* ①使耐…；使防(水)。②校對。

-proof 〖字尾〗表「…不能穿透的；耐…；防…」之義，如：bulletproof, fireproof.

proof·read [`pruf,rid] *v.t.* & *v.i.* (**-read** [-,rɛd])校正；校對。─ **er,** ─ **ing,** *n.*

prop[1] [prɑp] *v.t.* (**-pp-**)①支撐。②支持；維持。── *n.* Ⓒ ①支柱；支撐物。②支持者；靠山。

prop[2] *n.* Ⓒ〖俚〗舞臺道具。

*__prop·a·gan·da__ [,prɑpə`gændə] *n.*

Ⓤ①宣傳；傳播。②宣傳的言論或信仰。〔注意〕此字現常表蔑意。

prop·a·gan·dist [ˌprɑpəˋgændɪst] *n.* Ⓒ (常指政治上的)宣傳者；傳播者。

prop·a·gan·dize [ˌprɑpəˋgændaɪz] *v.t.* ①宣傳；傳播。②對…作宣傳。— *v.i.* 作宣傳。

prop·a·gate [ˋprɑpəˌget] *v.t.* ①繁殖；增殖。②遺傳(特徵等)。③傳播；宣傳。— *v.i.* ①繁殖；增殖；傳播。②蔓延。—**prop′a·ga·tor, prop·a·ga′tion,** *n.*

pro·pane [ˋpropen] *n.* Ⓤ〖化〗丙烷。

pro·pel [prəˋpɛl] *v.t.* (**-ll-**) ①推動；推進。②鼓勵；驅策。

pro·pel·lant [prəˋpɛlənt] *n.* ⓊⒸ 推動者；推進者；(尤指)發射火藥劑。

pro·pel·lent [prəˋpɛlənt] *adj.* 推進的。— *n.* =**propellant.**

pro·pel·ler [prəˋpɛlɚ] *n.* Ⓒ ①推動者。②推進器；螺旋槳。

pro·pen·si·ty [prəˋpɛnsətɪ] *n.* Ⓒ 傾向；嗜好；習性。

‡**prop·er** [ˋprɑpɚ] *adj.* ①正確的；適當的。②得體的；高尚的。③獨特的；特有的。④眞正的；嚴格意義上的。⑤〖俗〗完全的；徹底的。⑥〖文法〗專有的。§ ∼ **fráction**〖數〗眞分數。∼ **náme** [**nóun**]〖文法〗專有名詞。

***prop·er·ly** [ˋprɑpɚlɪ] *adv.* ①正當地；適當地。②嚴格地；精確地。③理所當然地。④〖俗〗徹底地；完全地。

prop·er·tied [ˋprɑpɚtɪd] *adj.* 有財產的。the ∼ classes 有產階級。

***prop·er·ty** [ˋprɑpɚtɪ] *n.* ① Ⓤ 財產；所有物。② Ⓤ (又作 a ∼)〖法律〗所有權。③ Ⓒ 性質；屬性；特性。④ Ⓒ (常 *pl.*)舞臺道具。⑤ ⓊⒸ 地產(=estate)。§ ∼ **táx** 財產稅。

proph·e·cy [ˋprɑfəsɪ] *n.* ① Ⓤ 預言能力。② Ⓒ 預言。③ Ⓒ 先兆。

proph·e·sy [ˋprɑfəˌsaɪ] *v.t.* & *v.i.* 預言；預告。

***proph·et** [ˋprɑfɪt] *n.* Ⓒ ①預言者。②先知。③(主義的)提倡者。

proph·et·ess [ˋprɑfɪtɪs] *n.* Ⓒ 女預言家；女先知。

pro·phet·ic, -i·cal [prəˋfɛtɪk(l̩)] *adj.* ①預示的；預言(性)的。②預言者的；(似)先知的。③惡兆的。—**pro·phet′i·cal·ly,** *adv.*

pro·phy·lac·tic [ˌprofəˋlæktɪk] *adj.* 預防疾病的。— *n.* Ⓒ 預防藥；預防法；避孕用具。

pro·phy·lax·is [ˌprofəˋlæksɪs] *n.* ⓊⒸ (*pl.* **-lax·es** [-siz])疾病的預防；預防法。

pro·pin·qui·ty [proˋpɪnkwətɪ] *n.* Ⓤ①鄰近。②(時間的)迫切；接近。③近親。④(性質的)相近；類似。

pro·pi·ti·ate [prəˋpɪʃɪˌet] *v.t.* ①撫慰；安撫；勸解。②謀求…的好感。—**pro·pi·ti·a′tion,** *n.* —**pro·pi′ti·a·to·ry** [-ʃɪəˌtorɪ], *adj.*

pro·pi·tious [prəˋpɪʃəs] *adj.* ①順利的。②吉祥的；吉利的。③慈悲的(神等)。—**ly,** *adv.* —**ness,** *n.*

pro·po·nent [prəˋponənt] *n.* Ⓒ ①提議者；建議者。②擁護者；支持者。

***pro·por·tion** [prəˋporʃən, -ˋpɔr-] *n.* ① ⓊⒸ 比；比例。② Ⓤ 均衡；相稱。③(*pl.*)大小；容積。④ Ⓒ 部分。⑤ Ⓤ〖數〗比例。*in* ∼ **a.** 相稱的；協調的。**b.** 相應地。*out of* ∼不相稱；不成比例。— *v.t.* 使均衡；使相稱。—**a·ble,** *adj.*

pro·por·tion·al [prəˋporʃənl̩] *adj.* ①平衡的；均衡的；相稱的。②以比例而定的；成比例的。—**ly,** *adv.*

pro·por·tion·ate [prəˋporʃənɪt] *adj.* 成比例的。—[prəˋporʃənˌet] *v.t.* 使成比例；使相稱。—**ly,** *adv.*

***pro·pos·al** [prəˋpozl̩] *n.* ① ⓊⒸ (常 *pl.*)建議；提議。② Ⓒ 求婚。

***pro·pose** [prəˋpoz] *v.t.* & *v.i.* ①提議；建議；推薦。②打算；計劃。③求婚。∼ *a toast*[*a person's health*] 提議舉杯祝某人健康。

***prop·o·si·tion** [ˌprɑpəˋzɪʃən] *n.* ① Ⓒ 提議。② Ⓒ 主張；意見。③(a ∼)待解決的問題；棘手的事；難應付的傢伙。④ Ⓒ〖邏輯〗命題。

pro·pound [prəˋpaund] *v.t.* 提出(學說、問題等)。

pro·pri·e·tar·y [prəˋpraɪəˌtɛrɪ] *adj.* ①所有者的。②有財產的；所有權的。∼ rights 所有權。③獨占的；專賣的；專利的。∼ articles 專利品。④私有的；私營的。— *n.* ① Ⓒ (集合稱)所有者；業主。② ⓊⒸ 所有權；所有(物)。③ Ⓒ 專利藥品。

pro·pri·e·tor [prəˋpraɪətɚ] *n.* Ⓒ 所有者；業主。

pro·pri·e·tress [prəˋpraɪətrɪs] *n.* Ⓒ 女性的 proprietor.

pro·pri·e·ty [prəˋpraɪətɪ] *n.* ① Ⓤ 禮貌；規矩。a breach of ∼無禮[失禮]。②(the proprieties)禮節。③ Ⓤ 正當；妥當；適宜；得體。

pro·pul·sion [prəˋpʌlʃən] *n.* Ⓤ ①(船、飛機等的)推進。②推進(力)。—**pro·pul′sive,** *adj.*

pro·rate [proˋret] *v.t.* & *v.i.* 按比例分配。

pro·rogue [proˋrog] *v.t.* & *v.i.* 〖英議會〗(使)休會；閉會。—**pro·ro·ga′tion,** *n.*

pro·sa·ic [proˋzeɪk] *adj.* ①散文的；散文體的。②平淡的；無詩意的；乏味的。—**pro·sa′i·cal·ly,** *adv.*

pro·sce·ni·um [ˌproˋsinɪəm] *n.* Ⓒ (*pl.* **-ni·a** [-nɪə])①前舞臺(幕前之舞臺部分)。②(古希臘、羅馬劇場的)舞臺。

pro·scribe [proˋskraɪb] *v.t.* ①使失去法律保護。②禁止。③排斥。④放逐；把…充軍。—**pro·scrip′tion,** *n.* —**pro·scrip′tive,** *adj.*

***prose** [proz] *n.* ⓊⒸ ①散文(體)。②平凡無奇；單調；乏味。③無趣的談話[文章]。— *adj.* ①用散文寫的。②缺乏想像力的；平凡的。— *v.t.* & *v.i.* 平凡無趣地寫[談]；寫散文。

***pros·e·cute** [ˋprɑsɪˌkjut] *v.t.* ①告發；檢舉；對…提起公訴。②執行；依法進行。— *v.i.* ①起訴。②當檢察官。

P

***pros·e·cu·tion** [ˌprɑsɪˋkjuʃən] *n.* ①Ⓤ Ⓒ起訴；控告。②Ⓤ(the ～, 集合稱)原告；檢察當局。③Ⓤ執行；施行。④Ⓤ從事；經營。

pros·e·cu·tor [ˋprɑsɪˌkjutɚ] *n.* Ⓒ ①檢察官。②原告。a public ～ 檢察官。

pros·e·lyte [ˋprɑslˌaɪt] *n.* Ⓒ 改變意見或信仰者；變節者。— *v.t.* & *v.i.* (使)改變思想、信仰等。

pros·e·lyt·ize [ˋprɑsəlaɪtˌaɪz] *v.t.* & *v.i.* =**proselyte.** (英亦作**proselytise**)

pros·o·dy [ˋprɑsədɪ] *n.* Ⓤ 詩體學；韻律學；作詩法。

***pros·pect** [ˋprɑspɛkt] *n.* ①Ⓤ(又作 a ～)預期；期望(的事物)。②Ⓒ(常*sing.*)景色；景象；(房屋等的)朝向。③Ⓒ〖美〗可指望的顧客、候選人等。④Ⓒ眺望處。⑤(*pl.*)成功的希望；前途。*in* ～ **a.** 有實現之希望。**b.** 展望中的。— *v.t.* & *v.i.* 探勘；尋找；有前途。

pro·spec·tive [prəˋspɛktɪv] *adj.* ①預期的；有望的；未來的。②瞻望未來的。—**ly,** *adv.*

pros·pec·tor [ˋprɑspɛktɚ, prəˋspɛktɚ] *n.* Ⓒ 探礦者；礦藏探勘員。

pro·spec·tus [prəˋspɛktəs] *n.* Ⓒ (即將出版的新作品等的)內容樣本；(創辦學校、醫院、企業等的)計畫書；發起書。

***pros·per** [ˋprɑspɚ] *v.i.* & *v.t.*(使)興盛；(使)成功。

***pros·per·i·ty** [prɑsˋpɛrətɪ] *n.* Ⓤ 成功；興旺；繁榮；富足。

***pros·per·ous** [ˋprɑspərəs] *adj.* ①成功的；繁榮的；興隆的。②茂盛的。③順利的。④富足的。—**ly,** *adv.*

pros·tate [ˋprɑstet] *n.* Ⓒ & *adj.* 〖解〗攝護腺(的)。

pros·the·sis [prɑsˋθisɪs] *n.* (*pl.* **-the·ses** [-ˋθisiz]) ①Ⓤ〖醫〗人工彌補[補缺，修復]術。②Ⓒ人工彌補[補缺]物(如義肢、義手等)。

pros·thet·ics [prɑsˋθɛtɪks] *n.* Ⓤ 〖醫〗補缺學[術]；人工彌補學[術]。

pros·ti·tute [ˋprɑstəˌtjut] *n.* Ⓒ ①娼妓。②出賣人格者。— *v.t.* ①使賣淫。②濫用。—**pros·ti·tu′tion,** *n.*

pros·trate [ˋprɑstret] *v.t.* ①使平臥；使臥倒。②使衰弱；使疲倦。③使沮喪；使憂鬱。— *adj.* ①俯臥的；平臥的。②無力抵抗的；被征服的。③衰竭的；疲倦的。—**pros·tra′tion,** *n.*

pros·y [ˋprozɪ] *adj.* ①散文(體)的。②乏味的；平凡的；單調的。

pro·tag·o·nist [proˋtægənɪst] *n.* Ⓒ ①(戲劇、小說中的)主角。②主要人物；領導者〔of〕.

‡**pro·tect** [prəˋtɛkt] *v.t.* ①保護；防護〔from, against〕. ②(對輸入品課重稅以)保護(國內產業)。

***pro·tec·tion** [prəˋtɛkʃən] *n.* ①Ⓤ保護；防護。②(a ～)保護者；保護物。③Ⓤ(貿易)保護制度或政策。④Ⓤ(付給黑社會幫派分子的)保護費。

pro·tec·tion·ism [prəˋtɛkʃənˌɪzəm] *n.* Ⓤ〖經〗保護(貿易)主義；保護政策。

pro·tec·tion·ist [prəˋtɛkʃənɪst] *n.* Ⓒ保護(貿易)主義者。

***pro·tec·tive** [prəˋtɛktɪv] *adj.* 保護的；防護的。§～ **clóthing** 防護衣。～ **cóloring**[**colorátion**]〖動〗保護色。～ **cústody**(警方的)保護拘留。～ **táriff** 保護關稅。

***pro·tec·tor** [prəˋtɛktɚ] *n.* Ⓒ ①保護者；防禦者。②〖英史〗攝政者。③保護物；保護裝置。

pro·tec·tor·ate [prəˋtɛktərɪt] *n.* Ⓒ保護國；保護地。

pro·té·gé [ˋprotəˌʒe] *n.* Ⓒ 被保護者；門生(指男性)。

pro·té·gée [ˋprotəˌʒe] *n.* Ⓒ 被保護者(指女性)。

pro·tein [ˋprotiɪn] *n.* Ⓤ Ⓒ 蛋白質。

pro tem·po·re [proˋtɛmpəˌri] 〖拉〗*adv.* 暫時地；臨時地。

***pro·test** [ˋprotɛst] *n.* ①Ⓤ抗議；異議。②Ⓒ抗議書；異議的申訴。③Ⓒ〖商業〗(票據等的)拒付證書。*under* ～ 持異議地；不服地。— [prəˋtɛst] *v.t.* ①抗議。②聲言；斷言。③〖商業〗聲明拒付(票據等)。— *v.i.* ①反對；提出異議〔常 against〕. ②聲明。

prot·es·tant [ˋprɑtɪstənt] *n.* Ⓒ 抗議者。— *adj.* 抗議的。

***Prot·es·tant** [ˋprɑtɪstənt] *n.* Ⓒ 新教徒。— *adj.* 新教徒的。§～ **Epíscopal Chúrch** 〖宗〗聖公會。—**ism,** *n.*

prot·es·ta·tion [ˌprɑtəsˋteʃən] *n.* ①Ⓤ抗議；異議〔against〕. ②Ⓒ聲明；斷言〔of, that〕.

pro·to·col [ˋprotəˌkɑl] *n.* ①Ⓒ議定書；草約。②Ⓒ〖電算〗協定。③Ⓤ外交禮節。

pro·ton [ˋprotɑn] *n.* Ⓒ〖理〗質子。

pro·to·plasm [ˋprotəˌplæzəm] *n.* Ⓤ〖生物〗原生質。

pro·to·type [ˋprotəˌtaɪp] *n.* Ⓒ ①原型。②典型；模範。

Pro·to·zo·a [ˌprotəˋzoə] *n. pl.* 〖動〗原生動物；原始動物。

pro·to·zo·an [ˌprotəˋzoən] *n.* Ⓒ (*pl.* **-zo·a** [-ˋzoə])原生動物。— *adj.* 原生動物的。

pro·tract [proˋtrækt] *v.t.* ①延長；拖長。②伸出。③以比例尺繪[製]圖。

pro·trac·tor [proˋtræktɚ] *n.* Ⓒ 量角器；分度規。

pro·trude [proˋtrud] *v.t.* 使伸出；使凸出。— *v.i.*凸出；伸出。—**pro·tru′sion** [-ʒən], *n.* —**pro·tru′sive,** *adj.*

pro·tu·ber·ant [proˋtjubərənt] *adj.* ①凸出的；突出的；隆起的。②顯著的。—**pro·tu′ber·ance,** *n.*

‡**proud** [praʊd] *adj.* ①自尊的；自重的。②驕傲的；高傲的。③極愉快的；感到光榮的。④堂皇的；壯麗的。*be* ～ *of* 以…為榮；為…沾沾自喜。*do one* ～〖俗〗使人有面子；款待人。§～ **flésh**(傷口癒後所結的)疤。*—**ly,** *adv.* —**ness,** *n.*

‡**prove** [pruv] *v.t.* (**proved, proved** or **prov·en**) ①證明；證實。②試驗。③顯示；展現〔oneself〕. ④〖數〗驗算；核算。⑤〖法律〗認證(遺囑)。— *v.i.* 顯示；果

然是。— **prov′a·ble,** *adj.*
prov·en [ˋpruvən] *v.* pp. of **prove.**
prov·e·nance [ˋprɑvənəns] *n.* Ⓤ 來源；出處。
Pro·ven·çal [ˌprovənˋsɑl] *adj.* 普羅文斯(人，語)的。 **—** *n.* ①Ⓒ普羅文斯人。②Ⓤ普羅文斯語。
Pro·vence [ˋprɑvɛns] *n.* 普羅文斯(法國東南之一地區，中世紀時以吟遊詩人及武俠著稱)。
prov·en·der [ˋprɑvəndɚ] *n.* Ⓤ ①(飼家畜的)芻草；秣料。②〖俗，謔〗食料；食物。
*__prov·erb__ [ˋprɑvɝb] *n.* Ⓒ①諺語；格言。②人盡皆知之人或事物；話柄。
pro-verb [ˋproˏvɝb] *n.* Ⓒ〖文法〗代動詞。
pro·ver·bi·al [prəˋvɝbɪəl] *adj.* ①諺語的；格言的。②著名的；天下周知的。— **ly,** *adv.*
‡**pro·vide** [prəˋvaɪd] *v.t.* ①供給；供應。②預先約定；規定。③準備；預備。 **—** *v.i.* ①預備；防備〔for, against〕. ②供應必需品；贍養〔for〕. ③規定。
*__pro·vid·ed__ [prəˋvaɪdɪd] *conj.* 假若；倘使。She will go ～ her friends can go also. 假如她朋友也能去，她就去。
*__prov·i·dence__ [ˋprɑvədəns] *n.* ①Ⓤ(又作 a ～，常 P-)神意；天命；天祐。②(P-)神；上帝。③Ⓤ〖古〗遠見；未雨綢繆；預備。
prov·i·dent [ˋprɑvədənt] *adj.* ①預知的；預示的。②深謀遠慮的；有先見之明的。③慎重的；節約的。
prov·i·den·tial [ˌprɑvəˋdɛnʃəl] *adj.* ①幸運的。②天祐的；(依照)神意的。
pro·vid·er [prəˋvaɪdɚ] *n.* Ⓒ供應者；準備者；備辦者。
pro·vid·ing [prəˋvaɪdɪŋ] *conj.* = **provided.**
*__prov·ince__ [ˋprɑvɪns] *n.* ①Ⓒ省。②Ⓤ範圍；領域；職責；本分。③Ⓤ〖羅史〗本國以外的領土。 ***the* ～*s***地方；鄉下(英國指倫敦外的全國各地)。
pro·vin·cial [prəˋvɪnʃəl] *adj.* ①省的。②地方(人民)的。③區域性的；鄉下氣的。④偏狹的；粗俗的。 **—** *n.* Ⓒ ①地方居民。②外省人。③粗俗的人。— **ism,** *n.*
*__pro·vi·sion__ [prəˋvɪʒən] *n.* ①Ⓒ〖法律〗條款；規定。②Ⓤ準備；預備。③(*pl.*)供應品；食物；糧食。④Ⓤ供應；提供。 **—** *v.t.* 供以食物。
*__pro·vi·sion·al__ [prəˋvɪʒənḷ] *adj.* 臨時的。— **ly,** *adv.*
pro·vi·so [prəˋvaɪzo] *n.* Ⓒ (*pl.* **～s, ～es**) (契約等的)附文[附帶條款]；(法律的)但書；條件。
pro·vi·so·ry [prəˋvaɪzərɪ] *adj.* ①有條件的。②臨時的；暫時的。
prov·o·ca·tion [ˌprɑvəˋkeʃən] *n.* ①Ⓤ惹起；激怒。②Ⓒ激怒的原因。
pro·voc·a·tive [prəˋvɑkətɪv] *adj.* 刺激的；挑撥的；煽動的。 **—** *n.* Ⓒ刺激物；挑撥物。
*__pro·voke__ [prəˋvok] *v.t.* ①惹起。②激起。③激怒；刺激。— **pro·vok′ing,** *adj.* — **pro·vok′ing·ly,** *adv.*
pro·vost [ˋprɑvəst, 〖軍〗ˋprovo-] *n.* Ⓒ(常 P-)①學院院長(尤指牛津、劍橋)。②〖美〗教務長。③〖蘇〗市長。④大教堂或大學附屬教堂的首長。§ **～ còurt**〖軍〗憲兵法庭。 **～ guàrd**〖軍〗憲兵特遣隊。 **～ márshal**〖軍〗憲兵司令。
prow [praʊ] *n.* Ⓒ 船首；(飛機)機首。
prow·ess [ˋpraʊɪs] *n.* Ⓤ①英勇；勇猛。②英勇的行爲。③卓越的本領。
*__prowl__ [praʊl] *v.t. & v.i.* ①潛行以尋覓或偷竊。②徘徊。 **—** *n.* (a ～)逡巡；徘徊。§ **～ càr**〖美〗巡邏車。
prox. proximo.
prox·i·mate [ˋprɑksəmɪt] *adj.* ①最近的；接近的。②即將來臨的。③近似的；大致準確的。
prox·im·i·ty [prɑkˋsɪmətɪ] *n.* Ⓤ接近；近似。§ **～ fùze** (使砲彈等能在目標附近爆炸的)近炸引信。
prox·i·mo [ˋprɑksəmo] *adv.* 下月地；次月。
prox·y [ˋprɑksɪ] *n.* ①Ⓤ代理(權)。②Ⓒ代理人。③Ⓒ委託書；委任狀。
prude [prud] *n.* Ⓒ過分[故作]守禮或謙遜的人；故作拘謹的人。
pru·dence [ˋprudṇs] *n.* Ⓤ①謹慎；小心。②節儉。
*__pru·dent__ [ˋprudṇt] *adj.* ①智慮的；謹愼的。②節儉的。— **ly,** *adv.*
pru·den·tial [pruˋdɛnʃəl] *adj.* ①有智慮的；有頭腦的。②審愼的；小心的。
prud·er·y [ˋprudərɪ] *n.* Ⓤ過分守禮或謙遜；假正經。
prud·ish [ˋprudɪʃ] *adj.* 過分守禮或謙遜的；假正經的。
prune[1] [prun] *v.t. & v.i.* ①修剪〔away, off, down〕. ②刪改；刪掉。
prune[2] *n.* ⓊⒸ乾梅子。
pru·ri·ent [ˋprurɪənt] *adj.* 好色的；淫穢的；猥褻的。
Prus·sia [ˋprʌʃə] *n.* 普魯士(昔時位於德國北部的一舊王國)。
Prus·sian [ˋprʌʃən] *adj.* ①普魯士(人，語)的。②普魯士式的；訓練嚴格的。 **—** *n.* ①Ⓒ普魯士人。②Ⓤ普魯士語。
prus·sic [ˋprʌsɪk] *adj.* 〖化〗氰酸的；氰化物的。§ **～ ácid** 氰酸。
pry[1] [praɪ] *v.i.* 細查；偵查；探問；打聽〔about, into〕.
pry[2] *v.t.* ①(以槓桿)撬起；撬開；撬動。②費力得到。 **—** *n.* ①Ⓒ槓桿。②Ⓤ槓桿作用。
P.S. postscript.
*__psalm__ [sɑm] *n.* ①Ⓒ讚美歌[詩]。②(P-)(舊約中的)聖歌。③(Psalms, 作 *sing.* 解)詩篇。
psalm·ist [ˋsɑmɪst] *n.* Ⓒ讚美詩作者。
psal·ter [ˋsɔltɚ] *n.* ①(the ～, P-)詩篇(=Psalms). ②Ⓒ(祈禱用的)詩篇。
psal·ter·y [ˋsɔltrɪ] *n.* Ⓒ〖古〗八弦琴。
pseud(o)- 〖字首〗表「僞；假；擬似」之義。
pseu·do·nym [ˋsudṇˏɪm, ˋsju-] *n.* Ⓒ假名；筆名。
pshaw [ʃɔ] *interj.* 哼！啐！(表示輕蔑、厭煩等)。
psych [saɪk] *v.t.* ①心理分析。②恐

嚇；用心戰擊敗〔常 out〕。③使作好心理準備〔up〕。
psych(o)- 〖字首〗表「精神；心理；靈魂」之義。
Psy·che [ˋsaɪkɪ] *n.* ①〖希神〗賽姬(Cupid所愛之美少女，爲靈魂之化身)。②(the p-)靈魂；精神。
psy·chi·a·try [saɪˋkaɪətrɪ] *n.* Ⓤ 精神病治療法；精神醫學[科學]。— **psy·chi′a·trist,** *n.* — **psy·chi·at·ric** [ˏsaɪkɪˋætrɪk], *adj.*
psy·chic, -i·cal [ˋsaɪkɪk(ḷ)] *adj.* ①靈魂的；精神上的(爲physical之對)。②心靈的；超自然的。③易受心靈作用的。— *n.* Ⓒ 通靈者；靈媒。
psy·chics [ˋsaɪkɪks] *n.* Ⓤ ①心靈研究；心靈哲學。②〖俗〗心理學。
psy·cho [ˋsaɪko] *adj.* 〖俚〗精神病(治療)的。— *n.* Ⓒ (*pl.* ~**s**)〖俗〗精神病患。
psy·cho·a·nal·y·sis [ˏsaɪkoəˋnæləsɪs] *n.* Ⓤ 心理分析；精神分析。
psy·cho·an·a·lyst [ˏsaɪkoˋænḷɪst] *n.* Ⓒ 精神分析學家。
psy·cho·an·a·lyze [ˏsaɪkoˋænḷˏaɪz] *v.t.* 以精神分析法治療；給…作精神分析。
psy·cho·dra·ma [ˏsaɪkəˋdrɑmə] *n.* Ⓤ 心理戲劇(一種心理療法)。
psy·cho·ki·ne·sis [ˏsaɪkokɪˋnisɪs] *n.* Ⓤ 念力(憑意志即能移動物體的力量)。
psy·cho·lin·guis·tics [ˏsaɪkolɪŋˋgwɪstɪks] *n.* Ⓤ 心理語言學。
***psy·cho·log·i·cal** [ˏsaɪkəˋlɑdʒɪkḷ] *adj.* ①心理學的。②心理上的。§ ~ **wárfare** 心理戰。— **ly,** *adv.*
***psy·chol·o·gy** [saɪˋkɑlədʒɪ] *n.* ① Ⓤ 心理學。② Ⓒ 心理學論著。③ Ⓤ Ⓒ 心理；心理特徵。— **psy·chol′o·gist,** *n.*
psy·cho·path [ˋsaɪkəˏpæθ] *n.* Ⓒ (有反社會性或暴力傾向的)精神病患者。
psy·cho·sis [saɪˋkosɪs] *n.* Ⓤ Ⓒ (*pl.* **-ses** [-siz])精神病；精神異常。
psy·cho·so·ma·tic [ˏsaɪkosəˋmætɪk] *adj.* 精神與身體的；身心關係的。§ ~ **médicine** 身心醫學(以心理學方法或原理治療生理疾病)。
psy·cho·ther·a·py [ˏsaɪkoˋθɛrəpɪ] *n.* Ⓤ (精神病的)心理療法。
psy·chot·ic [saɪˋkɑtɪk] *adj.* 精神病的。— *n.* Ⓒ 精神病人；精神異常者。
pt. part; past tense. **P.T.A., PTA** Parent-Teacher Association.
ptar·mi·gan [ˋtɑrməgən] *n.* 〖鳥〗① Ⓒ 雷鳥。② Ⓤ 雷鳥肉。
PT bòat [piˋti ~] *n.* Ⓒ 〖美海軍〗魚雷快艇(=patrol torpedo boat)。
pter·o·dac·tyl [ˏtɛrəˋdæktɪl] *n.* Ⓒ 〖古生〗翼手龍。
P.T.O., p.t.o. please turn over.
Ptol·e·ma·ic [ˏtɑləˋme·ɪk] *adj.* ①埃及Ptolemy王朝的。②天文學家Ptolemy的；天動說的。the ~ system [theory]天動說。
Ptol·e·my [ˋtɑləmɪ] *n.* ①埃及托勒密王(323-30 B.C. 統治埃及的希臘馬其頓王朝之諸王)。②托勒密(Claudius Ptolemaeus, 希臘天文學家、數學家及地理學家，以天動說聞名)。
pto·main(e) [ˋtomen] *n.* Ⓤ 屍毒；屍鹼(腐肉等所產生的一種毒素)。
Pu 〖化〗plutonium.
***pub** [pʌb] *n.* Ⓒ 〖英俚〗啤酒屋；酒館(爲public house之略)。
pu·ber·ty [ˋpjubətɪ] *n.* Ⓤ 青春[發育]期。
pu·bes·cent [pjuˋbɛsṇt] *adj.* ①已屆青春發動期的。②〖生物〗覆有軟毛的；有柔毛的。
‡**pub·lic** [ˋpʌblɪk] *adj.* ①公衆的；公共的。a ~ man 公衆人物。②人民所爲的。③爲人民的。④公立的。⑤公開的。⑥國家的。— *n.* Ⓤ ①(the ~, 集合稱)大衆；民衆。②(又作a ~, 集合稱)(有共同興趣、目標的)一群人。*in* ~ 公然；公開地。*the* ~ 公衆。§ ~ **bár**〖英〗(酒館、客棧、旅館等的)大衆酒吧。~ **bíll** (國會中的)公共利益法案。~ **cómpany** 股票公開上市的企業公司。~ **convénience**〖英〗公廁。~ **corporátion**〖法律〗公共法人；公共企業體。~ **defénder**〖美〗公設辯護律師。~ **domáin**〖美〗國有土地。~ **énemy** 公敵。~ **házard** 公害。~ **héalth** 公共衛生。~ **héaring** 聽證會。~ **hòuse**〖英〗酒館；啤酒屋。~ **núisance**〖法律〗妨害公益之人或物。~ **opínion** 輿論。~ **ównership** (企業、財產等的)國有(化)；國有制度。~ **prósecutor** 檢察官。~ **relátions** 公關；宣傳活動。~ **schòol** (1)〖美〗公立學校(包括小學、中學)。(2)〖英〗有基金的私立寄宿中學。~ **sérvant** 公務員；公僕。~ **sérvice** (1)公用設施。(2)公共服務。(3)公職。~ **spéaker** 演說家。~ **spìrit** 熱心公益的精神。~ **télevision** 公共電視。~ **utílity** 公用事業。~ **wórks** 公共建設[工程]。— **ly,** *adv.* — **ness,** *n.*
pub·li·can [ˋpʌblɪkən] *n.* Ⓒ ①〖英〗酒吧老板。②(古羅馬的)收稅官。
***pub·li·ca·tion** [ˏpʌblɪˋkeʃən] *n.* ① Ⓤ Ⓒ 出版(物)；發行(物)。② Ⓤ 發表；公布。
pub·li·cist [ˋpʌblɪsɪst] *n.* Ⓒ ①政論家。②宣傳人員；公共關係人員。
***pub·lic·i·ty** [pʌbˋlɪsətɪ] *n.* Ⓤ ①公衆的注意；出名；出風頭。②引大家注意的手段；廣告；宣傳。③當衆公開的場面。
pub·li·cize [ˋpʌblɪˏsaɪz] *v.t.* 宣揚；使引人注意；廣爲宣傳。
pub·lic-spir·it·ed [ˋpʌblɪkˋspɪrɪtɪd] *adj.* 熱心公益的。
‡**pub·lish** [ˋpʌblɪʃ] *v.t.* ①出版；發行。②發表；公開。— *v.i.* ①(作品)被出版。②從事出版業。
***pub·lish·er** [ˋpʌblɪʃɚ] *n.* Ⓒ ①出版者；發行人。②〖美〗報社社長。
pub·lish·ing [ˋpʌblɪʃɪŋ] *n.* ① Ⓤ 出版(業)。②(當形容詞用)出版(業)的。a ~ house 出版社。
Puc·ci·ni [puˋtʃinɪ] *n.* 普契尼(Gia-

como, 1858-1924, 義大利歌劇作曲家)。
puck [pʌk] *n.* ①(P-)巴克(英國傳說中喜愛惡作劇之小精靈)(亦作**Robin Good fellow**). ②Ⓒ頑童; 淘氣的小孩。
puck·er [ˋpʌkɚ] *v.t.* 皺起; 折成褶子。—*v.i.* 皺起來; 成褶子; 縮攏。—*n.* Ⓒ皺; 褶。
puck·ish [ˋpʌkɪʃ] *adj.* 愛惡作劇的; 頑皮的; 淘氣的。—**ly,** *adv.* —**ness,** *n.*
***pud·ding** [ˋpudɪŋ] *n.* ①ⓊⒸ布丁。②ⓊⒸ香腸。③(a ～)濕而軟的東西。
pud·dle [ˋpʌdl̩] *n.* ①Ⓒ(泥)水坑。②Ⓤ膠土。③Ⓤ〖俗〗混亂。—*v.t.* ①搗成膠土。②精煉(鐵)。—*v.i.* 在泥或污水中打滾。
pud·dling [ˋpʌdlɪŋ] *n.* Ⓤ煉鐵法。
pudg·y [ˋpʌdʒɪ] *adj.* 矮胖的; 短而肥厚的。
pueb·lo [ˋpwɛblo] *n.* Ⓒ (*pl.* **～s**)〖美〗(美國西南部以石塊或磚塊建造成的)印第安人村落。
pu·er·ile [ˋpjuə͵rɪl] *adj.* 幼稚的; 稚氣的; 不成熟的; 膚淺的。—**pu·er·il′i·ty** [-ˋrɪlətɪ], *n.*
pu·er·per·al [pjuˋɝpərəl] *adj.* 分娩的; 生產的; 因生產而致的。～ fever 產褥熱。
Puer·to Ri·co [͵pwɛrtəˋriko] *n.* 波多黎各(西印度東部一島, 屬美國, 首府爲San Juan). (亦作**Porto Rico**) —**Puer·to Ri′can,** *adj.* & *n.*
***puff** [pʌf] *v.i.* ①一陣陣地噴。②噴著煙移動。③喘息。④輕視; 蔑視。⑤膨脹; 爆開; 張開。⑥誇張; 吹牛。—*v.t.* ①吹噴; 噴出。②使(頭髮等)膨鬆。③過獎; 吹噓; 誇大宣傳。④撲(粉)。⑤氣喘吁吁地說。—*n.* ①Ⓒ吹; 噴。②Ⓤ氣息。③Ⓒ(羊毛等)鬆軟的一團。④Ⓒ粉撲。⑤Ⓒ填塞以棉絮等的墊褥。⑥Ⓤ誇獎; 吹噓。⑦Ⓒ泡芙; 膨鬆的糕餅。§ ～ **àdder** 鼓身蛇(一種非洲產的毒蛇)。～ **bòx** 粉盒。—**er,** *n.*
puff·ball [ˋpʌf͵bɔl] *n.* Ⓒ〖植〗塵菌; 馬勃菌。
puf·fin [ˋpʌfɪn] *n.* Ⓒ海鴨(盛產於北大西洋之寒帶海鳥)。
puff·y [ˋpʌfɪ] *adj.* ①膨脹的。②自負的; 自大的。③肥滿的; 肥大的。
pug [pʌg] *n.* Ⓒ①哈巴狗。②獅子鼻。③〖俚〗拳師; 拳擊家(爲pugilist之略)。
pu·gi·lism [ˋpjudʒə͵lɪzəm] *n.* Ⓤ拳(擊)術。—**pu′gi·list,** *n.* —**pu·gi·lis′tic,** *adj.*
pug·na·cious [pʌgˋneʃəs] *adj.* 好鬥的; 喜戰的。—**ly,** *adv.* —**pug·nac′i·ty** [-ˋnæs-], *n.*
pu·is·sant [ˋpjuɪsn̩t] *adj.* 〖古, 詩〗強有力的; 有勢的。
puke [pjuk] *n.* & *v.* =**vomit.**
pul·chri·tude [ˋpʌlkrɪ͵tjud] *n.* Ⓤ美麗; 悅目。
Pu·litz·er [ˋpjulɪtsɚ] *n.* 普立茲(Joseph, 1847-1911, 美國新聞記者及慈善家, 出生於匈牙利)。§ ～ **Príze** 普立茲獎(由普立茲所設, 每年一度頒獎給美國新聞、文學、或音樂等傑出之作者)。
****pull** [pul] *v.t.* ①拉; 拖; 扯。②拉住。③拔。④扭傷。⑤划(船)。⑥採; 摘。⑦撕碎。⑧裝備…支槳; 以…支槳划。⑨〖俗〗實行; 做。Don't ～ any tricks. 不要耍詐。⑩打出(校樣)。⑪故意減低…的力量; 抑制。⑫現出; 呈現。⑬吸收; 吸引。⑭得到; 拿到。—*v.i.* ①拉; 拖; 拉出; 拖出〔at〕. ②進行(通常指費力者); 拖曳而行。③划行〔away, out, for〕. ④喝〔at〕. ⑤吸。⑥被拔。⑦吸引人。～ ***for*** 〖俗〗給予…幫助。～ ***in*** **a.** 吸入; 拉進。**b.** 抵達。**c.** 逮捕。～ ***off*** **a.** 脫掉。**b.** 〖俚〗成功地完成(需要勇氣或機智的工作)。～ ***oneself together*** 恢復正常能力、鎮靜等。～ ***out*** **a.** 離開; 撤離。**b.** 突然放棄。～ ***round*** 復元; 康復。～ (***something***) ***to pieces*** **a.** 撕碎。**b.** 嚴酷批評。～(***a person, thing***) ***up*** 喝止; 阻止。—*n.* ①Ⓒ拉; 拖; 扯。②(a ～)加油; 努力。③Ⓒ拉手; 把手。④Ⓒ一飲; 一吸。⑤(a ～)划船。⑥Ⓤ引力; 吸力。⑦Ⓤ(又作 a ～)有利條件。
pull·back [ˋpul͵bæk] *n.* Ⓒ(軍隊的)撤兵; 撤退。
pul·let [ˋpulɪt] *n.* Ⓒ(常指未滿一歲的)小母雞。
pul·ley [ˋpulɪ] *n.* Ⓒ滑輪; 滑車。
pull-in [ˋpul͵ɪn] *n.* Ⓒ〖英〗路邊飲食店; 車輛休息處。
Pull·man [ˋpulmən] *n.* Ⓒ〖美〗普爾曼式臥車(一種鐵路豪華車廂, 由發明者G. M. Pullman 而得名)。(亦作**Pullman car**)
pull-on [ˋpul͵ɑn] *adj.* (毛衣等)套著穿進去的。
pull·out [ˋpul͵aut] *n.* Ⓒ①(書本中)折頁(圖版)。②(軍隊等之)撤離。③(飛機俯衝後改爲平飛時的)拉平。—*adj.* 可拉出的。
pull·o·ver [ˋpul͵ovɚ] *n.* Ⓒ套頭毛衣。
pull-up [ˋpul͵ʌp] *n.* Ⓒ①引體向上拉單槓使下頦與槓平之動作。②=**pull-in.**
pul·mo·nar·y [ˋpʌlmə͵nɛrɪ] *adj.* ①肺的; 肺部的。②肺狀的。③患肺病的。§ ～ **ártery**[**véin**]肺動[靜]脈。～ **tuberculósis** 肺結核。
***pulp** [pʌlp] *n.* ①Ⓤ(水果或蔬菜的)肉質部分; 果肉; 果漿。②Ⓤ〖解〗牙髓。③Ⓤ紙漿。④Ⓒ〖蔑〗低級雜誌。⑤Ⓤ柔軟之物。
pul·pit [ˋpulpɪt] *n.* ①Ⓒ(教會的)講壇; 說教壇。②(the ～)傳道; 傳教。③(the ～, 集合稱)傳教士; 宗教界。
pulp·wood [ˋpʌlp͵wud] *n.* Ⓤ①做紙漿的木材。②木質紙漿。
pulp·y [ˋpʌlpɪ] *adj.* ①果漿的; 似果漿的。②果肉的; 多肉的。③柔軟的。—**pulp′i·ly,** *adv.*
pul·sar [ˋpʌlsɑr, -sɚ] *n.* Ⓒ〖天〗脈衝星(以有規律之周期發出電波的小天體)。
pul·sate [ˋpʌlset] *v.i.* ①(脈)有規律地跳動; (心臟)跳動; 悸動。②震動; 搖動。—**pul·sa′tion, pul′sa·tor,** *n.*
***pulse**[1] [pʌls] *n.* Ⓒ①脈搏。②(有規律的)鼓動; 跳動。③心態; 傾向; 意向。④生命力。⑤電流的突然增強或減弱。⑥〖電〗脈波; 脈衝。—*v.i.* (脈)搏動; 跳動; 鼓動。

pulse[2] *n.* [U]豆類；豆。

púlse-jèt éngine [ˋpʌls,dʒɛt ～] *n.* [C]間歇燃燒噴射引擎。

pul·ver·ize [ˋpʌlvə,raɪz] *v.t.* ①磨成粉；搗碎；研碎。②粉碎；毀滅；把…完全打垮。── *v.i.* 成爲粉末；粉碎。(亦作 **pulverise**) ─**pul′ver·iz·er, pul·ver·i·za′tion,** *n.*

pu·ma [ˋpjumə] *n.* [C]美洲獅。

pum·ice [ˋpʌmɪs] *n.* [U][C] 輕石；浮石。── *v.t.* 用輕石磨擦；用輕石清潔。

pum·mel [ˋpʌml] *v.t.* (**-l-**, 〖英〗**-ll-**) 打；用拳頭連續打。

***pump**[1] [pʌmp] *n.* [C]①抽水機；唧筒；打氣機；打氣筒。②心臟。── *v.t.* ①用抽水機等汲(水)；用打氣筒等打(氣)〔up〕。②(如抽水機柄般)上下搖動。③灌入或抽出。④盤詰(消息)；追問。── *v.i.* ①使用唧筒；用唧筒抽水。②如唧筒柄般上下動。③盤問。④跳動。⑤間歇地噴出。

pump[2] *n.* [C] (常 *pl.*)一種低跟輕便舞鞋。

pum·per·nick·el [ˋpʌmpɚ,nɪkl] *n.* [U][C]粗製的裸麥黑麵包。

***pump·kin** [ˋpʌmpkɪn, ˋpʌŋkɪn] *n.* [U][C]①南瓜。②南瓜藤。

pun [pʌn] *n.* [C]雙關語；雙關俏皮話。── *v.i. & v.t.* (**-nn-**)說雙關語〔on, upon〕.

***punch**[1] [pʌntʃ] *v.t.* ①以拳擊。②趕(牛、羊群)。③刺；撥。④打；敲。⑤發出；說出。── *n.* ①[C]擊；打。②[U]〖俚〗力量。§ ∼**ing bàg**(練習拳擊用的)吊袋。

punch[2] *v.t.* 在…上打洞。～ *in*[*out*] 打卡上[下]班。── *n.* [C]打洞器。

punch[3] *n.* [U][C] 潘趣酒(酒、水、牛奶等調以砂糖、檸檬、香料等之飲料)。

Punch [pʌntʃ] *n.* ①潘趣(在傀儡戲 *Punch and Judy* 中易怒、彎鼻駝背之木偶)。②(英國的)「笨拙」週刊。

punch-drunk [ˋpʌntʃ,drʌŋk] *adj.* 被拳打得頭昏眼花的。

punch·er [ˋpʌntʃɚ] *n.* [C]①打孔者。②打孔機；打印機。

punch·y [ˋpʌntʃɪ] *adj.* ①強有力的；有魄力的。②=**punch-drunk.**

punc·til·i·o [pʌŋkˋtɪlɪ,o] *n.* [U][C] (*pl.* ∼**s**)(行爲、儀式、手續等的)細節；拘謹；拘泥形式；刻板。─**punc·til′i·ous,** *adj.*─**punc·til′i·ous·ly,** *adv.*

***punc·tu·al** [ˋpʌŋktʃuəl] *adj.* 準時的；守時的。─**ly,** *adv.* ─**punc·tu·al′i·ty** [-ˋæl-], *n.*

punc·tu·ate [ˋpʌŋktʃu,et] *v.t.* ①加標點於；以標點分開。②(不時以呼喊等)打斷(演講等)。③加重。

***punc·tu·a·tion** [,pʌŋktʃuˋeʃən] *n.* [U]標點(法)。§ *∼ **màrks**標點符號。

punc·ture [ˋpʌŋktʃɚ] *n.* [C] ①孔；洞。②穿孔。── *v.t.* ①穿(孔)；刺穿。②減低；毀掉；毀壞。── *v.i.* 被刺穿。

pun·dit [ˋpʌndɪt] *n.* [C] ①印度的學者；梵文學家。②〖謔〗博學的人。

pun·gent [ˋpʌndʒənt] *adj.* ①刺激性的；辛辣的。②嚴厲的。③痛切的。④刺激精神的。─**pun′gen·cy,** *n.*

‡**pun·ish** [ˋpʌnɪʃ] *v.t.* ①處罰；懲罰。②嚴厲對付；痛擊使痛苦。③鞭策。

pun·ish·a·ble [ˋpʌnɪʃəbl] *adj.* 可處罰的；該處罰的。

***pun·ish·ment** [ˋpʌnɪʃmənt] *n.* ①[U]懲罰；處罰；刑罰。②[U][C]痛苦；損失。③[U]虐待；苛待。

pu·ni·tive [ˋpjunətɪv] *adj.* ①處罰的；懲罰的；刑罰的。②討伐的。

pu·ni·to·ry [ˋpjunə,torɪ] *adj.* = **punitive.**

Pun·jab [pʌnˋdʒɑb] *n.* 旁遮普(原爲印度一省，現分屬印度及巴基斯坦)。

Pun·ja·bi [pʌnˋdʒɑbɪ] *adj.* 旁遮普(人，語)的。──*n.* ①[C]旁遮普人。②[U]旁遮普語。

punk[1] [pʌŋk] *n.* [U]〖美〗(引火用的)腐木；朽木；火絨(=touchwood).

punk[2] *n.* 〖俚〗①[C]廢物；年輕無用的人；太保[太妹]。②[U]〖罕〗無價值的東西；無用之物。── *adj.* ①龐克風格的(指1970年代流行於英國的搖滾音樂及奇特髮型、服裝)。②〖美俚〗健康情形不好的。③〖美俚〗無價值的；無用的。

pun·ster [ˋpʌnstɚ] *n.* [C]善於說雙關語的人。

punt[1] [pʌnt] *n.* [C]①〖英〗方頭平底小船(以篙撐者)。②〖足球〗球未著地前的一踢。── *v.t. & v.i.* ①以篙撐(船)。②踢(未著地前的球)。

punt[2] *v.i.* ①向莊家下賭注。②(在賽馬中)對一馬下重賭注。③賭博。

pu·ny [ˋpjunɪ] *adj.* ①形狀小的；軟弱的。②細微的；不重要的。

pup [pʌp] *n.* [C]①小狗。②幼狐、小狼、小海豹等。③傲慢自負的年輕人。

pu·pa [ˋpjupə] *n.* [C] (*pl.* **-pae** [-pi], ∼**s**)蛹。─**pu′pal,** *adj.*

‡**pu·pil** [ˋpjupl] *n.* [C] ①(小)學生。②〖法律〗被監護人。③瞳孔；瞳仁。

pup·pet [ˋpʌpɪt] *n.* [C] ①木偶。②傀儡。a ～ government 傀儡政權。§ ∼ **plày** [**shòw**] 傀儡戲；木偶戲。

pup·pet·eer [,pʌpɪˋtɪr] *n.* [C] 操縱傀儡的人。── *v.i.* 演傀儡戲。

***pup·py** [ˋpʌpɪ] *n.* [C] ①小狗。②小狐、小狼等。③沒有教養而自大的青年。§ ∼ **lòve**初戀；少男、少女幼稚的戀愛。

pur·blind [ˋpɝ,blaɪnd] *adj.* ①半盲的；視力很差的。②遲鈍的。

***pur·chase** [ˋpɝtʃəs, -ɪs] *v.t.* ①購買。②換得；獲得。③〖海〗藉機械舉起(錨等)。── *n.* [U] ①購買。②購得之物。③(每年的)收益；價值。④〖機〗擴力裝置。⑤土地每年收益。§ ∼ **mòney** 買價；定金；代價。─**pur′chas·er,** *n.*

‡**pure** [pjur] *adj.* ①純粹的。②純淨的。③完美的；正確的。④僅僅的；全然的。⑤純潔的；貞潔的。⑥抽象的；純理論的。⑦血統純粹的。～ *and simple* 完全的；絕對的。─**ness,** *n.*

pu·rée [pjuˋre] *n.* [U][C] 濃湯(將果、菜等搗碎過濾煮成)。

***pure·ly** [ˋpjurlɪ] *adv.* ①完全地；全然。②純粹地。③純潔地。

pur·ga·tion [pɝˋgeʃən] *n.* [U] ①洗罪。②洗滌；清除；整肅。③(吃瀉藥)淨腸。

pur·ga·tive [ˋpɝgətɪv] *n.* Ⓒ〖醫〗瀉藥。— *adj.* ①能通便的; 致瀉的。②能清除的。③洗罪的。

pur·ga·to·ry [ˋpɝgə,torɪ] *n.* ①Ⓤ(常 P-)(天主教)煉獄。②ⓊⒸ暫時受難或受懲的處所或狀態。③ⓊⒸ受罪。— **pur·ga·to′ri·al,** *adj.*

***purge** [pɝdʒ] *v.i.* & *v.t.* ①清除; 洗滌。②滌罪。③整肅; 排除國內或黨內的異己分子。④使瀉; 通大便。— *n.* Ⓒ①洗滌; 洗罪。②整肅。③瀉藥。

pu·ri·fi·er [ˋpjurə,faɪɚ] *n.* Ⓒ①淨化者; 清潔器。②精製者。③精煉裝置。

pu·ri·fy [ˋpjurə,faɪ] *v.t.* ①使清淨。②滌除罪過。③純化; 精煉; 除去雜質。— **pu·ri·fi·ca′tion,** *n.*

pur·ism [ˋpjurɪzəm] *n.* ①ⓊⒸ(語言等的)純正主義。②Ⓤ(文體、用語的)純正癖。— **pur′ist,** *n.*

Pu·ri·tan [ˋpjurətn̩] *n.* Ⓒ①清教徒。②(p-)(宗教、道德上)嚴謹的人。— *adj.* ①清教徒的。②(p-)嚴謹的。

pu·ri·tan·ic, -i·cal [,pjurəˋtænɪk(l̩)] *adj.* ①(P-)清教徒的。②像清教徒的。③嚴格的。④反對享樂的。

Pu·ri·tan·ism [ˋpjurətn̩,ɪzəm] *n.* Ⓤ①清教; 清教教義。②(p-)(道德與宗教上的)嚴正。

***pu·ri·ty** [ˋpjurətɪ] *n.* Ⓤ①純潔。②天眞無邪。③純粹。④貞潔。

purl[1] [pɝl] *v.i.* 潺潺而流。

purl[2] *v.t.* 以反針法編織。— *n.* Ⓤ編織之反針法; 倒織。

pur·loin [pɝˋlɔɪn] *v.t.* & *v.i.* 偷竊。

***pur·ple** [ˋpɝpl̩] *n.* ①ⓊⒸ紫色; 深紅色。②Ⓤ紫布; 紫衣; 紫袍(特指帝王等所穿的)。③(the ～)皇族; 貴族。*be born in*[*to*] *the* ～生於皇室[貴族之家]。— *adj.* ①紫色的; 深紅色的。②帝王的。③華麗的。— *v.t.* & *v.i.* (使)呈紫色。

pur·plish [ˋpɝplɪʃ] *adj.* 帶紫色的。

pur·port [ˋpɝport] *n.* Ⓤ(又作a ～)①意義; 主旨。②目的; 企圖。— [pɚˋport] *v.t.* ①聲稱。②〖罕〗意指。

‡**pur·pose** [ˋpɝpəs] *n.* ①Ⓒ目的; 意圖; 宗旨。②Ⓤ決心; 意志。*of set* ～蓄意地。*on* ～故意地。*to little* [*no*]～幾乎[毫]無收穫。*to some* ～有點結果; 有些收穫。*to the* ～得要領; 切題; 合乎目的。— *v.t.* 打算; 決意。

pur·pose·ful [ˋpɝpəsfəl] *adj.* ①有目的的; 故意的。②有意義的; 重要的。③果斷的。— **ly,** *adv.*

pur·pose·less [ˋpɝpəslɪs] *adj.* ①沒有確定目標的。②沒有意義的。

pur·pose·ly [ˋpɝpəslɪ] *adv.* 故意地。

pur·pos·ive [ˋpɝpəsɪv] *adj.* ①有目的的; 合於目的的。②(人)果斷的。

purr [pɝ] *v.i.* ①(貓等)嗚嗚叫。②發出低而愉快的聲音。— *v.t.* 高興而低聲地說出。— *n.* Ⓒ(又作 a ～)嗚嗚叫(的聲音)。

***purse** [pɝs] *n.* ①Ⓒ錢袋。You cannot make a silk ～ out of a sow's ears.〖諺〗母豬耳朵做不出絲質錢袋; 瓜藤上長不出茄子。②(常*sing.*)金錢;財富。③(a ～)一筆錢。— *v.t.* ①使皺縮; 抽緊。②放進錢袋。*control*[*hold*] *the* ～ *strings* 控制金錢開支。§ ～ **sèine**[**nèt**]袋網。～ **strìngs** (1)錢包帶子[扣繩]。(2)支配金錢的權力。(3)財政。

purs·er [ˋpɝsɚ] *n.* Ⓒ(商船上的)事務長; (軍艦上的)軍需官。— **ship,** *n.*

pur·su·ance [pɚˋsuəns] *n.* Ⓤ①(目的的)追求; 追蹤。②實施; 從事。in ～ of one's duties 履行任務。

pur·su·ant [pɚˋsuənt] *adj.* ①依照的; 依循的; 遵從的〔to〕。②隨後的。— *adv.* 一致地; 符合地〔to〕。

***pur·sue** [pɚˋsu, -ˋsɪu] *v.t.* ①追捕; 追擊。②追逐; 追求。③繼續。④糾纏。⑤緊緊追隨。⑥照…而行; 沿…而進。

pur·su·er [pɚˋsuɚ] *n.* Ⓒ①追捕者; 追逐者。②追求者。

***pur·suit** [pɚˋs(j)ut] *n.* ①ⓊⒸ追捕; 追逐; 追求。②Ⓒ職業; 消遣; 娛樂。§～ **plàne** 追擊機; 驅逐機。

pu·ru·lent [ˋpjurələnt] *adj.* 化膿性的; 流膿的。

pur·vey [pɚˋve] *v.t.* & *v.i.* 供應; 供給〔for〕。

pur·vey·or [pɚˋveɚ] *n.* Ⓒ供應糧食者; 承辦伙食者。

pur·view [ˋpɝvju] *n.* Ⓤ①(法令的)條款; 要項。②(活動的)範圍。③視界; 見識。

pus [pʌs] *n.* Ⓤ膿。

‡**push** [puʃ] *v.t.* ①推; 衝。②用力前進; 擠。③使進行; 推進。④用力插入。⑤驅策; 催迫; 力求。⑥擴展。⑦(數目等)將達。— *v.i.* ①用力前進; 擠進。②推; 衝。③推行運動; 極力活動; 強求。④被推。⑤突出。～ *along*[*forward*]繼續前進; 急進。～ *off*〖俗〗出發; 離開。～ *on* **a.** 努力地前進; 趕進。**b.** 趕快完成。— *n.* ①Ⓒ推。②Ⓒ加一把勁; 奮發。③Ⓤ進取心; 勁頭。④Ⓒ攻擊; 攻勢。⑤(the ～)〖俚〗解雇。*get the* ～ 被解雇。§ ～ **bìke**〖俗〗自行車(亦作 pushbike). ～ **bùtton** 開閉電流之按鈕。

push-but·ton [ˋpuʃ,bʌtn̩] *adj.* 按鈕操作的。～ war 按鈕操作的戰爭(使用核子飛彈等的戰爭)。

push·cart [ˋpuʃ,kɑrt] *n.* Ⓒ手推車。

push·er [ˋpuʃɚ] *n.* Ⓒ①擁擠者。②推進式飛機(推進器裝於引擎之後者)。③行動積極者。④〖俚〗販賣毒品者。

Push·kin [ˋpuʃkɪn] *n.* 普希金(Alexander Sergeevich, 1799-1837, 俄國詩人)。

push-o·ver [ˋpuʃ,ovɚ] *n.* (a ～)〖俚〗①易完成的事物; 閒差事。②易被擊敗、說服、勸誘的(一群)人; 弱敵。

push-up [ˋpuʃ,ʌp] *n.* Ⓒ伏地挺身。

pu·sil·lan·i·mous [,pjusl̩ˋænəməs] *adj.* 懦弱的; 膽怯的。— **pu·sil·la·nim′i·ty,** *n.*

puss[1] [pus] *n.* Ⓒ①貓咪(暱稱或兒語)。②小姑娘; 少女。③〖英〗野兎。

puss[2] *n.* Ⓒ(常*sing.*)〖俚〗①臉。②嘴。

puss·y[1] [ˋpusɪ] *n.* Ⓒ〖兒〗(用於稱呼)貓咪; 咪咪。§ ～ **wíllow**〖植〗貓柳。

pus·sy[2] *n.* 〖鄙〗①Ⓒ女性的陰部。②Ⓤ〖美〗性交。

puss·y·cat [ˋpusɪ,kæt] *n.* Ⓒ①貓。

②很討人喜歡的人[東西]。

puss·y·foot [ˋpusɪˏfut] *v.i.* 〖俚〗①悄悄地走；潛行。②持觀望的態度。

pus·tule [ˋpʌstʃul] *n.* Ⓒ〖醫〗膿皰。

put** [put] *v.t.*(~, **put·ting**)①放；安置。②使成某種狀態或關係。③說明；表白；簽署。④安裝；供應。⑤提出。⑥課稅。⑦擲；推(鉛球等)。⑧估計；估量。⑨應用。⑩使向某特定方向進行。⑪驅使。⑫翻譯。⑬賭。—*v.i.* ①(船)駛向；前進。②〖植〗發芽。~ ***about **a.** 改變…航向；改變方向。**b.** 傳播。**c.** 帶給…麻煩。**d.** 使焦慮。~ ***across*** 〖俗〗**a.** (以欺騙手段)完成。**b.** 使被接受。~ ***aside*** **a.** 把…放在一旁。**b.** 儲蓄。**c.** 擱置。~ ***away*** **a.** 貯存。**b.** 收拾整齊。**c.** 〖俗〗送入瘋人院；送入監獄；抵押。**d.** 〖俚〗吃；喝。**e.** 置諸腦後。**f.** 駛去。~ ***back*** **a.** 放回原處。**b.** 撥慢(鐘錶)。**c.** 阻礙。~ ***by*** **a.** 儲蓄。**b.** 躲避。~ ***down*** **a.** 放下。**b.** 鎮壓。**c.** 寫。**d.** 減縮。**e.** 表示決心。**f.** 買；儲藏。**g.** 制止。**h.** 使降級。**i.** 認爲；估計。**j.** 歸於；諉於。~ ***forth*** **a.** 長出；生出。**b.** 使出(力量)。**c.** 發行。**d.** 發表。**e.** 出發；啓程。~ ***forward*** **a.** 提示；提出；建議。**b.** 推舉。**c.** 撥快(鐘錶)。~ ***in*** **a.** 任命；使就職。**b.** 提出要求。**c.** 做；實行。**d.** 度過(時間)。**e.** 進入；駛入；停泊。**f.** 申請。~ ***in for*** **a.** 請求；申請。**b.** 使…參加競賽。~ ***off*** **a.** 延期。**b.** 推託；推辭。**c.** 妨礙；勸阻。**d.** 除掉。**e.** 出發。~ ***on*** **a.** 穿；戴(帽等)(爲 take off 之對)。**b.** 假裝；僞裝。**c.** 增加。~ ***out*** **a.** 熄。**b.** 逐出。**c.** 使迷惑；使憂傷。**d.** 使脫臼。**e.** 使出(力量)。**f.** 放利息。**g.** 伸出。**h.** 生產；製造。**i.** 航行。**j.** 〖棒球〗刺殺；使出局。**k.** 發行；發表。~ ***over*** **a.** (以欺騙手段)完成。**b.** 拖延。**c.** 使被理解。~ ***through*** **a.** 完成。**b.** 接通(電話)。~ ***together*** 把…放在一起；拼合。~ ***up*** **a.** 升起。**b.** 呈獻(祈禱等)；拿去(拍)賣。**c.** 提高(價格)。**d.** 建築。**e.** 供膳宿。**f.** 擱置(工作)。**g.** 加工貯藏起來；醃。**h.** 收起；藏起。**i.** 關(店)。**j.** 包裝。**k.** 提名…爲候選人。**l.** 使(野獸、鳥等)離窩。**m.** 密謀。**n.**公布；張貼。**o.** 得到。**p.** 自願做。**q.** 供給；捐獻。~ ***upon*** 利用；欺騙；占…的便宜。~(***a person***) ***up to*** **a.** 通知；警告。**b.** 鼓動；唆使。~ ***up with*** 忍受；容忍。

pu·ta·tive [ˋpjutətɪv] *adj.* 推定的；想像的。

put-down [ˋputˏdaun] *n.* Ⓒ ①飛機之降落。②〖俚〗反駁；無禮的回答。

put-off [ˋputˏɔf] *n.* Ⓒ〖俗〗遁辭；藉口；辯解。

put-on [ˋputˏɑn] *adj.* 做作的；假裝的；虛僞的。—*n.* ①(常*sing.*)假裝；僞裝；裝腔作勢。②Ⓒ〖美〗玩笑。

pu·tre·fac·tion [ˏpjutrəˋfækʃən] *n.* Ⓤ①腐敗。②腐敗物。—**pu·tre·facˊ·tive,** *adj.*

pu·tre·fy [ˋpjutrəˏfaɪ] *v.t.* & *v.i.* 致腐；使腐；腐朽。

pu·tres·cence [pjuˋtrɛsṇs] *n.* Ⓤ腐爛；腐敗。—**pu·tresˊcent,** *adj.*

pu·trid [ˋpjutrɪd] *adj.* ①腐朽的；腐爛的。②〖俗〗非常壞的；極令人不快的。

putt [pʌt] 〖高爾夫〗*v.t.* & *v.i.* 輕擊(球)入洞。—*n.* Ⓒ輕擊動作。

put·tee [ˋpʌtɪ] *n.* Ⓒ (常*pl.*)裹腿；綁腿。

put·ter[1] [ˋputə] *n.* Ⓒ ①置放者。②擲鉛球者。

putt·er[2] [ˋpʌtə] *n.* Ⓒ〖高爾夫〗①輕擊者。②輕擊用的球桿。

put·ter[3] *v.i.* ①無精打采或無目的地工作(常 over, along, around)。②緩緩而行。③閒蕩。—*v.t.* 虛度(away)。

pútt·ing grèen [ˋpʌtɪŋ ~] *n.* Ⓒ〖高爾夫〗①果嶺。②輕擊練習場。

put·ty [ˋpʌtɪ] *n.* Ⓤ (塡孔或粘玻璃於窗框用的)油灰。—*v.t.* 敷油灰於；以油灰接合。

put-up [ˋputˏʌp] *adj.* 〖俗〗事先祕密計劃的；與內部人員勾結預謀的。

put-up·on [ˋputəˏpɑn] *adj.* 被利用的；被欺騙的。

puz·zle** [ˋpʌzḷ] *n.* ①Ⓒ (*sing.*)難題；難解之事。②Ⓒ (測驗智力的)玩具或問題；謎。③(*sing.*)迷惑。—*v.t.* ①使迷惑；使難解。②使苦思。—*v.i.* ①困惑；不解。②思索。~ ***out 苦思而找出解答；研究出來。

puz·zle·ment [ˋpʌzḷmənt] *n.* Ⓤ困惑；迷惑。

PVC polyvinyl chloride. 聚氯乙烯。 **Pvt.** Private. **PWA** Public Works Administration. 公共工程管理局。 **PX, P.X.** post exchange. 〖美〗軍營福利社。

pyg·my [ˋpɪgmɪ] *n.* Ⓒ ①(P-)俾格米族人(中非洲的矮黑人)。②矮小的人；侏儒。③細小之物。④不重要的人。—*adj.* 侏儒的；很小的。

***py·ja·mas** [pəˋdʒæməz] *n. pl.* 〖英〗睡衣褲(=pajamas)。

py·lon [ˋpaɪlɑn] *n.* Ⓒ①(機場的)指示塔。②(古埃及神殿的)塔門。③(架高壓電線的)鐵塔。④(跨路高架橋的)橋塔。

py·or·rh(o)e·a [ˏpaɪəˋriə] *n.* Ⓤ〖醫〗齒槽膿漏。

pyr·a·mid [ˋpɪrəmɪd] *n.* Ⓒ①角錐。②角錐形之物。③〖數〗錐體；角錐。④金字塔形結構。***the Pyramids*** (埃及)金字塔。—**py·ram·i·dal** [pɪˋræmədḷ], *adj.*

pyre [paɪr] *n.* Ⓒ ①一堆木材或其他易燃物。②火葬時用的柴堆。

Pyr·e·nees [ˋpɪrəˏniz] *n. pl.* (the ~)庇里牛斯山(在法國、西班牙兩國邊境)。

py·re·thrum [paɪˋrɛθrəm, -ˋriθ-] *n.* ①Ⓒ〖植〗除蟲菊。②Ⓤ除蟲菊粉。

Py·rex [ˋpaɪrɛks] *n.* Ⓤ〖商標〗不裂玻璃(一種耐熱玻璃)。

pyr·i·dox·ine [ˏpɪrɪˋdɑksɪn] *n.* Ⓤ〖生化〗維他命 B_6。

py·ri·tes [pəˋraɪtiz] *n.* Ⓤ〖礦〗硫化礦(如錫礦石)。iron ~ 黃鐵礦。

py·rog·ra·phy [paɪˋrɑgrəfɪ] *n.* ①Ⓤ烙畫術。②Ⓒ烙出的畫。

py·ro·ma·ni·a [ˏpaɪrəˋmenɪə] *n.* Ⓤ〖醫〗縱火狂；放火癖。

py·ro·tech·nic, -ni·cal

[ˌpaɪrəˋtɛknɪk(l̩)] *adj.* ①煙火的；如煙火的。②煙火製造術的。③(才智等)炫耀的；令人眼花撩亂的。

py·ro·tech·nics [ˌpaɪrəˋtɛknɪks] *n.* ① Ⓤ 煙火製造術；煙火使用法。②(作 *pl.*解)(用辭等的)誇大炫耀；煽動。

py·rox·y·lin(e) [paɪˋrɑksəlɪn] *n.* Ⓤ 可溶硝棉；綿火藥。

Pyr·rhic [ˋpɪrɪk] *adj.*(古希臘) Pyrrhus 王的。§ ～ **víctory** 以重大的犧牲獲得的勝利。

Py·thag·o·ras [pɪˋθægərəs] *n.* 畢達哥拉斯(約死於497 B.C., 希臘哲學家及數學家)。

py·thon [ˋpaɪθɑn] *n.* Ⓒ ①蟒；蚺蛇(熱帶地方的巨蛇)。②預言者；附體的神靈。

pyx, pix [pɪks] *n.* Ⓒ 〖天主教〗聖體容器；聖餅盒。

Q q **Q q** *Q q*

Q or **q** [kju] *n.* Ⓤ Ⓒ (*pl.* **Q's, q's**) 英文字母的第十七個字母。

Qa·tar [ˋkɑtɑr] *n.* 卡達(臨波斯灣之阿拉伯半島東部獨立國)。

Q-boat [ˋkjuˌbot] *n.* Ⓒ 神祕船(第一次大戰末期英國用以誘擊潛艇之偽裝商船)。(亦作 **mystery ship**)

Q.C. Queen's Counsel. 女王御用大律師。

qr. quarter; quire.

Q.T. 〖俚〗quiet. *on the Q.T.* 祕密地。

quack[1] [kwæk] *n.* Ⓒ 鴨叫聲。— *v.i.* (鴨等)呷呷叫；模仿鴨叫。

quack[2] *n.* Ⓒ ①庸醫。②任何冒充內行的人；大言不慚的人。— *adj.* ①庸醫的。a ～ doctor 庸醫；密醫。②作偽欺人的。～ medicine 假藥。

quack·er·y [ˋkwækərɪ] *n.* Ⓤ ①庸醫的治療。②欺騙行為。

quack-quack [ˋkwækˋkwæk] *n.* Ⓒ ①嘎嘎(鴨叫聲)。②〖兒〗鴨子。

quack·sal·ver [ˋkwækˌsælvɚ] *n.* Ⓒ 庸醫；江湖郎中。

quad·ran·gle [ˋkwɑdræŋgl̩] *n.* Ⓒ ①四邊形。②方庭；方院。③方院四邊的建築物。

quad·ran·gu·lar [kwɑdˋræŋgjʊlɚ] *adj.* 四邊形的；有四角或四邊的。

quad·rant [ˋkwɑdrənt] *n.* Ⓒ ①〖幾何〗象限。②象限儀；四分儀。③任何以直交的二直線劃出的一區或一部分。

quad·rate [ˋkwɑdrɪt] *adj.* 方形的；長方形的。— *n.* Ⓒ 方形；長方形物。—[ˋkwɑdret] *v.t.* ①使一致；使相合。②使成方形。— *v.i.* 適合；一致〖with〗.

quad·rat·ic [kwɑdˋrætɪk] 〖數〗 *adj.* 二次的。a ～ equation 二次方程式。— *n.* Ⓒ 二次方程式。

quad·ra·ture [ˋkwɑdrətʃɚ] *n.* Ⓤ 〖數〗求積。

quad·ren·ni·al [kwɑdˋrɛnɪəl] *adj.* ①每四年一次的。②四年的；四年間的。— *n.* Ⓒ ①一個四年的期間；四年。②每四年發生一次的事。— **ly,** *adv.*

quad·ri·cen·ten·ni·al [ˌkwɑdrɪsɛnˋtɛnɪəl] *n.* Ⓒ 四百周年紀念。— *adj.* 四百年的；四百周年的。

quad·ri·ceps [ˋkwɑdrəˌsɛps] *n.* Ⓤ Ⓒ 〖解〗四頭肌。

quad·ri·lat·er·al [ˌkwɑdrəˋlætərəl] *n.* Ⓒ 〖數〗四邊形；四角形；四邊形之地。— *adj.* ①四邊形的。②有四個關係人的；四方面的；四角的。

qua·drille [kwəˋdrɪl] *n.* Ⓒ ①(由四對組成的)方舞。②四對方舞舞曲。③流行於十八世紀由四人參加的紙牌戲。④大小相同的方格圖樣。— *adj.* 形成許多大小相同之方格的；方眼的。

quad·ril·lion [kwɑdˋrɪljən] *n.* Ⓒ ①〖美, 法〗千萬億(=10^{15})。②〖英, 德〗10^{24}.

quad·ri·par·tite [ˌkwɑdrɪˋpɑrtaɪt] *adj.* ①由四部分組成的；可分為四部分的。②由四人或四國形成的。

quad·ri·ple·gi·a [ˌkwɑdrəˋplidʒɪə] *n.* Ⓤ Ⓒ 〖醫〗四肢麻痺。

quad·roon [kwɑdˋrun] *n.* Ⓒ 黑人血統占四分之一的人。

quad·ru·ped [ˋkwɑdrəˌpɛd] *n.* Ⓒ 四足獸。— *adj.* 有四足的。

quad·ru·ple [ˋkwɑdrʊpl̩] *adj.* ①四部的。②四倍的；四重的。③〖樂〗四拍的。— *adv.* 四倍地；四拍地。— *n.* Ⓤ (the ～)四倍。— *v.t.* 使成四倍。— *v.i.* 變成四倍。

quad·ru·plet [kwɑdˋruplɪt, ˋkwɑdrʊˌplɪt] *n.* ① Ⓒ 四胞胎之一。②(*pl.*)四胞胎。③ Ⓒ 四組；四套。

quaff [kwæf] *v.t.* & *v.i.* 痛飲；暢飲；大口地喝。— *n.* Ⓒ 痛飲；暢飲。

quag·mire [ˋkwægˌmaɪr] *n.* Ⓒ ①沼地；泥沼。②絕境；無法脫身的困境。

qua·hog [ˋkwɔhɔg] *n.* Ⓒ 〖動〗北美產的一種圓蛤。(亦作 **quahaug**)

quail[1] [kwel] *n.* Ⓒ (*pl.* **～s,** ～) 〖鳥〗鵪鶉。

quail[2] *v.i.* 畏縮；畏懼；沮喪。

***quaint** [kwent] *adj.* ①古怪而有趣的。②奇怪的。③做得很精巧的。— **ly,** *adv.* — **ness,** *n.*

quake [kwek] *v.i.* 震動；戰慄。He was *quaking* with fear[cold]. 他因恐懼[寒冷]而發抖。— *n.* Ⓒ ①震動；戰慄。②地震。— **quak'y,** *adj.*

quake-prone [ˋkwekˌpron] *adj.* 容易發生地震的。

quake·proof [ˋkwekˌpruf] *adj.*(建築物等)防震的。

Quak·er [ˋkwekɚ] *n.* Ⓒ 教友派(Society of Friends)的信徒。§ ～ **gùn** 騙敵用的假砲(常為木所製成, 因 Quakers 反對任何戰爭, 故名)。～ **mèeting** (1)教友派信徒的聚會。(2)〖美俗〗沈默的聚會；場面冷清的宴會。～'s **bárgain** 不二價之交易。

***qual·i·fi·ca·tion** [ˌkwɑləfəˋkeʃən] *n.* ① Ⓤ (有時 *pl.*)資格。② Ⓤ Ⓒ 限制。③ Ⓤ 資格賦予。④ Ⓒ 合格證明書。

*qual·i·fied [ˋkwɑlə͵faɪd] *adj.* ①有資格的；合格的；適任的。②受限制的。

qual·i·fi·er [ˋkwɑlə͵faɪɚ] *n.* Ⓒ ①賦予資格[權限]之人[物]；限定物。②〖文法〗修飾詞。③合格者。

‡qual·i·fy [ˋkwɑlə͵faɪ] *v.t.* ①使合格；使勝任。②限制。③形容；修飾。④描寫；敍述。⑤緩和。— *v.i.* 合格；適合。

qual·i·ta·tive [ˋkwɑlə͵tetɪv] *adj.* ①性質上的；品質上的。②〖化〗定性的。～ analysis 定性分析。

‡qual·i·ty [ˋkwɑlətɪ] *n.* ①Ⓤ 特質；性質。②Ⓒ 種類；等第。③Ⓤ 品質。④ⓊⒸ 本性；脾氣。⑤Ⓒ 品德；德性。⑥Ⓒ 關係；地位。⑦Ⓤ 高地位。⑧ⓊⒸ〖理〗音質；音色。⑨Ⓒ 高級雜誌[報紙]。§～ contròl 品質管制。～ tíme 親子時間。

Q

qualm [kwɑm] *n.* Ⓒ (常 *pl.*)①噁心；作嘔。～*s* of seasickness 暈船。②不安；疑懼；良心的譴責。— ish, *adj.*

quan·da·ry [ˋkwɑnd(ə)rɪ] *n.* Ⓒ 困惑；窘境；進退兩難之境。

quan·ti·fy [ˋkwɑntə͵faɪ] *v.t.* ①定…的量。②〖邏輯〗(用 all, none 或 some 等)限定。

quan·ti·ta·tive [ˋkwɑntə͵tetɪv] *adj.* 與量有關的；定量的。～ analysis 定量分析。— ly, *adv.*

*quan·ti·ty [ˋkwɑntətɪ] *n.* ①Ⓤ 量；數量。②Ⓒ 特定的量。③Ⓒ (常 *pl.*)大量；大宗。④Ⓒ 可量的東西。⑤Ⓤ〖樂〗音符長度；音量。⑥Ⓤ 母音或音節的長度。⑦Ⓒ〖數〗量；數。§～ survèyor〖建〗估計建築工程工時及工程費用的人；估算員。

quan·tum [ˋkwɑntəm] *n.* Ⓒ (*pl.* -ta [-tə]) ①量；特定量。②分得的部分。③〖理〗量子。§～ júmp[léap]〖理〗量子跳變。～ mechánics〖理〗量子力學。～ thèory〖理〗量子論。

quar·an·tine [ˋkwɔrən͵tin] *v.t.* ①使停船受檢疫。②使(在政治上或商業上)孤立。— *n.* ①ⓊⒸ (對來自疫區旅客、貨物的)隔離；檢疫。②Ⓒ 停船檢疫期間。③Ⓒ 檢疫所。④Ⓤ 隔絕。§～ flág 檢疫旗。

quark [kwɑrk, kwɔrk] *n.* Ⓒ〖理〗夸克(構成原子質料的最小物質)。

‡quar·rel [ˋkwɔrəl, ˋkwɑr-] *n.* Ⓒ ①爭吵；爭論；口角。②失和的原因。— *v.i.* (-l-,〖英〗-ll-)①爭吵；爭論。②抱怨；挑剔。

*quar·rel·some [ˋkwɔrəlsəm, ˋkwɑr-] *adj.* 愛爭吵的；好口角的。

quar·ry[1] [ˋkwɔrɪ, ˋkwɑrɪ] *n.* Ⓒ ①採石場。②(知識、事實、消息等之)源泉。— *v.t. & v.i.* ①自採石場挖出[採石]。②(自書中等)探索(資料)。

quar·ry[2] *n.* Ⓒ ①(常 *sing.*)獵物。②急急追求之事物或目標。

*quart [kwɔrt] *n.* Ⓒ 夸脫(容量單位，液量等於 ¼ gallon，乾量等於 ⅛ peck，2 pints；略作 qt.)。*try to put a ～ into a pint pot* 嘗試做不可能的事。

‡quar·ter [ˋkwɔrtɚ] *n.* ①Ⓒ 四分之一。②Ⓒ 一刻鐘；十五分鐘。a ～ to two 差一刻到兩點。a ～ past six 六點一刻。③Ⓒ〖美〗二角五分。④Ⓒ 二角五分之銀幣。⑤Ⓒ 季；三個月。⑥Ⓒ 一碼的四分之一；九英寸。⑦Ⓒ ¼ hundredweight；二十五磅或二十八磅。⑧Ⓒ 區域；地方。⑨Ⓒ 社區或一群體的某一部分。⑩(*pl.*)住處；寓所。⑪Ⓒ 方位；方角；方向。from all ～*s* 來自四方。⑫Ⓤ (對敵人等之)饒命；寬恕。⑬Ⓒ 鳥獸屍體被四分後之一肢。⑭Ⓒ 腿及其附近的部分。⑮Ⓒ 船尾。⑯Ⓒ〖紋章〗盾的四分之一。⑰Ⓒ〖樂〗四分音符。⑱(*pl.*)〖軍〗營舍；營房。⑲Ⓒ (消息、錢等的)來源。⑳(*pl.*)就位備戰。*at close ～s* 極爲接近；幾乎相接觸。— *v.t.* ①四等分。②駐紮。③將…切成四塊；肢解。④將紋章安於盾的右上角四分之一處。⑤來回地橫越。— *v.i.* ①駐紮；居住。②(風)吹向船尾。§～ dày 四季結帳日或付款日。～ sèction〖美〗四分之一平方哩的土地(相當於160畝)。

quar·ter·back [ˋkwɔrtɚ͵bæk] *n.* Ⓒ〖橄欖球〗四分衛。— *v.i.* (橄欖球隊中)擔任四分衛。— *v.t.* 指揮；領導。

quar·ter·deck [ˋkwɔrtɚ͵dɛk] *n.* (the ～)〖海〗後甲板。

quar·ter·fi·nal [͵kwɔrtɚˋfaɪnl] *adj.* 準決賽前之比賽的；複賽的。

*quar·ter·ly [ˋkwɔrtɚlɪ] *adj.* ①一年四次的；每季的。②〖紋章〗四分盾形的。— *adv.* 每季地。— *n.* Ⓒ 季刊。

quar·ter·mas·ter [ˋkwɔrtɚ͵mæstɚ] *n.* Ⓒ ①〖軍〗經理官；後勤部隊軍官。②舵手。§～ géneral〖軍〗經理署署長；軍需兵司令兼軍需局局長(略作 Q.M.G.)。～ sérgeant 補給軍士。

quar·tet(te) [kwɔrˋtɛt] *n.* Ⓒ ①四個(人或物)組成的一組。②四部合唱；四重奏。③四部合唱曲；四部合奏曲。

quar·to [ˋkwɔrto] *n.* (*pl.* ～s) ①Ⓤ 四開(通常爲 9×12 英寸)。②Ⓒ 四開本。— *adj.* 四開的；四開本的。

quartz [kwɔrts] *n.* Ⓤ〖礦〗石英。§～ clòck[wàtch]石英鐘[錶]。～ crýstal〖電〗石英晶體。～ glàss 石英玻璃。～ làmp 石英燈。

qua·sar [ˋkwezɑr] *n.* Ⓒ〖天〗類星體；類星射電源。

quash [kwɑʃ] *v.t.* ①撤消；作廢。②壓碎；擠碎；鎭壓。

qua·si [ˋkwesaɪ, ˋkwɑsɪ] *adj.* 類似的；準的。

quasi- 〖字首〗表「類似；準；半」之義。

quat·rain [ˋkwɑtren] *n.* Ⓒ 四行詩。

qua·ver [ˋkwevɚ] *v.i.* (聲音)震顫。— *v.t.* 以震顫聲說[唱]出。— *n.* Ⓒ ①顫抖；顫音。②〖樂〗八分音符。— quaˊver·y, *adj.*

*quay [ki] *n.* Ⓒ 碼頭。

Que. Quebec.

quea·sy [ˋkwizɪ] *adj.* ①令人作嘔的。②易嘔的；(胃)不易消化食物的。③不自在的。④脾氣古怪的。— queaˊsi·ly, *adv.* — queaˊsi·ness, *n.*

Que·bec [kwɪˋbɛk] *n.* ①魁北克(加拿大東部最大的一省)。②魁北克市(Quebec 省首府)。

‡**queen** [kwin] *n.* Ⓒ①皇后。②(常 Q-)女王。③最有權力之女子；最有吸引力之女子。④最佳者；最美者。⑤雌蜂；雌蟻。⑥(撲克牌及棋中之)女王。***to the ～'s taste*** 無可挑剔的。**—** *v.t.* 立爲女王[王后]。**—** *v.i.* 統治；作女王。～ ***it*** 做女王統治；(女人)大擺架子。§ **Q̃ Ánne** (1)安女王(1665-1714, 英國女王)。(2)(家具、建築等)安女王朝代式的。**～ ánt** 蟻王。**～ bée** (1)蜂后；后蜂。(2)〖俚〗統治一群人的女人；領導社交活動的婦女。**～ cónsort** 王后。**～ dówager** 孀居的王后。**～ móther** 母后；皇太后。**～ pòst** 〖建〗直立橫梁上支撐屋頂的兩內柱之一；雌柱。**～ régent** (執政的)女王[王后]。**～ régnant** 攝政后。**Quéen's Bénch** 英國高等法院。**Quéen's Cóunsel** 英國王室法律顧問。—**ly,** *adj.* & *adv.*

queen-size [ˋkwin͵saɪz] *adj.*大號的(比 king-size 略小)。

***queer** [kwɪr] *adj.* ①奇怪的；古怪的。②〖俗〗可疑的。③(身體)覺得不舒服的；暈眩的。④〖俚〗假的；僞造的。⑤心智失去平衡的。**—** *v.t.* 〖俚〗糟蹋；破壞。**—** *n.*〖俚〗① Ⓤ 僞鈔。② Ⓒ 同性戀者。—**ly,** *adv.* —**ness,** *n.*

quell [kwɛl] *v.t.* ①鎮壓；壓制。②緩和；使鎮靜。

***quench** [kwɛntʃ] *v.t.* ①解(渴等)。②熄滅；消滅。③(鍛鐵時之)淬火；驟冷。

quer·u·lous [ˋkwɛrələs] *adj.* ①愛抱怨的；好發牢騷的。②易怒的；暴躁的。—**ly,** *adv.* —**ness,** *n.*

***que·ry** [ˋkwɪrɪ] *n.* Ⓒ①問題；質問；疑問。②問號。**—** *v.t.* & *v.i.* ①質問；詢問。②表示懷疑。③加問號。

***quest** [kwɛst] *n.* Ⓒ①探詢；搜尋。②探求物。**—** *v.t.* & *v.i.* 搜尋；找。

‡**ques·tion** [ˋkwɛstʃən] *n.* Ⓒ①詢問；疑問。②問題；討論[爭執]之事物；論點。③(待表決之)提議；提案。④疑問句。⑤疑義；論點。⑥表決。***beside the*** ～ 離題；與題無關。***beyond*** [***without***] ～ 毫無疑問。***call in*** [***into***] ～ 對…表示異議[懷疑]。***in*** ～ **a.** 正被談論的(人或物)。**b.** 在爭議中。***out of*** ～ 毫無疑問。***out of the*** ～ 不可能。***put the*** ～ 把議題提請表決。***Q-!*** (公開集會中之喊聲) **a.** 離題了(促言歸本題)。**b.** 有疑問；有異議。**—** *v.t.* ①詢問；質問；審問。②懷疑。③對…提出異議。§ ***～ màrk** 問號(?)。

ques·tion·a·ble [ˋkwɛstʃənəbl] *adj.* 有問題的；可疑的。

ques·tion·ar·y [ˋkwɛstʃən͵ɛrɪ] *adj.* 質問的；疑問的。**—** *n.* =**questionnaire.**

ques·tion·er [ˋkwɛstʃənɚ] *n.* Ⓒ質問者；詢問者。

ques·tion·naire [͵kwɛstʃənˋɛr] *n.* Ⓒ一組問題(調查或測驗用)；問卷。

***queue** [kju] *n.* Ⓒ①辮子。②(人或汽車等)一行。**—** *v.i.* & *v.t.* 〖英〗(使)排成一行(=line up)。

quib·ble [ˋkwɪbl] *n.* Ⓒ①雙關語。②遁辭；模稜兩可的話。**—** *v.i.* 以雙關語說出；含糊其詞。

‡**quick** [kwɪk] *adj.* ①迅速的；快的；敏捷的。②即刻的。③急躁的。④機伶的；活潑的。a ～ wit[mind]機智。⑤短時間的。⑥旺盛的；(火)熊熊的。⑦顯示有生命的。**—** *n.* Ⓤ①(皮肉)細嫩敏感的部分。②本質；核心；要害。③活人；生物。④最重要之部分。***cut to the*** ～ 深深地傷害；損傷(某人的)感情。**—** *adv.* =**quickly**(常置於動詞之後)。Come ～! 快來! § **～ fíx** 權宜之計。**～ fréezing** 急速冷凍法。**～ góods** 家畜；畜生。**～ màrch** 〖軍〗齊步行進；快步走。**～ párts** 才智；穎悟。**～ stúdy** 學新東西學得很快的人。**～ tìme** 〖軍〗齊步；快步。 *—**ness,** *n.*

***quick·en** [ˋkwɪkən] *v.t.* ①使加速；催促。②鼓舞；使復甦。**—** *v.i.* ①加速。②變得更活躍；復甦。

quick-freeze [ˋkwɪkˋfriz] *v.t.* (**-froze, -fro·zen**)急速冷凍。

quick·ie [ˋkwɪkɪ] *n.* Ⓒ〖俚〗①匆匆製成的劣品(尤指電影)。②需時甚短之事物。③(酒等的)匆忙的一飲。**—** *adj.* 草率的。

quick·lime [ˋkwɪk͵laɪm] *n.* Ⓤ生石灰。

quick-lunch [ˋkwɪkˋlʌntʃ] *n.* Ⓒ簡速餐廳。§ **～ bàr** [**còunter**] 速食自助餐廳。

‡**quick·ly** [ˋkwɪklɪ] *adv.* 快地；迅速地。

quick·sand [ˋkwɪk͵sænd] *n.* Ⓒ①(常 *pl.*)流沙。②隱伏的危險。

quick·sil·ver [ˋkwɪk͵sɪlvɚ] *n.* Ⓤ水銀；汞。

quick·step [ˋkwɪk͵stɛp] *n.* Ⓒ①快步。②快的舞步。③〖樂〗快步進行曲。

quick-tem·pered [ˋkwɪkˋtɛmpɚd] *adj.* 性情急躁的；易怒的。

quick-wit·ted [ˋkwɪkˋwɪtɪd] *adj.* 才思敏捷的。

quid [kwɪd] *n.* Ⓒ咀嚼物；咀嚼用的煙草塊。

quid pro quo [ˋkwɪdproˋkwo] 〖拉〗*n.* ⓊⒸ (*pl.* **～s, quids pro quo**) 補償；補償物；交換物；報酬。

qui·es·cent [kwaɪˋɛsn̩t] *adj.* 靜的；不活動的。—**qui·es′cence, qui·es′cen·cy,** *n.*

‡**qui·et** [ˋkwaɪət] *adj.* ①平穩的；靜止的。②安閒的；安靜的。③恬靜的；清靜的。④靜寂的；靜謐的。⑤溫和的；文雅的。⑥樸素的；清淡的。⑦祕密的；內心的。⑧平靜的；不積極的。**—** *n.* Ⓤ①閒適；安靜；靜謐。②平安；寧靜；安定。**—** *v.t.* ①使靜。②使鎮定。③減少(恐懼、疑慮等)。**—** *v.i.* 靜止〔down〕。—**ist,** *—**ness,** *n.*

qui·et·en [ˋkwaɪətn̩] *v.t.* & *v.i.*(使)安靜；(使)平靜。

‡**qui·et·ly** [ˋkwaɪətlɪ] *adv.* ①和平地；平靜地。②無動靜地；無行動地。③靜寂地。

qui·e·tude [ˋkwaɪə͵tjud] *n.* Ⓤ 安靜；靜止；寂靜。

qui·e·tus [kwaɪˋitəs] *n.* ① Ⓤ (債務的)淸償；(義務的)解除。② Ⓒ 遏制物。③ Ⓤ 死。④ Ⓒ 最後一擊。

quill [kwɪl] *n.* Ⓒ①翮管。②翮做的筆等；翮管所製之物。③剛毛；(獸的)刺。④(翼或尾部硬直的)羽毛。⑤牙籤。

Q

***quilt** [kwɪlt] *n.* Ⓒ 棉被；被褥。── *v.t.* ①(加軟墊於內)縫合。②縫成線條或花樣。── *v.i.* 製棉被。
quince [kwɪns] *n.* Ⓒ〖植〗①榲桲(一種薔薇科植物的果實)。②榲桲樹。
quin·cen·te·nar·y [kwɪn`sɛntɪ,nɛrɪ] *n.* Ⓒ 五百週年紀念。
quin·i·dine [`kwɪnə,dɪn] *n.* Ⓤ〖藥〗奎尼丁(治療心律不整)。
qui·nine [`kwaɪnaɪn], **quin·in** [`kwɪnɪn] *n.* Ⓤ〖藥〗金雞納霜；奎寧。
quin·quen·ni·al [kwɪn`kwɛnɪəl] *adj.* ①延續五年的。②每隔五年發生一次的。── *n.* Ⓒ ①每五年發生的事。②持續五年的事。
quin·sy [`kwɪnzɪ] *n.* Ⓤ〖醫〗膿性扁桃腺炎；咽門炎。
quint [kwɪnt] *n.*〖美俗〗=**quintuplet.**
quin·tes·sence [kwɪn`tɛsn̩s] *n.* (the ～)①精髓；精華；實體；本質。②榜樣；典型〔of〕. ─ **quin·tes·sen′·tial,** *adj.*
quin·tet(te) [kwɪn`tɛt] *n.* Ⓒ ①五人[物]之一組。②合唱或合奏之五人。③〖樂〗五重唱；五重奏。
quin·tu·ple [`kwɪntjʊpl̩] *adj.* 五倍的；五重的；五部分組成的。── *n.* Ⓒ 五倍。── *v.t.* & *v.i.* (使)成五倍。
quin·tu·plet [`kwɪntəplɪt] *n.* ①(*pl.*)五胞胎。② Ⓒ 五胞胎之一。③ Ⓒ 任何五個所成的一組。
quip [kwɪp] *n.* Ⓒ ①譏諷語。②妙語；警語。③雙關語；遁辭。④奇異舉動[事物]。
quire [kwaɪr] *n.* Ⓒ (二十四或二十五張的)一刀紙。*in* ～*s*(書)未裝訂的。
quirk [kwɝk] *n.* Ⓒ ①奇行；怪癖。②遁辭；詭辯。③急扭；急轉。④花體(字)。
quirk·y [`kwɝkɪ] *adj.* 多突變的；反覆無常的；狡詐的。
quirt [kwɝt] *n.* Ⓒ 一種短柄皮梢馬鞭。── *v.t.* 以短柄馬鞭抽打。
quis·ling [`kwɪzlɪŋ] *n.* Ⓒ 賣國賊；內奸。
***quit** [kwɪt] *v.t.*(**quit** or **quit·ted, quit·ting**)①停止；放棄。②離去。③根絕；脫去。④還清；償還(債務等)。⑤除去；清除。⑥放手。── *v.i.* ①停工。②離去。③辭職。④罷手；認輸。── *adj.* 清除的；了結的〔常 of〕. § ～ **ràte** 離職率。
quit·claim [`kwɪt,klem] *n.* Ⓤ Ⓒ〖法律〗①權利放棄[讓與]。②權利放棄[讓與]證書。
‡**quite** [kwaɪt] *adv.* ①完全地。②(表贊成、同感等之應答)眞實地；的確地。③〖俗〗頗；有幾分。*Oh*[*Yes*], ～.; *Q- so.* 的確。
Qui·to [`kito] *n.* 基多(南美厄瓜多的首都)。
quits [kwɪts] *adj.* 兩相抵銷的；對等的。*call it* ～ **a.** 暫時或永久停止。**b.** 罷手；絕交。
quit·tance [`kwɪtn̩s] *n.* ① Ⓤ 免除；赦免；解除。② Ⓒ 領取；領收；收據。③ Ⓤ 償還；補償。
quit·ter [`kwɪtɚ] *n.* Ⓒ〖俗〗怕事者；懦夫；遇困難即罷手者。
***quiv·er**[1] [`kwɪvɚ] *v.t.* & *v.i.* (使)顫抖；(使)發抖。── *n.* Ⓒ (常*sing.*)顫抖；抖動。
quiv·er[2] *n.* Ⓒ 箭囊；箭筒。
Qui·xo·te [kɪ`hotɪ] *n.* ①唐吉訶德(Don, 西班牙作家 Cervantes 小說中主角)。② Ⓒ 如唐吉訶德之人物；俠義的空想家；不切實際的理想家。
quix·ot·ic [kwɪks`ɑtɪk] *adj.* ①唐吉訶德式的；愚俠的。②幻想的；不切實際的。─ **quix·ot′i·cal·ly,** *adv.*
***quiz** [kwɪz] *v.t.*(**-zz-**)①(非正式地)測驗；小考。②訊問；查問。── *n.* Ⓒ (*pl.* ～**zes**)非正式的測驗。§ ～ **gàme** 猜謎遊戲。～ **kìd**〖美俗〗(早熟且對難題答得很快的)天才兒童；神童。～ **prògram**[**shòw**]〖美〗(廣播或電視的)猜謎節目。
quiz·(z)ee [kwɪ`zi] *n.* Ⓒ 被問或被測試者。
quiz·mas·ter [`kwɪz,mæstɚ] *n.* Ⓒ〖美〗猜謎節目之主持人。
quiz·zi·cal [`kwɪzɪkl̩] *adj.* ①疑問的；好奇的。②戲弄的。─ **ly,** *adv.*
quoin [kɔɪn] *n.* Ⓒ ①〖建〗突角；外角；外角石；隅石。②楔形之石塊、木塊等；楔形支持物。
quoit [kwɔɪt] *n.* ① Ⓒ 鐵圈；金屬環。②(*pl.*)擲環套樁遊戲。
quon·dam [`kwɑndəm] *adj.* 舊時的；以前的。
Quón·set hùt [`kwɑnsɪt～] *n.* Ⓒ〖商標〗活動[組合式]房屋(二次大戰時美軍首先使用)。
quo·rum [`kworəm] *n.* Ⓒ ①法定人數。②特選的一群人。
quo·ta [`kwotə] *n.* Ⓒ ①分；分配；承擔或得到的部分。②(分配的)定量。③(外國輸入品、移民等的)限額；配額；定額。§ ～ **ìmmigrants**〖美〗配額移民(依美國政府移民配額規定進入的移民)。～ **sỳstem** 配額制度。
quot·a·ble [`kwotəbl̩] *adj.* 值得或適於引用的。
***quo·ta·tion** [kwo`teʃən] *n.* ① Ⓤ Ⓒ 引用；引用文；引語。② Ⓒ 市價。③ Ⓒ〖商〗估價；報價。④ Ⓒ 報價單；估價單。§ *～ **màrk(s)** 引號(" "或' ')(亦作 quote mark(s))。
***quote** [kwot] *v.t.* ①引用。②報…的價；喊價。③援引；援用。── *v.i.* 引用他人文句〔from〕. ── *n.* Ⓒ ①引文[語]。②(常 *pl.*)引號。
quo·tid·i·an [kwo`tɪdɪən] *adj.* 每日的；每日發生的。── *n.* Ⓤ Ⓒ〖醫〗每日瘧(=quotidian fever)。
quo·tient [`kwoʃənt] *n.* Ⓒ〖數〗(除法的)商(數)。§ ～ **gròup**〖數〗商群。～ **rìng**〖數〗商環。

R r **R r** *R r*

R or **r** [ɑr] *n.* Ⓤ Ⓒ (*pl.* **R's, r's**) 英文之第十八個字母。***the three R's*** 讀寫算。

R restricted.〖美〗限制級的(電影)；R 級的(電影)(17 歲以下無成人陪伴者不得觀賞)。

R, r response; rook. **r.** right; ruble; rupee. **R.** Radius; Railroad; Railway; Ratio; Regina; Republic(an); Rex; River; Royal.

Ra [rɑ] *n.*〖埃及神話〗太陽神。

Ra〖化〗radium. **R.A.** Rear Admiral; Royal Academician; Royal Academy; Royal Artillery; Regular Army.

rab·bi [ˋræbaɪ] *n.* Ⓒ (*pl.* ~(**e**)**s**) ①猶太教之法律專家；大師；教師；夫子。②猶太教牧師。(亦作 **rabbin**)

***rab·bit** [ˋræbɪt] *n.* ①Ⓒ兎子。②Ⓤ兎毛；兎皮。③Ⓒ〖俗〗拙劣的運動員。—*v.i.* 獵兎。§ ~ **èars**〖美〗兎耳型天線(V 字型的室內用小型電視天線)。

rab·ble [ˋræbḷ] *n.* ①(*sing.*, 集合稱)暴民。②(the ~)〖蔑〗下層社會；下等人。

rab·id [ˋræbɪd] *adj.* ①狂暴的。②狂怒的。③狂犬病的。—**ness, ra·bid′i·ty,** *n.*

ra·bies [ˋrebiz] *n.* Ⓤ〖醫〗恐水症；狂犬病。

rac·coon [ræˋkun] *n.* ①Ⓒ浣熊。②Ⓤ浣熊皮毛。§ ~ **dòg** 狸。

****race**[1] [res] *n.* ①Ⓒ競賽；賽跑。②Ⓒ人生之旅程。③(*pl.*)賽馬(大會)。④Ⓒ競爭。⑤Ⓒ急流；急潮。⑥Ⓒ溝渠；水道。—*v.t.* ①與…賽跑。②使(人、馬等)跑；使競賽。③使疾進。—*v.i.* ①疾行；跑。②加速。§ ~ **càrd** 賽馬時之順序單。~ **mèet**[**mèeting**]賽馬會；(脚踏車等)競賽會。

***race**[2] *n.* ①Ⓒ(生物的)族類；種屬。②Ⓒ種族；人種。③Ⓤ血統；家族；家系；門第。④Ⓒ優秀的血統。⑤Ⓒ伙伴；同類。§ ~ **rìot**種族暴動。~ **sùicide** 種族自殺(因人民不欲生育而造成的種族絕滅)。

race·course [ˋres,kors] *n.* =**race-track.**

ra·ceme [reˋsim] *n.* Ⓒ〖植〗總狀花序。

rac·er [ˋresɚ] *n.* Ⓒ 參加賽跑的人、動物等。

race·track [ˋres,træk] *n.* Ⓒ 競賽場；跑道；賽馬場。

ra·chi·tis [rəˋkaɪtɪs] *n.* Ⓤ〖醫〗佝僂病。

***ra·cial** [ˋreʃəl] *adj.* 人種的；種族的。—**ly,** *adv.*

ra·cial·ism [ˋreʃəl,ɪzəm] *n.* Ⓤ ①民族性；民族精神；民族主義。②種族偏見；種族優劣論。

rac·ing [ˋresɪŋ] *n.* Ⓤ①競賽；賽跑。②賽馬；賽船。—*adj.* ①賽馬的；賽馬用的。②比賽用的。§ ~ **bòat**[**càr**] 競賽用的船[車]。~ **fòrm** (1)有關賽馬資料之出版品。(2)任何比賽中有關參加者之詳細記錄(亦作 racing-sheet). ~ **stàble** 訓練賽馬的馬廐。

rac·ism [ˋresɪzəm] *n.* Ⓤ 種族主義；種族優越感；種族歧視；種族差異。

rac·ist [ˋresɪst] *adj.* 種族差別論的；懷種族偏見的。—*n.* Ⓒ 種族差別論者；懷種族偏見者。

rack**[1] [ræk] *n.* ①Ⓒ掛或存放東西的架子。②Ⓒ裝草架。③Ⓒ(配裝齒輪之)齒棒。④Ⓒ拷問臺(古時之一種刑具)。⑤(the ~)(身體上或精神上的)巨大痛苦。⑥Ⓤ繃緊。be on the*** ~ **a.** 受拷刑；極度痛苦。**b.** 受到壓力。***live at*** ~ ***and manger*** 過豪華奢侈的生活。—*v.t.* ①使痛苦；絞。②拷問。~ ***one's brains*** 絞腦汁。§ ~ **ràilway** 齒軌鐵路。~ **whèel** 大齒輪。

rack[2] *n.* Ⓒ(馬的)輕跑；小跑之步法。—*v.i.*(馬)輕跑；溜蹄。

rack[3] *n.* Ⓒ飛雲；流雲。

rack[4] *n.* Ⓤ毀滅。***go to*** ~ ***and ruin*** 走向毀滅。

***rack·et**[1] [ˋrækɪt] *n.* ①Ⓒ網球拍。②(*pl.*)網拍式牆球。

rack·et[2] *n.* ①(a ~)喧嘩。②Ⓒ〖俗〗以威脅手段騙錢之計策。③Ⓒ〖蔑〗職業。④Ⓒ〖俗〗有組織之非法行動。⑤Ⓤ歡樂之聚會。⑥Ⓒ痛苦的經驗。***go on a*** ~ 縱情歡鬧。***stand the*** ~ **a.** 付帳。**b.** 長久保持；承擔後果。—*v.i.* ①喧鬧。②過放蕩生活。

rack·et·eer [,rækɪtˋɪr] *n.* Ⓒ〖美俚〗勒索者。—*v.i.* 以威脅手段詐財。

rack·et·eer·ing [,rækɪtˋɪrɪŋ] *n.* Ⓤ〖美〗(藉恐嚇、欺詐的)不正當的獲利；勒索；敲詐；黑市買賣。

rac·quet [ˋrækɪt] *n.* =**racket**[1].

rac·y [ˋresɪ] *adj.* ①有活力的。②有獨特風味的。③猥褻的。

***ra·dar** [ˋredɑr] *n.* ⓊⒸ ①〖電〗雷達(爲 radio detecting and ranging 之略)。②由雷達原理裝配的機械。§ ~ **astrónomy** 雷達天文學。~ **bèacon** 雷達信標。~ **fènce** [**scrèen**] 雷達(屏)網。~ **tèlescope** 雷達望遠鏡。

ra·di·al [ˋredɪəl] *adj.* ①光線的；光線狀的。②〖數〗半徑的。③成輻射狀的；放射狀的。—**ly,** *adv.*

ra·di·ance [ˋredɪəns, -djəns], **-cy** [-sɪ] *n.* Ⓤ①燦爛。②發光；光輝。③輻射。

***ra·di·ant** [ˋredɪənt, -djənt] *adj.* ①閃爍的。②滿面春風的。③輻射的。

***ra·di·ate** [ˋredɪ,et] *v.t.* ①發射(光線等)。②放出；射出。—*v.i.* ①射出。②向四周伸張。—*adj.* ①光輝的。②輻射狀的。

***ra·di·a·tion** [,redɪˋeʃən] *n.* ①Ⓤ輻射。②Ⓒ輻射線。③Ⓤ輻射能。

***ra·di·a·tor** [ˋredɪ,etɚ] *n.* Ⓒ ①暖氣爐。②(汽車等的)冷卻器。③發光[熱]的物。

***rad·i·cal** [ˋrædɪkḷ] *adj.* ①根本的；

基本的。②激進的。— *n.* Ⓒ①激進分子。②〖化〗根；基。③〖數〗根號(√‾)。④〖語音〗詞根。§ ∼ **léft** 極左派；新左派。∼ **ríght** 極右派；急進右派。— **ly,** *adv.*

rad·i·cal·ism [ˋrædɪkḷ,ɪzəm] *n.* Ⓤ激進；激進主義。

rad·i·cal·ize [ˋrædɪkə,laɪz] *v.t.* 使激進；使偏激。

‡**ra·di·o** [ˋredɪ,o] *n.* (*pl.* ∼**s**) ① Ⓤ (the ∼)無線電報；無線電話；無線電廣播。② Ⓒ 收音機。③ Ⓤ〖俗〗無線電通訊。— *adj.* 無線電報的；收音機的。— *v.t.* & *v.i.* ①以無線電廣播。②以無線電通信。§ ∼ **astrónomy** 電波天文學。∼ **bèacon** 無線電信標；導航臺。∼ **bèam** 〖通訊〗導航波束。∼ **bèeper** (無線電)呼叫器。∼ **càr** 有無線電通訊設備的汽車。**R∼ Cíty** 無線電城(美國New York市內的娛樂街)。∼ **còmpass** 無線電羅盤。∼ **contròl** 無線電操縱。∼ **fréquency** 射頻。∼ **recéiver** 無線電接收機。∼ (**recéiving**) **sèt** 收音機。∼ **sìlence** 無線電靜止(避免敵人等察知發信源的通訊停止)。∼ **sòurce** [**stàr**] 〖天〗(無線)電波源。∼ **stàtion** 無線電臺；廣播電臺。∼ **télescope** 無線電望遠鏡。∼ **tùbe** 無線電眞空管。∼ **wàve** 〖通訊〗無線電波。

ra·di·o·ac·tive [,redɪoˋæktɪv] *adj.* 有輻射能的；放射性的。∼ waste 放射性廢料(〖美〗亦作 radwaste). — **ra·di·o·ac·tiv′i·ty,** *n.*

ra·di·o·e·col·o·gy [,redɪoɪˋkɑlədʒɪ] *n.* Ⓤ 環境輻射學；放射生態學。

ra·di·o·gen·ic [,redɪoˋdʒɛnɪk] *adj.* ①因放射現象而產生的。②適於無線廣播的。

ra·di·o·gram [ˋredɪə,græm] *n.* Ⓒ無線電報。

ra·di·o·graph [ˋredɪə,græf] *n.* Ⓒ 放射線照相；X光照片。— *v.t.* 拍…的放射線照片。

ra·di·o·i·so·tope [,redɪoˋaɪsə,top] *n.* Ⓒ放射性同位素。

ra·di·ol·o·gist [,redɪˋɑlədʒɪst] *n.* Ⓒ放射線專家；放射線科醫生。

ra·di·ol·o·gy [,redɪˋɑlədʒɪ] *n.* Ⓤ ①放射學；應用輻射學。②〖醫〗放射線科；放射線透視。

ra·di·o·phone [ˋredɪə,fon] *n.* & *v.* =**radiotelephone.**

ra·di·o·press [ˋredɪo,prɛs] *n.* Ⓒ 無線電新聞。

ra·di·o·pro·tec·tion [,redɪoprəˋtɛkʃən] *n.* Ⓤ輻射防護。

ra·di·o·scope [ˋredɪo,skop] *n.* Ⓒ 放射鏡。

ra·di·os·co·py [ˋredɪ,ɑskəpɪ] *n.* Ⓤ射線檢查法；放射線透視。— **ra·di·o·scop′ic,** *adj.*

ra·di·o·sonde [ˋredɪo,sɑnd] *n.* Ⓒ無線電探空儀；無線電測候器。

ra·di·o·tel·e·gram [ˋredɪoˋtɛlə,græm] *n.* Ⓒ無線電報。

ra·di·o·tel·e·graph [,redɪoˋtɛlə,græf] *n.* Ⓒ無線電報機。— *v.t.* & *v.i.* 以無線電報機發送。

ra·di·o·tel·e·phone [,redɪoˋtɛlə,fon] *n.* Ⓒ 無線電話(機)。— *v.i.* & *v.t.* 以無線電話發送(信息)；打無線電話。

ra·di·o·ther·a·py [ˋredɪoˋθɛrəpɪ] *n.* Ⓤ X光療法；放射線療法。

rad·ish [ˋrædɪʃ] *n.* Ⓒ蘿蔔；萊菔子。

ra·di·um [ˋredɪəm] *n.* Ⓤ〖化〗鐳。

***ra·di·us** [ˋredɪəs] *n.* Ⓒ (*pl.* **-di·i** [-dɪ,aɪ], ∼**es**)①半徑。②以半徑畫成之圓形面積。③橈骨。④範圍；地區。

ra·dix [ˋredɪks] *n.* Ⓒ (*pl.* **ra·di·ces** [ˋredə,siz], ∼**·es**)①〖數〗根；基數。②〖植〗根。③〖文法〗語根；語幹。

ra·don [ˋredɑn] *n.* Ⓤ〖化〗氡(放射性元素；符號 Rn).

raf·fle [ˋræfḷ] *n.* Ⓒ抽獎出售法。— *v.t.* 以抽獎法出售〔off〕. — *v.i.* 加入抽獎銷售。

***raft**[1] [ræft] *n.* Ⓒ筏；救生艇。— *v.t.* ①以筏運送。②製成筏。— *v.i.* 搭乘筏子；放筏。

raft[2] *n.* (a ∼)〖俗〗大量；許多。

raf·ter [ˋræftɚ] *n.* Ⓒ〖建〗椽。

raft·ered [ˋræftɚd] *adj.* (屋頂、房間等)有椽的；椽在天花板上露出的。

rafts·man [ˋræftsmən] *n.* Ⓒ (*pl.* **-men**)筏夫；撐木筏的人。(亦作 **rafter**)

rag**[1] [ræg] *n.* ① Ⓤ Ⓒ 破布；碎布。② (*pl.*)破衣服。③ Ⓒ 少量。④ Ⓒ〖蔑〗手帕；旗子；鈔票等。⑤ Ⓒ 被人輕視的報紙或雜誌。chew the ∼s*** 〖俚〗閒談；瞎聊天。***take the ∼ off*** 強過；超過。— *adj.* 破布片製的。§ ∼ **bàby** [**dòll**] 布玩偶。∼ **pàper**(碎布製的)優質紙。∼ **tràde** 婦女服裝業。

rag[2] *v.t.*(**-gg-**)〖俚〗①罵。②逗；惹。③戲弄。— *n.* Ⓒ〖英〗嘲笑；逗弄。§ ∼ **dày** 〖英〗(大學生的)遊行募捐日。∼ **wèek** 〖英〗遊行募捐週。

rag·a·muf·fin [ˋægə,mʌfɪn] *n.* Ⓒ衣衫襤褸且骯髒之無賴或流浪兒童。

***rage** [redʒ] *n.* ① Ⓤ (又作 a ∼)憤怒；激怒；盛怒。He flew [fell] into a ∼. 他勃然大怒。②(the ∼)風靡一時的事物。③(a ∼)極端的熱情。④ Ⓤ 狂暴。— *v.i.* ①憤怒；發怒；狂暴。②(疾病等)蔓延；傳布。③激烈地進行。

***rag·ged** [ˋrægɪd] *adj.* ①破爛的。②衣衫襤褸的。③嶙峋的。④粗啞的(=harsh). ⑤不整潔的。⑥凹凸不平的；皮肉有破損的。⑦不整齊的。§ ∼ **édge** (懸崖等的)邊緣；危險邊緣。∼ **róbin** 布穀鳥剪秋羅(石竹科之一種野花)。∼ **schòol** 貧民學校。— **ly,** *adv.*

rag·ing [ˋredʒɪŋ] *adj.* ①狂怒的；盛怒的。②猛烈的。③劇痛的。

rag·lan [ˋræglən] *n.* Ⓒ套袖大衣。

rag·man [ˋræg,mæn] *n.* Ⓒ (*pl.* **-men**) 收買破爛者。

rag·pick·er [ˋræg,pɪkɚ] *n.* Ⓒ 以撿破爛爲生的人。

rag·tag [ˋræg,tæg] *n.* (the ∼, 集合稱)下層社會；賤民。**∼ *and bobtail*** 下層社會；賤民。

rag·time [ˋræg,taɪm] *n.* Ⓤ 散拍樂(一種多切分音的早期爵士樂)。— *adj.* 不嚴肅的；滑稽的。

rah [rɑ] *interj.* & *n.* =**hurrah.**

***raid** [red] *n.* [C] ①襲擊；突擊〔on, upon〕. ②突入搜捕〔on, upon〕. —*v.t.* ①襲擊；侵入。②搶劫。③挖角。—*v.i.* 發動搜捕[襲擊]。

raid·er [ˋredɚ] *n.* [C] ①襲擊者。②(美國海軍陸戰隊的)突擊大隊的士兵。

rail**[1] [rel] *n.* [C] ①欄杆。②鐵軌。③鐵路；鐵道。④船舷上之欄杆。off the ~s*** 出軌；秩序紊亂；狂亂；混亂；解散。—*v.t.* ①鋪以鐵軌。②圍以欄杆。§ ~ **chàir** (鐵路的) 軌座。~ **fènce** 柵欄。

rail[2] *v.i.* 罵；嘲罵；奚落〔at, against〕.

rail[3] *n.* [C]〖鳥〗秧雞。

***rail·ing** [ˋrelɪŋ] *n.* ① [C] (常 *pl.*) 柵欄；圍欄；欄杆。② [U] **a.** (集合稱) 欄杆。**b.** 其材料。

rail·ler·y [ˋrelərɪ] *n.* [U][C] ①善意的嘲笑；玩笑；嘲弄。②戲言。

‡**rail·road** [ˋrel,rod] *n.* [C]〖美〗①鐵路；鐵道。②鐵路系統。—*v.t.* ①〖美〗以鐵路運輸。②鋪以鐵路。③〖美俗〗使(議案等)急速通過。④〖美俗〗輕率審判而定罪。§ ~ **apàrtment** [**flàt**] 列車式公寓(一棟沒有走廊的狹長公寓；各房間像火車車廂般連成一條)。~ **stàtion** 火車站。

‡**rail·way** [ˋrel,we] *n.* [C] ①〖英〗=**railroad.** ②鐵軌。③電車路軌。

rai·ment [ˋremənt] *n.* [U] (集合稱)〖古，詩〗衣服。

‡**rain** [ren] *n.* ① [U][C] 雨。②(*pl.*)降雨。③(*sing.*)如雨般之降落。***~ or shine*** 不論晴雨；無論如何。***the ~s*** 雨季。—*v.i.* ①下雨。②(似雨般)降落。—*v.t.* 傾瀉。***It never ~s but it pours.*** 不雨則已，一雨傾盆。§ ~ **chèck** (1)雨天延期入場憑證。(2)(被邀赴宴會因故不能到)希望以後改期再請的要求。~ **clòud** 雨雲(=nimbus). ~ **dànce** (美國印第安人的)祈雨舞。~ **dàte**〖美〗(戶外活動、比賽)當天下雨時延後舉行的日期。~ **fòrest**(熱帶多雨地區的)雨林。~ **gàuge** 雨量計。~ **glàss** 晴雨計。~ **shòwer** 陣雨；驟雨。~ **wàter** 雨水。

***rain·bow** [ˋren,bo] *n.* [C] 虹。

***rain·coat** [ˋren,kot] *n.* [C] 雨衣。

rain·drop [ˋren,drɑp] *n.* [C] 雨滴；雨點。

***rain·fall** [ˋren,fɔl] *n.* ① [U][C] 降雨。② [U] 降雨量；雨量。

rain·mak·er [ˋren,mekɚ] *n.* [C] ①祈雨法師。②人造雨科學家。

rain·out [ˋren,aʊt] *n.* [C] ①因雨取消[中止]的比賽[表演]。②〖理〗大量的原子落塵現象。

rain·proof [ˋrenˋpruf] *adj.* 防雨的。

rain·storm [ˋren,stɔrm] *n.* [C] 暴風雨。

‡**rain·y** [ˋrenɪ] *adj.* ①下雨的；多雨的。②被雨所淋濕的。§ ~ **dáy** (1) 雨天。(2) 將來可能碰到的苦日子。

‡**raise** [rez] *v.t.* ①舉起；扶起。②使升；揚起。③擢升。④增加；提高。⑤使(聲音)增高。⑥招集；招募。⑦引起。⑧建立。⑨激起。⑩飼育；栽培。⑪結束；解除。⑫提出。⑬籌募；募集。⑭(酵素)使(麵包)膨起。⑮起死回生。—*n.* [C] (價格、待遇的)提高。

raised [rezd] *adj.* ①浮雕的。②浮起的；凸起的。

rais·er [ˋrezɚ] *n.* [C]〖美〗種植者；飼養者。

rai·sin [ˋrezn̩] *n.* [U][C] 葡萄乾。

ra·ja(h) [ˋrɑdʒə] *n.* [C] (印度、爪哇、婆羅洲的)統治者；首領；酋長；土王。

***rake**[1] [rek] *n.* [C] 耙子。—*v.t.* ①耙。②搜尋。③縱線掃射…。④大量收集〔常 in〕. ⑤揭露〔常 up〕. ⑥搔；刮；抓。—*v.i.* ①以耙子耙。②到處調查。

rake[2] *n.* [C] 流氓；浪蕩子。

rake[3] *n.* (*sing.*)〖海〗傾度。—*v.i.* & *v.t.* (使) (船頭、船尾等) 傾斜。

rak·ish[1] [ˋrekɪʃ] *adj.* ①漂亮的；俊俏的。②輕快的；速度很快似的。

rak·ish[2] *adj.* 放蕩的；遊蕩的；淫邪的。

***ral·ly**[1] [ˋrælɪ] *v.t.* ①召集。②重振。—*v.i.* ①集合。②扶助；支持。③恢復氣力；(部分)復原。④〖網球〗連續往返拍擊。⑤振作力氣、精神等。—*n.* ①(a ~)恢復。② [C] 大集會。③ [C] (網球或其它球賽)連續來回對打。④(a ~)價格回升。⑤ [C] 長途賽車。

ral·ly[2] *v.t.* & *v.i.* 嘲笑；挖苦。

***ram** [ræm] *n.* ① [C] (未去勢之)公羊。② [C] 撞擊機。③ [C] 戰艦前端之撞角。④(R-)〖天〗白羊宮。—*v.t.* (**-mm-**) ①撞；撞倒。②擠入；撞入。

RAM random access memory. 隨機存取記憶體。

Ram·a·dan [,ræməˋdɑn] *n.* ①回教曆的第九月(信徒在此月中從日出禁食到日落)；齋月。② [C] 齋月戒齋。

***ram·ble** [ˋræmbl̩] *v.i.* ①漫步；漫遊。②漫談；信筆寫。③蔓延。—*n.* [C] 漫步；漫遊。

ram·bler [ˋræmblɚ] *n.* [C] ①漫遊者。②漫談者；隨筆寫的人。③〖植〗攀緣薔薇。

ram·bling [ˋræmblɪŋ] *adj.* ①漫步的。②漫談的；隨筆的。③散漫不整的。④思想散漫的。⑤攀緣的。

Ram·bo [ˋræmbo] *n.* 藍波(電影主角名，為一越戰退伍軍人，作風慓悍，喜獨來獨往)。

ram·bunc·tious [ræmˋbʌŋkʃəs] *adj.*〖俚〗①粗暴的；蠻橫的。②難控制的。

ram·ie [ˋræmɪ] *n.* ① [C]〖植〗苧麻。② [U] 苧麻纖維。

ram·i·fi·ca·tion [,ræməfəˋkeʃən] *n.* [C] ①分枝；分枝生成。②枝狀物。③小區分；支流；枝節。④分枝法。

ram·i·fy [ˋræmə,faɪ] *v.t.* 使分枝。—*v.i.* 分派；分歧。

ram·jet [ˋræmdʒɛt] *n.* [C] 衝壓噴射引擎。

ram·mish [ˋræmɪʃ] *adj.* ①公羊的；有羶臊味的。②淫亂的。

ramp[1] [ræmp] *n.* [C] 坡道；活動梯。

ramp[2] *v.i.* 猛衝；猛襲；暴跳。—*n.* [C]〖俚〗欺騙；欺詐；獲取暴利。

ram·page [ˋræmpedʒ] *n.* (*sing.*, 常 the ~)一陣狂暴或興奮之行動。—[ræmˋpedʒ] *v.i.* 狂暴地亂衝。

ramp·ant [ˋræmpənt] *adj.* ①蔓延的；繁茂的。②猖獗的。③憤怒的；狂

暴的。④〖紋章〗舉前肢而起立的；用後腳立起的。—**ramp′an·cy,** *n.*

ram·part [ˋræmpɑrt] *n.* Ⓒ①(常*pl.*)堡壘。②防禦物。

ram·rod [ˋræmˏrɑd] *n.* Ⓒ①(前膛槍之)裝藥棒。②(槍之)通條；洗桿。

ram·shack·le [ˋræmʃækl̩] *adj.* ①要倒塌的。②衰弱無力的。③頹廢的。

‡**ran** [ræn] *v.* pt. of **run.**

***ranch** [ræntʃ] *n.* Ⓒ①大牧場。②(專種某作物的)農場。③在牧場工作或居住的人。—*v.i.* 經營牧[農]場；在牧[農]場工作。§～ **hòuse** 〖美〗(1)牧場主人所住的房屋。(2)農莊式平房。

ranch·er [ˋræntʃɚ] *n.* Ⓒ①牧[農]場主人或管理人。②牧童；農場工人。

ran·cid [ˋrænsɪd] *adj.* ①陳腐的；敗壞的。②惡臭的。③難以相處的。—**ran·cid·i·ty** [rænˋsɪdətɪ], *n.*

ran·cor, 〖英〗**-cour** [ˋræŋkɚ] *n.* Ⓤ深仇；怨恨。—**ous,** *adj.*

R & D research and development. 研究與發展。

***ran·dom** [ˋrændəm] *adj.* 隨便的；無目的的。—*n.* Ⓤ隨便。*at* ～ 隨便地；無目的地。§～ **áccess** 〖電算〗隨機存取。～ **sámple** 〖統計〗隨機樣本。～ **sámpling** 〖統計〗隨機抽樣。～ **vári·able** 〖統計〗隨機變數。

ran·dy [ˋrændɪ] *adj.* 〖蘇〗①粗魯的；粗野的。②喧鬧的；大聲的。③淫蕩的。④難馴的。—*n.* Ⓒ①強索的乞丐。②粗野的女人。

‡**rang** [ræŋ] *v.* pt. of **ring².**

***range** [rendʒ] *n.* ①Ⓤ範圍。②Ⓤ射程。③Ⓒ射擊場。④Ⓒ放牧區。⑤Ⓒ排；行。⑥Ⓒ爐竈。⑦(*sing.*)(動、植物的)分布或繁殖的區域。⑧Ⓒ方向。⑨ⓊⒸ階級；種類。—*v.t.* ①漫遊於；走遍。②排列。③列於…的一邊。④把…分類。⑤把…排整齊。⑥瞄準。—*v.i.* ①在某範圍之內變化。②伸展。③漫遊。④自然生長；蔓生。⑤找出某物之距離或方向。§～ **fìnder** 測距器。

rang·er [ˋrendʒɚ] *n.* Ⓒ①守林人。②〖英〗皇家森林或公園看守者。

Ran·goon [ræŋˋgun] *n.* 仰光(緬甸首都)。

rang·y [ˋrendʒɪ] *adj.* 四肢瘦長的(動物或人)。

***rank¹** [ræŋk] *n.* ①Ⓒ一行兵士。②(*pl.*)軍隊；士兵。③ⓊⒸ官階；職位。④Ⓤ高位；顯貴。⑤ⓊⒸ社會階層。⑥ⓊⒸ等級。⑦ⓊⒸ橫列(別於縱列)。*the* ～ *and file* **a.** 士兵。**b.** 平民。—*v.t.* ①使成行列；排列。②分類。③強過；階級高於…之上。—*v.i.* ①列於。②居高位。③排成橫隊。

rank² *adj.* ①粗的。②生長茂盛的。③肥沃的。④野樹雜草叢生的。⑤腥臭的。⑥極端的。⑦下賤的；卑鄙的。

rank·ing [ˋræŋkɪŋ] *adj.* 出類拔萃的；第一流的。—*n.* Ⓤ等級；順序。

ran·kle [ˋræŋkl̩] *v.i.* 使人心痛；發痛。—*v.t.* 使酸痛。

ran·sack [ˋrænsæk] *v.t.* ①細細搜索。②洗劫。

***ran·som** [ˋrænsəm] *n.* ①Ⓒ贖金。②Ⓤ贖回。—*v.t.* ①贖回。②向[爲]…索取贖金。③補贖。

rant [rænt] *v.i.* 怒吼。—*v.t.* 怒喊。—*n.* Ⓤ①狂言；壯語。②喧嚷。

***rap** [ræp] *v.t.* (**-pp-**)①敲擊。②斥責。—*v.i.* 敲。—*n.* ①Ⓒ敲擊(聲)。②Ⓒ〖俚〗斥責；刑罰。③Ⓤ饒舌音樂(喋喋不休似地歌唱的靈魂音樂)。§～ **sès·sion** 研討會；專題討論。～ **shèet** 〖美俚〗犯罪檔案。

ra·pa·cious [rəˋpeʃəs] *adj.* ①強取的。②貪婪的。③〖動〗捕食生物的。

ra·pac·i·ty [rəˋpæsətɪ] *n.* Ⓤ①強取。②貪婪。

rape [rep] *n.* ⓊⒸ①劫取。②強姦。—*v.t.* ①強劫。②強姦。

Raph·a·el [ˋræfɪəl] *n.* 拉斐爾(1483-1520, 義大利畫家、雕刻家及建築家)。

‡**rap·id** [ˋræpɪd] *adj.* ①迅速的；敏捷的；急促的。②急陡的。—*n.* Ⓒ(常 *pl.*)湍流；急流。*—**ly,** *adv.*

rap·id-fire [ˋræpɪdˋfaɪr] *adj.* ①(槍)快射的。②急速進行的。

ra·pid·i·ty [rəˋpɪdətɪ] *n.* Ⓤ迅速；急促。

ra·pi·er [ˋrepɪɚ] *n.* Ⓒ一種細而長的雙刃劍(決鬥用)。§～ **thrùst** (1)用細長雙刃劍的一刺。(2)即時而巧妙的應答；巧妙犀利的諷刺。

rap·ine [ˋræpɪn] *n.* Ⓤ強奪；搶劫。

rap·ist [ˋrepɪst] *n.* Ⓒ強姦犯；強姦者。

rap·port [ræˋport] *n.* Ⓤ①關係。②一致；和諧；親善。

rap·proche·ment [raprɔ̈ʃˋmɑ̃] 〖法〗*n.* Ⓤ建立或恢復友誼或和睦關係。

rap·scal·lion [ræpˋskæljən] *n.* Ⓒ〖古,謔〗惡棍；流氓。

rapt [ræpt] *adj.* ①狂喜的。②精神貫注的。③心移神馳的。

***rap·ture** [ˋræptʃɚ] *n.* Ⓤ①銷魂。②(又作 *pl.*)狂喜。—**rap′tur·ous,** *adj.*

‡**rare¹** [rɛr] *adj.* ①罕見的；珍奇的；稀罕的。②罕有的。③稀薄的。④極好的；極偉大的。§～ **éarth** (1)稀土(族)。(2)稀土元素。—**ness,** *n.*

rare² *adj.* 未完全煮熟的。

rare·bit [ˋrɛrˏbɪt] *n.* ⓊⒸ麵包上所塗之已溶的乳酪(=Welsh rabbit)。

rar·e·fy [ˋrɛrəˏfaɪ] *v.t.* ①使稀釋。②使變更純；使變精良。—*v.i.* 變稀。—**rar·e·fac′tion,** *n.*

***rare·ly** [ˋrɛrlɪ] *adv.* ①罕見地；罕有地。②非常地；非常好地。

rare·ripe [ˋrɛrˏraɪp] *adj.* 早熟的。

rar·ing [ˋrɛrɪŋ] *adj.* 〖俗〗急切的；渴望的。

rar·i·ty [ˋrɛrətɪ] *n.* ①Ⓒ珍品；罕見之物。②Ⓤ稀薄。③Ⓤ奇事。

ras·cal [ˋræskl̩] *n.* Ⓒ①流氓；惡棍。②〖謔〗淘氣鬼(對頑皮孩子的暱稱)。

ras·cal·i·ty [ræsˋkælətɪ] *n.* ①Ⓤ卑鄙的根性或行爲；流氓行爲。②Ⓒ壞事；惡事。(亦作 **rascalism**)

***rash¹** [ræʃ] *adj.* ①輕率的；不留心的。②鹵莽的。—**ly,** *adv.* —**ness,** *n.*

rash² *n.* (a ～)(痧子、猩紅熱等的)發疹；小膿疱。

rash·er [ˋræʃɚ] *n.* Ⓒ (供烹飪之)鹹肉片。
rasp [ræsp] *n.* ①Ⓒ 銼。②(a ～)刺耳聲。 — *v.i.* ①磨擦。②發刺耳聲。 — *v.t.* ①用銼子銼。②以刺耳聲說出。③刺激。
rasp·ber·ry [ˋræz,bɛrɪ] *n.* ①Ⓤ Ⓒ〖植〗覆盆子(的果實)。②Ⓒ 覆盆子樹。③Ⓒ(常 the ～, a ～)〖俚〗咂舌、唇的聲音；嘲笑輕蔑的聲音。
rasp·ing [ˋræspɪŋ] *adj.*①發出輾軋[刺耳]聲的。②使焦躁的。③刺耳的。
rasp·y [ˋræspɪ] *adj.*發出刺耳聲的；聲音刺耳的；易怒的；性急的。
rat** [ræt] *n.* Ⓒ①鼠。②卑鄙的人。③〖美〗髮墊。④叛徒。⑤告密者。Rats!***〖俚〗胡說八道；去你的。***smell a ～*** 覺得可疑。 — *v.i.*(**-tt-**)①捕鼠。②背叛。③告密。
rat·a·ble [ˋretəbl̩] *adj.* ①可估定的。②按比例的。③〖英〗應負擔地方稅的。
rat-a-tat [ˋrætəˋtæt] *n.* (a ～)砰砰(連續叩擊聲)。
ratch·et [ˋrætʃɪt] *n.* Ⓒ①棘齒輪；棘爪。②棘齒輪裝置。
‡**rate**[1] [ret] *n.* ①Ⓒ 比率；率。②Ⓒ 價格。③Ⓤ 等級。④Ⓒ(常 *pl.*)〖英〗捐稅；地方稅。***at any ～*** 無論如何。***at that ～*** 照那種情形。 — *v.t.* ①估價。②認為。③定等級(如船或海員)。④徵地方稅；定稅率。⑤評分。⑥為某種速度而設計。⑦決定…之速度。 — *v.i.* ①有價值。②被認為；被列入。
rate[2] *v.t. & v.i.* 申斥；叱責；罵。
‡**rath·er** [ˋræðɚ, ˋrɑðɚ] *adv.* ①寧可；寧願。②更恰當。③更正確地說。④頗；有幾分。⑤反之；相反地。***had ～*** 寧願(=prefer to)。 — *interj.*〖俗〗當然！一定！怎麼不！
***rat·i·fy** [ˋrætə,faɪ] *v.t.* 批准；認可。 — **rat·i·fi·ca′tion,** *n.*
rat·ing [ˋretɪŋ] *n.* ⓊⒸ 責罵；申斥；嚴責；怒斥。
***ra·tio** [ˋreʃo] *n.* ⓊⒸ (*pl.* **～s**)比率；比例。
ra·ti·oc·i·nate [,ræʃɪˋɑsn̩,et] *v.i.* 推論；推理。 — **ra·ti·oc·i·na′tion,** *n.* — **ra·ti·oc′i·na·tive,** *adj.*
***ra·tion** [ˋræʃən, ˋreʃən] *n.* ①Ⓒ(常 *pl.*)定量；口糧；(軍隊)一日之定量配糧。②Ⓒ 一份。③(*pl.*)糧食。 — *v.t.* ①供以口糧。②定量配給。
***ra·tion·al** [ˋræʃənl̩] *adj.* ①合理的。②理智的。③理性的。④頭腦清楚的。⑤推理的。⑥〖數〗有理的。 — **ly,** *adv.* — **ra·tion·al′i·ty** [-ˋnæl-], *n.*
ra·tion·ale [,ræʃəˋnæl, -ˋnɑlɪ] *n.* ⓊⒸ①基本理由；理論基礎。②理論的說明[解釋]。
ra·tion·al·ism [ˋræʃənl̩,ɪzəm] *n.* Ⓤ 理性主義;純理主義;唯理主義;唯理論。 — **ra′tion·al·ist,** *n.*
ra·tion·al·ize [ˋræʃənl̩,aɪz] *v.t.* ①使合於理性。②以科學知識解釋。③尋求(常是意識的)藉口。④使(產業等)合理化。 — **ra′tion·al·iz·er, ra·tion·al·i·za′tion** *n.*
ra·tion·ing [ˋræʃənɪŋ, ˋre-] *n.* Ⓤ 配給。
rat·lin(e) [ˋrætlɪn] *n.* Ⓒ(常 *pl.*)〖海〗梯索；繩梯。
rats·bane [ˋræts,ben] *n.* Ⓤ 殺鼠藥。
rat·tan [ræˋtæn] *n.* ①Ⓒ 藤。②Ⓒ 藤杖。③Ⓤ(集合稱)藤條。
rat-tat [,rætˋtæt] *n.* Ⓒ 砰砰(連續之叩擊聲)。
rat·ter [ˋrætɚ] *n.* Ⓒ①捕鼠者；善捕鼠之人、狗或貓。②〖俚〗變節者；叛徒。
***rat·tle** [ˋrætl̩] *v.t.* ①使發嘎嘎聲。②喋喋說出。③〖俗〗使紊亂；使緊張。④〖俗〗使激動；激起。⑤猛追(獵物)。 — *v.i.* ①發嘎嘎聲。②喋喋而言。 — *n.* ①Ⓤ(又作 a ～)嘎嘎聲；喋喋聲。②Ⓤ(又作 a ～)呼嚕聲(臨死前發出的喉嚨聲)。③Ⓤ 吵鬧；喧囂。④Ⓒ(響尾蛇的)音響器官。 — **rat′tly,** *adj.*
rat·tle·brain [ˋrætl̩,bren] *n.* Ⓒ 浮躁而愚鈍的人；魯鈍而愛說話的人。
rat·tler [ˋrætlɚ] *n.* Ⓒ①響尾蛇。②作嘎啦響聲之人或物。③〖俗〗運貨快車。④〖俗〗極好之事物；能幹的人。
rat·tle·snake [ˋrætl̩,snek] *n.* Ⓒ 響尾蛇。

rat·tling [ˋrætlɪŋ] *adj.* ①發嘎嘎之聲的。②〖俗〗快速的；快活的；活潑的。③〖俗〗極好的。 — *adv.*〖俗〗很；甚；非常。
rat·trap [ˋræt,træp] *n.* Ⓒ①捕鼠機。②絕望之境地；困境。③(腳踏車之)有鋸齒形的防滑的腳踏板。④〖俚〗嘴。
rat·ty [ˋrætɪ] *adj.* ①多鼠的。②(似)鼠的。③〖俚〗卑賤的；襤褸的。
rau·cous [ˋrɔkəs] *adj.* ①粗啞的；聲音沙啞的。②嘈雜的。
raunch [rɔntʃ,rɑntʃ] *n.* Ⓤ〖俚〗粗俗；邋遢；淫穢；下流。 — **raun′chy,** *adj.*
rav·age [ˋrævɪdʒ] *v.t. & v.i.* 蹂躪；破壞；毀掉；掠奪。 — *n.* Ⓤ 蹂躪；荼毒；破壞。
rave [rev] *v.i.* ①發譫語；發狂言。②激烈地說〔about, of〕。③怒吼。 — *v.t.* 叫囂地說出。 — *n.* ⓊⒸ①叫囂；發狂；怒吼。②〖俚〗過分的讚揚。
rav·el [ˋrævl̩] *v.t.*(**-l-,**〖英〗**-ll-**)①使糾纏；使混亂。②拆開(繩索)；拆散(線頭)。③弄明白〔out〕。 — *v.i.* ①拆開；解決〔常 out〕。②變為錯綜複雜。 — *n.* Ⓒ①糾結之物。②拆開的部分(尤指繩索)。③混亂；錯綜。
rav·el·(l)ing [ˋrævl̩ɪŋ] *n.*①Ⓤ 解開；拆開。②Ⓒ 散線。
ra·ven[1] [ˋrevən] *n.* Ⓒ〖鳥〗渡鴉。 — *adj.* 烏黑的。
rav·en[2] [ˋrævɪn] *v.t. & v.i.* ①搜尋；捕食；掠奪。②狼吞虎嚥。 — *n.* ⓊⒸ 掠奪(物)。
rav·en·ing [ˋrævənɪŋ] *adj.*貪婪而饑餓的。
rav·en·ous [ˋrævənəs] *adj.*①極餓的。②貪婪的。 — **ly,** *adv.*
ra·vine [rəˋvin] *n.* Ⓒ 峽谷；山澗。
rav·ing [ˋrevɪŋ] *adj.* ①發譫語的；狂亂的。②〖俗〗卓越的；非凡的。 — *n.* (*pl.*)譫語。
ra·vi·o·li [,rævɪˋolɪ] *n.* Ⓤ 義大利餃子。
rav·ish [ˋrævɪʃ] *v.t.* ①攫奪。②使狂喜；迷住。③強姦。④搶劫。⑤將(婦

女)擄走。—ment, *n.*

rav·ish·ing [ˋrævɪʃɪŋ] *adj.* 使狂喜的；使人陶醉的。

***raw** [rɔ] *adj.* ①生的。②未精煉過的；未加工過的。③無經驗的；未訓練的。④陰寒的。⑤刺痛的。⑥〖俚〗嚴苛的。⑦未開化的。⑧粗糙的。⑨未稀釋的。—*n.* (the ～)①生的肉。②身上的痛處。③未經提煉過的糖或油。*touch one on the* ～ 觸及某人痛處。§～ **matérial** 原料。～ **mílk** 未經殺菌的牛乳。～ **sílk** 生絲。—**ly,** *adv.* —**ness,** *n.*

raw·boned [ˋrɔˋbond] *adj.* 骨瘦如柴的；消瘦的。

raw·hide [ˋrɔˏhaɪd] *n.* ①Ⓤ生牛皮。②Ⓒ生牛皮的繩或鞭。—*v.t.* 以生牛皮鞭鞭打。

***ray**[1] [re] *n.* ①Ⓒ光線。②Ⓒ熱線；電流。③Ⓒ射線。④(a ～)微光；少許；少量。—*v.t.* ①放射；射出(光線等)。②以射線治療。③照射。

ray[2] *n.* Ⓒ鰩魚；魟魚。

R

ray·on [ˋreɑn] *n.* Ⓤ①人造絲。②人造絲織物。

raze [rez] *v.t.* ①(從記憶中)消逝。②擦傷。③摧毀。

***ra·zor** [ˋrezɚ] *n.* Ⓒ剃刀；刮鬍刀。*(as) sharp as a* ～ 頭腦很好；機警的。§～ **blâde** 刀片。

ra·zor-edge [ˋrezɚˏɛdʒ] *n.* Ⓒ①剃刀的刃。②危機。③鋒銳之刀刃。④尖銳之山脊。

ra·zor-thin [ˋrezɚˏθɪn] *adj.*薄如刀片的；極薄的。

razz [ræz]*v.t. & v.i.*〖美俚〗嘲弄；嘲笑；惡作劇。

raz·zle-daz·zle [ˋræzlˏdæzl] *n.* Ⓤ〖俚〗混亂；惶惑。

Rb 〖化〗rubidium. **RBI, rbi** run(s) batted in. 〖棒球〗安打得分。**RC, R. C.** Red Cross; Roman Catholic.

Rd., rd. road.

re[1] [re] *n.* ⓊⒸ〖樂〗長音階的第二音。

re[2] [ri] *prep.* 關於。

're are 之縮寫。

re- 〖字首〗表下列諸義: ①又；再；反覆。②還；返；互。③反對；反抗。

‡**reach** [ritʃ] *v.t.* ①到；達；抵。②伸出。③觸及；接觸。④影響；感動。⑤(用手)遞；交給。⑥總數達；計有。⑦得到或獲得(結論)；做(決定)。⑧建立通信。—*v.i.* ①伸出。②伸展；延長。③(伸手)欲得；欲達。④及；達；起作用。⑤〖海〗順風行駛。⑥數達〔to〕. *as far as the eye can* ～ 至地平線；極目。—*n.* ①(a ～)伸出；伸展。②Ⓤ範圍；能力所及的範圍。③Ⓒ大片地區。④Ⓒ(常 *pl.*)河區；江區。*within* [*out of*] *one's* ～ 手所(不)能及；力所(不)能及。

reach-me-down [ˋritʃmɪˏdaʊn] *n.* Ⓒ(常*pl.*)〖英俚〗年長者穿過後給年少者的衣服；舊衣；二手貨。

***re·act** [rɪˋækt] *v.i.* ①反動；反抗；反作用。②反應。③起化學反應。

re-act [ˏriˋækt] *v.t.* 重做；重演。

re·act·ance [rɪˋæktəns] *n.* Ⓤ〖電〗電抗。

***re·ac·tion** [rɪˋækʃən] *n.* ①ⓊⒸ反作用。②Ⓤ反動；反動力。③Ⓤ(政治趨勢的)復古。④Ⓒ反應。⑤ⓊⒸ化學反應。§～ **èngine** 噴射引擎。～ **tìme** 〖心〗反應時間。

re·ac·tion·ar·y [rɪˋækʃənˏɛrɪ] *adj.* 反動的；保守的。—*n.* Ⓒ反動分子；保守主義者。

re·ac·ti·vate [rɪˋæktɪˏvet] *v.t.*使恢復活動。—*v.i.*再活躍。

re·ac·tive [rɪˋæktɪv] *adj.* ①反動的。②〖化〗反應的。③〖理〗反作用的。

re·ac·tor [rɪˋæktɚ] *n.* Ⓒ①反動者；反應者。②〖理〗原子爐。③〖化〗反應器。

‡**read**[1] [rid] *v.t.* (**read** [rɛd])①閱讀。②誦；朗讀。③指示；表示。④學習；研究。⑤讀作；原文作。⑥解釋；解答；預測。⑦觀測；了解。⑧可讀；可解釋。—*v.i.* ①閱讀；讀書。②朗讀。③閱悉；讀知。④寫著。⑤研究；學習。～ *between the lines* 尋言外之意；了解絃外之音。

‡**read**[2] [rɛd] *v.* pt. & pp. of **read**[1].

read·a·ble [ˋridəbl] *adj.* ①可讀的；易讀的；清楚的。②易辨識的。

***read·er** [ˋridɚ] *n.* ①Ⓒ讀者；誦讀者。②ⓊⒸ(出版社的)審稿者。③Ⓒ讀本。④Ⓒ教堂儀式中朗讀聖經者。⑤ⓊⒸ(某些英國大學中的)講師。⑥ⓊⒸ閱卷助教。

read·er·ship [ˋridɚˏʃɪp] *n.* ①Ⓤ(又作 a ～)講師或助教的身分[職務]。②(*sing.*)讀者群。

***read·i·ly** [ˋrɛdlɪ, -ɪlɪ] *adv.* ①迅速地；不遲疑地。②容易地。③願意地。

***read·i·ness** [ˋrɛdɪnɪs] *n.* Ⓤ①準備就緒。②迅速。③願意；欣然答應。

***read·ing** [ˋridɪŋ] *n.* ①Ⓤ閱讀。②Ⓤ朗讀。③Ⓤ讀書。④Ⓤ讀物。⑤Ⓒ(標記、儀器等)指示之度數；讀數。⑥Ⓒ法案之正式宣讀。

re·ad·just [ˏriəˋdʒʌst] *v.t.* 重新調整；再整理；使適應。—**ment,** *n.*

read·out [ˋridˏaʊt] *n.* Ⓤ〖電算〗資料輸出；讀出。

‡**read·y** [ˋrɛdɪ] *adj.* ①已預備好的。②願意的。③敏捷的。④喜好的。⑤即時可有的；在手邊的。⑥隨時可發生的。*Get* ～*!*就位! *make* ～ 準備。—*v.t.* 準備。§～ **réckoner** 簡易計算表。～ **rôom** 飛行員出勤任務講解室。

***read·y-made** [ˋrɛdɪˋmed] *adj.* ①現成的。②非獨創的。③應急而做的。

read·y-wit·ted [ˋrɛdɪˋwɪtɪd] *adj.* 機敏的；有機智的；有急智的。

re·af·firm [ˏriəˋfɝm] *v.t.* 重申；再肯定；再證實。—**er,** *n.*

Rea·gan [ˋregən] *n.* 雷根 (Ronald Wilson, 1911- , 美國第 40 位總統)。

re·a·gent [riˋedʒənt] *n.* Ⓒ〖化〗試劑。

‡**re·al** [ˋriəl, ril, ˋrɪəl] *adj.* ①實際的；眞實的。②純粹的；眞的。③〖法律〗不動產的。④〖數〗實數的。⑤〖光學〗實像的。—*adv.* 〖俗〗=**really.** §～ **estâte** (1)〖法律〗不動產。(2)〖美〗房地產。～ **próperty** 〖法律〗不動產。～ **tíme**〖電算〗眞時；即時。～ **wáges** 〖經〗實際工資。

re·a·lign [ˌriəˋlaɪn] *v.t.* ①重新結盟；再締盟。②重新看齊；再對齊。—**ment,** *n.*

re·al·ism [ˋriəlˌɪzəm] *n.* Ⓤ①現實主義。②寫實主義。—**re'al·ist,** *n.*

***re·al·is·tic** [ˌriəˋlɪstɪk] *adj.* ①逼眞的。②寫實的。③實際的。④寫實主義(者)的。—**re·al·is'ti·cal·ly,** *adv.*

***re·al·i·ty** [rɪˋælətɪ] *n.* ⓊⒸ①實在；眞實。②實體；實物；實事。*in* ~ 實際上；事實上。

***re·al·i·za·tion** [ˌriələˋzeʃən] *n.*①Ⓤ了解；覺察。②Ⓤ實現。③(the ~)變賣；(金錢、財產等之)獲得。

‡**re·al·ize** [ˋriəˌlaɪz, ˋrɪə-] *v.t.* ①認知；了解。②實現。③寫實。④變賣；求現。⑤賺得(若干利潤)。—**re'al·iz·a·ble,** *adj.*

re·al-life [ˋriəlˋlaɪf] *adj.* 眞的；眞人眞事的；現實的。

‡**re·al·ly** [ˋriəlɪ, ˋrɪəlɪ, ˋrilɪ] *adv.* ①實際地；實在地；眞正地。②果然。

***realm** [rɛlm] *n.* Ⓒ①(常 R-)王國。②界；地域。③(常 *pl.*)領域。

re·al·po·li·tik [reˋɑlˌpolɪˌtik] 〖德〗*n.* Ⓤ(常R-)現實政治；權力政治。

real-time [ˋrilˋtaɪm] *adj.* 〖電算〗眞時的；即時的。

re·al·tor [ˋriəltɚ] *n.* Ⓒ不動產經紀人。

re·al·ty [ˋriəltɪ] *n.* Ⓤ不動產。

ream[1] [rim] *n.* Ⓒ①令；二十刀(480至516張紙)。②(常 *pl.*)〖俗〗很多。

ream[2] *v.t.* ①以擴孔器擴大(孔)。②擠出(檸檬等)的汁。

ream·er [ˋrimɚ] *n.* Ⓒ①鑽孔者；鑽孔器；整孔鑽。②榨果汁機。

re·an·i·mate [riˋænəˌmet] *v.t.* ①使復甦；使復活。②鼓舞。

reap** [rip] *v.t.* & *v.i.* ①收割；刈。②收穫。~ ***where one has not sown 不勞而獲。***sow the wind and ~ the whirlwind*** 做蠢事得到報應。

reap·er [ˋripɚ] *n.* ①Ⓒ收割者。②Ⓒ收割機。③(常 the R-)死神。

re·ap·pear [ˌriəˋpɪr] *v.i.* 再出現。—**ance,** *n.*

re·ap·por·tion [ˌriəˋporʃən, -ˋpɔr-] *v.t.* 重新分配。

re·ap·prais·al [ˌriəˋprezl] *n.* ⓊⒸ重新估價；再考慮。

rear**[1] [rɪr] *n.* (the ~)①後部；背後。②(軍隊、艦隊之)後陣；尾部。bring up the*** ~ 隨後；殿後。**—** *adj.* 後部的。§ ~ **ádmiral** 海軍少將。~ **énd** (1)(物的)後部。(2)〖俚〗臀部。~ **guàrd** 〖軍〗後衛。

***rear**[2] *v.t.* ①養育；飼養。②建立；豎起。③抬起；揚起。**—** *v.i.* ①(馬等動物)以後腿站立〔常 up〕. ②聳立。

rear-end [ˋrɪrˌɛnd] *adj.*在後端的；尾部的。

rear·guard [ˋrɪrˌgɑrd] *adj.* 後衛的。

re·arm [riˋɑrm] *v.t.* & *v.i.* ①重整軍備；再武裝。②供給新武器改良軍備。—**re·ar'ma·ment,** *n.*

rear·most [ˋrɪrˌmost] *adj.* 最後面的；最後部的；最末的。

re·ar·range [ˌriəˋrendʒ] *v.t.* 重新編排[安排，排列]；再整理。

réar-view mírror [ˋrɪrˌvju ~] *n.* Ⓒ(汽車的)後視鏡。

rear·ward [ˋrɪrwɚd] *adj.* 後面的；最末的；靠近末端的。**—** *adv.* (亦作 **rearwards**)向後面地。

‡**rea·son** [ˋrizn̩] *n.* ①ⓊⒸ理由；原因；動機。②Ⓤ理性；思考力；理智。***bring*** (***a person***) ***to*** ~ 使(某人)明事理；使服氣。***by ~ of*** 由於。***in*** ~ 合情理的。***listen to***[***hear***] ~ 聽從道理；合乎人情。***stand to*** ~ 得當；合道理。***with*** ~ 有理由。**—** *v.i.* 推論；推理。**—** *v.t.* ①說服；勸服。②使合邏輯。③依據理論想出。

***rea·son·a·ble** [ˋriznəbl] *adj.* ①知理的；通情達理的。②正當的；合理的。③不貴的；公道的。④有理性的。

rea·son·ing [ˋriznɪŋ] *n.* Ⓤ①推論的過程。②道理；論據；理由。

re·as·sem·ble [ˌriəˋsɛmbl] *v.t.* & *v.i.* 再集合；再聚集。

re·as·sert [ˌriəˋsɝt] *v.t.* 再主張；再斷言；再宣稱。

***re·as·sure** [ˌriəˋʃur] *v.t.* ①使恢復信心。②向…再保證。③給…再保險。—**re·as·sur'ing,** *adj.* —**re·as·sur'ance,** *n.*

re·bar·ba·tive [rɪˋbɑrbətɪv] *adj.* 煩人的；不討人喜歡的；可憎的。

re·bate [ˋribet] *n.* Ⓒ折扣；回扣；貼現。**—** *v.t.* 退還；給回扣；予以折扣；貼現。

***reb·el** [ˋrɛbl] *n.* Ⓒ & *adj.*叛徒(的)；謀反者(的)。**—**[rɪˋbɛl] *v.i.* (**-ll-**)①反叛；謀反。②厭惡；不從；生反感。

***re·bel·lion** [rɪˋbɛljən] *n.* ⓊⒸ①反叛；謀反。rise in ~造反。②反抗。

re·bel·lious [rɪˋbɛljəs] *adj.* ①謀反的；反叛的。②難治的；難處理的。

re·birth [riˋbɝθ] *n.* Ⓤ(又作 a ~)①再生；新生；重生。②復興；復活。

re·born [riˋbɔrn] *adj.*再生的。

***re·bound** [rɪˋbaund] *v.i.* 彈回；跳回。**—**[ˋriˌbaund, rɪˋbaund] *n.* Ⓒ①彈回；跳回。②〖籃球〗籃板球。

re·broad·cast [riˋbrɔdˌkæst] *n.* ①Ⓤ〖無線〗重播；轉播。②Ⓒ重播的節目。**—** *v.t.* & *v.i.* (**-cast** or **-cast·ed**)重播；轉播。

re·buff [rɪˋbʌf] *n.* Ⓒ & *v.t.* ①挫折；阻礙。②斷然拒絕。

re·build [riˋbɪld] *v.t.* (**-built**)重新組裝；重建；再造；翻修。

re·buke [rɪˋbjuk] *n.* ⓊⒸ & *v.t.* 指責；叱責；譴責。

re·bus [ˋribəs] *n.* Ⓒ謎；謎畫。

re·but [rɪˋbʌt] *v.t.* (**-tt-**)①舉證據以辯駁；反駁。②阻止。—**re·but'tal,** *n.*

rec. receipt; recipe; record; recorded; recorder.

re·cal·ci·trant [rɪˋkælsɪtrənt] *adj.* 頑抗的；固執的。**—** *n.* Ⓒ頑抗[固執]者；桀驁不馴的人。—**re·cal'ci·trance,** *n.*

***re·call** [rɪˋkɔl] *v.t.* ①記起。②召回。③挽回。④撤回；取消。**—**[ˋriˌkɔl, rɪˋkɔl] *n.* ①Ⓤ回憶；回想。②Ⓤ(又

作 a ～)召回。③(the ～)召回人、船等的訊號。④Ⓤ撤回；取消。⑤Ⓤ(又作 a ～)(由人民投票的)罷免。*beyond* [*past*]～ **a.** 不能召回或撤回的。**b.** 記不起的。

re·cant [rɪˋkænt] *v.t.* & *v.i.* 正式地公然撤回[取消](言論、意見、信仰等)。— **re·can·ta′tion,** *n.*

re·cap [ˋriˏkæp] *n.* Ⓒ翻新過的輪胎。**—**[riˋkæp] *v.t.* (**-pp-**) 翻新(輪胎)。

re·ca·pit·u·late [ˏrikəˋpɪtʃəˏlet] *v.t.* ①撮要說明；簡述要旨。②〖樂〗再現。③〖生物〗重演。

re·ca·pit·u·la·tion [ˏrikəˏpɪtʃəˋleʃən] *n.* ⓊⒸ①重述要點；撮要。②〖樂〗再現。③〖生物〗重演。

re·cap·ture [riˋkæptʃɚ] *v.t.* ①再捕獲；收復。②重溫。③依法徵收。**—** *n.* ①Ⓤ再捕獲；收復。②Ⓒ再獲得之物。③Ⓤ依法收回。

re·cast [riˋkæst] *v.t.* (**-cast**) ①重鑄。②重訂；改寫。③更換劇中角色。**—**[ˋriˏkæst] *n.* Ⓒ①再鑄；改作；再計算。②再鑄物。

re·cede[1] [rɪˋsid] *v.i.* ①後退。②向後傾斜。③退出；撤回；撤銷。④變模糊。⑤縮小；減退；降低。

re·cede[2] [ˏriˋsid] *v.t.* 返還；歸還。

***re·ceipt** [rɪˋsit] *n.* ①Ⓒ收據；收條。②(*pl.*)進款。③Ⓤ收到；領收。④Ⓒ收到物。⑤〖方〗=**recipe.** **—** *v.t.* 開收據。

re·ceiv·a·ble [rɪˋsivəbl̩]*adj* ①可接受的。②可收款的；應受支付的。**—** *n.* (*pl.*)應收帳款。

‡**re·ceive** [rɪˋsiv] *v.t.* ①收到；領收。②接受；領受。③裝載；支持；負擔；容納。④聽(告解)；同意聽取。⑤經歷；遭受。⑥款待；歡迎。⑦收容；收留。⑧容許；准予進入。**—** *v.i.* ①收到；領收；接受。②接見；會客。③〖無線〗接收；收受。

re·ceived [rɪˋsivd] *adj.*①一般承認的。②收訖的；收到的。

***re·ceiv·er** [rɪˋsivɚ] *n.* Ⓒ①收受者。②收話器；接收機；收信機。③(電話)聽筒。④〖法律〗(破產財團的)財產管理人。⑤〖商〗收款人。⑥贓物商。⑦容器。⑧〖棒球〗捕手。

re·ceiv·er·ship [rɪˋsivɚˏʃɪp] *n.* Ⓤ〖法律〗(破產財團)財產管理人的職務[任期]；財產管理人所做的管理。

re·ceiv·ing [rɪˋsivɪŋ] *adj.*收受的；收訊的。**—** *n.* Ⓤ①收受。②贓物。§～**blànket** 洗澡後包嬰兒之浴巾。

re·cen·cy [ˋrisn̩sɪ] *n.* Ⓤ新近；晚近。

‡**re·cent** [ˋrisn̩t] *adj.* ①最近的；近來的。②近代的。

‡**re·cent·ly** [ˋrisn̩tlɪ] *adv.* 近來；最近。

re·cep·ta·cle [rɪˋsɛptəkl̩] *n.* Ⓒ①容器。②〖植〗花托。③〖電〗插座。

***re·cep·tion** [rɪˋsɛpʃən] *n.* ①Ⓒ(常 *sing.*)接待；歡迎。②Ⓤ容納；收入。③Ⓒ歡迎之態度。④Ⓒ歡迎會。⑤Ⓤ收受；接受。⑥Ⓤ〖無線〗接收。§～**dèsk** 櫃檯。～**ròom** 會客室；客廳。

re·cep·tion·ist [rɪˋsɛpʃənɪst] *n.* Ⓒ接待員；(公司等)櫃臺人員。

re·cep·tive [rɪˋsɛptɪv] *adj.* 能接受的；能容納的。— **re·cep·tiv′i·ty,** *n.*

re·cep·tor [rɪˋsɛptɚ] *n.* Ⓒ①〖生理〗神經末梢；感受體。②=**receiver.**

***re·cess** [rɪˋsɛs, ˋrisɛs] *n.* ①ⓊⒸ休閒時間；休假期；休會期；休業期。②Ⓒ壁凹。③Ⓒ深幽處。**—**[rɪˋsɛs] *v.t.* ①置於隱密處；隱藏。②於…形成凹處；作凹處。**—** *v.i.* 休憩；休假。

re·ces·sion [rɪˋsɛʃən] *n.* ①Ⓤ退；引退。②Ⓒ(壁的)凹處。③Ⓒ〖經〗蕭條。

re·ces·sion·al [rɪˋsɛʃənəl] *n.* Ⓒ & *adj.* 禮拜結束後所唱之讚美歌(的)。

re·ces·sion·ar·y [rɪˋsɛʃənˏɛrɪ] *adj.* 經濟衰退的。

re·ces·sive [rɪˋsɛsɪv] *adj.* ①退後的；倒退的。②〖生物〗隱性的；潛性的。

re·charge [riˋtʃɑrdʒ] *v.t.* & *n.* ⓊⒸ再進攻；再裝塡(子彈)。

re·charge·a·ble [riˋtʃɑrdʒəbl̩] *adj.*(蓄電池)可再充電的。

***rec·i·pe** [ˋrɛsəpɪ, -ˏpi] *n.* Ⓒ①烹飪法；食譜。②製法；祕訣；祕法。③祕方。

re·cip·i·ent [rɪˋsɪpɪənt] *n.* Ⓒ接受者。**—** *adj.* 容納的；接受的；願領受的。

re·cip·ro·cal [rɪˋsɪprəkl̩] *adj.* ①交往的；互惠的。②相互的；交互的。③〖文法〗相互的。**—** *n.* Ⓒ〖數〗倒數。§～**tràde** 互惠通商。— **ly,** *adv.*

re·cip·ro·cate [rɪˋsɪprəˏket] *v.t.* & *v.i.* ①回報；報答；酬答。②〖機〗使往復運動。— **re·cip·ro·ca′tion,** *n.*

rec·i·proc·i·ty [ˏrɛsəˋprɑsətɪ] *n.* Ⓤ①相互的動作、依靠等。②互換；交易。③(兩國間商業上的)互惠。

***re·cit·al** [rɪˋsaɪtl̩] *n.* Ⓒ①述說；吟誦。②故事。③獨奏或獨唱(會)。

rec·i·ta·tion [ˏrɛsəˋteʃən] *n.* ①Ⓤ詳述。②Ⓤ(功課等之)背誦。③Ⓒ所背誦的篇章。

rec·i·ta·tive [ˏrɛsətəˋtiv] *n.* 〖樂〗①Ⓤ敍唱調。②Ⓒ敍唱部。

***re·cite** [rɪˋsaɪt] *v.t.* & *v.i.* ①背誦。②詳述。③朗讀(詩歌等)。— **re·cit′a·ble,** *adj.* — **re·cit′er,** *n.*

***reck·less** [ˋrɛklɪs] *adj.* 鹵莽的；不顧一切的。— **ly,** *adv.* — **ness,** *n.*

***reck·on** [ˋrɛkən] *v.t.* ①計算。②判斷；推定；公認。③〖俗〗認爲。**—** *v.i.* ①計算；算帳。②指望；盼望〔on, upon〕. ～ *in* 計及。～ *up* 計算。～ *with* **a.** 考慮到。**b.** 處理。— **er,** *n.*

reck·on·ing [ˋrɛkənɪŋ] *n.* ①Ⓤ計算。②Ⓤ算帳。③Ⓒ(尤指酒館等的)帳單。④Ⓤ船隻位置的推算。

re·claim [rɪˋklem] *v.t.* ①矯正；教化(野蠻人)。②開拓；墾殖；塡築。～*ed* land新生地；新墾地。③回收利用；再製。④馴服(野獸等)。⑤取回；要求(土地)的歸還。**—** *n.* Ⓤ①糾正；教化。②再要求。— **rec·la·ma′tion,** *n.*

re-claim [rɪˋklem]*v.t.*要求歸還；取回。

***re·cline** [rɪˋklaɪn] *v.t.* 斜倚；橫臥；憑依。**—** *v.i.*斜倚；橫臥〔on,upon,against〕.

rec·luse [ˋrɛklus, rɪˋklus] *n.* Ⓒ遁世者；隱士。**—**[rɪˋklus] *adj.* 遁世的；隱居的。

re·clu·sive [rɪ\`klusɪv] *adj.* 蟄居的；隱居的；隱遁的。

***rec·og·ni·tion** [ˌrɛkəg\`nɪʃən] *n.* ①Ⓤ認識；認出；識別。②Ⓤ承認；認可。③Ⓤ招呼；致意。④Ⓤ(又作 a ～)讚譽。§ ～ **sìgnal**〖軍〗識別訊號。

re·cog·ni·zance [rɪ\`kɑgnɪzəns] *n.* Ⓒ (常 *pl.*)〖法律〗①保證書；具結(書)。②保證金。

‡**rec·og·nize** [\`rɛkəgˌnaɪz] *v.t.* ①認識；認得。②認出；辨認。③承認；認可。④招呼；理睬。⑤(在會議中)予以發言權。⑥感激；讚揚；表揚。—**rec′og·niz·a·ble,** *adj.*

***re·coil** [rɪ\`kɔɪl] *v.i.* ①退卻；退縮。②彈回；跳回。③報應；回報。④〖理〗反衝。—*n.* Ⓤ (又作 a ～) ①退卻；退縮。②彈回；跳回。③報應；回報。—**less,** *adj.*

***rec·ol·lect** [ˌrɛkə\`lɛkt] *v.t.* & *v.i.* ①回顧；憶起。②(禱告時)沉思。

re-col·lect [ˌrikə\`lɛkt] *v.t.* ①再收集。②鼓起(勇氣)；集中(心思)。③恢復(冷靜)。～ *oneself* 恢復頭腦冷靜。

***rec·ol·lec·tion** [ˌrɛkə\`lɛkʃən] *n.* ①Ⓤ(又作 a～)回顧；記憶力。②Ⓒ(常 *pl.*)回憶；記憶。

***rec·om·mend** [ˌrɛkə\`mɛnd] *v.t.* ①推薦；薦舉。②勸告。③使得人歡心。④託交；託付。—**a·ble,** *adj.*

***rec·om·men·da·tion** [ˌrɛkəmɛn\`deʃən] *n.* ①Ⓤ推薦；薦舉。②Ⓒ推薦書；介紹信。③ⓊⒸ勸告；讚譽之言。④Ⓒ可取之處。

re·com·mit [ˌrikə\`mɪt] *v.t.* (-tt-) ①再委託。②將(議案等)再交付委員會。③再投獄。④再犯。—**ment,** —**tal,** *n.*

***rec·om·pense** [\`rɛkəmˌpɛns] *v.t.* ①償還；報答；報酬。②補償；賠償。—*n.* Ⓤ (又作 a ～)①酬金；報酬；償還金。②賠償；補償金。

re·com·pose [ˌrikəm\`poz] *v.t.*①重新組織；改組。②〖印刷〗重排。③改作(樂曲、詩文等)。

rec·on·cil·a·ble [\`rɛkənˌsaɪləbl̩] *adj.*①可調停的；有和解希望的；可復交的。②調諧一致的。

***rec·on·cile** [\`rɛkənˌsaɪl] *v.t.* ①使復交；使和解。②調停(口角等)。③使一致。④使甘心；使安於。

rec·on·cil·i·a·tion [ˌrɛkənˌsɪlɪ\`eʃən] *n.* Ⓤ (又作 a ～)①復交；修好。②調停；調和。

rec·on·dite [\`rɛkənˌdaɪt] *adj.* ①難解的；深奧的。②默默無聞的；隱藏的。

re·con·di·tion [ˌrikən\`dɪʃən] *v.t.* 重建；整理；修復。

re·con·nais·sance [rɪ\`kɑnəsəns] *n.* ⓊⒸ①〖軍〗偵察；搜索。②勘查。

rec·on·noi·ter, 〖英〗 **-tre** [ˌrikə\`nɔɪtɚ, ˌrɛkə-] *v.t.* ①〖軍〗偵察(敵情)。②勘測(地形、地勢)；勘查(地區)。

re·con·sid·er [ˌrikən\`sɪdɚ] *v.t.* & *v.i.* ①再考慮；再斟酌。②(會議中)覆議。—**re·con·sid·er·a′tion,** *n.*

re·con·sti·tute [ri\`kɑnstəˌtjut] *v.t.* ①改組；改編。②再任命；再選定。③再設立。④重制定。⑤使還原；使成原狀。

***re·con·struct** [ˌrikən\`strʌkt] *v.t.* 重建；改造。—**re·con·struc′tive,** *adj.*

***re·con·struc·tion** [ˌrikən\`strʌkʃən] *n.* ①Ⓤ重建；改造。②Ⓒ重建物；改建物。

re·con·ver·sion [ˌrikən\`vɝʃən] *n.* ⓊⒸ①重新皈依。②再轉變。③復黨；歸隊。④(工業由戰時狀態重回平時狀態的)恢復(期)。

‡**re·cord** [rɪ\`kɔrd] *v.t.* ①記錄。②記載。③將…錄下。④顯出；表示。—(**rec·ord** [\`rɛkɚd]) *n.* ①Ⓤ記錄。②Ⓒ官方記載；案卷。③Ⓒ唱片。④Ⓒ履歷。⑤Ⓒ〖美〗犯罪記錄；前科。⑥Ⓒ比賽記錄。***break*** [***beat***] ***the*** ～ 打破記錄。***go on*** ～ 公開聲明。***off the*** ～ 不可以公開的。***on*** ～ 有案可稽的。—*adj.* 創記錄的。§ ～ **chànger** (音響唱盤的)自動換唱片裝置。～**ed delívery**〖英〗掛號郵遞(=〖美〗certified mail). ～ **lìbrary**唱片圖書館。～ **plàyer** 唱機；電唱機。

rec·ord-break·ing [\`rɛkɚdˌbrekɪŋ] *n.* Ⓤ & *adj.* 打破記錄(的)。

re·cord·er [rɪ\`kɔrdɚ] *n.* Ⓒ ①記錄員；書記員。②記錄器；錄音機。

rec·ord-hold·er [\`rɛkɚdˌholdɚ] *n.* Ⓒ保持最高記錄者；記錄保持者。(亦作 **record holder**)

***re·cord·ing** [rɪ\`kɔrdɪŋ] *n.* ①ⓊⒸ記錄；錄影；錄音。②Ⓒ被記錄的東西；錄製品。—*adj.* 記錄的。

re·count [rɪ\`kaunt] *v.t.* ①詳述；描述。②依次列舉。

re-count [ˌri\`kaunt] *v.t.* 覆算；重數。—[\`riˌkaunt, ri\`kaunt] *n.* Ⓒ覆算；覆算票數。

re·coup [rɪ\`kup] *v.t.* ①取得補償；彌補。②付還。—*v.i.* 獲得補償。

re·course [\`rikors] *n.* ①Ⓤ求助；請求保護。②Ⓒ賴以保護之人或物。

‡**re·cov·er** [rɪ\`kʌvɚ] *v.t.* ①尋回；復得；恢復。②補償；補救。③使復元；使痊癒；使清醒。—*v.i.* ①痊癒；復元 [from, of]. ②〖法律〗勝訴。

re-cov·er [ˌri\`kʌvɚ] *v.t.* 再覆蓋；換新面。

***re·cov·er·y** [rɪ\`kʌvərɪ] *n.* ①Ⓤ恢復；尋回；復得。②Ⓤ(又作 a ～)痊癒；復元。③ⓊⒸ〖法律〗收回某項權益。§ ～ **ròom**(醫院的)恢復室。

rec·re·ant [\`rɛkrɪənt] *adj.* ①怯懦的；卑劣的。②叛逆的。—*n.* Ⓒ①懦夫；膽小鬼。②叛徒；賣國賊。

rec·re·ate [\`rɛkrɪˌet] *v.t.* 調劑…的身心。—*v.i.* 消遣。

re-cre·ate [ˌrikrɪ\`et] *v.t.*重新創造；改造；重做；使…再現。

***rec·re·a·tion** [ˌrɛkrɪ\`eʃən] *n.* ⓊⒸ消遣；娛樂；休養。§ ～ **ròom** 娛樂室；康樂室。

rec·re·a·tion·al [ˌrɛkrɪ\`eʃənl̩] *adj.* 娛樂的；休養的；消遣的。§ ～ **vèhicle** 休閒車。

re·crim·i·nate [rɪ\`krɪməˌnet] *v.i.* 反控；反責；反唇相譏。—**re·crim·i-**

na′tion, *n.*
re·cru·desce [ˌrikru`dɛs] *v.i.*(疼痛、疾病、憤怒等)再發作; 復發。
re·cru·des·cence [ˌrikru`dɛsn̩s] *n.* Ⓒ (病、瘡等)復發; 再發。
***re·cruit** [rɪ`krut] *n.* Ⓒ ①新兵。②新會員。**—** *v.t.* ①使入伍; 招募。②吸收(新分子)。③恢復。④補充。**—** *v.i.* ①招募新兵。②養病。③休養。
re·cruit·ment [rɪ`krutmənt] *n.* Ⓤ 補充; 招募。
rect. receipt; rectified; rector; rectory.
rec·tal [`rɛktl] *adj.* 直腸的; 近直腸的。—**ly,** *adv.*
rec·tan·gle [`rɛktæŋgl] *n.* Ⓒ 長方形; 矩形。—**rec·tan·gu·lar** [rɛk`tæŋgjələ], *adj.*
rec·ti·fy [`rɛktəˌfaɪ] *v.t.* ①糾正; 改正; 矯正。②精鍊。③〖電〗整流。—**rec·ti·fi·ca′tion, rec′ti·fi·er,** *n.*
rec·ti·tude [`rɛktəˌtjud] *n.* Ⓤ ①誠實; 正直。②(判斷或方法的)正確。
rec·tor [`rɛktə] *n.* Ⓒ ①教區長; 教區牧師。②(某些學校之)校長。—**ship,** *n.*
rec·to·ry [`rɛktərɪ] *n.* Ⓒ ①聖公會牧師之住宅。②〖英〗教區之牧師的俸祿或住宅。—**rec·to′ri·al,** *adj.*
rec·tum [`rɛktəm] *n.* Ⓒ (*pl.* **~s, -ta** [-tə])〖解〗直腸。
re·cum·bent [rɪ`kʌmbənt] *adj.* ①橫臥的; 斜靠的。②休息著的; 不活動的。—**re·cum′ben·cy,** *n.*
re·cu·per·ate [rɪ`kjupəˌret] *v.i.* & *v.t.* ①(使)復原; 恢復(健康); 休養。②(從損失中)挽回。—**re·cu·per·a′tion,** *n.* —**re·cu′per·a·tive,** *adj.*
***re·cur** [rɪ`kɜ] *v.i.*(**-rr-**)①重現; 再發生。②再回到〔to〕. ③訴諸〔to〕.
re·cur·rent [rɪ`kɜənt] *adj.* ①再現的; 再發的; 回歸性的。②周期性的; 反覆的。—**re·cur′rence,** *n.*
re·cy·cle [ri`saɪkl̩] *v.t.* 循環利用; 再使用。—**re·cy′cla·ble,** *adj.*
‡**red** [rɛd] *n.* ① ⓊⒸ 紅色。② ⓊⒸ 紅色顏料。③ ⓊⒸ 紅布; 紅衣。④ Ⓒ (常 R-)激進分子; 共產黨員。⑤ (the ~)赤字; 虧空; 負債。*in the ~* 〖俚〗賠本; 欠債。*see ~* 〖俚〗火冒三丈; 憤怒欲狂。**—** *adj.*(**-dd-**)①紅的。②紅腫的; 發炎的。③羞紅的; 紅臉的。④(R-)極端急進的; 共產黨的。§ **~ alért** (防空)緊急警報; 緊急狀態。**~ blóod cèll** 紅血球。**~ cárpet** (1)迎接貴賓用的紅地毯。(2)隆重的接待。**~ córpuscle** 紅血球。**R~ Cróss** 紅十字會。**~ cúrrant** 〖植〗紅醋栗。**~ dèer** 〖動〗赤鹿。**~ fóx** 〖動〗紅狐。**~ gíant** 〖天〗紅巨星(表面溫度低而顏色帶紅的巨大恆星)。**~ héat** 極度興奮; 激怒。**~ hérring** 燻青魚; 分散他人注意之物。**R~ Índian** 美國印第安人; 北美土人。**~ ínk** (1)紅墨水。(2)〖俚〗虧損。**~ léad** 丹鉛。***~ líght** (1)危險信號。(2)(使車輛停止行駛的)紅燈。**~ màn**＝Red Indian. **~ mèat** 紅肉(牛肉、羊肉等)。**~ múllet** 〖魚〗鯡鯉。**~ ócher** 赭色赤鐵礦; 代赭石。**~ pépper** 〖植〗紅辣椒。**R~ Ríver** 紅河(源自美國德州西北部, 注入密西西比河)。**R~ Séa** 紅海(阿拉伯半島與非洲大陸之間的狹海)。**~ tápe** (繫公文的)紅帶子; 官僚作風; 繁文縟節。**~ tíde** 紅潮。**~ wíne** 紅葡萄酒。—**ness,** *n.*
re·dact [rɪ`dækt] *v.t.* ①編纂; 編輯; 修訂。②草擬。
red-bait [`rɛdˌbet] *v.t.* & *v.i.* 抨擊(某人或某團體)為共產黨分子。
red-bait·er [`rɛdˌbetə] *n.* Ⓒ 指斥他人為共產黨的人。
red·bird [`rɛdˌbɜd] *n.* Ⓒ〖鳥〗紅雀。
red-blood·ed [`rɛd`blʌdɪd] *adj.* ①血氣方剛的; (人)活潑有力的。②充滿動作的; (小說等)充滿緊張情節的。
red·breast [`rɛdˌbrɛst] *n.* Ⓒ 知更鳥。(亦作 **robin redbreast**)
red·brick [`rɛdˌbrɪk]〖英〗*adj.* (大學)於近代設立的。**—** *n.* Ⓒ (常 R-)近代大學。
red·bud [`rɛdˌbʌd] *n.* Ⓒ〖植〗紫荊。
red·cap [`rɛdˌkæp] *n.* Ⓒ ①車站搬運工。②〖鳥〗歐洲產的金翅雀。③〖英俚〗憲兵。
red·coat [`rɛdˌkot] *n.* Ⓒ (美國獨立戰爭時期的)英國兵。
red·den [`rɛdn̩] *v.t.* & *v.i.* ①使紅; 變紅。②使面紅; 赧顏。
red·dish [`rɛdɪʃ] *adj.* 微紅色的; 帶紅色的。
re·dec·o·rate [ri`dɛkəˌret] *v.t.* & *v.i.* 重新裝潢; 再裝修。
re·deem [rɪ`dim] *v.t.* ①買回(已賣之物); 收回。②贖回。③踐諾; 履行。④贖出; 救贖。⑤補償; 補救。⑥換(紙幣)成硬幣。—**a·ble,** *adj.*
re·deem·er [rɪ`dimə] *n.* ① Ⓒ 買回者; 贖回者。② Ⓒ 拯救者; 贖罪者。③ (the R-)救世主; 耶穌。
re·demp·tion [rɪ`dɛmpʃən] *n.* ① Ⓤ 買回; 贖回; 償還。② Ⓤ 救贖; 贖罪。③ Ⓤ (承諾、義務等的)履行; 實踐。④ Ⓒ 買回物; 贖回物; 補償之物。
re·de·ploy [ˌridɪ`plɔɪ] *v.t.* 將(軍隊等)調防; 重新部署。—**ment,** *n.*
red-hand·ed [`rɛd`hændɪd] *adj.* ①血手淋淋的; 殘忍的。②正在作案的。
red·head [`rɛdˌhɛd] *n.* Ⓒ ①紅髮的人。②北美產的紅頭潛鴨。
red-hot [`rɛd`hɑt] *adj.* ①赤熱的; 熾熱的。②十分熱心的; 激昂的; 激烈的。③(新聞等)最新的。
red·in·te·grate [rɪ`dɪntəˌgret, rɛd`ɪn-] *v.t.* 使再完整; 使再完善; 重建; 使更新。—**red·in·te·gra′tion,** *n.*
re·di·rect [ˌridə`rɛkt] *v.t.* 更改(信件)地址。**—** *adj.*〖法律〗對(證人)再直接詢問的。
re·dis·cov·er [ˌridɪ`skʌvə] *v.t.* 再發現。
re·dis·trib·ute [ˌridɪ`strɪbjut] *v.t.* 再分配; 再分發; 再分送。—**re·dis·tri·bu′tion,** *n.*
re·dis·trict [ri`dɪstrɪkt] *v.t.* 將…再分區(尤指選舉區)。
red-let·ter [`rɛd`lɛtə] *adj.* ①標有紅字的。②值得紀念的; 特別快樂的。

§ ∼ dày ⑴聖徒的節日。⑵喜慶日。

réd-líght dístrict [ˋrɛdˈlaɪt ∼] *n.* Ⓒ〖美〗紅燈區；風化區；花街柳巷。

red·neck [ˋrɛdˌnɛk] *n.* Ⓒ〖美俚〗美國南部未受教育的白種勞工。— *adj.* 褊狹的；保守的；偏頗的。

re·do [riˋdu] *v.t.* (**re·did, re·done**) 再作；重新修理。

red·o·lent [ˋrɛdlənt] *adj.* ①香的；芬芳的。②有強烈氣味的〔常 of〕。③有某種意味的；使人聯想到某事的〔常 of〕。— **red'o·lence,** *n.* — **ly,** *adv.*

re·dou·ble [riˋdʌbl] *v.t.* ①使再加倍；使大大增加。②重述或重作。③使(聲音)折回。— *v.i.* ①再加倍；激增。②發回聲。

re·doubt [rɪˋdaʊt] *n.* Ⓒ〖兵學〗內堡；稜堡；多面堡。

re·doubt·a·ble [rɪˋdaʊtəbl̩] *adj.* ①可畏的；厲害的。②令人起敬的。— **re·doubt'a·bly,** *adv.*

re·dound [rɪˋdaʊnd] *v.i.* ①有助於；增加；提高。②報應於；歸返於。

re·dress [rɪˋdrɛs] *v.t.* ①糾正；改正；重新修理。②矯正；匡正；補救。③補償。④恢復(平衡)。— [ˋridrɛs, rɪˋdrɛs] *n.* Ⓤ①補償。②糾正；改正。

red·start [ˋrɛdˌstɑrt] *n.* Ⓒ〖鳥〗紅尾鴝(歐洲產的尾部紅褐色的小鳥)。

red·tap·ism [ˌrɛdˋtepɪzəm] *n.* Ⓤ官樣文章；繁瑣手續；官僚作風。(亦作 **red-tapery**)

*__re·duce__ [rɪˋdjus] *v.t.* ①減少；減縮；降低。②將…貶爲；使賤；使陷於。③使變形；分解；使簡化。④征服。⑤〖醫〗使(折骨)復位。⑥〖化〗使還原。⑦減價。⑧沖淡。⑨以水將酒中之酒精沖淡。— *v.i.* ①節食以減肥。②減少。— **re·duc'er,** *n.* — **re·duc'i·ble, re·duced'** [∼t], *adj.*

*__re·duc·tion__ [rɪˋdʌkʃən] *n.* ⓊⒸ ①減少；減縮；減低。②減少或降低的數量。③地圖照相等之縮版。④變形。⑤〖化〗還原。

re·duc·tive [rɪˋdʌktɪv] *adj.* ①減縮的；縮小的。②還原的。— *n.* Ⓒ還原劑。

re·dun·dant [rɪˋdʌndənt] *adj.* 過多的；冗贅的；多餘的。— **ly,** *adv.* — **re·dun'dance, re·dun'dan·cy,** *n.*

re·du·pli·cate [rɪˋdjupləˌket] *v.t.* 使加倍；重複。— [rɪˋdjupləkɪt] *adj.* 加倍的；雙重的；反覆的。— **re·du·pli·ca'tion,** *n.*

red·wing [ˋrɛdˌwɪŋ] *n.* Ⓒ〖鳥〗紅翼鶇。

red·wood [ˋrɛdˌwʊd] *n.* ①Ⓒ美國加州產之杉樹。②Ⓤ紅色木材。

re·ech·o, re·ëch·o [riˋɛko] *v.t.* & *v.i.* (使)回響；(使)再回響。— *n.* Ⓒ (*pl.* ∼**es**) 反復的回聲。(亦作 **reëcho**)

*__reed__ [rid] *n.* ① Ⓒ 蘆葦；蘆葦桿。② Ⓒ 蘆桿製品；似蘆桿的東西。③ Ⓒ (常 *pl.*) (樂器之) 簧；蘆笛。④ (*pl.*) 做屋頂用的茅草。⑤Ⓒ〖詩〗矢；箭。***a broken*** ∼ 懦弱得不能依賴的人或物。***the*** ∼***s*** 管絃樂隊中的簧樂器。§ ∼ **òrgan** 簧風琴；脚踏式風琴。∼ **pìpe** ⑴蘆笛；牧笛。⑵(管風琴的)簧管。∼ **stòp**〖樂〗簧管音栓。— **like,** *adj.*

re·ed·u·cate [riˋɛdʒəˌket] *v.t.* 再教育；重新教育。

reed·y [ˋridɪ] *adj.* ①多蘆葦的。②蘆葦做的。③細長的；像蘆葦的。④像簧樂器發出的；聲音尖的。

reef[1] [rif] *n.* Ⓒ①暗礁。②礦脈。

reef[2] *n.* Ⓒ縮帆部。— *v.t.* ①縮(帆)；收(帆)。②降低(中檣、斜檣等)。§ ∼ **knòt** 方結。

reef·er [ˋrifɚ] *n.* Ⓒ①縮帆者。②雙排鈕厚呢短夾克。

reek [rik] *n.* Ⓤ (又作 a ∼)①水蒸氣；濕氣。②強烈的氣味；臭味。— *v.i.* ①發出水汽；冒煙。②發出強烈臭氣。— **reek'y,** *adj.*

*__reel__[1] [ril] *n.* Ⓒ①紡車；繞線機。②線軸；捲線筒。③捲在軸上的東西(如一軸線)。④一捲電影片。***(right) off the*** ∼ **a.** 流利的。**b.** 立刻。— *v.t.* ①繞(線軸)〔in〕。②抽(線軸)〔out〕。③捲收〔in〕。

reel[2] *v.i.* ①站立不穩；搖晃。②撤退。③蹣跚而行；搖搖欲墜。④暈眩。⑤搖擺；擺盪；旋轉。— *v.t.* ①使眩暈；使動搖。②蹣跚走過(街道)。

re-e·lect [ˌriəˋlɛkt] *v.t.* 重選；再選。— **re-e·lec'tion,** *n.*

re-en·act, re·ën·act [ˌriɪnˋækt] *v.t.* ①再制定(法律)；再頒布(法令)。②再次扮演[演出]。③再次展現。

re·en·ter [riˋɛntɚ] *v.t.* & *v.i.* ①再進入；再加入。②再記入；再登記。

re-en·try, re·ën·try [riˋɛntrɪ] *n.* ⓊⒸ ①再進入。②〖法律〗回復土地所有權。③〖橋牌〗奪得一磴並奪回出牌權之牌。④(火箭、太空船等)重返大氣層。(亦作 **reëntry**)

re-es·tab·lish [ˌriəˋstæblɪʃ] *v.t.* ①使復位；使復職；恢復。②再建；使重新定居。— **ment,** *n.*

reeve [riv] *n.* Ⓒ ①〖英史〗鄉、鎮、區長。②〖加〗(鄉、鎮議會的)議長。

re-ex·am·ine [ˌriɪgˋzæmɪn] *v.t.* 檢查[審查]；覆問(證人)。— **re-ex·am·i·na'tion,** *n.*

ref [rɛf] *n.* Ⓒ & *v.t.* & *v.i.* (**-ff-**)〖俚〗裁判(爲 referee 之略)。

re·fec·to·ry [rɪˋfɛktərɪ] *n.* Ⓒ (修道院及學校等的)餐廳；膳廳。

*__re·fer__ [rɪˋfɝ] *v.t.* (**-rr-**)①使…去查詢[參考]。②使…求助於。③把…提交[委託]處理。④把…歸類[歸屬，歸因，歸諉]。— *v.i.* 〔to〕①指；表示。②談到；引用。③查詢；參考；查閱；借助。④有關聯；適用。

*__ref·er·ee__ [ˌrɛfəˋri] *n.* Ⓒ ①裁判員。②仲裁者；公斷人。— *v.t.* & *v.i.* 當(…的)裁判；仲裁。

*__ref·er·ence__ [ˋrɛfərəns] *n.* ① Ⓒ 指示；查照。② Ⓒ 附註；旁註。③ ⓊⒸ 參考；查閱；查詢。④ Ⓒ (品性、能力等的)證明人；保證人。⑤ Ⓒ (對品性、能力等之)證明書；介紹信。⑥ ⓊⒸ 言及；提及。⑦ Ⓤ 關聯。***cross*** ∼ 一書內之前後參照。***in[with]*** ∼ ***to*** 關於。***make*** ∼ ***to*** 參考；提及；提到。***with-***

out ~ *to* 不顧；不管。§ ~ **Bíble** 有附註的聖經。~ **bòok** 參考書(如百科全書、地圖、年鑑等)。~ **lìbrary** 參考圖書館(藏書不准外借)。

ref·er·en·dum [ˌrɛfəˋrɛndəm] *n.* Ⓒ (*pl.* ~**s, -da** [-də]) (關於政策的)公民投票；人民複決(權)。

re·fer·ral [rɪˋfɜəl] *n.* ①ⓊⒸ參照；查照；推薦；介紹；交付。②Ⓒ被推薦者。§ ~ **fée** 介紹費。

re·fill [riˋfɪl] *v.t.* 再注滿。—[ˋriˌfɪl] *n.* Ⓒ①再填滿。②再裝填(之物)。

re·fi·nance [ˌrifəˋnæns, riˋfaɪnæns] *v.t.* 對…再供給資金。

***re·fine** [rɪˋfaɪn] *v.t.* ①淨化；精煉；精製。②使精美；使文雅。③使精確。—*v.i.* ①變純。②變精美。③改善；改進〔on, upon〕。

***re·fined** [rɪˋfaɪnd] *adj.* ①精煉的；精製的。~ sugar 精製糖。②文雅的；高尚的。③精確的。④精微的。

re·fine·ment [rɪˋfaɪnmənt] *n.* ①Ⓤ文雅；高尚；精美。②Ⓤ(舉止，說話)有教養。③Ⓤ精煉；精製；精細改進。④Ⓒ精密；巧妙；精微的區別。⑤Ⓒ精製之物；改良之物；巧妙之物。

re·fin·er [rɪˋfaɪnɚ] *n.* Ⓒ①精製者；精煉者。②精製機。

re·fin·er·y [rɪˋfaɪnərɪ] *n.* Ⓒ 精製廠；煉製廠；精煉設施。

re·fin·ish [riˋfɪnɪʃ] *v.t.* 再修飾；再磨光；修整(木頭、金屬物的)表面。

re·fit [riˋfɪt] *v.t.* & *v.i.* (**-tt-**)①整修；修繕。②改裝；重新裝備。—*n.* Ⓒ①整修；修復。②船隻的改裝。—**ment,** *n.*

re·flate [rɪˋflet] *v.t.* & *v.i.* (使)(通貨)再膨脹。—**re·fla′tion,** *n.*

***re·flect** [rɪˋflɛkt] *v.t.* ①反射。②反映(形像)。③反映(意見、思想等)；表達。④招致。—*v.i.* ①反映。②考慮。③歸咎〔on〕。—**re·flec′tive,** *adj.*

***re·flec·tion** [rɪˋflɛkʃən] *n.* ①Ⓤ反射；反射作用。②Ⓤ反射光；反射熱；反射色。③Ⓒ映像；影像。④Ⓤ內省；考慮。⑤Ⓒ意見；感想；評論。⑥Ⓒ損及名譽的言行；非難。⑦Ⓒ咎責；不名譽。⑧Ⓒ〖解〗反折；回反。

re·flec·tor [rɪˋflɛktɚ] *n.* Ⓒ①反射者；表達意見者。②反射望遠鏡。③反射器；反光鏡。

re·flex [ˋriflɛks] *adj.* ①不自主的。②反射(作用)的。③反省的。④回復的。⑤反折的。—*n.* Ⓒ①反射作用。②反映；反照。③酷似之物；翻版。④反射之事物(如光線等)。§ ~ **árc** 〖心〗反射弧。~ **càmera** 反射式照相機。

re·flex·ion [rɪˋflɛkʃən] *n.* 〖英〗= **reflection.**

re·flex·ive [rɪˋflɛksɪv] 〖文法〗*adj.* 反身的。—*n.* Ⓒ反身動詞；反身代名詞。—**ly,** *adv.*

re·flex·ol·o·gy [ˌriflɛkˋsɑlədʒɪ] *n.* Ⓤ反射學。

re·flux [ˋriˌflʌks] *n.* Ⓤ逆流；退潮。

re·for·est [riˋfɔrɪst] *v.t.* 再造林於。

***re·form** [rɪˋfɔrm] *v.t.* & *v.i.* 改造；改進；改革；改過自新。—*n.* ⓊⒸ①改善；改進；改革。②思想、行爲等的改進。—**a·ble,** *adj.*

re-form [ˌriˋfɔrm] *v.t.* & *v.i.* ①再形成；再組成；再作。②重新編(軍隊)。

ref·or·ma·tion [ˌrɛfɚˋmeʃən] *n.* ①ⓊⒸ改革；革新；改良。②(the R-)(十六世紀歐洲的)宗教改革。—**al,** *adj.*

re·form·a·to·ry [rɪˋfɔrməˌtorɪ] *adj.* (亦作 **reformative**)①改革的；革新的。②感化的。—*n.* Ⓒ (亦作**reform school**)少年感化院。

re·form·er [rɪˋfɔrmɚ] *n.* Ⓒ①改革者。②(R-)宗教改革家。

re·fract [rɪˋfrækt] *v.t.* 使(光)屈折；使折射。—**re·frac′tion,** *n.*

re·frac·tive [rɪˋfæktɪv] *adj.*①折射(光線等)的；有折光力的。②屈折的；因折射而引起的。the ~ index 折射率。

re·frac·tor [rɪˋfræktɚ] *n.* Ⓒ①折光物(如透鏡等)。②折射望遠鏡。

re·frac·to·ry [rɪˋfræktərɪ] *adj.* ①難駕馭的；倔強的；固執的。②難治療的。③難鎔化的；難處理的；耐高溫的。—*n.* ①Ⓒ耐火物。②(*pl.*)火爐內用的耐火磚。

***re·frain**[1] [rɪˋfren] *v.i.* & *v.t.* 抑制；忍住；克制；禁止〔from〕。

re·frain[2] *n.* Ⓒ ①詩歌中的重疊句。②口頭禪。

***re·fresh** [rɪˋfrɛʃ] *v.t.* ①使恢復清爽；使消除疲勞；使振作精神。②恢復(記憶)；補充；補足。③使再新鮮。④使恢復原狀。—*v.i.* ①提神；恢復精神[清爽]。②飲用飲料提神；吃點心提神。③補充給養[活力]。

re·fresh·er [rɪˋfrɛʃɚ] *adj.* 複習的；進修的。—*n.* Ⓒ清涼劑；酒。

***re·fresh·ing** [rɪˋfrɛʃɪŋ] *adj.* 令人身心爽快的；提神的。—**ly,** *adv.*

***re·fresh·ment** [rɪˋfrɛʃmənt] *n.* ①Ⓤ爽快；心曠神怡。②Ⓤ (又作 a ~) 提神之事物。③(*pl.*)點心。

re·frig·er·ant [rɪˋfrɪdʒərənt] *n.* Ⓒ①冷凍劑。②退熱劑；清涼劑。—*adj.* ①冷卻的。②降低體溫或解熱的。

re·frig·er·ate [rɪˋfrɪdʒəˌret] *v.t.* 使冷卻；使清涼。—**re·frig·er·a′tion,** *n.*

***re·frig·er·a·tor** [rɪˋfrɪdʒəˌretɚ] *n.* Ⓒ冰箱。§ ~ **càr** 冷藏車。

re·fu·el [riˋfjuəl] *v.t.* & *v.i.* (**-l-,** 〖英〗**-ll-**)再加燃料。

ref·uge [ˋrɛfjudʒ] *n.* ①Ⓤ避難；庇護。②Ⓒ避難所；避難處。③Ⓒ慰藉(物)。④Ⓒ〖英〗(馬路上的)安全島。

***ref·u·gee** [ˌrɛfjʊˋdʒi] *n.* Ⓒ避難者；逃難者；難民。

re·ful·gent [rɪˋfʌldʒənt] *adj.* 光輝的；燦爛的。—**re·ful′gence,** *n.*

re·fund [rɪˋfʌnd] *v.t.* & *v.i.* 償付；償還；退還。—[ˋriˌfʌnd] *n.* ⓊⒸ退款；退還之款。—**ment,** *n.*

re·fur·bish [riˋfɜbɪʃ] *v.t.* 整修；刷新。

***re·fus·al** [rɪˋfjuzl̩] *n.* ①ⓊⒸ拒絕；推辭。②Ⓤ (the ~)取捨權；選擇的自由；先買權。*take no* ~ 不容推辭。

‡**re·fuse**[1] [rɪˋfjuz] *v.t.* & *v.i.* ①拒絕；推辭。②不願；不肯。

ref·use² [ˋrɛfjus] *n.* Ⓤ 廢物；垃圾；渣滓。— *adj.* 廢棄的；無價值的。

re·fute [rɪˋfjut] *v.t.* 反駁；駁斥。 — **re·fut′a·ble,** *adj.* — **ref·u·ta·tion** [ˌrɛfjuˋteʃən], *n.*

reg. regent; regiment; region; register; registered; registrar; registry; regular; regularly; regulation; regulator.

***re·gain** [rɪˋgen] *v.t.* ①復得；恢復。②重回；復至。

re·gal [ˋrigl] *adj.* ①帝王的。②帝王氣派的。

re·gale [rɪˋgel] *v.t.* ①款以盛饌；款待。②使喜悅。— *v.i.* 享用盛餐〔on〕。— *n.* Ⓤ盛宴。— **ment,** *n.*

re·ga·li·a [rɪˋgelɪə] *n. pl.* ①王權；王權的標識。②任何團體之任何標識。

‡**re·gard** [rɪˋgard] *v.t.* ①視爲；看待。②尊敬；敬重。③注視；熟視。④與…有關；涉及。⑤注意。⑥考慮。— *v.i.* ①注意。②注視。***as ~s*** 至於。— *n.* ① Ⓤ 考慮；關心。② Ⓒ 注視；熟視。③ Ⓤ 尊敬；敬重；好感。④(*pl.*)問候。⑤Ⓤ關係。⑥Ⓒ方面；點。***in*** [***with***] ***~ to*** 關於。***in this ~*** 關於此點。

re·gard·ful [rɪˋgardfəl] *adj.* ①注意的〔常 of〕. ②恭敬的；表示尊敬的〔for〕.

***re·gard·ing** [rɪˋgardɪŋ] *prep.* 關於。

re·gard·less [rɪˋgardlɪs] *adj.* 不顧的；不拘的〔of〕. — *adv.* ①不顧後果地。②不管怎樣。

re·gat·ta [rɪˋgætə] *n.* Ⓒ賽船(會)。

re·gen·cy [ˋridʒənsɪ] *n.* ① Ⓤ 攝政政治；攝政職位。②Ⓒ攝政期間。

re·gen·er·ate [rɪˋdʒɛnəˌret] *v.t.* ①使重獲新生；使改過自新。②重生。— *v.i.* ①精神更生。②重生；再生。—[rɪˋdʒɛnərɪt] *adj.* ①精神重生的。②改造[革新]過的。— **re·gen′er·a·cy, re·gen·er·a′tion,** *n.* — **re·gen′er·a·tive,** *adj.*

***re·gent** [ˋridʒənt] *n.* Ⓒ①攝政者。②〖美〗(大學的)董事；管理組長。③〖古〗統治者。— *adj.* ①攝政的。②〖美〗董事的。③〖古〗統治的。§ **R~ Strèet** 攝政街(位於倫敦西區的高級商店街)。 — **ship,** *n.*

reg·gae [ˋrɛge] *n.* Ⓤ 雷鬼(起源於西印度群島民俗音樂之搖滾樂)。

reg·i·cide [ˋrɛdʒəˌsaɪd] *n.* ① Ⓤ 弑君。②Ⓒ弑君者。

***re·gime, ré-** [rɪˋʒim] *n.* Ⓒ①政權；政體。②生活規律；養生之道。

reg·i·men [ˋrɛdʒəˌmɛn] *n.* ① Ⓒ 〖醫〗攝生法。② Ⓤ 支配；控制。③ Ⓒ 政體；制度。

reg·i·ment [ˋrɛdʒəmənt] *n.* Ⓒ ①〖軍〗團。②(常 *pl.*)大群；大批。—[ˋrɛdʒəˌmɛnt] *v.t.* ①編成團。②嚴格控制；統御；統制。

reg·i·men·tal [ˌrɛdʒəˋmɛntl] *adj.* 團的。— *n.* (*pl.*)軍服。

reg·i·men·ta·tion [ˌrɛdʒəmɛnˋteʃən] *n.* Ⓤ ①編團；組織化；編組。②統制；嚴格控制。

***re·gion** [ˋridʒən] *n.* Ⓒ ①(常 *pl.*)地方；區域。②(身體的)部位。③境界。

***re·gion·al** [ˋridʒənl] *adj.* 某一地方的；某一地區內的；區域性的。— **ly,** *adv.*

re·gion·al·ism [ˋridʒənlˌɪzəm] *n.* Ⓤ①行政區域之劃分或其原則。②地域性。③地方主義。④〖文〗鄉土色彩。

***reg·is·ter** [ˋrɛdʒɪstɚ] *n.* ①Ⓒ名單；名簿。②Ⓒ登記簿；註冊簿。③Ⓒ自動記錄器。④Ⓒ登記；註冊；掛號。⑤Ⓒ登記者；註冊主任。⑥ⓊⒸ〖語言〗語言位相；語(用)域；語體(語言因環境不同而產生之語言變異性)。⑦Ⓒ〖樂〗音區。⑧Ⓒ (表示國籍的)商船登記證。⑨Ⓒ商店收銀櫃。— *v.t.* ①登記；給…註冊。②指示。③掛號。④(神色、面容等)顯出；流露。⑤登記(商船)的國籍。— *v.i.* ①辦理登記；註冊。②(在…)留下印象；銘記於心〔with〕. § **~ òffice** 戶籍登記處(登記出生、婚姻、死亡等的政府機關)。**~ tòn** 註冊噸位(等於 100 立方呎)。

reg·is·tered [ˋrɛdʒɪstɚd] *adj.* ①登記過的。②註過冊的。③掛號的。④記名的。⑤(家畜等)有血統證明書的。§ **~ núrse** 考試合格而有執照的護士。

reg·is·trar [ˋrɛdʒɪˌstrar] *n.* Ⓒ登記員；(學校的)註冊主任。

***reg·is·tra·tion** [ˌrɛdʒɪˋstreʃən] *n.* ①Ⓤ登記；註冊；掛號。②Ⓒ登記的事項。③Ⓒ登記或註冊人員之數目。

reg·is·try [ˋrɛdʒɪstrɪ] *n.* ①Ⓤ登記；註冊。② Ⓒ 登記處；註冊處。③ Ⓒ 登記簿；記錄簿。§ **~ òffice** 〖英〗戶籍登記處。

reg·nant [ˋrɛgnənt] *adj.* ① 統治的(用於名詞後)。②占優勢的；流行的。

re·gress [ˋrigrɛs] *n.* Ⓤ ①回歸；後退。②復歸權。③退步。—[rɪˋgrɛs] *v.i.* ①後退；復舊。②〖天〗退行。— **re·gres′sion,** *n.* — **re·gres′sive,** *adj.*

‡**re·gret** [rɪˋgrɛt] *n.* ①Ⓤ (又作 a ~) 悔恨；懊悔；悼惜。② Ⓤ (又作 a ~) 歉意；遺憾。③(*pl.*)表示客氣的婉言謝絕。Please accept my ~*s.* (不能奉陪)謹致歉意。④(*pl.*)敬謝之回帖。— *v.t.* (**-tt-**)悔恨；惋惜；抱歉。— **ful(ly),** *adj.* (*adv.*)

re·gret·(t)a·ble [rɪˋgrɛtəbl] *adj.* ①令人遺憾的；令人悔恨的。②不幸的。

re·group [riˋgrup] *v.t.* & *v.i.* ①重新組合；重新聚集。②〖軍〗重新編制。

‡**reg·u·lar** [ˋrɛgjəlɚ] *adj.* ①通常的；正常的。②正當的；循規的。③常例的；定期的。④習慣性的；經常的。⑤整齊的；端正的。⑥對稱的。⑦有規律的；有秩序的。⑧〖文法〗變化規則的。⑨合格的；有訓練的。⑩正規的；常備的；常備軍的。the ~ army 常備軍。⑪〖俗〗完全的；徹底的。a ~ rascal 一個十足的流氓。⑫〖俗〗可靠的；討人喜歡的。— *n.* Ⓒ ①常備兵；正規兵。②(政黨中的)忠貞不貳分子。③老顧客。— **reg·u·lar′i·ty** [-ˋlær-], *n.*

reg·u·lar·ize [ˋrɛgjələˌraɪz] *v.t.* ①使規律化。②使合規範；使合法化。— **reg·u·lar·i·za′tion,** *n.*

***reg·u·lar·ly** [ˋrɛgjəlɚlɪ] *adv.* ①有規則地；有秩序地；定期地。②正式地；適當地。③〖俗〗眞正地。

***reg·u·late** [ˋrɛgjə͵let] *v.t.* ①管理；控制；規定。②調節；調整。

***reg·u·la·tion** [͵rɛgjəˋleʃən] *n.* ①Ⓤ管理；控制。②Ⓒ規則；條例；法令；法規。— *adj.* ①標準的；正規的。②正常的；通常的；一般的。

reg·u·la·tor [ˋrɛgjə͵letɚ] *n.* Ⓒ①調整者；規定者。②調整器；穩定器。③標準時鐘。

re·gur·gi·tate [riˋgɝdʒə͵tet] *v.t.* 使湧回；使流回；反芻。— *v.i.* 流回；湧回；反芻；反胃。— **re·gur·gi·ta'tion,** *n.*

re·hab [ˋri͵hæb] *n.* ①Ⓤ恢復；修復。②Ⓒ修復的建築物。— *adj.* 修復的；恢復的；復健的。— *v.t.* (**-bb-**) 恢復；修復。

re·ha·bil·i·tant [͵riəˋbɪlətənt] *n.* Ⓒ(健康、心理等)復健者。

re·ha·bil·i·tate [͵riəˋbɪlə͵tet] *v.t.* ①恢復；修復。②恢復…的地位、名譽等。③使(吸毒成癮者等)接受康復治療；改造(罪犯等)。

re·ha·bil·i·ta·tion [͵riə͵bɪləˋteʃən] *n.* Ⓤ①修復；重建。②復職；復位。③復健；(受刑人等之)重返社會工作。

re·hash [riˋhæʃ] *v.t.* 以新的方式處理；改變翻新(舊作品)。— [ˋri͵hæʃ] *n.* Ⓒ①(舊作品的)改作。②用舊材料改編的作品；改寫品。

***re·hears·al** [rɪˋhɝsl̩] *n.* ①ⓊⒸ排練；排演。②Ⓒ詳述；複述。

***re·hearse** [rɪˋhɝs] *v.t.* ①排演；演習。②詳述；複述。— *v.i.* 排演；演習。

re·house [riˋhauz] *v.t.* 供以新居；使住進新住宅。

Reich [raɪk] *n.* (the ～)德意志帝國；(納粹)德國。

***reign** [ren] *n.* ①Ⓒ(一帝王之)統治時期；在位時期。②Ⓤ王權；君權；統治。— *v.i.* ①為王；統治〔over〕。②占優勢；盛行。

re·im·burse [͵riɪmˋbɝs] *v.t.* ①償還(所花費的款項)；向…付還。②賠償；補償。— **ment,** *n.*

***rein** [ren] *n.* Ⓒ(常 *pl.*)①韁繩。②控制權[手段]。*draw* ～ **a.** 勒韁。**b.** 慢下來；緩行；停止。— *v.t.* 駕馭；統制。

re·in·car·nate [͵riɪnˋkarnet] *v.t.* 賦予(靈魂)一新肉體；使再生。— **re·in·car·na'tion,** *n.*

rein·deer [ˋren͵dɪr] *n.* Ⓒ(*pl.* ～, ～**s**) 馴鹿。

***re·in·force** [͵riɪnˋfors] *v.t.* ①增援。②增強。— *n.* Ⓒ增強物。§ ～**d cón·crete** 鋼筋混凝土。— **re·in·forc'er,** *n.*

re·in·force·ment [͵riɪnˋforsmənt] *n.* ①Ⓤ增援；加強。②Ⓒ增援或加強之物。③(*pl.*)援兵；援艦。

re·in·state [͵riɪnˋstet] *v.t.* ①使恢復原位[原職，原狀]；恢復(權利等)。②使復原；修復。— **ment,** *n.*

re·in·sure [͵riɪnˋʃur] *v.t.* 再給…保險。— **re·in·sur'ance,** *n.*

re·is·sue [riˋɪʃu] *v.t.* 再發行(證券、書籍等)。— *n.* ①Ⓤ再發行。②Ⓒ再發行本。

re·it·er·ate [riˋɪtə͵ret] *v.t.* 重述；反覆地說[做]。— **re·it·er·a'tion,** *n.*

***re·ject** [rɪˋdʒɛkt] *v.t.* ①拒絕。②丟棄。③嘔吐。④駁斥；不理會。— [ˋridʒɛkt] *n.* Ⓒ被拒絕之人[物]。

re·jig [riˋdʒɪg] *n.* Ⓒ & *v.t.* (**-gg-**) ①重新裝備。②〖俗〗修改。

re·jig·ger [riˋdʒɪgɚ] *v.t.* 〖俗〗重新裝備；重新規劃(尤指以便從事不同工作或使工作更有效率)。

***re·joice** [rɪˋdʒɔɪs] *v.t.* 使欣喜；使歡樂。— *v.i.* 欣喜；高興〔at, in, over〕.

re·joic·ing [rɪˋdʒɔɪsɪŋ] *n.* ①Ⓤ欣喜；喜悅。②(*pl.*)歡呼；祝賀；歡宴。

re·join[1] [͵riˋdʒɔɪn] *v.t.* & *v.i.* ①使再參加；再加入。②再接合。③再聚合。

re·join[2] [rɪˋdʒɔɪn] *v.t.* & *v.i.* (再)回答(說)。

re·join·der [rɪˋdʒɔɪndɚ] *n.* Ⓒ回答；反駁。

re·ju·ve·nate [rɪˋdʒuvə͵net] *v.t.* 使返老還童；使恢復活力。— *v.i.* 恢復青春；恢復活力。— **re·ju·ve·na'tion, re·ju've·na·tor,** *n.*

re·kin·dle [riˋkɪndl̩] *v.t.* ①再點燃；使…再燃燒。②使…再振奮。— *v.i.* 再燃燒；再振作。— **ment,** *n.*

rel. relative(ly); religion; religious.

re·lapse [rɪˋlæps] *v.i.* ①退步。②(舊病)復發。③故態復萌；又陷入不良嗜好或壞行為。— *n.* Ⓒ(病情的)復發；重陷；再惡化。

***re·late** [rɪˋlet] *v.t.* ①敍述；說。②使有關係；使有關聯〔to, with〕。③與…有親戚關係(用被動式)〔to〕。— *v.i.* ①有關係[關聯]；關於〔常 to〕。②與人或事物協調或建立某種關係。

***re·lat·ed** [rɪˋletɪd] *adj.* ①所敍述的；所陳述的；所說的。②有相互關係的；有關連的。③親戚的；同族的。④〖樂〗(在樂音、和音上)有密切連繫的。— **ly,** *adv.* — **ness,** *n.*

‡re·la·tion [rɪˋleʃən] *n.* ①ⓊⒸ敍述；述說。②Ⓤ(思想與意義上的)關係。③Ⓒ親戚。*in*[*with*]～ *to* 關於。

re·la·tion·al [rɪˋleʃənl̩] *adj.* ①有關係的；相關的。②親戚關係的。③〖文法〗表關係的。— **ly,** *adv.*

‡re·la·tion·ship [rɪˋleʃən͵ʃɪp] *n.* ⓊⒸ①親戚關係。②關聯；關係。

***rel·a·tive** [ˋrɛlətɪv] *n.* Ⓒ①親戚；親屬。②關係詞(尤指關係代名詞)。— *adj.* ①有關係的；表關係的。②比較的。③相對的(為 absolute 之對)；相關的。～ *to* **a.** 關於；和…有關。**b.** 和…相比。§ ～ **cláuse** 關係子句。～ **humídity** 相對濕度。～ **prónoun** 關係代名詞。

***rel·a·tive·ly** [ˋrɛlətɪvlɪ] *adv.* ①相對地；比較上。②相關地；關係上。③成比例地。

rel·a·tiv·ism [ˋrɛlətɪvɪzəm] *n.* Ⓤ〖哲〗相對論；相對主義。

rel·a·tiv·ist [ˋrɛlətɪvɪst] *n.* Ⓒ〖哲〗相對論者；相對主義者。— **rel·a·tiv·is'tic,** *adj.*

rel·a·tiv·i·ty [͵rɛləˋtɪvətɪ] *n.* Ⓤ①相關；相對。②相對性；相關性。

‡re·lax [rɪˋlæks] *v.t.* ①放鬆；鬆弛。

②放寬；鬆懈。③使(心神)輕鬆。—— *v.i.* ①鬆弛。②鬆懈。

re·lax·ant [rɪˋlæksənt]〖醫〗*adj.* 有緩和力的。—— *n.* Ⓒ緩和劑。

re·lax·a·tion [ˌrilæksˋeʃən] *n.* ①Ⓤ鬆弛；減輕；緩和。②Ⓒ娛樂；消遣。③Ⓤ休養；散心。

re·laxed [rɪˋlækst] *adj.* ①寬鬆的。②不拘形式的。③鬆懈的；鬆弛的。

re·lax·ing [rɪˋlæksɪŋ] *adj.* (天氣等)使人懶洋洋的。

***re·lay** [rɪˋle] *v.t.* 接力傳送；傳遞。—— *v.i.*〖電〗用繼電器控制。—— *n.* ①Ⓒ新補充之人或物。②Ⓒ接力。③Ⓒ備替換的馬等。④Ⓒ〖電〗繼電器。⑤Ⓒ接力賽跑；接力賽跑中的一段距離。⑥ⓊⒸ轉播。§ ∼ **bròadcast** 轉播。∼ **ràce** 接力賽跑。

***re·lease** [rɪˋlis] *v.t.* ①解放；解開；釋放。②解除；免除。③准予發表。④讓與(財產等)；放棄(權利等)。—— *n.* ①Ⓤ(又作 a ∼)解放；釋放。②Ⓤ(又作 a ∼)解除；免除。③Ⓒ棄權；讓渡證書。④ⓊⒸ准許發表、展覽或售賣等。⑤ⓊⒸ准許電影片上演；准予上演的影片。⑥Ⓒ解除裝置；鬆開裝置。⑦Ⓒ新聞稿；擬在報章或電台發表的文章或聲明。

rel·e·gate [ˋrɛləˌget] *v.t.* ①使降級；貶黜。②放逐；驅逐。③移交；委託。— **rel·e·ga′tion,** *n.*

re·lent [rɪˋlɛnt] *v.i.* ①變溫和。②變寬容；動憐憫〖toward〗. — **ing·ly,** *adv.*

re·lent·less [rɪˋlɛntlɪs] *adj.* 冷酷的；無情的；毫不留情的。— **ly,** *adv.*

rel·e·vant [ˋrɛləvənt] *adj.* 有關的；切題的；中肯的〖to〗. — **rel′e·vance, rel′e·van·cy,** *n.*

re·li·a·bil·i·ty [rɪˌlaɪəˋbɪlətɪ] *n.* Ⓤ可靠性；可信度。

***re·li·a·ble** [rɪˋlaɪəbl̩] *adj.* 可靠的；可信賴的。— **re·li′a·bly,** *adv.*

***re·li·ance** [rɪˋlaɪəns] *n.* ①Ⓤ信賴；信任；依賴。②Ⓤ信心。③Ⓒ所依賴的東西[人]。— **re·li′ant,** *adj.*

***rel·ic** [ˋrɛlɪk] *n.* ①Ⓒ遺跡；遺物；遺俗。②Ⓒ聖徒遺物；聖徒遺骸。③Ⓒ紀念物。④(*pl.*)遺骸；廢墟。

***re·lief** [rɪˋlif] *n.* ①Ⓤ(痛苦、負擔等的)減輕；解除；舒解。②ⓊⒸ慰藉。③Ⓤ調劑。④Ⓤ賑濟；救濟。⑤Ⓤ換班；接替。⑥Ⓒ輪班者；接替者。⑦ⓊⒸ浮雕(品)。∼ printing 凸版印刷術。⑧Ⓤ顯著；明顯。⑨Ⓤ地面的凹凸起伏。⑩Ⓤ鮮明；顯著；輪廓鮮明。*in* ∼ **a.** 從表面突出的。**b.** 鮮明的；明顯的。*on* ∼ 接受救濟的。*to one's* ∼ 使某人感到欣慰。§ ∼ **màp** 立體模型地圖；有等高線之地圖。∼ **ròad**(為減輕擁擠而築的)迂迴道路。∼ **tùbe** 太空人使用之導尿管。

***re·lieve** [rɪˋliv] *v.t.* ①減輕；使較少；使輕鬆。②解除；免除。③解救；援助。④襯托；使明顯；使免除單調。⑤換班；接替。∼ *nature*[*oneself*]大便；小便。

‡**re·li·gion** [rɪˋlɪdʒən] *n.* ①Ⓤ宗教。②Ⓒ教派。③Ⓤ宗教信仰。④Ⓒ孜孜追求的目標；必為之事。⑤Ⓤ宗教生活；修道生活。⑥(*pl.*)〖古〗宗教儀式。⑦Ⓤ〖古〗嚴格的信仰。— **less,** *adj.*

re·lig·i·os·i·ty [rɪˌlɪdʒɪˋɑsətɪ] *n.* Ⓤ①對宗教的虔誠；篤信宗教。②狂熱的信仰。

‡**re·li·gious** [rɪˋlɪdʒəs] *adj.* ①宗教的；宗教上的。②信奉宗教的；虔誠的。—— *n.* Ⓒ(*pl.* ∼)出家人；僧尼；修士；修女。— **ly,** *adv.* — **ness,** *n.*

***re·lin·quish** [rɪˋlɪŋkwɪʃ] *v.t.* ①放棄。②鬆手放開。③讓出。— **ment,** *n.*

rel·i·quar·y [ˋrɛləˌkwɛrɪ] *n.* Ⓒ聖骨箱；聖物箱；遺物盒。

rel·ish [ˋrɛlɪʃ] *n.* ①Ⓤ(又作 a ∼)(特有的)風味；美味；滋味。②Ⓤ(又作 a ∼)津津有味的品嘗；享受；食慾。eat meat with (a)∼津津有味地吃肉。③ⓊⒸ(引起食慾的)調味品；佐料(如泡菜等)。④Ⓤ喜好；嗜好；興趣〖for〗. —— *v.t.* ①津津有味地吃；品嘗(食物)。②欣賞；嗜好；喜好；享受。—— *v.i.* 有…的味道；有…的風味[氣味，臭味]〖of〗. — **a·ble,** *adj.*

re·live [riˋlɪv] *v.t.* (憑想像)再體驗。—— *v.i.* 復甦。— **re·liv′a·ble,** *adj.*

re·load [riˋlod] *v.t.* & *v.i.* 再裝(貨)；再裝填(砲彈等)。

re·lo·cate [riˋloket] *v.t.* ①再定…的位置。②徙置於另一新地方。— **re·lo·ca′tion,** *n.*

re·luc·tance [rɪˋlʌktəns] *n.* Ⓤ(又作 a ∼)①不情願；勉強。②因不情願而磨蹭。③〖電〗磁阻。(亦作 **reluctancy**)

***re·luc·tant** [rɪˋlʌktənt] *adj.* ①不情願的；勉強的。②因不願而磨蹭的。③難以處理的；頑抗的。— **ly,** *adv.*

***re·ly** [rɪˋlaɪ] *v.i.* 依賴；信賴；指望；倚靠〖on, upon〗.

REM rapid eye movement.

‡**re·main** [rɪˋmen] *v.i.* ①停留；居住。②保持不變。③剩下；剩餘。④保留。—— *n.* (*pl.*)①殘餘；餘物。②遺骸；遺物；遺跡。③殘存者。④遺稿。⑤遺風。⑥化石。

re·main·der [rɪˋmendɚ] *n.* ①Ⓤ(常 the ∼，集合稱)殘餘；其餘的人[物]。②Ⓒ〖數〗餘數。③Ⓒ剩書；賣剩的書。—— *v.t.* 廉價出售(存書)。

re·make [rɪˋmek] *v.t.* (**-made**)①再做；重做；改做。②〖影〗重拍。

re·mand [rɪˋmænd] *v.t.* ①送回。②將(犯人或被告)再送回牢獄；還押。③將(案件)發回下級法院重審。—— *n.* ⓊⒸ①送回。②還押。③發回一案件複審。§ ∼ **hòme**〖英〗未成年者拘留所。

***re·mark** [rɪˋmɑrk] *v.t.* ①談起；述及；評論。②注意到；覺察。—— *v.i.* 評論；談論〖常 on, upon〗. —— *n.* ①Ⓒ短語；短評；註；摘要。②Ⓤ注意；留意。

***re·mark·a·ble** [rɪˋmɑrkəbl̩] *adj.* 值得注意的；不平常的。*— **re·mark′a·bly,** *adv.*

re·mar·riage [riˋmærɪdʒ] *n.* ⓊⒸ再婚。

re·mar·ry [riˋmærɪ] *v.t.* & *v.i.* (和[…])再婚。

Rem·brandt [ˋrɛmbrænt] *n.* 林布

蘭(1606-69, 荷蘭畫家)。

re·me·di·a·ble [rɪˋmidɪəbl̩] *adj.* 可補救的; 可治療的; 可矯正的。

re·me·di·al [rɪˋmidɪəl] *adj.* ①治療(上)的。②補救的; 矯正的。

***rem·e·dy** [ˋrɛmədɪ] *n.* Ⓤ Ⓒ ①藥物; 治療(法)。②補救方法〔for〕. — *v.t.* ①治療; 醫治(疾病、傷等)。②修理; 補救。③糾正; 去除(弊病)。

‡re·mem·ber [rɪˋmɛmbɚ] *v.t.* ①追憶; 憶及。②記得; 記著。③牢記; 不忘。④問候; 致意。Please ～ me to your brother. 請代向令兄問候。⑤遺贈財產[送禮, 付小費]給。— *v.i.*①記得。②有記憶力。

***re·mem·brance** [rɪˋmɛmbrəns] *n.* ①Ⓤ Ⓒ 記憶。②Ⓤ Ⓒ 紀念品; 紀念。③Ⓤ 記憶力。④(*pl.*)問候; 致意。*in ～ of* 紀念。§ **R∠ Dày**[**Súnday**]〖英, 加〗陣亡將士[國殤]紀念日。

‡re·mind [rɪˋmaɪnd] *v.t.* 使憶起; 提醒。This ～*s* me of a story. 這使我想起一個故事。

re·mind·er [rɪˋmaɪndɚ] *n.* Ⓒ 提醒者。

rem·i·nisce [ˌrɛməˋnɪs] *v.i.* 追憶往事; 回憶; 話舊。—*v.t.* 懷舊地說。

rem·i·nis·cence [ˌrɛməˋnɪsn̩s] *n.* ①Ⓤ 回憶; 懷舊; 話舊。②Ⓒ 記憶中之事物。③Ⓒ引起聯想的相似物。④(*pl.*)回憶錄。

rem·i·nis·cent [ˌrɛməˋnɪsn̩t] *adj.* ①回憶的; 好懷[話]舊的。②引起回憶的; 引起聯想的〔常 of〕.

re·miss [rɪˋmɪs] *adj.* ①疏忽的; 不小心的。②無精打采的。

re·mis·sion [rɪˋmɪʃən] *n.* ①Ⓤ 免除; 赦免; 寬恕。②Ⓤ Ⓒ 減刑。③Ⓤ Ⓒ 和緩; 減輕。

re·mit [rɪˋmɪt] *v.t.* (**-tt-**)①匯寄。②緩和; 減輕; 減免。③赦免; 豁免。④將(案件)發回下級法院重審。⑤還押(犯人); 放回原處。⑥將…送呈某人請求裁決。⑦推延。— *v.i.*①匯款。②變少; 和緩; 鬆弛。

re·mit·tance [rɪˋmɪtn̩s] *n.* ①Ⓤ(又作 a ～)匯款。②Ⓒ 匯款額。§ ∠ **màn** 靠國內匯款寄居國外的人。

rem·nant [ˋrɛmnənt] *n.* ①(the ～, 常 *pl.*)殘餘; 殘存者。②Ⓒ 剩餘的布料。③Ⓒ 殘跡。

re·mod·el [riˋmɑdl̩] *v.t.* (**-l-**,〖英〗**-ll-**)①重塑。②改編; 改造; 重建。

re·mold [riˋmold] *v.t.* 再造形; 再塑(亦作**remould**). — *n.* Ⓒ 再生輪胎。

re·mon·strance [rɪˋmɑnstrəns] *n.* Ⓤ Ⓒ ①抗議。②忠告; 告誡; 諫疏。

re·mon·strate [rɪˋmɑnstret] *v.t.* & *v.i.* ①抗議; 抗辯。②忠告; 規勸〔with〕. — **re·mon′stra·tive,** *adj.* — **re·mon·stra′tion, re·mon′stra·tor,** *n.*

***re·morse** [rɪˋmɔrs] *n.* Ⓤ (對過錯的)懊悔; 悔恨;〖古〗憐憫。— **ful,** *adj.* — **ful·ly,** *adv.*

re·morse·less [rɪˋmɔrslɪs] *adj.* 不知懊悔的; 無惻隱心的。— **ly,** *adv.*

***re·mote** [rɪˋmot] *adj.* ①遠的。②久遠的。③遠房的。④細微的。⑤偏僻的。⑥遠隔的; 抽象的。⑦非直接的。⑧冷淡的。§ ∠ **contról**〖通訊〗遙控。— **ly,** *adv.* — **ness,** *n.*

re·mount [riˋmaʊnt] *v.t.* & *v.i.* ①再騎上(馬、自行車等)。②再爬上(山、梯子等)。③供給新馬。④重安裝(砲)。⑤回溯。— *n.* ①Ⓒ 新馬; 補充馬。②Ⓤ 新馬之補充。

re·mov·a·ble [rɪˋmuvəbl̩] *adj.* ①可移動的; 可拆裝的。②可免職的。

***re·mov·al** [rɪˋmuvl̩] *n.* Ⓤ Ⓒ ①撤除; 排除。②遷移; 移動; 搬家。③撤換; 調動。§ ∠ **vàn**〖英〗搬家用的卡車(=〖美〗moving van).

‡re·move [rɪˋmuv] *v.t.* ①(自某處)移動; 脫掉。②除去; 消除。③使離去; 遷移。④免職; 開除。⑤殺死。— *v.i.* ①遷移; 移居。②離開; 消失。— *n.* Ⓒ ①移動; 遷移。②等級; 程度; 距離。③(親戚關係等的)遠近。

re·moved [rɪˋmuvd] *adj.* ①遠離的。②(親屬關係)相隔…代的。

re·mov·er [rɪˋmuvɚ] *n.* Ⓒ①移動者; 遷居者。②〖英〗搬家業者(=〖美〗mover). ③去除劑。④(法院案件的)移轉審理。

re·mu·ner·ate [rɪˋmjunəˌret] *v.t.* 報酬; 酬勞。— **re·mu·ner·a′tion,** *n.*

re·mu·ner·a·tive [rɪˋmjunəˌretɪv] *adj.*有報酬的; 有利益的。

ren·ais·sance [ˌrɛnəˋzɑns, rɪˋnesn̩s] *n.* Ⓒ 再生; 新生; 復興。*the R-* **a.** 文藝復興(時期)。**b.** 文藝復興時期的(藝術、建築等的)風格。

re·nal [ˋrinl̩] *adj.* (關於)腎臟的。

re·name [riˋnem] *v.t.* 予以新名; 給…再命名。

re·nas·cence [rɪˋnæsn̩s] *n.* Ⓒ 新生; 再生; 復活; 復興。— **re·nas′cent,** *adj.*

rend [rɛnd] *v.t.* (**rent**)①撕; 扯破。②割裂; 使分裂。③困擾; (聲音等)劃破。④強使分離〔常 away, off, up〕. ⑤撕破衣裳或拉頭髮。— *v.i.* ①撕開; 裂開。②分裂。

***ren·der** [ˋrɛndɚ] *v.t.* ①使成; 致使。②給與。③報答; 回報。④納付; 納(貢)。⑤扮演; 演唱; 演奏。⑥提出; 呈遞。⑦翻譯。～ a passage into English 將一段文字翻譯成爲英文。⑧放棄; 交出。⑨煎熬(脂肪)。⑩表示(服從、關心等)。⑪〖法律〗(以錢、東西、工作等)付。⑫正式宣布; 下達。⑬表現; 描繪。⑭還給; 交還〔常 back〕. ～ *good for evil* [*blow for blow*]以德報怨[以牙還牙]。— **a·ble,** *adj.*

ren·der·ing [ˋrɛndərɪŋ] *n.* Ⓤ Ⓒ ①翻譯; 譯文。②表演; 演奏。③熬煉。④牆壁之初次塗泥; 打底。

ren·dez·vous [ˋrɑndəˌvu]〖法〗*n.* Ⓒ (*pl.* ～ [～z])①約會; 集會; 集合。②會合地。— *v.t.* & *v.i.*會合; 約見。

ren·di·tion [rɛnˋdɪʃən] *n.* Ⓒ ①翻譯。②(詮釋作品的)表演[演奏]方式。

ren·e·gade [ˋrɛnɪˌged] *n.* Ⓒ ①叛教者。②叛黨者。— *adj.* 叛教的; 變節的。

re·nege [rɪˋnɪg] *v.i.*〖俗〗違背諾言; 背信; 毀約〔on〕. — *v.t.*〖古〗否認; 放

棄。— *n.* Ⓒ〖牌戲〗有牌而不跟。

***re·new** [rɪˋnju] *v.t.* ①更新；恢復。②再始；復始。③重訂；續訂。④換新；補充；補足。

re·new·a·ble [rɪˋnjuəbḷ] *adj.* 可更新[修整]的；可繼續有效的(契約)。

re·new·al [rɪˋnjuəl] *n.* ⓊⒸ①更新；復始；恢復。②更換。③繼續。

***re·nounce** [rɪˋnaʊns] *v.t.* ①放棄。②否認；與…斷絕關係。— *v.i.* 放棄權利；〖牌戲〗墊牌。— **ment,** *n.*

ren·o·vate [ˋrɛnə͵vet] *v.t.* ①革新；使變新。②修理。— **ren·o·va′tion,** *n.*

re·nown [rɪˋnaʊn] *n.* Ⓤ名望；聲譽。a man of great ～ 極有聲望之人。

***re·nowned** [rɪˋnaʊnd] *adj.* 著名的。

⁑**rent**[1] [rɛnt] *n.* Ⓤ(又作 a ～)①租金。②〖經〗經濟租金；房地產收益。③出租；租用。*for* ～出租的。— *v.t.* ①租用。②出租。§ ～ **bòy** 男童妓。

rent[2] *v.* pt. & pp. of **rend.** — *n.* Ⓒ①破裂處；裂口。②破裂；不和。

rent-a-car [ˋrɛntə͵kɑr] *n.* Ⓒ〖美〗出租汽車。

rent·al [ˋrɛntḷ] *n.* Ⓒ①租金總額。②租金收入。③出租的財產。

rent·er [ˋrɛntɚ] *n.* Ⓒ①租用者；承租人。②出租者；房東；地主。

rent-free [ˋrɛntˋfri] *adj.* & *adv.* 不收租金的[地]。

re·nun·ci·a·tion [rɪ͵nʌnsɪˋeʃən] *n.* ⓊⒸ①放棄。②(對子女等的)拒絕承認；脫離關係。

re·o·pen [riˋopən] *v.t.* ①重新開；重新開放。②再討論。③繼續。— *v.i.* 再開始。

re·or·der [riˋɔrdɚ] *v.t.* ①再命令。②再整理。③重訂(貨物)。— *v.i.* 〖商〗重訂。— *n.* Ⓒ〖商〗重訂(貨物)。

re·or·gan·ize [riˋɔrgə͵naɪz] *v.t.* & *v.i.* 重新組織；改組。— **re·or·gan·i·za′tion,** *n.*

re·or·i·ent [riˋɔrɪɛnt] *v.t.* & *v.i.* 再改(方向)；再適應(環境)；再定(方位)。

rep *n.* Ⓒ〖俚〗推銷員；外務員。

rep. repair; report(ed); reporter; representative; republic.

Rep. Representative; Republic(an).

re·pack·age [riˋpækɪdʒ] *v.t.* 重新包裝；重新裝飾。

***re·paid** [rɪˋped] *v.* pt. & pp. of **repay.**

⁑**re·pair**[1] [rɪˋpɛr] *v.t.* ①修補；修理。②補救；補償。— *n.* ①Ⓒ(常 *pl.*)修補；修理。②Ⓤ已修理的狀態。③Ⓤ維修狀況。④(*pl.*)(會計)維修保養費用。— **a·ble,** *adj.*

re·pair[2] *v.i.* 往；赴。

re·pair·man [rɪˋpɛr͵mæn] *n.* Ⓒ(*pl.* **-men**)修理工人。

rep·a·ra·ble [ˋrɛpərəbḷ] *adj.* ①可修理的。②能補救的；可補償的。

rep·a·ra·tion [͵rɛpəˋreʃən] *n.* ①Ⓤ補償。②(*pl.*)賠款；賠償金。③Ⓤ修理；彌補。④=**repair**[1]④. — **re·par·a·tive** [rɪˋpærətɪv], *adj.*

rep·ar·tee [͵rɛpɚˋti] *n.* ①Ⓤ敏捷應答的才能。②Ⓒ敏捷的應答。

re·past [rɪˋpæst] *n.* Ⓒ餐；食事；食物。

re·pa·tri·ate [riˋpetrɪ͵et] *v.t.* 遣返。— *v.i.* 回國。— *n.* Ⓒ被遣返回國的人。— **re·pa·tri·a′tion,** *n.*

***re·pay** [rɪˋpe] *v.t.* (**-paid**)①付還。②報答；回報。— **ment,** *n.*

re·pay·a·ble [rɪˋpeəbḷ] *adj.* ①可付還的；可回報的。②必須償還的。

re·peal [rɪˋpil] *v.t.* ①撤銷；撤回。②廢止；廢棄。— *n.* Ⓤ①撤銷。②廢止。

⁑**re·peat** [rɪˋpit] *v.t.* ①重做；重複。②重說；再述。③誦讀；背誦。④跟著說。⑤向他人轉述。— *v.i.* ①重做；覆述。②重發生。③(在一次選舉中)重複投票。④(小數等)循環。～ *oneself* **a.** 不自覺地重複說。**b.** 以一個樣子再出現。— *n.* Ⓒ①重複；重述。②重複之物；重複之處。③〖樂〗重覆句；反覆符號。④重播節目。

re·peat·ed [rɪˋpitɪd] *adj.* 再三的；反覆的。*— **ly,** *adv.*

re·peat·er [rɪˋpitɚ] *n.* Ⓒ①重複者；背誦者。②連發槍。③選舉中作弊重複投票者。④累犯。⑤留級者；重修者。

re·peat·ing [rɪˋpitɪŋ] *adj.* ①循環的。a ～ decimal 循環小數。②連發的(槍)。a ～ rifle 連發來福槍。

re·pel [rɪˋpɛl] *v.t.* (**-ll-**)①逐退；拒絕。②使不悅；使憎惡。③〖理〗排斥；排拒；迸開。④防(水)。

re·pel·lent [rɪˋpɛlənt] *adj.* ①逐回的。②不透水的。③討人厭的。— *n.* ①Ⓒ驅除劑。②ⓊⒸ防水劑；防蟲[防腐]劑。

***re·pent** [rɪˋpɛnt] *v.t.* & *v.i.* 悔悟；懊悔；悔恨。He ～*ed* of his sin. 他悔悟他的罪過。— **ant,** *adj.*

re·pent·ance [rɪˋpɛntəns] *n.* Ⓤ①悔恨；懊悔。②悛改。

re·per·cus·sion [͵ripɚˋkʌʃən] *n.* ①Ⓒ(常 *pl.*)影響〔on〕。②ⓊⒸ回聲；回響。③ⓊⒸ彈回；撞回；擊回。

rep·er·toire [ˋrɛpɚ͵twɑr]〖法〗*n.* Ⓒ①戲目；曲目。②某一藝術領域內的全部作品。

rep·er·to·ry [ˋrɛpɚ͵torɪ, -͵tɔrɪ] *n.* ①**a.** Ⓤ劇團在某一期間輪演固定劇目。**b.** =**repertoire.** ②Ⓒ(知識等的)貯藏；蒐集；寶庫〔of〕。§ ～ **cómpany** 在劇院的某一期間輪演固定劇目的劇團。～ **théater** 由固定戲團輪演固定劇目的戲院。

***rep·e·ti·tion** [͵rɛpɪˋtɪʃən] *n.* ①ⓊⒸ重複；反覆；重說[做]。②Ⓤ背誦；復唱；復奏。by ～ 以復唱。③Ⓒ **a.**重複的話。**b.**模仿。— **al,** — **ar·y,** *adj.*

rep·e·ti·tious [͵rɛpɪˋtɪʃəs] *adj.* 重複的；令人厭倦地反覆的；嚕囌的。

re·pet·i·tive [rɪˋpɛtɪtɪv] *adj.* = **repetitious.**

re·phrase [riˋfrez] *v.t.* 再措辭；改變措辭表述。

re·pine [rɪˋpaɪn] *v.i.* 不滿；埋怨；自嘆。

***re·place** [rɪˋples] *v.t.* ①代替。be ～*d* by [with] 爲…所代替。②替換；更換。③放回；置於原處。④歸還。

re·place·a·ble [rɪˋplesəbḷ] *adj.* ①

可放回原處的。②可替代[取代]的。

re·place·ment [rɪ`plesmənt] *n.* ① Ⓤ 放回原處；歸還；復職；復位。② **a.** Ⓤ 替換；更換。**b.** Ⓒ 更換[代替]品；接替者；後任者。

re·plen·ish [rɪ`plɛnɪʃ] *v.t.* ①再裝滿；補充；補給…。②給…再添(燃料)等。— **ment,** *n.*

re·plete [rɪ`plit] *adj.* ①充滿的；完備的。②充分供應的。— **re·ple′tion,** *n.*

rep·li·ca [`rɛplɪkə] *n.* Ⓒ ①(原作者自己的)複製品；摹寫品。②(按比例縮小的)摹本。

rep·li·cate [`rɛplɪkɪt] *adj.* 〖植〗折轉的。— *n.* Ⓒ〖樂〗高[低]八音的反覆音。— [`rɛplɪ,ket] *v.t.* ①折轉。②摹寫；複製。

rep·li·con [`rɛplɪ,kɑn] *n.* Ⓒ〖生物〗複製子(一種遺傳單元)。

‡**re·ply** [rɪ`plaɪ] *v.t. & v.i.* ①答覆；回答。②(以行動)回應。— *n.* Ⓒ 答覆；回答；覆函；還擊。

R

‡**re·port** [rɪ`port] *n.* ① Ⓒ 報導；通訊；記錄。② Ⓒ (成績)報告單。③ Ⓒ (槍彈等)爆聲。④ Ⓤ 名譽；聲譽。— *v.t.* ①宣告。②正式報導；報告。③敍述；描述。④報到；復命。⑤寫報告。⑥報導(新聞事件)；寫採訪稿。— *v.i.* ①作報告。②(～ oneself)使報到。③採訪新聞。§ ～ **càrd**(學生的)成績報告單。～**ed spéech** 〖文法〗間接引述(=indirect narration)；引述文。

re·port·ed·ly [rɪ`portɪdlɪ] *adv.* 據說；據傳。

***re·port·er** [rɪ`portɚ] *n.* Ⓒ ①報告者。②通訊員；採訪記者。

***re·pose**[1] [rɪ`poz] *n.* Ⓤ ①休息；睡眠。②安靜。— *v.t.* 使休息；使安眠。— *v.i.* ①休息。②安眠。③依賴。④安置。

re·pose[2] *v.t.* 置；放。

re·pos·i·to·ry [rɪ`pɑzə,torɪ, -,tɔrɪ] *n.* Ⓒ ① **a.** 貯藏室；倉庫。**b.** 安放遺骨的靈堂；埋葬地。②(知識的)寶庫〔of〕。③(可告訴秘密的)親信；知己〔of〕。

re·pos·sess [,ripə`zɛs] *v.t.* (使)重新獲得；(使)重新擁有。

rep·re·hend [,rɛprɪ`hɛnd] *v.t.* 責難；譴責；申斥。— **rep·re·hen′sion,** *n.*

rep·re·hen·si·ble [,rɛprɪ`hɛnsəbḷ] *adj.* 應受譴責的；應受責難的。

***rep·re·sent** [,rɛprɪ`zɛnt] *v.t.* ①表示；象徵。②代表。③扮演(角色)。④描寫；描繪。⑤陳述；描述〔常 as〕。

***rep·re·sen·ta·tion** [,rɛprɪzɛn`teʃən] *n.* ① Ⓤ 表現；表達。② Ⓒ 肖像；畫像；雕像；模型。③ Ⓤ **a.** 代表；代理。**b.** (集合稱)代表。④ Ⓤ 代議制度。⑤ Ⓤ (集合稱)議員團。⑥(*pl.*)說明；陳述；抗議。

rep·re·sen·ta·tion·al [,rɛprɪzɛn`teʃənḷ] *adj.* ①〖美術〗具象的；具象主義的。②代表[代議制]的。

***rep·re·sent·a·tive** [,rɛprɪ`zɛntətɪv] *n.* Ⓒ ①代表。②(R-)〖美〗衆議員。③樣本；典型。*the House of Representatives*(美國)衆議院。— *adj.* ①代議制的。②表示的；象徵的。③代表性的；典型的。④相當的；對應的。

re·press [rɪ`prɛs] *v.t.* ①壓制；抑制。②鎮壓；制止。— **re·pres′sion,** *n.* — **re·pres′sive,** *adj.*

re·pressed [rɪ`prɛst] *adj.* ①(感情或慾望)受壓抑的。②被抑制的。

re·pres·sor [rɪ`prɛsɚ] *n.* Ⓒ 壓抑者；鎮壓者。

re·prieve [rɪ`priv] *v.t.* ①緩期執行…的刑罰；(尤指)對…暫緩行刑[處決]。②暫時緩解。— *n.* Ⓒ ①暫緩執行。②暫時緩解。

rep·ri·mand [`rɛprə,mænd] *n.* Ⓤ Ⓒ 申斥；申戒；懲戒。— [`rɛprə,mænd, ,rɛprə`mænd] *v.t.* 嚴斥；申戒。

re·print [ri`prɪnt] *v.t.* 再印；再版；翻印。— [`ri,prɪnt] *n.* Ⓒ 再版(本)。

re·pris·al [rɪ`praɪzḷ] *n.* Ⓤ Ⓒ (對敵國人民、財產等)報復性的侵占或掠奪；報復。*letters of* ～〖史〗強制拘捕證。

re·prise [rɪ`praɪz] *n.* Ⓒ〖樂〗再現部；插入部。— *v.t.* 再現；插入。

re·pro [`ripro] *n.* Ⓒ (*pl.* ～**s**)〖俗〗複製品(爲 reproduction 之略)。

***re·proach** [rɪ`protʃ] *n.* ① Ⓤ Ⓒ 譴責。② Ⓤ 恥辱；不名譽。③ Ⓒ 譴責[不名譽]之原因。— *v.t.* ①譴責；叱斥〔常 with〕。②使蒙恥。— **ing·ly,** *adv.*

re·proach·ful [rɪ`protʃfəl] *adj.* 責備的；表示譴責的。— **ly,** *adv.*

rep·ro·bate [`rɛprə,bet] *n.* Ⓒ 墮落的人；無賴漢。— *adj.* ①墮落的。②(人)被神所棄的。③無價值的。— *v.t.* ①非難；斥責。②拒絕。— **rep·ro·ba′tion,** *n.*

re·proc·ess [ri`prɑsɛs] *v.t.* 將…再加工。

***re·pro·duce** [,riprə`djus] *v.t.* ①再生。②複製。③生殖；繁殖。

***re·pro·duc·tion** [,riprə`dʌkʃən] *n.* ① Ⓤ 再生；複製。② Ⓒ 拷貝；複製品。③ Ⓤ 生殖；繁殖。④ Ⓤ〖經〗再生產。— **re·pro·duc′tive,** *adj.*

re·pro·gram [ri`progræm] *v.t.* (-**m**-, -**mm**-)改編(電腦)程式。

re·prog·ra·phy [rɪ`prɑgrəfɪ] *n.* Ⓤ 複印；翻印。

re·proof [rɪ`pruf] *n.* ① Ⓤ 譴責；斥責。② Ⓒ 斥責的話。

***re·prove** [rɪ`pruv] *v.t.* 譴責。

re·prov·ing [rɪ`pruvɪŋ] *adj.* 〖文〗譴責的；責備似的。— **ly,** *adv.*

rep·tile [`rɛptḷ, -tɪl] *adj.* ①卑鄙的。②爬行(動物)的。— *n.* Ⓒ ①卑鄙的人。②爬蟲。— **rep·til′i·an,** *adj. & n.*

***re·pub·lic** [rɪ`pʌblɪk] *n.* Ⓒ 共和國。

***re·pub·li·can** [rɪ`pʌblɪkən] *adj.* ①共和國的；共和政體[主義]的。②(R-)〖美〗共和黨的。③贊成共和的。*the R-Party*〖美〗共和黨。— *n.* Ⓒ ①擁護共和政體者。②(R-)〖美〗共和黨員。— **ism,** *n.*

re·pu·di·ate [rɪ`pjudɪ,et] *v.t.* ①拒絕；駁斥。②否認；遺棄。③休(妻)。— **re·pu·di·a′tion,** *n.*

re·pug·nance [rɪ`pʌgnəns], **-cy** [-sɪ] *n.* ① Ⓤ 嫌惡；厭惡；厭棄；反感〔to〕。② Ⓤ Ⓒ 矛盾；不一致〔of, between, to, with〕。— **re·pug′nant,** *adj.*

re·pulse [rɪ`pʌls] *v.t.* ①驅逐；擊退。②拒絕；排斥。**—** *n.* Ⓤ Ⓒ ①擊退。②拒絕。

re·pul·sion [rɪ`pʌlʃən] *n.* Ⓤ ①(又作a ～)厭惡。②驅逐；拒絕。③〖理〗斥力；拒力。

re·pul·sive [rɪ`pʌlsɪv] *adj.* ①使人厭惡的。②排斥的。③〖理〗斥力的。

rep·u·ta·ble [`rɛpjətəbl̩] *adj.* 名譽好的；有聲望的；可尊敬的；高尚的。

***rep·u·ta·tion** [ˌrɛpjə`teʃən] *n.* Ⓤ ①(又作a ～)名譽；名聲。②美名；聲望。

***re·pute** [rɪ`pjut] *n.* Ⓤ ①名譽；名聲。②美名；聲望。**—** *v.t.* (祇用於被動式)認爲；把…稱爲。

re·put·ed [rɪ`pjutɪd] *adj.* 一般認爲的；號稱的。— **ly,** *adv.*

⁑**re·quest** [rɪ`kwɛst] *v.t.* 請求；要求；懇求。**—** *n.* ① Ⓤ Ⓒ 請求。② Ⓒ 請求之事物。③ Ⓒ 請願書。§ ∼ **stòp**〖英〗只有在乘客要求[招呼]時才停車的公車站。— **er,** *n.*

Re·qui·em, re·qui·em [`rikwɪəm] *n.* Ⓒ ①安靈彌撒(曲)。②輓歌。

⁑**re·quire** [rɪ`kwaɪr] *v.t.* ①需要。②命令；要求。

re·quired [rɪ`kwaɪrd] *adj.* 〖美〗必修的(爲elective, optional 之對)。a ～ subject [course]必修科目[課]。

re·quire·ment [rɪ`kwaɪrmənt] *n.* Ⓒ ①需要；需要之事物。②要求；要求之事物。③命令；規定。

req·ui·site [`rɛkwəzɪt] *adj.* 需要的；必要的。**—** *n.* Ⓒ 必需品；需要物。

req·ui·si·tion [ˌrɛkwə`zɪʃən] *n.* ① Ⓤ 需要。② Ⓤ 要求；請求。③ Ⓤ 徵購；徵用。④ Ⓒ 徵用[徵購]文書。**—** *v.t.* 徵用；徵發；向…徵用〔for〕.

re·quit·al [rɪ`kwaɪtl̩] *n.* Ⓤ ①報答；酬答；酬勞；回報。②報復；處罰。

re·quite [rɪ`kwaɪt] *v.t.* ①回報。②報答；酬謝。③報復；報仇。④補償。

re·route [ri`rut] *v.t.* 以新路線遞送。

re·run [ri`rʌn] *v.t.* & *v.i.* (**-ran, -run**)①再放映；再演(電影)；重播(電視節目)。②再跑。**—** [`riˌrʌn] *n.* Ⓒ ①再放映(的電影)；再演出(的戲劇)；重播(節目)。②(比賽之)再跑。

re·sale [ri`sel] *n.* Ⓤ Ⓒ 再出售；零售；轉售。

re·sched·ule [ri`skɛdʒul] *v.t.* 重新排定…的時間。

re·scind [rɪ`sɪnd] *v.t.* 廢除；撤銷；取消；解除。— **re·scis′sion,** *n.*

***res·cue** [`rɛskju] *v.t.* ①解救；救出。②〖法律〗非法奪回(扣押之物)；非法營救出(囚犯)。**—** *n.* ① Ⓤ Ⓒ 解救；援助。② Ⓤ 〖法律〗非法奪回。*come* [*go*] *to the* ∼ 援救。

res·cu·er [`rɛskjuɚ] *n.* Ⓒ 救助者。

***re·search** [`risɜtʃ] *n.* ① Ⓤ 研究；探索。② Ⓒ (常 *pl.*)研究工作。**—** [rɪ`sɜtʃ, `risɜtʃ] *v.i.* & *v.t.* 研究；探索。§ ∼ **lìbrary** 研究圖書館。∼ **profés-sor** (不開課只作研究的)研究教授。∼ **wòrker** 研究員。

re·seat [ri`sit] *v.t.* ①使再就坐。②使坐在新座位上。③換(椅子坐)。④使復(王)位。

***re·sem·blance** [rɪ`zɛmbləns] *n.* ① Ⓤ Ⓒ 相似(之處)。② Ⓒ 相似物；肖像；摹本。*bear* ∼ *to* 與…相像。

***re·sem·ble** [rɪ`zɛmbl̩] *v.t.* 類似。

***re·sent** [rɪ`zɛnt] *v.t.* 憤恨；憎惡。— **ful,** *adj.* *— **ment,** *n.*

***res·er·va·tion** [ˌrɛzɚ`veʃən] *n.* ① Ⓒ 隱藏；隱諱。② Ⓤ Ⓒ 限制條件；保留條件。accept without ～無條件地接受。③ Ⓒ 保留地。④ Ⓒ (常 *pl.*)預訂。⑤ Ⓒ 保留的事物。

***re·serve** [rɪ`zɜv] *v.t.* ①隱藏；保留。②延遲；改期。③貯備；貯藏。④預訂(座位、房間等)。⑤留作專用。**—** *n.* ① Ⓒ 保留地；指定保護地區。② Ⓒ (常 *pl.*)備用人力[物資]；貯藏物。③(the ～, 常 *pl.*,常 R-)〖軍〗**a.** 預備部隊。**b.**後備部隊。④ Ⓤ 隱藏；保留。⑤ Ⓤ 謹慎；節制。⑥ Ⓤ 冷漠；隔閡。*in* ∼ 保留的。money *in* ∼ 準備金。*with-out* ∼毫無保留的[地]。§ ∼ **bànk**〖美〗準備[儲備]銀行。∼ **clàuse** 保留條款。

re·served [rɪ`zɜvd] *adj.* ①預訂的；儲備的。②有節制的；緘默的。③矜持的；拘謹的。— **re·serv′ed·ly** [-vɪdlɪ], *adv.*

re·serv·ist [rɪ`zɜvɪst] *n.* Ⓒ 後備軍人。

res·er·voir [`rɛzɚˌvɔr] 〖法〗*n.* Ⓒ ①貯水池；水庫。②任何儲藏液體之部分。③儲藏庫。④(知識、財富等的)儲藏；累積。

re·set [ri`sɛt] *v.t.* (**-set, -set·ting**)①重新設定；重新安排；重放。②重排(活字)。③重鑲；重嵌。④〖外科〗重新接。

re·set·tle [ri`sɛtl̩] *v.t.* & *v.i.* (使)再定居；重放；再安置。— **ment,** *n.*

re·shape [ri`ʃep] *v.t.* 使再成形；重定…的新方針。**—** *v.i.* 形成新形態。

re·shuf·fle [ri`ʃʌfl̩] *v.t.* ①再洗(紙牌)。②改組；撤換。**—** *n.* Ⓒ ①再洗牌。②撤換；改組。

***re·side** [rɪ`zaɪd] *v.i.* ①居住。②存在；在於〔in〕.

***res·i·dence** [`rɛzədəns] *n.* ① Ⓤ 居住。② Ⓒ 住宅；住處。③ Ⓒ 居留期間。④ Ⓒ 總公司所在地。*in* ∼ **a.** 住公家宿舍的；住校的。**b.** 常駐的。

res·i·den·cy [`rɛzədənsɪ] *n.* Ⓤ 〖美〗(醫師的)實習期間；住院實習醫師的身分。

***res·i·dent** [`rɛzədənt] *n.* Ⓒ ①居住者；居民。②駐外政治代表。③住院醫師。**—** *adj.* ①居住的；居留的。②常駐的。③不遷居的；定居的。

***res·i·den·tial** [ˌrɛzə`dɛnʃəl] *adj.* ①用於居住的；住所的。②與居住有關的。

re·sid·u·al [rɪ`zɪdʒuəl] *adj.* ①殘餘的；剩餘的。②〖數〗剩餘的。③〖醫〗殘留的。④重播重映附加酬金的。**—** *n.* ① Ⓒ 殘餘；殘留物。② Ⓒ 〖數〗殘差；剩餘。③(*pl.*)(電視節目因重播而付與演員的)附加酬金。§ ∼ **cúrrent devìce**〖電〗斷路器(=circuit breaker).
— **ly,** *adv.*

re·sid·u·ar·y [rɪ`zɪdʒuˌɛrɪ] *adj.* ①殘餘的；剩餘的。②〖法律〗剩餘財產

R

的。a ～ legatee 餘產承受者。

res·i·due [ˋrɛzə͵dju] *n.* Ⓒ (常*sing.*) ①殘餘；剩餘。②〖法律〗剩餘財產。③〖化〗殘渣；剩餘物。④〖數〗餘數。

re·sid·u·um [rɪˋzɪdʒuəm] *n.* Ⓒ (*pl.* **-u·a** [-uə]) = **residue.**

re·sign** [rɪˋzaɪn] *v.t. & v.i.* ①辭職；辭去。②順從；聽從。③放棄；捨棄。④把…交託。～ ***oneself 順從。～ ***oneself to one's fate*** 聽天由命。

***res·ig·na·tion** [͵rɛzɪgˋneʃən] *n.* ①ⓊⒸ辭職。②Ⓒ (常 one's ～)辭呈。③Ⓤ屈從；順從。

re·signed [rɪˋzaɪnd] *adj.* 順從的；聽天由命的；逆來順受的。— **ly,** *adv.*

re·sil·ient [rɪˋzɪlɪənt] *adj.* ①會彈回的；有彈性的。②活潑的；愉快的。— **re·sil′ience, re·sil′ien·cy,** *n.*

res·in [ˋrɛzn̩] *n.* ⓊⒸ 樹脂；松脂。synthetic ～ 合成樹脂。— **ous,** *adj.*

***re·sist** [rɪˋzɪst] *v.t. & v.i.* ①抵抗；對抗。②抵住。③(常用於否定句)忍住。④防；耐。

R

***re·sist·ance** [rɪˋzɪstəns] *n.* ①Ⓤ(又作 a ～)抵抗。②Ⓤ抵抗力。③Ⓤ抵抗之物或行動；阻力。④Ⓤ〖電〗電阻。⑤Ⓒ有電阻的導體。⑥Ⓤ反對。⑦Ⓤ(常 R-) (地下)反抗運動[組織]。

re·sis·tant [rɪˋzɪstənt] *adj.* ①抵抗的。②耐…的；有抵抗力的。

re·sist·i·ble [rɪˋzɪstəbl̩] *adj.* 可抵抗的；可反抗的。

re·sis·tor [rɪˋzɪstɚ] *n.* Ⓒ〖電〗電阻器；電阻。

re·sole [riˋsol] *v.t.* 給…換鞋底。

***res·o·lute** [ˋrɛzə͵lut] *adj.* 堅決的；斷然的；勇敢的。a ～ attitude 果決的態度。— **ly,** *adv.* — **ness,** *n.*

***res·o·lu·tion** [͵rɛzəˋluʃən] *n.* ①Ⓒ決心做的事物；決定。②Ⓤ決意；堅決；堅定。③Ⓤ果斷力；決斷力；不屈不撓。④Ⓒ決議(案)。⑤Ⓤ分解；解體；解析；轉變；轉化。⑥Ⓤ〖光學〗分辨。⑦Ⓤ(對某問題的)解決；解釋。⑧Ⓤ〖醫〗(發炎等之)消退。

***re·solve** [rɪˋzɑlv] *v.t.* ①決定；下決心。②分解。③解決；解答。④議決；投票表決。⑤轉變。— *v.i.* ①決定；決心。He ～*d* on [upon] making an early start. 他決定即早著手。②分解。— *n.* ①Ⓒ決議。②Ⓤ決心。

re·solved [rɪˋzɑlvd] *adj.* 有決心的；意志堅決的；堅定的。— **ly,** *adv.*

***res·o·nance** [ˋrɛzn̩əns] *n.* ①ⓊⒸ回響；反響。②Ⓤ共鳴。③Ⓤ〖電〗諧振；共振。

res·o·nant [ˋrɛzn̩ənt] *adj.* ①(聲音)反響的；回響的；宏量的；拖尾聲的。②共鳴的。③〖電〗諧振的；共振的。— *n.* Ⓒ共鳴音；響音(如：母音、有聲子音或半母音 "m, ŋ, n, l, r, j, w" 等)。— **ly,** *adv.*

res·o·nate [ˋrɛzə͵net] *v.i.* ①共鳴；反響。②產生共振；產生共鳴；產生回響。— *v.t.* 使共鳴或共振。

res·o·na·tor [ˋrɛzə͵netɚ] *n.* Ⓒ 共鳴器；共振器。

re·sort** [rɪˋzɔrt] *v.i.* ①去；常去〔to〕。②求助；依賴；訴諸〔to〕。— *n.* ①Ⓒ人們常去的地方；休閒[遊樂]勝地。②Ⓤ聚集；人群；人潮。③Ⓤ訴求；憑藉；求助；(不得已的)手段；最後的憑藉。in the last*** ～ 作爲最後的手段。

re·sound [rɪˋzaund] *v.i.* ①回響；發回聲；共鳴。②高聲響。③充滿響聲。④轟動；揚名；馳名。— *v.t.* ①使成回聲；使共鳴。②高聲說或讀出。③使揚名於天下。

re·sound·ing [rɪˋzaundɪŋ] *adj.* ①發出回聲的；響亮的。②宏亮的。— **ly,** *adv.*

re·source** [rɪˋsors] *n.* ①Ⓒ(常 *pl.*) (供應、幫助、救濟等的)來源。②(*pl.*)資源。③ⓊⒸ(常 *pl.*)策略；機智。④Ⓒ消遣；有助的事物。be at the end of one's*** ～***s*** 至山窮水盡之地步；智窮力竭。

re·source·ful [rɪˋsorsfəl] *adj.* ①足智多謀的。②多資源的。

****re·spect** [rɪˋspɛkt] *n.* ①Ⓤ(又作 a ～)尊敬；敬重；尊重。②Ⓤ顧慮；關心。③(*pl.*)敬意。④Ⓒ細事；點；方面。⑤Ⓤ關係。***in*** ～ ***of***[***to***] = **with regard to** 關於；至於。***in some*** [***all***] ～***s*** 在某些[各]方面。***pay one's*** ～***s to*** 向…拜謁以示敬意。***with*** ～ ***to*** 關於；顧慮到。— *v.t.* ①尊敬；敬重。②顧慮；考慮。③重視；遵奉。④關係；與…有關。

re·spect·a·bil·i·ty [rɪ͵spɛktəˋbɪlətɪ] *n.* ①Ⓤ正正當當；體面；光彩；面子；可尊敬；威望；高尙。②(常 *pl.*)受尊敬之人[物]。

***re·spect·a·ble** [rɪˋspɛktəbl̩] *adj.* ①有好名譽的；應受尊敬的。②相當好的；相當大的；可觀的。③(事物、行爲)文雅的；高尙的。④可以讓人看的；像樣的。— **re·spect′a·bly,** *adv.*

***re·spect·ful** [rɪˋspɛktfəl] *adj.* 表示尊敬的；有禮貌的。— **ly,** *adv.*

re·spect·ing [rɪˋspɛktɪŋ] *prep.* 關於。

***re·spec·tive** [rɪˋspɛktɪv] *adj.* 個別的；各個的。

***re·spec·tive·ly** [rɪˋspɛktɪvlɪ] *adv.* 個別地；各個地；各自地；分別地。

re·spell [riˋspɛl] *v.t.* 重拼字；再拼字。

res·pi·ra·tion [͵rɛspəˋreʃən] *n.* ⓊⒸ呼吸(作用)。

res·pi·ra·tor [ˋrɛspə͵retɚ] *n.* Ⓒ ①口罩。②防毒面具。③人工呼吸器。

res·pi·ra·to·ry [rɪˋspaɪrə͵torɪ] *adj.* 呼吸的。

re·spire [rɪˋspaɪr] *v.t. & v.i.* 呼吸。

res·pite [ˋrɛspɪt] *n.* Ⓤ(又作 a ～)①休息；中止。②暫緩履行；暫緩執行。— *v.t.* ①使有喘息機會。②緩期執行。

re·splend·ent [rɪˋsplɛndənt] *adj.* 燦爛的；華麗的；輝耀的。— **re·splend′ence, re·splend′en·cy,** *n.*

***re·spond** [rɪˋspɑnd] *v.i.* ①回答。②回應；反應。③負責。

re·spond·ent [rɪˋspɑndənt] *adj.* 回答的；應答的。— *n.* Ⓒ ①回答者；答辯者。②被告(尤指上訴及離婚案件)。

***re·sponse** [rɪˋspɑns] *n.* ①Ⓒ回答；

回應。② Ⓒ (常 *pl.*) 會衆或唱詩班應答牧師之祈禱文或歌唱。③ ⓊⒸ【生理】反應。

***re·spon·si·bil·i·ty** [rɪˌspɑnsəˋbɪlətɪ] *n.* ① Ⓤ 責任感; 職責; 任務。② Ⓒ 具體的責任; 負擔。

‡**re·spon·si·ble** [rɪˋspɑnsəbḷ] *adj.* ①有責任的; (應)負責任的〔for〕. ②可信賴的; 可靠的。③責任的。④明白是非的; 能負責任的。⑤對…負責的〔常 for, to〕. ⑥能履行責任的(如還債等)。

re·spon·sive [rɪˋspɑnsɪv] *adj.* ①回答的; 響應的。②易感動的; 敏感的。

‡**rest**[1] [rɛst] *n.* ① ⓊⒸ 睡眠。② ⓊⒸ 休息; 休憩。③ Ⓤ (又作 a ～) 靜止; 安靜。④ Ⓒ 支持物(托、架、臺等)。⑤ Ⓒ 休息處。⑥ Ⓒ【樂】休止(符)。⑦ Ⓒ (讀書中的)頓挫。⑧ Ⓤ 死。⑨ Ⓒ 旅客休息處; 宿處。***at* ～ a.**休息中; 安眠中。**b.** 安息中。**c.** 休止; 不動。**d.** 安心; 無憂。***lay...to* ～** 安葬。**—** *v.i.* ①睡眠; 休息; 停止。②被支承; 倚靠。③倚賴〔常 on〕. ④繫於; 以…爲基礎; 在於。⑤信賴; 信任。⑥停留於。⑦盯住; 注視。⑧死後永遠安息。**—** *v.t.* ①使休息。②使倚靠。③使停留。④使基(於); 把…依托。⑤使靜止。～ ***with*** 全在於。It ～*s with* you to decide. 這全由你來決定。§ ～ **cùre** 安靜療養法; 靜養。～ **hòme** (老人、病人用的)靜養所; 療養所。～ **màss**【理】靜質量。～ **ròom** 廁所; 洗手間。～ **stòp** (交流道之)休息站。

rest**[2] *n.* Ⓤ (the ～) ①剩餘; 殘餘。②(集合稱)其餘之人[物]。among the* ～** 包括在內; 在其中。***for the* ～**至於其他。**—** *v.i.* 仍然是。

re·state [riˋstet] *v.t.* 重新陳述; 重講; 再聲明。— **ment,** *n.*

‡**res·tau·rant** [ˋrɛstərənt] *n.* Ⓒ 飯館; 餐館。

res·tau·ra·teur [ˌrɛstərəˋtɝ]【法】*n.* Ⓒ 飯店主人。

rest·ful [ˋrɛstfəl] *adj.* 安寧的; 平靜的; 不受打擾的。

res·ti·tu·tion [ˌrɛstəˋtjuʃən] *n.* Ⓤ ①歸還; 補償。②賠償。③恢復原狀。

res·tive [ˋrɛstɪv] *adj.* ①不安寧的; 動亂的。②難駕馭的。③不肯前進的。

***rest·less** [ˋrɛstlɪs] *adj.* ①靜不下來的; 好動的; 紛擾的。②無睡眠的。③無休止的。— **ly,** *adv.* — **ness,** *n.*

re·stock [riˋstɑk] *v.t.* & *v.i.* 再供以物品; 重新進貨(於); 再補充。

***res·to·ra·tion** [ˌrɛstəˋreʃən] *n.* ① Ⓤ 回復; 復職; 復辟。② Ⓤ 歸還; 償還〔of〕. ③ **a.** ⓊⒸ (古建築物、美術品等的)修復; 復原(作業)〔of〕. **b.** Ⓒ (建築物、已滅絕動物等)修復[復原]之物。④(the R-) **a.** (英國的)王政復辟時期(1660 年 Charles II 的復辟)。**b.**王政復辟時期(1660-85, 有時包括 James II 的治世至 1688 年)。

re·stor·a·tive [rɪˋstorətɪv] *adj.* ①復舊的; 回復的。②助恢復的; 能恢復健康或體力的。**—** *n.* Ⓒ 補劑; 興奮劑。

***re·store** [rɪˋstor, -ˋstɔr] *v.t.* ①恢復; 重建。②修補; 修復。③使痊癒; 使復原。④歸還; 交還。⑤使再出現; 重新使用。⑥使復位; 使復職。

***re·strain** [rɪˋstren] *v.t.* ①克制; 抑制; 自制。②限制; 監禁; 約束。

***re·straint** [rɪˋstrent] *n.* Ⓤ ①抑制; 遏制。②限制; 約束。③監禁。④自制; 忍耐。

***re·strict** [rɪˋstrɪkt] *v.t.* 限制; 約束〔to, within〕.

re·strict·ed [rɪˋstrɪktɪd] *adj.* ①限制的; 受約束的; 拘束的。②僅限於某一團體或人群的。— **ly,** *adv.*

***re·stric·tion** [rɪˋstrɪkʃən] *n.* ① Ⓤ 限制。② Ⓒ 帶有限制性之條件或規則。

re·stric·tive [rɪˋstrɪktɪv] *adj.* ①帶有限制的。②【文法】限制的。

re·struc·ture [riˋstrʌktʃɚ] *v.t.* 重新組織; 重新建造; 改組; 調整。

‡**re·sult** [rɪˋzʌlt] *n.* ① **a.** ⓊⒸ 結果; 效果。**b.** Ⓒ (常 *pl.*)成績。② Ⓒ【英俚】(足球比賽的)勝利。③ Ⓒ【數】結果; 答案。**—** *v.i.* ①產生; 起於〔常 from〕. ②終歸; 導致〔常 in〕.

re·sult·ant [rɪˋzʌltn̩t] *adj.* ①結果的; 產生結果的。②合成的。**—** *n.* Ⓒ ①結果。②【理】合力; 合成運動。

***re·sume** [rɪˋzum, -ˋzɪum] *v.t.* ①重新開始; 繼續。②重獲; 取回。**—** *v.i.* 再開始; 復始; 繼續。— **re·sump'tion** [-ˋzʌmp-], *n.*

ré·su·mé [ˌrɛzuˋme]【法】*n.* Ⓒ (亦作 **resume**)①摘要; 概略; 提要。②(求職者的)簡歷。

re·sur·gent [rɪˋsɝdʒənt] *adj.* 復蘇的; 復活的。— **re·sur'gence,** *n.*

res·ur·rect [ˌrɛzəˋrɛkt] *v.t.* ①使蘇醒; 使復活。②恢復; 復興。

res·ur·rec·tion [ˌrɛzəˋrɛkʃən] *n.* Ⓤ ①復活。②恢復; 修復; 恢復使用。③挖掘屍體。***the R-*** 耶穌的復活。

re·sus·ci·tate [rɪˋsʌsəˌtet] *v.t.* & *v.i.* (使)蘇醒; (使)復活。— **re·sus·ci·ta'tion,** *n.*

***re·tail** [ˋritel] *n.* Ⓤ 零售。**—** *adj.* ①零批的; 少量的。②零售的。**—** *v.i.* 零售。**—** *v.t.* ①零售。②[rɪˋtel] 細述; 傳播(流言)。— **er,** *n.*

***re·tain** [rɪˋten] *v.t.* ①保留; 保持。②記住。③僱; 聘請。④留住; 擋住。§ ～**ed óbject**【文法】保留受詞。

re·tain·er[1] [rɪˋtenɚ] *n.* Ⓒ ①保留者; 保持者; 保留物。②侍從; 家臣; 門客。③【機】護圈; 擋板。

re·tain·er[2] *n.* Ⓒ【法律】①聘請的律師[顧問](等)。②聘請律師的預約金; 律師費。

re·take [riˋtek] *v.t.* (**-took, -tak·en**) ①再取; 取回。②奪回。③【影, 攝】重攝; 重拍。**—** [ˋriˌtek] *n.* Ⓒ (照片、電影的)重攝; 重攝之景[像]。

re·tal·i·ate [rɪˋtælɪˌet] *v.i.* & *v.t.* 報復; 以牙還牙。— **re·tal'i·a·tive, re·tal'i·a·to·ry,** *adj.* — **re·tal·i·a'tion,** *n.*

re·tard [rɪˋtɑrd] *v.t.* ①阻礙。②使延遲。**—** *n.* Ⓒ 阻礙; 延緩。

re·tar·da·tion [ˌritɑrˋdeʃən] *n.* ⓊⒸ ①阻礙。②智力遲鈍。③【理】減速度。

R

re·tard·ed [rɪ`tɑrdɪd] *adj.* (兒童)智力遲鈍的; 智障的。a (mentally)～child 智障兒童。
retch [rɛtʃ] *v.i. & n.* Ⓒ 作嘔; 乾嘔。
re·tell [ri`tɛl] *v.t.* (**-told**)再講述; 再告知; 再說。
re·ten·tion [rɪ`tɛnʃən] *n.* Ⓤ ①保留; 保持(力)。②記憶(力)。③拘留; 扣押。④〖醫〗停滯; 分泌閉止。
re·ten·tive [rɪ`tɛntɪv] *adj.* ①保留的; 有保持力的。②記憶力強的。③拘留的。④吝嗇的。⑤寡言的。—**ly,** *adv.* —**ness,** *n.*
re·think [ri`θɪŋk] *v.t.* (**-thought**)再想; 再考慮。—*n.* (a ～)〖俗〗再考慮。
ret·i·cence [`rɛtəsn̩s] *n.* ⓊⒸ 沈默; 緘口; 寡言。(亦作 **reticency**)
ret·i·cent [`rɛtəsn̩t] *adj.* 緘默的; 寡言的; 撙節的; 保守的。—**ly,** *adv.*
re·tic·u·late [rɪ`tɪkjəlɪt] *adj.* 網狀(組織)的。—**re·tic·u·la′tion,** *n.*
ret·i·cule [`rɛtɪ,kjul] *n.* Ⓒ (女用)手提網袋。
ret·i·na [`rɛtn̩ə] *n.* Ⓒ (*pl.* **～s, -nae** [-tn̩,i])〖解〗視網膜。
ret·i·nue [`rɛtn̩,ju] *n.* Ⓒ (集合稱)侍從; 隨員。
***re·tire** [rɪ`taɪr] *v.i.* ①隱居; 隱退。②就寢。③退休; 退職。④(軍隊)撤退。⑤離去; 退去。—*v.t.* ①使退休。②收回(債券、股票等); 撤回。③〖棒球〗使(打擊手)出局。
re·tired [rɪ`taɪrd] *adj.* ①退職的; 已退休的。②隱退的。③隱蔽的。
re·tir·ee [rɪ,taɪ`ri] *n.* Ⓒ 退休者。
***re·tire·ment** [rɪ`taɪrmənt] *n.* ①ⓊⒸ 退休。②Ⓤ 退隱的生活方式。③Ⓒ 退隱處。
re·tir·ing [rɪ`taɪrɪŋ] *adj.* ①隱退的。②退職的; 退休的。③羞怯的。
re·tool [ri`tul] *v.t.* ①換或更改(工廠之)機器、工具。②改組。—*v.i.* 替換或更改機器、工具。
***re·tort**[1] [rɪ`tɔrt] *v.t.* 回嘴說。—*v.i.* 反擊。—*n.* ⓊⒸ 回嘴; 反駁。
re·tort[2] *n.* Ⓒ〖化〗蒸餾器。
re·touch [ri`tʌtʃ] *v.t.* ①〖攝〗修描(底片或照片)。②修飾; 潤色; 修改(繪畫等)。—[`ritʌtʃ, ri`tʌtʃ] *n.* Ⓒ 修改; 潤色。
re·trace [rɪ`tres] *v.t.* ①使(腳步)折回; 把(路)走回。②回顧; 回憶。③追溯。④再描摹。
re·tract [rɪ`trækt] *v.t.* ①縮回。②收回。—*v.i.* ①縮回。②收回聲明、承諾等。—**a·ble, re·trac′tive,** *adj.* —**re·trac·ta′tion, re·trac′tion,** *n.*
re·trac·tile [rɪ`træktl̩] *adj.* (爪等)能縮進的。
re·tread [ri`trɛd] *v.t.* 翻修(輪胎)。
re·treat** [rɪ`trit] *v.t. & v.i.* ①撤退; 退卻。②向後傾斜。—*n.* ①ⓊⒸ 撤退; 退卻。②(the ～)撤退號; 降旗號。③Ⓒ 隱避的地方; 避難所。④ⓊⒸ〖天主教〗靜修。beat a*** ～**a.** 撤退; 逃走。**b.** 放棄某項工作。
re·trench [rɪ`trɛntʃ] *v.t. & v.i.* ①減少(支出); 節省。②刪除; 省略。—**ment,** *n.*

re·tri·al [ri`traɪəl] *n.* ⓊⒸ ①〖法律〗再審; 覆審。②再試驗。
ret·ri·bu·tion [,rɛtrə`bjuʃən] *n.* Ⓤ (又作 a ～)報應; 果報; 報償。—**re·trib′u·tive, re·trib′u·to·ry,** *adj.*
***re·trieve** [rɪ`triv] *v.t.* ①尋回; 取回。②恢復。③補救; 糾正。④拯救。—*v.i.* 尋回獵獲物。—*n.* Ⓤ ①尋回; 恢復。②尋回的可能性。—**re·triev′a·ble,** *adj.* —**re·triev′al,** *n.*
re·triev·er [rɪ`trivɚ] *n.* Ⓒ ①(能尋回獵物之)獵犬。②尋回東西者; 恢復者。
ret·ro·ac·tive [,rɛtro`æktɪv] *adj.* ①回動的。②(加薪等)追溯既往生效的。
ret·ro·grade [`rɛtrə,gred] *adj.* ①後退的; 逆行的。②退化的; 退步的。—*v.i.* ①退後; 倒退。②退化; 退步。③衰退; 惡化。
ret·ro·gress [`rɛtrə,grɛs] *v.i.* 後退; 倒退; 惡化; 衰微。—**ret·ro·gres′sion,** *n.* —**ret·ro·gres′sive,** *adj.*
ret·ro·rock·et [`rɛtro,rɑkɪt] *n.* Ⓒ (太空船等的)減速火箭。
ret·ro·spect [`rɛtrə,spɛkt] *n.* Ⓤ 反顧; 回溯。***in*** (***the***) ～ 回顧。—*v.t. & v.i.* 回想。—**ret·ro·spec′tion,** *n.* —**ret·ro·spec′tive,** *adj.*
ret·rous·sé [,rɛtru`se, rə`truse]〖法〗*adj.* 向上翹的。
‡**re·turn** [rɪ`tɝn] *v.i.* ①回; 歸。②回復。③回答。④回想。—*v.t.* ①歸還。②回答。③獲(利)。④宣布。⑤選出…為(議員等)。⑥報答。⑦(聲、光等)反射。—*n.* ①ⓊⒸ 返回; 歸。②Ⓒ 歸還; 報答。③Ⓒ (常 *pl.*)贏利。④Ⓒ (常 *pl.*)報告; 陳述。⑤Ⓒ 回答; 反擊。***in*** ～以為報答。—*adj.* ①回來的; 歸來的。a ～ ticket 回程票。②送回的; 回報的。
re·turn·a·ble [rɪ`tɝnəbl̩] *adj.* 可退還的; 能返還的; 須送還的。
re·turn·ee [rɪ,tɝ`ni] *n.* Ⓒ ①(自海外或囚禁等)回來者。②自海外服役回來者。
***re·un·ion** [ri`junjən] *n.* Ⓤ ①重行結合; 重修舊好; 融合。②重聚。③團圓。
re·u·nite [,riju`naɪt] *v.t. & v.i.* (使)再結合; (使)重聚; (使)團聚。
re·use [ri`juz] *v.t.* 再使用。
rev [rɛv]〖俗〗*n.* Ⓒ (發動機等的)旋轉。—*v.t.* (**-vv-**)改變(引擎、馬達等)的速度; 使加速〔常up〕。—*v.i.* 加速旋轉。
Rev. Revelation; Reverend.
re·val·ue [ri`vælju] *v.t.* 重新評價; 再評估。—**re·val·u·a′tion,** *n.*
re·vamp [ri`væmp] *v.t.* ①改進; 修改。②修補; 給(鞋等)換新面。
re·vanche [rə`vɑ̃ʃ]〖法〗*n.* Ⓤ (戰敗國的)報復政策[主義]。(亦作**revanchism**)—**re·vanch′ist,** *n. & adj.*
***re·veal** [rɪ`vil] *v.t.* ①洩露; 透露。②顯示; 顯出。—**ment,** *n.*
rev·eil·le [`rɛvl̩,i, ,rɛvl̩`i] *n.* Ⓤ (常 the ～)〖軍〗起床號。
rev·el [`rɛvl̩] *v.i.* (**-l-,**〖英〗**-ll-**)①著迷〔in〕。②狂歡; 縱酒; 鬧飲。—*n.* Ⓤ (常 *pl.*)狂歡; 宴樂。—**rev′el·(l)·er,** *n.*

rev·e·la·tion [ˌrɛvḷˋeʃən] *n.* ①Ⓤ洩露；顯示。②Ⓒ顯示的事物；啓示。③Ⓤ天啓。④(R-, 常 *pl.*)〖新約〗啓示錄。— **al,** *adj.*

rev·el·ry [ˋrɛvḷrɪ] *n.* Ⓤ(又作 *pl.*)狂歡；飲宴作樂。

re·venge** [rɪˋvɛndʒ] *n.* Ⓤ①(又作 a ～)報仇；復仇；報復。②報仇心；復仇心；宿怨。take*** [***have***] ***one's ～*** 報仇。— *v.t.* & *v.i.* 報仇；報復；復仇。***～ oneself on*** [***upon***] ***a person*** 向某人報仇。— **ful,** *adj.*

***rev·e·nue** [ˋrɛvəˌnju] *n.* ①ⓊⒸ(大宗)收入；收益；(國家的)歲入。②(*pl.*)各項收入；總收入。③(常 the ～)稅務局；稅捐處。§ **～ stàmp** 印花。

re·ver·ber·ate [rɪˋvɝbəˌret] *v.i.* & *v.t.*(使)起回聲；(使)有回響。— **re·ver′ber·ant, re·ver′ber·a·to·ry,** *adj.* — **re·ver·ber·a′tion,** *n.*

re·vere [rɪˋvɪr] *v.t.* 尊敬；尊崇。

rev·er·ence [ˋrɛvərəns] *n.* ①Ⓤ(又作 a ～)崇敬；尊敬。②(R-)對教士之尊稱。③Ⓒ〖古〗深鞠躬。***hold a thing*** [***person***] ***in ～*** 尊敬某物[人]。

rev·er·end [ˋrɛvərənd] *adj.* 應受尊敬的。— *n.* (the R-)牧師之尊稱(略作 **Rev.**)．〔注意〕**Reverend** 之正式用法，不單獨與姓(last name)連用，且不用縮寫式，如：the *R-* James Shaw, the *R-* J. T. Shaw.

rev·er·ent [ˋrɛvrənt] *adj.* 恭敬的；虔誠的。— **ly,** *adv.*

rev·er·en·tial [ˌrɛvəˋrɛnʃəl] *adj.* ①恭敬的；虔誠的。②可敬的。

rev·er·ie [ˋrɛvərɪ] *n.* ⓊⒸ幻想；沉思。

re·vers [rəˋvɪr, rəˋvɛr] 〖法〗 *n.* Ⓒ (*pl.* ～ [～z])衣領翻在外面的部分。

re·ver·sal [rɪˋvɝsḷ] *n.* ⓊⒸ反轉；顚倒；逆轉；惡化。

***re·verse** [rɪˋvɝs] *n.* ①(the ～)顚倒；反轉。②Ⓒ(常 *pl.*)不幸；厄運。③(the ～)背面；反面。④Ⓒ使機械倒退的裝置。⑤Ⓒ〖舞蹈〗逆轉。— *adj.* 向後的；顚倒的；相反的。— *v.t.* ①使逆行；使反轉；顚倒。②取消；廢棄。③使轉過來；使翻過來；顚倒過來。④對…作相反的決定。— *v.i.* ①逆行；反行；倒開。②用倒退排檔。— **ly,** *adv.*

re·vers·i·ble [rɪˋvɝsəbl] *adj.* ①可反轉的。②可廢棄的。③(衣料的)兩面都可用的。④兩面可穿的。

re·ver·sion [rɪˋvɝʒən, -ˋvɝʃ-] *n.* ①Ⓤ歸屬。②Ⓒ繼承權。③Ⓤ返祖遺傳。④Ⓤ回復。— **al,** — **ar·y,** *adj.*

re·vert [rɪˋvɝt] *v.i.* ①重提(原來的話題)。②恢復原狀；重返舊觀。③(耕地)重成荒地。④〖生物〗返回祖先狀態；返祖遺傳。⑤回想；重思。⑥復歸；歸屬。— **i·ble,** *adj.*

***re·view** [rɪˋvju] *v.t.* ①復習。②回顧。③再考察；再檢查。④檢閱；檢查。⑤評論；批評。⑥覆審或再審(案件)。— *v.i.* 評論；批評。— *n.*①Ⓒ複習；溫習。②Ⓒ回顧；檢討。③ⓊⒸ檢查；檢閱。④Ⓒ(對著作的)評論。⑤Ⓒ評論雜誌。⑥=**revue.** ⑦Ⓒ覆審；再審。— **al,** — **er,** *n.*

re·vile [rɪˋvaɪl] *v.t.* & *v.i.* 辱罵；謾罵。— **ment,** *n.*

***re·vise** [rɪˋvaɪz] *v.t.* ①校訂；改訂。②修改；改正。— *n.* Ⓒ再校樣；二校樣。§ **the Revísed Stándard Vérsion** 標準譯本聖經修訂本(由美國學者修訂，於1952年發行，略作R.S.V.). **the Revísed Vérsion** 欽定英譯本的修訂本聖經(爲英王詹姆斯欽定本聖經的修訂版)。

re·vis·er [rɪˋvaɪzɚ] *n.* Ⓒ校訂者；修訂者；校對員。(亦作 **revisor**)

***re·vi·sion** [rɪˋvɪʒən] *n.* ①ⓊⒸ改訂；訂正；修正；校訂。②Ⓒ改訂版；修訂本。③Ⓤ〖英〗復習。

re·vi·sion·ism [rɪˋvɪʒənɪzəm] *n.* Ⓤ修正論；(篡改馬克斯主義的)修正主義。— **re·vi′sion·ist,** *n.* & *adj.*

re·vis·it [riˋvɪzɪt] *v.t.* & *n.* Ⓒ再訪；重遊。

***re·viv·al** [rɪˋvaɪvḷ] *n.* ①ⓊⒸ復活；甦醒。②ⓊⒸ(精力、健康等的)恢復。③ⓊⒸ復興；復用；重新上演。④Ⓒ(對宗教的)信仰復興期；信仰復興運動。— **ist,** *n.*

***re·vive** [rɪˋvaɪv] *v.i.* ①復活；甦醒。②重振；振興。③再興；復用；重新流行。— *v.t.*①使復甦；使振作。②使重現；重演；使再流行。

re·viv·i·fy [riˋvɪvəˌfaɪ] *v.t.* 使甦醒；使復活；使恢復生氣。

rev·o·ca·ble [ˋrɛvəkəbḷ] *adj.* 可廢止的；可撤銷的；可解除的。— **rev·o·ca·tion** [ˌrɛvəˋkeʃən], *n.*

re·voke [rɪˋvok] *v.t.* 廢棄；廢止；取消。— *n.* Ⓒ〖牌戲〗有牌不跟。

***re·volt** [rɪˋvolt] *n.* ⓊⒸ叛亂；背叛。— *v.i.* ①叛亂；背叛〔against〕。②嫌惡；反感〔against, at, from〕。— *v.t.* 使嫌惡；使反感。— **ing,** *adj.*

***rev·o·lu·tion** [ˌrɛvəˋluʃən] *n.* ①ⓊⒸ革命。②Ⓒ大改革；大改變。③**a.** ⓊⒸ旋轉；迴轉。**b.** Ⓤ〖理〗旋轉運動。④ⓊⒸ(季節等的)週期；循環。⑤ⓊⒸ(天體的)公轉。

***rev·o·lu·tion·ar·y** [ˌrɛvəˋluʃənˌɛrɪ] *adj.* ①革命(性)的。②(R-)美國革命戰爭的。§ **the R- Wár** 美國革命戰爭(指1775-83之獨立戰爭)。

rev·o·lu·tion·ize [ˌrɛvəˋluʃənˌaɪz] *v.t.* 在…發動革命；徹底改革。

***re·volve** [rɪˋvɑlv] *v.i.* ①周轉；旋轉；循環〔about, round〕。②熟思；反復斟酌。— *v.t.* ①使旋轉。②反復斟酌；熟思。

***re·volv·er** [rɪˋvɑlvɚ] *n.* Ⓒ①左輪手槍。②〖冶〗轉爐。

re·volv·ing [rɪˋvɑlvɪŋ] *adj.* 迴旋的；迴轉的。a ～ door 旋轉門。

re·vue [rɪˋvju] *n.* ⓊⒸ時事諷刺劇(常含輕鬆歌舞之幽默喜劇)。

re·vul·sion [rɪˋvʌlʃən] *n.* ①Ⓤ(又作 a ～)(感情等的)突變；劇變；厭惡。②Ⓤ〖醫〗誘導法。③Ⓒ(突然)收回。

***re·ward** [rɪˋwɔrd] *n.* ⓊⒸ報答；報償。— *v.t.* ①報答；酬謝(人)。②酬報；酬謝(事蹟)。

re·ward·ing [rɪ`wɔrdɪŋ] *adj.* 有報酬的；有用的；有益的；值得的。
re·wind [ri`waɪnd] *v.t.* (**-wound** [-`waʊnd])捲回(錄音帶、底片等)。
re·word [ri`wɜd] *v.t.* 重說；改寫；改變…的措辭。
re·work [ri`wɜk] *v.t.* 修改；重做。
***re·write** [ri`raɪt] *v.t.* (**-wrote, -writ·ten**)①重寫；改寫。②〖美〗加工改寫。— [`ri,raɪt] *n.* Ⓒ ①改寫的作品。②〖美〗經改寫的新聞稿。
Rey·kja·vik [`rekjə,vik] *n.* 雷克雅維克(冰島共和國首都)。
Reyn·ard [`rɛnəd] *n.* ①列那(中世紀諷刺故事 *Reynard the Fox* 中主角狐狸之名)。②(r-) Ⓒ 狐狸。
rhap·so·dist [`ræpsədɪst] *n.* Ⓒ ①吟誦史詩者；遊唱詩人。②狂文、狂詩或狂想曲作者。
rhap·so·dize [`ræpsə,daɪz] *v.t.* & *v.i.* ①把…寫成狂文[狂詩，狂想曲]；像史詩般地朗誦；吟誦。②狂熱地說。
rhap·so·dy [`ræpsədɪ] *n.* ① Ⓒ (常 *pl.*)狂熱的言論或詩文。② Ⓒ 〖樂〗狂想曲。③ Ⓒ 史詩；敘事詩；史詩的一節。④ Ⓤ 狂喜。
rhe·a [`riə] *n.* Ⓒ 〖動〗三趾鴕鳥(南美產)。
rhe·o·stat [`riə,stæt] *n.* Ⓒ 〖電〗變阻器。
rhe·sus [`risəs] *n.* Ⓒ (印度產的)恆河猴。
Rhé·sus fàctor [`risəs ～] *n.* = Rh factor.
rhet·o·ric [`rɛtərɪk] *n.* Ⓤ ①修辭學。②修辭法。③浮誇的文體；花言巧語；誇張。
rhe·tor·i·cal [rɪ`tɔrɪkḷ] *adj.* ①修辭學的；修辭(上)的。②浮誇的；口頭的。§ ～ **quéstion**〖文法〗修辭性問句；反問(例如以 *Who cares?* 表示 Nobody cares.)。
rhet·o·ri·cian [,rɛtə`rɪʃən] *n.* Ⓒ ①修辭學家；修辭學教師。②雄辯家；喜用浮誇詞句的人。
rheum [rum] *n.* Ⓤ 〖醫〗①炎性分泌物(如淚液、唾液等)。②(常 *pl.*)鼻黏膜炎；感冒。
rheu·mat·ic [ru`mætɪk] *adj.* (患)風濕症的；風濕症引起的。— *n.* ① Ⓒ 風濕症患者。②(*pl.*)風濕症。
rheu·ma·tism [`rumə,tɪzəm] *n.* Ⓤ ①風濕症。②風濕性熱。
rheu·ma·toid [`rumə,tɔɪd] *adj.* 風濕(性)的。～ arthritis 風濕性關節炎。
Rh fàctor [`ɑr`etʃ ～] *n.* (the ～)〖生化〗Rh 因子；獼因子(紅血球中的凝血素)。
Rhine [raɪn] *n.* (the ～)萊茵河(自瑞士中部經德國流入北海)。§ ～ **wìne** 萊茵葡萄酒；白葡萄酒。
rhine·stone [`raɪn,ston] *n.* Ⓤ Ⓒ ①萊茵石(水晶之一種)。②假金鋼鑽。
rhi·ni·tis [raɪ`naɪtɪs] *n.* Ⓤ 〖醫〗鼻炎。
rhi·no [`raɪno] *n.* (*pl.* **～s, ～**)① Ⓒ 〖俗〗犀牛。② Ⓤ 〖英俚〗錢；鈔票。
rhi·noc·er·os [raɪ`nɑsərəs] *n.* Ⓒ (*pl.* **～es, ～**)〖動〗犀牛。
rhi·zome [`raɪzom] *n.* Ⓒ 〖植〗根莖；地下莖。(亦作 **rhizoma**)
Rhode Is·land [rod`aɪlənd] *n.* 羅德島(美國東部之一州)。
Rho·de·sia [ro`diʒɪə] *n.* 羅德西亞(非洲南部之前英國殖民地，現已獨立成爲 Zambia 和 Zimbabwe 兩國)。
Rho·de·si·an [ro`diʒɪən] *adj.* 羅德西亞的。— *n.* Ⓒ 羅德西亞人。
rho·di·um [`rodɪəm] *n.* Ⓤ 〖化〗銠(金屬元素；符號 Rh)。
rho·do·den·dron [,rodə`dɛndrən] *n.* Ⓒ 〖植〗杜鵑花屬植物。
rhom·boid [`rɑmbɔɪd] *n.* Ⓒ & *adj.* 長斜方形(的)；長菱形(的)。
rhom·boi·dal [rɑm`bɔɪdəl] *adj.* 長斜方形的；長菱形的。
rhom·bus [`rɑmbəs] *n.* Ⓒ (*pl.* **-bi** [-baɪ], **～es**)①〖數〗菱形；斜方形。②〖結晶〗菱面體；斜方六面體。
rhu·barb [`rubɑrb] *n.* Ⓤ ①〖植〗大黃(其根可作藥，葉柄可供食用)。②〖美俚〗爭吵；口角；喧嘩；吵鬧。
rhyme** [raɪm] *v.t.* & *v.i.* (使)押韻。— *n.* ① Ⓤ Ⓒ 韻。② Ⓒ 同韻詞。③ Ⓒ 押韻詩。nursery ～*s* 兒歌；童謠。④ Ⓤ Ⓒ 韻律。without ～ or reason*** 莫名其妙；不合理；雜亂無章。
rhyme·ster [`raɪmstə] *n.* Ⓒ 打油詩人。
rhym·ing [`raɪmɪŋ] *adj.* 押韻的；同韻字的。§ ～ **cóuplet** (常 *pl.*)押韻的兩行對句；雙韻。～ **díctionary** 韻書(如我國之「廣韻」)。～ **sláng** 押韻俚語。
***rhythm** [`rɪðəm] *n.* Ⓤ Ⓒ ①節奏；律動。②〖聲韻〗韻律。③〖樂〗節奏；節拍。*— **rhyth′mic(al)**, *adj.*
RI Rhode Island.
***rib** [rɪb] *n.* Ⓒ ①肋骨。②肋骨狀物。③樹葉的粗大葉脈。④(布或針織物上的)稜紋。⑤〖俚〗玩笑。— *v.t.* (**-bb-**)①供以肋狀物；以肋狀物支持或加強。②綴以稜線。③〖俚〗戲碰(某人)的肋骨。
rib·ald [`rɪbḷd] *adj.* (言語等)下流的；粗鄙的。— *n.* Ⓒ 下流人；說話粗鄙的人。
rib·ald·ry [`rɪbḷdrɪ] *n.* Ⓤ 下流(話)；粗鄙(語)。
rib·bing [`rɪbɪŋ] *n.* Ⓤ ①(集合稱)肋骨。②(葉脈等的)肋狀組織；埂。③(紡織品、編織物的)稜紋花樣。
***rib·bon** [`rɪbən] *n.* ① Ⓤ Ⓒ 絲帶；緞帶；絨帶。② Ⓒ 帶；條。③ Ⓒ (勳章的)綬帶；飾帶。④(*pl.*)碎片；斷片。⑤(*pl.*)麻繩。— *v.t.* ①飾以緞帶。②撕成帶；撕成碎片。
ri·bo·fla·vin [,raɪbə`flevɪn] *n.* Ⓤ 維他命 B_2；核黃素。
‡**rice** [raɪs] *n.* Ⓤ ①稻穀；米；米飯。②〖植〗稻。— *v.t.* 用壓粒器壓碎(馬鈴薯等)；使成米粒狀。§ ～ **pàddy** 稻田。～ **pàper** 宣紙；通草紙。
‡**rich** [rɪtʃ] *adj.* ①有錢的；富的。②富饒的；豐富的〔in〕. ③肥沃的。④貴重的。⑤昂貴的；華貴的。⑥甘美的；油膩的。⑦(顏色)濃的；(聲音)宏亮圓潤的；(氣味)馥郁的；醇厚的。⑧〖俗〗好玩的；可笑的。⑨隆重的；盛大的。*the* ～ 富人。— **ness**, *n.*
rich·es [`rɪtʃɪz] *n. pl.* 財富；財寶。

rich·ly [ˋrɪtʃlɪ] *adv.* ①富麗地。②充分地。He ～ deserved it. 他有充分資格去獲得它。

Rích·ter scále [ˋrɪktɚ～] *n.* (the ～)芮氏地震強度分級表。

rick [rɪk] *n.* Ⓒ禾堆；乾草堆。— *v.t.* 把…堆成禾堆。

rick·ets [ˋrɪkɪts] *n.* Ⓤ軟骨病；傴僂病。

rick·et·y [ˋrɪkɪtɪ] *adj.* ①患傴僂病的；虛弱的。②搖搖晃晃的；東倒西歪的。

rick·sha(w) [ˋrɪkʃɔ] *n.* Ⓒ人力車；黃包車。

ric·o·chet [ˌrɪkəˋʃe] *v.i.* & *v.t.* (使)跳飛；(使)回跳；用跳彈射擊。

***rid** [rɪd] *v.t.* (**rid** or **rid·ded, rid·ding**)免除；解除。～oneself of debt 清除債務。**be**[**get**] ～ **of**免除；解除。

rid·dance [ˋrɪdṇs] *n.* Ⓤ除去；擺脫。**good** ～ 樂得擺脫；可慶幸的擺脫；丟了個大包袱。

‡**rid·den** [ˋrɪdṇ] *v.* pp. of **ride.**

***rid·dle**[1] [ˋrɪdḷ] *n.* Ⓒ①謎語；謎。②謎樣的人；費解之人。— *v.i.* 講話含糊；出言若謎。— *v.t.* 解(謎)。

rid·dle[2] *n.* Ⓒ粗篩。— *v.t.* ①篩。②穿孔。③挑剔(言論)中的漏洞。

‡**ride** [raɪd] *v.i.* (**rode, rid·den**)①騎；乘馬、脚踏車等而行。②乘坐；跨。③航進；飄行；漂浮。④(車、馬等載人而)行。⑤依靠〔on〕。— *v.t.* ①騎；乘。②在…上航行。③控制；駕馭。④騎(馬等)、乘(車等)經過或通過。⑤(騎乘而)做；作。⑥使騎乘。⑦〖俚〗揶揄；嘲弄。⑧克服。～ **down** **a.** 擊倒。**b.** 克服；征服。**c.** 騎馬追及。**d.** 由騎乘而使力竭。～ **out** **a.** 抵擋(狂風等)而不受損。**b.** 安然度過。～ **roughshod over** 蹂躪；嚴酷地對待；擊敗。～ **up** 滑上去而離了原位；走樣。— *n.* Ⓒ乘馬[車等]；乘在馬[車等]上的短程旅行。go for a ～ 騎馬[乘車等]出去兜風。

***rid·er** [ˋraɪdɚ] *n.* Ⓒ①騎馬者；騎[乘]車者。②(文件等之)附文；附件。

***ridge** [rɪdʒ] *n.* Ⓒ①屋脊。②狹長之山脈；山脊。③脊狀突起(稜線、鼻梁、田壟等)。— *v.t.* 使成脊突。— *v.i.* 成脊形。§ ～ **tìle** 屋脊瓦。

ridge·pole [ˋrɪdʒˌpol] *n.* Ⓒ〖建〗棟木。(亦作 **ridgepiece**)

***rid·i·cule** [ˋrɪdɪˌkjul] *v.t.* & *n.* Ⓤ訕笑；譏笑；嘲弄。

***ri·dic·u·lous** [rɪˋdɪkjələs] *adj.* 可笑的；荒謬的。—**ly,** *adv.* —**ness,** *n.*

rid·ing [ˋraɪdɪŋ] *n.* Ⓤ騎；乘車。— *adj.* 騎乘(用)的。§ ～ **bòot** 馬靴；長統靴。～ **brèeches** 馬褲。～ **hàbit** 女用騎裝。～ **làmp** [**lìght**]〖海〗停泊燈。～ **sùit** 騎裝。

rife [raɪf] *adj.* ①流行的；盛行的。②衆多的；充斥的〔with〕。

riff [rɪf] *n.* Ⓒ〖爵士樂〗反覆的音樂小節[詞句]。— *v.i.* 重複彈奏某一樂句。

rif·fle [ˋrɪfḷ] *n.* Ⓒ①溪流中激起漣漪或激流之淺灘、暗礁或岩石。②洗牌。— *v.t.* & *v.i.* ①(使)形成漣漪。②用拇指迅速輕翻書頁。③洗牌。

riff·raff [ˋrɪfˌræf] *n.* (the ～, 集合稱)①流氓；暴民；賤民。②廢物。

***ri·fle**[1] [ˋraɪfḷ] *n.* ①Ⓒ來福槍；步槍。②(*pl.*)來福槍兵；步槍兵。

ri·fle[2] *v.t.* 搶劫；攫取；偷竊；洗劫。

ri·fle·man [ˋraɪfḷmən] *n.* Ⓒ(*pl.* **-men**)步槍手；步兵。

ri·fle·ry [ˋraɪfḷrɪ] *n.* ①(集合稱)步槍彈。②Ⓤ步槍射擊。

ri·fling [ˋraɪflɪŋ] *n.* Ⓤ(來福槍的)膛線。

rift [rɪft] *n.* Ⓒ①裂縫；罅隙；裂口。②不和。— *v.t.* & *v.i.* 劈開；裂開。

rig[1] [rɪg] *n.* Ⓒ①〖海〗艤裝。②設備。③服裝。— *v.t.* (**-gg-**)①裝索具於(船)。②裝置；配備。③〖俚〗穿(美服)。④準備。⑤草草做成〔up〕。

rig[2] *v.t.* (**-gg-**)以不正當的手段操縱；控制；壟斷。

rig·ger[1] [ˋrɪgɚ] *n.* Ⓒ①〖海〗索具裝置者；搖絞轆者。②(飛機機身的)裝配員。

rig·ger[2] *n.* Ⓒ操縱股市的人；作弊者。

rig·ging [ˋrɪgɪŋ] *n.* Ⓤ①船的纜索。②裝備。③〖俚〗服裝。

‡**right** [raɪt] *adj.* ①公正的；合法的。②對的；眞實的。③合適的。④健康的。Do you feel all ～? 沒有什麼不舒適吧? ⑤右方的。⑥直的。⑦垂直的。**at** ～ **angles** 成直角地。**get something** ～ 徹底了解一事。**put** [**set**] **something** [**somebody**] ～**a.** 整頓。**b.** 矯正。**c.** 使恢復健康。(**as**) ～ **as rain** 很順利；滿意。— *adv.* ①公正地；合法地。②正確地。③合適地。④向右地。⑤恰好地。Put it ～ here. 把它就放在這裏。⑥〖美〗即刻地。⑦很；極(=very, 用在尊稱之前)。⑧一直地。⑨徹底地。⑩〖方, 俗〗非常地。⑪直接地。～ **along** 不停地；不斷地。～ **and left** 向各方面；無拘束地。～ **away** 立刻。— *n.* ①Ⓤ正義；公理。②Ⓒ(常 *pl.*)權利。③Ⓤ(the ～, one's ～)右；右方。④Ⓒ〖拳擊〗右手拳。⑤Ⓤ(常 the R-)右派(較爲保守者)。⑥ⓊⒸ購買新股的特權；此種特權證。⑦Ⓤ〖棒球〗右外野。**by** ～(**s**)公正地；恰當地。**by** ～ **of** 因爲；由於。**in one's own** ～ **a.** 由於本人之繼承權。**b.** 憑本身之能力、條件等。～ **of way** 優先通行權。**to** ～**s**〖俗〗就緒。— *v.t.* ①糾正；改正。②整頓。③扶正；扶直；扶起。④公正對待。— *v.i.* (船從傾斜中)恢復平衡。～ **on** 〖俚, 俗〗對啊;正是。§ ～ **ángle** 直角。～ **fíeld**〖棒球〗右外野。～ **fíelder** 〖棒球〗右外野手。～ **hánd** (1)右手。(2)最得力的助手。～ **tríangle** 直角三角形。～ **wíng** (1)(the ～wing)(政黨等的)右派；保守派。(2)(足球等的)右翼；右翼手。

right·a·bout-face [ˋraɪtəˌbaʊtˋfes] *n.* Ⓒ①〖軍〗向後轉。②(信仰、行爲的)完全轉變。

right-an·gled [ˋraɪtˋæŋgḷd] *adj.* 直角的。

right·eous [ˋraɪtʃəs] *adj.* ①行爲正當的。②正當的；公正的。—**ly,** *adv.* —**ness,** *n.*

right·ful [ˋraɪtfəl] *adj.* ①合法的。②正直的；公正的。—**ly,** *adv.*

right-hand [ˋraɪtˋhænd] *adj.* ①右

方的。②右手的。③最得力的。
right-hand·ed [ˋraɪtˋhændɪd] *adj.* ①習慣於用右手的。②以右手用的。③順時針方向的；右旋的。
right·ist [ˋraɪtɪst] 〖政〗*n.* Ⓒ (常 R-) 保守主義者；右派分子。— *adj.* 保守派的；右派的。
***right·ly** [ˋraɪtlɪ] *adv.* ①正直地；正當地；無誤地。②有道理地；合理地。
right·mind·ed [ˋraɪtˋmaɪndɪd] *adj.* 思想正直的；合理的。
right·most [ˋraɪt,most] *adj.* 最右(側)的。
right·ward [ˋraɪtwəd] *adj.* & *adv.* 向右的[地]。
right·wards [ˋraɪtwədz] *adv.* 向右「地。」
right-wing [ˋraɪtˋwɪŋ] *adj.* 〖政〗右派的；右翼的。
right-wing·er [ˋraɪtˋwɪŋə] *n.* Ⓒ 右派的人；右翼分子。
***rig·id** [ˋrɪdʒɪd] *adj.* ①僵硬的；穩固的。②嚴格的；嚴厲的。③精確的。—**ly,** *adv.* —**ness, ri·gid′i·ty,** *n.*
rig·ma·role [ˋrɪgmə,rol] *n.* Ⓤ ①(又作 a ～)冗長散亂的言語；廢話。②無意義的手續。
rig·or, 〖英〗**-our** [ˋrɪgə] *n.* ①Ⓤ 嚴厲；嚴酷。②Ⓤ 剛強。③(the ～, 常 *pl.*)嚴寒；酷熱。④Ⓤ 精確性；嚴密性。
rig·or mor·tis [ˋraɪgɔrˋmɔrtɪs] 〖拉〗*n.* Ⓤ〖醫〗死後僵硬。
rig·or·ous [ˋrɪgərəs] *adj.* ①堅硬的；嚴厲的。②嚴密的。③極冷的。—**ly,** *adv.* —**ness,** *n.*
rile [raɪl] *v.t.* ①〖俚〗惹怒；使惱火。②〖美〗「攪渾濁。」
rill [rɪl] *n.* Ⓒ 小河；小溪。
***rim** [rɪm] *n.* Ⓒ (圓形物之)邊緣；框。— *v.t.* (**-mm-**) ①加邊於；鑲邊於。②沿(洞等)的邊緣滾。
rime[1] [raɪm] *n.* & *v.* =**rhyme.**
rime[2] *n.* Ⓤ 白霜。— *v.t.* 覆以霜。
rimmed [rɪmd] *adj.* (常構成複合字)有…邊[框]的。gold-*rimmed* glasses 金邊眼鏡。
rind [raɪnd, raɪn] *n.* ⓊⒸ ①樹皮；果皮；種子外殼；獸皮。②硬殼；外殼。
‡**ring**[1] [rɪŋ] *n.* ①Ⓒ 環；圈。②Ⓒ 金屬環；指環。③Ⓒ 樹木之年輪。④Ⓒ (圓形物之)外沿。⑤(the ～)圓形競技場。⑥Ⓒ 黨徒；集團。⑦Ⓒ 競爭。⑧(the～)馬戲表演場。⑨(the～)拳擊賽場。*in the ～ for election* 競選。*run ～s around* 顯然優於…；超過。— *v.t.* ①圍繞。②擲環以套(短樁等)。③供以環。④套環於(動物之鼻)。⑤在…周圍環行。§ ∽ **finger** (左手之)無名指。∽ **ròad** 〖英〗(都市周圍的)環狀道路。
‡**ring**[2] *v.i.* (**rang, rung**) ①響。②共鳴。③鳴鈴呼喚。— *v.t.* ①使鳴；使響。②高聲傳說；傳播。③發(鳴聲)。④以鐘聲召集[宣告]。⑤打電話給。*～ a bell* 引起共鳴；引起模糊回憶。*～ in* **a.** 以不正當手段引入。**b.** 打卡上班。*～ off* 掛斷電話。*～ the bell* 正中下懷；大受歡迎。*～ up* **a.** 用收銀機記載售貨數量。**b.** 用電話聯絡；打電話。*～ up the curtain* **a.** 鳴鈴拉開戲幕。**b.** 開始表演；開始行動。— *n.* ①Ⓒ 鈴聲；鐘聲。②Ⓤ 打鐘；搖鈴。③(a ～)打電話。
ring·bind·er [ˋrɪŋ,baɪndə] *n.* Ⓒ 鐵環式活頁夾(使用金屬環的活頁裝訂夾)。
ringed [rɪŋd] *adj.* ①有環狀飾物的。②以環狀飾物裝飾的；爲環所圍繞的。
ring·er[1] [ˋrɪŋə] *n.* Ⓒ ①鳴鐘者；鳴鈴者。②頂替者。③酷似之人[物]。
ring·er[2] *n.* Ⓒ ①包圍者；包圍物。②擲鐵樁之馬蹄鐵或圓環。③擲環遊戲之一擲。
ring·lead·er [ˋrɪŋ,lidə] *n.* Ⓒ 叛黨首領；暴動之魁首。
ring·let [ˋrɪŋlɪt] *n.* Ⓒ ①小環；環形物。②鬈髮。
ring·mas·ter [ˋrɪŋ,mæstə] *n.* Ⓒ 馬戲團領班。
ring·side [ˋrɪŋ,saɪd] *n.* (the ～)(拳賽場、馬戲團等)場邊。
ring·worm [ˋrɪŋ,wɜm] *n.* Ⓤ〖醫〗癬；錢癬。
rink [rɪŋk] *n.* Ⓒ ①溜冰場。②供滑冰用的光滑地板。③室內溜冰場。④比賽用的滾球戲草坪。
rin·ky-dink [ˋrɪŋkɪ,dɪŋk] *adj.* 〖美俚〗過時的；陳腔濫調的。
***rinse** [rɪns] *v.t.* ①清洗。②洗濯；漂洗。③漱(口)；涮洗。④沖去；洗去。⑤(用水)將(食物)吞入胃中。— *n.* ①Ⓒ 漱洗；漂洗。②ⓊⒸ (潤髮用)潤絲精。
Ri·o de Ja·nei·ro [ˋriodədʒəˋnɪro] *n.* 里約熱內盧(巴西舊都)。
Ri·o Gran·de [,riəˋgrændɪ] *n.* (the ～)里約格蘭德河(形成美國和墨西哥的國界)。
***ri·ot** [ˋraɪət] *n.* ①Ⓒ 暴動；暴亂；騷動。②(a ～)鮮豔之展示。③Ⓒ 非常有趣或好玩之事物。④(a ～)有趣之人或表演。⑤Ⓒ 喧鬧。*run ～* **a.** 撒野。**b.** 蔓延滋長。**c.** 約束不佳。**d.** 猖獗。— *v.i.* 喧鬧；騷動。— *v.t.* 浪費；亂花。
ri·ot·ous [ˋraɪətəs] *adj.* ①暴亂的；引起暴亂的。②恣情的。③滋蔓的。
***rip**[1] [rɪp] *v.t.* (**-pp-**) ①撕開。②(沿木紋理)直鋸或直劈(木材)。③〖俗〗亂罵。— *v.i.* ①裂開。②〖俗〗向前直闖。③〖俗〗胡說〔out〕. *let things ～* 擱著不管。— *n.* Ⓒ 裂痕。§ ∽ **còrd** 〖空〗(降落傘的)開傘索。
rip[2] *n.* Ⓒ〖俚〗①無賴漢。②劣馬。③浪「子。」
rip[3] *n.* Ⓒ ①激流。②退潮流。
ri·par·i·an [rɪˋpɛrɪən, raɪ-] *adj.* ①河岸上的。②生長於河岸的。
ripe** [raɪp] *adj.* ①成熟的。②發展完成的。③準備成熟的〔for〕. ④已化膿的。⑤足夠的。⑥年長的。Soon ～, soon rotten.*** 〖諺〗早熟早爛。
***rip·en** [ˋraɪpən] *v.t.* & *v.i.* (使)成「熟。」
rip·off [ˋrɪp,ɔf] *n.* Ⓒ〖美俚〗①偷；搶。②詐騙。
rip·ping [ˋrɪpɪŋ] *adj.* & *adv.* 〖英俚〗非凡的[地]；非常好的[地]；絕妙的[地]。
***rip·ple** [ˋrɪpḷ] *n.* ①Ⓒ 微波；漣漪。②Ⓒ 微波狀物(如髮浪等)。③(*sing.*)聲浪。— *v.t.* & *v.i.* (使)起微波[波紋]。—**rip′ply,** *adj.*
rip·saw [ˋrɪp,sɔ] *n.* Ⓒ 粗齒鋸。

rip·tide [ˋrɪp,taɪd] *n.* Ⓒ 衝潮；撞潮(和其它潮流衝撞而引起大浪的潮流)。

‡**rise** [raɪz] *v.i.* (**rose, ris·en**) ①起立；起身；起床。②升起；上升。③矗立。④漸高。⑤漲。⑥升級；晉升。⑦起源；開始。⑧發生。⑨築。⑩振作。⑪叛變。⑫變大；變鬆。⑬再生。⑭休會；閉會。⑮熱烈歡呼鼓掌。⑯(魚)浮出水面(以吃餌)。— *v.t.* 使升起。～ **to a.**相等於。**b.** 能應付。They *rose to* the occasion. 他們能應付那情勢。— *n.* ① Ⓒ (向上的)斜坡。② Ⓒ 增加；增高。③ Ⓒ 起源。④ Ⓤ 上升。⑤ Ⓒ (魚之)浮出水面(以吃餌)。⑥ Ⓒ (臺階、斜坡、拱形等之)垂直高度。⑦ Ⓤ 升至地平線之上。⑧ Ⓒ 刺人的回答。*give* ～ *to* 引起；惹起；導致。

‡**ris·en** [ˋrɪzn̩] *v.* pp. of **rise**.

ris·er [ˋraɪzɚ] *n.* Ⓒ ①起床者。an early ～ 早起的人。②升起之物。③〖建〗梯級間豎板。

ris·ing [ˋraɪzɪŋ] *adj.* 上升的；增強的。— *prep.* ①〖俗〗多於。②〖方〗接近。— *n.* ① Ⓤ 上升；起床。② Ⓒ 叛亂。③ Ⓤ 復活。④ Ⓒ 瘍腫；瘤。

‡**risk** [rɪsk] *n.* ① Ⓤ 危險。② Ⓒ 被保險人[物]。③ Ⓒ 被冒險一試之事物。*at all ～s; at any ～* 不顧一切。*run a ～*冒險。*run [take] the ～of* 冒…之險。— *v.t.* ①使冒險。②冒…之險。

risk·y [ˋrɪskɪ] *adj.* 危險的；冒險的。

***rite** [raɪt] *n.* Ⓒ (常*pl.*)儀式；典禮；禮儀。

***rit·u·al** [ˋrɪtʃuəl] *n.* ① Ⓤ 典禮；儀式。② Ⓒ 儀式之舉行。③ Ⓒ 習慣性的行爲；儀式性的活動。— *adj.* 儀式的；典禮的。— **ly,** *adv.*

rit·u·al·ism [ˋrɪtʃuəl,ɪzəm] *n.* Ⓤ 拘泥儀式；儀式主義。

rit·u·al·ist [ˋrɪtʃuəlɪst] *n.* Ⓒ ①研習儀式者；精通儀式者。②拘泥儀式者；主持儀式者。

***ri·val** [ˋraɪvl̩] *n.* Ⓒ ①競爭者；對手；敵手。②匹對者。— *adj.* 競爭的；敵對的。— *v.t.* (**-l-,** 〖英〗**-ll-**)①與…爭勝。②匹敵。— *v.i.* 競爭。

ri·val·ry [ˋraɪvl̩rɪ] *n.* Ⓤ Ⓒ 競爭；敵對。

rive [raɪv] *v.t.* (**rived, rived** or **riv·en** [ˋrɪvən])①扯裂；撕開；劈開。②使悲痛。

‡**riv·er** [ˋrɪvɚ] *n.* Ⓒ ①河；江。②任何湧流之物。§ ∼ **bàsin** 江河流域。

riv·er·bank [ˋrɪvɚ,bæŋk] *n.* Ⓒ 河岸。

riv·er·bed [ˋrɪvɚ,bɛd] *n.* Ⓒ 河床。

riv·er·boat [ˋrɪvɚ,bot] *n.* Ⓒ 河船。

riv·er·side [ˋrɪvɚ,saɪd] *n.* (the～)河邊。— *adj.* 河邊的。

riv·et [ˋrɪvɪt] *n.* Ⓒ 鉚釘；包頭釘。— *v.t.* ①用鉚釘固定。②釘牢；使…牢固。

riv·u·let [ˋrɪvjəlɪt] *n.* Ⓒ 小河；細流。

Ri·yadh [riˋjɑd] *n.* 利雅得(沙烏地阿拉伯的首都)。

Rn 〖化〗radon. **R.N.** registered nurse; Royal Navy. **RNA** ribonucleic acid.〖生化〗核糖核酸。

roach[1] [rotʃ] *n.* Ⓒ (*pl.* ～, ～**es**)①(歐洲產)斜齒鯿；擬鯉。②(美洲產)翻車魚。

roach[2] *n.* Ⓒ 蟑螂。

‡**road** [rod] *n.* ① Ⓒ 公路；道路。②(the ～)路；道(廣義的)。the ～ to ruin 趨毀滅之路；敗亡之道。③ Ⓒ (常*pl.*)(近岸之)碇泊處。*be on the ～* **a.** 旅行(特指推銷員)。**b.** 旅行演出(特指樂團或劇團)。*get out of the ～*不阻礙；讓路。*hit the ～*〖俚〗啓程。*in the ～* 阻礙。*on the ～* 在途中。*take to the ～* 出發；啓程。§ ∼ **àgent** 〖美〗攔路強盜。∼ **sènse** 安全駕駛的能力。∼ **shòw** 旅行劇團之簡陋的街頭表演。∼ **sìgn** 道路標誌。∼ **sìster** 流浪女子。∼ **tèst** 車輛實地試驗。∼ **wòrks** 〖英〗(用於告示)道路施工中。

road·bed [ˋrod,bɛd] *n.* Ⓒ (常 *sing.*)(鋪築鐵路、馬路等的)路基。

road·block [ˋrod,blɑk] *n.* Ⓒ ①路障。②障礙；阻礙。

road·side [ˋrod,saɪd] *n.* (the ～)路邊；路旁。

road·stead [ˋrod,stɛd] *n.* Ⓒ 近岸拋錨處；港外碇泊所。

road-test [ˋrod,tɛst] *v.t.* 對(車輛)進行路試。

road·way [ˋrod,we] *n.* (the ～)①馬路。②快車道。

roam [rom] *v.i.* & *v.t.* (在…)閒逛；漫遊；(在…)流浪。— *n.* Ⓒ 徘徊；閒逛；流浪。— **er,** *n.*

roan [ron] *adj.* ①雜色毛的。②飾以雜色皮的。— *n.* ① Ⓒ 雜色毛的動物。② Ⓤ (做書皮用的)柔軟羊皮。

‡**roar** [ror, rɔr] *v.i.* ①吼；轟鳴；怒號。②大聲吼叫而過。— *v.t.* ①大聲說出。②因大聲叫吼而使得。③使轟鳴。— *n.* Ⓒ 吼；怒號。

roar·ing [ˋrorɪŋ] *adj.* ①吼叫的；喧噪的。②〖俗〗興隆的。③健康的。

***roast** [rost] *v.t.* ①烤；炙；焙。②烤乾；烘乾。③熬；煅燒。④使暖；使熱。⑤取笑；嚴加批評。— *v.i.*①變暖。②被烤。— *n.* ① Ⓤ Ⓒ 烤肉；待烤之肉。② Ⓒ 烤肉野餐會。③(a ～)烤；烘；焙。④ Ⓤ 〖俗〗嚴厲批評。*rule the ～* 做主人；當家(= rule the roost). — *adj.* 烘烤的。

roast·er [ˋrostɚ] *n.* Ⓒ ①烤炙者。②烤炙用具。③整隻烤的雞[乳豬]。

***rob** [rɑb] *v.t.* (**-bb-**)①搶劫；盜取；偷取。～ a man of his money 搶劫某人之錢。②剝奪。— *v.i.* 行劫。

***rob·ber** [ˋrɑbɚ] *n.* Ⓒ 強盜；盜賊。

***rob·ber·y** [ˋrɑbərɪ] *n.* Ⓤ Ⓒ 搶劫。

***robe** [rob] *n.* ① Ⓒ 寬鬆的外袍。② Ⓒ (常 *pl.*)禮服；官服。③ Ⓒ 外套。④ Ⓒ 覆蓋物。⑤(the ～)律師業。— *v.t.* & *v.i.* ①穿；(給…)穿衣。②覆蓋。

***rob·in** [ˋrɑbɪn] *n.* Ⓒ 〖鳥〗歐鴝；知更鳥；紅襟鳥。(亦作 **robin redbreast**)

Rob·in Hood [ˋrɑbɪnˋhud] *n.* 羅賓漢(英國傳說中的一俠盜)。

Rob·in·son Cru·soe [ˋrɑbɪnsn̩ˋkruso] *n.* 魯賓遜・克魯索(英國作家 Defoe 所著同名小說中的主角)。

***ro·bot** [ˋrobət] *n.* Ⓒ ①機器人。②行動機械般的人。§ ∼ **pìlot** 自動駕駛儀。

ro·bot·ics [roˋbɑtɪks] *n.* Ⓤ 機器人學。

ro·bust [roˋbʌst] *adj.* ①強壯的。②需要體力的。③粗魯的。④強烈的。

roc [rɑk] *n.* Ⓒ (阿拉伯及波斯傳奇中的)大怪鳥；大鵬。

ROC, R.O.C. Republic of China. 中華民國。

‡**rock**[1] [rɑk] *n.* ①Ⓤ岩石；礁。②Ⓒ(小)石頭(=stone). ③(*sing.*)如岩石般穩固之物；支持物。④ⓊⒸ礦石。⑤Ⓤ硬糖。⑥Ⓒ(常 *pl.*)危險物。⑦Ⓒ愚蠢的錯誤。*on the* ~*s* **a.** 觸礁。**b.**〖俚〗處於災難中。**c.**〖俚〗破產；窮困。**d.** (飲料等)放有小冰塊的。§ ∼ **bóttom** 最低層；最低限度。∼ **càndy** 冰糖。∼ **crỳstal** 無色水晶。∼ **gàrden** 假山庭園。∼ **sàlt** 岩鹽。

***rock**[2] *v.t. & v.i.* ①搖擺；搖動。②受極深之感動或震驚。— *n.* ①ⓊⒸ搖擺；搖動。②Ⓤ搖滾樂。~ *and roll* 搖滾樂；搖滾舞。

rock·a·bil·ly [ˋrɑkəbɪlɪ] *n.* Ⓤ 鄉村搖滾樂。

rock-bot·tom [ˋrɑkˋbɑtəm] *adj.* 最低的；最低限度的。

rock-climb·ing [ˋrɑkˋklaɪmɪŋ] *n.* Ⓤ攀岩術。

Rock·e·fel·ler [ˋrɑkɪ,fɛlɚ, ˋrɑkə-] *n.* ①洛克斐勒(John Davison, 1839-1937, 美國石油大王及慈善家)。②洛克斐勒(Nelson Aldrich, 1908-, 前者之孫, 1974-1977任美國第四十一位副總統)。§ ∼ **Cénter** 洛克斐勒中心(位於紐約市中心的一處大廈區)。

rock·er [ˋrɑkɚ] *n.* Ⓒ①(搖椅、搖籃等下面的)彎軸。②搖椅。

‡**rock·et** [ˋrɑkɪt] *n.* Ⓒ 火箭。— *v.i.* ①(如火箭般)向上直衝。②被火箭送入軌道。— *v.t.* ①用火箭攻擊。②用火箭推動。③使急速上升。§ ∼ **bòmb** 火箭彈。∼ **èngine** 火箭引擎。∼ **gún** 火箭砲。∼ **làuncher**(步兵用)火箭筒。∼ **shìp** 以火箭爲推進動力的飛行器或太空船。

rock·et·eer [,rɑkəˋtɪr] *n.* Ⓒ①發射火箭者。②火箭專家。(亦作 **rocketer**)

rock·et·ry [ˋrɑkɪtrɪ] *n.* Ⓤ ①火箭學。②(集合稱)火箭。

Rock·ies [ˋrɑkɪz] *n. pl.* (the ~) = **Rocky Mountains.**

rock·ing [ˋrɑkɪŋ] *adj.* 搖動的。§ ∼ **chàir** 搖椅。∼ **hòrse**(兒童玩耍時所騎的)搖動木馬。

rock'n'roll [ˋrɑkənˋrol] *n.* Ⓤ = **rock and roll.**

rock-ribbed [ˋrɑkˋrɪbd] *adj.* ①有岩石層的。②堅定的；頑強的。

***rock·y**[1] [ˋrɑkɪ] *adj.* ①多岩石的。②岩石構成的。③如岩石的；穩固的。§ **the R∼ Móuntains** 落磯山脈。

rock·y[2] *adj.* ①搖動的。②〖俗〗眩暈的。③不堅決的。④困難的。⑤猥褻的。

ro·co·co [rəˋkoko] *n.* Ⓤ (常 R-)洛可可式(十八世紀以法國爲中心所流行的纖巧華麗建築和音樂風格)。— *adj.* ①(建築或樂曲)洛可可式的。②過分修飾的。

***rod** [rɑd] *n.* Ⓒ①桿；棒；竿。②鞭；教鞭。③釣竿。④竿(長度名，等於16½英尺或5½碼)。⑤處罰。⑥〖美俚〗手槍。⑦家系。⑧權杖。⑨權利；權威。⑩〖解〗桿狀體。⑪〖機〗桿；棒。⑫〖生物〗桿菌。⑬避雷針。*kiss the* ~ 甘心受罰。*rule with a* ~ *of iron* 實行高壓[暴虐]政策。*Spare the* ~ *and spoil the child.* 不打不成器。

‡**rode** [rod] *v.* pt. of **ride.**

ro·dent [ˋrodn̩t] *n.* Ⓒ〖動〗齧齒類。

ro·de·o [ˋrodɪ,o, roˋdeo] *n.* Ⓒ (*pl.* ~**s**)〖美〗①(騎著野馬，揮著套索捕捉牛的)牛仔的公開競技[表演]。②驅集牛群(以備烙印)。③(摩托車等的)競技表演。

Ro·din [roˋdæn] *n.* 羅丹(Auguste, 1840-1917, 法國雕刻家)。

rod·o·mon·tade [,rɑdəmanˋted] *n.* Ⓤ大話；狂言。— *adj.* 大言的；自誇的。— *v.i.* 大言不慚。

roe[1] [ro] *n.* ⓊⒸ①魚卵。②雄魚精。

roe[2] *n.* Ⓒ (*pl.* ~**s,** ~)狍(產於歐洲和亞洲的一種小型鹿)。(亦作 **roe deer**)

roe·buck [ˋro,bʌk] *n.* Ⓒ (*pl.* ~**s,** ~)雄性 roe deer.

roent·gen [ˋrɛntgən] *n.* Ⓒ 倫琴(X光或伽馬射線的輻射劑量單位)。— *adj.* X光的。~ rays X光線。

rog·er [ˋrɑdʒɚ] *interj.* ①〖美俚〗好！知道了！(=O.K.! Right!). ②〖通訊〗收到了！

rogue [rog] *n.* Ⓒ①流氓。②騙子。③小淘氣(親暱語)。④兇野的離群象；兇野的離群獸。§ ∼**s' gállery** 前科犯相片陳列室。

ro·guer·y [ˋrogərɪ] *n.* ⓊⒸ①詭譎；欺騙。②惡作劇；搗鬼。

ro·guish [ˋrogɪʃ] *adj.* ①欺詐的；無賴的。②惡作劇的；淘氣的。

roil [rɔɪl] *v.t.* 〖美〗①攪渾；攪濁。②激怒。

***role, rôle** [rol] *n.* Ⓒ①(戲劇中之)角色。②任務；職責；本分。

‡**roll** [rol] *v.i.* ①滾；轉。②旋轉而行。③(天體)運行；(歲月)逝去。The years ~ on. 歲月逝去。④搖擺；顛簸。⑤起伏。⑥發隆隆聲。⑦(眼球)左右轉動。⑧滾流。⑨打滾。⑩蹣跚。⑪漫步。⑫〖俗〗變得富有(=wallow). ~ in money 非常富有；在錢裏打滾。⑬(乘車而)行。⑭捲(成筒形或球形)。⑮有作爲。⑯運轉。⑰(鳥)啁啾而鳴。⑱(飛機)滾轉飛行。— *v.t.* ①使轉動。②包捲；纏。③滾成；輾平。④以顫聲發(音)。⑤使(眼球)左右轉動。⑥〖印刷〗以滾筒敷油墨於。⑦連續而快地擊(鼓)。⑧使運轉。~ *back* **a.** 使(物價等)全面回降。**b.** 擊退。~ *in* **a.** 滾滾而來。**b.** 上床；睡覺。**c.** 大量擁有。~ *out* **a.** 起床。**b.** 展開；壓平。~ *up* **a.** 累積；增加。**b.** 坐車抵達。**c.**捲起。— *n.* Ⓒ①一捲；捲物。②捲形物。③滾動；搖擺。④名單。a ~ of honor 陣亡將士名冊。⑤麵包捲。⑥隆隆聲。⑦(鼓的)滾奏。⑧滾筒機；壓路機；輾壓機。⑨起伏。*call the* ~ 點名。*strike off* [*from*] *the* ~*s* 除名；開除。§ ∼ **càll** 點名；點名(信)號；點名時間。

roll·a·way [ˋrolə,we] *n.* Ⓒ (有滑輪

可折疊的)活動床。(亦作**rollaway bed**)

*__roll·er__ [ˋrolɚ] *n.* Ⓒ ①滾動之物。②滾子；滾轉機。③巨浪。④一捲紗布。⑤滾轉東西的人。⑥〖鳥〗佛法僧(一種鳴聲尖脆的金絲雀)。§ ∼ **bèaring** 滾子軸承。∼ **blìnd**〖英〗窗上用以遮陽之捲帘。∼ **còaster** 雲霄飛車。∼ **dèrby** 輪式溜冰競賽大會。∼ **mìll** 滾壓機。∼ **skàte**輪式溜冰鞋。∼ **skàter**穿輪式溜冰鞋溜冰的人。∼ **tòwel** 滾筒式擦手毛巾。

Roll·er·blade [ˋrolɚ͵bled] *n.* 〖商標〗一種直排溜冰鞋的商標。

rol·lick [ˋrɑlɪk] *v.i. & n.* Ⓤ Ⓒ 嬉戲；耍鬧；縱情地玩。—**ing,** —**some,** *adj.*

roll·ing [ˋrolɪŋ] *adj.* ①轉動的；滾動的。②起伏的。③作隆隆聲的。④搖擺的。⑤波動的。⑥周而復始的。***A* ∼ *stone gathers no moss.*** 滾石不生苔；(喻)轉業不聚財。— *n.* Ⓤ ①轉動；輾壓。②隆隆聲。§ ∼ **mìll** (1)輾壓機。(2)輾壓工廠。∼ **pìn** 擀麵杖。∼ **stóck** (集合稱)鐵路(全部)車輛；貨運車輛。

róll·top désk [ˋrol͵tɑp ∼] *n.* Ⓒ 附有可以捲縮之頂蓋的寫字檯。

ro·ly-po·ly [ˋrolɪ͵polɪ] *adj.* 矮胖的。

ROM read-only memory.〖電算〗唯讀記憶體。**rom.**〖印刷〗roman.

ro·maine [roˋmen] *n.* Ⓒ〖植〗長葉萵苣。

*__Ro·man__ [ˋromən] *adj.* ①羅馬(人)的。②羅馬天主教的。③(r-)〖印刷〗羅馬體的。④堅忍不拔的。— *n.* ①Ⓒ羅馬人。②Ⓒ羅馬天主教徒。③(r-)Ⓤ羅馬字體。§ ∼ **álphabet** 羅馬字母；羅馬字。∼ **árch** 半圓形拱門。∼ **cándle** 羅馬煙火(一種手持燃放的筒形煙火)。∼ **Cátholic**(羅馬)天主教徒。∼ **Cathólicism** (1)(羅馬)天主教。(2)天主教的教義[儀式，習慣]。∼ **hóliday** 以看別人受苦爲樂的娛樂。∼ **láw** 羅馬法。∼ **létter**〖印刷〗羅馬體(鉛字)。∼ **nóse** 鼻梁高的鼻子。∼ **númerals** 羅馬數字。∼ **péace** 以武力維持的和平。

*__ro·mance__ [roˋmæns, rə-] *n.* ①Ⓒ羅曼史；小說般的事蹟；風流豔事。②Ⓒ中世紀騎士故事；傳奇[幻想，冒險]小說；愛情小說。③Ⓤ Ⓒ 杜撰；虛構。④Ⓤ浪漫的氣氛。⑤Ⓒ〖樂〗浪漫曲。— *v.i.* ①編寫羅曼史。②作奇想。

Ro·mance [roˋmæns] *adj.* 拉丁語系的。— *n.* Ⓤ 拉丁語系。§ **the** ∼ **lànguages** 羅曼斯語。

ro·manc·er [roˋmænsɚ] *n.* Ⓒ ①傳奇作家。②空想家。

Ro·man·esque [͵romənˋɛsk] *n.* Ⓤ *& adj.* 羅馬式(的)。

Ro·man·ic [roˋmænɪk] *adj.* ①古羅馬(人)的；羅馬帝國的。②拉丁語系的。— *n.* Ⓤ拉丁系語言。

Ro·man·ist [ˋromənɪst] *n.* Ⓒ ①(羅馬)天主教徒。②羅馬法學家；羅馬文物制度學者。— **Ro·man·is′tic,** *adj.*

Ro·man·ize [ˋromən͵aɪz] *v.t.* ①使羅馬化。②使皈依天主教。③以羅馬字書寫。— *v.i.* ①皈依天主教。②羅馬化。

*__ro·man·tic__ [roˋmæntɪk] *adj.* ①傳奇性的；空想的。②有浪漫思想的。③浪漫的；小說般的。④浪漫主義的。⑤富於感情的。— *n.* ①Ⓒ浪漫派作家；浪漫主義者。②(*pl.*)浪漫的思想；浪漫的行爲。§ **R∼ Móvement** 浪漫主義運動。— **ro·man′ti·cal·ly,** *adv.*

ro·man·ti·cism [roˋmæntə͵sɪzəm] *n.* Ⓤ ①浪漫的精神或傾向。②〖文〗浪漫主義。

*__Rome__ [rom] *n.* ①羅馬(義大利首都)。②古羅馬帝國。③羅馬天主教會。***When in* ∼*, do as* ∼ *does* [*as the Romans do*].** 入鄉隨俗。

Ro·me·o [ˋromɪ͵o] *n.* (*pl.* ∼**s**) ①羅密歐(莎士比亞著的*Romeo and Juliet*中之男主角)。②Ⓒ愛人；害相思病的青年。

romp [rɑmp] *v.i.* ①頑皮喧鬧地嬉戲。②〖俚〗輕快地跑。③(在比賽中)輕取勝利。— *n.* Ⓒ ①嬉戲。②頑皮嬉鬧的人(尤指女孩)。③輕取的勝利。

romp·er [ˋrɑmpɚ] *n.* ①(*pl.*)(孩童遊戲時所著之)連褲背心裝。②Ⓒ嬉戲喧鬧者。

Rom·u·lus [ˋrɑmjələs] *n.*〖羅馬傳說〗羅慕勒斯(古羅馬建國者，據說爲Mars之子，與其孿生兄弟Remus同爲母狼哺育長大；羅馬人尊爲守護神)。

ron·do [ˋrɑndo] *n.* Ⓒ (*pl.* ∼**s**)〖樂〗迴旋曲(主旋律反覆數次的一種曲子)。

‡**roof** [ruf] *n.* Ⓒ ①屋頂。②似屋頂之物。③房屋。④頂部。***the* ∼ *of the world*** 世界屋脊(高原，尤指帕米爾高原)。***under someone's* ∼** 在某人家中作客；受人照顧。— *v.t.* 蓋以頂；覆遮。

roof·ing [ˋrufɪŋ] *n.* Ⓤ ①蓋屋頂。②蓋屋頂的材料。③屋頂。— *adj.* 蓋屋頂用的。

roof·less [ˋruflɪs] *adj.* ①沒有屋頂的。②沒有家的。

roof·top [ˋruf͵tɑp] *n.* Ⓒ屋頂。

rook[1] [rʊk] *n.* Ⓒ ①〖鳥〗白嘴鴉(歐洲的一種烏鴉)。②賭博騙子。— *v.t.* ①以賭博騙取。②敲詐。— *v.i.* ①行騙。②敲竹槓。

rook[2] *n.* Ⓒ〖西洋棋〗城堡；車。

rook·er·y [ˋrʊkərɪ] *n.* Ⓒ ①白嘴鴉的群居處所[森林]。②貧民窟。

rook·ie [ˋrʊkɪ] *n.* Ⓒ〖俚〗①無經驗的新兵。②生手；新手。

‡**room** [rum, rʊm] *n.* ①Ⓒ房間；室。②(*pl.*)出租房間；住所。③(the ∼)屋內的人。④Ⓤ場所；地方；空位。⑤Ⓤ機會；餘地。There is no ∼ for dispute. 沒有爭論之餘地。⑥Ⓤ地位。⑦Ⓤ能力。***make* ∼ *for*** 給…讓出地方。***no* ∼ *to swing a cat*** 地方狹窄。**∼ *and board*** 膳宿。— *v.i.* 占一房間；投宿。— *v.t.* 給予…住處；留住(客人)。— **er,** *n.* Ⓒ房客。

room·ette [rumˋɛt] *n.* Ⓒ (鐵路臥車或宿舍的)小房間。

room·ful [ˋrum͵fʊl] *n.* Ⓒ ①滿室。②一室內的人或物。

room·mate [ˋrum͵met] *n.* Ⓒ〖美〗室友；同住人。

room·y [ˋrumɪ] *adj.* 寬敞的；寬大的。

Roo·se·velt [ˋrozə͵vɛlt] *n.* ①羅斯

福(Franklin Delano, 1882-1945, 美國第32位總統(1933-45)。②(老)羅斯福(Theodore, 1858-1919, 美國第26位總統(1901-09))。

roost [rust] *v.i.* 棲息；夜宿。— *v.t.* 使棲息。***come home to*** ~害人反害己。— *n.* Ⓒ ①棲木；鳥巢。②(人的)安歇之處；睡眠之處。③窩藏處。④一巢或一窩鳥。***rule the*** ~ 當家；作主；居首。

***roost·er** [ˋrustɚ] *n.* Ⓒ ①雄雞。②〖俚〗自負者。

root**[1] [rut] *n.* Ⓒ ①(常 *pl.*)植物之根。②似根之物。③(常 the ~)根源；原因。④〖文法〗字根。⑤〖數〗根。⑥(常 the ~)根基。⑦〖樂〗和弦的基音。⑧(常 the ~)基礎；基本；根源。⑨底部。⑩祖先。⑪後裔。~ ***and branch 連根帶枝；完全地。***take*** ~ 生根；固定。— *v.i.* ①生根。②固定不移。③發源。— *v.t.* ①使固定；使根深蒂固。②連根拔出。③使有基礎。

root[2] *v.t.* & *v.i.* ①以鼻將土翻起。②搜尋。③〖俚〗以喝采鼓舞或支持。

root·ed [ˋrutɪd] *adj.* ①生根的。②根深蒂固的；牢不可破的。— **ness,** *n.*

root·less [ˋrutlɪs] *adj.* ①無根據的。②無所寄託的。③無根的。④不穩固的。

root·let [ˋrutlɪt] *n.* Ⓒ〖植〗小根；支根。

root·stock [ˋrut͵stak] *n.* Ⓒ ①塊根；根莖。②根源；起源。

‡rope [rop] *n.* ①ⓊⒸ粗繩。②Ⓒ串；貫。③Ⓒ〖美〗(套捕牛馬的)套索。④(the ~)絞首索；絞刑。⑤(the ~)吊死。⑥Ⓒ賣藝人走的繩索。⑦Ⓤ黏絲。⑧(*pl.*)訣竅。***be at*** [***come to***] ***the end of one's*** ~ 智窮力盡。***be on the high*** ~***s*** 得意揚揚。***Give a fool*** ~ ***enough, and he'll hang himself.*** 放任愚人，他必自取滅亡。***give one*** (***plenty of*** [***enough***]) ~ 任其自由行動。— *v.t.* ①以繩將…縛[繫，結]住。②圍繩以隔開或圈起。③〖美〗以套索套捕(馬、牛等)。— *v.i.* ①形成黏漿。②彼此以繩繫結而行。~ ***in*** **a.** 以繩圍起。**b.**〖俚〗誘人上鉤。

rope·danc·er [ˋrop͵dænsɚ] *n.* Ⓒ 走(鋼)索者。

rope·walk·er [ˋrop͵wɔkɚ] *n.* Ⓒ 走(鋼)索者。

rope·way [ˋrop͵we] *n.* Ⓒ空中索道。

rop·y [ˋropɪ] *adj.* ①像繩子的。②成黏線的；黏稠的。③肌肉發達的。

Roque·fort [ˋrokfɚt, rɔ̃kˋfɔ̃:r]〖法〗*n.* ⓊⒸ〖商標〗酪可福(一種羊乳酪)。

ro·sa·ry [ˋrozərɪ] *n.* Ⓒ ①**a.** (天主教之)玫瑰經。**b.** (念玫瑰經用之)一串念珠。②玫瑰園；玫瑰花壇。

‡rose[1] [roz] *n.* ①Ⓒ玫瑰；薔薇。②Ⓒ薔薇科植物。③Ⓒ似玫瑰的東西。④Ⓒ美麗之女子。⑤Ⓤ玫瑰色。⑥Ⓤ玫瑰香水。⑦Ⓒ英國的五瓣玫瑰國徽。⑧Ⓤ〖建〗圓花飾。⑨Ⓒ令人高興之事。***a bed of*** ~***s*** 十分安樂之境地。***gather*** (***life's***) ~***s*** 享樂。***no*** ~ ***without a thorn*** 沒有無刺之薔薇(有樂必有苦)。***not all*** ~***s*** 並非盡完美。***under the*** ~ 祕密地。— *adj.* 玫瑰色的。§ ~ **hìp** 玫瑰果實。~ **lèaf** 玫瑰花瓣。~ **màllow**〖植〗(1)美洲芙蓉。(2)蜀葵(= hollyhock)。~ **òil** 玫瑰油。~ **pínk** 淺玫瑰色。~ **réd** 玫瑰紅；紫紅色。~ **wàter** 玫瑰香水。~ **wìndow** 配有玫瑰式線紋裝飾或窗櫺的圓窗。

‡rose[2] *v.* pt. of **rise.**

ro·sé, Ro·sé [roˋze]〖法〗*n.* ⓊⒸ粉紅色的葡萄酒。

ro·se·ate [ˋrozɪɪt] *adj.* ①玫瑰色的。②容光煥發的；樂觀的。

rose·bud [ˋroz͵bʌd] *n.* Ⓒ玫瑰花蕾。

rose·bush [ˋroz͵bʊʃ] *n.* Ⓒ玫瑰叢。

rose-col·ored [ˋroz͵kʌlɚd] *adj.* ①玫瑰色的。②樂觀的。

rose·mar·y [ˋroz͵mɛrɪ] *n.* Ⓒ〖植〗迷迭香(象徵忠實、貞操、懷念等)。

ro·se·o·la [roˋziələ] *n.* Ⓤ〖醫〗玫瑰疹；紅疹。

ro·sette [roˋzɛt] *n.* Ⓒ ①薔薇形飾物。②薔薇形緞帶結。③〖建〗薔薇形之雕飾；圓花飾；圓花窗。

rose·wood [ˋroz͵wʊd] *n.* ①Ⓒ〖植〗花梨木；紅木。②Ⓤ其木材。

Rosh Ha·sha·na(h) [͵raʃhəˋʃanə] *n.* 猶太新年。

ros·i·ly [ˋrozl̩ɪ] *adv.* ①帶玫瑰色地。②樂觀地；興高采烈地。

ros·in [ˋrazn̩, ˋrazɪn] *n.* Ⓤ ①松香。②樹脂；松脂。— *v.t.* 用樹脂、松香擦抹。— **ros'in·y,** *adj.*

ros·ter [ˋrastɚ] *n.* Ⓒ名簿；〖軍〗勤務簿。

ros·trum [ˋrastrəm] *n.* Ⓒ (*pl.* ~**s, -tra** [-trə])講臺；演說臺。

***ros·y** [ˋrozɪ] *adj.* ①玫瑰色的；淡紅色的。②玫瑰花做成的。③光明的；樂觀的。

***rot** [rat] *v.i.* (**-tt-**)①腐爛；枯朽。②衰弱；消瘦；成爲無用。③胡說；嘲弄。④(在精神上)腐化。— *v.t.* ①使腐爛；使枯朽；敗壞；破壞。②挖苦；取笑。— *n.* Ⓤ ①腐蝕；腐爛。②腐爛之物。③囈語；蠢話。

Ro·tar·i·an [roˋtɛrɪən] *n.* Ⓒ扶輪社(Rotary Club)的會員。

ro·ta·ry [ˋrotərɪ] *adj.* 旋轉的。— *n.* Ⓒ ①輪轉印刷機。②〖美〗(道路交會的)圓環。§ **R~ Clùb** 扶輪社。

***ro·tate**[1] [ˋrotet] *v.i.* ①旋轉。②更迭；輪迴。— *v.t.* ①使旋轉。②輪作。③使替換；使輪值。— **ro·ta·to·ry** [ˋrotə͵torɪ], *adj.*

ro·tate[2] *adj.*〖植〗(花瓣)輪狀的。

ro·ta·tion** [roˋteʃən] *n.* ⓊⒸ ①旋轉。②輪流。③輪作。in*** ~ 輪流；交替。

ro·ta·tor [ˋrotetɚ] *n.* Ⓒ ①(*pl.* ~**s**)旋轉者；旋轉機；交替輪換之人或物。②(*pl.* ~**es** [͵rotəˋtoriz])〖解〗旋轉肌。

rote [rot] *n.* Ⓤ ①機械的方法；固定程序。②死背；強記(僅用於by rote中)。

ro·tis·se·rie [roˋtɪsərɪ] *n.* Ⓒ ①旋轉式烤肉機。②烤肉店。

ro·tor [ˋrotɚ] *n.* Ⓒ ①〖電〗迴轉子。②〖海〗旋筒；葉輪。③〖空〗旋轉翼。④〖機〗迴轉輪。

***rot·ten** [ˋratn̩] *adj.* ①腐爛的；腐朽的。②惡臭的；臭的。③不健全的；弱的。④腐敗的；墮落的。⑤〖俚〗令人不

愉快的；卑劣的。
rot·ter [ˋrɑtɚ] *n.* Ⓒ〖英俚〗無用的人；討厭的人；下流胚。
Rot·ter·dam [ˋrɑtɚˏdæm] *n.* 鹿特丹(荷蘭西南部一城市及海港)。
ro·tund [roˋtʌnd] *adj.* ①圓胖的。②(聲音)洪亮的。③(文體)華麗的。—**ro·tun′di·ty,** *n.*
ro·tun·da [roˋtʌndə] *n.* Ⓒ ①(有圓頂的)圓形建築物。②圓廳。
rou·ble [ˋrubl̩] *n.* ＝**ruble.**
rouge [ruʒ] *n.* Ⓤ①胭脂。②過氧化鐵；鐵丹。—*v.t.* & *v.i.* ①擦胭脂。②(使)發紅。
‡**rough** [rʌf] *adj.* ①不平滑的；崎嶇的。②未精製的。③艱苦的。④未完成的；概略的。⑤粗而不齊的。⑥不雅的。⑦激烈的；亂的。⑧有風暴的。～weather有風暴的天氣。⑨費勞力的。⑩性烈的。～wine烈酒。⑪笨拙的。⑫(聲音)沙啞的。⑬〖語音〗帶h音的；氣音的。—*n.* ① Ⓒ 粗暴之人。② Ⓒ 粗糙的東西。③(the ～)〖高爾夫〗深草區。*in the* ～ **a.** 粗糙。**b.**隨便地。**c.** 蠻荒。—*v.t.* ①使粗糙；使不平。②粗製；略繪。～ out a plan 草擬一計畫。③對…舉止粗魯；毆打〔常 up〕. ～ *it* 過不舒適的生活；過野外生活。—*adv.* ①粗暴地；粗魯地。②粗糙地。
rough·age [ˋrʌfɪdʒ] *n.* Ⓤ ①粗糙原料。②食物之粗糙部分。
rough-and-read·y [ˋrʌfn̩ˋrɛdɪ] *adj.* 不精美但尚可應用的。
rough-and-tum·ble [ˋrʌfn̩ˋtʌmbl̩] *adj.* ①莽撞的；亂七八糟的。②草率作成的。—*n.* Ⓤ Ⓒ 混戰；扭鬥。
rough·cast [ˋrʌfˏkæst] *n.* Ⓤ ①(塗壁的)粗灰泥。②毛坯。—*v.t.*(**-cast**) ①塗粗灰泥於(牆壁等)。②概略寫出(故事)大綱。
rough-dry [ˏrʌfˋdraɪ] *v.t.* 將(衣洗後)晾乾而不燙平。
rough·en [ˋrʌfən] *v.t.* & *v.i.* 使成崎嶇不平；變粗糙。
rough-hew [ˏrʌfˋhju] *v.t.* (～**ed, -hewn** or ～**ed**)粗削(木材、石等)；粗製。
rough-hewn [ˏrʌfˋhjun] *adj.* ①粗製的。②粗野的。
rough·house [ˋrʌfˏhaus]〖俚〗*n.* (*sing.*)室內喧囂之遊戲或打鬥。
***rough·ly** [ˋrʌflɪ] *adv.* ①粗暴地；粗魯地。②大約地；約略地。
rough·neck [ˋrʌfˏnɛk] *n.* Ⓒ〖俚〗粗魯的人；惡棍。
rough·rid·er [ˋrʌfˏraɪdɚ] *n.* Ⓒ ①馴馬師。②能騎悍馬的人。
rough·shod [ˋrʌfˋʃɑd] *adj.* ①(馬)釘有防滑鐵蹄的。②穿釘鞋的。③無情的。*ride* ～ *over* 殘酷自私地對待。
rou·lette [ruˋlɛt] *n.* Ⓤ①輪盤賭。②(在郵票等上刻騎縫刻痕的)滾輪。
‡**round** [raund] *adj.* ①圓的；圓形的。②肥胖的。③循圓而動的。④(金額)可觀的。⑤坦白的。⑥音調圓潤宏亮的。⑦有力的；輕快的。⑧用圓唇發出的。a ～ vowel 用圓唇發聲的母音。⑨多的；大的。⑩圓滑的(字體)。⑪猛烈的。⑫完全的；完整的。*in* ～ *numbers* 以約略數字言之。—*n.* Ⓒ ①圓形物；球狀物。②巡行；巡察。③旋轉。④(職責、事件等)一連串。the daily ～ 例行公事。⑤(競賽等的)一回合。⑥範圍。⑦(彈藥的)一發。⑧一次齊發。⑨(喝采、歡呼等)一次。⑩〖樂〗輪唱(曲)。⑪輪舞。⑫循環。*in the* ～ **a.** (雕刻等)形狀完整的。**b.** 完全地。—*v.t.* ①使圓；使圓滿完成〔off, out〕. ②繞行。③使轉向。—*v.i.* ①轉身。②變圓；成圓形。③成熟。～ *off* **a.** 十全十美。**b.** 以四捨五入表示。**c.** ＝**round out.** ～ *on*[*upon*]突然以言語或行動攻擊。～ *out* 完成；結束。～ *up* 聚集；捕捉。—*adv.* ①環行地。②四處地；遍及地。③成圓周地；周繞地。④繞道地。⑤傳遞地。⑥(時間)循環地。Summer will soon come ～ again. 夏天又快來到了。⑦在附近；在近處(＝about, around). ⑧到說話者所在的地方。Come ～ and see me this evening. 今晚請過來看我。—*prep.* ①在…之四周；至…之附近。②繞著…；沿著…之邊緣。③在…前後。*get* [*come*] ～ *a person* **a.** 以機智勝人。**b.** 甜言蜜語誘勸人。～*the corner* **a.** 在近處的。**b.** 即將來到的；行將發生的。§～ **dànce** 輪舞；輪舞曲。～**tàble** (1)圓桌會議。(2)(R-T-)圓桌武士。～**tìcket** 來回票。～ **tríp** 來回旅行；雙程旅行。
round·a·bout [ˋraundəˏbaut] *adj.* ①間接的；迂迴的；繞遠的。②豐滿的。—*n.* Ⓒ ①間接的方式；委婉說法。②短而緊的男上衣。③〖英〗＝**merry-go-round.** ④繞道；繞圈。⑤〖英〗圓環。
roun·de·lay [ˋraundəˏle] *n.* Ⓒ ①迴旋曲。②圓圈舞；輪舞。
round·er [ˋraundɚ] *n.* ① Ⓒ 巡迴者；(美以美教會的)巡迴牧師。② Ⓒ〖美俗〗酒鬼。③ Ⓒ 作圓的人[工具]。④ Ⓒ〖拳擊〗第…回合的比賽。⑤(*pl.*, 作 *sing.* 解)跑柱式棒球。
round·house [ˋraundˏhaus] *n.* Ⓒ ①圓形鐵路機車庫。②〖海〗艉樓甲板室。③〖古〗監獄。
round·ish [ˋraundɪʃ] *adj.* 略圓的。
round·ly [ˋraundlɪ] *adv.* ①呈圓形地。②努力地；熱心地；活潑地。③率直地；直言無隱地。④徹底地；周到地。⑤嚴苛地；苛刻地。⑥約略地；按整數計地。
round·ness [ˋraundnɪs] *n.* Ⓤ 圓滿；圓(指其性質或狀態)。
round-shoul·dered [ˋraundˋʃoldɚd] *adj.* 圓肩的。
round-the-clock [ˋraundðəˋklɑk] *adj.* 整天的；二十四小時的。
round-trip [ˋraundˋtrɪp] *adj.* 來回的；雙程的。
round·up [ˋraundˏʌp] *n.* Ⓒ ①(牛羊等的)驅集。②被驅集於一處的牛羊群。③(新聞的)綜合報導。
round·worm [ˋraundˏwɝm] *n.* Ⓒ 線蟲(尤指寄生人腸內者，如蛔蟲)。
***rouse** [rauz] *v.t.* ①喚醒；驚醒。②激勵；鼓舞；使激動。③驚起(鳥、獸)。—*v.i.* ①醒來。②奮起。③驚起。④被

R

激起。— *n.* Ⓤ ①被激起之狀態。②〖軍〗起床號。— **rous′er,** *n.*

rous·ing [ˋrauzɪŋ] *adj.* ①鼓舞的；興奮的；動人的。②活潑的；敏捷的。③〖俗〗驚人的；大的。

Rous·seau [ruˋso]*n.* 盧梭 (Jean Jacques, 1712-78，法國哲學家及作家)。

roust·a·bout [ˋraustə,baut] *n.* Ⓒ〖美〗①碼頭工人。②(馬戲團、油田等的)雜工。

rout[1] [raut] *v.i.* & *v.t.* ①(獸類)以鼻挖土；挖掘。②尋找；搜尋。③強迫。④打敗；擊敗。— *n.* ① ⓊⒸ 潰敗。②Ⓒ〖古〗混亂無秩序的群衆[集會]；烏合之衆。③Ⓒ〖古〗社交聚會；大晚會。

rout[2] *n.* ⓊⒸ ①咆哮；吼。②發鼾聲。— *v.t.* 咆哮而言。

***route** [rut, raut] *n.* Ⓤ ①道路。②路線。— *v.t.* ①安排…之道路；給…定路線。②經某路投送。

rout·er[1] [ˋrutɚ, ˋrautɚ] *n.* Ⓒ 安排路線者。

rout·er[2] [ˋrautɚ] *n.* Ⓒ 刳刨者；刳刨機。

***rou·tine** [ruˋtin] *n.* ⓊⒸ 例行公事；日常工作；慣例；常規。— *adj.* 慣行的；例行的。

rou·tin·ize [ruˋtinaɪz] *v.t.* 使慣例化。

rove [rov] *v.i.* ①流浪；漫遊；漂泊〔over〕. ②(眼睛)轉來轉去。— *v.t.* 徘徊於；漫遊於。— *n.* Ⓤ (常 the ～)徘徊；飄動；(眼睛的)環顧。

rov·er [ˋrovɚ] *n.* Ⓒ ①漂泊者。②海盜(船)。③〖英〗十八歲以上的男童軍。

rov·ing [ˋrovɪŋ] *adj.* 盤桓的；移動的；無定所的。

‡**row**[1] [ro] *n.* Ⓒ ①(一)列；(一)排；(一)行。②(劇院等中)一排座位。③一排房子；連棟式住宅。

‡**row**[2] *v.i.* 划船。— *v.t.* 以槳划(船)；以船划渡。～ ***down*** 划船比賽中趕過。— *n.* (a ～)划(船)。— **er,** — **ing,** *n.*

row**[3] [rau] *n.* ①Ⓒ 爭吵；吵鬧。②(*sing.*)喧鬧聲。③Ⓒ 受責。kick up a*** ～ **a.** 爭吵。**b.** 引起亂子。— *v.i.* 〖俗〗爭吵；吵鬧。

row·an [ˋroən] *n.* Ⓒ〖植〗①(歐洲產之)山梨。②山梨果。

row·boat [ˋro,bot] *n.* Ⓒ 以槳划行的船；划艇。

row·dy [ˋraudɪ] *n.* Ⓒ 流氓；地痞。— *adj.* 粗暴的；喧嚷的。— **ism,** *n.*

row·dy-dow·dy [ˋraudɪˋdaudɪ] *adj.* 〖俗〗喧囂的；吵鬧的。

row·el [ˋrauəl] *n.* Ⓒ (馬刺上的)小齒輪。

row·lock [ˋro,lɑk] *n.* Ⓒ〖英〗槳架。

***roy·al** [ˋrɔɪəl] *adj.* ①王室的；皇家的。②屬於皇家的；為王室服務的。③欽定的；勅建的。④盛大的；輝煌的。⑤威嚴的。⑥深豔的；鮮亮的。⑦極好的。⑧極大的。§ **R∸ Acádemy**〖英〗皇家藝術學院。∸ **flúsh**(撲克牌的)同花大順。∸ **jélly** 蜂王漿。∸ **mást**〖海〗頂桅。∸ **pálm**(美洲產)王棕。∸ **róad** 平坦易行的道路；捷徑。**R∸ Socíety**〖英〗皇家學會。

roy·al·ist [ˋrɔɪəlɪst] *n.* Ⓒ 保皇者；保皇黨員。— *adj.* 尊王主義的；保皇黨的。

roy·al·ly [ˋrɔɪəlɪ] *adv.* ①似國王地；以國王之名義。②輝煌地；燦爛地。③大規模地。

roy·al·ty [ˋrɔɪəltɪ] *n.* ①Ⓤ (集合稱)王族；王室。②Ⓤ 王權；王位。③Ⓤ 莊嚴；高貴。④Ⓒ (常 *pl.*)王國。⑤Ⓒ 王族之一員。⑥Ⓒ (專利權、著作權)使用費；版稅；(戲劇)上演稅[權利金]。⑦Ⓒ 礦區使用費。

RPM, rpm, r.p.m. revolutions per minute. 每分鐘…轉。**R.R.** railroad; Right Reverend; rural route. **RSPCA, R.S.P.C.A.** The Royal Society for the Prevention of Cruelty to Animals. 英國動物保護會。**R.S.V.P., RSVP** 〖法〗Répondez s'il vous plaît (=Please answer). 敬請答覆。

‡**rub** [rʌb] *v.t.* (**-bb-**)①磨；擦。②揉；按摩。③擦去；磨光；擦亮〔out, off〕. — *v.i.* ①摩擦。②使人惱火；令人易發脾氣。③勉強維持下去。～ ***down*** **a.** 徹底擦淨。**b.**擦平；擦亮。**c.**按摩。～ ***in*** **a.** 擦入。**b.** 反覆講(不快之事)；強調。～ ***off*** 擦掉；擦去。～ ***up*** **a.** 擦淨；擦亮。**b.** 溫習。— *n.* ①(a ～)摩擦。②Ⓒ 刺傷感情之事物；譴責；譏諷。③Ⓒ (the ～)困難；障礙。

‡**rub·ber** [ˋrʌbɚ] *n.* ①Ⓤ 橡皮；橡膠。②Ⓒ 橡皮製品。③Ⓒ 摩擦者；摩擦器。④Ⓒ 輪胎。⑤Ⓒ 橡皮擦。§ ∸ **bánd** 橡皮筋。∸ **chéck** 空頭支票。∸ **dínghy**(以空氣吹脹的)充氣橡皮艇。∸ **plànt**〖植〗橡膠樹。∸ **stámp** (1)橡皮圖章。(2)〖俗〗不加考慮即表贊同或予批准的人[機構]。∸ **trèe**〖植〗橡膠樹。

rub·ber·ize [ˋrʌbə,raɪz] *v.t.* 塗以橡膠；以橡膠處理。

rub·ber·neck [ˋrʌbɚ,nɛk] 〖美俚〗 *n.* Ⓒ 引頸而望者；好奇觀覽者；遊客。— *v.i.* ①引頸而望；好奇觀覽；東張西望。②觀光；遊覽。

rub·ber-stamp [ˌrʌbɚˋstæmp]*v.t.* ①在…上蓋橡皮圖章。②〖俗〗不加思考即贊同或批准；官樣文章式地通過。

rub·ber·y [ˋrʌbərɪ] *adj.* 像橡皮的；有彈性的；強韌的。

***rub·bish** [ˋrʌbɪʃ] *n.* Ⓤ ①廢物；垃圾。②廢話。— **rub′bish·y,** *adj.*

rub·ble [ˋrʌbl̩] *n.* Ⓤ ①粗石；碎石；瓦礫。②碎石建築。— **rub′bly,** *adj.*

rub·down [ˋrʌb,daun] *n.* (a ～)按摩。

rube [rub] *n.* Ⓒ〖美俚〗土包子；鄉下佬。

ru·bel·la [ruˋbɛlə] *n.* Ⓤ〖醫〗風疹；德國麻疹。

Ru·bi·con [ˋrubɪ,kɑn] *n.* 盧比孔河(義大利中部之河名)。***cross***[***pass***] ***the*** ～ 破釜沈舟；下重大決心。

ru·bi·cund [ˋrubə,kʌnd] *adj.* ①帶紅色的。②臉色紅潤的。

ru·bid·i·um [ruˋbɪdɪəm] *n.* Ⓤ〖化〗銣(銀白色金屬元素；符號 Rb)。

Rú·bik's Cúbe [ˋrubɪks ～] *n.* Ⓒ〖商標〗魔術方塊(一種形狀如骰子的拼色益智玩具)。

ru·ble [ˋrubl̩] *n.* Ⓒ 盧布(俄國錢幣單位)。

ru·bric [ˋrubrɪk] *n.* Ⓒ ①朱字；朱印；

紅標題。②禮拜規程；教儀。

ru·by** [ˋrubɪ] *n.* ①Ⓤ Ⓒ紅寶石。②Ⓤ紅寶石色。③Ⓤ〖英印刷〗細鉛字(5½磅因的鉛字)。④Ⓤ〖英俚〗血。above rubies*** 價值連城的。**—** *adj.* 紅寶石色的；鮮紅色的。§ **~ wédding** 紅寶石婚(結婚四十周年紀念)。

ruck[1] [rʌk] *n.* ①Ⓒ多量；許多〔of〕。②(the ~)普通人；群衆。③(the ~)〖賽馬〗落伍的馬群。

ruck[2] *v.t.* 摺；弄皺。**—** *v.i.* 變皺。

ruck·sack [ˋrʌk͵sæk] *n.* Ⓒ(登山用的)軟式背包。

ruck·us [ˋrʌkəs] *n.* Ⓒ爭吵；激辯。

ruc·tion [ˋrʌkʃən] *n.* (〖美〗a ~,〖英〗*pl.*)〖俗〗吵鬧；吵嚷。— **rucˊtious,** *adj.*

rud·der [ˋrʌdɚ] *n.* Ⓒ①船舵；方向舵。②領導者；掌舵者。

rud·di·ly [ˋrʌdɪlɪ] *adv.* 呈赤紅色地；泛紅地。— **rudˊdi·ness,** *n.*

rud·dle [ˋrʌdḷ] *n.* Ⓤ〖礦〗紅土；代赭石。**—** *v.t.* 塗以代赭石；用紅土塗或作記號。

rud·dy [ˋrʌdɪ] *adj.* ①(淺)紅色的。②紅潤的(表示健康)。

‡**rude** [rud] *adj.* ①無禮貌的。②粗製的。③粗暴的；猛烈的。④野蠻的。⑤健壯的。⑥刺耳的。*— **ly,** *adv.* — **ness,** *n.*

ru·di·ment [ˋrudəmənt] *n.* ①(*pl.*)基礎。②Ⓒ(常 *pl.*)初階；初步；初期。③Ⓒ〖生物〗退化的器官。

ru·di·men·tal [͵rudəˋmɛntḷ] *adj.* =**rudimentary.**

ru·di·men·ta·ry [͵rudəˋmɛntərɪ] *adj.* ①基本的；初期的。②未發展的；發展不完全的。③〖生物〗發育不全的；已退化的；已衰退的。

rue[1] [ru] *n.* Ⓤ〖植〗芸香。

rue[2] *v.t.* & *v.i.* 〖文〗後悔；悔恨。

rue·ful [ˋrufəl] *adj.* ①悲哀的；悲慘的。②悔恨的；悲傷的。— **ly,** *adv.* — **ness,** *n.*

ruff[1] [rʌf] *n.* Ⓒ①襞襟。②(鳥獸的)翎領。

ruff[2] *n.* Ⓒ 鱸鮒。

ruff[3] *v.t.* & *v.i.* 〖牌戲〗出王牌取磴；以王牌取勝(=trump).

ruf·fi·an [ˋrʌfɪən] *n.* Ⓒ流氓；惡棍。— **ism,** *n.* — **ly,** *adj.*

***ruf·fle** [ˋrʌfḷ] *v.t.* ①摺皺；使皺；振(羽)。②滋擾；打擾。③給…飾褶邊。④洗(紙牌)。⑤急速翻動(書頁)。**—** *v.i.* ①起皺。②飄盪。**—** *n.* Ⓒ①皺摺；皺紋。②鑲於衣邊的摺邊。③滋擾；煩亂。④忙亂。⑤漣漪；微波。⑥(鳥獸的)翎領。

ru·fous [ˋrufəs] *adj.* ①赤褐色的。②面色紅潤的。

***rug** [rʌg] *n.* Ⓒ①地毯。②厚毯。

***Rug·by** [ˋrʌgbɪ] *n.* ①拉戈比(英國中部一城市名)。②Ⓤ橄欖球(=Rugby football).

***rug·ged** [ˋrʌgɪd] *adj.* ①崎嶇的；不平坦的。②〖美〗粗壯的。③狂風暴雨的；粗野的。④艱苦的。⑤忠誠、坦直而嚴厲的。⑥不雅的；粗陋的。⑦刺耳的。— **ly,** *adv.* — **ness,** *n.*

‡**ru·in** [ˋruɪn] *n.* ①Ⓤ滅亡；毀滅。②Ⓤ頹廢；傾覆。③(one's ~, the ~)衰敗的原因。④(*pl.*)廢墟。⑤Ⓤ破產。**—** *v.t.* ①使滅亡；破壞。②使破產。**—** *v.i.* 衰敗；毀滅；滅亡。— **ru·in·aˊtion,** *n.* — **ous,** *adj.*

‡**rule** [rul] *n.* ①Ⓒ規則；法規；法令。②Ⓒ教規；教條。③Ⓒ章程。④Ⓤ統治；管理。⑤Ⓒ慣例。⑥Ⓒ界尺；尺。⑦〖印刷〗鉛線；嵌線。***as a ~*** 照例地；通常地。**—** *v.t.* ①規定；裁決。②統治；管理。③畫線於。④畫界；以線分隔。**—** *v.i.* ①統治；管理；作出裁決。②(價格等)保持某種程度或比率。***~ out*** 拒絕承認；消滅；排除。

***rul·er** [ˋrulɚ] *n.* Ⓒ①統治者。②尺。

rul·ing [ˋrulɪŋ] *n.* ①Ⓤ統治；管理。②Ⓒ法院之裁判。**—** *adj.* ①管理的；統治的。②主要的。③流行的。— **ly,** *adv.*

rum [rʌm] *n.* Ⓤ Ⓒ①蘭姆酒(由甘蔗或糖蜜製成的甜酒)。②〖美〗酒。**—** *adj.* (**-mm-**)〖英俚〗古怪的；奇異的。

Ru·ma·ni·a [ruˋmenɪə] *n.* 羅馬尼亞(南歐國家，首都 Bucharest).

Ru·ma·ni·an [ruˋmenɪən] *adj.* 羅馬尼亞(人，語)的。**—** *n.*①Ⓒ羅馬尼亞人。②Ⓤ羅馬尼亞語。

rum·ba [ˋrʌmbə] *n.* Ⓒ①倫巴舞。②倫巴舞曲。**—** *v.i.* 跳倫巴舞。

rum·ble [ˋrʌmbḷ] *v.i.* ①發隆隆聲；發轆轆聲。②喃喃地說。**—** *n.*①(*sing.*)隆隆聲；轆轆聲；噪音；喧嘩聲。②Ⓒ汽車或馬車後部之尾座或裝行李處。§ **~ sèat**〖美〗(汽車車篷後的)無頂折合式座位。

rum·bling [ˋrʌmblɪŋ] *adj.* 發低沈聲音的；喃喃而言的。

ru·men [ˋrumɪn] *n.* Ⓒ(*pl.* **-mi·na** [-mɪnə], **~s**)瘤胃(反芻動物的第一胃)。

ru·mi·nant [ˋrumənənt] *n.* Ⓒ反芻動物。**—** *adj.* ①反芻的；反芻動物的。②沈思的。

ru·mi·nate [ˋrumə͵net] *v.t.* & *v.i.* ①反芻。②再嚼。③沈思。— **ru·mi·naˊtion,** *n.*

rum·mage [ˋrʌmɪdʒ] *v.i.* & *v.t.* ①翻尋。②搜檢。***~ out*** [***up***] 搜尋出。**—** *n.* ①(a ~)搜尋。②Ⓤ搜尋出來的東西。③Ⓤ零星雜物。④Ⓒ義賣品。§ **~ sàle** (1)義賣。(2)出清存貨的大拍賣。

rum·my[1] [ˋrʌmɪ] *n.* Ⓒ〖俚〗醉漢。

rum·my[2] *adj.* 〖英俚〗古怪的；奇異的。**—** *n.* Ⓤ拉米紙牌戲。

***ru·mor,**〖英〗**-mour** [ˋrumɚ] *n.* Ⓤ Ⓒ謠言；傳說；流言。**—** *v.t.* 謠傳。

ru·mor·mon·ger [ˋrumɚ͵mʌŋgɚ] *n.* Ⓒ造謠者；傳布謠言者。

rump [rʌmp] *n.* Ⓒ①(動物之)臀部。②牛臀肉。③渣滓。

rum·ple [ˋrʌmpḷ] *v.t.* 使凌亂；弄皺。

rum·pus [ˋrʌmpəs] *n.* (*sing.*)〖俗〗喧鬧；騷擾。

rum·run·ner [ˋrʌm͵rʌnɚ] *n.* Ⓒ〖美〗偷運私酒入境者或走私船。

‡**run** [rʌn] *v.i.* (**ran, run, run·ning**)①跑；奔。②逃。③行；進行；行駛。④爬；攀登。⑤(機器等)轉動。⑥伸展；伸延。⑦延續；延長；繼續。⑧流。⑨成爲；變爲。⑩發散；散播。⑪流逝。⑫有某種性質、形式、大小等。⑬發生；

R

感到。⑭〖美〗競選。⑮輕快地移動；滲漏。⑯脫針；抽絲。⑰說；敍述。⑱通用；有效。⑲(戲劇等)連續上演；(書等)續版；(物價)續漲。⑳表現；寫出。㉑融化。㉒傳播。— *v.t.* ①使跑；開(車)進。②插入。③使遭受。④經營；管理。⑤穿過；衝過。⑥追溯；溯源。⑦傳說。⑧使流入。⑨追趕。⑩〖美〗登載於報紙。⑪鎔鑄。⑫推擧；擧出。We ~ him for the Senate. 我們推擧他競選參議員。⑬使(馬)參加比賽。⑭與…比賽。⑮在表面上畫(線)。⑯走私。⑰攜帶；運送。⑱使流注。⑲使迅速經過。~ ***about*** 到處亂跑；自由自在地跑著玩。~ ***across*** 偶遇。~ ***after*** 追；追逐。~ ***against*** **a.** 撞及。**b.**偶遇。**c.** 對…不利。~ ***away*** 逃走；離家。~ ***away with*** **a.**偷；挾…而逃。**b.** 同…私奔。**c.** 輕率接受。**d.** 控制不住。**e.** 用盡(錢等)。~ ***down*** **a.** 跑下；流下。**b.** 停止；耗盡。**c.** 追趕；趕上。**d.** 搜出。**e.** 撞倒。**f.** 使…衰退；使…疲倦。**g.** 誹謗。~ ***into*** **a.** 陷入。**b.** 偶遇。**c.** 撞及；撞到。~ ***off*** **a.** 逃跑。**b.** 使流出。**c.** 出版；印出。~ ***out*** **a.** 用盡；結束。**b.**伸出；突出。**c.**(繩子)抽出；拉出。**d.**逐出。~ ***out of*** 耗盡。~ ***over*** **a.**輾過；壓過。**b.**複習；覆查。**c.** 超過。**d.** 溢出(容器)。**e.** 很快地讀一遍。~ ***through*** **a.** 浪費；濫用。**b.** 複習；預演。**c.** 刺入；貫穿。**d.** 畫線將(字)刪掉。— *n.* ① Ⓒ 跑；賽跑。② (*sing.*, the ~)進行。③(a ~)旅程。④ Ⓒ (壘球、板球比賽中之)跑動(得分)。⑤(a ~)連續。⑥(a ~)繼續演出。⑦(a ~)擠兌〖on〗. ⑧ Ⓒ (常 the ~)種類；階級；普通人。⑨ Ⓤ 自由使用。⑩ Ⓒ 獸群；魚群。⑪ Ⓒ (供動物用之)圍場。⑫ Ⓒ 絲襪上脫針之處。⑬ Ⓒ 猛跌。⑭(*sing.*)(工廠中的機器)運轉時間。⑮ Ⓤ (液汁)流出；流出之量。⑯ Ⓒ 水流；小溪。⑰ Ⓤ 私貨之上岸。⑱ Ⓒ 〖樂〗急奏。⑲ Ⓒ 擁擠。⑳ Ⓤ 力氣。㉑ Ⓒ 足跡。㉒ Ⓒ 斜道。㉓(a ~)大量而持續的需求、銷售等。***at a*** ~ 奔跑著。***in the long*** ~ 終究；最後。***on the*** ~ **a.** 逃跑著。**b.** 忙碌著。**c.** 奔跑中；匆忙地。

run·a·bout [ˋrʌnə͵baut] *n.* Ⓒ ①遊蕩者。②小型單座敞篷馬車或汽車。③小型汽艇[飛機]。④幼童。

run·a·round [ˋrʌnə͵raund] *n.* (the ~)〖俚〗藉口；遁詞。

run·a·way [ˋrʌnə͵we] *n.* Ⓒ ①逃亡者。②脫韁之馬。③私奔。— *adj.* ①逃亡的；私逃的。②輕易獲勝的。

run·down [ˋrʌn͵daun] *n.* ①(*sing.*, 常 the ~)裁員。② Ⓒ 〖俗〗概要。③ Ⓒ 〖棒球〗夾殺。

run-down [ˋrʌnˋdaun] *adj.* ①疲憊的。②敗壞的。③(鐘錶等)因未上緊發條而停止的。

rune [run] *n.* Ⓒ ①(常 *pl.*)盧恩字母(北歐文字)。②神祕之文字或記號。

‡**rung**[1] [rʌŋ] *v.* pp. of **ring**[2].

rung[2] *n.* Ⓒ ①(椅子的)橫檔；梯級。②輪輻。

run·nel [ˋrʌnl] *n.* Ⓒ 小河；小水路。

***run·ner** [ˋrʌnɚ] *n.* Ⓒ ①奔跑者。②(橇之)滑行部分；溜冰鞋之滑刀。③信差。④(機器的)操作員。⑤走私者。⑥長條布、毯、花邊等。⑦〖植〗纖匐枝；蔓。⑧〖棒球〗跑壘員。⑨跑腿者。⑩〖鳥〗走禽類；(尤指)秧雞。⑪〖美〗(襪子的)抽絲；脫線。

run·ner-up [ˋrʌnɚˋʌp] *n.* Ⓒ (*pl.* **run·ners-up**)競賽中之第二名；亞軍。

run·ning** [ˋrʌnɪŋ] *n.* Ⓤ ①跑。②液狀物之流出。③力氣；衝動。④管理。be in***[***out of***] ***the*** ~有[無]獲勝機會。***take up the*** ~ 帶頭；率先。— *adj.* ①連接的；連續的。②流膿的。③流動的。④液體的；溶解的。⑤跑的；奔跑的。— *adv.* 連續地。§ ~ **cómmentary** ⑴(隨本文或事情的進行而加的)連續的解說。⑵(隨著競賽等之進行而做的)實況轉播報導。~ **héad** (每頁頁首的)欄外標題。~ **knót** 活結。~ **màte** ⑴陪跑的馬(訓練時和正式參賽的馬一起跑，以定其步調)。⑵競選伙伴。

run·ny [ˋrʌnɪ] *adj.* ①過於鬆軟的；水分過多的。②流鼻涕的。

run-off [ˋrʌn͵ɔf] *n.* Ⓒ ①流走之物(如雨水被土地吸收後，其餘流走之量)。②分數相同者的決賽。

run-of-mill [ˋrʌnəvˋmɪl] *adj.* 普通的；平庸的。

run-on [ˋrʌn͵ɑn] *adj.* ①〖印刷〗接排的。②衍生的；加添的。— *n.* Ⓒ 連續接排(句、行、段)。

run-o·ver [ˋrʌnˋovɚ] *adj.* 超篇幅而需轉頁的。

runt [rʌnt] *n.* Ⓒ 矮小的人、畜或植物。— **runt′y,** *adj.*

run-through [ˋrʌn͵θru] *n.* Ⓒ ①概要；大綱。②預演。

run-up [ˋrʌn͵ʌp] *n.* ① Ⓒ (跳遠的)助跑。②(the ~)〖英〗(某活動的)籌備期間。③ Ⓒ (飛機的)起轉。④ Ⓒ 漲價。

run·way [ˋrʌn͵we] *n.* Ⓒ ①跑道。②動物踏出的小徑。③獸苑；供家禽或家畜活動的場地。④飛機跑道。⑤伸展臺；表演臺。

ru·pee [ruˋpi] *n.* Ⓒ 盧比(印度及巴基斯坦錢幣單位)。(略作 **R., r., Re.**)

ru·pi·ah [ruˋpiə] *n.* Ⓒ (*pl.* **~, ~s**) 盧比亞(印尼貨幣單位)。

rup·ture [ˋrʌptʃɚ] *v.i.* & *v.t.* ①(使)破裂。②斷絕；(使)決裂。— *n.* ① Ⓤ Ⓒ 破裂。② Ⓤ Ⓒ 絕交。③ Ⓒ 〖醫〗疝氣。

***ru·ral** [ˋrurəl] *adj.* ①鄉村的；農村的。②有關農業的。§ ~ (**frée**) **delívery** 鄉村地區郵件的免費遞送。

ru·ral·ize [ˋrurəl͵aɪz] *v.t.* 使田園化；使農村化。— *v.i.* 鄉居；過田園生活。

Rus. Russia; Russian.

ruse [ruz] *n.* Ⓒ 策略；計謀；詐術。

‡**rush**[1] [rʌʃ] *v.i.* ①衝。②急進；急促行事。③急速流動。— *v.t.* ①使急進；猛攻；猛衝。②急促運送；匆促進行。③向…索高價。④撲向；衝入。⑤向…求寵；向…獻殷懃。⑥〖美俗〗爲爭取社員而招待(未加入大學社團的學生)。— *n.* ① Ⓒ 衝；突進；激流。② Ⓤ (又

作a ～)匆促；繁忙(時刻)。③(*sing.*)搶購。④Ⓒ〖美〗兩組學生間的競技。⑤Ⓤ慇懃。⑥Ⓒ(常*pl.*)〖影〗毛片；樣片。***with a ～*** 突然地；匆匆地。**—** *adj.* ①緊急的。②熙熙攘攘的。
rush[2] *n.* ⓊⒸ①燈心草。②無價值的東西。
rush·y [ˋrʌʃɪ] *adj.* 燈心草製成的；多燈心草的；似燈心草的。
rusk [rʌsk] *n.* ⓊⒸ乾麵包；脆餅乾。
Russ [rʌs] *n.*(*pl.* **～, ～·es**)①Ⓒ俄國人。②Ⓤ〖古〗俄語。**—** *adj.* 俄國(人，語)的。
Rus·sell [ˋrʌsl̩] *n.* 羅素(Bertrand Arthur William, 1872-1970, 英國數學家及哲學家)。
rus·set [ˋrʌsɪt] *n.* ①Ⓤ赤褐色。②Ⓤ赤褐色粗布。③Ⓒ一種赤褐色的蘋果。**—** *adj.* ①赤褐色的。②褐色粗布製的。
***Rus·sia** [ˋrʌʃə] *n.* ①(1917年以前的)俄羅斯帝國。②＝**Soviet Russia.**
***Rus·sian** [ˋrʌʃən] *adj.* 俄國(人，語)的。**—** *n.* ①Ⓒ俄國人。②Ⓤ俄語。§ **～ Sóviet Féderated Sócialist Repúblic** 俄羅斯社會主義聯邦蘇維埃共和國(爲前蘇聯中最大之共和國，占全面積四分之三，首都Moscow，簡稱Soviet Russia)。
***rust** [rʌst] *n.* Ⓤ①銹。②〖植〗銹菌；銹病。③紅褐色。**—** *v.i.* ①生銹。②變陳舊；朽腐。③〖植〗生銹病。④變成紅褐色。**—** *v.t.* ①使銹；使荒廢。②使變成紅褐色。— **less,** *adj.*
***rus·tic** [ˋrʌstɪk] *adj.* ①鄉村的。②單純的；質樸的。③粗野的；鄉土氣的。④用原木造的。⑤表面粗糙的。**—** *n.* Ⓒ鄉下人；土包子。— **rus′ti·cal·ly,** *adv.*
rus·ti·cate [ˋrʌstɪˏket] *v.i.* ①下鄉。②暫居鄉村；過鄉間生活。**—** *v.t.* ①送往鄉村；使定居鄉村。②〖英〗(大學)勒令停學。— **rus·ti·ca′tion,** *n.*
rus·tic·i·ty [rʌsˋtɪsətɪ] *n.* Ⓤ①田園風味[生活]。②粗俗。③質樸；率直。
***rus·tle** [ˋrʌsl̩] *n.* (*sing.*)沙沙聲。**—** *v.i.* ①發沙沙聲。②穿著發出沙沙聲的衣服。③〖俚〗奮力工作。**—** *v.t.* ①使發沙沙聲。②〖俚〗奮力地作；奮力而得到。③〖俚〗偷(家畜)。
rus·tler [ˋrʌslɚ] *n.* Ⓒ〖美俚〗偷牛賊。
rust·proof [ˋrʌstˏpruf] *adj.* 防銹的。
***rust·y** [ˋrʌstɪ] *adj.* ①生銹的。②陳腐的；(學問、技術等)荒疏的；荒廢的。③褪色的(指黑色衣服)。④〖植〗患銹斑病的。⑤紅褐色的。
rut[1] [rʌt] *n.* ①Ⓒ車轍。②(*sing.*)常規。③Ⓒ凹痕。***get into a ～*** 墨守成規。***go on in the same old ～*** 總是作同一件事。***move in a ～*** 照慣例行動；因襲成規。**—** *v.t.* (**-tt-**)①留車轍於。②使生凹痕。— **rut′ty,** *adj.*
rut[2] *n.* Ⓤ(雄鹿、羊等之)發情；春情期。**—** *v.i.*(**-tt-**)發情。
ru·ta·ba·ga [ˏrutəˋbegə] *n.* ⓊⒸ〖植〗蕪菁。
ruth [ruθ] *n.* Ⓤ〖古〗憐憫；慈悲。
Ruth [ruθ] *n.* ①露絲(女子名)。②〖聖經〗舊約路得記。
***ruth·less** [ˋruθlɪs] *adj.* 無情的；殘忍的。— **ly,** *adv.* — **ness,** *n.*
Rwan·da [rʊˋɑndə] *n.* 盧安達(中非一共和國，首都Kigali)。
Rx recipe.
***rye** [raɪ] *n.* ①Ⓤ裸麥；黑麥。②Ⓤ裸麥粒。③Ⓤ裸麥麵包。④ⓊⒸ裸麥酒。
Ryu·kyu [ˋrjuˋkju] *n.* 琉球(群島)。
Ryu·kyu·an [ˋrjuˋkjuən] *n.* Ⓒ琉球(群島)人。

S s **S s** *S s*

S or **s** [ɛs] *n.* (*pl.* **S's, Ss, s's, ss** [ˋɛsɪz])①ⓊⒸ英文字母的第十九個字母。②Ⓒ S形之物。
S〖化〗sulfur; sulphur. **s.** second秒; see; set; shilling(s); solidus; son; south; steamer; substantive. **s., S.** school; singular; society; soprano. **s., S, S.** south; southern.
Sab·ba·tar·i·an [ˏsæbəˋtɛrɪən] *adj.* (常s-)嚴守安息日的。**—** *n.* Ⓒ嚴守安息日的人。
Sab·bath [ˋsæbəθ] *n.* Ⓒ安息日(基督徒以星期日爲安息日，猶太人以星期六爲安息日)。**—** *adj.* 安息日的。
sab·bat·ic, -i·cal [səˋbætɪk(l̩)] *adj.* ①(S-)安息日的。②安息的；休息的；安寧的。**—** *n.* Ⓒ(大學給予教師每七年一次的)休假年。§ **～ léave [yéar]** (1)安息年(猶太人每七年中停止耕作及釋放債務人之一年)。(2)(大學教師之)休假年。
sa·ber, 〖英〗**-bre** [ˋsebɚ] *n.* Ⓒ(騎兵所用的)軍刀。**—** *v.t.* 以軍刀砍傷或斬殺。§ **～ ràttling** 耀武揚威。
sa·bin [ˋsebɪn] *n.* Ⓒ〖理〗賽(賓)(吸音量的單位)。
Sa·bin [ˋsebɪn] *n.* 沙賓(Albert Bruce, 1906-93, 生於波蘭之美國微生物學家)。§ **～ vàccine** 沙賓疫苗(防治小兒麻痺疫苗)。
sa·ble [ˋsebl̩] *n.* ①Ⓒ黑貂。②Ⓤ黑貂皮。③Ⓤ〖徽〗黑色。④(*pl.*)黑貂皮大衣。⑤(*pl.*)喪服。**—** *adj.* ①黑貂皮製成的。②黑色的；黑暗的。
sab·ot [ˋsæbo]〖法〗*n.* Ⓒ①(歐洲農民所穿的)木鞋。②(粗革面之)木底鞋。
sab·o·tage [ˋsæbəˏtɑʒ] *n.* Ⓤ①陰謀破壞行動(工人於勞資糾紛，故意毀壞機器、浪費材料及怠工等)。②任何惡意之破壞。**—** *v.t.* 陰謀破壞；故意損壞。
sab·o·teur [ˏsæbəˋtɝ]〖法〗*n.* Ⓒ從事破壞工作的人；破壞份子。
sac [sæk] *n.* Ⓒ(動、植物組織中的)囊；液囊。
sac·cha·rin [ˋsækərɪn] *n.* Ⓤ〖化〗糖精。
sac·cha·rine [ˋsækəˏraɪn] *adj.* ①

(似)糖的；過甜的。②十分甜蜜的。③嬌媚的。── [ˋsækərɪn] *n.* =**saccharin.**

sac·cha·rose [ˋsækəˏros] *n.* Ⓤ〖化〗蔗糖。

sac·er·do·tal [ˏsæsɚˋdotl] *adj.* ①僧侶的；神職(人員)的。②尊重僧權[神職]的。

sa·chem [ˋsetʃəm] *n.* Ⓒ (北美印第安人的)酋長。

sa·chet [sæˋʃe] *n.* ①Ⓒ 香囊。②Ⓤ (裝於香囊中之)香粉。

***sack**[1] [sæk] *n.* ①Ⓒ 粗布袋；牛皮紙袋；囊；包。②Ⓒ 一袋(之量)；一包(之量)。③Ⓒ 寬鬆外衣。④(the ～)〖英俚〗解雇；革職。⑤Ⓒ (常 the ～)〖棒球〗壘(=base). *get the* ～ 被解雇。*give* (*one*) *the* ～ 解雇(某人)。*hold the* ～ **a.** 被迫擔負全責。**b.** 兩手空空；一無所獲。── *v.t.* ①置於囊中。②〖俚〗解雇。③獲得；贏得。§ ～ **còat**(沒有腰身的寬短)男用上衣。～ **drèss** 布袋裝。～ **ràce** 套袋賽跑(把兩脚或下半身套入袋中，跳著前進的一種賽跑)。～ **sùit**〖美〗男用寬鬆短上衣。～ **tìme**〖美俚〗睡眠時間。

sack[2] *v.t.* 劫掠；掠奪。── *n.* (*sing.*, 常 the ～)劫掠；掠奪。

sack·cloth [ˋsækˏklɔθ] *n.* Ⓤ①麻袋布；粗麻布。②懺悔服。*in* ～ *and ashes* 在懺悔[悲痛]中。

sack·ful [ˋsækˏful] *n.* Ⓒ ①一袋之量；一袋。②大量。

sack·ing [ˋsækɪŋ] *n.* Ⓤ 麻袋布。

sac·ra·ment [ˋsækrəmənt] *n.* ①Ⓒ (基督教會之)聖禮；聖事。②(常the S-)聖體；聖餐。③Ⓒ 神聖之事物。④Ⓒ 標誌；表徵。⑤Ⓒ 誓言；誓約。

Sac·ra·men·to [ˏsækrəˋmɛnto] *n.* 薩克拉曼多(美國California 州之首府)。

***sa·cred** [ˋsekrɪd] *adj.* ①神聖的；宗教上的；屬於或奉獻予上帝的。②受崇敬的；神聖不可侵犯的。③奉獻的。§ ～ **cŏw** (1)(印度的)聖牛。(2)〖諧〗神聖不可侵犯的人[物]。**S**～ **Wrít**=Scripture. **the S**～ **Cóllege**〖天主教〗羅馬天主教樞機主教團。

***sac·ri·fice** [ˋsækrəˏfaɪs, -ˏfaɪz] *n.* ①ⓊⒸ 供奉；獻祭；祭祀。②Ⓒ 祭品；犧牲品。③Ⓒ 犧牲(的行爲)。④Ⓒ 賤賣；抛售。⑤Ⓒ〖棒球〗犧牲打。── *v.t.* & *v.i.* ①供奉；獻祭；祭祀。②犧牲。③賤賣。④〖棒球〗擊出犧牲打。§ ～ **flý** 高飛犧牲打。～ **hít** [**búnt**]〖棒球〗犧牲打。— **sac·ri·fi′cial** [-ˋfɪʃəl], *adj.*

sac·ri·lege [ˋsækrəlɪdʒ] *n.* ⓊⒸ ①褻瀆神聖。②褻瀆聖物；竊取聖物；褻瀆聖地(之罪)。— **sac·ri·legious** [ˏsækrɪˋlɪdʒəs], *adj.*

sac·ris·tan [ˋsækrɪstən] *n.* Ⓒ (教會的)聖器保管人。

sac·ris·ty [ˋsækrɪstɪ] *n.* Ⓒ (教會的)聖器收藏[保管]室。

sac·ro·sanct [ˋsækroˏsæŋkt] *adj.* 神聖不可侵犯的。

‡**sad** [sæd] *adj.* (**-dd-**)①悲哀的；憂愁的。②使人悲哀的。③暗色的；黑的。④非常壞的。～*der and wiser* 經歷坎坷而變爲明智。

sad·den [ˋsædn̩] *v.t.* ①使悲哀；使悲傷。②使帶暗色。── *v.i.* 悲哀；悲傷。

***sad·dle** [ˋsædl] *n.* Ⓒ ①鞍；鞍座。②(脚踏車等的)車座。③鞍狀物。④兩山峰間的凹下部份；鞍形山。*in the* ～ **a.** 乘馬的。**b.** 在位的；在職的。── *v.t.* ①給(馬等)裝鞍。②使負擔。③(爲使參加賽馬而)訓練(馬)。── *v.i.* 套馬鞍。§ ～ **hòrse** 可騎乘的馬；鞍馬。～ **ròof**〖建〗鞍狀屋頂。

sad·dle·bag [ˋsædl̩ˏbæg] *n.* Ⓒ 鞍囊；工具包。

sad·dle·cloth [ˋsædl̩ˏklɔθ] *n.* Ⓒ 鞍褥。

sad·dler [ˋsædlɚ] *n.* Ⓒ 製造[出售]馬鞍[馬具]的人。

sad·dler·y [ˋsædlərɪ] *n.* ①Ⓤ (集合稱)馬具。②Ⓒ 馬具店。③Ⓤ 馬具製造業；馬具製造術。

sad·dle·tree [ˋsædl̩ˏtri] *n.* Ⓒ 鞍架。

sa·dism [ˋsædɪzəm, ˋsedɪzəm] *n.* Ⓤ ①性虐待狂。②虐待狂。— **sa′dist,** *n.*

‡**sad·ly** [ˋsædlɪ] *adv.* ①悲慘地；可悲地；傷心地。②非常地。

***sad·ness** [ˋsædnɪs] *n.* Ⓤ 悲傷；悲哀。

sa·do·mas·o·chism [ˏsædoˋmæsəkɪzəm, ˏse-] *n.* Ⓤ 施虐受虐狂。

s.a.e. stamped addressed envelope. (附有郵票、地址之)回郵信封。

sa·fa·ri [səˋfɑrɪ] *n.* Ⓒ (在非洲東部的)狩獵旅行；狩獵遠征隊。§ ～ **pàrk** 野生動物園。

‡**safe** [sef] *adj.* ①安全的。②穩妥的。③可靠的。④必定的。⑤不能爲害的。⑥〖棒球〗安全上壘的。⑦不會錯的。*be on the* ～ *side* 萬無一失；妥加準備以防萬一。～ *and sound* 平安無恙。── *n.* Ⓒ ①保險箱[櫃]。②冷藏櫃[室]。§ ～ **hóuse** 隱匿處；地下工作人員的集會所。～ **périod**(不會懷孕的)安全期間。

safe·break·er [ˋsefˏbrekɚ] *n.* Ⓒ〖英〗打開保險箱的搶劫犯。

safe-con·duct [ˋsefˋkɑndʌkt] *n.* ①Ⓒ 安全通行證。②Ⓤ 安全通行權。

safe·crack·er [ˋsefˏkrækɚ] *n.* Ⓒ〖美〗撬開保險箱而搶劫之人。

safe-de·pos·it [ˋsefdɪˏpɑzɪt] *adj.* 安全保管的。

safe·guard [ˋsefˏgɑrd] *v.t.* 保護；防護。── *n.* Ⓒ ①保護。②安全裝置。

safe·keep·ing [ˋsefˋkipɪŋ] *n.* Ⓤ 保護；保管。

‡**safe·ly** [ˋseflɪ] *adv.* ①安全地；平安地。②確切地；無誤地。

***safe·ty** [ˋseftɪ] *n.* ①Ⓤ 安全；平安。②Ⓒ 安全裝置；安全瓣；保險器。③Ⓒ〖棒球〗安打。*in* ～ 安全；無恙。*play for* ～不冒險。§ ～ **bèlt** (1)(繫於飛機或汽車座位的)安全帶。(2)(水中)救生帶。～ **fúse** (1)安全信管。(2)〖電〗保險絲；安全熔線。～ **glàss** 安全玻璃。～ **ìsland** [〖美〗**zòne**] (馬路上之)安全島。～ **lòck** (1)保險鎖。(2)(槍砲上之)保險機；閉鎖保險。～ **màtch** 安全火柴。～ **pìn** 安全別針。～ **ràzor** 安全剃刀。～ **vàlve** 安全瓣。

saf·fron [ˋsæfrən] *n.* ①Ⓒ〖植〗番紅花。②Ⓤ 番紅花粉(用於糖果、飲料等之著色及添加香味)。③Ⓤ 橘黃色。

— *adj.* 橘黃色的。
saf·role [ˋsæfrol] *n.* Ⓤ 黃樟素；黃樟油精。
sag [sæg] *v.i.* (**-gg-**) ①壓陷；中間下墜。②不整齊地下垂。③消沈。④跌價。⑤〖海〗漂離航線。— *n.* (*sing.*) ①下陷處。②跌價。③精神消沈。
sa·ga [ˋsɑgə] *n.* Ⓒ ①古代北歐之英勇故事。②〖喻〗英雄故事；冒險故事。§ ∼ **nòvel** 長篇家世小說；年代記(將一個家族或社會作歷史性敍述的長篇小說)。
sa·ga·cious [səˋgeʃəs] *adj.* ①睿智的；靈敏的；精明的。②(動物)伶俐的。—**ly,** *adv.* —**ness,** *n.*
sa·gac·i·ty [səˋgæsətɪ] *n.* Ⓤ 睿智；靈敏；精明。
sage[1] [sedʒ] *adj.* ①賢明的；明智的。②嚴肅的。— *n.* Ⓒ 聖人；哲人。
sage[2] *n.* Ⓤ ①〖植〗洋蘇草。②=**sage-brush.** § ∼ **gréen** 灰綠色。∼ **gròuse** 艾叢松雞。
SAGE Semi-Automatic Ground Environment.〖美〗半自動防空管制組織。
sage·brush [ˋsedʒ,brʌʃ] *n.* Ⓤ 山艾樹(產於美國西部的一種灰綠色灌木)。
Sag·it·tar·i·us [,sædʒɪˋtɛrɪəs] *n.* ①〖天〗人馬宮；射手座。② Ⓒ 屬射手座的人。
sa·go [ˋsego] *n.* (*pl.* ∼**s**) ① Ⓒ〖植〗西穀棕櫚(亦作**sago palm**)。② Ⓤ 西穀米。
Sa·har·a [səˋhɛrə, -ˋhɑrə] *n.* ①(the ∼)撒哈拉(非洲北部的大沙漠)。②(s-) Ⓒ 不毛之地。—**Sa·har′an,** *adj.*
sa·hib [ˋsɑ·ɪb,ˋsɑhɪb] *n.* Ⓒ 先生；閣下；大人(印度人對歐洲人之尊稱)。
‡**said** [sɛd] *v.* pt. & pp. of **say.** — *adj.*上述的；該。
Sai·gon [saɪˋgɑn] *n.* 西貢(越南 Ho Chi Minh City 的舊稱)。
‡**sail** [sel] *n.* ① Ⓤ Ⓒ 帆。② Ⓒ 帆狀物。③ Ⓒ (*pl.* ∼) **a.** 帆船；船。**b.** 船隊。④ Ⓤ (又作 a ∼)航行。***in*** [***under***] ***full*** ∼ 張滿帆。***make*** ∼**a.** 張帆。**b.**起航。***set*** ∼ 開航。***take in*** ∼ **a.**收帆。**b.** 減少活動；減低雄心。***under*** ∼ 張帆前進中。— *v.i.* ①(帆船)張帆而行；(汽船等)航行。②(鳥、雲等)飛行於空中；平穩地行動。③駕駛船隻。④輕易完成；輕易過關。— *v.t.* ①在…上航行；飄過。②駕駛(船舶)。③使輕盈滑行或飛行。∼ ***in*** 懷有信心地開始做某事。∼ ***into*** **a.** (女人等)步態優美地走進。**b.** 熱心地做；努力做。**c.** 斥責；痛擊。∼ ***near*** [***close***] ***to the wind*** 幾乎犯規；幾乎違法。
sail·boat [ˋsel,bot] *n.* Ⓒ 帆船。
sail·cloth [ˋsel,klɔθ] *n.* Ⓤ 帆布。
sail·er [ˋselɚ] *n.* Ⓒ ①帆船。②(航速…的)船。
sail·ing [ˋselɪŋ] *n.* ① Ⓤ 航海術；航海法。② Ⓤ Ⓒ 航行；啓航。plain ∼ 進展順利。§ ∼ **bòat**〖英〗帆船。∼ **màster** 航海官。∼ **shìp** (大)帆船。
‡**sail·or** [ˋselɚ] *n.* Ⓒ ①水手；船員；海員。②=**sailor hat.** ***a bad*** [***good***] ∼ 會暈船[不暈船]的人。§ ∼ **cóllar** 水手領。∼ **hàt** 平頂草帽。∼**s' hóme** 水手之家。∼**'s knòt** 水手所用的繩結(法)；(領帶的)水手結；拱結。∼ **sùit**(兒童之)水兵裝。
sail·plane [ˋsel,plen] *n.* Ⓒ 輕滑翔機。
***saint** [sent] *n.* Ⓒ ①聖徒；聖人。②德高望重的人。③已進天國的人；逝者。— *v.t.* 列爲聖徒；使成爲聖徒。
saint·ed [ˋsentɪd] *adj.* ①神聖的。②似聖徒的。③升天國的。
saint·hood [ˋsent,hʊd] *n.* Ⓒ ①聖徒的地位；品格。②(集合稱)聖徒。
saint·ly [ˋsentlɪ] *adj.* ①似聖人的；神聖的。②品德高尙的。
sake**[1] [sek] *n.* Ⓤ 緣故；原因；關係；目的。for God's*** [***goodness, Heaven's, mercy's***] ∼看在上帝面上；千萬；務請。***for old acquaintance's*** ∼看在老朋友的份上。***for the*** ∼ ***of*** 爲了；因爲。
sa·ke[2]**, sa·ki** [ˋsɑkɪ]〖日〗*n.* Ⓤ 清酒。
Sa·kha·lin [,sækəˋlin] *n.* 薩哈林島(在西伯利亞東部，中國傳統稱庫頁島)。
sal [sæl] *n.* Ⓤ〖藥〗鹽。
sa·laam [səˋlɑm] *n.* Ⓒ 印度之額手鞠躬禮。— *v.t.* & *v.i.* 行額手鞠躬禮。
sal(e)·a·ble[ˋseləbl]*adj.*可銷售的；適於銷售的；易賣的。—**sal·a·bil′i·ty,** *n.*
sa·la·cious [səˋleʃəs] *adj.* ①好色的；淫蕩的。②(書籍、圖片等)猥褻的。
***sal·ad** [ˋsæləd] *n.* Ⓤ Ⓒ 沙拉；生菜食品。§ ∼ **bàr** 沙拉吧。∼ **bòwl** 沙拉碗。∼ **crèam** 奶油狀的調味料。∼ **dàys** 少不更事之時期。∼ **drèssing** 生菜調味汁；沙拉醬。∼ **òil** 沙拉油。
sal·a·man·der [ˋsælə,mændɚ] *n.* Ⓒ ①〖動〗蠑螈。②(傳說生活於火中的)火蜥蜴。
sa·la·mi [səˋlɑmɪ] *n.* Ⓤ Ⓒ 義大利臘腸。
***sal·a·ry** [ˋsælərɪ] *n.* Ⓤ Ⓒ 薪水；俸給。— *v.t.* 付薪水給…。—**sal′a·ried,** *adj.*
sale** [sel] *n.* ① Ⓤ Ⓒ 銷售。② Ⓒ 銷路。③ Ⓒ 特價廉售；賤賣。④ Ⓒ (大)拍賣。for*** [***on***] ∼ 出售。
sal·e·ra·tus [,sæləˋretəs] *n.* Ⓤ 烹飪用的重碳酸鈉；小蘇打；酸粉。
sales [selz] *adj.* 售貨的。a ∼ agency 經銷處。a ∼ department 營業部。§ ∼ **enginèer**銷售工程師。∼ **promòtion**〖商〗促銷。∼ **represèntative** 業務代表；外務員；推銷員。∼ **tàlk**推銷(商品)的言詞[說辭]。∼ **tàx**〖美〗貨物稅；銷售稅。
sales·clerk [ˋselz,klɝk] *n.* Ⓒ 店員。
sales·girl [ˋselz,gɝl] *n.* Ⓒ 女店員。
***sales·man** [ˋselzmən] *n.* Ⓒ (*pl.* **-men**)店員；售貨員；推銷員。
sales·man·ship [ˋselzmən,ʃɪp] *n.* Ⓤ 推銷能力；銷貨術；推銷術。
sales·peo·ple [ˋselz,pipl] *n. pl.* 售貨員。
sales·per·son [ˋselz,pɝsn̩] *n.* Ⓒ 售貨員。
sales·wom·an [ˋselz,wʊmən] *n.* Ⓒ (*pl.* **-wom·en**)女店員。
sa·li·ent [ˋselɪənt] *adj.* ①顯著的；突出的。②凸出的。③跳躍的。④向上噴出的。— *n.* Ⓒ (要塞等之)凸出[凸角]部分。—**ly,** *adv.* —**sa′li·ence,** *n.*
sa·lif·er·ous [səˋlɪfərəs] *adj.* 含鹽

的; 產鹽的。
sa·line [ˋselaɪn] *adj.* ①鹽的; 有鹽的。②含鹽的。**—** *n.* Ⓤ①鹽井; 鹽沼; 鹽礦。②含鎂、鉀等金屬之鹽類; 含鹽劑。③〖醫〗生理食鹽水。— **sa·lin·i·ty** [səˋlɪnətɪ], *n.* Ⓤ鹽分; 鹹性。
sa·li·va [səˋlaɪvə] *n.* Ⓤ唾液。
sal·i·var·y [ˋsæləˏvɛrɪ] *adj.* 唾液的; 分泌唾液的。
sal·i·vate [ˋsæləˏvet] 〖生理〗 *v.i.* 分泌唾液。**—** *v.t.* 使分泌過量之唾液。
sal·low[1] [ˋsælo] *adj.* (皮膚或面色)灰黃色的。**—** *v.t.* 使發灰黃色。— **ish,** *adj.*
sal·low[2] *n.* Ⓒ①〖植〗闊葉柳。②黃華柳枝。— **salˊlow·y,** *adj.*
sal·ly [ˋsælɪ] *v.i.* ①出擊。②衝出。**—** *n.* Ⓒ①俏皮話。②出擊。③衝出。④出發旅行; 遠足旅行。
***salm·on** [ˋsæmən] *n.*(*pl.* ~, ~**s**)①Ⓒ〖魚〗鮭。②Ⓤ淺橙色。
sal·mo·nel·la [ˏsælməˋnɛlə] *n.* Ⓒ (*pl.* **-lae** [-li], ~**s,** ~)沙門氏桿菌。
sa·lon [saˋlõ] 〖法〗 *n.* ①Ⓒ客廳。②(the S-)沙龍畫展。③Ⓒ美術展覽會場; 畫廊。④Ⓒ名流社交聚會[聯誼會]。⑤Ⓒ(服飾)店; (美容)院。
sa·loon [səˋlun] *n.* Ⓒ①公用之大廳或場所。②〖美〗酒店。③(輪船等之)大廳。④=**saloon car.** § ~ **càbin** 頭等艙。~ **càr**[**càrriage**]〖鐵路〗頭等客車; 頭等餐車。~ **dèck** 頭等艙乘客之專用甲板。~ **pàssenger** 頭等艙乘客。~ **pìstol** [**rífle**] 〖英〗射擊場專用的手槍[步槍]。
sa·loon·keep·er [səˋlunˏkipɚ] *n.* Ⓒ〖美〗酒店主人。
sal·sa [ˋsɔlsə, ˋsɑl-] *n.* Ⓒ薩爾薩舞曲(一種源自拉丁美洲的流行音樂, 兼具爵士和搖滾等音樂的特徵)。
sal·si·fy [ˋsælsəfɪ] *n.* ⓊⒸ〖植〗牡蠣葉; 婆羅門參。
‡**salt** [sɔlt] *n.* ①Ⓤ鹽; 食鹽。②Ⓒ(常 old ~)有經驗的水手。③Ⓒ鹽罐(=saltcellar). ④Ⓤ俏皮; 機智。⑤Ⓤ風趣; 刺激; 趣味。⑥Ⓒ〖化〗鹽; 鹽類。⑦(*pl.*)瀉鹽。⑧(*pl.*)嗅鹽(=smelling salts). ⑨Ⓤ懷疑態度。***eat one's*** ~ 在某人家作客。***not*** [***hardly***] ***worth one's*** ~ 沒有用的; 不稱職的。***the*** ~ ***of the earth*** 社會中堅分子(新約馬太福音5:13)。***with a grain of*** ~ 稍有保留[斟酌, 打折扣]的態度; 懷疑地。**—** *adj.* ①含鹽的; 鹹的。②鹽醃的。③生長於鹹水中的。**—** *v.t.* ①加鹽。②用鹽醃。③餵以鹽。④〖化〗以鹽處理; 加鹽於。~ ***away*** [***down***] **a.** 用鹽醃。**b.** 積蓄; 儲存。§ ~ **làke** 鹹水湖。**S~ Làke Cíty** 鹽湖城(美國猶他州的首府)。~ **lìck** (1)(野獸舐食天然岩鹽的)鹽地。(2)(家畜舐食的)鹽塊。~ **màrsh** 鹽澤; 鹽沼。~ **pórk** 醃豬肉。
SALT [sɔlt] *n.* 戰略武器限制談判[會談](爲 Strategic Arms Limitation Talks 之略)。
salt·cel·lar [ˋsɔltˏsɛlɚ] *n.* Ⓒ(餐桌上的)鹽罐; 鹽瓶; 鹽碟。
salt·ed [ˋsɔltɪd] *adj.* ①用鹽醃漬的。②〖俗〗老練的; 有經驗的。
salt·pe·ter,〖英〗**-tre** [ˋsɔltˋpitɚ] *n.* Ⓤ①硝石。②智利硝石; 硝酸鈉(肥料)。③硝酸鉀。
salt·shak·er [ˋsɔltˏʃekɚ] *n.* Ⓒ〖美〗(瓶蓋有細孔的)撒出式鹽瓶。
salt·wa·ter [ˋsɔltˋwɔtɚ] *adj.* ①鹽水的。②棲居鹹水[海水]中的。
salt·y [ˋsɔltɪ] *adj.* ①含鹽的; 有鹹味的。②尖銳的; 辛辣的; 有趣的。
sa·lu·bri·ous [səˋlubrɪəs] *adj.* (現尤指空氣、氣候、土地等)有益健康的。— **sa·luˊbri·ty,** *n.*
sal·u·tar·y [ˋsæljəˏtɛrɪ] *adj.* ①有益健康的; 合於衛生的。②有益的。
sal·u·ta·tion [ˏsæljəˋteʃən] *n.* ①Ⓤ致意; 敬禮。②Ⓒ(信件開頭的)稱呼。③Ⓒ寒暄。
***sa·lute** [səˋlut] *v.t.* ①向…敬禮; (以鳴砲、升旗等方式)致敬。②向…致意; 歡迎; 祝賀。③傳到; 傳入。④頌揚。**—** *v.i.* 致意; 祝賀; 致敬禮。**—** *n.* Ⓒ①致意; 致候。②敬禮; 舉槍(等)致敬。③敬禮姿勢。④禮砲; 〖美〗鞭炮。
Sal·va·dor [ˋsælvəˏdɔr] *n.* =**El Salvador.**
sal·vage [ˋsælvɪdʒ] *n.* Ⓤ①**a.** 海難救援。**b.** 打撈(作業)。**c.** 救出的人[物]。②**a.**(災難等的)人命救助; 財物的搶救。**b.** 救出的財物。③廢物利用[回收]; 可利用的廢物。**—** *v.t.* ①救援。②打撈(沈船)。③利用(廢物)。④搶救(財產)。— **a·ble,** *adj.*
***sal·va·tion** [sælˋveʃən] *n.* ①Ⓤ救助; 拯救。②Ⓒ(常 *sing.*)救助者[辦法]。③Ⓤ救世; 超度。§ **the S~ Àrmy** 救世軍。— **al,** *adj.*
salve [sæv] *n.* ①ⓊⒸ藥膏; 軟膏。②Ⓒ緩和物; 安慰(物)。**—** *v.t.* ①敷以藥膏。②安慰; 緩和。
sal·ver [ˋsælvɚ] *n.* Ⓒ金屬製淺盤(用以放置信件、名片等, 俾便僕人托送者)。
sal·vo [ˋsælvo] *n.* Ⓒ(*pl.* ~**s,** ~**es**)①排砲; 同時發射; 齊發。②(齊鳴的)禮砲。③齊聲歡呼或喝采。
SAM surface-to-air missile(s). 地對空飛彈。
Sa·mar·i·tan [səˋmærətn̩] *n.* ①Ⓒ撒馬利亞人。②**a.** (the ~s)撒馬利亞人協會。**b.** Ⓒ該協會之會員。a good ~ 苦難者的好友; 富於同情心的人。**—** *adj.* 撒馬利亞(人)的。
sam·ba [ˋsæmbə] *n.* ①(the ~)森巴舞。②Ⓒ森巴舞曲。
sam·bo [ˋsæmbo] *n.* (*pl.* ~**s**)①Ⓒ黑人與印第安人或黑白混血所生之混血兒。②Ⓒ(常 S-)=**Negro.**③Ⓤ桑勃式摔跤(一種柔道和角力混合的摔跤)。
‡**same** [sem] *adj.* ①同一的。②相同的; 同樣的。③無變化的。④上述的。***at the*** ~ ***time*** **a.** 可是。**b.** 同時。***come to the*** ~ ***thing*** 結果相同。**—** *pron.* ①(the ~)同一之人; 同樣之事物。②上述事物; 該物。***be all*** [***just***] ***the*** ~ ***to*** (***somebody***)對(某人)是一樣的。***one and the*** ~完全同一的。***the*** ~同樣地(=in the same manner). **—** *adv.*

①相同地。②正；恰。
same·ness [ˋsemnɪs] *n.* Ⓤ ①(又作 a ～)千篇一律；無變化。②同一；同樣；相同；酷似。
sam·iz·dat [ˋsɑmɪz͵dɑt] *n.* Ⓒ〖俄〗地下出版(物)。
Sa·mo·a [səˋmoə] *n.* 薩摩亞群島(南太平洋一群島)。
sam·o·var [ˋsæmə͵vɑr] *n.* Ⓒ俄國式煮茶的銅壺。
sam·pan [ˋsæmpæn] *n.* Ⓒ〖海〗(中國的)舢板。
***sam·ple** [ˋsæmpl̩] *n.* Ⓒ ①樣品；樣本。②例；範例；實例。③〖統計〗抽樣。 ― *adj.* 樣品的。 ― *v.t.* ①取…的貨樣；試驗…的貨樣。②抽樣調查。③將…迅速過目；瀏覽。
sam·pler [ˋsæmplɚ] *n.* Ⓒ ①檢驗貨物樣品者。②抽樣者。③集錦；集粹。④刺繡花樣[作品]。
Sam·son [ˋsæmsn̩] *n.* ①〖聖經〗參孫(力大無比之勇士)。②Ⓒ大力士。
sam·u·rai [ˋsæmu͵raɪ] 〖日〗*n.* (*pl.* **～, ～s**)①(the ～)(昔日)武士階級。②Ⓒ日本之陸軍軍官；武士。
san·a·to·ri·um [͵sænəˋtorɪəm] *n.* Ⓒ (*pl.* **～s, -ri·a** [-rɪə]) ①(爲精神病、酒精中毒者而設的)療養院。②休養地。
San·cho Pan·za [ˋsæŋkoˋpænzə] *n.* 山卓・潘札(小說*Don Quixote*中，主角唐・吉訶德的隨從，是個知識豐富卻典型的庸俗人物)。
sanc·ti·fy [ˋsæŋktə͵faɪ] *v.t.* ①使神聖。②使聖潔；使純潔。③使成爲正當；認可。④使無罪過。⑤使專供聖用。 ― **sanc·ti·fi·ca′tion,** *n.*
sanc·ti·mo·ni·ous [͵sæŋktəˋmonɪəs] *adj.* 僞裝神聖的；僞裝虔誠的。
sanc·ti·mo·ny [ˋsæŋktə͵monɪ] *n.* Ⓤ故作神聖狀；僞裝的虔誠。
***sanc·tion** [ˋsæŋkʃən] *n.* ①Ⓤ批准；認可。②Ⓒ制裁；處罰。③Ⓒ(道德、社會)制裁力；約束力。 ― *v.t.* ①批准；認可。②准許。③贊許；支持。④對…實行制裁。 ― **a·tive,** *adj.*
sanc·ti·ty [ˋsæŋktətɪ] *n.* ①Ⓤ神聖。②(*pl.*)神聖的義務[感情]。③Ⓤ崇高；虔誠。
sanc·tu·ar·y [ˋsæŋktʃu͵ɛrɪ] *n.* ①Ⓒ聖所；聖堂；聖殿。②Ⓒ至聖所；內殿。③Ⓒ避難所；隱匿地；庇護所。④Ⓤ庇護；保護。⑤Ⓒ(鳥獸的)禁獵區；保護區。
sanc·tum [ˋsæŋktəm] *n.* Ⓒ (*pl.* **～s, -ta** [-tə])①聖所。②私室；書房。§ ～ **sanctórum** [sæŋkˋtorəm] (1)(猶太教堂之)內殿；至聖之所。(2)=sanctum②.
‡**sand** [sænd] *n.* ①Ⓤ沙。②(*pl.*)沙地；沙灘；沙漠。③(*pl.*)**a.**(沙漏中之)沙粒。**b.** 時刻；壽命。④Ⓤ〖美俚〗勇氣；決斷力。⑤Ⓤ沙色。*be built on* ～ 不穩定的；不可靠的。 ― *v.t.* ①撒沙於；填沙於。②以沙紙或沙擦淨或磨光。§ ～ **bàr**(河口等的)沙洲。～ **dùne** 沙丘。～ **èel**〖魚〗玉筋魚。～ **flèa** (1)〖動〗砂蚤。(2)〖昆〗恙蟲。～ **flỳ**〖昆〗沙蠅；蚋。～ **pàinting** 沙畫。～ **pìt** (1)採沙場。(2)〖英〗(供兒童遊戲的)沙坑。～ **shòes**〖英〗(沙灘上穿的)膠底帆布鞋。～ **tràp**〖高爾夫〗沙坑。
***san·dal** [ˋsændl̩] *n.* Ⓒ (常 *pl.*)①涼鞋；拖鞋。②矮幫的便鞋。③矮幫的膠皮套鞋。
san·dal·wood [ˋsændl̩͵wud] *n.* Ⓤ〖植〗檀香(木)。
sand·bag [ˋsænd͵bæg] *n.* Ⓒ沙袋；沙包；沙囊。 ― *v.t.* (**-gg-**)①供以沙袋；以沙袋圍起。②以沙袋擊。③〖俗〗猛擊；威脅。
sand·bank [ˋsænd͵bæŋk] *n.* Ⓒ沙洲。
sand·blast [ˋsænd͵blæst] *n.* ①Ⓤ噴沙(洗滌或打磨玻璃等的表面)。②Ⓒ噴沙器；噴沙機。
sand·box [ˋsænd͵bɑks] *n.* Ⓒ〖美〗(供兒童在裡面玩耍的)沙箱；沙場(=〖英〗sand pit)。
sand·cas·tle [ˋsænd͵kæsl̩] *n.* Ⓒ(小孩用沙堆起的)沙堡。
sand·glass [ˋsænd͵glæs] *n.* Ⓒ(計時用的)沙漏。
sand·hog [ˋsænd͵hɔg, -͵hɑg] *n.* Ⓒ ①挖沙工人。②地下工程工人。(亦作 **sand hog**)
sand·lot [ˋsænd͵lɑt] *adj.* 空地的；在空地舉行的。
sand·man [ˋsænd͵mæn] *n.* (the ～)(神話中的)睡魔(能將沙放入兒童眼內使之昏昏欲睡)。
sand·pa·per [ˋsænd͵pepɚ] *n.* Ⓤ沙紙。 ― *v.t.* 用沙紙磨光。
sand·pi·per [ˋsænd͵paɪpɚ] *n.* Ⓒ〖鳥〗磯鷸(棲息於海邊的鷸科海鳥)。
sand·stone [ˋsænd͵ston] *n.* ⓊⒸ〖地質〗沙岩(主要爲建築用)。
sand·storm [ˋsænd͵stɔrm] *n.* Ⓒ大風沙；沙暴。
***sand·wich** [ˋsændwɪtʃ, ˋsæn-] *n.* ⓊⒸ三明治。 ― *v.t.* 把…夾在中間；插入。§ ～ **bòard** 夾板廣告員的廣告牌(胸前及背後各掛一面廣告板)。～ **màn** 夾板廣告員(用 sandwich board 夾著身體遊街做廣告的人)。
***sand·y** [ˋsændɪ] *adj.* ①沙(質)的；多沙的。②(髮等)沙色的；淺灰色的。
***sane** [sen] *adj.* ①神志清明的；頭腦清楚的。②健全的；穩健的；通達事理的。 ― **ly,** *adv.* ― **ness,** *n.*
‡**San Fran·cis·co** [͵sænfrənˋsɪsko] *n.* 舊金山；三藩市(美國 California 州太平洋岸之大城)。
‡**sang** [sæŋ] *v.* pt. of **sing.**
sang-froid [sɑ̃ˋfrwɑ]〖法〗*n.* Ⓤ沈着；冷靜；鎮定。
san·gri·a [sæŋˋgriə] *n.* ⓊⒸ桑葛蕾酒(紅葡萄酒中加入果汁、汽水，冰過後飲用的西班牙飲料)。
san·gui·nar·y [ˋsæŋgwɪn͵ɛrɪ] *adj.* ①血腥的；血淋淋的。②嗜殺的；殘暴的。③〖英〗(言語)粗魯的。
san·guine [ˋsæŋgwɪn] *adj.* ①樂天的。②自信的；(對…)樂觀的。③臉色紅潤的。④多血的。⑤血紅的。
san·i·tar·i·um [͵sænəˋtɛrɪəm] *n.* (*pl.* **～s, -i·a** [-rɪə]) =**sanatorium.**
***san·i·tar·y** [ˋsænə͵tɛrɪ] *adj.* ①衛生的；衛生方面的。②清潔的。§ ～

engineéring 衛生工程。 ~ lándfill 垃圾衛生掩埋法。 ~ nàpkin〖美〗衛生棉。 ~ tòwel〖英〗=sanitary napkin.

san·i·ta·tion [ˌsænəˋteʃən] *n.* Ⓤ 公共衛生; 衛生設施[設備]。

san·i·tize [ˋsænəˌtaɪz] *v.t.* 使清潔; 使合衛生; 添置衛生設施。

san·i·ty [ˋsænətɪ] *n.* Ⓤ ①神志清醒; 心智健全。②公正; 明達。

‡**sank** [sæŋk] *v.* pt. of **sink.**

sans [sænz, sɑ̃] *prep.* 〖古, 詩〗沒有; 無(=without).

San·skrit [ˋsænskrɪt] *n.* Ⓤ 梵文。 — *adj.* 梵文的。

***San·ta Claus** [ˋsæntɪˌklɔz, ˋsæntə-] *n.* 聖誕老人。(亦作 **Santa Klaus**)

San·ta Ger·tru·dis [ˌsæntəgɜˋtrudɪs] *n.* Ⓒ 聖格特魯牛(美國南部所飼養的肉牛)。

San·ti·a·go [ˌsæntɪˋɑgo] *n.* 聖地牙哥(智利首都)。

São Pau·lo [ˌsɑ̃uˋpaulu] 〖葡〗 *n.* 聖保羅(巴西東南, 南美第二大城)。

***sap**[1] [sæp] *n.* ①Ⓤ樹液; 液汁; (樹皮下的)白木質。②Ⓤ活力; 元氣; 精力。③Ⓒ〖俚〗笨蛋。

sap[2] *v.t.*(-pp-)①腐蝕; 挖掘使不穩; 使逐漸損壞。②挖地道。③由地道中行進而接近(敵陣)。④削弱; 耗竭; 損壞。 — *n.* Ⓒ 地道; 坑道。

sa·pi·ent [ˋsepɪənt] *adj.* 有智慧的; (自以爲)聰明的(常含諷刺之意)。 — **sa′pi·ence, sa′pi·en·cy,** *n.*

sap·ling [ˋsæplɪŋ] *n.* Ⓒ ①幼樹。②年輕人。

sap·o·na·ceous [ˌsæpəˋneʃəs] *adj.* (似)肥皂的; 石鹼質的。

sa·pon·i·fy [səˋpɑnəˌfaɪ] *v.t.* & *v.i.* (使)皂化; 使鹼化。 — **sa·pon·i·fi·ca′tion,** *n.*

sap·per [ˋsæpɚ] *n.* Ⓒ ①〖英〗挖壕工兵。② 地雷、水雷處理專家。

***sap·phire** [ˋsæfaɪr] *n.* ① ⓊⒸ 青玉; 藍寶石。② Ⓤ 青玉色; 天藍色。 — *adj.* ①天藍色的。②用藍寶石做的。

sap·py [ˋsæpɪ] *adj.* ①多樹汁的; 多汁液的。②精力充沛的。③〖俗〗愚蠢的; 易感傷的。

Sar·a·cen [ˋsærəsn̩] *n.* Ⓒ ①薩拉森人。②(十字軍東征時的)回教徒。

Sa·ran (Wrap) [səˋræn(ræp)] *n.* Ⓤ〖商標〗賽綸(用乙烯基製造的塑膠包裝紙)。

sar·casm [ˋsɑrkæzəm] *n.* ① Ⓤ 譏諷; 諷刺。②Ⓒ挖苦的話; 諷刺的話。 — **sar·cas′tic,** *adj.*

sar·coid·o·sis [ˌsɑrkɔɪˋdosɪs] *n.* Ⓤ〖醫〗肉狀瘤病。

sar·co·ma [sɑrˋkomə] *n.* ⓊⒸ (*pl.* ~s, ~ta [~tə]) 〖醫〗 惡性毒瘤; 肉瘤; 結節病。

sar·coph·a·gus [sɑrˋkɑfəgəs] *n.* Ⓒ (*pl.* **-gi** [-ˌdʒaɪ], **~es**) (古希臘、羅馬、埃及雕刻精美的)石棺。

sar·dine** [sɑrˋdin] *n.* (*pl.* ~, ~s) ① Ⓒ 沙丁魚。② Ⓤ 沙丁魚肉。 ***packed like ~s 擠得像沙丁魚一般。

sar·don·ic [sɑrˋdɑnɪk] *adj.* 諷刺的; 譏誚的; 嘲笑的。 — **sar·don′i·cal·ly,** *adv.* — **sar·don′i·cism,** *n.*

sarge [sɑrdʒ] *n.* 〖美俚〗=**sergeant.**

sa·ri, -ree [ˋsɑri] *n.* Ⓒ 紗麗(印度女裝, 以長布做成, 穿著時半披半裹)。

sa·rong [səˋrɔŋ, ˋsɑrɔŋ] *n.* Ⓒ (馬來群島等地男女所著的)紗龍; 圍裙。

sar·to·ri·al [sɑrˋtorɪəl] *adj.* 裁縫的; (有關)衣服的。

sash[1] [sæʃ] *n.* ⓊⒸ 窗框。 — *v.t.* 裝以窗框。 § ~ **còrd [lìne]** (上下拉動窗戶的)吊窗繩。 ~ **wìndow** (可上下拉動的)框格窗。

***sash**[2] *n.* Ⓒ 帶; 飾帶; 肩帶; 腰帶。

sa·shay [sæˋʃe] *v.i.* (滑動似地)行進; 走。

sa·shi·mi [sɑˋʃimi] 〖日〗*n.* Ⓤ (日本料理的)生魚片。

sas·sa·fras [ˋsæsəˌfræs] *n.* ① Ⓒ 〖植〗(北美洲產的)檫樹。② Ⓤ 檫樹根[皮]。

sas·sy [ˋsæsɪ] *adj.*〖美俗〗莽撞的; 無禮的; 厚臉皮的。

‡**sat** [sæt] *v.* pt. & pp. of **sit.**

SAT 〖美〗 Scholastic Aptitude Test. 學力性向測驗。

Sat. Saturday.

***Sa·tan** [ˋsetn̩] *n.* 撒旦; 惡魔; 魔鬼。 — **sa·tan·ic** [seˋtænɪk], *adj.*

Sa·tan·ism [ˋsetənɪzəm] *n.* Ⓤ 魔道; 惡魔主義; 惡魔崇拜。

satch·el [ˋsætʃəl] *n.* Ⓒ 小背包; 小學生書包。

sate [set] *v.t.* 供給過多致使厭棄; 使膩。

sa·teen [sæˋtin] *n.* Ⓤ 棉緞(一種棉織物)。

***sat·el·lite** [ˋsætl̩ˌaɪt] *n.* Ⓒ ①〖天〗衛星。②隨從人員; 僕從。③附庸國; 衛星都市。④人造衛星。 § ~ **stàtion** 人造衛星站; 太空站。 ~ **TV** [**télevision**] 衛(星電)視。

sa·ti·ate [ˋseʃɪˌet] *v.t.* (通常用於被動式)①使飽; 使滿足。②使膩。 — **sa·ti·a′tion,** *n.*

sa·ti·e·ty [səˋtaɪətɪ] *n.* Ⓤ 飽足; 饜足; 滿足; 生膩。

sat·in [ˋsætɪn] *n.* Ⓤ 緞。 — *adj.* ①緞的。②光澤如緞的。

sat·in·wood [ˋsætn̩ˌwud] *n.* ① Ⓒ 緞木(印度產的一種良質木材)。② Ⓤ 緞木木材。

sat·in·y [ˋsætɪnɪ] *adj.* 似緞的; 光滑的; 有光澤的。

***sat·ire** [ˋsætaɪr] *n.* ① Ⓤ 諷刺; 譏刺。② Ⓒ 諷刺詩; 諷刺文; 諷刺作品。③ Ⓤ 諷刺文學。 — **sa·tir·ic(al)** [səˋtɪrɪk(l̩)], *adj.* — **sat·i·rist** [ˋsætərɪst], *n.* — **sat·i·rize** [ˋsætəˌraɪz], *v.*

***sat·is·fac·tion** [ˌsætɪsˋfækʃən] *n.* ① Ⓤ 滿足; 滿意。② Ⓒ 令人滿意的事物。③ Ⓤ 清償; 償還。④ Ⓤ 償罪; 贖罪。⑤ Ⓤ 報復的機會(如決鬥等)。

***sat·is·fac·to·ry** [ˌsætɪsˋfæktərɪ] *adj.* 滿意的; 令人滿意的; 適意的; 圓滿的。 — **sat·is·fac′to·ri·ly,** *adv.*

‡**sat·is·fied** [ˋsætɪsˌfaɪd] *adj.* ①滿足的。②已付清的。③確信的。

‡sat·is·fy [ˋsætɪs͵faɪ] *v.t.* ①使滿意；使滿足。②償還；賠償；補償。③使確信。④解決；解答。—**ing,** *adj.*

sa·trap [ˋsetræp] *n.* Ⓒ①古波斯之省長。②殖民地總督。

sat·su·ma [sætˋsumə]〖日〗*n.* Ⓤ Ⓒ 溫洲蜜柑。

sat·u·rate [ˋsætʃə͵ret] *v.t.* ①浸；浸透；滲透。②使充滿；使達飽和點。③〖化〗使飽和。

sat·u·rat·ed [ˋsætʃə͵retɪd] *adj.* ①飽和的。②充滿的；塞滿的。③滲透的；濕透的；浸水的。④(顏色)未被白色弄淡的。

sat·u·ra·tion [͵sætʃəˋreʃən] *n.* Ⓤ ①浸透；浸潤。②飽和。③〖化〗飽和(狀態)。～ point 飽和點。④色飽和度。

‡Sat·ur·day [ˋsætədɪ, -de] *n.* 星期六。

***Sat·urn** [ˋsætən] *n.* ①〖羅神〗撒登(農神)。②〖天〗土星。

Sat·ur·na·li·a [͵sætəˋnelɪə] *n.* ①〖古羅〗農神節。②(s-) Ⓒ (*pl.* **～s, ～**) 狂歡喧鬧；縱情狂歡的時節。

sat·ur·nine [ˋsætə͵naɪn] *adj.*〖文〗憂鬱的；沈默的；嚴肅的。

sa·tyr [ˋsætə, ˋsetə] *n.* Ⓒ ①〖希神〗塞特(半人半獸的森林之神)。②色情狂。

sauce** [sɔs] *n.* ① Ⓤ Ⓒ 調味汁；醬油。② Ⓤ〖美〗果醬。tomato ～番茄醬。③ Ⓒ 添加味道[刺激, 趣味]的東西。④ Ⓤ〖俗〗無禮(的言行)；莽撞。None of your ～!*** 別胡說八道! — *v.t.* ①加味於；給…調味。②〖俗〗對…唐突莽撞；對…無規矩。

sauce·boat [ˋsɔs͵bot] *n.* Ⓒ (餐桌上之)船形醬碟。

sauce·pan [ˋsɔs͵pæn] *n.* Ⓒ 燉鍋(長柄有蓋的煮鍋)。

***sau·cer** [ˋsɔsə] *n.* Ⓒ ①托碟；茶盤。②小碟。③碟狀物。

sau·cy [ˋsɔsɪ] *adj.* ①鹵莽的；無禮的。②俊俏的；慧黠的。—**sau′ci·ly,** *adv.* —**sau′ci·ness,** *n.*

Sáu·di Arábia [ˋsaudɪ ～, sɑˋudɪ ～] *n.* 沙烏地阿拉伯(阿拉伯半島中部之一國，首都爲 Mecca 與 Riyadh)。

sau·er·kraut [ˋsaur͵kraut] *n.* Ⓤ 泡(甘藍)菜。

sau·na [ˋsaunɑ] *n.* Ⓒ 三溫暖；芬蘭浴。

saun·ter [ˋsɔntə] *v.i.* 閒逛；漫步。— *n.* (a ～)漫步；閒遊。—**er,** *n.*

***sau·sage** [ˋsɔsɪdʒ] *n.* Ⓤ Ⓒ 臘腸；香腸。§ ˜ **dòg**〖英俗〗臘腸狗。˜ **róll** 臘腸捲。

sau·té [soˋte]〖法〗*adj.* 煎的；炸的。— *n.* Ⓤ Ⓒ 煎或炸的菜餚。

***sav·age** [ˋsævɪdʒ] *adj.* ①天然的；荒野的。②野蠻的；未開化的。③兇暴的；殘酷的；殘忍的。④未經馴服的；野生的。— *n.* Ⓒ ①野蠻人。②殘暴的人。

sav·age·ry [ˋsævɪdʒrɪ] *n.* ① Ⓤ 蠻荒狀態；未開化。② Ⓤ 兇惡；殘暴。③ Ⓒ (常 *pl.*)野蠻的行爲。

sa·van·na(h) [səˋvænə] *n.* Ⓤ Ⓒ ①大草原。②(熱帶、亞熱帶的)無樹的大平原。

sa·vant [səˋvɑnt, ˋsævənt]〖法〗*n.* Ⓒ 著名學者；博學之士。

‡save[1] [sev] *v.t.* ①援救；拯救；保全〔from〕。②儲蓄；貯存。③節省；省去；免去。④減少。— *v.i.* ①儲蓄。②節省。③挽救。④保全；保護。⑤能久存。⑥救球(使不入球門)。***～ one's breath*** 緘默。***～ one's face*** 保全面子。***～ up*** 存錢。

save[2] *prep.* & *conj.* 除…外。

sav·er [ˋsevə] *n.* Ⓒ ①救助者；援助的人；救星。②節儉的人。③節省的方法[機械, 裝置]。

sav·ing** [ˋsevɪŋ] *adj.* ①援救的；救助的。②節省的；節儉的。③儲蓄的。④保留的。⑤補償的；補救的。— *prep.* ①除…以外；除非。②顧到；尊重。— *conj.* 除…之外；除非。— *n.* ① Ⓤ 拯救；救助。② Ⓤ Ⓒ 節省；節約。③(*pl.*)儲金。～s and loan association*** 信用合作社。§ ˜ **gráce** 足以補償其他缺點的特質。˜**s accòunt** 儲蓄存款戶頭。˜**s bànk** 儲蓄銀行。˜**s bònd**〖美〗儲蓄公債。

sav·ior,〖英〗**-iour** [ˋsevjə] *n.* Ⓒ 救濟者；拯救者。***the S-*** 救世主。

sa·voir-faire [ˋsævwɑrˋfɛr]〖法〗*n.* Ⓤ 處世機警；隨機應變的能力。

***sa·vor,**〖英〗**-vour** [ˋsevə] *n.* ① Ⓤ 味；風味。②(a ～)特質；意味。— *v.t.* ①品嚐。②給…調味；加香味於…。③使有…之意味。④盡情享受。— *v.i.* 具有…的氣味、意味或性質〔of〕。

sa·vor·y[1], 〖英〗**-vour·y** [ˋsevərɪ] *adj.* ①味香的；可口的。②怡人的。③高尚的；高貴的。④辣味的。— *n.* Ⓒ 辣味菜餚；開胃菜。

sa·vor·y[2] *n.* Ⓤ〖植〗(歐洲產的一種)香薄荷。

sav·vy [ˋsævɪ] *v.t.* & *v.i.* 知曉；了解。— *n.* Ⓤ 理解；見解。

***saw**[1] [sɔ] *n.* Ⓒ 鋸子。— *v.t.* (**sawed, sawed** or **sawn**)鋸；用鋸。— *v.i.* ①拉鋸；鋸開。②如用鋸子般切；似拉鋸地來回移動。

‡saw[2] *v.* pt. of **see**[1].

saw[3] *n.* Ⓒ 格言；諺語。

saw·bones [ˋsɔ͵bonz] *n.* Ⓒ (*pl.* **～, ～es**)〖俚〗外科醫生。

saw·buck [ˋsɔ͵bʌk] *n.* ①＝**sawhorse.** ② Ⓒ〖美俚〗十元鈔票。

saw·dust [ˋsɔ͵dʌst] *n.* Ⓤ 鋸屑。

saw·horse [ˋsɔ͵hɔrs] *n.* Ⓒ 鋸木架。

saw·mill [ˋsɔ͵mɪl] *n.* Ⓒ 鋸木廠。

sawn [sɔn] *v.* pp. of **saw**[1].

saw·yer [ˋsɔjə] *n.* Ⓒ ①鋸木匠。②〖昆〗顯赫天牛。

sax [sæks] *n.*〖俗〗＝**saxophone.**

sax·horn [ˋsæks͵hɔrn] *n.* Ⓒ〖樂〗薩克號(一種有鍵銅管樂器)。

sax·i·frage [ˋsæksəfrɪdʒ] *n.* Ⓤ〖植〗虎耳草。

Sax·on [ˋsæksn̩] *n.* ① **a.** (the ～s)撒克遜民族。**b.** Ⓒ 撒克遜人。② Ⓤ 撒克遜語。— *adj.* 撒克遜人[語]的。

sax·o·phone [ˋsæksə͵fon] *n.* Ⓒ 薩克斯風；薩克管(一種裝有單簧片的管樂器)。

S

sax·o·phon·ist [ˋsæksə͵fonɪst] *n.* Ⓒ薩克管吹奏者。

⁑**say** [se] *v.t.*(**said**)①說。②表達；宣布。③背誦；誦讀。④假定(=if)；姑且說(=let us say)。⑤(告示)寫著；(鐘錶)指著。— *v.i.* 言；說。***I ~!*** 哎呀! 喂喂! 我是說…。***It is said*** [***They ~***].... 據說…。***that is to ~*** 即是；換言之。— *n.* ①(one's ~)言辭；所說的話。②Ⓤ發言權；發言的機會。—**a·ble,** *adj.*

*__say·ing__ [ˋseɪŋ] *n.* ①Ⓤ言語；陳述。②Ⓒ格言；諺語；名言。

sa·yo·na·ra [ˋsajoˋnɑrɑ] 〖日〗*n.* Ⓒ & *interj.* 再會。

say-so [ˋse͵so] *n.*(*sing.*)〖俗〗①無證據支持之聲明。②最後決定權。

S.C. South Carolina.

scab [skæb] *n.* ①Ⓒ(創口上結的)疤；痂。②Ⓤ癬；(尤指羊的)疥癬。③Ⓒ非工會的工人；破壞罷工的人；不參加罷工者。— *v.i.*(**-bb-**)①(創口)結疤；生疙痂；生疥癬。②〖俚〗破壞罷工；不加入工會而工作。

scab·bard [ˋskæbəd] *n.* Ⓒ劍鞘；〖美〗槍套。— *v.t.* 將…插入(劍)鞘中。

scab·by [ˋskæbɪ] *adj.* ①結痂的。②〖俗〗卑鄙的；卑劣的。③患疥癬病的。

sca·bi·es[ˋskebɪ͵iz] *n.* Ⓤ〖醫〗疥癬。

scab·rous [ˋskebrəs] *adj.* ①粗糙的。②麻煩的；棘手的；困難重重的。③猥褻的；下流的。

scaf·fold [ˋskæfḷd, -fold] *n.* Ⓒ①支架；(建築房屋時所搭之)鷹架。②斷頭臺；絞刑臺。③(搭蓋於戶外的)戲台。

scaf·fold·ing [ˋskæfḷdɪŋ] *n.* Ⓤ①支架；鷹架；臺架；絞刑臺。②其建築材料。

scag, skag [skæg] *n.* Ⓤ〖美俚〗海洛因。

scal·(l)a·wag [ˋskælə͵wæg] *n.* =**scallywag.**

scald [skɔld] *v.t.* ①燙。②煮熱(牛乳等)。③用沸水或蒸氣澆燙。— *n.* ①Ⓤ〖植〗曬焦；熟爛。②Ⓒ燙傷。

scald·ing [ˋskɔldɪŋ] *adj.* ①會燙傷(人)的。~ tears 熱淚；傷心淚。②(批評、意見等)嚴厲的；尖酸刻薄的。

⁑**scale**[1] [skel] *n.* Ⓒ①天秤盤。②(常 *pl.*)天秤；秤。***tip the ~s*** **a.** 稱得體重。**b.** 因一邊過重而使失去平衡。***turn the ~(s)*** 改變情勢[局面]。

*__scale__[2] *n.* ①Ⓒ鱗。②Ⓒ鱗狀物。③ⓊⒸ(常 *pl.*)鱗片。④Ⓤ水垢；鏽皮。⑤Ⓒ〖植〗鱗苞。— *v.t.* ①剝鱗。②使生水垢；使在…上生鏽皮。— *v.i.* ①(鱗片似地)剝落；脫落。②生水垢。

*__scale__[3] *n.* ①Ⓒ等級；階級。②Ⓒ尺；尺度；刻度。③Ⓒ比例尺；縮尺；比例。④Ⓒ〖樂〗音階。⑤Ⓒ記數法；進法。decimal ~ 十進位。⑥ⓊⒸ規模。— *v.t.* ①攀登；以梯登；爬越。②(按比例)增加〔up〕；(按比例)減低〔down〕。③按照比例尺繪[製]…。

scale-down [ˋskel͵daʊn]*adj.* 按比例縮小的；按比例減低的。

sca·lene [skeˋlin] *adj.*①〖解〗斜角肌的。②〖幾何〗不等邊的。

scale-up [ˋskel͵ʌp] *adj.* 按比例增加的。

scal·lion [ˋskæljən] *n.* ⓊⒸ〖植〗①青葱。②冬葱。③韮菜。

scal·lop [ˋskɑləp] *n.* Ⓒ①〖貝〗扇貝。②(常 *pl.*)干貝(扇貝的閉殼肌)。③淺鍋；貝形鍋。④(常 *pl.*)(衣服邊、袖口等的)扇形邊。— *v.t.* ①焙；烤。②用扇形邊裝飾。

scal·ly·wag [ˋskælɪ͵wæg] *n.* Ⓒ①〖謔〗無賴；流氓；惡棍。②(美國內戰後重建時期與北方政府合作的)南方佬。

scal·o·gram [ˋskelə͵græm] *n.* Ⓒ〖心〗(心理測驗的)量圖。

scalp [skælp] *n.* Ⓒ①頭皮。②連髮頭皮。③戰利品。④〖俚〗(買賣轉手所賺的)薄利。— *v.t.* ①剝取…的頭皮。②做(股票)小投機。③賣(黃牛票)。

scal·pel [ˋskælpɛl] *n.* Ⓒ外科[解剖]用之小刀。

scalp·er [ˋskælpə] *n.* Ⓒ①(轉售戲票之)黃牛。②剝頭皮者。③炒股票者。

scal·y [ˋskelɪ] *adj.* ①鱗狀的；多鱗的。②(如鱗般)剝落的。③〖俗〗卑鄙的；蹩腳的。

scam [skæm] *n.* Ⓒ〖美俚〗詐欺；騙案。— *v.t.*(**-mm-**)詐欺；欺騙。

scamp [skæmp] *n.* Ⓒ①流氓；無賴漢。②頑皮[搗蛋]鬼；野丫頭。— *v.t.* 草率從事；胡亂應付。

scamp·er [ˋskæmpə] *v.i.* 蹦蹦跳跳；嬉戲；落荒而逃。— *n.* Ⓒ快跑；蹦跳。

scam·pi [ˋskæmpɪ] *n.* ⓊⒸ炸斑節蝦(一種以蒜汁調味的義大利菜)。

*__scan__ [skæn] *v.t.*(**-nn-**)①細察；審視。②〖俗〗瀏覽。③按韻律吟誦(詩)。④標出(詩句)的韻律。⑤〖視〗掃描。— *v.i.* ①〖詩〗合於韻律。②瀏覽。— *n.* (a ~)①審視。②分析韻律。③掃描。

*__scan·dal__ [ˋskændḷ] *n.* ①Ⓒ恥辱；汚辱。②ⓊⒸ醜行；醜聞。③Ⓤ誹謗；詆毀。④Ⓒ反感；憤慨。

scan·dal·ize [ˋskændḷ͵aɪz] *v.t.* 使(人)憤慨；使(人)駭異。

scan·dal·mon·ger [ˋskændḷ͵mʌŋgə] *n.* Ⓒ散布惡意中傷之言者；傳播醜聞者。

scan·dal·ous [ˋskændḷəs] *adj.* ①可恥的；令人反感的；駭人聽聞的。②誹謗的；中傷人的。

Scan·di·na·vi·a [͵skændəˋnevɪə] *n.* ①斯堪的那維亞(挪威、瑞典、丹麥的總稱，有時也包括冰島、芬蘭)。②斯堪的那維亞半島(由挪威及瑞典構成)。—**Scan·di·na′vi·an,** *adj.* & *n.*

scan·ner [ˋskænə] *n.* Ⓒ①〖視，通信，電算〗掃描器。②〖醫〗(檢查人體內部的斷層)掃描裝置。

scan·ning [ˋskænɪŋ] *n.* Ⓤ①詳察；細察；審視。②〖視〗掃描。§ **~ eléctron mìcroscope** 電子掃描顯微鏡。

scan·sion [ˋskænʃən] *n.* Ⓤ(詩的)韻律分析。—**ist,** *n.*

scant [skænt] *adj.* 欠缺的；少量的；不足的〔of〕。— *v.t.* ①減少；限制。②剋扣；少給。③輕視。—**ly,** *adv.*

*__scant·y__ [ˋskæntɪ] *adj.* 缺乏的；不足的；貧乏的；少量的。—**scan′ti·ly,** *adv.*

— scant′i·ness, *n.*
scape·goat [ˋskepˏgot] *n.* Ⓒ 替罪羊；替身；代人受過者。
scape·grace [ˋskepˏgres] *n.* Ⓒ 無賴漢；流氓；惡棍。
scap·u·la [ˋskæpjələ] *n.* Ⓒ (*pl.*-lae [-ˏli], ～s)〖解〗肩胛骨。
scap·u·lar [ˋskæpjələ˞] *adj.* 肩胛(骨)的。— *n.* Ⓒ〖宗〗肩衣；無袖法衣。
***scar**[1] [skɑr] *n.* Ⓒ ①傷痕；疤；痕跡。②內心的創傷。— *v.t.* (-rr-)使留下傷痕。— *v.i.* 結疤；留下痕跡。
scar[2] *n.* Ⓒ 巉岩；斷崖；峭壁。
scar·ab [ˋskærəb] *n.* Ⓒ ①(亦作 scarab beetle)〖昆〗聖金龜子。②〖古埃及〗聖金龜子雕像(作護身符用)。
scarce** [skɛrs] *adj.* ①缺乏的；不足的。②稀罕的；難得的。make oneself*** ～〖俗〗**a.**退避。**b.**突然離去；悄悄離開；溜走。— *adv.* =**scarcely.**
***scarce·ly** [ˋskɛrslı] *adv.* ①幾乎不(=hardly). ②決不(=definitely not). ③將近；不充分；勉強算(=not quite). ④一…就(與 when 或 before 連用)。
***scar·ci·ty** [ˋskɛrsətı] *n.* ①ⓊⒸ缺乏；不足。②Ⓤ稀罕；難得。
***scare** [skɛr] *v.t.* 恐嚇；驚嚇。— *v.i.* 受驚；驚駭；驚恐。— *n.* (a ～)驚恐；恐慌。
scare·crow [ˋskɛrˏkro] *n.* Ⓒ ①稻草人。②衣服襤褸者。③嚇唬人之物。
***scared** [skɛrd] *adj.* 受驚的；嚇著的；害怕的。Don't be ～. 不要怕。
scared·y-cat [ˋskɛrdıˏkæt] *n.* Ⓒ〖俚〗容易受驚的人；膽小鬼。
scare·mon·ger [ˋskɛrˏmʌŋgə˞] *n.* Ⓒ (以謠言等)引起他人驚慌者。
***scarf**[1] [skɑrf] *n.* Ⓒ (*pl.* **scarves**)①圍巾；頸巾；腰巾。②領巾。③桌巾；檯巾。④綬帶；肩章。
scarf[2] *v.t.* 狼吞虎嚥(down, up)。
scar·i·fy [ˋskærəˏfaı] *v.t.* ①〖外科〗在(皮膚)上劃痕。②嚴厲批評。③劃細痕於(種子)表皮上(使其提早萌芽)。— scar·i·fi·ca′tion, *n.*
***scar·let** [ˋskɑrlıt] *n.* Ⓤ ①鮮紅；緋紅；猩紅。②鮮紅色的布或衣著。— *adj.* 鮮紅的；緋紅的；猩紅的。§～ **féver**〖醫〗猩紅熱。～ **létter** 猩紅A字(昔時被判通姦罪之婦女所佩帶的標記)。～ **wóman** 妓女；淫婦。
scarp [skɑrp] *n.* Ⓒ 懸崖；陡坡。
scarp·er [ˋskɑrpə˞] *v.i.* 〖英〗突然離去(尤指不付帳而溜走)。
scarves [skɑrvz] *n.* pl. of **scarf**[1].
scar·y [ˋskɛrı, ˋskærı] *adj.* 〖俗〗①使驚恐的；可怕的。②易驚恐的；膽怯的。
scat[1] [skæt] *v.t.* & *v.i.* (-tt-)〖美俚〗叱退；(使)立刻走開(常用於命令語氣)。
scat[2] *n.* Ⓤ 擬聲唱法(以無意義的音節代替歌詞)。— *v.i.* (-tt-)以擬聲唱法唱。
scathe [skeð] *n.* Ⓤ〖古〗損傷；傷害。— *v.t.* ①酷評；苛責。②〖古〗傷害。— less, *adj.*
scath·ing [ˋskeðıŋ] *adj.* ①傷害的。②嚴苛的；苛刻的。
sca·tol·o·gy [skəˋtɑlədʒı] *n.* Ⓤ ①糞化石學；糞便學。②猥褻。③(尤指)有關糞便的字眼或笑話。— **sca·t·o·log′·ical,** *adj.*
‡**scat·ter** [ˋskætə˞] *v.t.* ①散播；撒播。②驅散。— *v.i.* 分散；離散。— *n.* ①Ⓤ散布；散播；離散。②(a ～)散播之量；少數；少量。§～ **rùg** 小幅地毯(用以鋪部分地板者)。
scat·ter·brain [ˋskætə˞ˏbren] *n.* Ⓒ注意力不集中的人；浮躁的人。
scat·ter·brained [ˋskætə˞ˏbrend] *adj.* 〖俗〗心神不定的；精神散漫的；容易分心的；浮躁的。
scat·tered [ˋskætə˞d] *adj.* 散亂的；分散的。— **ly,** *adv.* — **ness,** *n.*
scat·ter·ing [ˋskætərıŋ] *adj.* ①分散的。②散落的。③不集中的(選票)。
scat·ter·shot [ˋskætə˞ˏʃɑt] *adj.* ①擴散很廣的。②廣泛的；一般的。
scat·ty [ˋskætı] *adj.* 〖俗〗浮躁的；思想不集中的；頭腦有些不正常的。
scav·enge [ˋskævındʒ] *v.t.* ①從垃圾箱中蒐集(可利用的東西)。②清掃(街道等)。— *v.i.* ①搜尋。②〖動〗覓食。
scav·en·ger [ˋskævındʒə˞] *n.* Ⓒ ①清道夫；拾荒者；收購廢物的人。②以腐物腐屍爲食之動物。
sce·nar·i·o [sıˋnɛrıˏo] *n.* Ⓒ (*pl.* ～s) ①劇情說明書。②電影脚本。③設想；方案。④事態；局面。
sce·nar·ist [sıˋnɛrıst] *n.* Ⓒ 電影腳本作者。
‡**scene** [sin] *n.* Ⓒ ①(電影、戲劇等的)一場；一幕；場景；佈景；背景；道具布置。②景色；風景；景象。③(事件、故事的)舞台；場面；現場。④(浮現腦海的)情景。⑤(社會)情勢；情況。⑥〖俗〗大吵大鬧；醜態。***behind the*** ～***s*** **a.**祕密地；暗中。**b.**在後臺；在幕後。***on the*** ～在場；當場。
scene·man [ˋsinmən] *n.* Ⓒ (*pl.* -men)移置與排列舞臺布景者。
***scen·er·y** [ˋsinərı] *n.* Ⓤ ①舞臺佈景；道具布置。②風景；景色。
scene·shift·er [ˋsinˏʃıftə˞] *n.* = **sceneman.**
scene-steal·er [ˋsinˏstilə˞] *n.* Ⓒ〖俗〗搶鏡頭的配角[人]；比主要人物更出風頭的人。
sce·nic [ˋsinık, ˋsɛn-] *adj.* ①舞臺的；背景的；戲劇的。②風景優美的；多景觀的。
scent** [sɛnt] *n.* ①Ⓒ香；氣味。②ⓊⒸ香水。③(a ～)嗅覺。④Ⓒ(常 *sing.*)線索；蹤跡；臭跡；遺臭。follow up the*** ～(獵犬)聞著臭跡追趕。***put one off the*** ～***; put one on a wrong*** ～ 使人迷失線索。— *v.t.* ①嗅出；聞出。②使香。③察覺。
scep·ter, 〖英〗**-tre** [ˋsɛptə˞] *n.* ①Ⓒ 節杖；寶杖。②(the ～)王權；王位。— *v.t.* 授予…節杖；授以王權。
scep·tic [ˋskɛptık] *n.* =**skeptic.**
***sched·ule** [ˋskɛdʒul] *n.* Ⓒ 表；一覽表；目錄；時間表。on ～按照時間表。— *v.t.* ①將…列表；爲…作目錄。②將…列入時間表；排定(在某時間作某事)。

sche·ma [ˋskimə] *n.* Ⓒ (*pl.* **~·ta** [~tə])圖表；圖解；略圖；綱要。

sche·mat·ic [skiˋmætɪk] *adj.* ①圖表的；圖解式的。②概要的；要略的。— **sche·mat′i·cal·ly,** *adv.*

*__scheme__ [skim] *n.* Ⓒ ①方案；計畫；設計。②圖謀；陰謀；奸策。③圖表；一覽表。④組織；機構。— *v.t.* & *v.i.* 計劃；設計；圖謀。— **schem′er,** *n.* — **schem′ing,** *adj.*

scher·zo [ˋskɛrtso] 〖義〗 *n.* Ⓒ (*pl.* **~s, -zi** [-tsi]) 〖樂〗諧謔曲。

Schil·ler [ˋʃɪlɚ] *n.* 席勒(Johann Friedrich von, 1759-1805, 德國詩人及劇作家)。

schism [ˋsɪzəm] *n.* ⓊⒸ ①(一個組織之)分裂。②(宗教的)派別；派系。

schis·mat·ic [sɪzˋmætɪk] *adj.* ①分裂的；分離的；派別的；宗派的。②(宗教上)有分離趨向的；犯分離罪的。— *n.* Ⓒ 分裂宗教[教會]的人。

schist [ʃɪst] *n.* Ⓤ 〖地質〗片岩。

schiz·o [ˋskɪtso] *n.* Ⓒ (*pl.* **~s**) & *adj.* 〖俗〗精神分裂症患者(的)。

schiz·oid [ˋskɪzɔɪd] 〖醫〗 *adj.* ①精神分裂症傾向的。②患精神分裂症的。— *n.* Ⓒ 分裂性人格者。

schiz·o·phre·ni·a [͵skɪzəˋfrinɪə] *n.* Ⓤ 〖醫〗精神分裂症。

schiz·o·phren·ic [͵skɪzəˋfrɛnɪk] *adj.* 精神分裂症的。— *n.* Ⓒ 精神分裂症患者。

schlep(p) [ʃlɛp] 〖俚〗 *v.i.* (**-pp-**)緩慢地移動。— *n.* Ⓒ 笨蛋；蠢貨。

schlock [ʃlɑk] *adj.* 〖俚〗賤的；不值錢的。— *n.* Ⓤ 不值錢的東西；劣貨；次級品。

schmal(t)z [ʃmɑlts] *n.* Ⓤ (文學等的)極端的感傷主義；感傷的曲調[藝術]。

schmear [ʃmɪr] *n.* Ⓒ 〖俚〗事情；事務。

schmo(e) [ʃmo] *n.* Ⓒ 〖俚〗笨人；愚人。(亦作 **shmo**)

schmoos(e) [ʃmuz] *n.* ⓊⒸ 〖俚〗流言蜚語；閒話。— *v.i.* 搬弄是非。(亦作 **shmooze**)

schmuck [ʃmʌk] *n.* Ⓒ 〖俚〗笨瓜。

schnap(p)s [ʃnæps] *n.* ⓊⒸ ①荷蘭杜松子酒。②任何烈酒。

schnook [ʃnuk] *n.* Ⓒ 〖俚〗笨蛋。

‡**schol·ar** [ˋskɑlɚ] *n.* Ⓒ ①學者。②學生；學習者。③領獎學金的學生。

schol·ar·ly [ˋskɑlɚlɪ] *adj.* ①學者的；有學者之風的。②博學的。③學術上的。— *adv.* 學者派頭地。

*__schol·ar·ship__ [ˋskɑlɚ͵ʃɪp] *n.* ① Ⓤ 學識；學問；學業。② Ⓒ 獎學金。

scho·las·tic [skoˋlæstɪk] *adj.* ①學校的；學者的；學術的。a ~ year 學年。②煩瑣哲學的。③學究的；形式的。④中學的。

scho·las·ti·cism [skoˋlæstə͵sɪzəm] *n.* Ⓤ ①經院哲學；繁瑣哲學。②墨守成規。

‡**school**[1] [skul] *n.* ① Ⓒ 學校；校舍。② Ⓤ 就學(不用冠詞)。③ Ⓤ 課業；授課(不用冠詞)。He is at ~ now. 他現在在上課。④ Ⓒ (常 the ~)全體師生。⑤ Ⓒ 學派；派。⑥ Ⓒ (大學內的)院、系；(研究所的)學院。⑦ Ⓒ 大學研究所、系的建築物；館；樓。⑧ Ⓒ 訓練所；短訓班。— *v.t.* ①教授；教育。②訓練；控制。§ ~ **àge** (1)學齡；就學年齡。(2)義務教育年限。~ **bòard** 〖美〗(學區的)教育委員會。~ **bùs** 校車。~ **dày** (1)授課日期。(2)(*pl.*)求學時代。~ **dìstrict** 〖美〗學區。~ **fèe** 學費。~ **yéar** 學年。

school[2] *n.* Ⓒ (魚及水族動物之)群；隊。— *v.i.* 成群地游。

school·book [ˋskul͵bʊk] *n.* Ⓒ 教科書。

*__school·boy__ [ˋskul͵bɔɪ] *n.* Ⓒ 學童；男學生。

school·child [ˋskul͵tʃaɪld] *n.* Ⓒ (*pl.* **-chil·dren**)學童

school·fel·low [ˋskul͵fɛlo] *n.* Ⓒ 同學；校友。

*__school·girl__ [ˋskul͵gɝl] *n.* Ⓒ 女學生。

school·house [ˋskul͵haʊs] *n.* Ⓒ 校舍。

school·ing [ˋskulɪŋ] *n.* Ⓤ ①學校教育。②學費。

school-leav·er [ˋskul͵livɚ] *n.* Ⓒ 〖英〗離校者。

school·marm [ˋskul͵mɑrm] *n.* Ⓒ 〖俗, 謔〗(頭腦古板的鄉下)女教師。

school·mas·ter [ˋskul͵mæstɚ] *n.* Ⓒ 〖英〗①校長。②教師。

school·mate [ˋskul͵met] *n.* Ⓒ 同學；校友。

school·mis·tress [ˋskul͵mɪstrɪs] *n.* Ⓒ 〖英〗①女校長。②女教師。

school·room [ˋskul͵rum, -͵rʊm] *n.* Ⓒ 教室。

*__school·teach·er__ [ˋskul͵titʃɚ] *n.* Ⓒ (小學、國中、高中的)教員；教師。

school·teach·ing [ˋskul͵titʃɪŋ] *n.* Ⓤ 教書；教職。

school·time [ˋskul͵taɪm] *n.* ① Ⓤ 授課時間。② Ⓒ (常 *pl.*)求學時代。

school·work [ˋskul͵wɝk] *n.* Ⓤ 功課；學業成績。

school·yard [ˋskul͵jɑrd] *n.* Ⓒ 校園；運動場。

schoon·er [ˋskunɚ] *n.* Ⓒ ①(兩桅以上的)縱帆船。②(美國拓荒時期的)大篷車。③〖美〗(有把手的)大啤酒杯。

Schu·bert [ˋʃubɚt] *n.* 舒伯特(Franz, 1797-1828, 奧地利作曲家)。

Schu·mann [ˋʃumən] *n.* 舒曼(Robert, 1810-56, 德國作曲家)。

schwa [ʃwɑ] *n.* Ⓒ 〖語音〗中性元音；不重讀的母音(如 about 中之 a [ə])。

sci·at·ic [saɪˋætɪk] *adj.* ①坐骨的。②坐骨神經(痛)的。

sci·at·i·ca [saɪˋætɪkə] *n.* Ⓤ 〖醫〗坐骨神經痛。

‡**sci·ence** [ˋsaɪəns] *n.* ① ⓊⒸ 科學；學術。② Ⓤ 技術。§ ~ **fíction** 科幻小說(略作 SF, sf). ~ **párk** 科學園區。

‡**sci·en·tif·ic** [͵saɪənˋtɪfɪk] *adj.* 科學(上)的；合乎科學的。— **sci·en·tif′i·cal·ly,** *adv.*

sci·en·tism [ˋsaɪən͵tɪzəm] *n.* Ⓤ ①科學主義。②科學語言。

sci·en·tist [ˋsaɪəntɪst] *n.* Ⓒ 科學家；(尤指)自然科學家。

sci-fi [ˋsaɪˋfaɪ] *n.* Ⓤ〖俗〗科幻小說(=science fiction).
scim·i·tar [ˋsɪmətɚ] *n.* Ⓒ (波斯人、阿拉伯人之)小彎刀; 偃月刀。
scin·til·la [sɪnˋtɪlə] *n.* ① Ⓒ 火花。②(a ～)微粒; 一點點; 極少。
scin·til·late [ˋsɪntḷˌet] *v.i.* ①發出火花。②(才氣、機智)閃現。— **scin·til·la·tion,** *n.*
sci·on [ˋsaɪən] *n.* Ⓒ①(爲接枝或栽植而剪下的)芽或小枝; 接穗。②〖文〗(貴族的)後裔; 子孫。
scis·sor [ˋsɪzɚ] *v.t.* 剪斷; 剪下(off, up, out).
*__scis·sors__ [ˋsɪzɚz] *n. pl.* ①剪刀。a pair of ～ 一把剪刀。②(a ～, 作 *sing.* 解)摔角時用雙脚夾住對方的攻法。～ *and paste*〖俗, 蔑〗剪貼工作; 編輯工作。§ ～ **kìck**〖游泳〗剪水式。
scle·ro·sis [sklɪˋrosɪs] *n.* ⓊⒸ (*pl.* **-ses** [-siz]) ①〖醫〗硬化症。②〖植〗細胞壁硬化。
scoff[1] [skɔf] *n.* ① Ⓒ (常 *pl.*)嘲笑; 嘲弄。②(*sing.*, 常 the ～)笑柄。— *v.i.* & *v.t.* 嘲笑; 嘲弄; 瞧不起(at). — **er,** *n.* — **ing·ly,** *adv.*
scoff[2] *n.* Ⓤ〖英俗〗食物; 餐。— *v.t.* & *v.i.* 狼吞虎嚥; 貪婪地吃。
‡**scold** [skold] *v.t.* & *v.i.* 叱責; 責罵。— *n.* Ⓒ (常 *sing.*)叱責者; 高聲罵人的婦女。
scold·ing [ˋskoldɪŋ] *adj.* 愛責罵的。— *n.* ⓊⒸ叱責; 責罵。
sco·li·o·sis [ˌskolɪˋosɪs, ˌskɑlɪ-] *n.* ⓊⒸ (*pl.* **-ses** [-siz])〖醫〗脊柱側彎症。
scol·lop [ˋskɑləp] *n.* & *v.t.* =**scallop.**
sconce [skɑns] *n.* Ⓒ (裝於牆上的)蠟燭臺。
scone [skon] *n.* ⓊⒸ扁平的圓餅。
*__scoop__ [skup] *n.* Ⓒ①杓子。②(半球狀有柄之)舀取用具。③一舀之量; 一鏟之量。④一舀; 舀取。⑤(疏浚機的)舀泥用具。⑥〖俗〗大撈一票。⑦〖俚〗獨家新聞。— *v.t.* ①汲取; 舀取。②掘; 挖。③〖俚〗比…搶先(登出獨家新聞)。
scoot [skut] *v.i.* 快走; 疾走。
scoot·er [ˋskutɚ] *n.* Ⓒ①滑行車; 踏板車。②機車; 速克達。
*__scope__ [skop] *n.* Ⓤ ①範圍; 眼界; 見識。②機會; 餘地。*give* ～ *to* [*for*] 給發揮…的機會。*have full* [*free, large*] ～ 有充分的餘地; 能充分發揮能力。*seek* ～ *for* 尋求發揮…的機會。
*__scorch__ [skɔrtʃ] *v.t.* ①烘焦; 燒焦。②使枯萎; 使乾焦。③大罵。— *v.i.* ①燒焦; 枯萎。②〖俗〗以全速奔駛。— *n.* Ⓒ①燒焦。②騎馬騎得極快; (汽車等的)飛駛。§ ～**ed éarth pòlicy** 焦土政策。
scorch·er [ˋskɔrtʃɚ] *n.* ① Ⓒ 燒焦者。②(a ～)〖俗〗大熱天。③ Ⓒ〖俗〗開快車的人; 飆車者。④(a ～)〖俚〗轟動的事物。
*__score__ [skor, skɔr] *n.* ① Ⓒ 刻痕; 劃線; 記號。② Ⓒ (常 *sing.*)(競賽的)得分; 得點。③ Ⓒ 帳; 欠款; 夙怨。④ Ⓒ (常 *sing.*)理由; 緣故。⑤ Ⓒ 總樂譜。⑥ Ⓒ (*pl.* ～)二十。⑦(*pl.*)許多。⑧Ⓒ (考試的)分數; 成績。*on the* ～ *of* 因爲; 爲了。*pay off* [*settle*] *old* ～*s* 報復舊怨宿仇; 還清舊帳。— *v.t.* ①劃線; 作記號。②(比賽、考試)得(分); 記(點數); 打分數。③獲得; 成功。④〖美俗〗刻薄地批評; 罵。⑤爲(電影、戲劇等)作曲; 寫樂譜。— *v.i.* ①記分; (比賽)得分。②獲得評價。③獲勝; 得利益。④做記號; 刻痕; 劃線。⑤負債。— **scor′er,** *n.*
score·board [ˋskorˌbord] *n.* Ⓒ ①記分板。②記錄牌。
score·book [ˋskorˌbuk] *n.* Ⓒ 記分簿。
score·card [ˋskorˌkɑrd] *n.* Ⓒ①(高爾夫球等之)記分卡。②選手一覽表。
score·keep·er [ˋskorˌkipɚ] *n.* Ⓒ 記分員; 記錄員。
score·less [ˋskorlɪs] *adj.* 沒有得分的; 零比零的。
score·sheet [ˋskorˌʃit] *n.* Ⓒ (比賽用的)記分單; 記分紙。
*__scorn__ [skɔrn] *n.* ① Ⓤ 輕蔑; 輕視。②(the ～)輕蔑的對象; 奚落。③ Ⓤ 諷刺; 譏嘲。— *v.t.* & *v.i.* ①輕蔑地拒絕; 不屑於。②蔑視; 瞧不起。
*__scorn·ful__ [ˋskɔrnfəl] *adj.* 輕蔑的; 輕視的。— **ly,** *adv.*
Scor·pi·o [ˋskɔrpɪˌo] *n.* ①〖動〗蠍屬。②〖天〗天蠍座。
scor·pi·on [ˋskɔrpɪən] *n.* ① Ⓒ〖動〗蠍。② Ⓒ〖聖經〗鞭; 笞。③(the S-)〖天〗天蠍座(=Scorpio).
Scot [skɑt] *n.* Ⓒ 蘇格蘭人。
scotch [skɑtʃ] *v.t.* ①傷害; 使負傷。②鎮壓。③割; 抓; 刻痕於。
Scotch [skɑtʃ] *adj.* 蘇格蘭的; 蘇格蘭人[語]的。— *n.* ①(the ～)蘇格蘭人。② ⓊⒸ〖俗〗蘇格蘭威士忌酒。§ ～ **bróth** 蘇格蘭肉湯(牛肉或羊肉與蔬菜、大麥混合煮成的濃湯)。～ **égg**〖英〗腸肉蛋。～ **míst**(常見於蘇格蘭高地的)潮濕的濃霧; 霾雨; 山靄。～ **píne** [**fír**]〖植〗歐洲赤松。～ **tápe**〖美〗透明膠帶。～ **térrier**(短脚粗鬈毛的)蘇格蘭㹴。～ **wóodcock**(塗抹鯷魚醬, 上放炒蛋的)烤麵包片。
Scotch·man [ˋskɑtʃmən] *n.* Ⓒ (*pl.* **-men**)蘇格蘭人。
scot-free [ˋskɑtˋfri]*adj.* ①免稅的。②安全無恙的; 免於受罰的。
*__Scot·land__ [ˋskɑtlənd] *n.* 蘇格蘭。§ ～ **Yárd** 倫敦警察廳(偵緝部)。
Scots [skɑts] *adj.* 蘇格蘭的。— *n.* ① Ⓤ 蘇格蘭語。②(作 *pl.* 解)蘇格蘭人。
Scots·man [ˋskɑtsmən] *n.* Ⓒ (*pl.* **-men**)蘇格蘭人。
Scots·wom·an [ˋskɑtsˌwumən] *n.* Ⓒ (*pl.* **-wom·en**)蘇格蘭女人。
*__Scot·tish__ [ˋskɑtɪʃ] *adj.* 蘇格蘭(人, 語)的。— *n.* ①(the ～)蘇格蘭人(集合稱)。② Ⓤ 蘇格蘭英語。
scoun·drel [ˋskaundrəl] *n.* Ⓒ 無賴; 惡漢。
scour[1] [skaur] *v.t.* & *v.i.* ①磨擦; 洗滌。②變得乾淨發亮。③清除; 掃淨。④沖洗。— *n.*(a ～)擦洗; 沖洗; 清除。
scour[2] *v.i.* & *v.t.* ①搜索。②疾走。

S

scourge [skɜdʒ] *n.* Ⓒ ①鞭；笞。②懲罰；禍患；天災；天譴。— *v.t.* ①鞭笞。②懲罰；使受痛苦。

*__scout__[1] [skaut] *n.* ①Ⓒ哨兵；偵察兵。②(a～)偵察。③Ⓒ斥候艦；偵察機。④Ⓒ童子軍。— *v.i.* 偵察；到處尋找。— *v.t.* ①搜尋；偵察；研究。②尋找〔常out, up〕. § ～ **càr** 輕裝甲巡邏車。

scout[2] *v.t.* 輕蔑地拒絕。— *v.i.* 嘲笑。

scout·er [ˋskautɚ] *n.* Ⓒ ①偵察者；尋找者。② 18 歲以上之男童軍。

scout·mas·ter [ˋskaut,mæstɚ] *n.* Ⓒ①童子軍教練[隊長]。②偵察隊長。

scowl [skaul] *v.i.* 蹙額；皺眉〔at, on〕. — *n.* Ⓒ蹙額。

scrab·ble [ˋskræbḷ] *v.i.* & *v.t.* ①爬尋。②(在…)亂塗；亂寫。— *n.*(a～)①爬尋。②互爭；爭奪。

scrag [skræg] 〖俚〗*n.* Ⓒ脖子。— *v.t.* (**-gg-**)扭(絞)…的脖子。

scrag·gly [ˋskræglɪ] *adj.* 散亂的；不整齊的(毛髮)。

scrag·gy [ˋskrægɪ] *adj.* ①骨瘦如柴的；皮包骨的。②=**scraggly.**

scram [skræm] *v.i.*(**-mm-**)〖美俚〗出去；走開(命令語氣)。— *n.* Ⓒ原子爐的緊急關閉。

*__scram·ble__ [ˋskræmbḷ] *v.i.* ①爬；攀緣。②爭取；爭奪。③混雜一起。④〖美俚〗(軍機)緊急起飛(擔任攔截任務等)。— *v.t.* ①炒(蛋)。～*d* eggs 炒蛋。②匆忙湊合；湊攏。③〖美俚〗使緊急起飛。④改變(無線電的)頻率(使不被竊聽)。— *n.* ①(a ～)爬；攀緣。②(a ～)搶奪；爭奪。③Ⓒ 混亂的一團。④Ⓒ〖美空軍〗緊急起飛。

scram·bler [ˋskræmblɚ] *n.* Ⓒ〖通訊〗(防止竊聽用的)攪頻器。§ ～ **phòne** 有防竊聽裝置的電話。

scram·jet [ˋskræm,dʒɛt] *n.* Ⓒ 超音速衝壓噴射引擎。

*__scrap__[1] [skræp] *n.* ①Ⓒ 小片；碎片。②Ⓤ 廢物。③Ⓒ (常 *pl.*)(報紙的)剪報。④(*pl.*)剩餘的食物。— *v.t.*(**-pp-**)①使成碎片。②丟棄；廢棄。§ ～ **ìron** 碎鐵；廢鐵。～ **pàper** 紙片；便條紙。

scrap[2] *v.i.* & *v.t.*(**-pp-**)〖俚〗打架；口角；格鬥。— *n.* Ⓒ〖俚〗打架；口角；格鬥。

scrap·book [ˋskræp,buk] *n.* Ⓒ 剪貼簿；集錦簿。

*__scrape__ [skrep] *v.t.* ①削去；刮落；擦淨；擦去。②擦傷。③挖掘；穿(孔)。④積攢(錢)。⑤用推土機鏟平。— *v.i.* ①刮；削；擦。②積攢。③摩擦作聲。④亂彈(絃樂器)；發出怪聲音。⑤勉強維持。⑥打扦；行一脚往後退之鞠躬。*bow and ～* 右脚後退的行禮。*～ a living* 收入僅夠維生。*～ (up) an acquaintance with* 極力與(某人)結交。*～ through* 勉強通過。— *n.* Ⓒ ①刮；削；摩擦。②刮削聲；摩擦聲。③困境；麻煩。④刮痕；擦傷。

scrap·er [ˋskrepɚ] *n.* Ⓒ①刮削者。②刮削用具。③守財奴。④差勁的提琴手。

scrap·ing [ˋskrepɪŋ] *n.* ①Ⓤ擦；刮；削。②(*pl.*)被刮削下的東西。

scrap·py [ˋskræpɪ] *adj.* ①殘餘的。②片斷的；散漫的。③〖俗〗好鬥的。

‡**scratch** [skrætʃ] *v.t.* ①搔；抓。②以爪挖掘。③潦草書寫。④勾消；畫線塗掉。⑤搔癢。— *v.i.* ①搔；抓。②積錢。③勉強維持。④退出比賽。— *n.* ①Ⓒ 抓痕；擦傷。②Ⓤ 賽跑起跑線。③Ⓒ刮痕；刮擦聲。④(a ～)搔抓。⑤Ⓒ 被撤出比賽的馬[選手]。*from ～* **a.** 從一開始；從出發點。**b.** 從零開始。*up to ～* 夠上水準；情況良好。— *adj.* ①臨時湊成的。②起草的。③偶然的；僥倖的。④平等比賽的。§ ～ **pàper**〖美〗便條紙(=〖英〗scrap paper). ～ **shèet**〖美俚〗(記錄退出比賽之馬及其他有關消息的)賽馬簡報。～ **tèst** 過敏性測驗。— **er,** *n.*

scratch·y [ˋskrætʃɪ] *adj.* ①潦草的；亂畫的。②發出刮擦聲的；會刮紙的。③草率的；雜湊成的。④發癢的。

scrawl [skrɔl] *v.i.* & *v.t.* 潦草書寫；亂塗。— *n.* Ⓒ (常 *sing.*)潦草的筆跡；塗鴉。

scrawn·y [ˋskrɔnɪ] *adj.* 〖美俗〗骨瘦如柴的；皮包骨的。

‡**scream** [skrim] *v.i.* & *v.t.* ①尖聲叫喊；大笑；高聲說話。②產生驚人的效果或予人以新穎的印象。— *n.* ①Ⓒ尖叫(聲)。②(a ～)極可笑的人[事]。— **ing,** *adj.*

scree [skri] *n.* ①Ⓤ (山的)多岩石陡坡。②Ⓒ碎石堆。

screech [skritʃ] *v.i.* (因恐懼、痛苦等)發出刺耳的尖銳叫聲；尖叫。— *v.t.* 尖聲喊叫。— *n.* Ⓒ 尖叫聲。§ ～ **òwl** (1)(北美)鳴角鴞。(2)預言凶事者。

screed [skrid] *n.* Ⓒ (常*pl.*)長篇大論。

*__screen__ [skrin] *n.* ① Ⓒ 幕；屏；簾；帳(等遮蔽物)。a folding ～屏風。②Ⓒ 鐵絲網；紗窗[門]。③ Ⓒ 銀幕。④(the ～)電影。⑤Ⓒ 篩。⑥Ⓒ 似幕之物；屏擋。— *v.t.* ①(用屏、幕之類)遮蔽；阻隔；掩護。②篩。③放映(電影)；把…改編爲電影；把…拍成影片。④甄別；審查。— *v.i.* 適於上銀幕。§ ～ **dòor** 紗門。～ **pàss**〖足球〗掩護性傳球。～ **prìnting** 絲網印刷法(=silk screen). ～ **tèst** 試鏡。

screen·play [ˋskrin,ple] *n.* Ⓒ〖影〗電影脚本。

screen·writ·er [ˋskrin,raɪtɚ] *n.* Ⓒ電影劇本作家。

*__screw__ [skru] *n.* Ⓒ ①螺旋；螺釘。②螺旋槳。③螺旋狀物。④螺旋式的轉動；螺絲的一轉。⑤〖桌球〗旋轉(球)。⑥捲在紙中之物。⑦吝嗇鬼；守財奴。⑧〖俚〗薪水。⑨(常 *pl.*)恐嚇。*a ～ loose* 毛病；故障。*put the ～ on* 逼使。— *v.t.* ①用螺旋釘釘住；扭螺旋。②榨取；勒索。③強迫做某事。④鼓起(勇氣)；加強(效率)。⑤殺價〔down〕. ⑥〖俚〗欺騙。⑦〖鄙〗與…性交。— *v.i.* ①旋轉。②用螺絲轉緊、轉鬆或轉開〔常on, together, off〕. ③勒索。④弄砸；弄錯。⑤〖鄙〗性交。§ ～ **èye** 螺絲眼。～ **propèller** 螺旋槳。～ **tòp** 螺旋蓋；旋轉式瓶[罐]蓋。

screw·ball [ˋskru,bɔl] *n.* Ⓒ ①〖美俚〗奇人；怪人。②〖棒球〗內曲線球。

screw·driv·er [ˋskru,draɪvɚ] *n.* Ⓒ螺絲刀；螺絲起子。
screwed [skrud] *adj.* ①以螺釘固定的。②有螺旋紋的。③扭曲的；扭轉的。④〖英俚〗有幾分醉的。⑤〖俚〗被騙的。
screw·up [ˋskru,ʌp] *n.* Ⓒ〖美俚〗糟透的事；大錯。
screw·y [ˋskruɪ] *adj.* 〖俗〗怪異的。
scrib·ble [ˋskrɪbl̩] *v.t.* & *v.i.* 潦草書寫。 — *n.* ①Ⓤ(又作 a ～)潦草書寫。②Ⓒ(常 *pl.*)潦草或胡亂寫成的東西；塗鴉。
scrib·bler [ˋskrɪblɚ] *n.* Ⓒ①字跡潦草的人。②沒沒無聞的小作家。
scribe [skraɪb] *n.* Ⓒ①文書員；抄寫者。②(猶太法的)法律學者。③作者；作家。
scrim·mage [ˋskrɪmɪdʒ] *n.* Ⓒ①混戰；扭打。②〖橄欖球〗**a.** 爭球。**b.** 分成兩隊練球。 — *v.i.* ①參與混戰。②〖橄欖球〗參加爭球。③忙忙碌碌地尋求。 — *v.t.* 〖橄欖球〗(練球時)對抗。
scrimp [skrɪmp] *v.i.* ①節儉。②縮減；慳吝。 — *v.t.*節省。
scrip [skrɪp] *n.* Ⓒ①證書。②紙片；紙條。③臨時憑證。
***script** [skrɪpt] *n.* ①Ⓤ文字。②Ⓤ筆跡；手稿。③Ⓒ脚本；原稿。④Ⓤ草體之鉛字字體。⑤ⓊⒸ〖法律〗正本。⑥Ⓒ(常 *pl.*)〖英〗答案。 — *v.t.*爲…寫脚本或廣播稿。§ ～ **gìrl**〖影〗女場記。
script·ed [ˋskrɪptɪd] *adj.* (演講、廣播等)有原稿的；有脚本的；照原稿的；照脚本的。
scrip·ture [ˋskrɪptʃɚ] *n.* ①Ⓤ(又作 *pl.*, 常 S-)(基督教以外的)經文；經典。②(S-)聖經(亦作 **the Scriptures, the Holy Scripture**). — **scrip′tur·al, Scrip′tur·al,** *adj.*
script·writ·er [ˋskrɪpt,raɪtɚ] *n.* Ⓒ(廣播、電影、電視)腳本作家；劇作家。(亦作 **scripter**)
scrive·ner [ˋskrɪvnɚ] *n.* Ⓒ①代書人；抄寫員。②公證人。
scrof·u·la [ˋskrɔfjələ] *n.* Ⓤ〖醫〗瘰癧；腺病。
scrof·u·lous [ˋskrɑfjələs] *adj.* (患)瘰癧的。
scroll [skrol] *n.* Ⓒ①紙卷；卷軸。②渦卷形的裝飾。③(簽名時所加的)渦卷花紋。§ ～ **sàw** 曲線鋸(一種用以鋸彎曲線條之窄鋸)。
Scrooge [skrudʒ] *n.* ①史古魯居(Dickens 所著 *A Christmas Carol* 中的一個吝嗇鬼)。②Ⓒ(常 s-)吝嗇鬼。
scro·tum [ˋskrotəm] *n.* Ⓒ(*pl.* **-ta** [-tə], **～s**)〖解〗陰囊。 — **scro′tal,** *adj.*
scrounge [skraʊndʒ] *v.t.* ①〖俚〗擅取；擅用；偷取。②求；乞討。 — *v.i.* ①搜尋。②騙取。 — **scroung′er,** *n.*
***scrub**[1] [skrʌb] *v.t.* (**-bb-**)①(用力)擦洗。②從(氣體)中除去雜質。③〖俚〗取消。 — *v.i.* 洗。 — *n.* (a ～)(用力)擦洗。§ ～**bing brùsh** 硬毛刷子。
scrub[2] *n.* ①Ⓤ矮樹；灌木叢。②Ⓒ渺小之物。③Ⓒ(球隊的)預備隊員。
scrub·ber [ˋskrʌbɚ] *n.* Ⓒ①**a.** 打掃地板的人。**b.** 刷洗工具。②〖英俚〗蕩婦；妓女。
scrub·by [ˋskrʌbɪ] *adj.* ①雜木叢生的。②卑劣的；下等的；破舊的。③矮小的。
scrub·wom·an [ˋskrʌb,wʊmən] *n.* Ⓒ(*pl.* **-wom·en**)〖美〗清潔婦。
scruff [skrʌf] *n.* Ⓒ 頸背。***take a person by the ～ of the neck***抓住某人的頸背。
scruff·y [ˋskrʌfɪ] *adj.* 〖俗〗齷齪的；(衣著)破爛的。
scrum [skrʌm] *v.i.* (**-mm-**)〖橄欖球〗參加並列爭球。 — *n.* Ⓒ①〖橄欖球〗並列爭球。②〖英俗〗湧入(大拍賣等)的人們。
scrum·mage [ˋskrʌmɪdʒ] *n.* & *v.i.* 〖英〗＝**scrimmage.**
scrump·tious [ˋskrʌmpʃəs] *adj.* 〖俚〗①極好的；卓越的。②愉快的。
scrunch [skrʌntʃ] *v.* & *n.*＝**crunch.**
***scru·ple** [ˋskrupl̩] *n.* ①Ⓤ躊躇；猶豫；顧忌。②Ⓒ斯克魯(衡量名，等於 20 grains)。③Ⓒ(常 *pl.*)良心的譴責。 — *v.i.* 躊躇；顧慮(常用於否定語)。 — *v.t.* 對…有顧忌。
scru·pu·lous [ˋskrupjələs] *adj.* ①多顧慮的；小心翼翼的；審愼的。②周密的；無疵可指的；規規矩矩的。 — **ly,** *adv.* — **ness,** *n.*
scru·ti·neer [,skrutəˋnɪr] *n.* Ⓒ①檢查官。②〖英〗選票檢查人；監票者。
scru·ti·nize [ˋskrutn̩,aɪz] *v.t.* & *v.i.* 細察；詳審。
***scru·ti·ny** [ˋskrutn̩ɪ] *n.* ①ⓊⒸ細察；詳審。②Ⓒ選票的複查或複計。
scu·ba [ˋskubə] *n.* Ⓒ水肺。§ ～ **dìver** 用水肺潛水者。～ **dìving** 用水肺潛水的運動。
scud [skʌd] *v.i.* (**-dd-**)①疾行；飛駛。②乘風前進。 — *n.* ①(a ～)疾行；飛駛。②Ⓤ飛雲。③Ⓒ(常 *pl.*)驟雨；陣雨。④Ⓒ陣風。
scuff [skʌf] *v.i.* 拖足而行；曳足而行。 — *v.t.* ①拖(足)；曳(足)而行；以足擦(地)。②磨壞。 — *n.* Ⓒ①拖曳行走；拖步。②磨壞處。③(常 *pl.*)家用拖鞋。
scuf·fle [ˋskʌfl̩] *v.i.* ①混戰；扭打。②拖足而行。 — *n.* Ⓒ①混戰。②(走路時的)拖足。
scull [skʌl] *n.* ①Ⓒ(船的)尾櫓；短槳；雙槳中的一葉。②Ⓒ輕艇(單人雙槳的比賽用輕舟)。③(a ～)用短槳划船。 — *v.t.* & *v.i.* 以短槳划(船)；划(輕便小艇)。 — **er,** *n.*
scul·ler·y [ˋskʌlərɪ] *n.* Ⓒ〖英〗餐具洗滌室。
scul·lion [ˋskʌljən] *n.* Ⓒ在廚房打雜的助手。
sculp·tor [ˋskʌlptɚ] *n.* Ⓒ雕刻家。
sculp·tur·al [ˋskʌlptʃərəl] *adj.* 雕刻(術)的。 — **ly,** *adv.*
***sculp·ture** [ˋskʌlptʃɚ] *n.* ①Ⓤ雕刻術；雕刻。②ⓊⒸ雕刻(物)；雕像。 — *v.t.* ①雕刻；雕塑。②用雕刻物裝飾。③〖地質〗侵蝕而改變成〔into〕。 — *v.i.* 從事雕刻。
scum [skʌm] *n.* ①Ⓤ(又作 a ～)浮渣；泡沫；薄膜。②ⓊⒸ〖蔑〗廢物；人渣。 — *v.i.* (**-mm-**)①變成泡沫；浮

有浮渣。②生浮皮。— *v.t.* ①撇取(浮沫等)。②迅速地掠過。③在…上形成泡沫或浮渣。

scum·my [ˋskʌmɪ] *adj.* ①有浮渣的。②無價值的。

scup·per [ˋskʌpɚ] *n.* Ⓒ (常 *pl.*)船甲板兩側之排水孔。— *v.t.* ①故意沈(船)。②擊潰。

scurf [skɝf] *n.* Ⓤ ①頭皮屑；頭垢。②皮屑；任何鱗狀外皮。— **scurf′y,** *adj.*

scur·ril·ous [ˋskɝɪləs] *adj.* 下流的；卑鄙的；謾罵的；無口德的。— **ly,** *adv.* — **scur·ril′i·ty,** *n.*

scur·ry [ˋskɝɪ] *v.i.* 小步疾走。— *v.t.* 使疾走；使倉皇而跑。— *n.* ①(*sing.*)疾走；倉皇而跑；疾走聲。② Ⓒ 短跑。

scur·vy [ˋskɝvɪ] *n.* Ⓤ 〖醫〗壞血症。— *adj.* 卑鄙的；可鄙的。

scutch·eon [ˋskʌtʃən] *n.* = **escutcheon.**

scut·tle[1] [ˋskʌtl̩] *n.* Ⓒ 煤斗；煤箱。

scut·tle[2] *n.* Ⓒ ①天窗；小艙口。②天窗蓋；小艙口蓋。— *v.t.* ①鑿孔沈(船)。②放棄。③破壞。

scut·tle[3] *v.i.* 急行；倉皇跑走。— *n.* (a ～)急行。

scut·tle·butt [ˋskʌtl̩ˏbʌt] *n.* Ⓒ ①船上的飲水噴泉。②〖美俚〗謠言；閒話。

Scyl·la [ˋsɪlə] *n.* ①西拉巨岩(位於義大利西端)。②〖希、羅〗西拉(神話中六頭十二臂的女妖)。***between* ～ *and Charybdis*** 腹背受敵；進退兩難。

scythe [saɪð] *n.* Ⓒ 大鐮刀。— *v.t.* & *v.i.* 用大鐮刀割。

S/D sight draft. 見票即付的匯票。

S.D., S. Dak. South Dakota.

SDI Strategic Defense Initiative. 戰略防禦計畫(又稱作星際大戰 Star Wars).

SDRs, SDR's special drawing rights. 特別提款權。

SE, S.E. southeast; southeastern; Standard English.

‡**sea** [si] *n.* ①(the ～)海；海洋。②海面狀況(可用定冠詞或不定冠詞)。③(the S-)(大的內陸)湖；鹹水湖。④ Ⓒ (常 *pl.*)波浪；大浪。***a* ～ *of*** 多量的；無限的。***a* ～ *of troubles*** 無窮的煩擾。***at* ～ a.** 在海上。**b.** 茫然；迷惑。***by* ～**由海路。***follow the* ～**當海員；做水手。***go to* ～ a.** 航海。**b.**當海員。***put*(*out*)*to* ～** 出航。§ ～ **ànchor**(帆布製的)浮錨。～**anèmone**〖動〗海葵。～ **bìscuit**(可供久藏的)硬餅乾。～ **brèam** 鯛(鯛科的食用魚)。～ **brèeze** 海風。～ **chànge**〖文〗驚人的變化。～ **còw**〖動〗儒艮；海牛。～ **cùcumber**〖動〗海參。～ **dòg** (1)老經驗的海員或水手。(2)海豹。(3)小鯊。～ **èagle**〖動〗(以魚為食的)海鷹。～ **èlephant**〖動〗海象(一種大海豹)。～**fàrming** 海洋養殖業。～**frònt**(城市的)濱海地區。～ **gràpe** (1)馬尾藻。(2)(*pl.*)烏賊卵。(3)(美國 Florida 州沿海所產)海葡萄。～ **grèen** 海綠色。～ **gùll** 海鷗。～ **hòg**〖動〗海豚。～ **hòrse** (1)海馬。(2)(神話中)半馬半魚的怪獸。～ **ìsland**(亦作sea island cotton)〖植〗海島棉(西印度群島、北美南部產的高品質棉花)。～ **kàle**〖植〗海芥藍(歐洲產的一種蔬菜)。～ **kìng**(中古時代北歐的)海盜王。～ **lègs**〖俚〗水手腿(在搖晃的船上行走的能力)。～ **lèvel** 海平面；海拔。～ **lìly**〖動〗海百合。～ **lìon**〖動〗海獅。～ **mìle** 海里；浬。～ **mìst** 海霧(自海上發生的霧)。～ **mòss** (1)苔蘚蟲。(2)海草。～ **nèttle**〖動〗刺水母。～ **nỳmph** 水妖；海精。～ **òtter**〖動〗海獺。～ **pèn**[**fèather**]〖動〗海鰓。～ **pòwer** 海軍強國；海軍力量；制海權。～ **pùrse**〖動〗海袋(鮫等之卵囊)。～ **ròbber** 海盜；海賊。～ **ròbin**〖魚〗魴鮄類。～ **ròom**(船隻可以自由航行的)無障礙物的海面。～ **ròver** 海盜(船)。～ **sàlt** 海鹽。**S- Scòut** 海洋童子軍。～ **sèrpent** (1)(傳說的)大海蛇。(2)〖動〗海蛇(亦作 sea snake). ～ **slùg**〖動〗海參。～ **spìder**〖動〗(1)蜘蛛蟹。(2)章魚。(3)海盤車(一種魚)。～ **squìrt**〖海〗海鞘。～ **ùrchin**〖動〗海膽。～ **wràck**(被沖上岸的)海草。

sea·beach [ˋsiˏbitʃ] *n.* Ⓒ 海灘。

sea·bed [ˋsiˏbɛd] *n.* (the ～)海底。

Sea·bee [ˋsiˏbi] *n.* Ⓒ〖美〗①海軍工程營的成員。②海軍工程營(略作 **CB**).

sea·board [ˋsiˏbord] *n.* Ⓒ 海岸；海濱。— *adj.* 濱海的；海岸的。

sea-borne [ˋsiˏborn] *adj.* ①海上運送的。②(船)浮在海上的。

***sea·coast** [ˋsiˏkost] *n.* Ⓒ 海岸；海濱。

sea·far·er [ˋsiˏfɛrɚ] *n.* Ⓒ ①海員；水手。②海上旅行者。

sea·far·ing [ˋsiˏfɛrɪŋ] *adj.* ①海上旅行的。②航海的。— *n.* Ⓤ 航海(業)。

sea·girt [ˋsiˏgɝt] *adj.* 〖詩〗為海所環繞的；(島等)四面環海的。

sea·go·ing [ˋsiˏgoɪŋ] *adj.* ①航海的。②適於海上航行的。

sea-green [ˋsiˋgrin] *adj.* 海綠色的。

seal**[1] [sil] *n.* Ⓒ ①捺印；封緘。②印章；圖章。③火漆；封蠟；封條(等)。④保證；表示。⑤圖記；記號。set one's* ～ *to* a.** 在…上蓋印。**b.** 批准；保證。***the Great S-*** 國璽。— *v.t.* ①蓋印於；蓋章於。②封緘。③使定局。④密封。⑤(用某種記號以)保證。§ ～ **rìng** 圖章戒指。～**ing wàx** 封蠟。

seal[2] *n.* ① Ⓒ 海豹。② Ⓤ 海豹之毛皮。— *v.i.* 獵海豹。

sea-lane [ˋsiˏlen] *n.* Ⓒ 海上航道。

seal·ant [ˋsilənt] *n.* Ⓤ Ⓒ 密封膠；封水劑。

sealed [sild] *adj.* 蓋了印章的；加封的；封口的。 § ～ **bóok** 未知之事；無法獲知之事。 ～ **órders** 密封的指令。

seal·er [ˋsilɚ] *n.* Ⓒ 海豹獵人[船]。

sea·lift [ˋsiˏlɪft] *n.* Ⓒ 海上運輸。— *v.t.* 海上輸送。

seal·ing [ˋsilɪŋ] *n.* Ⓤ 獵海豹[海狗]。

seal·skin [ˋsilˏskɪn] *n.* ① Ⓤ 海豹[海狗]毛皮。② Ⓒ 海豹[海狗]毛皮製品。

Sea·ly·ham [ˋsilɪˏhæm] *n.* Ⓒ 西里漢㹴。(亦作 **Sealyham terrier**)

***seam** [sim] *n.* Ⓒ ①縫；接縫。②接合線；綴合處。③似縫之線；皺紋。④地層；層。— *v.t.* ①縫合；接合。②使有

痕跡；使有皺紋(常用 pp.)。— *v.i.* ①生裂痕。②形成一條縫。— **less,** *adj.*
sea·man [ˋsimən] *n.* Ⓒ (*pl.* **-men**) ①船員。②水兵。— **like,** — **ly,** *adj.*
sea·man·ship [ˋsimən,ʃɪp] *n.* Ⓤ 船舶操縱術；航海技術。
seam·stress [ˋsimstrɪs] *n.* Ⓒ 女裁縫；縫紉女工。
seam·y [ˋsimɪ] *adj.* ①露出縫線的。②道德低落的；卑鄙的。the ～ side 黑暗面。
sé·ance [ˋseɑns] 〖法〗*n.* Ⓒ (透過靈媒與死者靈魂溝通的)降靈會。
sea·plane [ˋsi,plen] *n.* Ⓒ 水上飛機。
sea·port [ˋsi,port] *n.* Ⓒ 海港；港埠。
sear [sɪr] *v.t.* ①使枯萎；使憔悴。②灼燒；燒焦。③加烙印於。④使變得冷酷。— *v.i.* ①枯萎。②灼傷。③變得無情或麻木不仁。— *adj.* 枯乾的；枯萎的(葉、花等)。— *n.* Ⓒ 烙印；燒痕。
‡**search** [sɜtʃ] *v.t.* ①搜尋；搜查；探查。②(寒冷、風、光等)到處侵入…。— *v.i.* ①尋覓；搜索。②探求；調查；研究。～ *me*〖俚〗不知道(回答問題時用)。～ *out* 尋找；找出。— *n.* Ⓒ 搜尋；探求；調查；研究。*in* ～ *of* 尋找。§ ～ **èngine**〖電算〗搜尋檔案的軟體。～ **pàrty** 搜索隊。～ **wàrrant**〖法律〗(對住宅等的)搜索狀。— **er,** *n.*
search·ing [ˋsɜtʃɪŋ] *adj.* ①仔細的；徹底的。②(目光)銳利的。③刺骨的。
search·light [ˋsɜtʃ,laɪt] *n.* Ⓒ ①探照燈；照空燈。②光線；光柱。
sea·scape [ˋsi,skep] *n.* Ⓒ 海景(畫)。
sea·shell [ˋsi,ʃɛl] *n.* Ⓒ 海貝；貝殼。
***sea·shore** [ˋsi,ʃor] *n.* Ⓤ 海岸；海濱。
sea·sick [ˋsi,sɪk] *adj.* 暈船的。get ～ 暈船。— **ness,** *n.*
***sea·side** [ˋsi,saɪd] *n.* (the ～)海邊。— *adj.* 海濱的。
‡**sea·son** [ˋsizn̩] *n.* Ⓒ ①季。②時期；季節；當令之時。③短暫的一段時間。④合宜的時間。⑤=**season ticket.** *in good* ～及早；儘早。*in* ～ **a.** 當令的；應時的。**b.** =**in good season.** *out of* ～ 不當令的。— *v.t.* ①使適應；使適用。②給…調味。③緩和。④使更有趣；使更適宜。⑤使木材乾燥。— *v.i.* 變爲適用；(木材)變乾。§ ～ **tìcket** (1)〖英〗定期車票；季票(=〖美〗commutation ticket). (2)(演奏會等的)長期[定期]入場券。
sea·son·a·ble [ˋsizn̩əbl̩] *adj.* 合時的；應時的；適合時機的；及時的。
sea·son·al [ˋsizn̩əl] *adj.* 季節的；季節性的。— **ly,** *adv.*
sea·soned [ˋsizn̩d] *adj.* ①經調味的。②經加工即可使用的；變乾的。③習慣於…的；訓練有素的；成熟的。
sea·son·ing [ˋsizn̩ɪŋ] *n.* ① Ⓤ 調味。② Ⓒ 調味品。③ Ⓒ 增添興趣的東西。④ Ⓤ (木材等的)乾燥處理。
‡**seat** [sit] *n.* Ⓒ ①座；座位。②席位；席次。③(椅子等的)座部。④(身體或褲子之)臀部。⑤所在地；中心；場所；位置。⑥邸宅；別莊。⑦坐的姿勢；騎乘的姿勢。⑧王座；主教座。— *v.t.* ①使坐；使就座。②爲…安排座位；可容納。The hall ～*s* 2,000. 這個會場有兩千個座位。③供給…座位。④修(椅等)的座部。⑤使得職位，或議會中席次。§ ～ **bèlt**(飛機或汽車上的)安全帶。
seat·ing [ˋsitɪŋ] *n.* Ⓤ ①就座；引人入座。②(集合稱)座席(的設備)。③(椅子的)座墊[填塞物]材料。
seat·mate [ˋsit,met] *n.* Ⓒ (巴士、火車上)鄰座的人。
SEATO, S.E.A.T.O. South East Asia Treaty Organization.東南亞公約組織。
Se·at·tle [siˋætl̩, ˋsiætl̩] *n.* 西雅圖(美國 Washington 州西部一海港)。
sea·ward [ˋsiwəd] *adv.* & *adj* 向海(的)。— *n.* Ⓤ 向海的方向。
sea·wa·ter [ˋsi,wɔtə] *n.* Ⓤ 海水。
sea·way [ˋsi,we] *n.* ① Ⓒ 航路；航道；海路。② Ⓒ 公海；大海。③ Ⓤ (船舶的)航行。④ Ⓒ 波濤洶湧之海。
sea·weed [ˋsi,wid] *n.* Ⓤ 海藻；海菜。
sea·wor·thy [ˋsi,wɜðɪ] *adj.* (船)適於航海的；能耐風浪的。
se·ba·ceous [sɪˋbeʃəs] *adj.* 脂肪的；似脂肪的；分泌脂肪的。
se·bum [ˋsibəm] *n.* Ⓤ〖生理〗皮脂。
sec [sɛk] *n.* Ⓒ〖俗〗一會兒；片刻。
se·cant [ˋsikənt, ˋsikænt] *n.* Ⓒ〖數〗正割；割線(略作 **sec**)。
sec·a·teurs [,sɛkəˋtɜz] *n. pl.* (修剪樹木的)大剪刀；(截斷鐵絲的)大鉗子。
se·cede [sɪˋsid] *v.i.* 從(政黨、教會等)脫離；退出(from)。
se·ces·sion [sɪˋsɛʃən] *n.* Ⓒ ①脫離；退出。②(常 S-)〖美史〗(1860-61 美南方11州的)脫離聯邦(因而引起美國內戰)。
se·ces·sion·ism [sɪˋsɛʃən,ɪzəm] *n.* Ⓤ 脫離論；分離主義。— **se·cesˊsion·ist,** *n.* & *adj.*
***se·clude** [sɪˋklud] *v.t.* 隔離；隔絕；使隱居。
se·clud·ed [sɪˋkludɪd] *adj.* 隔離的；隱退的。— **ly,** *adv.*
se·clu·sion [sɪˋkluʒən] *n.* Ⓤ ①蟄居；隱遁。②隔離；隔絕。a policy of ～ 閉關政策。— **se·cluˊsive,** *adj.*
‡**sec·ond**[1] [ˋsɛkənd] *adj.* ①第二的。②次要的；二等的；較劣的。He is ～ to none. 他不亞於任何人。③另一個；又一個。④額外的。*in the* ～ *place* 說到第二點。— *adv.* 以第二位；次要地。— *n.*① Ⓤ (常 the ～)**a.** 第二人；第二物；第二者。**b.**(月的)初二；第二日。②(*pl.*)**a.** 次等品；劣物。**b.** 粗劣的麵粉。③ Ⓒ 輔助者；助手。④ Ⓒ〖樂〗二度音程；二度音。— *v.t.* ①贊成；附議。②支持；輔助；證實。③〖英〗被暫時調任。§ **S**～ **Ádvent** 基督再臨。～ **banána**〖美俚〗主角諸星的搭檔；演配角的人；隨從式人物。～ **báse**〖棒球〗二壘。～ **bést** 次等[次好]的人[物]。～ **chíldhood**(委婉語)老糊塗；衰老；第二童年。～ **cláss** (1)(火車等之)二等。(2)〖美郵政〗第二類(新聞紙類)。**S**～ **Cóming** 基督再臨。～ **cóusin** 從堂[表]兄弟姊妹。～ **estáte**(英法等國)貴族。～ **fíddle** (1)(交響樂隊中)第

二小提琴部；該部的小提琴手。⑵第二的人；次要地位。～ **flóor**〖美〗二樓。～ **grówth** 再生林。～ **hánd** 媒介物；中間人。～**lánguage** ⑴(母語以外所學的)第二語言。⑵(母語、當地語言以外的)共同語言；公用語。～ **lieuténant** 少尉。～ **máte**〖海〗二副。～ **náture** 第二天性。～ **pérson**〖文法〗第二人稱。～ **síght** 千里眼；預知力。～ **thóught(s)** 慎思熟慮後做之決定。～ **wínd** ⑴(激烈運動等後的)呼吸恢復正常狀態。⑵〖俗〗恢復常態；恢復元氣。get one's ～ *wind* 恢復元氣[常態]。**S～ Wórld Wár** 第二次世界大戰(1939-45)。

‡**sec·ond**[2] *n.* Ⓒ ①秒；(鐘錶之)秒針。②(常 *sing.*)片刻。③秒(角度單位)。§～**hánd**(鐘、錶之)秒針。

***sec·ond·ar·y** [ˋsɛkən͵dɛrɪ] *adj.* ①第二的；從屬的。②次要的；較不重要的。—*n.* Ⓒ ①次要的人[事，物]；代理人；輔助者。②〖天〗衛星。§ ～ **áccent** [**stréss**]次重音(標號)。～ **cólor** 次色，間色(由等量的二原色混合而成)。*～ **schòol** 中等學校。～ **séx characterìstic**〖醫〗第二性徵。

sec·ond-best [ˋsɛkəndˋbɛst] *adj.* 第二等的。

sec·ond-class [ˋsɛkəndˋklæs] *adj.* 二流的；二等的。

sec·ond-de·gree [ˋsɛkənddɪˋgri] *adj.* 第二級的。a ～ burn 二級灼傷。

sec·ond-guess [ˋsɛkəndˋgɛs] *v.t. & v.i.* ①〖俗〗事後批評；放馬後砲。②預言；猜測。—**er,** *n.*

***sec·ond·hand** [ˋsɛkəndˋhænd] *adj.* ①用過的；二手的。②非原始的；得自他處的。—*adv.* 當舊物；從第二手；間接地。

sec·ond-in-com·mand [ˋsɛkəndɪnkəˋmænd] *n.* Ⓒ (*pl.* **sec·onds-in-com·mand**)①副司令官。②副指揮官。

sec·ond·ly [ˋsɛkəndlɪ] *adv.* 第二；其次。

sec·ond·ment [ˋsɛkəndmənt] *n.* Ⓤ〖英〗暫調；借調。

sec·ond-rate [ˋsɛkəndˋret] *adj.* 二等的；二流的。—**ness,** *n.*

sec·ond-sto·ry [ˋsɛkəndˋstorɪ] *adj.* ①〖美〗二樓的；〖英〗三樓的。②〖俚〗(賊)從樓上窗子進屋的。

sec·ond-strike [ˋsɛkəndˋstraɪk] *adj.* ①用於第二次打擊的；反擊的(指核子武力受到偷襲後仍有能力反擊的)。②報復的。

sec·ond-string [ˋsɛkəndˋstrɪŋ] *adj.* ①第二流的；次要的。②〖體育〗非正選隊的；預備隊的；二軍的。

***se·cre·cy** [ˋsikrəsɪ] *n.* Ⓤ①祕密。②保密的能力；守祕密。③掩飾；不坦白；不公開。

‡**se·cret** [ˋsikrɪt] *adj.* ①隱祕的。②祕密的。③只有少數人知道的。④隱退的；隱居的。⑤難解的；不易發現的。—*n.* ① Ⓒ 祕密。②(*sing.*，常the ～)祕訣。③ Ⓒ 奧妙；玄妙。*in* ～ 祕密地。*let someone into a*[*the*] ～ 告某人以某項祕密；使某人參與某項祕密工作。§ ～ **ágent** 特務；情報人員；間諜；密探。～ **bállot** 祕密投票。～ **políce** 祕密警察。～ **sérvice**情報局；特務機構。～ **socíety** 祕密結社；幫會。*—**ly,** *adv.*

sec·re·tar·i·al [͵sɛkrəˋtɛrɪəl] *adj.* ①祕書的；書記的。②部長的。

sec·re·tar·i·at(e) [͵sɛkrəˋtɛrɪət] *n.* ① Ⓒ 書記[祕書，部長]之職。② Ⓒ 祕書處；文書課。③ Ⓤ (the ～)祕書處的全體職員。

‡**sec·re·tar·y** [ˋsɛkrə͵tɛrɪ] *n.* Ⓒ ①祕書；書記。②大臣；部長。the *S*- of State(美國)國務卿；(英國)國務大臣。③(上部爲書櫃的)寫字檯。

sec·re·tar·y-gen·er·al[ˋsɛkrə͵tɛrɪˋdʒɛnərəl] *n.* Ⓒ (*pl.* **sec·re·tar·ies-gen·er·al**)祕書長；書記長。

se·crete [sɪˋkrit] *v.t.* ①隱匿；隱藏。②分泌。—**se·cre′tion,** *n.*

se·cre·tive [sɪˋkritɪv] *adj.* 隱匿的；祕而不宣的；祕密主義的。

sect [sɛkt] *n.* Ⓒ 派；宗派；教派。

sec·tar·i·an [sɛkˋtɛrɪən] *adj.* 宗派的；派系的；有門戶之見的。—*n.* Ⓒ 派系意識濃厚的人。—**ism,** *n.*

***sec·tion** [ˋsɛkʃən] *n.* ① Ⓤ Ⓒ 切開；切斷。② Ⓒ 斷片；部分。③ Ⓒ 節；項。④ Ⓒ 區域；地段。⑤ Ⓒ 斷面；截面。⑥ Ⓒ 一平方英里的面積。⑦ Ⓒ (可裝成一整體的)零件。—*v.t.* ①切成部分；分成章節。②拆散(機器等)。§～ **gàng**〖美鐵路〗工段養務班。～ **màrk** 節標(即§)。

sec·tion·al [ˋsɛkʃənl] *adj.* ①部分的；分節的。②區域的；地段的。③組合式的；組件式的。—*n.* Ⓒ 組合式家具。—**ly,** *adv.*

sec·tion·al·ism [ˋsɛkʃənl͵ɪzəm] *n.* Ⓤ ①地方主義；地域偏見。②派系主義；地域觀念。

sec·tor [ˋsɛktɚ] *n.* Ⓒ①〖數〗扇形。②象限儀；函數尺。③〖軍〗防區；陣線。④(產業、經濟等的)部門；領域。

sec·u·lar [ˋsɛkjəlɚ] *adj.* ①現世的；世俗的；非宗教的。②住於俗世的(爲regular之對)。③延續數世紀的；長期的。④百年一度的。—*n.* Ⓒ〖天主教〗俗世神父。—**ism,** *n.* Ⓤ 世俗[現世]主義。

sec·u·lar·ize [ˋsɛkjələ͵raɪz] *v.t.* ①使世俗化；使現世化。②使(教育)脫離宗教。—**sec·u·lar·i·za′tion,** *n.*

***se·cure** [sɪˋkjʊr] *adj.* ①無受損、受害、受攻擊之虞的；安全的〖from, against〗.②確定無疑的。③安心的；無慮的。④可靠的；穩固的。⑤被拘留的。—*v.t.* ①使安全；保護。②擔保；保證。③繫緊；緊閉。④順利獲得；確保…。—**ly,** *adv.*

***se·cu·ri·ty** [sɪˋkjʊrətɪ] *n.* ① Ⓤ 安全。② Ⓤ 保障；防衛(措施)。③ Ⓤ 過份自信。④ Ⓤ 保證；擔保。⑤ Ⓒ 抵押品；擔保品。⑥(*pl.*)公債；股票。government *securities* 公債。⑦ Ⓒ 擔保人；保證人。—*adj.* 保安的；安全的。§～ **ànalyst** 股市分析家。～ **blànket**〖美〗⑴安樂毯(給小孩抓摸使感覺舒適安全的小絨毯)。⑵能使人有安全感的熟悉

的東西。～ clèarance (1)忠貞調查。(2)通過上項調查。S～ Cŏuncil (聯合國)安全理事會。～ guàrd 保安人員。～ polîce 秘密警察。～ rìsk〖美〗危險人物；問題人物。

se·dan [sɪˋdæn] *n.* Ⓒ①(亦作 **sedan chair**)轎子；肩輿。②轎車。

se·date [sɪˋdet] *adj.* 安詳的；靜肅的。— **ly,** *adv.* — **se·da′tion,** *n.*

sed·a·tive [ˋsɛdətɪv] *adj.* ①鎮定的；鎮靜(作用)的；定神的。②使安靜的。— *n.* Ⓒ 鎮定劑。

sed·en·tar·y [ˋsɛdn͵tɛrɪ] *adj.* ①慣坐的；久坐的；不活動的。②須坐著的。③不遷徙的；定居的。

Se·der [ˋsedɚ] *n.* 踰越節家宴(猶太人在踰越節第一晚所舉行的儀式餐宴，紀念西元前十三世紀摩西時代以色列人舉族遷出埃及)。

sedge [sɛdʒ] *n.* Ⓤ〖植〗薹(莎草科薹屬植物的統稱)。

sed·i·ment [ˋsɛdəmənt] *n.* Ⓤ ①(又作a～)沈澱物。②沈積物。— **sed·i·men′tal, sed·i·men′ta·ry,** *adj.* — **sed·i·men·ta′tion,** *n.*

se·di·tion [sɪˋdɪʃən] *n.* Ⓤ ①煽動叛亂的言行。②暴動；叛亂。— **ist,** *n.* — **se·di′tious,** *adj.*

se·duce [sɪˋdjus] *v.t.* ①誘惑。②使入歧途。③誘姦(婦女)。— **se·duc′tive,** *adj.* — **ment, se·duc′er,** *n.*

se·duc·tion [sɪˋdʌkʃən] *n.* ①ⓊⒸ引誘；誘惑；勾引；誘姦。②Ⓒ(常 *pl.*)使人著迷的東西；魅力〔of〕.

sed·u·lous [ˋsɛdʒələs] *adj.* 勤勉的；努力不倦的。— **ly,** *adv.* — **ness, se·du·li·ty** [sɪˋdjulətɪ], *n.*

‡**see**[1] [si] *v.t.* (**saw, seen**)①看見；看到。②了解；領會；察覺。③發現；察知。④經驗；閱歷。⑤會面；晤見；訪晤；商談；接見。⑥護送；照顧。⑦參加；參觀。⑧讓；允許。⑨注意；負責。⑩期待。— *v.i.* ①看見。②察看。③考慮。④了解；領會。⑤注意；留心。～ *about* **a.** 注意。**b.** 考察；查詢。～ *after* 照顧。～ *into* 調查。～ *out* 完成；持續到…結束。～ *over* 檢查；調查。～ *somebody off* 送行。～ *things* 有幻想；有幻覺。～ *through* **a.** 看透；識破。**b.** 把…堅持到底；使順利通過；使…度過(危機等)。～ *to* 注意。— **a·ble,** *adj.*

see[2] *n.* Ⓒ主教的職權[轄區]。

‡**seed** [sid] *n.*(*pl.* **～s,** ～)①ⓊⒸ種；種子。②Ⓤ子孫；後裔。③Ⓒ(常 *pl.*)根源。④Ⓤ精子；蟲卵。⑤Ⓒ〖運動〗種子選手。*go* [*run*] *to* ～ **a.** 結子。**b.** 衰頹。— *v.i.* ①結實；生子。②播種。— *v.t.* ①播種於。②去…之種子。③〖運動〗配(種子選手)於比賽之各組。§～ còat〖植〗種皮。～ còral (作裝飾用的)珊瑚粒。～ cŏrn 穀種。～ lèaf 子葉。～ mòney〖美〗種子基金(基金會用以吸收更多資金)。～ òyster 蠔種。～ pèarl (¼ grain 以下的)小粒珍珠；米珠。～ plànt 種子植物。～ vèssel 包種子的莢、外殼等。— **like,** *adj.* — **er,** *n.*

seed·bed [ˋsid͵bɛd] *n.* Ⓒ苗床。

seed·case [ˋsid͵kes] *n.* Ⓒ〖植〗①蒴。②種子外衣。

seed·ing [ˋsidɪŋ] *n.* Ⓤ①播種。②結實。③〖競賽〗種子選手分配。④(人造雨時)撒乾冰。

seed·ing-ma·chine [ˋsidɪŋmə͵ʃin] *n.* Ⓒ播種機。

seed·less [ˋsidlɪs] *adj.* 無核的。

seed·ling [ˋsidlɪŋ] *n.* Ⓒ①從種子中長出的植物。②(三呎以下的)幼木；樹苗。③苗圃中供移植的籽苗。

seed·y [ˋsidɪ] *adj.* ①多種子的。②多氣泡的。③(衣著)寒酸的；破舊的。④〖俗〗精神不佳的；不適的。— **seed′i·ly,** *adv.*

***see·ing** [ˋsiɪŋ] *conj.* 因爲；既然；鑑於(=since). — *n.* Ⓤ①看見。②視覺。§ S～ Èye (dòg) 導盲犬。

‡**seek**[sik] *v.t.* (**sought**)①尋覓。②尋求；請求。③企圖獲得；嘗試。④往。— *v.i.* 尋覓〔after, for〕. — **er,** *n.*

‡**seem** [sim] *v.i.* 似乎是；看似；似乎。

seem·ing [ˋsimɪŋ] *adj.* 彷彿的；似乎的；表面上的。— *n.* Ⓤ 外貌；外觀。— **ly,** *adv.*

seem·ly [ˋsimlɪ] *adj.* ①合適的；端莊的。②貌美的。— *adv.* 合適地。

‡**seen** [sin] *v.* pp. of **see**[1].

seep [sip] *v.i.* ①滲。②(觀念等)滲入；普及；擴大。③混合；滲透。

seep·age [ˋsipɪdʒ] *n.* Ⓤ滲(出物)。

seer *n.* Ⓒ ① [sɪr] 預言家；先知；卜者。② [ˋsiɚ] 觀看者。

seer·ess [ˋsɪrɪs] *n.* Ⓒ女預言者。

seer·suck·er [ˋsɪr͵sʌkɚ] *n.* Ⓤ (印度織的)泡泡紗。

see·saw [ˋsi͵sɔ] *n.* ①Ⓤ 蹺蹺板(遊戲)。②ⓊⒸ上下或前後移動。— *v.i.* 玩蹺蹺板；上下動；前後動。— *adj.* ①上下或前後動的。②拉鋸式的。§～ gàme 拉鋸戰。

seethe [sið] *v.i.* ①翻騰；沸騰。②起泡沫。③激昂；騷動。— *v.t.* ①漬；浸。②煮。— **seeth′ing,** *adj.*

see-through [ˋsi͵θru] *adj.* 透明的。— *n.* ①Ⓒ透明的服飾。②ⓊⒸ穿著此種服飾之時尚。

***seg·ment** [ˋsɛgmənt] *n.* Ⓒ①片；部分；斷片。②〖數〗段；節。— *v.i.* & *v.t.* 分割(成部分)。— **seg·men′tal,** *adj.* — **seg·men·ta′tion,** *n.*

seg·re·gate [ˋsɛgrɪ͵get] *v.t.* ①使隔離。②強制隔離(不同種族、宗教信仰等)。— *v.i.* ①分離。②(依種族、性別)採取隔離政策。— [ˋsɛgrəgɪt] *adj.* 隔離的；分離的。— **seg·re·ga′tion,** *n.*

seg·re·gat·ed [ˋsɛgrə͵getɪd] *adj.* ①被隔離的。②採取(種族、性別等)隔離政策的。

seg·re·ga·tion·ist [͵sɛgrɪˋgeʃənɪst] *n.* Ⓒ & *adj.* 主張種族[性別、宗教]隔離者(的)。

sei·gnior [ˋsinjɚ] *n.* Ⓒ①封建君主；諸侯。②先生(尊稱，相當於 Sir). (亦作 **seigneur**)

seine [sen] *n.* Ⓒ大捕魚網；拖網；圍網。— *v.i.* & *v.t.* 以該種網捕魚。

S

Seine [sen] *n.* (the ～)塞納河(在法國北部貫穿巴黎，流入英吉利海峽)。

seis·mic [ˋsaɪzmɪk] *adj.* 地震的；由地震引起的。(亦作 **seismal**)

seismo- 〖字首〗表「地震」之義。

seis·mo·graph [ˋsaɪzmə͵græf] *n.* Ⓒ 地震儀。

seis·mog·ra·phy [saɪzˋmɑgrəfɪ] *n.* Ⓤ ①地震檢測法。②地震學。

seis·mol·o·gy [saɪzˋmɑlədʒɪ] *n.* Ⓤ 地震學。— **seis·mol′o·gist,** *n.* — **seis·mo·log′i·cal** [-ˋlɑdʒɪkl̩], *adj.*

seis·mom·e·ter [saɪzˋmɑmətɚ] *n.* Ⓒ 地震檢波器。

***seize** [siz] *v.t.* ①捉；握；攫取。②了解；掌握；明白。③攻佔；侵襲。④占有；扣押。— *v.i.* ①攫取；強取〔on, upon〕。②(機器因過熱而)卡住。③訴諸〔常 on, upon〕。

sei·zin [ˋsizɪn] *n.* Ⓒ 〖法律〗土地的占有；占有地；占有物；財產。

sei·zure [ˋsiʒɚ] *n.* ① Ⓤ 捉住；奪取。② Ⓤ 扣押；沒收。③ Ⓒ (疾病的)侵襲；發作。④ Ⓒ 扣押品；捕獲物。

‡**sel·dom** [ˋsɛldəm] *adv.* 很少；不常；罕；難得。

***se·lect** [səˋlɛkt] *v.t.* 選擇；挑選。— *adj.* ①精選的。②挑剔的；苛擇的。§ ～ **commíttee**(立法機關等)特別委員會。— **a·ble,** *adj.* — **ly,** *adv.* — **ness,** *n.*

se·lect·ee [sə͵lɛkˋti] *n.* Ⓒ 應召兵；徵募兵。

***se·lec·tion** [səˋlɛkʃən] *n.* ① Ⓤ Ⓒ 選擇；挑選；淘汰。② Ⓒ 選出的人或物；精選品。

se·lec·tive [səˋlɛktɪv] *adj.* ①選擇的；淘汰的。②〖無線〗選擇性的。§ ～ **sérvice** 義務兵役(制度)。— **ly,** *adv.*

se·lec·tiv·i·ty [sə͵lɛkˋtɪvətɪ] *n.* Ⓤ ①選擇；選擇性；精選。②〖無線〗選擇性。

se·lec·tor [səˋlɛktɚ] *n.* Ⓒ ①選擇者；選拔者；精選者。②選擇器；選波器；變速桿；變速器。③〖澳〗小農。

Se·le·ne [səˋlini] *n.* 〖希神〗色麗妮(月之女神；相當於羅馬神話中的 Luna)。

***self** [sɛlf] *n.* (*pl.* **selves**) ①**a.** Ⓒ 自身；本身；自己。**b.** Ⓤ (常the ～) 自我。② Ⓒ 本質；本性。③ Ⓤ 私心；私欲。④ Ⓤ 〖俗〗我；我自己(=me, myself)；本人。— *adj.* (品質、顏色等)同一性質的；一致的。— *pron.* 我自己、他自己等。

self- 〖字首〗表「及於自己的；由自己發出的」之義。

self-a·base·ment [ˋsɛlfəˋbesmənt] *n.* Ⓤ 自卑；自貶。

self-ab·ne·ga·tion [ˋsɛlf͵æbnəˋgeʃən] *n.* Ⓤ 自我犧牲；克己；自制。

self-ab·sorbed [ˋsɛlfəbˋsɔrbd] *adj.* 專心於自身利益的；自我專注的。

self-ab·sorp·tion [ˋsɛlfəbˋsɔrpʃən] *n.* Ⓤ 專心於一己之利益或事務。

self-a·buse [ˋsɛlfəˋbjus] *n.* Ⓤ ①自責。②(委婉語)手淫。

self-act·ing [ˋsɛlfˋæktɪŋ] *adj.* 自動的。

self-ad·dressed [ˋsɛlfəˋdrɛst] *adj.* (為方便回信，信封等)有發信人姓名住址的；寫給自己的。

self-ad·just·ing [ˋsɛlfəˋdʒʌstɪŋ] *adj.* 自動調節的。

self-ap·point·ed [ˋsɛlfəˋpɔɪntɪd] *adj.* 自薦的；自己指定的；自封的。

self-as·ser·ting [ˋsɛlfəˋsɝtɪŋ] *adj.* 堅持己見的；逞強的。

self-as·ser·tion [ˋsɛlfəˋsɝʃən] *n.* Ⓤ ①堅持己見。②逞強；逞能。— **self′-as·ser′tive,** *adj.*

self-as·sur·ance [ˋsɛlfəˋʃurəns] *n.* Ⓤ ①自信。②自持；自滿。

self-as·sured [ˋsɛlfəˋʃurd] *adj.* 有自信的；自信心強的。

self-cen·tered [ˋsɛlfˋsɛntɚd] *adj.* ①自我中心的。②自私自利的。

self-col·lect·ed [ˋsɛlfkəˋlɛktɪd] *adj.* 沈著的；泰然自若的。

self-col·o(u)red [ˋsɛlfˋkʌlɚd] *adj.* ①單色的。②天然色的；本色的。

self-com·mand [ˋsɛlfkəˋmænd] *n.* Ⓤ 自制；克己。

self-com·mun·ion [ˋsɛlfkəˋmjunjən] *n.* Ⓤ 自省；內省。

self-com·pla·cence [ˋsɛlfkəmˋplesn̩s] *n.* Ⓤ 自我陶醉；自滿。— **self′-com·pla′cent,** *adj.*

self-com·posed [ˋsɛlfkəmˋpozd] *adj.* 鎮定自若的；沈著的。

self-con·ceit [ˋsɛlfkənˋsit] *n.* Ⓤ 自大；自滿；自負。— **ed,** *adj.*

self-con·fi·dence [͵sɛlfˋkɑnfədəns] *n.* Ⓤ 自信。— **self-con′fi·dent,** *adj.* — **self-con′fi·dent·ly,** *adv.*

***self-con·scious** [ˋsɛlfˋkɑnʃəs] *adj.* 自覺的；有自我意識的；不自然的；忸怩的。— **ly,** *adv.*

self-con·sist·ent [ˋsɛlfkənˋsɪstənt] *adj.* 前後一致的；不自相矛盾的。

self-con·tained [ˋsɛlfkənˋtend] *adj.* ①寡言的；不衝動的。②配備齊全的。③自足的；獨門獨戶的。

self-con·tent [ˋsɛlfkənˋtɛnt] *n.* Ⓤ 自滿自足。— **ed,** *adj.*

self-con·tra·dic·tion [ˋsɛlf͵kɑntrəˋdɪkʃən] *n.* ① Ⓤ 自相矛盾；前後矛盾。② Ⓒ 自相矛盾的聲明[命題]。

self-con·tra·dic·to·ry [ˋsɛlf͵kɑntrəˋdɪktərɪ] *adj.* 自相矛盾的。

***self-con·trol** [ˋsɛlfkənˋtrol] *n.* Ⓤ 克己；自制。

self-cor·rect·ing [ˋsɛlfkəˋrɛktɪŋ] *adj.* (機器等)自動修正的。

self-de·cep·tion [ˋsɛlfdɪˋsɛpʃən] *n.* Ⓤ 自欺。— **self′-de·cep′tive,** *adj.*

self-de·fense, 〖英〗**-fence** [ˋsɛlfdɪˋfɛns] *n.* Ⓤ 自衛；正當防衛。— **self′-de·fen′sive,** *adj.*

self-de·ni·al [ˋsɛlfdɪˋnaɪəl] *n.* Ⓤ 自制；克己；自我犧牲；忘我。

self-de·ny·ing [ˋsɛlfdɪˋnaɪɪŋ] *adj.* 自我犧牲的；忘我的。

self-de·pend·ent [ˋsɛlfdɪˋpɛndənt] *adj.* 依靠自己的；自立的。— **self′-depend′ence,** *n.*

self-de·struct [ˋsɛlfdɪsˋtrʌkt] *v.t.*

自我毀滅；消失。

self-de·struc·tion [ˋsɛlfdɪˋstrʌkʃən] *n.* Ⓤ 自殺；自毀。— **self′-de·struc′tive,** *adj.*

self-de·ter·mi·na·tion [ˋsɛlfdɪˏtɜməˋneʃən] *n.* Ⓤ ①自己決定；自決。②民族自決。

self-de·vo·tion [ˋsɛlfdɪˋvoʃən] *n.* Ⓤ 自我犧牲；獻身。

self-dis·ci·pline [ˏsɛlfˋdɪsəplɪn] *n.* Ⓤ 自我訓練；自我修養；自律；自制。

self-dis·cov·er·y [ˋsɛlfdɪsˋkʌvərɪ] *n.* ⓊⒸ 自我發現。

self-ed·u·cat·ed [ˏsɛlfˋɛdʒəˏketɪd] *adj.* 自修的；自習的。— **self-ed·u·ca′tion,** *n.*

self-ef·face·ment [ˋsɛlfɛˋfesmənt] *n.* Ⓤ 謙讓；不出風頭。

self-em·ployed [ˋsɛlfɛmˋplɔɪd] *adj.* 自雇的；自己經營的。

self-es·teem [ˋsɛlfəˋstim] *n.* Ⓤ 自尊；自負；自大；自滿。

self-ev·i·dent [ˏsɛlfˋɛvədənt] *adj.* 不證自明的；不言而喻的。

self-ex·am·i·na·tion [ˋsɛlfɪgˏzæməˋneʃən] *n.* Ⓤ 自省；自我批判。

self-ex·ist·ent [ˋsɛlfɪgˋzɪstənt] *adj.* 自存的；自然而然的。

self-ex·plain·ing [ˋsɛlfɪkˋsplenɪŋ] *adj.* 意義自明的。

self-ex·plan·a·to·ry [ˋsɛlfɪkˋsplænəˏtorɪ] *adj.* 意義明顯的；不解自明的。

self-ex·pres·sion [ˋsɛlfɪkˋsprɛʃən] 「*n.* Ⓤ 自我表現。」

self-for·get·ful [ˋsɛlffɚˋgɛtfəl] *adj.* 忘我的；無私的。

self-ful·fil(l)·ment [ˋsɛlffulˋfɪlmənt] *n.* Ⓤ 自我實現。— **self′-ful·fill′ing,** *adj.*

self-glo·ri·fi·ca·tion [ˋsɛlfˏglorɪfəˋkeʃən] *n.* Ⓤ 優越感；自命不凡；自負；自讚。

self-gov·ern·ing [ˏsɛlfˋgʌvɚnɪŋ] *adj.* 自治的；自己管理的。

self-gov·ern·ment [ˏsɛlfˋgʌvɚnmənt] *n.* Ⓤ ①自制；克己。②自治；自治制。

self-guid·ed [ˋsɛlfˋgaɪdɪd] *adj.* 自導的；自動導向的。a ～ missile 自動導向飛彈。

self-help [ˏsɛlfˋhɛlp] *n.* Ⓤ 自助；自立(不求別人的幫助)。

self-im·mo·la·tion [ˋsɛlfˏɪməˋleʃən] *n.* Ⓤ 自我犧牲(如自焚)。

self-im·por·tant [ˋsɛlfɪmˋpɔrtn̩t] *adj.* 自誇的；自大的；自視過高的。— **self′-im·por′tance,** *n.*

self-im·posed [ˋsɛlfɪmˋpozd] *adj.* 自己加給自己的；自願承擔的。

self-im·prove·ment [ˋsɛlfɪmˋpruvmənt] *n.* Ⓤ 自我改進；自修。

self-in·duc·tion [ˏsɛlfɪnˋdʌkʃən] *n.* Ⓤ〖電〗自感應。

self-in·dul·gence [ˋsɛlfɪnˋdʌldʒəns] *n.* Ⓤ 放縱自己。— **self′-in·dul′gent,** *adj.* — **self′-in·dul′gent·ly,** *adv.*

self-in·flict·ed [ˋsɛlfɪnˋflɪktɪd] *adj.* 自使蒙受的；加於自己的。

self-in·ter·est [ˏsɛlfˋɪntərɪst] *n.* Ⓤ 私利；利己；私慾；私心。

***self·ish** [ˋsɛlfɪʃ] *adj.* 自私的；自利的；利己的；自我本位的。— **ly,** *adv.* — **ness,** *n.*

self-knowl·edge [ˏsɛlfˋnɑlɪdʒ] *n.* Ⓤ 自知；自覺；自我認識。

self·less [ˋsɛlflɪs] *adj.* 忘我的；無私的。

self-love [ˋsɛlfˋlʌv] *n.* Ⓤ 自私；自愛；自憐。

self-made [ˋsɛlfˋmed] *adj.* ①自製的。②白手起家的；自力完成的。

self-mov·ing [ˏsɛlfˋmuvɪŋ] *adj.* 自動(式)的。

self-o·pin·ion·at·ed [ˏsɛlfəˋpɪnjənˏetɪd] *adj.* ①固執己見的；頑固的。②過於自負的。

self-pit·y [ˏsɛlfˋpɪtɪ] *n.* Ⓤ 自憐。

self-pleased [ˋsɛlfˋplizd] *adj.* 自得的；自滿的。

self-pol·li·nat·ed [ˋsɛlfˋpɑləˏnetɪd] *adj.*〖植〗自花受粉的。— **self′-pol·li·na′tion,** *n.*

self-pos·ses·sion [ˋsɛlfpəˋzɛʃən] *n.* Ⓤ 沈著；鎮靜；泰然自若。— **self′-pos·sessed′,** *adj.*

self-praise [ˋsɛlfˋprez] *n.* Ⓤ 自「誇。」

self-pres·er·va·tion [ˋsɛlfprɛzɚˋveʃən] *n.* Ⓤ 自我保存；自保；自衛。

self-re·al·i·za·tion [ˋsɛlfˏriələˋzeʃən] *n.* Ⓤ 自我實現；自己能力[才能]的發揮。

self-re·cord·ing [ˋsɛlfrɪˋkɔrdɪŋ] *adj.* 自動記錄的。

self-re·gard [ˋsɛlfrɪˋgɑrd] *n.* = self-love.

self-re·li·ance [ˋsɛlfrɪˋlaɪəns] *n.* Ⓤ 自恃；自立。— **self-re·li′ant,** *adj.*

self-re·proach [ˋsɛlfrɪˋprotʃ] *n.* Ⓤ 自責；自譴。

***self-re·spect** [ˋsɛlfrɪˋspɛkt] *n.* Ⓤ 自尊；自重。

self-re·straint [ˋsɛlfrɪˋstrent] *n.* Ⓤ 自制；克己。

self-re·veal·ing [ˋsɛlfrɪˋvilɪŋ] *adj.* 自我揭露的；坦白無隱的。

self-right·eous [ˏsɛlfˋraɪtʃəs] *adj.* 僞善的；自以爲是的。

self-rule [ˋsɛlfˋrul] *n.* Ⓤ 自治。

self-sac·ri·fice [ˏsɛlfˋsækrəˏfaɪs] *n.* Ⓤ 自我犧牲；獻身。— **self-sac′ri·fic·ing,** *adj.*

self·same [ˋsɛlfˏsem] *adj.* 同一的；完全同樣的。— **self·same′ness,** *n.*

self-sat·is·fied [ˋsɛlfˋsætɪsˏfaɪd] *adj.* 自滿的；自鳴得意的；自負的。— **self′-sat·is·fac′tion,** *n.*

self-school·ing [ˋsɛlfˋskulɪŋ] *n.* Ⓤ ①自學；自修。②自律。

self-seal·ing [ˏsɛlfˋsilɪŋ] *adj.* 自行封口的；自固的。

self-search·ing [ˋsɛlfˋsɜtʃɪŋ] *adj.* 自我檢討的。

self-seek·ing [ˋsɛlfˋsikɪŋ] *adj.* 自私的；只圖私利的。— *n.* Ⓤ 自利；自私；追求私利。

S

*self-serv·ice [ˋsɛlfˋsɝvɪs] n. Ⓤ 自助(式); 自我服務。
self-start·er [ˋsɛlfˋstɑrtɚ] n. Ⓒ ①自動起動器。②有自發裝置的汽車[機車]引擎。
self-styled [ˋsɛlfˋstaɪld] adj. 自稱的; 自任的; 自封的。
self-suf·fi·cient [ˋsɛlfsəˋfɪʃənt] adj. ①自給自足的。②妄自尊大的; 自負的。—self′-suf·fi′cien·cy, n.
self-sup·port [ˋsɛlfsəˋport] n. Ⓤ ①自立; 自給; 自撐。②(公司等)自營; 獨資經營。—ing, adj.
self-sur·ren·der [ˋsɛlfsəˋrɛndɚ] n. Ⓤ 自屈; 自甘屈從。
self-sus·tain·ing [ˋsɛlfsəˋstenɪŋ] adj. 自立的; 自給的。
self-taught [ˋsɛlfˋtɔt] adj. 自修的; 自學的; 自學而獲得的。
self-tim·er [ˋsɛlfˋtaɪmɚ] n. Ⓒ〖攝〗自拍裝置。
self-will [ˌsɛlfˋwɪl] n. Ⓤ 固執; 執拗。—ed, adj.
self-wind·ing [ˋsɛlfˋwaɪndɪŋ] adj. (錶等)自動上發條的。
‡sell [sɛl] v.t. (sold) ①出售; 販賣。②背叛; 犧牲; 出賣。③使接受; 使贊成。④使能售出。⑤使購買。⑥〖俚〗欺騙。—v.i. ①賣出。②(商品)被銷售。~ *off* (清除存貨的)廉價出售。~ *one's life dear(ly)* 被殺前使敵蒙受重大損失。~ *out* a. 完全脫售。b.〖俚〗背叛。—n.〖俚〗①(a ~)欺騙; 期待落空之事。②Ⓤ 銷貨(法)。
séll-by dàte [ˋsɛlbaɪ ~] n. Ⓒ (商品)保存期限。
*sell·er [ˋsɛlɚ] n. Ⓒ ①賣者。②銷售物。a good ~ 暢銷商品。§ ~'s màrket 賣方市場。
sell·out [ˋsɛlˌaʊt] n. Ⓒ〖俚〗①賣完。②賣滿座的演出。③(常 *sing.*)〖美〗背叛; 出賣。
Selt·zer [ˋsɛltsɚ] n. Ⓤ 賽爾茲礦泉水(德國 Wiesbaden 地方的礦水)。(亦作 Seltzer water)
sel·vage, -vedge [ˋsɛlvɪdʒ] n. Ⓒ 布的織邊。
*selves [sɛlvz] n. pl. of self.
Sem, Sem. Seminary; Semitic. sem. semicolon. SEM scanning electron microscope. 電子掃瞄顯微鏡。
se·man·tic [səˋmæntɪk] adj. ①語義的; 與語義有關的。②語意[義]學的。—se·man′ti·cist, n.
se·man·tics [səˋmæntɪks] n. Ⓤ 語意[義]學。
sem·a·phore [ˋsɛməˌfor] n. ①Ⓒ 信號機; 信號燈; 信號旗。②Ⓤ 旗語。—v.t. 以信號發出。—v.i. 以信號通訊。
sem·blance [ˋsɛmbləns] n. (*sing.*) ①肖像。②相似; 類似。③外觀; 外貌; 外表; 樣子; 模樣。
se·men [ˋsimən] n. (*pl.* sem·i·na [ˋsɛmɪnə]) ①Ⓤ〖生理〗精液。②ⓊⒸ〖植〗胚種; 種子。
se·mes·ter [səˋmɛstɚ] n. Ⓒ 半學年; 學期。
semi- 〖字首〗表「半」之義。
sem·i·an·nu·al [ˌsɛmɪˋænjuəl] adj. 半年的; 每半年的。—ly, adv.
sem·i·ar·id [ˌsɛməˋærɪd] adj. 半乾燥的。
sem·i·breve [ˋsɛməˌbriv] n. Ⓒ〖樂〗全音符。
sem·i·cir·cle [ˋsɛməˌsɝkl] n. Ⓒ 半圓(形)。
sem·i·cir·cu·lar [ˌsɛmɪˋsɝkjəlɚ] adj. 半圓形的。§ ~ canál〖解〗(耳朵的)半規管。
*sem·i·co·lon [ˋsɛməˌkolən] n. Ⓒ 半支點; 分號(;)。
sem·i·con·duc·tor [ˌsɛməkənˋdʌktɚ] n. Ⓒ 半導體。
sem·i·con·scious [ˌsɛməˋkɑnʃəs] adj.半意識的; 半自覺的; 半清醒的。
sem·i·de·tached [ˌsɛmədɪˋtætʃt] adj. ①半獨立式的(指中隔公牆之兩所毗連房屋而言)。②部分分離的。
sem·i·doc·u·men·ta·ry [ˌsɛməˌdɑkjuˋmɛntərɪ] n. Ⓒ (書籍、影片等的)半記錄作品。
sem·i·fi·nal [ˌsɛməˋfaɪnl] n. Ⓒ〖運動〗準決賽。—adj. 準決賽的。—ist, n. Ⓒ 參加準決賽者。
sem·i·flu·id [ˌsɛməˋfluɪd] n. ⓊⒸ 半流體。—adj. 半流體的。
sem·i·liq·uid [ˌsɛməˋlɪkwɪd] n. & adj. =semifluid.
sem·i·lit·er·ate [ˌsɛməˋlɪtərɪt] adj.半文盲的; 識字但不諳書寫的。
sem·i·lu·nar [ˌsɛməˋlunɚ] adj. 半[新]月形的。—n. Ⓒ 半月形的東西。
sem·i·month·ly [ˌsɛməˋmʌnθlɪ] adj. 半月的; 半月一次的。—adv. 每半月地; 半月一次地。—n. Ⓒ 半月刊。
sem·i·nal [ˋsɛmənl] adj. ①精液的。②〖植〗種子的。③潛在的; 含蓄的。④根本的; 基本的。
sem·i·nar [ˋsɛməˌnɑr] n. Ⓒ ①(大學學生在指導下進行某特定主題的)研討班。②研討室。③講習會; 討論會。
sem·i·nar·y [ˋsɛməˌnɛrɪ] n. Ⓒ ①書院; 學院。②神學院。③發源地; 溫床。④〖古〗(私立的)女子中學。
sem·i·nif·er·ous [ˌsɛməˋnɪfərəs] adj. ①〖解〗含精液的; 輸精的。②〖植〗結種子的。
Sem·i·nole [ˋsɛməˌnol] n. Ⓒ (*pl.* ~, ~s)塞米奴人(爲北美印第安人Creek族之一支)。—adj. 塞米奴人的。
sem·i·nude [ˌsɛməˋnud] adj. 半裸的。
sem·i·of·fi·cial [ˌsɛmɪəˋfɪʃəl] adj.半官方的。a ~ gazette 半官方報紙。—ly, adv.
se·mi·ol·o·gy [ˌsimɪˋɑlədʒɪ] n. Ⓤ ①〖醫〗徵候學。②符號學。③手語。
se·mi·ot·ic [ˌsimɪˋɑtɪk, ˌsɛmɪ-] adj. 〖邏輯, 語言〗符號(學)的。
se·mi·ot·ics [ˌsimɪˋɑtɪks] n. Ⓤ ①〖醫〗症狀學。②〖邏輯, 語言〗符號學。(亦作 semeiotics)
sem·i·pre·cious [ˌsɛməˋprɛʃəs] adj. 準寶石的; 半寶石的; 次貴重的。
sem·i·pro [ˌsɛməˋpro] adj. & n. (*pl.* ~s)〖俗〗=semiprofessional.

sem·i·pro·fes·sion·al [ˌsɛmə-prəˋfɛʃənḷ] *adj.* 半職業性的。**—** *n.* Ⓒ 半職業性的人[選手]。
sem·i·qua·ver [ˋsɛməˌkwevɚ] *n.* Ⓒ〖樂〗十六分音符。
sem·i·skilled [ˌsɛməˋskɪld] *adj.* (工人)半熟練的。
Sem·ite [ˋsɛmaɪt] *n.* Ⓒ 閃族(包括希伯來人、阿拉伯人、亞述人、腓尼基人、巴比倫人等); (現尤指)猶太人。
Se·mit·ic [səˋmɪtɪk] *adj.* 閃族(語)的。**—** *n.* ① Ⓒ 閃族人。② Ⓤ 閃族語(包括 Hebrew, Arabic 等語系)。
sem·i·tone [ˋsɛməˌton] *n.* Ⓒ〖樂〗半音。
sem·i·trans·par·ent [ˌsɛmə-trænsˋpɛrənt] *adj.* 半透明的。
sem·i·trop·i·cal [ˌsɛməˋtrɑpɪkḷ] *adj.* 亞熱帶的。
sem·i·vow·el [ˋsɛməˌvauəl] *n.* Ⓒ〖語音〗半母音。
sem·i·week·ly [ˌsɛməˋwiklɪ] *adj.* 一週二次的; 每半週一次的。**—** *n.* Ⓒ 半週刊。**—** *adv.* 一週二次地。
sem·i·year·ly [ˌsɛməˋjɪrlɪ] *adj.* 每年兩次的; 半年一次的。**—** *n.* Ⓒ 半年刊。**—** *adv.* 每年兩次地; 半年一次地。
sem·o·li·na [ˌsɛməˋlinə] *n.* Ⓤ 粗小麥粉。
semp·stress [ˋsɛmpstrɪs] *n.* Ⓒ 女裁縫。(亦作 **seamstress**)
***sen·ate** [ˋsɛnɪt] *n.* ① **a.** (S-) Ⓒ 參[上]議院。**b.** Ⓒ 參[上]議院議場。② Ⓒ (常 the ～) (大學等的)評議委員會。③(the ～) (古希臘、羅馬的)元老院。§ ～ **hòuse** (1)參議院議場。(2)英國劍橋大學評議員辦公處。
***sen·a·tor** [ˋsɛnətɚ] *n.* Ⓒ ①(常 S-) 參議員。②(大學的)評議委員。③(古羅馬)元老院議員。— **ship,** *n.* — **sen·a·to′ri·al,** *adj.*
‡**send** [sɛnd] *v.t.* (**sent**) ①遣; 派; 使往。②送; 傳遞; 傳達。③促使。④施與; 賜給。⑤拋; 擲。⑥送出; 送到。⑦發出〔常 forth, off, out, through〕。⑧〖電〗發出信號。⑨〖俚〗使興奮。⑩迫使。⑪引起…上升或下降。**—** *v.i.* ①遣使。②〖電〗送出(信號)。～ ***away*** **a.** 解僱(僕人等)。**b.** 寫信或派人至遠方。～ ***down*** **a.** 使下降; 使減低。**b.** (英牛津、劍橋大學等)開除(學生); 勒令…停學。～ ***for*** 延請。～ ***forth*** **a.**生出; 發出。**b.** 出版。～ ***in*** **a.** 送…參加展覽。**b.** 命[請]…進來。～ ***off*** **a.** 發貨; 送貨。**b.** 送別。**c.** 差遣; 辭退。～ ***on*** **a.** 轉送; 轉寄。**b.**先送; 先寄。～ ***out*** **a.** 放射; 放出。**b.** 生出; 長出。**c.** 分發。～ ***up*** **a.**使上揚; 使升高。**b.**使高升(職位)。**c.**〖俚〗處…以徒刑; 送進監獄。**d.** (經由模仿)嘲弄。～ ***word***通知。
send·er [ˋsɛndɚ] *n.* Ⓒ ①送者; 發送人; 發貨人。②(電話的)送話器; (電報的)發報機。
send-off [ˋsɛndˌɔf] *n.* Ⓒ〖俚〗①話別會; 送別會。②發動; 起動。
send-up [ˋsɛndˌʌp] *n.* Ⓒ〖英俗〗(模仿別人動作等的)嘲弄; 戲謔; 打油詩; 諷刺詩文。
Sen·e·ca [ˋsɛnɪkə] *n.* 塞尼加(Lucius Annaeus, 4B.C.? -A.D.65, 羅馬政治家、哲學家及悲劇作家)。
Sen·e·gal [ˌsɛnɪˋgɔl] *n.* 塞內加爾(非洲西海岸一共和國, 首都Dakar).
sen·es·chal [ˋsɛnəʃəl] *n.* Ⓒ (中世紀貴族的)管家; 總管; 執事。
se·nile [ˋsinaɪl] *adj.* 老年的; 衰老的。**—** *n.* Ⓒ 老年人; 衰老者。— **se·nil·i·ty** [səˋnɪlətɪ], *n.*
‡**sen·ior** [ˋsinjɚ] *adj.*①年長(者)的(爲表示同姓同名父子中的父親, 或同姓的兩個學生中的年長者而加在其姓氏後面。常略作 **Sen., Senr., Sr.**)。②上級的; 高級的; 前輩的。③〖美〗(大學或四年制中學之)四年級的; 畢業班的。④(軍官等)資深的。**—** *n.* Ⓒ ①年長者。②上司; 前輩。③〖美〗(大學或四年制中學之)四年級學生; 畢業班學生。§ ～ **cítizen** 高齡者; 老年人。～ **hígh schòol** 〖美〗高級中學。
sen·ior·i·ty [sinˋjɔrətɪ] *n.* Ⓤ ①年長。②資深; 高資歷。§ ～ **rúle**〖美〗資深慣例。
sen·na [ˋsɛnə] *n.* ① Ⓒ〖植〗旃那。② Ⓤ 旃那葉(通便劑)。
se·ñor [senˋjɔr] 〖西〗*n.* (*pl.* **se·ño·res** [～es], **～s**) ①(S-)…先生(=Mr.). (略作 **Sr.**) ② Ⓒ 紳士。
se·ño·ra [senˋjorə] 〖西〗*n.* ①(S-)…夫人。② Ⓒ 女士。
se·ño·ri·ta [ˌsenjəˋritə] 〖西〗*n.* ①(S-)…小姐(對未婚女子的稱呼)。② Ⓒ 小姐; 姑娘。
***sen·sa·tion** [sɛnˋseʃən] *n.* ① Ⓤ Ⓒ 感覺; 知覺。② Ⓒ 興奮的感情; 感受。③ Ⓒ 大轟動; 聳人聽聞的事件。
sen·sa·tion·al [sɛnˋseʃənḷ] *adj.* ①聳人聽聞的; 令人激動的。②企圖激起強烈感情的。③感覺的; 知覺的。④〖哲〗感覺論的。— **ly,** *adv.*
sen·sa·tion·al·ism [sɛnˋseʃənḷ-ˌɪzəm] *n.* Ⓤ ①激情[煽情]主義; 譁衆取寵。②〖哲〗感覺論。— **sen·sa′tion·al·ist,** *n.*
‡**sense** [sɛns] *n.* ① Ⓒ 感官; 官能。② Ⓤ 感覺; 知覺。③ Ⓤ 直覺; 感覺能力。④ Ⓤ 判斷力; 見識。⑤(*pl.*)理性; 神智。⑥ Ⓒ 意義; 意味。⑦ Ⓤ 輿情。***come to one's ～s*** **a.** 醒悟。**b.** 恢復知覺。***in a ～*** 在某一方面來說。***in one's*** (***right***) ***～s*** 神智正常。***make ～*** 講得通; 合理的。***out of one's*** (***right***) ***～s***神智失常。***talk ～*** 說話有理。**—** *v.t.* ①覺得; 感知。②〖俗〗了解; 領悟。§ ～ **òrgan** 感覺器官。
***sense·less** [ˋsɛnslɪs] *adj.* ①無感覺的; 不省人事的。②無知的; 愚蠢的。③(語詞等)無意義的。
***sen·si·bil·i·ty** [ˌsɛnsəˋbɪlətɪ] *n.* Ⓤ ①感覺; 感覺能力。②(常 *pl.*)敏感; 敏感性。③(常 *pl.*)情感。
***sen·si·ble** [ˋsɛnsəbḷ] *adj.* ①可感覺的。②明智的; 有理性的。③感知的。④敏感的。⑤(數量等)相當大的。
***sen·si·tive** [ˋsɛnsətɪv] *adj.* ①有感

覺的。②敏感的；神經過敏的；感覺靈敏的。③敏於理解的；能辨好壞的。④易受影響的。⑤仁慈的；易受感動的。⑥易受傷害的。⑦易感光的。⑧(職務等)涉及高度機密的。⑨(秤或溫度器等)靈敏的。§ ∼ **plànt** 含羞草。— **ly,** *adv.* — **ness,** *n.*

sen·si·tiv·i·ty [͵sɛnsə`tɪvətɪ] *n.* Ⓤ①敏感度；靈敏度。②〖攝〗(底片的)感光度。③〖無線〗感度。

sen·si·tize [`sɛnsə͵taɪz] *v.t.* ①使敏感。②〖攝〗使(底片)易於感光。

sen·sor [`sɛnsɚ] *n.* Ⓒ 感測器；探測器(對光、聲音等起反應的感應器)。

sen·so·ri·al [sɛn`sorɪəl] *adj.* = **sensory.**

sen·so·ry [`sɛnsərɪ] *adj.* 感覺的；感官的。

sen·su·al [`sɛnʃuəl] *adj.* ①肉體上的；官能的。②(耽於)肉慾的；好色的。③享樂主義的。

sen·su·al·ism [`sɛnʃuəl͵ɪzəm] *n.* Ⓤ①〖哲〗感覺論。②〖藝術〗官能主義。③〖倫理〗快樂主義。④耽於肉慾；好色。— **sen′su·al·ist,** *n.*

sen·su·al·i·ty [͵sɛnʃu`ælətɪ] *n.* Ⓤ ①淫蕩；好色。②感覺性。

sen·su·ous [`sɛnʃuəs] *adj.* ①感官的；感覺的。②訴諸感覺的。③感覺敏銳的；敏感的。

‡**sent** [sɛnt] *v.* pt. & pp. of **send.**

‡**sen·tence** [`sɛntəns] *n.* ① Ⓒ 句子；句。② **a.** Ⓤ 宣判；判決。**b.** Ⓒ 刑罰。③ Ⓒ〖古〗格言。***be under ∼ of death*** 已被宣判死刑。***pass ∼*** 宣判刑罰。***serve a ∼*** 服刑。— *v.t.* 宣判；判決。— **sen·ten′tial,** *adj.*

sen·ten·tious [sɛn`tɛnʃəs] *adj.* ①簡潔精鍊的。②好用警句的。③好說教的；自以爲正義的。— **ly,** *adv.*

sen·tient [`sɛnʃənt] *adj.* 知覺的；感覺的。— **sen′tience, sen′tien·cy,** *n.*

***sen·ti·ment** [`sɛntəmənt] *n.* ① Ⓤ (常 *pl.*)情感；情緒；情操。② Ⓤ 傷感；多愁善感。③ Ⓒ (常 *pl.*)意見；觀點。

***sen·ti·men·tal** [͵sɛntə`mɛntḷ] *adj.* ①情感的；情緒的。②感情用事的；多愁善感的；感傷的。— **ly,** *adv.*

sen·ti·men·tal·ism [͵sɛntə`mɛntḷ͵ɪzəm] *n.* Ⓤ 感情[感傷]主義。— **sen·ti·men′tal·ist,** *n.*

sen·ti·men·tal·i·ty [͵sɛntəmɛn`tælətɪ] *n.* Ⓤ 溺於感情；多愁善感；傷感；感傷性。

sen·ti·men·tal·ize [͵sɛntə`mɛntḷ͵aɪz] *v.i. & v.t.* 感情用事；(使)感傷。

sen·ti·nel [`sɛntənḷ] *n.* Ⓒ ①哨兵；步哨。②守衛人。***stand ∼ over*** 守衛。— *v.t.* (-l-,〖英〗-ll-) 在…放哨；看管。

sen·try [`sɛntrɪ] *n.* Ⓒ 哨兵；步哨；守望者。***go on ∼*** 上哨；當哨。***stand ∼*** 站崗；看顧；守護。§ ∼ **bòx** 哨兵崗位；哨亭。∼ **gò** 換哨命令；步哨勤務(亦作 sentry-go)。

Se·oul [sol, se`ol] *n.* 漢城(大韓民國首都)。

Sep. September.

se·pal [`sipḷ] *n.* Ⓒ〖植〗萼片。

sep·a·ra·ble [`sɛpərəbḷ] *adj.* 能分開的；可區分的。— **sep·a·ra·bil′i·ty,** *n.*

‡**sep·a·rate** [`sɛpə͵ret] *v.t.* ①分離；分開；隔開。②開除；開革；遣散。— *v.i.* 分離；脫離；分開；分居。— [`sɛpərɪt] *adj.* 分離的；分開的；單獨的。— *n.* ①(*pl.*)可分開穿著的女裝。② Ⓒ (雜誌等的)抽印本。§ ∼ **bróther** 〖天主教〗非天主教徒。∼ **estáte**[**próperty**](妻之)獨有財產。— **ly,** *adv.*

***sep·a·ra·tion** [͵sɛpə`reʃən] *n.* ① ⓊⒸ 分離；分開；獨立；脫離。② Ⓒ 間隔；距離。③ ⓊⒸ 分居。④ Ⓒ 缺口；孔；裂口。⑤ Ⓤ〖美〗退役；解雇；開除。§ ∼ **allòwance** 軍屬津貼。∼ **cènter** 軍隊復員中心。∼ **pày** 遣散費。

sep·a·ra·tism [`sɛpərə͵tɪzəm] *n.* Ⓤ ①〖政，宗〗分離主義。②獨立主義。— **sep′a·ra·tist,** *n.*

sep·a·ra·tor [`sɛpə͵retɚ] *n.* Ⓒ ①分離者。②分離器；選礦機；隔離板。

se·pi·a [`sipɪə] *n.* ① Ⓤ 烏賊的墨汁。② Ⓤ 用烏賊墨汁製成的深褐色顏料。③ Ⓒ 用此顏料所繪製之圖。④ Ⓤ 深褐色。— *adj.* 暗褐色的。

sep·sis [`sɛpsɪs] *n.* ⓊⒸ〖醫〗敗血症。

Sept. September; Septuagint.

‡**Sep·tem·ber** [sɛp`tɛmbɚ] *n.* 九月(略作 **Sept., Sep.**)。§ ∼ **Mássacre** 九月大屠殺(法國大革命時對保皇黨及巴黎監獄囚犯的大屠殺)。

sep·ten·ni·al [sɛp`tɛnɪəl] *adj.* 七年的；每七年的；七年一次的。

sep·tet(te) [sɛp`tɛt] *n.* Ⓒ①七人或七個一組。②〖樂〗七重奏；七重唱；七部合奏曲。

sep·tic [`sɛptɪk] *adj.* 致使腐敗的；敗血性的。§ ∼ **tànk** 淨化槽；化糞池。

sep·ti·cae·mi·a [͵sɛptə`simɪə] *n.* Ⓤ〖醫〗敗血症。(亦作 **septicemia**)

sep·tu·a·ge·nar·i·an [͵sɛptʃuədʒə`nɛrɪən] *adj. & n.* Ⓒ 七十多歲的(人)。

Sep·tu·a·gint [`sɛptʃuə͵dʒɪnt] *n.* (the ∼)七十子希臘文舊約聖經(由七十或七十二位猶太學者譯成)。

sep·tum [`sɛptəm] *n.* Ⓒ (*pl.* **-ta** [-tə])〖生物〗隔膜；隔壁；中隔。

sep·tu·ple [`sɛptupḷ] *adj.* 七倍的。— *v.t.* 使成七倍；以七乘。

sep·ul·cher, 〖英〗**-chre** [`sɛpḷkɚ] *n.* Ⓒ 墳墓；塚。***a whited ∼*** 僞君子。***the Holy S-*** 聖墓(耶穌之墓)。— *v.t.* 埋葬。

se·pul·chral [sə`pʌlkrəl] *adj.* ①墳墓的。②陰森森的。

sep·ul·ture [`sɛpḷtʃɚ] *n.* Ⓤ 埋葬。

se·quel [`sikwəl] *n.* Ⓒ①(小說等的)續集；續篇；後續。②結果；結局。***as a ∼ to***[***of***] 由於…的結果。***in the ∼*** 結果；到後來。

se·quence** [`sikwəns] *n.* ① Ⓤ 繼續；繼起。② Ⓤ 次第；順序；關聯。③ Ⓒ 後果；結局。the ∼ of tenses***〖文法〗時態的一致。

se·quent [`sikwənt] *adj.* ①繼續的；連續的。②結果的。③繼起的；繼承的。— *n.* Ⓒ 結果；繼起之事物。

se·quen·tial [sɪˋkwɛnʃəl] *adj.* 隨之而來的; 連續的; 結果的。— **ly,** *adv.*
se·ques·ter [sɪˋkwɛstɚ] *v.t.* ①扣押; 沒收。②使退隱; 分離; 隔離。③扣押(敵產)。
se·ques·tered [sɪˋkwɛstɚd] *adj.* 退隱的; 孤立的; 幽僻的。
se·ques·trate [sɪˋkwɛstret] *v.t.* 〖法律〗①假扣押。②查封; 沒收。— **se·ques·tra′tion,** *n.*
se·quin [ˋsikwɪn] *n.* Ⓒ (衣服上作飾物用的)亮片。
se·quoi·a [sɪˋkwɔɪə] *n.* ⓊⒸ〖植〗美洲杉; 紅杉。§ **S∼ Nátional Párk** 紅杉國家公園(美國加州中部之國家公園)。
se·ra [ˋsɪrə] *n.* pl. of **serum.**
se·ra·glio [sɪˋræljo] *n.* Ⓒ (*pl.* ∼**s**) ①土耳其皇宮。②(回教國家的)後宮。(亦作 **serail**)
se·ra·pe [sɛˋrapɪ] *n.* Ⓒ 色拉披(拉丁美洲人穿的彩色披毯)。
ser·aph [ˋsɛrəf] *n.* Ⓒ (*pl.* ∼**s, ser·a·phim** [-ə,fɪm])六翼天使(九級天使中地位最高者)。— **se·raph·ic** [səˋræfɪk], — **like,** *adj.*
Serb [sɝb] *adj.* 塞爾維亞(人, 語)的。 **—** *n.* ①Ⓒ塞爾維亞人。②Ⓤ塞爾維亞語。(亦作 **Serbian**)
Ser·bi·a [ˋsɝbɪə] *n.* 塞爾維亞(昔巴爾幹半島上之一王國, 今爲南斯拉夫之一地區)。
Ser·bo-Cro·a·tian [ˋsɝbo·kroˋeʃən] *n.* Ⓤ 塞爾維亞—克羅埃西亞語(南斯拉夫通用語言)。
sere [sɪr] *adj.* 〖文〗乾枯的(=sear).
ser·e·nade [,sɛrəˋned] *n.* Ⓒ 夜曲; 小夜曲。**—** *v.t.* 向…奏或唱小夜曲。**—** *v.i.* 歌唱或奏小夜曲。
***se·rene** [səˋrin] *adj.* ①安詳的; 平靜的; 寧靜的; 沈著的; 晴朗的。②(常 S-)尊貴的(對皇族的尊稱, 常與his, your等連用)。— **ly,** *adv.* — **se·ren′i·ty** [-ˋrɛnətɪ], — **ness,** *n.*
serf [sɝf] *n.* Ⓒ ①農奴。②服苦役者。
serf·dom [ˋsɝfdəm] *n.* Ⓤ ①農奴的身分。②農奴制。(亦作**serfage, serfhood**)
serge [sɝdʒ] *n.* Ⓤ 嗶嘰(一種斜紋布料)。
***ser·geant** [ˋsɑrdʒənt] *n.* Ⓒ①(陸軍)中士; (空軍)下士。②巡佐(=police sergeant). ③(S-)〖美〗地對地單節飛彈。§ ∼ **fírst cláss** 陸軍上士。∼ **májor** 軍士長; 士官長。
ser·geant-at-arms [ˋsɑrdʒəntætˋɑrmz] *n.* Ⓒ (*pl.* **ser·geants-**) (議會、法院等的)警衛官。
se·ri·al [ˋsɪrɪəl] *n.* Ⓒ①連載小說; 連續劇。②定期刊物。**—** *adj.* ①連載的。②連續刊行物的; 連續廣播的。③連續的; 排成系列的。§ ∼ **nùmber** 序號; 編號。— **ly,** *adv.*
se·ri·al·ize [ˋsɪrɪəl,aɪz] *v.t.* 連續刊載; 連載。— **se·ri·al·i·za′tion,** *n.* Ⓤ Ⓒ (報刊上的)連載。
ser·i·cul·ture [ˋsɛrɪ,kʌltʃɚ] *n.* Ⓤ 養蠶(業)。— **ser·i·cul′tur·al,** *adj.*
ser·i·cul·tur·ist [,sɛrɪˋkʌltʃərɪst] *n.* Ⓒ 養蠶者。
‡**se·ries** [ˋsɪrɪz] *n.* ①Ⓒ 連續; 系列。②Ⓒ 級數。③Ⓤ〖電〗串聯。④Ⓒ 叢書。⑤Ⓒ 一套(如硬幣、郵票等)。⑥Ⓒ (棒球等的)一連串比賽。***in*** ∼ 連續地; 順序地。**—** *adj.* 〖電〗串聯的。
ser·if [ˋsɛrɪf] *n.* Ⓒ〖印刷〗襯線(附加於H, I 等字母上下的裝飾細線)。
se·rig·ra·phy [sɪˋrɪgrəfɪ] *n.* Ⓤ 絹印; 絹網印刷。
se·ri·o·com·ic [,sɪrɪoˋkɑmɪk] *adj.* 半嚴肅半詼諧的。
‡**se·ri·ous** [ˋsɪrɪəs] *adj.* ①莊重的; 嚴肅的。②認眞的; 非開玩笑的。③重要的; 需加考慮的。④危險的; 嚴重的。‡— **ly,** *adv.* — **ness,** *n.*
se·ri·ous-mind·ed [ˋsɪrɪəsˋmaɪndɪd] *adj.* 思想[心情, 性格]嚴肅的; 認眞的。
ser·jeant [ˋsɑrdʒənt] *n.* 〖英〗=**sergeant.**
ser·mon** [ˋsɝmən] *n.* Ⓒ ①佈道; 講道。②說教。③使人厭煩的長篇演講。S- on the Mount***(耶穌之)山上寶訓。
ser·mon·ize [ˋsɝmən,aɪz] *v.t.* 說教; 佈道; 訓誡。
se·rol·o·gy [sɪˋrɑlədʒɪ] *n.* Ⓤ 血清學。— **se·ro·log′i·cal,** *adj.*
se·ros·i·ty [sɪˋrɑsətɪ] *n.* Ⓤ ①〖生理〗漿液。②漿液狀; 漿液性。
se·rous [ˋsɪrəs] *adj.* ①漿液(狀)的; 血清的。②稀薄的; 似水的。
ser·pent** [ˋsɝpənt] *n.* ①Ⓒ 蛇。②Ⓒ 狡猾的人。③(S-)巨蛇座。the (old) S-*** 魔鬼; 撒旦。
ser·pen·tine [ˋsɝpən,tin] *adj.* ①蛇的; 似蛇的。②繞曲的; 蜿蜒的。③狡猾的。**—** *n.* Ⓒ〖礦〗蛇紋石。
ser·rate [ˋsɛrɪt] *adj.* 〖生物〗鋸齒狀的。
ser·rat·ed [ˋsɛretɪd] *adj.* =**serrate.**
ser·ried [ˋsɛrɪd] *adj.* 密集的; 林立的。
se·rum [ˋsɪrəm] *n.* (*pl.* ∼**s, -ra** [-rə]) ①Ⓤ血漿; 漿液; 乳漿。②ⓊⒸ血清。
‡**serv·ant** [ˋsɝvənt] *n.* Ⓒ ①僕人; 服務者。②有用的東西。③公務員。***a civil*** [***public***] ∼文官; 公僕。§ ∼ **gìrl** [**màid**] 女僕。
‡**serve** [sɝv] *v.t.* ①爲…服務; 爲…服役。②供應; 侍候(顧客)。③端上(餐食)。④適合。⑤對待。⑥度過(=pass, spend); 奉(職); 服(刑)。⑦送達。⑧(網球)發(球)。⑨使用(槍砲等)。⑩貢獻。⑪滿足(慾望、需要等)。⑫(雄性動物)與…交配。**—** *v.i.* ①服務; 服役。②當僕人; 幫傭。③利於; 合適。④可作…用〔as, for〕. ⑤發球。⑥(彌撒時)充任輔祭。∼ ***one right*** 活該; 給某人應受的處罰。∼ ***out*** 服完(任期, 刑期)。∼ ***time*** 服刑。**—** *n.* Ⓒ 發球。
serv·er [ˋsɝvɚ] *n.* Ⓒ①服務者; 服役者; 服務生。②盤; 盆。③(用以分菜餚之)大叉子[湯匙]。④輔祭。⑤(網球等的)發球員。⑥〖電算〗伺服器。
‡**serv·ice** [ˋsɝvɪs] *n.* ①Ⓤ 服務。②Ⓤ僕人的職業。③ⓊⒸ公職; 公職之部門或其全體人員。④Ⓤ兵役。⑤ⓊⒸ (售後)服務; 保養檢查。⑥Ⓒ (常 *pl.*)貢獻。⑦ⓊⒸ 幫助。⑧Ⓤ (動物)

交配。⑨Ⓒ一套；一組。⑩Ⓒ(常 *pl.*)服務(業)。⑪Ⓒ〖網球〗發球。⑫Ⓤ(傳票等的)送達。⑬ⓊⒸ(車、船等之)交通服務。⑭Ⓒ儀式。⑮ⓊⒸ公用事業(如水、電、瓦斯等之供應)。***at someone's*** ～ 隨時爲…提供服務。***be of*** ～ 能幫助的；有用的。***do somebody a*** ～ 幫忙某人。— *v.t.* ①使…適於使用；檢修。②爲…提供服務或消息等。— *adj.* ①服務性的；有用的。②僕傭用的。③服務業的。④〖軍〗後勤的。§～ **àrea** (1)(廣播、電視的)播放地區。(2)服務地區。～ **bòok** 祈禱書；禮拜儀式書。～ **càp** 軍帽。～ **cèiling** 〖空〗實用升限(從海平面算的高度)。～ **chàrge** 小費；服務費。～ **clùb** (1)親善團體[組織]。(2)(軍人的)社交俱樂部。～ **còurt** 〖網球〗發球落點區。～ **èntrance** 傭人或送貨人使用之門。～ **flàt** 〖英〗旅館式公寓(供伙食也提供清潔服務)。～ **hàtch** 〖英〗(廚房與餐廳間之)傳菜窗。～ **lìfe** 耐用年數。～ **lìne** 〖網球〗發球線。～ **màrk** 服務標誌。～ **mòdule** (太空船的)指令艙。～ **pìpe** (自來水、煤氣等之)輸送管。～ **ròad** 側道(與高速公路等平行的連絡道路)。～ **stàtion** (1)加油站；供應汽油[機油]處。(2)服務站。～ **strìpe** 〖美〗軍人制服左袖斜條(每條代表服役三年(陸軍)或四年(海軍))。

S

serv·ice·a·ble [ˋsɜvɪsəbl] *adj.* ①有用的；適用的。②耐用的；實用的。

serv·ice·man [ˋsɜvɪs͵mæn] *n.* Ⓒ (*pl.* **-men**)①軍人。②維修員。

serv·ice·wom·an [ˋsɜvɪs͵wʊmən] *n.* Ⓒ (*pl.* **-wom·en**)女軍人。

ser·vile [ˋsɜvl] *adj.* ①奴隸的。②奴隸性的；卑屈的〔常 to〕。③(藝術作品等)無創作性的。— **ser·vil′i·ty,** *n.*

ser·vi·tude [ˋsɜvə͵tjud] *n.* Ⓤ ①奴役；苦役。②奴隸狀態。

ser·vo·mech·an·ism [ˋsɜvo͵mɛkə͵nɪzṃ] *n.* Ⓤ〖機〗自動控制裝置。

ses·a·me [ˋsɛsəmɪ] *n.* Ⓤ〖植〗芝麻。

ses·qui·cen·ten·ni·al [͵sɛskwɪsɛnˋtɛnɪəl] *adj.* 一百五十年的。— *n.* Ⓒ 一百五十周年紀念。

ses·sile [ˋsɛsl] *adj.* ①〖植〗無柄的。②〖動〗固着的。

*__ses·sion__ [ˋsɛʃən] *n.* ①Ⓤ(議會等之)開會；(法庭之)開庭。②Ⓒ會期；開庭期。③Ⓒ(大學的)學期。④Ⓒ〖美〗授課時間。⑤(*pl.*)〖英法律〗治安法庭。⑥Ⓒ(在一定期間團體舉行的)活動；聚會。— **al,** *adj.*

ses·tet [sɛsˋtɛt] *n.* Ⓒ ①〖樂〗六重奏；六重唱。②〖詩〗六行詩(尤指義大利型十四行詩之最後六行)。

‡**set** [sɛt] *v.t.* (**set, set·ting**) ①置；放。②調整。③對準。④致；使。⑤指定；規定。⑥使從事。⑦種；植。⑧使(母雞)孵蛋。⑨使移動。⑩裝起；裝好。⑪鑲嵌(寶石)於。⑫釋放。⑬使(植物)結果實。⑭爲(詩、詞)譜曲；爲(曲)配詞。⑮〖印刷〗排(鉛字)。⑯捲(頭髮)。⑰致力於。⑱使坐下。⑲(獵狗)以鼻指示(獵物)位置。⑳〖戲劇〗安排舞臺道具、布景。㉑蓋(印)。㉒磨(刀)。㉓使凝固。㉔煽動攻擊；使生敵意。㉕使朝某一方向。㉖使(顏色)固著。㉗使緊〔常 up〕。— *v.i.* ①凝固。②沈落。③流向；傾向。④(母雞)孵卵。⑤適合。⑥(獵犬以某種姿勢)指示獵物所在。⑦開始活動。⑧(花)結成果實。⑨固定；變爲僵硬。⑩(頭髮)捲成所需髮型。⑪攻擊。⑫開始工作。⑬(顏色)固著。～ ***about*** **a.** 著手。**b.** 散布。**c.** 攻打。～ ***against*** **a.** 使敵視；使反對。**b.** 對比；襯托。～ ***apart*** **a.** 劃歸某種用途。**b.** 使受到注意。～ ***aside*** **a.** 提出；保留。**b.** 忽視。**c.** 拒絕。**d.** 〖法律〗駁回；撤消。～ ***back*** **a.** 阻礙。**b.** 撥慢鐘錶的針。～ ***by*** 保留。～ ***down*** **a.** 放下；卸下。**b.** 使下車。**c.** 寫下；填入(表中)。**d.** 認爲。**e.** 歸因於。**f.** 確定；制定。**g.** 挫銳氣。**h.** 降落。～ ***forth*** **a.** 陳述。**b.** 啓程；動身。～ ***forward*** **a.** 動身啓程。**b.** 提出。**c.** 將(鐘錶時間)撥快。～ ***in*** **a.** 開始。**b.** 向…前進；流向。**c.** 置於…中。～ ***off*** **a.** 出發。**b.** 使爆發；燃放。**c.** 襯托。**d.** (使)開始做。**e.** 分開。～ ***on***[***upon***] **a.** 前進。**b.** 攻擊。**c.** 煽動。～ ***out*** **a.** 出發。**b.** 打扮。**c.** 發表。**d.** 種植。**e.** 打算；企圖。**f.** 設計；計畫。**g.** 解釋；描述。～ ***to*** **a.** 開始積極地做。**b.** 開始打鬥。～ ***up*** **a.** 設立。**b.** 創立。**c.** 建立；開始。**d.** 使獲權；勝過。**e.** 提議。**f.** 喊出。**g.** (充分)供給(常用被動式)。**h.** 恢復健康與力量。**i.** 排(活字)。**j.** 誣陷；冤枉。**k.** 提高；晉陞。**l.** 宣稱；假裝。**m.** 〖俚〗請客。**n.** 促成。**o.** 〖俚〗刺激。— *adj.* ①確定的。②固定的。③固執的。④決心的。⑤習慣的。***all*** ～〖俗〗準備就緒。***get*** ～ 預備！— *n.* ①Ⓒ套；組；全集。②(*sing.*)(志趣相投的)一夥人。③Ⓒ機組。a television ～ 電視機。④Ⓒ〖戲劇〗布景。⑤Ⓤ型式；形狀；姿勢；體態。⑥(*sing.*)方向；趨向。⑦(*sing.*)轉；彎曲。⑧Ⓒ鋪路用花崗石。⑨Ⓒ插枝；苗。⑩Ⓤ〖詩〗日落。⑪Ⓒ(網球等比賽中)一局。⑫Ⓤ(獵犬的)指示獵物。⑬(*sing.*)做頭髮。— *interj.* 預備！§～ **phráse** 陳腔濫調。～ **pìece** (1)花式煙火。(2)(文學等作品中)按照固定形式創作的作品。(3)事先精心策畫的行動[場面]。～ **pòint** 〖網球〗(決定勝負的)關鍵得分。～ **scène** (舞台上之)單件布景。～ **shòt** 〖籃球〗原地投籃。～ **thèory** 〖數〗集合論。

set·back [ˋsɛt͵bæk] *n.* Ⓒ ①挫折。②(高樓外牆之逐漸縮入形成的)壁階。

set·down [ˋsɛt͵daʊn] *n.* Ⓒ 責罵；斥責；申訴。

set-in [ˋsɛt͵ɪn] *adj.* 嵌入的。

set·off [ˋsɛt͵ɔf] *n.* Ⓒ ①債務抵消。②襯托裝飾物。③〖建〗壁階。④(旅行之)出發。

set·out [ˋsɛt͵aʊt] *n.* 〖俚〗①Ⓒ一套器具。②Ⓤ開始；出發。③Ⓒ陳列。

set·screw [ˋsɛt͵skru] *n.* Ⓒ 定位螺釘；固定螺釘。

set-square [ˋsɛt͵skwɛr] *n.* Ⓒ 三角板。(亦作 **set square**)

set·tee [sɛˋti] *n.* Ⓒ 有靠背及扶手之長椅。

set·ter [ˋsɛtɚ] *n.* Ⓒ ①安放者；排字

者；鑲嵌者。②諜犬(一種長毛獵狗)。

*set·ting [ˋsɛtɪŋ] n. ①Ⓤ置放；裝置。②Ⓒ(常 sing.)環境。③Ⓒ(寶石等的)鑲嵌；鑲台。④Ⓒ(常 sing.)(戲劇的)布景。⑤Ⓤ〖樂〗譜曲。⑥Ⓒ一窩(蛋)。⑦Ⓤ(日、月之)沈落。⑧Ⓤ凝固。⑨Ⓒ安置機器用之架、床等(如鉋床)。⑩Ⓒ一套餐具。⑪Ⓤ〖印刷〗(活字的)幅。§ ∼ rùle〖印刷〗排字尺。

sét·ting-úp èxercise [ˋsɛtɪŋˋʌp ∼] n.Ⓒ(常 pl.)柔軟[美容]體操。

‡set·tle[1] [ˋsɛtḷ] v.t. ①解決。②安排。③結算。④安頓。⑤使沈；使降。⑥鎮定。⑦殖民(某地)。⑧使堅固。⑨贈予。⑩〖法律〗和解。⑪使緊密。⑫調整。—v.i. ①決定；確定。②安居。③僑居；殖民。④安身。⑤平靜下來；鎮定下來。⑥變得清澈；沈澱。⑦下陷。⑧還清欠款。⑨棲息。⑩和解。⑪(雌性動物)懷胎。∼ *down* a. 定居；安頓下來。b. 恢復鎮靜。c. 定下心來。∼ *in* 在新居安頓下來。∼ *on*[*upon*]決定。

set·tle[2] n.Ⓒ有背的長椅。

*set·tle·ment [ˋsɛtḷmənt] n. ①Ⓒ解決；和解。②Ⓤ安頓。③Ⓒ清償。④a.Ⓤ殖民。b.Ⓒ殖民地；居留地。⑤Ⓒ產業的贈予。⑥Ⓒ社會福利實施區。⑦Ⓤ(建築物之)下陷。⑧Ⓤ(液體之)澄清；沈澱。

*set·tler [ˋsɛtlɚ] n.Ⓒ①居留者；定居者。②移住者；殖民者。

set·tling [ˋsɛtlɪŋ] n. ①Ⓤ固定。②Ⓤ移住；殖民；居留。③Ⓒ決定；解決。④Ⓒ和解。⑤Ⓤ鎮靜。⑥Ⓤ沈澱。⑦(pl.)沈渣。§ ∼ dày 結帳日。

set-to [ˋsɛtˏtu] n.(pl. ∼s)〖俗〗①(a ∼)毆鬥；爭吵。②Ⓒ競爭；比賽。

set·up [ˋsɛtˏʌp] n.Ⓒ①(常 sing.)結構；機械裝置。②體格。③〖美俚〗身體之姿態；舉止。④冰、蘇打水、酒杯等飲酒所需的東西。⑤〖美俚〗a. 故意使雙方實力懸殊之比賽。b. 易打敗的對手。⑥容易做的事。⑦為某事而準備、安排的工具。⑧計畫。

‡sev·en [ˋsɛvən] adj. 七(個)的。—n. ⓊⒸ七；七個。

sev·en·fold [ˋsɛvənˋfold] adj. 七倍的；七重的。—adv. 七倍地；七重地。

‡sev·en·teen [ˏsɛvənˋtin] n.ⓊⒸ十七。—adj. 十七(個)的。

‡sev·en·teenth [ˏsɛvənˋtinθ] adj. ①第十七的。②十七分之一的。—n. ①(the ∼)第十七。②Ⓒ十七分之一。

‡sev·enth [ˋsɛvənθ] adj. ①第七的。②七分之一的。—n. ①(the ∼)第七。②Ⓒ七分之一。§ ∼ héaven (1)七重天(天之最高處)。(2)極樂；極樂世界。

*sev·en·ti·eth [ˋsɛvəntɪɪθ] adj. ①第七十的。②七十分之一的。—n. ①(the ∼)第七十。②Ⓒ七十分之一。

‡sev·en·ty [ˋsɛvəntɪ] n. ①ⓊⒸ七十；七十個。②(pl.)70到79之數；七十年代。—adj. 七十的。

sev·er [ˋsɛvɚ] v.t. ①切斷。②斷絕；終止。③〖法律〗分割(產業等)。④區別。—v.i. ①分裂。②斷裂。

‡sev·er·al [ˋsɛvərəl] adj. ①幾個的；數個的。②個別的；單獨的。③〖法律〗有連帶責任的。—*pron.* 數個；數人。

sev·er·al-fold [ˋsɛvərəlˏfold] adv. & adj. 好幾倍地[的]。

sev·er·al·ly [ˋsɛvərəlɪ] adv. 分別地；個別地；各個地。

sev·er·ance [ˋsɛvərəns] n.ⓊⒸ隔斷；分離；斷絕。§ ∼ pày 離職金；遣散費。

*se·vere [səˋvɪr] adj. ①嚴厲的。②嚴肅的。③劇烈的。④樸素的。⑤艱難的。⑥精確的。—ness, n.

se·vere·ly [səˋvɪrlɪ] adv. 嚴厲地；激烈地；嚴格地。

se·ver·i·ty [səˋvɛrətɪ] n. ①Ⓤ嚴厲。②Ⓤ劇烈。③Ⓤ精確。④Ⓤ樸素。⑤Ⓒ(常 pl.)嚴苛的對待。

*sew [so] v.t. & v.i.(∼ed, ∼ed or sewn)縫合；縫紉。∼ *up* a.〖俗〗壟斷；獨用。b. 縫合。c.〖俗〗確保(協商、合約等)成功。d. 使確定。

sew·age [ˋsjuɪdʒ] n.Ⓤ(下水道中之)污物；污水。§ ∼ dispòsal 污水處理。

sew·er[1] [ˋsoɚ] n.Ⓒ縫工；縫具。

sew·er[2] [ˋsjuɚ] n.Ⓒ陰溝；下水道。

sew·er·age [ˋsjuərɪdʒ] n.Ⓤ①下水道設備；下水道系統。②下水道排水或污物處理。③=sewage.

sew·ing [ˋsoɪŋ] n.Ⓤ①縫紉。②縫製品。§ ∼ còtton 縫紉用線。∼ machìne 縫紉機。

sewn [son] v. pp. of sew.

*sex [sɛks] n. ①a.Ⓤ性；性別。b.Ⓒ(常 the ∼)男性；女性。the female ∼ 女性。the male ∼ 男性。both ∼*es* 兩性；男女。②Ⓤ性特徵。③Ⓤ性之吸引力。④Ⓤ性行為；性交。***the fair***[***gentle, softer, weaker***]∼女性。***the sterner***[***stronger***]∼男性。—*adj.* 性的；與性有關的。§ ∼ appèal性感。∼ chròmosome〖生物〗性染色體。∼ glànd〖解〗性腺；生殖腺。∼ hòrmone性荷爾蒙。∼ kìtten〖俚〗性感的女人。∼ ràtio〖社會〗性別比率。

sex·a·ge·nar·i·an [ˏsɛksədʒəˋnɛrɪən] adj. & n.Ⓒ六十(多)歲的(人)。

sex·change [ˋsɛksˏtʃendʒ] n.Ⓤ變性。

sex·foil [ˋsɛksˏfɔɪl] n.Ⓒ〖建〗六葉飾。

sex·ism [ˋsɛksɪzəm] n.Ⓤ性別歧視。

sex·ist [ˋsɛksɪst] n.Ⓒ歧視女性的人。

sex·less [ˋsɛkslɪs] adj. ①無性的；中性的。②性慾冷淡的。③不性感的。

sex·ol·o·gy [sɛksˋɑlədʒɪ] n.Ⓤ性學；性行為學。—sex·ol′o·gist, n.

sex·ploi·ta·tion [ˏsɛksplɔɪˋteʃən] n.Ⓤ(電影等的)色情利用。

Sex·tant [ˋsɛkstənt] n. ①〖天〗六分儀座。②(s-)Ⓒ六分儀。

sex·tet(te) [sɛksˋtɛt] n.Ⓒ①六重唱[奏](曲)。②六人或六物之一組。

sex·til·lion [sɛksˋtɪljən] n.Ⓒ①〖美, 法〗10^{21}。②〖英, 德〗10^{36}。

sex·ton [ˋsɛkstən] n.Ⓒ教堂司事。

sex·tu·ple [ˋsɛkstjupḷ] adj. ①六重的；六倍的；六部分組成的。②〖樂〗六拍子的。—v.t. & v.i. (使)成六倍；增至六倍。

S

sex·tu·plet [\`sɛkstju,plɪt] *n.* Ⓒ ①六胞胎之一個。②以六組成之事物。

***sex·u·al** [\`sɛkʃʊəl] *adj.* 性的；有雌雄分別的；兩性之間的。～ desire 性慾。～ intercourse 性交。～ organs 生殖器。～ selection〖生物〗雌雄選擇。§ ∽ **harássment** 性騷擾。

sex·u·al·i·ty [,sɛkʃʊ\`ælətɪ] *n.* Ⓤ ①性慾；性行爲。②性別。

sex·u·al·ly [\`sɛkʃʊəlɪ] *adv.* 有性地；在性方面。§ ∽ **transmítted diséase** 性(傳染)病(略作 STD, 通稱 venereal diseases)。

sex·y [\`sɛksɪ] *adj.* 〖俚〗①性感的。②涉及性的；挑逗性的。

Sey·chelles [se\`ʃɛlz] *n.* 塞席爾群島(由印度洋西部的島群所構成的一個共和國，首都 Victoria)。

SF, sf science fiction.

sfer·ics [\`sfɛrɪks] *n.* Ⓤ〖氣象〗天電偵測。

Sgt., sgt. Sergeant. **sh.** share; sheet; shilling(s); sheep; shunt.

sh [ʃ] *interj.* (命令對方安靜)噓!

***shab·by** [\`ʃæbɪ] *adj.* ①破舊的；襤褸的。②卑鄙的。③簡陋的。—**shab′bi·ly,** *adv.* —**shab′bi·ness,** *n.*

shack [ʃæk] *n.* Ⓒ〖美〗小木屋。

shack·le [\`ʃækḷ] *n.* Ⓒ (常 *pl.*)①桎梏；手銬；足鐐。②束縛物；羈絆物。—*v.t.* ①加枷鎖。②束縛；羈絆。

shad [ʃæd] *n.* Ⓒ (*pl.* ～, ～s) 鯡魚。

‡**shade** [ʃed] *n.* ①Ⓤ蔭。②(the ～)蔭涼處。③(*pl.*)陰暗。④Ⓒ 遮蔽光熱之物(簾、罩、陽傘等)。⑤Ⓒ色度；顏色之深淺。⑥(a ～)少許。⑦Ⓒ 鬼魂。⑧(*pl.*)陰間。⑨Ⓤ (相片的)陰影。⑩(*pl.*)〖俚〗太陽眼鏡。*cast* [*put*] ... *in* [*into*] *the* ～ 使…黯然失色。—*v.t.* ①遮蔽；使暗。②略減。—*v.i.* 漸變。—**less,** *adj.*

shad·ing [\`ʃedɪŋ] *n.* ① Ⓤ 遮蔽。② Ⓤ (繪畫之)描影法；濃淡。③ Ⓒ (顏色、性質等之)細微的變化。

‡**shad·ow** [\`ʃædo] *n.* ①Ⓒ影子。②(*sing.*)微量；少許。③Ⓒ影像。④Ⓒ模糊的影像。⑤Ⓒ 如影隨形者。⑥Ⓒ 尾隨者。⑦Ⓒ 預兆。⑧Ⓤ 陰暗處。⑨Ⓒ暗的部分。⑩Ⓒ 陰影。⑪Ⓒ 幽靈；幻影。*under* [*in*] *the* ～ *of* **a.** 和…靠得很近。**b.** 在…的陰影下。—*v.t.* ①遮蔽；隱藏。②投影於…上。③使憂鬱。④預示；暗示。⑤祕密尾隨。～ *forth* 預示；暗示。§ ∽ **càbinet**〖英〗影子內閣(在野黨計畫中的預備內閣)。∽ **plày** 影子戲。

shad·ow·box·ing [\`ʃædo,bɑksɪŋ] *n.* Ⓤ 太極拳。

shad·ow·y [\`ʃædəwɪ] *adj.* ①多蔭的；鬱蒼的。②朦朧的；模糊的。③鬼魂般的；虛幻的。

***shad·y** [\`ʃedɪ] *adj.* ①多蔭的；遮蔭的。②在蔭處的；蔭蔽的。③陰暗的；不清楚的。④〖俗〗令人懷疑的；成問題的。*keep* ～〖俚〗隱匿；躲藏。*on the* ～ *side of*〖俚〗(年齡)大於；已過。

***shaft** [ʃæft] *n.* Ⓒ ①箭桿；矛柄。②箭；矛。③〖植〗幹；莖；柄。④羽軸。⑤(常 *pl.*)(馬車等的)車把；車轅。⑥器械之柄。⑦外煙囪。⑧機械之軸。⑨〖礦〗豎坑。⑩(光線的)一道。⑪柱；柱身。⑫旗桿。⑬井狀通道。

shag [ʃæg] *n.* Ⓤ ①粗毛。②織物上的絨毛；表面有絨毛之織物。③一種切成細片的粗煙草。—*v.t.* (**-gg-**)使粗糙；使蓬亂。

shag·gy [\`ʃægɪ] *adj.* ①多粗毛的；毛髮蓬鬆的。②長濃而粗的。

shág·gy-dóg stòry [\`ʃægɪ\`dɔg ～] *n.* Ⓒ 冗長無趣的笑話。

shah [ʃɑ] *n.* Ⓒ (常S-)伊朗國王的尊稱。

‡**shake** [ʃek] *v.t.* (**shook, shak·en**)①搖動。②動搖(信念、決心等)。③〖俚〗擺脫；治好(病)；除去(煩惱)。④(在手裏)搖動骰子。—*v.i.* ①顫動。②搖動。③(信心)動搖；(勇氣)受挫。～ *down* **a.** 搖落。**b.** (使)安頓。**c.** 整理使有秩序。**d.**〖俚〗敲詐(金錢)。**e.** 鋪(草等)於地板做床。**f.** 試驗。**g.**〖俚〗搜查；搜(身)。～ *hands* 握手。～ *in one's shoes* 戰慄。～ *off* **a.** 抖落。**b.** 擺脫。～ *one's head at something* [*somebody*]對某事[某人]搖頭(表示不贊成)。～ *one's sides with laughter* 捧腹大笑。～ *up* **a.** 猛搖。**b.** 激起。**c.** 震動(身體、神經)。—*n.* Ⓒ ①搖動；震動。②(常 *pl.*)寒顫。③震驚。④〖美〗奶昔。⑤〖俗〗地震。⑥〖俚〗片刻。⑦樹上裂隙。⑧〖樂〗顫音。⑨握手(的行爲或方式)。⑩地上的龜裂。*a brace of* ～*s* 片刻。*in half a* ～; *in two* ～*s* 立刻。*no great* ～*s* 沒什麼了不起的；平凡的。*two* ～*s* (*of a lamb's tail*)片刻。

shake·down [\`ʃek,daun] *n.* Ⓒ ①臨時的便床。②敲詐；勒索。

‡**shak·en** [\`ʃekən] *v.* pp. of **shake.**

shake·out [\`ʃek,aut] *n.* Ⓒ ①公司行號或產品因競爭或品質改良而被淘汰。②股票在市場上之暴跌。③大規模裁員；改組人事或政策之更迭等。

shak·er [\`ʃekɚ] *n.* Ⓒ ①搖動者。②攪拌器；搖盪器。③(有小孔蓋的)胡椒瓶；鹽瓶。④(調製雞尾酒的)搖杯。

Shake·speare [\`ʃek,spɪr] *n.* 莎士比亞(William, 1564-1616, 英國詩人、劇作家)。

Shake·spear·i·an [ʃek\`spɪrɪən] *adj.* 莎士比亞(風格)的。—*n.* Ⓒ 研究莎士比亞之專家。

shake-up [\`ʃek,ʌp] *n.* Ⓒ ①〖俚〗攪動；騷動。②人事大變動；大改組。

shak·o [\`ʃæko, \`ʃeko] *n.* Ⓒ (*pl.* ～(e)s) 一種頂上有裝飾物的圓筒狀軍帽。

shak·y [\`ʃekɪ] *adj.* ①搖動的；顫慄的。②不穩固的。③沒把握的。

shale [ʃel] *n.* Ⓤ〖地質〗頁岩；泥板岩。§ ∽ **òil** 頁岩油。

‡**shall** [ʃæl, ʃəl] *aux. v.* (*pt.* **should**)①將(限第一人稱，表示單純未來)。②須；應(限第二或第三人稱)。He says he won't go, but I say he ～. 他說他不去，但是我說他必須去。③用於疑問句中之第一人稱及第三人稱，表請示之意。*S-* I open the window? 我可以把窗子

打開嗎? ④shall we 等於或補充 let us 之義。Let's start tomorrow, ～ *we*? 我們明天動身吧，好不好? ⑤在以 if, when 等開始的附屬子句中 shall 之第一人稱表未來，第二或第三人稱表不確定。
shal·lop [ˋʃæləp] *n.* Ⓒ〖詩〗輕舟。
shal·lot [ʃəˋlɑt] *n.* Ⓒ〖植〗冬蔥。
*__shal·low__ [ˋʃælo] *adj.* ①淺的。②淺薄的；膚淺的。— *n.* (*pl.*)淺灘；沙洲。— *v.t.* & *v.i.*(使)變淺。
sha·lom [ʃɑˋlom, ʃə-] *interj.* 您好! 再見!（猶太人的問候或告別語）。
shalt [ʃælt] *aux. v.* 〖古〗= **shall**(用於第二人稱、單數、現在式，與thou連用)。
sham [ʃæm] *n.* ①(a ～)僞物；贋品。②Ⓒ欺騙者。③Ⓤ 虛僞；欺詐。— *adj.* 虛僞的；假(裝)的；仿製的。— *v.t.* & *v.i.* (**-mm-**)假裝；僞裝。
sha·man [ˋʃɑmən, ˋʃæ-] *n.* Ⓒ 黃教僧；巫師。
sham·ble[1] [ˋʃæmbl] *v.i.* 蹣跚而行；踉蹌而行。— *n.* Ⓒ 蹣跚的步態；踉蹌的腳步。
sham·ble[2] *n.*①(*pl.*, 作 *sing.* or *pl.* 解)**a.** 屠宰場。**b.** 任何屠殺之場面。②Ⓒ〖英方〗肉鋪。
⁑**shame** [ʃem] *n.* ①Ⓤ 羞愧；羞恥。②Ⓤ 恥辱。③(a ～)可恥[可惋惜]之事、人或物。What a ～! 多麼可恥! *For ～!* 眞可恥! 眞丟臉! 眞可惜! *put to ～* **a.** 使蒙羞。**b.** 勝過；使黯然失色。— *v.t.* ①使羞愧。②使蒙羞。③使相形見絀；使黯然失色。
shame·faced [ˋʃemˏfest] *adj.* ①怕羞的。②羞愧的。— **ly,** *adv.*
*__shame·ful__ [ˋʃemfəl] *adj.* 可恥的。— **ly,** *adv.* — **ness,** *n.*
shame·less [ˋʃemlɪs] *adj.* 無恥的；厚顏的。
sham·poo [ʃæmˋpu] *v.t.* ①用洗髮精洗(頭髮)。②給…按摩。— *n.* (*pl.* ～**s**) ①Ⓒ 洗髮；洗頭。②ⓊⒸ 洗髮劑[粉]。
sham·rock [ˋʃæmrɑk] *n.* ⓊⒸ〖植〗酢漿草(愛爾蘭的國花)。
sha·mus [ˋʃeməs] *n.* Ⓒ〖俚〗①偵探。②警官。
shan·dy [ˋʃændɪ] *n.* ⓊⒸ 啤酒與檸檬水混合成之飲料。
shang·hai [ˋʃæŋhaɪ, ʃæŋˋhaɪ] *v.t.* ①灌以麻醉劑而綁架至船上；誘拐。②〖俚〗以武力或卑劣手段強迫他人做事。
Shang·hai [ˋʃæŋˋhaɪ] *n.* 上海(中國東海岸之大都市)。
Shan·gri-la [ˋʃæŋgrɪˋlɑ] *n.* ①香格里拉(人間的理想樂園)；世外桃源。②偏僻(怡人)的藏身之處；祕密地區。
shank [ʃæŋk] *n.* ①Ⓒ 脛；脛骨。②Ⓒ腿。③Ⓒ (用具等之)柄部。④Ⓒ 鞋襪之脛部。⑤Ⓒ〖印刷〗鉛字身。⑥ⓊⒸ (牛、羊等的)脛肉。*go*[*ride*] *on ～'s*[*～s'*] *mare* 步行；走。
⁑**shan't** [ʃænt, ʃɑnt] *n.* = **shall not.**
shan·ty[1] [ˋʃæntɪ] *n.* Ⓒ 簡陋的小屋。
shan·ty[2] *n.* Ⓒ 船歌；櫂歌(=chantey).
shan·ty·town [ˋʃæntɪˏtaʊn] *n.* Ⓒ ①(城市裡)貧民窟。②以簡陋小屋形成的市鎮。

⁑**shape** [ʃep] *n.* ①Ⓒ 形；形狀。②**a.** Ⓤ (又作 a ～)形態；裝扮。**b.** Ⓒ (模糊的、奇怪的)形象；輪廓；幻影。③Ⓤ (計畫等的)完整[具體]形式。④Ⓤ (健康、經營等的)情形；狀況。⑤Ⓒ 模型。*get something into ～* 使成適當形式；整理。*take ～* 成形；實現。— *v.t.* ①造成(某)形。②定…的方向。③定型；塑造。④使適合。— *v.i.* 成形。～ *up* **a.** 成形；具體化。**b.** 發展；進展。**c.** 表現某種趨勢；有…之傾向。— **less,** *adj.*
shaped [ʃept] *adj.* …形狀的。
shape·ly [ˋʃeplɪ] *adj.* 形狀美好的；姿態優美的；(女子身材)勻稱的。
shape-up [ˋʃepˏʌp] *n.* Ⓒ〖美〗碼頭臨時工的挑選。
shard [ʃɑrd] *n.* Ⓒ (陶器、瓦等摔破之)碎片；破片。
⁑**share**[1] [ʃɛr] *n.* ①(*sing.*)部分；分。②Ⓒ股份；出資。③Ⓤ (又作 a ～)角色；參與；貢獻。*go ～s in something* 分享；均攤。*on* [*upon*] *～s* 利害與共。— *v.t.* ①分配。②共有；分享；分擔。— *v.i.* 分受；分享；共同負擔。～ *and ～ alike* **a.** 平均分配。**b.** 一切與他人分享。～ *out* 分配；分發。
share[2] *n.* Ⓒ 犁頭。
share·bro·ker [ˋʃɛrˏbrokɚ] *n.* Ⓒ〖英〗股票經紀人。
share·crop·per [ˋʃɛrˏkrɑpɚ] *n.* Ⓒ 佃農；佃戶。
share·hold·er [ˋʃɛrˏholdɚ] *n.* Ⓒ 股東。
share·ware [ˋʃɛrˏwɛr] *n.* Ⓒ〖電算〗分享軟體。
*__shark__ [ʃɑrk] *n.* Ⓒ ①鯊；鮫。②騙子；放高利貸者。③〖俚〗高手。— *v.t.* & *v.i.* 欺騙；詐騙；行騙。
shark·skin [ˋʃɑrkˏskɪn] *n.* Ⓤ ①鯊皮；鯊革。②一種結實的人造絲。
⁑**sharp** [ʃɑrp] *adj.* ①銳利的。②尖的。③急轉的。④嚴寒的。⑤劇烈的。⑥敏捷的。⑦迫切的。⑧敏銳的。⑨機警的。⑩嚴厲的。⑪顯明的。⑫聲調高的。⑬〖樂〗升半音的。⑭〖語音〗無聲的(如 p, t, k 等)。⑮(味道之)辣的。⑯精明的。⑰〖俚〗(衣著)時髦的。— *adv.*①準；整。one o'clock ～ 一點整。②尖銳地。③機警地。④突然地。*Look ～!* 趕快! 注意! 小心! — *n.* Ⓒ ①〖樂〗升半音(記號)(即♯)。②騙子。③〖俗〗專家。— **ly,** *adv.*
*__sharp·en__ [ˋʃɑrpən] *v.t.* ①使尖銳；磨(刀)；削(鉛筆)。②加強；使敏銳。— *v.i.* ①變銳利；變尖銳。②增強；變爲敏銳。— **er,** *n.*
sharp·er [ˋʃɑrpɚ] *n.* Ⓒ①詐欺者；騙子。②賭博郎中。
sharp-eyed [ˋʃɑrpˋaɪd] *adj.* ①目光敏銳的；有慧眼的。②注意的；警覺的。
sharp-set [ˋʃɑrpˏsɛt] *adj.* ①飢餓的。②急切的。③使邊緣銳利的。
sharp·shoot·er [ˋʃɑrpˏʃutɚ] *n.* Ⓒ ①神槍手。②狙擊手。
sharp-sight·ed [ˋʃɑrpˋsaɪtɪd] *adj.* ①目光敏銳的。②機智的。
sharp-tongued [ˋʃɑrpˋtʌŋd] *adj.*

(講話)刻薄的; 挖苦的。

sharp-wit·ted [ˋʃɑrpˋwɪtɪd] *adj.* 敏捷的; 機敏的。

shas·tra [ˋʃɑstrə] *n.* Ⓒ (印度教的)聖典。

***shat·ter** [ˋʃætɚ] *v.t.* 使粉碎; 損毀。 — *v.i.* 粉碎。 — *n.* (*pl.*)碎片; 碎塊。

shat·ter·proof [ˋʃætɚˏpruf] *adj.* 防破碎的。

shave** [ʃev] *v.t.* (~**d**, ~**d** or **shav·en**) ①剃; 修面; 刮鬍子。②鉋; 刮; 削; 切成薄片。③擦過; 掠過。 — *v.i.* 刮鬍子; 修面。 — *n.* Ⓒ ①(常 *sing.*)修面; 刮鬍子。②修面刀; 刮具; 鉋。③削片; 薄片。 ***a close [***narrow, near***] ~ 死裡逃生; 千鈞一髮。

***shav·en** [ˋʃevən] *v.* pp. of **shave.**

shav·er [ˋʃevɚ] *n.* Ⓒ ①理髮師; 剃頭者。②剃頭刀; 剃具。

shav·ing [ˋʃevɪŋ] *n.* ① Ⓤ 刮臉; 修面。② Ⓤ 刨; 削。③ Ⓒ (常 *pl.*)削片; 刨花。 § ~ **brùsh** 修面刷。 ~ **crèam** 刮鬍膏。 ~ **hòrse** 削架; 刨架。 ~ **sòap** 刮鬍皂。

Shaw [ʃɔ] *n.* 蕭伯納(George Bernard, 1856-1950, 英國劇作家、批評家、小說家及社會改革者)。

***shawl** [ʃɔl] *n.* Ⓒ 披肩; 圍巾。

shay [ʃe] *n.* Ⓒ 〖俚〗輕便馬車。

‡**she** [ʃi] *pron.* 她。 — *n.* Ⓒ ①女人; 女孩。Is the baby a he or a ~? 這嬰兒是男的還是女的? ②雌者; 雌性動物。

sheaf [ʃif] *n.* Ⓒ (*pl.* **sheaves**)束; 捆。 — *v.t.* 將…捆成束。

shear [ʃɪr] *v.i.* & *v.t.* (~**ed**, ~**ed** or **shorn**) ① 修剪; 剪羊毛。② 刈; 割。③剝奪。 — *n.* ①(*pl.*)大剪刀。② Ⓒ 剪(羊)毛的次數; (羊的)年齡。

sheath [ʃiθ] *n.* Ⓒ (*pl.* ~**s** [ʃiðz]) ①鞘。②〖植〗葉鞘。③〖昆〗翅鞘。④包皮; 保險套。

sheathe [ʃið] *v.t.* ①(將刀、劍)插入鞘。②包; 覆。

sheath·ing [ˋʃiðɪŋ] *n.* Ⓤ ①包覆物; 護套。②入鞘。

sheaves [ʃivz] *n.* pl. of **sheaf.**

***shed**[1] [ʃɛd] *n.* Ⓒ 車庫; 小倉庫; 小屋。

shed**[2] *v.t.* (~, **shed·ding**) ①流出; 落下。②使(他人之血)流出。③發散; 放射。④ 脫落; 蛻皮; 擺脫。⑤ 遮蔽。 — *v.i.* 脫毛或殼等; 脫換。 ~ ***blood 喪生; 殺死。

‡**she'd** [ʃid] =**she had; she would.**

sheen [ʃin] *n.* Ⓤ (又作 a ~)光輝; 光澤; 光彩。 — *adj.* 〖詩〗光輝的; 綺麗的。 — *v.i.* 〖詩, 方〗發亮; 閃耀。

‡**sheep** [ʃip] *n.* (*pl.* ~) ① Ⓒ 羊; 綿羊。② Ⓒ 怯懦的人。③ Ⓤ 羊皮。 ***cast*** [***make***] ~ ***eyes at a person*** 向人眉目傳情。 ***lost*** ~迷途之羊; 誤入歧途的人。 ***One may as well be hanged for a ~ as a lamb.*** 與其偷小羊受絞刑, 倒不如偷大羊受絞刑; 一不做二不休。 ***separate the ~ from the goats*** 分辨好人壞人。 § ~ **rànge** 牧羊場。 ~ **rùn** 大牧羊場。

sheep·dog [ˋʃipˏdɔg] *n.* Ⓒ 看守羊群的狗; 牧羊犬(如 collie 等)。(亦作 **sheep dog**)

sheep·fold [ˋʃipˏfold] *n.* Ⓒ 羊欄; 羊舍。

sheep·herd·er [ˋʃipˏhɝdɚ] *n.* Ⓒ 〖美〗牧羊人。

sheep·hook [ˋʃipˏhʊk] *n.* Ⓒ (上部彎曲的)牧羊杖。

sheep·ish [ˋʃipɪʃ] *adj.* ①羞怯的。②如綿羊的; 愚鈍的。 —**ly**, *adv.*

sheep·man [ˋʃipˏmæn] *n.* Ⓒ (*pl.* **-men**) ① 以養羊爲業者。② 牧羊人。

sheep·shear·er [ˋʃipˏʃɪrɚ] *n.* Ⓒ 剪羊毛的人; 剪羊毛機。

sheep·shear·ing [ˋʃipˏʃɪrɪŋ] *n.* Ⓒ 剪羊毛的時期。

sheep·skin [ˋʃipˏskɪn] *n.* ① Ⓤ (帶毛之)綿羊皮。② Ⓒ 羊皮衣。③ Ⓤ Ⓒ 羊革; 羊皮紙。④ Ⓒ 〖美俗〗文憑; 畢業證書。⑤ Ⓒ 〖俚〗獲得文憑的人。

sheep·walk [ˋʃipˏwɔk] *n.* Ⓒ 〖英〗牧羊場。

***sheer**[1] [ʃɪr] *adj.* ①純粹的; 全然的; 絕對的。②極薄的。③垂直的; 峻峭的。 — *adv.* ①全然地。②垂直地。 — *n.* ① Ⓤ 透明的紡織品。② Ⓒ 薄紡織品製的衣服。 —**ly**, *adv.*

sheer[2] *v.i.* 躲開; 急速轉向〔off, away〕.

‡**sheet** [ʃit] *n.* Ⓒ ① 被單; 褥單。② 薄片; 薄板; (紙之)一張。③報紙; 印刷品。④(常 *pl.*)一大片。 — *v.t.* 鋪以床單。 § ~ **ànchor** (1)〖海〗緊急用之大錨。(2)最後的依恃。 ~ **glàss** 大片平板玻璃。 ~ **ìron** 薄鐵板。 ~ **lìghtning** 片狀閃電。 ~ **mètal** 薄金屬片; 金屬板。 ~ **mùsic** (沒裝訂的)單張樂譜。

sheet·ing [ˋʃitɪŋ] *n.* Ⓤ ①被單布; 床單布。②護板; 貼板; 金屬板; 板金。

sheik(h) [ʃik] *n.* Ⓒ ①(阿拉伯之)酋長; 族長。②回教領袖; 教主。

sheik(h)·dom [ˋʃikdəm] *n.* Ⓒ (阿拉伯)酋長統轄之領土; 酋長國。

shek·el [ˋʃɛkl̩] *n.* ① Ⓒ 雪克爾(古代猶太的貨幣單位)。②(*pl.*)〖謔〗錢。

shel·drake [ˋʃɛlˏdrek] *n.* Ⓒ 〖鳥〗雄潦鳧; 冠鴨。

shel·duck [ˋʃɛlˏdʌk] *n.* Ⓒ 〖鳥〗潦鳧。

shelf** [ʃɛlf] *n.* Ⓒ (*pl.* **shelves**) ①架; 棚。②岩棚。③暗礁沙洲; 淺灘。 ***on the ~ **a.** 被棄置的; 無人問津的。 **b.** (女性之)過了婚期的。 § ~ **lìfe** (藥、食品等的)儲藏壽命[期間]。 ~ **màrk** 〖圖書館學〗書架號。

‡**shell** [ʃɛl] *n.* ① Ⓤ Ⓒ 殼; 甲。② Ⓒ 貝; 有介殼之軟體動物。③ Ⓒ 單人划艇。④ Ⓒ 砲彈。⑤ Ⓒ 房屋的框架; 船體; 骨架。⑥ Ⓒ 外觀; 外形。 ***come out of one's*** ~不再羞怯沈默。 ***go*** [***retire***] ***into one's*** ~變得羞怯沈默。 — *v.t.* ①剝殼。②砲轟。 — *v.i.* ①脫殼; (由穗或莢中)脫出。②砲擊。 ~ ***out*** 〖俗〗付(款); 提供; 捐獻。 § ~ **bèan** (去夾殼吃的)豆類。 ~ **ègg** 帶殼的蛋。 ~ **gàme** (1)類似thimblerig(隱豆戲法)的一種遊戲。(2)欺騙。 ~ **hèap** [**mòund**] 貝塚。 ~ **jàcket** 軍用短夾克。 ~ **shòck** 彈震症(由炮彈之爆炸和震聲所引起之精神病)。

‡**she'll** [ʃil] =**she shall; she will.**

shel·lac(k) [ʃəˋlæk] *n.* ① Ⓤ 充漆;

假漆。② Ⓤ (造充漆的)蟲膠。③ Ⓒ 用假漆做的唱片。— *v.t.* (**-ck-**) ①塗以充漆。②〖俚〗徹底擊敗。
shell·er [ˋʃɛlɚ] *n.* Ⓒ 去殼者；去殼機。
Shel·ley [ˋʃɛlɪ] *n.* 雪萊(Percy Bysshe, 1792-1822, 英國詩人)。
shell·fire [ˋʃɛl,faɪr] *n.* Ⓤ Ⓒ〖軍〗砲火；砲轟。
shell·fish [ˋʃɛl,fɪʃ] *n.* Ⓤ Ⓒ (*pl.* ~, ~**es**)貝類；甲殼類。
shell·proof [ˋʃɛlˋpruf] *adj.* 防彈的。
shell·work [ˋʃɛl,wɝk] *n.* Ⓤ 貝殼工藝品。
‡**shel·ter** [ˋʃɛltɚ] *n.* ① Ⓒ 庇護所；避難所；遮蔽物。② Ⓤ 庇護；保護；遮蔽。③ Ⓤ 住所；寓所。— *v.t.* & *v.i.* 庇護；保護；掩護；躲避。— **less,** *adj.*
shelve[1] [ʃɛlv] *v.t.* ①將…置於架上。②擱置。③解雇；辭退。④裝架子於。
shelve[2] *v.i.* 傾斜(通常指海岸)。
*****shelves** [ʃɛlvz] *n.* pl. of **shelf.**
shelv·ing [ˋʃɛlvɪŋ] *n.* Ⓤ ①搭架之材料。②(集合稱)棚架。③擱置；延誤。④免職；解職。
she·nan·i·gan [ʃəˋnænə,gæn] *n.* Ⓒ (常 *pl.*)〖俚〗胡說；詭計；惡作劇。
‡**shep·herd** [ˋʃɛpɚd] *n.* ① Ⓒ 牧羊人。② Ⓒ 牧師；指導者。③(the (Good) S-) 基督。— *v.t.* ①牧；放牧。②看管。③指導；引領。§ ∼ **dòg**牧羊犬。∼ **gòd** 牧羊神(=Pan).
shep·herd·ess [ˋʃɛpɚdɪs] *n.* Ⓒ 牧羊女。
shep·herd's-purse [ˋʃɛpɚdzˋpɝs] *n.* Ⓤ Ⓒ〖植〗薺。
sher·bet [ˋʃɝbɪt] *n.* Ⓤ Ⓒ ①冰果凍(一種由果汁、糖、水、牛奶或蛋白製成之冷凍食品)。②冰果子水(一種由果汁、糖及水製成的清涼飲料)。
*****sher·iff** [ˋʃɛrɪf] *n.* Ⓒ ①〖美〗郡保安官；警長。②〖英〗郡長。
Sher·lock Holmes [ˋʃɝlɑkˋhomz] *n.* ①福爾摩斯(Conan Doyle 所著小說中的偵探名)。② Ⓒ 名偵探。
sher·ry [ˋʃɛrɪ] *n.* Ⓤ Ⓒ 雪利酒(一種原產於西班牙的白葡萄酒)。§ ∼ **cóbbler** 冰雪利(由雪利酒、柑橘汁及冰混成)。
Shér·wood Fórest [ˋʃɝwud ∼] *n.* 雪伍德森林(位於英國中部，爲傳說中俠盜 Robin Hood 出沒之地)。
‡**she's** [ʃiz] =**she is [has].**
Shet·land [ˋʃɛtlənd] *n.* (亦作**Zetland, Shetland Islands**)謝德蘭群島(在蘇格蘭 Okney 群島之東北，爲蘇格蘭之一郡)。§ ∼ **póny** 謝德蘭群島原產的強壯小馬。
Shi·a(h) [ˋʃiə] *n.* ①(the ∼)(回教)什葉派。② Ⓒ 什葉派信徒。(亦作**Shi'a, Shi'ah**)
shi·at·su [ʃiˋɑtsu] *n.* Ⓤ 指壓治療。
shib·bo·leth [ˋʃɪbəlɪθ] *n.* Ⓒ ①〖聖經〗「示播列」(Gileadite 人用以辨別逃亡之 Ephraimite 人所用語，因彼等不會發"sh"音，所以個個被發現而遭殺害)。②暗號語；(一黨一派之)切口。③一國或一階級特有的語言、習慣。
*****shield** [ʃild] *n.* Ⓒ ①盾。②防禦物；保護物。③盾形物。④保護者；擁護者；後盾。— *v.t.* 防禦；保護。

*****shift** [ʃɪft] *v.t.* ①移動；變換。②除去；解脫。③變(汽車排擋)的位置。— *v.i.* ①移動；變換。②策畫；籌畫。③瞞騙。— *n.* Ⓒ ①變換。②(常 *pl.*)手段；方法；計策。③輪值；換班。④〖美〗(汽車的)變速裝置(=gearshift). ⑤〖地質〗(小)斷層。***make*** ∼ **a.** 設法過活或度日。**b.** 設法繼續或維持。§ ∼ **kèy**(打字機之)大寫鍵。— **er,** *n.*
shift·ing [ˋʃɪftɪŋ] *adj.* ①移動的；變動的；(風向等)易變的。②弄權術的；欺詐的。— *n.* Ⓤ Ⓒ ①欺詐；狡賴。②移動；變動。
shift·less [ˋʃɪftlɪs] *adj.* ①懶惰的。②不中用的。— **ly,** *adv.* — **ness,** *n.*
shift·y [ˋʃɪftɪ] *adj.* ①多策略的；善於應變的；足智多謀的。②詭詐的。
Shi·ite [ˋʃiaɪt] *n.* Ⓒ Shiah 派信徒。
shill [ʃɪl] *n.* Ⓒ〖美俚〗(賭攤等之)假顧客。
shil·ling [ˋʃɪlɪŋ] *n.* Ⓒ 先令(英國幣名)。***cut someone off with a*** ∼ 剝奪某人之繼承權。
shil·ling-mark [ˋʃɪlɪŋ,mɑrk] *n.* Ⓒ (書寫或印刷的)斜線記號(/)。
shil·ly-shal·ly [ˋʃɪlɪ,ʃælɪ] *n.* Ⓤ 優柔寡斷。— *adj.* 猶豫不決的。— *adv.*躊躇不定地。— *v.i.*躊躇，猶豫。
shim·mer [ˋʃɪmɚ] *v.i.* 發閃光。— *n.* Ⓤ (又作 a ∼)微光；閃光。
shim·my [ˋʃɪmɪ] *n.* Ⓒ ①西迷舞(一種搖肩擺臀的爵士舞)。②(汽車前輪的)急劇搖盪。— *v.i.* ①跳西迷舞。②(汽車)震顫。
shin [ʃɪn] *n.* Ⓒ 外脛；脛骨。— *v.t.* & *v.i.* (**-nn-**)爬(樹)。§ ∼ **guàrd**(踢足球用的)護脛。
shin·bone [ˋʃɪn,bon] *n.* Ⓒ〖解〗脛骨。
shin·dig [ˋʃɪndɪg] *n.* Ⓒ〖美俚〗(吵鬧而盛大的)舞會；聚會。
shin·dy [ˋʃɪndɪ] *n.* Ⓒ〖俚〗①喧囂；喧嘩；糾紛。②=**shindig.**
‡**shine** [ʃaɪn] *v.i.* (**shone**)①發光；發亮；照耀。②卓越。— *v.t.* ①(**shined**)使發亮；磨光；擦亮。He ∼*d* my shoes. 他擦亮我的皮鞋。②使照耀；使發光。∼ ***up to***〖俚〗**a.** 竭力討好以博取…的友誼。**b.** 竭力博取異性之歡心。— *n.* ① Ⓤ (又作a ∼)光輝；光采。② Ⓤ 陽光；晴天。③(a ∼)擦亮。④ Ⓒ〖俚〗喜愛。⑤(*pl.*)〖俚〗惡作劇。⑥ Ⓒ〖蔑〗黑人。***make no end of a*** ∼大鬧。***put a good*** ∼ ***on*** 將…擦亮。(***come***) ***rain or***∼ **a.** 晴雨無阻。**b.** 不管怎麼樣。***take a*** ∼ ***to***〖俚〗喜歡；愛上；看中。
shin·er [ˋʃaɪnɚ] *n.* Ⓒ ①發光體。②出類拔萃的人。③擦皮鞋者。④〖俚〗青腫之黑眼圈。⑤銀色小魚。⑥〖英俚〗錢幣(尤指金幣)。
shin·gle[1] [ˋʃɪŋgl] *n.* Ⓒ ①木瓦。②一種後面短兩側長的女子髮型。③〖美俗〗(醫師或律師所用的)小招牌。— *v.t.* ①用木瓦修葺(屋頂)。②把(婦女頭髮)剪成後腦部很短的髮型。
shin·gle[2] *n.* Ⓤ (集合稱) 海濱沙石；砂礫。— **shin'gly,** *adj.*
shin·gles [ˋʃɪŋglz] *n.* Ⓤ〖醫〗帶狀疱疹。
shin·ing [ˋʃaɪnɪŋ] *adj.* ①發光的；閃

S

耀的。②傑出的。*improve each* [*the*] ~ *hour* 利用時光。— **ly,** *adv.*
shin·ny [ˋʃɪnɪ] *n.* Ⓤ 一種簡易的曲棍球遊戲。— *v.i.* 玩此種球戲。
Shin·to [ˋʃɪnto] *n.* Ⓤ 日本之神道教。(亦作**Shintoism**)
Shin·to·ist [ˋʃɪntoɪst] *n.* Ⓒ 神道教徒。
***shin·y** [ˋʃaɪnɪ] *adj.* ①發光的；輝煌的；晴朗的。②(衣服)磨光的。
‡ship [ʃɪp] *n.* Ⓒ ①船；艦(單數代名詞用 she, her). ②(集合稱)船[艦]上之全體人員。③〖俗〗飛機。*take* ~ 上船；搭船。*when one's* ~ *comes in* [*home*] 當某人時來運轉時。— *v.t.* (**-pp-**)①以船運送；運輸。②雇用(水手)。③〖海〗灌入(海水)。④裝置(船具)。— *v.i.* ①乘船；坐船旅行。②在船上服務。~ *water* [*a sea*] 冒著風浪。§ ~ [〖英〗~'s] **bìscuit**(船上用的)粗硬餅乾(亦作 ship bread). ~ **brèaker** 廢船解體業者。~ **bròker** 船舶經紀人；水險掮客。~ **canàl** 可航行大船的運河。~('s) **chàndler** 船具商。~ **chàndlery** (1)船具業。(2)(集合稱)船具。~ **fèver**〖醫〗一種斑疹傷寒。~ **lètter** 郵船外其他船隻運送之信件。~ **mòney**〖英史〗建艦稅。~'s **còmpany** 全體船員。~'s **húsband** 隨船押貨人。~'s **páper** 船舶文件。
ship·board [ˋʃɪpˌbord] *n.* Ⓤ 船。*on* ~ 在船上；在船裏。
ship·build·er [ˋʃɪpˌbɪldɚ] *n.* Ⓒ ①造船者；造船匠。②造船公司。
ship·build·ing [ˋʃɪpˌbɪldɪŋ] *n.* Ⓤ 造船學；造船術。
ship·load [ˋʃɪpˌlod] *n.* Ⓒ ①船貨。②船載量。
ship·mas·ter [ˋʃɪpˌmæstɚ] *n.* Ⓒ 船長。
ship·mate [ˋʃɪpˌmet] *n.* Ⓒ 同船水手[船員]。
ship·ment [ˋʃɪpmənt] *n.* ① Ⓤ 裝船；裝運。② Ⓒ 所載之貨。
ship·own·er [ˋʃɪpˌonɚ] *n.* Ⓒ 船主。
ship·per [ˋʃɪpɚ] *n.* Ⓒ ①裝貨[船]者。②託運人。
ship·ping [ˋʃɪpɪŋ] *n.* Ⓤ ①船運；航運。②船舶總噸數。③(集合稱)船舶。§ ~ **àgent** 航運代理商。~ **àrticles**〖海〗船員僱傭契約。~ **bìll** [**nòte**] 出口貨清單。~ **clèrk** 運務員。~ **làne** 航路。~ **lìne** 船公司；航業公司。~ **òffice** 貨運業事務所；海員監督事務所。~ **ròom**(商號、工廠等之)發貨室。
ship·shape [ˋʃɪpˌʃep] *adj.* & *adv.* 井然有序的[地]；整齊的[地]。
ship-to-ship [ˋʃɪptəˋʃɪp] *adj.* (飛彈等)艦對艦的。a ~ missile 艦對艦導彈。
ship·way [ˋʃɪpˌwe] *n.* Ⓒ 造船臺。
***ship·wreck** [ˋʃɪpˌrɛk] *n.* ① ⓊⒸ 船難；海難。② Ⓒ 遇難的船。③ Ⓤ 毀滅。— *v.t.* ①使(船隻)遭難。②毀滅。— *v.i.* 船隻遭難或失事。
ship·wright [ˋʃɪpˌraɪt] *n.* Ⓒ 造船者；修船者。
ship·yard [ˋʃɪpˌjɑrd] *n.* Ⓒ 造船廠。
shire [ʃaɪr] *n.* Ⓒ〖英〗郡。§ ~ **hòrse** (用於拖貨車之)大種馬。
shirk [ʃɝk] *v.t.* & *v.i.* 規避；躲避。— *n.* Ⓒ 規避者。— **er,** *n.*
shirr [ʃɝ] *n.* Ⓤ 抽褶縫法；平行皺縫。— *v.t.* ①縫鬆緊線於…中。②(以奶油、麵包屑等)烤(蛋)。
shirr·ing [ˋʃɝɪŋ] *n.* =**shirr.**
‡shirt [ʃɝt] *n.* Ⓒ 襯衣；襯衫。*keep one's* ~ *on*〖俚〗保持冷靜；不發脾氣。§ ~ **frònt** 襯衣的前胸部分。
shirt·band [ˋʃɝtˌbænd] *n.* Ⓒ 襯衫的領口或袖口。
shirt·ing [ˋʃɝtɪŋ] *n.* ⓊⒸ 襯衫布料。
shirt-sleeve [ˋʃɝtˌsliv] *adj.* ①簡單的；樸素的；不拘形式的；非正式的。②衣著隨便的。
shirt·tail [ˋʃɝtˌtel] *n.* Ⓒ 襯衣下襬。
shirt·waist [ˋʃɝtˌwest] *n.* Ⓒ〖美〗(無裝飾的)襯衫型上衣。
shish ke·bab [ˋʃɪʃkəˌbæb, -ˌbɑb] *n.* ⓊⒸ 烤(羊)肉串。
shit [ʃɪt]〖鄙〗*n.* Ⓤ ①糞；大便；屎。②胡說；謊言。*the* ~*s* 腹瀉；拉肚子。— *v.i.* (~, **shit·ting**) 大便。— *v.t.* ①在…大便。②大便失禁。— *interj.* 胡說！狗屎！混蛋！
shiv [ʃɪv] *n.* Ⓒ〖俚〗刀；剃刀。
***shiv·er¹** [ˋʃɪvɚ] *v.i.* 顫抖。— *n.* Ⓒ 顫抖。— **shiv'er·y,** *adj.*
shiv·er² *v.t.* & *v.i.* (使)破碎；打碎。— *n.* Ⓒ (常 *pl.*)碎片；破片。
shoal¹ [ʃol] *n.* ① Ⓒ 群；魚群。②(*pl.*)〖俗〗大量；許多。— *v.i.* (魚)群聚；成群。
shoal² *n.* Ⓒ ①淺灘；沙洲；沙灘。②(常*pl.*)隱伏的危機或困難。— *adj.* 淺的。— *v.i.* 變淺。
shoat [ʃot] *n.* Ⓒ 不滿一歲之小豬。
‡shock¹ [ʃɑk] *n.* ⓊⒸ ①震動。②地震。③衝突；撞擊。④電擊；觸電。⑤震驚；激動。⑥〖醫〗震擾；休克。— *v.t.* ①使震動。②使震驚。③使受電擊。— *v.i.* 感受震驚；碰撞。§ ~ **absòrber** (1)緩衝器。(2)(汽車之)避震器。~ **tàctics** 突襲；奇襲。~ **thèrapy** [**trèatment**]〖醫〗震擊療法。~ **tròops** 突擊隊；奇襲隊。~ **wàve**〖理〗衝擊波；激波。
shock² *n.* Ⓒ ①穀捆堆；禾束堆。②一大堆；一大批。— *v.t.* & *v.i.* 堆成穀捆堆。
shock³ *n.* Ⓒ 蓬亂的一堆(如頭髮)。
shock·er [ˋʃɑkɚ] *n.* Ⓒ ①引起震驚之人或物。②〖英俚〗煽情的小說[戲劇]。
shock·ing [ˋʃɑkɪŋ] *adj.* ①可驚的；駭人的。②使人厭惡的。③〖俗〗極差的；糟透的；不像話的。
shock·proof [ˋʃɑkˌpruf] *adj.* 防震的。
shod [ʃɑd] *v.* pt. & pp. of **shoe.**
shod·dy [ˋʃɑdɪ] *adj.* ①舊毛絨等再製的。②冒充好貨的；次品的。— *n.* Ⓤ ①舊毛絨再製品。②虛飾外觀之劣等貨；便宜貨；贋品。
‡shoe [ʃu] *n.* Ⓒ ①(常 *pl.*)鞋；靴。②鞋形物。③蹄鐵。④(手杖等的)金屬環箍。⑤(輪部的)刹車。⑥(輪胎的)外胎。⑦護套(保護裏面事物者)。*look after* [*wait for*] *dead men's* ~*s* 等候別人死(以奪其地位或財產)。*Over* ~*s, over boots.* 一不做二不休。*stand in*

another's ~s 代替別人；處於別人位置。*That's another pair of ~s.* 那又是一回事。*where the ~ pinches* 癥結所在。—— *v.t.* (**shod** or **~d**) ①使穿上鞋（祇能用過去分詞）。②爲（馬）釘蹄鐵。§ ~ **hòrn** 鞋拔。~ **lèather** ⑴製鞋用之皮革。⑵皮鞋。~ **pòlish** 鞋油。~ **stòre** 〖英〗**shòp**〖美〗鞋店。~ **trèe** 鞋楦（置於鞋內，以保持鞋形）。

shoe·black [ˋʃuˏblæk] *n.* Ⓒ 擦鞋匠（=bootblack).

shoe·brush [ˋʃuˏbrʌʃ] *n.* Ⓒ 鞋刷。

shoe·horn [ˋʃuˏhɔrn] *n.* Ⓒ 鞋拔。

shoe·lace [ˋʃuˏles] *n.* Ⓒ 鞋帶。

shoe·lift [ˋʃuˏlɪft] *n.* Ⓒ〖英〗鞋拔。

shoe·mak·er [ˋʃuˏmekɚ] *n.* Ⓒ 鞋匠。

shoe·mak·ing [ˋʃuˏmekɪŋ] *n.* Ⓤ 補鞋；製鞋（業）。

shoe·shine [ˋʃuˏʃaɪn] *n.* Ⓒ 擦鞋（者）。

shoe·string [ˋʃuˏstrɪŋ] *n.* Ⓒ ①鞋帶。②〖俗〗（開始經營企業或投資等所用之極少數）金錢。

‡**shone** [ʃon] *v.* pt. & pp. of **shine.**

shoo [ʃu] *interj.* 噓！（趕走鳥獸之呼聲）。—— *v.t.* 發出噓聲趕走（鳥獸）。—— *v.i.* 發出噓聲。

shoo-in [ˋʃuˏɪn] *n.* Ⓒ〖俗〗①被認爲可輕易當選的候選人或獲勝的競賽人。②有把握之事。

‡**shook** [ʃuk] *v.* pt. of **shake.**

shook-up [ˋʃukˏʌp] *adj.* 激動的；不安的；心煩意亂的。

‡**shoot** [ʃut] *v.t.* (**shot**) ①射中；射死。②發射；射擊。③發出；提出。④投；拋。⑤迅速通過；穿過。⑥發（芽）；生（枝）。⑦拍（照）；攝影。⑧傾倒；排出。⑨踢（球）入門。—— *v.i.* ①射擊；放槍；射箭。②打獵。③突進；疾馳。④生長；迅速發育〔up〕. ⑤發芽。⑥突出；伸入。*~ down* 否決；擊落。—— *n.* Ⓒ ①射擊；狩獵。②芽；苗；嫩枝。

shoot-'em-up [ˋʃutəmˏʌp] *n.* Ⓒ〖美俚〗槍戰影片。

shoot·ing [ˋʃutɪŋ] *n.* ①ⓊⒸ 發射；射擊。②Ⓤ 狩獵。§ ~ **gàllery** ⑴（室內）射擊練習場。⑵（遊藝場所等的）打靶場。⑶〖俚〗吸食[注射]麻藥者的聚集處。~ **iron**〖美俚〗槍；手槍。~ **lìcense** 狩獵執照。~ **màtch** 射擊比賽。~ **rànge** 射擊場；靶場。~ **stár** 流星（=falling star). ~ **wàr** 槍戰；熱戰。

shoot-out [ˋʃutˏaʊt] *n.* Ⓒ 互相射擊。

‡**shop** [ʃɑp] *n.* Ⓒ ①店鋪；商店。②工廠；修理廠。③本行（話）。*all over the ~* 〖俚〗在各處；零亂；雜亂。*talk ~* 談論本行的事物等。—— *v.i.* (**-pp-**) 購物。§ ~ **assìstant**〖英〗（零售店的）店員。~ **flòor** 一般工人的工作場所。~ **hòurs** （商店正式的）營業時間。~ **stèward** [**chàirman**]（工會的）工廠代表。

shop·boy [ˋʃɑpˏbɔɪ] *n.* Ⓒ 店鋪的伙計；小店員。

shop·girl [ˋʃɑpˏgɝl] *n.* Ⓒ 女店員。

***shop·keep·er** [ˋʃɑpˏkipɚ] *n.* Ⓒ 小店主。

shop·lift [ˋʃɑpˏlɪft] *v.t.* & *v.i.* 佯裝顧客而偷竊；順手牽羊。

shop·lift·er [ˋʃɑpˏlɪftɚ] *n.* Ⓒ 佯裝顧客而偷竊貨品者。— **shop'lift·ing,** *n.*

shop·man [ˋʃɑpmən] *n.* Ⓒ (*pl.* **-men**) ①售貨員。②零售商人；小商人；店主。

shop·per [ˋʃɑpɚ] *n.* Ⓒ 看貨、購物之人。

***shop·ping** [ˋʃɑpɪŋ] *n.* Ⓤ 購物。*go (out) ~* 去購物。§ ~ **bàg** 手提購物袋（=〖英〗carrier bag). ~ **bàsket** 購物籃。~ **cènter** 購物中心。~ **lìst** 購物清單。~ **màll** 行人專用商店街。~ **prècinct** 購物區；商店街。~ **strèet** 商店街。

shóp·ping-bag lády [ˋʃɑpɪŋˏbæg ~] *n.* Ⓒ〖美〗購物袋女郎（把全部錢財放在購物袋裡四處流浪的女子）。

shop·talk [ˋʃɑpˏtɔk] *n.* Ⓤ ①有關自己行業之談話。②職業用語；行話。

shop·win·dow [ˋʃɑpˋwɪndo] *n.* Ⓒ 商店的橱窗。

shop·worn [ˋʃɑpˏworn] *adj.* 店中擺舊的；久經曝露而陳舊的。

‡**shore**[1] [ʃor, ʃɔr] *n.* ①Ⓒ 岸；（尤指）海岸。②Ⓤ 陸地。③Ⓒ（常 *pl.*）國家。*in ~* 近岸。*off ~* 在離岸不遠的海面上。*on ~* 在岸上。§ ~ **dìnner**〖美〗海鮮大餐。~ **lìne** 海岸線（亦作 shoreline). ~ **patròl**〖美〗海岸巡邏隊。

shore[2] *n.* Ⓒ（船身、建築物等的）支柱；撐柱。—— *v.t.* 用支柱支撐〔up〕.

shore·bird [ˋʃorˏbɝd] *n.* Ⓒ 岸邊鳥；濱鳥（棲息河口或海岸的涉禽類）。

shore·ward [ˋʃorwɚd] *adj.* 向岸[陸地]的。—— *adv.*（亦作 **shorewards**）向岸方地。

shorn [ʃorn] *v.* pp. of **shear.**

‡**short** [ʃɔrt] *adj.* ①短的；短暫的。②矮的。③簡短的；簡潔的。④不足的；短少的；缺少的。⑤唐突的；無禮的。⑥（餅等）鬆脆的。⑦〖語音〗短音的。⑧即期的；即將兌現的；賣空的。⑨達不到（目標）的；不夠遠的。⑩〖英〗（威士忌之）純的。*be ~ of* **a.** 未達到；在…近處。**b.** 缺乏；短少。*give ~ shrift (to)* 不理會；立刻嚴厲地處理。*make ~ work of* 迅速處理、毀壞等。*nothing [little] ~ of* 完全不少於[遜於]；幾乎；完全。—— *adv.* ①短地。②突然。③不足地；缺乏地。④未達某程度地〔of〕. *fall [come] ~* **a.** 不達；不及。**b.** 不足；缺乏。*run ~* 不足；不夠。—— *n.* ①(the ~)要點；概要。②Ⓒ 缺乏或不足者。③Ⓒ〖語音〗短音節。④(*pl.*)短褲。*for ~* 簡稱。*in ~* 總而言之。—— *v.t.* & *v.i.* 〖電〗（使）生短路。§ ~ **bìll** 短期票據。~ **círcuit**〖電〗短路。~ **clòthes**（小孩穿著之）短褲。~ **cùt** ⑴近路。⑵省時、省力、省錢的方法；捷徑。~ **órder**〖美〗（在櫃臺式餐廳等）點叫後很快供應的速食[快餐]；速食[快餐]的點叫。~ **sále**〖商〗賣空。~ **séller**〖商〗賣空者。~ **sélling**〖商〗賣空行爲。~ ~ **stòry** 極短篇小說。~ **tíme** 不足的作業時間。~ **tón** 短噸；美噸（=2000 pounds). — **ness,** *n.*

***short·age** [ˋʃɔrtɪdʒ] *n.* ⓊⒸ ①缺乏；不足。②不足之額；缺陷。

short·bread [ˋʃɔrtˏbrɛd] *n.* ⓊⒸ 奶

油酥餅。

short·cake [ˋʃɔrt,kek] *n.* Ⓤ Ⓒ (上面覆有漿果或其他水果之)油酥糕餅。

short·change [,ʃɔrtˋtʃendʒ] *v.t.* 〖美俚〗①少找錢給(某人)。②欺騙。

short-cir·cuit [,ʃɔrtˋsɝkɪt] *v.t. & v.i.* 〖電〗(使)發生短路。

short·com·ing [ˋʃɔrt,kʌmɪŋ] *n.* Ⓒ (常 *pl.*)缺點；短處。

short-cut [ˋʃɔrt,kʌt] *v.t. & v.i.* (~, **-cut·ting**) (使)走捷徑。

***short·en** [ˋʃɔrtn̩] *v.t.* ①使短；縮短。②使鬆脆。— *v.i.* 縮短；減少。

short·en·ing [ˋʃɔrtn̩ɪŋ] *n.* Ⓤ ①油酥(製麵食、糕餅用)。②縮短。

short·fall [ˋʃɔrt,fɔl] *n.* Ⓒ 不足(額)；不夠。

short·hand [ˋʃɔrt,hænd] *n.* Ⓤ 速記法。— *adj.* 用速記的。

short-hand·ed [ˋʃɔrtˋhændɪd] *adj.* 人手不足的。

short-haul [ˋʃɔrt,hɔl] *adj.* 短距離運送的。

short·horn [ˋʃɔrt,hɔrn] *n.* Ⓒ (原產於英國之)短角牛。

short-list [ˋʃɔrt,lɪst] 〖英〗 *v.t.* 把…列入精選名單(常用過去分詞)。— *n.* Ⓒ 最有希望的候選人名單。

short-lived [ˋʃɔrtˋlaɪvd] *adj.* 短命的；持續不久的；曇花一現的。

***short·ly** [ˋʃɔrtlɪ] *adv.* ①即刻；不久。②簡略地。③唐突地；無禮地。

short-range [ˋʃɔrtˋrendʒ] *adj.* 短射程的；短期間的。

short-run [ˋʃɔrtˋrʌn] *adj.* 短期的；短時間的。

short·sight·ed [ˋʃɔrtˋsaɪtɪd] *adj.* ①近視的。②目光短淺的；無遠見的。

short-spo·ken [ˋʃɔrtˋspokən] *adj.* ①言詞簡短的。②粗魯的；不客氣的。

short·stop [ˋʃɔrt,stɑp] *n.* Ⓒ 〖棒球〗游擊手。

short-tem·pered [ˋʃɔrtˋtɛmpəd] *adj.* 易怒的；脾氣暴躁的。

short-term [ˋʃɔrtˋtɝm] *adj.* 短期的。

short-wave [ˋʃɔrt,wev] *v.t.* 以短波播送。— *n.* ① Ⓤ 〖通訊〗短波。② Ⓒ 短波收音機。— *adj.* 短波的；用短波播送的。

short-wind·ed [ˋʃɔrtˋwɪndɪd] *adj.* ①喘氣的；呼吸困難的。②(文章等)簡短的；扼要的。

short·y [ˋʃɔrtɪ] *n.* Ⓒ 〖俗〗①矮子。②短的衣服。— *adj.* 短衣服的。

shot[1] [ʃɑt] *v.* pt. & pp. of **shoot.** — *adj.* (布等)閃光色的。

shot**[2] *n.* (*pl.* ~**s**) ① Ⓤ Ⓒ 彈丸；砲彈；鐵球。② Ⓤ 發射；射擊；一發；一射。③ Ⓤ 瞄準；襲擊；狙擊。④ Ⓤ 射程。⑤ Ⓒ 射手；砲手。⑥ Ⓒ 似彈丸等之物。⑦ Ⓤ 尖刻的批評。⑧ Ⓒ 試圖；猜測。⑨ Ⓒ 〖運動〗鉛球。⑩ Ⓒ 照片。⑪ Ⓒ 〖俚〗一劑；一服。⑫ Ⓤ Ⓒ (*pl.* ~) 霰彈。⑬ Ⓒ 打針；注射。⑭ Ⓒ 照相；攝影。a long*** ~ 瞎猜；〖影〗長距離攝影；大膽的嘗試。***big*** ~ 〖美俚〗重要人物；大人物。***like a*** ~ 立刻。— *v.t.* (**-tt-**)①裝以彈丸等。②試圖。§ ~ **pùt** 〖運動〗擲鉛球。

shot·gun [ˋʃɑt,gʌn] *n.* Ⓒ 霰彈槍；獵槍；鳥槍。§ ~ **wédding** [**márriage**] 〖俚〗(1)因已懷孕而不得不舉行的婚禮。(2)強迫的結合[協調]。

shot-put·ting [ˋʃɑt,pʊtɪŋ] *n.* Ⓤ 擲鉛球。— **shot′-put·ter,** *n.*

‡**should** [ˋʃʊd, ,ʃʊd, ʃəd, ʃd, ʃt] *aux. v.* pt. of **shall.** ①普通用法：作 shall 的過去式(參看 **shall**)。②特殊用法：**a.** 表示一種責任或義務之意(=ought to, 應該)。You ~ try to make fewer mistakes. 你應該設法少犯一些錯誤。**b.** 表示一種不確定的狀態。If it ~ rain tomorrow, I ~ not go. 如果明天下雨，我就不去了。**c.** 表示一種可能發生而實際並未發生的情形。I ~ have bought it if I had had enough money. 如果我當時有足夠的錢，我就會把它買來了。**d.** 表示預料或可能之意。**e.** 表示一種比較委婉的說法。*S*- you like to go? 你願意去嗎? **f.** 表示事物之狀態或理由。**g.** 表示不合理、難以相信或不應該之事(常用於why問句)。Why ~ you think that I did not like the book? 你有甚麼理由認爲我不喜歡這本書呢?

‡**shoul·der** [ˋʃoldə] *n.* ① Ⓒ 肩。② Ⓒ (常 *pl.*)雙肩及背的上部。③ Ⓒ 衣服的肩部；衣肩。④ Ⓤ Ⓒ (豬、牛等連前腿的)肩膀肉。⑤ Ⓒ 肩狀的部分或突出部。⑥ Ⓒ (常 *sing.*)路肩。***give***[***turn***] ***a cold ~ to a person*** 冷淡對待某人。***have broad ~s***肩膀寬；可擔重任。***put one's ~ to the wheel*** 努力工作。***rub ~s with*** 與…爲伍；和…在一起。***~ to ~*** 並肩；團結一致。***straight from the ~***從正面；直接地；坦白地。— *v.t. & v.i.* ①肩負；掮於肩上。②負擔；擔任。③以肩推；擠。*S-arms!* 〖口令〗槍上肩! § ~ **bàg** 有肩帶的女用手提包。~ **bèlt**[**hàrness**] (從肩上斜掛的)汽車安全帶。~ **blàde** 〖解〗肩胛骨。~ **bràce**背矯正器。~ **knòt**肩飾。~ **lóop** 〖美〗肩章。~ **màrk**[**bòard**] 〖美〗(海軍的)軍銜肩章。~ **pàd** 墊肩。~ **pàtch**(佩戴於制服袖上部的)臂章。~ **stràp** 吊帶；背帶。

‡**should·n't** [ˋʃʊdnt] =**should not.**

‡**shout** [ʃaʊt] *v.i. & v.t.* ①呼；喊；叫；喊出；叫出。②高聲談笑。— *n.* Ⓒ ①叫；喊。②突發的大笑；陣笑。

shout·ing [ˋʃaʊtɪŋ] *n.* Ⓤ 叫；喊；歡呼。***all over but the ~***勝負已成定局。

shove** [ʃʌv] *v.t.* ①推；推擠；撞。②置放。— *v.i.* 推；擠；撞。~ ***off **a.** 推船離岸。**b.** 動身；出發。— *n.* Ⓒ (常 *sing.*)推。

***shov·el** [ˋʃʌvl̩] *n.* Ⓒ ①鏟；鐵鍬。②一鏟或一鍬之量。— *v.t.* (**-l-,** 〖英〗**-ll-**) ①用鏟子鏟起並投送。②用鏟子挖成。§ ~ **hàt**(英國教會牧師戴的)鏟形帽。

shov·el·bill [ˋʃʌvl̩,bɪl] *n.* Ⓒ 〖鳥〗廣味鳧(又名琵嘴鴨，喙扁平且長呈匙狀的水禽)。

shov·el·ful [ˋʃʌvl̩,fʊl] *n.* Ⓒ 一鏟子(的量)。

‡**show** [ʃo] *v.t.* (**showed, shown** or **showed**)①顯示；表現；顯露；表示。

②解釋；說明；告知；指示；引導。③證明；表明。④施與。⑤表演；演出；上映。⑥(爲出售等)出示。— *v.i.* ①顯現；可見；出現。②顯得。③展覽。④〖俚〗(賽跑)跑前三名。⑤〖俗〗赴約。⑥〖俗〗參加演出；上演。～ *off* **a.** 炫耀。**b.** 賣弄。～ *up* **a.** 〖俗〗出現。**b.** 突出；顯眼。**c.** 使別人相形見絀。～ (*a person* [*thing*]) *up* 暴露；揭發。— *n.* ①(a ～)顯示；展覽。②Ⓒ展覽會。③Ⓤ虛飾；外觀。④(a ～)表示。⑤Ⓒ徵象；痕跡。⑥Ⓒ〖俗〗演藝；電影。⑦(*sing.*)〖俗〗機會。⑧Ⓒ嘲弄的對象；笑柄。Don't make a ～ of yourself. 不要做怪樣子。*be on* ～展覽中。*by* (*a*) ～ *of hands* 以舉手表決。*for* ～ 爲效果起見；爲引人注意。*give the* (*whole*) ～ *away* 露出馬脚；失言。*steal the* ～ **a.** 搶鏡頭。**b.** 出鋒頭。§ ∼ **bìll** 廣告招貼；戲單。∼ **bìz** [**bùsiness**]影劇業。∼ **gìrl** (1)歌舞女郎。(2)廣告女郎。∼ **júmping** 〖馬術〗超越障礙比賽。∼**trìal**(極權國家舉行的)公審。∼ **wìndow** (商店的)櫥窗。—**a·ble,** *adj.*

show·boat [ˋʃo͵bot] *n.* Ⓒ演藝船。

show·case [ˋʃo͵kes] *n.* Ⓒ ①(商店之)玻璃展示櫃。②陳列；展示。

show·down [ˋʃo͵daʊn] *n.* Ⓒ (常 *sing.*)攤牌。

⁑show·er [ˋʃaʊə] *n.* Ⓒ ①(常 *pl.*)陣雨。②任何似陣雨之物。③淋浴。④送禮物給新娘或待產婦之聚會。⑤大量之事物。— *v.t.* ①淋濕。②大量地給與。③如陣雨般拋擲。④爲…淋浴。⑤送禮給(新娘或待產婦)。— *v.i.* ①下驟雨[陣雨]。②淋浴。§ ∼ **cùrtain** 浴簾。

show·er·y [ˋʃaʊərɪ] *adj.* 陣雨的；多陣雨的；似陣雨的；大量的。

show·ing [ˋʃoɪŋ] *n.* ①(a ～)印象；表現。②Ⓒ展示；展覽。③(*sing.*)陳述；指陳。④(a ～)外觀；外表。*make a good* ～外觀好看；表現好。

show·man [ˋʃomən] *n.* Ⓒ (*pl.* **-men**) ①主持演藝或展覽的人。②擅於引起別人興趣和注意的人。

show·man·ship [ˋʃomən͵ʃɪp] *n.* Ⓤ①演出的技藝[本領]。②吸引聽衆、觀衆等的技巧[本領]。

⁑shown [ʃon] *v.* pp. of **show.**

show-off [ˋʃo͵ɔf] *n.* ①Ⓤ炫耀；誇示。②Ⓒ炫耀的人；自鳴得意的人。

show·piece [ˋʃo͵pis] *n.* Ⓒ ①展示品；供展覽的樣品。②(值得展出的)優秀作品[傑作]。

show·room [ˋʃo͵rum] *n.* Ⓒ展示室；陳列室。

show·up [ˋʃo͵ʌp] *n.* Ⓒ〖俚〗暴露；出現；揭發。

show·y [ˋʃoɪ] *adj.* 華麗的；炫耀的。

***shrank** [ʃræŋk] *v.* pt. of **shrink.**

shrap·nel [ˋʃræpnəl] *n.* Ⓤ (集合稱)榴霰彈；榴霰彈片。

shred [ʃrɛd] *n.* ①Ⓒ (常 *pl.*)碎片；細條。②(a ～) 微量；些微；少許；一點。— *v.t.* & *v.i.* (**shred·ded** or **shred, shred·ding**)撕成碎片；切成細條；切碎。—**der,** *n.*

shrew [ʃru] *n.* Ⓒ ①潑婦；悍婦。②〖動〗地鼠。

***shrewd** [ʃrud] *adj.* ①敏銳的；精明的。②銳利的；酷烈的。③惡意的；毒惡的。—**ly,** *adv.* —**ness,** *n.*

***shriek** [ʃrik] *n.* Ⓒ尖叫聲；尖銳的聲音。— *v.i.* ①尖叫。②(樂器、哨子、風等)發出尖銳聲音。— *v.t.* 以尖聲叫。—**er,** *n.*

shrift [ʃrɪft] *n.* Ⓤ〖古〗①懺悔；臨終懺悔。②(懺悔後所得的)赦罪。

shrike [ʃraɪk] *n.* Ⓒ百舌鳥；伯勞。

***shrill** [ʃrɪl] *adj.* ①(聲音)尖銳的。②(要求、批評等)尖酸的。— *v.i.* 發出尖銳的聲音。— *v.t.* 以尖銳聲音發出。— *n.* Ⓒ尖銳的聲音。— *adv.* 尖聲地。—**shril'ly,** *adv.*

shrimp [ʃrɪmp] *n.* Ⓒ ①小蝦。②無足輕重的人；矮子。

***shrine** [ʃraɪn] *n.* Ⓒ ①神龕。②廟；祠。③聖地；聖物。④聖者之墓。— *v.t.* 將…置於神龕內；把…奉祀於廟中(=enshrine)。

***shrink** [ʃrɪŋk] *v.i.* (**shrank** or **shrunk, shrunk** or **shrunk·en**) ①收縮；縐縮；萎縮。②退縮；退避；畏縮。— *v.t.* 使收縮；使縐縮。— *n.* Ⓒ收縮；萎縮；畏縮。—**a·ble,** *adj.*

shrink·age [ˋʃrɪŋkɪdʒ] *n.* Ⓤ ①縮小；縐縮；收縮。②收縮的量或程度。

shrink-wrap [ˋʃrɪŋkˋræp] *v.t.* (**-pp-**)用塑膠薄膜包裝。— *n.* Ⓤ收縮包裝。

shrive [ʃraɪv] *v.t.* (**shrived** or **shrove, shriv·en** [ˋʃrɪvən] or **shrived**) (教士)聽(悔罪者)懺悔而給與赦罪。— *v.i.* ①聽懺悔。②懺悔。

shriv·el [ˋʃrɪvḷ] *v.t.* & *v.i.* (**-l-,** 〖英〗 **-ll-**) ①(使)枯萎；(使)縐縮；(使)捲縮。②(使)成爲無用。

shroud [ʃraʊd] *n.* Ⓒ ①屍衣；壽衣。②遮蔽物；覆蓋物。③(常 *pl.*)(船之)橫桅索。— *v.t.* ①用屍衣裹。②遮蔽；覆蓋。③隱察；隱藏。

shrove [ʃrov] *v.* pt. of **shrive.**

***shrub** [ʃrʌb] *n.* Ⓒ灌木(林)。

shrub·ber·y [ˋʃrʌbərɪ] *n.* ①Ⓤ(集合稱)灌木。②Ⓒ灌木叢；矮樹叢。

shrub·by [ˋʃrʌbɪ] *adj.* ①像灌木的。②覆有灌木的。③多灌木的。

***shrug** [ʃrʌg] *v.t.* & *v.i.* (**-gg-**)聳(肩)。～ one's shoulders 聳肩(表示嫌惡、懷疑、冷淡、不耐煩等意)。— *n.* Ⓒ聳肩。

***shrunk** [ʃrʌŋk] *v.* pt. & pp. of **shrink.**

***shrunk·en** [ˋʃrʌŋkən] *v.* pp. of **shrink.** — *adj.* 縐縮的；萎縮的。

shti(c)k [ʃtɪk] *n.* Ⓒ〖美俚〗①滑稽場面。②引人注意的小噱頭。

shuck [ʃʌk] *n.* Ⓒ殼；莢；外皮。— *v.t.* 剝…之殼、莢或皮。～ *off* 〖俚〗 **a.** 脫衣；除去。**b.** 革除；揚棄。

shucks [ʃʌks] *interj.* 〖美俗〗呸！無聊！可惡！(表示不快、失望、焦躁等)。

***shud·der** [ˋʃʌdə] *v.i.* 戰慄；發抖。— *n.* Ⓒ戰慄；發抖。give a person the ～*s* 使某人戰慄。

S

shud·der·ing·ly [`ʃʌd(ə)rɪŋlɪ] *adv.* 發抖地；戰慄地；毛骨悚然地。
shuf·fle [`ʃʌfl] *v.t.* ①曳(足)而行。②弄混；洗(牌)。③亂堆；亂塞。④使…四處移動。— *v.i.* ①曳足而行。②洗牌。③支吾；閃避；矇混。④曳步而舞。⑤笨拙地移動〔常 into〕. ~ ***off*** **a.** 除去；排除；推卸。**b.** 曳足而行。~ ***on*** 匆匆穿上。— *n.* ①(*sing.*) **a.** 曳步。**b.** 〖舞蹈〗拖步(舞法)。② Ⓒ **a.** 混合；混雜。**b.** 〖牌戲〗洗牌；洗牌輪值。③ Ⓒ (內閣等的)改組(=reshuffle)。④ Ⓒ 詭計；矇混；支吾之詞。— **shuf′fler,** *n.*
shuf·fle·board [`ʃʌfl̩,bord] *n.* Ⓤ 推移板遊戲(=shovelboard).
shun [ʃʌn] *v.t.* (**-nn-**)規避；避免；避開。— **ner,** *n.*
'shun [ʃʌn] *interj.* 立正！(口令，爲 attention 之縮語)。
shunt [ʃʌnt] *v.t.* ①移向一旁；轉避。②使(火車)轉到(另一軌道)；使(火車)轉轍。③擱置(計畫)；迴避(問題)；丟棄；除去。④分路傳送(電流)。⑤排擠(人)；使降職。— *v.i.* (火車)轉入支軌；轉轍。— *n.* Ⓒ ①轉開；側移。②〖鐵路〗轉轍器。③〖電〗分路(器)；分流器。— *adj.* 〖電〗分路的。
shunt·er [`ʃʌntɚ] *n.* Ⓒ ①〖鐵路〗轉轍手；轉轍器。②有組織能力的人；有手腕的人。③(倫敦股票交易所的)套利者。
shush [ʃʌʃ] *interj.* 噓！安靜！— *v.t.* 發噓聲使…安靜。
‡shut [ʃʌt] *v.t.* (**shut, shut·ting**) ①關；閉。②摺起；合攏。③關閉(店等)。④關入；幽禁。⑤拒絕；排出。⑥閂(門)。— *v.i.* 關上；關閉。~ ***down*** 關閉；停工。~ ***in*** **a.** 圍繞；圍住。**b.** 迫近。**c.** 臥床；臥病。**d.** 使中止；壓制。~ ***off*** **a.** 遮斷；停閉(水、電、煤氣等)。**b.** 隔離；隔絕。~ ***out*** **a.** 遮蔽。**b.** 拒絕。**c.** 使對方不能得分。~ ***up*** **a.** 關閉門窗。**b.** 囚禁；妥藏。**c.** 〖俚〗使閉嘴。**d.** 〖俚〗緘默。
shut·down [`ʃʌt,daʊn] *n.* Ⓒ 暫時休業[停工]；關店。(亦作 **shut-down**)
shut-in [`ʃʌt,ɪn] *adj.* ①臥病的。②有孤獨傾向的。— *n.* Ⓒ 臥病不能離家的病人。
shut·off [`ʃʌt,ɔf] *n.* Ⓒ ①栓；關閉裝置。②停閉；阻塞。(亦作 **shut-off**)
shut·out [`ʃʌt,aʊt] *n.* Ⓒ ①遮斷；關閉。②〖棒球〗完全封鎖使對方掛零。
shut·ter** [`ʃʌtɚ] *n.* Ⓒ ①百葉窗；窗板。②(照相機之)快門。put up the ~s*** **a.** 放下百葉窗。**b.** 關店；停業。— *v.t.* 裝以百葉窗或遮門。
shut·tle [`ʃʌtl] *n.* ① Ⓒ (紡織機的)梭。② Ⓒ 太空梭(=space shuttle)。③ Ⓒ 短距離往返的火車[公車，飛機等]。④=**shuttlecock.** — *v.t.* & *v.i.* (使)穿梭般往返移動。§ ~ **bús** 機場載客車。~ **diplòmacy** 穿梭外交。~ **tráin** 短程往返的火車。
shut·tle·cock [`ʃʌtl̩,kɑk] *n.* ① Ⓒ 羽毛球。② Ⓤ 羽毛球運動。— *v.t.* & *v.i.* 往復移動。
‡shy[1] [ʃaɪ] *adj.* ①怕羞的；羞怯的。②膽怯的；易受驚的。③畏縮的；審愼的。④懷疑的；不信任的。***fight ~ of*** 設法避開。~ ***of*** 缺乏；不足。— *v.i.* ①驚退。②(人)畏縮；退縮。— **ness,** *n.*
shy[2] *v.t.* 投；擲。— *n.* Ⓒ ①投；擲。②〖俚〗譏笑；嘲弄。
Shy·lock [`ʃaɪlɑk] *n.* Ⓒ 冷酷無情的放高利貸者(原爲 Shakespeare 所著 *The Merchant of Venice* 中的放高利貸之猶太人)。
shy·ster [`ʃaɪstɚ] *n.* Ⓒ 〖俚〗奸猾的律師。
si [si] *n.* Ⓤ Ⓒ 〖樂〗大音階的第七音。
Si 〖化〗 silicon. **SI** International System. 國際(單位)制；simultaneous interpreter. 即席口譯者。
Si·am [saɪ`æm, `saɪæm] *n.* 暹羅(即 Thailand，泰國之舊名)。
Si·a·mese [,saɪə`miz] *adj.* 暹羅(人，語)的。— *n.* (*pl.* ~) ① Ⓒ 暹羅人。② Ⓤ 暹羅語。③ Ⓒ 暹羅貓。§ ~ **cát** 暹羅貓。~ **twíns** 暹羅連體雙胞胎；劍突聯胎；連體雙胞胎。
Si·be·ri·a [saɪ`bɪrɪə] *n.* 西伯利亞。— **Si·be′ri·an,** *adj.* & *n.*
sib·i·lant [`sɪbl̩ənt] *adj.* 有[發]嘶嘶聲的。— *n.* Ⓒ 齒擦音(如 s, z, ʃ, ʒ).
sib·ling [`sɪblɪŋ] *adj.* 兄弟或姊妹的。— *n.* Ⓒ 兄弟或姊妹。
sib·yl [`sɪbl] *n.* Ⓒ ①西比爾(古希臘、羅馬的女巫)。②女預言家；占卜者；魔女。
sic[1] [sɪk] 〖拉〗 *adv.* 原文如此(=so, thus, 引用文句時，如遇原文謬誤或欠妥之處，於其後標 sic 於方括弧[ ]內)。
sic[2] *v.t.* (**-ck-**)唆使(狗等)攻擊。
Sic·i·ly [`sɪsl̩ɪ] *n.* 西西里島。— **Si·cil·i·an** [sɪ`sɪlɪən], *adj.* & *n.*
‡sick [sɪk] *adj.* ①患病的；有病的。fall ~得病。②作嘔的；欲嘔的。③厭惡的；厭煩的。④渴望的；戀慕的；憔悴的〔for〕. ⑤蒼白的；有倦容的。⑥不健全的。***go*** [***report***] ~ 〖軍〗宣布因病而不能執行任務。§ ~ **bày**(船內的)病房；醫務室。~ **bènefit** 病假津貼。~ **càll** 美軍就診時段。~ **flàg** 傳染病船旗；檢疫旗。~ **héadache**〖美〗嘔吐性頭痛；偏頭痛。~ **lèave**(支薪的)病假。~ **lìst** 病員名冊。~ **nòte**(請病假之)病假條。~ **nùrse** 護士。~ **pày** 病假薪津。〔注意〕在英國 **sick** 專指「噁心；嘔吐」而言，在美國則指一切疾病。參看 **ill.**
sick·bed [`sɪk,bɛd] *n.* Ⓒ 病床。
sick·en [`sɪkən] *v.i.* ①患病；生病。②厭惡；厭倦〔of〕. ③作嘔；欲嘔。— *v.t.* ①使厭惡；使厭倦。②使作嘔；使病。— **ing,** *adj.*
sick·ish [`sɪkɪʃ] *adj.* ①有病的；有些不舒服的。②令人作嘔的。
sick·le [`sɪkl] *n.* Ⓒ 鐮刀。
síck·le-cell anèmia [`sɪkl̩-,sɛl ~] *n.* Ⓤ 〖醫〗鐮狀細胞貧血症(常見於黑人，因血紅素異常而造成紅血球呈彎曲狀的一種貧血症)。
sick·ly [`sɪklɪ] *adj.* ①多病的；不健康的；憔悴的；委靡的。②致病的。③令人作嘔的。④虛弱的；微弱的。
***sick·ness** [`sɪknɪs] *n.* ① Ⓤ Ⓒ 疾病；

患病。②Ⓤ作嘔；嘔吐。

‡**side** [saɪd] *n.* ①Ⓒ邊；側；面。②Ⓒ脇；身體之兩邊。③Ⓒ山或河岸的斜坡。④Ⓒ河岸。⑤Ⓒ方面。⑥Ⓒ集團；黨；派系。⑦Ⓒ血統；家系；世系。⑧Ⓤ(打彈子球時迅速打一個而形成的)側旋。⑨Ⓤ〖英俚〗傲慢自大；擺架子。***by the ~ of***與某人並列；在某人附近。***on*** [***from***] ***all ~s***從各方面；到處；處處。***on the right*** [***wrong***] ***~ of forty***不足[已過]四十歲。***on the ~***〖俚〗**a.** 與主題分開的。**b.** 作爲副業。**c.** 作爲添加的菜餚。***on the... ~***有幾分…的意味；相當；頗。***shake***[***burst***]***one's ~s with laughter*** [***laughing***] 捧腹大笑。***~ by ~*** **a.** 並肩地；互相支持地。**b.** 相等地。**c.** 共存地；相鄰地。***split one's ~s***捧腹大笑。***take ~s***加入；袒護〔常with〕. — *adj.* ①側的。②從側面的。③不重要的；枝節的。④副的；附帶的。— *v.i.* 援助；參與；袒護〔常 with〕. § ∼ **dìsh**(正菜外加的)添菜；小菜。∼ **dòor**[**èntrance**]側門。∼ **effèct**〖藥〗副作用。∼ **hòrse**〖美〗(健身用的)鞍馬(＝pommel horse). ∼ **íssue**與正題無關的問題。∼ **lìght** (1)側光；側燈。(2)間接說明。∼ **lìne** (1)邊線。(2)(*pl.*)界外區域。(3)副業。(4)支線。∼ **strèet** 巷道。∼ **stròke**側泳。∼ **tàble**(餐廳等靠牆擺設或置於大桌子旁邊的)小几。∼ **vìew**側景；側面圖。∼ **whìskers**(蓄於兩頰的)絡腮鬍。

side·board [ˋsaɪd,bord] *n.* Ⓒ(放在餐室牆邊之)餐具櫥；餐具架。

side·burns [ˋsaɪd,bɜnz] *n. pl.* 兩頰上之鬍鬚；短腮鬍。

side-kick [ˋsaɪd,kɪk] *n.* Ⓒ〖美俚〗夥伴；密友；合作者；助手。

side·line [ˋsaɪd,laɪn] *v.t.* (因負傷或病而)迫使退出。— *n.* ＝**side line.**

side·long [ˋsaɪd,lɔŋ] *adj. & adv.* 橫的[地]；斜的[地]。

side·piece [ˋsaɪd,pis] *n.* Ⓒ(物之)側部。

si·de·re·al [saɪˋdɪrɪəl] *adj.* 星的；星座的。§ ∼ **dáy** 恆星日。∼ **yéar** 恆星年。

side·sad·dle [ˋsaɪd,sædl] *n.* Ⓒ女鞍；橫鞍；偏座鞍。— *adv.* (在馬背上)偏坐著。

side·slip [ˋsaɪd,slɪp] *n.* Ⓒ①橫滑；(汽車等)側滑。②〖空〗側滑。③私生子。— *v.i.* (**-pp-**)橫滑；側滑。

side·split·ting [ˋsaɪd,splɪtɪŋ] *adj.* 令人捧腹大笑的。—**ly,** *adv.*

side-step [ˋsaɪd,stɛp] *v.t. & v.i.* (**-pp-**)①走側步。②閃開；規避。

side·swipe [ˋsaɪd,swaɪp] *v.t.* 自側方攻擊；擦過。— *n.* Ⓒ①側擊；擦過。②〖俗〗附帶的批判。

side·track [ˋsaɪd,træk] *n.* Ⓒ①〖鐵路〗側線；旁軌。②規避；擱置；搪塞。— *v.t.* ①將(火車)轉入側線。②轉移(某人)之目標。

síde·view mírror [ˋsaɪdvju∼] *n.* Ⓒ(汽車的)後視鏡。

***side·walk** [ˋsaɪd,wɔk] *n.* Ⓒ〖美〗人行道(＝〖英〗pavement).

side·wards [ˋsaɪdwədz] *adv.* 向側方地；向旁邊地。

side·way [ˋsaɪd,we] *n.* Ⓒ①小路；岔道。②人行道。— *adj. & adv.* ＝**sideways.**

side·ways [ˋsaɪd,wez] *adv.* ①斜向一邊地。②自一邊地。— *adj.* 向一邊的；橫斜的。

side-wheel [ˋsaɪd,hwil] *adj.* 船側有外輪的(汽船)。

side·wind·er [ˋsaɪd,waɪndɚ] *n.* Ⓒ①一種小的響尾蛇。②(S-)響尾蛇飛彈(美國海軍之空對空導向飛彈)。

side·wise [ˋsaɪd,waɪz] *adj. & adv.* ＝**sideways.**

sid·ing [ˋsaɪdɪŋ] *n.* ①Ⓒ〖鐵路〗側線；旁軌。②Ⓤ〖美〗外壁板；牆板。

si·dle [ˋsaɪdl̩] *v.i.* (羞澀或膽怯地)側身而行。—**si′dling·ly,** *adv.*

SIDS sudden infant death syndrome. 嬰兒猝死症候群。

siege [sidʒ] *n.* ①ⓊⒸ圍困；圍攻；圍城。②Ⓒ長期的困擾。***lay ~ to*** **a.** 圍困。**b.** 以長期的努力企圖獲得。— *v.t.* 包圍；圍攻。—**a·ble,** *adj.*

Sieg·fried [ˋsigfrid] *n.*齊格飛(德國傳說中的屠龍英雄)。§ ∼ **Lìne** 齊格飛防線(德國於 1940 年構成之防線，1944 年爲美軍所突破)。

sie·mens [ˋsimənz] *n.* Ⓒ (*pl.* ∼) 〖電〗西門子(公制電導單位)。

si·en·na [sɪˋɛnə] *n.* Ⓤ①濃黃色；赭色。②濃黃土(一種顏料)。

si·er·ra [sɪˋɛrə, ˋsɪrə] *n.* Ⓒ(常 *pl.*) 鋸齒狀之山脈。

Si·er·ra Le·o·ne [sɪˋɛrəlɪˋonɪ] *n.* 獅子山(非洲西岸的一個共和國，首都 Freetown).

Siérra Neváda *n.* (the ∼)內華達山脈。

si·es·ta [sɪˋɛstə] *n.* Ⓒ午睡；午後小睡(尤指氣候炎熱國家中者)。

sieve [sɪv] *n.* Ⓒ篩；漏杓。— *v.t.* 以篩子篩；過濾。

sift [sɪft] *v.t.* ①篩；篩撒。②詳察；細審。③盤問。— *v.i.* 篩下；(雪等)紛落。—**er,** *n.*

‡**sigh** [saɪ] *v.i.* ①歎息。②發出類似歎息之聲。③熱望；渴想〔for〕. ④悲歎。— *v.t.* 歎息說出；以歎息表示〔out〕. — *n.* Ⓒ①歎息。②似歎息之聲。

‡**sight** [saɪt] *n.* ①Ⓤ視力；視覺。②Ⓤ(又作a ∼)看；見。③Ⓤ視界；視野。④Ⓒ看見的東西；瞥見。⑤Ⓒ情景；景象。⑥(*pl.*)**a.** 名勝。**b.** 目標。⑦(a∼)笑料；醜態。⑧Ⓤ見解；看法；判斷。⑨Ⓒ(槍砲等之)瞄準；瞄準具；表尺。⑩(a ∼)很多。***a*** (***long***) ***~***〖俚〗很多。***a ~ for sore eyes***喜歡見的人或物。***at first ~***初見。***at*** [***on***] ***~***見到立即。***catch ~ of***看見。***in ~***在望；看得見。***in ~ of***在看得見…的地方；在…所看得見的地方。***know by ~***認得某人；與…只是面熟。***lose ~ of*** **a.** 不再看見。**b.** 再也沒有得到…的消息。**c.** 遺漏；忽略。***out of ~***看不到；不被看到。***Out of ~, out of mind.***去者日以疏；離久則情疏。— *v.t.* ①看見。

②瞄準。③調整(槍砲的)瞄準器。§ ∼ **dràft** (見票即付之)即期支票或匯票(略作S/D). ∼ **rèader** (1)隨看隨讀者。(2)隨看隨奏之樂師。∼ **rèading** 不經練習，看著樂譜即席演奏或演唱。—**less,** *adj.*

sight·ed [ˋsaɪtɪd] *adj.* ①(人)眼睛看得見的。②視力…的。

sight·ing [ˋsaɪtɪŋ] *n.* ①Ⓤ瞄準。②Ⓒ(稀奇動物等的)目擊；發現〔of〕.

sight·ly [ˋsaɪtlɪ] *adj.* 悅目的；美麗的。

sight-read [ˋsaɪtˏrid] *v.t.* & *v.i.* (**-read**) 隨看隨讀(外語文章)；隨看隨奏。

***sight·see·ing** [ˋsaɪtˏsiɪŋ] *n.* Ⓤ觀光；遊覽。— *adj.* 觀光的；遊覽的。a ∼ car 遊覽車。—**sight/se·er,** *n.*

sig·ma [ˋsɪgmə] *n.* ⓊⒸ希臘文之第十八個字母(Σ, σ)。

‡**sign** [saɪn] *n.* Ⓒ①記號；符號。②手勢；姿勢。③痕跡；跡象；徵兆。④足跡。⑤祕語；暗號。⑥告示；標誌。⑦〖天〗(黃道十二宮之)宮。— *v.t.* & *v.i.* ①簽字。②打信號。③以手勢或信號表示。④雇；聘。⑤顯示；爲…之徵兆。∼ ***away*** [***over***] 簽字讓渡。∼ ***off*** 廣播電臺宣布廣播節目結束。∼ ***on*** [***up***] **a.** 簽約雇用。**b.** 簽約受雇。**c.** 簽約參加組織[活動，工作]。§ ∼ **lànguage** 手語。∼ **pàinter** 畫廣告者；畫招牌者。

‡**sig·nal** [ˋsɪgn̩l] *n.* Ⓒ①信號；暗號。②導火線；動機〔for〕. — *v.t.* (**-l-,** 〖英〗**-ll-**)①向…作信號。②以信號報知。③表示。— *v.i.* 發信號；作信號。— *adj.* ①信號(用)的。②顯著的；重大的。§ **S∼ Còrps** (美陸軍的)通訊隊。∼ **fìre** 烽火。∼ **flàg** 信號旗。∼ **gùn** 信號槍。∼ **tòwer** 信號塔。

sig·nal·ize [ˋsɪgnəˏlaɪz] *v.t.* ①使著名；使顯著。②表現；表露。③以信號通知。

sig·nal·ly [ˋsɪgn̩lɪ] *adv.* 顯著地；非常地。

sig·nal·man [ˋsɪgn̩lˏmæn] *n.* Ⓒ (*pl.* **-men**)信號手；信號兵。

sig·na·to·ry [ˋsɪgnəˏtorɪ] *adj.* 簽名的；簽署的。— *n.* Ⓒ簽名者；簽署國。

***sig·na·ture** [ˋsɪgnətʃɚ] *n.* Ⓒ①簽字；簽名。②〖樂〗調號。③(廣播節目的)信號曲。§ ∼ **lòan** 不需抵押品的貸款。

sign·board [ˋsaɪnˏbord] *n.* Ⓒ廣告牌；告示牌。

sig·net [ˋsɪgnɪt] *n.* Ⓒ小印章；小圖章。§ ∼ **rìng** 圖章戒指。

***sig·nif·i·cance** [sɪgˋnɪfəkəns] *n.* Ⓤ (又作 a ∼)①重要(性)。②意義；意味。③意味深長。(亦作**significancy**)

***sig·nif·i·cant** [sɪgˋnɪfəkənt] *adj.* ①有意義的；含有意味的。②意味深長的；重大的。③暗示的。—**ly,** *adv.*

sig·ni·fi·ca·tion [ˏsɪgˏnɪfəˋkeʃən] *n.* ①Ⓒ意義；意味。②ⓊⒸ表明；表示。—**sig·nif/i·ca·tive,** *adj.*

***sig·ni·fy** [ˋsɪgnəˏfaɪ] *v.t.* 表示…之義；表示。— *v.i.* 有重要性；有關係。

sign-in [ˋsaɪnˏɪn] *n.* Ⓒ (爲請願、要求等所發起的)簽名運動。

sign-off [ˋsaɪnˏɔf] *n.* Ⓒ收播；廣播結束之宣布。

si·gnor [ˋsinjor] 〖義〗*n.* Ⓒ (*pl.* **∼s, -gno·ri** [sinˋjori]) ①君；先生。②紳士；上流人。

si·gno·ra [sinˋjorə] 〖義〗 *n.* Ⓒ (*pl.* **∼s, -re** [-re])①太太；夫人。②貴婦人。

si·gno·ri·na [ˏsinjəˋrinə] 〖義〗 *n.* Ⓒ (*pl.* **-ne** [-ne])①小姐(=Miss). ②女郎；少女。

sign·post [ˋsaɪnˏpost] *n.* Ⓒ路標(=guidepost).

Sikh [sik] *n.* Ⓒ〖印〗錫克教徒。

Sikh·ism [ˋsikɪzm̩] *n.* Ⓤ錫克教(十六世紀時起源於印度北部)。

si·lage [ˋsaɪlɪdʒ] *n.* Ⓤ (貯藏於密閉倉庫中的)新鮮牧草。

‡**si·lence** [ˋsaɪləns] *n.* ①Ⓤ寂靜；無聲；靜默。②Ⓤ緘默；無言；守口如瓶。Speech is silver, ∼ is golden. 〖諺〗雄辯是銀，沈默是金。③ⓊⒸ默禱。④Ⓤ渺無音訊。⑤Ⓤ湮沒；忘卻。— *v.t.* ①使停止射擊；壓制。②使閉口無言。③使停止。— *interj.* 肅靜！(=be silent).

si·lenc·er [ˋsaɪlənsɚ] *n.* Ⓒ①使沈默的人[物]。②消音器；滅音裝置。

‡**si·lent** [ˋsaɪlənt] *adj.* ①寂靜的；無聲的。②緘默的；無言的。③匿名的。④不發音的。⑤不積極活動的。— *n.* Ⓒ (常 *pl.*)無聲電影；默片。§ ∼ **majórity**〖美〗沈默的大多數。∼ **pícture** 無聲電影；默片。∼ **trèatment** 無言的冷遇(表示抗議或輕蔑)。∼ **vòte** (1)無記名投票。(2)有資格投票而不投票者所有的票數。

Si·le·sia [saɪˋliʃɪə] *n.* 西里西亞(東歐之一地區，包括 Sudeten 山地及 Oder 河盆地，煤、鐵及其他金屬藏量甚豐)。

si·lex [ˋsaɪlɛks] *n.* ①Ⓤ燧石。②Ⓤ耐熱性石英玻璃。③(S-)〖商標〗(耐熱玻璃製的)咖啡壺。

sil·hou·ette [ˏsɪluˋɛt] *n.* Ⓒ①黑色半面畫像；側面影像；剪影。②輪廓。— *v.t.* 使現出黑色影像。

sil·i·ca [ˋsɪlɪkə] *n.* Ⓤ〖化〗矽土(二氧化矽)。§ ∼ **gèl** 矽凝膠(作吸收劑用)。

sil·i·cate [ˋsɪlɪkɪt] *n.* ⓊⒸ〖化〗矽酸鹽。

sil·i·con [ˋsɪlɪkən] *n.* Ⓤ〖化〗矽。§ **S∼ Válley** 矽谷(在美國加州舊金山市郊，爲精密電子工業集中地區)。

sil·i·cone [ˋsɪləˏkon] *n.* ⓊⒸ〖化〗矽酮；矽氧樹脂。§ ∼ **implánt** 矽基移植(通常用於豐乳手術)。

sil·i·co·sis [ˏsɪlɪˋkosɪs] *n.* Ⓤ〖醫〗矽肺病(因吸入過量矽土而導致肺病)。

***silk** [sɪlk] *n.* ① **a.** Ⓤ絲；綢；蠶絲。**b.** Ⓤ綢布；絲織品。**c.** Ⓒ (常 *pl.*)絲綢的衣服。②Ⓒ〖英〗王室律師。③(*pl.*)(賽馬的)騎士服。④Ⓤ〖美〗玉蜀黍鬚(=corn silk). ⑤Ⓤ蜘蛛絲。— *adj.* 絲(製)的；生絲的。— *v.t.* 覆以絲；繫以絲。— *v.i.* (玉蜀黍)長鬚。§ ∼ **còtton** 木棉(又稱爪哇棉)。∼ **hát** 圓筒形的絲質大禮帽。∼ **mìll** 繅絲廠；織綢廠。∼ **pàper** 絲紙。**S∼ Ròad** 絲路(古時中亞細亞與中國間之貿易路線，因以絲爲主要貿易品，故名)。—**like,** *adj.*

silk·en [ˋsɪlkən] *adj.* ①如絲的；絲製的。②光滑柔軟的。③溫柔的；嬌滴滴的。④奢華的；優美的。

silk-stock·ing [ˋsɪlkˋstakɪŋ] *adj.* ①穿絲襪的。②豪華的；奢侈的。③貴族的；富有的。

silk·worm [ˋsɪlk,wɝm] *n.* Ⓒ蠶。

silk·y [ˋsɪlkɪ] *adj.* ①像絲的；平滑的；亮的。②設法討好的。

sill [sɪl] *n.* Ⓒ門檻；窗臺。

‡**sil·ly** [ˋsɪlɪ] *adj.* ①愚蠢的。②可笑的。③〖古〗純樸的；天眞的。④〖俚〗驚呆的；昏了頭的。— *adv.* 愚蠢地。— *n.* Ⓒ傻瓜。— **sil′li·ness,** *n.*

si·lo [ˋsaɪlo] *n.* Ⓒ (*pl.* **~s**) ①圓筒形倉。②貯藏穀物或草料之地下建築物或地窖。③地下飛彈發射室。

silt [sɪlt] *n.* Ⓤ淤泥。— *v.t.* & *v.i.* 以淤泥充塞(up)。

sil·van [ˋsɪlvən] *adj.* & *n.* =**sylvan.**

‡**sil·ver** [ˋsɪlvɚ] *n.* Ⓤ ①銀。②銀幣。③銀器。④銀色。⑤似銀的東西。— *adj.* ①銀的；銀製的。②銀色的。— *v.t.* ①包以銀；鍍以銀。②使呈銀色。— *v.i.* 變爲銀白色。§ ∼ **bírch**〖植〗銀樺(又稱紙皮樺)。∼ **córd** (1)臍帶。(2)母子[母女]之情。∼ **fóil** 銀箔。∼ **fóx** (1)銀狐。(2)銀狐毛皮。∼ **íodide**〖化〗碘化銀。∼ **júbilee**(國王登基)二十五周年慶。∼ **lèaf** 銀箔。∼ **líning** (1)黑雲之白色邊緣。(2)光明之前途；漸入佳境之希望。∼ **nítrate**〖化〗硝酸銀。∼ **scréen** (1)銀幕。(2)電影。∼ **stándard** 銀本位。**S∼ Stár**〖美陸軍〗銀星勳章。∼ **wédding** 銀婚(結婚二十五周年紀念)。

sil·ver·fish [ˋsɪlvɚ,fɪʃ] *n.* Ⓒ ①(*pl.* **∼, ∼es**)銀魚。②(*pl.* **∼**)〖昆〗衣魚；蠹魚。

sil·ver-gray [ˋsɪlvɚˋgre] *adj.* 銀灰色的。

sil·ver·ing [ˋsɪlvərɪŋ] *n.* ⓊⒸ ①鍍銀；包銀。②所鍍之銀。

sil·ver·ly [ˋsɪlvɚlɪ] *adj.* 似銀的；聲如銀鈴的。

sil·ver-plate [ˋsɪlvɚˋplet] *v.t.* 將…鍍銀(尤指電鍍)。

sil·ver-plat·ed [ˋsɪlvɚˋpletɪd] *adj.* 包銀的；鍍銀的。

sil·ver·smith [ˋsɪlvɚ,smɪθ] *n.* Ⓒ 銀匠。

sil·ver-spoon [ˋsɪlvɚˋspun] *adj.* 生於富貴之家的。

sil·ver-tongued [ˋsɪlvɚˋtʌŋd] *adj.* 有口才的；雄辯的。

sil·ver·ware [ˋsɪlvɚ,wɛr] *n.* Ⓤ (集合稱)銀器。

sil·ver·y [ˋsɪlvərɪ] *adj.* ①如銀的；銀色的。②(聲音等)如銀鈴般的；淸脆的。

sim·i·an [ˋsɪmɪən] *adj.* 類人猿的；(似)猴的。— *n.* Ⓒ猴；類人猿。

‡**sim·i·lar** [ˋsɪmələ˞] *adj.* 類似的；同樣的；同類的。

sim·i·lar·i·ty [,sɪməˋlærətɪ] *n.* ①Ⓤ類似；相似。②Ⓒ相似之點。

***sim·i·lar·ly** [ˋsɪmələ˞lɪ] *adv.* 同樣地；相同地。

sim·i·le [ˋsɪmə,li] *n.* ⓊⒸ ①直喩；明喩。②相似；類似。

si·mil·i·tude [səˋmɪlə,tjud] *n.* ①Ⓤ相似；類似。②Ⓒ比喩。③Ⓒ相似之人或物。

sim·mer [ˋsɪmɚ] *v.t.* 慢慢煮(使溫度在沸點下)。— *v.i.* ①溫火慢煮。②發出將沸時之聲。③(怒氣、笑等)將爆發。∼ ***down*** 平靜下來；冷靜下來。— *n.* (*sing.*)①慢煮使沸的狀態。②文火；溫火。

si·mon-pure [ˋsaɪmənˋpjʊr] *adj.* ①眞正的；道地的。②心地純正的。

si·mo·ny [ˋsaɪmənɪ] *n.* Ⓤ (從前的)買賣聖職(罪)。

si·moom [sɪˋmum] *n.* Ⓒ西蒙風(阿拉伯、敍利亞、非洲等地引起沙漠風暴的熱風)。

sim·per [ˋsɪmpɚ] *v.i.* 假笑；傻笑。— *v.t.* 假笑著說出；假笑著表示出。— *n.* Ⓒ傻笑；假笑。

‡**sim·ple** [ˋsɪmpḷ] *adj.* ①簡單的；簡易的。②樸實的；樸素的。③單純的；天眞爛漫的；無虛飾的。④愚蠢的；無知的。⑤完全的；純然的。⑥單一的；非複合的。⑦普通的。⑧微賤的；卑下的。— *n.* Ⓒ①愚人。②簡單之事物。③草藥。④身分卑微者；平民。§ ∼ **equátion**〖數〗一次方程式。∼ **fráctur**e 單純骨折；無創骨折。∼ **ínterest** 單利。∼ **machíne**〖理〗簡單機械(槓桿、輪軸等)。∼ **séntence**〖文法〗簡單句。

sim·ple-heart·ed [ˋsɪmpḷˋhartɪd] *adj.* ①天眞的；直率的。②誠實的。

sim·ple-mind·ed [ˋsɪmpḷˋmaɪndɪd] *adj.* ①頭腦簡單的。②愚蠢的。

sim·ple·ton [ˋsɪmpḷtən] *n.* Ⓒ愚人；蠢貨。

***sim·plic·i·ty** [sɪmˋplɪsətɪ] *n.* Ⓤ①簡單；簡易。②樸素；樸實。③單純；無虛飾。④遲鈍；頭腦簡單。

***sim·pli·fy** [ˋsɪmplə,faɪ] *v.t.* 使單純；使簡化；使過分簡化。— **sim·pli·fi·ca′tion,** *n.*

sim·plis·tic [sɪmˋplɪstɪk] *adj.* (把複雜問題)過分單純化的；過分簡化的。— **sim·plis′ti·cal·ly,** *adv.*

‡**sim·ply** [ˋsɪmplɪ] *adv.* ①實在；簡直。②簡單地。③樸素地。④僅；祇。⑤愚蠢地。⑥純然地；絕對地。

sim·u·late [ˋsɪmjə,let] *v.t.* ①假裝；僞裝。②扮演。③〖生物〗擬態；擬色。④類似。— *adj.* ①僞裝的。②擬態的。— **sim′u·lant, sim′u·la·tive,** *adj.*

sim·u·la·tion [,sɪmjəˋleʃən] *n.* ⓊⒸ①假裝；僞裝。②〖生物〗擬態。③模擬實驗[訓練]。

sim·u·la·tor [ˋsɪmjə,letɚ] *n.* Ⓒ①摹倣者；僞裝者；擬態者。②(訓練或實驗用的)模擬裝置。

si·mul·cast [ˋsaɪməl,kæst] *v.t.* (**-cast**)以電視與無線電同時廣播；聯播。— *n.* Ⓒ (節目)同時播出。

***si·mul·ta·ne·ous** [,saɪmḷˋtenɪəs] *adj.* 同時的；同時存在[發生]的。§ ∼ **equátions**〖數〗聯立方程式。∼ **interpretátion** 同步翻譯。— **ly,** *adv.*

***sin** [sɪn] *n.* ①ⓊⒸ罪；罪惡。②Ⓒ過

失；失禮；違反。③ Ⓒ 罪過；蠢事。 — *v.i.* & *v.t.* (-nn-)犯(罪)〔against〕. ～ *one's mercies* 忘恩負義。§ ∠ mòney 贖罪金。∠ òffering 贖罪的供品。

sin 〖數〗sine.

‡**since** [sɪns] *prep.*自…以後；自…以來。— *conj.*①自…以後；自…以來。②既然；因爲。— *adv.* 從那時以後(直到現在)；其後。

***sin·cere** [sɪn`sɪr] *adj.* ①眞實的；誠摯的；篤實的。②自信心極強的。

***sin·cere·ly** [sɪn`sɪrlɪ] *adv.* 眞實地；誠懇地；篤實地。*Yours* ～ 信文後簽名前的結尾用語。

***sin·cer·i·ty** [sɪn`sɛrətɪ] *n.* Ⓤ 眞實；誠懇；眞摯。

sine [saɪn] *n.* Ⓒ〖幾何〗正弦。

si·ne·cure [`saɪnɪ,kjur] *n.* Ⓒ 閒差；領乾俸的職位。

sin·ew [`sɪnju] *n.* ①ⓊⒸ 腱。②Ⓤ(又作 *pl.*)**a.** 力量；能力；體力；精力。**b.** 力量的來源；原動力。— *v.t.* 給予力量；加強。— **sin'ew·y,** *adj.*

sin·ful [`sɪnfəl] *adj.* 有罪的；充滿罪惡的。— **ly,** *adv.* — **ness,** *n.*

‡**sing** [sɪŋ] *v.i.* (**sang** or **sung, sung**)①歌唱。②啼。③歌頌。④(溪流、水壺、風等)作鳴聲。⑤作成詩。— *v.t.* ①歌唱。②唱出。③歌頌。④歌唱以使…。⑤(鳥等)鳴；囀。⑥聲明。～ *another song* [*tune*]受屈辱後變沈默；變謙遜(＝sing small). ～ *out* 大聲呼救。— *n.* Ⓒ 歌唱；合唱；歌唱會。

sing. singular.

Sin·ga·pore [`sɪŋgə,por] *n.* 新加坡(位於馬來半島南端，首都 Singapore).

singe [sɪndʒ] *v.t.* ①燙焦。②燙(頭髮)。③傷害。— *v.i.* 燒焦；燙焦。～ *one's feathers* [*wings*] **a.** 損壞名譽。**b.** 事業失敗；鎩羽。— *n.* Ⓒ 輕微的燒灼；燒焦。

‡**sing·er** [`sɪŋə] *n.* Ⓒ①聲樂家；歌手。②鳴禽。③詩人。

sing·ing [`sɪŋɪŋ] *n.* ①**a.** Ⓤ 聲樂。**b.** ⓊⒸ 歌唱；唱歌；歌聲。②Ⓤ 鳴叫；嗡嗡聲。③(a ～)耳鳴。— *adj.* 歌唱的；鳴囀的。

‡**sin·gle** [`sɪŋgl] *adj.* ①單一的；單式的。②〖植〗單瓣的。③每邊祇有一個的。④獨身的。⑤誠實的。⑥獨特的。⑦唯一的。⑧祇關心(某事)的。⑨一致的。— *n.* ① Ⓒ 一個。② Ⓒ〖棒球〗一壘安打。③(*pl.*, 作 *sing.*解)(網球等的)單打(比賽)。④ Ⓒ 單人房。⑤ Ⓒ (年輕的)單身漢；單身女子。— *v.t.* ①挑選〔常 out〕. ②〖棒球〗以一壘安打使(隊友)上…壘。— *v.i.* 〖棒球〗擊出一壘安打。§ ∠ cómbat 一對一的毆鬥；單挑。∠ éntry〖簿記〗單式記帳法。∠ fíle 一列縱隊。∠ párent 單親。∠ rhýme 單音節之押韻。∠ stándard (1)單本位制(或用銀本位、或用金本位)。(2)全體(尤指男女)適用之道德標準。∠ tàx 單一稅。∠ tìcket〖英〗單程票。— **ness,** *n.*

sin·gle-breast·ed [`sɪŋgl`brɛstɪd] *adj.* 單襟的；(上衣)單排扣的。

sin·gle-eyed [`sɪŋgl`aɪd] *adj.* ①單眼的；獨眼的。②純眞的；誠實的。

sin·gle-foot [`sɪŋgl,fut] *n.* Ⓒ (*pl.* ～**s**)單步(馬的一種步態)。— *v.i.* 以單步行進。

sin·gle-hand·ed [`sɪŋgl`hændɪd] *adj.* ①獨力的；無助的。②單手操作的。— *adv.* 獨力地。

sin·gle-heart·ed [`sɪŋgl`hɑrtɪd] *adj.* ①忠誠的；眞心的。②一心一意的。

sin·gle-mind·ed [`sɪŋgl`maɪndɪd] *adj.* 一心一意的；專一的；赤誠的。— **ness,** *n.*

sin·gle-seat·er [`sɪŋgl`sitə] *n.* Ⓒ 單座飛機[車]。

sin·gle·stick [`sɪŋgl,stɪk] *n.* ① Ⓒ 劍形木棍；木劍。② Ⓤ 木劍術[比賽]。

sin·gle·ton [`sɪŋgltən] *n.* Ⓒ ①單獨存在之物。②(橋牌等)弔單之牌。

sin·gle-track [`sɪŋgl`træk] *adj.* ①〖鐵路〗單軌的。②(腦筋)不能變通的；褊狹的。

sin·gle·tree [`sɪŋgl,tri] *n.* Ⓒ〖美〗馬車、犂等前頭兩端繫曳繩之橫木。

sin·gly [`sɪŋglɪ] *adv.* ①單獨地；個別地。②一個一個地。③獨力地。

sing·song [`sɪŋ,sɔŋ] *n.* ①(a ～)單調的節奏[聲調]。② Ⓒ 即席歌唱會。— *adj.* ①單調的。②不精采的；平凡的。

***sin·gu·lar** [`sɪŋgjələ] *adj.* ①非凡的。②奇特的。③單一的。④〖文法〗單數的。⑤個別的。— *n.* Ⓒ (常 the ～)〖文法〗單數式；單數的字。

sin·gu·lar·i·ty [,sɪŋgjə`lærətɪ] *n.* ① Ⓤ 奇異。② Ⓒ 特性。③ Ⓤ 單一。

sin·gu·lar·ly [`sɪŋgjələlɪ] *adv.* 特異地；奇異地。

***sin·is·ter** [`sɪnɪstə] *adj.* ①邪惡的；陰險的。②不祥的；凶兆的。③(盾形徽章之)左方的。— **ly,** *adv.*

‡**sink** [sɪŋk] *v.i.* (**sank** or **sunk, sunk** or **sunk·en**)①沈落。②沮喪。③降低。④滲入〔into〕. ⑤墮入(某種狀態)。⑥予人以深刻印象。— *v.t.* ①使沈下。②使衰落。③掘。④插入；埋入。⑤對…作無利的投資。⑥掩飾。⑦不重視。⑧使凹。～ *or swim* 無論成敗。— *n.* Ⓒ ①溝渠。②水槽。③藏汚納垢之地。a ～ of iniquity 罪惡的淵藪。

sink·er [`sɪŋkə] *n.* Ⓒ ①沈下之人[物]。②(釣絲之)鉛錘。③〖美俚〗甜甜圈。④〖棒球〗下墜球。

sink·hole [`sɪŋk,hol] *n.* Ⓒ ①(流理台等的)出水口。②汚水溝；陰溝。③窩；窟；藏汚納垢之地。

sink·less [`sɪŋklɪs] *adj.* 不沈的。

sin·less [`sɪnlɪs] *adj.* 無罪的；淸白的；無辜的。— **ly,** *adv.* — **ness,** *n.*

sin·ner [`sɪnə] *n.* Ⓒ ①(宗教、道德上的)罪人。②〖俚〗該遭報應的人。

Sinn Fein [`ʃɪn`fen] *n.* 新芬黨(成立於 1905 年左右，主張愛爾蘭完全脫離英國而獨立)。

Si·no-Jap·a·nese [,saɪno,dʒæpə`niz] *adj.* 中國及日本的；中日的。— *n.* Ⓤ 漢化日語。

Si·no·logue [`saɪnə,lɔg] *n.* Ⓒ 研究中國文化者；漢學家。

Si·nol·o·gy [saɪ`nɑlədʒɪ] *n.* Ⓤ 漢學

(研究中國文學、藝術、語言、歷史等)。—**Si·nol′o·gist,** *n.*

sin·u·os·i·ty [ˌsɪnjʊˋɑsətɪ] *n.* ①Ⓤ蜿蜒；彎曲。②Ⓒ複雜；錯綜；曲折。③Ⓒ(河流、道路的)轉角；彎處。

sin·u·ous [ˋsɪnjʊəs] *adj.* 彎彎曲曲的；迂迴的。—**ly,** *adv.*

si·nus [ˋsaɪnəs] *n.* Ⓒ(*pl.* **~es, ~**)①〖解〗竇。②〖醫〗瘻；瘻管。

si·nus·i·tis [ˌsaɪnəˋsaɪtɪs] *n.* Ⓤ〖醫〗竇炎。

Sioux [su] *n.* (*pl.* ~ [su(z)]) ①(the ~)蘇族(北美印第安人之一族)。②Ⓒ蘇族人。— *adj.* 蘇族的；蘇語的。

***sip** [sɪp] *v.t. & v.i.* (**-pp-**)啜；啜飲。— *n.* Ⓒ一啜；啜飲。

si·phon [ˋsaɪfən] *n.* Ⓒ彎管；虹吸管。— *v.t. & v.i.* 用[通過]虹吸管吸出。

‡**sir** [sɜ] *n.* ①(用於稱呼男子)先生。②(S-)爵士(英國對 baronet 或 knight 的尊稱，置於名前或連名帶姓一起使用)。③(用於表示意見或諷刺)喂！你！老兄！④(S-)寫信時開始之稱呼。

sire [saɪr] *n.* ①Ⓒ〖詩〗父；祖先。②Ⓒ(四足獸之)雄性種畜。③閣下；陛下(昔日對貴族，今日對君主之尊稱)。— *v.t.* (尤指雄的種馬等)生殖(小馬)。

***si·ren** [ˋsaɪrən] *n.* Ⓒ①(常 S-)〖希神〗賽倫(海上女妖)。②引誘男人的美女；妖婦。③號笛；警報器。— *adj.* 誘惑人的。§ ∼ **sùit**〖英〗=coveralls.

Sir·i·us [ˋsɪrɪəs] *n.* (the ~)〖天〗天狼星。

sir·loin [ˋsɜlɔɪn] *n.* ⓊⒸ牛腰肉上部。

si·roc·co [səˋrɑko] *n.* Ⓒ(*pl.* **~s**)西洛可風(由北非吹向南歐的熱風)。

sir·up [ˋsɪrəp] *n.* Ⓤ糖漿(=syrup).

sis [sɪs] *n.* 〖俚〗=**sister.**

si·sal [ˋsaɪsl] *n.* Ⓤ〖植〗瓊麻。

sis·kin [ˋsɪskɪn] *n.* Ⓒ金(翅)雀。

sis·sy [ˋsɪsɪ] *n.* Ⓒ〖俚〗①=**sister.** ②娘娘腔的男子。③膽小鬼；懦弱者。— *adj.* 娘娘腔的；膽小的。

‡**sis·ter** [ˋsɪstɚ] *n.* Ⓒ①姊；妹。②女會員；女社友。③修女；女教士；尼。④(親如手足的)姊妹。⑤〖英〗護士；(尤指)護士長。— *adj.* 如姊妹般關係的。§ ∼ **shíp** 姊妹艦[船]。—**ly,** *adj.*

sis·ter·hood [ˋsɪstɚˌhʊd] *n.* ①Ⓤ姊妹關係。②Ⓒ婦女團體；(尤指)女修道會。

sis·ter-in-law [ˋsɪstərɪnˌlɔ] *n.* Ⓒ(*pl.* **sis·ters-**)①夫或妻之姊妹。②兄或弟之妻。③姻兄弟之妻。

Sis·y·phus [ˋsɪsəfəs] *n.* 〖希神〗西西弗斯(科林斯王，詭譎而貪婪，被罰在冥府推一巨石上山，該石推上去後必會自動滾下)。

‡**sit** [sɪt] *v.i.* (**sat, sit·ting**)①坐。②位於。③在會議中有一席位。④開會；開庭。⑤擺姿勢。⑥棲。⑦孵蛋。⑧適合。⑨合身。The coat ~*s* well. 這件上衣很合身。⑩參加(考試等)。⑪〖美〗當臨時保姆。— *v.t.* ①使坐；使就座。②騎乘。***make a person ~ up*** **a.** 使某人驚起。**b.** 鼓舞某人從事活動。***~ at home*** 蟄居家中。***~ down*** **a.** 坐下。**b.** 會商；協議。**c.** (飛機)降落。***~ down under*** (***insults***)無怨言地忍受(凌辱)。***~ in*** **a.** 代人暫時照料。**b.** 參加靜坐罷工(或示威)。**c.** 客串。***~ in on*** 列席(會議等)；旁聽。***~ on*** [***upon***] **a.** (陪審團)調查。**b.** 〖俚〗壓制。**c.** 占有一席次。**d.** 擱置。***~ on a fence*** 持觀望態度。***~ out*** **a.** 坐到…的終場。**b.** 保持坐著而不參加。**c.** 留得比(別人)更久。***~ up*** **a.** 不睡。**b.** 坐直。**c.** 保持直坐姿勢。**d.** 驚起；使人振作。

si·tar [sɪˋtɑr, ˋsɪtɑr] *n.* Ⓒ西塔琴(印度的一種六弦樂器)。

sit·com [ˋsɪtˌkɑm] *n.* 〖俚〗=**situation comedy.**

sit-down [ˋsɪtˌdaʊn] *n.* Ⓒ①〖美〗靜坐罷工。②靜坐抗議。③〖英俚〗坐下聊天。— *adj.* 坐著享受的。

***site** [saɪt] *n.* Ⓒ①位置；場所。②遺址。③〖電算〗電腦機房。

sit-in [ˋsɪtˌɪn] *n.* Ⓒ靜坐罷工；靜坐抗議。

sit·ter [ˋsɪtɚ] *n.* Ⓒ①入席者。②(供人繪畫拍照的)模特兒。③孵蛋的禽鳥。④臨時看護嬰兒者。

sit·ter-in [ˋsɪtɚˋɪn] *n.* Ⓒ〖英〗替人看家並照顧小孩者。

sit·ting [ˋsɪtɪŋ] *n.* ①Ⓒ開會或開庭的期間。②Ⓒ一次坐著不動的期間。③Ⓤ就座；入席。④**a.** Ⓤ孵蛋。**b.** Ⓒ一鳥所孵的蛋數。§ ∼ **dúck** 容易射中的目標；易於欺騙或傷害的對象。*∼ **ròom** 起居室；客廳。

sit·u·ate [ˋsɪtʃʊˌet] *v.t.* 把…置於某處。

***sit·u·at·ed** [ˋsɪtʃʊˌetɪd] *adj.* 坐落(某處)的；處於(某種)境地的。

‡**sit·u·a·tion** [ˌsɪtʃʊˋeʃən] *n.* Ⓒ①位置；場所。②情勢；境遇。③職業；工作(現大抵指卑微的職業)。④戲劇、小說等中的緊要情節或場面。§ ∼ **cóm·edy**(廣播、電視中的)情節喜劇(人物相同但各集情節獨立之一系列影集)。

sit-up [ˋsɪtˌʌp] *n.* Ⓒ仰臥起坐。

sitz·mark [ˋsɪtsˌmɑrk] *n.* Ⓒ滑雪者向後摔倒時在雪地上所留下的痕跡。

SÍ ùnit [ˋɛsˋaɪ ~] *n.* Ⓒ國際標準單位制(作爲基本物理量而被國際公認的長度、質量、時間、電流、溫度、照明度等的單位)。

‡**six** [sɪks] *adj.* 六(個)的；六人的。— *pron.*六個人；六個。— *n.* ⓊⒸ六；六點。***at ~(es) and seven(s)*** 亂七八糟。

six·fold [ˋsɪksˌfold] *adj. & adv.* 六倍的[地]；六重的[地]。

six-pack [ˋsɪksˌpæk] *n.* Ⓒ(以六瓶或六罐包裝出售的)半打裝飲料等。

six·pence [ˋsɪkspəns] *n.*①Ⓒ(英國的)六辨士銀幣。②Ⓤ其價值。

six·pen·ny [ˋsɪksˌpɛnɪ] *adj.* ①值六辨士的。②廉價的；不值錢的。

six-shoot·er [ˋsɪksˋʃutɚ] *n.* Ⓒ(六發)左輪手槍。

‡**six·teen** [sɪksˋtin] *adj.* 十六(個)的。— *pron.* 十六個。— *n.* ⓊⒸ十六。

‡**six·teenth** [sɪksˋtinθ] *adj.* ①第十六的。②十六分之一的。— *n.*①Ⓤ(常

the ～)第十六。② Ⓒ 十六分之一。§～ nòte〖樂〗十六分音符。

‡**sixth** [sɪksθ] *adj.* ①第六的。②六分之一的。── *n.* ① Ⓤ (常 the ～)第六。② Ⓒ 六分之一。── *adv.* 第六地。§ ～ **fórm**〖英〗第六學年；六年級；(尤指)中等學校的第六學年(相當我國高三)。～ **sénse** 第六感；直覺。

***six·ti·eth** [ˋsɪkstɪɪθ] *adj.* ①第六十的。②六十分之一的。── *n.* ① Ⓤ (常 the ～)第六十。② Ⓒ 六十分之一。

‡**six·ty** [ˋsɪkstɪ] *adj.* 六十的；六十個的；六十人的。── *n.* Ⓤ Ⓒ 六十。

síx·ty-fóurth nòte [ˋsɪkstɪˋforθ ～] *n.* Ⓒ〖樂〗六十四分音符。

siz·a·ble [ˋsaɪzəbḷ] *adj.* 頗大的；相當大[多]的(=sizeable).

‡**size**[1] [saɪz] *n.* ① Ⓤ Ⓒ 大小；容量；尺寸。② Ⓒ (鞋、帽等的)號。③(the ～)〖俚〗實況；眞相。④ Ⓤ 大；偉大；(人的)力量；才幹。*of a* ～ 同一大小。── *v.t.* ①按大小排列[分類]。②量(其)大小；估量。③按大小製作。～ *down* 依照大小排列。～ *up* 估量；打量。

size[2] *n.* Ⓤ 膠水；漿糊。── *v.t.* 上膠於；上漿於。

size·a·ble [ˋsaɪzəbḷ] *adj.* =**sizable.**

size-up [ˋsaɪz,ʌp] *n.* Ⓤ Ⓒ 估量。

siz·ing [ˋsaɪzɪŋ] *n.* ① Ⓤ 上膠；上漿；上膠或上漿之過程。② Ⓤ 增加紙面光澤所塗之膠。③ Ⓤ 依大小比例配列；分配。④ Ⓒ (劍橋大學)學生自飲食供應部領取的定量食品。

sizz [sɪz] *n.* Ⓒ (常*sing.*)嘶嘶聲。── *v.i.* 發嘶嘶聲。── *v.t.* 使發出嘶嘶聲。

siz·zle [ˋsɪzḷ] *n.* (*sing.*)嘶嘶聲。── *v.i.* 發出嘶嘶聲；發嘶嘶聲地煎炒。

siz·zler [ˋsɪzlɚ] *n.* Ⓒ ①〖俚〗特出之事物；令人振奮之事物；危險之事物。②〖俗〗熱天。

skag [skæg] *n.* Ⓤ〖美俚〗海洛英。

‡**skate**[1] [sket] *n.* Ⓒ (常 *pl.*)溜冰鞋。── *v.i.* 溜冰。～ *over thin ice* 巧妙地處理困難問題。

skate[2] *n.* Ⓒ (*pl.* ～, ～**s**)〖魚〗鰩。

skate·board [ˋsket,bord] *n.* Ⓒ (運動遊戲用裝有輪子的)滑板。── *v.i.* 溜滑板。

skat·er [ˋsketɚ] *n.* Ⓒ 溜冰者。

skat·ing [ˋsetɪŋ] *n.* Ⓤ 溜冰；滑冰。── *adj.* ①(溜冰時)正在滑動的。②(溜冰時)與滑動的脚同在一邊的。§ ～ **rìnk** 溜冰場。

ske·dad·dle [skɪˋdædḷ] *v.i.*〖俚〗匆忙逃走；逃竄。─ **ske·dad′dler,** *n.*

skeet [skit] *n.* Ⓒ〖海〗長柄水杓。── *v.t.* 以長柄水杓潑水於(帆上)。

skein [sken] *n.* Ⓒ ①(紗之)一絞；一束。②一群(野禽)。③混亂的一團。

skel·e·tal [ˋskɛlətḷ] *adj.* ①骨骼的。②輪廓的。③似骨骼的；骨瘦如柴的。

***skel·e·ton** [ˋskɛlətn̩] *n.* Ⓒ ①骨骼；骨架。②鋼骨。③很瘦的人或動物。④輪廓；綱要。*family* ～; ～ *in the cupboard* [*closet, house*] 家醜。～ *at the feast* 掃興者。── *adj.* ①(似)骨骼的。②綱要的。§～ **constrúction** 鋼骨建築。～ **crèw**〖海〗基幹船員。～ **kèy** 萬能鑰匙。

skel·e·ton·ize [ˋskɛlətn̩,aɪz] *v.t.* ①使成骨架。②大量裁減(軍隊)的員額。③概略地記述。

skep·tic [ˋskɛptɪk] *n.* Ⓒ ①懷疑者；懷疑論者。②對宗教表示懷疑者。── *adj.* 懷疑的。─ **skep′ti·cism,** *n.*

skep·ti·cal [ˋskɛptɪkḷ] *adj.* 多疑的；懷疑的。

***sketch** [skɛtʃ] *n.* Ⓒ ①略圖；草稿；素描。②小品文字；短劇；短曲。── *v.t.* & *v.i.* ①繪略圖；素描；寫生。②記述…的概略。§ ～ **blóck** 寫生簿。～ **màp** 略圖。─ **a·ble,** *adj.* ─ **er,** *n.*

sketch·book [ˋskɛtʃ,bʊk] *n.* Ⓒ ①素描簿。②見聞錄；小品文集。

sketch·pad [ˋskɛtʃ,pæd] *n.* Ⓒ 寫生簿；素描簿。

sketch·y [ˋskɛtʃɪ] *adj.* ①概略的；草圖的。②不完全的；不徹底的。③不足的。

skew [skju] *adj.* ①歪的；斜的。②不對稱的。── *n.* Ⓤ Ⓒ 歪斜；傾斜。── *v.i.* ①歪斜。②斜進。── *v.t.* ①使歪斜；使偏。②曲解。

skew·bald [ˋskju,bɔld] *adj.* 有斑紋的。── *n.* Ⓒ 有斑紋的馬。

skew·er [ˋskjuɚ] *n.* Ⓒ 烤肉叉。── *v.t.* 以烤肉叉串起。

‡**ski** [ski] *n.* Ⓒ (*pl.* ～, ～**s**) (常 *pl.*)雪屐；滑雪板。── *v.i.* 滑雪。§ ～ **bòot** 滑雪靴。～ **jùmp** 飛躍滑雪(的跳臺)。～ **lìft** (滑雪場載運遊客的)空中纜車。～ **màsk** 滑雪用頭罩(僅在眼、口或鼻部開洞)。～ **pànts** 滑雪褲。～ **patròl** 滑雪區巡邏救生隊。～ **rùn** 滑雪道；滑雪坡。～ **rùnner** 滑雪者。～ **rùnning** 滑雪。～ **stìck** [**pòle**] 滑雪杖。～ **sùit** 滑雪裝。～ **tòw** 將滑雪者拉上山坡用的電纜。

skid [skɪd] *n.* ①(a ～)滑向一邊。② Ⓒ 制輪器；煞車。*on the* ～*s* **a.** 在衰落；在走下坡路。**b.** 注定要失敗[遭殃]的。── *v.i.* (**-dd-**) ①(行進時)滑向一側。②(車輪)不轉動而橫滑。§ ～ **rów** 貧民區之街道；破舊之街道。─ **der,** *n.*

ski·er [ˋskiɚ] *n.* Ⓒ 滑雪者。

skiff [skɪf] *n.* Ⓒ 輕舟；小艇。

***skil(l)·ful** [ˋskɪlfəl] *adj.* 熟練的；巧妙的。─ **ly,** *adv.* ─ **ness,** *n.*

‡**skill** [skɪl] *n.* ① Ⓤ Ⓒ 技能；技巧；巧妙；熟練。② Ⓤ (集合稱)有技術的人。

***skilled** [skɪld] *adj.* ①巧妙的；熟練的。②需要技能的。

skil·let [ˋskɪlɪt] *n.* Ⓒ ①有長柄之淺鍋。②長柄煮鍋。

***skim** [skɪm] *v.t.* (**-mm-**) ①撇去(牛乳等)的浮皮；撇取(浮沫)。②掠過。③草草閱讀。④取…之精華。── *v.i.* ①掠過；飛掠〔along, over〕. ②草草閱讀。③覆有一層薄冰等。§ ～ **mílk** 脫脂牛乳(亦作 skimmed milk).

skim·mer [ˋskɪmɚ] *n.* Ⓒ ①撇取者。②網杓。③除沫器。④〖鳥〗剪嘴鷗。⑤略讀者。⑥寬邊平頂草帽。

skim·ming [ˋskɪmɪŋ] *n.* ① Ⓤ 撇取浮皮。②(*pl.*)被撇去之糟粕；浮渣。

skimp [skɪmp] *v.t.* ①吝於供應；不足量地供給。②草率從事。— *v.i.* 節儉；吝嗇。

skimp·y [ˋskɪmpɪ] *adj.* ①太少的；不足的。②吝嗇的；過於節省的。

‡**skin** [skɪn] *n.* ① Ⓤ Ⓒ 皮；皮膚。② Ⓤ Ⓒ (動物之)毛皮。③ Ⓒ 革製品。④ Ⓒ (果實等之)外皮。⑤ Ⓒ 皮製之囊袋(裝液體用者)。⑥ Ⓒ 殼。⑦ Ⓒ〖俚〗騙子。⑧ Ⓒ〖俚〗吝嗇之人。⑨ Ⓒ (液體表面之)表皮。***by the ~ of one's teeth*** 相差極微；好不容易地。***have a thick ~*** 麻木不仁；反應遲鈍。***have a thin ~*** 敏感的；易受傷害的。***in*** [***with***] ***a whole ~*** 安全無恙。***out of one's ~***(高興或驚慌得)不能自制。***save one's ~***免受損傷；安然逃脫。— *v.t.*(-nn-)①剝去…的皮[殼]。②覆皮[殼]於〔over〕. ③〖俚〗騙取(金錢)。— *v.i.* 爲皮所覆蓋；長皮。§ ~ **dìver** 切膚潛水者。~ **dìving** 切膚潛水。~ **frìction**〖理〗表面摩擦。~ **gàme**〖美俚〗騙局。~ **gràft** 供移植用的皮膚。~ **gràfting**〖醫〗皮膚移植；植皮術。

skin-deep [ˋskɪnˋdip] *adj.* ①表面的。②膚淺的。

skin-dive [ˋskɪn,daɪv] *v.i.* 作切膚潛水(不穿潛水衣而只用水肺、穿鰭狀橡皮蛙鞋潛游)。

skin·flint [ˋskɪn,flɪnt] *n.* Ⓒ 吝嗇鬼。

skin·head [ˋskɪn,hɛd] *n.* Ⓒ ①理平頭的青少年；禿頭者。②〖英〗平頭族少年；小太保(1970 年代初期英國的小混混都理平頭且衣著怪異)。③海軍陸戰隊的新兵。

skin·less [ˋskɪnlɪs] *adj.* ①無皮的；(香腸等)無腸衣的。② 敏感的。

skin·ner [ˋskɪnɚ] *n.* Ⓒ ①剝皮者。②皮革商。③騙子。④〖美俚〗趕牲口的人。

skin·ny [ˋskɪnɪ] *adj.* ①很瘦的。②似皮的；皮狀[質]的。

***skip** [skɪp] *v.i.*(-pp-)①輕快地跳；跳躍。②沿一表面彈跳。③遺漏。④〖俚〗匆匆離去。⑤跳讀。⑥跳級。— *v.t.* ①輕輕跳過。②拋出…使沿一表面彈跳。③遺漏；跳讀。④〖俚〗匆匆離開。⑤使跳級。— *n.* Ⓒ ①跳；跳躍。②遺漏；跳讀。③遺漏的部分；可刪節的部分。

skip·per [ˋskɪpɚ] *n.* Ⓒ ①跳躍者。②船長；隊長。③飛魚。④叩頭蟲；弄花蝶。

skip·ping [ˋskɪpɪŋ] *n.* Ⓤ 跳繩。§ ~ **ròpe** 跳繩用的繩子。

skirl [skɜl] *n.* (*sing.*)〖蘇方〗風笛之尖銳響聲。— *v.i.*(風笛)響出尖銳聲。

skir·mish [ˋskɜmɪʃ] *n.* Ⓒ 小戰；小衝突。— *v.i.* 從事小戰；發生小爭論。

‡**skirt** [skɜt] *n.* ① Ⓒ 裙子。② Ⓒ (長外衣的)下襬。③ Ⓒ (常*pl.*)郊區；邊緣。④ Ⓤ〖俚〗年輕姑娘；女人。— *v.t.* ①沿(某地)的邊緣而行。②位於…邊緣。— *v.i.* ①繞行。②位於邊緣；沿邊緣。

skirt·ing [ˋskɜtɪŋ] *n.* Ⓤ ①女裙之集合稱；女裙材料。②〖建〗壁脚板。③邊緣；邊境。§ ~ **bòard**〖英〗(牆壁下的)踢脚板；壁脚板(=〖美〗baseboard).

skit [skɪt] *n.* Ⓒ 諷刺短劇；(短篇)諷刺文。

skit·ter [ˋskɪtɚ] *v.i.* ①輕快地跑；滑行。②掠過水面。③將餌放入水中垂釣。— *v.t.* 使掠過；使釣鉤在水面上跳動。

skit·ter·y [ˋskɪtərɪ] *adj.* =**skittish.**

skit·tish [ˋskɪtɪʃ] *adj.* ①易驚恐的；易驚惶的。②輕浮的；易變的。③怕羞的。

skit·tle [ˋskɪtl̩] *n.* ①(*pl.*)九柱戲。② Ⓒ 九柱戲之小柱。***Life is not all beer and ~s.*** 人生非僅遊樂而已。

skoal [skol] *interj.* 乾杯！— *n.* Ⓒ 乾杯；敬酒。

sku·a [ˋskjuə] *n.* Ⓒ〖鳥〗(大)賊鷗。

skul·dug·ger·y [skʌlˋdʌgərɪ] *n.* Ⓤ〖美俚〗陰謀；欺騙。

skulk [skʌlk] *v.i.* 躲藏；潛行。— *n.* Ⓒ 潛伏者。—**er,** *n.*

skull** [skʌl] *n.* Ⓒ ①頭蓋骨；腦殼。②頭；腦子。③頭頂。have a thick ~*** 愚蠢。~(*s*) ***and crossbones*** **a.** (海盜用的)骷髏旗；骷髏畫。**b.** 危險的標誌。

skull·cap [ˋskʌl,kæp] *n.* Ⓒ (室內所戴之)無邊便帽。

skunk [skʌŋk] *n.* ① Ⓒ〖動〗臭鼬。② Ⓤ 臭鼬毛皮。③ Ⓒ〖俚〗卑鄙之人。— *v.t.*〖俚〗使慘敗；使(對手)得零分。

‡**sky** [skaɪ] *n.* ①(the ~)天；天空。② Ⓒ (常 *pl.*)天氣。③(the ~)天堂。***out of a clear ~*** 突然地；出其不意地；晴天霹靂地。***to the skies*** [~]很高地；非常。praise *to the skies* 對…大爲稱讚。§ ~ **blúe** 天藍色。~ **dìver** 花式跳傘的運動員。~ **dìving** 花式跳傘。~ **màrshal**〖美〗空中警長(在客機上預防劫機事件的聯邦便衣警長)。~ **pàrlor**〖俚〗閣樓。~ **pìlot**〖俚〗(1)牧師。(2)飛行員。~ **shòw** 飛機內放映的電影。~ **sìgn**〖英〗空中廣告；屋頂廣告。~ **tràin** 由一架飛機拖曳若干滑翔機而成的航空機群。~ **trùck** 大型運輸機。~ **wàve**〖無線〗天空電波。

sky-blue [ˋskaɪˋblu] *adj.* 天藍色的。

sky-high [ˋskaɪˋhaɪ] *adv.* ①極高地；高入雲霄地。②支離破碎地。— *adj.* ①極高的。②極昂貴的。

sky·hook [ˋskaɪ,hʊk] *n.* Ⓒ 一種空投補給品用的載貨工具。

sky·jack [ˋskaɪ,dʒæk] *v.t.* 空中劫機。—**er,** *n.*

Sky·lab [ˋskaɪ,læb] *n.* Ⓒ (繞行地球的)太空實驗站。

sky·lark [ˋskaɪ,lɑrk] *n.* Ⓒ ①雲雀。②〖俗〗嬉戲。— *v.i.*〖俗〗嬉戲。

sky·light [ˋskaɪ,laɪt] *n.* Ⓒ 天窗。

sky·line [ˋskaɪ,laɪn] *n.* Ⓒ ①地平線。②以天空爲背景而映出的建築物、山、樹等之輪廓；天空線。

sky·man [ˋskaɪ,mæn] *n.* Ⓒ (*pl.* **-men**)〖俗〗① 飛行員。② 傘兵。

sky·rock·et [ˋskaɪ,rɑkɪt] *n.* Ⓒ 流星煙火。— *v.i.* ①曇花一現。②(物價等)猛漲。③失去自制。— *v.t.* 使急增；使(物價等)猛漲；使急升。

***sky·scrap·er** [ˋskaɪ,skrepɚ] *n.* Ⓒ ① 摩天樓。② 任何特高之物。

sky·ward [ˋskaɪwɚd] *adj.* 向天空的；向上的。— *adv.* =**skywards.**

sky·wards [ˋskaɪwɚdz] *adv.* 向天空地；向上地。

S

sky·writ·ing [ˋskaɪˏraɪtɪŋ] *n.* Ⓤ (飛機在空中噴煙所形成之)空中文字。
slab [slæb] *n.* Ⓒ ①厚板; (石、木等的)平板。②(麵包等之)厚的切片。—— *v.t.* (**-bb-**)①製成厚板。②以厚板鋪、撐等。③大量塗上。
slack**[1] [slæk] *adj.* ①鬆弛的; 寬的。②懈怠的; 疏忽的。③不活潑的; 不景氣的。④緩慢的。keep a ~ rein*** 寬大地對待。—— *n.* ①ⓊⒸ(繩索、帆等)鬆弛之部分。②Ⓒ〖商〗淡季。③(*pl.*)寬鬆的褲子。④Ⓤ水流之滯緩。—— *v.t.* & *v.i.* (使)鬆弛。~ ***off*** **a.** 使鬆。**b.** 鬆懈力量。~ ***up***漸緩; 慢行。§~ **jáw** 乏味[無禮]之言。~ **súit**便服; 寬鬆套裝。~ **wáter** [**tíde**] 緩慢流動或靜止不動的水; 平潮。—**ly,** *adv.* —**ness,** *n.*
slack[2] *n.* Ⓤ煤渣; 煤屑。
slack·en [ˋslækən] *v.t.* & *v.i.* ①(使)減緩; 變爲緩慢。②(使)鬆弛; 變爲鬆弛。
slack·er [ˋslækɚ] *n.* Ⓒ規避責任者; 逃避兵役者。
slag [slæg] *n.* ①Ⓤ礦渣; 鎔渣。②Ⓤ火山渣; 火山岩燼。③Ⓤ廢物; 渣滓。④Ⓒ〖英俚〗輕佻的醜女。—— *v.t.* (**-gg-**) 使化爲鎔渣。—— *v.i.* 變爲鎔渣。—**less,** *adj.*
slain [slen] *v.* pp. of **slay.**
slake [slek] *v.t.* ①解(渴); 息(怒); 雪(恨)。②使(火)漸滅或熄滅。③消和或沸化(石灰)。—— *v.i.* (石灰)消和; 沸化。§~**d líme** 消石灰; 熟石灰。
sla·lom [ˋslɑləm] *n.* Ⓤ (常 the ~)障礙滑雪; 彎道滑雪(比賽)。—— *v.i.* 做彎道滑雪比賽。
***slam** [slæm] *v.t.* & *v.i.* (**-mm-**)①砰然關閉(門、窗等); (門、窗等)砰然關起。②猛力投擲或放置。③猛擊。④〖美俚〗猛烈而苛刻地抨擊。—— *n.* ①(a ~)砰然聲。②Ⓒ〖美俚〗苛刻的抨擊。③Ⓒ〖橋牌〗滿貫; 全勝。
slan·der [ˋslændɚ] *n.* Ⓒ①誹謗。②造謠。—— *v.t.* & *v.i.* 誹謗; 造謠中傷。—**er,** *n.* —**ous,** *adj.* —**ous·ly,** *adv.*
***slang** [slæŋ] *n.* Ⓤ①俚語。②某一階層或行業中所用的特殊習用語; 行話。③(盜賊等的)隱語; 暗話。—— *v.t.* & *v.i.* ①辱罵; 責罵。②用俚語說。
slang·y [ˋslæŋɪ] *adj.* ①俚語的; 似俚語的。②使用俚語的。
***slant** [slænt] *v.i.* & *v.t.* ①(使)傾斜; 歪斜。②曲解; 歪曲。—— *n.* ①(*sing.*)傾斜。②Ⓒ觀點; 意見。③Ⓒ〖美俚〗斜眼看; 一瞥。
slant-eyed [ˋslæntˏaɪd] *adj.* 眼睛尾端向上的。
slant·ing [ˋslæntɪŋ] *adj.* 歪斜的; 傾斜的。
slant·wise [ˋslæntˏwaɪz] *adv.* & *adj.* 傾斜地[的]。
slap** [slæp] *n.* Ⓒ①掌擊; 摑。②拒絕; 侮辱; 非難。③掌擊聲; 似掌擊之聲音。~ ***and tickle〖英俚〗(男女的)調情。~ ***in the face*** **a.** 一個耳光; 一巴掌。**b.** (意外的、嚴厲的)拒絕。~ ***on the wrist*** 輕罰; 輕微的警告。—— *v.t.* (**-pp-**)①掌擊; 摑; 拍擊。②用力放置; 擲。—— *adv.* ①直接地; 正面地。②突然地。
slap·dash [ˋslæpˏdæʃ] *adv.* & *adj.* 草率地[的]; 粗心地[的]。
slap·hap·py [ˋslæpˏhæpɪ] *adj.* 〖俚〗①被打得頭昏眼花的。②愚蠢的; 胡塗的。
slap·jack [ˋslæpˏdʒæk] *n.* 〖美〗①Ⓒ烤焙之薄餅。②Ⓤ一種簡單之牌戲。
slap·stick [ˋslæpˏstɪk] *n.* ①Ⓒ擊板; 敲板。②Ⓤ鬧劇。—— *adj.* 鬧劇的; 胡鬧的。
slash [slæʃ] *v.t.* ①砍; 斬; 砍傷; 戳傷。②鞭撻。③嚴厲批評; 非難。④削減。⑤在(衣服上)開衩。—— *v.i.* ①砍; 斬; 戳。②嚴厲批評。—— *n.* ①Ⓒ砍; 斬; 戳。②Ⓒ砍痕; 斬傷。③Ⓒ削減。④Ⓒ鞭打。⑤Ⓒ(衣服上的)長縫。⑥Ⓒ(樹木被砍後的)林中空地。⑦(a ~)〖英鄙〗(男人)撒尿。
slash·ing [ˋslæʃɪŋ] *adj.* ①亂砍的。②嚴峻的; 苛刻的。③雄赳赳的; 有精神的。④〖俚〗大的; 盛大的。⑤生動的。
slat [slæt] *n.* Ⓒ(木、石、金屬等之)板條。—— *v.t.* (**-tt-**)①供以板條; 以板條作成。②關起…之板條(如百葉窗等)。
slate**[1] [slet] *n.* ①Ⓤ板石; 粘板岩。②Ⓒ石板; 寫字板。③Ⓒ石板瓦。④Ⓤ深藍灰色。⑤Ⓒ〖美〗被提名或任命的候選人名單。⑥Ⓒ行爲記錄。have a clean*** ~有清白的記錄; 沒有犯過罪。—— *v.t.* ①以石板瓦蓋於(屋頂)。②列(名)於候選人名單上。③預定。§ ~ **clùb**〖英〗(每人每週繳出一點錢的)互助會。~ **péncil** 石筆(寫石板用)。
slate[2] *v.t.* 嚴厲批評; 猛烈抨擊。
slat·tern [ˋslætɚn] *n.* Ⓒ懶散的女人; 衣著不整潔的女人。
slat·tern·ly [ˋslætɚnlɪ] *adj.* & *adv.* 不整潔的[地]。—**slat′tern·li·ness,** *n.*
***slaugh·ter** [ˋslɔtɚ] *n.* ①Ⓤ宰殺。②ⓊⒸ殺戮。③Ⓒ大敗。—— *v.t.* ①屠殺; 殺戮; 屠宰。②使遭大敗。—**er,** *n.* Ⓒ屠宰者; 殺戮者。
slaugh·ter·house [ˋslɔtɚˏhaʊs] *n.* Ⓒ屠宰場。
Slav [slɑv, slæv] *n.* Ⓒ斯拉夫人。—— *adj.* 斯拉夫人的; 斯拉夫語的。
‡**slave** [slev] *n.* Ⓒ①奴隸。②被欲望、習慣或影響所控制者。③苦工; 奴工。—— *v.i.* 做苦工。§ ~ **clòck**(精密天文鐘的)副鐘。**S~ Còast** 奴隸海岸(位於赤道非洲的西部, 十六至十九世紀間爲奴隸買賣中心)。~ **drìver** ⑴監督奴隸工作者。⑵嚴苛的工頭或監工。~ **hùnter** 擄賣奴隸者。~ **hùnting**(非洲的)獵捕奴隸。~ **làbor** ⑴苦役; 奴役。⑵作苦役之奴工。~ **màrket** 奴隸市場。~ **shìp** 奴隸船。~ **stàtes** 奴隸州(南北戰爭前美國承認奴隸制的各州)。~ **stàtion**〖無線〗輔助電台。~ **tràde** 販賣奴隸。~ **tràder** 奴隸販子。
slave·hold·er [ˋslevˏholdɚ] *n.* Ⓒ奴隸的主人。
slav·er[1] [ˋslevɚ] *n.* Ⓒ①販賣奴隸者。②販賣奴隸所用之船。
slav·er[2] [ˋslævɚ] *v.i.* ①垂涎。②諂媚。—— *v.t.* 以口水弄濕或弄汚。—— *n.*

Ⓤ①涎；口水。②妄語。

*slav·er·y [ˋslevərɪ] n. Ⓤ①奴役；奴隸身分。②奴隸制度。③苦役。④(慾望的)奴隸；沈迷；束縛。

Slav·ic [ˋslævɪk] adj. 斯拉夫人的；斯拉夫語的。— n. Ⓤ斯拉夫語。

slav·ish [ˋslevɪʃ] adj. ①奴隸的。②卑屈的；卑賤的；奴隸性的。③無創造性的；無獨立性的。—ly, adv.

slav(e)·oc·ra·cy [slevˋɑkrəsɪ] n. Ⓒ(美國南北戰爭前南方的)蓄奴集團；奴主集團。

slaw [slɔ] n. Ⓤ〖美俗〗甘藍沙拉。

slay [sle] v.t. (slew, slain)①殺害。②〖俗〗使深深感動。③壓倒；克服。— v.i. 造成死亡。—er, n.

slea·zy [ˋslizɪ, ˋslezɪ] adj. ①薄而質料不佳的(織物)。②簡陋的；破爛的。

*sled [slɛd] n. Ⓒ 雪車；雪橇。— v.t. (-dd-)以雪橇載運。— v.i. 乘雪橇。

sled·ding [ˋslɛdɪŋ] n. Ⓤ①乘雪橇滑行。②(工作等)進行的狀況。

sledge[1] [slɛdʒ] n. & v. =sled.

sledge[2] n. Ⓒ大錘；任何強而有力之物。— v.i. & v.t. 以大錘錘擊。

sledge-ham·mer [ˋslɛdʒ,hæmɚ] v.t. 以大錘錘打；給予重大[猛烈]的打擊。— adj. 強有力的。

sleek [slik] adj. ①有光澤的。②有光滑皮膚或毛髮的。③油滑的。④很帥的。— v.t. ①使光滑；使整齊。②掩飾。—ly, adv.

⁑sleep [slip] v.i.(slept)①睡眠。②靜止。③死。— v.t. ①睡。②供給住宿。～ *around* 〖俗〗亂搞男女關係。～ *away* a.在睡眠中消磨。b. 藉睡眠驅散或消除。～ *off* 用睡眠除去…；睡掉。～ *on*[*upon, over*] *a question* 把一問題留待第二天解決。～ *out* a. 不住在雇主家。b. 在外面過夜。— n. ①Ⓤ睡眠。②(a～)睡眠時間。③Ⓤ靜止；安息。④Ⓤ死；長眠。*go to* ～ 睡著。*last* ～ 死。*put... to* ～ a.使人入睡。b.使人麻醉。

sleep·er [ˋslipɚ] n. Ⓒ①睡眠者。②〖美〗臥車。③〖英〗枕木(=〖美〗tie).④〖美俚〗意外成功的人；爆出的冷門。

sleep-in [ˋslip,ɪn] adj. & n. Ⓒ住在雇主家裏的(人)。

*sleep·ing [ˋslipɪŋ] n. Ⓤ睡眠；休息。— adj. 睡眠的；供睡眠用的。§ ～ bàg 睡袋。S～ Béauty 睡美人。～ càr [càrriage](鐵路之)臥車。～ dráught 安眠藥水。～ pártner 不參與實際業務的股東；匿名股東；外股。～ pìll 安眠藥丸。～ políceman〖英〗橫過路面突起的顛跛路面(迫使車輛減速慢行)。～ pòwder 安眠藥粉。～ sìckness〖醫〗睡眠症；嗜睡性腦炎。～ tàblet 安眠藥(片)。

sleep·less [ˋsliplɪs] adj. 失眠的。

sleep·o·ver [ˋslip,ovɚ] n. Ⓒ在他人家中過夜(的人)。

sleep·walk [ˋslip,wɔk] v.i. 夢遊。— n. Ⓤ夢遊。

sleep·walk·er [ˋslip,wɔkɚ] n. Ⓒ夢遊者；患夢遊症者。

sleep·walk·ing [ˋslip,wɔkɪŋ] n. Ⓤ夢遊；夢遊症。— adj. 夢遊的。

*sleep·y [ˋslipɪ] adj. ①欲睡的。②不活潑的；懶惰的；靜寂的。③催眠的。§～ sìckness〖英〗=sleeping sickness. — sleep′i·ly, adv. — sleep′i·ness, n.

sleep·y·head [ˋslipɪ,hɛd] n. Ⓒ貪睡者；懶惰者。

sleet [slit] n. Ⓤ霰；雨雪。— v.i. 降霰；下雨雪；下雨雹。— sleet′y, adj.

*sleeve [sliv] n. Ⓒ①袖。②套筒；套管。*have a plan*[*card*] *up one's* ～ 胸有成竹；胸有定策。*laugh up*[*in*] *one's* ～ 竊笑。— v.t. 供以袖子。§ ～ lìnks 袖子鏈扣。～ nòte 唱片封套上的內容說明。～ nùt 套筒螺母；鬆緊螺旋扣。～ tàrget(飛機所拖之)筒靶。— like, adj.

sleeve·board [ˋsliv,bord] n. Ⓒ(熨衣袖用的)熨袖架。

sleeve·less [ˋslivlɪs] adj. 無袖子的。

*sleigh [sle] n. Ⓒ雪橇；馬拉之雪車。— v.i. & v.t.①乘雪橇旅行。②以雪車運送。

sleight [slaɪt] n. ①Ⓤ巧妙；熟練。②ⓊⒸ〖罕〗狡計；巧計。～ *of hand* a. 變戲法。b. 手動作之熟練或技巧。

*slen·der [ˋslɛndɚ] adj. ①細長的；纖細的。②微少的；微薄的。

slen·der·ize [ˋslɛndə,raɪz] v.t. & v.i. (使)變細長[微薄]。

⁑slept [slɛpt] v. pt. & pp. of sleep.

sleuth [sluθ] n. Ⓒ①警犬。②〖美俚〗偵探。— v.t. & v.i. 跟蹤偵查。

slew[1] [slu] v. pt. of slay.

slew[2] v.t. & v.i. 使旋轉；迴轉。— n. Ⓒ旋轉。(亦作 slue)

slew[3] n. Ⓒ濕地；沼地。

slew[4] n. (a ～ or pl.)〖俚〗多量；大量。

*slice [slaɪs] n. Ⓒ①片；薄片。②刀刃薄而寬的刀或其他器具。③部分。④〖運動〗斜擊；削球。— v.t. & v.i. ①切成薄片。②切去〔off〕. ③分…爲若干分。④〖運動〗擊(球)使斜飛；擊削球。

slice-of-life [ˋslaɪsəvˋlaɪf] adj. 眞實地反映現實生活面的。

slick [slɪk] adj. ①光滑的。②圓滑的。③精巧的。④〖俚〗(文章等)有技巧而無內容的。⑤〖俚〗良好的；精美的。— n. Ⓒ①光滑之處。②(常 pl.)〖美俚〗紙面光滑之雜誌(爲pulp之對)。— adv. ①〖俚〗直接地；正面地。②光滑地。③巧妙地。— v.t. & v.i. ①使平滑；使光滑。②加以修飾、打扮〔常 up〕.

slick·er [ˋslɪkɚ] n. Ⓒ①〖美〗寬長的雨衣。②〖美俚〗騙子；衣冠楚楚而圓滑的都市人。

*slide [slaɪd] v.i.(slid [slɪd], slid or slid·den [ˋslɪdn̩])①滑動。②滑行；溜進。③在不知不覺中過去。— v.t. ①使滑動；使輕輕溜過。②輕輕地放入。*let things* ～ 聽其自然。～ *into bad habits* 沾染惡習。— n. Ⓒ①滑；滑行。②滑面。③溜滑梯。④滑板。⑤玻璃板；幻燈片。⑥伸縮喇叭中可拉出推進的U形管。⑦雪崩；土崩。§ ～ fàstener 拉鍊。～ guitàr 一種吉他滑音彈奏法。～ projèctor 幻燈機。～

rùle 滑尺；計算尺。～ vàlve〖機〗滑瓣。—slid′a·ble, *adj.*

slid·ing [ˋslaɪdɪŋ] *adj.* 滑動的；易變的；富彈性的。§ ～ dóor 滑門。～ rùle 計算尺。～ scále〖經〗滑動費率。

‡**slight** [slaɪt] *adj.* ①輕微的。②纖細的。③纖弱的。*make* ～ *of* 輕視。*not ... in the* ～*est* 絲毫不(=not at all)。—*v.t.* 輕視。—*n.* Ⓒ 輕蔑。*put a* ～ *upon* 輕視；侮辱。

***slight·ly** [ˋslaɪtlɪ] *adv.* ①輕微地。②纖細地；苗條地。

sli·ly [ˋslaɪlɪ] *adv.* =**slyly.**

***slim** [slɪm] *adj.*(-mm-)①細長的；纖弱的。②微少的；微弱的。③狡猾的。—*v.t. & v.i.*(-mm-)①使變細。②減肥。—ly, *adv.*

slime [slaɪm] *n.* Ⓤ ①黏土；黏泥；類似黏泥之物。②(魚、蝸牛等之)黏液。

slim·ming [ˋslɪmɪŋ] *n.* Ⓤ 減肥。

slim·nas·tics [slɪmˋnæstɪks] *n.* (作 *sing.* or *pl.*解)減肥體操。

slim·y [ˋslaɪmɪ] *adj.* ①覆有黏土的。②(似)黏土的。③污穢的。④卑劣的。

sling [slɪŋ] *n.* Ⓒ ①吊索。②吊腕帶。③投石器。④投擲。—*v.t. & v.i.* (**slung**)①投擲。②吊；懸。③以吊索吊起或繫下。④〖俚〗混合。～ *ink*〖俚〗趕寫文稿；當新聞記者。§ ～ chàir 用帆布等做椅座與靠背的椅子。～ dòg 索端之掛鉤。

sling·shot [ˋslɪŋ,ʃɑt] *n.* Ⓒ〖美〗小彈弓。

slink [slɪŋk] *v.i.*(**slunk** or **slank, slunk**)潛行；潛逃〔away, off, about〕.

‡**slip**[1] [slɪp] *v.i.*(-pp-)①滑；溜。②失足；滑倒。③失去。④滑脫。⑤悄悄溜去。⑥犯錯誤；失誤。⑦被忘記。⑧迅速穿衣。⑨衰弱。—*v.t.* ①使滑。②迅速俐落地穿上或脫下。③失去；使逸去。④放開；釋放；放走。⑤無意中提到。⑥(家畜)早產；流產。⑦使脫關節。*let* ～ 無意說出；洩漏。～ *into* 迅速地或輕易地穿(衣)。～ *off* 脫(衣)。～ *on* 穿(衣)。～ *something over on* 欺騙(某人)；占(某人)的便宜。～ *up*〖俗〗犯錯誤。—*n.* ① Ⓒ 滑；滑跌。② Ⓒ 錯誤；失誤。③ Ⓒ 下跌。④ Ⓒ 枕套；(婦女之)套裙；(小兒之)胸巾等。⑤ Ⓒ (常 *pl.*)(傾斜的)造船臺。⑥(*pl.*)〖英〗(舞台的)邊門。⑦〖板球〗**a.** Ⓤ 外野(守三柱門球員旁的位置)。**b.** Ⓒ 外野球員。*give someone the* ～ 躲避某人。*There's many a* ～ *'twixt the cup and the lip.*〖諺〗愼防功敗垂成；事情往往功敗垂成。§ ～ dísk[dísc]〖醫〗脊椎骨間軟骨性圓盤的變位(脫離正常的位置，引起背部劇痛)。～ knòt 活結；滑結。～ nòose 活結繩套。～ rìng〖機〗滑環；集電環。～ ròad〖英〗(通高速公路之)叉道；交流道。～ strèam〖機〗沖流；滑流。

slip[2] *v.t.*(-pp-)剪(枝)備插種；從(植物)剪下插枝。—*n.* Ⓒ ①狹長的紙片、木片等。②紙條。③年輕而瘦弱的人。④剪下備插的枝；插穗。

slip·cov·er [ˋslɪp,kʌvɚ] *v.t.* 給…裝上椅套。—*n.* Ⓒ ①椅套；沙發套。②書皮。

slip-on [ˋslɪp,ɑn] *n.* Ⓒ ①套領衫。②(常 *pl.*)便鞋。—*adj.* ①便於穿脫的。②套頭的(衣服)。

***slip·per** [ˋslɪpɚ] *n.* Ⓒ (常 *pl.*)室內便鞋；拖鞋。—*v.t.* 以拖鞋打。—*v.i.* 穿著拖鞋走。

***slip·per·y** [ˋslɪpərɪ] *adj.* ①表面光滑的；滑溜的。②不可靠的；狡猾的。§ ～ élm〖植〗赤榆；赤榆皮(用作緩和劑)。—slip′per·i·ness, *n.*

slip·shod [ˋslɪp,ʃɑd] *adj.* 隨便的；懶散的；穿拖鞋的。

slip·slop [ˋslɪp,slɑp] *n.* Ⓤ ①淡薄之酒。②隨便寫的文字；信口之談。③拖鞋拍地聲。—*adj.* 隨便的；馬馬虎虎的。

slip-up [ˋslɪp,ʌp] *n.* Ⓒ〖美俚〗錯誤；疏忽。

slip·way [ˋslɪp,we] *n.* Ⓒ (船塢)船台；滑動式造船架。

slit [slɪt] *v.t.* (**slit, slit·ting**)①割裂；劃破。②使變細；使變窄。—*n.* Ⓒ 裂縫；豁口。§ ～ pòcket 縱開的口袋。～ trènch 狹窄之防空壕或散兵壕。

slith·er [ˋslɪðɚ] *v.i. & v.t.* (使)滑動；(使)滑行。—*n.* Ⓒ 滑動；滑行。

slith·er·y [ˋslɪðərɪ] *adj.* 滑溜溜的。

sliv·er [ˋslɪvɚ] *n.* Ⓒ ①長條；裂片；細片。②(毛、棉等待梳整成條之)疏鬆纖維束。—*v.t.* 切成長條；裂成細片。—*v.i.* 裂開。

slob [slɑb] *n.* ① Ⓤ〖方〗泥；河底的軟泥。② Ⓒ〖俚〗蠢貨；笨蛋；邋遢的人。

slob·ber [ˋslɑbɚ] *v.i.* ①流涎；淌口水。②極端感情用事。—*v.t.* 以口水等弄濕或弄污。—*n.* Ⓤ ①涎；口水。②感傷的話；哭訴。

sloe [slo] *n.* Ⓒ〖植〗野李(樹)；野梅(樹)。～ gin 野梅酒。

sloe-eyed [ˋslo,aɪd] *adj.* ①眼睛烏黑的。②斜眼的。

slog [slɑg] *v.t. & v.i.*(-gg-)①猛擊。②掙扎行走；辛苦工作。—*n.* Ⓒ 痛打；猛擊。

***slo·gan** [ˋslogən] *n.* Ⓒ ①標語；口號；箴[格]言。②戰爭中士兵的吶喊聲。

slo·gan·eer [,slogəˋnɪr] *n.* Ⓒ 創造口號者；口號製造家。

slo·gan·eer·ing [,slogəˋnɪrɪŋ] *n.* Ⓤ 喊口號；呼口號；用口號。

sloop [slup] *n.* Ⓒ 一種單桅帆船。

slop [slɑp] *v.t.*(-pp-)①灑；潑。②灑液體於。—*v.i.* ①灑；潑。②在泥濘中走。～ *over*〖俚〗表現過分的熱心。—*n.* ① Ⓤ 灑的水；濺出的水(或其他液體)。②(*pl.*)污水；餿水。③ Ⓤ 稀泥；泥水。④(*pl.*)液體食物。⑤(*pl.*)(人的)糞尿。§ ～ bàsin [bòwl]〖英〗餐桌上盛殘渣的淺碟。～ pàil[bùcket](盛殘湯賸菜供餵家畜之用的)餿水桶。

***slope** [slop] *v.i. & v.t.* 傾斜；使傾斜；使成斜坡。—*n.* ① Ⓤ Ⓒ 傾斜；坡度。② Ⓒ 斜坡；傾斜面。

slop·py [ˋslɑpɪ] *adj.* ①濕的；泥濘的。②爲水濺濕或玷污的。③乏味的(食物或飲料)。④〖俚〗草率的；邋遢的。⑤〖俚〗脆弱的；易動感情的。§ S～ Jóe ⑴不整潔的男子。⑵寬大的女用羊毛衫。

(3)一種牛肉三明治。
slosh [slɑʃ] *n.* Ⓤ①雪泥；稀泥；軟土。②〖俗〗味淡的飲料。③水之劈啪聲。—*v.i.* 濺著水而行；在泥水中輾轉而行。—*v.t.* (在液體中)攪動或搖動。
slot [slɑt] *n.* Ⓒ①口；狹縫。②〖機〗槽溝。③(自動販賣機的)投幣口。—*v.t.* (**-tt-**)於…之中開一狹縫或槽溝。§ ∼ **machìne** 自動販賣機；吃角子老虎。—**ter,** *n.*
sloth [sloθ] *n.* ①Ⓤ怠惰；緩慢。②Ⓒ〖動〗樹懶。
sloth·ful [ˋsloθfəl] *adj.* 怠惰的；懶惰的；行動遲緩的。—**ly,** *adv.* —**ness,** *n.*
slouch [slaʊtʃ] *v.i.* & *v.t.* ①以呆拙而垂頭彎腰的姿態站立、坐、走路或行動。②(使)低垂。—*n.* ①(a ∼)頭及肩部之低垂；(動作)消沈之姿態。②Ⓒ笨拙之人；不中用之人。§ ∼ **hàt**垂邊軟帽。
slouch·y [ˋslaʊtʃɪ] *adj.* 不振作的；垂頭喪氣的；不修邊幅的。
slough[1] *n.* Ⓒ ① [slaʊ] 泥沼；泥坑。② [slu]〖美,加〗沼澤。③ [slaʊ] 絕望、無助、沮喪的情況。
slough[2] [slʌf] *n.* Ⓒ①(蛇等之)蛻皮；蛻殼。②〖醫〗腐肉；痂；死肉。—*v.i.* 脫皮；長痂；脫落〔off〕。—*v.t.* 脫除；廢棄〔off〕。
Slo·vak [ˋslovæk] *n.* ①Ⓒ斯洛伐克人(即居住於捷克 Slovakia 省之斯拉夫人)。②Ⓤ斯洛伐克語。—*adj.* 斯洛伐克人[語]的。
Slo·va·ki·a [sloˋvɑkɪə, -ˋvækɪə] *n.* 斯洛伐克(捷克斯拉夫東部一地區)。
Slo·va·ki·an [sloˋvɑkɪən, -ˋvæk-] *n.* & *adj.* =**Slovak.**
slov·en [ˋslʌvən] *n.* Ⓒ不修邊幅的人。
Slo·vene [sloˋvin] *n.* ①Ⓒ斯洛維尼亞人(居於 Slovenia 的斯拉夫人)。②Ⓤ斯洛維尼亞語。—*adj.* 斯洛維尼亞(人，語)的。
Slo·ve·ni·a [sloˋvinɪə] *n.* 斯洛維尼亞(Yugoslavia 的西北地區)。
Slo·ve·ni·an [sloˋvinɪən] *n.* & *adj.* =**Slovene.**
slov·en·ly [ˋslʌvənlɪ] *adj.* & *adv.* 邋遢的[地]；草率的[地]。
‡**slow** [slo] *adj.* ①遲緩的；緩慢的。②遲鈍的；呆笨的。③無趣味的；不精采的。④不急速的；不輕易的。⑤遲到的；不準時的。⑥燃燒緩慢或溫和的(火)。⑦不景氣的。—*v.t.* & *v.i.* 使遲緩；緩行；變為遲緩。—*adv.* ①緩慢地。②審慎地。§ ∼ **mátch** 導火線；引信。∼ **mótion**〖影〗慢動作。∼ **pìtch** 慢投壘球(十人一隊規定每次投球高度為三至十呎，不准盜壘)。∼ **vìrus** 慢性病毒。‡—**ly,** *adv.* —**ness,** *n.*
slow·down [ˋsloˏdaʊn] *n.* Ⓒ〖俗〗①減速。②減低生產；怠工。③趨於不活潑；變為緩慢。
slow-mo·tion [ˋsloˋmoʃən] *adj.* ①緩慢的；慢動作的。②高速攝影的。
slow·poke [ˋsloˏpok] *n.* Ⓒ〖俚〗動作特別遲鈍的人。
slow·up [ˋsloˏʌp] *n.* Ⓤ減速；趨緩；減退。
slow-wit·ted [ˋsloˋwɪtɪd] *adj.* 理解力差的；頭腦不好的。
sludge [slʌdʒ] *n.* Ⓤ①泥漿；泥濘；半融的雪；浮冰。②(排水溝裡的)汚物；汚泥。③(積於水槽、油槽、鍋爐底下的)沈澱物。—**sludg′y,** *adj.*
slue [slu] *v.t.* & *v.i.* 轉動；旋轉。—*n.* Ⓒ旋轉。
slug[1] [slʌg] *n.* Ⓒ①蛞蝓(類似蝸牛而無硬殼之動物)。②行動遲緩的人、動物、車輛等。③金屬塊。④小彈丸。⑤排版用之鉛條；自動鑄字機鑄出來的一行相連的鉛字。⑥〖俚〗一小杯酒。
slug[2] *v.t.* & *v.i.* (**-gg-**) (以拳)重擊；猛擊。—*n.* Ⓒ拳擊；重擊。
slug·gard [ˋslʌgəd] *n.* Ⓒ 怠惰者；懶人。—*adj.* 怠惰的；懶的。
slug·gish [ˋslʌgɪʃ] *adj.* ①行動遲緩的；緩慢的。②怠惰的；呆滯的。③不景氣的；不振的；不活潑的。—**ly,** *adv.* —**ness,** *n.*
sluice [slus] *n.* Ⓒ①堰；堰內之水。②水門；水閘。③排水道[溝]。④〖礦〗斜水槽；洗礦槽。—*v.t.* ①開水閘放(水)；開水閘灌溉。②沖洗。—*v.i.* 流出；泛濫。§ ∼ **gàte** 水門；水閘。
sluice·way [ˋslusˏwe] *n.* Ⓒ①有閘門控制之水道。②任何人工水道。
slum [slʌm] *n.* Ⓒ(常 *pl.*)貧民窟；貧民區。—*v.i.* (**-mm-**) (為慈善目的而)去貧民區(視察)。
slum·ber [ˋslʌmbə] *v.i.* ①睡眠；安睡。②不活躍；(火山等)停止活動；蟄伏。—*v.t.* 以睡眠度過〔away〕。—*n.* ①ⓊⒸ(常 *pl.*)睡眠；打盹。②Ⓤ無生氣；沈滯。
slum·ber·ous [ˋslʌmbərəs] *adj.* ①昏昏欲睡的。②催眠的。③似睡眠的。
slum·lord [ˋslʌmˏlɔrd] *n.* Ⓒ〖美〗(以簡陋設備索取高租金的)缺德房東。
slump [slʌmp] *v.i.* ①陷；猛然落下。②衰落。—*n.* Ⓒ①猛然落下。②暴跌。③低落；不景氣。④運動員表現失常的一段時期。⑤精神不振的姿勢。
slump·fla·tion [ˏslʌmpˋfleʃən] *n.* ⓊⒸ不景氣的通貨膨脹。
slung [slʌŋ] *v.* pt. & pp. of **sling.** § ∼ **shòt**〖美〗繩子、皮帶前端裝上小塊金屬或石頭等用作武器。
slunk [slʌŋk] *v.* pt. & pp. of **slink.**
slur [slɜ] *v.t.* (**-rr-**)①忽略；忽視；草率看過〔常 over〕。②含糊讀出；不清楚地講。③〖樂〗加圓滑線；連唱[奏]。④侮辱；蔑視；中傷。—*v.i.* 含糊而讀；潦草書寫；馬虎了事。—*n.* ①(a ∼)含糊之發音、聲音等。②Ⓒ〖樂〗圓滑線(⌣, ⌢)。③Ⓒ汚點；瑕疵；輕蔑或藐視之言辭。
slush [slʌʃ] *n.* Ⓤ①半融之雪；雪泥。②無聊感傷之談話、文章等。§ ∼ **fùnd**〖美〗(競選時的)收買資金；行賄基金。—**slush′y,** *adj.*
slut [slʌt] *n.* Ⓒ①邋遢的女人。②放蕩的女子。—**tish,** *adj.*
***sly** [slaɪ] *adj.* (**sly·er** or **sli·er, sly·est** or **sli·est**)①能祕密作事而不為他人所知的；狡猾的。②詭譎的；狡詐的；狡黠的。③淘氣的。—*n.* Ⓤ祕密；狡猾。*on the* ∼ 祕密地；暗暗地。—**ly,** *adv.*

Sm 〖化〗samarium. 釤。**S.M.** Master of Science.

smack[1] [smæk] *n.* ①Ⓒ氣味；滋味。②(a～of...)遺痕；有…的風味；微量。— *v.i.* 微有(某)味；帶有(某種)風味〔of〕. The medicine ～*s* of sulphur. 這藥有硫磺味。

smack[2] *v.t.* ①咂(唇)作響。②拍擊；摑；掌擊。③使(鞭子等)發爆裂聲。④響吻。— *n.* Ⓒ①咂唇聲；掌摑聲；響吻聲(等)。②掌摑；拍擊。③響吻。— *adv.* 〖俚〗①正面地；平平正正地。②突然地。

smack[3] *n.* Ⓒ單桅帆船；單桅漁舟。

smack[4] *n.* Ⓤ〖俚〗海洛英。

‡**small** [smɔl] *adj.* ①小的；少的；不重要的。②鄙劣的；吝嗇的。③淡薄的；弱的。④資本或資產不大的。⑤低的；輕的。⑥(字母)小寫的。*feel* ～ 感到慚愧；自慚形穢。*in a* ～ *way* 小規模地；儉約地。— *adv.* ①成爲碎塊地。②(聲音)低低地；輕輕地。— *n.* ①(the ～)小東西；小用品。②(*pl.*)短褲；小件包裹。§ ～ **ád**〖英〗(報紙等的)分類廣告。～ **árms** 輕便武器(如手槍等)。～ **béer** (1)淡啤酒。(2)瑣事；不重要的人物。～ **cálorie**〖理〗小卡(路里)。～ **cápital** 〖印刷〗小號的大寫字母。～ **chánge** (1)小額錢幣；零錢。(2)無足輕重之人或物。～ **hóurs**午夜後最初幾小時；深夜。～ **intéstine**小腸。～ **potátoes** 〖俚〗小人物；小物件。～ **scrèen**電視。～ **tàlk** 閒談；聊天。— **ness,** *n.*

small·hold·er [ˋsmɔl,holdɚ] *n.* Ⓒ小自耕農。

small-mind·ed [ˋsmɔlˋmaɪndɪd] *adj.* 心胸狹窄的；氣量小的。

small·pox [ˋsmɔl,pɑks] *n.* Ⓤ〖醫〗痘瘡；天花。

small-time [ˋsmɔlˋtaɪm] *adj.* 〖俚〗次要的；小規模的；平庸的。

small-tim·er [ˋsmɔlˋtaɪmɚ] *n.* Ⓒ①屬於小劇團者。②從事小規模事業者。

small-town [ˋsmɔlˋtaun] *adj.* 〖美〗小鎮的；地方性的；偏狹的；質樸的。

smarm·y [ˋsmɑrmɪ] *adj.* 〖俚〗奉承的；討好賣乖的。

***smart** [smɑrt] *v.i.* ①感到劇痛。②招致劇痛。③精神上感到痛苦。— *n.* Ⓒ劇痛；痛苦；傷心。— *adj.* ①刺痛的；劇烈的。②活潑的；輕快的。③聰敏的；伶俐的；機敏的；精明能幹的。④漂亮的；時髦的。⑤整齊的；清新的。⑥〖方〗相當的。— *adv.* ①劇烈地。②俐落地；聰明地。§ ～ **álec(k)** [ˋælɪk]自負而令人討厭的人。～ **bòmb**〖美軍俚〗精靈炸彈(裝有雷射制導器的炸彈)。～ **mòney** (1)罰金；賠償金。(2)有經驗者所下的注或作的投資。(3)(消息靈通的)投資者或下注者。～ **sèt**一群精通世故講究時髦的人。— **ly,** *adv.* — **ness,** *n.*

smart-al·eck·y [ˋsmɑrtˋælәkɪ] *adj.* 自負而令人討厭的；自作聰明的。

smart·en [ˋsmɑrtn̩] *v.t.* & *v.i.* ①裝飾；修整；弄漂亮。②使輕快；使活潑。

***smash** [smæʃ] *v.t.* ①搗碎；使破碎。②擊敗；使瓦解。③以快急而舉手過肩之姿勢擊(網球)；扣球。④〖俗〗重擊；投擲。— *v.i.* ①粉碎；破碎。②破產。③碰撞。— *n.* Ⓒ①破碎(聲)；粉碎。②碰撞。③破產；慘敗；瓦解；災難。④(網球的)扣球。⑤痛擊。⑥大成功。— *adv.* 破碎地。— *adj.* 非常成功的。§ ～ **hít** 演出極爲成功之電影或戲劇。

smash-and-grab [ˋsmæʃәn-ˋgræb] *adj.* 〖英〗迅速擊碎櫥窗搶走貴重物品的。

smash·ing [ˋsmæʃɪŋ] *adj.* ①粉碎的。②猛烈的。③極好的；絕妙的。

smash·up [ˋsmæʃ,ʌp] *n.* Ⓒ①猛撞(尤指火車之撞毀)。②失敗；破產；毀滅。

smat·ter [ˋsmætɚ] *n.* Ⓒ一知半解；膚淺的知識。

smat·ter·ing [ˋsmætәrɪŋ] *n.* Ⓒ(常*sing.*)淺薄的知識；一知半解。

***smear** [smɪr] *v.t.* ①塗；敷；弄髒；弄污。②使污；塗污；玷辱。③〖俚〗擊潰；痛擊。— *v.i.* 弄成污濁一片。— *n.* Ⓒ①污點；污跡。②(供顯微鏡檢查的)塗抹標本。③中傷。§ ～ **campàign** 詆毀宣傳；毀謗戰。～ **tèst**(婦女子宮癌的)抹片檢查。～ **wòrd**有損名譽之字語。

‡**smell** [smɛl] *v.t.* (**smelled** or **smelt**) ①嗅；聞；嗅出。②覺出…的跡象。③藉嗅覺而探索或發現〔out〕. — *v.i.* ①有嗅覺；嗅；聞。②發出氣味。③發出臭味；發出壞味。④有…之跡象。～ *out* **a.** 以嗅覺檢查或發現。**b.** 由細心研究而發現。～ *up* 使充滿難聞的氣味。— *n.* ①Ⓤ嗅覺。②Ⓒ(常*sing.*)嗅；聞。③Ⓒ氣味。④Ⓒ跡象。§～**ing bòttle** 嗅鹽瓶。～**ing sàlts** 嗅鹽。

smell·y [ˋsmɛlɪ] *adj.* 臭的；有臭味的；放臭味的。

smelt[1] [smɛlt] *v.t.* & *v.i.* ①鎔煉；鎔解(礦石)。②精煉；製煉。

smelt[2] *n.* (*pl.* ～, ～**s**)①Ⓒ銀白魚；沙鑽魚。②Ⓤ銀白魚肉。

‡**smelt**[3] *v.* pt. & pp. of **smell.**

smelt·er [ˋsmɛltɚ] *n.* Ⓒ①熔煉業者；熔煉工。②煉礦所；熔爐。

smid·ge(o)n, -gin [ˋsmɪdʒәn] *n.* (a ～)〖美俚〗少量；一點點〔of〕.

‡**smile** [smaɪl] *v.i.* ①微笑；現笑容；現喜色。②眷顧；示好意。③冷笑；嗤笑。— *v.t.* 發出(一種微笑)；微笑表示。— *n.* Ⓒ①微笑；喜色。②冷笑。③眷顧。enjoy the ～*s* of fortune 時運亨通。*be all* ～*s* 面露喜色；極爲高興。

smirch [smɝtʃ] *v.t.* 使污；玷污；污辱。— *n.* Ⓒ污點；污斑；瑕疵。

smirk [smɝk] *v.i.* 傻笑；得意地笑。— *n.* Ⓒ假笑；得意之笑。

smite [smaɪt] *v.t.* (**smote, smit·ten** or **smit** [smɪt])①打；擊。②責備。③擊敗。④突擊。⑤使在心理上深有感受。— *v.i.* 打；擊；震。

smith [smɪθ] *n.* Ⓒ①鍛工；冶工；工匠。②鐵匠。

Smith [smɪθ] *n.* 史密斯(Adam, 1723-90, 英國經濟學家)。

smith·er·eens [,smɪðәˋrinz] *n. pl.* 〖俚〗碎片；碎屑。

smith·y [ˋsmɪθɪ] *n.* Ⓒ鍊冶場；鐵匠店。

smit·ten [ˋsmɪtn̩] *v.* pp. of **smite.**
smock [smɑk] *n.* Ⓒ 罩衫；工作服。 **—** *v.t.* ①著以罩衫。②用針線(在布料上)縫成一叢蜂窩形的皺褶。§ ∼ **frŏck** (歐洲農夫等所穿的)一種寬鬆的罩衫。
smock·ing [ˋsmɑkɪŋ] *n.* Ⓤ 保持布褶平整的裝飾縫線；褶飾。
***smog** [smɑg] *n.* Ⓤ 〖美〗煙霧(爲 smoke 與 fog 兩字組合而成)。
****smoke** [smok] *n.* ①Ⓤ 煙；煙霧；蒸發氣。②Ⓒ 一根煙。③Ⓤ 吸煙。④Ⓤ 似煙之事物；空幻。⑤Ⓒ 煙(香煙、雪茄、板煙等)。*go up*[*end*] *in* ∼成爲泡影。**—** *v.i.* ①冒煙；起煙霧；發蒸氣。②吸煙。**—** *v.t.* ①燻製。②吸(煙)。③以煙燻而驅除。∼ *out* **a.** 以煙燻逐出。**b.** 發現並宣布。§ ∼ **bŏmb** 煙幕彈。∼ **hĕlmet**消防帽；防毒面具。∼ **scrĕen** (1)煙幕。(2)隱瞞眞正目的或企圖等之行動；障眼法。∼ **sĭgnal** 狼煙；用煙做的信號。∼ **trĕe** 〖植〗黃櫨。
smoke·chas·er [ˋsmokˏtʃesɚ] *n.* Ⓒ 森林消防隊員。
smoke·house [ˋsmokˏhaus] *n.* Ⓒ 燻製所。
smoke·less [ˋsmoklɪs] *adj.* 無煙的。∼ powder 無煙火藥。
smok·er [ˋsmokɚ] *n.* Ⓒ ①吸煙者。②吸煙車(=smoking car)；吸煙室。
smoke·stack [ˋsmokˏstæk] *n.* Ⓒ 高煙囱。
Smok·ey [ˋsmokɪ] *n.* Ⓒ ①〖美〗史沫熊(描繪成類似國家森林警備員的卡通熊，爲防止山林失火的標誌)(=Smokey Bear). ②(沿公路巡邏的)州警察。
***smok·ing** [ˋsmokɪŋ] *n.* Ⓤ 吸煙。No ∼. 禁止吸煙。§ ∼ **căr**[**căriage**] 吸煙車廂。∼ **compărtment**(火車內的)吸煙室(僅在此隔間內可吸煙)。∼ **jăcket**吸煙服(男用室內寬鬆便服)。
smok·y [ˋsmokɪ] *adj.* ①冒煙的；多煙的；如煙的。②燻黑的；燻汚的。
smol·der [ˋsmoldɚ] *v.i.* ①無火燄而燃燒或冒煙；悶燒。②潛伏；鬱積(在內心)。**—** *n.* Ⓒ (常 *sing.*)①悶燒；濃煙。②壓抑的情緒。
smooch [smutʃ] *v.i.* 〖俚〗接吻；擁抱。
***smooth** [smuð] *adj.* ①光滑的；平滑的。②平穩的；安靜的。③流暢的；圓通的。④無毛的。⑤無麻煩或困難的；順利的。⑥持重的；安祥的。⑦溫和的。⑧悅耳的。**—** *v.t.* ①使平滑；使光滑；燙平。②使和順；使平和。③洗鍊；潤飾。**—** *v.i.* 變爲平靜。∼ *away* 消除(麻煩、困難等)。∼ *down* 使平靜；安慰。∼ *over* 把…掩飾過去。**—** *adv.* 平滑地；平穩地；流利地。**—** *n.* ①(a ∼)平滑；平坦；撫平。②Ⓒ 平面；平地。*take the rough with the* ∼ 逆來順受。— **ly,** *adv.* — **ness,** *n.*
smooth·bore [ˋsmuðˏbor] *n.* Ⓒ 無膛線的槍砲。
smooth-spo·ken [ˋsmuðˋspokən] *adj.* 甜言蜜語的；口慧舌巧的。(亦作 **smooth-tongued**)
smor·gas·bord [ˋsmɔrgəsˏbɔrd] 〖瑞典〗 *n.* Ⓤ 瑞典式自助餐(館)。
smote [smot] *v.* pt. of **smite.**
smoth·er [ˋsmʌðɚ] *v.t.* ①使窒息。②悶熄。③遏制。④掩蔽。⑤蒸煮；燉。**—** *v.i.* ①窒息。②被抑止。③〖方〗悶燒。**—** *n.* ①(a ∼)(令人窒息般的)塵、煙、濃霧等。②Ⓤ 窒息。— **smoth'er·y,** *adj.*
smoul·der [ˋsmoldɚ] *v.i.* & *n.* = **smolder.**
smudge [smʌdʒ] *n.* Ⓒ ①汚點；汚斑。②燻蚊火；蚊煙。**—** *v.t.* ①塗汚；弄髒。②以燻火燻(蟲)。**—** *v.i.* ①形成汚斑。②被塗汚。
smudg·y [ˋsmʌdʒɪ] *adj.* ①髒汚的；塗汚的。②模糊不清的。
smug [smʌg] *adj.* (**-gg-**)沾沾自喜的；自鳴得意的；自以爲是的。
smug·gle [ˋsmʌgl̩] *v.t.* & *v.i.* 偷運；私運；走私〔in, out, over〕.
smug·gler [ˋsmʌgl̩ɚ] *n.* Ⓒ ①走私者；偷運者。②走私船。
smut [smʌt] *n.* ①ⓊⒸ 煤煙；煤炱。②ⓊⒸ 髒汚；汚斑。③Ⓤ 猥褻之談話或文字；色情文學。④Ⓤ (穀類之)黑穗病。**—** *v.t.* & *v.i.* (**-tt-**)①(使)變汚；弄髒。②(使)患黑穗病。— **ty,** *adj.*
***snack** [snæk] *n.* Ⓒ ①小吃；點心；宵夜。②一份；部分。*go* ∼(*s*)分享(利潤)。§ ∼ **băr**小吃店；賣小吃的櫃臺。
snaf·fle [ˋsnæfl̩] *n.* Ⓒ 一種輕馬銜；輕勒。**—** *v.t.* ①用輕馬銜控馭；裝上輕勒。②〖英俚〗偷。
sna·fu [snæˋfu] *n.* Ⓤ 混亂狀態。
snag [snæg] *n.* Ⓒ ①水中隱樹；沈樹。②(樹砍下或折斷後剩下的)殘枝、殘根。③缺牙；暴牙；齔牙。④暗礁。⑤鈎破部分。⑥預料之外的阻礙。**—** *v.t.* (**-gg-**) ①用沈樹破壞(船)或阻礙。②阻礙；妨害。③清除沈樹；切枝；修枝。— **gy,** *adj.*
snail [snel] *n.* Ⓒ ①蝸牛。②懶惰而遲緩的人。*at a* ∼*'s pace* 緩慢地。
***snake** [snek] *n.* Ⓒ ①蛇。②陰險之人。*a* ∼ *in the grass* 隱敵；潛伏的危機。*warm a* ∼ *in one's bosom* 引狼入室。**—** *v.i.* 蜿蜒轉折而行。**—** *v.t.* 〖俚〗①(用力地)拖；拉。②突拉；急抽。§ ∼ **chărmer** 弄蛇者。∼ **dănce** (1)蛇舞。(2)彎曲的遊行行列。∼ **dŏctor**(1)〖美方〗蜻蜓。(2)美洲蛇蛉之幼蟲。∼ **fĕnce**〖美〗曲折之圍柵。∼ **ŏil** 江湖郎中賣的萬靈藥。∼ **pĭt** (1)瘋人院。(2)混亂悲慘(處)。
snak·y [ˋsnekɪ] *adj.* ①蛇的。②蛇形的；似蛇的。③多蛇的。④彎曲的；迂迴的；蜿蜒的。⑤狡詐的；陰險的。
***snap** [snæp] *v.t.* (**-pp-**)①使發脆快之響聲。②啪一聲折斷。③咬；攫奪。④急促發布。⑤拍…的快照。⑥急速發射。**—** *v.i.* ①發爆裂聲；發脆快之響聲。②咔嗒一聲折斷；突斷。③咬；攫取〔at〕. ④突然關閉、移動等。⑤迅速移動。⑥發閃光；發火花。⑦聲音尖而快地說。*S- into it!* 〖美〗趕快做；好好趕。∼ *one's fingers at* **a.** 輕蔑(某人)。**b.** 對…漠不關心；將…不當一回事。∼ *out of it*〖俚〗 **a.** 突然改變態度、習慣等。**b.** 恢復原狀；重新振作起來。∼ *someone's head off*〖俗〗對某人咆哮；斥責某人。**—** *n.* ①Ⓒ 噼啪聲。②Ⓒ

折斷；突斷。③Ⓒ突然的一咬；攫取。④Ⓤ急促之說話態度。⑤Ⓒ〖攝〗快照。⑥Ⓤ〖俚〗急促之情形；俐落。⑦Ⓒ天氣的驟變；(尤指)寒流。⑧Ⓒ扣；鉤。⑨ⓊⒸ一種薄的脆餅。⑩(a ～)〖美俚〗輕鬆的工作[科目]。⑪Ⓤ元氣；精力。⑫Ⓤ兒童的一種牌戲。***not a*** ～ 一點也不(=not at all). ***not give***[***care***] ***a*** ～ 毫不在乎。— *adj.* ①倉卒的；突然的；急就的。②〖俚〗容易的。§ ～ **bèan** 〖植〗青豆；菜豆。～**ping bèetle** 磕頭蟲。～**ping tùrtle** 〖動〗鰐龜。

snap·drag·on [ˋsnæp,drægən] *n.* Ⓒ〖植〗金魚草。

snap·per [ˋsnæpɚ] *n.* Ⓒ①攫奪者；折斷者；發出突然的響聲者。②(*pl.* ～, ～**s**)〖魚〗笛鯛。③〖動〗鰐龜。

snap·pish [ˋsnæpɪʃ] *adj.* ①好咬的；有嚙咬之習慣的。②(言語、態度上)不耐煩的；暴躁的。

snap·py [ˋsnæpɪ] *adj.* ①好咬的；暴躁的。②(火等)嗶啪作響的。③〖俚〗時髦的；銳利的；敏捷的。

snap·shot [ˋsnæp,ʃɑt] *n.* Ⓒ〖攝〗快照。

***snare** [snɛr] *n.* Ⓒ①羅網；陷阱。②誘惑物；圈套。— *v.t.* ①以羅網捕捉。②誘陷；陷害。§ ～ **drùm** 響弦鼓。

***snarl**[1] [snɑrl] *v.t. & v.i.* ①咆哮；吠叫。②咆哮著說；怒吼。— *n.* Ⓒ①咆哮。②怒語；謾罵。

snarl[2] *n.* Ⓒ(常 *pl.*)纏結；糾結；混亂。— *v.t. & v.i.* 糾纏；纏結。

***snatch** [snætʃ] *v.t. & v.i.* ①攫奪；奪取。②以迅速之行動拯救。— *n.* Ⓒ①攫取。②(常 *pl.*)片刻；短時間。③(常 *pl.*)一片；片斷。

sneak [snik] *v.i.* (～**ed** or **snuck**)①潛行；偷偷進入；鬼鬼祟祟地作。②打小報告；向老師告密。— *v.t.* ①潛行過。②〖俚〗偷竊。③悄悄地做。— *n.* Ⓒ①行爲鬼祟之人。②向教師告密之學生。§ ～ **prèview**〖俚〗電影片不公開宣布的預演。～ **thièf** 小偷。

sneak·er [ˋsnikɚ] *n.* ①(*pl.*)〖美〗膠底帆布運動鞋。②Ⓒ鬼鬼祟祟的人；卑劣之人。

sneak·ing [ˋsnikɪŋ] *adj.* ①卑怯的；鬼祟的。②隱藏心中的。

sneak·y [ˋsnikɪ] *adj.* 潛行的；潛逃的；卑劣的。—**sneak′i·ly**, *adv.*

***sneer** [snɪr] *v.i. & v.t.* ①輕蔑；鄙夷；嘲笑；譏誚。②發噓聲。③以輕蔑的口吻說。— *n.* Ⓒ嘲弄；鄙夷的態度；譏誚之辭。

sneeze** [sniz] *v.i.* 打噴嚏。～ ***at 輕視；卑視。— *n.* Ⓒ噴嚏。

snick[1] [snɪk] *n.* Ⓒ①刻痕；小割痕。②〖板球〗切擊。— *v.t.* ①刻淺痕於。②猛擊。③〖板球〗切擊(球)。

snick[2] *n.* Ⓒ滴答聲；卡答聲。— *v.i.* 發出卡答聲。— *v.t.* 使發出卡答聲。

snick·er [ˋsnɪkɚ] *v.i. & n.* =**snigger.**

snide [snaɪd] 〖俚〗*adj.* ①假的；僞造的。②陰險的；惡意的。

***sniff** [snɪf] *v.i.* ①以鼻吸氣。②嗤之以鼻〔at〕. — *v.t.* ①以鼻吸入(空氣等)。②嗅出；發覺；覺察出；懷疑。— *n.* Ⓒ①以鼻吸氣(聲)；嗅。②嗤之以鼻。

snif·fle [ˋsnɪfḷ] *v.i.* 頻頻以鼻吸氣作聲；作鼻聲；抽噎。— *n.* Ⓒ吸鼻聲；鼻塞聲。***the*** ～***s***〖俚〗傷風。

sniff·y [ˋsnɪfɪ] *adj.* ①〖俚〗鄙夷的；傲慢的。②〖英〗臭的；發出惡臭的。

snig·ger [ˋsnɪgɚ] *v.i.* 低聲暗笑；竊笑。— *n.* Ⓒ暗笑；竊笑。

snip [snɪp] *v.t. & v.i.* (**-pp-**)剪；剪斷；剪去。— *n.* ①Ⓒ剪；一剪。②Ⓒ剪下之小片；斷片；碎片。③Ⓒ〖俚〗無足輕重的人；乳臭未乾的小子。④(*pl.*)(剪金屬之)鐵絲剪；平頭剪。

snipe [snaɪp] *n.* Ⓒ(*pl.* ～, ～**s**)①〖鳥〗鷸；沙錐鳥。②伏擊；狙擊。— *v.i. & v.t.* ①獵鷸；打沙錐鳥。②伏擊；狙擊。

snip·er [ˋsnaɪpɚ] *n.* Ⓒ〖軍〗狙擊兵；狙擊手。

snip·pet [ˋsnɪpɪt] *n.* ①Ⓒ小片；斷片；碎片。②Ⓒ〖美俚〗無關重要之人。③(*pl.*)零碎的知識；片段的引敍。

snip·py [ˋsnɪpɪ] *adj.* ①〖俚〗傲慢的；脾氣暴躁的。②零碎的；片斷的。

snip-snap [ˋsnɪp,snæp] *n.* Ⓒ①機敏之回答。②剪。③〖罕〗咔喳咔喳的剪刀聲。— *adj.* ①機敏的；針鋒相對的。②暴躁的。

snitch [snɪtʃ] *v.t. & v.i.* ①偷竊；做小偷。②告密。— *n.* Ⓒ〖俚〗告密者。

sniv·el [ˋsnɪvḷ] *v.i.* (**-l-**, 〖英〗**-ll-**)①啜泣；抽抽搭搭。②假泣；假裝悲傷。③流鼻涕。④吸鼻涕作響。— *n.* Ⓤ①假哭；假悲哀。②啜泣；抽搭。③鼻涕。

***snob** [snɑb] *n.* Ⓒ勢利小人；諂上傲下的人；瞧不起窮人者；注重派頭者。§ ～ **appèal**(商品之)對注重派頭者的吸引力。

snob·ber·y [ˋsnɑbərɪ] *n.* ⓊⒸ勢利的行爲。

snob·bish [ˋsnɑbɪʃ] *adj.* 勢利眼的；諂上凌下的；注重派頭的。

SNOBOL string oriented symbolic language. 〖電算〗字串導向符號語言(處理長串符號的電腦程式語言)。

snood [snud] *n.* Ⓒ①(少女用的)束髮帶。②髮網。③髮網式之帽子。— *v.t.* 以髮帶束縛。

snook [snuk] *n.* (a ～) 表示鄙視的動作(以拇指頂住鼻尖並張搖其他四指)。***cock*** [***cut, make***] ***a*** ～ ***at; cock one's*** ～ 對…表示鄙視。

snook·er [ˋsnukɚ] *n.* Ⓤ〖撞球〗落袋檯球。— *v.t.* 〖俚〗使(人、計畫等)陷入困境；欺騙；打敗。

snoop [snup] 〖俚〗*v.i. & v.t.* 窺察；管閒事〔常 around〕. — *n.* Ⓒ窺探之人；愛管閒事者。

snoop·er [ˋsnupɚ] *n.* Ⓒ窺察者；窺探者。

snoop·y [ˋsnupɪ] *adj.* 〖美俗〗愛窺探或愛管閒事的。

snoot [snut] *n.* Ⓒ〖俚〗①鼻。②表示輕視之鬼臉。

snoot·y [ˋsnutɪ] *adj.* 〖美俚〗傲慢的；勢利的；侮慢的。

snooze [snuz] *v.i. & n.* Ⓒ〖俚〗小睡；假寐。

***snore** [snor] *v.i.* 發鼾聲。— *v.t.* 發鼾聲熟睡度過。— *n.* Ⓒ鼾聲。

snor·kel [ˋsnɔrkḷ] *n.* Ⓒ 潛水艇吸入及排出空氣之裝置。
snort [snɔrt] *v.i.* & *v.t.* ①自鼻噴氣作聲；噴鼻息。②噴鼻息而言；噴鼻息表輕蔑或不耐之意。③作噴鼻聲。—*n.* Ⓒ①噴鼻息；噴鼻聲。②=**snorkel.**
snot [snɑt] *n.* ①Ⓤ鼻涕。②Ⓒ〖俚〗討厭或可鄙的人。
snot·ty [ˋsnɑtɪ] *adj.* ①流鼻涕的。②討厭的；傲慢的。
snout [snaut] *n.* Ⓒ①(尤指豬之)口鼻部。②管嘴；噴口。③〖動〗吻狀突起；吸盤。④〖蔑〗(人之)鼻；大鼻。
‡**snow** [sno] *n.* ①ⓊⒸ雪；下雪。②(*pl.*)積雪。③Ⓤ〖詩〗純白色。④Ⓒ似雪之物。⑤Ⓤ〖俚〗古柯鹼；海洛英。⑥Ⓤ(電視畫面上)跳動的白點；雪花形干擾。—*v.i.* ①下雪。②似雪片般飛來。—*v.t.* ①使似雪般落下。②以雪覆蓋[封閉]。③使變白。~ ***under*** **a.** 以雪掩蓋。**b.** 〖俚〗以多得無法應付的(信件、工作等)壓倒。§ ∼ **blìndness** 雪盲(由於雪的閃爍而暫時失去視力)。∼ **bùnting**〖鳥〗雪鵐。∼ **fènce**〖鐵路〗避雪牆。∼ **fìeld** 雪原。∼ **gòose** 雪雁。∼ **jòb**〖俚〗欺騙或說服他人之企圖；恭維。∼ **lèopard** 〖動〗雪豹(棲息中亞和印度山區的貓科動物)。∼ **lìne** 雪線(在高山上，此線以上之積雪終年不融化)。∼ **tìre** 雪地用輪胎。**S∼ Whìte** 白雪公主(格林童話中一女主角)。
snow·ball [ˋsno͵bɔl] *n.* Ⓒ 雪球。—*v.t.* ①向…擲雪球。②使迅速增大或增加。—*v.i.* ①滾雪球般地迅速增大或增加。②作擲雪球遊戲。
snow·bank [ˋsno͵bæŋk] *n.* Ⓒ 雪堆；雪堤。
snow·bird [ˋsno͵bɝd] *n.* Ⓒ ①〖鳥〗燈草鵐；雪鵐。②〖美俚〗有海洛英[古柯鹼]癮的人。
snow-blind [ˋsno͵blaɪnd] *adj.* 雪盲的。
snow·board [ˋsno͵bord] *n.* Ⓒ 滑雪板。
snow-bound [ˋsno͵baund] *adj.* 為雪所封閉的；為雪所阻的。
snow-capped [ˋsno͵kæpt] *adj.* (山)為積雪蓋頂的。
snow·drift [ˋsno͵drɪft] *n.* Ⓒ①為風吹成之雪堆。②隨風吹飄之雪。
snow·drop [ˋsno͵drɑp] *n.* Ⓒ〖植〗雪花蓮。
snow·fall [ˋsno͵fɔl] *n.* ⓊⒸ 降雪(量)。
snow·flake [ˋsno͵flek] *n.* Ⓒ 雪花；雪片。
snow·man [ˋsnomæn] *n.* Ⓒ (*pl.* **-men**) 雪人(用雪堆成的人形)。
snow·mo·bile [ˋsnomo͵bil] *n.* Ⓒ 摩托雪車。
snow·plow, 〖英〗**-plough** [ˋsno͵plau] *n.* Ⓒ 雪犁(用以清除積雪之機器)。—*v.i.* 用雪犁清除積雪。
snow·shoe [ˋsno͵ʃu] *n.* Ⓒ (常 *pl.*)雪鞋。—*v.i.* 著雪鞋行走或旅行。
snow·storm [ˋsno͵stɔrm] *n.* Ⓒ 暴風雪。
snow·suit [ˋsno͵sut] *n.* Ⓒ 兒童禦寒之服裝或斗篷；雪衣；雪裝。
snow-white [ˋsnoˋhwaɪt] *adj.* 雪白的；純白的。
***snow·y** [ˋsnoɪ] *adj.* ①似雪的；雪白的。②多雪的；下雪的；積雪的。
snub [snʌb] *v.t.* (**-bb-**)①輕待；冷落。②斷然拒絕；責罵。③突然使(船、馬等)停住。—*n.* Ⓒ ①輕待；冷落。②斥退；責罵。③突然之喝止。—*adj.* (鼻子等)短平而稍微向上翻的。
snub-nosed [ˋsnʌbˋnozd] *adj.* ①獅子鼻的。②(手槍等)槍管極短的。
snuff[1] [snʌf] *v.t.* & *v.i.* ①吸入鼻中。②聞(=sniff)。③吸鼻煙。—*n.* ①Ⓤ鼻煙。②Ⓒ(常 *sing.*)吸鼻煙。③Ⓤ氣味。***up to*** ~ 〖俚〗**a.** 很好；夠標準。**b.** 不易受騙；精明；老油條的。
snuff[2] *v.t.* ①剪(燭花)。②消滅〔out〕。—*v.i.* 〖俚〗死〔常 out〕。~ ***out*** **a.** 熄滅。**b.** 壓制；擊潰。**c.** 〖俚〗死掉。—*n.* Ⓒ燭花。
snuff·box [ˋsnʌf͵bɑks] *n.* Ⓒ 鼻煙盒。
snuf·fle [ˋsnʌfḷ] *v.i.* ①嗅；聞。②大聲地吸氣或吸鼻涕。③帶鼻音說話。④哭泣。—*v.t.* ①以鼻聲說出。②大聲用鼻子吸。—*n.* ①Ⓒ嗅聞；大聲之吸氣或吸鼻涕等。②Ⓒ鼻塞聲；鼻音。③(*pl.*)鼻塞。
snug [snʌg] *adj.* (**-gg-**)①舒適的；溫暖的。②整潔的。③緊貼的；合身的(短上衣等)。④少而足夠的。⑤隱匿的；看不見的。⑥建造良好的；適於海上航行的。—**ly,** *adv.* —**ness,** *n.*
snug·gle [ˋsnʌgḷ] *v.i.* 蜷伏；貼近；挨緊。—*v.t.* 擁抱；(將孩子等)拉抱過來。
‡**so** [so] *adv.* ①如是；如此；如彼。②如上所述。③至此程度。④如…那樣…；如此…乃至於…。⑤很。⑥因此。⑦亦；亦復如此。***and so*** **a.** 同樣地；也。**b.** 因而。***or so*** 大約；左右。***so as to*** 以便；以求。***so far as***(表示程度、範圍等)至於；就…；盡…。* ***So long!*** 再會！***so so*** 〖俗〗還好；馬馬虎虎。***so that*** 以致；以便。***So what?*** 有什麼了不起？那又怎麼樣？—*pron.*①左右；約。a pound or *so* 一磅左右。②如是；如此。③同樣。—*conj.* ①倘若；假使；只要。②因此；所以。③為了要…；以便…。—*interj.* ①好啦！就如此罷！②真的嗎？
soak** [sok] *v.t.* ①浸；濡濕。②吸收〔in, up〕。③狂飲。④〖美俚〗重罰；重擊。⑤〖俚〗使…付過多；敲竹槓；敲詐；徵重稅。—*v.i.* ①浸濕；浸透。②〖俚〗狂飲。③深入腦際。~ ***up **a.** 吸收。**b.** 牢記心頭。—*n.* Ⓒ ①浸；漬。②浸液；漬液。③〖俚〗酒徒；酒鬼。
soak·ing [ˋsokɪŋ] *adj.* (使)濕透的。
so-and-so [ˋsoən͵so] *n.* (*pl.* ~**s**) 〖俚〗①Ⓤ某某；某人；某事物。②Ⓒ討厭的傢伙；可惡的傢伙。
***soap** [sop] *n.* Ⓤ肥皂。—*v.t.* 以肥皂擦洗。§ ∼ **bùbble** (1)肥皂泡。(2)短暫虛幻之物。∼ **flàkes** [**chìps**] 肥皂片。∼ **òpera** 肥皂劇(關於家庭問題的連續劇)。
soap·box [ˋsop͵bɑks] *n.* Ⓒ ①肥皂箱。②街頭演說臺。—*v.i.* 作街頭演

說。— *adj.* 街頭演說的。

soap·er [ˋsopɚ] *n.* Ⓒ ①用肥皂的人。②連續劇(=soap opera).

soap·stone [ˋsop,ston] *n.* Ⓤ 肥皂石；凍石。

soap·suds [ˋsop,sʌdz] *n. pl.* 有泡沫的肥皂水。

soap·y [ˋsopɪ] *adj.* ①為肥皂泡沫所覆蓋的。②似肥皂的。③油腔滑調的。

***soar** [sor] *v.i.* ①翱翔；高飛。②升騰；升高；升聳。③滑翔。④高唱；高歌。— *n.* Ⓒ 翱翔；高飛。

soar·ing [ˋsorɪŋ, ˋsɔrɪŋ] *adj.* ① **a.** 高飛的；翱翔的。**b.** 聳立雲霄的。②高超的；遠大的。(a) ～ambition 遠大的抱負。③(物價等)高漲的。

***sob**[1] [sɑb] *v.i.* (**-bb-**) 嗚咽；啜泣。— *v.t.* ①使啜泣。②以啜泣發洩。— *n.* Ⓒ 啜泣。§ ～ **sìster** 報導傷感文章的女記者；極易傷感的人。～ **stòry** 傷感故事。～ **stùff** 傷感文章。

***so·ber** [ˋsobɚ] *adj.* ①未醉的；清醒的。②適度的；有節制的。③冷靜的；審慎的。④端莊的；嚴肅的。⑤(顏色等)樸素的。⑥不誇張的。⑦合理的。— *v.t.* & *v.i.* ①(使)清醒〔up, off〕。②使沈著；變為沈著〔down〕。③使端莊；變為端莊；變為嚴肅。— **ly,** *adv.*

so·ber-mind·ed [ˋsobɚˋmaɪndɪd] *adj.* 冷靜的；沈著的。

so·bri·e·ty [səˋbraɪətɪ] *n.* Ⓤ ①清醒。②節制。③沈著。④端莊；嚴肅。⑤不耽溺於酒。

so·bri·quet [ˋsobrɪ,ke] 〖法〗 *n.* Ⓒ 綽號。

***so-called** [ˋsoˋkɔld] *adj.* 所謂的。

***soc·cer** [ˋsɑkɚ] *n.* Ⓤ 足球。

so·cia·ble [ˋsoʃəbl̩] *adj.* ①好交際的；友善的。②社交的。— **so′cia·bly,** *adv.* — **so·cia·bil′i·ty,** *n.*

‡**so·cial** [ˋsoʃəl] *adj.* ①社會的。②群居的。③社交的；交誼的。④好交際的；友善的。⑤與上流社會有關的。⑥社會主義的。⑦性的；性交的。⑧有禮貌的。— *n.* Ⓒ 交誼會。§ ～ **anthropólogy** 社會人類學。～ **clímber** 尋求飛黃騰達的人；(尤指)想盡辦法躋身上流社會的人。～ **cólumns** (報紙的)社會新聞版。～ **dáncing** 交際舞。**S**～ **Dárwinism** 社會達爾文主義。～ **demócracy** 社會民主主義。～ **disèase** 性病；花柳病。～ **enginéering** 社會工程。～ **évil** (1)(the ～ evil) 賣淫。(2)對社會有害之事。～ **insúrance** 社會保險。～ **psychólogy** 社會心理學。～ **régister** 〖美〗社交界名人錄。～ **scíence** 社會科學(歷史學、經濟學、社會學等)。～ **sécretary** (私人的)社交祕書。～ **secúrity** 〖美〗社會福利(制度)(失業保險、社會醫療、養老金等)。～ **sérvice** (1)(由團體組織所推行的)社會服務。(2)〖英〗(政府等實施的)社會福利事業。～ **wélfare** 社會福利。～ **wórk** 社會福利事業。～ **wórker** 社工人員；社會福利工作者。**the** ～ **cómpact** [**cóntract**] 民約論(法國思想家盧梭的學說)。— **ness,** *n.* — **ly,** *adv.*

***so·cial·ism** [ˋsoʃəl,ɪzəm] *n.* Ⓤ 社會主義。

***so·cial·ist** [ˋsoʃəlɪst] *n.* Ⓒ ①社會主義者。②(S-)社會黨黨員。§ **S**～ **Párty** 社會黨。— **so·cial·is′tic,** *adj.*

so·cial·ite [ˋsoʃə,laɪt] *n.* Ⓒ 〖美俚〗社會名流；名士。

so·cial·ize [ˋsoʃə,laɪz] *v.t.* ①使社會化；使適於社會生活。②使社會主義化。③〖教育〗使個人活動成為群體活動。— *v.i.* ①參加社會活動。②交際；來往。§ ～**d médicine** 〖美〗公費醫療制度。— **so·cial·i·za′tion,** *n.*

so·ci·e·tal [səˋsaɪətl̩] *adj.* 社會的；與社會有關的。

‡**so·ci·e·ty** [səˋsaɪətɪ] *n.* ① ⓊⒸ 社會。② Ⓤ 交際；交往；社交界。③ Ⓒ 會；社；協會；學會；工會；團體。the *S*- of Friends 教友派。④ Ⓤ 上流社會。§ **the S**～ **Íslands** 社會群島(位於南太平洋，為法國屬地)。

so·ci·o·cul·tur·al [,sosɪoˋkʌltʃərəl] *adj.* 社會文化的。

so·ci·o·ec·o·nom·ic [,sosɪo,ikəˋnɑmɪk] *adj.* 社會經濟學的。

so·ci·o·gen·ic [,sosɪoˋdʒɛnɪk] *adj.* 由社會引起的；受社會因素影響的。

so·ci·o·lin·guis·tics [,sosɪolɪŋˋgwɪstɪks] *n.* Ⓤ 社會語言學。

so·ci·ol·o·gy [,soʃɪˋɑlədʒɪ] *n.* Ⓤ 社會學。— **so·ci·o·log′i·cal,** *adj.* — **so·ci·ol′o·gist,** *n.*

‡**sock**[1] [sɑk] *n.* Ⓒ (常 *pl.*) 短襪。

sock[2] *v.t.* 〖俚〗重擊。

***sock·et** [ˋsɑkɪt] *n.* Ⓒ ①凹處；承口。②電線之插座等。— *v.t.* 裝入插座或承口中。

Soc·ra·tes [ˋsɑkrə,tiz] *n.* 蘇格拉底(469-399 B.C., 古代雅典的哲學家)。

sod[1] [sɑd] *n.* ⓊⒸ 草地；草皮。*be under the* ～ 已被掩埋；在黃泉之下。— *v.t.* (**-dd-**) 鋪以草皮。

sod[2] *n.* Ⓒ 〖英俚〗①笨蛋；累贅者。②傢伙。③麻煩[困難]的事物。***not give*** [***care***] ***a*** ～ 全不在乎。— *v.t.* 用於下列片語。～ ***it*** 〖英俚〗可惡；去他的。～ ***off*** 〖英俚〗滾！滾開！

***so·da** [ˋsodə] *n.* Ⓤ ①蘇打；碳酸鈉。②蘇打水；汽水。§ ～ **àsh** 蘇打灰(工業用碳酸鈉)。～ **bìscuit** [**cràcker**] 〖美〗蘇打餅乾。～ **fòuntain** 冷飲銷售部。～ **jèrk** [**jèrker**] 〖俚〗冷飲點心部銷售員。～ **pòp** 〖美〗(瓶裝的)加味蘇打水[汽水]。～ **wàter** 蘇打水；汽水。

sod·den [ˋsɑdn̩] *adj.* ①水漬的；浸透的。②浸水變重的；未烘透的。③恍惚的；沒氣力的。④沈湎於酒的；喝醉的。— *v.t.* ①浸濕。②使變呆；使變沒氣力。— *v.i.* 濕透。

sod·dy [ˋsɑdɪ] *adj.* 草皮的；覆有草皮的；草泥的。— *n.* Ⓒ 〖美〗草泥小屋。

so·di·um [ˋsodɪəm] *n.* Ⓤ 〖化〗鈉(符號 Na)。§ ～ **bicàrbonate** 碳酸氫鈉；小蘇打。～ **càrbonate** 碳酸鈉。～ **chlóride** 氯化鈉；食鹽。～ **cýanide** 氰化鈉。～ **hydróxide** 氫氧化鈉。～ **nítrate** 硝酸鈉。～ **sílicate** 矽酸鈉。～ **thiosúlfate** [,θaɪəˋsʌlfet] 硫代硫酸鈉。

sod·om·ite [ˋsɑdəm,aɪt] *n.* Ⓒ 嗜男色者。

S

sod·om·y [ˋsɑdəmɪ] *n.* Ⓤ雞姦。
so·ev·er [soˋɛvɚ] *adv.* ①無論…。②(強調 any, no, what 後之名詞)絲毫;完全;根本。
***so·fa** [ˋsofə] *n.* Ⓒ 沙發。§ ~ **bèd** 可兼沙發的兩用床;沙發床。
So·fi·a [ˋsofɪə, soˋfiə] *n.* 索非亞(保加利亞首都)。(亦作 **Sofiya**)
‡**soft** [sɔft] *adj.* ①柔軟的;軟的。②軟滑的;細嫩的。③溫和的。④不明顯的;柔和的。⑤柔弱的;沒有男人氣概的。⑥愚蠢的。⑦〖語音〗軟音的(如 city 中之 c 與 gentle 中之 g 爲軟音 soft sound)。⑧〖俚〗輕鬆的;隨和的。⑨不險峻的;徐緩的。— *adv.* 柔軟地;安靜地。— *n.* Ⓒ 柔軟物。§ ~ **cóal** 煙煤。~ **còpy**〖電算〗軟拷貝。~ **drínk** 不含酒精的飲料;軟性飲料。~ **fúrnishings**〖英〗室內裝潢用品(窗帘、地毯等)。~ **gòods** 紡織品;非耐久性貨品。~ **lánding** (1)(太空船)緩慢降落;輕[軟]著陸。(2)〖經〗軟著陸(指在宏觀經濟控制下所引起衰退或高失業率的經濟緩慢增長)。~ **léns**軟性隱形眼鏡。~ **líne**〖政〗溫和路線。~ **lòan** 優惠貸款。~ **pálate** 軟口蓋;軟顎。~ **pèdal** (鋼琴的)弱音踏瓣。~ **róck** 軟性搖滾樂。~ **scíence** 軟性科學(如政治學、經濟學、社會學及心理學等)。~ **séll** 軟性推銷法。~ **séx** 女性。~ **shóulder** 公路邊緣未鋪柏油的路肩。~ **sóap** (1)液體或半液體之肥皂;軟皂。(2)〖俚〗阿諛之詞;恭維話。~ **spòt**(感情上或防衛上之)弱點。~ **tóuch** 易被說服[擊敗]的人。 *— **ly,** *adv.* — **ness,** *n.*
soft·ball [ˋsɔftˏbɔl] *n.* ⓊⒸ 壘球。
soft-boiled [ˋsɔftˋbɔɪld] *adj.* 煮得半熟的(蛋)。
***soft·en** [ˋsɔfən] *v.t.* ①使變軟;使柔軟。②緩和;減輕。③使溫柔。④使柔弱。— *v.i.* ①軟化;變軟。②變柔弱。
soft-head·ed [ˋsɔftˋhɛdɪd] *adj.* 愚蠢的;意志薄弱的。
soft-heart·ed [ˋsɔftˋhɑrtɪd] *adj.* 心慈的;溫柔的;寬大的。
soft-land *v.t.* & *v.i.* (使)輕緩著陸。
soft-ped·al [ˏsɔftˋpɛdḷ] *v.t.* & *v.i.* ①使(樂器)降低音調;使(聲音)降低。②〖俚〗減弱;變低;緩和;減輕。
soft-soap [ˋsɔftˋsop] *v.t.* & *v.i.* 〖俚〗諂媚。
soft-spo·ken [ˋsɔftˋspokən] *adj.* 說話語氣溫和的;用溫和聲調說出的。
***soft·ware** [ˋsɔftˏwɛr] *n.* Ⓤ 軟體(電腦、機械等的設計、程式、安裝等系統之總稱)。
soft·wood [ˋsɔftˏwud] *n.* Ⓤ ①組織鬆軟的木材;軟質木材。②松柏科的林木。
soft·y [ˋsɔftɪ] *n.* Ⓒ〖俚〗①軟弱的人。②易受騙的人;愚人。
sog·gy [ˋsɑgɪ] *adj.* ①濕透的。②未烘透的(麵包等)。③遲鈍的;無精打采的。
‡**soil**[1] [sɔɪl] *n.* ①Ⓤ 土壤;土。②ⓊⒸ 土地;國。③(the ~)農地;田園(生活)。§ ~ **bànk** 〖美〗休耕地補助政策。
***soil**[2] *v.t.* ①汚損;弄髒。②汚辱;玷汚。— *v.i.* 變髒。— *n.* Ⓤ ①汚穢;汚點。②糞尿;肥料。
soi·ree, -rée [swɑˋre] 〖法〗 *n.* Ⓒ 晚會。
so·journ [ˋsodʒɝn] *n.* Ⓒ 逗留;停留;寄居。— [soˋdʒɝn, ˋsodʒɝn] *v.i.* 逗留;寄居。
so·journ·er [ˋsodʒɝnɚ] *n.* Ⓒ逗留者;寄居者。
sol [sol] *n.* ⓊⒸ〖樂〗全音階的長音階之第五音。
Sol [sɑl] *n.* ①太陽神。②太陽。
sol·ace [ˋsɑlɪs, -əs] *n.* ①Ⓤ安慰;慰藉。②Ⓒ 使人感到安慰的東西。— *v.t.* 安慰;撫藉。
so·lan [ˋsolən] *n.* Ⓒ〖動〗塘鵝。(亦作 **solan goose**)
***so·lar** [ˋsolɚ] *adj.* ①太陽的。②與太陽有關的。③藉太陽的光或熱之作用而工作或運轉的。§ ~ **báttery** 太陽能電池(組)。~ **cálendar** 陽曆。~ **céll** 太陽(能)電池。~ **dáy**〖天〗太陽日。~ **eclípse**〖天〗日蝕。~ **fúrnace**(利用太陽能的)太陽爐。~ **hòuse** 利用太陽能調溫的房子。~ **pléxus** (1)〖解〗(胃後方的)太陽神經叢。(2)〖俚〗胃窩;心窩。~ **sỳstem**〖天〗太陽系。~ **télephone**太陽能電話。~ **yéar** 〖天〗太陽年(約365日5時48分46秒)。
so·lar·ism [ˋsolərˏɪzəm] *n.* Ⓤ 太陽神話中心說。
so·lar·i·um [soˋlɛrɪəm] *n.* Ⓒ (*pl.* ~**s, -i·a** [-ɪə])日光浴室。
‡**sold** [sold] *v.* pt. & pp. of **sell.**
sol·der [ˋsɑdɚ] *n.* ①Ⓤ 焊錫;焊料。②Ⓒ 接合物。— *v.t.* ①以焊錫修補或焊接。②結合。§ ~**ing ìron** 電焊棒;電烙鐵。
‡**sol·dier** [ˋsoldʒɚ] *n.* Ⓒ①軍人。②士兵。③軍事家。④爲某一目標而奮鬥之人;鬥士。~ *of fortune*〖俗〗(爲利益、冒險等而受雇去任何地方的)傭兵;冒險家。— **like,** — **ly,** *adj.*
sol·dier·y [ˋsoldʒərɪ] *n.* Ⓤ ①(集合稱)軍人;軍隊。②軍事訓練;軍事知識。
sold-out [ˋsoldˋaut] *adj.* 完全售罄的。
***sole**[1] [sol] *adj.* ①唯一的;獨一的。②專用的。③單獨的;獨自的。
sole[2] *n.* Ⓒ①脚掌;蹠。②鞋底;靴底。③底部。— *v.t.* 配上鞋底。
sole[3] *n.* Ⓒ〖魚〗鰨魚。
sol·e·cism [ˋsɑləˏsɪzəm] *n.* Ⓒ ①違反語法;破格;文法錯誤。②舉止失態。
sole·ly [ˋsollɪ] *adv.* ①獨自地;單獨地。②僅僅;單;只。
***sol·emn** [ˋsɑləm] *adj.* ①嚴肅的;莊重的;鄭重的。②合於儀式的;神聖的。③法律上正式的。§ ~ **máss**〖宗〗盛式[大]彌撒。— **ly,** *adv.* — **ness,** *n.*
so·lem·ni·ty [səˋlɛmnətɪ] *n.* ①Ⓤ 莊嚴;嚴肅。②Ⓒ (常 *pl.*)莊嚴的儀式。
sol·em·nize [ˋsɑləmˏnaɪz] *v.t.* ①以莊嚴儀式慶祝。②舉行(儀式)。③使嚴肅;使端莊。— **sol·em·ni·za′tion,** *n.*
sol-fa [solˋfɑ] *n.* Ⓤ〖樂〗階名唱法。
***so·lic·it** [səˋlɪsɪt] *v.t.* & *v.i.* ①懇求;請求。②教唆;引誘。③徵求。④勾引。— **so·lic·i·ta′tion,** *n.*
so·lic·i·tor [səˋlɪsətɚ] *n.* Ⓒ①懇求者。②初級律師。③(城市或州之)地方法務官。§ ~ **géneral** 〖美〗副司法部長。

S

so·lic·it·ous [sə`lɪsɪtəs] *adj.* ①焦慮的；掛念的。②渴望的；熱望的。③講究的；細心的。—**ly,** *adv.*

so·lic·i·tude [sə`lɪsəˌtjud] *n.* ①Ⓤ懸慮；焦慮；掛念。②(*pl.*)擔心[掛慮]的事。

***sol·id** [`sɑlɪd] *adj.* ①固體的。②立體的；立方體的。③堅實的；可靠的。④實心的；充實的。⑤純粹的；齊一的。⑥一致的；團結的。⑦完整的；連續的。⑧實質的；純的。⑨認眞的。⑩內容充實的；明達的。⑪經濟穩固的。⑫〖俚〗友善的(前面常用in). —*n.* Ⓒ①固體。②立體。§ ∼ **fùel** 固體燃料。∼ **geómetry** 立體幾何學。∼ **ròcket** 用固體燃料推進的火箭。**S∼ Sóuth**(美國民主黨地盤鞏固之)南方諸州。—**ly,** *adv.* —**ness,** *n.*

sol·i·dar·i·ty [ˌsɑlə`dærətɪ] *n.* Ⓤ團結；休戚相關。

so·lid·i·fy [sə`lɪdəˌfaɪ] *v.t.* ①使凝固；使堅硬。②使一致；使團結。③充實；鞏固。—*v.i.* ①凝固；變堅硬。②團結一起。③變可靠；變穩固。§ ∼**ing pòint**〖理〗凝點。—**so·lid·i·fi·ca′tion,** *n.*

so·lid·i·ty [sə`lɪdətɪ] *n.* Ⓤ①堅實性；固體性。②實質。③牢靠。

sol·id-state [`sɑlɪd`stet] *adj.* 固態物理的；固態電子學的；固態的。

sol·i·dus [`sɑlɪdəs] *n.* Ⓒ (*pl.* **-di** [-ˌdaɪ])①斜線(即／)。②〖理〗固線。

so·lil·o·quist [sə`lɪləkwɪst] *n.* Ⓒ獨語者；獨白者。

so·lil·o·quize [sə`lɪləˌkwaɪz] *v.i.* ①自言自語；獨語。②〖戲劇〗獨白。

so·lil·o·quy [sə`lɪləkwɪ] *n.* ①ⓊⒸ自言自語。②Ⓒ〖戲劇〗獨白。

sol·i·taire [ˌsɑlə`tɛr] *n.* ①Ⓒ獨粒寶石；(鑲嵌於戒指等裝飾品的)單粒鑽石。②Ⓤ一人獨玩之紙牌戲。

***sol·i·tar·y** [`sɑləˌtɛrɪ] *adj.* ①單一的；唯一的。②孤獨的。③人跡罕至的。—*n.* Ⓒ孤獨生活的人。—**sol′i·tar·i·ly,** *adv.* —**sol′i·tar·i·ness,** *n.*

***sol·i·tude** [`sɑləˌtjud] *n.* ①Ⓤ孤獨；獨居；孤寂。②Ⓒ荒僻之地。

so·lo [`solo] *n.* Ⓒ (*pl.* ∼**s, -li** [-li])①獨唱(曲)；獨奏(樂)。②單獨表演；獨作。—*adj.* 單獨的。—*v.i.*(飛行教練中)放單飛。—**ist,** *n.*

Sol·o·mon [`sɑləmən] *n.* ①所羅門王(聖經記述之 Israel 的賢明國王)。②Ⓒ賢人；智者。§ ∼**'s séal** 所羅門的封印；六角星形。**the** ∼ **Íslands** 所羅門群島(西南太平洋 New Guinea 島東方的一群島嶼)。

sol·stice [`sɑlstɪs] *n.* Ⓒ〖天〗至(日)。the summer [winter] ∼ 夏[冬]至。

sol·u·ble [`sɑljəbl̩] *adj.* ①可[易]溶解的。②可解決的。—**sol·u·bil′i·ty,** *n.*

***so·lu·tion** [sə`luʃən] *n.* ①ⓊⒸ解決；解答；解釋。②Ⓤ溶解；分解。③ⓊⒸ溶液；溶劑。

‡**solve** [sɑlv] *v.t.* 解釋；解答；解決。—**solv′a·ble,** *adj.*

sol·vent [`sɑlvənt] *adj.* ①能償債的。②有溶解力的。—*n.* Ⓒ溶劑；溶媒。—**sol′ven·cy,** *n.*

Sol·zhe·ni·tsyn [ˌsolʒə`nitsən] *n.* 索忍尼辛(Aleksandr Isayevich, 1918-, 前蘇聯小說家，曾獲 1970 年諾貝爾文學獎)。

So·ma·li·a [sə`mɑlɪə] *n.* 索馬利亞(東非一國家，首都 Mogadishu)。

***som·ber,** 〖英〗**-bre** [`sɑmbɚ] *adj.* ①陰沈的；幽暗的。②憂鬱的；鬱悶的。③暗色的；樸素的。

som·bre·ro [sɑm`brɛro] *n.* Ⓒ (*pl.* ∼**s**)西班牙、墨西哥及美國西南部等地的人所戴的一種闊邊帽。

‡**some** [sʌm, səm] *adj.* ①少許；一些；少數(用於不可數之名詞、複數名詞或名詞代用語之前，甚少用於疑問句及條件句中，絕對不能用於否定句中；否定句應用 any)。②某些；有些。③某一；一個；任一；某種的(通常用於單數名詞或名詞代用語之前)。④大約的。⑤〖美俚〗好的；大的。∼ ***day or other*** 遲早。—*pron.* 若干；一部分；少數；少許。—*adv.* ①〖俚〗稍；略。②〖美俚〗極爲。

-some 〖字尾〗①表「有…傾向」之形容詞字尾(如 awesome)。②與數字相接的集合字尾(如 twosome)。

‡**some·bod·y** [`sʌmˌbɑdɪ, -ˌbʌdɪ] *pron.* & *n.* Ⓒ①有人；某人。②重要人物。

***some·day** [`sʌmˌde] *adv.* 來日；將來總有一天。

some·how** [`sʌmˌhaʊ] *adv.* 以某種方法；未知如何。∼ ***or other 設法；藉某種方法。

‡**some·one** [`sʌmˌwʌn] *pron.* = **somebody.**

some·place [`sʌmˌples] *adv.* 在某處。

som·er·sault [`sʌmɚˌsɔlt], **som·er·set** [`sʌmɚˌsɛt] *n.* Ⓒ觔斗。turn a ∼ 翻觔斗。—*v.i.* 翻觔斗。

‡**some·thing** [`sʌmθɪŋ] *pron.*①某事；某物。②若干；幾分。③重要之事物[人]。He thinks he's ∼. 他認爲他了不起。④該類事物。He's a wool merchant or ∼. 他是個羊毛商之類的人。⑤某種吃[喝]的東西。—*adv.* ①稍；略。②非常地。—*n.* Ⓒ①某事；某物。②有價值或重要之人或物。

***some·time** [`sʌmˌtaɪm] *adv.* ①來日；改天。②某時。—*adj.* 以前的；昔時的。

‡**some·times** [`sʌmˌtaɪmz, sʌm`taɪmz] *adv.* 有時；間或。

***some·what** [`sʌmˌhwɑt, `sʌmhwɑt] *adv.* 有幾分；略微。—*pron.* 幾分。He is ∼ of a musician. 他可算是音樂家。

‡**some·where** [`sʌmˌhwɛr, -ˌhwær] *adv.* ①在某處。②大約。

som·nam·bu·lism [sɑm`næmbjəˌlɪzəm] *n.* Ⓤ夢遊症。—**som·nam′bu·list,** *n.*

som·nif·er·ous [sɑm`nɪfərəs] *adj.* ①催眠的。②昏昏欲睡的。

som·no·lent [`sɑmnələnt] *adj.* ①想睡的。②催眠的。—**som′no·lence,** *n.* —**ly,** *adv.*

‡**son** [sʌn] *n.* ①Ⓒ兒子。②Ⓒ(常 *pl.*)

子孫。③孩子(年長者或牧師對年輕人的稱呼)。④Ⓒ女婿。⑤Ⓒ(主義、運動等的)黨人。⑥(the S-)〖天主教〗聖子；耶穌基督。

so·nar [ˋsonɑr] *n.* Ⓤ聲納(軍艦用以偵測潛艇之儀器，爲sound navigation ranging之略)。

so·na·ta [səˋnɑtə] *n.* Ⓒ〖樂〗奏鳴曲。

son·a·ti·na [ˏsɑnəˋtinə] *n.* Ⓒ (*pl.* ～s, -ne [-ne])〖樂〗小奏鳴曲。

‡song [sɔŋ] *n.* ①Ⓒ歌；詩；歌曲。②ⓊⒸ歌唱；(鳥)鳴聲。③Ⓤ老花樣；老調子。*for a* ～ 以極低的代價。～ *and dance* 〖美俚〗花言巧語的解釋。§ ～ **spàrrow** 〖鳥〗歌雀。～**thrùsh** 〖鳥〗歌鶇；畫眉鳥。

song·bird [ˋsɔŋˏbɝd] *n.* Ⓒ①鳴禽。②女歌手。

song·book [ˋsɔŋˏbuk] *n.* Ⓒ歌集；歌謠集。

song·fest [ˋsɔŋfɛst] *n.* Ⓒ〖美俚〗(齊唱民謠等的)合唱會。

song·ster [ˋsɔŋstɚ] *n.* Ⓒ①歌者。②詩歌之作者。③鳴禽。

song·stress [ˋsɔŋstrɪs] *n.* Ⓒ女歌手；女作曲者；女詩人。

song·writ·er [ˋsɔŋˏraɪtɚ] *n.* Ⓒ(流行)歌曲作家。

son·ic [ˋsɑnɪk] *adj.* 音的；音波的；音速的。§ ～ **bárrier**〖理〗音速障礙。～ **bóom** 音爆。～ **dépth finder** 回聲測深儀。～ **míne** 感音水雷。

son·ics [ˋsɑnɪks] *n.* Ⓤ音響學。

son-in-law [ˋsʌnɪnˏlɔ] *n.* Ⓒ (*pl.* sons-in-law)女婿。

son·net [ˋsɑnɪt] *n.* Ⓒ十四行詩。

son·net·eer [ˏsɑnəˋtɪr] *n.* Ⓒ①十四行詩作者。②劣等詩人。

son·ny [ˋsʌnɪ] *n.* (用於稱呼)寶寶。

son·o·buoy [ˋsɑnəˏbɔɪ] *n.* Ⓒ無線電深水音響偵測浮標(偵察潛艇用)。

so·nor·i·ty [səˋnɔrətɪ] *n.* Ⓤ響亮。

so·no·rous [səˋnɔrəs] *adj.* ①響亮的；宏亮的。②浮誇的；冠冕堂皇的。

‡soon [sun] *adv.* ①沒多時；不久；馬上。②早；快。③寧願(=rather). *as* ～ *as* 即刻。*no* ～*er* … *than* 剛…就…。～*er or later* 遲早。

soot [sut, sʊt] *n.* Ⓤ煤煙；煤灰；油煙。— *v.t.* 把…弄得盡是煤煙。

***soothe** [suð] *v.t.* ①安慰；撫慰。②緩和；使減輕痛苦。

sooth·ing [ˋsuðɪŋ] *adj.* ①安慰的；撫慰的。②〖藥〗鎮痛的；發生鎮靜作用的；緩和的。—**ly,** *adv.*

sooth·say·er [ˋsuθˏseɚ] *n.* Ⓒ預言者；占卜者。

soot·y [ˋsutɪ] *adj.* ①爲煤煙燻汚的。②黑如煤煙的；淺黑色的；幽暗的。③產生許多煤煙的。— *v.t.* 以煤煙弄髒。—**soot′i·ly,** *adv.* —**soot′i·ness,** *n.*

sop [sɑp] *n.* Ⓒ①(浸於牛奶、羹湯的)食物。②取悅之物；賄賂。— *v.t.* (**-pp-**) ①用液體浸；浸之於液體中。②吸去(水等)；揩去；抹去〔常 up〕.

soph·ism [ˋsɑfɪzəm] *n.* ①Ⓒ詭辯；巧辯；似是而非的理論。②Ⓤ詭辯法。

soph·ist [ˋsɑfɪst] *n.* Ⓒ①詭辯家；巧辯家。②(常 S-)古希臘之修辭學、哲學、雄辯術等教師。③博學之人。

so·phis·ti·cate [səˋfɪstɪˏket] *v.t.* ①使熟悉世故；使失去純眞；使矯飾。②使迷惑；使誤解。③攙雜。④使複雜；使精巧。— *v.i.* 詭辯。— [səˋfɪstɪkɪt] *n.* Ⓒ矯飾者；世故[老練]的人。*— **so·phis′ti·cat·ed** [～ɪd], *adj.* —**so·phis·ti·ca′tion,** *n.*

soph·ist·ry [ˋsɑfɪstrɪ] *n.* ⓊⒸ詭辯(術)。

Soph·o·cles [ˋsɑfəˏkliz] *n.* 沙孚克理斯(495?-406 B.C., 古希臘悲劇作家)。

soph·o·more [ˋsɑfṃˏor] *n.* Ⓒ(大學或四年制高級中學之)二年級學生。

soph·o·mor·ic, -i·cal [ˏsɑfəˋmɔrɪk(l̩)] *adj.* ①(大學或四年制中學之)二年級的。②〖美〗一知半解的；幼稚而自大的。

sop·o·rif·ic [ˏsopəˋrɪfɪk] *adj.* ①引人入睡的；催眠的。②想睡的；睏倦的。— *n.* Ⓒ催眠劑。

sop·ping [ˋsɑpɪŋ] *adj.* 濕透的。

sop·py [ˋsɑpɪ] *adj.* ①浸透的。②多雨的。③〖英俚〗易傷感的。

so·pra·no [səˋpræno] 〖義〗 *n.* (*pl.* ～s, **-ni**[-ni])〖樂〗①Ⓤ女高音。②Ⓒ女高音歌唱者。— *adj.* 女高音的。

sor·cer·er [ˋsɔrsərɚ] *n.* Ⓒ魔法師；男巫。

sor·cer·ess [ˋsɔrsərɪs] *n.* Ⓒ女巫師。

sor·cer·y [ˋsɔrsərɪ] *n.* Ⓤ魔法；巫術。

sor·did [ˋsɔrdɪd] *adj.* ①汚穢的；不潔的。②卑賤的。—**ly,** *adv.* —**ness,** *n.*

***sore** [sor, sɔr] *adj.* ①疼痛的。have a ～ throat 喉嚨痛。②使人痛苦的；傷心的。③痛心的；惱怒的。④極端的；劇烈的。— *n.* Ⓒ①傷處；痛處。②痛苦；傷心事。—**ness,** *n.*

sore·head [ˋsorˏhɛd] *n.* Ⓒ〖美俚〗比賽或競爭失敗後而發怒者。

sore·ly [ˋsorlɪ] *adv.* ①痛苦地。②猛烈地；厲害地；非常。

sor·ghum [ˋsɔrgəm] *n.* Ⓤ①〖植〗高粱。②(由此種植物中提煉之)高粱糖漿。

so·ror·i·ty [səˋrɔrətɪ] *n.* Ⓒ①(尤指大學之)姊妹會；女學生聯誼會。②婦女團體；婦女會。§ ～ **hòuse**〖美〗大學女生聯誼會會所。

sor·rel[1] [ˋsɔrəl] *adj.* 栗色的。— *n.* ①Ⓤ紅褐色；栗色。②Ⓒ紅褐色馬；栗色馬。

sor·rel[2] *n.* Ⓤ〖植〗酸模(屬之植物)。

‡sor·row [ˋsɑro] *n.* ①Ⓤ悲哀；憂愁；悔憾。②Ⓒ(常 *pl.*)可悲之事；憂患。— *v.i.* 感到悲苦〔at, for, over〕.

***sor·row·ful** [ˋsɑrofəl] *adj.* ①悲哀的；憂愁的；悔恨的。②使人悲傷的；可悲的。—**ly,** *adv.*

‡sor·ry [ˋsɔrɪ, ˋsɑrɪ] *adj.* ①難過的；憂愁的；遺憾的；悲哀的。②可惜的。③可憐的；可鄙的。④不好的；沒有價值的。— *interj.* 對不起！抱歉！

‡sort [sɔrt] *n.* Ⓒ①種；類；品等；品質。②某種人或物；有某特性之人或物。③樣子；態度；方式。*after a* ～ 有幾分；略微。*of* ～*s* **a.** 各種的。**b.** 品質平常的。*out of* ～*s* 心情不佳；不舒

服。～ *of*〖美俚〗稍稍地；有幾分。— *v.t.* ①分類；整理。②揀選；揀別。～ *out* 挑出；分開；整理。－**er,** *n.*

sor·tie [ˋsɔrti] *n.* Ⓒ ①(自被圍之陣地)突擊；出擊。②(單架飛機之)發航；架次。

sort-out [ˋsɔrt,aʊt] *n.* Ⓒ (常*sing.*)〖英〗整理。

SOS [ˋɛs,oˋɛs] *n.* Ⓒ (*pl.* ～**'s**) ①(無線電訊之)求救信號；求救電碼(按Morse國際符號爲···–––···)。②任何緊急求救之表示。

so-so [ˋso,so] *adj.*〖俚〗不好不壞的；馬馬虎虎的。— *adv.* 過得去地；馬馬虎虎地。(亦作 **so so**)

sot [sɑt] *n.* Ⓒ 酒徒；酒鬼。－**tish,** *adj.*

Soth·e·by's [ˋsʌðəbɪz] *n.* 蘇士比(世界上有名的美術、古董拍賣公司)。

sot·to vo·ce [ˋsɑtoˋvotʃɪ]〖義〗*adv.* 用旁白；低聲地。

sou [su] *n.* (a ～, 用於否定句)無價值之物。

sou·bri·quet [ˋsubrɪ,ke] *n.* = **sobriquet.**

souf·flé [suˋfle, ˋsufle]〖法〗*n.* Ⓤ Ⓒ 蛋白牛奶酥。— *adj.* 攪拌成鬆酥的；起酥的。

sough [sʌf, saʊ] *n.* Ⓒ 颼颼；颯颯(風聲)。— *v.i.* 作颯颯聲。

‡sought [sɔt] *v.* pt. & pp. of **seek.**

sought-af·ter [ˋsɔt,æftɚ] *adj.* 很吃香的；爭相羅致的。

‡soul [sol] *n.* ① Ⓤ Ⓒ 靈魂。② Ⓤ 熱情；魄力。③(the ～)主腦；中心人物；精髓。④ Ⓒ 人。⑤(the ～)具體的表現；化身。⑥ Ⓤ 崇高的德性或品格。*upon my* ～眞的；確確實實的。§ ～ **bròther**〖美俚〗黑人男子。～ **kìss** 舌頭伸入對方口中的接吻(＝French kiss). ～ **màte** (1)情人。(2)密友。～ **mùsic** 靈魂音樂(一種黑人音樂)。

soul-de·stroy·ing [ˋsoldɪ,strɔɪɪŋ] *adj.* 毀滅靈魂的；損人神志的；消磨精神的(作品等)。

soul·ful [ˋsolfəl] *adj.* ①深情的；熱情的。②心靈上的；精神上的。

soul-kiss [ˋsol,kɪs] *v.t.* & *v.i.* 以舌頭伸入對方口中接吻。

soul·less [ˋsollɪs] *adj.* ①無精神的；無靈魂的。②卑陋的。

soul-search·ing [ˋsol,sɝtʃɪŋ] *n.* Ⓤ 深思；反省。— *adj.* 自我反省的。

‡sound[1] [saʊnd] *n.* ① Ⓤ Ⓒ 聲音。② Ⓤ 聲音所及之距離。— *v.i.* ①發聲；響。②聽起來；似乎。③發音。④有聲音。— *v.t.* ①使發聲；使響。②發表；發布；通知。③〖醫〗叩診；聽診。§ ～ **bàrrier**〖理〗音障(飛機等速度接近音速時所出現的氣動阻力)。～ **effècts** 音響效果。～ **spèctrogram**〖理〗聲譜圖。～ **spèctrograph**〖理〗音響攝譜儀。～ **tràck**〖影〗聲帶(音樂)。～ **trùck**〖美〗(備有擴音器的)宣傳車；廣播車。～ **wàve**〖理〗聲波。

***sound**[2] *adj.* ①健全的；完好的。②穩固的；堅實的；殷實的。③正確的；確實的；穩健的。④徹底的；痛快的。⑤〖法律〗無問題的；有效的。— *adv.* 舒暢地。－**ly,** *adv.* －**ness,** *n.*

sound[3] *v.t.* ①(以測錘)測量(水之深淺)。②試探；打聽。③〖醫〗以探針探測。— *v.i.* ①(以測錘)測量水之深淺。②下潛。— *n.* Ⓒ〖醫〗(外科醫生用之)探針；探子。

sound[4] *n.* Ⓒ ①海峽。②海灣。③鰾。

sound·ing[1] [ˋsaʊndɪŋ] *adj.* ①響的；響亮的。②發聲的。③誇張的；堂皇的。

sound·ing[2] *n.* ① Ⓤ Ⓒ (以測錘做的)水深測量。②(*pl.*)水深可測之處(不超過600呎處)。③ Ⓤ 調查；探測。§ ～ **bòard** (1)共鳴板；(講壇上面或背面使聲音響亮的)響板。(2)(報紙的)意見欄；讀者投書欄。～ **lèad** 測錘(測量水深用的鉛塊)。～ **lìne** 測深索。

sound·less [ˋsaʊndlɪs] *adj.* 無聲的；寂靜的。

sound·proof [ˋsaʊnd,pruf] *adj.* 隔音的。— *v.t.* 加以隔音設備或處置。

‡soup[1] [sup] *n.* Ⓤ Ⓒ ①湯；羹湯；肉汁。②〖俚〗濃霧。③〖俚〗硝化甘油(＝nitroglycerin). *from* ～ *to nuts* 從頭到尾；無所不包。*in the* ～〖俚〗處於困境；陷於困難。§ ～ **kìtchen** 施捨食物處。

soup[2] *v.t.* ①增加馬力[性能]。②使更精彩。

soup·çon [supˋsõ]〖法〗*n.* (a ～)少量；輕微的形跡或氣味。

***sour** [saʊr] *adj.* ①酸的；有酸味的。②發酵的；酸敗的。③乖戾的；壞脾氣的。④陰濕的。⑤令人不快的。— *v.t.* & *v.i.* ①(使)變酸。②(使)變乖戾。— *n.* ① Ⓒ 酸的東西。②(the ～)苦事。§ ～ **crèam** 酸奶油。～ **grápes** 酸葡萄(得不到的東西就說它不好)。～ **órange** (1)〖植〗酸橙樹。(2)酸橙。

‡source [sors, sɔrs] *n.* Ⓒ ①源；泉源。②來源；出處。§ ～ **bòok** 原典；原始資料(書)。

sour·dough [ˋsaʊr,do] *n.* Ⓤ 酵頭(發麵用)。

sour·puss [ˋsaʊr,pʊs] *n.* Ⓒ〖俚〗陰鬱的人；不滿份子。

souse [saʊs] *v.t.* & *v.i.* ①投入水中。②浸溼。③澆水於…；潑水於…。④醃漬；泡在鹽水裡。

‡south [saʊθ] *n.* ①(the ～)南；南方。②(the ～)南部地方。③(the S-)美國南北戰爭時之南方聯邦。④(the S-)南半球。— *adj.* 南方的；來自南方的；向南的。— *adv.* 向南；在南地。

Sòuth África *n.* 南非共和國(首都Pretoria與Cape Town).

Sóuth América *n.* 南美洲。

Sóuth Américan *n.* Ⓒ 南美洲人。

South·amp·ton [saʊθˋhæmptən] *n.* 南安普敦(英格蘭南部一港埠)。

Sóuth Carolína *n.* 南卡羅來納(美國東南部之一州，其首府爲Columbia).

Sóuth Chína Séa *n.* (the ～) 南海(位於中國大陸東南海岸外)。

Sóuth Dakóta *n.* 南達科塔(美國中北部之一州，其首府爲Pierre).

***south·east** [,saʊθˋist] *adj.* 東南的；來自東南的；向東南的；在東南的。— *adv.* 來自東南；向東南。— *n.* (the ～)東南；東南部。

south·east·er [,saʊθˋistɚ] *n.* Ⓒ 東

南風；來自東南的暴風。
south·east·er·ly [ˌsauθˋistəˑlɪ] *adj.* 向東南的；在東南的；來自東南的。 —— *adv.* 從[向]東南。
south·east·ern [ˌsauθˋistəˑn] *adj.* ①向東南的；來自東南的；東南的。②東南部的。
south·east·ward [ˌsauθˋistwəˑd] *adj.* & *adv.* 向東南的[地]。 —— *n.* (the ～)朝東南方向[地點]。
south·east·wards [ˌsauθˋistwəˑdz] *adv.* 向東南地。
south·er·ly [ˋsʌðəˑlɪ] *adj.* ①向南的。②從南方吹來的(風)。 —— *adv.* 向南地；從南方。
‡**south·ern** [ˋsʌðəˑn] *adj.* ①南的；南方的；來自南方的；向南方的。②南部的。③(S-)美國南部的。 —— *n.*(S-) Ⓒ 南方人(=Southerner). § **S∠ Cróss**〖天〗南十字(星)座。 **S∠ Hémisphere** 南半球。 **∠ líghts** 南極光。
south·ern·er [ˋsʌðəˑnəˑ] *n.* Ⓒ ①南方人；南部人。②(S-)美國南方人。
south·ern·most [ˋsʌðəˑnˌmost] *adj.* 極南的；最南的；最南端的。
south·paw [ˋsauθˌpɔ] *n.* Ⓒ ①〖俚〗慣用左手的運動員。②〖棒球〗用左手投球之投手。 —— *adj.*〖俚〗慣用左手的。
***Sóuth Póle** *n.* (the ～) 南極。
Sóuth Sèa Íslands *n. pl.* (the ～) 南太平洋諸島。
Sóuth Séas *n. pl.* (the ～) ①南半球之海洋。②南太平洋。
***south·ward** [ˋsauθwəˑd] *adv.* & *adj* 向南地[的]。 —— *n.* (the ～)南方；南部。
***south·wards** [ˋsauθwəˑdz] *adv.* = **southward.**
***south·west** [ˌsauθˋwɛst] *adj.* 西南的；來自西南的；向西南的；在西南的。 —— *adv.* 向西南；來自西南。 —— *n.* ①(the ～)西南方；西南部。～ by south 西南偏南。②(the S-)美國西南部。
south·west·er [ˌsauθˋwɛstəˑ] *n.* Ⓒ ①西南風。②[ˌsauˋwɛstəˑ] 一種後沿較寬可護頸之防水帽。
south·west·er·ly [ˌsauθˋwɛstəˑlɪ] *adj.* 西南(方)的；向西南的；來自西南的。 —— *adv.* 向西南；來自西南。
south·west·ern [ˌsauθˋwɛstəˑn] *adj.* ①西南的；來自西南的；向西南的；在西南的。②(S-)美國西南部的。
south·west·ward [ˌsauθˋwɛstwəˑd] *adj.* & *adv.* 向西南的[地]。
***sou·ve·nir** [ˌsuvəˋnɪr] *n.* Ⓒ 特產；紀念品。
sou'west·er, sou·west·er [ˌsauˋwɛstəˑ] *n.* =**southwester.**
***sov·er·eign** [ˋsɑvrɪn, ˋsʌv-] *n.* Ⓒ ①君主；最高統治者。②金鎊(英國之金幣)。③獨立國。 —— *adj.* ①最高的；無上的。②至尊的；握至高無上之權的。③有主權的；獨立的；自主的。④極好的；極有效的。
sov·er·eign·ty [ˋsɑvrɪntɪ, ˋsʌv-] *n.* ① Ⓤ 主權；君權；統治權。② Ⓒ 獨立國。
so·vi·et [ˋsovɪɪt, ˌsovɪˋɛt] *n.* ① Ⓒ〖俄〗委員會；評議會。②(Soviets)蘇聯政府。 —— *adj.* ①委員會的；評議會的。②(S-)蘇維埃的；蘇聯的。 § **S∠ Rússia** (1)蘇聯(=Soviet Union). (2)俄羅斯(前蘇聯之最大的一個共和國)。 **S∠ Únion** 蘇聯(正式名稱 Union of Soviet Socialist Republics, 首都 Moscow, 已於 1991 年解體)。
***sow**[1] [so] *v.t.* (**～ed, sown** or **～ed**) ①撒(種子)於田地中；播種。②散布；傳播。 —— *v.i.* 播種。 —**a·ble,** *adj.*
sow[2] [sau] *n.* Ⓒ 母豬。 § **∠ bùg** 潮蟲。 **∠ thìstle**〖植〗苦菜。
sow·er [ˋsoəˑ] *n.* Ⓒ ①播種者；播種機。②傳播者。③煽動者。
***sown** [son] *v.* pp. of **sow**[1].
soy [sɔɪ] *n.* ① Ⓤ 醬油。② Ⓒ 黃豆；大豆。
soy·a [ˋsɔɪə] *n.* =**soybean.**
soy·bean [ˋsɔɪˋbin] *n.* Ⓒ 大豆；黃豆。 § **∠ mìlk** 豆漿。
spa [spɑ] *n.* Ⓒ ①礦泉；溫泉。②有礦泉、溫泉之處。
‡**space** [spes] *n.* ① Ⓤ 太空；空間。② Ⓒ 場地；開闊地區。③ Ⓤ Ⓒ 間隔；距離；空白。④ Ⓤ Ⓒ (常 *sing.*)時間；一段時間。⑤(a ～)〖古〗片刻；一會兒。⑥ Ⓒ〖印刷〗空鉛。⑦ Ⓒ〖樂〗間(五線譜上線與線間之空白)。⑧ Ⓤ (火車等之)坐位或鋪位。⑨ Ⓤ Ⓒ 篇幅。 —— *v.t.* 隔開(字母、字、行等)。 § **S∠ Àge** 太空時代。 **∠ bàr** 空間棒(打字機上用以打出空格的橫桿)。 **∠ càpsule** 太空艙。 **∠ flìght** 太空飛行。 **∠ hèater** (可置室內任何地方的)小暖爐。 **∠ màrk**〖印刷〗間隔記號(#)。 **∠ mèdicine** 太空醫學。 **∠ òpera** 以太空探險爲主題之電影[電視，廣播劇]。 **∠ plàtform [stàtion]** 太空站。 **∠ pròbe** 太空探測火箭。 **∠ scìence** 太空科學。 **∠ shùttle** 太空梭。 **∠ sìckness** 宇航病；太空病。 **∠ sùit** 太空衣。 **∠ tíme** 以時間作爲第四度空間之理論；時空。 **∠ wrìter [màn]** 以稿件所占篇幅計酬之作家(尤指新聞記者)。
space·craft [ˋspesˌkræft] *n.* Ⓒ (*pl.* ～)太空船；太空飛行器。
spaced-out [ˋspestˋaut] *adj.*〖美俚〗(因麻醉劑、酒、疲倦等而)呆滯的。
space·man [ˋspesˌmæn] *n.* Ⓒ (*pl.* **-men**)太空人。
***space·ship** [ˋspesˌʃɪp] *n.* Ⓒ 太空船。
space·walk [ˋspesˌwɔk] *n.* Ⓒ 太空漫步。 —— *v.i.* 太空漫步。
spac·ing [ˋspesɪŋ] *n.* Ⓤ ①取間隔。②位置上之安排。③間隔；空白。 *double* ～(打字時取的)雙行間隔。
spa·cious [ˋspeʃəs] *adj.* 廣闊的。
***spade** [sped] *n.* Ⓒ ①鋤；鏟；鍬。②〖牌戲〗黑桃。 *call a ～ a ～* 直言無隱。 —— *v.t.* 鋤；鏟。 —**spad'er,** —**ful,** *n.*
spade·work [ˋspedˌwɜk] *n.* Ⓤ 艱難的籌備工作。
spa·ghet·ti [spəˋgɛtɪ] *n.* Ⓤ ①義大利式麵條。②〖電〗(包纏裸線之)細絕緣管。 § **∠ wéstern**〖美俚〗義大利製作的西部片。
‡**Spain** [spen] *n.* 西班牙(歐洲國家，首都 Madrid).
spake [spek] *v.*〖古〗pt. of **speak.**

Spam [spæm] *n.* Ⓤ〖商標〗豬肉罐頭。

span**[1] [spæn] *n.* Ⓒ ①一手掌的長度[距離](拇指尖至小指尖間伸張時之距離, 約爲九吋)。②短時間。③(二橋礅間的)礅距; 兩支柱間的距離。④(橋樑等的)架徑。⑤全長; 全幅。⑥〖空〗翼長; 翼展。~ ***of attention 〖心〗注意廣度(一種集中力, 以能複述瞬間所看過之物體的多寡來衡量)。— *v.t.* (**-nn-**) ①以手掌距量。②跨過; 架。③持續; 長達。④拉緊; 張緊。

span[2] *v.* 〖古〗pt. of **spin.**

span·gle [ˋspæŋgl] *n.* Ⓒ ①(作裝飾用的)亮片。②任何閃爍的東西。— *v.t.* ①飾以亮片。②以光耀之小片撒布。— *v.i.* 閃亮; 燦爛發光。

Span·glish [ˋspæŋglɪʃ] *n.* Ⓤ 混有西班牙語的英語(流行於美國西部及拉丁美洲)。

***Span·iard** [ˋspænjəd] *n.* Ⓒ 西班牙人。

span·iel [ˋspænjəl] *n.* Ⓒ ①西班牙獵犬(一種長毛垂耳之小型犬)。②阿諛者; 卑躬屈膝的走狗。

***Span·ish** [ˋspænɪʃ] *adj.* 西班牙(人, 語)的。— *n.* ①(the ~)(集合稱)西班牙人。② Ⓤ 西班牙語。§ ~ **Armáda** (西班牙的)無敵艦隊。~ **báyonet**〖植〗(沙漠中產的)金棒蘭。~ **Cívil Wár** 西班牙內戰(1936-39)。~ **flý**〖昆〗斑蝥。~ **Máin** (1)南美洲北部沿岸。(2)加勒比海沿南美洲東北岸地區。

Spánish Amérića *n.*(除巴西、圭亞那以外使用西班牙語的)中南美洲。

Span·ish-A·mer·i·can [ˋspænɪʃəˋmɛrɪkən] *adj.* ①中南美洲(人)的。②西班牙與美國的。③(美國國內)美籍西班牙人區的。§ ~ **Wár** 美西戰爭(發生於 1898 年)。

spank [spæŋk] *v.t.* ①(用巴掌、拖鞋等)拍打(尤指打屁股)。②鞭策急趨; 使急速前進。③痛斥。— *v.i.* 疾走(介乎 trot 與 gallop 之間)。— *n.* Ⓒ 拍打; 一巴掌。

spank·ing [ˋspæŋkɪŋ] *adj.* ①敏捷的; 迅速有力的。②疾吹的。③〖俚〗非常好的。

span·ner [ˋspænə] *n.* Ⓒ 扳鉗; 扳手。

spar[1] [spɑr] *n.* Ⓒ ①〖海〗圓材(帆桅、檣、桁等)。②〖空〗翼樑。— *v.t.* (**-rr-**) 裝以桅、檣等。

spar[2] *v.i.* (**-rr-**) ①拳鬥。②(雄雞)互踢。③爭論; 辯論; 對罵。— *n.* Ⓒ ①拳鬥動作; 拳擊比賽。②爭論; 辯論。③鬥雞。§ ~**ring pàrtner**〖拳擊〗拳擊陪練(受雇爲拳擊手練習的對手)。

***spare** [spɛr] *v.t.* ①恕宥; 赦免。②節省使用; 吝惜。③不用; 省卻; 捨棄; 讓與。④使免於(苦役、痛苦等)。— *v.i.* 節約; 節省。— *adj.* ①剩餘的; 備用的。②瘦的; 貧乏的。③節儉的; 節約的。— *n.* Ⓒ ①備用之物。②〖保齡球〗滾球兩次將所有之木瓶擊倒; 二擊全倒。§ ~ **párt** 備用零件。~**tíre** (1)備用輪胎。(2)〖諧〗肥胖的腰圍; 中年發胖。

spare·ribs [ˋspɛr͵rɪbz] *n. pl.* 豬肉的帶肉肋骨; 排骨肉。

spar·ing [ˋspɛrɪŋ] *adj.* ①謹慎的; 小心的。②節省的; 儉約的。③愛惜的; 吝惜的。— **ly,** *adv.*

***spark**[1] [spɑrk] *n.* ① Ⓒ 火星; 火花。② Ⓒ 閃光; 閃耀。③(a ~)少量; 一點(常用於否定句)。④ Ⓒ (才華等的)閃現; 光彩; 活力。— *v.i.* ①放散火星; (內燃機)發出火花。②閃爍。— *v.t.* 鼓勵; 爲…加油。§ ~ **cóil**〖電〗電花線圈; 感應線圈。~(**ing**) **plùg** (1)(內燃機之)火星塞。(2)〖俚〗指導人物; 中心人物; 領袖。

spark[2] *n.* Ⓒ ①紈袴子; 翩翩少年。②愛人。— *v.i.* & *v.t.* 求婚; 調情; 追求女性。

***spar·kle** [ˋspɑrkḷ] *v.i.* ①放散火花; 放散火星。②閃耀; 閃爍。③起泡沫。④(才華)閃現。— *v.t.* 使閃爍。— *n.* ⓊⒸ ①火花; 火星。②閃耀; 光澤。③閃現; 光彩。④(葡萄酒等的)冒泡。

spar·kler [ˋspɑrklə] *n.* Ⓒ ①閃爍有光之物。②閃亮的寶石。③煙火。

spar·kling [ˋspɑrklɪŋ] *adj.* ①發出火花的; 閃亮的。②(才氣)煥發的。

spark·plug [ˋspɑrk͵plʌg] *v.t.* (**-gg-**) 給以推力; 推動; 激勵。

***spar·row** [ˋspæro] *n.* Ⓒ 麻雀。§ ~ **hàwk** 雀鷹[隼]。

sparse [spɑrs] *adj.* 稀少的; 稀疏的。— **ly,** *adv.*

Spar·ta [ˋspɑrtə] *n.* 斯巴達(古希臘最重要的城邦之一, 以尚武著稱)。

Spar·tan [ˋspɑrtṇ] *adj.* ①斯巴達的; 斯巴達式的。②剛勇的。— *n.* Ⓒ ①斯巴達人。②剛勇之人。

spasm [ˋspæzəm] *n.* ① ⓊⒸ 痙攣。② Ⓒ 突發的一陣。

spas·mod·ic, -i·cal [spæzˋmɑdɪk(ḷ)] *adj.* ①〖醫〗痙攣(性)的。②突發性的; 發作的; 一陣的。③狂熱的; 興奮的。— **spas·mod′i·cal·ly,** *adv.*

spas·tic [ˋspæstɪk] *adj.* 〖醫〗痙攣性的。— *n.* Ⓒ 患痙攣性癱瘓者。

***spat**[1] [spæt] *n.* Ⓒ ①口角; 小爭論; 鬥嘴。②輕打; 掌擊; 拍擊。— *v.i.* (**-tt-**) ①〖俚〗口角; 鬥嘴。②輕打; 拍擊。

spat[2] *v.* pt. & pp. of **spit**[1].

spat[3] *n.* Ⓒ (常 *pl.*)鞋罩; 短綁腿。

spate [spet] *n.* 〖英〗① Ⓒ 洪水(泛濫)。②(a ~)(話等的)傾吐; 滔滔不絕。

spa·tial [ˋspeʃəl] *adj.* ①空間的。②存在於空間的;占有空間的。— **ly,** *adv.*

spat·ter [ˋspætə] *v.t.* ①濺。②灑; 潑。③(如雨般)連擊。④誹謗; 玷辱; 汚蔑。— *v.i.* ①濺出水滴(如沸水)。②灑落; 紛紛落下。— *n.* Ⓒ ①濺灑; 紛擊。②(常 *sing.*)滴落之聲; 淅瀝聲。

spat·u·la [ˋspætʃələ] *n.* Ⓒ ①抹刀; 藥鏟。②〖醫〗壓舌板。

spav·in [ˋspævɪn] *n.* ⓊⒸ〖獸醫〗(馬足之)跗節肉腫。

spav·ined [ˋspævɪnd] *adj.* 患跗節肉腫的; 跛足的。

spawn [spɔn] *n.* Ⓤ ①(魚類、兩棲類等水生動物之)卵; 剛孵出之子。②〖植〗菌絲; 菌種體。③〖蔑〗子孫; 產物; 崽子。— *v.i.* & *v.t.* (魚等)產(卵)。

spay [spe] *v.t.* 割去(雌獸)之卵巢。

‡**speak** [spik] *v.i.* (**spoke, spo·ken**) ①說話。②表達意思、感情。③演說。④發響聲。⑤請求；要求。⑥(狗)吠。— *v.t.* ①說。②操；說；使用(語言)。③〖古〗顯示；表示。④招呼；聯絡。⑤表明；表達。***not to ~ of*** 更不用說。***so to ~*** 可謂；可以說。***~ for*** 爲…說情；替…講好話。***~ one's mind*** 直言不隱。***~ up*** [***out***] **a.** 大聲說。**b.** 毫不拘束地說出自己的意見。

speak-eas·y [ˋspik,izɪ] *n.* Ⓒ〖美俚〗販賣私酒的酒店。

***speak·er** [ˋspikɚ] *n.* Ⓒ ①說話者。②演說者。③主席；議長。④揚聲器；擴音器。⑤演講辭選集。

speak·er·phone [ˋspikɚ,fon] *n.* Ⓒ 擴音器電話(裝有擴音器與麥克風，使用時免持聽筒)。

***speak·ing** [ˋspikɪŋ] *adj.* ①說話的；發言的。②只到會說[交談]程度的。③像要開口似的；逼真的；生動的；感動的。— *n.* Ⓤ 談話；講話；演說。§ ~ **clóck** 〖英〗電話的報時服務。~ **trùmpet** 船與船間通話用的揚聲筒。~ **tùbe** (1)=speaking trumpet. (2)通話管；傳聲筒(如兩房之間所用的)。

***spear**[1] [spɪr] *n.* Ⓒ 槍；矛；魚叉。— *v.t.* 用槍[矛]刺。§ ~ **sìde** 父系。

spear[2] *n.* Ⓒ 芽；苗；幼根；葉片。

spear·head [ˋspɪr,hɛd] *n.* Ⓒ ①槍尖；矛頭。②先鋒；前鋒；先頭部隊。— *v.t.* 爲…作先鋒。

spear·mint [ˋspɪr,mɪnt] *n.* Ⓤ〖植〗綠薄荷；留蘭香。

spec [spɛk] *n.* ⓊⒸ〖俗〗投機(爲 speculation 之略)。

‡**spe·cial** [ˋspɛʃəl] *adj.* ①特別的；特殊的。②獨特的；特有的。③專門的；專攻的。④特別用的；臨時的。— *n.* Ⓒ ①專車。②特殊之人或物。③(報紙的)特刊；專輯。④〖美〗(商店及飯館等之)特製品、特價品等。§ ~ **delívery** 〖美〗快遞。~ **efféects** 電影中之特殊效果。**S~ Fórces**〖美軍〗特種部隊。~ **lícense**〖英法律〗結婚特別許可證。~ **pléading** (1)〖法律〗特別申訴(不直接否定對方的供詞而另外提出新事實以抵銷的間接答辯)。(2)詭辯。~ **séssion** (立法機關召開之)特別會議。

***spe·cial·ist** [ˋspɛʃəlɪst] *n.* Ⓒ 專家；專科醫師。— *adj.* 專家的；專門的。

spe·ci·al·i·ty [,spɛʃɪˋælətɪ] *n.* 〖主英〗=**specialty.**

spe·cial·i·za·tion [,spɛʃəlaɪˋzeʃən] *n.* Ⓤ 特殊化；專門化。

***spe·cial·ize** [ˋspɛʃəl,aɪz] *v.i.* 專攻；專門研究〔in〕. — *v.t.* 使專門化；使特殊化。

***spe·cial·ly** [ˋspɛʃəlɪ] *adv.* 特別地；專門地。

spe·cial·ty [ˋspɛʃəltɪ] *n.* Ⓒ ①特性；特質。②專門研究；專門職業；專長。③特製品。④特徵。⑤細節；特別項目。⑥特級品。§ ~ **shòp** [**stòre**] 專門[特色]商店(只出售一種或少數有關精製品的小規模商店)。

spe·cie [ˋspiʃɪ] *n.* Ⓤ 錢幣；硬幣(爲紙幣之對)。

spe·cies** [ˋspiʃiz, -ʃiz] *n.* Ⓒ (*pl.* ~) ①種類。②〖生物〗種。③(彌撒中所用之)麵包及聖酒。the ~*** 人類。

***spe·cif·ic** [spɪˋsɪfɪk] *adj.* ①明確的。②特種的；特殊的。③有特效的。④〖生物〗種(species)的。— *n.* ① Ⓒ 特效藥。②(*pl.*)細目；細節。§ ~ **grávity** 〖理〗比重。~ **héat** 〖理〗比熱。*—**spe·cif'i·cal·ly,** *adv.*

spec·i·fi·ca·tion [,spɛsəfəˋkeʃən] *n.* ① Ⓤ 詳述；詳載；明細。② Ⓒ 明細表；清單。③ Ⓒ (常 *pl.*) (建築物、車子等的)設計(說明)書；規格。

spec·i·fy [ˋspɛsə,faɪ] *v.i.* & *v.t.* ①指定；列舉。②載明；詳述；詳載。

***spec·i·men** [ˋspɛsəmən] *n.* Ⓒ ①樣品；實例；標本。②〖俚〗怪人；傢伙。

spe·cious [ˋspiʃəs] *adj.* ①似是而非的。②華而不實的；虛有其表的。—**ly,** *adv.* —**ness,** *n.*

***speck** [spɛk] *n.* Ⓒ ①斑點；污點；瑕疵。②微片；微粒；一點點。— *v.t.* 使…有斑點。

speck·le [ˋspɛkl̩] *n.* Ⓒ 小點；斑點。

specs [spɛks] *n. pl.* 〖俚〗眼鏡(爲 spectacles 之略)。

spec·ta·cle** [ˋspɛktəkl̩] *n.* ① Ⓒ 景象；光景；奇觀；壯觀。②(*pl.*)眼鏡。③(*pl.*)見解；看法。make a ~ of oneself*** 出醜；丟人。

spec·ta·cled [ˋspɛktəkl̩d] *adj.* ①戴眼鏡的。②〖動〗有眼鏡狀斑紋的。

spec·tac·u·lar [spɛkˋtækjələ] *adj.* 供人觀賞的；壯觀的；蔚爲巨觀的；奇觀的；戲劇化的。— *n.* Ⓒ (長時間的)豪華(電視)節目[巨片]。—**ly,** *adv.*

***spec·ta·tor** [ˋspɛktetɚ, spɛkˋtetɚ] *n.* Ⓒ 觀衆；旁觀者。

spec·ter, 〖英〗**-tre** [ˋspɛktɚ] *n.* Ⓒ ①鬼；幽靈。②(心中想像的)可怕的東西。

spec·tral[1] [ˋspɛktrəl] *adj.* 幽靈的。

spec·tral[2] *adj.* 分光譜的。

spec·tro·graph [ˋspɛktrə,græf] *n.* Ⓒ〖理〗攝譜儀；分光攝像儀。

spec·tro·scope [ˋspɛktrə,skop] *n.* Ⓒ〖理〗分光器[鏡]。

spec·tros·co·py [spɛkˋtrɑskəpɪ] *n.* Ⓤ〖理〗光譜學。

***spec·trum** [ˋspɛktrəm] *n.* Ⓒ (*pl.* **-tra, ~s**) ①〖理〗光譜。②〖無線〗(射頻)頻譜。

***spec·u·late** [ˋspɛkjə,let] *v.i.* ①沉思；默想；思索。②投機〔in〕. ③推測；猜測。— *v.t.* (對有風險事業)投資。

***spec·u·la·tion** [,spɛkjəˋleʃən] *n.* ⓊⒸ ①思索；推測。②投機(買賣)。

spec·u·la·tive [ˋspɛkjə,letɪv] *adj.* ①思索的；純理論的。②投機的。③冒險的。—**ly,** *adv.*

spec·u·la·tor [ˋspɛkjə,letɚ] *n.* Ⓒ ①投機者。②思索者；空談者。

spec·u·lum [ˋspɛkjələm] *n.* Ⓒ (*pl.* **-la** [-lə], **~s**) ①金屬鏡；反射鏡。②(醫生檢查用之) 窺器；耳門鏡；子宮鏡。

‡**sped** [spɛd] *v.* pt. & pp. of **speed.**

‡**speech** [spitʃ] *n.* ① Ⓤ 說話；言語；言辭。② Ⓤ 說話能力。③ Ⓒ 演說。④ Ⓤ 語言。⑤ Ⓤ〖文法〗引語；詞類。

§∼ dày (英國學校的)頒獎日。

speech·i·fy [ˋspitʃə͵faɪ] *v.i.* 〖諧、蔑〗演說；高談闊論。

speech·less [ˋspitʃlɪs] *adj.* ①啞的；不能說話的。②暫時失去說話能力的。

speech·writ·er [ˋspitʃ͵raɪtɚ] *n.* Ⓒ(爲政治家等)寫演講稿的人。

‡speed [spid] *n.* ①Ⓤ迅速；速率；速度。②Ⓒ汽車的排檔。③Ⓤ〖古〗好運道；成功。***at full*[*top*]～** 全速；最快速度。**—** *v.i.* (**sped** or **speed·ed**)①快速前進；急行。②〖古〗成功。③超速行駛。**—** *v.t.* ①使速進；使急行。②使趕快離開。③推進；促進。④〖古〗使成功。God ～ you. 願上帝祝福你。～ ***up*** 加速。§∼ **còp**〖美俚〗取締汽車超速之警察。∼ **lìmit** (1)速度限制。(2)受限制的最高速度。∼ **recòrder** 速率記錄器。∼ **skàting** 快速溜冰。∼ **tràp** 汽車超速監視區。

speed·ball¹ [ˋspid͵bɔl] *n.* Ⓤ快速球運動(似足球，但可用手接球的運動)。

speed·ball² *n.* Ⓤ興奮劑(攙有海洛英、嗎啡或安非他命的古柯鹼)。

speed·boat [ˋspid͵bot] *n.* Ⓒ快艇。

speed·er [ˋspidɚ] *n.* Ⓒ①超速駕駛人。②速度調節器。

speed·i·ly [ˋspidlɪ] *adv.* 迅速地。

S

speed·ing [ˋspidɪŋ] *n.* Ⓤ(汽車)超速(行駛)。

speed·om·e·ter [spiˋdɑmətɚ] *n.* Ⓒ(汽車等之)速度計。

speed-up [ˋspid͵ʌp] *n.* ⓊⒸ①生產效率之提高。②加速。

speed·way [ˋspid͵we] *n.* Ⓒ①高速公路。②賽車跑道。

speed·y [ˋspidɪ] *adj.* 迅速的；快的。

‡spell¹ [spɛl] *v.t.* (**spelled** or **spelt**)①拼(某字)。②(用字母)拼成(字、音節等)。③意指；招致。**—** *v.i.* 拼字；綴字。～ ***out*** **a.** 詳細說明；詳加解釋。**b.** 拼出來。**c.** 費力地求解。

***spell²** *n.* Ⓒ①符咒；咒語。②魔力。She cast a ～ on him. 她把他迷住了。

***spell³** *n.* Ⓒ①工作時間；輪值時間。②一段時期；一陣子。③輪班。④(疾病等一陣子的)發作。**—** *v.t.* 〖俚〗接替；暫代(他人)。

spell·bind [ˋspɛl͵baɪnd] *v.t.* (**-bound**)①以符咒迷住。②迷惑。

spell·bind·er [ˋspɛl͵baɪndɚ] *n.* Ⓒ雄辯家；(尤指)能吸引聽衆的政治人物。

spell·bound [ˋspɛl͵baund] *adj.* 被迷住的；意亂情迷的。

spell·er [ˋspɛlɚ] *n.* Ⓒ①拼字者；綴字者。②拼字書。

***spell·ing** [ˋspɛlɪŋ] *n.* ①Ⓒ拼字；綴字。②Ⓤ拼[綴]字法。§∼ **bèe**〖美〗拼字[綴字]比賽。∼ **pronunciàtion** 按照拼法的發音[拼字發音](如often [ˋɔfən]讀作 [ˋɔftn̩])。

‡spelt [spɛlt] *v* pt. & pp. of **spell.**

spe·lunk·er [spɪˋlʌŋkɚ] *n.* Ⓒ洞穴探險者。

Spen·cer [ˋspɛnsɚ] *n.* 斯賓塞(Herbert, 1820-1903, 英國哲學家)。

‡spend [spɛnd] *v.t.* (**spent**)①花用；耗費。②用盡；使竭盡。③度過(時間等)。**—** *v.i.* 花錢；用盡。

spend·thrift [ˋspɛnd͵θrɪft] *n.* Ⓒ揮金如土的人；浪費者。**—** *adj.* 浪費的。

Spen·ser [ˋspɛnsɚ] *n.* 斯賓塞(Edmund, 1552?-99, 英國詩人)。

‡spent [spɛnt] *v.* pt. & pp. of **spend.** **—** *adj.* 耗盡的；疲竭的。

sperm¹ [spɝm] *n.* (*pl.* **～, ～s**)①Ⓤ精液。②Ⓒ精蟲。

sperm² *n.* ①Ⓒ〖動〗抹香鯨。②Ⓤ鯨腦；鯨蠟。③Ⓤ鯨腦油。§∼ **òil** 鯨油；抹香鯨油。∼ **whàle**〖動〗抹香鯨。

sper·ma·cet·i [͵spɝməˋsɛtɪ] *n.* Ⓤ鯨油；鯨蠟。

spew [spju] *v.t. & v.i.* 作嘔；嘔吐。

***sphere** [sfɪr] *n.* Ⓒ①球；球形；球體；球面。②天體。③地球儀；渾天儀。④範圍；領域；社會地位。

spher·i·cal [ˋsfɛrɪkl̩] *adj.* 球的；球狀的；球面的。§∼ **aberrátion**〖光學〗球面像差。∼ **geómetry** 球面幾何學。∼ **tríangle** 球面三角形。∼ **trigonómetry**〖數〗球面三角(法，學)。

spher·ics [ˋsfɛrɪks] *n.* Ⓤ〖數〗球面幾何學；球面三角法。

sphe·roid [ˋsfɪrɔɪd] *n.* Ⓒ球(狀)體。

sphinc·ter [ˋsfɪŋktɚ] *n.* Ⓒ〖解〗括約肌。**—al,** *adj.*

sphinx [sfɪŋks] *n.* (*pl.* **～es, sphinges** [ˋsfɪndʒiz])①Ⓒ獅身人[公羊、鷹]頭之雕像。②(the S-)埃及首都開羅附近的獅身人面大雕像。③(the S-)〖希神〗獅身人面且有翅膀之怪物。④Ⓒ神祕的人；像獅身人的怪人。

***spice** [spaɪs] *n.* ①ⓊⒸ香料；調味品。②ⓊⒸ香味。③Ⓤ(又作 a ～)風味。**—** *v.t.* ①加以香料。②爲…加添興趣。

spick-and-span [ˋspɪkənˋspæn] *adj.* 嶄新的。

spic·y [ˋspaɪsɪ] *adj.* ①加有香料的；有香味的。②多香料的。③辛辣的；痛快的。④下流的。**—spic'i·ly,** *adv.*

***spi·der** [ˋspaɪdɚ] *n.* Ⓒ①蜘蛛。a ～('s) web 蜘蛛網。②像蜘蛛的東西。③一種有柄的平底鍋。④三脚架。

spi·der·y [ˋspaɪdərɪ] *adj.* ①細長如蜘蛛足的。②似蜘蛛網的。③多蜘蛛的。

spiel [spil] *n.* ⓊⒸ〖俚〗(招攬生意的)講話；演說。

spi·er [ˋspaɪɚ] *n.* Ⓒ偵探；密探。

spig·ot [ˋspɪgət] *n.* Ⓒ①栓；塞子。②〖美〗(自來水的)龍頭。

spike¹ [spaɪk] *n.* Ⓒ①長釘；大釘。②釘狀物。**—** *v.t.* ①以大釘釘牢。②將釘裝於(鞋上)。③用鞋釘傷(人)。④阻止；使失敗。⑤加酒於(飲料)。

spike² *n.* Ⓒ①穗。②穗狀花序。

spike·let [ˋspaɪklɪt] *n.* Ⓒ〖植〗小穗狀花序；小穗。

spike·nard [ˋspaɪknɚd] *n.* Ⓤ①〖植〗香穗草(又稱甘松)。②甘松香。

spik·y [ˋspaɪkɪ] *adj.* 如椿的；有尖頭的。

spile [spaɪl] *n.* Ⓒ①栓；塞。②(取楓汁之)小插管。

***spill** [spɪl] *v.t.* (**～ed** or **spilt**)①使(水等)流出或落下；灑(水)。②使自馬

上、車上等顛落或摔下。③洩露(祕密)；道出。── *v.i.* 溢出；灑。── *n.*① Ⓒ潑出；溢出。② Ⓤ濺出之量。

spill·age [ˋspɪlɪdʒ] *n.* Ⓤ ①溢出。②溢出物；溢出量。

spill·o·ver [ˋspɪl͵ovɚ] *n.* Ⓤ Ⓒ溢出(量)；流出。

spill·way [ˋspɪl͵we] *n.* Ⓒ (堰、河等之)溢洪道；排水口。

***spilt** [spɪlt] *v.* pt. & pp. of **spill**[1].

***spin** [spɪn] *v.t.* (**spun**)①紡；紡織。②抽(絲)織網。③編(故事)；講(故事)。④使旋轉。── *v.i.* ①紡織。②旋轉。③暈眩。④迅速地跑；疾駛；奔馳。～ *out* 拖長。── *n.* ① Ⓤ Ⓒ (常a ～)旋轉。② Ⓒ (常a ～)疾行；疾馳。③ Ⓒ (常a ～)(價格)暴跌。§ ～ **doctor** ⑴助選課士；政治家的高級顧問。⑵起導向作用者。

spi·na bi·fi·da [ˋspaɪnəˋbɪfɪdə] *n.* Ⓤ〖醫〗脊柱裂。

spin·ach [ˋspɪnɪtʃ, -ɪdʒ], **spin·age** [ˋspɪnɪdʒ] *n.* Ⓤ 菠菜。

spi·nal [ˋspaɪnl] *adj.* 脊骨的；脊柱的。§ ～ **còlumn** 脊柱；脊椎骨。～ **còrd** 脊髓。

spin·dle [ˋspɪndl] *n.* Ⓒ①紡錘。②軸；轉軸。§ ～ **sìde** 母方；母系。

spin·dle·legs [ˋspɪndl͵lɛgz] *n. pl.* ①細長的腿。②(作 *sing.*解)〖俗〗腿細長的人。

spin·dling [ˋspɪndlɪŋ] *adj.* 細長的。── *n.* Ⓒ細長的人或物。

spin·dly [ˋspɪndlɪ] *adj.* 紡錘形的；細長的。

spin-dry [ˋspɪnˋdraɪ] *v.t.*用旋轉式脫水機使(洗好的衣服)脫水。

***spine** [spaɪn] *n.* Ⓒ①脊柱。②針；刺；棘狀突起。③脊柱狀物。

spine·less [ˋspaɪnlɪs] *adj.* ①(動物)無脊椎的。②無刺的。③優柔寡斷的；沒骨氣的。

spin·et [ˋspɪnɪt] *n.* Ⓒ〖樂〗①鍵琴。②豎形小鋼琴。③小型電子風琴。

spin·na·ker [ˋspɪnəkɚ] *n.* Ⓒ〖海〗競賽遊艇用的大三角帆。

spin·ner [ˋspɪnɚ] *n.* Ⓒ①紡紗工人；紡紗業者。②紡紗機。③〖板球〗旋轉球；投旋轉球的投手。④〖動〗蜘蛛；(蜘蛛等的) 吐絲管。⑤〖空〗機頭罩；螺旋轂蓋。

spin·ner·et [ˋspɪnə͵rɛt] *n.* Ⓒ (蜘蛛等的)絲囊；吐絲管。

spin·ner·y [ˋspɪnərɪ] *n.* Ⓒ 紡紗廠。

spin·ney [ˋspɪnɪ] *n.* Ⓒ〖英〗雜木林。

spin·ning [ˋspɪnɪŋ] *adj.* ①紡織的。②旋轉的。── *n.* Ⓤ 紡紗；精紡(業)。§ ～ **jènny** 多軸紡紗機。～ **machìne** 紡紗機。～ **mìll** 紡紗廠。～ **whèel** 紡車。— **ly,** *adv.*

spin·off [ˋspɪn͵ɔf] *n.* Ⓤ Ⓒ ①將新子公司股份分配給母公司股東之措施。②(電視劇之)續集。③副產物。

spin·ster [ˋspɪnstɚ] *n.* Ⓒ ①未婚女性。②(超過適婚期的)老處女。③紡織女工。— **hood,** *n.*

spin·y [ˋspaɪnɪ] *adj.* ①多針的；多刺的。②困難的；麻煩的。

spi·ra·cle [ˋspaɪrəkl] *n.* Ⓒ ①(昆蟲的)呼吸孔。②(鯨類的)噴水孔。

spi·ral [ˋspaɪrəl] *adj.* 螺旋形的；盤旋的。── *n.* Ⓒ ①螺線；螺旋形之物。②〖經〗(成本、工資、物價等之)不斷上升(inflationary spiral)或不斷下降(deflationary spiral)。── *v.t.* (**-l-,** 〖英〗**-ll-**)使成螺旋形。── *v.i.* ①成螺旋狀移動或旋轉。②(飛機)成螺旋狀下降。§ ～ **gálaxy**[**nébula**]〖天〗漩渦星雲。— **ly,** *adv.*

spi·rant [ˋspaɪrənt] *n.* Ⓒ 摩擦音。── *adj.* 摩擦音的。

***spire**[1] [spaɪr] *n.* Ⓒ①塔尖；尖頂。②最高點；頂點。③芽。── *v.i.* ①高聳。②出嫩芽。── *v.t.* 給…建尖頂。

spire[2] *n.* Ⓒ ①漩渦；螺旋。②(貝殼的)螺塔。

****spir·it** [ˋspɪrɪt] *n.* ① Ⓤ 精神。② Ⓒ 靈魂；亡靈；幽靈。③(the S-)神；聖靈。④ Ⓒ (具有…氣質的)人物。⑤ Ⓤ 元氣；勇氣；氣魄；銳氣。⑥ **a.**(*pl.*)心情；心境；氣勢。**b.** Ⓤ 性情；個性；脾氣。⑦ Ⓤ (the ～)(時代等的)風氣；潮流〔of〕。⑧(用 *sing.*)心態；意圖。⑨(用 *sing.*, 常 the ～)(法律、文件的)精神；眞諦。⑩ **a.** Ⓤ 酒精。**b.**(*pl.*)烈酒。**c.** Ⓤ(常 *pl.*)〖化〗酒精〔of〕。── *v.t.* ①拐走；誘拐；(偷偷)帶走。②使振作；鼓舞；鼓勵。§ ～ **làmp** 酒精燈。～ **lèvel** 酒精水準器。～ **ràpping** 招魂術。～ **stòve** 酒精爐。

spir·it·ed [ˋspɪrɪtɪd] *adj.* ①有精神的；生氣勃勃的；活潑的。②(用於複合詞中)有…精神的;有…心境的。— **ly,** *adv.*

spir·it·ism [ˋspɪrɪtɪzṃ] *n.* Ⓤ ①招魂論。②招魂術；降神術。

spir·it·less [ˋspɪrɪtlɪs] *adj.* 無生命力的；萎靡不振的；垂頭喪氣的。

***spir·it·u·al** [ˋspɪrɪtʃuəl] *adj.* ①靈魂的；精神(上)的。②神聖的；宗教上的。③脫俗的；崇高的。── *n.* Ⓒ (黑人的) 靈歌。

spir·it·u·al·ism [ˋspɪrɪtʃuəl͵ɪzəm] *n.* Ⓤ ①〖哲〗唯心論(爲 materialism之對)。②招魂論。③招魂術；降神術。— **spir·it·u·al·is′tic,** *adj.*

spir·it·u·al·ist [ˋspɪrɪtʃuəl͵ɪst] *n.* Ⓒ①降靈術者；靈媒。②唯心論者。

spir·it·u·al·i·ty [͵spɪrɪtʃuˋælətɪ] *n.* Ⓤ 精神性；心靈性。

spir·it·u·ous [ˋspɪrɪtʃuəs] *adj.* ①(似)酒精的。②含酒精成分強的。

spi·rom·e·ter [spaɪˋrɑmətɚ] *n.* Ⓒ〖醫〗肺活量計；呼吸計。

spit**[1] [spɪt] *v.i.* (**spat** or **spit, spitting**)吐口水；吐唾液〔at〕。── *v.t.* 吐出；放出。── *n.* ① Ⓤ 唾液。② Ⓤ 唾吐。③ Ⓤ 某些昆蟲分泌的唾液狀液體。④ Ⓒ 酷似的東西。be the*** (***dead***)～ ***of a person*** 〖俗〗酷似某人。§ ～**ting ímage** 酷似；酷肖(的人[物])。

spit[2] *n.* Ⓒ ①烤肉叉；炙叉。②突伸海中的狹長陸地；崎；岬。── *v.t.* (**-tt-**)刺穿；刺戳。

spit·ball [ˋspɪt͵bɔl] *n.* Ⓒ ①(小孩投擲遊戲用，以唾液弄濕揉成的)小紙團。②〖棒球〗將球一側唾濕而投的曲球(今已

S

視爲違規)。
spitch·cock [\`spɪtʃ,kɑk] *n.* Ⓒ 烤炙之鰻魚片。— *v.t.* 剖開而炙(雞、鰻等)。
‡**spite** [spaɪt] *n.* Ⓤ 惡意; 怨恨。*in ~ of* 雖然; 儘管…仍。— *v.t.* 使困惱; 使難堪; 刁難; 輕蔑。— **ful,** *adj.* — **ful·ly,** *adv.*
spit·fire [\`spɪt,faɪr] *n.* Ⓒ ①易怒之人(尤指婦女)。②噴火之物(如大砲等)。
spit·tle [\`spɪtl] *n.* Ⓤ 唾液; 口水。
spit·toon [spɪ\`tun] *n.* Ⓒ 痰盂。
spitz [spɪts] *n.* Ⓒ 狐狸狗。
spiv [spɪv] *n.* Ⓒ 〖英俚〗動歪腦筋投機取巧過日子的人。
***splash** [splæʃ] *v.t.* ①濺(水、泥等)。②濺污; 濺濕。③濺潑著。— *v.i.* ①激濺水、泥等。②濺潑著前進。— *n.* Ⓒ ①激濺(聲)。②(水、泥等濺起的)污跡; 斑痕。③張揚; 渲染。*make a ~* 引起他人注意。§ ~ **guàrd**(車後輪之)擋泥板。
splash·board [\`splæʃ,bord] *n.* Ⓒ 擋泥板; 擋水板。
splash·down [\`splæʃ,daʊn] *n.* Ⓒ (太空船等在海面上的)水面降落; 濺落。
splash·y [\`splæʃɪ] *adj.* ①濺灑的; 飛濺的; 濺出泥水的。②污跡斑斑的。③〖美俗〗大家談論的; 轟動的; 鋪張的。
splat [splæt] *n.* ①(a ~)噼啪聲。②Ⓒ (椅背的)扁平木板。
splat·ter [\`splætɚ] *v.t. & v.i.* 濺污; 發潑濺聲; 不清晰地說。
splay [sple] *v.t.* ①擴張; 延展。②使傾斜。— *adj.* ①擴張的; 延展的。②粗陋的。③傾斜的; 歪斜的。— *n.* Ⓒ ①擴大; 展開。②〖建〗(門、窗、壁等之)斜面。
splay·foot [\`sple,fʊt] *n.* Ⓒ (*pl.* **-feet**) 扁平脚; 外八字脚。
spleen [splin] *n.* ①Ⓒ 脾臟。②Ⓤ 發脾氣; 憤怒。③Ⓤ 抑鬱。— **ful,** *adj.*
splen·dent [\`splɛndənt] *adj.* ①光亮的; 有光澤的; 發光的。②外觀漂亮的; 華麗的; 鮮明的。③顯赫的; 著名的。
***splen·did** [\`splɛndɪd] *adj.* ①華麗的; 壯麗的; 輝煌的。②〖俗〗絕妙的; 極佳的。— **ly,** *adv.* — **ness,** *n.*
splen·dif·er·ous [splɛn\`dɪfərəs] *adj.* 〖俗, 謔〗華麗的; 極好的。
***splen·dor,** 〖英〗**-dour** [\`splɛndɚ] *n.* Ⓤ (常 *pl.*)①光彩; 光輝。②華麗; 壯麗。③顯赫; 卓越。
sple·net·ic [splɪ\`nɛtɪk] *adj.* ①脾臟的。②易怒的; 性情乖戾的。
splice [splaɪs] *v.t.* ①編結而接起(繩或繩頭); 接合。②疊接(兩塊木材)。③〖俗〗結婚。— *n.* Ⓒ ①疊接。②結合; 結婚。
spline [splaɪn] *n.* Ⓒ 〖機〗制轉楔; 方栓; 方栓之槽。— *v.t.* 〖機〗裝以方栓; 備以方栓槽。
splint [splɪnt] *n.* Ⓒ ①(固定斷骨用)夾板。②(編結用)細軟木條。
splin·ter [\`splɪntɚ] *n.* Ⓒ 碎片; 裂片。— *adj.* 分裂的。— *v.t. & v.i.* 分裂; 碎裂。
***split** [splɪt] *v.t.* (**split, split·ting**)①割裂; 劈開。②分配; 分攤。③分化; 使(團體等)分裂。— *v.i.* ①裂開。②(團體等之)分裂; 分開; 失和。③〖俚〗匆匆離開; 快走。*~ hairs* 作極細微之區別; 剖析瑣屑之點。*~ one's sides* 捧腹大笑。*~ one's vote*[*ticket*]投票給他黨候選人。*~ the difference* 妥協; 折衷; 互相讓步。— *n.* Ⓒ ①分裂。②裂開。— *adj.* 分裂的。§ ~ **decísion** 意見不一致的決定(如拳賽中反映裁判員不同意見之勝負之決定)。~ **infínitive** 〖文法〗分裂不定詞(指在 'to' -infinitive 之間插入副詞或副詞片語者)。~ **personálity**(同時有正反性格的)雙重人格; 人格分裂。~ **sécond** 一秒的幾分之一的時間; 一瞬間; 一霎那。~ **tícket** 〖美〗分裂票(投給他黨候選人的選票)。
split-lev·el [\`splɪt\`lɛvl] *adj. & n.* Ⓒ 地板高低不齊的(房屋); 錯層式的(房屋)。
split-time [\`splɪt,taɪm] *n.* Ⓤ 僅提早半小時的日光節約時間。
split·ting [\`splɪtɪŋ] *adj.* ①破裂的; 裂開的。②(頭痛)劇烈的; 劇痛的。
splodge [splɑdʒ] *n. & v.t.* =**splotch.**
splotch [splɑtʃ] *n.* Ⓒ 污痕; 污漬。— *v.t.* 玷污。— **splotch'y,** *adj.*
splurge [splɝdʒ] *n.* Ⓒ 〖俗〗誇示; 炫耀。— *v.i.* 〖俗〗①炫耀; 賣弄。②亂花錢; 擺闊。— *v.t.* 揮霍。
splut·ter [\`splʌtɚ] *v. & n.* =**sputter.**
***spoil** [spɔɪl] *v.t.* (**spoiled** or **spoilt**)①損傷; 損害; 破壞。②姑息; 寵壞。Spare the rod and ~ the child. 小孩不打不成器。③搶劫; 掠奪。— *v.i.* ①腐敗; 變壞。②搶劫。*be ~ing for* 迫切地要做。— *n.* ①Ⓤ (又作 *pl.*)掠奪品; 戰利品。②(*pl.*)〖美〗**a.**(執政黨所取得之)肥差事。**b.**戰利品。§ ~**s sỳstem** 〖美〗政黨分贓制; 獵官制(掌握政權的政黨將官職分給支持者的制度)。
spoil·age [\`spɔɪlɪdʒ] *n.* Ⓤ 損壞; 損壞物[量]。
spoil·er [\`spɔɪlɚ] *n.* Ⓒ ①損壞者; 寵壞者。②〖空〗擾流器。③〖美〗搗亂性的第三黨候選人(其所得票數足以破壞另一候選人之得勝機會)。§ ~ **pàrty**〖美〗搗亂性第三黨。
***spoilt** [spɔɪlt] *v.* pt. & pp. of **spoil.**
‡**spoke**[1] [spok] *v.* pt. of **speak.**
spoke[2] *n.* Ⓒ ①輪輻。②船之舵輪柄。
‡**spo·ken** [\`spokən] *v.* pp. of **speak.** — *adj.* 口頭的; 口述的。
***spokes·man** [\`spoksmən] *n.* Ⓒ (*pl.* **-men**) 代言人; 發言人。(亦作 **spokesperson**)
spokes·wom·an [\`spoks,wʊmən] *n.* Ⓒ (*pl.*-**wom·en**)女代言人;女發言人。
spoke·wise [\`spok,waɪz] *adj. & adv.* 輻射狀的[地]。
spo·li·a·tion [,spolɪ\`eʃən] *n.* Ⓤ ①強奪; 掠奪。②〖法律〗毀棄或變造文書、票據等。
spon·dee [\`spɑndi] *n.* Ⓒ 〖詩〗揚揚格(每一音步包含兩個長或重音節)。
***sponge** [spʌndʒ] *n.* ①Ⓒ〖動〗海綿。②ⓊⒸ 海綿(沐浴等用以浸水者)。③Ⓒ 寄食者; 食客。— *v.t. & v.i.* ①用

海綿揩乾或吸乾。②寄食；敲取。§ ～ **càke** 海綿蛋糕。～ **cúcumber** [**góurd**] 〖植〗絲瓜(絡)。～ **rúbber** 海綿狀橡皮(做椅墊等物之材料)。

spong·er [ˋspʌndʒɚ] *n.* [C] 寄人籬下者；食客。

spon·gy [ˋspʌndʒɪ] *adj.* ①海綿狀[質]的。②多孔的。

***spon·sor** [ˋspɑnsɚ] *n.* [C] ①保證人；負責人。②教父；教母。③主持者；贊助者。④電臺或電視臺之節目提供者。**—** *v.t.* 〖美〗資助；主持；支持。— **ship,** *n.*

***spon·ta·ne·ous** [spɑnˋtenɪəs] *adj.* ①自然的；自發的。②自生的。— **ly,** *adv.* — **ness, spon·ta·ne·i·ty** [-təˋniətɪ], *n.*

spoof [spuf] 〖俚〗*n.* [C] 諷刺；騙局；玩笑。**—** *v.t. & v.i.* 欺騙；愚弄；開玩笑。

spook [spuk] *n.* [C] 〖俗〗鬼；幽靈。

spook·y [ˋspukɪ] *adj.* 〖俗〗①似鬼的；有鬼的；鬼魂出現的。②令人害怕的；毛骨悚然的。③(尤指馬)不安的；神經緊張的。(亦作 **spookish**)

spool [spul] *n.* [C] ①線軸。②形狀和用途與線軸相似之物。③一捲(之量)。**—** *v.t.* 纏…於線軸。

‡**spoon** [spun] *n.* [C] ①匙。②匙狀物。***be born with a silver ～ in one's mouth*** 生於富貴之家。

spoon·bill [ˋspun,bɪl] *n.* [C] 〖鳥〗①篦鷺。②闊嘴鴨。

spoon·drift [ˋspun,drɪft] *n.* [U] (強風吹起的)浪花。

spoon·er·ism [ˋspunə,rɪzəm] *n.* [C] 首音誤置；首音調換。

spoon-fed [ˋspun,fɛd] *adj.* ①(小孩、病人)以羹匙餵食的。②被溺愛的。

spoon-feed [ˋspun,fid] *v.t. & v.i.* (**-fed**)①用湯匙餵。②溺愛；嬌寵。③惡補；施以塡鴨式教育。

spoon·ful [ˋspun,ful] *n.* [C] (*pl.* **～s, spoons·ful**)一匙；滿匙。

spoon·y [ˋspunɪ] 〖俗〗*adj.* ①愚蠢的。②癡愛的；迷戀的。**—** *n.* [C] ①癡情者。②愚人。

spoor [spur] *n.* [C] (野獸的)足跡。**—** *v.t. & v.i.* 追蹤。

spo·rad·ic, -i·cal [spoˋrædɪk (l̩)] *adj.* ①零星的。②散發性的。③單獨發生的；散見於各地的。— **spo·rad′i·cal·ly,** *adv.*

spo·ran·gi·um [spəˋrændʒɪəm] *n.* [C] (*pl.* **-gi·a** [-dʒɪə]) 〖植〗孢子囊。

spore [spor] *n.* [C] ①〖生物〗孢子。②胚種；種子。**—** *v.i.* 發育成芽胞。

spor·ran [ˋspɑrən] *n.* [C] (蘇格蘭高地男子腰帶上所繫的)毛皮袋。

‡**sport** [sport, spɔrt] *n.* ① [U][C] 運動；戶外活動。② [U] 遊戲；娛樂。③ [U] 戲謔；玩笑。④(the ～)戲謔的對象。⑤(*pl.*)運動會。⑥ [C] 〖俗〗有運動道德的人；堂堂正正的人。***make ～ of*** 取笑；嘲弄。**—** *v.i.* ①遊戲。②戲弄；嘲弄。**—** *v.t.* ①炫耀。②浪費(時間、金錢)。

sport·ing [ˋsportɪŋ] *adj.* ①遊戲的；運動的。②遵守運動規則的；堂堂正正的。③愛好運動的。

spor·tive [ˋsportɪv] *adj.* ①(好)嬉戲的；開玩笑的。②體育運動的。

sports [sports] *adj.* 體育運動的；適於體育運動的。§ ～ **càr** 跑車。

sports·cast [ˋsports,kæst] *n.* [C] (電視、廣播)體育消息之播報。

***sports·man** [ˋsportsmən] *n.* [C] (*pl.* **-men**)①作戶外運動者。②喜歡戶外運動者。③有運動道德之人。④願意冒險者。— **like,** *adj.*

sports·man·ship [ˋspɔrtsmən-ʃɪp] *n.* [U] 運動道德；運動員精神；堂堂正正的態度。

sports·wear [ˋsports,wɛr] *n.* [U] (集合稱)運動裝；便服。

sports·wom·an [ˋsports,wumən] *n.* [C] (*pl.* **-wom·en**)女運動員。

sports·writ·er [ˋsports,raɪtɚ] *n.* [C] 體育記者；體育新聞稿作者。

sport·y [ˋsportɪ] *adj.* 〖俗〗①似運動家的。②華麗的。③花稍的。

‡**spot** [spɑt] *n.* ① [C] 斑點。② [C] 瑕疵；污點。③ [C] 地點；場所。④(a ～)〖俗〗一些；少許。⑤ [C] 〖俗〗**a.** 職位。**b.**(節目安排)位置；時段。⑥ [C] 〖美俚〗小額鈔票。***hit the ～*** 〖俗〗(尤指食物等)使人完全滿意；切合需要。***on*** [***upon***] ***the ～*** **a.** 當地；就地。**b.** 立刻。**c.** 〖美俗〗在困難中。***put on the ～*** **a.** 使處於困惱中。**b.** 謀殺。**—** *v.t.* (**-tt-**)①加以斑點；沾污。②去(衣服上)之污點。③〖俗〗察出；認出。**—** *adj.* 當場的；當場交付的。a ～ transaction 現貨買賣；當場交易。§ ～ **annòuncement** 〖視，廣播〗節目前或節目中插播的短廣告或通知。～ **càsh** 〖商〗當場交付之現金。～ **chèck** 抽樣調查；抽查；突擊檢查。～ **tèst** 臨時測驗；抽考。

spot·less [ˋspɑtlɪs] *adj.* ①無斑點的。②潔白的；無瑕疵的。

spot·light [ˋspɑt,laɪt] *n.* ① [C] 舞台上用之聚光燈。②(the ～)(大衆的)注視；注目。

spot-on [ˋspɑtˋɑn] *adj. & adv.* 〖英俗〗準確的[地]；正確的[地]。

spot·ted [ˋspɑtɪd] *adj.* ①有斑點的。②有污點的。§ ～ **féver** 〖醫〗斑疹熱。

spot·ter [ˋspɑtɚ] *n.* [C] ①〖美〗監視人。②私人偵探；刑警。③〖美〗〖鐵路〗檢路器。④監視敵機動態之民防人員。⑤(以乾洗)去污點的人。⑥觀察機；敵機監視員。⑦去污點器。§ ～ **plàne**(偵察敵人行動的)偵察機。

spot·ty [ˋspɑtɪ] *adj.* ①有斑點的；多斑點的。②時好時壞的；不穩定的。

spous·al [ˋspauzl] *adj.* 結婚的。

spouse [spauz] *n.* [C] 配偶。

spout [spaut] *v.t.* ①噴。②滔滔不絕地說出。③使大量湧出。④〖俚〗當；典押。**—** *v.i.* ①噴出；湧流出。②滔滔不絕地說。**—** *n.* [C] ①(水管等的)嘴；噴口；噴水孔。②承霤(房簷下的水筧)。

sprain [spren] *v.t. & n.* [C] 扭傷。

‡**sprang** [spræŋ] *v.* pt. of **spring.**

sprat [spræt] *n.* [C] 大西洋鯡。

sprawl [sprɔl] *v.i.* ①伸開手足而臥或坐；仰臥。②展開；蔓延。③紊亂地散開。**—** *v.t.* ①使不規則地散開。②使伸手足而臥或坐。— *n.* ① Ⓒ (常 *sing.*) 手足伸開而臥。② Ⓤ (又作 a ～) 雜亂無章的蔓延。

sprawl·ing [ˋsprɔlɪŋ] *adj.* ①(人)伸展手脚的；(步態)笨拙的。②(街道等)不規則地擴張的。③(字跡)潦草的。

spray[1] [spre] *n.* Ⓒ ①小枝。②小枝狀的裝飾物。

***spray**[2] *n.* ① Ⓤ 水沫；浪花。② Ⓒ 類似浪沫之物。③ Ⓒ 噴霧器。— *v.t.* ① 用噴霧器噴射。②掃射。— *v.i.* 噴霧；噴射。§ ∼ **gùn** 噴霧器。— **er,** *n.*

‡**spread** [sprɛd] *v.t.* (**spread**)①展開；塗敷；羅列。②伸出；使延展。③傳佈；傳播。④遮蓋；覆蓋。⑤撒開。⑥鋪(桌面)；上(菜)。— *v.i.* ① 展 開；伸 展；擴展。②傳佈；流傳；蔓延。～ ***oneself*** **a.** 擺闊；表現慷慨。**b.** 自我炫示以討好。**c.** 誇耀地說；華而不實地寫。～ ***the table*** 將食物等擺在桌上；開飯。— *n.* ① Ⓒ (常 *sing.*)伸展；擴展。② Ⓒ (常*sing.*)廣袤；範圍。③(*sing.*, 常 the ～)傳佈；蔓延。④ Ⓒ 〖俗〗酒席；盛大宴會。⑤ Ⓤ Ⓒ 塗於麵包上的牛油、果醬等。⑥ Ⓒ 桌布；床單。⑦ Ⓒ 廣告新聞等所占之版面(以欄計算)。⑧ Ⓒ 報章雜誌面對面之兩頁(視作一單元)。§ ∼ **éagle**(美國國徽)展翼鷹。

S

spread-ea·gle [ˋsprɛd,igl] *adj.* ① 有展翼鷹之圖像的；似展翼鷹的。②〖美俗〗誇大的；(尤指)誇張的(愛國主義)。— *v.t.* 如展翼鷹伸展。

spread·er [ˋsprɛdɚ] *n.* Ⓒ ①散佈者；傳播者。②奶油刀。③散播機。

spread·sheet [ˋsprɛd,ʃit] *n.* Ⓒ 〖電算〗試算表；工作底稿。§ ∼ **prógram** 工作底稿軟體。

spree [spri] *n.* Ⓒ ①歡鬧；遊樂。②狂飲。***go on a*** [***the***] ～ 狂歡；痛飲。

sprig [sprɪg] *n.* Ⓒ ①小枝。②枝狀裝飾或圖案。③少年；小夥子。— *v.t.* (**-gg-**)(在陶器、織物上)用小枝裝飾或做圖案。

sprig·gy [ˋsprɪgɪ] *adj.* 多小枝的；多嫩枝的。

spright·ly [ˋspraɪtlɪ] *adj.* 活潑的；愉快的。— *adv.* 活潑地；快活地。

‡**spring** [sprɪŋ] *v.i.* (**sprang** or **sprung, sprung**)①跳；躍起。②彈回。③萌芽；湧現；迸發。④開始行動。⑤(木板等)彎曲；扭曲；裂開。⑥突然出現。⑦突然湧出。— *v.t.* ①使躍起；使跳躍。②使突然發生；(藉彈簧之力)發動。③使爆發；使破裂；裂開。— *n.* ① Ⓒ 跳躍。② Ⓒ 彈簧；發條。③ Ⓤ 彈性；彈力。④ Ⓤ Ⓒ 春季。⑤ Ⓒ (常 *pl.*)泉；泉源。⑥ Ⓒ 起源；動機。§ ∼ **féver** 春睏(某些人在初春時所感到的睏倦狀態)。∼ **róll** 春捲。∼ **tíde** (1)(新月與滿月時所發生的)滿潮；子午潮。(2)奔流；高潮。

spring·board [ˋsprɪŋ,bord] *n.* Ⓒ ①(跳水用之)跳板。②(體操的)彈性板。

spring·bok [ˋsprɪŋ,bɑk] *n.* Ⓒ 跳羚(南非洲產的一種小羚羊)。

spring-clean [ˋsprɪŋˋklin] *v.t.* 做(房屋等)春季大掃除。— **ing,** *n.*

springe [sprɪndʒ] *n.* Ⓒ (利用彈性物捕捉魚獸之)網羅；陷阱。— *v.t.* & *v.i.* 設陷阱(捕捉)。

spring·er [ˋsprɪŋɚ] *n.* Ⓒ ①跳躍者；跳躍的東西。②〖建〗起拱石；拱脚石。

spring·head [ˋsprɪŋ,hɛd] *n.* Ⓒ ① 源頭。②來源。

spring·let [ˋsprɪŋlɪt] *n.* Ⓒ 小溪；小泉。

spring·time [ˋsprɪŋ,taɪm] *n.* Ⓤ (常 the ～)①春天；春季。②青春。

spring·wa·ter [ˋsprɪŋ,wɑtɚ] *n.* Ⓤ 湧出的水；泉水。

spring·y [ˋsprɪŋɪ] *adj.* ①有彈性的。②多泉的。

***sprin·kle** [ˋsprɪŋkl̩] *v.t.* ① 撒；灑。②散置；漫布。— *v.i.* ①灑；撒落。②下微雨。— *n.* Ⓒ ①(常 *sing.*)少量。②微雨；毛毛雨。

sprin·kler [ˋsprɪŋklɚ] *n.* Ⓒ 灑水壺；灑水車；灑水裝置。§ ∼ **sỳstem** 自動灑水系統。

sprin·kling [ˋsprɪŋklɪŋ] *n.* ① Ⓒ (常 *sing.*)(散布之)微量；少量。② Ⓤ 灑水。

sprint [sprɪnt] *v.i.* 以全速奔跑。— *n.* Ⓒ ①短距離賽跑。②短時間之劇烈活動。— **er,** *n.*

sprit [sprɪt] *n.* Ⓒ 〖海〗張帆用的斜杠。

sprite [spraɪt] *n.* Ⓒ 妖精；鬼怪；小精靈。

sprit·sail [ˋsprɪt,sel] *n.* Ⓒ 〖海〗斜槓帆。

sprock·et [ˋsprɑkɪt] *n.* Ⓒ ①〖機〗鏈輪。②履帶主動輪。③扣鏈齒輪。§ ∼ **whèel** 鏈輪。

sprout [spraut] *v.i.* ①發芽。②〖俗〗迅速地發展。— *v.t.* ①使發芽。②去掉(馬鈴薯等)之芽。— *n.* ① Ⓒ 芽；苗。②(*pl.*)球芽甘藍。

spruce[1] [sprus] *n.* Ⓤ Ⓒ 〖植〗雲杉(木)。§ ∼ **bèer** 雲杉啤酒。

spruce[2] *adj.* 整潔的；漂亮的；瀟灑的。— *v.t.* & *v.i.* 將…打扮得整潔漂亮。— **ly,** *adv.*

‡**sprung** [sprʌŋ] *v.* pt. & pp. of **spring.**

spry [spraɪ] *adj.* 輕快的；敏捷的。— **ly,** *adv.* — **ness,** *n.*

spud [spʌd] *n.* Ⓒ ①小鏟；小鋤。②〖俗〗馬鈴薯。— *v.t.* (**-dd-**)①以小鏟挖；用小鋤除去〔up, out〕。②開始鑽(油井)。～ ***in*** 裝置鑽井設備。

spume [spjum] *n.* Ⓤ 泡沫。— *v.i.* & *v.t.* (使)起泡沫。— **spum′y,** *adj.*

spu·mo·ne [spuˋmoni] 〖義〗*n.* Ⓤ Ⓒ 多層冰淇淋(通常含有蜜餞水果或切碎的栗子)。(亦作 **spumoni**)

***spun** [spʌn] *v.* pt. & pp. of **spin.** — *adj.* 撚成絲的。§ ∼ **gláss** 玻璃絲。∼ **sílk** 紡絲。∼ **súgar** 棉花糖。

spunk [spʌŋk] *n.* Ⓤ ①〖俗〗勇氣。②火花。③火絨。④〖英鄙〗精液。***get one's*** ～ ***up*** 表現(鼓起)勇氣、膽量等。— *v.i.* 顯出勇氣；發火。

spunk·y [ˋspʌŋkɪ] *adj.* 〖俗〗①有膽量的；有勇氣的；有毅力的。②暴躁的。

spur** [spɜ] *n.* Ⓒ ①刺馬釘。②激勵(物)；刺激(物)。③類似刺馬釘的東西。④山之支脈；山脊。⑤(鐵路)支線。on the*** ～ ***of the moment*** 憑一時衝動。

win one's ~s 揚名。— *v.t. & v.i.* (**-rr-**)①以刺馬釘刺(馬)。②策勵；刺激。
spu·ri·ous [`spjurɪəs] *adj.* ①假的；僞造的。②私生的；庶出的。
spurn [spɜn] *v.i. & v.t.* ①擯斥；趕走。②狂傲地拒絕。— *n.* Ⓒ ①擯斥；藐視。②踢開。
spur-of-the-mo·ment [`spɜ-ˌəvðə`momənt] *adj.* 〖俗〗即席的；當場的；一時興起的。
spurt [spɜt] *v.i. & v.t.* ①噴出；湧出；迸出。②突然奮力活動；衝刺。— *n.* Ⓒ ①噴出；湧出；猝發。②(短時間的)奮力活動；衝刺。
sput·nik [`spʌtnɪk, `sput-] *n.* Ⓒ ①(S-)史普尼克(前蘇聯於1957年發射之人造衛星)。②人造衛星。
sput·ter [`spʌtə] *v.i. & v.t.* ①作拍拍聲。②噴出(唾沫、飯屑等)。③氣急敗壞地說。— *n.* Ⓤ (又作 a ~)急語。
spu·tum [`spjutəm] *n.* ⓊⒸ (*pl.* **-ta** [-tə])唾液；痰。
***spy** [spaɪ] *n.* Ⓒ 間諜；偵探；偵察者。— *v.t. & v.i.* ①偵察；窺探。②發現。③瞥見；看見。
spy·glass [`spaɪˌglæs] *n.* Ⓒ 小型望遠鏡。
sq. sequence; square.
squab [skwɑb] *n.* Ⓒ ①(羽毛未豐的)幼鴿；雛鳥。②矮胖的人。③未成熟或無經驗的人。— *adj.* ①矮胖的。②剛孵出的。
squab·ble [`skwɑbl] *n.* Ⓒ 小爭吵；小口角。— *v.i.* 爭吵。
squad [skwɑd] *n.* Ⓒ (集合稱)①一小群人；小隊。②〖軍〗班。— *v.t.* (**-dd-**) ①使成班[隊]。②將…派至班[隊]。§ ∠ **càr** 警察巡邏車。
squad·ron [`skwɑdrən] *n.* Ⓒ ①海軍戰隊。②**a.** 空軍中隊。**b.** 飛行隊。③騎兵中隊。§ ∠ **lèader**〖英〗空軍中隊長；空軍少校。
squal·id [`skwɑlɪd] *adj.* ①污穢的；不潔的。②卑劣的；不道德的。
squall[1] [skwɔl] *v.t. & v.i.* 大聲叫喊；悲鳴。— *n.* Ⓒ 大聲尖叫。
squall[2] *n.* Ⓒ ①狂風。②〖俗〗騷擾。— *v.i.* 突然颳狂風。
squall·y [`skwɔlɪ] *adj.* ①暴風的。②(風)強勁的；強烈的。③〖俗〗威脅的。
squal·or [`skwɑlə] *n.* Ⓤ ①不潔；污穢。②卑劣。
squa·ma [`skwemə] *n.* Ⓒ (*pl.* **-mae** [-mi])〖生物〗①鱗(片)。②(昆蟲的)腋鱗；刺緣突。
squan·der [`skwɑndə] *v.t.* 浪費〔常 away〕。— *n.* Ⓤ 浪費；虛擲。
‡**square** [skwɛr] *n.* Ⓒ ①正方形。②方形物。③〖英〗街區；(四面有街道之)房屋區。④方形廣場。⑤街區或廣場四圍的建築物。⑥規矩；曲尺。⑦〖數〗平方；自乘。⑧〖軍〗方陣。*by the ~* 精確地。*on the ~* **a.** 成直角的。**b.** 〖俗〗爽直；公正。*out of ~* **a.** 斜的；不正的；無秩序的。**b.** 不規則的；錯誤的。— *adj.* ①正方形的；四方形的。②直角的。③無借貸的；結清的。④直的；平直的。⑤坦率的；率直的。⑥方正的；公平的。⑦平方的。⑧〖俚〗保守的；不時髦的。He was real ~. 他很保守。*get ~ with a person* 同某人算清帳目；報仇。*get (things) ~* 整理。— *v.t.* ①使成方形；使成直角。②使直；使平。③調整；整理；結清。④自乘。— *v.i.* 一致；符合。~ *accounts with a person* 向某人復仇。~ *away* **a.** 〖海〗調正帆桁，以便順風行駛。**b.** 重新做起；採取或使採取新路線。~ *off* 〖俗〗採取自衛或攻擊之陣式。~ *the circle* **a.** 作一正方形，使其面積與一已知圓相等。**b.** 做不可能之事；做異想天開之事。— *adv.* ①〖俗〗公平地；忠實地。②成正方形地。③垂直地。§ ∠ **dànce** 方塊舞。∠ **knòt**〖美〗平結；死結。
square·ly [`skwɛrlɪ] *adv.* ①方正地；誠實地；公平地。②明確地。
square-rigged [`skwɛr`rɪgd] *adj.* 〖海〗有橫帆裝置的。
square-shoul·dered [`skwɛr-`ʃoldəd] *adj.* 平肩的；方肩的。
squares·ville [`skwɛrzvɪl] *n.* Ⓒ 〖俚〗過時、保守的社會[地方等]。
square-toed [`skwɛr`tod] *adj.* ①方頭的(鞋)。②拘謹的；保守的。
***squash**[1] [skwɑʃ] *v.t.* ①壓爛；壓扁。②鎮壓；撲滅。③〖俗〗以諷刺的言語使(人)緘默。— *v.i.* ①潰；被壓爛。②擠。— *n.* ①Ⓤ 壓碎之物；壓爛的果物。②Ⓒ 壓碎聲。③Ⓤ 以壓出的果汁製成的飲料。④Ⓤ 壁球。⑤(a ~)人潮。
squash[2] *n.* ⓊⒸ (*pl.* ~, ~**es**)南瓜。
squash·y [`skwɑʃɪ] *adj.* ①易壓碎的。②軟而鬆的。③表面壓爛的。
***squat** [skwɑt] *v.i.* (**squat·ted** or **squat, squat·ting**)①蹲踞。②〖俗〗坐。③擅自佔用空屋。④擅自在空地上安家。— *v.t.* 使蹲踞。— *adj.* ①蹲踞的。②矮胖的。— *n.* Ⓤ (a ~)蹲踞；蹲踞的姿勢。—**ter,** *n.* —**ty,** *adj.*
squaw [skwɔ] *n.* Ⓒ (印第安人的)女子或妻。
squawk [skwɔk] *v.i.* ①粗厲地叫。②粗聲說出。③〖俗〗高聲抱怨。— *n.* Ⓒ 咯咯的叫聲。
squawk·box [`skwɔkˌbɑks] *n.* Ⓒ 〖美俗〗(對講機、播音器等的)揚聲器。(亦作 **squawk box**)
***squeak** [skwik] *v.i.* ①發尖銳叫聲。②〖俚〗告密。③〖俗〗勉強通過。— *v.t.* ①以尖銳叫聲發出或說出〔out〕。②使發尖銳聲。— *n.* Ⓒ 尖銳聲。*a narrow ~* 幸免於難；險勝。— **squeak′y,** *adj.*
squeak·er [`skwikə] *n.* Ⓒ ①尖叫者；吱吱叫者；咕咕叫者。②〖俗〗小鴿；小豬。③〖俚〗告密者；背叛者。④(比賽、選舉等的)險勝。
squeak·y-clean [`skwikɪ`klin] *adj.* 〖美俗〗非常乾淨的。
squeal [skwil] *v.i. & v.t.* ①發出長而尖銳的叫聲。②〖俚〗告密。— *n.* Ⓒ 長而尖銳的叫聲。
squeal·er [`skwilə] *n.* Ⓒ ①尖叫者。②〖俚〗密告者。
squeam·ish [`skwimɪʃ] *adj.* ①過於拘謹的；神經質的。②有潔癖的。③易

於嘔吐的。

squee·gee[ˋskwidʒi, skwiˋdʒi] *n.* Ⓒ ①(以熟革或橡皮爲邊之)T形拖把。②(壓平相片並吸收其上水分的)橡皮滾子。**—** *v.t.* 以此等工具擦拭。

***squeeze** [skwiz] *v.t.* ①壓榨；緊握。②緊抱。③榨取；勒索；逼迫。④擠。**—** *v.i.* ①擠。②壓縮。③用手捏擠。**—** *n.* ①Ⓒ壓榨；緊抱；緊握。②Ⓤ勒索；榨取。③(a ～)擁擠。④Ⓒ(常 *sing.*)困境。

squeez·er [ˋskwizɚ] *n.* Ⓒ ①壓榨之人或物。②果汁機。

squeg [skwɛg] *v.i.* (**-gg-**)〖電〗作極不規則的振動。

squelch [skwɛltʃ] *v.t.* ①壓制。②使緘默。**—** *v.i.* ①(踏地時)發咯吱聲。②發咯吱聲地行走。**—** *n.* ①Ⓤ(又作 a ～)(踏地時所發出之)咯吱聲。②〖俗〗Ⓤ反駁；壓碎；鎮壓。

squib [skwɪb] *n.* Ⓒ①諷刺短文。②起花(一種爆竹)。

squid [skwɪd] *n.* Ⓒ (*pl.* **～, ～s**)烏賊；魷魚。

squig·gle [ˋskwɪgl̩] *n.* Ⓒ①彎彎曲曲的線(如心電圖或地震儀所畫之線)。②潦草的書寫。—**squig′gly,** *adj.*

squint [skwɪnt] *v.i.* ①斜視；瞇眼而看。②傾向。**—** *v.t.* ①半閉著(眼睛)。②使斜視。**—** *n.* Ⓒ ①斜視；瞥視；看。②〖醫〗斜視眼。

squint-eyed [ˋskwɪnt,aɪd] *adj.* ①有斜視眼的。②懷惡意的。

squire [skwaɪr] *n.* Ⓒ ①鄉紳(英國的紳士名稱)。②〖美〗地方法官。③騎士的隨從。④護衛。⑤護送、護衛女子的人。**—** *v.t.* 護衛。

squi·reen [skwaɪˋrin] *n.* Ⓒ〖愛〗小鄉紳；小地主。

squirm [skwɝm] *v.i.* 蠕動；扭曲；侷促不安。**—** *n.* Ⓒ 扭動身體；侷促不安。—**squirm′y,** *adj.*

***squir·rel** [ˋskwɝ(ə)l] *n.* (*pl.* **～, ～s**)①Ⓒ〖動〗松鼠。②Ⓤ松鼠毛皮。

squir·rel·(l)y [ˋskwɝrəlɪ] *adj.* 古怪的；乖僻的。

squirt [skwɝt] *v.t.* ①噴出。②噴濕。**—** *v.i.* 自狹口中噴出。**—** *n.* Ⓒ ①液體之噴出。②注射器；水槍。③夜郎自大的人。

squirt·er [ˋskwɝtɚ] *n.* Ⓒ 噴射裝置。

squish [skwɪʃ] *v.t.* & *v.i.* & *n.* 〖方〗=**squash**[1]. —**squish′y,** *adj.*

Sri Lan·ka [,srɪˋlæŋkə] *n.* 斯里蘭卡(印度洋中一島國)。

S.R.O. standing room only. 僅有站位。

st. 〖詩〗stanza; statute(s); 〖印刷〗stet; stone; strait; street; 〖板球〗stumped.

***St.** [sent, sənt, sn̩t, sn̩] *n.* (*pl.* **SS., Sts.**)聖…。

St. Saturday; Strait; Street.

stab** [stæb] *v.t.* (**-bb-**)①刺；刺傷。②以(刀等)刺入。③傷害。**—** *v.i.* 刺；刺戳〔at〕. **～ *a person in the back 背後陷害某人；暗傷某人。**—** *n.* Ⓒ ①刺；戳。②刺傷；劇痛。③〖俗〗企圖；嘗試。

stab·bing [ˋstæbɪŋ] *adj.* (痛等)如刺的；(言詞等)刻薄的；傷人的。—**ly,** *adv.* —**ness,** *n.*

sta·bil·i·ty [stəˋbɪlətɪ] *n.* Ⓤ (又作 a ～)①穩固；穩定。②堅定；有恆。③永恆性；耐久性。

sta·bi·lize [ˋstebl̩,aɪz] *v.t.* 使穩定。—**sta·bi·li·za′tion,** *n.*

sta·bi·liz·er [ˋstebə,laɪzɚ] *n.* Ⓒ ①使平衡者；使穩定者。②〖機〗穩定器。③〖化〗安定劑。④〖空〗平衡器。

***sta·ble**[1] [ˋstebl̩] *n.* Ⓒ ①(常 *pl.*)廐；畜舍。②畜舍中的一群家畜。③(常 *pl.*)賽馬訓練場。④一個主人的一群賽馬。⑤賽馬之馬夫及訓練者等。**—** *v.t.* 將(馬)納入馬廐中。

***sta·ble**[2] *adj.* ①堅固的；穩定的。②堅決的。

sta·ble·boy [ˋstebl̩,bɔɪ] *n.* Ⓒ 小馬夫；馬童。

sta·ble·lad [ˋstebl̩,læd] *n.* = **stableboy.**

sta·ble·man [ˋstebl̩,mæn] *n.* Ⓒ (*pl.* **-men**)馬夫。

sta·ble·mate [ˋstebl̩,met] *n.* Ⓒ 同一馬廐的馬；同一主人的馬。

stac·ca·to [stəˋkɑto] *adj.* & *adv.* 〖樂〗斷奏的[地]。

stack** [stæk] *n.* ①Ⓒ堆。②Ⓒ煙囪；煙筒。③Ⓒ(常 *pl.*)大量；多數。④Ⓒ槍架。⑤(*pl.*)圖書館中之書架[書庫]。**—** *v.t.* ①堆起；堆積。②做(牌)(洗牌時作弊)。have the cards ～ed against one*** 對某人極爲不利。

stack·a·ble [ˋstækəbl̩] *adj.* 易於堆積[架起]的。

stacked [stækt] *adj.* 〖俚〗(女子)婀娜多姿的；豐滿的。

stack-ex·press [ˋstæk,ɪkˋsprɛs] *n.* Ⓒ 商品展示；落地陳列。

***sta·di·um** [ˋstedɪəm] *n.* Ⓒ (*pl.* **～s, -di·a**)運動場；體育場。

staff** [stæf, stɑf] *n.* Ⓒ (*pl.* **～s, staves**)①棒；杖；竿。②旗竿。③可依靠的東西；支持物。④(集合稱)(輔佐的)職員；全體人員。⑤(*pl.* **～s**)(集合稱)〖軍〗參謀；幕僚。⑥(*pl.* **～s**)五線譜。the ～ of life*** **a.** 生命的支持物。**b.** 麵包。**—** *v.t.* 供以職員；供以幕僚。

staff·er [ˋstæfɚ] *n.* Ⓒ〖美〗①職員。②(報社之)編輯；記者。

stag [stæg] *n.* Ⓒ (*pl.* **～, ～s**)①雄鹿。②〖美俗〗限男子參加之聚會等。

‡**stage** [stedʒ] *n.* ①Ⓒ壇；臺。②Ⓒ舞臺。③(the ～)戲劇業。④Ⓒ(常 the ～)活動的場所。⑤Ⓒ驛；站；驛程。⑥Ⓒ驛馬車。⑦Ⓒ階段；時期。***go on the ～***當演員。**—** *v.t.* ①表演；上演。②分階段實現；舉行。**—** *v.i.* ①上演。②乘驛車旅行。§ **～ dirèction** (1)舞臺指導。(2)導演。**～ dirèctor** 舞臺導演。**～ dôor** 舞台後門；後臺門。**～ effêct** 舞臺效果。**～ frìght** 怯場。**～ mànager** 舞臺監督。**～ nàme** 藝名。**～ ríght** 舞臺右側(面對觀衆時舞臺中央之右方)。**～ sètting** 舞臺布置。**～ whìsper** 演員欲使觀衆聽見的大聲自語。

stage·coach [ˋstedʒ,kotʃ] *n.* Ⓒ 驛馬車。

stage·craft [ˋstedʒ,kræft] *n.* Ⓤ 編劇術；上演術。

stage·hand [ˋstedʒˏhænd] *n.* [C] 管理舞臺布景、道具及燈光等之人。

stage-man·age [ˋstedʒˏmænɪdʒ] *v.t.* ①指揮；督導。②在暗中安排。③擔任…的舞臺監督。— *v.i.* 當舞臺監督。

stag·er [ˋstedʒɚ] *n.* [C] (常 an old ～) 經驗豐富之人。

stage-struck [ˋstedʒˏstrʌk] *adj.* 熱望當演員的；嚮往舞台生活的。

stag·fla·tion [stægˋfleʃən] *n.* [U] 〖經〗停滯性通貨膨脹。

***stag·ger** [ˋstægɚ] *v.i.* ①蹣跚；搖擺。②猶豫；躊躇。③不穩；崩潰。— *v.t.* ①使蹣跚；使搖擺。②使猶豫；使躊躇。③使驚愕。④使錯開。— *n.* ① [C] 蹣跚；躊躇。②(the ～s)〖獸醫〗家畜暈倒症。— **er,** *n.* — **ing,** *adj.* — **ing·ly,** *adv.*

stag·ing [ˋstedʒɪŋ] *n.* ① [U][C] 演出；上演。② [U] (集合稱)鷹架。③ [U] (多級火箭的)各級配置；(太空船等在飛行中與燃料耗盡的火箭的)脫離。§ ∼ **àrea** 〖軍〗軍隊集結整備地區。∼ **pòst** (1)(飛機長距離飛行的)中途站。(2)某項發展的準備階段。

stag·nant [ˋstægnənt] *adj.* ①停滯的；不流動的。②不景氣的。— **stag′nan·cy,** *n.*

stag·nate [ˋstægnet] *v.i.* & *v.t.* ①(使)停滯；(使)不流動；(使)變爲腐濁。②(使)不振；(使)不景氣。

staid [sted] *adj.* 穩定的；沉著的。

***stain** [sten] *n.* ① [U][C] 污點。② [C] 污辱；瑕疵。③ [U][C] 顏料；染料。— *v.t.* ①污；染污。②玷污；污辱。③染；著色於。— *v.i.* ①受污。②染污他物；造成污跡。

stain·less [ˋstenlɪs] *adj.* 無污點的；無瑕疵的；不生銹的。

‡**stair** [stɛr] *n.* ① [C] 階梯之一級。②(*pl.*)樓梯；階梯。

***stair·case** [ˋstɛrˏkes] *n.* [C] 樓梯間。

stair·way [ˋstɛrˏwe] *n.* [C] 樓梯。

***stake**[1] [stek] *n.* [C] ①樁。②火刑柱。*pull up ～s* 〖美俗〗**a.** 搬家；遷居。**b.** 辭職。— *v.t.* ①以樁支持；繫於樁上。②以樁爲界。③保留或要求(土地、利潤、功勞等)〔常 out, off〕.

stake[2] *v.t.* 以…爲賭注；賭。— *n.* ① [C] (常 *pl.*)賭物；賭金。②(*pl.*)(賽馬或競技的)獎金。*at* ～ 利害攸關；瀕於危險。

stake·hold·er [ˋstekˏholdɚ] *n.* [C] 賭金保管者。

stake·out [ˋstekˏaʊt] *n.* [C] 埋伏；監視。

Sta·kha·nov·ism [stəˋkɑnoˏvɪzəm] *n.* [U] 前蘇聯勞動競賽制(工人自動以改良技術而增加生產，可分紅並享受福利以爲酬勞)。

sta·lac·tite [stəˋlæktaɪt] *n.* [C] 鐘乳石。

sta·lag [ˋstæləg, ˋʃtɑlɑk] 〖德〗*n.* [C] (收容士兵的)戰俘營。

sta·lag·mite [stəˋlægmaɪt] *n.* [C] 石筍。

***stale** [stel] *adj.* ①不新鮮的；陳腐的。②沒勁的。— *v.t.* 使陳舊。— *v.i.* 變爲陳舊。— **ly,** *adv.*

stale·mate [ˋstelˏmet] *n.* [U][C] ①(奕棋中之)王棋受困；將死。②僵局。— *v.t.* ①使王棋受困；將死。②使走入僵局；使無路可走。

Sta·lin [ˋstɑlɪn] *n.* 史達林(Joseph V., 1879-1953，前蘇聯領導人)。

***stalk**[1] [stɔk] *n.* [C] ①〖植〗莖；柄。②(無脊椎動物的)莖狀部分。— **stalk′y,** *adj.*

***stalk**[2] *v.i.* & *v.t.* ①潛行；潛近(獵物等)。②大步走；高視闊步。③(疾病、災害等)蔓延。— *n.* [C] ①潛近；潛躡。②高視闊步。

stalk·ing-horse [ˋstɔkɪŋˏhɔrs] *n.* [C] ①獵人藉以潛近獵物之馬或假馬。②託詞；口實；煙幕。

***stall**[1] [stɔl] *n.* ① [C] 廐；畜舍；畜舍之一欄。② [C] 攤；(商場中之)貨攤。③ [C] (禮拜堂之)教士座位。④(*pl.*)(劇院之)正廳前排席。⑤ [C] 教堂中合唱團之席次。⑥ [C] 〖空〗失速。— *v.t.* ①納…於廐中；在廐中飼肥。②(如陷入泥中等)使進退不得。③使(飛機等)失速。— *v.i.* ①(馬、車等因遇爛泥、積雪等而)進退不得。②(發動機等因缺乏燃料或負荷過度而)停止。③(飛機)失速下降。

stall[2] *n.* [C] 〖俚〗口實；託辭；拖延行爲。— *v.i.* & *v.t.* 推托；拖延。

stall·hold·er [ˋstɔlˏholdɚ] *n.* [C] 租攤位者。

stal·lion [ˋstæljən] *n.* [C] 種馬。

stal·wart [ˋstɔlwɚt] *adj.* ①強壯的。②堅定的；堅毅的。— *n.* [C] ①強壯之人。②政黨之中堅分子。

sta·men [ˋstemən] *n.* [C] (*pl.* ～**s, stam·i·na** [ˋstæmənə])〖植〗雄蕊。

stam·i·na [ˋstæmənə] *n.* [U] 體力；精力；(對疾病、疲勞之)耐力；持久力。

***stam·mer** [ˋstæmɚ] *v.i.* & *v.t.* 口吃；結結巴巴地說〔out〕. — *n.* [C] (常 *sing.*)口吃。— **er,** *n.*

‡**stamp** [stæmp] *v.t.* ①跺(足)；踏。②鎮服；撲滅。③蓋印於；加記號於。④表徵。⑤貼以郵票或印花。⑥銘刻於。⑦壓碎(礦石等)。— *v.i.* 踏足；頓足。～ *out* **a.** 毀掉；踩熄。**b.** 鎮服。— *n.* [C] ①踏足；頓足。②印章；戳記。③打印器；壓印器；壓碎機。④痕跡；表徵。⑤郵票；印花。⑥種類；類型。§ ∼ **collècting** 集郵。∼ **tàx** 印花稅。

stam·pede [stæmˋpid] *n.* [C] ①(受驚之動物)驚逃；逃竄。②(人群)潰散；奔竄。③(人群)衝動的行動。— *v.i.* ①驚逃；奔竄。②衝動性地行動。— *v.t.* 使驚逃；使奔竄。

stamp·er [ˋstæmpɚ] *n.* [C] ①蓋印章的人；(郵局)蓋郵戳的職員。②自動打印器。③(搗礦機的)杵。④模子。

stance [stæns] *n.* [C] (常 *sing.*)①(高爾夫球等)擊球時之脚的位置。②(對事物的)態度；立場。

stanch[1] [stæntʃ, stɑntʃ] *v.t.* ①止住(血等)。②止住(傷口)流血。

stanch[2] *adj.* 堅固的；忠誠的。

stan·chion [ˋstænʃən, -tʃən] *n.* [C] ①(窗戶、廐欄等之)支柱。②牛欄中夾限牛頸之隔框；栓牛枷。

‡**stand** [stænd] *v.i.* (**stood**) ①站立；站住；立起。②位於；處於某種地位或情形。③站立時高度爲…。④停住；勿動。⑤不變；持久；有效。⑥航行。— *v.t.*

S

①豎起；使直立。②忍耐；忍受。③不受…之損傷。④供給；付帳。Who is going to ～ treat? 誰付帳? ～ *a chance*[*show*]有機會；有可能性。～ *at attention*[*ease*]立正[稍息]。～ *by* a. 袖手旁觀。b. 援助。～ *for* a. 代替；代表。b. 擁護。c. 〖俗〗容忍；允許。～ *in* 參加；代理。～ *in with* 〖俗〗a. 與…爲伍。b. 與…友善。～ *off* 避開；不接近。～ *on*[*upon*] a. 以…爲基礎；依賴。b. 要求；聲言。～ *out* 顯著；突出。～ *over* a. 延緩。b. 監督。～ *to* a. 固守。b. 繼續做下去。c. 準備行動。～ *up* a. 站著。b. 仍強硬；仍可信服；站得住。c. 〖俚〗使(人)空等；不守約。d. 耐久。～ *up for* 堅持；維護；辯護。～ *up to* 對抗；抵禦。— *n.* ①(a ～)停止；停頓。②Ⓒ位置。③Ⓒ講臺。④(*pl.*)看臺。⑤Ⓒ置物臺；架。⑥Ⓒ攤。⑦Ⓒ抵抗。⑧Ⓒ旅行劇團爲在某處演出而做之停留。⑨Ⓒ(法院之)證人席。⑩Ⓒ車輛之招呼站。⑪(one's ～)立場。

stand-a·lone [ˋstændəˏlon] *adj.* 〖電算〗可獨立作業的。

‡**stand·ard** [ˋstændɚd] *n.* ①Ⓒ(常 *pl.*)標準；模範。②Ⓤ本位；官定重量。③Ⓒ旗；象徵。④Ⓒ直立的支柱；電線桿。⑤Ⓒ(英國小學之)班級。— *adj.* 標準的；模範的；本位的。§ ∼ **tìme** 標準時間。

stand·ard-bear·er [ˋstændɚdˏbɛrɚ] *n.* Ⓒ①掌旗官(兵)。②指導者；領袖。

stand·ard·ize [ˋstændɚdˏaɪz] *v.t.* 使符合標準；使標準化。

stand·by [ˋstændˏbaɪ] *n.* Ⓒ (*pl.* ～**s**) ①可靠的人或物；靠山。②準備隨時救急的船。③待命的信號。④待命接替者。⑤(飛機的)等退票旅客。

stand·ee [stænˋdi] *n.* Ⓒ〖俗〗(劇院、公車等中之)站立者。

stand·er-by [ˋstændɚˋbaɪ] *n.* Ⓒ (*pl.* **stand·ers-by**)旁觀者；在場者。

stand-in [ˋstændˏɪn] *n.* ①Ⓒ〖影〗替身。②Ⓤ〖俚〗有利地位。

***stand·ing** [ˋstændɪŋ] *n.* ①ⓊⒸ地位；身分；名望。②Ⓤ持續；期間。③ⓊⒸ站立處。— *adj.* ①直立的。②持續的；永存的；固定的。③靜止的；停滯的。

stand·off [ˋstændˏɔf] *n.* ①Ⓤ站於一旁。②Ⓤ旁觀；冷漠；孤立。③Ⓒ(競賽的)平手。

stand·off·ish [stændˋɔfɪʃ] *adj.* 旁觀的；保留的；不友善的。

stand·out [ˋstændˏaʊt] *n.* Ⓒ①出類拔萃的人物。②〖俗〗堅持己見者；孤立主義者。— *adj.* ①顯著的；傑出的。②堅持己見的。

stand·pat [ˋstændˏpæt] *adj.* 〖俗〗主張維持現狀的；反對改革的；保守的；頑固的。

***stand·point** [ˋstændˏpɔɪnt] *n.* Ⓒ立場；見地；觀點。

stand·still [ˋstændˏstɪl] *n.* (a ～)停頓；停滯；停止。

stand-up [ˋstændˏʌp] *adj.* ①筆挺的；直立的。②站著做的。

stan·hope [ˋstænhop, ˋstænəp] *n.* Ⓒ一種單座二輪或四輪之輕便馬車。

stank [stæŋk] *v.* pt. of **stink.**

stan·na·ry [ˋstænərɪ] *n.* Ⓒ〖英〗錫礦坑；錫礦區；鎔錫場。

stan·nic [ˋstænɪk] *adj.* ①錫的；含錫的。②四價錫的。

stan·nous [ˋstænəs] *adj.* 〖化〗亞錫的；含二價錫的。

stan·num [ˋstænəm] *n.* Ⓤ〖化〗錫。

stan·za [ˋstænzə] *n.* Ⓒ(詩之)一節。

sta·pes [ˋstepiz] *n.* Ⓒ (*pl.* ～, **-pe·des** [stəˋpidiz])〖解〗(中耳之)鐙骨。

staph·y·lo·coc·cus [ˏstæfɪləˋkɑkəs] *n.* Ⓒ (*pl.* **-coc·ci** [-ˋkɑksaɪ]) 葡萄球菌。(亦作 **staph**)

***sta·ple**[1] [ˋstepl̩] *n.* Ⓒ①(常 *pl.*)主要物產[商品]；土產；名產。②原料；材料。③(常 *sing.*)短纖維。④主要的貿易中心。⑤(常 *pl.*)主要成分。— *adj.* ①主要的；最重要的。②經常大量生產的。— *v.t.* 按纖維之長短、粗細將(羊毛、棉等)分類。

sta·ple[2] *n.* Ⓒ①U形大釘。②釘書釘；釘書針。— *v.t.* 釘以U形釘。

sta·pler [ˋsteplɚ] *n.* Ⓒ釘書機。

‡**star** [stɑr] *n.* ①Ⓒ星；恆星。②Ⓒ(常 *pl.*)星宿；命運。③Ⓒ明星；主角；名角；泰斗；傑出者。④Ⓒ星標；星符；星狀物(如☆等)。⑤Ⓒ〖美軍〗星章(佩帶於衣袖，表示參加某戰役)。⑥(*sing.*)成功；幸運。*see* ～*s*(因被打而)眼冒金星；目眩。～*s in one's eyes* 幸福感。*the S- of Bethlehem* 伯利恆之星(耶穌誕生時出現)。*the Stars and Stripes* 星條旗(美國國旗)。— *v.t.* (**-rr-**)①以星裝飾。②加星標於。③以…爲主角。— *v.i.* 擔任主要角色；主演。— *adj.* 主要的；顯著的；卓越的。§ ∼ **chàrt**〖天〗星位圖。∼ **clùster**〖天〗星團。∼ **dùst** (1)(肉眼不能分辨之)星團。(2)宇宙塵；星塵。(3)〖俗〗魅力；恍惚。

star·board [ˋstɑrˏbord] *n.* Ⓤ(船之)右舷。— *adj.* 在右舷的。— *adv.* 向右舷地。— *v.t.* & *v.i.* (將舵)轉向右舷。

***starch** [stɑrtʃ] *n.* ①ⓊⒸ澱粉。②Ⓤ(漿硬衣服用之)漿糊。③Ⓤ態度拘泥；古板。④Ⓤ〖俗〗精力。⑤(*pl.*)澱粉食物。— *v.t.* 漿(衣服等)。

starch·y [ˋstɑrtʃɪ] *adj.* ①上漿的；漿硬的。②含澱粉的。③拘泥的。

star-crossed [ˋstɑrˏkrɔst] *adj.* (情侶等)命運多舛的；不幸的。

star·dom [ˋstɑrdəm] *n.* Ⓤ①(集合稱)電影明星。②明星之地位。

‡**stare** [stɛr] *v.t.* ①凝視；睇視。②瞪眼注視(人)使…。— *v.i.* ①睇視；瞪眼。②顯著；顯眼。③(頭髮、羽毛等)聳起。～ *a person down* [*out of countenance*] 把某人盯視得侷促不安。～ *one in the face* 迫在眼前；顯而易見。— *n.* Ⓒ凝視；瞪視。

star·fish [ˋstɑrˏfɪʃ] *n.* Ⓒ (*pl.* ～, ～**es**)〖動〗海盤車；海星。

star·gaze [ˋstar͵gez] *v.i.* ①凝視星辰。②耽於幻想；做白日夢。

star·gaz·er [ˋstar͵gezɚ] *n.* Ⓒ①凝視星辰者(如天文學家等)；占星家。②幻想家。

stark [stark] *adj.* ①僵硬的。②無修飾的；純然的。— *adv.* 完全；全然。

stark·ers [ˋstarkɚz] *adj.* 〖英俚，謔〗全裸的；一絲不掛的。

stark-nak·ed [ˋstarkˋnekɪd] *adj.* 全裸的；赤裸裸的。

star·less [ˋstarlɪs] *adj.* 無星(光)的。

star·let [ˋstarlɪt] *n.* Ⓒ ①小星。②〖俗，影〗正接受訓練的小明星。

star·light [ˋstar͵laɪt] *n.* Ⓤ 星光。— *adj.* 星光閃閃的。

star·ling [ˋstarlɪŋ] *n.* Ⓒ (歐洲產之)椋鳥；燕八哥。

star·lit [ˋstar͵lɪt] *adj.* 星光照耀的。

star·ry [ˋstarɪ] *adj.* ①(天空)多星的。②燦爛如星的。③星狀的。④星的；與星有關的。

star·ry-eyed [ˋstarɪ͵aɪd] *adj.* 過於理想的；不實際的。

star-span·gled [ˋstar͵spæŋgḷd] *adj.* 星點散布的；飾以星點的。§ **the Stár-Spangled Bánner** 美國國旗；美國國歌。

star-stud·ded [ˋstar͵stʌdɪd] *adj.* 大明星雲集的；星光燦爛的。a ～ cast 著名演員聯合演出。

‡**start** [start] *v.i.* ①起身；出發。②開始。③發生；發起。④驚起；突動。⑤突來；突流出。⑥突出；伸出。⑦變鬆；脫節；脫出。— *v.t.* ①使開始；開始旅程。②發動；使開動；創始。③驚起。④使鬆；使脫線。⑤協助…使開始。⑥發信號使開始。～ *in* 〖俗〗開始(做某事)。～ *out* **a.** 起程；動身。**b.** 企圖做…；著手做。～ *up* **a.** 突然升起；突然起立。**b.** 突然出現。**c.** 發動(引擎)。**d.** 開始做某事。*to* ～ *with* **a.** 首先；第一。**b.** 開始時。— *n.* ① Ⓒ 開始；著手；動身。② Ⓒ 使開始賽跑等的信號；起跑線。③ Ⓒ 驚動。④ Ⓤ (又作 a ～)優先條件；優先地位。You have got the ～ of me. 你已比我占優勢。

START [start] *n.* Ⓤ 裁減戰略武器談判(Strategic Arms Reduction Talks 之略)。

start·er [ˋstartɚ] *n.* Ⓒ ①起始之人[物]；一系列中之最先者。②賽跑中之發令員。③〖機〗起動裝置。

start·ing [ˋstartɪŋ] *n.* Ⓤ 出發；開始。§ ∼ **pòint** 出發點；起點。

***star·tle** [ˋstartḷ] *v.t.* 使吃驚；使驚愕；驚動。— *v.i.* 吃驚；驚動。— *n.* Ⓒ 驚愕；驚恐。— **star′tler,** *n.*

***star·tling** [ˋstartlɪŋ] *adj.* 使驚駭的；駭人聽聞的。

start-up [ˋstart͵ʌp] *n.* ⓊⒸ 開始；起動。— *adj.* (工程、企業等)初創的。high ～ costs 初創期的高成本。

***star·va·tion** [starˋveʃən] *n.* Ⓤ 饑餓；飢荒；餓死。§ ∼ **wàges** 低於基本生活費的工資。

‡**starve** [starv] *v.i.* & *v.t.* ①(使)饑餓。②渴望。③(使)餓死。④〖英方〗(因缺乏某物)(使)受困苦；(使)挨凍。

stash [stæʃ] 〖美俚〗*v.t.* & *v.i.* 偷偷藏起來；儲藏〔常away〕。— *n.* Ⓒ 貯藏物。

‡**state** [stet] *n.* ① Ⓒ (常 *sing.*)情形；狀態。② Ⓒ (常 *pl.*)國；國家；政府；(美國等的)州。③ Ⓒ 身分；地位。④ Ⓤ 威嚴；榮耀。*lie in* ～(屍體)放於無蓋棺材中任人憑弔。***S- of the Union Message***〖美〗總統每年一月向國會提出之國情咨文。***the Department of S-; the S- Department***〖美〗國務院。***the States***〖俗〗美國。— *v.t.* 說；陳述。— *adj.* ①國的；國家的。②儀式用的；正式的。

state·craft [ˋstet͵kræft] *n.* Ⓤ ①治國方策。②政治手腕。

stat·ed [ˋstetɪd] *adj.* ①被陳述的；明白說出的。②確定的；規定的；一定的。

state·house [ˋstet͵haus] *n.* Ⓒ (常 S-)〖美〗州議會大廈。

***state·ly** [ˋstetlɪ] *adj.* 莊嚴的；堂皇的。— **state′li·ness,** *n.*

***state·ment** [ˋstetmənt] *n.* ① ⓊⒸ 陳述；記載；聲明；聲明書。② Ⓒ (財務)借貸表；報告書。

state·room [ˋstet͵rum] *n.* Ⓒ (船、火車之)艙房；包房。

state-run [ˋstet͵rʌn] *adj.* 國[公]營的。

state·side [ˋstet͵saɪd] *adj.* 〖俗〗美國(本土)的。— *adv.* 向[在]美國本土。

***states·man** [ˋstetsmən] *n.* Ⓒ (*pl.* **-men**)政治家。— **ly,** *adj.*

states·man·ship [ˋstetsmən͵ʃɪp] *n.* ⓊⒸ 政治才能；治國才能。

state·wide, state-wide [ˋstet͵waɪd] *adj.* & *adv.* 〖美〗遍及全州的[地]。

stat·ic [ˋstætɪk] *adj.* (亦作 **statical**)①靜止的；靜態的。②靜電的。— *n.* Ⓤ ①靜電干擾。②靜電；天電。

stat·ics [ˋstætɪks] *n.* Ⓤ〖理〗靜力學。

‡**sta·tion** [ˋsteʃən] *n.* Ⓒ ①位置；場所；崗位。②車站。③(軍隊之)駐地；根據地。a police ～ 警察局。④地位；身分。⑤(無線電)電臺。⑥〖澳〗牧場。— *v.t.* 配置；安置。§ ∼ **wàgon** (有摺疊式後座之)旅行車。

sta·tion·ar·y [ˋsteʃən͵ɛrɪ] *adj.* ①固定的；不動的。②無增減的；不變的。

sta·tion·er [ˋsteʃənɚ] *n.* Ⓒ 文具商。

***sta·tion·er·y** [ˋsteʃən͵ɛrɪ] *n.* Ⓤ ①(集合稱)文具。②(附信封的)信紙。

sta·tion·mas·ter [ˋsteʃən͵mæstɚ] *n.* Ⓒ 火車站站長。

stat·ism [ˋstetɪzṃ] *n.* Ⓤ ①國家主權說。②國家統制主義。

stat·ist [ˋstetɪst] *adj.* & *n.* Ⓒ 國家統制主義的[者]。

sta·tis·tic [stəˋtɪstɪk] *adj.* =**statistical.** — *n.* Ⓒ 統計值[量]。

sta·tis·ti·cal [stəˋtɪstɪkḷ] *adj.* 統計(學)的。— **ly,** *adv.*

stat·is·ti·cian [͵stætəˋstɪʃən] *n.* Ⓒ 統計學家；統計人員。

***sta·tis·tics** [stəˋtɪstɪks] *n.* ① Ⓤ 統計學。②(作 *pl.*解)統計；統計表。

stat·u·ar·y [ˋstætʃu͵ɛrɪ] *n.* Ⓤ ①

S

(集合稱)雕像；塑像。②雕塑術。— *adj.* 雕像的；雕塑的；雕塑用的。

***stat·ue** [ˋstætʃʊ] *n.* [C] 像；雕像。

stat·u·esque [ˌstætʃʊˋɛsk] *adj.* 莊嚴、優美如雕像的。

stat·u·ette [ˌstætʃʊˋɛt] *n.* [C] 小雕像；小塑像。

***stat·ure** [ˋstætʃɚ] *n.* [U][C] ①身材；身長。②(身體、心智或道德之)發展。

***sta·tus** [ˋstetəs] *n.* ①[C] 情形；狀態。②[U][C] 身分；地位。③[U] 高地位；威信。§ ∼ **quó** [ˋkwo] 原狀；現狀。∼ **sỳmbol** 地位的象徵。

stat·ute [ˋstætʃut] *n.* [C] ①成文法；法規。②規章；規程。§ ∼ **bòok** 法令全書。∼ **làw** 成文法。

stat·u·to·ry [ˋstætʃʊˌtorɪ] *adj.* ①法律的；法令的；法規的。②法令所定的。③可依法處罰的。

staunch [stɔntʃ, stɑntʃ] *adj.* & *v.t.* =**stanch**[1,2].

stave [stev] *n.* [C] ①桶板。②棍；棒。③譜表(=staff)。④詩節；詩句。⑤梯之橫木。— *v.t.* (**staved** or **stove**) ①鑿孔；擊穿(桶、船等)。②裝以桶板；裝以橫木。— *v.i.* (船等)穿孔。

staves [stevz] *n.* ①pl. of **staff.** ②pl. of **stave.**

‡**stay**[1] [ste] *v.i.* ①停止；停留；繼續停留於某個地方或某種狀態。②暫住；居留。③等待。④能持久；有耐力。∼*ing* powers 耐久力。— *v.t.* ①止住。②延緩；延期。③等待。④遏止。∼ *put* 〖俗〗停留原地不動；保持原狀不動。— *n.* ①[C] (常 *sing.*)逗留；逗留時期。②[U][C] (法律上的)延緩執行；訴訟程序之中止。③[U] 妨礙；抑制。④[U] 耐久力；持久力。

stay[2] *n.* ①[C] 支持物；支柱；船桅上的支索。②(*pl.*)婦人的胸衣；緊身褡。— *v.t.* ①以(繩索、支柱等)固定。②支撐。③給予…(精神方面的)鼓勵。

stay-at-home [ˋsteətˌhom] 〖俗〗*n.* [C] 甚少離家外出的人。— *adj.* 常在家的；不常外出的。

stay-in [ˋsteˌɪn] *n.* [C] 〖英〗靜坐罷工。(亦作 **stay-in strike**)

stay·sail [ˋsteˌsel, ˋstesl] *n.* [C] 〖海〗支索帆。

STD subscriber trunk dialling. 〖英〗電話用戶長途電話直接撥號；sexually transmitted disease.

S.T.D. 〖拉〗Sacrae Theologiae Doctor(=Doctor of Sacred Theology).

stead [stɛd] *n.* [U] ①代替；替身。②利益；用處。***in someone's*** ∼ 代替某人。***stand someone in good*** ∼ 對某人有用處。

stead·fast [ˋstɛdˌfæst] *adj.* ①固定的；堅定的。②不變的；不移的。

***stead·i·ly** [ˋstɛdəlɪ] *adv.* 有規則地；穩固地；不動搖地。

stead·y** [ˋstɛdɪ] *adj.* ①穩定的；不動搖的。②無變化的；同樣的；有規律的。③沉著的；鎮定的。④穩健的；殷實的；可靠的。⑤(船)在洶湧之海上保持平穩的。go*** ∼ 〖俗〗祇跟一個固定的異性約會。— *v.t.* 使堅定；使穩定；使沉著。— *v.i.* 變為堅定；變為穩定；變為沉著。— *n.* [C] 男[女]朋友；固定的異性朋友；情侶。

***steak** [stek] *n.* [U][C] ①牛排。②煎炸用的魚片或肉片。

‡**steal** [stil] *v.t.* & *v.i.* (**stole, sto·len**) ①偷；竊取。②巧取；意外贏得。③潛行；偷偷行走。④緩進；緩動。⑤〖棒球〗盜(壘)。⑥偷偷地搬運、移動〔常 away, from, in, into〕. — *n.* ①[C] 〖俗〗偷竊。②[C] 〖俗〗贓物。③(a∼)〖俗〗很便宜買到的東西。④[C] 〖棒球〗盜壘。

stealth [stɛlθ] *n.* [U] 祕密行動；暗中的活動。***by*** ∼ 祕密地；偷偷地。

stealth·i·ly [ˋstɛlθəlɪ] *adv.* 偷偷地；悄悄地。

stealth·y [ˋstɛlθɪ] *adj.* 隱密的。

‡**steam** [stim] *n.* [U] ①蒸氣；水氣。②〖俗〗氣力；精力。get up ∼ 鼓起精神。***let*** [***blow***] ***off*** ∼ 〖俗〗**a.** 發洩過多的精力。**b.** 發洩感情。— *v.i.* ①蒸發；冒蒸氣。②藉蒸氣力行駛。③(玻璃窗等)凝結蒸氣。— *v.t.* ①蒸(食物等)。②冒出(蒸氣)。③以蒸氣力運送或推進。§ ∼ **éngine** 蒸氣機。∼ **fìtter** 裝修汽管、汽鍋之工人。∼ **pòwer** 蒸氣力。∼ **shòvel** 蒸氣鏟。

steam·boat [ˋstimˌbot] *n.* [C] 輪船；汽船。

***steam·er** [ˋstimɚ] *n.* [C] ①汽船。②蒸氣機。③蒸籠；蒸器。

steam·roll·er [ˋstimˌrolɚ] *n.* [C] ①蒸氣壓路機。②壓制反對的方法。— *v.t.* ①〖俗〗壓；輾。②以勢壓倒；壓倒對方或克服障礙以通過。— *v.i.* 輾壓前進。

steam·ship [ˋstimˌʃɪp] *n.* [C] 汽船；輪船。

steam·y [ˋstimɪ] *adj.* ①似蒸氣的。②多蒸氣的。③又熱又潮濕的。

ste·ap·sin [stɪˋæpsɪn] *n.* [U] 〖生化〗胰脂酶(胰液中分解脂肪的酵素)。

ste·a·rin(e) [ˋstiərɪn] *n.* [U] 〖化〗①硬酯；三硬酯酸甘油酯。②(商品)硬酯酸(=stearic acid).

sted·fast [ˋstɛdˌfæst] *adj.* =**steadfast.**

steed [stid] *n.* [C] 〖詩〗馬；駿馬。

***steel** [stil] *n.* ①[U] 鋼。②[U] 鋼製品(如刀等)。③[U] 鋼鐵般的堅硬或力量。④[C] (常 *pl.*)鋼鐵公司的股票。— *adj.* 鋼的；如鋼的。— *v.t.* ①使堅如鋼。②給…加以鋼刃；以鋼包裹。§ ∼ **wóol** 鋼絲絨。

steel-clad [ˋstilˌklæd] *adj.* 穿甲冑的。

steel·mak·er [ˋstilˌmekɚ] *n.* [C] 鋼鐵製造商。

steel·mak·ing [ˋstilˌmekɪŋ] *n.* [U] 鋼鐵製造；煉鋼。

steel·work [ˋstilˌwɝk] *n.* [U] ①鋼鐵製品。②(摩天大樓)鋼結構；鋼鐵工程。

steel·work·er [ˋstilˌwɝkɚ] *n.* [C] 鋼鐵工人；煉鋼工人。

steel·works [ˋstilˌwɝks] *n.* [C] (*pl.* ∼)煉鋼廠。

steel·y [ˋstilɪ] *adj.* ①鋼的；鋼製的。②色澤如鋼的；堅硬如鋼的。③嚴酷的；無情的；頑固的。

steel·yard [ˋstɪljəd, ˋstilˌjɑrd] *n.* [C] 秤。

***steep**[1] [stip] *adj.* ①陡峭的；險峻的。②〖俗〗過分的；不合理的。③〖俗〗(敍述等)極端的；無法相信的。— *n.* Ⓒ 陡坡；峭壁。
steep[2] *v.t.* 浸漬於…；使沾濕 〔in〕。— *n.* ① Ⓤ Ⓒ 浸；漬。② Ⓤ 浸液；漬液。
steeped [stipt] *adj.* ①浸液的；浸漬的。②沈湎於…的；籠罩於…的〔in〕.
steep·en [ˋstipən] *v.t.* & *v.i.* (使)變爲陡峭。
***stee·ple** [ˋstipḷ] *n.* Ⓒ (教堂的)尖塔。
stee·ple·chase [ˋstipḷ͵tʃes] *n.* Ⓒ ①障礙馬賽；障礙賽跑。②越野賽馬；越野賽跑。
stee·ple·jack [ˋstipḷ͵dʒæk] *n.* Ⓒ 爬上塔尖、煙囪等從事修建者。
steer**[1] [stɪr] *v.t.* ①駕駛。②引導。③沿…前進。— *v.i.* 駕駛；航行。～ ***clear of 避開。— *n.* Ⓒ〖美俚〗勸告；指點。
steer[2] *n.* Ⓒ ①公犢(常指2-4歲者)。②犍牛。
steer·age [ˋstɪrɪdʒ] *n.* Ⓤ ①(客船之)統艙。②操舵；駕駛(船隻)。
steer·ing [ˋstɪrɪŋ] *n.* Ⓤ ①操舵。②指導。§ ∼ **commìttee** 營運委員會；指導委員會；程序委員會。∼ **whèel** 駕駛盤；方向盤；舵輪。
steers·man [ˋstɪrzmən] *n.* Ⓒ (*pl.* **-men**)舵手。
steg·o·sau·rus [͵stɛgəˋsɔrəs] *n.* Ⓒ (*pl.* **-sau·ri** [-ˋsɔraɪ])〖古生〗劍龍(恐龍之一種)。
stein [staɪn] *n.* Ⓒ 一種有柄之陶製啤酒杯；任何類似之玻璃啤酒杯。
Stein·beck [ˋstaɪnbɛk] *n.* 斯坦貝克(John Ernst, 1902-68, 美國小說家, 1962年獲得諾貝爾文學獎)。
stel·lar [ˋstɛlɚ] *adj.* ①星的；似星的；星狀的。②主要的；主角的。
stel·late [ˋstɛlɪt] *adj.* ①星狀的。②星狀排列的。③〖植〗放射狀的。
stel·lu·lar [ˋstɛljulɚ], **-late** [-lɪt] *adj.* ①小星狀的。②綴以星狀點的。
St. Él·mo's fíre [sentˋɛlmoz ∼] *n.* Ⓒ〖氣象〗聖愛摩火(暴風雨的夜晚出現於船桅頂或飛機機翼的放電現象)。
***stem** [stɛm] *n.* Ⓒ ①莖；幹；葉柄；花梗。②莖狀物；(工具之)柄。③家系；血統。④語幹。⑤船首。— *v.t.* (**-mm-**) ①去(葉、果實等之)梗。②阻止。③(船)逆…而上。— *v.i.* ①滋長；發展。②源自；起源〔from〕.
stem·ma [ˋstɛmə] *n.* Ⓒ (*pl.* **∼·ta** [∼tə]) ①家系；家系譜。②〖動〗單眼。
stem·ware [ˋstɛm͵wɛr] *n.* Ⓤ〖美〗高脚酒杯。
stem-wind·er [ˋstɛmˋwaɪndɚ] *n.* Ⓒ〖俗〗①上發條之錶。②上等人或物。
stem-wind·ing [ˋstɛmˋwaɪndɪŋ] *adj.* 以轉柄上發條的。
stench [stɛntʃ] *n.* Ⓒ (常 *sing.*)臭氣；惡臭。
sten·cil [ˋstɛnsḷ] *n.* Ⓒ ①印刷模板；鏤花[空]型板；(油印用)蠟紙。②用蠟紙或模板印刷之文字或圖案。— *v.t.* (**-l-**, 〖英〗**-ll-**)用上述模板印刷。§ ∼ **pàper** 蠟紙。
Sten·dhal [stɛnˋdɑl] *n.* 斯當達爾(1783-1842, 法國小說家及評論家)。
sten·o·graph [ˋstɛnə͵græf] *v.t.* & *v.i.* 速記。
ste·nog·ra·pher [stəˋnɑgrəfɚ] *n.* Ⓒ〖美〗速記員。
sten·o·graph·ic [͵stɛnəˋgræfɪk] *adj.* 速記的；速記術的。
ste·nog·ra·phy [stəˋnɑgrəfɪ] *n.* Ⓤ 速記；速記術。
sten·o·type [ˋstɛnə͵taɪp] *n.* Ⓒ ①表音符號速記打字機。②表音符號速記法使用的字母。
sten·o·typ·ist [ˋstɛnə͵taɪpɪst] *n.* Ⓒ (使用 stenotype 的)速記打字員。
sten·o·typ·y [ˋstɛnə͵taɪpɪ] *n.* Ⓤ 表音符號速記法。
Sten·tor [ˋstɛntɔr] *n.* ①〖希神〗司丹托(Troy 戰爭中之希臘傳令官, 其聲音之洪亮相當於五十人同時呼喊)。②(s-) Ⓒ 聲音洪亮之人。
sten·to·ri·an [stɛnˋtorɪən] *adj.* 聲音洪亮的；極響亮的。
****step** [stɛp] *n.* ① Ⓒ 步；脚步。② Ⓒ 一步的距離。③ Ⓒ 很短的距離。④ Ⓤ Ⓒ 步態；步調。⑤ Ⓒ 脚步聲；足跡。⑥ Ⓒ 步驟；手段；措施。⑦ Ⓒ 階段；踏級。⑧ Ⓒ 官階的一級；升級。⑨ Ⓒ〖樂〗音級。***break*** ∼ 打亂步伐。***in*** ∼ 與…同一步伐。***keep*** ∼ 齊步伐；跟上；配合；與…一致。***out of*** ∼ 不合步伐；不合拍子。∼ ***by*** ∼ 一步一步地；慢慢地。***watch one's*** ∼ 小心謹愼。— *v.t.* (**-pp-**) ①踏。②以步測量〔off〕. ③裝桅於…。④裝階梯於。— *v.i.* ①踏足；舉步行走。②踩。∼ ***aside*** **a.** 走到一旁；避開。**b.** 讓職位給別人；退出。∼ ***down*** **a.** 走下來。**b.** 辭職；讓位；下台。**c.** 減少；減低。∼ ***in*** **a.** 走進。**b.** 干涉；介入。**c.** 參加。∼ ***it*** 愉快地跳舞。∼ ***on it*** 〖俗〗加快。∼ ***out*** 〖美俗〗**a.** 外出尋樂 **b.** 快走。**c.** 暫時離開。∼ ***up*** **a.** 登上。**b.** 加速。**c.** 增加。
step- 〖字首〗表「後；繼」之義(指因父母再婚而產生之家庭關係, 如*step*father).
step·broth·er [ˋstɛp͵brʌðɚ] *n.* Ⓒ 繼父或繼母以前婚姻中所生之子。
step·child [ˋstɛp͵tʃaɪld] *n.* Ⓒ (*pl.* **-chil·dren**) ①夫或妻以前婚姻所生之孩子。②不受重視的人。
step·daugh·ter [ˋstɛp͵dɔtɚ] *n.* Ⓒ 夫或妻以前婚姻所生之女。
step·fa·ther [ˋstɛp͵fɑðɚ] *n.* Ⓒ 繼父；後父。
step-in [ˋstɛp͵ɪn] *adj.* (鞋之)伸脚即可穿上的；(服裝之)一套即可穿上的。
step·lad·der [ˋstɛp͵lædɚ] *n.* Ⓒ 四脚梯(踏板扁平, 頂部有鉸鏈連接)。
step·moth·er [ˋstɛp͵mʌðɚ] *n.* Ⓒ 繼母；後母。
step·par·ent [ˋstɛp͵pɛrənt] *n.* Ⓒ 後父或後母；繼父或繼母。
steppe [stɛp] *n.* Ⓒ 無樹的大草原。***the Steppes*** 俄國之東南歐及西南亞部分之大草原。
stepped-up [ˋstɛptˋʌp] *adj.* 〖美俗〗① 增加速度的。② 增強的。
step·per [ˋstɛpɚ] *n.* Ⓒ 以特定樣子跨

步行走之人或動物。
step·ping·stone [ˋstɛpɪŋ͵ston] *n.* Ⓒ①踏脚石。②進身之階。③〖喻〗墊脚石。
step·sis·ter [ˋstɛp͵sɪstɚ] *n.* Ⓒ繼父或繼母以前婚姻中所生之女。
step·son [ˋstɛp͵sʌn] *n.* Ⓒ夫或妻以前婚姻中所生之子；繼子。
step-up [ˋstɛpˋʌp] *adj.* ①增強的；強化的。②〖電〗電壓增高的。— *n.* ⓊⒸ增加；增強。
ster. stereotype; sterling.
stere [stɪr] *n.* Ⓒ立方公尺。
***ster·e·o** [ˋstɛrɪo] *n.* (*pl.* **~s**) ①〖俗〗=**stereotype.** ②ⓊⒸ立體鏡照相(術)。③Ⓤ立體音響。④Ⓒ立體音響設備。
stereo- 〖字首〗表「實體的；立體的；堅固的」之義。(母音前作 **stere-**)
ster·e·o·graph [ˋstɛrɪə͵græf] *n.* Ⓒ立體照片(在實體鏡下現立體像)。
ster·e·ol·o·gy [͵stɛrɪˋɑlədʒɪ] *n.* Ⓤ立體測量學。
ster·e·o·phone [ˋstɛrɪə͵fon] *n.* Ⓒ立體音響耳機。
ster·e·o·phon·ic [͵stɛrɪəˋfɑnɪk] *adj.* 立體音響(效果)的。
ster·e·oph·o·ny [͵stɛrɪˋɑfənɪ, ͵stɪr-] *n.* Ⓤ立體音響(效果)。
ster·e·o·scope [ˋstɛrɪə͵skop] *n.* Ⓒ實體[立體]鏡。
ster·e·o·type [ˋstɛrɪə͵taɪp] *n.* ①Ⓤ鉛版印刷術。②Ⓒ用紙型澆製之鉛版。③Ⓒ陳腔濫調；老套。— *v.t.* ①澆製鉛版。②用鉛版印刷。③使成定型。④(用盲文凸版印刷機)將…印製成盲文。
ster·e·o·typed [ˋstɛrɪə͵taɪpt] *adj.* ①用鉛版印刷的。②形式固定的；陳舊的。
***ster·ile** [ˋstɛrəl] *adj.* ①不肥沃的；(土地)貧瘠的。②不能生育的；(植物)不結果實的。③無生氣的；(演講、文體等)枯燥無味的。④無細菌的；消毒的。⑤(工作等)無結果的。— **ste·ril′i·ty,** *n.*
ster·i·lize [ˋstɛrə͵laɪz] *v.t.* ①剝奪…之生產能力。②殺…的菌；消…的毒。— **ster·i·li·za′tion,** *n.*
ster·ling [ˋstɝlɪŋ] *n.* Ⓤ①英國貨幣。②純銀；純銀製品。— *adj.* ①英幣的(通常寫於金額之後)。(略作 **stg.**) ②標準成分的；含 92.5% 純銀的。③(刀、叉等)由標準成分純銀製成的。④真正的；極佳的；可靠的。§ ~ **àrea** [**blòc**] 英鎊地區。~ **sílver** 標準純銀(純度 92.5%)。
***stern**[1] [stɝn] *adj.* ①嚴厲的；嚴格的。②堅決的；不讓步的。③嚴峻的；令人害怕的。— **ly,** *adv.* — **ness,** *n.*
stern[2] *n.* Ⓒ①船尾。②臀部。③獸類之尾巴。
ster·num [ˋstɝnəm] *n.* Ⓒ (*pl.* **-na** [-nə], **~s**)〖解〗胸骨。
ster·nu·ta·tion [͵stɝnjuˋteʃən] *n.* Ⓤ(打)噴嚏。
stern·way [ˋstɝn͵we] *n.* Ⓤ船之後退。
stern-wheel·er [ˋstɝn͵hwilɚ] *n.* Ⓒ船尾外輪船。
ste·roid [ˋstɪrɔɪd] *n.* ⓊⒸ & *adj.* 〖生化〗類固醇(的)。
ste·rol [ˋstɛrol] *n.* ⓊⒸ〖生化〗固醇。
ster·to·rous [ˋstɝtərəs] *adj.* 發鼾聲的；打呼的。
stet [stɛt] 〖拉〗*v.i.* (**-tt-**) (用祈使語氣)保留；不刪。— *v.t.* 在已刪之稿邊上寫「不刪」。
steth·o·scope [ˋstɛθə͵skop] *n.* Ⓒ〖醫〗聽診器。
ste·thos·co·py [stɛˋθɑskəpɪ] *n.* Ⓤ〖醫〗聽診；聽診法。
ste·ve·dore [ˋstivə͵dor] *n.* Ⓒ碼頭之裝卸工人。
stew**[1] [stju] *v.t.* & *v.i.* ①燜；燉。②〖俗〗憂慮；憤悶。③悶熱而感覺不舒服。~ ***in one's own juice 自作自受。— *n.* ①ⓊⒸ燜菜；燉菜。②(a ~)煩惱；憂慮。be in a ~ 煩惱；憂慮。
stew[2] *n.* Ⓒ養魚池；牡蠣繁殖場。
stew[3] *n.* Ⓒ〖俗〗空中小姐。
stew·ard [ˋstjuwɚd] *n.* Ⓒ①管理人；管家。②(輪船、火車、飛機或俱樂部等之)膳務員。③(客船、客機等之)服務員；空中少爺。④餐會、舞會等之幹事。
***stew·ard·ess** [ˋstjuwɚdɪs] *n.* Ⓒ①女管理人；女管家。②輪船、客機等之女招待；空中小姐。
stew·ard·ship [ˋstjuwɚd͵ʃɪp] *n.* Ⓤ①管理人之職位。②管理。
stewed [stjud] *adj.* ①用文火燉的。②〖英〗(茶)泡得太濃的。The tea is ~. 茶泡得太濃了。③〖俗〗酒醉的。
stew·pan [ˋstju͵pæn] *n.* Ⓒ(長柄)燉鍋。
St. Ex. Stock Exchange.
stg. sterling.
St. He·le·na [͵senthəˋlinə] *n.* 聖赫勒拿(大西洋南部之一英屬小島，拿破崙於 1815 年被放逐於此)。
stib·i·um [ˋstɪbɪəm] *n.* Ⓤ〖化〗銻(符號 Sb)。
‡**stick**[1] [stɪk] *n.* ①Ⓒ杖；棍；棒。②Ⓒ棒形物；柄；槌。③Ⓒ(細)木條；柴枝。④Ⓒ〖俗〗固執之人；蠢人。⑤Ⓤ(常 the ~)鞭打；處罰。⑥Ⓒ(常 *pl.*)(家具的)一件。⑦Ⓒ(巧克力、口紅等的)條；支。***have*** [***get***] ***hold of the wrong end of the*** ~ **a.** 誤解。**b.** 處於不利的地位。***the*** ~***s*** 〖俗〗森林地區；鄉間。— *v.t.* 以桿撐(植物、藤等)。
stick**[2] *v.t.* (**stuck**)①刺；戳；貫穿。②以尖刀殺死。③在…上插。④把…插於針上。⑤伸出；使突出。⑥黏貼。⑦〖俗〗使困惑。⑧〖俚〗欺騙；詐騙。⑨阻止；使停止。⑩忍受；容忍。⑪放於指定位置。⑫〖俗〗將不愉快之事加諸(某人)。— *v.i.* ①黏著；附著；不分離。②堅持；固執。③陷住。④刺入；梗塞；卡住。⑤突出；豎起〔out, up〕。⑥躊躇；困惑〔常 at〕。~ ***around 〖俚〗在附近逗留或等待。~ ***at*** **a.** 繼續努力做。**b.** 對…遲疑。**c.** 對…有顧慮。~ ***it on*** 〖俚〗**a.** 誇大。**b.** 索高價。~ ***out*** **a.** 突出；伸出。**b.** 觸目；顯眼。**c.** 〖俗〗忍耐到底。~ ***out for*** 堅持要求。~ ***up*** 〖俚〗搶劫；持槍搶劫。~ ***up for*** 〖俗〗爲…辯護；維護。~ ***up to*** 抗拒。— *n.* ①Ⓒ刺。②Ⓤ黏著之物。
stick·ball [ˋstɪk͵bɔl] *n.* Ⓤ〖美〗棍球(兒童用橡皮球與木棍或掃帚柄在路上等處玩的棒球遊戲)。

stick·er [ˋstɪkɚ] *n.* Ⓒ ①黏貼告示或廣告之人。②固執的人。③反面塗有膠等的標籤或貼紙。④蒺藜；刺鉤；芒刺。⑤久坐不去之客人。⑥滯銷品。⑦〖俗〗難題；謎。

stick·ing [ˋstɪkɪŋ] *adj.* 黏的；有黏性的。§～ **plàster** 膠布；橡皮膏。

stick·le [ˋstɪkl] *v.i.* ①爲瑣事爭論。②反對；躊躇。

stick·le·back [ˋstɪkl̩ˌbæk] *n.* Ⓒ 〖魚〗棘魚。

stick·ler [ˋstɪklɚ] *n.* Ⓒ ①堅持…之人〔常 for〕；一絲不苟的人。②〖俗〗難題；費解的事物。

stick·out [ˋstɪkˌaʊt] *n.* Ⓒ 〖俗〗傑出的人；能幹的人。— *adj.* 傑出的；能幹的。

stick·pin [ˋstɪkˌpɪn] *n.* Ⓒ 〖美〗領帶夾。

stick-to-it-ive [ˌstɪkˋtuɪtɪv] *adj.* 〖美俚〗頑固的；執拗的；堅持的；不屈不撓的。— **ness,** *n.*

stick·up [ˋstɪkˌʌp] *n.* Ⓒ 〖俚〗搶劫。

***stick·y** [ˋstɪkɪ] *adj.* ①黏的。②濕熱的。③棘手的；困難的。④非常令人討厭的。— **stick′i·ness,** *n.*

stick·y·beak [ˋstɪkɪˌbik] *n.* Ⓒ 〖澳俚〗愛管閒事者。

stick·y-fin·gered [ˋstɪkɪˋfɪŋgɚd] *adj.* 有偷竊癖的；慣竊的。

***stiff** [stɪf] *adj.* ①硬的；不易彎曲的。②濃黏的。③不易活動的。④倔強的；執拗的。⑤不自然的；呆板的。⑥強烈的；過分的。⑦(物價)過高的。⑧拉緊的；緊張的。⑨費力的；難應付的。⑩嚴厲的。⑪(如股票等)不易跌價的；堅挺的。— *n.* Ⓒ 〖俚〗①屍首；屍體。②拘泥形式的人；呆板的人。③**a.**傢伙。**b.**流浪漢。④僞造支票。— **ly,** *adv.* — **ness,** *n.*

***stiff·en** [ˋstɪfən] *v.t.* & *v.i.* ①(使)堅挺；(使)變硬。②(使)濃黏；(使)凝固。③(使)堅強；(使)猛烈。

stiff-necked [ˋstɪfˋnɛkt] *adj.* 頑固的。

***sti·fle** [ˋstaɪfl] *v.t.* ①使窒息。②使窒息而死。③熄滅；抑止。— *v.i.* 窒悶；有窒息之感。

sti·fling [ˋstaɪflɪŋ] *adj.* 窒息的；不透氣的。

stig·ma [ˋstɪgmə] *n.* Ⓒ (*pl.* **～s, ～ta** [～tə]) ①恥辱；瑕疵；污名。② (*pl.* **～ta**) 聖傷(似耶穌釘痕之傷)。③皮膚上的紅斑。④〖植〗柱頭。

stig·mat·ic [stɪgˋmætɪk] *adj.* ①特徵的。②〖植〗柱頭的。③〖眼科〗小斑的；眼點的。

stig·ma·tize [ˋstɪgməˌtaɪz] *v.t.* ①指責；誣衊。②加烙印於。— **stig·ma·ti·za′tion,** *n.*

stile [staɪl] *n.* Ⓒ ①(人能但家畜不能越過的)梯磴；階梯。②十字形旋門。

sti·let·to [stɪˋlɛto] *n.* Ⓒ (*pl.* **～s, ～es**) ①匕首；短劍。②刺繡用之穿孔錐。— *v.t.* 用短劍刺傷或刺死。

‡**still**[1] [stɪl] *adj.* ①靜止的；不動的。②寂靜的；無聲的。③(酒等)不起泡的。④(聲音)低沉輕柔的。— *v.t.* & *v.i.* (使)安靜；(使)靜止；(使)寂靜。— *n.* ① Ⓤ 〖詩〗靜止；寂靜。② Ⓒ 靜止之人或物之照片；呆照；劇照；作爲廣告用之電影的單張照片。— *adv.* ①仍；仍然。②更；愈。③然則；可是依然。④〖古，詩〗持續地；常常。— *conj.* 但是；然而。

still[2] *n.* Ⓒ 蒸餾器；蒸餾所。

still·birth [ˋstɪlˌbɝθ] *n.* ① Ⓤ Ⓒ 死產。② Ⓒ 死胎。

still·born [ˋstɪlˌbɔrn] *adj.* 死產的。

still·ness [ˋstɪlnɪs] *n.* Ⓤ ①靜止。②安靜；肅靜。

stil·ly [ˋstɪlɪ] *adj.* 〖詩〗寂靜的；靜謐的。— [ˋstɪllɪ] *adv.* 寂靜地。

stilt [stɪlt] *n.* Ⓒ (常 *pl.*) ①高蹺。②(架於水上等建築物之)支柱。

stilt·ed [ˋstɪltɪd] *adj.* ①矜持的。②虛飾的；浮誇的。③如踩高蹺而升高的。④〖建〗建於支柱上的。

stim·u·lant [ˋstɪmjələnt] *n.* Ⓒ ①〖醫〗興奮劑。②刺激物；酒。— *adj.* ①刺激(性)的；興奮的。②鼓舞的。

***stim·u·late** [ˋstɪmjəˌlet] *v.t.* ①刺激；激勵；鼓舞。②用酒刺激；使興奮。— *v.i.* 起刺激[激勵]作用。— **stim·u·la′tion,** *n.*

stim·u·lat·ing [ˋstɪmjəˌletɪŋ] *adj.* ①刺激的；刺激性的。②有鼓舞作用的。

stim·u·la·tive [ˋstɪmjəˌletɪv] *adj.* 刺激的；鼓舞的。— *n.* Ⓤ Ⓒ 刺激劑。

***stim·u·lus** [ˋstɪmjələs] *n.* Ⓒ (*pl.* **-li** [-ˌlaɪ]) 刺激物；刺激；激勵。

***sting** [stɪŋ] *v.t.* (**stung**) ①刺；螫。②刺痛；刺傷。③激勵；刺激。④〖俚〗欺騙；索求過多。— *v.i.* ①刺；螫。②感覺劇痛。— *n.* Ⓒ ①刺；螫。②刺傷；刺痛。③劇痛；痛苦。④使劇痛之物。⑤刺激物；激勵。

sting·er [ˋstɪŋɚ] *n.* Ⓒ ①〖動〗刺；螫；針。②〖俗〗嚴重的打擊；刺耳的話。③一種雞尾酒。④〖英俗〗威士忌與蘇打的混合酒。

sting·ing [ˋstɪŋɪŋ] *adj.* ①有刺毛的。②刺痛的；尖銳的。— **ly,** *adv.*

stin·go [ˋstɪŋgo] *n.* (*pl.* **～s**) 〖俚〗① Ⓤ Ⓒ 烈性啤酒或麥酒。② Ⓤ 精力；熱心。

stin·gy [ˋstɪndʒɪ] *adj.* ①吝嗇的。②缺乏的；不足的。— **stin′gi·ly,** *adv.* — **stin′gi·ness,** *n.*

stink [stɪŋk] *n.* ① Ⓒ 臭味；臭氣。② (*pl.*, 作 *sing.*解) 〖俗〗化學。③ Ⓤ Ⓒ 〖俚〗醜聞；紛擾。— *v.i.* (**stank** or **stunk, stunk**) ①發臭味。②聲名狼藉。— *v.t.* ①使(場所)充滿臭氣〔out〕。②以臭氣驅逐〔out〕。

stink·bug [ˋstɪŋkˌbʌg] *n.* Ⓒ 蝽；臭蝽。

stink·er [ˋstɪŋkɚ] *n.* Ⓒ ①任何放惡臭之人或物。②臭彈(=stinkpot)。③放惡臭的海燕。④(亦作 **stinkhorn**)臭角菌。⑤〖俚〗卑鄙的人；討厭的人。⑥極度困難之事物。

stink·o [ˋstɪŋko] *adj.* 〖俚〗喝醉的。

stink·weed [ˋstɪŋkˌwid] *n.* Ⓒ 〖植〗臭草；臭甘菊。

stint [stɪnt] *v.t.* & *v.i.* ①(對…)吝惜；緊縮；限制；(使)節儉。②〖古〗(使)停止。— *n.* ① Ⓤ Ⓒ 限制；吝惜。② Ⓒ 定量；定額。③ Ⓒ 指定必做之工作。

stint·less [ˋstɪntlɪs] *adj.* 不吝嗇的。

stipe [staɪp] *n.* Ⓒ ①〖植〗葉柄；蕈柄；

子房柄。②〖動〗莖狀部分。

sti·pend [ˋstaɪpɛnd] *n.* Ⓒ薪水；薪俸。

sti·pen·di·ar·y [staɪˋpɛndɪ,ɛrɪ] *adj.* 受薪給的；爲薪給而服務的；有薪水的。— *n.* Ⓒ受薪給者；有薪俸之牧師、官員等。

stip·ple [ˋstɪpl̩] *n.* ①Ⓤ點刻法；點畫法。②Ⓒ點刻；點畫。— *v.t.* & *v.i.* 點刻；點畫。

stip·u·late [ˋstɪpjə,let] *v.t.*(條約或契約上)規定；記明。— *v.i.*(契約)規定；約定〔常 for〕.

stip·u·la·tion [,stɪpjəˋleʃən] *n.* ①Ⓤ契約；約定；合約。②Ⓒ(契約上之)規定；條件。

stip·ule [ˋstɪpjul] *n.* Ⓒ〖植〗托葉。

***stir**[1] [stɜ] *v.t.*(-rr-)①使微動；移動。②攪和。③激發；惹起。— *v.i.* ①微動；活動。②攪和；拌動。③蘇醒；奮起。～ *one's stumps* 〖俗〗疾迅地行動。— *n.*①Ⓒ移動；撥動；攪和。②(a ～)激動；騷動。③Ⓒ(常 *sing.*)活動；活躍。

stir[2] *n.* Ⓒ〖俚〗監獄。

stir-cra·zy [ˋstɜˋkrezɪ] *adj.* 〖俚〗因長期監禁而精神失常的。

stir-fry [ˋstɜ,fraɪ] *v.t.* 邊炒邊攪拌；炒(菜)。— *n.* Ⓒ炒的菜；油煎食品。

stir·rer [ˋstɜɚ] *n.* Ⓒ①**a.** 活動分子。**b.** 煽動者。**c.** 引起騷動的人。②**a.** 攪拌器。**b.**(用以攪拌飲料的)攪拌棒。

stir·ring [ˋstɜɪŋ] *adj.* ①活躍的；繁忙的。②激動的；鼓舞的。

stir·rup [ˋstɪrəp, ˋstɜəp] *n.* Ⓒ①馬鐙。②鐙形物。§ ∼ **bòne** 〖解〗鐙骨。∼ **cùp** 餞別酒。∼ **lèather** 馬鐙皮帶。∼ **pùmp** 一種輕便的消防抽水機。

***stitch** [stɪtʃ] *n.* ①Ⓒ一針；一縫。②Ⓤ(又作 a ～)針法；縫法。③Ⓒ縫線；針脚。④Ⓒ(常 *sing.*)布片；一件衣。⑤(a ～)〖俗〗小片；一點點。⑥(a ～)劇痛。*A ～ in time saves nine.* 〖諺〗及時縫一針，省卻將來的九針。— *v.t.* 縫；綴連。— *v.i.* 縫紉。

sti·ver [ˋstaɪvɚ] *n.* Ⓒ①一種荷蘭錢幣。②瑣屑之物；微量。

St. Law·rence [sentˋlɔrəns] *n.* 聖羅倫斯河(在加拿大東南部)。

St. Lou·is [sentˋluɪs] *n.* 聖路易(美國 Missouri 州東部之一港市)。

stoat [stot] *n.* Ⓒ〖動〗白鼬。

sto·chas·tic [stəˋkæstɪk] *adj.* ①猜測的。②〖統計〗隨機的。

***stock** [stak] *n.* ①Ⓒ貯蓄；蓄積。②Ⓤ貯藏品；存貨；現貨。③Ⓤ(集合稱)家畜(通常作 livestock)。④ⓊⒸ股票；公債。⑤Ⓤ家系；血統。⑥Ⓤ原料；材料。⑦Ⓒ作爲支持物或把柄之部分。⑧Ⓒ(樹木等之)幹；莖；地下莖。⑨Ⓒ(從前皮革製的)襟飾。⑩Ⓤ湯汁；原湯。⑪Ⓒ某專業劇團在一劇院長期演出的各種戲劇。⑫Ⓒ斷株；殘立之幹。⑬Ⓒ(插入接木的)臺木；本幹。⑭Ⓒ紫羅蘭。⑮(*pl.*)造船臺。⑯(*pl.*)足或手枷。⑰Ⓤ同一語系之語文。*on the ～s* 在建造中。*out of ～* 無現貨；售罄；賣光。*take ～* 清點存貨；盤存。*take* [*put*] *～ in* **a.** 〖俗〗對…有興趣；重視；相信。**b.** 買(公司)的股票。*take ～ of* **a.** 仔細推想；察看；鑑定。**b.** 計算；對…估價。— *v.t.* ①供應；備置。②裝托柄；繫以柄狀物。③備以馬、牛等。— *v.i.* ①發芽。②備貨；貯存〔常 up〕. — *adj.* ①經常備有的。②普通的；日常的。③股票的；公債的。④豢養家畜的。⑤存貨的。§ ∼ **càr** (1)(鐵路的)家畜載運車。(2)賽車用之跑車。∼ **còmpany** (1)股份公司。(2)(在一劇院長期演出多齣劇的)專業[專屬]劇團。∼ **exchànge** 證券交易(所)。∼ **fàrm** 畜牧農場。∼ **fàrmer** 畜牧業者 ∼ **fàrming** 畜牧(業)。∼ **màrket** (1)股票市場；證券交易所。(2)股票買賣；股票行情。(3)牲畜市場。∼ **ràising** 畜牧(業)。∼ **tìcker** 股票行情顯示器。

stock·ade [stakˋed] *n.* Ⓒ①〖築城〗以直立之木柱等構成之障礙物。②欄；栅欄；圍欄。③〖美軍〗禁閉室。— *v.t.* 以栅欄保護、防衛或圍起。

stock·breed·er [ˋstak,bridɚ] *n.* Ⓒ畜牧業者。

stock·breed·ing [ˋstak,bridɪŋ] *n.* Ⓤ畜牧(業)。

stock·brok·er [ˋstak,brokɚ] *n.* Ⓒ證券經紀人。

stock·brok·er·age [ˋstak,brokərɪdʒ] *n.* Ⓤ證券交易；證券買賣；證券經紀人的業務。

stock·hold·er [ˋstak,holdɚ] *n.* Ⓒ股東。

Stock·holm [ˋstak,hom] *n.* 斯德哥爾摩(瑞典首都)。

stock·i·net(te) [,stakɪnˋɛt] *n.* Ⓤ(用以做襪子、內衣等的)一種鬆緊織物。

***stock·ing** [ˋstakɪŋ] *n.* Ⓒ(常 *pl.*)長襪。*in one's ～ feet* 祇穿襪不穿鞋的。

stock-in-trade [ˋstakɪnˋtred] *n.* Ⓤ(集合稱)①店鋪的存貨；現貨。②工具；原料；生財[營業]用具。③老手段；慣用手段。(亦作 **stock in trade**)

stock·ist [ˋstakɪst] *n.* Ⓒ〖英〗有存貨的批發商或零售商。

stock·job·ber [ˋstak,dʒabɚ] *n.* Ⓒ〖美〗證券經紀人。

stock·man [ˋstakmən] *n.* Ⓒ(*pl.* -men)牧畜者；牧人。

stock·pile [ˋstak,paɪl] *n.* Ⓒ①儲備品。②核子武器保有量。— *v.t.* & *v.i.* 儲備(原料及必需品)。

stock·room [ˋstak,rum] *n.* Ⓒ商品儲藏室。

stock-still [ˋstakˋstɪl] *adj.* 靜止的；不動的。

stock·tak·ing [ˋstak,tekɪŋ] *n.* Ⓤ(又作 a ～)①盤存。②全盤檢討。

stock·y [ˋstakɪ] *adj.* 結實的；矮而壯的；粗短的。

stock·yard [ˋstak,jard] *n.* Ⓒ家畜圍欄。

stodge [stadʒ] *v.t.* ①使塡飽；使塞滿。②使厭膩。— *v.i.* ①暴食；撑脹肚子。②蹣跚而行。— *n.* Ⓤ〖俗〗①(不易消化的)油膩食物。②難讀的東西；難理解的事；乏味的東西。

stodg·y [ˋstadʒɪ] *adj.* ①缺乏趣味的；令人生厭的。②(人)庸俗的；平凡的。③頑固守舊的；墨守成規的。④(人)軀體笨重的。⑤難消化的；味不美的。

sto·gie, sto·gy [ˋstogɪ] *n.* Ⓒ①長而細的劣等雪茄。②笨重的靴或鞋。

sto·ic [ˋsto·ɪk] *n.* Ⓒ①(S-)古希臘 Stoicism 的信奉者。②禁慾主義者；克己主義者。— *adj.* ①(S-) 與 Stoic 學派有關的。②=**stoical.**

sto·i·cal [ˋsto·ɪkl] *adj.* 堅忍的；禁欲的；苦修的。—**ly,** *adv.*

sto·i·cism [ˋsto·ɪ͵sɪzəm] *n.* Ⓤ ①(S-)斯多噶哲學[主義]。②堅忍;禁慾。

stoke [stok] *v.t. & v.i.* ①撥(火)；加燃料於(火爐)；司(爐)。②〖俗〗吞食。

stoke·hold [ˋstok͵hold] *n.* Ⓒ (汽船上的)鍋爐室。

stok·er [ˋstokɚ] *n.* Ⓒ①司爐；火伕。②自動添煤[燃料]機。

‡**stole**[1] [stol] *v.* pt. of **steal.**

stole[2] *n.* Ⓒ ①(教士所披之)聖帶。②(婦女之)長圍巾。

‡**sto·len** [ˋstolən] *v.* pp. of **steal.**

stol·id [ˋstɑlɪd] *adj.* 不易感動的；不易激動的；遲鈍的。—**ly,** *adv.*

‡**stom·ach** [ˋstʌmək] *n.* ①Ⓒ胃。②Ⓒ腹。③Ⓤ (又作 a ～, 常用於否定句)**a.** 胃口；食慾。**b.** 愛好；慾望(for).
— *v.t.* ①能吃；能消化。②忍受。

stomp [stɑmp] *v.t.* 〖俗〗①=**stamp.** ②跳頓足爵士樂曲。— *n.* Ⓒ ①〖俗〗= **stamp.** ②頓足爵士樂曲。③合此樂曲的舞。

‡**stone** [ston] *n.* ①ⓊⒸ石；石材。a heart of ～ 鐵石心腸。② Ⓒ 紀念碑；墓石。③ Ⓒ 小石狀之物。④ Ⓒ〖醫〗結石。⑤ Ⓒ〖植〗核。⑥ Ⓒ 寶石；玉。⑦ Ⓒ 石臼；磨刀石。⑧ Ⓒ (*pl.* ～)呫(重量單位，十四磅)。⑨ Ⓒ (常 *pl.*)〖鄙〗睪丸。***a ～'s throw*** [***cast***] 擲石可及之距離。***cast the first ～*** 起頭批評或攻擊。***leave no ～ unturned*** 不遺餘力。***throw ～s at*** 攻擊(某人之品格等)。
— *adj.* ①石(製)的。②用粗陶器或粗泥製成的。— *v.t.* ①以石砌築。②以石投向。③投石擊死。④去…的核。⑤磨之以石。§ **S∸ Áge** 〖考古〗石器時代。**∸ frùit** 〖植〗核果。

stone-blind [ˋstonˋblaɪnd] *adj.* 全盲的；全瞎的。

stone-broke [ˋston͵brok] *adj.* 〖俚〗一文不名的；手無分文的。(亦作 **stony-broke**)

stone-cold [ˋstonˋkold] *adj.* 冰冷如石的；冷透的。

stone·cut·ter [ˋston͵kʌtɚ] *n.* Ⓒ①石匠。②切石機。

stone-deaf [ˋstonˋdɛf] *adj.* 全聾的。

stone·heart·ed [ˋstonˋhɑrtɪd] *adj.* 鐵石心腸的；殘酷的。

Stone·henge [ˋstonˋhɛndʒ] *n.* 英格蘭 Salisbury 平原上的史前巨石柱群。

stone·ma·son [ˋston͵mesn̩] *n.* Ⓒ 石匠。(亦作 **stone mason**)

stone·wall [͵stonˋwɔl] *v.i. & v.t.* ①〖板球〗慎重防守。②〖俚〗(在議會作滔滔不絕之演講以)阻礙議程之進行。

stone·ware [ˋston͵wɛr] *n.* Ⓤ (集合稱)粗陶器。

stone·work [ˋston͵wɝk] *n.* Ⓤ①石雕工藝；石造物。②(建築物中)石造的部分。

***ston·y** [ˋstonɪ] *adj.* ①多石的。②如石的；鐵石心腸的；無情的。③〖俚〗一文不名的。④僵硬的；不動的。

‡**stood** [stʊd] *v.* pt. & pp. of **stand.**

stooge [studʒ] *n.* Ⓒ〖俗〗①滑稽演員之副手。②陪襯的角色；任對方擺布的人。

stool** [stul] *n.* ① Ⓒ (無靠背的)椅子；凳。② ⓊⒸ 糞便。③ Ⓒ 廁所；便器。④ Ⓒ (長新芽的)母樹；根株。⑤ Ⓒ 一簇新枝。⑥ Ⓒ (引誘其他鳥前來之)囮鳥。⑦ Ⓒ 窗臺。⑧ Ⓒ 象徵職權的座位。fall between two ～s*** 兩頭落空。
— *v.i.* ①(老根株)發出新枝。②〖俚〗告密；做線民。③上廁所；去大便。§ **∸ pìgeon** (1)(誘使他鴿入羅網的)囮鴿。(2)〖美俚〗告密的人；線民。(3)〖俚〗職業賭徒用以引人上鉤之助手。—**like,** *adj.*

***stoop**[1] [stup] *v.i.* ①俯身；彎腰；傴僂。②屈尊；降格；卑屈。③(樹、懸崖等)前曲；前傾。④(鷹等)撲下；攫。
— *v.t.* 屈(身)；俯(首)。～ ***to conquer*** [***win***] 含垢忍辱以求雪恥。— *n.* (a ～) ①俯身；傴僂。②屈尊；卑屈。③下撲；下攫。

stoop[2] *n.* Ⓒ〖美〗門廊；門階；門口平臺。

‡**stop** [stɑp] *v.t.* (**-pp-**)①使停止；止住；阻止。②填塞；阻塞；堵塞。③截斷；扣留。④用軟木塞、栓等關閉(容器)；密封(物品)於關閉的容器或地方。⑤妨礙；攔阻。⑥止付(支票)。⑦制止(打擊等)；擋開。⑧〖競賽〗擊敗。⑨加標點於。— *v.i.* ①停止。We ～*ped* to think. 我們停下來想一想。②逗留；住(=stay)。～ ***by*** 中途作短暫的訪問。～ ***dead*** [***short***] 突然停止。～ ***down*** 〖攝〗將鏡頭之光圈縮小。～ ***in*** 作短暫而未計畫的訪問。～ ***off*** 〖俗〗中途逗留。～ ***over*** **a.** 停留片刻。**b.** 中途下車[機，船]；中途停留。— *n.* Ⓒ ①中止；停止。②逗留；泊宿。③停留之處；車站。④阻塞物；塞子。⑤阻塞；妨礙。⑥控制或阻止機械活動之器具。⑦句點。a full ～句點(=period)。⑧〖樂〗音栓；音節柱。⑨〖語音〗閉鎖子音(即 p, b, t, d, k, g)。⑩〖商〗(支票的)止付。***come to a*** (***full***) ～ 停；停止。***put a ～ to*** 使終止；制止。§ **∸ lìght** (1)(交通的)停止號誌。(2)(汽車的)停車燈；煞車燈。**∸ préss** (報紙付印時臨時加的)最後消息。**∸wàtch** (記時用之)計時錶；碼錶。

stop·cock [ˋstɑp͵kɑk] *n.* Ⓒ (水管、煤氣管上的)開關；龍頭。

stop·gap [ˋstɑp͵gæp] *n.* Ⓒ臨時代替之人[物]。— *adj.* 權宜的；臨時的。

stop-go [ˋstɑpˋgo] *n.* Ⓤ〖經〗①通貨膨脹與通貨緊縮交互出現的時期。②經濟收縮與擴張交互實施的政策。— *adj.* 經濟收縮與擴張交替的。

stop·o·ver [ˋstɑp͵ovɚ] *n.* Ⓒ①中途下車[停留]。②中途暫停的地方。

stop·page [ˋstɑpɪdʒ] *n.* ① Ⓒ 停止；中止；塞住。② Ⓒ 阻礙；阻塞；障礙。③Ⓒ停工。④ⓊⒸ止付；扣除。

stop·per [ˋstɑpɚ] *n.* Ⓒ①阻止者；阻

塞物。②(瓶等之)塞子；栓。— *v.t.* 加以塞子；塞住。

stop·ple [ˋstapl̩] *n.* Ⓒ (瓶等的)塞子。— *v.t.* 用塞子塞住；將…閉塞。

*__stor·age__ [ˋstorɪdʒ] *n.* Ⓤ ①貯藏。②倉庫；貯藏所。③棧租；倉庫費；倉庫之容納量。§ ~ **bàttery** 蓄電池。

‡**store** [stor, stɔr] *n.* ① Ⓒ〖美〗商店。②Ⓒ (常 *pl.*)貯藏；積蓄；大量；豐富。③(*pl.*)貯存待用的物品；必需品；補給品。④Ⓒ倉庫；棧房。⑤(*pl.*)〖英〗百貨店。*in* ~ **a.** 準備著；貯藏著。**b.** 必將來到或發生。*set*[*lay*]~ *by* 重視；珍視。— *v.t.* ①供給；裝備。②貯藏；積蓄。③存入倉庫；交於棧房。

store·front [ˋstor,frʌnt] *n.* Ⓒ店面。

store·house [ˋstor,haus, ˋstɔr-] *n.* Ⓒ①倉庫；棧房。②寶庫；寶藏。

store·keep·er [ˋstor,kipɚ] *n.* Ⓒ ①〖美〗店主；店商。②倉庫管理人。

store·room [ˋstor,rum] *n.* Ⓒ儲藏室。

*__sto·rey__ [ˋstorɪ] *n.*(*pl.* ~**s**)〖英〗=「**story**[2].」

sto·ried[1] [ˋstorɪd] *adj.* 有…層樓的。(〖英〗亦作 **storeyed**)

sto·ried[2] *adj.* ①在故事或歷史上有名的。②以歷史或故事圖畫來裝飾的。

S

stork [stɔrk] *n.* Ⓒ〖鳥〗鸛。

‡**storm** [stɔrm] *n.* Ⓒ ①風暴。②暴風雨；暴風雪。③任何似暴風雨之物。④騷動；騷亂；風波。⑤襲擊；猛攻。~ *in a teacup* 大驚小怪。*take... by* ~ **a.** 襲取；攻奪。**b.** 使深受感動。— *v.i.* ①下大雨；起風暴。②狂怒；咆哮〔at〕。③猛衝；突進。— *v.t.* 猛攻。§ ~ **céllar** 避颶風之地窖。~ **cènter** (1)暴風中心；暴風眼。(2)騷亂的中心[人物，問題]。~ **clòud** (1)暴風雲。(2)(常 *pl.*)動亂的前兆。~ **còne** 報風錐(暴風雨的警報球)。~ **dòor** 裝於門外遮擋風雪的板門。~ **tròoper**(第二次世界大戰期間德國納粹黨的)突擊隊員。~ **tròops**(從前德國納粹黨的)突擊隊。

storm·bound [ˋstɔrm,baund] *adj.* 爲暴風雨所阻的。

*__storm·y__ [ˋstɔrmɪ] *adj.* ①有暴風的；多風暴的。②騷亂的；猛烈的。§ ~ **pétrel** (1)海燕(能預示暴風雨來臨之鳥)。(2)引起是非的人。

‡**sto·ry**[1] [ˋstorɪ] *n.* ① Ⓒ 故事；小說；事蹟；經歷。The ~ goes[runs]that.... 傳聞…。② Ⓒ〖俗〗謊言。③ Ⓤ (戲劇、小說等)情節。④ Ⓒ〖美〗新聞記事；報導。⑤Ⓒ〖古〗歷史。*make a long* ~ *short* 長話短說；簡言之。— *v.t.* ①作爲故事講述。②以史蹟繪畫裝飾。§ ~ **lìne** 本事；情節。

*__sto·ry__[2] *n.* Ⓒ①層；樓。②樓之一層。(〖英〗亦作 **storey**)

sto·ry·book [ˋstorɪ,buk] *n.* Ⓒ故事書；童話書。

sto·ry·tell·er [ˋstorɪ,tɛlɚ] *n.* Ⓒ①講故事者。②故事作者。③〖俗〗說謊者。

stoup [stup] *n.* Ⓒ ①〖宗〗聖水缽。②〖古〗酒杯。③一杯之量。

*__stout__ [staut] *adj.* ①肥大的。②強壯的；堅固的。③堅決的；剛勇的。— *n.* ①ⓊⒸ黑啤酒；濃烈的啤酒。②ⓊⒸ肥胖的人所穿的衣服尺寸。③Ⓒ肥胖的人。— **ly,** *adv.* — **ness,** *n.*

stout-heart·ed [ˋstautˋhartɪd] *adj.* 勇敢的；大膽的。

*__stove__[1] [stov] *n.* Ⓒ火爐；暖爐；爐「灶。」

stove[2] *v.* pt. & pp. of **stave.**

stove·pipe [ˋstov,paɪp] *n.* Ⓒ①煙筒；火爐管。②〖美俗〗大禮帽。

stow [sto] *v.t.* ①裝載；裝填；裝入；收藏(於某處)。②〖俚〗停止(常用祈使語氣)。~ *away* 偷渡。

stow·age [ˋstoɪdʒ] *n.* Ⓤ①裝載。②裝載室；裝載處。③裝載物。④裝載量。

stow·a·way [ˋstoə,we] *n.* Ⓒ偷渡者。

St. Pe·ters·burg [səntˋpitɚz,bɝg] *n.* 聖彼得堡(俄國歐洲部分西北一海港，沙皇時代之俄國首都，1924-1990 稱 Leningrad).

stra·bis·mus [strəˋbɪzməs] *n.* Ⓤ「〖醫〗斜視。」

strad·dle [ˋstrædl̩] *v.i.* ①兩腿叉開地走、站或坐。②觀望。— *v.t.* ①將(兩腿)分開。②叉腿站於或跨於。③對…持騎牆態度；對…觀望。— *n.* Ⓒ①跨立；跨坐；跨腿而行。②跨立時兩足間之距離。③騎牆態度。

Strad·i·var·i·us [,strædəˋvɛrɪəs] *n.* Ⓒ 史特拉第瓦里絃樂器(特指義大利小提琴製造家 Antonio Stradivari (1644-1737)或其家族所製的小提琴)。

strafe [stref, straf] *v.t.* ①(飛機低飛)掃射。②〖俗〗處罰。

strag·gle [ˋstrægl̩] *v.i.* ①迷途；漂泊。②星散；落後。③蔓延。— **stragˊgler,** *n.* — **stragˊgling,** *adj.*

strag·gly [ˋstræglɪ] *adj.* 零亂四散的。

‡**straight** [stret] *adj.* ①直的；平直的。②直立的。③正直的；誠實的。④秩序井然的。⑤連續的；不斷的。⑥〖美〗徹底的；無保留的。⑦〖美〗未變更的；純淨的；未稀釋的。⑧〖俗〗確實的；可靠的。⑨〖撲克牌〗順字的。⑩(思考、理論等)正確的。*keep a* ~ *face* 板起面孔。— *adv.* ①直地；直接地。②立即。③坦白地；誠實地。④連續地；不斷地。⑤〖美俗〗無論買多少都不打折扣地。⑥直線地。~ *away*[*off*]立刻。— *n.* ①(the ~)**a.** 直；直線。**b.**(接近終點之)直線跑道。② Ⓒ〖撲克牌〗順字。§ ~ **àngle**〖數〗平角。~ **árrow** 循規蹈矩的人。~ **flúsh**(撲克牌的)同花順(同花色的五張連號牌)。

straight·a·way [ˋstretə,we] *adj.* 直進的。— *n.* Ⓒ直路。— *adv.* 立即。

straight·edge [ˋstret,ɛdʒ] *n.* Ⓒ直尺。

straight·en [ˋstretn̩] *v.t.* ①使直；使平正。②整頓；整理。— *v.i.* ①變直。②〖俗〗改過自新。

straight·for·ward [,stretˋfɔrwɚd] *adj.* ①直進的。②正直的；誠實的。— *adv.* 直進地；率直地。

straight-out [ˋstretˋaut] *adj.*〖美俗〗①全然的；徹底的；②直接的；坦率的。

straight·way [ˋstret,we] *adv.* 立「刻；即刻。」

*__strain__[1] [stren] *v.t.* ①拉緊；繃緊；使緊張。②竭盡…的全力；將(某種能力)

使用至最大限度。③濫用。④因過分用力而損傷；扭傷。⑤強迫；勉強。⑥曲解。⑦緊抱。⑧過濾。— *v.i.* ①努力；奮力。②用力拉。③受重壓；因過分用力而受傷。④濾過；滲出。*~ a point* 踰越範圍；變通辦理。— *n.* ①ⓊⒸ拉緊；緊張；拉力。②Ⓤ奮力；過度之努力。③Ⓤ辛苦；勞神。④ⓊⒸ扭傷；扭曲。⑤Ⓤ壓力。

strain[2] *n.* ①Ⓒ血統；家系；門第。②Ⓒ(動植物構成一族、一類或一種的)群。③(a ~)氣質；傾向；性情；(遺傳的)素質。④(*sing.*)作風；語調；筆調。⑤Ⓒ(常 *pl.*)小歌謠；歌節；曲調；詩歌；旋律。

strained [strend] *adj.* 勉強的；不自然的；牽強附會的。

strain·er [ˋstrenɚ] *n.* Ⓒ①緊張者；奮力者。②濾器；篩。③伸張或拉緊之具。

*__strait__ [stret] *n.* ①Ⓒ(常 *pl.*, 作 *sing.* 解)海峽。②(*pl.*)困難。— *adj.* 〖古〗①狹窄的；緊的。②嚴格的。

strait·en [ˋstretn̩] *v.t.* ①使缺乏；使困難。②使狹窄；限制；使緊縮。

strait·ened [ˋstretn̩d] *adj.* ①缺錢的；苦於沒錢的。②缺乏(…)的〖for〗. *be in ~ circumstances* 在窮困中。

strait-jack·et [ˋstret͵dʒækɪt] *v.t.* 扼殺；阻礙。

strait-laced [ˋstretˋlest] *adj.*(行爲或道德上)過於拘謹的；過於嚴格的。

strand[1] [strænd] *n.* Ⓒ〖詩〗岸；濱。— *v.t. & v.i.* ①(使)擱淺。②(使)束手無策(常用被動語態)。

strand[2] *n.* Ⓒ①繩索之一股。②一縷；一串。— *v.t.* ①將繩索之股結在一起形成(繩索)；搓。②將(繩索之)股弄斷。

‡**strange** [strendʒ] *adj.* ①奇異的；奇怪的。②陌生的；生疏的；不熟悉的。③不習慣的；無經驗的。④〖古〗外國的；異鄉的。— *adv.* 奇異地(=strangely). *—**ly**, *adv.* —**ness**, *n.*

‡**stran·ger** [ˋstrendʒɚ] *n.* Ⓒ①陌生人；異鄉人；外國人。②客人；訪客。③門外漢；無經驗者。④〖法律〗第三者。

stran·gle [ˋstræŋgl] *v.t.* ①扼殺；絞殺；勒死。②使窒息；使窒悶。③壓抑；遏制。

stran·gle·hold [ˋstræŋgl͵hold] *n.* Ⓒ①〖摔角〗勒頸。②任何限制自由之物；束縛。

stran·gu·late [ˋstræŋgjə͵let] *v.t.* ①絞死；扼死；勒死。②〖醫〗勒束；壓縮(血液循環)。—**stran·gu·laˊtion,** *n.*

*__strap__ [stræp] *n.* Ⓒ①帶；皮帶；皮條。②磨刀革帶；蕩刀皮。③吊帶；帶圈；吊環。— *v.t.*(**-pp-**)①用帶綑；用帶束住。②用皮帶打。③用皮帶磨(剃刀等)。

strap·hang·er [ˋstræp͵hæŋɚ] *n.* Ⓒ〖俗〗(因沒座位)拉著吊帶站立的乘客。

strap·hang·ing [ˋstræp͵hæŋɪŋ] *n.* Ⓤ(在車上)拉著吊帶站立。

strapped [stræpt] *adj.* ①用皮條綑紮的。②〖俗〗身無分文的；窮光蛋的。

strap·ping [ˋstræpɪŋ] *adj.* 〖俗〗高大健壯的；魁梧的。

stra·ta [ˋstretə] *n.* pl. of **stratum.**

strat·a·gem [ˋstrætədʒəm] *n.* Ⓒ計謀；詭計；欺騙敵人之計謀。

stra·te·gic, -gi·cal [strəˋtidʒɪk(l̩)] *adj.* 戰略(上)的。—**stra·teˊgi·cal·ly,** *adv.*

strat·e·gist [ˋstrætədʒɪst] *n.* Ⓒ戰略家；兵法家。

strat·e·gy [ˋstrætədʒɪ] *n.* ①Ⓤ兵學；軍事學；兵法。②Ⓤ軍略；戰略。③ⓊⒸ策略；謀略。

Strat·ford-on-A·von [ˋstrætfɚdɑnˋevən] *n.* 斯特拉福(濱 Avon 河，爲莎士比亞出生與埋葬之地)。(亦作 **Stratford-upon-Avon**)

strat·i·fi·ca·tion [͵strætəfəˋkeʃən] *n.* Ⓤ①〖地質〗成層；層理。②階層之形成。③〖園藝〗(種子的)土層保護法。

strat·i·fy [ˋstrætə͵faɪ] *v.t. & v.i.* (使)成層；(使)形成階層。

strat·o·sphere [ˋstrætə͵sfɪr] *n.* (the ~)〖氣象〗平流層；同溫層。

strat·o·tank·er [ˋstrætə͵tæŋkɚ] *n.* Ⓒ同溫層加油機。

strat·o·vi·sion [ˋstrætə͵vɪʒən] *n.* Ⓤ飛機在同溫層所作的電視轉播。

stra·tum [ˋstretəm] *n.* Ⓒ(*pl.* **-ta** [-tə], **~s**)①層；地層。②社會階層。

stra·tus [ˋstretəs] *n.* Ⓒ(*pl.* **-ti** [-taɪ])〖氣象〗層雲。

Strauss [straus] *n.* 斯特勞斯(Johann, 1804-1849, 奧國作曲家；其子Johann, 1825-1899, 亦爲作曲家)。

‡**straw** [strɔ] *n.* ①ⓊⒸ稻草；麥稭。②Ⓒ無價值之物；少許；小量。not to care a ~毫不介意。③Ⓒ莖管；蠟紙管。④Ⓒ草帽(=straw hat). *a ~ in the wind* 預示未來大勢之小事。*catch* [*clutch, grasp*] *at a ~* [*at ~s, at any ~, at any ~s*]絕望時竭力挽救；(爲脫離險境等)作最後的絕望掙扎。*make bricks without ~* 做無米之炊。*the last ~* 使全盤垮臺之最後增加的細微負荷；導致最終失敗或垮台的因素。— *adj.* ①麥稭製的；稻草做的。②不值錢的；無價值的；瑣細的。§ ~ **vòte**[**bàllot**]非正式投票。

*__straw·ber·ry__ [ˋstrɔ͵bɛrɪ] *n.* ⓊⒸ草莓。

*__stray__ [stre] *v.i.* ①迷路；漂泊；遊蕩。②離正道；走入歧途。— *adj.* ①迷路的；漂泊的。②散漫的；偏離的。a ~ bullet 流彈。③偶爾的；偶然的。— *n.* Ⓒ①漂泊者。②迷失的家畜。

*__streak__ [strik] *n.* Ⓒ①條紋；線條；條痕。②氣質；性情；癖性。③層；脈。④〖美俗〗短時間；一陣。*like a ~*(*of lightning*)閃電般地。— *v.t.* 加以條紋或條痕。— *v.i.* ①生條痕；變爲有條紋。②〖俗〗疾馳；飛跑。

streak·y [ˋstrikɪ] *adj.* ①有條紋的；一層層的。②不均勻的；易變化的。

‡**stream** [strim] *n.* Ⓒ①溪；水流；河；川。②(常 *sing.*)流勢；趨勢。③(常 *sing.*)流注；流出(通常用於譬喻)。*go with the ~*順應潮流。*on ~*在生

產中。*the ~ of consciousness*〖心〗意識流。**—** *v.i.* ①流。②蜂擁而進；魚貫而行。③飄揚；招展。④以直線伸展；射出。**—** *v.t.* ①使流；流出。②使飄揚。

stream·er [ˋstrimɚ] *n.* ① Ⓒ 旗旛；狹長之旗。② Ⓒ 狹長之飾帶。③ Ⓒ 任何狹長的東西。④ Ⓒ〖新聞〗橫跨全頁的大標題。⑤(*pl.*)(日蝕時所見的)日暈的光輝。⑥ Ⓒ (北極光等的)射光；流光。

stream·let [ˋstrimlɪt] *n.* Ⓒ 小河；小溪。

stream·line [ˋstrim,laɪn] *adj.* 流線型的。**—** *v.t.* ①使成流線型。②使簡化；使有效率。**—** *n.* Ⓒ 流線(型)。

stream·lined [ˋstrim,laɪnd] *adj.* 流線型的；最新式的；使更有效率的。

stream·lin·er [ˋstrim,laɪnɚ] *n.* Ⓒ 流線型火、汽車等。

‡**street** [strit] *n.* ① Ⓒ 街；街道；車道。②(the ~, 集合稱)街上居民；市井之人。*the man in the ~* 市井中人；平常人。*up one's ~[alley]* 合於某人之性情[胃口]。§ ∼ àrab[Àrab]流浪兒童。∼ gírl 娼妓。∼ musícian 街頭音樂家。

***street·car** [ˋstrit,kɑr] *n.* Ⓒ 電車。

street·lamp [ˋstrit,læmp] *n.* Ⓒ 街燈；路燈。

street·scape [ˋstrit,skep] *n.* Ⓒ 街景(圖)。

street-smart [ˋstrit,smɑrt] *adj.* 有能力在城市裡謀生的。

street·walk·er [ˋstrit,wɔkɚ] *n.* Ⓒ 娼妓。

street·wise [ˋstrit,waɪz] *adj.*〖美〗熟悉民間疾苦的；體察民情的。

‡**strength** [strɛŋθ, strɛŋkθ] *n.* ① Ⓤ 力；體力；力量。② Ⓤ 強固；強度；濃度。③ Ⓤ 抗力；持久力。④ Ⓤ 兵力；人數。⑤ Ⓤ 智力；能力；毅力。⑥ Ⓤ Ⓒ 長處；優點；憑恃；依靠。*on the ~ of* 憑恃。

***strength·en** [ˋstrɛŋθən] *v.t.* 使強；加強。**—** *v.i.* 變強。

stren·u·ous [ˋstrɛnjʊəs] *adj.* ①費力的；多艱辛的；須用全力應付的。②發憤的；精力充沛的。—**ly,** *adv.*

strep·to·coc·cus [,strɛptəˋkɑkəs] *n.* Ⓒ (*pl.* **-coc·ci** [-ˋkɑksaɪ]) 鏈球菌。

strep·to·my·cin [,strɛptəˋmaɪsɪn] *n.* Ⓤ〖生化〗鏈黴素。

***stress** [strɛs] *n.* ① Ⓤ Ⓒ 壓迫力；重壓。② Ⓤ 重要；強調。lay (a) ~ on something 著重某事。③ Ⓤ Ⓒ 重讀；重音。④ Ⓤ Ⓒ〖機〗應力。⑤ Ⓤ Ⓒ (精神上的)壓力；過度緊張。**—** *v.t.* ①加壓力於。②著重。③重讀。

stress·ful [ˋstrɛsfəl] *adj.* 充滿壓力的；充滿緊張的。—**ly,** *adv.*

‡**stretch** [strɛtʃ] *v.t.* ①伸展；張開；引伸。②拉緊；張緊。③誇張；濫用；勉強應付；曲解。④使躺下；打倒。⑤使努力；使出全力。**—** *v.i.* ①伸展；引伸；展開。②舒伸四肢。③可伸展；能擴張。④(時間上之)回溯。**—** *n.* ① Ⓒ (常 *sing.*)伸張；伸展。② Ⓤ 伸縮性；彈性。③ Ⓒ (常*sing.*)一口氣；一次。He worked (for) six hours at a ~. 他一口氣工作了六小時。④ Ⓒ〖俚〗刑期；徒刑。⑤ Ⓒ (常 *sing.*)(尤指終點前的)直線跑道。⑥ Ⓒ (時間或空間的)綿亙；延伸。*a ~ of the imagination[of authority]* 想像[權力]之過分使用。

stretch·er [ˋstrɛtʃɚ] *n.* Ⓒ ①舁床；擔架(床)。②伸張的人或事物。③畫架。

stretch·er-bear·er [ˋstrɛtʃɚ,bɛrɚ] *n.* Ⓒ 擔架夫；擔架兵。(亦作 **stretcherman**)

stretch·y [ˋstrɛtʃɪ] *adj.* 可伸展的；有彈力的；可延展的。

strew [stru] *v.t.* (**~ed, ~ed** or **strewn** [strun]) 撒布；散播〔with〕.

stri·at·ed [ˋstraɪetɪd] *adj.* 刻有條紋的；有縱線的。

***strick·en** [ˋstrɪkən] *v.* pp. of **strike.** **—** *adj.* 受(疾病、災難、傷害)侵襲的。

***strict** [strɪkt] *adj.* ①嚴格的；嚴厲的；嚴密的；精確的。②完全的；絕對的。—**ness,** *n.*

***strict·ly** [ˋstrɪktlɪ] *adv.* ①嚴格地；嚴密地；精確地。②的確；全然地。

stric·ture [ˋstrɪktʃɚ] *n.* Ⓒ ①(常 *pl.*) 嚴苛之批評；非難。pass ~*s* on...對…加以抨擊。②〖醫〗(身體中管道的)狹窄。

***stride** [straɪd] *v.i.* (**strode** [strod], **strid·den** [ˋstrɪdn̩]) ①大步行走。②跨。**—** *v.t.* ①跨坐於…上；跨立於…上。②跨過。**—** *n.* Ⓒ 大步；闊步；一跨之距離。*get into one's ~* (工作)進入情況；開始上軌道。*hit one's ~* 達到正常水準。*make great[rapid] ~s* 突飛猛進；大有進步。*take (something) in one's ~* 輕易地解決(困難等)；從容處理；成功地應付。

stri·dent [ˋstraɪdn̩t] *adj.* 作粗糙聲的；發尖銳聲的。

strid·u·late [ˋstrɪdʒə,let] *v.i.* 發唧唧聲；唧唧叫。—**strid·u·la′tion,** *n.*

***strife** [straɪf] *n.* Ⓤ 爭吵；爭鬥。

‡**strike** [straɪk] *v.t.* (**struck, struck** or **strick·en**) ①打；擊；敲。②使感動；使突然充滿(一種強烈的情緒)。③劃(火柴)；打火。④觸(目)；使想起；出現於(某人)心頭。⑤鑄造。⑥締結。⑦落下；取下。⑧發現。⑨鳴響；報時。⑩採取(態度)；裝出。⑪使(植物)生根；種植；扎(根)。⑫估定；結算；清算。~ a balance 結帳。⑬遇到；碰到。⑭用魚叉叉(鯨魚)。⑮劃掉；刪除〔常 out〕. ⑯擠出；排出；取下〔常 off〕. ⑰使突然患病[死亡]。⑱停止(工作)；罷(工)。**—** *v.i.* ①打；打擊。②(鐘)鳴；響。③進攻。④罷工。⑤〖植〗生根。⑥(魚等)啣餌；上鉤。⑦(火柴)劃燃；著火。⑧走；去。⑨(船等)觸礁。⑩產生某種印象。⑪突然來臨或發現〔常 on, upon〕. ~ *home* 痛擊；命中；中肯。~ *in* 插言；(疾病等)侵襲內臟。~ *into* 突然轉入；突然開始。~ *it rich*〖美俗〗**a.** 發現富礦。**b.** 突然或意外地成功。~ *off* **a.** 取消；抹去。**b.** 斬下(人頭等)。**c.** 印刷。~ *oil* **a.** 發現石油礦。**b.** 獲得重要發現；獲得好運氣。~ *out* **a.** 抹去；刪去。**b.**(游泳或溜冰)向某一方向奮力前進。**c.** 想出；籌劃。**d.**〖棒

球〗(使)三振出局。～ ***up*** 開始奏唱。 —— *n.* Ⓒ①打擊；毆打。②罷工。③暴富。④〖棒球〗好球。⑤一次所鑄之錢幣數量。⑥礦藏之重要發現。⑦〖保齡球〗全倒。***have two ～s against one*** 在不利或危急的情況下。

strike·break·er [ˋstraɪkˌbrekɚ] *n.* Ⓒ破壞罷工者。

strike·out [ˋstraɪkˌaʊt] *n.* Ⓒ①〖棒球〗三振。②被禁止充當碼頭工人的已服刑期滿之犯人。(亦作 **strike-out**)

strik·er [ˋstraɪkɚ] *n.* Ⓒ①打擊者；打擊物。②罷工者。③用魚叉叉魚者。④〖美軍〗陸軍軍官的傳令兵或勤務兵。

***strik·ing** [ˋstraɪkɪŋ] *adj.* 顯著的；引人注意的。—**ly,** *adv.*

‡**string** [strɪŋ] *n.* ① ⓊⒸ 帶；線；細繩。②Ⓒ一串；一列。③Ⓒ(樂器或弓等之)弦。④Ⓒ(豆莢等之)筋；纖維。⑤(*pl.*)絃樂器(集合稱)。⑥Ⓒ(常 *pl.*)〖俗〗附帶條件。***on the*** [***a***]～ 在控制下；被指揮。***pull ～s*** **a.** 暗中操縱。**b.** 運用影響力。—— *v.t.* (**strung**)①串起。②上弦。③使緊；收緊。④使緊張；使興奮。⑤去(豆莢等)之筋。⑥成一串列排起；排成一列。⑦〖俚〗欺騙〔along〕. —— *v.i.* ①成串；魚貫而進。②(膠等)引長成絲。～ ***along with*** 贊同；跟隨。～ ***out*** **a.** 拖長；延伸。**b.** 延長；拖延。～ ***up*** 〖俗〗絞死。§ ∽ **bèan** (1)菜豆(又稱四季豆)。(2)〖俗〗瘦而高的人。∽ **quartét** 弦樂四重奏。

strin·gen·cy [ˋstrɪndʒənsɪ] *n.* Ⓤ ①嚴格；嚴厲。②銀錢短少；手頭緊。③說服力。

strin·gent [ˋstrɪndʒənt] *adj.* ①嚴格的；苛刻的。②迫切的；緊要的。③缺乏現金的；銀根緊的。④令人信服的；有說服力的。—**ly,** *adv.*

string·y [ˋstrɪŋɪ] *adj.* ①似繩的。②黏連的。③纖維質多的；多筋的。

***strip**[1] [strɪp] *v.t.* (**-pp-** or **stript**)①剝去；脫去；取去；使裸。②剝奪。③搶劫；偷。④弄掉(螺釘等)之螺紋。⑤擠乾(牛)之奶；擠盡(牛乳)。⑥拆去；拆卸。—— *v.i.* ①脫衣；裸露。②剝皮。

***strip**[2] *n.* Ⓒ①狹長之一條或一片。②〖空〗狹長之跑道。③報章雜誌上之連環圖畫。—— *v.t.* 切成狹長之片條。

***stripe** [straɪp] *n.* Ⓒ①斑紋；條紋；鑲條；邊條。②種類；性質。③(軍中之)臂章；袖章。④鞭打；鞭痕。—— *v.t.* 加以條紋；鑲邊。

striped [straɪpt] *adj.* 有條紋的。

striped-pants [ˋstraɪptˋpænts] *adj.* 過於注重外交形式的；重視禮儀的。(亦作 **striped-trousers**)

strip·ling [ˋstrɪplɪŋ] *n.* Ⓒ年輕人。

strip-mine [ˋstrɪpˌmaɪn] *v.t.* 從礦場採(礦)。

strip·per [ˋstrɪpɚ] *n.* Ⓒ①〖美俚〗跳脫衣舞者；赤裸之婦女。②剝奪者；剝者。③摘取菸葉者。④截穗機。

strip·tease [ˋstrɪpˌtiz] *n.* Ⓒ〖美〗脫衣舞。—— *v.i.* 跳脫衣舞。—**strip′teas·er,** *n.*

***strive** [straɪv] *v.i.* (**strove, striv·en** [ˋstrɪvən])①努力；奮勉。②奮鬥；抗爭；鬥爭〔with, against〕.

***striv·en** [ˋstrɪvən] *v.* pp. of **strive.**

strobe [strob] *n.* Ⓒ〖攝〗(放電的)閃光燈。

stro·bo·scope [ˋstrobəˌskop] *n.* Ⓒ閃光測頻器。

strode [strod] *v.* pt. of **stride.**

stroke**[1] [strok] *n.* ①Ⓒ打擊；一打；一擊。②Ⓒ敲聲；(鐘的)鳴聲。③Ⓒ一動；一划。④Ⓒ筆畫。⑤Ⓒ(疾病)突然發作；中風。⑥(a ～)成就。⑦(a ～)一段運氣；意外事故。What a ～ of luck! 多幸運啊！⑧Ⓒ(心臟的)鼓動；脈搏。⑨(a ～)努力。⑩Ⓒ手段；策劃。⑪Ⓒ尾槳(手)。a ～ above...*** 比…棋高一著。***at a***[***one***]～ 一下子；一舉。***keep ～s*** 齊一動作；齊著划槳。—— *v.t.* 充當…的尾槳手。

stroke[2] *v.t.* 撫摸。～ ***a person***(***up***) ***the wrong way*** 逗惱人；惹人；撩人。—— *n.* Ⓒ撫摸。

***stroll** [strol] *v.i.* & *n.* Ⓒ漫步；遨遊；巡遊。

stroll·er [ˋstrolɚ] *n.* Ⓒ①漫步者；遨遊者。②巡遊藝人。③四輪嬰兒車。

‡**strong** [strɔŋ] *adj.* ①健壯的；強固的；堅強的；強大的。②有力的。③濃烈的；強烈的。～ tea 濃茶。④足達某數的；實足的。⑤有強烈味道的；有臭味的。⑥熱心的；強硬的。⑦〖文法〗動詞變化不規則的。⑧〖語音〗重讀的。⑨〖商〗價格堅挺的。⑩堅毅的；堅決的。⑪清楚而有力的；高聲的。⑫富於某種東西的。⑬強烈的(如光線、顏色等)。—— *adv.* 強有力地；猛烈地。§ ∽ **mèat** 不容易消化或接受的手段、教訓、讀物等。∽ **ròom** 保險室；貴重物品保管室。*—**ly,** *adv.*

strong-arm [ˋstrɔŋˌɑrm] 〖俗〗*adj.* 用體力的；暴烈的；強迫的。—— *v.t.* 對…施用暴力。

strong·box [ˋstrɔŋˌbɑks] *n.* Ⓒ鐵櫃；保險櫃。

***strong·hold** [ˋstrɔŋˌhold] *n.* Ⓒ①要塞；堡壘。②根據地。

strong-mind·ed [ˋstrɔŋˋmaɪndɪd] *adj.* 堅定不動搖的；意志堅強的。

strong·point [ˋstrɔŋˌpɔɪnt] *n.* Ⓒ〖軍〗防守據點；要塞。

strong-willed [ˋstrɔŋˋwɪld] *adj.* ①意志堅強的。②頑固的；剛愎的。

stron·ti·um [ˋstrɑnʃɪəm] *n.* Ⓤ〖化〗鍶(金屬元素；符號 Sr).

strop [strɑp] *n.* Ⓒ磨剃刀的皮條。

stro·phe [ˋstrofɪ] *n.* Ⓒ①(古希臘戲劇中歌詠隊)自右向左旋轉。②(左轉時歌唱的)一節歌；一節詩。

***strove** [strov] *v.* pt. of **strive.**

‡**struck** [strʌk] *v.* pt. & pp. of **strike.** —— *adj.* 因罷工而關門的；受到罷工影響的。

struc·tur·al [ˋstrʌktʃərəl] *adj.* ①建築(用)的。②結構的。§ ∽ **fórmula** 〖化〗結構式。∽ **linguístics** 結構語言學。∽ **psychólogy** 結構心理學。—**struc′tur·al·ist,** *n.* & *adj.*

***struc·ture** [ˋstrʌktʃɚ] *n.* ①Ⓤ構造；結構。②Ⓤ建造法；建築物的樣式。③Ⓒ建築物；構造物。—— *v.t.* 構

造；建造。 「水果捲心餅。

stru·del [ˋʃtrudəl, ˋstrudəl] *n.* Ⓤ Ⓒ

‡**strug·gle** [ˋstrʌgl] *v.i.* ①努力；奮鬥。②掙扎。 — *n.* Ⓒ ①努力；奮鬥；競爭。②掙扎。③鬥爭；戰爭。

strum [strʌm] *v.t. & v.i.* (**-mm-**)漫不經心地亂彈(琴等)。 — *n.* Ⓒ 漫不經心而亂彈的聲音；亂彈。

strum·pet [ˋstrʌmpɪt] *n.* Ⓒ 娼妓。

***strung** [strʌŋ] *v.* pt. & pp. of **string.** — *adj.*①容易興奮的；神經質的(=high-strung). ②神經緊張的〔up〕.

strut[1] [strʌt] *v.i.*(**-tt-**)神氣十足地行走〔about, along〕. — *n.* Ⓒ (常 *sing.*)高視闊步；神氣十足之行走。

strut[2] *n.* Ⓒ〖建〗支柱；撐木。 — *v.t.* (**-tt-**)用支柱支撐。 「番木鼈鹼。

strych·nine [ˋstrɪknɪn] *n.* Ⓤ〖化〗

Stu·art [ˋstjuɚt] *n.* Ⓒ 斯圖亞特王室的人。***the ~s; the House of ~*** 斯圖亞特王室(1371-1603 統治蘇格蘭, 1603-1714 統治蘇格蘭與英格蘭的王室)。

stub [stʌb] *n.* Ⓒ ①殘株；殘片；殘根；殘段。②(支票簿等的)存根。③任何短小粗鈍之物。 — *v.t.* (**-bb-**)①拔除(土地)之殘根。②使(脚趾)撞到(殘株等硬物)。③捻熄(香煙)。 — **by,** *adj.*

stub·ble [ˋstʌbl̩] *n.* Ⓤ ①(稻等)殘株。②短鬚。 — **stub′bly,** *adj.*

***stub·born** [ˋstʌbɚn] *adj.* ①堅決的；堅強的。②固執的；倔強的。③難處理的；難應付的。 — **ly,** *adv.* — **ness,** *n.*

stuc·co [ˋstʌko] *n.* Ⓤ (粉刷牆壁用的)灰泥。 — *v.t.* 塗以灰泥；粉刷。

***stuck** [stʌk] *v.* pt. & pp. of **stick**[2].

stuck-up [ˋstʌkˋʌp] *adj.* 〖俗〗傲慢的。

stud[1] [stʌd] *n.* Ⓒ ①飾釘。②(襯衣之)飾鈕。③(建築物之)間柱。④〖機〗柱螺栓。 — *v.t.* (**-dd-**)①飾以釘、鈕扣或類似之物。②漫佈；滿佈。③裝柱螺栓。

stud[2] *n.* Ⓒ ①(專爲繁殖、打獵、賽馬等飼養的)馬；馬群。②種馬場。③〖美〗種馬。 「譜；馬的血統簿。

stud·book [ˋstʌd,bʊk] *n.* Ⓒ 馬種系

‡**stu·dent** [ˋstjudn̩t] *n.* Ⓒ ①學生。②學者；研究者。 「馬。

stud·horse [ˋstʌd,hɔrs] *n.* Ⓒ 種

stud·ied [ˋstʌdɪd] *adj.* 經過細心計畫的；故意的；不自然的。

***stu·di·o** [ˋstjudɪ,o] *n.* Ⓒ (*pl.* **~s**)①(畫家、照相師等之)畫室；工作室；技術室。②(常 *pl.*)電影攝影棚；製片場。③播音室；廣播室。

stu·di·ous [ˋstjudɪəs] *adj.* ①好學的；用功的。②注意的；用心的。③細心計劃的；有意的。 — **ly,** *adv.*

‡**stud·y** [ˋstʌdɪ] *n.* ① Ⓤ 學習；讀書；求學。② Ⓤ Ⓒ 仔細檢查；研討；調查。③ Ⓒ 研究的對象；學科。④ Ⓒ 研究結果之論著；專論。⑤ Ⓒ 書房。⑥(*sing.*)值得注意的事物。⑦ Ⓒ (故事、圖畫等的)草稿；速寫；素描。⑧ Ⓒ〖樂〗練習曲。⑨Ⓤ Ⓒ沉思；默想。⑩Ⓒ (常 *pl.*)研究。 — *v.i.* ①求學；研究。②沉思；默想。③努力；苦心。 — *v.t.* ①學習；研究。②仔細查閱。③想出；考慮；設計。

***stuff** [stʌf] *n.* Ⓤ ①材料；原料；物品。②要素；素質。③織物；毛織物。④廢物；劣品。⑤無聊話；荒唐事。⑥〖俗〗自己本行之事。 — *v.t.*①填塞；塞〔常 with, into〕. ②把…製成標本。③阻塞；窒息〔常 up〕. ④塞餡於(雞等)之腹中(以便烹煮)。⑤〖英〗將假選票放入(投票櫃裏)。⑥使(腦子裏)裝滿(知識、想法等)；灌輸。 — *v.i.* 飽食；狼吞虎嚥。§ **~ed shírt** 裝模作樣[擺架子]的男人。**~ shòt**〖籃球〗灌籃。

stuff·ing [ˋstʌfɪŋ] *n.* Ⓤ ①填塞物。②烹煮前塞於雞、鴨腹中的材料。

stuff·y [ˋstʌfɪ] *adj.* ①通風不良的。②索然無味的。③〖俗〗易吃驚的；惱怒的。④拘謹的；保守的。⑤自命不凡的。

stul·ti·fy [ˋstʌltə,faɪ] *v.t.* ①使顯得愚蠢。②使失效。③〖法律〗聲明(某人)精神錯亂。 — **stul·ti·fi·ca′tion,** *n.*

***stum·ble** [ˋstʌmbl̩] *v.i.* ①顛躓；絆跌。②蹣跚而行。③遲疑而笨拙地說話、做事等。④失足；做錯。⑤偶然發現；偶然遇到〔on, upon, across〕. — *v.t.* ①使顛躓。②使迷惑。 — *n.* Ⓒ ①顛躓。②錯誤。③失足。§ **stúmbling blòck**(1)障礙物；絆脚石。(2)煩惱的原因。

stump** [stʌmp] *n.* ① Ⓒ (樹被砍倒後遺下之)殘幹。② Ⓒ 殘餘部分。③ Ⓒ 作政治性演說的地方。④ Ⓒ 笨重的脚步(聲)。⑤ Ⓒ 木腿。⑥(*pl.*)〖俚〗腿；脚。⑦ Ⓒ 矮胖之人。take*** [***go on***] ***the ~*** 巡迴作政治演說。***stir one's ~s*** 急行。***up a ~***〖美俗〗不知如何是好。 — *v.i.* ①以艱難而笨拙的步伐行走。②作政治演說。 — *v.t.* ①使成殘幹。②〖美〗在…作政治演說。③〖美俗〗困惑；難倒。

stump·er [ˋstʌmpɚ] *n.* Ⓒ〖俗〗①難題。②作競選演說者。

stump·y [ˋstʌmpɪ] *adj.* ①短而粗的。②多殘株的。③ 似殘株的。

stun [stʌn] *v.t.* (**-nn-**)①使昏暈。②使吃驚；使目瞪口呆。

***stung** [stʌŋ] *v.* pt. & pp. of **sting.**

stunk [stʌŋk] *v.* pt. & pp. of **stink.**

stun·ner [ˋstʌnɚ] *n.* Ⓒ ①令人驚愕、昏暈的人或物。②〖俗〗極美的人。

stun·ning [ˋstʌnɪŋ] *adj.* ①使不省人事的；使人暈眩的。②〖俗〗出色的；極美的。

stunt[1] [stʌnt] *v.t.* 阻礙…之生長或發展。 — *n.* Ⓒ 發育不全的動、植物。

stunt[2] *n.* Ⓒ〖俗〗絕技；驚人的技藝。 — *v.t. & v.i.* (以…)表演絕技。

stu·pe·fy [ˋstjupə,faɪ] *v.t.* 使失知覺；使失神；使昏迷；使不勝驚愕。 — **stu·pe·fac′tion,** *n.*

stu·pen·dous [stjuˋpɛndəs] *adj.* 驚人的；巨大的；偉大的。 — **ly,** *adv.*

‡**stu·pid** [ˋstjupɪd] *adj.* ①愚蠢的；魯鈍的。②無趣味的。③無知覺的；麻木的。 — **ly,** *adv.*

***stu·pid·i·ty** [stuˋpɪdətɪ, stju-] *n.* ① Ⓤ 愚蠢；魯鈍。② Ⓤ Ⓒ (常 *pl.*)愚蠢的言行。 「昏迷；麻痺。

stu·por [ˋstjupɚ] *n.* Ⓤ (又作a ~)

***stur·dy** [ˋstɝdɪ] *adj.* ①強的；健壯的。②堅定的；不屈的。 — **stur′di·ly,** *adv.* — **stur′di·ness,** *n.*

stur·geon [ˋstɝdʒən] *n.* Ⓤ Ⓒ 鱘魚；鰈鮫。
stut·ter [ˋstʌtɚ] *v.i.* 口吃；結巴。 — *v.t.* 結結巴巴地說〔out〕. — **er,** *n.*
sty[1] [staɪ] *n.* Ⓒ ①豬欄。②污濁之所。
sty[2] *n.* Ⓒ〖醫〗瞼腺炎(俗稱麥粒腫)。(亦作 **stye**)
Styg·i·an [ˋstɪdʒɪən] *adj.* ①陰間的；冥河的。②黑暗的；陰森森的。
⁑**style** [staɪl] *n.* ① Ⓤ Ⓒ 時式；時尚。② Ⓤ Ⓒ 文體；風格；作風；格式；樣式；方式。③ Ⓒ 稱呼；尊稱。④ Ⓒ〖植〗花柱。⑤ Ⓒ (蠟板上書寫的)尖筆。⑥ Ⓤ Ⓒ〖印刷〗體例。⑦ Ⓤ (生活的)優雅；奢華。⑧ Ⓒ 曆法。 — *v.t.* ①稱呼。②〖美〗(按某型式或新式樣)設計。
style·book [ˋstaɪl͵bʊk] *n.* Ⓒ ①文體；(印刷、編輯用之)體例說明書。②時裝圖樣書。
styl·ish [ˋstaɪlɪʃ] *adj.* ①時髦的。②優雅的；嫻熟的。 — **ly,** *adv.* — **ness,** *n.*
styl·ist [ˋstaɪlɪst] *n.* Ⓒ ①文體家；文體批評家。②(衣服、裝飾等之)設計家。 — **sty·lis′tic,** *adj.*
sty·lis·tics [staɪˋlɪstɪks] *n.* Ⓤ 文體學。
styl·ize [ˋstaɪlaɪz] *v.t.* 使套入某型式；使合於某種風格；使成某樣式。
sty·lus [ˋstaɪləs] *n.* Ⓒ (*pl.* **-li** [-laɪ], **~es**) ①(蠟紙上寫字用的)尖筆。②(唱片用的)唱針。③〖解〗針突。
sty·mie, -my [ˋstaɪmɪ] *v.t.* ①從中作梗。②完全阻礙。
styp·tic [ˋstɪptɪk]〖醫〗*adj.* 止血的。 — *n.* Ⓒ 止血劑。
Sty·ro·foam [ˋstaɪrə͵fom] *n.* Ⓤ〖商標〗保麗龍；泡沫聚苯乙烯(一種合成樹脂)。
Styx [stɪks] *n.* (the ~)〖希神〗冥河。
suave [swɑv] *adj.* 溫和的；嫻雅的。
suav·i·ty [ˋswævətɪ] *n.* ① Ⓤ 溫和；慇懃。②(*pl.*)溫文爾雅之舉止或言談。
sub [sʌb]〖俗〗*n.* Ⓒ ①代理者；替代物。②潛水艇。③僚屬。④＝**sublieutenant.** — *v.i.* (**-bb-**)代替。
sub-〖字首〗表下列各義：①下；在下。如：*sub*way. ②往下；更；再。如：*sub*lease. ③近；靠近。如：*sub*arctic. ④較低；附屬；助理；副；次。如：*sub*altern. ⑤細分；再分；亞。如：*sub*class.
sub·al·tern [səbˋɔltɚn] *n.* Ⓒ ①〖英〗上尉下軍官。②副官；僚屬。 — *adj.* ①部下的；部屬的。②上尉下軍官的。
sub·branch [ˋsʌb͵bræntʃ] *n.* Ⓒ 分支；小部門；支店。
sub·chair·man [sʌbˋtʃɛrmən] *n.* Ⓒ (*pl.* **-men**)副主席；代主席。
sub·com·mit·tee [ˋsʌbkə͵mɪtɪ] *n.* Ⓒ 小組委員會；附屬委員會。
sub·con·scious [sʌbˋkɑnʃəs] *adj.* 潛意識的。 — *n.* (the ~)潛意識；下意識。 — **ly,** *adv.* — **ness,** *n.*
sub·con·ti·nent [sʌbˋkɑntənənt] *n.* Ⓒ 次大陸；次洲。
sub·con·tract [sʌbˋkɑntrækt] *n.* Ⓒ 轉包[分包]契約。 — [͵sʌbkənˋtrækt] *v.t.* & *v.i.* 轉包；分包。
sub·con·trac·tor [͵sʌbkənˋtræktɚ] *n.* Ⓒ 分包包商。
sub·cu·ta·ne·ous [͵sʌbkjuˋtenɪəs] *adj.* 皮下的。
sub·di·vide [͵sʌbdəˋvaɪd] *v.t.* & *v.i.* 再分；細分。 — **sub·di·vi′sion,** *n.*
***sub·due** [səbˋdju] *v.t.* ①征服；克服；壓制。②降低(聲音)；減弱；緩和。
sub·dued [səbˋdjud] *adj.* ① **a.** 受抑制的；被壓制的。 **b.** 含蓄的；文靜的。~ manners 溫和的舉止。②(顏色等)柔和的。
sub·ed·i·tor [sʌbˋɛdɪtɚ] *n.* Ⓒ 副主筆；副編輯。
sub·group [ˋsʌb͵grup] *n.* Ⓒ ①〖生物〗亞目。②〖數〗子群。
sub·head(ing) [ˋsʌb͵hɛd(ɪŋ)] *n.* Ⓒ 小標題；副標題。
subj. subject; subjective(ly); subjunctive(ly).
⁑**sub·ject** [ˋsʌbdʒɪkt] *n.* Ⓒ ①主題；題目；科目；學科。②庶民；臣民。③被實驗者；病人；患者。④〖文法〗主詞。⑤〖樂〗樂旨；主旋律。⑥〖哲〗實體；自我。 — *adj.* ①受制於…的；服從的。②易患…的；易受…的；常遇…的。③依照…的；聽候…的。The prices are ~ to change. 價格可能有變動。 — [səbˋdʒɛkt] *v.t.* ①使服從；使隸屬。②使蒙受；使遭受。③提出。§ ~ càtalog 主題目錄。 ~ màtter 內容；主題；題目。 — **sub·jec′tion,** *n.*
sub·jec·tive [səbˋdʒɛktɪv] *adj.* ①出自內心的；主觀的。②〖文法〗主詞的。 — **ly,** *adv.* — **sub·jec·tiv′i·ty,** *n.*
sub·jec·tiv·ism [səbˋdʒɛktɪvɪzm̩] *n.* Ⓤ〖哲〗主觀主義；主觀論。
sub·join [səbˋdʒɔɪn] *v.t.* 補述；增補；添加。
sub·ju·gate [ˋsʌbdʒə͵get] *v.t.* 征服；壓服；抑制。 — **sub·ju·ga′tion,** *n.*
sub·junc·tive [səbˋdʒʌŋktɪv] *n.* (the ~) & *adj.*〖文法〗假設語氣(的)；假設法(的)。
sub·lease [ˋsʌb͵lis] *n.* Ⓒ 轉租；分租。 — [sʌbˋlis] *v.t.* 轉租；分租。
sub·let [sʌbˋlɛt] *v.t.* (**-let, -let·ting**) ①轉租給。②轉包給；分包給。
sub·lieu·ten·ant [͵sʌbluˋtɛnənt] *n.* Ⓒ〖英〗陸軍少尉；海軍中尉。
sub·li·mate [ˋsʌbləmɪt, -͵met] *adj.* ①昇華的。②高尚化的；純化的。 — *n.* Ⓒ 昇華物。 — [ˋsʌblə͵met] *v.t.* ①使昇華。②使純化；精鍊。③使高尚化；使理想化。 — **sub·li·ma′tion,** *n.*
***sub·lime** [səˋblaɪm] *adj.* ①崇高的；壯麗的。②〖俗〗極度的；完全的。 — *n.* (the ~)①崇高；宏壯；卓絕。②最高的程度；最大的限度。 — *v.t.* & *v.i.* 昇華；精鍊；純化；淨化。 — **ly,** *adv.*
sub·lim·i·nal [sʌbˋlɪmənl] *adj.* ①〖心〗下意識的；潛意識的。②弱得不能感覺到的；小得無法注意到的。
sub·lim·i·ty [səˋblɪmətɪ] *n.* ① Ⓤ 高尚；崇高；壯麗。② Ⓒ 崇高之人或物。
sub·lu·nar·y [sʌbˋlunərɪ] *adj.* ①月下的。②地上的。③塵世的；世俗的。(亦作 **sublunar**)
sub·ma·chíne gùn [͵sʌbməˋʃin ~] *n.* Ⓒ 手提輕機槍。

S

***sub·ma·rine** [ˋsʌbmə,rin] *n.* Ⓒ 潛水艇。— [,sʌbməˋrin] *adj.* 海底的；海生的；在海中用的。
sub·merge [səbˋmɜdʒ] *v.t.* ①置於水中；浸入水中。②將…遮覆；埋沒。— *v.i.* 沉入水中；潛入水中。— **sub·mer′gence,** *n.*
sub·mers·i·ble [səbˋmɜsəbl̩] *adj.* 可沉入水中的；可潛航的。— *n.* Ⓒ 潛水艇；(深海探測用的)潛水器。
sub·mer·sion [səbˋmɜʃən] *n.* Ⓤ 潛水；潛航；沉沒；浸漬。
sub·mis·sion [səbˋmɪʃən] *n.* ① Ⓤ Ⓒ 服從；歸順。② Ⓤ 恭謹；謙遜。③ Ⓒ 提交仲裁協議(書)。— **sub·mis′sive,** *adj.*
***sub·mit** [səbˋmɪt] *v.t.* (**-tt-**) ①使服從；使屈服〔to〕. ②提出〔to〕. ③主張；建議。— *v.i.* 屈服；甘受〔to〕.
sub·nor·mal [sʌbˋnɔrml̩] *adj.* 正常以下的；(尤指)智力低於常人的。
sub·or·bit·al [sʌbˋɔrbɪtl̩] *adj.* (人造衛星等)小軌道飛行的；未進入地球軌道的。
***sub·or·di·nate** [səˋbɔrdnɪt] *adj.* 下級的；次要的；附屬的。— *n.* Ⓒ 屬下；屬僚；附屬物。— [səˋbɔrdn̩,et] *v.t.* 使居下位；使服從。— **sub·or′di·na·tive,** *adj.* — **sub·or·di·na′tion,** *n.*
sub·orn [səˋbɔrn] *v.t.* ①賄買。②使作僞證。③唆使。— **sub·or·na′tion,** *n.*
sub·plot [ˋsʌb,plɑt] *n.* Ⓒ (文藝作品中之)次情節。
sub·poe·na, -pe·na [səˋpinə] *n.* Ⓒ〖法律〗傳票。— *v.t.* 傳喚。
sub·rou·tine [,sʌbruˋtin] *n.* Ⓒ〖電算〗子常式。
***sub·scribe** [səbˋskraɪb] *v.t.* ①捐助；認捐。②簽名於文書等；簽署。③簽名(於合約等)表示同意。— *v.i.* ①同意；贊同。②訂閱(雜誌、書籍等)〔to, for〕. ③捐助；認捐。④申購(股票等)。⑤簽名；簽署〔to〕. — **sub·scrib′er,** *n.*
sub·script [ˋsʌbskrɪpt] *n.* Ⓒ 寫於下邊的數字或文字(如 H_2O 中之 2)。
***sub·scrip·tion** [səbˋskrɪpʃən] *n.* ① Ⓒ 署名；簽諾。② Ⓤ 認捐。③ Ⓒ 捐款。④ Ⓤ 預約；訂購。⑤ Ⓒ 預約金；訂閱費。⑥ Ⓤ 同意；贊成。
***sub·se·quent** [ˋsʌbsɪ,kwɛnt] *adj.* 隨後的；後來的；繼起的。— **sub′se·quence,** *n.*
sub·se·quent·ly [ˋsʌbsəkwəntlɪ] *adv.* 其後；後來。
sub·ser·vi·ent [səbˋsɜvɪənt] *adj.* 阿諛的；屈從的〔to〕. — **sub·ser′vi·ence,** *n.*
***sub·side** [səbˋsaɪd] *v.i.* ①降落。②(熱病、憤怒、暴風等)平息；消退。③下沉；沉澱。④坐下。— **sub·sid′ence,** *n.*
sub·sid·i·ar·y [səbˋsɪdɪ,ɛrɪ] *adj.* ①輔助的；補助的。②附屬的；副的；次的。a ～ company 分公司。③補助金的；靠補助金維持的。— *n.* Ⓒ ①補助物；附屬物；附加物。②附屬公司。
sub·si·dize [ˋsʌbsə,daɪz] *v.t.* ①以金錢補助；資助；津貼。②收買(現常含有賄賂之意)。
sub·si·dy [ˋsʌbsədɪ] *n.* Ⓒ 補助金；津貼；獎金。
sub·sist [səbˋsɪst] *v.i.* ①存在。②生活；維持生活。③居住；在於〔in〕. — *v.t.* 供給糧食；供養。
sub·sist·ence [səbˋsɪstəns] *n.* Ⓤ 生活；生存；生計。
sub·soil [ˋsʌb,sɔɪl] *n.* Ⓤ (常the ～)(表層下面的)下層土。
sub·son·ic [sʌbˋsɑnɪk] *adj.* 低於音速的。
sub·spe·cies [sʌbˋspiʃɪz, ˋsʌb,spiʃɪz] *n.* Ⓒ (*pl.* ～)〖生物〗亞種；變種。
***sub·stance** [ˋsʌbstəns] *n.* ① Ⓒ 物質；物。② Ⓤ 實質；內容；實體；本體。③(the ～)要義；主旨；大意。④ Ⓤ〖古〗財產；資產。*in* ～ **a.** 本質上；實質上。**b.** 實際上；事實上。
sub·stand·ard [sʌbˋstændəd] *adj.* 標準以下的。
***sub·stan·tial** [səbˋstænʃəl] *adj.* ①眞實的；實際的；實在的。②牢固的；堅實的。③內容充實的；豐富的。④重大的。⑤富有的。⑥實質上的；大致的。— **ly,** *adv.* — **sub·stan·ti·al′i·ty,** *n.*
sub·stan·tial·ism [səbˋstænʃəlɪzəm] *n.* Ⓤ〖哲〗實體論；本體論。
sub·stan·ti·ate [səbˋstænʃɪ,et] *v.t.* ①證實；證明。②使具體化。③加強；使有內容。— **sub·stan·ti·a′tion,** *n.*
sub·stan·tive [ˋsʌbstəntɪv] *adj.* ①〖文法〗作爲名詞用的；表示存在的。②獨立的。③實在的；實際的。④本質的；主要的。— *n.* Ⓒ〖文法〗實(名)詞。
sub·sta·tion [ˋsʌb,steʃən] *n.* Ⓒ 分局；分所。
***sub·sti·tute** [ˋsʌbstə,tjut] *n.* Ⓒ ①代替者；代理人。②代替物；代用品。— *v.t.* 以…代替…。— *v.i.* 代替〔for〕. — *adj.* 代替的；代理的。— **sub·sti·tu′tion,** *n.*
sub·strate [ˋsʌbstret] *n.* ①＝**substratum.** ② Ⓤ〖生化〗底質；酶作用物(接受酵素作用的物質)。
sub·strat·o·sphere [sʌbˋstrætəsfɪr] *n.* (the ～)下平流層。
sub·stra·tum [sʌbˋstretəm] *n.* Ⓒ (*pl.* **-ta** [-tə])①下層(土)。②地基；基礎；根基。
sub·struc·ture [sʌbˋstrʌktʃə] *n.* Ⓒ 基礎；根基。
sub·sume [səbˋsum] *v.t.* 把(命題等)歸[納]入；包括；包含；包攝。
sub·sys·tem [ˋsʌb,sɪstəm, sʌbˋsɪstəm] *n.* Ⓒ 次要系統；補助系統。
sub·teen [ˋsʌbˋtin] *n.* Ⓒ 將滿十三歲的男孩或女孩。
sub·ten·ant [sʌbˋtɛnənt] *n.* Ⓒ 向佃農轉佃者；轉承租人。
sub·tend [səbˋtɛnd] *v.t.* ①〖數〗(弦、邊、角等)正對(弧、角等)。②〖植〗包於葉腋內。
sub·ter·fuge [ˋsʌbtə,fjudʒ] *n.* ① Ⓒ 遁辭；藉口。② Ⓤ 狡猾手段；詭計。
sub·ter·ra·ne·an [,sʌbtəˋrenɪən] *adj.* ①地下的。②祕密的；隱藏的。(亦作 **subterraneous**)
sub·ti·tle [ˋsʌb,taɪtl̩] *n.* Ⓒ ①小標題；副標題。②〖影〗字幕。

***sub·tle** [ˋsʌtl̩] *adj.* ①精緻的；微妙的。②稀薄的；淡的。③明敏的；精細的。④狡猾的。⑤靈巧的；熟練的。—**ty,** *n.* —**sub′tly,** *adv.*

sub·to·pi·a [sʌbˋtopɪə] *n.* Ⓤ Ⓒ 〖英〗①近郊地區(已失去鄉間的樸素之美)。②新興住宅區。

sub·to·tal [ˋsʌb,totl̩] *n.* Ⓒ小計。

***sub·tract** [səbˋtrækt] *v.t.* 減去；扣除。*S-* 3 from 9 and you have 6. 九減三得六。— *v.i.* 做減法。— **sub·trac′tion,** *n.* — **sub·trac′tive,** *adj.*

sub·tra·hend [ˋsʌbtrə,hɛnd] *n.* Ⓒ〖數〗減數。

sub·trop·i·cal [sʌbˋtrɑpɪkl̩] *adj.* 亞熱帶的。

sub·trop·ics [sʌbˋtrɑpɪks] *n. pl.* (the ～)亞熱帶。

***sub·urb** [ˋsʌbɜb] *n.* ① Ⓒ 市郊；城郊；郊區。②(*pl.*)城郊之住宅區。

sub·ur·ban [səˋbɜbən] *adj.* ①城郊的；市郊的；郊區的。②有郊區特性的；偏狹的；有偏見的。

sub·ur·ban·ite [səˋbɜbən,aɪt] *n.* Ⓒ郊區居民。

sub·ur·bi·a [səˋbɜbɪə] *n.* Ⓤ ①郊區。②(集合稱)郊區居民。③郊區生活。

sub·ven·tion [səbˋvɛnʃən] *n.* Ⓒ ①(政府給的)補助金。②津貼；補助。

sub·ver·sion [səbˋvɜʃən] *n.* ① Ⓤ 顛覆；推翻；敗壞。② Ⓒ 促使毀滅之物；瓦解之因由。

sub·ver·sive [səbˋvɜsɪv] *adj.* 顛覆的；促使滅亡的；敗壞的。— *n.* Ⓒ企圖摧毀(政府)者；顛覆分子。

sub·vert [səbˋvɜt] *v.t.* ①顛覆；毀滅(國家等)。②使(信心等)逐漸失去。

‡**sub·way** [ˋsʌb,we] *n.* Ⓒ ①(常 the ～)〖美〗地下鐵路。②〖英〗地下道。

sub·woof·er [ˋsʌb,wʊfɚ] *n.* Ⓒ 次低音揚聲器(指低於125赫的低音喇叭)。

‡**suc·ceed** [səkˋsid] *v.i.* ①成功。②成就；完成。③繼續。④繼位；繼承；繼任。— *v.t.* ①繼續。②繼承；繼任。

suc·ceed·ing [səkˋsidɪŋ] *adj.* 繼起的；後繼的；隨後的。

‡**suc·cess** [səkˋsɛs] *n.* ① Ⓤ 成功；好結果；勝利。② Ⓤ 財富、地位等的獲得；成就。③ Ⓒ 成功之人或事物。④ Ⓤ 成效；結果。

‡**suc·cess·ful** [səkˋsɛsfəl] *adj.* ①成功的。②飛黃騰達的；一帆風順的。*— **ly,** *adv.*

***suc·ces·sion** [səkˋsɛʃən] *n.* Ⓤ ①繼續；連續。②繼承(權)；繼位(權)。③(集合稱)一系列之繼承人；其繼承順序。*in* ～ 接連地；連續地。

***suc·ces·sive** [səkˋsɛsɪv] *adj.* 繼續的；連續的。— **ly,** *adv.*

***suc·ces·sor** [səkˋsɛsɚ] *n.* Ⓒ 後繼者；繼承者；繼任者。

suc·cinct [səkˋsɪŋkt] *adj.* 簡明的；簡潔的。— **ly,** *adv.* — **ness,** *n.*

suc·co(u)r [ˋsʌkɚ] *n.* ① Ⓤ 援助；幫助；救助。② Ⓒ 援助者；幫助者。— *v.t.* 援助；幫助；救助。

suc·co·tash [ˋsʌkə,tæʃ] *n.* Ⓤ Ⓒ (印第安人的)玉蜀黍、豆類與豬肉合煮之食物。

suc·cu·lent [ˋsʌkjələnt] *adj.* ①多汁液的。②津津有味的；有趣味的。— **suc′cu·lence,** *n.*

suc·cumb [səˋkʌm] *v.i.* ①服從；屈從。②死。

‡**such** [sʌtʃ, sətʃ] *adj.* ①如此的；這樣的。②導致…之類的；某一特殊的。③如此…的；非常的。④某。⑤諸如此類的；同類的。～ *and* ～ 某某類的。～ *as* **a.**諸如…(用於引述同類的實例)。**b.**某一種的；某一程度的。— *pron.* 如此之人；如此之事物。*and* ～ 等等；…之類。*as* ～ **a.** 如所指明者；用那個資格或名義。**b.** 本身。

such·like [ˋsʌtʃ,laɪk] *adj.* 諸如此類的；像這樣的。— *pron.* (作 *pl.* 解)此類的人或物。

***suck** [sʌk] *v.t.* 吸；吮；飲；吸收。— *v.i.* ①吸；吸入；啜乳；吸收。②〖俚〗諂媚〔常 around〕. — *n.* ① Ⓤ 吸；啜；吸收。② Ⓒ 一吸；一吮；一啜；一舐；一口；一杯。③ Ⓒ (常 *pl.*)〖俚〗失敗；失望。*Sucks!* 活該!

suck·er [ˋsʌkɚ] *n.* Ⓒ ①吸吮者。②吸管；吸盤。③有吸盤的魚；鯉屬的魚。④〖植〗吸枝。⑤(唧筒的)活塞；吸嘴。⑥〖美俚〗易受騙之人。⑦棒棒糖。⑧尚在哺乳的嬰兒或小動物。— *v.t.* 除去吸枝；拔去吸枝。— *v.i.* 生吸枝。

suck·le [ˋsʌkl̩] *v.t.* ①哺乳。②養育。— *v.i.* 吮乳；吃奶。

suck·ling [ˋsʌklɪŋ] *n.* Ⓒ乳兒；幼獸。

suc·tion [ˋsʌkʃən] *n.* ① Ⓤ 吸；吸引；吸入。② Ⓒ 吸(水)管。§ ～ **pùmp** 抽水機；汲水唧筒。

Su·dan [suˋdæn] *n.* 蘇丹(非洲之一共和國，首都 Khartoum)。

Su·da·nese [,sudəˋniz] *adj.* 蘇丹的。— *n.* Ⓒ (*pl.* ～)蘇丹人。

***sud·den** [ˋsʌdn̩] *adj.* 突然的；出乎意料的；快速的。— *n.*用於下列片語。*all of a* ～ 突然地。— **ness,** *n.*

‡**sud·den·ly** [ˋsʌdn̩lɪ] *adv.* 突然地。

su·dor·if·ic [,sudəˋrɪfɪk] *adj.* 發汗的；催汗的。— *n.* Ⓒ 發汗藥；催汗劑。

suds [sʌdz] *n. pl.* ①肥皀水。②肥皀水上之泡沫。③〖俚〗啤酒。

sue [su, sɪu] *v.i.* & *v.t.* ①起訴；控告。～ for damages 起訴要求損害賠償。②懇求；請求〔for〕. ③〖古〗(向…)求愛；(向…)求婚。

suède, suede [swed] *n.* Ⓤ ①絨面小皮。②仿麂皮布。

su·et [ˋsuɪt] *n.* Ⓤ (牛羊腎臟附近的)硬脂肪；板油。

Su·ez [ˋsuɛz] *n.* 蘇彝士(埃及東北部，蘇彝士運河南端之一海港)。§ the ～ Canál 蘇彝士運河。

‡**suf·fer** [ˋsʌfɚ] *v.t.* ①蒙受；遭受；經驗。②容許。③忍受；忍耐。— *v.i.* ①受苦；受害。②受懲罰。③患(病)。～ *from* 患於；苦於；因…受困擾；因…受損害。— **er,** *n.*

suf·fer·a·ble [ˋsʌfrəbl̩] *adj.* 可忍受的；可堪的；可容許的。

suf·fer·ance [ˋsʌfrəns] *n.* Ⓤ ①容

許；寬容；容忍。②忍耐力；忍耐。*on* ～ 出於容忍；出於寬容。

***suf·fer·ing** [ˋsʌfrɪŋ] *n.* Ⓤ Ⓒ (常 *pl.*)①痛苦；苦難；受難；受害。②災害；災難。

suf·fice** [səˋfaɪs] *v.i.* ①足夠。②具備必要條件；合格。— *v.t.* 使滿足；足夠…之用。S- it to say that....*** 只說…就夠了。

suf·fi·cien·cy [səˋfɪʃənsɪ] *n.* Ⓤ (指資格、能力)充分；足夠。

***suf·fi·cient** [səˋfɪʃənt] *adj.* 充分的；足夠的。— **ly,** *adv.*

suf·fix [ˋsʌfɪks] *n.* Ⓒ 字尾；接尾語(如badly一字中之ly). — [səˋfɪks] *v.t.* & *v.i.* 加字尾；末尾附加。

suf·fo·cate [ˋsʌfə,ket] *v.t.* ①使窒息。②使…悶死。③悶熄。— *v.i.* ①窒悶；窒息。②悶死。— **suf·fo·caˊtion,** *n.*

suf·fra·gan [ˋsʌfrəgən] *adj.* 下屬的；副的；輔助的。

suf·frage [ˋsʌfrɪdʒ] *n.* ① Ⓒ 投票。② Ⓤ 投票權；選舉權。③ Ⓤ Ⓒ 贊成。

suf·fra·gette [,sʌfrəˋdʒɛt] *n.* Ⓒ 主張婦女有參政權的婦女。

suf·fra·gist [ˋsʌfrədʒɪst] *n.* Ⓒ ①主張擴大參政權者。②主張婦女參政者。

S

suf·fuse [səˋfjuz] *v.t.* 充盈；佈滿。— **suf·fuˊsion** [-ʒən], *n.*

‡**sug·ar** [ˋʃugɚ] *n.* Ⓤ 糖。— *v.t.* ①加糖使甜；覆以糖；使甜蜜。②使吸引人。— *v.i.* 形成糖；變成糖。～ ***off*** (製楓糖時)將楓汁煮乾使結晶。§ ～ **àpple** 〖植〗番荔枝。～ **bèet** 〖植〗糖萊菔(俗稱甜菜)。～ **càne** 甘蔗。～ **còrn** 〖美〗甜玉蜀黍。～ **dàddy** 〖俚〗(致送禮物以博取年輕女子歡心的)中年男子。～ **màple** 〖植〗糖楓。

sug·ar-coat [ˋʃugɚ,kot] *v.t.* ①加以糖衣。②使…顯得更可愛迷人。

sug·ar·plum [ˋʃugɚ,plʌm] *n.* Ⓒ 小糖球；圓形小糖果。

sug·ar·y [ˋʃugərɪ] *adj.* ①含糖的；甜的。②表面使人歡悅適意的；諂媚的。

‡**sug·gest** [səgˋdʒɛst, səˋdʒɛst] *v.t.* ①使想到；使聯想。②提出；提議。③暗示。④促成。— **i·ble,** *adj.*

***sug·ges·tion** [səgˋdʒɛstʃən] *n.* ① Ⓤ Ⓒ 建議。② Ⓤ Ⓒ 暗示；聯想。③ Ⓒ 微量的痕跡；樣子；味道。

sug·ges·tive [səgˋdʒɛstɪv] *adj.* ①暗示的；引起聯想的。②誘發色情的；猥褻的。

***su·i·cide** [ˋsuə,saɪd] *n.* ① Ⓤ Ⓒ 自殺。② Ⓒ 自殺者。③ Ⓤ 自毀。— **su·i·cidˊal,** *adj.*

‡**suit** [sut, sɪut, sjut] *n.* Ⓒ ①(衣服等的)一套；一副。②訴訟。③請求；求婚。④(紙牌的)一組。⑤一套；一組。***follow*** ～ **a.** 跟牌。**b.** 蕭規曹隨；仿照前人辦法。— *v.t.* ①供以衣服。②使適合；使適應。③取悅；滿足。— *v.i.* 適合；適當。～ ***oneself*** 隨某人之便。

***suit·a·ble** [ˋsutəbl, ˋsɪu-, ˋsju-] *adj.* 適合的；適宜的；恰當的。— **suit·a·bilˊi·ty,** *n.* — **suitˊa·bly,** *adv.*

***suit·case** [ˋsut,kes, ˋsjut-] *n.* Ⓒ 小提箱(尤指旅行時裝衣服用者)。

suite [swit] *n.* Ⓒ ①套房。②一班隨員。③〖樂〗組曲。④一組舞曲。⑤一套家具。⑥一組事物；一套東西。

suit·ing [ˋsutɪŋ] *n.* Ⓤ Ⓒ 男用(西裝)衣料。

suit·or [ˋsutɚ] *n.* Ⓒ ①求婚者。②起訴者；原告。③求情者。— **ship,** *n.*

su·ki·ya·ki [ˋsukiˋjɑki] *n.* Ⓒ 壽喜燒(一種日本菜)。

sul·fa·di·a·zine [,sʌlfəˋdaɪə,zin] *n.* Ⓒ〖藥〗磺胺嘧啶；消炎片。(亦作 **sulphadiazine**)

sul·fa·nil·a·mide [,sʌlfəˋnɪlə-,maɪd] *n.* Ⓒ 〖化，藥〗對氨基苯磺醯胺(治淋病、敗血症)。

sul·fate [ˋsʌlfet] *n.* Ⓤ Ⓒ〖化〗硫酸鹽。— *v.t.* ①以硫酸或硫酸鹽處理。②使產生硫酸鹽之沉澱。(亦作 **sulphate**)

sul·fide [ˋsʌlfaɪd] *n.* Ⓤ Ⓒ〖化〗硫化物。(亦作 **sulphide**)

sul·fur [ˋsʌlfɚ] *n.* Ⓤ ①〖化〗硫磺(非金屬元素；符號爲 S)。②黃綠色；硫磺色。§ ～ **dióxide** 〖化〗二氧化硫。

sul·fu·ric [sʌlˋfjurɪk] *adj.* ①硫磺的。②〖化〗含(正六價之)硫的。§ ～ **ácid** 〖化〗硫酸。

sul·fur·ous [ˋsʌlfərəs] *adj.* ①硫磺的。②〖化〗含(正四價之)硫的。③似燃燒之硫磺的(指臭味、顏色等言)。§ ～ **ácid** 〖化〗亞硫酸。

sulk [sʌlk] *v.i.* 慍怒。— *n.* (*pl.*) 慍怒；不高興。

sulk·y [ˋsʌlkɪ] *adj.* ①慍怒的；鬱鬱不樂的。②(天氣)陰沈的。— *n.* Ⓒ 一人乘坐的兩輪輕便馬車。— **sulkˊi·ly,** *adv.* — **sulkˊi·ness,** *n.*

***sul·len** [ˋsʌlɪn, -ən] *adj.* ①慍怒的；鬱鬱不樂的。②陰沉的。— **ly,** *adv.* — **ness,** *n.*

sul·ly [ˋsʌlɪ] *v.t.* 使汚；染汚；玷汚。— *v.i.* 變汚；被玷汚。— *n.* Ⓒ 汚；汚點；瑕疵。

sul·phur [ˋsʌlfɚ] *n.* & *adj.* =**sulfur.**

sul·phu·ric [sʌlˋfjurɪk] *adj.* =**sulfuric.**

sul·phur·ous [ˋsʌlfərəs] *adj.* =**sulfurous.**

sul·tan [ˋsʌltn̩] *n.* ① Ⓒ 回教國之君主；蘇丹。②(S-)昔日土耳其君主。

sul·tan·a [sʌlˋtænə] *n.* Ⓒ ①回教國君主之后、妃、太后、公主或姐妹等。②一種無核葡萄乾。

sul·tan·ate [ˋsʌltn̩ɪt] *n.* Ⓒ 回教國王之王位、王權或領土。

***sul·try** [ˋsʌltrɪ] *adj.* ①溽暑的；酷熱的；悶熱的。②熱情的；刺激肉慾的；淫蕩的。— **sulˊtri·ly,** *adv.* — **sulˊtri·ness,** *n.*

‡**sum** [sʌm] *n.* ①(the ～)總數；合計；和。② Ⓒ (常 *pl.*)〖俗〗算術題。He is good at ～*s.* 他擅長算術。③ Ⓒ (常 *pl.*)金額。a good ～ 一大筆錢。④(the ～)概略；要點。***in*** ～ 簡言之。— *v.t.* (**-mm-**)①總計；合計〔up〕. ②概括；約略而言〔up〕. — *v.i.* 共計。

su·mac(h) [ˋʃumæk] *n.* Ⓒ ①〖植〗

蘇模。②蘇模乾葉之煉製品(用做鞣革及染色)。

Su·ma·tra [su`mɑtrə] *n.* 蘇門答臘(印尼西部之一大島)。

sum·ma cum lau·de [`sʌmə͵kʌm`lɔdɪ] 〖拉〗*adv.* & *adj.* 以最高榮譽(的)(=with the highest honor or praise).

sum·mar·i·ly [`sʌmərəlɪ] *adv.* ①概括地。②迅速地；草率地。

sum·ma·rize [`sʌmə͵raɪz] *v.t.* & *v.i.* 摘要；概述。

***sum·ma·ry** [`sʌmərɪ] *n.* Ⓒ摘要；概略。— *adj.* ①簡明的；簡短的。②迅速的；即時的；即決的。

sum·ma·tion [sʌm`eʃən] *n.* ①Ⓤ〖數〗加；合計。②Ⓒ和；總和。③Ⓒ〖法律〗案件判決前辯論的最後總結。

‡**sum·mer** [`sʌmɚ] *n.* ①ⓊⒸ夏；夏季(在美爲六，七，八三個月，在英爲五月中旬至八月中旬)。②Ⓒ(常 *pl.*)年齡。③(the ～)壯年；全盛期。— *adj.* 夏季的。— *v.i.* 過夏；避暑〔at, in〕. — *v.t.* 夏季飼餵；於夏季作。§ ～ càmp 夏令營。～ schòol 暑期講習會；暑期學校。～ sólstice 夏至。

sum·mer·house [`sʌmɚ͵haʊs] *n.* Ⓒ涼亭。

sum·mer·time [`sʌmɚ͵taɪm] .*n.* Ⓤ(常the ～)①夏季。②〖英〗日光節約時間；夏令時間。

sum·mer·y [`sʌmərɪ] *adj.* 夏的；如夏的。

sum·ming-up [`sʌmɪŋ`ʌp] *n.* Ⓒ(*pl.* **sum·mings-up**)總結；結論。

***sum·mit** [`sʌmɪt] *n.* ①(the ～)巔峰；絕頂。②Ⓒ高峯會議。

***sum·mon** [`sʌmən] *v.t.* ①召喚；傳喚。②召集。③鼓起；奮起〔常 up〕.

sum·mons [`sʌmənz] *n.* Ⓒ(*pl.* ～es)①傳喚；召喚。②傳票。— *v.t.* 〖俗〗送達傳票；以傳票召傳。

su·mo [`sumo] 〖日〗*n.* Ⓤ相撲(大力士摔角之日本競技)。— **ist,** *n.*

sump [sʌmp] *n.* Ⓒ①(引擎底部的)機油箱。②(礦坑底的)水坑；積水。

sump·tu·ous [`sʌmptʃʊəs] *adj.* 費用浩大的；奢侈的；華麗的。— **ly,** *adv.* — **ness,** *n.*

‡**sun** [sʌn] *n.* ①Ⓤ(the ～)日；太陽。②Ⓤ(又作 the ～)陽光。③Ⓒ恒星。④(the ～) 鼎盛時期。***a place in the ～*** 順境；利於發展的空間或情況。***under the ～*** 在地球上；在世界上。— *v.i.* & *v.t.* (-nn-)曬；曝；曬太陽。§ ～ bàth 日光浴。～ blìnd 窗前之篷蓋；遮陽。～ pàrlor 〖美〗(陽光充足的)日光浴室(=〖英〗sun lounge). ～ pòrch 由玻璃所圍起的門廊。～ ròof 汽車頂上可開閉之篷頂。～ shòwer 夏季之陣雨。

Sun. Sunday.

sun·baked [`sʌn͵bekt] *adj.* ①太陽曬乾的。②炎熱的；豔陽高照的。

sun·bathe [`sʌn͵beð] *v.i.* 行日光浴；沐日光浴。

sun·bath·er [`sʌn͵beðɚ] *n.* Ⓒ日光浴者。

sun·beam [`sʌn͵bim] *n.* Ⓒ日光；陽光。

Sun·belt, Sun Belt [`sʌn͵bɛlt] *n.*(the ～)〖美〗陽光帶(指自 Virginia 經 Florida, Texas 到 California 等州，即美國南部終年豔陽高照的地帶)。

sun·bon·net [`sʌn͵bɑnɪt] *n.* Ⓒ(婦女和小孩所戴的)遮陽帽。

sun·burn [`sʌn͵bɝn] *n.* Ⓤ曬黑；日炙。— *v.t.*(**-burned** or **-burnt**)使…受日曬。— *v.i.* 曬黑。

sun·burnt [`sʌn͵bɝnt] *v.* pt. & pp. of **sunburn.** — *adj.* 曬黑[焦]的。

sun·burst [`sʌn͵bɝst] *n.* Ⓒ①太陽自雲縫中之突現。②鑲有寶石的旭日形飾針。

sun·dae [`sʌndɪ] *n.* ⓊⒸ聖代(加水果蜜汁或其他佐料的冰淇淋)。

‡**Sun·day** [`sʌndɪ] *n.* 星期日；禮拜天。***one's ～ clothes*** [***best***] 一個人最好的衣服。§ ～ schòol 主日學校。

sun·deck [`sʌn͵dɛk] *n.* Ⓒ①客輪上之上層甲板。②(做日光浴用的)屋頂陽台。(亦作 **sun deck**)

sun·der [`sʌndɚ] *v.t.* & *v.i.* 分開；隔離；分裂；斷絕。

sun·di·al [`sʌn͵daɪəl] *n.* Ⓒ日規；日晷儀。

sun·down[1] [`sʌn͵daʊn] *n.* Ⓤ日落；日沒(=sunset).

sun·down[2] *n.* Ⓒ〖美〗婦女所戴之寬邊遮陽帽。

sun·dries [`sʌndrɪz] *n.* *pl.* ①雜貨；雜物；雜費；雜事。②〖簿記〗雜項。

sun·dry [`sʌndrɪ] *adj.* 各色各樣的；雜多的。***all and ～*** 每人；所有的人。

sun·fish [`sʌn͵fɪʃ] *n.* Ⓒ (*pl.* ～, ～es)太陽魚；翻車魚。

sun·flow·er [`sʌn͵flaʊɚ] *n.* Ⓒ〖植〗向日葵。

‡**sung** [sʌŋ] *v.* pp. of **sing.**

sun·glass [`sʌn͵glæs] *n.* ①Ⓒ取火鏡(可將日光聚於一點之凸透鏡)。②(*pl.*)太陽眼鏡。— *adj.* 太陽眼鏡的。

‡**sunk** [sʌŋk] *v.* pp. & 〖美〗pt. of **sink.** — *adj.* 下陷的；凹的。

sunk·en [`sʌŋkən] *v.* pp. of **sink.** — *adj.* ①沉下的；沒於水中的。②凹的；下陷的。③低於一般平面的。

sun·less [`sʌnlɪs] *adj.* ①無日光的；陽光照不到的。②黑暗的；陰森的。

***sun·light** [`sʌn͵laɪt] *n.* Ⓤ日光；太陽光。

sun·lit [`sʌn͵lɪt] *adj.* 陽光照耀的。

***sun·ny** [`sʌnɪ] *adj.* ①向日的；當陽的。②陽光充足的；輝耀的；晴朗的。③歡樂的；愉快的。④(像)太陽的。

***sun·rise** [`sʌn͵raɪz] *n.* ⓊⒸ①日出。②日出之時；黎明；拂曉。at ～黎明時。③日出時之大氣變化；朝霞；晨曦。④初期。

sun·room [`sʌn͵rum] *n.* = **sun parlor.**

‡**sun·set** [`sʌn͵sɛt] *n.* ⓊⒸ①日沒；日落。②日暮；傍晚。

sun·shade [`sʌn͵ʃed] *n.* Ⓒ①遮陽之物；天棚。②(商店前之)遮陽布幔。③婦人用之遮陽傘或闊邊帽。

‡**sun·shine** [`sʌn͵ʃaɪn] *n.* ①Ⓤ陽光；日光。②Ⓤ光明；愉快；令人快活之事

S

物。③(the ～)向陽處。
sun·spot [ˋsʌn͵spɑt] *n.* Ⓒ 太陽黑子；雀斑。
sun·stroke [ˋsʌn͵strok] *n.* Ⓤ〖醫〗中暑。
sun·struck [ˋsʌn͵strʌk] *adj.* 中暑的。
sun·tan [ˋsʌn͵tæn] *n.* ①Ⓤ日曬的膚色。②Ⓤ一種棕黃色。③(*pl.*)卡其制服。§ ∠ **lòtion** 防曬液。∠ **òil** 日曬油(爲使皮膚曬成小麥色用)。
sun·up [ˋsʌn͵ʌp] *n.* Ⓤ 日出。
sup [sʌp] *v.i.* (**-pp-**)①吃晚餐。②啜飲。 — *v.t.* ①供以晚餐。②啜飲。***He that ～s with the devil needs a long spoon.*** 〖諺〗與惡人交，必須特別留意。 — *n.* Ⓒ 啜飲。
su·per [ˋsupɚ] *n.* Ⓒ〖俗〗①冗員；額外人員；(尤指)臨時演員；小配角。②〖商〗特等物品；特大號物品。③監督；指揮者。 — *adj.* 〖俚〗特佳的。
super- 〖字首〗表下列諸義：①在上；在…之上。②加之；更。③超過標準；過度。
su·per·a·bun·dant [͵supərəˋbʌndənt] *adj.* ①極多的；很多的。②過多的；過剩的；過度的。— **ly,** *adv.*
su·per·an·nu·ate [͵supɚˋænjʊ͵et] *v.t.* ①因年老病弱而使之退職；給以養老金而罷退(官吏等)。②因陳舊過時而棄置；淘汰。— **su·per·an′nu·at·ed** [～ɪd], *adj.*
su·per·an·nu·a·tion [͵supɚ͵ænjʊˋeʃən] *n.* Ⓤ①年老或病弱退職。②退休金；養老金。
su·perb [sʊˋpɝb] *adj.* ①宏偉的；壯麗的；華美的。②極好的；超等的。 — **ly,** *adv.*
su·per·bomb [ˋsupɚ͵bɑm] *n.* Ⓒ ①氫彈。②裂變式原子彈。
su·per·car·go [͵supɚˋkɑrgo] *n.* Ⓒ (*pl.* **～es, ～s**)商船上貨物管理人。
su·per·car·ri·er [ˋsupɚ͵kærɪɚ] *n.* Ⓒ 超級航空母艦。
su·per·cede [͵supɚˋsid] *v.t.* = **supersede.**
su·per·charge [͵supɚˋtʃɑrdʒ] *v.t.* ①過度地裝塡。②過度地苛責。③以增壓器增強(引擎)馬力。
su·per·charg·er [ˋsupɚ͵tʃɑrdʒɚ] *n.* Ⓒ (內燃機之)增壓器。
su·per·cil·i·ous [͵supɚˋsɪlɪəs] *adj.* 蔑視別人的；傲慢的；自大的。
su·per·com·put·er [ˋsupɚkəm͵pjutɚ] *n.* Ⓒ 超電腦(超高速電腦)。
su·per·con·duc·tiv·i·ty [͵supɚ͵kɑndʌkˋtɪvətɪ] *n.* Ⓤ 超導電性。
su·per·con·duc·tor [͵supɚkənˋdʌktɚ] *n.* Ⓒ〖理〗超導體。
su·per·cool [͵supɚˋkul] *v.t.* & *v.i.* 〖理〗過度冷卻(使達於冰點以下而不凝結)。— **ed,** *adj.* — **ing,** *n.*
su·per-du·per [ˋsupɚˋdupɚ] *adj.* 〖美俚〗最大的；最佳的；極；最。
su·per·e·go [͵supɚˋigo] *n.* Ⓒ (*pl.* **～s**) (常 the ～)〖精神分析〗超我。
su·per·e·rog·a·to·ry [͵supərəˋrɑgə͵torɪ] *adj.* 份外的；額外的。
***su·per·fi·cial** [͵supɚˋfɪʃəl] *adj.* ①表面的；外表的。②表皮的。③膚淺的；淺薄的。— **ly,** *adv.* — **ness,** *n.*
su·per·fi·ci·al·i·ty [͵supɚ͵fɪʃɪˋælətɪ] *n.* ①Ⓤ 膚淺；皮相；一知半解。②Ⓒ 膚淺的事物。
su·per·fine [͵supɚˋfaɪn] *adj.* ①最上品的；特級的。②過分精緻[精細]的。
su·per·flu·i·ty [͵supɚˋfluətɪ] *n.* ⓊⒸ①冗多。②多餘(之物)。
su·per·flu·ous [sʊˋpɝfluəs] *adj.* ①過多的；多餘的。②可以不要的；不必要的。— **ly,** *adv.* — **ness,** *n.*
su·per·gi·ant [ˋsupɚ͵dʒaɪənt] *n.* Ⓒ 超巨星(光度超過太陽 100 至 10,000 倍之星)。(亦作 **supergiant star**)
su·per·high·way [͵supɚˋhaɪ͵we] *n.* Ⓒ〖美〗超高速公路。
su·per·hu·man [͵supɚˋhjumən] *adj.* ①超人的；神靈的。②智力超人的。
su·per·im·pose [͵supərɪmˋpoz] *v.t.* ①置於他物之上。②使重疊。
su·per·in·tend [͵suprɪnˋtɛnd] *v.t.* 監督；指揮；管理。
su·per·in·tend·ent [͵suprɪnˋtɛndənt] *n.* Ⓒ①監督者；指揮者；管理者。②警察局。
su·pe·ri·or** [səˋpɪrɪɚ, sʊ-] *adj.* ①優良的；卓越的；質較好的。②較大的；較多的。③較高的；上級的。④有優越感的。⑤不受…影響的；不向…屈服的〔常 to〕. ～ ***to **a.** 高於；大於；優於。**b.** 超越；不受…影響。 — *n.* Ⓒ①長者；長輩；長官；上司。②優越者。③(S-)修道院院長；方丈。
Su·pe·ri·or [səˋpɪrɪɚ] *n.* (Lake ～) 蘇必略湖(在美國Michigan州與加拿大Ontario 省之間)。
***su·pe·ri·or·i·ty** [sə͵pɪrɪˋɔrətɪ] *n.* Ⓤ 優越；卓越；優良；自傲情結。§ ∠ **còmplex**〖心〗優越感。
su·per·jet [ˋsupɚ͵dʒɛt] *n.* Ⓒ 超音速噴射機。
su·per·la·tive [səˋpɝlətɪv, sʊ-] *adj.* ①最高的；無上的。②〖文法〗最高級的。 — *n.* ①Ⓒ 最好者。②(the ～)〖文法〗最高級；最高級的字。***speak* [*talk*] *in ～s*** 言過其實；誇張。
su·per·man [ˋsupɚ͵mæn] *n.* Ⓒ (*pl.* **-men**)超人。
***su·per·mar·ket** [ˋsupɚ͵mɑrkɪt] *n.* Ⓒ〖美〗超級市場。
su·per·nal [sʊˋpɝnl] *adj.* 天上的；神聖的；至高的。— **ly,** *adv.*
su·per·nat·u·ral [͵supɚˋnætʃərəl] *adj.* 超自然的；神奇的；不可思議的。 — *n.* (the ～)超自然的東西[現象]。— **ly,** *adv.*
su·per·no·va [͵supɚˋnovə] *n.* Ⓒ (*pl.* **～s, -no·vae** [-ˋnovi])〖天〗超新星(較普通新星明亮幾萬倍的新星)。
su·per·nu·mer·ar·y [͵supɚˋnjumə͵rɛrɪ] *adj.* 額外的；多餘的；臨時雇的。 — *n.* Ⓒ①多餘之人或物；冗員；臨時雇員。②〖戲劇〗(無台詞的)臨時演員；龍套；小配角。
su·per·phos·phate [͵supɚˋfɑsfet] *n.* ⓊⒸ〖化〗①過磷酸鹽；酸性磷

酸鹽。②過磷酸鈣。
su·per·pow·er [ˋsupɚ͵pauɚ] *n.* ①Ⓒ政治權力凌駕其他列強之國家；超級強國。②Ⓤ〖電〗強大電力。— *adj.* 電力強大的。
su·per·sat·u·rate [͵supɚˋsætʃə͵ret] *v.t.* 使過度飽和。— **su·per·sat·u·ra′tion,** *n.*
su·per·scribe [͵supɚˋskraɪb] *v.t.* ①寫、標記、刻(姓名等)於某物上方或外面。②書寫姓名、住址等於(信件、包裹等)之外面。
su·per·script [ˋsupɚ͵skrɪpt] *adj.* 寫在字肩上的；附在上面的。— *n.* Ⓒ(寫在右上角的)肩上文字[符號，數字](例：x^2和a^1中之2與1)。
su·per·scrip·tion [͵supɚˋskrɪpʃən] *n.* Ⓒ ①寫[刻]在上面；題字；銘文。②(信封上的)姓名地址。
su·per·sede [͵supɚˋsid] *v.t.* ①替代；代換。②充任；接替；取而代之。
su·per·son·ic [͵supɚˋsɑnɪk] *adj.* ①超音波的。②超音速的。
su·per·star [ˋsupɚ͵stɑr] *n.* Ⓒ ①(運動、演藝界)超級明星；某行業中表現極卓越者。②超級星體；特大之星。
***su·per·sti·tion** [͵supɚˋstɪʃən] *n.* ⓊⒸ迷信。
su·per·sti·tious [͵supɚˋstɪʃəs] *adj.* 迷信的。— **ly,** *adv.*
su·per·store [ˋsupɚ͵stor] *n.* Ⓒ超級商店。
su·per·struc·ture [ˋsupɚ͵strʌktʃɚ] *n.* Ⓒ①(建築於他物上之)上層構造或建築物。②在基層上之全部建築物。③〖海〗軍艦中甲板以上的部分。
su·per·tank·er [ˋsupɚ͵tæŋkɚ] *n.* Ⓒ超級油輪(七萬五千噸以上之油輪)。
su·per·tax [ˋsupɚ͵tæks] *n.* Ⓤ附加稅；累進所得稅。
su·per·train [ˋsupɚ͵tren] *n.* Ⓒ超高速火車。
su·per·vene [͵supɚˋvin] *v.i.* 接著來；附帶發生；併發；附加；續加。— **su·per·ven′tion,** *n.*
su·per·vise [͵supɚˋvaɪz] *v.t.* 監督；管理；指導。
su·per·vi·sion [͵supɚˋvɪʒən] *n.* Ⓤ監督；管理。
su·per·vi·sor [͵supɚˋvaɪzɚ] *n.* Ⓒ①監督者；管理者；監察人。②〖英〗論文指導教授。— **su·per·vi′so·ry,** *adj.*
su·pine [suˋpaɪn] *adj.* ①仰臥的；仰向的。②無精打采的；懶散的。— **ly,** *adv.*
‡**sup·per** [ˋsʌpɚ] *n.* ⓊⒸ晚餐。*the Last S-*(基督被釘十字架前夜與其門徒共食的)最後晚餐。
sup·plant [səˋplænt] *v.t.* ①(以不正當的方式)排擠；取代。②代替。
sup·ple [ˋsʌpl̩] *adj.* ①柔軟的；易曲的。②逢迎的；取悅上司的。③順從的。— *v.t. & v.i.* (使)變爲柔軟。
***sup·ple·ment** [ˋsʌpləmənt] *n.* Ⓒ①補遺；補編；附刊；增刊。②〖數〗補角；補弧。— [ˋsʌplə͵mɛnt] *v.t.* 增補；補充。— **sup·ple·men′tal,** *adj.*
sup·ple·men·ta·ry [͵sʌpləˋmɛntərɪ] *adj.* 增補的；補充的。
sup·pli·ant [ˋsʌplɪənt] *n.* Ⓒ懇求[哀求]者。— *adj.* 哀懇的；表示懇求的。
sup·pli·cant [ˋsʌplɪkənt] *n. & adj.* =**suppliant.**
sup·pli·cate [ˋsʌplɪ͵ket] *v.i. & v.t.* ①懇求；籲請。②祈禱。
sup·pli·ca·tion [͵sʌplɪˋkeʃən] *n.* ⓊⒸ①懇求。②祈禱。
sup·pli·er [səˋplaɪɚ] *n.* Ⓒ供應者；供給者。
‡**sup·ply** [səˋplaɪ] *v.t.* ①供給；備辦。②滿足。③補充；補缺。— *n.* ①**a.** Ⓤ供給；備辦。**b.** Ⓒ(常 *pl.*)供應品；貯藏(量)。②(*pl.*)(軍隊或大團體之)生活必需品；軍需品。③(*pl.*)國家之支出。④Ⓒ(教師、牧師等之)代理人。
‡**sup·port** [səˋport, -ˋpɔrt] *v.t.* ①支持；支撐；扶持。②鼓勵；幫助。③資助。④維持；贍養。⑤支援；擁護。⑥掩護。⑦證明；證實。⑧忍受；忍耐。⑨助演(某一角色)；與(主角)配戲。— *n.* ①Ⓤ支持；支撐；扶持；援助；擁護；贍養。②Ⓒ贍養者；支援者；支撐物；贊助者。③Ⓒ配角；助演者。④Ⓒ證明；實證。
sup·port·a·ble [səˋportəbl̩] *adj.* 可支持的；可扶養的；可贊助的；能忍受的。
sup·port·er [səˋportɚ, -ˋpɔr-] *n.* Ⓒ①支持者；支援者；贊助者；贍養者。②支持物；支柱。③〖外科〗護身；懸帶。
sup·port·ing [səˋportɪŋ] *adj.* ①支撐的；支持的。②輔助的；(演員、角色)搭配的；配角的(人、角色)。a ～ actor[actress]男[女]配角。
sup·port·ive [səˋpɔrtɪv] *adj.* 有支持作用的；有支持力的。
‡**sup·pose** [səˋpoz] *v.t.* ①想像；以爲。②假定。③認爲必須；含有。④以…爲前題。⑤倘若；假使(=if, 爲連接字之代用)。
sup·posed [səˋpozd] *adj.* 想像的；假定的；被信以爲眞的。
sup·pos·ed·ly [səˋpozɪdlɪ] *adv.* 想像上；臆測上；大概。
sup·pos·ing [səˋpozɪŋ] *conj.* 假使；倘若。*S-* it rains, shall we still go? 如果下雨，我們還是要去嗎?
sup·po·si·tion [͵sʌpəˋzɪʃən] *n.* Ⓤ假定；推測；臆測。— **al,** *adj.*
sup·pos·i·to·ry [səˋpɑzə͵torɪ] *n.* Ⓒ〖醫〗坐藥；栓劑。
***sup·press** [səˋprɛs] *v.t.* ①鎮壓；平定。②抑制；忍住。③禁止出版；扣留。④使止住。
sup·pres·sant [səˋprɛsn̩t] *n.* Ⓒ抑制劑；抑制物。a cough ～ 鎮咳劑。
sup·pres·sion [səˋprɛʃən] *n.* Ⓤ①鎮壓；平定。②(感情等的)壓抑；抑制。③禁止出版；扣留。
sup·pu·rate [ˋsʌpjə͵ret] *v.i.* 化膿；生膿。— **sup·pu·ra′tion,** *n.* — **sup′pu·ra·tive,** *adj.*
su·pra·na·tion·al [͵supràˋnæʃənl̩] *adj.* 超國家的；超民族的。
su·prem·a·cist [səˋprɛməsɪst] *n.*

Ⓒ①主張某集團居於控制地位者。②至上主義者。
su·prem·a·cy [sə`prɛməsɪ, sʊ-] *n.* Ⓤ①至高；無上。②至高權力；霸權。
***su·preme** [sə`prim, sʊ-] *adj.* ①至高的。②極度的。③終極的；最後的。*make the ~ sacrifice* 捐軀。§ **the S~ Béing** 上帝。**the S~ Cóurt** 最高法院。**the ~ góod** 至善。—**ly,** *adv.*
su·pre·mo [sə`primo] *n.* Ⓒ (*pl.* **~s**)〖英〗最高統治者(尤指軍事獨裁者)。
Supt., supt. Superintendent.
sur·charge [`sɜ,tʃardʒ] *n.* Ⓒ ①過大的負擔；過多的裝載；過度的充電；過高的索價。②額外的索價。③(郵件的)欠資罰款。④郵票等的變值印記。⑤(對課稅財產不實申報的)加重罰金。—[sɜ`tʃardʒ] *v.t.* ①使負擔過重；使裝載過多；使充電過度；索高價。②額外索價。③處罰款；表示(帳目)的脫漏。④加蓋變值之印記於(郵票等)。
sur·coat [`sɜ,kot] *n.* Ⓒ 外衣；(中古騎士穿在鎧甲外的)長衣。
surd [sɜd] *n.* Ⓒ①〖語音〗清音；無聲子音(如 p,f,s,t 等)。②無理數。
‡**sure** [ʃʊr] *adj.* ①必定的；無疑的。②確信的；確定的；確實的。③可靠的；穩妥的。*be ~* 務必。*for ~* 確然地。*make ~* **a.** 確定；查明；弄清。**b.** 預先保留。*to be ~* 確然；的確。—*adv.* ①確實地；無疑地。②當然。*~ enough* 一定地；必定地。
sure-fire [`ʃʊr,faɪr] *adj.* 〖美俚〗必會成功的；定如所期的。
sure-foot·ed [`ʃʊr`fʊtɪd] *adj.* 踏實的；立脚穩固的；無失誤之虞的。
‡**sure·ly** [`ʃʊrlɪ] *adv.* ①必定地；無疑地。②無誤地；堅定地。③確實地。
sur·e·ty [`ʃʊr(ə)tɪ] *n.* ⓊⒸ ①保證；擔保。②保證人；擔保人。
surf [sɜf] *n.* Ⓤ 拍岸的浪；澎湃的浪。—*v.i.* 作衝浪運動。
‡**sur·face** [`sɜfɪs] *n.*① Ⓒ 表面。② Ⓒ〖幾何〗面。③(the ~)外表；外觀。—*adj.* 外觀的；地[水]面上的。—*v.t.* 在…上加面層；使成平面。—*v.i.* ①露出水[地]面。②被露出來。③在地面[近地面處]工作。§ **~ càr** 地面電車或火車(以別於高架及地下車)。**~ màil** (非航空的)普通郵件。**~ ténsion**〖理〗表面張力。
sur·face-to-air [`sɜfɪstu`ɛr] *adj. & adv.* (火箭等)地對空的[地]。
sur·face-to-sur·face [`sɜfɪstə`sɜfɪs] *adj. & adv.* (火箭、飛彈等)地對地的[地]。
sur·fac·tant [sɜ`fæktənt] *n.* Ⓒ〖化〗界面活性劑(如清潔劑)。
surf·board [`sɜf,bord] *n.* Ⓒ (水上運動用之)衝浪板。—*v.i.* 作衝浪運動；駕衝浪板。
surf·board·ing [`sɜf,bordɪŋ] *n.* =**surfing.**
sur·feit [`sɜfɪt] *n.* Ⓒ①過量；過度。②暴飲暴食。—*v.t. & v.i.* (使)飲食過度；(使)飽足生厭。—**er,** *n.*
surf·er [`sɜfɚ] *n.* Ⓒ 作衝浪板運動者。(亦作 **surfrider**)
surf·ing [`sɜfɪŋ] *n.* Ⓤ 衝浪運動。
surf·rid·ing [`sɜf,raɪdɪŋ] *n.* =**surfing.**
surge [sɜdʒ] *v.i.* (波浪)起伏；洶湧。—*n.* Ⓒ①巨浪；波濤。②洶湧。
***sur·geon** [`sɜdʒən] *n.* Ⓒ ①外科醫生。②軍醫；船上的醫師。
***sur·ger·y** [`sɜdʒərɪ] *n.* ① Ⓤ 外科；外科手術。② Ⓒ 外科醫院；外科醫生手術室、實驗室等。③ Ⓒ〖英〗診療所。
sur·gi·cal [`sɜdʒɪkl] *adj.* ①外科的。②外科手術用的。—**ly,** *adv.*
sur·gi·cen·ter [`sɜdʒə,sɛntɚ] *n.* Ⓒ 一般外科設施(可爲門診病人施行較小的外科手術)。
sur·ly [`sɜlɪ] *adj.* 乖戾的；不高興的；陰鬱的。—**sur′li·ly,** *adv.* —**sur′li·ness,** *n.*
sur·mise [*v.* sɚ`maɪz *n.* sɚ`maɪz, `sɜmaɪz] *v.t. & v.i. & n.* Ⓒ 推測；臆測；猜度。
sur·mount [sɚ`maʊnt] *v.t.* ①克服；戰勝；凌駕。②高矗於…上。③爬過；越過。④置某物於…頂上(常用被動式)。
***sur·name** [`sɜ,nem] *n.* Ⓒ ①姓。②別號；別名。—*v.t.* 呼以姓氏；加以綽號；呼以綽號。
***sur·pass** [sɚ`pæs, -`pɑs] *v.t.* ①超越；凌駕；勝過。②非…所能勝任。—**ing,** *adj.*
sur·plice [`sɜplɪs] *n.* Ⓒ〖宗〗牧師及聖詩班團員之白長袍；白袈裟。
sur·plus [`sɜplʌs] *n.* Ⓒ 過剩；剩餘；盈餘額。—*adj.* 過剩的；剩餘的。
‡**sur·prise** [sɚ`praɪz] *n.*① Ⓤ 詫異；驚訝；驚奇。② Ⓒ 意外的事物；驚人的事物。③ Ⓤ 奇襲；偷襲。*take by ~* **a.** 奇襲佔領[俘獲]。**b.** 使大吃一驚。—*v.t.* ①使詫異；使驚奇[吃驚]。②奇襲；突擊。③出其不意地揭發。④突然發現；覺察。⑤使無意間做某事。—*adj.* 出乎意料的；令人驚奇的。‡—**d,** *adj.* —**sur·pris′ed·ly,** *adv.*
***sur·pris·ing** [sɚ`praɪzɪŋ] *adj.* 令人驚愕的；想不到的。~ news 驚人的消息。—**ly,** *adv.*
sur·re·al·ism [sə`riəl,ɪzəm] *n.* Ⓤ 超現實主義。
sur·re·al·ist [sə`riəlɪst] *n.* Ⓒ 超現實主義者。—*adj.* 超現實主義(者)的。
sur·re·al·is·tic [sə,riəl`ɪstɪk] *adj.* 超現實主義的。
***sur·ren·der** [sə`rɛndɚ] *v.t.* ①使(自己)屈服於(一種感情或力量)；耽於；縱於。②讓出；放棄。—*v.i.* 投降；屈服。—*n.*① ⓊⒸ 投降；屈服。② Ⓤ 讓與；放棄；交付；引渡。
sur·rep·ti·tious [,sɜəp`tɪʃəs] *adj.* 祕密的；偷盜的。
sur·rey [`sɜɪ] *n.* Ⓒ (雙座的)四輪遊覽馬車。
sur·ro·gate [`sɜə,get] *n.* Ⓒ①代理者(尤指主教之代理者)。②〖美〗遺囑檢驗法官。—*v.t.* ①使代理；使繼任。②代替；代理。
‡**sur·round** [sə`raʊnd] *v.t.* 包圍；環繞。
sur·round·ing [sə`raʊndɪŋ] *n.* (*pl.*) 周圍的事物；環境。—*adj.* 周圍

的；附近的。

sur·tax [ˋsɝˏtæks] *n.* Ⓤ Ⓒ ①附加稅。②超額累進所得稅。— *v.t.* 對…課以附加稅。

sur·veil·lance [səˋveləns] *n.* Ⓤ 監視；看守；監督。under ~ 在監視下。

***sur·vey** [sɚˋve] *v.t.* ①綜覽；眺望。②視察；考察。③測量(土地等)。④通盤考慮；逐點說明。— [ˋsɝve, sɚˋve] *n.* ①Ⓒ綜覽；眺望。②Ⓤ Ⓒ 勘察；測量；實地調查。

sur·vey·ing [sɚˋveɪŋ] *n.* Ⓤ 測量(術)。

sur·vey·or [sɚˋveɚ] *n.* Ⓒ ①測量員。②海關檢查員。③鑒定人。

sur·viv·a·ble [sɚˋvaɪvəbl̩] *adj.* 可能存活的；不致命的。

***sur·viv·al** [sɚˋvaɪvl̩] *n.* ①Ⓤ殘存；倖存。the ~ of the fittest 適者生存。②Ⓒ殘存者[物]；遺風。

***sur·vive** [sɚˋvaɪv] *v.t.* ①比…活得長。②從(災難等)中逃生。— *v.i.* 殘存；繼續存在。

sur·vi·vor [sɚˋvaɪvɚ] *n.* Ⓒ①倖存者；生還者。②殘存物。

sus·cep·ti·bil·i·ty [səˏsɛptəˋbɪlətɪ] *n.* ①Ⓤ感受性。②(*pl.*)感情；易感之處。③Ⓤ〖電〗磁化率。

sus·cep·ti·ble [səˋsɛptəbl̩] *adj.* ①易感的；易感動的；易受影響的。②能容許…的〔of〕。— **sus·cep'ti·bly,** *adv.*

***sus·pect** [səˋspɛkt] *v.t.* & *v.i.* 猜想；懷疑；猜疑(某人犯有過錯)。— [ˋsʌspɛkt] *n.* Ⓒ 被懷疑的人；嫌疑犯。— *adj.* 可疑的。

***sus·pend** [səˋspɛnd] *v.t.* ①懸掛；吊。②靜止於；靜留於。③中止；暫停。④使停學；使停職。⑤延緩。— *v.i.* ①暫時停業[停辦]。②懸浮；懸，吊。

sus·pend·ers [səˋspɛndɚz] *n. pl.* ①背帶；吊褲帶。②吊襪帶。

***sus·pense** [səˋspɛns] *n.* Ⓤ ①懸而未決。②懸念。③權利中止；停權。

sus·pense·ful [səˋspɛnsfəl] *adj.* 充滿懸疑的；緊張的。

sus·pen·sion [səˋspɛnʃən] *n.*①Ⓤ懸；吊。②Ⓤ暫停；休學；暫時停職。§ ~ **brìdge** 吊橋。~ **pòints** 刪節號。

sus·pi·cion** [səˋspɪʃən] *n.* ① Ⓤ Ⓒ 懷疑；嫌疑。②(a ~)些微。He has not a ~ of humor. 他沒有一點幽默感。③ Ⓒ 觀念；感覺；覺察。above*** [***beyond***] ~ 無可懷疑。***under*** ~ 受懷疑。

***sus·pi·cious** [səˋspɪʃəs] *adj.* ①猜疑的；多疑的。②令人懷疑的；可疑的。③表示懷疑的。— **ly,** *adv.*

***sus·tain** [səˋsten] *v.t.* ①支撐；承住。②支持；維持。③贍養；供應。④抵擋。⑤蒙受；忍受；遭受。⑥准許；認可。⑦證實。⑧扮演(角色)。

sus·tain·ing [səˋstenɪŋ] *adj.* ①用以維持[支持]的。②(食物等)維持體力的。③持久的；耐久的。§ ~ **prògram** 〖美〗廣播電台自播節目。

sus·te·nance [ˋsʌstənəns] *n.* Ⓤ ①生活；生計。②營養物；食物。③支持；維持；耐久；持續。

sut·ler [ˋsʌtlɚ] *n.* Ⓒ 軍中小販。

su·tra [ˋsutrə] *n.* Ⓒ ①〖佛教〗經；經典。②〖婆羅門教〗箴言；箴言集。

su·ture [ˋsutʃɚ, ˋsju-] *n.* Ⓒ ①(傷口的)縫口。②(傷口的)縫合(法)。③縫線。— *v.t.* 縫合；綴合。

su·ze·rain [ˋsuzərɪn] *n.* Ⓒ 宗主；宗主國。

su·ze·rain·ty [ˋsuzərɪntɪ] *n.* Ⓤ宗主的地位；宗主權。

svelte [svɛlt] *adj.* 苗條的；修長的。

SW, S.W., s.w. southwest; southwestern. **Sw.** Sweden; Swedish.

swab [swɑb] *n.* Ⓒ ①拖把；擦帚。②藥棉；藥籤。③槍砲刷；砲帚。— *v.t.* (**-bb-**) (以拖把等)擦淨；擦洗。

swab·bie, -by [ˋswɑbɪ] *n.* Ⓒ〖美俚〗水手。

swad·dle [ˋswɑdl̩] *v.t.* ①以襁褓包裹(嬰兒)。②縛裹；繞。③限制；束縛。— *n.* Ⓒ 襁褓；縛裹之布。§ **swád·dling clòthes**[**bànds**] (1)(包裹出生嬰兒用的)長條布；襁褓。(2)(對兒童等的)束縛；嚴密監視。

swag [swæg] *n.* Ⓤ (集合稱)①〖俚〗贓物；掠奪物。②〖澳〗(旅行者、流浪者的)背包；用品袋。

swag·ger [ˋswægɚ] *v.i.* ①高視闊步而行。②自鳴得意。③吹噓〔about〕。— *v.t.* 威嚇。— *n.* Ⓒ①昂首闊步。②自負；自大。— *adj.* 〖俗〗時髦的。§ ~ **stìck**[〖英〗**càne**] (軍官等帶的)短杖。— **er,** *n.*

swain [swen] *n.* Ⓒ〖古，詩〗①鄉下的青年。②情郎；情人。

‡**swal·low**[1] [ˋswɑlo] *v.t.* ①吞；嚥。②吞沒；吸收。③耗盡。④輕信。⑤忍受。⑥收回。⑦抑制；遏止。— *v.i.* 下嚥。— *n.* Ⓒ①吞；嚥。②一吞之量。③食道。

***swal·low**[2] *n.* Ⓒ〖鳥〗燕子。

swal·low·tail [ˋswɑloˏtel] *n.* Ⓒ ①燕尾。②鳳蝶。③〖俗〗燕尾服。

swal·low-tailed [ˋswɑloˏteld] *adj.* 燕尾形的；有燕尾形尾的。

‡**swam** [swæm] *v.* pt. of **swim.**

swa·mi [ˋswɑmɪ] *n.* Ⓒ 閣下(印度對學者、宗教家之一種尊稱)。

***swamp** [swɑmp] *n.* Ⓤ Ⓒ 沼澤；濕地。— *v.t.* ①使陷於沼澤[水]中。②淹沒；覆沒；使充溢。③使困窘；使失措。④開拓〔常 out〕。— **swamp'y,** *adj.*

swamp·er [ˋswɑmpɚ] *n.* Ⓒ〖美〗①清除沼澤者；在森林中開路者。②沼澤地帶的居民。③清除工人；做粗活的工人。④搬運木料工人。⑤〖美俚〗(尤指使用市民波段無線電對講機的)汽車駕駛員；卡車司機。

swamp·land [ˋswɑmpˏlænd] *n.* Ⓤ 沼地；沼澤地。

***swan** [swɑn] *n.* Ⓒ ①天鵝。②(卓越的)詩人；歌者。§ ~ **dìve** 燕子式跳水。~ **sòng** (1)天鵝臨死時發出的美妙歌聲。(2)(詩人等的)最後遺作。

swank [swæŋk] 〖俚〗 *v.i.* 炫耀；擺架子；虛張聲勢。— *n.* Ⓤ ①炫耀；虛張聲勢；虛飾。②時髦；華麗。— *adj.* 炫耀的；時髦的；華麗的。

swan's-down [ˋswɑnzˏdaʊn] *n.*

S

Ⓤ①天鵝絨毛。②天鵝絨。(亦作 **swansdown**)

swap [swɑp, swɔp] *v.t.* & *v.i.* (**-pp-**) & *n.* Ⓒ①交換物。②〖鄙〗交換夫妻。

sward [swɔrd] *n.* Ⓤ草皮；草地。

***swarm** [swɔrm] *n.* Ⓒ(集合稱)①蜂群。②群。③〖生物〗游動孢子。— *v.i.* ①(蜜蜂)結隊離巢。②群集蜂擁。③擠；擁往。④充滿。⑤攀登；攀緣。— *v.t.* ①攀緣。②擠滿。

swarth·y [ˋswɔrðɪ] *adj.* 黑(皮膚)的。

swash [swɑʃ] *v.i.* & *v.t.* 潑濺；濺(水)。— *n.* Ⓒ濺水聲。

swash·buck·ler [ˋswɑʃˌbʌklɚ] *n.* Ⓒ恃強凌弱者；流氓；暴徒。

swash·buck·ling [ˋswɑʃˌbʌklɪŋ] *n.* Ⓤ & *adj.* 虛誇(的)；虛張聲勢(的)。

swas·ti·ka, -ti·ca [ˋswɑstɪkə] *n.* Ⓒ萬字卍(古代之幸運符號，德國納粹黨曾改作卐，並用作國徽)。

swat [swɑt] *v.t.* (**-tt-**)〖俗〗猛擊；重拍。— *n.* Ⓒ①〖俗〗猛打；重拍。②〖棒球〗遠距離安打。

swatch [swɑtʃ] *n.* Ⓒ(布料、皮革等)(剪成小塊的)樣品；樣片〔of〕。

swath [swɑθ] *n.* Ⓒ (*pl.* ~**s** [~s, swɑðz]) ①一刈的面積；刈幅。②刈下的牧草、穀物等。③狹長的條[片]。*cut a ~ through...* 把…刈倒；把…夷為平地。

swathe[1] [sweð] *v.t.* ①嚴密[完全]地包裹；緊裹。②縛；裹；纏；綁。③包圍；圍蔽。— *n.* Ⓒ包布；繃帶。

swathe[2] *n.* = **swath.**

swat·ter [ˋswɑtɚ] *n.* Ⓒ①拍打的人[東西]。②蒼蠅拍。③〖棒球〗強打者。

***sway** [swe] *v.i.* ①搖擺；擺動。②傾斜。③有支配作用；有影響力。— *v.t.* ①搖動；揮舞。②影響；支配。— *n.* Ⓤ①搖擺；揮動。②傾斜。③權勢；統治。④影響(力)。

***swear** [swɛr] *v.t.* (**swore, sworn**)①宣(誓)；發(誓)。②使宣誓；使立誓。— *v.i.* ①發誓；宣誓。②詛咒；詬罵。~ *by* **a.** 對…發誓。**b.** 深信；極力推薦。~ *in* 使宣誓就職。~ *off* 答應放棄；立誓棄絕。— *n.* Ⓒ①誓言。②詛咒；詬罵。

swear·ing-in [ˋswɛrɪŋˋɪn] *n.* Ⓒ(宣誓)就職禮。

swear·word [ˋswɛrˌwɝd] *n.* Ⓒ詛咒；罵人的話。

***sweat** [swɛt] *n.* ①Ⓤ汗；一陣汗。②(a ~)發汗；出汗。③(a ~)苦工。④(a ~) 焦急；不耐煩。— *v.i.* (~ or ~**ed**)①出汗。②冒出水氣。③滲出。④汗濕；汗污。⑤幹苦活。— *v.t.* ①使出汗。②使辛苦工作。~ *out* **a.** 忍耐；等待至最後。**b.** 辛苦地做成。§ ∠ **glànd** 〖解〗汗腺。∠ **shìrt** 運動衫。∠ **sùit**(上下一套的)運動服。

sweat·band [ˋswɛtˌbænd] *n.* Ⓒ(帽中鑲的)吸汗帶。

***sweat·er** [ˋswɛtɚ] *n.* Ⓒ①毛線衫。②壓榨工人的雇主。§ ∠ **gìrl** 胸部豐滿的女子。

sweat·shop [ˋswɛtˌʃɑp] *n.* Ⓒ壓榨勞力的工廠。

sweat·y [ˋswɛtɪ] *adj.* ①汗濕的；多汗的。②使出汗的；費力的。

Swede [swid] *n.* Ⓒ瑞典人。

Swe·den [ˋswidn̩] *n.* 瑞典(北歐一國，首都 Stockholm)。

Swed·ish [ˋswidɪʃ] *adj.* 瑞典(人，語)的。— *n.* ①(the ~，集合稱)瑞典人。②Ⓤ瑞典語。

***sweep** [swip] *v.t.* (**swept**)①掃；掃除；清掃。②掃蕩；清除。③捲起；捲走；沖掉。④拖(地)。⑤掠過；拂。— *v.i.* ①掃；掃除。②掠過；掃過；疾馳。③威儀堂堂地走過。④綿亙；伸展。⑤(衣服等)在地上拖。⑥(目光等)掃射。*be swept off one's feet* 站不住腳；為感情所控制。— *n.* Ⓒ①掃除；掃蕩。②掠過。③範圍。④掃除者；掃除煙囪者。— **er,** *n.*

sweep·ing [ˋswipɪŋ] *adj.* ①總括的；一掃無遺的；全面的；徹底的。②掃清的；沖走的；掃蕩的。— *n.*①Ⓤ清掃；打掃。②(*pl.*)塵屑；掃集物；一堆垃圾。— **ly,** *adv.*

sweep·stakes [ˋswipˌsteks] *n.* Ⓒ *pl.* ~)①賭金由一人獨得的賽馬[賭博]。②彩票；獎券。(亦作 **sweepstake**)

‡**sweet** [swit] *adj.* ①甜的；甘的。②芳香的。③新鮮的。④柔和的；悅耳的。— *n.*①Ⓤ甘美；甜蜜。②Ⓒ(常 *pl.*)甜的東西。③(*pl.*)糖果。④(*pl.*)快樂；樂趣。⑤(my ~，用於稱呼)情人；戀人。⑥(*pl.*)香味；芳香。— *adv.* 甜蜜地；悅人地。§ ∠ **oìl** 橄欖油。∠ **pèa** 麝香豌豆。∠ **pépper** 甜椒。∠ **potàto** 甘薯。∠ **tàlk** 甜蜜的謊言；諂媚。∠ **tòoth**〖俗〗嗜吃甜食。

sweet-and-sour [ˋswitənˋsaʊr] *adj.* 烹調成甜酸味的。

sweet·bread [ˋswitˌbrɛd] *n.* Ⓒ(尤指供食用的小羊或小牛的)胰臟[胸腺]。

sweet·en [ˋswitn̩] *v.t.* ①使甜；使香。②使柔和。③使清潔。— *v.i.* ①變甜。②變可愛；變柔和。

sweet·en·er [ˋswitn̩ɚ] *n.* Ⓒ①(人工)甘味料。②〖俗〗賄賂；甜頭。

sweet·heart [ˋswitˌhɑrt] *n.* ①Ⓒ愛人；情人。②(用於稱呼)愛人。

sweet·ie [ˋswitɪ] *n.* Ⓒ①〖俗〗愛人；戀人。②(常 *pl.*)〖英〗糖果。

sweet·ish [ˋswitɪʃ] *adj.* ①有點甜的；稍甜的。②過甜的。

sweet·ly [ˋswitlɪ] *adv.* ①愉快地；愜意地；甘甜地。②親切地。③芳香地。

sweet·meat [ˋswitˌmit] *n.* Ⓒ(常 *pl.*)糖果；甜品；蜜餞。

sweet·ness [ˋswitnɪs] *n.* Ⓤ①甜(度)。②芳香。③可愛；親切。④悅耳。

sweet-talk [ˋswitˌtɔk] *v.t.* & *v.i.* 〖美俗〗煽動；以甜言蜜語勸誘；諂媚。

sweet-tem·pered [ˋswitˋtɛmpɚd] *adj.* 脾氣好的；性情溫和的。

***swell** [swɛl] *v.i.* (~**ed**, ~**ed** or **swol·len**)①增大；膨脹。②隆起。③增加；積聚。④漸強。⑤〖俗〗變得驕傲。— *v.t.* ①使增大；使膨脹。②使提高。③使加強。④使矜誇；使自負。— *n.* ①Ⓤ(又作 a ~)增大；膨脹。②(*sing.*，常 the ~)洶湧的浪濤；(土地的)隆起(處)。③Ⓤ(又作 a ~)〖樂〗漸

強到漸弱。④Ⓒ〖俗〗衣著時髦的人；頂呱呱的人。⑤Ⓒ名人；高手。── *adj.* 〖俚〗①第一流的。②時髦的。

swell·ing [ˋswɛlɪŋ] *n.* ①Ⓤ腫脹。②Ⓒ腫瘡；瘤。③Ⓤ膨脹；增大。

swel·ter [ˋswɛltɚ] *v.i.* 熱昏；中暑。── *n.* Ⓒ (常 *sing.*)酷熱；炎暑。

swel·ter·ing [ˋswɛltərɪŋ] *adj.* ①汗流浹背的。②悶熱的。─ **ly,** *adv.*

***swept** [swɛpt] *v.* pt. & pp. of **sweep.**

swept-back [ˋswɛpt͵bæk] *adj.* ①(機翼)向後傾斜的；有後掠翼的。②(頭髮)向後梳的。

swept-wing [ˋswɛpt͵wɪŋ] *n.* Ⓒ後掠翼。── *adj.* (飛機)有後掠翼的。

swerve [swɝv] *v.i.* 偏離方向。── *v.t.* 使偏離方向。── *n.* Ⓒ轉向；偏離方向。

***swift** [swɪft] *adj. & adv.* 迅速的[地]；敏捷的[地]。

Swift [swɪft] *n.* 斯威夫特(Jonathan, 1667-1745, 英國諷刺作家, 為*Gulliver's Travels* 之作者)。

swift-foot·ed [ˋswɪftˋfutɪd] *adj.* 善跑的；捷足的。

swift·ly [ˋswɪftlɪ] *adv.* 迅速地；即刻地。

swig [swɪg] 〖俗〗 *n.* Ⓒ痛飲；牛飲。── *v.t. & v.i.* (**-gg-**)痛飲；大口喝。

swill [swɪl] *n.* ①Ⓤ餿水(豬食)；劣酒。②Ⓤ剩飯殘羹。③Ⓒ痛飲。④(a ～)水的沖擊(聲)。── *v.t.* ①痛飲；大口喝。②沖洗；洗滌。③倒。④以…沖。── *v.i.* 牛飲；大口喝。

‡**swim** [swɪm] *v.i.* (**swam, swum, swim·ming**)①游泳。②漂浮。③浸泡；充溢〔with〕. ④暈眩。── *v.t.* ①游過。②使游泳。③使浮起。～ *with the tide* 順應潮流。── *n.* Ⓒ①(常 *sing.*) 游泳。②魚鰾。③暈眩。─ **mer,** *n.*

swim·ming [ˋswɪmɪŋ] *n.* Ⓤ①游泳；游水。②眩暈。§～ **bàth** 〖英〗(室內)游泳池。～ **còstume** 〖英〗泳裝。～ **pòol** 游泳池。～ **sùit** 游泳衣。～ **trùnks** 泳褲。

swim·ming·ly [ˋswɪmɪŋlɪ] *adv.* 順利地；成功地。

swim·suit [ˋswɪm͵sut] *n.* Ⓒ游泳衣。

swin·dle [ˋswɪndl̩] *v.t. & v.i.* 行騙；詐取；欺騙。── *n.* Ⓒ騙局；冒牌貨；冒充者。─ **swin′dler,** *n.*

swine [swaɪn] *n.* Ⓒ①(*pl.* ～)豬。②(*pl.* ～, ～**s**)鄙賤的人。

swine·herd [ˋswaɪn͵hɝd] *n.* Ⓒ養豬人。

‡**swing** [swɪŋ] *v.i.* (**swung**)①搖擺。②旋轉。③動搖；改變態度或立場。④演奏或演唱搖擺音樂。── *v.t.* ①使搖擺；使擺動。②使迴轉；使旋轉。③掛；吊。④〖俗〗經營；操縱；支配。⑤以搖擺音樂的方式演唱或演奏。～ *the lead* 〖俗〗以欺騙或佯病而逃避責任。── *n.* ①ⓊⒸ搖擺；擺動；揮動。②Ⓒ鞦韆。③Ⓤ(又作a～)律動；節奏；韻律。④Ⓤ活動的自由。⑤Ⓒ轉變。*go with a* ～(詩歌等)節拍輕快；進行順利。*in full* ～ 處於最活躍的進行狀態中。*the* ～ *of the pendulum* 鐘擺的擺動；(喻)榮枯盛衰；消長。── *adj.* 搖擺音樂的。§～ **brìdge** 迴旋橋(船隻通過時可開啓的橋)。～ **dòor** 雙開式彈簧門。～ **mùsic** 搖擺樂。～ **shìft** 〖美俗〗小夜班(通常為下午四時至十二時)。

swing·back [ˋswɪŋ͵bæk] *n.* ⓊⒸ(尤指政治上的)回復；返回。

swing·boat [ˋswɪŋ͵bot] *n.* Ⓒ(一種兩人相對而坐的船形)鞦韆。

swing-by [ˋswɪŋ͵baɪ] *n.* Ⓒ〖太空〗(太空船利用中間行星或目的行星之引力場調整航向或航軌的)借力旋繞軌道。

swinge·ing [ˋswɪndʒɪŋ] 〖俗〗*adj.* ①大的；巨大的。②極好的；第一流的。③(打擊等)重的。── *adv.* 非常地。

swing·er [ˋswɪŋɚ] *n.* Ⓒ①趕時髦的人。②〖俗〗驚人的事物。③亂交者。

swin·gle [ˋswɪŋgl̩] *n.* Ⓒ打麻器。── *v.t.* 以打麻器打刷。

swin·gle·tree [ˋswɪŋgl̩͵tri] *n.* Ⓒ犁槃。

swing-wing [ˋswɪŋ͵wɪŋ] *adj.* 〖空〗可變後掠翼的。── *n.* Ⓒ可變後掠翼飛機。

swin·ish [ˋswaɪnɪʃ] *adj.* ①豬似的。②粗魯的；下流的。

swipe [swaɪp] *n.* Ⓒ〖俗〗揮擊；猛擊；重擊。── *v.t.* ①〖俗〗揮臂猛擊；猛擊。②〖俚〗偷。── *v.i.* 〖俗〗作揮臂重擊。

swirl [swɝl] *v.t. & v.i.* (使)打旋；(使)旋轉。── *n.* Ⓒ漩渦(狀的東西)。

swish[1] [swɪʃ] *v.t. & v.i.* 嗖地揮動；(使)發出嗖嗖聲。── *n.* Ⓒ嗖嗖聲。── *adv.* 帶著嗖嗖之聲。

swish[2] *adj.* ①〖英俗〗時髦的；漂亮的。②〖美俚〗(男人)同性戀的。

***Swiss** [swɪs] *adj.* 瑞士的；瑞士風格的；瑞士人的。── *n.* Ⓒ(*pl.* ～)瑞士人。

***switch** [swɪtʃ] *n.* ①Ⓒ軟枝；鞭。②Ⓒ(女人的)假髮。③(*pl.*)〖鐵路〗轉轍器。④Ⓒ〖電〗開關。⑤Ⓒ轉變；變換。── *v.t.* ①鞭打。②擺動。③使轉轍。④開通或關閉(電流)。── *v.i.* ①鞭打。②轉轍。③轉換。④擺動。

switch·back [ˋswɪtʃ͵bæk] *n.* Ⓒ上陡坡用的Z字形鐵路；Z形道路。

switch·blade [ˋswɪtʃ͵bled] *n.* Ⓒ〖美〗彈簧刀(=〖英〗flick knife).

switch·board [ˋswɪtʃ͵bord] *n.* Ⓒ①配電盤；電鍵板。②電話總機。

switched-on [ˋswɪtʃtˋɑn] *adj.* ①〖俗〗機敏的。②〖俗〗跟得上時髦的。③〖俚〗服用麻醉藥而在幻覺狀態中的。④開關開著的。

switch·man [ˋswɪtʃmən] *n.* Ⓒ(*pl.* **-men**)(鐵路之)轉轍員；扳閘夫。

switch·yard [ˋswɪtʃ͵jɑrd] *n.* Ⓒ〖鐵路〗調車場。

***Switz·er·land** [ˋswɪtsɚlənd] *n.* 瑞士(歐洲之一國，首都 Bern).

swiv·el [ˋswɪvl̩] *n.* Ⓒ①〖機〗轉鐶；旋轉軸承。②迴旋砲座；迴旋砲。§～ **chàir** 旋轉椅。

swiz·zle [ˋswɪzl̩] *n.* Ⓒ碎冰雞尾酒(碎冰、甜酒、苦味藥等混合之飲料)。── *v.t.* 〖俗〗縱飲；狂飲。§～ **stìck** (調雞尾酒用的)攪酒棒。

***swol·len** [ˋswolən] *adj.* ①腫的；脹的；漲水的。②得意忘形的。③激動興奮的。── *v.* pp. of **swell.**

swoon [swun] *v.i.* ①〖罕〗昏厥；暈倒。

②著迷。③漸漸衰弱。— *n.* Ⓒ〖罕〗昏厥；暈倒。

swoop [swup] *v.i.* 猝然下降(攫捕或攻擊)。— *v.t.* 猝然攫取(up)。— *n.* Ⓒ 猝然下降。*at*[*in*] *one fell* ~ 一下子；一舉。

swop [swɑp] *n.* & *v.*(**-pp-**) = **swap.**

***sword** [sord, sɔrd] *n.* ① Ⓒ 劍；刀。②(the ~) 戰爭；武力。*at ~s' points* 處於劍拔弩張的狀態。*cross* [*measure*] *~s* (*with someone*)與人交鋒[爭鬥，爭論]。§ ∼ **càne** 內藏刀劍的手杖。∼ **dànce** 劍舞。∼ **knòt** 劍飾。∼ **lìly** 〖植〗劍蘭。

sword·fish [ˋsord,fɪʃ] *n.* Ⓒ (*pl.* ~, ~**es**)〖魚〗箭魚。

sword·play [ˋsord,ple] *n.* Ⓤ ①舞劍；鬥劍。②〖喻〗鬥智。

swords·man [ˋsordzmən] *n.* Ⓒ (*pl.* **-men**)①劍客；擊劍者。②兵士；軍人；武人。

swords·man·ship [ˋsordzmən,ʃɪp] *n.* Ⓤ 劍術；劍道。

***swore** [swor] *v.* pt. of **swear.**

***sworn** [sworn] *v.* pp. of **swear.** — *adj.* 宣過誓的；宣誓證明的。§ ∼ **ènemies** 不共戴天之仇人。∼ **frìends** 刎頸之交；盟友。

swot [swɑt] *v.i.* & *v.t.*(**-tt-**)〖英俚〗苦讀；拚命用功。— *n.* Ⓒ〖英〗死讀書的學生(=〖美〗grind)。

‡**swum** [swʌm] *v.* pp. of **swim.**

‡**swung** [swʌŋ] *v.* pt. & pp. of **swing.** § ∼ **dàsh** 波形符號；代字號(～)。

syb·a·rite [ˋsɪbə,raɪt] *n.* Ⓒ 耽於奢侈逸樂者。— **syb·a·rit·ic** [,sɪbəˋrɪtɪk], *adj.*

syc·a·more [ˋsɪkə,mor] *n.* Ⓤ Ⓒ〖植〗①美國梧桐(其木材堅硬)。②〖英〗(產於歐洲的)西克摩槭樹；其堅硬木材。③(產於埃及、敍利亞的)西克摩榕樹；其果實。

syc·o·phan·cy [ˋsɪkəfənsɪ] *n.* Ⓤ 阿諛；奉承；巴結。

syc·o·phant [ˋsɪkəfənt] *n.* Ⓒ 阿諛者；奉承者；巴結者。— **syc·o·phan′tic,** *adj.*

Syd·ney [ˋsɪdnɪ] *n.* 雪梨(澳洲東海岸的一個港市，爲New South Wales 的首府)。

syl·lab·ic [sɪˋlæbɪk] *adj.* ①綴音的；音節的。②無母音而自成音節的(如 battle 中之 l)。③逐一音節明晰發音的。— *n.* Ⓒ〖語音〗音節主音。

syl·lab·i·cate [sɪˋlæbɪ,ket] *v.t.* 分(某字)的音節。— **syl·lab·i·ca′tion,** *n.*

syl·lab·i·fy [sɪˋlæbə,faɪ] *v.t.* = **syllabicate.** — **syl·lab·i·fi·ca′tion,** *n.*

***syl·la·ble** [ˋsɪləbl̩] *n.* Ⓒ ①音節。②隻言片字。— *v.t.* ①逐音節地發出。②清晰說出。— **syl′la·bled,** *adj.*

syl·la·bus [ˋsɪləbəs] *n.* Ⓒ (*pl.* ~**es,** **-bi** [-,baɪ]) (講義等的)摘要；教學大綱。

syl·lo·gism [ˋsɪlə,dʒɪzəm] *n.* Ⓒ〖邏輯〗演繹法；三段論法。— **syl·lo·gis′tic,** *adj.* — **syl·lo·gis′ti·cal·ly,** *adv.*

syl·lo·gize [ˋsɪlə,dʒaɪz] *v.t.* & *v.i.* 以三段論法推論；用三段論法。

sylph [sɪlf] *n.* Ⓒ ①身材苗條的女子。②(Paracelsus 學說中的)空氣的精靈。

syl·van [ˋsɪlvən] *adj.* 森林的；(多)林木的；居於森林中的。— *n.* Ⓒ ①森林之神。②森林中之居住者。

sym·bi·o·sis [,sɪmbaɪˋosɪs] *n.* Ⓤ Ⓒ (*pl.* **-o·ses** [-siz])①〖生物〗共生；共棲。②共存；共同生活。— **sym·bi·ot′ic** [-baɪˋɑtɪk], *adj.*

‡**sym·bol** [ˋsɪmbl̩] *n.* Ⓒ 符號；象徵。— *v.t.* & *v.i.* 以符號表示；象徵。

***sym·bol·ic, -i·cal** [sɪmˋbɑlɪk(l̩)] *adj.* 符號的；象徵(性)的。— **sym·bol′i·cal·ly,** *adv.*

sym·bol·ism [ˋsɪmbl̩,ɪzəm] *n.* Ⓤ ①(常 S-)象徵主義。②象徵的意義；象徵性。③符號的使用；符號體系。

sym·bol·ist [ˋsɪmbl̩ɪst] *n.* Ⓒ ①〖美術〗(常 S-)象徵主義者。②符號學家；符號使用者。— **sym·bol·is′tic,** *adj.*

sym·bol·ize [ˋsɪmbl̩,aɪz] *v.t.* ①爲…之象徵；象徵；代表。②以符號表示；以象徵表示。③把…作成符號。

sym·met·ric, -ri·cal [sɪˋmɛtrɪk(l̩)] *adj.* 左右對稱的；勻稱的；調和的。— **sym·met′ri·cal·ly,** *adv.*

sym·me·trize [ˋsɪmɪ,traɪz] *v.t.* 使對稱；使均勻；使相稱；使調和。

***sym·me·try** [ˋsɪmɪtrɪ] *n.* Ⓤ 對稱；勻稱；調和。

***sym·pa·thet·ic** [,sɪmpəˋθɛtɪk] *adj.* ①(有)同情(心)的。②和諧的；合宜的。③交感的。④〖理〗共鳴的。⑤〖俗〗贊成的。§ ∼ **ìnk** 隱顯墨水。— **sym·pa·thet′i·cal·ly,** *adv.*

***sym·pa·thize** [ˋsɪmpə,θaɪz] *v.i.* ①同情。②贊同。

sym·pa·tho·lyt·ic [,sɪmpəθoˋlɪtɪk] *adj.*(藥物等)消除交感神經作用的；抗交感的。

***sym·pa·thy** [ˋsɪmpəθɪ] *n.* ① Ⓤ 同情；憐憫。② Ⓤ 同感；贊同。③(*pl.*)同情心；共同的心情。④ Ⓤ 弔唁；慰問。⑤ Ⓤ〖生理〗交感；共感。⑥ Ⓤ〖理〗共振；共鳴。§ ∼ **strìke** 同情罷工。

sym·phon·ic [sɪmˋfɑnɪk] *adj.* 交響樂[曲]的。

sym·pho·nist [ˋsɪmfənɪst] *n.* Ⓒ 交響樂作曲家；交響樂團團員。

***sym·pho·ny** [ˋsɪmfənɪ] *n.* Ⓒ ①交響樂[曲]。②(亦作**symphony orchestra**)交響樂團。

sym·po·si·um [sɪmˋpozɪəm] *n.* Ⓒ (*pl.* ~**s,** **-si·a** [-zɪə]) ①座談會；研討會。②(對某一問題的)專題論叢；專題論文集。

***symp·tom** [ˋsɪmptəm] *n.* Ⓒ 徵候；徵兆。

symp·to·mat·ic, -i·cal [,sɪmptəˋmætɪk(l̩)] *adj.* ①徵兆的。②徵候的。③表明的(of)。

syn. synonym; synonymous.

syn·a·gogue [ˋsɪnə,gɔg] *n.* ① Ⓒ 猶太教會堂。②(the ~)猶太教教徒的聚會。

syn·apse [sɪˋnæps] *n.* Ⓒ ①〖解〗胞突接合；突觸。②〖生物〗聯會(期)。

sync, synch [sɪŋk] *n.* Ⓤ〖俗〗同步

調(常用於下列片語)。*in* ～ 同步調[一致]地。*out of* ～ 不同步調[不一致]地。
syn·chro·flash [ˋsɪŋkrə,flæʃ] *adj.* (照相機)同步閃光的。
syn·chro·mesh [ˋsɪŋkrə,mɛʃ] *n.* Ⓤ& *adj.*(齒輪)同步咬合(的)。
syn·chron·ic [sɪnˋkrɑnɪk, sɪŋ-] *adj.* 〖語言〗共時性的; 只涉及某一特定時期(而不考慮歷史演變)的。
syn·chro·nism [ˋsɪŋkrə,nɪzəm] *n.* ①Ⓤ同時發生; 同時性。②Ⓤ〖影〗映像[畫面]與聲音的一致。③**a.** Ⓤ歷史事件對照編年。**b.** Ⓒ歷史事件對照年表。④Ⓤ〖理, 電〗同步。
syn·chro·nize [ˋsɪŋkrə,naɪz] *v.i.* ①同時發生; 在時間上一致。②同步進行。── *v.t.* ①使在時間上一致。②使同步進行。③確定(歷史事件等)爲同時。④〖影〗使(電影中的聲音)與畫面動作吻合。§ ～d **swímming** 水上芭蕾。
— **syn·chro·ni·za′tion,** *n.*
syn·chro·nous [ˋsɪŋkrənəs] *adj.* ①同時(發生)的。②同時以同速進行的。③〖理, 電〗同周期的。— **ly,** *adv.*
syn·chro·tron [ˋsɪŋkrə,trɑn] *n.* Ⓒ〖理〗同步加速器。
syn·co·pate [ˋsɪŋkə,pet] *v.t.* ①〖樂〗切分(音); 調節。②〖語言〗中略…的一音[數音](如把 every 略成 ev'ry 等)。— **syn·co·pa′tion,** *n.*
syn·co·pe [ˋsɪŋkəpɪ] *n.* Ⓤ①〖語言〗(字的)節縮; 中略。②〖樂〗切分法。③〖醫〗暈厥。
syn·dic [ˋsɪndɪk] *n.* Ⓒ①(尤指歐洲大學的)管委會特別委員。②政府官吏; (尤指)地方行政長官。
syn·di·cal·ism [ˋsɪndɪkl̩,ɪzəm] *n.* Ⓤ工團主義(以大罷工使工會控制生產及分配之方式)。— **syn′di·cal·ist,** *n.*
syn·di·cate [ˋsɪndɪkɪt] *n.* Ⓒ(集合稱)①企業聯合組織; 財團。②報紙雜誌聯盟。③大學管委會特別委員會。④犯罪集團的操縱組織。──[ˋsɪndɪ,ket] *v.t.* & *v.i.* ①聯合成爲企業聯合組織。②以企業聯合組織管理或經營。③以(稿件)供報紙雜誌聯盟同時發表。
syn·drome [ˋsɪn,drom] *n.* Ⓒ①**a.** 〖醫〗徵候群; 綜合症狀。**b.** 病的現象。②同時發生的一連串事件[行動]。③(一定的)行爲模式。
syn·ec·do·che [sɪˋnɛkdəkɪ] *n.* Ⓤ Ⓒ〖修辭〗舉隅法(即以部分代全體, 或以全體代部分之敍述法)。
syn·ec·tics [sɪˋnɛktɪks] *n.* Ⓤ群辯法; 集思廣益研討法。
syn·od [ˋsɪnəd] *n.* Ⓒ①教會會議; 宗教會議。②會議; 討論會。
syn·o·nym [ˋsɪnə,nɪm] *n.* Ⓒ①同義字。②代用名詞; 象徵性的名稱。
syn·on·y·mous [sɪˋnɑnəməs] *adj.* 同義的。
syn·op·sis [sɪˋnɑpsɪs] *n.* Ⓒ(*pl.* **-ses** [-siz])提要; 梗概。
syn·op·size [sɪˋnɑpsaɪz] *v.t.* 作…的提要; 略述; 爲…之縮影。
syn·op·tic, -ti·cal [sɪˋnɑptɪk(l̩)] *adj.* ①摘要的; 大綱的。②(常 S-)對觀福音書的。§ ～ **Góspels** 對觀福音書(指馬太、馬可、路加等三部福音書)。
— **syn·op′ti·cal·ly,** *adv.*
syn·tax [ˋsɪntæks] *n.* Ⓤ〖文法〗句子結構; 句法。
syn·the·sis [ˋsɪnθəsɪs] *n.*(*pl.* **-ses** [-,siz])①Ⓤ綜合(法)。②Ⓒ綜合體。③Ⓤ〖化〗合成(法)。④ⓊⒸ〖哲〗(黑格爾辯證法中「正」、「反」、「合」之)合。
syn·the·size [ˋsɪnθə,saɪz] *v.t.* 綜合; 使合成。
syn·the·siz·er [ˋsɪnθə,saɪzɚ] *n.* Ⓒ①綜合者[物]。②音響合成器。
syn·thet·ic, -i·cal [sɪnˋθɛtɪk(l̩)] *adj.* ①綜合的; 合成的。②人造的。③〖語言〗有字尾變化的。— **syn·thet′i·cal·ly,** *adv.*
syph·i·lis [ˋsɪflɪs] *n.* Ⓤ〖醫〗梅毒。
— **syph·i·lit′ic,** *adj.*
sy·phon [ˋsaɪfən] *n.* & *v.*=**siphon.**
Syr·i·a [ˋsɪrɪə] *n.* 敍利亞(亞洲西部之一國家, 首都 Damascus).
Syr·i·an [ˋsɪrɪən] *adj.* 敍利亞(人)的。── *n.* ①Ⓒ敍利亞人。②Ⓤ敍利亞語。
sy·ringe [ˋsɪrɪndʒ] *v.t.* 注射; (以注水器)灌洗。── *n.* Ⓒ注射器; 注水器。
syr·up [ˋsɪrəp] *n.* Ⓤ糖漿。
syr·up·y [ˋsɪrəpɪ] *adj.* ①糖漿(狀)的。②甜蜜的; 濃稠的。
‡**sys·tem** [ˋsɪstəm] *n.* ①Ⓒ系統。②Ⓒ制度; 體制; 體系。③Ⓒ方式; 方法。④Ⓤ秩序; 規律。⑤(the ～)身體。⑥(the ～)世界; 宇宙。⑦Ⓒ〖天〗系。the solar ～ 太陽系。§ ～ **admínistrator**〖電算〗系統管理師。
***sys·tem·at·ic, -i·cal** [,sɪstəˋmætɪk(l̩)] *adj.* ①系統的; 有系統的。②按照方式的; 分類的。③有計畫的; 故意的。— **sys·tem·at′i·cal·ly,** *adv.*
sys·tem·at·ics [,sɪstəˋmætɪks] *n.* Ⓤ系統學; 分類學。
sys·tem·a·tize [ˋsɪstəmə,taɪz] *v.t.* 把…加以系統化; 使組織化; 把…加以分類。— **sys·tem·a·ti·za′tion,** *n.*
sys·tem·a·tiz·er [ˋsɪstəmə,taɪzɚ] *n.* Ⓒ創造系統者; 組織者。
sys·tem·ic [sɪsˋtɛmɪk] *adj.* ①體系的; 系統的。②〖生理〗(侵入)全身的。
sys·tem·ize [ˋsɪstə,maɪz] *v.t.*= **systematize.**
sys·to·le [ˋsɪstə,li] *n.* ⓊⒸ①〖生理〗(心臟的)收縮。②〖古詩〗長音節的縮短。

T t **T t** *T t*

T, t [ti] *n.* (*pl.* **T's, t's**)①ⓊⒸ英文字母的第二十個字母。②Ⓒ T 形之物。*to a T*[*tee*]恰好地; 精確地。
tab [tæb] *n.* Ⓒ①小垂片; 垂飾; 標籤。

②〖俚〗記錄; 計核。③帳單; 費用。*keep* ~(*s*) *on*〖俚〗查核; 注意; 記錄。**—** *v.t.* (**-bb-**)①飾以垂懸物。②稱呼; 命名。③統計列表。

Ta·bas·co [tə`bæsko] *n.* Ⓤ〖商標〗塔巴斯哥(一種辣醬油)。

tab·by [`tæbɪ] *n.* Ⓒ①虎斑貓; 雌貓。②老處女。③好說閒話的女人。④波紋絹。**—** *adj.* ①波紋的。②虎斑(色)的。

tab·er·nac·le [`tæbɚ,nækl̩] *n.*①Ⓒ暫居所(如帳篷、茅舍等)。②Ⓒ(靈魂寄居的)軀殼。③(the T-)〖聖經〗聖幕(古猶太人安置約櫃之移動式神殿)。④Ⓒ猶太神殿; 教堂; (非國教派的)禮拜堂。⑤Ⓒ(安置聖體的)聖櫃。

ta·ble [`tebl̩] *n.*①Ⓒ桌; 檯。②Ⓒ餐桌。③Ⓤ餐; 餚饌。④Ⓒ同席的人。⑤Ⓒ表; 一覽表。a ~ of contents 目錄。⑥Ⓒ平板; 平面; 石板。⑦Ⓒ臺地; 高原。*at* ~ 正在用餐。*lay*[*set*] *the* ~ 將餐具擺在桌上準備開飯。*the* ~*s* 刻於石上的法律條文。*turn the* ~*s* (*on someone*)扭轉形勢(使其不利於某人)。*wait*(*on*)~ 當侍者。**—** *v.t.* ①置於桌上。②〖美〗擱置。③列…成一覽表。§ ~ **bòard**包伙。~ **bòok** 適於放置案頭作裝飾用的書。~ **còver** 桌罩; 檯布。~ **knìfe** 餐刀。~ **làmp** 檯燈。~ **lìnen** 桌布; 餐巾。~ **mòney** 軍官的餐費; 交際費; 招待費。~ **sàlt** 食鹽。~ **tàlk**進餐時的閒談。~ **tènnis** 桌球。~ **wìne** 進餐時喝的淡酒。

tab·leau [`tæblo, tæb`lo]〖法〗*n.* Ⓒ (*pl.* ~**x** [~z], ~**s**)①戲劇性場面。②畫。③(亦作 **tableau vivant**)活人畫(以活人扮演的靜態畫面)。

***ta·ble·cloth** [`tebl̩,klɔθ] *n.* Ⓒ桌布; 檯布。

ta·ble d'hôte [`tæbl̩`dot]〖法〗*n.* Ⓒ (*pl.* **ta·bles d'hôte**[~])客飯; 定餐; 和菜。

ta·ble-hop [`tebl̩,hɑp] *v.i.*(**-pp-**)周旋於餐桌間與人寒暄。

ta·ble·land [`tebl̩,lænd] *n.* Ⓒ(常 *pl.*)台地。

ta·ble·mat [`tebl̩,mæt] *n.* Ⓒ碗盤墊(置於燙熱碗盤底下的餐桌用小墊)。

***ta·ble·spoon** [`tebl̩,spun] *n.* Ⓒ湯匙; 大調羹。

ta·ble·spoon·ful [`tebl̩spun,ful] *n.* Ⓒ一湯匙之量。

***tab·let** [`tæblɪt] *n.* Ⓒ①紙簿。②碑; 牌; 匾額。③寫字板。④小片[塊]; 藥片。

ta·ble·top [`tebl̩,tɑp] *n.* Ⓒ①桌面。②桌上小照片。

ta·ble·ware [`tebl̩,wɛr] *n.* Ⓤ(集合稱)餐具。

tab·loid [`tæblɔɪd] *n.* Ⓒ①小型報; 小報(圖片多而報導簡短者)。②藥片; 錠劑。**—** *adj.* 簡縮的; 簡短的。

ta·boo [tə`bu] *adj.* ①禁止的; 禁忌的。②(因神聖或污穢而)不可接近的。**—** *v.t.* 禁用; 禁止; 禁忌。**—** *n.* ⓊⒸ (*pl.* ~**s**) ①禁忌。②禁止。

ta·bor,〖英〗**-bour** [`tebɚ] *n.* Ⓒ小鼓。

ta·bu [tə`bu] *adj.* & *v.t.* & *n.*=**taboo.**

tab·u·lar [`tæbjəlɚ] *adj.* ①表的; 列成表的。②平坦的; 平板(狀)的。

tab·u·late [`tæbjə,let] *v.t.* ①將(事實、數字等)列成表。②使成板狀平面。**—**[`tæbjəlɪt] *adj.* 平板狀的。

tab·u·la·tion [,tæbjə`leʃən] *n.* ①Ⓤ列表。②Ⓒ圖表。

tab·u·la·tor [`tæbjə,letɚ] *n.* Ⓒ①繪製圖表者。②(打字機的)定位裝置; 製表機。

tach·o·graph [`tækə,græf] *n.* Ⓒ速度記錄器; 速度圖表。

ta·chom·e·ter [tə`kɑmətɚ, tæ-] *n.* Ⓒ①轉速計。②流速計。

tac·it [`tæsɪt] *adj.* ①沈默的; 心照不宣的。②不用語言表達的; 無言的。— **ly,** *adv.* — **ness,** *n.*

tac·i·turn [`tæsə,tɜn] *adj.* 無言的; 不愛說話的; 沈默寡言的。— **ly,** *adv.*

tac·i·tur·ni·ty [,tæsə`tɜnətɪ] *n.* Ⓤ不愛說話; 沈默寡言。

***tack** [tæk] *n.* ①Ⓒ大頭釘; 圖釘。②ⓊⒸ(依船帆風位而定的)航行方向。③Ⓒ搶風調向(船斜兜著風作 Z 形前進)。④Ⓒ(衣服等的)假縫。⑤ⓊⒸ行動方針; 政策。try a new ~ 試一試新辦法。⑥Ⓒ將帆縛於一角的繩子。⑦Ⓤ吸黏力。*come* [*get*] *down to brass* ~*s* 討論重要[實質]問題。*on the wrong* ~ (路)不對頭。**—** *v.t.* ①以大頭釘釘住。②附加; 添加。③以假縫縫製。④使船搶風作Z形航行。**—** *v.i.* ①(船)搶風作Z形航行。②改變方針[政策]。③跟隨; 追蹤。— **er,** *n.*

***tack·le** [`tækl̩] *n.* ①Ⓤ器械; 用具。②[`tekl̩] ⓊⒸ船的索具。③ⓊⒸ滑車; 轆轤。④Ⓒ〖橄欖球〗阻截; 擒抱(抱住並絆倒對方球員)。⑤Ⓒ〖橄欖球〗攻擊線上的二名前鋒之一。**—** *v.t.* & *v.i.* ①處理; 應付; 解決。②捕捉; 格鬥。The policeman ~*d* the thief. 警察捕捉小偷。③〖橄欖球〗抱住並絆倒(拿球奔跑的對方球員)。④給(馬)上馬具。

tack·y [`tækɪ] *adj.* ①黏的; 有黏著性的。②〖俚〗襤褸的; 破爛的。

***tact** [tækt] *n.* Ⓤ機智; 圓通; 圓滑。

tact·ful [`tæktfəl] *adj.* 機敏的; 圓通的; 圓滑的。— **ly,** *adv.*

tac·ti·cal [`tæktɪkl̩] *adj.* ①戰術的; 策略上的。②有策略[手段高明]的。

tac·ti·cian [tæk`tɪʃən] *n.* Ⓒ戰術家; 策士。

tac·tics [`tæktɪks] *n.* ①Ⓤ戰術。②(作 *pl.*解)策略。

tac·tile [`tæktl̩] *adj.* ①觸覺的。②能觸知的。

tact·less [`tæktlɪs] *adj.* 無機智的; 不圓滑的。②微量。

tad [tæd] *n.* Ⓒ〖美〗①小孩(尤指男孩)。

tad·pole [`tæd,pol] *n.* Ⓒ蝌蚪。

tae kwon do [`taɪ`kwɑn`do]〖韓〗*n.* Ⓤ跆拳道。

tael [tel] *n.* Ⓒ①兩(東亞之重量單位, 尤指中國之兩)。②兩(中國昔時之貨幣單位)。

taf·fe·ta [`tæfɪtə] *n.* Ⓤ波紋綢(一種光面而質略硬的絲綢或人造絲綢)。

taff·rail [`tæf,rel] *n.* Ⓒ〖海〗①船尾

的上部。②船尾欄杆。

taf·fy [ˋtæfɪ] *n.* Ⓤ Ⓒ ①太妃糖。②〖俚〗諂媚；阿諛。(亦作 **toffee, toffy**)

tag** [tæg] *n.* ① Ⓒ 附籤；標籤。② Ⓒ 懸垂物；附屬物。③ Ⓒ 帶端的金屬頭(如鞋帶之末端等)。④ Ⓒ 歌曲、劇本、演員臺詞等的結尾部分。⑤ Ⓤ (小孩玩的)捉人遊戲。⑥ Ⓒ 陳腐的詞句。~ ***and rag 下層人民[社會]。— *v.t.* (**-gg-**)①給…加籤條。②附加。③(捉人遊戲中)捉。④尾隨；跟隨。— *v.i.* 〖俚〗尾隨。§ ~ **dày** 〖美〗募捐日。~ **quèstion** 〖文法〗附加問句。

Ta·ga·log [ˋtægə,lɑg] *n.* (*pl.* ~, ~**s**) ① Ⓒ 塔加祿人(菲律賓土著)。② Ⓤ 塔加祿語。

tag·a·long [ˋtægə,lɔŋ] *n.* Ⓒ 跟屁蟲。

Ta·hi·ti [tɑˋhitɪ] *n.* 大溪地(南太平洋法屬 Society Islands 中之一島)。

‡**tail**[1] [tel] *n.* ① Ⓒ 尾。② Ⓒ 尾狀物。③ Ⓒ (常*sing.*)後部；末尾。④ Ⓒ 辮子。⑤ Ⓒ (常*pl.*)硬幣背面。⑥ Ⓒ (人的)一行。⑦ Ⓒ 隨從人員。⑧ (*pl.*)〖俚〗燕尾服。⑨ Ⓒ〖俚〗屁股。~ ***of the eye*** 眼角。***turn*** ~ 逃走。***with one's*** ~ ***between one's legs*** 受辱；遇到挫敗；害怕。— *v.t.* & *v.i.* ①裝以尾；附於…後。②尾隨；隨從。③形成尾部。④排成一行前進。~ ***away***[***off***] **a.** 落於後。**b.** 變少。§ ~ **fìn** ⑴(飛機)垂直尾翼。⑵尾鰭。~ **wìnd** 順風。

tail[2] *n.* Ⓤ Ⓒ & *adj.* 〖法律〗財產繼承之限制(的)。

tail·back [ˋtel,bæk] *n.* Ⓒ〖英〗(交通事故等阻礙所造成)車輛的大排長龍。

tail·gate [ˋtel,get] *n.* Ⓒ (卡車等裝卸貨物用的)後門；尾板。— *v.t.* & *v.i.* (駕駛時)與前車不保持安全距離而緊跟在後。

tail·less [ˋtellɪs] *adj.* 無尾的。

tail·light [ˋtel,laɪt] *n.* Ⓒ (汽車等後之)尾燈。

***tai·lor** [ˋtelɚ] *n.* Ⓒ 裁縫師；成衣匠；裁縫店。— *v.t.* ①縫製。②為…縫製衣服。③使配合；使適應。— *v.i.* 做裁縫；縫製衣服。

tai·lor·ing [ˋtelərɪŋ] *n.* Ⓤ ①裁縫業。②裁縫技術。

tai·lor-made [ˋtelɚˋmed] *adj.* ①訂製的。②按男裝式樣裁製的。③服裝講究的。— *n.* Ⓒ 訂製的服裝。

tai·lor-make [ˋtelɚˋmek] *v.t.* (**-made**)使適合情況、個人、目標等。

tail·piece [ˋtel,pis] *n.* Ⓒ ①附添於末尾之物；構成尾端之部分。②提琴等下端琴絃繫於其上的小三角木片。③〖印刷〗(書籍等)排於章末或頁下空白處之裝飾圖案。

tail·pipe [ˋtel,paɪp] *n.* Ⓒ ①位於尾端的排氣管。②唧筒的吸入管。(亦作 **tail pipe**)

taint [tent] *n.* Ⓤ 污點；腐敗；墮落[恥辱]的跡象。— *v.t.* & *v.i.* 沾染；感染；(使)腐敗。

taint·ed [ˋtentɪd] *adj.* 染污的；有污點的；感染的；腐敗的。

Tai·pei [ˋtaɪˋpe] *n.* 臺北。

Tai·wan [ˋtaɪˋwɑn] *n.* 台灣(中國之一省)。§ ~ **Stráit** 台灣海峽。

Tai·wa·nese [,taɪwɑˋniz] *adj.* 台灣(人，話)的。— *n.* ① Ⓒ (*pl.* ~)台灣人。② Ⓤ 台灣話。

‡**take** [tek] *v.t.* (**took, tak·en**) ①取；拿。②握；攫；執。③捕；捉。④攻取；占領。⑤獲得。⑥享有；享受。~ a rest 休息。⑦接受。⑧患；受(寒)。⑨採用；採取；選擇。⑩吃；喝；服用；吸。⑪乘；坐。⑫費去；占用。⑬需要。It only ~*s* five minutes to walk there. 走到那裏只需五分鐘。⑭吸引…的興趣；使喜悅；迷惑。⑮租。⑯訂購；訂閱。⑰伴同；引導。Please ~ me home. 請送我回家。⑱攜帶。⑲減去；扣除。⑳感覺；感受。㉑了解。㉒以為；當作；相信。㉓記錄。㉔為；作；行。~ a walk 散步。㉕採取某種態度。*T-* care! 留心！㉖忍受。㉗拿去。㉘使死亡。㉙引至。㉚(以特別方法)做；獲得。㉛找出；量出。㉜舉出(例子)。Let's ~ an example. 我們舉個例吧！㉝負起；履行。㉞著(火)。㉟偷取；不經允許而取去。㊱容納。— *v.i.* ①獲得或獲有財產。②奏效；有效。③去；赴；前進。④受歡迎。⑤患；感染(病)。He *took* sick. 他生病。⑥減損〖from〗。⑦照相。⑧生根；扎根。⑨(魚類)被捕捉。~ ***after*** 像；與…相似。~ ***away*** **a.** 拿走；奪走。**b.** 拿掉；去掉。**c.** 減掉；減去。**d.** 收拾碗盤。~ ***back*** **a.** 撤銷；撤回。**b.** 重新獲得；取回。**c.** 退回調換。**d.** 使回憶。~ ***down*** **a.** 記錄。**b.** 打擊；挫銳氣。**c.** 困難地吞下。**d.** 拆毀。~ ***for*** 當作；誤認為。~ ***from*** 減少；減弱。~ ***in*** **a.** 接納；吸收。**b.** 縮小；捲起；疊起。**c.** 了解；領悟。**d.** 欺騙。**e.** 訂閱。**f.** 相信(虛假之事)。**g.** 包含；包括。**h.** 將…帶回家去做。**i.** 改短(衣服)。~ ***it out on*** 〖俚〗拿(別人)出氣。~ ***off*** **a.** 除去；脫去。**b.** 離地；離水；起飛。**c.** 模仿。**d.** 帶走。**e.** 減去。**f.** 離開；啓程。**g.** 殺死；致死。**h.** 免除工作。~ ***on*** **a.** 承擔。**b.** 雇用。**c.** 現出激憤、悲痛或其他強烈的情緒。**d.** 接受…作對手。**e.** 變得有…；開始有…。**f.** 得人心；受歡迎。~ ***out*** **a.** 去掉。**b.** 領得；發出。**c.** 申請取得。~ ***over*** 接管；接收。~ ***up*** **a.** 占。**b.** 接納。**c.** 吸收。**d.** 開始；從事。**e.** 繼續。**f.** 打斷或校正(說話者)。**g.** 逮捕；阻止。**h.** 舉[拿]起。**i.** 使更小。**j.** 責怪。~ ***upon oneself*** 承擔；擔任。~ ***up with*** **a.** 與(人)相交。**b.** 贊成；同意；接受。— *n.* Ⓒ ①(常 *sing.*)捕獲量；獲取量。②(常 *sing.*)利益；獲利。③〖影〗一次的拍攝。

take·a·way [ˋtekə,we] *adj.* & *n.* 〖英〗= **takeout.**

táke-home pày [ˋtek,hom ~] *n.* Ⓤ (扣除稅金、保險費等之後的)實得工資。

take-in [ˋtek,ɪn] *n.* Ⓒ〖俚〗騙局；欺詐；騙子。

‡**tak·en** [ˋtekən] *v.* pp. of **take.**

take·off [ˋtek,ɔf] *n.* ① Ⓒ〖俚〗(為取笑而作的)模仿；漫畫。② Ⓤ Ⓒ (飛機的)起飛；起飛點。③ Ⓤ Ⓒ 起跳；起跳點。

take·out [ˋtek,aʊt] *n.* Ⓒ〖美〗外賣[外帶]的食物[飲料]。— *adj.* 供客人帶走的(飲料等)。(英亦作 **takeaway**)

take·o·ver [ˋtek,ovə] *n.* Ⓒ 佔據；接收；接管；接辦。(亦作 **take-over**)

tak·er [ˋtekə] *n.* Ⓒ①取者；接受者。②捕獲者。③收票員；接受打賭[挑戰]的人。

tak·ing [ˋtekɪŋ] *adj.* ①迷人的；動人的。②〖俚〗傳染性的。— *n.* ① Ⓤ 取；捕獲。②(*pl.*)收取之款；所得；收入。

talc [tælk] *n.* Ⓤ〖礦〗滑石。— *v.t.* (**talc(k)ed, talc(k)·ing**)用滑石處理或磨擦。

tal·cum [ˋtælkəm] *n.* ① Ⓤ 爽身粉(亦作 **talcum powder**)。②=**talc**.

‡**tale** [tel] *n.* Ⓒ①故事。②謊言；壞話；謠言。③合計；總數。***tell its own*** ~ 不須說明；顯而易見。***tell*** ~***s*** (***out of school***)洩露機密。

tale·bear·er [ˋtel,bɛrə] *n.* Ⓒ長舌者；喜閒話是非的人。

***tal·ent** [ˋtælənt] *n.* ①ⓊⒸ 才能；才幹。② Ⓤ (集合稱)人才。③ Ⓒ 有才幹的人。—**less,** *adj.*

tal·ent·ed [ˋtæləntɪd] *adj.* 有才能的；多才的。

tal·is·man [ˋtælɪsmən] *n.* Ⓒ (*pl.* ~**s**)①護身符；符咒；辟邪物。②具有神奇魔力的東西。

‡**talk** [tɔk] *v.i.* ①說話；談話。②討論；磋商。③說閒話。④傳情達意。— *v.t.* ①說；談。②說得使(某人)…。~ ***around*** **a.** 勸…回心轉意；說服。**b.** 兜圈子談。~ ***at a person*** 暗指著某人說。~ ***away*** 以談話度過。~ ***back*** 反唇相譏。~ ***down*** **a.** 高聲壓倒。**b.** 以口頭協助(飛機等)降落。~ ***of***[***about***] 談到；說到；說及。~ ***out*** 談個明白。~ ***over*** 商談；討論；說服。~ ***to***〖俚〗訓戒；斥責。~ ***to oneself*** 自言自語。~ ***up*** **a.** 大事吹捧；熱烈討論。**b.** 直率地講。— *n.* ① Ⓒ 談話。②(the ~)話題；話柄。③ Ⓒ 非正式講演。④ Ⓤ 說話的態度、內容、形式等。⑤ Ⓒ 會談。⑥ Ⓤ 謠傳；蜚短流長之閒話。⑦ Ⓤ 空談；廢話。§ ~ **shòw**〖美〗(電視或電台上的)訪問節目；脫口秀。

talk·a·thon [ˋtɔkə,θɑn] *n.* Ⓒ〖美俚〗①馬拉松式演講(議員為阻止某議案之通過所作之冗長演講)。②(在電視、廣播中)對質詢作不限時間的答覆。

talk·a·tive [ˋtɔkətɪv] *adj.* 好說話的；多嘴的。—**ly,** *adv.* —**ness,** *n.*

talk·er [ˋtɔkə] *n.* Ⓒ 說話者；演說者；說空話的人；健談者。

talk·fest [ˋtɔk,fɛst] *n.* Ⓒ ①聊天會(作愉快閒聊或討論的非正式集會)。②長期辯論。

talk·ie [ˋtɔkɪ] *n.* Ⓒ〖俗〗有聲電影(=talking picture).

talk·ing [ˋtɔkɪŋ] *adj.* ①說話的。②有表情的。③多言的。§ ~ **bóok** 有聲讀物(指供盲人用書籍之錄音帶、唱片等)。~ **fílm** [**pícture**] 有聲電影。~ **machìne** 留聲機。~ **pòint** 論據。

talk·ing-to [ˋtɔkɪŋ,tu] *n.* Ⓒ (*pl.* ~**s**)〖俚〗責罵。

‡**tall** [tɔl] *adj.* ①高的。②誇大的；過分的。③長的；狹長的。— *adv.* 誇大地。talk ~ 說大話。§ ~ **hát** 高頂帽；大禮帽。~ **tálk** 誇大之辭；不著邊際的談話。—**ness,** *n.*

tal·low [ˋtælo] *n.* Ⓤ 獸脂；脂肪(製肥皂或蠟燭用者)。— *v.t.* 塗脂於。§ ~ **càndle** 用牛[羊]脂做的蠟燭；牛油燭。

tal·ly [ˋtælɪ] *n.* Ⓒ①符木；符節；符契。②任何記帳用之物。③記帳用的單位或分劃。④記錄；帳；得分。⑤標籤。⑥符合。— *v.t.* ①計算；記錄。②給…附上標籤。③使適合；使符合。— *v.i.* ①符合。②計算；記錄。§ ~ **clèrk** 計票員。~ **plàn**〖英〗分期付款。~ **shèet** (1)記數紙。(2)〖美〗投票數記錄紙。~ **shòp**〖英〗以分期付款售貨之商店。

tal·ly·man [ˋtælɪmən] *n.* Ⓒ (*pl.* **-men**)①以分期付款方式售貨之商人。②記帳員；計數員；點貨員。

tal·on [ˋtælən] *n.* ① Ⓒ (肉食鳥類的)爪。②(*pl.*)似爪的手指；緊握的手。

tam·a·ble [ˋteməbl̩] *adj.* 可馴服的。

tam·a·rind [ˋtæmə,rɪnd] *n.*〖植〗① Ⓒ 羅望子(熱帶植物)。② Ⓤ 其果實。

tam·bour [ˋtæmbʊr] *n.* Ⓒ ①鼓。②刺繡框；刺繡架。③刺繡品。

tam·bou·rine [,tæmbəˋrin] *n.* Ⓒ〖樂〗小手鼓；鈴鼓。

***tame** [tem] *adj.* ①馴服的。②柔順的；不為害的。③無精打采的；乏味的。— *v.t.* ①馴服。②使不為害。③克制；壓服；使沒精神；使軟化。— *v.i.* 被馴服。—**ly,** *adv.* —**ness,** *n.*

tame·less [ˋtemlɪs] *adj.* ①未馴服的。②不可馴服的；性野的；粗暴的。

Tam·il [ˋtæml̩] *n.*① Ⓒ 坦米爾人(住在南印度及斯里蘭卡之一族)。② Ⓤ 坦米爾語。

tam-o'-shan·ter [,tæməˋʃæntə] *n.* Ⓒ (蘇格蘭人戴的)一種便帽。

tamp [tæmp] *v.t.* ①搗固；砸緊。②以土等填塞(置有炸藥的洞)。

tam·per [ˋtæmpə] *v.i.* ①以不正當手段干預；亂弄。②賄賂。③竄改。

tam·per·proof [ˋtæmpə,pruf] *adj.* 可防止(小孩等)亂弄(開)的。

tam·pon [ˋtæmpɑn] *n.* Ⓒ ①〖醫〗止血塞；止血棉花球。②一種兩端有頭的鼓槌。— *v.t.* 置棉塞於…中。

***tan**[1] [tæn] *v.t.* (**-nn-**)① 硝(皮)。②使(皮膚)曬成褐色。③〖俚〗鞭笞。— *v.i.* 曬成褐色。— *n.* ① Ⓒ 經日曬而成的褐色。② Ⓤ 黃褐色；茶色。③ Ⓤ 含有單寧酸的樹皮。— *adj.* 棕黃色的；黃褐色的。

tan[2] *n.* Ⓤ〖數〗正切(=tangent).

tan·dem [ˋtændəm] *adv.* 一前一後地；縱列地。— *adj.* 前後縱列的。— *n.* Ⓒ ①前後縱駕的兩匹馬。②兩馬前後縱駕的兩輪馬車。③協力車。

tang[1] [tæŋ] *n.* Ⓒ ①(常 *sing.*)強烈的味道[氣味]。②(常 *sing.*)特殊的氣味或風味；特性；特質。③(鑿、銼等插入柄內的)柄腳。

tang^2 *n.* 🄲 鏜鏜聲。— *v.t.* & *v.i.* (使)發鏜鏜聲。

tan·gent [ˋtændʒənt] *adj.* ①接觸的。②〖數〗相切的。— *n.* ① 🄲〖數〗切線。② 🅄〖數〗正切。***go*** [***fly***] ***off at*** [***on***] ***a*** ~ 突然改換方針[話題]。

tan·gen·tial [tænˋdʒɛnʃəl] *adj.* ①〖數〗切線的；正切的。②僅涉及而未深入的。③離題的。

tan·ge·rine [ˋtændʒəˌrin, ˌtændʒəˋrin] *n.* ① 🅄🄲 橘子；椪柑。② 🅄 橘紅色。— *adj.* 橘紅色的。

tan·gi·ble [ˋtændʒəbl] *adj.* ①可觸知的。②確實的；眞實的。③實質的；實體的。— *n.* (*pl.*) 有形資產。— **tan·gi·bil′i·ty,** *n.* — **tan′gi·bly,** *adv.*

***tan·gle** [ˋtæŋgl] *v.t.* 使纏結；使糾纏。— *v.i.* ①纏結；糾纏不清。②鬥嘴；爭吵。— *n.* 🄲 ①纏結；亂七八糟的一堆。②爭吵；鬥爭。

tan·gled [ˋtæŋgl̩d] *adj.* ①纏結的；紊亂的。②複雜的。③迷惘的。

tan·gly [ˋtæŋglɪ] *adj.* 糾纏不清的；紛亂的；錯亂的。

tan·go [ˋtæŋgo] *n.* (*pl.* **~s**) ① 🄲 探戈舞。② 🅄🄲 探戈舞曲。— **ist,** *n.*

***tank** [tæŋk] *n.* 🄲 ①槽(水槽、油槽等)。②罐；箱。③戰車。— *v.t.* 置[貯]於槽中。§ **~ càr** (鐵路)油槽車；槽車。**~ fàrming** 水耕法。

tan·kard [ˋtæŋkəd] *n.* 🄲 (有把手的)大酒杯；一大杯之量。

tank·er [ˋtæŋkə] *n.* 🄲 ①油輪；油罐車。②戰車之戰士。

tan·ner [ˋtænə] *n.* 🄲 製革者。

tan·ner·y [ˋtænərɪ] *n.* 🄲 鞣革廠；製革廠。

tan·nic [ˋtænɪk] *adj.* (含，似)鞣酸的。~ ***acid***〖化〗鞣酸；單寧酸。

tan·nin [ˋtænɪn] *n.* 🅄〖化〗單寧酸；鞣酸。

tan·ning [ˋtænɪŋ] *n.* ① 🅄 製革。② 🅄 曬黑。③ 🄲〖俚〗鞭打。

tan·ta·lize [ˋtæntl̩ˌaɪz] *v.t.* (惹起興趣卻不給予地)逗弄；吊…胃口。

tan·ta·liz·ing [ˋtæntəˌlaɪzɪŋ] *adj.* 撩人的；逗人的。

Tan·ta·lus [ˋtæntl̩əs] *n.*〖希神〗坦塔勒斯(Zeus 之子)。

tan·ta·mount [ˋtæntəˌmaunt] *adj.* 與…相等的；與…同等的〔to〕。

tan·trum [ˋtæntrəm] *n.* 🄲〖俗〗發脾氣；勃然大怒。

Tan·za·ni·a [ˌtænzəˋniə] *n.* 坦尙尼亞(東非之一共和國，首都 Dar es Salaam)。

Tao·ism [ˋtauɪzəm] *n.* 🅄 道教。

***tap**^{1} [tæp] *v.t.* & *v.i.* (**-pp-**) ①輕敲；輕扣；輕拍；輕踏。②修鞋底或鞋跟。③選擇；指定。— *n.* ① 🄲 輕敲；輕扣；輕拍；輕踏。② 🄲 輕敲之聲。③ 🄲 修理鞋時所加的鞋底或鞋跟。④ (*pl.*) 熄燈號音或鼓音。§ **~ dànce** 踢躂舞。

tap^2 *n.* 🄲 ①栓；塞。②水龍頭。③桶裝酒。④〖俚〗酒吧。⑤電線接頭處。***on*** ~ **a.** 裝有龍頭的。**b.**〖俚〗可隨時供應的。— *v.t.* (**-pp-**) ①拔去…的栓或塞；在…中鑿孔使液體流出。②在…上裝栓或塞子。③拔塞子汲取。④開發。⑤搭(線)偷聽。⑥在(體腔)上開孔放出液體。

‡**tape** [tep] *n.* ① 🅄 帶；線帶。② 🄲 捲尺；皮尺。③ 🄲 繫在跑道終點的線。④ 🅄🄲 磁帶。***breast the*** ~ (賽跑者)跑第一。— *v.t.* ①以帶捆紮。②用皮尺測量。③把…錄音。§ **~ mèasure** 捲尺；皮尺。**~ recòrder** [**machìne**] 錄音機。

tape·line [ˋtepˌlaɪn] *n.* 🄲 捲尺；皮尺。

ta·per^1 [ˋtepə] *v.i.* & *v.t.* ①(使)逐漸尖細〔off〕。②(使)逐漸減少〔off〕。— *n.* 🄲 ①細蠟燭。②減小；減弱。③逐漸尖細。— *adj.* 長而尖細的。

tap·er^2 *n.* 🄲 錄音帶的錄製剪接人員。

tape-re·cord [ˌteprɪˋkɔrd] *v.t.* & *v.i.* 以磁帶錄音。

tap·es·try [ˋtæpɪstrɪ] *n.* 🅄🄲 ①繡帷；緞錦。②緞錦畫。— *v.t.* ①以繡帷裝飾。②在繡帷上繡出。

tape·worm [ˋtepˌwɝm] *n.* 🄲 絛蟲。

tap·i·o·ca [ˌtæpɪˋokə] *n.* 🅄 木薯澱粉(食用)。

ta·pir [ˋtepə] *n.* 🄲〖動〗(中南美及馬來產的)貘。

tap·ping [ˋtæpɪŋ] *n.* ① 🅄 (開孔)導出液體。② 🄲〖醫〗穿刺放液。③ 🅄 電話竊聽。

tap·room [ˋtæpˌrum] *n.* 🄲〖英〗酒吧間。

tap·root [ˋtæpˌrut] *n.* 🄲〖植〗主根。

tap-tap [ˋtæpˌtæp] *n.* 🄲 咚咚(敲門等的聲音)。

tar^1 [tɑr] *n.* 🅄 焦油；黑油。— *v.t.* (**-rr-**) 塗焦油於；把…浸以焦油。~ ***and feather a person*** 將人滿身塗以焦油後裹上羽毛(一種私刑及侮辱)。***tarred with the same brush*** [***stick***] 有同樣的缺點；爲一路貨色。

tar^2 *n.* 🄲〖俚〗水手；海員。

tar·an·tel·la [ˌtærənˋtɛlə] *n.* 🄲 ①(義大利)塔蘭泰拉舞。②其舞曲。

ta·ran·tu·la [təˋræntʃələ] *n.* 🄲 (*pl.* **~s, -lae** [-li]) (大型多毛、咬人甚痛而有毒的)大蘭圖拉蜘蛛(產於歐洲)。

tar·boosh [tɑrˋbuʃ] *n.* 🄲 土耳其帽。

tar·dy [ˋtɑrdɪ] *adj.* 遲延的；遲遲的；緩慢的。— **tar′di·ly,** *adv.* — **tar′di·ness,** *n.*

tare^1 [tɛr] *n.* ① 🄲〖植〗野豌豆。② (*pl.*)〖聖經〗稗子；莠草。

tare^2 *n.* (*sing.*) ①皮重(計重時容器或箱子等的重量)。②空車重量。— *v.t.* 算出[標明]…的皮重。

***tar·get** [ˋtɑrgɪt] *n.* 🄲 ①靶子；標的。②(被指責、批評或攻擊的)目標；對象。— *v.t.* 將…定作目標。

***tar·iff** [ˋtærɪf] *n.* 🄲 ①關稅；關稅率；關稅表。②價目表。

tar·mac [ˋtɑrmæk] *n.* ① 🅄〖英〗柏油碎石鋪料。② 🄲 (常 *sing.*) 柏油碎石地面。— *adj.* 以柏油碎石鋪成的。— *v.t.* 以柏油碎石鋪…。

tarn [tɑrn] *n.* 🄲 山中小湖[小潭]。

tar·nish [ˋtɑrnɪʃ] *v.t.* & *v.i.* (使)失光澤；玷汚。— *n.* 🅄 ①暗晦；失去光澤。②瑕疵；汚點。

ta·ro [ˋtɑro] *n.* 🄲 (*pl.* **~s**)〖植〗芋。

tar·ot [ˋtæro] 〖法〗n. Ⓒ (pl. ~s [~z]) 塔羅牌(二十二張一組的占卜用圖案紙牌)。
tar·pau·lin [tarˋpɔlɪn] n. ① ⓊⒸ 防水布[罩]。② Ⓒ 防水衣。
tar·pon [ˋtarpan] n. Ⓒ (pl. ~s, ~) (一種產於大西洋的)大海鰱。
tar·ry[1] [ˋtærɪ] v.i. ①滯留; 停留。②遲延; 耽擱。③等候〔for〕.
tar·ry[2] [ˋtarɪ] adj. ①焦油的; 似焦油的。②塗有焦油的。
tar·sus [ˋtarsəs] n. Ⓒ (pl. -si [-saɪ]) 〖解〗①踝; 跗骨。②眼瞼軟骨; 瞼板。
tart[1] [tart] n. Ⓒ ①果子餡餅。②〖英俚〗娼妓; 行爲不檢的女人。
tart[2] adj. ①酸的。②尖刻的; 嚴厲的。—ly, adv. —ness, n.
tar·tan [ˋtartn̩] n. ① Ⓤ 格子呢(主要爲蘇格蘭高地人所穿用)。② Ⓒ 格子呢花樣。
tar·tar [ˋtartɚ] n. Ⓤ ①〖化〗酒石。②齒垢; 齒石; 牙石。
Tar·tar [ˋtartɚ] n. Ⓒ ①韃靼人。②(t-)野蠻而兇悍的人; 慓悍的人; 急躁的人。*catch a ~* 遭遇頑敵; 遭到意料之外的困難。— adj. 韃靼人的。(亦作 Tatar)
tar·tar·ic [tarˋtærɪk] adj. 酒石的; 含酒石的。~ *acid* 酒石酸。
Tar·ta·rus [ˋtartərəs] n. ①〖希神〗地獄下暗無天日之深淵(爲 Zeus 禁閉 Titans 之所)。② Ⓒ 地獄; 冥府。
tart-tongued [ˋtartˌtʌŋd] adj. 說話尖酸刻薄的; 愛挖苦的。
Tar·zan [ˋtarzn̩] n. ①泰山(美國作家 E.R. Burroughs 所作冒險故事中之主角)。② Ⓒ 矯健力大的人。
*__task__ [tæsk, tɑsk] n. Ⓒ 工作; 任務; 作業; 課業。*take*[*call*] *to* ~ a. 找麻煩。b. 責備。— v.t. ①派給工作。②使做苦工; 煩累。§ ~ **fòrce** (1)〖軍〗特遣(部)隊[艦隊]。(2)特別小組; 專案小組。
task·mas·ter [ˋtæskˌmæstɚ] n. Ⓒ 分派工作者; 工頭; 監工。
task·work [ˋtæskˌwɝk] n. Ⓤ ①派定的工作。②無趣味的工作。③以件計酬的工作; 計件工; 包工。
tas·sel [ˋtæsl] n. Ⓒ ①縫; 纓; 流蘇。②似縫之物。— v.t. (-l-, 〖英〗-ll-) ①飾以縫。②取去…的縫。— v.i. 長出縫[似縫之物]。
‡**taste** [test] n. ① ⓊⒸ 味; 滋味。②(the ~, one's ~)味覺。③(sing.)一口; 少量(可加定冠詞或不定冠詞)。④ Ⓤ 欣賞力; 鑑賞力; 判斷力。⑤ ⓊⒸ 愛好; 嗜好。⑥ Ⓤ 風味; 韻味; 情趣。*leave a bad ~ in the mouth* 在嘴裡留下討厭的味道; 留下一個壞印象。*to the king's*[*queen's*]~ 十全十美; 非常令人滿意地。— v.t. ①嘗(食物等); 品嘗。②吃[喝](一口)。③體驗; 領略。— v.i. ①嘗味; 經驗到。②有(某)味。§ ~ **bùd** 味蕾。—ful, —less, adj. —ful·ly, —less·ly, adv.
taste·mak·er [ˋtestˌmekɚ] n. Ⓒ 時尚等之創始者; 開風氣之先者。
tast·er [ˋtestɚ] n. Ⓒ 品嘗味道者。
tast·y [ˋtestɪ] adj. ①〖俚〗味美的; 適口的。②有鑑賞力的; 高雅的; 有風致的。
tat [tæt] v.i. & v.t. (-tt-) 梭織; 梭織花邊。
ta-ta [ˋtɑˌtɑ] interj. 〖兒語〗再見!
ta·ta·mi [tɑˋtɑmɪ] 〖日〗n. Ⓒ (pl. ~, ~s) 榻榻米(鋪於室內地板上之草墊, 約 18 平方英尺)。
tat·ter [ˋtætɚ] n. (pl.) 破布條; 襤褸; 碎片。in (rags and) ~*s* 衣衫襤褸。— v.t. 撕碎; 使破爛。**tat'tered,** adj.
tat·ting [ˋtætɪŋ] n. Ⓤ ①梭織; 梭織法。②梭織的花邊。
tat·tle [ˋtætl] v.i. & v.t. ①洩露祕密。②閒談; 聊天; 空談。— n. Ⓤ 閒談; 聊天; 空談。— **tat'tler,** n.
tat·tle·tale [ˋtætlˌtel] n. Ⓒ 〖俚〗洩露祕密[愛講人閒話]的人。— adj. 多嘴的。
tat·too[1] [tæˋtu] n. Ⓒ (pl. ~s) ①〖軍〗歸營號[鼓]。②連續的輕敲。③〖英〗軍隊(夜間)操演行進。*beat the devil's ~*(興奮、焦躁或不耐煩時)以手指擊桌。— v.t. & v.i. 連續地輕敲。
tat·too[2] v.t. 刺青; 紋身。— n. Ⓒ (pl. ~s) 紋身; 刺青; 黥墨。
‡**taught** [tɔt] v. pt. & pp. of **teach.**
taunt [tɔnt] v.t. ①嘲笑; 辱罵; 奚落。②用奚落來刺激。— n. Ⓒ ①(常 pl.) 嘲笑; 奚落。②嘲笑的對象。—**ing·ly,** adv.
Tau·rus [ˋtɔrəs] n. 〖天〗① 金牛座。②金牛宮。
taut [tɔt] adj. ①(繩索)拉緊的; (神經、肌肉等)緊張的。②整潔的; 整齊的。
tau·to·log·i·cal [ˌtɔtəˋlɑdʒɪkl] adj. 贅述的; 同義反覆的。—**ly,** adv.
tau·tol·o·gy [tɔˋtɑlədʒɪ] n. ⓊⒸ 同義的重複; 贅述。
tav·ern [ˋtævɚn] n. Ⓒ ①酒店。②旅店; 客棧。
taw·dry [ˋtɔdrɪ] adj. 花俏而俗氣的; 俗麗的。
taw·ny [ˋtɔnɪ] adj. 黃褐色的; 茶色的。— n. Ⓤ 黃褐色。
‡**tax** [tæks] n. ① ⓊⒸ 稅; 租稅。②(a ~)重負。— v.t. ①課以稅。②使負重荷。③斥責; 譴責〔with〕. ④審定(訴訟費等)。§ ~ **collèctor** 稅務員。~ **evàsion** 逃稅。~ **stàmp** 印花。—**a·ble,** adj. —**tax·a'tion, tax·a·bil'i·ty,** n.
tax-ex·empt [ˋtæksɪgˋzɛmpt] adj. ①免稅的。②不課稅的。
tax-free [ˋtæksˋfri] adj. = **tax-exempt.**
‡**tax·i** [ˋtæksɪ] n. Ⓒ (pl. ~s, ~es) ①出租汽車; 計程車。②出租飛機。— v.i. & v.t. ①乘計程車。②(飛機在地面或水面上)滑行。§ ~ **dàncer** 職業舞女。
tax·i·cab [ˋtæksɪˌkæb] n. Ⓒ 出租汽車。
tax·i·der·my [ˋtæksəˌdɝmɪ] n. Ⓤ (動物標本)剝製術。— **tax'i·der·mist,** n.
tax·i·me·ter [ˋtæksɪˌmitɚ] n. Ⓒ (計程車的)自動計費器; 計程表。
tax·pay·er [ˋtæksˌpeɚ] n. Ⓒ 納稅人。
TB, T.B., Tb tuberculosis.
T-bone [ˋtiˌbon] n. ⓊⒸ 丁骨牛排。(亦作 **T-bone steak**)

TCP/IP Transmission Control Protocol/Internet Protocol. 〖電算〗傳輸控制協定。
‡**tea** [ti] *n.* ① Ⓤ 茶樹; 茶葉; 茶。black ～ 紅茶。② ⓊⒸ〖英〗下午茶。③ Ⓤ (下午的)茶會。④ Ⓤ (似茶的)濃湯。beef ～ 濃牛肉湯。⑤ Ⓤ〖俚〗麻醉藥。*high*[*meat*] ～ 〖英〗茶點。*make* ～ 泡茶。§ ∽ **càddy** 茶筒; 茶罐。∽ **còzy**[〖英〗**còsy**]茶壺保溫罩。∽ **sèrvice**[**sèt**] (成套的)茶具。∽ **trày** 茶盤。∽ **wàgon**(裝有輪子的)茶具台。
‡**teach** [titʃ] *v.t.* (**taught**)教; 教授; 教導; 訓練。— *v.i.* ①教書; 當教師。②教學。—**a·ble,** *adj.*
‡**teach·er** [ˋtitʃə] *n.* Ⓒ 教師。
teach-in [ˋtitʃ,ɪn] *n.* Ⓒ〖美俗〗校園師生討論會(大學教授與學生討論有關政治問題的集會)。
***teach·ing** [ˋtitʃɪŋ] *n.* ① Ⓤ 教; 教授; 教書。② Ⓒ (常 *pl.*)教訓; 教旨。
tea·cup [ˋti,kʌp] *n.* Ⓒ 茶杯; 滿茶杯。
tea·cup·ful [ˋtikʌp,ful] *n.* Ⓒ 一滿茶杯的容量。
teak [tik] *n.* ① Ⓒ〖植〗麻栗樹; 柚木。② Ⓤ 柚木木材。
tea·ket·tle [ˋti,kɛtl̩] *n.* Ⓒ 水壺。
teal [til] *n.* Ⓒ (*pl.* ～, ～**s**) 小凫; 水鴨。
tea-leaf [ˋti,lif] *n.* Ⓒ (*pl.* **-leaves**) ①茶葉; 茶渣。②〖英俚〗小偷。
‡**team** [tim] *n.* Ⓒ ①隊; 組。②套在一起共同工作的一組馬或其他牲口。— *v.t.* & *v.i.* ①聯成一組; 聯合工作。②駕車載運。
team·mate [ˋtim,met] *n.* Ⓒ 隊友。
team·ster [ˋtimstə] *n.* Ⓒ ①趕牲口者。②駕駛曳引卡車者; 運輸工會會員。
team·work [ˋtim,wɜk] *n.* Ⓤ 協同工作。
tea·pot [ˋti,pɑt] *n.* Ⓒ 茶壺。
‡**tear**[1] [tɪr] *n.* ① Ⓒ (常 *pl.*)眼淚; 淚滴。②(*pl.*)悲痛; 哭泣。*in* ～*s* 哭泣。§ ∽ **gàs** 催淚瓦斯。—**less,** *adj.*
***tear**[2] [tɛr] *v.t.* (**tore, torn**) ① 撕; 扯; 撕裂; 扯破。②撕掉。③使混亂; 折磨; 使煩惱(用被動式)。④劃破; 使受傷。⑤使分裂。⑥奪走。⑦猛挖; 猛鑿。— *v.i.* ①撕破; 被撕破。②〖俚〗衝; 狂跑; 急奔。③趕快; 匆忙。～ *down* **a.** 使瓦解; 破壞。**b.** 拆開; 拆掉; 拆除。～ *one's hair* 扯髮(表示憤怒、絕望等)。～ *up* **a.** 挖開。**b.** 撕掉; 撕毀。— *n.* ① Ⓤ 撕; 扯。② Ⓒ 破處; 裂縫; 破綻。③ ⓊⒸ 猛闖; 發作; 大怒。④ Ⓒ〖俚〗狂飲。—**ing,** *adj.* —**er,** *n.*
tear·drop [ˋtɪr,drɑp] *n.* Ⓒ 淚珠。
tear·ful [ˋtɪrfəl, -fl] *adj.* 充滿眼淚的; 含淚的; 悲傷的。～ eyes 淚汪汪的眼睛。—**ly,** *adv.*
tear·gas [ˋtɪr,gæs] *v.t.* (**-ss-**)向…投「催淚彈。」
tear·jerk·er [ˋtɪr,dʒɜkə] *n.* Ⓒ〖美俚〗賺人眼淚的電影或戲劇。
tear·jerk·ing [ˋtɪr,dʒɜkɪŋ] *adj.* (戲劇、電影等)賺人眼淚的。
tea·room [ˋti,rum] *n.* Ⓒ 茶室; 茶館。
***tease** [tiz] *v.t.* ①揶揄; 嘲弄; 困惱。②懇請; 索求。③梳理。④使(布等)起絨毛。— *n.* Ⓒ ①揶揄。②好揶揄他人者。—**teas′er,** *n.* —**teas′ing,** *adj.*
tea·sel [ˋtizl̩] *n.* Ⓒ ①〖植〗續斷屬草本植物(尤指起絨草)。②起絨草之乾果球。③起絨機。— *v.t.* (**-l-,** 〖英〗**-ll-**)使(布)起絨毛; 給(織物)拉毛。(亦作**teazel, teazle**) 「調羹。」
***tea·spoon** [ˋti,spun] *n.* Ⓒ 茶匙; 小
tea·spoon·ful [ˋtispun,ful] *n.* Ⓒ 一茶匙的容量。
teat [tit] *n.* Ⓒ 乳頭; 奶嘴。
tea·tast·er [ˋti,testə] *n.* Ⓒ 品茶者。
tea-things [ˋti,θɪŋz] *n. pl.* 茶具。
tea·time [ˋti,taɪm] *n.* Ⓤ〖英〗下午茶時間(通常在午後四、五點鐘)。(亦作 **tea time**)
tech·nic [ˋtɛknɪk] *n.*=**technique.**
***tech·ni·cal** [ˋtɛknɪkl̩] *adj.* ①工藝的; 工業的。a ～ school工業學校。②專門的; 學術上的; 技術上的。～ terms 術語; 專門名詞。③有關專門技術的。—**ly,** *adv.*
tech·ni·cal·i·ty [,tɛknɪˋkælətɪ] *n.* ① Ⓒ 專門性事項; 技術性細節、術語。② Ⓤ 專門性。
tech·ni·cian [tɛkˋnɪʃən] *n.* Ⓒ 技術人員; 技師。
tech·ni·col·or [ˋtɛknɪ,kʌlə] *n.* Ⓤ〖商標〗特藝彩色(電影)。
tceh·ni·col·ored [ˋtɛknɪ,kʌləd] *adj.* ①天然色的。②五光十色的。
tech·nics [ˋtɛknɪks] *n.* (作 *sing.* or *pl.*解)工藝學; 手藝。
***tech·nique** [tɛkˋnik] *n.* ① Ⓤ 技術; 技藝; 技巧; (技藝的)表演法。② Ⓒ 方法。
tech·noc·ra·cy [tɛkˋnɑkrəsɪ] *n.* ⓊⒸ 專家政治; 技術治國(制)。
tech·no·crat [ˋtɛknə,kræt] *n.* Ⓒ 主張專家政治論者。
***tech·nol·o·gy** [tɛkˋnɑlədʒɪ] *n.* ① Ⓤ 工業技術; 工藝(學)。② Ⓤ 專門用語; 術語。③ ⓊⒸ 方法; 技術。*—**tech·no·log′i·cal,** *adj.* —**tech·nol′o·gist,** *n.*
tec·ton·ic [tɛkˋtɑnɪk] *adj.* ① 構造的; 建築的。②〖地質〗地殼結構的。
tec·ton·ics [tɛkˋtɑnɪks] *n.* Ⓤ ① 構造學[術]; 築造學。②結構地質學。
tec·to·nism [ˋtɛktə,nɪzəm] *n.* Ⓤ〖地質〗地殼運動。
Ted·dy [ˋtɛdɪ] *n.* (t-) Ⓒ (亦作 **teddy bear**)泰迪熊(一種絨毛玩具熊)。§ ∽ **bòy**[**gìrl, gàng**]〖俗〗泰迪阿飛; (仿愛德華七世時代服裝的)英國不良少年[太妹, 幫派]。
***te·di·ous** [ˋtidɪəs, ˋtidʒəs] *adj.* 冗長而乏味的; 令人生厭的。—**ly,** *adv.*
te·di·um [ˋtidɪəm] *n.* Ⓤ 冗長; 厭煩。
tee[1] [ti] *n.* Ⓒ〖高爾夫〗①發球區。②(發球時置球的)球座。— *v.t.* 置(高爾夫球)於球座上。～ *off* **a.**〖高爾夫〗發球。**b.**開始。**c.**使發怒。
tee[2] *n.* Ⓒ ① T 或 t 字。② T 或丁字形物; 丁形管; T形棒。*to a* ～ 精確地。
teem [tim] *v.i.* 充滿著; 富於; 多。—**ing,** *adj.*
teen [tin] *n.* ①=**teenager.** ② Ⓒ 十幾歲的少年[少女]。— *adj.* 十幾歲(從十三

到十九歲)的。§～àge 從十三到十九歲的年齡。
teen-age [ˋtin,edʒ] *adj.* 十幾歲(從十三到十九歲)的。
teen·ag·er [ˋtin,edʒɚ] *n.* Ⓒ 十幾歲的青少年(十三至十九歲者)。(亦作 **teener**)
teens [tinz] *n. pl.*十三歲至十九歲的年齡。a girl in her ～ 十幾歲的女孩子。
tee·ny [ˋtinɪ] *adj.* 〖俗〗微小的; 極小的。
tee·ter [ˋtitɚ] *v.i.*〖美俗〗①蹣跚地走。②搖搖欲墜。③玩蹺蹺板。— *v.t.*使搖擺; 使搖動。— *n.* Ⓒ 搖擺; 搖動。
tee·ter·board [ˋtitɚ,bord] *n.* Ⓒ 蹺蹺板。
tee·ter-tot·ter [ˋtitɚ,tɑtɚ] *n.* Ⓒ 蹺蹺板(=seesaw)。
‡**teeth** [tiθ] *n.* pl. of **tooth.**
teethe [tið] *v.i.* 生牙; 長牙齒。
teeth·er [ˋtiðɚ] *n.* Ⓒ (給嬰孩長牙時咬的)玩具。
tee·to·tal [tiˋtotl̩] *adj.* ①絕對戒酒的。②〖俗〗完全的; 絕對的。
tee·to·tal·er, 〖英〗**-tal·ler** [tiˋtotl̩ɚ] *n.* Ⓒ 絕對戒酒(主義)者。
tee·to·tal·ism [tiˋtotl̩,ɪzəm] *n.* Ⓤ 絕對戒酒主義。— **tee·to′tal·ist,** *n.*
TEFL [ˋtɛfl̩] Teaching English as a Foreign Language. 作爲外語的英語教學。
Tef·lon[1] [ˋtɛflɑn] *n.* Ⓤ〖商標〗鐵氟龍(加有一層此種物質之鍋, 炒煎菜時食物不沾鍋)。
Tef·lon[2] *adj.* (尤指以推卸責任)保持自身形象(或聲譽)的; 文過飾非的。～ President 保持自身形象的總統。
teg·u·ment [ˋtɛgjəmənt] *n.* Ⓒ 皮; 覆皮; 外殼。
Te·he·ran, Teh·ran [,tɪəˋrɑn, ,tɛhəˋrɑn] *n.* 德黑蘭(伊朗首都)。
tel. telegram; telegraph; telephone.
Tel A·viv [ˋtɛləˋviv] *n.* 特拉維夫(以色列一港市)。
tel·e·cast [ˋtɛlə,kæst] *v.t. & v.i.* (～ or ～**ed**)以電視廣播或播送。— *n.* Ⓒ 電視廣播; 電視播送。
tel·e·com·mu·ni·ca·tion [,tɛləkə,mjunəˋkeʃən] *n.* Ⓤ 電信。
tel·e·com·mute [ˋtɛləkə,mjut] *v.i.* 採電傳通勤方式上班。— **tel′e·com·mut·er,** *n.*
tel·e·com·mut·ing [ˋtɛləkə,mjutɪŋ] *n.* Ⓤ 運用電腦連線直接在家上班的方式。
tel·e·course [ˋtɛlə,kɔrs] *n.* Ⓒ 電視教學課程。
tel·e·fac·sim·i·le [,tɛləfækˋsɪməlɪ] *n.* Ⓤ 電話傳眞。
tel·e·gen·ic [,tɛləˋdʒɛnɪk] *adj.* (儀態等)適於上電視的。
***tel·e·gram** [ˋtɛlə,græm] *n.* Ⓒ 電報。send a ～發電報。
***tel·e·graph** [ˋtɛlə,græf] *n.* ①Ⓒ 電報機; 電信機。②Ⓤ 電報; 電訊。— *v.t. & v.i.* 打電報; 用電報傳達。— **tel·e·graph′ic,** *adj.*
te·leg·ra·pher [təˋlɛgrəfɚ] *n.* Ⓒ 電報員; 報務員。

te·leg·ra·phone [təˋlɛgrə,fon] *n.* Ⓒ 錄音電話機。
te·leg·ra·phy [təˋlɛgrəfɪ] *n.* Ⓤ ①電報(法)。②電報機的製造或使用。wireless ～〖英〗無線電報(美國稱爲 radiotelegraphy).
te·lem·e·ter [təˋlɛmətɚ] *n.* Ⓒ ①測距儀; 測遠計。②遠距離記錄儀。
te·lem·e·try [təˋlɛmətrɪ] *n.* Ⓤ 測距術; 遙測學[術]。
tel·e·news [ˋtɛlə,njuz] *n.* Ⓤ 電視新聞。
te·lep·a·thy [təˋlɛpəθɪ] *n.* Ⓤ 心靈感應(術); 傳心術。— **tel·e·path′ic,** *adj.* — **te·lep′a·thist,** *n.*
‡**tel·e·phone** [ˋtɛlə,fon] *n.*①Ⓒ 電話機。②Ⓤ (常 the ～)電話。— *v.i. & v.t.* 打電話(給…)。§～ **bòoth** [**bòx**] 電話亭。～ **dirèctory** 電話簿。～ **exchànge** (1)電話局。(2)電話交換台。
te·leph·o·nist [təˋlɛfənɪst] *n.* Ⓒ 話務員; 接線生。
tel·e·pho·no·graph [,tɛləˋfonə,græf] *n.* Ⓒ 電話錄音機。
tel·e·pho·to [ˋtɛlə,foto] *adj.*①遠距攝影的。②電傳照相的。— *n.*=**telephotograph.** §～ **léns** 攝遠鏡頭。
tel·e·pho·to·graph [,tɛləˋfotə,græf] *n.* Ⓒ ①電傳照相。②電傳相片。③望遠攝影照片。— *v.t.*①用遠距離照相機拍攝。②用傳眞照片傳送。— **tel·e·pho·to·graph′ic,** *adj.*
tel·e·pho·tog·ra·phy [,tɛləfoˋtɑgrəfɪ] *n.* Ⓤ ①電傳照相術。②電報傳眞術。③遠距離攝影(術)。
tel·e·print·er [ˋtɛlə,prɪntɚ] *n.* Ⓒ 電傳打字電報機。
***tel·e·scope** [ˋtɛlə,skop] *n.* Ⓒ 望遠鏡。— *v.t.* ①使套入; 使套疊。②縮短; 簡略。— *v.i.* ①嵌進; 套疊。②縮短。
tel·e·scop·ic [,tɛləˋskɑpɪk] *adj.*①望遠鏡的。②用望遠鏡所見的。③祇能在望遠鏡中見到的。④看得遠的。⑤能自由伸縮的; 套筒式的。
tel·e·screen [ˋtɛlə,skrin] *n.* Ⓒ 電視機螢光幕。
tel·e·shop [ˋtɛlə,ʃɑp] *v.i.* (**-pp-**) (透過終端機)以電視購物方式購物。
tel·e·thon [ˋtɛlə,θɑn] *n.* Ⓒ 連續數小時的電視節目(尤指以募款爲目的者)。
tel·e·type [ˋtɛlə,taɪp] *n.* (T-) Ⓒ 〖商標〗電傳打字電報機。— *v.t. & v.i.* 用電傳打字電報機拍發(電報)。— **tel′e·typ·ist,** *n.*
tel·e·type·writ·er [,tɛləˋtaɪp,raɪtɚ] *n.* Ⓒ 電傳打字電報機。
tel·e·va·ri·e·ty [,tɛləvəˋraɪətɪ] *n.* Ⓒ 電視綜藝節目。
tel·e·view [ˋtɛlə,vju] *v.t. & v.i.* 用電視機收看。— **er,** *n.*
tel·e·vise [ˋtɛlə,vaɪz] *v.t.* ①用電視播送。②用電視放映(節目、表演等)。
‡**tel·e·vi·sion** [ˋtɛlə,vɪʒən] *n.*① Ⓤ 電視(略作 **TV**). ② Ⓒ 電視機。
tel·ex [ˋtɛlɛks] *n.* ①Ⓤ 用戶直通電報。②(T-)其商標名。
‡**tell** [tɛl] *v.t.* (**told**)①述; 講; 說。②告知; 告訴; 向(某人)講述。③辨識; 識

別；斷定；知道(常與 can, could, be able to 等連用)。④吩咐；命令。⑤計算；數。— *v.i.* ①敍述；報告。②奏效；發生影響。③洩露。④說。He is always ~*ing*, never doing. 他老是說而不做。⑤顯示；顯露。⑥斷定；知道。Who can ~? 誰能斷定? ***I (can) ~ you; let me ~ you*** 我可斷定。**~ off a.**分派(工作)。**b.**〖俗〗責罵。**~ on a.**使疲倦。**b.**〖俗〗說…的壞話；攻訐告密。***You are ~ing me!***〖俚〗還要你告訴我(我已經知道啦)！

Tell [tɛl] *n.*〖瑞士傳說〗泰爾(William, 瑞士爭取獨立時與奧國作戰之英雄)。

tell·er [ˋtɛlɚ] *n.* [C] ①講話者；敍述者。②(銀行的)出納員。③計算者。

tell·ing [ˋtɛlɪŋ] *adj.*有效的；有力的；顯著的。

tell·tale [ˋtɛl,tel] *n.* [C] ①揭人隱私者；搬弄是非者。②顯示器；計時器。③(火車鐵軌的)標示。— *adj.* ①洩露秘密的。②(機械等)顯示或警告的。

tel·ly [ˋtɛlɪ] *n.* [U]〖主英〗(the ~)電視(=television).

Tel·star [ˋtɛl,stɑr] *n.* [C]〖商標〗通信衛星。

tem·blor [tɛmˋblɔr] *n.* [C] (*pl.* **~s, -blo·res** [-ˋblɔrɛs])〖美〗地震。

te·mer·i·ty [təˋmɛrətɪ] *n.* [U] 魯莽；孟浪。

tem·per** [ˋtɛmpɚ] *n.*① [C] 氣質；性情；心情；脾氣(凡不加形容詞時，均指壞脾氣)。② [U] (鋼鐵、黏土等的)硬度。③ [U][C] 調合物；加入某物使其性質起變化的物質。④ [C] 趣向；傾向。be out of ~*** 發脾氣。***lose one's ~***發怒。— *v.t.* ①緩和；調合；調和。②鍛煉；淬硬(金屬等)；捏(黏土等)。③〖樂〗調準；調(樂器的)音。④調(色)。— *v.i.* 緩和；調劑。

tem·per·a [ˋtɛmpərə] *n.*〖美術〗① [U] 蛋彩畫法。② [C] 用此法所繪之畫。

***tem·per·a·ment** [ˋtɛmp(ə)rəmənt] *n.* [U][C] ①氣質；性情。②體質。③〖樂〗調率。

tem·per·a·men·tal [,tɛmprəˋmɛntl̩] *adj.* ①本質的。②有特殊氣質的。③容易生氣的；性情多變的。

tem·per·ance [ˋtɛmprəns] *n.* [U] ①節制；自制；克己。②節飲；戒酒。

***tem·per·ate** [ˋtɛmprɪt] *adj.* ①有節制的；適度的。②溫和的。the ~ zone 溫帶。③(飲酒)有節制的。

‡**tem·per·a·ture** [ˋtɛmprətʃɚ] *n.* [U][C] ①溫度。②體溫。take one's ~ 量體溫。③發燒；發熱狀態(=fever). ***have [run] a ~*** 發燒。

tem·pest [ˋtɛmpɪst] *n.* [C] ①暴風雨；風暴。②風波；風潮；騷動。

tem·pes·tu·ous [tɛmˋpɛstʃuəs] *adj.* ①有暴風雨的。②騷動的；暴亂的。— **ly,** *adv.*

‡**tem·ple**[1] [ˋtɛmpl̩] *n.* [C] ①廟；寺；神殿；祠堂。②禮拜堂；教堂。

tem·ple[2] *n.* [C] 顳顬；(俗稱)太陽穴。

tem·po [ˋtɛmpo] *n.* [C] (*pl.* **~s, -pi** [-pi]) ①〖樂〗速度。②(生活等的)節奏；進展速度。③〖棋〗一步；一着。

tem·po·ral[1] [ˋtɛmpərəl] *adj.* ①現世的；世俗的。②時間的；表示時間關係的。③一時的；暫時的。

tem·po·ral[2] *adj.* 顳顬的；太陽穴的。— *n.* [C] 顳骨。

tem·po·rar·i·ly [ˋtɛmpə,rɛrəlɪ] *adv.* 暫時地；一時地；臨時地。

***tem·po·rar·y** [ˋtɛmpə,rɛrɪ] *adj.*暫時的；一時的。

tem·po·rize [ˋtɛmpə,raɪz] *v.i.* ①因循；遷延。②順應時勢；見風使舵。③周旋以拖延時間〔常 with〕。④姑息；妥協〔常 between, with〕。— **tem·po·ri·za′tion,** *n.*

tempt** [tɛmpt] *v.t.* ①引誘；誘惑。②吸引；使發生興趣。③激引；引起。④冒…之險。**~ *Providence 冒大險。— **a·ble,** *adj.*

***temp·ta·tion** [tɛmpˋteʃən] *n.* ① [U]引誘；誘惑。② [C] 誘惑物。

tempt·er [ˋtɛmptɚ] *n.* [C]引誘者；誘惑者。***the T-*** 撒旦。

tempt·ing [ˋtɛmptɪŋ] *adj.* 誘惑人的；迷人的；引人的。

tempt·ress [ˋtɛmptrɪs] *n.* [C] 誘惑[迷惑]人(爲惡)的婦女。

‡**ten** [tɛn] *n.* ① [U][C] 十。*T-* to one he forgets it. 十之八九他忘記它了。② [U] 十個；十人；十歲；十時；十分。③ [C] 十個[人]一組。— *adj.* 十(個)的。

ten·a·ble [ˋtɛnəbl̩] *adj.* ①可防守的；守得住的。②(意見、思想等)站得住脚的；有條有理的。③可保持的。

te·na·cious [tɪˋneʃəs] *adj.* ①緊握不放的。②固執的；堅持的。③頑強的。④黏得牢的。⑤牢記不忘的。

te·nac·i·ty [tɪˋnæsətɪ] *n.* [U] ①固執；倔強。②強記。③堅韌；黏著。

ten·an·cy [ˋtɛnənsɪ] *n.* ① [U] 租賃。② [C] 租賃期限。③ [U] 任職(期間)。

***ten·ant** [ˋtɛnənt] *n.* [C] ①佃戶；房客。②(房屋，土地等的)佔用者。— *v.t.* 租賃。§ ~ **fàrmer** 佃農。

ten·ant·ry [ˋtɛnəntrɪ] *n.* ① [U] 租賃；占有。② [C] tenant 之集合稱。

‡**tend**[1] [tɛnd] *v.i.* ①走向；趨向〔to〕。②(後接不定式)往往會；易於。③有助於〔to〕.

tend[2] *v.t.* 照管；照料。— *v.i.* ①服侍；伺候〔on, upon〕. ②〖俗〗關心〔to〕. — **ance,** *n.*

***ten·den·cy** [ˋtɛndənsɪ] *n.* [C] ①趨勢；傾向。②意向；癖性。

ten·den·tious [tɛnˋdɛnʃəs] *adj.* 有目的的；宣傳性的；有偏見的。

***ten·der**[1] [ˋtɛndɚ] *adj.* ①柔軟的；嫩的。②纖弱的；脆弱的。③親切的；溫柔的。④柔和的；溫和的。⑤易感的；善感的。⑥幼弱的；未成熟的。of ~ age 年幼。⑦一觸就痛的。⑧審慎的。⑨需要技巧或仔細應付的。a ~ situation 一種微妙的情況。— **ly,** *adv.*

ten·der**[2] *v.t.* ①提出；提供。②〖法律〗償還(金錢、貨物等)。— *v.i.* 投標。— *n.* ① [C] 提出；提議。② [C] 招標；投標。③ [C] 承包估價單。④ [U][C] (償付債務的)提供物；貨幣。legal ~*** 法定貨幣。

tend·er³ *n.* Ⓒ①看守者；照料者。②補給船。③(火車的)煤水車。
ten·der·foot [ˋtɛndɚ,fʊt] *n.* Ⓒ (*pl.* ~**s, -feet**)生手；新手。
ten·der·ize [ˋtɛndə,raɪz] *v.t.* 使嫩；使柔和；使軟。— **ten′der·iz·er,** *n.*
ten·der·loin [ˋtɛndɚ,lɔɪn] *n.* ⓊⒸ 牛或豬的腰部內側嫩肉。
ten·der·ness [ˋtɛndənɪs] *n.* Ⓤ ①柔嫩；嬌弱。②惻隱心；溫柔。③敏感。
ten·don [ˋtɛndən] *n.* Ⓒ 腱；筋。
ten·dril [ˋtɛndrɪl] *n.* Ⓒ〖植〗卷鬚。
ten·e·ment [ˋtɛnəmənt] *n.* Ⓒ ①家屋；住宅。②一房客所租的一部分房屋。③(亦作 **tenement house**)共同住宅；多家合居的房屋。
ten·et [ˋtɛnɪt] *n.* Ⓒ 主義；信條；教條。
ten·fold [ˋtɛnˋfold] *adj.* & *adv.* 十倍的[地]；十重的[地]。
Tenn. Tennessee.
ten·ner [ˋtɛnɚ] *n.* Ⓒ〖俚〗十元紙幣。
Ten·nes·see [,tɛnəˋsi] *n.* 田納西州(美國中南部之一州)。
‡**ten·nis** [ˋtɛnɪs] *n.* Ⓤ 網球。
ten·on [ˋtɛnən] *n.* Ⓒ 榫。— *v.t.* & *v.i.* 以榫接合。
ten·or [ˋtɛnɚ] *n.* ①Ⓒ (常 *sing.*)一般趨勢；進程。②Ⓒ 要旨；大意。③Ⓤ 男高音。④Ⓒ 唱男高音者。
ten·pins [ˋtɛn,pɪnz] *n. pl.* ①(作*sing.*解)〖美〗十柱球戲(保齡球之一種)。②十柱球戲的木柱；保齡球瓶。
***tense**¹ [tɛns] *adj.* 拉緊的；緊張的。— *v.t.* 使拉緊。— *v.i.* 變緊張。— **ly,** *adv.* — **ness,** *n.*
***tense**² *n.* ⓊⒸ〖文法〗時態；時式。
ten·si·ble [ˋtɛnsəbl] *adj.* 可伸長的；可拉長的；可伸張的；可引伸的。— **ten·si·bil′i·ty,** *n.*
ten·sile [ˋtɛnsl] *adj.* ①拉力的；張力的；抗張的。②可拉長的；可伸張的。— **ten·sil′i·ty** [-ˋsɪl-], *n.*
***ten·sion** [ˋtɛnʃən] *n.* ①Ⓤ 拉緊；緊繃。②ⓊⒸ (精神)緊張。③Ⓤ (又作 *pl.*)緊迫；緊張(狀態)。④Ⓤ〖理〗張力；電壓。— *v.t.* 拉緊；張緊；使緊。
ten·si·ty [ˋtɛnsətɪ] *n.* Ⓤ 緊張。
ten·sor [ˋtɛnsɚ] *n.* Ⓒ〖解〗張肌。
ten-strike [ˋtɛn,straɪk] *n.* Ⓒ〖美〗①(保齡球戲中將十柱完全擊倒之)一擊。②〖俗〗大成功。
***tent**¹ [tɛnt] *n.* Ⓒ 帷幕；帳篷。pitch a ~ 搭帳篷。— *v.i.* 住於帳篷中。— *v.t.* 以帳篷遮蓋。
tent² *n.* ⓊⒸ (聖餐用的)深紅色葡萄酒。
ten·ta·cle [ˋtɛntəkl] *n.* Ⓒ ①〖動〗觸角；觸鬚。②〖植〗觸毛。
ten·ta·tive [ˋtɛntətɪv] *adj.* 暫時的；試驗性質的。
ten·ter·hook [ˋtɛntɚ,hʊk] *n.* Ⓒ 張布鉤。*on ~s* 煩躁不安；如坐針氈。
‡**tenth** [tɛnθ] *adj.* ①第十的。②十分之一的。— *n.* ①Ⓤ (常 the ~)第十。②Ⓒ 十分之一。③Ⓤ (常 the ~)(每月的)十日；十號。— **ly,** *adv.*
te·nu·i·ty [tɛnˋjuətɪ] *n.* Ⓤ ①細薄。②(氣體等)稀薄。③(證據、內容的)貧乏。
ten·u·ous [ˋtɛnjuəs] *adj.* ①細的；薄的。②稀薄的。③薄弱的。
ten·ure [ˋtɛnjɚ] *n.* Ⓤ①保有(權)。②保有期；任期。③保有之條件或形式。④終身任職。
te·pee [ˋtipi] *n.* Ⓒ (北美印第安人的)帳篷；小屋。
tep·id [ˋtɛpɪd] *adj.* ①微熱的。②不大熱烈的。— **ly,** *adv.* — **ness,** *n.*
te·qui·la [təˋkilə] *n.*① Ⓒ 墨西哥產的龍舌蘭。②ⓊⒸ 用其莖釀的酒。
ter·cen·te·nar·y [tɜˋsɛntə,nɛrɪ] *adj.* 三百(周)年的。— *n.* Ⓒ 三百年；三百周年紀念。
ter·e·binth [ˋtɛrə,bɪnθ] *n.* Ⓒ〖植〗耨香樹。*oil of* ~ 松節油。
ter·gi·ver·sate [ˋtɜdʒɪvɚ,set] *v.i.* ①搪塞；規避；支吾其詞。②脫黨；背叛；變節。— **ter·gi·ver·sa′tion,** *n.*
‡**term** [tɜm] *n.* ①Ⓒ 專門名詞；術語。②(*pl.*)措辭；說法。③Ⓒ 期限；期間。④Ⓒ 學期；(法庭的)開庭期。⑤(*pl.*)條件。⑥(*pl.*)費用；價錢。⑦(*pl.*)關係；交誼。⑧Ⓒ〖數〗項。*be on good* [*bad*] *~s with a person* 與某人友善[交惡]。*bring a person to ~s* 使某人接受條件。*come to* [*make*] *~s* **a.** 達成協議。**b.**逆來順受；讓步；妥協。*in ~s of* 以…之觀點；以…之措辭。— *v.t.* 稱呼；叫。
ter·ma·gant [ˋtɜməgənt] *n.* Ⓒ 悍婦；潑婦。— *adj.* 嘴碎的；兇悍的。— **ter′ma·gan·cy,** *n.*
ter·mi·na·ble [ˋtɜmɪnəbl] *adj.* (契約等)有期限的。
‡**ter·mi·nal** [ˋtɜmənl] *adj.* ①末端的；終點的。the ~ station 終站。②最後的；期終的。③按期的；定期的；每學期的。④末期的。— *n.* Ⓒ ①末端；終點。②起站或終站。③〖電〗端子。— **ly,** *adv.*
***ter·mi·nate** [ˋtɜmə,net] *v.t.* ①終止；終結；結束。②形成…的末尾；限制。— *v.i.* 結束；終止；期滿。
ter·mi·na·tion [,tɜməˋneʃən] *n.* ①ⓊⒸ終止；期滿。②ⓊⒸ 末端。③Ⓒ 字尾。
ter·mi·nol·o·gy [,tɜməˋnɑlədʒɪ] *n.* Ⓤ 術語；專門名詞。
ter·mi·nus [ˋtɜmənəs] *n.* Ⓒ (*pl.* **-ni** [-,naɪ], **~es**)①終點。②起站或終站。③目標。④界限；邊界。⑤界標。
ter·mite [ˋtɜmaɪt] *n.* Ⓒ 白蟻。
term·ly [ˋtɜmlɪ] *adj.* & *adv.* 定期的[地]；每一期的[地]。
tern [tɜn] *n.* Ⓒ 燕鷗。
ter·ra [ˋtɛrə]〖拉〗*n.* Ⓒ ①地；土地；地球。②(T-)〖羅神〗土地女神。§ ~ **cótta** [ˋkɑtə] ⑴一種赤土陶器。⑵赤褐色；赤土色。~ **incógnita** [ɪnˋkɑgnɪtə] ⑴未知之地區。⑵未發掘之知識領域。
***ter·race** [ˋtɛrɪs,-əs] *n.* Ⓒ ①梯形地的一層。②坡地之街巷；坡地上的一排房屋。③露台；平台屋頂。④地坪。— *v.t.* 使成梯形地；使成平台。
ter·rain [tɛˋren] *n.* ⓊⒸ ①地域；地

帶。②地勢；地形。

Ter·ra·my·cin [ˌtɛrəˋmaɪsn̩] *n.* Ⓤ〖商標〗土黴素。

ter·ra·pin [ˋtɛrəpɪn] *n.* Ⓤ Ⓒ (*pl.* ~, ~**s**) (北美產供食用)澤龜。

ter·res·tri·al [təˋrɛstrɪəl] *adj.* ①地球(上)的，陸地的。②陸棲的。③塵世的；現世的。— *n.* Ⓒ 地球居民；人。§ ~ **glóbe** (1)地球。(2)地球儀。

‡**ter·ri·ble** [ˋtɛrəbl̩] *adj.* ①可怕的；可怖的；令人恐懼的。②〖俗〗非常的；極端的。③〖俗〗糟透的。

***ter·ri·bly** [ˋtɛrəblɪ] *adv.* ①可怕地；駭人地。②極度地；非常地。

ter·ri·er [ˋtɛrɪə] *n.* Ⓒ 㹴(一種小獵狗)。

***ter·rif·ic** [təˋrɪfɪk] *adj.* ①可怕的；嚇人的。②〖俗〗極大的；極度的。③〖俗〗很棒的。

ter·ri·fied [ˋtɛrəˌfaɪd] *adj.* 恐懼的；受驚嚇的。

***ter·ri·fy** [ˋtɛrəˌfaɪ] *v.t.* 使恐怖；驚嚇。— **ing,** *adj.*

ter·ri·to·ri·al [ˌtɛrəˋtorɪəl] *adj.* ①土地的。②領土的。~ waters[seas] 領海。③區域的；限於某地區的。④(T-)美國領土的。⑤(T-)(英國)保衛本土的。— *n.* Ⓒ (常 T-)〖英〗本土防衛軍士兵。

ter·ri·to·ri·al·i·ty [ˌtɛrəˌtorɪˋælətɪ] *n.* Ⓤ ①領土；領土之性質或狀態。②動物在防衛其領土時之行爲。

ter·ri·to·ri·al·ize [ˌtɛrəˋtorɪəˌlaɪz, -ˋtɔr-] *v.t.* 擴張領土[領地]。

***ter·ri·to·ry** [ˋtɛrəˌtorɪ] *n.* ① Ⓤ Ⓒ 土地；地方；區域。② Ⓤ Ⓒ 領土；領域。③(T-) Ⓒ 美國未被承認爲 State 的領土(如未成立州前的 Alaska 與 Hawaii)。

***ter·ror** [ˋtɛrə] *n.* ① Ⓤ 恐怖；駭懼。② Ⓒ 令人恐怖的人[事物]。③(the T-)(法國史上的)恐怖統治。④ Ⓒ 恐怖活動。*the king of ~s* 死神。

ter·ror·ism [ˋtɛrəˌrɪzəm] *n.* Ⓤ 恐怖主義。

ter·ror·ist [ˋtɛrərɪst] *n.* Ⓒ ①恐怖主義者。②法國大革命恐怖時期的革命法庭之一員。— **ter·ror·is′tic,** *adj.*

ter·ror·ize [ˋtɛrəˌraɪz] *v.t.* ①使恐怖；恐嚇。②恐怖統治。

ter·ror-strick·en [ˋtɛrəˌstrɪkn̩] *adj.* 恐怖的；驚懼的。

terse [tɜs] *adj.* 簡潔的；簡明的(文體等)。— **ly,** *adv.* — **ness,** *n.*

ter·ti·ar·y [ˋtɜʃɪˌɛrɪ] *adj.* ①第三位的；第三級的；第三的。②(T-)〖地質〗第三紀的。— *n.* (the T-)〖地質〗第三紀[層]。

TESL [ˋtɛsl̩] Teaching English as a Second Language. 作爲第二語言的英語教學。**TESOL** [ˋtɛsɔl] Teaching English to Speakers of Other Languages. 對非說英語者的英語教學。

tes·sel·late [ˋtɛsl̩ˌet] *v.t.* 使成小方格；使排成棋盤格狀。— [ˋtɛsl̩ɪt] *adj.* 成小方格[棋盤格狀]的。— **tes·sel·la′tion,** *n.* — **tes′sel·lat·ed,** *adj.*

‡**test** [tɛst] *n.* Ⓒ ①試驗；測驗；考驗。②用以考驗之物；試金石。*put to the ~* 使受考驗。*stand[bear] the ~* 經得起考驗；及格。— *v.t.* ①試驗；考驗。②化驗。③檢驗。§ ~ **pàper** (1)〖化〗石蕊試紙。(2)〖美〗試卷；考試答案。~ **pìlot**(新型飛機的)試飛員。~ **tùbe** 試管。— **a·ble,** *adj.*

tes·ta·ment [ˋtɛstəmənt] *n.* ① Ⓒ 遺囑(通常用於 last will and testament 一語中)。②(T-)聖經。the Old [New] *T-* 舊[新]約聖經。

tes·ta·men·ta·ry [ˌtɛstəˋmɛntərɪ] *adj.* ①遺囑的。②依照遺囑作的。

tes·tate [ˋtɛstet] *adj.* 留有遺囑的。— *n.* Ⓒ 留有遺囑的死者。

tes·ta·tor [ˋtɛstetə] *n.* Ⓒ ①立遺囑人。②留有遺囑的死者。

tes·ta·trix [tɛsˋtetrɪks] *n.* Ⓒ (*pl.* **-tri·ces** [-trɪˌsiz]) 女性 testator.

test-drive [ˋtɛstˋdraɪv] *v.t.* (**-drove, -driv·en**) 爲試車而駕駛；試(車)。

test·er [ˋtɛstə] *n.* Ⓒ ①試驗者；檢查者；分析者。②試驗器；試驗裝置。

test-fire [ˋtɛstˋfaɪr] *v.t.* 試射(火箭)。

test-fly [ˋtɛstˌflaɪ] *v.t.* (**-flew, -flown**) 試飛。

tes·ti·cle [ˋtɛstɪkl̩] *n.* Ⓒ〖解〗睪丸。

***tes·ti·fy** [ˋtɛstəˌfaɪ] *v.t.* ①證明；表明。②作證；證實。③確言；宣稱。— *v.i.* 證明；作證；提供證據[to]。

tes·ti·mo·ni·al [ˌtɛstəˋmonɪəl] *n.* Ⓒ ①(品格、資格等的)證明書；推薦書。②頌德紀念品；褒揚狀；感謝狀。

***tes·ti·mo·ny** [ˋtɛstəˌmonɪ] *n.* ① Ⓤ Ⓒ 證言；證明。② Ⓤ Ⓒ 表明；證據。③ Ⓤ 宣言；證實。④(*pl.*)〖基督教〗上帝的箴言。*bear ~ to* 爲…作證。

test·ing [ˋtɛstɪŋ] *adj.* 試驗的；作試驗用的。— **ly,** *adv.*

test-mar·ket [ˋtɛstˌmɑrkɪt] *v.t.* 試售；試銷。

tes·tos·ter·one [tɛsˋtɑstəˌron] *n.* Ⓤ〖生化〗睪固酮。

test-tube [ˋtɛstˌtjub] *adj.* ①試管的；試管中的。②合成的。③人工授精的。a ~ baby 試管嬰兒。

tes·ty [ˋtɛstɪ] *adj.* 易被激怒的；暴躁的。— **tes′ti·ly,** *adv.* — **tes′ti·ness,** *n.*

tet·a·nus [ˋtɛtənəs] *n.* Ⓤ〖醫〗①破傷風。②強直性痙攣。

tetch·y [ˋtɛtʃɪ] *adj.* 易怒的；暴躁的。

tête-à-tête [ˋtetəˋtet]〖法〗*adj. & adv.* 面對面的[地]；兩人在一起私下的[地]；祕密的[地]。— *n.* Ⓒ ①面談；密談。②一種 S 型坐位(面對面坐)。

teth·er [ˋtɛðə] *n.* Ⓒ ①(拴牲畜的)繫繩；繫鏈。②(智能、知識、財源、權限的)範圍；限度。*at[to] the end of one's ~* 智盡技窮；力量、智慧、忍耐等已至最大限度。

tet·ra·cy·cline [ˌtɛtrəˋsaɪklɪn] *n.* Ⓤ〖藥〗四環素(一種抗生素)。

tet·ra·gon [ˋtɛtrəˌgɑn] *n.* Ⓒ 四邊形。— **te·trag′o·nal,** *adj.*

tet·ra·he·dral [ˌtɛtrəˋhidrəl] *adj.* 四面體的。

tet·ra·he·dron [ˌtɛtrəˋhidrən] *n.*

Ⓒ (*pl.* ~s, -dra [-drə]) 四面體。

te·tram·e·ter [tɛˋtræmətɚ] *n.* Ⓒ 〖詩〗四音步詩行。

tet·ra·pod [ˋtɛtrə,pɑd] 〖動〗 *n.* Ⓒ ①四足動物。②四腳蟲類。— *adj.* ①四足的。②四腳蟲類的。

Teu·ton [ˋtjutn̩] *n.* ①(the ~s)條頓族(包括德國、荷蘭等地的)人。②Ⓒ條頓人。③Ⓒ德國人。

Teu·ton·ic [tjuˋtɑnɪk] *adj.* 條頓語的; 條頓族的; 德國的。

Tex. Texas; Texan.

Tex·an [ˋtɛksn̩] *adj.* 德克薩斯州的。— *n.* Ⓒ德克薩斯州人或居民。

Tex·as [ˋtɛksəs] *n.* 德克薩斯(美國西南部之一州)。

***text** [tɛkst] *n.* ①ⓊⒸ正文; 本文。②ⓊⒸ原文。③Ⓒ作為宣講題目的聖經文句。④Ⓒ題目; 主題; 論題。⑤Ⓒ教科書(=textbook).

***text·book** [ˋtɛkst,bʊk] *n.* Ⓒ教科書。

text·book·ish [ˋtɛkst,bʊkɪʃ] *adj.* (文體)似教科書的; 呆板乏味的。

tex·tile [ˋtɛkstl, -tɪl] *adj.* ①紡織的; 織物的。a ~ fabric 織物。②可織的。— *n.* Ⓒ①織物。②織物原料。

tex·tu·al [ˋtɛkstʃʊəl] *adj.* 本文的; 原文的; 文字上的。—**ly**, *adv.*

tex·tur·al [ˋtɛkstʃərəl] *adj.* ①(織物的)質地的。②構造上的; 結構上的。

***tex·ture** [ˋtɛkstʃɚ] *n.* ⓊⒸ ①(織物的)質地; 織物。②構造; 結構。

TGIF, T.G.I.F. 〖美〗Thank God it's Friday. 感謝上帝, 又是禮拜五了。

-th 〖字尾〗①表「情形; 性質; 動作」之義之名詞字尾。②加於 four 以上數字之後表序數。

Thack·er·ay [ˋθækərɪ] *n.* 薩克萊(William Makepeace, 1811-63, 英國小說家, *Vanity Fair* 之作者)。

Tha·i [ˋtɑ·i] *n.* (*pl.* ~, ~s) ①Ⓒ泰國人。②Ⓤ泰國語。

Thai·land [ˋtaɪlənd] *n.* 泰國 (首都 Bangkok).

thal·a·mus [ˋθæləməs] *n.* Ⓒ (*pl.* -mi [-,maɪ]) ①視神經床; 視丘; 丘腦。②花托。

tha·lid·o·mide [θəˋlɪdə,maɪd] *n.* Ⓤ一種會導致胎兒發生畸形的鎮靜劑。

thal·li·um [ˋθælɪəm] *n.* Ⓤ 〖化〗鉈(金屬元素; 符號 Tl).

Thames [tɛmz] *n.* (the ~)泰晤士河(倫敦位於其畔)。

‡**than** [ðæn] *conj.* ①與其。I would rather die ~ disgrace myself. 我寧死不受辱。②除…外。③當(=when). — *prep.* 比; 與…相較(常與代名詞受格連用)。

thane [θen] *n.* Ⓒ 〖英史〗①介於自由人與貴族間的大鄉紳。②蘇格蘭的貴族。(亦作 **thegn**)

‡**thank** [θæŋk] *v.t.* 感謝; 道謝。*have oneself to* ~錯在自己; 自己負責。— *n.* (*pl.*)謝意; 感謝。~*s to* 由於; 因(=owing to, because of).

***thank·ful** [ˋθæŋkfəl] *adj.* 感謝的; 感激的。—**ly**, *adv.* —**ness**, *n.*

thank·less [ˋθæŋklɪs] *adj.* ①不感謝的; 忘恩的。②不令人感謝的; 徒勞的。

thanks·giv·er [ˋθæŋks,gɪvɚ] *n.* Ⓒ感謝者; 感恩者。

***thanks·giv·ing** [,θæŋksˋgɪvɪŋ] *n.* ①Ⓤ感謝; 感恩。②Ⓒ感謝的表示。③(T-)感恩節。§ **T- Dày** 〖美〗感恩節(十一月最後之星期四)。

thank-you [ˋθæŋk,ju] *adj.* (表示)感謝的。a ~ note 謝簡。— *n.* Ⓒ感謝的表示。

‡**that**¹ [ðæt, ðət] *adj.* & *pron.* (*pl.* **those**)那; 那個; 彼(與 this 相對而言)。*and all* ~等等。*and* ~代替前半句所述之事實之詞。*at* ~〖俗〗儘管如此; 然而。*for all* ~ 儘管如此; 雖然如此。*in* ~因為。~ *is*(*to say*)就是說; 即。*That's it.* 對啦, 正是如此。*That's* ~.〖俗〗就這樣決定了; 不必再多講了。*with* ~這樣說著; 於是。

‡**that**² *relative pron.* 用以代替 who, whom, which, at [in] which. the man ~(=who) came yesterday 昨天來的那個人。

‡**that**³ *conj.* ①用以引導一個附屬子句, 常被省略。②用以引導一個名詞子句。③(用以表示結果或目的)以致; 以求。④(表示原因)因為。⑤表示強烈願望、驚訝、憤怒等。Oh, ~ she were here! 她若在這裡多好!

that⁴ *adv.* 〖俗〗如許; 那麼(=so, to such an extent [degree]). I can't walk ~ far. 我不能走那麼遠。

thatch [θætʃ] *n.* ①Ⓤ茸草。②Ⓒ草屋頂。③Ⓒ濃密的頭髮。— *v.t.* 以茸草覆蓋。—**er**, *n.*

Thatch·er [ˋθætʃɚ] *n.* 柴契爾(Margaret, 1925-, 1979-90 為英國首相)。

thau·ma·tur·gy [ˋθɔmə,tɝdʒɪ] *n.* Ⓤ奇術; 魔術。

***thaw** [θɔ] *v.i.* ①溶化; 融解。②變溫暖。③在態度上變為較不拘泥; 變為溫和。— *v.t.* ①使溶化; 使融解。②使態度上變得較不拘泥; 使變溫和。— *n.* Ⓒ①溶化; 融解。②冰雪融解的時令。

‡**the**¹ [子音前 ðə, 母音前 ðɪ, 重讀 ði] *adj.* & *definite article.* 此; 這。其用法說明如下: **a.**用以指出某一[某些]特殊的人或物。~ man I loved 我所愛的人。**b.**用以指示獨一無二的人或事物等。~ sun 日。**c.**用於江、河、海洋名稱及複數專有名詞之前。~ Thames 泰晤士河。**d.**用於代表全體的單數名詞之前。**e.**用於最高級形容詞之前。~ largest 最大的。**f.**置於形容詞之前, 成為複數普通名詞之代用。~ poor 窮人。**g.**置於形容詞之前, 成為抽象名詞之代用。**h.**置於人名之前, 以加強表示其指示的效果。**i.**置於專有名詞之前, 使成為普通名詞。**j.**置於姓氏之前, 以表示全家之人。**k.**用於數量之前, 表示一單位。**l.**用以表示身體之一部位或私人之所有。**m.**用於名詞前以表示其為同類中最有名或最重要者。

‡**the**² [ðə, ðɪ] *adv.* 愈; 更(用於形容詞或副詞的比較級之前)。*T-* sooner ~ better. 愈早愈好; 愈快愈好。

‡the·a·ter,〖英〗**-tre** [ˋθiətɚ, ˋθɪə-] *n.*①Ⓒ劇場；戲院；電影院。②Ⓒ類似戲院的場所；階梯式的講堂[教室]。③Ⓒ重大事件發生的場所。～ of war 戰區。④Ⓤ(常 the～)戲劇。

the·a·ter·go·er [ˋθiətɚ,goɚ] *n.* Ⓒ常看戲者；戲迷。

the·a·ter·go·ing [ˋθiətɚ,goɪŋ] *n.* Ⓤ觀劇；看戲。

the·at·ri·cal [θɪˋætrɪkl] *adj.* ①戲院的；戲劇的；演戲的。②戲劇性的；誇張的。**—** *n.*(*pl.*)①演戲。②做作的行動；誇張性的行動。**—ly,** *adv.*

the·at·rics [θɪˋætrɪks] *n.* ①(作*sing.*解)演戲法；演戲之藝術。②(作*pl.* 解)誇張或做作的言行。

Thebes [θibz] *n.* 底比斯(**a.**埃及之一古城。**b.**古希臘之一城邦)。

thee [ði] *pron.*(the objective case of **thou**)〖古〗你；汝。

***theft** [θɛft] *n.*ⓊⒸ盜竊行為。

the·in(e) [ˋθiin] *n.*Ⓤ〖化〗茶鹼；咖啡鹼。

‡their [ðɛr] *pron.*(the possessive case of **they**)他們的。

‡theirs [ðɛrz] *pron.* 他們的。Those books are ～. 那些書是他們的。

the·ism [ˋθiɪzəm] *n.*Ⓤ①一神論。②有神論。**—the′ist,** *n.* **—the·is′tic,** *adj.*

‡them [ðɛm] *pron.* (the objective case of **they**)他們；她們；它們。

the·mat·ic [θɪˋmætɪk] *adj.* ①論題的；主題的。②〖樂〗主題的；主旋律的。(亦作 **thematical**)

***theme** [θim] *n.*Ⓒ①題；題目。②作文；作文題。③〖樂〗主題；樂旨；主旋律。§ **∼ sòng** 主題曲。

‡them·selves [ðəmˋsɛlvz] *pron.*(pl. of **himself, herself, itself**)他[她，它]們自己。**a.**用以加強語勢。They ～ saw it. 他們親眼看見它。**b.**用作反身代名詞。

‡then [ðɛn] *adv.* ①在將來的某時；屆時。②在過去的某時；當時。③然後；之後。④繼之。⑤那麼；因此。⑥並且；還。***but*** ～同時；但是另一方面。***now...*～...** 有時…有時…。***now*** ～(抗議、警告)可是，喂! ***there and*** ～; ～ ***and there*** 當場立即。**—** *n.*Ⓤ其時；那時；當時。**—** *adj.*當時的。**—** *conj.* 此外(前面常有 and)。

thence [ðɛns] *adv.* ①由彼處。②〖罕〗自彼時。③因此。

thence·forth [,ðɛnsˋforθ] *adv.* 從那時以後。

thence·for·ward(s) [,ðɛnsˋfɔrwɚd(z)] *adv.* =**thenceforth.**

the·oc·ra·cy [θiˋɑkrəsɪ] *n.*①Ⓤ神權政治。②Ⓤ僧侶政治。③Ⓒ實行神權[僧侶]政治的國家。

the·o·crat·ic, -i·cal [,θiəˋkrætɪk(l)] *adj.* 神權政治的；神權主義的；僧侶政治的。

the·od·o·lite [θiˋɑdl,aɪt] *n.*Ⓒ經緯儀(測量水平及垂直角度之儀器)。

the·o·lo·gian [,θiəˋlodʒən] *n.*Ⓒ神學家。

the·o·log·ic, -i·cal [,θiəˋlɑdʒɪk(l)] *adj.* 神學的；神學上的。**—the·o·log′i·cal·ly,** *adv.*

the·ol·o·gist [θiˋɑlədʒɪst] *n.*Ⓒ神學家(=theologian)。

the·ol·o·gy [θiˋɑlədʒɪ] *n.*Ⓤ神學。

the·o·rem [ˋθiərəm] *n.*Ⓒ①〖數〗定理。②原理；原則。

the·o·ret·ic, -i·cal [,θiəˋrɛtɪk(l)] *adj.* ①理論(上)的。②推理的；推想的。**—the·o·ret′i·cal·ly,** *adv.*

the·o·re·ti·cian [,θiərəˋtɪʃən] *n.* Ⓒ理論家。

the·o·rist [ˋθiərɪst] *n.*Ⓒ理論家。

the·o·rize [ˋθiə,raɪz] *v.i.* 創立理論或學說。**—the′o·riz·er,** *n.*

***the·o·ry** [ˋθiərɪ, ˋθɪərɪ] *n.* ①Ⓒ學說；論。②Ⓤ學理；原理。③Ⓤ空論；理論。④Ⓒ意見；看法。

the·os·o·phy [θiˋɑsəfɪ] *n.*Ⓤ通神學；通神論。

ther·a·peu·tic, -ti·cal [,θɛrəˋpjutɪk(l)] *adj.* 治療學的；有療效的；有助於維持健康的。

ther·a·peu·tics [,θɛrəˋpjutɪks] *n.* Ⓤ治療學；療法。

ther·a·py [ˋθɛrəpɪ] *n.*ⓊⒸ療法；「治療。

‡there [ðɛr] *adv.* ①在那裡；在彼處。②往那裡；向彼處。③在那一點；關於那一點。④(在行動、故事等的)某一點上。⑤(與 verb to be 連用)有。⑥與置於主詞之前的動詞連用以加強語氣或引起注意：*T-* comes the bride. 新娘來了。⑦用以表示嘉許、鼓勵等：*There's* a good boy! 這才是個好孩子! ***be all*** ～〖俗〗(能力、精神)很正常的；健全的。***get*** ～〖俚〗達到目的；成功。***You have me*** ～. 你難倒我了。**—** *n.*Ⓤ那裡；彼處。**—** *interj.* 表示安慰或得意等。*T-! T-!* Don't cry. 好啦! 好啦! 不要哭啦。

there·a·bout(s) [,ðɛrəˋbaut(s)] *adv.* ①在那地方附近。②在那個時間前後。

***there·af·ter** [ðɛrˋæftɚ,-ˋɑf-] *adv.* 其後。

there·by [ðɛrˋbaɪ] *adv.* ①藉以。②與那個相關連。③在該處附近。

there'd [ðɛrd, ðɚd] = **there had** [**would**].

‡there·fore [ˋðɛr,for, -,fɔr] *adv.* 因此；所以。

there·from [ðɛrˋfrɑm] *adv.* 從那裡。

there·in [ðɛrˋɪn] *adv.* ①在裡面。②在那一點上。

‡there'll [ðɛrl] =**there will.**

there·of [ðɛrˋɑv] *adv.*〖古〗①由是；由此。②屬於它；關於它。

there·on [ðɛrˋɑn] *adv.* ①在那上面。②立刻地。

‡there's [ðɛrz] =**there is** [**has**].

there·to [ðɛrˋtu] *adv.* ①到那裡；至彼處。②另外；更。

there·up·on [,ðɛrəˋpɑn] *adv.* ①隨即；立即。②因此；所以。③在其上。

there·with [ðɛrˋwɪð,-ˋwɪθ] *adv.* ①外加。②隨後。

there·with·al [,ðɛrwɪðˋɔl] *adv.* 其外；此外；又。

therm [θɜm] *n.* Ⓒ〖理〗撒姆(熱量單位，等於 1,000 大卡路里)。
therm(o)-〖字首〗表「熱」之義。
ther·mal [`θɜml] *adj.* ①熱的；溫度的。②溫泉的。**—** *n.* Ⓒ一股上升的熱氣流。§～ **spríng** 溫泉。
ther·mic [`θɜmɪk] *adj.* 熱(量)的。
ther·mo·dy·nam·ic, -i·cal [ˌθɜmodaɪ`næmɪk(l̩)] *adj.* 熱力學的；熱力的。
ther·mo·dy·nam·ics [ˌθɜmodaɪ`næmɪks] *n.* Ⓤ熱力學。
ther·mol·o·gy [θə`mɑlədʒɪ] *n.* Ⓤ熱學。(亦作 **thermotics**)
*__ther·mom·e·ter__ [θə`mɑmətə, θə-] *n.* Ⓒ寒暑表；溫度計。
ther·mo·met·ric, -ri·cal [ˌθɜmə`mɛtrɪk(l̩)] *adj.* 寒暑表的；溫度計的；以溫度計測量的。
ther·mo·nu·cle·ar [ˌθɜmo`nuklɪə] *adj.*〖理〗熱核反應的；熱核的。～ reaction 熱核反應。
ther·mos [`θɜməs] *n.* Ⓒ 熱水瓶。(亦作 **thermos bottle**)
ther·mo·set·ting [`θɜmoˌsɛtɪŋ] *adj.* 加熱即硬化的(可塑物)。**—** *n.* Ⓤ加熱即硬化之特性。
ther·mo·stat [`θɜməˌstæt] *n.* Ⓒ自動調溫器。
ther·mo·stat·ic [ˌθɜmə`stætɪk] *adj.* 自動調溫的。
ther·mo·stat·ics [ˌθɜmə`stætɪks] *n.* Ⓤ靜熱力學；熱平衡論。
ther·mo·ther·a·py [ˌθɜmo`θɛrəpɪ] *n.* ⓊⒸ熱療法。
the·sau·rus [θɪ`sɔrəs] *n.* Ⓒ (*pl.* **-ri** [-raɪ], **～es**)①寶庫。②語詞分類辭典；百科全書。
‡**these** [ðiz] *adj. & pron.* pl. of **this.** 這些。
the·sis [`θisɪs] *n.* Ⓒ (*pl.* **-ses** [-siz]) ①論文；畢業論文；學位論文；論題。②〖哲〗(黑格爾辯證法中「正」,「反」,「合」的)正(命題)。
the·ta [`θetə, `θitə] *n.* ⓊⒸ希臘字母的第八字母(即Θ、*θ*，相當於英文之th)。
‡**they** [ðe] *pron.* pl. of **he, she, it.** ①他[她，它]們；彼等。②人們。*T-* say.... 人們說…；據說…。
‡**they'd** [ðed] =**they had**[**would**].
‡**they'll** [ðel] =**they will**[**shall**].
‡**they're** [ðer] =**they are.**
‡**they've** [ðev] =**they have.**
‡**thick** [θɪk] *adj.* ①厚的；粗大的。②濃的；稠的。③密集的；稠密的。④陰霾的(天氣等)。⑤不清晰的；重濁的(聲音)。⑥〖俗〗愚笨的；遲鈍的。⑦〖俗〗親密的。⑧〖俗〗不能忍受的。*as* ～ *as thieves* 非常親密。*be* ～ *with* 充滿。**—** *adv.*厚地；密地；密集地；豐富地；時常地；迅速地；不清晰地。*lay it on* ～〖俗〗拚命恭維。**—** *n.*(*sing.*, 常 the ～)最厚的部分；最濃密的部分。*through* ～ *and thin* 在任何情況下。
thick-and-thin [`θɪkən`θɪn] *adj.* 不辭任何困難的；忠貞不渝的；忠實獻身的。～ friends 刎頸之交。
thick-brained [`θɪkˌbrend] *adj.* 愚蠢的；低能的。
thick·en [`θɪkən] *v.t. & v.i.* ①(使)變厚。②(使)變濃。③(使)密集。④(使)變複雜。
*__thick·et__ [`θɪkɪt] *n.* Ⓒ灌木叢。
thick-head·ed [`θɪk`hɛdɪd] *adj.* 愚蠢的；愚笨的。
thick-lipped [`θɪkˌlɪpt] *adj.* 厚脣的。
thick·ly [`θɪklɪ] *adv.* ①濃密地。②大量地；充沛地。③頻繁地。④聲音沙啞地。
*__thick·ness__ [`θɪknɪs] *n.*① ⓊⒸ 厚；粗；厚度。② Ⓤ 沙啞不清。③ Ⓒ 層。④(the ～)厚的部分。
thick·set [`θɪk`sɛt] *adj.* ①矮壯的。②密植的；稠密的。**—** *n.* Ⓒ 草叢；灌木叢。
thick·skin [`θɪkˌskɪn] *n.* Ⓒ①皮厚的人。②厚臉皮的人。—**thick′skinned,** *adj.*
thick-wit·ted [`θɪk`wɪtɪd] *adj.* 愚笨的；愚鈍的。
*__thief__ [θif] *n.* Ⓒ (*pl.* **thieves** [θivz]) 賊；竊賊。
thieve [θiv] *v.i. & v.t.* 偷竊。
thiev·er·y [`θivərɪ] *n.* ⓊⒸ偷竊。
*__thieves__ [θivz] *n.* pl. of **thief.**
thiev·ing [`θivɪŋ] *n.* Ⓤ 偷竊(= theft).
thiev·ish [`θivɪʃ] *adj.* ①有偷竊習慣的。②像賊的。③偷偷摸摸的。
*__thigh__ [θaɪ] *n.* Ⓒ大腿。
thigh·bone [`θaɪˌbon] *n.* Ⓒ〖解〗股骨；大腿骨。
thim·ble [`θɪmbl̩] *n.* Ⓒ頂針；針箍；嵌環。
‡**thin** [θɪn] *adj.* (**-nn-**)①薄的。②細的。③瘦的。④稀疏的；稀薄的；稀少的。⑤微弱的(聲音)。⑥淺薄的；淺顯的；貧乏的。⑦淡的；淺的(色彩)。⑧〖俗〗不舒服的。**—** *v.t. & v.i.* (**-nn-**) ①(使)變薄。②(使)變細。③(使)變瘦。④(使)稀薄；(使)變稀少。—**ly,** *adv.*
thine [ðaɪn] *pron.* possessive case of **thou.** ①(只能用於以母音字母或 h 起首之詞前)=**your, thy.** ②=**yours.**
‡**thing** [θɪŋ] *n.*① Ⓒ 物件；東西。②(*pl.*)所有物；衣服；用品。③Ⓒ事；行爲。④(*pl.*)情況；事態。⑤Ⓒ傢伙(含有熟識或憐惜之意)。⑥Ⓒ事業。⑦(*pl.*, 將形容詞置於其後)文物。～*s* Chinese 中國文物。⑧(the ～)**a.** 最適合的東西。**b.**重要的事或想法。The ～ is, can we get there in time? 問題是我們能否及時趕到那裡? **c.** 健康狀態。I am not quite the ～ today. 我今天不大舒服。*as* ～*s are* 據目前形勢[情形]。*for one* ～ ..., *for another* (～)... 一則…，再則…。*know a* ～ *or two* 〖俗〗很有經驗；精明能幹。*make a good* ～ *of* 因…賺到錢；從…獲利。*of all* ～*s* 眞沒想到；偏偏。*see* ～*s* 產生幻覺。～*s personal* [*real*] 動產[不動產]。
thing·a·my, thing·um·my [`θɪŋəmɪ] *n.* Ⓒ〖俗〗某某；某件東西。
‡**think** [θɪŋk] *v.i.* (**thought**)① 思索；想；考慮。②記憶；憶及；想到。③意

欲；企圖。— *v.t.* ①想；考慮。②認爲；以爲。③企圖；預料。④想像。⑤因想以致於；想得。~ ***aloud*** 自言自語。~ ***better of*** a. 改變…的念頭。b. 對…有更高評價。~ ***fit***[***good***] ***to*** 甘願…。~ ***highly of*** 對…評價很高。~ ***nothing of*** 輕視；認爲…無所謂。~ ***of*** a. 思索；思想；想像。b. 和should或would與一否定詞結合，爲would[should]never的強勢語。c.記起；記憶。d.發現；建議；提示。~(***something***) ***out*** a.想出。b.想透；從頭到尾仔細考慮。~ ***over*** 仔細考慮。~ ***through*** 想通；想透。~ ***twice*** 再三考慮。~ ***up*** 想出；想起。§ ~ **pìece**〖新聞〗(有關政治、經濟等問題的)短評。

think·a·ble [ˋθɪŋkəbḷ] *adj.* 可想像的；可能的。

think·er [ˋθɪŋkɚ] *n.* Ⓒ 思考者；思想家。

think·ing** [ˋθɪŋkɪŋ] *adj.* ①有思考力的。②會思考的；沉思的；好思索的。put on one's ~ cap*** 仔細考慮某事。— *n.* Ⓤ 思考；思想；見解。

thin·ner [ˋθɪnɚ] *n.*① ⓊⒸ (塗料等的)稀釋劑(尤指松脂油)。② Ⓒ 加稀釋劑的(工)人。③ Ⓒ 間苗工；間苗機。

thin-skinned [ˋθɪnˋskɪnd] *adj.* ①皮薄的。②敏感的。③易怒的。

‡**third** [θɝd] *adj.* ①第三的。②三分之一的。— *n.* ① Ⓤ (the ~)第三個。② Ⓤ (the ~)月的三號；三日。③ Ⓒ 三分之一。④ Ⓒ〖樂〗a.第三音。b.三度音程。⑤(*pl.*)有子女的寡婦於夫死亡時所應得其夫之財產的三分之一。⑥ Ⓤ〖棒球〗三壘。§ **the ~ degrée**〖美〗酷刑逼供；拷問。**the ~ párty**〖美，加〗第三黨；少數黨。**the ~ pérson**〖文法〗(1)第三人稱。(2)第三人稱所使用的代名詞與動詞。**~ cláss** (1)第三類；第三等；三等車；三等艙；三等貨品。(2)第三者。**~ ráil**(電車的)第三軌(代替高架電線，藉以供給動力者)。

third·ly [ˋθɝdlɪ] *adv.* 第三；(首先…，再則…，)三則…。

third-rate [ˋθɝdˋret] *adj.* ①三等的；三流的。②劣等的；下等的。

thirst** [θɝst] *n.*① Ⓤ (又作a ~)渴；口渴。②(*sing.*)渴望；熱望。have a ~***〖俗〗想喝一杯。— *v.i.* ①口渴。②渴想；熱望〔for, after〕.

‡**thirst·y** [ˋθɝstɪ] *adj.* ①渴的。②〖俗〗使人口渴的。③乾燥的。④渴望的〔for〕.
— **thirst′i·ly,** *adv.*

‡**thir·teen** [θɝˋtin] *n.*① ⓊⒸ 十三；13。② Ⓤ 十三歲；十三美元[英鎊等]。— *pron.* (作*pl.*解)十三個；十三人。— *adj.* 十三的。

‡**thir·teenth** [θɝˋtinθ] *n.* & *adj.*① (the ~)第十三(的)。② Ⓒ 十三分之一(的)。— *pron.* 第十三個人[物]。

‡**thir·ti·eth** [ˋθɝtɪɪθ] *n.* ①(the ~)第三十。② Ⓒ 三十分之一。— *adj.* (常the ~)第三十的；三十分之一的。

‡**thir·ty** [ˋθɝtɪ] *n.* ① ⓊⒸ 三十；30。② Ⓤ 三十歲；三十美元[英鎊]。③(*pl.*)三十與四十之間。— *pron.* (作*pl.*解)三十個；三十人。— *adj.* 三十的；三十個[人]的。

thir·ty-two·mo [͵θɝtɪˋtumo] *n.* Ⓒ ①三十二開書頁。②三十二開大小的書。— *adj.* 三十二開(大小)的。

‡**this** [ðɪs] *pron.* (*pl.* **these**) 這；此；這個(爲that之對)。***~, that, and the other*** 各種東西[事情]。— *adj.* 這；這個；此；本。***for ~ once***[***time***]只這一次。— *adv.* 到此界限；到此程度；如此。You can have ~much. 你能得到這麼多。

this·tle [ˋθɪsḷ] *n.* Ⓒ 薊(其紫色花爲蘇格蘭國花)。

this·tle·down [ˋθɪsḷ͵daʊn] *n.* Ⓤ 薊花的冠毛。

thith·er [ˋθɪðɚ, ˋðɪðɚ] *adv.* 到彼處；向彼方(與hither相對)。— *adj.* 對岸的；那邊的。

thith·er·to [͵θɪðɚˋtu] *adv.* 直到那時。

thith·er·ward(s) [ˋθɪðɚwɚd(z)] *adv.* 向彼處；在彼方。

tho, tho' [ðo] *conj.* & *adv.* = **though.**

thong [θɔŋ, θɑŋ] *n.* Ⓒ ①(用以綑物或作鞭子的)皮帶；皮條。②鞭梢；馬繮繩。

thongs [θɔŋz] *n. pl.*〖美，澳〗(用腳的大拇指和食指夾住來穿的一種)涼鞋。

Thor [θɔr] *n.*〖北歐神話〗雷神。

tho·rac·ic [θoˋræsɪk] *adj.*〖解，動〗胸的；胸部的。

tho·rax [ˋθoræks] *n.* Ⓒ (*pl.* **~·es, -ra·ces** [-rə͵siz])〖解〗胸腔；胸部。

Tho·reau [ˋθoro] *n.* 梭羅(Henry David, 1817-62, 美國作家及哲學家)。

tho·ri·um [ˋθorɪəm] *n.* Ⓤ 釷(放射性化學元素；符號 Th).

‡**thorn** [θɔrn] *n.*① Ⓒ 刺；棘。② ⓊⒸ 荆棘。③ Ⓒ 使人苦惱的事物。***a ~ in one's flesh***[***side***]經常的煩惱之因。

thorn·y [ˋθɔrnɪ] *adj.* ①多刺的；多荆棘的。②困難的；棘手的。

***thor·ough** [ˋθɝo,-ə] *adj.* ①完全的；徹底的。②周到的。(亦作 **thoro**)
***—ly,** *adv.* **—ness,** *n.*

thor·ough·bred [ˋθɝo͵brɛd] *adj.* ①純種的(動物，尤指馬和狗)。②有教養的；精神很好的；舉止優雅的(人)。— *n.* Ⓒ ①純種動物；英國純種馬。②有教養的人。

thor·ough·fare** [ˋθɝo͵fɛr] *n.* Ⓒ 通道；大道。no ~*** 不准通行。

thor·ough·go·ing [ˋθɝoˋgo·ɪŋ] *adj.* 徹底的；十足的。

‡**those** [ðoz] *adj.* & *pron.* pl. of **that.** 那些。

thou [ðaʊ] *pron.* (*pl.* **ye**)〖古，詩〗汝(第二人稱，單數，主格，=you).

‡**though** [ðo] *conj.* ①雖然。②即令；縱然。***as ~*** 一若(=as if). — *adv.* 可是；雖然。(亦作 **tho, tho'**)

‡**thought** [θɔt] *v.* pt. & pp. of **think.** — *n.* ① Ⓒ (常*pl.*)意思；觀念。② Ⓤ 沉思冥想。③ Ⓤ 思考；思維。④ Ⓤ 思想；思潮。⑤ Ⓤ 懸念；關注。⑥ Ⓤ 意向；意志。⑦ Ⓤ 預料。⑧ Ⓤ 注意。⑨(常*pl.*)判斷；意見。⑩(a ~)〖俗〗一點；些微；稍許。***at the ~ of*** 一想到…。***on second ~(s)*** 經仔細考慮之後。

T

***thought·ful** [ˋθɔtfəl] *adj.* ①深思的；思索的。②充滿思想的；考慮周到的。③注意的；關切的；體貼的。—**ly,** *adv.* —**ness,** *n.*

***thought·less** [ˋθɔtlɪs] *adj.* ①無思想的。②缺少考慮的；疏忽的。③不關心他人的。—**ly,** *adv.* —**ness,** *n.*

thought-out [ˋθɔtˏaut] *adj.* 思慮周到的；經過仔細考慮的。

thought-pro·vok·ing [ˋθɔtprəˏvokɪŋ] *adj.*發人深思的；使人思考的。

‡**thou·sand** [ˋθauzn̩d] *n.* & *adj.* ①Ⓒ千(的)；千個(的)；1,000(的)。②(*pl.*)多數(的)；無數(的)；成千(的)。*a ~ to one* 千對一；幾乎絕對的。*one in a ~*千中之一；罕有的人或物。

thou·sand·fold [ˋθauzn̩dˋfold] *adj.* & *adv.* 千倍的[地]。

thou·sandth [ˋθauzn̩dθ] *n.* & *adj.* ①Ⓤ(常 the ~)第一千(的)。②Ⓒ千分之一(的)。

thral(l)·dom [ˋθrɔldəm] *n.* Ⓤ 奴隸身分或地位；奴役。

thrall [θrɔl] *n.* ①Ⓒ奴隸。②Ⓤ奴隸的身分或地位。

thrash [θræʃ] *v.t.* ①打(穀物)。②笞打；責打(=beat, flog)。③擊敗；勝過。—*v.i.*①打穀。②猛烈移動；猛烈動蕩。~ *out* 研討解決。~ *over* 再三精細檢查;深入討論。—*n.* ⓊⒸ打;鞭打。

thrash·er [ˋθræʃɚ] *n.* Ⓒ ①打穀者；打穀機。②長尾鮫。③嘲鶇(美洲產鳥)。

thrash·ing [ˋθræʃɪŋ] *n.* Ⓒ ①打穀。②鞭打。

***thread** [θrɛd] *n.*①ⓊⒸ線；纖維；細絲。②Ⓒ線狀物。③Ⓒ線索；脈絡。④Ⓒ螺紋。*cut one's mortal ~*割斷命脈；殺死。*hang by a ~*千鈞一髮；處於危險之境。*~ and thrum*悉數；全部。—*v.t.* ①穿線於(針孔)；以線穿起。②穿過。③加螺紋於(螺釘等)。—*v.i.* ①成線(狀)。②如線般穿過。§ *~* **màrk**(摻入紙幣中防僞造用的)彩色絲紋。

thread·bare [ˋθrɛdˏbɛr] *adj.* ①毛絨已磨掉的；穿到露線的。②著破衣的。③陳腐的；無趣的。

thread·worm [ˋθrɛdˏwɜm] *n.* Ⓒ 線蟲(尤指蟯蟲)。

***threat** [θrɛt] *n.* Ⓒ ①恐嚇；威脅。②惡兆。

***threat·en** [ˋθrɛtn̩] *v.t.* ①恐嚇；威脅。②預示…的惡兆；有…之虞。—*v.i.* ①恐嚇；威脅。②勢將；即將來臨。—**ing,** *adj.*

‡**three** [θri] *n.*①ⓊⒸ三。②Ⓤ三個；三歲；三時。③Ⓒ三個人或物之一組。—*adj.* 三的；三個的。

thrée-base hít [ˋθriˏbes ~] *n.* Ⓒ〖棒球〗三壘打。

three-D, 3-D [ˋθriˋdi] *adj.* 立體(電影)的。—*n.* Ⓤ立體。

three-di·men·sion·al [ˏθridəˋmɛnʃənl] *adj.* ①有長､寬､高三面的；立體的；三維的。②有立體感的。③有眞實感的。

three-fig·ure [ˋθriˋfɪgjɚ] *adj.* 三位數的。

three·fold [ˋθriˋfold] *adj.* & *adv.* 三倍的[地]；三重的[地]。

three·pence [ˋθrɪpəns] *n.* ①Ⓤ三辨士的款額。②Ⓒ〖英〗值三辨士的銀幣。

three·pen·ny [ˋθriˏpɛnɪ] *adj.* ①值三辨士的。②無價值的；便宜的。

three-phase [ˋθriˏfez] *adj.* ①〖電〗三相的。②分三部分的。

three-ply [ˋθriˋplaɪ] *adj.* 三層的；三重的；三股的。

three-quar·ter [ˋθriˋkwɔrtɚ] *adj.* ①四分之三的。②(衣服等)四分之三的長度的；七分的。a ~ sleeve 七分袖。

three R's [ˋθriˋɑrz] *n. pl.* (the ~)(兒童的基本學科)讀、寫、算(=reading, writing, and arithmetic)。

three·score [ˋθriˋskor] *n.* Ⓤ 六十。—*adj.* 六十的。

three·some [ˋθrisəm] *n.* Ⓒ ①三人一組。②三人爲一組的遊戲或競技。③參加上述遊戲或競技的三人。

thren·o·dy [ˋθrɛnədɪ] *n.* Ⓒ 輓歌；哀歌。

thresh [θrɛʃ] *v.t.* 打(穀)(= thrash)。—*v.i.* ①打穀。②翻來覆去；搖動。§ *~***ing flòor**打穀場。*~***ing machìne** 打穀機。

thresh·er [ˋθrɛʃɚ] *n.* Ⓒ ①打穀者；打穀機。②長尾鮫。

***thresh·old** [ˋθrɛʃold, ˋθrɛʃhold] *n.* Ⓒ ①門檻。②入口；門口。③(常 *sing.*)開始；開端。*at the ~ of* 在…的開始；…就要開始的時候。

‡**threw** [θru] *v.* pt. of **throw.**

thrice [θraɪs] *adv.* ①三倍地；三度地。②很；非常。~ happy 非常快樂。

***thrift** [θrɪft] *n.* Ⓤ ①節儉；儉約。②〖植〗濱簪花。

thrift·y [ˋθrɪftɪ] *adj.* ①節儉的；儉約的。②興旺的；茂盛的。—**thriftʹi·ly,** *adv.* —**thriftʹi·ness,** *n.*

***thrill** [θrɪl] *n.* Ⓒ ①震顫。②刺激；激動。—*v.t.* 刺激；激動。—*v.i.* ①震顫；抖顫。②感到興奮；深受感動。

thrill·er [ˋθrɪlɚ] *n.* Ⓒ ①引起激動的人[事物]。②緊張刺激讀物[影片]。

thrill·ing [ˋθrɪlɪŋ] *adj.* 令人震顫的；使感動的；震顫的。

***thrive** [θraɪv] *v.i.* (**throve** or **thrived, thrived** or **thriv·en**)①繁盛；興盛。②健旺；茂盛。

thriv·en [ˋθrɪvən] *v.* pp. of **thrive.**

thriv·ing [ˋθraɪvɪŋ] *adj.* 繁盛[繁榮]的；繁華的；興盛的；盛大的。a ~ business 興盛的生意。—**ly,** *adv.*

thro', thro [θru] *prep.* =**through.**

***throat** [θrot] *n.* Ⓒ ①咽喉；喉嚨。clear the ~清喉嚨。②狹窄之通路。*cut one's own ~*自取滅亡。*cut someone's ~* 扼殺某人。*stick in one's ~*(話)梗於喉間。*thrust [force, ram, shove] something down someone's ~* 強迫某人接受或同意某事。

throat·y [ˋθrotɪ] *adj.* ①喉音的。②發音低沈而宏亮的。

***throb** [θrɑb] *v.i.* (**-bb-**)悸動；跳動；有規律地顫動；震顫。—*n.* Ⓒ 悸動；

有規律的顫動；震顫。
throes [θroz] *n. pl.* ①劇痛。②分娩時之陣痛。③苦痛的掙扎；極大的痛苦。
throm·bo·sis [θram`bosɪs] *n.* Ⓤ Ⓒ (*pl.* **-ses** [-siz])〖醫〗血栓症。
***throne** [θron] *n.*① Ⓒ 寶座；御座。②(the ～)王位；帝位；王權；君權。③(the ～)君王；帝王。—*v.t.* 使即王位；使登基。
***throng** [θrɔŋ] *n.* Ⓒ①(人)群。②衆多；多數。③擁擠。—*v.t.* 擠入；擠滿。—*v.i.* 擠集；群集。
throt·tle [`θratl] *n.* Ⓒ ①節流閥。②〖俗〗喉；氣管。—*v.t.* ①使窒息；扼死。②壓制(言行)。③減低速度；使減速。
‡**through** [θru] *prep.* ①經過；通過。②遍及；歷盡。③由於；因爲。④藉；由。⑤結束；完成。⑥從頭到尾。—*adv.* ①自始至終；貫通地。②完全地；徹頭徹尾地。③完畢。④全程地；直達地。***be ～ with*** a.與…斷絕來往。b.完成；結束(＝to get through with). ***～ and ～*** 完全地；徹底地。—*adj.* ①通行的。②直達的。(亦作 **thru**)
‡**through·out** [θru`aut] *prep.* 遍及；在全部期間；在各處。—*adv.* ①在所有各處；徹頭徹尾。②自始至終。
through·put [`θru,put] *n.* Ⓤ Ⓒ ①產品之生產及推銷。②產量。
throve [θrov] *v.* pt. of **thrive.**
‡**throw** [θro] *v.t.* (**threw, thrown**) ①投；拋；擲。②投射；投置；拋向；移向。③轉動(槓桿等)使轉動、連起或斷開。④使跌落。⑤蛻；脫(皮)。⑥使陷入(某種狀態)。⑦〖美俗〗在(比賽中)放水。⑧〖俗〗舉行(一派對)。⑨匆忙地穿或脫(衣)。—*v.i.* ①投；擲；拋。②擲骰子。***～ about*** a. 亂丟[扔，花]。b. 猛烈地揮動。***～ away*** 放棄；丟掉。***～ back*** a.返回祖先的型態。b.使延遲。***～ cold water on*** 潑冷水於；使氣餒。***～ down*** a.扔下；扔掉。b.推翻。***～ in*** a.額外贈送。b.插進。***～ off*** a.匆匆脫掉。b.擺脫掉；扔開。***～ oneself at*** 盡力討好。***～ oneself down*** 躺倒。***～ oneself into*** 投身於(工作)。***～ open*** a.打開。b.開放。***～ out*** a.否決(議案等)。b.發表；說出。c.打亂；打擾。d.拒絕；擯斥。***～ over*** 拋棄；遺棄。***～ together*** a.匆匆做成。b.使結合。***～ up*** a.嘔吐。b.放棄。c.急速建造。—*n.* Ⓒ ①投；擲；拋。②投距。③圍巾；毛毯。④(骰子的)一擲；運氣。⑤機會；冒險。
throw·a·way [`θroə,we] *n.* Ⓒ (在街上分送或挨戶傳送的)傳單。
throw·back [`θro,bæk] *n.* Ⓒ ①擲回。②〖生物〗返祖現象。③阻遏；挫折。
throw·down [`θro,daun] *n.* Ⓒ〖俚〗①拒絕。②敗北；失敗。
throw·er [`θroɚ] *n.* Ⓒ 投擲者[物]。
throw-in [`θro,ɪn] *n.* Ⓒ〖運動〗擲界外球；擲邊線球(指將球投入場內)。
‡**thrown** [θron] *v.* pp. of **throw.**
thru [θru] *prep. & adv. & adj.* = **through.**

thrum [θrʌm] *v.i. & v.t.* (**-mm-**) ①亂彈(弦樂器)；撥弄(樂器)的弦。②(以手指)輕扣；輕敲。
thrush[1] [θrʌʃ] *n.* Ⓒ 鶇。
thrush[2] *n.* Ⓤ ①鵝口瘡；雪口症。②〖俗〗陰道炎。
***thrust** [θrʌst] *v.t.* (**thrust**) ①插入；用力推；衝。②戳；刺。—*v.i.* ①刺；戳。②推擠；擠進。—*n.* ① Ⓤ 力推；衝。② Ⓒ 刺；戳。③ Ⓒ 攻擊；突擊。④ Ⓤ〖機〗推力；軸向壓力。
thru·way [`θru,we] *n.* Ⓒ 高速公路。
thud [θʌd] *n.* Ⓒ ①重擊聲；砰擊聲。②砰然的跌落；重擊。—*v.i. & v.t.* (**-dd-**)砰然地落下；重擊。
thug [θʌg] *n.* Ⓒ①惡棍；刺客；殺人者。②(T-)(昔時印度)暗殺團中的一分子。
thumb** [θʌm] *n.* Ⓒ 拇指。all ～s*** 笨手笨腳的。***～s down*** 表示反對或拒絕的手勢。***～s up*** 伸大拇指表示贊成或接受的手勢。***under the ～ of a person; under one's ～*** 受某人的控制。—*v.t.* ①以拇指翻(書頁等)；匆匆閱讀。②以拇指壓[撳]。③笨拙擺弄。④以拇指指向過路汽車要求免費搭載。§ **～ index** 字典等頁邊上的字母指標。
thumb·nail [`θʌm`nel] *n.* Ⓒ ①大拇指指甲。②小東西。—*adj.* ①像大拇指指甲大小的。②簡短的；簡明的。
thumb·screw [`θʌm,skru] *n.* Ⓒ ①翼形螺釘。②(常 *pl.*)(昔)一種用以夾拇指的刑具。
thumbs-down [`θʌmz`daun] *n.* Ⓒ〖俚〗反對；不贊成。
thumbs-up [`θʌmz`ʌp] *n.* Ⓒ〖俚〗同意；贊成。
thumb·tack [`θʌm,tæk] *n.* Ⓒ 圖釘。
***thump** [θʌmp] *v.t. & v.i.* ①重擊。②發砰然聲；砰砰地跳。③放大腳步聲走。—*n.* Ⓒ①重擊。②砰然聲。
thump·ing [`θʌmpɪŋ] *adj.* ①重擊的。②〖俗〗極大的；巨大的；非同小可的。—*adv.* =**very.**
‡**thun·der** [`θʌndɚ] *n.* Ⓤ①雷；雷聲。②似雷之聲。③恐嚇；威嚇。④譴責。***steal someone's ～*** a.竊取某人的主意、方法而搶先使用。b. 搶先講某人要講的話。—*v.i.* ①打雷。②發出如雷之聲。③大聲斥責或恐嚇。④大聲吼；怒喝。—*v.t.*大聲喊出(譴責、威脅等之語)。
thun·der·bird [`θʌndɚ,bɝd] *n.* Ⓒ 雷鳥(傳說能興作閃電雷雨)。
thun·der·bolt [`θʌndɚ,bolt] *n.* Ⓒ ①雷電；霹靂。②突然而可怕的事情。
thun·der·clap [`θʌndɚ,klæp] *n.* Ⓒ①雷響；霹靂。②突然而驚人的事。
thun·der·cloud [`θʌndɚ,klaud] *n.* Ⓒ 夾有雷電的烏雲；雷雲。
thun·der·head [`θʌndɚ,hɛd] *n.* Ⓒ (雷雨前常見的)雷暴雲砧。
thun·der·ing [`θʌndərɪŋ] *adj.* ①似雷鳴的。②〖俗〗非常的；極大的。
thun·der·ous [`θʌndərəs] *adj.* ①發雷聲的；雷聲隆隆的。②喧聲如雷的。③(天候)似將打雷的。
thun·der·show·er [`θʌndɚ,ʃauɚ] *n.* Ⓒ 雷陣雨。

T

thun·der·storm [ˋθʌndɚˏstɔrm] *n.* Ⓒ 雷暴。
thun·der·strick·en [ˋθʌndɚˏstrɪkən] *adj.* =**thunderstruck.**
thun·der·struck [ˋθʌndɚˏstrʌk] *adj.* ①爲雷電所擊的。②驚呆的；驚愕的。
‡**Thurs·day** [ˋθɜzdɪ] *n.* Ⓤ Ⓒ 星期四；禮拜四。
‡**thus** [ðʌs] *adv.* ①如此；像這樣。②因此；於是。③至此；至此程度。～***far*** 迄今爲止。
thwack [θwæk] *v.t.* (以扁平物)重擊。—*n.* Ⓒ 猛打。
thwart [θwɔrt] *v.t.* 反對；阻撓；妨礙；使受挫折。—*n.* Ⓒ 划船者所坐的橫板。—*adj.* 橫放的。—*prep. & adv.* 橫過(地)。
thy [ðaɪ] *adj.* 〖古，詩〗(thou的所有格)「你的(=your).」
thyme [taɪm] *n.* Ⓤ〖植〗百里香；麝香草。
thy·mus [ˋθaɪməs] *n.* Ⓒ (*pl.* **～·es, -mi** [-maɪ])〖解〗胸腺。
thy·roid [ˋθaɪrɔɪd] *n.*① Ⓒ 甲狀腺。② Ⓒ 甲狀軟骨。③ Ⓤ Ⓒ 甲狀腺製劑。—*adj.* 甲狀腺的。§～ **cártilage**〖解〗甲狀軟骨。～ **glànd** 甲狀腺。
thy·self [ðaɪˋsɛlf] *pron.* 〖古，詩〗你自己(thou 之反身代名詞，=yourself).
ti [ti] *n.* Ⓤ Ⓒ 〖樂〗全音階的第七音。
TIA The Internet Adapter. 網際網路轉接器。
Tían·an·men Squáre [ˋtjɛnænˏmən ～] *n.* 天安門廣場。
ti·ar·a [taɪˋɛrə] *n.* Ⓒ ①冕狀頭飾。②(羅馬教皇的)三重冠[教權]。
Ti·ber [ˋtaɪbɚ] *n.*(the ～)臺伯河(貫穿羅馬市)。
Ti·bet [tɪˋbɛt] *n.*西藏(中國地方之一，首府 Lhasa).(亦作 **Thibet**)
Ti·bet·an [tɪˋbɛtn̩] *adj.*西藏(人，語)的。—*n.*① Ⓒ 西藏人。② Ⓤ 西藏語。(亦作 **Thibetan**)
tib·i·a [ˋtɪbɪə] *n.* Ⓒ (*pl.* **-i·ae** [-ɪˏi], **～s**)①〖解，動〗脛骨。②管風琴的音栓。
tic [tɪk] *n.* Ⓒ 〖醫〗(特指面肌的)抽搐。
***tick**[1] [tɪk] *n.* Ⓒ ①(鐘錶等的)滴答聲。②小記號(如✓).③〖俗〗瞬間；剎那間。—*v.i.* 作滴答聲。—*v.t.* ①標以小記號。②滴答滴答地計(時)。
tick[2] *n.* Ⓒ〖動〗扁蝨。
tick[3] *n.* Ⓒ 枕頭套；枕心套；褥套。(亦作 **bedtick**)
tick[4] *n.* Ⓤ〖英俗〗信用。***on*** ～ 賒帳「地。」
tick·er [ˋtɪkɚ] *n.* Ⓒ ①發出滴答聲的東西。②股票行情指示器。③自動收報機。④〖俚〗錶；鐘。⑤〖俚〗心臟。
‡**tick·et** [ˋtɪkɪt] *n.*① Ⓒ 票；車票；入場券。② Ⓒ (書明價格、尺碼等的)標籤。③ Ⓒ〖美〗政黨候選人名單。④ Ⓒ〖俗〗罰單。⑤ Ⓒ 高級船員或飛機駕駛員的執照。⑥(the ～)〖俗〗合適的事情[東西]。～ ***of leave***〖英〗假釋許可證(亦作 ticket-of-leave).—*v.t.* ①加標籤於。②〖美〗發給…票。
tick·ing [ˋtɪkɪŋ] *n.* Ⓤ (做褥套等用的)條紋棉布。
***tick·le** [ˋtɪkl̩] *v.t.* ①輕觸使覺酥癢；胳肢。②使愉悅；逗樂。—*v.i.* 覺酥癢。—*n.* Ⓤ Ⓒ ①呵癢；胳肢。②酥癢感。
tick·lish [ˋtɪklɪʃ] *adj.* ①怕癢的；易癢的。②難處理的；棘手的。③不穩當的。④易被觸怒的。
tick·tack [ˋtɪkˏtæk] *n.* Ⓒ ①(鐘錶等的)滴答聲。②〖兒〗鐘；錶。③心音；心臟搏動的聲音。
tick-tack-toe [ˏtɪktækˋto] *n.* Ⓤ 井字遊戲(二人輪流在一有九方格之盤上劃十字或圓圈，以所劃之記號三個成直、橫、斜線相連者爲勝)。
tick-tock [ˋtɪkˏtɑk] *n.* Ⓒ (大鐘的)滴答聲。—*v.i.* 發出滴答聲。(亦作 **tictoc**)
tid·al [ˋtaɪdl̩] *adj.* 潮的；有潮的；受潮水影響的。§～ **cúrrent** 潮流。～ **wàve** (1)海嘯。(2)潮浪。(3)〖喻〗(抗議等的)浪潮。
tid·bit [ˋtɪdˏbɪt] *n.* =**titbit.**
tide** [taɪd] *n.*① Ⓒ 潮；潮汐。② Ⓒ 潮流；趨勢。③ Ⓤ〖古〗時；季(多用於複合詞)。winter*tide* 冬季。turn the*** ～ 使局勢改觀。—*v.i. & v.t.* ①克服；渡過[over]。②隨潮漂流。③如潮水般地湧流。
tide·land [ˋtaɪdˏlænd] *n.* Ⓤ (漲潮時被淹沒的)海岸低窪地帶；潮淹區。
tide·wa·ter [ˋtaɪdˏwɔtɚ] *n.* Ⓤ ①被漲潮帶上潮淹區的潮水。②受漲潮影響的地區。③受漲潮影響的河水。—*adj.* 潮淹區的。
tide·way [ˋtaɪdˏwe] *n.* Ⓒ ①潮路。②潮流(=tidal current).
ti·dings [ˋtaɪdɪŋz] *n. pl.*(有時作 *sing.*解)消息；音信。
***ti·dy** [ˋtaɪdɪ] *adj.* ①整潔的；整齊的。②〖俗〗相當大的；可觀的。③〖俗〗相當好的。—*v.t.* 使整齊；使整潔。—*n.* Ⓒ ①椅套。②盛零碎物件的容器。—**tiˊdi·ly,** *adv.* —**tiˊdi·ness,** *n.*
‡**tie** [taɪ] *v.t.* (**tied, ty·ing** [ˋtaɪɪŋ])①繫；結；縛；綁；紮；捆；拴。②束縛；限制。③與…得同分[同數]。④〖樂〗以連結線連起。⑤**a.** 連結。**b.** 以繫梁(tie beam)連結。⑥〖俗〗使結成夫妻。—*v.i.*①打結；結起。②得同樣分數。～ ***down*** 限制；繫住。～ ***one on*** 〖俚〗喝醉。～ ***the knot***〖俗〗結婚。～ ***up*** **a.**繫緊；繫牢。**b.**包紮。**c.**使停頓；阻礙。**d.**把(錢財)凍結以免被挪作他用或出售。—*n.* Ⓒ ①結；結飾。②(用以捆縛的)繩、帶。③領帶(=necktie).④(常 *pl.*)關係；羈絆。⑤(鐵路的)枕木(在英國叫 railway sleeper).⑥(常 *sing.*)牽累。⑦得分[票數]相同；不分勝負。⑧不分勝負的比賽。⑨〖樂〗連結線。⑩(常 *pl.*)繫帶之矮統鞋。§～ **bèam**〖建〗繫梁；水平拉桿。～ **brèak** [**brèaker**] (網球等的)同分決賽。～**d cóttage**〖英〗(農場主人租給其工人的)雇工小屋。～**d hóuse**〖英〗特約酒店(專售某酒廠產品者)。～ **tàck** 領帶別針。
tie·clasp [ˋtaɪˏklæsp] *n.* Ⓒ 領帶夾。(亦作 **tie clasp, tie clip**)
tie-dye [ˋtaɪˏdaɪ] *v.t.* 以結染法染。
tie-dye·ing [ˋtaɪˏdaɪɪŋ] *n.* Ⓤ〖紡〗

結染；扎染。
tie-in [ˋtaɪˏɪn] *n.* Ⓒ ①(兩件商品一起的)搭賣或搭買；此種商品。②關連。
tie·pin [ˋtaɪˏpɪn] *n.* Ⓒ 領帶別針。(亦作 **scarfpin, stickpin**)
tier [tɪr] *n.* Ⓒ ①(劇院等階梯式的)一排(坐位)。②層；級。— *v.t.* & *v.i.*(使)排成層列。
tie-up [ˋtaɪˏʌp] *n.* Ⓒ ①停滯；(因事故造成的)工作、活動、交通的暫時停頓。②同盟罷工。③〖俗〗關係；聯繫。
tiff [tɪf] *n.* Ⓒ ①小爭吵；小爭執。②生氣。— *v.i.* ①爭執；口角。②生氣。
tif·fa·ny [ˋtɪfənɪ] *n.* Ⓤ Ⓒ 一種薄綢；薄紗。
***ti·ger** [ˋtaɪgɚ] *n.* Ⓒ (*pl.* **~s, ~**)①虎。②兇暴的人。§ ~ **càt** (1)〖動〗美洲虎貓(分布於中、南美洲)。(2)美洲豹貓。~ **lìly** 卷丹；麻點百合。
ti·ger·ish [ˋtaɪgərɪʃ] *adj.* ①虎的；似虎的。②殘酷的；兇猛的。
‡tight [taɪt] *adj.* ①緊的。②緊密的；不漏的。③緊身的；太緊的(衣、帽、鞋等)；塞滿的。④張緊的(繩等)。⑤銀根緊的。⑥吝嗇的。⑦〖俚〗醉的。⑧簡潔的；整潔的；整齊的。⑨嚴厲的。⑩困難的；處於困境的。⑪分數很接近的；勝負難分的。*a ~ corner*[*place*]困難或危險的處境。— *adv.* 緊緊地(=tightly). *sit ~*固守地位；固執意見。*—**ly**, *adv.* —**ness**, *n.*
tight·en [ˋtaɪtn̩] *v.t.* & *v.i.* (弄)緊；變緊。
tight·fist·ed [ˋtaɪtˋfɪstɪd] *adj.* 吝嗇的。
tight·fit·ting [ˋtaɪtˋfɪtɪŋ] *adj.* (衣服)緊身的。
tight-knit [ˋtaɪtˋnɪt] *adj.* 組織嚴密的；緊密結合的。
tight-lipped [ˋtaɪtˋlɪpt] *adj.* ①緊閉嘴脣的。②嘴緊的；少[不]講話的。
tight·rope [ˋtaɪtˏrop] *n.* Ⓒ 拉緊的繩索(走繩索者行於其上表演技巧)。a ~ walker[dancer]走繩索者。
tights [taɪts] *n. pl.* ①緊身衣。②女用褲襪(=〖美〗panty hose).
tight·wad [ˋtaɪtˏwɑd] *n.* Ⓒ〖美俚〗吝嗇鬼；守財奴。
ti·gress [ˋtaɪgrɪs] *n.* Ⓒ ①雌虎。②兇悍的女人。
Ti·gris [ˋtaɪgrɪs] *n.*(the ~)底格里斯河(自土耳其東南部流經伊拉克與 the Euphrates 匯合而注入波斯灣，其流域爲古代 Mesopotamia 文化之發源地)。
tike, tyke [taɪk] *n.* Ⓒ ①劣犬(尤指雜種犬)。②小靈精(對活潑頑皮小孩之暱稱)。
***tile** [taɪl] *n.*① Ⓒ 瓦片；花磚；瓷磚。② Ⓤ 磚瓦之集合稱。③ Ⓒ (排水的)瓦管；瓦溝。④ Ⓒ 絲質高頂硬帽。— *v.t.* 鋪磚瓦於；裝瓦管於。
til·ing [ˋtaɪlɪŋ] *n.*① Ⓤ 覆瓦；鋪瓷磚。② Ⓤ 瓦之集合稱。③ Ⓒ 瓷磚所鋪之面；瓦頂。
‡till[1] [tɪl] *prep.* 迄；直到；直到…時。— *conj.* 迄；直到；在…以前。
***till**[2] *v.t.* 耕種。— *v.i.* 耕地。
till[3] *n.* Ⓒ (櫃臺後放錢的)小抽屜。
till·age [ˋtɪlɪdʒ] *n.* Ⓤ ①耕種；耕作。②耕地。③耕地上的作物。
till·er[1] [ˋtɪlɚ] *n.* Ⓒ 耕者；農夫。
til·ler[2] *n.* Ⓒ〖造船〗舵柄。
***tilt**[1] [tɪlt] *v.i.* ①傾側；傾斜。②以長矛刺〔at〕.③以長矛比武。— *v.t.* ①使傾側；使傾斜。②以跳動錘鍛打。*~ at* 攻擊；抗議。*~ at windmills* 攻擊想像中的敵人。— *n.* Ⓒ ①傾側；傾斜。②馬上之長矛戰。③辯論；爭吵。④跳動錘。*full ~*以全速。
tilt[2] *n.* Ⓒ (車、船的)帆布篷；帳篷；遮陽。— *v.t.* 用帆布篷覆蓋。
tim·bal [ˋtɪmbl̩] *n.* Ⓒ ①銅鼓。②(蟬等發聲器官中的)鼓膜。
***tim·ber** [ˋtɪmbɚ] *n.*① Ⓤ 木材；木料。② Ⓒ (建屋或造船等所用的)棟木。③ Ⓤ 森林。— *v.t.* 裝配以木材；支以木材。§ ~ **hìtch**〖海〗(將繩子繫於桅桿等圓材上時用的)圓木結。~ **lìne** 林木線(超過此線時，樹木即不能生長)。~ **wòlf**(北美洲所產的)灰色大狼。
tim·bered [ˋtɪmbɚd] *adj.* ①木造的；由木材支撐的。②長有樹木的。
tim·ber·jack [ˋtɪmbɚˏdʒæk] *n.* Ⓒ 樵夫。
tim·ber·land [ˋtɪmbɚˏlænd] *n.* Ⓤ 林地；森林。
tim·ber·yard [ˋtɪmbɚˏjɑrd] *n.* Ⓒ 儲木場；木料場。
tim·bre [ˋtɪmbɚ] *n.* Ⓤ Ⓒ〖樂〗音色；音質。
tim·brel [ˋtɪmbrəl] *n.* Ⓒ 有鈴之手鼓。
‡time [taɪm] *n.*① Ⓤ 時；(與空間相對的)時間。② Ⓤ (又作 a ~)一段時間；一部分時間。③ Ⓤ 時候；時刻。What ~ is it? 現在幾點鐘? ④ Ⓤ (以年、月、小時、分、秒等單位衡量的)時間。⑤ Ⓤ 期限；(該做某事的特殊)時間。⑥ Ⓒ (常 *pl.*)時代；時期；時勢。⑦ Ⓤ 某特殊時期中的生活情況或環境等。⑧ Ⓤ 時機。⑨ Ⓒ 次數；次。⑩(*pl.*)倍；乘。Three ~*s* three is[are] nine. 三乘三是九。⑪ Ⓤ〖樂〗拍子。*against ~*搶時間完成。*at one ~* **a.**曾經。**b.**同時。*at ~s*有時；間或。*be behind the ~s* 落伍；過時。*for the ~ being*暫時。*from ~ to ~*時常；間或。*gain ~* **a.** (錶等)走得快。**b.** 贏得[爭取]時間；藉故拖延時間。*in good ~* **a.**適時地。**b.**及早；趁早。*in no ~*立即。*in ~* **a.**及時；遲早；最後。**b.**合節拍。*keep ~* **a.**計時。**b.**(鐘錶等)走得準。**c.**合節拍；採取一致而有節拍的行動。*one at a ~*每次一個。*on ~* **a.**準時；按時。**b.**按時付款；分期付款。*pass the ~ of day* 打招呼；請安。*take one's ~*不慌不忙；悠哉遊哉。*~ after ~*屢次，多次。*~ and again* 屢次。— *v.t.* ①測定…的速率；記錄…的時間。②使合拍子；爲…選擇合宜時間。③調準(鐘錶)的時間；調整…的速度；使(與…)時間相配合。— *v.i.* 合拍子；打拍子。— *adj.* ①時間的。②定時的；定期的。③分期付款的。§ ~ **bàll** 標準報時球。~ **bàse**〖雷達，視〗時基；時軸；時間坐標。~ **bìll** (1)〖英〗(火車等的)時刻表。(2)〖商〗期票。~ **bòmb** 定時炸彈。~ **clòck** 打卡

T

鐘。∼ expòsure (1)(底片的)定時曝光(通常超過半秒鐘)。(2)以定時曝光拍攝的像片。∼ sìgnal (收音機等的)報時信號。∼ sìgnature〖樂〗拍子記號。Tímes Squáre 時代廣場。∼ stùdy 工作方法與所費時間之研究(目的在發現效率最高之生產方法)。

time·card [ˋtaɪmˋkɑrd] *n.* Ⓒ (受雇者的)工作時間記錄卡。

time-con·sum·ing [ˋtaɪmkən-ˏsumɪŋ] *adj.* 耗費時間的。

time-hon·ored [ˋtaɪmˏɑnəd] *adj.* 古老而被尊敬[遵守]的；由來已久的。

time·keep·er [ˋtaɪmˏkipə] *n.* Ⓒ ①記時員。②鐘錶。③〖運動〗計時員。

time·less [ˋtaɪmlɪs] *adj.* ①不受時間影響的；永久的。②不屬於某一特殊時間的；無時間性的。

time·ly [ˋtaɪmlɪ] *adj.* 合時的；適時的。

time·piece [ˋtaɪmˏpis] *n.* Ⓒ 計時器；鐘；錶。

tim·er [ˋtaɪmə] *n.* Ⓒ ①計時員。②(汽車的)時速計。③計秒錶；馬錶。④定時器。

Times [taɪmz] *n.* (the ∼)英國泰晤士報(1785年創立)。

time·sav·ing [ˋtaɪmˏsevɪŋ] *adj.* 節省時間的。

time·serv·er [ˋtaɪmˏsɝvə] *n.* Ⓒ 迎合時勢隨波逐流者；趨炎附勢者。—time′serv·ing, *adj.*

time-share(d) [ˋtaɪmˏʃɛr(d)] *adj.* 〖電算〗分時的。

time-shar·ing [ˋtaɪmˏʃɛrɪŋ] *n.* Ⓤ 〖電算〗分時(由不同地點的人在同一時間內共同使用一電腦系統)。

***time·ta·ble** [ˋtaɪmˏtebl] *n.* Ⓒ 時間表；時刻表。

time-test·ed [ˋtaɪmˏtɛstɪd] *adj.* 歷經考驗而證明仍有價值的。(亦作**time-tried**)

time·work [ˋtaɪmˏwɝk] *n.* Ⓤ 計時或計日付酬的工作。

time·worn [ˋtaɪmˏworn] *adj.* 陳舊的；老朽的。

***tim·id** [ˋtɪmɪd] *adj.* 膽小的；膽怯的；怯懦的。—ly, *adv.* —ness, *n.*

ti·mid·i·ty [tɪˋmɪdətɪ] *n.* Ⓤ 膽小；怯懦。

tim·ing [ˋtaɪmɪŋ] *n.* Ⓤ ①〖戲劇〗劇中各動作發生時間的配合安排。②〖運動〗速度的控制。

tim·or·ous [ˋtɪmərəs] *adj.* 膽小的；膽怯的；畏怯的。

tim·o·thy [ˋtɪməθɪ] *n.* Ⓒ〖植〗貓尾草。(亦作 **timothy grass**)

Tim·o·thy [ˋtɪməθɪ] *n.* 〖聖經〗①提摩太(聖保羅之一弟子)。②提摩太書。

tim·pa·ni [ˋtɪmpəˏni] *n. pl.* (常作 *sing.*解)定音鼓。—tim′pa·nist, *n.*

***tin** [tɪn] *n.*①Ⓤ 錫。②Ⓤ 馬口鐵；洋鐵皮(=tin plate). ③Ⓒ〖英〗馬口鐵罐；罐頭。— *adj.* 錫的；馬口鐵的。— *v.t.* (-nn-)①把…裝罐。②包以錫；包以馬口鐵。§ ∼ cán 錫罐；洋鐵罐；(尤指)空罐；〖美俚〗驅逐艦(=destroyer). ∼ òpener〖英〗開罐器。

tinc·ture [ˋtɪŋktʃə] *n.*① ⓊⒸ 酊；酊劑。②(a ∼)色澤。③(a ∼)些許；微量。— *v.t.* ①染以色澤。②使帶氣味[風味，氣息]。

tin·der [ˋtɪndə] *n.* Ⓤ 火絨；火種。

tin·der·box [ˋtɪndəˏbɑks] *n.* Ⓒ ①火絨匣。②易燃物。③易激動的人。

tine [taɪn] *n.* Ⓒ (叉子、鹿角等的)突出的尖端；尖頭；齒尖。

tin·foil [ˋtɪnˏfɔɪl] *n.* Ⓤ ①錫箔。②(包糖果、香煙的)錫紙。

ting [tɪŋ] *n.* Ⓒ 玎玲聲；鈴聲。— *v.t. & v.i.* (使)發玎玲聲。

ting-a-ling [ˋtɪŋəˏlɪŋ] *n.* Ⓒ 鈴聲；玎玲聲；叮噹聲。

tinge [tɪndʒ] *v.t.* (**tinged, tinge·ing** or **ting·ing**) ①染以輕淡顏色。②使有氣息[風味]。— *n.*(a ∼)①(輕淡的)色彩。②些微的味道；氣息。

tin·gle [ˋtɪŋgl] *v.i.* ①有刺痛之感。②被激動；興奮。③發玎璫聲。— *v.t.* 使感到刺痛感。— *n.*(a ∼)①刺痛(感)。②興奮。③玎璫聲。

tin·ker [ˋtɪŋkə] *n.* Ⓒ ①(流動)補鍋[盤]匠。②能做各種輕微修補工作的人。③笨拙的工作者。④笨拙的工作；粗拙的工藝。***not to care a ∼'s dam(n)*** 毫不介意。— *v.i. & v.t.* ①做補鍋匠。②拙劣地修補。

tin·kle [ˋtɪŋkl] *v.t. & v.i.*①(使)發玎璫聲。②玎璫地報(時間)。— *n.* Ⓒ (常 *sing.*)玎璫聲。

tinned [tɪnd] *adj.* ①包錫的；包洋鐵皮的。②〖英〗罐裝的。

tin·ner [ˋtɪnə] *n.* Ⓒ ①錫礦礦工。②洋鐵匠。③製罐頭工人。

tin·ner·y [ˋtɪnərɪ] *n.* Ⓒ 洋鐵工廠；錫廠；錫器廠。

tin·ni·tus [tɪˋnaɪtəs] *n.* Ⓤ〖醫〗耳鳴。

tin·ny [ˋtɪnɪ] *adj.* ①錫的；含錫的；產錫的。②聲音或樣子像錫的。③有錫味的。

Tín Pàn Álley [ˋtɪnˏpæn ∼] *n.* ①城市中樂師、樂曲出版家麕集之區域或街道(尤指紐約市中者)。②Ⓤ 通俗音樂之出版者、作曲者及倡導者之集合稱。

tin·plate [ˋtɪnˏplet] *n.* Ⓤ 馬口鐵；洋鐵皮。

tin-plate [ˋtɪnˏplet] *v.t.* 包以洋鐵。

tin·sel [ˋtɪnsl] *n.* Ⓤ ①(裝飾聖誕樹、舞者衣服等用的)亮光金屬片、閃光金屬絲。②華麗而無價值的東西。③閃光金屬絲交織物。— *v.t.* (-l-,〖英〗-ll-)飾以發燦麗亮光的金屬片[絲]。— *adj.* 華而不實的。

tin·smith [ˋtɪnˏsmɪθ] *n.* Ⓒ 洋鐵匠；錫器匠。

***tint** [tɪnt] *n.* Ⓒ ①色；色彩。②色澤。③淡色。— *v.t.* 微染；著以淺色。

tin·type [ˋtɪnˏtaɪp] *n.* Ⓤ 鐵板照相。

tin·ware [ˋtɪnˏwɛr] *n.* Ⓤ 洋鐵(皮)製品；錫器。

‡**ti·ny** [ˋtaɪnɪ] *adj.* 微小的；極小的。

-tion〖字尾〗表「動作；狀態；行爲之結果」等之名詞字尾。(亦作**-ation, -cion, -ion, -sion, -xion**)

***tip**[1] [tɪp] *n.* Ⓒ①小費。②祕密消息。③

暗示；指點。—— *v.t.* (-pp-) ①賞錢；給小費。②給暗示；指點。③透露祕密。—— *v.i.* 賞小費。～ *a person off*〖美俗〗**a.**向某人透露消息；暗中通知某人。**b.**〖俚〗殺死。

***tip**² *n.* Ⓒ ①尖；尖端。②具尖端之物。③尖頂。*on the ～ of one's tongue* (話)到嘴邊；差點說出口。—— *v.t.* (-pp-) (以…)裝在[覆蓋]…的頂端。

tip³ *v.t.* (-pp-) ①使傾斜。②打翻〔常 over〕。③傾出；倒出。④觸摸或微舉(帽邊)致敬。—— *v.i.* ①傾斜。②推翻。—— *n.* Ⓒ 傾斜；堆垃圾處。

tip⁴ *v.t.* (-pp-)①輕擊；輕拍。②球棒擦(球)。—— *n.* Ⓒ (打擊手擊出的)擦棒球。

tip-off [ˋtɪp,ɔf] *n.* Ⓒ ①(賽馬或股市等的)祕密消息。②告誡；透露消息。

tip·pet [ˋtɪpɪt] *n.* Ⓒ ①(婦女披帶之)短披肩；肩巾。②(法官與牧師之)黑長披肩。

tip·ple [ˋtɪpḷ] *v.t.* 一小口一小口地喝(烈酒)。—— *v.i.* (習慣性地)飲酒；酗酒。—— *n.* Ⓤ Ⓒ (常 *sing.*)烈酒。

tip·pler [ˋtɪplɚ] *n.* Ⓒ 酒鬼；酒量大的人。

tip·ster [ˋtɪpstɚ] *n.* Ⓒ〖俗〗(在賽馬、賭博、投機事業中)通報祕密消息者；洩漏內情者；預測優勝者。

tip·sy [ˋtɪpsɪ] *adj.* ①喝[微]醉的。②易傾斜的；搖搖晃晃的；蹣跚的。

***tip·toe** [ˋtɪp,to] *n.* Ⓒ 腳尖。*on* ～ **a.**踮著腳尖(走)；踮腳尖(站)。**b.**熱切地。—— *v.i.* 以腳尖行走。—— *adj.* ①以腳尖走路的。②熱切的。—— *adv.* 用腳尖(走或站)地。

tip·top [ˋtɪpˋtɑp] *n.* (the ～)頂點；第一流。—— *adj.* ①在最高點的。②最好的；第一流的。—— *adv.* 最佳地。

ti·rade [ˋtaɪred] *n.* Ⓒ ①長篇的激烈演說。②長篇的彈劾或攻擊性演說。

‡**tire**¹ [taɪr] *v.t.* ①使疲倦。②使厭倦。—— *v.i.* ①疲倦。②厭倦〔常 of〕。～ *out* (使)精疲力竭。

***tire**², **tyre** *n.* Ⓒ 輪箍；輪胎。—— *v.t.* 給…裝輪胎[輪箍]。

‡**tired** [taɪrd] *adj.* ①疲乏的；疲倦的。②厭倦的；厭煩的。

tire·less [ˋtaɪrlɪs] *adj.* ①不知疲倦的。②不停的。— **ly,** *adv.*

***tire·some** [ˋtaɪrsəm] *adj.* ①令人厭倦的；令人厭煩的；討厭的。②易使人疲倦的。

tir·ing [ˋtaɪrɪŋ] *adj.* ①(工作等)令人疲倦的；費力的；麻煩的。②(人、談話等)無聊的；令人厭倦的；索然無趣的。

'tis [tɪz] 〖詩〗＝**it is.**

***tis·sue** [ˋtɪʃʊ] *n.* ① Ⓤ〖生物〗組織。② Ⓤ Ⓒ 細薄之絲織物。③ Ⓒ (編造的)一套。④ Ⓤ Ⓒ 薄紙(＝tissue paper). § ～ **pâper** 薄紙(近乎透明，作包裝、保護精緻物品等用)；化妝紙。

tit¹ [tɪt] *n.* Ⓒ 山雀。

tit² *n.* 用於下列片語：～ *for tat* 一報還一報。

tit³ *n.* Ⓒ 奶頭；乳頭。

Ti·tan [ˋtaɪtṇ] *n.* ① Ⓒ〖希神〗泰坦族之任何一員。②(t-) Ⓒ 巨人；巨物。③太陽神。—— *adj.* (t-)＝**titanic.**

ti·tan·ic [taɪˋtænɪk] *adj.* ①巨大的；極其有力的。②(T-)(似)泰坦神的。

ti·ta·ni·um [taɪˋtenɪəm] *n.* Ⓤ〖化〗鈦(金屬元素；符號 Ti).

tit·bit [ˋtɪt,bɪt] *n.* Ⓒ ①量少而質精的食物。②珍聞；花邊新聞；花絮。(亦作 **tidbit**)

tithe [taɪð] *n.* Ⓒ ①十分之一。②一小部分；少許。③(常 *pl.*)什一稅(以農產十分之一繳予教會)。—— *v.t.* 對…課以[繳納]十分之一的稅。—— *v.i.* 繳納什一稅。

tit·il·late [ˋtɪtḷ,et] *v.t.* ①搔…癢。②刺激(味覺、想像等)使有愉快之感。—**tit·il·la'tion,** *n.*

***ti·tle** [ˋtaɪtḷ] *n.* ① Ⓒ 標題；題目；名稱。② Ⓤ Ⓒ 稱號；頭銜。③ Ⓤ 權利；資格。④ Ⓤ〖法律〗所有權。⑤ Ⓒ 冠軍。⑥＝**title page.** ⑦ Ⓒ (常 *pl.*)〖影，視〗**a.**字幕。**b.**片頭。—— *v.t.* ①以官銜稱呼。②賦予頭銜[標題](等)。§ ～ **dēed**〖法律〗所有權狀。～ **pāge** 扉頁；書名頁。～ **rōle** [**pārt**] 劇名[片名]角色；主角。

ti·tled [ˋtaɪtḷd] *adj.* 有官銜[爵位]的。

ti·tle·hold·er [ˋtaɪtḷ,holdɚ] *n.* Ⓒ 優勝榮譽之保持者；錦標保持者。

tit·mouse [ˋtɪt,maʊs] *n.* Ⓒ (*pl.* **-mice**)山雀。

ti·trate [ˋtaɪtret] *v.t.*〖化〗滴定。— **ti·tra'tion,** *n.*

tit·ter [ˋtɪtɚ] *n.* Ⓒ 竊笑；傻笑。—— *v.i.* 竊笑；傻笑。

tit·tle [ˋtɪtḷ] *n.* ① Ⓒ 字母上的小點或標號(如 i 上之小點，á 上之 ')。②(a ～)微量。

tit·tle-tat·tle [ˋtɪtḷ,tætḷ] *n.* Ⓤ 聊天；閒談。—— *v.i.* 聊天；閒聊。

tit·u·lar [ˋtɪtʃələɚ] *adj.* ①名義上的；有名無實的。②被用作片名等的；標題的。③有爵位的。— **ly,** *adv.*

tiz·zy [ˋtɪzɪ] *n.* Ⓒ ①(常 *sing.*)〖俚〗慌亂；驚慌。②〖英俚〗六辨士。

T-junc·tion [ˋti,dʒʌŋkʃən] *n.* Ⓒ ①丁字路口。②(管子等的)丁字形接合點。

T.K.O., TKO, t.k.o. technical knock-out.〖拳擊〗技術擊倒。

TNT, T.N.T. trinitrotoluene.

‡**to** [tu, tʊ] *prep.* ①向…方。The house looks *to* the south.這所房屋朝南。②指向某目標；面對某目標。I sat face *to* face with her. 我和她面對面坐著。③至；到；達；迄。from beginning *to* end 自始至終。④致使成某種狀態。She tore the letter *to* pieces. 她將信撕成碎片。⑤爲某種目的。Mother came *to* the rescue. 母親來援救。⑥比。The score was 9 *to* 5. 得分是九比五。⑦適合；按照；配合。It is not *to* my taste.它不合我的所好。⑧屬於。the key *to* my room 我房間的鑰匙。⑨加於。He had milk *to* his coffee.他加牛乳於咖啡中。⑩關於。What did he say *to* that?關於那個他說些甚麼? ⑪與動詞原形連用而構成不定詞。⑫表示數目或數量的比例關係。20 *to* the pack 每包 20 支。—— *adv.* ①達於尋常或所要求之狀態；達於關閉或休止狀態。Push

the door *to*. 將門推閉。②對某一事情、動作或工作。He turned *to* with a will.他開始努力去做。***to and fro*** 往復；來回。

toad [tod] *n.* Ⓒ①蟾蜍。②卑鄙的人。

toad·stool [ˋtod,stul] *n.* Ⓒ①傘菌。②毒蕈。

toad·y [ˋtodɪ] *n.* Ⓒ 諂媚者。—*v.t.* & *v.i.* (向…)諂媚；奉承。

toad·y·ism [ˋtodɪ,ɪzəm] *n.* Ⓤ 諂媚；奉承。

to-and-fro [ˋtuənˋfro] *adj.* & *adv.* 往復的[地]；來回的[地]。

***toast**[1] [tost] *n.* Ⓤ 烤麵包片。—*v.t.* ①烘；烤。②烘暖。—*v.i.* 取暖。

toast[2] *n.* Ⓒ①被舉杯頌祝健康者。②飲酒頌祝健康；乾杯。—*v.t.* & *v.i.* 爲(某人)舉杯祝酒；爲(某人)乾杯。

toast·er [ˋtostɚ] *n.* Ⓒ 烤麵包機；烤麵包的人。

toast·mas·ter [ˋtost,mæstɚ] *n.* Ⓒ①宴會主持人；司儀。②提議舉杯祝酒的人。

toast·mis·tress [ˋtost,mɪstrɪs] *n.* Ⓒ(宴會的)女司儀。

‡**to·bac·co** [təˋbæko] *n.* ⓊⒸ (*pl.* ~**s**, ~**es**)煙草；煙葉。§ ~ **pìpe**(抽煙絲用的)煙斗。~ **plànt** 煙草屬之植物；煙草。~ **pòuch** 煙絲袋。

to·bac·co·nist [təˋbækənɪst] *n.* Ⓒ〖英〗煙草商。

to-be [tuˋbi] *adj.* (常構成複合字；置於名詞後)未來的；預定的。a bride-*to-be* 準新娘。—*n.* (the ~)未來。

to·bog·gan [təˋbɑgən] *n.* Ⓒ 扁長平底橇。—*v.i.* ①乘橇滑下。②(聲望、物價)急降。

To·by [ˋtobɪ] *n.* Ⓒ①老人形啤酒杯。②〖俚〗一種劣等雪茄。(亦作 **toby**)

toc·sin [ˋtɑksɪn] *n.* Ⓒ 警鐘；警鈴。

tod [tɑd] *n.* Ⓒ〖蘇, 英方〗①狐。②狡猾的人。

‡**to·day** [təˋde] *n.* Ⓤ①今天。②現在；當今。—*adv.* ①今天。②現今。

tod·dle [ˋtɑdḷ] *v.i.* ①(如小孩般)蹣跚行走。②〖俗〗閒步；散步。—*n.* Ⓒ 蹣跚步伐。—**todˊdler,** *n.*

tod·dy [ˋtɑdɪ] *n.* ⓊⒸ①椰子汁；棕櫚酒。②烈酒中加糖和熱開水的飲料。

to-do [təˋdu] *n.* Ⓒ (*pl.* ~**s**) (常 *sing.*)〖俗〗騷亂；紛擾；嚷鬧。

toe** [to] *n.* Ⓒ①趾；腳尖。②鞋、襪等的趾部。③蹄的前部。④趾狀物。on one's ~s***〖俗〗警覺的；準備好的。***step*** [***tread***] ***on one's ~s***觸怒某人。—*v.t.* ①以趾踏觸；用脚尖踢。②〖高爾夫〗用球桿的末端擊(球)。—*v.i.* 行走時趾尖向內[外]。§ ~ **hòld** (1)登山時僅夠放腳尖的搭腳處的地方；不穩的小立足點；任何稍有助於克服困難的方法；些微的助益。(2)〖角力〗反踝關節扭腳趾。

toe·cap [ˋto,kæp] *n.* Ⓒ 鞋尖；鞋頭。

toe-dance [ˋto,dæns] *v.i.* 跳腳尖舞。

TOEFL [ˋtofḷ] Test of English as a Foreign Language. 托福(考試)。

toe·nail [ˋto,nel] *n.* Ⓒ ① 趾甲。②斜釘。

tof·fee [ˋtɑfɪ, ˋtɔfɪ] *n.* ⓊⒸ 太妃糖(糖與奶油製成)。(亦作 **toffy**)

tog [tɑg] *n.* (*pl.*)〖俗〗衣服。—*v.t.* (**-gg-**) 使穿衣；使打扮起來〖常 out, up〗.

to·ga [ˋtogə] *n.* Ⓒ (*pl.* ~**s**, **-gae** [-dʒi])①(古羅馬男子的)寬外袍。②官服；制服。

‡**to·geth·er** [təˋgɛðɚ] *adv.* ①一起；共同。②連接地；不斷地。③同時。④彼此；互相。~ ***with***連同；和…一起。

tog·ger·y [ˋtɑgərɪ] *n.* Ⓤ〖俗〗衣服。

tog·gle [ˋtɑgḷ] *n.* Ⓒ ①〖機〗接根；套環；肘節。②棒形鈕扣。—*v.t.* 給…裝上套環[棒形鈕扣]。

***toil**[1] [tɔɪl] *n.* Ⓤ辛勞；辛苦工作。—*v.i.* ①辛勞；辛苦工作。②很艱苦地行進。—**er,** *n.*

toil[2] *n.* (*pl.*)羅網。

***toi·let** [ˋtɔɪlɪt] *n.*①Ⓤ梳妝；裝飾。②Ⓒ浴室；盥洗室；廁所。③Ⓒ一套梳妝用具。④Ⓒ〖古〗梳妝臺。⑤Ⓤ禮服；裝束。§ ~ **pàper**[**tìssue**]衛生紙。~ **sèt**化妝用具。~ **sòap**香皂；洗面皂。~ **tàble** 梳妝台；化妝台。~ **wàter** 化妝水；花露水。

toi·let·ry [ˋtɔɪlɪtrɪ] *n.* (*pl.*)化妝品。

toi·lette [tɔɪˋlɛt, twɑˋlɛt]〖法〗*n.* Ⓤ ①(女人的)化妝；裝扮。②裝束；盛裝。

toi·let-train [ˋtɔɪlɪt,tren] *v.t.* 訓練(小孩)上廁所。

toil·some [ˋtɔɪlsəm] *adj.* 辛苦的；勞頓的；費力的。

to·ken** [ˋtokən] *n.* Ⓒ ①表號；表徵；象徵；記號。②紀念品。③代用幣。by the same ~*** **a.**而且；此外。**b.**基於同樣的理由。—*adj.* 象徵性的。§ ~ **móney**[**cóin**]代用幣；輔幣。~ **páyment** 象徵性償付。

To·ky·o, To·ki·o [ˋtokɪ,o] *n.* 東京(日本首都)。§ ~ **Bày** 東京灣。

To·ky·o·ite [ˋtokɪo,aɪt, -kjo-] *n.* Ⓒ東京居民；東京人。

‡**told** [told] *v.* pt. & pp. of **tell.**

tol·er·a·ble [ˋtɑlərəbḷ] *adj.* ①可忍受的。②尚可的。—**tolˊer·a·bly,** *adv.*

tol·er·ance [ˋtɑlərəns] *n.* ① Ⓤ 寬容；容忍。②ⓊⒸ 耐(藥)量；耐受性。③ⓊⒸ (機械、鑄幣等的)公差。

tol·er·ant [ˋtɑlərənt] *adj.* ①寬容的；容忍的。②有耐藥力的。

***tol·er·ate** [ˋtɑlə,ret] *v.t.* ①容許；容忍；忍受。②對(藥物)有耐藥力。

tol·er·a·tion [,tɑləˋreʃən] *n.* Ⓤ ①容許；容忍；忍受。②信仰自由。

toll[1] [tol] *v.t.* ①鳴(鐘)(爲報死亡、時刻等)。②鳴鐘召集或解散。—*v.i.* (鐘)鳴。—*n.* (*sing.*)①緩慢而有規律的鐘聲。②鳴鐘。

***toll**[2] *n.* Ⓒ①使用稅；通行費。②(通行費等的)徵收權。③(常 *sing.*)代價；犧牲；損失。④服務費用。§ ~ **bàr**(爲徵收過路費或過橋費而設的)遮路橫木；關卡；關閘。~ **brìdge** 收過橋費的橋樑。~ **càll**〖美〗長途電話。~ **lìne** 長途電話線。~ **ròad**徵收通行稅的道路。~ **TV**收費電視。

toll-free [ˋtolˋfri] *adj.* 不必付(通行)費的。

toll·gate [ˋtol,get] *n.* =**toll bar.**

toll·house [ˋtol,haus] *n.* Ⓒ 通行稅

徵收處。「行稅的人。
toll·keep·er [ˋtol,kipɚ] *n.* Ⓒ 收通
toll-vi·sion [ˋtol,vɪʒən] *n.* Ⓤ 收費電視(=toll TV).
toll·way [ˋtol,we] *n.* Ⓒ 徵收通行稅的道路。
Tol·stoy [ˋtalstɔɪ] *n.* 托爾斯泰(Lev [Leo] Nikolaevich, 1828-1910, 俄國小說家及社會改革者)。「苯。
tol·u·ene [ˋtalju,in] *n.* Ⓤ〖化〗甲
tom [tam] *n.* Ⓒ 雄性動物; (尤指)雄貓。
Tom [tam] *n.* 湯姆(男子名, Thomas 之暱稱)。 ***every ~, Dick, and Harry***〖俗〗隨便任何人, 張三、李四或王五(常含輕蔑意味)。§ ~ **Thúmb** 大拇指湯姆 (童話裡的主角); 拇指仙童; 矮人。~ **Týler** [**Tíler**] 怕老婆的人。
tom·a·hawk [ˋtamə,hɔk] *n.* Ⓒ (北美印第安人用的)戰斧; 鉞。***bury*** [***lay aside***] ***the ~*** 講和。— *v.t.* 用戰斧斬或殺。「番茄。
***to·ma·to** [təˋmeto] *n.* ⓊⒸ (*pl.* **~es**)
***tomb** [tum] *n.* Ⓒ 墳墓。— *v.t.* 埋葬於墓中。「獎券。
tom·bo·la [ˋtambələ] *n.* Ⓒ 彩票;
tom·boy [ˋtam,bɔɪ] *n.* Ⓒ 行爲似男孩的女孩; 頑皮姑娘。「碑。
tomb·stone [ˋtum,ston] *n.* Ⓒ 墓
tom·cat [ˋtam,kæt] *n.* Ⓒ 雄貓。
tome [tom] *n.* Ⓒ 大冊書; 巨著。
tom·fool [ˋtamˋful] *n.* Ⓒ 愚人; 笨伯。
tom·fool·er·y [,tamˋfulərɪ] *n.* ① Ⓤ 蠢舉。② Ⓒ 庸俗無聊的小玩意。
tom·my [ˋtamɪ] *n.* ① Ⓤ〖英俚〗(發給士兵的)配給麵包。② Ⓒ (常 T-)英國兵。§ **T~ gùn**〖俗〗(湯姆生)手提輕機槍; 衝鋒槍。~ **shòp** (1)發給職工貨品以代替薪金之工廠。(2)工廠內之食品販賣部。
tom·my·rot [ˋtamɪ,rat] *n.* Ⓤ〖俚〗胡說; 胡扯; 愚蠢。
to·mo·gram [ˋtomə,græm] *n.* Ⓒ〖醫〗X 線斷層相片。
to·mog·ra·phy [toˋmagrəfɪ] *n.* Ⓤ X 線斷層攝影術。
‡to·mor·row [təˋmɔro, -ˋmar-] *n.* Ⓤ 明天。— *adv.* 明天; 來日。
tom·tit [ˋtam,tɪt] *n.* Ⓒ 小鳥; (尤指)山雀。
tom-tom [ˋtam,tam] *n.* Ⓒ ①(印度等地的)手鼓。②單調的敲打聲。
ton** [tʌn] *n.* Ⓒ ①噸。②貨物容積單位。③船艙容積單位(=100 立方英尺)。④船的載貨單位(=40 立方英尺)。⑤船的排水量單位(=35 立方英尺)。⑥(常 *pl.*)〖俗〗許多; 大量。long ~*** 英噸(=2,240 磅)。***metric ~*** 公噸(=1,000 公斤)。***short ~*** 美噸(=2,000 磅)。
ton·al [ˋtonl̩] *adj.* 聲音的; 音調的; 色調的。
to·nal·i·ty [toˋnælətɪ] *n.* ⓊⒸ ①〖美術〗色調。②〖樂〗音調。
‡tone [ton] *n.* ① Ⓒ 聲音; 音調。② Ⓒ 音質。③ Ⓒ〖樂〗樂音; 全音; 全音程。④ Ⓒ 語調; 語氣。⑤ Ⓒ〖語音〗音調的抑揚。⑥ Ⓒ 風氣; 品格; 氣氛。⑦ Ⓤ (身心的)健康狀態。⑧ Ⓒ 色調; 明暗。— *v.t.* ①以某種特殊腔調說。②給(樂器)定調。③以某種色調繪(畫)。~ ***down*** 緩和; 減輕。~ ***up*** 提高; 加強。§ ~ **àrm** (電唱機的)唱柄支臂。~ **còlor**〖樂〗音色。
toned [tond] *adj.* 帶有…調子的; 調子…的。shrill-*toned* 聲調尖銳的。
tone-deaf [ˋton,dɛf] *adj.* 音感差的。
tone·less [ˋtonlɪs] *adj.* 無聲的; 無抑揚頓挫的; 無風格的; 單調的; 平凡的。— **ly,** *adv.* — **ness,** *n.*
tong [tɔŋ] *n.* Ⓒ ①(中國之)黨; 會社。②〖美〗(華僑之)祕密會社; 堂。
Tón·ga Íslands [ˋtaŋgə ~] *n.* 東加群島(西南太平洋一王國, 正式名稱爲 Kingdom of Tonga, 首府爲 Nukualofa).
tongs [tɔŋz] *n. pl.* 鉗; 夾具。
‡tongue [tʌŋ] *n.* ① Ⓒ 舌。② ⓊⒸ (供食用的)動物舌頭。③ Ⓒ 言語能力。④ Ⓒ 講話的方式、態度。⑤ Ⓒ 語言。⑥ Ⓒ 舌狀物。⑦ Ⓒ 樂器中震顫的簧舌。⑧ Ⓒ〖機〗榫舌。***find one's ~***(因受驚或羞怯而啞口一段時間之後)開口說話。***hold one's ~*** 緘默。***lose one's ~*** 暫時失去講話之能力。(***with one's***) ***~ in*** (***one's***) ***cheek*** 無誠意地。— *v.t. & v.i.* ①以簧舌調整(樂器)的音調。②裝榫舌於。③以舌觸。④斥責。⑤〖俗〗說出。§ ~ **twìster** 繞口令。
tongue-in-cheek [ˋtʌŋɪn,tʃik] *adj.* 無誠意的; 不能當眞的; 諷刺的。
tongue-lash·ing [ˋtʌŋ,læʃɪŋ] *n.* ⓊⒸ 嚴厲的責備。
tongue-tied [ˋtʌŋ,taɪd] *adj.* ①〖醫〗結舌的。②講不出話的。
ton·ic [ˋtanɪk] *n.* Ⓒ ①強身劑。②〖樂〗主音。— *adj.* ①增強精力的; 滋補的。②〖樂〗主調音的。③〖生理, 醫〗強直的; 緊張的。§ ~ **sol-fá**〖樂〗首調唱名法; 梭法譜法。「— *adv.* 今夜。
‡to·night [təˋnaɪt] *n.* Ⓤ 今晚; 今夜。
ton·nage [ˋtʌnɪdʒ] *n.* Ⓤ ①噸位; 載重量。②船舶的噸稅。③以噸計的重量。④(屬於某國家船舶的)總噸數。
tonne [tʌn] *n.* Ⓒ (*pl.* **~s, ~**)公噸。
ton·sil [ˋtansl̩] *n.* Ⓒ〖醫〗扁桃體。
ton·sil·lec·to·my [,tansl̩ˋɛktəmɪ] *n.* ⓊⒸ〖外科〗扁桃體切除術。
ton·sil·li·tis [,tansl̩ˋaɪtɪs] *n.* Ⓤ〖醫〗扁桃體炎。
ton·sure [ˋtanʃɚ] *n.* ① Ⓤ〖宗〗削髮。② Ⓒ 頭剃光部分。— *v.t.* 爲…削髮。
ton·y [ˋtonɪ] *adj.*〖俚〗時髦的; 高級的; 豪華的(含譏諷)。
‡too [tu] *adv.* ①也; 亦。②太; 過於。③非常; 極。
‡took [tʊk] *v.* pt. of **take.**
***tool** [tul] *n.* Ⓒ ①工具; 器具。②傀儡; 走狗; 嘍囉。③切、鑽、磨光等機器的一部分; 此等機器。— *v.t.* ①用工具給…加工。②壓印圖案於(皮面書的封面)。③駕駛; 乘坐(車子)。— *v.i.* ①用工具工作。②乘坐車子。
tool·box [ˋtul,baks] *n.* Ⓒ 工具箱。
tool·house [ˋtul,haʊs] *n.* Ⓒ 工具房; 工具間。
tool·room [ˋtul,rum] *n.* Ⓒ (工廠內)

T

修理、存放工具的房間。

tool·shed [ˋtul͵ʃɛd] *n.* =**toolhouse.**

toot [tut] *n.* [C] 號角、笛等的鳴聲。 —*v.i. & v.t.* ①吹號角或笛。②發出號角聲或笛聲。

‡**tooth** [tuθ] *n.* [C] (*pl.* **teeth** [tiθ])①牙齒。②齒狀物。③(常 *pl.*)威力；破壞力。④嗜好；胃口。*in the teeth of* **a.**面對；正面反對。**b.**違抗；不顧。*set one's teeth* 咬緊牙關；立下決心。*show one's teeth* 發怒；作出凶惡狀。*throw*[*cast*]*... in one's teeth* 爲…而責備；將…歸咎於某人。～ *and nail*[*claw*]傾力；不遺餘力。*to the teeth* 完全地；徹底地。—*v.t.* ①給…裝齒。②將…的邊緣切成齒狀。—*v.i.* (如齒輪)咬合。§～ **pòwder** 牙粉。

tooth·ache [ˋtuθ͵ek] *n.* [U][C] 牙痛。

tooth·brush [ˋtuθ͵brʌʃ] *n.* [C] 牙刷。

toothed [tuθt] *adj.* ①有齒的。②鋸齒狀的。～gearing 〖機〗齒輪聯動。

tooth·less [ˋtuθlɪs] *adj.* 無牙齒的。

tooth·paste [ˋtuθ͵pest] *n.* [U][C] 牙膏。

tooth·pick [ˋtuθ͵pɪk] *n.* [C] 牙籤。

tooth·some [ˋtuθsəm] *adj.* 美味的。 —**ly,** *adv.* —**ness,** *n.*

tooth·y [ˋtuθɪ] *adj.* ①露出牙齒的。②有牙齒的。③好味道的；好吃的。④表面粗糙的。

too·tle [ˋtutl̩] *v.i.* 用管樂器反覆地輕吹。—*n.* [C] 吹笛等的聲音。

too-too [ˋtuˋtu] *adv.* 極端地；非常地；過度地。—*adj.*〖俚〗極端的；過度的；做作的。

toot·sy [ˋtʊtsɪ] *n.* ①〖美俗〗(稱呼)小姐；姑娘。②[C]〖俚〗腳。

‡**top**[1] [tɑp] *n.* ① [C] 頂；巔；上部；上端。②(the ～)最高階段；最高地位。③(the ～)最高度；最高點；極點。④[C] 居於領袖地位的人。⑤(the ～)最好與最重要的部分。⑥[C] (常 *pl.*)植物長於地面上的部分；樹枝尖端較嫩的部分。⑦[C] 頭頂。⑧[C] 車頂；車篷。⑨[C] 鞋或靴的上部。⑩[C] 髮綹；纖維束。⑪[C] 船的桅樓。⑫[C]〖棒球〗一局比賽的前半局。*at the ～ of the tree* 居最高地位。*blow one's ～*〖俚〗**a.**發脾氣。**b.**發瘋。*from ～ to toe* 從頭到腳；全身地。*on*(*the*) *～ of* **a.**在…上邊。**b.**此…之外。*over the ～*〖軍〗翻越戰壕(展開攻擊)。—*adj.* ①最高的；最大的。②頂上的。—*v.t.* (**-pp-**)①給…加頂(蓋)。②截去…的頂端。③爲…之冠；位於…的頂端。④抵達…之頂峰。⑤升到…上。⑥超越；高過。⑦擊(球)之上部使旋轉前進。—*v.i.* ①爬到頂點。②向高處升。③居首位。～ *off* 完成；結束。§～ **bòot** 長統靴；馬靴。～ **hàt** 高頂絲質禮帽。～ **kìck** (1)〖軍俚〗士官長(=first sergeant). (2)頭兒；上司。～ **sécret** 最高機密；絕對機密。～ **tàlks** 最高級會談。

top[2] *n.* [C] 陀螺。*sleep like a ～* 睡得很熟。

to·paz [ˋtopæz] *n.* [U][C]〖礦〗黃晶；黃玉。

top·coat [ˋtɑp͵kot] *n.* [C] 大衣；薄大衣；外套。

top-draw·er [ˋtɑp͵drɔɚ] *adj.* ①上流社會的。②最高級的；最重要的。

tope[1] [top] *v.i. & v.t.*〖文〗酗酒；縱飲(酒)。

tope[2] *n.* [C]〖魚〗(歐洲產的)翅鯊。

tope[3] *n.* [C] (佛教國)圓頂佛塔；浮屠；陵廟。

top-flight [ˋtɑpˋflaɪt] *adj.*〖俗〗最好的；第一等的。

top-grade [ˋtɑpˋgred] *adj.* 高級的；最好品質的。

top-heav·y [ˋtɑp͵hɛvɪ] *adj.* 上部過重的；頭重腳輕的；不穩的。

to·pi·ar·y [ˋtopɪ͵ɛrɪ] *adj.*剪修花草使成裝飾形式的。—*n.* [U][C] ①剪修裝飾。②經剪修過的花園。

***top·ic** [ˋtɑpɪk] *n.* [C] 論題；話題；題目。

top·i·cal [ˋtɑpɪkl̩] *adj.* ①有關時事的；話題的。②論題的；標題的。③〖醫〗局部的。

top·knot [ˋtɑp͵nɑt] *n.* [C] ①頂髻；頭頂之飾結。②鳥冠(毛)。

top-lev·el [ˋtɑpˋlɛvl̩] *adj.*〖俗〗最高級的；首腦的。

top·loft·y [ˋtɑpˋlɔftɪ] *adj.*〖俗〗矜誇的；高傲的。

top·mast [ˋtɑp͵mæst] *n.* [C]〖海〗中桅。

top·most [ˋtɑp͵most] *adj.* 最高的；最上的；絕頂的。

top-notch [ˋtɑpˋnɑtʃ] *adj.*〖俗〗第一流的；最高質量的。(亦作 **topnotch**)

to·pog·ra·pher [toˋpɑgrəfɚ] *n.* [C] ①地誌學者。②繪製地形圖者；地形測量師。

top·o·graph·ic, -i·cal [͵tɑpəˋgræfɪk(l̩)] *adj.* 地誌的；地形學上的。

to·pog·ra·phy [toˋpɑgrəfɪ] *n.* [U] ①地形學；地誌。②地形。

to·pol·o·gy [toˋpɑlədʒɪ] *n.* [U] ①地誌學。②風土誌研究。③〖數〗拓撲學。

top·per [ˋtɑpɚ] *n.* [C] ①〖俚〗第一流的人或物。②〖俗〗大禮帽。③〖俗〗輕便大衣；(尤指)女人之短而寬鬆的(短)大衣。

top·ping [ˋtɑpɪŋ] *adj.* ①首要的；最高的。②〖英俗〗優越的；第一流的。

top·ple [ˋtɑpl̩] *v.i.* ①(因頭重而)倒下〔常over〕。②搖搖欲墜。—*v.t.*使倒；推翻；顚覆。

top-rank·ing [ˋtɑp͵ræŋkɪŋ] *adj.*〖美俗〗最高級的。

top·sail [ˋtɑpsl̩] *n.* [C]〖海〗中桅帆。

top-se·cret [ˋtɑpˋsikrɪt] *adj.*〖軍〗絕對機密的。

top·side [ˋtɑpˋsaɪd] *n.* [C] (常 *pl.*)〖海〗船的乾舷部；水面上的舷側。

top·soil [ˋtɑp͵sɔɪl] *n.* [U] 表層土壤。

top·sy-tur·vy [ˋtɑpsɪˋtɝvɪ] *adv. & adj.* ①顚倒地[的]。②混亂地[的]；亂七八糟地[的]。—*n.* [U] ①顚倒。②亂七八糟。

tor [tɔr] *n.* [C] 突岩；多岩的小山。

To·ra(h) [ˋtorə] *n.* (the ～)〖猶太教〗教訓；神諭；法律。

***torch** [tɔrtʃ] *n.* [C] ①火炬；火把。②〖英〗手電筒(=flashlight).③(知識、文明之)火把。④噴燈。*carry the*[*a*]～ *for*〖俚〗對(異性)發生單相思。

torch·bear·er [ˋtɔrtʃ͵bɛrɚ] *n.* [C]

①持火炬者。②啓蒙之人；領導者。
torch·light [ˋtɔrtʃ,laɪt] *n.* Ⓤ火炬之光。
***tore** [tor, tɔr] *v.* pt. of **tear**².
tor·e·a·dor [ˋtɔrɪə,dɔr] *n.* Ⓒ (特指騎在馬上之)鬥牛士。
***tor·ment** [tɔrˋmɛnt] *v.t.* 使痛苦；使煩惱；折磨。—[ˋtɔrmɛnt] *n.*① Ⓤ 痛苦；煩惱。② Ⓒ 痛苦[煩惱]之因。
tor·ment·ing [tɔrˋmɛntɪŋ] *adj.* 使人痛苦的；使人苦惱的；折磨人的。
tor·men·tor [tɔrˋmɛntɚ] *n.* Ⓒ 使人痛苦[煩惱]之人或物；折磨者。
***torn** [torn] *v.* pp. of **tear**².
tor·na·do [tɔrˋnedo] *n.* Ⓒ (*pl.* **~s, ~es**)颶風；旋風；龍捲風。
To·ron·to [təˋrɑnto] *n.* 多倫多(加拿大 Ontario 省首府，濱 Ontario 湖)。
tor·pe·do [tɔrˋpido] *n.* Ⓒ (*pl.* **~es**) ①魚雷；水雷。②〖鐵路〗信號雷管。③小孩玩的摜砲。④〖魚〗電鰩。— *v.t.* ①以魚雷襲擊或轟沉。②擊毀。§ ~ **bòat** 魚雷快艇。~ **tùbe** 魚雷發射管。
tor·pid [ˋtɔrpɪd] *adj.* ①不活潑的；呆鈍的。②麻痺的；無感覺的。③蟄伏的。— **ly,** *adv.* — **ness,** *n.*
tor·pi·fy [ˋtɔrpə,faɪ] *v.t.* & *v.i.* (使)麻痺；(使)失去知覺；(使)變遲鈍。
tor·por [ˋtɔrpɚ] *n.* Ⓤ ①不活潑；呆鈍。②麻痺；無感覺。③蟄伏。
tor·por·if·ic [,tɔrpəˋrɪfɪk] *adj.* 使麻痺的；使無知覺的；使遲鈍的。
torque [tɔrk] *n.* Ⓤ〖機〗轉(力)矩；扭轉力。
***tor·rent** [ˋtɔrənt, ˋtɑr-] *n.* Ⓒ①急流；洪流。②連續不斷；滔滔不絕。③(常 *pl.*)(雨的)傾注。
tor·ren·tial [tɔˋrɛnʃəl] *adj.* ①急流(似)的。②急流造成的。③奔放的。
tor·rid [ˋtɔrɪd] *adj.* 炎熱的；熱烈的。§ **T~ Zòne** 熱帶。
tor·si·bil·i·ty [,tɔrsəˋbɪlətɪ] *n.* Ⓤ 可扭性；反扭性。
tor·sion [ˋtɔrʃən] *n.* Ⓤ 扭；捻；扭轉。— **al,** *adj.*
tor·so [ˋtɔrso] *n.* Ⓒ (*pl.* **~s, -si** [-si])①(無頭及四肢的)軀幹雕像。②(人體之)軀幹。
tort [tɔrt] *n.* Ⓒ〖法律〗侵權行為。
tor·til·la [tɔrˋtija]〖西〗*n.* ⓊⒸ 薄而圓的玉米餅。
***tor·toise** [ˋtɔrtəs,-tɪs] *n.* Ⓒ (生於陸上之)龜。§ ~ **shèll** (1)龜甲。(2)蛱蝶。(3)花貓。
tor·tu·ous [ˋtɔrtʃuəs] *adj.* ①彎彎曲曲的；曲折的。②奸詐的；不正直的。— **ly,** *adv.* — **ness,** *n.*
***tor·ture** [ˋtɔrtʃɚ] *n.* ① Ⓤ 拷問；刑訊。② ⓊⒸ (身體或心靈的)痛苦；苦惱。— *v.t.* ①折磨。②曲解。③扭曲。④拷問。
To·ry [ˋtorɪ] *n.* Ⓒ ①(常 t-)英國保守黨黨員。②美國獨立戰爭時的親英份子。③(常t-)保守主義者。— *adj.* 保守的。
To·ry·ism [ˋtorɪ,ɪzəm] *n.* Ⓤ (常 t-)保皇[保守]主義。
toss** [tɔs] *v.t.* ①投；擲；拋。~ a coin 擲錢幣(以正反面取決)。②使搖盪。③突然舉[抬]起。④擾亂；使不安。— *v.i.*①輾轉。②搖盪；顛簸。~ ***off **a.**迅速而輕易地做。**b.**把…一飲而盡。— *n.* ① Ⓒ 投；擲；拋。② Ⓒ 猛舉；猛抬。③ ⓊⒸ 投擲的距離。④(*sing.*, 常 the ~)搖盪；顛簸。
toss-up [ˋtɔs,ʌp] *n.*① Ⓒ (決定某事的)擲錢。②(a ~)成敗各半的機會。
tost [tɑst] *v.*〖詩〗pt. & pp. of **toss.**
tot¹ [tɑt] *n.* Ⓒ①小兒；小孩。②〖英〗少量酒。
tot² 〖英俗〗*v.t.*(**-tt-**)加；總計〔常up〕. — *n.* Ⓒ 合計。
***to·tal** [ˋtotl] *adj.* ①全體的；總的。②完全的；全然的。— *n.* Ⓒ 總數；總額；合計；全體。— *v.t.*(**-l-,**〖英〗**-ll-**) ①把…加起來；求得…的總數。②總數達…。§ ~ **eclípse**(日、月之)全蝕。~ **wàr** 總體戰。
to·tal·i·tar·i·an [,totæləˋtɛrɪən] *n.* Ⓒ 極權主義者。— *adj.* 極權主義的。
to·tal·i·tar·i·an·ism [to,tæləˋtɛrɪə,nɪzəm] *n.* Ⓤ 極權主義。
to·tal·i·ty [toˋtælətɪ] *n.*① Ⓒ 總數；總額。② Ⓤ 全體。
***to·tal·ly** [ˋtotḷɪ] *adv.* 全部地；完全地；整個地。
tote [tot] *v.t.* ①背負；荷；提。②(以船、車等)運。— *n.* Ⓒ ①背負；提；運。②背負之物。— **tot′er,** *n.*
to·tem [ˋtotəm] *n.* Ⓒ ①圖騰(原始民族用作種族、部落、家族等之象徵的自然物)。②圖騰形像。§ ~ **pòle**圖騰柱。
***tot·ter** [ˋtɑtɚ] *v.i.* ①蹣跚；踉蹌。②(建築物等)搖搖欲倒。③(國家等)瀕於傾覆。— *n.* Ⓒ 蹣跚；搖搖欲墜。— **tot′ter·y,** *adj.*
tot·ter·ing [ˋtɑtərɪŋ] *adj.* ①蹣跚的；踉蹌的。②搖搖欲墜的。③動搖的；不穩的。
tou·can [ˋtukæn] *n.* Ⓒ 巨嘴鳥。
‡**touch** [tʌtʃ] *v.t.* ①(使)觸摸；(使)觸及。②輕按。③傷害；使疼痛。④感動。⑤涉及；談到。⑥匹敵；及得上(通常用於否定句)。⑦吃；喝；吸(通常用於否定句)。⑧短暫停靠。⑨使精神錯亂。⑩感染；使帶(某種)氣味。⑪〖俚〗挪用；偷。— *v.i.* ①觸；接觸。②毗鄰。③(船)短暫停泊。④論及；述及〔on, upon〕.~ ***down*** **a.**(飛機著陸)觸地。**b.**〖橄欖球〗在對方球門線後以球觸地。~ ***off*** **a.**觸發。**b.**開(砲)。**c.**精確地描繪。~ ***on*** [***upon***] **a.**涉及；言及。**b.**跡近；瀕於。~ ***up*** **a.**修整；改進。**b.**喚起；用鞭輕抽(馬)。— *n.* ① Ⓤ 觸覺。② Ⓒ 觸；接觸。③ Ⓒ 輕觸；筆觸。④ Ⓤ 連繫。A newspaper keeps one in ~ with the world.報紙使人與世事保持接觸。⑤ Ⓒ 特徵；特質。⑥(a ~)少許；微量。⑦ Ⓤ 觸鍵；彈奏法。⑧(a ~)微恙。⑨ Ⓒ 試驗；測驗。put something to the ~試驗某物。⑩ Ⓤ Ⓒ 脫險。§ ~ **pàper** 硝紙。
touch-and-go [ˋtʌtʃənˋgo] *adj.* ①草率的；快速行動的。②危險的；不穩的。
touch·down [ˋtʌtʃ,daʊn] *n.* ⓊⒸ〖橄欖球〗①持球者越過對方球門線以球觸地之舉。②底線得分。③(降落)觸地。

tou·ché [tuˋʃe]〖法〗*interj.* ①(比劍時表示觸及對方之口令)點到！②聽到厲害的話或有力的辯論所作之驚歎聲。

touched [tʌtʃt] *adj.* ①受感動的。②略帶瘋癲的；身心不平衡的。

touch·ing [ˋtʌtʃɪŋ] *adj.* 動人的；引人傷感的。 — *prep.* 關於(=concerning, as regards). —**ness,** *n.* —**ly,** *adv.*

touch-me-not [ˋtʌtʃmɪˏnɑt] *n.* Ⓒ〖植〗水金鳳。

touch·screen [ˋtʌtʃˏskrin] *n.* Ⓒ〖電算〗觸摸式螢幕(用手觸摸就可輸入資料的電腦顯示器)。

touch·stone [ˋtʌtʃˏston] *n.* Ⓒ試金石。

touch-tone [ˋtʌtʃˏton] *adj.* (電話等)觸鍵式的。

touch·wood [ˋtʌtʃˏwud] *n.* Ⓤ引火木；引火絨。

touch·y [ˋtʌtʃɪ] *adj.* ①暴躁的；易怒的。②難處理的；棘手的。③對觸覺敏感的。④易起火的；有爆炸性的。

*__tough__ [tʌf] *adj.* ①堅韌的。②強壯的；耐勞苦的。③困難的；費力的。④倔強的；固執的。⑤〖美〗粗暴的；愛滋事的。⑥(命)苦的；冷酷的；不快的。⑦黏稠的；有黏性的。⑧(肉等)咬不動的；老的。 —**ly,** *adv.*

tough·en [ˋtʌfn̩] *v.t.* & *v.i.* ①使[變]堅韌。②使[變]強壯。③使[變]倔強。

tou·pee [tuˋpe] *n.* Ⓒ假髮；小假髮辮。

*__tour__ [tʊr] *n.* Ⓒ ①旅行；漫遊；周遊。②(劇團之)巡迴演出。③〖軍〗(外地)任職[服役]期。 *on* ～在巡迴之中。 — *v.t.* & *v.i.* ①旅行；遊歷；漫遊。②(劇團經理)率領劇團巡迴演出。

tour de force [ˏturdəˋfors]〖法〗*n.* (*pl.* **tours de force** [～])①(*sing.*)(藝術的)特技；力作；絕技。② Ⓒ 精心傑作[演出]。

tour·ism [ˋtʊrɪzm̩] *n.* Ⓤ ①遊覽；觀光。②(集合稱)觀光團。③觀光事業。

‡**tour·ist** [ˋtʊrɪst] *n.* Ⓒ 旅遊者；觀光者。 — *adj.*觀光客(用)的。 § ∼ **clàss** (船或飛機的)經濟艙位。

*__tour·na·ment__ [ˋtɝnəmənt] *n.* Ⓒ ①比賽；競賽。②馬上比武(大會)。

tour·ni·quet [ˋturnɪˏkɛt] *n.* Ⓒ〖外科〗壓脈器；止血帶。

tou·sle [ˋtauzl̩] *v.t.* 攪亂；弄亂(頭髮等)。 — *n.* ①(*sing.*)亂髮。② ⓊⒸ 雜亂；凌亂。 —**tou′sled,** *adj.*

tout [taut] *v.i.* ①〖俗〗招徠顧客；極力勸誘；竭力拜票。②〖英俚〗探查或供給賽馬等之消息。 — *v.t.* ①〖俗〗招徠；極力勸誘；央求；爭取(顧客、工作、選票等)。②〖英俚〗探查；供給(賽馬之消息)。 — *n.* Ⓒ (亦作**touter**)①招徠顧客者；爭取選票等之人。②提供(賽馬之)情報者。

tow[1] [to] *v.t.* 拖；曳。 — *n.* Ⓒ ①拖；被拖之物。②拖曳所用之繩。③被拖之船[車]。 *in* ∼ **a.**被拖著。**b.**受著管教；受著控制。**c.**跟隨著(作伴或跟班)。

tow[2] *n.* Ⓤ 大蔴、亞蔴等的粗纖維屑。 — *adj.* 由蔴的粗纖維屑製的。

tow·age [ˋtoɪdʒ] *n.* Ⓤ ①曳船費；(汽車)拖(吊)費。②拖曳。

‡**to·ward, to·wards** [tord(z), təˋwɔrd(z)] *prep.* ①向；對。②關於；對於。③將近。～noon將近正午。④爲了。

tow·a·way [ˋtoəˋwe] *n.* ⓊⒸ〖美〗拖吊。

tow·boat [ˋtoˏbot] *n.* Ⓒ 拖船；曳船。

*__tow·el__ [taul, ˋtauəl] *n.* Ⓒ 手巾；毛巾。 — *v.t.* & *v.i.* (**-l-,**〖英〗**-ll-**)以手巾擦乾；以手巾擦搓。 § ∼ **hòrse** [**ràck**] (置於浴室中之)毛巾架。

tow·el·(l)ing [ˋtauəlɪŋ] *n.* Ⓤ 做毛巾的原料(尤指棉花)。

‡**tow·er** [ˋtauɚ] *n.* Ⓒ ①塔；高樓。②堡壘；高聳的城堡。 — *v.i.* 高聳；超越。

tow·er·ing [ˋtauərɪŋ] *adj.* ①高聳的。②劇烈的。③極大的。

tow·er·man [ˋtauɚmən] *n.* Ⓒ (*pl.* **-men**) ①在鐵路指揮塔內控制行車的人。②機場管制塔之飛行管制員。

tow·line [ˋtoˏlaɪn] *n.* Ⓒ 船纜；曳船索；拖曳纜。

‡**town** [taun] *n.* ① Ⓒ 城鎮；市鎮。②(the ～)鎮民。③(無冠詞)市內商業中心區域；鬧區。④ Ⓒ〖蘇〗農場。 ***a man about*** ～遊手好閒之人。 § ∼ **críer** 街頭宣告員(沿街呼叫傳播公告)。 ∼ **háll** 鎮[市]公所；市鎮集會所。 ∼ **hòuse** 在城市中之宅邸。 ∼ **méeting** 市民大會；鎮民大會。 ∼ **plánning** 都市計畫。

town·ie [ˋtaunɪ] *n.* Ⓒ〖俗〗鎮[市]民；(尤指)大學城居民。

towns·folk [ˋtaunzˏfok] *n. pl.* 鎮民。

town·ship [ˋtaunʃɪp] *n.* Ⓒ ①鎮區(爲 county 下之一行政區劃)。②(美國公地測量之)六英里見方的地區。

towns·man [ˋtaunzmən] *n.* Ⓒ (*pl.* **-men** [-mən]) ①市民；同鎮的人；同鄉。②(新英格蘭)鎮民代表。

towns·peo·ple [ˋtaunzˏpipl̩] *n. pl.* 市民；鎮民。

tow·path [ˋtoˏpæθ] *n.* Ⓒ (河或運河沿岸之)曳船路；縴路。

tow·rope [ˋtoˏrop] *n.* =**towline.**

tox·(a)e·mi·a [tɑksˋimɪə] *n.* Ⓤ〖醫〗毒血症。

tox·(a)e·mic [tɑksˋimɪk] *adj.*〖醫〗①毒血症的。②患毒血症的。

tox·ic [ˋtɑksɪk] *adj.* 毒的；有毒的；中毒的。

tox·i·col·o·gy [ˏtɑksɪˋkɑlədʒɪ] *n.* Ⓤ 毒物學。 —**tox·i·co·log′i·cal,** *adj.* —**tox·i·col′o·gist,** *n.*

tox·in [ˋtɑksɪn] *n.* Ⓒ 毒素。

‡**toy** [tɔɪ] *n.* Ⓒ ①玩具。②無價值的東西。③小玩意兒；小型事物。④體型極小之動物。 — *adj.* 供玩耍的。 — *v.i.* ①玩弄；戲弄；以…自娛〖with〗. ②調戲；調情。

to·yon [ˋtɔɪən] *n.* Ⓒ 石楠(薔薇科常綠灌木，常作耶誕節裝飾用)。

To·yo·ta [təˋjotə] *n.* ⓊⒸ〖商標〗(日本的)豐田汽車。

toy·shop [ˋtɔɪˏʃɑp] *n.* Ⓒ 玩具店。

*__trace__[1] [tres] *n.* ① ⓊⒸ (常 *pl.*)蹤跡；形跡；痕跡。② Ⓒ (常 *sing.*)微量；少許。There was not a ～of color in her cheek.她的臉上毫無血色。③ Ⓒ 描

記圖。— *v.t.* ①追蹤。②追溯；探索。③看出；查出；找到。④模繪；映寫。⑤用線條等裝飾。⑥寫下。— *v.i.* ①回溯。②追蹤。③(自動記錄儀)用曲線畫下記錄。～ ***back to*** 追溯；回溯到。§～ **èlement**〖生物〗(動植物所不可欠缺的)微量元素。

trace² *n.* Ⓒ (馬車之)挽繩；挽韁。in the ～*s*繫著挽韁；受駕馭。***kick over the ～s*** 擺脫控制；不順從。

trace·a·ble [ˋtresəbḷ] *adj.* ①可追蹤的；可追溯的；可探索由來的。②可描繪的。— **trace′a·bly,** *adv.* — **trace·a·bil′i·ty,** *n.*

trac·er [ˋtresɚ] *n.* Ⓒ ①追蹤者；模寫之人或物。②描跡器；模寫器。③遺失物的查詢者。④查詢遺失貨物、包裹等之單據。⑤曳光彈；曳光彈中之彈藥。⑥〖化，生理〗追蹤[顯蹤]劑(用以指示蹤跡或變化之放射性元素或同位素)。

trac·er·y [ˋtresərɪ] *n.* Ⓤ Ⓒ 窗花格；線紋裝飾。

tra·che·a [ˋtrekɪə, trəˋkiə] *n.* Ⓒ (*pl.* **～s, tra·che·ae** [trəˋki·i]) ①〖解〗氣管。②(昆蟲的)呼吸管。

tra·cho·ma [trəˋkomə] *n.* Ⓤ〖醫〗顆粒性結膜炎；沙眼。

trac·ing [ˋtresɪŋ] *n.* Ⓤ ①追蹤；追溯。②映寫；模寫。§～ **pàper** 描圖紙。

‡**track** [træk] *n.* ① Ⓒ (常 *pl.*)足跡；痕跡。② Ⓒ 路；途徑；路線。③ Ⓒ 軌道；轍；線路。④ Ⓒ 行爲的方式；人生的常道。⑤ Ⓒ〖運動〗跑道。⑥ Ⓤ (集合稱)徑賽運動。～events 徑賽項目。⑦ Ⓒ (車的)履帶。***in one's ～s***〖俗〗當場；立刻。***keep ～ of*** 跟蹤；記錄。***lose ～ of*** 忘了；失去…的聯繫；失去…的蹤跡。***make ～s***〖俗〗趕快走；跑開。***off the ～***離題；出軌。***on the ～***合題；正確。— *v.t.* ①追蹤。②〖美〗留下腳印或其他痕跡於…。③曳(船)。§～ **mèet**〖美〗田徑運動會。

track-and-field [ˋtrækənˋfild] *adj.* 田徑賽的。

track·er [ˋtrækɚ] *n.* Ⓒ ①追蹤者。②追蹤裝置。③拖曳者[裝置]。

track·ing [ˋtrækɪŋ] *n.* Ⓤ ①追蹤。②〖美教育〗(按智力、性向)分班[編組]教學制度(=track system)。§～ **stàtion** 人造衛星追蹤站。

track·lay·er [ˋtrækˌleɚ] *n.* Ⓒ 鋪設鐵軌之工人。

track·less [ˋtræklɪs] *adj.* ①無足跡的；無路的。②無軌道的。

track·man [ˋtrækmən] *n.* Ⓒ (*pl.* **-men**)①協助檢查、鋪設或保養鐵軌之人。②鐵路軌道視察人員。

track·suit [ˋtrækˌsut] *n.* Ⓒ 田徑服。

***tract** [trækt] *n.* Ⓒ ① (土地、海水等)廣袤的一片；區域。②〖解〗道；徑；束。

trac·ta·ble [ˋtræktəbḷ] *adj.* ①易駕馭的；順從的；馴良的。②易處理的；易加工的。— **trac·ta·bil′i·ty,** *n.*

trac·tate [ˋtræktet] *n.* Ⓒ 論文。

trac·tile [ˋtræktḷ] *adj.* 可拉長的。

trac·tion [ˋtrækʃən] *n.* Ⓤ ①拖；曳；牽引。②牽力；牽引力。§～ **èngine** 蒸汽牽引機。

***trac·tor** [ˋtræktɚ] *n.* Ⓒ ①牽引機；拖曳機。②牽引者；牽引物。③曳引式飛機。

trac·tor-trail·er [ˋtræktɚˌtrelɚ] *n.* Ⓒ 牽引機拖車。

‡**trade** [tred] *n.* ① Ⓒ 職業；手藝。② Ⓤ (常 the ～)同行者；同業者。③ Ⓤ 貿易；商業。④ Ⓤ 交易；買賣。⑤ Ⓤ (常 the ～)〖俗〗顧客。⑥(the ～)(釀)酒商。***the ～s*** 貿易風。— *v.t.* 從事…的買賣；交易；交換。— *v.i.* ①進行交易；做貿易；交換(in, with)。②購物。～ ***in*** **a.**以舊品折價換新進物。**b.**經營；做買賣。～ ***off*** 賣掉。～ ***on*** 利用。§～ **nàme** (1)商品名稱。(2)商標名稱。(3)商號名稱。～ **pàper** 專業報紙。～ **prìce** 同業價格；批發價。～ **schòol** 職業學校。～**s únion**〖英〗=trade union. ～ **ùnion** 工會；職工協會。～ **únionism** 工會主義；工會制度。～ **únionist** 工會會員；工會主義者。～ **wìnd** 貿易風(不斷地吹向赤道的信風，昔時帆船常利用此風航行)。

trade-in [ˋtredˌɪn] *n.* Ⓒ ①抵購的物品(如以舊物換新物)。②以物易物之交易。

trade-last [ˋtredˌlæst] *n.* Ⓒ 恭維話。

trade·mark [ˋtredˌmɑrk] *n.* Ⓒ 商標。

trade-off [ˋtredˌɔf] *n.* Ⓒ 交換；取得平衡。

trad·er [ˋtredɚ] *n.* Ⓒ ①商人。②商船。

trades·man [ˋtredzmən] *n.* Ⓒ (*pl.* **-men**)開店者；商人。

trades·peo·ple [ˋtredzˌpipḷ] *n. pl.* ①商人。②開商店者及其家屬。

trad·ing [ˋtredɪŋ] *adj.* 貿易的；買賣的；商業的；從事貿易的。— *n.* Ⓤ ①買賣；貿易。②〖俗〗購物。③〖美〗(政黨間的)妥協。§～ **àrea** 商圈。～ **còmpany**[**concèrn**]貿易公司。～ **estàte**〖英〗產業地區。～ **fìrm** 貿易商社。～ **pòst** 商棧。～ **stàmp**〖美〗(商品中附帶之)贈券。

‡**tra·di·tion** [trəˋdɪʃən] *n.* Ⓤ Ⓒ ①傳說。②因襲；傳統；慣例。③〖宗〗聖傳(摩西或基督及其使徒之口頭誡條)。— **ar·y,** *adj.*

***tra·di·tion·al** [trəˋdɪʃənḷ] *adj.* ①傳說的。②傳統的；因襲的；慣例的。

tra·duce [trəˋdjus] *v.t.* 詆毀；誹謗；中傷。— **ment,** *n.*

Tra·fal·gar [trəˋfælgɚ] *n.* 特拉法加角(西班牙西南部的海角)。§～ **Squáre**(倫敦的)特拉法加廣場(中央立有 Nelson 像之紀念柱)。

‡**traf·fic** [ˋtræfɪk] *n.* Ⓤ ①交通；通行；往來(之行人、車輛等)。②貿易；商業。③交通量；運輸量。④(意見等之)交換；來往。⑤商品(尤指不合法)之交易。— *v.i.* (**-ck-**)做買賣；交易。§～ **cìrcle**圓環。*～ **lìght**交通標誌；紅綠燈。

traf·fic-jammed [ˋtræfɪkˌdʒæmd] *adj.* 交通阻塞的。

traf·fick·er [ˋtræfɪkɚ] *n.* Ⓒ 販子；(不正當的)商人。

tra·ge·di·an [trəˋdʒidɪən] *n.* Ⓒ ①

悲劇演員。②悲劇作家。

***trag·e·dy** [ˋtrædʒədɪ] *n.* Ⓤ Ⓒ ①悲劇。②悲慘之事。

***trag·ic, -i·cal** [ˋtrædʒɪk(l̩)] *adj.* ①悲劇的。②悲慘的。§ ∼ **fláw**〖文〗(悲劇主角性格中的)悲劇性缺陷。—**trag′i·cal·ly,** *adv.*

trag·i·com·e·dy [ˏtrædʒɪˋkɑmədɪ] *n.* Ⓤ Ⓒ 悲喜劇。—**trag·i·com′ic(al),** *adj.*

‡**trail** [trel] *v.t.* ①拖；拉。②追蹤；尾隨；追獵。③踩(草等)成路。④將(演講等)拖長。—— *v.i.* ①拖曳。②蔓生。③慢行。④追蹤；尾隨。⑤漸漸變小。—— *n.* Ⓒ ①蹤跡；嗅跡。②小路；小徑。③尾；一長串；餘縷。

trail·er [ˋtrelɚ] *n.* Ⓒ ①沿著路徑走的人或獸。②地上蔓延的葛藤類。③汽車等拖曳而行的拖車。④(汽車拖動的)活動房屋。⑤電影預告片。§ ∼ **còach** 房屋拖車。

trail·er·ite [ˋtreləˏraɪt] *n.* Ⓒ 居住在汽車拖曳之活動房屋中的人。

‡**train** [tren] *n.* Ⓒ ①火車；列車。②行列；一行；排；列。③連續；連串。④拖曳之物；拖地的裙裾。⑤尾部；尾。⑥隨從人員；扈從。⑦導火線。⑧秩序。*in* ∼ 準備妥當；在進行中。Matters were *in* good ∼. 諸事井然有序。—— *v.t.* ①培養；訓練；教育。②瞄準。③〖園藝〗爲…整枝；修剪。④拖；拉。—— *v.i.* ①練習；鍛鍊；操練。②搭火車。§ ∼ **sèrvice** 火車上的服務。—**a·ble,** *adj.*

train·bear·er [ˋtrenˏbɛrɚ] *n.* Ⓒ (婚禮中)牽紗者。

train·ee [trenˋi] *n.* Ⓒ 接受訓練者。

train·er [ˋtrenɚ] *n.* Ⓒ ①訓練者(尤指體育教練)。②馴馬師。③(美海軍)瞄準手。④訓練用器械。⑤〖空〗訓練機。

***train·ing** [ˋtrenɪŋ] *n.* Ⓤ 訓練；教育。§ ∼ **cȯllege**〖英〗從前的師範學院。∼ **schȯol** (1)訓練所；訓練班。(2)少年感化院。∼ **shìp**(海軍)訓練艦。

train·load [ˋtrenˏlod] *n.* Ⓒ 列車裝載量。

train·man [ˋtrenmən] *n.* Ⓒ (*pl.* **-men**)列車車務員(尤指煞車手)。

train·mas·ter [ˋtrenˏmæstɚ] *n.* Ⓒ (鐵路某一段之)段長。

train·sick [ˋtrenˏsɪk] *adj.* 暈火車的。

traipse [treps]〖俗〗*v.i.* 無目的地徘徊。—— *v.t.*〖方〗經過；走過。

trait [tret] *n.* Ⓒ 特性；特點；特色。national ∼*s* 國民性。

***trai·tor** [ˋtretɚ] *n.* Ⓒ ①賣國賊；叛徒。②背信者。—**ous,** *adj.*

tra·jec·to·ry [trəˋdʒɛktərɪ] *n.* Ⓒ 彈道；拋射物之弧形行程。

tram [træm] *n.* Ⓒ ①〖英〗電車(=streetcar).②電車道。③礦車。

tram·car [ˋtræmˏkɑr] *n.* Ⓒ ①〖英〗電車。②(採礦時用的)礦車。

tram·line [ˋtræmˏlaɪn] *n.* Ⓒ (常 *pl.*)〖英〗①電車軌道。②〖俗〗(網球場的)邊線。

tram·mel [ˋtræml̩] *n.* Ⓒ ①(常 *pl.*)束縛物；拘束；妨害。②(捕捉魚、鳥等之)細網。③ 鍋鉤。—— *v.t.* (**-l-,**〖英〗**-ll-**)①阻礙；束縛；妨害。②以網捕捉。

***tramp** [træmp] *v.i.* ①踐踏〔on, upon〕。②重步行走。③流浪；漂泊。—— *v.t.* ①踐踏。②徒步旅行。—— *n.* ①(*sing.*,常 the ∼)踏步聲。② Ⓒ 徒步旅行。③ Ⓒ 飄泊者；流浪乞討之人。④ Ⓒ 航線不定的貨船。—**er,** *n.*

***tram·ple** [ˋtræmpl̩] *v.t.* & *v.i.* 踐踏；蹂躪；虐待。∼ *under foot* 踩扁；蹂躪；蔑視。—— *n.* Ⓒ 踐踏；蹂躪；踐踏聲。

tram·po·line [ˏtræmpəˋlin] *n.* Ⓒ 健身用彈簧墊。

tram·way [ˋtræmˏwe] *n.* Ⓒ ①〖英〗電車道。②索道。

tran-〖字首〗trans-在以s起首之字前的變體。

trance [træns, trɑns] *n.* Ⓒ ①恍惚；失神。②睡眠狀態。③狂喜。—— *v.t.* 使恍惚；使昏迷。

tran·quil [ˋtrænkwɪl, ˋtræŋ-] *adj.* (**-l-,**〖英〗**-ll-**)安靜的；平靜的；寧靜的。—**ly,** *adv.*

tran·quil·(l)i·ty [trænˋkwɪlətɪ] *n.* Ⓤ (又作 a ∼)①安靜；寧靜。②鎮定；鎮靜。

tran·quil·(l)ize [ˋtræŋkwɪˏlaɪz] *v.t.* 使寧靜；使安定；使鎮定。—— *v.i.* 變寧靜；變安定；平靜下來。

tran·quil·iz·er [ˋtræŋkwɪˏlaɪzɚ] *n.* Ⓒ ①使鎮定之人或物。②鎮靜劑。(亦作 **tranquillizer**)

trans-〖字首〗表下列諸義：①橫過；貫通。如：*trans*continental.②超越；以外。如：*trans*cend.③變化；轉移。如：*trans*late, *trans*form.

***trans·act** [trænsˋækt, trænz-] *v.t.* 辦理；處理；執行。—— *v.i.* 辦事；處理事務。—**trans·ac′tor,** *n.*

***trans·ac·tion** [trænsˋækʃən, trænz-] *n.* ① Ⓤ (常 the ∼)辦理；執行。② Ⓒ (常 *pl.*)交易；事務；事項。③(*pl.*)記錄。

trans·al·pine [trænsˋælpɪn] *adj.* (自義大利立場言)阿爾卑斯山彼方的。—— *n.* Ⓒ 阿爾卑斯山彼方的居民。

trans·at·lan·tic [ˏtrænsətˋlæntɪk] *adj.* ①橫越大西洋的。②在大西洋彼岸的。

trans·ceiv·er [trænsˋsivɚ] *n.* Ⓒ〖無線〗收發兩用無線電話機。

tran·scend [trænˋsɛnd] *v.t.* ①超出；超越。②勝過；優於。—— *v.i.* 優越。

tran·scend·ence [trænˋsɛndəns] *n.* Ⓤ 超越；超絕。

tran·scend·ent [trænˋsɛndənt] *adj.* ①超凡的；卓越的。②〖神學〗超越物質世界而存在的。③〖哲〗先驗的。

tran·scen·den·tal [ˏtrænsɛnˋdɛntl̩] *adj.* ①=**transcendent.** ②形而上的；難解的。③〖數〗(函數)超越的。

trans·con·ti·nen·tal [ˏtrænskɑntəˋnɛntl̩] *adj.* ①橫貫大陸的。②在大陸彼方的。

tran·scribe [trænˋskraɪb] *v.t.* ①謄寫；抄寫；刊印。②用另一種文字或符號寫出。③改編(樂曲)以便唱奏；改作。④爲…錄音或灌片以便廣播放送。

tran·script [ˋtrænˏskrɪpt] *n.* Ⓒ 副本；抄本；謄本；轉譯。
tran·scrip·tion [trænˋskrɪpʃən] *n.* Ⓤ 抄寫；謄寫；轉錄；轉譯；(速記等之)改寫。
tran·sept [ˋtrænsɛpt] *n.* Ⓒ 十字式教堂的左右翼部；袖廊。
***trans·fer** [trænsˋfɝ] *v.t.* (**-rr-**) ①遷移；移動；調動；移轉。②讓渡(財產等)。③轉寫；摹寫；轉印。— *v.i.* ①換車；換船。②轉移；轉學；調任。— [ˋtrænsfɝ] *n.* ①ⓊⒸ遷移；調職；移轉。②ⓊⒸ讓渡(證書)。③Ⓒ轉寫(書)；轉印(畫)。④Ⓒ換車票。⑤Ⓒ換乘的地點。⑥Ⓒ匯兌。— **a·ble,** *adj.* — **trans·fer·ee′,** *n.*
trans·fer·ence [trænsˋfɝəns] *n.* Ⓤ ①轉移；讓渡；移動；調動；遷移。②〖精神分析〗感情轉移。
trans·fer·or [trænsˋfɝɚ] *n.* Ⓒ〖法律〗讓渡人。
trans·fer·rer [trænsˋfɝɚ] *n.* Ⓒ ①讓渡人；讓與者。②摹寫者；轉印者。
trans·fig·u·ra·tion [ˌtrænsfɪgjəˋreʃən] *n.* ①ⓊⒸ變形；變貌。②(the T-)〖聖經〗**a.**基督在山上的變容。**b.**基督變容節(八月六日)。
trans·fig·ure [trænsˋfɪgjɚ] *v.t.* ①使變形；使變貌；使改觀。②使變高尚；使理想化。
trans·fix [trænsˋfɪks] *v.t.* ①刺穿；戳穿。②(驚愕、恐怖等)使呆立不動。— **trans·fix′ion**[-ˋfɪkʃən], *n.*
***trans·form** [trænsˋfɔrm] *v.t.* ①使變形；使改觀〔into〕. ②改變(電流之)電壓。— **a·ble,** *adj.*
trans·for·ma·tion [ˌtrænsfɚˋmeʃən] *n.* ⓊⒸ ①變形。②變性；變質。③(電流之)變壓。④(婦人的)假髮；假髻。
trans·for·ma·tion·al·ist [ˌtrænsfɚˋmeʃənəlɪst] *n.* Ⓒ〖語言〗轉換學派的學者。
trans·form·er [trænsˋfɔrmɚ] *n.* Ⓒ ①促使變化的人或物。②變壓器。
trans·fuse [trænsˋfjuz] *v.t.* ①(從一容器)把…倒於(另一容器)。②輸(血)。③注射(溶液)於血管中。④灌輸。— **trans·fu′sion,** *n.*
trans·gress [trænsˋgrɛs] *v.t.* ①踰越；脫離(界限)。②違犯(法律、條約等)。— *v.i.* ①違犯法律或規則等。②犯罪。— **trans·gres′sor, trans·gres′sion,** *n.*
tran·sient [ˋtrænʃənt] *adj.* ①短暫的；一瞬間的。②過路的；過境的。— *n.* Ⓒ〖美〗暫時寄寓的客人；過境客。— **tran′sience, tran′sien·cy,** *n.*
tran·sis·tor [trænˋzɪstɚ] *n.* Ⓒ ①電晶體。②〖俗〗電晶體收音機。
tran·sit [ˋtrænsɪt,-zɪt] *n.* ①Ⓤ通過；通行。②Ⓤ輸送；運送。③Ⓤ變遷；改變。④ⓊⒸ〖天〗**a.**天體之通過子午線。**b.**(小天體之)凌日。— *v.t.* & *v.i.* 通過；經過。§ ∼ **dùty**(貨物之)通行稅；過境稅。
***tran·si·tion** [trænˋzɪʃən,-ˋsɪʃən] *n.* ⓊⒸ ①轉移；變遷；過渡。a ∼ period 過渡時期。②〖樂〗變調；轉調。— **al,** *adj.*
tran·si·tive [ˋtrænsətɪv] *adj.* ①〖文法〗及物的(動詞)。②轉移的。— *n.* Ⓒ及物動詞。
tran·si·to·ry [ˋtrænsəˌtorɪ] *adj.* 短暫的；一時的；頃刻的。— **tran′si·to·ri·ly,** *adv.*
trans·lat·a·ble [trænsˋletəbḷ] *adj.* 可翻譯的；可說明的。
***trans·late** [trænsˋlet, trænz-] *v.t.* ①翻譯；迻譯。②解釋；說明。③移動；調動。④轉變。— *v.i.* 翻譯。
***trans·la·tion** [trænsˋleʃən] *n.* ①ⓊⒸ翻譯。②Ⓒ譯文；翻譯本。③ⓊⒸ解釋；改述；轉換。
trans·la·tor [trænsˋletɚ, trænz-] *n.* Ⓒ譯者；翻譯者(尤指以此爲職業者)。
trans·lit·er·ate [trænsˋlɪtəˌret] *v.t.* 音譯(如臺灣譯成Taiwan). — **trans·lit·er·a′tion,** *n.*
trans·lu·cent [trænsˋlusṇt] *adj.* ①半透明的。②容易了解的。— **trans·lu′cence, trans·lu′cen·cy,** *n.*
trans·mi·grant [trænsˋmaɪgrənt, trænz-] *adj.* 移居的。— *n.* Ⓒ移居者；移民。
trans·mi·grate [trænsˋmaɪgret] *v.i.* ①移居；移民。②(靈魂)轉生；輪迴。— **trans·mi′gra·tor, trans·mi·gra′tion,** *n.*
***trans·mis·sion** [trænsˋmɪʃən] *n.* ①Ⓤ傳送；傳達；傳播。②Ⓒ被傳達之物。③Ⓤ(無線電)播送。④Ⓒ(汽車等之)傳動系統。— **trans·mis′sive,** *adj.*
***trans·mit** [trænsˋmɪt] *v.t.* (**-tt-**) ①傳送；傳達；傳播。②〖理〗傳導。③〖無線〗播送。④遺傳。— **tance,** *n.*
trans·mit·ter [trænsˋmɪtɚ] *n.* Ⓒ ①傳送者；傳達者。②〖電〗發送機；發射機；發話機。
trans·mute [trænsˋmjut] *v.t.* 使變質；使變形；使變化。— **trans·mu·ta′tion,** *n.* — **trans·mut′a·tive,** *adj.*
trans·o·ce·an·ic [ˌtrænsoʃɪˋænɪk] *adj.* 越洋的；在海洋彼岸的；海外的。
tran·som [ˋtrænsəm] *n.* Ⓒ ①(窗或門上面的)頂窗；氣窗。②橫楣；橫梁。
tran·son·ic [trænˋsɑnɪk] *adj.* = **transsonic.**
trans·pa·cif·ic [ˌtrænspəˋsɪfɪk] *adj.* ①橫渡太平洋的。②太平洋彼岸的。
***trans·par·ent** [trænsˋpɛrənt] *adj.* ①透明的。②顯明的；易懂的。③坦率的。④易被識破的。— **trans·par′ence, trans·par′en·cy,** *n.* — **ly,** *adv.*
tran·spi·ra·tion [ˌtrænspəˋreʃən] *n.* Ⓤ蒸發；散發。
tran·spire [trænˋspaɪr] *v.t.* 使排出；使發散；使蒸發。— *v.i.* ①洩露；得知；爲人所知。②發生。③發散；排出；蒸發。
trans·plant [trænsˋplænt] *v.t.* ①移植；移種。②使遷徙。③〖醫〗移植(器官、皮膚)。— **trans·plan·ta′tion,** *n.*
tran·spon·dor, tran·spon·der [trænsˋpɑndɚ] *n.* Ⓒ〖空〗異頻雷

達收發器；自動應答機。

***trans·port** [træns`port] *v.t.* ①運送；運輸。②使神魂顚倒；使極度激動(用於被動語態)。③流放；放逐(通常用於被動語態)。—[`trænsport] *n.* ①U運輸；輸送。②C運輸船[機]。③U交通系統。④(a ～)一陣強烈的情緒。⑤C被放逐的犯人。— **trans-port'a·ble,** *adj.*

***trans·por·ta·tion** [ˌtrænspɚ`teʃən] *n.* ①U運輸；輸送。②U運輸工具；運輸費用。③U流刑；放逐。④C車票；船票。

trans·port·er [træns`portɚ] *n.* C ①運送者。②運輸裝置。

trans·pose [træns`poz] *v.t.* ①改換…之位置或順序；置換。②〖代數〗移項。③〖樂〗變調；轉調。— **trans·po·si'·tion,** *n.*

trans·sex·u·al [træns`sɛkʃuəl] *n.* C變性者(心理上渴望成爲異性)。§ ～ **operátion**變性手術。— **ism**[-ˌɪzəm], *n.*

trans·ship [træns`ʃɪp] *v.t.* (-pp-)換乘(船、車等)。(亦作**tranship**) — **ment,** *n.*

trans·son·ic [træns`sɑnɪk] *adj.* 〖空〗穿[跨]音速的(時速約970-1450公里)。(亦作 **transonic**)

trans·ver·sal [træns`vɝsḷ] *adj.* 橫斷的；橫截的。—*n.* C〖數〗橫斷線；截線。

trans·verse [træns`vɝs, trænz-] *adj.* 橫的；橫斷的。—*n.* C橫放物；橫亙物。— **ly,** *adv.*

trans·ves·tism [træns`vɛstɪzṃ] *n.* U穿著異性服裝癖；異性模仿癖。(亦作 **transvestitism**)

trans·ves·tite [træns`vɛstaɪt, trænz-] *n.* C有穿著異性服裝怪癖者；異性模仿癖者。

***trap** [træp] *n.* C ①捕捉機；陷阱。②圈套；詭計。③一種雙輪馬車。④(防蒸氣、水等通過的)門瓣；凝氣瓣。⑤(常*pl.*)打擊樂器(如鼓、鈸等)。⑥＝**trap-door.** —*v.t.* (-pp-)①誘捕；計陷；使陷於困境。②裝門瓣[凝氣瓣, U字管等]於。③抓住(從地上彈起之球)。—*v.i.* ①設置捕捉機或陷阱。②操作飛靶發射機。

trap·door [`træp`dɔr] *n.* C地板或屋頂上之活門。

tra·peze [træ`piz] *n.* C健身房或馬戲場所用之高空鞦韆。

tra·pez·ist [træ`pizɪst] *n.* C表演空中飛人之藝人。

tra·pe·zi·um [trə`pizɪəm] *n.* C (*pl.* ～s, **-zi·a** [-zɪə])①〖幾何〗不等邊四邊形。②〖英〗梯形(＝trapezoid).

trap·e·zoid [`træpəˌzɔɪd] *n.* C ①〖美〗梯形。②〖英〗不等邊四邊形。

trap·per [`træpɚ] *n.* C設陷阱捕獸者(尤指爲獲毛皮者)。

trap·pings [`træpɪŋz] *n. pl.* ①馬飾。②裝飾(物)。

Trap·pist [`træpɪst] *n.*〖天主教〗Cistercian修會中一派之修道士(生活嚴肅簡樸，守緘口)。

trap·shoot·er [`træpˌʃutɚ] *n.* C打飛靶者；飛靶射擊者。

trap·shoot·ing [`træpˌʃutɪŋ] *n.* U飛靶射擊。

***trash** [træʃ] *n.* U ①廢物；垃圾；殘屑。②無價值之人、物、作品。§ ～ **compàctor**〖美〗垃圾壓縮器(用於廚房)。— **trash'y,** *adj.*

trash·man [`træʃˌmən] *n.* C (*pl.* **-men**)〖美〗收垃圾[廢物]者。

trat·to·ri·a [ˌtrɑtto`riɑ]〖義〗*n.* C (*pl.* ～s, **-ri·e** [-`rie])飲食店。

trau·ma [`trɔmə] *n.* UC (*pl.* ～**ta** [～tə], ～**s**)〖醫〗①外傷。②精神創傷；情感上的打擊。— **trau·mat'ic** [-`mæt-], *adj.*

trau·ma·tize [`trɔməˌtaɪz] *v.t.*〖醫〗①損傷(體素)。②使精神或情緒受創傷。— **trau·ma·ti·za'tion,** *n.*

tra·vail [`trævel] *n.* U ①勞苦；苦工。②劇痛。③分娩之陣痛。—*v.i.* ①辛勞工作；勞苦。②受分娩之陣痛。

‡**trav·el** [`trævḷ] *v.i.* (-l-,〖英〗-ll-)①旅行；遊歷。②運行；行進。③旅行推銷貨物〔for, in〕。④掃視；遍思。⑤交往。—*v.t.* ①旅行；遊歷。②經過；走過。—*n.* ①U旅行。②C(常*pl.*)遊歷。③(*pl.*)遊記；遊記文章。the ～*s* of Marco Polo馬可孛羅遊記。

trav·el(l)ed [`trævḷd] *adj.* ①富旅行經驗的。②旅行者常用的；旅客多的。

***trav·el·(l)er** [`trævlɚ] *n.* C ①旅行者；旅客。②旅行推銷員(＝traveling salesman). § ～**'s chèck** 旅行支票。

trav·el·(l)ing [`trævlɪŋ] *adj.* ①旅行用的。②遊歷的；巡迴的。③(機械等)可移動的。—*n.* U ①旅行；巡迴。②移動；滑動。§ ～ **sálesman** 旅行推銷員。

trav·e·log(ue) [`trævəˌlɔg] *n.* C ①敍述旅行見聞之講座。②遊記電影。

trav·el-soiled [`trævḷˌsɔɪld] *adj.* 風塵僕僕的。(亦作 **travelstained**)

tra·verse [`trævɚs, `trævɝs] *v.t.* ①走過；經過；橫過。②橫亙；橫貫。—*v.i.* ①橫向亂走；前後跑。②來回擺動。③旋轉。—*n.* C ①橫貫；橫渡；橫亙。②橫亙之物。③保護壕溝等的土牆。④教堂中的橫廊。⑤橫貫的距離。⑥〖海〗Z字形航行。⑦橫截線。⑧妨礙；阻止。⑨橫向之行動。—*adj.* & *adv.* 橫亙的[地]；橫越的[地]。§ ～ **rȯd**(掛窗帘等之)水平滑杆。～ **tàble**〖鐵路〗轉車臺；轉盤。

trav·es·ty [`trævɪstɪ] *n.* C滑稽化；諧謔化。—*v.t.* 使(嚴肅主題或其他事物)滑稽化。

trawl [trɔl] *n.* C ①曳網；拖網。②排鉤。—*v.t.* & *v.i.* 以拖網或排鉤捕(魚)；拖(網)。§ ～ **lìne** 排鉤；釣索。

trawl·boat [`trɔlˌbot] *n.* C拖網漁船。

trawl·er [`trɔlɚ] *n.* C ①拖網船。②拖網捕魚人。

trawl·net [`trɔlˌnɛt] *n.* C拖網。

***tray** [tre] *n.* C盤；碟。§ ～ **àgriculture** 水培法；水耕法。

treach·er·ous [`trɛtʃərəs] *adj.* ①叛逆的。②不可靠的；不忠的。③危險的。— **ly,** *adv.*

***treach·er·y** [`trɛtʃərɪ] *n.* ①C(常

pl.)奸詐行爲。②Ⓤ叛逆；叛國。

trea·cle [ˋtrikḷ] *n.* Ⓤ〖英〗糖蜜。

***tread** [trɛd] *v.t.* & *v.i.* (**trod, trodden** or **trod**)①行走於；步行在。②踐踏；踩；踏碎。③踏成；踩出。④(雄鳥)與(雌鳥)交配。～ *on air* 得意洋洋。～ *on one's toes*[*corns*]觸怒某人。～ *the boards*[*the stage*]作演員。～ *under foot* 在腳下踐踏；蹂躪。 —— *n.* ①(*sing.*)踏步；步法；步態；腳步聲。②Ⓒ(樓梯之)踏面；踏板。③ⓊⒸ輪胎觸地的部分。④Ⓒ汽車左右輪間之距離。⑤ⓊⒸ腳底；鞋底。

trea·dle [ˋtrɛdl] *n.* Ⓒ①(車床、縫紉機等之)踏板。②(公車、電車門口之)踏板。—— *v.i.* 踩踏板。

tread·mill [ˋtrɛd͵mɪl] *n.* Ⓒ①踏車(古時用以懲罰囚犯者)。②(常 the ～)任何單調無聊之工作。

***trea·son** [ˋtrizṇ] *n.* Ⓤ①叛逆；叛國。②背信；背義。high ～ 弒君[叛國]罪。

trea·son·a·ble [ˋtrizṇəbḷ] *adj.* ①叛逆的；叛國的。②不忠的；背信的。(亦作 **treasonous**)

trea·son·ous [ˋtrizṇəs] *adj.* = **treasonable.**

‡**treas·ure** [ˋtrɛʒɚ] *n.* ①Ⓤ財寶；寶物；財貨；財富；金銀。②Ⓒ被珍愛之人或物。—— *v.t.* ①珍愛；重視。②儲藏；珍藏。

treas·ur·er [ˋtrɛʒərɚ] *n.* Ⓒ會計部門；出納官。*Lord High T-* 〖英〗財務大臣。

treas·ure-trove [ˋtrɛʒɚ͵trov] *n.* Ⓤ〖法律〗由地下掘出之無主金銀財寶。

***treas·ur·y** [ˋtrɛʒərɪ] *n.* ①Ⓒ金庫。②Ⓒ資金；基金。③(the T-)財政部。④Ⓒ珍藏寶物的地方。§ ～ **Depàrtment**〖美〗財政部。～ **nòte** 國庫證券。

‡**treat** [trit] *v.t.* ①對待。②視爲；以爲。③治療。④論述。⑤處理；使遭受某種作用。⑥宴饗；款待。—— *v.i.* ①論述。②談判；磋商。③宴饗；款待。—— *n.* ①(one's ～)宴饗；款待。②Ⓒ樂事。*stand* ～ 作東；請客。

trea·tise [ˋtritɪs] *n.* Ⓒ論文。

‡**treat·ment** [ˋtritmənt] *n.* ①Ⓤ待遇。②Ⓤ處置；處理。③ⓊⒸ治療；治療法。

***trea·ty** [ˋtritɪ] *n.* ①Ⓒ條約。②Ⓒ協定；協定書；條約文本。§ ～ **pòrt** 根據條約開放的商港；通商口岸。

tre·ble [ˋtrɛbḷ] *adj.* ①三倍的；三重的。②最高音部的。③(聲音)高的；尖聲的。—— *v.t.* 使增爲三倍。—— *v.i.* 增爲三倍。—— *n.* ①Ⓤ最高音部。②Ⓒ最高音部的聲音[歌唱者，樂器]。§ ～ **cléf**〖樂〗⑴高音譜號(𝄞)。⑵最高音部之音域。

tre·bly [ˋtrɛblɪ] *adv.* 三倍地；三重地。

‡**tree** [tri] *n.* Ⓒ①樹；樹木。②特殊目的用的木頭。③(表現成樹木狀的)圖表。a family ～家譜。～ *of knowledge*(*of good and evil*)〖聖經〗智慧樹；分別善惡之樹(植於伊甸園中央，所結之禁果曾爲亞當與夏娃所食)。～ *of life*〖聖經〗生命樹(植於伊甸園中之樹，食其果實後，即可永生)。*up a* ～在困難的處境中；進退維谷。—— *v.t.* ①驅使上樹。②把鞋楦裝入(鞋)中。③〖俗〗使處於困境。§ ～ **fròg**[**tòad**]樹蛙；雨蛙。～ **pèony**〖植〗牡丹。

tree·less [ˋtrilɪs] *adj.* 無樹木的。

tree·lined [ˋtri͵laɪnd] *adj.* 沿途有樹的。a ～ road 林蔭道路。

tree·top [ˋtri͵tɑp] *n.* Ⓒ樹梢。

tre·foil [ˋtrifɔɪl] *n.* Ⓒ①〖植〗三葉草。②〖建〗三葉模飾。

trek [trɛk] *v.i.* (**-kk-**)①(在南非)乘牛車慢慢旅行。②緩慢艱辛地旅行。—— *v.t.* 〖南非〗(牛)拖(車)。—— *n.* Ⓒ①(在南非)牛車旅行。②(長而艱辛的)旅行[遷移]。

trel·lis [ˋtrɛlɪs] *n.* Ⓒ格子架；格子棚。—— *v.t.* ①給…裝設格子架[格子棚]。②以格子棚[架]支撐(蔓生植物)。

trel·lis·work [ˋtrɛlɪs͵wɝk] *n.* Ⓤ格子細工。

‡**trem·ble** [ˋtrɛmbḷ] *v.i.* ①戰慄；震顫；發抖。②憂慮；擔心。③微動；搖擺。—— *n.* ①(a ～)戰慄；震顫。②(*pl.*)(作 *sing.*解)〖醫〗引起發抖的疾病(如瘧疾等)。

trem·bler [ˋtrɛmblɚ] *n.* Ⓒ①震顫者。②=**Quaker.** ③〖電，機〗電震板。

trem·bling [ˋtrɛmblɪŋ] *n.* Ⓤ震顫；抖顫。—— *adj.* 震顫的；抖顫的。

trem·bly [ˋtrɛmblɪ] *adj.* 震動的；顫抖的；戰慄的。

***tre·men·dous** [trɪˋmɛndəs] *adj.* ①驚人的。②〖俗〗巨大的；非常的。③〖俗〗很棒的。—**ly,** *adv.*

trem·o·lo [ˋtrɛmə͵lo] 〖義〗*n.* Ⓒ(*pl.* **～s**)①〖樂〗顫音。②(風琴等上)發顫音之裝置。

trem·or [ˋtrɛmɚ] *n.* Ⓒ①顫抖；震顫。②激動；興奮。③畏縮。

trem·u·lous [ˋtrɛmjələs] *adj.* 戰慄的；抖動的；怯懦的；畏縮的。—**ly,** *adv.*

***trench** [trɛntʃ] *n.* Ⓒ①戰壕。②溝；壕溝。—— *v.t.* ①圍以溝；在…挖溝；以濠溝防衛。②切斷；切開。—— *v.i.* ①掘壕；挖溝。②侵犯〔on, upon〕。③接近〔on, upon〕。§ ～ **mòuth**〖醫〗喉峽炎。

trench·ant [ˋtrɛntʃənt] *adj.* ①尖刻的；苛刻的；銳利的。②清晰的。③有力的；有效的。—**ly,** *adv.* —**ness,** *n.*

trench·er [ˋtrɛntʃɚ] *n.* Ⓒ①挖戰壕者；戰壕兵。②(切肉用的)木板；盛食物的木盤。

***trend** [trɛnd] *n.* Ⓒ①趨勢；傾向。②流行款式；時尚。—— *v.i.* 趨向；傾向。

trend·set·ter [ˋtrɛnd͵sɛtɚ] *n.* Ⓒ開啓風尚的人或物。

trend·set·ting [ˋtrɛnd͵sɛtɪŋ] *adj.* 能開啓風尚的。

trend·y [ˋtrɛndɪ] *adj.* 〖英俗〗最流行的；時髦的。

tre·pan [trɪˋpæn] *n.* Ⓒ①〖外科〗環鋸。②〖礦〗鑽孔機；鑿井機。—— *v.t.* (**-nn-**)①以環鋸做手術。②將(金屬板等)切成圓盤。

tre·pang [trɪˋpæŋ] *n.* Ⓒ〖動〗海參。

trep·id [ˋtrɛpɪd] *adj.* 驚恐的；擾亂的。

trep·i·da·tion [ˌtrɛpəˋdeʃən] *n.* [U] ①驚恐; 惶恐。②震顫; 戰慄。

***tres·pass** [ˋtrɛspəs] *v.i.* ①侵入; 侵犯; 侵害〔常on〕。②犯罪; 違犯〔against〕。 —— *n.* ①[U][C]侵入; 侵犯; 侵害。②[C]罪過。③[U][C]〖法律〗非法侵入。④[U][C]〖法律〗侵害訴訟。

tres·pass·er [ˋtrɛspəsɚ] *n.* [C]侵占他人土地者; 侵害者; 非法侵入者。

tress [trɛs] *n.* [C] (常 *pl.*) 頭髮; 鬈髮。

tres·tle [ˋtrɛsḷ] *n.* [C] ①支架; 檯架。②叉架; 橋架。§ ≈ **wòrk** 棧台; 棧架結構。

tri- 〖字首〗表「三」之義, 如 *tri*cycle.

tri·ad [ˋtraɪæd,-əd] *n.* [C] ①三個一組; 三人一組; 三合一。②〖樂〗三和音[弦]。③〖化〗三價之元素。

tri·al** [ˋtraɪəl] *n.* ①[U][C]審訊; 審判。②[U][C]嘗試; 試驗。③[C]考驗; 磨難。④[C]麻煩的人或物。⑤[U][C]試圖; 努力。on*** **～ a.** 在審理中; 暫時。**b.**經試驗後。**c.**試驗性地。**～ *and error*** 嘗試錯誤法。§ ≈ **bàlance**〖簿記〗試算表。≈ **ballóon** (1)試驗氣球 (測驗氣流、風速等)。(2)(探求輿論反應的) 測試。≈ **jùry**(由十二人組成之)陪審團; 小陪審團。≈ **rún**(機器等之)試車。

***tri·an·gle** [ˋtraɪˌæŋgḷ] *n.* [C] ①三角形。②三角形之物。③〖樂〗三角鐵。④由三個組成的一組。⑤(男女之)三角關係(=the eternal triangle).

tri·an·gu·lar [traɪˋæŋgjəlɚ] *adj.* ①三角形的; 有三角形底的。②三者間的; 三角關係的。

Tri·as·sic [traɪˋæsɪk] *adj.* 〖地質〗三疊紀的。

trib·al [ˋtraɪbḷ] *adj.* 部落的; 宗族的。

trib·al·ism [ˋtraɪbḷˌɪzəm] *n.* [U] ①部落制; 部落文化[生活、根性]; 部落的特徵。②同族群意識。

***tribe** [traɪb] *n.* [C] ①宗族; 部落。②〖生物〗族; 類。③(集合稱)儕輩(常含蔑視之義)。

trib·u·la·tion [ˌtrɪbjəˋleʃən] *n.* [U][C]苦難; 困苦; 憂患。

tri·bu·nal [trɪˋbjunḷ, traɪ-] *n.* [C] ①法庭; 法院。②裁判。③(常 the ～)法官席; 裁判席。

trib·une [ˋtrɪbjun] *n.* ①[C]講台。②[C]古羅馬之護民官。③[C]民眾的保護人。④(T-) (常用於報刊名) 論壇; 講壇。

trib·u·tar·y [ˋtrɪbjəˌtɛrɪ] *n.* [C] ①支流。②納貢者[國]; 屬國。—— *adj.* ①支流的。②納貢的; 從屬的。③補助的。

***trib·ute** [ˋtrɪbjut] *n.* ①[U][C]貢金; 貢物; 貢獻。②[C] (表示尊敬或讚美的) 讚辭; 稱讚。

trice[1] [traɪs] *n.* [C]瞬間。in a ～立刻。

trice[2] *v.t.* 拉起並綁住〔up〕。

tri·cen·te·nar·y [traɪˋsɛntəˌnɛrɪ] *adj. & n.* =**tercentenary.**

tri·ceps [ˋtraɪsɛps] *n.* [C] (*pl.* **～es,** ～)〖解〗三頭肌。

tri·cer·a·tops [traɪˋsɛrəˌtɑps] *n.* [C]〖古生〗三觭龍。

‡**trick** [trɪk] *n.* [C] ①詭計; 奸計; 欺詐手段。②巧技; 技藝; 妙訣。③假裝或不實之物; 幻覺。④幻術; 戲法。⑤惡作劇。⑥習慣。⑦〖牌戲〗一磴(所打之牌)。⑧〖海〗舵工的輪值時間。⑨〖俗〗小孩; 俏姑娘。***dirty* ～** 卑劣詭計。***do* [*turn*] *the* ～** 達到目的; 順遂。***I know a* ～ *worth two of that.***我知道更好的方法。***play a* ～ *on a person*** 詐騙某人; 開(某人)玩笑。—— *v.t.* ①欺騙。②修飾; 打扮〔常 out, up〕。—— *v.i.* 騙人; 玩把戲〔常 with〕。

trick·er·y [ˋtrɪkərɪ] *n.* [U] 欺詐; 欺騙; 詭計; 奸計。

trick·le [ˋtrɪkḷ] *v.i.* ①滴流; 細流。②慢慢地來、去、經過等。—— *v.t.* 使慢慢滴流。—— *n.* [C] ①細流。②滴; 慢慢地來、去、經過等。

trick·le-down [ˋtrɪkḷˌdaʊn] *adj.* 〖美〗〖經〗利益擴散理論的。the ～ theory 利益擴散理論。

trick·ster [ˋtrɪkstɚ] *n.* [C] 欺騙者; 騙子; 狡詐者; 狡徒。

trick·sy [ˋtrɪksɪ] *adj.* 好惡作劇的; 好開玩笑的。

trick·y [ˋtrɪkɪ] *adj.* ①好惡作劇的; 奸詐的。②複雜的; 難對付的。

tri·col·o(u)r [ˋtraɪˌkʌlɚ] *adj.* 三色的。—— *n.* ①[C]三色旗。②(the T-)法國國旗。

tri·cy·cle [ˋtraɪsɪkḷ] *n.* [C] (殘障者或兒童乘坐的)三輪車。—**tri′cy·clist,** *n.*

tri·dent [ˋtraɪdṇt] *n.* [C] ①〖希、羅神〗(海神Poseidon或Neptune所持之)三叉戟。②三叉魚叉。③(T-)三叉戟飛機; 三叉戟核潛艇; 三叉戟彈道飛「導」彈。—— *adj.* 三叉的。

tri·di·men·sion·al [ˌtraɪdəˋmɛnʃənḷ] *adj.* 有長寬高三度的; 立體的; 三度空間的。

‡**tried** [traɪd] *v.* pt. & pp. of **try.** —— *adj.* 經過試驗的; 可信賴的。

tried-and-true [ˋtraɪdənˋtru] *adj.* 經試驗而可靠的; 靠得住的。

tri·en·ni·al [traɪˋɛnɪəl] *adj.* ①延續了三年的。②三年一次的。—— *n.* [C] ①三年一次的事件。②三周年紀念。③三年生植物。

tri·er [ˋtraɪɚ] *n.* [C] ①試驗者; 試驗物。②審問者。

tri·fle** [ˋtraɪfḷ] *n.* ①[C]瑣事; 小事。②[C]少量; 少許; 少量金錢。③[U][C]柴弗鬆糕(一種用乳脂、水果、酒等做成之甜食)。④[U]白鑞(錫鉛等之合金)。⑤(*pl.*)白鑞製品。a* ～**稍微; 有點; 一點(用作副詞, 與述部形容詞或其相當語句連用, 通常後面接 too)。—— *v.i.* ①玩忽; 疏忽〔常 with〕。②玩弄; 戲弄。③虛費光陰。—— *v.t.* 浪費; 虛耗〔常 away〕。—**tri′fler,** *n.*

tri·fling [ˋtraɪflɪŋ] *adj.* ①不重要的; 微小的。②輕浮的; 輕薄的。—**ly,** *adv.*

tri·fo·cal [traɪˋfokḷ] *adj.* 三焦點的; 有三焦點的。—— *n.* ①[C]三焦點透鏡。②(*pl.*)三焦點眼鏡。

tri·fo·li·o·late [ˌtraɪfoˋlaɪəˌlet] *adj.* 〖植〗(葉)有三小葉的。

trig[1] [trɪg] *adj.* (**-gg-**) ①漂亮的; 整潔的。②健康的; 強壯的。—— *v.t.* (**-gg-**) 使整潔; 修飾〔常 up, out〕。

trig·a·mist [ˋtrɪgəmɪst] *n.* Ⓒ ①有三夫[三妻]之人。②結婚三次之人。

trig·a·my [ˋtrɪgəmɪ] *n.* Ⓤ ①一夫三妻；一妻三夫。②結婚三次。

trig·ger [ˋtrɪgɚ] *n.* Ⓒ ①(槍的)扳機。②引起反應的行動。③=**triggerman.** *quick on the* ~ **a.**射擊迅速。**b.**〖俗〗迅速行動的；反應快的；保持警覺的。—— *v.t.* ①引起或促起(一連串的連鎖反應)。②扣…之扳機。

trig·ger-hap·py [ˋtrɪgɚˏhæpɪ] *adj.* 〖俗〗①隨便開槍的。②好戰的。

trig·ger·man [ˋtrɪgɚˏmæn] *n.* Ⓒ (*pl.* **-men**)〖俗〗①持槍殺手。②流氓頭子的保鏢。

trig·o·no·met·ric, -ri·cal [ˏtrɪgənəˋmɛtrɪk(l̩)] *adj.* 三角學的；以三角學方法完成的。

trig·o·nom·e·try [ˏtrɪgəˋnɑmətrɪ] *n.* Ⓤ 三角法；三角學。

tri·jet [ˋtraɪˏdʒɛt] *n.* Ⓒ 三引擎噴射機。

trike [traɪk] *n.* Ⓒ〖俗〗三輪車。

tri·lat·er·al [traɪˋlætərəl]〖幾何〗*adj.* 三邊的。—— *n.* Ⓒ 三邊形。

tril·by [ˋtrɪlbɪ] *n.* ①Ⓒ〖英〗中間凹折軟呢帽(=trilby hat)。②(*pl.*)〖俚〗腳。

trill [trɪl] *v.t. & v.i.* ①發顫聲；以顫聲說。②以顫音唱、奏等。③用捲舌發出(抖顫的 r 音)。—— *n.* Ⓒ ①顫聲。②〖樂〗顫音。③〖語音〗顫音。

tril·lion [ˋtrɪljən] *n.* Ⓒ ①〖美〗兆；百萬的平方。②〖英〗百萬兆；百萬的立方。—— *adj.* 兆的；百萬兆的。

tril·o·gy [ˋtrɪlədʒɪ] *n.* Ⓒ (戲劇、歌劇、小說等)三部曲。

***trim** [trɪm] *v.t.* (**-mm-**)①使整潔；使整齊；修整；整飾；修剪。②裝飾。③安排所載貨物重量使(船、飛機等)平衡。④調整(船帆)以適應風向。⑤〖俗〗擊敗；笞；打。⑥〖俗〗譴責；申斥。⑦看情勢修正(意見)。—— *v.i.* ①採取兩面討好政策；騎牆。②〖海〗**a.**保持平衡。**b.**調節船帆。—— *adj.* (**-mm-**)整齊的；整潔的。—— *n.* Ⓤ ①整齊；整潔。②準備；狀態。③服裝；裝束。in hunting ~著獵裝。④裝飾。⑤(飛機、船等之)平衡。⑥(建築物內部之)可見的木工部分。—**ly,** *adv.* —**ness,** *n.*

tri·ma·ran [ˋtraɪməˏræn] *n.* Ⓒ 三船體小艇(聯結三個 hull 之小艇)。

tri·mes·ter [traɪˋmɛstɚ] *n.* Ⓒ 三個月期間；(三學期制的)一學期。

trim·mer [ˋtrɪmɚ] *n.* Ⓒ ①整修者；整修之器具。②(政治上的)騎牆者。

trim·ming [ˋtrɪmɪŋ] *n.* ①Ⓤ 整修；修剪。②ⓊⒸ 裝飾。③Ⓒ (常 *pl.*)修剪下來的東西。④(*pl.*)(烹飪的)佐料；配料。⑤ⓊⒸ〖俗〗申斥；毆打。⑥Ⓒ〖俗〗敗北。

Trin·i·tar·i·an [ˏtrɪnəˋtɛrɪən] *adj.* 三位一體(論)的；信仰三位一體的。—— *n.* Ⓒ 信仰三位一體論者。

tri·ni·tro·tol·u·ene [traɪˏnaɪtroˋtɑljuˏin] *n.* Ⓤ 黃色炸藥。(略作 **TNT**)

trin·i·ty [ˋtrɪnətɪ] *n.* ①Ⓒ 三個之一組。②(the T-)三位一體(基督教中聖父、聖子、聖靈合成一神)。

trin·ket [ˋtrɪŋkɪt] *n.* Ⓒ ①廉價小飾物。②不值錢的瑣細物。③廉價寶石。

tri·o [ˋtrio, ˋtraɪo] *n.* Ⓒ (*pl.* **~s**)①三人或三物之一組。②[ˋtrio]〖樂〗三重奏[唱](曲)。

****trip** [trɪp] *n.* Ⓒ ①旅行；遠足。②顛躓；失足。③摔倒；絆倒。④差錯；過失。⑤輕快之腳步。—— *v.i.* (**-pp-**)①顛躓；跌倒。②犯過失。③輕快地走[跑，跳]。④旅行。⑤言語不清。—— *v.t.* ①使顛躓；絆跌。②使犯錯誤；使…失敗。③發覺(某人)的錯誤〔up〕。④〖機〗(鬆開掣子以)發動。

tri·par·tite [traɪˋpɑrtaɪt, ˋtrɪpɚˏtaɪt] *adj.* ①分為三部分的。②有相同之三部分的。③三者間的。a ~ agreement 三方協定。

tripe [traɪp] *n.* Ⓤ ①牛等之胃(供食用者)。②〖俗〗無意義或無價值的東西。③〖鄙〗內臟。

tri·phib·i·an [traɪˋfɪbɪən] *n.* Ⓒ 三棲聯合作戰指揮官。—— *adj.* 三棲聯合作戰的。

tri·ple [ˋtrɪpl̩] *adj.* ①三部分合成的。②三倍的；三重的。—— *n.* Ⓒ ①三倍。②〖棒球〗三壘打。—— *v.t.* 使成三倍。—— *v.i.* ①成為三倍。②〖棒球〗擊出三壘打。§ **the T- Allíance**(1)(德國、奧匈帝國和義大利組成的)三國同盟(1882-1915)。(2)(法、英、荷組成以對抗西班牙的)三國同盟(1717)。**the T- Enténte** 三國協商(指 1907 年英、法、俄三國所簽定的協約)；參加此協商之三個國家。**~ pláy**〖棒球〗三殺(同時使三人出局)。**~ tìme**〖樂〗三拍子。

tri·plet [ˋtrɪplɪt] *n.* Ⓒ ①三胞胎之一。②三個之一組。③〖樂〗三連音符。

trip·li·cate [ˋtrɪpləˏket] *v.t.* ①使成三倍。②將(文件)作成三份。—— [ˋtrɪpləkɪt] *adj.* ①三倍的；三重的。②一式三份的(文件)。—— *n.* Ⓒ 完全相同的三物之一；一式三份的文件之一。

trip·li·ca·tion [ˏtrɪpləˋkeʃən] *n.* Ⓤ 三倍；三重；(作成)一式三份。

tri·pod [ˋtraɪpɑd] *n.* Ⓒ (三腳架、鼎、香爐等)三腳用具。

trip·per [ˋtrɪpɚ] *n.* Ⓒ ①遠足者；短途旅行者。②顛躓者；走路輕快的人。③(機器上之)鉤釬。

trip·ping [ˋtrɪpɪŋ] *adj.* 腳步輕快的；敏捷的。—**ly,** *adv.*

trip·tych [ˋtrɪptɪk] *n.* Ⓒ 三幅相連之畫。

tri·sect [traɪˋsɛkt] *v.t.* 將…分成三段；(尤指)將…三等分。

tri·syl·lab·ic [ˏtrɪsɪˋlæbɪk] *adj.* (有)三音節的。

tri·syl·la·ble [trɪˋsɪləbl̩] *n.* Ⓒ 三音節的字。

trite [traɪt] *adj.* 陳腐的。—**ly,** *adv.* —**ness,** *n.*

Tri·ton [ˋtraɪtn̩] *n.* 〖希神〗人頭人身魚尾之海神。

trit·u·rate [ˋtrɪtʃəˏret] *v.t.* 將…研磨成粉末。—— *n.* Ⓒ 粉末；藥粉。

trit·u·ra·tion [ˏtrɪtʃəˋreʃən] *n.* ①Ⓤ 研末；磨碎。②ⓊⒸ〖藥〗粉末；研製劑。

***tri·umph** [ˋtraɪəmf] *n.* ①Ⓒ 勝利；大成功。②Ⓤ 勝利引起的喜悅。③Ⓒ

(古羅馬的)凱旋式。*in* ～ 勝利的；得意洋洋的。— *v.i.* ①獲得勝利；成功。②顯得洋洋得意。

tri·um·phal [traɪˋʌmfl̩] *adj.* 凱旋的；慶祝勝利的。a ～ arch 凱旋門。

tri·um·phant [traɪˋʌmfənt] *adj.* 勝利的；成功的；得意洋洋的。—**ly,** *adv.*

tri·um·vir [traɪˋʌmvɚ] *n.* Ⓒ (*pl.* ～**s, -vi·ri** [-vəraɪ])古羅馬三執政之一。

tri·um·vi·rate [traɪˋʌmvərɪt] *n.* Ⓒ三頭政治；三人政治。

tri·va·lence [traɪˋveləns], **-cy** [-sɪ] *n.* ⓊⒸ〖化〗三價。

tri·va·lent [traɪˋvelənt] *adj.* 〖化〗三價的。

triv·et [ˋtrɪvɪt] *n.* Ⓒ三腳架；三腳臺(承烹煮器皿者)。(*as*) *right as a* ～ 非常強健；情況極佳；完全順遂。

triv·i·a [ˋtrɪvɪə] *n. pl.* 瑣事。

***triv·i·al** [ˋtrɪvɪəl] *adj.* ①不重要的；微不足道的；瑣屑的。②〖古〗陳舊的；平凡的。—**ly,** *adv.*

triv·i·al·i·ty [ˏtrɪvɪˋælətɪ] *n.* ⓊⒸ瑣屑(之事物)。

triv·i·al·ize [ˋtrɪvɪəlˏaɪz] *v.t.* 使平凡；使平庸。

tro·cha·ic [troˋkeɪk] *adj.* 〖詩〗揚抑格的。— *n.* ①=**trochee.** ②Ⓒ(常 *pl.*)揚抑格詩句。

tro·che [ˋtrokɪ] *n.* Ⓒ〖藥〗藥錠；藥片。

tro·chee [ˋtroki] *n.* Ⓒ〖詩〗揚抑格(即每一音步包含一重音節與一輕音節，如Lífe is / bút an / émpty / dréam).

***trod** [trɑd] *v.* pt. & pp. of **tread.**

***trod·den** [ˋtrɑdn̩] *v.* pp. of **tread.**

trog·lo·dyte [ˋtrɑgləˏdaɪt] *n.* Ⓒ①古代穴居者。②隱士。③〖動〗類人猿。

troi·ka [ˋtrɔɪkə] *n.* Ⓒ①(俄國的)三頭馬車[雪橇]；此種並列的三匹馬。②三頭政治；三人領導小組。

Tro·jan [ˋtrodʒən] *adj.* Troy(人)的。— *n.* Ⓒ① Troy 居民。②勤奮努力的人。§ **the** ∼ **Wár** 特洛伊之戰(Homer所敍述之戰爭，延續十年，Troy 終為希臘人所毀)。∼ **hórse** (1)特洛伊木馬(特洛伊之戰時，希臘人所作，希臘兵藏於木馬腹中，進入特洛伊城)。(2)敵後破壞集團；第五縱隊。

troll[1] [trol] *v.t. & v.i.*①唱歌慶祝。②以宏亮聲音歌唱。③輪唱。④用輪轉線釣(魚)。⑤旋轉；滾動。⑥傳遞(酒杯)輪飲。— *n.* Ⓒ①輪唱的歌。②輪轉線釣魚法。③輪轉線釣魚用餌。

troll[2] *n.* Ⓒ〖北歐傳說〗居住地下或洞穴中之巨人；愛惡作劇而態度友善的侏儒。

trol·ley [ˋtrɑlɪ] *n.* Ⓒ (*pl.* ～**s**)①觸輪(托在電線上的滑輪，以導電至電車等者)。②電車。③〖英〗臺車；手推車。④空中吊運車。§ ∼ **càr**〖美〗電車。∼ **lìne** 電車行駛系統或行駛路線。

trom·bone [ˋtrɑmbon] *n.* Ⓒ〖樂〗伸縮喇叭；長號。

trom·bon·ist [ˋtrɑmbonɪst] *n.* Ⓒ伸縮喇叭手。

***troop** [trup] *n.* Ⓒ①群；組；班；大批。②(常 *pl.*)軍隊。③騎兵連(六十人至一百人)。④童軍小隊(五人至三十二人)。— *v.i.* ①群集；成群；結隊。②成群而行。③列隊行進。④〖英軍〗在典禮時掌軍旗。

troop·er [ˋtrupɚ] *n.* Ⓒ①騎兵。②騎警。③騎兵所用之馬。④〖英〗軍隊運輸艦。⑤〖俗〗州警察。⑥傘兵隊員。

troop·ship [ˋtrupˏʃɪp] *n.* Ⓒ運兵船。

trope [trop] *n.* Ⓒ〖修〗比喻；轉義。

***tro·phy** [ˋtrofɪ] *n.* Ⓒ①戰利品；勝利紀念品。②(競賽的)獎品。③紀念品。

trop·ic [ˋtrɑpɪk] *n.* ①Ⓒ回歸線。②(*pl.*)熱帶；熱帶地方。*the T- of Cancer* 北回歸線。*the T- of Capricorn* 南回歸線。— *adj.* 熱帶的。

***trop·i·cal** [ˋtrɑpɪkl] *adj.* ①熱帶的；適於熱帶的。②熱烈的。③比喻的。§ ∼ **aquárium** 熱帶水族館；恒溫養魚池[槽]。

tro·pism [ˋtropɪzəm] *n.* Ⓤ〖生物〗屈性；向性；屈曲運動。

tro·pol·o·gy [troˋpɑlədʒɪ] *n.* ⓊⒸ①比喻之使用。②對聖經作喻義上及字面上之解釋。③比喻論；借喻論。

trop·o·sphere [ˋtrɑpəˏsfɪr] *n.* (the ～)〖氣象〗對流層。

***trot** [trɑt] *v.i.* (**-tt-**)小跑；疾走；快步走。— *v.t.* ①使小跑；使快步行走。②騎(馬)小跑。③快步越過。～ *out*〖俗〗把(馬)牽出來展示其步伐。— *n.* ①(a ～)疾走；小跑；快步走。②(a ～)快步走的散步。③Ⓒ〖美俚〗學生用之翻譯解答本。

troth [trɔθ] *n.* Ⓤ①忠實；信實。②約；婚約。plight one's ～訂婚約；盟誓。— *v.t.* 〖古〗訂婚。

trot·ter [ˋtrɑtɚ] *n.* ①Ⓒ疾走者。②Ⓒ(供參加疾走馬術比賽用之)快步馬。③ⓊⒸ(羊、豬等可供食用之)蹄。

trou·ba·dour [ˋtrubəˏdʊr] *n.* Ⓒ①(11-13 世紀法國、義大利之)吟遊抒情詩人。②泛指任何吟遊詩人。

****trou·ble** [ˋtrʌbl̩] *v.t.* ①使煩惱；使憂慮；使苦惱。②煩勞；麻煩。③使痛苦；使感不適。④攪亂；擾亂。— *v.i.* ①煩惱；憂慮。②煩勞；麻煩。Oh, don't ～, thanks. 啊，不用麻煩了，多謝。— *n.* ①ⓊⒸ煩惱；苦惱；困苦。②Ⓤ麻煩；煩勞；辛苦；困難。③ⓊⒸ紛爭；紛擾；騷亂。④Ⓒ使人煩惱或困苦的事物。⑤ⓊⒸ疾病；病痛。*ask* [*look*] *for* ～〖俗〗自找麻煩；想找苦頭吃。*get into* ～ 陷入困境。*in* ～ **a.**處於困境；受責備。**b.**未婚懷孕。

trou·bled [ˋtrʌbl̩d] *adj.* ①(表情等)為難的；不安的；困惑的。②(世態等)混亂的；(海浪)洶湧的。§ ∼ **wáters** 混亂的局面。fish in ～ *waters* 混水摸魚。

trou·ble·mak·er [ˋtrʌbl̩ˏmekɚ] *n.* Ⓒ時常惹麻煩的人。

trou·ble·mak·ing [ˋtrʌbl̩ˏmekɪŋ] *n.* Ⓤ惹麻煩。

trou·ble·shoot [ˋtrʌbl̩ˏʃut] *v.i.* (～**ed** or **-shot**)為人解決困難；檢修機器故障。— *v.t.* 以解決困難者之身分處理。(亦作 **trouble-shoot**)

trou·ble·shoot·er [ˋtrʌbl̩ˏʃutɚ] *n.* Ⓒ①發現並修理機器故障者。②解決

困難者。(亦作 **trouble-shooter**)

trou·ble-shoot·ing [ˋtrʌbḷˏʃutɪŋ] *n.* Ⓤ 解決困難。— *adj.* 解決困難之工作的。

***trou·ble·some** [ˋtrʌbḷsəm] *adj.* 使人苦惱或煩勞的；困難的；麻煩的。

trough [trɔf] *n.* Ⓒ ①食槽；水槽。②任何槽形之物。③水溝。④(兩浪或山間等之)凹處。

trounce [trauns] *v.t.* ①痛打；鞭笞。②痛懲；嚴責；徹底擊敗。

troupe [trup] *n.* Ⓒ 班；隊；團(尤指伶人、歌手等所組成者)。

troup·er [ˋtrupɚ] *n.* Ⓒ ①(劇團、馬戲團等之)團員；演員。②可靠的人。

trou·ser [ˋtrauzɚ] *adj.* 褲子(上)的。— *n.* Ⓒ 左右褲管之任一。

‡**trou·sers** [ˋtrauzɚz] *n. pl.* 褲子。a pair of ～ 一條褲子。

trous·seau [truˋso] *n.* Ⓒ (*pl.* **～x** [～z], **～s**) 嫁妝；妝奩。

***trout** [traut] *n.* Ⓒ (*pl.* **～**, **～s**) 鱒魚。

trow·el [ˋtrauəl] *n.* Ⓒ ①小鏟子。②(用以塗抹灰泥之)鏝子。***lay it on with a ～*** **a.** 露骨地吹捧恭維；拍馬屁。**b.**言過其實。— *v.t.* (**-l-**,〖英〗**-ll-**) 以鏝子抹平。

troy [trɔɪ] *adj.* 金衡的；金衡制的。— *n.* ＝**troy weight.** § ～ **wèight**(衡量寶石、金、銀等之)金衡；金衡制(金衡一磅等於普通磅五分之四強)。

Troy [trɔɪ] *n.* 特洛伊(小亞細亞西北部之一古城，因荷馬史詩 Iliad 而著稱)。

tru·ant [ˋtruənt] *n.* Ⓒ ①逃學者。②玩忽職務者；荒廢職務者。***play ～*** 逃學；曠職。— *adj.* ①逃學的。②荒廢職務的；怠惰的。— *v.i.* 逃學；荒廢職務。— **tru′an·cy,** *n.*

truce [trus] *n.* ⓊⒸ ①休戰；停戰。②休止；中止。

‡**truck**[1] [trʌk] *n.* Ⓒ ①貨車；卡車。②(搬運行李之)手推車；臺車。③(鐵路之)敞篷貨車。

truck[2] *n.* Ⓤ ①〖美〗種植以供出售之蔬菜。②零星什物。③〖俗〗垃圾；廢物；廢話。④〖俗〗交往；商業關係。⑤交易；買賣。— *v.t.* & *v.i.* 以[對]…進行交易；交往。§ ～ **fàrm**〖美〗(為出售而種植的)蔬菜農場。～ **sỳstem** 實物支薪制。

truck·er[1] [ˋtrʌkɚ] *n.* Ⓒ ①卡貨車運輸業者；貨運公司。②卡貨車司機。

truck·er[2] *n.* Ⓒ ①〖美〗以出售為目的而種植蔬菜的農夫。②交換者；互易者。

truc·u·lent [ˋtrʌkjələnt] *adj.* ①野蠻的；兇猛的；殘酷的。②(言語、文字等)粗野的；尖刻的。— **truc′u·lence,** *n.*

trudge [trʌdʒ] *n.* Ⓒ ①腳步沉重的步行。②疲累的跋涉。— *v.i.* 沈重地走；費力地跋涉。

‡**true** [tru] *adj.* ①確實的。②眞實的；眞正的。③正確的；確切的。④忠實的。⑤(方向)不變的。***come ～*** 實現。— *adv.* 眞實地；正確地。— *n.* ①(the ～)眞實之事物。②Ⓤ 正確性[狀態]。— *v.t.* 使成正確；校正。

true-blue [ˋtruˋblu] *adj.* 不變的；忠誠的。

true·born [ˋtruˋbɔrn] *adj.* 純正的；道地的；嫡出的；出身[門第]好的。

true·bred [ˋtruˋbrɛd] *adj.* ①純種的。②有教養的。

true·heart·ed [ˋtruˋhɑrtɪd] *adj.* 忠實的；忠誠的；誠懇的。

tru·ism [ˋtruɪzəm] *n.* Ⓒ ①公認的眞理。②陳腐之言；老生常談。

tru·ly** [ˋtrulɪ] *adv.* ①確切地；眞實地；忠實地。②事實上。Yours ～*** 敬上(信文末簽名前之問候語)。

Tru·man [ˋtrumən] *n.* 杜魯門(Harry S., 1884-1972, 美國第 33 位總統，任期 1945-53)。

trump[1] [trʌmp] *n.* ①(*pl.*)〖橋牌〗一組王牌。②Ⓒ 王牌。③Ⓒ 最後的手段；最後的良策。④Ⓒ〖俗〗可靠的人。***turn up ～s***〖俗〗較預期為佳。— *v.t.* & *v.i.* ①以王牌取勝。②勝過；擊敗。§ ～ **càrd** (1)王牌；勝牌。(2)良策；有效的策略；最後手段。

trump[2] *n.* Ⓒ〖古，詩〗①喇叭。②喇叭聲。

trumped-up [ˋtrʌmptˋʌp] *adj.* 捏造的。

trump·er·y [ˋtrʌmpərɪ] *n.* Ⓤ 虛有其表的東西；無價值的雜物。— *adj.* ①外表華麗而無價值的。②淺薄的；無聊的。③虛假的。

trum·pet** [ˋtrʌmpɪt] *n.* Ⓒ ①小喇叭。②喇叭形之物；喇叭筒。③喇叭聲；類似吹喇叭之聲。④小喇叭手(＝trumpeter). ***blow one's own ～ 自吹自擂。— *v.i.* ①吹喇叭。②發出似喇叭的聲音。— *v.t.* 吹喇叭宣布；傳布；吹噓；宣傳。

trum·pet·er [ˋtrʌmpɪtɚ] *n.* Ⓒ ①小喇叭手。②號手。③(南美)喇叭鳥；一種家鴿。④吹噓者。

trun·cate [ˋtrʌŋket] *v.t.* 截去…的頂端；截短。— *adj.* 截短的；削去頂端的。

trun·cheon [ˋtrʌntʃən] *n.* Ⓒ ①短棍；(尤指)警棍。②權杖。— *v.t.* 用警棍[短棒]打。

trun·dle [ˋtrʌndl] *v.t.* & *v.i.* (使)滾動；以車推運。— *n.* Ⓒ ①滾動。②(牀、鋼琴等的)小輪；腳輪。③矮車；手推車。§ ～ **bèd** 裝有腳輪的矮床。

‡**trunk** [trʌŋk] *n.* ①Ⓒ 樹幹。②Ⓒ(人或動物之)軀幹。③Ⓒ 任何構築的主要部分；主幹。④Ⓒ 大衣箱；汽車的行李箱。⑤Ⓒ 象鼻。⑥(*pl.*)(運動、游泳)短褲。⑦Ⓒ 幹線(＝trunk line).
— *adj.* 主要的；主幹的。§ ～ **càll**〖英〗長途電話。～ **hôse**(十六至十七世紀流行的)袋狀大短褲。～ **lìne**〖美〗(鐵路、運河、電報、電話等之)幹線。

truss [trʌs] *v.t.* ①縛綁；繫；紮住〔常 up〕。②以桁或構架支撐(屋頂、橋等)。③把(乾草等)束成捆。— *n.* Ⓒ ①(乾草等的)一捆；一束。②(支持屋頂、橋等之)桁架；構架。③〖醫〗疝氣帶。④〖海〗桁桅連接環。

‡**trust** [trʌst] *n.* ①Ⓤ 信賴；信任。②Ⓒ 可信賴的人或物。③Ⓤ 確信；希望；相信。④Ⓤ 責任；職責。⑤Ⓒ 所委託之事物。⑥Ⓤ 委託；信託。⑦Ⓒ 托辣斯；操縱某種營業的組合。⑧Ⓤ 委託照顧；監管。⑨Ⓤ 信用。***in ～*** 受託的；

代爲保管的。**on ～ a.**以信用擔保的[地]；賒欠的[地]。**b.**不作深究的[地]。**—** *adj.* 信託的。**—** *v.t.* ①信賴；信任。②委託；託付。③盼望；相信。④賒賣給。⑤依賴。**—** *v.i.* ①信任；信賴；相信〔in〕。②期待〔for〕。③賒賣。§～ **còmpany** 信託公司。～ **dèed**〖商〗信託契據。～ **tèrritory** 託管地區。—**a·ble,** —**ful,** *adj.*

trust·ee [trʌs`ti] *n.* Ⓒ①受託人。②**a.** 被信託之人；託管財產管理人[委員]。**b.** (大學等之)董[理]事。

trust·ee·ship [trʌs`tiʃɪp] *n.* ① Ⓤ Ⓒ受委託者之地位或職務。②Ⓤ(聯合國之)託管。③Ⓒ受託管之地區。

trust·i·fy [`trʌstə,faɪ] *v.t.* & *v.i.* (把…)組成托辣斯。—**trust·i·fi·ca′tion,** *n.*

trust·ing [`trʌstɪŋ] *adj.* 輕易信任的；輕易相信的。—**ly,** *adv.* —**ness,** *n.*

*__trust·wor·thy__ [`trʌst,wɝðɪ] *adj.* 值得信賴的；值得信任的；可靠的。

trust·y [`trʌstɪ] *adj.* 可信任的；可靠的。**—** *n.* Ⓒ①可信任的人。②(行爲表現良好被給予特別權益的)模範囚犯。

‡**truth** [truθ] *n.* (*pl.* **～s** [truðz, ～s])①Ⓒ眞實；眞相；事實。②Ⓤ確實；眞實性。③Ⓤ誠實。④Ⓤ眞理。***in ～*** 事實上。

truth·ful [`truθfəl] *adj.* 說實話的；(人)誠實的；(敍述等)眞實的。—**ly,** *adv.* —**ness,** *n.*

‡**try** [traɪ] *v.t.* ①試做；試圖；設法；嘗試。②試；試驗。③審問。④磨難；折磨；受考驗；磨煉。**—** *v.i.* 試做；勉力。***～ on*** 試穿(衣服等)。***～ one's hand*** 嘗試〔常 at〕。***～ out*** **a.**徹底試驗。**b.**試出(某種性質)。**c.**出馬競爭。**d.**提煉。**—** *n.* Ⓒ①嘗試；試驗；努力。②〖橄欖球〗達陣得分。§～ **squàre** 曲尺。

try·ing [`traɪɪŋ] *adj.* 難熬的；惱人的。

try-on [`traɪ,ɑn] *n.* Ⓒ〖俚〗①試穿；試戴。②騙局。

try·out [`traɪ,aʊt] *n.* Ⓒ〖俗〗①選拔賽。②試驗；試用。③(戲劇之)預演。

tryst [trɪst, traɪst] *n.* Ⓒ 約會(地點)。**—** *v.t.* & *v.i.* 約定；(和…)約會。

tsar [tsɑr] *n.*=**czar.**

tset·se [`tsɛtsɪ] *n.* Ⓒ(赤道非洲產的)采采蠅。(亦作 **tsetse fly**)

T-shirt [`ti,ʃɝt] *n.* Ⓒ T 恤。

T square [`ti,skwɛr] *n.* Ⓒ 丁字尺；丁字規。

tsu·na·mi [tsu`nɑmɪ] *n.* Ⓒ (*pl.* ～, ～**s**)海嘯。—**tsu·na′mic,** *adj.*

T-time [`ti,taɪm] *n.* Ⓤ(火箭或導彈等的)發射時間。

Tu. Tuesday.

*__tub__ [tʌb] *n.* Ⓒ①桶；木盆。②一桶之量。③浴盆。④〖俗〗洗澡。⑤盛牛油、豬油等之圓形木盆。⑥似盆之物。⑦〖俗〗笨拙緩慢之船或艇。**—** *v.t.* & *v.i.* (**-bb-**)在盆中洗(澡[物])。

tu·ba [`tjubə] *n.* Ⓒ 土巴號(管樂器)。

tub·al [`tjubl̩] *adj.* ①管的。②〖解〗管(狀)的；(尤指)輸卵管的。

tub·by [`tʌbɪ] *adj.* ①桶狀的。②肥胖的。③鈍音的；如敲空桶之聲音的。

*__tube__ [tjub] *n.* Ⓒ①管；筒。②裝牙膏或顏料等之小筒。③管狀器官。④隧道。⑤〖俗〗地下鐵道。⑥眞空管。

tu·ber [`tjubɚ] *n.* Ⓒ①〖植〗(馬鈴薯等之)塊莖；球根。②〖解〗結節。—**tu·ber′cu·lar,** *adj.*

tu·ber·cle [`tjubɚkl̩] *n.* Ⓒ ①(骨骼或植物上的)小結節。②〖醫〗結核(節)。

tu·ber·cu·lin [tju`bɝkjəlɪn] *n.* Ⓤ〖醫〗結核菌素(治肺結核之注射液)。

tu·ber·cu·lo·sis [tju,bɝkjə`losɪs] *n.* Ⓤ〖醫〗結核病；肺結核。

tu·ber·cu·lous [tju`bɝkjələs] *adj.* ①有結節的；結節狀的。②患結核病的。—**ly,** *adv.*

tube·rose [`tjub,roz] *n.* Ⓒ〖植〗月下香。

tu·ber·ous [`tjubərəs] *adj.* 〖植〗塊莖的。

tub·ing [`tjubɪŋ] *n.* Ⓤ①管料。②(集合稱)管類。③管之一段[節]。

tu·bu·lar [`tjubjələ˞] *adj.* ①管狀的。②有管的；由管組成的。

*__tuck__[1] [tʌk] *v.t.* ①把…塞進。②捲起；疊起；摺起。③給…打褶襉。④縮攏。⑤把(嬰兒)裹[包](入被褥中)。**—** *v.i.* ①打褶襉。②收縮；收攏。③大吃特吃〔into, in〕。**—** *n.*①Ⓒ褶；襉；襞。②Ⓤ〖英俚〗食物；糕餅。

tuck[2] *n.* Ⓤ活力；力氣。

tuck·er[1] [`tʌkɚ] *n.*①Ⓒ打橫褶的人；縫褶機。②Ⓒ(圍在頸部的花邊等)領布；飾紗。③Ⓒ婦女的小胸衣。④ⓊⒸ〖澳〗食物。***make*** [***earn***] ***one's ～*** 掙到勉強夠用的生活費。***one's best bib and ～*** 〖諧〗某人最好的一件衣服。

tuck·er[2] *v.t.* 使…疲憊；使…筋疲力竭〔out〕。

Tu·dor [`tjudɚ] *n.* ①都鐸王朝(英國從 1485 年至 1603 年間之王朝)。②都鐸王朝時代之建築式樣。**—** *adj.* ①都鐸王朝[王室]的。②〖建〗都鐸式樣的。

Tues. Tuesday.

‡**Tues·day** [`tjuzdɪ, -de] *n.* ⓊⒸ星期二；禮拜二。

tuft [tʌft] *n.* Ⓒ ①一束；一叢；一簇。②土墩。③灌木叢。**—** *v.t.* & *v.i.* ①裝卷束於；(使)分成卷、束。②叢生；簇生。—**ed, tuft′y,** *adj.*

*__tug__ [tʌg] *v.t.* (**-gg-**)①用力拉；拖曳。②以拖船拖曳。**—** *v.i.* ①用力拉；拖曳。②奮鬥；努力。**—** *n.* Ⓒ①拖曳。②奮鬥；努力。③拖船。④拖曳用的繩索；馬車挽革。***～ of war*** **a.**拔河。**b.**兩派的激烈鬥爭。

tug·boat [`tʌg,bot] *n.* Ⓒ 拖船。

tu·i·tion [tju`ɪʃən] *n.* Ⓤ ①教學；講授。②學費。—**al,** *adj.*

*__tu·lip__ [`tjuləp] *n.* Ⓒ鬱金香；山慈姑。

tulle [tjul] *n.* Ⓤ 薄紗(作婦女面紗者)。

*__tum·ble__ [`tʌmbl̩] *v.i.* ①跌落；跌倒。②滾動；輾轉。③急忙[倉皇]地行動。④翻觔斗。⑤暴跌。⑥崩塌。⑦碰見〔upon〕。**—** *v.t.* ①使跌倒；使跌落。②弄亂。③射落；射倒。④推翻。⑤使傾毀；使倒塌。**—** *n.*① Ⓒ 跌倒；跌落。②(a ～)混亂。Things were all in a ～. 一團混亂。③Ⓒ 翻觔斗。

tum·ble-down [`tʌmbl̩`daʊn]

adj. 破毀的；(建築物)就要倒塌的。

tum·bler [ˋtʌmblɚ] *n.* Ⓒ ①作翻觔斗等雜技的演員。②平底大玻璃杯。③(鎖之)制栓。④(飛翔時打滾的)翻飛鴿。

tum·ble·weed [ˋtʌmbḷ,wid] *n.* Ⓤ〖植〗風滾草(美國西部產)。

tum·brel, -bril [ˋtʌmbrəl] *n.* Ⓒ ①〖英〗糞車；拖肥車。②法國大革命時期載運犯人至刑場之囚車。

tu·mid [ˋtjumɪd] *adj.* ①腫脹的；腫起的。②華而不實的；浮誇的；(文體)誇張的。— **tu·mid′i·ty,** —**ness,** *n.*

tum·my [ˋtʌmɪ] *n.* Ⓒ〖兒〗胃；肚子。

tu·mor, 〖英〗**-mour** [ˋtjumɚ] *n.* Ⓒ ①腫脹。②〖醫〗腫瘤；瘤。— **ous,** *adj.*

tu·mult [ˋtjumʌlt] *n.* Ⓤ Ⓒ ①喧囂。②騷動；暴動。③激昂；奮發。

tu·mul·tu·ous [tjuˋmʌltʃuəs] *adj.* ①喧囂的。②騷亂的。③激動的。— **ly,** *adv.* — **ness,** *n.*

tu·mu·lus [ˋtjumjələs] *n.* Ⓒ (*pl.* ~**es, -li** [-,laɪ]) 古墓；塚。

tun [tʌn] *n.* Ⓒ ①大酒桶；大樽；大桶。②桶(酒類之容量單位，等於252加侖)。**—** *v.t.* (**-nn-**)把(酒等)裝入大桶。

tu·na [ˋtunə] *n.* (*pl.* ~, ~**s**) ① Ⓒ 鮪；金槍魚。② Ⓤ 鮪魚肉(=tuna fish)。

tun·dra [ˋtʌndrə, ˋtundrə] *n.* (the ~)(兩極寒冷地帶之)苔原；凍原。

tune** [tjun] *n.* ① Ⓒ 歌曲；曲調。② Ⓤ 正確的音調；和諧。The piano is in ~. 這鋼琴音調正確。③ Ⓤ 心情；心緒。I am not in ~ for talk. 我沒有心緒談話。sing a different*** ~ 改變調子；改變態度。***to the*** ~ ***of*** 總數達…；共計…。**—** *v.t.* ①調整(樂器)的音調。②歌唱；奏(樂)。③調整(收音機)至某一波長或周率。~ ***in*** 把(收音機、電視機)的頻率調對；收聽；收看。~ ***out*** **a.** 調整收音機以消除(不喜歡聽的節目、雜音等)。**b.** 變得不關心。~ ***up*** **a.** (樂隊)調音。**b.**〖俗〗開始唱；開始演奏；(小兒)開始哭。**c.** 調整；調節。— **ful,** — **less, tun(e)′a·ble,** *adj.* — **ful·ly,** — **less·ly, tun(e)′a·bly,** *adv.*

tun·er [ˋtjunɚ] *n.* Ⓒ ①(樂器)調音師。②調音器。

tune-up [ˋtjun,ʌp] *n.* Ⓒ ①(機器之)調整。②準備。

tung·sten [ˋtʌŋstən] *n.* Ⓤ〖化〗鎢(=wolfram, 金屬元素；符號 W)。

tu·nic [ˋtjunɪk] *n.* Ⓒ ①古希臘、羅馬人所著的上衣或長袍。②婦人所著垂至腰下的束胸上衣。③軍警等所穿的一種緊身上衣。④〖植〗種皮。⑤〖解〗膜。

tun·ing [ˋtjunɪŋ] *n.* Ⓤ 調音；定音。§ ∽ **fôrk**〖理〗音叉。

Tu·nis [ˋtjunɪs] *n.* 突尼斯(爲突尼西亞的首都，在古代迦太基舊址附近)。

Tu·ni·sia [tjuˋnɪʃɪə] *n.* 突尼西亞(北非濱地中海之一國，首都爲 Tunis)。

***tun·nel** [ˋtʌnḷ] *n.* Ⓒ ①隧道；地道。②動物之穴。**—** *v.t. & v.i.* (**-l-,**〖英〗**-ll-**)掘隧道〔through, into〕。

tun·ny [ˋtʌnɪ] *n.* Ⓒ 鮪魚；金槍魚。

tu·pe·lo [ˋtupə,lo] *n.* (*pl.* ~**s**) ① Ⓒ〖植〗(北美洲產)紫樹。② Ⓤ 紫樹木材。

tur·ban [ˋtɝbən] *n.* Ⓒ ①(伊斯蘭教和錫克教徒包在頭上之)頭巾。②(女人或兒童所戴之)無邊帽。— **ed,** *adj.*

tur·bid [ˋtɝbɪd] *adj.* ①混濁的。②(雲、煙等)瀰漫的；濃密的。③混亂的；紊亂的。

tur·bine [ˋtɝbaɪn] *n.* Ⓒ〖機〗渦輪機；渦輪。

tur·bo·gen·er·a·tor [,tɝboˋdʒɛnə,retɚ] *n.* Ⓒ 渦輪發電機。

tur·bo·jet [ˋtɝbo,dʒɛt] *n.* Ⓒ ①渦輪噴射引擎。②渦輪噴射機。

tur·bo·prop [ˋtɝbo,prɑp] *n.* Ⓒ 渦輪螺旋槳發動機[飛機]。

tur·bot [ˋtɝbət] *n.* (*pl.* ~, ~**s**) ① Ⓒ 歐洲產之大比目魚。② Ⓤ 比目魚肉。

tur·bu·lent [ˋtɝbjələnt] *adj.* 狂烈的；動亂的；騷動的；暴亂的。— **tur′bu·lence, tur′bu·len·cy,** *n.*

tu·reen [tuˋrin, tjuˋrin] *n.* Ⓒ (盛湯等的)有蓋深盌；(燒菜和上菜用的)焙盤；蒸鍋。

***turf** [tɝf] *n.* (*pl.* ~**s, turves**) ① Ⓤ 草泥；草地；草皮。② Ⓒ 泥炭塊。③(the ~)賽馬；跑馬場。**—** *v.t.* 覆以草皮。— **turf′y,** *adj.*

Tur·ge·n(i)ev [turˋgɛnjɪf] *n.* 屠格涅夫(Ivan Sergeevich, 1818-83, 俄國小說家)。

tur·gid [ˋtɝdʒɪd] *adj.* ①腫脹的；膨脹的。②誇張的；虛飾的；(言語或文體)華而不實的。— **ness, tur·gid′i·ty,** *n.*

Turk [tɝk] *n.* Ⓒ ①土耳其人；(尤指)奧斯曼土耳其人。②〖諧〗頑皮的孩子。③土耳其馬。

Turk. Turkey; Turkish.

tur·key** [ˋtɝkɪ] *n.* Ⓒ ①火雞。②〖俚〗失敗的演出；失敗之作。③〖俚〗(演出、作品之)失敗。talk*** ~〖俗〗坦白而鹵莽地講；認眞談判。§ ∽ **cŏck** (1)公火雞。(2)裝腔作勢的人。

Tur·key [ˋtɝkɪ] *n.* 土耳其(西亞南歐之一國，首都 Ankara)。

Turk·ish [ˋtɝkɪʃ] *adj.* 土耳其(人)的。**—** *n.* Ⓤ 土耳其語。§ ∽ **báth** 土耳其浴。∽ **tówel** 一種長毳厚毛巾。

tur·mer·ic [ˋtɝmərɪk] *n.* Ⓤ ①〖植〗鬱金；薑黃。②鬱金[薑黃]根。

tur·moil [ˋtɝmɔɪl] *n.* Ⓤ 騷動；混亂。

‡**turn** [tɝn] *v.t.* ①使旋轉。②使轉動；翻轉。③使轉向；移轉。④使變成；改變；使變質。⑤使(精神、頭腦)昏狂。⑥翻譯。⑦轉過(角)。⑧驅逐。⑨把…轉(作某種用途)。⑩到達(某一時期)。He has ~*ed* fifty. 他已五十歲了。⑪把…弄倒[翻過來]。⑫使作嘔。The mere sight of food ~*ed* his stomach. 食物使他一見便嘔。⑬擋回。~ a punch 擋住一拳。⑭思索〔常 over〕。**—** *v.i.* ①旋轉；環繞。②轉動；翻身。③轉變方向。*T*- to the right. 向右邊轉。④變。⑤皈依；求助。⑥(牛奶等)變酸。⑦(樹葉)變色。⑧暈眩。⑨作嘔。~ ***about*** 向後轉。~ ***aside***(使)轉變方向。~ ***away*** **a.**轉變…的方向；不看。**b.**不許進入；解雇。~ ***down*** **a.**拒絕；摒斥。**b.**把(瓦斯火、音響聲音等)關小。**c.**翻下。**d.**翻過來使其面向下。**e.**

摺下。～ *in* **a.**(使…)向內彎曲；折入。**b.**(使)向內曲。**c.**〖俗〗舖床。**d.**交還。**e.**交換。**f.**告發；把(犯人)引渡。～ *loose* **a.**放縱。**b.**發射。～ *off* **a.**關掉(煤氣、自來水、電燈等)。**b.**解雇。**c.**使偏離。～ *on* **a.**打開(煤氣、電燈等)。**b.**靠；取決於。**c.**反對；攻擊。～ *out* **a.**逐出。**b.**翻出。**c.**製造；產出。**d.**(使)出來。**e.**關閉(電燈、自來水等)。**f.**〖俗〗起床。**g.**結果是；成爲。～ *over* **a.**移交；交；讓渡。**b.**考慮。**c.**(躺臥時)翻身。**d.**翻；翻轉。**e.**營業額達…。**f.**轉賣。**g.**週轉(資金)。～ *round* (使)轉過來[去]。～ *to* **a.**求助於。**b.**開始；著手。**c.**查閱；參考。**d.**變成。～ *up* **a.**捲起；向上翻轉；向上翹。**b.**將(燈等)開得更亮。**c.**將(收音機)的聲音開得更大。**d.**出現；來臨；發生。**e.**轉身往上升。**f.**翻掘(土)。**g.**找到；發現。～ *upon* = **turn on.** — *n.* ① Ⓒ 旋轉；轉動。② Ⓒ 轉向。③ Ⓒ 彎曲；曲折；轉彎處。④(the ～)轉變；變化。⑤ Ⓒ 形狀；樣子。⑥ Ⓒ 輪次；輪序；班。⑦(a ～)(散步、兜風、騎馬等之)一圈。⑧ Ⓒ 事蹟；行爲。One good ～ deserves another.〖諺〗施惠者應得到報償。⑨ Ⓒ 特殊需要；目的。⑩(a ～)傾向；癖性；才能。⑪(a ～)〖俗〗吃驚。⑫ Ⓒ (表演的)項目。⑬ Ⓒ〖樂〗回音。*at every* ～ 事事；處處。*by* ～*s* 輪流地。*in* ～ **a.** 依序地。**b.**轉而。*on the* ～ 在轉變；(牛奶)正在變酸。*out of* ～ **a.** 不照順序地。**b.**不合時宜地。*take* ～*s* 輪流。*to a* ～ 恰好。～ (*and* ～) *about* 交替地；輪流。～ *of speed* 速力。

turn·a·bout [ˋtɝnə,baʊt] *n.* Ⓒ ① 轉向；轉身。②背叛；變節。③〖美〗旋轉木馬。④裡外兩面皆可穿的衣服。

turn·a·round [ˋtɝnə,raʊnd] *n.* ① Ⓒ (思想、態度等之)轉變。② Ⓤ (飛機、車船等)往返所需的時間。③ Ⓤ 船出海前在港中停泊之時間。④ Ⓒ (汽車等之)迴轉場。⑤ Ⓒ 轉向；迴轉。

turn·coat [ˋtɝn,kot] *n.* Ⓒ 變節者；叛徒。

turn·down [ˋtɝn,daʊn] *adj.* 向下翻折的；翻折式的。

turn·er [ˋtɝnɚ] *n.* Ⓒ ① 轉動之人[物]。②鏇匠；車床工人。

turn·er·y [ˋtɝnərɪ] *n.* Ⓤ 旋盤工藝；鏇床工藝。

***turn·ing** [ˋtɝnɪŋ] *n.* ① Ⓤ 旋轉。② Ⓒ 彎曲。③ Ⓤ 鏇床工；車床細工。§ ∼ **pòint** 轉機；轉捩點。

tur·nip [ˋtɝnɪp] *n.* ① Ⓤ Ⓒ 蘿蔔。② Ⓒ〖植〗蕪菁。(〖英〗亦作 **turmut**)

turn·key [ˋtɝn,ki] *n.* Ⓒ 看守；獄吏。

turn·out [ˋtɝn,aʊt] *n.* ① Ⓒ (常 *sing.*)群集之人；(集會之)出席者。② (*sing.*)生產量；量額。③ Ⓒ 窄路上之寬闊處(可供錯車或超車)。④ Ⓒ 鐵路之避讓線。⑤ Ⓒ 裝扮；裝備。⑥ Ⓒ〖英〗罷工(者)。⑦ Ⓒ (包括車伕之)馬車。

turn·o·ver [ˋtɝn,ovɚ] *n.* ① Ⓒ 翻覆。②(*sing.*)人事變動。③(*sing.*)周轉。④(*sing.*)某一時期的總營業額；營業量。— *adj.* (可以)翻過來的。

turn·pike [ˋtɝn,paɪk] *n.* Ⓒ ①(收取通行稅之)關柵；關卡。②有收取通行稅柵門之道路；收稅道路(=turnpike road)。

turn·screw [ˋtɝn,skru] *n.* Ⓒ〖主英〗螺絲旋轉具；螺絲起子。

turn·stile [ˋtɝn,staɪl] *n.* Ⓒ (設於戲院、遊戲場所等入口處之)十字轉門。

turn·ta·ble [ˋtɝn,tebl̩] *n.* Ⓒ ①〖鐵路〗(用來轉換機車等方向的)轉車臺；旋車盤。②(留聲機之)唱盤。

turn·up [ˋtɝn,ʌp] *n.* Ⓒ〖俚〗①騷亂；打鬥。②出乎意料之事。③翻折；翻折之物；褲腳之翻折邊。— *adj.* 翻轉的；(衣領)可翻折的。

tur·pen·tine [ˋtɝpən,taɪn] *n.* Ⓤ 松脂；松油；松節油。— *v.t.* 給…塗松節油。

tur·pi·tude [ˋtɝpə,tjud] *n.* Ⓤ ①邪惡；卑鄙。②可恥的行爲。

tur·quoise [ˋtɝkwɔɪz] *n.* ① Ⓤ Ⓒ〖礦〗綠松石。② Ⓤ 綠藍色；天藍色。— *adj.* 天藍色的。

tur·ret [ˋtɝɪt, ˋturɪt] *n.* Ⓒ ①(建築物之)小塔；角樓。②砲塔。③裝甲車上之車塔。④(戰鬥機之)槍座。

tur·ret·ed [ˋtɝɪtɪd] *adj.* ①有小塔的；塔狀的。②有砲塔的。

***tur·tle** [ˋtɝtl̩] *n.* Ⓒ 龜；鼈；甲魚。*turn* ～(船等)翻覆；沉沒。

tur·tle·dove [ˋtɝtl̩,dʌv] *n.* Ⓒ 斑鳩。

tur·tle·neck [ˋtɝtl̩,nɛk] *n.* Ⓒ ①有翻折高領的毛線衫。②(套頭毛線衫的)翻折的高領。(亦作 **turtle neck**)

Tus·ca·ny [ˋtʌskənɪ] *n.* 托斯卡尼(義大利中西部一行政區)。

tusk [tʌsk] *n.* Ⓒ ①(象等之)長牙。②似長牙之物。— *v.t.* & *v.i.* 以長牙挖掘或刺戳。

tus·sle [ˋtʌsl̩] *n.* Ⓒ 劇烈的爭鬥、爭執等；搏鬥；扭打。— *v.i.* 扭打；爭執。

tus·sock [ˋtʌsək] *n.* Ⓒ (草等之)叢；簇。

tut [tʌt] *interj.* & *n.* Ⓒ 噓！嘖！(表示不耐煩、輕蔑、責難之聲)。— *v.i.* (**-tt-**) 發出噓[嘖嘖]聲。

tu·te·lage [ˋtutl̩ɪdʒ] *n.* Ⓤ ①保護。② 教育；輔導。

tu·te·lar·y [ˋtutl̩,ɛrɪ] *adj.* 保護(者)的；守護(者)的。

***tu·tor** [ˋtutɚ, ˋtju-] *n.* Ⓒ ①家庭教師。②(英國大學之)導師。③(美國大學之)教員(職位低於 instructor 者)；助教。— *v.t.* & *v.i.* ①教授；輔導。②保護；照顧；作…之監護人。—**ship,** *n.* —**tu·toˊri·al,** *adj.*

tu·tor·age [ˋtutərɪdʒ, ˋtju-] *n.* Ⓤ ①家庭教師[監護人]的職責[地位、權威、教導]。②家庭教師之薪酬；束脩。

tu·tress [ˋtjutrɪs] *n.* Ⓒ 女教師；女家庭教師。(亦作 **tutoress**)

tut·ti-frut·ti [ˋtutɪˋfrutɪ] *n.* Ⓤ Ⓒ ① 蜜餞百果。② 攙有蜜餞百果的冰淇淋。

tu·tu [ˋtutu]〖法〗*n.* Ⓒ 芭蕾舞短裙。

tux [tʌks] *n.*〖美俗〗=**tuxedo.**

tux·e·do [tʌkˋsido] *n.* Ⓒ (*pl.* ～**s,** ～**es**)男用無尾晚禮服。

‡**TV** television; terminal velocity.

twad·dle [ˋtwɑdl̩] *n.* Ⓤ 廢話；無聊話。— *v.i.* 講廢話；笨拙而無意義地

寫。

twain [twen] *n.* & *adj.* 〖古，詩〗＝**two.**

Twain [twen] *n.* 馬克吐溫(Mark, 1835-1910, 美國小說家及幽默家，其本名爲 Samuel Langhorne Clemens).

twang [twæŋ] *n.* Ⓒ①弦聲。②尖銳的鼻音。—*v.t.* & *v.i.* ①發弦聲。②以鼻音說話。

'twas [twɑz] 〖古，詩〗＝**it was.**

tweak [twik] *n.* Ⓒ 擰；扭；用力扯。—*v.t.* 扭；用力扯。

twee [twi] *adj.* 〖英俚〗矯揉造作的；喬裝可愛的。

tweed [twid] *n.* ①Ⓤ蘇格蘭出產的粗花呢。②(*pl.*)(蘇格蘭的)粗花呢服。

twee·dle [`twidl̩] *v.i.* (樂器或其彈奏者)發出或奏出鏗然之聲。—*v.t.* 漫不經心地撥弄(絃樂器)。—*n.* Ⓒ (樂器發出之)鏗然聲。

Twee·dle·dum and Twee·dle·dee [ˏtwidl̩`dʌmənˏtwidl̩`di] *n. pl.* ①難以區別的二事物；半斤八兩；名稱不同而實質相同的兩件東西。②〖諧，蔑〗外貌、性格、意見等相同的兩個人。

tween·y [`twinɪ] *n.* Ⓒ〖美俗〗①(協助燒飯及打雜的)女傭。②十至十二歲之間的兒童。

tweet [twit] *n.* Ⓒ 鳥叫聲；啾啾聲。—*v.i.* (小鳥)啾啾地叫；啁啾而鳴。

tweet·er [`twitɚ] *n.* Ⓒ 高音擴聲器；高頻揚聲器。

tweez·ers [`twizɚz] *n. pl.* 鑷子；鉗子。

‡**twelfth** [twɛlfθ] *n.* ①Ⓤ第十二。②Ⓒ十二分之一。—*adj.* 第十二的。

Twelfth-day [`twɛlfθˏde] *n.* Ⓤ 十二日節；主顯節(一月六日)。

Twelfth-night [`twɛlfθˏnaɪt] *n.* Ⓤ十二日節[主顯節]之夜或前夕。

‡**twelve** [twɛlv] *n.* ①ⓊⒸ 十二。②Ⓤ十二個；十二人；十二歲；十二時。③Ⓒ(號碼之)十二號。*the T-* 基督的十二使徒。—*adj.* 十二個的。

twelve·month [`twɛlvˏmʌnθ] *n.* (a ～)〖英〗十二個月；一年。

‡**twen·ti·eth** [`twɛntɪɪθ] *n.* ①Ⓤ第二十。②Ⓒ二十分之一。—*adj.* 第二十的。

‡**twen·ty** [`twɛntɪ] *n.* ①ⓊⒸ二十。②Ⓤ二十個；二十人；二十歲。③Ⓒ(號碼之)二十號。—*adj.* 二十的。

'twere [twɝ] 〖古，詩〗＝**it were.**

twerp [twɝp] *n.* Ⓒ〖俚〗粗俗的人。

‡**twice** [twaɪs] *adv.* ①兩次地。②兩倍地。*think* ～ **a.**再三考慮。**b.**猶豫不決。

twice-told [`twaɪs`told] *adj.* 說過兩次的；陳舊的；陳腐的。

twid·dle [`twɪdl̩] *v.t.* 撫弄；玩弄。—*v.i.* ①玩弄；擺弄。②忙於瑣事。③旋轉。～ *one's thumbs*[*fingers*] **a.** 無聊地交互繞動著兩個拇指[指頭]。**b.** 無所事事；懶散。—*n.*(a ～)用手指等捻弄；一轉。

***twig**[1] [twɪg] *n.* Ⓒ小枝；嫩枝。—**gy,** *adj.*

twig[2] *v.t.* & *v.i.* (**-gg-**)〖英俚〗①領悟。②了解；懂。

***twi·light** [`twaɪˏlaɪt] *n.* Ⓤ ①(日出前的)微明；曉光；(日落前的)薄暮；黃昏。②微弱的光芒。③衰微的時期。—*adj.* ①微明的；晦暗的。②黃昏時出現的。§～ **slèep**〖醫〗半麻醉。

twill [twɪl] *n.* Ⓤ ①斜紋布。②(織物之)斜紋。—**ed,** *adj.*

'twill [twɪl] 〖古，詩〗＝**it will.**

***twin** [twɪn] *n.* ①Ⓒ孿生子之一。②(*pl.*)一對孿生子；雙胞胎。③Ⓒ兩個極其相似的人或物之一。—*adj.* ①孿生的。②成雙的；成對的。③一對相同部分的。—*v.t.* & *v.i.* (**-nn-**)①生雙生子。②(使)成雙；(使)成對。

twine [twaɪn] *n.* Ⓤ①合股線；細繩。②編結；編織。③盤曲；纏繞。④纏結之物。—*v.t.* & *v.i.* ①編結；編織。②纏繞。

twinge [twɪndʒ] *n.* Ⓒ (身、心上之)劇痛；刺痛；痛苦。—*v.t.* & *v.i.* (使)感覺一陣劇痛；(使)良心受痛責。

***twin·kle** [`twɪŋkl̩] *v.i.* ①閃爍；閃耀。②(腳步)輕快地移動；閃動。③〖古〗轉瞬；霎眼。—*v.t.* ①使閃爍；使閃耀。②閃閃發(光)。—*n.*(*sing.*)①(常 the ～)閃爍；閃耀。②閃動。③轉瞬；霎眼。

twin·kling [`twɪŋklɪŋ] *adj.* ①閃耀的；閃爍的。②(腳步)輕快的。—*n.*(*sing.*)①閃耀；閃爍。②瞬間。*in a* ～; *in the* ～ *of an eye* 轉瞬之間；頃刻。

twirl [twɝl] *v.t.* & *v.i.* ①(使)旋轉。②扭轉；捲曲。③投(棒球)。—*n.* Ⓒ ①旋轉。②扭曲；彎曲；花體(式)。

twirl·er [`twɝlɚ] *n.* Ⓒ 旋轉(指揮棒)者；旋轉物。

***twist** [twɪst] *v.t.* ①搓；編。②捲纏。③扭曲；扭歪；擰。④曲解。⑤使變形。—*v.i.* ①盤旋；曲折；迂迴。②扭歪；扭傷。③轉身。—*n.* ①Ⓒ捻成的線；縫紉線。②Ⓒ扭捲而成之物。③Ⓒ扭歪；纏繞。④Ⓒ曲折；彎曲。⑤Ⓒ失常；偏差；癖。⑥(the ～)扭扭舞。

twist·er [`twɪstɚ] *n.* Ⓒ ①撚搓之人；撚搓器。②〖俗〗說謊話的人；歪曲事實的人。③(棒球、網球等之)曲球；旋轉前進之球。④〖美〗旋風；龍捲風。

twit [twɪt] *v.t.* (**-tt-**)① 嘲笑；挖苦；揶揄。② 譴責；責罵。

twitch [twɪtʃ] *v.i.* ①痙攣；抽動。②急拉；扯。③突然發生劇痛。—*v.t.* ①急拉；扯。②使抽動。③搶走；奪去。

twit·ter [`twɪtɚ] *n.* ①Ⓤ 囀；鳥鳴聲。②(a ～)緊張；興奮；顫抖。③Ⓒ格格的笑。④Ⓤ喋喋不休。—*v.i.* ①(鳥)吱吱地叫。②格格而笑。③因興奮而顫抖。④緊張。⑤喋喋不休地說話。—*v.t.* ①啁啾地唱出。②顫動。

‡**two** [tu] *n.* ①ⓊⒸ二。②Ⓤ兩個；兩人；兩歲；兩點鐘。③Ⓒ (大小號碼之)二號。*by* ～*s and threes* 三三兩兩地。*in* ～ 成爲兩半地。*in* ～ ～*s*〖英〗馬上；很快地。*put* ～ *and* ～ *together* 根據事實推斷。—*adj.* 二的；兩個的。

twó-base hít [`tuˏbes～] *n.* Ⓒ〖棒球〗二壘安打。(亦作 **two-bagger**)

two-by-four [`tubəˏfor] *adj.* ①(木材等)二吋寬四吋長的。②〖美俚〗不重要的；不足道的；小的。—*n.* Ⓒ二

吋寬四吋長之木材。
two·di·men·sion·al [ˋtudəˋmɛnʃənl] *adj.* ①有長寬的；二度空間的；平面的。②(作品等)沒有深度的。
two-edged [ˋtuˋɛdʒd] *adj.* = **double-edged.**
two-faced [ˋtuˋfest] *adj.* = **double-faced.**
two·fold [ˋtu,fold] *adj.* ①兩倍的；雙重的。②有兩部分的；有兩要素的。— *adv.* 兩倍地。
two-hand·ed [ˋtuˋhændɪd] *adj.* ①有兩手的。②善用兩隻手的。③需要兩人的；二人的。
two-leg·ged [ˋtuˋlɛgɪd] *adj.* 有兩條腿的。
two·pence [ˋtʌpəns] *n.* ①Ⓤ兩辨士之金額。②Ⓒ(英國舊時的)兩辨士銅幣。***not care*** ~ 絲毫不在乎。
two·pen·ny [ˋtu,pɛnɪ, ˋtʌpənɪ] *adj.* ①值二辨士的。②便宜的；瑣屑的；不足道的。③(釘子)有一吋長的。— *n.* Ⓒ①兩辨士；(英國舊時的)兩辨士銅幣。②一種啤酒。③〖俚〗頭。
two·pen·ny-half·pen·ny [ˋtʌpənɪˋhepənɪ] *adj.* 〖英〗①二辨士半的。②不足道的；瑣屑的。
two-piece [ˋtuˋpis] *adj.* 兩件式的；(衣服等)分為上裝及下裝的。— *n.* Ⓒ(亦作 **two-piecer**)兩件式衣服。
two-ply [ˋtuˋplaɪ] *adj.* 雙層的；雙重的；雙股的。
two-sid·ed [ˋtuˋsaɪdɪd] *adj.* ①兩面的；兩方面的。②表裡不一致的；懷二心的。③〖生物〗左右相稱的。
two·some [ˋtusəm] *n.* Ⓒ①二人一組。②兩人的遊戲。— *adj.* 由兩人組成的；兩人從事的。
two-step [ˋtu,stɛp] *n.* Ⓒ①兩步舞。②兩步舞舞曲。
two-time [ˋtu,taɪm] *v.t.* 〖俚〗背著(丈夫、妻子)偷情。— *adj.* 某件事做過兩遍的；曾兩次獲得某物的。§ ~ **lóser**〖俚〗(1)在同一州中有兩次前科的人。(2)失敗兩次的人(尤指離婚兩次或破產兩次的人)。— **two′-tim·er,** *n.*
two-tone [ˋtuˋton] *adj.* 有兩種顏色的；同色系而色度不同的。
'twould [twʊd] = **it would.**
two-way [ˋtuˋwe] *adj.* ①雙行的；雙向的。②兩用的。③相互的。
TX Texas.
-ty[1] 〖字尾〗表「十之倍數」之義。
-ty[2] 〖字尾〗表「性質；狀態」之義。
ty·coon [taɪˋkun] *n.* Ⓒ〖俗〗大亨；巨頭(日語「大君」之音讀音譯)。
ty·ing [ˋtaɪɪŋ] *v.* ppr. of **tie.** — *n.* Ⓤ繫結；捆綁。
tyke [taɪk] *n.* = **tike.**
tym·pan·ic [tɪmˋpænɪk] *adj.* 〖解〗鼓膜的；中耳的。§ ~ **mémbrane**〖解〗鼓膜。
tym·pa·ni·tis [,tɪmpəˋnaɪtɪs] *n.* Ⓤ〖醫〗中耳炎。
tym·pa·num [ˋtɪmpənəm] *n.* Ⓒ(*pl.* ~**s, -na** [-nə])①〖解〗鼓膜；中耳；鼓室。②〖建〗山牆的凹面；拱與楣間之部分。③(電話機之)振動膜。
Tyn·dale [ˋtɪndl] *n.* 丁道爾(William, 1492?-1536, 英國之宗教改革家，於1524-26年將新約譯成英文)。
‡**type** [taɪp] *n.* ①Ⓒ型；型式；樣式；類型。②Ⓒ典型；模範；表率；代表物；標本。③Ⓒ〖古〗象徵；表徵。④ⓊⒸ〖印刷〗活字；字體。⑤ⓊⒸ(錢幣、徽章上之)圖案。⑥Ⓒ(血)型。— *v.t.* ①代表；表徵。②以打字機打出。③驗明(血型)。④作為…之典型。⑤給(演員)以某種造型。— *v.i.* 打字。§ ~ **mètal** 活字合金。
type·cast [ˋtaɪp,kæst] *v.t.* (**-cast**)分配(演員)扮演與其相宜之角色。
type·script [ˋtaɪp,skrɪpt] *n.* ⓊⒸ打字稿[文件](以別於手寫或印刷者)。
type·set [ˋtaɪp,sɛt] *v.t.* (**-set, -set·ting**)將(原稿)排字；把…排版。
type·set·ter [ˋtaɪp,sɛtɚ] *n.* Ⓒ①排字工人。②排字機。
type·write [ˋtaɪp,raɪt] *v.t.* & *v.i.* (**-wrote** [-,rot], **-writ·ten** [-,rɪtn])用打字機打；打字。
***type·writ·er** [ˋtaɪp,raɪtɚ] *n.* Ⓒ打字機。
type·writ·ing [ˋtaɪp,raɪtɪŋ] *n.* Ⓤ打字；打字術；打字文件。
typh·li·tis [tɪfˋlaɪtɪs] *n.* Ⓤ〖醫〗盲腸炎。
ty·phoid [ˋtaɪfɔɪd] *adj.* ①傷寒症的。②似斑疹傷寒的。— *n.* Ⓤ〖醫〗傷寒症(=typhoid fever)。
***ty·phoon** [taɪˋfun] *n.* Ⓒ颱風。
ty·phus [ˋtaɪfəs] *n.* Ⓤ〖醫〗斑疹傷寒。
***typ·i·cal** [ˋtɪpɪkl] *adj.* 典型的；有代表性的；象徵的。*— **ly,** *adv.*
typ·i·fi·ca·tion [,tɪpəfɪˋkeʃən] *n.* ⓊⒸ典型化；象徵；代表。
typ·i·fy [ˋtɪpə,faɪ] *v.t.* ①代表；象徵。②為…之典型。③預示。
typ·ing [ˋtaɪpɪŋ] *n.* Ⓤ打字；打字術。§ ~ **pàper** 打字用紙。~ **pòol** (在大辦公室專為公司人員打文件的)打字室。
***typ·ist** [ˋtaɪpɪst] *n.* Ⓒ打字員。
ty·po [ˋtaɪpo] *n.* Ⓒ(*pl.* ~**s**)〖俗〗印刷工；排字工。
ty·pog·ra·pher [taɪˋpɑgrəfɚ] *n.* Ⓒ①印刷工人；排字工人。②印刷商。
ty·po·graph·ic, -i·cal [,taɪpəˋgræfɪk(l)] *adj.* 印刷上的；排字上的。
ty·pog·ra·phy [taɪˋpɑgrəfɪ] *n.* ①Ⓤ活版印刷術。②ⓊⒸ印刷格式。
ty·pol·o·gy [taɪˋpɑlədʒɪ] *n.* ⓊⒸ①〖心，哲，語言，生物〗類型學。②象徵論。
ty·ran·nic, -ni·cal [tɪˋrænɪk(l)] *adj.* (似)暴君的；專橫的；暴虐的。— **ty·ran′ni·cal·ly,** *adv.*
tyr·an·nize [ˋtɪrə,naɪz] *v.i.* & *v.t.* ①虐待；施行暴政〔over〕。②暴力統治。
ty·ran·no·saur [təˋrænə,sɔr, taɪ-] *n.* Ⓒ〖古生〗暴(君)龍(為肉食恐龍中之最大者)。
tyr·an·nous [ˋtɪrənəs] *adj.* 暴虐的；殘暴的；專橫的。— **ly,** *adv.*
***tyr·an·ny** [ˋtɪrənɪ] *n.* ①Ⓤ暴虐；虐政。②Ⓒ(常*pl.*)暴行；殘暴的行為。
***ty·rant** [ˋtaɪrənt] *n.* Ⓒ暴君；專制君主。
***tyre** [taɪr] *n.* & *v.* 〖英〗= **tire**[2].
Tyre [taɪr] *n.* 泰爾(古腓尼基南部之一

海港，在今之黎巴嫩)。
ty·ro [ˋtaɪro] *n.* Ⓒ (*pl.* **～s**) 初學者；生手；新手。
Ty·rol [ˋtɪrəl, tɪˋrol] *n.* 提洛爾(奧國西部、義大利北部一區域，在阿爾卑斯山中)。(亦作 **Tirol**)
tzar [tsɑr] *n.* =**czar.**
tza·ri·na [tsɑˋrinə] *n.* =**czarina.**

U u **U u** *U u*

U or **u** [ju] *n.* (*pl.* **U's, u's**) ① Ⓤ Ⓒ 英文之第二十一個字母。② Ⓒ U 形之物。a *U* bolt U 形螺栓。
U 〖化〗uranium；〖英，影〗Universal.普級的。**U.** Unionist; University.
u·biq·ui·tous [juˋbɪkwətəs] *adj.* 無所不在的；遍在的。
u·biq·ui·ty [juˋbɪkwətɪ] *n.* Ⓤ 到處存在；遍在。
U-boat [ˋjuˏbot] *n.* Ⓒ 德國潛水艇。
UCLA University of California at Los Angeles. (美國)加州大學洛杉磯分校。
ud·der [ˋʌdɚ] *n.* Ⓒ (動物的)乳房。
UFO [ˋjuˋɛfˋo, ˋjufo] *n.* Ⓒ (*pl.* **～s, ～'s**)幽浮；不明飛行物體；(尤指)飛碟(為 Unidentified Flying Object 之略)。
u·fol·o·gy [juˋfɑlədʒɪ] *n.* Ⓤ 幽浮[飛碟]學。— **u·fol′o·gist,** *n.*
U·gan·da [juˋgændə] *n.* 烏干達(東非一國，首都 Kampala)。
ugh [ux, ʌ] *interj.* 啊！唷！哎呀！(表示嫌惡、恐怖等之感嘆聲)。
⁑**ug·ly** [ˋʌglɪ] *adj.* ①難看的；醜陋的。②醜惡的；邪惡的；令人厭惡的。③險惡的。④〖美俗〗脾氣壞的。§ ∼ **cús·tomer** 難以應付的人；麻煩人物。∼ **dúckling** 醜小鴨(小時長得醜或受輕視，長大後變得很漂亮或很有成就的孩子)。— **ug′li·ly,** *adv.* — **ug′li·ness,** *n.*
uh [ʌ] *interj.* 唔(講話當中作為與下一句話的連接或整理思路時所發的聲音)。
UHF, uhf ultrahigh frequency.
uh-huh [ˋʌˋhʌ] *interj.* 嗯(表示肯定、同意所發出的鼻音)。
uh·lan [ˋulɑn] *n.* Ⓒ (昔波蘭或德國之)持矛騎兵。
uh-uh [ˋʌ̃ˋʌ̃] *interj.* 哦(表示不平、不同意時所發的鼻音)。
Ui·g(h)ur [ˋwigur] *n.* ① Ⓒ 維吾爾人(為土耳其民族之一支，居於蒙古與新疆)。② Ⓤ 維吾爾語。
⁑**U.K., UK** United Kingdom.
U·kraine [ˋjukren] *n.* 烏克蘭(前蘇聯歐洲部分之一共和國，首都 Kiev)。
U·krain·i·an [juˋkrenɪən] *adj.* 烏克蘭(人，語)的。— *n.* ① Ⓒ 烏克蘭人。② Ⓤ 烏克蘭語。
u·ku·le·le [ˏjukəˋlelɪ] *n.* Ⓒ (發源於夏威夷與吉他類似的)烏克賴里四弦琴。
ul·cer [ˋʌlsɚ] *n.* Ⓒ ①〖醫〗潰瘍。②弊害；弊風。
ul·cer·ate [ˋʌlsəˏret] *v.i.* & *v.t.* (使)生潰瘍；(使)腐敗。
ul·cer·a·tion [ˏʌlsəˋreʃən] *n.* Ⓤ 潰瘍(的形成)。
ul·cer·ous [ˋʌlsərəs] *adj.* 潰瘍性的；患潰瘍的。
ul·na [ˋʌlnə] *n.* Ⓒ (*pl.* **-nae** [-ni], **～s**) 〖解〗尺骨。— **ul·nar** [ˋʌlnɚ], *adj.*
Ul·ster [ˋʌlstɚ] *n.* ①阿爾斯特(愛爾蘭共和國與北愛爾蘭的一部分)。②〖俗〗北愛爾蘭。③(u-) Ⓒ 阿爾斯特大衣(寬鬆的厚大衣，男女兼用)。
ult. ultimate(ly); ultimo.
ul·te·ri·or [ʌlˋtɪrɪɚ] *adj.* ①隱祕的；未揭露的。②日後的；未來的。③在彼方的；較遠的。
***ul·ti·mate** [ˋʌltəmɪt] *adj.* ①最後的；終極的。②根本的；基本的；首要的。③最大的；極限的。— *n.* Ⓒ 終極；基本事實。
ul·ti·mate·ly [ˋʌltəmɪtlɪ] *adv.* 最後；最終；終於。
ul·ti·ma·tum [ˏʌltəˋmetəm] *n.* Ⓒ (*pl.* **～s, -ta** [-tə])最後通牒；哀的美敦書；最後的要求。
ul·ti·mo [ˋʌltəˏmo] *adv.* 在上個月。— *adj.* 上個月分的。(常略作 **ult.**)
ul·tra [ˋʌltrə] *adj.* 偏激的；極端的；過度的。— *n.* Ⓒ 極端主義者；偏激論者；急進分子。
ultra- 〖字首〗表「極端；過度」之義。
ul·tra·high [ˏʌltrəˋhaɪ] *adj.* 超高的。§ ∼ **fréquency**〖無線〗超高頻率。(略作 UHF)
ul·tra·ma·rine [ˏʌltrəməˋrin] *adj.* ①海外的；海那邊的。②佛青色的。— *n.* Ⓤ ①佛青色。②群青(藍色的顏料)。
ul·tra·mon·tane [ˏʌltrəˋmɑnten] *adj.* ①山那邊的。②阿爾卑斯山南麓的。③教宗絕對權力主義的。— *n.* Ⓒ ①阿爾卑斯山南方之人。②教宗至上論者。
ul·tra·red [ˏʌltrəˋrɛd] *adj.* 〖理〗紅外線的。§ ∼ **ráys** 紅外線。
ul·tra·short [ˏʌltrəˋʃɔrt] *adj.* ①超短的。②〖理〗超短波的。
ul·tra·son·ic [ˏʌltrəˋsɑnɪk] *adj.* 超音波的。
ul·tra·son·ics [ˏʌltrəˋsɑnɪks] *n.* Ⓤ 超音波學。
ul·tra·so·nog·ra·phy [ˏʌltrəsəˋnɑgrəfɪ] *n.* Ⓤ 〖醫〗超音波診斷[掃描，檢查]法。
ul·tra·sound [ˋʌltrəˏsaund] *n.* Ⓤ 〖理〗超音波。
ul·tra·vi·o·let [ˏʌltrəˋvaɪəlɪt] *adj.* 〖理〗紫外(線)的；產生[應用]紫外線的。§ ∼ **ráys** 紫外線。
ul·u·late [ˋjuljəˏlet] *v.i.* (狼、犬等)嗥；(梟)啼；哀鳴。— **ul·u·la′tion,** *n.*
U·lys·ses [juˋlɪsiz] *n.* 尤里西斯(希臘傳說中 Ithaca 之王，為 Homer 史詩 *Odyssey* 中之主角)。(亦作 **Odysseus**)
um·bel [ˋʌmbl̩] *n.* Ⓒ 〖植〗繖狀花序；傘形花序。
um·ber [ˋʌmbɚ] *n.* Ⓤ ①赭土(天然褐色顏料)。②暗褐色。— *adj.* 赭色的。

U

um·bil·i·cal [ʌmˋbɪlɪkl̩] *adj.* 肚臍的。§ ∼ **còrd** (1)〖解〗臍帶。(2)(太空人、潛水夫等的)救生索；安全索。

um·bil·i·cus [ʌmˋbɪlɪkəs, ˌʌmbɪˋlaɪkəs] *n.* Ⓒ (*pl.* **∼es, -ci** [-ˌsaɪ]) ①〖解〗肚臍。②〖植〗種臍。③〖幾何〗臍點。④〖考古〗(書畫卷軸的)軸玉。

um·bra [ˋʌmbrə] *n.* Ⓒ (*pl.* **-brae** [-bri], **∼s**) ①陰暗；陰影。②太陽黑子的中央陰影部。

um·brage [ˋʌmbrɪdʒ] *n.* Ⓤ ①彆扭；不快；埋怨。②生蔭之葉簇。③〖詩〗蔭。*take* ∼ (*at*) 對…生氣。

um·bra·geous [ʌmˋbredʒəs] *adj.* ①多蔭的。②容易生氣的；容易得罪的。

‡**um·brel·la** [ʌmˋbrɛlə] *n.* Ⓒ ①傘；洋傘；雨傘。②(戰鬥機羣之)空中掩護幕。③庇護。§ ∼ **stànd** 傘架。∼ **trèe** 〖植〗(北美產之)三瓣木蘭。

u·mi·a(c)k [ˋumɪˌæk] *n.* Ⓒ (愛斯基摩人所用之)木架皮舟。

***um·pire** [ˋʌmpaɪr] *n.* Ⓒ ①(競賽之)裁判員。②仲裁者；公斷人。— *v.i.* 作裁判員；作仲裁者。— *v.t.* 裁判；仲裁；公斷。

ump·teen [ˋʌmpˋtin] *adj.* 〖俗〗很多的；無數的。

‡**UN, U.N.** United Nations.

'un [ən] *pron.* 〖俗〗人；傢伙；東西(= one).

un- 〖字首〗①用於形容詞或副詞之前，表示「不；與…相反的」之義，如：*un*fair. ②用於動詞之前，表示「相反」之義，如：*un*dress. ③用於名詞之前，表示「不；無」之義，如：*un*certainty.

un·a·bashed [ˌʌnəˋbæʃt] *adj.* 不羞赧的；不害臊的。

un·a·bat·ed [ˌʌnəˋbetɪd] *adj.* 不減弱的。

‡**un·a·ble** [ʌnˋebl̩] *adj.* 不能的(to do).

un·a·bridged [ˌʌnəˋbrɪdʒd] *adj.* (書等)未刪節的；未節略的。

un·ac·cent·ed [ʌnˋæksɛntɪd] *adj.* 無重音的。

un·ac·cept·a·ble [ˌʌnəkˋsɛptəbl̩] *adj.* 不能接受的；不能接納的；不中意的。

un·ac·com·mo·dat·ing [ˌʌnəˋkɑməˌdetɪŋ] *adj.* ①不順從的；不肯通融的。②不仁慈的；不親切的。

un·ac·com·pa·nied [ˌʌnəˋkʌmpənɪd] *adj.* ①無人陪伴的；無附屬物的。②〖樂〗無伴奏的。

un·ac·count·a·ble [ˌʌnəˋkaʊntəbl̩] *adj.* ①不能說明的；不可解的；奇妙的。②不負責任的。— **un·ac·count′·a·bly,** *adv.*

un·ac·cus·tomed [ˌʌnəˋkʌstəmd] *adj.* ①不習慣的。②異乎尋常的。

un·ac·knowl·edged [ˌʌnəkˋnɑlɪdʒd] *adj.* 未被認知的；未被公然承認的；未答覆的；未供認的。

un·a·dul·ter·at·ed [ˌʌnəˋdʌltəˌretɪd] *adj.* ①未摻雜他物的；純粹的。②完全的。

un·ad·vised [ˌʌnədˋvaɪzd] *adj.* ①欠思慮的；輕率的。②未受勸告的。— **un·ad·vis′ed·ly** [-ˋvaɪzɪdlɪ], *adv.*

un·af·fect·ed[1] [ˌʌnəˋfɛktɪd] *adj.* 未受影響的；未受感動的。

un·af·fect·ed[2] *adj.* 無矯飾的；眞摯的；自然的。

un·a·fraid [ˌʌnəˋfred] *adj.* 不怕…的；不畏懼的(of).

un·aid·ed [ʌnˋedɪd] *adj.* 無幫助的；未受幫助的；獨力的。

un·al·loyed [ˌʌnəˋlɔɪd] *adj.* ①(金屬)無雜物的；純粹的。②完全的；眞實的；眞正的。

un·al·ter·a·ble [ʌnˋɔltərəbl̩] *adj.* 不變的；不能改變的。— **un·al′ter·a·bly,** *adv.*

un·al·tered [ʌnˋɔltɚd] *adj.* 未改變的；依然如舊的；沒有變的。

un·am·big·u·ous [ˌʌnæmˋbɪgjuəs] *adj.* 清晰的；明白的；不模糊的。

un·am·bi·tious [ˌʌnæmˋbɪʃəs] *adj.* ①無野心的；無名利心的；無大志的。②無矯飾的；質樸的。

un-A·mer·i·can [ˌʌnəˋmɛrəkən] *adj.* 不符美國式的；非美國的。

u·na·nim·i·ty [ˌjunəˋnɪmətɪ] *n.* Ⓤ 全體同意；全體一致。

***u·nan·i·mous** [jʊˋnænəməs] *adj.* 一致同意的；全體一致的。— **ly,** *adv.*

un·an·swer·a·ble [ʌnˋænsərəbl̩] *adj.* ①不能回答的。②無法爭辯的。③無責任的。

un·an·swered [ʌnˋænsɚd] *adj.* ①未經回答的；無回覆的。②未經反駁的。③無回報的。

un·ap·proach·a·ble [ˌʌnəˋprotʃəbl̩] *adj.* ①不能接近的；不可親近的。②無與倫比的；無比的。

un·apt [ʌnˋæpt] *adj.* ①笨拙的；遲鈍的。②不恰當的；不適合的。③無…之傾向的；不慣於…的(to do).

un·arm [ʌnˋɑrm] *v.t.* & *v.i.* 解除…的武裝；繳械；放下武器。

un·armed [ʌnˋɑrmd] *adj.* ①未武裝的；未帶武器的。②無爪、鱗或刺的。

un·a·shamed [ˌʌnəˋʃemd] *adj.* ①厚顏無恥的。②肆無忌憚的。

un·asked [ʌnˋæskt] *adj.* 未受請求的；未經邀請的。

un·as·sail·a·ble [ˌʌnəˋseləbl̩] *adj.* ①攻不破的；不能攻下的。②(論證等)無可反駁的。

un·as·sum·ing [ˌʌnəˋsumɪŋ] *adj.* 不擺架子的；謙遜的。

un·at·tached [ˌʌnəˋtætʃt] *adj.* ①不接連的。②無所屬的；獨立的。③未訂婚的；未結婚的。④〖軍〗待分發的。

un·at·tain·a·ble [ˌʌnəˋtenəbl̩] *adj.* 難得到的；難到達的；難有成就的。

un·at·tend·ed [ˌʌnəˋtɛndɪd] *adj.* ①無伴的；無人照料的。②(傷等)未紮綳帶的。③無人出席的；無觀衆的。

un·at·trac·tive [ˌʌnəˋtræktɪv] *adj.* 無吸引力的；不美麗的。

un·au·thor·ized [ʌnˋɔθəˌraɪzd] *adj.* 未經許可的；未被授權的。

un·a·vail·a·ble [ˌʌnəˋveləbl̩] *adj.* ①不能利用的。②無法取得的；得不到的；(人)不在的。③無效的。

un·a·vail·ing [ˌʌnəˋvelɪŋ] *adj.* 無效的；無用的；無益的；徒然的。

un·a·void·a·ble [ˌʌnəˋvɔɪdəbl̩] *adj.* 不可避免的；不得已的。— **un·a·void′a·bly,** *adv.*

***un·a·ware** [ˌʌnəˋwɛr] *adj.* 不知道的；未覺察的。— *adv.* =**unawares.** — **ly,** *adv.* — **ness,** *n.*

un·a·wares [ˌʌnəˋwɛrz] *adv.* ①不知不覺地；無意地。②意外地；突然地。

un·bal·ance [ʌnˋbæləns] *n.* Ⓤ ①不均衡；不平衡。②(精神)錯亂。— *v.t.* ①使不均衡[平衡]。②使(精神)錯亂。

un·bal·anced [ʌnˋbælənst] *adj.* ①不均衡的；不平衡的；失去平衡的。②(精神)錯亂的。③〖商〗收支不平衡的。

un·bar [ʌnˋbɑr] *v.t.* & *v.i.* (**-rr-**)拔去門閂；拔去…之閂；打開；開放。

un·bear·a·ble [ʌnˋbɛrəbl̩] *adj.* 無法忍受的。— **un·bear′a·bly,** *adv.*

un·beat·a·ble [ʌnˋbitəbl̩] *adj.* 無法擊敗的；無敵的；最高的。

un·beat·en [ʌnˋbitn̩] *adj.* ①未被擊敗的；(記錄)未曾被打破的。②人跡所未及的。③(蛋等)沒打過的。

un·be·com·ing [ˌʌnbɪˋkʌmɪŋ] *adj.* ①不合適的。②失禮的。③不相配的。

un·be·lief [ˌʌnbɪˋlif] *n.* Ⓤ 不信；無(宗教)信仰；懷疑。

un·be·liev·a·ble [ˌʌnbəˋlivəbl̩] *adj.* 難以置信的；無法相信的。— **un·be·liev′a·bly,** *adv.*

un·be·liev·er [ˌʌnbəˋlivɚ] *n.* Ⓒ ①不相信者；懷疑者。② 無宗教信仰者。

un·be·liev·ing [ˌʌnbəˋlivɪŋ] *adj.* 不相信的；不信(基督)教的；懷疑的。

un·bend [ʌnˋbɛnd] *v.t.* (**-bent** or **~ed**)①使變直。②鬆弛(身心等)；使舒暢。③卸下(帆篷)；放鬆(繩索等)。④解開(結子等)。— *v.i.* ①變直。②變得輕鬆；變得隨意。

un·bend·ing [ʌnˋbɛndɪŋ] *adj.* ①不(易)彎曲的。②不屈的；堅決的；剛愎的。③ 輕鬆的；鬆弛的。— **ly,** *adv.* — **ness,** *n.*

un·bent [ʌnˋbɛnt] *adj.* 不彎曲的；不屈服的。— *v.* pt. & pp. of **unbend.**

un·bi·as(s)ed [ʌnˋbaɪəst] *adj.* 無偏見的；公正的。

un·bind [ʌnˋbaɪnd] *v.t.* (**-bound**) ①解開(繩索等)。②釋放。

un·bleached [ʌnˋblitʃt] *adj.* 未經漂白的。

un·blem·ished [ʌnˋblɛmɪʃt] *adj.* 無污點的；無瑕疵的；清白的。

un·blessed, -blest [ʌnˋblɛst] *adj.* ①未蒙神佑的；未受祝福的。②不神聖的。③邪惡的。④受了詛咒的。

un·blush·ing [ʌnˋblʌʃɪŋ] *adj.* 厚臉皮的；不知恥的。

un·bolt [ʌnˋbolt] *v.t.* & *v.i.* 拔掉(門、窗等)的閂；拔掉門閂；打開。

un·born [ʌnˋbɔrn] *adj.* ①未誕生的。②未來的。

un·bos·om [ʌnˋbuzəm] *v.t.* & *v.i.* 吐露(機密等)；剖明(心跡)。~ *oneself* 吐露心事；開誠布公；表白感情。

un·bound [ʌnˋbaund] *v.* pt. & pp. of **unbind.** — *adj.* ①解開枷鎖的。②(書等)未裝訂的。

un·bound·ed [ʌnˋbaundɪd] *adj.* ①無限的；無際的。②未加約束的。

un·bowed [ʌnˋbaud] *adj.* ①(膝蓋等)不彎曲的。②不屈服的；未征服的。

un·bri·dled [ʌnˋbraɪdl̩d] *adj.* ①(馬)無韁轡的；無羈勒的。②無羈束的；不受約束的；激烈的。

un·bro·ken [ʌnˋbrokən] *adj.* ①未破損的；完整的。②未被阻斷的；連續不斷的。③未馴服的。④未開墾的。⑤(記錄等)未被打破的。— **ly,** *adv.*

un·buck·le [ʌnˋbʌkl̩] *v.t.* 解開…之搭鉤。

un·bur·den [ʌnˋbɝdn̩] *v.t.* ①卸下…的負荷；卸(貨)。②解除(心靈的)負擔。③傾訴；吐露(祕密等)。

un·but·ton [ʌnˋbʌtn̩] *v.t.* 解開…的鈕扣。

un·but·toned [ʌnˋbʌtn̩d] *adj.* ①解開扣子的。②〖俗〗融洽的；不拘禮的。

un·called-for [ʌnˋkɔldˌfɔr] *adj.* 不必要的；不恰當的。

un·can·ny [ʌnˋkænɪ] *adj.* 令人毛骨悚然的；奇怪的；怪異的。

un·cap [ʌnˋkæp] *v.t.* (**-pp-**)脫掉帽子；取下(瓶)蓋。— *v.i.* 脫帽(示敬)。

un·cared-for [ʌnˋkɛrdˌfɔr] *adj.* 沒人照顧的；被忽略的。

un·ceas·ing [ʌnˋsisɪŋ] *adj.* 持續不斷的；不停的。— **ly,** *adv.*

un·cer·e·mo·ni·ous [ˌʌnsɛrəˋmonɪəs] *adj.* ①不拘禮儀的；非正式的。② 無禮的；唐突的。— **ly,** *adv.*

***un·cer·tain** [ʌnˋsɝtn̩, -ˋsɝtɪn] *adj.* ①不定的；不確定的。②不確知的；不確信的。③易變的；不可靠的。④模糊不清的。— **ly,** *adv.*

***un·cer·tain·ty** [ʌnˋsɝtn̩tɪ] *n.* ① Ⓤ 不確定；無常。② Ⓤ 不可靠；不穩定。③ Ⓒ 不確定的事物。§ ~ **prìnciple** 〖理〗測不準原理。

un·chain [ʌnˋtʃen] *v.t.* ①解開…之鎖鏈。②除去…之束縛。③釋放；解放。

un·chal·lenged [ʌnˋtʃælɪndʒd] *adj.* 毫無疑問的；未引起爭論的；未受到挑戰的。

un·change·a·ble [ʌnˋtʃendʒəbl̩] *adj.* 不變的；不能改變的。

un·changed [ʌnˋtʃendʒd] *adj.* 未改變的；無變化的。

un·char·i·ta·ble [ʌnˋtʃærətəbl̩] *adj.* 無慈悲心的；嚴厲的；不寬貸的。

un·chart·ed [ʌnˋtʃɑrtɪd] *adj.* ①海圖上未載的。②未探險過的；未知的。

un·chaste [ʌnˋtʃest] *adj.* ①不純潔的；不貞的。②低級趣味的；鄙俗的。— **un·chas·ti·ty** [ʌnˋtʃæstətɪ], *n.*

un·checked [ʌnˋtʃɛkt] *adj.* ①未經檢查的。②未被遏止的；未受抑制的。

un·chris·tian [ʌnˋkrɪstʃən] *adj.* ①非基督教徒的；不信奉基督教的。②違反基督教教義[精神]的。③未開化的。

un·civ·il [ʌnˋsɪvl̩] *adj.* 無禮貌的；粗魯的；野蠻的；未開化的。— **ly,** *adv.*

un·civ·i·lized [ʌnˋsɪvl̩ˌaɪzd] *adj.* 未開化的；野蠻的。

un·clad [ʌnˋklæd] *adj.* 未穿衣的；赤裸的。

un·clasp [ʌn`klæsp] *v.t. & v.i.* ①解開…之扣子；放開。②放開掌握；鬆放。

‡**un·cle** [`ʌŋkl] *n.* ①Ⓒ叔父；伯父；舅父；姑丈；姨丈。②Ⓒ〖俚〗當鋪老闆。③(U-)〖俗〗老伯；世伯。***say*** [***cry***] ~〖美俗〗投降；認輸。§ **Ú- Sám** 山姆大叔；(典型的)美國人；美國政府。**Ú-Tóm**〖蔑〗屈服於白人的黑人(原爲*Uncle Tom's Cabin* 中之主角名)。

un·clean [ʌn`klin] *adj.* ①不潔淨的；汚穢的。②不純潔的；不貞潔的；行爲不檢的。③宗教禮儀上不潔淨的。

un·clean·ly [ʌn`klɛnlɪ] *adj.* ①不潔的；骯髒的。②不純潔的。**—** [ʌn`klinlɪ] *adv.* 不潔地；汚濁地。

un·clear [ʌn`klɪr] *adj.* 不清楚的；不明瞭的。

un·cloak [ʌn`klok] *v.t. & v.i.* ①脫去外套；除去…的覆蓋物。②暴露；揭露。

un·cloud·ed [ʌn`klaʊdɪd] *adj.* ①無雲的；晴朗的。②明朗的；寧靜的。

un·coil [ʌn`kɔɪl] *v.t. & v.i.* 解開(盤繞之物)；解開；展開。

‡**un·com·fort·a·ble** [ʌn`kʌmfət-əbl] *adj.* ①不舒服的。②不安的。③不舒適的。— **un·com′fort·a·bly,** *adv.*

un·com·mit·ted [͵ʌnkə`mɪtɪd] *adj.* ①未遂的。②不負義務的；不受諾言約束的。③未被監禁的。

***un·com·mon** [ʌn`kɑmən] *adj.* ①出色的；不凡的。②罕有的。— **ly,** *adv.*

un·com·mu·ni·ca·tive [͵ʌn-kə`mjunə͵ketɪv] *adj.* 沉默寡言的。

un·com·pro·mis·ing [ʌn`kɑm-prə͵maɪzɪŋ] *adj.* 不妥協的；不讓步的。

un·con·cern [͵ʌnkən`sɜn] *n.* Ⓤ 漠不關心；不感興趣。

un·con·cerned [͵ʌnkən`sɜnd] *adj.* ①不相關的；無關係的。②不關心的；無興趣的。— **un·con·cern′ed·ly** [-`sɜnɪdlɪ], *adv.*

un·con·di·tion·al [͵ʌnkən`dɪ-ʃənəl] *adj.* 無條件的；絕對的。

un·con·di·tioned [͵ʌnkən`dɪ-ʃənd] *adj.* ①無條件的；絕對的。②〖心〗無條件反射的。

un·con·firmed [͵ʌnkən`fɜmd] *adj.* 未經認可的；未經證實的。

un·con·quer·a·ble [ʌn`kɑŋkər-əbl] *adj.* 不能征服的；不能克服的。

un·con·scion·a·ble [ʌn`kɑnʃən-əbl] *adj.* ①不受良心引導或約束的。②不合理的；過分的。

***un·con·scious** [ʌn`kɑnʃəs] *adj.* ①無意識的；失掉知覺的。②不知道的；未察覺的。③不知不覺的。**—** *n.* (the ~)〖精神分析〗潛意識(人不自覺的思想、欲望、行動等)。— **ly,** *adv.*

un·con·sti·tu·tion·al [͵ʌnkɑn-stə`tjuʃənl] *adj.* 違憲的；不合憲法規定的。— **ly,** *adv.*

un·con·trol·la·ble [͵ʌnkən-`troləbl] *adj.* 無法控制的。

un·con·trolled [͵ʌnkən`trold] *adj.* 無抑制的；未受控制的。

un·con·ven·tion·al [͵ʌnkən-`vɛnʃənl] *adj.* 非常規的；不依慣例的；非因襲的。

un·cork [ʌn`kɔrk] *v.t.* ①拔去(瓶等)的塞子。②〖俗〗吐露；說出(感情)。

un·count·a·ble [ʌn`kaʊntəbl] *adj.* ①無數的；數不清的。②不可數的。**—** *n.* Ⓒ〖文法〗不可數名詞。

un·count·ed [ʌn`kaʊntɪd] *adj.* ①未數過的。②無數的。

un·cou·ple [ʌn`kʌpl] *v.t.* 解開(繫住之物)；分開(連結之物)。

un·cour·te·ous [ʌn`kɜtɪəs] *adj.* 粗魯無禮的；失禮的。

un·couth [ʌn`kuθ] *adj.* ①笨拙的；不雅的；粗魯的。②不舒適的。

***un·cov·er** [ʌn`kʌvə] *v.t.* ①移去…的覆蓋物。②洩露；揭露。③脫去(頭)上的帽子以致敬。**—** *v.i.* 脫帽致敬。

un·cross [ʌn`krɔs] *v.t.* 使不(再)交叉。

un·crossed [ʌn`krɔst] *adj.* 〖英〗未畫線的(支票)。

un·crowned [ʌn`kraʊnd] *adj.* ①未加冕的；未正式登極的。②無王[后]之尊號而統治的。

unc·tion [`ʌŋkʃən] *n.* Ⓤ ①塗油；塗油禮(一種宗教儀式)。②(塗用之)油；油膏；軟膏。③熱心；熱忱；濃厚的興趣。④令人舒服或慰藉之物。⑤虛僞的熱情。

unc·tu·ous [`ʌŋktʃuəs] *adj.* ①似油的；油質的。②油腔滑調的；假慇懃的。③油滑的；滑膩的。— **ly,** *adv.* — **ness,** *n.*

un·cul·ti·vat·ed [ʌn`kʌltə͵vetɪd] *adj.* ①未經耕種的；未開墾的。②未經培養的。③未開化的。

un·cut [ʌn`kʌt] *adj.* ①未切的；未雕琢的。②未剪割的。③未刪節的。

un·dat·ed [ʌn`detɪd] *adj.* 無日期的。

un·daunt·ed [ʌn`dɔntɪd] *adj.* 不怕的；勇敢的；不屈的。— **ly,** *adv.*

un·de·ceive [͵ʌndɪ`siv] *v.t.* 使不受欺騙；使免犯錯誤；使明實情。

un·de·cid·ed [͵ʌndɪ`saɪdɪd] *adj.* ①未決定的；未決意的。②不定的；不安定的。

un·de·clared [͵ʌndɪ`klɛrd] *adj.* ①未宣布的。②未向海關申報的。③(戰爭)不宣而戰的。

un·de·fined [͵ʌndɪ`faɪnd] *adj.* ①未闡明的；未解釋的。②不明確的。

un·de·mon·stra·tive [͵ʌndɪ-`mɑnstrətɪv] *adj.* 喜怒不形於色的；感情不露於外的。— **ly,** *adv.*

un·de·ni·a·ble [͵ʌndɪ`naɪəbl] *adj.* ①無可否認的；不能爭辯的。②無可挑剔的。— **un·de·ni′a·bly,** *adv.*

‡**un·der** [`ʌndə] *prep.* ①在…之下；在…的下面；在…的表面之下。②未滿；少於(指數量而言)。③在…的過程中；在…中。④低於。⑤受制於。~ the new rules在新規定之下。⑥根據。~ the law根據此法律。⑦在…領導下。⑧受…之約束。~ ***age***未成年。**—** *adv.* ①在下；在下面。②在下面文中；在下文中。**—** *adj.* 下面的；下級的；從屬的。the ~ jaw下顎。

under- 〖字首〗表下列諸義：①在下(如 *under*ground)。②次於(如*under*graduate)。③不充足；低(如 *under*-

estimate).
un·der·a·chieve [ˌʌndərə`tʃiv] *v.i.* 學業成績未達到智商所顯示的程度。
un·der·act [`ʌndɚ`ækt] *v.t.* 未充分演出(角色、劇本等)。— *v.i.* 不賣力地表演。
un·der·age [`ʌndɚ`edʒ] *adj.* 未成年的。
un·der·arm [`ʌndɚˌɑrm] *adj.* ①腋下的。②投低手球的(= underhand). — *adv.* 用低手球投法。— *n.* Ⓒ 腋下。
un·der·bel·ly [`ʌndɚˌbɛlɪ] *n.* Ⓒ ①下腹部。②弱點。
un·der·bid [ˌʌndɚ`bɪd] *v.t.* (**-bid, -bid·ding**)①喊價低於(他人)。②(橋牌中)叫(牌)低於可得的分數。
un·der·bred [`ʌndɚ`brɛd] *adj.* ①教養不良的；鄙俗的。②(馬)劣種的。
un·der·brush [`ʌndɚˌbrʌʃ] *n.* Ⓤ (森林中大樹下的)矮樹叢；灌木叢。
un·der·car·riage [`ʌndɚˌkærɪdʒ] *n.* Ⓒ (汽車的)底盤；(飛機的)起落架。
un·der·charge [`ʌndɚ`tʃɑrdʒ] *v.t.* ①向…索低價。②未裝足火藥於(槍砲)。③給(電池)充電不足。— [`ʌndɚˌtʃɑrdʒ] *n.* Ⓒ ①索低價；索價過低。②不足量之裝填。
un·der·class·man [ˌʌndɚ`klæsmən] *n.* Ⓒ (*pl.* **-men**)〖美〗(大學或高中的)低年級學生。
un·der·clothes [`ʌndɚˌkloðz] *n. pl.* 內衣褲。
un·der·cloth·ing [`ʌndɚˌkloðɪŋ] *n.* Ⓤ (集合稱)內衣類。
un·der·coat [`ʌndɚˌkot] *n.* ① Ⓒ (大衣內的)上衣。② Ⓒ (鳥獸之)下層絨毛。③ Ⓤ Ⓒ 防鏽底漆。— *v.t.* 給…塗防鏽底漆。
un·der·cov·er [ˌʌndɚ`kʌvɚ] *adj.* 祕密從事的；從事祕密工作的。
un·der·cur·rent [`ʌndɚˌkɝənt] *n.* Ⓒ ①潛流；暗流。②潛在的勢力。
un·der·cut [ˌʌndɚ`kʌt] *v.t.* & *v.i.* (**-cut, -cut·ting**)①切、刨[鑿]去…之下部。②減低(價格)；索價低於(他人)。③〖高爾夫，網球〗下旋削(球)。— [`ʌndɚˌkʌt] *n.* Ⓒ ①底切的部分。②〖英〗(牛的)腰部嫩肉；裡脊肉。③〖高爾夫，網球〗下旋削球。
un·der·de·vel·oped [ˌʌndɚdɪ`vɛləpt] *adj.* ①發展不充分的。②(底片)顯影不足的。③低度開發的。
un·der·do [`ʌndɚ`du] *v.t.* & *v.i.* **-did**; **-done**)①〖英〗嫩煮；嫩烤(肉等)。②未盡全力地做…。
un·der·dog [`ʌndɚ`dɔg] *n.* Ⓒ ①(比賽中)居劣勢者；敗北者。②(社會上)被迫害者。
un·der·done [`ʌndɚ`dʌn] *adj.* (尤指牛肉)半熟的；嫩烤的。— *v.* pp. of **underdo.**
un·der·em·ployed [ˌʌndɚɪm`plɔɪd] *adj.* ①未充分僱用[就業]的。②從事於能力以下的工作的。③〖俗〗工作不太多的；有餘暇的。
un·der·em·ploy·ment [ˌʌndɚɪm`plɔɪmənt] *n.* Ⓤ 未充分就業。
un·der·es·ti·mate [`ʌndɚ`ɛstəˌmet] *v.t.* 對於…作過低的評價；低估；輕視。— [`ʌndɚ`ɛstəmɪt] *n.* Ⓒ 評價過低；輕視。
un·der·ex·pose [`ʌndərɪk`spoz] *v.t.* 〖攝〗使(底片)感光不足。
un·der·ex·po·sure [`ʌndərɪk`spoʒɚ] *n.* Ⓤ Ⓒ 〖攝〗感光不足。
un·der·fed [ˌʌndɚ`fɛd] *adj.* 營養不足的。— *v.* pt. & pp. of **underfeed.**
un·der·feed [`ʌndɚ`fid] *v.t.* (**-fed**)①不給予足量食物。②從下面給…加添燃料。
un·der·foot [ˌʌndɚ`fʊt] *adv.* & *adj.* ①在腳下(的)；在地上(的)。②〖美〗礙手礙腳地[的]。
un·der·gar·ment [`ʌndɚˌgɑrmənt] *n.* Ⓒ 內衣。
***un·der·go** [ˌʌndɚ`go] *v.t.* (**-went, -gone**)遭受；經歷；忍受。
un·der·gone [ˌʌndɚ`gɔn] *v.* pp. of **undergo.**
***un·der·grad·u·ate** [ˌʌndɚ`grædʒʊɪt] *n.* Ⓒ 大學部(在校)學生。
***un·der·ground** [`ʌndɚ`graʊnd] *adv.* ①在地下。②祕密地。— *adj.* ①地下的。②祕密的。③祕密反抗的。— [`ʌndɚˌgraʊnd] *n.* ① Ⓒ 地下(之空間)。② Ⓒ 〖英〗地下鐵(=〖美〗subway). ③(the ～, 集合稱)地下[祕密]組織。
un·der·grown [`ʌndɚˌgron] *adj.* ①發育不全的。②有林下矮樹叢的。
un·der·growth [`ʌndɚˌgroθ] *n.* ①(*sing.*)生於大樹下的灌木或矮樹。② Ⓤ 發育不全。
un·der·hand [`ʌndɚ`hænd] *adj.* ①祕密的；不正大光明的；陰險的。②低手的(指手之高度在肩以下之動作)。— *adv.* ①祕密地；陰險地。②低手[投]地。
un·der·hand·ed [`ʌndɚ`hændɪd] *adj.* ①祕密的；不公正的。②人手不足的。
un·der·laid [ˌʌndɚ`led] *v.* pt. & pp. of **underlay².**
un·der·lain [ˌʌndɚ`len] *v.* pp. of **underlie.**
un·der·lay¹ [ˌʌndɚ`le] *v.* pt. of **underlie.**
un·der·lay² [ˌʌndɚ`le] *v.t.* (**-laid**)鋪在…之下；由下面支撐。— [`ʌndɚˌle] *n.* Ⓒ (地毯、床墊等的)襯墊(通常爲防水紙或布)。
un·der·lie [ˌʌndɚ`laɪ] *v.t.* (**-lay, -lain, -ly·ing**)①位於…之下。②構成…之基礎。③潛在於…之下。
***un·der·line** [ˌʌndɚ`laɪn] *v.t.* ①劃線於…之下。②強調；加強。— [`ʌndɚˌlaɪn] *n.* Ⓒ ①劃在…下面的線；底線。②圖片下面之文字說明。
un·der·ling [`ʌndɚlɪŋ] *n.* Ⓒ 〖蔑〗手下；下屬。
un·der·ly·ing [`ʌndɚ`laɪɪŋ] *adj.* ①在下面的。②基本[根本]的。③潛在的；潛藏在內的。
un·der·manned [`ʌndɚ`mænd] *adj.* 人員[人手]不足的。
un·der·men·tioned [`ʌndɚ`mɛnʃənd] *adj.* 下記的；下述的。

U

un·der·mine [ˌʌndɚˋmaɪn] *v.t.* ①在…之下挖掘；在…之下掘地道。②削弱…的基礎。③暗中破壞。

un·der·most [ˋʌndɚˌmost] *adj.* & *adv.* 最下的[地]；最低的[地]。

*__un·der·neath__ [ˌʌndɚˋniθ,-ˋnið] *prep.* 在…的下面；在…之下。— *adv.* 在下面；在下。— *n.* (*sing.*, 常 the ～)下面；底部。

un·der·nour·ished [ˌʌndɚˋnɝɪʃt] *adj.* 營養不良的；營養不足的。— **un·der·nour′ish·ment,** *n.*

un·der·pants [ˋʌndɚˌpænts] *n. pl.* (男用)襯褲；內褲。

un·der·pass [ˋʌndɚˌpæs] *n.* Ⓒ ①地下道。②高架橋[鐵路，公路]下通道。

un·der·pay [ˋʌndɚˋpe] *v.t.* (**-paid**) 付給(某人)不足額的工資。

un·der·pin [ˌʌndɚˋpɪn] *v.t.* (**-nn-**) ①加強…之基礎；鞏固。②支持。

un·der·pin·ning [ˋʌndɚˌpɪnɪŋ] *n.* Ⓤ Ⓒ ①(牆壁等的)基礎材料；基礎結構。②(理論等的)基礎。

un·der·play [ˌʌndɚˋple] *v.i.* & *v.t.* ①未充分演出(角色等)；含蓄地表現。②〖牌戲〗(握有大牌不出而)出小牌。

un·der·plot [ˋʌndɚˌplɑt] *n.* Ⓒ ①(小說等之)次要情節。②祕密計謀。

un·der·pop·u·lat·ed [ˋʌndɚˋpɑpjəˌletɪd] *adj.* 人口不足[稀疏]的；人口過稀的。

un·der·priv·i·leged [ˋʌndɚˋprɪvəlɪdʒd] *adj.* 基本社會權利的；貧困的；社會地位低下的。

un·der·rate [ˋʌndɚˋret] *v.t.* 對…估計過低；低估。

un·der·re·act [ˌʌndɚrɪˋækt] *v.i.* 反應不夠強烈。

un·der·score [ˌʌndɚˋskor] *v.t.* ①劃線於…之下。②強調。— [ˋʌndɚˌskor] *n.* Ⓒ 字下畫線。

un·der·sea [ˋʌndɚˋsi] *adj.* & *adv.* 海面下的[地]；海底的[地]。

un·der·seas [ˌʌndɚˋsiz] *adv.* = **undersea.**

un·der·sec·re·tar·y [ˌʌndɚˋsɛkrəˌtɛrɪ] *n.* Ⓒ (常 U-) 次長；副部長。

un·der·sell [ˌʌndɚˋsɛl] *v.t.* (**-sold**) 以低於(某人)的價格出售；售價低於(他人)。

un·der·shirt [ˋʌndɚˌʃɝt] *n.* Ⓒ 汗衫；貼身內衣。

un·der·shoot [ˌʌndɚˋʃut] *v.t.* (**-shot**) ①(砲彈等)未達到(目標)。②〖空〗(飛機)未達(原定降落之地點)。

un·der·shorts [ˋʌndɚˌʃɔrts] *n. pl.* 〖美〗短內褲。

un·der·shot [ˋʌndɚˌʃɑt] *adj.* ①有突出之下顎的。②(水車)藉下面水流之力轉動的。— *v.* pt. & pp. of **undershoot.**

un·der·side [ˋʌndɚˌsaɪd] *n.* Ⓒ 下側；下面；看不見的一面；陰暗面。

un·der·sign [ˌʌndɚˋsaɪn] *v.t.* 簽名於(文件、信件)之末尾。

un·der·signed [ˌʌndɚˋsaɪnd] *adj.* 簽名於文[信]件末尾的。*the* ～ 簽署者。

un·der·sized [ˋʌndɚˋsaɪzd] *adj.* 體積較一般為小的；小型的。

‡**un·der·stand** [ˌʌndɚˋstænd] *v.t.* (**-stood**) ①懂；了解；領會。②聞知；知悉。③推斷；以為；相信。④不言而喻；省略(用被動語態)。— *v.i.* ①有了解力；了解。②聞知；知悉。③諒解。 *make oneself understood* 使人了解自己的意思。～ *each other* 相互了解[諒解]。—**a·ble,** *adj.*

*__un·der·stand·ing__ [ˌʌndɚˋstændɪŋ] *n.* ① Ⓤ (又作 an ～)了解；通曉。② Ⓤ (又作 an ～)理解力；悟性。③ Ⓒ (常 *sing.*)協議；協定；諒解。 *on the* ～ *that* 在…的條件之下。— *adj.* ①聰明的；穎悟的。②能體諒別人的；通情達理的。—**ly,** *adv.*

un·der·state [ˌʌndɚˋstet] *v.t.* 對實情的表達不充分[有所保留]地陳述。—**ment,** *n.*

‡**un·der·stood** [ˌʌndɚˋstud] *v.* pt. & pp. of **understand.**

un·der·stud·y [ˋʌndɚˌstʌdɪ] *n.* Ⓒ 替角；預備演員。— *v.t.* ①為臨時代替主演者的角色而研習。②臨時代替(某角色)上臺。

*__un·der·take__ [ˌʌndɚˋtek] *v.t.* (**-took, -tak·en**) ①著手做；從事。②保證(後接子句)。③承擔；接受。

*__un·der·tak·en__ [ˌʌndɚˋtekən] *v.* pp. of **undertake.**

un·der·tak·er [ˌʌndɚˋtekɚ] *n.* Ⓒ ①承擔者，承辦人。②[ˋʌndɚˌtekɚ] 葬儀社(的人)。

*__un·der·tak·ing__ [ˌʌndɚˋtekɪŋ] *n.* ① Ⓒ 任務；事業。② Ⓒ 承當；許諾。③[ˋʌndɚˌtekɪŋ] Ⓤ 殯葬業務。

un·der-the-coun·ter [ˋʌndɚðəˋkauntɚ] *adj.* 偷偷出售的；暗中進行交易的；非法的。

un·der-the-ta·ble [ˋʌndɚðəˋtebl̩] *adj.* 祕密的；暗中進行的。

un·der·tone [ˋʌndɚˌton] *n.* Ⓒ ①低音；小聲。②淺色。③含意。

*__un·der·took__ [ˌʌndɚˋtuk] *v.* pt. of **undertake.**

un·der·tow [ˋʌndɚˌto] *n.* (an ～) ①水面下的逆流。②波浪沖擊岸邊之後退的水流；退波。

un·der·val·ue [ˋʌndɚˋvælju] *v.t.* ①低估…之價值。②輕視。—**un·der·val·u·a′tion,** *n.*

un·der·wa·ter [ˋʌndɚˌwɔtɚ] *adj.* ①水面下的；水中(用)的。②(船的)吃水線下的。— *adv.* 在水面下。— *n.* ① Ⓤ 水面下的水。②(*pl.*)(海、湖等的)深處；深海。

un·der·way [ˋʌndɚˋwe] *adj.* ①進行中的。②〖海〗航行中的。(亦作**under way**)

un·der·wear [ˋʌndɚˌwɛr] *n.* Ⓤ (集合稱)內衣褲。

un·der·weight [ˋʌndɚˋwet] *n.* Ⓤ Ⓒ & *adj.* 重量不足(的)。

*__un·der·went__ [ˌʌndɚˋwɛnt] *v.* pt. of **undergo.**

un·der·wood [ˋʌndɚˌwud] *n.* Ⓤ 生長在大樹下的草木；矮林；叢藪。

un·der·world [ˋʌndɚˌwɝld] *n.*

(the ～)①地獄。②下層社會。③黑社會的人們。④ 對蹠點。

un·der·write [ˌʌndə`raɪt] *v.t.* (**-wrote, -writ·ten**)①簽名於…下。②簽名承諾(支付、賠償等)。③簽名接受(保險)。④簽名承購(未售出之股票、證券等)。

un·der·writ·er [`ʌndəˌraɪtə] *n.* Ⓒ①保險業者。②(證券的)認購人。

un·der·writ·ten [ˌʌndə`rɪtn̩] *v.* pp. of **underwrite.**

un·der·wrote [ˌʌndə`rot] *v.* pt. of **underwrite.**

un·de·served [ˌʌndɪ`zɜvd] *adj.* 不應得的(稱譽); 不該受的(非難)。—**un·de·serv′ed·ly** [-`zɜvɪdlɪ], *adv.*

un·de·serv·ing [ˌʌndɪ`zɜvɪŋ] *adj.* 不應受的; 不值得的; 不配的。

un·de·sir·a·ble [ˌʌndɪ`zaɪrəbl̩] *adj.* 不爲人所希望的; 惹人厭的。— *n.* Ⓒ討厭的人或物。

un·de·tect·ed [ˌʌndɪ`tɛktɪd] *adj.* 未被發現的; 未被探悉的。

un·de·vel·oped [ˌʌndɪ`vɛləpt] *adj.* ①未充分發展的; 發育不完全的。②未開發的。③〖攝〗未顯像的。

***un·did** [ʌn`dɪd] *v.* pt. of **undo.**

un·dies [`ʌndɪz] *n. pl.* 〖俗〗(婦女、兒童之)內衣。

un·dig·ni·fied [ʌn`dɪgnəˌfaɪd] *adj.* 無威嚴的; 不莊重的。—**ly,** *adv.*

un·dis·charged [ˌʌndɪs`tʃɑrdʒd] *adj.* ①(船貨)未卸下的。②(槍砲等)未發射的。③(債務)未償清的; (負債者)(在法律上)未免除債務的。

un·dis·ci·plined [ʌn`dɪsəˌplɪnd] *adj.* 無紀律的; 未受訓練的; 散漫的。

un·dis·closed [ˌʌndɪs`klozd] *adj.* 未經透露的; 身分不明的。

un·dis·cov·ered [ˌʌndɪ`skʌvəd] *adj.* 未被發現的; 未勘探的。

un·dis·guised [ˌʌndɪs`gaɪzd] *adj.* 無僞裝的; 坦率的; 公開的。—**ly,** *adv.*

un·dis·put·ed [ˌʌndɪ`spjutɪd] *adj.* 無庸爭論的; 無疑問的。

un·dis·tin·guished [ˌʌndɪ`stɪŋgwɪʃt] *adj.* 未被區分的; 未被看[聽]清的; 平凡的。

un·dis·turbed [ˌʌndɪ`stɜbd] *adj.* 未被擾亂的; 寧靜的; 鎭定的。

un·di·vid·ed [ˌʌndə`vaɪdɪd] *adj.* ①未分割的; 完整的。②專心的; 專一的。

***un·do** [ʌn`du] *v.t.* (**-did, -done**)①解開(鈕扣); 脫(衣)。②使消除(罪孽等); 使復原。③毀壞; 破壞(成果、名譽)。

un·do·ing [ʌn`duɪŋ] *n.*① Ⓤ 毀滅。② Ⓤ 消除。③ Ⓤ 解開。④(one's ～)毀滅的原因; 禍根。

***un·done** [ʌn`dʌn] *v.* pp. of **undo.** — *adj.* ①未做的; 未做完的。②解開的。③毀掉的; 破滅的。

un·doubt·ed [ʌn`daʊtɪd] *adj.* 無疑的; 真正的。

un·doubt·ed·ly [ʌn`daʊtɪdlɪ] *adv.* 無疑地; 確然地。

un·dreamed-of [ʌn`drimdɑv] *adj.* 作夢也想不到的; 想像不到的。(亦作 **undreamt-of**)

***un·dress** [ʌn`drɛs] *v.t.* ①爲…脫衣服。②解下(傷口)繃帶。— *v.i.* 脫衣服。—[`ʌnˌdrɛs] *n.* Ⓤ便裝。—[ʌn`drɛs] *adj.* 便裝的; 不拘禮節的。

un·dressed [ʌn`drɛst] *adj.* ①未著衣服的; 裸體的。②(傷口)未紮繃帶的。③未加調味料的。④(獸皮)未鞣製的。

un·due [ʌn`dju] *adj.* ①不適當的; 不正當的。②過度的; 過分的。③未到期的。

un·du·late [`ʌndjəˌlet] *v.t.* 使波動; 使起伏。— *v.i.* 波動; 起伏。—**un·du·la′tion,** *n.*

un·du·la·to·ry [`ʌndjələˌtorɪ] *adj.* 波狀的; 波動的; 起伏的。

un·du·ly [ʌn`djulɪ] *adv.* ①不當地; 不正當地。②過分地; 過度地; 非常地。

un·dy·ing [ʌn`daɪɪŋ] *adj.* 不朽的; 不死的; 永恆的。

un·earned [ʌn`ɜnd] *adj.* 非勞動所得的。～income 非勞動所得的收入(如利息、房租等)。

un·earth [ʌn`ɜθ] *v.t.* ①發掘。②把…從洞中趕出。③發現。

un·earth·ly [ʌn`ɜθlɪ] *adj.* ①非塵世的。②精神的。③鬼怪的; 神祕的。

un·eas·i·ly [ʌn`izɪlɪ] *adv.* ①不自在地。②不安地; 焦慮地。

un·eas·i·ness [ʌn`izɪnɪs] *n.* Ⓤ 不自在; 不安; 焦慮。

***un·eas·y** [ʌn`izɪ] *adj.* ①不舒適的。②不安的; 焦慮的。③拘謹的; 侷促的。

un·eat·a·ble [ʌn`itəbl] *adj.* 不能吃的。

un·ed·u·cat·ed [ʌn`ɛdʒəˌketɪd] *adj.* 未受教育的; 無學問的; 無知的。

un·e·mo·tion·al [ˌʌnɪ`moʃənl] *adj.* 不易動感情的; 無感情的; 冷靜的。

un·em·ploy·a·ble [ˌʌnɪm`plɔɪəbl̩] *adj.* ①(因年齡、體力、智力不足)不能受雇的。②不能使用的。— *n.* Ⓒ不能受雇者。

un·em·ployed [ˌʌnɪm`plɔɪd] *adj.* ①失業的; 沒有工作的。②閒置的; 未被利用的。— *n.*(the ～, 作 *pl.* 解)失業者。

***un·em·ploy·ment** [ˌʌnɪm`plɔɪmənt] *n.* Ⓤ①失業。②失業率[人數]。

un·end·ing [ʌn`ɛndɪŋ] *adj.* ①永遠的; 永久的。②繼續不斷的; 無窮盡的。

un·en·dur·a·ble [ˌʌnɪn`djʊrəbl̩] *adj.* 無法忍受的; 不能忍耐的。

un·en·gaged [ˌʌnɪn`gedʒd] *adj.* ①未訂婚的。②無工作的; 閒著無事的。

un·e·qual [ʌn`ikwəl] *adj.* ①不平等的; 不相等的。②不相配的。③不勢均力敵的。④不勝任的。—**ly,** *adv.*

un·e·qual(l)ed [ʌn`ikwəld] *adj.* 無比的; 無雙的; 無敵的。

un·e·quiv·o·cal [ˌʌnɪ`kwɪvəkl] *adj.* 不含糊的; 明確的; 乾脆的。

un·err·ing [ʌn`ɜɪŋ] *adj.* 無過失的; 不犯錯誤的; 準確的。

UNESCO, U·nes·co [ju`nɛsko] *n.* 聯合國教科文組織(爲the *U*nited *N*ations *E*ducational, *S*cientific, and *C*ultural *O*rganization 之略)。

un·es·sen·tial [͵ʌnəˋsɛnʃəl] *adj.* ①非主要的；非必要的。②非本質的。
un·e·ven [ʌnˋivən] *adj.* ①不平坦的；凹凸的。②不均勻的；不平衡的；參差不齊的。③奇數的(＝odd)。—**ly,** *adv.* —**ness,** *n.*
un·e·vent·ful [͵ʌnɪˋvɛntfəl] *adj.* 平靜無事的；太平無事的。
un·ex·am·pled [͵ʌnɪgˋzæmpl̩d] *adj.* 無先例的；絕無僅有的。
un·ex·cep·tion·a·ble [͵ʌnɪkˋsɛpʃənəbl̩] *adj.* 無缺點的；無可非難的；完美的。
un·ex·cep·tion·al [͵ʌnɪkˋsɛpʃənl̩] *adj.* ①非例外的；平常的。②不許有例外的。
***un·ex·pect·ed** [͵ʌnɪkˋspɛktɪd] *adj.* 預料不到的；意外的；突然的。
***un·ex·pect·ed·ly** [͵ʌnɪkˋspɛktɪdlɪ] *adv.* 出乎意外地。
un·fail·ing [ʌnˋfelɪŋ] *adj.* ①歷久不衰的；永恆的。②永遠可靠的。—**ly,** *adv.*
***un·fair** [ʌnˋfɛr] *adj.* 不公正的；不公平的；不正當的。
un·faith·ful [ʌnˋfeθfəl] *adj.* ①不忠實的；不誠實的。②不盡職的。③不貞的。—**ly,** *adv.*
un·fal·ter·ing [ʌnˋfɔltərɪŋ] *adj.* ①堅決的；不躊躇的。②(腳步等)穩定的；不動搖的。—**ly,** *adv.*
un·fa·mil·iar [͵ʌnfəˋmɪljɚ] *adj.* ①不熟悉的；無經驗的。②新奇的；陌生的。—**ly,** *adv.*
un·fash·ion·a·ble [ʌnˋfæʃənəbl̩] *adj.* 不時興的；不時髦的；過時的。
un·fas·ten [ʌnˋfæsn̩] *v.t. & v.i.* 解開；鬆開；打開。
un·fath·om·a·ble [ʌnˋfæðəməbl̩] *adj.* ①深不可測的。②深奧的。
un·fath·omed [ʌnˋfæðəmd] *adj.* ①未測過深度的。②難理解的。
un·fa·vor·a·ble [ʌnˋfevrəbl̩] *adj.* ①不利的；有害的。②不吉祥的。—**un·faˊvor·a·bly,** *adv.*
un·fea·si·ble [ʌnˋfizəbl̩] *adj.* 不能實行的；難實施的；不切實際的。
un·feel·ing [ʌnˋfilɪŋ] *adj.* ①冷酷無情的。②無感覺的。
un·feigned [ʌnˋfend] *adj.* 眞實的；非做作的；誠摯的；不虛僞的。
un·fet·tered [ʌnˋfɛtɚd] *adj.* ①被除去腳鐐的。②不受拘束的；自由的。
un·fin·ished [ʌnˋfɪnɪʃt] *adj.* ①未做完的；未完成的；未結束的。②粗糙的；未潤飾的。
***un·fit** [ʌnˋfɪt] *adj.* 不合適的；不勝任的〔for〕. — *v.t.* (**-tt-**)使不合適；使不能勝任；使無資格〔for〕. — *n.* Ⓒ 不健全的人。
un·fix [ʌnˋfɪks] *v.t.* ①解開；卸下；鬆開。②使不穩定。
un·flag·ging [ʌnˋflægɪŋ] *adj.* 不衰的；不疲憊的；持久的。
un·flap·pa·ble [ʌnˋflæpəbl̩] *adj.* 處變不驚的；泰然自若的。—**un·flapˊpa·bly,** *adv.*
un·fledged [ʌnˋflɛdʒd] *adj.* ①羽毛未豐的。②不成熟的；乳臭未乾的。
un·flinch·ing [ʌnˋflɪntʃɪŋ] *adj.* 不畏縮的；堅定的。—**ly,** *adv.*
***un·fold** [ʌnˋfold] *v.t.* ①展開。②顯露；闡明；挑明。— *v.i.* ①(蓓蕾)綻放。②(風景)展現；(故事)展開。
un·forced [ʌnˋforst] *adj.* 不勉強的；自動的；自發的。
un·fore·seen [͵ʌnforˋsin] *adj.* 未預見到的；沒預料到的。
un·for·get·ta·ble [͵ʌnfɚˋgɛtəbl̩] *adj.* 不被遺忘的；難忘的。
un·for·giv·a·ble [͵ʌnfɚˋgɪvəbl̩] *adj.* 不能寬恕的；不可原諒的。
un·for·giv·ing [͵ʌnfɚˋgɪvɪŋ] *adj.* 不寬恕的；不容忍的；不寬仁的；不原諒的。—**ness,** *n.*
***un·for·tu·nate** [ʌnˋfɔrtʃənɪt] *adj.* ①不幸的。②不合宜的。③不吉利的。— *n.* Ⓒ 不幸的人。‡—**ly,** *adv.*
un·found·ed [ʌnˋfaʊndɪd] *adj.* ①無根據的；無稽的。②未建立的。
un·freeze [ʌnˋfriz] *v.t.* (**-froze, -froz·en**)①使融化。②解除(資金、價格、租金等的)凍結。— *v.i.* 融化。
un·friend·ed [ʌnˋfrɛndɪd] *adj.* 無朋友的；無依的；沒被當做朋友對待的。
un·friend·ly [ʌnˋfrɛndlɪ] *adj.* ①不友善的；含有敵意的。②不利的；不順意的。— *adv.* 不友善地；含敵意地。
un·fruit·ful [ʌnˋfrutfəl] *adj.* ①不結果實的。②無成效的；無收穫的。③不毛的；不(能)生產的。
un·ful·filled [͵ʌnfʊlˋfɪld] *adj.* 未完成的；未實現的。
un·furl [ʌnˋfɝl] *v.t. & v.i.* 展開；展示。
un·fur·nished [ʌnˋfɝnɪʃt] *adj.* ①無家具的。②不供給設備的〔with〕.
un·gain·ly [ʌnˋgenlɪ] *adj. & adv.* 笨拙的[地]；不雅的[地]。
un·god·ly [ʌnˋgɑdlɪ] *adj.* ①不敬神的；有罪的。②《俗》荒唐的；可怕的。
un·gov·ern·a·ble [ʌnˋgʌvɚnəbl̩] *adj.* 難控制的；難駕馭的。
un·grace·ful [ʌnˋgresfəl] *adj.* 不優美的；不雅的；鄙陋的。—**ly,** *adv.*
un·gra·cious [ʌnˋgreʃəs] *adj.* ①無禮貌的；粗野的。②不和藹的；不親切的。—**ly,** *adv.* —**ness,** *n.*
un·gram·mat·i·cal [͵ʌngrəˋmætɪkl̩] *adj.* 不合文法的。
un·grate·ful [ʌnˋgretfəl] *adj.* ①忘恩負義的。②吃力不討好的；令人厭惡的。—**ly,** *adv.* —**ness,** *n.*
un·ground·ed [ʌnˋgraʊndɪd] *adj.* 無事實根據的；沒有理由的。
un·grudg·ing [ʌnˋgrʌdʒɪŋ] *adj.* 不吝惜的；慷慨的；由衷的。—**ly,** *adv.*
un·guard·ed [ʌnˋgɑrdɪd] *adj.* ①無防備的。②無警覺的；大意的。
un·guent [ˋʌŋgwənt] *n.* ⓊⒸ 藥膏；軟膏(＝ointment).
un·gu·late [ˋʌŋgjəlɪt] *adj.* ①蹄狀的；有蹄的。②有蹄類動物的。— *n.* Ⓒ 有蹄類(哺乳)動物。
un·hal·lowed [ʌnˋhælod] *adj.* 褻瀆神聖的；汚辱神明的；罪深的。

un·hand·y [ʌn`hændɪ] *adj.* ①笨拙的; 不靈巧的。②不易操縱的; 不易管理的; 不方便的。
un·hap·pi·ly [ʌn`hæpɪlɪ] *adv.* ①不快樂地; 憂愁地。②不幸地。
‡un·hap·py [ʌn`hæpɪ] *adj.* ①不快樂的。②不幸的。③不適當的。— **un·hap′pi·ness,** *n.*
un·harmed [ʌn`hɑrmd] *adj.* 未受傷害的; 平安無事的。
un·health·ful [ʌn`hɛlθfəl] *adj.* 有害健康的; 不衛生的。
un·health·y [ʌn`hɛlθɪ] *adj.* ①不健康的。②有害健康的。③不道德的。④有害的。
un·heard [ʌn`hɝd] *adj.* ①未被聽見的。②不被傾聽的。③不爲人所知的。
un·heard-of [ʌn`hɝd͵ɑv] *adj.* 前所未聞的; 空前的。
un·heed·ed [ʌn`hidɪd] *adj.* 未受到注意的; 被忽視的。
un·hes·i·tat·ing [ʌn`hɛzə͵tetɪŋ] *adj.* 不猶豫的; 迅速的。— **ly,** *adv.*
un·hinge [ʌn`hɪndʒ] *v.t.* ①卸下(門等)的絞鏈。②擾亂; 使(精神)失常。
un·hitch [ʌn`hɪtʃ] *v.t.* 解開(繫住之馬); 釋放; 分開。
un·ho·ly [ʌn`holɪ] *adj.* ①不神聖的; 褻瀆的; 邪惡的; 有罪的。②〖俗〗可怕的; 醜惡的。③〖俗〗不合理的。
un·hook [ʌn`hʊk] *v.t.* 去…之鉤; 自鉤上解下。
un·horse [ʌn`hɔrs] *v.t.* ①使(騎者)從馬背上落下。②使下臺; 推翻。
un·hur·ried [ʌn`hɝɪd] *adj.* 不慌不忙的; 從容不迫的。
un·hurt [ʌn`hɝt] *adj.* 未受損害的; 未受傷的。
uni- 〖字首〗表「單一」之義。
u·ni·cam·er·al [͵junɪ`kæmərəl] *adj.* (議會)一院的; 一院制的。
UNICEF [`junɪsɛf] *n.* 聯合國兒童基金會(爲 *U*nited *N*ations *I*nternational *C*hildren's *E*mergency *F*und之略)。
u·ni·cel·lu·lar [͵junɪ`sɛljələ˞] *adj.* 〖生物〗單細胞的。
u·ni·corn [`junɪ͵kɔrn] *n.* Ⓒ 獨角獸(想像中的怪獸, 其形如馬, 頭中間有一獨角)。
u·ni·cy·cle [`junɪ͵saɪkl̩] *n.* Ⓒ 獨輪(腳踏)車。
un·i·den·ti·fied [͵ʌnaɪ`dɛntə͵faɪd] *adj.* ①身分不明的。②未辨識出的; 不明的。
u·ni·fi·ca·tion [͵junəfə`keʃən] *n.* Ⓤ①統一。②一致; 單一化。
‡u·ni·form [`junə͵fɔrm] *adj.* ①無變化的; 相同的; 一律的。②不變的; 始終如一的。— *n.* ⓊⒸ 制服。— *v.t.* ①使穿制服; 供以制服。②使一致。— **ly,** *adv.*
u·ni·formed [`junə͵fɔrmd] *adj.* 穿著制服[軍服]的。
u·ni·form·i·ty [͵junə`fɔrmətɪ] *n.* Ⓤ同樣; 一律; 統一性; 一致。
u·ni·fy [`junə͵faɪ] *v.t.* 統一; 使合一; 使一致。
u·ni·lat·er·al [͵junɪ`lætərəl] *adj.* 單方的; 片面的; (氏族)單系的。
un·im·ag·i·na·ble [͵ʌnɪ`mædʒɪnəbl̩] *adj.* 難以想像的; 不可想像的。
un·im·ag·i·na·tive [͵ʌnɪ`mædʒɪnətɪv] *adj.* 缺乏想像力的。
un·im·peach·a·ble [͵ʌnɪm`pitʃəbl̩] *adj.* 無可指摘的; 無缺點的。
***un·im·por·tant** [͵ʌnɪm`pɔrtn̩t] *adj.* 不重要的。
un·im·proved [͵ʌnɪm`pruvd] *adj.* ①未改良的; 未改進的。②未耕種的; 荒蕪的; 未加利用的。
un·in·formed [͵ʌnɪn`fɔrmd] *adj.* ①未獲情報的; 未被通知的。②無知的; 無學問的; 未受教育的。
un·in·hab·it·ed [͵ʌnɪn`hæbɪtɪd] *adj.* 無人居住的; 無人煙的。
un·in·hib·it·ed [͵ʌnɪn`hɪbɪtɪd] *adj.* 盡情的; 無拘無束的。
un·in·jured [ʌn`ɪndʒə˞d] *adj.* 未受傷害的; 未受損害的。
un·in·spired [͵ʌnɪn`spaɪrd] *adj.* ①無靈感的; 缺乏創見的。②平凡的。
un·in·spir·ing [͵ʌnɪn`spaɪrɪŋ] *adj.* 不能激發想像力[興趣]的。
un·in·tel·li·gent [͵ʌnɪn`tɛlədʒənt] *adj.* ①缺乏智力的; 愚鈍的。②沒有理解力的。
un·in·tel·li·gi·ble [͵ʌnɪn`tɛlədʒəbl̩] *adj.* 無法理解的。
un·in·ten·tion·al [͵ʌnɪn`tɛnʃənl̩] *adj.* 非故意的; 不知不覺的; 無意的; 無心的。— **ly,** *adv.*
un·in·ter·est·ed [ʌn`ɪntərɪstɪd] *adj.* ①不關心的。②不感興趣的; 冷漠的。— **ly,** *adv.*
un·in·ter·est·ing [ʌn`ɪntərɪstɪŋ] *adj.* 乏味的; 不令人感到有興趣的。
un·in·ter·rupt·ed [͵ʌnɪntə`rʌptɪd] *adj.* 不間斷的; 連續的。
un·in·vit·ed [͵ʌnɪn`vaɪtɪd] *adj.* 未被邀請的; 不請自來的。
***un·ion** [`junjən] *n.* ①Ⓤ聯合; 結合; 合併。②Ⓤ團結; 一致; 和睦; 和諧。③ⓊⒸ婚姻; 結婚。④Ⓒ同盟; 組合; 協會; 工會。⑤Ⓒ(常 U-)聯邦。⑥Ⓒ聯邦標誌; 聯邦旗。⑦Ⓒ〖機〗聯管節。*the U-* a.合衆國; 美國。b.= **the United Kingdom.** § **Ú- Jáck** 英國國旗。**~ shòp** 規定從業人員經採錄後, 在一定期間內加入工會的企業組織。**~ sùit** 連身內衣褲; 連衫褲。
un·ion·ism [`junjən͵ɪzm̩] *n.* Ⓤ①聯合主義。②(U-)(美國)聯邦主義(尤指內戰時期者)。③工會主義。— **un′ion·ist,** *n.*
un·ion·ize [`junjən͵aɪz] *v.t.* & *v.i.* ①聯合; 組合。②使…組織工會。— **un·ion·i·za′tion** [-nɪ-], *n.*
***u·nique** [ju`nik] *adj.* ①唯一的; 無與倫比的; 獨特的。②珍奇的; 稀罕的。
u·ni·sex [`junə͵sɛks] *adj.* (髮型、服裝等)無男女之別的; 男女通用的。
u·ni·sex·u·al [͵junɪ`sɛkʃʊəl] *adj.* 〖生物〗單性的; 雌雄異體的。
u·ni·son [`junəzn̩] *n.* Ⓤ①一致; 和諧。②同音; 同調; 諧音。*in* ~ 一致

U

地；一起。
*u·nit [ˋjunɪt] n. Ⓒ ①一個；一人。②單位。③部隊。④最小的整數；一。§～ prìce 單價。
U·ni·tar·i·an [ˌjunəˋtɛrɪən] n. Ⓒ ①唯一神教派(基督教之一派，認爲上帝係單一者，反對三位一體之說)之信徒。②一元論者；單一政府主義者。— adj. 唯一神教派的。— ism, n.
u·ni·tar·y [ˋjunəˌtɛrɪ] adj. ①單位的；一元的。②作爲單位的；整體的。③單一政制的；中央集權論的。
‡u·nite [juˋnaɪt] v.t. ①聯合；結合；合併。②兼備(各種性質)。— v.i. ①聯合；合併；混合。②協力；一致行動。
*u·nit·ed [juˋnaɪtɪd] adj. 聯合的；合併的；結合的；一致的。§ ‡the U∸ Kíngdom聯合王國；英國(包括大不列顚和北愛爾蘭，略作U.K.，首都London)。‡the U∸ Nátions(作sing.解)聯合國(1945年成立，總部在美國紐約市，略作U.N.或UN)。‡the U∸ Státes(of América) (作 sing. 解) 美利堅合眾國；美國。(略作U.S. 或U.S.A.，首都Washington, D.C.) — ly, adv.
*u·ni·ty [ˋjunətɪ] n.① Ⓤ 單一；獨一；統一。② Ⓒ 單一體；個體。③ Ⓤ 聯合；結合。④ Ⓤ 調合；和諧。⑤ Ⓤ 聯貫；協調；統一。⑥ Ⓤ 數目一。*the dramatic unities*[*the unities of time, place, and action*]戲劇中時間、地點和情節的單一性；三一律。
univ. universal(ly); universe; university.
u·ni·valve [ˋjunəˌvælv] adj.〖動〗單殼的。— n. Ⓒ 單殼軟體動物。
*u·ni·ver·sal [ˌjunəˋvɝsḷ] adj. ①宇宙的；全世界的；萬國的；普通的；普遍的；一般的。②多才多藝的；博學多才的。— n. ① Ⓒ〖邏輯〗全稱命題。②(the ～)〖哲〗一般概念。§ U∸ Próduct Còde 統一商品條碼(略作 UPC)。∼ súffrage 普通選舉權；全民參政權。
U·ni·ver·sal·ism [ˌjunəˋvɝsəˌlɪzəm] n. ① Ⓤ〖神學〗普救說(所有的人終必得救之說或信仰)。②(u-)＝universality. — U·ni·ver′sal·ist, n.
u·ni·ver·sal·i·ty [ˌjunəvɝˋsælətɪ] n. Ⓤ 一般性；普遍性；無所不包性。
u·ni·ver·sal·ize [ˌjunəˋvɝsḷˌaɪz] v.t. 使普及；使普遍化。
u·ni·ver·sal·ly [ˌjunəˋvɝsḷɪ] adv. ①一般地。②普遍地。
*u·ni·verse [ˋjunəˌvɝs] n. ①(the ～)宇宙；天地萬物。②(the ～)世界；全人類。③ Ⓒ 領域；範圍。
‡u·ni·ver·si·ty [ˌjunəˋvɝsətɪ] n. Ⓤ Ⓒ 大學。§ ∼ exténsion大學附設教育設施。
Unix [ˋjunɪks] n.〖電算〗多用戶多工處理系統。
*un·just [ʌnˋdʒʌst] adj. 非正義的；不公正的；不正當的；不合情理的。— ly, adv. — ness, n.
un·jus·ti·fi·a·ble [ʌnˋdʒʌstəˌfaɪəbḷ] adj. 不能辯明爲正當的；不合理的。
un·kempt [ʌnˋkɛmpt] adj. ①(頭髮)蓬亂的。②(衣服、外表)不整潔的。
‡un·kind [ʌnˋkaɪnd] adj. 不仁慈的；不親切的；刻薄的；不厚道的。— ly, adv. — ness, n.
un·knot [ʌnˋnɑt] v.t. (-tt-) 解開(結)。
un·know·a·ble [ʌnˋnoəbḷ] adj. 不可知的；人類理解力所不及的。
un·know·ing [ʌnˋnoɪŋ] adj. ①不知的；未察覺的。②無知的。— ly, adv.
‡un·known [ʌnˋnon] adj. 未知的；不確知的；不明的；不詳的。— n. ① Ⓒ 未知之事物；默默無聞之人。② Ⓒ〖數〗未知數。③(the ～)未知的世界。§ U∸ Sóldier 陣亡的無名戰士。
un·lace [ʌnˋles] v.t. 解開…之帶子；解開帶子以脫掉…之衣物。
un·lash [ʌnˋlæʃ] v.t. 解開(縛繫之物)；鬆開；放開。
un·law·ful [ʌnˋlɔfəl] adj. ①不合法的；非法的。②不正當的。— ly, adv.
un·lead·ed [ʌnˋlɛdɪd] adj. (汽油等)無鉛的。～ gasoline 無鉛汽油。
un·learn [ʌnˋlɝn] v.t.(-learned or -learnt)設法忘卻(所學得之知識)；捨棄(舊習癖、錯誤等)。
un·learn·ed[1] [ʌnˋlɝnɪd] adj. 無學問的；未受教育的；無知的。
un·learned[2] [ʌnˋlɝnd]adj. 非由學習而知的。
un·leash [ʌnˋliʃ] v.t. ①解開皮帶以釋放。②放棄對…之控制。③發動。
un·leav·ened [ʌnˋlɛvənd] adj. ①沒有發酵的。②未受影響的；未變化的。
‡un·less [ənˋlɛs] conj. 除非；如不…；若不。— prep. 除…之外(＝except).
un·let·tered [ʌnˋlɛtɚd] adj. ①未受教育的；文盲的。②(墓碑等)無字的。
un·li·censed [ʌnˋlaɪsənst] adj. 無執照的；未經當局許可的。
*un·like [ʌnˋlaɪk] adj. 不同的；相異的。— prep. 不像；和…不同。
un·like·li·hood [ʌnˋlaɪklɪhʊd] n. Ⓤ 不大可能。
*un·like·ly [ʌnˋlaɪklɪ] adj. ①不大可能的。②不大會成功的。— adv. 不大可能地。
*un·lim·it·ed [ʌnˋlɪmɪtɪd] adj. 無限的；不受限制的。
un·list·ed [ʌnˋlɪstɪd] adj. ①未被列入的；未列進表中的。②(證券等)未上市的。
*un·load [ʌnˋlod] v.t. ①卸(貨)。②卸下…之負擔。③退(槍砲)中之彈藥。④拋售(貨物、股票等)。— v.i. ①卸貨。②退子彈。
*un·lock [ʌnˋlɑk] v.t. ①開…的鎖；開；啓。②宣洩；顯露。— v.i. 被開啓。
un·locked [ʌnˋlɑkt] adj. (門等)沒上鎖的。
un·looked-for [ʌnˋlʊktˌfɔr] adj. 意外的；非尋求來的。
un·loose [ʌnˋlus] v.t. 放鬆；釋放；放開。(亦作 unloosen)
un·loved [ʌnˋlʌvd] adj. 不被(喜)愛的。
*un·luck·y [ʌnˋlʌkɪ] adj. 運氣不好的；不吉利的；不幸的。— un·luck′i·ly, adv.

un·make [ʌnˋmek] *v.t.* (**-made**) ①使消失；毀滅。②廢除。③使還原。

un·man [ʌnˋmæn] *v.t.* (**-nn-**) ①使失去男子氣概；使懦弱。②閹割。

un·man·age·a·ble [ʌnˋmænɪdʒəbl] *adj.* 難處理的；難管理的。

un·man·ly [ʌnˋmænlɪ] *adj.* 無男子氣概的；懦弱的；膽小的。

un·manned [ʌnˋmænd] *adj.* 無人操縱或駕駛的。

un·man·nered [ʌnˋmænɚd] *adj.* ①無禮的；粗魯的。②不做作的；直率的。

un·man·ner·ly [ʌnˋmænɚlɪ] *adj.* & *adv.* 無禮貌的[地]；粗魯的[地]。

un·marked [ʌnˋmɑrkt] *adj.* ①無記號的。②未被注意到的。③無道路標誌的。④無特色的。

un·mar·ried [ʌnˋmærɪd] *adj.* 未婚的。

un·mask [ʌnˋmæsk] *v.t.* ①揭除…之假面具[僞裝]。②使暴露出眞相。— *v.i.* 摘下假面具。

un·match·a·ble [ʌnˋmætʃəbl] *adj.* 不能匹敵的；無法對抗的。

un·matched [ʌnˋmætʃt] *adj.* ①無比的。②無匹敵的。③不相配的。

un·mean·ing [ʌnˋminɪŋ] *adj.* ①無意義的；空洞的。②(面容)無表情的。

un·meas·ured [ʌnˋmɛʒɚd] *adj.* ①未測定的。②不可測的。③無限的。④無節制的；過度的。

un·men·tion·a·ble [ʌnˋmɛnʃənəbl] *adj.* 不可提及的；不足掛齒的；不堪出口的。— *n.* ①(*pl.*)〖諧〗褲子；內衣。②Ⓒ不堪出口的事。

un·mer·ci·ful [ʌnˋmɝsɪfəl] *adj.* ①不仁慈的；無情的；殘酷的。②〖俗〗過分的。—**ly,** *adv.*

un·mind·ful [ʌnˋmaɪndfəl] *adj.* 不留心的；不在意的；忘記的。

un·mis·tak·a·ble [͵ʌnməˋstekəbl] *adj.* 不會錯的；不會被誤解的；明白的。

un·mit·i·gat·ed [ʌnˋmɪtə͵getɪd] *adj.* ①未減輕的；未緩和的。②純粹的；全然的；絕對的。

un·mixed [ʌnˋmɪkst] *adj.* 無摻雜的；純粹的。

un·mo·lest·ed [͵ʌnməˋlɛstɪd] *adj.* 不受煩擾的；平安無事的。

un·mor·al [ʌnˋmɔrəl] *adj.* ①與道德無關的；超乎道德的。②無道德觀念的。

un·moved [ʌnˋmuvd] *adj.* ①沒有動過的。②不動搖的；堅決的。③不感動的。

un·named [ʌnˋnemd] *adj.* 未命名的；沒有名稱的；未指明的。

***un·nat·u·ral** [ʌnˋnætʃərəl] *adj.* ①不自然的。②反常的；不合人情的。—**ly,** *adv.* —**ness,** *n.*

***un·nec·es·sar·y** [ʌnˋnɛsə͵sɛrɪ] *adj.* 不必要的；多餘的。— *n.* (*pl.*)非必需品。—**un·nec′es·sar·i·ly,** *adv.*

un·nerve [ʌnˋnɝv] *v.t.* 使膽怯；使氣餒；使喪失勇氣。

un·no·tice·a·ble [ʌnˋnotɪsəbl] *adj.* 不顯明的；不顯著的。

un·no·ticed [ʌnˋnotɪst] *adj.* 未被察覺的；不受人注意的；被忽視的。

un·num·bered [ʌnˋnʌmbɚd] *adj.* ①未算的。②未編號的。③無數的。

un·ob·served [͵ʌnəbˋzɝvd] *adj.* ①未被遵守的。②未觀察到的；未受注意的。

un·ob·tain·a·ble [͵ʌnəbˋtenəbl] *adj.* 得不到的；無法取得的。

un·ob·tru·sive [͵ʌnəbˋtrusɪv] *adj.* 不冒昧的；謙遜的；不引人注目的。

un·oc·cu·pied [ʌnˋɑkjə͵paɪd] *adj.* ①沒人居住[在使用]的。②空閒的；不忙的。

un·of·fend·ing [͵ʌnəˋfɛndɪŋ] *adj.* ①不冒犯人的。②無害的。③無罪的。

un·of·fi·cial [͵ʌnəˋfɪʃəl] *adj.* 非官方的；非正式的。

un·or·gan·ized [ʌnˋɔrgən͵aɪzd] *adj.* ①無組織的。②未組織成工會的。③未參加組織的。④〖化〗無機的。

un·or·tho·dox [ʌnˋɔrθə͵dɑks] *adj.* 非正統的；異教的。

un·pack [ʌnˋpæk] *v.t.* ①開箱取出。②開(箱)取物。— *v.i.* 解開包裹[行李]；卸貨。

un·paid [ʌnˋped] *adj.* ①未付的。②無薪的。

un·par·al·lel(l)ed [ʌnˋpærə͵lɛld] *adj.* 無比的。

un·par·don·a·ble [ʌnˋpɑrdnəbl] *adj.* 不可原諒的；不可寬恕的。

un·par·lia·men·ta·ry [͵ʌnpɑrləˋmɛntərɪ] *adj.* 違反議會慣例的；(言語等)不適於議會使用的。

un·paved [ʌnˋpevd] *adj.* 未鋪砌的；未鋪路的。

un·peo·ple [ʌnˋpipl] *v.t.* (因瘟疫、暴力等)減少或滅絕…之居民。

un·peo·pled [ʌnˋpipḷd] *adj.* 沒有居民的；無人居住的。

un·pin [ʌnˋpɪn] *v.t.* (**-nn-**) 拔去…之針；拔開…之栓；鬆開。

***un·pleas·ant** [ʌnˋplɛzṇt] *adj.* 使人不快的；使人厭惡的。—**ly,** *adv.*

un·pleas·ant·ness [ʌnˋplɛzṇtnɪs] *n.* ①Ⓤ不愉快；掃興。②Ⓒ令人不悅之事。③Ⓒ不和；爭吵。

un·plug [ʌnˋplʌg] *v.t.* (**-gg-**) 拔掉…的塞子[插頭]；除去…的妨礙[障礙]。

un·plumbed [ʌnˋplʌmd] *adj.* ①尚未測其深度的；未經探究的。②(建築物)未裝配自來水[瓦斯]管的。

un·pop·u·lar [ʌnˋpɑpjəlɚ] *adj.* ①不流行的。②不受歡迎的；人緣不佳的。

un·prac·ti·cal [ʌnˋpræktɪkl] *adj.* 不切實際的；不合實用的。

un·prac·ticed,〖英〗**-tised** [ʌnˋpræktɪst] *adj.* ①未實行的；未實施的。②不熟練的；無經驗的。

***un·prec·e·dent·ed** [ʌnˋprɛsə͵dɛntɪd] *adj.* 沒有前例的；空前的。

un·pre·dict·a·ble [͵ʌnprɪˋdɪktəbl] *adj.* 不可預測的。— *n.* Ⓒ不可預測之事。

un·prej·u·diced [ʌnˋprɛdʒədɪst] *adj.* ①無偏見的；大公無私的；立場公正的。②(權利等)未受損害的。

un·pre·med·i·tat·ed [͵ʌnprɪˋmɛdə͵tetɪd] *adj.* ①無預謀的；非故意

的；未準備的。②臨時起意的。
un·pre·pared [ˏʌnprɪˋpɛrd] *adj.* ①事先未加準備的。②未準備好的。
un·pre·ten·tious [ˏʌnprɪˋtɛnʃəs] *adj.* 不矯飾的；謙虛的。
un·priced [ʌnˋpraɪst] *adj.* ①無定價的。②無價的；極貴重的。
un·prin·ci·pled [ʌnˋprɪnsəpl̩d] *adj.* 肆無忌憚的；無恥的；無原則的。
un·print·a·ble [ʌnˋprɪntəbl̩] *adj.* (因猥褻等原因而)不宜付印的。
un·pro·duc·tive [ˏʌnprəˋdʌktɪv] *adj.* ① 不生產的；無生產力的；不毛的。② 無收益的；無成果的。
un·pro·fes·sion·al [ˏʌnprəˋfɛʃənl̩] *adj.* ①違反職業道德[行規，習慣]的。②非職業性的；業餘的。③外行的；不能與行家相比的。
un·prof·it·a·ble [ʌnˋprɑfɪtəbl̩] *adj.* 無利可圖的；無益的。— **un·prof′it·a·bly,** *adv.*
un·prom·is·ing [ʌnˋprɑmɪsɪŋ] *adj.* 沒有前途的；沒有指望的；結果不大樂觀的。— **ly,** *adv.*
un·pro·tect·ed [ˏʌnprəˋtɛktɪd] *adj.* ①無保護(者)的。②無防衛的。
un·pub·lished [ʌnˋpʌblɪʃt] *adj.* ①未公開的。②未出版的；未刊行的。
un·punc·tu·al [ʌnˋpʌŋktʃuəl] *adj.* 不守時間[約定]的。
un·qual·i·fied [ʌnˋkwɑləˏfaɪd] *adj.* ①不合格的；不適宜的。②無限制的；無條件的。③絕對的；完全的。
un·quench·a·ble [ʌnˋkwɛntʃəbl̩] *adj.* 不能熄滅的；不能消除[抑制]的。
un·ques·tion·a·ble [ʌnˋkwɛstʃənəbl̩] *adj.* ①無可置疑的；肯定的。②無可訴病的；無可挑剔的。— **un·ques′tion·a·bly,** *adv.*
un·ques·tioned [ʌnˋkwɛstʃənd] *adj.* ①未經查問的。②未引起爭議的。
un·ques·tion·ing [ʌnˋkwɛstʃənɪŋ] *adj.* 不加質問的；不猶豫的。
un·qui·et [ʌnˋkwaɪət] *adj.* ①動蕩的；不平靜的。②不安的。
un·quote [ʌnˋkwot] *v.i.* 結束引述。
un·rav·el [ʌnˋrævl̩] *v.t.* (-l-, 〖英〗-ll-)①解開(糾纏的線等)。②闡明；解決。— *v.i.* ①解開。②獲解決。
un·read [ʌnˋrɛd] *adj.* ①未讀的；未經審閱的。②讀書不多的；無學識的。
un·read·a·ble [ʌnˋridəbl̩] *adj.* ①讀起來乏味的；不能讀的；無閱讀價值的。②難讀(懂)的；(字跡)難辨認的。
un·read·y [ʌnˋrɛdɪ] *adj.* ①無準備的；未準備好的。②不敏捷的。
un·re·al [ʌnˋriəl] *adj.* 不眞實的；虛幻的；空想的。— **ly,** *adv.*
un·re·al·i·ty [ˏʌnrɪˋælətɪ] *n.* ①Ⓤ不眞實；空幻。②Ⓒ不眞實的事物。③Ⓤ不切實際。
***un·rea·son·a·ble** [ʌnˋriznəbl̩] *adj.* ①不合理的；無理的。②過度的；過分的。③無理智的；缺乏理性的。— **un·rea′son·a·bly,** *adv.*
un·rea·son·ing [ʌnˋriznɪŋ] *adj.* 不講理的；缺乏理智的。— **ly,** *adv.*
un·rec·og·niz·a·ble [ʌnˋrɛkəgˏnaɪzəbl̩] *adj.* 不能識別的；認不出的。
un·rec·og·nized [ʌnˋrɛkəgˏnaɪzd] *adj.* 未被認出的；未經承認的。
un·reel [ʌnˋril] *v.t.* & *v.i.* ①自卷軸或卷輪上取下或鬆開。②慢慢敍述。③展開；進行。
un·re·fined [ˏʌnrɪˋfaɪnd] *adj.* 未提鍊的；未經精製的。
un·re·gard·ed [ˏʌnrɪˋgɑrdɪd] *adj.* 未被注意的；被忽視的；未被尊重的。
un·re·lent·ing [ˏʌnrɪˋlɛntɪŋ] *adj.* ①不同情的；嚴峻的。②不鬆懈的。
un·re·li·a·ble [ˏʌnrɪˋlaɪəbl̩] *adj.* 不可靠的。
un·re·mit·ting [ˏʌnrɪˋmɪtɪŋ] *adj.* 不停的；無間斷的；不鬆懈的。— **ly,** *adv.*
un·re·served [ˏʌnrɪˋzɝvd] *adj.* ①坦率的；無保留的。②無限制的；無條件的；完全的。③未預約的。— **un·re·serv′ed·ly** [-vɪdlɪ], *adv.*
un·rest [ʌnˋrɛst] *n.* Ⓤ 不安寧；不平靜；動蕩。
un·re·strained [ˏʌnrɪˋstrend] *adj.* ①無約束的；無拘束的；無自制力的。②自然的；(態度等)從容的。
un·re·strict·ed [ˏʌnrɪˋstrɪktɪd] *adj.* 不受限制的。
un·right·eous [ʌnˋraɪtʃəs] *adj.* ①不義的；不正直的；不公正的。②邪惡的；有罪的。— **ly,** *adv.* — **ness,** *n.*
un·ripe [ʌnˋraɪp] *adj.* ①未成熟的；生的。②時機未熟的。
un·ri·valed, 〖英〗**-valled** [ʌnˋraɪvl̩d] *adj.* 無敵的；無雙的。
un·roll [ʌnˋrol] *v.t.* & *v.i.* ①展開(成捲或摺合之物)。②(使)顯露。
un·ruf·fled [ʌnˋrʌfl̩d] *adj.*①平靜的；平穩的。②不起皺的。
un·ru·ly [ʌnˋrulɪ] *adj.* 難控制的；不守規矩的。— **un·ru′li·ness,** *n.*
un·sad·dle [ʌnˋsædl̩] *v.t.*①卸下(馬)之鞍。②使(人)墜馬。— *v.i.*卸下馬鞍。
un·safe [ʌnˋsef] *adj.* 不安全的。
un·said [ʌnˋsɛd] *v.* pt. & pp. of **unsay.** — *adj.* 未說出口的；不講出的。
***un·sat·is·fac·to·ry** [ˏʌnsætɪsˋfækt(ə)rɪ] *adj.*不能令人滿意的。— **un·sat·is·fac′to·ri·ly,** *adv.*
un·sa·vor·y, 〖英〗**-vour·y** [ʌnˋsevərɪ] *adj.*①難吃[難聞]的。②無味的。③(道德上)聲名狼藉的；令人討厭的。
un·say [ʌnˋse] *v.t.* (**-said**)取消[撤回]「(前言)。」
un·scathed [ʌnˋskeðd] *adj.* 未受損傷的；未受傷害的。
un·schooled [ʌnˋskuld] *adj.*①未受過正式教育的；沒有進過學校的。②天生的；未受過訓練的。
un·sci·en·tif·ic [ˏʌnsaɪənˋtɪfɪk] *adj.* 不科學的；不合科學原理或法則的。
un·scram·ble [ʌnˋskræmbl̩] *v.t.* 〖俗〗①整理；整頓。②將(密碼等)譯成普通文字；使還原。
un·screw [ʌnˋskru] *v.t.*①鬆開或除掉…之螺釘。②將螺紋蓋旋鬆以打開(瓶或罐)。— *v.i.* (螺釘等)被旋鬆。

un·script·ed [ʌn`skrɪptɪd] *adj.* (廣播)無劇本的; (演說)無草稿的; 即興的。

un·scru·pu·lous [ʌn`skrupjələs] *adj.* ①無遠慮的; 不審慎的。②無道德觀念的; 寡廉鮮恥的。— **ly,** *adv.*

un·seal [ʌn`sil] *v.t.*①開…之封口。②拆開(信等); 給(信等)開封。

un·sealed [ʌn`sild] *adj.* ①沒有封口[加封]的。②未證實的; 未確定的。

un·search·a·ble [ʌn`sɜtʃəbl̩] *adj.* 不能深究的; 不可思議的; 神祕的。

un·sea·son·a·ble [ʌn`siznəbl̩] *adj.* ①不合季節的。②不合時宜的。③天氣反常的。— **ness,** *n.*

un·sea·soned [ʌn`siznd] *adj.*①(食物)未加調味的; 未加佐料的。②(木材等)未經乾燥的。③沒有經驗的。

un·seat [ʌn`sit] *v.t.*①將(騎者)抛下馬鞍; 使落馬。②使去職; 罷免。

un·se·cured [ˌʌnsɪ`kjurd] *adj.*①無抵押[擔保]的。②沒有扣緊的; 沒有繫牢的。

un·seem·ly [ʌn`simlɪ] *adj.* & *adv.* 不適宜的[地]; 不得體的[地]。

un·seen [ʌn`sin] *adj.*①未見過的; 看不見的。②(翻譯、奏樂譜等)即席的。

un·self·ish [ʌn`sɛlfɪʃ] *adj.* 不自私的; 無我的。— **ly,** *adv.* — **ness,** *n.*

un·set·tle [ʌn`sɛtl̩] *v.t.*①攪亂; 使不安定。②使(心)不寧靜。— *v.i.*動搖; 心緒不寧。— **un·set′tled,** *adj.*

un·sex [ʌn`sɛks] *v.t.*使失去性別之特徵; (尤指)使(女性)男性化。

un·shak·a·ble [ʌn`ʃekəbl̩] *adj.* (信念等)不動搖的; 堅定不移的。

un·shak·en [ʌn`ʃekən] *adj.* (決心等)不動搖的。

un·shape·ly [ʌn`ʃeplɪ] *adj.*①不成形的。②不勻稱的; 形狀怪異的。

un·sheathe [ʌn`ʃið] *v.t.*① 拔(刀)出鞘。②揭去…的包裹物; 裸露。

un·ship [ʌn`ʃɪp] *v.t.* (**-pp-**)①將(船貨)卸下; 使(乘客)下船。②〖海〗卸下(舵柄、槳等)。

un·shod [ʌn`ʃɑd] *adj.* ①未穿鞋的; 赤足的。②(馬)未釘蹄鐵的。

un·shrink·ing [ʌn`ʃrɪŋkɪŋ] *adj.*①不收縮的。②堅定的; 不退縮的。

un·sight·ly [ʌn`saɪtlɪ] *adj.* 不雅觀的; 難看的。

un·skilled [ʌn`skɪld] *adj.*①沒有特殊技能的。②不須特別技能的。③不熟練的; 笨手笨腳的。

un·skill·ful, 〖英〗 **-skil·ful** [ʌn`skɪlfəl] *adj.* ①顯得笨拙[拙劣, 不熟練]的。②顯得無技能的。— **ly,** *adv.*

un·snarl [ʌn`snɑrl] *v.t.*解開(結等); 清理(雜物等)。

un·so·cia·ble [ʌn`soʃəbl̩] *adj.* ①不愛交際的; 不善於交際的; 孤僻的。②不能相處的; 不友好的。— **ness,** *n.* — **un·so′cia·bly,** *adv.*

un·so·cial [ʌn`soʃəl] *adj.* 不適於社會的; 反社會的; 不善於社交的。

un·so·phis·ti·cat·ed [ˌʌnsə`fɪstɪˌketɪd] *adj.*①單純的; 天眞的。②純正的。③不精緻的; 簡單樸素的。

un·sought [ʌn`sɔt] *adj.*①未尋求而得到的。②未被要求的。

un·sound [ʌn`saund] *adj.* ①不健康的; 不健全的。②不堅固的。③無根據的。④(睡眠)不熟的。⑤(貨物等)有瑕疵的。⑥(財務上)不穩固的; 不可靠的。

un·spar·ing [ʌn`spɛrɪŋ] *adj.*①慷慨的; 不吝惜的。②嚴厲的; 不留情的。— **ly,** *adv.*

un·speak·a·ble [ʌn`spikəbl̩] *adj.* ①不能說的。②無法用言語表達的; 說不出的。③壞透了的。— **un·speak′a·bly,** *adv.*

un·spo·ken [ʌn`spokən] *adj.*①沒說出來的; 未表達的。②不說話的; 靜默的。③無人與之交談的〔常 to〕。

un·spot·ted [ʌn`spɑtɪd] *adj.* ① 無斑點的。② 無汚點的; 純潔的。

un·sta·ble [ʌn`stebl̩] *adj.* ①不穩定的; 不穩固的。②〖化〗不安定的。

un·stead·y [ʌn`stɛdɪ] *adj.* ①不穩的; 不安定的。②不規則的; 不平均的。

un·stick [ʌn`stɪk] *v.t.* (**-stuck**) 扯開或鬆開(粘合之物)。— *v.i.* 脫落。

un·stop [ʌn`stɑp] *v.t.* (**-pp-**)①拔去…之塞。②打通; 除去…之障礙。

un·strap [ʌn`stræp] *v.t.* (**-pp-**)解開…的皮帶[束帶]。

un·stressed [ʌn`strɛst] *adj.*①不著重的; 不強調的。②(音節)不重讀的。

un·string [ʌn`strɪŋ] *v.t.* (**-strung**)①放鬆(絃樂器、弓等)之絃。②使鬆弛。③使(神經)衰弱; 使煩亂。

un·struc·tured [ˌʌn`strʌktʃɚd] *adj.* 無結構[組織]的; 鬆散的。

un·strung [ʌn`strʌŋ] *v.* pt. & pp. of **unstring.** — *adj.*①(絃樂器、弓等)未上絃的; 絃鬆的。②神經衰弱的。

un·stuck [ʌn`stʌk] *v.* pt. & pp. of **unstick.** — *adj.* 鬆開的; 分離的。

un·stud·ied [ʌn`stʌdɪd] *adj.*①未學過的; 不熟諳的。②非做作的; 自然的。

un·sub·stan·tial [ˌʌnsəb`stænʃəl] *adj.*①非實體的; 無實質的。②不堅固的; 薄弱的。③無事實根據的。

un·suit·a·ble [ʌn`sjutəbl̩] *adj.* 不合適的;不適當的。— **un·suit′a·bly,** *adv.*

un·suit·ed [ʌn`sjutɪd] *adj.* 不適合的; 不適當的; 不相稱的。

un·sung [ʌn`sʌŋ] *adj.*①未在詩或歌中被讚頌的。②(歌)未被唱的。

un·sure [ʌn`ʃur] *adj.* ①不確定的; 沒把握的; 無信心的。②不可靠的。

un·sur·passed [ˌʌnsɚ`pæst] *adj.* 未被超越的; 無一出其右的。

un·sus·pect·ed [ˌʌnsə`spɛktɪd] *adj.*①未被懷疑的; 無嫌疑的。②想不到的; 意外的。— **ly,** *adv.*

un·sus·pect·ing [ˌʌnsə`spɛktɪŋ] *adj.* 不懷疑的; 信任的。— **ly,** *adv.*

un·sus·pi·cious [ˌʌnsə`spɪʃəs] *adj.* 無疑慮的; 不引起懷疑的。— **ly,** *adv.*

un·sweet·ened [ʌn`switn̩d] *adj.*不甜的; 未加糖的。

un·swept [ʌn`swɛpt] *adj.*①未打掃的; 未清除的。②(機翼)非後掠型的。

un·sym·pa·thet·ic [ˌʌnsɪmpəˋθɛtɪk] *adj.*①不表同情的；冷淡的；無情的。②不起共鳴的。
un·taint·ed [ʌnˋtentɪd] *adj.* 無汚點的；無瑕疵的。
un·tamed [ʌnˋtemd] *adj.* ①未馴服的。②不能克制的；難駕馭的。
un·tan·gle [ʌnˋtæŋgl] *v.t.* 解開(糾結)；排解(糾紛)。
un·tapped [ʌnˋtæpt] *adj.*(桶)栓未拔開的；(資源)未開發的。
un·taught [ʌnˋtɔt] *adj.* ①未受過教育的；無知的。②非學習而獲知的；無師自通的；天生的。
un·ten·a·ble [ʌnˋtɛnəbl] *adj.* ①難防守的。②難維持的；難獲支持的。
un·think·a·ble [ʌnˋθɪŋkəbl] *adj.* 無法想像的；極端不可能的。— *n.* Ⓒ 不可思議之事物。
un·think·ing [ʌnˋθɪŋkɪŋ] *adj.* ①無思想的；缺乏思考力的。②未加思考的；輕率的。
un·thought-of [ʌnˋθɔtˏɑv] *adj.*未想到的；意外的。
***un·ti·dy** [ʌnˋtaɪdɪ] *adj.* ①邋遢的；不整潔的。②凌亂的。
un·tie [ʌnˋtaɪ] *v.t.* (**-ty·ing**)①解開；解去…的束縛。②解放；使自由。
‡**un·til** [ənˋtɪl] *prep.* ①迄…之時；直到…時。②在…以前(常用在否定句中)。— *conj.* ①迄…時；直到…時。②在…以前。③直到(最後)…的程度。
un·time·ly [ʌnˋtaɪmlɪ] *adj. & adv.* ①不合時宜的[地]；不合時令的[地]。②過早的[地]。
un·tir·ing [ʌnˋtaɪrɪŋ] *adj.* 不知疲倦的；不屈不撓的。
un·ti·tled [ʌnˋtaɪtl̩d] *adj.*①無稱號的；無頭銜的；無標題的。②無權利的。
un·to [ˋʌntu, ˋʌntʊ, ˋʌntə] *prep.*①〖古，詩〗=**to.** ②=**until.** 〔注意〕在古語及詩歌中，**unto** 和 **to** 的意義相同，但不能用作不定詞的記號。
un·told [ʌnˋtold] *adj.*①未說出的；未說明的。②無數的；數不清的。
un·touch·a·ble [ʌnˋtʌtʃəbl] *adj.* ①不可觸摸的；碰不得的；禁止的。②不可及的；無比的。③賤民的。— *n.* Ⓒ (常U-)(原指印度最低階級的)賤民。
un·touched [ʌnˋtʌtʃt] *adj.*①沒有碰過的；原封不動的。②不受感動的。③未論及的。④未碰到的；未觸及的。
un·to·ward [ʌnˋtord] *adj.*①不幸的；不順利的；不適當的。②棘手的；難對付的。
un·tram·mel(l)ed [ʌnˋtræml̩d] *adj.* 無阻礙的；未受束縛的；自由的；未受限制的。
un·tried [ʌnˋtraɪd] *adj.* ①未經考驗[嘗試]的。②〖法律〗未經審理的。
un·trod(·den) [ʌnˋtrɑd(n̩)] *adj.* 未受踐踏的；杳無人跡的。
un·true [ʌnˋtru] *adj.* ①不眞實的；虛假的。②不忠實的。③不合標準的。
un·truth [ʌnˋtruθ] *n.*(*pl.* **~s** [-ðz, -θs])① Ⓤ 虛僞；不眞實。② Ⓒ 虛言；謊言；假話。— **ful,** *adj.* — **ful·ly,** *adv.* — **ful·ness,** *n.*
un·tu·tored [ʌnˋtjutəd] *adj.*①未受教育的；無知的。②粗野的；樸實的。
un·twist [ʌnˋtwɪst] *v.t. & v.i.*分開；鬆開(搓合之繩或線)。— **er,** *n.*
un·used [ʌnˋjuzd] *adj.*①不用的；不使用的。②[ʌnˋjust] 不習慣於…的〔to〕。③從未用過的。
***un·u·su·al** [ʌnˋjuʒʊəl] *adj.* 異常的；稀罕的；獨特的。*— **ly,** *adv.* — **ness,** *n.*
un·ut·ter·a·ble [ʌnˋʌtərəbl] *adj.* ①非語言所能表達的。②十足的；徹底的。③壞透的。④無法發音的。— **un·ut′ter·a·bly,** *adv.*
un·var·nished [ʌnˋvɑrnɪʃt] *adj.* ①未塗(清)漆的。②未修飾的；率直的。
un·var·y·ing [ʌnˋvɛrɪɪŋ] *adj.* 無變化的；固定的；不變的。— **ly,** *adv.*
un·veil [ʌnˋvel] *v.t. & v.i.* ①揭開…；揭面紗。②揭露；顯示。
un·voiced [ʌnˋvɔɪst] *adj.* ①未出聲的；未言的。②〖語音〗無聲的。
un·want·ed [ʌnˋwɑntɪd] *adj.* 不需要的；多餘的；用不著的。
un·war·rant·a·ble [ʌnˋwɑrəntəbl] *adj.*①難保證的；難認可的。②不當的。
un·war·y [ʌnˋwɛrɪ] *adj.*不小心的；未提防的。
un·wa·ver·ing [ʌnˋwevrɪŋ] *adj.* 不動搖的；意志堅定的。
un·wel·come [ʌnˋwɛlkəm] *adj.* 不受歡迎的。
un·well [ʌnˋwɛl] *adj.* ①不舒服的；有病的。②(委婉語)在月經期的。
un·whole·some [ʌnˋholsəm] *adj.* ①不衛生的；有害健康的。②(外表)不健康的。③不道德的。— **ly,** *adv.*
un·wield·y [ʌnˋwildɪ] *adj.* 龐大而不易控制或處理的；笨重的。
***un·will·ing** [ʌnˋwɪlɪŋ] *adj.*①不情願的；不願意的；勉強的。②不順從的；固執的。— **ly,** *adv.* — **ness,** *n.*
un·wind [ʌnˋwaɪnd] *v.t. & v.i.* (**-wound**)①將(捲起之物)打開。②解開(糾結之物)。③(使)放鬆心情。
un·wise [ʌnˋwaɪz] *adj.* 不明智的；愚蠢的。— **ly,** *adv.*
un·wit·ting [ʌnˋwɪtɪŋ] *adj.* ①無心的；不經意的。②不知不覺的；未意識到的。— **ly,** *adv.*
un·wont·ed [ʌnˋwʌntɪd] *adj.* 不尋常的；非慣常的。
un·work·a·ble [ʌnˋwɜkəbl] *adj.* ①行不通的；無法實行的。②不能操縱的；不能使用的。
un·world·ly [ʌnˋwɜldlɪ] *adj.* ①非世俗的；脫俗的。②精神界的；天上的。
***un·wor·thy** [ʌnˋwɜðɪ] *adj.*①無價值的。②不配的；不值得的〔of〕。③卑鄙的；可恥的。— *n.* Ⓒ 不值得敬重的人。— **un·wor′thi·ly,** *adv.* — **un·wor′thi·ness,** *n.*
un·wound [ʌnˋwaʊnd] *v.* pt. & pp. of **unwind.**
un·wrap [ʌnˋræp] *v.t.* (**-pp-**)解開；打開(包裝等)。— *v.i.* 散開。
un·writ·ten [ʌnˋrɪtn̩] *adj.* ①非以文

字記載的；口傳的。②不成文的。③空白的。§～ **láw** 不成文法。

un·yield·ing [ʌnˋjildɪŋ] *adj.* 不屈的；剛硬的；頑強的。—**ly,** *adv.*

un·yoke [ʌnˋjok] *v.t.*①卸除(牛)之軛。②解除束縛。

un·zip [ʌnˋzɪp] *v.t. & v.i.* (**-pp-**)將…的拉鍊拉開。

‡**up** [ʌp] *adv.* ①向上地；在上地；向或近頂端地。②向[在]更高處。③升空；(太陽)升起。④(由南)北上；朝[在]北方。⑤向…接近；往…途中。⑥起來；起床。⑦完全地；全然地；徹底地。Everything burnt *up.* 一切都燒光了。⑧盡；終了；完結。Time is *up* now. 時間到了。⑨精通。He is (well) *up* in mathematics. 他精通數學。⑩在活動狀態中；在動作中。What is *up* (with you)? (你)怎麼了? ⑪達於平等地位；不落後地。⑫集攏地；一起地。⑬在緊閉的狀態中。⑭…起來。store *up* supplies 儲存供應品。⑮每；各。The score was seven *up* in the final quarter. 在最後一節比賽中雙方各得七分。⑯得分領先。***up to*** **a.**直到；以迄。**b.**正在做；即將做；從事。**c.**勝任；能做…。**d.**適於；適合。**e.**應由(某人)擔任或負責。**f.**到某一程度或部分。**g.**高達；數達。— *prep.*①向上；在上。②向上游；向內地。③沿；穿過。④在更遠或更高之處。⑤逆向；逆流。***up hill and down dale***不顧一切。— *adj.* ①向上的；上行的。an *up* train 上行火車。②前行的；進步的。③在地面上的。④近的。⑤超過對方多少分的。— *n.* Ⓒ ①興盛。②上升；升高。③上行火車或汽車。④高漲。***on the up and up***[***up-and-up***]〖俚〗坦白；誠實。***the ups and downs***(人生之)盛衰；浮沉。— *v.t.* (**-pp-**)〖俗〗①增加；加速。②提高(賭注)。— *v.i.*〖俗〗①突然開始做某事(常與 and 和另一動詞連用)。She *upped* and told me a secret. 她突然告訴我一個秘密。②跳起。③舉起〔常 with〕。

up-and-com·ing [ˋʌpənˋkʌmɪŋ] *adj.*〖美俗〗積極上進的；日益重要的。

up-and-down [ˋʌpənˋdaun] *adj.* ①〖俗〗上下或往復動的；高低起伏的。②盛衰更迭的；浮沉的。③純然的；直截的。④垂直的。

up·beat [ˋʌpˏbit] *n.* (the ～)①〖樂〗上拍；弱拍。②興旺；興盛；上升。— *adj.* ①樂觀的；快樂的。②上升的；欣欣向榮的；生氣勃勃的。

up·braid [ʌpˋbred] *v.t.* 譴責；叱責。—**ing,** *n. & adj.*

up·bring·ing [ˋʌpˏbrɪŋɪŋ] *n.* Ⓤ (又作 an ～)養育；培養。

up·chuck [ˋʌpˏtʃʌk] *v.t. & v.i.*〖俚〗(使)嘔吐。

up·com·ing [ˋʌpˏkʌmɪŋ] *adj.* 即將來臨的。

up·coun·try [ˋʌpˋkʌntrɪ] *n.* (the ～)內地。— *adj.*①內地的；內陸的。②鄉下的；土里土氣的。— *adv.* 向內地；在內地。

up·date [ʌpˋdet] *v.t.* 使…成爲最新；爲…補充最新資料。—[ˋʌpˏdet] *n.* Ⓤ最新資訊；最新知識。

up·end [ʌpˋɛnd] *v.t. & v.i.*①豎立。②將(意見、制度等)作大幅度改變。③擊敗(競爭中的對方)。

up·grade [ˋʌpˋgred] *n.* Ⓒ ①向上之斜坡。②進步；升級(前面常冠以 on the)。③(書籍等的)新版本；升級版；(汽車等的)改良型。— *v.t.* 改良(動物)之品種；提高…之等級；提高…之品質。— *adj. & adv.* 上坡的[地]。

up·growth [ˋʌpˏgroθ] *n.*① Ⓤ 成長；發育；進步；發達。② Ⓒ 成長物。

up·heave [ʌpˋhiv] *v.t.* (**-heaved** or **-hove**)①舉起；使隆起。②造成大混亂。— *v.i.* 隆起；升起；鼓起。—**up·heav′al,** *n.*

***up·held** [ʌpˋhɛld] *v.* pt. & pp. of **uphold.**

up·hill [ˋʌpˋhɪl] *adj.*①上坡的；向上的。②位於高處的。③費力的；困難的。— *adv.* ①上坡地；向上地。②費力地。— *n.* Ⓒ 向上的斜坡。

***up·hold** [ʌpˋhold] *v.t.* (**-held**)① 舉起；抬高。②鼓勵。③贊成；支持；維護。—**er,** *n.*

up·hol·ster [ʌpˋholstə] *v.t.*①爲(椅子、沙發等)裝上套[墊]等。②爲(房間)裝設簾幕[地毯]等；裝潢。—**er,** *n.*

up·hol·ster·y [ʌpˋholstərɪ] *n.* Ⓤ ①(集合稱)室內裝飾品(如椅子、沙發、窗帘、地毯之類)。②室內裝飾業。

UPI, U.P.I. United Press International. 合眾國際社。

up·keep [ˋʌpˏkip] *n.* Ⓤ ①(土地、房屋、汽車等之)保養；(生活之)維持。②保養費。

up·land [ˋʌplənd, ˋʌpˏlænd] *n.* Ⓒ (常 *pl.*)丘陵地；丘阜；高地。— *adj.* 高地的；丘陵地的。

up·lift [ʌpˋlɪft] *v.t.*①舉起；抬起；提高。②提高…社會地位；促進…道德。③振作；振奮。—[ˋʌpˏlɪft] *n.* ① Ⓤ 提高；舉高；高揚。② Ⓤ Ⓒ〖地質〗隆起。③ Ⓤ 道德的向上；精神昂揚。④ Ⓒ (高聳型)胸罩。

up·load [ˋʌpˏlod]〖電算〗*v.t.* 將(資料)由小型系統轉送至大型系統。— *n.* Ⓤ上傳。

up·mar·ket [ˋʌpˏmarkɪt] *adj. & adv.* 迎合高收入消費市場的[地]；(商品、服務等)高級的[地]；高檔的[地]。

‡**up·on** [əˋpan] *prep.* =**on.**〔注意〕**upon** 和 **on** 的意義和用法相同，不過 upon 在俗語和口語中較少用。

up·per** [ˋʌpə] *adj.* ①較高的。②(階級、地位等)高的；高等的；上流的；上級的。③(常 U-)〖地質〗後紀的；後系的。④深入內陸的。get*** [***gain, have***] ***the ～ hand of...*** 比…占優勢；勝過。— *n.* Ⓒ ①鞋幫。②〖俗〗上位；上鋪。***be on one's ～s*** **a.**鞋底磨透的；只剩鞋幫的。**b.** 襤褸的。**c.** 窮困不堪的。§ **the Ú- Hóuse** 上(議)院。～ **cáse**〖印刷〗(1)大寫字母。(2)放置大寫字母的活字盤。～ **cláss** (1)上流社會(的人)。(2)(學校的)高年級。～ **crúst** (1)(麵包的)外皮。(2)〖俗〗上流社會。～ **stóry** (1)

二樓。⑵〖俚〗腦袋。

up·per-brack·et [`ʌpɚ`brækɪt] *adj.* 高位的; 高檔次的; 高收入的。

up·per-class [`ʌpɚ`klæs] *adj.*①上流社會的。②高年級的。

up·per·class·man [ʌpɚ`klæsmən] *n.* Ⓒ (*pl.* **-men**)〖美〗(中學、大學中的)高年級學生。

up·per·cut [`ʌpɚ,kʌt] *n.* Ⓒ〖拳擊〗上鉤拳(由下向上)。— *v.t.* & *v.i.* (**-cut**) 以上鉤拳攻擊。

up·per·most [`ʌpɚ,most] *adj.* ①最高的; 最上的。②最主要的; 最有勢力的。— *adv.*①最高地; 最上地。②最初; 最先。

up·pish [`ʌpɪʃ] *adj.*〖俗〗盛氣凌人的; 勢利的; 傲慢自大的。

up·pi·ty [`ʌpətɪ] *adj.*〖俗〗=**uppish.**

up·raise [ʌp`rez] *v.t.* ①舉起。②使振奮; 鼓勵。

up·rear [ʌp`rɪr] *v.t.* ①舉起; 使升起。②養育。③建立。④提高…的尊嚴。— *v.i.* 升起。

***up·right** [`ʌp,raɪt, ʌp`raɪt] *adj.* ①挺直的; 直立的。②正直的; 誠實的。③合乎正道的。— *adv.* 直地。— *n.* ①Ⓤ直立的狀態。②Ⓒ直立之物; 直立材料。③Ⓒ (亦作 **upright piano**)豎型鋼琴。— **ly,** *adv.* — **ness,** *n.*

up·rise [ʌp`raɪz] *v.i.* (**-rose, -ris·en**) ①上升; 升起。②站起; 起床。③登高。④增高; 長高。—[`ʌp,raɪz] *n.* Ⓒ ①升起。②上坡; 登高。

up·ris·ing [`ʌp,raɪzɪŋ] *n.* Ⓒ ①叛亂; 叛變。②升起。③上斜坡。

up·riv·er [`ʌp,rɪvɚ] *adj.* & *adv.*上游的[地]; 通往上游的[地]。

***up·roar** [`ʌp,ror] *n.* Ⓤ (又作 an ～) 喧囂; 騷動。

up·roar·i·ous [ʌp`rorɪəs] *adj.*喧囂的; 騷動的。— **ly,** *adv.*

***up·root** [ʌp`rut] *v.t.*①拔…之根; 將…連根拔起。②根除; 根絕。

up·rose [,ʌp`roz] *v.* pt. of **uprise.**

UPS United Parcel Service. 美國一郵遞公司。

***up·set** [ʌp`sɛt] *v.t.* (**-set, -set·ting**)①顛覆; 傾覆; 推翻。②擾亂; 使煩惱。③弄亂; 使混亂。④意外地擊敗(強敵)。— *v.i.*顛覆; 傾覆。— *adj.*①傾覆的。②受擾的; 難過的。③弄亂的; 混亂的。—[`ʌp,sɛt] *n.* ①ⓊⒸ顛覆; 傾覆。②Ⓒ煩惱; 煩亂。③Ⓒ不和; 爭吵。④Ⓒ(比賽中)出乎意料的勝利。§ ～ **prìce** 拍賣時之底價。

up·shot [`ʌp,ʃɑt] *n.*(the ～)結局; 結果; 要點; 結論。

***up·side** [`ʌp`saɪd, `ʌp,saɪd] *n.* Ⓒ 上側; 上部; 上段。～ *down* **a.**顛倒; 倒置。**b.**混亂地; 雜亂地。

up·side-down [`ʌp,saɪd`daʊn] *adj.* ①倒置的; 倒放的; 顛倒的。②混亂的; 亂七八糟的。

up·stage [`ʌp`stedʒ] *adv.*在舞臺後部。— *adj.* ①舞臺後部的。②〖俗〗高傲的; 狂妄自大的。— *v.t.*①藉走向舞台後部而迫使(其他演員)背向觀眾以搶盡風頭。②〖俗〗傲慢地對待。— *n.* Ⓤ 舞台後部。

‡**up·stairs** [`ʌp`stɛrz] *adv.*①在樓上; 向樓上。②〖俗〗(飛機)在高空。— *adj.* 樓上的。— *n.* Ⓤ樓上。

up·stand·ing [ʌp`stændɪŋ] *adj.*①直立的。②姿勢體態良好的。③正直的。

up·start [`ʌp,stɑrt] *n.* Ⓒ & *adj.*①暴發戶(的)。②傲慢自負的人(的)。

up·state [`ʌp`stet] *n.* Ⓤ & *adj.*〖美〗州之北部(的); (尤指)紐約州之北部(的)。

up·stream [`ʌp`strim] *adv.* & *adj.* 在上流地[的]; 逆流地[的]。

up·surge [ʌp`sɝdʒ] *v.i.* 向上湧; 高漲; 向上翻騰; 劇增。—[`ʌp,sɝdʒ] *n.* Ⓒ ①向上湧; 高漲。②革命; 起義。

up·swing [`ʌp,swɪŋ] *n.* Ⓒ ①向上的擺動。②顯著的進步。③上揚。

up·take [`ʌp,tek] *n.*(the ～)①拿起; 舉起。②攝取。③領會。

up·tight [`ʌp`taɪt] *adj.* ①〖俚〗不安的; 憂心忡忡的。②易怒的。③手頭緊的。

up·tilt [ʌp`tɪlt] *v.t.* 使向上傾斜。

***up-to-date** [`ʌptə`det] *adj.* ①直到現在的; 現時的; 現代的。②新式的。— **ness,** *n.*

up-to-the-min·ute [`ʌptəðə`mɪnɪt] *adj.* 最近的; 最新的。

up·town [`ʌp`taʊn] *adv.* 在[往]非商業區; 在[往]住宅區。—[`ʌp,taʊn] *n.* Ⓒ住宅區。—[`ʌp`taʊn] *adj.* (在)住宅區的。

up·trend [`ʌp,trɛnd] *n.* Ⓒ成長趨勢; 改善之趨勢; 上揚。

up·turn [ʌp`tɝn] *v.t.* ①挖掘; 掘翻(土地)。②使向上; 使朝上。—[`ʌp,tɝn] *n.* Ⓒ情況好轉。— **ed** [～d], *adj.*

‡**up·ward** [`ʌpwɚd] *adv.*①向上地; 上升地。②向上游。③以上; 超過。～ *of* 超過; 多於。— *adj.* 向上的。

‡**up·wards** [`ʌpwɚdz] *adv.* =**upward.**

up·wind [`ʌp`wɪnd] *adv.* & *adj.* 逆風地[的]。—[`ʌp,wɪnd] *n.* ⓊⒸ逆風。

U·ral [`jʊrəl] *n.*①(the ～)烏拉河(源自烏拉山, 流入裏海)。②(the ～s)烏拉山(爲歐亞界山)。— *adj.* 烏拉山[河]的。the ～ Mountains 烏拉山脈。

***u·ra·ni·um** [jʊ`renɪəm] *n.* Ⓤ〖化〗鈾(放射性金屬元素; 符號 U).

U·ra·nus [`jʊrənəs] *n.*①〖希神〗天神。②〖天〗天王星。

***ur·ban** [`ɝbən] *adj.* 都市的; 住在都市的。§ ～ **dístrict** 市區。～ **renéwal** 都市改建。～ **spráwl**(無限制的)都市擴張現象。

ur·bane [ɝ`ben] *adj.*溫文的; 有禮貌的; 文雅的。— **ur·ban′i·ty** [-`bæn-], *n.*

ur·ban·ite [`ɝbən,aɪt] *n.* Ⓒ 城市居民。

ur·ban·ize [`ɝbən,aɪz] *v.t.* 使城市化。

ur·chin [`ɝtʃɪn] *n.* Ⓒ ①小男孩; 頑童。②海膽(=sea urchin).

Ur·du [`ʊrdu, ɝ`du] *n.* Ⓤ 烏都語 (印度、巴基斯坦回教徒所通用之一種語言)。

u·re·a [jʊ`riə] *n.* Ⓤ〖化〗尿素。

u·re·mi·a [jʊ`rimɪə] *n.* Ⓤ〖醫〗尿毒症。

u·re·mic [ju`rimɪk] *adj.* 〖醫〗(患)尿毒症的。(亦作 **uraemic**)

u·re·ter [ju`ritə] *n.* [C]〖解〗輸尿管。

u·re·thra [ju`riθrə] *n.* [C] (*pl.* **-thrae** [-θri], **～s**)〖解〗尿道。—**u·re′thral,** *adj.*

u·re·thri·tis [͵jurɪ`θraɪtɪs] *n.* [U]〖醫〗尿道炎。

***urge** [ɜdʒ] *v.t.*①驅策。②力勸；敦促。③強力要求。—*n.* [C] ①衝動。②驅策；激勵。

***ur·gent** [`ɜdʒənt] *adj.* ①緊急的；急迫的。②力促的；急切的；強求的。—**ly,** *adv.* —**ur′gen·cy,** *n.*

u·ric [`jurɪk] *adj.* 尿的；取自尿中的。§～ **ácid**〖化〗尿酸。

u·ri·nal [`jurənl] *n.* [C]①尿壺。②小便處。

u·ri·nal·y·sis [͵jurə`næləsɪs] *n.* [U][C] (*pl.* **-ses** [-͵siz])〖醫〗尿分析法；驗尿。

u·ri·nar·y [`jurə͵nɛrɪ] *adj.* 尿的；泌尿(器)的。

u·ri·nate [`jurə͵net] *v.i.* 排尿；小便。

u·rine [`jurɪn] *n.* [U]尿。

urn [ɜn] *n.* [C]①有座腳與耳之瓶；甕；骨灰罈。②有龍頭的咖啡壺或茶壺。③墳墓。

u·rol·o·gy [ju`rɑlədʒɪ] *n.* [U]〖醫〗泌尿學。

Úr·sa Májor [`ɜsə ～] *n.*〖天〗大熊座。

Úr·sa Mínor [`ɜsə ～] *n.*〖天〗小熊座。

ur·ti·car·i·a [͵ɜtɪ`kɛrɪə] *n.* [U]〖醫〗蕁麻疹；風疹塊。

U·ru·guay [`jurə͵gwe] *n.*烏拉圭(南美一共和國，首都 Montevideo)。

‡**us** [ʌs] *pron.* the objective case of **we.**

‡**U.S.** United States.

‡**U.S.A.** the United States of America.

us·a·ble [`juzəbl] *adj.* 可用的；方便的。—**us·a·bil′i·ty,** *n.*

USAF United States Air Force. 美國空軍。

***us·age** [`jusɪdʒ] *n.*① [U] 使用；用法；處理；對待。② [U][C] 習慣；慣例；習俗。③[U][C] (語言之)慣用法。

us·ance [`juzns] *n.* [U]〖商〗對國外匯票習慣上所寬給的支付期限(不包括days of grace 在內)。

‡**use** [juz] *v.t.*①用；使用；利用。②消耗；耗費。③對待；接待。④服用；飲用；吸食。*～d up* **a.**耗盡；用盡。**b.**精疲力竭。—[jus] *n.* ① [U] 用；使用；用法。② [C] 用途；用處。③ [U] 效用；益處；價值。④ [U] 使用的能力。lose the ～ of one's eyes 雙目失明。⑤[U] 使用權。⑥ [U] 習慣；習俗；慣例。*be in* ～在使用著的；在用的。*be of no* ～ 無用；無益。*be out of* ～ 被廢棄不用。*have no* ～ *for* **a.**不需要。**b.**〖俗〗不喜歡。**c.**拒絕容忍。*make* ～ *of* **a.**使用。**b.**利用。*put to* ～ 使用。

use·a·ble [`juzəbl] *adj.*＝**usable.**

***used**[1] [just, jus] *adj.* 習慣於〔to〕. *be*[*get*]～ *to* 習慣於；適應於。〔注意〕此字讀如[jus]時，其音與下面的to字[t]音相聯。

***used**[2] [juzd] *adj.*①用舊了的；半舊的。②用過的。

‡**use·ful** [`jusfəl] *adj.*①有用的；有益的。②〖俚〗有效的；能幹的。—**ly,** *adv.* —**ness,** *n.*

‡**use·less** [`juslɪs] *adj.* 無用的；無效的；無益的。—**ly,** *adv.*

us·er [`juzə] *n.* [C] ①使用者；用戶。②吸毒成癮者。③〖電算〗電腦使用者。§～ **ínterface**〖電算〗用戶接口。

us·er-friend·ly [`juzə`frɛndlɪ] *adj.* (電腦等)容易操作[使用]的。

***ush·er** [`ʌʃə] *n.* [C] ①守衛；門房。②(教堂或影戲院等之)引座員。③〖美〗婚禮中的迎賓招待員。④〖英〗助理教員。—*v.t.*①引導；招待。②預報；預示。—*v.i.*當招待。～ *in* 引進；開始。

ush·er·ette [͵ʌʃə`rɛt] *n.* [C] (戲院等的)女領座員。

U.S.M. United States Mail. 美國郵政。

USMC, U.S.M.C. United States Marine Corps. 美國海軍陸戰隊。

USN, U.S.N. United States Navy.

USSR, U.S.S.R. Union of Soviet Socialist Republics.

‡**u·su·al** [`juʒuəl] *adj.* 通常的；平素的；通例的；尋常的。

‡**u·su·al·ly** [`juʒuəlɪ] *adv.* 通常地；照例地；大抵。

u·su·rer [`juʒərə] *n.* [C] 放高利貸者。

u·su·ri·ous [ju`ʒurɪəs] *adj.*① 高利貸的；高利的。②取高利的。

u·surp [ju`zɜp] *v.t.* 篡奪；僭取；霸占。—**er, u·sur·pa′tion,** *n.*

u·su·ry [`juʒərɪ] *n.* [U] 高利；高利貸。

Ut. Utah.

U·tah [`jutɔ] *n.* 猶他(美國西部之一州)。

***u·ten·sil** [ju`tɛnsl] *n.* [C] 器皿；用具。

u·ter·us [`jutərəs] *n.* [C] (*pl.* **-ter·i** [-͵raɪ], **～es**)〖解〗子宮。

u·til·i·tar·i·an [͵jutɪlə`tɛrɪən] *adj.*①功利的。②功利主義的。—*n.* [C]功利主義者。—**ism,** *n.*

***u·til·i·ty** [ju`tɪlətɪ] *n.*① [U] 有用；有益；利益；效用。② [C] 有用之物。③ [C] (亦作 **public utility**)公用事業(如煤氣、水、電、公共汽車等事業)。④(*pl.*)公用事業股票。—*adj.*①作多種用途的。②實用的；(商品)實用本位的。§～ **màn** (1)能擔任各種職務的人。(2)萬能候補員。(3)跑龍套演員。～ **pôle** 電線桿。～ **ròom** 用具存放室。

***u·ti·lize** [`jutl͵aɪz] *v.t.* 利用。—**u′ti·liz·a·ble,** *adj.* —**u·til·i·za′tion,** *n.*

***ut·most** [`ʌt͵most] *adj.*最遠的；最大的；極度的。—*n.*(the ～, one's ～) 極度；最大限度。do one's ～盡全力。

***U·to·pi·a** [ju`topɪə] *n.*①烏托邦；理想國(Sir Thomas More 所著 *Utopia* 中描述之有完美政治及社會制度之一島)。② [C] (常u-)理想中的社會或政治制度。③ [C] (常 u-)理想中的國家或地方。

U·to·pi·an [ju`topɪən] *adj.*①烏托邦的；理想國的。②(常 u-)理想的；空想的。—*n.* [C] ①烏托邦的居民。②(常 u-)理想家。—**u·to′pi·an·ism,** *n.*

***ut·ter**[1] [`ʌtə] *adj.* 完全的；全然的；絕對的。

***ut·ter**[2] *v.t.* ①說出；發出。②宣布；吐露；發表。③使用(偽鈔等)。

ut·ter·ance [`ʌtərəns, `ʌtrəns] *n.*①

Ⓤ發言；發聲；吐露；發表。②(*sing.*)說話的方式；語調；發音。③Ⓒ言辭。
***ut·ter·ly** [ˋʌtəlɪ] *adv.* 完全地；全然地；絕對地。
ut·ter·most [ˋʌtəˏmost] *adj.* & *n.* =**utmost.**
U-turn [ˋjuˋtɜn] *n.* Ⓒ "U"形[180度]轉彎。
UV, U.V. ultraviolet.
u·vu·la [ˋjuvjələ] *n.* Ⓒ (*pl.* **~s, -lae** [-ˏli])〖解〗懸壅垂；小舌。—**u′vu·lar,** *adj.* —**u′vu·lar·ly,** *adv.*
ux·o·ri·ous [ʌkˋsorɪəs] *adj.*溺愛妻子的；對妻過分寵愛的。
Uz·bek [ˋuzbɛk, ˋʌz-], **-beg** [-bɛg] *n.*(*pl.* **~, ~s**)①(the ~(s))烏茲別克(中亞烏茲別克斯坦之土耳其民族)。②Ⓒ烏茲別克人。③Ⓤ烏茲別克語。
Uz·bek·i·stan [ˏuzbɛkɪˋstæn] *n.* 烏茲別克(中亞一共和國，首都 Tashkent)。

V v **V v** *V v*

V or **v** [vi] *n.*(*pl.* **V's, v's** [viz])①ⓊⒸ英文字母之第二十二個字母。②ⒸV形之物。③Ⓤ羅馬數字之5。④Ⓒ〖俗〗五元鈔票。
V velocity; victory;〖化〗vanadium. **v.** valve; verb; versus; verse;〖拉〗vide (=see); voice; vice; volume. **V.** Venerable; Viscount. **Va.** Virginia.
***va·can·cy** [ˋvekənsɪ] *n.*①Ⓤ空虛；空。②Ⓒ空職；空缺。③Ⓒ空地；空處；空隙。④Ⓤ茫然若失。⑤Ⓤ空閒。
***va·cant** [ˋvekənt] *adj.*①空的；空虛的。②閒暇的。③茫然的。—**ly,** *adv.*
va·cate [ˋveket] *v.t.* & *v.i.*①使空；使出缺；空出(房屋、職位等)。②撤去；離開。③取消；使無效。
‡**va·ca·tion** [veˋkeʃən, və-] *n.* Ⓒ休假；假期。— *v.i.* 度假。
vac·ci·nal [ˋvæksənl] *adj.* 痘苗的；疫苗的；預防注射的。
vac·ci·nate [ˋvæksṇˏet] *v.t.* & *v.i.* ①(為…)種痘[打預防針]。②(為…)接種疫苗。
vac·ci·na·tion [ˏvæksṇˋeʃən] *n.* ⓊⒸ①種痘；接種疫苗；預防注射。②種痘的疤痕。
vac·cine [ˋvæksin] *n.*①ⓊⒸ痘苗；疫苗。②Ⓒ〖電算〗解毒程式。— *adj.* 牛痘的；疫苗的；接種的。
vac·cin·i·a [vækˋsɪnɪə] *n.* Ⓤ〖醫〗牛痘。
vac·il·late [ˋvæsḷˏet] *v.i.* ①搖擺；擺動。②猶疑不決；躊躇；搖動。—**vac·il·la′tion,** *n.*
vac·il·lat·ing [ˋvæsḷˏetɪŋ] *adj.*①搖動的；搖擺的。②優柔寡斷的；猶疑不決的。
vac·u·a [ˋvækjʊə, ˋvækjuə] *n.* pl. of **vacuum.**
va·cu·i·ty [væˋkjuətɪ] *n.*〖文〗①Ⓤ空虛；眞空。②Ⓤ心靈的空虛；茫然；愚蠢。③Ⓒ(常*pl.*)空洞或無意義之物[言論，行為]。
vac·u·ous [ˋvækjʊəs] *adj.*①空的；空虛的。②愚蠢的。③茫然的。④閒散的。
***vac·u·um** [ˋvækjʊəm] *n.* Ⓒ (*pl.* **~s, vac·u·a** [ˋvækjʊə]) ①眞空。②空間；空虛。③吸塵器 (=vacuum cleaner). — *v.t.*〖俗〗以吸塵器掃除…。— *v.i.*〖俗〗使用吸塵器。§~ **bòttle** [**flàsk**] 熱水瓶。~ **bràke** 眞空制動機。~ **clèaner** [**swèeper**]吸塵器。~ **gàuge** 眞空計。~ **pùmp** 抽氣幫浦。~ **tùbe** [**vàlve**]眞空管。
vac·u·um-pack [ˋvækjʊəmˏpæk] *v.t.* 用眞空罐[瓶]裝(食物等)；眞空包裝。—**ed,** *adj.*
va·de me·cum [ˋvedɪˋmikəm] *n.* Ⓒ隨身攜帶備用之物；便覽；手冊。
vag·a·bond [ˋvægəˏbɑnd] *n.* Ⓒ①漂泊者；流浪者。②流氓；無賴。— *adj.* 漂泊的；流浪的；遊蕩的；無賴的。
vag·a·bond·age [ˋvægəˏbɑndɪdʒ] *n.* Ⓤ①遊蕩；流浪。②(集合稱)流浪漢。
va·gar·y [vəˋgɛrɪ] *n.* Ⓒ①異想天開；奇想。②不可預測的行為或事件。
va·gi·na [vəˋdʒaɪnə] *n.* Ⓒ (*pl.* **~s, -nae** [-ni])①〖解〗陰道。②〖植〗葉鞘。③器官之鞘狀部分。
va·gran·cy [ˋvegrənsɪ] *n.* ⓊⒸ①漂泊；流浪。②(集合稱)流浪者。③(意見、思想等之)游移不定。
va·grant [ˋvegrənt] *n.* Ⓒ①漂泊者；流浪者。②流氓；無賴。— *adj.*①漂泊的；遊蕩的。②(思想等)飄忽不定的。
***vague** [veg] *adj.* ①不明確的；含混的；(表情)茫然的。②(用於名詞前，常the vaguest...)絲毫的(理解、想法等)。—**ly,** *adv.* —**ness,** *n.*
***vain** [ven] *adj.* ①徒然的；無效的。②自負的。③空虛的。④愛虛榮的。*in* ~ **a.** 無效地。**b.** 隨便地；冒瀆地。
vain·glo·ry [venˋglorɪ] *n.* Ⓤ虛榮；自負；虛妄之誇飾。—**vain·glo′ri·ous,** *adj.*
***vain·ly** [ˋvenlɪ] *adv.* ①徒然；白費地。②自負地；虛榮地。
val·ance [ˋvæləns] *n.* Ⓒ①(裝飾床或祭壇等的)短帷幔。②(窗頂的)短帷。
vale [vel] *n.* Ⓒ〖詩〗谷。
val·e·dic·tion [ˏvæləˋdɪkʃən] *n.*①Ⓤ告別。②Ⓒ告別辭。
val·e·dic·to·ri·an [ˏvælədɪkˋtorɪən] *n.* Ⓒ〖美〗在畢業典禮中致告別辭之畢業生代表。
val·e·dic·to·ry [ˏvæləˋdɪktərɪ] *adj.*告別的；辭別的。— *n.* Ⓒ(畢業生代表之)告別講演。
va·lence [ˋveləns] *n.* Ⓒ〖化〗原子價。(亦作 **valency**)
va·len·cy [ˋvelənsɪ] *n.*〖英〗=**valence.**
Val·en·tine [ˋvælənˏtaɪn] *n.*①聖・華倫泰(西元三世紀時羅馬基督教殉教

者)。②(v-) Ⓒ 在二月十四日聖・華倫泰節，所選或所祝賀之愛人。③(v-) Ⓒ 在二月十四日寄給異性之信、卡片、畫片或禮物。§ ~'s Dày聖・華倫泰節；情人節(二月十四日)(亦作St. Valentine's Day).

val·et [ˋvælɪt] *n.* Ⓒ (專司看管衣物及替主人穿衣之)男僕；(旅館中的)服務生。— *v.t. & v.i.* 伺候；照料。

val·e·tu·di·nar·i·an [ˌvælə-ˌtjudṇˋɛrɪən] *n.* Ⓒ ①病人；健康不佳者；病弱者。②經常爲身體健康發愁的人。— *adj.*①有病的；虛弱的。②經常爲健康發愁的。

val·iant [ˋvæljənt] *adj.* 勇敢的；英勇的。— **ly,** *adv.*

val·id** [ˋvælɪd] *adj.* ① 有確實根據的；正當的；〖邏輯〗(推論)正確的。②依法有效的；有效的。— **ly,adv.* — **ness,** *n.*

val·i·date [ˋvæləˌdet] *v.t.*①使有效；使有法律效力。②確認。— **val·i·da'-tion,** *n.*

va·lid·i·ty [vəˋlɪdətɪ] *n.* Ⓤ ①正確性；妥當性。②效力；有效；合法性。

va·lise [vəˋlis] *n.* Ⓒ 手提旅行箱。

Val·kyr [ˋvælkɪr], **Val·kyr·ie** [vælˋkɪrɪ] *n.*〖北歐神話〗戰神Odin之一婢女(將戰死將士引導入Valhalla, 並侍候於此)。

‡**val·ley** [ˋvælɪ] *n.* Ⓒ ①谷；山谷。②(常*sing.*)流域。

val·or,〖英〗**-our** [ˋvælɚ] *n.* Ⓤ 勇氣；英勇。

val·or·ize [ˋvæləˌraɪz] *v.t. & v.i.* (政府)規定價格；使物價穩定。

val·or·ous [ˋvælərəs] *adj.* 英勇的。

***val·u·a·ble** [ˋvæljuəbḷ] *adj.*①值錢的；貴重的。②可計算其價值的。— *n.* Ⓒ (常 *pl.*) 貴重物品；珠寶。— **val'u·a-bly,** *adv.*

val·u·ate [ˋvæljuˌet] *v.t.* 對…作估價；對…作評價。— **val'u·a·tor,** *n.*

val·u·a·tion [ˌvæljuˋeʃən] *n.*① Ⓤ 評價；估價。② Ⓒ 估定之價值。③ Ⓤ Ⓒ 對人之評價。— **al,** *adj.*

‡**val·ue** [ˋvælju] *n.*① Ⓤ 價值；重要性；實在價值。② Ⓤ (又作a ~)評價。③ Ⓤ Ⓒ 價格；代價。④ Ⓒ 眞義；意義。⑤(*pl.*)生活的理想；價值觀。⑥ Ⓒ〖樂〗音符所表示音之長度。⑦ Ⓒ (常 *pl.*) (畫之)明度。⑧ Ⓒ〖數〗值。— *v.t.*①給…估價；給…評價。②重視；敬重。

val·ue-add·ed [ˋvæljuˋædɪd] *n.* Ⓒ & *adj.* 附加價值(的)。§ ~ **tàx**增值稅(略作VAT, 亦作added-value tax).

val·ued [ˋvæljud] *adj.* ①受尊敬的；受重視的。②被估過價的。③貴重的。

val·ue·less [ˋvæljulɪs] *adj.*沒有價值的。

val·u·er [ˋvæljuɚ] *n.* Ⓒ〖英〗價格核定人。

***valve** [vælv] *n.* Ⓒ ①活瓣；活門；閥。a safety ~安全閥。②瓣膜。③(雙殼貝之)殼。④〖英〗眞空管。⑤〖植〗莢片。⑥(管樂器之)栓塞。

val·vu·lar [ˋvælvjəlɚ] *adj.*①(心臟)瓣膜的。②有活瓣(功能)的。

vamp[1] [væmp] *n.* Ⓒ ①(靴或鞋前端的)鞋面。②拼湊補綴之物；補釘。③〖樂〗即席伴奏。— *v.t.*①給(鞋子)換新鞋面。②翻新；修補〔up〕.③捏造〔up〕.④即席伴奏。

vamp[2]〖俚〗*n.* Ⓒ 水性楊花的女人；蕩婦。— *v.t.* 以美色引誘(男人)。

vam·pire [ˋvæmpaɪr] *n.* Ⓒ ①吸血鬼。②榨取他人錢財者。③以色相賺錢的蕩婦。④〖動〗吸血蝙蝠(= vampire bat).

***van**[1] [væn] *n.* Ⓒ 家具搬運車；箱型車；有蓋貨車。

van[2] *n.* (the ~, 作 *sing.*解)先鋒；前驅。**be in the ~**爲…之先驅。**lead the ~** 爲先鋒。

va·na·di·um [vəˋnedɪəm] *n.* Ⓤ〖化〗釩(金屬元素；符號爲V).§ ~ **stéel** 釩鋼。

Van·cou·ver [vænˋkuvɚ] *n.*溫哥華(加拿大西南部之一工業城市)。

Van·dal [ˋvændḷ] *n.*①(the ~s)汪達爾族(紀元五世紀侵入西歐高盧、西班牙及羅馬之東日耳曼蠻族)。②(v-) Ⓒ 破壞文化或藝術品之人。— *adj.*①汪達爾人的。②(v-)破壞文化或藝術品的。

van·dal·ism [ˋvændḷˌɪzəm] *n.* Ⓤ 因無知而破壞文化或藝術品的行爲；暴力行爲。

van·dal·ize [ˋvændḷˌaɪz] *v.t.* 任意破壞(文化、建築物等)。

Van·dyke[1] [vænˋdaɪk] *n.* 范大克(Sir Anthony, 1599-1641, Flanders之畫家)。(亦作 **Van Dyck**)

Van·dyke[2] *n.* Ⓒ ①Sir Anthony Vandyke所畫之肖像或畫。②(亦作 **Vandyke beard**)(末端修成V字形的)范大克式尖髯。③(亦作 **Vandyke collar**)范大克式衣領(帶鋸齒邊的寬衣領)。— *adj.* Vandyke之風格的。

vane [ven] *n.* Ⓒ ①風向標；風信旗。②(風車、螺旋槳之)一葉。③羽毛之平軟部分；羽瓣。

van Gogh [vænˋgo] *n.* 梵谷(Vincent, 1853-90, 荷蘭畫家)。

van·guard [ˋvænˌgɑrd] *n.*① Ⓒ (集合稱)〖軍〗先鋒；先驅。②(the ~, 作*sing.* 解)領導地位；先驅者。

va·nil·la [vəˋnɪlə] *n.*① Ⓒ〖植〗香草。② Ⓤ 香草精(製冰淇淋、香水等用)。

***van·ish** [ˋvænɪʃ] *v.i.* 消失；消散；消滅。— *v.t.* 使消失。§ ~**ing crèam** (化妝用之)雪花膏。~**ing pòint**(透視畫法的)消失點；沒影點。

van·ish·ment [ˋvænɪʃmənt] *n.* Ⓤ 消失；消滅。

***van·i·ty** [ˋvænətɪ] *n.*① Ⓤ 空虛；空幻。② Ⓤ 虛榮；虛榮心；虛誇。③ Ⓒ 無益或無用的事物[行爲]。④=**vanity case.** ⑤ Ⓒ 連鏡之梳妝臺。§ ~ **càse** [**bòx**](女人隨身攜帶的)化妝箱。**V~ Fáir** (1)浮華世界(John Bunyan在*Pilgrim's Progress*所描述之市集，象徵人世浮華)。(2)(常 v- f-) (*sing.*)人世間之浮華世界。~ **plàte**(汽車等的)所有人自選字母及號碼的牌照。

van·pool [ˋvænˌpul] *n.* Ⓤ Ⓒ 由公司提供箱型車讓員工共乘通勤的付費乘車方式。

van·quish [ˋvæŋkwɪʃ] *v.t.* 征服；擊敗。

van·quished [ˋvæŋkwɪʃt] *adj.*被擊

敗的；被征服的。*the* ~被征服者；敗北者。

van·tage [ˋvæntɪdʒ] *n.* Ⓤ ①優勢；有利之地位。②〖網球〗平手後先得之一分。§ ∽ **gròund**[**pòint**]有利地位；地利。

vap·id [ˋvæpɪd] *adj.*①乏味的。②(人等)無趣味的；無生氣的。— **ly,** *adv.* — **ness, va·pid′i·ty,** *n.*

*__va·po(u)r__ [ˋvepɚ] *n.*① Ⓤ Ⓒ 蒸氣；霧；煙霧；水蒸氣。② Ⓤ〖理〗汽。③ Ⓒ 空想；幻想。— *v.i.* ①蒸發；發散；發出(蒸氣)。②吹牛；誇大。§ ∽ **bàth** 蒸汽浴。∽ **tràil**〖空〗凝結尾(=contrail).

va·por·ize [ˋvepə,raɪz] *v.t. & v.i.* 蒸發；使汽化。— **va·por·i·za′tion,** *n.*

va·por·iz·er [ˋvepə,raɪzɚ] *n.* Ⓒ 蒸發器；噴霧器。

va·por·ous [ˋvepərəs] *adj.*①發出蒸氣的；似蒸氣的；充滿蒸氣的；多霧的。②無實質的；幻想的；空想的。

va·que·ro [vɑˋkɛrə]〖西〗*n.* Ⓒ (*pl.* ~**s**)(墨西哥、美國西南部之)飼養家畜的人；牧童。

*__var·i·a·ble__ [ˋvɛrɪəbl̩] *adj.* ①易變的；可變的；會變化的。②〖生物〗變異的。— *n.* Ⓒ ①會變化的東西。②方向不定之風。③〖數〗變數；變量。— **var·i·a·bil′i·ty,** *n.* — **var′i·a·bly,** *adv.*

var·i·ance [ˋvɛrɪəns] *n.* Ⓤ Ⓒ ①不同；差異。②變化；變易；改變。③不和；不一致。*at* ~ **a.**不一致的。**b.**不和的；爭執的。

var·i·ant [ˋvɛrɪənt] *adj.*①不同的；差異的。②變異的；改變的。— *n.* Ⓒ ①另一不同的形式。②(拼法、發音的)變體。③(典籍的)異文；異本。

*__var·i·a·tion__ [,vɛrɪˋeʃən] *n.*① Ⓤ Ⓒ 變化；變動。② Ⓒ 變量；變度。③ Ⓤ Ⓒ 語尾變化。④ Ⓒ〖樂〗變奏曲。⑤ Ⓤ Ⓒ〖生物〗變種；變異。⑥ Ⓤ Ⓒ〖天〗運行或軌道之改變。— **al,** *adj.*

var·i·col·ored [ˋvɛrɪ,kʌlɚd] *adj.* ①雜色的；五顏六色的。②各色各樣的。

var·i·cose [ˋværɪ,kos] *adj.* ①靜脈曲張的。②串珠狀的。

*__var·ied__ [ˋvɛrɪd] *adj.*①形形色色的；各種各樣的。②富於變化的。③雜色的；斑駁的。— **ly,** *adv.*

var·i·e·gat·ed [ˋvɛrɪ,getɪd] *adj.*①雜色的；斑駁的。②有變化的；各色各樣的。

‡**va·ri·e·ty** [vəˋraɪətɪ] *n.*① Ⓤ 變化；多樣。②(a ~ of)各種各樣。③(a ~ of或varieties of)〖生物〗種。④ Ⓤ〖英〗雜耍。§ ∽ **shòw**[**entertàinment**]綜藝節目。∽ **stòre**〖美〗雜貨店。∽ **tàble**〖英〗梳妝台；鏡台(=〖美〗dressing table).

vario-〖字首〗表「多樣的；有變化的」之義。

‡**var·i·ous** [ˋvɛrɪəs] *adj.* ①多種的。②種種的；各式各樣的；多方面的。③個別的。④雜色的。— **ly,** *adv.*

var·let [ˋvɑrlɪt] *n.* Ⓒ〖古〗①侍從。②無賴；流氓。

*__var·nish__ [ˋvɑrnɪʃ] *n.*① Ⓤ Ⓒ 清漆；洋漆；光漆。②(*sing.*)光澤面。③(a ~)虛飾；文飾。— *v.t.*①漆清漆於。②掩飾；文飾(外表等)。

var·si·ty [ˋvɑrsətɪ] *n.* Ⓒ ①〖英俗〗大學(尤指牛津與劍橋大學)。②大學運動代表隊。

*__var·y__ [ˋvɛrɪ] *v.t.*①改變；變換；使不同。②〖樂〗變奏。③使有變化。— *v.i.* ①改變；有不同；有變化。②偏離；違反〔常 from〕.

var·y·ing [ˋvɛrɪɪŋ] *adj.*(連續)改變的；變化的。

vas·cu·lar [ˋvæskjəlɚ] *adj.*〖解〗脈管的；血管的。(亦作**vasculose, vasculous**) § ∽ **búndle**〖植〗維管束。∽ **cýlinder**〖植〗維管柱。∽ **tíssue**〖植〗維管組織。— **ly,** *adv.*

*__vase__ [ves] *n.* Ⓒ 瓶；花瓶。

va·sec·to·my [væˋsɛktəmɪ] *n.* Ⓤ Ⓒ 輸精管切除術。

vas·e·line [ˋvæsl̩,in] *n.* Ⓤ ①〖化〗凡士林。②(V-)〖商標〗凡士林。

vas·o·con·stric·tor [,væsokənˋstrɪktɚ] *adj.*血管收縮的。— *n.* Ⓒ 血管收縮神經；血管收縮劑。

vas·o·di·la·tor [,væsodaɪˋletɚ] *adj.*血管擴張的。— *n.* Ⓒ 血管擴張神經；血管擴張劑。

vas·sal [ˋvæsl̩] *n.* Ⓒ ①(封建時代的)家臣；諸侯。②隸屬者；奴僕。— *adj.* ①家臣的；諸侯的。②隸屬的；奴僕的。

vas·sal·age [ˋvæsl̩ɪdʒ] *n.* Ⓤ ①家臣的身分；效忠；服從。②隸屬。③采邑；家臣之領地。

*__vast__ [væst] *adj.* ①巨大的；廣大的；浩大的。②〖俗〗非常的。— **ness,** *n.*

vast·ly [ˋvæstlɪ] *adv.* 廣大地；巨大地；非常地。

vat [væt] *n.* Ⓒ (供釀造、發酵等使用的)大桶。— *v.t.*(**-tt-**)把…裝入大桶中；在大桶中摻和。

Vat·i·can [ˋvætɪkən] *n.* (the ~)①梵蒂岡(羅馬教皇之教廷)(亦作 **Vatican Palace**)。②教皇權；教皇政治。§ ∽ **Cíty Státe** 梵蒂岡市(在羅馬市內，爲教皇統治之一獨立國)。

vau·de·ville [ˋvodə,vɪl] *n.* Ⓤ 雜耍(包括歌唱、舞蹈、特技等)表演。

*__vault__¹ [vɔlt] *n.* ① Ⓒ 拱形圓屋頂；穹窿。② Ⓒ 窖；地下貯藏室。③ Ⓒ 貴重物品保管室。④ Ⓒ 地下墳墓。⑤(*sing,* 常the ~)蒼穹；天空。— *v.t. & v.i.* 使成圓拱形；給…覆以拱頂；變爲圓拱形。

vault² *v.i.* 撐竿跳躍；跳躍。— *v.t.* 跳過。— *n.* Ⓒ 跳躍；撐竿跳。

vault·ing¹ [ˋvɔltɪŋ] *n.* Ⓤ ①〖建〗穹窿工事；拱形圓頂建築物。②(集合稱)圓屋頂。

vault·ing² *adj.* ①跳躍的；跳過的；跳躍用的。②誇大的；過分自信的。§ ∽ **hòrse**(體操用的)跳馬。

vaunt [vɔnt, vɑnt] *n.* Ⓒ 吹噓；自誇。— *v.i.* 自誇。— *v.t.* 誇耀；炫耀。

v. aux. verb auxiliary. **vb.** verb.

V.C. Vice-Chancellor; Vice-Consul; Victoria Cross.

VCR [ˋvi,siˋɑr] *n.* Ⓒ (*pl.* ~**s**)卡式錄放影機(爲videocassette recorder 之略)。

VD, V.D. venereal disease.
V-Day [ˋvi͵de] *n.*(二次世界大戰同盟國之最後)勝利日(1946年12月31日)。
've [v] =**have.**
veal [vil] *n.*①Ⓤ(供食用的)小牛之肉。②Ⓒ(專供食用的)牛犢。
vec·tor [ˋvɛktɚ] *n.* Ⓒ ①〖數〗向量; 矢量。②〖生物〗傳播病菌之媒介(昆蟲)。
veep [vip] *n.* Ⓒ〖俗〗美國副總統(=vice-president).
veer[1] [vɪr] *v.i.*①(風)改變方向。②改變意見、態度等。③轉向; 轉入。④〖海〗(以船首向下風)轉變航向。**~ and haul** a.〖海〗將繩一會兒放鬆, 一會兒拉緊。b. 易變。**—** *n.* ⓊⒸ 轉向; 改變方向。
veer·ing [ˋvɪrɪŋ] *n.* Ⓤ 轉向; 改變。**—** *adj.* 猶豫的; 改變的。
veg [vɛdʒ] *n.* ⓊⒸ (*pl.* ~) (常 *pl.*)〖英俗〗(通常指已烹調的)蔬菜。
Ve·ga [ˋvigə] *n.*〖天〗織女星(天琴座的 α星)。
ve·gan [ˋvɛgən] *n.* Ⓒ〖英〗嚴守素食主義的人。
‡**veg·e·ta·ble** [ˋvɛdʒətəbl̩] *n.*① Ⓒ (常 *pl.*)蔬菜。② Ⓤ 植物。③ Ⓒ (失去意識、思考力的)植物人。**—** *adj.*①蔬菜的; 植物的。a ~ diet 素食。~ oil 植物油。②呆板單調的。§ **~ màrrow** 夏南瓜(葫蘆的一種)。**~ spònge** 絲瓜絡。
veg·e·tar·i·an [͵vɛdʒəˋtɛrɪən] *n.* Ⓒ 素食者。**—** *adj.*①素食(者)的。②素的; 不含肉類的。**—ism,** *n.*
veg·e·tate [ˋvɛdʒə͵tet] *v.i.*①(植物)生長。②像植物般生長。③過呆板單調的生活。④〖醫〗(贅瘤等)生長、長大。
***veg·e·ta·tion** [͵vɛdʒəˋteʃən] *n.* Ⓤ ①(植物的)生長。②(集合稱)植物; 草木。③單調貧乏的生活。
veg·e·ta·tive [ˋvɛdʒə͵tetɪv] *adj.*①植物(性)的; 與植物生長有關的。②能使植物生長的。③飽食終日無所用心的。
***ve·he·ment** [ˋviəmənt, ˋvihɪ-] *adj.* ①激情的; 熱烈的。②激烈的; 強烈的。**—ly,** *adv.* **—ve′he·mence,** *n.*
***ve·hi·cle** [ˋviɪkl̩, ˋviə-] *n.* Ⓒ ①車輛; 陸上交通工具。②傳達的媒介。③展色料。
***veil** [vel] *n.* ① Ⓒ 面紗; 面罩。② (*sing.*)遮蔽物。③(*sing.*)假託; 口實。*take the* ~當修女。**—** *v.t.*①以面罩遮掩。②隱瞞; 隱蔽。**—** *v.i.* 戴面紗。
veiled [veld] *adj.*①戴著面紗的。②隱蔽的; 隱藏的。
veil·ing [ˋvelɪŋ] *n.* Ⓤ ①罩面紗。②(做面紗用的)薄紗(料); 帳幔(料)。
***vein** [ven] *n.*① Ⓒ 靜脈。② Ⓒ (植物之)葉脈; (昆蟲等之)翅脈; (地質、礦山之)(礦)脈; (岩)脈。③(a[the]...~)氣質; 意向; 心緒; 語氣。**—** *v.t.* 覆以脈紋(通常用於被動語態)。**—ed,** *adj.*
ve·lar [ˋvilɚ] *adj.*①軟顎的。②〖語音〗軟顎(音)的。**—** *n.* Ⓒ〖語音〗軟顎音。
veld(t) [vɛlt] *n.* Ⓒ (常 the ~)(南非洲的)無林大草原。
vel·lum [ˋvɛləm] *n.* Ⓤ 一種精美的皮紙(用作書的封面; 古代用作書寫用紙)。
ve·loc·i·pede [vəˋlɑsə͵pid] *n.* Ⓒ ①(兒童乘用的三輪)腳踏車。②早期的自行車或三輪車。
***ve·loc·i·ty** [vəˋlɑsətɪ] *n.* Ⓤ①(又作 a ~)迅速。②〖理〗速度; 速率。
ve·lour(s) [vəˋlʊr] *n.* Ⓤ 天鵝絨; 絲絨。
***vel·vet** [ˋvɛlvɪt] *n.* Ⓤ ①天鵝絨; 絲絨。②任何似天鵝絨或絲絨之物。③鹿角上之絨毛狀皮。④〖俚〗**a.**純利。**b.**賭博贏得之錢。**—** *adj.*天鵝絨的; 天鵝絨般的; 柔軟的。*an iron hand in a ~ glove* 笑裡藏刀。
vel·vet·een [͵vɛlvəˋtin] *n.*① Ⓤ 棉絨。②(*pl.*)棉絨褲子。
vel·vet·y [ˋvɛlvɪtɪ] *adj.*①輕軟光滑如天鵝絨的。②(酒類)性溫和的。
Ven. Venerable; Venice.
ve·nal [ˋvinl̩] *adj.*①貪污的; 腐敗的。②(地位等)可用金錢收買的。
ve·nal·i·ty [viˋnælətɪ] *n.* Ⓤ 貪污; 唯利是圖; 受賄。
vend [vɛnd] *v.t.* ①叫賣; 兜售; 販賣。② 發表(意見)。§ **~ing machìne** 自動販賣機。
vend·ee [vɛnˋdi] *n.* Ⓒ〖法律〗買主; 買方。
vend·er [ˋvɛndɚ] *n.* ① Ⓒ 小販; 售賣者; 賣主。②=**vending machine.**
ven·det·ta [vɛnˋdɛtə] *n.* Ⓒ①(兩家族間的)相互仇殺。②世仇; 深仇。
vend·i·ble [ˋvɛndəbl̩] *adj.* 可販賣的。**—** *n.* Ⓒ (常 *pl.*)可販賣之物品。**—vend·i·bil′i·ty,** *n.*
ven·dor [ˋvɛndɚ] *n.*①=**vender.** ② Ⓒ〖法律〗賣主(爲 vendee 之對)。
ve·neer [vəˋnɪr] *v.t.* ① 貼(木片)於。②裝飾(外表)。③將(薄木片)黏合使成夾板。**—** *n.* ① ⓊⒸ 鑲於他物上之薄木片或其他飾面薄料。② Ⓒ 夾板中之一層。③ Ⓒ (常 *sing.*)外飾。**—er,** *n.*
***ven·er·a·ble** [ˋvɛnərəbl̩] *adj.*①(因年高、古老等而)可尊敬的; 莊嚴的。②(the V-)(英國教會)對副主教之尊稱。(略作 **Ven.**)③(羅馬教會)被列入聖者之人的頭銜。

ven·er·ate [ˋvɛnə͵ret] *v.t.*①對…懷有敬意。②崇拜。
ven·er·a·tion [͵vɛnəˋreʃən] *n.* Ⓤ 敬奉; 尊敬。
ve·ne·re·al [vəˋnɪrɪəl] *adj.*① 性愛的; 性交的。②因性交而傳染的。a ~ disease 性病(略作 VD, V.D.). ③患性病的。④治性病的。
Ve·ne·tian [vəˋniʃən] *adj.*Venice(人)的; 威尼斯式的。**—** *n.* Ⓒ 威尼斯人。§ **~ blínd** 活動百葉窗。
Ven·e·zue·la [͵vɛnəˋzwilə] *n.* 委內瑞拉(南美洲北部之國家, 首都爲Caracas)。
Ven·e·zue·lan [͵vɛnəˋzwilən] *adj.* 委內瑞拉(人, 文化)的。**—** *n.* Ⓒ 委內瑞拉人。
***venge·ance** [ˋvɛndʒəns] *n.* Ⓤ (有時 a ~)復仇; 報仇。*take ~ on[upon]* 向…報仇。*with a ~*激烈地; 猛烈地; 徹底地; 極端地。
venge·ful [ˋvɛndʒfəl] *adj.* ①復仇心重的。②報復的。**—ly,** *adv.*

ve·ni·al [ˋvinɪəl] *adj.* 可寬恕的; 可原諒的; (過失)輕微的。

Ven·ice [ˋvɛnɪs] *n.*威尼斯(義大利東北部之一沿海城市)。

ven·i·son [ˋvɛnəzn̩, ˋvɛnzn̩] *n.* Ⓤ鹿肉。

ve·ni, vi·di, vi·ci [ˋvinaɪˋvaɪdaɪ ˋvaɪsaɪ]〖拉〗(凱撒之名句)「我來, 我見, 我征服」(=I came, I saw, I conquered).

Vénn dìagram [ˋvɛn ～] *n.*〖數〗范恩圖表(用圓表示集合與集合之間的邏輯關係; John Venn, 1834-1923, 英國邏輯學家)。

ven·om [ˋvɛnəm] *n.* Ⓤ ①(毒蛇、蜘蛛等之)毒液; 蟲毒。②惡毒; 惡意。

ven·om·ous [ˋvɛnəməs] *adj.*①有毒的; 有害的。②惡毒的; 惡意的。

ve·nous [ˋvinəs] *adj.*① 靜脈(中)的。②〖植〗多葉脈的。

vent [vɛnt] *n.* Ⓒ ①(西裝之)開叉; 通風口。②出口; 發洩; 吐露。③(鳥、蟲、魚等之)肛門。④(槍砲之)火門。⑤(汽車中之)通風孔。— *v.t.* ①鑽孔於。②發洩; 吐露。

***ven·ti·late** [ˋvɛntḷ,et] *v.t.*①使通風。②給…開通風口。③公開; 公開討論。④使吸收氧氣。

ven·ti·la·tion [,vɛntḷˋeʃən] *n.* Ⓤ ①通風; 流通空氣。②通風設備。③公開討論。

ven·ti·la·tor [ˋvɛntḷ,etɚ] *n.* Ⓒ 通風機; 通風孔; 通風設備; 通風員。

ven·tral [ˋvɛntrəl] *adj.* 〖解〗腹部的; 腹面的。§～ **fín**〖動〗腹鰭。

ven·tri·cle [ˋvɛntrɪkḷ] *n.* Ⓒ〖解〗室; 心室; 腦室。— **ven·tric′u·lar,** *adj.*

ven·tri·lo·qui·al [,vɛntrɪˋlokwɪəl] *adj.* (使用)腹語術的。

ven·tril·o·quism [vɛnˋtrɪlə,kwɪzəm] *n.* Ⓤ 腹語術。(亦作**ventriloquy**)

ven·tril·o·quist [vɛnˋtrɪləkwɪst] *n.* Ⓒ 腹語術者[師]。— **ven·tril·o·quis′tic,** *adj.*

ven·ture** [ˋvɛntʃɚ] *n.* Ⓒ ①冒險。②投機; 商業上的冒險。at a*** **～**胡亂地。— *v.t.*①使…遭遇危機; 以…爲賭注。②膽敢(後接不定詞)。③冒…之險。— *v.i.* 冒險。— **ven′tur·er,** *n.*

ven·ture·some [ˋvɛntʃɚsəm] *adj.* ①好冒險的。②(事業)有風險的; 危險的。

ven·tur·ous [ˋvɛntʃərəs] *adj.* ①不怕冒險的; 大膽的。②危險的。

ven·ue [ˋvɛnju] *n.* Ⓒ ①〖法律〗**a.**犯罪現場及其附近之地。**b.**審判地點。②〖俗〗集會場。

Ve·nus [ˋvinəs] *n.*①〖羅神〗維納斯(愛和美的女神, 即希臘神話中之Aphrodite). ②〖天〗金星; 太白星。③Ⓒ 極美之女郎。

Ve·nus's-fly·trap [ˋvinəsɪzˋflaɪ,træp] *n.* Ⓒ〖植〗捕蠅草。

ve·ra·cious [vəˋreʃəs] *adj.* ①誠實的; 可靠的。②確實的; 坦白的。— **ly,** *adv.*

ve·rac·i·ty [vəˋræsətɪ] *n.* Ⓤ ①眞實性; 確實。②坦白; 誠實。

***ve·ran·da(h)** [vəˋrændə] *n.* Ⓒ 陽台; 走廊。

***verb** [vɝb] *n.* Ⓒ〖文法〗動詞。

***ver·bal** [ˋvɝbḷ] *adj.*①言辭的。②口頭的。③逐字的。④〖文法〗動詞的; 由動詞變來的。— *n.* Ⓒ〖文法〗由動詞變成的名詞、形容詞等。— **ly,** *adv.*

ver·bal·ism [ˋvɝbḷ,ɪzəm] *n.*① Ⓒ 言語的表現; 語句。② Ⓒ 冗詞。③ Ⓤ 冗贅。④ Ⓤ 拘泥字句。

ver·bal·ist [ˋvɝbḷɪst] *n.* Ⓒ ①善用文字的人; 擅長言辭的人。②咬文嚼字的人。

ver·bal·ize [ˋvɝbḷ,aɪz] *v.t.* ①以言詞表達[描述]。②使成動詞。— *v.i.* 使用冗長之詞。

ver·ba·tim [vɝˋbetɪm] *adv. & adj.* 逐字地[的]。

ver·bi·age [ˋvɝbɪɪdʒ] *n.* Ⓤ (文章、言辭等之)冗贅; 冗長。

ver·bose [vɚˋbos] *adj.* 用字過多的; 冗長的; 冗贅的。— **ver·bos′i·ty,** *n.*

ver·dant [ˋvɝdn̩t] *adj.*①綠的; 青翠的。②長滿了綠色草木的。③無經驗的; 未成熟的。— **ver′dan·cy,** *n.*

ver·dict [ˋvɝdɪkt] *n.* Ⓒ ①陪審員的裁決。②定論; 判斷。

ver·di·gris [ˋvɝdɪ,gris] *n.* Ⓤ 銅綠。

ver·dure [ˋvɝdʒɚ] *n.* Ⓤ ①新綠; 葱綠。②葱綠之草木。③青春朝氣; 繁盛; 新鮮。— **ver′dur·ous,** *adj.*

***verge** [vɝdʒ] *n.* Ⓒ ①邊; 緣; 邊際。My father is on the ～ of 80. 我的父親將近八十歲了。②界限; 範圍。③權杖。— *v.i.* 瀕臨; 接近; 傾向。

verg·er [ˋvɝdʒɚ] *n.* Ⓒ ①〖英〗(教堂、大學之)持權杖者。②教堂之司事。

Ver·gil [ˋvɝdʒəl] *n.* 魏吉爾(70-19B.C., 羅馬詩人, *Aeneid* 的作者)。— **Ver·gil·i·an** [vɚˋdʒɪlɪən], *adj.*

***ver·i·fy** [ˋvɛrə,faɪ] *v.t.* ① 證實; 證明。②鑑定; 查對。③〖法律〗作證。— **ver·i·fi·ca′tion,** *n.*

ver·i·ly [ˋvɛrəlɪ] *adv.* 〖古〗眞實地; 確然地。

ver·i·sim·i·lar [,vɛrəˋsɪmələɚ] *adj.* 似眞實的; 可能的。

ver·i·si·mil·i·tude [,vɛrəsəˋmɪlə,tjud] *n.*① Ⓤ 逼眞。② Ⓒ 逼眞之事物。

ver·i·ta·ble [ˋvɛrətəbḷ] *adj.* 眞正的; 確實的。

vé·ri·té [,vɛrəˋte]〖法〗*n.* Ⓤ 寫實的拍攝技巧。

ver·i·ty [ˋvɛrətɪ] *n.* ① Ⓤ 眞實性; 確實。② Ⓒ (常*pl.*) 眞實之陳述; 正確的斷言; 事實; 眞理。

ver·mi·cel·li [,vɝməˋsɛlɪ] *n.* Ⓤ (源自義大利語)細麵條。

ver·mi·form [ˋvɝmə,fɔrm] *adj.* 蠕蟲形的。§～ **appéndix**〖解〗蚓突; 闌尾。

ver·mil·ion [vɚˋmɪljən] *adj.* 朱紅的。— *n.* Ⓤ ①朱紅色。②朱砂; 銀朱。

ver·min [ˋvɝmɪn] *n.* Ⓤ (集合稱)①害蟲(蚤、蝨、臭蟲等)。②社會的害蟲; 歹徒。③〖英〗害獸; 害鳥。

ver·min·ous [ˋvɝmɪnəs] *adj.*①(似)害蟲的。②由害蟲引起的。③污穢的; 令人討厭的。

Ver·mont [vɚˋmɑnt] *n.*佛蒙特(美國東北部之一州)。

ver·m(o)uth [ˋvɝmuθ, vɚˋmuθ] *n.* Ⓤ Ⓒ 苦艾酒。

ver·nac·u·lar [vəˋnækjələ˞] *n.* Ⓒ (常 the ～)①本國語; 白話; 土語。②專門語; 術語。— *adj.*①本國(語)的。②地方(性)的; 鄉土的。
ver·nal [ˋvɜnl] *adj.*①春天的; 春天生長的; 春天開的。②青春的; 年輕的。
ve·ron·i·ca[1] [vəˋrɑnɪkə] *n.* (the ～)印有基督聖容之布; 布上的聖容。
ve·ron·i·ca[2] *n.* Ⓒ (鬥牛士面對鬥牛抖動紅披肩而作原地的)閃躲。
Ver·sailles [vəˋselz] *n.* ①凡爾賽(法國巴黎西南之城市)。②凡爾賽宮。
ver·sa·tile [ˋvɜsətɪl] *adj.* ①多才多藝的; 多方面的。②可作多種用途的。③易變的; 反覆無常的; 前後不一致的。— **ness, ver·sa·til′i·ty** [-ˋtɪl-], *n.*
***verse** [vɜs] *n.*① Ⓤ 詩; 韻文。② Ⓒ 詩句。③ Ⓒ 詩節。④ Ⓒ (聖經之)一小節。*give chapter and ～ for* 註明…的引文出處; 爲…提供確切依據。
versed [vɜst] *adj.* 精通的;熟練的(in).
ver·si·fi·ca·tion [ˏvɜsəfəˋkeʃən] *n.* Ⓤ 作詩; 作詩法; 韻文化; 詩體。
ver·si·fy [ˋvɜsəˏfaɪ] *v.t.*將(散文)改寫成韻文; 用韻文記述。— *v.i.*作詩。— **ver′si·fi·er,** *n.*
***ver·sion** [ˋvɜʒən, ˋvɜʃən] *n.* Ⓒ ①譯文; 譯本。②(根據個人或特殊的觀點對於某事情的)意見; 說法。③(作品等的)形式; 版本。
ver·sus [ˋvɜsəs] *prep.* …對…(多用於訴訟或競技等之中, 縮寫作 **v., vs.**). Smith *v.* Robinson 史密斯對魯濱遜之案件。
ver·te·bra [ˋvɜtəbrə] *n.* Ⓒ (*pl.* **-brae** [-ˏbri])〖解〗脊骨中的一節; 脊椎骨節。— **ver′te·bral,** *adj.*
ver·te·brate [ˋvɜtəˏbret] *n.* Ⓒ 脊椎動物。— *adj.*①有脊椎骨的。②脊椎動物的。
ver·tex [ˋvɜtɛks] *n.* Ⓒ (*pl.* **～es,-ti·ces** [-təˏsiz])①最高點; 頂點。②〖解〗頭頂。③〖數〗頂點。
***ver·ti·cal** [ˋvɜtɪkl̩] *adj.*①垂直的; 直立的。②在最高點的; 頂點的。③在正上方的。④〖經〗縱向結合的; 其組織包含許多或全部製造過程中之階段的。⑤頭頂的。— *n.* Ⓒ 垂直線; 垂直面; 垂直圈; 垂直位置。§ ～ **únion** 縱向工會(同一工業部門內跨行業的工會)。— **ly,** *adv.*
ver·tig·i·nous [vɜˋtɪdʒənəs] *adj.* ①旋轉的。②令人眩暈的。③不穩定的; 多變化的。
ver·ti·go [ˋvɜtɪˏgo] *n.* Ⓤ〖醫〗眩暈; 頭暈。
verve [vɜv] *n.* Ⓤ (文學或美術作品所表現之)活力; 神韻。
‡ver·y [ˋvɛrɪ] *adv.*①很; 頗; 甚; 極。②恰好地; 正是地; 全然地。③用以加強最高級之形容詞。④(與否定語連用表示)不太。⑤與 own 連用, 以加強所有。— *adj.*①同一的。②眞正的; 眞實的; 恰好的; 全然的。③甚至…都; 就連…也(= even the); 僅僅的(= mere). § ～ **hìgh fréquency**〖無線〗特高頻率(略作 VHF). ～ **lòw fréquency**〖無線〗特低頻率(略作 VLF). 〔注意〕very 作副詞用時, 只可形容副詞、形容詞, 不能直接形容動詞。
ves·i·cal [ˋvɛsɪkl̩] *adj.* 〖解〗囊的; (尤指)膀胱的。
ves·per [ˋvɛspə˞] *n.* ① Ⓤ Ⓒ〖古〗黃昏。②(V-)黃昏的星辰(太白星或長庚星)。③(*pl.*)晚禱; 晚課。④ Ⓒ 晚禱鐘。
ves·per·tine [ˋvɛspə˞tɪn] *adj.* ①黃昏的; 傍晚的。②〖植〗夜間開花的。③〖動〗夜晚活動的。④〖天〗(行星)日落時沉沒的。
***ves·sel** [ˋvɛsl̩] *n.* Ⓒ ①船; 艦。②飛船; 飛艇。③容器; 器皿。④脈管; 管。
***vest** [vɛst] *n.* Ⓒ ①男用背心。②內衣; 汗衫。③女裝胸前 V 字形飾布。— *v.t.* ①使穿衣; 使著袍; 使著祭袍。②授給; 賜給; 賦與(財產、權利、權力等)。③把…交付。— *v.i.*①穿衣。②(財產、權利等)歸屬。
Ves·ta [ˋvɛstə] *n.*〖羅神〗維斯坦(爐火之女神或女竈神)。
ves·tal [ˋvɛstl̩] *n.* Ⓒ ①守望 Vesta 女神聖火之處女之一。②處女。③尼姑; 修女。— *adj.*① Vesta 女神的。②貞潔的; 處女的。
vest·ed [ˋvɛstɪd] *adj.* ①〖法律〗既得的; 既定的。②穿著衣服的。
ves·ti·bule [ˋvɛstəˏbjul] *n.* Ⓒ ①前門與室內之間的通道、走廊或大廳; 玄關。②〖美〗連廊。③〖解〗前庭。
ves·tige [ˋvɛstɪdʒ] *n.* Ⓒ ①痕跡; 形跡; 遺跡。②〖生物〗退化之器官。
ves·tig·i·al [vɛsˋtɪdʒɪəl] *adj.* ①尙留有痕跡的; 殘餘的。②〖生物〗退化的; (器官)萎縮的。
vest·ment [ˋvɛstmənt] *n.* Ⓒ (常 *pl.*) ①衣服; 外衣; 袍。②官服; 禮服。③法衣; 祭袍。
vest-pock·et [ˋvɛstˏpɑkɪt] *adj.*袖珍的; 小型的。
ves·try [ˋvɛstrɪ] *n.* Ⓒ ①(教堂)放置法衣、聖物之房間。②供祈禱會、主日學等所用之禮拜堂。③教區委員會。
ves·try·man [ˋvɛstrɪmən] *n.* Ⓒ (*pl.* **-men**)教區代表; 教區委員。

Ve·su·vi·us [vəˋsuvɪəs] *n.*(Mount ～)維蘇威火山(爲一活火山, 在義大利西南部)。
vet[1] [vɛt] *n.* 〖俗〗= **veterinarian.**
vet[2] *n.* Ⓒ〖俗〗退役軍人。
vetch [vɛtʃ] *n.* Ⓤ Ⓒ〖植〗野豌豆。
***vet·er·an** [ˋvɛtərən] *n.* Ⓒ ①老兵; 老將。②老手; 老練者。③〖美〗退伍軍人。— *adj.* ①老練的。②老兵的; 退伍軍人的。§ **Véterans Dày**(美國之)退伍軍人節(十一月十一日)。
vet·er·i·nar·i·an [ˏvɛtərəˋnɛrɪən] *n.* Ⓒ 獸醫。
vet·er·i·nar·y [ˋvɛtrəˏnɛrɪ] *n.* Ⓒ & *adj.* 獸醫(的)。§ ～ **scíence**[**médicine**]獸醫學。
***ve·to** [ˋvito] *n.* (*pl.* **～es**)① Ⓒ 否認; 否決; 禁止; 拒絕。② Ⓤ 否決權; 禁止權。*put a ～ upon* 否決; 禁止; 反對。— *v.t.* 反對; 否決。— *adj.* 否決的; 反對的。
***vex** [vɛks] *v.t.* ① 使苦惱; 使惱火。②

困擾。③熱烈[無休止]地爭論(問題等)。

vex·a·tion [vɛksˋeʃən] *n.*① Ⓤ 苦惱；惱火；困擾。② Ⓒ (常 *pl.*)招人煩惱之事物。— **vex·a'tious,** *adj.*

vexed [vɛkst] *adj.*①煩惱的；苦惱的；惱火的。②經激辯或爭論不休的；反覆討論的。— **ly,** *adv.*

vex·ing [ˋvɛksɪŋ] *adj.* 令人厭煩的；麻煩的。

VHF, V.H.F., vhf very high frequency.

VHS〖商標〗錄放影機的一種型式。

v.i. intransitive verb. 不及物動詞。

***vi·a** [ˋvaɪə] *prep.* ①經由；通過。②以…爲媒介；藉。

vi·a·bil·i·ty [ˌvaɪəˋbɪlətɪ] *n.* Ⓤ ①(胎兒等)存活力；生存性。②可行性。

vi·a·ble [ˋvaɪəbl̩] *adj.* ①能存活的；有生活能力的。②能發育的。③可實施的。

vi·a·duct [ˋvaɪəˌdʌkt] *n.* Ⓒ 陸橋；高架橋[道]；棧道。

vi·al [ˋvaɪəl] *n.* Ⓒ (裝藥等用的)小(玻璃)瓶。

vi·a me·di·a [vaɪəˋmidɪə] *n.* Ⓒ 中庸之道。

vi·and [ˋvaɪənd] *n.* (*pl.*)①食品。②食物(尤指精美者)。

vi·bran·cy [ˋvaɪbrənsɪ] *n.* Ⓤ (又作 a ～)活力；活潑；(聲音的)回響；(光或顏色的)鮮明。

vi·brant [ˋvaɪbrənt] *adj.* ①震動的；顫動的。②發顫音的；回響的。③充滿活力的；活潑的。

***vi·brate** [ˋvaɪbret] *v.i.*①震動。②(鐘擺等)擺動。③顫動；悸動。④回蕩。— *v.t.*①使震動。②使顫動。③使顫動而發出(聲音)。④以擺動計出[顯示]。

vi·bra·tion [vaɪˋbreʃən] *n.* ① Ⓤ Ⓒ 震動；顫動；擺動。② Ⓤ Ⓒ〖理〗振動。③ Ⓒ (常 *pl.*)(人、地方等給人的)感覺；氣氛；情緒上的激動。

vi·bra·to [viˋbrɑto]〖義〗*n.* Ⓒ (*pl.* ～**s**)〖樂〗振動(音)。

vi·bra·tor [ˋvaɪbretə] *n.* Ⓒ ①震動者。②振動器。③震動按摩器。

vibro-〖字首〗表「振動；震動」之義，如：*vibro*meter.

vi·bro·mas·sage [ˋvaɪbrəməˌsɑʒ] *n.* Ⓤ Ⓒ〖醫〗振動按摩(術)。

vi·brom·e·ter [vaɪˋbrɑmɪtə] *n.* Ⓒ 震動計。

vic·ar [ˋvɪkə] *n.* Ⓒ ①(英國之)教區牧師。②〖天主教〗代理主教或教皇之僧侶；教皇代理。§ ～ **apostólic**〖天主教〗(在傳道地區代表教皇的)名譽主教。

vic·ar·age [ˋvɪkərɪdʒ] *n.* Ⓒ 教區牧師之職務[俸祿，住所等]。

vi·car·i·ous [vaɪˋkɛrɪəs] *adj.* ①替代(別人)的；做(別人)替身的。②代理的；受託的。— **ly,** *adv.*

***vice**[1] [vaɪs] *n.*① Ⓤ Ⓒ 罪惡；邪惡。② Ⓤ Ⓒ 惡行；惡習；缺德(行爲)。③ Ⓒ 缺點；毛病。④ Ⓤ 賣淫。

vice[2] *n.* & *v.t.*〖英〗= **vise.**

vi·ce[3] [ˋvaɪsɪ]〖拉〗*prep.* 代替；取代。

vice-〖字首〗表「副的；次的」之義，如 *vice*-president.

vice-ad·mi·ral [ˋvaɪsˋædmərəl] *n.* Ⓒ 海軍中將。

vice-chair·man [ˋvaɪsˋtʃɛrmən] *n.* Ⓒ (*pl.* **-men**)副主席；副會長；副議長；副委員長；副董事長。

vice-chan·cel·lor [ˋvaɪsˋtʃænsələ] *n.* Ⓒ 副大法官；大學副校長。

vice-con·sul [ˋvaɪsˋkɑnsl̩] *n.* Ⓒ 副領事。

vice-gov·er·nor [ˋvaɪsˋgʌvənə] *n.* Ⓒ 副州長；副省長；副總督。

vice-pres·i·dent [ˋvaɪsˋprɛzədənt] *n.* Ⓒ 副總統；副總裁；副會長；副社長。(亦作 **vice president**)

vice·roy [ˋvaɪsrɔɪ] *n.* Ⓒ 總督。

vi·ce ver·sa [ˋvaɪsɪˋvɜsə]〖拉〗*adv.* 反之亦然(=conversely).

***vi·cin·i·ty** [vəˋsɪnətɪ] *n.*① Ⓤ Ⓒ 附近；鄰近(地區)；近處。② Ⓤ 接近。

***vi·cious** [ˋvɪʃəs] *adj.*①缺德的；邪惡的。②有惡習的。③謬誤的；不正確的。④惡意的；惡毒的。⑤〖俗〗厲害的。§ ～ **círcle** (1)惡性循環。(2)〖邏輯〗循環論證。～ **spíral**〖經〗惡性循環。— **ly,** *adv.* — **ness,** *n.*

vi·cis·si·tude [vəˋsɪsəˌtjud] *n.*① Ⓤ 變化；變遷。②(*pl.*)盛衰；浮沉；變動。③ Ⓤ 循環；交替。

***vic·tim** [ˋvɪktɪm] *n.* Ⓒ ①(用於宗教儀式的)犧牲(爲祭神而殺的人或畜)。②犧牲者；受害者。

vic·tim·ize [ˋvɪktɪmˌaɪz] *v.t.* ①使…犧牲；宰…以祭神。②使受害。③欺騙…。— **vic·tim·i·za·tion** [ˌvɪktɪməˋzeʃən], *n.*

***vic·tor** [ˋvɪktə] *n.* Ⓒ 勝利者；征服者。— *adj.* 勝利的。

vic·to·ri·a [vɪkˋtorɪə] *n.* Ⓒ ①一種雙座敞篷四輪馬車。②〖植〗王蓮。

Vic·to·ri·a [vɪkˋtorɪə] *n.*維多利亞(Alexandrina, 1819-1901, 英國女王，在位期間爲 1837-1901)。§ ～ **Cróss**(常略作 V.C.)(1)維多利亞十字勳章(維多利亞女王於 1856 年所創之勳章，頒給海、陸軍英勇戰士)。(2)獲得該勳章的人。

Vic·to·ri·an [vɪkˋtorɪən] *adj.* 維多利亞女王時代的；有維多利亞女王時代特徵的。— *n.* Ⓒ 維多利亞女王時代的著名人物(特指作家)。§ **the (Róyal)** ～ **Órder** 維多利亞皇家勳章(授予對元首立下功績者)。— **ism,** *n.*

***vic·to·ri·ous** [vɪkˋtorɪəs] *adj.* 勝利的；凱旋的。

***vic·to·ry** [ˋvɪktərɪ, ˋvɪktrɪ] *n.* Ⓤ Ⓒ 勝利；戰勝。

vict·ual [ˋvɪtl̩] *n.* (*pl.*)〖俗〗食物；食品。— *v.t.* & *v.i.* (**-l-,**〖英〗**-ll-**)供以食物；裝貯食物。

vict·ual·(l)er [ˋvɪtl̩ə] *n.* Ⓒ ①食物供應者。②運糧船。③〖英〗餐[旅]館主人。

vi·cu·ña [vɪˋkjunə] *n.*① Ⓒ〖動〗駱馬(南美洲產，外形似駝馬)。② Ⓤ 駱馬毛之織物。

vi·de [ˋvaɪdɪ]〖拉〗*v.i.* & *v.t.* 見；參看；參閱(=see; refer to)(略作 **v.**).～ *infra* [ˋɪnfrə]〖拉〗見下(=see below).

vi·de·li·cet [vɪˋdɛləsɪt]〖拉〗*adv.* 即是說…；就是…(=namely). (略作

viz.)

*vid·e·o [ˋvɪdɪ,o] adj.以電視播送或接收影像的。— n. (pl. ~s) ① U 電視。② C 錄放影機。§ ~ càmera 電視錄影機。~ gàme 電視玩具遊戲。~ (tàpe) recòrder 磁帶錄影機(略作 VTR). ~ (tàpe) recòrding (1)磁帶錄影節目。(2)(錄影帶之)錄製。

vid·e·o·cas·sette [ˋvɪdɪokə,sɛt] n. C & adj. 卡式錄影帶(的)。

vid·e·o·cast [ˋvɪdɪo,kæst] n. U C 電視廣播。

vid·e·o·disc [ˋvɪdɪo,dɪsk] n. C 影碟(可播出影像及聲音的雷射錄影片)。

vid·e·o·phone [ˋvɪdɪə,fon] n. C 影像電話; 顯像電話。(亦作 Picturephone, viewphone)

vid·e·o·play·er [ˋvɪdɪə,pleɚ] n. C 錄影帶放映機。

vid·e·o·tape [ˋvɪdɪo,tep] n. U C 錄影帶。— v.t. 將…錄在錄影帶上。

vid·e·o·tex [ˋvɪdɪo,tɛks] n. U C 電傳視訊(一種雙向影像電子通訊)。

vie [vaɪ] v.i. (~d, vy·ing)競爭; 爭勝。

Vi·en·na [vɪˋɛnə] n. 維也納(奧地利之首都)。§ ~ sáusage 維也納香腸。

Vi·et·cong [vi,ɛtˋkɔŋ] n. (the ~) 越共。— adj. 越共的。(亦作Viet Cong)

Vi·et·nam, Vi·et Nam [,viɛtˋnɑm] n. 越南(首都 Hanoi, 正式名稱 Socialist Republic of Vietnam).

Vi·et·nam·ese [vi,ɛtnɑˋmiz] adj. 越南的; 越南人[話]的。— n. (pl. ~) ① C 越南人。② U 越南語文。

‡view [vju] n. ①(sing.)看; 視察; 觀察; 考察。② U 視力; 視域; 眼界。③ C 景色; 光景; 景物。④ C 風景畫; 風景照片; 圖。⑤ C (常 sing.)觀念。⑥ C 意見; 看法; 見解。⑦ U C 意向; 意圖; 目的。⑧ U C 前途; 希望。*be on* ~在展覽。*in* ~ a.正被考慮。b.目的在於。c.盼望。*in* ~ *of* 鑒於; 由於。*point of* ~見解; 論點; 立場。*take a dim* ~ *of* 持不樂觀的看法。*with a* ~ *to* a.為了…。b.希望。*with the* ~ *of* 為…的目的。— v.t. ①觀看; 視察; 觀察。②考慮; 認為。

view·er [ˋvjuɚ] n. C ①觀看者。②看電視者(尤指喜愛某一節目者)。③幻燈機; 幻燈片觀看器。④〖俗〗(裝在門上之)窺視眼。

view·less [ˋvjulɪs] adj. ①沒有景色的。②無見解的; 無意見的。

*view·point [ˋvju,pɔɪnt] n. C ①見地; 觀點; 著眼點。②觀測點; 瞭望點。

vig·il [ˋvɪdʒəl] n. ① U C 徹夜不眠; 守夜。② C 祈禱之夜; 節日之前夕。③(pl.)節日前夕所作之祈禱[禮拜]。§ ~ lìght[càndle]〖宗〗祭典燈[燭](在神龕、聖像前點的蠟燭)。

vig·i·lance [ˋvɪdʒələns] n. U ①警醒; 警戒; 注意。②不眠; 失眠症。§ ~ committèe〖美〗保安會(維持治安之民間團體)。

vig·i·lant [ˋvɪdʒələnt] adj. 警醒的; 警戒的; 注意的。— ly, adv.

vig·i·lan·te [,vɪdʒəˋlæntɪ] n. C 〖美〗保安委員會委員; 保安團員。

vi·gnette [vɪnˋjɛt] n. C ①(書籍中標題之頁上或每章之首尾所插的)蔓葉狀小花飾。②輪廓邊緣漸漸變淡的半身像; 暈映照片; 暈映畫像。③(美麗的)小風景(畫,照片)。④優雅的小品文。— v.t. 使(圖畫、照片等)漸次暗淡。

*vig·or,〖英〗-our [ˋvɪgɚ] n. U ①精力;活力;體力;氣勢。②法律上之效力。

*vig·or·ous [ˋvɪgərəs] adj. 精力充沛的; 壯健的; 有力的。— ly, adv.

Vi·king [ˋvaɪkɪŋ] n. C 威京人(有時 v-; 八至十世紀間, 掠奪歐洲西海岸的北歐海盜)。

*vile [vaɪl] adj.①惡劣的; 壞透的。②討厭的。③卑鄙的; 卑賤的。

vil·i·fy [ˋvɪlə,faɪ] v.t.詆毀; 誹謗; 中傷。— vil·i·fi·ca'tion, n.

vil·la [ˋvɪlə] n. C ①別墅; 鄉下大宅邸。②〖英〗郊外花園住宅。③莊園。

‡vil·lage [ˋvɪlɪdʒ] n. C ①鄉村; 村莊。②(集合稱)村民。

*vil·lag·er [ˋvɪlɪdʒɚ] n. C 村人; 村民。

*vil·lain [ˋvɪlən] n. C ①惡徒; 惡棍。②傢伙。③ = villein.

vil·lain·ous [ˋvɪlənəs] adj. ①惡棍(似)的。②凶惡的。③〖俗〗壞透的。

vil·lain·y [ˋvɪlənɪ] n.① U 卑鄙; 邪惡。② C (常 pl.)邪惡的行為; 惡行。

vil·lein [ˋvɪlɪn] n. C〖英史〗農奴。

vil·lus [ˋvɪləs] n. C (pl. vil·li [-laɪ]) ①〖解〗絨毛。②〖植〗(葉表等的)軟毛。

vim [vɪm] n. U 精力; 勁; 活力。

Vin·ci [ˋvɪntʃɪ] n. 達文西(Leonardo Da, 1452-1519, 義大利畫家、雕刻家、建築家及工程師)。

vin·ci·ble [ˋvɪnsəbl] adj. 可克服的; 可征服的; 可擊敗的。

vin·di·ca·ble [ˋvɪndəkəbl] adj.可辯護的; 可辯明的; 可證明為正確的。

vin·di·cate [ˋvɪndə,ket] v.t.①辯證; 辯解; 辯明。②證明…有理由。— vin/di·ca·tor, vin·di·ca'tion, n.

vin·dic·tive [vɪnˋdɪktɪv] adj. 有復仇心的; (欲)報復的; 報復性的。

*vine [vaɪn] n. C ①葡萄樹。②有藤蔓的植物。

vine·dress·er [ˋvaɪn,drɛsɚ] n. C 葡萄園之園丁。

*vin·e·gar [ˋvɪnɪgɚ] n. U 醋。

vin·e·gar·y [ˋvɪnɪgərɪ] adj.①醋的; 酸的。②尖酸刻薄的。

vin·er·y [ˋvaɪnərɪ] n.① C 葡萄溫室; 葡萄園。② U (集合稱)藤蔓類植物。

vine·yard [ˋvɪnjɚd] n. C 葡萄園。

vin·i·fy [ˋvɪnə,faɪ] v.t.將(葡萄等)發酵釀成酒。

vi·no [ˋvino] n. (pl. ~es) U C〖俗〗葡萄酒。

vi·nous [ˋvaɪnəs] adj.葡萄酒的; 有葡萄酒味道的; 有葡萄酒顏色的。

vin·tage [ˋvɪntɪdʒ] n.① C (常 sing.) 葡萄的收穫(量); 葡萄酒生產量。② U 某特定年份的葡萄酒。③ C 優良葡萄酒。④ U〖俗〗…年的製品。⑤ U …年畢業的班級。— adj. ①優良的; (葡萄酒)標明出產年份的; 傑出的。②古典型的; 老式的; 趕不上時代的。§ ~ wíne

佳釀；優良葡萄酒。≁ **yéar** 釀造優良葡萄酒的年度；葡萄的豐收年。

vint·ner [ˋvɪntnɚ] *n.* Ⓒ 葡萄酒商人；葡萄酒廠廠主。

vi·nyl [ˋvaɪnɪl] *n.* ⓊⒸ〖化〗乙烯基。

vi·ol [ˋvaɪəl] *n.* Ⓒ 六弦古提琴(十七至十八世紀所使用的一種弦樂器)。

vi·o·la[1] [vɪˋolə] *n.* Ⓒ 中音(小)提琴。

vi·o·la[2] [ˋvaɪələ] *n.* Ⓒ〖植〗董菜屬之植物。

***vi·o·late** [ˋvaɪəˏlet] *v.t.*①違反(法律、契約等)；違背(良心等)。②妨害；妨礙；侵犯；擾亂。③褻瀆；冒瀆。④強暴。— **vi′o·la·tor**, *n.*

vi·o·la·tion [ˏvaɪəˋleʃən] *n.* ⓊⒸ ①違反；違背。②妨害；侵犯；侵入。③褻瀆。④強暴。

***vi·o·lence** [ˋvaɪələns] *n.* Ⓤ ①猛烈；劇烈。②暴行；暴亂；暴力。③(行動、感情等之)強烈。④歪曲(事實或意義)。

***vi·o·lent** [ˋvaɪələnt] *adj.*①猛烈的；劇烈的；暴力的。②由暴力造成的。a ～ death 橫死。③激烈的。④兇暴的。⑤極端的。⑥曲解的。*— **ly**, *adv.*

***vi·o·let** [ˋvaɪəlɪt] *n.*① Ⓒ 紫羅蘭。② Ⓤ 紫羅蘭色；藍紫色。— *adj.* 藍紫色的。～ ray 紫外線。

‡**vi·o·lin** [ˏvaɪəˋlɪn] *n.* Ⓒ ①四弦提琴；小提琴。②(常 *pl.*)〖俗〗管弦樂團之提琴手。— **ist**, *n.*

vi·ol·ist [ˋvaɪəlɪst] *n.* Ⓒ 古提琴(viol)演奏者；中提琴(viola)手。

vi·o·lon·cel·list [ˏviəlɑnˋtʃɛlɪst] *n.* Ⓒ 大提琴演奏者；大提琴手。

vi·o·lon·cel·lo [ˏviəlɑnˋtʃɛlo] *n.* Ⓒ (*pl.* ～**s**)大提琴。

VIP, V.I.P. very important person.〖俚〗大人物。

vi·per [ˋvaɪpɚ] *n.* Ⓒ ①毒蛇；蝮蛇。②奸佞之徒。— **ous**, *adj.*

vi·per·ine [ˋvaɪpərɪn] *adj.* 毒蛇的；有毒的；有惡意的。

vi·ra·go [vəˋrego] *n.* Ⓒ (*pl.* ～**s**, ～**es**)潑婦；悍婦。

vi·ral [ˋvaɪrəl] *adj.* (濾過性)病毒的。

vir·e·o [ˋvɪrɪˏo] *n.* Ⓒ (*pl.* ～**s**)北美產的一種綠色小鳴禽。

***vir·gin** [ˋvɝdʒɪn] *n.* Ⓒ ①處女。②未婚女子。③〖宗〗聖女(尤指未婚者)。④童男。*the V-* 聖母瑪利亞。— *adj.*①處女的；童貞的。②貞潔的。③第一次的。④沒有經驗過的。§ ≁ **bírth**(聖母瑪利亞生耶穌的)處女懷胎說。≁ **fórest** 原始森林。V≁ **Máry** 聖母瑪利亞。V≁ **Quéen** 英國女王依莉莎白一世。≁ **sóil** 處女地；未開墾之地。

vir·gin·al[1] [ˋvɝdʒɪnl̩] *adj.*①處女的；貞潔的；無瑕的。②〖動〗未受精的。§ ≁ **blòom** 二八年華。≁ **generátion**〖生物〗單性生殖。≁ **mémbrane**〖解〗處女膜。— **ly**, *adv.*

vir·gin·al[2] *n.* Ⓒ (常 *pl.*)(十六至十七世紀中常用之)似小型鋼琴而無腳之樂器；小鍵琴。— **ist**, *n.*

Vir·gin·ia [vɚˋdʒɪnjə] *n.* 維吉尼亞(美國東部之一州)。§ ≁ **créeper**〖植〗五葉地錦；美國藤。≁ **réel** 維吉尼亞土風舞。— **Vir·gin′ian**, *adj.*

Vírgin Íslands *n. pl.* (the ～)維爾京群島(西印度群島中位於波多黎各東方的群島)。

vir·gin·i·ty [vɚˋdʒɪnətɪ] *n.* Ⓤ ①處女身分；處女性；童貞。②貞潔。

Vir·go [ˋvɝgo] *n.*①〖天〗處女星座。②〖占星〗處女座[宮]。③ Ⓒ 出生於處女座時段的人。

vir·gule [ˋvɝgjul] *n.* Ⓒ 短斜線(／)(置於二字間，以表示任何一字之義均可適用，如 and／or)。

vir·i·des·cent [ˏvɪrəˋdɛsn̩t] *adj.* 淡綠色的；略帶淡綠色的。

vir·ile [ˋvɪrəl] *adj.*①男人的；男性的。②雄赳赳的；剛健的；強有力的。③生殖力的；有生殖力的。— **vi·ril·i·ty** [vəˋrɪlətɪ], *n.*

vir·tu [vɝˋtu] *n.* Ⓤ ①(集合稱)優美珍奇之美術品或古董。②對美術品或古董之愛好或知識。***articles of*** ～古董；古玩；珍品。(亦作 **vertu**)

***vir·tu·al** [ˋvɝtʃuəl] *adj.* ①實際上的；實質上的；事實上的。②〖電算〗虛擬的。§ ≁ **mémory**〖電算〗虛擬記憶體。*— **ly**, *adv.*

vir·tue** [ˋvɝtʃu] *n.*① Ⓤ 德性；德行。② Ⓤ 美德；貞操。③ Ⓒ 優點。④ ⓊⒸ 效能；效力。by*** [***in***] ～ ***of*** 由於。

vir·tu·os·i·ty [ˏvɝtʃuˋɑsətɪ] *n.* Ⓤ ①對美術的興趣或嗜好。②藝術(特別是音樂)的技巧。

vir·tu·o·so [ˏvɝtʃuˋoso] *n.* Ⓒ (*pl.* ～**s**, **-si** [-si])①美術通；古玩通；美術或古玩等之愛好者。②(藝術界之)名家；巨匠；(尤指)精於樂器演奏者。③(美術品等之)鑑賞家或收藏家。

***vir·tu·ous** [ˋvɝtʃuəs] *adj.* ①有品德的；高潔的。②貞潔的。— **ly**, *adv.*

vir·u·lent [ˋvɪrjələnt] *adj.*①有毒的；致命的。②惡毒的；敵意的。③〖醫〗惡性的。— **ly**, *adv.* — **vir′u·lence**, *n.*

vi·rus [ˋvaɪrəs] *n.* ① Ⓒ 病原體；濾過性病毒。② Ⓤ (有害思想、道德等的)毒素。③ Ⓤ〖電算〗病毒。

vi·sa [ˋvizə] *n.* Ⓒ 簽證。— *v.t.* 給予簽證；簽發(護照等)。

Ví·sa càrd [ˋvizə ～] *n.* Ⓒ〖商標〗美國一種信用卡名稱。(亦作 **Visa**)

vis·age [ˋvɪzɪdʒ] *n.* Ⓒ 面貌；面容。

vis-à-vis [ˏvizəˋvi]〖法〗*adv.* & *adj.* 面對面地[的]；相對著[的]。— *prep.* 與…相對；關於…；與…相較。— *n.* Ⓒ ①面對面的人。②有面對面座位的馬車。

vis·cer·a [ˋvɪsərə] *n. pl.* (*sing.* **viscus** [ˋvɪskəs])①內臟；臟腑。②〖俗〗腸。

vis·cid [ˋvɪsɪd] *adj.* 黏著性的；半流體的。

vis·cos·i·ty [vɪsˋkɑsətɪ] *n.* Ⓤ ①黏(性)。②(又作 a ～)〖理〗黏力(度)。

vis·count [ˋvaɪkaunt] *n.* Ⓒ (常 V-)子爵。

vis·count·ess [ˋvaɪkauntɪs] *n.* Ⓒ ①子爵夫人。②女子爵。

vis·cous [ˋvɪskəs] *adj.*①黏的；黏著的。②〖理〗有黏性的。

vise [vaɪs] *n.* Ⓒ 虎頭鉗；老虎鉗。**—** *v.t.* 以虎頭鉗夾緊；鉗制；緊握。(亦作 **vice**)

vi·sé [ˋvize] *n.* & *v.t.* = **visa.**

Vish·nu [ˋvɪʃnu] *n.* 護持神(印度教三大神之一)。

***vis·i·ble** [ˋvɪzəbl] *adj.* ①可見的。②明顯的；顯而易見的。§ ～ **spéech** 視語法(一種手寫語音符號系統)。—**vis·i·bil′i·ty,** *n.* —**vis′i·bly,** *adv.*

***vi·sion** [ˋvɪʒən] *n.*① Ⓤ 視力；視覺。② Ⓤ 洞察力；遠見；想像力。③ Ⓒ 幻想；夢幻。④ Ⓒ 美景；美人。⑤ Ⓒ 幻像；幻影。

vi·sion·ar·y [ˋvɪʒən,ɛrɪ] *adj.*① 幻想的；空幻的。②有遠見的。③理想的；不切實際的。**—** *n.* Ⓒ 幻想者；理想主義者。

‡**vis·it** [ˋvɪzɪt] *v.t.*①訪問；訪晤。②遊覽；參觀；往。③視察。④(疾病、災害等)侵襲。⑤將…加諸〔常 on, upon〕。⑥懲罰。⑦在…作客。⑧慰問。**—** *v.i.*①訪問；作客；暫住。②懲罰。～ *with* 〖俗〗訪問；與…交談。**—** *n.* Ⓒ ①訪問；訪晤。I paid Mr. and Mrs. Smith a ～ yesterday afternoon. 我昨天下午去拜訪史密斯夫婦。②遊覽；參觀。③在某處暫居；作客。④〖俗〗談話；聊天。⑤視察。

vis·it·ant [ˋvɪzətənt] *n.* Ⓒ ①訪問者；訪客。②〖鳥〗候鳥。**—** *adj.* 訪問的。

vis·it·a·tion [,vɪzəˋteʃən] *n.* Ⓒ ①訪問；訪晤。②巡視；視察。③(疾病、災禍等之)侵襲；降臨。

vis·it·ing [ˋvɪzɪtɪŋ] *adj.* 訪問的；訪晤的；參觀的；巡視的。§ ～ **càrd** 名片。～ **dày** 會客日；訪問日。～ **fíreman** (1)(必須殷勤招待的)重要訪客；視察團員。(2)用錢大方的觀光客。～ **proféssor** 客座教授。～ **téacher** 家庭訪問教師。

‡**vis·i·tor** [ˋvɪzɪtɚ] *n.* Ⓒ 訪問者；賓客；參觀者；觀光客；巡視者。§ ～**'s bóok** 來賓簽名簿；(旅館之)旅客登記簿。

vi·sor [ˋvaɪzɚ] *n.* Ⓒ ①(盔之)面甲。②帽舌；帽簷。③任何偽裝物或隱蔽物(如面具等)。④(汽車的)遮陽板。

vis·ta [ˋvɪstə] *n.* Ⓒ ①(狹長而兩側有樹木或山的)景色；遠景。②行樹；通道。③一連串的回想；一連串的展望。

Vís·ta Vísion [ˋvɪstə ～] *n.* Ⓤ Ⓒ 〖商標〗超視綜藝體。

***vis·u·al** [ˋvɪʒuəl] *adj.*①視覺的。②可見的；眞實的；非幻想的。③靠肉眼觀察的。§ ～ **acúity** 視力。～ **áids** 視覺教具(教學上用的影片、幻燈片、模型、掛圖等)。～ **displáy ùnit**〖電算〗視覺顯示器。～ **fíeld** 視野。～ **flíght**〖空〗目視飛行(不使用儀器，靠肉眼觀察之飛行)。～ **instrúction**[**educátion**]利用視覺教具之教學方法。～ **púrple**〖生化〗視紫質。～ **ránge**〖氣象〗視程；能見度。—**ly,** *adv.*

vis·u·al·ize [ˋvɪʒuəl,aɪz] *v.t.* & *v.i.* ①想像；設想。②(使)可以被看見。③預見；預料。—**vis·u·al·i·za′tion,** *n.*

***vi·tal** [ˋvaɪtl] *adj.*①生命的；與生命有關的；生活的。②維持生命所必需的。③極重要的；不可缺少的。④致命的；使覆敗的；嚴重的。⑤充滿生命力的；有生氣的；生動的。**—** *n.* (*pl.*)①攸關生命之重要器官(如腦、心、肺等)。②要害；命脈。§ ～ **capácity** 肺活量。～ **sìgns** 生命特徵(如脈搏、呼吸、體溫等)。～ **statístics** (1)人口動態統計(關於死亡、婚姻等的統計)。(2)〖諧〗女性的三圍。—**ly,** *adv.*

***vi·tal·i·ty** [vaɪˋtælətɪ] *n.* Ⓤ ①活力；生命力。②持續力。③(藝術、文學作品中的)活力；生動。

vi·tal·ize [ˋvaɪtl,aɪz] *v.t.* 賦以生命力；賦以生機。

***vi·ta·min(e)** [ˋvaɪtəmɪn] *n.* Ⓤ Ⓒ 維他命；維生素。

vi·ti·ate [ˋvɪʃɪ,et] *v.t.*①敗壞；污損；損壞；弄髒；使污濁。②使(契約等)無效。—**vi·ti·a′tion,** *n.*

vit·re·ous [ˋvɪtrɪəs] *adj.* ①玻璃的；似玻璃的。② 玻璃質的；玻璃製的。§ ～ **húmor**〖解〗(眼珠的)玻璃狀體。

vit·ri·fy [ˋvɪtrə,faɪ] *v.t.* & *v.i.* (使)變成玻璃；(使)變成玻璃狀。—**vit·ri·fi·ca′tion, vit·ri·fac′tion,** *n.*

vit·ri·ol [ˋvɪtrɪəl] *n.* Ⓤ ①〖化〗硫酸鹽。blue ～硫酸銅。②〖化〗硫酸。③尖刻的言詞、批評等。

vit·ri·ol·ic [,vɪtrɪˋɑlɪk] *adj.*①硫酸的；含硫酸的。②似硫酸的；由硫酸而成的。③尖酸刻薄的；犀利的。

vi·tu·per·ate [vaɪˋtupə,ret] *v.t.* 罵；責罵；咒罵；辱罵。—**vi·tu′per·a·tive,** *adj.* —**vi·tu·per·a′tion,** *n.*

vi·va [ˋvivə] *interj.* (歡呼時用)…萬歲! **—** *n.*① Ⓒ 「萬歲」聲。②(*pl.*)歡呼聲。

vi·va·ce [viˋvɑtʃɪ] 〖義〗 *adj.* 〖樂〗甚快的；活潑的。

vi·va·cious [vaɪˋveʃəs] *adj.*活潑的；輕鬆愉快的。—**ly,** *adv.* —**vi·vac′i·ty** [-ˋvæs-], *n.*

vi·va vo·ce [ˋvaɪvəˋvosɪ] 〖拉〗*adv.* 口頭地(=orally). **—** *adj.* 口頭的；口述的。

vive [viv] 〖法〗 *interj.* 萬歲。

***viv·id** [ˋvɪvɪd] *adj.*①(色彩等)鮮明的；(光等)閃耀的。②活潑的；生動的。③清晰的。—**ly,** *adv.* —**ness,** *n.*

viv·i·fy [ˋvɪvə,faɪ] *v.t.*賦予生氣；使活潑；使生動。

vi·vip·a·rous [vaɪˋvɪpərəs] *adj.*①〖動〗胎生的。②〖植〗母株上發芽的。

viv·i·sect [,vɪvəˋsɛkt] *v.t.* 活體解剖(動物)。**—** *v.i.* 做活體解剖。

viv·i·sec·tion [,vɪvəˋsɛkʃən] *n.* Ⓤ Ⓒ 活體解剖。—**al,** *adj.* —**al·ly,** *adv.*

vix·en [ˋvɪksn̩] *n.* Ⓒ ①雌狐。②悍婦；潑婦。

viz. [vɪz] 〖拉〗 *adv.* 即；就是(=namely, 為 videlicet 之略)。

viz·ard [ˋvɪzɚd] *n.* =**visor.**

vi·zi(e)r [vɪˋzɪr] *n.* Ⓒ (回教國家之)高級官員；大官；大臣。*Grand V-*(土耳其等國的)首相；內閣總理。

vi·zor [ˋvaɪzɚ] *n.* =**visor.**

V-J Dày [ˋviˋdʒe ～] *n.* 第二次世界大戰，同盟國對日本戰爭之勝利日(為

1945年8月14日日本宣布投降之日，或爲1945年9月2日日本正式簽字投降之日)。

Vla·di·vos·tok [ˌvlædɪ`vɑstɑk] *n.* 海參崴(蘇聯在東北亞之一海港)。

V-neck [`viˌnɛk] *n.* Ⓒ (襯衫、毛衣等的)V字領。

VOA the Voice of America.

***vo·cab·u·lar·y** [və`kæbjəˌlɛrɪ] *n.*① Ⓤ Ⓒ 字彙；語彙。② Ⓤ Ⓒ (某個人或某一種人的)用語[字]範圍。③ Ⓒ 單字表。§～ **èntry** 字[辭]典中所列入的字或短語。

***vo·cal** [`vokḷ] *adj.*①嗓音的；發聲的；有聲的；關於嗓音的。②使用嗓音的；聲樂的；歌唱的。③發言的；以語言表達意見的。④口頭的。⑤母音的。—*n.* Ⓒ①母音。②(常 *pl.*)(尤指爵士及熱門音樂的)聲樂曲。§～ **cōrds**〖解〗聲帶。～ **òrgans** 發聲器官。～ **sòlo** 獨唱。—**ly,** *adv.*

vo·cal·ic [vo`kælɪk] *adj.* ① 母音的；似母音的。②含母音的；多母音的。

vo·cal·ist [`vokḷɪst] *n.* Ⓒ 聲樂家；(尤指爵士樂團或熱門音樂的)歌手。

vo·cal·ize,〖英〗**-ise** [`vokḷˌaɪz] *v.t.* ①講出；說出；唱出。②使母音化。—*v.i.* 說；講；唱。—**vo·cal·i·za′tion,** *n.*

***vo·ca·tion** [vo`keʃən] *n.* ① Ⓒ (常 *sing.*)職業。② Ⓤ (又作 a ～)(對於某種職業的)適宜性；才能。③ Ⓒ (常 *sing.*)〖神學〗神命；神召。

***vo·ca·tion·al** [vo`keʃənḷ] *adj.*職業的；職業上的。§～ **búreau** 職業指導處。～ **diséase** 職業病。～**educátion** 職業教育。～ **guídance** 職業指導。～ **schòol** 職業學校。—**ly,** *adv.*

voc·a·tive [`vɑkətɪv]〖文法〗*adj.* 呼格的。—*n.* Ⓒ 呼格；呼喚語。

vo·cif·er·ate [vo`sɪfəˌret] *v.i.* & *v.t.* 大聲喊叫。—**vo·cif·er·a′tion,** *n.*

vo·cif·er·ous [vo`sɪfərəs] *adj.*呼喊的；嘈雜的；喧譁的。—**ly,** *adv.*

vod·ka [`vɑdkə] *n.* Ⓤ Ⓒ 伏特加酒(一種俄國的烈性麥酒)。

***vogue** [vog] *n.*①(the ～)時尚；流行。②(a ～)受歡迎。

vogu·ish [`vogɪʃ] *adj.* ①流行的；時髦的。②風行一時的。

‡**voice** [vɔɪs] *n.* ① Ⓤ Ⓒ 嗓音；說話聲音。② Ⓤ 發言能力；發聲能力。③ Ⓒ 自然界的各種說話似的聲音；天籟。④ Ⓒ 發聲法。⑤ Ⓒ (合唱團的)歌手。⑥ Ⓤ (又作 a ～)表達；吐露。⑦ Ⓤ (又作 a ～)意見；願望。⑧ Ⓤ (又作 a ～)發言權。⑨ Ⓒ 表達之媒介。⑩ Ⓒ (常 *sing.*)〖文法〗(動詞之)語態。⑪ Ⓤ〖語音〗由聲帶震顫而發出的聲音。⑫ Ⓒ 聲部。*in* ～嗓音好。*lift up one's* ～大聲疾呼；抗議。*the still, small* ～良心的呼喊聲。*the V- of America* 美國之音(美國國務院的海外廣播電台，略作 VOA)。*with one* ～異口同聲地。—*v.t.*①發表；道出；表明。②〖語音〗發出有聲之音。§～**bōx** 喉頭(=larynx)。～ **màil** 有聲郵件。～ **pàrt** 聲部。～ **recòrder** 聲音記錄器。～ **vòte** 發聲[呼聲]表決(根據贊成與反對聲音之大小而估計人數所決定的表決)。

voiced [vɔɪst] *adj.*①有聲的。②用言語表達的。

voice·less [`vɔɪslɪs] *adj.*①沉寂的；啞的；無聲的。②〖語音〗無聲的。③無發言權的。—**ly,** *adv.*

voice-o·ver [`vɔɪsˌovə] *n.* Ⓒ 旁白。

voice·print [`vɔɪsˌprɪnt] *n.* Ⓒ 聲波紋(以測音儀器記錄的聲音紋狀圖)。

***void** [vɔɪd] *adj.* ①〖法律〗無效的。②空的；空虛的。③缺乏…的；沒有…的〔of〕.④徒勞的。—*n.*①(the ～)空虛；空處。②(a ～)空虛感。—*v.t.*①使無效；使作廢。②排泄。③空出(場地等)〔常 of〕.

voile [vɔɪl] *n.* Ⓤ (一種棉、絲、人造絲或羊毛所織成的)薄紗。

vol. volume.

vo·lant [`volənt] *adj.*① 飛的；能飛的。②快速的。③〖紋章〗飛翔姿態的。

vol·a·tile [`vɑlətḷ] *adj.*①揮發性的。②輕快的；輕浮的。③易變的；反覆無常的。④爆炸性的。⑤短暫的。

vol·a·til·ize [`vɑlətḷˌaɪz] *v.i.* & *v.t.* (使)揮發。—**vol·a·til·i·za′tion,** *n.*

vol·can·ic [vɑl`kænɪk] *adj.* ①火山的；火山所造成的。②暴躁易怒的；易爆發的。③多火山的。

vol·can·ism [`vɑlkənˌɪzṃ] *n.* Ⓤ 火山活動；火山作用；火山現象。

***vol·ca·no** [vɑl`keno] *n.* Ⓒ (*pl.*～**es,** ～**s**)火山。an active[extinct]～活[死]火山。

vole [vol] *n.* Ⓒ〖動〗田鼠；野鼠。

Vol·ga [`vɑlgə] *n.*(the ～)伏爾加河(發源於俄國西部，東流入裏海，爲歐洲最長之河)。

vo·li·tion [vo`lɪʃən] *n.* Ⓤ ①意志作用；意願。②意志力；決心。—**al,** *adj.*

vol·i·tive [`vɑlətɪv] *adj.*① 意志的；志向的。②〖文法〗表示祈望或准許的。

vol·ley [`vɑlɪ] *n.* Ⓒ①(槍砲等)群射；齊射。②(質問、咒罵等)連發。③〖網球〗截擊(在球落地前擊球)。—*v.t.* ①齊射；齊發；連發。②〖網球〗在球落地前擊(球)。—*v.i.* 放排槍[排砲]。

***vol·ley·ball** [`vɑlɪˌbɔl] *n.* ① Ⓤ 排球。② Ⓒ 排球比賽所用之球。

vols. volumes.

volt [volt] *n.* Ⓒ 伏特(電壓的單位)。

volt·age [`voltɪdʒ] *n.* Ⓤ Ⓒ 伏特數；電壓量；電壓。

Vol·taire [vɑl`tɛr] *n.* 伏爾泰(本名 François Marie Arouet, 1694-1778,法國諷刺家、哲學家、劇作家及歷史家)。

vol·tam·e·ter [vɑl`tæmətə] *n.* Ⓒ〖電〗電量計。

volt-am·pere [`volt`æmpɪr] *n.* Ⓒ〖電〗伏特安培。

volte-face [`vɑltˌfɑs]〖法〗*n.* Ⓒ (*pl.* ～)(常 *sing.*)① 轉身；向後轉。②(意見、態度等的)(一百八十度的)大轉變。

volt·me·ter [`voltˌmitə] *n.* Ⓒ〖電〗伏特計；電壓表。

vol·u·ble [`vɑljəbḷ] *adj.* 健談的；口若懸河的；多言的。—**vol′u·bly,** *adv.* —**vol·u·bil′i·ty,** —**ness,** *n.*

vol·ume** [ˋvɑljəm] *n.* ①Ⓒ卷；冊；書本。②Ⓤ體積；容積[量]。③Ⓒ(常*pl.*)大量；多量。④Ⓤ音量。speak ~s*** 充分地表明；含有重大意義。

vo·lu·mi·nous [vəˋlumənəs] *adj.* ①(可形成)多卷的；大部頭的；長的。②(作家)多產的。③龐大的；多的；浩瀚的。

vol·un·tar·i·ly [ˋvɑlən͵tɛrəlɪ] *adv.* 志願地；自願地；自動地。

***vol·un·tar·y** [ˋvɑlən͵tɛrɪ] *adj.*①自願的；志願的；自動的；自發的。②故意的。③由自由捐助支持的。④能依自由意志行動的。⑤為意志所控制的。the ~ muscles 隨意肌。**—** *n.* Ⓒ①自願者。②〖樂〗(禮拜儀式前、進行時或完畢後之) 風琴獨奏。§ ~ **ármy** 志願軍。

***vol·un·teer** [͵vɑlənˋtɪr] *n.* Ⓒ①志願者；自願從事者。②志願兵；義勇軍。**—** *adj.*①自願的；志願的。②〖植〗自生的。**—** *v.t.*志願；自願獻出。**—** *v.i.*①自願；自願效勞。②志願投軍。

vo·lup·tu·ar·y [vəˋlʌptʃʊ͵ɛrɪ] *adj.* & *n.* Ⓒ耽於逸樂的(人)。

vo·lup·tu·ous [vəˋlʌptʃʊəs] *adj.* ①奢侈逸樂的；耽迷肉慾的；貪戀酒色的。②色情的；挑起情慾的；肉感的；艷麗的。— **ly,** *adv.* — **ness,** *n.*

vo·lute [vəˋlut] *n.* Ⓒ〖建〗漩渦狀飾物；螺旋形飾(尤指Ionic或Corinthian式柱頭上者)。**—** *adj.* 漩渦狀的；螺旋形的。

vom·it [ˋvɑmɪt] *v.t.*①嘔吐。②噴出；吐出(食物)。**—** *v.i.*①嘔吐；吐出。②(火山)噴出岩漿。**—** *n.* Ⓤ①嘔吐。②嘔吐物。

vom·i·tive [ˋvɑmɪtɪv] *adj.*= **vomitory.** **—** *n.* Ⓒ催吐劑。

vom·i·to·ry [ˋvɑmɪ͵torɪ] *adj.* 催嘔吐的；嘔吐的。**—** *n.* Ⓒ①催吐劑。②排出口。

vom·i·tous [ˋvɑmətəs] *adj.* 想嘔吐的。

vom·i·tus [ˋvɑmɪtəs] *n.* Ⓤ〖醫〗嘔吐物。

von [vɑn, fɔn]〖德〗*prep.* = **from, of** (常加在姓前以表示貴族)。

voo·doo [ˋvudu] *n.*(*pl.* **~s**)①Ⓤ(常 V-)巫毒教(=voodooism).②Ⓒ巫毒教之術士。**—** *adj.* 巫毒教的。— **ist,** *n.*

voo·doo·ism [ˋvudu͵ɪzm̩] *n.* Ⓤ巫毒教(源自非洲而仍流行於西印度群島及美國南部黑人間的巫術信仰)。

vo·ra·cious [voˋreʃəs] *adj.*①暴飲暴食的。②貪婪的。— **ly,** *adv.* — **ness,** **vo·rac′i·ty** [-ˋræ-], *n.*

vor·tex [ˋvɔrtɛks] *n.*(*pl.* **~es, -ti·ces** [-tɪ͵siz])①Ⓒ漩渦；旋風；旋轉。②(the ~)如旋風或漩渦般之活動或情勢。— **vor′ti·cal,** *adj.*

vo·ta·ry [ˋvotərɪ] *n.* Ⓒ①信徒；篤信者。②愛好者；崇拜者；支持者。

vote** [vot] *n.* ①Ⓒ投票。②Ⓒ(常 the ~)表決。③(the ~)投票權；選舉權。④Ⓒ選票；投票紙；選票數。**—** *v.i.* 投票；選舉。**—** *v.t.*①以投票方式通過或決定。②投票擁護。③〖俗〗提議。④同意；一致認為。~ ***down 投票否決。~ ***in*** 投票選出。~ ***out*** 投票使(原任者)落選。*— **vot′er,** *n.*

vot·ing [ˋvotɪŋ] *n.* Ⓤ投票；選舉。**—** *adj.* 投票用的。§ ~ **machìne**〖美〗選票計算機；投票記錄機。~ **pàper**〖英〗選舉票。

vo·tive [ˋvotɪv] *adj.* 還願的；(因還願而)奉獻的。

vouch [vaʊtʃ] *v.i.*①擔保〔常 for〕.②保證〔常 for〕. **—** *v.t.*①證實；保證。②證明。③引典證實。

vouch·er [ˋvaʊtʃɚ] *n.* Ⓒ①證明人；保證人；證件；證書。②收據；(商業記帳用的)傳票；憑單。

vouch·safe [vaʊtʃˋsef] *v.t.*①賜予。②恩准；准予。**—** *v.i.* 屈尊；俯就。

vow** [vaʊ] *n.* Ⓒ誓言；誓約。take*** [***make***] ***a*** ~ 發誓。***take*** ~***s*** 許願入修道院。**—** *v.t.* & *v.i.* 立誓；誓言；發誓。

***vow·el** [ˋvaʊəl] *n.* Ⓒ①母音。②母音字母。

vox [vɑks]〖拉〗*n.* Ⓒ(*pl.* **vo·ces** [ˋvosiz])聲音。§ ~ **póp**〖英俗〗媒體記者在街頭做的民意訪問。~ **pópuli** [ˋpɑpjʊ͵laɪ] 輿論。

voy·age** [ˋvɔɪ·ɪdʒ] *n.* Ⓒ旅行；航海；航行。the*** ~***s*** 航行(遊)記。**—** *v.i.* & *v.t.* 航行；航海；航空。— **voy′ag·er,** *n.*

vo·yeur·ism [vwɑˋjɜɪzm̩]〖法〗*n.* Ⓤ〖醫〗窺淫狂。

VP, V.P. Vice-President.

vs. verse; versus.

V-shaped [ˋvi͵ʃept] *adj.* V字形的。

V̀ sìgn [ˋvi ~] *n.* Ⓒ①**a.**勝利記號(以食指及中指作成之V字形)。**b.**〖英〗猥褻或輕蔑的手勢。②表贊成的V字形記號。

VSO, V.S.O. very superior old; very special old. 陳年(指白蘭地十二到十七年的貯存年數)。

VSOP, V.S.O.P. very superior [special] old pale. 特級陳年(指白蘭地為十八至二十五年的貯存年數)。

VT, Vt. Vermont. **v.t.** verb transitive.

VTOL [ˋvi͵tɔl] *n.* (為 vertical take-off and landing 之略)〖空〗①Ⓤ垂直起飛及降落。②Ⓒ垂直起飛降落式飛機。

VTR video tape recorder [recording].

Vul·can [ˋvʌlkən] *n.*〖羅神〗法爾坎(司火及鍛冶之神)。

vul·can·ite [ˋvʌlkən͵aɪt] *n.* Ⓤ一種硬橡皮。

vul·can·ize [ˋvʌlkən͵aɪz] *v.t.* 以高溫及硫黃處理(橡皮)；使(橡皮)硬化。— **vul·can·i·za′tion,** *n.*

vulg. vulgar; vulgarly.

***vul·gar** [ˋvʌlgɚ] *adj.*①粗俗的；粗鄙的。②平民的。③通俗的；(語言)平常使用的。§ ~ **fráction** 常分數。**V**~ **Látin** 通俗拉丁文(略作VL)。— **ly,** *adv.* — **ness,** *n.*

vul·gar·i·an [vʌlˋgɛrɪən] *n.* Ⓒ無教養的人；粗俗的人；(尤指)俗氣的暴發戶。

vul·gar·ism [ˋvʌlgə͵rɪzəm] *n.*①Ⓒ粗俗語；語法的錯誤。②Ⓤ低俗；俗氣。

vul·gar·i·ty [vʌlˋgærətɪ] *n.*①Ⓤ

粗俗;粗鄙;粗陋。② Ⓒ (常 *pl.*)庸俗的行爲或談吐。
vul·gar·ize [ˋvʌlgə͵raɪz] *v.t.*使通俗化; 使庸俗化。— **vul·gar·i·za′tion,** *n.*
vul·ner·a·bil·i·ty [͵vʌlnərəˋbɪlətɪ] *n.* Ⓤ易受傷害; 有弱點; 脆弱。
vul·ner·a·ble [ˋvʌlnərəbl̩] *adj.*①易受攻擊的; 難防守的; 脆弱的。②易受傷的; 敏感的; 易受影響的。
vul·pine [ˋvʌlpaɪn] *adj.*①狐狸的。②似狐的; 狡猾的; 奸詐的。
vul·ture [ˋvʌltʃɚ] *n.* Ⓒ①兀鷹。②貪婪而殘酷之人。
vul·va [ˋvʌlvə] *n.* Ⓒ (*pl.* **-vae** [-vi], **~s**)〖解〗女陰; 陰門; 陰戶。
vy·ing [ˋvaɪɪŋ] *adj.* 競爭的; 比賽的。**—** *v.* ppr. of **vie.**

W w W w *W w*

W or **w** [ˋdʌbl̩ju] *n.* (*pl.* **W's, w's** [～z]) ① Ⓤ Ⓒ 英文之第二十三個字母。② Ⓒ W 形之事物。
w watt(s). **W** 〖化〗 wolfram (=tungsten). **W.** west; Western; watt(s). **WA** Washington.
wab·ble [ˋwɑbl̩] *v.* & *n.* =**wobble.**
Wac [wæk] *n.* Ⓒ Women's Army Corps 的隊員。
wack [wæk] *n.* Ⓒ〖俚〗怪人; 行爲乖張的人。
wack·y [ˋwækɪ] *adj.*〖美俚〗荒謬的; 怪誕的; 反常的; 不正常的。
wad[1] [wɑd] *n.* Ⓒ①(軟物的)小塊; 填料。②一疊。③槍鏜或子彈中的填彈塞; 送彈塞。④〖俚〗一大堆(尤指金錢)。⑤(常 *pl.*)〖俚〗多數; 多量; 很多。**—** *v.t.* (**-dd-**)①弄成小塊; 塡塞。②以送彈塞穩住。
wad[2]**, wadd** [wɑd] *n.* Ⓒ 錳土。
wad·ding [ˋwɑdɪŋ] *n.* Ⓤ 塡料; 塡塞棉。
wad·dle [ˋwɑdl̩] *v.i.*蹣跚而行; 搖擺而行。**—** *n.* Ⓒ (常 *sing.*)搖擺而行; 搖擺的步態。
***wade** [wed] *v.i.*①(從水、雪、沙、泥或任何障礙物中)走過; 跋涉。②艱苦進行。**—** *v.t.* 涉過。～ *in* [*into*]〖俗〗**a.** 猛烈攻擊(人等)。**b.** 精神抖擻[毅然]地開始[工作]。**—** *n.* Ⓒ 跋涉。§ **wáding bìrd** 涉禽類之鳥。**wáding pòol** 〖美〗(公園等的)兒童用淺水游泳池。
wade-in [ˋwed͵ɪn] *n.* Ⓒ〖美〗黑人進入祇允許白人使用之海濱或游泳池(以示對種族歧視之抗議)。
wad·er [ˋwedɚ] *n.*① Ⓒ 徒涉者。② Ⓒ 涉禽類的鳥。③(*pl.*) 涉水時穿的高統靴或防水褲。
wa·di, wa·dy [ˋwɑdɪ] *n.* Ⓒ (近東和北非的)谷; 常乾涸的河道。
Waf [wæf] *n.* Ⓒ 美空軍婦女團(Women in the Air Force)之一員。
wa·fer [ˋwefɚ] *n.* ① Ⓤ Ⓒ 威化餅乾(輕烤的薄脆餅)。② Ⓒ〖宗〗聖餅。③ Ⓒ 封糊; 封緘紙。④ Ⓒ〖醫〗糯米紙。
wa·fer-thin [ˋwefɚˋθɪn] *adj.* 很薄的。
waf·fle[1] [ˋwɑfl̩] *n.* Ⓤ Ⓒ 雞蛋餅。§ ∼ **ìron** 烘雞蛋餅的鐵模。
waf·fle[2] *v.i.* ①胡扯; 瞎扯。②含糊其詞。**—** *n.* Ⓤ 瞎扯; 胡說。
waft [wæft, wɑft] *v.t.* 使飄浮; 使飄蕩。**—** *v.i.* 飄蕩。**—** *n.* Ⓒ ①飄蕩。②一陣(風或香氣等)。
***wag** [wæg] *v.t.* (**-gg-**) ①搖擺; 搖動(尾巴等)。②饒(舌)。**—** *v.i.* ①搖擺; 擺動。②饒舌。③擺動身體行走。～ *one's finger at a man* 指摘某人。～ *one's tongue* 多言; 饒舌。**—** *n.* Ⓒ ①(常 *sing.*)搖擺; 搖動。②好說笑話的人; 詼諧者。
***wage** [wedʒ] *n.* Ⓒ ①(常 *pl.*)工資; 薪給。②(常 *pl.*, 作 *sing.*解)報償; 報酬。**—** *v.t.* 從事; 進行; 作。§ ∼ **èarner** 靠工資維生的人。∼ **frèeze** 工資凍結。∼ **scàle** 工資等級表。∼ **slàve**〖謔〗靠工資生活者。
wa·ger [ˋwedʒɚ] *v.t.* & *v.i.* (打)賭。**—** *n.* Ⓒ ①賭注。②打賭。③打賭之對象或內容。
wage·work·er [ˋwedʒ͵wɝkɚ] *n.* Ⓒ 爲賺工資而工作的工人。
wag·ger·y [ˋwægərɪ] *n.*① Ⓤ 滑稽; 詼諧。② Ⓒ 玩笑; 惡作劇。
wag·gish [ˋwægɪʃ] *adj.*滑稽的; 詼諧的; 惡作劇的。— **ness,** *n.*
wag·gle [ˋwægl̩] *v.t.* & *v.i.* 搖擺; 擺動。**—** *n.* Ⓒ 搖擺; 擺動。
Wag·ner [ˋwægnɚ] *n.* 華格納(Richard, 1813-83, 德國作曲家)。
***wag·(g)on** [ˋwægən] *n.* Ⓒ 四輪運貨馬車; 貨車。*hitch one's* ～ *to a star* 野心勃勃。*on the* (*water*)～〖俚〗不喝酒的。**—** *v.t.* & *v.i.* 以貨車等搬運[旅行]。§ ∼ **sòldier**〖軍, 美俚〗野戰砲兵。∼ **tràin** (1)載運軍需品的一列運貨馬車。(2)(移民們的)篷車隊。
wag·(g)on·er [ˋwægənɚ] *n.* ① Ⓒ 運貨馬車之車夫。②(the W-)〖天〗御夫(星)座。
wag·tail [ˋwæg͵tel] *n.* Ⓒ〖鳥〗鶺鴒。
waif [wef] *n.* Ⓒ ①流浪的人; 無家可歸者; (尤指)流浪兒童; 無住處之動物。②偶然發現的無主物。
Wai·ki·ki [ˋwɑi͵kiki] *n.*懷基基(夏威夷州 Honolulu 之著名海灘)。
***wail** [wel] *v.i.* ①哭泣; 哭號; 哀泣; 悲傷。②發出哀泣的聲音。**—** *v.t.* 哀悼; 爲…慟哭。**—** *n.* Ⓒ ①哭泣; 哀悼; 悲傷。②哭泣或哀悼聲。§ **Wáiling Wáll** 哭牆(耶路撒冷城內的一道牆, 爲猶太人群集祈禱和哀悼之處)(亦作 Wailing Place of the Jews)。
wain·scot [ˋwenskət] *n.* Ⓤ Ⓒ 壁板。**—** *v.t.* (**-t-,**〖英〗**-tt-**)裝壁板於。
wain·scot·(t)ing [ˋwenskətɪŋ] *n.* Ⓤ 壁板; 壁板之材料。
***waist** [west] *n.* Ⓒ ①腰; 腰部。②婦

女的胸衣；小孩的襯衣。③船的中間部分。④衣服之腰部。
waist·band [`west,bænd] *n.* Ⓒ束腰帶。
waist·coat [`west,kot] *n.* Ⓒ〖英〗背心。
waist-deep [`west`dip] *adj.* & *adv.* 深達腰部的[地]。
waist-high [`west`haɪ] *adj.* & *adv.* 高及腰部的[地]。
waist·line [`west,laɪn] *n.* Ⓒ腰線；腰圍。
‡**wait** [wet] *v.i.*①等候；等待。②期望；期待。③延緩。④服侍；伺候。 — *v.t.* ①等候；等待。②延緩(進餐)。～*on* [*upon*] **a.**伺候。**b.**謁見。**c.**來自；從…而來。 — *n.*① Ⓒ 等候；等候的時間。②(*pl.*)〖英〗耶誕時沿街歌唱者。*lie in* ～ *for* 埋伏以待。
wait-and-see [`wetən`si] *adj.* 觀望的；等待的。
‡**wait·er** [`wetɚ] *n.* Ⓒ①等待者。②侍者；服務生；侍應生。③(端茶壺，杯等用之)托盤。
wait·ing [`wetɪŋ] *n.* Ⓤ①等待。②服侍；侍候。*in* ～ 服侍(國王或其他皇室人物等)的。 — *adj.* ①等待中的。②侍候的。§ ～ **gàme** 待機戰術。～ **lìst** 補位名單；候補名單。～ **ròom** 等待室；候車[診]室。— **ly,** *adv.*
wait·list [`wet,lɪst] *v.t.* 把…登記在補位名單上。 — *n.* =**waiting list.**
***wait·ress** [`wetrɪs] *n.* Ⓒ女侍者；女侍應生。
waive [wev] *v.t.* ①放棄(權利、特權、要求等)。②擱置(問題等)。
waiv·er [`wevɚ] *n.*〖法律〗① Ⓤ放棄；棄權。② Ⓒ 棄權聲明書。
‡**wake**[1] [wek] *v.i.* (**waked** or **woke, waked** or **wo·ken**)①醒；醒來。②醒著；不眠。③醒悟；覺悟。④奮起；活動。⑤甦醒。 — *v.t.* ①喚醒；喚起。②激發；引起。③〖方，古〗守夜；守(靈)。 — *n.* Ⓒ守夜；守靈。
wake[2] *n.* Ⓒ ①船跡；足跡。②後果；餘波。*in the* ～ *of* 隨…而來。
wake·ful [`wekfəl] *adj.* 睡不著的；不眠的；警覺的。— **ly,** *adv.*— **ness,** *n.*
***wak·en** [`wekən] *v.i.* & *v.t.* 醒來；弄醒。
wak·ing [`wekɪŋ] *adj.*醒著的；醒著時的。a ～dream 白日夢。
wale [wel] *n.* Ⓒ①條痕；鞭痕；傷痕。②布上之凸紋；布之織地。 — *v.t.* ①使有鞭條痕。②織成稜紋。
***Wales** [welz] *n.* 威爾斯(大不列顛島西南部的地方)。
‡**walk** [wɔk] *v.i.*①行走；步行；散步。②漫遊；徘徊。③(行走般地)移動。④〖棒球〗保送上壘。⑤〖籃球〗帶球走。 — *v.t.* ①走過；行過。②使行走；藉走路而使…。③〖棒球〗投四壞球保送(打擊手)上壘。④陪著…走。⑤拖著移動(物體)。～ *away from*(在比賽中)輕而易舉地勝過。～ *in*進入。～ *into* 〖俗〗**a.**大口地猛吃。**b.**譴責；斥責。～ *off with* **a.**攜走；偷走。**b.**輕易贏得。～ *out* **a.**〖俗〗罷工。**b.**退席抗議。～ *out on* 〖俗〗遺棄。～ *out with*〖俚〗與…戀愛；追求。～ *over* 輕易地打敗(並且分數相差甚多)。～ *the boards* 作伶人。～ *the hospitals* 在醫院裏實習。～ *the streets* 作流鶯。 — *n.* Ⓒ ①步行；散步。go for[take]a ～ 出去散步。②步行距離。③步態；步法。④散步之處；人行道。⑤生活方式；社會地位；身分；職業。men in every ～ of life 各界人士。⑥〖棒球〗四壞球保送上壘。⑦圍起的場地。
walk·a·bout [`wɔkə,baʊt] *n.*① Ⓤ (澳洲土人停止平時的工作，定期過的)流浪生活。② Ⓒ 徒步旅行。③ Ⓒ (高官深入民間的)巡視；考察。
walk·a·way [`wɔkə,we] *n.* Ⓒ 輕易獲得的勝利。
walk·er [`wɔkɚ] *n.* Ⓒ①助嬰兒走路的架子。②助身障者走路的架子。③走路的人；健行者。
walk·ie-look·ie [`wɔkɪ`lʊkɪ] *n.* Ⓒ手提式電視攝影機。
walk·ie-talk·ie [`wɔkɪ`tɔkɪ] *n.* Ⓒ手提式無線對講機。(亦作 **walky-talky**)
walk-in [`wɔk,ɪn] *adj.*〖美俗〗①大得足夠一個人走進去的。②(不經大廳)能直接進入的。③未經約定而來的。 — *n.* Ⓒ ①大得可供人進入的儲藏室[冷凍庫]。②輕易獲得的勝利。③未經約定而進來的人。
walk·ing [`wɔkɪŋ] *adj.*①能走路的；走路的。②走路用的。 — *n.* Ⓤ ①步行；散步；步態。②路況。§ ～ **gèntle-man** [**làdy**] 跑龍套的男[女]演員(尤指無臺詞者)。～ **pàpers** [**tìcket**] 〖俗〗免職令；解雇通知。～ **shòrts** 散步時穿的短褲。～ **stìck** (1)手杖。(2)竹節蟲。～ **tòur** 徒步旅行。
Walk·man [`wɔkmən] *n.* Ⓒ〖商標〗隨身聽(收錄音機)。
walk-on [`wɔk,ɑn] *n.* Ⓒ (只在舞臺上晃一下而無臺詞的)小角色；行人的角色。 — *adj.* 演小角色的。
walk·out [`wɔk,aʊt] *n.* Ⓒ〖美俗〗①罷工。②退席抗議。
walk·o·ver [`wɔk,ovɚ] *n.* Ⓒ ①輕易獲得的勝利。②不戰而勝。
walk-up [`wɔk,ʌp] *n.* Ⓒ & *adj.*〖美俗〗無電梯之公寓樓房(的)。
walk·way [`wɔk,we] *n.* Ⓒ (公園等的)人行道；(工廠內的)通道。

‡**wall** [wɔl] *n.* Ⓒ①牆；壁；垣。*Walls have ears.* 隔牆有耳。②在形狀或用途方面和牆類似的東西。③(常 *pl.*)防禦性的圍牆。④(常 *pl.*)(內臟器官等的)內壁。*drive*[*push*] *to the* ～使走頭無路；使束手無策。*fight with one's back to the* ～ 以寡敵衆；背城一戰。*go to the* ～ **a.**退讓；失敗；敗北。**b.** 破產。*run one's head against the* ～ 以卵擊石。*up against a* ～ 陷入困境；碰壁。*up the* ～ **a.**憤怒地。**b.**不知所措地。 — *v.t.*①圍以牆。②填塞；堵塞。§ ～ **chàrt** 掛圖。～ **crèeper**〖鳥〗旋壁雀。～ **frùit** 倚牆樹木所結之果實。～ **néws-paper** 壁報。～ **pàinting** 壁畫法；壁畫(=fresco)。～ **plùg** 插座。～ **sỳs-tem** 靠牆的一列櫃子。

wal·la·by [ˋwɑləbɪ] *n.* Ⓒ (*pl.* **-bies,** ~)〖動〗袋(又稱沙袋鼠)。

wall·board [ˋwɔl͵bord] *n.* ⓊⒸ 遮蓋牆壁或天花板用的壁板。

walled [wɔld] *adj.* 有牆壁的。

***wal·let** [ˋwɑlɪt] *n.* Ⓒ皮包；皮夾；錢袋；旅行袋(裝衣服、乾糧者)。

wall·eye [ˋwɔl͵aɪ] *n.* Ⓒ ①散開性斜視；外斜視。②(外斜視引起的)白眼(角膜變大)。

wall·eyed [ˋwɔlˋaɪd] *adj.* ①散開性斜視的。②眼角膜混濁的；眼白較多的。

wall·flow·er [ˋwɔl͵flauɚ] *n.* Ⓒ ①〖植〗牆花。②〖俗〗壁花(舞會中無舞伴而僅作壁上觀之人，尤指女子)。

wal·lop [ˋwɑləp] *v.t.*〖俗〗①痛毆；重擊。②擊潰。**—** *n.* ① Ⓒ〖俗〗痛毆；重擊；擊潰。② Ⓤ〖英俚〗啤酒。

wal·low [ˋwɑlo] *v.i.*①(在泥、沙、雪、水中)打滾；(船)顛簸而行。②耽溺於享受；縱樂。③冒起(煙等)。**—** *n.* Ⓒ ①翻滾；打滾。②(動物等打滾之)水坑或泥沼。

wall·pa·per [ˋwɔl͵pepɚ] *n.* Ⓤ 壁紙。**—** *v.t. & v.i.* 糊以壁紙。§ ∼ **mùsic** 背景音樂。

Wáll Strèet [ˋwɔl ∼] *n.* ①華爾街(美國紐約市曼哈坦之一街名，爲美國之主要金融中心)。② Ⓤ 美國金融市場；美國金融界。

wall-to-wall [ˋwɔltəˋwɔl] *adj.*①把整個地板都蓋住的；自此牆至彼牆的。②徹頭徹尾的；全體的。

***wal·nut** [ˋwɔlnət] *n.*① Ⓒ 胡桃；核桃。② Ⓤ 胡桃木；核桃木。③ Ⓤ 胡桃色；茶色。

wal·rus [ˋwɔlrəs] *n.* Ⓒ (*pl.* **∼es,** ∼)海象。§ ∼ **móustache**(兩端下垂的)八字鬍。

waltz [wɔlts] *n.* Ⓒ (有時the ∼)①華爾茲舞。②圓舞曲；華爾茲舞曲。**—** *v.i.* ①跳華爾茲舞。②輕快地走動。③〖俗〗輕易地或輕鬆地前進〔常through〕. **—** *v.t.* ①與(某人)跳華爾茲舞。②輕快地引領(他人)。

wam·pum [ˋwɑmpəm] *n.* Ⓤ ①貝殼串珠(以前北美洲印第安人用作貨幣及裝飾品)。②〖俚〗金錢。

wan [wɑn] *adj.* (**-nn-**)蒼白的；衰弱的；無力的。

WAN wide area network.

wand [wɑnd] *n.* Ⓒ ①杖；棍；棒；魔杖。②(樂隊長所用之)指揮棒。③權杖。

‡wan·der [ˋwɑndɚ] *v.i.*①徘徊；漂泊；流浪；漫遊。②偏離正途；迷路；偏離本題。③精神錯亂；恍惚；迷惘。His mind is ∼*ing.* 他心不在焉。**—er,** *n.*

wan·der·ing [ˋwɑndərɪŋ] *adj.*①徘徊的；漂泊的；流浪的；迷途的。②蜿蜒曲折的。**—** *n.* (*pl.*)①遊蕩。②漫遊。③〖醫〗精神錯亂。 § **W∼ Jéw** 流浪的猶太人(傳說中之一猶太人，由於侮辱被帶往刑場的耶穌而註定流浪世界直到最後審判日)。**—ly,** *adv.*

wan·der·lust [ˋwɑndɚ͵lʌst] *n.* Ⓤ 旅行癖；漫遊癖。

wane [wen] *v.i.* ①減弱；減少；減小；(權力)衰微。②(月亮)虧；缺。**—** *n.* (the ∼)減弱；減少；減小；衰微；(月亮之)虧缺。***on*** [***in***] ***the*** ∼ **a.** 在虧缺。**b.** 在衰微。

wan·gle [ˋwæŋgl̩]〖俗〗*v.t.* ①用詭計取得[完成]。②以權宜之計處理。③僞造。**—** *v.i.* ①用狡詐手段達成目的。②設法脫困。**—** *n.* Ⓒ 巧計獲取(物)；騙得(之物)；僞造(物)。

wan·na [ˋwɑnə]〖美俗〗= **want to.**

‡want [wɑnt, wɔnt] *v.t.*①要；欲得；希望；願望。②缺少；沒有。③必須；需要。**—** *v.i.* ①缺少；短少〔有時for〕. ②貧困。**—** *n.* ① Ⓒ (常 *pl.*)欲望；希望得到的東西。② Ⓤ (又作a ∼)缺乏；不足。③ Ⓤ 貧困。*W*∼ is the mother of industry. 貧困爲勤勉之母。§ ∼ **àd**〖俗〗(報紙的)求才廣告。

want·ed [ˋwɑntɪd] *adj.* ①(廣告)徵求的。②被(警方)通緝的。

want·ing [ˋwɑntɪŋ] *adj.* ①缺乏的；短少的。②未達標準的。**—** *prep.* ①沒有…。②差…；缺少…。

wan·ton [ˋwɑntən] *adj.*①放縱的；任性的；胡亂的。②嬉鬧的；頑皮的。③繁茂的。④淫蕩的；淫亂的。**—** *v.i.*嬉戲；閒蕩。**—** *n.* Ⓒ 淫蕩者；(尤指)蕩婦。**—ly,** *adv.* **—ness,** *n.*

wap·i·ti [ˋwɑpətɪ] *n.* Ⓒ (*pl.* **∼s,** ∼)〖動〗麠(鹿科中的巨大者，多棲於北美洲落磯山脈)。

‡war [wɔr] *n.* ① ⓊⒸ 戰爭。② ⓊⒸ (對立力量的)鬥爭。③ Ⓤ 兵法；戰術；軍事學。***be at*** ∼ ***with*** 同…處於戰爭狀態。***declare*** ∼ ***upon***[***on***] ***a country*** 向一國宣戰。***go to*** ∼ **a.**開戰。**b.** 從軍；去當兵。***make***[***wage***] ∼ ***on*** [***upon***]對…開戰。**—** *v.i.* (**-rr-**)戰鬥；作戰。§ ∼ **bàby** 戰時出生的嬰兒；(尤指)戰時私生子；因戰爭刺激而興盛的工業。∼ **bònnet**(北美印第安人有羽飾的)戰帽。∼ **chèst** (1)爲政治目的等而籌措的款項。(2)軍費。∼ **clòud** 戰雲；戰爭之氣氛。∼ **correspòndent** 戰地記者。∼ **crìminal** 戰犯。∼ **crỳ** (1)作戰時戰士的吶喊。(2)競選標語或口號。∼ **dànce**(蠻族出戰前的)戰舞；模仿作戰的舞蹈。∼ **fòoting** 備戰狀態。∼ **gàme**(地圖上的)兵棋演練；沙盤推演；(實際的)機動演習。∼ **hèad** 魚雷彈頭；(飛彈等之)彈頭。∼ **hòrse**〖俗〗老兵；元老。∼ **whòop**(北美印第安人之)作戰呼號聲。

war·ble[1] [ˋwɔrbl̩] *v.i. & v.t.*①(鳥)鳴。②以顫聲唱；顫聲說話。**—** *n.* Ⓒ (常 *sing.*)①鳥囀。②顫聲。

war·ble[2] *n.* Ⓒ ①(馬背上的)鞍瘤；硬瘤。②(牛、馬背上由蝱之幼蟲寄生而形成的)蝱腫。③蝱；蝱之幼蟲。**—warʹ-bled,** *adj.*

war·bler [ˋwɔrblɚ] *n.* Ⓒ ①以顫音唱歌的人；歌手；鳴囀的鳥。②刺嘴鶯。

***ward** [wɔrd] *n.* Ⓒ ①守護；監護。②被監護者。③〖英〗(城市之)區。④(醫院之)病房；(監獄之)監房。**—** *v.t.* ①抵擋；避免〔off〕. ②置於病房或監房。③

〖古〗保護。

-ward(s) 〖字尾〗表「向…」之義, 如 west*ward*.

war·den [ˋwɔrdn̩] *n.* Ⓒ ①看守人; 監護人。②〖英〗(大學)校長; 督學。③〖美〗典獄長。④教區委員。

ward·er [ˋwɔrdɚ] *n.* Ⓒ ①看守; 獄吏; 守衛; 警衛; 監視人。②(國王或司令官等所用之)權杖。— **ship,** *n.*

*__ward·robe__ [ˋwɔrd,rob] *n.* Ⓒ ①(個人之全部)衣服。②衣櫃; 衣櫥; 藏衣室。§∼ **dèaler** 估衣商。∼ **trùnk** 直立式大衣箱。

ward·room [ˋwɔrd,rum] *n.* Ⓒ ①(軍艦內)軍官室(供艦長以外之軍官進餐和休息用)。②(集合稱)艦長以外之全體軍官。

ward·ship [ˋwɔrdʃɪp] *n.* Ⓤ 監護; 保護; 監督。

*__ware__ [wɛr] *n.*①Ⓤ(集合稱)器物; 製造品(用於複合字中, 如 silver*ware* 等)。②Ⓤ陶器。③(*pl.*)貨物; 商品。

ware·house [ˋwɛr,haus] *n.* Ⓒ①貨棧; 倉庫。②〖英〗大的零售商店。— [ˋwɛr,hauz] *v.t.*將(貨物)儲於倉庫中。§∼ **recèipt** 倉庫棧單; 提貨單。

ware·house·man [ˋwɛr,hausmən] *n.* Ⓒ (*pl.* **-men**)管理倉庫的人; 經營貨棧業者。

*__war·fare__ [ˋwɔr,fɛr] *n.* Ⓤ ①戰爭; 交戰狀態; 作戰。chemical ∼化學戰。②鬥爭; 衝突。

war·hawk [ˋwɔr,hɔk] *n.* Ⓒ〖美〗好戰者; 鷹派。

war·like [ˋwɔr,laɪk] *adj.*①好戰的; 尚武的。②軍事的; 戰爭的。③以戰爭相威脅的。

‡**warm** [wɔrm] *adj.* ①暖的; 溫暖的。②感覺暖和的。③保暖的。④熱情的; 熱誠的; 熱烈的; 溫情的。⑤急躁的; 激昂的; 狂熱的。⑥新鮮而強烈的(氣味)。⑦〖俗〗將近發現的。You are getting ∼. 你就要找到了。⑧不舒適的; 不快意的。*be in* ∼ *blood* 熱血沸騰; 感情洋溢。— *v.t.* ①使溫暖; 使熱。②使感到愉快和溫暖。③使興奮; 使變爲熱情。— *v.i.* ①變溫暖; 變熱。②變熱心; 興奮起來。∼ *up* **a.**熱心起來。**b.**(運動前)作熱身運動。— *n.*(a ∼)〖俗〗取暖。§∼ **frònt**〖氣象〗暖鋒。∼**ing pàn** 長柄暖床器[爐]。*— **ly,** *adv.* — **ness,** *n.*

warm-blood·ed [ˋwɔrmˋblʌdɪd] *adj.* ①〖動〗溫血的。②熱烈的; 易激動的; 易興奮的。

warmed-o·ver [ˋwɔrmdˋovɚ] *adj.* ①(亦作 **warmed-up**)(食物)重新加熱的。②(作品)重抄的; 炒冷飯的。

warm·er [ˋwɔrmɚ] *n.* Ⓒ 溫熱器; 溫熱裝置。

warm-heart·ed [ˋwɔrmˋhɑrtɪd] *adj.* 熱心的; 體貼的; 親切的; 懇切的; 有同情心的。

warm·ing-up [ˋwɔrmɪŋˋʌp] *n.* Ⓒ (參加運動比賽前之)熱身活動。

war·mon·ger [ˋwɔr,mʌŋgɚ] *n.* Ⓒ 好戰者; 戰爭販子。

*__warmth__ [wɔrmpθ, wɔrmθ] *n.* Ⓤ ①溫暖。②熱情; 熱烈; 溫情。③生氣。His denial betrayed some ∼. 他的拒絕顯露出一些不快。

warm-up [ˋwɔrm,ʌp] *n.* =**warming-up.**

‡**warn** [wɔrn] *v.t.* ①警告; 警戒〔of, against〕. ②預告; 預先通知。③要…注意…。∼ *away*[*off*]警告(某人)不可靠近; 警告(某人)離開。

*__warn·ing__ [ˋwɔrnɪŋ] *n.*①ⓊⒸ警告; 警戒。②Ⓤ預告; 通知。③Ⓒ警報; 引以爲戒的事[人]。④Ⓒ(解約、辭職等的)預先通知。

warp [wɔrp] *v.t.* ①使彎翹。②歪曲。③拉繩索使(船)移動。— *v.i.* ①變彎曲不平。②扭曲; 歪曲。— *n.* ①(a ∼)(木板等之)彎曲; 彎翹。②(the ∼)〖紡〗經線。③Ⓒ拖船之索。

war·path [ˋwɔr,pæθ] *n.* Ⓒ北美印第安人出征時所經之路。*on the* ∼ **a.**正在戰爭中; 備戰。**b.**盛怒。

war·plane [ˋwɔr,plen] *n.* Ⓒ 軍用飛機。

*__war·rant__ [ˋwɔrənt, ˋwɑrənt] *n.*①Ⓤ正當的理由; 權利; 根據。②Ⓒ授權人; 授權書; 委任狀。③Ⓒ可供保證的東西。— *v.t.*①證明…爲正當; 爲…辯解。②向…保證。③〖俗〗證明。④授權。*I'll* ∼ (*you*). 我敢說; 我敢保證。§∼ **òfficer** (1)〖美陸軍〗准尉。(2)〖美海軍〗士官長。— **a·ble,** *adj.*

war·ran·tee [,wɔrənˋti] *n.* Ⓒ〖法律〗被保證人。

war·rant·er [ˋwɔrəntɚ] *n.* = **warrantor.**

war·ran·tor [ˋwɔrən,tɔr] *n.* Ⓒ〖法律〗保證人。

war·ran·ty [ˋwɔrəntɪ] *n.* Ⓒ ①〖法律〗**a.**保證; 擔保。**b.**擔保契約。②正當理由; 合理根據。

war·ren [ˋwɔrɪn] *n.* Ⓒ①養兎場。②擁擠的公寓; 大雜院。

war·ring [ˋwɔrɪŋ] *adj.*敵對的; 相鬥爭的。

*__war·ri·or__ [ˋwɑrɪɚ] *n.* Ⓒ 戰士; 勇士。

War·saw [ˋwɔrsɔ] *n.*華沙(波蘭首都)。

war·ship [ˋwɔr,ʃɪp] *n.* Ⓒ 軍艦。

wart [wɔrt] *n.* Ⓒ ①〖醫〗疣; 瘊; 腫瘤。②〖植〗樹瘿。§∼ **hòg**〖動〗(非洲產的)疣豬。

war·time [ˋwɔr,taɪm] *n.* Ⓤ & *adj.* 戰時(的)。

war·y [ˋwɛrɪ, ˋwerɪ, ˋwærɪ] *adj.* ①機警小心的; 不疏忽的; 謹慎的。②顧慮周到的; 愼重的。*be* ∼ *of* 留意; 謹防。— **war′i·ly,** *adv.* — **war′i·ness,** *n.*

‡**was** [wɑz, wəz] *v.* pt. of **be**(用於第一及第三人稱, 單數, 直說法)。

‡**wash** [wɑʃ, wɔʃ] *v.t.* ①洗; 洗去; 洗清。②使濕。③沖; 沖壞。④以水篩洗(礦砂)。⑤被沖走; 被捲去。⑥〖俗〗開除; 淘汰。— *v.i.* ①洗衣服; 洗澡; 洗臉[手]。②耐洗。③沖壞。④〖俗〗經得起考驗。∼ *down* **a.** 沖洗乾淨。**b.**用水、飲料等把食物吞下。∼ *out* **a.**洗滌(瓶等)之內部。**b.**洗去; 沖走(肥皂或污物)。**c.**失去顏色[精力]。**d.**被洗去[沖走]。**e.**〖俗〗淘汰; 開除。∼ *up* **a.**(餐後)洗餐具。**b.**飯前洗臉洗手。— *n.* ①(a ∼)洗。②(*sing.*, 集合稱)待洗衣物。③Ⓤ(the ∼)沖擊; 擊起的水。④Ⓤ(the ∼)(船隻經過時產生的)渦流; (飛

機飛行產生的)氣流。⑤C洗滌劑；化妝水。⑥U廚餘；餿水。

Wash. Washington (State).

wash·a·ble [ˋwɑʃəbl] *adj.* 耐洗的；經洗的。

wash-and-wear [ˋwɑʃəndˋwɛr] *adj.* 免燙的；洗好即可穿的。

wash·a·te·ri·a [ˏwɑʃəˋtɪrɪə, ˏwɔʃ-] *n.* C①自助洗衣店。②自助洗車場。

wash·ba·sin [ˋwɑʃˏbesn̩] *n.* C 洗臉盆。

wash·board [ˋwɑʃˏbord] *n.* C洗衣板。

wash·bowl [ˋwɑʃˏbol] *n.* ＝**washbasin.**

wash·cloth [ˋwɑʃˏklɔθ] *n.* C毛巾；面巾；洗碗盤布。

wash·day [ˋwɑʃˏde] *n.* U C 洗衣日(家庭每週洗衣之日)。(〖英〗亦作 **washing day**)

washed-out [ˋwɑʃtˋaʊt] *adj.*①褪色的。②〖俗〗疲倦的；無生氣的；頹喪的。

washed-up [ˋwɑʃtˋʌp] *adj.*〖俗〗①用盡的；完蛋的；完全失敗的。②疲倦的。

wash·er [ˋwɑʃɚ] *n.* C①洗衣者；洗衣機；清洗器。②(水龍頭等中用之)橡皮墊圈。

wash·er-dry·er [ˋwɑʃɚˏdraɪɚ] *n.* C 附有烘乾機的洗衣機。

wash·er·wom·an [ˋwɑʃɚˏwʊmən] *n.* C (*pl.* **-wom·en**) 洗衣婦。

wash·house [ˋwɑʃˏhaʊs] *n.* C洗衣店[房]。

wash·ing [ˋwɑʃɪŋ] *n.* U①洗滌；洗淨。②一次洗的衣服；待洗的髒衣服。③淘洗出來的東西。§*～ **machìne**洗衣機。～ **sòda** 洗滌鹼；晶鹼(洗衣用的晶狀碳酸鈉)。

***Wash·ing·ton** [ˋwɑʃɪŋtən] *n.*①(亦作 **Washington D.C.**)華盛頓(美國之首都)。②華盛頓州(美國西北部之一州)。③華盛頓(George, 1732-99, 美國第一位總統)。

wásh·ing-up líquid [ˋwɑʃɪŋˏʌp ～] *n.* U〖英〗洗碗精。(〖美〗亦作 **dishwashing liquid**)

wash·out [ˋwɑʃˏaʊt] *n.* C①洪水的沖潰；沖潰的洞；決口。②失敗的人；被淘汰者。③〖俚〗失敗。

wash·room [ˋwɑʃˏrum] *n.* C 盥洗室；廁所；洗手間。

wash·stand [ˋwɑʃˏstænd] *n.* C 臉盆架；盥洗臺。

wash·tub [ˋwɑʃˏtʌb] *n.* C洗衣盆。

wash·y [ˋwɑʃɪ] *adj.*①(酒、飲料中)水分多的；淡薄的；稀薄的。②(顏色)淡的。③(文體)無力的；無生氣的。

‡**was·n't** [ˋwɑzn̩t, ˋwɑzn̩] ＝**was not.**

wasp [wɑsp] *n.* C①〖昆〗黃蜂；胡蜂。②易怒者；暴躁的人。

WASP, Wasp [wɑsp, wɔsp] *n.* C 盎格魯撒克遜系的白人(爲 White Anglo-Saxon Protestant 之略)。

wasp·ish [ˋwɑspɪʃ] *adj.* ①似黃蜂的。②蜂腰的；細腰的。③易怒的；脾氣壞的。④(文體)尖刻的。

was·sail [ˋwɑsl̩] *n.*① U 飲宴。② U 飲宴時所用之酒。③ C 舉杯飲酒時的祝詞(意爲「祝君健康」)。— *v.t.* & *v.i.*參加飲宴；舉杯祝賀。— *interj.* 祝君健康!

wast [wɑst] *v.* 〖古〗pt. of **be**(第二人稱，單數，直說法，與 thou 連用)。

wast·age [ˋwestɪdʒ] *n.* U(又作 a ～)消耗；消耗量[耗損]。

‡**waste** [west] *v.t.* ①浪費；徒耗。②消耗；耗損。③蹂躪；損毀；使荒廢。— *v.i.* ①耗損；衰弱。②被浪費。— *n.*① U (又作 a ～)浪費；徒耗；耗損。② U (又作 ～s)廢物；殘物。③ C (常 *pl.*)沙漠；荒地；荒野。***go*** [***run***] ***to*** ～ 被浪費；不被利用。— *adj.* ①無用的；廢棄的。②荒蕪的；不毛的。***lay*** ～蹂躪；使荒蕪。***lie*** ～ 荒蕪；未被開墾。§ ～ **pìpe** 廢水[廢氣]管。～ **pròduct** 製造過程中產生的廢物；廢料。

waste·bas·ket [ˋwestˏbæskɪt] *n.* C〖美〗廢紙簍；字紙簍。

***waste·ful** [ˋwestfəl] *adj.*浪費的；不經濟的。— **ly,** *adv.*

waste·land [ˋwestˏlænd] *n.* U C 荒蕪之地；不毛之地。(亦作 **waste land**)

waste·pa·per [ˋwestˏpepɚ] *n.* U 廢紙；紙屑。§ ～ **bàsket**〖英〗廢紙簍；字紙簍。

wast·er [ˋwestɚ] *n.* C①揮霍(時間、金錢等)的人。②〖英〗無用之人；浪子。③做壞了的東西；瑕疵品。④破壞者。

wast·ing [ˋwestɪŋ] *adj.* ①破壞健康的；消耗精力的。②消耗的；使弱的；漸減的。

wast·rel [ˋwestrəl] *n.* C ①浪費者。②無用之人；遊手好閒者；浪蕩子。

wat [wɑt] *n.* C (泰國等的)佛寺；寺廟。

‡**watch** [wɑtʃ] *v.t.* ①注意；看；注視；細心觀察。②照顧；看護。③注意等待。④監視。— *v.i.* ①注意；注視。②注意等待；守候。③看守；監看。④不眠；守夜。～ ***out***〖俗〗小心；提高警覺。*W-out* for cars when you cross the street.穿過街道時要注意來往車輛。～ ***over*** 監視；保護；看管。— *n.* ① U C 注意；留心；警戒；監視。② U (常 the ～, 集合稱)看守者；守夜者。③ U 值班。④ C 值班時間。⑤ C 錶。***be on the*** ～ 警戒。§ ～ **chàin** 錶鍊。～ **fìre** 作信號或取暖、照明用之營火。～ **glàss** 錶的玻璃面。～ **guàrd** 錶鍊；錶帶。～ **mèeting** 除夕之禮拜式(亦作 watch-night service)。～ **nìght** 除夕；除夕之禮拜。～ **pòcket** 放錶的小口袋；錶口袋。

watch·band [ˋwɑtʃˏbænd] *n.* C錶帶。

watch·dog [ˋwɑtʃˏdɔg] *n.* C①守望犬；警犬。②監視者；守望者。

watch·er [ˋwɑtʃɚ] *n.* C ①看守人；監視者。②〖美〗(投票所的)監票員。③徹夜不眠的照顧者；看護病人者；守靈的人。④觀測家。

***watch·ful** [ˋwɑtʃfəl] *adj.*注意的；警醒的〔of, against〕. — **ness,** *n.*

watch·mak·er [ˋwɑtʃˏmekɚ] *n.* C錶匠；修錶者。

W

watch·man [ˋwɑtʃmən] *n.* Ⓒ (*pl.* **-men**) 看守者；守夜者；巡夜者；更夫。

watch·out [ˋwɑtʃ,aʊt] *n.* Ⓤ 監視；留心守候。

watch·tow·er [ˋwɑtʃ,taʊɚ] *n.* Ⓒ 守望樓；更樓；瞭望臺。

watch·word [ˋwɑtʃ,wɝd] *n.* Ⓒ ①口令。②口號；標語。

wa·ter** [ˋwɔtɚ, ˋwɑtɚ] *n.* ① Ⓤ 水。② Ⓤ 身體中分泌之液體。③ **a.** Ⓒ (絲綢金屬等之)波紋。**b.** Ⓤ (寶石之)光澤。④ Ⓤ 水位；潮。⑤ Ⓤ 〖商〗超過資產實值的資本估計。⑥ Ⓤ (常 *pl.*) 流動的水；海浪；湖水；河水。⑦ Ⓒ 水彩畫。⑧ Ⓤ 水彩畫具。above*** ～ **a.**在水面上的。**b.**脫離困難的。***back*** ～ **a.**使船倒駛。**b.**逆行；反向而行。***be in deep*** ～***s*** 陷入極大的困境。***by*** ～ 乘船；由水路。***cast*** [***throw***] ***one's bread upon the*** ～***s*** 不求報酬做好事；積陰德。***get into***[***be in***]***hot*** ～ 陷於困難之境。***hold*** ～(理論)無漏洞；能站得住腳。***in low*** ～ 缺乏金錢；貧困。***in smooth*** ～ 處於順利進展之境。***like*** ～ 大量地；無節制地。***make*** ～ 解小便。***of the first*** ～ 最高度的；第一流的。***take*** (***the***)～ **a.**(動物、鳥、人等)游泳。**b.**(船)下水。**c.**乘船；出航。**d.**〖美西部〗突然離開。***throw cold*** ～ ***on***(***a plan, etc.***)對(計畫等)澆冷水。***written in*** ～ (名聲)瞬息即逝的。**—** *v.t.* ①灑以水；澆以水。②供以水；給以飲水。③攙以水。④沖淡；使缺乏力量。⑤〖商〗(發行無實際資產配合的新股票)虛報(資本)。⑥使有波紋。**—** *v.i.* ①(動物等)飲水。②(輪船、蒸汽機等)加水。③出水。④流口水。***make one's mouth*** ～ 使人垂涎。§ **the W: Bèarer**〖天〗寶瓶座。～ **bàllet** 水上芭蕾。～ **bèd** 水床。～ **bèetle**〖昆〗水棲甲蟲(如龍蝨等)。～ **bìrd** 水鳥；水禽。～ **blìster**(皮膚的)水腫；水泡。～ **bòttle** 水壺；水瓶。～ **bùffalo**〖動〗水牛。～ **cànnon** 高壓噴水裝置(用以驅散示威群眾)。～ **càrt** 送水車。～ **chùte**(乘小船從高斜處滑入水中的)滑行水路；水滑梯。～ **clòck** 水時計；滴漏。～ **clòset** (1)〖英〗有抽水設備的廁所。(2)抽水馬桶。(3)〖方〗浴室。～ **còlor** 水彩；水彩顏料。～ **cùre** (1)〖醫〗水療法。(2)〖俗〗(以水灌胃的)水刑。～ **gàp** 水峽。～ **gàte** 水門；水閘。～ **gàuge** 水位計；水錶。～ **glàss** (1)玻璃杯。(2)(水中看物用的)水鏡；水底觀察鏡。(3)水玻璃(亦作 waterglass)。～ **gùn** 玩具水槍。～ **hèater** 自動熱水器。～ **hòle** 積水處；小池塘。～ **lèvel** (1)水位；水平面。(2)水平器。～ **lìly**〖植〗荷花；(睡)蓮。～ **lìne** (1)船的吃水線；水線。(2)水量標(亦作 waterline)。～ **màin** 主輸水管；自來水總管。～ **mèter** 水表；水量計。～ **mìll** (1)水車；水(力)磨。(2)(利用水車的)製粉廠。～ **nỳmph** 水精；水中仙女。～ **pìpe** (1)輸[給]水管。(2)水煙筒。～ **pìstol** 玩具水槍(亦作 squirt gun)。～ **pòlo** 水球。～ **pòwer** 水力(亦作 waterpower)。～ **ràte**〖英〗自來水費。～ **skì** 滑水板。～ **skìing** 滑水運動。～ **snàke** 水蛇(無毒)。～ **spàniel** 水獵(用於獵水鴨的一種獵犬)。～ **supplỳ** 供水量；供水設備。～ **sỳstem** (1)(一河流之)水系。(2)(都市的)給水系統。～ **tàble** 地下水位。～ **tòwer** 水塔；(消防用)救火噴水塔。～ **wàgon** 供水車；灑水車。～ **wìngs**(初學游泳者置於腋下的)翼形浮袋。

wa·ter-borne [ˋwɔtɚ,born] *adj.* ①(傳染病)由飲用水媒介的。②由水路運送的。～ trade 水上貿易。

wa·ter·col·o(u)r [ˋwɔtɚ,kʌlɚ] *n.* ① Ⓤ (又作 a ～)水彩；水彩顏料。② Ⓒ 水彩畫。

wa·ter-cool [ˋwɔtɚ,kul] *v.t.* 以水循環流動而保持(引擎等)不太熱；以水冷卻。**—ed,** *adj.*

wa·ter·course [ˋwɔtɚ,kors] *n.* Ⓒ ①(河、溪等之)水流。②河床。③水路；運河。

wa·ter·craft [ˋwɔtɚ,kræft] *n.* ① Ⓒ 船舶。② Ⓤ 水上運動的技術(如操舟、游泳)。

wa·ter·cress [ˋwɔtɚ,krɛs] *n.* Ⓤ 〖植〗水甕菜(其葉可作沙拉)。

wa·tered-down [ˋwɔtɚdˋdaʊn] *adj.* ①用水稀釋的；摻水的。②斟酌過的；趣味性減少的。

***wa·ter·fall** [ˋwɔtɚ,fɔl] *n.* Ⓒ 瀑布。

wa·ter·fowl [ˋwɔtɚ,faʊl] *n.* Ⓒ (*pl.* ～**s,** ～)水鳥；水禽。

wa·ter·front [ˋwɔtɚ,frʌnt] *n.* Ⓒ (常 *sing.*) 濱水地方；湖邊[海岸]地區；河岸。

Wa·ter·gate [ˋwɔtɚ,get] *n.* ① Ⓤ 水門事件(美國政治醜聞，係因共和黨總統競選連任委員會於 1972 年 6 月 17 日，派遣五名工作人員前往水門大廈民主黨總部竊聽失風被捕而起，最後造成尼克森總統的辭職)。②(w-) Ⓒ 政治醜聞；(元首之)因醜聞而辭職。

wa·ter·ing [ˋwɔtərɪŋ, ˋwɑt-] *n.* Ⓤ Ⓒ ①灑水；澆水；灌水。②(綢等)有波狀光澤之表面。**—** *adj.* ①灑水的；澆水的；灌水的。②分泌淚或唾液的。③有礦泉或海水浴場的。§ ～ **càrt**＝water cart. ～ **plàce**[**hòle**] (1)有溫泉的地方；海水浴場。(2)(動物的)飲水處。(3)〖美〗喝酒的場所。～ **pòt**[**càn**] 灑水壺。

wa·ter·locked [ˋwɔtɚ,lɑkt] *adj.* 被水包圍的。

wa·ter-logged [ˋwɔtɚ,lɑgd] *adj.* ①(船)進水而不能操縱或行動遲緩的；進水的。②(地)被水浸透了的；泥濘的。

Wa·ter·loo [,wɔtɚˋlu] *n.* ①滑鐵盧(拿破崙1815年最後戰敗處)。② Ⓒ (常 *sing.*) 任何決定性的慘敗。***meet one's*** ～ 慘敗。

wa·ter·man [ˋwɔtəmən] *n.* Ⓒ (*pl.* **-men**) 船夫；水手；槳手。

wa·ter·mark [ˋwɔtɚ,mɑrk] *n.* Ⓒ ①(壓印在紙裡的)透明花紋；浮水印。②水位標；水量標。**—** *v.t.* 印透明花紋(於紙上)。

wa·ter·mel·on [ˋwɔtɚ,mɛlən] *n.* ① Ⓤ Ⓒ 西瓜。② Ⓤ 〖植〗西瓜藤。

*__wa·ter·proof__ [ˋwɔtəˋpruf] *adj.* 不透水的。**—**[ˋwɔtə͵pruf] *n.* ① Ⓒ 雨衣。② Ⓤ 防水布。**—** *v.t.* 使不透水。
__wa·ter-re·pel·lent__ [ˋwɔtərɪˋpɛlənt] *adj.* (布料等)有排水性(但非完全防水)的。
__wa·ter-re·sist·ant__ [ˋwɔtərɪˋzɪstənt] *adj.* 抗水(但非完全防水)的。
__wa·ter·shed__ [ˋwɔtə͵ʃɛd] *n.* Ⓒ ①分水線；分水嶺。②流域。
__wa·ter·side__ [ˋwɔtə͵saɪd] *n.* (the ～)①水邊。②河畔；海濱；湖岸。
__wa·ter·sol·u·ble__ [ˋwɔtə͵sɑljəbl] *adj.* 可溶於水的；水溶性的。
__wa·ter·spout__ [ˋwɔtə͵spaut] *n.* Ⓒ ①(引導屋簷雨水流至地面之)排水管；水筧。②噴水管；噴水口。③龍捲風掠過海洋所掀起之水柱；旋雲筒。
__wa·ter·tight__ [ˋwɔtəˋtaɪt] *adj.* ①不漏水的。②無懈可擊的；十全十美的。
__wa·ter·way__ [ˋwɔtə͵we] *n.* Ⓒ 水道；航路；船上甲板兩旁之排水溝。
__wa·ter·wheel__ [ˋwɔtə͵hwil] *n.* Ⓒ 水車；灌溉用的戽水車。(亦作 **water wheel**)
__wa·ter·works__ [ˋwɔtə͵wɜks] *n.* ①(作 *pl.* or *sing.*解)給水裝置。②(作 *sing.*解)自來水廠的抽水站或淨水站。
__wa·ter·worn__ [ˋwɔtə͵worn] *adj.*被流水磨平了的。
__wa·ter·y__ [ˋwɔtərɪ] *adj.*①水的；與水有關的。②含水的；充滿水的。③含淚的。④似水的；淡薄的；無味的。⑤(天空等)有雨意的。⑥(言談)無趣的；(文章、思想等)缺乏內容的。⑦在海底的。— **wa′ter·i·ness,** *n.*
__watt__ [wɑt] *n.* Ⓒ 瓦特；瓦(電力單位)。
__Watt__ [wɑt] *n.*瓦特(James, 1736-1819, 蘇格蘭工程師，蒸氣機的發明人)。
__watt·age__ [ˋwɑtɪdʒ] *n.* Ⓤ (又作 a ～) 瓦特數；瓦數。
__watt-hour__ [ˋwɑtˋaur] *n.* Ⓒ〖電〗瓦特小時(一瓦特電力一小時所做之功，爲電功或能量之單位)。(亦作 **watthour**)
__wat·tle__ [ˋwɑtl̩] *n.* ① Ⓒ (常 *pl.*) 編條；枝條(用作籬笆、圍牆或屋頂等)。②(*pl.*)構成草頂房屋屋頂支架之杆條。③ Ⓒ 細枝；嫩枝；棍；杖。④ Ⓒ (雞、火雞等之)肉垂。**—** *v.t.*①以枝條捆紮；圍以藤。②交互編織；編(枝條)。③編結(屋頂、籬笆等)。— **wat′tled,** *adj.*

W

‡__wave__ [wev] *n.* Ⓒ ①波；波浪。②波動；起伏；波紋；(頭髮的)波浪形。③揮動。④(音、光、電等之)波。⑤(情感、情勢等)一時的激昂高漲。⑥〖氣象〗波；波浪(指氣波)。**—** *v.t.*①揮動。②使鬈曲；使有波紋。**—** *v.i.* ①波動；飄動。②揮動；揮手。③鬈曲。§ ～ **bànd**(電視、廣播的)波帶；波段。～ **lèngth**〖理〗波長。
__wave·let__ [ˋwevlɪt] *n.* Ⓒ 微波；小浪。
*__wa·ver__[1] [ˋwevə] *v.i.* ①擺動；搖曳。②躊躇；猶豫；動搖。③顫抖。**—** *n.* Ⓤ 擺動；躊躇；搖曳。
__wa·ver__[2] *n.* Ⓒ ①揮舞之人或物。②燙髮師。③〖印刷〗墨軸；墨滾。④鬈曲頭髮用之針等。
__wav·y__ [ˋwevɪ] *adj.* ①波動的；起伏的；波狀的。②多浪的。③動搖的；不穩的。
*__wax__[1] [wæks] *n.* ① Ⓤ Ⓒ 蠟；蜜蠟；蜂蠟。② Ⓤ 似蜂蠟之物。③ Ⓤ 地板蠟。～ ***in one's hands***完全受人擺布的人。**—** *v.t.* 塗以蠟。**—** *adj.* 蠟的；用蠟作的。§ ～ **clòth** 蠟布；油布。～ **gòurd** 冬瓜。～ **musèum** 蠟像館。～(**ed**) **pàper** 蠟紙(用以防潮濕者)。— **er,** *n.* — **like,** *adj.*
__wax__[2] *v.i.* ①增大；增長；(月亮)漸滿(爲 wane 之對)。② 逐漸變爲。
__wax__[3] *n.* (a ～)〖英俗〗陣怒；盛怒。
__wax·en__ [ˋwæksn̩] *adj.*①蠟製的；塗蠟的。②蠟狀的；蒼白的；蠟黃的。③(性情)柔順的；易受感動的。
__wax·wing__ [ˋwæks͵wɪŋ] *n.* Ⓒ 連雀。
__wax·work__ [ˋwæks͵wɜk] *n.* ① Ⓒ 蠟製品；蠟人。②(*pl.*, 常作 *sing.* 解)蠟人展覽；蠟像館。
__wax·y__ [ˋwæksɪ] *adj.* ①似蠟的；蠟狀的。②塗蠟的；含蠟的；蠟製的。③蒼白的。④柔軟的；柔順的。
‡__way__ [we] *n.* ① Ⓒ 道路；路。②(*sing.*)路程；行程；距離。③(*sing.*)方面；方向。④ Ⓒ (常*sing.*)通路；經過的路。⑤ Ⓤ〖俚〗方位；一帶；附近。He lives somewhere London ～. 他住在倫敦附近。⑥ Ⓒ 方法；手段；做法。⑦ Ⓒ (個人的)做法；作風。⑧ Ⓒ (常 *pl.*) (社會的)風氣；習慣；慣例。⑨ Ⓒ (in ～)方面；點。⑩ Ⓒ (in ～)行業。He is in the grocery ～. 他經營雜貨業。⑪(a ～)健康狀態。***by the*** ～ **a.**在途中；順路。**b.**順便地；附帶說說；卻說；可是(用以改變話題的口頭語)。***by*** ～ ***of*** **a.**經過；由(=via). **b.**意在；當作。***come*** [***fall***] ***one's*** ～發生於某人身上。***gather*** [***lose***]～(船)增加[減低]速度。***give*** ～ **a.**後退；退讓；讓路。**b.**崩坍；垮掉；折；裂。**c.**屈服。***go a long*** [***good***]～大有助益；很有用。***go one's own*** ～獨斷獨行；一意孤行。***go one's*** ～ 離去。***go out of the*** [***one's***]～ ***to***逸出常規；特地。***have one's*** (***own***)～隨心所欲。***in a small*** ～ 小規模地。***in a*** ～有一點點；在某些方面。***in no*** ～決不。***in the family*** ～ 懷孕。***in the*** ～阻礙；妨礙。***in the*** ～ ***of*** **a.**處於做…的有利地位。**b.**關於；有關。***make one's*** ～ **a.**前進。**b.**努力上進；成功。***make*** ～ **a.**讓路。**b.**前進。***once in a*** ～有時；間或(=once in a while).***out of the*** ～ **a.**礙事。**b.**離正途的。**c.**不尋常的；奇特的。***see one's*** ～ 願意。***take one's*** ～ 離開。***under*** ～正在進行中。～***s and means*** 手段；方法。**—** *adv.* 〖俗〗老遠地。§ ～ **ín**〖英〗(地下鐵、戲院等之)入口。～ **óut** (1)〖英〗出口；太平門。(2)解決之道。～ **stàtion**〖美〗(快車等經過而不停之)小站。～ **tràin** 每站皆停之慢車。
__way·bill__ [ˋwe͵bɪl] *n.* Ⓒ ①運貨單。②乘客名單。(略作 **W.B., W/B**)
__way·far·er__ [ˋwe͵fɛrə] *n.* Ⓒ 徒步旅行者。
__way·far·ing__ [ˋwe͵fɛrɪŋ] *n.* Ⓤ &

adj. 徒步旅行(的)。

way·lay [ˌweˋle] v.t. (**-laid**) ①路劫; 半路埋伏。②攔截。

***way·side** [ˋweˌsaɪd] n. (the ～) & adj. 路邊(的); 道旁(的)。

way·ward [ˋwewəd] adj. ①剛愎的; 頑強的; 任性的。②不規則的; 不穩的。—**ly,** adv. —**ness,** n.

‡**we** [wi, wɪ] pron. pl. of **I.** 我們。

‡**weak** [wik] adj. ①虛弱的; 軟弱的。②(器官、五官)不正常的。③不牢的; 不堅的; 不穩固的。④缺乏力量的; 缺乏權威的。⑤缺乏道德力量的; 意志薄弱的。⑥愚蠢的。⑦微弱的; 低微的。⑧(茶、咖啡、酒等)稀薄的; 淡薄的。⑨(證據)不充分的。⑩〖語音〗弱讀的。⑪〖文法〗(動詞)變化規則的。⑫(股票價格)欲振乏力的; 價格有下跌趨向的。§～ **síster**〖俚〗(1)拿不定主意的人。(2)弱的一環; 破壞全局的部分。

***weak·en** [ˋwikən] v.t. ①使弱; 削弱。②使稀薄; 使淡。— v.i. 變弱; 衰弱。

weak-kneed [ˋwikˋnid] adj. ①易屈服的。②優柔寡斷的。

weak·ling [ˋwiklɪŋ] n. Ⓒ孱弱之人或動物; 弱者。

weak·ly [ˋwiklɪ] adv. & adj. 軟弱地[的]; 虛弱地[的]。

weak-mind·ed [ˋwikˋmaɪndɪd] adj. 懦弱的; 優柔寡斷的; 低能的。

***weak·ness** [ˋwiknɪs] n. ①Ⓤ虛弱; 柔弱; 怯懦。②Ⓒ弱點; 缺點。③Ⓒ偏好; 溺愛; 癖嗜。

weal[1] [wil] n. Ⓤ幸福; 福利。*in ～ and woe* 無論是福是禍。

weal[2] n. Ⓒ鞭痕; 條痕。

‡**wealth** [wɛlθ] n. ①Ⓤ財富; 財產。②(the ～, a ～)豐富; 多量。a ～ of learning 豐富的學識。

***wealth·y** [ˋwɛlθɪ] adj. 富的; 富裕的; 富有的。

wean [win] v.t. ①使斷乳。②使戒絕; 使棄絕。

wean·ling [ˋwinlɪŋ] n. Ⓒ剛斷乳之嬰兒或小動物。

‡**weap·on** [ˋwɛpən] n. Ⓒ①兵器; 武器。②做爲武器的手段。

weap·on·ry [ˋwɛpənrɪ] n. Ⓤ兵器; 軍備。nuclear ～ 核子武器。

‡**wear** [wɛr] v.t. (**wore, worn**) ①穿; 著; 戴; 佩。②蓄。③帶有。She was ～*ing* an innocent smile. 她帶著天眞的笑容。④穿舊; 耗損; 磨損。⑤由磨擦沖擊等而造成(破洞)。⑥使疲乏; 使疲弱。⑦(船)掛(旗)。⑧過; 打發〔常 away, out〕. — v.i. ①耐用; 耐久。②**a.**耗損; 磨損。**b.**(逐漸損耗)變破舊。③經得起考驗。④(時間)消逝; 流逝。～ *away* **a.**磨損。**b.**消磨(時間)。～ *down* **a.**磨掉。**b.**克服。**c.**使疲倦。～ *off* **a.**消滅。**b.**磨掉。～ *out* **a.**(使)筋疲力竭。**b.**穿壞; 破損。**c.**(使)耗盡。I have *worn out* my patience. 我的忍耐已經到了限度。— n. Ⓤ①穿著; 佩帶。②衣服類; 穿戴物。③磨損; 耗損; 穿舊。④耐久(性); 耐用(性)。～ *and tear* 磨損; 損耗。

wear·a·ble [ˋwɛrəbl] adj. ①可穿的; 可佩帶的。②耐用的。— n. Ⓒ(常pl.)衣服。

wear·er [ˋwɛrə] n. Ⓒ①穿用者; 佩帶者。②消耗物。

wea·ri·ly [ˋwɪrɪlɪ] adv. ①疲倦地; 疲勞地。②厭煩地。

wea·ri·ness [ˋwɪrɪnɪs] n. Ⓤ①疲勞; 疲倦。②厭倦。

***wea·ry** [ˋwɪrɪ, ˋwirɪ] adj. ①疲倦的; 疲勞的。②厭倦的。③令人疲倦的; 令人厭煩的。④不耐煩的〔常 of〕. — v.t. ①使疲倦。②使厭煩。— v.i. ①疲倦。②厭煩〔of〕. ③渴望; 思念。—**wea′ri·some,** adj.

wea·sel [ˋwizḷ] n. Ⓒ①鼬; 黃鼠狼。②狡猾的人。— v.i. ①躲避(義務、職務)〔常 out〕. ②使用模稜兩可的語言。§～ **wòrd** 模稜兩可的字; 遁辭。

‡**weath·er** [ˋwɛðə] n. Ⓤ天氣; 氣象。*make heavy* ～ **a.**(船)遭遇暴風而猛烈顚簸。**b.**考慮過多; 庸人自擾。*under the* ～〖俗〗**a.**病的; 身體不適的。**b.**患宿醉的。**c.**微有酒意的。— v.t. ①曝露; 曬乾; 風乾。②平安度過危險等。③航行至…之上風。— v.i. ①因曝曬而褪色; 能耐曝露於日光、風、雨等。②經過風暴、危險、困難而安全脫險〔常 through〕. — adj. 當風的; 頂風的。§ **W～ Bùreau**〖美〗氣象局。～ **chàrt** [**màp**]氣象圖; 天氣圖。～ **èye** (1)能敏銳看出氣候變化跡象的眼睛。(2)對環境[情況]變化的敏銳觀察。～ **fòrecast** 氣象[天氣]預報。～ **gàuge** [**gàge**] (一船對他船)居上風之地位; 有利地位。～ **ràdar** 氣象雷達。～ **repòrt** 氣象報告。～ **sátellite** 氣象衛星。～ **shìp** 氣象觀測船。～ **stàtion** 氣象臺。～ **strìp** (防風雨滲進而裝的)遮縫防雨片。～ **vàne** 風標; 風向計。

weath·er-beat·en [ˋwɛðəˌbitn̩] adj. ①飽經風吹雨打的; 飽經風吹日曬的。②飽經風霜的; 老練的。

weath·er·board [ˋwɛðəˌbord] n. ①Ⓒ上風舷。②Ⓤ擋雨板。— v.t. 給…裝擋雨板。

weath·er·board·ing [ˋwɛðəˌbordɪŋ] n. Ⓤ①安裝擋雨[封簷]板。②(集合稱)擋雨板。

weath·er-bound [ˋwɛðəˌbaund] adj. 爲風雨所阻的。

weath·er·cast [ˋwɛðəˌkæst] n. Ⓒ氣象報告。

weath·er·cast·er [ˋwɛðəˌkæstə] n. Ⓒ(電視、廣播電臺的)氣象播報員。

weath·er·cock [ˋwɛðəˌkak] n. Ⓒ①風標; 風信雞。②見風轉舵的人。

weath·ered [ˋwɛðəd] adj. ①因曝露而風乾[變色]的。②(岩石等)風化的。③〖建〗(窗檻等)傾斜以防聚水的。

weath·er·glass [ˋwɛðəˌglæs] n. Ⓒ指示大氣狀況之儀器(如晴雨計、溫度計、氣壓表等)。

weath·er·ize [ˋwɛðəˌraɪz] v.t. 增強(房屋)禦寒效果。

weath·er·man [ˋwɛðəˌmæn] n. Ⓒ(pl. **-men**) ①〖俗〗氣象播報員。②〖美〗氣象局職員。③(W-)〖美〗氣象派

成員(指20世紀60年代一激進組織的成員)。

weath·er·proof [ˋwɛðɚˋpruf] *adj.* 耐風雨的。

weath·er-wise [ˋwɛðɚ͵waɪz] *adj.* ①善於預測天氣的。②對於輿論等變化敏感的。

weath·er·worn [ˋwɛðɚ͵worn] *adj.* 爲風雨剝蝕的; 飽經風霜的。

weave** [wiv] *v.t.* (**wove, wo·ven** or **wove**)①織;編。②織成;結(網)。③撰作;編排。④使迂迴行進。— *v.i.* ① 編織。②迂迴前進。～ ***one's way 迂迴而行。— *n.* Ⓤ (又作 a ～)編[織]法。

weav·er [ˋwivɚ] *n.* Ⓒ 織者; 織工。

***web** [wɛb] *n.* Ⓒ ①織物; 布。②(蜘蛛等之)網。③一疋布。④網狀物。⑤蹼。⑥薄金屬片。⑦〖印刷〗一卷紙。⑧捏造的謊言等。a ～ of lies 一篇謊話。⑨(W-)〖電算〗全球資訊網路(World Wide Web). § **W∸ brówser**全球資訊網路瀏覽器。**W∸ sìte** 網站。

webbed [wɛbd] *adj.*①交織成網狀的。②有蹼的。

web·bing [ˋwɛbɪŋ] *n.* Ⓤ ①(用作馬之腹帶等的)帶子。②(地毯等之)厚邊。

web-foot·ed [ˋwɛbˋfutɪd] *adj.* (有)蹼足的。

Web·ster [ˋwɛbstɚ] *n.* 韋伯斯特(Noah, 1758-1843, 美國作家及著名的字典編輯家)。

***wed** [wɛd] *v.t.* (**wed·ded** or **wed, wed·ding**) ①與…結婚; 嫁給; 娶。②使結合; 使兼具。— *v.i.* 結婚; 結合。〔注意〕 **wed** 和 **marry** 完全同義, 不過 wed 是古語和典雅的用語。

‡**we'd** [wid] ＝**we had; we should; we would.**

Wed. Wednesday.

wed·ded [ˋwɛdɪd] *adj.*① 已結婚的。②婚姻的。③結爲一體的。④專心一致的; 執著的。

***wed·ding** [ˋwɛdɪŋ] *n.* Ⓒ ①結婚; 婚禮。②結婚紀念日。§ **∸ càke** 結婚蛋糕; 喜餅。**∸ càrd** [**invitàtion**]喜帖。**∸ cèremony** 結婚典禮。**∸ chèst** 新娘妝奩的箱子。**∸ dày** 舉行婚禮之日; 結婚紀念日。**∸ drèss** (新娘的)結婚禮服。**∸ màrch** 結婚進行曲。**∸ rìng** [**bànd**]結婚戒指。

W

***wedge** [wɛdʒ] *n.* Ⓒ ①楔。②似楔之物。— *v.t.* ①把楔打進…中。②用楔子劈開; 用楔子固定。③揷楔於已鋸之樹木使其倒下。

wed·lock [ˋwɛdlɑk] *n.* Ⓤ 婚姻(生活)。

‡**Wednes·day** [ˋwɛnzdɪ] *n.* 星期三。

wee [wi] *adj.*①極小的; 微小的。②極早的; 很早的。

***weed** [wid] *n.* Ⓒ ①雜草; 莠草。②〖俗〗雪茄; 香煙。③瘦弱的人或動物。— *v.t.*①除去(某地)的雜草。②除去(雜草); 淘汰(無用或劣等的人、物)〔out〕. — *v.i.* 除雜草。§ **∸ kìller**除草劑。

weed·er [ˋwidɚ] *n.* Ⓒ ①除草人。②除草機。

weed·y [ˋwidɪ] *adj.*①多雜草的。②像雜草的。③(人)高瘦而弱的。

‡**week** [wik] *n.* Ⓒ ①星期; 週。②星期日以外的六天; 作業日。***this day*** [***today***] ～ 上[下]星期的今天。～ ***in,*** ～ ***out*** 一星期又一星期地; 接連許多星期。

***week·day** [ˋwik͵de] *n.* Ⓒ 平日; 週日。— *adj.* 平日的; 週日的。

week·days [ˋwik͵dez] *adv.* 每天地(尤指星期一至星期五)。

‡**week·end** [ˋwikˋɛnd] *n.* Ⓒ ① 週末(通常自星期五下午至星期日晚間)。②週末派對。— *adj.*週末的。— *v.i.* 度週末。

week·end·er [ˋwik͵ɛndɚ] *n.* Ⓒ ①週末度假的人。②週末客人。

week·ends [ˋwik͵ɛndz] *adv.* 每週末。

***week·ly** [ˋwiklɪ] *adj.*①一週的; 一星期的。②每週的; 每週一次的。③週刊的。— *adv.*每週一次地; 每週地。— *n.* Ⓒ 週刊; 週報。

‡**weep** [wip] *v.i.* (**wept**) ① 哭泣; 流淚。～ for joy 喜極而泣。②流; 滴落。③滲出水滴。④低垂。— *v.t.*①爲…而哭泣; 哀悼; 悲歎。②流(淚); 落(淚)。③使滲出水滴。— *n.* Ⓒ (常 *pl.*)哭泣。§ **∸ hòle**(牆等的)排水孔。

weep·ing [ˋwipɪŋ] *adj.*①哭泣的; 流淚的。②垂枝的。③滲出的; 滴下的。§ **∸ wíllow** 垂柳。

wee·vil [ˋwivḷ] *n.* Ⓒ 象鼻蟲; 蛄蟹。

wee·wee [ˋwi͵wi] *n.* Ⓒ〖兒〗噓噓; 小便。— *v.i.*小便。

weft [wɛft] *n.* (the ～, 集合稱)〖紡〗緯線; 橫經之線(爲 warp 之對)。

‡**weigh** [we] *v.t.*①稱…的重量; 把…置於秤上; 估量…的輕重。②考慮; 斟酌; 權衡。③壓下。④起(錨)。— *v.i.*①重(若干)。I ～ 100 pounds. 我體重一百磅。②具有重要性; 重要。③重壓; 壓迫。④起錨。～ ***in*** **a.**(拳手等)比賽前之稱體重。**b.**(騎師)賽馬後之稱體重。～ ***on*** 成爲…的負擔。～ ***one's words*** 斟酌用字。～ ***out***(騎師)賽馬前之稱體重。

weigh·house [ˋwe͵haus] *n.* Ⓒ 貨物重量檢驗所; 過秤處; 過磅處。

weigh·man [ˋwemən] *n.* Ⓒ (*pl.* **-men**)①過磅員。②〖礦〗(據礦工所採煤量多寡而計酬的)稱量員。

‡**weight** [wet] *n.* ①Ⓤ 重; 體重; 重量。②Ⓒ 錘; 砝碼。③Ⓤ 度量衡制度。④Ⓒ 重量單位。⑤Ⓒ 重物; 鎭石。⑥Ⓒ (常 *sing.*)重負; 重壓。⑦ Ⓤ 重要性; 勢力。***by*** ～ 論重(賣等); 依重量計算。***carry*** ～ 有分量; 受重視。***pull one's*** (***own***)～ 盡自己的本分; 做好自己的份內事。***throw one's*** ～ ***around*** [***about***] 〖俗〗倚勢凌人。～***s and measures*** 度量衡。— *v.t.*①加重; 附以重物; 使負重荷。②攙礦物質(在織品、絲等內)使其重量增加。③使苦惱。④使增加重要性。§ **∸ lìfter** 舉重運動員。**∸ lìfting** 舉重。**∸màn**(投鏈球、鉛球等之)投擲運動員。

weight·ed [ˋwetɪd] *adj.* ①加重的; 負重的; 載貨的。②偏重…的; 對…有利的。

weight·less [ˋwetlɪs] *adj.* 無重量的。

weight·watch·er [ˋwet͵wɑtʃɚ] *n.* Ⓒ 節食者; 減肥者。
weight·y [ˋwetɪ] *adj.* ①重的。②累人的; 煩重的。③重要的; 有力的。④有影響力的。
weir [wɪr] *n.* Ⓒ ①堰。②魚梁(爲捕魚順水勢所設之柵)。
weird [wɪrd] *adj.* ①非人世所有的; 超乎事理之外的(=unearthly); 不可思議的; 奇異的。②命運的。— *n.* ① Ⓤ 〖蘇〗命運。② Ⓒ 預言家。§ **W- Sísters** 掌握命運之三女神。
weird·ie, weird·y [ˋwɪrdɪ] *n.* Ⓒ 〖俚〗怪人; 怪事。
weird·o [ˋwɪrdo] *n.* Ⓒ (*pl.* **~s**) = **weirdie.**
‡**wel·come** [ˋwɛlkəm] *interj.* 歡迎。*W-* home! 歡迎你回家! — *n.* Ⓒ ①歡迎。②款待; 接待。— *v.t.* 歡迎; 款待; 樂意接受。— *adj.* ①受歡迎的。②可隨便享用的; 可任意使用的。③無任何約束的; 無任何義務的(對表示謝意的人之謙虛話)。You're quite ~. 不用客氣; 不用謝。§ ~ **màt**(置於門口, 印有Welcome字樣的)踏墊。
weld [wɛld] *v.t.* ①鎔接; 焊接; 鍛接。②密結; 結合。— *v.i.* 鎔接; 焊接; 鍛接。— *n.* Ⓒ ①鎔接之接頭; 接合處。②鎔接。
***wel·fare** [ˋwɛl͵fɛr, -͵fær] *n.* Ⓤ 福祉; 福利; 安寧; 幸福。social ~ 社會福利。§ ~ **fùnd** 員工福利基金。~ **mòther**〖美〗靠福利救濟金養育子女的母親。~ **stàte** 福利國家(各種社會福利制度完善的國家)。~ **wòrk** 救濟事業。~ **wòrker** 從事救濟事業者。
wel·kin [ˋwɛlkɪn] *n.* (the ~)〖詩〗蒼穹; 天空(=sky)。
‡**well**[1] [wɛl] *adv.* (**bet·ter, best**) ①良好地; 很好地。②徹底地; 全然地; 充分地。③甚; 頗; 頗多地。④適當地; 有理由地; 很可以地。You may ~ say so. 你很有理由這樣說。⑤詳細地; 週全地。*as* ~ **a.**也; 同樣地。**b.**此外。*as* ~ *as* **a.**同; 和; 不僅; 除…外。**b.** 同樣好。*do* ~ 有好處; 最好還是。*live* [*do oneself*]~生活優裕。*stand* ~ *with* 中…之意。— *adj.* (**bet·ter, best**) ①健康的; 安好的。②好的; 良好的; 適宜的。(*all*) ~ *and good* 好吧; 就這樣吧。*It is all very ~, but....* 那的確很好, 可是…(表不滿或不贊成之反語)。*let ~ (enough) alone* 那樣就很好了, 別去管它。~ *enough* 相當好。— *interj.* 表示驚愕、同意、安慰、期待、允諾、讓步等的溫和的感歎詞。*W-*, here we are at last. 好了, 我們終於到了。
***well**[2] *n.* Ⓒ ①井。②泉。③泉源; 來源。④井孔(裝於建築物的中間, 從頂層到底層, 以安設樓梯及電梯)。⑤船上安裝抽水機之房間。⑥(法庭的)律師席。— *v.i.* 湧出; 噴出; 流出。§ ~ **sìnker** 鑽井者; 鑿井者。~ **swèep** 汲井水用的長桿。~ **wàter** 井水。
‡**we'll** [wil] =**we shall; we will.**
well-ad·vised [ˋwɛlədˋvaɪzd] *adj.* 審愼的; 深思熟慮的。
well-ap·point·ed [ˋwɛləˋpɔɪntɪd] *adj.* 裝備完善的; 配備齊全的。
well-bal·anced [ˋwɛlˋbælənst] *adj.* ①(精神上)正常的; 意識健全的。②均衡的。
well-be·haved [ˋwɛlbɪˋhevd] *adj.* 行爲端正的; 循規蹈矩的。
***well-be·ing** [ˋwɛlˋbiɪŋ] *n.* Ⓤ 健康; 幸福; 康樂。
well·born [ˋwɛlˋbɔrn] *adj.* 出身名門的。
well-bred [ˋwɛlˋbrɛd] *adj.* ①有教養的; 有禮貌的。②(馬等)良種的。
well-built [ˋwɛlˋbɪlt] *adj.* ①堅固的; 結實的。②〖俗〗肌肉發達、身材均勻的。
well-con·duct·ed [ˋwɛlkənˋdʌktɪd] *adj.* 行爲良好的。
well-con·nect·ed [ˋwɛlkəˋnɛktɪd] *adj.* 出身名門的; 與望族血統有關係的。
well-de·fined [ˋwɛldɪˋfaɪnd] *adj.* 定義明確的; 淸晰的。
well-dis·posed [ˋwɛldɪsˋpozd] *adj.* 懷好意的; 親切的; 性情很好的。
well-done [ˋwɛlˋdʌn] *adj.* ①做得好的; 做得出色的。②完全煮熟了的。— *interj.* 好! 做得好!
well-dressed [ˋwɛlˋdrɛst] *adj.* ①穿著體面的。②(烹調、修剪等)合宜的。
well-es·tab·lished [ˋwɛləsˋtæblɪʃt] *adj.* (習慣等)已被大眾接受的; 已建立地位的。
well-fa·vo(u)red [ˋwɛlˋfevɚd] *adj.* 漂亮的; 貌美的。
well-fed [ˋwɛlˋfɛd] *adj.* 營養充足的; 肥胖的。
well-fixed [ˋwɛlˋfɪkst] *adj.* 有錢的; 富有的。
well-found·ed [ˋwɛlˋfaʊndɪd] *adj.* 有充分根據的; 有充分理由的。
well-groomed [ˋwɛlˋgrumd] *adj.* 被修飾得十分整潔的; 衣著考究的。
well-ground·ed [ˋwɛlˋgraʊndɪd] *adj.* ①有充分理由的; 有充分根據的。②(對某學科)根底好的; 基礎好的。
well·heeled [ˋwɛlˋhild] *adj.* 〖俚〗富有的; 有錢的。
well-in·formed [ˋwɛlɪnˋfɔrmd] *adj.* ①見聞廣博的。②消息靈通的。
Wel·ling·ton [ˋwɛlɪŋtən] *n.* ①威靈頓(Arthur Wellesley, 1769-1852, 在滑鐵盧擊敗拿破崙的英國名將)。②威靈頓(紐西蘭首都)。
well-in·ten·tioned [ˋwɛlɪnˋtɛnʃənd] *adj.* (出自)善意的。
well-kept [ˋwɛlˋkɛpt] *adj.* 保管妥當的。
well-knit [ˋwɛlˋnɪt] *adj.* ①結實的; 堅牢的。②組織嚴密的。
***well-known** [ˋwɛlˋnon] *adj.* 著名的; 爲大家所熟知的。
well-man·nered [ˋwɛlˋmænɚd] *adj.* 有禮貌的; 舉止得體的。
well-marked [ˋwɛlˋmɑrkt] *adj.* 可淸楚識別[分辨]的; 明顯的; 明確的。
well-matched [ˋwɛlˋmætʃt] *adj.* 配合得很好的; (夫妻等)相配的。
well-mean·ing [ˋwɛlˋminɪŋ] *adj.* ①(人)善意的; 好心的。②(行爲等)出自善意的(亦作 **well-meant**).

W

well-nigh [ˋwɛlˋnaɪ] *adv.* 〖文〗殆; 幾乎(=almost).

well-off [ˋwɛlˋɔf] *adj.* ①富裕的。②在優越狀態中的; 處於順境的。

well-pre·served [ˋwɛlprɪˋzɜvd] *adj.* ①保存得很好的。②保養得很好的; 顯得年輕的。

well-read [ˋwɛlˋrɛd] *adj.* 博覽的; 博學的。

well-round·ed [ˋwɛlˋraʊndɪd] *adj.* ①豐滿的。②涵蓋多方面的; 面面俱到的。

Wells [wɛlz] *n.* 威爾斯 (Herbert George, 1866-1946, 英國小說家、歷史家及社會學家)。

well-spo·ken [ˋwɛlˋspokən] *adj.* ①說話流利的。②善於辭令的。③(話)得體的。

well·spring [ˋwɛl,sprɪŋ] *n.* Ⓒ ①水源。②來源。

well-thought-of [ˋwɛlˋθɔt,ɑv] *adj.* 名聲名好的; 聲望高的。

well-timed [ˋwɛlˋtaɪmd] *adj.* 時機正好的; 正合時宜的。

well-to-do [ˋwɛltəˋdu] *adj.* 富裕的。

well-wish·er [ˋwɛl,wɪʃɚ] *n.* Ⓒ 祝福者。

well-worn [ˋwɛlˋworn] *adj.*①十分破舊的。②陳腐的; 平凡的。

welsh [wɛlʃ] *v.t. & v.i.*〖俚〗①(賽馬賭輸)不付賭金溜掉; 賴債。②逃避義務(有時 on).

***Welsh** [wɛlʃ, wɛltʃ] *adj.* 威爾斯(Wales)的; 威爾斯人[語]的。— *n.*①(the ~, 集合稱)威爾斯人。② Ⓤ 威爾斯語。§ ~ **córgi** 威爾斯柯基犬(威爾斯產的一種狐頭矮腳狗)。~ **rábbit** [**rárebit**] 威爾斯乳酪。

Welsh·man [ˋwɛlʃmən, ˋwɛltʃmən] *n.* Ⓒ (*pl.* **-men**) 威爾斯人。

welt [wɛlt] *n.* Ⓒ ①〖俗〗條痕。②〖俗〗痛打。③(鞋底和鞋面接縫間的)革條。④鑲邊; 貼邊。— *v.t.*①加以革條或貼邊。②〖俗〗重笞; 痛打。

wel·ter [ˋwɛltɚ] *v.i.*①(海浪等)澎湃; 洶湧。②翻滾。③沈浸; 耽溺。— *n.* (*sing.*)①澎湃; 洶湧; 翻滾。②騷動; 混亂; 紛擾。

wel·ter·weight [ˋwɛltɚ,wet] *n.* Ⓒ ①輕中量級之拳擊者或角力者(體重在 136 與 147 磅之間)。②(舉行跳欄賽馬時)加在馬身上的特別重量(28 磅)。

wen [wɛn] *n.* Ⓒ 〖醫〗皮脂腺囊腫。

wench [wɛntʃ] *n.* Ⓒ ①少女; 少婦。②鄉婦; 僕婦。

wend [wɛnd] *v.t.* (**wend·ed** or 〖古〗**went**)〖詩〗向…而進; 去。— *v.i.* 行; 前進。

‡**went** [wɛnt] *v.* pt. of **go.**

‡**wept** [wɛpt] *v.* pt. & pp. of **weep.**

‡**were** [ˋwɜ, ˏwɜ] *v.*① pt. of **be**(複數, 及第二人稱, 單數, 直說法)。② past subjunctive of **be**(第一、二、三人稱, 單複數, 假設法的過去式)。

‡**we're** [wir, ˋwɪr] =**we are.**

‡**weren't** [wɜnt] =**were not.**

wert [wɜt] *v.*〖古〗be 之第二人稱, 單數, 過去式, 直說法或假定法(與 thou 連用, 猶今之 were).

wer(e)·wolf [ˋwɪr,wʊlf] *n.* Ⓒ (*pl.* **-wolves**) 古傳說中可變爲狼的人; 狼人。

Wes·ley [ˋwɛslɪ, ˋwɛzlɪ] *n.* 衛斯理 (John, 1703-91, 英國傳教士, 爲美以美教派之創始人)。

Wes·ley·an·ism [ˋwɛslɪənɪzəm] *n.* Ⓤ 衛斯理[美以美]教派的教義。

Wes·sex [ˋwɛsɪks] *n.*威塞克斯(在英格蘭西南部的舊時Anglo-Saxon王國)。

‡**west** [wɛst] *n.*①(the ~)西; 西方; 西部。②(the W-)美國西部。③(the W-)西洋; 西方各國。— *adj.* 西方的; 在西方的; 向西方的; 來自西方的。— *adv.* 向西。***go*** ~〖俚〗歸西; 死。§ **the W∸ Énd** 倫敦西區(富豪住宅區, 高級商店街)。**the W∸ Índies** 西印度群島。**W∸ Póint** (1)西點(在美國紐約州之東南部, 爲西點軍校所在地)。(2)西點軍校。**W∸ Póinter** 西點軍校之學生或畢業生。**W∸ Virgínia** 西維吉尼亞州(美國東部的一州, 首府 Charleston, 略作 W. Va., WV). **W∸ Yórkshire** 西約克郡(英格蘭北部的一個郡, 首府 Wakefield).

west·er·ly [ˋwɛstɚlɪ] *adj.*①西方的; 在西方的。②向西方的。③來自西方的。— *adv.* ①向西地。②來自西方地。— *n.* Ⓒ 西風。

‡**west·ern** [ˋwɛstɚn] *adj.*①向西方的。②來自西方的。③西方的; 在西方的。④(W-)西洋的; 歐美的; 美國西部的。— *n.* Ⓒ (常W-)〖俗〗西部片; 西部的人。§ **the W∸ Chúrch**(對東方正教教會而言的)西方教會; 天主教會。**the W∸ Hémisphere**西半球(指南北美洲大陸)。**the W∸ Róman Émpire**西羅馬帝國(395-476). **W∸ Austrália**西澳大利亞(澳洲西部的一省; 首府 Perth). **W∸ Samóa**西薩摩亞(由南太平洋薩摩亞群島西半部的島群所組成, 爲大英國協一國, 首都 Apia).

west·ern·er [ˋwɛstɚnɚ] *n.* Ⓒ ①西方人; 歐美人。②(W-)美國之西部人。

west·ern·most [ˋwɛstɚn,most] *adj.* 最西的; 最西端的。

West·min·ster [ˋwɛst,mɪnstɚ] *n.* ①英國倫敦中心之一區(西敏寺、國會、白金漢宮所在地)。②西敏寺。③英國國會。④ Ⓤ 議會政治。§ ~ **Ábbey** 西敏寺(倫敦一教堂, 自 1245 年後曾爲英王 Henry Ⅲ及 Edward Ⅰ所重建, 爲英國名人之墓地)。

***west·ward** [ˋwɛstwɚd] *adj.* 西方的; 向西方的。— *adv.* 向[在]西方。— *n.* (the ~)西方。—**ly,** *adv.*

west·wards [ˋwɛstwɚdz] *adv.*= **westward.**

‡**wet** [wɛt] *adj.* (**-tt-**)①濕的。②降雨的; 多雨的。③〖美俚〗允許釀酒販賣的。***all*** ~〖俚〗完全錯誤; 大錯特錯。***~ through*** 全身濕透。***~ to the skin*** 全身濕透的。— *v.t.* (**wet** or **wet·ted, wet·ting**) ①弄濕。②飲酒慶祝。③撒尿於。~ the bed 尿床。— *v.i.*變濕。— *n.*① Ⓤ 濕氣; 水分; 水; 液體。②(the ~)雨; 雨天。③ Ⓒ 〖美俗〗反對禁酒者(爲 dry 之對)。④(a ~)〖英俚〗飲酒; (一杯)酒。§ ~ **bárgain** 當事人一道喝酒時達

成的交易。～ blánket 掃興的人或物; 煞風景者。～ céll〖電〗濕電池。～ dòck 有水船塢(經常保持一定高度水位的船塢)。～ drèam 夢精; 夢遺。～ gòods (瓶裝或罐裝之)液體貨物(尤指烈酒)。～ lòok (織物等的)光(亮)面。～ nùrse 乳母。～ pàck〖醫〗濕敷法。～ sùit 潛水衣。～ wàsh 洗過但未乾未燙的衣類。—ly, *adv.*

wet·back [ˋwɛt,bæk] *n.* Ⓒ 非法進入美國境內之墨西哥人。

wet-nurse [ˋwɛt,nɝs] *v.t.* ①當…之乳母。②過分庇護; 溺愛。

‡**we've** [wiv, wɪv] =**we have.**

WFTU, W.F.T.U. World Federation of Trade Unions. 世界工會聯盟。

whack [hwæk] *v.t.* & *v.i.* ①〖俗〗重擊; 猛擊; 用力打。②〖俚〗分成…份; 分配。—*n.* Ⓒ ①〖俗〗敲擊; 重擊。②(常 *sing.*)〖俚〗一試; 嘗試。③(常*sing.*)〖俚〗分配之一分。***out of*** ～ 走樣的; 不正常的; 有毛病的。

‡**whale** [hwel] *n.* (*pl.* ～, ～**s**) ① Ⓒ 鯨; 巨大的東西。② Ⓤ 鯨魚肉。***a*** ～ ***of*** 非同小可的; 極大的 —*v.i.* 捕鯨。§～ **fìn** 鯨鬚。～ **fìshery** (1)捕鯨。(2)捕鯨場。～ **lìne** 捕鯨用的叉索。～ **òil** 鯨油。

whale[2] *v.t.*〖俗〗毆打; 鞭打。

whale·boat [ˋhwel,bot] *n.* Ⓒ ①捕鯨船。②一種救生船。

whale·bone [ˋhwel,bon] *n.* Ⓤ 鯨鬚(製品)。§～ **whàle**〖動〗鬚鯨。

whale·calf [ˋhwel,kɑf] *n.* Ⓒ 幼鯨。

whal·er [ˋhwelɚ] *n.* Ⓒ ①捕鯨者。②捕鯨船。

whal·ing [ˋhwelɪŋ] *n.* Ⓤ 捕鯨。

wham [hwæm] *n.* Ⓒ ①爆發聲; 爆炸聲。②重擊。—*adv.*突然。

wham·my [ˋhwæmɪ] *n.* Ⓒ〖美俚〗①不祥之人[物]。②詛咒; 魔法。③有力[致命]的打擊。

***wharf** [hwɔrf] *n.* Ⓒ (*pl.* **wharves** [hwɔrvz], ～**s**) 碼頭; 埠頭。

wharf·age [ˋhwɔrfɪdʒ] *n.* Ⓤ ①碼頭之使用(費)。②(集合稱)碼頭。

wharves [hwɔrvz, wɔrvz] *n.* pl. of **wharf.**

‡**what** [hwɑt] *pron.* ①甚麼(作疑問代名詞用)。②作關係代名詞用(=that which, those which, any that). I know ～ you mean. 我知道你的意思。③多少錢。*W*- does it cost? 那要多少錢? ***and*** ～ ***have you; and*** ～ ***not*** 諸如此類; 等等。***I'll tell you*** ～. 我告訴你(做甚麼); 我有好主意。～ ***about*** [***of***] **a.**…會怎樣; …怎樣了。**b.**(徵求對方的意見)如何? 怎樣? ～ ***for*** 爲甚麼; 爲何。～ ***if*** 假設…; 如果…該怎麼辦。—*adj.* ①甚麼(作疑問形容詞)。*W*- time is it? 現在幾點鐘? ②所…的; 任何的(作關係形容詞=that...which, those...which, any...that). ③多麼; 何等(表示驚訝、懷疑、忿怒、喜愛等)。—*adv.* ①多麼; 何等。②多少; 到何程度。*W*- does it matter? 那有何關係? —*interj.* (表疑問、驚訝、憤怒)什麼! 怎麼!

what·e'er [hwɑtˋɛr] *pron.* & *adj.*〖詩〗=**whatever.**

‡**what·ev·er** [hwɑtˋɛvɚ] *pron.* ①不論甚麼; 任何。②〖俗〗究竟甚麼。*W*-do you mean? 你究竟是甚麼意思? —*adj.* 不論甚麼; 任何的。

‡**what'll** [ˋhwɑtl̩] ①=**what shall.** ②=**what will.**

what·not [ˋhwɑt,nɑt] *n.* ① Ⓒ 放置裝飾品之格架。② Ⓤ 等等(性質相似之物)。

‡**what's** [hwɑts] ① = **what is.** ② = **what has.**

what·so·e'er [,hwɑtsoˋɛr] *pron.* & *adj.*〖詩〗=**whatsoever.**

what·so·ev·er [,hwɑtsoˋɛvɚ] *pron.* & *adj.*=**whatever.**

***wheat** [hwit] *n.* Ⓤ 小麥。§～ **bèlt** 產麥區。～ **gèrm**〖植〗小麥胚芽。～ **rùst** 小麥銹病(的病菌)。

wheat·en [ˋhwitn̩] *adj.* ①小麥製成的; 麵粉做成的。②小麥的。

whee·dle [ˋhwidl̩] *v.t.* 以甜言蜜語勸誘[哄騙]。

‡**wheel** [hwil] *n.* ① Ⓒ 輪; 車輪。② Ⓒ 輪狀物。③(the ～)舵輪。④ Ⓒ 紡車。⑤ Ⓒ〖俗〗腳踏車。⑥(the ～)方向盤。⑦ Ⓒ (常*pl.*)原動力。⑧(*pl.*)機器; 汽車。⑨ Ⓒ 轉動; 迴旋。⑩ Ⓒ (常 big ～) 政治領袖; 重要人物。***at the*** ～ **a.** 在駕駛。**b.** 在控制。***Fortune's*** ～ 時運; 流年。***go on*** ～***s*** 順利進行。～***s within*** ～***s*** 複雜的機構; 複雜的事情。—*v.t.* ①使旋轉; 使轉變方向。②以車載運。③裝以車輪。—*v.i.* ①旋轉; 轉變方向; 迴旋。②〖俗〗騎腳踏車。③駕車。～ ***and deal*** (運用權力或財勢)爲所欲爲。§～ **hòrse** (1)(四頭馬車的)後馬; 轅馬。(2)〖美俗〗(政黨、企業等)忠實而勤奮的工作者。

wheel·bar·row [ˋhwil,bæro] *n.* Ⓒ (獨輪)手推車。

wheel·chair [ˋhwilˋtʃɛr] *n.* Ⓒ (病人用之)輪椅。

wheel·er-deal·er [ˋhwilɚˋdilɚ] *n.* Ⓒ〖俚〗運用權力或財勢爲所欲爲者; 狡猾者; 工於心計者。(亦作 **wheeler and dealer**)

wheel·ie [ˋ(h)wilɪ] *n.* Ⓒ 車身豎立技巧(摩托車、腳踏車等前輪離地, 車身有如豎立)。

wheel·ing [ˋhwilɪŋ] *n.* Ⓤ ①用手推車搬運。②〖俗〗騎腳踏車。③(從行車上鑒定)路之好壞。④迴轉; 輪轉。～ ***and dealing*** 爲目的而不擇手段; 耍手段。

wheel·wright [ˋhwil,raɪt] *n.* Ⓒ 製造或修理車或車輪的人; 車輪工匠。

wheeze [hwiz] *v.t.* & *v.i.* 喘息; 哮喘; 哮喘而說。—*n.* Ⓒ ①喘息; 哮喘。②〖俚〗俏皮話。③巧妙的主意。

wheez·y [ˋhwizɪ] *adj.* 喘息聲的。

whelk [hwɛlk] *n.* Ⓤ Ⓒ〖動〗蛾螺。

whelp [hwɛlp] *n.* Ⓒ ①幼犬; (獅、虎等之)幼兒。②〖蔑〗孩子; 小鬼; 小子。—*v.i.* & *v.t.* (獸)產(子)。

‡**when** [hwɛn] *adv.* ①何時; 甚麼時候。②從前境遇較差時。—*conj.* ①當…時; 在…的時候。②在其時; 在那時。③每

當。④儘管；雖然。⑤然後。⑥如果。 — *pron.* ①何時。②那時。— *n.* (the ～)時間；時期。

whence [hwɛns] *adv.*①從何處。②由何；何以。— *conj.* 來處；根源；原因。

when·e'er [hwɛn`ɛr] *adv.*〖詩〗= **whenever.**

‡**when·ev·er** [hwɛn`ɛvɚ, hwən-] *conj.* 不論何時；每逢。— *adv.*甚麼時候(=when ever)。

when·so·ev·er [ˏhwɛnso`ɛvɚ] *conj. & adv.* =**whenever.**

‡**where** [hwɛr] *adv.* ①何處；在何處；向何處；從何處。②在哪方面；在哪一點上。— *conj.*①在那裡；在該處；在…的地方。②在那種情況；在那方面。— *n.*(the ～)時間。

where·a·bouts [ˏhwɛrə`bauts] *adv.* 靠近哪裡。— [`hwɛrəˏbauts] *n.* Ⓤ(作 *sing.* or *pl.* 解)下落。Her present ～ is unknown. 她現在下落不明。

***where·as** [hwɛr`æz] *conj.* ①然而；而；雖然；可是(=but, while). I hate John, ～ you merely dislike him. 我憎恨約翰，而你只是不喜歡他而已。②就…而論；鑒於。— *n.* Ⓒ(尤指用 whereas 開頭之)正式文件。

where·by [hwɛr`baɪ] *adv.*①用以…；藉以…。②因此；由是。

where·fore [`hwɛrˏfor] *adv.* 爲何；何故。— *conj.* 因此。— *n.*(the ～, *pl.*)理由；原因。

where·in [hwɛr`ɪn] *adv.* ①在何處；何在。②在其中；在該處(=in which).

where·of [hwɛr`ɑv] *adv.* ①關於它；關於其人(=of which, of whom, of what). ②關於甚麼(用於疑問句中，=of what).

where·on [hwɛr`ɑn] *adv.* ①在其上(=on which). ②在甚麼上面(用於疑問句中，=on what).

where·so·ev·er [ˏhwɛrso`ɛvɚ] *conj. & adv.*=**wherever.**

where·to [hwɛr`tu] *adv.*①往外處；爲何(=to what, to which, where). ②往該處；對其。

where·up·on [ˏhwɛrə`pɑn] *adv.*於是；因此(=upon which, at which). — *conj.* 在甚麼上面；在其上(=upon what, upon which).

W

‡**wher·ev·er** [hwɛr`ɛvɚ] *conj. & adv.*不管在何處；無論何處。

where·with [hwɛr`wɪθ] *adv. & conj.* ①用甚麼(=with what). ②用那個(=with what, with which).

where·with·al [`hwɛrwɪðˏɔl] *n.* (the ～)必要的方法、手段或所需的金錢。— [ˏhwɛrwɪð`ɔl] *adv. & conj.* 〖古〗用甚麼；用那個。

whet [hwɛt] *v.t.*(**-tt-**)①磨(快)。②刺激；使興奮。

‡**wheth·er** [`hwɛðɚ] *conj.*①是否。②…抑或…〔or〕. *W-* we go or not matters little. 我們去不去沒有甚麼關係。③不論。～ *or no* [*not*] 總之；無論如何；必定。

whet·stone [`hwɛtˏston] *n.* Ⓒ 磨石。

whew [hwju] *interj.* 哎呀！唷！(表驚異、厭惡、沮喪、鬆一口氣等之驚歎聲)。— *n.* Ⓒ 哎呀；唷；驚歎聲。

whey [hwe] *n.* Ⓤ乳漿。

‡**which** [hwɪtʃ] *pron.*①(疑問代名詞)哪一個；哪些；何者；誰。②(用於從屬子句中)該物；該事；該種情形。③(而)這個；(但)那個。④任何其中之一。 — *adj.* ①(用在名詞前)哪一個；哪些。②(用於從屬句中)其；該。③無論如何。

***which·ev·er** [hwɪtʃ`ɛvɚ] *pron.*不論何者；任何。— *adj.* 任何一個。

whiff [hwɪf] *n.*①(a ～)(風、煙等的)一吹；一陣；一噴。②(a ～)一陣氣味。③ Ⓒ (常 *pl.*)(香煙等的)一吸。④ Ⓒ 〖棒球〗揮棒落空。— *v.t. & v.i.* 噴；吹；發出淡淡的氣味；抽(煙斗等)。

Whig [hwɪg] *n.* ①(the ～s) **a.**(十七至十八世紀的英國)民黨。**b.**(美國)自由黨(成立於 1834 年)。②Ⓒ民黨黨員。

‡**while** [hwaɪl] *n.*(a ～)(短暫的)時間；暫時。for a ～ 暫時。after a ～過一會兒。***all the*** ～ 一直；始終。***between*** **～*s*** 有時；間或。***in a little*** ～ 不久；即刻。***once in a*** ～ 有時；偶爾。***the*** ～ 其間；當…之時；同時。***worth*** **(*one's*)**～值得。It isn't *worth* ～ doing that. 那件事不值得做。— *conj.* ①當…的時候。②雖然；然而。— *v.t.* 消磨；度過〔常 away〕.

whilst [hwaɪlst] *conj.* 〖古，方〗= while.

***whim** [hwɪm] *n.* Ⓒ①突然的念頭；奇想；怪念頭。②〖礦〗起礦轆轤。

whim·per [`hwɪmpɚ] *v.i.* ①(小孩)啜泣；嗚咽；抽噎。②(犬等)低吠。③(人)嘀嘀咕咕抱怨。— *v.t.* 抽噎地講出。— *n.* Ⓒ嗚嗚聲；啜泣；唏噓。

whim·si·cal [`hwɪmzɪkl] *adj.*①多幻想的；古怪的。②難以意料的；無原則的。

whim·s(e)y [`hwɪmzɪ] *n.*① Ⓒ 奇想；怪念頭。②Ⓤ無原則的作風或行爲。

whine [hwaɪn] *v.i.*①發低哀之鼻聲；哀泣。②抱怨；發牢騷。— *v.t.* 以哀聲說出；以怨聲道出。— *n.* Ⓒ①低哀之鼻聲；啜泣聲。②抱怨；牢騷。

whin·er [`hwaɪnɚ] *n.* Ⓒ(哭哭啼啼的)抱怨者；發牢騷的人。

whin·ny [`hwɪnɪ] *n.* Ⓒ馬嘶聲。 — *v.i.* (馬)嘶。— *v.t.* 以嘶聲表示。

whip** [hwɪp] *n.*①Ⓒ鞭。②(the ～)鞭韃。③ⓊⒸ 由打蛋、攪奶油做成的餐後甜點心。④Ⓒ 政黨在議會中的首腦人物[黨鞭]。⑤Ⓒ 獵犬指揮員。⑥Ⓒ馬車夫。have the ～ hand of***[***over***]佔…的上風；控制。— *v.t.* (**whipped** or **whipt, whip·ping**)①鞭打；笞責。②攪(蛋以及奶油等)。③迅速[突然]移動或攫取。④〖美俗〗擊敗；勝過。⑤別上(針縫)；縫上(衣邊)。⑥纏；繞(繩索)。⑦用釣竿抽釣。— *v.i.*①迅速而忽然地移動或經過。②飄盪；揮動。～ ***in***[***together***] **a.**用鞭子召攏(獵犬)。**b.**召集(黨員)。～ ***up***〖俗〗**a.**迅速地計劃或湊攏。**b.**煽動；挑逗；激起。§ **the ～ hànd a.**(執鞭的)右手。**b.**主導的地位；

優勢。～ **crāne** 簡易起重機。～ **crèam**〖美〗=whipped cream. ～ **grāft**〖園藝〗舌接枝法。

whip·cord [ˋhwɪp͵kɔrd] *n.* Ⓤ ①鞭繩。②(外科手術縫傷口用的)腸線(=catgut). ③表面有凸起斜紋的厚呢。

whip·lash [ˋhwɪp͵læʃ] *n.* Ⓒ ①鞭索；鞭打。②(亦作 **whiplash injury**)因頭部突然朝前或朝後之運動而造成的頸傷。

whipped [hwɪpt] *adj.* ①受到鞭笞的。②被擊敗的；被征服的。③攪成泡沫狀的。§～ **créam** 攪奶油。

whip·per·snap·per [ˋhwɪpɚ͵snæpɚ] *n.* Ⓒ 妄自尊大的年輕伙子。

whip·pet [ˋhwɪpɪt] *n.* Ⓒ (英國產)惠比特犬(用於追蹤或賽犬)。

whip·ping [ˋhwɪpɪŋ] *n.* Ⓤ Ⓒ ①鞭笞。②〖俗〗敗北。③用以綑縛之繩索。§～ **bòy**(從前陪王子讀書並)代受鞭打的小孩。～ **crèam**(乳脂肪含量高的)發泡用生奶。

whip·poor·will [͵hwɪpɚˋwɪl] *n.* Ⓒ 北美東部所產的一種夜鷹。

whir(r) [hwɝ] *n.* Ⓒ (常 *sing.*)鳥的疾飛聲；呼呼的聲音。— *v.i.*(-rr-)呼呼地急速轉動；颼颼地飛。

*__whirl__ [hwɝl] *v.i.*①迴旋；旋轉。②急走；急動。③(頭腦)暈眩；(思緒)紛亂。— *v.t.*①使迴旋；旋轉。②迅速載走。— *n.*① Ⓒ 迴旋；旋轉。② Ⓒ 旋轉物；漩渦。③(a ～)精神的混亂；錯亂。④ Ⓒ (常 *sing.*)一連串(的事件等)；接連不斷；忙亂。⑤(a ～)〖俗〗嘗試。

whirl·i·gig [ˋhwɝlɪ͵gɪg] *n.* Ⓒ ①旋轉玩具(陀螺、紙摺之風車等)。②旋轉木馬。③鼓蟲(亦作 **whirligig beetle**). ④旋轉(運動)。

whirl·pool [ˋhwɝl͵pul] *n.* Ⓒ 漩渦。

whirl·wind [ˋhwɝl͵wɪnd] *n.* Ⓒ ①旋風。②似旋風之物。— *adj.* 匆忙的；性急的。

whisk [hwɪsk] *v.t.*①撣去；掃；揮走。②使急動；迅速挾帶。③打；攪拌(蛋、奶油等)。～ eggs 打蛋。— *v.i.* 急動；急走。— *n.* Ⓒ ①拂；掃；揮。②(刷衣服用的)小刷帚。③急行；急動。④(蛋、奶油等的)攪拌器。an egg ～攪蛋器。§～ **bròom** 刷衣服用的一種短柄小掃帚或刷子。

*__whisk·er__ [ˋhwɪskɚ] *n.* Ⓒ ①(常 *pl.*)頰髭；鬚。②(常 *pl.*)(貓等之)鬚。③(a ～)微小的距離。—**ed,** *adj.*

*__whis·key__ [ˋhwɪskɪ] *n.* Ⓤ Ⓒ & *adj.* 威士忌酒(的)。(亦作 **whisky**)

‡**whis·per** [ˋhwɪspɚ] *v.i.* ①悄悄說；耳語。②(樹葉等)作沙沙聲；作颯颯聲(=rustle). — *v.t.* 低聲述說；祕密告訴。— *n.* Ⓒ ①耳語；悄悄之語。②祕密的傳聞。③(常 *sing.*)沙沙聲；颯颯聲。

whis·per·ing [ˋhwɪspərɪŋ] *n.* Ⓤ ①交頭接耳之談話。②謠言；流言蜚語。§～ **campàign**(選舉時放出誹謗性謠言的)流言戰術；中傷活動。

whist[1] [hwɪst] *interj.* 靜！別作聲！噓！

whist[2] *n.* Ⓤ 四人分兩組對打的牌戲(後來演變成橋牌)。

‡**whis·tle** [ˋhwɪsl̩] *v.i.* ①吹口笛；吹哨；鳴汽笛。②發嘯聲而行進。— *v.t.* ①吹嘯出(曲調)。②用口哨喊召、通知或指揮。～ *for*〖俗〗空指望；得不到。— *n.* Ⓒ ①口笛聲；汽笛聲；嘯聲。②口笛；汽笛。*blow the ～ on*〖俚〗**a.**使(某人、機關等)中止(某項行動)。**b.**告發；揭發。*pay too dear for one's ～*得不償失。*wet one's ～*〖俗〗喝一杯(酒)。

whis·tle-blow·er [ˋhwɪsl̩͵bloɚ] *n.* Ⓒ〖美俚〗揭人短處者；打小報告者。

whis·tle-stop [ˋhwɪsl̩͵stɑp] *adj.*①在小城鎮作短暫停留的。②競選活動的。— *v.i. & v.t.*(在…)作競選活動。

whit [hwɪt] *n.*(a ～)一點(也不)。

‡**white** [hwaɪt] *n.*① Ⓤ Ⓒ 白；白色。② Ⓤ Ⓒ 白色顏[染]料。③ Ⓒ 眼白。④ Ⓤ 白布；白衣服。⑤ Ⓒ (常 *pl.*)白種人。— *adj.* ①白的；白色的。②蒼白無血色的。③淡色的。④白種人的。⑤降雪的。⑥空白的。⑦純潔的；無瑕疵的。⑧〖俗〗忠實的；可靠的；公平的。⑨穿白衣服的。⑩非常保守的；反動的。*bleed ～*〖俗〗剝奪…的資源；使筋疲力竭。§ **the ～ féather** 懦弱(的象徵)。***the W- Hòuse** 白宮(美國總統官邸)。**the ～ ráce** 白色人種。～ **ánt** 白蟻。～ **béar** 北極熊。～ **bírch**〖植〗銀樺。～ **bóok** 白皮書(政府就國內政務所發表的報告書)。～ **cédar**〖植〗美國扁柏。～ **cóal**〖俗〗白煤(即水力)。～ **córpuscle**〖生理〗白血球(亦作 white blood cell). ～ **élephant**(1)白象。(2)昂貴或大而無用之物。～ **flág** 白旗(表示休戰或投降)。～ **góld** 白合金(金和鎳與鋅、錫等的合金)。**W- hópe** 被寄予厚望者。～ **líe** 善意的謊言。～ **lìst** 合格者[優良者]之名單。～ **màtter**〖解〗(腦、脊髓的)白質。～ **níght** 不眠之夜。～ **páper** 白皮書(英國政府發表的報告書)。～ **sàuce**(一種用奶油、麵粉、牛奶等製成的)白色調味醬。～ **slávery** 拐賣婦女為娼的行業。～ **suprémacy** 白人優越主義。～ **wár** 不流血戰爭；經濟戰爭。～ **wáter** 浪花；浪端的白沫。～ **wíne** 白葡萄酒。

white·bait [ˋhwaɪt͵bet] *n.* Ⓤ ①銀魚(鯡科、幼魚的統稱)。②任何不去腸、鱗即可食的小魚。

white·caps [ˋhwaɪt͵kæps] *n. pl.*有白泡沫的浪頭。

white-col·lar [ˋhwaɪtˋkɑlɚ] *adj.*〖美〗白領階級的(指勞心之職業)。

white·fish [ˋhwaɪt͵fɪʃ] *n.* Ⓒ (*pl.* ～, ～**es**)〖魚〗白鮭。

White·hall [ˋhwaɪt͵hɔl] *n.*〖英〗①倫敦之一街名(在議院及 Trafalgar 廣場之間，爲倫敦市內各政府機關所在地)。② Ⓤ 英國政府；英國的政策。

white-hot [ˋhwaɪtˋhɑt] *adj.* ①白熱的；熾熱的。②激動的；熱烈的。

white-list [ˋhwaɪt͵lɪst] *v.t.* 將…列入優良者之名單。

white-liv·ered [ˋhwaɪtˋlɪvɚd] *adj.* ①蒼白憔悴的。②怯懦的。

whit·en [ˋhwaɪtn̩] *v.t.* 使變白；漂白。— *v.i.* 變白。

white·ness [ˋhwaɪtnɪs] *n.* Ⓤ ①白；

蒼白。②純潔；純白。

white·wall [ˋhwaɪt͵wɔl] *n.* Ⓒ〖美〗外壁有白圈的汽車輪胎。

white·wash [ˋhwaɪt͵wɑʃ] *v.t.*①用石灰刷白；粉刷。②粉飾；掩飾(過錯)。③〖俗〗使獲零分而慘敗。— *v.i.* 被粉刷。— *n.*①Ⓤ石灰水。②ⓊⒸ對錯誤或過失之掩飾。③ⓊⒸ〖俗〗運動比賽得零分而敗北。— **er,** *n.*

whith·er [ˋhwɪðɚ] *adv.* 向何處(=where). — *conj.*向那裡(=to which place).

whit·ing [ˋhwaɪtɪŋ] *n.* (*pl.* ～, ～s) ①Ⓒ〖魚〗牙鱈。②Ⓤ白堊粉；白粉。

whit·ish [ˋhwaɪtɪʃ] *adj.* 帶白色的；稍白的。

whit·low [ˋhwɪtlo] *n.* Ⓒ〖醫〗①膿性指頭炎。②(獸類之)蹄冠炎。

Whit·man [ˋhwɪtmən] *n.* 惠特曼(Walt, 1819-92,美國詩人)。

Whit·sun [ˋhwɪtsn̩] *adj.*聖靈降臨節的。

Whit·sun·day [ˋhwɪtˋsʌndɪ] *n.* Ⓤ(有時 the ～)聖靈降臨節(復活節後的第七個禮拜日)。

Whit·sun·tide [ˋhwɪtsən͵taɪd] *n.* Ⓤ(有時 the ～)聖靈降臨週(自聖神降臨節起之一週，尤指該週頭三天)。

whit·tle [ˋhwɪtl̩] *v.t.*①削修；削切；削。②逐漸減少；削減〔away, down〕. — *v.i.*削；削修。

whit·tling [ˋhwɪtlɪŋ] *n.*①Ⓤ修削。②(*pl.*)修削下來的碎片；鉋花。

whiz(z) [hwɪz] *v.i.*作颼颼聲；呼嘯掠過。— *n.*①Ⓤ颼颼聲。②Ⓒ短期旅行。③Ⓒ〖俚〗高手；專家。§ ～ **kìd** 〖俗〗青年才俊；神童。

‡**who** [hu] *pron.*(所有格 **whose,** 受格 **whom**)①(作疑問代名詞用)誰；何人。②(作關係代名詞用)那個人；該人。

WHO, W.H.O. World Health Organization. 世界衛生組織。

whoa [hwo] *interj.* 過！站住！(喝令馬停步的喊叫聲)。

‡**who'd** [hud] =**who would[had].**

who·dun·it [huˋdʌnɪt] *n.* Ⓒ〖俚〗偵探小說或劇本。

‡**who·ev·er** [huˋɛvɚ] *pron.*(所有格 **whosever,** 受格 **whomever**)①不論誰；任何人。②究竟是誰。

‡**whole** [hol] *adj.*①齊全的。②全部的；整個的。③完整的；無缺損的。④健康的。⑤整數的。*be made out of ～ cloth* 全是捏造或想像的。— *n.* Ⓒ(常 *sing.*)①(the ～)全部；全體；整體。②完全之體系。*as a* ～就全體而論；整個看來。*on[upon] the* ～ **a.**整個看起來。**b.**大概。§ ～ **bròther** 同父母之兄弟；親兄弟。～ **fòod**〖英〗天然食品；(無添加物的)營養食品。～ **gàle**〖氣象〗狂風(十級風)。～ **hóg**〖俚〗最大程度；全部。～ **mílk** 全脂奶。～ **nòte**〖樂〗全音符(=〖英〗semibreve). ～ **númber**〖數〗整數。～ **rèst**〖樂〗全休止符。～ **stèp[tòne]**〖樂〗全音程。

whole·heart·ed [ˋholˋhɑrtɪd] *adj.* 熱誠的；專心一意的。— **ly,** *adv.*

whole·meal [ˋhol͵mil] *adj.*〖英〗=whole-wheat.

***whole·sale** [ˋhol͵sel] *n.* Ⓤ批發；躉售。*by* ～大量的；大批的。— *adj.* ①批發的。②大批的；大規模的；不分的。— *adv.*大批地。— *v.t. & v.i.*批發。— **whole′sal·er,** *n.*

***whole·some** [ˋholsəm] *adj.*①合乎衛生的；有益健康的。②有益的；裨益心智或道德的。— **ly,** *adv.*— **ness,** *n.*

whole-wheat [ˋholˋhwit] *adj.* 全麥做的。～ bread 全麥麵包。

‡**who'll** [hul] =**who will; who shall.**

***whol·ly** [ˋholɪ] *adv.*完全地；一律不分地；全部地；全然地。

‡**whom** [hum, hʊm] *pron.* **who** 的受格。

whom·ev·er [humˋɛvɚ] *pron.* **whoever** 的受格。

whoop [hup, hwup] *n.* Ⓒ①高聲呼叫；呼喊；吶喊。②梟鳴聲。③(百日咳患者在咳嗽後的)喘息聲；哮喘聲。— *v.i.*①高聲呼叫；尖叫；吶喊。②作梟叫。③(百日咳患者於一陣咳嗽後)喘息。— *v.t.*①高聲吼叫。②以高聲呼叫驅策。～ *it[things] up*〖俚〗**a.**喧鬧；喝酒歡鬧。**b.**鼓起熱烈興趣。§ ～**ing còugh** 百日咳。

whoop·ee [ˋhwuˋpi]〖美俚〗*interj.* 表示高興之歡呼聲。

whoop·la [ˋhuplə] *n.*①Ⓤ狂歡；喝酒歡鬧。②ⓊⒸ大事渲染。

whoops [hups] *interj.*表示驚異、尷尬或道歉之感歎詞。

whoosh [hwʊʃ] *v.i.*發嘶嘶聲。— *n.* Ⓒ嘶嘶聲。

whop·per [ˋhwɑpɚ] *n.* Ⓒ〖俗〗①毆擊者；跌倒者。②(某物之)特大號；特大之物。③漫天大謊。

whop·ping [ˋhwɑpɪŋ] *adj.*〖俗〗特大號的；極大的。— *adv.*非常；極。

whore [hor] *n.* Ⓒ娼妓。— *v.i.*①宿娼；嫖妓。②當娼妓。— **whor′ish,** *adj.*

‡**who're** [ˋhuɚ] =**who are.**

whore·house [ˋhor͵haʊs] *n.* Ⓒ妓院；青樓。

whore·mon·ger [ˋhor͵mʌŋgɚ] *n.* Ⓒ拉皮條者；淫媒。

whorl [hwɝl] *n.* Ⓒ①〖植〗輪生體。②〖動〗(貝殼上之)螺紋；渦旋。③〖解〗(耳蝸之)渦旋。④(紡錘的)整速輪。

whorled [hwɝld] *adj.* 有渦旋的；有螺紋的；輪生的(葉等)。

‡**who's** [huz] =**who is; who has.**

‡**whose** [huz, hʊz] *pron.* (**who, which** 的所有格)誰的；其。

whose·so·ev·er [͵huzsoˋɛvɚ] *pron.* (**whosoever** 的所有格)①無論是誰的。②究竟是誰的。

who's who [ˋhuzˋhu] *n.*①Ⓒ(常 *sing.*)名人錄。②Ⓤ(集合稱)名人。

‡**why** [hwaɪ] *adv.*①(作疑問副詞用)爲什麼；何故。*W-* not? 爲什麼不? 有什麼不可以? ②(作關係副詞用)所以；所以…的原因。— *n.*(*pl.*)原因；理由。— *interj.* 表示驚奇、懷疑、異議、承認、發現等的感歎詞。

wick [wɪk] *n.* Ⓒ燈芯；蠟燭芯。

***wick·ed** [ˋwɪkɪd] *adj.* ①邪惡的。②惡作劇的；壞心眼的。③〖俗〗令人厭惡的。

④〖俗〗凶惡的。⑤危險的；會惹麻煩的。⑥高明的；棒的。—**ly,** *adv.* —**ness,** *n.*

wick·er [ˋwɪkɚ] *n.*① Ⓤ Ⓒ (集合稱)柔枝；柳條。② Ⓤ (集合稱)枝編工藝。③ Ⓤ 柳條編製品。— *adj.*用柳枝做的；用枝條製成的。

wick·er·work [ˋwɪkɚ,wɝk] *n.* Ⓤ (集合稱)柳條編製品。

wick·et [ˋwɪkɪt] *n.* Ⓒ ①(大門上或大門旁的)便門；邊門；小門。②入口處之迴轉門。③小窗口(如售票處之窗戶)。④水壩之閘門；放水門。⑤〖板球〗**a.**三柱門。**b.**投球場(的情況)。*on a bad* [*good*]～ 情況不利[有利]。

wick·et·keep·er [ˋwɪkɪt,kipɚ] *n.* Ⓒ 〖板球〗三柱門之守門員。

‡**wide** [waɪd] *adj.* ①寬廣的；廣闊的。②…寬的。③淵博的；廣泛的。④張大的。⑤遠離目標的(of)。— *adv.* ①廣闊地；廣大地。with ～ open eyes 張大著眼睛。②遍及各處地。③遠離標的地。§～ **área nétwork**〖電算〗廣域網路。

wide-an·gle [ˋwaɪdˋæŋgl] *adj.*〖攝〗廣角度的；用廣角透鏡的。

wide-a·wake [ˋwaɪdəˋwek] *adj.* ①完全清醒的。②機警的。

wide-eyed [ˋwaɪd,aɪd] *adj.*① 睜大眼睛的。②目瞪口呆的；大爲驚異的。③天眞的。

***wide·ly** [ˋwaɪdlɪ] *adv.* ①範圍廣地。②寬闊地。③很大地。

***wid·en** [ˋwaɪdn̩] *v.t.* 使…加寬；增廣…。— *v.i.* 變寬；擴展。

wide-o·pen [ˋwaɪdˋopən] *adj.*① 廣開的；大開的。②睜大的。③(對傷風敗俗之行爲)不加嚴格管制的(城市等)。

wide-rang·ing [ˋwaɪdˋrendʒɪŋ] *adj.* 範圍廣闊的。

wide-screen [ˋwaɪdˋskrin] *adj.* 寬銀幕的。

wide·spread [ˋwaɪdˋsprɛd] *adj.*① (翅)展開的。②分布廣的；流傳廣的。

***wid·ow** [ˋwɪdo] *n.* Ⓒ 孀婦；寡婦。— *v.t.*使成寡婦；使喪偶。§～**'s crúse**〖聖經〗寡婦的罈子；無盡藏；取之不竭之物。～**'s míte** 寡婦奉獻的一點小錢(喻少而可貴)。～**'s péak** 美人尖(從前認爲會剋夫)。—**ed,** *adj.*

wid·ow·er [ˋwɪdəwɚ] *n.* Ⓒ 鰥夫。

wid·ow·er·hood [ˋwɪdəwɚhud] *n.* Ⓤ Ⓒ 鰥居。

wid·ow·hood [ˋwɪdo,hud] *n.* Ⓤ Ⓒ 寡居(期)。

***width** [wɪdθ] *n.*(*pl.* ～**s**)① Ⓤ Ⓒ 廣度；寬度。② Ⓒ 有一定寬度的東西；(布)一幅。③ Ⓤ Ⓒ (心胸)廣闊。

wield [wild] *v.t.* 揮舞；使用；行使。

wie·ner [ˋwinɚ] *n.* Ⓤ Ⓒ 〖美〗燻製之牛肉或豬肉香腸。(亦作 **wienerwurst**)

wie·nie [ˋwinɪ] *n.*〖美俗〗＝**wiener.**

‡**wife** [waɪf] *n.* Ⓒ (*pl.* **wives** [waɪvz]) ①妻；婦。②〖古〗婦人。*an old wives' tale* 充滿迷信的無稽故事。*take* (*a woman*) *to* ～娶(某女)爲妻。

wife·like [ˋwaɪf,laɪk] *adj.* & *adv.* 似妻子的[地]；適於做妻子的[地]。

wife·ly [ˋwaɪflɪ] *adj.*(似)妻子的；適於做妻子的。

wig [wɪg] *n.* Ⓒ 假髮。— *v.t.*(**-gg-**)① 使戴假髮。②責罵。

wigged [wɪgd] *adj.* 戴假髮的。

wig·gle [ˋwɪgl] *v.i.* (以輕快之動作)扭動；搖動；擺動。— *v.t.*使扭動；使擺動。— *n.* Ⓒ ①擺動；扭動。②凹凸的線。

wig·gler [ˋwɪglɚ] *n.* Ⓒ ① 扭動[擺動]的人[物]。②〖昆〗孑孓。

wig·gly [ˋwɪglɪ] *adj.* ①搖動的；搖擺的。②波狀的。

wig·gy [ˋwɪgɪ] *adj.*〖俚〗古怪的；狂亂的。

wight [waɪt] *n.* Ⓒ〖古，方〗人。— *adj.* 〖蘇，古〗①勇猛的。②輕捷的。

wig·wag [ˋwɪg,wæg] *v.t.* & *v.i.* (**-gg-**)①來回搖擺。②搖擺手臂、信號旗或燈以發出(信號)。— *n.*〖海〗① Ⓒ 旗語[燈火]信號。② Ⓤ 此種信號法。

wig·wam [ˋwɪgwɑm, -wɔm] *n.* Ⓒ (北美印第安人的)小屋；帳篷。

‡**wild** [waɪld] *adj.*①野的；野性的；野生的。②無人居住的；荒野的。③容易驚恐的；難接近的。④未開化的；野蠻的。⑤放肆的；放蕩的。⑥暴亂的；紊亂的。⑦狂暴的；激昂的；憤怒的。⑧有暴風雨的。a ～ night 暴風雨之夜。⑨狂妄的；胡亂的。⑩迫切的；殷切的。⑪(計劃等)荒唐的；不著邊際的。⑫激烈的。*run* ～**a.**放肆；失去控制[約束]。**b.**變得荒蕪。— *adv.*暴亂地；胡亂地。— *n.*(the ～, 常 *pl.*)荒地；荒野；未開墾之地。§～ **bóar**〖動〗野豬。～ **bríer**〖植〗歐洲野薔薇；多花薔薇。～ **cárd**〖牌戲〗百搭；萬能牌(丑角牌等)。～ **cát** 野貓。～ **dúck**〖鳥〗野鴨；鳧。～ **fôwl** 獵鳥；野禽(亦作 wildfowl)。～ **góose**〖鳥〗雁。～ **óat**〖植〗野燕麥。～ **róse**〖植〗野薔薇。**W**～ **Wést** 未開拓前[蠻荒]的美國西部。*—**ly,** *adv.* —**ness,** *n.*

wild·cat [ˋwaɪld,kæt] *n.* Ⓒ ①〖動〗山貓。②兇狠的鬥者。③〖俗〗未掛車箱的火車頭。④野貓井(盲目鑽探的油井)。— *adj.*①不穩固的；不安全的；冒險性的。②(機器)失去控制而亂轉動的。③未經允許或指示而參加罷工的。— *v.i.* & *v.t.*(**-tt-**)(在不知是否藏油之區域)開鑿(油井)。§～ **bánk**〖美俗〗美國銀行法施行前(即 1864 年前)準備不足而發行紙幣之銀行。～ **stríke** 未經總工會允許或違反合約的罷工。

wild·cat·ter [ˋwaɪld,kætɚ] *n.* Ⓒ 〖美俗〗①盲目地鑿油井者。②發起冒險或投機事業者。③未經允准的罷工者。

Wilde [waɪld] *n.*王爾德(Oscar, 1854-1900,英國劇作家、詩人、小說家及批評家)。

***wil·der·ness** [ˋwɪldɚnɪs] *n.* ① (the ～)荒地；荒野。② Ⓒ (常 *sing.*)雜亂的一堆或一群。

wild-eyed [ˋwaɪld,aɪd] *adj.* 目光兇暴的。

wild·fire [ˋwaɪld,faɪr] *n.* Ⓤ①(昔日戰爭用之)強烈燃燒物。②一發不可收拾的大火；野火。③無雷聲之閃電。*spread like* ～(消息、謠言等)迅速地傳播。

wild·flow·er [ˋwaɪld,flauɚ] *n.* Ⓒ 野花。(亦作 **wild flower**)

W

wild·fowl [ˋwaɪld,faʊl] *n.* Ⓒ (*pl.* ～s, 集合稱～)獵鳥；野禽(尤指野鴨、雁等水鳥)。
wíld-góose chàse [ˋwaɪldˋgus～] *n.* Ⓒ 無目標的追求；無益的探索。
wild·life [ˋwaɪld,laɪf] *n.* Ⓤ (集合稱)野生動植物。
wild·wood [ˋwaɪld,wʊd] *n.* Ⓒ 天然林；原始林。
wile [waɪl] *n.* Ⓒ (常 *pl.*)詭計。— *v.t.* 消磨[away]. ～ ***away the time*** 消磨掉時間。
wi(l)l·ful [ˋwɪlfəl] *adj.* ①任性的；頑固的；剛愎的。②故意的。—**ly,** *adv.* —**ness,** *n.*
‡**will**[1] [wɪl] *aux. v.*(*pt.* **would**)①(表示單純未來時)將。②願意(=be willing to).③願望。④能；可以(=be able to, can). ⑤必須(=must).
will**[2] *n.*① Ⓤ (常 the ～)意志。② Ⓤ (又作 a ～)意志力。③ Ⓤ (常 one's ～)目的；决心；意願。④ Ⓒ 遺囑。⑤ Ⓤ 對他人的感情。good[ill]～善[惡]意。against one's*** ～違背本意地。***at*** (***one's***) ～隨意。***do the*** ～ ***of*** 服從。***have one's*** ～如願以償。***with a*** ～努力地；熱心地；有决心地。— *v.t.*①努力使；以意志力驅使。②立遺囑贈與[言明]。③决意。④願；望。— *v.i.*①决意；運用意志力。②願；望。§ ～ **cóntest** 求證遺囑是否有效之法律訴訟。～ **pòwer** 意志力；自制力(亦作 willpower).
***will·ful** [ˋwɪlfəl] *adj.*①任性的；倔強的；頑固的。②故意的。
Wil·liam [ˋwɪljəm] *n.* 威廉(男子名)。§～ **Téll** 威廉·泰爾(據稱爲十四世紀左右瑞士的傳奇勇士，以箭射中放在自己兒子頭上的蘋果而聞名)。～ **the Cónqueror** 征服者威廉(1027?-87,威廉一世的俗稱，1066年在Hastings破英軍，1066-87爲英國國王)。
wil·lies [ˋwɪlɪz] *n. pl.* (the ～)一陣緊張；焦慮不安。
‡**will·ing** [ˋwɪlɪŋ] *adj.*情願的；欣然從事的。*—**ly,** *adv.* —**ness,** *n.*
will-o'-the-wisp [,wɪləðəˋwɪsp] *n.* Ⓒ ①磷火；鬼火。② **a.**捉摸不定之物[人]。**b.**無法達到的目標。
***wil·low** [ˋwɪlo, ˋwɪlə] *n.*① Ⓒ 柳樹。② Ⓤ 柳木。③ Ⓒ 柳木製成之物。— *adj.* 柳條編成的；柳木製成的。
wil·low·y [ˋwɪləwɪ] *adj.*①苗條的。②多柳樹的。
wil·ly-nil·ly [ˋwɪlɪˋnɪlɪ] *adv.* 不管願不願意；不管怎樣。— *adj.* 猶豫不決的；拖延的。
wilt[1] [wɪlt] *v.i.*①枯萎；凋謝。②衰微；凋零；頹喪。— *v.t.* 使枯萎；使凋謝；使衰微。— *n.* Ⓤ ①凋謝；衰微。②(亦作 **wilt disease**)〖植〗枯萎病。
wilt[2] *aux. v.*〖古〗will之第二人稱，單數，現在式，直陳法。
wil·y [ˋwaɪlɪ] *adj.*有智謀的；狡詐的。
wim·ble [ˋwɪmbl̩] *n.* Ⓒ 鑽；錐。
Wim·ble·don [ˋwɪmbl̩dən] *n.*溫布頓(倫敦附近之一城市，爲國際網球比賽之地)。

wimp [wɪmp] *n.* Ⓒ 軟弱無能的人。
WIMP 一套軟體功能加上硬體設備(如視窗(windows)、提示圖形(icons)、滑鼠(mice)、捲簾式選單(pull-down menus)等)。
wim·ple [ˋwɪmpl̩] *n.* Ⓒ (中古時婦人所戴，現爲修女所戴的)頭巾。— *v.t.* ①以頭巾圍。②使起漣漪。— *v.i.* (水面)起漣漪。
‡**win** [wɪn] *v.t.*(**won** [wʌn], **win·ning**) ①贏得；獲得。②在…之中獲得勝利[成功]。③(經過努力而)到達。④勸誘；說服。⑤獲得某人之愛。— *v.i.*獲勝；成功。～ ***out*** 〖俗〗獲勝；成功。～ ***the day***[***field***]戰勝。～ ***through***克服(困難)。— *n.* Ⓒ〖俗〗勝利；成功。
wince [wɪns] *v.i. & n.*(a ～)退避；畏縮。
winch [wɪntʃ] *n.* Ⓒ ①絞盤；絞車。②曲柄。
‡**wind**[1] [wɪnd] *n.*① Ⓤ Ⓒ 風；強風；狂風。② Ⓤ Ⓒ 風勢；風力。③ Ⓤ 氣味。④ Ⓤ (又作 a ～)呼吸；呼吸力。⑤ Ⓤ 無用的空話。⑥ Ⓤ 腸胃的氣脹；屁。⑦(*pl.*)管絃樂團吹奏管樂器的團員。⑧ Ⓤ (集合稱)管樂器。⑨ Ⓤ 風聲；傳聞。⑩ Ⓒ〖拳擊，俚〗心窩。***before the*** ～順風向。***between*** ～ ***and water*** **a.**在船的吃水線處。**b.**在要害處。***break*** ～放屁。***cast to the*** ～完全不理會。***find out how the*** ～ ***blows*** 觀察情勢。***get*** ～ ***of*** 獲得…的風聲。***in the eye***[***teeth***] ***of the*** ～正頂著風。***in the*** ～喝醉；在進行。***off the*** ～順風(行駛)。***on the*** [***a***]～乘著風(行駛)。***raise the*** ～〖俗〗籌款。***take the*** ～ ***out of a person's sail*** 以先發制人的手段而占某人的上風。***the four*** ～***s*** 四面八方。— *v.t.*①嗅出。②使呼吸急促。③使喘口氣；使休息。④使吹乾。§ ～ **bànd** 管樂隊。～ **eròsion** 風蝕。～ **gàuge** 風力計；風速計。～ **ìndicator**(飛機場之)飛向風速指示器。～ **ìnstrument** 管樂器。～ **scàle** 〖氣象〗風級。～ **vàne** 風標；風信旗。
wind**[2] [waɪnd] *v.i.*(**wound**)①(道路、河流等)紆曲；蜿蜒。②(蛇、向上爬的植物等)盤繞；纏繞。③上發條。④迂迴[間接]地得到。— *v.t.*①迂迴地走(路)。②捲；纏繞；裹。③扭緊(機器的)發條。④使迂迴前進。⑤絞起；吊起。～ ***a person round one's little finger 隨意操縱某人。～ ***off*** 解開。～ ***up*** **a.**結束。**b.**捲起；纏繞。**c.**〖棒球〗揮臂準備投球。**d.**使緊張；使興奮。— *n.* Ⓒ ①捲；纏繞。②蜿蜒；彎曲；曲折。
wind[3] [waɪnd, wɪnd] *v.t.*(**wind·ed** or **wound** [waʊnd])吹。
wind·bag [ˋwɪnd,bæg] *n.* Ⓒ ①風囊；風袋。②〖俚〗滿口空話之人。
wind·break [ˋwɪnd,brek] *n.* Ⓒ 防風設備；防風林。
Wind·break·er [ˋwɪnd,brekɚ] *n.* Ⓒ〖美〗〖商標〗防風夾克。
wind·burn [ˋwɪnd,bɝn] *n.* Ⓤ 因暴露於風中過久而引起的皮膚發炎。
wind·chill [ˋwɪnd,tʃɪl] *n.* Ⓤ〖氣象〗風寒因素(一種預估空氣與風的致冷效應

的測量方法，尤應用於測量暴露之肌膚所喪失之體溫)。(亦作**windchill factor**)

wind-down [ˋwaɪnd,daʊn] *n.* Ⓒ逐漸結束[終止]。

wind·ed [ˋwɪndɪd] *adj.*①有風的；有呼吸的。②喘息的。

wind·fall [ˋwɪnd,fɔl] *n.* Ⓒ①風吹落的果實。②意外收穫。

wind·flow·er [ˋwɪnd,flaʊɚ] *n.* Ⓒ〖植〗白頭翁；銀蓮花屬植物。

wind·i·ness [ˋwɪndɪnɪs] *n.* Ⓤ①多風；有風。②胃腸滯氣。③虛誇。④風力。

wind·ing [ˋwaɪndɪŋ] *n.* ①Ⓤ彎曲。②Ⓒ迂迴；蜿蜒。③Ⓒ纏繞物。④ⓊⒸ捲繞；捲起。⑤(*pl.*)迂迴委婉的方法[行爲]。— *adj.*彎曲的；蜿蜒的。a ～ staircase 螺旋階梯。§ ～ **shèet** 裹屍布；壽衣。

wind·jam·mer [ˋwɪnd,dʒæmɚ] *n.* Ⓒ①〖俗〗帆船；帆船水手。②〖俚〗饒舌之人。

wind·lass [ˋwɪndləs] *n.* Ⓒ絞盤。

wind·less [ˋwɪndlɪs] *adj.*無風的；平穩的；平靜的。

***wind·mill** [ˋwɪnd,mɪl] *n.* Ⓒ風車。*fight* [*tilt at*] *～s* 同幻想[假想]中的敵人作戰。

‡**win·dow** [ˋwɪndo] *n.* Ⓒ①窗；窗扉。②〖電算〗視窗。*have all one's goods in the ～* 金玉其外，敗絮其中。§ ～ **bòx**(窗台)花盆。～ **drèssing** (1)櫥窗的陳列與裝飾(法)。(2)裝飾門面。～ **ènvelope** 開窗信封(從貼有透明玻璃紙之處，可看到收件人的姓名、地址)。～ **frâme** 窗框。～ **sàsh** 窗扉(窗的可開閉部分)。～ **sèat** 靠窗座位。～ **shàde** 〖美〗遮陽的窗帘。

win·dow-dress [ˋwɪndoˋdrɛs] *v.t.* 裝飾表面以吸引(人)；爲…裝飾表面。

win·dow·pane [ˋwɪndo,pen] *n.* Ⓒ窗玻璃。

win·dow-shop [ˋwɪndo,ʃap] *v.i.* (**-pp-**)瀏覽商店之櫥窗。— **per,** *n.*

win·dow·sill [ˋwɪndo,sɪl] *n.* Ⓒ窗臺。(亦作 **window sill**)

wind·pipe [ˋwɪnd,paɪp] *n.* Ⓒ氣管。

wind·proof [ˋwɪndˋpruf] *adj.* 防風的；不透風的。

wind·row [ˋwɪn(d),ro] *n.* Ⓒ ①乾草。②(鋪於地上曬乾之)穀類。③(被風吹成堆的)落葉(等)。— *v.t.*將(草或穀物)鋪排成行。

wind·screen [ˋwɪnd,skrin] *n.* 〖英〗=**windshield.**

wind·shield [ˋwɪnd,ʃild] *n.* Ⓒ〖美〗(汽車之)擋風玻璃。

Wind·sor [ˋwɪnzɚ] *n.* 溫莎(英國Berkshire之一城市，濱泰晤士河)。*Duke of ～* 溫莎公爵(1894-1972，於1936年爲英王，稱Edward Ⅷ，旋因愛情問題而遜位)。§ ～ **cháir** 溫莎椅(一種高背斜腳的木椅)。

wind·storm [ˋwɪnd,stɔrm] *n.* Ⓒ狂風；風暴。

wind·surf [ˋwɪnd,sɝf] *v.i.*作風浪板運動。

wind·surf·er [ˋwɪnd,sɝfɚ] *n.* Ⓒ作風浪板運動的人。

wind·surf·ing [ˋwɪnd,sɝfɪŋ] *n.* Ⓤ風浪板運動(在衝浪板上裝設桅桿與帆的乘浪運動)。

wind-swept [ˋwɪnd,swɛpt] *adj.*被風吹亂的；迎風的。(亦作 **windswept**)

wind·up [ˋwaɪnd,ʌp] *n.* Ⓒ ①結束；完結。②〖棒球〗投手在投球前揮轉胳臂的準備動作。

wind·ward [ˋwɪndwɚd] *adj.* & *adv.* 向風的[地]；頂風的[地]。— *n.* Ⓤ上風。*get to the ～ of* **a.** 駛到(敵船)的上風；(爲躲避臭氣)轉到…的上風。**b.**比…占有利的地位；占上風。

***wind·y** [ˋwɪndɪ] *adj.*①多風的；迎風的。②空談的；虛誇的。③引起腸胃中滯氣的。④〖俚〗大吃一驚的。

‡**wine** [waɪn] *n.*①ⓊⒸ葡萄酒。②ⓊⒸ水果酒。③Ⓤ葡萄酒色；暗紅色。*new ～ in old bottles* 舊瓶裝新酒；舊形式新內容。— *v.t.*以酒款待。§ ～ **cèllar** 酒窖。～ **còlor** 深紅色。～ **còoler** 冷酒器。～ **gállon**〖英〗(從前的)加侖(=160 fluid ounce)。～ **grôwing** 種植葡萄兼釀製葡萄酒業。～ **lìst** [**càrd**]飯館中之酒單。～ **prèss**[**prèsser**] 葡萄壓榨機(一種製酒器具)。～ **réd** 葡萄酒色；紅色。～ **tàster** 試飲葡萄酒者；品酒者。～ **vàult** (1)藏葡萄酒的地窖。(2)酒店。

wine-col·ored [ˋwaɪn,kʌlɚd] *adj.* 深紅色的。

wine·glass [ˋwaɪn,glæs] *n.* Ⓒ小酒杯；葡萄酒杯。

win·er·y [ˋwaɪnərɪ] *n.* Ⓒ 葡萄酒釀造廠；釀酒廠。

wine·skin [ˋwaɪn,skɪn] *n.* Ⓒ ①酒囊。②豪飲者；縱飲者。

‡**wing** [wɪŋ] *n.* Ⓒ ①翼；翅。②在形狀或用途與翼相似之物。③〖諧〗臂；獸的前腿。④建築物在邊側突出之部分；邊屋；廂房。⑤舞臺之側面。⑥(軍隊之)翼。⑦政黨等的派系。⑧〖美〗(空軍)聯隊。⑨飛行；飛翔。⑩箭翎。⑪球隊之左[右]翼。*lend ～s to* 使快走；加速。*on the ～* **a.**在飛行中的。**b.**在旅行中的。**c.**在活動中的。*take ～* **a.**起飛。**b.**迅速離去。*under the ～ of* 在…的保護之下。— *v.t.*①給…裝以翼。②使能飛。③飛過。④增加…的速度。⑤傷(鳥)之翼；傷(人)之臂。— *v.i.*飛過。§ ～ **càse** [**còver**]〖昆〗翅鞘(= elytron)。～ **chàir**(椅背成翼狀的)安樂椅。～ **commànder**(1)〖英空軍〗中校。(2)〖美空軍〗聯隊長。

winged [wɪŋd] *adj.* ①有翅的。②能飛的。③迅速的。

wing·span [ˋwɪŋ,spæn] *n.* Ⓒ (飛機之)翼展；翼幅。(亦作 **wing span**)

wing·spread [ˋwɪŋ,sprɛd] *n.* Ⓒ①兩翼張開之寬度。②=**wingspan.**

***wink** [wɪŋk] *v.i.* ①眨眼；眨眼示意。②假裝未見。③(光、星等)閃爍。— *v.t.* ①瞬(目)；眨(眼)。②眨眼除去(灰塵、眼淚)。③使閃爍(以發信號)。— *n.*①Ⓒ瞬；眨眼。②Ⓒ使眼色；暗示。③(a ～)瞬息；一瞬間。She did not sleep a ～ last night. 她昨夜一點也沒睡。④Ⓒ閃爍。*forty ～s* 打盹兒。*tip* *a person the* ~ 對人使眼色(予以警告)。

wink·er [ˋwɪŋkɚ] *n.* Ⓒ ①眨眼的人; 閃爍之物。②(馬之)遮眼罩。③〖俗〗眼睛; 睫毛。

***win·ner** [ˋwɪnɚ] *n.* Ⓒ 勝利者; 得獎者。

win·ning [ˋwɪnɪŋ] *adj.*①勝利的; 得勝的。②迷人的; 嬌媚的。— *n.*① Ⓤ 贏得; 獲得。② Ⓒ 贏得[獲得]的東西。③ (*pl.*)打賭等的獎金。§ ~ **pòst** 田徑跑道上之終點竿。

win·now [ˋwɪno] *v.t.*①(利用風等)揚去(穀物)之糠皮等; 簸(穀)。②刪除; 挑出; 篩選; 辨別。③鼓(翼)。— *v.i.* 簸去糠皮等。— *n.* ① Ⓒ 簸穀器; 簸箕。② Ⓤ 簸揚穀物。

win·some [ˋwɪnsəm] *adj.* 迷人的; 悅目的; 可愛的; 有吸引力的。

‡**win·ter** [ˋwɪntɚ] *n.* ① ⓊⒸ (常 the ~)冬; 冬季。② Ⓒ 衰退期; 晚年。③(*pl.*)年; 歲。— *adj.*① 冬的; 冬季的。②可備冬季用的。— *v.t.* 在冬季飼養(家畜)或保護(花草等); 使過冬。— *v.i.* 過冬; 避寒。§ ~ **resórt** 避寒勝地。~ **slèep** 冬眠。~ **sólstice** 冬至。~ **spórts** 冬季運動(滑雪、溜冰等)。

win·ter·green [ˋwɪntɚˌgrin] *n.* Ⓒ〖植〗鹿蹄草; 冬綠樹。

win·ter·ize [ˋwɪntəˌraɪz] *v.t.* 給(房屋、汽車等)加防寒設備。

win·ter·kill [ˋwɪntɚˌkɪl] *v.t.* & *v.i.* 凍死(指植物而言)。

win·ter·time [ˋwɪntɚˌtaɪm] *n.* Ⓤ 冬; 冬天; 冬季。

win·ter·y [ˋwɪntərɪ] *adj.*=**wintry.**

win·try [ˋwɪntrɪ] *adj.* ①冬的; 如冬的; 寒冷的。②冷淡的。

‡**wipe** [waɪp] *v.t.*① 擦; 拭; 抹。② 擦去; 拭去。③徹底消滅; 滅絕。~ *out* **a.** 擦拭[清洗]…內部。**b.** 消滅。**c.** 〖俗〗殺掉。**d.** 去除。~ *the floor with a person*〖俚〗徹底擊敗某人。— *n.* Ⓒ ①擦; 拭; 抹。②〖俚〗手帕。③揮擊。

WIPO World Intellectual Property Organization. 世界智慧財產權組織。

‡**wire** [waɪr] *n.*① ⓊⒸ 金屬線; 鐵絲。② Ⓒ〖俗〗電報。③ Ⓤ 鐵絲網。④ ⓊⒸ 電線; 電纜。⑤ Ⓒ (樂器的) 弦。*get under the* ~及時完成; 及時趕到。*pull (the)* ~*s* 暗中操縱。*under the* ~在最後關頭。— *adj.*由鐵線做成的。— *v.t.*①用鐵絲綑起、繫起、穿起(等)。②裝以電線。③〖美俗〗以電報告知; 拍電報給(某人)。④用鐵絲網捕捉。— *v.i.*拍電報。§ ~ **àgency**[**sèrvice**]〖新聞〗電訊社。~ **brùsh** 鋼絲刷。~ **còpy**(報社電台等所收之)外電通訊稿。~ **cùtters** 剪鐵絲鉗。~ **gàuge** 線號規。~ **gláss** 內部嵌有金屬絲網之強化玻璃。~ **nétting** 做窗紗用的鐵絲網。~ **rópe** 鋼纜; 鋼索。~ **tàpping** 電信[電話]的竊聽。~ **wóol**〖英〗(刷洗鍋子等的)鋼絲刷。

wired [waɪrd] *adj.*①以金屬線加強的。②供以電線的。③以線縛起的。④有線的。§ ~ **tèlevision** 有線[閉路]電視(= closed-circuit television).

wire-haired [ˋwaɪrˋhɛrd] *adj.* (犬等)有硬毛的。

***wire·less** [ˋwaɪrlɪs] *adj.* ①無線的。②無線電的。a ~ station 無線電臺。— *n.*① Ⓤ 無線電。② Ⓤ 無線電報; 無線電話。③〖主英〗**a.** Ⓒ 無線電收音機。**b.** Ⓤ (the ~)無線電臺之廣播節目。— *v.t.* & *v.i.* 以無線電傳送(消息)。§ ~ **telégraphy**=radiotelegraphy. ~ **téléphone**=radiotelephone.

wire·pull·er [ˋwaɪrˌpulɚ] *n.* Ⓒ ① 木偶[傀儡]之牽線者。②〖俗〗幕後之操縱者。

wire·pull·ing [ˋwaɪrˌpulɪŋ] *n.* Ⓤ ①對傀儡之牽線。②〖俗〗幕後操縱。

wire·tap [ˋwaɪrˌtæp] *v.t.*(**-pp-**)〖美〗竊聽(電信、電話); 偷聽(某人等)的電話。— *v.i.* 竊聽電信[電話]。—**per,** *n.*

wir·ing [ˋwaɪrɪŋ] *n.* Ⓤ ①架線; 配線; 接線。②(房屋等之)電線系統。

wir·y [ˋwaɪrɪ] *adj.*①金屬線製的; 鐵絲製的。②金屬線狀的; 剛硬的。③(人體等)瘦長而結實的。

Wis., Wisc. Wisconsin.

Wis·con·sin [wɪsˋkɑnsn̩] *n.*威斯康辛州(美國中北部一州)。

‡**wis·dom** [ˋwɪzdəm] *n.* ① Ⓤ 智慧; 睿智。②(the ~)明智的行爲或言語。③ Ⓤ 知識; 學識。④ Ⓒ〖古〗賢人。***W-of Solomon***所羅門王的智慧(舊約僞經之一卷)(略作**Wisd.**)。§ ~ **tòoth**智齒。

‡**wise** [waɪz] *adj.*①有智慧的; 明智的; 聰明的。②知道的; 了解的; 明白的。③有學問的; 飽學的。*be* [*get*] ~ *to*〖俚〗瞭解。*put someone* ~〖俚〗使某人領會。— *v.t.* & *v.i.* 使明白; 使了解(up).

wise·a·cre [ˋwaɪzˌekɚ] *n.* Ⓒ ①自以爲什麼都懂的人。②自作聰明的人。

wise·crack [ˋwaɪzˌkræk]〖俚〗*n.* Ⓒ 俏皮話; 妙語; 警語。— *v.i.* 說尖刻[機靈]的話; 說俏皮話。

***wise·ly** [ˋwaɪzlɪ] *adv.* 賢明地; 明智地; 機警地。

‡**wish** [wɪʃ] *v.t.*①意欲; 切望。②希望; 渴望(that-clause中的that通常省略)。③需要; 要; 想要。④許願; 祝; 頌; 祈。I ~ you a Merry Christmas.我祝你耶誕快樂。⑤但願。—*v.i.* 希望; 祈求。~ *on* **a.**向…祈禱。**b.**將…強加諸。— *n.* Ⓒ ①希望; 願望。②(常 *pl.*)祝頌。③祈求的事物。

wish·bone [ˋwɪʃˌbon] *n.* Ⓒ (鳥胸的)叉骨; 如願骨(吃鳥肉後, 兩人同扯鳥叉骨, 扯到長的, 據說能達心願)。

wish·ful [ˋwɪʃfəl] *adj.*①渴望的; 切望的; 充滿希望的。②基於願望(非基於現實)的。§ ~ **thínking** 如意算盤; 妄想[不根據事實]的想法。

wish·y-wash·y [ˋwɪʃɪˌwɑʃɪ] *adj.* ①淡的; 稀薄的(酒等)。②無實質的; 無力的; 軟弱的。

wisp [wɪsp] *n.* Ⓒ ①小綹; 小把; 小縷。②縹渺的東西。③鬼火; 燐火。

wisp·y [ˋwɪspɪ] *adj.*小束的; 一小把的; 少許的; 纖細的; 輕而脆弱的。

wis·te·ri·a [wɪsˋtɪrɪə] *n.* ⓊⒸ〖植〗紫藤(豆科紫藤屬攀登性灌木)。

wist·ful [ˋwɪstfəl] *adj.*①企盼的; 渴

望的。②沉思的；引人懷念的。

wit**[1] [wɪt] *n.* ① Ⓤ (常 *pl.*)心智；智力；才智。② Ⓤ 機智。③ Ⓒ 機智者；才子。④(*pl.*)(健全的)心智。be at one's ~'s end***無計可施。***have[keep] one's ~ about one***警覺；保持機警。***live by one's ~***靠著小聰明混日子。

wit[2] *v.t. & v.i.*(**wist, wit·ting**)〖古〗知道(=know). ***to ~***即；就是(=namely; that is to say).

***witch** [wɪtʃ] *n.* Ⓒ ①巫婆。②醜老太婆。③〖俗〗美麗迷人的女性。— *v.t.*①對…施巫術。②迷住；迷惑。§ **~ dòctor** 巫醫(尤指非洲部落中者)。**~es' Sábbath** 魔宴。**~ hùnt** (1)搜捕女巫；抓妖。(2)(以莫須有罪名進行的)政治迫害(亦作 witch-hunt).

witch·craft [ˋwɪtʃˏkræft] *n.* Ⓤ 巫術；魔法；魔力。

witch·er·y [ˋwɪtʃərɪ] *n.*= **witchcraft.**

witch·ing [ˋwɪtʃɪŋ] *adj.* 巫術的；迷人的。***the ~ hour of night***半夜三更；午夜。

‡**with** [wɪð, wɪθ] *prep.*①同；偕；共；與。mix ~ the crowd 和群眾混在一起。②帶有；具有。a man ~ white hair 白髮之人。③用；以。④加於；包括有；含有。⑤在…一邊。⑥(表示比較)與。⑦(引導感情、關係的對象)關於；對於。⑧因；由於。⑨按照…的比例。⑩與…同時；隨著。⑪(表示敵對)與…(吵，鬥)。⑫同…(分離)。I hate to part ~ my favorite things.我不願捨棄心愛的東西。⑬(表示關係、立場)對於。⑭雖然；儘管。⑮與…同方向。⑯在獲有…之情況下。**~ *it***〖俚〗**a.**走在流行尖端的。**b.**對某事甚感興趣。

with·al [wɪðˋɔl, wɪθˋɔl]〖古〗*adv.*①又；且；同樣；同時。②雖說如此。— *prep.* 以(=with, 但常用於目的語之後，放在句末)。

***with·draw** [wɪðˋdrɔ, wɪθ-] *v.t.* (**-drew, -drawn**)取回；撤回；收回；撤銷；使(軍隊)撤退。— *v.i.* 撤退；退去。—**al,** *n.*

***with·drawn** [wɪðˋdrɔn, wɪθ-] *v.* pp. of **withdraw.** — *adj.*①內向的。②孤立的；孤獨的。

withe [waɪð, wɪθ, wɪð] *n.* Ⓒ (*pl.* **~s** [-ðz, -θs])柳樹細枝；柳條。— *v.t.* 用枝條捆束。

***with·er** [ˋwɪðɚ] *v.i.* ①(植物)凋謝；枯萎；萎縮。②(希望)破滅；衰退；衰微。— *v.t.*①使凋謝；使枯萎。②使衰退；使衰微；使色衰。③使退縮[畏縮]。—**with′ered** [~d], *adj.*

with·er·ing [ˋwɪðərɪŋ] *adj.*①使枯萎的。②令人畏縮的；苛酷的。③毀滅性的；破壞性的。

with·ers [ˋwɪðɚz] *n. pl.* 馬肩隆(馬的兩肩骨間的隆起)。

***with·hold** [wɪðˋhold, wɪθ-] *v.t.* (**-held**)①不肯給與；拒絕。②抑制；制止。§ **~ing tàx** 預扣稅(如雇主替政府從職員薪資中扣繳的所得稅等)。

‡**with·in** [wɪðˋɪn, wɪθˋɪn] *prep.*①在…之內。②在…的範圍內；不出…。— *adv.*①在內；在內部。②在室內。③在內心裡面。

‡**with·out** [wɪðˋaut, wɪθ-] *prep.*①沒有；無；不。②在沒有(某物)的情況下。— *adv.*①在外部；在外面。②在戶外。— *n.* Ⓤ 外部；外面。— *conj.*〖美方〗除非(=unless).

***with·stand** [wɪθˋstænd, wɪð-] *v.i. & v.t.* (**-stood**)抵抗；對抗；耐。

with·stood [wɪθˋstud, wɪð-] *v.* pt. & pp. of **withstand.**

with·y [ˋwɪðɪ, ˋwɪθɪ] *n.* Ⓒ ①柳條；柳枝。②柳條編成之繩索。

wit·less [ˋwɪtlɪs] *adj.*無智慧的；愚笨的；輕率的。

wit·ness** [ˋwɪtnɪs] *n.* ① Ⓒ 目擊者(=eyewitness). ② Ⓤ 證據；證明。The man's fingerprints bore ~ to his guilt.這人的指紋證明他犯罪。③ Ⓒ 證人。call to ~***請…作證。— *v.t.* ①目擊到；目覩。②證明。③於(文書)上面簽名作證。— *v.i.*證明；作證。§ **~ stànd**〖美〗(法庭的)證人席(=〖英〗witnessbox).

wit·ti·cism [ˋwɪtəˏsɪzəm] *n.* Ⓒ 諧語；雋語；妙語；俏皮話。

wit·ting [ˋwɪtɪŋ] *adj.* 知曉的；有意的；故意的。—**ly,** *adv.*

wit·ty [ˋwɪtɪ] *adj.* 富於機智的；詼諧的。—**wit′ti·ly,** *adv.* —**wit′ti·ness,** *n.*

‡**wives** [waɪvz] *n.* pl. of **wife.**

wiz [wɪz] *n.* Ⓒ〖俚〗天才；奇才。

***wiz·ard** [ˋwɪzɚd] *n.* Ⓒ ①男巫。②〖俗〗高手；專家。— *adj.*①神奇的。②〖主英〗極佳的；優異的。

wiz·ard·ry [ˋwɪzɚdrɪ] *n.* Ⓤ ①魔法；巫術。②神奇的能力；絕技。

wiz·en(ed) [ˋwɪzn̩(d)] *adj.*凋謝的；皺縮的；枯槁的。

wk. week. **w／m**〖航運〗weight and／or measurement.

wob·ble [ˋwɑbl̩] *v.i.* ①往復地擺動；搖動。②(政策、心情)游移不定。③震顫。— *n.* Ⓒ 擺動；搖動；震顫。

wob·bly [ˋwɑblɪ] *adj.* ①不穩定的；搖動的；震顫的。②無定見的。

Wo·den [ˋwodn̩] *n.*渥登(日爾曼神話中的主神，相當於北歐神話中的 Odin).

wo(e) [wo] *n.* (*pl.* **~s**)① Ⓤ〖詩，雅〗悲哀；悲痛；苦惱。② Ⓒ (常 *pl.*)禍；災難；憂患。— *interj.*表不幸或悲痛之感歎詞。

woe·be·gone [ˋwobɪˏgɔn] *adj.*顯出悲傷的；憂愁的。

woe·ful [ˋwofəl] *adj.* ①悲哀的；悲傷的；不幸的。②可憫的。—**ly,** *adv.*

‡**woke** [wok] *v.* pt. of **wake**[1].

‡**wo·ken** [ˋwokən] *v.* pp. of **wake**[1].

wold [wold] *n.*① Ⓒ (常 *pl.*)(不毛的)山地；高原。②(Wolds)〖蘇〗高地。

wolf** [wulf] *n.* Ⓒ (*pl.* **wolves**)①狼。②殘忍貪婪之人。③〖俚〗色狼；調戲或誘惑女人的男人。cry ~***發假警報。***keep the ~ from the door***使不受饑寒。— *v.t.* 狼吞虎嚥〖常down〗. — *v.i.* 獵狼。§ **~ cùb** (1)小狼。(2)幼童軍。**~ dòg** 狼犬；獵狼犬。—**ish,** *adj.*

wolf·hound [ˋwulf͵haund] *n.* Ⓒ 獵狼犬。
wolf·ram [ˋwulfrəm] *n.* Ⓤ〖化〗鎢 (tungsten 的別稱; 符號 W).
wol·ver·ine [͵wulvəˋrin] *n.*① Ⓒ 狼獾。② Ⓤ 狼獾的毛皮。③(W-) Ⓒ〖美俗〗美國 Michigan 州之人或居民。
***wolves** [wulvz] *n.* pl. of **wolf.**
‡**wom·an** [ˋwumən] *n.*(*pl.* **wom·en**) ① Ⓒ 婦女; 女子(指成年者)。②(當總稱用, 不加冠詞)一般婦女; 女流。③ Ⓒ 女僕。④(the ～)女人味; 女人的氣質。⑤ Ⓒ 愛人; 情婦。**—** *adj.* ①女人的; 婦女的。②女性的。***～ of the street***[***town***]流鶯; 阻街妓女。***～ of the world*** 熟悉人情世故的女人。
§ **～'s ríghts**女權。**～'s stúdies**婦女研究。**～ súffrage**婦女參政權。— **ish,** —**like,** *adj.*
wom·an·hood [ˋwumən͵hud] *n.* Ⓤ ①女人的特性。②(女子的)成年期。③(集合稱)女子。
wom·an·ize, -ise [ˋwumən͵aɪz] *v.t.*使女性化; 使柔弱。**—** *v.i.*①變爲女性化。②宿娼; 玩女人。
wom·an·kind [ˋwumənˋkaɪnd] *n.* Ⓤ (集合稱)婦女; 女性; 女子。
wom·an·ly [ˋwumənlɪ, ˋwumənlɪ] *adj.* 有女子氣質的; 似女子的; 適合女子的。—**wom·an·li·ness,** *n.*
womb [wum] *n.* Ⓒ ①子宮。②孕育任何事物之處所。***in the ～ of time*** 未來的; 醞釀中的。
wom·bat [ˋwɑmbæt] *n.* Ⓒ〖動〗(澳洲產)袋熊。
‡**wom·en** [ˋwɪmɪn] *n.* pl. of **woman.**
wom·en·folk (s) [ˋwɪmɪn͵fok(s)] *n.*(*pl.*, 集合稱)婦女; 女人。
‡**won** [wʌn] *v.* pt. & pp. of **win.**
‡**won·der** [ˋwʌndɚ] *n.*① Ⓒ 奇蹟; 奇觀; 神奇的東西; 不可思議之事物。② Ⓤ 驚愕; 驚歎; 驚奇; 驚訝。***a nine days' ～*** 轟動一時但很快被遺忘的事件。***do***[***work***] ***～s*** 創造奇蹟; 做出驚人之事。***for a ～***令人驚奇地; 說也奇怪。***no ～*** **a.** 非傑出人才。**b.**難怪; 不足爲怪。**—** *v.i.* ①驚愕; 感到驚奇。②想知道; 感到疑惑。**—** *v.t.* ①想曉得; 不知道。②對…感覺驚奇。§ **～drùg**仙藥; 特效藥。— **ing,** *adj.* — **ment,** *n.*
‡**won·der·ful** [ˋwʌndɚfəl] *adj.*① 令人驚奇的; 使人驚嘆的; 驚人的; 不可思議的。②〖俗〗極好的; 絕妙的。—**ness,** *n.*
won·der·ful·ly [ˋwʌndɚfəlɪ] *adv.* ①絕妙地; 極好地。②不可思議地; 令人驚奇地。
won·der·land [ˋwʌndɚ͵lænd] *n.* Ⓤ奇境; 仙境。
won·der-struck [ˋwʌndɚ͵strʌk] *adj.* 深感驚異的。
won·der-work·er [ˋwʌndɚ͵wɝkɚ] *n.* Ⓒ 創造奇蹟的人。
won·drous [ˋwʌndrəs] *adj.* 〖詩, 雅〗令人驚奇的; 奇異的; 不可思議的。**—** *adv.*驚人地; 非常地。〔注意〕**wondrous**作副詞用, 只能用以修飾形容詞。

wont [wʌnt, wont] *adj.* 習慣的; 習以爲常的。**—** *n.* Ⓤ (常 one's ～)習慣。〔注意〕**wont** 作形容詞用, 只能用於述語中, 其後接 verb to be。
‡**won't** [wont, wʌnt] =**will not.**
wont·ed [ˋwʌntɪd, ˋwontɪd] *adj.* 慣常的; 習慣的。
won ton [ˋwɑn͵tɑn]〖中〗*n.* Ⓒ 餛飩; 雲吞。
woo [wu] *v.t.*①向…求愛; 向…求婚。②央求; 懇求。③求…之歡心。④招致。**—** *v.i.* ①求愛; 求婚。②討好。— **er,** *n.*
‡**wood** [wud] *n.* ① Ⓤ Ⓒ 木; 木材。② Ⓒ (常 *pl.*)森林。③ Ⓤ 柴薪。④ Ⓤ 木製品。⑤(the ～)木桶。⑥(the ～)木管樂器。***be unable to see the ～ for the trees*** 見樹而不見林(因過於瑣細而致忽略全局)。**—** *adj.* 木製的。**—** *v.t.* ①供以木材; 供以柴薪。②植樹於; 在…造林。**—** *v.i.* 收集木材; 貯藏柴薪〔常 up〕. § **～ álcohol**[**spìrit**]〖化〗木精; 甲醇。**～ blòck** (1)〖印刷〗木刻板; 木版畫。(2)木魚(交響樂團中的一種木製擊樂器)。(3)(舖地用)木磚。**～ càrving** 木刻; 木雕。**～ còal** (1)褐煤。(2)木炭。**～ engrâving** (1)木刻(術)。(2)木刻畫; 木刻品。**～ lòt** 造林地(亦作 woodlot). **～ nŷmph** (1)森林中之精靈[仙女]。(2)斑蛾(專咬葡萄藤)。**～ pùlp**(製紙用的)木質紙漿。**～ wìnd**〖樂〗木管樂器(亦作 woodwind).
wood·bine [ˋwud͵baɪn] *n.* Ⓤ〖植〗①忍冬。②(美國Virginia州之) 蛇葡萄。(亦作 **woodbind**)
wood-carv·er [ˋwud͵kɑrvɚ] *n.* Ⓒ木刻家。
wood·chop·per [ˋwud͵tʃɑpɚ] *n.* Ⓒ伐木者。
wood·chuck [ˋwud͵tʃʌk] *n.* Ⓒ (北美之)土撥鼠。
wood·cock [ˋwud͵kɑk] *n.* Ⓒ (*pl.* **～, ～s**)〖鳥〗山鷸。
wood·craft [ˋwud͵kræft] *n.* Ⓤ ①(特指關於打獵的)森林知識。②森林學(=forestry). ③木刻術。
wood·cut [ˋwud͵kʌt] *n.* Ⓒ 木刻; 木版畫。
wood·cut·ter [ˋwud͵kʌtɚ] *n.* Ⓒ ①伐木者。②木刻(畫)家。
wood·ed [ˋwudɪd] *adj.* 多樹木的; 樹林茂密的。
‡**wood·en** [ˋwudn̩] *adj.* ①木製的。②木然的; 無表情的。③僵硬的; 笨手笨腳的。§ **～ hórse**〖希神〗(特洛依戰爭中的)木馬。**～ spóon** (1)木湯匙。(2)〖英俗〗尾獎; 精神獎。
wood·en-head·ed [ˋwudn̩͵hɛdɪd] *adj.* 〖俗〗愚笨的。
***wood·land** [ˋwud͵lænd] *n.* Ⓤ (常 *pl.*)林地; 森林地區。**—**[ˋwudlənd] *adj.* 森林的。
wood·man [ˋwudmən] *n.* Ⓒ (*pl.* **-men**)①樵夫。②居於森林之人。③看管森林之人。
wood·peck·er [ˋwud͵pɛkɚ] *n.* Ⓒ 啄木鳥。
wood·pile [ˋwud͵paɪl] *n.* Ⓒ 柴堆。
wood·shed [ˋwud͵ʃɛd] *n.* Ⓒ 柴房。
woods·man [ˋwudzmən] *n.* Ⓒ (*pl.* **-men**)①慣於森林生活之人。②伐木者。

woods·y [ˋwudzɪ] *adj.* 〖美〗令人想到森林的；(似)森林的。

wood·work [ˋwud͵wɝk] *n.* Ⓤ ①(房屋等的)木造部分。②木工手藝。③(集合稱)木製品。

wood·work·ing [ˋwud͵wɝkɪŋ] *n.* Ⓤ & *adj.* 木工(的)；細木工(的)。

wood·y [ˋwudɪ] *adj.* ①樹木繁茂的；多樹木的。②木質的。

woof[1] [wuf] *n.* ①(the ~，集合稱)緯線(織物之橫紗，爲warp之對)。② Ⓤ 織物；織品。

woof[2] *n.* Ⓒ 低音；低調。— *v.i.* 低鳴。

woof·er [ˋwufɚ] *n.* Ⓒ 低音揚聲器(如低音喇叭)。

wool** [wul] *n.* Ⓤ①羊毛。②似羊毛之物。③毛織物；毛衣。④毛線。⑤捲曲的頭髮。go for ~ and come home shorn*** 偷雞不著蝕把米。***much cry and little ~*** 只會空叫嚷而做不出事來；雷聲大，雨點小。— *adj.* 羊毛製的。

***wool·(l)en** [ˋwulɪn] *adj.* 羊毛的；羊毛製的，毛織的。— *n.* (*pl.*)毛織品。

wool·gath·er·ing [ˋwul͵gæðərɪŋ] *n.* Ⓤ & *adj.* 空想(的)；幻想(的)；心不在焉(的)。

wool·ly [ˋwulɪ] *adj.* ①(似)羊毛的。②被羊毛或羊毛狀物覆蓋的。③〖俗〗粗獷的。④不清楚的；無組織的。— *n.* Ⓒ (常 *pl.*)羊毛內衣；羊毛衣。

wool·y [ˋwulɪ] *adj.* & *n.* = **woolly.**

wooz·y [ˋwuzɪ] *adj.* 〖俚〗暈眩的；昏迷的；模糊不清的；醉了的。

⁑**word** [wɝd] *n.* ① Ⓒ 詞；字；文字。② Ⓒ (常 *pl.*)所說的話；談話；言辭。③ Ⓤ 消息；音訊。④ Ⓒ (常 *sing.*)指示；命令。⑤(one's ~)諾言；保證。⑥(*pl.*)爭論；口角。⑦ Ⓒ (常*sing.*)口令；口號。⑧(*pl.*)歌詞(以別於歌譜)。***be as good as one's ~*** 言而有信。***big ~s*** 豪言壯語。***by ~ of mouth*** 口頭地。***have the last ~***(辯論中)說了有決定性的話。***have ~s with a person*** 同某人口角。***in a[one] ~*** 一言以蔽之；總而言之。***keep[break]one's ~*** 守[失]約。***My ~!*** (表示驚訝)噯呀！啊呀！***on[with]the ~*** 說了這話後立即…。***take a person at his ~*** 聽信某人之言。***the W-*** 聖經。***upon[on]my ~*** 我發誓；眞的。***~ for ~*** 逐字地；一字不差地。***~ of honor*** 以名譽擔保的諾言。— *v.t.* 說；措辭。§ ~ **clàss**〖文法〗詞類。~ **èlement**〖文法〗字素(指字首、字尾、字根等)。~ **òrder**〖文法〗字序；詞序。~ **pròcessor** 文書處理機(由打字機與電腦組合而成，用於文書的製作、記憶、印刷等)。

word-blind [ˋwɝd͵blaɪnd] *adj.* 患字盲症的。

word·book [ˋwɝd͵buk] *n.* Ⓒ①字典；辭彙。②(歌劇之)歌詞。

word-deaf [ˋwɝd͵dɛf] *adj.* 患語聾症的。

word-for·ma·tion [͵wɝdfɔrˋmeʃən] *n.* Ⓤ ①〖文法〗字語形成。②造字法。

word-for-word [ˋwɝdfɚˋwɝd] *adj.* 逐字翻譯的；一字不改的。

word·ing [ˋwɝdɪŋ] *n.* (*sing.*)措辭；語法。

word·less [ˋwɝdlɪs] *adj.* 無言的；沉默的；啞的。

word·play [ˋwɝd͵ple] *n.* ⓊⒸ ①雙關語；文字的爭論。②詼諧話；俏皮話。

word·smith [ˋwɝd͵smɪθ] *n.* Ⓒ①語言專家；字彙極豐富的人。②以寫作爲生的人。

Words·worth [ˋwɝdz͵wɚθ] *n.* 渥茲華斯(William, 1770-1850，英國詩人，1843-50 爲桂冠詩人)。

word·y [ˋwɝdɪ] *adj.* ①多言的；冗長的。②口頭的；言語的。— **word′i·ness,** *n.*

⁑**wore** [wor] *v.* pt. of **wear.**

⁑**work** [wɝk] *n.* ① Ⓤ 工作；勞動；作業。② Ⓤ 所做的事；職業。③ Ⓒ 製作品；作品；著作。④(*pl.*)工作時所用的材料、工具等。⑤(*pl.*)工廠。⑥(*pl.*)機械。⑦(*pl.*)工程；堡壘；防禦工事。⑧ Ⓤ〖理〗功。***at ~*** **a.** 在工作中。**b.** 在起作用；在產生影響。***in ~*** 進行中。***make short[quick]~ of*** **a.** 匆匆做畢。**b.** 把…整[教訓]一頓。***out of ~*** 失業中。***set[go, get] to ~*** 開始工作；著手。— *adj.* 工作用的。— *v.i.* (~**ed** or **wrought**)①工作；勞動；做事。②(機械、身體器官等)運轉；轉動；活動。③(計畫、方法等)有效；產生作用[影響]。④奮力行進；緩慢行進。⑤漸漸變爲(通常與副詞或形容詞連用)。⑥發酵。⑦澎湃；翻騰。— *v.t.* ①使工作。②運轉；轉動；使用。③在(某地區)從事業務。④經營；實行；應用。⑤造成。⑥形成；鑄成；做成。⑦算出(得數)；解決(問題)。⑧使動；使因激動而扭動。⑨艱苦行(路)；以工作抵償。⑩繡；縫[雕，繪]製；編織。⑪影響；說服。⑫揉(麵)。⑬〖俗〗利用(人，關係)。⑭使變爲。⑮採(礦)。⑯使興奮；煽動。⑰使(啤酒)發酵。~ ***away[on]*** 不停地繼續工作。~ ***in*** **a.** 把(話題等)插進；放進去。**b.**(使)(灰塵等)逐漸進入。~ ***off*** **a.** 漸漸除去；做完(剩下的工作)。**b.** 用工作來償付。~ ***on[upon]*** **a.** 企圖說服或影響。**b.** 繼續工作。~ ***out*** **a.** 努力獲致。**b.** 作出；設計出。**c.** 用盡；枯竭。**d.** 有預期的結果。**e.** 以工作代替金錢來還債。**f.**(體育選手)訓練。**g.** 理解。~ ***up*** **a.** 努力獲致；漸漸造成；漸漸發展成；促成。**b.** 逐步激起。**c.** 逐步建立[組成，整合]。**d.** 逐漸晉陞；逐漸達到。§ ~ **fàrm** 少年感化農場；勞動教育農場。~ **fòrce** 全體工作人員；勞動力；勞動人口。~ **lòad** 工作量。~ **shèet**(1)(學生的)作業紙。(2)(工廠的)工作計畫表。

work·a·ble [ˋwɝkəbl] *adj.* ①可工作的；可使用的；(機器等)可開動的；能運轉的。②(計畫等)可行的；行得通的。③(材料等)可加工的。

work·a·day [ˋwɝkə͵de] *adj.* ①工作日的；普通日的。②普通的；平凡的；實際的。

work·a·hol·ic [͵wɝkəˋhɑlɪk] *n.* Ⓒ 工作狂熱者；廢寢忘食的工作者。

work·bag [ˋwɝk͵bæg] *n.* Ⓒ 針線袋。

work·bench [ˋwɜk͵bɛntʃ] *n.* Ⓒ技工等工作時所用之長檯；工作檯。
work·book [ˋwɜk͵bʊk] *n.* Ⓒ①練習簿。②工作手冊；工作規範。③筆記簿。
work·box [ˋwɜk͵bɑks] *n.* Ⓒ工具箱；縫紉箱；針線盒。
work·day [ˋwɜk͵de] *n.* Ⓒ①工作日；平日。②一日之工作時間。— *adj.* =**workaday.**
‡**work·er** [ˋwɜkɚ] *n.* Ⓒ①工作者。②勞動者；工人。③工蜂；工蟻。④創造者。
work·horse [ˋwɜk͵hɔrs] *n.* Ⓒ①用於工役的馬。②做苦工者；吃苦耐勞者。③廣受應用的車輛或機器。
work·house [ˋwɜk͵haʊs] *n.* Ⓒ①〖美〗監犯工廠。②(有時 the ～)〖英〗貧民習藝所。
work-in [ˋwɜk͵ɪn] *n.* Ⓒ到職罷工；到校罷課。
***work·ing** [ˋwɜkɪŋ] *n.* ①Ⓤ工作；勞動。②Ⓒ(常*pl.*)運轉。③Ⓒ(常*pl.*)(礦坑、採石場等之)礦內工作區。④Ⓤ製造；塑造。— *adj.* ①工作的；工作用的。②實用的。§ ～ **càpital** 營運資本；流動資金。～ **clàss** 勞工[工人]階級。～ **dày** 工作[作業]日。～ **mòther** 就業母親。～ **pàrty**〖英〗(爲研究問題或提高效率而設之)專門委員會。
work·ing·man [ˋwɜkɪŋ͵mæn] *n.* Ⓒ(*pl.* **-men**)勞動者；工人。
work·ing·wom·an [ˋwɜkɪŋ͵wʊmən] *n.* Ⓒ(*pl.* **-wom·en**)女工；女性勞工。
***work·man** [ˋwɜkmən] *n.* Ⓒ(*pl.* **-men**)(特定行業的)勞工；作業員。
work·man·like [ˋwɜkmən͵laɪk] *adj.* & *adv.* 工作熟練的[地]；技巧精湛的[地]。
work·man·ship [ˋwɜkmən͵ʃɪp] *n.* Ⓤ①手藝；技藝；技巧。②製作品。
work·out [ˋwɜk͵aʊt] *n.* Ⓒ①(拳擊、競賽等之)預備練習；訓練。②〖俚〗檢定；測驗；試驗。
work·peo·ple [ˋwɜk͵pipḷ] *n. pl.* (集合稱)〖英〗勞工們；工人們；職工。
work·place [ˋwɜk͵ples] *n.* Ⓒ工作場所。
work·room [ˋwɜk͵rum] *n.* Ⓒ作業室；工作坊。

***work·shop** [ˋwɜk͵ʃɑp] *n.* Ⓒ①工場；工廠。②研討會；研習班。
work-shy [ˋwɜk͵ʃaɪ] *adj.* 怕工作的；懶於工作的。
work·sta·tion [ˋwɜk͵steʃən] *n.* Ⓒ〖電算〗工作站。
work·ta·ble [ˋwɜk͵tebḷ] *n.* Ⓒ工作臺；縫紉臺。
work-to-rule [ˋwɜktəˋrul] *n.* Ⓒ〖英〗合法怠工(照常上班工作，但故意拖延時間，迫使資方讓步)。
work·week [ˋwɜk͵wik] *n.* Ⓒ〖美〗工作週；一週的工作時間。
‡**world** [wɜld] *n.* ①(the ～)世界；地球。②(the ～，作 *sing.* 用)世人；人類。③(the ～)塵世；俗世；現世。④Ⓒ(the ～)社交場合；上流社會的人。⑤(the ～)世間之生活；世事。How is the ～ using you? 你近況如何？⑥Ⓒ星球；天體。⑦(the W-)(地球上的)地區；…世界。⑧(the ～)〖生物〗界。⑨(a ～)大量；許多。***come into the ～*** 誕生。***for all the ～*** 無論如何。***in the ～*** 到底；究竟。***the other ～*** 來生；來世。***to the ～*** 完全地；徹底地。He was drunk *to the* ～. 他已爛醉如泥。～ ***without end*** 永遠地。§ **the W～ Cóurt** 國際法庭。**the W～ Cúp**(1)世界杯比賽(足球等的世界冠軍賽)。(2)世界杯比賽的獎杯。**W～ Héalth Organizátion** 世界衛生組織(略作 WHO)。～ **lánguage**(1)世界語；國際語(Esperanto 等)。(2)通行世界的語言(如英語)。～ **pówer** 對全球有影響力之強國。**W～ Séries**(美國兩聯賽冠軍隊之間的)年度冠軍棒球聯賽。～**'s fáir** 世界博覽會。～ **vìew** 世界觀。**W～ Wàr** 世界大戰。**W～ Wàr I** 第一次世界大戰(1914-18)。**W～ Wàr II** 第二次世界大戰(1939-45)。**W～ Wíde Wéb** 全球資訊網(略作 WWW)。
world-class [ˋwɜld͵klæs] *adj.* 世界級的；國際水準的。
world-fa·mous [ˋwɜldˋfeməs] *adj.* 舉世聞名的。(亦作 **world-famed**)
world·ling [ˋwɜldlɪŋ] *n.* Ⓒ①俗人；凡人；追求名利之人。②地球上之居民。
***world·ly** [ˋwɜldlɪ] *adj.* ①現世的；世俗的。②追求名利的。— *adv.* 世俗地；現世地。— **world'li·ness,** *n.*
world·ly-wise [ˋwɜldlɪˋwaɪz] *adj.* 老於世故的；有處世才能的。
world-shak·er [ˋwɜld͵ʃekɚ] *n.* Ⓒ驚天動地的事物。
world-shak·ing [ˋwɜld͵ʃekɪŋ] *adj.* 震撼全球的。
world-wea·ry [ˋwɜld͵wɪrɪ] *adj.* 厭世的。
***world-wide** [ˋwɜldˋwaɪd] *adj.* 遍及全世界的。
worm** [wɜm] *n.* ①Ⓒ蠕蟲；腸蟲。②Ⓒ似蠕蟲之物(如螺旋線等)。③(*pl.*)(作 *sing.* 解)寄生蟲病。④Ⓒ可悲[可卑]的小人；可憐蟲。⑤Ⓒ逐漸侵蝕之物；侵蝕；耗損；隱痛。⑥Ⓒ〖電算〗毛蟲(能在電腦網路中進出自如的獨立程式)。Even a ～ may*** [***will***] ***turn.*** 如果壓迫過甚，連最溫馴的人亦將反抗。— *v.t.* ①使蠕行；使爬行。②漸漸探出(祕密等)。③除去…之腸蟲。— *v.i.* ①蠕行；蠕動。②鑽入〔常 into〕。§ ～ **gèar**[**whèel**]〖機〗渦輪；螺旋輪。
worm-eat·en [ˋwɜm͵itn̩] *adj.* ①蟲蝕的；蟲蛀的。②陳腐的；落伍的。
worm·y [ˋwɜmɪ] *adj.* ①有蠕蟲[腸蟲]的。②爲蟲所蛀壞的。③似蠕蟲的；似蚯蚓的。
***worn** [worn] *v.* pp. of **wear.** — *adj.* ①用壞的；破舊的。②疲倦的。
worn-out [ˋwornˋaʊt] *adj.* ①已用壞不堪再使用的。②疲倦不堪的；精疲力竭的。③陳腐的；陳舊的。
wor·ried [ˋwɜɪd] *adj.* 憂慮的；擔心的；困擾的。
‡**wor·ry** [ˋwɜɪ] *v.t.* ①使煩惱；困擾。

②使不適；使痛苦。③撕咬。④攪動；擾亂；反覆觸動。— *v.i.* ①煩惱；焦慮。②艱苦前進；艱苦進行。～ ***along*** [***through***]不畏艱苦發奮熬過。— *n.* ①Ⓤ煩惱；苦惱；憂慮。②Ⓒ(常 *pl.*)令人煩惱的人或事。— **wor′ri·er, wor′ri·ment,** *n.* — **wor′ri·some,** *adj.*

wor·ry·ing [`wɜɪɪŋ] *adj.* 令人煩惱的；令人擔心的。

‡**worse** [wɜs] *adj.* comp. of **bad, ill.** 更壞的；更糟的。make matters ～ 使事情更爲糟糕。～ ***off*** 更窮；更糟。— *adv.* comp. of **badly, ill.** 更壞地；更糟地。— *n.* Ⓤ更壞的事；更糟的事。

wors·en [`wɜsn̩] *v.t.* & *v.i.* (使)變壞；(使)惡化。

wor·ship** [`wɜʃəp] *n.* ①Ⓤ崇拜；禮拜。②Ⓤ禮拜儀式。③Ⓤ崇敬；尊敬。④(your W-, his W-)(用於尊稱)閣下。Your *W*-. 大人。a place of*** ～ 教堂。— *v.t.* (**-p-,**〖英〗**-pp-**)①崇拜；禮拜。②敬愛。— *v.i.* 參加禮拜。—(**p**)**er,** *n.*

wor·ship·ful [`wɜʃəpfəl] *adj.* ①篤信的；虔誠的。②(W-)〖英〗有名譽的；值得尊敬的；聲望高的。

‡**worst** [wɜst] *adj.* superl. of **bad, ill.** 最壞的；最糟的。— *adv.* superl. of **badly, ill.** 最壞地；最糟地。— *n.* (the ～)最壞的人[事、物、情形、行爲、可能等]。***at*** (***the***)～ 在最壞的情形下。***get the*** ～ ***of it*** 遭受大敗。***give a person the*** ～ ***of it*** 打敗[擊敗]某人。***if*** (***the***)～ ***comes to*** (***the***)～ 如果情形壞到極點。— *v.t.* 打敗；勝過。

wor·sted [`wustɪd] *n.* Ⓤ①絨線；毛紗。②絨線或毛紗衣料。— *adj.* 用絨線或毛紗製的。

‡**worth** [wɜθ] *adj.* ①值得的。②值(若干)的。③擁有值…之財產的。***for all one is*** ～ 盡全力。***for what it is*** ～ 不管好壞。— *n.* Ⓤ價值。

***worth·less** [`wɜθlɪs] *adj.* ①無價值的；無用的；無益的。②卑鄙的；不足取的。—**ly,** *adv.* —**ness,** *n.*

worth-while, worth·while [`wɜθ`hwaɪl] *adj.* 值得的。〔注意〕此字僅能置於名詞之前，若在動詞 to be 之後，則分開爲兩個字。

***wor·thy** [`wɜðɪ] *adj.* ①有價值的；可敬的。②值得的；應得的；相配的；相宜的。— *n.* Ⓒ①有價值的人；傑出人物。②(諷刺語)大人物。— **wor′thi·ly,** *adv.* — **wor′thi·ness,** *n.*

‡**would** [wud] *aux. v.* ①pt. of **will**[1]. ②特殊用法。**a.** 表示決心或意向。**b.** 表示一種過去的習慣。**c.** 表示願望。**d.** 表示條件。If he ～ try, he could do it. 只要他試一試，他能做這件事的。**e.** 表示一種客氣的意味。*W*- you kindly show me the way to the station? 您可以指示我到車站去的路嗎? **f.** 表示將來時間。*W*- he never go? 他永遠不去嗎? ～ ***rather*** 寧願。

would-be [`wud,bi] *adj.* 願爲的；自稱[自許]的；未來的。

‡**would·n't** [`wudn̩t] =**would not.**

wouldst [wudst] *aux. v.* 〖古〗will[1] 之第二人稱、單數、過去式(與 thou 連用)。

‡**wound**[1] [wund] *n.* Ⓒ①傷口；創傷；損傷。②(信譽、感情等)損害；痛苦。— *v.t.* 傷；創傷；傷害(肉體或感情)。

***wound**[2] [waund] *v.* pt. & pp. of **wind**[2] and **wind**[3].

wound·ed [`wundɪd] *adj.* ①受傷的；負傷的。②(感情、名譽等)受到傷害的。— *n.* (the ～，集合稱)受傷者。

***wove** [wov] *v.* pt. & pp. of **weave.**

***wo·ven** [`wovən] *v.* pp. of **weave.**

wow [wau] *n.* (*sing.*)〖美俚〗(戲劇等之)空前大成功。— *interj.* 噢(表示驚愕、愉快、痛苦等之感嘆詞)。

wrack[1] [ræk] *n.* ①Ⓤ毀壞；破壞；毀滅。②Ⓒ失事的船隻；漂流物。③Ⓤ被沖到岸邊的海草或其他海生植物。— *v.i.* 破壞；毀壞。

wrack[2] *n.* =**rack**[3].

wraith [reθ] *n.* Ⓒ生魂(一般認爲人臨終前或方死後顯現的幽靈)。

wran·gle [`ræŋgl̩] *v.i.* ①爭吵；口角。②辯論；爭辯。— *v.t.* ①辯論；把…辯得〔into, out of〕。②以爭辯取得；把…爭吵得來。③〖美西〗牧(牲畜)；看守(馬群)。— *n.* Ⓒ爭吵。—**wran′gler,** *n.*

‡**wrap** [ræp] *v.t.* (**wrapped** or **wrapt, wrap·ping**)①包；裹；捲；纏。②包圍；隱藏。— *v.i.* ①捲；纏。②穿衣。③可被遮蓋[封入，包裝]〔常 up〕. ***be*** ～***ped up in*** **a.** 致力於；全神貫注於；對…感到濃厚之興趣。**b.** 和…有關係；被牽涉在…中。～ ***up*** **a.** 披上外衣。**b.** 結束。**c.** 作…之綜合報導。— *n.* ①Ⓒ外套；圍巾；披肩(等)。②(*pl.*)祕密；檢閱。

wrap·a·round [`ræpə,raund] *adj.* ①圍著身體的；束腰式的。②包圍式的。— *n.* Ⓒ圍繞身體[腰部]的衣服[裙子]。

wrap·per [`ræpɚ] *n.* Ⓒ①包裹者。②包裝用之物。③婦女室內寬鬆便袍。

wrap·ping [`ræpɪŋ] *n.* Ⓤ(常 *pl.*)包裝紙[布]。

wrap-up [`ræp,ʌp] *n.* Ⓒ綜合報導；摘要。

wrath [ræθ, rɑθ] *n.* Ⓤ①憤怒；暴怒。②猛烈的力量。— **ful, wrath′y,** *adj.*

wreak [rik] *v.t.* ①發洩。②施行(報復)。③施(罰)；造成(破壞等)。

***wreath** [riθ] *n.* Ⓒ (*pl.* ～**s** [riðz, riθs])①花冠；花圈。②(煙、雲等螺旋狀之)渦卷；圈。

wreathe [rið] *v.t.* ①將(花、枝葉等)作成花圈。②盤繞。③給…飾以花圈(狀之物)。— *v.i.* (煙霧等)旋捲；繚繞。

***wreck** [rɛk] *n.* ①ⓊⒸ(船隻)失事；遇難。②Ⓒ遇難的船隻。③ⓊⒸ(房屋、火車、汽車、飛機等之)毀壞。④ⓊⒸ破滅；挫折。⑤Ⓒ遇難船之殘骸；破毀後之殘餘物。⑥Ⓒ落魄的人；破產者；殘廢人。— *v.t.* ①使(船)失事。②破壞；摧毀。— *v.i.* ①(船、火車、房屋等)毀壞。②受到摧毀。③拆除房屋。

wreck·age [`rɛkɪdʒ] *n.* Ⓤ①(集合稱)殘骸；毀壞後之殘餘物。②毀滅。

wreck·er [`rɛkɚ] *n.* Ⓒ ①破壞者。②救助破船之人或船。③掠奪遇難船者。④〖美〗(移走違規或出車禍車輛用之)拖吊車；救險車。⑤拆除建築物者。

wreck·ing [ˋrɛkɪŋ] *n.* Ⓤ ①(船隻的)失事；遭難。②破壞；毀滅。③〖美〗拆除廢屋。④營救遇難船隻的工作；營救；救援。— *adj.* ①擔任[用於]拆除的。～ crew 拆除工人。②清除破毀殘餘物的；擔任營救的。

wren [rɛn] *n.* Ⓒ ①〖鳥〗鷦鷯。②〖美俗〗少女；女子。

***wrench** [rɛntʃ] *n.* ① Ⓒ 猛扭；扭轉。② Ⓒ 扭傷；扭筋。③(*sing.*)(離別的)悲哀；痛苦。④ Ⓒ (事實等)牽強附會；歪曲。⑤ Ⓒ 扳手；扳鉗。— *v.t.* ①猛扭。②扭傷。③歪曲；曲解(事實或言語)。

wrest [rɛst] *v.t.* ①猛扭；扭奪；奪取。②歪曲；曲解；牽強附會。— *n.* Ⓒ 擰；扭；猛奪。

***wres·tle** [ˋrɛsḷ] *v.t.* ①與…角力；摔(角)。②艱苦執行[推行，處理]。— *v.i.* ①角力；搏鬥。②奮鬥。— *n.* Ⓒ ①角力。②奮鬥。

wres·tler [ˋrɛslɚ] *n.* Ⓒ 角力者。

***wres·tling** [ˋrɛslɪŋ] *n.* Ⓤ 角力；摔角；扭鬥。

wretch [rɛtʃ] *n.* Ⓒ ①可憐的人。②卑鄙的人。

***wretch·ed** [ˋrɛtʃɪd] *adj.* ①可憐的；不幸的；悲慘的。②惡劣的；糟透的。③無恥的；卑鄙的。—**ly,** *adv.* —**ness,** *n.*

wrick [rɪk] *v.t.* & *n.* Ⓒ 扭傷；扭筋。

wrig·gle [ˋrɪgḷ] *v.i.* ①蠕動；蜿蜒。②設法掙脫。— *v.t.* 使蠕動；蜿蜒爬行。— *n.* Ⓒ 蠕動；蜿蜒。—**wrigˊgly,** *adj.*

wrig·gler [ˋrɪglɚ] *n.* Ⓒ ①蠕動的人或物。②孑孓。(亦作 **wiggler**)

wright [raɪt] *n.* Ⓒ ①製造者；工匠。②作者；作家。

Wright [raɪt] *n.* 萊特(Orville, 1871-1948; Wilbur, 1867-1912, 1903年發明飛機的美國兄弟)。

***wring** [rɪŋ] *v.t.*(**wrung**) ①扭；絞；擰。②絞出(水等)；榨出〔out〕。③緊握。④折磨；使苦惱。～*ing wet* 濕得足以絞出水來。— *n.* Ⓒ 扭；絞。

wring·er [ˋrɪŋɚ] *n.* Ⓒ ①(洗衣用之)絞衣機。②扭絞者；擰者。③敲詐者；勒索者。

***wrin·kle**[1] [ˋrɪŋkḷ] *n.* Ⓒ ①(皮膚、布等的)皺紋；褶子。②缺點。③〖美俚〗情人的母親。— *v.t.* & *v.i.*(使)起皺紋。

***wrin·kle**[2] *n.* Ⓒ〖俗〗好主意；妙計。

wrin·kly [ˋrɪŋklɪ] *adj.* 皺的；易起皺紋的；多皺紋的。

***wrist** [rɪst] *n.* Ⓒ 腕；腕關節。

wrist·band [ˋrɪstˏbænd] *n.* Ⓒ ①(襯衫等的)袖口。②錶帶；腕套。

wrist·let [ˋrɪstlɪt] *n.* Ⓒ ①(防寒用)腕套；腕帶。②手鐲。③〖俚〗手銬。

wrist·watch [ˋrɪstˏwɑtʃ] *n.* Ⓒ 手錶。

writ [rɪt] *n.* Ⓒ 令狀；文書；書面命令。a ～ of execution 〖法律〗執行狀。a ～ of summons 傳票。*Holy W-* 聖經。— *v.* 〖古〗pt. & pp. of **write.**

‡**write** [raɪt] *v.i.*(**wrote** or〖古〗**writ, writ·ten** or〖古〗**writ**) ①書寫；寫字。②寫作；著述。③寫信；通信。— *v.t.* ①書；寫。②撰寫；寫作；著述。③寫信給(某人)；寫信告知(消息等)。④明白地表示。⑤以文字表達。～ *down* **a.** 寫下；記錄。**b.** 以文字詆毀。**c.** 降低(身份)。～ *off* **a.** 劃銷；註銷；勾銷。**b.** 迅速流利地書寫；一氣呵成寫出。～ *out* **a.** 謄寫。**b.** 耗盡…之寫作能力；寫得使(自己)江郎才盡。～ *up* **a.** 記述；描寫；詳細記載。**b.** 爲文讚揚。**c.** 予以告發。

write-off [ˋraɪtˏɔf] *n.* Ⓒ ①(債務等的)註銷。②〖俗〗(汽車等)報廢物。

‡**writ·er** [ˋraɪtɚ] *n.* Ⓒ ①書寫者。②作家；著者；作者。

write-up [ˋraɪtˏʌp] *n.* Ⓒ〖俗〗(報紙或雜誌)吹捧的評論。

writhe [raɪð] *v.i.* ①翻滾；扭動。②受苦〔at, under, with〕. — *v.t.* 〖罕〗使盤繞；扭。— *n.* Ⓒ 扭；繞；轉動；受苦。

***writ·ing** [ˋraɪtɪŋ] *n.* ① Ⓤ 書寫。② Ⓤ 筆跡；書法(=handwriting). ③ Ⓤ 寫成之文件。④(*pl.*)著述；作品。⑤ Ⓤ 書寫或寫作之職業或工作。～ *on the wall* 凶兆。— *adj.* 書寫用的。§ ∼ **càse** 文具盒。∼ **dèsk** (1)書桌。(2)可作書桌用的文具箱。∼ **ìnk** 墨水。∼ **pàper** 寫字用紙。∼ **tàble** 寫字檯；書桌。

‡**writ·ten** [ˋrɪtn̩] *v.* pp. of **write.** — *adj.* 書寫的；成文的。

‡**wrong** [rɔŋ] *adj.* ①不正當的；邪惡的；不法的。②不正確的；錯誤的。③不適當的。④有毛病的；出岔子的；有事故的；故障的。⑤反面的；顚倒的。*get* [*have*] *hold of the* ～ *end of the stick* 弄錯意思。～ *side out* 翻轉；裏向外。— *adv.* 邪惡地；錯誤地；不適當地。*go* ～ 走錯路；出毛病；走入歧途。— *n.* ① Ⓤ 惡；邪惡；不義。② Ⓒ 錯誤；過失。③ Ⓤ Ⓒ 損害；不公正的待遇。*do* ～ 做壞事；犯罪；做錯事。*in the* ～ 不正當的；錯誤的。— *v.t.* ①虐待；傷害；冤枉。You ～ me. 你誤解我。②以不正當的方法自…奪取(某物)。

wrong·do·er [ˋrɔŋˋduɚ] *n.* Ⓒ 做壞事的人；犯罪的人。

wrong·do·ing [ˋrɔŋˋduɪŋ] *n.* Ⓤ Ⓒ 做壞事；惡行；犯罪。

wrong·ful [ˋrɔŋfəl] *adj.* ①不正當的；不公正的。②不法的；非法的。—**ness,** *n.* —**ly,** *adv.*

wrong-head·ed [ˋrɔŋˋhɛdɪd] *adj.* 判斷或意見錯誤的；頑固的。

wrong·ly [ˋrɔŋlɪ] *adv.* ①不應該地；邪惡地；非法地。②錯誤地。

‡**wrote** [rot] *v.* pt. of **write.**

wroth [rɔθ] *adj.* 很生氣的。

wrought [rɔt] *v.* pt. & pp. of **work.** — *adj.* 細工做成的；精製的；精煉的。§ ∼ **íron** 鍛鐵；熟鐵。

wrought-up [ˋrɔtˋʌp] *adj.* 興奮的；激動的。

***wrung** [rʌŋ] *v.* pt. & pp. of **wring.**

wry [raɪ] *adj.* ①扭歪的；歪斜的。②不對勁的。③諷刺的；辛辣的。—**ly,** *adv.*

WSW, W.S.W. west-southwest.

wt. weight. **WTO** World Trade Organization. 世界貿易組織。

WV 〖美郵政〗West Virginia.

W.Va. West Virginia. **WWF** World Wildlife Fund. 世界野生動物基金會。**WWW** World Wide Web. 全球資訊網。
Wy., Wyo. Wyoming.
Wy·o·ming [waɪˋomɪŋ] *n.* 懷俄明(美國西北部之一州, 首府 Cheyenne).
WYSIWYG What You See Is What You Get. 所見即所得(指文件、圖形及版面格式設定, 顯示在電算機螢幕上的內容會和印出來的相同)。
wy·vern [ˋwaɪvən] *n.* Ⓒ〖紋章〗雙足飛龍。(亦作 **wivern**)

X x X x 𝒳 𝓍

X or **x** [ɛks] *n.* (*pl.* **X's, x's** [ˋɛksɪz]) ① Ⓤ Ⓒ 英文字母之第二十四個字母。② Ⓒ X 形之物。③ Ⓤ 羅馬數字之10。④ Ⓒ 用以表示未知之人、物或數量的符號。⑤ Ⓒ〖俗〗十元鈔票。⑥ Ⓤ〖英〗表示成人電影之記號。— *adj.* X 形的。
Xan·a·du [ˋzænə,du] *n.* Ⓒ 富於田園美的土地[村鎮]; 世外桃源。
Xan·thip·pe [zænˋtɪpɪ] *n.* ① 詹蒂碧(古希臘哲學家蘇格拉底之妻, 以潑悍著名)。② Ⓒ 潑婦。(亦作 **Xantippe**)
xan·thous [ˋzænθəs] *adj.* ①黃色的。②黃色人種的。
Xa·vi·er [ˋzævɪə] *n.* 沙勿略(Francis, 1506-52, 世稱 Apostle of the Indies, 西班牙耶穌會之傳教士)。
x-ax·is [ˋɛks,æksɪs] *n.* Ⓒ (*pl.* **x-ax·es**)〖數〗(笛卡兒座標之)橫軸; X軸。
X-cer·tif·i·cate [ˋɛkssə,tɪfəkɪt] *adj.* (電影) X 級的(=X-rated).
X chro·mo·some [ˋɛks,kroməsom] *n.* Ⓒ〖生物〗X 染色體(性染色體之一種)。
Xe〖化〗xenon.
xe·bec [ˋzibɛk] *n.* Ⓒ (航行於地中海之)一種三桅小帆船。
xe·non [ˋzinɑn] *n.* Ⓤ〖化〗氙(稀有氣體元素; 符號 X, Xe).
xen·o·phile [ˋzɛnə,faɪl] *n.* Ⓒ 喜愛外國人及其文物者; 親外者。
xen·o·phobe [ˋzɛnə,fob] *n.* Ⓒ 仇視外國人者; 厭惡[恐懼]外國人者; 害怕生人者。
xen·o·pho·bi·a [,zɛnəˋfobɪə] *n.* Ⓤ 仇外; 懼外; 生人恐懼症。
xen·o·pho·bic [,zɛnəˋfobɪk] *adj.* 仇視外國人的; 恐懼外國人的; 患生人恐懼症的。
xe·rog·ra·phy [zɪˋrɑgrəfɪ] *n.* Ⓤ 靜電印刷; 乾印術; 靜電照相。
xe·ro·phyte [ˋzɪrə,faɪt] *n.* Ⓒ 耐旱植物(生長於乾燥地區, 如仙人掌等)。
xe·rox [ˋzɪrɑks] *n.* Ⓤ ①全錄影印法; 靜電複印術。②(X-)其商標名。— *v.t.* 以全錄影印法影印。
XL, X.L. extra large. 特大(的)。
***Xmas** [ˋkrɪsməs] *n.* = **Christmas.** 〖注意〗X'mas 是錯誤的寫法。
X-ra·di·a·tion [ˋɛksredɪˋeʃən] *n.* Ⓤ X光照射; X輻射; X射線。
X-rat·ed [ˋɛks,retɪd] *adj.* 〖俗〗①(電影) X 級的; 以成人爲對象的。an ~ movie 成人電影。②猥褻的; 色情的。
***X ray** [ˋɛks,re, ˋɛksˋre] *n.* Ⓒ ①(常 *pl.*) X 光; X 射線。② X 光照片。③ X 光檢查。
***X-ray** [ˋɛksˋre] *v.t.* 用 X 光線檢查、照相或治療。— *adj.* X 光線的。§ ~ thèrapy〖醫〗X射線治療法。
xy·lo·phone [ˋzaɪlə,fon] *n.* Ⓒ 木琴。— **xy'lo·phon·ist,** *n.*
xys·ter [ˋzɪstə] *n.* Ⓒ (外科用的)刮骨刀; 骨刮; 刮器。

Y y Y y 𝒴 𝓎

Y or **y**[1] [waɪ] *n.* (*pl.* **Y's, y's** [waɪz]) ① Ⓤ Ⓒ 英文之第二十五個字母。② Ⓒ Y 形物。
y[2] *n.* Ⓒ〖數〗①縱座標。②一組未知數中之第二個未知數。
¥, Ұ, Y yen. 圓(日幣單位)。
-y[1]〖字尾〗形成形容詞, 表「充滿; 有…性質; 有…的狀態; 有…傾向; 頗; 有幾分; 類似」之義。
-y[2]〖字尾〗附加於名詞後, 常表「親暱; 小」之義(如 Billy, daddy 等)。
y. yard(s); year(s); yellow.
***yacht** [jɑt] *n.* Ⓒ 輕舟; 遊艇。— *v.i.* 駕輕舟; 乘遊艇。§ ~ cháir 摺疊帆布椅。~ clùb 遊艇俱樂部。~ ràce 遊艇比賽。
yacht·ing [ˋjɑtɪŋ] *n.* Ⓤ 遊艇比賽; 乘遊艇。— *adj.* ①遊艇(比賽)的。②對駕遊艇有興趣的。
yachts·man [ˋjɑtsmən] *n.* Ⓒ (*pl.* **-men**) ①遊艇所有人。②遊艇駕駛者。
yah [jɑ] *interj.* 呀! (表示嘲笑、不喜歡或挑釁、反抗等義)。— *adv.*〖美〗= **yes.**
Ya·hoo [jəˋhu] *n.* Ⓒ ①雅虎(Swift 所著 *Gulliver's Travels* 中的人形獸)。②(y-)邪惡、野蠻之人; 人面獸心之人。
Yah·we(h) [ˋjɑwe] *n.* = **Jehovah.**
yak[1] [jæk] *n.* Ⓒ (西藏及中亞所產之)犛牛。
yak[2] *v.i.* (**-kk-**) 喋喋不休。
yak·e·ty-yak [ˋjækɪtɪˋjæk] *v.i.* (**-kk-**) = **yak**[2].
Yale [jel] *n.* 耶魯大學(在美國 Connecticut 州之 New Haven).
Yal·ta [ˋjɔltə] *n.* 雅爾達(烏克蘭共和國南部一海港, 在 Crimea 境內, 瀕黑海)。§ ~ Cónference 雅爾達會議。

yam [jæm] *n.* Ⓒ①薯蕷；山藥。②甘薯(=sweet potato).
Yan·gon [ˌjænˋgun] *n.* 緬甸首都仰光(Rangoon)的新稱。
Yang·tze, -tse [ˋjæŋˌtsɪ] *n.* (the ～)揚子江；長江。(亦作 **Yangtze Kiang**)
yank [jæŋk] *v.t. & v.i.* 〖俗〗用力猛拉。— *n.* Ⓒ急拉；猛拔。
Yank [jæŋk] *n. & adj.*=**Yankee.**
***Yan·kee** [ˋjæŋkɪ] *n.* Ⓒ洋基 **a.** 美國北部諸州的人；北方佬。**b.** 美國新英格蘭人。— *adj.* ①美國北方人的。②洋基式的。§ ∼ **Dóodle** 洋基之歌(美國獨立戰爭時流行的一首歌曲)。
Yan·kee·ism [ˋjæŋkɪˌɪzəm] *n.* ⓊⒸ美國人之氣質、風俗、習語等。
yap [jæp] *v.i.* (**-pp-**)①(小狗等)急吠。②〖俚〗吵嚷；嘮叨。— *n.* ①Ⓒ犬吠；狗叫聲。②Ⓤ〖俚〗吵嚷；瞎談。③Ⓒ〖俚〗鄉巴佬；老粗。④Ⓒ〖俚〗無賴漢；惡棍。
⁑**yard**[1] [jɑrd] *n.* Ⓒ①庭院；天井；庭園。②工場；工作場。③調車場。— *v.t.* 將…關在院中；將…圍在場裏；把(牛群)趕入欄中。
⁑**yard**[2] *n.* Ⓒ①碼(三英尺)。②帆桁。③(常*pl.*)大量。§ ∼ **gòods** 布疋；疋頭。
yard·age [ˋjɑrdɪdʒ] *n.* Ⓤ以碼計量之長度(或數量)。
yard·arm [ˋjɑrdˌɑrm] *n.* Ⓒ〖海〗帆桁之一端。
yard·bird [ˋjɑrdˌbɜd] *n.* Ⓒ〖美俚〗①囚犯；罪犯。②軍中的新兵。
yard-meas·ure [ˋjɑrdˌmɛʒɚ] *n.* Ⓒ碼尺。
yard·stick [ˋjɑrdˌstɪk] *n.* Ⓒ①碼尺。②(任何評判或比較之)標準。
yar·mul·ke [ˋjɑrməlkə] *n.* Ⓒ猶太男子所戴的無邊小帽。
yarn** [jɑrn] *n.* ①Ⓤ紗；線。②Ⓒ〖俗〗故事；奇談；旅行者的故事；難以置信的故事。③ⓊⒸ漫談。spin a*** ∼ [∼***s***] 講一個故事；編造不實的故事。— *v.i.* 〖俗〗講故事；長談。
yar·row [ˋjæro] *n.* ⓊⒸ〖植〗洋蓍草。
yash·mak [jɑʃˋmɑk, ˋjæʃmæk] *n.* Ⓒ(回教婦女外出時所戴的)面紗。(亦作 **yashmac**)
yaw [jɔ] *v.t. & v.i.* ①(使)(船、飛機等)偏航；(使)逸出航線。②盤旋。— *n.* Ⓒ偏航；逸出航線；盤旋。
yawl [jɔl] *n.* Ⓒ①(前桅高後桅低之)小型帆船。②船載小艇。
yawn** [jɔn] *v.i.* ①打呵欠。②張開；裂開。— *v.t.* 打著呵欠說。make a person*** ∼ 使人厭倦；使人想睡覺。— *n.* Ⓒ①呵欠。②令人厭倦的事或人。③裂口；裂縫。
yaws [jɔz] *n.* Ⓤ〖醫〗熱帶莓疹；雅司病。
y-ax·is [ˋwaɪˌæksɪs] *n.* Ⓒ (*pl.* **y-ax·es**)〖數〗(笛卡兒座標之)縱軸；Y軸。

Yb 〖化〗ytterbium.
Y chro·mo·some [ˋwaɪˌkroməsom] *n.* Ⓒ〖生物〗Y染色體(雄性才有的性染色體)。
yd. yard(s).
ye [ji] *pron.* ①〖古〗pl. of **thou.** ②〖俗〗=**you.** ③〖古〗=**the.**
yea [je] *adv.* ①是；然(=yes). ②實在；的確(=indeed). ③不僅…而且；加之(= not only that, but also; moreover). — *n.* Ⓒ贊成票；投贊成票者。
***yeah** [jɛ] *adv.* 〖美俗〗=**yes.**
yean [jin] *v.t. & v.i.* 生產(小羊)。
yean·ling [ˋjinlɪŋ] *n.* Ⓒ羔；小羊。
⁑**year** [jɪr] *n.* ①Ⓒ年；歲；一年(期間)。②Ⓒ學年；年級。③(*pl.*)時代。④(*pl.*)**a.** 很久的時間。**b.** 年長；年老。**c.** 年齡。***the*** ∼ ***of grace*** 公元年；西曆年。∼ ***by*** ∼ 年年；每年。∼ ***in,*** ∼ ***out*** 一年又一年地；不斷。
year·book [ˋjɪrˌbʊk] *n.* Ⓒ①年鑑；年報。②〖美〗畢業紀念冊。
year-end [ˋjɪrˋɛnd] *n.* Ⓒ年底；歲末；年終。— *adj.* 年終的；歲末的。
year·ling [ˋjɪrlɪŋ] *n.* Ⓒ一歲的小獸。— *adj.* 一歲的。
year·long [ˋjɪrˋlɔŋ] *adj.* ①連續一年的。②連續多年的；經年的。
***year·ly** [ˋjɪrlɪ] *adj.* 每年一次的；每年的；一年間的。
***yearn** [jɜn] *v.i.* ①渴望；思念。②同情；憐憫。— **ing,** *n. & adj.* — **ing·ly,** *adv.*
year-round [ˋjɪrˋraʊnd] *adj.* 全年可使用的；全年開放的。
yea·say·er [ˋjeˌseɚ] *n.* ①Ⓒ(對人生)抱持肯定態度的人。②=**yes-man.**
yeast [jist] *n.* Ⓤ①酵母。②發酵粉[片]。③刺激；興奮素；感化力。④泡沫。— **yeast'y,** *adj.*
Yeats [jets] *n.* 葉慈(William Butler, 1865-1939, 愛爾蘭詩人及劇作家)。
yegg [jɛg] *n.* Ⓒ〖美俚〗竊賊(尤指竊保險庫者)。
***yell** [jɛl] *v.i.* 號叫；叫嚷。— *v.t.* ①喊出；大聲發出。②向…喊。— *n.* Ⓒ①呼喊；號叫。②〖美〗(學生鼓勵其本校選手之)歡呼；吶喊。
⁑**yel·low** [ˋjɛlo] *n.* ⓊⒸ①黃；黃色。②黃色顏料。③蛋黃。④黃種人。— *adj.* ①黃色的。②黃皮膚的。③〖美俗〗懦弱的；卑怯的。④妒忌的；猜忌的。⑤(報紙等)**a.** 低級趣味的；聳人聽聞的。**b.** 報導不實的。— *v.t. & v.i.* 使變黃；變黃。§ **the** ∼ **páges**〖美〗黃頁電話分類簿。**the** ∼ **péril** 黃禍(白種人恐懼黃種人可能征服世界的威脅)。**the** ∼ **ráce** 黃色人種。**the Y∼ Ríver** 黃河。**the Y∼ Séa** 黃海(在中國與朝鮮半島間)。∼ **alért** 空襲警報。**Y∼ Bòok** 黃皮書(政府發布的報告書)。∼ **féver** 黃熱病。∼ **flág** (1)=quarantine flag. (2)〖植〗黃色鳶尾。∼ **jàck** (1)=yellow fever. (2)=quarantine flag. ∼ **jàcket**〖昆〗黃色胡蜂。∼ **jóurnalism**〖美〗煽情[低級趣味]的報刊。∼ **líght** 黃燈。∼ **stréak** 怯懦(的個性)；膽怯的傾向。— **yel'low·y,** *adj.*
yel·low·ish [ˋjɛloɪʃ] *adj.* 微黃的；略帶黃色的。
Yel·low·stone [ˋjɛloˌston] *n.* 黃石公園(美國的國家公園，在 Wyoming 及 Montana 兩州間。(亦作 **Yellowstone National Park**)
yelp [jɛlp] *v.i. & v.t.* ①(狗等)吠叫。

②突然喊叫。— *n.* Ⓒ吠叫。

Yelt·sin [ˋjɛltsɪn] *n.* 葉爾辛(Boris [ˋbɑrɪs], 1931-, 1991任俄國總統)。

Yem·en [ˋjɛmən] *n.* 葉門(**a.** 阿拉伯半島西南部一共和國, 正式名稱爲 Yemen Arab Republic. **b.** 阿拉伯半島南部一共和國, 正式名稱爲 People's Democratic Republic of Yemen, 亦名 Southern Yemen)。

***yen**[1] [jɛn] *n.* Ⓒ (*pl.* ~)圓(日本幣制單位)。

yen[2] *n.* (a ~)癮; 熱望; 渴望。— *v.i.* (**-nn-**)渴望〖for〗。

yeo·man [ˋjomən] *n.* Ⓒ (*pl.* **-men**) ①〖美海軍〗文書上士。②〖古〗(王室貴族之)從僕; 衛士。③〖英史〗自由民。④〖英〗小地主; 自耕農。⑤〖英〗(自由民子弟組成的)義勇騎兵。— **ly,** *adj.*

yeo·man·ry [ˋjomənrɪ] *n.* Ⓤ(the ~)①yeoman 之集合稱。②(自由民子弟組成的)義勇騎兵。

yep [jɛp] *adv.* 〖美俚〗=**yes.**

‡**yes** [jɛs] *adv.* ①是; 然。②而且; 此外。③(表示懷疑人家的話)眞的嗎? 哦? (用上升的音調)。④(用在自己所說的話之後, 表示「你覺得對嗎?」「這樣對嗎?」)。⑤(用在別人談話之後, 表示「請說下去」)。⑥(用以轉換語氣)不錯(但…)。— *n.* (*pl.* **~es**)① ⓊⒸ 是; 然。② Ⓒ (常 *pl.*)贊成票; 贊成者。— *v.t.* & *v.i.* (對…)答是。— *interj.* (與 and 連用, 以加重語氣)。

yes-man [ˋjɛsmən] *n.* Ⓒ (*pl.*-**men**) 〖蔑〗唯唯諾諾[完全聽命於上司]的人。

‡**yes·ter·day** [ˋjɛstədɪ, -ˏde] *n.* ① Ⓤ 昨天。② Ⓤ 最近。③ Ⓒ (常 *pl.*)往日; 昔時。— *adv.* ①昨天。②近來; 最近。

yes·ter·night [ˋjɛstəˋnaɪt] *n.* Ⓤ & *adv.* 〖古, 詩〗昨夜; 在昨夜。

yes·ter·year [ˋjɛstəˋjɪr] *n.* Ⓤ & *adv.* ①去年; 在去年。②近幾年; 近來。

‡**yet** [jɛt] *adv.* ①尙; 還; 仍; 迄今。②現在; 目前。③又; 再; 更; 愈。④而且也; 且亦(與 nor 連用)。⑤遲早; 終必。⑥已經(通常用於疑問句)。⑦然而; 但是。He is poor, ~ honest. 他雖窮但誠實。***as* ~** 迄今; 直到目前。— *conj.* 然而; 但是; 可是。〔注意〕**yet** 是副詞。在正式英語中, 亦用作對等連接詞, 等於 but.

Yet·i, yet·i [ˋjɛtɪ] *n.* Ⓒ (*pl.* ~, **~s**)傳說中之喜馬拉雅山雪人(=Abominable Snowman)。

yew [ju] *n.* ① Ⓒ〖植〗紫杉; 水松。② Ⓤ 紫杉木材; 水松木材。

Y-gun [ˋwaɪˏgʌn] *n.* Ⓒ 艦尾發射深水炸彈之裝置。

Yid·dish [ˋjɪdɪʃ] *n.* Ⓤ 意第緒語(由一種 High German 方言組成, 用希伯來字母拼寫, 字彙中雜有希伯來文、俄文、波蘭文等, 爲散居歐美猶太人所使用)。— *adj.* ①此種語言的。②〖俗〗猶太人的。

Yid·dish·ism [ˋjɪdɪʃˏɪzm̩] *n.* ① Ⓒ 意第緒語特有的用法。② Ⓤ 提倡意第緒語[文化]的運動。

***yield** [jild] *v.t.* ①出產; 生產; 生。②放棄; 讓渡; 讓。③承認。④給與。⑤耽溺〖up〗。— *v.i.* ①生產; 出產; 生。②投降; 屈服; 退讓; 讓步。— *n.* Ⓒ ①生產; 生產量; 生產物。②投資收益。— **yield'a·ble,** *adj.*

yield·ing [ˋjildɪŋ] *adj.* ①放棄的; 屈服的; 讓步的。②易彎曲的; 柔軟的。

yipe [jaɪp] *interj.* 哇! 喲! (表示痛苦、喪膽、驚恐等之感嘆詞)。— *v.i.* 發此種感嘆聲。

yip·pee [ˋjɪpi] *interj.* 呀嗬! (表示狂喜、快樂等之感嘆詞)。

yip·pie [ˋjɪpi] *n.* Ⓒ (亦作 Y-)〖美〗逸痞(對政治狂熱的激進派分子, 爲 Youth International Party 的字首仿 hippie 所構成的字)。

Y.M.C.A., YMCA Young Men's Christian Association. 基督教青年會。

yob [jɑb] *n.* Ⓒ 〖英俚〗阿飛; 不良少年。(亦作 **yobbo**)

yo·del, yo·dle [ˋjodl̩] *v.t.* & *v.i.* (**-l-,** 〖英〗**-ll-**)用眞假嗓音陡然互換而唱。— *n.* Ⓒ 用此種方式所唱之歌(流行於瑞士及奧國 Tyrol 之高山居民間)。

Yo·ga, yo·ga [ˋjogə] *n.* Ⓤ (印度宗教哲學之)瑜珈(術); 瑜珈論; 瑜珈派。

yo·gi [ˋjogi] *n.* Ⓒ 瑜珈派修行者。

yo·gurt [ˋjogət] *n.* ⓊⒸ 酸乳酪; 酵母乳。(亦作 **yoghourt**)

yoke** [jok] *n.* ① Ⓒ 軛。② Ⓒ 軛狀物。③ Ⓒ 一對(牛)。④(the ~)統治; 奴役。⑤ Ⓒ (上衣連接頸肩的)抵肩。⑥ Ⓒ (常 *sing.*)(連結物或人的)羈絆; 情誼。⑦ Ⓒ 軛形扁擔。pass* [*come*] *under the* ~** 服從; 受統治。— *v.t.* ①駕以軛; 用軛連起。②結合; 匹配; 配合。— *v.i.* 〖罕〗結合; 配合; 聯合。§ ~ **bône** 顴骨。

yo·kel [ˋjokl̩] *n.* Ⓒ 鄉下人; 鄉愚。

Yo·ko·ha·ma [ˏjokoˋhɑmə] *n.* 橫濱(日本本州之一海港)。

yolk [jok] *n.* ⓊⒸ ①蛋黃。②羊毛油脂。③〖生物〗(胚囊內的)胚乳。④〖喻〗精華部分; 核心。§ ~ **sâc** [**bâg**] 〖動〗卵黃囊。

Yom Kip·pur [jɑmˋkɪpə] *n.* (猶太人的)贖罪日。

yon(d) [jɑn(d)] *adj.* & *adv.* 〖古, 方〗=**yonder.**

yon·der [ˋjɑndə] *adv.* 在那邊; 在彼處。— *adj.* ①那邊的; 彼處的。②遠處的。

yonks [jɑŋks] *n.* Ⓤ〖英俗〗長時間。

yore [jor] *n.* Ⓤ 往古; 昔時(僅用於下列成語中)。***of* ~** 從前; 往昔。

York [jɔrk] *n.* ① 約克(英格蘭 North Yorkshire 的首府)。②(亦作 **the House of York**)約克王室(1461- 85 年間的英國王室; 以白薔薇爲徽章)。

York·shire [ˋjɔrkʃɪr] *n.* 約克郡(英國最大之一郡, 在東北部)。***come* ~ *over* [*on*] *one; put* ~ *on one*** 騙某人; 叫某人上當。§ ~ **térrier** 約克郡㹴(當作寵物的長毛㹴)。

Yo·sem·i·te [joˋsɛmətɪ] *n.* 優詩美地(位於美國 California 州中部, 以峽谷、瀑布、巨木林聞名)。

‡**you** [ju] *pron. pl.* or *sing.* ① 你; 你

們。②一個人；任何人。③喂(用以引起他人注意)。

‡**you'd** [jud] ①=**you had.** ②=**you should.** ③=**you would.**

you-know-what [ˋjuˌnoˋhwɑt] *n.* Ⓤ〖俚〗那東西(指不待說出名稱即知之物)。

‡**you'll** [jul] =**you will; you shall.**

‡**young** [jʌŋ] *adj.* (**young·er** [ˋjʌŋgɚ], **young·est**) ①年幼的；年輕的；幼小的。②無經驗的；不熟練的。③在尚早的階段的。④新建立的。⑤年輕者特有的。⑥有朝氣的；激進的。— *n.* (the ～，作 *pl.* 解)①(動物之)仔；雛。②年輕者(集合稱)。***be with*** ～(動物)有孕。***the*** ～年輕人。§ ～ **blóod** 血氣方剛(的青年)。**Y- Túrk** 急進分子。

young·er [ˋjʌŋgɚ] *adj.* comp. of **young.** — *n.* Ⓒ (常 one's ～)年少者；較年輕者。

young·ish [ˋjʌŋɪʃ] *adj.* 稍年輕的。

young·ling [ˋjʌŋlɪŋ] *n.* Ⓒ ①年輕人。②(動物)幼雛；(植物)幼株；幼苗。③無經驗之人。— *adj.* 年輕的；幼的。

***young·ster** [ˋjʌŋstɚ] *n.* Ⓒ年輕人；小伙子；兒童；少年。

‡**your** [jʊr] *pron. pl.* or *sing.,* possessive form of **you.** ①你的；你們的。②用於稱呼之頭銜。*Y-* Majesty. 陛下。§ ～ **pérsonal stòre** 個人化商店。

‡**you're** [jʊr] =**you are.**

‡**yours** [jʊrz] *pron. sing.* or *pl.* (you 的獨立所有格)①你的；你們的。②你(們)的東西。③你的家人[信，任務等]。***Y- truly*** 信文末尾簽名前之問候語。

‡**your·self** [jʊrˋsɛlf] *pron.* (*pl.* **-selves**)①(加強語勢)你自己。You ～ said so. 你自己這樣說的。②你自己；你們自己(you 的反身代名詞)。You will hurt ～. 你會傷了你自己。③你的常態；你本來的面目。Be ～. 放莊重些罷。

‡**your·selves** [jʊrˋsɛlvz] *pron.* pl. of **yourself.**

‡**youth** [juθ] *n.* (*pl.* **～s** [juθs, juðz])①Ⓤ年輕；青春。②Ⓤ青年時期；青春期。③Ⓤ初期；草創期。④Ⓒ年輕人；青年。⑤Ⓤ(常 the ～，集合稱)青年們；年輕人。§ ～ **cùlture** 青年文化(三十歲以下的人所持有的態度、觀念等)。～ **hòstel**青年之家；青年招待所。

***youth·ful** [ˋjuθfəl] *adj.* ①年輕的；有朝氣的；有活力的。②年輕人的；適合年輕人的。—**ly,** *adv.* —**ness,** *n.*

‡**you've** [juv] =**you have.**

yowl [jaʊl] *v.i.* (動物)發出長聲的哀鳴。— *n.* Ⓒ (動物的)哀鳴聲。

yo-yo [ˋjoˌjo] *n.* Ⓒ (*pl.* **～s**)①溜溜球(一種木[塑膠]製輪形玩具，用線扯動，可使上下旋轉)。②〖美俚〗笨蛋；蠢材。— *adj.* 忽上忽下的；變動的。

yr. year(s); your; younger. **yrs.** years; yours.

yt·ter·bi·um [ɪˋtɝbɪəm] *n.* Ⓤ〖化〗鐿(稀有金屬元素，化學符號爲Yb).

yt·tri·um [ˋɪtrɪəm] *n.* Ⓤ〖化〗釔(稀有金屬元素，化學符號爲 Y 或 Yt).

yu·an [juˋɑn] *n.* Ⓒ (*pl.* ～)元(中國幣制單位)。

Yu·ca·tan, Yu·ca·tán [ˌjukəˋtæn, -ˋtɑn] *n.* 猶加敦半島(位於加勒比海與墨西哥灣之間)。

yuc·ca [ˋjʌkə] *n.* Ⓒ〖植〗王蘭；絲蘭。

Yu·go·slav [ˋjugoˌslɑv] *adj.* 南斯拉夫(人)的。— *n.* Ⓒ 南斯拉夫人。(亦作 **Jugoslav, Jugo-Slav**)

Yu·go·sla·vi·a [ˋjugoˋslɑvɪə] *n.* 南斯拉夫(歐洲東南部之聯邦共和國，自 1992 年起由 Serbia 與 Montenegro 組成，首都爲 Belgrade). (亦作 **Jugoslavia**)—**Yu'go·sla'vi·an,** *adj. & n.*

Yu·kon [ˋjukɑn] *n.* ①(亦作 **Yukon Territory**)育空(準省)(加拿大西北部的一個準省；首府 Whitehorse). ②(the ～)育空河(經育空準省與美國阿拉斯加間流入白令海)。

yule, Yule [jul] *n.* Ⓤ耶誕節；耶誕季節。§ ～ **lòg** 耶誕柴(在耶誕前夕置入爐中焚燒之木柴)。

yule·tide [ˋjulˌtaɪd] *n.* Ⓤ (常 Y-)耶誕季節。

yum·my [ˋjʌmɪ] *adj.* 〖俗〗①美味的；悅人的。②美麗的；漂亮的。

Yum·pie, Yum·py, yum·pie [ˋjʌmpɪ] *n.* Ⓒ 優痞(城市中受過良好教育，有上進心的年輕人；爲 young upwardly mobile professional [person]的頭字語)。

Yup·pie, Yup·py, yup·pie [ˋjʌpɪ] *n.* Ⓒ 雅痞；雅皮(士)；高知識專業人士(居於都市郊區，生活優裕的高知識分子；爲 young urban professional 的頭字語)。

yurt [jʊrt] *n.* Ⓒ圓頂帳篷；蒙古包。

Y.W.C.A. Young Women's Christian Association. 基督教女青年會。

Z z **Z z** *Z z*

Z[1] or **z** [zi] *n.* (*pl.* **Z's, z's** [ziz])①Ⓤ Ⓒ 英文字母之第二十六個字母。②Ⓒ〖數〗表一未知之數量。

Z[2] *n.* Ⓒ (*pl.* **Z's, Zs** [～z])Z字形(之物)。

Z[3] *n.* Ⓒ〖俗〗短時間的小睡。get[catch] a few ～*s* 稍睡；昏昏沈沈地睡。— *interj.* 鼾聲。

z. zero; zinc; zone.

zaf·tig [ˋzɑftɪg] *adj.* 〖俚〗(婦女)身體豐滿的；性感的。

zag [zæg] *n. & v.i.* (**-gg-**) =**zig.**

Za·i·re [zəˋirə] *n.* 薩伊(非洲一共和國，原名 Democratic Republic of Congo，首都 Kinshasa).

Za·ir·i·an [zɑˋɪrɪən] *n.* ①Ⓒ 薩伊人。②Ⓤ薩伊語。— *adj.* 薩伊(人)的。

Zam·bi·a [ˋzæmbɪə] *n.* 尚比亞(非洲南部之一共和國，首都 Lusaka).

—Zam/bi·an, *adj.* & *n.*

za·ny [ˋzenɪ] *n.* Ⓒ①〖古〗小丑；丑角。②傻瓜；笨蛋。— *adj.* 滑稽的；愚蠢的。

Zan·zi·bar [ˏzænzəˋbɑr] *n.* 尙西巴(**a.** 非洲東部之一島，屬坦尙尼亞。**b.** 其首府名)。

zap [zæp] *v.t.* (**-pp-**)①殺死；射擊；攻擊；擊敗。②突然或快速地推動。— *v.i.* 猛衝；突進。— *n.* Ⓤ勁道；活力。— *interj.* 咻！砰！

zap·per [ˋzæpɚ] *n.* Ⓒ①微波滅蟲器。②猛烈的抨擊。③〖美俚〗遙控器。

***zeal** [zil] *n.* Ⓤ熱心；熱中；熱誠。

zeal·ot [ˋzɛlət] *n.* Ⓒ對於信仰或黨派過度熱心者。

***zeal·ous** [ˋzɛləs] *adj.* 熱心的；熱誠的。—**ly,** *adv.*

ze·bra [ˋzibrə] *n.* Ⓒ (*pl.* **~s,** ~)斑馬。§ ~ **cróssing**(街道的)斑馬線。

ze·bu [ˋzibju] *n.* Ⓒ〖動〗(中國、印度及非洲東部所產之)犎牛；瘤牛(喉際下垂，肩上有大瘤)。

Zech·a·ri·ah [ˏzɛkəˋraɪə] *n.* ①撒迦利亞(男子名)。②〖聖經〗撒迦利亞(公元前六世紀希伯來一先知)。③〖聖經〗舊約撒迦利亞書。

Zeit·geist [ˋzaɪtˏgaɪst] 〖德〗 *n.* (the ~)時代精神[思潮]。

Zen [zɛn] *n.* Ⓤ①禪。②禪宗。(亦作 **Zen Buddhism**)

ze·na·na [zɛˋnɑnə] *n.* Ⓒ(印度、波斯婦女的)閨房。

Zend-A·ves·ta [ˏzɛndəˋvɛstə] *n.* (the ~)波斯祆教之經典。

ze·nith [ˋzinɪθ] *n.* ①(the ~)天頂(爲天底 nadir 之對)。②Ⓒ(常 *sing.*)頂點；極點；顚峯；最高點；全盛。

Ze·no [ˋzino] *n.* 季諾(335?–?263 B.C., 希臘哲學家，斯多噶學派之創始者)。

zeph·yr [ˋzɛfɚ] *n.* ①(Z-)西風(擬人語)。②Ⓒ〖詩〗和風；微風。③ⓊⒸ柔軟、質輕之薄紗。④Ⓒ輕而不實之物。

Zep·pe·lin [ˋzɛpəlɪn] *n.* ①齊柏林(Count Ferdinand von, 1833-1917, 德國將軍及飛船製造者)。②Ⓒ(常 z-)齊柏林式飛艇。

‡**ze·ro** [ˋzɪro] *n.* (*pl.* **~s,** **~es**) ①Ⓒ零；0。②Ⓤ零點；零位；(溫度計的)零度。③Ⓤ最低點；無。— *adj.* ①零的；在零度的。②無的。— *v.t.*(前三解常與 in 連用)①調整(槍砲)之射距。②集中砲火於…。③瞄準(槍砲)。④將…歸零。— *v.i.* 集中砲火(常 in)。§ ~ **grávity** 飛行時之失重狀態。~ **hòur** (1)〖軍〗零時；預定行動開始的時間。(2)(火箭等的)發射時刻。(3)決定性的瞬間；危機。~ **populátion gròwth** 人口零成長。

ze·ro-base(d) [ˋziroˏbes(t)] *adj.* (預算等)以零爲基礎的(各項預算等與前一年度無關，均必須由零重新編制)。

ze·ro-sum [ˋziroˋsʌm] *adj.* 零和(關係)的(指一方所得利益引起另一方相對損失的)。

ze·ro-ze·ro [ˋziroˋziro] *adj.* 周圍及上下之能見度均爲零的；能見度極差的。

***zest** [zɛst] *n.* Ⓤ(又作 a ~)①風味；滋味；趣味。②強烈的興趣；熱心。— *v.t.* 增加興趣。

zest·ful [ˋzɛstfəl] *adj.* ①熱心的；有興趣的。②有香味的；風趣的。

zest·y [ˋzɛstɪ] *adj.* ①興致高的；熱情的；有趣的。②精力充沛的；活躍的。

zeug·ma [ˋzjugmə] *n.* Ⓤ〖文法〗軛式修飾法(用一形容詞勉強修飾兩個名詞，或用一個動詞勉強及於兩個受詞之語句，而其中只有一個是合邏輯的)。

Zeus [zus, zjus] *n.* 〖希神〗宙斯(Olympus 的主神)。

zib·et(h) [ˋzɪbɪt] *n.* Ⓒ〖動〗(印度、馬來半島等地產的)香貓。

zig [zɪg] *n.* Ⓒ鋸齒狀的急轉彎；(行進、政策等的)急劇變化。— *v.i.*(**-gg-**)急轉；急變。

***zig·zag** [ˋzɪgzæg] *adj.* & *adv.* 鋸齒形的[地]；曲折的[地]。— *v.i.* (**-gg-**)作鋸齒形；曲折地前進。— *v.t.* 使成鋸齒形；使曲折。— *n.* Ⓒ鋸齒形(之物)。

zilch [zɪltʃ] *n.* 〖美俚〗①Ⓤ零；無(=zero)。②Ⓒ平常人；籍籍無名的人。

zil·lion [ˋzɪljən] *n.* Ⓒ (*pl.* **~s,** ~) 〖俗〗幾兆億；無數。~*s* of flies 無數的蒼蠅。

Zim·bab·we [zɪmˋbɑbwɪ, -bwe] *n.* 辛巴威(非洲東南部一共和國，首都Harare)。

zinc [zɪŋk] *n.* Ⓤ〖化〗鋅(金屬元素；符號 Zn)。— *v.t.*(**zinc(k)ed, zinc(k)ing**)覆以鋅；給…鍍鋅。

zin·co [ˋzɪŋko] *n.* & *v.* =**zincograph.**

zin·co·graph [ˋzɪŋkəˏgræf] *n.* Ⓒ鋅版；鋅版畫。— *v.t.* & *v.i.* 以鋅版印刷。

zin·co·type [ˋzɪŋkəˏtaɪp] *n.*=**zincograph.**

zing [zɪŋ] *n.* ①Ⓤ活力；興緻。②Ⓒ引起興趣之特點或性質。③Ⓒ〖俚〗高速運動之物體所發出之尖銳響聲；颼颼聲。— *v.i.* & *v.t.* 〖俚〗發颼颼聲。

zing·er [ˋzɪŋɚ] *n.* Ⓒ〖俚〗①切中要害的言論；有力的駁斥。②充滿活力的人。③出其不意的問題。

zing·y [ˋzɪŋɪ] *adj.* ①令人愉快興奮的。②吸引人的。③充滿活力的。

zin·ni·a [ˋzɪnɪə] *n.* Ⓒ〖植〗百日菊。

Zi·on [ˋzaɪən] *n.* ①錫安山(耶路撒冷之一山名，爲希伯來政教及國民生活之中心)。②Ⓤ(集合稱)以色列(人民)。③Ⓤ天堂；天國。④Ⓒ樂園；烏托邦。

Zi·on·ism [ˋzaɪənˏɪzəm] *n.* Ⓤ猶太人復國運動(以重返Palestine 爲目標)。

Zi·on·ist [ˋzaɪənɪst] *n.* Ⓒ錫安主義者；猶太復國主義者。— *adj.* 錫安主義的。

zip [zɪp] *n.* 〖俗〗①Ⓒ(子彈飛過時之)颼颼聲。②Ⓒ拉鏈。③Ⓤ能力；活力。— *v.i.* (**-pp-**)①作颼颼聲；颼颼飛駛。②猛衝；突進。③拉拉鍊。— *v.t.* ①拉上[下]…上的拉鍊。②使飛駛；使急行。③使有生氣。~ ***across the horizon*** 突然成名。§ ~ **còde** 郵遞區號(=〖英〗postcode)(亦作 ZIP code, Zip code)。~ **gùn** 土製手槍。

zip-fas·ten·er [ˋzɪpˏfæsn̩ɚ] *n.* 〖英〗=**zipper.**

zip·per [ˋzɪpɚ] *n.* ①Ⓒ拉鍊。②(Z-)一種拉鍊的商標。— *v.t. & v.i.* 以拉鍊扣緊(=zip).
zip-top [ˋzɪpˋtɑp] *adj.* (易開罐頭)由邊緣[金屬帶]拉開的；拉開式的。
zir·con [ˋzɝkɑn] *n.* ⓊⒸ〖礦〗鋯石；風信子玉。
zir·co·ni·um [zɚˋkonɪəm] *n.* Ⓤ〖化〗鋯(一種金屬元素；符號爲 Zr).
zit [zɪt] *n.* Ⓒ〖美俚〗青春痘(=pimple).
zith·er [ˋzɪθɚ] *n.* Ⓒ齊特琴(有三十至四十條絃，用撥子或手指彈奏之)。— *v.i.* 彈齊特琴。— **ist,** *n.*
zith·ern [ˋzɪθɚn] *n.* =**zither.**
Zn 〖化〗zinc.
zo·di·ac [ˋzodɪ,æk] *n.* ①(the ～)〖天〗黃道帶(天空中虛設之假想帶，在黃道左右各展開約8度，爲日、月及主要行星進行之道。黃道帶共分爲十二宮)。②Ⓒ十二宮一覽圖；十二星座的配置圖。③Ⓒ〖罕〗一周；圓周；周期。***signs of the*** ～ 十二宮。— **zo·di·a·cal** [zoˋdaɪəkl], *adj.*
Zo·la [ˋzolə] *n.* 左拉(Emile, 1840-1902, 法國小說家)。
zom·bi(e) [ˋzɑmbɪ] *n.* Ⓤ①(西非的)巫毒崇拜。②(西印度群島的)死屍復活之神力。
zon·al [ˋzonḷ] *adj.* ①帶的；帶狀的。②劃分成區域的；地區的。
zon·a·ry [ˋzonərɪ] *adj.* ①帶狀的；帶形的。②=**zonal.**
***zone** [zon] *n.* Ⓒ①地區；地帶；區域。②〖美〗郵資相同的收寄區。— *v.t. & v.i.* ①用帶子圍。②分成地區。§ ～ **tìme** (適用於海上的)區域標準時間；區時(依時區制推算而得者)。
zon·ing [ˋzonɪŋ] *n.* Ⓤ〖美〗地區劃分(如工業區、住宅區等)。
zonk [zɑŋk] *v.t.* 打昏；使失去知覺。— *v.i.* (受酒類、迷幻藥影響而)失去知覺〔out〕.
zonked [zɑŋkt] *adj.* 〖俚〗①醉酒的；(因吸食毒品而)木然的。②筋疲力竭的；(因勞累而)熟睡的。
Zón·ta Clùb [ˋzɑntə ～] *n.* (the ～)崇她社(社會或職業婦女之組織，創於1919年，其宗旨爲促進世界和平及友誼)。
‡**zoo** [zu] *n.* Ⓒ (*pl.* **～s**)動物園。
zoo- 〖字首〗表「動物；動物體；動物生活」之義。如 *zoo*chemistry.
zo·o·ge·og·ra·phy [,zoədʒɪˋɑgrəfɪ] *n.* Ⓤ動物地理學(研究動物地理分布之科學)。
zo·og·ra·phy [zoˋɑgrəfɪ] *n.* Ⓤ動物誌。
zoo·keep·er [ˋzu,kipɚ] *n.* Ⓒ動物園管理員。
zool. zoological; zoologist; zoology.
zo·o·log·i·cal [,zoəˋlɑdʒɪkḷ] *adj.* 動物(學)的。§ ～ **gárden** 動物園。
***zo·ol·o·gy** [zoˋɑlədʒɪ] *n.* Ⓤ①動物學。②動物誌。③一地方之動物(集合稱)。④生態。— **zo·ol′o·gist,** *n.*
zoom [zum] *v.i.* ①陡直地上升；攢升。②迅速地移動同時並發出嗡嗡聲。③〖攝〗用自由焦距鏡頭使影像縮小或放大〔in, out〕. — *v.t.* ①使陡直地上升。②〖攝〗調整(自由焦距鏡頭)使物像放大或縮小。— *n.* (a ～)①嗡嗡聲。②陡直上升；呼嘯疾駛。§ ～ **lèns**〖攝〗變焦距鏡頭；變焦。
zo·on·o·sis [zoˋɑnəsɪs, ,zoəˋnosɪs] *n.* Ⓤ能傳染人之動物疾病。
zo·oph·i·list [zoˋɑfɪlɪst] *n.* Ⓒ愛護動物者。
zo·o·plank·ton [,zoəˋplæŋktən] *n.* Ⓤ(集合稱)〖生物〗浮游動物。
zo·o·sperm [ˋzoə,spɝm] *n.* Ⓒ游動精子。
zo·o·spore [ˋzoə,spor] *n.* Ⓒ〖植〗游動孢子。
zo·o·tech·ny [ˋzoə,tɛknɪ] *n.* Ⓤ畜牧學。
zo·ot·o·my [zoˋɑtəmɪ] *n.* Ⓤ動物解剖(學)。
zóot sùit [ˋzut ～] *n.* Ⓒ〖美俚〗一種男性服裝(上衣肩寬而長，褲腰大而褲口窄狹)。— **er,** *n.*
zoot·y [ˋzutɪ] *adj.* 〖俚〗過於華麗的；裝飾考究的。
Zo·ro·as·ter [,zoroˋæstɚ] *n.* 瑣羅亞斯德(紀元前六世紀之波斯宗教家，爲波斯國教祆教之創始人)。(亦作 **Zarathustra**)
Zo·ro·as·tri·an [,zoroˋæstrɪən] *adj.* ①Zoroaster 氏的。②祆教的。— *n.* Ⓒ信奉 Zoroaster 者；祆教徒。
Zo·ro·as·tri·an·ism [,zoroˋæstrɪən,ɪzəm] *n.* Ⓤ祆教；拜火教。
zoy·si·a [ˋzɔɪʃə] *n.* Ⓒ高麗結縷草；韓國草。
ZPG zero population growth. 零人口成長。
Zr 〖化〗zirconium.
zuc·chi·ni [zuˋkinɪ] *n.* ⓊⒸ (*pl.* ～, **～s**)綠皮胡瓜(夏南瓜之一變種)。
Zu·lu [ˋzulu] *n.* (*pl.* **～s,** ～)①(the ～)(南非洲)祖魯族(居於Natal 及Lourence Marques 間的沿海地帶之一好戰民族)。②Ⓒ祖魯族人。③Ⓤ祖魯語。— *adj.* 祖魯族人[語]的。
Zu·rich [ˋzurɪk] *n.* 蘇黎世(位於瑞士東北部，爲該國最大之城市)。
zwie·back [ˋtswi,bɑk] *n.* Ⓒ(德國式)加蛋烤焦黃麵包片。
zy·go·ma [zaɪˋgomə] *n.* Ⓒ (*pl.* **-ma·ta** [-mətə])〖解〗顴骨突起；顴骨。
zy·gote [ˋzaɪgot] *n.* Ⓒ接合子[體](由兩個配子或生殖細胞結合成之細胞)。
zy·mase [ˋzaɪmes] *n.* Ⓤ〖生化〗酒化酶；釀酶；酵素。
zyme [zaɪm] *n.* Ⓒ酶；酵素。
zy·mol·o·gy [zaɪˋmɑlədʒɪ] *n.* Ⓤ發酵學。

不規則動詞表

斜體字主要用於詩語或古語

現　在	過　去	過去分詞
abide	abode, abided	abode, abided
alight	alighted, *alit*	alighted, *alit*
arise	arose	arisen
awake	awoke, awaked	awaked, awoke, awoken
backbite	backbit	backbitten, backbit
backslide	backslid	backslid, backslidden
be (am, *art*, is; are)	was, *wast*, *wert*; were	been
bear	bore, *bare*	borne, born
beat	beat	beaten, *beat*
become	became	become
befall	befell	befallen
beget	begot, *begat*	begotten, begot
begin	began	begun
begird	begirt, begirded	begirt, begirded
behold	beheld	beheld
bend	bent, *bended*	bent, *bended*
bereave	bereaved, bereft	bereaved, bereft
beseech	besought, beseeched	besought, beseeched
beset	beset	beset
bespeak	bespoke, *bespake*	bespoken, bespoke
bestrew	bestrewed	bestrewed, bestrewn
bestride	bestrode, bestrid	bestridden, bestrid
bet	bet, betted	bet, betted
betake	betook	betaken
bethink	bethought	bethought
bid	bade, bid, bad	bidden, bid
bide	bode, bided	bided
bind	bound	bound, *bounden*
bite	bit	bitten, bit
bleed	bled	bled
blend	blended, *blent*	blended, *blent*
bless	blessed, blest	blessed, blest
blow	blew	blown
break	broke, *brake*	broken, *broke*
breed	bred	bred
bring	brought	brought
broadcast	broadcast (ed)	broadcast (ed)
browbeat	browbeat	browbeaten
build	built, *builded*	built, *builded*
burn	burned, burnt	burned, burnt
burst	burst	burst
buy	bought	bought
can	could	——
cast	cast	cast
catch	caught	caught
chide	chided, chid	chided, chid, chidden
choose	chose	chosen
cleave	cleft, cleaved, clove	cleft, cleaved, cloven
cleave	cleaved, *clave*	cleaved
cling	clung	clung
clothe	clothed, *clad*	clothed, *clad*
come	came	come
cost	cost	cost
creep	crept	crept
crow	crowed, *crew*	crowed
curse	cursed, curst	cursed, curst
cut	cut	cut
dare	dared, durst	dared

現　在	過　去	過去分詞
deal	dealt	dealt
dig	dug, *digged*	dug, *digged*
dive	dived, dove	dived
do, does	did	done
draw	drew	drawn
dream	dreamed, dreamt	dreamed, dreamt
dress	dressed, drest	dressed, drest
drink	drank	drunk, drank, *drunken*
drive	drove, *drave*	driven
dwell	dwelt, dwelled	dwelt, dwelled
eat	ate	eaten
fall	fell	fallen
feed	fed	fed
feel	felt	felt
fight	fought	fought
find	found	found
flee	fled	fled
fling	flung	flung
fly	flew	flown
forbear	forbore	forborne
forbid	forbade, forbad	forbidden, forbid
forecast	forecast (ed)	forecast (ed)
forego	forewent	foregone
foreknow	foreknew	foreknown
foresee	foresaw	foreseen
foretell	foretold	foretold
forget	forgot, *forgat*	forgotten, forgot
forgive	forgave	forgiven
forsake	forsook	forsaken
forswear	forswore	forsworn
freeze	froze	frozen
gainsay	gainsaid, gainsayed	gainsaid, gainsayed
get	got, *gat*	got, gotten
gild	gilded, gilt	gilded, gilt
gird	girded, girt	girded, girt
give	gave	given
gnaw	gnawed	gnawed, gnawn
go	went	gone
grave	graved	graven, graved
grind	ground	ground
grow	grew	grown
hamstring	hamstrung, hamstringed	hamstrung, hamstringed
hang	hung, hanged	hung, hanged
have, *hast*, has	had, *hadst*	had
hear	heard	heard
heave	heaved, hove	heaved, hove
hew	hewed	hewed, hewn
hide	hid	hidden, hid
hit	hit	hit
hold	held	held, *holden*
hurt	hurt	hurt
inlay	inlaid	inlaid
inset	inset	inset
keep	kept	kept
kneel	knelt, kneeled	knelt, kneeled
knit	knitted, knit	knitted, knit
know	knew	known
lade	laded	laden, laded
lay	laid	laid
lead	led	led
lean	leaned, leant	leaned, leant
leap	leaped, leapt	leaped, leapt
learn	learned, learnt	learned, learnt
leave	left	left
lend	lent	lent
let	let	let

現　在	過　去	過去分詞
let	letted, let	letted, let
lie	lay	lain
light	lighted, lit	lighted, lit
lose	lost	lost
make	made	made
may	might	——
mean	meant	meant
meet	met	met
melt	melted	melted, molten
methinks	methought	——
misdeal	misdealt	misdealt
misgive	misgave	misgiven
mislay	mislaid	mislaid
mislead	misled	misled
misread	misread	misread
misspell	misspelled, misspelt	misspelled, misspelt
mistake	mistook	mistaken
misunderstand	misunderstood	misunderstood
mow	mowed	mowed, mown
outbid	outbid, outbade	outbid, outbidden
outdo	outdid	outdone
outgo	outwent	outgone
outgrow	outgrew	outgrown
outride	outrode	outridden
outrun	outran	outrun
outsell	outsold	outsold
outshine	outshone	outshone
outspread	outspread	outspread
outwear	outwore	outworn
overbear	overbore	overborne
overcast	overcast	overcast
overcome	overcame	overcome
overdo	overdid	overdone
overdraw	overdrew	overdrawn
overdrink	overdrank	overdrunk
overdrive	overdrove	overdriven
overeat	overate	overeaten
overfeed	overfed	overfed
overgrow	overgrew	overgrown
overhang	overhung	overhung
overhear	overheard	overheard
overlay	overlaid	overlaid
overleap	overleaped, overleapt	overleaped, overleapt
overlie	overlay	overlain
overpay	overpaid	overpaid
override	overrode	overridden
overrun	overran	overrun
oversee	oversaw	overseen
overset	overset	overset
overshoot	overshot	overshot
oversleep	overslept	overslept
overspread	overspread	overspread
overtake	overtook	overtaken
overthrow	overthrew	overthrown
overwork	overworked, overwrought	overworked, overwrought
partake	partook	partaken
pay	paid	paid
pen	penned, pent	penned, pent
plead	pleaded, ple(a)d	pleaded, ple(a)d
prepay	prepaid	prepaid
prove	proved	proved, proven
put	put	put
quit	quit, quitted	quit, quitted
read	read [rɛd]	read [rɛd]
reave	reaved, reft	reaved, reft
rebuild	rebuilt	rebuilt

現　在	過　去	過去分詞
recast	recast	recast
reeve	rove, reeved	rove, reeved
re-lay	re-laid	re-laid
rend	rent	rent
repay	repaid	repaid
reread	reread	reread
resell	resold	resold
reset	reset	reset
retell	retold	retold
rewrite	rewrote	rewritten
rid	rid, ridded	rid, ridded
ride	rode, *rid*	ridden
ring	rang	rung
rise	rose	risen
rive	rived	rived, riven
run	ran	run
saw	sawed	sawed, sawn
say	said	said
see	saw	seen
seek	sought	sought
sell	sold	sold
send	sent	sent
set	set	set
sew	sewed	sewed, sewn
shake	shook	shaken
shall, *shalt*	should, *shouldst*	—
shave	shaved	shaved, shaven
shear	sheared	sheared, shorn
shed	shed	shed
shine	shone, shined	shone, shined
shoe	shod, shoed	shod, shoed
shoot	shot	shot
show	showed	shown, showed
shred	shredded, *shred*	shredded, *shred*
shrink	shrank, shrunk	shrunk, shrunken
shrive	shrived, shrove	shriven, shrived
shut	shut	shut
sing	sang, *sung*	sung
sink	sank, *sunk*	sunk, sunken
sit	sat, *sate*	sat, *sate*
slay	slew	slain
sleep	slept	slept
slide	slid	slid, slidden
sling	slung	slung
slink	slunk, *slank*	slunk
slit	slit	slit
smell	smelled, smelt	smelled, smelt
smite	smote	smitten, *smit*
sow	sowed	sown, sowed
speak	spoke, *spake*	spoken, *spoke*
speed	sped, speeded	sped, speeded
spell	spelled, spelt	spelled, spelt
spellbind	spellbound	spellbound
spend	spent	spent
spill	spilled, spilt	spilled, spilt
spin	spun, *span*	spun
spit	spat, spit	spat, spit
split	split	split
spoil	spoiled, spoilt	spoiled, spoilt
spread	spread	spread
spring	sprang, sprung	sprung
squat	squatted, squat	squatted, squat
stand	stood	stood
stave	staved, stove	staved, stove
stay	stayed, *staid*	stayed, *staid*
steal	stole	stolen

現在	過去	過去分詞
stick	stuck	stuck
sting	stung	stung
stink	stank, stunk	stunk
strew	strewed	strewed, strewn
stride	strode	stridden
strike	struck	struck, *stricken*
string	strung	strung
strive	strove	striven
strow	strowed	strown, strowed
sunburn	sunburned, sunburnt	sunburned, sunburnt
swear	swore, *sware*	sworn
sweat	sweat, sweated	sweat, sweated
sweep	swept	swept
swell	swelled	swelled, swollen
swim	swam	swum
swing	swung	swung
take	took	taken
teach	taught	taught
tear	tore	torn
tell	told	told
think	thought	thought
thrive	throve, thrived	thriven, thrived
throw	threw	thrown
thrust	thrust	thrust
toss	tossed, *tost*	tossed, *tost*
tread	trod	trodden, trod
typewrite	typewrote	typewritten
unbend	unbent, unbended	unbent, unbended
unbind	unbound	unbound
undergo	underwent	undergone
understand	understood	understood
undertake	undertook	undertaken
underwrite	underwrote	underwritten
undo	undid	undone
uphold	upheld	upheld
upset	upset	upset
wake	waked, woke	waked, woken
waylay	waylaid	waylaid
wear	wore	worn
weave	wove, weaved	woven, wove, weaved
wed	wedded	wedded, wed
weep	wept	wept
wet	wet, wetted	wet, wetted
will, *wilt*	would, *wouldst*	——
win	won	won
wind	wound	wound
wind	wound, winded	wound, winded
withdraw	withdrew	withdrawn
withhold	withheld	withheld
withstand	withstood	withstood
work	worked, *wrought*	worked, *wrought*
wrap	wrapped, wrapt	wrapped, wrapt
wring	wrung	wrung
write	wrote, *writ*	written, *writ*

數的讀法

1.基數與序數

基 數 (Cardinals)		序 數 (Ordinals)
1……one	……I [i]	1st……first
2……two	……II [ii]	2nd……second
3……three	……III [iii]	3rd……third
4……four	……IV [iv]	4th……fourth
5……five	……V [v]	5th……fifth
6……six	……VI [vi]	6th……sixth
7……seven	……VII [vii]	7th……seventh
8……eight	……VIII [viii]	8th……eighth
9……nine	……IX [ix]	9th……ninth
10……ten	……X [x]	10th……tenth
11……eleven	……XI [xi]	11th……eleventh
12……twelve	……XII [xii]	12th……twelfth
13……thirteen	……XIII [xiii]	13th……thirteenth
14……fourteen	……XIV [xiv]	14th……fourteenth
15……fifteen	……XV [xv]	15th……fifteenth
16……sixteen	……XVI [xvi]	16th……sixteenth
17……seventeen	……XVII [xvii]	17th……seventeenth
18……eighteen	……XVIII [xviii]	18th……eighteenth
19……nineteen	……XIX [xix]	19th……nineteenth
20……twenty	……XX [xx]	20th……twentieth
21……twenty-one	……XXI [xxi]	21st……twenty-first
22……twenty-two	……XXII [xxii]	22nd……twenty-second
23……twenty-three	……XXIII [xxiii]	23rd……twenty-third
30……thirty	……XXX [xxx]	30th……thirtieth
40……forty	……XL [xl]	40th……fortieth
50……fifty	……L [l]	50th……fiftieth
60……sixty	……LX [lx]	60th……sixtieth
70……seventy	……LXX [lxx]	70th……seventieth
80……eighty	……LXXX [lxxx]	80th……eightieth
90……ninety	……XC [xc]	90th……ninetieth
100……one hundred	……C [c]	100th……(one) hundredth
101……one hundred (and) one	……CI [ci]	101st……(one) hundred and first
500……five hundred	……D [d]	500th……five hundredth
1,000……one thousand	……M [m]	1,000th……(one) thousandth

注意：序數通常都冠以 the.

2.萬以上的數字

10,000(一萬)……ten thousand
100,000(十萬)……one hundred thousand
1,000,000(百萬)……one million
10,000,000(千萬)……ten million
100,000,000(一億)……one hundred million
9,123,456 …………nine million, one hundred and twenty-three thousand, four hundred and fifty-six

十億以上的大數字在美英各有不同的讀法:

十億〖美〗one billion	〖英〗one thousand million
百億〖美〗ten billion	〖英〗ten thousand million
千億〖美〗one hundred billion	〖英〗one hundred thousand million
一兆〖美〗one trillion	〖英〗one billion

3.分數(Fractions)

$\frac{1}{2}$=a [one] half $\frac{1}{3}$=a third $\frac{1}{4}$=a quarter

$\frac{3}{5}$=three-fifths　$2\frac{5}{6}$=two and five-sixths

$\frac{115}{352}$=one hundred and fifteen over [by] three hundred and fifty-two

4. 小數(Decimals)

20.15=twenty decimal [point] one five
0.042=decimal naught four two

5. 計算式(Expressions)

8+4=12 Eight plus four equals twelve.
9−2=7 Nine minus two is equal to seven.
或爲, Two from nine leaves seven.
8×3=24 Eight times three is twenty-four.
24÷6=4 Twenty-four divided by six makes four.
3: 6=4: 8 Three is to six as four is to eight.
或爲, The ratio of three to six equals the ratio of four to eight.
x^2　x square 或爲 x squared
y^3　y cube 或爲 y cubed

6. 時間(Time)

8: 30 a.m.=eight thirty a.m.
或爲, half past(=〖美〗after) eight a.m.(上午八點三十分)
5: 45 p.m.=five forty-five p.m.(下午五點四十五分)
或爲, a quarter to(=〖美〗before) six p.m.(下午五點三刻)
或爲, 〖美〗a quarter of six p.m.

7. 年・月・日(Date)

7/1/1997=July (the) first, nineteen ninety-seven(美國式)
23/5/1996(或爲 23 V 96)=(the) twenty-third of May, nineteen ninety-six(歐洲式)

8. 度量衡(Weights and Measures)

長度 6 ft. 8 in.=six feet eight inches
面積 30×18 feet=thirty by eighteen feet
或爲 thirty feet by eighteen
體積 7″×5″×$2\frac{1}{3}$″=seven inches by five by two and a third
重量 10 lbs. 6 oz.=ten pounds six ounces
8 cwt. 3 lbs.=eight hundredweights three pounds

9. 電話號碼(Telephone Numbers)

電話號碼通常將各個數字以基數讀出來，但以把兩個數字一讀的方式較易明瞭，如須把局號放進時，通常是把它放在電話號碼之前或後讀出來。
0306=0 [o] three, 0 six
或爲 naught three, naught six
(02)5021948=0 two, five 0 two, one nine, four eight.
或爲 naught two, five naught two, one nine, four eight.

度量衡換算表

長　度(linear measure)

公釐	公尺	公里	市尺	營造尺	舊日尺(台尺)	吋	呎	碼	哩	國際浬
1	0.001	……	0.003	0.00313	0.0033	0.03937	0.00328	0.00109	……	……
1000	1	0.001	3	3.125	3.3	39.37	3.28084	1.09361	0.00062	0.00054
……	1000	1	3000	3125	3300	39370	3280.84	1093.61	0.62137	0.53996
333.333	0.33333	0.00033	1	1.04167	1.1	13.1233	1.09361	0.36454	0.00021	0.00018
320	0.32	0.00032	0.96	1	1.056	12.5984	1.04987	0.34996	0.0002	0.00017
303.030	0.30303	0.00030	0.90909	0.94697	1	11.9303	0.99419	0.33140	0.00019	0.00016
25.4	0.0254	0.00003	0.07620	0.07938	0.08382	1	0.08333	0.02778	0.00002	0.00001
304.801	0.30480	0.00031	0.91440	0.95250	1.00584	12	1	0.33333	0.00019	0.00017
914.402	0.91440	0.00091	2.74321	2.85751	3.01752	36	3	1	0.00057	0.00049
……	1609.35	1.60935	4828.04	5029.21	5310.83	63360	5280	1760	1	0.86898
……	1852.00	1.85200	5556.01	5787.50	6111.60	72913.2	6076.10	2025.37	1.15016	1

註：1英碼＝0.9143992公尺　1公尺＝1.0936143英碼　1英吋＝2.539998公分　1海里＝6080呎
　　1美碼＝0.91440183公尺　1公尺＝1.0936111美碼　1美吋＝2.54000公分　　＝1.1516哩

公釐 Millimeter mm; 公分 Centimeter cm; 公寸 Decimeter dm; 公尺 Meter m;
公丈 Dekameter dkm; 公引 Hectometer hm; 公里 Kilometer km

面　積(square measure)

平方公尺	公畝	公頃	平方公里	市畝	營造畝	日坪	日畝	台灣甲	英畝	美畝
1	0.01	0.0001	……	0.0015	0.001628	0.30250	0.01008	0.000103	0.00025	0.00025
100	1	0.01	0.0001	0.15	0.16276	30.25	1.00833	0.01031	0.02471	0.02471
10000	100	1	0.01	15	16.276	3025.0	100.833	1.03102	2.47106	2.47104
……	10000	100	1	1500	1627.6	302500	10083.3	103.102	247.106	247.104
666.666	6.66667	0.06667	0.000667	1	1.08507	201.667	6.72222	0.06874	0.16441	0.16474
614.40	6.1440	0.06144	0.000614	0.9216	1	185.856	6.19520	0.06238	0.15203	0.15182
3.30579	0.03306	0.00033	……	0.00496	0.00538	1	0.03333	0.00034	0.00082	0.00082
99.1736	0.99174	0.00992	0.00009	0.14876	0.16142	30	1	0.01023	0.02451	0.02451
9699.17	96.9917	0.96992	0.00970	14.5488	15.7866	2934	97.80	1	2.39672	2.39647
4046.85	40.4685	0.40469	0.00405	6.07029	6.58666	1224.17	40.8057	0.41724	1	0.99999
4046.87	40.4687	0.40469	0.00405	6.07031	6.58671	1224.18	40.806	0.41724	1.000005	1

註：1平方哩＝2.58999平方公里＝640美[英]畝　1台灣甲＝2934坪

1日町＝10段＝100日畝＝3000日坪
平方公尺 Centiare ca; 公畝 Are a; 公頃 Hectare ha

容　量(volume or capacity)

公撮	公升(市升)	營造升	日升(台升)	英液盎司	美液盎司	美液品脫	英加侖	美加侖	英蒲式耳	美蒲式耳
1	0.001	0.00097	0.00055	0.03520	0.03382	0.00211	0.00022	0.00026	0.00003	0.00003
1000	1	0.96575	0.55435	35.1960	33.8148	2.11342	0.21998	0.26418	0.02750	0.02838
1035.47	1.03547	1	0.57402	36.4444	35.0141	2.18838	0.22777	0.27355	0.02960	0.02939
1803.91	1.80391	1.74212	1	63.4904	60.9986	3.81242	0.39682	0.47655	0.04960	0.05119
28.4123	0.02841	0.02744	0.01585	1	0.96075	0.06005	0.00625	0.00751	0.00078	0.00081
29.5729	0.02957	0.02856	0.01639	1.04086	1	0.06250	0.00651	0.00781	0.00081	0.00084
473.167	0.47317	0.45696	0.26230	16.6586	16	1	0.10409	0.1250	0.01301	0.01343
4545.96	4.54596	4.39025	2.52007	160	153.721	9.60752	1	1.20094	0.1250	0.12901
3785.33	3.78533	3.65567	2.09841	133.229	128	8	0.83268	1	0.10409	0.10745
3636.77	36.3677	35.1220	20.1605	1280	1229.76	76.8602	8	9.60753	1	1.02921
35238.3	35.2383	34.0313	19.5344	1240.25	1191.57	74.4733	7.75156	9.30917	0.96895	1

註：1公升＝1.000028立方公寸　1英加侖＝8英品脫＝160英液盎司＝32英及耳＝76800英米甯
　　　　　　　　　　　　　　1美加侖＝8美液品脫＝128美液盎司＝32美及耳＝61440美米甯

公撮 Milliliter ml; 公勺 Centiliter cl; 公合 Deciliter dl; 公升 Liter l;
公斗 Decaliter dal; 公石 Hectoliter hl; 公秉 Kiloliter kl

重　量(mass and weight)

公克	公斤	公噸	市斤	營造庫平斤	台兩	日斤(台斤)	盎司	磅	長噸	短噸
1	0.001	……	0.002	0.00168	0.02667	0.00167	0.03527	0.00221	……	……
1000	1	0.001	2	1.67556	26.6667	1.66667	35.2740	2.20462	0.00098	0.00110
……	1000	1	2000	1675.56	26666.7	1666.67	35274.0	2204.62	0.98421	1.10231
500	0.5	0.0005	1	0.83778	13.3333	0.83333	17.6370	1.10231	0.00049	0.00055
596.816	0.59682	0.0006	1.19363	1	15.9151	0.99469	21.0521	1.31575	0.00059	0.00066
37.5	0.0375	0.00004	0.075	0.06283	1	0.0625	1.32277	0.08267	0.00004	0.00004
600	0.6	0.0006	1.2	1.00534	16	1	21.1644	1.32277	0.00059	0.00066
28.3495	0.02835	0.00003	0.0567	0.04751	0.75599	0.04725	1	0.0625	0.00003	0.00003
453.592	0.45359	0.00045	0.90719	0.76002	12.0958	0.75599	16	1	0.00045	0.00050
……	1016.05	1.01605	203.209	1702.45	27094.6	1693.41	35840	2240	1	1.12
907185	907.185	0.90719	1814.37	1520.04	24191.6	1511.98	32000	2000	0.89286	1

註：1英磅＝0.45359245公斤　1脫來磅＝12脫來盎司＝0.822857磅
　1克辣＝0.2公克　1美磅＝0.4535924277公斤
　1日貫＝1000日匁＝6.25台斤＝100台兩　1克冷＝0.0648公克

公絲 Milligram mg;　公毫 Centigram cg;　公銖 Decigram dg;　公克 Gram g;　公錢 Decagram dag;　公兩 Hectogram hg;　公斤 Kilogram kg;　公衡 Myriagram mag;　公擔 Quintal q;　公噸 Tonne t

長　度(linear measure)

inches 吋	feet 呎	yards 碼	rods 桿	miles 哩	日制	公制
1	0.083333	0.027778	0.00505051	0.0000157828	0.84 寸	2.54 *cm*
12	1	0.333333	0.0606061	0.000189394	1.006 尺	0.3048*m*
36	3	1	0.181818	0.000568182	3.017 尺	0.9144*m*
198	16.5	5.5	1	0.003125	16.596 尺	5.029 *m*
63,360	5,280	1,760	320	1	0.4098里	1,609.3*m*

面　積(square measure)

square inches 平方吋	square feet 平方呎	square yards 平方碼	square rods 平方桿	acres 噉	square miles 平方哩	日制	公制
1	0.0069444	0.0007716				0.70平方寸	6.452cm^2
144	1	0.1111	0.0036731	2.29568×10^{-5}	3.58701×10^{-8}	0.028坪	929cm^2
1,296	9	1	0.03305785	2.06612×10^{-4}	3.22831×10^{-7}	0.253坪	0.8361m^2
39,204	272.25	30.25	1	0.00625	9.765625×10^{-6}	7.650坪	25.293m^2
627,264	43,560	4,840	160	1	0.0015625	4.0804反	0.40468*ha*
(4.0154×10^9)	(27,878,400)	(3,097,600)	(102,400)	(640)	(1)	(261.147町步)	(259*ha*)

體　積(cubic measure)

cubic inches 立方吋	cubic feet 立方呎	cubic yards 立方碼	日制	公制
1	0.000578704	2.143347×10^{-5}	0.91勺	16.387cm^3
1,728	1	0.0370370	15.697升	0.0283m^3
46,656	27	1	4.23819石	0.7646m^3

液　量(liquid measure)

gills 及耳	pints 品脫	quarts 夸脫	gallons 加侖	美國		英國	
1	0.25	0.125	0.03125	0.66 合	0.1183*l*	0.79 合	0.142 *l*
4	1	0.5	0.125	2.62 合	0.4732*l*	3.15 合	0.568 *l*
8	2	1	0.25	5.25 合	0.9464*l*	6.29 合	1.136 *l*
32	8	4	1	2.098升	3.7853*l*	2.517升	4.5459*l*

乾　量(dry measure)

pints 品脫	quarts 夸脫	pecks 配克	bushels 蒲式耳	美國		英國	
1	0.5	0.0625	0.015625	0.305升	0.5506l	0.315升	0.568l
2	1	0.125	0.03125	0.610升	1.1012l	0.629升	1.136l
16	8	1	0.25	4.878升	8.8096l	5.035升	9.092l
64	32	4	1	1.953斗	35.2383l	2.014斗	36.368l

常　衡(avoirdupois weight)

drams 特拉姆	ounces 嘓	pounds 磅	(short) tons (短)噸	(long) tons (長)噸	日制	公制
1	0.0625	0.00390625			0.47 匁	1.772g
16	1	0.0625	0.00003125	0.0000279	7.56 匁	28.35g
256	16	1	0.0005	0.00045	120.96 匁	453.59g
572,000	32,000	2,000	1	0.8929	241.916貫	907.185kg
573,440	35,840	2,240	1.12	1	270.946貫	1,016.05kg

金　衡(troy weight)

grains 喱	pennyweights 英錢	ounces 嘓	pounds 磅	日制	公制
1	0.041667	0.0020833	0.0001736111	0.02匁	0.0648g
24	1	0.05	0.0041667	0.41匁	1.5552g
480	20	1	0.083333	8.30匁	31.1035g
5,760	240	12	1	99.50匁	373.2418g

藥劑用衡量(apothecaries' weight)

grains 喱	scruples 斯克魯	drams 特拉姆	ounces 嘓	pounds 磅	日制	公制
1	0.05	0.016667	0.0020833	0.0001736111	0.02匁	0.0648g
20	1	0.333333	0.041667	0.0034722	0.35匁	1.2960g
60	3	1	0.125	0.0104167	1.04匁	3.8879g
480	24	8	1	0.083333	8.29匁	31.1035g
5,760	288	96	12	1	99.51匁	373.2418g

中文數字(The Chinese Numerals)

	Ordinary style	Large style to avoid fraud	碼字		Ordinary style	Large style to prevent fraud	Examples
1.	一	壹　弌	〡	100.	百	佰	13, 〡〣
2.	二	貳　式	〢	1,000.	千	仟	22, 〢二
3.	三	叁　弎	〣	10,000.	萬	万 abbr.	24, 〢〤
4.	四	肆	〤	100,000.	億*		102, 〡〇二
5.	五	伍	〥	1,000,000.	兆*		115, 〡一〥
6.	六	陸	〦				1360, 〡三〦十
7.	七	柒	〧				1335, 〡三〣〥
8.	八	捌	〨				4642, 〤〦〤二
9.	九	玖	〩	The 碼字 are commonly used on accounts where no need exists for special caution. They are used as in the above examples.			
10.	十	拾	十				

註: ＊億兆有大小兩種。小者，十萬爲億，十億爲兆。大者，萬萬爲億，萬億爲兆。

部　首　表

部 首 表

漢 英 辭 典

CHINESE-ENGLISH DICTIONARY

序　　言

本人主編的「最新實用漢英辭典」於民國六十年五月出版，因內容適合讀者需要，檢查比較方便，深受大眾推許。嗣於六十六年十二月刊行修正版，復於七十一年十月起陸續修正，務求改進以期完美。現在為了讀者便於取携，特重行排版，發行此一袖珍漢英辭典，由遠東圖書公司編輯部同仁精心編訂，以嶄新面貌呈獻於讀者之前。

袖珍本的漢英辭典，顧名思義，旨在縮小體積，由原有之一千三百餘頁，縮減至七百餘頁。但原收之八千餘單字，並未刪減，僅將原有之短詞成語之比較不大常用者酌量裁汰，故體積縮小而使用價值未受很大影響。

編輯辭典最重要事項之一便是要檢查便利，我們採用部首分列的方式是經過慎重考慮的。部首分列的方式是大眾比較最熟習的，雖然不是完全理想的。為了彌補其缺失，我們原列有四項索引，用者稱便。現在我們仍保留其中三種，僅刪略「筆畫部首索引」一種。

我們歡迎讀者指正。

梁　　實　　秋

七十三年七月一日

本書出版多年，深為讀者讚許。茲為精益求精，增列科技、資訊、經貿、觀光旅遊等新詞語，以滿足現代讀者之需求。

遠東圖書公司編審委員會

1997 年

目　錄

體　例

一、字彙：本辭典收集之常用單字約八千餘字，短詞、成語達三萬餘條。取材範圍包括中英文各類辭典、中國經典、新舊文藝作品、報章雜誌及日常談話。取材標準著重現代化與實用性，典雅的、俚俗的、以及常見的科學詞語，一併收羅，深信足供一般中外讀者參考之用。

二、字體：本辭典所列單字，以正體為準。俗寫與訛體則加註於本字之後，或單獨列入並加註本字正體。

三、排列：

(甲)單字的排列是根據部首(見部首表)，同一部首之單字，則依筆畫多寡排列。每一單字均編列號碼，以便檢字，如單字「一」的號碼是「1」，單字「中」的號碼是「21」。

一個單字如有二種或二種以上的讀音，且意義因而變異的，則分開排列。如「中」字在「中間」(ㄓㄨㄥ ㄐㄧㄢ)(zhōng jiān)與「中毒」(ㄓㄨㄥˋ ㄉㄨˊ)(zhòng dú)兩個詞語裡讀音不同，解釋也不同，因此分列為「中」(ㄓㄨㄥ)(zhōng)與「中」(ㄓㄨㄥˋ)(zhòng)，但是其編號則同為一個號碼，亦即「中」(ㄓㄨㄥ)(zhōng)與「中」(ㄓㄨㄥˋ)(zhòng)均為「21」號。

一個單字如果祇是讀音不同而不影響其意義時，則不分列，僅在變異的讀音後註明「又讀」字樣。

(乙)詞語的排列是按照國語注音符號的順序來決定先後。例如「打鼓」與「打草驚蛇」兩個詞語，是按「鼓」(ㄍㄨˇ)(gǔ)與「草」(ㄘㄠˇ)(cǎo)在注音符號表上的順序來決定排列的先後。

每一個單字下的詞語，一律以該單字開始。例如在「文」字下的每一個詞語的第一個字，一律是「文」。讀者如果要查「以文會友」這個成語，不要查「文」字，而要查「以」字。

四、注音：本辭典計採用兩種注音符號：國語注音符號、聯合國華語注音符號(漢語拼音)。詞語後面加注國語注音符號。

五、英解：本辭典之英文解釋，可分別爲兩大類：1.直接翻譯。2.解釋。前者適用於中英文可以直接對譯的情形(如：跑－to run，書－a book等)，後者則在無法對譯時使用(如：旦角－a female role in Chinese opera)。本辭典英解方面之體例如下：

1.一個詞語如有兩個或兩個以上截然不同的解釋，它的英文解釋是分開排列而冠以阿拉伯數字。例如「歲暮」的英解是① the late season of a year ② the closing years of one's life.

2.許多中文成語、諺語的英解方式，是先直譯爲英文，然後在破折號後面再加引伸的意義。目的是使外國讀者對這些成語、諺語有較深切的瞭解。

3.書名與拉丁文的專門名詞，一律用斜體字排印。

六、索引：本辭典共有三種索引：1.部首索引。2.國語注音符號索引。3.聯合國華語注音符號(漢語拼音)索引。

七、附錄：詳見本辭典目錄表。

部首筆畫索引

編　法：本索引係按單字之部首編列。其屬同一部首者，再以單字筆畫多寡爲序。單字後註明單字編號。

用　法：檢查時先查出單字所屬之部首，按筆畫（除去部首筆畫數）在索引中查出單字，再根據單字編號，查出書內單字及這一單字爲首所組成的詞語。

RADICAL INDEX

In this index the characters are listed under their respective radicals. Characters with the same radical are arranged in the ascending order according to the number of strokes used in writing them. The figure to the right of each character is its identification number under which the character can be found in the body of the dictionary.

The first step in looking for a character is to find out the radical under which it is listed. The next step is to look for the character in the index according to the number of strokes (i.e. the total number of strokes used in writing the whole character minus the number of strokes used in writing the radical) which is indicated with Chinese numerals in the column to the left of the characters. With the identification number as a guide, one can locate in the dictionary the character and the entries beneath it.

囗

六	畫
扆	1785
扇	1786
七	**畫**
扈	1787
八	**畫**
扉	1788

手

單字	字號
手	1789
才	1790
一	**畫**
扎	1791
二	**畫**
扑	1792
扒	1793
打	1794
扔	1795
三	**畫**
扞	1796
扣	1797
扛	1798
托	1799
扦	1800
扠	1801
四	**畫**
扭	1802
扮	1803
扶	1804
扯	1805
扳	1806
扱	1807
批	1808
找	1809
抃	1810
技	1811
抄	1812
抉	1813
抆	1814
抒	1815
抓	1816
抔	1817
把	1818
投	1819
抗	1820
抖	1821
折	1822
抑	1823
扼	1824
承	1825
抛 (拋)	1840
五	**畫**
扼 (扼)	1824
抱	1826
抨	1827
披	1828
抵	1829
抹	1830
抽	1831
押	1832
拄	1833
拂	1834
拇	1835
拈	1836
拆	1837
拉	1838
拊	1839
拋	1840
拌	1841
拐	1842
拑	1843
拍	1844
拎	1845
拒	1846
拓	1847
拔	1848
拗	1849
拖	1850
拕 (拖)	1850
拙	1851
拘	1852
拚	1853
抿	1854
招	1855
拜	1856
拏 (拿)	1874
担 (擔)	2059
抬 (擡)	2073
六	**畫**
拭	1857
拮	1858
拯	1859
括	1860
拱	1861
拴	1862
拶	1863
拾	1864
持	1865
按	1866
指	1867
挑	1868
拽	1869
挖	1870
拷	1871
挓	1872
拳	1873
拿	1874
挈	1875
拼 (拼)	1924
挂 (掛)	1928
七	**畫**
挨	1876
挪	1877
挱	1878
挫	1879
振	1880
挼	1881
挹	1882
挽	1883
挺	1884
捃	1885
捆	1886
捋	1887
捉	1888
挾	1889
捍	1890
捌	1891
捕	1892
捐	1893
捎	1894
捏	1895
挶	1896
八	**畫**
捨	1897
捧	1898
捩	1899
捭	1900
捫	1901
据	1902
捱	1903
捵	1904
捺	1905
捽	1906
捲	1907
捻	1908
捷	1909
掂	1910
掀	1911
掃	1912
授	1913
掇	1914
掄	1915
掎	1916
掏	1917
掐	1918
掊	1919
掉	1920
排	1921
掘	1922
掖	1923
拼	1924
掙	1925
掞	1926
掠	1927
掛	1928
採	1929
探	1930
控	1931
接	1932
推	1933
措	1934
掩	1935
掮	1936
掬	1937
捶	1938
掫	1939
掌	1940
掣	1941
掰	1942
掔	1943
掽 (碰)	3879
九	**畫**
揑 (捏)	1895
揵 (捷)	1909
揀	1944
揄	1945
揆	1946
掾	1947
揉	1948
描	1949
揍	1950
提	1951
揕	1952
揖	1953
插	1954
揷 (插)	1954
揚	1955
揜	1956
揠	1957
換	1958
握	1959
揣	1960
揩	1961
揪	1962
揫 (揪)	1962
揮	1963
揭	1964
援	1965
揲	1966
揸	1967
揶	1968
揞	1969
揹	1970
揎	1971
一〇	**畫**
搉	1972
搊	1973
搋	1974
損	1975
搆	1976
搏	1977
搔	1978
搾	1979
搓	1980
搽	1981
搗	1982
搖	1983
搢	1984
搐	1985
搥	1986
搜	1987
搭	1988
搶	1989
搨	1990
搧	1991
搨	1992
搬	1993
搪	1994
搯	1995
搯	1996
摁	1997
搵	1998
搠	1999
搗	2000
搌	2001
搴	2002
搞	2003
携 (攜)	2100
一一	**畫**
摘	2004
摑	2005
摜	2006
摟	2007
摒	2008
摛	2009
摔	2010
摭	2011
摧	2012
摶	2013
摳	2014
摎	2015
摺	2016
摸	2017
摽	2018
捲	2019
摴	2020
摞	2021
摩	2022
摹	2023
摯	2024
摮	2025
一二	**畫**
撅	2026
撐	2027
撑 (撐)	2027
撈	2028
撒	2029
撤	2030
撥	2031
撳	2032
撏	2033
撖	2034
撓	2035
撙	2036
撚	2037
撕	2038
撞	2039
撟	2040
撍	2041
撫	2042
播	2043
撩	2044
撬	2045
撲	2046

海 2891
浸 2892
浼 2893
涇 2894
涅 2895
涉 2896
消 2897
涑 2898
涓 2899
涎 2900
涔 2901
涕 2902
涤 2903
涖 2904
浞 2905
浯 2906
涌 2907

八畫

涯 2908
液 2909
涪 2910
涵 2911
涸 2912
涿 2913
淀 2914
淄 2915
涼 2916
淅 2917
淆 2918
洴 2919
淌 2920
淖 2921
淑 2922
淒 2923
淋 2924
淘 2925
淚 2926
淝 2927
淙 2928
淟 2929
淞 2930
淡 2931
淤 2932
淦 2933
淥 2934
淩 2935
淪 2936
淨 2937
淬 2938
淮 2939
淫 2940
淳 2941
淵 2942
深 2943
淶 2944
混 2945
淸 2946
淺 2947
淹 2948
添 2949
涴 2950
淇 2951
涮 2952
淴 2953
淼 2954

九畫

湼(涅) 2895
渙 2955
渚 2956
渟 2957
渝 2958
減 2959
渡 2960
渣 2961
渠 2962
渤 2963
渥 2964
渦 2965
渭 2966
港 2967
渲 2968
測 2969
渴 2970
湃 2971
湣 2972
渺 2973
游 2974
渾 2975
湄 2976
湊 2977
湎 2978
湍 2979
湓 2980
湔 2981
湜 2982
湧 2983
湖 2984
湘 2985
湛 2986
湮 2987
湫 2988
湯 2989
湟 2990
渫 2991
湲 2992
湑 2993
湢 2994
湨 2995
湌 2996
湉 2997
温(溫) 2998

一〇畫

溫 2998
源 2999
溘 3000
溟 3001
溝 3002
溜 3003
準 3004
溢 3005
溥 3006
溧 3007
溯 3008
溪 3009
溲 3010
溴 3011
溷 3012
溺 3013
溶 3014
溽 3015
滁 3016
滃 3017
滂 3018
滄 3019
滅 3020
滇 3021
滋 3022
滑 3023
滔 3024
滓 3025
滎 3026
滙 3027
滕 3028
滚(滾) 3036
溼(濕) 3133

一一畫

滬 3029
滌 3030
滯 3031
滲 3032
滴 3033
滹 3034
滸 3035
滾 3036
滿 3037
漁 3038
漈 3039
漉 3040
漂 3041
漆 3042
漏 3043
漓 3044
漑 3045
漚 3046
演 3047
漕 3048
漠 3049
漣 3050
漪 3051
漩 3052
漢 3053
漫 3054
漬 3055
漯 3056
漱 3057
漵 3058
漳 3059
漲 3060
漾 3061
漸 3062
漶 3063
滷 3064
漎 3065
漦 3066
漿 3067
潁 3068
漻 3069

一二畫

潹 3070
潔 3071
潑 3072
潛 3073
潘 3074
潟 3075
潞 3076
潢 3077
澗 3078
潦 3079
潤 3080
潭 3081
潮 3082
潯 3083
潼 3084
潺 3085
潸 3086
潰 3087
澄 3088
澈 3089
澎 3090
澍 3091
澆 3092
潲 3093
澇 3094
潙 3095
澌 3096
澉 3097
澔 3098
澂 3099
澁(澀) 3121

一三畫

澠 3100
澥 3101
澡 3102
澧 3103
澮 3104
澨 3105
澤 3106
澱 3107
澳 3108
澼 3109
澹 3110
澶 3111
激 3112
濁 3113
濂 3114
濃 3115
濊 3116
澟 3117
澣 3118

一四畫

濘 3119
濛 3120
澀 3121
濠 3122
濟 3123
濤 3124
濡 3125
濫 3126
濯 3127
濮 3128
濬 3129
濰 3130
濱 3131
濩 3132
濕 3133

一五畫

濺 3134
濼 3135
瀆 3136
濾 3137
瀑 3138
瀉 3139
瀋 3140
瀏 3141
瀅 3142
瀍 3143
瀁 3144

一六畫

瀘 3145
瀕 3146
瀚 3147
瀝 3148
瀟 3149
瀛 3150
瀨 3151
瀧 3152
瀣 3153
瀦 3154
瀠 3155

一七畫

瀰 3156
瀹 3157
瀾 3158
瀲 3159

一八畫

灋(法) 2832
灕 3160
灃 3161
灌 3162

一九畫

灑 3163
灘 3164

二一畫

灝 3165
灞 3166

二二畫

灣 3167

二三畫

灤 3168

二四畫

灨 3169
灩 3170

申	3554
二	畫
男	3555
甸	3556
町	3557
三	畫
甿	3558
畀	3559
四	畫
界	3560
畏	3561
畋	3562
畎	3563
五	畫
畔	3564
畛	3565
畚	3566
畜	3567
畝	3568
留	3569
六	畫
畦	3570
畤	3571
略	3572
畧(略)	3572
畢	3573
異	3574
七	畫
畱(留)	3569
異(異)	3574
番	3575
畬	3576
畲	3577
畫	3578
畯	3579
八	畫
畹	3580
畸	3581
當	3582
一〇	畫
畿	3583
一四	畫
疆	3584
疇	3585
一七	畫

疊	3586
疋	
單字	字號
疋	3587
六	畫
疏	3588
七	畫
疎(疏)	3588
疏(疏)	3588
九	畫
疑	3589
疐	3590
疒	
單字	字號
二	畫
疔	3591
三	畫
疙	3592
疚	3593
疝	3594
四	畫
疤	3595
疥	3596
疫	3597
疣	3598
五	畫
疲	3599
疳	3600
疸	3601
疴	3602
疹	3603
疽	3604
疼	3605
疾	3606
病	3607
症	3608
痃	3609
痀	3610
痂	3611
疱	3612
痁	3613
痄	3614
疷	3615
疿(痱)	3633

六	畫
痌	3616
痍	3617
痊	3618
痏	3619
痕	3620
痔	3621
痒(癢)	3677
七	畫
痛	3622
痘	3623
痙	3624
痢	3625
痧	3626
痣	3627
痠	3628
痡	3629
痞	3630
痤	3631
八	畫
痾(疴)	3602
痰	3632
痱	3633
痳	3634
痲	3635
痺	3636
痼	3637
瘀	3638
痿	3639
瘁	3640
痴	3641
九	畫
瘍	3642
瘋	3643
瘓	3644
瘖	3645
瘌	3646
瘉	3647
瘧	3648
一〇	畫
瘝	3649
瘟	3650
瘡	3651
瘦	3652
瘠	3653
瘢	3654
瘥	3655
瘩	3656

瘞	3657
瘤	3658
一一	畫
瘴	3659
瘳	3660
瘵	3661
瘻	3662
瘸	3663
瘼	3664
一二	畫
癅(瘤)	3658
療	3665
癃	3666
癌	3667
癆	3668
癇	3669
癉	3670
癍	3671
一三	畫
癖	3672
癘	3673
癒	3674
一四	畫
癟	3675
癡	3676
一五	畫
癢	3677
癤	3678
癥	3679
一六	畫
癩	3680
一七	畫
癭	3681
癮	3682
癬	3683
一八	畫
癰	3684
癯	3685
一九	畫
癲	3686
癱	3687
二三	畫
癟(癟)	3675
癶	
單字	字號

四	畫
癸	3688
七	畫
登	3689
發	3690
九	畫
發	3691
白	
單字	字號
白	3692
一	畫
百	3693
二	畫
皁	3694
皀	3695
三	畫
的	3696
四	畫
皆	3697
皇	3698
皈	3699
五	畫
皋	3700
六	畫
皐(皋)	3700
皎	3701
七	畫
皓	3702
皖	3703
皕	3704
八	畫
皙	3705
一〇	畫
皚	3706
皜	3707
一二	畫
皤	3708
皮	
單字	字號
皮	3709
五	畫
皰	3710
七	畫

皴	3711
九	畫
皸	3712
一〇	畫
皺	3713
皿	
單字	字號
皿	3714
三	畫
盂	3715
四	畫
盅	3716
盆	3717
盈	3718
盃	3719
五	畫
益	3720
盍	3721
盎	3722
盌	3723
盋(鉢)	6353
六	畫
盒	3724
盔	3725
盖(蓋)	5049
七	畫
盛	3726
盜	3727
八	畫
盞	3728
盟	3729
九	畫
盡	3730
監	3731
一〇	畫
盤	3732
一一	畫
盥	3733
盦	3734
盧	3735
一二	畫
盩	3736
盪	3737

字	號
(篪)	
九	畫
箬	4153
箱	4154
箭	4155
箯	4156
箸	4157
箴	4158
節	4159
篁	4160
範	4161
篇	4162
篆	4163
篋	4164
篌	4165
一〇	畫
築	4166
篝	4167
篚	4168
篡	4169
篤	4170
篙	4171
篩	4172
篦	4173
篪	4174
篨	4175
篟	4176
篘	4177
篛	4178
簑	4179
篾 (篾)	4183
一一	畫
篠	4180
篳	4181
篼	4182
篾	4183
篷	4184
簌	4185
簏	4186
簇	4187
簃	4188
簀	4189
簋	4190
簉	4191
簪	4192
簍	4193
篰	4194
[illegible]	4195
篺	4196
篲	4197
一二	畫
簞	4198
簟	4199
簡	4200
簡 (簡)	4200
簣	4201
簦	4202
簠	4203
簨	4204
簪	4205
簧	4206
簙	4207
簫	4208
一三	畫
簷	4209
簸	4210
簽	4211
簾	4212
簴	4213
簿	4214
簳	4215
籀	4216
一四	畫
籃	4217
籌	4218
籍	4219
一五	畫
籒 (籀)	4216
籐	4220
籖 (籤)	4226
一六	畫
籙	4221
籜	4222
籟	4223
籠	4224
籝	4225
一七	畫
籤	4226
籥	4227
籧	4228
一九	畫
籩	4229
籬	4230
籮	4231
二六	畫
籲	4232

米

單字	字號
米	4233
三	畫
籽	4234
四	畫
粉	4235
五	畫
粗	4236
粒	4237
粕	4238
粘	4239
六	畫
粟	4240
粢	4241
粥	4242
粵	4243
粧	4244
七	畫
粲	4245
粱	4246
粮	4247
粳	4248
八	畫
精	4249
粹	4250
粺	4251
粽 (糉)	4253
九	畫
糊	4252
糉	4253
糅	4254
一〇	畫
糗	4255
糒	4256
糕	4257
糖	4258
一一	畫
糜	4259
糞	4260
糙	4261
糝	4262
糟	4263
糠	4264
糢	4265
糨	4266
糡 (糨)	4266
一二	畫
糧	4267
一三	畫
糪	4268
一四	畫
糯	4269
糰	4270
一五	畫
糲	4271
一六	畫
糴	4272
糱 (糵)	4273
一七	畫
糵	4273
一九	畫
糶	4274

糸

單字	標號
一	畫
系	4275
糺	4276
二	畫
糾	4277
三	畫
紀	4278
紂	4279
紃	4280
紆	4281
約	4282
紅	4283
紇	4284
紈	4285
紉	4286
四	畫
紋	4287
納	4288
紐	4289
純	4290
紓	4291
紕	4292
紘	4293
紗	4294
紙	4295
紜	4296
紝	4297
級	4298
紛	4299
紡	4300
紊	4301
素	4302
索	4303
紥 (紮)	4304
五	畫
紮	4304
絇	4305
紫	4306
累	4307
紬	4308
細	4309
紱	4310
紳	4311
紹	4312
紼	4313
紾	4314
絀	4315
紵	4316
紺	4317
絃	4318
終	4319
組	4320
絆	4321
絅	4322
紽	4323
紩	4324
絁	4325
紲 (絏)	4329
六	畫
絍 (紝)	4297
結	4326
絓	4327
絕	4328
絏	4329
絞	4330
絡	4331
絢	4332
給	4333
絨	4334
絪	4335
絰	4336
統	4337
絳	4338
絲	4339
絜	4340
絮	4341
絝 (袴)	5399
七	畫
絛	4342
絹	4343
絺	4344
綁	4345
綃	4346
綈	4347
綆	4348
綏	4349
經	4350
綑	4351
綖	4352
緐 (繁)	4428
綉 (繡)	4444
八	畫
綜	4353
綠	4354
綢	4355
綣	4356
綬	4357
維	4358
綰	4359
綱	4360
網	4361
綴	4362
綵	4363
綹	4364
綸	4365
綺	4366
綻	4367
綽	4368
綾	4369
緇	4370
緅	4371
綿	4372
綦	4373
綮	4374
緊	4375
緋	4376
緌	4377
綫	4378
緍 (緡)	4386
綳 (繃)	4433

單字	字號
九畫	
緒	4379
緘	4380
線	4381
緞	4382
緝	4383
緗	4384
締	4385
緡	4386
緦	4387
緣	4388
編	4389
緩	4390
緲	4391
緬	4392
緯	4393
緱	4394
練	4395
緹	4396
緻	4397
緶	4398
緷	4399
緜	4400
一〇畫	
縈	4401
縣	4402
縠	4403
縋	4404
縐	4405
縑	4406
縗	4407
縛	4408
縉	4409
縕	4410
縞	4411
縝	4412
縟	4413
縢	4414
縊	4415
一一畫	
縫	4416
縭	4417
縱	4418
縮	4419
縵	4420
縲	4421
縴	4422
縷	4423
縹	4424
總	4425
縶	4426
縻	4427
繁	4428
緊	4429
繇	4430
績	4431
繅	4432
繃	4433
繆	4434
縧	4435
一二畫	
繒	4436
織	4437
繕	4438
繚	4439
繖	4440
繙	4441
繞	4442
繢	4443
繡	4444
一三畫	
繩	4445
繪	4446
繮	4447
繯	4448
繳	4449
繸	4450
繹	4451
繫	4452
繭	4453
繰	4454
一四畫	
辮	4455
纂	4456
繻	4457
繽	4458
繼	4459
繾	4460
纁	4461
一五畫	
纈	4462
纊	4463
續	4464
纏	4465
纍	4466
纇	4467
一六畫	
纑	4468
一七畫	
纔	4469
纓	4470
纕	4471
纖	4472
一八畫	
纛	4473
一九畫	
纘	4474
二一畫	
纜	4475

缶

單字	字號
缶	4476
三畫	
缸	4477
四畫	
缺	4478
五畫	
缽(鉢)	6353
八畫	
缾	4479
一〇畫	
罃	4480
一一畫	
罄	4481
罅	4482
一二畫	
罇	4483
罈	4484
一三畫	
罋	4485
一四畫	
罌	4486
一五畫	
罍	4487
一六畫	
罎	4488
罏	4489
一八畫	
罐	4490

网

單字	字號
三畫	
罔	4491
罕	4492
四畫	
罘	4493
五畫	
罡	4494
罟	4495
罝	4496
六畫	
罣	4497
八畫	
罩	4498
罪	4499
置	4500
九畫	
罰	4501
署	4502
罳	4503
一〇畫	
罵	4504
罷	4505
一一畫	
罹	4506
一二畫	
罽	4507
一四畫	
羆	4508
羅	4509
一七畫	
羇	4510
一九畫	
羈	4511

羊

單字	字號
羊	4512
羋	4513
二畫	
羌	4514
三畫	
美	4515
羑	4516
羗	4517
四畫	
羗(羌)	4514
羔	4518
羖	4519
羓	4520
羒	4521
五畫	
羝	4522
羚	4523
羞	4524
六畫	
羢	4525
七畫	
羣	4526
群(羣)	4526
羨	4527
義	4528
九畫	
羯	4529
一〇畫	
羲	4530
一二畫	
羴	4531
一三畫	
羶	4532
羹	4533
羸	4534
一五畫	
羼	4535

羽

單字	字號
羽	4536
三畫	
羿	4537
四畫	
翁	4538
翅	4539
翃	4540
五畫	
翊	4541
翎	4542
翌	4543
習	4544
六畫	
翔	4545
翕	4546
八畫	
翟	4547
翠	4548
翣	4549
翡	4550
九畫	
翦	4551
翥	4552
翬	4553
翩	4554
翫	4555
一〇畫	
翱	4556
翮	4557
翰	4558
一一畫	
翳	4559
翼	4560
一二畫	
翹	4561
翻	4562
翺	4563
一三畫	
翾	4564
翽	4565
一四畫	
翿	4566
耀	4567

老

單字	字號
老	4568
考	4569
四畫	
耄	4570
者	4571
五畫	
者	4572
耇	4573
耈(耇)	4573
六畫	
耋	4574

而

單字	字號
而	4575
三畫	
耐	4576

葑	5002
著	5003
葚	5004
葛	5005
葡	5006
葠	5007
董	5008
葦	5009
葰	5010
葩	5011
葫	5012
葬	5013
葭	5014
菙	5015
葳	5016
葵	5017
葷	5018
葸	5019
葺	5020
葽	5021
葆	5022
葒	5023
萴	5024
萹	5025
葖	5026
葱	5027
蒂	5028
葢	5029
葯	5030
葅	5031
韮	5032
一〇	畫
蓡(葠)	5007
蒐	5033
蒙	5034
蒜	5035
蒯	5036
蒱	5037
蒲	5038
蒸	5039
蒹	5040
蒺	5041
蒼	5042
蒿	5043
蓀	5044
蓁	5045
蓄	5046
蓆	5047
蓉	5048
蓋	5049
蓐	5050
蓑	5051
蓓	5052
蒔	5053
蒨	5054
蒻	5055
蓊	5056
蓍	5057
蓇	5058
蒓	5059
蒞	5060
蓖	5061
蒭	5062
蔑(蔑)	5068
一一	畫
蓬	5063
蓮	5064
蔻	5065
蔘	5066
蓿	5067
蔑	5068
蔓	5069
蔕	5070
蔗	5071
蔚	5072
蔡	5073
蔣	5074
蔥	5075
蔦	5076
蔬	5077
蓴	5078
蓽	5079
蔌	5080
蔔	5081
蔞	5082
蔫	5083
蔭	5084
蔯	5085
蔟	5086
蓰	5087
蔴	5088
一二	畫
蔽	5089
蕃	5090
蕆	5091
蕉	5092
蕊	5093
蕎	5094
蕕	5095
蕘	5096
蕙	5097
蕡	5098
蕞	5099
蕢	5100
蕨	5101
蕭	5102
蕤	5103
蕩	5104
蕁	5105
蕈	5106
蕪	5107
蕖	5108
蕝	5109
蕓	5110
一三	畫
薄	5111
薅	5112
蕷	5113
蕾	5114
薆	5115
薇	5116
薈	5117
薊	5118
薌	5119
薏	5120
薐	5121
薑	5122
薔	5123
薙	5124
薛	5125
薤	5126
薦	5127
薨	5128
薪	5129
蕺	5130
薜	5131
一四	畫
薩	5132
薯	5133
薰	5134
薺	5135
藉	5136
藍	5137
藎	5138
藏	5139
藐	5140
薳	5141
一五	畫
藕	5142
藜	5143
藝	5144
藟	5145
藫	5146
藤	5147
藥	5148
藩	5149
藪	5150
藭	5151
藴(蘊)	5163
一六	畫
蘭	5152
蘑	5153
蘄	5154
藹	5155
藻	5156
藿	5157
蘀	5158
蘅	5159
蘆	5160
孽	5161
蘇	5162
蘊	5163
蘋	5164
藷	5165
蘢	5166
一七	畫
蘧	5167
蘖	5168
蘗	5169
蘚	5170
蘩	5171
蘭	5172
蘞	5173
一九	畫
蘸	5174
蘺	5175
蘼	5176
蘿	5177
虀	5178
二一	畫
虆	5179

虍

單字	字號
二	畫
虎	5180
三	畫
虐	5181
四	畫
虔	5182
五	畫
處	5183
虖	5184
六	畫
虛	5185
七	畫
虞	5186
虜	5187
號	5188
八	畫
虡	5189
九	畫
虢	5190
一一	畫
虧	5191

虫

單字	字號
一	畫
虬	5192
二	畫
虯	5193
虱	5194
三	畫
虹	5195
虺	5196
虼	5197
虻	5198
虵(蛇)	5218
四	畫
蚌	5199
蚊	5200
蚪	5201
蚋	5202
蚍	5203
蚓	5204
蚜	5205
蚣	5206
蚤	5207
蚨	5208
蚩	5209
蚇	5210
五	畫
蚯	5211
蚰	5212
蚱	5213
蚶	5214
蛀	5215
蛄	5216
蛆	5217
蛇	5218
蛉	5219
蛋	5220
六	畫
蛙	5221
蛔	5222
蛛	5223
蛟	5224
蛤	5225
蛩	5226
蛭	5227
蛐	5228
蛕	5229
七	畫
蛺	5230
蛸	5231
蛹	5232
蛻	5233
蛾	5234
蜀	5235
蜂	5236
蜃	5237
蜆	5238
蜇	5239
蜊	5240
蜓	5241
蜒	5242
蜈	5243
蜉	5244
蜍	5245
蜋	5246
蜑	5247
八	畫
蜥	5248
蜘	5249
蜚	5250
蜜	5251
蜡	5252
蝂	5253
蜢	5254
蜣	5255
蝄	5256
蜩	5257
蜮	5258
蜴	5259
蜷	5260
蜻	5261
蜾	5262

單字	字號
蜿	5263
蝀	5264
蜨	5265
蜺	5266
蛃	5267
蝃(螮)	5304
九　畫	
蝙	5268
蝌	5269
蝕	5270
蝗	5271
蝘	5272
蝎	5273
蝟	5274
蝠	5275
蝡	5276
蝣	5277
蝤	5278
蝥	5279
蝦	5280
蝜	5281
蝨	5282
蝮	5283
蝱	5284
蝴	5285
蝶	5286
蝸	5287
蝍	5288
蝯	5289
一〇畫	
螗	5290
螃	5291
螄	5292
螈	5293
融	5294
螓	5295
螞	5296
螟	5297
螢	5298
螡	5299
螂	5300
一一畫	
螫	5301
螬	5302
螭	5303
螮	5304
螯	5305
螳	5306
螺	5307
螻	5308
螽	5309
蟞	5310
蟀	5311
蟄	5312
蟆	5313
蟈	5314
蟋	5315
蟑	5316
蟊	5317
一二畫	
蟥	5318
蟒	5319
蟠	5320
蟢	5321
蟣	5322
蟪	5323
蟬	5324
蟲	5325
蟟	5326
蟮	5327
一三畫	
蟹	5328
蠏(蟹)	5328
蟶	5329
蟺	5330
蟻	5331
蟾	5332
蠅	5333
蠆	5334
蠍	5335
蠃	5336
一四畫	
蠐	5337
蠑	5338
蠓	5339
蠔	5340
蠕	5341
蠖	5342
一五畫	
蠟	5343
蠡	5344
蠢	5345
蠣	5346
一六畫	
蠨	5347
蠧(蠹)	5353
一七畫	
蠱	5348
蠲	5349
蠭	5350
一八畫	
蠶	5351
蠵	5352
蠹	5353
一九畫	
蠻	5354
二〇畫	
蠼	5355

血

單字	字號
血	5356
四　畫	
衃	5357
六　畫	
衇(脈)	4671
衆	5358
一五畫	
衊	5359

行

單字	字號
行	5360
三　畫	
衍	5361
五　畫	
衒	5362
術	5363
六　畫	
衖	5364
衕	5365
街	5366
七　畫	
衙	5367
九　畫	
衝	5368
衚	5369
衛	5370
一〇畫	
衞	5371
衡	5372
一八畫	
衢	5373

衣

單字	字號
衣	5374
三　畫	
表	5375
衫	5376
衩	5377
四　畫	
衰	5378
衭	5379
衲	5380
衵	5381
衷	5382
衺	5383
衽	5384
衾	5385
衿	5386
袁	5387
衮	5388
五　畫	
袈	5389
袖	5390
袋	5391
袍	5392
袒	5393
袜	5394
袤	5395
袪	5396
被	5397
袞	5398
六　畫	
袴	5399
袱	5400
袷	5401
裁	5402
裂	5403
裉	5404
袵	5405
七　畫	
裊	5406
裋	5407
裙	5408
裎	5409
裏	5410
裡(裏)	5410
裒	5411
裔	5412
裕	5413
裘	5414
補	5415
裝	5416
裟	5417
裛	5418
裌	5419
八　畫	
裸	5420
裰	5421
裨	5422
裯	5423
裱	5424
裳	5425
裴	5426
裹	5427
裼	5428
製	5429
裾	5430
褂	5431
九　畫	
複	5432
褊	5433
褌	5434
褐	5435
褓	5436
褘	5437
褙	5438
褚	5439
褕	5440
褒	5441
一〇畫	
褥	5442
褦	5443
褪	5444
褫	5445
褰	5446
褡	5447
褟	5448
褲	5449
一一畫	
褵	5450
褶	5451
褸	5452
褭	5453
襁	5454
襄	5455
䙝	5456
褻(䙝)	5456
褳	5457
一二畫	
襁(繈)	5454
襉	5458
一三畫	
襞	5459
襠	5460
襟	5461
襖	5462
襜	5463
一四畫	
襤	5464
襦	5465
一五畫	
襪	5466
襬	5467
一六畫	
襯	5468
襲	5469
一七畫	
襴	5470
一八畫	
襶	5471
一九畫	
襻	5472

襾

單字	字號
西	5473
三　畫	
要	5474
六　畫	
覃	5475
一二畫	
覆	5476
一三畫	
覈	5477
覇	5478
一七畫	
覊	5479
一九畫	
覉	5480

見

單字	字號
見	5481

單字	字號
遑	6126
遐	6127
遒	6128
道	6129
達	6130
違	6131
一〇	畫
遜	6132
遘	6133
遙	6134
遛	6135
遝	6136
遞	6137
遠	6138
遡	6139
遢	6140
遣	6141
一一	畫
遭	6142
遨	6143
適	6144
遮	6145
遯	6146
一二	畫
遲	6147
遴	6148
遵	6149
遶	6150
遷	6151
選	6152
遹	6153
遺	6154
遼	6155
一三	畫
避	6156
遽	6157
邀	6158
邁	6159
邂	6160
還	6161
邅	6162
一四	畫
邇	6163
邃	6164
邈	6165
一五	畫
邊	6166
一九	畫
邐	6167
邏	6168
邑	
單字	字號
邑	6169
三	畫
邙	6170
邛	6171
邕	6172
四	畫
邠	6173
那	6174
邦	6175
邪	6176
邢	6177
邨	6178
五	畫
邵	6179
邯	6180
邰	6181
邱	6182
邲	6183
邳	6184
邶	6185
邴	6186
邸	6187
六	畫
郁	6188
郱	6189
郅	6190
郇	6191
郊	6192
郃	6193
邽	6194
邾	6195
七	畫
郛	6196
郜	6197
郝	6198
郎	6199
郟	6200
郡	6201
郢	6202
郗	6203
郤	6204
郕	6205
八	畫
部	6206
郫	6207
郭	6208
郯	6209
郴	6210
郰	6211
郲	6212
郵	6213
九	畫
都	6214
郿	6215
鄂	6216
鄆	6217
郾	6218
鄄	6219
一〇	畫
鄗	6220
鄉	6221
鄒	6222
鄔	6223
一一	畫
鄙	6224
鄢	6225
鄘	6226
鄜	6227
鄞	6228
鄠	6229
一二	畫
鄧	6230
鄭	6231
鄯	6232
鄰	6233
鄱	6234
鄲	6235
鄦	6236
一三	畫
鄴	6237
鄶	6238
一四	畫
鄹	6239
一五	畫
鄺	6240
一七	畫
酃	6241
一八	畫
酆	6242
一九	畫
酈	6243
酇	6244
酉	
單字	字號
酉	6245
二	畫
酊	6246
酋	6247
三	畫
酌	6248
配	6249
酒	6250
四	畫
酖	6251
酗	6252
五	畫
酢	6253
酣	6254
酤	6255
酥	6256
六	畫
酪	6257
酩	6258
酯	6259
酬	6260
酮	6261
七	畫
酲	6262
酵	6263
酷	6264
酸	6265
酹	6266
酺	6267
酴	6268
八	畫
醃	6269
醅	6270
醇	6271
醉	6272
醊	6273
醋	6274
醁	6275
九	畫
醒	6276
醍	6277
醐	6278
一〇	畫
醜	6279
醞	6280
醚	6281
醛	6282
醣	6283
醢	6284
一一	畫
醫	6285
醨	6286
醪	6287
醬	6288
醯	6289
一二	畫
醭	6290
醮	6291
醱	6292
一三	畫
醴	6293
醲	6294
醵	6295
一四	畫
醺	6296
一七	畫
釀	6297
醽	6298
醾	6299
一八	畫
釁	6300
二〇	畫
釃	6301
釆	
單字	字號
一	畫
采	6302
五	畫
釉	6303
一三	畫
釋	6304
里	
單字	字號
里	6305
二	畫
重	6306
四	畫
野	6307
五	畫
量	6308
一一	畫
釐	6309
金	
單字	字號
金	6310
一	畫
釔	6311
釓	6312
二	畫
釘	6313
釜	6314
釗	6315
針	6316
釙	6317
釕	6318
三	畫
釩	6319
釣	6320
釷	6321
釹	6322
釦	6323
釧	6324
釵	6325
釤	6326
釬(銲)	6411
四	畫
鈧	6327
欽	6328
鈀	6329
鈦	6330
鈔	6331
鈇	6332
鈉	6333
鈍	6334
鈐	6335
鈕	6336
鈞	6337
鈣	6338
鈎	6339
五	畫
鈸	6340
鈴	6341
鈿	6342
鉀	6343
鉧	6344
鉅	6345

單字	字號
鉉	6346
鉋	6347
鉏	6348
鉑	6349
鉗	6350
鉛	6351
鉞	6352
鉢	6353
鉤	6354
鉦	6355
鉒	6356
鈾	6357
鈷	6358
鉈	6359
鈰	6360
鉍	6361
鈹	6362
鉬	6363
鉭	6364
鈳	6365
鉯	6366
鉮	6367
六畫	
銀	6368
鉸	6369
銃	6370
銅	6371
銑	6372
銓	6373
銖	6374
銘	6375
銚	6376
銛	6377
銜	6378
銍	6379
銬	6380
銥	6381
鉺	6382
銠	6383
銪	6384
鉿	6385
銦	6386
銫	6387
銩	6388
鉻	6389
鉫	6390
七畫	
銳	6391
銷	6392
銻	6393
鉽	6394
鋇	6395
鋰	6396
鋯	6397
鋨	6398
鋁	6399
鋃	6400
鋅	6401
鋌	6402
鋏	6403
鋒	6404
鋦	6405
鋙	6406
鋤	6407
鋩	6408
銼	6409
鋪	6410
銲	6411
銹	6412
八畫	
鋸	6413
鋼	6414
錤	6415
錸	6416
錒	6417
錄	6418
錋	6419
錐	6420
錘	6421
錙	6422
錚	6423
錠	6424
錡	6425
錢	6426
錦	6427
錫	6428
錕	6429
錮	6430
錯	6431
錳	6432
錶	6433
錛	6434
九畫	
鍊	6435
錨	6436
鍋	6437
鍍	6438
鍔	6439
鍘	6440
鍛	6441
鍥	6442
鍪	6443
鍫	6444
鍰	6445
鍵	6446
鍼	6447
鍾	6448
鎂	6449
鍺	6450
鍶	6451
鎃	6452
鍇	6453
鍬	6454
一〇畫	
鎖	6455
鎡	6456
鎊	6457
鎋	6458
鎔	6459
鎗	6460
鎚	6461
鎛	6462
鎧	6463
鎬	6464
鎮	6465
鎰	6466
鎳	6467
鎢	6468
鎓	6469
鎌	6470
鎷	6471
鎘	6472
鎵	6473
一一畫	
鏃	6474
鏇	6475
鏆	6476
鏦	6477
鏈	6478
鏊	6479
鏑	6480
鏖	6481
鏗	6482
鏘	6483
鏹	6484
鏜	6485
鏝	6486
鏠	6487
鏡	6488
鏢	6489
鏤	6490
鏨	6491
鏁	6492
一二畫	
鐘	6493
鐃	6494
鐐	6495
鐙	6496
鏽	6497
鐗	6498
鐠	6499
鐇	6500
一三畫	
鐲	6501
鐫	6502
鐮	6503
鐵	6504
鐶	6505
鐸	6506
鐺	6507
鐳	6508
鐿	6509
一四畫	
鑊	6510
鑄	6511
鑑	6512
鑒	6513
一五畫	
鑤(鉋)	6347
鑠	6514
鑕	6515
鑛	6516
鑯	6517
鑣	6518
一六畫	
鑪	6519
鑫	6520
一七畫	
鑰	6521
鑲	6522
一八畫	
鑷	6523
一九畫	
鑼	6524
鑽	6525
鑾	6526
二〇畫	
鑿	6527

長

單字	字號
長	6528

門

單字	字號
門	6529
一畫	
閂	6530
二畫	
閃	6531
三畫	
閉	6532
四畫	
開	6533
間	6534
閎	6535
閏	6536
閑	6537
閒	6538
閔	6539
五畫	
閘	6540
閟	6541
六畫	
閣	6542
閡	6543
閤	6544
閥	6545
閨	6546
閩	6547
七畫	
閫	6548
閬	6549
閭	6550
閱	6551
八畫	
閽	6552
閶	6553
閾	6554
閹	6555
閻	6556
閼	6557
九畫	
闃	6558
闇	6559
闈	6560
闉	6561
闊	6562
闋	6563
闌	6564
闆	6565
闍	6566
一〇畫	
闐	6567
闑	6568
闓	6569
闔	6570
闒	6571
闕	6572
闖	6573
一一畫	
關	6574
闚	6575
一二畫	
闞	6576
闠	6577
闡	6578
一三畫	
闢	6579
闤	6580
闥	6581

阜

單字	字號
阜	6582
三畫	
阡	6583
阢	6584
四畫	
阬	6585
阨	6586
阪	6587
阮	6588
阱	6589
防	6590
阯	6591
五畫	
阻	6592
阼	6593
阿	6594
陀	6595
陂	6596
附	6597
陁	6598

國語注音符號索引

編　法：本索引係照單字讀音，按國語注音符號順序編列，其讀音相同者，再按部首順序。單字後註明單字編號。

用　法：遇有僅知讀音不熟悉字形之單字，可按國語注音符號，查出索引中單字，再根據單字編號，查出書內單字及這一單字爲首所組成的詞語。

MANDARIN PHONETIC SYMBOL INDEX

In this index the characters are arranged according to their respective MPS transcriptions. Characters with the same pronunciation are arranged according to their respective radicals. The figure to the right of each character is its identification number under which the character can be found in the body of the dictionary.

If the dictionary user knows the pronunciation of the character he is looking for but is unfamiliar with its strokes, he can find it in the index according to its MPS transcription. Using the identification number as a guide, he can locate in the dictionary the character and the entries beneath it.

匏 454
咆 602
庖 1365
炮 3185
袍 5392
麃 7219
麅 7221

ㄆㄠˇ

跑 5854

ㄆㄠˋ

泡 2841
炮 3185
疱 3612
皰 3710
砲 3859
礮 3920

ㄆㄡˊ

抔 1817
掊 1919
裒 5411

ㄆㄡˇ

剖 394
掊 1919
瓿 3525

ㄆㄢ

攀 2093
潘 3074
番 3575

ㄆㄢˊ

槃 2552
盤 3732
磐 3903
胖 4648
般 4802
蟠 5320
鞶 6759

ㄆㄢˋ

判 371
叛 524
拌 1841
拚 1853
泮 2843
畔 3564
盼 3745
襻 5472

ㄆㄣ

噴 761
歕 2675

ㄆㄣˊ

湓 2980
盆 3717

ㄆㄤ

乓 27
滂 3018
磅 3898
雱 6714

ㄆㄤˊ

傍 235
厖 507
尨 1175
龐 1403
彷 1459
徬 1487
旁 2178
㫄 2178
(旁)
膀 4718
螃 5291
逄 6083
雱 6686

ㄆㄤˋ

胖 4648

ㄆㄥ

怦 1529
抨 1827
澎 3090
烹 3202
砰 3852
硼 3872

ㄆㄥˊ

彭 1455
朋 2316
棚 2486
澎 3090
硼 3872
篷 4184
膨 4731
芃 4832
蓬 5063
鵬 7155

ㄆㄥˇ

捧 1898

ㄆㄥˋ

碰 3879
掽 3879
(碰)

ㄆㄧ

丕 13
劈 411
匹 470
批 1808
披 1828
砒 3848
紕 4292
被 5397
霹 6712

ㄆㄧˊ

啤 658
埤 842
枇 2362
毗 2733
琵 3457
疲 3599
皮 3709
紕 4292
罷 4505
羆 4508
脾 4699
蚍 5203
裨 5422
貔 5744
郫 6207
鈹 6362
陂 6596
陴 6618
鼙 7290

ㄆㄧˇ

仳 98
劈 411
匹 470
否 566
庀 1359
疋 3587
痞 3630
癖 3672
苤 4899

ㄆㄧˋ

僻 268
屁 1187
擗 2064
澼 3109
甓 3534
譬 5686
辟 6039
闢 6579

ㄆㄧㄝ

撇 2034
瞥 3815

ㄆㄧㄝˇ

撇 2034
苤 4899

ㄆㄧㄠ

漂 3041
飄 6845

ㄆㄧㄠˊ

嫖 1048
瓢 3519

ㄆㄧㄠˇ

摽 2018
殍 2701
漂 3041
瞟 3803
縹 4424
莩 4942

ㄆㄧㄠˋ

剽 407
漂 3041
票 3948
驃 6973

ㄆㄧㄢ

偏 221
扁 1783
片 3301
篇 4162
翩 4554
萹 5025

ㄆㄧㄢˊ

便 164
楩 2537
胼 4689
腁 4689
(胼)
諞 5624
蹁 5902
駢 6944
騈 6952

ㄆㄧㄢˇ

諞 5624

ㄆㄧㄢˋ

徧 1483
片 3301
遍 6123
騙 6958

ㄆㄧㄣ

姘 1018
姘 1018
(姘)
拼 1924
拼 1924
(拼)

ㄆㄧㄣˊ

嬪 1068
蘋 5164
貧 5753
頻 6809
顰 6833

ㄆㄧㄣˇ

品 621

ㄆㄧㄣˋ

牝 3311
聘 4601

ㄆㄧㄥ

乒 34
娉 1003

ㄆㄧㄥˊ

坪 828
屏 1198
平 1349
憑 1710
枰 2419
洴 2919
瓶 3526
甁 3526
(瓶)
秤 3992
缾 4479
苹 4881
萍 4982
蘋 5164
評 5555
軿 6001
馮 6923

ㄆㄧㄥˋ

聘 4601

ㄆㄨ

仆 77
扑 1792
撲 2046
痡 3629
鋪 6410

ㄆㄨˊ

僕 256
匍 453
幞 1340
朴 2337
樸 2587
濮 3128
璞 3498
脯 4680
莆 4945
菩 4986
葡 5006
蒱 5037
蒲 5038
蹼 5937
酺 6267
醭 6290
釙 6317

ㄆㄨˇ

圃 795
埔 838
普 2255
浦 2885
溥 3006
譜 5681
鐠 6499

ㄆㄨˋ

暴 2276
曝 2296
瀑 3138
舖 4791
鋪 6410

ㄇ

單字	字號

ㄇㄚ

媽 1043

ㄌ

ㄍㄥˋ	
亙	56
更	2304

ㄍㄨ	
估	114
呱	591
咕	594
姑	981
孤	1087
沽	2818
箍	4141
苽	4900
菇	4967
菰	4968
蛄	5216
觚	5503
軲	5982
轂	6016
辜	6038
酤	6255
鈷	6358
骨	6990
鴣	7132

ㄍㄨˊ	
骨	6990

ㄍㄨˇ	
古	530
嘏	730
榖	2542
榾	2563
汩	2781
牯	3318
盬	3738
瞽	3818
穀	4018
罟	4495
羖	4519
股	4631
臌	4745
蓇	5058
蠱	5348
詁	5547
谷	5706
賈	5779
轂	6016
鈷	6358
骨	6990
鵠	7153
鶻	7178
鼓	7287

ㄍㄨˋ	
估	114
僱	265
固	793
故	2122
梏	2460
痼	3637
錮	6430
雇	6662
顧	6826

ㄍㄨㄚ	
刮	375
括	1860
栝	2424
瓜	3516
筈	4120
聒	4599
蝸	5287
适	6078
颳	6840
鴰	7144

ㄍㄨㄚˇ	
寡	1144

ㄍㄨㄚˋ	
卦	493
掛	1928
挂(掛)	1928
絓	4327
罣	4497
褂	5431
詿	5582

ㄍㄨㄛ	
渦	2965
蟈	5314
過	6124
郭	6208
鍋	6437

ㄍㄨㄛˊ	
國	797
幗	1336
摑	2005
虢	5190
馘	6917
聝(馘)	6917

ㄍㄨㄛˇ	
果	2377
椁	2504
槨(椁)	2504
猓	3368
菓	4995
蜾	5262
裹	5427
餜	6887

ㄍㄨㄛˋ	
過	6124

ㄍㄨㄞ	
乖	35

ㄍㄨㄞˇ	
拐	1842
枴	2382
柺(枴)	2382
柺(枴)	2382

ㄍㄨㄞˋ	
夬	920
怪	1535

ㄍㄨㄟ	
傀	233
圭	808
歸	2690
溈	3095
珪	3435
瑰	3480
瓌	3514
皈	3699
規	5482
邽	6194
閨	6546
鮭	7070
龜	7328

ㄍㄨㄟˇ	
匭	466
宄	1098
晷	2261
癸	3688
簋	4190
詭	5569
軌	5968
鬼	7048

ㄍㄨㄟˋ	
劊	413
會	2312
桂	2439
檜	2612
櫃	2624
溎	3027
瞶	3812
貴	5763
跪	5867
鱖	7106

ㄍㄨㄢ	
倌	193
冠	329
官	1112
棺	2498
瘝	3649
矜	3827
綸	4365
莞	4938
觀	5499
關	6574
鰥	7092

ㄍㄨㄢˇ	
琯	3461
筦	4126
管	4149
脘	4675
舘	4792
莞	4938
館	6886

ㄍㄨㄢˋ	
冠	329
慣	1675
摜	2006
灌	3162
盥	3733
祼	3953
罐	4490
觀	5499
貫	5757
鸛	7206

ㄍㄨㄣˇ	
滾	3036
滚(滾)	3036
衮	5388
袞	5398
鯀	7073

ㄍㄨㄣˋ	
棍	2479

ㄍㄨㄤ	
光	296
洸	2877
胱	4662

ㄍㄨㄤˇ	
廣	1399
獷	3399

ㄍㄨㄤˋ	
桄	2441
誆	5585
逛	6098

ㄍㄨㄥ	
供	156
公	312
功	418
宮	1122
工	1293
弓	1418
恭	1576
攻	2118
紅	4283
肱	4638
蚣	5206
觥	5506
躬	5961
龔	7326

ㄍㄨㄥˇ	
拱	1861
栱	2450
汞	2778
珙	3429
鞏	6747

ㄍㄨㄥˋ	
供	156
共	315
貢	5750

ㄎ

單字	字號
ㄎㄚ	
咖	605
ㄎㄚˇ	
卡	491
咳	616
ㄎㄚˋ	
喀	675
ㄎㄜ	
刻	384
柯	2408
棵	2499
珂	3422
疴	3602
痾(疴)	3602
瞌	3800
磕	3900
科	3984
稞	4013
窠	4056
苛	4869
蝌	5269
軻	5980
鈳	6365
頦	6798
顆	6810
髁	7001
ㄎㄜˊ	
咳	616
欬	2653
殼	2719
殻(殼)	2719
壳(殼)	2719
頦	6798
ㄎㄜˇ	
可	539
坷	823
渴	2970
ㄎㄜˋ	
克	297
刻	384
剋	390
可	539
嗑	721
客	1117
恪	1560
溘	3000
緙	4399

字	字號
課	5600

ㄎㄞ

字	字號
揩	1961
開	6533

ㄎㄞˇ

字	字號
凱	349
剴	403
嘅	726
嘅 (嘅)	726
愷	1658
慨	1678
楷	2533
豈	5712
鍇	6453
鎧	6463
闓	6570

ㄎㄞˋ

字	字號
愒	1631
愾	1659
慨	1678
欬	2653

ㄎㄠ

字	字號
尻	1182

ㄎㄠˇ

字	字號
拷	1871
栲	2430
烤	3198
考	4569
攷 (考)	4569

ㄎㄠˋ

字	字號
犒	3332
銬	6380
靠	6729

ㄎㄡ

字	字號
摳	2014

ㄎㄡˇ

字	字號
口	527

ㄎㄡˋ

字	字號
叩	533
寇	1135
扣	1797
蔻	5065
釦	6323

字	字號
轂	7184

ㄎㄢ

字	字號
刊	362
勘	435
堪	850
戡	1766
看	3755
龕	7327

ㄎㄢˇ

字	字號
侃	148
坎	817
檻	2623
歁	2661
砍	3847
轗	6029
闞	6576

ㄎㄢˋ

字	字號
勘	435
看	3755
瞰	3808
矙	3824
闞	6576

ㄎㄣˇ

字	字號
啃	666
墾	883
懇	1731
肯	4637
肎 (肯)	4637
肻 (肯)	4637

ㄎㄣˋ

字	字號
裉	5404

ㄎㄤ

字	字號
康	1377
慷	1679
糠	4264

ㄎㄤˊ

字	字號
扛	1798

ㄎㄤˇ

字	字號
慷	1679

ㄎㄤˋ

字	字號
亢	61
伉	104
抗	1820
炕	3178
鈧	6327

ㄎㄥ

字	字號
傾	249
坑	819
硜	3865
鏗	6482
阬	6585

ㄎㄥˇ

字	字號
肯	4637
肎 (肯)	4637
肻 (肯)	4637

ㄎㄨ

字	字號
刳	378
哭	634
枯	2380
窟	4055
骷	6995

ㄎㄨˇ

字	字號
楛	2519
苦	4874

ㄎㄨˋ

字	字號
庫	1373
矻	3843
袴	5399
絝 (袴)	5399
褲	5449
酷	6264

ㄎㄨㄚ

字	字號
夸	926
姱	995
誇	5579

ㄎㄨㄚˇ

字	字號
垮	833

ㄎㄨㄚˋ

字	字號
胯	4660
跨	5860
骻	6996

ㄎㄨㄛˋ

字	字號
廓	1390
括	1860
擴	2086
闊	6562

ㄎㄨㄞˇ

字	字號
擓	2068
舀	4778
蒯	5036

ㄎㄨㄞˋ

字	字號
儈	273
劊	413
塊	855
快	1510
旝	2193
會	2312
檜	2612
澮	3104
獪	3392
筷	4136
膾	4737
蒯	5036
鄶	6238

ㄎㄨㄟ

字	字號
巋	1283
悝	1591
盔	3725
窺	4064
虧	5191
闚	6575

ㄎㄨㄟˊ

字	字號
夔	906
奎	933
揆	1946
暌	2271
睽	3791
葵	5017
逵	6110
馗	6916
騤	6960
魁	7049

ㄎㄨㄟˇ

字	字號
傀	233
跬	5869
頍	6794

ㄎㄨㄟˋ

字	字號
匱	468
喟	695
愧	1654
媿 (愧)	1654
憒	1704
潰	3087
簣	4201
聵	4610
蕢	5100
餽	6898
饋	6902

ㄎㄨㄢ

字	字號
寬	1152

ㄎㄨㄢˇ

字	字號
款	2657
欵 (款)	2657
窾	4066

ㄎㄨㄣ

字	字號
坤	821
崑	1238
昆	2212
琨	3450
蚰	5229
褌	5434
錕	6429
髡	7009
鯤	7078
鵾	7159

ㄎㄨㄣˇ

字	字號
壼	902
悃	1579
捆	1886
綑	4351
閫	6548

ㄎㄨㄣˋ

字	字號
困	787
睏	3775

ㄎㄨㄤ

字	字號
匡	463
恇	1562
框	2443
筐	4116
誆	5581

ㄎㄨㄤˊ

字	字號
狂	3343
誑	5585

ㄎㄨㄤˋ

字	字號
壙	890
曠	2295
框	2443
況	2821
况 (況)	2821
眶	3767
礦	3919
纊	4463
貺	5767
鄺	6240
鑛	6516

ㄎㄨㄥ

字	字號
悾	1603
空	4042
箜	4147

ㄎㄨㄥˇ

字	字號
孔	1076
恐	1567

ㄎㄨㄥˋ

字	字號
控	1931
空	4042

ㄏ

ㄏm̀

單字	字號
噷	758

ㄏㄚ

單字	字號
哈	626

ㄏㄚˊ

單字	字號
蛤	5225
蝦	5280

ㄏㄚˇ

單字	字號
哈	626

ㄏㄜ

單字	字號
呵	593
喝	693
訶	5543

ㄏㄜˊ

單字	字號
何	132
劾	426
合	547
和	604
曷	2305
核	2428
河	2816

字	號
涸	2912
盍	3721
盒	3724
禾	3978
紇	4284
翮	4557
荷	4927
蓋	5049
褐	5435
覈	5477
貉	5740
鉿	6385
閡	6543
閤	6544
闔	6571
鞨	6753
鶡	7169
齕	7309
龢	7330

ㄏㄜˋ

字	號
和	604
喝	693
嚇	766
奭	947
荷	4927
豁	5707
賀	5771
赫	5824
郝	6198
鶴	7173
黑	7250

ㄏㄞˊ

字	號
孩	1088
還	6161
頦	6798
骸	6997

ㄏㄞˇ

字	號
海	2891
醢	6284

ㄏㄞˋ

字	號
亥	63
咳	616
害	1124
氦	2756
駭	6940

ㄏㄟ

字	號
嘿	747
黑	7250

ㄏㄠ

字	號
嚆	764
蒿	5043
薅	5112

ㄏㄠˊ

字	號
嗥	742
嚎	762
壕	889
毫	2737
濠	3122
號	5188
蠔	5340
豪	5728
貉	5740
鶴	7173

ㄏㄠˇ

字	號
好	954
郝	6198

ㄏㄠˋ

字	號
好	954
昊	2215
晧	2252
浩	2883
涸	2912
澔	3098
灝	3165
皓	3702
皜	3707
耗	4584
號	5188
鄗	6220
鎬	6464
顥	6828

ㄏㄡ

字	號
齁	7300

ㄏㄡˊ

字	號
侯	160
喉	683
猴	3376
瘊	3833
篌	4165
餱	6890

ㄏㄡˇ

字	號
吼	577

ㄏㄡˋ

字	號
候	203
厚	508
后	557
後	1472
逅	6080
鱟	7109

ㄏㄢ

字	號
憨	1717
蚶	5214
酣	6254
頇	6785
鼾	7299

ㄏㄢˊ

字	號
函	355
含	568
寒	1138
崡	1250
榦	2541
汗	2772
涵	2911
邯	6180
韓	6768

ㄏㄢˇ

字	號
喊	684
罕	4492
闞	6576

ㄏㄢˋ

字	號
悍	1586
憾	1721
扞	1796
捍	1890
撼	2052
旱	2207
暵	2277
汗	2772
漢	3053
瀚	3147
翰	4558
菡	4984
豻	5737
銲	6411
釬	6411
(銲)	
頷	6805
駻	6950

ㄏㄣˊ

字	號
痕	3620

ㄏㄣˇ

字	號
很	1468
狠	3352

ㄏㄣˋ

字	號
恨	1558

ㄏㄤ

字	號
夯	924

ㄏㄤˊ

字	號
杭	2356
桁	2432
沆	2796
航	4801
行	5360
迒	6061
頏	6789

ㄏㄤˋ

字	號
桁	2432
沆	2796

ㄏㄥ

字	號
亨	65
哼	638

ㄏㄥˊ

字	號
恆	1551
恒	1551
(恆)	
桁	2432
橫	2606
珩	3433
蘅	5159
衡	5372

ㄏㄥˋ

字	號
橫	2606

ㄏㄨ

字	號
乎	32
呼	598
忽	1519
惚	1612
戲	1774
欻	2660
歑	2670
淴	2953
滹	3034
虖	5184

ㄏㄨˊ

字	號
囫	790
壺	901
弧	1426
斛	2158
槲	2572
湖	2984
狐	3349
猢	3371
瑚	3472
糊	4252
縠	4403
胡	4654
葫	5012
蝴	5285
衚	5369
觳	5510
醐	6278
餬	6891
鬍	7027
鵠	7153
鶘	7166
鶻	7178

ㄏㄨˇ

字	號
唬	667
滸	3035
琥	3452
虎	5180

ㄏㄨˋ

字	號
互	53
怙	1527
戶	1777
戽	1780
扈	1787
楛	2519
滬	3029
瓠	3518
祜	3939
笏	4091
護	5688

ㄏㄨㄚ

字	號
嘩	734
花	4854
華	4966

ㄏㄨㄚˊ

字	號
划	365
劃	409
嘩	734
滑	3023
猾	3381
華	4966
譁	5673
豁	5707
驊	6977

ㄏㄨㄚˋ

字	號
劃	409
化	457
樺	2589
畫	3578
華	4966
話	5572

ㄏㄨㄛ

字	號
豁	5707

ㄏㄨㄛˊ

字	號
活	2873

ㄏㄨㄛˇ

字	號
伙	112
夥	915
火	3171
鈥	6328

ㄏㄨㄛˋ

字	號
和	604
壑	888
惑	1621
或	1760
擭	2080
濩	3132
獲	3394
癨	3840
砉	3844
禍	3955
穫	4036
藿	5157
蠖	5342
豁	5707
貨	5754
鑊	6510
霍	6698
騞	6962

ㄏㄨㄞˊ

字	號
徊	1470
懷	1739
槐	2558
淮	2939
踝	5884

ㄏㄨㄞˋ

字	號
硒	3862
禧	3967
稀	4000
羲	4530
膝	4726
蜥	5248
蟋	5315
蠵	5352
西	5473
觿	5513
谿	5708
豀	5709
豨	5729
蹊	5910
醯	6289
釐	6309
鸂	7201
鼷	7296

ㄒㄧˊ	
媳	1039
席	1323
息	1575
惜	1617
昔	2220
檄	2608
熄	3237
習	4544
腊	4700
蓆	5047
裼	5428
襲	5469
覡	5486
錫	6428
隰	6649

ㄒㄧˇ	
喜	692
屣	1203
徙	1479
憙	1714
枲	2384
洒	2855
洗	2856
璽	3508
禧	3967
葸	5019
蓰	5087
蟢	5321
諰	5644

ㄒㄧˋ	
係	165
卌	480
夕	907
戲	1774
戱	1774
(戲)	
歙	2672
汐	2771
潟	3075
盻	3745
矽	3842
禊	3958
穸	4040
系	4275
細	4309
繫	4452
翕	4546
肸	4641
舄	4780
舃	4780
(舄)	
郤	6204
隙	6638
隟	6638
(隙)	
餼	6895
鬩	7040

ㄒㄧㄚ	
瞎	3797
蝦	5280

ㄒㄧㄚˊ	
俠	178
匣	464
峽	1234
挾	1889
暇	2265
柙	2401
洽	2872
狎	3347
狹	3360
瑕	3467
舝	4795
轄	6017
遐	6127
鍜	6458
霞	6705
黠	7258

ㄒㄧㄚˋ	
下	7
嚇	766
夏	904
廈	1383
暇	2265
罅	4482

ㄒㄧㄝ	
些	57
歇	2663
蝎	5273
蠍	5335

ㄒㄧㄝˊ	
偕	223
勰	443
協	485
叶	545
恊	1565
挾	1889
擷	2085
攜	2100
擕	2100
(攜)	
携	2100
(攜)	
㩗	2100
(攜)	
斜	2159
絜	4341
纈	4462
脅	4670
衺	5383
諧	5629
邪	6176
鞋	6746
頡	6797

ㄒㄧㄝˇ	
寫	1151
血	5356

ㄒㄧㄝˋ	
卸	500
屑	1197
廨	1400
懈	1725
械	2467
楔	2517
榭	2544
泄	2824
洩	2864
渫	2991
澥	3101
瀉	3139
瀣	3153
燮	3272
獬	3393
絏	4329
紲	4329
(絏)	
薤	5126
蟹	5328
蠏	5328
(蟹)	
褻	5456
䙝	5456
(褻)	
解	5505
謝	5658
躞	5956
邂	6160

ㄒㄧㄠ	
削	389
哮	635
囂	777
宵	1126
枵	2383
梟	2464
消	2897
瀟	3149
硝	3867
簫	4208
綃	4346
蕭	5102
蛸	5231
蠨	5347
逍	6086
銷	6392
霄	6694
驍	6978
鴞	7130

ㄒㄧㄠˊ	
學	1094
爻	3294

ㄒㄧㄠˇ	
小	1168
曉	2285
筱	4130
篠	4180
謏	5653

ㄒㄧㄠˋ	
傚	240
哮	635
嘯	737
孝	1083
效	2123
効	2123
(效)	
斅	2149
校	2429
歗	2674
笑	4093
肖	4623
酵	6263

ㄒㄧㄡ	
休	111
修	180
庥	1371
羞	4524
脩	4678
貅	5739
饈	6900
髹	7020
鵂	7145

ㄒㄧㄡˇ	
宿	1131
朽	2338

ㄒㄧㄡˋ	
嗅	704
宿	1131
岫	1217
溴	3011
秀	3980
繡	4444
綉	4444
(繡)	
臭	4766
袖	5390
銹	6412
鏽	6497
齅	7301

ㄒㄧㄢ	
仙	87
先	295
孅	1071
掀	1911
暹	2279
祆	3928
纖	4472
躚	5955
銛	6377
鮮	7071
鱻	7114

ㄒㄧㄢˊ	
咸	617
啣	662
嫌	1046
嫺	1056
嫻	1056
(嫺)	
弦	1425
椷	2510
涎	2900
痃	3609
癇	3669
絃	4318
舷	4810
諴	5645
賢	5793
贒	5817
銜	6378
閑	6537
閒	6538
鹹	7211

ㄒㄧㄢˇ	
尠	1173
尟	1173
(尠)	
嶮	1276
洒	2855
洗	2856
燹	3273
獮	3395
玁	3405
獫	3405
(玁)	
癬	3683
蘚	5170
蜆	5238
跣	5866
銑	6372
險	6647
顯	6831
鮮	7071

ㄒㄧㄢˋ	
峴	1231
憲	1718
獻	3402
現	3439
綫	4378
線	4381
縣	4402
羨	4527

ㄘ

單字	字號
餓	6875
鱷	7113
鶚	7168
齶	7323

ㄝ

單字	字號
ㄝˋ	
誒	5599

ㄞ

單字	字號
ㄞ	
哀	620
哎	628
唉	642
埃	837
挨	1876
ㄞˊ	
呆	584
挨	1876
捱	1903
獃	3383
癌	3667
皚	3706
騃	6948
ㄞˇ	
噯	759
欸	2655
毐	2728
矮	3837
藹	5155
靄	6718
ㄞˋ	
噯	759
嬡	1063
愛	1653
曖	2289
璦	3502
碍	3885
礙	3915
艾	4830
薆	5115
隘	6637
靉	6721

ㄟ

單字	字號
ㄟˋ	
欸	2655

ㄠ

單字	字號
ㄠ	
凹	353
熬	3244
ㄠˊ	
嗷	722
嗸(嗷)	722
敖	2130
熬	3244
獒	3385
璈	3492
翱	4556
翺	4563
聱	4608
螯	5305
謷	5664
遨	6143
鏊	6479
鏖	6481
驁	6970
鰲	7100
鼇	7280
ㄠˇ	
媼	1042
拗	1849
襖	5462
ㄠˋ	
傲	243
坳	825
奧	944
懊	1726
拗	1849
敖	2130
澳	3108
燠	3266
隩	6646

ㄡ

單字	字號
ㄡ	
敺	2144
歐	2669
毆	2724
漚	3046
甌	3529
謳	5669
鷗	7188
ㄡˇ	
偶	230
嘔	731
耦	4587
藕	5142
ㄡˋ	
嘔	731
慪	1683
漚	3046

ㄢ

單字	字號
ㄢ	
安	1105
庵	1375
盦	3734
菴	4988
諳	5633
鞍	6745
鵪	7157
ㄢˇ	
俺	186
ㄢˋ	
岸	1223
按	1866
暗	2269
案	2435
犴	3341
菴	4988
闇	6559
黯	7265

ㄣ

單字	字號
ㄣ	
恩	1573
ㄣˊ	
嗯	716
ㄣˇ	
嗯	716
ㄣˋ	
嗯	716
摁	1997

ㄤ

單字	字號
ㄤ	
腌	4692
骯	6994
ㄤˊ	
昂	2210
ㄤˋ	
盎	3722

ㄦ

單字	字號
ㄦˊ	
兒	300
洏	2876
而	4575
胹	4673
ㄦˇ	
洱	2866
爾	3296
珥	3430
耳	4590
邇	6163
鉺	6382
餌	6869
駬	6942
ㄦˋ	
二	49
貳	5762

ㄧ

單字	字號
ㄧ	
一	1
伊	105
依	157
咿	619
噫	754
壹	900
揖	1953
欹	2662
漪	3051
猗	3363
禕	3961
繄	4429
翳	4559
衣	5374
醫	6285
鷖	7187
黟	7259
ㄧˊ	
一	1
儀	269
匜	461
咦	609
圯	809
夷	925
姨	993
宜	1116
彝	1446
彞(彝)	1446
怡	1530
沂	2791
洟	2858
疑	3589
痍	3617
眙	3756
眱	3766
移	3998
簃	4188
胰	4661
𦣞	4760
荑	4919
蛇	5218
訑	5529
詒	5553
誼	5604
貤	5752
貽	5770
迆	6054
迻	6082
遺	6154
頤	6802
飴	6861
ㄧˇ	
乙	37
以	93
倚	204
已	1300
扆	1785
旖	2191
椅	2503
檥	2618
矣	3830
艤	4819
苡	4872
苢	4901
蟻	5331
踦	5895
轙	6028
迆	6054
迤	6063
釔	6311
鉯	6366
銥	6381
顗	6819
ㄧˋ	
一	1
亦	64
仡	90
佚	136
佾	146
億	271
刈	361
劓	416
囈	778
奕	937
射	1160
屹	1210
嶧	1275
弈	1413
弋	1415
役	1460
悒	1585
意	1650
憶	1720
懌	1728
懿	1746
懿(懿)	1746
抑	1823
拽	1869
挹	1882
掖	1923
斁	2146
易	2219
昳	2234
曀	2286
曳	2303
杙	2354
枻	2391
殪	2709
毅	2723
泄	2824
泆	2825
浥	2884

液 2909
溢 3005
熠 3242
異 3574
異 3574
(異)
疫 3597
瘞 3657
益 3720
瞖 3806
縊 4415
繹 4451
義 4528
羿 4537
翊 4541
翌 4543
翳 4559
翼 4560
肄 4615
肊 4620
腋 4691
臆 4742
薏 5120
藝 5144
蜴 5259
衣 5374
裔 5412
裛 5418
詣 5562
誼 5604
議 5683
譯 5687
貤 5752
軼 5981
逸 6112
邑 6169
鎰 6466
鐿 6509
驛 6983
鷁 7180
黓 7251

ㄧㄚ

丫 20
呀 581
壓 886
押 1832
椏 2505
鴉 7124
鴨 7134

ㄧㄚˊ

枒 2372
涯 2908
牙 3308
芽 4860
蚜 5205
衙 5367

ㄧㄚˇ

亞 58
啞 665
雅 6660

ㄧㄚˋ

亞 58
婭 1027
揠 1957
訝 5534
軋 5967
迓 6057

˙ㄧㄚ

呀 581

ㄧㄛ

唷 663

ㄧㄝ

噎 746
掖 1923
耶 4591

ㄧㄝˊ

揶 1968
椰 2512
爺 3293
琊 3443
耶 4591
邪 6176

ㄧㄝˇ

也 41
冶 336
野 6307

ㄧㄝˋ

咽 618
夜 911
射 1160
拽 1869
掖 1923
擪 2083
曄 2283
曳 2303
業 2526
液 2909
燁 3263
腋 4691
葉 5001
謁 5641
鄴 6237
靨 6734
頁 6780

ㄧㄞˊ

崖 1240

ㄧㄠ

吆 554
夭 921
妖 962
幺 1354
么 1354
(幺)
徼 1494
祅 3929
腰 4706
葽 5021
要 5474
邀 6158

ㄧㄠˊ

堯 851
姚 986
崤 1245
嶢 1273
徭 1488
搖 1983
殽 2720
洮 2869
淆 2918
爻 3294
猺 3378
傜 3378
(猺)
瑤 3477
窯 4062
窰 4062
(窯)
繇 4430
肴 4640
謠 5659
軺 5978
遙 6134
銚 6376
陶 6620
餚 6881
鰩 7097

ㄧㄠˇ

咬 613
夭 921
杳 2359
殀 2694
窅 4046
窈 4047
舀 4778
齩 7318

ㄧㄠˋ

拗 1849
曜 2293
樂 2571
燿 3276
耀 4567
葯 5030
藥 5148
要 5474
躍 5950
鑰 6521
颻 6844
鷂 7182

ㄧㄡ

優 284
幽 1357
悠 1592
憂 1694
攸 2116
瀀 3065
燠 3266
耰 4589
麀 7217

ㄧㄡˊ

尤 1174
斿 2177
楢 2523
油 2815
游 2974
猶 3373
猷 3377
由 3552
疣 3598
繇 4430
蕕 5095
蚰 5212
蝣 5277
輶 6008
逌 6105
遊 6121
郵 6213
鈾 6357
魷 7062

ㄧㄡˇ

卣 492
友 519
有 2315
槱 2567
槱 3246
槱 3246
(槱)
牖 3306
羑 4516
莠 4939
酉 6245
銪 6384
黝 7257

ㄧㄡˋ

佑 130
侑 154
又 516
右 543
囿 794
宥 1120
幼 1356
有 2315
柚 2402
祐 3933
莠 4939
誘 5588
釉 6303
鼬 7292

ㄧㄢ

咽 618
奄 928
嫣 1052
崦 1251
懨 1735
懕 1735
(懨)
殷 2717
淹 2948
烟 3199
焉 3204
煙 3222
燕 3258
胭 4659
腌 4692
臙 4753
菸 4971
蔫 5083
鄢 6225
醃 6269
閹 6554
闇 6555

ㄧㄢˊ

嚴 772
妍 996
姸 996
(妍)
岩 1224
巖 1287
延 1406
掔 2025
檐 2609
沿 2823
炎 3176
焰 3216
燄 3216
(焰)
癌 3667
研 3864
硏 3864
(研)
筵 4134
簷 4209
綖 4352
蜒 5242
言 5514
閻 6552
顏 6816
鹽 7215

ㄧㄢˇ

偃 215
儼 287
兗 303
奄 928
巘 1288
弇 1412
掩 1935
揜 1956
沇 2795
渰 2996
演 3047
琰 3460
甗 3535
眼 3769
蝘 5272
衍 5361
郾 6218
魘 7059

聯合國華語注音符號索引

編　法：本索引係照單字讀音，按聯合國華語注音符號順序編列。其讀音相同者，再按部首順序。單字後註明單字編號。

用　法：遇有僅知讀音不熟悉字形之單字，可按聯合國華語注音查出索引中單字，再根據單字編號，查出書內單字及這一單字爲首所組成的詞語。

U. N. MANDARIN PHONETIC SYMBOL INDEX

In this index the characters are arranged according to the alphabetical order of U. N. MPS. Characters with the same pronunciation are arranged according to their respective radicals. The figure to the right of each character is its identification number under which the character can be found in the body of the dictionary.

If the dictionary user knows the pronunciation of the character he is looking for but is unfamiliar with its strokes, he can find it in the index according to the alphabetical order of U.N.MPS. Using the identification number as a guide, he can locate in the dictionary the character and the entries beneath it.

D

溈 3095
珪 3435
瑰 3480
瓌 3514
皈 3699
規 5482
邽 6194
閨 6546
鮭 7070
龜 7328

guǐ

匭 466
宄 1098
晷 2261
癸 3688
簋 4190
詭 5569
軌 5968
鬼 7048

guì

劊 413
會 2312
桂 2439
檜 2612
櫃 2624
澮 3027
瞶 3812
貴 5763
跪 5867
鱖 7106

gǔn

滾 3036
滚(滾) 3036
衮 5388
袞 5398
鯀 7073

gùn

棍 2479

guō

渦 2965
蟈 5314
過 6124
郭 6208
鍋 6437

guó

國 797
幗 1336
摑 2005
虢 5190
馘 6917
聝(馘) 6917

guǒ

果 2377
椁 2504
槨(椁) 2504
猓 3368
菓 4995
蜾 5262
裹 5427
餜 6887

guò

過 6124

H

單字	字號

hā

哈 626

há

蛤 5225
蝦 5280

hǎ

哈 626

hái

孩 1088
還 6161
頦 6798
骸 6997

hǎi

海 2891
醢 6284

hài

亥 63
咳 616
害 1124
氦 2756
駭 6940

hān

憨 1717
蚶 5214
酣 6254
頇 6785
鼾 7299

hán

函 355
含 568
寒 1138
崡 1250
榦 2541
汗 2772
涵 2911
邯 6180
韓 6768

hǎn

喊 684
罕 4492
闞 6576

hàn

悍 1586
憾 1721
扞 1796
捍 1890
撼 2052
旱 2207
暵 2277
汗 2772
漢 3053
瀚 3147
翰 4558
菡 4984
豻 5737
銲 6411
釬(銲) 6411
頷 6805
駻 6950

hāng

夯 924

háng

杭 2356
桁 2432
沆 2796
航 4801
行 5360
迒 6061
頏 6789

hàng

桁 2432
沆 2796

hāo

嚆 764
蒿 5043
薅 5112

háo

嗥 742
嚎 762
壕 889
毫 2737
濠 3122
號 5188
蠔 5340
豪 5728
貉 5740
鶴 7173

hǎo

好 954
郝 6198

hào

好 954
昊 2215
晧 2252
浩 2883
涸 2912
澔 3098
灝 3165
皓 3702
皜 3707
耗 4584
號 5188
鄗 6220
鎬 6464
顥 6828

hē

呵 593
喝 693
訶 5543

hé

何 132
劾 426
合 547
和 604
曷 2305
核 2428
河 2816
涸 2912
盍 3721
盒 3724
禾 3978
紇 4284
翮 4557
荷 4927
蓋 5049
褐 5435
覈 5477
貉 5740
鉿 6385
閡 6543
閤 6544
闔 6571
鞨 6753
鶡 7169
齕 7309
龢 7330

hè

和 604
喝 693
嚇 766
奭 947
荷 4927
豁 5707
賀 5771
赫 5824
郝 6198
鶴 7173
黑 7250

hēi

嘿 747
黑 7250

hén

痕 3620

hěn

很 1468
狠 3352

hèn

恨 1558

hēng

亨 65
哼 638

héng

恆 1551
恒(恆) 1551
桁 2432
横 2606
珩 3433
蘅 5159
衡 5372

hèng

横 2606

hm̄

噷 758

hōng

哄 623
烘 3197
薨 5128
訇 5519
轟 6030
魟 7061

hóng

宏 1108
弘 1422
泓 2831
洪 2865
紅 4283
紘 4293
翃 4540
葒 5023
虹 5195
訌 5523
閎 6535
鴻 7139
黌 7246

hǒng

哄 623

hòng

汞 2778
鬨 7039

hōu

齁 7300

hóu

侯 160
喉 683
猴 3376
瘊 3833
篌 4165

單字	字號
餱	6890
hǒu	
吼	577
hòu	
候	203
厚	508
后	557
後	1472
逅	6080
鱟	7109
hū	
乎	32
呼	598
忽	1519
惚	1612
戲	1774
欻	2660
歑	2670
淴	2953
滹	3034
虖	5184
hú	
囫	790
壺	901
弧	1426
斛	2158
槲	2572
湖	2984
狐	3349
猢	3371
瑚	3472
糊	4252
縠	4403
胡	4654
葫	5012
蝴	5285
衚	5369
觳	5510
醐	6278
餬	6891
鬍	7027
鵠	7153
鶘	7166
鶻	7178
hǔ	
唬	667
滸	3035
琥	3452
虎	5180
hù	
互	53
怙	1527
戶	1777
戽	1780
扈	1787
楛	2519
滬	3029
瓠	3518
祜	3939
笏	4091
護	5688
huā	
嘩	734
花	4854
華	4966
huá	
划	365
劃	409
嘩	734
滑	3023
猾	3381
華	4966
譁	5673
豁	5707
驊	6977
huà	
劃	409
化	457
樺	2589
畫	3578
華	4966
話	5572
huái	
徊	1470
懷	1739
槐	2558
淮	2939
踝	5884
huài	
壞	893
huān	
懽	1747
歡	2680
讙	5702
貛	5746
貛 (貛)	5746
驩	6988
huán	
寰	1154
桓	2446
環	3504
繯	4448
還	6161
鍰	6445
鐶	6505
闤	6580
鬟	7033
huǎn	
浣	2882
澣	3118
緩	4390
huàn	
喚	691
奐	935
宦	1121
幻	1355
患	1594
換	1958
擐	2066
渙	2955
漶	3063
煥	3224
瘓	3644
豢	5727
轘	6026
逭	6113
huāng	
慌	1663
肓	4625
荒	4920
huáng	
凰	348
徨	1484
惶	1630
湟	2990
潢	3077
煌	3217
璜	3497
皇	3698
磺	3911
篁	4160
簧	4206
蝗	5271
蟥	5318
遑	6126
黃	7244
huǎng	
幌	1333
怳	1536
恍	1555
晃	2242
謊	5650
huàng	
晃	2242
huī	
徽	1495
恢	1557
揮	1963
撝	2049
暉	2266
灰	3172
翬	4553
虺	5196
褘	5437
詼	5576
輝	5997
隳	6651
麾	7243
huí	
回	784
徊	1470
洄	2850
茴	4910
蛔	5222
迴	6072
廻 (迴)	6072
huǐ	
悔	1584
會	2312
毀	2722
燬	3268
虺	5196
誨	5597
賄	5776
huì	
匯	467
卉	480
卉 (卉)	480
喙	690
彗	1443
彙	1445
恚	1569
惠	1623
慧	1689
晦	2251
會	2312
槥	2565
濊	3116
燴	3270
穢	4033
篲	4197
繢	4443
繪	4446
翽	4565
蕙	5097
薈	5117
蟪	5323
誨	5597
諱	5632
賄	5776
闠	6577
靧	6733
hūn	
婚	1022
惛	1614
昏	2218
葷	5018
閽	6556
hún	
混	2945
渾	2975
琿	3473
餛	6882
魂	7050
hǔn	
混	2945
hùn	
慁	1670
㥮 (慁)	1670
混	2945
渾	2975
溷	3012
諢	5626
鯇	7074
huō	
豁	5707
huó	
活	2873
huǒ	
伙	112
夥	915
火	3171
鈥	6328
huò	
和	604
壑	888
惑	1621
或	1760
擭	2080
濩	3132
獲	3394
矱	3840
砉	3844
禍	3955
穫	4036
藿	5157
蠖	5342
豁	5707
貨	5754
鑊	6510
霍	6698
騞	6962

J

單字	字號
jī	
乩	42
几	346
唧	694
喞 (唧)	694
嘰	738
基	844
奇	929
姬	1005
屐	1196
嵇	1255
幾	1358
期	2325
朞 (期)	2325
機	2605

Q

字	號
羨	4527
腺	4713
莧	4941
見	5481
蹍	5718
轞	6032
限	6602
陷	6621
霰	6709
餡	6884

xiāng

字	號
廂	1382
湘	2985
相	3744
箱	4154
緗	4384
纕	4471
舡	4800
薌	5119
襄	5455
鄉	6221
鑲	6522
香	6918
驤	6987

xiáng

字	號
庠	1370
祥	3946
翔	4545
詳	5574
降	6601

xiǎng

字	號
享	66
想	1644
響	6779
餉	6867
饗	6908
鮝	7072

xiàng

字	號
像	254
向	559
嚮	769
巷	1303
曏	2290
橡	2601
相	3744
象	5725
鄉	6221
項	6783

xiāo

字	號
削	389
哮	635
囂	777
宵	1126
枵	2383
梟	2464
消	2897
瀟	3149
硝	3867
簫	4208
綃	4346
蕭	5102
蛸	5231
蠨	5347
逍	6086
銷	6392
霄	6694
驍	6978
鴞	7130

xiáo

字	號
學	1094
爻	3294

xiǎo

字	號
小	1168
曉	2285
筱	4130
篠	4180
謏	5653

xiào

字	號
傚	240
哮	635
嘯	737
孝	1083
效	2123
効(效)	2123
斅	2149
校	2429
歗	2674
笑	4093
肖	4623
酵	6263

xiē

字	號
些	57
歇	2663
蝎	5273
蠍	5335

xié

字	號
偕	223
勰	443
協	485
叶	545
恊	1565
挾	1889
擷	2085
攜	2100
擕(攜)	2100
㩗(攜)	2100
携(攜)	2100
斜	2159
絜	4341
纈	4462
脅	4670
衺	5383
諧	5629
邪	6176
鞋	6746
頡	6797

xiě

字	號
寫	1151
血	5356

xiè

字	號
卸	500
屑	1197
廨	1400
懈	1725
械	2467
楔	2517
榭	2544
泄	2824
洩	2864
渫	2991
澥	3101
瀉	3139
瀣	3153
燮	3272
獬	3393
絏	4329
紲(絏)	4329
薤	5126
蟹	5328
蠏(蟹)	5328
褻	5456
亵(褻)	5456
解	5505
謝	5658
躞	5956
邂	6160

xīn

字	號
心	1496
忻	1515
新	2171
昕	2221
欣	2652
歆	2664
炘	3180
芯	4851
莘	4937
薪	5129
訢	5535
辛	6037
鋅	6401
鑫	6520
歆	6776
馨	6920

xín

字	號
尋	1165

xìn

字	號
信	179
囟	785
焮	3209
芯	4851
釁	6300
顖	6824

xīng

字	號
惺	1636
星	2223
猩	3374
腥	4703
興	4783
馨	6920
騂	6947

xíng

字	號
刑	364
型	832
形	1448
彤(形)	1448
硎	3871
行	5360
邢	6177
郉	6189
鉶	6419
陘	6604
餳	6892

xǐng

字	號
惺	1636
擤	2081
省	3753
醒	6276

xìng

字	號
倖	201
姓	983
幸	1352
性	1531
悻	1600
杏	2344
興	4783
荇	4925
莕	4932
行	5360

xiōng

字	號
兄	291
兇	294
凶	351
匈	452
恟	1556
洶	2871
胸	4664
胷(胸)	4664
訩	5538

xióng

字	號
熊	3235
雄	6658

xiòng

字	號
夐	905

xiū

字	號
休	111
修	180
庥	1371
羞	4524
脩	4678
貅	5739
饈	6900
髹	7020
鵂	7145

xiǔ

字	號
宿	1131
朽	2338

xiù

字	號
嗅	704
宿	1131
岫	1217
溴	3011
秀	3980
繡	4444
綉(繡)	4444
臭	4766
袖	5390
銹	6412
鏽	6497
齅	7301

xū

字	號
吁	548
噓	735
墟	874
戌	1754
歔	2673
盱	3741
繻	4457
胥	4643
蓿	5067
虛	5185
訏	5531
需	6692
須	6786
頊	6801
鬚	7032

xú

字	號
徐	1473

xǔ

字	號
昫	2233
栩	2425
湑	2993
煦	3231
許	5541
詡	5563
諝	5634
鄦	6236

xù

字	號
勗	434

一部
ㄧ yī

1

一 ㄧ yī
(變調 ㄧˊ yí; ㄧˋ yì)
1. union; uniformity; uniform 2. one; unit 3. single; alone 4. whole; all; throughout 5. a; an; the 6. to unify 7. once; as soon as 8. each; per

一巴掌(ㄧˋ ㄅㄚ ·ㄓㄤ)(to give someone) a slap

一把(ㄧˋ ㄅㄚˇ)a handful; a bundle; a bunch

一波三折(ㄧ ㄅㄛ ㄙㄢ ㄓㄜˊ)meeting repeated difficulties

一百週年(ㄧˋ ㄅㄞˇ ㄓㄡ ㄋㄧㄢˊ)a centenary

一敗塗地(ㄧˊ ㄅㄞˋ ㄊㄨˊ ㄉㄧˋ)a crushing defeat

一杯(ㄧˋ ㄅㄟ)a cup of; a glass of

一輩子(ㄧˊ ㄅㄟˋ ·ㄗ)throughout one's life

一包(ㄧˋ ㄅㄠ)a parcel; a package

一般(ㄧˋ ㄅㄢ)① common ② same as

一半(ㄧˊ ㄅㄢˋ)a half; half; in part

一本(ㄧˋ ㄅㄣˇ)a copy; a volume

一本正經(ㄧˋ ㄅㄣˇ ㄓㄥˋ ㄐㄧㄥ) in a serious manner

一本萬利(ㄧˋ ㄅㄣˇ ㄨㄢˋ ㄌㄧˋ)to gain enormous profit out of small capital investment

一幫(ㄧˋ ㄅㄤ)a gang

一鼻孔出氣(ㄧˋ ㄅㄧˊ ㄎㄨㄥˇ ㄔㄨ ㄑㄧˋ) to hold identical opinions

一鼻子灰(ㄧˋ ㄅㄧˊ ·ㄗ ㄏㄨㄟ)to meet rejection, humiliation or frustration

一筆(ㄧˋ ㄅㄧˇ)① one stroke ② a sum (of money); a (debt, account, etc.)

一筆抹殺(ㄧˋ ㄅㄧˇ ㄇㄛˇ ㄕㄚ)totally negate

一筆勾消(ㄧˋ ㄅㄧˇ ㄍㄡ ㄒㄧㄠ)all canceled

一臂之力(ㄧˊ ㄅㄧˋ ㄓ ㄌㄧˋ)help; assistance

一表人材(ㄧˋ ㄅㄧㄠˇ ㄖㄣˊ ㄘㄞˊ)handsome; dashing

一邊倒(ㄧˋ ㄅㄧㄢ ㄉㄠˇ)① to fall on one side ② to predominate

一併(ㄧˊ ㄅㄧㄥˋ)all; wholly; at the same time; together with

一病不起(ㄧˊ ㄅㄧㄥˋ ㄅㄨˋ ㄑㄧˇ)to die of illness

一部(ㄧˊ ㄅㄨˋ)a (book, motion picture, etc.); a volume

一部分or一部份(ㄧˊ ㄅㄨˋ ㄈㄣˋ) a part; a portion; partially

一步登天(ㄧˊ ㄅㄨˋ ㄉㄥ ㄊㄧㄢ)a meteoric rise to fame

一拍即合(ㄧˋ ㄆㄞ ㄐㄧˊ ㄏㄜˊ)to become good friends or partners after brief contact

一派胡言(ㄧˊ ㄆㄞˋ ㄏㄨˊ ㄧㄢˊ)complete nonsense

一砲而紅(ㄧˊ ㄆㄠˋ ㄦˊ ㄏㄨㄥˊ)to become famous all at once

一盤散沙(ㄧˋ ㄆㄢˊ ㄙㄢˇ ㄕㄚ)a plate of loose sand—utterly lacking cohesion

一旁(ㄧˋ ㄆㄤˊ)one side; on the sideline

一批(ㄧˋ ㄆㄧ)a batch; a shipment (of goods)

一瞥(ㄧˋ ㄆㄧㄝ) a glance

一篇(ㄧˋ ㄆㄧㄢ)a literary article; a chapter (of a book)

一片(ㄧˊ ㄆㄧㄢˋ)a denominative adjective for any object which is flat and thin

一貧如洗(ㄧˋ ㄆㄧㄣˊ ㄖㄨˊ ㄒㄧˇ)as poor as a church mouse; penniless

一暴十寒(ㄧˊ ㄆㄨˋ ㄕˊ ㄏㄢˊ)to do something by fits and starts

一馬當先(ㄧˋ ㄇㄚˇ ㄉㄤ ㄒㄧㄢ)to be the first to do work

一脈相傳(ㄧˊ ㄇㄛˋ ㄒㄧㄤ ㄔㄨㄢˊ)derived from the same origin

一毛不拔(ㄧˋ ㄇㄠˊ ㄅㄨˋ ㄅㄚˊ)parsimonious; very stingy

一面倒(ㄧˊ ㄇㄧㄢˋ ㄉㄠˇ) excessively dependent upon something or somebody

一面之交(ㄧˊ ㄇㄧㄢˋ ㄓ ㄐㄧㄠ)to have met but once

一鳴驚人(ㄧˋ ㄇㄧㄥˊ ㄐㄧㄥ ㄖㄣˊ) to become famous overnight

一命嗚呼(ㄧˊ ㄇㄧㄥˋ ㄨ ㄏㄨ)to die

一模一樣(ㄧˋ ㄇㄨˊ ㄧˊ ㄧㄤˋ)exactly the same; identical

一目了然(ㄧˊ ㄇㄨˋ ㄌㄧㄠˇ ㄖㄢˊ) to understand fully at a glance

一目十行(ㄧˊ ㄇㄨˋ ㄕˊ ㄏㄤˊ)(said of the ability to read very fast) to read ten lines at one glance

一髮千鈞(ㄧˋ ㄈㄚˇ ㄑㄧㄢ ㄐㄩㄣ)a desperate or critical situation; a close shave

一番好意(ㄧˋ ㄈㄢ ㄏㄠˇ ㄧˋ)good will; well-intentioned

一帆風順(ㄧˋ ㄈㄢ ㄈㄥ ㄕㄨㄣˋ)to proceed smoothly without a hitch

一反常態(ㄧˋ ㄈㄢˇ ㄔㄤˊ ㄊㄞˋ)to act out of one's normal behavior

一分耕耘，一分收穫(ㄧˋ ㄈㄣ ㄍㄥ ㄩㄣˊ, ㄧ ㄈㄣ ㄕㄡ ㄏㄨㄛˋ)As a man sows, so shall he reap.

一份(兒)(ㄧˊ ㄈㄣˋ(ㄦ))a part, portion or share

一方面(ㄧˋ ㄈㄤ ㄇㄧㄢˋ) ①one side ② on the one hand..., on the other hand...

一封(ㄧˋ ㄈㄥ)a (letter)

一夫當關(ㄧˋ ㄈㄨ ㄉㄤ ㄍㄨㄢ)to hold or defend a key position singlehandedly

一夫多妻(ㄧˋ ㄈㄨ ㄉㄨㄛ ㄑㄧ) polygamy

一夫一妻(ㄧˋ ㄈㄨ ㄧˋ ㄑㄧ)monogamy

一服(ㄧˊ ㄈㄨˊ)a dose (of medicine)

一幅(ㄧˋ ㄈㄨˊ)a (painting, scroll, etc.)

〔一部〕

一打(ㄧˋ ㄉㄚˊ)a dozen
一刀兩斷(ㄧˋ ㄉㄠ ㄌㄧㄤˇ ㄉㄨㄢˋ)to be through with
一道(ㄧˊ ㄉㄠˋ)together
一旦(ㄧˊ ㄉㄢˋ)①once; whenever ②someday
一黨專政(ㄧˋ ㄉㄤˇ ㄓㄨㄢ ㄓㄥˋ)one-party dictatorship
一等(ㄧˋ ㄉㄥˇ)top-notch; first-class; first-rate
一點兒(ㄧˋ ㄉㄧㄚˇㄦ)① a little bit; small amount ②somewhat
一點一滴(ㄧˋ ㄉㄧㄢˇ ㄧˋ ㄉㄧ) every drop; every bit
一頂(ㄧˋ ㄉㄧㄥˇ)a (hat, cap, or sedan chair)
一定(ㄧˊ ㄉㄧㄥˋ)certainly; surely
一朵(ㄧˋ ㄉㄨㄛˇ)a (flower or cloud)
一堆(ㄧˋ ㄉㄨㄟ)a pile or heap
一隊(ㄧˊ ㄉㄨㄟˋ)a detachment or contingent (of soldiers, policemen, etc.)
一對(ㄧˊ ㄉㄨㄟˋ) a pair; a couple; a brace
一端(ㄧˋ ㄉㄨㄢ)①one end ②one aspect
一段(ㄧˊ ㄉㄨㄢˋ)① one paragraph, passage or stanza ② a section
一頓(ㄧˊ ㄉㄨㄣˋ)a (meal)
一動(ㄧˊ ㄉㄨㄥˋ)to move once
一棟(ㄧˊ ㄉㄨㄥˋ)a (house or building)
一塌糊塗(ㄧˋ ㄊㄚ ㄏㄨˊ ㄊㄨˊ)in a great mess
一套(ㄧˊ ㄊㄠˋ)①a suit; a set ②phony promise; trick
一頭(ㄧˋ ㄊㄡˊ)(said of cattle, hogs, mules, etc.) a head
一堂課(ㄧˋ ㄊㄤˊ ㄎㄜˋ)a period of teaching and learning at school
一趟(ㄧˊ ㄊㄤˋ)a trip; a ride
一條(ㄧˋ ㄊㄧㄠˊ) ①a (rope, whip, snake, etc.) ②an article (of a law) ③a carton (of cigarettes)
一天(ㄧˋ ㄊㄧㄢ)①a whole day ②one day
一團和氣(ㄧˋ ㄊㄨㄢˊ ㄏㄜˊ ㄑㄧˋ)amicable; good-natured
一團糟(ㄧˋ ㄊㄨㄢˊ ㄗㄠ)in a hopeless mess
一同(ㄧˋ ㄊㄨㄥˊ)in the company of
一年到頭(ㄧˋ ㄋㄧㄢˊ ㄉㄠˋ ㄊㄡˊ)all (the) year round
一年一度(ㄧˋ ㄋㄧㄢˊ ㄧˊ ㄉㄨˋ) once a year; annual(ly)
一念之差(ㄧˊ ㄋㄧㄢˋ ㄓ ㄔㄚ) a false step (which brings untold woes)
一諾千金(ㄧˊ ㄋㄨㄛˋ ㄑㄧㄢ ㄐㄧㄣ) a solemn promise
一來(ㄧˋ ㄌㄞˊ)①on the one hand ②as soon as (someone) arrives
一勞永逸(ㄧˋ ㄌㄠˊ ㄩㄥˇ ㄧˋ)to make a great effort to accomplish something once (and) for all
一覽表(ㄧˋ ㄌㄢˇ ㄅㄧㄠˇ)a table, list, or chart
一覽無餘(ㄧˋ ㄌㄢˇ ㄨˊ ㄩˊ)(literally) A single glance takes in all.—a panoramic view

一流(ㄧˋ ㄌㄧㄡˊ)first-rate
一連(ㄧˋ ㄌㄧㄢˊ)successively; in a row
一連串(ㄧˋ ㄌㄧㄢˊ ㄔㄨㄢˋ)a series of
一輛(ㄧˊ ㄌㄧㄤˋ)a (car, truck, etc.)
一路(ㄧˊ ㄌㄨˋ)all the way
一落千丈(ㄧˊ ㄌㄨㄛˋ ㄑㄧㄢ ㄓㄤˋ) (said of prestige, fortune, etc.) to nose-dive or decline drastically
一律(ㄧˊ ㄌㄩˋ) uniformly; without exception
一個(ㄧˊ ·ㄍㄜ)one; a; an
一概(ㄧˊ ㄍㄞˋ) all; without exception; totally
一概而論(ㄧˊ ㄍㄞˋ ㄦˊ ㄌㄨㄣˋ)discussed in the same frame of mind
一干人犯(ㄧˋ ㄍㄢ ㄖㄣˊ ㄈㄢˋ)a bunch of criminals
一乾二淨(ㄧˋ ㄍㄢ ㄦˋ ㄐㄧㄥˋ)① thoroughly cleaned-up ② completely
一股(ㄧˋ ㄍㄨˇ)①a streak; a strand ② one share (in stockholding) ③ a (strong smell)
一古腦兒(ㄧˋ ㄍㄨˇ ㄋㄠˇㄦ) (dialect) completely
一鼓作氣(ㄧˋ ㄍㄨˇ ㄗㄨㄛˋ ㄑㄧˋ)to brace oneself (for a challenge, etc.)
一貫作風(ㄧˊ ㄍㄨㄢˋ ㄗㄨㄛˋ ㄈㄥ)the consistent way of doing things
一貫作業(ㄧˊ ㄍㄨㄢˋ ㄗㄨㄛˋ ㄧㄝˋ)(said of factories) integrated operation
一共(ㄧˊ ㄍㄨㄥˋ)altogether; in all
一棵(ㄧˋ ㄎㄜ)a (tree); a head (of cabbage)
一顆(ㄧˋ ㄎㄜ)a piece (of candy)
一刻(ㄧˊ ㄎㄜˋ) ①fifteen minutes; a quarter ②a moment
一口(ㄧˋ ㄎㄡˇ)a mouthful
一口答應(ㄧˋ ㄎㄡˇ ㄉㄚ ㄧㄥˋ)to promise without hesitation
一口氣(ㄧˋ ㄎㄡˇ ㄑㄧˋ)①without stop ②breath
一口咬定(ㄧˋ ㄎㄡˇ ㄧㄠˇ ㄉㄧㄥˋ)to stick to one's statement; to insist on saying something
一塊兒(ㄧˊ ㄎㄨㄚˋㄦ)together; altogether
一塊(ㄧˊ ㄎㄨㄞˋ)a piece; a block
一捆(ㄧˋ ㄎㄨㄣˇ)a bundle of
一行(ㄧˋ ㄏㄤˊ)a row; a line; a single file
一呼百諾(ㄧˋ ㄏㄨ ㄅㄞˇ ㄋㄨㄛˋ)One command draws a hundred answers.
一夥(ㄧˋ ㄏㄨㄛˇ)a group; a gang
一會兒(ㄧˋ ㄏㄨㄟˇㄦ)① a short while; presently; in a moment ② now...now...
一回(ㄧˋ ㄏㄨㄟˊ) an occasion
一哄而散(ㄧˋ ㄏㄨㄥ ㄦˊ ㄙㄢˋ) (said of crowds) to disperse in a hubbub
一己之私(ㄧˋ ㄐㄧˇ ㄓ ㄙ)one's own selfish interests
一技之長(ㄧˊ ㄐㄧˋ ㄓ ㄔㄤˊ)professional skill; specialty
一截(ㄧˋ ㄐㄧㄝˊ)a section; a length
一節(ㄧˋ ㄐㄧㄝˊ)a section or passage (of a written work)

一脚(ㄧˋ ㄐㄧㄠˇ)①a kick ②to take part in something (often unsolicited)
一間(ㄧˋ ㄐㄧㄢ)a (room)
一箭之地(ㄧˊ ㄐㄧㄢˋ ㄓ ㄉㄧˋ)a short distance
一見鍾情(ㄧˊ ㄐㄧㄢˋ ㄓㄨㄥ ㄑㄧㄥˊ)to fall in love at first sight
一見如故(ㄧˊ ㄐㄧㄢˋ ㄖㄨˊ ㄍㄨˋ)to become intimate at the first meeting
一斤(ㄧˋ ㄐㄧㄣ)one catty
一局(ㄧˋ ㄐㄩˊ)①a game (of chess) ②(baseball) an inning
一舉兩得(ㄧˋ ㄐㄩˇ ㄌㄧㄤˇ ㄉㄜˊ)to attain two objectives or gain two advantages by a single move
一舉一動(ㄧˋ ㄐㄩˇ ㄧˊ ㄉㄨㄥˋ)behavior
一決雌雄(ㄧˋ ㄐㄩㄝˊ ㄘˊ ㄒㄩㄥˊ)to fight it out
一齊(ㄧˋ ㄑㄧˊ)at the same time
一起(ㄧˋ ㄑㄧˇ)together; in company
一氣呵成(ㄧˊ ㄑㄧˋ ㄏㄜ ㄔㄥˊ)to complete in one breath
一切(ㄧˊ ㄑㄧㄝˋ)all; everything
一竅不通(ㄧˊ ㄑㄧㄠˋ ㄅㄨˋ ㄊㄨㄥ)completely ignorant
一丘之貉(ㄧˋ ㄑㄧㄡ ㄓ ㄏㄜˊ)people of the same ilk
一錢不值(ㄧˋ ㄑㄧㄢˊ ㄅㄨˋ ㄓˊ)completely worthless
一親芳澤(ㄧˋ ㄑㄧㄣ ㄈㄤ ㄗㄜˊ)to caress, kiss, or sleep with a woman
一曲(ㄧˋ ㄑㄩˇ)a song
一去不回(ㄧˊ ㄑㄩˋ ㄅㄨˋ ㄏㄨㄟˊ)to leave for good
一圈(ㄧˋ ㄑㄩㄢ)①a circle ②one round (in a mah-jong game)
一羣(ㄧˋ ㄑㄩㄣˊ)a group; a crowd
一息尚存(ㄧˋ ㄒㄧˊ ㄕㄤˋ ㄘㄨㄣˊ)so long as one is alive
一系列(ㄧˊ ㄒㄧˋ ㄌㄧㄝˋ)a series of
一下子(ㄧˊ ㄒㄧㄚˋ ·ㄗ)at once
一些(ㄧˋ ㄒㄧㄝ)①some; a few ②somewhat
一笑置之(ㄧˊ ㄒㄧㄠˋ ㄓˋ ㄓ)to dismiss with a laugh
一宿(ㄧˋ ㄒㄧㄡˇ)one night; an overnight stay
一線希望(ㄧˊ ㄒㄧㄢˋ ㄒㄧ ㄨㄤˋ)a gleam of hope
一心一意(ㄧˋ ㄒㄧㄣ ㄧˊ ㄧˋ)of one heart and mind
一廂情願(ㄧˋ ㄒㄧㄤ ㄑㄧㄥˊ ㄩㄢˋ)unilateral willingness
一向(ㄧˊ ㄒㄧㄤˋ)①hitherto ②always
一枝(ㄧˋ ㄓ)①a (flower, pen, cigarette, etc.); a piece of (chalk) ②a branch
一知半解(ㄧˋ ㄓ ㄅㄢˋ ㄐㄧㄝˇ) a smack of knowledge
一枝獨秀(ㄧˋ ㄓ ㄉㄨˊ ㄒㄧㄡˋ) to outshine others
一直(ㄧˋ ㄓˊ)always; constantly
一擲千金(ㄧˊ ㄓˊ ㄑㄧㄢ ㄐㄧㄣ)to spend money recklessly
一致(ㄧˊ ㄓˋ)unanimously; one and all
一着(ㄧˋ ㄓㄠ)a move; a gambit
一朝(ㄧˋ ㄓㄠ)①in one day ②once
一朝一夕(ㄧˋ ㄓㄠ ㄧˋ ㄒㄧˋ)a short period of time
一週(ㄧˋ ㄓㄡ)①a week ②a revolution or cycle
一盞(ㄧˋ ㄓㄢˇ)a (lamp); a (cup)
一針見血(ㄧˋ ㄓㄣ ㄐㄧㄢˋ ㄒㄧㄝˇ)exactly right; to the point
一陣(ㄧˊ ㄓㄣˋ)a sudden gust (of wind, laughter, etc.)
一張(ㄧˋ ㄓㄤ)a sheet (of paper)
一株(ㄧˋ ㄓㄨ)a (tree, weed, etc.)
一柱擎天(ㄧˊ ㄓㄨˋ ㄑㄧㄥˊ ㄊㄧㄢ)to lead the nation safely through a crisis single-handed
一樁(ㄧˋ ㄓㄨㄤ)an (affair); a (matter)
一種(ㄧˋ ㄓㄨㄥˇ)①one kind or type ②a species
一剎那(ㄧˊ ㄔㄚˋ ㄋㄨㄛˋ)in a moment
一籌莫展(ㄧˋ ㄔㄡˊ ㄇㄛˋ ㄓㄢˇ)knowing not what to do
一塵不染(ㄧˋ ㄔㄣˊ ㄅㄨˋ ㄖㄢˇ)immaculate; spotless
一場(ㄧˋ ㄔㄤˊ)or(ㄧˋ ㄔㄤˇ)①a performance ②a (long period of association) ③a (dream)
一場空(ㄧˋ ㄔㄤˊ ㄎㄨㄥ)all in vain; futile
一成不變(ㄧˋ ㄔㄥˊ ㄅㄨˋ ㄅㄧㄢˋ)fixed; conservative
一齣戲(ㄧˋ ㄔㄨ ㄒㄧˋ)a play
一觸卽發(ㄧˊ ㄔㄨˋ ㄐㄧˊ ㄈㄚ)imminent
一串(ㄧˊ ㄔㄨㄢˋ)a string (of coins, pearls, etc.)
一時(ㄧˋ ㄕˊ)①for a moment ②a period of time ③accidentally
一視同仁(ㄧˊ ㄕˋ ㄊㄨㄥˊ ㄖㄣˊ)without discrimination
一事無成(ㄧˊ ㄕˋ ㄨˊ ㄔㄥˊ)to accomplish nothing
一手(ㄧˋ ㄕㄡˇ)single-handedly
一手包辦(ㄧˋ ㄕㄡˇ ㄅㄠ ㄅㄢˋ)to do something all by oneself
一手遮天(ㄧˋ ㄕㄡˇ ㄓㄜ ㄊㄧㄢ)to hide the truth from the masses
一扇(ㄧˊ ㄕㄢˋ)a (door, window, etc.)
一身(ㄧˋ ㄕㄣ)①a suit ②the whole body
一身是膽(ㄧˋ ㄕㄣ ㄕˋ ㄉㄢˇ)very brave
一神教(ㄧˋ ㄕㄣˊ ㄐㄧㄠˋ)monotheism
一晌(ㄧˋ ㄕㄤˇ)a short moment
一生(ㄧˋ ㄕㄥ)a lifetime
一聲不響(ㄧˋ ㄕㄥ ㄅㄨˋ ㄒㄧㄤˇ)do not say a word
一瞬(ㄧˊ ㄕㄨㄣˋ) or 一眨眼(ㄧˋ ㄓㄚˇ ㄧㄢˇ)in an instant
一雙(ㄧˋ ㄕㄨㄤ)a couple; a pair
一日(ㄧˊ ㄖˋ)one day; such a day
一日千里(ㄧˊ ㄖˋ ㄑㄧㄢ ㄌㄧˇ) to make

〔一部〕

progress at a tremendous pace

一字千金(ㄧˊ ㄗˋ ㄑㄧㄢ ㄐㄧㄣ)(said of superb writings) A single word is worth a thousand pieces of gold.

一則(ㄧˋ ㄗㄜˊ)① one item ② on the one hand

一再(ㄧˊ ㄗㄞˋ)repeatedly; over and over

一早(ㄧˋ ㄗㄠˇ)in the early morning

一走了之(ㄧˋ ㄗㄡˇ ㄌㄧㄠˇ ㄓ)to evade the solution of a problem by walking away from where it exists

一組(ㄧˋ ㄗㄨˇ)a set; a group

一次(ㄧˊ ㄘˋ)once

一餐(ㄧˋ ㄘㄢ)a meal

一層(ㄧˋ ㄘㄥˊ)one story or floor

一蹴而幾(ㄧˊ ㄘㄨˋ ㄦˊ ㄐㄧ)to succeed in doing something at the first try

一絲不掛(ㄧˋ ㄙ ㄅㄨˊ ㄍㄨㄚˋ)to have not a stitch on; stark-naked

一絲不苟(ㄧˋ ㄙ ㄅㄨˋ ㄍㄡˇ)No detail is overlooked.

一絲一毫(ㄧˋ ㄙ ㄧˋ ㄏㄠˊ)a tiny bit; an iota; a trace

一死了之(ㄧˋ ㄙˇ ㄌㄧㄠˇ ㄓ)to end one's troubles or worries by death

一掃而空(ㄧˋ ㄙㄠˇ ㄦˊ ㄎㄨㄥ)(worries, doubts) completely removed

一而再，再而三(ㄧˋ ㄦˊ ㄗㄞˋ, ㄗㄞˋ ㄦˊ ㄙㄢ)to happen repeatedly

一一(ㄧ ㄧ)one by one; each separately

一意孤行(ㄧˊ ㄧˋ ㄍㄨ ㄒㄧㄥˊ)to do something against the advice of others

一頁(ㄧˊ ㄧㄝˋ)one page

一葉知秋(ㄧˊ ㄧㄝˋ ㄓ ㄑㄧㄡ)any sign foretelling things to come

一言不發(ㄧˋ ㄧㄢˊ ㄅㄨˋ ㄈㄚ)to keep one's mouth shut

一言難盡(ㄧˋ ㄧㄢˊ ㄋㄢˊ ㄐㄧㄣˋ)It is a long story.

一言九鼎(ㄧˋ ㄧㄢˊ ㄐㄧㄡˇ ㄉㄧㄥˇ) a solemn promise or pledge

一言以蔽之(ㄧˋ ㄧㄢˊ ㄧˇ ㄅㄧˋ ㄓ)to sum up

一言爲定(ㄧˋ ㄧㄢˊ ㄨㄟˊ ㄉㄧㄥˋ)to reach a binding agreement verbally

一眼看去(ㄧˋ ㄧㄢˇ ㄎㄢˋ ㄑㄩˋ)① to take a sweeping look ② at first glance

一氧化碳(ㄧˋ ㄧㄤˇ ㄏㄨㄚˋ ㄊㄢˋ)carbon monoxide (CO)

一樣(ㄧˊ ㄧㄤˋ)alike; in the same manner

一應俱全(ㄧˋ ㄧㄥ ㄐㄩˋ ㄑㄩㄢˊ)complete with everything

一無所獲(ㄧˋ ㄨˊ ㄙㄨㄛˇ ㄏㄨㄛˋ)to achieve or gain nothing

一無所知(ㄧˋ ㄨˊ ㄙㄨㄛˇ ㄓ)to know nothing at all

一無所有(ㄧˋ ㄨˊ ㄙㄨㄛˇ ㄧㄡˇ)to own nothing at all

一五一十(ㄧˋ ㄨˇ ㄧˋ ㄕˊ)to enumerate or to narrate in detail

一窩蜂(ㄧˋ ㄨㄛ ㄈㄥ)(said of a crowd of people) to swarm

一文不值(ㄧˋ ㄨㄣˊ ㄅㄨˋ ㄓˊ)worthless

一問三不知(ㄧˊ ㄨㄣˋ ㄙㄢ ㄅㄨˋ ㄓ)to say "I don't know" to every question

一網打盡(ㄧˋ ㄨㄤˇ ㄉㄚˇ ㄐㄧㄣˋ)to round up all (the criminals, rebels or other undesirable elements)

一往情深(ㄧˋ ㄨㄤˇ ㄑㄧㄥˊ ㄕㄣ)to fall deeply in love

一望無際(ㄧˊ ㄨㄤˋ ㄨˊ ㄐㄧˋ)to spread out far beyond the horizon

一語道破(ㄧˋ ㄩˇ ㄉㄠˋ ㄆㄛˋ)to hit the nail on the head

一月(ㄧˊ ㄩㄝˋ)January

一畫

丁 2

1. ㄉㄧㄥ dīng

1. the fourth of the Ten Celestial Stems (天干) 2. population 3. attendants 4. fourth: 丁等 grade D 5. small cubes of meat or vegetable

丁香(ㄉㄧㄥ ㄒㄧㄤ)a clove

丁字街(ㄉㄧㄥ ㄗˋ ㄐㄧㄝ)T-shaped road junction

丁字尺(ㄉㄧㄥ ㄗˋ ㄔˇ)a T-square

丁 2

2. ㄓㄥ zhēng

sound

七 3

ㄑㄧ qī (變調 ㄑㄧˊ qí)

the number seven

七拼八湊(ㄑㄧ ㄆㄧㄣ ㄅㄚ ㄘㄡˋ)① to raise money from different sources ② to cannibalize ③ to piece together

七零八落(ㄑㄧ ㄌㄧㄥˊ ㄅㄚ ㄌㄨㄛˋ)scattered here and there

七巧板(ㄑㄧ ㄑㄧㄠˇ ㄅㄢˇ)the seven-pieced puzzle

七折八扣(ㄑㄧ ㄓㄜˊ ㄅㄚ ㄎㄡˋ)big discounts (in a bargain sale)

七尺之軀(ㄑㄧ ㄔˇ ㄓ ㄑㄩ)men's average height (referring to a full-grown man)

七重奏(ㄑㄧ ㄔㄨㄥˊ ㄗㄡˋ)a septet

七手八脚(ㄑㄧ ㄕㄡˇ ㄅㄚ ㄐㄧㄠˇ)many people doing something simultaneously in a disorganized manner

七上八下(ㄑㄧ ㄕㄤˋ ㄅㄚ ㄒㄧㄚˋ)an unsettled state of mind

七嘴八舌(ㄑㄧ ㄗㄨㄟˇ ㄅㄚ ㄕㄜˊ)everybody talking at the same time

七言詩(ㄑㄧ ㄧㄢˊ ㄕ)verses with seven characters to a line

七月(ㄑㄧ ㄩㄝˋ)July

二畫

丈 4

ㄓㄤˋ zhàng

1. a unit in Chinese lineal measurement slightly longer than 10 feet 2.

an elder; a senior 3.as in 丈量—to measure; to survey

丈母娘(ㄓㄤˋ ㄇㄨˇ ㄋㄧㄤˊ)a mother-in-law

丈夫(ㄓㄤˋ ㄈㄨ)①a husband ②a man

丈人(ㄓㄤˋ ㄖㄣˊ)a father-in-law

三 5 ㄙㄢ sān

three; third; thrice

三百六十行(ㄙㄢ ㄅㄞˇ ㄌㄧㄡˋ ㄕˊ ㄏㄤˊ) all trades and professions

三胞胎(ㄙㄢ ㄅㄠ ㄊㄞ)triplets

三部曲(ㄙㄢ ㄅㄨˋ ㄑㄩˇ)a trilogy

三民主義(ㄙㄢ ㄇㄧㄣˊ ㄓㄨˇ ㄧˋ) *The Three Principles of the People*

三明治(ㄙㄢ ㄇㄧㄥˊ ㄓˋ)a sandwich

三番兩次(ㄙㄢ ㄈㄢ ㄌㄧㄤˇ ㄘˋ)over and over again; repeatedly

三代同堂(ㄙㄢ ㄉㄞˋ ㄊㄨㄥˊ ㄊㄤˊ)three generations living under the same roof

三讀(ㄙㄢ ㄉㄨˊ)the third reading of a bill in a legislative session

三度空間(ㄙㄢ ㄉㄨˋ ㄎㄨㄥ ㄐㄧㄢ) three-dimensional space

三態(ㄙㄢ ㄊㄞˋ) (physics) the three states of matter—solid, liquid and gas

三天兩頭兒(ㄙㄢ ㄊㄧㄢ ㄌㄧㄤˇ ㄊㄡˊㄦ)frequently

三聯單(ㄙㄢ ㄌㄧㄢˊ ㄉㄢ)three-sectional tax forms, invoices, etc.

三輪車(ㄙㄢ ㄌㄨㄣˊ ㄔㄜ)a pedicab; a tricycle

三更半夜(ㄙㄢ ㄍㄥ ㄅㄢˋ ㄧㄝˋ)late at night

三合板(ㄙㄢ ㄏㄜˊ ㄅㄢˇ)plywood

三級跳遠(ㄙㄢ ㄐㄧˊ ㄊㄧㄠˋ ㄩㄢˇ)hop, step (or skip), and jump

三角 (ㄙㄢ ㄐㄧㄠˇ) ① trigonometry ② three angles

三角板(ㄙㄢ ㄐㄧㄠˇ ㄅㄢˇ)a set square

三角鐵(ㄙㄢ ㄐㄧㄠˇ ㄊㄧㄝˇ) (construction) angle iron

三角戀愛(ㄙㄢ ㄐㄧㄠˇ ㄌㄧㄢˋ ㄞˋ)a love triangle

三角褲(ㄙㄢ ㄐㄧㄠˇ ㄎㄨˋ)panties; briefs

三角函數(ㄙㄢ ㄐㄧㄠˇ ㄏㄢˊ ㄕㄨˋ) trigonometric function

三脚架(ㄙㄢ ㄐㄧㄠˇ ㄐㄧㄚˋ)a tripod

三角形(ㄙㄢ ㄐㄧㄠˇ ㄒㄧㄥˊ)a triangle

三角洲(ㄙㄢ ㄐㄧㄠˇ ㄓㄡ)a delta

三教九流(ㄙㄢ ㄐㄧㄠˋ ㄐㄧㄡˇ ㄌㄧㄡˊ) people of all walks of life

三緘其口(ㄙㄢ ㄐㄧㄢ ㄑㄧˊ ㄎㄡˇ)to remain silent

三心二意(ㄙㄢ ㄒㄧㄣ ㄦˋ ㄧˋ)①hesitating; irresolute ② halfhearted

三隻手(ㄙㄢ ㄓ ㄕㄡˇ)a pickpocket

三振出局(ㄙㄢ ㄓㄣˋ ㄔㄨ ㄐㄩˊ)to strike out; a strikeout

三長兩短 (ㄙㄢ ㄔㄤˊ ㄌㄧㄤˇ ㄉㄨㄢˇ) unforeseen disasters or accidents (usually referring to death)

三生有幸(ㄙㄢ ㄕㄥ ㄧㄡˇ ㄒㄧㄥˋ) lucky indeed

三餐(ㄙㄢ ㄘㄢ) three meals—breakfast, lunch and supper

三思而後行 (ㄙㄢ ㄙ ㄦˊ ㄏㄡˋ ㄒㄧㄥˊ) Think thrice before you act.

三三兩兩(ㄙㄢ ㄙㄢ ㄌㄧㄤˇ ㄌㄧㄤˇ)by twos and threes; in twos and threes

三言兩語(ㄙㄢ ㄧㄢˊ ㄌㄧㄤˇ ㄩˇ)a brief talk, discussion, description, etc.

三陽開泰(ㄙㄢ ㄧㄤˊ ㄎㄞ ㄊㄞˋ)a surge of good luck

三五成羣(ㄙㄢ ㄨˇ ㄔㄥˊ ㄑㄩㄣˊ)in groups of three or five

三圍(ㄙㄢ ㄨㄟˊ)the vital statistics, or the three measurements, of a woman

三位一體(ㄙㄢ ㄨㄟˋ ㄧˋ ㄊㄧˇ)the Trinity; three-in-one

三溫暖(ㄙㄢ ㄨㄣ ㄋㄨㄢˇ)sauna bath亦作「蒸氣浴」

三月(ㄙㄢ ㄩㄝˋ)March

上 6 1. ㄕㄤˋ shàng

1. above 2. upper; upward; up 3. better; superior 4. previous; before 5. top; summit; on 6. to ascend; to mount; to board 7. to go to court

上報 (ㄕㄤˋ ㄅㄠˋ) to be published in newspapers

上班(ㄕㄤˋ ㄅㄢ)to go to office; to go on duty

上半場(ㄕㄤˋ ㄅㄢˋ ㄔㄤˇ)the first half (of a game)

上半身(ㄕㄤˋ ㄅㄢˋ ㄕㄣ)the upper part of the body

上榜(ㄕㄤˋ ㄅㄤˇ)to have one's name included in the name list of successful candidates of an examination

上臂(ㄕㄤˋ ㄅㄧˋ)the upper arm

上賓(ㄕㄤˋ ㄅㄧㄣ)distinguished guests

上坡(ㄕㄤˋ ㄆㄛ)to climb a slope

上坡路(ㄕㄤˋ ㄆㄛ ㄌㄨˋ)an uphill road

上品(ㄕㄤˋ ㄆㄧㄣˇ)goods of superior quality

上鋪(ㄕㄤˋ ㄆㄨˋ)the upper berth

上馬(ㄕㄤˋ ㄇㄚˇ))to mount a horse

上門(ㄕㄤˋ ㄇㄣˊ)to visit

上面(ㄕㄤˋ ˙ㄇㄧㄢ)the upper surface; above

上發條(ㄕㄤˋ ㄈㄚ ㄊㄧㄠˊ)to wind a watch, clock, mechanical toy, etc.

上方(ㄕㄤˋ ㄈㄤ)the place above

上當(ㄕㄤˋ ㄉㄤˋ)to be taken in

上等(ㄕㄤˋ ㄉㄥˇ)first-class; superior quality

上帝(ㄕㄤˋ ㄉㄧˋ)God

上弔 or 上吊(ㄕㄤˋ ㄉㄧㄠˋ)to commit suicide by hanging

上端(ㄕㄤˋ ㄉㄨㄢ)the upper end

上臺(ㄕㄤˋ ㄊㄞˊ)①to go on the stage ②(said of high-ranking officials) to assume office

上膛(ㄕㄤˋ ㄊㄤˊ) (said of a gun) to be loaded

上天(ㄕㄤˋ ㄊㄧㄢ) Heaven; Providence;

〔一部〕

〔一部〕

God
上年紀(ㄕㄤˋ ㄋㄧㄢˊ ˙ㄐㄧ)getting on in years
上來(ㄕㄤˋ ˙ㄌㄞ)Come up! 或 Come out!
上壘(ㄕㄤˋ ㄌㄟˇ)(baseball) to touch the base
上樓(ㄕㄤˋ ㄌㄡˊ)to go upstairs
上列(ㄕㄤˋ ㄌㄧㄝˋ)the above-listed
上流社會(ㄕㄤˋ ㄌㄧㄡˊ ㄕㄜˋ ㄏㄨㄟˋ)the upper class; the high society
上路(ㄕㄤˋ ㄌㄨˋ)to start a journey
上鈎(ㄕㄤˋ ㄍㄡ)(fishing)to be caught by the hook
上古(ㄕㄤˋ ㄍㄨˇ)prehistoric times
上軌道(ㄕㄤˋ ㄍㄨㄟˇ ㄉㄠˋ)to get on the right track—to begin to work smoothly
上工(ㄕㄤˋ ㄍㄨㄥ)to begin work
上供(ㄕㄤˋ ㄍㄨㄥˋ)to offer sacrifices in worship
上課(ㄕㄤˋ ㄎㄜˋ)to attend class
上口(ㄕㄤˋ ㄎㄡˇ)easy to speak or read
上好(ㄕㄤˋ ㄏㄠˇ)superior; excellent
上回(ㄕㄤˋ ㄏㄨㄟˊ)last time
上級(ㄕㄤˋ ㄐㄧˊ)higher-ups; superiors
上街(ㄕㄤˋ ㄐㄧㄝ)to go shopping
上屆(ㄕㄤˋ ㄐㄧㄝˋ)the previous (election, congress, conference, etc.)
上進(ㄕㄤˋ ㄐㄧㄣˋ)to make progress
上將(ㄕㄤˋ ㄐㄧㄤˋ)(army, marine, and air force) full general; (navy) full admiral
上鏡頭(ㄕㄤˋ ㄐㄧㄥˋ ㄊㄡˊ)photogenic
上氣不接下氣 (ㄕㄤˋ ㄑㄧˋ ㄅㄨˋ ㄐㄧㄝ ㄒㄧㄚˋ ㄑㄧˋ)to be out of breath
上前(ㄕㄤˋ ㄑㄧㄢˊ)to come forward
上去(ㄕㄤˋ ˙ㄑㄩ)to go up; to ascend
上下文(ㄕㄤˋ ㄒㄧㄚˋ ㄨㄣˊ)the context
上校(ㄕㄤˋ ㄒㄧㄠˋ)(army, marine, and air force) colonel; (navy) captain
上弦(ㄕㄤˋ ㄒㄧㄢˊ)the first quarter of the moon
上限(ㄕㄤˋ ㄒㄧㄢˋ)the upper limit
上香(ㄕㄤˋ ㄒㄧㄤ)to offer incense
上行下效(ㄕㄤˋ ㄒㄧㄥˊ ㄒㄧㄚˋ ㄒㄧㄠˋ) The doings of superiors are imitated by inferiors.
上行車(ㄕㄤˋ ㄒㄧㄥˊ ㄔㄜ)the up train
上學(ㄕㄤˋ ㄒㄩㄝˊ)to go to school
上選(ㄕㄤˋ ㄒㄩㄢˇ)the choicest
上旬(ㄕㄤˋ ㄒㄩㄣˊ)the first ten days of a month
上肢(ㄕㄤˋ ㄓ)the upper limbs
上週(ㄕㄤˋ ㄓㄡ)last week
上陣(ㄕㄤˋ ㄓㄣˋ)①to pitch into the work ②to go to battle
上漲(ㄕㄤˋ ㄓㄤˇ)(said of commodity prices or flood waters) to rise
上車(ㄕㄤˋ ㄔㄜ)to get on (a car, etc.)
上場(ㄕㄤˋ ㄔㄤˇ)①(drama)to go on stage ②(sports) to enter the court or field
上船(ㄕㄤˋ ㄔㄨㄢˊ)to board a ship; to embark
上床(ㄕㄤˋ ㄔㄨㄤˊ)to go to bed
上市(ㄕㄤˋ ㄕˋ)(said of seasonal goods or new products) to go on the market
上山(ㄕㄤˋ ㄕㄢ)to go up a hill
上上下下 (ㄕㄤˋ ㄕㄤˋ ㄒㄧㄚˋ ㄒㄧㄚˋ) ① up and down ② all; the whole
上升(ㄕㄤˋ ㄕㄥ)to soar or rise
上乘(ㄕㄤˋ ㄕㄥˋ)the best in quality
上述(ㄕㄤˋ ㄕㄨˋ)the aforementioned or aforesaid
上任(ㄕㄤˋ ㄖㄣˋ)to take up an official appointment
上座(ㄕㄤˋ ㄗㄨㄛˋ)the seat of honor
上次(ㄕㄤˋ ㄘˋ)last time
上策(ㄕㄤˋ ㄘㄜˋ)the best stratagem
上菜(ㄕㄤˋ ㄘㄞˋ)① the best dishes ② to place dishes on the table
上蒼(ㄕㄤˋ ㄘㄤ)Heaven; God
上層(ㄕㄤˋ ㄘㄥˊ)the upper layer, level or stratum
上司(ㄕㄤˋ ㄙ)a boss; a superior official
上訴 (ㄕㄤˋ ㄙㄨˋ) to appeal to a higher court
上鎖(ㄕㄤˋ ㄙㄨㄛˇ)to lock
上顎(ㄕㄤˋ ㄜˋ)the palate
上衣(ㄕㄤˋ ㄧ)upper garments; jackets
上游(ㄕㄤˋ ㄧㄡˊ)① the upper reaches (of a river) ② advanced position
上演(ㄕㄤˋ ㄧㄢˇ)to perform(a play)
上癮(ㄕㄤˋ ㄧㄣˇ)to become addicted to a certain drug or habit
上映(ㄕㄤˋ ㄧㄥˋ)to show (a movie)
上午(ㄕㄤˋ ㄨˇ)forenoon; A.M.
上尉 (ㄕㄤˋ ㄨㄟˋ) (navy) lieutenant; (army and air force) captain
上文(ㄕㄤˋ ㄨㄣˊ)preceding part of the text
上月(ㄕㄤˋ ㄩㄝˋ)last month

上 6
2. ㄕㄤˇ **shǎng**

上聲(ㄕㄤˇ ㄕㄥ)falling-rising tone, one of the four tones in classical Chinese and the third tone in modern standard Chinese phonetics

下 7
ㄒㄧㄚˋ **xià**

1. to put down 2. to lay 3. to fall 4. to descend 5. to begin 6. below; under 7. inferior; lower 8. next
下巴(ㄒㄧㄚˋ ㄅㄚ)the chin
下擺(ㄒㄧㄚˋ ㄅㄞˇ)the lower part of a Chinese gown
下輩子(ㄒㄧㄚˋ ㄅㄟˋ ˙ㄗ)the next life
下班(ㄒㄧㄚˋ ㄅㄢ)to leave office (or factory) after working hours
下半輩子(ㄒㄧㄚˋ ㄅㄢˋ ㄅㄟˋ ˙ㄗ)the rest of one's life

下半旗(ㄒㄧㄚˋ ㄅㄢˋ ㄑㄧˊ)to fly a flag at half-mast
下半場(ㄒㄧㄚˋ ㄅㄢˋ ㄔㄤˇ)the second half (of a game)
下筆(ㄒㄧㄚˋ ㄅㄧˇ)to start writing
下不了臺(ㄒㄧㄚˋ ㄅㄨˋ ㄌㄧㄠˇ ㄊㄞˊ)to put someone in an awkward position
下不爲例(ㄒㄧㄚˋ ㄅㄨˋ ㄨㄟˊ ㄌㄧˋ)Don't do it again!
下坡路(ㄒㄧㄚˋ ㄆㄛ ㄌㄨˋ)a descending road or foot path
下片(ㄒㄧㄚˋ ㄆㄧㄢˋ)to stop showing a movie (after attendance tapers off)
下聘(ㄒㄧㄚˋ ㄆㄧㄣˋ)to present betrothal gifts
下鋪(ㄒㄧㄚˋ ㄆㄨˋ)the lower berth
下馬威(ㄒㄧㄚˋ ㄇㄚˇ ㄨㄟ)to warn against insubordination, etc. by enforcing strict disciplinary action when one first takes office
下麵(ㄒㄧㄚˋ ㄇㄧㄢˋ)to cook noodles
下面(ㄒㄧㄚˋ ˙ㄇㄧㄢ)below
下方(ㄒㄧㄚˋ ㄈㄤ)below; under
下放(ㄒㄧㄚˋ ㄈㄤˋ)to transfer to a lower level
下蛋(ㄒㄧㄚˋ ㄉㄢˋ)to lay eggs
下等(ㄒㄧㄚˋ ㄉㄥˇ)low-grade
下地獄(ㄒㄧㄚˋ ㄉㄧˋ ㄩˋ)to go to hell
下定義(ㄒㄧㄚˋ ㄉㄧㄥˋ ㄧˋ)to define
下毒(ㄒㄧㄚˋ ㄉㄨˊ)to poison
下毒手(ㄒㄧㄚˋ ㄉㄨˊ ㄕㄡˇ)to lay violent hands on someone
下榻(ㄒㄧㄚˋ ㄊㄚˋ)to take up abode; to stay
下臺(ㄒㄧㄚˋ ㄊㄞˊ)① to get off stage ② to be relieved from office
下體(ㄒㄧㄚˋ ㄊㄧˇ)the privates; the genitals
下田(ㄒㄧㄚˋ ㄊㄧㄢˊ)to work on farmland
下來(ㄒㄧㄚˋ ˙ㄌㄞ)to come down
下樓(ㄒㄧㄚˋ ㄌㄡˊ)to go downstairs
下列(ㄒㄧㄚˋ ㄌㄧㄝˋ)as follows
下流(ㄒㄧㄚˋ ㄌㄧㄡˊ)low; nasty; mean
下令(ㄒㄧㄚˋ ㄌㄧㄥˋ) to order
下落(ㄒㄧㄚˋ ㄌㄨㄛˋ)whereabouts
下跪(ㄒㄧㄚˋ ㄍㄨㄟˋ)to kneel down
下工(ㄒㄧㄚˋ ㄍㄨㄥ)to stop working
下工夫(ㄒㄧㄚˋ ㄍㄨㄥ ˙ㄈㄨ)to devote much time and energy to a task
下課(ㄒㄧㄚˋ ㄎㄜˋ)to finish class
下回(ㄒㄧㄚˋ ㄏㄨㄟˊ)next time
下級(ㄒㄧㄚˋ ㄐㄧˊ)subordinates
下嫁(ㄒㄧㄚˋ ㄐㄧㄚˋ)to marry someone beneath her station
下屆(ㄒㄧㄚˋ ㄐㄧㄝˋ)next (term, election, etc.)
下酒菜(ㄒㄧㄚˋ ㄐㄧㄡˇ ㄘㄞˋ)a dish that goes with wine
下賤(ㄒㄧㄚˋ ㄐㄧㄢˋ)low; cheap
下降(ㄒㄧㄚˋ ㄐㄧㄤˋ)to descend; to drop
下決心(ㄒㄧㄚˋ ㄐㄩㄝˊ ㄒㄧㄣ)to make a resolution
下棋(ㄒㄧㄚˋ ㄑㄧˊ)to play chess
下去(ㄒㄧㄚˋ ˙ㄑㄩ)①to go down ②to go on
下弦(ㄒㄧㄚˋ ㄒㄧㄢˊ)the last quarter of the moon
下限(ㄒㄧㄚˋ ㄒㄧㄢˋ)lower limit
下鄉(ㄒㄧㄚˋ ㄒㄧㄤ)to go to the country
下行車(ㄒㄧㄚˋ ㄒㄧㄥˊ ㄔㄜ)the down train
下學期(ㄒㄧㄚˋ ㄒㄩㄝˊ ㄑㄧˊ)next semester
下雪(ㄒㄧㄚˋ ㄒㄩㄝˇ)to snow
下旬(ㄒㄧㄚˋ ㄒㄩㄣˊ)the last ten days of a month
下肢(ㄒㄧㄚˋ ㄓ)the lower limbs
下逐客令(ㄒㄧㄚˋ ㄓㄨˊ ㄎㄜˋ ㄌㄧㄥˋ)to ask an unwelcome guest to leave
下注(ㄒㄧㄚˋ ㄓㄨˋ)to stake a wager
下箸(ㄒㄧㄚˋ ㄓㄨˋ)to start eating
下墜(ㄒㄧㄚˋ ㄓㄨㄟˋ)to fall
下車(ㄒㄧㄚˋ ㄔㄜ)to get off (trains or vehicles)
下沉(ㄒㄧㄚˋ ㄔㄣˊ)to sink; to subside
下場(ㄒㄧㄚˋ ㄔㄤˇ)the conclusion
下廚(ㄒㄧㄚˋ ㄔㄨˊ)to prepare food
下垂(ㄒㄧㄚˋ ㄔㄨㄟˊ)to hang down
下船(ㄒㄧㄚˋ ㄔㄨㄢˊ)to go ashore
下牀(ㄒㄧㄚˋ ㄔㄨㄤˊ)to get up
下手(ㄒㄧㄚˋ ㄕㄡˇ)to start doing something
下山(ㄒㄧㄚˋ ㄕㄢ)to go down a mountain
下屬(ㄒㄧㄚˋ ㄕㄨˇ)subordinates
下水(ㄒㄧㄚˋ ㄕㄨㄟˇ)to launch a boat
下水道(ㄒㄧㄚˋ ㄕㄨㄟˇ ㄉㄠˋ)sewers
下人(ㄒㄧㄚˋ ㄖㄣˊ)servants
下葬(ㄒㄧㄚˋ ㄗㄤˋ)to bury
下次(ㄒㄧㄚˋ ㄘˋ)next time
下策(ㄒㄧㄚˋ ㄘㄜˋ)a bad strategy, measure or policy
下層(ㄒㄧㄚˋ ㄘㄥˊ)low-ranking
下顎(ㄒㄧㄚˋ ㄜˋ)the lower jaw
下意識(ㄒㄧㄚˋ ㄧˋ ㄕˋ)subconscious
下野(ㄒㄧㄚˋ ㄧㄝˇ)to quit or resign from official posts or politics
下游(ㄒㄧㄚˋ ㄧㄡˊ)downstream
下嚥(ㄒㄧㄚˋ ㄧㄢˋ)to swallow
下午(ㄒㄧㄚˋ ㄨˇ)afternoon
下文(ㄒㄧㄚˋ ㄨㄣˊ)further development or information
下雨(ㄒㄧㄚˋ ㄩˇ)to rain
下獄(ㄒㄧㄚˋ ㄩˋ)to put behind bars
下月(ㄒㄧㄚˋ ㄩㄝˋ)next month

三畫

不 8 ㄅㄨˋ bù (變調 ㄅㄨˊ bú)
no; not; negative
不白之冤(ㄅㄨˋ ㄅㄞˊ ㄓ ㄩㄢ)①a wrong that has not been righted ②

〔一部〕

falsely accused

不敗之地(ㄅㄨˋ ㄅㄞˋ ㄓ ㄉㄧˋ)an invincible position

不卑不亢(ㄅㄨˋ ㄅㄟ ㄅㄨˋ ㄎㄤˋ)to conduct oneself properly

不備(ㄅㄨˊ ㄅㄟˋ)not ready; by surprise

不比(ㄅㄨˋ ㄅㄧˇ)unlike

不必(ㄅㄨˊ ㄅㄧˋ)not necessary

不便(ㄅㄨˊ ㄅㄧㄢˋ)inconvenience; inconvenient

不怕(ㄅㄨˊ ㄆㄚˋ)not afraid

不配(ㄅㄨˊ ㄆㄟˋ)mismatch; misfit

不偏不倚(ㄅㄨˋ ㄆㄧㄢ ㄅㄨˋ ㄧˇ)exact

不平(ㄅㄨˋ ㄆㄧㄥˊ)① complaint; a grudge ② unjust

不平則鳴(ㄅㄨˋ ㄆㄧㄥˊ ㄗㄜˊ ㄇㄧㄥˊ) Those who are discriminated against will complain.

不毛之地(ㄅㄨˋ ㄇㄠˊ ㄓ ㄉㄧˋ)barren land

不謀而合(ㄅㄨˋ ㄇㄡˊ ㄦˊ ㄏㄜˊ)to agree without prior consultation

不滿(ㄅㄨˋ ㄇㄢˇ)discontent

不妙(ㄅㄨˊ ㄇㄧㄠˋ)Something is wrong.

不眠不休(ㄅㄨˋ ㄇㄧㄢˊ ㄅㄨˋ ㄒㄧㄡ) without rest

不免(ㄅㄨˋ ㄇㄧㄢˇ)have to; must

不明(ㄅㄨˋ ㄇㄧㄥˊ)not clear; unknown

不明飛行物體(ㄅㄨˋ ㄇㄧㄥˊ ㄈㄟ ㄒㄧㄥˊ ㄨˋ ㄊㄧˇ)unidentified flying object (UFO)亦作「幽浮」

不名譽(ㄅㄨˋ ㄇㄧㄥˊ ㄩˋ)disreputable

不法(ㄅㄨˋ ㄈㄚˇ)unlawful; illegal

不法之徒(ㄅㄨˋ ㄈㄚˇ ㄓ ㄊㄨˊ) lawless elements

不凡(ㄅㄨˋ ㄈㄢˊ)extraordinary; outstanding; unusual

不分高下(ㄅㄨˋ ㄈㄣ ㄍㄠ ㄒㄧㄚˋ)well-matched; a draw

不分青紅皂白(ㄅㄨˋ ㄈㄣ ㄑㄧㄥ ㄏㄨㄥˊ ㄗㄠˋ ㄅㄞˊ)indiscriminately

不分軒輊(ㄅㄨˋ ㄈㄣ ㄒㄩㄢ ㄓˋ)well-matched; a draw

不分晝夜(ㄅㄨˋ ㄈㄣ ㄓㄡˋ ㄧㄝˋ) (to work) day and night

不分勝負(ㄅㄨˋ ㄈㄣ ㄕㄥˋ ㄈㄨˋ)to tie; to draw

不妨(ㄅㄨˋ ㄈㄤˊ)no harm in (trying, doing, etc.)

不符(ㄅㄨˋ ㄈㄨˊ)do not tally

不服(ㄅㄨˋ ㄈㄨˊ)to recalcitrate; to disobey

不服氣(ㄅㄨˋ ㄈㄨˊ ㄑㄧˋ)recalcitrant

不服輸(ㄅㄨˋ ㄈㄨˊ ㄕㄨ)to refuse to concede defeat

不負所託(ㄅㄨˊ ㄈㄨˋ ㄙㄨㄛˇ ㄊㄨㄛ)to merit someone's trust

不打自招(ㄅㄨˋ ㄉㄚˇ ㄗˋ ㄓㄠ)to make a confession without being pressed

不得(ㄅㄨˋ ㄉㄜˊ)don't; no

不得不(ㄅㄨˋ ㄉㄜˊ ㄅㄨˋ)to have to; must

不得了(ㄅㄨˋ ㄉㄜˊ ㄌㄧㄠˇ)It's serious!

不得人心(ㄅㄨˋ ㄉㄜˊ ㄖㄣˊ ㄒㄧㄣ) not enjoy popular support

不得而知(ㄅㄨˋ ㄉㄜˊ ㄦˊ ㄓ)do not know

不得已(ㄅㄨˋ ㄉㄜˊ ㄧˇ)cannot help but...

不得要領(ㄅㄨˋ ㄉㄜˊ ㄧㄠˋ ㄌㄧㄥˇ) ① pointless ② don't know the right way (to do something)

不倒翁(ㄅㄨˋ ㄉㄠˇ ㄨㄥ)a tumbler

不道德(ㄅㄨˊ ㄉㄠˋ ㄉㄜˊ)immoral

不到黃河心不死(ㄅㄨˊ ㄉㄠˋ ㄏㄨㄤˊ ㄏㄜˊ ㄒㄧㄣ ㄅㄨˋ ㄙˇ)to refuse to give up until one reaches one's goal

不但(ㄅㄨˊ ㄉㄢˋ)not only...

不當(ㄅㄨˊ ㄉㄤˋ)unsuitable

不登大雅之堂(ㄅㄨˋ ㄉㄥ ㄉㄚˋ ㄧㄚˇ ㄓ ㄊㄤˊ)to be unpresentable

不定(ㄅㄨˊ ㄉㄧㄥˋ)①uncertain ②indefinite

不定期(ㄅㄨˊ ㄉㄧㄥˋ ㄑㄧˊ) without a fixed schedule

不對(ㄅㄨˊ ㄉㄨㄟˋ)not right; wrong

不對勁(ㄅㄨˊ ㄉㄨㄟˋ ㄐㄧㄣˋ)feeling not up to par; listless

不斷(ㄅㄨˊ ㄉㄨㄢˋ)unceasing; constant

不動心(ㄅㄨˊ ㄉㄨㄥˋ ㄒㄧㄣ)showing no interest

不動產(ㄅㄨˊ ㄉㄨㄥˋ ㄔㄢˇ)real estate

不動聲色(ㄅㄨˊ ㄉㄨㄥˋ ㄕㄥ ㄙㄜˋ)not showing any feeling or emotion

不透明(ㄅㄨˊ ㄊㄡˋ ㄇㄧㄥˊ)opaque

不透風(ㄅㄨˊ ㄊㄡˋ ㄈㄥ)stuffy

不透氣(ㄅㄨˊ ㄊㄡˋ ㄑㄧˋ)hermetic; airtight

不透水(ㄅㄨˊ ㄊㄡˋ ㄕㄨㄟˇ)waterproof

不停(ㄅㄨˋ ㄊㄧㄥˊ)without stop

不妥(ㄅㄨˋ ㄊㄨㄛˇ)improper

不通(ㄅㄨˋ ㄊㄨㄥ)blocked

不同(ㄅㄨˋ ㄊㄨㄥˊ)different; distinct

不同凡響(ㄅㄨˋ ㄊㄨㄥˊ ㄈㄢˊ ㄒㄧㄤˇ) extraordinary; remarkable

不同意(ㄅㄨˋ ㄊㄨㄥˊ ㄧˋ)to disagree

不痛不癢(ㄅㄨˊ ㄊㄨㄥˋ ㄅㄨˋ ㄧㄤˇ)① pointless ② indecisive

不耐煩(ㄅㄨˊ ㄋㄞˋ ㄈㄢˊ)impatient

不能(ㄅㄨˋ ㄋㄥˊ)cannot; unable

不念舊惡(ㄅㄨˊ ㄋㄧㄢˋ ㄐㄧㄡˋ ㄜˋ)to forget past grudges

不勞而獲(ㄅㄨˋ ㄌㄠˊ ㄦˊ ㄏㄨㄛˋ)to gain without effort

不冷不熱(ㄅㄨˋ ㄌㄥˇ ㄅㄨˊ ㄖㄜˋ)lukewarm

不理(ㄅㄨˋ ㄌㄧˇ)in disregard of

不理會(ㄅㄨˋ ㄌㄧˇ ㄏㄨㄟˋ)inattentive; unmindful; to pay no attention to

不利(ㄅㄨˊ ㄌㄧˋ)adverse; harmful

不列顛(ㄅㄨˊ ㄌㄧㄝˋ ㄉㄧㄢ)Britain

不了了之(ㄅㄨˋ ㄌㄧㄠˇ ㄌㄧㄠˇ ㄓ)to conclude without concrete result or decision

不料(ㄅㄨˊ ㄌㄧㄠˋ)unexpectedly

不留情面(ㄅㄨˋ ㄌㄧㄡˊ ㄑㄧㄥˊ ㄇㄧㄢˋ)to be very strict

不留餘地(ㄅㄨˋ ㄌㄧㄡˊ ㄩˊ ㄉㄧˋ)without leaving leeway or elbowroom

不良(ㄅㄨˋ ㄌㄧㄤˊ)bad; harmful

不良少年 (ㄅㄨˋ ㄌㄧㄤˊ ㄕㄠˋ ㄋㄧㄢˊ) juvenile delinquents

不良於行(ㄅㄨˋ ㄌㄧㄤˊ ㄩˊ ㄒㄧㄥˊ)to have difficulty in walking

不靈(ㄅㄨˋ ㄌㄧㄥˊ)① awkwardly; ineffectively ② do not work

不倫不類(ㄅㄨˋ ㄌㄨㄣˊ ㄅㄨˋ ㄌㄟˋ)grotesque; incongruous; unfit

不論(ㄅㄨˊ ㄌㄨㄣˋ)no matter; regardless

不苟言笑 (ㄅㄨˋ ㄍㄡˇ ㄧㄢˊ ㄒㄧㄠˋ) strictly adhere to propriety in one's behavior; serious

不夠 (ㄅㄨˊ ㄍㄡˋ) not enough; insufficient

不甘(ㄅㄨˋ ㄍㄢ)unreconciled to

不甘寂寞(ㄅㄨˋ ㄍㄢ ㄐㄧˊ ㄇㄛˋ)eager to seek publicity

不敢(ㄅㄨˋ ㄍㄢˇ)dare not

不敢當(ㄅㄨˋ ㄍㄢˇ ㄉㄤ)I don't deserve it.

不敢領教(ㄅㄨˋ ㄍㄢˇ ㄌㄧㄥˇ ㄐㄧㄠˋ)too bad to be accepted (bought, etc.)

不顧(ㄅㄨˊ ㄍㄨˋ)in disregard of; despite

不過(ㄅㄨˊ ㄍㄨㄛˋ)① only ② but

不過如此(ㄅㄨˊ ㄍㄨㄛˋ ㄖㄨˊ ㄘˇ)so-so

不規則(ㄅㄨˋ ㄍㄨㄟ ㄗㄜˊ)irregular

不軌(ㄅㄨˋ ㄍㄨㄟˇ)conspiracy, plots, etc.

不關痛癢(ㄅㄨˋ ㄍㄨㄢ ㄊㄨㄥˋ ㄧㄤˇ)irrelevant; insignificant

不管(ㄅㄨˋ ㄍㄨㄢˇ)no matter

不公(ㄅㄨˋ ㄍㄨㄥ)unjust; unfair

不攻自破(ㄅㄨˋ ㄍㄨㄥ ㄗˋ ㄆㄛˋ)to collapse of itself

不共戴天(ㄅㄨˊ ㄍㄨㄥˋ ㄉㄞˋ ㄊㄧㄢ) absolutely irreconcilable

不可 (ㄅㄨˋ ㄎㄜˇ)①no ②not allowed; forbidden ③cannot

不可磨滅(ㄅㄨˋ ㄎㄜˇ ㄇㄛˊ ㄇㄧㄝˋ)indelible

不可多得(ㄅㄨˋ ㄎㄜˇ ㄉㄨㄛ ㄉㄜˊ)hard to come by; scarce; rare

不可理喻(ㄅㄨˋ ㄎㄜˇ ㄌㄧˇ ㄩˋ) unreasonable

不可告人(ㄅㄨˋ ㄎㄜˇ ㄍㄠˋ ㄖㄣˊ)hidden; secret or shameful (act, etc.)

不可救藥(ㄅㄨˋ ㄎㄜˇ ㄐㄧㄡˋ ㄧㄠˋ)incurable; beyond hope

不可限量 (ㄅㄨˋ ㄎㄜˇ ㄒㄧㄢˋ ㄌㄧㄤˋ) limitless (opportunities)

不可捉摸(ㄅㄨˋ ㄎㄜˇ ㄓㄨㄛ ·ㄇㄛ) uncanny; unpredictable

不可收拾(ㄅㄨˋ ㄎㄜˇ ㄕㄡ ㄕˊ)wild disorder or confusion

不可勝數(ㄅㄨˋ ㄎㄜˇ ㄕㄥ ㄕㄨˇ)countless; innumerable

不可思議(ㄅㄨˋ ㄎㄜˇ ㄙ ㄧˋ)uncanny; unimaginable

不可一世(ㄅㄨˋ ㄎㄜˇ ㄧˊ ㄕˋ) to be extremely arrogant

不可逾越(ㄅㄨˋ ㄎㄜˇ ㄩˊ ㄩㄝˋ)impassable

不客氣(ㄅㄨˊ ㄎㄜˋ ㄑㄧˋ)①impolite② (a term used in reply to another's "thanks") You are welcome.

不堪(ㄅㄨˋ ㄎㄢ)cannot suffer or bear

不堪回首(ㄅㄨˋ ㄎㄢ ㄏㄨㄟˊ ㄕㄡˇ)cannot recall without pain

不堪設想 (ㄅㄨˋ ㄎㄢ ㄕㄜˋ ㄒㄧㄤˇ) (said of consequences)serious

不快(ㄅㄨˊ ㄎㄨㄞˋ)unhappy

不愧(ㄅㄨˊ ㄎㄨㄟˋ)to be worthy of

不和(ㄅㄨˋ ㄏㄜˊ)at loggerheads

不合(ㄅㄨˋ ㄏㄜˊ)unsuitable

不合邏輯(ㄅㄨˋ ㄏㄜˊ ㄌㄨㄛˊ ㄐㄧˊ)illogical

不合格(ㄅㄨˋ ㄏㄜˊ ㄍㄜˊ)not qualified

不合時宜(ㄅㄨˋ ㄏㄜˊ ㄕˊ ㄧˊ)bad timing; out of fashion; anachronistic

不合適(ㄅㄨˋ ㄏㄜˊ ㄕˋ)not suitable

不合作(ㄅㄨˋ ㄏㄜˊ ㄗㄨㄛˋ)noncooperative

不好(ㄅㄨˋ ㄏㄠˇ)①not good ②to be spoiled

不好意思(ㄅㄨˋ ㄏㄠˇ ㄧˋ ·ㄙ)to feel ashamed, shy, bashful or embarrassed

不含糊 (ㄅㄨˋ ㄏㄢˊ ·ㄏㄨ) ①very good ② to mince no words

不寒而慄(ㄅㄨˋ ㄏㄢˊ ㄦˊ ㄌㄧˋ)trembling with fear; terrified

不惑(ㄅㄨˊ ㄏㄨㄛˋ)without doubt

不懷好意 (ㄅㄨˋ ㄏㄨㄞˊ ㄏㄠˇ ㄧˋ)with evil intention

不會(ㄅㄨˊ ㄏㄨㄟˋ)unable; can not; will not

不歡而散(ㄅㄨˋ ㄏㄨㄢ ㄦˊ ㄙㄢˋ)to part on bad terms

不慌不忙(ㄅㄨˋ ㄏㄨㄤ ㄅㄨˋ ㄇㄤˊ)leisurely; unhurried

不羈(ㄅㄨˋ ㄐㄧ)carefree

不及(ㄅㄨˋ ㄐㄧˊ)not so (good, tall, etc.) as...

不及格(ㄅㄨˋ ㄐㄧˊ ㄍㄜˊ)to fail to pass (examinations); disqualified

不及物動詞(ㄅㄨˋ ㄐㄧˊ ㄨˋ ㄉㄨㄥˋ ㄘˊ)an intransitive verb

不計其數(ㄅㄨˊ ㄐㄧˋ ㄑㄧˊ ㄕㄨˋ)countless; innumerable

不濟於事(ㄅㄨˊ ㄐㄧˋ ㄩˊ ㄕˋ)to no avail

不假思索(ㄅㄨˋ ㄐㄧㄚˇ ㄙ ㄙㄨㄛˇ)without thinking; without hesitation

不假外出(ㄅㄨˋ ㄐㄧㄚˇ ㄨㄞˋ ㄔㄨ) absent without leave

不解風情(ㄅㄨˋ ㄐㄧㄝˇ ㄈㄥ ㄑㄧㄥˊ)do not understand implications in love affair

不介意(ㄅㄨˊ ㄐㄧㄝˋ ㄧˋ)do not mind

不久(ㄅㄨˋ ㄐㄧㄡˇ)soon

不咎既往(ㄅㄨˊ ㄐㄧㄡˋ ㄐㄧˋ ㄨㄤˇ)Let bygones be bygones.

不簡單(ㄅㄨˋ ㄐㄧㄢˇ ㄉㄢ)① not simple ② remarkable; marvelous

不見得(ㄅㄨˊ ㄐㄧㄢˋ ·ㄉㄜ)not likely

不見天日 (ㄅㄨˊ ㄐㄧㄢˋ ㄊㄧㄢ ㄖˋ) in

〔一部〕

total darkness

不見了(ㄅㄨˊ ㄐㄧㄢˋ ˙ㄌㄜ) missing; disappeared

不禁(ㄅㄨˋ ㄐㄧㄣ) cannot help...

不僅(ㄅㄨˋ ㄐㄧㄣˇ) not only

不盡然(ㄅㄨˋ ㄐㄧㄣˋ ㄖㄢˊ) not exactly so

不近人情(ㄅㄨˊ ㄐㄧㄣˋ ㄖㄣˊ ㄑㄧㄥˊ) inconsiderate

不進則退(ㄅㄨˊ ㄐㄧㄣˋ ㄗㄜˊ ㄊㄨㄟˋ) either to keep progressing or retrogressing

不經事(ㄅㄨˋ ㄐㄧㄥ ㄕˋ) inexperienced

不經一事，不長一智(ㄅㄨˋ ㄐㄧㄥ ㄧˊ ㄕˋ, ㄅㄨˋ ㄓㄤˇ ㄧˊ ㄓˋ) One learns from experience.

不經意(ㄅㄨˋ ㄐㄧㄥ ㄧˋ) inattentive(ly); careless(ly)

不景氣(ㄅㄨˋ ㄐㄧㄥˇ ㄑㄧˋ) (economics) depression

不拘(ㄅㄨˋ ㄐㄩ) ①no limit; not to be bound ②whatever

不拘小節(ㄅㄨˋ ㄐㄩ ㄒㄧㄠˇ ㄐㄧㄝˊ) to disregard trifles, niceties, etc.

不期而遇(ㄅㄨˋ ㄑㄧˊ ㄦˊ ㄩˋ) to meet by chance

不切實際(ㄅㄨˊ ㄑㄧㄝˋ ㄕˊ ㄐㄧˋ) impractical

不巧(ㄅㄨˋ ㄑㄧㄠˇ) unfortunately

不求甚解(ㄅㄨˋ ㄑㄧㄡˊ ㄕㄣˋ ㄐㄧㄝˇ) to read casually

不求聞達(ㄅㄨˋ ㄑㄧㄡˊ ㄨㄣˊ ㄉㄚˊ) to be uninterested in fame or prestige

不遷怒(ㄅㄨˋ ㄑㄧㄢ ㄋㄨˋ) not blame others for one's own mistake, etc.

不屈(ㄅㄨˋ ㄑㄩ) unyielding; unbending

不屈不撓(ㄅㄨˋ ㄑㄩ ㄅㄨˋ ㄋㄠˊ) not to be bent or cowed

不惜工本(ㄅㄨˋ ㄒㄧˊ ㄍㄨㄥ ㄅㄣˇ) to spare no expense

不下於(ㄅㄨˊ ㄒㄧㄚˋ ㄩˊ) ①as many as; no less than ②not inferior to

不屑(ㄅㄨˊ ㄒㄧㄝˋ) to disdain

不謝(ㄅㄨˊ ㄒㄧㄝˋ) Don't mention it. 或 Not at all.

不懈(ㄅㄨˊ ㄒㄧㄝˋ) untiring; indefatigable

不曉得(ㄅㄨˋ ㄒㄧㄠˇ ˙ㄉㄜ) do not know

不肖(ㄅㄨˊ ㄒㄧㄠˋ) good-for-nothing

不孝(ㄅㄨˊ ㄒㄧㄠˋ) not in accordance with filial piety

不修邊幅(ㄅㄨˋ ㄒㄧㄡ ㄅㄧㄢ ㄈㄨˊ) do not care about details (especially in clothing); sloppy

不朽(ㄅㄨˋ ㄒㄧㄡˇ) immortal

不銹鋼(ㄅㄨˊ ㄒㄧㄡˋ ㄍㄤ) stainless steel

不相干(ㄅㄨˋ ㄒㄧㄤ ㄍㄢ) irrelevant

不相稱(ㄅㄨˋ ㄒㄧㄤ ㄔㄣˋ) ill-matched

不相識(ㄅㄨˋ ㄒㄧㄤ ㄕˋ) do not know

不相上下(ㄅㄨˋ ㄒㄧㄤ ㄕㄤˋ ㄒㄧㄚˋ) equal; equally matched

不相容(ㄅㄨˋ ㄒㄧㄤ ㄖㄨㄥˊ) incompatible

不祥(ㄅㄨˋ ㄒㄧㄤˊ) ominous; unlucky

不詳(ㄅㄨˋ ㄒㄧㄤˊ) ①unknown ②not detailed enough

不想(ㄅㄨˋ ㄒㄧㄤˇ) do not want

不像話(ㄅㄨˊ ㄒㄧㄤˋ ㄏㄨㄚˋ) absurd or ludicrous

不像樣(ㄅㄨˊ ㄒㄧㄤˋ ㄧㄤˋ) improper (behavior)

不行(ㄅㄨˋ ㄒㄧㄥˊ) ①not allowed ②unsuccessful

不省人事(ㄅㄨˋ ㄒㄧㄥˇ ㄖㄣˊ ㄕˋ) in a coma; unconscious

不幸(ㄅㄨˊ ㄒㄧㄥˋ) misfortune

不需(ㄅㄨˋ ㄒㄩ) do not need

不虛此行(ㄅㄨˋ ㄒㄩ ㄘˇ ㄒㄧㄥˊ) One gains much on the trip.

不許(ㄅㄨˋ ㄒㄩˇ) not allowed; must not

不學無術(ㄅㄨˋ ㄒㄩㄝˊ ㄨˊ ㄕㄨˋ) unlearned; ignorant

不宣而戰(ㄅㄨˋ ㄒㄩㄢ ㄦˊ ㄓㄢˋ) to fight without a declaration of war

不支(ㄅㄨˋ ㄓ) exhausted

不知不覺(ㄅㄨˋ ㄓ ㄅㄨˋ ㄐㄩㄝˊ) imperceptibly; unnoticed

不知道(ㄅㄨˋ ㄓ ㄉㄠˋ) do not know

不知天高地厚(ㄅㄨˋ ㄓ ㄊㄧㄢ ㄍㄠ ㄉㄧˋ ㄏㄡˋ) to think too much of one's abilities

不知好歹(ㄅㄨˋ ㄓ ㄏㄠˇ ㄉㄞˇ) ① unable to tell good from bad ② stubborn

不知就裏(ㄅㄨˋ ㄓ ㄐㄧㄡˋ ㄌㄧˇ) do not know the inside story

不知輕重(ㄅㄨˋ ㄓ ㄑㄧㄥ ㄓㄨㄥˋ) unable to tell the significance of a situation

不知情(ㄅㄨˋ ㄓ ㄑㄧㄥˊ) to know nothing about...

不知去向(ㄅㄨˋ ㄓ ㄑㄩˋ ㄒㄧㄤˋ) to disappear without a trace

不知足(ㄅㄨˋ ㄓ ㄗㄨˊ) insatiable; greedy

不知所措(ㄅㄨˋ ㄓ ㄙㄨㄛˇ ㄘㄨㄛˋ) stunned into inaction or stoppage of mental activity

不知所云(ㄅㄨˋ ㄓ ㄙㄨㄛˇ ㄩㄣˊ) (said of statements) unintelligible

不值得(ㄅㄨˋ ㄓˊ ˙ㄉㄜ) not worth it

不值一錢(ㄅㄨˋ ㄓˊ ㄧˋ ㄑㄧㄢˊ) worthless

不止(ㄅㄨˋ ㄓˇ) do not stop

不只(ㄅㄨˋ ㄓˇ) not only; not merely

不置可否(ㄅㄨˊ ㄓˋ ㄎㄜˇ ㄈㄡˇ) to make no comment

不治之症(ㄅㄨˊ ㄓˋ ㄓ ㄓㄥˋ) an incurable disease

不至於(ㄅㄨˊ ㄓˋ ㄩˊ) will not go so far as...

不折不扣(ㄅㄨˋ ㄓㄜˊ ㄅㄨˊ ㄎㄡˋ) absolute; out-and-out

不長進(ㄅㄨˋ ㄓㄤˇ ㄐㄧㄣˋ) good-for-nothing

不爭氣(ㄅㄨˋ ㄓㄥ ㄑㄧˋ) to be easily discouraged

不著邊際(ㄅㄨˋ ㄓㄨㄛˊ ㄅㄧㄢ ㄐㄧˋ) far-fetched

不著痕跡(ㄅㄨˋ ㄓㄨㄛˊ ㄏㄣˊ ㄐㄧ) without trace

不准(ㄅㄨˋ ㄓㄨㄣˇ) not allowed; forbid-

den
不准停車(ㄅㄨˋ ㄓㄨㄣˇ ㄊㄧㄥˊ ㄔㄜ)No parking.
不准超車(ㄅㄨˋ ㄓㄨㄣˇ ㄔㄠ ㄔㄜ)No overhead.
不中聽(ㄅㄨˋ ㄓㄨㄥ ㄊㄧㄥ)not worth listening; grating
不中意(ㄅㄨˋ ㄓㄨㄥˋ ㄧˋ)not quite up to one's idea (or expectation)
不中用(ㄅㄨˋ ㄓㄨㄥ ㄩㄥˋ)useless
不恥下問(ㄅㄨˋ ㄔˇ ㄒㄧㄚˋ ㄨㄣˋ) not ashamed to learn (or ask for information) from one's inferiors
不稱意(ㄅㄨˋ ㄔㄣˋ ㄧˋ)Things do not match one's hope.
不成(ㄅㄨˋ ㄔㄥˊ)not going to succeed
不成器(ㄅㄨˋ ㄔㄥˊ ㄑㄧˋ)good-for-nothing
不成文法(ㄅㄨˋ ㄔㄥˊ ㄨㄣˊ ㄈㄚˇ)unwritten law
不出所料(ㄅㄨˋ ㄔㄨ ㄙㄨㄛˇ ㄌㄧㄠˋ)just as expected
不時(ㄅㄨˋ ㄕˊ)①frequently ②at any time
不時之需(ㄅㄨˋ ㄕˊ ㄓ ㄒㄩ)occasional needs
不是(ㄅㄨˊ ㄕˋ)①no; not right ②if...not
不適(ㄅㄨˊ ㄕˋ)ill; indisposed; unwell
不識大體(ㄅㄨˊ ㄕˋ ㄉㄚˋ ㄊㄧˇ)to fail to see the important points
不識擡舉(ㄅㄨˊ ㄕˋ ㄊㄞˊ ㄐㄩˇ)unappreciative; ungrateful
不識相(ㄅㄨˊ ㄕˋ ㄒㄧㄤˋ)impervious to an obvious situation
不識字(ㄅㄨˊ ㄕˋ ㄗˋ)illiterate
不上不下(ㄅㄨˊ ㄕㄤˋ ㄅㄨˊ ㄒㄧㄚˋ)①on a spot; in an impasse ②inappropriate
不勝(ㄅㄨˋ ㄕㄥ)①cannot bear (or stand) ②very; extremely
不聲不響(ㄅㄨˋ ㄕㄥ ㄅㄨˋ ㄒㄧㄤˇ) stealthily
不勝枚舉(ㄅㄨˋ ㄕㄥ ㄇㄟˊ ㄐㄩˇ)too numerous to recount
不勝其煩(ㄅㄨˋ ㄕㄥ ㄑㄧˊ ㄈㄢˊ)cannot stand the harassment, nuisance, etc.
不舒服(ㄅㄨˋ ㄕㄨ ˙ㄈㄨ)uncomfortable
不順眼(ㄅㄨˊ ㄕㄨㄣˋ ㄧㄢˇ)disagreeable
不然(ㄅㄨˋ ㄖㄢˊ)①not so ②otherwise
不仁(ㄅㄨˋ ㄖㄣˊ)not benevolent
不人道(ㄅㄨˋ ㄖㄣˊ ㄉㄠˋ)inhuman
不忍(心)(ㄅㄨˋ ㄖㄣˇ (ㄒㄧㄣ))disturbed (characterized by pity)
不忍之心(ㄅㄨˋ ㄖㄣˇ ㄓ ㄒㄧㄣ) a heart of mercy
不讓步(ㄅㄨˊ ㄖㄤˋ ㄅㄨˋ)to hold one's ground
不如(ㄅㄨˋ ㄖㄨˊ)or不若(ㄅㄨˊ ㄖㄨㄛˋ) ①inferior to ②might as well
不入虎穴，焉得虎子(ㄅㄨˊ ㄖㄨˋ ㄏㄨˇ ㄒㄩㄝˊ，ㄧㄢ ㄉㄜˊ ㄏㄨˇ ㄗˇ) Nothing venture, nothing gain (or have).
不容(ㄅㄨˋ ㄖㄨㄥˊ)do not tolerate
不容分說(ㄅㄨˋ ㄖㄨㄥˊ ㄈㄣ ㄕㄨㄛ)do not wait for an explanation
不貲(ㄅㄨˋ ㄗ)immeasurable
不自在(ㄅㄨˊ ㄗˋ ˙ㄗㄞ)feeling uneasy
不擇手段(ㄅㄨˋ ㄗㄜˊ ㄕㄡˇ ㄉㄨㄢˋ)by fair means or foul
不在(ㄅㄨˊ ㄗㄞˋ)①dead ②not in; absent
不在乎(ㄅㄨˊ ㄗㄞˋ ˙ㄏㄨ)do not care; do not mind
不在此限(ㄅㄨˊ ㄗㄞˋ ㄘˇ ㄒㄧㄢˋ)not subject to the limits or restrictions
不在意(ㄅㄨˊ ㄗㄞˋ ㄧˋ)①to take no notice of ②inattentive; careless
不足(ㄅㄨˋ ㄗㄨˊ)insufficient
不足掛齒(ㄅㄨˋ ㄗㄨˊ ㄍㄨㄚˋ ㄔˇ)(What little I have done for you) does not deserve mentioning.
不足採信(ㄅㄨˋ ㄗㄨˊ ㄘㄞˇ ㄒㄧㄣˋ)can not be considered as reliable
不足爲奇(ㄅㄨˋ ㄗㄨˊ ㄨㄟˊ ㄑㄧˊ)nothing strange, extraordinary or remarkable about it
不作聲(ㄅㄨˊ ㄗㄨㄛˋ ㄕㄥ) to keep silence
不辭辛苦(ㄅㄨˋ ㄘˊ ㄒㄧㄣ ㄎㄨˇ)to work with all-out effort
不辭而別(ㄅㄨˋ ㄘˊ ㄦˊ ㄅㄧㄝˊ)to leave without bidding (or saying) goodbye
不測(ㄅㄨˊ ㄘㄜˋ)①unpredictable ②misfortune
不曾(ㄅㄨˋ ㄘㄥˊ)to have never done something
不錯(ㄅㄨˊ ㄘㄨㄛˋ)①to be right ②not bad; pretty good
不存在(ㄅㄨˋ ㄘㄨㄣˊ ㄗㄞˋ)nonexistent
不死心(ㄅㄨˋ ㄙˇ ㄒㄧㄣ) unwilling to give up
不三不四(ㄅㄨˋ ㄙㄢ ㄅㄨˊ ㄙˋ)grotesque
不俗(ㄅㄨˋ ㄙㄨˊ)original; uncommon
不速之客(ㄅㄨˊ ㄙㄨˋ ㄓ ㄎㄜˋ)an uninvited guest; an unexpected guest
不安(ㄅㄨˋ ㄢ)①uneasy ②intranquil
不安於室(ㄅㄨˋ ㄢ ㄩˊ ㄕˋ)(said of women) having extramarital affairs
不貳過(ㄅㄨˊ ㄦˋ ㄍㄨㄛˋ)not to repeat a previous mistake
不二價(ㄅㄨˊ ㄦˋ ㄐㄧㄚˋ)a uniform price
不一(ㄅㄨˋ ㄧ)to vary; to differ; to disagree
不一而足(ㄅㄨˋ ㄧ ㄦˊ ㄗㄨˊ)many; a large variety
不宜(ㄅㄨˋ ㄧˊ)not suitable; inadvisable
不一定(ㄅㄨˋ ㄧˊ ㄉㄧㄥˋ)uncertain
不遺餘力(ㄅㄨˋ ㄧˊ ㄩˊ ㄌㄧˋ)to spare no effort
不以爲然(ㄅㄨˋ ㄧˇ ㄨㄟˊ ㄖㄢˊ)to object to
不意(ㄅㄨˊ ㄧˋ)unexpectedly
不亦樂乎(ㄅㄨˊ ㄧˋ ㄌㄜˋ ㄏㄨ)①What a delight it would be if.... ②extremely
不義之財(ㄅㄨˊ ㄧˋ ㄓ ㄘㄞˊ)dirty money; loot
不翼而飛(ㄅㄨˊ ㄧˋ ㄦˊ ㄈㄟ) missing inexplicably
不雅觀(ㄅㄨˋ ㄧㄚˇ ㄍㄨㄢ)ungraceful

〔一部〕

不亞於(ㄅㄨˋ ㄧㄚˇ ㄩˊ)not worse than
不要(ㄅㄨˊ ㄧㄠˋ)① don't ② don't want
不要臉(ㄅㄨˊ ㄧㄠˋ ㄌㄧㄢˇ) shameless
不要緊(ㄅㄨˊ ㄧㄠˋ ㄐㄧㄣˇ)① unimportant; not serious ② never mind
不藥而癒(ㄅㄨˊ ㄧㄠˋ ㄦˊ ㄩˋ)to recover (from illness) without medical help
不由分說(ㄅㄨˋ ㄧㄡˊ ㄈㄣ ㄕㄨㄛ)not waiting for an explanation
不由得(ㄅㄨˋ ㄧㄡˊ ·ㄉㄜ)cannot help
不由自主(ㄅㄨˋ ㄧㄡˊ ㄗˋ ㄓㄨˇ)can't help
不言而喻(ㄅㄨˋ ㄧㄢˊ ㄦˊ ㄩˋ)understood; to understand without explanation
不厭(ㄅㄨˊ ㄧㄢˋ)do not tire of
不厭其煩(ㄅㄨˊ ㄧㄢˋ ㄑㄧˊ ㄈㄢˊ)to be very patient
不無小補(ㄅㄨˋ ㄨˊ ㄒㄧㄠˇ ㄅㄨˇ)It might be of some small help.
不務正業(ㄅㄨˊ ㄨˋ ㄓㄥˋ ㄧㄝˋ)do not attend to one's proper duties
不外(ㄅㄨˊ ㄨㄞˋ)invariably; most likely
不為所動(ㄅㄨˊ ㄨㄟˊ ㄙㄨㄛˇ ㄉㄨㄥˋ)to remain unmoved
不聞不問(ㄅㄨˋ ㄨㄣˊ ㄅㄨˊ ㄨㄣˋ)to care nothing about
不穩(ㄅㄨˋ ㄨㄣˇ)unsteady; unstable
不虞(ㄅㄨˋ ㄩˊ)① unexpected ② eventuality ③ do not worry about
不育(ㄅㄨˊ ㄩˋ)sterility
不約而同(ㄅㄨˋ ㄩㄝ ㄦˊ ㄊㄨㄥˊ)to accord without consulting each other
不悅(ㄅㄨˊ ㄩㄝˋ)unhappy; displeased
不用(ㄅㄨˊ ㄩㄥˋ) ①not necessary ② need not
不用功(ㄅㄨˊ ㄩㄥˋ ㄍㄨㄥ)do not work or study diligently
不用說(ㄅㄨˊ ㄩㄥˋ ㄕㄨㄛ)it goes without saying; needless to say

丏 9 ㄇㄧㄢˇ miǎn
1.the curtain to ward off arrows 2.hidden

丐 10 ㄍㄞˋ gài
1.to beg for alms 2.a beggar 3.to give

丑 11 ㄔㄡˇ chǒu
1. the second of the Twelve Terrestrial Branches (地支) 2. the period of the day from 1 to 3 a.m. 3. a clown 4. a Chinese family name
丑角(ㄔㄡˇ ㄐㄧㄠˇ)a comedian; a clown

四畫

且 12 ㄑㄧㄝˇ qiě
1.moreover; still; further 2.just 3.both...and... 4.even
且慢(ㄑㄧㄝˇ ㄇㄢˋ)Hold it! 或Wait a minute.

丕 13 ㄆㄧ pī
1.great; distinguished 2.in observance of (a ruling, etc.)

世 14 ㄕˋ shì
1. a generation 2. a person's life span 3. an age 4. the world
世面(ㄕˋ ㄇㄧㄢˋ)state of the world
世代(ㄕˋ ㄉㄞˋ)a generation
世代交替(ㄕˋ ㄉㄞˋ ㄐㄧㄠ ㄊㄧˋ)alternation of generations
世態炎涼(ㄕˋ ㄊㄞˋ ㄧㄢˊ ㄌㄧㄤˊ)snobbish
世故(ㄕˋ ㄍㄨˋ)shrewd; worldly
世紀(ㄕˋ ㄐㄧˋ)a century
世界(ㄕˋ ㄐㄧㄝˋ)the world
世界末日(ㄕˋ ㄐㄧㄝˋ ㄇㄛˋ ㄖˋ)the end of the world; doomsday
世界貿易組織(ㄕˋ ㄐㄧㄝˋ ㄇㄠˋ ㄧˋ ㄗㄨˇ ㄓ)WTO(World Trade Organization)
世界大同(ㄕˋ ㄐㄧㄝˋ ㄉㄚˋ ㄊㄨㄥˊ)universal brotherhood
世界大戰(ㄕˋ ㄐㄧㄝˋ ㄉㄚˋ ㄓㄢˋ)a world war
世界潮流(ㄕˋ ㄐㄧㄝˋ ㄔㄠˊ ㄌㄧㄡˊ)world trends
世交(ㄕˋ ㄐㄧㄠ)families closely related or associated for generations
世間(ㄕˋ ㄐㄧㄢ)on earth; in the world
世襲(ㄕˋ ㄒㄧˊ)hereditary (rank, etc.)
世仇(ㄕˋ ㄔㄡˊ)family feud; blood feud
世事(ㄕˋ ㄕˋ)the affairs of the world
世上(ㄕˋ ㄕㄤˋ)on earth; in the world
世人(ㄕˋ ㄖㄣˊ)people of the world
世俗(ㄕˋ ㄙㄨˊ)social conventions
世俗之見(ㄕˋ ㄙㄨˊ ㄓ ㄐㄧㄢˋ) common views
世務(ㄕˋ ㄨˋ) worldly affairs
世外桃源(ㄕˋ ㄨㄞˋ ㄊㄠˊ ㄩㄢˊ)an imaginary, ideal world

丘 15 ㄑㄧㄡ qiū
1. a hillock or mound 2. big; elder 3. empty 4. first name of Confucius
丘陵(ㄑㄧㄡ ㄌㄧㄥˊ)mounds

丙 16 ㄅㄧㄥˇ bǐng
1. the third of the Ten Celestial Stems (天干) 2. another name for fire 3. the tail of a fish
丙等(ㄅㄧㄥˇ ㄉㄥˇ)roughly equivalent to the "C" grade; the third grade
丙酮(ㄅㄧㄥˇ ㄊㄨㄥˊ) (chemistry) acetone

五畫

丞 17 ㄔㄥˊ chéng
1.to aid; to assist 2.a deputy to an official
丞相(ㄔㄥˊ ㄒㄧㄤˋ)the prime minister (in ancient China)

丟 18 ㄉㄧㄡ diū

1. to throw 2. to lose 3. to put (or lay) aside

丟掉(ㄉㄧㄡ ㄉㄧㄠˋ)① to lose ② to cast away; to throw away

丟臉(ㄉㄧㄡ ㄌㄧㄢˇ)or丟人(ㄉㄧㄡ ㄖㄣˊ)to lose face; to disgrace

丟開(ㄉㄧㄡ ㄎㄞ)to throw away

丟去(ㄉㄧㄡ ㄑㄩˋ)or 丟棄(ㄉㄧㄡ ㄑㄧˋ)to get rid of; to cast away

丟下(ㄉㄧㄡ ㄒㄧㄚˋ) to throw down; to lay aside

丟三落四(ㄉㄧㄡ ㄙㄢ ㄌㄚˋ ㄙˋ)forgetful

七畫

並 19 ㄅㄧㄥˋ bìng

1. and; also; at the same time 2. on the same level with; even; equal 3. entirely; completely

並排(ㄅㄧㄥˋ ㄆㄞˊ) side by side; in a row

並非(ㄅㄧㄥˋ ㄈㄟ)by no means

並立(ㄅㄧㄥˋ ㄌㄧˋ)to stand together

並列(ㄅㄧㄥˋ ㄌㄧㄝˋ) to stand side by side

並駕齊驅(ㄅㄧㄥˋ ㄐㄧㄚˋ ㄑㄧˊ ㄑㄩ) to ride bridle to bridle

並肩(ㄅㄧㄥˋ ㄐㄧㄢ)shoulder to shoulder; side by side; abreast

並且(ㄅㄧㄥˋ ㄑㄧㄝˇ)moreover; and

並行不悖(ㄅㄧㄥˋ ㄒㄧㄥˊ ㄅㄨˋ ㄅㄟˋ) compatible

並重(ㄅㄧㄥˋ ㄓㄨㄥˋ)to lay equal stress on

丨部 ㄍㄨㄣˇ gǔn

二畫

丫 20 ㄧㄚ yā

something that branches or forks upward

丫頭(ㄧㄚ ˙ㄊㄡ)(in ancient China) a slave girl

三畫

中 21 1. ㄓㄨㄥ zhōng

1. the middle; among; within; between 2. China or Chinese; Sino-

中部(ㄓㄨㄥ ㄅㄨˋ)the central part

中篇小說(ㄓㄨㄥ ㄆㄧㄢ ㄒㄧㄠˇ ㄕㄨㄛ) a medium-length novel

中美洲 (ㄓㄨㄥ ㄇㄟˇ ㄓㄡ) Central America

中飯(ㄓㄨㄥ ㄈㄢˋ)lunch; luncheon

中等(ㄓㄨㄥ ㄉㄥˇ)middle-class; medium

中等教育(ㄓㄨㄥ ㄉㄥˇ ㄐㄧㄠˋ ㄩˋ) secondary education

中斷(ㄓㄨㄥ ㄉㄨㄢˋ)suspension; interruption

中東(ㄓㄨㄥ ㄉㄨㄥ)the Middle East (Asia)

中提琴(ㄓㄨㄥ ㄊㄧˊ ㄑㄧㄣˊ)a viola

中途(ㄓㄨㄥ ㄊㄨˊ)midway; halfway

中年(ㄓㄨㄥ ㄋㄧㄢˊ)middle age

中欄(ㄓㄨㄥ ㄌㄢˊ)middle hurdles (in track and field)

中立(ㄓㄨㄥ ㄌㄧˋ)neutral; neutrality

中流砥柱(ㄓㄨㄥ ㄌㄧㄡˊ ㄉㄧˇ ㄓㄨˋ)one who stands firm amid adversities

中量級(ㄓㄨㄥ ㄌㄧㄤˋ ㄐㄧˊ)(sports) middle weight

中落(ㄓㄨㄥ ㄌㄨㄛˋ)to decline

中古(ㄓㄨㄥ ㄍㄨˇ)the Middle Ages

中國(ㄓㄨㄥ ㄍㄨㄛˊ)China; Cathay

中國國民黨 (ㄓㄨㄥ ㄍㄨㄛˊ ㄍㄨㄛˊ ㄇㄧㄣˊ ㄉㄤˇ)Kuomingtang(the Chinese Nationalist Party)

中國共產黨(ㄓㄨㄥ ㄍㄨㄛˊ ㄍㄨㄥˋ ㄔㄢˇ ㄉㄤˇ)Communist Party of China

中國話(ㄓㄨㄥ ㄍㄨㄛˊ ㄏㄨㄚˋ)the Chinese language; Chinese

中國城(ㄓㄨㄥ ㄍㄨㄛˊ ㄔㄥˊ)Chinatown

中和作用(ㄓㄨㄥ ㄏㄜˊ ㄗㄨㄛˋ ㄩㄥˋ)neutralization

中華民國(ㄓㄨㄥ ㄏㄨㄚˊ ㄇㄧㄣˊ ㄍㄨㄛˊ) the Republic of China

中華電信(ㄓㄨㄥ ㄏㄨㄚˊ ㄉㄧㄢˋ ㄒㄧㄣˋ) Chunghwa Telecom

中級(ㄓㄨㄥ ㄐㄧˊ)middle rank

中堅(ㄓㄨㄥ ㄐㄧㄢ)① the main force (of an army) ② a cadre

中間(ㄓㄨㄥ ㄐㄧㄢ)in the middle

中秋節(ㄓㄨㄥ ㄑㄧㄡ ㄐㄧㄝˊ)the Mid-Autumn Festival

中校 (ㄓㄨㄥ ㄒㄧㄠˋ) (army and air force) lieutenant colonel; (navy) commander

中線(ㄓㄨㄥ ㄒㄧㄢˋ)(sports) the center line

中心(ㄓㄨㄥ ㄒㄧㄣ)center

中興 (ㄓㄨㄥ ㄒㄧㄥ) revival (of a nation or family)

中型(ㄓㄨㄥ ㄒㄧㄥˊ)medium-sized

中性(ㄓㄨㄥ ㄒㄧㄥˋ)(chemistry) neutral or neutrality

中學(ㄓㄨㄥ ㄒㄩㄝˊ)high school

中旬(ㄓㄨㄥ ㄒㄩㄣˊ)the middle part of a month

中止(ㄓㄨㄥ ㄓˇ)to suspend; suspension

中指(ㄓㄨㄥ ㄓˇ)the middle finger

中產階級(ㄓㄨㄥ ㄔㄢˇ ㄐㄧㄝ ㄐㄧˊ)the middle class; bourgeois

中輟(ㄓㄨㄥ ㄔㄨㄛˋ)to stop in the middle of something; to give up halfway

中式(ㄓㄨㄥ ㄕˋ)the Chinese style

中士(ㄓㄨㄥ ㄕˋ)a sergeant
中山陵(ㄓㄨㄥ ㄕㄢ ㄌㄧㄥˊ) Dr. Sun Yat-sen Mausoleum (in Nanking)
中樞(ㄓㄨㄥ ㄕㄨ)the central administration
中人(ㄓㄨㄥ ㄖㄣˊ) or中間人(ㄓㄨㄥ ㄐㄧㄢ ㄖㄣˊ)a middleman
中子(ㄓㄨㄥ ㄗˇ)neutron
中菜(ㄓㄨㄥ ㄘㄞˋ)Chinese dishes
中餐(ㄓㄨㄥ ㄘㄢ)① a midday meal ② Chinese food
中歐(ㄓㄨㄥ ㄡ) the central part of Europe
中醫(ㄓㄨㄥ ㄧ)a Chinese herb doctor
中亞(ㄓㄨㄥ ㄧㄚˇ)Central Asia
中葉(ㄓㄨㄥ ㄧㄝˋ) the middle decades of a century
中藥(ㄓㄨㄥ ㄧㄠˋ) Chinese medicine (mostly herbs)
中央(ㄓㄨㄥ ㄧㄤ)the center
中央集權(ㄓㄨㄥ ㄧㄤ ㄐㄧˊ ㄑㄩㄢˊ) a centralized government
中央情報局(ㄓㄨㄥ ㄧㄤ ㄑㄧㄥˊ ㄅㄠˋ ㄐㄩˊ)Central Intelligence Agency (CIA)
中央政府(ㄓㄨㄥ ㄧㄤ ㄓㄥˋ ㄈㄨˇ)Central Government
中央研究院(ㄓㄨㄥ ㄧㄤ ㄧㄢˊ ㄐㄧㄡˋ ㄩㄢˋ)Academia Sinica
中午(ㄓㄨㄥ ㄨˇ)noon; high noon; midday
中外野手(ㄓㄨㄥ ㄨㄞˋ ㄧㄝˇ ㄕㄡˇ) (baseball) a center fielder
中尉(ㄓㄨㄥ ㄨㄟˋ) (army, and air force) first lieutenant; (navy) lieutenant (j.g.)
中文(ㄓㄨㄥ ㄨㄣˊ)the Chinese language
中庸(ㄓㄨㄥ ㄩㄥ) of ordinary talent; common

中 21
2. ㄓㄨㄥˋ zhòng

1. to hit (the target) 2. to be hit by; to be affected by
中風(ㄓㄨㄥˋ ㄈㄥ)to suffer from a stroke of paralysis or apoplexy
中彈(ㄓㄨㄥˋ ㄉㄢˋ) to be struck by a bullet
中毒(ㄓㄨㄥˋ ㄉㄨˊ)to be poisoned; toxicosis
中聽(ㄓㄨㄥˋ ㄊㄧㄥ)pleasant to the ear
中看(ㄓㄨㄥˋ ㄎㄢˋ)good to look at
中肯(ㄓㄨㄥˋ ㄎㄣˇ)to the point; fair
中計(ㄓㄨㄥˋ ㄐㄧˋ)to walk into a trap
中籤(ㄓㄨㄥˋ ㄑㄧㄢ)to be chosen by lot
中選(ㄓㄨㄥˋ ㄒㄩㄢˇ)to be chosen; to be selected
中傷(ㄓㄨㄥˋ ㄕㄤ) to hurt somebody insidiously
中暑(ㄓㄨㄥˋ ㄕㄨˇ)to have a sunstroke
中意(ㄓㄨㄥˋ ㄧˋ)agreeable; satisfied
中用(ㄓㄨㄥˋ ㄩㄥˋ)useful; serviceable

丰 22
ㄈㄥ fēng

1. good-looking; buxom 2. appearance and carriage of a person
丰姿(ㄈㄥ ㄗ)appearances of a person (usually indicating grace and charm)
丰采(ㄈㄥ ㄘㄞˇ)good-looking

六畫

串 23
ㄔㄨㄢˋ chuàn

1. to string together 2. a string (of coins, etc.) 3. to pour into
串門子(ㄔㄨㄢˋ ㄇㄣˊ ·ㄗ)to visit or gossip from door to door
串通(ㄔㄨㄢˋ ㄊㄨㄥ)to collude or to conspire
串聯(ㄔㄨㄢˋ ㄌㄧㄢˊ)series connection

丶部
ㄓㄨˇ zhǔ

二畫

丸 24
ㄨㄢˊ wán

1. a pellet; a small ball; a pill 2. an egg 3. used in Japanese indicating completion or completeness
丸子(ㄨㄢˊ ·ㄗ)① a meat ball; fish balls ② a medical pill

三畫

丹 25
ㄉㄢ dān

1. cinnabar 2. red; scarlet 3. a sophisticated decoction 4. a medical pill, ointment and powder
丹麥(ㄉㄢ ㄇㄞˋ)Denmark
丹田(ㄉㄢ ㄊㄧㄢˊ)the lower part of abdomen
丹青(ㄉㄢ ㄑㄧㄥ)painting
丹心(ㄉㄢ ㄒㄧㄣ)sincere heart

四畫

主 26
ㄓㄨˇ zhǔ

1. a master; a leader; a chief; a host 2. Jesus Christ; God; Lord 3. to officiate at; to preside over 4. main; chief; primary; principal
主辦(ㄓㄨˇ ㄅㄢˋ) to sponsor; to take charge of
主筆(ㄓㄨˇ ㄅㄧˇ)an editorial writer of a newspaper
主編(ㄓㄨˇ ㄅㄧㄢ)a senior editor
主謀(ㄓㄨˇ ㄇㄡˊ)the mastermind
主犯(ㄓㄨˇ ㄈㄢˋ)the leader of a racket
主婦(ㄓㄨˇ ㄈㄨˋ)a housewife; a hostess
主導(ㄓㄨˇ ㄉㄠˇ)leading; dominant
主動(ㄓㄨˇ ㄉㄨㄥˋ)to take the initiative
主動脈(ㄓㄨˇ ㄉㄨㄥˋ ㄇㄞˋ) (anatomy) the aorta

主題(ㄓㄨˇ ㄊㄧˊ)the main points
主體(ㄓㄨˇ ㄊㄧˇ)the most important part of something
主腦(ㄓㄨˇ ㄋㄠˇ)the mastermind; the chief
主力(ㄓㄨˇ ㄌㄧˋ)the main force
主流(ㄓㄨˇ ㄌㄧㄡˊ)① the mainstream ② the essential or main aspect
主幹(ㄓㄨˇ ㄍㄢˋ)the trunk
主顧(ㄓㄨˇ ㄍㄨˋ)a customer; a client
主觀(ㄓㄨˇ ㄍㄨㄢ)the subjective point of view
主管(ㄓㄨˇ ㄍㄨㄢˇ)①the chief ②to take charge of
主管機關(ㄓㄨˇ ㄍㄨㄢˇ ㄐㄧ ㄍㄨㄢ) the authorities concerned
主客(ㄓㄨˇ ㄎㄜˋ)the guest of honor
主婚人(ㄓㄨˇ ㄏㄨㄣ ㄖㄣˊ)the parents (or guardians) of the marrying couple at a wedding ceremony
主機(ㄓㄨˇ ㄐㄧ) (computer) a mainframe
主計室(ㄓㄨˇ ㄐㄧˋ ㄕˋ)the auditing department
主教(ㄓㄨˇ ㄐㄧㄠˋ)a bishop
主見(ㄓㄨˇ ㄐㄧㄢˋ)the ideas or thoughts of one's own
主講(ㄓㄨˇ ㄐㄧㄤˇ)to lecture
主將(ㄓㄨˇ ㄐㄧㄤˋ)the most important athlete in a sports team
主句(ㄓㄨˇ ㄐㄩˋ)a principal clause
主角(ㄓㄨˇ ㄐㄩㄝˊ)the leading role
主權(ㄓㄨˇ ㄑㄩㄢˊ)① sovereignty ② the right of autonomy
主席(ㄓㄨˇ ㄒㄧˊ)a chairman; a president
主席團(ㄓㄨˇ ㄒㄧˊ ㄊㄨㄢˊ)the presidium
主修(ㄓㄨˇ ㄒㄧㄡ)to major in (a subject)
主旨(ㄓㄨˇ ㄓˇ)the main points
主治醫師(ㄓㄨˇ ㄓˋ ㄧ ㄕ)a physician in charge of a case
主張(ㄓㄨˇ ㄓㄤ)to hold a view; to advocate
主持(ㄓㄨˇ ㄔˊ)to officiate at
主食(ㄓㄨˇ ㄕˊ)the principal food items
主使(ㄓㄨˇ ㄕˇ)a mastermind
主人(ㄓㄨˇ ㄖㄣˊ)① an owner ② a host ③ a master
主任(ㄓㄨˇ ㄖㄣˋ)the head of an office
主詞(ㄓㄨˇ ㄘˊ) (grammar) the subject
主隨客便(ㄓㄨˇ ㄙㄨㄟˊ ㄎㄜˋ ㄅㄧㄢˋ) A host respects his guest's wishes.
主意(ㄓㄨˇ ㄧˋ)an idea; a suggestion
主要(ㄓㄨˇ ㄧㄠˋ)essential; important; major
主演(ㄓㄨˇ ㄧㄢˇ)to star
主因(ㄓㄨˇ ㄧㄣ)the major cause

五畫

乓 27 ㄆㄤ pāng
used for the sound

丿部 ㄆㄧㄝˇ piě

一畫

乃 28 ㄋㄞˇ nǎi
1. to be: 需要乃發明之根源。Necessity is the mother of invention. 2. but; however 3. and also; moreover 4. so 5. you; your 6. then 7. if
乃是(ㄋㄞˇ ㄕˋ)① but ② which is...

二畫

久 29 ㄐㄧㄡˇ jiǔ
1. long 2. for a long time 3. to detain someone long
久病成良醫(ㄐㄧㄡˇ ㄅㄧㄥˋ ㄔㄥˊ ㄌㄧㄤˊ ㄧ)Long illness makes the patient a good doctor.
久留(ㄐㄧㄡˇ ㄌㄧㄡˊ)to stay for a long time
久候(ㄐㄧㄡˇ ㄏㄡˋ)to wait for a long time
久而久之(ㄐㄧㄡˇ ㄦˊ ㄐㄧㄡˇ ㄓ)over a long period of time
久仰(ㄐㄧㄡˇ ㄧㄤˇ)Glad to meet you.
久仰大名(ㄐㄧㄡˇ ㄧㄤˇ ㄉㄚˋ ㄇㄧㄥˊ)I've heard of your illustrious name for a long time. 亦作「久聞大名」
久違(ㄐㄧㄡˇ ㄨㄟˊ)the literary form of "Long time no see."
久遠(ㄐㄧㄡˇ ㄩㄢˇ)a long time; forever

三畫

之 30 ㄓ zhī
1. to go to; to leave for; to arrive at 2. zigzag; winding 3. an expletive 4. third person objective case (it; her; him; them) 5. this; that; these; those 6. (possessive particle) of
之內(ㄓ ㄋㄟˋ)within; inside; including
之後(ㄓ ㄏㄡˋ)after this; afterward
之前(ㄓ ㄑㄧㄢˊ)before this; before
之上(ㄓ ㄕㄤˋ)above; over; on
之外(ㄓ ㄨㄞˋ)besides this; in addition

四畫

乍 31 ㄓㄚˋ zhà
1. at first; for the first time 2. suddenly; unexpectedly
乍冷乍熱(ㄓㄚˋ ㄌㄥˇ ㄓㄚˋ ㄖㄜˋ) now

cold, now hot (referring to changeable weather)

乎 32 ㄏㄨ hū

1. at; in; from; than 2. an interrogative particle 3. an exclamatory particle

乏 33 ㄈㄚˊ fá

1. in want of; deficient; lack 2. exhausted; tired 3. poor; poverty-stricken

乏善可陳(ㄈㄚˊ ㄕㄢˋ ㄎㄜˇ ㄔㄣˊ)to have nothing good or unusual to report

乏味(ㄈㄚˊ ㄨㄟˋ)monotonous; dull

五畫

乒 34 ㄆㄧㄥ pīng

used for the sound

乒乓球(ㄆㄧㄥ ㄆㄤ ㄑㄧㄡˊ)table tennis

七畫

乖 35 ㄍㄨㄞ guāi

1. to oppose; to contradict; to be at variance 2. perverse; obstinate; untoward; sulky 3. obedient; well-behaved 4. cunning; artful; crafty

乖巧(ㄍㄨㄞ ㄑㄧㄠˇ)clever; ingenious

乖張(ㄍㄨㄞ ㄓㄤ)recalcitrant

九畫

乘 36 1. ㄔㄥˊ chéng

1. to ride; to mount 2. to avail oneself of; to take advantage of 3. to multiply

乘法(ㄔㄥˊ ㄈㄚˇ)(arithmetic) multiplication

乘涼(ㄔㄥˊ ㄌㄧㄤˊ)to enjoy the cool air

乘龍快婿(ㄔㄥˊ ㄌㄨㄥˊ ㄎㄨㄞˋ ㄒㄩˋ)an ideal son-in-law

乘客(ㄔㄥˊ ㄎㄜˋ)a passenger

乘號(ㄔㄥˊ ㄏㄠˋ)the sign of multiplication

乘積(ㄔㄥˊ ㄐㄧ)(arithmetic) the product

乘間(ㄔㄥˊ ㄐㄧㄢˋ)or乘隙(ㄔㄥˊ ㄒㄧˋ) to seize a fleeting chance

乘虛而入(ㄔㄥˊ ㄒㄩ ㄦˊ ㄖㄨˋ)to take advantage of a weak point

乘勢(ㄔㄥˊ ㄕˋ)to act when a good chance is available

乘勝追擊(ㄔㄥˊ ㄕㄥˋ ㄓㄨㄟ ㄐㄧˊ)to pursue enemy troops in retreat

乘人之危(ㄔㄥˊ ㄖㄣˊ ㄓ ㄨㄟˊ)to take advantage of somebody when he is not in a position to resist

乘 36 2. ㄕㄥˋ shèng

1. historical records 2. an ancient carriage 3. Buddhist teaching—a conveyance to bring the truth to men and help them 4. a team of four horses

乙部 ㄧˇ yǐ

乙 37 ㄧˇ yǐ

1. the second of the Ten Celestial Stems 2. one 3. someone

乙醚(ㄧˇ ㄇㄧˊ)ether

乙炔(ㄧˇ ㄑㄩㄝ)acetylene

乙炔燈(ㄧˇ ㄑㄩㄝ ㄉㄥ)an acetylene lamp

一畫

乜 38 1. ㄇㄧㄝ miē

乜斜(ㄇㄧㄝ ㄒㄧㄝˊ)to glance sideways

乜 38 2. ㄋㄧㄝˋ niè

a very rare Chinese family name

九 39 ㄐㄧㄡˇ jiǔ

nine; ninth

九牛二虎(ㄐㄧㄡˇ ㄋㄧㄡˊ ㄦˋ ㄏㄨˇ) a herculean effort

九牛一毛(ㄐㄧㄡˇ ㄋㄧㄡˊ ㄧˋ ㄇㄠˊ)an iota from a vast quantity

九泉地下(ㄐㄧㄡˇ ㄑㄩㄢˊ ㄉㄧˋ ㄒㄧㄚˋ)in the grave; Hades

九霄雲外(ㄐㄧㄡˇ ㄒㄧㄠ ㄩㄣˊ ㄨㄞˋ) far, far away

九死一生(ㄐㄧㄡˇ ㄙˇ ㄧ ㄕㄥ) grave danger

九月(ㄐㄧㄡˇ ㄩㄝˋ)September

二畫

乞 40 ㄑㄧˇ qǐ

to ask for alms; to beg

乞討(ㄑㄧˇ ㄊㄠˇ)to beg for food, money, etc.

乞憐(ㄑㄧˇ ㄌㄧㄢˊ)to beg for pity and charity

乞丐(ㄑㄧˇ ㄍㄞˋ)a beggar

乞求(ㄑㄧˇ ㄑㄧㄡˊ) to beg for; to supplicate

也 41 ㄧㄝˇ yě

1. and; also; besides; either; too 2. still 3. even 4. an expletive in Chinese writing

也罷(ㄧㄝˇ ㄅㄚˋ)Never mind.或Let it pass.

也可以(ㄧㄝˇ ㄎㄜˇ ㄧˇ)①may also ②It's okay.

也好(ㄧㄝˇ ㄏㄠˇ)That's fine.

也許(ㄧㄝˇ ㄒㄩˇ)perhaps; probably

五畫

乩 42
ㄐㄧ jī
to divine; to resolve doubts by an application to spiritual beings

七畫

乳 43
ㄖㄨˇ rǔ
1. breasts; the nipple 2. milk 3. any milk-like liquid 4. the young of animals, birds, etc. 5. to give birth 6. to triturate
乳白(ㄖㄨˇ ㄅㄞˊ)milky white
乳名(ㄖㄨˇ ㄇㄧㄥˊ)a pet name given to a child
乳房(ㄖㄨˇ ㄈㄤˊ)the udders; the breasts
乳頭(ㄖㄨˇ ㄊㄡˊ)a nipple; a teat
乳糖(ㄖㄨˇ ㄊㄤˊ)lactose; milk sugar
乳牛(ㄖㄨˇ ㄋㄧㄡˊ)the dairy cattle
乳酪(ㄖㄨˇ ㄌㄨㄛˋ)junket; curds
乳臭未乾 (ㄖㄨˇ ㄒㄧㄡˋ ㄨㄟˋ ㄍㄢ) very young and inexperienced like a suckling child
乳汁(ㄖㄨˇ ㄓ)milk
乳製品(ㄖㄨˇ ㄓˋ ㄆㄧㄣˇ)dairy products
乳罩(ㄖㄨˇ ㄓㄠˋ)a brassiere; a bra
乳齒(ㄖㄨˇ ㄔˇ)deciduous teeth
乳酸(ㄖㄨˇ ㄙㄨㄢ)lactic acid
乳酸菌(ㄖㄨˇ ㄙㄨㄢ ㄐㄩㄣˋ) (bacteriology) lactobacillus
乳癌(ㄖㄨˇ ㄧㄢˊ)cancer of the breast
乳暈(ㄖㄨˇ ㄩㄣˋ)mammary areola

十畫

乾 44
1. (乾) ㄍㄢ gān
1. clean 2. dry; dried 3. exhausted
乾巴巴的(ㄍㄢ ·ㄅㄚ ㄅㄚ ·ㄉㄜ)dry
乾杯(ㄍㄢ ㄅㄟ)to toast 或 Bottoms up!
乾癟 (ㄍㄢ ㄅㄧㄝˇ) dry and withered; shrunken
乾冰(ㄍㄢ ㄅㄧㄥ)dry ice
乾麵(ㄍㄢ ㄇㄧㄢˋ)dry noodles
乾瞪眼(ㄍㄢ ㄉㄥˋ ㄧㄢˇ)to stand by anxiously without doing anything
乾電池(ㄍㄢ ㄉㄧㄢˋ ㄔˊ)a dry battery
乾女兒 (ㄍㄢ ㄋㄩˇ ㄦˊ) a nominal foster daughter
乾酪(ㄍㄢ ㄌㄠˋ)cheese
乾糧(ㄍㄢ ㄌㄧㄤˊ)dry provisions
乾咳(ㄍㄢ ㄎㄜˊ)to cough without producing sputum
乾枯(ㄍㄢ ㄎㄨ)dried up; withered
乾涸(ㄍㄢ ㄏㄜˊ) (said of water) to dry up
乾旱(ㄍㄢ ㄏㄢˋ)drought
乾淨(ㄍㄢ ㄐㄧㄥˋ)clean
乾淨俐落(ㄍㄢ ㄐㄧㄥˋ ㄌㄧˋ ㄌㄨㄛˋ)neat and tidy; neat; efficient
乾洗(ㄍㄢ ㄒㄧˇ)dry cleaning
乾著急(ㄍㄢ ㄓㄠ ㄐㄧˊ)to sit fretting and fuming when in trouble, but taking no action
乾燥(ㄍㄢ ㄗㄠˋ)dry
乾燥劑 (ㄍㄢ ㄗㄠˋ ㄐㄧˋ) a desiccant; a drying agent
乾草(ㄍㄢ ㄘㄠˇ)hay
乾脆(ㄍㄢ ㄘㄨㄟˋ)straightforward
乾兒子(ㄍㄢ ㄦˊ ·ㄗ)a nominal foster son

乾 44
2. ㄑㄧㄢˊ qián
1. the first of the Eight Diagrams (八卦) 2. heaven; male; a father; a sovereign

十二畫

亂 45
ㄌㄨㄢˋ luàn
1. chaos; anarchy; distraction; confusion 2. rebellion; revolt; insurrection 3. confused; perplexed; agitated; disarranged; raveled 4. out of order
亂民(ㄌㄨㄢˋ ㄇㄧㄣˊ)rioters; mobsters
亂紛紛(ㄌㄨㄢˋ ㄈㄣ ㄈㄣ)disorderly
亂黨(ㄌㄨㄢˋ ㄉㄤˇ)a rebel party or faction
亂來(ㄌㄨㄢˋ ㄌㄞˊ)to act foolishly or recklessly
亂倫(ㄌㄨㄢˋ ㄌㄨㄣˊ)incest
亂烘烘(ㄌㄨㄢˋ ㄏㄨㄥ ㄏㄨㄥ)noisy and disorderly
亂七八糟 (ㄌㄨㄢˋ ㄑㄧ ㄅㄚ ㄗㄠ) in confusion; topsy-turvy
亂成一團 (ㄌㄨㄢˋ ㄔㄥˊ ㄧˋ ㄊㄨㄢˊ) in great confusion
亂世(ㄌㄨㄢˋ ㄕˋ)times of anarchy and disorder
亂視(ㄌㄨㄢˋ ㄕˋ) (ophthalmology) astigmatism 亦作「散光」
亂說(ㄌㄨㄢˋ ㄕㄨㄛ)①to say what should not be said ②to lie
亂子(ㄌㄨㄢˋ ·ㄗ)disturbance; trouble
亂糟糟(ㄌㄨㄢˋ ㄗㄠ ㄗㄠ)in a mess

亅部
ㄐㄩㄝˊ jué

一畫

了 46
1. ㄌㄧㄠˇ liǎo
1. to finish; to end; to complete 2. intelligent; remarkable 3. entirely; wholly 4. to understand
了不得(ㄌㄧㄠˇ ·ㄅㄨ ·ㄉㄜ)Wonderful!
了不起(ㄌㄧㄠˇ ·ㄅㄨ ㄑㄧˇ)Wonderful!
了結(ㄌㄧㄠˇ ㄐㄧㄝˊ)to get through with
了解(ㄌㄧㄠˇ ㄐㄧㄝˇ)to understand
了局(ㄌㄧㄠˇ ㄐㄩˊ)the end; the result
了悟(ㄌㄧㄠˇ ㄨˋ)to comprehend

〔亅部〕

了 46
2. ˙ㄌㄜ le
an expletive in the Chinese language

三畫

予 47
1. ㄩˊ yú
I; me
予取予求(ㄩˊ ㄑㄩˇ ㄩˊ ㄑㄧㄡˊ)to make repeated demands of somebody

予 47
2. ㄩˇ yǔ
to give: 予人口實 to give people a cause for discussion

七畫

事 48
ㄕˋ shì
1.an affair; a matter; business 2.a job; an occupation; a task 3.a service 4.duties; functions 5.a subject 6.to serve 7.to manage a business
事半功倍(ㄕˋ ㄅㄢˋ ㄍㄨㄥ ㄅㄟˋ)half the work with double the result
事必躬親(ㄕˋ ㄅㄧˋ ㄍㄨㄥ ㄑㄧㄣ) to attend to everything personally
事變(ㄕˋ ㄅㄧㄢˋ)an incident
事不宜遲(ㄕˋ ㄅㄨˋ ㄧˊ ㄔˊ)One must lose no time in doing something.
事到如今(ㄕˋ ㄉㄠˋ ㄖㄨˊ ㄐㄧㄣ) as things have come to such a pass
事端(ㄕˋ ㄉㄨㄢ)a trouble
事態(ㄕˋ ㄊㄞˋ)the state of affairs
事理(ㄕˋ ㄌㄧˇ)the principle of action
事故(ㄕˋ ㄍㄨˋ)a troublesome incident
事後(ㄕˋ ㄏㄡˋ)after an event; afterward
事蹟(ㄕˋ ㄐㄧ) the accomplishments, exploits, etc. of a person during his or her lifetime
事假(ㄕˋ ㄐㄧㄚˋ)private affair leave
事件(ㄕˋ ㄐㄧㄢˋ)an incident; an event
事前(ㄕˋ ㄑㄧㄢˊ)or事先(ㄕˋ ㄒㄧㄢ) before an event
事情(ㄕˋ ˙ㄑㄧㄥ)a matter; business
事出有因(ㄕˋ ㄔㄨ ㄧㄡˇ ㄧㄣ)not entirely devoid of truth
事實(ㄕˋ ㄕˊ)a fact; truth; reality
事實上(ㄕˋ ㄕˊ ㄕㄤˋ)in fact; in reality
事事(ㄕˋ ㄕˋ)everything
事在人爲(ㄕˋ ㄗㄞˋ ㄖㄣˊ ㄨㄟˊ)Human effort can achieve everything.
事宜(ㄕˋ ㄧˊ)①affairs; matters ②the necessary arrangements
事業(ㄕˋ ㄧㄝˋ)①an enterprise ②a career
事由(ㄕˋ ㄧㄡˊ)the origin of a matter
事物(ㄕˋ ㄨˋ)things; articles; objects
事務(ㄕˋ ㄨˋ)business; general affairs
事務所(ㄕˋ ㄨˋ ㄙㄨㄛˇ)an office
事與願違(ㄕˋ ㄩˇ ㄩㄢˋ ㄨㄟˊ)Things do not turn out as one wishes.

二部
ㄦˋ èr

二 49
ㄦˋ èr
two; second; twice
二八年華(ㄦˋ ㄅㄚ ㄋㄧㄢˊ ㄏㄨㄚˊ)(said of a girl) sixteen years of age
二百五(ㄦˋ ㄅㄞˇ ㄨˇ)(abuse) a simpleton
二分法(ㄦˋ ㄈㄣ ㄈㄚˇ)dichotomy
二房東(ㄦˋ ㄈㄤˊ ㄉㄨㄥ)a person who sublets a house rented from another
二郎腿(ㄦˋ ㄌㄤˊ ㄊㄨㄟˇ)(to sit) cross-legged
二胡(ㄦˋ ㄏㄨˊ)a two-stringed Chinese musical instrument
二心(ㄦˋ ㄒㄧㄣ)disloyalty
二重唱(ㄦˋ ㄔㄨㄥˊ ㄔㄤˋ)(vocal) a duet
二重奏(ㄦˋ ㄔㄨㄥˊ ㄗㄡˋ)a duet performance on the piano
二手貨(ㄦˋ ㄕㄡˇ ㄏㄨㄛˋ)a used item
二手煙(ㄦˋ ㄕㄡˇ ㄧㄢ)passive smoking
二氧化碳(ㄦˋ ㄧㄤˇ ㄏㄨㄚˋ ㄊㄢˋ) carbon dioxide
二月(ㄦˋ ㄩㄝˋ)February

一畫

亍 50
ㄔㄨˋ chù
a step with the right foot

于 51
ㄩˊ yú
1.(a particle in literary use) in; at; by; to 2.(a verb in literary use) to go or proceed; to take
于歸(ㄩˊ ㄍㄨㄟ)(said of a girl) to enter into matrimony
于是(ㄩˊ ㄕˋ)hence; consequently; thereupon

二畫

云 52
ㄩㄣˊ yún
to say; to speak
云云(ㄩㄣˊ ㄩㄣˊ)so and so; and so forth

互 53
ㄏㄨˋ hù
each other; mutually; reciprocally
互補色(ㄏㄨˋ ㄅㄨˇ ㄙㄜˋ)complementary colors
互不侵犯(ㄏㄨˋ ㄅㄨˋ ㄑㄧㄣ ㄈㄢˋ)to refrain from invading each other
互訪(ㄏㄨˋ ㄈㄤˇ)to exchange visits
互通有無(ㄏㄨˋ ㄊㄨㄥ ㄧㄡˇ ㄨˊ)to supply each other's needs

互利(ㄏㄨˋ ㄌㄧˋ)mutually beneficial
互惠(ㄏㄨˋ ㄏㄨㄟˋ)mutually beneficial
互換(ㄏㄨˋ ㄏㄨㄢˋ)to exchange
互相(ㄏㄨˋ ㄒㄧㄤ)mutually; each other
互相切磋(ㄏㄨˋ ㄒㄧㄤ ㄑㄧㄝ ㄘㄨㄛ)to improve each other by active discussion
互助(ㄏㄨˋ ㄓㄨˋ) to help each other; mutual help
互助會(ㄏㄨˋ ㄓㄨˋ ㄏㄨㄟˋ)mutual benefit association

五 54 ㄨˇ wǔ
five; fifth
五福(ㄨˇ ㄈㄨˊ)the five blessings—longevity, wealth, health, love of virtue, and natural death
五體投地(ㄨˇ ㄊㄧˇ ㄊㄡˊ ㄉㄧˋ)to admire someone with the utmost sincerity
五里霧中(ㄨˇ ㄌㄧˇ ㄨˋ ㄓㄨㄥ) utter bewilderment
五穀(ㄨˇ ㄍㄨˇ)grains of all sorts
五官(ㄨˇ ㄍㄨㄢ)the five organs—the ear, the eye, the mouth, the nose and the heart
五光十色(ㄨˇ ㄍㄨㄤ ㄕˊ ㄙㄜˋ)resplendent with variegated coloration
五湖四海(ㄨˇ ㄏㄨˊ ㄙˋ ㄏㄞˇ) everywhere in the world
五花八門(ㄨˇ ㄏㄨㄚ ㄅㄚ ㄇㄣˊ)rich in variety
五花肉(ㄨˇ ㄏㄨㄚ ㄖㄡˋ)streaky pork
五金店(ㄨˇ ㄐㄧㄣ ㄉㄧㄢˋ) a hardware store
五線譜(ㄨˇ ㄒㄧㄢˋ ㄆㄨˇ) (music) a staff
五行(ㄨˇ ㄒㄧㄥˊ)the five primary elements— metal, wood, water, fire and earth (金, 木, 水, 火, 土)
五十肩(ㄨˇ ㄕˊ ㄐㄧㄢ)frozen shoulder
五子棋(ㄨˇ ㄗˇ ㄑㄧˊ)gobang
五一勞動節(ㄨˇ ㄧ ㄌㄠˊ ㄉㄨㄥˋ ㄐㄧㄝˊ) May Day; Labor Day
五顏六色(ㄨˇ ㄧㄢˊ ㄌㄧㄡˋ ㄙㄜˋ)of variegated colors
五月(ㄨˇ ㄩㄝˋ)May
五院(ㄨˇ ㄩㄢˋ)the five yuan (of the government of the Republic of China)—the Executive Yuan, the Judicial Yuan, the Legislative Yuan, the Control Yuan, the Examination Yuan (行政院, 司法院, 立法院, 監察院, 考試院)

井 55 ㄐㄧㄥˇ jǐng
a well
井底蛙(ㄐㄧㄥˇ ㄉㄧˇ ㄨㄚ) (literally) a frog in a well—a person of very limited outlook and experience
井井有條(ㄐㄧㄥˇ ㄐㄧㄥˇ ㄧㄡˇ ㄊㄧㄠˊ) orderly; methodical
井然(ㄐㄧㄥˇ ㄖㄢˊ)orderly
井鹽(ㄐㄧㄥˇ ㄧㄢˊ)well salt

四畫

亙 56 ㄍㄣˋ gèn (又讀 ㄍㄥˋ gèng)
to extend (over space or time)

五畫

些 57 ㄒㄧㄝ xiē
a small quantity or number; a little; a few; some
些微(ㄒㄧㄝ ㄨㄟˊ)slightly

六畫

亞 58 ㄧㄚˋ yà (又讀 ㄧㄚˇ yǎ)
1. second (in excellence) 2. Asia
亞麻(ㄧㄚˋ ㄇㄚˊ)flax
亞馬遜河(ㄧㄚˋ ㄇㄚˇ ㄒㄩㄣˋ ㄏㄜˊ)the Amazon River in South America
亞當(ㄧㄚˋ ㄉㄤ)Adam
亞軍(ㄧㄚˋ ㄐㄩㄣ)the runner-up
亞洲(ㄧㄚˋ ㄓㄡ)Asia
亞熱帶(ㄧㄚˋ ㄖㄜˋ ㄉㄞˋ)the subtropical zone

七畫

亟 59 ㄐㄧˊ jí
urgently; pressingly
亟欲(ㄐㄧˊ ㄩˋ) very anxious to do something

亠部 ㄊㄡˊ tóu

一畫

亡 60 ㄨㄤˊ wáng
1. to perish 2. to flee 3. lost; dead 4. the late
亡命(ㄨㄤˊ ㄇㄧㄥˋ)to go into exile
亡命之徒(ㄨㄤˊ ㄇㄧㄥˋ ㄓ ㄊㄨˊ)lawless elements; criminals
亡故(ㄨㄤˊ ㄍㄨˋ)dead; died
亡魂(ㄨㄤˊ ㄏㄨㄣˊ)the spirit of the dead
亡羊補牢(ㄨㄤˊ ㄧㄤˊ ㄅㄨˇ ㄌㄠˊ)to take precaution after suffering a loss

二畫

亢 61 ㄎㄤˋ kàng
1. proud 2. indomitable 3. excessive
亢奮(ㄎㄤˋ ㄈㄣˋ)stimulated; excited

四畫

交 62 ㄐㄧㄠ jiāo

〔亠部〕

1. to submit; to hand in or over 2. to meet 3. to exchange 4. to intersect

交白卷(ㄐㄧㄠ ㄅㄞˊ ㄐㄩㄢˋ)to turn in a blank examination paper

交保(ㄐㄧㄠ ㄅㄠˇ) to release (a suspect) on bail 「next shift

交班(ㄐㄧㄠ ㄅㄢ)to hand over to the

交臂(ㄐㄧㄠ ㄅㄧˋ)very close or near

交迫(ㄐㄧㄠ ㄆㄛˋ)beleaguered; beset

交配(ㄐㄧㄠ ㄆㄟˋ)①(biology) copulation ② to mate

交代(ㄐㄧㄠ ㄉㄞˋ)① to hand over responsibility ②to give an explanation or excuse 「section

交點(ㄐㄧㄠ ㄉㄧㄢˇ) a point of inter-

交頭接耳(ㄐㄧㄠ ㄊㄡˊ ㄐㄧㄝ ㄦˇ)to whisper in each other's ears

交談(ㄐㄧㄠ ㄊㄢˊ)to converse

交替(ㄐㄧㄠ ㄊㄧˋ)to alternate

交通(ㄐㄧㄠ ㄊㄨㄥ)traffic

交通標誌(ㄐㄧㄠ ㄊㄨㄥ ㄅㄧㄠ ㄓˋ)traffic signs 「Communications

交通部(ㄐㄧㄠ ㄊㄨㄥ ㄅㄨˋ)Ministry of

交通規則(ㄐㄧㄠ ㄊㄨㄥ ㄍㄨㄟ ㄗㄜˊ) traffic regulations

交通管制(ㄐㄧㄠ ㄊㄨㄥ ㄍㄨㄢˇ ㄓˋ) traffic control

交通警察 (ㄐㄧㄠ ㄊㄨㄥ ㄐㄧㄥˇ ㄔㄚˊ) traffic police 「other

交流(ㄐㄧㄠ ㄌㄧㄡˊ)to flow across each

交流道(ㄐㄧㄠ ㄌㄧㄡˊ ㄉㄠˋ) (expressway) an interchange

交流電(ㄐㄧㄠ ㄌㄧㄡˊ ㄉㄧㄢˋ) an alternating current or A.C. 「tion

交割(ㄐㄧㄠ ㄍㄜ)a business transac-

交給(ㄐㄧㄠ ㄍㄟˇ)to hand to; to give to

交互作用 (ㄐㄧㄠ ㄏㄨˋ ㄗㄨㄛˋ ㄩㄥˋ) interaction; interplay 「delivery

交貨 (ㄐㄧㄠ ㄏㄨㄛˋ) to deliver goods;

交還(ㄐㄧㄠ ㄏㄨㄢˊ)to hand back; to return

交換(ㄐㄧㄠ ㄏㄨㄢˋ)to exchange

交際(ㄐㄧㄠ ㄐㄧˋ)social intercourse

交際費(ㄐㄧㄠ ㄐㄧˋ ㄈㄟˋ)entertainment fees

交際舞(ㄐㄧㄠ ㄐㄧˋ ㄨˇ)a social dance

交接(ㄐㄧㄠ ㄐㄧㄝ)to hand over and to take over (duties)

交界 (ㄐㄧㄠ ㄐㄧㄝˋ) a border (between two areas) 「examination paper

交卷 (ㄐㄧㄠ ㄐㄩㄢˋ) to hand in the

交情(ㄐㄧㄠ ㄑㄧㄥˊ)friendship

交響樂(ㄐㄧㄠ ㄒㄧㄤˇ ㄩㄝˋ)a symphony; symphonic music

交織(ㄐㄧㄠ ㄓ)to interweave

交叉(ㄐㄧㄠ ㄔㄚ)to intersect

交出(ㄐㄧㄠ ㄔㄨ)to hand over

交涉(ㄐㄧㄠ ㄕㄜˋ)to negotiate

交錯(ㄐㄧㄠ ㄘㄨㄛˋ)to interlock

交誼(ㄐㄧㄠ ㄧˊ)friendly relations

交易 (ㄐㄧㄠ ㄧˋ) a trade; business transaction 「exchange; a bourse

交易所 (ㄐㄧㄠ ㄧˋ ㄙㄨㄛˇ) a stock

交友(ㄐㄧㄠ ㄧㄡˇ)to make friends

交惡(ㄐㄧㄠ ㄨˋ)to become hostile

交往 (ㄐㄧㄠ ㄨㄤˇ) to have friendly re- └lations

亥 63
ㄏㄞˋ hài

1. the last of the Twelve Terrestrial Branches 2. the hours between 9 and └11 p.m.

亦 64
ㄧˋ yì

also; too

亦步亦趨(ㄧˋ ㄅㄨˋ ㄧˋ ㄑㄩ)slavish imi-

亦即(ㄧˋ ㄐㄧˊ)that is; i.e. └tation

亦然(ㄧˋ ㄖㄢˊ)also; too; similarly

五畫

亨 65
ㄏㄥ hēng

to go through smoothly

亨通(ㄏㄥ ㄊㄨㄥ)to proceed smoothly

六畫

享 66
ㄒㄧㄤˇ xiǎng

1. to enjoy; to receive 2. to offer 3. to entertain 「and prosperity

享福(ㄒㄧㄤˇ ㄈㄨˊ)to enjoy happiness

享年 (ㄒㄧㄤˇ ㄋㄧㄢˊ) the number of years lived (by one who dies old)

享受(ㄒㄧㄤˇ ㄕㄡˋ)to enjoy

享有(ㄒㄧㄤˇ ㄧㄡˇ)to possess

享用(ㄒㄧㄤˇ ㄩㄥˋ)to enjoy the use of

京 67
ㄐㄧㄥ jīng

1. the capital (of a country); a metropolis 2. great; greatness

京戲(ㄐㄧㄥ ㄒㄧˋ)or京劇(ㄐㄧㄥ ㄐㄩˋ) Peking opera

七畫

亭 68
ㄊㄧㄥˊ tíng

1. a booth; a pavilion; a garden house or rest house 2. slim and erect 3. exactly during

亭亭玉立(ㄊㄧㄥˊ ㄊㄧㄥˊ ㄩˋ ㄌㄧˋ)(said of young ladies) slim and graceful

亮 69
ㄌㄧㄤˋ liàng

1. bright; brilliant; luminous 2. to display; to show 「intensity

亮度 (ㄌㄧㄤˋ ㄉㄨˋ) brightness; light

亮光(ㄌㄧㄤˋ ㄍㄨㄤ)bright light; flash

亮晶晶 (ㄌㄧㄤˋ ㄐㄧㄥ ㄐㄧㄥ) bright
亮相(ㄌㄧㄤˋ ㄒㄧㄤˋ)to pose for the audience's admiration on the stage

八畫

亳 70 ㄅㄛˋ bò
the seat of government during the Shang Dynasty, located in today's Shangchiu County, Honan Province

人部 ㄖㄣˊ rén

人 71 ㄖㄣˊ rén
a human being; a person; people
人本主義(ㄖㄣˊ ㄅㄣˇ ㄓㄨˇ ㄧˋ)(philosophy) humanism
人不可貌相 (ㄖㄣˊ ㄅㄨˋ ㄎㄜˇ ㄇㄠˋ ㄒㄧㄤˋ)A man's worth cannot be measured by his looks.
人品(ㄖㄣˊ ㄆㄧㄣˇ)personality
人滿之患(ㄖㄣˊ ㄇㄢˇ ㄓ ㄏㄨㄢˋ)trouble of overpopulation or overcrowdedness
人民(ㄖㄣˊ ㄇㄧㄣˊ)people
人民團體(ㄖㄣˊ ㄇㄧㄣˊ ㄊㄨㄢˊ ㄊㄧˇ)a civic organization or civic body
人命關天(ㄖㄣˊ ㄇㄧㄥˋ ㄍㄨㄢ ㄊㄧㄢ) Human life is of utmost importance.
人犯(ㄖㄣˊ ㄈㄢˋ)a criminal
人道(ㄖㄣˊ ㄉㄠˋ)① humanitarianism; charity; humanity ②sexual union
人體(ㄖㄣˊ ㄊㄧˇ)a human body
人類(ㄖㄣˊ ㄌㄟˋ)man; mankind
人類學(ㄖㄣˊ ㄌㄟˋ ㄒㄩㄝˊ)anthropology
人力(ㄖㄣˊ ㄌㄧˋ)human power, strength or efforts
人倫(ㄖㄣˊ ㄌㄨㄣˊ)principles of human relationships
人格(ㄖㄣˊ ㄍㄜˊ)character; personality
人工(ㄖㄣˊ ㄍㄨㄥ)① human labor ② man-made
人工呼吸(ㄖㄣˊ ㄍㄨㄥ ㄏㄨ ㄒㄧ)artificial respiration
人工智慧(ㄖㄣˊ ㄍㄨㄥ ㄓˋ ㄏㄨㄟˋ)artificial intelligence
人口(ㄖㄣˊ ㄎㄡˇ)population
人口普查(ㄖㄣˊ ㄎㄡˇ ㄆㄨˇ ㄔㄚˊ)a population census
人口密度(ㄖㄣˊ ㄎㄡˇ ㄇㄧˋ ㄉㄨˋ)density of population
人口過剩(ㄖㄣˊ ㄎㄡˇ ㄍㄨㄛˋ ㄕㄥˋ)overpopulation
人海浮沈(ㄖㄣˊ ㄏㄞˇ ㄈㄨˊ ㄔㄣˊ) the vicissitudes of life
人際關係(ㄖㄣˊ ㄐㄧˋ ㄍㄨㄢ ㄒㄧˋ)human relations
人間(ㄖㄣˊ ㄐㄧㄢ)the world of mortals
人見人愛 (ㄖㄣˊ ㄐㄧㄢˋ ㄖㄣˊ ㄞˋ) loved by all
人情(ㄖㄣˊ ㄑㄧㄥˊ)favors asked or done
人情世故 (ㄖㄣˊ ㄑㄧㄥˊ ㄕˋ ㄍㄨˋ) the ways of the world
人情味(ㄖㄣˊ ㄑㄧㄥˊ ㄨㄟˋ)human touch; friendliness; hospitality
人權(ㄖㄣˊ ㄑㄩㄢˊ)human rights
人羣(ㄖㄣˊ ㄑㄩㄣˊ)a crowd, throng or multitude (of people)
人小鬼大 (ㄖㄣˊ ㄒㄧㄠˇ ㄍㄨㄟˇ ㄉㄚˋ) young but tricky
人心(ㄖㄣˊ ㄒㄧㄣ)human heart, will, feeling or emotion; morale
人心不古(ㄖㄣˊ ㄒㄧㄣ ㄅㄨˋ ㄍㄨˇ)Public morality is not what it used to be.
人像(ㄖㄣˊ ㄒㄧㄤˋ)a portrait; an image
人行道(ㄖㄣˊ ㄒㄧㄥˊ ㄉㄠˋ)a sidewalk
人性(ㄖㄣˊ ㄒㄧㄥˋ)human nature; reason
人選(ㄖㄣˊ ㄒㄩㄢˇ)candidates (for certain jobs)
人之常情(ㄖㄣˊ ㄓ ㄔㄤˊ ㄑㄧㄥˊ)what is natural in human relationships
人質(ㄖㄣˊ ㄓˋ)a hostage
人證(ㄖㄣˊ ㄓㄥˋ)witnesses
人中(ㄖㄣˊ ㄓㄨㄥ)philtrum
人種(ㄖㄣˊ ㄓㄨㄥˇ)human races
人士(ㄖㄣˊ ㄕˋ)personages (usually plural)
人世(ㄖㄣˊ ㄕˋ)①human life; life ②the world
人事(ㄖㄣˊ ㄕˋ)① human affairs; human customs ② personnel affairs
人事關係(ㄖㄣˊ ㄕˋ ㄍㄨㄢ ㄒㄧˋ)personal connections
人手(ㄖㄣˊ ㄕㄡˇ)manpower
人壽保險 (ㄖㄣˊ ㄕㄡˋ ㄅㄠˇ ㄒㄧㄢˇ) life insurance
人山人海(ㄖㄣˊ ㄕㄢ ㄖㄣˊ ㄏㄞˇ)a large crowd
人身(ㄖㄣˊ ㄕㄣ)①a human body ②(law)personal (liberty)
人參(ㄖㄣˊ ㄕㄣ)ginseng
人生(ㄖㄣˊ ㄕㄥ)human life; life
人生觀(ㄖㄣˊ ㄕㄥ ㄍㄨㄢ)a view of life
人生如夢(ㄖㄣˊ ㄕㄥ ㄖㄨˊ ㄇㄥˋ) Life is but a dream.
人人(ㄖㄣˊ ㄖㄣˊ)everybody
人人自危(ㄖㄣˊ ㄖㄣˊ ㄗˋ ㄨㄟˊ)Everyone feels insecure.
人造(ㄖㄣˊ ㄗㄠˋ)man-made; artificial
人造絲 (ㄖㄣˊ ㄗㄠˋ ㄙ) synthetic silk; rayon
人造衛星(ㄖㄣˊ ㄗㄠˋ ㄨㄟˋ ㄒㄧㄥ)an (artificial) satellite
人贓並獲(ㄖㄣˊ ㄗㄤ ㄅㄧㄥˋ ㄏㄨㄛˋ)(a thief) caught together with the loot
人才(ㄖㄣˊ ㄘㄞˊ)a man of talent
人才輩出 (ㄖㄣˊ ㄘㄞˊ ㄅㄟˋ ㄔㄨ) Great talents appear successively.
人才濟濟(ㄖㄣˊ ㄘㄞˊ ㄐㄧˇ ㄐㄧˇ)There is a wealth of talents.

〔人部〕

人才外流 (ㄖㄣˊ ㄘㄞˊ ㄨㄞˋ ㄌㄧㄡˊ) the brain drain
人煙(ㄖㄣˊ ㄧㄢ)signs of a human settlement
人言可畏 (ㄖㄣˊ ㄧㄢˊ ㄎㄜˇ ㄨㄟˋ) Criticisms should be feared.
人影(ㄖㄣˊ ㄧㄥˇ)a human shadow
人物(ㄖㄣˊ ㄨˋ)① a personage or figure ② people and things
人文(ㄖㄣˊ ㄨㄣˊ)humanities; culture
人文主義(ㄖㄣˊ ㄨㄣˊ ㄓㄨˇ ㄧˋ)humanism
人員(ㄖㄣˊ ㄩㄢˊ)the personnel; the staff
人猿(ㄖㄣˊ ㄩㄢˊ)an ape
人緣(ㄖㄣˊ ㄩㄢˊ)relations with others
人云亦云(ㄖㄣˊ ㄩㄣˊ ㄧˋ ㄩㄣˊ)to parrot what others say; me-tooism; me-too

二畫

什 72 1. ㄕˊ shí
1. sundry; miscellaneous 2. ten 3. a squad (of ten soldiers, in former times)
什錦 (ㄕˊ ㄐㄧㄣˇ) multiple ingredients (for a dish)

什 72 2.(甚) ㄕㄜˊ shé
as in 什麼—what (used either in question or as an exclamation)
什麼話(ㄕㄜˊ·ㄇㄜ ㄏㄨㄚˋ) How can you say that!?

仁 73 ㄖㄣˊ rén
1. benevolence; humanity; mercy; kindness; charity 2. kernel
仁民愛物(ㄖㄣˊ ㄇㄧㄣˊ ㄞˋ ㄨˋ)to love all people and animals
仁德(ㄖㄣˊ ㄉㄜˊ) benevolence; magnanimity
仁厚(ㄖㄣˊ ㄏㄡˋ)benevolent and generous
仁政(ㄖㄣˊ ㄓㄥˋ)good administration
仁人君子 (ㄖㄣˊ ㄖㄣˊ ㄐㄩㄣ ㄗˇ) kind-hearted gentlemen
仁慈 (ㄖㄣˊ ㄘˊ) benevolence; charity; kindness
仁愛(ㄖㄣˊ ㄞˋ)humanity; kindness; love
仁義道德(ㄖㄣˊ ㄧˋ ㄉㄠˋ ㄉㄜˊ)virtue and morality

仂 74 ㄌㄜˋ lè
a fraction(of number)

仃 75 ㄉㄧㄥ dīng
lonely; solitary

仄 76 ㄗㄜˋ zè
1. oblique 2. said of the three tones other than the even tone (in ancient Chinese phonology) 3. narrow 4. uneasy

仆 77 ㄆㄨ pū (又讀 ㄈㄨˋ fù)
1. to prostrate 2. to fall

仇 78 (讎) ㄔㄡˊ chóu
1. a foe; an enemy; a rival; an adversary 2. hatred; enmity; antagonism; hostility; feud 3. to hate
仇恨(ㄔㄡˊ ㄏㄣˋ)①hatred ②to hate
仇視(ㄔㄡˊ ㄕˋ)to regard with hostility
仇殺(ㄔㄡˊ ㄕㄚ)a murder committed out of grudge or vendetta
仇人(ㄔㄡˊ ㄖㄣˊ)or 仇家(ㄔㄡˊ ㄐㄧㄚ) an enemy; a foe; a rival

今 79 ㄐㄧㄣ jīn
1. present; recent; modern 2. now; currently; presently; nowadays 3. immediately; right away
今非昔比 (ㄐㄧㄣ ㄈㄟ ㄒㄧˊ ㄅㄧˇ) Time has changed and the good old days are gone.
今天(ㄐㄧㄣ ㄊㄧㄢ)today
今年(ㄐㄧㄣ ㄋㄧㄢˊ)this year
今後(ㄐㄧㄣ ㄏㄡˋ)hereafter
今朝(ㄐㄧㄣ ㄓㄠ)today; this morning
今世(ㄐㄧㄣ ㄕˋ)this present life
今生(ㄐㄧㄣ ㄕㄥ)this present life
今日(ㄐㄧㄣ ㄖˋ)① today ② nowadays
今夜(ㄐㄧㄣ ㄧㄝˋ)tonight

介 80 ㄐㄧㄝˋ jiè
1. a shelled aquatic animal 2. to lie between 3. (said of one's character) upright 4. great and honorable 5. to aid; to benefit 6. tiny
介殼(ㄐㄧㄝˋ ㄎㄜˊ)the shell
介紹(ㄐㄧㄝˋ ㄕㄠˋ)to introduce
介紹人(ㄐㄧㄝˋ ㄕㄠˋ ㄖㄣˊ)an introducer
介入(ㄐㄧㄝˋ ㄖㄨˋ)to get involved
介詞(ㄐㄧㄝˋ ㄘˊ)a preposition
介意(ㄐㄧㄝˋ ㄧˋ)to mind
介於(ㄐㄧㄝˋ ㄩˊ)to lie in between

仍 81 ㄖㄥˊ réng
as in 仍舊 or 仍然—still; yet

三畫

仔 82 1. ㄗˇ zǐ
careful
仔細(ㄗˇ ㄒㄧˋ)careful

仔 82 2. ㄗㄞˇ zǎi
1. young animals 2. one who tends cattle

仕 83 ㄕˋ shì
1. an official 2. to enter government service
仕途(ㄕˋ ㄊㄨˊ)a political career
仕女or士女(ㄕˋ ㄋㄩˇ)a painting portraying beautiful women

〔人部〕

他 84 ㄊㄚ tā
1. he; him 2. other; another 3. future
他們(ㄊㄚ ˙ㄇㄣ)they; them
他就(ㄊㄚ ㄐㄧㄡˋ)to accept another job
他殺(ㄊㄚ ㄕㄚ)homicide
他日(ㄊㄚ ㄖˋ)another day; some time in the future
他人(ㄊㄚ ㄖㄣˊ)others; other people

仗 85 ㄓㄤˋ zhàng
1. weaponry 2. to lean upon; to rely upon; to depend on 3. battle; war
仗義執言(ㄓㄤˋ ㄧˋ ㄓˊ ㄧㄢˊ)to speak in accordance with justice

付 86 ㄈㄨˋ fù
1. to pay (money) 2. to deliver (goods); to consign
付託(ㄈㄨˋ ㄊㄨㄛ)to entrust; to commission
付款(ㄈㄨˋ ㄎㄨㄢˇ) or 付錢(ㄈㄨˋ ㄑㄧㄢˊ) to pay (money)
付清(ㄈㄨˋ ㄑㄧㄥ)paid; all paid
付現(ㄈㄨˋ ㄒㄧㄢˋ)to pay in cash
付之一炬(ㄈㄨˋ ㄓ ㄧˊ ㄐㄩˋ) to burn down
付賬 or 付帳(ㄈㄨˋ ㄓㄤˋ)to pay a bill
付諸東流(ㄈㄨˋ ㄓㄨ ㄉㄨㄥ ㄌㄧㄡˊ) (efforts) wasted; (hope) busted
付出(ㄈㄨˋ ㄔㄨ)① to pay ② to give
付印(ㄈㄨˋ ㄧㄣˋ) or 付梓(ㄈㄨˋ ㄗˇ) to send to (the) press for publication

仙 87 ㄒㄧㄢ xiān
1. a god; an immortal; a fairy 2. divine
仙丹(ㄒㄧㄢ ㄉㄢ)a divine pill
仙女(ㄒㄧㄢ ㄋㄩˇ)a fairy
仙境(ㄒㄧㄢ ㄐㄧㄥˋ)a fairyland
仙逝(ㄒㄧㄢ ㄕˋ)to die; to pass away
仙人(ㄒㄧㄢ ㄖㄣˊ)an immortal
仙人跳(ㄒㄧㄢ ㄖㄣˊ ㄊㄧㄠˋ) a badger game
仙人掌(ㄒㄧㄢ ㄖㄣˊ ㄓㄤˇ) a prickly pear; a kind of cactus
仙子(ㄒㄧㄢ ㄗˇ)a fairy

仞 88 ㄖㄣˋ rèn
1. a measure of length (approximately eight feet) 2. to measure depth

仟 89 ㄑㄧㄢ qiān
1. leader of one thousand men 2. thousand

仡 90 ㄧˋ yì
1. gallant; valiant 2. stately; majestic 3. upright

代 91 ㄉㄞˋ dài
1. a generation 2. a dynasty 3. an era 4. to be a substitute or an equivalent; to take the place of
代辦(ㄉㄞˋ ㄅㄢˋ)to act for another
代筆(ㄉㄞˋ ㄅㄧˇ)to write for another
代表(ㄉㄞˋ ㄅㄧㄠˇ)a representative
代表團(ㄉㄞˋ ㄅㄧㄠˇ ㄊㄨㄢˊ)a delegation
代表權(ㄉㄞˋ ㄅㄧㄠˇ ㄑㄩㄢˊ)representation
代名詞(ㄉㄞˋ ㄇㄧㄥˊ ㄘˊ)a pronoun
代打(ㄉㄞˋ ㄉㄚˇ)to pinch-hit
代替(ㄉㄞˋ ㄊㄧˋ)to take the place of
代勞(ㄉㄞˋ ㄌㄠˊ)to labor on behalf of another
代理商(ㄉㄞˋ ㄌㄧˇ ㄕㄤ) a business agent; an agent
代理人(ㄉㄞˋ ㄌㄧˇ ㄖㄣˊ) (legal) a representative; an agent
代溝(ㄉㄞˋ ㄍㄡ)the generation gap
代課(ㄉㄞˋ ㄎㄜˋ)to teach on behalf of another teacher
代換(ㄉㄞˋ ㄏㄨㄢˋ)to replace
代價(ㄉㄞˋ ㄐㄧㄚˋ)price; cost; reward
代銷商(ㄉㄞˋ ㄒㄧㄠ ㄕㄤ)a consignee
代售(ㄉㄞˋ ㄕㄡˋ)to be commissioned to sell something
代書(ㄉㄞˋ ㄕㄨ)one who writes legal documents for others
代數學(ㄉㄞˋ ㄕㄨˋ ㄒㄩㄝˊ)algebra
代罪羔羊(ㄉㄞˋ ㄗㄨㄟˋ ㄍㄠ ㄧㄤˊ) a scapegoat
代言人(ㄉㄞˋ ㄧㄢˊ ㄖㄣˊ)a spokesman; a mouthpiece
代用品(ㄉㄞˋ ㄩㄥˋ ㄆㄧㄣˇ)a substitute

令 92 1. ㄌㄧㄥˋ lìng
1. a directive; an order 2. to order 3. to cause; to make 4. nice; good; excellent
令弟(ㄌㄧㄥˋ ㄉㄧˋ)your younger brother
令堂(ㄌㄧㄥˋ ㄊㄤˊ)your mother (used in formal speech)
令郎(ㄌㄧㄥˋ ㄌㄤˊ)your son
令尊(ㄌㄧㄥˋ ㄗㄨㄣ)your father (used in formal speech)
令愛(ㄌㄧㄥˋ ㄞˋ)your daughter

令 92 2. ㄌㄧㄥˊ líng
a ream (of paper)

以 93 ㄧˇ yǐ
by means of; because of
以便(ㄧˇ ㄅㄧㄢˋ)① so as to; in order to ② for the convenience of
以貌取人(ㄧˇ ㄇㄠˋ ㄑㄩˇ ㄖㄣˊ)to judge a person by his appearance or looks
以免(ㄧˇ ㄇㄧㄢˇ)so as not to
以杜後患(ㄧˇ ㄉㄨˋ ㄏㄡˋ ㄏㄨㄢˋ)to forestall future trouble
以退爲進(ㄧˇ ㄊㄨㄟˋ ㄨㄟˊ ㄐㄧㄣˋ)to

〔人部〕

make concessions in order to gain advantages
以內(ㄧˇ ㄋㄟˋ)within
以來(ㄧˇ ㄌㄞˊ)since
以寡敵衆(ㄧˇ ㄍㄨㄚˇ ㄉㄧˊ ㄓㄨㄥˋ) to fight a numerically superior enemy
以後(ㄧˇ ㄏㄡˋ)after; afterward
以及(ㄧˇ ㄐㄧˊ)and; including; as well as
以假亂眞(ㄧˇ ㄐㄧㄚˇ ㄌㄨㄢˋ ㄓㄣ)to mix the spurious with the genuine
以前(ㄧˇ ㄑㄧㄢˊ)before
以下(ㄧˇ ㄒㄧㄚˋ)below
以饗讀者(ㄧˇ ㄒㄧㄤˇ ㄉㄨˊ ㄓㄜˇ)to offer to the reader
以至(ㄧˇ ㄓˋ)① up to; until ② so...that
以致(ㄧˇ ㄓˋ)so that; with the result that
以身相許(ㄧˇ ㄕㄣ ㄒㄧㄤ ㄒㄩˇ) (said of girls) to pledge to marry somebody
以身試法(ㄧˇ ㄕㄣ ㄕˋ ㄈㄚˇ)to defy the law
以身作則(ㄧˇ ㄕㄣ ㄗㄨㄛˋ ㄗㄜˊ)to set examples by one's own action
以上(ㄧˇ ㄕㄤˋ)above
以此類推(ㄧˇ ㄘˇ ㄌㄟˋ ㄊㄨㄟ)The rest can be done in the same manner.
以色列(ㄧˇ ㄙㄜˋ ㄌㄧㄝˋ)Israel
以一當十(ㄧˇ ㄧ ㄉㄤ ㄕˊ)to tip one against ten
以逸待勞(ㄧˇ ㄧˋ ㄉㄞˋ ㄌㄠˊ)to wait in comfort for an exhausted enemy
以牙還牙(ㄧˇ ㄧㄚˊ ㄏㄨㄢˊ ㄧㄚˊ) an eye for an eye, a tooth for a tooth; to repay evil with evil
以外(ㄧˇ ㄨㄞˋ)① other than; besides; in addition ② outside; without; beyond
以爲(ㄧˇ ㄨㄟˊ)to regard...as; to think
以文會友(ㄧˇ ㄨㄣˊ ㄏㄨㄟˋ ㄧㄡˇ)to gather friends together for literary activities
以往(ㄧˇ ㄨㄤˇ)in the past; formerly

仨 94
ㄙㄚ **sā**
three (Peking colloquialism)

仝 95
(同) ㄊㄨㄥˊ **tóng**
a Chinese family name

四畫

仰 96
ㄧㄤˇ **yǎng**
1. to look up 2. to adore, admire or revere 3. to lean or rely upon 4. to swallow
仰慕(ㄧㄤˇ ㄇㄨˋ)to adore
仰賴(ㄧㄤˇ ㄌㄞˋ)to rely upon
仰角(ㄧㄤˇ ㄐㄧㄠˇ) (mathematics) an angle of elevation
仰仗(ㄧㄤˇ ㄓㄤˋ)to rely on
仰臥(ㄧㄤˇ ㄨㄛˋ)to lie on the back
仰臥起坐 (ㄧㄤˇ ㄨㄛˋ ㄑㄧˇ ㄗㄨㄛˋ) (sports) sit-up
仰望(ㄧㄤˇ ㄨㄤˋ)① to hope ② to rely upon(someone for support, help, etc.)
仰泳(ㄧㄤˇ ㄩㄥˇ)a backstroke

仲 97
ㄓㄨㄥˋ **zhòng**
1. in the middle; between two entities 2. the second in order of birth
仲夏(ㄓㄨㄥˋ ㄒㄧㄚˋ)midsummer
仲裁(ㄓㄨㄥˋ ㄘㄞˊ)to arbitrate; arbitration

仳 98
ㄆㄧˇ **pǐ**
to part company
仳離(ㄆㄧˇ ㄌㄧˊ)to part (from one's spouse); to divorce

仵 99
ㄨˇ **wǔ**
opposing; wrong

件 100
ㄐㄧㄢˋ **jiàn**
an auxiliary noun applied to things, clothes, etc.

任 101
ㄖㄣˋ **rèn**
1. a duty 2. to let (one act at will) 3. to employ (one for a job) 4. to bear (a burden) 5. an official post; office
任憑 (ㄖㄣˋ ㄆㄧㄥˊ) without restriction; despite
任命(ㄖㄣˋ ㄇㄧㄥˋ)to appoint (someone to an office); appointment
任何(ㄖㄣˋ ㄏㄜˊ)any; whatever
任期(ㄖㄣˋ ㄑㄧˊ)a term of office
任性(ㄖㄣˋ ㄒㄧㄥˋ)doing as one pleases
任職(ㄖㄣˋ ㄓˊ)to hold a post
任意(ㄖㄣˋ ㄧˋ)arbitrary; at will
任務(ㄖㄣˋ ㄨˋ)duty; responsibility
任用(ㄖㄣˋ ㄩㄥˋ)to employ; to hire

仿 102
(倣) ㄈㄤˇ **fǎng**
to imitate; to copy
仿效(ㄈㄤˇ ㄒㄧㄠˋ)to imitate; to copy
仿製品(ㄈㄤˇ ㄓˋ ㄆㄧㄣˇ)an imitation
仿照(ㄈㄤˇ ㄓㄠˋ)to pattern after

企 103
ㄑㄧˋ **qì**
1. to stand on tiptoe 2. to hope; to long; to expect
企盼(ㄑㄧˋ ㄆㄢˋ)to expect or hope with eagerness
企圖(ㄑㄧˋ ㄊㄨˊ)①to intend; to plan ② an intention; a plan
企圖心(ㄑㄧˋ ㄊㄨˊ ㄒㄧㄣ) aggressiveness
企管(ㄑㄧˋ ㄍㄨㄢˇ)business management
企劃(ㄑㄧˋ ㄏㄨㄚˋ)to design; to lay out
企求(ㄑㄧˋ ㄑㄧㄡˊ)to desire; to seek for
企鵝(ㄑㄧˋ ㄜˊ)a penguin
企業(ㄑㄧˋ ㄧㄝˋ)an enterprise
企業管理(ㄑㄧˋ ㄧㄝˋ ㄍㄨㄢˇ ㄌㄧˇ)business administration

企業家(ㄑㄧˋ ㄧㄝˋ ㄐㄧㄚ) an entrepreneur

伉 104
ㄎㄤˋ kàng
a spouse
伉儷(ㄎㄤˋ ㄌㄧˋ) a married couple (in formal speech)

伊 105
ㄧ yī
1. he; she 2. a Chinese family name
伊甸樂園(ㄧ ㄉㄧㄢˋ ㄌㄜˋ ㄩㄢˊ) the Garden of Eden
伊拉克(ㄧ ㄌㄚ ㄎㄜˋ) Iraq
伊朗(ㄧ ㄌㄤˇ) Iran
伊斯蘭(ㄧ ㄙ ㄌㄢˊ) Islam
伊索寓言(ㄧ ㄙㄨㄛˇ ㄩˋ ㄧㄢˊ) *Aesop's Fables*

伋 106
ㄐㄧˊ jí
deceptive

伍 107
ㄨˇ wǔ
1. a military unit of five soldiers (in the Chou Dynasty) 2. as in 行伍—the army 3. a Chinese family name 4. to associate 5. five

伎 108
ㄐㄧˋ jì
talent; ability; skill
伎倆(ㄐㄧˋ ㄌㄧㄤˇ) skill; dexterity; craft

伏 109
ㄈㄨˊ fú
1. to prostrate; to yield 2. to hide; to lie in ambush
伏兵(ㄈㄨˊ ㄅㄧㄥ) an ambush
伏法(ㄈㄨˊ ㄈㄚˇ) to plead guilty and be executed
伏地挺身(ㄈㄨˊ ㄉㄧˋ ㄊㄧㄥˇ ㄕㄣ) push-up
伏特(ㄈㄨˊ ㄊㄜˋ) (electricity) a volt

伐 110
ㄈㄚ fā (又讀 ㄈㄚˊ fá)
1. to cut (wood) 2. to attack; to smite
伐木(ㄈㄚ ㄇㄨˋ) to fell trees

休 111
ㄒㄧㄡ xiū
1. rest; to rest 2. to stop; to cease 3. happiness; joy; weal
休兵(ㄒㄧㄡ ㄅㄧㄥ) to stop fighting
休克(ㄒㄧㄡ ㄎㄜˋ) shock
休火山(ㄒㄧㄡ ㄏㄨㄛˇ ㄕㄢ) a dormant volcano
休假(ㄒㄧㄡ ㄐㄧㄚˋ) a holiday; to have a holiday
休戚相關(ㄒㄧㄡ ㄑㄧ ㄒㄧㄤ ㄍㄨㄢ) to share joys and sorrows with each other
休憩(ㄒㄧㄡ ㄑㄧˋ) to rest
休息(ㄒㄧㄡ ㄒㄧˊ) to take a rest; rest
休閒(ㄒㄧㄡ ㄒㄧㄢˊ) leisure; relaxation; ease
休閒服(ㄒㄧㄡ ㄒㄧㄢˊ ㄈㄨˊ) casual wear; sports wear
休想(ㄒㄧㄡ ㄒㄧㄤˇ) to stop thinking
休學(ㄒㄧㄡ ㄒㄩㄝˊ) a leave of absence (for a considerable period of time) from school
休戰(ㄒㄧㄡ ㄓㄢˋ) to stop fighting; a truce
休養(ㄒㄧㄡ ㄧㄤˇ) to rest; to recuperate

伙 112
ㄏㄨㄛˇ huǒ
1. as in 伙伴—a companion; a colleague 2. household goods
伙房(ㄏㄨㄛˇ ㄈㄤˊ) a kitchen (in a school, factory, etc.)
伙夫(ㄏㄨㄛˇ ㄈㄨ) a cook (in military barracks or troops)
伙計(ㄏㄨㄛˇ ㄐㄧˋ) a shop clerk
伙食(ㄏㄨㄛˇ ㄕˊ) meals

五畫

伯 113
ㄅㄛˊ bó (又讀 ㄅㄞˇ bǎi)
1. one's father's elder brother; an uncle 2. as in 伯爵—a rank of the nobility—a count
伯母(ㄅㄛˊ ㄇㄨˇ) an aunt (the wife of one's father's elder brother)
伯父(ㄅㄛˊ ㄈㄨˋ) an uncle
伯仲之間(ㄅㄛˊ ㄓㄨㄥˋ ㄓ ㄐㄧㄢ) about the same (in terms of competence, etc.)

估 114
1. ㄍㄨ gū
to estimate; to calculate; to evaluate
估量(ㄍㄨ ㄌㄧㄤˊ) or 估計(ㄍㄨ ㄐㄧˋ) to estimate
估價(ㄍㄨ ㄐㄧㄚˋ) to estimate cost or value
估價單(ㄍㄨ ㄐㄧㄚˋ ㄉㄢ) a list of cost estimate

估 114
2. ㄍㄨˋ gù
to sell (used clothing)

你 115
ㄋㄧˇ nǐ
you (singular)
你們(ㄋㄧˇ ·ㄇㄣ) you (plural)

伴 116
ㄅㄢˋ bàn
1. a companion 2. to accompany
伴娘(ㄅㄢˋ ㄋㄧㄤˊ) the maid of honor
伴郎(ㄅㄢˋ ㄌㄤˊ) the best man
伴侶(ㄅㄢˋ ㄌㄩˇ) a companion; a pal
伴唱機(ㄅㄢˋ ㄔㄤˋ ㄐㄧ) a karaoke亦作「卡拉OK」
伴奏(ㄅㄢˋ ㄗㄡˋ) to accompany (a soloist)
伴隨(ㄅㄢˋ ㄙㄨㄟˊ) to accompany
伴舞(ㄅㄢˋ ㄨˇ) to be a dancing partner

伶 117
ㄌㄧㄥˊ líng
1. a drama performer; a theatrical performer; an actor; an actress 2. lonely; solitary 3. clever; intelligent
伶俐(ㄌㄧㄥˊ ㄌㄧˋ) clever; intelligent

人部

倆牙利齒(ㄌㄧㄥˊ ㄧㄚˊ ㄌㄧˋ ㄔˇ)eloquent

伸 118 ㄕㄣ shēn

1.to stretch; to extend; to straighten 2.to report

伸懶腰(ㄕㄣ ㄌㄢˇ ㄧㄠ)to stretch oneself or one's muscles

伸開(ㄕㄣ ㄎㄞ) to stretch out; to extend

伸展(ㄕㄣ ㄓㄢˇ)to stretch; to extend

伸張(ㄕㄣ ㄓㄤ)to expand (power)

伸張正義(ㄕㄣ ㄓㄤ ㄓㄥˋ ㄧˋ) to be a champion of justice

伸長(ㄕㄣ ㄔㄤˊ) to elongate; to lengthen

伸出(ㄕㄣ ㄔㄨ)to stretch outward

伸訴(ㄕㄣ ㄙㄨˋ)to present a complaint

伸縮(ㄕㄣ ㄙㄨㄛ)to expand and contract

伸縮性(ㄕㄣ ㄙㄨㄛ ㄒㄧㄥˋ)flexibility

伸冤(ㄕㄣ ㄩㄢ) to clear up a false charge

伺 119 1. ㄙˋ sì

to spy; to reconnoiter; to watch

伺服器(ㄙˋ ㄈㄨˊ ㄑㄧˋ)(computer) a server

伺機(ㄙˋ ㄐㄧ)to wait for one's chance

伺 119 2. ㄘˋ cì

to serve

伺候(ㄘˋ ·ㄏㄡ)to wait; to serve

似 120 ㄙˋ sì

1. to resemble; to seem 2. like; as if

似乎(ㄙˋ ㄏㄨ)it seems or appears that

似是而非(ㄙˋ ㄕˋ ㄦˊ ㄈㄟ)seemingly correct but really incorrect

伽 121 1. ㄑㄧㄝˊ qié

(the character is not used alone)

伽藍(ㄑㄧㄝˊ ㄌㄢˊ)a Buddhist temple

伽 121 2. ㄐㄧㄚ jiā

伽瑪(ㄐㄧㄚ ㄇㄚˇ)gamma

佃 122 ㄉㄧㄢˋ diàn

1. as in 佃農—a tenant farmer 2. to tenant a farm 3. hunting

佃租(ㄉㄧㄢˋ ㄗㄨ)land rent

但 123 ㄉㄢˋ dàn

but; however; yet

但是(ㄉㄢˋ ·ㄕ)but; however; yet

但書(ㄉㄢˋ ㄕㄨ)a proviso; a condition

但願(ㄉㄢˋ ㄩㄢˋ)to wish; to hope

佇 124 ㄓㄨˋ zhù

1.to stand (for a long time) 2.to expect

佇立(ㄓㄨˋ ㄌㄧˋ)to stand still

佈 125 ㄅㄨˋ bù

1. to announce; to declare 2. to arrange

佈滿(ㄅㄨˋ ㄇㄢˇ)to be covered with

佈道(ㄅㄨˋ ㄉㄠˋ)to preach the gospel

佈告(ㄅㄨˋ ㄍㄠˋ)a bulletin

佈景(ㄅㄨˋ ㄐㄧㄥˇ) scenery (for the stage)

佈局(ㄅㄨˋ ㄐㄩˊ)the layout

佈置(ㄅㄨˋ ㄓˋ)to make arrangement

位 126 ㄨㄟˋ wèi

1.position; rank 2.location

位置(ㄨㄟˋ ㄓˋ)position (in space); location

位於(ㄨㄟˋ ㄩˊ)situated at; located at

位元(ㄨㄟˋ ㄩㄢˊ)(computers) a bit

低 127 ㄉㄧ dī

1. low 2. to lower

低頭(ㄉㄧ ㄊㄡˊ)to bow one's head

低能兒(ㄉㄧ ㄋㄥˊ ㄦˊ)a mentally retarded child

低欄(ㄉㄧ ㄌㄢˊ)(sports) low hurdles

低落(ㄉㄧ ㄌㄨㄛˋ)low; downcast

低估(ㄉㄧ ㄍㄨ)to underestimate

低級(ㄉㄧ ㄐㄧˊ)① elementary ② vulgar

低氣壓(ㄉㄧ ㄑㄧˋ ㄧㄚ)low atmospheric pressure

低血糖(ㄉㄧ ㄒㄩㄝˋ ㄊㄤˊ)(medicine) hypoglycemia

低潮(ㄉㄧ ㄔㄠˊ)a low tide; a low ebb

低沈(ㄉㄧ ㄔㄣˊ)low and heavy (tone, etc.)

低垂(ㄉㄧ ㄔㄨㄟˊ)to hang low

低聲(ㄉㄧ ㄕㄥ)in a low voice

低聲下氣(ㄉㄧ ㄕㄥ ㄒㄧㄚˋ ㄑㄧˋ)to be meek and timid

低窪(ㄉㄧ ㄨㄚ)low-lying (ground)

低微(ㄉㄧ ㄨㄟˊ)humble (origin)

低溫(ㄉㄧ ㄨㄣ)low temperature

住 128 ㄓㄨˋ zhù

1. to dwell; to inhabit; to live 2. to stop 3. used after verb to complement its meaning

住口(ㄓㄨˋ ㄎㄡˇ)①to stop talking ②Shut up!

住戶(ㄓㄨˋ ㄏㄨˋ)a resident family

住家(ㄓㄨˋ ㄐㄧㄚ)a residence; a home

住址(ㄓㄨˋ ㄓˇ)address

住宅(ㄓㄨˋ ㄓㄞˊ)a residence; a dwelling; a house

住宅區(ㄓㄨˋ ㄓㄞˊ ㄑㄩ)a residential area or district

住手(ㄓㄨˋ ㄕㄡˇ)①Stop! ②to stop an action; to halt

住宿(ㄓㄨˋ ㄙㄨˋ)to stay overnight; to lodge

住院(ㄓㄨˋ ㄩㄢˋ)to be hospitalized

住院醫師(ㄓㄨˋ ㄩㄢˋ ㄧ ㄕ)a resident (in a hospital)

佐 129 ㄗㄨㄛˇ zuǒ

to assist; to aid; to second
佐證(ㄗㄨㄛˇ ㄓㄥˋ)the evidence
佐餐(ㄗㄨㄛˇ ㄘㄢ)to go with rice

佑 130
ㄧㄡˋ yòu
to help; to protect; to aid; to bless

佔 131
ㄓㄢˋ zhàn
to seize; to usurp; to occupy; to take 「by force
佔便宜(ㄓㄢˋ ㄆㄧㄢˊ・ㄧ)to take advantage
佔領(ㄓㄢˋ ㄌㄧㄥˇ)to occupy (a foreign 「territory)
佔據(ㄓㄢˋ ㄐㄩˋ)to take possession of
佔線(ㄓㄢˋ ㄒㄧㄢˋ) (telephone) The line's busy (or engaged).
佔上風(ㄓㄢˋ ㄕㄤˋ ㄈㄥ)to have the upper hand (in a struggle or contest)
佔有(ㄓㄢˋ ㄧㄡˇ)to own; to possess; to have

何 132
ㄏㄜˊ hé
1. what; how; where; why 2. a Chinese family name
何必(ㄏㄜˊ ㄅㄧˋ)why should; why must
何不(ㄏㄜˊ ㄅㄨˋ)why not
何妨(ㄏㄜˊ ㄈㄤ)or(ㄏㄜˊ ㄈㄤˊ)There is no harm (trying, doing, etc.).
何樂不爲(ㄏㄜˊ ㄌㄜˋ ㄅㄨˋ ㄨㄟˊ)Why not do it gladly?
何苦(ㄏㄜˊ ㄎㄨˇ)Why take the trouble?
何況(ㄏㄜˊ ㄎㄨㄤˋ)much less; not to mention
何止(ㄏㄜˊ ㄓˇ)far more than
何者(ㄏㄜˊ ㄓㄜˇ)which one
何嘗(ㄏㄜˊ ㄔㄤˊ)How (could it be an exception)?
何處(ㄏㄜˊ ㄔㄨˋ)where; in what place
何時(ㄏㄜˊ ㄕˊ)when; at what time
何事(ㄏㄜˊ ㄕˋ)What (do you want)?
何足掛齒(ㄏㄜˊ ㄗㄨˊ ㄍㄨㄚˋ ㄔˇ)Don't mention it. (used in formal speech)
何謂(ㄏㄜˊ ㄨㄟˋ)what is meant by

佗 133
ㄊㄨㄛˊ tuó
a load

佘 134
ㄕㄜˊ shé
a Chinese family name

余 135
ㄩˊ yú
1. (in formal speech) I; me 2. a Chinese family name

佚 136
ㄧˋ yì
idleness; comfort

佛 137
ㄈㄛˊ fó
1. Buddha (Sakyamuni 釋迦牟尼) 2. of Buddhism
佛門(ㄈㄛˊ ㄇㄣˊ)Buddhism; the Buddhist faith
佛法(ㄈㄛˊ ㄈㄚˇ)the Buddhist doctrines
佛堂(ㄈㄛˊ ㄊㄤˊ)a Buddhist sanctuary
佛陀(ㄈㄛˊ ㄊㄨㄛˊ)Buddha
佛教(ㄈㄛˊ ㄐㄧㄠˋ)Buddhism
佛經(ㄈㄛˊ ㄐㄧㄥ)the Buddhist scriptures
佛像(ㄈㄛˊ ㄒㄧㄤˋ)a statue of Buddha
佛學(ㄈㄛˊ ㄒㄩㄝˊ)Buddhistic study; Buddhism
佛祖(ㄈㄛˊ ㄗㄨˇ)①Buddha ②Buddhist patriarchs
佛寺(ㄈㄛˊ ㄙˋ)a Buddhist temple

作 138
1. ㄗㄨㄛˋ zuò
1. to do; to make 2. the works (of a writer, etc.) 3. to rise up 4. to pretend; to affect 5. to regard...as; to take...for 6. to write; to compose
作罷(ㄗㄨㄛˋ ㄅㄚˋ)to drop; to give up
作保(ㄗㄨㄛˋ ㄅㄠˇ)to guarantee
作伴(ㄗㄨㄛˋ ㄅㄢˋ)to keep (someone) company
作弊(ㄗㄨㄛˋ ㄅㄧˋ)to cheat (especially in examinations)
作陪(ㄗㄨㄛˋ ㄆㄟˊ)to accompany
作品(ㄗㄨㄛˋ ㄆㄧㄣˇ)the works
作媒(ㄗㄨㄛˋ ㄇㄟˊ)to act as a go-between in marriage
作夢(ㄗㄨㄛˋ ㄇㄥˋ)to dream
作廢(ㄗㄨㄛˋ ㄈㄟˋ)to nullify; to cancel
作風(ㄗㄨㄛˋ ㄈㄥ)one's way of doing things
作對(ㄗㄨㄛˋ ㄉㄨㄟˋ)to oppose; to act against
作東(ㄗㄨㄛˋ ㄉㄨㄥ)to stand treat
作孽(ㄗㄨㄛˋ ㄋㄧㄝˋ)to do evil
作弄(ㄗㄨㄛˋ ㄋㄨㄥˋ)to play a trick on
作古(ㄗㄨㄛˋ ㄍㄨˇ)to die; to pass away
作怪(ㄗㄨㄛˋ ㄍㄨㄞˋ)mischievous; to act mischievously
作官(ㄗㄨㄛˋ ㄍㄨㄢ)to be a government official
作客(ㄗㄨㄛˋ ㄎㄜˋ)to be a guest
作活(ㄗㄨㄛˋ ㄏㄨㄛˊ)to work (for one's living)
作家(ㄗㄨㄛˋ ㄐㄧㄚ)a writer; an author
作假(ㄗㄨㄛˋ ㄐㄧㄚˇ)to pretend
作姦犯科(ㄗㄨㄛˋ ㄐㄧㄢ ㄈㄢˋ ㄎㄜ)to do evil
作繭自縛(ㄗㄨㄛˋ ㄐㄧㄢˇ ㄗˋ ㄈㄨˊ)to get into trouble by one's own schemes
作曲(ㄗㄨㄛˋ ㄑㄩˇ)to compose
作曲家(ㄗㄨㄛˋ ㄑㄩˇ ㄐㄧㄚ)a composer
作秀(ㄗㄨㄛˋ ㄒㄧㄡˋ) (informal) to grandstand; showboating
作者(ㄗㄨㄛˋ ㄓㄜˇ)a writer; an author
作戰(ㄗㄨㄛˋ ㄓㄢˋ)to go to battle; to fight against
作證(ㄗㄨㄛˋ ㄓㄥˋ)to act as a witness in court
作詩(ㄗㄨㄛˋ ㄕ)to write poems
作勢(ㄗㄨㄛˋ ㄕˋ)to pretend
作壽(ㄗㄨㄛˋ ㄕㄡˋ)to celebrate a birth-

入部

day
作聲(ㄗㄨㄛˋ ㄕㄥ)to make noise; to speak
作祟(ㄗㄨㄛˋ ㄙㄨㄟˋ)①(said of spirits) to haunt ②(said of people) to make mischief
作惡多端(ㄗㄨㄛˋ ㄜˋ ㄉㄨㄛ ㄉㄨㄢ)to commit many crimes
作嘔(ㄗㄨㄛˋ ㄡˇ)to nauseate
作案(ㄗㄨㄛˋ ㄢˋ)to commit a crime
作業(ㄗㄨㄛˋ ㄧㄝˋ)students' homework
作業系統(ㄗㄨㄛˋ ㄧㄝˋ ㄒㄧˋ ㄊㄨㄥˇ)(computers) the operating system
作物(ㄗㄨㄛˋ ㄨˋ)crops
作爲(ㄗㄨㄛˋ ㄨㄟˊ)conduct; behavior; action
作文(ㄗㄨㄛˋ ㄨㄣˊ)a composition
作用(ㄗㄨㄛˋ ㄩㄥˋ)①functions; uses ②effect

作 138
2. ㄗㄨㄛ zuō

作癟子(ㄗㄨㄛ ㄅㄧㄝˇ·ㄗ)to be rejected or reproached
作坊(ㄗㄨㄛ ·ㄈㄤ)a small workshop
作雷(ㄗㄨㄛ ㄌㄟˊ)to bring about one's own rain
作死(ㄗㄨㄛ ㄙˇ)to seek one's death; to take the road to ruin; to look for trouble
作酸(ㄗㄨㄛ ㄙㄨㄢ)to feel stomach acidity
作揖(ㄗㄨㄛ ㄧ)a Chinese gesture in greeting with the greeter holding his hands together in an up-and-down motion
作寃(ㄗㄨㄛ ㄩㄢ)to get trapped by oneself

作 138
3. ㄗㄨㄛˊ zuó

作料(ㄗㄨㄛˊ ㄌㄧㄠˋ)ingredients of a recipe; dressing; seasoning; materials
作踐(ㄗㄨㄛˊ ·ㄐㄧㄢ)to abuse; to waste

佞 139
ㄋㄧㄥˋ nìng

1. eloquent; persuasive; gifted with a glib tongue 2. obsequious; fawning 3. to believe (in superstition) 4. one given to flattery
佞佛(ㄋㄧㄥˋ ㄈㄛˊ)to worship Buddha ingratiatingly
佞婦(ㄋㄧㄥˋ ㄈㄨˋ)a glib-tongued woman
佞黨(ㄋㄧㄥˋ ㄉㄤˇ)a clique of traitors
佞口(ㄋㄧㄥˋ ㄎㄡˇ)a person who is glib-tongued and good at flattery
佞幸(ㄋㄧㄥˋ ㄒㄧㄥˋ)flattering
佞臣(ㄋㄧㄥˋ ㄔㄣˊ)a flattering courtier
佞人(ㄋㄧㄥˋ ㄖㄣˊ)an obsequious person who flatters others by his glib tongue in order to gain favors; a bootlicker

佟 140
ㄊㄨㄥˊ tóng

a Chinese family name

六畫

佩 141
ㄆㄟˋ pèi

1. as in 佩帶—to wear; to carry 2. to admire; to adore 3. to be grateful 4. something worn on a girdle or clothing; a pendant
佩服(ㄆㄟˋ ·ㄈㄨ)to admire; to respect
佩帶(ㄆㄟˋ ㄉㄞˋ)to wear; to carry
佩刀(ㄆㄟˋ ㄉㄠ)to wear a knife or sword at the waist; a knife thus worn
佩蘭(ㄆㄟˋ ㄌㄢˊ)*Coumarouna odorata*, a medical herb with a strong smell
佩劍(ㄆㄟˋ ㄐㄧㄢˋ)to wear a sword at the waist
佩觿(ㄆㄟˋ ㄒㄧ)a bodkin worn on a girdle of young people
佩弦(ㄆㄟˋ ㄒㄧㄢˊ)to wear a bowstring as memento—(figuratively) to be willing to follow friendly admonitions
佩勳章(ㄆㄟˋ ㄒㄩㄣ ㄓㄤ)to wear medals
佩韋(ㄆㄟˋ ㄨㄟˊ)① to wear a leather-belt as a memento—(figuratively) to control one's temper ② to be willing to follow friendly admonitions
佩文(ㄆㄟˋ ㄨㄣˊ)phrases and rhymes in Chinese classics
佩玉(ㄆㄟˋ ㄩˋ)a jade ornament

佯 142
ㄧㄤˊ yáng

1. to pretend; to feign; to sham 2. false; deceitful; feigning

佳 143
ㄐㄧㄚ jiā

1. beautiful; good; fine 2. auspicious 3. distinguished
佳賓(ㄐㄧㄚ ㄅㄧㄣ)distinguished or honored guests
佳話(ㄐㄧㄚ ㄏㄨㄚˋ)an interesting story or a story with a happy ending
佳節(ㄐㄧㄚ ㄐㄧㄝˊ)a festival
佳句(ㄐㄧㄚ ㄐㄩˋ)a quotable quote
佳期(ㄐㄧㄚ ㄑㄧˊ)the wedding or nuptial day
佳人(ㄐㄧㄚ ㄖㄣˊ)a beauty
佳作(ㄐㄧㄚ ㄗㄨㄛˋ) an excellent (literary) work
佳偶(ㄐㄧㄚ ㄡˇ)a happily married couple
佳餚(ㄐㄧㄚ ㄧㄠˊ)a delicacy
佳言(ㄐㄧㄚ ㄧㄢˊ)good words
佳音(ㄐㄧㄚ ㄧㄣ)good news

佻 144
ㄊㄧㄠˊ tiáo

1. frivolous; imprudent 2. to steal; stealthily; to act in a furtive manner 3. to delay; dilatory; slow 4. to provoke

佼 145
ㄐㄧㄠˇ jiǎo

1. beautiful; handsome; attractive; charming 2. outstanding
佼好(ㄐㄧㄠˇ ㄏㄠˇ)pretty; pleasant
佼佼者(ㄐㄧㄠˇ ㄐㄧㄠˇ ㄓㄜˇ)an outstanding person

佾 146 ㄧˋ yì
a row or file of dancers, especially referring to those in ancient dances at sacrifices or other rites; a dance squad

使 147 1. ㄕˇ shǐ
1. to use; to employ; to apply 2. to make; to act 3. to indulge in 4. to send as diplomatic personnel; diplomatic envoys 5. if
使命(ㄕˇ ㄇㄧㄥˋ)a mission; a job
使得(ㄕˇ ·ㄉㄜ)① all right ② to cause
使喚(ㄕˇ ㄏㄨㄢˋ)to order others to do something
使勁(ㄕˇ ㄐㄧㄣˋ)to use or apply (greater) force
使性子(ㄕˇ ㄒㄧㄥˋ ·ㄗ)to lose one's temper
使出(ㄕˇ ㄔㄨ)to exert
使眼色(ㄕˇ ㄧㄢˇ ㄙㄜˋ)to say something with eyes
使用(ㄕˇ ㄩㄥˋ)to use; to employ

使 147 2. ㄕˋ shì (或讀 ㄕˇ shǐ)
1. to be appointed as a diplomatic envoy; to be an ambassador to 2. an envoy; an emissary; a minister
使館(ㄕˋ ㄍㄨㄢˇ)a legation; an embassy
使節(ㄕˋ ㄐㄧㄝˊ)an envoy

侃 148 ㄎㄢˇ kǎn
1. straightforward; frank; bold; open 2. amiable; pleasant 3. with confidence and composure
侃侃而談(ㄎㄢˇ ㄎㄢˇ ㄦˊ ㄊㄢˊ)to talk with confidence and composure

來 149 ㄌㄞˊ lái
1. to come; coming; to arrive 2. used in place of a verb 3. to return; to come back; returning 4. future; later on; next 5. ever since
來賓(ㄌㄞˊ ㄅㄧㄣ)a guest; a visitor
來不及(ㄌㄞˊ ·ㄅㄨ ㄐㄧˊ)unable to make it in time
來訪(ㄌㄞˊ ㄈㄤˇ)to come to visit
來福槍(ㄌㄞˊ ㄈㄨˊ ㄑㄧㄤ)a rifle
來得及(ㄌㄞˊ ·ㄉㄜ ㄐㄧˊ)to be able to make it in time
來頭(ㄌㄞˊ ·ㄊㄡ)background
來年(ㄌㄞˊ ㄋㄧㄢˊ)the next year
來來往往(ㄌㄞˊ ㄌㄞˊ ㄨㄤˇ ㄨㄤˇ)coming and going in great numbers
來歷(ㄌㄞˊ ㄌㄧˋ)origin; background
來歷不明(ㄌㄞˊ ㄌㄧˋ ㄅㄨˋ ㄇㄧㄥˊ) of questionable antecedents, source, origin, background, etc.
來臨(ㄌㄞˊ ㄌㄧㄣˊ)to arrive; to come; to approach
來路(ㄌㄞˊ ㄌㄨˋ) source; (personal) background
來龍去脈(ㄌㄞˊ ㄌㄨㄥˊ ㄑㄩˋ ㄇㄛˋ)the beginning and subsequent development of (an incident, etc.)
來函(ㄌㄞˊ ㄏㄢˊ)or 來信(ㄌㄞˊ ㄒㄧㄣˋ) your letter (to me or us)
來回(ㄌㄞˊ ㄏㄨㄟˊ)coming and going
來回票(ㄌㄞˊ ㄏㄨㄟˊ ㄆㄧㄠˋ)a round-trip ticket
來者不拒(ㄌㄞˊ ㄓㄜˇ ㄅㄨˋ ㄐㄩˋ)to grant favors to whoever asks for it
來世(ㄌㄞˊ ㄕˋ)① later generations ② (Buddhism)the future life
來生(ㄌㄞˊ ㄕㄥ)the next life
來日方長 (ㄌㄞˊ ㄖˋ ㄈㄤ ㄔㄤˊ) There is a long time ahead.
來意 (ㄌㄞˊ ㄧˋ) the purpose of a personal call
來由(ㄌㄞˊ ㄧㄡˊ)reason; cause
來往(ㄌㄞˊ ㄨㄤˇ) social intercourse or connection
來源(ㄌㄞˊ ㄩㄢˊ)the source; the origin

侈 150 ㄔˇ chǐ
1. wasteful; luxurious; lavish; extravagant 2. to exaggerate; bragging 3. evildoing 4. excessive
侈靡(ㄔˇ ㄇㄧˇ)extravagant; wasteful

例 151 ㄌㄧˋ lì
1. a regulation; a rule; a custom 2. a precedent 3. an example; an instance 4. regular; routine
例假 (ㄌㄧˋ ㄐㄧㄚˋ) a statutory holiday
例句 (ㄌㄧˋ ㄐㄩˋ) a sentence serving as an example
例行公事(ㄌㄧˋ ㄒㄧㄥˊ ㄍㄨㄥ ㄕˋ)official routine
例證(ㄌㄧˋ ㄓㄥˋ)an antecedent used to clarify or explain a point
例如(ㄌㄧˋ ㄖㄨˊ)for example
例子(ㄌㄧˋ ·ㄗ)an example; an instance
例外(ㄌㄧˋ ㄨㄞˋ)an exception

侍 152 ㄕˋ shì
1. to serve; to wait upon 2. to accompany one's elder or superior 3. a designation for oneself when addressing an elder or a senior 4. an attendant
侍奉(ㄕˋ ㄈㄥˋ)to serve; to attend on
侍女(ㄕˋ ㄋㄩˇ)a maid; a maidservant
侍候(ㄕˋ ㄏㄡˋ)to wait upon; to serve
侍親(ㄕˋ ㄑㄧㄣ)to attend one's parents
侍從(ㄕˋ ㄗㄨㄥˋ)attendants; servants
侍衛(ㄕˋ ㄨㄟˋ)bodyguards

〔人部〕

〔人部〕

侏 153
ㄓㄨ zhū
1. short 2. a pigmy or dwarf
侏儒 (ㄓㄨ ㄖㄨˊ) ①a dwarf ②a court jester

侑 154
ㄧㄡˋ yòu
1. to help 2. to urge (or press) somebody to eat or drink 3. to repay other's kindness

侘 155
ㄔㄚˋ chà
1. to boast 2. disappointed

供 156
1. ㄍㄨㄥ gōng
to supply; to contribute to
供不應求(ㄍㄨㄥ ㄅㄨˋ ㄧㄥˋ ㄑㄧㄡˊ) The supply is unable to meet the demand.
供給(ㄍㄨㄥ ㄐㄧˇ)to provide
供求(ㄍㄨㄥ ㄑㄧㄡˊ)supply and demand
供銷 (ㄍㄨㄥ ㄒㄧㄠ) supply and marketing
供應(ㄍㄨㄥ ㄧㄥˋ)①to supply; to furnish ② supply; support

供 156
2. ㄍㄨㄥˋ gòng
1. to give a statement or an account of a criminal act 2. to offer in worship 3. as in 供品—offerings 4. confession 5. supplies
供桌(ㄍㄨㄥˋ ㄓㄨㄛ)the table on which sacrificial offerings are placed
供認 (ㄍㄨㄥˋ ㄖㄣˋ) to confess; a confession
供詞 (ㄍㄨㄥˋ ㄘˊ) a confession to a criminal act
供養 (ㄍㄨㄥˋ ㄧㄤˇ) to offer provisions (especially to one's elders)

依 157
ㄧ yī
1.to depend on; to lean to 2.to follow; to comply with; to consent; to yield to 3. to be tolerant to; to forgive 4. according to
依法(ㄧ ㄈㄚˇ)according to law
依附 (ㄧ ㄈㄨˋ) ①to depend on ②to submit to
依賴(ㄧ ㄌㄞˋ)to depend on
依戀(ㄧ ㄌㄧㄢˋ)to be reluctant to leave
依靠(ㄧ ㄎㄠˋ)to rely on; to depend on
依舊(ㄧ ㄐㄧㄡˋ)as usual; as before
依據(ㄧ ㄐㄩˋ)according to
依稀(ㄧ ㄒㄧ)unclear; uncertain
依照(ㄧ ㄓㄠˋ)in accordance with
依然(ㄧ ㄖㄢˊ)as before; as usual; still
依次(ㄧ ㄘˋ)in order; one by one
依隨(ㄧ ㄙㄨㄟˊ)to comply with
依依不捨(ㄧ ㄧ ㄅㄨˋ ㄕㄜˇ)unwilling to part (with the loved ones)
依樣(畫)葫蘆 (ㄧ ㄧㄤˋ (ㄏㄨㄚˋ) ㄏㄨˊ ㄌㄨ)to imitate others
依約(ㄧ ㄩㄝ)in accordance with the promise

佬 158
ㄌㄠˇ lǎo
1. a fellow; a man; a guy 2. a vulgar person; a hillbilly

七畫

侮 159
ㄨˇ wǔ
1. to bully 2. to disgrace; to insult; to humiliate 3. an insult; a bully
侮慢(ㄨˇ ㄇㄢˋ) to insult
侮蔑(ㄨˇ ㄇㄧㄝˋ)to disgrace; to slight
侮辱 (ㄨˇ ㄖㄨˇ) to insult; to humiliate; an insult

侯 160
ㄏㄡˊ hóu
1. (in ancient China) the second of the five grades of the nobility 2. the target in archery 3. as in 侯爵—a marquis

侶 161
ㄌㄩˇ lǚ
1. a companion; a mate 2. to associate with

侵 162
ㄑㄧㄣ qīn
1. to raid; to aggress 2. to encroach upon; to use force stealthily 3. to proceed gradually 4. a bad year
侵犯(ㄑㄧㄣ ㄈㄢˋ)(law) to encroach upon other's rights; to invade
侵略(ㄑㄧㄣ ㄌㄩㄝˋ)①to invade ② aggression
侵害(ㄑㄧㄣ ㄏㄞˋ)to infringe or encroach upon
侵襲(ㄑㄧㄣ ㄒㄧˊ)to attack stealthily
侵佔(ㄑㄧㄣ ㄓㄢˋ)to occupy (the property, etc. of another) illegally
侵蝕(ㄑㄧㄣ ㄕˊ)erosion; to erode
侵擾(ㄑㄧㄣ ㄖㄠˇ)to harass
侵入(ㄑㄧㄣ ㄖㄨˋ)to intrude

侷 163
ㄐㄩˊ jú
narrow; cramped; confined
侷處一隅(ㄐㄩˊ ㄔㄨˇ ㄧˋ ㄩˊ)to be confined to a small place or corner
侷促不安(ㄐㄩˊ ㄘㄨˋ ㄅㄨˋ ㄢ) nervous; uneasy

便 164
1. ㄅㄧㄢˋ biàn
1. expedient; convenient; handy 2. fitting; appropriate 3. in that case; even if 4. then 5. advantageous 6. excrement and urine; to relieve oneself 7. informal; at ease; plain
便祕(ㄅㄧㄢˋ ㄇㄧˋ)constipation
便民(ㄅㄧㄢˋ ㄇㄧㄣˊ)to offer greater convenience to the people
便飯(ㄅㄧㄢˋ ㄈㄢˋ)a meal; potluck
便服(ㄅㄧㄢˋ ㄈㄨˊ)ordinary clothing
便道(ㄅㄧㄢˋ ㄉㄠˋ)a shortcut

便當(ㄅㄧㄢˋ ㄉㄤ) a box lunch
便條(ㄅㄧㄢˋ ㄊㄧㄠˊ) a note; a memo
便利(ㄅㄧㄢˋ ㄌㄧˋ) convenience; expediency
便捷(ㄅㄧㄢˋ ㄐㄧㄝˊ) easy and convenient
便橋(ㄅㄧㄢˋ ㄑㄧㄠˊ) a temporary bridge
便鞋(ㄅㄧㄢˋ ㄒㄧㄝˊ) ① cloth shoes ② slippers
便菜(ㄅㄧㄢˋ ㄘㄞˋ) an ordinary dish
便衣(ㄅㄧㄢˋ ㄧ) a plainclothesman

便 164
2. ㄆㄧㄢˊ pián

cheap; inexpensive
便宜(ㄆㄧㄢˊ ˙ㄧ) ①cheap ②to gain advantage

係 165
ㄒㄧˋ xì

1. to bind; to belong to; to attach to; to connect with 2. relationship; consequences 3. to be
係數(ㄒㄧˋ ㄕㄨˋ) (mathematics) coefficient

促 166
ㄘㄨˋ cù

1. close; crowded; near 2. to urge; to hurry; to promote 3. hurried; urgent
促進(ㄘㄨˋ ㄐㄧㄣˋ) to promote
促銷(ㄘㄨˋ ㄒㄧㄠ) sales promotion
促成(ㄘㄨˋ ㄔㄥˊ) to help to materialize
促使(ㄘㄨˋ ㄕˇ) to impel; to urge; to spur

俄 167
1. ㄜˊ é

suddenly; sudden; momentarily
俄頃(ㄜˊ ㄑㄧㄥˇ) soon
俄而(ㄜˊ ㄦˊ) suddenly; soon

俄 167
2. ㄜˋ è

俄國(ㄜˋ ㄍㄨㄛˊ) or 俄羅斯(ㄜˋ ㄌㄨㄛˊ ㄙ) Russia
俄語(ㄜˋ ㄩˇ) Russian (language)

俊 168
ㄐㄩㄣˋ jùn

1. talented; capable; superior; refined; smart; bright 2. handsome; good-looking 3. big; huge
俊美(ㄐㄩㄣˋ ㄇㄟˇ) good-looking; handsome
俊傑(ㄐㄩㄣˋ ㄐㄧㄝˊ) a brave and superior person
俊俏(ㄐㄩㄣˋ ㄑㄧㄠˋ) elegant; graceful
俊秀(ㄐㄩㄣˋ ㄒㄧㄡˋ) talented and superior

俎 169
ㄗㄨˇ zǔ

1. a painted wooden stand used in offering rites 2. a chopping board 3. a small table or stand
俎上肉(ㄗㄨˇ ㄕㄤˋ ㄖㄡˋ) (literally) meat on a chopping board—a helpless victim

俏 170
ㄑㄧㄠˋ qiào

1. like; similar; to resemble; to be like 2. pretty and cute; good-looking 3. (commodities) enjoying brisk sale at higher prices; in great demand 4. (said of stocks) bullish
俏皮(ㄑㄧㄠˋ ˙ㄆㄧ) sarcastic
俏皮話(ㄑㄧㄠˋ ˙ㄆㄧ ㄏㄨㄚˋ) a wise crack
俏麗(ㄑㄧㄠˋ ㄌㄧˋ) beautiful; good-looking

俐 171
ㄌㄧˋ lì

1. facile; easy and quick 2. sharp; clever 3. in good order; tidy; neat
俐落(ㄌㄧˋ ㄌㄨㄛˋ) well-executed

俑 172
ㄩㄥˇ yǒng

(in ancient China) wooden or earthen figures of men and women buried with the dead; a tomb figure

俗 173
ㄙㄨˊ sú

1. customs or customary 2. vulgar; unrefined 3. common; popular 4. lay (as distinguished from clerical); worldly; secular 5. tasteless; trite
俗不可耐(ㄙㄨˊ ㄅㄨˋ ㄎㄜˇ ㄋㄞˋ) unbearably vulgar
俗套(ㄙㄨˊ ㄊㄠˋ) social conventions
俗念(ㄙㄨˊ ㄋㄧㄢˋ) worldly thoughts
俗話(ㄙㄨˊ ㄏㄨㄚˋ) a proverb
俗氣(ㄙㄨˊ ˙ㄑㄧ) vulgarity; vulgar
俗稱(ㄙㄨˊ ㄔㄥ) commonly known as...
俗事(ㄙㄨˊ ㄕˋ) mundane affairs
俗世(ㄙㄨˊ ㄕˋ) earthly life
俗務(ㄙㄨˊ ㄨˋ) chores; routines

俘 174
ㄈㄨˊ fú

1. prisoners of war 2. to capture
俘虜(ㄈㄨˊ ㄌㄨˇ) ① to take prisoner ② a prisoner of war
俘獲(ㄈㄨˊ ㄏㄨㄛˋ) to capture

俚 175
ㄌㄧˇ lǐ

1. vulgar; rustic; unpolished; unrefined 2. a small town or village; a tribe (aborigines, etc.)
俚語(ㄌㄧˇ ㄩˇ) slang; rustic expressions

保 176
ㄅㄠˇ bǎo

1. to guard; to shelter; to protect 2. to guarantee; to insure 3. a waiter or tender 4. to care for 5. to keep; to maintain 6. to stand guarantor or surety for someone
保鏢(ㄅㄠˇ ㄅㄧㄠ) a bodyguard
保密(ㄅㄠˇ ㄇㄧˋ) to keep the secret
保姆(ㄅㄠˇ ㄇㄨˇ) a nurse who looks after small children
保留(ㄅㄠˇ ㄌㄧㄡˊ) to preserve; to reserve
保齡球(ㄅㄠˇ ㄌㄧㄥˊ ㄑㄧㄡˊ) bowling

〔人部〕

保齡球場(ㄅㄠˇ ㄌㄧㄥˊ ㄑㄧㄡˊ ㄔㄤˇ) bowling alleys
保管(ㄅㄠˇ ㄍㄨㄢˇ)to safekeep
保護(ㄅㄠˇ ㄏㄨˋ)to protect; protection
保護國(ㄅㄠˇ ㄏㄨˋ ㄍㄨㄛˊ)a protectorate
保護關稅(ㄅㄠˇ ㄏㄨˋ ㄍㄨㄢ ㄕㄨㄟˋ) a protective tariff
保護人(ㄅㄠˇ ㄏㄨˋ ㄖㄣˊ)a guardian
保護色(ㄅㄠˇ ㄏㄨˋ ㄙㄜˋ)protective coloration
保全(ㄅㄠˇ ㄑㄩㄢˊ)to assure the safety of
保險(ㄅㄠˇ ㄒㄧㄢˇ) ①insurance ②to guarantee
保險費(ㄅㄠˇ ㄒㄧㄢˇ ㄈㄟˋ)insurance premiums
保險套(ㄅㄠˇ ㄒㄧㄢˇ ㄊㄠˋ)a condom
保險槓(ㄅㄠˇ ㄒㄧㄢˇ ㄍㄤˋ)a bumper (of an automobile)
保險公司(ㄅㄠˇ ㄒㄧㄢˇ ㄍㄨㄥ ㄙ)an insurance company
保險箱(ㄅㄠˇ ㄒㄧㄢˇ ㄒㄧㄤ)a safe; a strongbox
保險人(ㄅㄠˇ ㄒㄧㄢˇ ㄖㄣˊ) an insurer; an underwriter
保險絲(ㄅㄠˇ ㄒㄧㄢˇ ㄙ)a fuse wire
保值(ㄅㄠˇ ㄓˊ) to preserve the value (of currency)
保障(ㄅㄠˇ ㄓㄤˋ)to safeguard; to protect
保證(ㄅㄠˇ ㄓㄥˋ)to guarantee; to assure
保證金(ㄅㄠˇ ㄓㄥˋ ㄐㄧㄣ) security deposit
保證書(ㄅㄠˇ ㄓㄥˋ ㄕㄨ)a letter of guaranty
保證人(ㄅㄠˇ ㄓㄥˋ ㄖㄣˊ)a guarantee; a guarantor
保重(ㄅㄠˇ ㄓㄨㄥˋ)Please take good care (of yourself).
保持(ㄅㄠˇ ㄔˊ)to maintain; to keep
保釋(ㄅㄠˇ ㄕˋ)to release on bail
保釋金(ㄅㄠˇ ㄕˋ ㄐㄧㄣ)bail
保守(ㄅㄠˇ ㄕㄡˇ)conservative
保人(ㄅㄠˇ ㄖㄣˊ)a guarantor
保存(ㄅㄠˇ ㄘㄨㄣˊ)to preserve
保存期限(ㄅㄠˇ ㄘㄨㄣˊ ㄑㄧˊ ㄒㄧㄢˋ)the shelf life of a commodity
保安(ㄅㄠˇ ㄢ)①to ensure local security ②public security
保佑(ㄅㄠˇ ㄧㄡˋ)to protect or bless
保養(ㄅㄠˇ ㄧㄤˇ) ①maintenance (of a car, ship, etc.) ②to take care (of health)
保養費(ㄅㄠˇ ㄧㄤˇ ㄈㄟˋ) maintenance cost; upkeep
保衛(ㄅㄠˇ ㄨㄟˋ)to defend
保溫(ㄅㄠˇ ㄨㄣ)to keep (water, etc.) hot
保溫杯(ㄅㄠˇ ㄨㄣ ㄅㄟ)a thermos cup or container

俟 177 ㄙˋ sì
1. to wait for; to await 2. until; as soon as

俠 178 ㄒㄧㄚˊ xiá
1. a person adept in martial arts and dedicated to helping the poor and weak 2. as in 俠義—chivalry
俠客(ㄒㄧㄚˊ ㄎㄜˋ) or 俠士(ㄒㄧㄚˊ ㄕˋ)a man who has a strong sense of justice

信 179 ㄒㄧㄣˋ xìn
1. honesty; truthfulness; faith; confidence; trust 2. believing; true 3. to believe or trust 4. an envoy; an emissary; a messenger 5. news; a message; information; word 6. a letter; mail 7. credentials; evidence; a pledge; a token; a sign 8. free; easy; aimless; at will; at random 9. regular periodical appearance
信筆(ㄒㄧㄣˋ ㄅㄧˇ) to write freely or aimlessly
信步(ㄒㄧㄣˋ ㄅㄨˋ)to wander
信封(ㄒㄧㄣˋ ㄈㄥ)an envelope
信風(ㄒㄧㄣˋ ㄈㄥ)trade wind
信奉(ㄒㄧㄣˋ ㄈㄥˋ)to believe in
信服(ㄒㄧㄣˋ ㄈㄨˊ)to believe in; to trust
信條(ㄒㄧㄣˋ ㄊㄧㄠˊ)a dogma
信徒(ㄒㄧㄣˋ ㄊㄨˊ)a believer (of a religion, etc.)
信託(ㄒㄧㄣˋ ㄊㄨㄛ)trust; to trust
信託公司(ㄒㄧㄣˋ ㄊㄨㄛ ㄍㄨㄥ ㄙ)a trust company
信念(ㄒㄧㄣˋ ㄋㄧㄢˋ)a belief; a conviction
信賴(ㄒㄧㄣˋ ㄌㄞˋ)trust; to trust
信鴿(ㄒㄧㄣˋ ㄍㄜ)a carrier pigeon
信口開河or信口開合(ㄒㄧㄣˋ ㄎㄡˇ ㄎㄞ ㄏㄜˊ)to talk at random; to brag
信口雌黃(ㄒㄧㄣˋ ㄎㄡˇ ㄘ ㄏㄨㄤˊ)to criticize without grounds
信號(ㄒㄧㄣˋ ㄏㄠˋ)a signal
信號彈(ㄒㄧㄣˋ ㄏㄠˋ ㄉㄢˋ)a signal shot
信號燈(ㄒㄧㄣˋ ㄏㄠˋ ㄉㄥ)a semaphore; a signal lamp
信號槍(ㄒㄧㄣˋ ㄏㄠˋ ㄑㄧㄤ)a signal pistol; a flare pistol
信滙(ㄒㄧㄣˋ ㄏㄨㄟˋ) mail transfer (M/T)
信件(ㄒㄧㄣˋ ㄐㄧㄢˋ) mail or letters (collectively)
信息(ㄒㄧㄣˋ ㄒㄧˊ) news; information; a message
信心(ㄒㄧㄣˋ ㄒㄧㄣ)faith; confidence
信箱(ㄒㄧㄣˋ ㄒㄧㄤ)a postbox; a letter box; a post office box (P.O.B.)
信紙(ㄒㄧㄣˋ ㄓˇ)letter paper
信插(ㄒㄧㄣˋ ㄔㄚ)a mail rack
信差(ㄒㄧㄣˋ ㄔㄞ)a postman
信守(ㄒㄧㄣˋ ㄕㄡˇ)to keep (a promise)
信手拈來(ㄒㄧㄣˋ ㄕㄡˇ ㄋㄧㄢ ㄌㄞˊ)to pick at random
信任(ㄒㄧㄣˋ ㄖㄣˋ)to trust
信仰(ㄒㄧㄣˋ ㄧㄤˇ)belief; to admire

信譽(ㄒㄧㄣˋ ㄩˋ)credit and reputation
信用(ㄒㄧㄣˋ ㄩㄥˋ)credit
信用卡(ㄒㄧㄣˋ ㄩㄥˋ ㄎㄚˇ)a credit card
信用合作社(ㄒㄧㄣˋ ㄩㄥˋ ㄏㄜˊ ㄗㄨㄛˋ ㄕㄜˋ)a credit cooperative
信用狀(ㄒㄧㄣˋ ㄩㄥˋ ㄓㄨㄤˋ)a letter of credit

八畫

修 180
ㄒㄧㄡ xiū
1. to repair; to mend 2. to adorn; to decorate 3. to construct; to build 4. long; slender 5. to prune; to cut; to sharpen; to trim 6. to study; to cultivate 7. to write; to compile; to edit
修補(ㄒㄧㄡ ㄅㄨˇ)to repair; to mend
修復(ㄒㄧㄡ ㄈㄨˋ) to complete a repair job
修道院(ㄒㄧㄡ ㄉㄠˋ ㄩㄢˋ)①a monastery ②a nunnery
修訂(ㄒㄧㄡ ㄉㄧㄥˋ)to revise
修訂版(ㄒㄧㄡ ㄉㄧㄥˋ ㄅㄢˇ)a revision; the revised edition
修女(ㄒㄧㄡ ㄋㄩˇ)a Catholic nun; a sister
修理(ㄒㄧㄡ ㄌㄧˇ)to repair; mend
修路(ㄒㄧㄡ ㄌㄨˋ)to repair roads
修改 (ㄒㄧㄡ ㄍㄞˇ) to correct; to alter; to revise
修剪(ㄒㄧㄡ ㄐㄧㄢˇ)to trim, cut, clip, or prune
修建(ㄒㄧㄡ ㄐㄧㄢˋ)to repair and build
修行(ㄒㄧㄡ ㄒㄧㄥˊ)to practice Buddhist or Taoist rules
修指甲(ㄒㄧㄡ ㄓˇ ˙ㄐㄧㄚ)to manicure fingernails; to trim fingernails
修正(ㄒㄧㄡ ㄓㄥˋ)to correct
修築(ㄒㄧㄡ ㄓㄨˊ)to build; to construct
修長(ㄒㄧㄡ ㄔㄤˊ)tall and thin; slender
修飾(ㄒㄧㄡ ㄕˋ)to take care of one's appearance; to doll up
修辭學(ㄒㄧㄡ ㄘˊ ㄒㄩㄝˊ)rhetoric (as a subject of study)
修業 (ㄒㄧㄡ ㄧㄝˋ) to pursue academic studies
修養(ㄒㄧㄡ ㄧㄤˇ)man's moral culture as the result of training

俯 181
ㄈㄨˇ fǔ
1. to face down; to come down; to bow down; to stoop 2. to condescend; to deign
俯瞰(ㄈㄨˇ ㄎㄢˋ) to look down at; to overlook
俯衝(ㄈㄨˇ ㄔㄨㄥ)a dive; to dive
俯拾即是(ㄈㄨˇ ㄕˊ ㄐㄧˊ ㄕˋ)just to stoop and gather—It's everywhere.
俯視(ㄈㄨˇ ㄕˋ)to look down at
俯首(ㄈㄨˇ ㄕㄡˇ)to bend one's head
俯首就範(ㄈㄨˇ ㄕㄡˇ ㄐㄧㄡˋ ㄈㄢˋ)to submit; to surrender

俱 182
ㄐㄩˋ jù (又讀 ㄐㄩ jū)
1. altogether; all 2. to accompany
俱備(ㄐㄩˋ ㄅㄟˋ)all complete
俱樂部(ㄐㄩˋ ㄌㄜˋ ㄅㄨˋ)a club
俱全(ㄐㄩˋ ㄑㄩㄢˊ)to be available in all varieties
俱在(ㄐㄩˋ ㄗㄞˋ)all present

俳 183
ㄆㄞˊ pái
1. a variety show; a vaudeville 2. insincere; not serious 3. as in 俳佪—to walk to and fro

俶 184
1. ㄔㄨˋ chù
1. to begin 2. to arrange the baggage for travel 3. to build

俶 184
2. ㄊㄧˋ tì
not bound by conventions

俸 185
ㄈㄥˋ fèng
emoluments; a salary from the government
俸祿(ㄈㄥˋ ㄌㄨˋ)or俸給(ㄈㄥˋ ㄐㄧˇ) emoluments; a government salary

俺 186
ㄢˇ ǎn
the personal pronoun I, used especially in Shantung Province

俾 187
ㄅㄧˋ bì
1. to cause; to enable 2. that; so that
俾倪(ㄅㄧˋ ㄋㄧˋ)to glance sideways

倀 188
ㄔㄤ chāng
1. (mythology) a ghost controlled by the tiger 2. wild; rash

併 189
(倂) ㄅㄧㄥˋ bìng
1. on a level with; even; equal; to go side by side 2. all; entire 3. together 4. to combine; to annex
併發(ㄅㄧㄥˋ ㄈㄚ)to begin, explode, erupt, occur, etc. at the same time
併發症(ㄅㄧㄥˋ ㄈㄚ ㄓㄥˋ) (medicine)a complication
併吞(ㄅㄧㄥˋ ㄊㄨㄣ)to swallow up entirely
併肩(ㄅㄧㄥˋ ㄐㄧㄢ) shoulder to shoulder

倆 190
1. ㄌㄧㄤˇ liǎng
craft; ability

倆 190
2. ㄌㄧㄚˇ liǎ
two; a pair; a couple
倆口子 (ㄌㄧㄚˇ ㄎㄡˇ ˙ㄗ) husband and wife

倉 191
ㄘㄤ cāng
1. a storehouse; a warehouse 2. a cabin, as in the ship 3. green
倉廩(ㄘㄤ ㄌㄧㄣˇ)a granary
倉庫(ㄘㄤ ㄎㄨˋ)a warehouse

〔人部〕

倉皇(ㄘㄤ ㄏㄨㄤˊ)in haste; hurriedly
倉促 or 倉卒(ㄘㄤ ㄘㄨˋ)in a hurry

個 192
(箇) ㄍㄜˋ gè
1. a numerary adjunct 2. piece 3. single 4. roughly 5. an adjunct to an indefinite pronoun, as this, that
個把月(ㄍㄜˋ ㄅㄚˇ ㄩㄝˋ)a month or two
個別(ㄍㄜˋ ㄅㄧㄝˊ)individually
個體(ㄍㄜˋ ㄊㄧˇ)a matter, etc. having an independent and distinct quality
個體戶(ㄍㄜˋ ㄊㄧˇ ㄏㄨˋ)an individual business or shop
個性(ㄍㄜˋ ㄒㄧㄥˋ)individuality
個人(ㄍㄜˋ ㄖㄣˊ)①the individual as contrasted with the group ②personal
個人電腦(ㄍㄜˋ ㄖㄣˊ ㄉㄧㄢˋ ㄋㄠˇ) PC (personal computer)
個人主義(ㄍㄜˋ ㄖㄣˊ ㄓㄨˇ ㄧˋ)egoism
個子(ㄍㄜˋ •ㄗ)physical size of a person
個案(ㄍㄜˋ ㄢˋ)an individual case

倌 193
ㄍㄨㄢ guān
1. a boy or an assistant in the employ of a teahouse, tavern or restaurant 2. a euphemism for a prostitute 3. the groom

倍 194
ㄅㄟˋ bèi
1. double; to double 2. (joined to a numeral)-times; -fold 3. to rebel
倍率(ㄅㄟˋ ㄌㄩˋ)percentage
倍數(ㄅㄟˋ ㄕㄨˋ)a multiple

倞 195
ㄐㄧㄥˋ jìng
strong

倏 196
ㄕㄨˋ shù
hastily; suddenly
倏忽(ㄕㄨˋ ㄏㄨ)all of a sudden

倕 197
ㄔㄨㄟˊ chuí
name of an expert craftsman in ancient China

們 198
ㄇㄣˊ mén
(語音 •ㄇㄣ men)
(usually said of persons) an adjunct to a pronoun or noun to indicate plurality

倒 199
1. ㄉㄠˇ dǎo
to fall down; to lie down
倒閉(ㄉㄠˇ ㄅㄧˋ)or 倒店(ㄉㄠˇ ㄉㄧㄢˋ) to close down a shop
倒楣(ㄉㄠˇ ㄇㄟˊ)to be out of luck
倒塌(ㄉㄠˇ ㄊㄚ)to collapse; to cave in
倒臺(ㄉㄠˇ ㄊㄞˊ)to fall from power
倒頭便睡(ㄉㄠˇ ㄊㄡˊ ㄅㄧㄢˋ ㄕㄨㄟˋ)to fall asleep as soon as one goes to bed
倒閣(ㄉㄠˇ ㄍㄜˊ) the resignation of the cabinet
倒胃口(ㄉㄠˇ ㄨㄟˋ ㄎㄡˇ) to spoil one's appetite

倒 199
2. ㄉㄠˋ dào
1. to inverse; to place upside down; in reverse order or the wrong direction 2. to pour out; to empty 3. on the contrary 4. after all 5. but; and yet
倒不如 (ㄉㄠˋ •ㄅㄨ ㄖㄨˊ) ① would rather ② not better than
倒退(ㄉㄠˋ ㄊㄨㄟˋ)to go backwards
倒立(ㄉㄠˋ ㄌㄧˋ)to stand upside down
倒流(ㄉㄠˋ ㄌㄧㄡˊ)to flow backward
倒戈(ㄉㄠˋ ㄍㄜ)mutiny
倒灌(ㄉㄠˋ ㄍㄨㄢˋ)to flow backward
倒行逆施 (ㄉㄠˋ ㄒㄧㄥˊ ㄋㄧˋ ㄕ) to go against commonsense rules
倒敍(ㄉㄠˋ ㄒㄩˋ)the flashback
倒置(ㄉㄠˋ ㄓˋ)to place emphasis on the wrong point
倒裝(ㄉㄠˋ ㄓㄨㄤ) (rhetoric) hyperbaton
倒車 (ㄉㄠˋ ㄔㄜ) to back up a car, locomotive, etc.
倒數 (ㄉㄠˋ ㄕㄨˇ) to count from bottom to top
倒數計時(ㄉㄠˋ ㄕㄨˇ ㄐㄧˋ ㄕˊ)to count down; countdown
倒彩(ㄉㄠˋ ㄘㄞˇ) (Chinese opera) to applaud when a performer slips
倒影(ㄉㄠˋ ㄧㄥˇ)the reflection of something in the water

倔 200
1. ㄐㄩㄝˊ jué
intransigent; hard; obstinate; stubborn
倔強(ㄐㄩㄝˊ ㄐㄧㄤˋ)obstinate; stubborn
倔起(ㄐㄩㄝˊ ㄑㄧˇ)(said of a nation) to rise suddenly

倔 200
2. ㄐㄩㄝˋ juè
gruff; surly; rude in manner or speech

倖 201
ㄒㄧㄥˋ xìng
1. good luck; lucky; fortunate 2. to dote on; to spoil
倖免(ㄒㄧㄥˋ ㄇㄧㄢˇ)to survive luckily
倖存(ㄒㄧㄥˋ ㄘㄨㄣˊ)to survive by good luck

倘 202
ㄊㄤˇ tǎng
if; supposing; in the event of
倘若(ㄊㄤˇ ㄖㄨㄛˋ)if; in case

候 203
ㄏㄡˋ hòu
1. to wait; to expect 2. a period; time; a season 3. a situation; a condition 4. to pay (bills) 5. to greet; to inquire after
候補(ㄏㄡˋ ㄅㄨˇ)waiting to fill a vacancy

候鳥(ㄏㄡˋ ㄋㄧㄠˇ)migratory birds
候機室(ㄏㄡˋ ㄐㄧ ㄕˋ)a lounge or waiting room
候駕(ㄏㄡˋ ㄐㄧㄚˋ) to await (your) gracious presence
候選人(ㄏㄡˋ ㄒㄩㄢˇ ㄖㄣˊ)a candidate
候診(ㄏㄡˋ ㄓㄣˇ)to wait to see the doctor
候車室(ㄏㄡˋ ㄔㄜ ㄕˋ)a waiting room (at a railway station or bus terminal)
候審(ㄏㄡˋ ㄕㄣˇ) (law) to await trial

倚 204 ㄧˇ yǐ
1. to rely on; to depend on 2. to lean toward; to rest on 3. biased; partial
倚傍(ㄧˇ ㄅㄤˋ)to pattern after
倚賴(ㄧˇ ㄌㄞˋ)to rely on (others)
倚老賣老(ㄧˇ ㄌㄠˇ ㄇㄞˋ ㄌㄠˇ)to presume on age to despise the youth
倚靠(ㄧˇ ㄎㄠˋ)① to lean against ② to rely on; to trust to ③ support
倚仗(ㄧˇ ㄓㄤˋ)to presume on

倜 205 ㄊㄧˋ tì
1. to raise high 2. unrestrained; unoccupied
倜儻or俶儻 (ㄊㄧˋ ㄊㄤˇ) elegant in a casual way

借 206 ㄐㄧㄝˋ jiè
1. to lend 2. to borrow 3. to avail oneself of; to make use of 4. to make a pretext of 5. if; supposing
借貸(ㄐㄧㄝˋ ㄉㄞˋ)to ask for a loan
借刀殺人(ㄐㄧㄝˋ ㄉㄠ ㄕㄚ ㄖㄣˊ)to kill one's enemy by another's hands
借題發揮(ㄐㄧㄝˋ ㄊㄧˊ ㄈㄚ ㄏㄨㄟ)to make an issue of
借古諷今(ㄐㄧㄝˋ ㄍㄨˇ ㄈㄥˋ ㄐㄧㄣ)to use the past to disparage the present
借故推托(ㄐㄧㄝˋ ㄍㄨˋ ㄊㄨㄟ ㄊㄨㄛ)to find an excuse to refuse
借款(ㄐㄧㄝˋ ㄎㄨㄢˇ)to borrow money
借款利息(ㄐㄧㄝˋ ㄎㄨㄢˇ ㄌㄧˋ ㄒㄧˊ)borrowing interest
借鏡(ㄐㄧㄝˋ ㄐㄧㄥˋ)to learn a lesson from another person's experience
借據(ㄐㄧㄝˋ ㄐㄩˋ)an I.O.U.
借助(ㄐㄧㄝˋ ㄓㄨˋ)to have the aid of
借重(ㄐㄧㄝˋ ㄓㄨㄥˋ)to rely on
借書證(ㄐㄧㄝˋ ㄕㄨ ㄓㄥˋ)a library card
借宿(ㄐㄧㄝˋ ㄙㄨˋ)to stay overnight in another's place (or hotel, etc.)
借問(ㄐㄧㄝˋ ㄨㄣˋ)Will you please tell me...?
借用(ㄐㄧㄝˋ ㄩㄥˋ)to borrow

倡 207 1. ㄔㄤ chāng
1. a prostitute 2. wild and unrestrained
倡狂(ㄔㄤ ㄎㄨㄤˊ)profligate

倡 207 2. ㄔㄤˋ chàng
to lead; to introduce; to initiate; to advocate
倡導(ㄔㄤˋ ㄉㄠˇ)to lead; to advocate
倡議 (ㄔㄤˋ ㄧˋ) to make a motion; to advocate

值 208 ㄓˊ zhí
1. prices of commodities; value; cost; to cost; to be worth 2. at the time of... 3. to meet; to happen
值班(ㄓˊ ㄅㄢ)to be on duty
值得(ㄓˊ ·ㄉㄜ)to deserve
值錢(ㄓˊ ㄑㄧㄢˊ)valuable; expensive
值勤(ㄓˊ ㄑㄧㄣˊ)to be on duty
值日生(ㄓˊ ㄖˋ ㄕㄥ)the student on duty

倦 209 ㄐㄩㄢˋ juàn
tired; weary
倦怠(ㄐㄩㄢˋ ㄉㄞˋ)to be tired; worn out

倨 210 ㄐㄩˋ jù
1. haughty; rude; arrogant 2. slightly bent
倨傲(ㄐㄩˋ ㄠˋ)haughty; rude; conceited

倩 211 ㄑㄧㄢˋ qiàn
1. pretty dimples of a smiling woman 2. handsome 3. a son-in-law 4. to ask somebody to do something for oneself
倩影(ㄑㄧㄢˋ ㄧㄥˇ)the beautiful image of a woman

倪 212 ㄋㄧˊ ní
1. young and weak 2. division 3. a beginning 4. a limit; bounds

倫 213 ㄌㄨㄣˊ lún
1. normal relationships among people 2. comparison 3. classification 4. order; logic 5. regular; ordinary 6. to choose; choice
倫敦(ㄌㄨㄣˊ ㄉㄨㄣ)London
倫理(ㄌㄨㄣˊ ㄌㄧˇ)ethics
倫常(ㄌㄨㄣˊ ㄔㄤˊ)normal and accepted ways and relationships of people

倭 214 1. ㄨㄛ wō
name of a human race; an old name for Japan
倭寇(ㄨㄛ ㄎㄡˋ) (ancient usage) the dwarf pirates; the Japs

倭 214 2. ㄨㄟ wēi
倭遲 (ㄨㄟ ㄔˊ) winding; circuitous; meandering

九畫

偃 215 ㄧㄢˇ yǎn

〔人部〕

〔人部〕

1. to cease; to be at rest; to stop; to suppress; to lay off 2. to lie on one's back 3. an embankment

假 216
1. ㄐㄧㄚˇ jiǎ

1. false; not real; phoney; artificial; fake; bogus; sham 2. supposing; if 3. to borrow; to avail oneself of
假扮(ㄐㄧㄚˇ ㄅㄢˋ)to disguise
假冒(ㄐㄧㄚˇ ㄇㄠˋ)to counterfeit
假面具(ㄐㄧㄚˇ ㄇㄧㄢˋ ㄐㄩˋ)a mask—a false front
假名(ㄐㄧㄚˇ ㄇㄧㄥˊ)a false name; a pseudonym
假髮(ㄐㄧㄚˇ ㄈㄚˇ)a wig
假分數(ㄐㄧㄚˇ ㄈㄣ ㄕㄨˋ)(arithmetic) an improper fraction
假定(ㄐㄧㄚˇ ㄉㄧㄥˋ)if; assuming
假動作(ㄐㄧㄚˇ ㄉㄨㄥˋ ㄗㄨㄛˋ)(sports) dummy play
假花(ㄐㄧㄚˇ ㄏㄨㄚ)an artificial flower
假話(ㄐㄧㄚˇ ㄏㄨㄚˋ)a lie; a falsehood
假借名義(ㄐㄧㄚˇ ㄐㄧㄝˋ ㄇㄧㄥˊ ㄧˋ) under the guise of; in the name of
假想(ㄐㄧㄚˇ ㄒㄧㄤˇ) an imagination; a hypothesis
假想敵(ㄐㄧㄚˇ ㄒㄧㄤˇ ㄉㄧˊ)a hypothetical enemy
假象(ㄐㄧㄚˇ ㄒㄧㄤˋ)false appearances or impressions
假惺惺(ㄐㄧㄚˇ ㄒㄧㄥ ˙ㄒㄧㄥ)to pretend; to shed crocodile tears
假性近視(ㄐㄧㄚˇ ㄒㄧㄥˋ ㄐㄧㄣˋ ㄕˋ) pseudomyopia
假正經(ㄐㄧㄚˇ ㄓㄥˋ ㄐㄧㄥ)hypocritical
假裝(ㄐㄧㄚˇ ㄓㄨㄤ)to pretend
假使(ㄐㄧㄚˇ ㄕˇ)if; in case; supposing
假釋(ㄐㄧㄚˇ ㄕˋ)to parole; parole
假設(ㄐㄧㄚˇ ㄕㄜˋ)a hypothesis
假手(ㄐㄧㄚˇ ㄕㄡˇ)to do something by means of (an agent)
假山(ㄐㄧㄚˇ ㄕㄢ)a small artificial hill
假聲(ㄐㄧㄚˇ ㄕㄥ)(music) falsetto
假仁假義(ㄐㄧㄚˇ ㄖㄣˊ ㄐㄧㄚˇ ㄧˋ) to shed crocodile tears
假如(ㄐㄧㄚˇ ㄖㄨˊ)supposing; in case; if
假若(ㄐㄧㄚˇ ㄖㄨㄛˋ) if; supposing; in case
假造(ㄐㄧㄚˇ ㄗㄠˋ) to forge; to counterfeit
假慈悲(ㄐㄧㄚˇ ㄘˊ ㄅㄟ) pretending to be kindhearted
假以時日(ㄐㄧㄚˇ ㄧˇ ㄕˊ ㄖˋ)to give sufficient time
假牙(ㄐㄧㄚˇ ㄧㄚˊ) a false tooth; a denture

假 216
2. ㄐㄧㄚˋ jià

a holiday
假條(ㄐㄧㄚˋ ㄊㄧㄠˊ)① an application for leave ② a leave permit
假期(ㄐㄧㄚˋ ㄑㄧˊ)a vacation; a holiday
假日(ㄐㄧㄚˋ ㄖˋ)a holiday

偈 217
ㄐㄧㄝˊ jié

1. brave; martial 2. hasty; scudding

偉 218
ㄨㄟˇ wěi

extraordinary; great; big
偉大(ㄨㄟˇ ㄉㄚˋ)great; extraordinary
偉績(ㄨㄟˇ ㄐㄧ)great achievements
偉人(ㄨㄟˇ ㄖㄣˊ)a great man
偉業(ㄨㄟˇ ㄧㄝˋ) monumental accomplishments

偌 219
ㄖㄨㄛˋ ruò

so (used as an adverb to modify an adjective)

偎 220
ㄨㄟ wēi

1. to cuddle; to embrace 2. intimate; very dear to 3. to lean on
偎貼(ㄨㄟ ㄊㄧㄝ)to snuggle close to
偎倚(ㄨㄟ ㄧˇ)or 偎依(ㄨㄟ ㄧ)to cuddle or curl up

偏 221
ㄆㄧㄢ piān

1. biased; not fair; prejudiced; partial 2. leaning; inclined to one side
偏頗(ㄆㄧㄢ ㄆㄛ)partial; biased
偏僻(ㄆㄧㄢ ㄆㄧˋ)out-of-the-way
偏偏(ㄆㄧㄢ ㄆㄧㄢ)unfortunately it happened that...
偏方(ㄆㄧㄢ ㄈㄤ)(Chinese medicine) an informal recipe or prescription
偏房(ㄆㄧㄢ ㄈㄤˊ)a concubine
偏頭痛(ㄆㄧㄢ ㄊㄡˊ ㄊㄨㄥˋ)(medicine) hemicrania
偏袒(ㄆㄧㄢ ㄊㄢˇ)partiality; partial
偏勞(ㄆㄧㄢ ㄌㄠˊ)"Thanks for the good work."
偏離(ㄆㄧㄢ ㄌㄧˊ)to deviate; to diverge
偏光鏡(ㄆㄧㄢ ㄍㄨㄤ ㄐㄧㄥˋ)a polariscope
偏好(ㄆㄧㄢ ㄏㄠˋ)a hobby
偏護(ㄆㄧㄢ ㄏㄨˋ)partial; to favor one side against the other
偏激(ㄆㄧㄢ ㄐㄧ)extreme; radical
偏見(ㄆㄧㄢ ㄐㄧㄢˋ)prejudice; bias
偏心(ㄆㄧㄢ ㄒㄧㄣ)partiality; bias
偏向(ㄆㄧㄢ ㄒㄧㄤˋ)to lean or to be inclined toward
偏重(ㄆㄧㄢ ㄓㄨㄥˋ) to give undue emphasis to
偏差(ㄆㄧㄢ ㄔㄚ)errors; deviation
偏食(ㄆㄧㄢ ㄕˊ) to eat certain dishes only
偏蝕(ㄆㄧㄢ ㄕˊ)a partial eclipse (of the sun or moon)
偏私(ㄆㄧㄢ ㄙ)biased; favoritism
偏愛(ㄆㄧㄢ ㄞˋ)personal favorites
偏遠(ㄆㄧㄢ ㄩㄢˇ)remote; faraway

偓 222
ㄨㄛˋ wò

narrow-mindedness

偕 223 ㄒㄧㄝˊ xié
(又讀 ㄐㄧㄝ jiē)
1. to accompany 2. together
偕同(ㄒㄧㄝˊ ㄊㄨㄥˊ)in company with
偕老(ㄒㄧㄝˊ ㄌㄠˇ)to grow old together as man and wife

做 224 ㄗㄨㄛˋ zuò
1. to work; to make; to do 2. to act as 3. to pretend to be 4. to give (a party, etc.) 5. to enter (a profession) 6. to become
做伴(ㄗㄨㄛˋ ㄅㄢˋ)to keep somebody company
做媒(ㄗㄨㄛˋ ㄇㄟˊ)to be a matchmaker
做夢(ㄗㄨㄛˋ ㄇㄥˋ) ①to dream ②to daydream
做法(ㄗㄨㄛˋ ㄈㄚˇ) way of doing a thing; practice
做飯(ㄗㄨㄛˋ ㄈㄢˋ)to prepare a meal
做到(ㄗㄨㄛˋ ㄉㄠˋ)to achieve
做東(ㄗㄨㄛˋ ㄉㄨㄥ)to host
做頭髮(ㄗㄨㄛˋ ㄊㄡˊ ㄈㄚˇ)to have one's hair done at a beauty parlor
做禮拜(ㄗㄨㄛˋ ㄌㄧˇ ㄅㄞˋ) to go to church; to be at church
做弄(ㄗㄨㄛˋ ㄋㄨㄥˋ)to play jokes upon
做工(ㄗㄨㄛˋ ㄍㄨㄥ) to work
做客(ㄗㄨㄛˋ ㄎㄜˋ)to be a guest
做好事(ㄗㄨㄛˋ ㄏㄠˇ ㄕˋ) to do a good deed
做好人(ㄗㄨㄛˋ ㄏㄠˇ ㄖㄣˊ)to play the role of a good guy
做假(ㄗㄨㄛˋ ㄐㄧㄚˇ)to cheat
做主(ㄗㄨㄛˋ ㄓㄨˇ)to take charge of
做莊(ㄗㄨㄛˋ ㄓㄨㄤ)(gambling) to be the banker
做事(ㄗㄨㄛˋ ㄕˋ)①to handle affairs; to act ②to work; to have a job
做聲(ㄗㄨㄛˋ ㄕㄥ)to make a sound
做生意(ㄗㄨㄛˋ ㄕㄥ ㄧˋ) to do business transactions
做人(ㄗㄨㄛˋ ㄖㄣˊ) to conduct oneself; to behave
做人情(ㄗㄨㄛˋ ㄖㄣˊ ㄑㄧㄥˊ)to do something as a favor
做作(ㄗㄨㄛˋ ㄗㄨㄛˋ)①affectation; pretentiousness ②to affect
做愛(ㄗㄨㄛˋ ㄞˋ)to make love
做文章(ㄗㄨㄛˋ ㄨㄣˊ ㄓㄤ)①to write an essay ②to make an issue of

停 225 ㄊㄧㄥˊ tíng
1. to stop; to pause; to halt; to stay 2. to suspend; to delay 3. percentage
停泊(ㄊㄧㄥˊ ㄅㄛˊ)to anchor; to dock
停擺(ㄊㄧㄥˊ ㄅㄞˇ)to suspend work
停辦(ㄊㄧㄥˊ ㄅㄢˋ) to suspend (a business or school)
停飛(ㄊㄧㄥˊ ㄈㄟ) the grounding of aircraft
停放(ㄊㄧㄥˊ ㄈㄤˋ)to park; to place
停電(ㄊㄧㄥˊ ㄉㄧㄢˋ)power failure
停頓(ㄊㄧㄥˊ ㄉㄨㄣˋ)to suspend
停留(ㄊㄧㄥˊ ㄌㄧㄡˊ)to stay; to remain
停工(ㄊㄧㄥˊ ㄍㄨㄥ)to suspend work
停課(ㄊㄧㄥˊ ㄎㄜˋ)to suspend class
停刊(ㄊㄧㄥˊ ㄎㄢ)to stop publication
停航(ㄊㄧㄥˊ ㄏㄤˊ)to suspend air or shipping service
停火(ㄊㄧㄥˊ ㄏㄨㄛˇ)to cease fire
停機坪(ㄊㄧㄥˊ ㄐㄧ ㄆㄧㄥˊ)an apron (at an airfield)
停經期(ㄊㄧㄥˊ ㄐㄧㄥ ㄑㄧˊ)menopause
停息(ㄊㄧㄥˊ ㄒㄧˊ)to stop; to cease
停歇(ㄊㄧㄥˊ ㄒㄧㄝ)to stop for a rest
停職(ㄊㄧㄥˊ ㄓˊ)to suspend a person from office
停止(ㄊㄧㄥˊ ㄓˇ)to stop; to cease
停滯(ㄊㄧㄥˊ ㄓˋ)to stop or be held up
停戰(ㄊㄧㄥˊ ㄓㄢˋ)to stop fighting
停車(ㄊㄧㄥˊ ㄔㄜ)to park a car
停車費(ㄊㄧㄥˊ ㄔㄜ ㄈㄟˋ)parking fee
停車證(ㄊㄧㄥˊ ㄔㄜ ㄓㄥˋ)a parking ticket
停車場(ㄊㄧㄥˊ ㄔㄜ ㄔㄤˇ)a parking lot
停屍間(ㄊㄧㄥˊ ㄕ ㄐㄧㄢ)a mortuary
停水(ㄊㄧㄥˊ ㄕㄨㄟˇ)to cut off the water supply
停業(ㄊㄧㄥˊ ㄧㄝˋ)to close down

健 226 ㄐㄧㄢˋ jiàn
1. healthy; strong 2. vigorous; capable 3. fond of; inclined to; liable to 4. to strengthen; to toughen
健美(ㄐㄧㄢˋ ㄇㄟˇ)healthy and pretty
健談(ㄐㄧㄢˋ ㄊㄢˊ)brilliant conversation
健康(ㄐㄧㄢˋ ㄎㄤ)① health ② healthy
健康食品(ㄐㄧㄢˋ ㄎㄤ ㄕˊ ㄆㄧㄣˇ)health food
健將(ㄐㄧㄢˋ ㄐㄧㄤˋ)one who plays a leading role in an activity
健全(ㄐㄧㄢˋ ㄑㄩㄢˊ)in good condition
健行(ㄐㄧㄢˋ ㄒㄧㄥˊ)to hike; hiking
健壯(ㄐㄧㄢˋ ㄓㄨㄤˋ)strong and vigorous
健身房(ㄐㄧㄢˋ ㄕㄣ ㄈㄤˊ)a gymnasium
健身操(ㄐㄧㄢˋ ㄕㄣ ㄘㄠ)calisthenics
健在(ㄐㄧㄢˋ ㄗㄞˋ)to be in good health; alive
健忘(ㄐㄧㄢˋ ㄨㄤˋ)forgetful; liable to forget
健忘症(ㄐㄧㄢˋ ㄨㄤˋ ㄓㄥˋ) (pathology) amnesia

偬 227 ㄗㄨㄥˇ zǒng
1. urgent; having no leisure; busy 2. to be in (financial, etc.) straits

側 228 ㄘㄜˋ cè

〔人部〕

1. the side; sideways 2. to slant; to incline towards 3. prejudiced
側門(ㄘㄜˋ ㄇㄣˊ)a side door
側面(ㄘㄜˋ ㄇㄧㄢˋ)the side; the flank
側面消息(ㄘㄜˋ ㄇㄧㄢˋ ㄒㄧㄠ ㄒㄧˊ)sidelights
側目(ㄘㄜˋ ㄇㄨˋ)① a sidelong glance ② to cause raised eyebrows
側重(ㄘㄜˋ ㄓㄨㄥˋ)to place particular emphasis on
側臥(ㄘㄜˋ ㄨㄛˋ)to lie on the side

偵 229 ㄓㄣ zhēn
1. to detect; to spy; to scout 2. a scout; a spy; a detective
偵破(ㄓㄣ ㄆㄛˋ)to bust a crime
偵探(ㄓㄣ ㄊㄢˋ)a detective
偵探小說(ㄓㄣ ㄊㄢˋ ㄒㄧㄠˇ ㄕㄨㄛ) detective stories
偵查(ㄓㄣ ㄔㄚˊ)to investigate
偵察(ㄓㄣ ㄔㄚˊ)reconnaissance; to reconnoiter
偵察機(ㄓㄣ ㄔㄚˊ ㄐㄧ)a reconnaissance plane

偶 230 ㄡˇ ǒu
1. an idol; an image 2. coincidentally; accidentally 3. once in a while; occasionally 4. not to be taken for granted 5. an even number 6. a counterpart 7. a mate 8. fellows
偶發(ㄡˇ ㄈㄚ)to happen accidentally
偶像(ㄡˇ ㄒㄧㄤˋ)an idol; an image
偶數(ㄡˇ ㄕㄨˋ)an even number
偶然(ㄡˇ ㄖㄢˊ)① unexpectedly ② accidentally; by chance
偶爾(ㄡˇ ㄦˇ)or 偶而(ㄡˇ ㄦˊ)occasionally

偷 231 ㄊㄡ tōu
1. to steal; to filch 2. stealthily 3. to while away time without purpose 4. to have an extramarital activity
偷渡(ㄊㄡ ㄉㄨˋ)to stow away
偷渡客(ㄊㄡ ㄉㄨˋ ㄎㄜˋ)an illegal alien
偷渡者(ㄊㄡ ㄉㄨˋ ㄓㄜˇ)a stowaway
偷偷(ㄊㄡ ㄊㄡ)stealthily; secretly
偷偷摸摸(ㄊㄡ ˙ㄊㄡ ㄇㄛ ㄇㄛ)stealthily; surreptitiously
偷天換日(ㄊㄡ ㄊㄧㄢ ㄏㄨㄢˋ ㄖˋ)to commit a big cheat, fraud, etc.
偷聽(ㄊㄡ ㄊㄧㄥ)to eavesdrop
偷懶(ㄊㄡ ㄌㄢˇ)to be lazy
偷工減料(ㄊㄡ ㄍㄨㄥ ㄐㄧㄢˇ ㄌㄧㄠˋ)to jerry-build
偷看(ㄊㄡ ㄎㄢˋ)to steal a look; to act Peeping Tom
偷雞摸狗(ㄊㄡ ㄐㄧ ㄇㄛ ㄍㄡˇ)to engage in under-the-table dealings
偷竊(ㄊㄡ ㄑㄧㄝˋ) to steal
偷襲(ㄊㄡ ㄒㄧˊ)to attack by surprise; a surprise attack
偷閒(ㄊㄡ ㄒㄧㄢˊ)to steal a moment of leisure
偷生(ㄊㄡ ㄕㄥ)to live in disgrace

十畫

傢 232 ㄐㄧㄚ jiā
1. furniture 2. a tool or tools
傢伙(ㄐㄧㄚ ˙ㄏㄨㄛ) (in a comical sense) a character
傢具 or 家具(ㄐㄧㄚ ㄐㄩˋ)furniture

傀 233 1. ㄎㄨㄟˇ kuǐ
as in 傀儡—a puppet
傀儡戲 (ㄎㄨㄟˇ ㄌㄟˇ ㄒㄧˋ) a puppet show

傀 233 2. ㄍㄨㄟ guī
great; wonderful

傅 234 ㄈㄨˋ fù
1. a teacher; to teach 2. to go together with; to add to 3. a Chinese family name

傍 235 1. (旁) ㄆㄤˊ páng
beside; by the side of
傍邊(ㄆㄤˊ ㄅㄧㄢ)beside
傍聽(ㄆㄤˊ ㄊㄧㄥ)to audit (at a college class)
傍偟(ㄆㄤˊ ㄏㄨㄤˊ)vacillating

傍 235 2. ㄅㄤ bāng
near; approaching
傍晚(ㄅㄤ ㄨㄢˇ)dusk; twilight; nightfall

傍 235 3. ㄅㄤˋ bàng
1. to depend on 2. to be close to

傑 236 ㄐㄧㄝˊ jié
1. outstanding; remarkable; extraordinary 2. a hero
傑出(ㄐㄧㄝˊ ㄔㄨ)outstanding; eminent; extraordinary
傑作(ㄐㄧㄝˊ ㄗㄨㄛˋ)a masterpiece

傖 237 ㄘㄤ cāng
1. (said of persons) vulgar; cheap; lowly 2. confused; disorderly

傘 238 ㄙㄢˇ sǎn
1. an umbrella 2. a parachute
傘兵(ㄙㄢˇ ㄅㄧㄥ)paratroopers

備 239 ㄅㄟˋ bèi
1. a sense of completeness; perfection 2. to be equipped with 3. to get ready 4. to prepare against 5. fully; in every possible way
備胎(ㄅㄟˋ ㄊㄞ)a spare tire

備取(ㄅㄟˋ ㄑㄩˇ)candidates on the waiting list for admission to a school
備至(ㄅㄟˋ ㄓˋ)to the utmost
備註(ㄅㄟˋ ㄓㄨˋ)remarks or footnotes
備查(ㄅㄟˋ ㄔㄚˊ)for reference
備案(ㄅㄟˋ ㄢˋ)to serve as a record
備忘錄(ㄅㄟˋ ㄨㄤˋ ㄌㄨˋ)a memorandum
備用(ㄅㄟˋ ㄩㄥˋ)reserve; spare

傚 240
ㄒㄧㄠˋ xiào
to model after; to imitate; to emulate; to copy
傚尤(ㄒㄧㄠˋ ㄧㄡˊ)emulation (of bad example)

十一畫

催 241
ㄘㄨㄟ cuī
to hasten; to urge; to press; to hurry
催眠(ㄘㄨㄟ ㄇㄧㄢˊ)to hypnotize
催眠術(ㄘㄨㄟ ㄇㄧㄢˊ ㄕㄨˋ)hypnotism
催討(ㄘㄨㄟ ㄊㄠˇ) to press for repayment of a debt
催淚彈(ㄘㄨㄟ ㄌㄟˋ ㄉㄢˋ) a tear gas bomb
催化劑(ㄘㄨㄟ ㄏㄨㄚˋ ㄐㄧˋ) (chemistry) a catalyst
催促(ㄘㄨㄟ ㄘㄨˋ) to hasten; to urge; to press

傭 242
ㄩㄥˊ yóng
(又讀 ㄩㄥ yōng)
1. to hire 2. a servant
傭兵(ㄩㄥˊ ㄅㄧㄥ)mercenaries

傲 243
ㄠˋ ào
1. proud; haughty; overbearing 2. to disdain; to despise; to look down upon 3. rash and impatient
傲慢(ㄠˋ ㄇㄢˋ)haughty and overbearing
傲骨(ㄠˋ ㄍㄨˇ)self-esteem
傲氣(ㄠˋ ㄑㄧˋ)an air of arrogance
傲視(ㄠˋ ㄕˋ)to turn up one's nose at

傳 244
1. ㄔㄨㄢˊ chuán
1. to pass (a ball, an order, learning, etc.) on to 2. to propagate; to disseminate 3. to summon 4. to preach
傳播(ㄔㄨㄢˊ ㄅㄛˋ)to disseminate; to spread
傳播媒體(ㄔㄨㄢˊ ㄅㄛˋ ㄇㄟˊ ㄊㄧˇ) a news medium; a mass medium
傳播界 (ㄔㄨㄢˊ ㄅㄛˋ ㄐㄧㄝˋ) the media; journalistic circles
傳布or傳佈(ㄔㄨㄢˊ ㄅㄨˋ)to disseminate
傳票(ㄔㄨㄢˊ ㄆㄧㄠˋ)①(bookkeeping) a voucher ②(law) a subpoena
傳達(ㄔㄨㄢˊ ㄉㄚˊ)to inform
傳導(ㄔㄨㄢˊ ㄉㄠˇ)to conduct; conduction
傳單(ㄔㄨㄢˊ ㄉㄢ)handbills; leaflets
傳遞(ㄔㄨㄢˊ ㄉㄧˋ)to forward; to deliver
傳動(ㄔㄨㄢˊ ㄉㄨㄥˋ)transmission; drive
傳統(ㄔㄨㄢˊ ㄊㄨㄥˇ)tradition; conventional; traditional
傳令兵(ㄔㄨㄢˊ ㄌㄧㄥˋ ㄅㄧㄥ)a soldier-messenger
傳話(ㄔㄨㄢˊ ㄏㄨㄚˋ)to pass on a message
傳教(ㄔㄨㄢˊ ㄐㄧㄠˋ)to preach a religion
傳教士(ㄔㄨㄢˊ ㄐㄧㄠˋ ㄕˋ)a missionary
傳奇(ㄔㄨㄢˊ ㄑㄧˊ)a legend, saga, romance, etc.
傳情(ㄔㄨㄢˊ ㄑㄧㄥˊ)to flirt; to play at love
傳眞(ㄔㄨㄢˊ ㄓㄣ)to facsimile; to fax
傳眞機(ㄔㄨㄢˊ ㄓㄣ ㄐㄧ)a facsimile machine or fax machine
傳世(ㄔㄨㄢˊ ㄕˋ)(said of great books, etc.) to pass on to the world
傳授(ㄔㄨㄢˊ ㄕㄡˋ)to teach
傳神(ㄔㄨㄢˊ ㄕㄣˊ)a vivid portrayal
傳說(ㄔㄨㄢˊ ㄕㄨㄛ)hearsay; legends
傳染(ㄔㄨㄢˊ ㄖㄢˇ)to infect; to be contagious
傳染病(ㄔㄨㄢˊ ㄖㄢˇ ㄅㄧㄥˋ)infectious diseases
傳宗接代(ㄔㄨㄢˊ ㄗㄨㄥ ㄐㄧㄝ ㄉㄞˋ)to continue the family line by producing a male heir
傳送(ㄔㄨㄢˊ ㄙㄨㄥˋ)to convey; to deliver
傳誦(ㄔㄨㄢˊ ㄙㄨㄥˋ)to pass from mouth to mouth
傳言(ㄔㄨㄢˊ ㄧㄢˊ)hearsay; rumor
傳揚(ㄔㄨㄢˊ ㄧㄤˊ)to spread
傳聞(ㄔㄨㄢˊ ㄨㄣˊ)hearsay; unconfirmed reports
傳閱(ㄔㄨㄢˊ ㄩㄝˋ)to be circulated

傳 244
2. ㄓㄨㄢˋ zhuàn
as in 傳記—a biography

傴 245
ㄩˇ yǔ
hunchbacked

債 246
ㄓㄞˋ zhài
a debt; an obligation
債臺高築(ㄓㄞˋ ㄊㄞˊ ㄍㄠ ㄓㄨˋ)to be deep in debt
債款(ㄓㄞˋ ㄎㄨㄢˇ)a loan
債權人 (ㄓㄞˋ ㄑㄩㄢˊ ㄖㄣˊ)a creditor
債券(ㄓㄞˋ ㄑㄩㄢˋ)bonds issued by a government or debentures issued by a company
債務(ㄓㄞˋ ㄨˋ)debt or obligation
債務人(ㄓㄞˋ ㄨˋ ㄖㄣˊ)a debtor

傷 247
ㄕㄤ shāng
1. a cut, wound, or injury 2. to cut or injure 3. grief; to grieve; distressed 4. to impede; an impediment 5. to hurt (feelings) 6. to make sick
傷疤(ㄕㄤ ㄅㄚ)a scar

〔人部〕

〔人部〕

傷悲(ㄕㄤ ㄅㄟ)grief; distress
傷兵(ㄕㄤ ㄅㄧㄥ)wounded soldiers
傷風(ㄕㄤ ㄈㄥ)to catch cold; to have a cold
傷風敗俗(ㄕㄤ ㄈㄥ ㄅㄞˋ ㄙㄨˊ)to act immorally
傷天害理 (ㄕㄤ ㄊㄧㄢ ㄏㄞˋ ㄌㄧˇ) to commit crimes
傷痛(ㄕㄤ ㄊㄨㄥˋ)to mourn
傷腦筋(ㄕㄤ ㄋㄠˇ ㄐㄧㄣ)troublesome
傷感(ㄕㄤ ㄍㄢˇ)distress; distressed
傷感情(ㄕㄤ ㄍㄢˇ ㄑㄧㄥˊ) to hurt the feelings
傷口(ㄕㄤ ㄎㄡˇ)a wound
傷害(ㄕㄤ ㄏㄞˋ)to hurt; to injure; to harm
傷寒(ㄕㄤ ㄏㄢˊ)typhus
傷痕(ㄕㄤ ㄏㄣˊ)a scar; a bruise
傷懷(ㄕㄤ ㄏㄨㄞˊ)a distressing mood; grief
傷患(ㄕㄤ ㄏㄨㄢˋ)the sick and wounded
傷心(ㄕㄤ ㄒㄧㄣ)very sad
傷勢(ㄕㄤ ㄕˋ)the condition of an injury
傷神(ㄕㄤ ㄕㄣˊ)to beat one's brains out
傷財(ㄕㄤ ㄘㄞˊ)to lose money
傷殘(ㄕㄤ ㄘㄢˊ)the wounded and disabled
傷亡(ㄕㄤ ㄨㄤˊ)casualties

傺 248
ㄔˋ chì
1. to hinder 2. to be disappointed

傾 249
1. ㄑㄧㄥ qīng
1. to slant; to bend 2. to collapse; to fall flat; to upset; to subvert 3. to pour out 4. to exhaust (one's wealth, etc.); to exert oneself to do (something) 5. to admire; to be fascinated
傾盆大雨(ㄑㄧㄥ ㄆㄣˊ ㄉㄚˋ ㄩˇ)a pouring rain
傾慕(ㄑㄧㄥ ㄇㄨˋ)to admire; admiration
傾覆(ㄑㄧㄥ ㄈㄨˋ)to overturn
傾倒①(ㄑㄧㄥ ㄉㄠˇ) ⓐto fall for (a woman) ⓑto collapse ② (ㄑㄧㄥ ㄉㄠˋ)to dump
傾聽(ㄑㄧㄥ ㄊㄧㄥ)to listen carefully
傾吐(ㄑㄧㄥ ㄊㄨˇ)to pour out one's heart
傾家蕩產(ㄑㄧㄥ ㄐㄧㄚ ㄉㄤˋ ㄔㄢˇ)to exhaust one's wealth—to go bankrupt
傾斜(ㄑㄧㄥ ㄒㄧㄝˊ) ①to slant ②(geology) to slope
傾銷(ㄑㄧㄥ ㄒㄧㄠ)a cutthroat sale; to dump
傾心(ㄑㄧㄥ ㄒㄧㄣ) to admire wholeheartedly
傾向(ㄑㄧㄥ ㄒㄧㄤˋ)①to be inclined to ②a tendency; a trend
傾訴(ㄑㄧㄥ ㄙㄨˋ)to pour out (one's heart, etc.)

傾 249
2. ㄎㄥ kēng
傾人(ㄎㄥ ㄖㄣˊ)to frame or implicate a person

僂 250
ㄌㄡˊ lóu
1. hunchbacked; deformed 2. bent

僅 251
ㄐㄧㄣˇ jǐn
1. only 2. barely; scarcely; almost
僅僅 (ㄐㄧㄣˇ ㄐㄧㄣˇ) only; hardly enough; barely
僅有(ㄐㄧㄣˇ ㄧㄡˇ)to have only...

僉 252
ㄑㄧㄢ qiān
all; the whole

僇 253
ㄌㄨˋ lù
1. to kill; to massacre 2. to disgrace; to shame 3. to collaborate

十二畫

像 254
ㄒㄧㄤˋ xiàng
1. an image; a portrait 2. to resemble; resemblance 3. like; as
像貌(ㄒㄧㄤˋ ㄇㄠˋ)a person's looks
像樣(ㄒㄧㄤˋ ㄧㄤˋ)proper in appearance

僑 255
ㄑㄧㄠˊ qiáo
to sojourn; a sojourn
僑胞(ㄑㄧㄠˊ ㄅㄠ)overseas Chinese
僑民(ㄑㄧㄠˊ ㄇㄧㄣˊ)alien residents
僑居(ㄑㄧㄠˊ ㄐㄩ)to reside in a town or country other than one's own

僕 256
ㄆㄨˊ pú
1. a servant 2. a modest term referring to oneself
僕人(ㄆㄨˊ ㄖㄣˊ)a servant
僕役(ㄆㄨˊ ㄧˋ)servants

僖 257
ㄒㄧ xī
1. joy; joyful 2. a Chinese family name

僚 258
ㄌㄧㄠˊ liáo
1. a companion; a friend 2. a colleague; subordinates 3. officials

僞 259
ㄨㄟˋ wèi
(語音 ㄨㄟˇ wěi)
1. false; counterfeit 2. simulated; artificial 3. illegal
僞幣(ㄨㄟˋ ㄅㄧˋ)counterfeit money
僞君子(ㄨㄟˋ ㄐㄩㄣ ㄗˇ)a hypocrite
僞證(ㄨㄟˋ ㄓㄥˋ)perjury
僞裝(ㄨㄟˋ ㄓㄨㄤ)disguise
僞鈔(ㄨㄟˋ ㄔㄠ)a counterfeit bank note
僞善(ㄨㄟˋ ㄕㄢˋ)hypocrisy; hypocritical
僞造(ㄨㄟˋ ㄗㄠˋ)to forge; to falsify

偽造簽名(ㄨㄟˋ ㄗㄠˋ ㄑㄧㄢ ㄇㄧㄥˊ) forged signature
偽造文書(ㄨㄟˋ ㄗㄠˋ ㄨㄣˊ ㄕㄨ)a forgery; counterfeit documents

僥 260 ㄐㄧㄠˇ jiǎo
luck; lucky
僥倖(ㄐㄧㄠˇ ㄒㄧㄥˋ)by luck or chance

僦 261 ㄐㄧㄡˋ jiù
to rent; to hire

僧 262 ㄙㄥ sēng
a Buddhist; a priest; a monk
僧多粥少(ㄙㄥ ㄉㄨㄛ ㄓㄡ ㄕㄠˇ)not enough (gifts, positions, etc.) to go around because there are too many people on the waiting list
僧侶(ㄙㄥ ㄌㄩˇ)Buddhist monks

僭 263 ㄐㄧㄢˋ jiàn
to assume; to usurp; to overstep one's authority
僭位(ㄐㄧㄢˋ ㄨㄟˋ)to usurp the throne
僭越(ㄐㄧㄢˋ ㄩㄝˋ)to assume (a title or powers)

僮 264 1. ㄊㄨㄥˊ tóng
1. a servant 2. a boy

僮 264 2. ㄓㄨㄤˋ zhuàng
僮族(ㄓㄨㄤˋ ㄗㄨˊ)the name of a small tribe in southwestern China 亦作「壯族」

僱 265 ㄍㄨˋ gù
to hire; to engage; to employ
僱主(ㄍㄨˋ ㄓㄨˇ)an employer
僱員 or 雇員(ㄍㄨˋ ㄩㄢˊ)an employee
僱用(ㄍㄨˋ ㄩㄥˋ)to engage (a person)

十三畫

僵 266 ㄐㄧㄤ jiāng
1. to lie flat 2. to be inactive; stiff; rigid; numb 3. deadlocked
僵化(ㄐㄧㄤ ㄏㄨㄚˋ)heading toward a deadlock
僵局(ㄐㄧㄤ ㄐㄩˊ)a deadlock; a stalemate
僵持(ㄐㄧㄤ ㄔˊ)to come to a deadlock
僵屍 or 殭屍(ㄐㄧㄤ ㄕ)a stiff corpse
僵硬(ㄐㄧㄤ ㄧㄥˋ)rigid; stiff

價 267 ㄐㄧㄚˋ jià
1. prices; cost; value 2. (chemistry) valence
價目(ㄐㄧㄚˋ ㄇㄨˋ)prices; quotations
價目單(ㄐㄧㄚˋ ㄇㄨˋ ㄉㄢ)a price (or quotation) list
價格 (ㄐㄧㄚˋ ㄍㄜˊ) or 價錢 (ㄐㄧㄚˋ ㄑㄧㄢˊ)prices
價值(ㄐㄧㄚˋ ㄓˊ)value
價值連城(ㄐㄧㄚˋ ㄓˊ ㄌㄧㄢˊ ㄔㄥˊ)invaluable; priceless

僻 268 ㄆㄧˋ pì
1. biased 2. not easily accessible; out-of-the-way; secluded 3. not common; not ordinary; unusual
僻靜 (ㄆㄧˋ ㄐㄧㄥˋ)out-of-the-way; secluded
僻壤(ㄆㄧˋ ㄖㄤˇ)an out-of-the-way village, town, etc.

儀 269 ㄧˊ yí
1. appearance; deportment; manners; looks; demeanor 2. ceremonies; rites 3. a rule, regulation, form or standard 4. customs 5. instruments; apparatus
儀表(ㄧˊ ㄅㄧㄠˇ)appearance and deportment
儀表板(ㄧˊ ㄅㄧㄠˇ ㄅㄢˇ)an instrument panel
儀隊(ㄧˊ ㄉㄨㄟˋ)an honor guard
儀態(ㄧˊ ㄊㄞˋ)bearing; deportment
儀器(ㄧˊ ㄑㄧˋ)instruments; apparatus
儀式(ㄧˊ ㄕˋ)ceremonies; rites
儀容(ㄧˊ ㄖㄨㄥˊ)appearance and deportment; looks

儂 270 ㄋㄨㄥˊ nóng
1. (in old usage) I; me 2. (Shanghai dialect) you 3. he; she

億 271 ㄧˋ yì
1. a hundred million 2. tranquility; repose 3. (according to) estimates

儆 272 ㄐㄧㄥˇ jǐng
1. to be on guard; to get ready (for an attack, etc.) 2. to warn; to caution
儆戒(ㄐㄧㄥˇ ㄐㄧㄝˋ)to warn; to caution; warning; caution

儈 273 ㄎㄨㄞˋ kuài
a middleman; a go-between; a broker

儉 274 ㄐㄧㄢˇ jiǎn (又讀 ㄐㄧㄢˋ jiàn)
1. frugal; economical; thrift 2. meager 3. a poor harvest
儉樸(ㄐㄧㄢˇ ㄆㄨˊ)to be thrifty in daily spending

儋 275 ㄉㄢ dān
1. to shoulder or bear a burden 2. a load of two piculs (especially of rice or grains)

儍 276 (傻) ㄕㄚˇ shǎ
1. stupid; foolish; dumb 2. naive 3. stunned; stupefied; terrified
儍頭儍腦(ㄕㄚˇ ㄊㄡˊ ㄕㄚˇ ㄋㄠˇ)①

〔人部〕

foolish-looking ② muddleheaded
傻裏傻氣(ㄕㄚˇ ˙ㄌㄧ ㄕㄚˇ ˙ㄑㄧ)foolish-looking or acting foolishly
傻瓜(ㄕㄚˇ ㄍㄨㄚ)a fool; a silly
傻話(ㄕㄚˇ ㄏㄨㄚˋ)foolish talk
傻勁兒(ㄕㄚˇ ㄐㄧㄜˋㄦ)stupidity
傻笑(ㄕㄚˇ ㄒㄧㄠˋ)to smirk
傻子(ㄕㄚˇ ˙ㄗ)a bloody fool; an idiot
傻眼(ㄕㄚˇ ㄧㄢˇ)to be dumbfounded

十四畫

儐 277 ㄅㄧㄣˋ bìn (語音 ㄅㄧㄣ bīn)
1. to entertain guests 2. to arrange; to set in order 3. to guide
儐相(ㄅㄧㄣˋ ㄒㄧㄤˋ)① the best man of a bridegroom ② a bridesmaid

儒 278 ㄖㄨˊ rú
1. the learned; scholars collectively 2. Confucian; Confucianism 3. weak
儒家(ㄖㄨˊ ㄐㄧㄚ)Confucianists
儒學(ㄖㄨˊ ㄒㄩㄝˊ)the teachings of Confucius
儒雅(ㄖㄨˊ ㄧㄚˇ)scholarly and refined; elegant

儔 279 ㄔㄡˊ chóu
1. a companion or companions 2. a class

儕 280 ㄔㄞˊ chái
1. a class; company 2. an adjunct to show plurality 3. to match (as man and wife)

儘 281 ㄐㄧㄣˇ jǐn
1. the utmost; the extreme 2. to let (someone do it)
儘量(ㄐㄧㄣˇ ㄌㄧㄤˋ) as (much, soon, etc.) as possible
儘管(ㄐㄧㄣˇ ㄍㄨㄢˇ)even if; no matter; despite
儘可能(ㄐㄧㄣˇ ㄎㄜˇ ㄋㄥˊ)as far as possible
儘快(ㄐㄧㄣˇ ㄎㄨㄞˋ)as soon as possible
儘早(ㄐㄧㄣˇ ㄗㄠˇ)as early as possible

十五畫

償 282 ㄔㄤˊ cháng
1. to repay 2. to compensate; to make restitution 3. to fulfill 4. to offset
償命(ㄔㄤˊ ㄇㄧㄥˋ)a life for a life
償付(ㄔㄤˊ ㄈㄨˋ)to pay back; to pay
償還(ㄔㄤˊ ㄏㄨㄢˊ)redemption; to repay
償清(ㄔㄤˊ ㄑㄧㄥ)to clear off
償債(ㄔㄤˊ ㄓㄞˋ)to repay a debt
償願(ㄔㄤˊ ㄩㄢˋ)to fulfill one's wish

儡 283 ㄌㄟˇ lěi
1. a puppet 2. sickly and thin 3. dilapidated

優 284 ㄧㄡ yōu
1. good; excellent 2. abundant; plenty 3. players (as in an opera) 4. victory; winning 5. soft
優美(ㄧㄡ ㄇㄟˇ)wonderful; graceful
優待(ㄧㄡ ㄉㄞˋ)favorable treatment
優待券(ㄧㄡ ㄉㄞˋ ㄑㄩㄢˋ)a discount ticket
優等(ㄧㄡ ㄉㄥˇ)an excellent grade
優點(ㄧㄡ ㄉㄧㄢˇ)① merits ② advantages
優劣(ㄧㄡ ㄌㄧㄝˋ)good and bad
優良(ㄧㄡ ㄌㄧㄤˊ)fine; good
優厚(ㄧㄡ ㄏㄡˋ)munificent; liberal
優惠(ㄧㄡ ㄏㄨㄟˋ)preferential; favorable
優惠利率(ㄧㄡ ㄏㄨㄟˋ ㄌㄧˋ ㄌㄩˋ)prime rate
優秀(ㄧㄡ ㄒㄧㄡˋ)outstanding
優先(ㄧㄡ ㄒㄧㄢ)priority; to have priority
優先股(ㄧㄡ ㄒㄧㄢ ㄍㄨˇ) preferred stocks
優閒(ㄧㄡ ㄒㄧㄢˊ)carefree; leisure
優質(ㄧㄡ ㄓˋ)high (or top) quality
優勢(ㄧㄡ ㄕˋ)supremacy; superiority
優生學(ㄧㄡ ㄕㄥ ㄒㄩㄝˊ)eugenics
優勝(ㄧㄡ ㄕㄥˋ)winning; superior
優勝劣敗(ㄧㄡ ㄕㄥˋ ㄌㄧㄝˋ ㄅㄞˋ) survival of the fittest
優勝者(ㄧㄡ ㄕㄥˋ ㄓㄜˇ)a winner
優異(ㄧㄡ ㄧˋ)excellent; remarkable
優游(ㄧㄡ ㄧㄡˊ)carefree 亦作「優遊」
優越(ㄧㄡ ㄩㄝˋ)superior; outstanding
優越感(ㄧㄡ ㄩㄝˋ ㄍㄢˇ)a sense of superiority

十六畫

儲 285 ㄔㄨˊ chú (又讀 ㄔㄨˇ chǔ)
1. to save; to store; saving 2. a deputy; an alternate
儲備(ㄔㄨˊ ㄅㄟˋ)savings and/or reserves
儲戶(ㄔㄨˊ ㄏㄨˋ)a depositor
儲金(ㄔㄨˊ ㄐㄧㄣ)savings
儲蓄(ㄔㄨˊ ㄒㄩˋ)to save (money)
儲藏(ㄔㄨˊ ㄘㄤˊ)to store up
儲藏室(ㄔㄨˊ ㄘㄤˊ ㄕˋ)a storeroom
儲存(ㄔㄨˊ ㄘㄨㄣˊ)storage; saving

十九畫

儷 286 ㄌㄧˋ lì

1. a pair; a couple 2. husband and wife; a married couple

二十畫

儼 287
ㄧㄢˇ yǎn
1. majestic; respectable 2. (to act, talk, appear, etc.) as if; like
儼然(ㄧㄢˇ ㄖㄢˊ)dignified-looking

儿部
ㄖㄣˊ rén

一畫

兀 288
ㄨˋ wù
1. to cut off the feet 2. high and flat on the top 3. this 4. ignorant-looking
兀立(ㄨˋ ㄌㄧˋ)to stand rigidly without motion

二畫

允 289
ㄩㄣˇ yǔn
1. to allow; to consent; to grant 2. appropriate; proper 3. sincere; loyal
允許(ㄩㄣˇ ㄒㄩˇ)or允諾(ㄩㄣˇ ㄋㄨㄛˋ)to assent; to consent; to grant; to permit
允文允武 (ㄩㄣˇ ㄨㄣˊ ㄩㄣˇ ㄨˇ) to be good at wielding both pen and weapon

元 290
ㄩㄢˊ yuán
1. the beginning; the first; original 2. the head 3. a dollar 4. the eldest; chief; big
元配(ㄩㄢˊ ㄆㄟˋ)a man's first wife
元旦(ㄩㄢˊ ㄉㄢˋ)New Year's Day
元年(ㄩㄢˊ ㄋㄧㄢˊ)the first year of a reign, dynasty, etc.
元氣(ㄩㄢˊ ㄑㄧˋ)vitality and constitution
元宵(ㄩㄢˊ ㄒㄧㄠ)the Lantern Festival
元勳(ㄩㄢˊ ㄒㄩㄣ)a founding father
元兇(ㄩㄢˊ ㄒㄩㄥ)the chief culprit
元首(ㄩㄢˊ ㄕㄡˇ)the president
元帥(ㄩㄢˊ ㄕㄨㄞˋ)a field marshal
元素(ㄩㄢˊ ㄙㄨˋ)(chemistry) the elements
元月(ㄩㄢˊ ㄩㄝˋ)① the first month of the lunar calendar ② January

三畫

兄 291
ㄒㄩㄥ xiōng
1. one's elder brother 2. a term used in addressing a senior of the same generation to show respect
兄弟(ㄒㄩㄥ ㄉㄧˋ)brothers
兄弟鬩牆(ㄒㄩㄥ ㄉㄧˋ ㄒㄧˋ ㄑㄧㄤˊ) brothers fighting among themselves

充 292
(充)ㄔㄨㄥ chōng
1. full; sufficient 2. to fill 3. to fake; to cheat; to pretend
充沛(ㄔㄨㄥ ㄆㄟˋ)brimming (with energy)
充滿(ㄔㄨㄥ ㄇㄢˇ)to fill up; full of
充分(ㄔㄨㄥ ㄈㄣˋ)fully; sufficient
充分就業(ㄔㄨㄥ ㄈㄣˋ ㄐㄧㄡˋ ㄧㄝˋ)full employment
充當(ㄔㄨㄥ ㄉㄤ)to serve as; to act as
充電(ㄔㄨㄥ ㄉㄧㄢˋ)to recharge (a battery)
充公(ㄔㄨㄥ ㄍㄨㄥ)to confiscate
充飢(ㄔㄨㄥ ㄐㄧ)to satisfy one's hunger (usually with poor food)
充斥(ㄔㄨㄥ ㄔˋ)numerous; filled with
充實(ㄔㄨㄥ ㄕˊ)rich; substantial
充足(ㄔㄨㄥ ㄗㄨˊ)plentiful; abundant
充塞(ㄔㄨㄥ ㄙㄜˋ)full of; filled with
充裕(ㄔㄨㄥ ㄩˋ)abundance; sufficiency

四畫

兆 293
ㄓㄠˋ zhào
1. a sign (in fortune-telling) 2. to portend; to foretell 3. an omen 4. a trillion (1,000,000,000,000); a billion 5. to begin; beginning

兇 294
ㄒㄩㄥ xiōng
1. fierce; violent; cruel; ferocious 2. truculent; inhuman
兇猛(ㄒㄩㄥ ㄇㄥˇ)fierce; ferocious
兇犯(ㄒㄩㄥ ㄈㄢˋ)a criminal
兇悍 (ㄒㄩㄥ ㄏㄢˋ) or兇狠 (ㄒㄩㄥ ㄏㄣˇ)truculent, savage, ferocious, etc.
兇器(ㄒㄩㄥ ㄑㄧˋ)the murderous weapon
兇險(ㄒㄩㄥ ㄒㄧㄢˇ)cruel and mean
兇殺(ㄒㄩㄥ ㄕㄚ)murder; homicide
兇手(ㄒㄩㄥ ㄕㄡˇ)the murderer
兇惡(ㄒㄩㄥ ㄜˋ)evil; wicked; malignant

先 295
ㄒㄧㄢ xiān
1. first; foremost 2. before; earlier; in advance 3. the late...; the deceased... 4. one's forebears 5. the abbreviation for Mister or Sir
先民(ㄒㄧㄢ ㄇㄧㄣˊ)ancients
先母(ㄒㄧㄢ ㄇㄨˇ)my late mother
先發制人(ㄒㄧㄢ ㄈㄚ ㄓˋ ㄖㄣˊ)to take the initiative
先鋒(ㄒㄧㄢ ㄈㄥ)a forerunner

儿部

先父(ㄒㄧㄢ ㄈㄨˋ)my late father
先睹爲快(ㄒㄧㄢ ㄉㄨˇ ㄨㄟˊ ㄎㄨㄞˋ)to eagerly await a look at(something) ahead of others
先天(ㄒㄧㄢ ㄊㄧㄢ)congenital; innate
先天不足(ㄒㄧㄢ ㄊㄧㄢ ㄅㄨˋ ㄗㄨˊ)inborn deficiency
先禮後兵(ㄒㄧㄢ ㄌㄧˇ ㄏㄡˋ ㄅㄧㄥ) diplomacy before the use of force
先例(ㄒㄧㄢ ㄌㄧˋ)a precedent
先烈(ㄒㄧㄢ ㄌㄧㄝˋ)the national martyrs
先後(ㄒㄧㄢ ㄏㄡˋ)the order(of things placed, narrated, etc.)
先見之明(ㄒㄧㄢ ㄐㄧㄢˋ ㄓ ㄇㄧㄥˊ)the ability to discern what is coming
先進(ㄒㄧㄢ ㄐㄧㄣˋ)predecessors
先覺(ㄒㄧㄢ ㄐㄩㄝˊ)a prophet
先前(ㄒㄧㄢ ㄑㄧㄢˊ)before; previously
先驅(ㄒㄧㄢ ㄑㄩ)a vanguard
先知(ㄒㄧㄢ ㄓ)a prophet
先斬後奏(ㄒㄧㄢ ㄓㄢˇ ㄏㄡˋ ㄗㄡˋ)to take action before reporting to one's superior
先聲奪人(ㄒㄧㄢ ㄕㄥ ㄉㄨㄛˊ ㄖㄣˊ) with an impressive start
先生(ㄒㄧㄢ ˙ㄕㄥ)① Mister; Sir ② a husband
先人(ㄒㄧㄢ ㄖㄣˊ)① previous generations ② forebears

光 296
ㄍㄨㄤ guāng

1. light; brightness; light rays 2. glossy; smooth 3. glory; glorious; honor 4. to exhaust; to use up 5. alone; only 6. bare; to bare; naked
光波(ㄍㄨㄤ ㄅㄛ)light waves
光芒(ㄍㄨㄤ ㄇㄤˊ)rays of light; brilliant rays; radiance
光芒萬丈(ㄍㄨㄤ ㄇㄤˊ ㄨㄢˋ ㄓㄤˋ)radiance; radiant
光明(ㄍㄨㄤ ㄇㄧㄥˊ)①light ②bright; promising
光明正大(ㄍㄨㄤ ㄇㄧㄥˊ ㄓㄥˋ ㄉㄚˋ)honest, just and upright
光復(ㄍㄨㄤ ㄈㄨˋ)to recover
光頭(ㄍㄨㄤ ㄊㄡˊ)a baldhead
光天化日(ㄍㄨㄤ ㄊㄧㄢ ㄏㄨㄚˋ ㄖˋ)(in) broad daylight; the light of day
光禿禿(ㄍㄨㄤ ㄊㄨ ㄊㄨ)bare; bald
光年(ㄍㄨㄤ ㄋㄧㄢˊ)a light-year
光臨(ㄍㄨㄤ ㄌㄧㄣˊ)(usually used in an invitation) Please grace our place with your presence.
光亮(ㄍㄨㄤ ㄌㄧㄤˋ)brightness; bright
光顧(ㄍㄨㄤ ㄍㄨˋ)to patronize
光怪陸離(ㄍㄨㄤ ㄍㄨㄞˋ ㄌㄨˋ ㄌㄧˊ) strange-looking
光棍(ㄍㄨㄤ ㄍㄨㄣˋ)a bachelor or unmarried man
光合作用(ㄍㄨㄤ ㄏㄜˊ ㄗㄨㄛˋ ㄩㄥˋ) photosynthesis
光滑(ㄍㄨㄤ ㄏㄨㄚˊ)smooth and glossy
光輝(ㄍㄨㄤ ㄏㄨㄟ)radiance
光脚(ㄍㄨㄤ ㄐㄧㄠˇ)bare feet
光景(ㄍㄨㄤ ㄐㄧㄥˇ) ①a situation ② about; around
光圈(ㄍㄨㄤ ㄑㄩㄢ)the diaphragm of a camera
光線(ㄍㄨㄤ ㄒㄧㄢˋ)a ray of light
光學(ㄍㄨㄤ ㄒㄩㄝˊ)optics
光榮(ㄍㄨㄤ ㄖㄨㄥˊ)glory; honor
光澤(ㄍㄨㄤ ㄗㄜˊ)luster
光宗耀祖(ㄍㄨㄤ ㄗㄨㄥ ㄧㄠˋ ㄗㄨˇ)to glorify one's forebears
光彩(ㄍㄨㄤ ㄘㄞˇ)luster; splendor
光彩奪目(ㄍㄨㄤ ㄘㄞˇ ㄉㄨㄛˊ ㄇㄨˋ)the luster that dazzles the eyes
光陰(ㄍㄨㄤ ㄧㄣ)time

五畫

克 297
ㄎㄜˋ kè

1. to be able to 2. to win; to overcome; to conquer 3. love of superiority 4. a gram 5. to limit
克服(ㄎㄜˋ ㄈㄨˊ)to overcome
克難(ㄎㄜˋ ㄋㄢˊ) to overcome difficulties
克拉(ㄎㄜˋ ㄌㄚ)a carat
克勤克儉(ㄎㄜˋ ㄑㄧㄣˊ ㄎㄜˋ ㄐㄧㄢˇ) diligent and frugal
克制(ㄎㄜˋ ㄓˋ)to restrain; to control

兌 298
ㄉㄨㄟˋ duì

1. to exchange; to barter 2. (said of wine, etc.) to water
兌付(ㄉㄨㄟˋ ㄈㄨˋ)to pay; to cash
兌換(ㄉㄨㄟˋ ㄏㄨㄢˋ)exchange; to exchange (currencies)
兌換率(ㄉㄨㄟˋ ㄏㄨㄢˋ ㄌㄩˋ) exchange rates
兌現(ㄉㄨㄟˋ ㄒㄧㄢˋ)to cash (a check, etc.)

免 299
(兎)ㄇㄧㄢˇ miǎn

1. to avoid; to escape; to evade 2. to forego; to spare; to excuse; to exempt 3. to dismiss (from office)
免不了(ㄇㄧㄢˇ ˙ㄅㄨ ㄌㄧㄠˇ)unavoidable
免費(ㄇㄧㄢˇ ㄈㄟˋ)free of charge
免得(ㄇㄧㄢˇ ˙ㄉㄜ)to avoid
免談(ㄇㄧㄢˇ ㄊㄢˊ)You might just as well save your breath.
免職(ㄇㄧㄢˇ ㄓˊ)to be dismissed from office
免除(ㄇㄧㄢˇ ㄔㄨˊ)to prevent; to avoid
免試升學(ㄇㄧㄢˇ ㄕˋ ㄕㄥ ㄒㄩㄝˊ) to enter a school without taking an entrance examination
免稅(ㄇㄧㄢˇ ㄕㄨㄟˋ)duty-free
免稅商店(ㄇㄧㄢˇ ㄕㄨㄟˋ ㄕㄤ ㄉㄧㄢˋ)a duty-free shop

免俗(ㄇㄧㄢˇ ㄙㄨˊ)to forego customary routines, formalities, etc.
免疫(ㄇㄧㄢˇ ㄧˋ)immunity (from disease)

六畫

兒 300
ㄦˊ ér
1. a child; a baby 2. a son 3. referring to oneself when addressing parents 4. As a particle after noun, pronoun, adjective, adverb, and verb, 兒 is pronounced (ㄦ).
兒童(ㄦˊ ㄊㄨㄥˊ)children
兒童讀物(ㄦˊ ㄊㄨㄥˊ ㄉㄨˊ ㄨˋ)juvenile publications
兒童樂園(ㄦˊ ㄊㄨㄥˊ ㄌㄜˋ ㄩㄢˊ)an amusement park catering to children
兒童節(ㄦˊ ㄊㄨㄥˊ ㄐㄧㄝˊ) Children's Day
兒童節目(ㄦˊ ㄊㄨㄥˊ ㄐㄧㄝˊ ㄇㄨˋ)children's programs
兒童心理學 (ㄦˊ ㄊㄨㄥˊ ㄒㄧㄣ ㄌㄧˇ ㄒㄩㄝˊ)child psychology
兒童文學(ㄦˊ ㄊㄨㄥˊ ㄨㄣˊ ㄒㄩㄝˊ) children's literature
兒女(ㄦˊ ㄋㄩˇ)sons and daughters; children
兒歌(ㄦˊ ㄍㄜ)nursery rhymes
兒科(ㄦˊ ㄎㄜ)pediatrics
兒戲(ㄦˊ ㄒㄧˋ)① child's play ② a plaything ③ to treat lightly
兒時(ㄦˊ ㄕˊ)childhood
兒子(ㄦˊ ㄗˇ)or(ㄦˊ ·ㄗ)a son or sons
兒孫(ㄦˊ ㄙㄨㄣ)① children and grandchildren ② offspring; descendants

兔 301
(兎) ㄊㄨˋ tù
1. a hare; a rabbit 2. a young boy kept for sexual perversion
兔唇(ㄊㄨˋ ㄔㄨㄣˊ)a harelip, or a cleft lip
兔子(ㄊㄨˋ ·ㄗ)a hare; a rabbit
兔崽子(ㄊㄨˋ ㄗㄞˇ ·ㄗ)a brat; a bastard

兕 302
ㄙˋ sì
a female rhinoceros

七畫

兗 303
ㄧㄢˇ yǎn
(in ancient China) one of the Nine Divisions of the Empire under Yü the Great including parts of Shantung and Hopeh provinces

九畫

兜 304
ㄉㄡ dōu
1. a head-covering; a helmet 2. overalls 3. to solicit 4. to go for a drive around; to move around 5. to surround; to wrap up 6. a small pocket in clothes
兜風(ㄉㄡ ㄈㄥ)to go joyriding
兜攬(ㄉㄡ ㄌㄢˇ)①to befriend another person with a view to winning him over ② to solicit
兜圈子(ㄉㄡ ㄑㄩㄢ ·ㄗ)① to take a stroll ② to circle ③ circumlocutory
兜售(ㄉㄡ ㄕㄡˋ)to peddle

十二畫

兢 305
ㄐㄧㄥ jīng
to fear; to dread; apprehensive; cautious
兢兢業業(ㄐㄧㄥ ㄐㄧㄥ ㄧㄝˋ ㄧㄝˋ)with caution and fear

入部
ㄖㄨˋ rù

入 306
ㄖㄨˋ rù
1. to enter; to come into 2. to join 3. to arrive at; to reach 4. to put in 5. receipts; income 6. to get out of sight; to disappear 7. to get (inside, picked, elected, etc.) 8. to agree with; to conform to
入不敷出(ㄖㄨˋ ㄅㄨˋ ㄈㄨ ㄔㄨ)cannot make both ends meet
入門(ㄖㄨˋ ㄇㄣˊ)to have an elementary knowledge of
入夢(ㄖㄨˋ ㄇㄥˋ)①to fall asleep ② to appear in one's dream
入迷(ㄖㄨˋ ㄇㄧˊ)to be captivated or fascinated
入土(ㄖㄨˋ ㄊㄨˇ)to bury; to be buried
入列(ㄖㄨˋ ㄌㄧㄝˋ)to take one's place in the ranks
入殮(ㄖㄨˋ ㄌㄧㄢˋ)to put a corpse in a coffin; to coffin
入港(ㄖㄨˋ ㄍㄤˇ)to enter a harbor (or port)
入骨(ㄖㄨˋ ㄍㄨˇ)to the marrow
入股(ㄖㄨˋ ㄍㄨˇ)to become a shareholder; to buy a share
入口(ㄖㄨˋ ㄎㄡˇ)an entrance
入海口(ㄖㄨˋ ㄏㄞˇ ㄎㄡˇ)an estuary
入境(ㄖㄨˋ ㄐㄧㄥˋ)to enter a country
入境證(ㄖㄨˋ ㄐㄧㄥˋ ㄓㄥˋ)an entry permit
入侵(ㄖㄨˋ ㄑㄧㄣ)to invade; to intrude
入席(ㄖㄨˋ ㄒㄧˊ)to be properly seated at a gathering, meeting or feast
入學(ㄖㄨˋ ㄒㄩㄝˊ)to enter school
入學考試(ㄖㄨˋ ㄒㄩㄝˊ ㄎㄠˇ ㄕˋ)an

〔入部〕

entrance examination
入選(ㄖㄨˋ ㄒㄩㄢˇ)to be selected
入贅(ㄖㄨˋ ㄓㄨㄟˋ)to marry into the family of one's wife
入超(ㄖㄨˋ ㄔㄠ)trade deficit亦作「貿易逆差」
入場券(ㄖㄨˋ ㄔㄤˇ ㄑㄩㄢˋ)an admission ticket
入時(ㄖㄨˋ ㄕˊ)fashionable
入神(ㄖㄨˋ ㄕㄣˊ)captivated
入睡(ㄖㄨˋ ㄕㄨㄟˋ)to fall asleep
入座(ㄖㄨˋ ㄗㄨㄛˋ)properly seated
入伍(ㄖㄨˋ ㄨˇ)to become a soldier
入圍(ㄖㄨˋ ㄨㄟˊ)to be selected or elected as one of the few
入味(ㄖㄨˋ ㄨㄟˋ)tasty
入獄(ㄖㄨˋ ㄩˋ)to be imprisoned
入院(ㄖㄨˋ ㄩㄢˋ)to be hospitalized

二畫

內 307
ㄋㄟˋ nèi

1. inside; within; inner; interior 2. wife 3. the palace of an emperor
內部(ㄋㄟˋ ㄅㄨˋ)the internal parts
內幕(ㄋㄟˋ ㄇㄨˋ)an inside story
內幕消息(ㄋㄟˋ ㄇㄨˋ ㄒㄧㄠ ㄒㄧˊ)inside information
內分泌 (ㄋㄟˋ ㄈㄣ ㄇㄧˋ) glandular excretion
內服藥(ㄋㄟˋ ㄈㄨˊ ㄧㄠˋ)drugs taken orally or internally
內地(ㄋㄟˋ ㄉㄧˋ)the hinterland; the inland
內陸(ㄋㄟˋ ㄌㄨˋ)inland; interior
內陸國(ㄋㄟˋ ㄌㄨˋ ㄍㄨㄛˊ)a landlocked country
內亂(ㄋㄟˋ ㄌㄨㄢˋ)rebellion; a civil war
內閣(ㄋㄟˋ ㄍㄜˊ)the cabinet
內科(ㄋㄟˋ ㄎㄜ)internal medicine
內科醫生(ㄋㄟˋ ㄎㄜ ㄧ ㄕㄥ)a physician (as distinguished from a surgeon)
內涵(ㄋㄟˋ ㄏㄢˊ) (logic) intension; connotation
內行(ㄋㄟˋ ㄏㄤˊ)a specialist
內訌(ㄋㄟˋ ㄏㄨㄥˋ)an internal squabble
內疚(ㄋㄟˋ ㄐㄧㄡˋ)deep regret; remorse
內奸(ㄋㄟˋ ㄐㄧㄢ)a spy within; a traitor
內勤(ㄋㄟˋ ㄑㄧㄣˊ)desk work
內情(ㄋㄟˋ ㄑㄧㄥˊ)an inside story
內銷(ㄋㄟˋ ㄒㄧㄠ)for domestic sale or market
內線(ㄋㄟˋ ㄒㄧㄢˋ)inside contacts; a stool pigeon
內心(ㄋㄟˋ ㄒㄧㄣ)heart
內詳(ㄋㄟˋ ㄒㄧㄤˊ)the name and address of the sender enclosed
內向(ㄋㄟˋ ㄒㄧㄤˋ)introversion
內省(ㄋㄟˋ ㄒㄧㄥˇ)self-examination
內戰(ㄋㄟˋ ㄓㄢˋ)a civil war
內政(ㄋㄟˋ ㄓㄥˋ)internal (or domestic) affairs
內政部(ㄋㄟˋ ㄓㄥˋ ㄅㄨˋ)the Ministry of the Interior
內出血(ㄋㄟˋ ㄔㄨ ㄒㄧㄝˇ)internal bleeding
內傷(ㄋㄟˋ ㄕㄤ)internal injury
內人(ㄋㄟˋ ˙ㄖㄣ) or 內子 (ㄋㄟˋ ㄗˇ)my wife
內容(ㄋㄟˋ ㄖㄨㄥˊ)content
內在(ㄋㄟˋ ㄗㄞˋ)inherent; internal
內在美(ㄋㄟˋ ㄗㄞˋ ㄇㄟˇ)inner beauty
內臟(ㄋㄟˋ ㄗㄤˋ)internal organs; viscera
內衣(ㄋㄟˋ ㄧ)underwear
內應(ㄋㄟˋ ㄧㄥˋ)an inside help
內務(ㄋㄟˋ ㄨˋ)domestic affairs
內外(ㄋㄟˋ ㄨㄞˋ)inside and outside

四畫

全 308
ㄑㄩㄢˊ quán

1. perfect 2. complete; whole; total; intact; all; entire; absolute 3. to keep whole or intact
全班(ㄑㄩㄢˊ ㄅㄢ)the whole class
全部(ㄑㄩㄢˊ ㄅㄨˋ)the whole; total
全盤(ㄑㄩㄢˊ ㄆㄢˊ)total; overall
全盤計劃(ㄑㄩㄢˊ ㄆㄢˊ ㄐㄧˋ ㄏㄨㄚˋ)an overall program or plan
全貌(ㄑㄩㄢˊ ㄇㄠˋ)the overall picture or appearance
全面(ㄑㄩㄢˊ ㄇㄧㄢˋ)overall; comprehensive; all-round
全民(ㄑㄩㄢˊ ㄇㄧㄣˊ)the whole (or entire) people
全副武裝(ㄑㄩㄢˊ ㄈㄨˋ ㄨˇ ㄓㄨㄤ)to be armed to the teeth
全套(ㄑㄩㄢˊ ㄊㄠˋ)the whole set
全體(ㄑㄩㄢˊ ㄊㄧˇ)all; the whole body; everybody
全能(ㄑㄩㄢˊ ㄋㄥˊ)①omnipotence ②all-round
全年(ㄑㄩㄢˊ ㄋㄧㄢˊ)the whole year
全壘打(ㄑㄩㄢˊ ㄌㄟˇ ㄉㄚˇ) (baseball) a home run
全力(ㄑㄩㄢˊ ㄌㄧˋ) (with) all-out effort
全力以赴(ㄑㄩㄢˊ ㄌㄧˋ ㄧˇ ㄈㄨˋ)to spare no efforts
全國(ㄑㄩㄢˊ ㄍㄨㄛˊ)the whole country or nation
全國性(ㄑㄩㄢˊ ㄍㄨㄛˊ ㄒㄧㄥˋ)nationwide; countrywide
全開(ㄑㄩㄢˊ ㄎㄞ)standard-sized; full-size
全家(ㄑㄩㄢˊ ㄐㄧㄚ)the whole family
全家福(ㄑㄩㄢˊ ㄐㄧㄚ ㄈㄨˊ)a family photo
全景(ㄑㄩㄢˊ ㄐㄧㄥˇ)a full view; a whole scene
全局(ㄑㄩㄢˊ ㄐㄩˊ)the situation as a whole
全軍覆沒(ㄑㄩㄢˊ ㄐㄩㄣ ㄈㄨˋ ㄇㄛˋ)The whole army was lost.
全球(ㄑㄩㄢˊ ㄑㄧㄡˊ)the world
全心全意 (ㄑㄩㄢˊ ㄒㄧㄣ ㄑㄩㄢˊ ㄧˋ)

wholeheartedly
全脂奶粉(ㄑㄩㄢˊ ㄓ ㄋㄞˇ ㄈㄣˇ)whole milk powder
全場(ㄑㄩㄢˊ ㄔㄤˇ)the whole audience
全程(ㄑㄩㄢˊ ㄔㄥˊ)the whole journey
全身(ㄑㄩㄢˊ ㄕㄣ)the whole body
全神貫注(ㄑㄩㄢˊ ㄕㄣˊ ㄍㄨㄢˋ ㄓㄨˋ) to concentrate on
全盛(ㄑㄩㄢˊ ㄕㄥˋ)flourishing; in full bloom
全然(ㄑㄩㄢˊ ㄖㄢˊ)completely; totally
全才(ㄑㄩㄢˊ ㄘㄞˊ)a versatile person
全速(ㄑㄩㄢˊ ㄙㄨˋ)full speed
全文(ㄑㄩㄢˊ ㄨㄣˊ)a full text

六畫

兩 309
ㄌㄧㄤˇ liǎng
1. two; a pair; a couple 2. both; either 3. a tael (a unit of weight)
兩敗俱傷(ㄌㄧㄤˇ ㄅㄞˋ ㄐㄩˋ ㄕㄤ)Both are hurt. 或 Nobody wins.
兩倍(ㄌㄧㄤˇ ㄅㄟˋ)double; twice
兩半(ㄌㄧㄤˇ ㄅㄢˋ)two halves
兩邊(ㄌㄧㄤˇ ㄅㄧㄢ) or 兩旁 (ㄌㄧㄤˇ ㄆㄤˊ)both sides; two sides
兩面夾攻(ㄌㄧㄤˇ ㄇㄧㄢˋ ㄐㄧㄚˊ ㄍㄨㄥ) to make a pincers drive
兩黨制(ㄌㄧㄤˇ ㄉㄤˇ ㄓˋ)the two-party system
兩難(ㄌㄧㄤˇ ㄋㄢˊ)(literally) between two difficulties—indecisive
兩立(ㄌㄧㄤˇ ㄌㄧˋ)to coexist
兩口子(ㄌㄧㄤˇ ㄎㄡˇ ·ㄗ)a married couple
兩回事(ㄌㄧㄤˇ ㄏㄨㄟˊ ㄕˋ)two entirely different things
兩極(ㄌㄧㄤˇ ㄐㄧˊ)two extremes
兩棲(ㄌㄧㄤˇ ㄑㄧ)amphibious
兩棲部隊 (ㄌㄧㄤˇ ㄑㄧ ㄅㄨˋ ㄉㄨㄟˋ) amphibious force
兩訖(ㄌㄧㄤˇ ㄑㄧˋ) (said of a purchase) paid and delivered
兩全(ㄌㄧㄤˇ ㄑㄩㄢˊ)to be satisfactory to both parties
兩全其美(ㄌㄧㄤˇ ㄑㄩㄢˊ ㄑㄧˊ ㄇㄟˇ)to profit both parties by a single act
兩袖清風(ㄌㄧㄤˇ ㄒㄧㄡˋ ㄑㄧㄥ ㄈㄥ)to attain high official ranks without money in the bank
兩性(ㄌㄧㄤˇ ㄒㄧㄥˋ)① both sexes ② amphoteric
兩相情願(ㄌㄧㄤˇ ㄒㄧㄤ ㄑㄧㄥˊ ㄩㄢˋ) Both parties are willing.
兩重(ㄌㄧㄤˇ ㄔㄨㄥˊ)double; dual; two-fold
兩用(ㄌㄧㄤˇ ㄩㄥˋ)serving two purposes

七畫

俞 310
ㄩˊ yú
1. to answer in the affirmative 2. to make a boat by hollowing the log 3. a Chinese family name

八部
ㄅㄚ bā

八 311
ㄅㄚ bā (變調 ㄅㄚˊ bá)
eight
八拜之交(ㄅㄚˊ ㄅㄞˋ ㄓ ㄐㄧㄠ)sworn brotherhood
八寶飯(ㄅㄚ ㄅㄠˇ ㄈㄢˋ)rice cooked with eight ingredients
八面玲瓏(ㄅㄚˊ ㄇㄧㄢˋ ㄌㄧㄥˊ ㄌㄨㄥˊ)to be pleasant all round
八面威風(ㄅㄚˊ ㄇㄧㄢˋ ㄨㄟ ㄈㄥ)influential in every quarter
八哥(ㄅㄚ ㄍㄜ)a mynah
八股(ㄅㄚ ㄍㄨˇ)corny; lacking in originality
八開(ㄅㄚ ㄎㄞ)octavo (books, paper, etc.)
八九不離十(ㄅㄚ ㄐㄧㄡˇ ㄅㄨˋ ㄌㄧˊ ㄕˊ) pretty close; very near
八成(ㄅㄚ ㄔㄥˊ)(literally) eighty percent—nearly; almost; very likely
八月(ㄅㄚˊ ㄩㄝˋ)August

二畫

公 312
ㄍㄨㄥ gōng
1. unselfish; unbiased; fair 2. public 3. to make public; open to all 4. the first of old China's five grades of the nobility 5. the father of one's husband; one's father-in-law 6. one's grandfather 7. a respectful salutation 8. the male (of animals) 9. office; official duties
公保(ㄍㄨㄥ ㄅㄠˇ)government insurance for public servants
公報(ㄍㄨㄥ ㄅㄠˋ)an official bulletin
公布 or 公佈(ㄍㄨㄥ ㄅㄨˋ) to make public; to announce
公婆(ㄍㄨㄥ ㄆㄛˊ)the parents of one's husband
公平(ㄍㄨㄥ ㄆㄧㄥˊ)fair; unbiased; just
公僕(ㄍㄨㄥ ㄆㄨˊ)a public servant; an official
公賣局(ㄍㄨㄥ ㄇㄞˋ ㄐㄩˊ)a government monopoly bureau
公民(ㄍㄨㄥ ㄇㄧㄣˊ)citizens
公民投票 (ㄍㄨㄥ ㄇㄧㄣˊ ㄊㄡˊ ㄆㄧㄠˋ) the referendum
公民權(ㄍㄨㄥ ㄇㄧㄣˊ ㄑㄩㄢˊ)civil rights
公墓(ㄍㄨㄥ ㄇㄨˋ)a public cemetery
公法(ㄍㄨㄥ ㄈㄚˇ)public law
公費(ㄍㄨㄥ ㄈㄟˋ)government funds
公分(ㄍㄨㄥ ㄈㄣ)a centimeter (cm.)
公憤(ㄍㄨㄥ ㄈㄣˋ)public indignation
公德心(ㄍㄨㄥ ㄉㄜˊ ㄒㄧㄣ)regard for public welfare

公道(ㄍㄨㄥ ㄉㄠˋ)①justice ②reasonable (prices); just; fair
公噸(ㄍㄨㄥ ㄉㄨㄣˋ)a metric ton
公聽會(ㄍㄨㄥ ㄊㄧㄥ ㄏㄨㄟˋ)a public hearing
公釐(ㄍㄨㄥ ㄌㄧˊ)a millimeter
公里(ㄍㄨㄥ ㄌㄧˇ)a kilometer
公理(ㄍㄨㄥ ㄌㄧˇ)justice
公立學校(ㄍㄨㄥ ㄌㄧˋ ㄒㄩㄝˊ ㄒㄧㄠˋ)public schools
公路(ㄍㄨㄥ ㄌㄨˋ)a highway
公論(ㄍㄨㄥ ㄌㄨㄣˋ)public opinion
公告(ㄍㄨㄥ ㄍㄠˋ)a public announcement
公告地價(ㄍㄨㄥ ㄍㄠˋ ㄉㄧˋ ㄐㄧㄚˋ)a government-assessed land price
公共(ㄍㄨㄥ ㄍㄨㄥˋ)public
公共電視(ㄍㄨㄥ ㄍㄨㄥˋ ㄉㄧㄢˋ ㄕˋ)public television
公共關係(ㄍㄨㄥ ㄍㄨㄥˋ ㄍㄨㄢ ㄒㄧˋ)public relations (PR)
公共汽車(ㄍㄨㄥ ㄍㄨㄥˋ ㄑㄧˋ ㄔㄜ)a bus; an omnibus
公共行政(ㄍㄨㄥ ㄍㄨㄥˋ ㄒㄧㄥˊ ㄓㄥˋ)public administration
公共秩序(ㄍㄨㄥ ㄍㄨㄥˋ ㄓˋ ㄒㄩˋ)public order
公共事業(ㄍㄨㄥ ㄍㄨㄥˋ ㄕˋ ㄧㄝˋ)public utilities
公共衛生(ㄍㄨㄥ ㄍㄨㄥˋ ㄨㄟˋ ㄕㄥ)public health; public sanitation
公克(ㄍㄨㄥ ㄎㄜˋ)a gram
公開(ㄍㄨㄥ ㄎㄞ)to make known to the public
公開投標(ㄍㄨㄥ ㄎㄞ ㄊㄡˊ ㄅㄧㄠ)an open bid; an open tender
公開市場(ㄍㄨㄥ ㄎㄞ ㄕˋ ㄔㄤˇ)an open market (OM)
公款(ㄍㄨㄥ ㄎㄨㄢˇ)public funds
公海(ㄍㄨㄥ ㄏㄞˇ)the high seas
公害(ㄍㄨㄥ ㄏㄞˋ)social effects of pollution
公會(ㄍㄨㄥ ㄏㄨㄟˋ)a union, league, society, etc. of a certain trade
公雞(ㄍㄨㄥ ㄐㄧ)a cock; a rooster
公祭(ㄍㄨㄥ ㄐㄧˋ)a public memorial ceremony
公教人員(ㄍㄨㄥ ㄐㄧㄠˋ ㄖㄣˊ ㄩㄢˊ)government employees and staffs of public schools
公斤(ㄍㄨㄥ ㄐㄧㄣ)a kilogram (kg)
公爵(ㄍㄨㄥ ㄐㄩㄝˊ)a duke
公頃(ㄍㄨㄥ ㄑㄧㄥˇ)a hectare (ha)
公權力(ㄍㄨㄥ ㄑㄩㄢˊ ㄌㄧˋ)government power or authority
公休(ㄍㄨㄥ ㄒㄧㄡ)a holiday for a particular trade
公信力(ㄍㄨㄥ ㄒㄧㄣˋ ㄌㄧˋ)government credibility
公債(ㄍㄨㄥ ㄓㄞˋ)government bonds
公正(ㄍㄨㄥ ㄓㄥˋ)justice; fairness; just
公證(ㄍㄨㄥ ㄓㄥˋ)to notarize
公證結婚(ㄍㄨㄥ ㄓㄥˋ ㄐㄧㄝˊ ㄏㄨㄣ)a court wedding
公主(ㄍㄨㄥ ㄓㄨˇ)a princess
公衆(ㄍㄨㄥ ㄓㄨㄥˋ)the public
公尺(ㄍㄨㄥ ㄔˇ)a meter
公差(ㄍㄨㄥ ㄔㄞ)official assignments
公使(ㄍㄨㄥ ㄕˇ) (diplomacy) a minister
公式(ㄍㄨㄥ ㄕˋ)a formula
公事(ㄍㄨㄥ ㄕˋ)official business
公式化(ㄍㄨㄥ ㄕˋ ㄏㄨㄚˋ)stereotyped
公審(ㄍㄨㄥ ㄕㄣˇ)a public trial
公升(ㄍㄨㄥ ㄕㄥ)a liter
公然(ㄍㄨㄥ ㄖㄢˊ)openly; in public
公認(ㄍㄨㄥ ㄖㄣˋ)generally recognized
公廁(ㄍㄨㄥ ㄘㄜˋ)a public lavatory
公寸(ㄍㄨㄥ ㄘㄨㄣˋ)a decimeter
公司(ㄍㄨㄥ ㄙ)a company
公私分明(ㄍㄨㄥ ㄙ ㄈㄣ ㄇㄧㄥˊ)to be scrupulous in separating public from private interests
公訴(ㄍㄨㄥ ㄙㄨˋ)public prosecution
公益(ㄍㄨㄥ ㄧˋ)public interests or welfare
公有(ㄍㄨㄥ ㄧㄡˇ)publicly-owned; public
公演(ㄍㄨㄥ ㄧㄢˇ)to stage shows for public viewing
公營(ㄍㄨㄥ ㄧㄥˊ)publicly-owned
公營事業(ㄍㄨㄥ ㄧㄥˊ ㄕˋ ㄧㄝˋ)government-owned enterprises
公物(ㄍㄨㄥ ㄨˋ)public or government property
公務(ㄍㄨㄥ ㄨˋ)public business
公務員(ㄍㄨㄥ ㄨˋ ㄩㄢˊ)government employees
公文(ㄍㄨㄥ ㄨㄣˊ)official documents
公寓(ㄍㄨㄥ ㄩˋ)an apartment house
公元(ㄍㄨㄥ ㄩㄢˊ)the Christian era
公園(ㄍㄨㄥ ㄩㄢˊ)a park; a public garden
公用(ㄍㄨㄥ ㄩㄥˋ)public (telephones, etc.)
公用電話(ㄍㄨㄥ ㄩㄥˋ ㄉㄧㄢˋ ㄏㄨㄚˋ)a public telephone

六 313
ㄌㄧㄡˋ liù (讀音 ㄌㄨˋ lù)
six

六根清淨(ㄌㄧㄡˋ ㄍㄣ ㄑㄧㄥ ㄐㄧㄥˋ)(said of a Buddha) free from human desires and passions
六親不認(ㄌㄧㄡˋ ㄑㄧㄣ ㄅㄨˊ ㄖㄣˋ)not to recognize one's own closest relatives—cold and arrogant
六神無主(ㄌㄧㄡˋ ㄕㄣˊ ㄨˊ ㄓㄨˇ)shocked
六月(ㄌㄧㄡˋ ㄩㄝˋ)June

兮 314
ㄒㄧ xī

1.an adjunct with no independent meaning, roughly equivalent to "Oh" or "Ah" in English 2. a particle of pause used in ancient poetry and still used in eulogies

四畫

共 315 ㄍㄨㄥˋ **gòng**

1. common; same 2. all; collectively 3. to share; to work together 4. together 5. an abbreviation of the word "Communism" or "Communist"

共謀(ㄍㄨㄥˋ ㄇㄡˊ)to scheme together
共勉(ㄍㄨㄥˋ ㄇㄧㄢˇ)to encourage each other
共鳴 (ㄍㄨㄥˋ ㄇㄧㄥˊ) (to inspire) the same feeling in others
共犯(ㄍㄨㄥˋ ㄈㄢˋ)a joint offender
共同(ㄍㄨㄥˋ ㄊㄨㄥˊ)common; shared by all
共和黨(ㄍㄨㄥˋ ㄏㄜˊ ㄉㄤˇ)the Republican Party
共和國(ㄍㄨㄥˋ ㄏㄜˊ ㄍㄨㄛˊ)a republic
共計(ㄍㄨㄥˋ ㄐㄧˋ)to total
共享(ㄍㄨㄥˋ ㄒㄧㄤˇ)to share
共產黨(ㄍㄨㄥˋ ㄔㄢˇ ㄉㄤˇ)the Communist Party
共產主義(ㄍㄨㄥˋ ㄔㄢˇ ㄓㄨˇ ㄧˋ)Communism
共事(ㄍㄨㄥˋ ㄕˋ)to work together
共識(ㄍㄨㄥˋ ㄕˋ)common consensus
共存(ㄍㄨㄥˋ ㄘㄨㄣˊ)to coexist
共有(ㄍㄨㄥˋ ㄧㄡˇ)owned by all

五畫

兵 316 ㄅㄧㄥ **bīng**

1. arms; weapons 2. a soldier; a serviceman; the military 3. to strike; to attack 4. a piece in Chinese chess—a pawn

兵變(ㄅㄧㄥ ㄅㄧㄢˋ)mutiny; troops in mutiny
兵不厭詐(ㄅㄧㄥ ㄅㄨˋ ㄧㄢˋ ㄓㄚˋ)Trickery is no vice in military operations.
兵馬(ㄅㄧㄥ ㄇㄚˇ)armaments
兵馬俑(ㄅㄧㄥ ㄇㄚˇ ㄩㄥˇ)wood or clay figures of soldiers and horses buried with the dead
兵法(ㄅㄧㄥ ㄈㄚˇ)military tactics and strategy
兵團(ㄅㄧㄥ ㄊㄨㄢˊ)a large (military) unit; corps; a legion
兵力(ㄅㄧㄥ ㄌㄧˋ)military strength
兵工廠(ㄅㄧㄥ ㄍㄨㄥ ㄔㄤˇ)an arsenal
兵器(ㄅㄧㄥ ㄑㄧˋ)weapons; arms
兵權(ㄅㄧㄥ ㄑㄩㄢˊ)authority to make military decisions
兵士(ㄅㄧㄥ ㄕˋ)a soldier; a foot soldier
兵戎相見(ㄅㄧㄥ ㄖㄨㄥˊ ㄒㄧㄤ ㄐㄧㄢˋ) to resort to arms
兵役(ㄅㄧㄥ ㄧˋ) (compulsory) military service
兵營(ㄅㄧㄥ ㄧㄥˊ)barracks

六畫

其 317 ㄑㄧˊ **qí**

1. a pronoun—he, she, it, they; his, her, its, their 2. this; that; the 3. an interrogative used to introduce a question

其貌不揚(ㄑㄧˊ ㄇㄠˋ ㄅㄨˋ ㄧㄤˊ)physically unattractive; ugly in appearance
其他(ㄑㄧˊ ㄊㄚ)the others; the rest
其來有自(ㄑㄧˊ ㄌㄞˊ ㄧㄡˇ ㄗˋ) It did not happen by accident.
其間(ㄑㄧˊ ㄐㄧㄢ)in; among
其中(ㄑㄧˊ ㄓㄨㄥ)in; among
其實(ㄑㄧˊ ㄕˊ)in fact
其次(ㄑㄧˊ ㄘˋ)secondly
其餘(ㄑㄧˊ ㄩˊ)the others; the rest

具 318 ㄐㄩˋ **jù**

1.an appliance, implement, utensil, tool, etc. 2.talent; capability 3.to prepare; to equip 4.complete; all

具備(ㄐㄩˋ ㄅㄟˋ)all complete
具名(ㄐㄩˋ ㄇㄧㄥˊ)to sign
具體(ㄐㄩˋ ㄊㄧˇ)concrete (measures, results, etc.), as opposed to abstract
具結(ㄐㄩˋ ㄐㄧㄝˊ)①to enter into a bond ②(law)to sign an affidavit
具有(ㄐㄩˋ ㄧㄡˇ)to be provided with

典 319 ㄉㄧㄢˇ **diǎn**

1.a rule; a statute; a law; a canon 2.a tale or story from the classics; an allusion 3.to pawn; to mortgage 4.to take charge of

典範(ㄉㄧㄢˇ ㄈㄢˋ)a model to be followed
典禮(ㄉㄧㄢˇ ㄌㄧˇ)a ceremony; a rite
典故(ㄉㄧㄢˇ ㄍㄨˋ)an allusion; an origin
典籍(ㄉㄧㄢˇ ㄐㄧˊ)ancient books, statute records, etc.
典型(ㄉㄧㄢˇ ㄒㄧㄥˊ)a model; a pattern
典章(ㄉㄧㄢˇ ㄓㄤ)institutions
典押(ㄉㄧㄢˇ ㄧㄚ)to mortgage
典雅(ㄉㄧㄢˇ ㄧㄚˇ)elegant (style)
典獄長(ㄉㄧㄢˇ ㄩˋ ㄓㄤˇ)the warden (of a penitentiary)

八畫

兼 320 ㄐㄧㄢ **jiān**

1. to unite in one; to connect; to annex 2. and; also; together with; both; equally; concurrently

兼備(ㄐㄧㄢ ㄅㄟˋ)to be in possession of both
兼併(ㄐㄧㄢ ㄅㄧㄥˋ)to annex (another country, etc.)
兼顧(ㄐㄧㄢ ㄍㄨˋ)to look after both sides
兼課(ㄐㄧㄢ ㄎㄜˋ)to do some teaching

besides one's main occupation

兼職(ㄐㄧㄢ ㄓˊ)a side job; a part-time job

兼差(ㄐㄧㄢ ㄔㄞ)a part-time job

兼程(ㄐㄧㄢ ㄔㄥˊ)to proceed on one's trip on the double

兼善天下(ㄐㄧㄢ ㄕㄢˋ ㄊㄧㄢ ㄒㄧㄚˋ)to benefit all the people in the world

兼任(ㄐㄧㄢ ㄖㄣˋ)to have a side job

兼任教師(ㄐㄧㄢ ㄖㄣˋ ㄐㄧㄠˋ ㄕ)a part-time teacher

兼容並蓄(ㄐㄧㄢ ㄖㄨㄥˊ ㄅㄧㄥˋ ㄒㄩˋ) tolerant; open-minded

兼愛(ㄐㄧㄢ ㄞˋ)love without distinction

十四畫

冀 321 ㄐㄧˋ jì

1. to hope 2. another name for Hopeh Province

冂部 ㄐㄩㄥ jiōng

三畫

冉 322 ㄖㄢˇ rǎn

1. gradually 2. tender; weak 3. the outer edge of a turtle's shell

冉冉上升(ㄖㄢˇ ㄖㄢˇ ㄕㄤˋ ㄕㄥ)to rise gradually

冊 323 ㄘㄜˋ cè

1. (in ancient China) a register; a book or books in general; volumes 2. a list; statistical tables; records 3. an order to confer nobility titles

冊子(ㄘㄜˋ ·ㄗ)a book; a pamphlet

四畫

再 324 ㄗㄞˋ zài

1. again; repeated 2. still; further; then

再保險(ㄗㄞˋ ㄅㄠˇ ㄒㄧㄢˇ)reinsurance

再版(ㄗㄞˋ ㄅㄢˇ)the second printing or edition (of a book)

再犯(ㄗㄞˋ ㄈㄢˋ)to repeat an offense

再度(ㄗㄞˋ ㄉㄨˋ)once more; once again

再會(ㄗㄞˋ ㄏㄨㄟˋ)Good-bye.

再婚(ㄗㄞˋ ㄏㄨㄣ)digamy

再接再厲(ㄗㄞˋ ㄐㄧㄝ ㄗㄞˋ ㄌㄧˋ)to forge ahead in disregard of obstructions or failures

再見(ㄗㄞˋ ㄐㄧㄢˋ)Good-bye. 或See you again.

再現(ㄗㄞˋ ㄒㄧㄢˋ)reappearance

再審(ㄗㄞˋ ㄕㄣˇ)a retrial

再說(ㄗㄞˋ ㄕㄨㄛ)furthermore; besides

再次(ㄗㄞˋ ㄘˋ)once more; once again

再三(ㄗㄞˋ ㄙㄢ)again and again

再也不(ㄗㄞˋ ㄧㄝˇ ㄅㄨˋ)never again

七畫

冒 325 ㄇㄠˋ mào

1. incautious; imprudent; rash 2. to risk; to brave; to be exposed to (hardships) 3. to put forth; to issue forth; to go up (as fire, smoke, etc.)

冒牌(ㄇㄠˋ ㄆㄞˊ) a fake; an imitation

冒昧(ㄇㄠˋ ㄇㄟˋ)presumptuous

冒冒失失(ㄇㄠˋ ·ㄇㄠ ㄕ ㄕ)rash; imprudent; hasty

冒名(ㄇㄠˋ ㄇㄧㄥˊ)to assume another's name

冒名頂替(ㄇㄠˋ ㄇㄧㄥˊ ㄉㄧㄥˇ ㄊㄧˋ)to assume the identity of another person

冒犯(ㄇㄠˋ ㄈㄢˋ)to offend

冒瀆(ㄇㄠˋ ㄉㄨˊ)to bother or annoy

冒領(ㄇㄠˋ ㄌㄧㄥˇ)to get or take something by posing as someone else for whom it is intended

冒號(ㄇㄠˋ ㄏㄠˋ)the colon

冒火(ㄇㄠˋ ㄏㄨㄛˇ)to become angry

冒險(ㄇㄠˋ ㄒㄧㄢˇ)to take risks

冒稱(ㄇㄠˋ ㄔㄥ)to claim falsely

冒充(ㄇㄠˋ ㄔㄨㄥ)to pretend to be somebody else

冒失(ㄇㄠˋ ㄕ)hasty; reckless; rash

冒失鬼(ㄇㄠˋ ㄕ ㄍㄨㄟˇ)a rash fellow

冒然(ㄇㄠˋ ㄖㄢˊ)recklessly; reckless

冒死(ㄇㄠˋ ㄙˇ)to risk death

冒煙(ㄇㄠˋ ㄧㄢ)to belch smoke

冒雨(ㄇㄠˋ ㄩˇ)to brave the rain

冑 326 ㄓㄡˋ zhòu

a helmet

八畫

冓 327 ㄍㄡˋ gòu

a secluded place in a palace; a secret cabinet

九畫

冕 328 ㄇㄧㄢˇ miǎn

1. a ceremonial cap for high ministers in ancient China 2. a crown

七畫

冠 329
1. ㄍㄨㄢ guān
1. a cap 2. the comb or crest of a bird
冠冕(ㄍㄨㄢ ㄇㄧㄢˇ)the hat
冠冕堂皇(ㄍㄨㄢ ㄇㄧㄢˇ ㄊㄤˊ ㄏㄨㄤˊ) elegant and stately officially
冠蓋雲集(ㄍㄨㄢ ㄍㄞˋ ㄩㄣˊ ㄐㄧˊ)a gathering of dignitaries

冠 329
2. ㄍㄨㄢˋ guàn
1. at 20 when a young man is capped 2. first-rate 3. to wear a cap
冠軍(ㄍㄨㄢˋ ㄐㄩㄣ)a champion
冠詞(ㄍㄨㄢˋ ㄘˊ)the article

八畫

冤 330
(寃)ㄩㄢ yuān
1. oppression; injustice; a grievance; a wrong 2. feud; animosity; enmity 3. to cheat 4. to spend money recklessly 5. to make false accusations
冤大頭(ㄩㄢ ㄉㄚˋ ㄊㄡˊ)a person played for a big fool; a fathead
冤情(ㄩㄢ ㄑㄧㄥˊ)the details of a grievance or wrong
冤屈(ㄩㄢ ㄑㄩ)a grievance; a wrong
冤仇(ㄩㄢ ㄔㄡˊ)feud; enmity; animus
冤枉(ㄩㄢ ㄨㄤˇ)to wrong; a wrong
冤獄(ㄩㄢ ㄩˋ)miscarriage of justice

冥 331
ㄇㄧㄥˊ míng
1. dark; obscure; dim; dusk 2. stupidity; stupid 3. far and high 4. deep; profound 5. Hades 6. night
冥冥之中(ㄇㄧㄥˊ ㄇㄧㄥˊ ㄓ ㄓㄨㄥ) (said of divine influence) imperceptibly but inexorably
冥府(ㄇㄧㄥˊ ㄈㄨˇ)the underworld; Hades
冥婚(ㄇㄧㄥˊ ㄏㄨㄣ)a marriage ceremony for persons already dead
冥想(ㄇㄧㄥˊ ㄒㄧㄤˇ)deep meditation
冥頑不靈(ㄇㄧㄥˊ ㄨㄢˊ ㄅㄨˋ ㄌㄧㄥˊ)stupid and stubborn; foolhardy
冥王星(ㄇㄧㄥˊ ㄨㄤˊ ㄒㄧㄥ)the planet Pluto

冢 332
ㄓㄨㄥˇ zhǒng
1. a high grave 2. a peak; a summit 3. the eldest 4. great; supreme; prime (all referring to official ranks)

十四畫

冪 333
ㄇㄧˋ mì
1. to cover with cloth 2. a cloth cover; a veil 3. (mathematics) power

冫部
ㄅㄧㄥ bīng

三畫

冬 334
ㄉㄨㄥ dōng
1. winter 2. (the lunar calendar) the period from the 10th to the 12th month
冬眠(ㄉㄨㄥ ㄇㄧㄢˊ)to hibernate
冬天(ㄉㄨㄥ ㄊㄧㄢ) or 冬令(ㄉㄨㄥ ㄌㄧㄥˋ)winter
冬暖夏涼(ㄉㄨㄥ ㄋㄨㄢˇ ㄒㄧㄚˋ ㄌㄧㄤˊ) cool in summer and warm in winter
冬菇(ㄉㄨㄥ ㄍㄨ)a mushroom
冬瓜(ㄉㄨㄥ ㄍㄨㄚ)a white gourd; a wax gourd
冬烘(ㄉㄨㄥ ㄏㄨㄥ)a pedant or a pedagogue
冬季(ㄉㄨㄥ ㄐㄧˋ)the winter season
冬至(ㄉㄨㄥ ㄓˋ)the winter solstice
冬筍(ㄉㄨㄥ ㄙㄨㄣˇ)winter sprouts of bamboos

四畫

冰 335
ㄅㄧㄥ bīng
1. ice; icicles 2. cold; frost
冰雹(ㄅㄧㄥ ㄅㄠˊ)hail; a hailstone
冰棒(ㄅㄧㄥ ㄅㄤˋ)a flavored popsicle
冰封(ㄅㄧㄥ ㄈㄥ)icebound
冰刀(ㄅㄧㄥ ㄉㄠ)the blades of ice skates
冰點(ㄅㄧㄥ ㄉㄧㄢˇ)the freezing point
冰凍(ㄅㄧㄥ ㄉㄨㄥˋ)to freeze
冰凍三尺非一日之寒(ㄅㄧㄥ ㄉㄨㄥˋ ㄙㄢ ㄔˇ ㄈㄟ ㄧ ㄖˋ ㄓ ㄏㄢˊ)The grudge or animosity has its deep root.
冰糖(ㄅㄧㄥ ㄊㄤˊ)rock candy
冰天雪地(ㄅㄧㄥ ㄊㄧㄢ ㄒㄩㄝˇ ㄉㄧˋ) frozen and snow-covered land
冰冷(ㄅㄧㄥ ㄌㄥˇ)icy cold; cold as ice
冰菓店(ㄅㄧㄥ ㄍㄨㄛˇ ㄉㄧㄢˋ)a cold drink shop
冰塊(ㄅㄧㄥ ㄎㄨㄞˋ)lumps of ice; ice cubes
冰河(ㄅㄧㄥ ㄏㄜˊ)a glacier
冰窖(ㄅㄧㄥ ㄐㄧㄠˋ)an icehouse
冰淇淋(ㄅㄧㄥ ㄑㄧˊ ㄌㄧㄣˊ)ice cream
冰消瓦解(ㄅㄧㄥ ㄒㄧㄠ ㄨㄚˇ ㄐㄧㄝˇ) total dissolution like melting ice
冰箱(ㄅㄧㄥ ㄒㄧㄤ)a refrigerator
冰雪聰明(ㄅㄧㄥ ㄒㄩㄝˇ ㄘㄨㄥ ㄇㄧㄥˊ) very clever; remarkably bright; brilliant
冰柱(ㄅㄧㄥ ㄓㄨˋ)icicles
冰蝕(ㄅㄧㄥ ㄕˊ) (geology) glacial ero-

sion 「without a trace
冰釋(ㄅㄧㄥ ㄕˋ)solved; to disappear
冰山(ㄅㄧㄥ ㄕㄢ)an iceberg
冰水(ㄅㄧㄥ ㄕㄨㄟˇ)ice water
冰霜(ㄅㄧㄥ ㄕㄨㄤ)① cold and severe ② incorruptible
冰原(ㄅㄧㄥ ㄩㄢˊ)an ice field

五畫

冶 336 ㄧㄝˇ **yě**
1. to smelt; to fuse metals 2. seductive
冶金學(ㄧㄝˇ ㄐㄧㄣ ㄒㄩㄝˊ)metallurgy

冷 337 ㄌㄥˇ **lěng**
1. cold 2. (said of business, farming, etc.) off-season
冷板凳(ㄌㄥˇ ㄅㄢˇ ㄉㄥˋ)a cold reception 「cold as ice
冷冰冰(ㄌㄥˇ ㄅㄧㄥ ㄅㄧㄥ)icy cold;
冷不防(ㄌㄥˇ ㄅㄨˋ ㄈㄤˊ)unexpectedly
冷盤(ㄌㄥˇ ㄆㄢˊ)or 冷碟(ㄌㄥˇ ㄉㄧㄝˊ)a dish of assorted cold meats
冷僻(ㄌㄥˇ ㄆㄧˋ)big or hard (expressions) 「indifferent
冷漠(ㄌㄥˇ ㄇㄛˋ)cool and detached;
冷門(ㄌㄥˇ ㄇㄣˊ)not popular
冷鋒(ㄌㄥˇ ㄈㄥ)a cold front
冷淡(ㄌㄥˇ ㄉㄢˋ)cold (expressions); indifferent (attitudes)
冷凍(ㄌㄥˇ ㄉㄨㄥˋ)freezing
冷凍庫(ㄌㄥˇ ㄉㄨㄥˋ ㄎㄨˋ)a freezer
冷凍劑(ㄌㄥˇ ㄉㄨㄥˋ ㄐㄧˋ)a coolant agent; a refrigerant 「foods
冷凍食品(ㄌㄥˇ ㄉㄨㄥˋ ㄕˊ ㄆㄧㄣˇ)frozen
冷冷清清(ㄌㄥˇ ㄌㄥˇ ㄑㄧㄥ ㄑㄧㄥ)desolate; lonely 「cold-shoulder
冷落(ㄌㄥˇ ㄌㄨㄛˋ)cold reception; to
冷酷(ㄌㄥˇ ㄎㄨˋ)merciless; heartless
冷汗(ㄌㄥˇ ㄏㄢˋ)a cold sweat (as in great fright, etc.)
冷靜(ㄌㄥˇ ㄐㄧㄥˋ)calm or composed
冷氣(ㄌㄥˇ ㄑㄧˋ)air conditioning
冷氣機(ㄌㄥˇ ㄑㄧˋ ㄐㄧ)an air-conditioner 「deserted
冷清(ㄌㄥˇ ㄑㄧㄥ)desolate; lonely;
冷却(ㄌㄥˇ ㄑㄩㄝˋ)to cool off
冷血動物(ㄌㄥˇ ㄒㄧㄝˇ ㄉㄨㄥˋ ㄨˋ)① cold-blooded animals ② a heartless or ruthless person
冷笑(ㄌㄥˇ ㄒㄧㄠˋ)a sarcastic smile
冷戰(ㄌㄥˇ ㄓㄢˋ)cold war
冷嘲熱諷(ㄌㄥˇ ㄔㄠˊ ㄖㄜˋ ㄈㄥˋ)sarcasm and mockery
冷場(ㄌㄥˇ ㄔㄤˇ)temporary suspension of a show, party, etc. occasioned by inefficient management
冷水(ㄌㄥˇ ㄕㄨㄟˇ)cold water; unboiled water 「of refrigeration
冷藏(ㄌㄥˇ ㄘㄤˊ)to preserve by means
冷言冷語(ㄌㄥˇ ㄧㄢˊ ㄌㄥˇ ㄩˇ)sarcastic remarks 「look on coldly
冷眼旁觀(ㄌㄥˇ ㄧㄢˇ ㄆㄤˊ ㄍㄨㄢ)to
冷飲(ㄌㄥˇ ㄧㄣˇ)cold drinks

六畫

冽 338 ㄌㄧㄝˋ **liè**
crystal-clear (water or wine)

八畫

准 339 ㄓㄨㄣˇ **zhǔn**
1. to approve; to permit; to grant; to authorize 2. in accordance with; accordingly 3. equivalent; equal
准許(ㄓㄨㄣˇ ㄒㄩˇ)to permit; to allow

凊 340 ㄐㄧㄥˋ **jìng**
cold; cool; chilly

凋 341 ㄉㄧㄠ **diāo** 「emaciated
1. withered; faded 2. exhausted;
凋零(ㄉㄧㄠ ㄌㄧㄥˊ)withered
凋落(ㄉㄧㄠ ㄌㄨㄛˋ) or 凋謝 (ㄉㄧㄠ ㄒㄧㄝˋ)fallen; withered

凌 342 ㄌㄧㄥˊ **líng**
1. accumulated ice 2. to insult; to maltreat; to throw one's weight around 3. to rise; to ride; to soar 4. to traverse
凌厲(ㄌㄧㄥˊ ㄌㄧˋ) relentless
凌亂(ㄌㄧㄥˊ ㄌㄨㄢˋ)in total disorder; disheveled 「others; to outstrip
凌駕(ㄌㄧㄥˊ ㄐㄧㄚˋ)to rise above
凌霄(ㄌㄧㄥˊ ㄒㄧㄠ)to soar to the skies
凌晨(ㄌㄧㄥˊ ㄔㄣˊ)very early in the morning
凌辱(ㄌㄧㄥˊ ㄖㄨˇ)to insult; to maltreat

凍 343 ㄉㄨㄥˋ **dòng** 「family name
1. to freeze 2. cold; icy 3. a Chinese
凍結(ㄉㄨㄥˋ ㄐㄧㄝˊ) to freeze (an account, etc.)
凍僵(ㄉㄨㄥˋ ㄐㄧㄤ)to be frozen stiff
凍瘡(ㄉㄨㄥˋ ㄔㄨㄤ)frostbite; chilblains
凍傷(ㄉㄨㄥˋ ㄕㄤ)to suffer injuries as a result of long exposure to cold weather
凍死(ㄉㄨㄥˋ ㄙˇ)to freeze to death

十三畫

凜 344 ㄌㄧㄣˇ **lǐn**

1. cold; bleak 2. to be apprehensive; to shiver with cold or fear 3. imposing; awe-inspiring
凜冽(ㄌㄧㄣˇ ㄌㄧㄝˋ)very cold
凜凜(ㄌㄧㄣˇ ㄌㄧㄣˇ) (said of manners) forbidding
凜然(ㄌㄧㄣˇ ㄖㄢˊ)a stern, repellent appearance arousing fear, reverence

十四畫

凝 345 ㄋㄧㄥˊ níng
1. to freeze 2. to congeal; to coagulate 3. to form; to take shape 4. to concentrate; to cohere
凝固(ㄋㄧㄥˊ ㄍㄨˋ) (said of liquid) to congeal; to solidify
凝結(ㄋㄧㄥˊ ㄐㄧㄝˊ)to condense (from gas to liquid); to curdle
凝聚(ㄋㄧㄥˊ ㄐㄩˋ)to concentrate; to curdle
凝聚力(ㄋㄧㄥˊ ㄐㄩˋ ㄌㄧˋ)cohesion; cohesive force
凝想 (ㄋㄧㄥˊ ㄒㄧㄤˇ) to concentrate one's thought
凝重(ㄋㄧㄥˊ ㄓㄨㄥˋ)dignified
凝視(ㄋㄧㄥˊ ㄕˋ)to gaze (lovingly)
凝神(ㄋㄧㄥˊ ㄕㄣˊ)to concentrate

几部 ㄐㄧˇ jǐ

几 346 ㄐㄧˇ jǐ(語音 ㄐㄧ jī)
1. a small table 2. a simplified form of the character "幾"

一畫

凡 347 ㄈㄢˊ fán
1. common; ordinary; dull 2. worldly; mortal; earthly 3. generally; every; wherever 4. altogether
凡夫俗子(ㄈㄢˊ ㄈㄨ ㄙㄨˊ ㄗˇ)ordinary people
凡間(ㄈㄢˊ ㄐㄧㄢ)the material world
凡事(ㄈㄢˊ ㄕˋ)everything
凡是(ㄈㄢˊ ㄕˋ)all
凡士林(ㄈㄢˊ ㄕˋ ㄌㄧㄣˊ) Vaseline; petrolatum
凡人(ㄈㄢˊ ㄖㄣˊ)an ordinary person

九畫

凰 348 ㄏㄨㄤˊ huáng
the female phoenix, a legendary bird in Chinese mythology

十畫

凱 349 ㄎㄞˇ kǎi
1. peace; joy 2. balmy; soothing; tender 3. a victory
凱歌(ㄎㄞˇ ㄍㄜ)a song of victory
凱旋(ㄎㄞˇ ㄒㄩㄢˊ)to return in triumph
凱旋門(ㄎㄞˇ ㄒㄩㄢˊ ㄇㄣˊ)the Arc of Triumph (in Paris, France)

十二畫

凳 350 (櫈) ㄉㄥˋ dèng
as in 凳子—a stool; a bench

凵部 ㄑㄩ qū

二畫

凶 351 ㄒㄩㄥ xiōng
1. evil; bad 2. famine 3. unlucky; unfortunate 4. fear; fearsome 5. very; excessive; excess
凶暴(ㄒㄩㄥ ㄅㄠˋ)fierce and brutal
凶猛(ㄒㄩㄥ ㄇㄥˇ)violent; ferocious
凶多吉少(ㄒㄩㄥ ㄉㄨㄛ ㄐㄧˊ ㄕㄠˇ) to bode ill rather than well
凶悍(ㄒㄩㄥ ㄏㄢˋ)fierce and tough
凶狠(ㄒㄩㄥ ㄏㄣˇ)fierce and malicious
凶器(ㄒㄩㄥ ㄑㄧˋ)a lethal weapon
凶險(ㄒㄩㄥ ㄒㄧㄢˇ)danger; dangerous
凶宅(ㄒㄩㄥ ㄓㄞˊ)a haunted house
凶殺(ㄒㄩㄥ ㄕㄚ)homicide; murder
凶手(ㄒㄩㄥ ㄕㄡˇ)a murderer
凶殘(ㄒㄩㄥ ㄘㄢˊ)bloodthirsty
凶惡(ㄒㄩㄥ ㄜˋ)brutish; ferocious

三畫

凸 352 ㄊㄨˊ tú
1. protuberant; convex 2. to protrude; to jut
凸透鏡(ㄊㄨˊ ㄊㄡˋ ㄐㄧㄥˋ)a convex lens
凸出(ㄊㄨˊ ㄔㄨ)bulging out; to protrude

凹 353 ㄠ āo
1. indented; an indention 2. hollow; concave
凹透鏡(ㄠ ㄊㄡˋ ㄐㄧㄥˋ)a concave lens
凹陷(ㄠ ㄒㄧㄢˋ) (said of a place) a hollow or depression

出 354 ㄔㄨ chū
1. to go out; to come out 2. to produce; to reproduce 3. to beget 4. to happen or occur; to incur 5. to put forth; to bud 6. to divorce (a wife,

〔凵部〕

etc.) 7. to chase away; to banish 8. to expend; to pay out 9. to escape; to leave (one's home, etc.) 10. to appear 11.to take office 12.to vent (one's anger, etc.)

出版(ㄔㄨ ㄅㄢˇ)to publish

出版自由(ㄔㄨ ㄅㄢˇ ㄗˋ ㄧㄡˊ)freedom of publication

出殯(ㄔㄨ ㄅㄧㄣˋ)a funeral procession

出兵(ㄔㄨ ㄅㄧㄥ)to dispatch troops

出品(ㄔㄨ ㄆㄧㄣˇ)products (of a certain company, etc.) 「something

出馬(ㄔㄨ ㄇㄚˇ)to go out and face

出賣(ㄔㄨ ㄇㄞˋ)① to sell ② to betray

出毛病(ㄔㄨ ㄇㄠˊ ㄅㄧㄥˋ)to go wrong

出門(ㄔㄨ ㄇㄣˊ)to leave one's home

出面(ㄔㄨ ㄇㄧㄢˋ)to assume the responsibility 「famous

出名(ㄔㄨ ㄇㄧㄥˊ)to become famous;

出發(ㄔㄨ ㄈㄚ)to set out

出發點(ㄔㄨ ㄈㄚ ㄉㄧㄢˇ) ①(in argument, discussion, etc.) premises; a basis ②a motive 「spotlight

出風頭(ㄔㄨ ㄈㄥ ·ㄊㄡ)to be in the

出動(ㄔㄨ ㄉㄨㄥˋ)to dispatch or send out 「succeed

出頭(ㄔㄨ ㄊㄡˊ)to make good or to

出題(ㄔㄨ ㄊㄧˊ)to set questions

出庭(ㄔㄨ ㄊㄧㄥˊ)to appear in court

出土(ㄔㄨ ㄊㄨˇ)to be unearthed

出納(ㄔㄨ ㄋㄚˋ)a teller or treasurer

出來(ㄔㄨ ·ㄌㄞ)to come out

出類拔萃(ㄔㄨ ㄌㄟˋ ㄅㄚˊ ㄘㄨㄟˋ)outstanding 「in the ranks

出列(ㄔㄨ ㄌㄧㄝˋ)to leave one's place

出路(ㄔㄨ ㄌㄨˋ)① the prospects (of a career, etc.) ② an outlet

出國(ㄔㄨ ㄍㄨㄛˊ)to go abroad

出軌(ㄔㄨ ㄍㄨㄟˇ)to derail

出口(ㄔㄨ ㄎㄡˇ)① to export ② to utter ③ an exit (in a theater, etc.)

出口貿易(ㄔㄨ ㄎㄡˇ ㄇㄠˋ ㄧˋ)export trade 「goods for export

出口貨(ㄔㄨ ㄎㄡˇ ㄏㄨㄛˋ)exports;

出口商(ㄔㄨ ㄎㄡˇ ㄕㄤ)an exporter

出海(ㄔㄨ ㄏㄞˇ)to leave (a) port

出海口(ㄔㄨ ㄏㄞˇ ㄎㄡˇ)an estuary

出汗(ㄔㄨ ㄏㄢˋ)to perspire; to sweat

出航(ㄔㄨ ㄏㄤˊ)to set out on a voyage

出乎意外(ㄔㄨ ㄏㄨ ㄧˋ ㄨㄞˋ)unexpectedly

出擊(ㄔㄨ ㄐㄧˊ)to leave (a base, camp, etc.) to attack or raid (the enemy)

出家(ㄔㄨ ㄐㄧㄚ)(Buddhism) to leave home and become a monk or nun

出嫁(ㄔㄨ ㄐㄧㄚˋ)(said of a woman) to get married 「bounds; outside

出界(ㄔㄨ ㄐㄧㄝˋ) (sports) out of

出境(ㄔㄨ ㄐㄧㄥˋ)to leave a place or country 「mit

出境證(ㄔㄨ ㄐㄧㄥˋ ㄓㄥˋ)an exit per-

出局(ㄔㄨ ㄐㄩˊ) (baseball) out

出奇(ㄔㄨ ㄑㄧˊ)extraordinary

出奇制勝(ㄔㄨ ㄑㄧˊ ㄓˋ ㄕㄥˋ)to win by surprise 「surprise

出其不意(ㄔㄨ ㄑㄧˊ ㄅㄨˋ ㄧˋ)to take by

出氣(ㄔㄨ ㄑㄧˋ)to vent one's anger

出錢(ㄔㄨ ㄑㄧㄢˊ)to provide the funds

出去(ㄔㄨ ·ㄑㄩ) ①to be out ②Get out! 「by illness, etc.

出缺(ㄔㄨ ㄑㄩㄝ)a vacancy created

出席(ㄔㄨ ㄒㄧˊ)to be present at (a meeting, etc.) 「etc.) ②profit

出息(ㄔㄨ ㄒㄧ) ①promising (kids,

出血(ㄔㄨ ㄒㄧㄝˇ)bleeding; hemorrhage

出現(ㄔㄨ ㄒㄧㄢˋ)to appear; to emerge

出巡(ㄔㄨ ㄒㄩㄣˊ)to go on an inspection trip

出診(ㄔㄨ ㄓㄣˇ) (said of a physician) to be on house call 「idea

出主意(ㄔㄨ ㄓㄨˇ ㄧˋ)to provide an

出超(ㄔㄨ ㄔㄠ)a favorable balance of trade 亦作「貿易順差」 「lose face

出醜(ㄔㄨ ㄔㄡˇ)to make a scene; to

出產(ㄔㄨ ㄔㄢˇ)to produce or grow

出場(ㄔㄨ ㄔㄤˇ)(said of a player) to go on the stage 「leave the factory

出廠(ㄔㄨ ㄔㄤˇ) (said of a product) to

出處(ㄔㄨ ㄔㄨˋ)the source of an allusion or a quotation

出使(ㄔㄨ ㄕˇ)to be an ambassador to

出示(ㄔㄨ ㄕˋ)to show

出事(ㄔㄨ ㄕˋ)to be in trouble

出售(ㄔㄨ ㄕㄡˋ)to sell 「grounds

出身 (ㄔㄨ ㄕㄣ) (personal) back

出神(ㄔㄨ ㄕㄣˊ) absent-minded

出聲(ㄔㄨ ㄕㄥ)to utter (a sound); to

出生(ㄔㄨ ㄕㄥ)to be born ⌊speak

出書(ㄔㄨ ㄕㄨ)to publish books

出人頭地(ㄔㄨ ㄖㄣˊ ㄊㄡˊ ㄉㄧˋ)to be somebody 「expectation

出人意表(ㄔㄨ ㄖㄣˊ ㄧˋ ㄅㄧㄠˇ)beyond

出任(ㄔㄨ ㄖㄣˋ)to take up the post of

出讓(ㄔㄨ ㄖㄤˋ)to sell; for sale

出入(ㄔㄨ ㄖㄨˋ)to come and go

出資(ㄔㄨ ㄗ)to put up capital

出租(ㄔㄨ ㄗㄨ)to let (a house, etc.)

出操(ㄔㄨ ㄘㄠ)to drill

出錯(ㄔㄨ ㄘㄨㄛˋ)to make mistakes

出色(ㄔㄨ ㄙㄜˋ)remarkable

出爾反爾(ㄔㄨ ㄦˇ ㄈㄢˇ ㄦˇ)to act contrary to one's word

出洋相(ㄔㄨ ㄧㄤˊ ㄒㄧㄤˋ) to make a fool of oneself (especially in public)

出外(ㄔㄨ ㄨㄞˋ)to leave for a distant

place 「ceed from
出於(ㄔㄨ ㄩˊ)to start from; to pro-
出院(ㄔㄨ ㄩㄢˋ)to leave the hospital

六畫

函 355
ㄏㄢˊ hán
1. a letter; correspondence 2. armor 3. to contain 4. a sheath, as for a sword or a knife 5. an envelope
函件(ㄏㄢˊ ㄐㄧㄢˋ)letters; correspondence 「correspondence
函授(ㄏㄢˊ ㄕㄡˋ)teaching by mail or
函數(ㄏㄢˊ ㄕㄨˋ) (mathematics) function

刀部
ㄉㄠ dāo

刀 356
ㄉㄠ dāo
1. a knife; a blade; a sword 2. knife-shaped coins of ancient China
刀把兒(ㄉㄠ ㄅㄚˇㄦ) the handle of a knife
刀背(ㄉㄠ ㄅㄟˋ)the back of a knife
刀片(ㄉㄠ ㄆㄧㄢˋ)a razor blade
刀馬旦(ㄉㄠ ㄇㄚˇ ㄉㄢˋ) (Peking opera) the role of a female warrior
刀鋒(ㄉㄠ ㄈㄥ)or 刀口(ㄉㄠ ㄎㄡˇ)or 刀刄(ㄉㄠ ㄖㄣˋ)the blade or edge of a knife
刀鞘(ㄉㄠ ㄑㄧㄠˋ)a sheath
刀槍(ㄉㄠ ㄑㄧㄤ)swords and spears; weapons
刀叉(ㄉㄠ ㄔㄚ)knives and forks
刀子(ㄉㄠ ·ㄗ)a small knife; a dagger

刁 357
ㄉㄧㄠ diāo
crafty; wicked; artful; knavish
刁蠻(ㄉㄧㄠ ㄇㄢˊ)obstinate
刁難(ㄉㄧㄠ ㄋㄢˊ)to (deliberately) make things difficult for others
刁鑽(ㄉㄧㄠ ㄗㄨㄢ)wily; cunning

一畫

刃 358
ㄖㄣˋ rèn
1. the blade or edge of a knife 2. to 「kill

二畫

分 359
1. ㄈㄣ fēn
1. to divide 2. to part 3. to share 4. to distribute 5. to distinguish 6. one minute 7. one cent 8. one hundredth of a tael 9. a centimeter 10. located separately; a branch
分貝(ㄈㄣ ㄅㄟˋ)a decibel 「unity
分崩離析(ㄈㄣ ㄅㄥ ㄌㄧˊ ㄒㄧ)to lose
分別(ㄈㄣ ㄅㄧㄝˊ)① to part (from a person) ② to distinguish or tell apart
分辨(ㄈㄣ ㄅㄧㄢˋ)to distinguish
分布 or 分佈(ㄈㄣ ㄅㄨˋ)to be scattered (over an area); to spread
分派(ㄈㄣ ㄆㄞˋ)to assign; to allot; to apportion 「tribution
分配(ㄈㄣ ㄆㄟˋ) ①to distribute ②dis-
分批(ㄈㄣ ㄆㄧ)in batches; in turn
分門別類(ㄈㄣ ㄇㄣˊ ㄅㄧㄝˊ ㄌㄟˋ)to classify systematically
分泌(ㄈㄣ ㄇㄧˋ) (biology) to secrete
分秒必爭(ㄈㄣ ㄇㄧㄠˇ ㄅㄧˋ ㄓㄥ)to seize every minute and second
分娩(ㄈㄣ ㄇㄧㄢˇ)to give birth
分明(ㄈㄣ ㄇㄧㄥˊ)clear; distinct; unambiguous 「fraction
分母(ㄈㄣ ㄇㄨˇ)the denominator of a
分發(ㄈㄣ ㄈㄚ)to assign or appoint (to a post or duty)
分道揚鑣(ㄈㄣ ㄉㄠˋ ㄧㄤˊ ㄅㄧㄠ)to quit partnership, association, etc.
分擔(ㄈㄣ ㄉㄢ)to share the responsibility for (the same task, duty, etc.)
分攤(ㄈㄣ ㄊㄢ)to share
分類(ㄈㄣ ㄌㄟˋ)to classify; to sort
分勞(ㄈㄣ ㄌㄠˊ)to help someone do work 「to divide
分離(ㄈㄣ ㄌㄧˊ)to separate; to part;
分裂(ㄈㄣ ㄌㄧㄝˋ)to split; to disunite
分割(ㄈㄣ ㄍㄜ)① to divide up; to cut apart ② segmentation
分隔(ㄈㄣ ㄍㄜˊ)to partition
分工合作(ㄈㄣ ㄍㄨㄥ ㄏㄜˊ ㄗㄨㄛˋ)to share out the work and cooperate with one another 「apart
分開(ㄈㄣ ㄎㄞ) to separate; to set
分毫(ㄈㄣ ㄏㄠˊ)a modicum; a bit
分號(ㄈㄣ ㄏㄠˋ)the semicolon
分行(ㄈㄣ ㄏㄤˊ)a branch office; a branch store
分化(ㄈㄣ ㄏㄨㄚˋ)①(biology) differentiation ② to disunite
分會(ㄈㄣ ㄏㄨㄟˋ)a branch association
分紅(ㄈㄣ ㄏㄨㄥˊ) (business) to distribute a dividend 「sion
分機(ㄈㄣ ㄐㄧ) (telephone) an exten-
分級(ㄈㄣ ㄐㄧˊ)to grade; to classify
分家(ㄈㄣ ㄐㄧㄚ) (for brothers) to divide family property 「dissolve
分解(ㄈㄣ ㄐㄧㄝˇ) ①to resolve ②to
分界線(ㄈㄣ ㄐㄧㄝˋ ㄒㄧㄢˋ)a border-
分居(ㄈㄣ ㄐㄩ)to live apart ⌊line
分局(ㄈㄣ ㄐㄩˊ)a police precinct office

〔刀部〕

〔刀部〕

分歧(ㄈㄣ ㄑㄧˊ)①difference; divergence; discrepancy ② to diverge
分期付款(ㄈㄣ ㄑㄧˊ ㄈㄨˋ ㄎㄨㄢˇ)payment in installments
分區(ㄈㄣ ㄑㄩ)to divide into districts
分析(ㄈㄣ ㄒㄧ)to analyze; analysis
分曉(ㄈㄣ ㄒㄧㄠˇ)the result
分校(ㄈㄣ ㄒㄧㄠˋ)a branch of a school
分心(ㄈㄣ ㄒㄧㄣ) or 分神(ㄈㄣ ㄕㄣˊ) to fail to pay full attention
分享(ㄈㄣ ㄒㄧㄤˇ)to share
分手(ㄈㄣ ㄕㄡˇ)to part; to separate
分數(ㄈㄣ ㄕㄨˋ) ①a fraction ②grades or percentage
分水嶺(ㄈㄣ ㄕㄨㄟˇ ㄌㄧㄥˇ)a watershed
分子(ㄈㄣ ㄗˇ) ①(mathematics) a numerator ②(physics) a molecule
分贓(ㄈㄣ ㄗㄤ)to share or get a share of loot or bribes
分組(ㄈㄣ ㄗㄨˇ)to divide into groups
分詞(ㄈㄣ ㄘˊ)(grammar) a participle
分寸(ㄈㄣ ㄘㄨㄣˋ)judgment for propriety (in speech, behavior, etc.)
分散(ㄈㄣ ㄙㄢˋ)to scatter; to disperse
分憂(ㄈㄣ ㄧㄡ)to share sorrows, etc.

分 359
2. (份) ㄈㄣˋ fèn
1. a role or part (played by a person in life) 2. a part or portion (of a whole); a component
分內之事(ㄈㄣˋ ㄋㄟˋ ㄓ ㄕˋ)one's due task; a duty
分量(ㄈㄣˋ ㄌㄧㄤˋ)①an amount ②(said of statements) weight or impact
分子(ㄈㄣˋ ㄗˇ)a member (of some organization)
分外(ㄈㄣˋ ㄨㄞˋ)particularly; especially

切 360
1. ㄑㄧㄝ qiē
to cut; to mince; to slice; to carve
切片(ㄑㄧㄝ ㄆㄧㄢˋ)①section ②to cut into slices
切片檢查(ㄑㄧㄝ ㄆㄧㄢˋ ㄐㄧㄢˇ ㄔㄚˊ) the microscopic examination of the affected tissue cut into very thin pieces
切斷(ㄑㄧㄝ ㄉㄨㄢˋ)to sever; to cut asunder
切開(ㄑㄧㄝ ㄎㄞ)to cut open
切除(ㄑㄧㄝ ㄔㄨˊ)①to cut out; to resect ② excision; resection
切磋(ㄑㄧㄝ ㄘㄨㄛ)to improve oneself through discussions with another

切 360
2. ㄑㄧㄝˋ qiè
to be close to
切膚(ㄑㄧㄝˋ ㄈㄨ) or 切己(ㄑㄧㄝˋ ㄐㄧˇ)very close to oneself; keenly felt
切題(ㄑㄧㄝˋ ㄊㄧˊ)to the point
切記(ㄑㄧㄝˋ ㄐㄧˋ)to keep in mind
切(切實)實(ㄑㄧㄝˋ (ㄑㄧㄝˋ ㄕˊ) ㄕˊ) ① real; sure ② thoroughly
切齒(ㄑㄧㄝˋ ㄔˇ)to grind the teeth in anger, with hatred, etc.
切身(ㄑㄧㄝˋ ㄕㄣ)directly affecting a person
切勿(ㄑㄧㄝˋ ㄨˋ)do not by any means

刈 361
ㄧˋ yì
to mow; to reap
刈草機(ㄧˋ ㄘㄠˇ ㄐㄧ)a lawn mower

三畫

刊 362
ㄎㄢ kān
1. to hew; to cut 2. to engrave 3. a publication 4. to publish
刊登(ㄎㄢ ㄉㄥ)or刊載(ㄎㄢ ㄗㄞˋ)to publish
刊物(ㄎㄢ ㄨˋ)a periodical; a publication

四畫

刎 363
ㄨㄣˇ wěn
to cut the throat
刎頸之交(ㄨㄣˇ ㄐㄧㄥˇ ㄓ ㄐㄧㄠ)profound mutual devotion between friends

刑 364
ㄒㄧㄥˊ xíng
penalty; punishment
刑罰(ㄒㄧㄥˊ ㄈㄚˊ)penalty; punishment
刑法(ㄒㄧㄥˊ ㄈㄚˇ)criminal law
刑期(ㄒㄧㄥˊ ㄑㄧˊ)a term of imprisonment
刑求(ㄒㄧㄥˊ ㄑㄧㄡˊ)to exact confession by means of torture
刑場(ㄒㄧㄥˊ ㄔㄤˇ)an execution ground
刑事犯(ㄒㄧㄥˊ ㄕˋ ㄈㄢˋ)a criminal
刑事訴訟法(ㄒㄧㄥˊ ㄕˋ ㄙㄨˋ ㄙㄨㄥˋ ㄈㄚˇ)the code of criminal procedure

划 365
ㄏㄨㄚˊ huá
to oar; to row
划拳(ㄏㄨㄚˊ ㄑㄩㄢˊ)a finger-guessing game—a drinking game at feasts
划船(ㄏㄨㄚˊ ㄔㄨㄢˊ)to row a boat
划算(ㄏㄨㄚˊ ㄙㄨㄢˋ)profitable

刓 366
ㄨㄢˊ wán
to round off; to trim

刖 367
ㄩㄝˋ yuè
to cut off the feet as a punishment

列 368
ㄌㄧㄝˋ liè
1.to arrange in a line; to line up 2. to enumerate 3.to display 4.a

line; a series
列島(ㄌㄧㄝˋ ㄉㄠˇ)a chain of islands
列舉(ㄌㄧㄝˋ ㄐㄩˇ)to enumerate
列席(ㄌㄧㄝˋ ㄒㄧˊ)to be present (at a meeting as an observer)
列傳(ㄌㄧㄝˋ ㄓㄨㄢˋ)collected biographies; a collection of biographies
列車(ㄌㄧㄝˋ ㄔㄜ)a train
列車長(ㄌㄧㄝˋ ㄔㄜ ㄓㄤˇ)a trainmaster
列祖列宗(ㄌㄧㄝˋ ㄗㄨˇ ㄌㄧㄝˋ ㄗㄨㄥ)an array of ancestors

五畫

初 369
ㄔㄨ chū
1. first 2. original 3. junior 4. early; initial
初版(ㄔㄨ ㄅㄢˇ)the first edition (of a book)
初步(ㄔㄨ ㄅㄨˋ)the first or initial step
初犯(ㄔㄨ ㄈㄢˋ)first offenses
初等(ㄔㄨ ㄉㄥˇ)primary or elementary (grade)
初戀(ㄔㄨ ㄌㄧㄢˋ)first love
初稿(ㄔㄨ ㄍㄠˇ)the first draft
初級(ㄔㄨ ㄐㄧˊ)elementary; primary
初期(ㄔㄨ ㄑㄧˊ)the first or initial stage
初學(ㄔㄨ ㄒㄩㄝˊ)in the beginning stage of an effort to learn (a subject)
初選(ㄔㄨ ㄒㄩㄢˇ)a primary election
初診(ㄔㄨ ㄓㄣˇ)the first visit to a doctor
初出茅廬(ㄔㄨ ㄔㄨ ㄇㄠˊ ㄌㄨˊ) still inexperienced
初審(ㄔㄨ ㄕㄣˇ) ①a first hearing (of a case in court) ②a preliminary screening (of applications, etc.)
初次(ㄔㄨ ㄘˋ)the first time or occasion
初賽(ㄔㄨ ㄙㄞˋ)a preliminary competition
初葉(ㄔㄨ ㄧㄝˋ)the early years (of a century)

刪 370
ㄕㄢ shān
to delete; to take out; to erase
刪改(ㄕㄢ ㄍㄞˇ)to revise
刪節號(ㄕㄢ ㄐㄧㄝˊ ㄏㄠˋ)ellipsis
刪除(ㄕㄢ ㄔㄨˊ)to delete; to strike out

判 371
ㄆㄢˋ pàn
to judge; to conclude
判別(ㄆㄢˋ ㄅㄧㄝˊ)to distinguish
判定(ㄆㄢˋ ㄉㄧㄥˋ)to judge; to decide
判斷(ㄆㄢˋ ㄉㄨㄢˋ)to judge; to decide
判決(ㄆㄢˋ ㄐㄩㄝˊ)a verdict; a sentence
判處(ㄆㄢˋ ㄔㄨˇ)to sentence
判若兩人(ㄆㄢˋ ㄖㄨㄛˋ ㄌㄧㄤˇ ㄖㄣˊ)to become a completely different person
判罪(ㄆㄢˋ ㄗㄨㄟˋ)to declare guilty

別 372
ㄅㄧㄝˊ bié
1. to part 2. to distinguish; to differentiate 3. other; another; different 4. (in imperative expressions) do not
別名(ㄅㄧㄝˊ ㄇㄧㄥˊ) or 別號(ㄅㄧㄝˊ ㄏㄠˋ)an alias; a second name
別離(ㄅㄧㄝˊ ㄌㄧˊ)parting; separation
別開生面(ㄅㄧㄝˊ ㄎㄞ ㄕㄥ ㄇㄧㄢˋ)to introduce a novelty or novel feature
別具一格(ㄅㄧㄝˊ ㄐㄩˋ ㄧˋ ㄍㄜˊ) having a unique style
別致 or 別緻(ㄅㄧㄝˊ ㄓˋ) original; fresh; new
別針(ㄅㄧㄝˊ ㄓㄣ)a safety pin; a pin
別出心裁(ㄅㄧㄝˊ ㄔㄨ ㄒㄧㄣ ㄘㄞˊ) ingenious; original
別墅(ㄅㄧㄝˊ ㄕㄨˋ)a villa
別人(ㄅㄧㄝˊ ㄖㄣˊ)other people; others
別字(ㄅㄧㄝˊ ㄗˋ) a word which is not correctly written or pronounced
別有用心(ㄅㄧㄝˊ ㄧㄡˇ ㄩㄥˋ ㄒㄧㄣ)to have a hidden purpose

刨 373
ㄆㄠˊ páo
to dig; to excavate

利 374
ㄌㄧˋ lì
1. profit; benefit; advantage; gain 2. sharp 3. to benefit; to serve
利比亞(ㄌㄧˋ ㄅㄧˇ ㄧㄚˋ)Libya
利弊(ㄌㄧˋ ㄅㄧˋ) or 利害(ㄌㄧˋ ㄏㄞˋ) advantages and disadvantages
利尿(ㄌㄧˋ ㄋㄧㄠˋ)diuresis
利率(ㄌㄧˋ ㄌㄩˋ)the interest rate
利息(ㄌㄧˋ ㄒㄧˊ)interest 亦作「利錢」
利潤(ㄌㄧˋ ㄖㄨㄣˋ)profit; gain
利益(ㄌㄧˋ ㄧˋ)benefit; profit; advantage
利益團體(ㄌㄧˋ ㄧˋ ㄊㄨㄢˊ ㄊㄧˇ)an interest group
利誘(ㄌㄧˋ ㄧㄡˋ)to tempt with money or material gain
利慾薰心(ㄌㄧˋ ㄩˋ ㄒㄩㄣ ㄒㄧㄣ)lured by profits
利用(ㄌㄧˋ ㄩㄥˋ)to utilize; to make use of

六畫

刮 375
ㄍㄨㄚ guā
to pare; to shave; to scrape
刮目相看(ㄍㄨㄚ ㄇㄨˋ ㄒㄧㄤ ㄎㄢˋ)to marvel at someone's progress
刮刀(ㄍㄨㄚ ㄉㄠ)a scraper
刮臉(ㄍㄨㄚ ㄌㄧㄢˇ)to shave (the face)
刮鬍子(ㄍㄨㄚ ㄏㄨˊ ˙ㄗ)①to shave oneself ②(colloquial)to be scolded

券 376
ㄑㄩㄢˋ quàn
1. a ticket 2. a certificate 3. a bond

到 377
ㄉㄠˋ dào
as in 到達—to reach; to arrive

〔刀部〕

到底(ㄉㄠˋ ㄉㄧˇ)after all
到頭來(ㄉㄠˋ ㄊㄡˊ ㄌㄞˊ)in the end
到來(ㄉㄠˋ ㄌㄞˊ)arrival; coming
到家(ㄉㄠˋ ㄐㄧㄚ)to get home
到齊(ㄉㄠˋ ㄑㄧˊ)Everybody (who is supposed to be here) has come.
到期(ㄉㄠˋ ㄑㄧˊ)to expire
到職(ㄉㄠˋ ㄓˊ)to arrive for a new assignment
到場(ㄉㄠˋ ㄔㄤˇ)to be present
到處(ㄉㄠˋ ㄔㄨˋ) everywhere; on all sides
到任(ㄉㄠˋ ㄖㄣˋ)to assume a (high official) post
到案(ㄉㄠˋ ㄢˋ)to appear in court

刳 378
ㄎㄨ kū
1. to cut apart; to carve apart 2. to gouge; to scoop; to hollow

剎 379
(刹) ㄔㄚˋ chà
a (Buddhist) temple, shrine, monastery or abbey
剎那 (ㄔㄚˋ ㄋㄚˋ) or (ㄔㄚˋ ㄋㄨㄛˊ) a moment; an instant; a split second

剁 380
ㄉㄨㄛˋ duò
to chop; to mince; to hash

制 381
ㄓˋ zhì
1. to establish; to institute; to set up 2. to prevail; to overpower; to control 3. a system: 學制the educational system
制伏(ㄓˋ ㄈㄨˊ)to subjugate
制服(ㄓˋ ㄈㄨˊ)a uniform
制定(ㄓˋ ㄉㄧㄥˋ)to institute; to establish
制度(ㄓˋ ㄉㄨˋ)a system; an institution
制空權(ㄓˋ ㄎㄨㄥ ㄑㄩㄢˊ)air supremacy
制海權(ㄓˋ ㄏㄞˇ ㄑㄩㄢˊ)naval supremacy
制衡(ㄓˋ ㄏㄥˊ)to check and balance
制憲(ㄓˋ ㄒㄧㄢˋ)to draw up a national constitution
制止(ㄓˋ ㄓˇ)to stop by force; to stop
制裁(ㄓˋ ㄘㄞˊ)to restrain, suppress, or hold back by punitive measures
制壓(ㄓˋ ㄧㄚ)to suppress
制約(ㄓˋ ㄩㄝ)to restrict; to condition

刷 382
1. ㄕㄨㄚ shuā
1. to brush; to scrub; to clean; to daub 2. a brush 3. to eliminate
刷洗(ㄕㄨㄚ ㄒㄧˇ)to scrub
刷子(ㄕㄨㄚ ˙ㄗ)a brush
刷牙(ㄕㄨㄚ ㄧㄚˊ)to brush the teeth

刷 382
2. ㄕㄨㄚˋ shuà
as in 刷選—to choose; to pick; to select

刺 383
ㄘˋ cì
1. to pierce; to stab; to prick 2. to irritate; to stimulate 3. a thorn; a splinter; small fishbones; a sting 4. to assassinate 5. a name card
刺鼻(ㄘˋ ㄅㄧˊ)to irritate the nose
刺刀(ㄘˋ ㄉㄠ)a bayonet
刺探(ㄘˋ ㄊㄢˋ) to spy; to find out secretly
刺骨(ㄘˋ ㄍㄨˇ) (said of cold) bone-chilling
刺客(ㄘˋ ㄎㄜˋ)an assassin
刺激(ㄘˋ ㄐㄧ)to stimulate; to excite
刺激品(ㄘˋ ㄐㄧ ㄆㄧㄣˇ)a stimulant
刺激性(ㄘˋ ㄐㄧ ㄒㄧㄥˋ)stimulativeness
刺青(ㄘˋ ㄑㄧㄥ)to tattoo; a tattoo
刺繡(ㄘˋ ㄒㄧㄡˋ)to embroider
刺殺(ㄘˋ ㄕㄚ)to assassinate
刺耳(ㄘˋ ㄦˇ)unpleasant to the ear; noisy
刺眼(ㄘˋ ㄧㄢˇ)irritating to the eye
刺蝟(ㄘˋ ㄨㄟˋ)a hedgehog

刻 384
1. ㄎㄜˋ kè
1. to carve; to engrave; to cut 2. a quarter (of an hour) 3. cruel; heartless; unfeeling; cutting 4. moment
刻薄(ㄎㄜˋ ㄅㄛˊ)cold-hearted; unkind
刻板(ㄎㄜˋ ㄅㄢˇ)monotonous; dull; stiff
刻不容緩(ㄎㄜˋ ㄅㄨˋ ㄖㄨㄥˊ ㄏㄨㄢˇ) most urgent; to brook no delay
刻刀(ㄎㄜˋ ㄉㄠ)a burin; a graver
刻苦(ㄎㄜˋ ㄎㄨˇ)assiduous; hardworking
刻苦耐勞(ㄎㄜˋ ㄎㄨˇ ㄋㄞˋ ㄌㄠˊ) to endure hardship
刻字(ㄎㄜˋ ㄗˋ)to engrave words (on stone, etc.)
刻意(ㄎㄜˋ ㄧˋ)to do something with intensive attention

刻 384
2. ㄎㄜ kē
to carve; to engrave
刻印(ㄎㄜ ㄧㄣˋ) or 刻圖章(ㄎㄜ ㄊㄨˊ ㄓㄤ)seal engraving

七畫

則 385
ㄗㄜˊ zé
1. a law; a rule; a regulation; a standard; a norm; a criterion 2. a particle indicating consequence (usually used after a supposition) or a reason 3. a numerary particle used before news reports, advertisements, etc. 4. but; however 5. to imitate; to follow

剃 386
ㄊㄧˋ tì
to shave
剃刀(ㄊㄧˋ ㄉㄠ)a razor
剃度(ㄊㄧˋ ㄉㄨˋ)to tonsure
剃頭(ㄊㄧˋ ㄊㄡˊ)to shave the head

剄 387
ㄐㄧㄥˇ jǐng
to cut the throat

剉 388
ㄘㄨㄛˋ cuò
1. a steel file 2. to file; to smooth (as with a file); to cut; to chop up into fine pieces
剉子(ㄘㄨㄛˋ ·ㄗ)a file

削 389
ㄒㄩㄝˋ xuè
(語音 ㄒㄧㄠ xiāo)
1. to cut; to pare; to shave; to whittle 2. to deprive 「(with a knife)
削平(ㄒㄩㄝˋ ㄆㄧㄥˊ)to pare; to smooth
削價(ㄒㄩㄝˋ ㄐㄧㄚˋ)to cut price to or below the cost level 「down
削減(ㄒㄩㄝˋ ㄐㄧㄢˇ)to curtail; to cut
削除(ㄒㄩㄝˋ ㄔㄨˊ)to strike out; to take out 「weaken; to sap
削弱(ㄒㄩㄝˋ ㄖㄨㄛˋ)to enfeeble; to

剋 390
ㄎㄜˋ kè
1. to overcome 2. to cut down 3. to limit 4. to engrave; to imprint 5. can; to be able to
剋星(ㄎㄜˋ ㄒㄧㄥ) (literally) a malignant star—a person who always bars another person from success

剌 391
1. ㄌㄚˋ là
to go against; to contradict; perverse; disagreeable; rebellious

剌 391
2. ㄌㄚˊ lá
to slash open

前 392
ㄑㄧㄢˊ qián
1. front; forward; before 2. previous; former; preceding; past; of earlier times 3. future 4. to advance; to proceed; to progress; to precede
前輩(ㄑㄧㄢˊ ㄅㄟˋ)a senior (in age, standing, etc.)
前排(ㄑㄧㄢˊ ㄆㄞˊ)the front row
前門(ㄑㄧㄢˊ ㄇㄣˊ)the front door or
前面(ㄑㄧㄢˊ ㄇㄧㄢˋ)the front ⌊gate
前鋒(ㄑㄧㄢˊ ㄈㄥ)the vanguard
前提(ㄑㄧㄢˊ ㄊㄧˊ)a (logical) premise
前天(ㄑㄧㄢˊ ㄊㄧㄢ)the day before yesterday
前途(ㄑㄧㄢˊ ㄊㄨˊ)the prospect; promise
前年(ㄑㄧㄢˊ ㄋㄧㄢˊ)the year before last
前例(ㄑㄧㄢˊ ㄌㄧˋ)a precedent
前功盡棄(ㄑㄧㄢˊ ㄍㄨㄥ ㄐㄧㄣˋ ㄑㄧˋ)to nullify all the previous efforts
前科(ㄑㄧㄢˊ ㄎㄜ)a previous criminal record
前後(ㄑㄧㄢˊ ㄏㄡˋ)① the front and the rear; before and after ② from beginning to end; altogether
前進(ㄑㄧㄢˊ ㄐㄧㄣˋ)to advance; to proceed 「prospects; vistas
前景(ㄑㄧㄢˊ ㄐㄧㄥˇ) a foreground;
前驅(ㄑㄧㄢˊ ㄑㄩ)the forerunner
前夕(ㄑㄧㄢˊ ㄒㄧˋ)the eve (of an event)
前線(ㄑㄧㄢˊ ㄒㄧㄢˋ)the front line (in
前者(ㄑㄧㄢˊ ㄓㄜˇ)the former ⌊war)
前兆(ㄑㄧㄢˊ ㄓㄠˋ)an omen; forewarning 「career
前程(ㄑㄧㄢˊ ㄔㄥˊ)①a future ②a
前世(ㄑㄧㄢˊ ㄕˋ)the previous life
前哨(ㄑㄧㄢˊ ㄕㄠˋ) (military) a sentry
前身(ㄑㄧㄢˊ ㄕㄣ)the forerunner
前人(ㄑㄧㄢˊ ㄖㄣˊ)people of former times
前任(ㄑㄧㄢˊ ㄖㄣˋ)a predecessor
前奏(ㄑㄧㄢˊ ㄗㄡˋ)a prelude
前所未有(ㄑㄧㄢˊ ㄙㄨㄛˇ ㄨㄟˋ ㄧㄡˇ) hitherto unknown
前額(ㄑㄧㄢˊ ㄜˊ)the forehead
前言(ㄑㄧㄢˊ ㄧㄢˊ)a foreword; a preface
前因後果(ㄑㄧㄢˊ ㄧㄣ ㄏㄡˋ ㄍㄨㄛˇ) cause and effect; the whole story
前往(ㄑㄧㄢˊ ㄨㄤˇ)to go to; to leave for

八畫

剔 393
ㄊㄧ tī
1. to separate bones from meat; to scrape meat off bones 2. to pick out inferior materials; to scrape off
剔除(ㄊㄧ ㄔㄨˊ)to eliminate; to reject
剔牙(ㄊㄧ ㄧㄚˊ)to pick the teeth

剖 394
ㄆㄡˇ pǒu
1. to cut, rip or tear open 2. to explain; to analyze; to dissect
剖面(ㄆㄡˇ ㄇㄧㄢˋ)a section
剖開(ㄆㄡˇ ㄎㄞ)to cut or rip open
剖解(ㄆㄡˇ ㄐㄧㄝˇ)or 剖析(ㄆㄡˇ ㄒㄧ) ①to dissect ②to analyze

剚 395
ㄗˋ zì
to plant on the ground

剛 396
ㄍㄤ gāng
1. tough; unyielding; inflexible; hard; firm; strong; indomitable 2. just now 3. just; exactly 4. barely; only
剛愎自用(ㄍㄤ ㄅㄧˋ ㄗˋ ㄩㄥˋ)stubborn; obstinate 「violent
剛烈(ㄍㄤ ㄌㄧㄝˋ)tough and vehement;
剛剛(ㄍㄤ ㄍㄤ)①just now; just a moment ago ②just; only
剛健(ㄍㄤ ㄐㄧㄢˋ)vigorous; energetic

〔刀部〕

剛勁(ㄍㄤ ㄐㄧㄥˋ)bold; vigorous; sturdy
剛巧(ㄍㄤ ㄑㄧㄠˇ)or 剛好(ㄍㄤ ㄏㄠˇ) exactly; precisely
剛強(ㄍㄤ ㄑㄧㄤˊ)tough and strong; indomitable
剛直(ㄍㄤ ㄓˊ)upright
剛才(ㄍㄤ ㄘㄞˊ)just a moment ago
剛毅(ㄍㄤ ㄧˋ)resolute
剛毅木訥(ㄍㄤ ㄧˋ ㄇㄨˋ ㄋㄜˋ)resolute and not eloquent

剜 397 ㄨㄢ wān
to scoop out; to gouge out; to carve out

剝 398 1. ㄅㄛ bō
to strip; to skin; to make bare; to peel; to peel off; to shell
剝皮(ㄅㄛ ㄆㄧˊ)to peel off the skin; to flay
剝奪(ㄅㄛ ㄉㄨㄛˊ)to deprive or strip one of (rights, property, etc.)
剝落(ㄅㄛ ㄌㄨㄛˋ)to come off (as a result of erosion)
剝削(ㄅㄛ ㄒㄩㄝˋ)to exploit (people)

剝 398 2. ㄅㄠ bāo
to strip off
剝開(ㄅㄠ ㄎㄞ)to strip the covering off

九畫

副 399 ㄈㄨˋ fù
1. to assist 2. secondary; auxiliary; subsidiary 3. deputy; assistant; vice- 4. a set
副本(ㄈㄨˋ ㄅㄣˇ)a duplicate copy; a copy
副標題(ㄈㄨˋ ㄅㄧㄠ ㄊㄧˊ)a subtitle
副官(ㄈㄨˋ ㄍㄨㄢ)an adjutant; an aide-de-camp
副刊(ㄈㄨˋ ㄎㄢ)a supplement; a supplementary issue
副駕駛(ㄈㄨˋ ㄐㄧㄚˋ ㄕˇ)a copilot
副交感神經 (ㄈㄨˋ ㄐㄧㄠ ㄍㄢˇ ㄕㄣˊ ㄐㄧㄥ)the parasympathetic nerve
副教授(ㄈㄨˋ ㄐㄧㄠˋ ㄕㄡˋ)an associate professor
副產品(ㄈㄨˋ ㄔㄢˇ ㄆㄧㄣˇ)a by-product
副食(ㄈㄨˋ ㄕˊ)nonstaple foods
副手(ㄈㄨˋ ㄕㄡˇ)an assistant; a helper
副作用(ㄈㄨˋ ㄗㄨㄛˋ ㄩㄥˋ)(medicine) side effects
副總統(ㄈㄨˋ ㄗㄨㄥˇ ㄊㄨㄥˇ)a vice-president (of a nation)
副詞(ㄈㄨˋ ㄘˊ)an adverb
副業(ㄈㄨˋ ㄧㄝˋ)a side job; on the side

剪 400 (翦) ㄐㄧㄢˇ jiǎn
1. to cut or clip with scissors; to shear; to trim: 修剪草坪。Cut the lawn. 2. to annihilate; to destroy completely 3. scissors; shears; clippers
剪報(ㄐㄧㄢˇ ㄅㄠˋ)a newspaper cutting (or clipping)
剪髮(ㄐㄧㄢˇ ㄈㄚˇ)to cut hair
剪刀(ㄐㄧㄢˇ ㄉㄠ)scissors; shears
剪貼(ㄐㄧㄢˇ ㄊㄧㄝ)cutting out (as a schoolchildren's activity)
剪貼簿(ㄐㄧㄢˇ ㄊㄧㄝ ㄅㄨˋ)a scrapbook
剪輯(ㄐㄧㄢˇ ㄐㄧˊ) (movie) montage; film editing
剪接(ㄐㄧㄢˇ ㄐㄧㄝ)to edit or cut a film
剪紙(ㄐㄧㄢˇ ㄓˇ) (art and crafts) paper-cut
剪指甲(ㄐㄧㄢˇ ㄓˇ ·ㄐㄧㄚ)to trim one's nails
剪裁(ㄐㄧㄢˇ ㄘㄞˊ)to tailor clothing materials for a dress
剪綵(ㄐㄧㄢˇ ㄘㄞˇ)to cut the ribbon
剪影(ㄐㄧㄢˇ ㄧㄥˇ)to cut out a silhouette

十畫

剩 401 ㄕㄥˋ shèng
to remain; to be left over; in excess; residues; remainder; surplus; remains
剩飯(ㄕㄥˋ ㄈㄢˋ)leftovers from a meal
剩下(ㄕㄥˋ ㄒㄧㄚˋ)to be left over
剩餘(ㄕㄥˋ ㄩˊ)the excess; the surplus
剩餘價值(ㄕㄥˋ ㄩˊ ㄐㄧㄚˋ ㄓˊ) (economics) residual value

割 402 ㄍㄜ gē
to cut; to sever; to divide
割斷(ㄍㄜ ㄉㄨㄢˋ)to cut off; to sever by cutting
割線(ㄍㄜ ㄒㄧㄢˋ) (mathematics) a secant
割除(ㄍㄜ ㄔㄨˊ)to cut off; to cut out
割捨(ㄍㄜ ㄕㄜˇ)to part with; to give away
割讓(ㄍㄜ ㄖㄤˋ)to cede (land or territory)
割草(ㄍㄜ ㄘㄠˇ)to mow grass
割草機(ㄍㄜ ㄘㄠˇ ㄐㄧ)a mower
割愛(ㄍㄜ ㄞˋ)to give up what one treasures

剴 403 ㄎㄞˇ kǎi
1. a sickle 2. thoroughly; clearly
剴切(ㄎㄞˇ ㄑㄧㄝˋ) (said of statements) clearly

創 404 1. ㄔㄨㄤˋ chuàng
1. to start; to begin; to initiate; to create; to establish; to found 2. original; unprecedented
創辦(ㄔㄨㄤˋ ㄅㄢˋ)to start; to found
創立(ㄔㄨㄤˋ ㄌㄧˋ)to start, found or establish
創刊(ㄔㄨㄤˋ ㄎㄢ)to put out the first issue (of a periodical)
創紀錄(ㄔㄨㄤˋ ㄐㄧˋ ㄌㄨˋ)to set a record; to make a record

創舉(ㄔㄨㄤˋ ㄐㄩˇ)an unprecedented undertaking
創新(ㄔㄨㄤˋ ㄒㄧㄣ)to bring forth new ideas
創制權(ㄔㄨㄤˋ ㄓˋ ㄑㄩㄢˊ)the right to initiate laws
創始(ㄔㄨㄤˋ ㄕˇ)to start; to begin
創世紀(ㄔㄨㄤˋ ㄕˋ ㄐㄧˋ)(Bible) Genesis
創造(ㄔㄨㄤˋ ㄗㄠˋ)to create; to produce
創造力(ㄔㄨㄤˋ ㄗㄠˋ ㄌㄧˋ)originality; creative ability
創作(ㄔㄨㄤˋ ㄗㄨㄛˋ)①to write (original works of literature) ②an original work of literature or art
創意(ㄔㄨㄤˋ ㄧˋ)creativity
創業(ㄔㄨㄤˋ ㄧㄝˋ)to be the founder of a business

創 404
2. ㄔㄨㄤ chuāng
1. a wound 2. same as 瘡—a sore; a boil; an ulcer
創傷(ㄔㄨㄤ ㄕㄤ)a wound; a cut; a scar

十一畫

剿 405
(勦) ㄐㄧㄠˇ jiǎo
to exterminate; to stamp out; to destroy; to put down
剿滅(ㄐㄧㄠˇ ㄇㄧㄝˋ)to exterminate or destroy (bandits or rebels)

剷 406
ㄔㄢˇ chǎn
1. a shovel 2. to shovel; to level off; to raze to the ground
剷平(ㄔㄢˇ ㄆㄧㄥˊ)to level to the ground
剷除(ㄔㄢˇ ㄔㄨˊ)to root out

剽 407
ㄆㄧㄠˋ piào
1. to plunder; to rob; to steal 2. agile; fast
剽悍(ㄆㄧㄠˋ ㄏㄢˋ)agile and fierce; warlike
剽竊(ㄆㄧㄠˋ ㄑㄧㄝˋ)①to steal ②to plagiarize

十二畫

劄 408
ㄓㄚˊ zhá
1. a letter; a brief note 2. a directive (in former times)

劃 409
1. ㄏㄨㄚˋ huà
1. to unify 2. to lay boundaries 3. to draw a line; to mark; to delineate 4. to plan or design 5. to set aside 6. a stroke (of a Chinese character)
劃撥(ㄏㄨㄚˋ ㄅㄛ)to transfer funds
劃分(ㄏㄨㄚˋ ㄈㄣ)to divide and delimit
劃歸(ㄏㄨㄚˋ ㄍㄨㄟ) or 劃入(ㄏㄨㄚˋ ㄖㄨˋ)to allot
劃界(ㄏㄨㄚˋ ㄐㄧㄝˋ)to fix boundaries
劃清(ㄏㄨㄚˋ ㄑㄧㄥ)to draw a clear line of demarcation
劃線支票(ㄏㄨㄚˋ ㄒㄧㄢˋ ㄓ ㄆㄧㄠˋ)a crossed check
劃時代(ㄏㄨㄚˋ ㄕˊ ㄉㄞˋ)epoch-making; epochal
劃一(ㄏㄨㄚˋ ㄧ)to make uniform

劃 409
2. ㄏㄨㄚˊ huá
to cut

十三畫

劇 410
ㄐㄩˋ jù
1. a drama; a theatrical work; a play 2. intense; strenuous 3. to play
劇本(ㄐㄩˋ ㄅㄣˇ)a play; a scenario
劇目(ㄐㄩˋ ㄇㄨˋ)a list of plays
劇坊(ㄐㄩˋ ㄈㄤ)a theater workshop
劇毒(ㄐㄩˋ ㄉㄨˊ)deadly poison
劇團(ㄐㄩˋ ㄊㄨㄢˊ)a theatrical company; a troupe
劇烈(ㄐㄩˋ ㄌㄧㄝˋ)strenuous; intense; hard; fierce
劇情(ㄐㄩˋ ㄑㄧㄥˊ)the plot
劇照(ㄐㄩˋ ㄓㄠˋ)a stage photo; a still
劇終(ㄐㄩˋ ㄓㄨㄥ)the end; a curtainfall
劇場(ㄐㄩˋ ㄔㄤˇ)or劇院(ㄐㄩˋ ㄩㄢˋ)a theater
劇作家(ㄐㄩˋ ㄗㄨㄛˋ ㄐㄧㄚ)a playwright; a dramatist

劈 411
1. ㄆㄧ pī
1. to cleave; to split; to rive; to rend 2. a wedge
劈頭(ㄆㄧ ㄊㄡˊ)①straight on the head ②at the very start
劈柴(ㄆㄧ ㄔㄞˊ)to split or chop firewood

劈 411
2. ㄆㄧˇ pǐ
to split; to chop

劉 412
ㄌㄧㄡˊ liú
1. a Chinese family name 2. to kill
劉海兒(ㄌㄧㄡˊ ㄏㄞˇㄦ)bangs; a fringe

劊 413
ㄍㄨㄟˋ guì
(又讀 ㄎㄨㄞˋ kuài)
to amputate; to cut off
劊子手(ㄍㄨㄟˋ ・ㄗ ㄕㄡˇ)or(ㄎㄨㄞˋ ・ㄗ ㄕㄡˇ)① an executioner ②a hatchetman; a slaughterman

劍 414
ㄐㄧㄢˋ jiàn
a sword; a dagger; a saber
劍拔弩張(ㄐㄧㄢˋ ㄅㄚˊ ㄋㄨˇ ㄓㄤ)ready to fight
劍蘭(ㄐㄧㄢˋ ㄌㄢˊ)(botany) a gladiolus; a sword lily
劍及履及(ㄐㄧㄢˋ ㄐㄧˊ ㄌㄩˇ ㄐㄧˊ)to perform a task with full vigor and urgency
劍橋(ㄐㄧㄢˋ ㄑㄧㄠˊ)Cambridge, England

劍術(ㄐㄧㄢˋ ㄕㄨˋ) swordsmanship; fencing

十四畫

〔力部〕

劑 415 ㄐㄧˋ jì
1. a dose (of medicine) 2. prepared medicines or drugs 3. to prepare (medicines and drugs)

劑量(ㄐㄧˋ ㄌㄧㄤˋ) (pharmaceutics) a dosage; a dose

劓 416 ㄧˋ yì
to cut off the nose (as a form of punishment in ancient China)

力部 ㄌㄧˋ lì

力 417 ㄌㄧˋ lì
1. strength 2. force; power 3. ability 4. vigor 5. vigorously; earnestly 6. to do one's best

力不從心(ㄌㄧˋ ㄅㄨˋ ㄘㄨㄥˊ ㄒㄧㄣ) lacking the ability to do what one wishes

力圖(ㄌㄧˋ ㄊㄨˊ) to try hard; to strive to

力量(ㄌㄧˋ ˙ㄌㄧㄤ) strength; force; power

力氣(ㄌㄧˋ ˙ㄑㄧ) ①physical strength or power ②an effort

力求(ㄌㄧˋ ㄑㄧㄡˊ) to make strenuous efforts to

力求上進(ㄌㄧˋ ㄑㄧㄡˊ ㄕㄤˋ ㄐㄧㄣˋ) to strive vigorously to improve oneself

力行(ㄌㄧˋ ㄒㄧㄥˊ) to act with might

力爭(ㄌㄧˋ ㄓㄥ) to struggle hard

力挽狂瀾(ㄌㄧˋ ㄨㄢˇ ㄎㄨㄤˊ ㄌㄢˊ) (figuratively) to do one's best to reverse the course of events

三畫

功 418 ㄍㄨㄥ gōng
1. a merit; an achievement; an accomplishment; an exploit 2. usefulness; effectiveness 3. a function 4. (physics) work

功敗垂成(ㄍㄨㄥ ㄅㄞˋ ㄔㄨㄟˊ ㄔㄥˊ) to fail within reach of success

功不可沒(ㄍㄨㄥ ㄅㄨˋ ㄎㄜˇ ㄇㄛˋ) The contribution (to success) cannot be left unrecognized.

功夫(ㄍㄨㄥ ˙ㄈㄨ) ① time (to do something) ② efforts (devoted to a task)

功德(ㄍㄨㄥ ㄉㄜˊ) merits and virtues

功能(ㄍㄨㄥ ㄋㄥˊ) a function

功勞(ㄍㄨㄥ ㄌㄠˊ) merits; contribution

功利(ㄍㄨㄥ ㄌㄧˋ) utility; material gain

功過(ㄍㄨㄥ ㄍㄨㄛˋ) merits and demerits

功課(ㄍㄨㄥ ㄎㄜˋ) schoolwork; homework

功課表(ㄍㄨㄥ ㄎㄜˋ ㄅㄧㄠˇ) a class schedule (at school)

功績(ㄍㄨㄥ ㄐㄧ) meritorious records; achievements; a contribution

功效(ㄍㄨㄥ ㄒㄧㄠˋ) effectiveness; efficacy

功勳(ㄍㄨㄥ ㄒㄩㄣ) distinctive achievements

功成名就(ㄍㄨㄥ ㄔㄥˊ ㄇㄧㄥˊ ㄐㄧㄡˋ) to achieve success and acquire fame

功成身退(ㄍㄨㄥ ㄔㄥˊ ㄕㄣ ㄊㄨㄟˋ) to retire after achieving success

功用(ㄍㄨㄥ ㄩㄥˋ) use; a function

加 419 ㄐㄧㄚ jiā
1. plus; to add 2. to increase; to augment 3. to append

加倍(ㄐㄧㄚ ㄅㄟˋ) to double

加班(ㄐㄧㄚ ㄅㄢ) to work overtime

加班費(ㄐㄧㄚ ㄅㄢ ㄈㄟˋ) overtime pay

加盟(ㄐㄧㄚ ㄇㄥˊ) to join an alliance

加盟店(ㄐㄧㄚ ㄇㄥˊ ㄉㄧㄢˋ) a franchisee

加冕(ㄐㄧㄚ ㄇㄧㄢˇ) to crown

加法(ㄐㄧㄚ ㄈㄚˇ) (arithmetic) addition

加拿大(ㄐㄧㄚ ㄋㄚˊ ㄉㄚˋ) Canada

加勒比海(ㄐㄧㄚ ㄌㄜˋ ㄅㄧˇ ㄏㄞˇ) the Caribbean Sea

加侖(ㄐㄧㄚ ㄌㄨㄣˊ) a gallon

加工(ㄐㄧㄚ ㄍㄨㄥ) to process (goods)

加工出口區(ㄐㄧㄚ ㄍㄨㄥ ㄔㄨ ㄎㄡˇ ㄑㄩ) an export processing zone

加工食品(ㄐㄧㄚ ㄍㄨㄥ ㄕˊ ㄆㄧㄣˇ) processed foodstuffs

加快(ㄐㄧㄚ ㄎㄨㄞˋ) to speed up

加寬(ㄐㄧㄚ ㄎㄨㄢ) to widen

加害(ㄐㄧㄚ ㄏㄞˋ) to inflict injury

加號(ㄐㄧㄚ ㄏㄠˋ) the plus symbol (+)

加護病房(ㄐㄧㄚ ㄏㄨˋ ㄅㄧㄥˋ ㄈㄤˊ) an intensive care unit (ICU)

加價(ㄐㄧㄚ ㄐㄧㄚˋ) to raise or hike the price

加緊(ㄐㄧㄚ ㄐㄧㄣˇ) to intensify

加劇(ㄐㄧㄚ ㄐㄩˋ) to aggravate

加強(ㄐㄧㄚ ㄑㄧㄤˊ) to strengthen

加權指數(ㄐㄧㄚ ㄑㄩㄢˊ ㄓˇ ㄕㄨˋ) the weighted index number in stock trading

加薪(ㄐㄧㄚ ㄒㄧㄣ) to give a pay raise

加重(ㄐㄧㄚ ㄓㄨㄥˋ) to increase burdens, work loads, etc.

加深(ㄐㄧㄚ ㄕㄣ) to deepen

加熱(ㄐㄧㄚ ㄖㄜˋ) to heat; to warm

加入(ㄐㄧㄚ ㄖㄨˋ) ①to join ②to add into

加速(ㄐㄧㄚ ㄙㄨˋ) to step up; to accelerate

加油(ㄐㄧㄚ ㄧㄡˊ) ①to oil ②to refuel

③ to step up effort; to cheer
加油站(ㄐㄧㄚ ㄧㄡˊ ㄓㄢˋ)a gas station

四畫

劣 420
ㄌㄧㄝˋ liè
inferior; mean; bad; of low quality
劣等(ㄌㄧㄝˋ ㄉㄥˇ)of inferior quality
劣質(ㄌㄧㄝˋ ㄓˋ)of poor (or low) quality; inferior
劣勢(ㄌㄧㄝˋ ㄕˋ)inferior strength or position

五畫

助 421
ㄓㄨˋ zhù
to help; to aid; to assist; help; assistance
助動詞(ㄓㄨˋ ㄉㄨㄥˋ ㄘˊ)an auxiliary verb; a helping verb
助聽器(ㄓㄨˋ ㄊㄧㄥ ㄑㄧˋ)a hearing aid; an audiphone
助理(ㄓㄨˋ ㄌㄧˇ)①an assistant ②to assist
助教(ㄓㄨˋ ㄐㄧㄠˋ)a teaching assistant; a TA
助興(ㄓㄨˋ ㄒㄧㄥˋ)to add to the amusement
助陣(ㄓㄨˋ ㄓㄣˋ)to cheer or root for
助長(ㄓㄨˋ ㄓㄤˇ)to encourage (a tendency)
助手(ㄓㄨˋ ㄕㄡˇ)an assistant

努 422
ㄋㄨˇ nǔ
1. to exert oneself; to make an effort 2. to protrude
努力(ㄋㄨˇ ㄌㄧˋ)to make efforts; to work hard

劫 423
(刼) ㄐㄧㄝˊ jié
1. to rob; to plunder; to take by force 2. sufferings; disasters; misfortunes
劫難(ㄐㄧㄝˊ ㄋㄢˋ)a destined calamity
劫機(ㄐㄧㄝˊ ㄐㄧ)to skyjack; to hijack a plane
劫持(ㄐㄧㄝˊ ㄔˊ)①to threaten ②to hijack
劫數(ㄐㄧㄝˊ ㄕㄨˋ)ill luck; ill fortune
劫案(ㄐㄧㄝˊ ㄢˋ)a case of robbery

劬 424
ㄑㄩˊ qú
labor; toil; diligent; to labor incessantly
劬勞(ㄑㄩˊ ㄌㄠˊ)travail; toil

劭 425
ㄕㄠˋ shào
1. to encourage; to urge 2. graceful; excellent; admirable; respectable

六畫

劾 426
ㄏㄜˊ hé
to accuse; to charge; to impeach

七畫

勁 427
1. ㄐㄧㄥˋ jìng
strong; tough; powerful; sturdy
勁敵(ㄐㄧㄥˋ ㄉㄧˊ)a powerful enemy
勁旅(ㄐㄧㄥˋ ㄌㄩˇ)a powerful army

勁 427
2. ㄐㄧㄣˋ jìn
1. vigor; energy; strength 2. spirit 3. an air; manner

勃 428
ㄅㄛˊ bó
sudden(ly); quick(ly)
勃勃(ㄅㄛˊ ㄅㄛˊ)flourishing; vigorous
勃起(ㄅㄛˊ ㄑㄧˇ)to have an erection

勅 429
(敕) ㄔˋ chì
1. an imperial decree 2. orders given to demons and spirits by Taoist priests when they exercise magic powers

勇 430
ㄩㄥˇ yǒng
1. brave; courageous; bold; valiant; intrepid; fearless 2. a soldier; a conscript 3. bravery; courage
勇猛(ㄩㄥˇ ㄇㄥˇ)brave and fierce
勇敢(ㄩㄥˇ ㄍㄢˇ)brave; courageous
勇將(ㄩㄥˇ ㄐㄧㄤˋ)a fearless general
勇氣(ㄩㄥˇ ㄑㄧˋ)courage; bravery; valor
勇士(ㄩㄥˇ ㄕˋ)a brave fighter
勇往直前(ㄩㄥˇ ㄨㄤˇ ㄓˊ ㄑㄧㄢˊ)to go straight ahead
勇於(ㄩㄥˇ ㄩˊ)to be brave in

勉 431
ㄇㄧㄢˇ miǎn
1. to urge; to encourage 2. to strive; to make efforts; to exert oneself to
勉勵(ㄇㄧㄢˇ ㄌㄧˋ)to encourage; to urge
勉強(ㄇㄧㄢˇ ㄑㄧㄤˇ)①without spontaneity ②barely ③to force
勉爲其難(ㄇㄧㄢˇ ㄨㄟˊ ㄑㄧˊ ㄋㄢˊ)to force oneself to do a hard task

九畫

勒 432
1. ㄌㄜˋ lè
1. to force; to compel 2. to reign or rule; to control; to command 3. to engrave; to carve 4. a bridle 5. (calligraphy) a horizontal stroke
勒令退學(ㄌㄜˋ ㄌㄧㄥˋ ㄊㄨㄟˋ ㄒㄩㄝˊ)suspended indefinitely
勒戒所(ㄌㄜˋ ㄐㄧㄝˋ ㄙㄨㄛˇ)a clinic where addicts are treated and made to kick the habit
勒住(ㄌㄜˋ ㄓㄨˋ)to halt by pulling in reins
勒贖(ㄌㄜˋ ㄕㄨˊ)to kidnap a person for ransom
勒索(ㄌㄜˋ ㄙㄨㄛˇ)to blackmail

〔力部〕

勒 432
2. ㄌㄟ lēi
to tighten
勒死(ㄌㄟ ㄙˇ)to strangle; to throttle

動 433
ㄉㄨㄥˋ dòng
1. to move; to stir 2. to change; to alter 3. to act 4. to touch (one's heart); to arouse; to excite; to move 5. to take up 6. to use 7. to eat or drink 8. movement; action
動筆(ㄉㄨㄥˋ ㄅㄧˇ)to start writing
動不動(ㄉㄨㄥˋ •ㄅㄨ ㄉㄨㄥˋ)apt
動脈(ㄉㄨㄥˋ ㄇㄞˋ)an artery
動名詞(ㄉㄨㄥˋ ㄇㄧㄥˊ ㄘˊ)(grammar) a gerund
動蕩(ㄉㄨㄥˋ ㄉㄤˋ)uneasy; unstable
動態(ㄉㄨㄥˋ ㄊㄞˋ) ① development(s) (of an event or a situation) ② the movement
動聽(ㄉㄨㄥˋ ㄊㄧㄥ) appealing to the ear
動腦筋(ㄉㄨㄥˋ ㄋㄠˇ ㄐㄧㄣ) ①to think ②to secretly plan to get some coveted thing
動怒(ㄉㄨㄥˋ ㄋㄨˋ)to lose one's temper
動力(ㄉㄨㄥˋ ㄌㄧˋ) ①(physics) power; dynamic force ② driving force
動亂(ㄉㄨㄥˋ ㄌㄨㄢˋ)disorder
動工(ㄉㄨㄥˋ ㄍㄨㄥ)to start (construction) work
動火(ㄉㄨㄥˋ ㄏㄨㄛˇ)to get angry
動機(ㄉㄨㄥˋ ㄐㄧ)motives; intentions
動靜(ㄉㄨㄥˋ ㄐㄧㄥˋ)signs of action
動氣(ㄉㄨㄥˋ ㄑㄧˋ)to get angry
動向(ㄉㄨㄥˋ ㄒㄧㄤˋ)trends
動輒得咎(ㄉㄨㄥˋ ㄓㄜˊ ㄉㄜˊ ㄐㄧㄡˋ)to draw criticisms at every move
動產(ㄉㄨㄥˋ ㄔㄢˇ)movable property
動手術(ㄉㄨㄥˋ ㄕㄡˇ ㄕㄨˋ)①to operate on a patient ②to have an operation
動身(ㄉㄨㄥˋ ㄕㄣ)to depart
動人(ㄉㄨㄥˋ ㄖㄣˊ)moving; touching
動容(ㄉㄨㄥˋ ㄖㄨㄥˊ)to change one's facial expression when one is moved
動作(ㄉㄨㄥˋ ㄗㄨㄛˋ) motions; movements
動詞(ㄉㄨㄥˋ ㄘˊ)a verb
動粗(ㄉㄨㄥˋ ㄘㄨ)to resort to violence
動搖(ㄉㄨㄥˋ ㄧㄠˊ)to waver; to shake
動武(ㄉㄨㄥˋ ㄨˇ)to resort to violence
動物(ㄉㄨㄥˋ ㄨˋ)an animal; a creature
動物學(ㄉㄨㄥˋ ㄨˋ ㄒㄩㄝˊ)zoology
動物園(ㄉㄨㄥˋ ㄨˋ ㄩㄢˊ)a zoo
動員(ㄉㄨㄥˋ ㄩㄢˊ)to mobilize
動用(ㄉㄨㄥˋ ㄩㄥˋ)to use or employ

勗 434
(勖)ㄒㄩˋ xù
to encourage; to stimulate

勘 435
ㄎㄢˋ kàn
(又讀 ㄎㄢ kān)
1. to investigate; to explore; to examine; to check 2. to collate; to compare critically
勘察(ㄎㄢ ㄔㄚˊ)to investigate
勘誤(ㄎㄢ ㄨˋ)to collate
勘誤表(ㄎㄢ ㄨˋ ㄅㄧㄠˇ)corrigenda; errata

務 436
ㄨˋ wù
1. to attend to; to strive after; to be engaged in 2. duty; business; affairs 3. must; necessary
務本(ㄨˋ ㄅㄣˇ)to attend to fundamentals
務必(ㄨˋ ㄅㄧˋ)or 務須(ㄨˋ ㄒㄩ)to be sure; must
務農(ㄨˋ ㄋㄨㄥˊ)to be engaged in farming
務實(ㄨˋ ㄕˊ)to strive for thoroughness

十畫

勝 437
1. ㄕㄥˋ shèng
1. to win; to excel; to triumph; to surpass; to get the better of 2. victory; success 3. (sports) a win 4. a scenic view 5. excellent; distinctive
勝負(ㄕㄥˋ ㄈㄨˋ)victory and defeat
勝地(ㄕㄥˋ ㄉㄧˋ)a scenic spot
勝利(ㄕㄥˋ ㄌㄧˋ)victory; triumph
勝過(ㄕㄥˋ ㄍㄨㄛˋ)to be superior to
勝仗(ㄕㄥˋ ㄓㄤˋ)a victory
勝訴(ㄕㄥˋ ㄙㄨˋ)to win a lawsuit
勝算(ㄕㄥˋ ㄙㄨㄢˋ)odds or advantages

勝 437
2. ㄕㄥ shēng
to be competent enough (for a task)
勝任(ㄕㄥ ㄖㄣˋ)competent; qualified
勝任愉快(ㄕㄥ ㄖㄣˋ ㄩˊ ㄎㄨㄞˋ)to be adequate for and happy with a job

勞 438
1. ㄌㄠˊ láo
1. to labor; to take the toil; to work 2. to trouble; to worry; to bother 3. meritorious deeds; services
勞保 (ㄌㄠˊ ㄅㄠˇ) or 勞工保險 (ㄌㄠˊ ㄍㄨㄥ ㄅㄠˇ ㄒㄧㄢˇ)labor insurance
勞民傷財(ㄌㄠˊ ㄇㄧㄣˊ ㄕㄤ ㄘㄞˊ)to tire the people and waste the resources
勞方(ㄌㄠˊ ㄈㄤ)labor
勞頓(ㄌㄠˊ ㄉㄨㄣˋ)fatigue; exhaustion
勞動(ㄌㄠˊ ㄉㄨㄥˋ)to labor (physically)
勞動法(ㄌㄠˊ ㄉㄨㄥˋ ㄈㄚˇ)labor law
勞動節(ㄌㄠˊ ㄉㄨㄥˋ ㄐㄧㄝˊ)Labor Day
勞累(ㄌㄠˊ ㄌㄟˋ)to fatigue, tire or exhaust
勞力(ㄌㄠˊ ㄌㄧˋ)(physical) labor

勞碌(ㄌㄠˊ ㄌㄨˋ)to work hard
勞碌命(ㄌㄠˊ ㄌㄨˋ ㄇㄧㄥˋ)a born laborer
勞工(ㄌㄠˊ ㄍㄨㄥ)laborers; workers
勞苦(ㄌㄠˊ ㄎㄨˇ)to work hard; to labor
勞駕(ㄌㄠˊ ㄐㄧㄚˋ)to be sorry to have to trouble someone to do something
勞心(ㄌㄠˊ ㄒㄧㄣ)to labor mentally
勞師動衆(ㄌㄠˊ ㄕ ㄉㄨㄥˋ ㄓㄨㄥˋ) to involve too many people
勞神(ㄌㄠˊ ㄕㄣˊ)① to bother ② to be worried
勞資(ㄌㄠˊ ㄗ)labor versus management
勞作(ㄌㄠˊ ㄗㄨㄛˋ)① manual work or training (at school) ② manual labor
勞務(ㄌㄠˊ ㄨˋ)service

勞 438 2. ㄌㄠˋ lào
to comfort or entertain (the tired)
勞軍(ㄌㄠˋ ㄐㄩㄣ)to cheer or entertain troops

十一畫

勢 439 ㄕˋ shì
1. power; force; influence 2. a tendency 3. the natural features 4. a situation 5. signs; gestures 6. male genitals
勢必(ㄕˋ ㄅㄧˋ)certainly; to be bound to
勢不兩立(ㄕˋ ㄅㄨˋ ㄌㄧㄤˇ ㄌㄧˋ)unable to coexist
勢力(ㄕˋ ㄌㄧˋ)power
勢力範圍(ㄕˋ ㄌㄧˋ ㄈㄢˋ ㄨㄟˊ)the sphere of influence
勢利(ㄕˋ ㄌㄧˋ)snobbish
勢利眼(ㄕˋ ㄌㄧˋ ㄧㄢˇ)a snob
勢均力敵(ㄕˋ ㄐㄩㄣ ㄌㄧˋ ㄉㄧˊ)evenly matched; well matched
勢如破竹(ㄕˋ ㄖㄨˊ ㄆㄛˋ ㄓㄨˊ) (said of a victorious army) to advance with irresistible force

募 440 ㄇㄨˋ mù
1. to recruit or enlist (personnel) 2. to raise (funds); to collect
募兵制(ㄇㄨˋ ㄅㄧㄥ ㄓˋ)a voluntary military service system
募款(ㄇㄨˋ ㄎㄨㄢˇ)to raise funds
募集(ㄇㄨˋ ㄐㄧˊ)to recruit; to raise
募捐(ㄇㄨˋ ㄐㄩㄢ)to collect donations

勤 441 ㄑㄧㄣˊ qín
1. diligent; industrious; sedulous; hardworking 2. frequently; regularly
勤勉(ㄑㄧㄣˊ ㄇㄧㄢˇ)industrious; diligent
勤奮(ㄑㄧㄣˊ ㄈㄣˋ)diligent; industrious
勤能補拙(ㄑㄧㄣˊ ㄋㄥˊ ㄅㄨˇ ㄓㄨㄛˊ)Stupidity can be remedied by diligence.
勤勞(ㄑㄧㄣˊ ㄌㄠˊ)to toil or labor sedulously
勤快(ㄑㄧㄣˊ ㄎㄨㄞˋ) (colloquial) diligent
勤儉(ㄑㄧㄣˊ ㄐㄧㄢˇ)hardworking and thrifty
勤學(ㄑㄧㄣˊ ㄒㄩㄝˊ)to study diligently

勠 442 ㄌㄨˋ lù
1. to unite or join (forces) 2. to kill; to slay
勠力同心(ㄌㄨˋ ㄌㄧˋ ㄊㄨㄥˊ ㄒㄧㄣ)to work together with the same objective in mind

十三畫

勰 443 ㄒㄧㄝˊ xié
harmonious

十四畫

勳 444 ㄒㄩㄣ xūn
merits; honors; meritorious services; achievements
勳章(ㄒㄩㄣ ㄓㄤ)a medal of honor; a decoration

十五畫

勵 445 ㄌㄧˋ lì
1. to incite; to encourage; to rouse (to action) 2. to exert oneself
勵行(ㄌㄧˋ ㄒㄧㄥˊ)to enforce or practice with determination
勵志(ㄌㄧˋ ㄓˋ)to pursue a goal with determination

十七畫

勸 446 ㄑㄩㄢˋ quàn
to exhort; to urge; to advise; to persuade
勸募(ㄑㄩㄢˋ ㄇㄨˋ)to ask for contributions
勸導(ㄑㄩㄢˋ ㄉㄠˇ)to admonish
勸告(ㄑㄩㄢˋ ㄍㄠˋ)to advise; to counsel; to exhort
勸架(ㄑㄩㄢˋ ㄐㄧㄚˋ)to mediate a quarrel
勸解(ㄑㄩㄢˋ ㄐㄧㄝˇ)to mediate
勸戒(ㄑㄩㄢˋ ㄐㄧㄝˋ)to admonish
勸酒(ㄑㄩㄢˋ ㄐㄧㄡˇ)to offer a drink
勸諫(ㄑㄩㄢˋ ㄐㄧㄢˋ)to remonstrate (with a superior)
勸說(ㄑㄩㄢˋ ㄕㄨㄛ)to persuade; to advise
勸阻(ㄑㄩㄢˋ ㄗㄨˇ)to dissuade

勹部
ㄅㄠ bāo

一畫

〔匕部〕

勺 447 ㄕㄠˊ sháo
as in 勺子—a ladle; a spoon; a scoop

二畫

匀 448 ㄩㄣˊ yún
uniform; even
匀稱(ㄩㄣˊ ㄔㄣˋ)symmetrical; balanced

勾 449 1. ㄍㄡ gōu
1. to mark; to put a check; to mark on 2. to cancel; to cross out (or off) 3. to hook 4. to join; to connect 5. to evoke 6. to entice 7. a hook
勾畫(ㄍㄡ ㄏㄨㄚˋ)to draw the outline of
勾魂(ㄍㄡ ㄏㄨㄣˊ)to bewitch; to enchant
勾結(ㄍㄡ ㄐㄧㄝˊ)to collude or collaborate
勾芡(ㄍㄡ ㄑㄧㄢˋ)to thicken (soup, etc.) by means of starch
勾消 or 勾銷(ㄍㄡ ㄒㄧㄠ)to liquidate
勾心鬥角(ㄍㄡ ㄒㄧㄣ ㄉㄡˋ ㄐㄧㄠˇ)to intrigue against each other
勾引(ㄍㄡ ㄧㄣˇ)to entice; to seduce

勾 449 2. ㄍㄡˋ gòu
1. to manage 2. business; affairs
勾當(ㄍㄡˋ ˙ㄉㄤ)an underhand job

勿 450 ㄨˋ wù
do not; not; never; a negative word used in formal speech

三畫

包 451 ㄅㄠ bāo
1. to wrap 2. to include; to contain 3. to surround 4. to guarantee 5. a parcel; a package; a bundle
包辦(ㄅㄠ ㄅㄢˋ)to undertake completely
包庇(ㄅㄠ ㄅㄧˋ)to harbor; to shelter
包皮(ㄅㄠ ㄆㄧˊ)the prepuce
包袱(ㄅㄠ ㄈㄨˊ)a burden
包攬(ㄅㄠ ㄌㄢˇ)to monopolize
包羅(ㄅㄠ ㄌㄨㄛˊ)to include; to cover
包羅萬象(ㄅㄠ ㄌㄨㄛˊ ㄨㄢˋ ㄒㄧㄤˋ) inclusive of everything; all-inclusive
包裹(ㄅㄠ ㄍㄨㄛˇ)a parcel; a package
包管(ㄅㄠ ㄍㄨㄢˇ)to guarantee
包工(ㄅㄠ ㄍㄨㄥ)a job or project awarded to a contractor
包括(ㄅㄠ ㄎㄨㄛˋ)or(ㄅㄠ ㄍㄨㄚ) to include; to comprise
包含(ㄅㄠ ㄏㄢˊ)to contain; to comprise
包機(ㄅㄠ ㄐㄧ)a chartered airplane
包心菜(ㄅㄠ ㄒㄧㄣ ㄘㄞˋ)a cabbage
包廂(ㄅㄠ ㄒㄧㄤ)a box (in a theater, stadium, etc.)
包准(ㄅㄠ ㄓㄨㄣˇ)to guarantee
包裝(ㄅㄠ ㄓㄨㄤ)to pack; packing
包車(ㄅㄠ ㄔㄜ)a chartered bus
包商(ㄅㄠ ㄕㄤ)a contractor
包容(ㄅㄠ ㄖㄨㄥˊ)to tolerate
包子(ㄅㄠ ˙ㄗ)a steamed stuffed bun
包紮(ㄅㄠ ㄗㄚ)to wrap; to bandage
包圍(ㄅㄠ ㄨㄟˊ)to surround; to encircle

四畫

匈 452 ㄒㄩㄥ xiōng
1. the breast; the bosom 2. to clamor
匈牙利(ㄒㄩㄥ ㄧㄚˊ ㄌㄧˋ)Hungary

七畫

匍 453 ㄆㄨˊ pú
1. to crawl; to creep 2. to lie prostrate; to prostrate
匍匐 or 匍伏(ㄆㄨˊ ㄈㄨˊ)① to crawl; to creep ② to prostrate

九畫

匏 454 ㄆㄠˊ páo
1. a gourd; a bottle gourd; a calabash 2. a kind of wind instrument originally made of a gourd

匐 455 ㄈㄨˊ fú
1.to lie prostrate; to prostrate 2.to crawl; to creep

匕部 ㄅㄧˇ bǐ

匕 456 ㄅㄧˇ bǐ
1. a ladle; a spoon 2. an arrowhead 3. a dagger
匕首(ㄅㄧˇ ㄕㄡˇ)a dagger; a short sword

二畫

化 457 ㄏㄨㄚˋ huà
1. to change; to convert; to transform; to influence 2. short for "chemistry"
化名(ㄏㄨㄚˋ ㄇㄧㄥˊ)a pseudonym
化糞池(ㄏㄨㄚˋ ㄈㄣˋ ㄔˊ)a cesspool
化腐朽爲神奇(ㄏㄨㄚˋ ㄈㄨˇ ㄒㄧㄡˇ ㄨㄟˊ ㄕㄣˊ ㄑㄧˊ)to make the ugly things beautiful

化敵爲友(ㄏㄨㄚˋ ㄉㄧˊ ㄨㄟˊ ㄧㄡˇ)to convert an enemy into a friend
化膿(ㄏㄨㄚˋ ㄋㄨㄥˊ)to suppurate
化干戈爲玉帛(ㄏㄨㄚˋ ㄍㄢ ㄍㄜ ㄨㄟˊ ㄩˋ ㄅㄛˊ)to bury the hatchets and work for peace
化工(ㄏㄨㄚˋ ㄍㄨㄥ)chemical engineering
化合(ㄏㄨㄚˋ ㄏㄜˊ)to combine (chemically)
化合物(ㄏㄨㄚˋ ㄏㄜˊ ㄨˋ)a (chemical) compound
化解(ㄏㄨㄚˋ ㄐㄧㄝˇ)to bring reconciliation to
化險爲夷(ㄏㄨㄚˋ ㄒㄧㄢˇ ㄨㄟˊ ㄧˊ) to turn peril into safety
化學(ㄏㄨㄚˋ ㄒㄩㄝˊ)chemistry
化學變化(ㄏㄨㄚˋ ㄒㄩㄝˊ ㄅㄧㄢˋ ㄏㄨㄚˋ) chemical change
化學反應(ㄏㄨㄚˋ ㄒㄩㄝˊ ㄈㄢˇ ㄧㄥˋ) chemical reaction
化學工業(ㄏㄨㄚˋ ㄒㄩㄝˊ ㄍㄨㄥ ㄧㄝˋ) the chemical industry
化學纖維(ㄏㄨㄚˋ ㄒㄩㄝˊ ㄒㄧㄢ ㄨㄟˊ) synthetic fiber; chemical fiber
化學武器(ㄏㄨㄚˋ ㄒㄩㄝˊ ㄨˇ ㄑㄧˋ)chemical weapons
化妝(ㄏㄨㄚˋ ㄓㄨㄤ)to make up
化妝品(ㄏㄨㄚˋ ㄓㄨㄤ ㄆㄧㄣˇ)cosmetics
化裝舞會 (ㄏㄨㄚˋ ㄓㄨㄤ ㄨˇ ㄏㄨㄟˋ) a masquerade
化石(ㄏㄨㄚˋ ㄕˊ)a fossil
化身(ㄏㄨㄚˋ ㄕㄣ)an incarnation; an embodiment
化驗(ㄏㄨㄚˋ ㄧㄢˋ)to subject to chemical analysis
化爲烏有 (ㄏㄨㄚˋ ㄨㄟˊ ㄨ ㄧㄡˇ) to disappear completely
化緣(ㄏㄨㄚˋ ㄩㄢˊ)to solicit alms

三畫

北 458
ㄅㄟˇ běi (讀音 ㄅㄛˋ bò)

1. north; northern; northerly 2. northward 3. defeated
北半球(ㄅㄟˇ ㄅㄢˋ ㄑㄧㄡˊ)the Northern Hemisphere
北邊(ㄅㄟˇ ㄅㄧㄢ)the north; the northern part
北冰洋(ㄅㄟˇ ㄅㄧㄥ ㄧㄤˊ) or 北極海(ㄅㄟˇ ㄐㄧˊ ㄏㄞˇ)the Arctic Ocean
北美洲(ㄅㄟˇ ㄇㄟˇ ㄓㄡ)North America
北非(ㄅㄟˇ ㄈㄟ)North Africa
北方(ㄅㄟˇ ㄈㄤ)the north
北斗七星(ㄅㄟˇ ㄉㄡˇ ㄑㄧ ㄒㄧㄥ)the Plough; the Big Dipper
北海(ㄅㄟˇ ㄏㄞˇ)the North Sea
北海道(ㄅㄟˇ ㄏㄞˇ ㄉㄠˋ) Hokkaido, Japan's northernmost island
北韓(ㄅㄟˇ ㄏㄢˊ)North Korea
北回歸線(ㄅㄟˇ ㄏㄨㄟˊ ㄍㄨㄟ ㄒㄧㄢˋ) the Tropic of Cancer
北極(ㄅㄟˇ ㄐㄧˊ)the North Pole; the Arctic Pole
北極圈(ㄅㄟˇ ㄐㄧˊ ㄑㄩㄢ)the Arctic Circle
北極熊(ㄅㄟˇ ㄐㄧˊ ㄒㄩㄥˊ)a polar bear
北極星(ㄅㄟˇ ㄐㄧˊ ㄒㄧㄥ)Polaris; the North Star; the polestar
北京(ㄅㄟˇ ㄐㄧㄥ)Peking
北歐(ㄅㄟˇ ㄡ)northern Europe
北緯(ㄅㄟˇ ㄨㄟˇ)north latitude

九畫

匙 459
1. ㄔˊ chí

a spoon

匙 459
2. ˙ㄕ shi

a key

匚部
ㄈㄤ fāng

三畫

匝 460
ㄗㄚ zā

to make a revolution round; to encompass; to circle

匜 461
ㄧˊ yí

a washbasin (of former times)

四畫

匠 462
ㄐㄧㄤˋ jiàng

a craftsman; an artisan; a skilled workman: 石匠 a mason
匠氣(ㄐㄧㄤˋ ㄑㄧˋ)commonplaceness or triteness in artistic work
匠心(ㄐㄧㄤˋ ㄒㄧㄣ)inventiveness

匡 463
ㄎㄨㄤ kuāng

1. to rectify; to correct 2. to deliver from
匡濟(ㄎㄨㄤ ㄐㄧˋ)to relieve distress
匡正(ㄎㄨㄤ ㄓㄥˋ)to rectify; to correct

五畫

匣 464
ㄒㄧㄚˊ xiá

1. a case; a small box 2. a cage亦作「柙」
匣子(ㄒㄧㄚˊ ˙ㄗ)a case; a small box; a casket

八畫

匪 465
ㄈㄟˇ fěi

1. bandits; rebels; insurgents 2. not

〔匚部〕

匪幫(ㄈㄟˇ ㄅㄤ)a gang of bandits
匪徒(ㄈㄟˇ ㄊㄨˊ)bandits; robbers; gangsters 「able
匪夷所思(ㄈㄟˇ ㄧˊ ㄙㄨㄛˇ ㄙ)unthink-

九畫

匭 466 ㄍㄨㄟˇ guǐ
a box; a casket; a chest

十一畫

滙 467 ㄏㄨㄟˋ huì
1. to remit money 2. to converge 3. to flow into 「draft
滙票(ㄏㄨㄟˋ ㄆㄧㄠˋ)a money order; a
滙費(ㄏㄨㄟˋ ㄈㄟˋ)the remitting charge or fee 「exchange
滙兌(ㄏㄨㄟˋ ㄉㄨㄟˋ) (commerce)
滙率(ㄏㄨㄟˋ ㄌㄩˋ)the exchange rate
滙率波動(ㄏㄨㄟˋ ㄌㄩˋ ㄅㄛ ㄉㄨㄥˋ) exchange fluctuation
滙款(ㄏㄨㄟˋ ㄎㄨㄢˇ)a remittance
滙合(ㄏㄨㄟˋ ㄏㄜˊ)to converge; to join

十二畫

匱 468 ㄎㄨㄟˋ kuì
1. to lack; deficient 2. a chest or cabinet 3. exhausted
匱乏(ㄎㄨㄟˋ ㄈㄚˊ)lack; want; to lack; to be short of

十三畫

匳 469 (奩) ㄌㄧㄢˊ lián
a toilet case; a dressing case

匸部 ㄒㄧˋ xì

二畫

匹 470 1. ㄆㄧ pī
a numerary particle for horses

匹 470 2. ㄆㄧˇ pǐ 「equal
1. a bolt (of cloth) 2. to match 3.
匹配(ㄆㄧˇ ㄆㄟˋ)to match 「diness
匹夫之勇(ㄆㄧˇ ㄈㄨ ㄓ ㄩㄥˇ)foolhar-
匹敵(ㄆㄧˇ ㄉㄧˊ)to match or equal

九畫

匾 471 ㄅㄧㄢˇ biǎn
as in 匾額—a (wooden) tablet

匿 472 ㄋㄧˋ nì
to hide; to conceal 「mous letter
匿名信(ㄋㄧˋ ㄇㄧㄥˊ ㄒㄧㄣˋ)an anony-

區 473 ㄑㄩ qū
1. to distinguish; to discriminate 2. a district; an area; a zone 3. a border 4. little; few 「distinguish
區別(ㄑㄩ ㄅㄧㄝˊ)to discriminate; to
區分(ㄑㄩ ㄈㄣ)to set apart; to consider 「office
區公所(ㄑㄩ ㄍㄨㄥ ㄙㄨㄛˇ)a district
區間車(ㄑㄩ ㄐㄧㄢ ㄔㄜ)a bus traveling merely part of its normal route
區區(ㄑㄩ ㄑㄩ)small or unimportant; trifling 「region
區域(ㄑㄩ ㄩˋ)a district; an area; a

十部 ㄕˊ shí

十 474 ㄕˊ shí
1. ten; the tenth 2. complete; completely; perfect; perfectly; extremely
十分(ㄕˊ ㄈㄣ)① complete ② very
十拿九穩(ㄕˊ ㄋㄚˊ ㄐㄧㄡˇ ㄨㄣˇ)to be very sure of (success, etc.)
十戒(ㄕˊ ㄐㄧㄝˋ) (Buddhism) the Ten Prohibitions
十誡(ㄕˊ ㄐㄧㄝˋ)the Ten Commandments (in the Bible) 「complete
十全十美(ㄕˊ ㄑㄩㄢˊ ㄕˊ ㄇㄟˇ)perfect;
十項運動(ㄕˊ ㄒㄧㄤˋ ㄩㄣˋ ㄉㄨㄥˋ) decathlon 亦作「十項全能運動」
十字路口(ㄕˊ ㄗˋ ㄌㄨˋ ㄎㄡˇ) the junction of crossroads
十字架(ㄕˊ ㄗˋ ㄐㄧㄚˋ)the Cross
十足(ㄕˊ ㄗㄨˊ)extremely; completely
十四行詩(ㄕˊ ㄙˋ ㄏㄤˊ ㄕ) (Western poetry) the sonnet
十三點(ㄕˊ ㄙㄢ ㄉㄧㄢˇ)(slang) silly
十惡不赦(ㄕˊ ㄜˋ ㄅㄨˋ ㄕㄜˋ)guilty of unpardonable evil
十二指腸(ㄕˊ ㄦˋ ㄓˇ ㄔㄤˊ)a duodenum
十二月(ㄕˊ ㄦˋ ㄩㄝˋ)December
十一月(ㄕˊ ㄧ ㄩㄝˋ)November
十億(ㄕˊ ㄧˋ)billion 「place
十位(ㄕˊ ㄨㄟˋ) (arithmetic) the tens
十萬火急(ㄕˊ ㄨㄢˋ ㄏㄨㄛˇ ㄐㄧˊ)to be in
十月(ㄕˊ ㄩㄝˋ)October 」posthaste

一畫

千 475
ㄑㄧㄢ qiān

1. thousand 2. many; numerous

千變萬化(ㄑㄧㄢ ㄅㄧㄢˋ ㄨㄢˋ ㄏㄨㄚˋ) ever-changing

千篇一律(ㄑㄧㄢ ㄆㄧㄢ ㄧˊ ㄌㄩˋ)dull; monotonous

千門萬戶(ㄑㄧㄢ ㄇㄣˊ ㄨㄢˋ ㄏㄨˋ) numerous households

千方百計(ㄑㄧㄢ ㄈㄤ ㄅㄞˇ ㄐㄧˋ)by hook or by crook

千頭萬緒(ㄑㄧㄢ ㄊㄡˊ ㄨㄢˋ ㄒㄩˋ)(said of a problem or task) very complicated or confused

千年(ㄑㄧㄢ ㄋㄧㄢˊ)a thousand years

千里(ㄑㄧㄢ ㄌㄧˇ)a thousand *li*—a long distance

千里馬(ㄑㄧㄢ ㄌㄧˇ ㄇㄚˇ)a winged steed

千里迢迢(ㄑㄧㄢ ㄌㄧˇ ㄊㄧㄠˊ ㄊㄧㄠˊ) from afar

千里眼(ㄑㄧㄢ ㄌㄧˇ ㄧㄢˇ)farsightedness

千古(ㄑㄧㄢ ㄍㄨˇ)①a long, long time ②(used in mourning) in eternity

千迴百折(ㄑㄧㄢ ㄏㄨㄟˊ ㄅㄞˇ ㄓㄜˊ)innumerable twists and turns

千嬌百媚(ㄑㄧㄢ ㄐㄧㄠ ㄅㄞˇ ㄇㄟˋ)the beauty of beauties

千斤頂(ㄑㄧㄢ ㄐㄧㄣ ㄉㄧㄥˇ)a jack

千金小姐(ㄑㄧㄢ ㄐㄧㄣ ㄒㄧㄠˇ ㄐㄧㄝˇ) a young lady of a wealthy family

千鈞一髮(ㄑㄧㄢ ㄐㄩㄣ ㄧˋ ㄈㄚˇ)very precarious

千奇百怪(ㄑㄧㄢ ㄑㄧˊ ㄅㄞˇ ㄍㄨㄞˋ)grotesque or weird shapes

千辛萬苦(ㄑㄧㄢ ㄒㄧㄣ ㄨㄢˋ ㄎㄨˇ)to suffer or undergo all conceivable hardships

千眞萬確(ㄑㄧㄢ ㄓㄣ ㄨㄢˋ ㄑㄩㄝˋ) very real; absolutely true

千錘百鍊(ㄑㄧㄢ ㄔㄨㄟˊ ㄅㄞˇ ㄌㄧㄢˋ) (to undergo) severe training and hammering

千山萬水(ㄑㄧㄢ ㄕㄢ ㄨㄢˋ ㄕㄨㄟˇ)distant (places, etc.)

千載難逢(ㄑㄧㄢ ㄗㄞˇ ㄋㄢˊ ㄈㄥˊ)once in a thousand years — a very rare chance

千思萬想(ㄑㄧㄢ ㄙ ㄨㄢˋ ㄒㄧㄤˇ)to think over and over again

千言萬語(ㄑㄧㄢ ㄧㄢˊ ㄨㄢˋ ㄩˇ)many, many words in one's heart

千萬(ㄑㄧㄢ ㄨㄢˋ)①a huge amount ② an expression used to emphasize an injunction or advice: 千萬要記得。Please do remember.

二畫

升 476
ㄕㄥ shēng

1.to rise; to raise; to ascend 2.to advance; to promote 3.a unit of volume measurement (especially for grain)

升平 or 昇平(ㄕㄥ ㄆㄧㄥˊ)peace and prosperity

升斗小民(ㄕㄥ ㄉㄡˇ ㄒㄧㄠˇ ㄇㄧㄣˊ) those who live from hand to mouth

升堂入室(ㄕㄥ ㄊㄤˊ ㄖㄨˋ ㄕˋ) (said of scholastic pursuit) to attain mastery

升格(ㄕㄥ ㄍㄜˊ)to promote

升級(ㄕㄥ ㄐㄧˊ) (said of an official) to be promoted

升降機(ㄕㄥ ㄐㄧㄤˋ ㄐㄧ)an elevator; a lift

升旗(ㄕㄥ ㄑㄧˊ)to hoist a flag

升遷(ㄕㄥ ㄑㄧㄢ)promotion

升學(ㄕㄥ ㄒㄩㄝˊ)to enter a higher school

升學考試(ㄕㄥ ㄒㄩㄝˊ ㄎㄠˇ ㄕˋ)an entrance examination for a higher school

升值(ㄕㄥ ㄓˊ) (economics) ①to revalue ②to appreciate

午 477
ㄨˇ wǔ

1. noon; high noon 2. (in old Chinese time measurement) 11 a.m. to 1 p.m. 3. the seventh of the Twelve Terrestrial Branches (地支)

午飯(ㄨˇ ㄈㄢˋ)lunch; a midday meal

午後(ㄨˇ ㄏㄡˋ)afternoon

午休(ㄨˇ ㄒㄧㄡ)a noon break; a noontime rest

午睡(ㄨˇ ㄕㄨㄟˋ)an afternoon nap

午夜(ㄨˇ ㄧㄝˋ)midnight

卅 478
ㄙㄚˋ sà

thirty; 30th (of a month)

三畫

半 479
ㄅㄢˋ bàn

1. half 2. very little 3. in the middle 4. partly; about half

半百(ㄅㄢˋ ㄅㄞˇ)fifty; half a hundred

半票(ㄅㄢˋ ㄆㄧㄠˋ)a half-fare ticket

半打(ㄅㄢˋ ㄉㄚˊ)half a dozen; six

半島(ㄅㄢˋ ㄉㄠˇ)a peninsula

半導體(ㄅㄢˋ ㄉㄠˇ ㄊㄧˇ)a semiconductor

半透明體(ㄅㄢˋ ㄊㄡˋ ㄇㄧㄥˊ ㄊㄧˇ)a translucent or subtransparent body

半天(ㄅㄢˋ ㄊㄧㄢ)①half-day; half a day ② quite a while

半途(ㄅㄢˋ ㄊㄨˊ)halfway; midway

半途而廢(ㄅㄢˋ ㄊㄨˊ ㄦˊ ㄈㄟˋ)to stop (a task) halfway

半路(ㄅㄢˋ ㄌㄨˋ)halfway; midway

半路出家(ㄅㄢˋ ㄌㄨˋ ㄔㄨ ㄐㄧㄚ)to start midway

半官方(ㄅㄢˋ ㄍㄨㄢ ㄈㄤ)semi-official

半工半讀(ㄅㄢˋ ㄍㄨㄥ ㄅㄢˋ ㄉㄨˊ)part work, and part study

半公開(ㄅㄢˋ ㄍㄨㄥ ㄎㄞ)more or less open

〔十部〕

半空中(ㄅㄢˋ ㄎㄨㄥ ㄓㄨㄥ)in midair; in the air
半價(ㄅㄢˋ ㄐㄧㄚˋ)half-price; 50 percent discount
半截(ㄅㄢˋ ㄐㄧㄝˊ)half of a body
半斤八兩(ㄅㄢˋ ㄐㄧㄣ ㄅㄚ ㄌㄧㄤˇ) tweedledum and tweedledee
半徑(ㄅㄢˋ ㄐㄧㄥˋ)a radius
半球(ㄅㄢˋ ㄑㄧㄡˊ)a hemisphere
半信半疑(ㄅㄢˋ ㄒㄧㄣˋ ㄅㄢˋ ㄧˊ)between believing and suspicion
半場(ㄅㄢˋ ㄔㄤˇ)half-court
半成品(ㄅㄢˋ ㄔㄥˊ ㄆㄧㄣˇ)semifinished products or articles
半身不遂(ㄅㄢˋ ㄕㄣ ㄅㄨˋ ㄙㄨㄟˋ)half-paralyzed
半身像(ㄅㄢˋ ㄕㄣ ㄒㄧㄤˋ)①a half-length photo or portrait ②a bust
半晌(ㄅㄢˋ ㄕㄤˇ) (for) quite some time
半生不熟(ㄅㄢˋ ㄕㄥ ㄅㄨˋ ㄕㄡˊ)half-raw; half-cooked
半數(ㄅㄢˋ ㄕㄨˋ)half the number; half
半日(ㄅㄢˋ ㄖˋ)① half a day ② half-day
半死不活 (ㄅㄢˋ ㄙˇ ㄅㄨˋ ㄏㄨㄛˊ) ① dying ② listless
半夜(ㄅㄢˋ ㄧㄝˋ)midnight
半夜三更(ㄅㄢˋ ㄧㄝˋ ㄙㄢ ㄐㄧㄥ)in the depth of night; late at night
半音階(ㄅㄢˋ ㄧㄣ ㄐㄧㄝ)the chromatic scale (in music)
半圓(ㄅㄢˋ ㄩㄢˊ)a semicircle

卌 480
ㄒㄧˋ xì
forty; fortieth

四畫

卉 481
(卉) ㄏㄨㄟˋ huì
1. a general term for grasses 2. myriads of

六畫

卑 482
ㄅㄟ bēi
1. low 2. debased; depraved; vile 3. inferior 4. a modest expression referring to oneself
卑鄙(ㄅㄟ ㄅㄧˇ)mean; depraved; base
卑劣(ㄅㄟ ㄌㄧㄝˋ)mean; depraved
卑躬曲膝(ㄅㄟ ㄍㄨㄥ ㄑㄩ ㄒㄧ)obsequious; servile
卑賤(ㄅㄟ ㄐㄧㄢˋ)low; inferior; mean
卑下(ㄅㄟ ㄒㄧㄚˋ)base; mean; humble
卑微(ㄅㄟ ㄨㄟˊ)lowly; humble

卒 483
1. ㄗㄨˊ zú
1. a servant 2. a soldier 3. a unit of one hundred soldiers 4. at last; after all 5. to complete; to finish 6. dead; to die 7. a pawn in Chinese chess
卒子(ㄗㄨˊ ·ㄗ)① a soldier ② a pawn

卒 483
2. ㄘㄨˋ cù
suddenly; abruptly; hurriedly

卓 484
ㄓㄨㄛˊ zhuó
1. lofty; high 2. profound; brilliant; eminent 3. (to stand) upright; erect
卓見(ㄓㄨㄛˊ ㄐㄧㄢˋ)a brilliant view
卓絕(ㄓㄨㄛˊ ㄐㄩㄝˊ)eminent; peerless
卓著(ㄓㄨㄛˊ ㄓㄨˋ)prominent
卓識(ㄓㄨㄛˊ ㄕˋ)brilliant ideas or views
卓越(ㄓㄨㄛˊ ㄩㄝˋ)excellent; remarkable

協 485
ㄒㄧㄝˊ xié
1. to agree; an agreement 2. to be united; to bring into harmony; to coordinate 3. to assist; to aid
協定(ㄒㄧㄝˊ ㄉㄧㄥˋ)an agreement
協調(ㄒㄧㄝˊ ㄊㄧㄠˊ)to coordinate; coordination
協同(ㄒㄧㄝˊ ㄊㄨㄥˊ)to work with (others)
協理(ㄒㄧㄝˊ ㄌㄧˇ)an assistant manager
協力(ㄒㄧㄝˊ ㄌㄧˋ)to work in concert
協會(ㄒㄧㄝˊ ㄏㄨㄟˋ)an association
協助(ㄒㄧㄝˊ ㄓㄨˋ)to assist
協商(ㄒㄧㄝˊ ㄕㄤ)to negotiate
協奏曲(ㄒㄧㄝˊ ㄗㄡˋ ㄑㄩˇ) (music) a concerto
協議(ㄒㄧㄝˊ ㄧˋ)①an agreement ②to discuss

七畫

南 486
1. ㄋㄚˊ ná
南無阿彌陀佛 (ㄋㄚˊ ㄇㄛˊ ㄜ ㄇㄧˊ ㄊㄨㄛˊ ㄈㄛˊ) (Buddhism) *Namo Amitabha* (Homage to Amitabha Buddha.)

南 486
2. ㄋㄢˊ nán
1. south; southward 2. a type of ancient music played in the south of China
南北貨(ㄋㄢˊ ㄅㄟˇ ㄏㄨㄛˋ)sundry goods
南半球(ㄋㄢˊ ㄅㄢˋ ㄑㄧㄡˊ)the Southern Hemisphere
南冰洋(ㄋㄢˊ ㄅㄧㄥ ㄧㄤˊ)the Antarctic Ocean
南部(ㄋㄢˊ ㄅㄨˋ)southern part; south
南美洲(ㄋㄢˊ ㄇㄟˇ ㄓㄡ)South America
南非(ㄋㄢˊ ㄈㄟ)South Africa
南方(ㄋㄢˊ ㄈㄤ)the south; the South
南瓜(ㄋㄢˊ ㄍㄨㄚ)a pumpkin
南柯一夢(ㄋㄢˊ ㄎㄜ ㄧˊ ㄇㄥˋ)a dream
南胡(ㄋㄢˊ ㄏㄨˊ)the two-stringed Chinese viola 亦作「二胡」
南回歸線(ㄋㄢˊ ㄏㄨㄟˊ ㄍㄨㄟ ㄒㄧㄢˋ) the Tropic of Capricorn
南極(ㄋㄢˊ ㄐㄧˊ)the South Pole
南極圈(ㄋㄢˊ ㄐㄧˊ ㄑㄩㄢ)the Antarctic

Circle
南極洲(ㄋㄢ ㄐㄧˊ ㄓㄡ)Antarctica
南下(ㄋㄢ ㄒㄧㄚˋ)to go down south
南緯(ㄋㄢ ㄨㄟˇ)latitudes south of the equator
南溫帶 (ㄋㄢ ㄨㄣ ㄉㄞˋ) the South Temperate Zone

十畫

博 487 ㄅㄛˊ bó
1. wide; extensive 2. abundant; ample; rich 3. broadly knowledgeable; well-read; learned 4. to barter for 5. to gamble 6. to win; to gain
博大精深(ㄅㄛˊ ㄉㄚˋ ㄐㄧㄥ ㄕㄣ)broad and profound
博得(ㄅㄛˊ ㄉㄜˊ)or博取(ㄅㄛˊ ㄑㄩˇ)to win; to obtain
博覽(ㄅㄛˊ ㄌㄢˇ)to read extensively
博覽會(ㄅㄛˊ ㄌㄢˇ ㄏㄨㄟˋ)an exhibition
博古通今(ㄅㄛˊ ㄍㄨˇ ㄊㄨㄥ ㄐㄧㄣ)erudite and informed
博學(ㄅㄛˊ ㄒㄩㄝˊ)well-read; erudite
博士(ㄅㄛˊ ㄕˋ)a doctorate; a doctoral degree
博愛(ㄅㄛˊ ㄞˋ)indiscriminate love; fraternity
博物館(ㄅㄛˊ ㄨˋ ㄍㄨㄢˇ)a museum

卜部 ㄅㄨˇ bǔ

卜 488 ㄅㄨˇ bǔ
1. to divine; to consult the oracle 2. to foretell; to predict 3. to choose; to select
卜卦(ㄅㄨˇ ㄍㄨㄚˋ)to divine by the Eight Diagrams
卜筮(ㄅㄨˇ ㄕˋ)divination
卜辭(ㄅㄨˇ ㄘˊ)the writings inscribed on oracle bones

二畫

卞 489 ㄅㄧㄢˋ biàn
1. hurriedly; rash; impetuous 2. excitable

三畫

占 490 1. ㄓㄢ zhān
1. to divine 2. to observe
占卜(ㄓㄢ ㄅㄨˇ)to divine
占星(ㄓㄢ ㄒㄧㄥ)to divine by astrology
占星術(ㄓㄢ ㄒㄧㄥ ㄕㄨˋ)astrology

占 490 2. (佔) ㄓㄢˋ zhàn
to occupy
占領(ㄓㄢˋ ㄌㄧㄥˇ)to occupy
占據(ㄓㄢˋ ㄐㄩˋ)to occupy by force
占有(ㄓㄢˋ ㄧㄡˇ)to take possession of

卡 491 1. ㄎㄚˇ kǎ
1. a card, as a visiting card; cardboard 2. an abbreviated form for "calorie" 3. a guardhouse 4. a customs barrier; a roadblock; a checkpoint 5. to block; to check
卡賓槍(ㄎㄚˇ ㄅㄧㄣ ㄑㄧㄤ)a carbine
卡片(ㄎㄚˇ ㄆㄧㄢˋ)a card; a calling card
卡帶(ㄎㄚˇ ㄉㄞˋ)a cassette tape
卡通(ㄎㄚˇ ㄊㄨㄥ)a cartoon
卡路里(ㄎㄚˇ ㄌㄨˋ ㄌㄧˇ)a calorie
卡介苗(ㄎㄚˇ ㄐㄧㄝˋ ㄇㄧㄠˊ)BCG (Bacillus Calmette-Guerin), a TB vaccine
卡其布(ㄎㄚˇ ㄑㄧˊ ㄅㄨˋ)khaki
卡車(ㄎㄚˇ ㄔㄜ)a truck; a lorry

卡 491 2. ㄑㄧㄚˊ qiá
to be squeezed in between; to be sandwiched

卡 491 3. ㄑㄧㄚˇ qiǎ
to choke; to be choked

五畫

卣 492 ㄧㄡˇ yǒu
(in ancient China) a container or vessel for wine

六畫

卦 493 ㄍㄨㄚˋ guà
one of the Eight Diagrams of the *Book of Changes*

卩部 ㄐㄧㄝˊ jié

三畫

巵 494 ㄓ zhī
a container for holding wine; a goblet with handles

卯 495 ㄇㄠˇ mǎo
1. the fourth of the 12 Terrestrial Branches 2. as in 卯時—the period from 5 to 7 a.m. 3. a roll call

四畫

印 496 ㄧㄣˋ yìn
1. a seal; a stamp; a chop 2. to print; to stamp; to imprint 3. an imprint;

〔卩部〕

a mark 「a printer
印表機(ㄧㄣˋ ㄅㄧㄠˇ ㄐㄧ) (computer)
印第安人(ㄧㄣˋ ㄉㄧˋ ㄢ ㄖㄣˊ)the American Indians
印度(ㄧㄣˋ ㄉㄨˋ)India
印度洋(ㄧㄣˋ ㄉㄨˋ ㄧㄤˊ)the Indian Ocean
印台(ㄧㄣˋ ㄊㄞˊ)an ink pad; a stamp pad
印尼(ㄧㄣˋ ㄋㄧˊ) Indonesia
印泥(ㄧㄣˋ ㄋㄧˊ)ink (usually red) for imprinting of seals
印花(ㄧㄣˋ ㄏㄨㄚ)a revenue stamp
印花稅(ㄧㄣˋ ㄏㄨㄚ ㄕㄨㄟˋ)stamp tax
印鑑(ㄧㄣˋ ㄐㄧㄢˋ)an imprint or impression of one's chop filed with agencies concerned for checking purposes
印鑑證明(ㄧㄣˋㄐㄧㄢˋㄓㄥˋㄇㄧㄥˊ)certificate of seal impression
印象(ㄧㄣˋ ㄒㄧㄤˋ)an impression
印行(ㄧㄣˋ ㄒㄧㄥˊ)to publish
印章 (ㄧㄣˋ ㄓㄤ) a general name for seals, stamps and chops
印證(ㄧㄣˋ ㄓㄥˋ)to prove; mutual proof
印刷(ㄧㄣˋ ㄕㄨㄚ)to print
印刷品 (ㄧㄣˋ ㄕㄨㄚ ㄆㄧㄣˇ) printed matter

危 497
ㄨㄟ wēi
1. danger; dangerous; precarious; perilous 2. restless 3. to fear; to be upset or afraid 4. lofty; high 5. just; honest; straightforward
危難 (ㄨㄟ ㄋㄢˋ) (in) danger, peril, or distress
危害(ㄨㄟ ㄏㄞˋ)to endanger; to harm
危機(ㄨㄟ ㄐㄧ)a crisis; a danger point
危急(ㄨㄟ ㄐㄧˊ)urgent; hazardous
危險 (ㄨㄟ ㄒㄧㄢˇ) danger; dangerous; unsafe
危險份子 (ㄨㄟ ㄒㄧㄢˇ ㄈㄣˋ ㄗˇ) dangerous elements
危言聳聽(ㄨㄟˊ ㄧㄢˊ ㄙㄨㄥˇ ㄊㄧㄥ)to stir up others with sensational statements
危亡(ㄨㄟ ㄨㄤˊ)in great danger

五畫

卵 498
ㄌㄨㄢˇ luǎn
1. an egg; an ovum 2. fish roe 3. the testicles
卵胎生(ㄌㄨㄢˇ ㄊㄞ ㄕㄥ) (zoology) ovoviviparity
卵細胞(ㄌㄨㄢˇ ㄒㄧˋ ㄅㄠ)an ovum; ova
卵形(ㄌㄨㄢˇ ㄒㄧㄥˊ)ovoid; oval
卵巢(ㄌㄨㄢˇ ㄔㄠˊ)ovaries
卵生(ㄌㄨㄢˇ ㄕㄥ)oviparous
卵子(ㄌㄨㄢˇ ㄗˇ)an ovum

六畫

卷 499
1. ㄐㄩㄢˋ juàn
1. painting which can be easily folded or rolled up 2. a book 3. a division of a book; a volume 4. a test paper 5. filed documents; files
卷軸(ㄐㄩㄢˋ ㄓㄡˊ)a book; books
卷宗(ㄐㄩㄢˋ ㄗㄨㄥ)files; dossiers

卷 499
2. (捲) ㄐㄩㄢˇ juǎn
to roll up
卷土重來(ㄐㄩㄢˇ ㄊㄨˇ ㄔㄨㄥˊ ㄌㄞˊ)to come back again after defeat

卷 499
3. ㄑㄩㄢˊ quán
curly; to curl
卷曲(ㄑㄩㄢˊ ㄑㄩ)to curl up

卸 500
ㄒㄧㄝˋ xiè
1. to get rid of; to remove 2. to unload (cargoes, etc.) 3. to resign; to retire from office
卸貨(ㄒㄧㄝˋ ㄏㄨㄛˋ)to unload cargoes
卸妝(ㄒㄧㄝˋ ㄓㄨㄤ)to remove make-up and ornaments
卸除(ㄒㄧㄝˋ ㄔㄨˊ)to remove
卸任 (ㄒㄧㄝˋ ㄖㄣˋ) to quit a public office

卹 501
ㄒㄩˋ xù
1. pity; to pity; sympathy; to sympathize 2. to give relief

卺 502
ㄐㄧㄣˇ jǐn
nuptial winecups (made from a gourd split in two)

七畫

郤 503
(却) ㄑㄩㄝˋ què
1. still; but; yet 2. to refuse to accept 3. to retreat; to withdraw
郤步(ㄑㄩㄝˋ ㄅㄨˋ)to shrink back

卽 504
(即) ㄐㄧˊ jí
1. promptly; immediately; now 2. then; accordingly 3. even if—indicating supposition or sequence
卽刻(ㄐㄧˊ ㄎㄜˋ)immediately; promptly
卽將(ㄐㄧˊ ㄐㄧㄤ)to be about to
卽席(ㄐㄧˊ ㄒㄧˊ)extempore
卽興(ㄐㄧˊ ㄒㄧㄥˋ)impromptu; extemporaneous
卽使(ㄐㄧˊ ㄕˇ)even if
卽日(ㄐㄧˊ ㄖˋ)on the very day
卽速(ㄐㄧˊ ㄙㄨˋ)instantly; immediately
卽位(ㄐㄧˊ ㄨㄟˋ)to ascend the throne

十畫

卿 505
ㄑㄧㄥ qīng
1. (in ancient China) a salutation of an emperor to his ministers 2. used

in addressing one's wife—Honey, Darling, Dear, etc. 3. (in ancient China) a nobleman; a high official rank
卿卿我我(ㄑㄧㄥ ㄑㄧㄥ ㄨㄛˇ ㄨㄛˇ)to be very much in love

厂部 ㄏㄢˇ hǎn

二畫

厄 506 ㄜˋ è
1. difficulty; adversity; hardship 2. impeded; cramped
厄運(ㄜˋ ㄩㄣˋ)bad luck; adversity

七畫

厖 507 ㄆㄤˊ páng (又讀 ㄇㄤˊ máng)
1. bulky; huge 2. confused; disorderly
厖然大物(ㄆㄤˊ ㄖㄢˊ ㄉㄚˋ ㄨˋ)something which is huge in size

厚 508 ㄏㄡˋ hòu
1. thick; thickness 2. deep friendship 3. to treat kindly; generous 4. substantial 5. kind; considerate; virtuous
厚道(ㄏㄡˋ ㄉㄠˋ)kind; virtuous; sincere
厚度(ㄏㄡˋ ㄉㄨˋ)thickness
厚禮 (ㄏㄡˋ ㄌㄧˇ) lavish gifts; liberal presents
厚利(ㄏㄡˋ ㄌㄧˋ)substantial profit
厚祿(ㄏㄡˋ ㄌㄨˋ)high government pay
厚葬(ㄏㄡˋ ㄗㄤˋ)an elaborate funeral
厚此薄彼(ㄏㄡˋ ㄘˇ ㄅㄛˊ ㄅㄧˇ)to treat with partiality
厚愛(ㄏㄡˋ ㄞˋ)great kindness
厚意(ㄏㄡˋ ㄧˋ)good intention; goodwill
厚顏無恥(ㄏㄡˋ ㄧㄢˊ ㄨˊ ㄔˇ)shameless
厚望(ㄏㄡˋ ㄨㄤˋ)high expectations

八畫

原 509 ㄩㄢˊ yuán
1. the source; the origin; the beginning 2. original; primary 3. a steppe; a vast plain; a field 4. a graveyard 5. to excuse; to pardon
原版(ㄩㄢˊ ㄅㄢˇ)the original print
原木(ㄩㄢˊ ㄇㄨˋ)a log
原封不動 (ㄩㄢˊ ㄈㄥ ㄅㄨˋ ㄉㄨㄥˋ) (in) original form
原動力(ㄩㄢˊ ㄉㄨㄥˋ ㄌㄧˋ) (mechanics) power
原來(ㄩㄢˊ ㄌㄞˊ)originally or formerly
原來如此(ㄩㄢˊ ㄌㄞˊ ㄖㄨˊ ㄘˇ)Now I understand what you mean.
原理(ㄩㄢˊ ㄌㄧˇ)principles
原料(ㄩㄢˊ ㄌㄧㄠˋ)raw materials
原諒(ㄩㄢˊ ㄌㄧㄤˋ)to forgive; to pardon
原稿(ㄩㄢˊ ㄍㄠˇ)a manuscript
原告(ㄩㄢˊ ㄍㄠˋ)the plaintiff
原故(ㄩㄢˊ ㄍㄨˋ)a reason; a cause
原先(ㄩㄢˊ ㄒㄧㄢ)originally
原形(ㄩㄢˊ ㄒㄧㄥˊ)the original form
原形畢露(ㄩㄢˊ ㄒㄧㄥˊ ㄅㄧˋ ㄌㄨˋ)completely unmasked or exposed
原址(ㄩㄢˊ ㄓˇ)the former address
原住民(ㄩㄢˊ ㄓㄨˋ ㄇㄧㄣˊ)an aborigine
原狀(ㄩㄢˊ ㄓㄨㄤˋ)the original condition
原處(ㄩㄢˊ ㄔㄨˋ)the original place
原始(ㄩㄢˊ ㄕˇ)① an origin ② primitive
原始人(ㄩㄢˊ ㄕˇ ㄖㄣˊ)a primitive
原始森林(ㄩㄢˊ ㄕˇ ㄙㄣ ㄌㄧㄣˊ)a virgin forest
原子筆(ㄩㄢˊ ㄗˇ ㄅㄧˇ)a ball-point pen
原子彈(ㄩㄢˊ ㄗˇ ㄉㄢˋ)an atomic bomb
原子能(ㄩㄢˊ ㄗˇ ㄋㄥˊ)atomic energy
原子爐(ㄩㄢˊ ㄗˇ ㄌㄨˊ)an atomic reactor
原則(ㄩㄢˊ ㄗㄜˊ)a principle
原罪(ㄩㄢˊ ㄗㄨㄟˋ) (Bible) the original sin
原色(ㄩㄢˊ ㄙㄜˋ)primary colors
原意(ㄩㄢˊ ㄧˋ)original intentions
原野(ㄩㄢˊ ㄧㄝˇ)the field; a plain
原油(ㄩㄢˊ ㄧㄡˊ)crude petroleum
原因(ㄩㄢˊ ㄧㄣ)causes; reasons
原委(ㄩㄢˊ ㄨㄟˇ)the reason why a thing happened
原文(ㄩㄢˊ ㄨㄣˊ)the original text

厝 510 ㄘㄨㄛˋ cuò
1. to place 2. to place a coffin in a temporary shelter pending burial 3. a gravestone 4. to cut or engrave

十畫

厥 511 ㄐㄩㄝˊ jué
1. to faint 2. same as 撅—to dig 3. a personal and possessive pronoun
厥功甚偉(ㄐㄩㄝˊ ㄍㄨㄥ ㄕㄣˋ ㄨㄟˇ)to have made great contribution to the successful conclusion of a task

十二畫

厭 512 ㄧㄢˋ yàn
1. to dislike; to detest; to hate 2. to get tired of 3. satiated; surfeited
厭煩(ㄧㄢˋ ㄈㄢˊ)bored; to dislike
厭倦(ㄧㄢˋ ㄐㄩㄢˋ)to be tired of
厭食(ㄧㄢˋ ㄕˊ)lack of appetite
厭世(ㄧㄢˋ ㄕˋ)①to die ②misanthropy

厭惡(ㄧㄢˋ ㄨˋ)to loathe; to dislike

十三畫

厲 513 ㄌㄧˋ lì

〔厶·又部〕

1. a coarse whetstone 2. harsh; violent; severe; stern; serious 3. to persuade; to urge 4. bad; evil 5. an epidemic 6. to oppress; cruel

厲害(ㄌㄧˋ ·ㄏㄞ) ①fierceness ②very; serious

厲行(ㄌㄧˋ ㄒㄧㄥˊ)to enforce

厲聲(ㄌㄧˋ ㄕㄥ)to talk harshly

厲色(ㄌㄧˋ ㄙㄜˋ)to look angry

厶部 ㄙ sī

三畫

去 514 ㄑㄩˋ qù

1. to go away; to depart 2. to get rid of; to remove 3. to be...apart 4. past; gone 5. an auxiliary verb

去年(ㄑㄩˋ ㄋㄧㄢˊ)last year

去留(ㄑㄩˋ ㄌㄧㄡˊ)to go or to stay

去向(ㄑㄩˋ ㄒㄧㄤˋ)or去處(ㄑㄩˋ ㄔㄨˋ) whereabouts

去職(ㄑㄩˋ ㄓˊ)to be removed from office

去世(ㄑㄩˋ ㄕˋ)to die; to leave the world

去勢(ㄑㄩˋ ㄕˋ)to castrate

去惡從善 (ㄑㄩˋ ㄜˋ ㄘㄨㄥˊ ㄕㄢˋ) to shun the evil and follow the good

去蕪存菁 (ㄑㄩˋ ㄨˊ ㄘㄨㄣˊ ㄐㄧㄥ) to keep the good and get rid of the bad

九畫

參 515 1. ㄘㄢ cān

1. to take part in; to get involved in 2. to visit; to interview; to call on 3. to impeach; to censure 4. to recommend 5. to counsel; to consult together 6. to consider; to collate

參半(ㄘㄢ ㄅㄢˋ)half; half-and-half

參謀(ㄘㄢ ㄇㄡˊ) (military) the staff

參觀 (ㄘㄢ ㄍㄨㄢ) to make a tour; to visit

參考 (ㄘㄢ ㄎㄠˇ) ①to consult ②reference

參考書 (ㄘㄢ ㄎㄠˇ ㄕㄨ)a reference book

參看(ㄘㄢ ㄎㄢˋ) (please) refer to

參加(ㄘㄢ ㄐㄧㄚ)to participate in

參照(ㄘㄢ ㄓㄠˋ)please refer to

參戰(ㄘㄢ ㄓㄢˋ)to participate in a war

參政(ㄘㄢ ㄓㄥˋ)to take part in politics

參雜(ㄘㄢ ㄗㄚˊ)to mix

參議員(ㄘㄢ ㄧˋ ㄩㄢˊ)a senator

參議院(ㄘㄢ ㄧˋ ㄩㄢˋ)the upper house of a parliament; the senate

參預(ㄘㄢ ㄩˋ)to play a part

參與(ㄘㄢ ㄩˋ)to participate in

參 515 2. ㄕㄣ shēn

1. name of a star 2. a ginseng

參 515 3. ㄘㄣ cēn

參差(ㄘㄣ ㄘ)of irregular, different or varied sizes; uneven

參 515 4. ㄙㄢ sān

a formal form of the Chinese character "三"—three, used in accounting to prevent fraud

又部 ㄧㄡˋ yòu

又 516 ㄧㄡˋ yòu

1. also; again; in addition to; and 2. moreover; furthermore 3. and (used in a mixed fraction such as one *and* three fourths)

又飢又渴(ㄧㄡˋ ㄐㄧ ㄧㄡˋ ㄎㄜˇ)both hungry and thirsty

一畫

叉 517 1. ㄔㄚ chā

1. to interlace fingers; to cross arms 2. to thrust; to pierce; to stab 3. a prong; a fork (used in catching fish, etc.); a cross 4. to push another's neck with one's hand

叉路(ㄔㄚ ㄌㄨˋ)the fork of a road

叉子(ㄔㄚ ·ㄗ)a fork

叉腰(ㄔㄚ ㄧㄠ)to rest the arms on the hips

叉 517 2. ㄔㄚˇ chǎ

叉劈(ㄔㄚˇ ·ㄆㄧ) (said of the road) divergent

二畫

及 518 ㄐㄧˊ jí

1. to reach; to attain; to come up to 2. and; as well as; with 3. just at the moment; timely 4. as long as; up to; until 5. to continue 6. to extend

及格(ㄐㄧˊ ㄍㄜˊ)to pass an examination; to be qualified

及時(ㄐㄧˊ ㄕˊ)in time

及早(ㄐㄧˊ ㄗㄠˇ)as soon as possible

及物動詞(ㄐㄧˊ ㄨˋ ㄉㄨㄥˋ ㄘˊ)a transitive verb

友 519 ㄧㄡˇ yǒu

1. a friend; friendly; friendship 2. fraternity 3. to befriend

友邦(ㄧㄡˇ ㄅㄤ)friendly nations; allies
友好(ㄧㄡˇ ㄏㄠˇ)friendly; friendship
友情(ㄧㄡˇ ㄑㄧㄥˊ)friendship
友善(ㄧㄡˇ ㄕㄢˋ)friendly
友人(ㄧㄡˇ ㄖㄣˊ)friends
友愛(ㄧㄡˇ ㄞˋ)friendship; fraternal love
友誼(ㄧㄡˇ ㄧˊ)friendship

反 520 ㄈㄢˇ fǎn

1. reverse; opposite; contrary 2. to return (something); to turn back; to retreat 3. to introspect; to retrospect 4. to rebel; to revolt 5. to infer

反駁(ㄈㄢˇ ㄅㄛˊ)to refute; to retort
反敗爲勝(ㄈㄢˇ ㄅㄞˋ ㄨㄟˊ ㄕㄥˋ)to turn defeat into victory
反比(ㄈㄢˇ ㄅㄧˇ)(mathematics) inverse ratio
反哺(ㄈㄢˇ ㄅㄨˇ)to repay one's parents when they get old
反派(ㄈㄢˇ ㄆㄞˋ) a villain (in drama, etc.)
反叛(ㄈㄢˇ ㄆㄢˋ)to rebel; to revolt
反面(ㄈㄢˇ ㄇㄧㄢˋ)the reverse side
反目(ㄈㄢˇ ㄇㄨˋ)to fight; to squabble
反覆無常(ㄈㄢˇ ㄈㄨˋ ㄨˊ ㄔㄤˊ) not dependable
反對(ㄈㄢˇ ㄉㄨㄟˋ)to oppose; to object
反老還童(ㄈㄢˇ ㄌㄠˇ ㄏㄨㄢˊ ㄊㄨㄥˊ) to rejuvenate
反感(ㄈㄢˇ ㄍㄢˇ)antipathy
反光(ㄈㄢˇ ㄍㄨㄤ)reflection
反攻(ㄈㄢˇ ㄍㄨㄥ)to counterattack
反躬自問(ㄈㄢˇ ㄍㄨㄥ ㄗˋ ㄨㄣˋ)to introspect
反抗(ㄈㄢˇ ㄎㄤˋ)to counter; to rise up against
反悔(ㄈㄢˇ ㄏㄨㄟˇ) to renege (on a promise)
反擊(ㄈㄢˇ ㄐㄧˊ)to fight back
反求諸己(ㄈㄢˇ ㄑㄧㄡˊ ㄓㄨ ㄐㄧˇ) to make self-examination
反侵略(ㄈㄢˇ ㄑㄧㄣ ㄌㄩㄝˋ)antiaggression
反傾銷關稅(ㄈㄢˇ ㄑㄧㄥ ㄒㄧㄠ ㄍㄨㄢ ㄕㄨㄟˋ)antidumping duties
反向(ㄈㄢˇ ㄒㄧㄤˋ) the opposite direction
反省(ㄈㄢˇ ㄒㄧㄥˇ)self-examination
反之(ㄈㄢˇ ㄓ)on the other hand
反正(ㄈㄢˇ ㄓㄥˋ)in any case; anyway
反證(ㄈㄢˇ ㄓㄥˋ)the counterevidence
反轉(ㄈㄢˇ ㄓㄨㄢˇ)to turn inside out
反常(ㄈㄢˇ ㄔㄤˊ)abnormal; not normal
反芻(ㄈㄢˇ ㄔㄨˊ)to ruminate
反串(ㄈㄢˇ ㄔㄨㄢˋ)to play the role of the opposite sex
反時鐘方向(ㄈㄢˇ ㄕˊ ㄓㄨㄥ ㄈㄤ ㄒㄧㄤˋ)counterclockwise
反射(ㄈㄢˇ ㄕㄜˋ)to reflect; reflection
反作用(ㄈㄢˇ ㄗㄨㄛˋ ㄩㄥˋ)①undesirable results ②(physics) reaction
反而(ㄈㄢˇ ㄦˊ)unexpectedly; contrarily
反義字(ㄈㄢˇ ㄧˋ ㄗˋ)an antonym
反顏相向(ㄈㄢˇ ㄧㄢˊ ㄒㄧㄤ ㄒㄧㄤˋ) to become hostile
反應(ㄈㄢˇ ㄧㄥˋ)①response ②chemical reaction
反胃(ㄈㄢˇ ㄨㄟˋ)to upset the stomach; nauseating
反問(ㄈㄢˇ ㄨㄣˋ)to rebut

六畫

叔 521 ㄕㄨˊ shú

1. younger brothers of one's father; paternal uncles 2. younger brothers of one's husband 3. a general designation for members of one's father's generation who are younger than one's father 4. declining

叔父(ㄕㄨˊ ㄈㄨˋ)or 叔叔(ㄕㄨˊ ˙ㄕㄨ)a younger brother of one's father
叔姪(ㄕㄨˊ ㄓˊ)uncles and nephews

取 522 ㄑㄩˇ qǔ

1. to take; to receive; to fetch; to obtain; to take hold of 2. to select; to choose 3. to summon; to recall 4. to marry; to take a wife

取名(ㄑㄩˇ ㄇㄧㄥˊ)to name; to christen
取得(ㄑㄩˇ ㄉㄜˊ)to gain; to acquire
取代(ㄑㄩˇ ㄉㄞˋ)to replace
取締(ㄑㄩˇ ㄉㄧˋ)to prohibit; to ban
取暖(ㄑㄩˇ ㄋㄨㄢˇ)to warm oneself (by a fire, etc.)
取款(ㄑㄩˇ ㄎㄨㄢˇ) to take money or draw money
取景(ㄑㄩˇ ㄐㄧㄥˇ) to find a view (to photograph, paint, etc.)
取決(ㄑㄩˇ ㄐㄩㄝˊ)It's up to (someone else to make the decision).
取巧(ㄑㄩˇ ㄑㄧㄠˇ)to use finesse
取消(ㄑㄩˇ ㄒㄧㄠ)to cancel; to nullify
取笑(ㄑㄩˇ ㄒㄧㄠˋ)to laugh at
取信於人(ㄑㄩˇ ㄒㄧㄣˋ ㄩˊ ㄖㄣˊ) to establish credibility among others
取向(ㄑㄩˇ ㄒㄧㄤˋ)orientation
取捨(ㄑㄩˇ ㄕㄜˇ)to accept or refuse
取勝(ㄑㄩˇ ㄕㄥˋ)to win a victory
取材(ㄑㄩˇ ㄘㄞˊ)to select material
取樣(ㄑㄩˇ ㄧㄤˋ)sampling
取悅(ㄑㄩˇ ㄩㄝˋ)to please

受 523 ㄕㄡˋ shòu

1. to receive; to accept; to get 2. to take; to stand; to suffer; to tolerate; to endure 3. to be pleasant to (the

〔又部〕

ears, etc.)

受不了(ㄕㄡˋ ˙ㄅㄨ ㄌㄧㄠˇ)①cannot stand it ②very much

受騙(ㄕㄡˋ ㄆㄧㄢˋ)to be cheated

受聘(ㄕㄡˋ ㄆㄧㄣˋ)to accept a job offer

受罰(ㄕㄡˋ ㄈㄚˊ)to be punished

受胎(ㄕㄡˋ ㄊㄞ)or 受孕(ㄕㄡˋ ㄩㄣˋ)to be impregnated; fertilization

受難(ㄕㄡˋ ㄋㄢˋ)to suffer calamities

受理(ㄕㄡˋ ㄌㄧˇ)to accept (a petition, etc.)

受格(ㄕㄡˋ ㄍㄜˊ)the objective case

受苦(ㄕㄡˋ ㄎㄨˇ)to suffer (hardships)

受害(ㄕㄡˋ ㄏㄞˋ)to be victimized

受害人(ㄕㄡˋ ㄏㄞˋ ㄖㄣˊ)the victim

受惠(ㄕㄡˋ ㄏㄨㄟˋ)to be benefited

受教(ㄕㄡˋ ㄐㄧㄠˋ)①to receive education ②to be benefited by advice

受精(ㄕㄡˋ ㄐㄧㄥ)to be fertilized

受精卵(ㄕㄡˋ ㄐㄧㄥ ㄌㄨㄢˇ)a zygote

受氣(ㄕㄡˋ ㄑㄧˋ)to suffer indignities

受屈(ㄕㄡˋ ㄑㄩ)to be wronged

受洗(ㄕㄡˋ ㄒㄧˇ)to be baptized

受刑(ㄕㄡˋ ㄒㄧㄥˊ)to be tortured; to be punished (by law)

受訓(ㄕㄡˋ ㄒㄩㄣˋ)to receive training

受之無愧(ㄕㄡˋ ㄓ ㄨˊ ㄎㄨㄟˋ)to deserve (a reward, gift, etc.)

受審(ㄕㄡˋ ㄕㄣˇ)to be on trial

受傷(ㄕㄡˋ ㄕㄤ)to get hurt

受人之託(ㄕㄡˋ ㄖㄣˊ ㄓ ㄊㄨㄛ)to be entrusted by someone to do a job

受災(ㄕㄡˋ ㄗㄞ)to be hit by a natural adversity

受罪(ㄕㄡˋ ㄗㄨㄟˋ)to suffer hardships

受挫(ㄕㄡˋ ㄘㄨㄛˋ)to be frustrated

受益(ㄕㄡˋ ㄧˋ)to benefit from

受益人(ㄕㄡˋ ㄧˋ ㄖㄣˊ)a beneficiary

七畫

叛 524 ㄆㄢˋ pàn

to rebel; to revolt

叛變(ㄆㄢˋ ㄅㄧㄢˋ)a mutiny; an uprising

叛徒(ㄆㄢˋ ㄊㄨˊ)a rebel; an insurgent

叛逆(ㄆㄢˋ ㄋㄧˋ)to revolt; sedition

叛亂(ㄆㄢˋ ㄌㄨㄢˋ)a rebellion; revolt

叛國(ㄆㄢˋ ㄍㄨㄛˊ)to commit high treason

叛軍(ㄆㄢˋ ㄐㄩㄣ)the rebellious army

八畫

叟 525 ㄙㄡˇ sǒu

an elder; a senior; an old man

十六畫

叢 526 ㄘㄨㄥˊ cóng

1. to crowd together; to meet in large numbers 2. a shrub (plant); a thicket 3. a hideout or den (for robbers, etc.)

叢林(ㄘㄨㄥˊ ㄌㄧㄣˊ)a jungle

叢生(ㄘㄨㄥˊ ㄕㄥ)lush growth

叢書(ㄘㄨㄥˊ ㄕㄨ)a library series

口部 ㄎㄡˇ kou

口 527 ㄎㄡˇ kǒu

1. the mouth 2. a person 3. a certain article (as a cistern, a big jar, etc.) 4. the edge or blade of a knife 5. an opening 6. a gate (especially in the Great Wall or city walls) 7. a crack

口碑(ㄎㄡˇ ㄅㄟ)public praise

口不擇言(ㄎㄡˇ ㄅㄨˋ ㄗㄜˊ ㄧㄢˊ)to talk recklessly

口蜜腹劍(ㄎㄡˇ ㄇㄧˋ ㄈㄨˋ ㄐㄧㄢˋ)sweet words but a wicked heart

口福(ㄎㄡˇ ㄈㄨˊ)luck in having good food

口服避孕藥(ㄎㄡˇ ㄈㄨˊ ㄅㄧˋ ㄩㄣˋ ㄧㄠˋ)an oral contraceptive

口服疫苗(ㄎㄡˇ ㄈㄨˊ ㄧˋ ㄇㄧㄠˊ) oral vaccine

口腹之慾 (ㄎㄡˇ ㄈㄨˋ ㄓ ㄩˋ) the desire for good food

口德(ㄎㄡˇ ㄉㄜˊ)propriety in one's remarks

口袋(ㄎㄡˇ ㄉㄞˋ)a pocket

口頭(ㄎㄡˇ ㄊㄡˊ)verbally; orally

口頭禪(ㄎㄡˇ ㄊㄡˊ ㄔㄢˊ)platitudes

口頭聲明(ㄎㄡˇ ㄊㄡˊ ㄕㄥ ㄇㄧㄥˊ)an oral statement

口蹄疫(ㄎㄡˇ ㄊㄧˊ ㄧˋ)foot-and-mouth disease

口糧(ㄎㄡˇ ㄌㄧㄤˊ)food rations; grain rations

口令(ㄎㄡˇ ㄌㄧㄥˋ)a military password

口供(ㄎㄡˇ ㄍㄨㄥˋ)a confession

口渴(ㄎㄡˇ ㄎㄜˇ) or 口乾(ㄎㄡˇ ㄍㄢ) thirsty

口口聲聲(ㄎㄡˇ ㄎㄡˇ ㄕㄥ ㄕㄥ)to say (or emphasize) repeatedly; to repeat

口號(ㄎㄡˇ ㄏㄠˋ)①a slogan ②(military) an oral command

口紅(ㄎㄡˇ ㄏㄨㄥˊ)a lipstick 亦作「唇膏」

口吃(ㄎㄡˇ ㄐㄧˊ)to stammer; to stutter

口技(ㄎㄡˇ ㄐㄧˋ)oral stunts

口角(ㄎㄡˇ ㄐㄧㄠˇ)a quarrel

口徑(ㄎㄡˇ ㄐㄧㄥˋ)the caliber (of a gun, etc.)

口訣(ㄎㄡˇ ㄐㄩㄝˊ)a pithy formula (often in rhyme)

口氣(ㄎㄡˇ ˙ㄑㄧ)the way of speaking

口琴(ㄎㄡˇ ㄑㄧㄣˊ)a harmonica

口腔(ㄎㄡˇ ㄑㄧㄤ)the cavity of the mouth
口信(ㄎㄡˇ ㄒㄧㄣˋ)a verbal message
口香糖(ㄎㄡˇ ㄒㄧㄤ ㄊㄤˊ)chewing gum
口罩(ㄎㄡˇ ㄓㄠˋ)a mouth-muffle
口齒伶俐(ㄎㄡˇ ㄔˇ ㄌㄧㄥˊ ㄌㄧˋ)glib and suave
口臭(ㄎㄡˇ ㄔㄡˋ)halitosis
口實(ㄎㄡˇ ㄕˊ)something which makes one to be criticized by others
口試(ㄎㄡˇ ㄕˋ)an oral test
口是心非(ㄎㄡˇ ㄕˋ ㄒㄧㄣ ㄈㄟ)to say one thing and mean another
口舌(ㄎㄡˇ ㄕㄜˊ)bickerings, squabbles, dispute, argument, etc.
口哨(ㄎㄡˇ ㄕㄠˋ)a whistle
口授(ㄎㄡˇ ㄕㄡˋ)①to teach orally ②dictate
口述(ㄎㄡˇ ㄕㄨˋ)to narrate; to dictate
口說無憑(ㄎㄡˇ ㄕㄨㄛ ㄨˊ ㄆㄧㄥˊ) An oral agreement cannot serve as evidence.
口水(ㄎㄡˇ ㄕㄨㄟˇ)saliva
口若懸河(ㄎㄡˇ ㄖㄨㄛˋ ㄒㄩㄢˊ ㄏㄜˊ) glib; eloquent
口才(ㄎㄡˇ ㄘㄞˊ)eloquence; eloquent
口耳相傳(ㄎㄡˇ ㄦˇ ㄒㄧㄤ ㄔㄨㄢˊ) to teach orally
口譯(ㄎㄡˇ ㄧˋ)to interpret; oral interpretation
口音(ㄎㄡˇ ㄧㄣ)an accent
口味(ㄎㄡˇ ㄨㄟˋ)taste
口吻(ㄎㄡˇ ㄨㄣˇ)a tone
口語(ㄎㄡˇ ㄩˇ)①plain, spoken language ②to slander

二畫

叨 528
1. ㄉㄠ dāo
talkative; garrulous; fond of talking
叨嘮(ㄉㄠ ˙ㄌㄠ)① talkative; garrulous; to nag; to chatter ② to complain

叨 528
2. ㄊㄠ tāo
to be favored with; to get the benefit of
叨擾(ㄊㄠ ㄖㄠˇ)Thanks for the wonderful entertainment (which has put you to great trouble).

叼 529
ㄉㄧㄠ diāo
to hold in the mouth

古 530
ㄍㄨˇ gǔ
1. ancient; antiquated; old; antiquity 2. not following current customs or practices
古巴(ㄍㄨˇ ㄅㄚ)Cuba
古板(ㄍㄨˇ ㄅㄢˇ)① inactive; dumb ② anachronistic; out of date
古法(ㄍㄨˇ ㄈㄚˇ)time-honored methods
古代(ㄍㄨˇ ㄉㄞˋ)ancient times
古典(ㄍㄨˇ ㄉㄧㄢˇ)classics; classical
古典音樂(ㄍㄨˇ ㄉㄧㄢˇ ㄧㄣ ㄩㄝˋ)classical music
古典文學(ㄍㄨˇ ㄉㄧㄢˇ ㄨㄣˊ ㄒㄩㄝˊ) classical literature
古都(ㄍㄨˇ ㄉㄨ)an ancient capital
古董(ㄍㄨˇ ㄉㄨㄥˇ)antiques; curios
古體詩 (ㄍㄨˇ ㄊㄧˇ ㄕ) ancient-style poetry
古銅色(ㄍㄨˇ ㄊㄨㄥˊ ㄙㄜˋ)the color of bronze
古老(ㄍㄨˇ ㄌㄠˇ)old; antiquated; ancient
古怪(ㄍㄨˇ ㄍㄨㄞˋ)strange; odd
古柯鹼(ㄍㄨˇ ㄎㄜ ㄐㄧㄢˇ)cocaine
古跡 or 古蹟(ㄍㄨˇ ㄐㄧ)relics
古籍(ㄍㄨˇ ㄐㄧˊ)ancient books
古今中外 (ㄍㄨˇ ㄐㄧㄣ ㄓㄨㄥ ㄨㄞˋ) everywhere and all times
古稀(ㄍㄨˇ ㄒㄧ)70 years of age
古裝(ㄍㄨˇ ㄓㄨㄤ)ancient costumes
古時候(ㄍㄨˇ ㄕˊ ㄏㄡˋ)in ancient times
古生物(ㄍㄨˇ ㄕㄥ ㄨˋ)ancient, extinct life
古書(ㄍㄨˇ ㄕㄨ)ancient books
古人(ㄍㄨˇ ㄖㄣˊ)ancient people
古物(ㄍㄨˇ ㄨˋ)antiques; curios; relics
古玩(ㄍㄨˇ ㄨㄢˊ)curios; antiques
古往今來(ㄍㄨˇ ㄨㄤˇ ㄐㄧㄣ ㄌㄞˊ) from ancient times till today

句 531
1. ㄐㄩˋ jù
a sentence
句法(ㄐㄩˋ ㄈㄚˇ)sentence structure; syntax
句讀(ㄐㄩˋ ㄉㄡˋ)sentences and phrases
句號(ㄐㄩˋ ㄏㄠˋ)or 句點(ㄐㄩˋ ㄉㄧㄢˇ)a full stop or period
句型(ㄐㄩˋ ㄒㄧㄥˊ)a sentence pattern
句子(ㄐㄩˋ ˙ㄗ)a sentence

句 531
2. (勾)ㄍㄡ gōu
a Chinese family name

另 532
ㄌㄧㄥˋ lìng
1. another; extra; in addition; besides 2. to separate; separation (as of a couple); to divide
另起爐灶(ㄌㄧㄥˋ ㄑㄧˇ ㄌㄨˊ ㄗㄠˋ)to begin anew
另有高就 (ㄌㄧㄥˋ ㄧㄡˇ ㄍㄠ ㄐㄧㄡˋ) to have found better employment elsewhere
另眼看待(ㄌㄧㄥˋ ㄧㄢˇ ㄎㄢˋ ㄉㄞˋ)to be offered special treatment
另外(ㄌㄧㄥˋ ㄨㄞˋ)besides; in addition

叩 533
ㄎㄡˋ kòu
1. to knock; to hit 2. to ask 3. to kowtow
叩門(ㄎㄡˋ ㄇㄣˊ)to knock at a door
叩頭(ㄎㄡˋ ㄊㄡˊ)or 叩首(ㄎㄡˋ ㄕㄡˇ)to kowtow
叩謝(ㄎㄡˋ ㄒㄧㄝˋ)to thank politely

〔口部〕

只 534 ㄓˇ zhǐ

1. only; merely 2. but; yet

只不過(ㄓˇ ㄅㄨˋ ㄍㄨㄛˋ)only; just

只怕(ㄓˇ ㄆㄚˋ)to be afraid of only one thing

只得(ㄓˇ ㄉㄜˊ)to have to

只顧(ㄓˇ ㄍㄨˋ)to care about only (the present, etc.)

只管(ㄓˇ ㄍㄨㄢˇ) (do anything) as you wish

只好(ㄓˇ ㄏㄠˇ)the only alternative is to...

只是(ㄓˇ ㄕˋ) ①but; yet ②merely; only; just

只要 (ㄓˇ ㄧㄠˋ) ①to want only... ②all one has to do is to...

只有(ㄓˇ ㄧㄡˇ)①only; alone ②to have to (do or be)

叫 535 ㄐㄧㄠˋ jiào

1. to be called or known as 2. to cry; to shout; to scream 3. to call; to summon 4. to cause

叫罵(ㄐㄧㄠˋ ㄇㄚˋ)to shout curses

叫賣(ㄐㄧㄠˋ ㄇㄞˋ)to hawk

叫門 (ㄐㄧㄠˋ ㄇㄣˊ) to knock at the door

叫苦連天 (ㄐㄧㄠˋ ㄎㄨˇ ㄌㄧㄢˊ ㄊㄧㄢ) to be full of complaints

叫好(ㄐㄧㄠˋ ㄏㄠˇ)to cheer; to applaud

叫喊(ㄐㄧㄠˋ ㄏㄢˇ)to shout; to yell

叫化子(ㄐㄧㄠˋ ㄏㄨㄚ ·ㄗ)a beggar亦作「乞丐」

叫喚(ㄐㄧㄠˋ ·ㄏㄨㄢ)to call; to summon

叫屈(ㄐㄧㄠˋ ㄑㄩ)to cry out for justice

叫醒(ㄐㄧㄠˋ ㄒㄧㄥˇ)to waken

叫做(ㄐㄧㄠˋ ㄗㄨㄛˋ)to be called

叫座(兒)(ㄐㄧㄠˋ ㄗㄨㄛˋ(ㄦ))good box office

召 536 ㄓㄠˋ zhào

1. to summon; to call up 2. to cause; to invite

召募(ㄓㄠˋ ㄇㄨˋ)to enlist or recruit (soldiers)亦作「徵募」

召開(ㄓㄠˋ ㄎㄞ)to convene; to convoke

召回(ㄓㄠˋ ㄏㄨㄟˊ)to recall (a diplomat from abroad)

召喚(ㄓㄠˋ ㄏㄨㄢˋ)to call; to summon

召集(ㄓㄠˋ ㄐㄧˊ)to call to arms

召見(ㄓㄠˋ ㄐㄧㄢˋ) to summon a subordinate

叭 537 ㄅㄚ bā

a trumpet

叮 538 ㄉㄧㄥ dīng

1. the chimes of a bell 2. to exhort or enjoin repeatedly 3. to sting, as a mosquito, etc.

叮噹(ㄉㄧㄥ ㄉㄤ) dingdong (used for the sound of bells)

叮嚀 (ㄉㄧㄥ ㄋㄧㄥˊ) to exhort repeatedly

叮囑(ㄉㄧㄥ ㄓㄨˇ)to enjoin and urge repeatedly

可 539 1. ㄎㄜˇ kě

1. may; can; to be able to 2. around; estimated at 3. an auxiliary 4. but; however

可悲(ㄎㄜˇ ㄅㄟ)sad; lamentable

可鄙(ㄎㄜˇ ㄅㄧˇ)contemptible

可怕(ㄎㄜˇ ㄆㄚˋ)dreadful; frightening

可否(ㄎㄜˇ ㄈㄡˇ)can; may (used at the beginning of a question)

可歎(ㄎㄜˇ ㄊㄢˋ)Alas! 或 What a pity!

可能(ㄎㄜˇ ㄋㄥˊ)probable; possible

可能性(ㄎㄜˇ ㄋㄥˊ ㄒㄧㄥˋ)possibility

可蘭經(ㄎㄜˇ ㄌㄢˊ ㄐㄧㄥ)the Koran

可憐(ㄎㄜˇ ㄌㄧㄢˊ)poor; miserable

可憐蟲(ㄎㄜˇ ㄌㄧㄢˊ ㄔㄨㄥˊ)a poor creature; a poor thing

可歌可泣 (ㄎㄜˇ ㄍㄜ ㄎㄜˇ ㄑㄧˋ) very moving; very touching

可貴(ㄎㄜˇ ㄍㄨㄟˋ)valuable

可觀(ㄎㄜˇ ㄍㄨㄢ)considerable (sum of money, losses, etc.)

可可(ㄎㄜˇ ㄎㄜˇ)cocoa

可靠(ㄎㄜˇ ㄎㄠˋ)trustworthy; dependable

可口(ㄎㄜˇ ㄎㄡˇ)tasty

可口可樂(ㄎㄜˇ ㄎㄡˇ ㄎㄜˇ ㄌㄜˋ)Coca Cola or Coke

可恨(ㄎㄜˇ ㄏㄣˋ)hateful; detestable

可嘉(ㄎㄜˇ ㄐㄧㄚ) commendable

可見(ㄎㄜˇ ㄐㄧㄢˋ)to be perceived

可敬(ㄎㄜˇ ㄐㄧㄥˋ)respectable

可親(ㄎㄜˇ ㄑㄧㄣ)kindly; amiable

可取(ㄎㄜˇ ㄑㄩˇ)worth having

可圈可點 (ㄎㄜˇ ㄑㄩㄢ ㄎㄜˇ ㄉㄧㄢˇ) (said of the manner in doing something) very laudable

可惜(ㄎㄜˇ ㄒㄧˊ)It's a pity that....

可喜可賀(ㄎㄜˇ ㄒㄧˇ ㄎㄜˇ ㄏㄜˋ)Congratulations!

可笑(ㄎㄜˇ ㄒㄧㄠˋ)laughable; ridiculous

可信度 (ㄎㄜˇ ㄒㄧㄣˋ ㄉㄨˋ) (sociology) the confidence level

可想而知(ㄎㄜˇ ㄒㄧㄤˇ ㄦˊ ㄓ) to be obvious

可行(ㄎㄜˇ ㄒㄧㄥˊ)feasible

可行性(ㄎㄜˇ ㄒㄧㄥˊ ㄒㄧㄥˋ)feasibility

可恥(ㄎㄜˇ ㄔˇ)shameful

可是(ㄎㄜˇ ㄕˋ)but; however

可燃性(ㄎㄜˇ ㄖㄢˊ ㄒㄧㄥˋ) (chemistry) combustibility

可燃物(ㄎㄜˇ ㄖㄢˊ ㄨˋ)combustible substance

可溶性(ㄎㄜˇ ㄖㄨㄥˊ ㄒㄧㄥˋ) (chemistry) solubility

可憎(ㄎㄜˇ ㄗㄥ)abominable; detestable

可塑性(ㄎㄜˇ ㄙㄨˋ ㄒㄧㄥˋ)plasticity

可愛(ㄎㄜˇ ㄞˋ)lovable; likable

可疑(ㄎㄜˇ ㄧˊ)① suspicious ② debatable

可以(ㄎㄜˇ ㄧˇ) ①can; may ②Yes, you

can. 或Yes, you may. ③ Okay. That will do. 「able; not essential
可有可無(ㄎㄜˇ ㄧㄡˇ ㄎㄜˇ ㄨˊ)dispens-
可惡(ㄎㄜˇ ㄨˋ)detestable; hateful
可謂(ㄎㄜˇ ㄨㄟˋ)it may be called
可遇而不可求 (ㄎㄜˇ ㄩˋ ㄦˊ ㄅㄨˋ ㄎㄜˇ ㄑㄧㄡˊ) (something) considered to be
└uncertain

可 539
2. ㄎㄜˋ kè
as in 可汗—a khan

台 540
ㄊㄞˊ tái
1. a raised platform 亦作「臺」 2. a polite expression of addressing 參看「台端」
台風(ㄊㄞˊ ㄈㄥ)stage manners
台端(ㄊㄞˊ ㄉㄨㄢ)you (an honorific in addressing one's equal)
台階(ㄊㄞˊ ㄐㄧㄝ)① steps leading up to a building ② a chance to extricate oneself from an awkward position
台柱(ㄊㄞˊ ㄓㄨˋ)an important person in an organization 「actor's lines
台詞(ㄊㄞˊ ㄘˊ)a stage dialogue; the
台灣 or 臺灣(ㄊㄞˊ ㄨㄢ)Taiwan

叱 541
ㄔˋ chì
to scold; to revile
叱喝(ㄔˋ ㄏㄜˋ)to shout or bawl angrily
叱責(ㄔˋ ㄗㄜˊ)to reproach; to scold

史 542
ㄕˇ shǐ
history; chronicles; annals
史料(ㄕˇ ㄌㄧㄠˋ)historical data
史官(ㄕˇ ㄍㄨㄢ)a historiographer
史蹟or史跡 (ㄕˇ ㄐㄧ) ①historic relics ② historic events
史前時代(ㄕˇ ㄑㄧㄢˊ ㄕˊ ㄉㄞˋ)the pre-
史詩(ㄕˇ ㄕ)an epic └historic age
史實(ㄕˇ ㄕˊ)historical facts
史書(ㄕˇ ㄕㄨ)or 史籍(ㄕˇ ㄐㄧˊ)a book of history; an annal
史無前例(ㄕˇ ㄨˊ ㄑㄧㄢˊ ㄌㄧˋ)unprecedented in history

右 543
ㄧㄡˋ yòu
1. right (as opposed to left) 2. west 3. to assist; to aid 4. to emphasize
右邊(ㄧㄡˋ ㄅㄧㄢ)the right-hand side
右派(ㄧㄡˋ ㄆㄞˋ)the right wing
右傾(ㄧㄡˋ ㄑㄧㄥ) right-leaning; conservative 「tricle
右心室(ㄧㄡˋ ㄒㄧㄣ ㄕˋ)the right ven-
右手(ㄧㄡˋ ㄕㄡˇ)the right hand
右翼份子 (ㄧㄡˋ ㄧˋ ㄈㄣˋ ㄗˇ) a right-
└winger

叵 544
ㄆㄛˇ pǒ
unable; improbable 「dictable
叵測(ㄆㄛˇ ㄘㄜˋ)unfathomable; unpre-

叶 545
ㄒㄧㄝˊ xié
the ancient form of 協 「into rime
叶韻(ㄒㄧㄝˊ ㄩㄣˋ)to rime; to put

司 546
ㄙ sī
1. to have charge of; to preside over 2. a (government) department
司法(ㄙ ㄈㄚˇ)judicature; judiciary
司法官(ㄙ ㄈㄚˇ ㄍㄨㄢ)a legal officer; a judge 「cial organs
司法機關(ㄙ ㄈㄚˇ ㄐㄧ ㄍㄨㄢ)judi-
司令(ㄙ ㄌㄧㄥˋ)a commander
司令部(ㄙ ㄌㄧㄥˋ ㄅㄨˋ)headquarters
司令臺(ㄙ ㄌㄧㄥˋ ㄊㄞˊ)a review stand
司空見慣(ㄙ ㄎㄨㄥ ㄐㄧㄢˋ ㄍㄨㄢˋ) something quite usual
司機(ㄙ ㄐㄧ)a driver
司儀(ㄙ ㄧˊ)an M.C.; an emcee

三畫

合 547
ㄏㄜˊ hé
1. to combine; to unite; to gather; to collect 2. to close; to shut 3. to suit
合辦(ㄏㄜˊ ㄅㄢˋ)to operate, manage, or run jointly
合併(ㄏㄜˊ ㄅㄧㄥˋ)to combine; to unite
合謀(ㄏㄜˊ ㄇㄡˊ)to conspire together
合法(ㄏㄜˊ ㄈㄚˇ)lawful; legal; legitimate 「well
合得來(ㄏㄜˊ ·ㄉㄜ ㄌㄞˊ)to get along
合訂本(ㄏㄜˊ ㄉㄧㄥˋ ㄅㄣˇ)a bound volume 「agreement
合同(ㄏㄜˊ ㄊㄨㄥˊ)a contract; an
合同期滿(ㄏㄜˊ ㄊㄨㄥˊ ㄑㄧˊ ㄇㄢˇ)expiration of a contract 「rational
合理(ㄏㄜˊ ㄌㄧˇ)reasonable; logical;
合力(ㄏㄜˊ ㄌㄧˋ)to cooperate
合攏(ㄏㄜˊ ㄌㄨㄥˇ)to close up
合格(ㄏㄜˊ ㄍㄜˊ)qualified
合乎(ㄏㄜˊ ㄏㄨ)to measure up to
合乎情理(ㄏㄜˊ ㄏㄨ ㄑㄧㄥˊ ㄌㄧˇ)reasonable 「nership
合夥(ㄏㄜˊ ㄏㄨㄛˇ)to enter into part-
合夥人(ㄏㄜˊ ㄏㄨㄛˇ ㄖㄣˊ) (accounting) partners
合計(ㄏㄜˊ ㄐㄧˋ)a total; to add up to
合家歡(ㄏㄜˊ ㄐㄧㄚ ㄏㄨㄢ)a family
合金(ㄏㄜˊ ㄐㄧㄣ)an alloy └reunion
合情合理(ㄏㄜˊ ㄑㄧㄥˊ ㄏㄜˊ ㄌㄧˇ) fair and reasonable; fair and sensible
合羣(ㄏㄜˊ ㄑㄩㄣˊ)to be gregarious
合衆國際社(ㄏㄜˊ ㄓㄨㄥˋ ㄍㄨㄛˊ ㄐㄧˋ ㄕㄜˋ)the United Press International

〔口部〕

(or UPI)
合唱(ㄏㄜˊ ㄔㄤˋ)to sing in chorus
合唱團(ㄏㄜˊ ㄔㄤˋ ㄊㄨㄢˊ)a chorus
合成(ㄏㄜˊ ㄔㄥˊ)(chemistry) synthesis
合成纖維(ㄏㄜˊ ㄔㄥˊ ㄒㄧㄢ ㄨㄟˊ)synthetic fibers
合成樹脂(ㄏㄜˊ ㄔㄥˊ ㄕㄨˋ ㄓ)synthetic resin
合式 or 合適(ㄏㄜˊ ㄕˋ)suitable; fitting
合身(ㄏㄜˊ ㄕㄣ)to fit
合資(ㄏㄜˊ ㄗ)joint capital
合資經營(ㄏㄜˊ ㄗ ㄐㄧㄥ ㄧㄥˊ)to pool capital for a business
合葬(ㄏㄜˊ ㄗㄤˋ)to bury in one grave
合作(ㄏㄜˊ ㄗㄨㄛˋ)to cooperate
合作金庫 (ㄏㄜˊ ㄗㄨㄛˋ ㄐㄧㄣ ㄎㄨˋ) Cooperative Bank
合作社(ㄏㄜˊ ㄗㄨㄛˋ ㄕㄜˋ)a cooperative store or society; a co-op
合宜(ㄏㄜˊ ㄧˊ)fitting; suitable; proper
合意(ㄏㄜˊ ㄧˋ)to suit one's fancy
合音(ㄏㄜˊ ㄧㄣ) (music) combination tone
合營(ㄏㄜˊ ㄧㄥˊ)to run (a business) in partnership
合胃口(ㄏㄜˊ ㄨㄟˋ ㄎㄡˇ)to suit one's taste
合約(ㄏㄜˊ ㄩㄝ)a contract

吁 548
ㄒㄩ xū
a sigh

吃 549
1. (喫) ㄔ chī
1. to eat 2. to sustain or bear
吃不消(ㄔ ˙ㄅㄨ ㄒㄧㄠ)cannot stand
吃飯(ㄔ ㄈㄢˋ)to eat, take, or have a meal
吃得消(ㄔ ˙ㄉㄜ ㄒㄧㄠ)to be able to stand
吃豆腐(ㄔ ㄉㄡˋ ˙ㄈㄨ) (slang) to make advances to a woman without serious intentions
吃奶(ㄔ ㄋㄞˇ)to suck the breast
吃力(ㄔ ㄌㄧˋ)tired; exhausted; tiring or exhausting (work)
吃力不討好(ㄔ ㄌㄧˋ ㄅㄨˋ ㄊㄠˇ ㄏㄠˇ)a thankless task
吃官司(ㄔ ㄍㄨㄢ ˙ㄙ)to be sued
吃光(ㄔ ㄍㄨㄤ)to eat up
吃苦(ㄔ ㄎㄨˇ)to suffer hardship
吃苦頭(ㄔ ㄎㄨˇ ˙ㄊㄡ)to suffer
吃苦耐勞(ㄔ ㄎㄨˇ ㄋㄞˋ ㄌㄠˊ)diligent
吃虧(ㄔ ㄎㄨㄟ)to be at a disadvantage
吃喝玩樂(ㄔ ㄏㄜ ㄨㄢˊ ㄌㄜˋ)to idle away one's time in seeking pleasure
吃角子老虎(ㄔ ㄐㄧㄠˇ ˙ㄗ ㄌㄠˇ ˙ㄏㄨ) a slot machine
吃緊 (ㄔ ㄐㄧㄣˇ) (usually said of a military situation) hard pressed, critical, or tense
吃驚(ㄔ ㄐㄧㄥ)surprised, frightened, startled, or astonished
吃閒飯(ㄔ ㄒㄧㄢˊ ㄈㄢˋ)to live like a parasite
吃齋 (ㄔ ㄓㄞ) or 吃素 (ㄔ ㄙㄨˋ) to practice vegetarianism
吃重(ㄔ ㄓㄨㄥˋ)to play an important role
吃藥(ㄔ ㄧㄠˋ)to take medicine

吃 549
2. ㄐㄧˊ jí
to stammer; to stutter

各 550
ㄍㄜˋ gè
1. each; every 2. all
各半(ㄍㄜˋ ㄅㄢˋ)half-and-half; fifty-fifty
各奔前程(ㄍㄜˋ ㄅㄣ ㄑㄧㄢˊ ㄔㄥˊ)Each pursues his own goal.
各別(ㄍㄜˋ ㄅㄧㄝˊ)individual; separate
各得其所(ㄍㄜˋ ㄉㄜˊ ㄑㄧˊ ㄙㄨㄛˇ)Each person gets his proper position.
各類(ㄍㄜˋ ㄌㄟˋ)each or every sort
各國 (ㄍㄜˋ ㄍㄨㄛˊ) each and every nation
各管各的(ㄍㄜˋ ㄍㄨㄢˇ ㄍㄜˋ ˙ㄉㄜ) Everyone minds his own business.
各行(ㄍㄜˋ ㄏㄤˊ)or 各業(ㄍㄜˋ ㄧㄝˋ) each and every trade
各級(ㄍㄜˋ ㄐㄧˊ)all or different levels
各界(ㄍㄜˋ ㄐㄧㄝˋ)all walks of life
各就各位(ㄍㄜˋ ㄐㄧㄡˋ ㄍㄜˋ ㄨㄟˋ) (military) Man your posts!
各取所需(ㄍㄜˋ ㄑㄩˇ ㄙㄨㄛˇ ㄒㄩ)Each takes what he wants.
各顯神通(ㄍㄜˋ ㄒㄧㄢˇ ㄕㄣˊ ㄊㄨㄥ) Each has his own way.
各執一詞(ㄍㄜˋ ㄓˊ ㄧˋ ㄘˊ)Each (of the disputants) tells a different story.
各種(ㄍㄜˋ ㄓㄨㄥˇ)various kinds
各持己見 (ㄍㄜˋ ㄔˊ ㄐㄧˇ ㄐㄧㄢˋ)Each sticks to his own view.
各式各樣(ㄍㄜˋ ㄕˋ ㄍㄜˋ ㄧㄤˋ)all sorts, kinds, or varieties; various
各抒己見(ㄍㄜˋ ㄕㄨ ㄐㄧˇ ㄐㄧㄢˋ)Each airs his own views.
各人(ㄍㄜˋ ㄖㄣˊ)everybody
各自(ㄍㄜˋ ㄗˋ)each; respective
各有所長(ㄍㄜˋ ㄧㄡˇ ㄙㄨㄛˇ ㄔㄤˊ)Each has a unique merit.
各位(ㄍㄜˋ ㄨㄟˋ)ladies and gentlemen

吉 551
ㄐㄧˊ jí
good; lucky; auspicious; propitious; favorable; fortunate
吉普車(ㄐㄧˊ ㄆㄨˇ ㄔㄜ)a jeep
吉普賽(ㄐㄧˊ ㄆㄨˇ ㄙㄞˋ)the Gypsies
吉他(ㄐㄧˊ ㄊㄚ)a guitar
吉利(ㄐㄧˊ ㄌㄧˋ)good luck
吉祥(ㄐㄧˊ ㄒㄧㄤˊ)favorable
吉星高照(ㄐㄧˊ ㄒㄧㄥ ㄍㄠ ㄓㄠˋ)The lucky star shines bright.

〔口部〕

吉凶(ㄐㄧˊ ㄒㄩㄥ)good or bad luck
吉日(ㄐㄧˊ ㄖˋ)a lucky day
吉人天相(ㄐㄧˊ ㄖㄣˊ ㄊㄧㄢ ㄒㄧㄤˋ) Heaven helps a good man.

吋 552 ㄘㄨㄣˋ cùn
inch—a unit of length

同 553 ㄊㄨㄥˊ tóng
1. same; equal; identical; similar; common 2. to share; to agree 3. together
同輩(ㄊㄨㄥˊ ㄅㄟˋ)a peer
同胞(ㄊㄨㄥˊ ㄅㄠ)a compatriot
同班(ㄊㄨㄥˊ ㄅㄢ)a classmate
同伴(ㄊㄨㄥˊ ㄅㄢˋ)a companion
同步(ㄊㄨㄥˊ ㄅㄨˋ)synchronism
同謀(ㄊㄨㄥˊ ㄇㄡˊ)to conspire
同盟(ㄊㄨㄥˊ ㄇㄥˊ)an alliance; a league
同名(ㄊㄨㄥˊ ㄇㄧㄥˊ)a namesake
同等(ㄊㄨㄥˊ ㄉㄥˇ)the same
同年(ㄊㄨㄥˊ ㄋㄧㄢˊ)of the same age
同樂晚會(ㄊㄨㄥˊ ㄌㄜˋ ㄨㄢˇ ㄏㄨㄟˋ) an evening party
同類(ㄊㄨㄥˊ ㄌㄟˋ)the same kind, class, or species
同流合汚(ㄊㄨㄥˊ ㄌㄧㄡˊ ㄏㄜˊ ㄨ)to follow the bad example of others
同甘共苦(ㄊㄨㄥˊ ㄍㄢ ㄍㄨㄥˋ ㄎㄨˇ)to share bliss and adversity together
同感(ㄊㄨㄥˊ ㄍㄢˇ)to have the same feeling
同歸於盡(ㄊㄨㄥˊ ㄍㄨㄟ ㄩˊ ㄐㄧㄣˋ)to end in death of both combatants
同工同酬(ㄊㄨㄥˊ ㄍㄨㄥ ㄊㄨㄥˊ ㄔㄡˊ) to reward the same work with the same pay
同好(ㄊㄨㄥˊ ㄏㄠˋ) people with the same hobby
同行①(ㄊㄨㄥˊ ㄏㄤˊ)in the same trade or profession ②(ㄊㄨㄥˊ ㄒㄧㄥˊ)to go together
同化(ㄊㄨㄥˊ ㄏㄨㄚˋ) to assimilate; assimilation
同進退(ㄊㄨㄥˊ ㄐㄧㄣˋ ㄊㄨㄟˋ)to stay on or quit together
同居(ㄊㄨㄥˊ ㄐㄩ)to cohabit
同情(ㄊㄨㄥˊ ㄑㄧㄥˊ)to sympathize
同情心(ㄊㄨㄥˊ ㄑㄧㄥˊ ㄒㄧㄣ) sympathies; compassion; pity
同心協力(ㄊㄨㄥˊ ㄒㄧㄣ ㄒㄧㄝˊ ㄌㄧˋ) to work in cooperation
同姓(ㄊㄨㄥˊ ㄒㄧㄥˋ) members of the same clan
同性(ㄊㄨㄥˊ ㄒㄧㄥˋ)of the same sex
同性戀(ㄊㄨㄥˊ ㄒㄧㄥˋ ㄌㄧㄢˋ)homosexuality; homosexual love
同性戀者(ㄊㄨㄥˊ ㄒㄧㄥˋ ㄌㄧㄢˋ ㄓㄜˇ) a gay; a homosexual
同學(ㄊㄨㄥˊ ㄒㄩㄝˊ)a schoolmate
同學會(ㄊㄨㄥˊ ㄒㄩㄝˊ ㄏㄨㄟˋ)an alumni association
同志(ㄊㄨㄥˊ ㄓˋ)a comrade
同儕(ㄊㄨㄥˊ ㄔㄞˊ)fellows of the same generation
同窗(ㄊㄨㄥˊ ㄔㄨㄤ)a classmate
同牀異夢(ㄊㄨㄥˊ ㄔㄨㄤˊ ㄧˋ ㄇㄥˋ)to have different dreams in the same bed
同時(ㄊㄨㄥˊ ㄕˊ)at the same time
同事(ㄊㄨㄥˊ ㄕˋ)a colleague
同仁 or 同人(ㄊㄨㄥˊ ㄖㄣˊ)a colleague
同宗(ㄊㄨㄥˊ ㄗㄨㄥ)of the same clan
同意(ㄊㄨㄥˊ ㄧˋ) to agree; to consent; to concur
同意書(ㄊㄨㄥˊ ㄧˋ ㄕㄨ) a written consent
同業公會(ㄊㄨㄥˊ ㄧㄝˋ ㄍㄨㄥ ㄏㄨㄟˋ) a guild; a trade union
同樣(ㄊㄨㄥˊ ㄧㄤˋ)the same; similar
同位素(ㄊㄨㄥˊ ㄨㄟˋ ㄙㄨˋ)an isotope
同位語(ㄊㄨㄥˊ ㄨㄟˋ ㄩˇ) (English grammar) an appositive
同文同種(ㄊㄨㄥˊ ㄨㄣˊ ㄊㄨㄥˊ ㄓㄨㄥˇ) of the same language and the same race

吆 554 ㄧㄠ yāo
to shout; to cry
吆喝(ㄧㄠ ˙ㄏㄜ)①to shout; to cry ②to hawk

吒 555 ㄓㄚˋ zhà
1. to shout with anger 2. to smack in eating

名 556 ㄇㄧㄥˊ míng
1. a name; a designation; a title; rank 2. position; honor; fame; renown; reputation 3. famous; noted; distinguished; renowned; valuable; precious; noble; rare; great 4. to name
名不虛傳(ㄇㄧㄥˊ ˙ㄅㄨ ㄒㄩ ㄔㄨㄢˊ)The reputation is well supported by fact.
名牌(ㄇㄧㄥˊ ㄆㄞˊ)a famous brand
名片(ㄇㄧㄥˊ ㄆㄧㄢˋ)a calling card
名滿天下(ㄇㄧㄥˊ ㄇㄢˇ ㄊㄧㄢ ㄒㄧㄚˋ)to enjoy world-wide fame
名門(ㄇㄧㄥˊ ㄇㄣˊ)a distinguished family
名目(ㄇㄧㄥˊ ㄇㄨˋ)a name
名分(ㄇㄧㄥˊ ㄈㄣˋ)a role or duties proper to one's title
名副其實(ㄇㄧㄥˊ ㄈㄨˋ ㄑㄧˊ ㄕˊ)to be worthy of the name or reputation
名單(ㄇㄧㄥˊ ㄉㄢ)a name list; a roster
名堂(ㄇㄧㄥˊ ˙ㄊㄤ)a dignified name
名利(ㄇㄧㄥˊ ㄌㄧˋ)fame and wealth
名利雙收(ㄇㄧㄥˊ ㄌㄧˋ ㄕㄨㄤ ㄕㄡ) to achieve both fame and wealth
名列前茅(ㄇㄧㄥˊ ㄌㄧㄝˋ ㄑㄧㄢˊ ㄇㄠˊ)to head the list of successful candidates
名落孫山(ㄇㄧㄥˊ ㄌㄨㄛˋ ㄙㄨㄣ ㄕㄢ)to fail in an examination
名貴(ㄇㄧㄥˊ ㄍㄨㄟˋ)valuable; precious
名家(ㄇㄧㄥˊ ㄐㄧㄚ)a master (in a

〔口部〕

branch of art)
名節(ㄇㄧㄥˊ ㄐㄧㄝˊ)honor and integrity
名將(ㄇㄧㄥˊ ㄐㄧㄤˋ)a great general or admiral
名句(ㄇㄧㄥˊ ㄐㄩˋ)a famous line or phrase
名氣(ㄇㄧㄥˊ ㄑㄧˋ) fame; reputation
名曲(ㄇㄧㄥˊ ㄑㄩˇ) a great musical composition
名下(ㄇㄧㄥˊ ㄒㄧㄚˋ) under (one's) account
名正言順(ㄇㄧㄥˊ ㄓㄥˋ ㄧㄢˊ ㄕㄨㄣˋ) valid in name and in reasoning
名著(ㄇㄧㄥˊ ㄓㄨˋ) a great book; a literary masterpiece
名產(ㄇㄧㄥˊ ㄔㄢˇ) a noted product (of a place)
名稱(ㄇㄧㄥˊ ㄔㄥ)the name or designation (of a thing)
名師(ㄇㄧㄥˊ ㄕ)a great teacher; a master
名士(ㄇㄧㄥˊ ㄕˋ)a celebrated scholar
名聲(ㄇㄧㄥˊ ㄕㄥ)fame; reputation
名勝(ㄇㄧㄥˊ ㄕㄥˋ)a scenic spot
名勝古跡(ㄇㄧㄥˊ ㄕㄥˋ ㄍㄨˇ ㄐㄧ)places of historic interest and scenic beauty
名人(ㄇㄧㄥˊ ㄖㄣˊ)a notable
名人錄(ㄇㄧㄥˊ ㄖㄣˊ ㄌㄨˋ) *Who's Who*
名字(ㄇㄧㄥˊ ㄗˋ)the name (of a person, etc.)
名譟一時(ㄇㄧㄥˊ ㄗㄠˋ ㄧˋ ㄕˊ)very famous at one time
名詞(ㄇㄧㄥˊ ㄘˊ)① a noun ② a term
名次(ㄇㄧㄥˊ ㄘˋ)one's position or standing
名册(ㄇㄧㄥˊ ㄘㄜˋ)a roster
名額(ㄇㄧㄥˊ ㄜˊ)the number of openings, or quota (for employees, etc.)
名醫(ㄇㄧㄥˊ ㄧ)a famous doctor
名義(ㄇㄧㄥˊ ㄧˋ)the name (as opposed to the reality or substance)
名言(ㄇㄧㄥˊ ㄧㄢˊ)a maxim
名揚四海(ㄇㄧㄥˊ ㄧㄤˊ ㄙˋ ㄏㄞˇ)to become famous all over the world
名望(ㄇㄧㄥˊ ㄨㄤˋ)fame; reputation
名譽(ㄇㄧㄥˊ ㄩˋ)honor; reputation
名媛(ㄇㄧㄥˊ ㄩㄢˋ)a young lady of note

后 557 ㄏㄡˋ hòu

1. an empress 2. the god of the earth 3. after; behind 亦作「後」
后土(ㄏㄡˋ ㄊㄨˇ) the earth; the god of the earth

吐 558 1. ㄊㄨˇ tǔ

to spit; to utter
吐痰(ㄊㄨˇ ㄊㄢˊ)to spit phlegm; to spit
吐露(ㄊㄨˇ ㄌㄨˋ)to confess; to disclose
吐露眞情(ㄊㄨˇ ㄌㄨˋ ㄓㄣ ㄑㄧㄥˊ)to unbosom oneself
吐氣(ㄊㄨˇ ㄑㄧˋ)to give vent to pent-up feelings
吐出(ㄊㄨˇ ㄔㄨ)to spit out; to utter

吐 558 2. ㄊㄨˋ tù

to vomit; to throw up; to spew
吐沫(ㄊㄨˋ ˙ㄇㄛ)saliva
吐血(ㄊㄨˋ ㄒㄧㄝˇ) to vomit blood; hemoptysis

向 559 ㄒㄧㄤˋ xiàng

1. to turn; to face 2. a direction; a trend 3. until now
向背(ㄒㄧㄤˋ ㄅㄟˋ)the support or opposition
向來(ㄒㄧㄤˋ ㄌㄞˊ)heretofore; always
向光性(ㄒㄧㄤˋ ㄍㄨㄤ ㄒㄧㄥˋ)(biology) phototropism
向後(ㄒㄧㄤˋ ㄏㄡˋ)to turn around
向前(ㄒㄧㄤˋ ㄑㄧㄢˊ)to go forward
向下(ㄒㄧㄤˋ ㄒㄧㄚˋ)downward; down
向心力(ㄒㄧㄤˋ ㄒㄧㄣ ㄌㄧˋ) centripetal force
向上(ㄒㄧㄤˋ ㄕㄤˋ)①to turn upward ②to strive upward
向日葵(ㄒㄧㄤˋ ㄖˋ ㄎㄨㄟˊ)the sunflower
向左(ㄒㄧㄤˋ ㄗㄨㄛˇ)towards the left
向右(ㄒㄧㄤˋ ㄧㄡˋ)towards the right
向陽(ㄒㄧㄤˋ ㄧㄤˊ)(said of a house) facing south, or the sunny side

吏 560 ㄌㄧˋ lì

a civil officer

四畫

君 561 ㄐㄩㄣ jūn

1. a sovereign; a monarch; a king; a lord 2. you (used in addressing a male in formal speech)
君權(ㄐㄩㄣ ㄑㄩㄢˊ)sovereign power
君主(ㄐㄩㄣ ㄓㄨˇ)a monarch; a ruler
君子(ㄐㄩㄣ ㄗˇ)a true gentleman
君王(ㄐㄩㄣ ㄨㄤˊ)a sovereign; a monarch; a ruler

吝 562 ㄌㄧㄣˋ lìn

stingy; niggardly; parsimonious
吝惜(ㄌㄧㄣˋ ㄒㄧˊ)to hold stingily on to
吝嗇(ㄌㄧㄣˋ ㄙㄜˋ)stingy; miserly

吞 563 ㄊㄨㄣ tūn

to swallow; to engulf; to gulp
吞併(ㄊㄨㄣ ㄅㄧㄥˋ)to annex
吞沒(ㄊㄨㄣ ㄇㄛˋ)to engulf
吞服(ㄊㄨㄣ ㄈㄨˊ)to swallow or take (medicine)
吞吞吐吐(ㄊㄨㄣ ㄊㄨㄣ ㄊㄨˇ ㄊㄨˇ)trying to hide something while speaking
吞食(ㄊㄨㄣ ㄕˊ)to swallow; to devour
吞噬(ㄊㄨㄣ ㄕˋ)(said of fire, etc.) to devour; to engulf
吞雲吐霧(ㄊㄨㄣ ㄩㄣˊ ㄊㄨˇ ㄨˋ)to puff; to smoke

吟 564 ㄧㄣˊ yín

1. to chant; to sing; to recite 2. to moan

吟誦(ㄧㄣˊ ㄙㄨㄥˋ)to recite (a verse)
吟遊詩人(ㄧㄣˊ ㄧㄡˊ ㄕ ㄖㄣˊ)a troubadour; a minstrel
吟詠(ㄧㄣˊ ㄩㄥˇ) to chant or intone (a verse)

吠 565
ㄈㄟˋ fèi
(said of a dog) to bark

否 566
1. ㄈㄡˇ fǒu
1. no; not 2. negative
否定(ㄈㄡˇ ㄉㄧㄥˋ)① to deny ② denial
否決(ㄈㄡˇ ㄐㄩㄝˊ)to veto; a veto
否認(ㄈㄡˇ ㄖㄣˋ)① to deny ② denial
否則(ㄈㄡˇ ㄗㄜˊ)otherwise; or else

否 566
2. ㄆㄧˇ pǐ
evil; bad
否極泰來(ㄆㄧˇ ㄐㄧˊ ㄊㄞˋ ㄌㄞˊ) Adversity, after reaching its extremity, is followed by felicity.

吩 567
ㄈㄣ fēn
to instruct or direct
吩咐(ㄈㄣ ˙ㄈㄨ)to instruct or direct

含 568
ㄏㄢˊ hán
1. to hold in the mouth 2. to contain; to include 3. to bear
含苞待放(ㄏㄢˊ ㄅㄠ ㄉㄞˋ ㄈㄤˋ)(said of flowers) in bud
含量(ㄏㄢˊ ㄌㄧㄤˋ)content
含糊(ㄏㄢˊ ˙ㄏㄨ)or 含混(ㄏㄢˊ ㄏㄨㄣˋ) vague; ambiguous
含糊其詞(ㄏㄢˊ ㄏㄨˊ ㄑㄧˊ ㄘˊ)to talk ambiguously
含情脈脈(ㄏㄢˊ ㄑㄧㄥˊ ㄇㄛˋ ㄇㄛˋ)full of tenderness
含羞草 (ㄏㄢˊ ㄒㄧㄡ ㄘㄠˇ) (botany) mimosa
含蓄 (ㄏㄢˊ ㄒㄩˋ) with concealed or implied deep meanings
含血噴人(ㄏㄢˊ ㄒㄩㄝˋ ㄆㄣ ㄖㄣˊ)to bring false accusations against others
含飴弄孫(ㄏㄢˊ ㄧˊ ㄋㄨㄥˋ ㄙㄨㄣ)to lead a carefree life in one's old age
含義(ㄏㄢˊ ㄧˋ)a meaning; an implication
含冤 (ㄏㄢˊ ㄩㄢ)to be the victim of an unjust charge

吮 569
ㄕㄨㄣˇ shǔn
to suck; to lick

呈 570
ㄔㄥˊ chéng
1. to submit, present, or hand in (to a superior) 2. to show, manifest, expose, display, exhibit, etc. 3. a petition or appeal
呈報(ㄔㄥˊ ㄅㄠˋ) to report (to a superior)
呈交(ㄔㄥˊ ㄐㄧㄠ)or 呈遞(ㄔㄥˊ ㄉㄧˋ) to handle (to higher authorities)
呈請(ㄔㄥˊ ㄑㄧㄥˇ)It is requested that....
呈現(ㄔㄥˊ ㄒㄧㄢˋ)to appear; to emerge
呈上(ㄔㄥˊ ㄕㄤˋ)to present (to a superior)

吳 571
ㄨˊ wú
1. the name of a state in the Epoch of the Three Kingdoms 2. the name of a state in the Warring States period
吳郭魚(ㄨˊ ㄍㄨㄛ ㄩˊ)a mouthbreeder
吳下阿蒙(ㄨˊ ㄒㄧㄚˋ ㄚˋ ㄇㄥˊ)an ignorant person

吵 572
ㄔㄠˇ chǎo
1. to quarrel; to wrangle; to dispute; to row 2. to disturb; to annoy
吵鬧(ㄔㄠˇ ㄋㄠˋ)noisy
吵架(ㄔㄠˇ ㄐㄧㄚˋ)to quarrel; to argue
吵嘴(ㄔㄠˇ ㄗㄨㄟˇ)to dispute

吶 573
ㄋㄚˋ nà
1. to shout 2. to speak hesitatingly
吶喊(ㄋㄚˋ ㄏㄢˇ)to give a whoop, or to shout

吸 574
ㄒㄧ xī
to absorb; to imbibe; to suck in; to attract; to draw; to inhale
吸盤(ㄒㄧ ㄆㄢˊ)(zoology)sucking disks
吸毒(ㄒㄧ ㄉㄨˊ)to smoke opium; to become addicted to narcotics
吸管 (ㄒㄧ ㄍㄨㄢˇ) ①a pipette ②a straw
吸氣(ㄒㄧ ㄑㄧˋ)to inhale
吸取(ㄒㄧ ㄑㄩˇ)①to absorb (knowledge) ② to suck (liquid)
吸血鬼(ㄒㄧ ㄒㄧㄝˇ ㄍㄨㄟˇ)a vampire
吸塵器(ㄒㄧ ㄔㄣˊ ㄑㄧˋ)a vacuum cleaner
吸收(ㄒㄧ ㄕㄡ)to absorb
吸吮(ㄒㄧ ㄕㄨㄣˇ)to suck; to absorb
吸二手菸(ㄒㄧ ㄦˋ ㄕㄡˇ ㄧㄢ)passive smoking
吸煙(ㄒㄧ ㄧㄢ)to smoke; smoking
吸煙區(ㄒㄧ ㄧㄢ ㄑㄩ)a smoking area
吸引(ㄒㄧ ㄧㄣˇ)to attract; to draw
吸(引)力(ㄒㄧ (ㄧㄣˇ) ㄌㄧˋ)attraction

吹 575
ㄔㄨㄟ chuī
1. to blow; to puff 2. to brag or boast; to praise in exaggerated words 3. to break up
吹毛求疵(ㄔㄨㄟ ㄇㄠˊ ㄑㄧㄡˊ ㄘ)to engage in faultfinding
吹風(ㄔㄨㄟ ㄈㄥ)to be in a draught
吹風機(ㄔㄨㄟ ㄈㄥ ㄐㄧ)a drier
吹拂(ㄔㄨㄟ ㄈㄨˊ) (said of winds, etc.) to sway
吹牛(ㄔㄨㄟ ㄋㄧㄡˊ)to brag
吹了(ㄔㄨㄟ ˙ㄌㄜ)busted; to have failed
吹口哨(ㄔㄨㄟ ㄎㄡˇ ㄕㄠˋ)to whistle

〔口部〕

吹噓(ㄔㄨㄟ ㄒㄩ)to praise (a person) in exaggerated words
吹哨子(ㄔㄨㄟ ㄕㄠˋ ·ㄗ)to blow the whistle
吹奏(ㄔㄨㄟ ㄗㄡˋ)to play (wind instruments)

吻 576 ㄨㄣˇ wěn
1. the lip 2. the tone of one's speech 3. to kiss; a kiss
吻別(ㄨㄣˇ ㄅㄧㄝˊ)to kiss someone good-bye
吻合(ㄨㄣˇ ㄏㄜˊ)(said of two things) to agree, correspond, match, or tally with

吼 577 ㄏㄡˇ hǒu
(said of beasts) to roar or howl

吱 578 ㄗ zī
squeaky cries of an animal
吱喳(ㄗ ㄔㄚ)chatter (made by birds or animals)

吾 579 ㄨˊ wú
1. I, me, we, or us (in literary usage) 2. my; our
吾儕(ㄨˊ ㄔㄞˊ)or 吾輩(ㄨˊ ㄅㄟˋ)we; us
吾人(ㄨˊ ㄖㄣˊ)we
吾愛(ㄨˊ ㄞˋ)my love; my darling

告 580 ㄍㄠˋ gào
1. to tell; to inform; to report 2. to accuse
告白(ㄍㄠˋ ㄅㄞˊ)a notice
告別(ㄍㄠˋ ㄅㄧㄝˊ)to bid farewell
告密(ㄍㄠˋ ㄇㄧˋ)to tip off
告發(ㄍㄠˋ ㄈㄚ)to inform against
告退(ㄍㄠˋ ㄊㄨㄟˋ)to withdraw
告誡(ㄍㄠˋ ㄐㄧㄝˋ)to admonish; to warn
告知(ㄍㄠˋ ㄓ)to notify; to inform
告狀(ㄍㄠˋ ㄓㄨㄤˋ)to say something bad against a colleague, fellow student, etc. before a superior
告示(ㄍㄠˋ ·ㄕ)an official notice, announcement, or proclamation
告辭(ㄍㄠˋ ㄘˊ)to say good-bye
告訴(ㄍㄠˋ ·ㄙㄨ)to tell (a person)
告一段落(ㄍㄠˋ ㄧˊ ㄉㄨㄢˋ ㄌㄨㄛˋ) to draw a conclusion

呀 581 1. ㄧㄚ yā
a creaking sound

呀 581 2. ·ㄧㄚ ya
1. a particle used after a phrase for emphasis, expressing surprise, etc. 2. to gape (as in surprise)

呃 582 ㄜˋ è
to hiccup or hiccough

呂 583 ㄌㄩˇ lǚ
a Chinese family name

呆 584 ㄉㄞ dāi (又讀 ㄞˊ ái)
1. dull; dull-witted; stupid; unintelligent 2. blank; wooden
呆板(ㄉㄞ ㄅㄢˇ)① boring; dull ② stiff
呆頭呆腦(ㄉㄞ ㄊㄡˊ ㄉㄞ ㄋㄠˇ)stupid; idiot-like
呆滯(ㄉㄞ ㄓˋ)dull
呆賬(ㄉㄞ ㄓㄤˋ)a bad debt
呆子(ㄉㄞ ·ㄗ)an idiot; a dullard

呎 585 ㄔˇ chǐ
the foot (a unit of length in English measure)

吧 586 1. ·ㄅㄚ ba
a particle used after an imperative sentence

吧 586 2. ㄅㄚ bā
吧孃(ㄅㄚ ㄋㄧㄤˊ)a bar girl

五畫

呢 587 1. ㄋㄧˊ ní
1. a woolen fabric 2. a murmur
呢喃(ㄋㄧˊ ㄋㄢˊ)to murmur; to twitter
呢絨(ㄋㄧˊ ㄖㄨㄥˊ)a general term for woolen materials

呢 587 2. ·ㄋㄜ ne
an interrogative or emphatic particle used after a sentence

周 588 ㄓㄡ zhōu
1. the Chou Dynasty 2. a circumference; a circuit 3. complete 4. all around; everywhere 5. to aid; to provide for
周報(ㄓㄡ ㄅㄠˋ)or 周刊(ㄓㄡ ㄎㄢ) a weekly
周末(ㄓㄡ ㄇㄛˋ)the weekend
周密(ㄓㄡ ㄇㄧˋ)careful and thorough
周到(ㄓㄡ ㄉㄠˋ)considerate; thoughtful
周年(ㄓㄡ ㄋㄧㄢˊ)an anniversary
周期(ㄓㄡ ㄑㄧˊ)a period; a cycle
周詳(ㄓㄡ ㄒㄧㄤˊ)complete and detailed
周旋(ㄓㄡ ㄒㄩㄢˊ)① to attend to guests or friends ② to deal with
周遭(ㄓㄡ ㄗㄠ)around
周歲(ㄓㄡ ㄙㄨㄟˋ) or 周晬(ㄓㄡ ㄗㄨㄟˋ)one full year of life
周而復始(ㄓㄡ ㄦˊ ㄈㄨˋ ㄕˇ)to repeat the process again and again
周圍(ㄓㄡ ㄨㄟˊ)surroundings

咒 589 ㄓㄡˋ zhòu
1. to curse; to swear 2. words used as charms by Buddhist monks or Taoist priests to exorcize ghosts
咒罵(ㄓㄡˋ ㄇㄚˋ)to swear at; to curse
咒語(ㄓㄡˋ ㄩˇ)curses; imprecations

咎 590
ㄐㄧㄡˋ jiù
1. a disaster; a calamity 2. a fault; a mistake 3. to blame
咎由自取(ㄐㄧㄡˋ ㄧㄡˊ ㄗˋ ㄑㄩˇ)a trouble of one's own making

呱 591
ㄍㄨ gū
(語音 ㄨㄚ wā)
1. the cries of an infant 2. to wail
呱呱叫(ㄍㄨ ㄍㄨ ㄐㄧㄠˋ)tiptop
呱呱墜地(ㄍㄨ ㄍㄨ ㄓㄨㄟˋ ㄉㄧˋ)(said of a baby) to come into this world

味 592
ㄨㄟˋ wèi
1. a taste; a flavor 2. a smell; an odor 3. a delicacy; a dainty
味道(ㄨㄟˋ ㄉㄠˋ)a taste; a flavor
味精(ㄨㄟˋ ㄐㄧㄥ)flavor essence
味覺(ㄨㄟˋ ㄐㄩㄝˊ)the sense of taste

呵 593
1. ㄏㄜ hē
1. to scold in a loud voice 2. to yawn
呵呵大笑(ㄏㄜ ㄏㄜ ㄉㄚˋ ㄒㄧㄠˋ) to roar with laughter; to guffaw
呵欠(ㄏㄜ ㄑㄧㄢˋ) to yawn and to stretch
呵斥(ㄏㄜ ㄔˋ)or 呵責(ㄏㄜ ㄗㄜˊ) to scold in a loud voice

呵 593
2. ·ㄛ o
a particle used after a phrase to express surprise

咕 594
ㄍㄨ gū
1. to murmur 2. (said of hens) a cluck; (said of turtledoves, etc.) a coo
咕噥(ㄍㄨ ·ㄋㄨㄥ)to murmur
咕嚕(ㄍㄨ ·ㄌㄨ)the rumbling sound in the belly

咂 595
ㄗㄚ zā
to take in food with the tongue; to suck

咚 596
ㄉㄨㄥ dōng
1. the sound of impact caused by a falling object 2. rub-a-dub 3. rat-tat; rat-a-tat

呻 597
ㄕㄣ shēn
to groan; to moan
呻吟(ㄕㄣ ㄧㄣˊ)to groan; to moan

呼 598
ㄏㄨ hū
1. to call; to cry 2. to exhale
呼口號 (ㄏㄨ ㄎㄡˇ ㄏㄠˋ) to shout slogans
呼號(ㄏㄨ ㄏㄠˊ)to cry; to wail
呼喊(ㄏㄨ ㄏㄢˇ)to yell; to shout
呼喚(ㄏㄨ ㄏㄨㄢˋ)to call; to shout
呼叫(ㄏㄨ ㄐㄧㄠˋ)to shout; to yell
呼叫器(ㄏㄨ ㄐㄧㄠˋ ㄑㄧˋ)a pager; a beeper
呼救(ㄏㄨ ㄐㄧㄡˋ)to cry for help; to call for help
呼吸(ㄏㄨ ㄒㄧ)to breathe
呼吸道(ㄏㄨ ㄒㄧ ㄉㄠˋ)the respiratory tract
呼吸器官(ㄏㄨ ㄒㄧ ㄑㄧˋ ㄍㄨㄢ)the respiratory organs
呼吸系統(ㄏㄨ ㄒㄧ ㄒㄧˋ ㄊㄨㄥˇ)the respiratory system
呼之欲出(ㄏㄨ ㄓ ㄩˋ ㄔㄨ)obvious
呼聲(ㄏㄨ ㄕㄥ)loud cries
呼應(ㄏㄨ ㄧㄥˋ)to act in coordination with each other
呼籲(ㄏㄨ ㄩˋ)to appeal; to petition

命 599
ㄇㄧㄥˋ mìng
1. life 2. a fate; destiny; a lot 3. the ordinances of Heaven 4. orders; a command
命脈(ㄇㄧㄥˋ ㄇㄛˋ)a lifeline
命名(ㄇㄧㄥˋ ㄇㄧㄥˊ)to name
命令(ㄇㄧㄥˋ ㄌㄧㄥˋ)to order; to command
命中註定(ㄇㄧㄥˋ ㄓㄨㄥ ㄓㄨˋ ㄉㄧㄥˋ) predestined
命中(ㄇㄧㄥˋ ㄓㄨㄥˋ)to hit the target
命案(ㄇㄧㄥˋ ㄢˋ)a case of murder
命運(ㄇㄧㄥˋ ㄩㄣˋ)a fate; destiny

咀 600
ㄐㄩˇ jǔ
to chew; to masticate
咀嚼(ㄐㄩˇ ㄐㄩㄝˊ)to chew; to masticate

咄 601
ㄉㄨㄛˋ duò
1. an angry cry 2. to scold in a loud voice
咄咄逼人(ㄉㄨㄛˋ ㄉㄨㄛˋ ㄅㄧ ㄖㄣˊ)① to browbeat ② overbearing

咆 602
ㄆㄠˊ páo
to roar
咆哮(ㄆㄠˊ ㄒㄧㄠ)①(said of a lion, etc.) to roar ②(said of a person) to rage

咋 603
1. ㄓㄚˋ zhà
all of a sudden; suddenly

咋 603
2. ㄗㄜˊ zé
1. to bite; to gnaw 2. a loud noise
咋舌(ㄗㄜˊ ㄕㄜˊ)to bite the tongue—to show one's surprise or regret

和 604
1. ㄏㄜˊ hé
1. harmony; harmonious 2. peace; peaceful 3. to be affable 4. the sum or aggregate 5. of Japan 6. and(語音ㄏㄢˋ)
和平(ㄏㄜˊ ㄆㄧㄥˊ)①peace ②peaceful
和平示威(ㄏㄜˊ ㄆㄧㄥˊ ㄕˋ ㄨㄟ)a peace march
和睦(ㄏㄜˊ ㄇㄨˋ)to have friendly ties

〔口部〕

〔口部〕

和風(ㄏㄜˊ ㄈㄥ)a gentle breeze
和服(ㄏㄜˊ ㄈㄨˊ)a (Japanese) kimono
和談(ㄏㄜˊ ㄊㄢˊ)peace talks
和好(ㄏㄜˊ ㄏㄠˇ)①to be on friendly terms ②to make up
和解(ㄏㄜˊ ㄐㄧㄝˇ)to be reconciled
和氣(ㄏㄜˊ ˙ㄑㄧ)gentle; friendly
和諧(ㄏㄜˊ ㄒㄧㄝˊ)harmony
和弦(ㄏㄜˊ ㄒㄧㄢˊ)(music) a chord
和事老(ㄏㄜˊ ㄕˋ ㄌㄠˇ)a mediator
和善(ㄏㄜˊ ㄕㄢˋ)kind and gentle; genial
和尚(ㄏㄜˊ ㄕㄤˋ)a Buddhist monk
和聲(ㄏㄜˊ ㄕㄥ)(music) harmony
和藹可親(ㄏㄜˊ ㄞˇ ㄎㄜˇ ㄑㄧㄣ) gentle and affable
和顏悅色(ㄏㄜˊ ㄧㄢˊ ㄩㄝˋ ㄙㄜˋ)a peaceful and happy look
和約(ㄏㄜˊ ㄩㄝ)a peace treaty

和 604
2. ㄏㄜˋ hè
1. to match; to harmonize 2. to write a poem in reply

和 604
3. ㄏㄨㄛˋ huò
to knead (dough, clay, etc.); to mix
和麵(ㄏㄨㄛˋ ㄇㄧㄢˋ)to knead flour

咖 605
1. ㄎㄚ kā
a character used in transliterating
咖啡(ㄎㄚ ㄈㄟ)coffee
咖啡廳(ㄎㄚ ㄈㄟ ㄊㄧㄥ) or 咖啡館(ㄎㄚ ㄈㄟ ㄍㄨㄢˇ) a coffee shop
咖啡因(ㄎㄚ ㄈㄟ ㄧㄣ)caffeine

咖 605
2. ㄍㄚ gā
a character used in transliterating
咖哩(ㄍㄚ ㄌㄧˇ)curry

咐 606
ㄈㄨˋ fù
to tell, bid, or instruct (someone to do something)

六畫

咧 607
1. ㄌㄧㄝˇ liě
to stretch (the mouth) horizontally
咧着嘴(ㄌㄧㄝˇ ˙ㄓㄜ ㄗㄨㄟˇ)to grin

咧 607
2. ㄌㄧㄝˊ lié
as in 咧咧—to babble

咤 608
ㄓㄚˋ zhà
to shout with anger

咦 609
ㄧˊ yí
(an interjection of surprise) well; why; hey

咨 610
ㄗ zī
1. to inquire; to consult 2. a very formal official communication between offices of equal rank
咨詢(ㄗ ㄒㄩㄣˊ)to inquire; to consult

咪 611
ㄇㄧ mī
1. a meow (meou, miaow, miaou) 2. smiling

咫 612
ㄓˇ zhǐ
1. the foot measure of the Chou Dynasty (divided into eight inches) 2. near
咫尺(ㄓˇ ㄔˇ)very close
咫尺天涯(ㄓˇ ㄔˇ ㄊㄧㄢ ㄧㄚˊ)so near and yet so far

咬 613
ㄧㄠˇ yǎo
to bite; to gnaw
咬破(ㄧㄠˇ ㄆㄛˋ)to break by the teeth; to bite through
咬緊牙關(ㄧㄠˇ ㄐㄧㄣˇ ㄧㄚˊ ㄍㄨㄢ)to persevere
咬住(ㄧㄠˇ ㄓㄨˋ)to bite into
咬牙切齒(ㄧㄠˇ ㄧㄚˊ ㄑㄧㄝ ㄔˇ)to gnash the teeth (in anger or hatred)
咬文嚼字(ㄧㄠˇ ㄨㄣˊ ㄐㄩㄝˊ ㄗˋ)to be pedantic about the use of each word

咯 614
1. ㄌㄨㄛˋ luò
to cough; a cough

咯 614
2. ˙ㄌㄛ lo
a phrase-final particle

咯 614
3. ㄍㄜ gē
as in 咯吱—to creak

咯 614
4. ㄍㄜˊ gé
咯咯(ㄍㄜˊ ㄍㄜˊ)(laughter) a chuckle

咱 615
ㄗㄢˊ zán
I, me (in North China dialect)
咱們(ㄗㄢˊ ˙ㄇㄣ) (inclusive) we; you and I

咳 616
1. ㄎㄜˊ ké
to cough: 咳嗽 to cough; a cough

咳 616
2. ㄎㄚˇ kǎ
to cough up
咳痰(ㄎㄚˇ ㄊㄢˊ)to cough up phlegm

咳 616
3. ㄏㄞˋ hài
an interjection of regret or remorse

咸 617
ㄒㄧㄢˊ xián
all; completely; fully; wholly

咽 618
1. ㄧㄢ yān
the gullet the throat; the larynx; the pharynx;
咽喉(ㄧㄢ ㄏㄡˊ)the larynx; the throat

咽 618
2. ㄧㄢˋ yàn
to swallow; to gulp
咽下去(ㄧㄢˋ ㄒㄧㄚˋ ˙ㄑㄩ) to swallow; to gulp down

咽 618
3. ㄧㄝˋ yè
to be choked; to weep or speak in a choked voice; to sob

咿 619
ㄧ yī
a form used to represent a sound
咿啞學語(ㄧ ㄧㄚˇ ㄒㄩㄝˊ ㄩˇ) (said of a baby) to begin to babble, prattle, or lisp

哀 620
ㄞ āi
1. to grieve; to mourn; to lament 2. to pity; to sympathize; to commiserate; compassion 3. sad; sorrowful; lamentable 4. sadness; sorrow; grief
哀悼(ㄞ ㄉㄠˋ)to mourn over, or lament (someone's death)
哀痛(ㄞ ㄊㄨㄥˋ)to feel the anguish of sorrow
哀號(ㄞ ㄏㄠˊ)to wail
哀求(ㄞ ㄑㄧㄡˊ)to entreat, implore, beg or appeal pathetically
哀愁(ㄞ ㄔㄡˊ)sad; sorrowful
哀傷(ㄞ ㄕㄤ)to feel sorrow or grief

品 621
ㄆㄧㄣˇ pǐn
1. personality; character 2. an article; a commodity 3. a rank or grade in the government service in former times 4. to appraise 5. to find out
品茗(ㄆㄧㄣˇ ㄇㄧㄥˊ)or 品茶 (ㄆㄧㄣˇ ㄔㄚˊ)to drink tea(with critical appreciation of its taste and quality)
品德(ㄆㄧㄣˇ ㄉㄜˊ)personal character
品頭論足 (ㄆㄧㄣˇ ㄊㄡˊ ㄌㄨㄣˋ ㄗㄨˊ) to make critical remarks about a person's physical appearance
品格(ㄆㄧㄣˇ ㄍㄜˊ)one's moral character
品管(ㄆㄧㄣˇ ㄍㄨㄢˇ) Q.C. (quality control)
品行(ㄆㄧㄣˇ ㄒㄧㄥˋ)one's moral character and performance; behavior
品學兼優(ㄆㄧㄣˇ ㄒㄩㄝˊ ㄐㄧㄢ ㄧㄡ)to excel in morals as well as academic performances
品質(ㄆㄧㄣˇ ㄓˊ)quality
品種(ㄆㄧㄣˇ ㄓㄨㄥˇ)a species or variety
品味(ㄆㄧㄣˇ ㄨㄟˋ)taste; a savor

哂 622
ㄕㄣˇ shěn
to give a sneering smile
哂納 (ㄕㄣˇ ㄋㄚˋ) Please accept (my small gift).

哄 623
1. ㄏㄨㄥ hōng
(said of a group of people) to make a roaring noise
哄堂大笑(ㄏㄨㄥ ㄊㄤˊ ㄉㄚˋ ㄒㄧㄠˋ) The whole room rocks with laughter.

哄 623
2. ㄏㄨㄥˇ hǒng
to beguile; to cheat; to defraud
哄騙 (ㄏㄨㄥˇ ㄆㄧㄢˋ) to defraud; to cheat

哆 624
ㄉㄨㄛ duō
to shiver; to tremble
哆嗦(ㄉㄨㄛ ˙ㄙㄨㄛ)to shiver with cold or tremble with fear

哇 625
1. ㄨㄚ wā
1.to vomit 2.the sound of crying by a child
哇哇大哭(ㄨㄚ ㄨㄚ ㄉㄚˋ ㄎㄨ)to cry very loudly

哇 625
2. ˙ㄨㄚ wa
a phrase-final particle

哈 626
1. ㄏㄚ hā
1. a form used in transliteration 2. a sound of hearty laughter
哈密瓜 (ㄏㄚ ㄇㄧˋ ㄍㄨㄚ) a honey dew melon
哈雷彗星 (ㄏㄚ ㄌㄟˊ ㄏㄨㄟˋ ㄒㄧㄥ) (astronomy) Halley's Comet
哈哈大笑 (ㄏㄚ ㄏㄚ ㄉㄚˋ ㄒㄧㄠˋ) to laugh heartily
哈欠(ㄏㄚ ㄑㄧㄢˋ)a yawn

哈 626
2. ㄏㄚˇ hǎ
哈巴狗(ㄏㄚˇ ˙ㄅㄚ ㄍㄡˇ)a Pekingese or Pekinese (dog)

哉 627
ㄗㄞ zāi
a phrase-final particle expressing surprise, admiration, grief, doubt, etc.

哎 628
ㄞ āi
an interjection of surprise mixed with regret
哎呀(ㄞ ˙ㄧㄚ)an interjection of surprise

七畫

員 629
ㄩㄢˊ yuán
1. a member (of an organization, etc.) 2. a person engaged in some field of activity
員工(ㄩㄢˊ ㄍㄨㄥ)employees
員工福利基金(ㄩㄢˊ ㄍㄨㄥ ㄈㄨˊ ㄌㄧˋ ㄐㄧ ㄐㄧㄣ)employee's welfare fund

哥 630
ㄍㄜ gē
an elder brother
哥哥(ㄍㄜ ˙ㄍㄜ)an elder brother
哥兒們(ㄍㄜㄦ ˙ㄇㄣ) ①brothers ② buddies; pals

哦 631
1. ㄜˊ ó

〔口部〕

(an interjection) oh; ah

哦 631
2. ㄜˊ é
to recite (verses, etc.)

哨 632
ㄕㄠˋ shào
1. a whistle 2. to patrol 3. an outpost; a guard station
哨兵(ㄕㄠˋ ㄅㄧㄥ)a sentinel or sentry
哨子(ㄕㄠˋ ·ㄗ)a whistle

哩 633
1. ㄌㄧ lī
to speak indistinctly

哩 633
2. ㄌㄧˇ lǐ
a mile

哭 634
ㄎㄨ kū
to weep; to cry; to sob; to wail; to whimper
哭泣(ㄎㄨ ㄑㄧˋ)to sob; to weep
哭笑不得(ㄎㄨ ㄒㄧㄠˋ ㄅㄨˋ ㄉㄜˊ) to be at a loss whether to cry or to laugh
哭訴(ㄎㄨ ㄙㄨˋ)to complain tearfully

哮 635
1. ㄒㄧㄠˋ xiào
to cry out in a loud voice

哮 635
2. ㄒㄧㄠ xiāo
1. to pant; to wheeze; to gasp; to breathe with difficulty 2. a roar; a howl
哮喘(ㄒㄧㄠ ㄔㄨㄢˇ) ①asthma ②to wheeze

哲 636
ㄓㄜˊ zhé
1. a sage; a thinker; a philosopher 2. wise; wisdom; sagacious
哲學(ㄓㄜˊ ㄒㄩㄝˊ)philosophy
哲學家(ㄓㄜˊ ㄒㄩㄝˊ ㄐㄧㄚ) a philosopher; a thinker

哺 637
ㄅㄨˇ bǔ
1. to chew (before swallowing) 2. to feed (a baby, etc.)
哺乳(ㄅㄨˇ ㄖㄨˇ)to nurse
哺乳類(ㄅㄨˇ ㄖㄨˇ ㄌㄟˋ)mammals
哺育(ㄅㄨˇ ㄩˋ)① to feed ② to nurture

哼 638
ㄏㄥ hēng
1. to croon; to hum 2. to groan; to moan 3. the grunt of disapproval or contempt

哽 639
ㄍㄥˇ gěng
to choke; to feel a lump in one's throat
哽塞(ㄍㄥˇ ㄙㄜˋ)to choke
哽咽(ㄍㄥˇ ㄧㄝˋ) to be choked with sobs

唁 640
ㄧㄢˋ yàn
to condole with or express sympathy for

唆 641
ㄙㄨㄛ suō
to instigate; to incite
唆使(ㄙㄨㄛ ㄕˇ)to instigate; to incite

唉 642
ㄞ āi
(an interjection of regret or disgust) alas
唉聲歎氣(ㄞ ㄕㄥ ㄊㄢˋ ㄑㄧˋ)to give deploring interjections and sighs

唏 643
ㄒㄧ xī
to weep or sob with sorrow; to grieve
唏噓(ㄒㄧ ㄒㄩ)to sob

唐 644
ㄊㄤˊ táng
1. as in 唐代—the Tang Dynasty 2. abrupt; rude; preposterous
唐突(ㄊㄤˊ ㄊㄨˊ)abrupt; rude; brusque
唐人街 (ㄊㄤˊ ㄖㄣˊ ㄐㄧㄝ) the Chinatown
唐塞 or 搪塞(ㄊㄤˊ ㄙㄜˋ)to reply questions with evasive answers

哪 645
1. (那) ㄋㄚˇ nǎ
(an interrogative particle) where; how; what; which
哪怕(ㄋㄚˇ ㄆㄚˋ)even if
哪裏(ㄋㄚˇ ·ㄌㄧ) or 哪兒(ㄋㄚˇ ㄦ)where
哪些(ㄋㄚˇ ㄒㄧㄝ)which; who; what

哪 645
2. ·ㄋㄚ na
a phrase-final particle: 我的天哪! My God!

咩 646
ㄇㄧㄝ miē
the cries of sheep

八畫

售 647
ㄕㄡˋ shòu
to sell
售票(ㄕㄡˋ ㄆㄧㄠˋ)to sell tickets
售票口(ㄕㄡˋ ㄆㄧㄠˋ ㄎㄡˇ)a wicket
售票處(ㄕㄡˋ ㄆㄧㄠˋ ㄔㄨˋ)a ticket office; a box office
售後服務(ㄕㄡˋ ㄏㄡˋ ㄈㄨˊ ㄨˋ) after-sales service
售貨員(ㄕㄡˋ ㄏㄨㄛˋ ㄩㄢˊ)a shop clerk
售價(ㄕㄡˋ ㄐㄧㄚˋ)the (retail) price

唯 648
1. (惟) ㄨㄟˊ wéi
only
唯命是從(ㄨㄟˊ ㄇㄧㄥˋ ㄕˋ ㄘㄨㄥˊ)obsequious
唯獨(ㄨㄟˊ ㄉㄨˊ)only or alone
唯讀光碟 (ㄨㄟˊ ㄉㄨˊ ㄍㄨㄤ ㄉㄧㄝˊ) CD-ROM (compact disc read-only memory)
唯利是圖(ㄨㄟˊ ㄌㄧˋ ㄕˋ ㄊㄨˊ)to be bent solely on profit

唯恐(ㄨㄟˊ ㄎㄨㄥˇ)for fear that
唯一(ㄨㄟˊ ㄧ)the only one, the only kind, etc.
唯有(ㄨㄟˊ ㄧㄡˇ)only

唯 648
2. ㄨㄟˇ wěi
yes or no; the words one answers
唯唯諾諾 (ㄨㄟˇ ㄨㄟˇ ㄋㄨㄛˋ ㄋㄨㄛˋ) to say yes to a superior's suggestion

唱 649
ㄔㄤˋ chàng
1. to sing; to chant 2. to crow; to cry
唱盤 (ㄔㄤˋ ㄆㄢˊ) the turntable of a phonograph
唱片 (ㄔㄤˋ ㄆㄧㄢˋ) a (phonograph) record or a disc
唱反調 (ㄔㄤˋ ㄈㄢˇ ㄉㄧㄠˋ) to air an opposing view
唱歌(ㄔㄤˋ ㄍㄜ)to sing songs; to sing
唱針(ㄔㄤˋ ㄓㄣ)a phonograph needle
唱遊(ㄔㄤˋ ㄧㄡˊ)a recreation class

唳 650
ㄌㄧˋ lì
the cry of a crane, wild goose, etc.

唾 651
ㄊㄨㄛˋ tuò
1. saliva 2. to spit
唾棄 (ㄊㄨㄛˋ ㄑㄧˋ) to spit on or at in contempt
唾手可得 (ㄊㄨㄛˋ ㄕㄡˇ ㄎㄜˇ ㄉㄜˊ)very easily obtainable 訛作「垂手可得」
唾液(ㄊㄨㄛˋ ㄧㄝˋ)saliva

啡 652
ㄈㄟ fēi
a form used in transliterating 參看「咖啡」or「嗎啡」

啁 653
ㄓㄡ zhōu
the twittering or chirping of a bird
啁啾(ㄓㄡ ㄐㄧㄡ)to twitter; to chirp

啄 654
ㄓㄨㄛˊ zhuó
(said of a bird) to peck
啄木鳥 (ㄓㄨㄛˊ ㄇㄨˋ ㄋㄧㄠˇ) a woodpecker

商 655
ㄕㄤ shāng
1. commerce; trade; business 2. a merchant; a trader; a businessman 3. to discuss; to exchange views; to confer 4. (arithmetic) the quotient
商標(ㄕㄤ ㄅㄧㄠ)a trademark
商品(ㄕㄤ ㄆㄧㄣˇ)commodities; wares
商品展覽會 (ㄕㄤ ㄆㄧㄣˇ ㄓㄢˇ ㄌㄢˇ ㄏㄨㄟˋ)a trade fair
商店(ㄕㄤ ㄉㄧㄢˋ)a store; a shop
商討(ㄕㄤ ㄊㄠˇ)a discussion; to discuss
商談(ㄕㄤ ㄊㄢˊ)to exchange views
商量(ㄕㄤ ˙ㄌㄧㄤ)to hold a discussion
商港(ㄕㄤ ㄍㄤˇ)a commercial port
商家(ㄕㄤ ㄐㄧㄚ)a business firm
商榷 (ㄕㄤ ㄑㄩㄝˋ) to discuss and consider
商學院(ㄕㄤ ㄒㄩㄝˊ ㄩㄢˋ)the college of commerce
商場(ㄕㄤ ㄔㄤˇ)a market place
商船 (ㄕㄤ ㄔㄨㄢˊ) a merchantman; a merchant ship
商人(ㄕㄤ ㄖㄣˊ) a merchant; a trader
商議(ㄕㄤ ㄧˋ)to discuss and debate
商業(ㄕㄤ ㄧㄝˋ)commerce
商業法(ㄕㄤ ㄧㄝˋ ㄈㄚˇ)commercial law
商業道德 (ㄕㄤ ㄧㄝˋ ㄉㄠˋ ㄉㄜˊ) business ethics
商業利益 (ㄕㄤ ㄧㄝˋ ㄌㄧˋ ㄧˋ) commercial profit
商業考察(ㄕㄤ ㄧㄝˋ ㄎㄠˇ ㄔㄚˊ)commercial survey
商業銀行(ㄕㄤ ㄧㄝˋ ㄧㄣˊ ㄏㄤˊ)a commercial bank
商業英文(ㄕㄤ ㄧㄝˋ ㄧㄥ ㄨㄣˊ)business English
商務(ㄕㄤ ㄨˋ)commercial affairs

問 656
ㄨㄣˋ wèn
1. to ask; to inquire 2. to interrogate; to examine 3. to ask after; to inquire after 4. to hold responsible
問答(ㄨㄣˋ ㄉㄚˊ)questions and answers
問題(ㄨㄣˋ ㄊㄧˊ)a problem; a question
問題少年 (ㄨㄣˋ ㄊㄧˊ ㄕㄠˋ ㄋㄧㄢˊ) a problem youth
問號(ㄨㄣˋ ㄏㄠˋ)an interrogation mark
問候(ㄨㄣˋ ㄏㄡˋ)to send one's regards
問卷(ㄨㄣˋ ㄐㄩㄢˋ)a questionnaire
問心無愧(ㄨㄣˋ ㄒㄧㄣ ㄨˊ ㄎㄨㄟˋ)with a clear conscience
問住(ㄨㄣˋ ˙ㄓㄨ)or 問倒(ㄨㄣˋ ㄉㄠˇ)to be unable to answer a question asked
問世 (ㄨㄣˋ ㄕˋ) (said of a new book) to come out
問罪(ㄨㄣˋ ㄗㄨㄟˋ)to call a person to account
問安(ㄨㄣˋ ㄢ)to send greetings

啊 657
1. ㄚ ā
an exclamatory particle
啊唷(ㄚ ˙ㄧㄛ)"ayo" (the sound uttered when suddenly get hurt)

啊 657
2. ˙ㄚ a
a phrase-final particle

啤 658
ㄆㄧˊ pí
a character used in transliterating
啤酒(ㄆㄧˊ ㄐㄧㄡˇ)beer

啐 659
1. ㄘㄨㄟˋ cuì
1. to taste; to sip 2. to spit

啐 659
2. ˙ㄑ(ㄧ) q(i)
Fie! (an interjection expressing contempt)

〔口部〕

〔口部〕

啓 660 (啟) ㄑㄧˇ qǐ
1. to open 2. to begin; to start 3. to explain 4. to inform; to state 5. a letter
啓蒙(ㄑㄧˇ ㄇㄥˊ) ①to enlighten ②a primer
啓發(ㄑㄧˇ ㄈㄚ) or 啓迪(ㄑㄧˇ ㄉㄧˊ) to prompt mental development
啓動(ㄑㄧˇ ㄉㄨㄥˋ) to start (a machine, etc.)
啓動程式(ㄑㄧˇ ㄉㄨㄥˋ ㄔㄥˊ ㄕˋ) (computer) a boot
啓航(ㄑㄧˇ ㄏㄤˊ) to set sail
啓程(ㄑㄧˇ ㄔㄥˊ) to start on a journey
啓齒(ㄑㄧˇ ㄔˇ) to open the mouth to say something
啓事(ㄑㄧˇ ㄕˋ) a notice
啓示(ㄑㄧˇ ㄕˋ) revelation
啓用(ㄑㄧˇ ㄩㄥˋ) to start using

啖 661 (噉) ㄉㄢˋ dàn
1. (a literary expression) to eat 2. to feed

啣 662 (銜) ㄒㄧㄢˊ xián
1. a bridle 2. to hold in the mouth 3. to harbor

唷 663 ㄧㄛ yō
an exclamation expressing surprise or pain

啦 664 ·ㄌㄚ la
a phrase-final particle
啦啦隊(ㄌㄚ ·ㄌㄚ ㄉㄨㄟˋ) a cheer squad
啦啦隊長(ㄌㄚ ·ㄌㄚ ㄉㄨㄟˋ ㄓㄤˇ) a cheerleader

啞 665 ㄧㄚˇ yǎ
1. dumb; mute 2. hoarse; husky 3. a phrase-final particle
啞巴(ㄧㄚˇ ·ㄅㄚ) (a) deaf-mute (person)
啞謎(ㄧㄚˇ ㄇㄧˊ) a riddle
啞鈴(ㄧㄚˇ ㄌㄧㄥˊ) a dumbbell
啞口無言(ㄧㄚˇ ㄎㄡˇ ㄨˊ ㄧㄢˊ) to be speechless

啃 666 ㄎㄣˇ kěn
to bite; to gnaw; to nibble

唬 667 ㄏㄨˇ hǔ
1. to intimidate; to scare 2. the roar of a tiger
唬人(ㄏㄨˇ ㄖㄣˊ) to intimidate people; to bluff

唪 668 ㄈㄥˇ fěng
to chant; to recite

唸 669 (念) ㄋㄧㄢˋ niàn
to read; to chant; to recite
唸唸有詞(ㄋㄧㄢˋ ㄋㄧㄢˋ ㄧㄡˇ ㄘˊ) to mumble to oneself

啥 670 ㄕㄚˊ shá
what

啜 671 ㄔㄨㄛˋ chuò
1. to drink; to sip 2. to cry in a subdued manner; to sob
啜泣(ㄔㄨㄛˋ ㄑㄧˋ) to sob

九畫

啻 672 ㄔˋ chì
1. only; merely 2. as in 不啻—tantamount

啼 673 ㄊㄧˊ tí
(especially said of birds) to crow; to cry
啼叫(ㄊㄧˊ ㄐㄧㄠˋ) to scream; to screech
啼笑皆非(ㄊㄧˊ ㄒㄧㄠˋ ㄐㄧㄝ ㄈㄟ) unable to cry or laugh

啾 674 ㄐㄧㄡ jiū
1. the chirps of birds or insects 2. the wailing of infants
啾啾(ㄐㄧㄡ ㄐㄧㄡ) the chirps of insects

喀 675 ㄎㄚˋ kà
a character used for transliterating
喀嚓(ㄎㄚˋ ㄔㄚ) to crack; to snap

喁 676 ㄩㄥˊ yóng
harmony or unison of sounds

喂 677 ㄨㄟˋ wèi
hallo; please; if you please; I say

喃 678 ㄋㄢˊ nán
1. the cries of a swallow 2. to murmur; to mumble; to mutter
喃喃自語(ㄋㄢˊ ㄋㄢˊ ㄗˋ ㄩˇ) to murmur to oneself

善 679 ㄕㄢˋ shàn
1. good; virtuous; goodness; virtue; good deeds; benevolent actions 2. to be good at; to be skilled in 3. to perfect; to make a success of 4. to remedy; to relieve 5. properly
善變(ㄕㄢˋ ㄅㄧㄢˋ) changeable; fickle
善待(ㄕㄢˋ ㄉㄞˋ) to treat well
善良(ㄕㄢˋ ㄌㄧㄤˊ) good; kindhearted
善後(ㄕㄢˋ ㄏㄡˋ) rehabilitation
善舉(ㄕㄢˋ ㄐㄩˇ) a good deed
善心(ㄕㄢˋ ㄒㄧㄣ) kindness
善事(ㄕㄢˋ ㄕˋ) good deeds
善惡(ㄕㄢˋ ㄜˋ) good and evil
善意(ㄕㄢˋ ㄧˋ) good or kindly intentions
善於(ㄕㄢˋ ㄩˊ) good at; skilled in

嗖 680 ㄙㄡ sōu
1. the laughing expression 2. the

sound one makes to drive away birds 3. to whiz

喇 681
1. ㄌㄚˇ lǎ
1. a horn; a trumpet; a bugle 2. a lama 3. a character used in transliteration
喇叭(ㄌㄚˇ ·ㄅㄚ)①a horn; a trumpet; a bugle ② a loudspeaker
喇叭褲 (ㄌㄚˇ ·ㄅㄚ ㄎㄨˋ) bell-shaped pants
喇嘛 (ㄌㄚˇ ·ㄇㄚ) a lama (a priest of Lamaism)
喇嘛教(ㄌㄚˇ ·ㄇㄚ ㄐㄧㄠˋ)Lamaism

喇 681
2. ㄌㄚ lā
a character used for its sound

喈 682
ㄐㄧㄝ jiē
harmonious sounds

喉 683
ㄏㄡˊ hóu
the throat; the gullet; guttural
喉頭(ㄏㄡˊ ㄊㄡˊ)the larynx
喉痛(ㄏㄡˊ ㄊㄨㄥˋ)a sore throat
喉嚨(ㄏㄡˊ ㄌㄨㄥˊ)the throat; the gullet
喉結(ㄏㄡˊ ㄐㄧㄝˊ)Adam's apple

喊 684
ㄏㄢˇ hǎn
1.to shout; to scream; to cry a loud call or cry 2.to call
喊叫(ㄏㄢˇ ㄐㄧㄠˋ)to shout, scream, or cry loudly
喊冤(ㄏㄢˇ ㄩㄢ)to demand justice loudly

喋 685
ㄉㄧㄝˊ dié
to nag; to chatter; to prattle; to babble; to be very talkative; to rattle
喋喋不休(ㄉㄧㄝˊ ㄉㄧㄝˊ ㄅㄨˋ ㄒㄧㄡ)to keep talking; to cackle
喋血(ㄉㄧㄝˊ ㄒㄩㄝˋ)bloodshed

喏 686
1. ㄖㄜˇ rě
an address or greeting of respect when meeting a superior, etc.

喏 686
2. ㄋㄨㄛˋ nuò
a word used to attract other's attention

喑 687
ㄧㄣ yīn
1. to lose one's voice—dumb or mute 2. to keep silent—to say nothing
喑啞(ㄧㄣ ㄧㄚˇ)dumb; mute

喔 688
1. ㄨㄛˋ wò
the crowing of a cock; the cackling of fowls

喔 688
2. ㄛ ō
an exclamation

喘 689
ㄔㄨㄢˇ chuǎn
1. to pant; to gasp; to breathe hard 2.(pathology) asthma
喘氣(ㄔㄨㄢˇ ㄑㄧˋ)to pant; to gasp
喘息(ㄔㄨㄢˇ ㄒㄧˊ)①to take a rest ②to pant

喙 690
ㄏㄨㄟˋ huì
1. a beak; a bill; a snout 2. a mouth

喚 691
ㄏㄨㄢˋ huàn
1. to call 2. to summon 3. to arouse
喚起(ㄏㄨㄢˋ ㄑㄧˇ)①to arouse to action ②to call; to evoke
喚醒(ㄏㄨㄢˋ ㄒㄧㄥˇ) to arouse; to awaken

喜 692
ㄒㄧˇ xǐ
1. a joyful thing; a happy event 2. joy 3. to like; to love; to be fond of 4. joyful; happy; delightful; pleasant
喜帖(ㄒㄧˇ ㄊㄧㄝˇ)a wedding invitation
喜怒哀樂(ㄒㄧˇ ㄋㄨˋ ㄞ ㄌㄜˋ)the feelings of joy, anger, sorrow and delight
喜好(ㄒㄧˇ ㄏㄠˋ)to be fond of
喜歡 (ㄒㄧˇ ㄏㄨㄢ) to like; to be fond of
喜酒(ㄒㄧˇ ㄐㄧㄡˇ)a wedding feast
喜劇(ㄒㄧˇ ㄐㄩˋ)a comedy
喜氣洋洋(ㄒㄧˇ ㄑㄧˋ ㄧㄤˊ ㄧㄤˊ)a joyful atmosphere
喜鵲(ㄒㄧˇ ㄑㄩㄝˋ)the magpie
喜新厭舊(ㄒㄧˇ ㄒㄧㄣ ㄧㄢˋ ㄐㄧㄡˋ)to like the new and dislike the old
喜愛(ㄒㄧˇ ㄞˋ)to like; to love
喜悅(ㄒㄧˇ ㄩㄝˋ)joy; delight

喝 693
1. ㄏㄜ hē
to drink
喝酒(ㄏㄜ ㄐㄧㄡˇ)to drink (alcoholic beverages)
喝醉(ㄏㄜ ㄗㄨㄟˋ)to get drunk

喝 693
2. ㄏㄜˋ hè
to shout; to call out aloud
喝倒彩(ㄏㄜˋ ㄉㄠˋ ㄘㄞˇ)to make catcalls; to hoot; to hiss
喝彩(ㄏㄜˋ ㄘㄞˇ)to shout "Bravo!"; to applaud

喞 694
(唧) ㄐㄧˊ jí
(又讀 ㄐㄧ jī)
1.a pump 2.the buzzing sound 3. to squirt
喞筒(ㄐㄧˊ ㄊㄨㄥˇ)a pump

喟 695
ㄎㄨㄟˋ kuì
to sigh heavily

喧 696
ㄒㄩㄢ xuān
1. to talk noisily; to clamor 2. noise; hubbub; uproar; noisy
喧賓奪主(ㄒㄩㄢ ㄅㄧㄣ ㄉㄨㄛˊ ㄓㄨˇ)to

〔口部〕

act like a boss where one does not belong
喧鬧(ㄒㄩㄢ ㄋㄠˋ)noise from a crowd
喧嘩(ㄒㄩㄢ ㄏㄨㄚˊ)noise; uproar
喧囂(ㄒㄩㄢ ㄒㄧㄠ)noise; din; uproar

〔口部〕

喨 697
ㄌㄧㄤˋ liàng
a clear, resonant sound

喻 698
ㄩˋ yù
1. to liken; to compare; to use a figure of speech; an illustration; a parable 2. to know; to be acquainted with 3. to explain; to make clear

喪 699
1. ㄙㄤ sāng
1. death; dying 2. to mourn 3. funeral
喪禮(ㄙㄤ ㄌㄧˇ)funeral rites
喪事(ㄙㄤ ㄕˋ)funeral affairs

喪 699
2. ㄙㄤˋ sàng
1. to lose; to be deprived of 2. to be defeated 3. to decline; to go down
喪命(ㄙㄤˋ ㄇㄧㄥˋ)to die
喪盡天良(ㄙㄤˋ ㄐㄧㄣˋ ㄊㄧㄢ ㄌㄧㄤˊ) to have no conscience
喪氣(ㄙㄤˋ ㄑㄧˋ)dejected; discouraged
喪心病狂(ㄙㄤˋ ㄒㄧㄣ ㄅㄧㄥˋ ㄎㄨㄤˊ) out of one's right mind
喪失(ㄙㄤˋ ㄕ)to lose; to be deprived of
喪身(ㄙㄤˋ ㄕㄣ)to lose one's life

喬 700
ㄑㄧㄠˊ qiáo
1. tall 2. to disguise; to pretend
喬遷之喜(ㄑㄧㄠˊ ㄑㄧㄢ ㄓ ㄒㄧˇ)(an expression used in congratulation) Best wishes for your new home.
喬裝(ㄑㄧㄠˊ ㄓㄨㄤ)to disguise oneself

單 701
1. ㄉㄢ dān
1. single; individual 2. alone; only 3. simple 4. of an odd number 5. a slip of paper 6. a list
單薄(ㄉㄢ ㄅㄛˊ)weak; feeble; flimsy
單打(ㄉㄢ ㄉㄚˇ)(sports) singles
單單(ㄉㄢ ㄉㄢ)alone; only
單調(ㄉㄢ ㄉㄧㄠˋ)dull; monotonous
單獨(ㄉㄢ ㄉㄨˊ)independent; alone
單戀(ㄉㄢ ㄌㄧㄢˋ)one-sided love
單號(ㄉㄢ ㄏㄠˋ)odd numbers
單價(ㄉㄢ ㄐㄧㄚˋ)a unit price
單據(ㄉㄢ ㄐㄩˋ)a receipt
單親家庭(ㄉㄢ ㄑㄧㄣ ㄐㄧㄚ ㄊㄧㄥˊ) a one-parent family
單槍匹馬(ㄉㄢ ㄑㄧㄤ ㄆㄧˇ ㄇㄚˇ)to do something unaided
單相思(ㄉㄢ ㄒㄧㄤ ㄙ)one-sided love
單向(ㄉㄢ ㄒㄧㄤˋ)one-way; unidirectional
單行本(ㄉㄢ ㄒㄧㄥˊ ㄅㄣˇ) a separate volume
單行道(ㄉㄢ ㄒㄧㄥˊ ㄉㄠˋ) a one-way road
單車(ㄉㄢ ㄔㄜ)bicycles
單程票(ㄉㄢ ㄔㄥˊ ㄆㄧㄠˋ)a one-way ticket
單純(ㄉㄢ ㄔㄨㄣˊ) ①simple; plain ②artless
單身(ㄉㄢ ㄕㄣ)① alone ② single
單身漢(ㄉㄢ ㄕㄣ ㄏㄢˋ)a bachelor
單身宿舍(ㄉㄢ ㄕㄣ ㄙㄨˋ ㄕㄜˋ)quarters for single men or women
單數(ㄉㄢ ㄕㄨˋ)(grammar) singular
單人房(ㄉㄢ ㄖㄣˊ ㄈㄤˊ)a single-bed room (in a hotel)
單人牀(ㄉㄢ ㄖㄣˊ ㄔㄨㄤˊ)a single bed
單字(ㄉㄢ ㄗˋ)a single character
單子(ㄉㄢ ·ㄗ)a list; a bill; a form
單一(ㄉㄢ ㄧ)single; unitary
單音節(ㄉㄢ ㄧㄣ ㄐㄧㄝˊ) monosyllabic
單位(ㄉㄢ ㄨㄟˋ)a unit (in measurement)
單元(ㄉㄢ ㄩㄢˊ) a unit
單元劇(ㄉㄢ ㄩㄢˊ ㄐㄩˋ)a single-episode drama

單 701
2. ㄕㄢˋ shàn
a Chinese family name

單 701
3. ㄔㄢˊ chán
the chief of the Huns (a common term during the Han Dynasty)

喳 702
ㄔㄚ chā
the sound of chattering

十畫

嗄 703
1. ㄕㄚˋ shà
(said of voice) hoarse

嗄 703
2. ㄚˊ á
(interjection) What!

嗅 704
ㄒㄧㄡˋ xiù
to smell; to scent; to sniff
嗅覺(ㄒㄧㄡˋ ㄐㄩㄝˊ) the sense of smell

嗆 705
1. ㄑㄧㄤ qiāng
1. to peck 2. stupid; foolish

嗆 705
2. ㄑㄧㄤˋ qiàng
1. to cough because of a temporary blockade of the nasal passage 2. (said of smoke, smell, etc.) to irritate the throat or nose; to suffocate

嗇 706
ㄙㄜˋ sè
stingy; parsimonious; miserly

嗉 707 ㄙㄨˋ sù
the crop (of a bird)

嗩 708 ㄙㄨㄛˇ suǒ
as in 嗩吶—a trumpet-like wind instrument

嗎 709 1. ㄇㄚˇ mǎ
a character used in transliterating
嗎啡(ㄇㄚˇ ㄈㄟ)morphine

嗎 709 2. •ㄇㄚ ma
a phrase-final particle used in questions

嗒 710 ㄊㄚˋ tà
depressed; dejected; despondent; in low spirits

嗓 711 ㄙㄤˇ sǎng
1. the throat (as the source of one's voice) 2. one's voice
嗓門兒(ㄙㄤˇ.ㄇㄜˊㄦ)one's voice
嗓子 (ㄙㄤˇ •ㄗ) ①the throat ②one's voice

嗔 712 ㄔㄣ chēn
1. to be angry; to take offense; to fly into a temper 2. to be annoyed with
嗔怒(ㄔㄣ ㄋㄨˋ)to get angry

嗚 713 ㄨ wū
1. to weep; to sob 2. to toot; to hoot; to zoom 3. Alas!
嗚呼(ㄨ ㄏㄨ)① Alas! ② to die
嗚呼哀哉(ㄨ ㄏㄨ ㄞ ㄗㄞ)(usually used in lamenting someone's death)What a tragedy!
嗚咽(ㄨ ㄧㄝˋ)sobs; to sob; to weep

嗜 714 ㄕˋ shì
to delight in; to be fond of; to relish; to like
嗜好(ㄕˋ ㄏㄠˋ)one's liking or hobby
嗜酒 (ㄕˋ ㄐㄧㄡˇ) to be addicted to drinking

嗝 715 ㄍㄜˊ gé
to hiccup or hiccough; a belch

嗯 716 1. ㄣˊ én
the nasal sound used to express doubt

嗯 716 2. ㄣˇ ěn
the nasal sound used when one is surprised or indifferent

嗯 716 3. ㄣˋ èn
the nasal sound used when one makes a response or promise

嗟 717 ㄐㄧㄝ jiē
an exclamation expressing grief or regret
嗟歎(ㄐㄧㄝ ㄊㄢˋ) to sigh with grief or regret

嗣 718 ㄙˋ sì
1. to inherit; to succeed to 2. a descendant 3. to continue; to follow
嗣後(ㄙˋ ㄏㄡˋ)thereafter; thenceforth
嗣位(ㄙˋ ㄨㄟˋ)to succeed to the throne

嗤 719 ㄔ chī
to laugh or chuckle sneeringly
嗤之以鼻(ㄔ ㄓ ㄧˇ ㄅㄧˊ)to pooh-pooh

嗡 720 ㄨㄥ wēng
the hum or buzz of insects

嗑 721 ㄎㄜˋ kè
to crack something between the teeth

十一畫

嗷 722 (嗸) ㄠˊ áo
a cry of hunger
嗷嗷待哺(ㄠˊ ㄠˊ ㄉㄞˋ ㄅㄨˇ)crying with hunger; to cry piteously for food

嗶 723 ㄅㄧˋ bì
a character used in transliterating

嗽 724 ㄙㄡˋ sòu
to cough; to clear the throat

嗾 725 ㄙㄡˇ sǒu
1. to give vocal signals to a dog 2. to instigate
嗾使(ㄙㄡˇ ㄕˇ)to instigate; to incite

嘅 726 (嘅) ㄎㄞˇ kǎi
the sound of sighing

嘈 727 ㄘㄠˊ cáo
noisy; clamorous
嘈雜(ㄘㄠˊ ㄗㄚˊ)noisy and confused

嘉 728 ㄐㄧㄚ jiā
1. to praise; to commend; to admire 2. good; fine; excellent
嘉賓(ㄐㄧㄚ ㄅㄧㄣ)an honored guest
嘉勉(ㄐㄧㄚ ㄇㄧㄢˇ)to praise and encourage
嘉年華會 (ㄐㄧㄚ ㄋㄧㄢˊ ㄏㄨㄚˊ ㄏㄨㄟˋ) a carnival
嘉獎 (ㄐㄧㄚ ㄐㄧㄤˇ) to commend or praise

嘍 729 1. ㄌㄡˊ lóu
as in 嘍囉—a bandit's lackey or follower

嘍 729 2. •ㄌㄡ lou
a phrase-final particle

〔口部〕

〔口部〕

嘏 730
ㄍㄨˇ gǔ
felicity; blessings; happiness; prosperity

嘔 731
1. ㄡˇ ǒu
to vomit; to throw up
嘔吐(ㄡˇ ㄊㄨˋ) to vomit; to throw up; to disgorge
嘔心瀝血(ㄡˇ ㄒㄧㄣ ㄌㄧˋ ㄒㄩㄝˋ) to take infinite pains

嘔 731
2. ㄡˋ òu
to annoy on purpose
嘔氣(ㄡˋ ㄑㄧˋ) to be angry but refrain from showing it

嘖 732
ㄗㄜˊ zé
1. an interjection of approval or admiration 2. to argue; to dispute

嘗 733
ㄔㄤˊ cháng
1. to taste 2. to try 3. to experience
嘗嘗(ㄔㄤˊ ˙ㄔㄤ) to taste; to have a taste
嘗試(ㄔㄤˊ ㄕˋ) to try; a try

十二畫

嘩 734
1. ㄏㄨㄚ huā
an onomatopoeia, such gurgle, clang, crack, etc.

嘩 734
2. ㄏㄨㄚˊ huá
same as 譁—tumult; hubbub
嘩衆取寵(ㄏㄨㄚˊ ㄓㄨㄥˋ ㄑㄩˇ ㄔㄨㄥˇ) to try to please the public with claptrap
嘩然(ㄏㄨㄚˊ ㄖㄢˊ) in an uproar

噓 735
ㄒㄩ xū
1. to warm with exhaled air 2. to speak well of (another) 3. a deep sigh 4. to hiss; to boo
噓寒問暖(ㄒㄩ ㄏㄢˊ ㄨㄣˋ ㄋㄨㄢˇ) to show a kind concern for another's comfort
噓聲四起(ㄒㄩ ㄕㄥ ㄙˋ ㄑㄧˇ) to resound with catcalls

嘮 736
ㄌㄠˊ láo
loquacious; garrulous; voluble
嘮叨(ㄌㄠˊ ˙ㄉㄠ) to nag; to din

嘯 737
ㄒㄧㄠˋ xiào
1. to whistle 2. to howl; to roar

嘰 738
ㄐㄧ jī
1. to talk indistinctly in a low voice 2. to chirp
嘰咕(ㄐㄧ ˙ㄍㄨ) to grumble

嘲 739
ㄔㄠˊ cháo
to ridicule; to sneer; to mock; to deride
嘲諷(ㄔㄠˊ ㄈㄥˋ) to sneer at; to taunt
嘲弄(ㄔㄠˊ ㄋㄨㄥˋ) to mock
嘲笑(ㄔㄠˊ ㄒㄧㄠˋ) to laugh at; to jeer at

嘴 740
ㄗㄨㄟˇ zuǐ
1. the mouth; the bill or beak (of a bird); the snout (of a pig, etc.) 2. a nozzle
嘴巴(ㄗㄨㄟˇ ˙ㄅㄚ) the mouth
嘴甜(ㄗㄨㄟˇ ㄊㄧㄢˊ) honeymouthed
嘴饞(ㄗㄨㄟˇ ㄔㄢˊ) inclined to eat greedily
嘴唇(ㄗㄨㄟˇ ㄔㄨㄣˊ) the lips
嘴硬(ㄗㄨㄟˇ ㄧㄥˋ) to refuse to admit a mistake

嘶 741
ㄙ sī
1. the neighing of a horse 2. (said of voice) hoarse

嗥 742
ㄏㄠˊ háo
to howl; to yelp; the frantic barks or howls of dogs or wolves

嘹 743
ㄌㄧㄠˊ liáo
(said of voice) resonant
嘹喨(ㄌㄧㄠˊ ㄌㄧㄤˋ) loud and clear; resonant

嘻 744
ㄒㄧ xī
1. (in literary text) an interjection of grief or surprise 2. laughing happily
嘻皮笑臉(ㄒㄧ ㄆㄧˊ ㄒㄧㄠˋ ㄌㄧㄢˇ) laughing in a frolicsome manner
嘻嘻哈哈(ㄒㄧ ㄒㄧ ㄏㄚ ㄏㄚ) laughing and talking happily
嘻笑(ㄒㄧ ㄒㄧㄠˋ) to giggle; to titter

嘸 745
ㄨˇ wǔ
1. an expletive 2. (in Soochow and Shanghai dialect) same as 無

噎 746
ㄧㄝ yē
1. to be choked with food 2. to choke off

嘿 747
1. ㄏㄟ hēi
an interjection

嘿 747
2. (默) ㄇㄛˋ mò
1. speechless; silent 2. quiet; still

噍 748
1. ㄐㄧㄠˋ jiào
to chew; to munch; to nibble

噍 748
2. ㄐㄧㄠ jiāo
(said of voice) high and unpleasant

噍 748
3. ㄐㄧㄡ jiū
(said of birds) chirping

嘬 749
ㄔㄨㄞˋ chuài
(語音 ㄗㄨㄛ zuō)
1. to bite 2. to gobble up

十三畫

嘌 750
ㄐㄧㄣˋ jìn
to keep the mouth shut; to shut up
嘌若寒蟬(ㄐㄧㄣˋ ㄖㄨㄛˋ ㄏㄢˊ ㄔㄢˊ) to say or reveal nothing (especially out of fear)

器 751
ㄑㄧˋ qì
1. an instrument; a utensil; a tool 2. magnanimity 3. talent; ability 4. to think highly of (a person)
器皿(ㄑㄧˋ ㄇㄧㄣˇ) food containers
器量(ㄑㄧˋ ㄌㄧㄤˋ) the capacity for magnanimity
器官(ㄑㄧˋ ㄍㄨㄢ) the apparatus; the organs
器具(ㄑㄧˋ ㄐㄩˋ) tools; instruments
器械(ㄑㄧˋ ㄒㄧㄝˋ) a machine
器重(ㄑㄧˋ ㄓㄨㄥˋ) to have a high opinion of (a person)
器材(ㄑㄧˋ ㄘㄞˊ) supplies
器宇軒昂(ㄑㄧˋ ㄩˇ ㄒㄩㄢ ㄤˊ) of dignified bearing

噩 752
ㄜˋ è
1. startling; awesome; dreadful; alarming 2. grave; serious
噩夢(ㄜˋ ㄇㄥˋ) a nightmare
噩耗(ㄜˋ ㄏㄠˋ) shocking news (usually news of a person's death)

噪 753
ㄗㄠˋ zào
1. to be noisy 2. (said of birds, insects, etc.) to chirp
噪音(ㄗㄠˋ ㄧㄣ) unpleasant noise; din

噫 754
ㄧ yī
an interjection of sorrow or regret

噬 755
ㄕˋ shì
to bite; to snap at; to gnaw

噱 756
1. ㄐㄩㄝˊ jué
loud laughter

噱 756
2. ㄒㄩㄝ xuē
噱頭(ㄒㄩㄝ ㄊㄡˊ) (Shanghai dialect) a promotional gimmick

噸 757
ㄉㄨㄣˋ dùn
ton (a unit of weight)
噸位(ㄉㄨㄣˋ ㄨㄟˋ) tonnage (of a ship)

噷 758
ㄏm hm̄
(an interjection) H'm!

噯 759
1. ㄞ āi
an interjection

噯 759
2. ㄞˇ ǎi
噯氣(ㄞˇ ㄑㄧˋ) (medicine) belch; eructation

噹 760
ㄉㄤ dāng
a loud, resonant metallic sound

噴 761
1. ㄆㄣ pēn
1. to spurt; to gush 2. to spray; to sprinkle
噴飯(ㄆㄣ ㄈㄢˋ) to burst out laughing
噴嚏(ㄆㄣ ·ㄊㄧ) sneezing; a sneeze
噴漆(ㄆㄣ ㄑㄧ) to spray lacquer
噴泉(ㄆㄣ ㄑㄩㄢˊ) a fountain
噴射機(ㄆㄣ ㄕㄜˋ ㄐㄧ) a jet airplane
噴水池(ㄆㄣ ㄕㄨㄟˇ ㄔˊ) a fountain
噴洒(ㄆㄣ ㄙㄚˇ) to spray; to sprinkle
噴霧器(ㄆㄣ ㄨˋ ㄑㄧˋ) a spray gun; an atomizer

噴 761
2. ㄈㄣˋ fèn
參看「嚏噴」

十四畫

嚎 762
ㄏㄠˊ háo
to cry loudly; to howl; to wail
嚎啕大哭(ㄏㄠˊ ㄊㄠˊ ㄉㄚˋ ㄎㄨ) to cry loudly with abandon

嚅 763
ㄖㄨˊ rú
to talk indistinctly and falteringly

嚆 764
ㄏㄠ hāo
to cry; to yell

嚀 765
ㄋㄧㄥˊ níng
to enjoin; to instruct

嚇 766
1. ㄏㄜˋ hè
1. to intimidate; to threaten 2. the sound of laughter
嚇阻(ㄏㄜˋ ㄗㄨˇ) to stop (someone) by threat

嚇 766
2. ㄒㄧㄚˋ xià
to frighten; to startle; to scare
嚇唬(ㄒㄧㄚˋ ·ㄏㄨ) to scare; to frighten
嚇人(ㄒㄧㄚˋ ㄖㄣˊ) ①to frighten people ②horrible

嚏 767
ㄊㄧˋ tì
sneezing; a sneeze
嚏噴(ㄊㄧˋ ·ㄈㄣ) sneezing; a sneeze

十五畫

嚕 768
ㄌㄨ lū
1. verbose; wordy 2. an indistinct speech sound
嚕囌(ㄌㄨ ㄙㄨ) verbosity

〔口部〕

〔口部〕

十六畫

嚮 769
ㄒㄧㄤˋ xiàng
1. to guide; to direct; to lead 2. to lean toward; to be inclined toward
嚮導(ㄒㄧㄤˋ ㄉㄠˇ)a guide
嚮往(ㄒㄧㄤˋ ㄨㄤˇ)to aspire; to long

嚥 770
ㄧㄢˋ yàn
to swallow
嚥氣(ㄧㄢˋ ㄑㄧˋ) to breathe one's last; to die

嚨 771
ㄌㄨㄥˊ lóng
the throat

十七畫

嚴 772
ㄧㄢˊ yán
1. stern; strict; severe; grim; inclement; rigorous; rigid; grave; solemn 2. reverence 3. tight 4. father
嚴辦(ㄧㄢˊ ㄅㄢˋ)to deal with severely
嚴密(ㄧㄢˊ ㄇㄧˋ)rigid; rigorous; strict
嚴明(ㄧㄢˊ ㄇㄧㄥˊ)strict and impartial
嚴防(ㄧㄢˊ ㄈㄤˊ)to guard carefully
嚴冬(ㄧㄢˊ ㄉㄨㄥ)severe winter
嚴厲(ㄧㄢˊ ㄌㄧˋ)strict; stern; severe
嚴格(ㄧㄢˊ ㄍㄜˊ)strict; stringent; rigid
嚴苛(ㄧㄢˊ ㄎㄜ)harsh
嚴謹(ㄧㄢˊ ㄐㄧㄣˇ)careful; cautious
嚴禁(ㄧㄢˊ ㄐㄧㄣˋ)to prohibit strictly
嚴刑峻法 (ㄧㄢˊ ㄒㄧㄥˊ ㄐㄩㄣˋ ㄈㄚˇ) severe punishments under strict laws
嚴重(ㄧㄢˊ ㄓㄨㄥˋ)serious; severe; grave
嚴懲(ㄧㄢˊ ㄔㄥˊ)to punish severely
嚴師(ㄧㄢˊ ㄕ)a stern or strict teacher
嚴肅(ㄧㄢˊ ㄙㄨˋ)serious-looking; solemn

嚷 773
1. ㄖㄤˇ rǎng
to shout; to cry; to call out loudly
嚷叫(ㄖㄤˇ ㄐㄧㄠˋ)to bellow; to howl

嚷 773
2. ㄖㄤ rāng
嚷嚷(ㄖㄤ ·ㄖㄤ)to shout; to yell

十八畫

嚼 774
ㄐㄩㄝˊ jué
(語音 ㄐㄧㄠˊ jiáo)
to chew; to masticate; to munch

囀 775
ㄓㄨㄢˇ zhuǎn
1. to warble; to twitter; to chirp 2. pleasing to the ear

囁 776
ㄋㄧㄝˋ niè
to falter in speech

囂 777
ㄒㄧㄠ xiāo
1. noise; clamor 2. to be haughty or proud
囂張(ㄒㄧㄠ ㄓㄤ)haughty; bossy

十九畫

囈 778
ㄧˋ yì
to talk in sleep; somniloquy
囈語 (ㄧˋ ㄩˇ) to talk while asleep; somniloquy

囉 779
1. ㄌㄨㄛ luō
to chatter
囉 (哩 囉) 唆(ㄌㄨㄛ (ㄌㄧ ㄌㄨㄛ) ㄙㄨㄛ)vexingly verbose or wordy

囉 779
2. ㄌㄨㄛˊ luó
1. noisiness 2. a band of outlaws 3. used as slightly argumentative final particle

囊 780
ㄋㄤˊ náng
1. a bag; a sack; a purse 2. to put in a bag
囊括(ㄋㄤˊ ㄍㄨㄚ)to include
囊中物(ㄋㄤˊ ㄓㄨㄥ ㄨˋ) (figuratively) a thing very easy to get

二十一畫

囑 781
ㄓㄨˇ zhǔ
to ask another to do something; to instruct; to enjoin; to direct; to entrust; to charge or bid
囑咐(ㄓㄨˇ ㄈㄨˋ)to exhort; to instruct

囗部
ㄨㄟˊ wéi

二畫

囚 782
ㄑㄧㄡˊ qiú
1. a prisoner; a convict 2. to imprison
囚犯(ㄑㄧㄡˊ ㄈㄢˋ)a prisoner; a convict
囚禁(ㄑㄧㄡˊ ㄐㄧㄣˋ)to imprison; to jail

四 783
ㄙˋ sì
1. four; fourth 2. all around
四邊形(ㄙˋ ㄅㄧㄢ ㄒㄧㄥˊ)a quadrilateral, or tetragon
四平八穩(ㄙˋ ㄆㄧㄥˊ ㄅㄚ ㄨㄣˇ)completely stable and safe; dependable
四面八方(ㄙˋ ㄇㄧㄢˋ ㄅㄚ ㄈㄤ)on every side; on all sides
四分五裂(ㄙˋ ㄈㄣ ㄨˇ ㄌㄧㄝˋ)to fall to pieces

四通八達(ㄙˋ ㄊㄨㄥ ㄅㄚ ㄉㄚˊ) (said of a communication network) leading everywhere
四海(ㄙˋ ㄏㄞˇ)the world
四季(ㄙˋ ㄐㄧˋ)the four seasons
四脚朝天(ㄙˋ ㄐㄧㄠˇ ㄔㄠˊ ㄊㄧㄢ)to fall on one's back
四肢(ㄙˋ ㄓ)the four limbs
四周圍(ㄙˋ ㄓㄡ ㄨㄟˊ)all around
四處(ㄙˋ ㄔㄨˋ)everywhere; all around
四重奏(ㄙˋ ㄔㄨㄥˊ ㄗㄡˋ)quartet
四月(ㄙˋ ㄩㄝˋ)April

三畫

回 784 ㄏㄨㄟˊ huí

1. to return; to go back; to bring back; to turn back 2. to reply; to answer 3. to turn round 4. the number of times 5. a kind; a sort 6. chapters in a novel 7. of Mohammedanism; Moslems
回報(ㄏㄨㄟˊ ㄅㄠˋ)①to bring back a report ②to repay
回覆(ㄏㄨㄟˊ ㄈㄨˋ)to reply; to answer
回答(ㄏㄨㄟˊ ㄉㄚˊ)to reply; to answer
回電(ㄏㄨㄟˊ ㄉㄧㄢˋ)①a cable or telegram sent in reply ②to wire back
回頭(ㄏㄨㄟˊ ㄊㄡˊ)①to turn back ② after a while
回條(ㄏㄨㄟˊ ㄊㄧㄠˊ)a brief note in reply; a receipt
回娘家(ㄏㄨㄟˊ ㄋㄧㄤˊ ㄐㄧㄚ) (said of a woman) to visit the parental home
回來(ㄏㄨㄟˊ ·ㄌㄞ)to come back
回禮(ㄏㄨㄟˊ ㄌㄧˇ)①to return a salute ②to send a present in return
回祿之災(ㄏㄨㄟˊ ㄌㄨˋ ㄓ ㄗㄞ)a fire disaster
回顧(ㄏㄨㄟˊ ㄍㄨˋ)to look back
回歸(ㄏㄨㄟˊ ㄍㄨㄟ)to regress
回歸線(ㄏㄨㄟˊ ㄍㄨㄟ ㄒㄧㄢˋ)the tropic
回扣(ㄏㄨㄟˊ ㄎㄡˋ)a commission on regress
回合(ㄏㄨㄟˊ ㄏㄜˊ)a round
回航(ㄏㄨㄟˊ ㄏㄤˊ)to sail or fly back
回話(ㄏㄨㄟˊ ㄏㄨㄚˋ)a reply
回擊(ㄏㄨㄟˊ ㄐㄧˊ)to fight back
回教(ㄏㄨㄟˊ ㄐㄧㄠˋ) Mohammedanism
回教徒(ㄏㄨㄟˊ ㄐㄧㄠˋ ㄊㄨˊ)a Muslim
回絕(ㄏㄨㄟˊ ㄐㄩㄝˊ)to refuse
回去(ㄏㄨㄟˊ ㄑㄩˋ)①to go back ②to return
回心轉意(ㄏㄨㄟˊ ㄒㄧㄣ ㄓㄨㄢˇ ㄧˋ)①to repent ②to change one's mind
回信(ㄏㄨㄟˊ ㄒㄧㄣˋ) ①a letter in reply ②to write back
回響(ㄏㄨㄟˊ ㄒㄧㄤˇ) to reverberate; to ring; to echo
回想(ㄏㄨㄟˊ ㄒㄧㄤˇ)to recollect
回轉(ㄏㄨㄟˊ ㄓㄨㄢˇ)to turn round
回程(ㄏㄨㄟˊ ㄔㄥˊ)the return trip
回收(ㄏㄨㄟˊ ㄕㄡ)to retrieve
回升(ㄏㄨㄟˊ ㄕㄥ) to rise again (after a fall)
回聲(ㄏㄨㄟˊ ㄕㄥ) an echo; reverberation
回憶(ㄏㄨㄟˊ ㄧˋ)to recollect; to recall
回憶錄(ㄏㄨㄟˊ ㄧˋ ㄌㄨˋ)recollections
回郵(ㄏㄨㄟˊ ㄧㄡˊ)return mail
回音(ㄏㄨㄟˊ ㄧㄣ)①an echo ②a reply
回味(ㄏㄨㄟˊ ㄨㄟˋ)to ponder over

囟 785 ㄒㄧㄣˋ xìn

the top of the human head; the skull

因 786 ㄧㄣ yīn

1. cause; reason 2. for; because of 3. in accordance with; according to; on the basis of; in the light of 4. to follow (a practice, etc.); to carry on
因地制宜(ㄧㄣ ㄉㄧˋ ㄓˋ ㄧˊ)to take actions that suit local circumstances
因果(ㄧㄣ ㄍㄨㄛˇ) the chain of cause and effect
因襲(ㄧㄣ ㄒㄧˊ)to follow conventions and traditions
因小失大(ㄧㄣ ㄒㄧㄠˇ ㄕ ㄉㄚˋ)to try to save a little only to lose a lot
因此(ㄧㄣ ㄘˇ)therefore; hence
因材施教(ㄧㄣ ㄘㄞˊ ㄕ ㄐㄧㄠˋ) to teach according to the student's ability or aptitude
因素(ㄧㄣ ㄙㄨˋ)factors; elements
因而(ㄧㄣ ㄦˊ)therefore; and so
因爲(ㄧㄣ ㄨㄟˋ)because; since; as

四畫

困 787 ㄎㄨㄣˋ kùn

1. difficult; hard 2. poor 3. tired; weary; fatigued 4. to trouble; to worry; to harass; to be stranded
困頓(ㄎㄨㄣˋ ㄉㄨㄣˋ)in financial straits
困難(ㄎㄨㄣˋ ㄋㄢˊ)difficult; hard
困難重重(ㄎㄨㄣˋ ㄋㄢˊ ㄔㄨㄥˊ ㄔㄨㄥˊ) to be beset with difficulties
困苦(ㄎㄨㄣˋ ㄎㄨˇ)in great distress
困惑(ㄎㄨㄣˋ ㄏㄨㄛˋ)at a loss
困境(ㄎㄨㄣˋ ㄐㄧㄥˋ)straits
困窘(ㄎㄨㄣˋ ㄐㄩㄥˇ)embarrassment
困獸之鬪(ㄎㄨㄣˋ ㄕㄡˋ ㄓ ㄉㄡˋ)a desperate fight
困擾(ㄎㄨㄣˋ ㄖㄠˇ)to perplex; to puzzle

囤 788 ㄊㄨㄣˊ tún

to store up; to hoard; to stockpile
囤積(ㄊㄨㄣˊ ㄐㄧ)to corner

囪 789 ㄘㄨㄥ cōng

a chimney; a flue

囗部

囫 790 ㄏㄨˊ hú
entire; whole
囫圇(ㄏㄨˊ ㄌㄨㄣˊ)whole: 囫圇吞下 to swallow a thing whole
囫圇吞棗(ㄏㄨˊ ㄌㄨㄣˊ ㄊㄨㄣ ㄗㄠˇ)to accept a fact without understanding

五畫

囷 791 ㄐㄩㄣ jūn
a granary

囹 792 ㄌㄧㄥˊ líng
as in 囹圄—a prison; a jail

固 793 ㄍㄨˋ gù
1. stable; firm; sturdy; secure; solid 2. obstinate; stubborn 3. base; mean; ignorant 4. chronic: 固疾 a chronic disease 5. certainly; assuredly 6. indeed 7. admittedly; no doubt 8. to become solid; to solidify 9. to strengthen; to guard; to secure
固定(ㄍㄨˋ ㄉㄧㄥˋ)① to fix ② fixed
固態(ㄍㄨˋ ㄊㄞˋ)(physics) solid state
固體(ㄍㄨˋ ㄊㄧˇ)solid
固執(ㄍㄨˋ ㄓˊ)obstinate
固守(ㄍㄨˋ ㄕㄡˇ)to defend or guard firmly
固然(ㄍㄨˋ ㄖㄢˊ)no doubt; true
固有(ㄍㄨˋ ㄧㄡˇ) intrinsic; inherent
固有文化(ㄍㄨˋ ㄧㄡˇ ㄨㄣˊ ㄏㄨㄚˋ) traditional culture

六畫

囿 794 ㄧㄡˋ yòu
1. an enclosure for keeping animals; a garden 2. to confine; to enclose
囿於成見(ㄧㄡˋ ㄩˊ ㄔㄥˊ ㄐㄧㄢˋ) bound by prejudice; biased

七畫

圃 795 ㄆㄨˇ pǔ
1. a vegetable garden (or plot); a nursery; an orchard; a plantation 2. a gardener

圄 796 ㄩˇ yǔ
a prison; a jail

八畫

國 797 ㄍㄨㄛˊ guó
1. a country; a nation; a kingdom; a state 2. national; governmental 3. Chinese 4. a Chinese family name
國寶(ㄍㄨㄛˊ ㄅㄠˇ)a national treasure
國民(ㄍㄨㄛˊ ㄇㄧㄣˊ)a citizen; the people
國民兵(ㄍㄨㄛˊ ㄇㄧㄣˊ ㄅㄧㄥ)the militia; a militiaman
國民平均所得(ㄍㄨㄛˊ ㄇㄧㄣˊ ㄆㄧㄥˊ ㄐㄩㄣ ㄙㄨㄛˇ ㄉㄜˊ)per capita income
國民福利(ㄍㄨㄛˊ ㄇㄧㄣˊ ㄈㄨˊ ㄌㄧˋ) national welfare
國民黨(ㄍㄨㄛˊ ㄇㄧㄣˊ ㄉㄤˇ)Kuomintang (founded by Dr. Sun Yat-sen)
國民教育(ㄍㄨㄛˊ ㄇㄧㄣˊ ㄐㄧㄠˋ ㄩˋ) compulsory education
國民就業輔導中心(ㄍㄨㄛˊ ㄇㄧㄣˊ ㄐㄧㄡˋ ㄧㄝˋ ㄈㄨˇ ㄉㄠˇ ㄓㄨㄥ ㄒㄧㄣ) National Employment Service Center
國民學校(ㄍㄨㄛˊ ㄇㄧㄣˊ ㄒㄩㄝˊ ㄒㄧㄠˋ) a primary school
國民中學(ㄍㄨㄛˊ ㄇㄧㄣˊ ㄓㄨㄥ ㄒㄩㄝˊ) a junior high school
國民身分證(ㄍㄨㄛˊ ㄇㄧㄣˊ ㄕㄣ ㄈㄣˋ ㄓㄥˋ)an ID card
國民所得(ㄍㄨㄛˊ ㄇㄧㄣˊ ㄙㄨㄛˇ ㄉㄜˊ) national income
國民外交(ㄍㄨㄛˊ ㄇㄧㄣˊ ㄨㄞˋ ㄐㄧㄠ) people-to-people diplomacy
國防(ㄍㄨㄛˊ ㄈㄤˊ)national defense
國父(ㄍㄨㄛˊ ㄈㄨˋ)① the father of a nation ② Father of the Republic (Dr. Sun Yat-sen)
國定假日(ㄍㄨㄛˊ ㄉㄧㄥˋ ㄐㄧㄚˋ ㄖˋ) a national holiday
國都(ㄍㄨㄛˊ ㄉㄨ)the national capital
國土(ㄍㄨㄛˊ ㄊㄨˇ)territory of a nation
國內(ㄍㄨㄛˊ ㄋㄟˋ)inside the country
國內班機(ㄍㄨㄛˊ ㄋㄟˋ ㄅㄢ ㄐㄧ) a domestic flight
國立(ㄍㄨㄛˊ ㄌㄧˋ) (said of an institution) national
國曆(ㄍㄨㄛˊ ㄌㄧˋ)the national (i.e., solar) calendar
國歌(ㄍㄨㄛˊ ㄍㄜ)a national anthem
國庫(ㄍㄨㄛˊ ㄎㄨˋ)the national coffers
國花(ㄍㄨㄛˊ ㄏㄨㄚ)the national flower
國畫(ㄍㄨㄛˊ ㄏㄨㄚˋ)a Chinese painting
國貨(ㄍㄨㄛˊ ㄏㄨㄛˋ)native goods
國徽(ㄍㄨㄛˊ ㄏㄨㄟ) the national emblem
國會(ㄍㄨㄛˊ ㄏㄨㄟˋ) Parliament, the Diet, Congress, etc.
國籍(ㄍㄨㄛˊ ㄐㄧˊ)nationality
國際(ㄍㄨㄛˊ ㄐㄧˋ)international
國際班機(ㄍㄨㄛˊ ㄐㄧˋ ㄅㄢ ㄐㄧ)an international flight
國際貿易(ㄍㄨㄛˊ ㄐㄧˋ ㄇㄠˋ ㄧˋ) international trade
國際法(ㄍㄨㄛˊ ㄐㄧˋ ㄈㄚˇ) international law
國際地位(ㄍㄨㄛˊ ㄐㄧˋ ㄉㄧˋ ㄨㄟˋ)international status
國際電話(ㄍㄨㄛˊ ㄐㄧˋ ㄉㄧㄢˋ ㄏㄨㄚˋ) the overseas telephone
國際關係(ㄍㄨㄛˊ ㄐㄧˋ ㄍㄨㄢ ㄒㄧˋ) international relations

國際化(ㄍㄨㄛˊ ㄐㄧˋ ㄏㄨㄚˋ)internationalization
國際換日線 (ㄍㄨㄛˊ ㄐㄧˋ ㄏㄨㄢˋ ㄖˋ ㄒㄧㄢˋ)International Date Line
國際音標(ㄍㄨㄛˊ ㄐㄧˋ ㄧㄣ ㄅㄧㄠ)the International Phonetic Alphabet
國家(ㄍㄨㄛˊ ㄐㄧㄚ)a nation; a country
國家公園 (ㄍㄨㄛˊ ㄐㄧㄚ ㄍㄨㄥ ㄩㄢˊ) a national park
國家機密 (ㄍㄨㄛˊ ㄐㄧㄚ ㄐㄧ ㄇㄧˋ) state secrets
國界(ㄍㄨㄛˊ ㄐㄧㄝˋ)national boundary
國劇(ㄍㄨㄛˊ ㄐㄩˋ)Peking opera
國旗(ㄍㄨㄛˊ ㄑㄧˊ)the national flag
國慶日 (ㄍㄨㄛˊ ㄑㄧㄥˋ ㄖˋ) the National Day (of a country)
國產 (ㄍㄨㄛˊ ㄔㄢˇ) native or locally manufactured
國事 (ㄍㄨㄛˊ ㄕˋ) national (or state) affairs
國手 (ㄍㄨㄛˊ ㄕㄡˇ) (said of athletes, etc.) national representatives
國術 (ㄍㄨㄛˊ ㄕㄨˋ) Chinese martial arts
國粹(ㄍㄨㄛˊ ㄘㄨㄟˋ)unique cultural features of a nation
國有(ㄍㄨㄛˊ ㄧㄡˇ)state-owned
國宴(ㄍㄨㄛˊ ㄧㄢˋ)a state banquet
國營事業 (ㄍㄨㄛˊ ㄧㄥˊ ㄕˋ ㄧㄝˋ) a state-owned enterprise
國務會議 (ㄍㄨㄛˊ ㄨˋ ㄏㄨㄟˋ ㄧˋ) state conference
國外(ㄍㄨㄛˊ ㄨㄞˋ)external; abroad
國王(ㄍㄨㄛˊ ㄨㄤˊ)a king; a monarch
國語(ㄍㄨㄛˊ ㄩˇ)Mandarin
國樂(ㄍㄨㄛˊ ㄩㄝˋ)Chinese music
國運 (ㄍㄨㄛˊ ㄩㄣˋ) the destiny of the nation

圇 798
ㄌㄨㄣˊ lún
entire; whole

圈 799
1. ㄑㄩㄢ quān
1. a circle; a ring 2. with a return to the starting point; round 3. to circle 4. a circle—a number of persons bound together by having the same interests: 文化圈 literary circles
圈套 (ㄑㄩㄢ ㄊㄠˋ) a snare; a trap; a trick
圈子(ㄑㄩㄢ ˙ㄗ)a circle

圈 799
2. ㄐㄩㄢ juān
to encircle; to confine

圈 799
3. ㄐㄩㄢˋ juàn
an enclosure for keeping livestock

九畫

圍 800
ㄨㄟˊ wéi
1.as in 圍繞—to surround 2.surroundings 3.the circumference of a circle formed by a person's arms
圍捕(ㄨㄟˊ ㄅㄨˇ)to arrest (a criminal, etc.)by closing in on (him, etc.) from all sides
圍爐(ㄨㄟˊ ㄌㄨˊ)to sit and chat around the fireplace
圍攻(ㄨㄟˊ ㄍㄨㄥ)to besiege
圍剿(ㄨㄟˊ ㄐㄧㄠˇ)to attack (bandits or rebels) from all sides
圍巾(ㄨㄟˊ ㄐㄧㄣ)a scarf; a muffler
圍棋(ㄨㄟˊ ㄑㄧˊ)the "encirclement chess," known as *go* in Japan
圍牆(ㄨㄟˊ ㄑㄧㄤˊ)a fence
圍裙(ㄨㄟˊ ㄑㄩㄣˊ)an apron

十畫

園 801
ㄩㄢˊ yuán
1. a garden; a plantation 2. a public garden, park or recreation ground
園地(ㄩㄢˊ ㄉㄧˋ)a garden
園丁(ㄩㄢˊ ㄉㄧㄥ)a gardener
園主(ㄩㄢˊ ㄓㄨˇ)the owner of a garden
園藝(ㄩㄢˊ ㄧˋ)garden husbandry
園遊會 (ㄩㄢˊ ㄧㄡˊ ㄏㄨㄟˋ) a garden party

圓 802
ㄩㄢˊ yuán
1. round; circular 2. complete; to justify 3. satisfactory; tactful 4. a monetary unit 5. a circle
圓盤(ㄩㄢˊ ㄆㄢˊ)a disc
圓滿 (ㄩㄢˊ ㄇㄢˇ) ①satisfactory ②complete
圓通(ㄩㄢˊ ㄊㄨㄥ)flexible
圓規(ㄩㄢˊ ㄍㄨㄟ)a pair of compasses
圓滑(ㄩㄢˊ ㄏㄨㄚˊ)tactful; diplomatic
圓環 (ㄩㄢˊ ㄏㄨㄢˊ) a rotary; a traffic circle
圓寂(ㄩㄢˊ ㄐㄧˊ)to pass away
圓球(ㄩㄢˊ ㄑㄧㄡˊ)a ball; a globe
圓圈(ㄩㄢˊ ㄑㄩㄢ)a circle; a ring
圓心(ㄩㄢˊ ㄒㄧㄣ)the center of a circle
圓形 (ㄩㄢˊ ㄒㄧㄥˊ) round; spherical; circular
圓周率(ㄩㄢˊ ㄓㄡ ㄌㄩˋ)Ludolphian number (π)
圓柱(ㄩㄢˊ ㄓㄨˋ)a cylinder
圓桌(ㄩㄢˊ ㄓㄨㄛ)a round table
圓場(ㄩㄢˊ ㄔㄤˇ)to mediate
圓舞曲(ㄩㄢˊ ㄨˇ ㄑㄩˇ)waltz

十一畫

圖 803
ㄊㄨˊ tú
1. a picture; a map; a portrait 2. to seek; to pursue 3. to plan; to scheme 4. intention; purpose
圖飽私囊 (ㄊㄨˊ ㄅㄠˇ ㄙ ㄋㄤˊ) to try to enrich oneself
圖表 (ㄊㄨˊ ㄅㄧㄠˇ) charts, diagrams and tables
圖片(ㄊㄨˊ ㄆㄧㄢˋ)pictures; photographs

圖謀(ㄊㄨˊ ㄇㄡˊ)to plan; to conspire
圖釘(ㄊㄨˊ ㄉㄧㄥ)thumbtacks
圖例(ㄊㄨˊ ㄌㄧˋ)a brief explanation or key to an illustration, map, etc.
圖利(ㄊㄨˊ ㄌㄧˋ)to plan to make money
圖畫(ㄊㄨˊ ㄏㄨㄚˋ)a picture; a painting
圖解(ㄊㄨˊ ㄐㄧㄝˇ)illustrations
圖形(ㄊㄨˊ ㄒㄧㄥˊ)a sketch; a figure
圖章(ㄊㄨˊ ㄓㄤ)a seal
圖書(ㄊㄨˊ ㄕㄨ) maps, charts and books
圖書館(ㄊㄨˊ ㄕㄨ ㄍㄨㄢˇ)a library
圖書管理員(ㄊㄨˊ ㄕㄨ ㄍㄨㄢˇ ㄌㄧˇ ㄩㄢˊ)a librarian
圖書室(ㄊㄨˊ ㄕㄨ ㄕˋ)a reading room
圖案(ㄊㄨˊ ㄢˋ)(fine arts) patterns
圖樣(ㄊㄨˊ ㄧㄤˋ)a design

團 804 ㄊㄨㄢˊ tuán

1. a sphere; something shaped like a ball 2. a mass; a lump 3. a group; an organization 4. (infantry) a regiment, consisting of three battalions of foot soldiers 5. to unite

團隊精神(ㄊㄨㄢˊ ㄉㄨㄟˋ ㄐㄧㄥ ㄕㄣˊ) team spirit
團體(ㄊㄨㄢˊ ㄊㄧˇ) a group, party or mission
團體操(ㄊㄨㄢˊ ㄊㄧˇ ㄘㄠ) callisthenics done by a large group of people
團體賽(ㄊㄨㄢˊ ㄊㄧˇ ㄙㄞˋ) a team competition
團結(ㄊㄨㄢˊ ㄐㄧㄝˊ)union; to unify
團聚(ㄊㄨㄢˊ ㄐㄩˋ)a reunion
團長(ㄊㄨㄢˊ ㄓㄤˇ) a regiment commander
團員(ㄊㄨㄢˊ ㄩㄢˊ)a member
團圓(ㄊㄨㄢˊ ㄩㄢˊ)a union or reunion

土部
ㄊㄨˇ tǔ

土 805 ㄊㄨˇ tǔ

1. earth; soil 2. land; territory; domain 3. local; native; indigenous 4. unrefined; unenlightened 5. rustic; countrified 6. opium

土撥鼠(ㄊㄨˇ ㄅㄛ ㄕㄨˇ)a marmot
土包子(ㄊㄨˇ ㄅㄠ ˙ㄗ)a rustic person
土木工程(ㄊㄨˇ ㄇㄨˋ ㄍㄨㄥ ㄔㄥˊ)civil engineering
土匪(ㄊㄨˇ ㄈㄟˇ)bandits; brigands
土風舞(ㄊㄨˇ ㄈㄥ ㄨˇ)folk dance
土豆(ㄊㄨˇ ㄉㄡˋ)peanuts
土地(ㄊㄨˇ ㄉㄧˋ)land
土地改革(ㄊㄨˇ ㄉㄧˋ ㄍㄞˇ ㄍㄜˊ) land reform
土地公(ㄊㄨˇ ㄉㄧˋ ㄍㄨㄥ) the God of Earth
土地增值稅(ㄊㄨˇ ㄉㄧˋ ㄗㄥ ㄓˊ ㄕㄨㄟˋ) the land value increment tax
土堆(ㄊㄨˇ ㄉㄨㄟ)a mound
土頭土腦(ㄊㄨˇ ㄊㄡˊ ㄊㄨˇ ㄋㄠˇ) unsophisticated
土裏土氣(ㄊㄨˇ ˙ㄌㄧ ㄊㄨˇ ㄑㄧˋ) rustic; countrified
土星(ㄊㄨˇ ㄒㄧㄥ)the planet Saturn
土質(ㄊㄨˇ ㄓˊ)the nature of the soil
土著(ㄊㄨˇ ㄓㄨˋ)a native; an aborigine
土產(ㄊㄨˇ ㄔㄢˇ)local products
土壤(ㄊㄨˇ ㄖㄤˇ)soil
土葬(ㄊㄨˇ ㄗㄤˋ)a burial in the ground
土耳其(ㄊㄨˇ ㄦˇ ㄑㄧˊ)Turkey

三畫

在 806 ㄗㄞˋ zài

1. at; in; on; up to 2. to rest with; to consist in; to depend on 3. to be alive; living; to be present; to exist 4. used to indicate a progressive tense

在逃(ㄗㄞˋ ㄊㄠˊ) (said of a criminal) on the loose
在內(ㄗㄞˋ ㄋㄟˋ)including
在行(ㄗㄞˋ ㄏㄤˊ)professional
在乎(ㄗㄞˋ ㄏㄨ)to care; to mind
在即(ㄗㄞˋ ㄐㄧˊ)near at hand
在家(ㄗㄞˋ ㄐㄧㄚ)to be at home
在下(ㄗㄞˋ ㄒㄧㄚˋ)my humble self; I
在先(ㄗㄞˋ ㄒㄧㄢ)① before ② ahead
在學(ㄗㄞˋ ㄒㄩㄝˊ)to be at school
在職(ㄗㄞˋ ㄓˊ)on the job
在職訓練(ㄗㄞˋ ㄓˊ ㄒㄩㄣˋ ㄌㄧㄢˋ) in-service training
在場(ㄗㄞˋ ㄔㄤˇ)to be present
在世(ㄗㄞˋ ㄕˋ)alive; in this world
在座(ㄗㄞˋ ㄗㄨㄛˋ) to be present (at a gathering)
在此(ㄗㄞˋ ㄘˇ)here
在所不惜(ㄗㄞˋ ㄙㄨㄛˇ ㄅㄨˋ ㄒㄧˊ) regardless of the cost
在所難免(ㄗㄞˋ ㄙㄨㄛˇ ㄋㄢˊ ㄇㄧㄢˇ) inevitable
在意(ㄗㄞˋ ㄧˋ)to mind; to care about
在押(ㄗㄞˋ ㄧㄚ)being imprisoned
在野黨(ㄗㄞˋ ㄧㄝˇ ㄉㄤˇ)the opposition party
在位(ㄗㄞˋ ㄨㄟˋ)in the position
在於(ㄗㄞˋ ㄩˊ)to lie in

圬 807 ㄨ wū

1. a trowel used for plastering 2. to plaster

圭 808 ㄍㄨㄟ guī

a jade tablet with a square base and a pointed top used in official ceremonies in ancient China

圭臬(ㄍㄨㄟ ㄋㄧㄝˋ) a principle for one to look up to

圯 809
ㄧˊ yí
a bridge

地 810
ㄉㄧˋ dì
1. the earth 2. land; soil; ground 3. a region; a territory 4. a position; a place 5. an adjunct after a word (usually adjective) to form an adverbial phrase
地板(ㄉㄧˋ ㄅㄢˇ) a floor
地步(ㄉㄧˋ ㄅㄨˋ) a situation; a condition
地盤(ㄉㄧˋ ㄆㄢˊ) a place or territory occupied by force
地皮(ㄉㄧˋ ㄆㄧˊ) land estate; real estate
地平線(ㄉㄧˋ ㄆㄧㄥˊ ㄒㄧㄢˋ) the horizon
地面(ㄉㄧˋ ㄇㄧㄢˋ) the surface of the earth
地名(ㄉㄧˋ ㄇㄧㄥˊ) the name of a place
地方(ㄉㄧˋ ㄈㄤ) ①a place ②space ③ local
地方法院(ㄉㄧˋ ㄈㄤ ㄈㄚˇ ㄩㄢˋ) a district court
地方政府(ㄉㄧˋ ㄈㄤ ㄓㄥˋ ㄈㄨˇ) a local government
地方自治(ㄉㄧˋ ㄈㄤ ㄗˋ ㄓˋ) local self-government
地方色彩(ㄉㄧˋ ㄈㄤ ㄙㄜˋ ㄘㄞˇ) local color
地道(ㄉㄧˋ ㄉㄠˋ) a tunnel
地點(ㄉㄧˋ ㄉㄧㄢˇ) a site; a location
地洞(ㄉㄧˋ ㄉㄨㄥˋ) a hole in the ground
地攤(ㄉㄧˋ ㄊㄢ) a stall with goods displaying on the ground for sale
地毯(ㄉㄧˋ ㄊㄢˇ) a carpet or rug
地圖(ㄉㄧˋ ㄊㄨˊ) a map
地雷(ㄉㄧˋ ㄌㄟˊ) a land mine
地理(ㄉㄧˋ ㄌㄧˇ) geography
地理位置(ㄉㄧˋ ㄌㄧˇ ㄨㄟˋ ㄓˋ) a geographical position
地瓜(ㄉㄧˋ ㄍㄨㄚ) sweet potatoes
地殼(ㄉㄧˋ ㄎㄜˊ) the crust of the earth
地基(ㄉㄧˋ ㄐㄧ) the foundation of a building
地價(ㄉㄧˋ ㄐㄧㄚˋ) a land price
地窖(ㄉㄧˋ ㄐㄧㄠˋ) a cellar
地契(ㄉㄧˋ ㄑㄧˋ) a title deed for landholdings
地球(ㄉㄧˋ ㄑㄧㄡˊ) the earth; the globe
地球儀(ㄉㄧˋ ㄑㄧㄡˊ ㄧˊ) a terrestrial globe
地區(ㄉㄧˋ ㄑㄩ) an area
地下(ㄉㄧˋ ㄒㄧㄚˋ) underground
地下道(ㄉㄧˋ ㄒㄧㄚˋ ㄉㄠˋ) a tunnel; a subway
地下鐵(ㄉㄧˋ ㄒㄧㄚˋ ㄊㄧㄝˇ) the subway
地下停車場(ㄉㄧˋ ㄒㄧㄚˋ ㄊㄧㄥˊ ㄔㄜ ㄔㄤˇ) a subterranean parking lot
地下錢莊(ㄉㄧˋ ㄒㄧㄚˋ ㄑㄧㄢˊ ㄓㄨㄤ) illegal banks
地下室(ㄉㄧˋ ㄒㄧㄚˋ ㄕˋ) a basement
地下水(ㄉㄧˋ ㄒㄧㄚˋ ㄕㄨㄟˇ) ground water
地心吸力(ㄉㄧˋ ㄒㄧㄣ ㄒㄧ ㄌㄧˋ) gravity
地形(ㄉㄧˋ ㄒㄧㄥˊ) topography; terrain
地質(ㄉㄧˋ ㄓˊ) geology
地址(ㄉㄧˋ ㄓˇ) the address of a place
地震(ㄉㄧˋ ㄓㄣˋ) earthquakes; seism
地主(ㄉㄧˋ ㄓㄨˇ) ①a host ②a landowner
地中海(ㄉㄧˋ ㄓㄨㄥ ㄏㄞˇ) the Mediterranean Sea
地勢(ㄉㄧˋ ㄕˋ) topography; terrain
地熱(ㄉㄧˋ ㄖㄜˋ) subterranean heat
地租(ㄉㄧˋ ㄗㄨ) land rent
地層(ㄉㄧˋ ㄘㄥˊ) (geology) a stratum of earth
地位(ㄉㄧˋ ㄨㄟˋ) the ranking or position
地域(ㄉㄧˋ ㄩˋ) a district; a region
地獄(ㄉㄧˋ ㄩˋ) hell; Hades

四畫

坊 811
ㄈㄤ fāng
1. a community; a neighborhood; a street; a lane 2. a workshop of a trade; a mill
坊間(ㄈㄤ ㄐㄧㄢ) on the market (especially referring to the bookshops)

圾 812
ㄙㄜˋ sè
garbage; refuse; waste

址 813
ㄓˇ zhǐ
1. a location; a site 2. a foundation

坂 814
ㄅㄢˇ bǎn
a slope; a hillside

均 815
ㄐㄩㄣ jūn
1. equal; equally; even; level 2. to be fair 3. all; also; too
均分(ㄐㄩㄣ ㄈㄣ) to divide equally
均等(ㄐㄩㄣ ㄉㄥˇ) equality; fair
均攤(ㄐㄩㄣ ㄊㄢ) to share equally
均可(ㄐㄩㄣ ㄎㄜˇ) either will do
均衡(ㄐㄩㄣ ㄏㄥˊ) equality; balance (of power, etc.)
均勻(ㄐㄩㄣ ㄩㄣˊ) well-distributed

坍 816
ㄊㄢ tān
sliding of earth (as in a landslide); to fall into ruins; to collapse; to tumble
坍方(ㄊㄢ ㄈㄤ) a landslide
坍塌(ㄊㄢ ㄊㄚ) to collapse

坎 817
ㄎㄢˇ kǎn
1. a pit; a hole 2. one of the Eight Diagrams in the *Book of Changes* 3. the sound of percussion 4. a danger; a crisis
坎坷(ㄎㄢˇ ㄎㄜˇ) bad luck

〔土部〕

〔土部〕

坐 818 ㄗㄨㄛˋ zuò

1. to sit; a seat 2. to ride (on a bus, etc.) 3. to kneel 4. to arrive at 5. (said of a building) to have its back towards 6. to get (profit, etc.) without work 7. to persist in 8. to sink 9. (said of guns, etc.) to recoil 10. owing to

坐標(ㄗㄨㄛˋ ㄅㄧㄠ) (mathematics) coordinates

坐墊(ㄗㄨㄛˋ ㄉㄧㄢˋ)a seat cushion

坐牢(ㄗㄨㄛˋ ㄌㄠˊ)to be jailed

坐立不安(ㄗㄨㄛˋ ㄌㄧˋ ㄅㄨˋ ㄢ) fidgety

坐落(ㄗㄨㄛˋ ㄌㄨㄛˋ)(said of a building, etc.) to be situated at

坐骨神經(ㄗㄨㄛˋ ㄍㄨˇ ㄕㄣˊ ㄐㄧㄥ) the sciatic nerve

坐下(ㄗㄨㄛˋ ㄒㄧㄚˋ)Sit down.

坐享其成(ㄗㄨㄛˋ ㄒㄧㄤˇ ㄑㄧˊ ㄔㄥˊ)to enjoy the fruit without toil

坐車(ㄗㄨㄛˋ ㄔㄜ)by bus or train

坐船(ㄗㄨㄛˋ ㄔㄨㄢˊ)by boat or ship

坐失良機(ㄗㄨㄛˋ ㄕ ㄌㄧㄤˊ ㄐㄧ) to let a golden chance slip by

坐視(ㄗㄨㄛˋ ㄕˋ)to watch (others suffering) without extending a helping hand

坐以待斃(ㄗㄨㄛˋ ㄧˇ ㄉㄞˋ ㄅㄧˋ)to do nothing to avert a crisis, peril, etc.

坐位(ㄗㄨㄛˋ ㄨㄟˋ)a place to sit; a seat

坐月子(ㄗㄨㄛˋ ㄩㄝˋ ˙ㄗ) the month after a woman's childbirth

坑 819 ㄎㄥ kēng

1. a pit; a hole in the ground 2. to bury alive 3. to entrap

坑道(ㄎㄥ ㄉㄠˋ)a tunnel; a pit

坑人(ㄎㄥ ㄖㄣˊ)to entrap someone

五畫

坡 820 ㄆㄛ pō

a slope; a bank; a hillside

坡地(ㄆㄛ ㄉㄧˋ)hillside fields

坡度(ㄆㄛ ㄉㄨˋ)the degree of a slope

坤 821 ㄎㄨㄣ kūn

1. one of the Eight Diagrams—earth 2. compliance; obedience 3. female; feminine

坤伶(ㄎㄨㄣ ㄌㄧㄥˊ) an actress of Peking opera

坦 822 ㄊㄢˇ tǎn

1. wide and smooth; level 2. self-possessed; composed 3. frank; straightforward 4. a son-in-law

坦白(ㄊㄢˇ ㄅㄞˊ)to tell the truth

坦克(車)(ㄊㄢˇ ㄎㄜˋ (ㄔㄜ))a tank

坦率(ㄊㄢˇ ㄕㄨㄞˋ)straightforward

坦然(ㄊㄢˇ ㄖㄢˊ)self-possessed; calm

坷 823 ㄎㄜˇ kě

1. unfortunate 2. rugged, uneven (roads, etc.)

坼 824 ㄔㄜˋ chè

1. to crack 2. to chap; to tear; to rip open

坳 825 ㄠˋ ào

a hollow in the ground; a cavity

垂 826 ㄔㄨㄟˊ chuí

1. to hang down; to let fall 2. to leave a name in history 3. nearly; approaching 4. to condescend

垂暮之年(ㄔㄨㄟˊ ㄇㄨˋ ㄓ ㄋㄧㄢˊ) in one's old age

垂釣(ㄔㄨㄟˊ ㄉㄧㄠˋ)to go fishing

垂頭喪氣(ㄔㄨㄟˊ ㄊㄡˊ ㄙㄤˋ ㄑㄧˋ)to be downcast

垂憐(ㄔㄨㄟˊ ㄌㄧㄢˊ)to have pity on somebody

垂涎(ㄔㄨㄟˊ ㄒㄧㄢˊ)to drool; to covet

垂直(ㄔㄨㄟˊ ㄓˊ)vertical

垂手可得(ㄔㄨㄟˊ ㄕㄡˇ ㄎㄜˇ ㄉㄜˊ)easy to obtain

垂死(ㄔㄨㄟˊ ㄙˇ)dying

垂危(ㄔㄨㄟˊ ㄨㄟˊ) to be in imminent danger

垃 827 ㄌㄜˋ lè

garbage, refuse and waste

垃圾(ㄌㄜˋ ㄙㄜˋ)garbage

垃圾焚化爐(ㄌㄜˋ ㄙㄜˋ ㄈㄣˊ ㄏㄨㄚˋ ㄌㄨˊ)a refuse incinerator

垃圾堆(ㄌㄜˋ ㄙㄜˋ ㄉㄨㄟ) or 垃圾場(ㄌㄜˋ ㄙㄜˋ ㄔㄤˇ)a rubbish heap

垃圾桶(ㄌㄜˋ ㄙㄜˋ ㄊㄨㄥˇ)a dustbin

垃圾箱(ㄌㄜˋ ㄙㄜˋ ㄒㄧㄤ) a garbage can

垃圾車(ㄌㄜˋ ㄙㄜˋ ㄔㄜ) a collection truck

坪 828 ㄆㄧㄥˊ píng

1. a level piece of ground 2. (in Japanese measurement) an area of 6 feet square

六畫

垠 829 ㄧㄣˊ yín

1. the bank (of a stream) 2. a boundary

垓 830 ㄍㄞ gāi

1. far and remote places 2. a boundary; a limit

垢 831 ㄍㄡˋ gòu

1. dirt; filth; stains 2. shame; disgrace 3. (figuratively) evildoers

型 832
ㄒㄧㄥˊ xíng
1. an earthen mold for casting 2. a model; a pattern 3. a statute; a law 4. a style; a fashion; a type

垮 833
ㄎㄨㄚˇ kuǎ
1. to topple; to collapse 2. to wear down 3. to put to rout 4. to fall (out of power)
垮臺(ㄎㄨㄚˇ ㄊㄞˊ)the fall (of a government, organization, person, etc.)

七畫

埋 834
1.ㄇㄞˊ mái
1. to bury 2. to secrete; to lie in wait
埋沒(ㄇㄞˊ ㄇㄛˋ)to bury (one's talents, etc.)
埋伏(ㄇㄞˊ ㄈㄨˊ)an ambush
埋頭苦幹(ㄇㄞˊ ㄊㄡˊ ㄎㄨˇ ㄍㄢˋ)to work with all-out effort
埋葬(ㄇㄞˊ ㄗㄤˋ)to bury (a corpse)
埋藏(ㄇㄞˊ ㄘㄤˊ) to bury (a treasure, etc.)

埋 834
2.ㄇㄢˊ mán
埋怨(ㄇㄢˊ ㄩㄢˋ)to complain

城 835
ㄔㄥˊ chéng
1. a city; a town 2. the walls of a city 3. to surround a city with walls
城堡(ㄔㄥˊ ㄅㄠˇ)a fort; a castle
城邦(ㄔㄥˊ ㄅㄤ)a city-state
城牆(ㄔㄥˊ ㄑㄧㄤˊ)the city wall
城鎮(ㄔㄥˊ ㄓㄣˋ)cities and towns
城市(ㄔㄥˊ ㄕˋ)a city or town

埂 836
ㄍㄥˇ gěng
1. a pit; a cave 2. an irrigation ditch 3. a low bank of earth between fields

埃 837
ㄞ āi
1. fine dust 2. as in 埃及—Egypt

埔 838
ㄆㄨˇ pǔ
1. a plain; an arena 2. a port; a mart

八畫

培 839
ㄆㄟˊ péi
1. to bank up with earth 2. to nourish; to cultivate
培植(ㄆㄟˊ ㄓˊ)①to grow (plants)② to educate
培養(ㄆㄟˊ ㄧㄤˇ)①to raise (kids) ②to cultivate (one's mind)
培育(ㄆㄟˊ ㄩˋ)to raise; to breed

域 840
ㄩˋ yù
1. a frontier 2. a region; a country

埠 841
ㄅㄨˋ bù
1. a harbor 2. a mart on the bank of a seacoast

埤 842
1.ㄆㄧˊ pí
1. a low wall 2. an increase; to add to
埤益(ㄆㄧˊ ㄧˋ)to increase

埤 842
2.ㄅㄟ bēi
low-lying

執 843
ㄓˊ zhí
1. to hold; to grasp 2. to detain; to arrest 3. to hold on stubbornly to 4. to shut (gossipers, etc.) up
執筆(ㄓˊ ㄅㄧˇ)to write
執迷不悟(ㄓˊ ㄇㄧˊ ㄅㄨˋ ㄨˋ) to adhere stubbornly to errors
執法(ㄓˊ ㄈㄚˇ)to enforce (or execute) the law
執法如山(ㄓˊ ㄈㄚˇ ㄖㄨˊ ㄕㄢ) to uphold the law strictly
執行(ㄓˊ ㄒㄧㄥˊ)to execute (an order); to carry out
執照(ㄓˊ ㄓㄠˋ)a license
執掌(ㄓˊ ㄓㄤˇ)to manage
執政(ㄓˊ ㄓㄥˋ)to hold the reins of the government
執政黨(ㄓˊ ㄓㄥˋ ㄉㄤˇ)the ruling party
執著(ㄓˊ ㄓㄨㄛˊ)inflexible; to persist in
執意(ㄓˊ ㄧˋ)to stick to one's own view

基 844
ㄐㄧ jī
1. a foundation; a base 2. an origin; a root 3. according to 4. the base of a chemical compound
基本(ㄐㄧ ㄅㄣˇ) ①a root or base ② fundamental ③ basically
基本免稅額(ㄐㄧ ㄅㄣˇ ㄇㄧㄢˇ ㄕㄨㄟˋ ㄜˊ)basic exemption
基本工資(ㄐㄧ ㄅㄣˇ ㄍㄨㄥ ㄗ)basic wages
基本結構(ㄐㄧ ㄅㄣˇ ㄐㄧㄝˊ ㄍㄡˋ)primary structure
基本知識(ㄐㄧ ㄅㄣˇ ㄓ ㄕˋ) elementary knowledge
基本原則(ㄐㄧ ㄅㄣˇ ㄩㄢˊ ㄗㄜˊ) basic principles
基地(ㄐㄧ ㄉㄧˋ)a base (of operations)
基調(ㄐㄧ ㄉㄧㄠˋ)(music) the keynote
基督教(ㄐㄧ ㄉㄨ ㄐㄧㄠˋ)Christianity
基價(ㄐㄧ ㄐㄧㄚˋ)a basic price
基金(ㄐㄧ ㄐㄧㄣ)a reserve fund
基金會(ㄐㄧ ㄐㄧㄣ ㄏㄨㄟˋ) the board of directors of a fund
基準(ㄐㄧ ㄓㄨㄣˇ)a standard; a rule
基礎(ㄐㄧ ㄔㄨˇ)the basis or foundation of an argument, etc.
基數(ㄐㄧ ㄕㄨˋ)cardinal numbers (any of the digits from 1 to 9)

〔土部〕

〔土部〕

基層(ㄐㄧ ㄘㄥˊ) basic level; a grass-
基因(ㄐㄧ ㄧㄣ)a gene ⌊roots unit
基於(ㄐㄧ ㄩˊ)because of; in view of

堂 845
ㄊㄤˊ táng

1. a hall; an office; a reception room 2. a meeting place; a court of justice 3. a salutation for another's mother 4. an open level place on the hill 5. relatives born of the same grandfather 6. venerable; grave; imposing

堂姊妹(ㄊㄤˊ ㄐㄧㄝˇ ㄇㄟˋ) one's female first cousins on the father's side
堂兄弟(ㄊㄤˊ ㄒㄩㄥ ㄉㄧˋ) one's male first cousins on the father's side
堂上(ㄊㄤˊ ㄕㄤˋ) a reference to one's
⌊own parents

堅 846
ㄐㄧㄢ jiān

1.strong and durable 2.solid; firm 3.to dedicate to; to devote to 4. determined 5.intimate 6.armor, etc. 7.the strongest position of enemy troops 8.firmly; steadfastly

堅定(ㄐㄧㄢ ㄉㄧㄥˋ)determined
堅定不移(ㄐㄧㄢ ㄉㄧㄥˋ ㄅㄨˋ ㄧˊ)unwavering
堅牢(ㄐㄧㄢ ㄌㄠˊ)strong; durable
堅固(ㄐㄧㄢ ㄍㄨˋ)solid; firm
堅果(ㄐㄧㄢ ㄍㄨㄛˇ)nuts
堅苦卓絕(ㄐㄧㄢ ㄎㄨˇ ㄓㄨㄛˊ ㄐㄩㄝˊ) showing the greatest fortitude
堅決(ㄐㄧㄢ ㄐㄩㄝˊ)firmly (opposed to, etc.) ⌈strengthen
堅強(ㄐㄧㄢ ㄑㄧㄤˊ)①unyielding ②to
堅信(ㄐㄧㄢ ㄒㄧㄣˋ)to believe firmly
堅貞(ㄐㄧㄢ ㄓㄣ)chaste; of inflexible
堅持(ㄐㄧㄢ ㄔˊ)to insist on ⌊virtue
堅持到底(ㄐㄧㄢ ㄔˊ ㄉㄠˋ ㄉㄧˇ)to go through with it
堅持己見(ㄐㄧㄢ ㄔˊ ㄐㄧˇ ㄐㄧㄢˋ)to be firm in one's view
堅稱(ㄐㄧㄢ ㄔㄥ) to insist on saying
堅守(ㄐㄧㄢ ㄕㄡˇ)to firmly stand by (one's promise, etc.) ⌈cible
堅忍不拔(ㄐㄧㄢ ㄖㄣˇ ㄅㄨˋ ㄅㄚˊ)invin-
堅毅(ㄐㄧㄢ ㄧˋ)fortitude
堅硬(ㄐㄧㄢ ㄧㄥˋ)hard and solid

堆 847
ㄉㄨㄟ duī

1.to heap up; to pile; to stack 2. a heap; a pile; a mass; a crowd

堆肥(ㄉㄨㄟ ㄈㄟˊ)compost—an organic fertilizer
堆積(ㄉㄨㄟ ㄐㄧ)to store up
堆砌(ㄉㄨㄟ ㄑㄧˋ)to lay(bricks, etc.)

九畫

報 848
ㄅㄠˋ bào

1. to repay; to recompense; to requite 2. a reward; a retribution 3. to report; a report 4. a newspaper

報備(ㄅㄠˋ ㄅㄟˋ)to inform the authorities of what one plans to do
報表(ㄅㄠˋ ㄅㄧㄠˇ)forms for reporting statistics, etc.
報名(ㄅㄠˋ ㄇㄧㄥˊ)to enroll ⌈tion bill
報費(ㄅㄠˋ ㄈㄟˋ)a newspaper subscrip-
報廢(ㄅㄠˋ ㄈㄟˋ) to report (worn-out office equipment, etc.) as useless
報復(ㄅㄠˋ ㄈㄨˋ)to revenge ⌈kindness
報答(ㄅㄠˋ ㄉㄚˊ) to repay another's
報導(ㄅㄠˋ ㄉㄠˇ) ①to report (news) ② a news report; a story ⌈portage
報導文學(ㄅㄠˋ ㄉㄠˇ ㄨㄣˊ ㄒㄩㄝˊ)re-
報到(ㄅㄠˋ ㄉㄠˋ)to report one's arrival
報攤(ㄅㄠˋ ㄊㄢ)a news stall
報告(ㄅㄠˋ ㄍㄠˋ)① to report ② a report
報關(ㄅㄠˋ ㄍㄨㄢ) to declare something at the customs ⌈broker
報關行(ㄅㄠˋ ㄍㄨㄢ ㄏㄤˊ) a customs
報考(ㄅㄠˋ ㄎㄠˇ) to enter one's name in an examination ⌈odicals
報刊(ㄅㄠˋ ㄎㄢ)newspapers and peri-
報戶口(ㄅㄠˋ ㄏㄨˋ ㄎㄡˇ) ①to apply for a residence permit ② to register
報佳音(ㄅㄠˋ ㄐㄧㄚ ㄧㄣ)to carol
報夾(ㄅㄠˋ ㄐㄧㄚˊ)a newspaper holder
報界(ㄅㄠˋ ㄐㄧㄝˋ)the press ⌈police
報警(ㄅㄠˋ ㄐㄧㄥˇ) to report to the
報喜(ㄅㄠˋ ㄒㄧˇ) to announce good news
報銷(ㄅㄠˋ ㄒㄧㄠ) ①to give a statement on one's expenses②to write off
報信(ㄅㄠˋ ㄒㄧㄣˋ)to report news
報紙(ㄅㄠˋ ㄓˇ)a newspaper
報章(ㄅㄠˋ ㄓㄤ)newspapers
報賬(ㄅㄠˋ ㄓㄤˋ)to render an account
報仇 or 報讎(ㄅㄠˋ ㄔㄡˊ)to avenge
報酬(ㄅㄠˋ ㄔㄡˊ)① a salary ② reward
報時(ㄅㄠˋ ㄕˊ)to give the correct time
報社(ㄅㄠˋ ㄕㄜˋ)or 報館(ㄅㄠˋ ㄍㄨㄢˇ)a newspaper office ⌈Count off!
報數(ㄅㄠˋ ㄕㄨˋ) (word of command)
報稅(ㄅㄠˋ ㄕㄨㄟˋ) to declare goods for duties
報稅單(ㄅㄠˋ ㄕㄨㄟˋ ㄉㄢ)a duty declaration form
報載(ㄅㄠˋ ㄗㄞˇ) according to newspaper reports
報案(ㄅㄠˋ ㄢˋ)to report acase (such as a murder, etc.) to the police ⌈ness
報恩(ㄅㄠˋ ㄣ) to repay another's kind-
報業(ㄅㄠˋ ㄧㄝˋ) the business of the
報應(ㄅㄠˋ ㄧㄥˋ)retribution ⌊press

堡 849
ㄅㄠˇ bǎo
1. a walled village; a town 2. a fort; a fortress
堡壘(ㄅㄠˇ ㄌㄟˇ)a fortress; a bastion

堪 850
ㄎㄢ kān
1. to sustain; to bear 2. worthy of; adequate for
堪當重任(ㄎㄢ ㄉㄤ ㄓㄨㄥˋ ㄖㄣˋ) to be capable of shouldering important tasks
堪用(ㄎㄢ ㄩㄥˋ)usable

堯 851
ㄧㄠˊ yáo
1. Yao, a legendary sage king in ancient China whose reign is said to have extended from 2357 to 2255 B.C. 2. high; eminent; lofty 3. a Chinese family name

堰 852
ㄧㄢˋ yàn
an embankment; a dike; a levee

場 853
ㄔㄤˊ cháng
(又讀 ㄔㄤˇ chǎng)
1. an area of level ground; an open space 2. an act of a play; an act of an opera 3. the stage 4. an arena for drill; a playground 5. a farm 6. a site or place for a special purpose, as an examination, a meeting, etc. 7. (physics) a field
場面(ㄔㄤˇ ㄇㄧㄢˋ) ①a scene ②an appearance
場地(ㄔㄤˇ ㄉㄧˋ)a place where a show or game is played
場合(ㄔㄤˇ ㄏㄜˊ)an occasion
場次(ㄔㄤˇ ㄘˋ)the number of showings of a film, play, etc.
場所(ㄔㄤˇ ㄙㄨㄛˇ)a location; a place

堵 854
ㄉㄨˇ dǔ
1. to stop; to block up; to shut off 2. a wall
堵住(ㄉㄨˇ ㄓㄨˋ)to block up
堵塞(ㄉㄨˇ ㄙㄜˋ)to block up; a jam

十畫

塊 855
ㄎㄨㄞˋ kuài
1. a lump (or clod) of earth 2. a lump; a piece; a cube 3. a piece of (land, bread, etc.) 4. alone; to be all by oneself
塊頭(ㄎㄨㄞˋ ㄊㄡˊ)stature; build

塋 856
ㄧㄥˊ yíng
as in 塋墳—a grave; a tomb

塌 857
ㄊㄚ tā
1. to fall in ruins; to collapse 2. to sink; to droop 3. a little house
塌鼻(ㄊㄚ ㄅㄧˊ)a flat nose; a snub nose
塌下來(ㄊㄚ ㄒㄧㄚˋ ㄌㄞˊ)to collapse
塌陷(ㄊㄚ ㄒㄧㄢˋ)to sink; to cave in

塚 858
(冢) ㄓㄨㄥˇ zhǒng
a high tomb; a mound; a grave

塑 859
ㄙㄨˋ sù
1. to mold (in clay, etc.); to sculpt 2. a model 3. as in 塑膠—plastics
塑膠袋(ㄙㄨˋ ㄐㄧㄠ ㄉㄞˋ)a plastic bag
塑膠花 (ㄙㄨˋ ㄐㄧㄠ ㄏㄨㄚ) a plastic flower
塑膠炸彈 (ㄙㄨˋ ㄐㄧㄠ ㄓㄚˋ ㄉㄢˋ) a plastic bomb
塑像(ㄙㄨˋ ㄒㄧㄤˋ)a statue
塑造(ㄙㄨˋ ㄗㄠˋ)to mold

塔 860
ㄊㄚˇ tǎ
1. a pagoda 2. a tower 3. a light house
塔台(ㄊㄚˇ ㄊㄞˊ)a control tower

塗 861
ㄊㄨˊ tú
1. to spread (ointment on a wound, etc.) 2. to scribble; to scrawl 3. to erase; to obliterate 4. mud; mire
塗抹(ㄊㄨˊ ㄇㄛˇ)① to erase ② to scribble
塗料(ㄊㄨˊ ㄌㄧㄠˋ)paint; coating
塗改(ㄊㄨˊ ㄍㄞˇ)to erase and change the wording of an article, etc.
塗鴨 (ㄊㄨˊ ㄧㄚ) ①to write badly ② graffiti

塘 862
ㄊㄤˊ táng
1. an embankment; a dike 2. a pond

塞 863
1. ㄙㄜˋ sè
(語音 ㄙㄞ sāi)
1. to block; to clog 2. to squeeze in 3. a cork or stopper; to seal
塞責(ㄙㄜˋ ㄗㄜˊ)to perform one's duties perfunctorily
塞滿(ㄙㄞ ㄇㄢˇ)to fill up
塞住(ㄙㄞ ㄓㄨˋ)to block up
塞子(ㄙㄞ ・ㄗ)a cork

塞 863
2. ㄙㄞˋ sài
strategic points along the frontiers
塞翁失馬，焉知非福 (ㄙㄞˋ ㄨㄥ ㄕ ㄇㄚˇ, ㄧㄢ ㄓ ㄈㄟ ㄈㄨˊ)A loss may turn out to be a gain.

塡 864
ㄊㄧㄢˊ tián
1. to fill up; to fill in; to stuff 2. the sound of drumbeats
塡表(ㄊㄧㄢˊ ㄅㄧㄠˇ)to fill out a form
塡補(ㄊㄧㄢˊ ㄅㄨˇ)to fill (vacancies, etc.)
塡平(ㄊㄧㄢˊ ㄆㄧㄥˊ)to fill up the depressions or holes on the ground

填空(ㄊㄧㄢˊ ㄎㄨㄥˋ)to fill a vacancy
填寫(ㄊㄧㄢˊ ㄒㄧㄝˇ) to fill in (a blank, form, etc.)
填充(ㄊㄧㄢˊ ㄔㄨㄥ)(a form of testing) filling the blanks
填字遊戲(ㄊㄧㄢˊ ㄗˋ ㄧㄡˊ ㄒㄧˋ)a crossword puzzle

塢 865 ㄨˋ wù
1. a low wall around a village for defense; a fortified building 2. a structure which slants to a lower center on all sides

十一畫

墓 866 ㄇㄨˋ mù
a grave; a tomb; a mausoleum
墓碑(ㄇㄨˋ ㄅㄟ)a gravestone
墓地(ㄇㄨˋ ㄉㄧˋ)a cemetery
墓誌銘(ㄇㄨˋ ㄓˋ ㄇㄧㄥˊ)an epitaph
墓園(ㄇㄨˋ ㄩㄢˊ)a cemetery ground

塵 867 ㄔㄣˊ chén
1. dust; dirt 2. trace; trail 3. this world 4. vice; sensual pleasures 5. (Taoism) a lifetime
塵封(ㄔㄣˊ ㄈㄥ) to be laid idle for a long time
塵土(ㄔㄣˊ ㄊㄨˇ)dust
塵垢(ㄔㄣˊ ㄍㄡˋ)dust and dirt
塵世(ㄔㄣˊ ㄕˋ)this mortal life
塵埃(ㄔㄣˊ ㄞ)dust; dirt
塵緣(ㄔㄣˊ ㄩㄢˊ)worldly passions

塹 868 ㄑㄧㄢˋ qiàn
1. the moat around a city 2. a pit; a hole or cavity in the ground

塾 869 ㄕㄨˊ shú
1. an anteroom or vestibule 2. a private primary school
塾師(ㄕㄨˊ ㄕ)the tutor of a family

境 870 ㄐㄧㄥˋ jìng
1. a boundary; a frontier 2. a place; an area 3. a state; a situation
境地(ㄐㄧㄥˋ ㄉㄧˋ)a situation
境內(ㄐㄧㄥˋ ㄋㄟˋ)in the country
境界(ㄐㄧㄥˋ ㄐㄧㄝˋ)a state (of mind)
境遇(ㄐㄧㄥˋ ㄩˋ) circumstances; conditions

墅 871 ㄕㄨˋ shù
a villa; a country house

墉 872 ㄩㄥ yōng (又讀 ㄩㄥˊ yóng)
a fortified wall; a wall

墊 873 ㄉㄧㄢˋ diàn
1. to advance (money); to pay for another and expect to be paid back 2. a cushion; a pad; a bed-mat 3. to cushion 4. to sink into 5. to dig
墊被(ㄉㄧㄢˋ ㄅㄟˋ)a mattress
墊補(ㄉㄧㄢˋ ㄅㄨˇ) to defray expenses not budgeted
墊脚石(ㄉㄧㄢˋ ㄐㄧㄠˇ ㄕˊ) a stepping-stone
墊肩(ㄉㄧㄢˋ ㄐㄧㄢ)a shoulder pad
墊上運動(ㄉㄧㄢˋ ㄕㄤˋ ㄩㄣˋ ㄉㄨㄥˋ) gymnastics on mattress
墊子(ㄉㄧㄢˋ ·ㄗ) cushions; mattresses; mats

十二畫

墟 874 ㄒㄩ xū
1. a high mound 2. an ancient town 3. wild, waste land 4. a periodical marketplace where goods are bartered 5. to ruin

墀 875 ㄔˊ chí
steps leading up to a palace; palace steps

墜 876 ㄓㄨㄟˋ zhuì
to fall down; to sink; the fall (of a person, a state, etc.)
墜馬(ㄓㄨㄟˋ ㄇㄚˇ)to fall off a horse
墜地(ㄓㄨㄟˋ ㄉㄧˋ) ①to fall ②to come to this world
墜樓(ㄓㄨㄟˋ ㄌㄡˊ) to fall from a building
墜落(ㄓㄨㄟˋ ㄌㄨㄛˋ)to fall; to drop
墜毀(ㄓㄨㄟˋ ㄏㄨㄟˇ)(said of a plane, etc.) to fall and break; to crash
墜子(ㄓㄨㄟˋ ·ㄗ)pendants attached to a bigger object as ornaments

增 877 ㄗㄥ zēng
to add to; to increase; to grow; to enlarge
增補(ㄗㄥ ㄅㄨˇ) to add to; to supplement
增訂(ㄗㄥ ㄉㄧㄥˋ)to revise and enlarge
增訂本(ㄗㄥ ㄉㄧㄥˋ ㄅㄣˇ) a revised and enlarged edition
增多(ㄗㄥ ㄉㄨㄛ)to add to; to increase
增添(ㄗㄥ ㄊㄧㄢ)to add to
增光(ㄗㄥ ㄍㄨㄤ)to glorify
增廣(ㄗㄥ ㄍㄨㄤˇ)to widen (one's knowledge, etc.)
增加(ㄗㄥ ㄐㄧㄚ)to increase
增減(ㄗㄥ ㄐㄧㄢˇ)increases and decreases
增進(ㄗㄥ ㄐㄧㄣˋ) to promote (friendship, etc.)
增強(ㄗㄥ ㄑㄧㄤˊ)to strengthen
增值(ㄗㄥ ㄓˊ)value increment
增值稅(ㄗㄥ ㄓˊ ㄕㄨㄟˋ) VAT (value-added tax)
增長(ㄗㄥ ㄓㄤˇ)a rise; to grow
增產(ㄗㄥ ㄔㄢˇ)to increase production

增損(ㄗㄥ ㄙㄨㄣˇ)profits and losses

墨 878 ㄇㄛˋ mò
1. black; dark 2. a black dye 3. ink 4. calligraphy 5. literate; learning 6. statutes; institutions 7. greedy; corrupt 8. to tattoo the face—one of the five punishments in ancient China
墨綠(ㄇㄛˋ ㄌㄩˋ)blackish green
墨盒(ㄇㄛˋ ㄏㄜˊ)an ink box
墨鏡(ㄇㄛˋ ㄐㄧㄥˋ)sunglasses
墨西哥(ㄇㄛˋ ㄒㄧ ㄍㄜ)Mexico
墨線(ㄇㄛˋ ㄒㄧㄢˋ)a thread used by carpenters for marking
墨汁(ㄇㄛˋ ㄓ)or 墨水(ㄇㄛˋ ㄕㄨㄟˇ)① ink ② letters; learning
墨守成規(ㄇㄛˋ ㄕㄡˇ ㄔㄥˊ ㄍㄨㄟ) to stick to old rules
墨魚(ㄇㄛˋ ㄩˊ)the squid; the cuttlefish

墩 879 ㄉㄨㄣ dūn
1. a mound; a heap 2. a block of stone or wood 3. a cluster

墮 880 ㄉㄨㄛˋ duò
1. to fall; to sink; to let fall 2. to indulge in evil ways 3. lazy; idle
墮胎(ㄉㄨㄛˋ ㄊㄞ)abortion
墮落(ㄉㄨㄛˋ ㄌㄨㄛˋ)to degenerate

十三畫

墳 881 ㄈㄣˊ fén
1. a grave; a mound 2. big; large; great 3. the banks of a river
墳墓(ㄈㄣˊ ㄇㄨˋ)a grave; a tomb
墳地(ㄈㄣˊ ㄉㄧˋ)or 墳場(ㄈㄣˊ ㄔㄤˇ)a graveyard

壁 882 ㄅㄧˋ bì
1. a partition wall; the walls of a room 2. a military breastwork 3. a cliff
壁報(ㄅㄧˋ ㄅㄠˋ) a wall paper; a wall poster
壁燈(ㄅㄧˋ ㄉㄥ)wall lamps
壁壘森嚴 (ㄅㄧˋ ㄌㄟˇ ㄙㄣ ㄧㄢˊ) ① strongly fortified ② sharply divided
壁爐(ㄅㄧˋ ㄌㄨˊ)a fireplace
壁龕(ㄅㄧˋ ㄎㄢ)a niche
壁虎(ㄅㄧˋ ㄏㄨˇ)a house-lizard
壁畫 (ㄅㄧˋ ㄏㄨㄚˋ) a mural painting; a fresco
壁櫥(ㄅㄧˋ ㄔㄨˊ)a wall chest

墾 883 ㄎㄣˇ kěn
to open new land for farming, etc.; to reclaim land
墾荒(ㄎㄣˇ ㄏㄨㄤ)to open up barren land for farming
墾殖(ㄎㄣˇ ㄓˊ)to reclaim land and cultivate it

壅 884 ㄩㄥˇ yǒng (又讀 ㄩㄥ yōng)
1. to stop; to block up 2. to bank up the roots of plants 3. to obstruct
壅塞(ㄩㄥ ㄙㄜˋ)to obstruct

壇 885 ㄊㄢˊ tán
1. an altar 2. a hall for important ceremonies in ancient China

十四畫

壓 886 ㄧㄚ yā
1. to press; to oppress 2. to control; to quell 3. to crush 4. (said of enemy troops, etc.) to close in 5. to hold (a document, etc.) without taking action 6. to excel
壓扁(ㄧㄚ ㄅㄧㄢˇ)to flatten by pressure
壓迫(ㄧㄚ ㄆㄛˋ)to oppress; to force
壓倒(ㄧㄚ ㄉㄠˇ)to overwhelm
壓倒性勝利 (ㄧㄚ ㄉㄠˇ ㄒㄧㄥˋ ㄕㄥˋ ㄌㄧˋ)a landslide victory
壓力(ㄧㄚ ㄌㄧˋ)①(physics) pressure② pressure
壓根兒(ㄧㄚ ㄍㄜㄦ)completely
壓克力 (ㄧㄚ ㄎㄜˋ ㄌㄧˋ) acrylic resin
壓壞 (ㄧㄚ ㄏㄨㄞˋ) damaged by high pressure
壓擠(ㄧㄚ ㄐㄧˇ)to extrude; extrusion
壓榨(ㄧㄚ ㄓㄚˋ)to oppress
壓軸戲(ㄧㄚ ㄓㄡˋ ㄒㄧˋ)the best act of a show
壓住(ㄧㄚ ㄓㄨˋ)to suppress
壓死(ㄧㄚ ㄙˇ)to die after being hit by a car
壓縮(ㄧㄚ ㄙㄨㄛ)to compress
壓碎(ㄧㄚ ㄙㄨㄟˋ)to crush to pieces
壓抑(ㄧㄚ ㄧˋ)to curb; to repress

壎 887 ㄒㄩㄣ xūn
an ancient Chinese wind instrument, made of porcelain and shaped like an egg

壑 888 ㄏㄨㄛˋ huò
1. a gully; a channel for water 2. a narrow ravine at the foot of a hill

壕 889 ㄏㄠˊ háo
1. a moat 2. a trench; a dugout
壕溝(ㄏㄠˊ ㄍㄡ)a trench; a ditch

十五畫

壙 890 ㄎㄨㄤˋ kuàng
1. a vault; a tomb 2. a field; an open

〔土部〕

(or wild) space 3. to leave idle

壘 891 ㄌㄟˇ lěi
1. a rampart 2. to pile up 3. a base (on a baseball diamond)
壘球(ㄌㄟˇ ㄑㄧㄡˊ)softball

十六畫

壟 892 ㄌㄨㄥˇ lǒng
1. a grave; a mound of earth 2. a high place in a field
壟斷(ㄌㄨㄥˇ ㄉㄨㄢˋ)to monopolize

壞 893 ㄏㄨㄞˋ huài
1. broken-down; out of order 2. bad; poor (scores, marks, etc.) 3. vicious; mean (persons, etc.)
壞坯子(ㄏㄨㄞˋ ㄆㄟ ·ㄗ)a bad egg
壞蛋(ㄏㄨㄞˋ ㄉㄢˋ)a bad fellow
壞話(ㄏㄨㄞˋ ㄏㄨㄚˋ)slander
壞球(ㄏㄨㄞˋ ㄑㄧㄡˊ) (baseball) ball
壞血病(ㄏㄨㄞˋ ㄒㄧㄝˇ ㄅㄧㄥˋ)scurvy
壞心眼兒(ㄏㄨㄞˋ ㄒㄧㄣ ㄧㄚˇㄦ)malicious
壞主意(ㄏㄨㄞˋ ㄓㄨˇ ㄧˋ)a scheme to trick somebody
壞處(ㄏㄨㄞˋ ㄔㄨˋ)shortcomings
壞事(ㄏㄨㄞˋ ㄕˋ)① an evil deed ② to make things worse
壞人(ㄏㄨㄞˋ ㄖㄣˊ)an evil person
壞死(ㄏㄨㄞˋ ㄙˇ)a necrosis

十七畫

壤 894 ㄖㄤˇ rǎng
1. loose soil 2. earth 3. a region; a place; a land 4. rich; abundant

二十一畫

壩 895 ㄅㄚˋ bà
1. an embankment; a dike 2. a dam

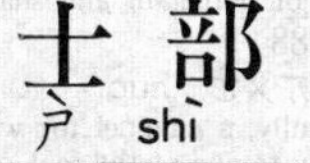
士部 ㄕˋ shì

士 896 ㄕˋ shì
1. a scholar 2. an officer 3. a non-commissioned officer 4. a person 5. name of a chessman in Chinese chess
士兵(ㄕˋ ㄅㄧㄥ)soldiers
士氣(ㄕˋ ㄑㄧˋ) the morale of a fighting force
士紳(ㄕˋ ㄕㄣ)the gentry
士卒(ㄕˋ ㄗㄨˊ)soldiers

一畫

壬 897 ㄖㄣˊ rén
1. the ninth of the Ten Celestial Stems 2. artful and crafty 3. great

四畫

壯 898 ㄓㄨㄤˋ zhuàng
1. big; great 2. strong; vigorous 3. portly; stout 4. to strengthen 5. the prime of one's life
壯膽(ㄓㄨㄤˋ ㄉㄢˇ)to strengthen one's courage
壯年(ㄓㄨㄤˋ ㄋㄧㄢˊ)the prime of one's life
壯烈犧牲(ㄓㄨㄤˋ ㄌㄧㄝˋ ㄒㄧ ㄕㄥ) to die as a martyr
壯觀(ㄓㄨㄤˋ ㄍㄨㄢ)a grand sight
壯舉(ㄓㄨㄤˋ ㄐㄩˇ)a great achievement
壯志凌雲(ㄓㄨㄤˋ ㄓˋ ㄌㄧㄥˊ ㄩㄣˊ) a soaring ambition
壯士(ㄓㄨㄤˋ ㄕˋ)a brave man

九畫

壻 899 (婿) ㄒㄩˋ xù
1. one's son-in-law 2. one's husband

壹 900 ㄧ yī
an elaborate form of "一" (one) used mostly in accounting and especially in checks to prevent forgery or alterations

壺 901 ㄏㄨˊ hú
1. a pot; a jug 2. any potbellied container with a small opening

十畫

壼 902 ㄎㄨㄣˇ kǔn
a lane, passageway or corridor in a palace

十一畫

壽 903 ㄕㄡˋ shòu
1. the life span 2. old age; a long life; longevity 3. birthday 4. to die of old age 5. to present another with gold, silk, etc. 6. to toast an elder
壽麵(ㄕㄡˋ ㄇㄧㄢˋ)birthday noodles
壽命(ㄕㄡˋ ㄇㄧㄥˋ)the life span of a person
壽誕(ㄕㄡˋ ㄉㄢˋ)a birthday anniversary
壽桃(ㄕㄡˋ ㄊㄠˊ)longevity peaches
壽險(ㄕㄡˋ ㄒㄧㄢˇ)life insurance 亦作「人壽保險」
壽星(ㄕㄡˋ ㄒㄧㄥ)a reference to a person on his birthday
壽終正寢(ㄕㄡˋ ㄓㄨㄥ ㄓㄥˋ ㄑㄧㄣˇ)to

die a natural death

夊部 ㄙㄨㄟ suī

七畫

夏 904
1. ㄒㄧㄚˋ xià
1. summer 2. big; spacious 3. a big house; a mansion 4. Cathay, the ancient name of China 5. a dynasty in Chinese history (2205-1782 B.C.) 6. a Chinese family name
夏天(ㄒㄧㄚˋ ㄊㄧㄢ) summer; summer days
夏曆(ㄒㄧㄚˋ ㄌㄧˋ)the lunar calendar
夏令營(ㄒㄧㄚˋ ㄌㄧㄥˋ ㄧㄥˊ) summer camps
夏季(ㄒㄧㄚˋ ㄐㄧˋ)the summer season
夏至線(ㄒㄧㄚˋ ㄓˋ ㄒㄧㄢˋ)the Tropic of Cancer 亦作「北回歸線」
夏裝(ㄒㄧㄚˋ ㄓㄨㄤ)a summer dress
夏日(ㄒㄧㄚˋ ㄖˋ)summer days
夏威夷(ㄒㄧㄚˋ ㄨㄟ ㄧˊ)Hawaii

夏 904
2. ㄐㄧㄚˇ jiǎ
as in 夏楚—a rod for punishing pupils

十一畫

夐 905
ㄒㄩㄥˋ xiòng
1. to seek 2. preeminent; superior

十八畫

夔 906
ㄎㄨㄟˊ kuí
1. (mythology) a one-legged monster 2. name of a court musician in the reign of Emperor Shun (2255 B.C.)

夕部 ㄒㄧˋ xì

夕 907
ㄒㄧˋ xì
1. sunset; evening 2. night 3. slant; oblique 4. to meet in the evening
夕陽(ㄒㄧˋ ㄧㄤˊ)the setting sun

二畫

外 908
ㄨㄞˋ wài
1. out; outside 2. foreign 3. diplomacy 4. besides 5. a role in Chinese opera for old men 6. to alienate 7. on wife's or mother's side 8. relatives of one's sisters or daughters
外幣(ㄨㄞˋ ㄅㄧˋ)foreign currency
外幣管制(ㄨㄞˋ ㄅㄧˋ ㄍㄨㄢˇ ㄓˋ)foreign currency control
外表(ㄨㄞˋ ㄅㄧㄠˇ)an outward appearance
外邊(ㄨㄞˋ ㄅㄧㄢ)①out ②faraway
外賓(ㄨㄞˋ ㄅㄧㄣ)foreign guests
外部(ㄨㄞˋ ㄅㄨˋ) the external of anything
外埠(ㄨㄞˋ ㄅㄨˋ)ports or cities outside of one's own
外貿(ㄨㄞˋ ㄇㄠˋ)foreign trade
外貿協會(ㄨㄞˋ ㄇㄠˋ ㄒㄧㄝˊ ㄏㄨㄟˋ) China External Trade Development Council
外面(ㄨㄞˋ ㄇㄧㄢˋ)outside; out
外放(ㄨㄞˋ ㄈㄤˋ) to send an official for an overseas assignment
外敷(ㄨㄞˋ ㄈㄨ) to apply (ointment, etc.)
外帶(ㄨㄞˋ ㄉㄞˋ) ①a tire (cover) ② besides
外地(ㄨㄞˋ ㄉㄧˋ) parts of the country other than where one is
外太空(ㄨㄞˋ ㄊㄞˋ ㄎㄨㄥ)outer space
外套(ㄨㄞˋ ㄊㄠˋ)an overcoat
外頭(ㄨㄞˋ ˙ㄊㄡ)outside
外來語(ㄨㄞˋ ㄌㄞˊ ㄩˇ)foreign terms
外力(ㄨㄞˋ ㄌㄧˋ)external pressure
外國(ㄨㄞˋ ㄍㄨㄛˊ)a foreign country
外國人(ㄨㄞˋ ㄍㄨㄛˊ ㄖㄣˊ)a foreigner
外國語(ㄨㄞˋ ㄍㄨㄛˊ ㄩˇ)a foreign language
外觀(ㄨㄞˋ ㄍㄨㄢ)external looks
外科(ㄨㄞˋ ㄎㄜ)surgery
外科醫生(ㄨㄞˋ ㄎㄜ ㄧ ㄕㄥ)a surgeon
外殼(ㄨㄞˋ ㄎㄜˊ)a shell; a case
外快(ㄨㄞˋ ㄎㄨㄞˋ)extra income
外號(ㄨㄞˋ ㄏㄠˋ)a nickname
外行(ㄨㄞˋ ㄏㄤˊ) ①an outsider ②unskilled
外行話(ㄨㄞˋ ㄏㄤˊ ㄏㄨㄚˋ) layman's language
外匯(ㄨㄞˋ ㄏㄨㄟˋ)foreign exchange
外匯交易(ㄨㄞˋ ㄏㄨㄟˋ ㄐㄧㄠ ㄧˋ) foreign exchange transactions
外匯傾銷(ㄨㄞˋ ㄏㄨㄟˋ ㄑㄧㄥ ㄒㄧㄠ) exchange dumping
外匯準備(ㄨㄞˋ ㄏㄨㄟˋ ㄓㄨㄣˇ ㄅㄟˋ) exchange reserves
外患(ㄨㄞˋ ㄏㄨㄢˋ)foreign invasion
外籍人士(ㄨㄞˋ ㄐㄧˊ ㄖㄣˊ ㄕˋ) foreigners
外加(ㄨㄞˋ ㄐㄧㄚ)plus
外界(ㄨㄞˋ ㄐㄧㄝˋ) ①outsiders ②the outside
外交(ㄨㄞˋ ㄐㄧㄠ)diplomacy
外交官(ㄨㄞˋ ㄐㄧㄠ ㄍㄨㄢ)diplomats
外交家(ㄨㄞˋ ㄐㄧㄠ ㄐㄧㄚ) experts in diplomacy
外交政策(ㄨㄞˋ ㄐㄧㄠ ㄓㄥˋ ㄘㄜˋ) for-

〔夕部〕

eign policy

外景(ㄨㄞˋ ㄐㄧㄥˇ) a location; an exterior

外僑(ㄨㄞˋ ㄑㄧㄠˊ)foreign residents

外勤(ㄨㄞˋ ㄑㄧㄣˊ)work done outside the office

外銷(ㄨㄞˋ ㄒㄧㄠ) to export; for export

外鄉人(ㄨㄞˋ ㄒㄧㄤ ㄖㄣˊ)strangers

外向(ㄨㄞˋ ㄒㄧㄤˋ) extrovert; extroversion

外星人(ㄨㄞˋ ㄒㄧㄥ ㄖㄣˊ)an E.T. (extraterrestrial)

外形(ㄨㄞˋ ㄒㄧㄥˊ)an external form

外債(ㄨㄞˋ ㄓㄞˋ)foreign loans

外傳①(ㄨㄞˋ ㄓㄨㄢˋ) a narrative of events not recorded in history ②(ㄨㄞˋ ㄔㄨㄢˊ) rumors are circulating...

外出(ㄨㄞˋ ㄔㄨ)to go out

外出血(ㄨㄞˋ ㄔㄨ ㄒㄧㄝˇ)external hemorrhage

外商(ㄨㄞˋ ㄕㄤ)foreign businessmen

外傷(ㄨㄞˋ ㄕㄤ)external injuries

外甥(ㄨㄞˋ ㄕㄥ)sister's sons; nephews

外甥女(ㄨㄞˋ ㄕㄥ ㄋㄩˇ)sister's daughters; nieces

外人(ㄨㄞˋ ㄖㄣˊ)outsiders

外資(ㄨㄞˋ ㄗ)foreign capital

外祖母(ㄨㄞˋ ㄗㄨˇ ㄇㄨˇ)or 外婆(ㄨㄞˋ ㄆㄛˊ)one's maternal grandmother

外祖父(ㄨㄞˋ ㄗㄨˇ ㄈㄨˋ)or 外公(ㄨㄞˋ ㄍㄨㄥ)one's maternal grandfather

外宿(ㄨㄞˋ ㄙㄨˋ)to stay outside overnight

外孫(ㄨㄞˋ ㄙㄨㄣ) sons of one's daughters

外孫女(ㄨㄞˋ ㄙㄨㄣ ㄋㄩˇ) daughters of one's daughters

外耳(ㄨㄞˋ ㄦˇ)the external ear

外衣(ㄨㄞˋ ㄧ)a coat; a jacket

外野手(ㄨㄞˋ ㄧㄝˇ ㄕㄡˇ)an outfielder

外圍防禦(ㄨㄞˋ ㄨㄟˊ ㄈㄤˊ ㄩˋ)perimeter defense

外語(ㄨㄞˋ ㄩˇ)a foreign language

外遇(ㄨㄞˋ ㄩˋ)to have extramarital affairs

外援(ㄨㄞˋ ㄩㄢˊ)outside help

外緣(ㄨㄞˋ ㄩㄢˊ)the outer rim (of an object)

外用(ㄨㄞˋ ㄩㄥˋ)external use

三畫

多 909

1. ㄉㄨㄛ duō

1. many; much; too much 2. more than; much more; over 3. much; highly; very 4. to praise 5. only

多胞胎(ㄉㄨㄛ ㄅㄠ ㄊㄞ)multiple birth

多半(ㄉㄨㄛ ㄅㄢˋ)①most ②probably

多邊形(ㄉㄨㄛ ㄅㄧㄢ ㄒㄧㄥˊ)a polygon

多變(ㄉㄨㄛ ㄅㄧㄢˋ)changeable

多媒體(ㄉㄨㄛ ㄇㄟˊ ㄊㄧˇ) (computer) multimedia

多方面(ㄉㄨㄛ ㄈㄤ ㄇㄧㄢˋ)in many ways

多大(ㄉㄨㄛ ㄉㄚˋ) ①How big? ②How old?

多黨制度(ㄉㄨㄛ ㄉㄤˇ ㄓˋ ㄉㄨˋ)the multiparty system

多多益善(ㄉㄨㄛ ㄉㄨㄛ ㄧˋ ㄕㄢˋ)The more, the better.

多年生植物(ㄉㄨㄛ ㄋㄧㄢˊ ㄕㄥ ㄓˊ ㄨˋ) perennial plants

多寡(ㄉㄨㄛ ㄍㄨㄚˇ)number; amount

多國企業(ㄉㄨㄛ ㄍㄨㄛˊ ㄑㄧˋ ㄧㄝˋ) multinational enterprises

多管閒事(ㄉㄨㄛ ㄍㄨㄢˇ ㄒㄧㄢˊ ㄕˋ)to be a busybody

多虧(ㄉㄨㄛ ㄎㄨㄟ)it is fortunate that

多妻制(ㄉㄨㄛ ㄑㄧ ㄓˋ)polygamy

多謝(ㄉㄨㄛ ㄒㄧㄝˋ)Thanks a lot.

多愁善感(ㄉㄨㄛ ㄔㄡˊ ㄕㄢˋ ㄍㄢˇ) sentimental

多產作家(ㄉㄨㄛ ㄔㄢˇ ㄗㄨㄛˋ ㄐㄧㄚ)a prolific writer

多重人格(ㄉㄨㄛ ㄔㄨㄥˊ ㄖㄣˊ ㄍㄜˊ) multiple personality

多時(ㄉㄨㄛ ㄕˊ)a long time

多事(ㄉㄨㄛ ㄕˋ)officious

多少(ㄉㄨㄛ ㄕㄠˇ)① How much? 或 How many? ② more or less

多神教(ㄉㄨㄛ ㄕㄣˊ ㄐㄧㄠˋ)polytheism

多數(ㄉㄨㄛ ㄕㄨˋ)the majority; many

多災多難(ㄉㄨㄛ ㄗㄞ ㄉㄨㄛ ㄋㄢˋ) to be dogged by bad luck, etc.

多嘴(ㄉㄨㄛ ㄗㄨㄟˇ) to have a big mouth

多此一舉(ㄉㄨㄛ ㄘˇ ㄧˋ ㄐㄩˇ) a superfluous action, etc.

多次(ㄉㄨㄛ ㄘˋ)many times; time and again

多次入境簽證(ㄉㄨㄛ ㄘˋ ㄖㄨˋ ㄐㄧㄥˋ ㄑㄧㄢ ㄓㄥˋ)a multiple entry visa

多才多藝(ㄉㄨㄛ ㄘㄞˊ ㄉㄨㄛ ㄧˋ)versatile

多采多姿(ㄉㄨㄛ ㄘㄞˇ ㄉㄨㄛ ㄗ)magnificent

多疑(ㄉㄨㄛ ㄧˊ)suspicious

多義詞(ㄉㄨㄛ ㄧˋ ㄘˊ) (linguistics) polysemant

多樣化(ㄉㄨㄛ ㄧㄤˋ ㄏㄨㄚˋ)to diversify

多餘(ㄉㄨㄛ ㄩˊ)superfluous

多雲(ㄉㄨㄛ ㄩㄣˊ)cloudy

多 909

2. ㄉㄨㄛˊ duó

how, what, etc.— in exclamatory statements

多麼(ㄉㄨㄛˊ ˙ㄇㄜ)how (good, etc.)

多美(ㄉㄨㄛˊ ㄇㄟˇ)How beautiful!

多好(ㄉㄨㄛˊ ㄏㄠˇ)How nice!

夙 910

ㄙㄨˋ sù

1.the early morning 2.old or original (desires, etc.)

夙昔(ㄙㄨˋ ㄒㄧˊ)in the past

夙興夜寐(ㄙㄨˋ ㄒㄧㄥ ㄧㄝˋ ㄇㄟˋ) very diligent

夙儒(ㄙㄨˋ ㄖㄨˊ)a learned scholar

夙怨(ㄙㄨˋ ㄩㄢˋ)old grudges 亦作「宿怨」
夙願(ㄙㄨˋ ㄩㄢˋ)an old wish

五畫

夜 911 ㄧㄝˋ yè
1. night; darkness 2. a night trip
夜班(ㄧㄝˋ ㄅㄢ)night shifts; night work
夜半(ㄧㄝˋ ㄅㄢˋ)midnight
夜貓子(ㄧㄝˋ ㄇㄠ ·ㄗ)a person who enjoys night life
夜盲症(ㄧㄝˋ ㄇㄤˊ ㄓㄥˋ)nyctalopia
夜幕(ㄧㄝˋ ㄇㄨˋ)gathering darkness
夜來香(ㄧㄝˋ ㄌㄞˊ ㄒㄧㄤ) (botany) the tuberose
夜光錶(ㄧㄝˋ ㄍㄨㄤ ㄅㄧㄠˇ)a watch with luminous markings on the dial
夜壺(ㄧㄝˋ ㄏㄨˊ)a chamber pot
夜間(ㄧㄝˋ ㄐㄧㄢ)or 夜晚(ㄧㄝˋ ㄨㄢˇ) or 夜裏(ㄧㄝˋ ·ㄌㄧ)at night
夜間部 (ㄧㄝˋ ㄐㄧㄢ ㄅㄨˋ) the night department (of a school, etc.)
夜間大學(ㄧㄝˋ ㄐㄧㄢ ㄉㄚˋ ㄒㄩㄝˊ)an evening university
夜景(ㄧㄝˋ ㄐㄧㄥˇ) night scenes(of a locality)
夜勤(ㄧㄝˋ ㄑㄧㄣˊ)night work
夜校(ㄧㄝˋ ㄒㄧㄠˋ)a night school
夜車(ㄧㄝˋ ㄔㄜ)①a night train ②(figuratively) to study late at night
夜市(ㄧㄝˋ ㄕˋ)markets devoted to nighttime business
夜生活(ㄧㄝˋ ㄕㄥ ㄏㄨㄛˊ)night life
夜總會(ㄧㄝˋ ㄗㄨㄥˇ ㄏㄨㄟˋ)a nightclub
夜色(ㄧㄝˋ ㄙㄜˋ)moonlight
夜以繼日(ㄧㄝˋ ㄧˇ ㄐㄧˋ ㄖˋ)day in and day out
夜夜(ㄧㄝˋ ㄧㄝˋ)every night
夜鶯(ㄧㄝˋ ㄧㄥ)the nightingale

八畫

夠 912 (够) ㄍㄡˋ gòu
1. enough; sufficient 2. fully; quite
夠本(ㄍㄡˋ ㄅㄣˇ)enough to cover the cost
夠不夠(ㄍㄡˋ ㄅㄨˋ ㄍㄡˋ)Is it enough?
夠朋友(ㄍㄡˋ ㄆㄥˊ ·ㄧㄡ)to be a friend in need
夠格(ㄍㄡˋ ㄍㄜˊ)to be qualified
夠受(ㄍㄡˋ ㄕㄡˋ)unbearable; intolerable
夠意思(ㄍㄡˋ ㄧˋ ·ㄙ)really something
夠味兒(ㄍㄡˋ ㄨㄟˋㄦ)enjoyable

十一畫

夢 913 ㄇㄥˋ mèng
1. a dream 2. to dream; to see visions 3. wishful thinking; wishful
夢寐以求(ㄇㄥˋ ㄇㄟˋ ㄧˇ ㄑㄧㄡˊ)to long for something day and night
夢話 (ㄇㄥˋ ㄏㄨㄚˋ)an absurd and unthinkable speech
夢幻 (ㄇㄥˋ ㄏㄨㄢˋ) illusion; a dream; reverie
夢見(ㄇㄥˋ ㄐㄧㄢˋ)to dream
夢境(ㄇㄥˋ ㄐㄧㄥˋ)dreamland
夢鄉(ㄇㄥˋ ㄒㄧㄤ)asleep; dreamland
夢想 (ㄇㄥˋ ㄒㄧㄤˇ) ①a daydream ②to dream of
夢兆 (ㄇㄥˋ ㄓㄠˋ) a prognostic from a dream
夢遺(ㄇㄥˋ ㄧˊ)nocturnal emission
夢遊(ㄇㄥˋ ㄧㄡˊ)to somnambulate
夢魘(ㄇㄥˋ ㄧㄢˇ)nightmares

夤 914 ㄧㄣˊ yín
1. to hang on (power, glory, etc.) 2. to respect 3. a remote place

夥 915 ㄏㄨㄛˇ huǒ
1. plenty; lots of 2. a partner 3. a clerk 4. a crowd
夥伴(ㄏㄨㄛˇ ㄅㄢˋ)a companion
夥同(ㄏㄨㄛˇ ㄊㄨㄥˊ)in league with
夥計(ㄏㄨㄛˇ ·ㄐㄧ)a waiter; a clerk

大部 ㄉㄚˋ dà

大 916 1. ㄉㄚˋ dà
1. big; large 2. great 3. much 4. very; highly; extremely; greatly 5. (polite expression) your 6. the eldest; senior 7. full-grown; an adult 8. (referring to date only) before; after 9. to make large
大伯(ㄉㄚˋ ㄅㄛˊ)one's father's elder brother; an uncle 亦作「伯父」
大班 (ㄉㄚˋ ㄅㄢ) the top class in a kindergarten
大半 (ㄉㄚˋ ㄅㄢˋ) ①for the most part ②probably
大本營(ㄉㄚˋ ㄅㄣˇ ㄧㄥˊ)headquarters
大便(ㄉㄚˋ ㄅㄧㄢˋ)excrement
大病(ㄉㄚˋ ㄅㄧㄥˋ)a serious illness
大部分(ㄉㄚˋ ㄅㄨˋ ㄈㄣˋ)for the most part
大不列顛(ㄉㄚˋ ㄅㄨˊ ㄌㄧㄝˋ ㄉㄧㄢ) Great Britain
大不相同(ㄉㄚˋ ㄅㄨˋ ㄒㄧㄤ ㄊㄨㄥˊ) entirely different
大不如前(ㄉㄚˋ ㄅㄨˋ ㄖㄨˊ ㄑㄧㄢˊ)far worse than it was before
大不了 (ㄉㄚˋ ·ㄅㄨ ㄌㄧㄠˇ) ①at the worst ②serious
大砲(ㄉㄚˋ ㄆㄠˋ)guns; batteries

大批(ㄉㄚˋ ㄆㄧ)a good deal of

大痲(ㄉㄚˋ ㄇㄚˊ)① hemp ② marijuana

大麥(ㄉㄚˋ ㄇㄞˋ)barley

大門(ㄉㄚˋ ㄇㄣˊ)the main door or gate

大名鼎鼎(ㄉㄚˋ ㄇㄧㄥˊ ㄉㄧㄥˇ ㄉㄧㄥˇ) very famous

大模大樣(ㄉㄚˋ ㄇㄨˊ ㄉㄚˋ ㄧㄤˋ)proudly

大拇指(ㄉㄚˋ ㄇㄨˇ ㄓˇ)thumb

大發雷霆(ㄉㄚˋ ㄈㄚ ㄌㄟˊ ㄊㄧㄥˊ) to be in a fit of anger

大法官(ㄉㄚˋ ㄈㄚˇ ㄍㄨㄢ) a grand justice

大費周章(ㄉㄚˋ ㄈㄟˋ ㄓㄡ ㄓㄤ)to go into great trouble in doing something

大方(ㄉㄚˋ ㄈㄤ)generous

大風大浪(ㄉㄚˋ ㄈㄥ ㄉㄚˋ ㄌㄤˋ) great storms

大副(ㄉㄚˋ ㄈㄨˋ) the first mate (of a ship)

大腹便便(ㄉㄚˋ ㄈㄨˋ ㄆㄧㄢˊ ㄆㄧㄢˊ) paunchy

大打出手(ㄉㄚˋ ㄉㄚˇ ㄔㄨ ㄕㄡˇ)to get into a free-for-all or a brawl

大刀闊斧(ㄉㄚˋ ㄉㄠ ㄎㄨㄛˋ ㄈㄨˇ)to act in a sweeping manner

大道理(ㄉㄚˋ ㄉㄠˋ ㄌㄧˇ) a general principle

大豆(ㄉㄚˋ ㄉㄡˋ)soybeans

大膽(ㄉㄚˋ ㄉㄢˇ)bold; boldness

大抵(ㄉㄚˋ ㄉㄧˇ)generally speaking

大地(ㄉㄚˋ ㄉㄧˋ) ①the earth ②the whole territory of a nation

大地主(ㄉㄚˋ ㄉㄧˋ ㄓㄨˇ) a big landowner

大都市(ㄉㄚˋ ㄉㄨ ㄕˋ)a metropolis

大肚子(ㄉㄚˋ ㄉㄨˋ ˙ㄗ) ①pregnant ②a potbelly

大多(ㄉㄚˋ ㄉㄨㄛ) for the most part; mostly

大多數(ㄉㄚˋ ㄉㄨㄛ ㄕㄨˋ) a great majority

大動脈(ㄉㄚˋ ㄉㄨㄥˋ ㄇㄞˋ) the main artery

大頭針(ㄉㄚˋ ㄊㄡˊ ㄓㄣ)tacks

大頭菜(ㄉㄚˋ ㄊㄡˊ ㄘㄞˋ)salted turnips

大提琴(ㄉㄚˋ ㄊㄧˊ ㄑㄧㄣˊ)a cello

大體(ㄉㄚˋ ㄊㄧˇ)generally

大廳(ㄉㄚˋ ㄊㄧㄥ)the main hall

大庭廣衆(ㄉㄚˋ ㄊㄧㄥˊ ㄍㄨㄤˇ ㄓㄨㄥˋ) in public

大腿(ㄉㄚˋ ㄊㄨㄟˇ)the thigh

大團圓(ㄉㄚˋ ㄊㄨㄢˊ ㄩㄢˊ)a happy ending

大同小異(ㄉㄚˋ ㄊㄨㄥˊ ㄒㄧㄠˇ ㄧˋ) almost the same

大同世界(ㄉㄚˋ ㄊㄨㄥˊ ㄕˋ ㄐㄧㄝˋ) a political utopia

大腦(ㄉㄚˋ ㄋㄠˇ)the cerebrum

大難臨頭(ㄉㄚˋ ㄋㄢˋ ㄌㄧㄣˊ ㄊㄡˊ)a great calamity just ahead

大年夜(ㄉㄚˋ ㄋㄧㄢˊ ㄧㄝˋ) on the night of the lunar New Year's Eve

大樓(ㄉㄚˋ ㄌㄡˊ)a multistoried building

大禮堂(ㄉㄚˋ ㄌㄧˇ ㄊㄤˊ)an auditorium

大理石(ㄉㄚˋ ㄌㄧˇ ㄕˊ)marble

大力士(ㄉㄚˋ ㄌㄧˋ ㄕˋ)a hercules

大量(ㄉㄚˋ ㄌㄧㄤˋ)a large quantity

大陸性氣候(ㄉㄚˋ ㄌㄨˋ ㄒㄧㄥˋ ㄑㄧˋ ㄏㄡˋ)a continental climate

大略(ㄉㄚˋ ㄌㄩㄝˋ)① briefly; generally ②(a man of) great talent

大哥(ㄉㄚˋ ㄍㄜ)the eldest brother

大個兒(ㄉㄚˋ ㄍㄜˋㄦ)a big man

大概(ㄉㄚˋ ㄍㄞˋ)generally

大綱(ㄉㄚˋ ㄍㄤ)an outline

大過(ㄉㄚˋ ㄍㄨㄛˋ) (said of punishment in school, etc.) a major demerit

大規模(ㄉㄚˋ ㄍㄨㄟ ㄇㄛˊ)on a large scale

大公無私(ㄉㄚˋ ㄍㄨㄥ ㄨˊ ㄙ)all for the public without selfish considerations

大開眼界(ㄉㄚˋ ㄎㄞ ㄧㄢˇ ㄐㄧㄝˋ) to have a wonderful sight

大合唱(ㄉㄚˋ ㄏㄜˊ ㄔㄤˋ)a chorus sung by a large choir

大海(ㄉㄚˋ ㄏㄞˇ)the ocean

大號(ㄉㄚˋ ㄏㄠˋ) ①large-size ②(music) a tuba; a bass horn

大後天(ㄉㄚˋ ㄏㄡˋ ㄊㄧㄢ) three days from today

大後年(ㄉㄚˋ ㄏㄡˋ ㄋㄧㄢˊ)two years after next

大亨(ㄉㄚˋ ㄏㄥ)a VIP; a tycoon

大話(ㄉㄚˋ ㄏㄨㄚˋ)boasts; big talks

大夥兒(ㄉㄚˋ ㄏㄨㄛˇㄦ)a group of people

大惑不解(ㄉㄚˋ ㄏㄨㄛˋ ㄅㄨˋ ㄐㄧㄝˇ) beyond comprehension

大會(ㄉㄚˋ ㄏㄨㄟˋ)a plenary meeting

大吉大利(ㄉㄚˋ ㄐㄧˊ ㄉㄚˋ ㄌㄧˋ) very smooth going or operation

大家(ㄉㄚˋ ㄐㄧㄚ)all of us; we

大家庭(ㄉㄚˋ ㄐㄧㄚ ㄊㄧㄥˊ) a big family

大街小巷(ㄉㄚˋ ㄐㄧㄝ ㄒㄧㄠˇ ㄒㄧㄤˋ) all over the city

大姊(ㄉㄚˋ ㄐㄧㄝˇ)the eldest sister

大舅子(ㄉㄚˋ ㄐㄧㄡˋ ˙ㄗ) one's wife's elder brothers

大減價(ㄉㄚˋ ㄐㄧㄢˇ ㄐㄧㄚˋ)bargain sale

大將(ㄉㄚˋ ㄐㄧㄤˋ)a right-hand man

大驚小怪(ㄉㄚˋ ㄐㄧㄥ ㄒㄧㄠˇ ㄍㄨㄞˋ) to make a fuss

大靜脈(ㄉㄚˋ ㄐㄧㄥˋ ㄇㄞˋ) the vena cava

大局(ㄉㄚˋ ㄐㄩˊ)the situation in general

大氣(ㄉㄚˋ ㄑㄧˋ)the atmosphere

大氣層(ㄉㄚˋ ㄑㄧˋ ㄘㄥˊ) the atmospheric boundary layer

大氣壓力(ㄉㄚˋ ㄑㄧˋ ㄧㄚ ㄌㄧˋ) atmospheric pressure

大千世界(ㄉㄚˋ ㄑㄧㄢ ㄕˋ ㄐㄧㄝˋ) the kaleidoscopic world

大前提(ㄉㄚˋ ㄑㄧㄢˊ ㄊㄧˊ) a major premise

大前天(ㄉㄚˋ ㄑㄧㄢˊ ㄊㄧㄢ)three days

ago 「the morning
大清早(ㄉㄚˋ ㄑㄧㄥ ㄗㄠˇ) very early in
大權(ㄉㄚˋ ㄑㄩㄢˊ)great authority
大西洋 (ㄉㄚˋ ㄒㄧ ㄧㄤˊ) the Atlantic Ocean
「be overjoyed
大喜過望(ㄉㄚˋ ㄒㄧˇ ㄍㄨㄛˋ ㄨㄤˋ) to
大峽谷(ㄉㄚˋ ㄒㄧㄚˊ ㄍㄨˇ)the Grand Canyon in the United States
大廈(ㄉㄚˋ ㄒㄧㄚˋ)a mansion
大寫(ㄉㄚˋ ㄒㄧㄝˇ)a capital letter
大小(ㄉㄚˋ ㄒㄧㄠˇ) sizes (of dresses, etc.)
「lar in size, age, etc.
大小不一(ㄉㄚˋ ㄒㄧㄠˇ ㄅㄨˋ ㄧ)irregu-
大笑(ㄉㄚˋ ㄒㄧㄠˋ)to laugh heartily
大顯身手(ㄉㄚˋ ㄒㄧㄢˇ ㄕㄣ ㄕㄡˇ)to display one's skill to the full
大相逕庭(ㄉㄚˋ ㄒㄧㄤ ㄐㄧㄥˋ ㄊㄧㄥˊ) totally different
大興土木 (ㄉㄚˋ ㄒㄧㄥ ㄊㄨˇ ㄇㄨˋ) to start a large-scale building project
大型 (ㄉㄚˋ ㄒㄧㄥˊ) (said of machines, etc.) large-sized
「lege
大學 (ㄉㄚˋ ㄒㄩㄝˊ) a university or col-
大選 (ㄉㄚˋ ㄒㄩㄢˇ) a presidential election
「omy) the Ursa Major
大熊座 (ㄉㄚˋ ㄒㄩㄥˊ ㄗㄨㄛˋ) (astron-
大致 (ㄉㄚˋ ㄓˋ) ①generally ②more or less
「realize one's ambition
大展宏圖 (ㄉㄚˋ ㄓㄢˇ ㄏㄨㄥˊ ㄊㄨˊ) to
大丈夫(ㄉㄚˋ ㄓㄤˋ ㄈㄨ)a real man
大主教(ㄉㄚˋ ㄓㄨˇ ㄐㄧㄠˋ) an archbishop
大專院校(ㄉㄚˋ ㄓㄨㄢ ㄩㄢˋ ㄒㄧㄠˋ) colleges and universities
大衆(ㄉㄚˋ ㄓㄨㄥˋ)the people 「larize
大衆化 (ㄉㄚˋ ㄓㄨㄥˋ ㄏㄨㄚˋ) to popu-
大衆捷運系統 (ㄉㄚˋ ㄓㄨㄥˋ ㄐㄧㄝˊ ㄩㄣˋ ㄒㄧˋ ㄊㄨㄥˇ) mass rapid transit (MRT)
「education
大衆教育(ㄉㄚˋ ㄓㄨㄥˋ ㄐㄧㄠˋ ㄩˋ) mass
大衆傳播(ㄉㄚˋ ㄓㄨㄥˋ ㄔㄨㄢˊ ㄅㄛˋ) mass communications
大衆傳播媒體 (ㄉㄚˋ ㄓㄨㄥˋ ㄔㄨㄢˊ ㄅㄛˋ ㄇㄟˊ ㄊㄧˇ)mass media
大衆文學(ㄉㄚˋ ㄓㄨㄥˋ ㄨㄣˊ ㄒㄩㄝˊ) popular literature
大衆娛樂 (ㄉㄚˋ ㄓㄨㄥˋ ㄩˊ ㄌㄜˋ) mass entertainment
「greatly surprised
大吃一驚(ㄉㄚˋ ㄔ ㄧˋ ㄐㄧㄥ)to be
大徹大悟(ㄉㄚˋ ㄔㄜˋ ㄉㄚˋ ㄨˋ)a profound and complete realization
大腸桿菌(ㄉㄚˋ ㄔㄤˊ ㄍㄢˇ ㄐㄩㄣˋ)coliform bacillus
大出洋相(ㄉㄚˋ ㄔㄨ ㄧㄤˊ ㄒㄧㄤˋ)to commit a big blunder in public
大吹大擂(ㄉㄚˋ ㄔㄨㄟ ㄉㄚˋ ㄌㄟˊ)to talk big
大師(ㄉㄚˋ ㄕ)①a master ②a reverent title for a Buddhist monk
大師傅(ㄉㄚˋ ㄕ ·ㄈㄨ)a chef

大失所望(ㄉㄚˋ ㄕ ㄙㄨㄛˇ ㄨㄤˋ)to be greatly discouraged
大使(ㄉㄚˋ ㄕˇ)an ambassador
大使館(ㄉㄚˋ ㄕˇ ㄍㄨㄢˇ)an embassy
大事(ㄉㄚˋ ㄕˋ)important events
大事鋪張(ㄉㄚˋ ㄕˋ ㄆㄨ ㄓㄤ)to put up lavish show
「trend indicates...
大勢所趨(ㄉㄚˋ ㄕˋ ㄙㄨㄛˇ ㄑㄩ)general
大赦(ㄉㄚˋ ㄕㄜˋ)an amnesty
大少爺(ㄉㄚˋ ㄕㄠˋ ·ㄧㄝ)a dandy
大人(ㄉㄚˋ ㄖㄣˊ)an adult
大人物(ㄉㄚˋ ㄖㄣˊ ㄨˋ)a VIP; a big shot
大字報 (ㄉㄚˋ ㄗˋ ㄅㄠˋ) a big-character poster
「phenomena
大自然 (ㄉㄚˋ ㄗˋ ㄖㄢˊ) nature; natural
大雜燴(ㄉㄚˋ ㄗㄚˊ ㄏㄨㄟˋ)a hodgepodge
大宗(ㄉㄚˋ ㄗㄨㄥ)a large amount
大才小用 (ㄉㄚˋ ㄘㄞˊ ㄒㄧㄠˇ ㄩㄥˋ) to make little use of great talent
大餐(ㄉㄚˋ ㄘㄢ)a sumptuous feast
大錯特錯 (ㄉㄚˋ ㄘㄨㄛˋ ㄊㄜˋ ㄘㄨㄛˋ) a very serious mistake
「law
大嫂 (ㄉㄚˋ ㄙㄠˇ) one's eldest sister-in-
大掃除(ㄉㄚˋ ㄙㄠˇ ㄔㄨˊ)to make a thorough clean-up
大蒜(ㄉㄚˋ ㄙㄨㄢˋ)garlic
大而化之(ㄉㄚˋ ㄦˊ ㄏㄨㄚˋ ㄓ)carelessly
大而無當(ㄉㄚˋ ㄦˊ ㄨˊ ㄉㄤˋ)large but impractical
大衣(ㄉㄚˋ ㄧ)an overcoat 「sisters
大姨子 (ㄉㄚˋ ㄧˊ ·ㄗ) one's wife's elder
大意 (ㄉㄚˋ ㄧˋ) ①the general idea ② negligent
「ferent
大異其趣(ㄉㄚˋ ㄧˋ ㄑㄧˊ ㄑㄩˋ)very dif-
大爺(ㄉㄚˋ ㄧㄝˊ) a rich man
大搖大擺(ㄉㄚˋ ㄧㄠˊ ㄉㄚˋ ㄅㄞˇ)to walk haughtily
大要(ㄉㄚˋ ㄧㄠˋ)the main points
大有分別(ㄉㄚˋ ㄧㄡˇ ㄈㄣ ㄅㄧㄝˊ)entirely different
大有可爲(ㄉㄚˋ ㄧㄡˇ ㄎㄜˇ ㄨㄟˊ)to have bright prospects
大言不慚(ㄉㄚˋ ㄧㄢˊ ㄅㄨˋ ㄘㄢˊ)to boast unabashedly
大洋(ㄉㄚˋ ㄧㄤˊ)an ocean
大洋洲(ㄉㄚˋ ㄧㄤˊ ㄓㄡ)Oceania
大英博物館(ㄉㄚˋ ㄧㄥ ㄅㄛˊ ㄨˋ ㄍㄨㄢˇ) the British Museum
大無畏(ㄉㄚˋ ㄨˊ ㄨㄟˋ)fearless
大文豪(ㄉㄚˋ ㄨㄣˊ ㄏㄠˊ)a literary giant
大雨傾盆(ㄉㄚˋ ㄩˇ ㄑㄧㄥ ㄆㄣˊ)to rain cats and dogs
大約(ㄉㄚˋ ㄩㄝ)about; around

大 916
2. ㄉㄞˋ dài
as in 大夫—a doctor

一畫

〔大部〕

天 917
ㄊㄧㄢ tiān

1. the sky; the heavens 2. Nature; God; Heaven 3. nature; natural; not artificial 4. a day 5. seasons; climates 6. father or husband 7. necessities

天邊(ㄊㄧㄢ ㄅㄧㄢ)remotest places

天棚(ㄊㄧㄢ ㄆㄥˊ) a tent for shading the sun

天平(ㄊㄧㄢ ㄆㄧㄥˊ)scales

天明(ㄊㄧㄢ ㄇㄧㄥˊ)daybreak; dawn

天命(ㄊㄧㄢ ㄇㄧㄥˋ)destiny

天翻地覆(ㄊㄧㄢ ㄈㄢ ㄉㄧˋ ㄈㄨˋ) in total disorder or disarrangement

天分(ㄊㄧㄢ ㄈㄣˋ)or天賦(ㄊㄧㄢ ㄈㄨˋ) talent

天賦人權(ㄊㄧㄢ ㄈㄨˋ ㄖㄣˊ ㄑㄩㄢˊ) inborn human rights

天底下(ㄊㄧㄢ ㄉㄧˇ ˙ㄒㄧㄚ) in this world

天地(ㄊㄧㄢ ㄉㄧˋ)① the universe ② the upper and lower margins of a scroll

天地良心(ㄊㄧㄢ ㄉㄧˋ ㄌㄧㄤˊ ㄒㄧㄣ) to speak the truth

天地間(ㄊㄧㄢ ㄉㄧˋ ㄐㄧㄢ)in this world

天定(ㄊㄧㄢ ㄉㄧㄥˋ)preordained

天堂(ㄊㄧㄢ ㄊㄤˊ)paradise

天體(ㄊㄧㄢ ㄊㄧˇ)celestial bodies

天體營(ㄊㄧㄢ ㄊㄧˇ ㄧㄥˊ) a nudist camp

天天(ㄊㄧㄢ ㄊㄧㄢ) every day

天籟(ㄊㄧㄢ ㄌㄞˋ)the sounds of nature

天藍色(ㄊㄧㄢ ㄌㄢˊ ㄙㄜˋ)sky blue

天理(ㄊㄧㄢ ㄌㄧˇ)natural law

天良(ㄊㄧㄢ ㄌㄧㄤˊ)one's conscience

天亮(ㄊㄧㄢ ㄌㄧㄤˋ)daybreak; daytime

天倫之樂(ㄊㄧㄢ ㄌㄨㄣˊ ㄓ ㄌㄜˋ)family happiness

天各一方(ㄊㄧㄢ ㄍㄜˋ ㄧˋ ㄈㄤ) to be far apart

天干(ㄊㄧㄢ ㄍㄢ) the Ten Celestial Stems

天空(ㄊㄧㄢ ㄎㄨㄥ)the sky

天花(ㄊㄧㄢ ㄏㄨㄚ) (pathology) the smallpox

天花板(ㄊㄧㄢ ㄏㄨㄚ ㄅㄢˇ) the ceiling

天花亂墜(ㄊㄧㄢ ㄏㄨㄚ ㄌㄨㄢˋ ㄓㄨㄟˋ)exaggerated description

天荒地老(ㄊㄧㄢ ㄏㄨㄤ ㄉㄧˋ ㄌㄠˇ) a long, long time

天機(ㄊㄧㄢ ㄐㄧ)the secrets of Heaven

天經地義(ㄊㄧㄢ ㄐㄧㄥ ㄉㄧˋ ㄧˋ)a matter of course

天氣(ㄊㄧㄢ ㄑㄧˋ)weather

天氣預報(ㄊㄧㄢ ㄑㄧˋ ㄩˋ ㄅㄠˋ) a weather forecast

天橋(ㄊㄧㄢ ㄑㄧㄠˊ)an overhead bridge

天譴(ㄊㄧㄢ ㄑㄧㄢˇ)God's punishment

天下(ㄊㄧㄢ ㄒㄧㄚˋ)the world

天曉得(ㄊㄧㄢ ㄒㄧㄠˇ ˙ㄉㄜ)God knows!

天線(ㄊㄧㄢ ㄒㄧㄢˋ)an antenna

天香國色(ㄊㄧㄢ ㄒㄧㄤ ㄍㄨㄛˊ ㄙㄜˋ) a woman of great beauty

天性(ㄊㄧㄢ ㄒㄧㄥˋ) natural temperaments

天旋地轉(ㄊㄧㄢ ㄒㄩㄢˊ ㄉㄧˋ ㄓㄨㄢˋ) very faint and dizzy

天之驕子(ㄊㄧㄢ ㄓ ㄐㄧㄠ ㄗˇ)to be extraordinarily blessed

天眞(ㄊㄧㄢ ㄓㄣ)naive; innocent

天誅地滅(ㄊㄧㄢ ㄓㄨ ㄉㄧˋ ㄇㄧㄝˋ)to be damned by Heaven and Earth

天竺鼠(ㄊㄧㄢ ㄓㄨˊ ㄕㄨˇ)a guinea pig

天主教(ㄊㄧㄢ ㄓㄨˇ ㄐㄧㄠˋ)Catholicism

天長地久(ㄊㄧㄢ ㄔㄤˊ ㄉㄧˋ ㄐㄧㄡˇ)a very long time

天使(ㄊㄧㄢ ㄕˇ)an angel

天生(ㄊㄧㄢ ㄕㄥ)natural

天然(ㄊㄧㄢ ㄖㄢˊ)natural

天資(ㄊㄧㄢ ㄗ)inborn talent

天子(ㄊㄧㄢ ㄗˇ)the emperor

天災(ㄊㄧㄢ ㄗㄞ)a natural disaster

天災人禍(ㄊㄧㄢ ㄗㄞ ㄖㄣˊ ㄏㄨㄛˋ)natural disasters and manmade calamities

天作之合(ㄊㄧㄢ ㄗㄨㄛˋ ㄓ ㄏㄜˊ) a match by Heaven

天才(ㄊㄧㄢ ㄘㄞˊ)a genius

天才兒童(ㄊㄧㄢ ㄘㄞˊ ㄦˊ ㄊㄨㄥˊ)a child prodigy

天色(ㄊㄧㄢ ㄙㄜˋ)the color of the sky

天鵝(ㄊㄧㄢ ㄜˊ)a swan

天鵝絨(ㄊㄧㄢ ㄜˊ ㄖㄨㄥˊ)velvet

天衣無縫(ㄊㄧㄢ ㄧ ㄨˊ ㄈㄥˋ)flawless (lies)

天意(ㄊㄧㄢ ㄧˋ) God's will; the will of Heaven

天涯海角(ㄊㄧㄢ ㄧㄚˊ ㄏㄞˇ ㄐㄧㄠˇ)faraway, distant or remote places

天文(ㄊㄧㄢ ㄨㄣˊ)astronomy

天文臺(ㄊㄧㄢ ㄨㄣˊ ㄊㄞˊ) an observatory

天文學(ㄊㄧㄢ ㄨㄣˊ ㄒㄩㄝˊ)astronomy

天王星(ㄊㄧㄢ ㄨㄤˊ ㄒㄧㄥ)the planet Uranus

天淵之別(ㄊㄧㄢ ㄩㄢ ㄓ ㄅㄧㄝˊ)or天壤之別(ㄊㄧㄢ ㄖㄤˇ ㄓ ㄅㄧㄝˊ)vastly different

太 918
ㄊㄞˋ tài

1. very big or large 2. much; too; over; excessively; extremely; very 3. a term of respect, used in titles

太保(ㄊㄞˋ ㄅㄠˇ)juvenile delinquents

太平(ㄊㄞˋ ㄆㄧㄥˊ)peace; peaceful

太平門(ㄊㄞˋ ㄆㄧㄥˊ ㄇㄣˊ)exits, especially those leading to fire escapes

太平間(ㄊㄞˋ ㄆㄧㄥˊ ㄐㄧㄢ)a mortuary

太平洋(ㄊㄞˋ ㄆㄧㄥˊ ㄧㄤˊ)the Pacific Ocean

太妹(ㄊㄞˋ ㄇㄟˋ)a girl delinquent

太太(ㄊㄞˋ ·ㄊㄞ)①a respectful title for women ②one's wife
太公釣魚，願者上鉤 (ㄊㄞˋ ㄍㄨㄥ ㄉㄧㄠˋ ㄩˊ, ㄩㄢˋ ㄓㄜˇ ㄕㄤˋ ㄍㄡ)A victim lets himself be caught of his own will.
太空(ㄊㄞˋ ㄎㄨㄥ)space; the great void
太空船(ㄊㄞˋ ㄎㄨㄥ ㄔㄨㄢˊ)a spaceship
太空人(ㄊㄞˋ ㄎㄨㄥ ㄖㄣˊ)astronauts
太空總署 (ㄊㄞˋ ㄎㄨㄥ ㄗㄨㄥˇ ㄕㄨˇ) U.S. National Aeronautics and Space Administration (NASA)
太空艙 (ㄊㄞˋ ㄎㄨㄥ ㄘㄤ) a space capsule
太空梭 (ㄊㄞˋ ㄎㄨㄥ ㄙㄨㄛ) a space shuttle; a shuttle
太空衣(ㄊㄞˋ ㄎㄨㄥ ㄧ)a space suit
太后(ㄊㄞˋ ㄏㄡˋ)the empress dowager
太極拳 (ㄊㄞˋ ㄐㄧˊ ㄑㄩㄢˊ) shadow-boxing
太監(ㄊㄞˋ ㄐㄧㄢˋ)a eunuch
太甚(ㄊㄞˋ ㄕㄣˋ)too much
太子(ㄊㄞˋ ㄗˇ)the crown prince
太座(ㄊㄞˋ ㄗㄨㄛˋ)one's wife
太陽(ㄊㄞˋ ㄧㄤˊ)the sun
太陽能(ㄊㄞˋ ㄧㄤˊ ㄋㄥˊ)solar energy
太陽系(ㄊㄞˋ ㄧㄤˊ ㄒㄧˋ)the solar system
太陽穴(ㄊㄞˋ ㄧㄤˊ ㄒㄩㄝˋ)the temples
太陽神(ㄊㄞˋ ㄧㄤˊ ㄕㄣˊ)Apollo
太陽眼鏡(ㄊㄞˋ ㄧㄤˊ ㄧㄢˇ ㄐㄧㄥˋ) sunglasses

夫 919
1. ㄈㄨ fū
1. a man; a male adult 2. those eligible for military service 3. a master 4. a husband
夫婦(ㄈㄨ ㄈㄨˋ)a couple
夫妻(ㄈㄨ ㄑㄧ)a couple
夫婿(ㄈㄨ ㄒㄩˋ)a reference to one's own husband
夫唱婦隨(ㄈㄨ ㄔㄤˋ ㄈㄨˋ ㄙㄨㄟˊ)harmony between husband and wife
夫人(ㄈㄨ ㄖㄣˊ)①the wives of high officials ②Lady; Madame; Mrs.

夫 919
2. ㄈㄨˊ fú
1. a demonstrative pronoun—*that* in most cases 2. a final particle

夬 920
ㄍㄨㄞˋ guài
one of the eight diagrams in the *Book of Changes*

夭 921
1. ㄧㄠˇ yǎo
1. to die young 2. to suppress; to repress
夭折 (ㄧㄠˇ ㄓㄜˊ) ①to die young ②to come to a premature end
夭壽(ㄧㄠˇ ㄕㄡˋ)to die young

夭 921
2. ㄧㄠ yāo
young; freshlooking; tender

一畫

失 922
ㄕ shī
1. to let slip; to neglect; to miss 2. to lose 3. an omission; a mistake
失敗(ㄕ ㄅㄞˋ)to fail; a failure
失眠(ㄕ ㄇㄧㄢˊ) insomnia
失明(ㄕ ㄇㄧㄥˊ)to become blind
失地(ㄕ ㄉㄧˋ)the territory occupied by enemy forces
失態(ㄕ ㄊㄞˋ)to misbehave
失調(ㄕ ㄊㄧㄠˊ)to be careless about one's health, diet, etc.
失禮(ㄕ ㄌㄧˇ)to be impolite; to be rude
失利(ㄕ ㄌㄧˋ)to suffer a defeat
失戀(ㄕ ㄌㄧㄢˋ)to lose one's love
失靈(ㄕ ㄌㄧㄥˊ) (said of a machine, etc.) not to work
失落(ㄕ ㄌㄨㄛˋ)to lose
失控(ㄕ ㄎㄨㄥˋ)out of control
失和(ㄕ ㄏㄜˊ) (said of a couple) to be at loggerheads
失火(ㄕ ㄏㄨㄛˇ)to catch fire
失禁(ㄕ ㄐㄧㄣˋ)incontinence
失竊(ㄕ ㄑㄧㄝˋ)to be stolen
失去(ㄕ ㄑㄩˋ)to lose
失效(ㄕ ㄒㄧㄠˋ)①(law) to lose legal force ②(said of medicines, etc.) to lose efficacy
失修(ㄕ ㄒㄧㄡ)in a dilapidated state
失陷(ㄕ ㄒㄧㄢˋ) (said of territory, etc.) to fall to the enemy
失信(ㄕ ㄒㄧㄣˋ) to break one's word or promise
失學(ㄕ ㄒㄩㄝˊ)to lack formal schooling or education
失血(ㄕ ㄒㄩㄝˇ)to lose blood
失職(ㄕ ㄓˊ)dereliction of one's duty
失主(ㄕ ㄓㄨˇ) (law) the owner of lost property
失常 (ㄕ ㄔㄤˊ) to perform below one's normal capacity
失傳(ㄕ ㄔㄨㄢˊ)lost (arts, skills, etc.)
失寵(ㄕ ㄔㄨㄥˇ)to lose one's boss's confidence
失事(ㄕ ㄕˋ)to meet with an accident
失勢(ㄕ ㄕˋ)to lose one's position, etc.
失手(ㄕ ㄕㄡˇ)to break something or hurt somebody by accident
失守(ㄕ ㄕㄡˇ) (said of a city, etc.) to fall into the hands of the enemy
失身(ㄕ ㄕㄣ) (said of women) to lose chastity
失神(ㄕ ㄕㄣˊ)inattentive
失聲(ㄕ ㄕㄥ)to lose one's voice for crying too much
失足(ㄕ ㄗㄨˊ)①to lose one's footing ②to commit a mistake
失蹤(ㄕ ㄗㄨㄥ)missing

〔大部〕

失策(ㄕ ㄘㄜˋ)poor tactic or strategy
失散(ㄕ ㄙㄢˋ)lost and scattered
失速(ㄕ ㄙㄨˋ)(aviation) to stall
失算(ㄕ ㄙㄨㄢˋ)to miscalculate
失意(ㄕ ㄧˋ)disappointed
失業(ㄕ ㄧㄝˋ)unemployed
失言(ㄕ ㄧㄢˊ) to make improper utterances
失誤(ㄕ ㄨˋ)an error; a slip
失物(ㄕ ㄨˋ)lost property
失望(ㄕ ㄨㄤˋ)to be disappointed
失約(ㄕ ㄩㄝ)① to break one's promise ② to break a date or an appointment

央 923
ㄧㄤ yāng
1. the center; middle 2. the finish; to finish 3. to request
央求(ㄧㄤ ㄑㄧㄡˊ)to beg; to plead

夯 924
ㄏㄤ hāng
1. to raise with force 2. a heavy load; a burden 3. (levee construction) to fill cracks and leaks with earth

三畫

夷 925
ㄧˊ yí
1. (in ancient China) barbarians in the east 2. foreign tribes or foreigners 3. peaceful 4. to level 5. safe 6. to eliminate; to kill 7. injuries 8. grades 9. common; usual 10. great; big
夷為平地(ㄧˊ ㄨㄟˊ ㄆㄧㄥˊ ㄉㄧˋ)to level (a town, etc.) with the ground

夸 926
ㄎㄨㄚ kuā
1. big; large 2. lavish 3. pleasant 4. to brag 5. a Chinese family name
夸誕(ㄎㄨㄚ ㄉㄢˋ)boastful; bragging

四畫

夾 927
1. ㄐㄧㄚˊ jiá
(又讀 ㄐㄧㄚ jiā)
1. to be wedged between 2. to squeeze 3. pincers 4. lined (garments, etc.) 5. a folder to keep sheets of paper, etc. 6. to carry secretly 7. to mix
夾子(ㄐㄧㄚˊ •ㄗ)clips
夾板(ㄐㄧㄚˊ ㄅㄢˇ)plywood
夾縫(ㄐㄧㄚˊ ㄈㄥˋ)a crack
夾攻(ㄐㄧㄚˊ ㄍㄨㄥ) to attack from both sides
夾持(ㄐㄧㄚˊ ㄔˊ)to hold in between
夾雜(ㄐㄧㄚˊ ㄗㄚˊ)mixed-up

夾 927
2. ㄐㄧㄚˋ jià
as in 夾竹桃—an oleander

五畫

奄 928
1. ㄧㄢˇ yǎn
1. to cover; to surround 2. as in 奄忽—suddenly; abruptly; rapidly

奄 928
2. ㄧㄢ yān
1. to soak; to bathe; to drown 2. to remain 3. to castrate
奄奄一息(ㄧㄢ ㄧㄢ ㄧˋ ㄒㄧˊ)dying

奇 929
1. ㄑㄧˊ qí
1. strange; uncanny; occult; rare 2. wonderful 3. to wonder
奇妙(ㄑㄧˊ ㄇㄧㄠˋ)wonderful; rare
奇特(ㄑㄧˊ ㄊㄜˋ)unique; outstanding
奇談(ㄑㄧˊ ㄊㄢˊ)a strange story
奇怪(ㄑㄧˊ ㄍㄨㄞˋ)strange; odd
奇觀(ㄑㄧˊ ㄍㄨㄢ)a spectacular sight
奇蹟(ㄑㄧˊ ㄐㄧ)miracles
奇技(ㄑㄧˊ ㄐㄧˋ)a stunt
奇景(ㄑㄧˊ ㄐㄧㄥˇ)unusual sights
奇裝異服 (ㄑㄧˊ ㄓㄨㄤ ㄧˋ ㄈㄨˊ) strange or queer clothing
奇恥大辱 (ㄑㄧˊ ㄔˇ ㄉㄚˋ ㄖㄨˇ) a great insult
奇才(ㄑㄧˊ ㄘㄞˊ)a rare talent
奇異(ㄑㄧˊ ㄧˋ)strange; unusual
奇異果(ㄑㄧˊ ㄧˋ ㄍㄨㄛˇ)kiwi
奇遇(ㄑㄧˊ ㄩˋ)an unexpected encounter

奇 929
2. ㄐㄧ jī
odd (numbers)
奇數(ㄐㄧ ㄕㄨˋ)an odd number

奈 930
ㄋㄞˋ nài
1. what; how; but 2. to bear; to endure
奈何(ㄋㄞˋ ㄏㄜˊ)What to do now? 或 What can we do now?

奉 931
ㄈㄥˋ fèng
1. to receive with respect 2. an expression of respect 3. to offer 4. to admire 5. salary 6. to serve
奉陪(ㄈㄥˋ ㄆㄟˊ)to keep (you) company
奉命 (ㄈㄥˋ ㄇㄧㄥˋ) (to do something) as ordered
奉告(ㄈㄥˋ ㄍㄠˋ)to inform
奉公守法 (ㄈㄥˋ ㄍㄨㄥ ㄕㄡˇ ㄈㄚˇ) law-abiding
奉還 (ㄈㄥˋ ㄏㄨㄢˊ) respectfully return with thanks
奉獻(ㄈㄥˋ ㄒㄧㄢˋ)to contribute
奉承(ㄈㄥˋ ㄔㄥˊ)to flatter
奉送(ㄈㄥˋ ㄙㄨㄥˋ) (shop language) to give away as a gift
奉養(ㄈㄥˋ ㄧㄤˇ)to support (one's parents)
奉為圭臬(ㄈㄥˋ ㄨㄟˊ ㄍㄨㄟ ㄋㄧㄝˋ)to look up to something as a model

六畫

奔 932
1.(奔) ㄅㄣ bēn
1. to run; to hurry 2. to flee 3. to elope
奔波(ㄅㄣ ㄅㄛ)to work very hard
奔跑(ㄅㄣ ㄆㄠˇ)to run in a great hurry
奔放(ㄅㄣ ㄈㄤˋ) (said of a writing, etc.) expressive and unrestrained
奔騰(ㄅㄣ ㄊㄥˊ)to gallop
奔流(ㄅㄣ ㄌㄧㄡˊ)a torrent
奔馳(ㄅㄣ ㄔˊ)to move fast
奔喪(ㄅㄣ ㄙㄤ)to hasten home upon the death of one's parents

奔 932
2.(奔) ㄅㄣˋ bèn
to go straight forwards; to head for
奔命(ㄅㄣˋ ㄇㄧㄥˋ) to be in a desperate hurry

奎 933
ㄎㄨㄟˊ kuí
1. between the buttocks; the stride made by a man 2. one of the 28 constellations

奏 934
ㄗㄡˋ zòu
1. to report to the throne 2. to play (music or musical instruments) 3. to move; to advance
奏鳴曲 (ㄗㄡˋ ㄇㄧㄥˊ ㄑㄩˇ) (music) a sonata
奏效(ㄗㄡˋ ㄒㄧㄠˋ)effective; efficacious
奏樂(ㄗㄡˋ ㄩㄝˋ)to play music

奐 935
ㄏㄨㄢˋ huàn
1. leisurely 2. brilliant; lively 3. excellent; elegant 4. numerous; many

契 936
1. ㄑㄧˋ qì
1. a contract 2. a divining instrument in ancient China 3. to be compatible in thought and aspiration 4. to adopt 5. to carve
契合(ㄑㄧˋ ㄏㄜˊ)compatible
契機(ㄑㄧˋ ㄐㄧ)① (philosophy) a moment ② a turning point
契約(ㄑㄧˋ ㄩㄝ)a written contract

契 936
2. ㄑㄧㄝˋ qiè
1. to carve 2. to be separated from

奕 937
ㄧˋ yì
1. great; grand; abundant 2. gorgeous; elegant 3. worried; anxious 4. in good order; in sequence
奕奕(ㄧˋ ㄧˋ)① gorgeous ② anxious

七畫

奘 938
ㄗㄤˋ zàng
large; stout; thick; powerful

套 939
ㄊㄠˋ tào
1. a case; an envelope 2. a trap; a snare 3. to wear on (a sweater, etc.) 4. to trick a person (into telling the truth) 5. to harness 6. a set pattern 7. a formula 8. a suit (of clothes); a set (of tableware, etc.)
套房(ㄊㄠˋ ㄈㄤˊ)a suite (of rooms)
套牢(ㄊㄠˋ ㄌㄠˊ)lockup
套話(ㄊㄠˋ ㄏㄨㄚˋ)to trap a person into telling the truth
套裝(ㄊㄠˋ ㄓㄨㄤ)an ensemble
套色(ㄊㄠˋ ㄙㄜˋ) (printing) chromatography
套用(ㄊㄠˋ ㄩㄥˋ)to apply mechanically

畚 940
ㄅㄣˇ běn
a bamboo basket for carrying earth
畚斗(ㄅㄣˇ ㄉㄡˇ)a dustpan
畚箕(ㄅㄣˇ ㄐㄧ)a dust basket

奚 941
ㄒㄧ xī
1. why; how; what; which 2. a servant
奚落(ㄒㄧ ㄌㄨㄛˋ)to laugh at

九畫

奠 942
ㄉㄧㄢˋ diàn
1. to settle; to lay (foundation, etc.) 2. to secure 3. to offer libations
奠定(ㄉㄧㄢˋ ㄉㄧㄥˋ)to settle
奠基(ㄉㄧㄢˋ ㄐㄧ)to lay the foundation of a building
奠儀 (ㄉㄧㄢˋ ㄧˊ) a money gift for a funeral

奢 943
ㄕㄜ shē
1. wasteful; lavish 2. excess; excessive 3. to exaggerate; to brag
奢靡(ㄕㄜ ㄇㄧˇ)wasteful
奢侈(ㄕㄜ ㄔˇ)luxury; wasteful
奢侈品(ㄕㄜ ㄔˇ ㄆㄧㄣˇ)articles of luxury
奢望(ㄕㄜ ㄨㄤˋ)a fancy

十畫

奧 944
ㄠˋ ào
1. mysterious; profound (learning) 2. a secret cabin of a house or palace
奧秘(ㄠˋ ㄇㄧˋ)subtle; subtlety
奧妙(ㄠˋ ㄇㄧㄠˋ)marvels; subtle
奧地利(ㄠˋ ㄉㄧˋ ㄌㄧˋ)Austria
奧林匹克運動會(ㄠˋ ㄌㄧㄣˊ ㄆㄧˇ ㄎㄜˋ ㄩㄣˋ ㄉㄨㄥˋ ㄏㄨㄟˋ) the Olympic Games

十一畫

〔女部〕

奪 945 ㄉㄨㄛˊ duó

1. to take by force; to rob 2. to snatch; to grasp 3. to decide

奪標(ㄉㄨㄛˊ ㄅㄧㄠ)to win the first prize

奪目(ㄉㄨㄛˊ ㄇㄨˋ)eye-catching

奪魁(ㄉㄨㄛˊ ㄎㄨㄟˊ)to win a race

奪回(ㄉㄨㄛˊ ㄏㄨㄟˊ)to seize back

奪取(ㄉㄨㄛˊ ㄑㄩˇ)to take by force

奪權(ㄉㄨㄛˊ ㄑㄩㄢˊ)to seize power

奬 946 ㄐㄧㄤˇ jiǎng

1. to encourage; to exhort 2. to praise; to commend 3. to cite or give a prize or reward (for a merit, etc.) 4. a prize or reward

奬杯(ㄐㄧㄤˇ ㄅㄟ)a cup (as a prize)

奬牌(ㄐㄧㄤˇ ㄆㄞˊ)a gold, silver or bronze medal given as an award

奬品(ㄐㄧㄤˇ ㄆㄧㄣˇ)prizes or rewards

奬勵(ㄐㄧㄤˇ ㄌㄧˋ)to encourage by rewards

奬金(ㄐㄧㄤˇ ㄐㄧㄣ)a bonus

奬券(ㄐㄧㄤˇ ㄑㄩㄢˋ)a lottery ticket

奬學金(ㄐㄧㄤˇ ㄒㄩㄝˊ ㄐㄧㄣ)a scholarship

奬章(ㄐㄧㄤˇ ㄓㄤ)a medal

奬狀(ㄐㄧㄤˇ ㄓㄨㄤˋ)a citation of meritorious services, etc.

奬賞(ㄐㄧㄤˇ ㄕㄤˇ)to reward

十二畫

奭 947 1. ㄕˋ shì

red

奭 947 2. ㄏㄜˋ hè

to be angry

十三畫

奮 948 ㄈㄣˋ fèn

1. to arouse 2. (said of a bird) to take wing 3. to promote (a cause, etc.)

奮不顧身(ㄈㄣˋ ㄅㄨˋ ㄍㄨˋ ㄕㄣ)to do something regardless of personal safety

奮發(ㄈㄣˋ ㄈㄚ)to rouse oneself

奮鬪(ㄈㄣˋ ㄉㄡˋ)to struggle

奮戰(ㄈㄣˋ ㄓㄢˋ)to fight bravely

女部 ㄋㄩˇ nǚ

女 949 ㄋㄩˇ nǚ

1. a daughter; a girl; a maiden; a lady 2. a woman; a female

女朋友(ㄋㄩˇ ㄆㄥˊ ㄧㄡˇ)a girl friend

女服務員(ㄋㄩˇ ㄈㄨˊ ㄨˋ ㄩㄢˊ)a waitress

女低音(ㄋㄩˇ ㄉㄧ ㄧㄣ)a contralto

女郎(ㄋㄩˇ ㄌㄤˊ)a young girl

女高音(ㄋㄩˇ ㄍㄠ ㄧㄣ)a soprano

女工(ㄋㄩˇ ㄍㄨㄥ)women labor

女空服員(ㄋㄩˇ ㄎㄨㄥ ㄈㄨˊ ㄩㄢˊ)a stewardess

女孩(ㄋㄩˇ ㄏㄞˊ)a girl

女強人(ㄋㄩˇ ㄑㄧㄤˊ ㄖㄣˊ)a successful career woman

女權(ㄋㄩˇ ㄑㄩㄢˊ)women's rights

女權運動(ㄋㄩˇ ㄑㄩㄢˊ ㄩㄣˋ ㄉㄨㄥˋ)feminism

女性(ㄋㄩˇ ㄒㄧㄥˋ)female

女性化(ㄋㄩˇ ㄒㄧㄥˋ ㄏㄨㄚˋ)to feminize

女婿(ㄋㄩˇ ㄒㄩˋ)a son-in-law

女主角(ㄋㄩˇ ㄓㄨˇ ㄐㄧㄠˊ)a heroine

女主人(ㄋㄩˇ ㄓㄨˇ ㄖㄣˊ)a hostess

女裝(ㄋㄩˇ ㄓㄨㄤ)a woman dress

女士(ㄋㄩˇ ㄕˋ)Ms.; a lady

女生(ㄋㄩˇ ㄕㄥ)co-eds; girl students

女人(ㄋㄩˇ ㄖㄣˊ)a woman

女厠所(ㄋㄩˇ ㄘㄜˋ ㄙㄨㄛˇ)a ladies' room

女兒(ㄋㄩˇ ㄦˊ)one's daughter

女巫(ㄋㄩˇ ㄨ)a witch 亦作「巫婆」

女王(ㄋㄩˇ ㄨㄤˊ)a queen regnant

二畫

奴 950 ㄋㄨˊ nú

1. a slave; a servant 2. a self-derogatory expression used by a girl to refer to herself in former times 3. a despicable yes-man

奴婢(ㄋㄨˊ ㄅㄧˋ)slaves; servants

奴隸(ㄋㄨˊ ㄌㄧˋ)a serf; a slave

奴才(ㄋㄨˊ ㄘㄞˊ)① a slave; a serf ② a good-for-nothing; a yes-man

奴役(ㄋㄨˊ ㄧˋ)to enslave

奶 951 ㄋㄞˇ nǎi

1. the breasts of a woman 2. milk 3. grandma 4. to breast-feed

奶瓶(ㄋㄞˇ ㄆㄧㄥˊ)a milk bottle

奶媽(ㄋㄞˇ ㄇㄚ)a wet nurse

奶粉(ㄋㄞˇ ㄈㄣˇ)milk powder

奶頭(ㄋㄞˇ ㄊㄡˊ)the nipples

奶奶(ㄋㄞˇ ·ㄋㄞ)grandma

奶罩(ㄋㄞˇ ㄓㄠˋ)a brassiere or bra

奶茶(ㄋㄞˇ ㄔㄚˊ)tea with milk

奶水(ㄋㄞˇ ㄕㄨㄟˇ)milk

奶嘴(ㄋㄞˇ ㄗㄨㄟˇ)the nipple

奶油(ㄋㄞˇ ㄧㄡˊ)butter

三畫

奸 952 ㄐㄧㄢ jiān

1. false 2. selfish 3. disloyal 4. crafty; cunning 5. adultery 6. a traitor

奸計(ㄐㄧㄢ ㄐㄧˋ)a wicked scheme
奸細(ㄐㄧㄢ ㄒㄧˋ)a spy 亦作「間諜」
奸笑(ㄐㄧㄢ ㄒㄧㄠˋ)a malicious smile
奸詐(ㄐㄧㄢ ㄓㄚˋ)crafty; cunning
奸臣(ㄐㄧㄢ ㄔㄣˊ)a traitor
奸商(ㄐㄧㄢ ㄕㄤ)profiteers
奸淫(ㄐㄧㄢ ㄧㄣˊ)① adultery ② lustful

她 953 ㄊㄚ tā

she

她們(ㄊㄚ ˙ㄇㄣ) (referring to the feminine) they

好 954 1. ㄏㄠˇ hǎo

1. good; nice; fine 2. pleasing (looks, etc.); easy (to deal with, etc.) 3. to finish (eating, etc.) 4. very; much 5. can; so that 6. All right! 或 Bravo! 7. an exclamatory expression 8. a friendly meeting 9. suitable

好不好(ㄏㄠˇ ˙ㄅㄨ ㄏㄠˇ)Okay?
好評(ㄏㄠˇ ㄆㄧㄥˊ)a high opinion
好歹(ㄏㄠˇ ㄉㄞˇ)anyhow; in any case
好多(ㄏㄠˇ ㄉㄨㄛ)a good deal
好聽(ㄏㄠˇ ㄊㄧㄥ)pleasant to hear
好萊塢(ㄏㄠˇ ㄌㄞˊ ㄨˋ) Hollywood, California, U.S.A.
好感(ㄏㄠˇ ㄍㄢˇ)a favorable impression
好看(ㄏㄠˇ ㄎㄢˋ)good-looking
好極了(ㄏㄠˇ ㄐㄧˊ ˙ㄌㄜ)Excellent!
好久(ㄏㄠˇ ㄐㄧㄡˇ)a long time
好球(ㄏㄠˇ ㄑㄧㄡˊ)a good shot
好消息(ㄏㄠˇ ㄒㄧㄠ ˙ㄒㄧ)good news
好笑(ㄏㄠˇ ㄒㄧㄠˋ)ridiculous
好心(ㄏㄠˇ ㄒㄧㄣ)kind-hearted
好像(ㄏㄠˇ ㄒㄧㄤˋ)to seem
好轉(ㄏㄠˇ ㄓㄨㄢˇ)a favorable turn
好吃(ㄏㄠˇ ㄔ)delicious
好處(ㄏㄠˇ ˙ㄔㄨ)advantages
好事(ㄏㄠˇ ㄕˋ)① good things ② charity
好手(ㄏㄠˇ ㄕㄡˇ)an expert
好人(ㄏㄠˇ ㄖㄣˊ)a person of virtue
好自爲之(ㄏㄠˇ ㄗˋ ㄨㄟˊ ㄓ)to do one's best (to run a business, etc.)
好意(ㄏㄠˇ ㄧˋ)to mean well
好玩(ㄏㄠˇ ㄨㄢˊ)full of fun

好 954 2. ㄏㄠˋ hào

1. to be fond of 2. to be addicted to 3. what one likes or prefers

好大喜功(ㄏㄠˋ ㄉㄚˋ ㄒㄧˇ ㄍㄨㄥ) to love to brag and show off
好賭(ㄏㄠˋ ㄉㄨˇ)fond of gambling
好動(ㄏㄠˋ ㄉㄨㄥˋ)very active
好高騖遠(ㄏㄠˋ ㄍㄠ ㄨˋ ㄩㄢˇ) unrealistic
好客(ㄏㄠˋ ㄎㄜˋ)to be hospitable
好奇(ㄏㄠˋ ㄑㄧˊ)curiosity
好強(ㄏㄠˋ ㄑㄧㄤˊ)to be eager to do well in everything
好學(ㄏㄠˋ ㄒㄩㄝˊ)to be diligent in the pursuit of knowledge
好戰(ㄏㄠˋ ㄓㄢˋ)hawkish
好吃懶做(ㄏㄠˋ ㄔ ㄌㄢˇ ㄗㄨㄛˋ)lazy
好勝(ㄏㄠˋ ㄕㄥˋ)to love to win
好色(ㄏㄠˋ ㄙㄜˋ)lewd; lustful
好惡(ㄏㄠˋ ㄨˋ)likes and dislikes
好問(ㄏㄠˋ ㄨㄣˋ)inquisitive

妁 955 ㄕㄨㄛˋ shuò

a matchmaker; a go-between

如 956 ㄖㄨˊ rú

1. like; as 2. if; supposing 3. as if 4. as good as 5. to follow (advice) 6. to go to; to arrive at 7. should 8. on or in (time)

如法炮製(ㄖㄨˊ ㄈㄚˇ ㄆㄠˊ ㄓˋ)to do something exactly as others have done
如來(ㄖㄨˊ ㄌㄞˊ) (Buddhism) one of the designation of Buddha
如果(ㄖㄨˊ ㄍㄨㄛˇ)if; supposing
如何(ㄖㄨˊ ㄏㄜˊ)① How (can we deal with...)? ② How about it?
如虎添翼(ㄖㄨˊ ㄏㄨˇ ㄊㄧㄢ ㄧˋ) with added strength
如火如荼(ㄖㄨˊ ㄏㄨㄛˇ ㄖㄨˊ ㄊㄨˊ) luxuriant (growth, etc.)
如獲至寶(ㄖㄨˊ ㄏㄨㄛˋ ㄓˋ ㄅㄠˇ) to get what one has wished or desired for a long time
如膠似漆(ㄖㄨˊ ㄐㄧㄠ ㄙˋ ㄑㄧ)inseparable
如今(ㄖㄨˊ ㄐㄧㄣ)now; nowadays
如期(ㄖㄨˊ ㄑㄧˊ)punctually
如下(ㄖㄨˊ ㄒㄧㄚˋ)as follows
如常(ㄖㄨˊ ㄔㄤˊ)as usual
如出一轍(ㄖㄨˊ ㄔㄨ ㄧˊ ㄔㄜˋ) almost the same
如實(ㄖㄨˊ ㄕˊ)accurately
如釋重負(ㄖㄨˊ ㄕˋ ㄓㄨㄥˋ ㄈㄨˋ)to feel greatly relieved
如數家珍(ㄖㄨˊ ㄕㄨˇ ㄐㄧㄚ ㄓㄣ) to describe distinctly and in good order
如日中天(ㄖㄨˊ ㄖˋ ㄓㄨㄥ ㄊㄧㄢ)to ride on the crest of success
如坐針氈(ㄖㄨˊ ㄗㄨㄛˋ ㄓㄣ ㄓㄢ)very anxious
如此(ㄖㄨˊ ㄘˇ)thus; like this

〔女部〕

如厠(ㄖㄨˊ ㄘㄜˋ)to go to the toilet
如意(ㄖㄨˊ ㄧˋ)as one wishes
如意算盤(ㄖㄨˊ ㄧˋ ㄙㄨㄢˋ ㄆㄢˊ) wishful thinking
如影隨形(ㄖㄨˊ ㄧㄥˇ ㄙㄨㄟˊ ㄒㄧㄥˊ) inseparable
如魚得水(ㄖㄨˊ ㄩˊ ㄉㄜˊ ㄕㄨㄟˇ)very satisfied and pleased
如約(ㄖㄨˊ ㄩㄝ)according to
如願以償(ㄖㄨˊ ㄩㄢˋ ㄧˇ ㄔㄤˊ) to have one's wish fulfilled

妃 957
ㄈㄟ fēi
1. a wife; a spouse 2. the concubine of a king or an emperor 3. the wife or spouse of a crown prince
妃子(ㄈㄟ ·ㄗ) a king's or an emperor's concubine

妄 958
ㄨㄤˋ wàng
1. absurd; untrue; false 2. ignorant; stupid 3. reckless; rash 4. wild; frantic; frenetic
妄想(ㄨㄤˋ ㄒㄧㄤˇ)an absurd desire
妄自菲薄(ㄨㄤˋ ㄗˋ ㄈㄟˇ ㄅㄛˊ)to underestimate oneself
妄言(ㄨㄤˋ ㄧㄢˊ)a wild talk

四畫

妓 959
ㄐㄧˋ jì
1. as in 妓女—a prostitute 2. a young woman who sings or dances to amuse her customers, such as 舞妓 (a female dancer), 藝妓 (a geisha)
妓院(ㄐㄧˋ ㄩㄢˋ)a brothel

妊 960
ㄖㄣˋ rèn
pregnant; to be expecting
妊娠(ㄖㄣˋ ㄕㄣ)to be pregnant

妒 961
(妬) ㄉㄨˋ dù
jealous; envious; jealousy; envy
妒忌(ㄉㄨˋ ㄐㄧˋ)jealousy

妖 962
ㄧㄠ yāo
1. monstrous; supernatural 2. an evil; a monster; a ghost 3. (usually said of a woman) bewitching
妖媚(ㄧㄠ ㄇㄟˋ)bewitching
妖孽(ㄧㄠ ㄋㄧㄝˋ)the monsters who cause great calamities
妖裏妖氣(ㄧㄠ ·ㄌㄧ ㄧㄠ ㄑㄧˋ)seductive and bewitching
妖怪(ㄧㄠ ㄍㄨㄞˋ)or 妖精(ㄧㄠ ㄐㄧㄥ) ① a monster ② a siren
妖術(ㄧㄠ ㄕㄨˋ)sorcery; witchcraft
妖言(ㄧㄠ ㄧㄢˊ)fallacies
妖言惑衆(ㄧㄠ ㄧㄢˊ ㄏㄨㄛˋ ㄓㄨㄥˋ)to arouse people with wild talks
妖豔(ㄧㄠ ㄧㄢˋ)seductive charms

妞 963
ㄋㄧㄡ niū
a girl; a little girl

妙 964
ㄇㄧㄠˋ miào
1. wonderful 2. intriguing 3. subtle; clever
妙品(ㄇㄧㄠˋ ㄆㄧㄣˇ)a masterpiece
妙齡(ㄇㄧㄠˋ ㄌㄧㄥˊ)young
妙論(ㄇㄧㄠˋ ㄌㄨㄣˋ)an ingenious comment
妙極了(ㄇㄧㄠˋ ㄐㄧˊ ·ㄌㄜ)Wonderful!
妙計(ㄇㄧㄠˋ ㄐㄧˋ)a subtle scheme
妙訣(ㄇㄧㄠˋ ㄐㄩㄝˊ)a knack
妙趣橫生(ㄇㄧㄠˋ ㄑㄩˋ ㄏㄥˊ ㄕㄥ) full of wit and humor
妙語如珠(ㄇㄧㄠˋ ㄩˇ ㄖㄨˊ ㄓㄨ)sparkling discourse
妙用(ㄇㄧㄠˋ ㄩㄥˋ)ingenious uses

妝 965
ㄓㄨㄤ zhuāng
1. to doll up; to adorn oneself; to apply makeup 2. jewels, etc. for adornment 3. to disguise; to pretend
妝扮(ㄓㄨㄤ ㄅㄢˋ)to doll up
妝點(ㄓㄨㄤ ㄉㄧㄢˇ)to dress up
妝飾(ㄓㄨㄤ ㄕˋ)to decorate

妣 966
ㄅㄧˇ bǐ
one's deceased mother

妤 967
ㄩˊ yú
an official title

妥 968
ㄊㄨㄛˇ tuǒ
1. firm; safe; secure 2. appropriate 3. ready; set; to settle
妥當(ㄊㄨㄛˇ ㄉㄤˋ) ①appropriate ②ready
妥協(ㄊㄨㄛˇ ㄒㄧㄝˊ)a compromise
妥善安排(ㄊㄨㄛˇ ㄕㄢˋ ㄢ ㄆㄞˊ)to make appropriate arrangements

妨 969
ㄈㄤˊ fáng
(又讀 ㄈㄤ fāng)
1. to obstruct; to interfere with 2. to harm; to damage
妨害(ㄈㄤˊ ㄏㄞˋ)to be harmful to
妨害風化(ㄈㄤˊ ㄏㄞˋ ㄈㄥ ㄏㄨㄚˋ)to undermine public morality
妨害家庭(ㄈㄤˊ ㄏㄞˋ ㄐㄧㄚ ㄊㄧㄥˊ)to wreck a family
妨礙(ㄈㄤˊ ㄞˋ)to interfere with
妨礙交通(ㄈㄤˊ ㄞˋ ㄐㄧㄠ ㄊㄨㄥ)to obstruct traffic flow

五畫

妲 970
ㄉㄚˊ dá
the concubine of Chou Hsin who was the last ruler of the Shang Dynasty

妮 971
ㄋㄧˊ ní
1. a maid 2. a little darling

妯 972
ㄓㄡˊ zhóu
as in妯娌—sisters-in-law (a reference among the wives of one's husband's brothers)

妹 973
ㄇㄟˋ mèi
as in 妹妹—a younger sister
妹夫(ㄇㄟˋ ㄈㄨ)the husband of one's younger sister; a brother-in-law

妻 974
1. ㄑㄧ qī
one's formal or legal wife
妻離子散(ㄑㄧ ㄌㄧˊ ㄗˇ ㄙㄢˋ)The family breaks up.
妻子(ㄑㄧ ㄗˇ)one's wife

妻 974
2. ㄑㄧˋ qì
to marry one's daughter to someone

妾 975
ㄑㄧㄝˋ qiè
1. a concubine 2. (in old China) a polite term used by a woman to refer to herself when speaking to her husband

姆 976
ㄇㄨˇ mǔ
1. (in old China) a governess 2. a matron who looks after small children

姊 977
(姉) ㄐㄧㄝˇ jiě
(讀音 ㄗˇ zǐ)
one's elder sister or sisters
姊妹(ㄐㄧㄝˇ ㄇㄟˋ)sisters
姊夫(ㄐㄧㄝˇ ㄈㄨ)the husband of one's elder sister
姊姊(ㄐㄧㄝˇ •ㄐㄧㄝ)elder sisters

始 978
ㄕˇ shǐ
1. the beginning; the start; the first 2. to start; to begin 3. only then
始末(ㄕˇ ㄇㄛˋ)the ins and outs (of an incident, story, etc.)
始料未及 (ㄕˇ ㄌㄧㄠˋ ㄨㄟˋ ㄐㄧˊ) unexpected
始終(ㄕˇ ㄓㄨㄥ)throughout
始終不渝(ㄕˇ ㄓㄨㄥ ㄅㄨˋ ㄩˊ)steadfast
始終如一(ㄕˇ ㄓㄨㄥ ㄖㄨˊ ㄧ)consistent
始祖(ㄕˇ ㄗㄨˇ)① the founder ② the first ancestor
始作俑者 (ㄕˇ ㄗㄨㄛˋ ㄩㄥˇ ㄓㄜˇ) the originator (usually of a bad practice, etc.)

姍 979
ㄕㄢ shān
1. to ridicule; to laugh at 2. (said of a woman) to walk slowly
姍姍來遲(ㄕㄢ ㄕㄢ ㄌㄞˊ ㄔˊ)to proceed slowly (and keep others waiting)

姐 980
ㄐㄧㄝˇ jiě
1. one's elder sister or sisters 2. a general term for women, usually young
姐妹(ㄐㄧㄝˇ ㄇㄟˋ)a sister; sisters
姐夫(ㄐㄧㄝˇ ㄈㄨ)the husband of one's elder sister; a brother-in-law
姐姐(ㄐㄧㄝˇ •ㄐㄧㄝ)one's elder sister

姑 981
ㄍㄨ gū
1. aunts; the sister of one's father 2. the mother of one's husband 3. the sister of one's husband 4. a general term for unmarried women 5. meanwhile; for a while 6. a nun
姑媽(ㄍㄨ ㄇㄚ)or 姑母(ㄍㄨ ㄇㄨˇ)or 姑姑(ㄍㄨ •ㄍㄨ)the sister of one's father; an aunt
姑父(ㄍㄨ ㄈㄨˋ)or 姑丈(ㄍㄨ ㄓㄤˋ)the husband of one's father's sister; uncle
姑娘(ㄍㄨ •ㄋㄧㄤ)an unmarried girl
姑且(ㄍㄨ ㄑㄧㄝˇ)for the time being
姑息(ㄍㄨ ㄒㄧˊ)to be indulgent
姑息政策(ㄍㄨ ㄒㄧˊ ㄓㄥˋ ㄘㄜˋ)a policy of appeasement
姑爺(ㄍㄨ ㄧㄝˊ)a son-in-law
姑妄聽之(ㄍㄨ ㄨㄤˋ ㄊㄧㄥ ㄓ)implying the listener's skepticism

姒 982
ㄙˋ sì
the wife of one's husband's elder brother

姓 983
ㄒㄧㄥˋ xìng
1. surname; one's family name 2. a clan; a family; people
姓名 (ㄒㄧㄥˋ ㄇㄧㄥˊ)the full name of a person
姓氏(ㄒㄧㄥˋ ㄕˋ)the surname

委 984
1. ㄨㄟˇ wěi
1. to depute; to deputize 2. to send; to commission 3. to abandon 4. to be frustrated, weakened or tired 5. really; indeed 6. a grievance 7. to lower oneself (in order to avoid an open conflict, etc.)
委派(ㄨㄟˇ ㄆㄞˋ)to appoint
委靡不振(ㄨㄟˇ ㄇㄧˇ ㄅㄨˋ ㄓㄣˋ) in low spirits
委託(ㄨㄟˇ ㄊㄨㄛ)to entrust
委託書(ㄨㄟˇ ㄊㄨㄛ ㄕㄨ)a power of attorney 亦作「委託狀」
委託人(ㄨㄟˇ ㄊㄨㄛ ㄖㄣˊ)a client
委過(ㄨㄟˇ ㄍㄨㄛˋ)to shift blame
委屈 (ㄨㄟˇ ㄑㄩ) ①a grievance ②to take an office, etc. far below one's ability
委實(ㄨㄟˇ ㄕˊ)really; indeed
委任(ㄨㄟˇ ㄖㄣˋ)to appoint
委任狀(ㄨㄟˇ ㄖㄣˋ ㄓㄨㄤˋ)a certificate of appointment

〔女部〕

〔女部〕

委罪(ㄨㄟˇ ㄗㄨㄟˋ)to impute
委以重任 (ㄨㄟˇ ㄧˇ ㄓㄨㄥˋ ㄖㄣˋ) to entrust someone with an important task
委婉(ㄨㄟˇ ㄨㄢˇ)soft-spoken
委員 (ㄨㄟˇ ㄩㄢˊ) a member of a committee

委 984
2. ㄨㄟ wēi
as in 委蛇—in a carefree manner

妳 985
ㄋㄧˇ nǐ
you (the feminine gender)

六畫

姚 986
ㄧㄠˊ yáo
1. handsome; elegant 2. a Chinese family name

姜 987
ㄐㄧㄤ jiāng
1. a Chinese family name 2. ginger

姝 988
ㄕㄨ shū
a beautiful girl

姣 989
ㄐㄧㄠ jiāo
1. as in 姣好—pretty; beautiful 2. coquettish

姤 990
ㄍㄡˋ gòu
1. to pair off; to copulate 2. good; excellent

姥 991
ㄌㄠˇ lǎo
1. one's maternal grandmother 2. an old woman

姦 992
ㄐㄧㄢ jiān
1. adultery 2. to ravish 3. a crook
姦夫(ㄐㄧㄢ ㄈㄨ)an adulterer
姦婦(ㄐㄧㄢ ㄈㄨˋ)an adulteress
姦淫(ㄐㄧㄢ ㄧㄣˊ)debauchery
姦淫擄掠(ㄐㄧㄢ ㄧㄣˊ ㄌㄨˇ ㄌㄩㄝˋ) rape and rapine

姨 993
ㄧˊ yí
1. the sisters of one's wife 2. the sisters of one's mother 3. a concubine
姨婆(ㄧˊ ㄆㄛˊ)a grandaunt
姨媽(ㄧˊ ㄇㄚ) or 姨母(ㄧˊ ㄇㄨˇ)the married sisters of one's mother
姨父(ㄧˊ ㄈㄨˋ)or 姨丈(ㄧˊ ㄓㄤˋ)the husband of a maternal aunt; an uncle
姨太太(ㄧˊ ㄊㄞˋ ·ㄊㄞ)a concubine
姨娘(ㄧˊ ㄋㄧㄤˊ) a concubine of one's father

姪 994
ㄓˊ zhí
1. the children of one's brother —nephews or nieces 2. I; me (when speaking to a family friend of one's father's generation)
姪女 (ㄓˊ ㄋㄩˇ) a niece—a daughter of one's brother
姪兒(ㄓˊ ㄦˊ)or 姪子(ㄓˊ ·ㄗ)nephews —the sons of one's brother

姱 995
ㄎㄨㄚ kuā
pretty; good-looking; fascinating; elegant

姸 996
(妍) ㄧㄢˊ yán
1. beautiful; pretty; cute 2. seductive; coquettish
姸麗(ㄧㄢˊ ㄌㄧˋ)beautiful; attractive

姹 997
(奼) ㄔㄚˋ chà
1. young (girls) 2. charming; attractive 3. to boast
姹紫嫣紅(ㄔㄚˋ ㄗˇ ㄧㄢ ㄏㄨㄥˊ)(said of flowers) beautiful and luxuriant

姻 998
ㄧㄣ yīn
1. one's husband's family 2. marriage 3. relations or connections through marriage
姻親(ㄧㄣ ㄑㄧㄣ)relatives by marriage
姻緣(ㄧㄣ ㄩㄢˊ)the invisible bond that makes a man and a woman husband and wife

姿 999
ㄗ zī
1. the manner; an air; carriage; bearing 2. looks
姿態(ㄗ ㄊㄞˋ)①deportment ②a gesture
姿勢(ㄗ ㄕˋ)① deportment ②(in photography) a pose
姿色(ㄗ ㄙㄜˋ) (female) beauty

威 1000
ㄨㄟ wēi
1. dignity; majesty 2. authority; might; power 3. awe; awe-inspiring
威名(ㄨㄟ ㄇㄧㄥˊ)prestige
威風(ㄨㄟ ㄈㄥ)awe-inspiring
威風凜凜 (ㄨㄟ ㄈㄥ ㄌㄧㄣˇ ㄌㄧㄣˇ) imposing (of a typhoon, etc.)
威力 (ㄨㄟ ㄌㄧˋ) the destructive force
威脅(ㄨㄟ ㄒㄧㄝˊ)to threaten
威信(ㄨㄟ ㄒㄧㄣˋ)the prestige built up by keeping good faith
威士忌(ㄨㄟ ㄕˋ ㄐㄧˋ)whisky
威嚴(ㄨㄟ ㄧㄢˊ)sternness; severity
威武(ㄨㄟ ㄨˇ)an awe-inspiring display of military force, etc.
威武不屈(ㄨㄟ ㄨˇ ㄅㄨˋ ㄑㄩ)not to be subdued by force
威望(ㄨㄟ ㄨㄤˋ)prestige

娃 1001
ㄨㄚˊ wá
1. a beautiful woman 2. a baby; a child 3. exquisite; fine
娃娃(ㄨㄚˊ ·ㄨㄚ)a baby
娃娃臉(ㄨㄚˊ ·ㄨㄚ ㄌㄧㄢˇ)a baby face
娃娃車(ㄨㄚˊ ·ㄨㄚ ㄔㄜ)a baby car

七畫

娓 1002
ㄨㄟˇ wěi
1. complying; subservient 2. beautiful; attractive
娓娓(ㄨㄟˇ ㄨㄟˇ)(to talk) tirelessly
娓娓動聽(ㄨㄟˇ ㄨㄟˇ ㄉㄨㄥˋ ㄊㄧㄥ)persuasive (narration, etc.)

娉 1003
ㄆㄧㄥ pīng
good-looking; elegant; graceful
娉婷(ㄆㄧㄥ ㄊㄧㄥˊ)slender and elegant

娌 1004
ㄌㄧˇ lǐ
sisters-in-law 參看「妯娌」

姬 1005
ㄐㄧ jī
1. a beautiful lady 2. a concubine
姬妾(ㄐㄧ ㄑㄧㄝˋ)concubines

娑 1006
ㄙㄨㄛ suō
as in 娑娑—lose; losely

娘 1007
(孃) ㄋㄧㄤˊ niáng
1. mother 2. girls or women
娘胎(ㄋㄧㄤˊ ㄊㄞ)the mother's womb
娘娘腔(ㄋㄧㄤˊ ·ㄋㄧㄤ ㄑㄧㄤ)sissy
娘家(ㄋㄧㄤˊ ㄐㄧㄚ)one's wife's family

娛 1008
ㄩˊ yú
to amuse; to entertain; amusement
娛樂(ㄩˊ ㄌㄜˋ)entertainment
娛樂場所(ㄩˊ ㄌㄜˋ ㄔㄤˇ ㄙㄨㄛˇ)entertainment establishments

娜 1009
1. ㄋㄨㄛˇ nuǒ
tender, slender and graceful

娜 1009
2. ㄋㄨㄛˊ nuó
the word used in a female name

娜 1009
3. ㄋㄚˋ nà
a word used in the transliteration of a western female name

娟 1010
ㄐㄩㄢ juān
pretty; good-looking; graceful; attractive
娟秀(ㄐㄩㄢ ㄒㄧㄡˋ)pretty; cute

娠 1011
ㄕㄣ shēn
pregnant

娣 1012
ㄉㄧˋ dì
the wife of a younger brother of one's husband

娥 1013
ㄜˊ é
good; beautiful

娩 1014
1. ㄨㄢˇ wǎn
complaisant

娩 1014
2. ㄇㄧㄢˇ miǎn
to give birth to a child
娩痛(ㄇㄧㄢˇ ㄊㄨㄥˋ)labor pains

八畫

婆 1015
ㄆㄛˊ pó
1. an old woman 2. the mother of one's husband 3. one's grandmother
婆婆(ㄆㄛˊ ·ㄆㄛ)the mother of one's husband
婆家 (ㄆㄛˊ ㄐㄧㄚ) one's husband's family
婆媳(ㄆㄛˊ ㄒㄧˊ)a woman and her daughter-in-law

婀 1016
ㄜ ē
1. graceful; elegant 2. a Chinese family name
婀娜多姿 (ㄜ ㄋㄨㄛˇ ㄉㄨㄛ ㄗ) well-poised

娶 1017
ㄑㄩˇ qǔ
to take a wife
娶親(ㄑㄩˇ ㄑㄧㄣ)or 娶妻(ㄑㄩˇ ㄑㄧ) (said of a man) to get married

姘 1018
(姘) ㄆㄧㄣ pīn
illicit intercourse
姘夫 (ㄆㄧㄣ ㄈㄨ) a man one cohabits with

婁 1019
1. ㄌㄡˊ lóu
1. one of the 28 constellations 2. a Chinese family name

婁 1019
2. ㄌㄩˊ lǘ
to trail along; to wear

婁 1019
3. ㄌㄩˇ lǚ
to tether (oxen)

婉 1020
ㄨㄢˇ wǎn
1. amiable; agreeable; pleasant 2. good-looking; beautiful
婉勸(ㄨㄢˇ ㄑㄩㄢˋ)to persuade gently
婉謝(ㄨㄢˇ ㄒㄧㄝˋ)to decline (an invitation, etc.) with great courtesy
婉轉(ㄨㄢˇ ㄓㄨㄢˇ) (to state something) mildly, gently—without hurting another's feelings
婉言相勸 (ㄨㄢˇ ㄧㄢˊ ㄒㄧㄤ ㄑㄩㄢˋ) to persuade gently
婉約(ㄨㄢˇ ㄩㄝ) (said of speech) gentle

婕 1021
ㄐㄧㄝˊ jié
the word used in a female name

〔女部〕

〔女部〕

婚 1022 ㄏㄨㄣ hūn
1. to wed; to marry 2. marriage
婚禮(ㄏㄨㄣ ㄌㄧˇ)a wedding ceremony
婚假(ㄏㄨㄣ ㄐㄧㄚˋ)a wedding leave
婚嫁(ㄏㄨㄣ ㄐㄧㄚˋ)to wed; marriage
婚期(ㄏㄨㄣ ㄑㄧˊ)the date of a wedding
婚事(ㄏㄨㄣ ㄕˋ)marriage
婚生子女(ㄏㄨㄣ ㄕㄥ ㄗˇ ㄋㄩˇ)the children born in (lawful) wedlock
婚筵(ㄏㄨㄣ ㄧㄢˊ)a wedding feast
婚姻(ㄏㄨㄣ ㄧㄣ)marriage
婚約(ㄏㄨㄣ ㄩㄝ)a marriage contract

婢 1023 ㄅㄧˋ bì
1. a maidservant; a female slave 2. (in old China) a humble term used by a girl to refer to herself
婢女(ㄅㄧˋ ㄋㄩˇ)a servant girl

婦 1024 ㄈㄨˋ fù
1. a woman; a female; a matron 2. the wife of one's son 3. a wife 4. a married woman
婦道(ㄈㄨˋ ㄉㄠˋ) female virtues
婦道人家(ㄈㄨˋ ˙ㄉㄠ ㄖㄣˊ ㄐㄧㄚ)(derogatively) womenfolk
婦女(ㄈㄨˋ ㄋㄩˇ)women; female
婦女會(ㄈㄨˋ ㄋㄩˇ ㄏㄨㄟˋ)a women's association
婦女節(ㄈㄨˋ ㄋㄩˇ ㄐㄧㄝˊ)Women's Day
婦科(ㄈㄨˋ ㄎㄜ)gynecology
婦產科(ㄈㄨˋ ㄔㄢˇ ㄎㄜ)the department of gynecology and obstetrics
婦人(ㄈㄨˋ ㄖㄣˊ)a married woman
婦人之仁(ㄈㄨˋ ㄖㄣˊ ㄓ ㄖㄣˊ)womanly kindness
婦孺(ㄈㄨˋ ㄖㄨˊ)women and children

婪 1025 ㄌㄢˊ lán
covetous; greedy; avarice

娼 1026 (倡) ㄔㄤ chāng
as in 娼妓—a prostitute; a whore

婭 1027 ㄧㄚˋ yà
a mutual address between one's sons-in-law

婊 1028 ㄅㄧㄠˇ biǎo
as in 婊子—a prostitute

娬 1029 (嫵) ㄨˇ wǔ
attractive; lovely

九畫

婷 1030 ㄊㄧㄥˊ tíng
pretty; attractive; graceful
婷婷(ㄊㄧㄥˊ ㄊㄧㄥˊ)graceful

婺 1031 ㄨˋ wù
beautiful; charming

媒 1032 ㄇㄟˊ méi
1. a marriage go-between; a matchmaker 2. a medium
媒體(ㄇㄟˊ ㄊㄧˇ)a medium
媒介(ㄇㄟˊ ㄐㄧㄝˋ)a medium
媒妁之言(ㄇㄟˊ ㄕㄨㄛˋ ㄓ ㄧㄢˊ)the marriage arranged by a matchmaker
媒人(ㄇㄟˊ ㄖㄣˊ)a matchmaker

媚 1033 ㄇㄟˋ mèi
1. to flatter 2. to please 3. to love 4. attractive; seductive 5. to coax
媚外 (ㄇㄟˋ ㄨㄞˋ) to fawn on a foreign power

媛 1034 ㄩㄢˋ yuàn
a beauty; a beautiful woman

媧 1035 ㄨㄚ wā
the mythical sister and successor of Fu Hsi (伏羲)

媖 1036 ㄧㄥ yīng
a beautiful woman; beautiful

十畫

嫁 1037 ㄐㄧㄚˋ jià
1. (said of a woman) to get married 2. to marry off a daughter 3. to impute (a crime, etc.) to another
嫁禍於人(ㄐㄧㄚˋ ㄏㄨㄛˋ ㄩˊ ㄖㄣˊ)to put the blame on somebody else
嫁娶(ㄐㄧㄚˋ ㄑㄩˇ)marriage
嫁妝(ㄐㄧㄚˋ ㄓㄨㄤ)a dowry

嫂 1038 ㄙㄠˇ sǎo
as in 嫂嫂or嫂子—the wife of one's elder brother

媳 1039 ㄒㄧˊ xí
as in 媳婦—a daughter-in-law

媵 1040 ㄧㄥˋ yìng
1. to escort ladies to the harem of a newly married wife 2. to present as a gift

媸 1041 ㄔ chī
ugly

媼 1042 ㄠˇ ǎo
an old woman

媽 1043 ㄇㄚ mā

1. one's mother 2. a woman servant
媽媽(ㄇㄚ •ㄇㄚ)mama; mother
媽咪(ㄇㄚ ㄇㄧ)mummy

媾 1044
ㄍㄡˋ gòu
1. to marry 2. to negotiate peace 3. as in 媾合—to couple
媾和(ㄍㄡˋ ㄏㄜˊ)to make peace

嫉 1045
ㄐㄧˊ jí
1. jealous; envious; jealousy 2. to hate; to detest
嫉妒(ㄐㄧˊ ㄉㄨˋ)jealous; envy
嫉惡如仇(ㄐㄧˊ ㄜˋ ㄖㄨˊ ㄔㄡˊ) not to compromise with evil deeds or evil persons

嫌 1046
ㄒㄧㄢˊ xián
1. to dislike 2. ill will 3. to suspect 4. to complain
嫌棄(ㄒㄧㄢˊ ㄑㄧˋ)to reject
嫌隙(ㄒㄧㄢˊ ㄒㄧˋ)an old grudge
嫌疑(ㄒㄧㄢˊ ㄧˊ)suspicion
嫌疑犯(ㄒㄧㄢˊ ㄧˊ ㄈㄢˋ)a suspect
嫌惡(ㄒㄧㄢˊ •ㄨ)to loathe

十一畫

嫠 1047
ㄌㄧˊ lí
a widow

嫖 1048
ㄆㄧㄠˊ piáo
to patronize whorehouses; to go whoring
嫖賭(ㄆㄧㄠˊ ㄉㄨˇ) to lead a life of debauchery
嫖客(ㄆㄧㄠˊ ㄎㄜˋ)a patron of brothels

嫗 1049
ㄩˋ yù
an old woman

嫚 1050
1. ㄇㄢˋ màn
1. to slight; to insult 2. haughty; arrogant 3. negligently
嫚罵(ㄇㄢˋ ㄇㄚˋ)to slight and insult verbally

嫚 1050
2. ㄩㄢ yuān
slender; tender

嫡 1051
ㄉㄧˊ dí
1. the legal wife as opposed to a concubine 2. the sons born of the legal wife
嫡親(ㄉㄧˊ ㄑㄧㄣ)blood relatives
嫡嗣(ㄉㄧˊ ㄙˋ)the eldest son born of the official wife of a man

嫣 1052
ㄧㄢ yān
captivating; charming; lovely; fascinating
嫣紅(ㄧㄢ ㄏㄨㄥˊ)bright red
嫣然一笑(ㄧㄢ ㄖㄢˊ ㄧˊ ㄒㄧㄠˋ)to give a winsome smile

嫦 1053
ㄔㄤˊ cháng
as in 嫦娥—(Chinese legend) Chang-o, who ascended the moon after secretly eating her husband's elixir of life

嫩 1054
ㄋㄣˋ nèn
1. tender; delicate 2. young; immature 3. (of color) light
嫩豆腐(ㄋㄣˋ ㄉㄡˋ ㄈㄨˇ)tender bean curd
嫩芽(ㄋㄣˋ ㄧㄚˊ)a tender shoot

十二畫

嬉 1055
ㄒㄧ xī
to have fun; to sport; to play; to frolic
嬉皮(ㄒㄧ ㄆㄧˊ)hippies
嬉鬧(ㄒㄧ ㄋㄠˋ)to romp
嬉戲(ㄒㄧ ㄒㄧˋ)to play; to sport
嬉笑(ㄒㄧ ㄒㄧㄠˋ)a mischievous smile

嫺 1056
(嫻) ㄒㄧㄢˊ xián
1. refined; gracious 2. skillful
嫺靜(ㄒㄧㄢˊ ㄐㄧㄥˋ)quiet and refined
嫺熟(ㄒㄧㄢˊ ㄕㄨˊ)expert; adept in

嬋 1057
ㄔㄢˊ chán
graceful; lady-like; attractive; beautiful; pretty
嬋娟 (ㄔㄢˊ ㄐㄩㄢ) ①graceful ②the moon

嬌 1058
ㄐㄧㄠ jiāo
1. tender; delicate; beautiful; lovely 2. spoiled; pampered; coddled
嬌媚(ㄐㄧㄠ ㄇㄟˋ)beautiful
嬌滴滴(ㄐㄧㄠ ㄉㄧ ㄉㄧ)charming
嬌妻(ㄐㄧㄠ ㄑㄧ)a beloved wife
嬌氣(ㄐㄧㄠ ㄑㄧˋ)delicate
嬌小(ㄐㄧㄠ ㄒㄧㄠˇ)dainty and little
嬌羞(ㄐㄧㄠ ㄒㄧㄡ)bashful
嬌生慣養(ㄐㄧㄠ ㄕㄥ ㄍㄨㄢˋ ㄧㄤˇ)to live a sheltered life
嬌縱(ㄐㄧㄠ ㄗㄨㄥˋ)to pamper

十三畫

嬖 1059
ㄅㄧˋ bì
1. to enjoy the favor of a powerful person (said of people of mean birth) 2. a minion

嬗 1060
ㄕㄢˋ shàn
to change; to be replaced

嬙 1061
ㄑㄧㄤˊ qiáng
a court lady

〔子部〕

嬛 1062
1. ㄑㄩㄥˊ qióng
lonely; solitary

嬛 1062
2. ㄒㄩㄢ xuān
fickle; frivolous

嬡 1063
ㄞˋ ài
the daughter (a complimentary term referring to the daughter of the person one is speaking to)

嬴 1064
ㄧㄥˊ yíng
1. to win 2. to have a surplus

嬝 1065
(嫋) ㄋㄧㄠˇ niǎo
delicate; graceful
嬝嬝(ㄋㄧㄠˇ ㄋㄧㄠˇ)①(said of a willow) waving gracefully ② (said of a young woman) appealingly slender and delicate

十四畫

嬰 1066
ㄧㄥ yīng
an infant; a baby; a suckling
嬰兒(ㄧㄥ ㄦˊ)an infant
嬰兒奶粉(ㄧㄥ ㄦˊ ㄋㄞˇ ㄈㄣˇ)soft curd milk

嬲 1067
ㄋㄧㄠˇ niǎo
to dally with; to flirt with

嬪 1068
ㄆㄧㄣˊ pín
1. a court lady 2. (said of a woman) to be married to

十五畫

嬸 1069
ㄕㄣˇ shěn
1. an aunt (the wife of one's father's younger brother) 2. a sister-in-law (the wife of one's husband's younger brother)

十七畫

孀 1070
ㄕㄨㄤ shuāng
as in 孀婦—a widow
孀居(ㄕㄨㄤ ㄐㄩ)to live as a widow

孅 1071
ㄒㄧㄢ xiān
slender; thin; small; fine; delicate
孅手(ㄒㄧㄢ ㄕㄡˇ)delicate hands
孅弱(ㄒㄧㄢ ㄖㄨㄛˋ)frail; weak

十九畫

孌 1072
ㄌㄩㄢˇ luǎn
1. beautiful; handsome 2. obedient; docile

子部 ㄗˇ zǐ

子 1073
ㄗˇ zǐ
1. a child; a son; an offspring 2. a seed; an egg 3. the first of the Twelve Terrestrial Branches (地支) 4. a rank of the nobility equivalent to a viscount 5. a designation used in speaking of or to a man in former times (somewhat similar to 'mister')
子民(ㄗˇ ㄇㄧㄣˊ)the people
子房(ㄗˇ ㄈㄤˊ)(botany) an ovary
子彈(ㄗˇ ㄉㄢˋ)a bullet
子女(ㄗˇ ㄋㄩˇ) children (as opposed to parents)
子宮(ㄗˇ ㄍㄨㄥ)the womb; the uterus
子宮癌(ㄗˇ ㄍㄨㄥ ㄧㄢˊ)uterine cancer
子宮外孕(ㄗˇ ㄍㄨㄥ ㄨㄞˋ ㄩㄣˋ)ectopic (or extrauterine) pregnancy
子句(ㄗˇ ㄐㄩˋ)(grammar) a clause
子嗣(ㄗˇ ㄙˋ)a male offspring
子孫(ㄗˇ ㄙㄨㄣ)descendants
子夜(ㄗˇ ㄧㄝˋ)midnight
子音(ㄗˇ ㄧㄣ)a consonant
子午線(ㄗˇ ㄨˇ ㄒㄧㄢˋ)a meridian

孑 1074
ㄐㄧㄝˊ jié
1. the larvae of mosquitoes 2. solitary; lonely
孑然一身(ㄐㄧㄝˊ ㄖㄢˊ ㄧˋ ㄕㄣ)alone

孓 1075
ㄐㄩㄝˊ jué
the larvae of mosquitoes

一畫

孔 1076
ㄎㄨㄥˇ kǒng
1. a hole; an opening 2. very; exceedingly 3. of or pertaining to Confucius or Confucianism 4. urgent 5. a Chinese family name
孔(夫)子(ㄎㄨㄥˇ(ㄈㄨ)ㄗˇ)Confucius
孔雀(ㄎㄨㄥˇ ㄑㄩㄝˋ)a peacock
孔穴(ㄎㄨㄥˇ ㄒㄩㄝˋ)a hole; an opening

二畫

孕 1077
ㄩㄣˋ yùn
to be pregnant; to conceive
孕婦(ㄩㄣˋ ㄈㄨˋ)a pregnant woman
孕期(ㄩㄣˋ ㄑㄧˊ)pregnancy

孕育(ㄩㄣˋ ㄩˋ)to let develop (as in the womb); to nourish

三畫

字 1078 ㄗˋ zì

1. a word; a character; a letter 2. to betroth a girl 3. (formerly) a name or style taken at the age of 20, by which one was sometimes called

字模(ㄗˋ ㄇㄛˊ) (printing) a type matrix
字面(ㄗˋ ㄇㄧㄢˋ)words (as found in some text and interpreted literally)
字母(ㄗˋ ㄇㄨˇ)an alphabet
字幕(ㄗˋ ㄇㄨˋ)subtitles
字典(ㄗˋ ㄉㄧㄢˇ)a dictionary
字體(ㄗˋ ㄊㄧˇ) (printing) a type
字帖(ㄗˋ ㄊㄧㄝˋ)a copybook
字條(ㄗˋ ㄊㄧㄠˊ)a brief note
字根(ㄗˋ ㄍㄣ) (linguistics) a root
字號(ㄗˋ ㄏㄠˋ)the name of a shop
字畫(ㄗˋ ㄏㄨㄚˋ) calligraphy and painting
字彙(ㄗˋ ㄏㄨㄟˋ) ①vocabulary ②a glossary
字跡(ㄗˋ ㄐㄧ)one's handwriting
字句(ㄗˋ ㄐㄩˋ)words and phrases
字據(ㄗˋ ㄐㄩˋ)a receipt
字形(ㄗˋ ㄒㄧㄥˊ) the form of a (written or printed) character
字紙簍兒(ㄗˋ ㄓˇ ㄌㄡˇㄦ)a wastepaper basket
字首(ㄗˋ ㄕㄡˇ)a prefix
字義(ㄗˋ ㄧˋ)the definition of a word
字眼(ㄗˋ ㄧㄢˇ)a word; a character
字尾(ㄗˋ ㄨㄟˇ)a suffix
字源(ㄗˋ ㄩㄢˊ)the etymology of a word

存 1079 ㄘㄨㄣˊ cún

1. to live; to exist 2. to keep; to deposit

存放(ㄘㄨㄣˊ ㄈㄤˋ)to leave (something somewhere) for safekeeping
存單(ㄘㄨㄣˊ ㄉㄢ) (accounting) a deposit receipt
存檔(ㄘㄨㄣˊ ㄉㄤˋ)to file
存底(ㄘㄨㄣˊ ㄉㄧˇ)to keep a file copy
存糧(ㄘㄨㄣˊ ㄌㄧㄤˊ)to store up grain
存根(ㄘㄨㄣˊ ㄍㄣ)a counterfoil; a stub
存款(ㄘㄨㄣˊ ㄎㄨㄢˇ)to make a deposit
存款簿 (ㄘㄨㄣˊ ㄎㄨㄢˇ ㄅㄨˋ) a deposit book
存款單 (ㄘㄨㄣˊ ㄎㄨㄢˇ ㄉㄢ)a deposit slip
存款利息 (ㄘㄨㄣˊ ㄎㄨㄢˇ ㄌㄧˋ ㄒㄧˊ) interest on deposit
存款人(ㄘㄨㄣˊ ㄎㄨㄢˇ ㄖㄣˊ)a depositor
存戶(ㄘㄨㄣˊ ㄏㄨˋ)a depositor
存活(ㄘㄨㄣˊ ㄏㄨㄛˊ)to survive
存貨(ㄘㄨㄣˊ ㄏㄨㄛˋ)inventory
存心(ㄘㄨㄣˊ ㄒㄧㄣ)on purpose
存摺(ㄘㄨㄣˊ ㄓㄜˊ)a bankbook
存查(ㄘㄨㄣˊ ㄔㄚˊ) or 存照(ㄘㄨㄣˊ ㄓㄠˋ)to keep for future reference
存在(ㄘㄨㄣˊ ㄗㄞˋ)to exist
存案(ㄘㄨㄣˊ ㄢˋ)on public record
存疑 (ㄘㄨㄣˊ ㄧˊ) to leave a doubtful point unquestioned
存亡(ㄘㄨㄣˊ ㄨㄤˊ)to live or to die
存亡關頭(ㄘㄨㄣˊ ㄨㄤˊ ㄍㄨㄢ ㄊㄡˊ)at a most critical moment

四畫

孚 1080 ㄈㄨˊ fú

confidence; trust

孛 1081 ㄅㄟˋ bèi

a comet

孜 1082 ㄗ zī

never weary; unwearied and diligent

孜孜不倦(ㄗ ㄗ ㄅㄨˋ ㄐㄩㄢˋ)to work with diligence and without fatigue

孝 1083 ㄒㄧㄠˋ xiào

filial piety

孝服(ㄒㄧㄠˋ ㄈㄨˊ)mourning dress
孝道(ㄒㄧㄠˋ ㄉㄠˋ)the principle of filial piety
孝心(ㄒㄧㄠˋ ㄒㄧㄣ)filial piety
孝行(ㄒㄧㄠˋ ㄒㄧㄥˋ)filial conduct
孝順(ㄒㄧㄠˋ ㄕㄨㄣˋ)to show filial obedience or devotion for (one's parents)
孝子(ㄒㄧㄠˋ ㄗˇ)a devoted child

五畫

孟 1084 ㄇㄥˋ mèng

1. a Chinese family name 2. rude; rough 3. the first month of a season

孟浪之言 (ㄇㄥˋ ㄌㄤˋ ㄓ ㄧㄢˊ) reckless talk
孟子(ㄇㄥˋ ㄗˇ)Mencius

季 1085 ㄐㄧˋ jì

1. a season 2. the last (month of a season) 3. the youngest (of brothers) 4. a Chinese family name

季風(ㄐㄧˋ ㄈㄥ)the monsoon
季刊(ㄐㄧˋ ㄎㄢ)a quarterly
季節(ㄐㄧˋ ㄐㄧㄝˊ)a season
季節性(ㄐㄧˋ ㄐㄧㄝˊ ㄒㄧㄥˋ)seasonal
季節性商品 (ㄐㄧˋ ㄐㄧㄝˊ ㄒㄧㄥˋ ㄕㄤ ㄆㄧㄣˇ)seasonal merchandise
季軍 (ㄐㄧˋ ㄐㄩㄣ) the third prize winner

孥 1086 ㄋㄨˊ nú

one's children

〔子部〕

孤 1087
ㄍㄨ gū
1. solitary; lone; lonely 2. fatherless; orphaned 3. (said of disposition) eccentric 4. negligent in an obligation
孤僻(ㄍㄨ ㄆㄧˋ)idiosyncratic
孤芳自賞(ㄍㄨ ㄈㄤ ㄗˋ ㄕㄤˇ)to indulge in self-admiration
孤島(ㄍㄨ ㄉㄠˇ)a solitary island
孤單(ㄍㄨ ㄉㄢ)unaccompanied
孤獨(ㄍㄨ ㄉㄨˊ)solitary; friendless
孤立(ㄍㄨ ㄌㄧˋ)isolation
孤零零(ㄍㄨ ㄌㄧㄥˊ ㄌㄧㄥˊ)lonely
孤寂(ㄍㄨ ㄐㄧˋ)lonely; friendless
孤家寡人(ㄍㄨ ㄐㄧㄚ ㄍㄨㄚˇ ㄖㄣˊ) alone; a bachelor
孤注一擲(ㄍㄨ ㄓㄨˋ ㄧˋ ㄓˊ) to stake all on a single throw of the dice
孤兒(ㄍㄨ ㄦˊ)an orphan
孤兒院(ㄍㄨ ㄦˊ ㄩㄢˋ)an orphanage

六畫

孩 1088
ㄏㄞˊ hái
1. a child; an infant; a baby 2. young; small
孩提(ㄏㄞˊ ㄊㄧˊ)an infant; childhood
孩童(ㄏㄞˊ ㄊㄨㄥˊ)a child
孩子(ㄏㄞˊ ˙ㄗ)a child
孩子氣(ㄏㄞˊ ˙ㄗ ㄑㄧˋ)childish

七畫

孫 1089
ㄙㄨㄣ sūn
1. a grandchild 2. a Chinese family name
孫女(ㄙㄨㄣ ㄋㄩˇ)a granddaughter
孫子(ㄙㄨㄣ ˙ㄗ)a grandson
孫逸仙(ㄙㄨㄣ ㄧˋ ㄒㄧㄢ)Dr. Sun Yat-sen, father of the Republic of China

八畫

孰 1090
ㄕㄨˊ shú
1. (in literary texts) what; which 2. who; whom
孰是孰非(ㄕㄨˊ ㄕˋ ㄕㄨˊ ㄈㄟ)Which is right and which is wrong?

九畫

孱 1091
ㄔㄢˊ chán
as in 孱弱—weak; feeble; frail

孳 1092
ㄗ zī
1. to bear or beget in large numbers 2. to work with sustained diligence
孳生(ㄗ ㄕㄥ)to grow and multiply
孳衍(ㄗ ㄧㄢˇ) to grow in number; to multiply

十一畫

孵 1093
ㄈㄨ fū
1. as in 孵卵—to hatch (eggs) 2. to emerge from eggs or spawn
孵卵器(ㄈㄨ ㄌㄨㄢˇ ㄑㄧˋ)an incubator
孵化(ㄈㄨ ㄏㄨㄚˋ)to spawn

十三畫

學 1094
ㄒㄩㄝˊ xué
(語音 ㄒㄧㄠˊ xiáo)
1. to learn; to study 2. academic
學步(ㄒㄩㄝˊ ㄅㄨˋ)(said of a child) to learn to walk
學名(ㄒㄩㄝˊ ㄇㄧㄥˊ)the scientific name (of a plant, an animal, etc.)
學費(ㄒㄩㄝˊ ㄈㄟˋ)tuition
學堂(ㄒㄩㄝˊ ㄊㄤˊ)a school
學徒(ㄒㄩㄝˊ ㄊㄨˊ)①an apprentice ②a student
學童(ㄒㄩㄝˊ ㄊㄨㄥˊ)school children
學年(ㄒㄩㄝˊ ㄋㄧㄢˊ)a school year
學歷(ㄒㄩㄝˊ ㄌㄧˋ) educational background
學齡(ㄒㄩㄝˊ ㄌㄧㄥˊ)school age
學齡前兒童(ㄒㄩㄝˊ ㄌㄧㄥˊ ㄑㄧㄢˊ ㄦˊ ㄊㄨㄥˊ)preschool children
學科(ㄒㄩㄝˊ ㄎㄜ)a subject; a course
學會(ㄒㄩㄝˊ ㄏㄨㄟˋ)① an institute ② to succeed in learning (a skill)
學期(ㄒㄩㄝˊ ㄑㄧˊ)a semester
學前教育(ㄒㄩㄝˊ ㄑㄧㄢˊ ㄐㄧㄠˋ ㄩˋ)preschool education
學習(ㄒㄩㄝˊ ㄒㄧˊ)to learn; to study
學校(ㄒㄩㄝˊ ㄒㄧㄠˋ)a school
學制(ㄒㄩㄝˊ ㄓˋ)an educational system
學者(ㄒㄩㄝˊ ㄓㄜˇ)a scholar
學士(ㄒㄩㄝˊ ㄕˋ)a holder of the bachelor's degree
學生(ㄒㄩㄝˊ ㄕㄥ)a student; a pupil
學生證(ㄒㄩㄝˊ ㄕㄥ ㄓㄥˋ)a student's identity card
學術(ㄒㄩㄝˊ ㄕㄨˋ)learning; science
學術風氣(ㄒㄩㄝˊ ㄕㄨˋ ㄈㄥ ㄑㄧˋ)academic atmosphere
學術研究(ㄒㄩㄝˊ ㄕㄨˋ ㄧㄢˊ ㄐㄧㄡˋ)an academic approach
學說(ㄒㄩㄝˊ ㄕㄨㄛ)a theory
學以致用(ㄒㄩㄝˊ ㄧˇ ㄓˋ ㄩㄥˋ)to make use of what one has learned
學業成績(ㄒㄩㄝˊ ㄧㄝˋ ㄔㄥˊ ㄐㄧ)scholastic achievements
學有專長(ㄒㄩㄝˊ ㄧㄡˇ ㄓㄨㄢ ㄔㄤˊ)to have acquired a specialty from study
學無止境(ㄒㄩㄝˊ ㄨˊ ㄓˇ ㄐㄧㄥˋ)There is no limit to knowledge.

學位(ㄒㄩㄝˊ ㄨㄟˋ)an academic degree
學問(ㄒㄩㄝˊ ㄨㄣˋ)erudition
學院(ㄒㄩㄝˊ ㄩㄢˋ)① a college (in a university) ② an academy

十四畫

孺 1095 ㄖㄨˊ rú
a young child; an infant
孺子(ㄖㄨˊ ㄗˇ)a child; a boy

十七畫

孽 1096 (孼) ㄋㄧㄝˋ niè
1. as in 孽子—the son of a concubine 2. a monster 3. sin; evil
孽障(ㄋㄧㄝˋ ㄓㄤˋ)an evil creature

十九畫

孿 1097 ㄌㄩㄢˊ luán
twin
孿生(ㄌㄩㄢˊ ㄕㄥ)born as twins; to bear twins

宀部 ㄇㄧㄢˊ mián

二畫

宄 1098 ㄍㄨㄟˇ guǐ
a treacherous fellow; a traitor; a thief

它 1099 ㄊㄚ tā (讀音 ㄊㄨㄛ tuō)
it; that; this
它們(ㄊㄚ ·ㄇㄣ)they

宁 1100 ㄓㄨˋ zhù
1. to store; to stockpile 2. to stand

宂 1101 ㄖㄨㄥˇ rǒng
1. redundant; superfluous 2. disorderly
宂長(ㄖㄨㄥˇ ㄔㄤˊ)①(said of writing) redundant; verbose ② tediously long
宂員(ㄖㄨㄥˇ ㄩㄢˊ)a supernumerary

三畫

宅 1102 ㄓㄞˊ zhái (讀音 ㄓㄜˋ zhè)
a dwelling; a residence; a house
宅第(ㄓㄞˊ ㄉㄧˋ)a mansion
宅心仁厚(ㄓㄞˊ ㄒㄧㄣ ㄖㄣˊ ㄏㄡˋ) a benevolent and generous nature
宅院(ㄓㄞˊ ㄩㄢˋ)a house with a courtyard

宇 1103 ㄩˇ yǔ
1. a house; a roof 2. look; appearance 3. space
宇宙(ㄩˇ ㄓㄡˋ)the universe
宇宙塵(ㄩˇ ㄓㄡˋ ㄔㄣˊ) (astronomy) meteoroid

守 1104 ㄕㄡˇ shǒu
1. to guard; to protect 2. to wait 3. to keep (a secret, etc.) 4. to stick to; to maintain 5. to abide by
守門員(ㄕㄡˇ ㄇㄣˊ ㄩㄢˊ)(football) a goalkeeper
守秘密(ㄕㄡˇ ㄇㄧˋ ㄇㄧˋ)to keep a secret
守法(ㄕㄡˇ ㄈㄚˇ)to abide by the law
守口如瓶(ㄕㄡˇ ㄎㄡˇ ㄖㄨˊ ㄆㄧㄥˊ) to keep one's mouth shut
守候(ㄕㄡˇ ㄏㄡˋ)to wait; to bide one's time
守護(ㄕㄡˇ ㄏㄨˋ)to guard; to protect
守舊(ㄕㄡˇ ㄐㄧㄡˋ)conservative
守信(ㄕㄡˇ ㄒㄧㄣˋ)to keep promises
守成(ㄕㄡˇ ㄔㄥˊ)to keep what one has already accomplished
守時(ㄕㄡˇ ㄕˊ)punctual
守則(ㄕㄡˇ ㄗㄜˊ)rules; regulations
守財奴(ㄕㄡˇ ㄘㄞˊ ㄋㄨˊ)a miser
守夜(ㄕㄡˇ ㄧㄝˋ)to keep night watch
守衛(ㄕㄡˇ ㄨㄟˋ)to guard; a guard
守約(ㄕㄡˇ ㄩㄝ)to keep a promise

安 1105 ㄢ ān
1. peaceful; quiet 2. to quiet; to pacify; to console 3. to put; to arrange 4. to be content with 5. how; why 6. safe; secure
安排(ㄢ ㄆㄞˊ)to arrange
安眠藥(ㄢ ㄇㄧㄢˊ ㄧㄠˋ)hypnotics
安非他命(ㄢ ㄈㄟ ㄊㄚ ㄇㄧㄥˋ) amphetamine
安分(ㄢ ㄈㄣˋ)to be law-abiding
安撫(ㄢ ㄈㄨˇ)to pacify
安打(ㄢ ㄉㄚˇ)(baseball) a safe hit
安定(ㄢ ㄉㄧㄥˋ)stable; steadfast
安定人心(ㄢ ㄉㄧㄥˋ ㄖㄣˊ ㄒㄧㄣ) to reassure the public
安頓(ㄢ ㄉㄨㄣˋ) to make proper arrangement
安寧(ㄢ ㄋㄧㄥˊ)peace; tranquility
安樂死(ㄢ ㄌㄜˋ ㄙˇ)euthanasia
安魂曲(ㄢ ㄏㄨㄣˊ ㄑㄩˇ)a requiem
安家費(ㄢ ㄐㄧㄚ ㄈㄟˋ)allowances for the support of dependents
安靜(ㄢ ㄐㄧㄥˋ)quiet; tranquil
安居樂業(ㄢ ㄐㄩ ㄌㄜˋ ㄧㄝˋ) to live and work in peace and content
安全(ㄢ ㄑㄩㄢˊ)safe; secure
安全玻璃(ㄢ ㄑㄩㄢˊ ㄅㄛ ·ㄌㄧ) safety

〔宀部〕

glass
安全帽(ㄢ ㄑㄩㄢˊ ㄇㄠˋ)a safety helmet
安全門(ㄢ ㄑㄩㄢˊ ㄇㄣˊ)an exit
安全帶(ㄢ ㄑㄩㄢˊ ㄉㄞˋ)a safety belt
安全島(ㄢ ㄑㄩㄢˊ ㄉㄠˇ)a traffic island
安全第一 (ㄢ ㄑㄩㄢˊ ㄉㄧˋ ㄧ) safety first
安全感(ㄢ ㄑㄩㄢˊ ㄍㄢˇ)a sense of security
安全設施 (ㄢ ㄑㄩㄢˊ ㄕㄜˋ ㄕ) safety devices
安息(ㄢ ㄒㄧˊ)to rest
安歇(ㄢ ㄒㄧㄝ)to rest; to sleep
安詳(ㄢ ㄒㄧㄤˊ)(said of one's manner) undisturbed
安置(ㄢ ㄓˋ)to put in a proper place
安裝(ㄢ ㄓㄨㄤ)to install (a device)
安插(ㄢ ㄔㄚ)to get a position (for a person) in an organization
安睡(ㄢ ㄕㄨㄟˋ)to sleep soundly
安然無恙(ㄢ ㄖㄢˊ ㄨˊ ㄧㄤˋ)completely uninjured
安葬(ㄢ ㄗㄤˋ)to bury (the dead)
安逸(ㄢ ㄧˋ)ease and comfort
安危(ㄢ ㄨㄟˊ)security and danger
安慰(ㄢ ㄨㄟˋ)to console
安穩(ㄢ ㄨㄣˇ)secure and stable
安於(ㄢ ㄩˊ)to be satisfied with

四畫

宋 1106
ㄙㄨㄥˋ **sòng**
1. as in宋朝—the Sung Dynasty (960-1279A.D.) 2. a state in the Warring States period 3. a Chinese family name

完 1107
ㄨㄢˊ **wán**
1. to finish; to complete 2. to run out 3. whole; complete; perfect
完備(ㄨㄢˊ ㄅㄟˋ)complete with everything
完畢(ㄨㄢˊ ㄅㄧˋ)finished; completed
完美(ㄨㄢˊ ㄇㄟˇ)perfect
完美主義 (ㄨㄢˊ ㄇㄟˇ ㄓㄨˇ ㄧˋ) perfectionism
完蛋(ㄨㄢˊ ㄉㄢˋ)(colloquial) ruined
完了 (ㄨㄢˊ ˙ㄌㄜ) ①finished; over ② hopeless
完稿 (ㄨㄢˊ ㄍㄠˇ) to finish a piece of writing
完工(ㄨㄢˊ ㄍㄨㄥ)finished
完婚(ㄨㄢˊ ㄏㄨㄣ)to get married
完結(ㄨㄢˊ ㄐㄧㄝˊ)to come to an end
完全(ㄨㄢˊ ㄑㄩㄢˊ)complete
完整(ㄨㄢˊ ㄓㄥˇ)complete; whole
完成(ㄨㄢˊ ㄔㄥˊ)to accomplish
完善(ㄨㄢˊ ㄕㄢˋ)immaculate
完稅憑證(ㄨㄢˊ ㄕㄨㄟˋ ㄆㄧㄥˊ ㄓㄥˋ) (accounting) duty-paid proof

宏 1108
ㄏㄨㄥˊ **hóng**
great; vast; wide; ample
宏圖(ㄏㄨㄥˊ ㄊㄨˊ)an ambitious plan
宏亮(ㄏㄨㄥˊ ㄌㄧㄤˋ)(said of a voice) loud and clear
宏揚(ㄏㄨㄥˊ ㄧㄤˊ)to disseminate

五畫

宕 1109
ㄉㄤˋ **dàng**
1. as in 宕戶—a quarryman 2. to delay 3. to dissolute

宓 1110
ㄇㄧˋ **mì**
1. quiet; silent; still 2. a Chinese family name

宗 1111
ㄗㄨㄥ **zōng**
1. an ancestor; a clan 2. a sect; a religion 3. to believe in
宗派(ㄗㄨㄥ ㄆㄞˋ)branches of a clan or a religion
宗廟(ㄗㄨㄥ ㄇㄧㄠˋ)the imperial ancestral temple
宗教(ㄗㄨㄥ ㄐㄧㄠˋ)religion
宗教派別 (ㄗㄨㄥ ㄐㄧㄠˋ ㄆㄞˋ ㄅㄧㄝˊ) a religious sect
宗教觀(ㄗㄨㄥ ㄐㄧㄠˋ ㄍㄨㄢ)religious view of life
宗教信仰 (ㄗㄨㄥ ㄐㄧㄠˋ ㄒㄧㄣˋ ㄧㄤˇ) religious belief
宗教儀式(ㄗㄨㄥ ㄐㄧㄠˋ ㄧˊ ㄕˋ)religious rites; ritual
宗旨(ㄗㄨㄥ ㄓˇ)purport; a purpose
宗族(ㄗㄨㄥ ㄗㄨˊ)a paternal clan

官 1112
ㄍㄨㄢ **guān**
1. a government official 2. of, or having to do with the government or the state 3. (biology) an organ
官辦(ㄍㄨㄢ ㄅㄢˋ)operated by the government
官兵(ㄍㄨㄢ ㄅㄧㄥ)officers and men
官方(ㄍㄨㄢ ㄈㄤ)the government (as opposed to private citizens)
官方報告 (ㄍㄨㄢ ㄈㄤ ㄅㄠˋ ㄍㄠˋ) an official report
官方統計 (ㄍㄨㄢ ㄈㄤ ㄊㄨㄥˇ ㄐㄧˋ) official statistics
官方消息 (ㄍㄨㄢ ㄈㄤ ㄒㄧㄠ ˙ㄒㄧ) news from government sources
官邸(ㄍㄨㄢ ㄉㄧˇ)an official residence
官能 (ㄍㄨㄢ ㄋㄥˊ) physical faculties (of a human being)
官能障礙 (ㄍㄨㄢ ㄋㄥˊ ㄓㄤˋ ㄞˋ) functional disorder
官僚(ㄍㄨㄢ ㄌㄧㄠˊ)bureaucrats
官僚政治 (ㄍㄨㄢ ㄌㄧㄠˊ ㄓㄥˋ ㄓˋ) bureaucracy
官僚作風(ㄍㄨㄢ ㄌㄧㄠˊ ㄗㄨㄛˋ ㄈㄥ)a bureaucratic style of work
官官相護(ㄍㄨㄢ ㄍㄨㄢ ㄒㄧㄤ ㄏㄨˋ)to side with one's associate
官階(ㄍㄨㄢ ㄐㄧㄝ)the rank
官腔(ㄍㄨㄢ ㄑㄧㄤ)official jargon
官職 (ㄍㄨㄢ ㄓˊ) a government post or

position
官制(ㄍㄨㄢ ㄓˋ) the system of civil service
官場(ㄍㄨㄢ ㄔㄤˇ) officialdom
官司(ㄍㄨㄢ ·ㄙ) a lawsuit
官印(ㄍㄨㄢ ㄧㄣˋ) an official seal of a government agency
官員(ㄍㄨㄢ ㄩㄢˊ) an official
官運(ㄍㄨㄢ ㄩㄣˋ) a person's opportunity of official promotion

宙 1113 ㄓㄡˋ zhòu
infinite time; time without beginning or end; eternity

定 1114 ㄉㄧㄥˋ dìng
1. to decide; to fix; to settle 2. definite; sure 3. stable 4. to remain
定名(ㄉㄧㄥˋ ㄇㄧㄥˊ) to give a name
定命(ㄉㄧㄥˋ ㄇㄧㄥˋ) or 定數(ㄉㄧㄥˋ ㄕㄨˋ) predestination
定單(ㄉㄧㄥˋ ㄉㄢ) an order (for goods)
定奪(ㄉㄧㄥˋ ㄉㄨㄛˊ) to decide; to settle
定理(ㄉㄧㄥˋ ㄌㄧˇ) (mathematics) a theorem
定力(ㄉㄧㄥˋ ㄌㄧˋ) (Buddhism) strength of concentration
定量(ㄉㄧㄥˋ ㄌㄧㄤˋ) fixed amount
定量分析(ㄉㄧㄥˋ ㄌㄧㄤˋ ㄈㄣ ㄒㄧ) (chemistry) quantitative analysis
定論(ㄉㄧㄥˋ ㄌㄨㄣˋ) an accepted argument (not questioned any more)
定律(ㄉㄧㄥˋ ㄌㄩˋ) (science) a law
定稿(ㄉㄧㄥˋ ㄍㄠˇ) to finalize a manuscript, text, etc.
定購(ㄉㄧㄥˋ ㄍㄡˋ) to order (goods, etc.)
定冠詞(ㄉㄧㄥˋ ㄍㄨㄢˋ ㄘˊ) definite article "the"
定貨(ㄉㄧㄥˋ ㄏㄨㄛˋ) to order goods
定貨單(ㄉㄧㄥˋ ㄏㄨㄛˋ ㄉㄢ) an order form
定婚(ㄉㄧㄥˋ ㄏㄨㄣ) to be betrothed
定價(ㄉㄧㄥˋ ㄐㄧㄚˋ) a fixed price
定金(ㄉㄧㄥˋ ㄐㄧㄣ) down payment
定居(ㄉㄧㄥˋ ㄐㄩ) to settle down
定局(ㄉㄧㄥˋ ㄐㄩˊ) an irreversible situation
定期(ㄉㄧㄥˋ ㄑㄧˊ) periodic; regular
定期班機(ㄉㄧㄥˋ ㄑㄧˊ ㄅㄢ ㄐㄧ) a regular flight
定期刊物(ㄉㄧㄥˋ ㄑㄧˊ ㄎㄢ ㄨˋ) a periodical (publication)
定期匯票(ㄉㄧㄥˋ ㄑㄧˊ ㄏㄨㄟˋ ㄆㄧㄠˋ) a dated draft
定期車票(ㄉㄧㄥˋ ㄑㄧˊ ㄔㄜ ㄆㄧㄠˋ) a commutation ticket
定期存款(ㄉㄧㄥˋ ㄑㄧˊ ㄘㄨㄣˊ ㄎㄨㄢˇ) a time deposit (T/D)
定期維修(ㄉㄧㄥˋ ㄑㄧˊ ㄨㄟˊ ㄒㄧㄡ) periodic maintenance
定心丸(ㄉㄧㄥˋ ㄒㄧㄣ ㄨㄢˊ) something capable of setting someone's mind at ease
定型(ㄉㄧㄥˋ ㄒㄧㄥˊ) to finalize the design
定時(ㄉㄧㄥˋ ㄕˊ) ① to set time ② at fixed time
定時開關(ㄉㄧㄥˋ ㄕˊ ㄎㄞ ㄍㄨㄢ) a time switch
定時訊號(ㄉㄧㄥˋ ㄕˊ ㄒㄩㄣˋ ㄏㄠˋ) timing signals
定時炸彈(ㄉㄧㄥˋ ㄕˊ ㄓㄚˋ ㄉㄢˋ) a time bomb
定神(ㄉㄧㄥˋ ㄕㄣˊ) to concentrate one's attention
定做(ㄉㄧㄥˋ ㄗㄨㄛˋ) or 定製(ㄉㄧㄥˋ ㄓˋ) to custom-tailor
定罪(ㄉㄧㄥˋ ㄗㄨㄟˋ) to declare someone guilty
定案(ㄉㄧㄥˋ ㄢˋ) to decide on a verdict
定義(ㄉㄧㄥˋ ㄧˋ) a definition
定位(ㄉㄧㄥˋ ㄨㄟˋ) ① a location; orientation ② to position

宛 1115 ㄨㄢˇ wǎn
1. as if; as though 2. crooked; roundabout
宛如(ㄨㄢˇ ㄖㄨˊ) as if; like
宛延(ㄨㄢˇ ㄧㄢˊ) long and winding

宜 1116 ㄧˊ yí
1. right; fitting; proper; good 2. should; ought to; had better 3. a matter 4. to fit; to put in order
宜人(ㄧˊ ㄖㄣˊ) pleasant; agreeable

六畫

客 1117 ㄎㄜˋ kè
1. a guest 2. a stranger; an alien 3. a customer 4. an audience 5. foreign; strange 6. an adventurer
客滿(ㄎㄜˋ ㄇㄢˇ) (said of theater tickets, etc.) sold out; a full house
客房(ㄎㄜˋ ㄈㄤˊ) a guest room
客套(ㄎㄜˋ ㄊㄠˋ) ceremonious greetings or compliments in addressing one's guest
客廳(ㄎㄜˋ ㄊㄧㄥ) a living room
客觀(ㄎㄜˋ ㄍㄨㄢ) objective
客戶(ㄎㄜˋ ㄏㄨˋ) a client
客機(ㄎㄜˋ ㄐㄧ) an airliner
客家話(ㄎㄜˋ ㄐㄧㄚ ㄏㄨㄚˋ) Hakka
客氣(ㄎㄜˋ ·ㄑㄧ) courteous
客氣話(ㄎㄜˋ ·ㄑㄧ ㄏㄨㄚˋ) polite remarks
客棧(ㄎㄜˋ ㄓㄢˋ) an inn
客串(ㄎㄜˋ ㄔㄨㄢˋ) to be a guest performer
客人(ㄎㄜˋ ㄖㄣˊ) a guest
客座教授(ㄎㄜˋ ㄗㄨㄛˋ ㄐㄧㄠˋ ㄕㄡˋ) a visiting professor
客運(ㄎㄜˋ ㄩㄣˋ) passenger transportation

宣 1118 ㄒㄩㄢ xuān
1. to declare 2. to propagate

宣佈(ㄒㄩㄢ ㄅㄨˋ)to announce
宣佈獨立(ㄒㄩㄢ ㄅㄨˋ ㄉㄨˊ ㄌㄧˋ) to declare independence
宣佈戒嚴(ㄒㄩㄢ ㄅㄨˋ ㄐㄧㄝˋ ㄧㄢˊ) to declare martial law
宣判(ㄒㄩㄢ ㄆㄢˋ) to announce the verdict
宣導(ㄒㄩㄢ ㄉㄠˇ)to guide (the people) by creating a better understanding
宣讀(ㄒㄩㄢ ㄉㄨˊ) to read out (a declaration, etc.) in public
宣告(ㄒㄩㄢ ㄍㄠˋ) to announce; to declare
宣告死亡(ㄒㄩㄢ ㄍㄠˋ ㄙˇ ㄨㄤˊ)a declaration of death
宣告無效(ㄒㄩㄢ ㄍㄠˋ ㄨˊ ㄒㄧㄠˋ) to declare something null and void
宣泄(ㄒㄩㄢ ㄒㄧㄝˋ) to reveal, disclose, or divulge (a secret)
宣戰(ㄒㄩㄢ ㄓㄢˋ)to declare war
宣稱(ㄒㄩㄢ ㄔㄥ)to claim; to assert
宣傳(ㄒㄩㄢ ㄔㄨㄢˊ) to publicize; propaganda
宣傳費(ㄒㄩㄢ ㄔㄨㄢˊ ㄈㄟˋ) publicity expenses
宣傳車(ㄒㄩㄢ ㄔㄨㄢˊ ㄔㄜ)a propaganda car
宣誓(ㄒㄩㄢ ㄕˋ)to take an oath
宣誓就職(ㄒㄩㄢ ㄕˋ ㄐㄧㄡˋ ㄓˊ)(said of government officials) to be sworn in
宣揚(ㄒㄩㄢ ㄧㄤˊ) to publicize and exalt

室 1119
ㄕˋ shì

1. a room; an apartment; a home 2. wife
室內(ㄕˋ ㄋㄟˋ)indoor
室內溜冰場(ㄕˋ ㄋㄟˋ ㄌㄧㄡ ㄅㄧㄥ ㄔㄤˇ)an indoor skating rink
室內裝潢or室內裝潢(ㄕˋ ㄋㄟˋ ㄓㄨㄤ ㄏㄨㄤˊ)interior decoration
室內設計(ㄕˋ ㄋㄟˋ ㄕㄜˋ ㄐㄧˋ) interior design
室內游泳池(ㄕˋ ㄋㄟˋ ㄧㄡˊ ㄩㄥˇ ㄔˊ) an indoor swimming pool
室內樂(ㄕˋ ㄋㄟˋ ㄩㄝˋ)chamber music
室外(ㄕˋ ㄨㄞˋ)outdoor
室外活動(ㄕˋ ㄨㄞˋ ㄏㄨㄛˊ ㄉㄨㄥˋ)outdoor activities
室溫(ㄕˋ ㄨㄣ)room temperature

宥 1120
ㄧㄡˋ yòu

to forgive; to pardon; to be lenient
宥恕(ㄧㄡˋ ㄕㄨˋ)to forgive; to pardon

宦 1121
ㄏㄨㄢˋ huàn

1. a government official 2. castrated
宦官(ㄏㄨㄢˋ ㄍㄨㄢ)a eunuch 亦作「太監」

七畫

宮 1122
ㄍㄨㄥ gōng

1. a palace 2. castration
宮殿(ㄍㄨㄥ ㄉㄧㄢˋ)a palace
宮殿式建築(ㄍㄨㄥ ㄉㄧㄢˋ ㄕˋ ㄐㄧㄢˋ ㄓㄨˊ)palatial architecture
宮女(ㄍㄨㄥ ㄋㄩˇ)a court lady

宰 1123
ㄗㄞˇ zǎi

1. to preside; to govern 2. to slaughter; to butcher
宰割(ㄗㄞˇ ㄍㄜ)① to cut up (meat) ② to partition (a country) ③ to kill
宰相(ㄗㄞˇ ㄒㄧㄤˋ)a prime minister (in former times)
宰殺(ㄗㄞˇ ㄕㄚ)to butcher; to kill

害 1124
ㄏㄞˋ hài

1. to injure; to damage 2. to kill 3. damage; injury 4. a vital point
害病(ㄏㄞˋ ㄅㄧㄥˋ)to get sick
害怕(ㄏㄞˋ ㄆㄚˋ)to be afraid of
害羣之馬(ㄏㄞˋ ㄑㄩㄣˊ ㄓ ㄇㄚˇ)a black sheep
害喜(ㄏㄞˋ ㄒㄧˇ)pregnant
害羞(ㄏㄞˋ ㄒㄧㄡ)shy; bashful
害處(ㄏㄞˋ ㄔㄨˋ)disadvantages
害蟲(ㄏㄞˋ ㄔㄨㄥˊ) injurious or noxious insects
害人精(ㄏㄞˋ ㄖㄣˊ ㄐㄧㄥ) a mischief-maker
害臊(ㄏㄞˋ ㄙㄠˋ)bashful; shy

宴 1125
ㄧㄢˋ yàn

1. to entertain; to feast 2. leisurely; comfort; ease
宴客(ㄧㄢˋ ㄎㄜˋ) to entertain guests at a banquet
宴會(ㄧㄢˋ ㄏㄨㄟˋ) a banquet; a dinner party; a feast
宴會廳(ㄧㄢˋ ㄏㄨㄟˋ ㄊㄧㄥ) a banquet hall
宴請(ㄧㄢˋ ㄑㄧㄥˇ) to entertain (to dinner)

宵 1126
ㄒㄧㄠ xiāo

night; dark; evening
宵禁(ㄒㄧㄠ ㄐㄧㄣˋ)a curfew
宵小(ㄒㄧㄠ ㄒㄧㄠˇ)thieves; evildoers
宵夜(ㄒㄧㄠ ㄧㄝˋ)a snack before going to bed

家 1127
ㄐㄧㄚ jiā

1. home; house; household; family; of a household; domestic 2. a specialist
家譜(ㄐㄧㄚ ㄆㄨˇ)a family pedigree
家母(ㄐㄧㄚ ㄇㄨˇ)my mother
家法(ㄐㄧㄚ ㄈㄚˇ)domestic discipline
家父(ㄐㄧㄚ ㄈㄨˋ)my father
家當(ㄐㄧㄚ ㄉㄤˋ)family property
家電用品(ㄐㄧㄚ ㄉㄧㄢˋ ㄩㄥˋ ㄆㄧㄣˇ) electric appliances
家庭(ㄐㄧㄚ ㄊㄧㄥˊ)a home
家庭背景(ㄐㄧㄚ ㄊㄧㄥˊ ㄅㄟˋ ㄐㄧㄥˇ) family background
家庭訪問(ㄐㄧㄚ ㄊㄧㄥˊ ㄈㄤˇ ㄨㄣˋ)a visit to the parents of schoolchildren

家庭負擔(ㄐㄧㄚ ㄊㄧㄥˊ ㄈㄨˋ ㄉㄢ) family responsibilities
家庭觀念(ㄐㄧㄚ ㄊㄧㄥˊ ㄍㄨㄢ ㄋㄧㄢˋ) attachment to one's family
家庭計劃 (ㄐㄧㄚ ㄊㄧㄥˊ ㄐㄧˋ ㄏㄨㄚˋ) family planning—birth control
家庭教師 (ㄐㄧㄚ ㄊㄧㄥˊ ㄐㄧㄠˋ ㄕ)a tutor
家庭教育 (ㄐㄧㄚ ㄊㄧㄥˊ ㄐㄧㄠˋ ㄩˋ) home education
家庭主婦(ㄐㄧㄚ ㄊㄧㄥˊ ㄓㄨˇ ㄈㄨˋ) a housewife
家庭作業(ㄐㄧㄚ ㄊㄧㄥˊ ㄗㄨㄛˋ ㄧㄝˋ) homework
家累(ㄐㄧㄚ ㄌㄟˇ)a family burden
家伙 or 傢伙 (ㄐㄧㄚ ˙ㄏㄨㄛ) (colloquial) ① a tool; a weapon ② a guy
家計(ㄐㄧㄚ ㄐㄧˋ)a family livelihood
家家戶戶 (ㄐㄧㄚ ㄐㄧㄚ ㄏㄨˋ ㄏㄨˋ) every family and household
家教(ㄐㄧㄚ ㄐㄧㄠˋ)① family education ② a private teacher; a tutor
家境(ㄐㄧㄚ ㄐㄧㄥˋ)the financial condition of a family
家具 or 家俱(ㄐㄧㄚ ㄐㄩˋ)furniture
家眷(ㄐㄧㄚ ㄐㄩㄢˋ) or 家屬(ㄐㄧㄚ ㄕㄨˇ)one's family; one's dependents
家禽(ㄐㄧㄚ ㄑㄧㄣˊ)poultry
家信(ㄐㄧㄚ ㄒㄧㄣˋ) or 家書(ㄐㄧㄚ ㄕㄨ)a letter from home
家鄉(ㄐㄧㄚ ㄒㄧㄤ)one's hometown
家長(ㄐㄧㄚ ㄓㄤˇ)the head of a family
家政(ㄐㄧㄚ ㄓㄥˋ)① housekeeping ② home economics
家政學校(ㄐㄧㄚ ㄓㄥˋ ㄒㄩㄝˊ ㄒㄧㄠˋ) a school of home economics
家醜(ㄐㄧㄚ ㄔㄡˇ)a family scandal
家產(ㄐㄧㄚ ㄔㄢˇ)family property
家畜(ㄐㄧㄚ ㄔㄨˋ)livestock
家世 (ㄐㄧㄚ ㄕˋ) one's family background
家事(ㄐㄧㄚ ㄕˋ)housework
家人(ㄐㄧㄚ ㄖㄣˊ)the members of one's family
家族(ㄐㄧㄚ ㄗㄨˊ)a family; a clan
家務(ㄐㄧㄚ ㄨˋ)household affairs
家喻戶曉(ㄐㄧㄚ ㄩˋ ㄏㄨˋ ㄒㄧㄠˇ)widely known
家用(ㄐㄧㄚ ㄩㄥˋ)domestic expenses
家用電腦(ㄐㄧㄚ ㄩㄥˋ ㄉㄧㄢˋ ㄋㄠˇ)a home computer

宸 1128
ㄔㄣˊ chén
1. an abode of the emperor 2. a large mansion

容 1129
ㄖㄨㄥˊ róng
1. a face; an expression 2. to contain 3. to allow; to permit 4. to forgive; to pardon 5. to forbear

容貌(ㄖㄨㄥˊ ㄇㄠˋ)looks; a countenance
容納(ㄖㄨㄥˊ ㄋㄚˋ)to accommodate
容量(ㄖㄨㄥˊ ㄌㄧㄤˋ)the capacity
容光煥發(ㄖㄨㄥˊ ㄍㄨㄤ ㄏㄨㄢˋ ㄈㄚ) to have a face radiant with well-being
容積(ㄖㄨㄥˊ ㄐㄧ)volume; cubic capacity
容器(ㄖㄨㄥˊ ㄑㄧˋ)a container
容許(ㄖㄨㄥˊ ㄒㄩˇ)to allow; to permit
容忍(ㄖㄨㄥˊ ㄖㄣˇ)to endure; to bear
容易(ㄖㄨㄥˊ ㄧˋ)① easy; facile ② apt to
容顏(ㄖㄨㄥˊ ㄧㄢˊ)a facial appearance

八畫

密 1130
ㄇㄧˋ mì
1. dense; tight; thick 2. close; intimate 3. secret; confidential; hidden

密報(ㄇㄧˋ ㄅㄠˋ)a secret message
密閉(ㄇㄧˋ ㄅㄧˋ)airtight; hermetic
密佈(ㄇㄧˋ ㄅㄨˋ)densely spread over
密不透風(ㄇㄧˋ ㄅㄨˋ ㄊㄡˋ ㄈㄥ)tightly shut
密碼(ㄇㄧˋ ㄇㄚˇ)a secret code
密謀(ㄇㄧˋ ㄇㄡˊ)to plan secretly
密密麻麻(ㄇㄧˋ ㄇㄧˋ ㄇㄚˊ ㄇㄚˊ)very dense
密訪(ㄇㄧˋ ㄈㄤˇ)to make investigation by traveling incognito
密封(ㄇㄧˋ ㄈㄥ)to seal tightly
密度(ㄇㄧˋ ㄉㄨˋ)density
密談(ㄇㄧˋ ㄊㄢˊ)to hold a confidential talk
密探(ㄇㄧˋ ㄊㄢˋ)a secret detective
密告(ㄇㄧˋ ㄍㄠˋ)to tip off
密函(ㄇㄧˋ ㄏㄢˊ)a secret letter
密集(ㄇㄧˋ ㄐㄧˊ)concentrated
密集栽植法(ㄇㄧˋ ㄐㄧˊ ㄗㄞ ㄓˊ ㄈㄚˇ) close planting
密切(ㄇㄧˋ ㄑㄧㄝˋ)(said of relations, contact, etc.) close
密切注意(ㄇㄧˋ ㄑㄧㄝˋ ㄓㄨˋ ㄧˋ)to pay close attention; to watch closely
密室(ㄇㄧˋ ㄕˋ)a hidden room
密商(ㄇㄧˋ ㄕㄤ)to hold private counsel
密醫(ㄇㄧˋ ㄧ)an unlicensed doctor
密友(ㄇㄧˋ ㄧㄡˇ)a close friend

宿 1131
1. ㄙㄨˋ sù
1. to stay overnight; to lodge 2. long-harbored; long-cherished 3. inborn; innate; destined 4. veteran; old

宿命論(ㄙㄨˋ ㄇㄧㄥˋ ㄌㄨㄣˋ)fatalism
宿疾(ㄙㄨˋ ㄐㄧˊ)a chronic disease
宿舍(ㄙㄨˋ ㄕㄜˋ)a dormitory
宿醉(ㄙㄨˋ ㄗㄨㄟˋ)hangover

宿 1131
2. ㄒㄧㄡˋ xiù
an ancient term for a constellation

〔宀部〕

宿 1131 3. ㄒㄧㄡˇ xiǔ night

寂 1132 ㄐㄧˊ jí
1. the death of a Buddhist monk or nun 2. quiet; still; serene; peaceful; desolate
寂寞(ㄐㄧˊ ㄇㄛˋ)lonely; lonesome
寂寥(ㄐㄧˊ ㄌㄧㄠˊ)lonely; still; desolate
寂靜(ㄐㄧˊ ㄐㄧㄥˋ)quiet; still

寄 1133 ㄐㄧˋ jì
1.to send; to mail 2.to entrust; to consign; to deposit
寄賣(ㄐㄧˋ ㄇㄞˋ)to consign (goods, etc.) for sale
寄放(ㄐㄧˋ ㄈㄤˋ)to place or leave (a thing) in (another's) custody
寄託(ㄐㄧˋ ㄊㄨㄛ)to consign or commit
寄件人(ㄐㄧˋ ㄐㄧㄢˋ ㄖㄣˊ)a sender
寄情(ㄐㄧˋ ㄑㄧㄥˊ)to give expression to one's feelings (through writing, etc.)
寄信(ㄐㄧˋ ㄒㄧㄣˋ)to send or mail a letter
寄信人(ㄐㄧˋ ㄒㄧㄣˋ ㄖㄣˊ)a sender
寄生蟲(ㄐㄧˋ ㄕㄥ ㄔㄨㄥˊ)a parasite
寄人籬下(ㄐㄧˋ ㄖㄣˊ ㄌㄧˊ ㄒㄧㄚˋ) to live in another's house
寄宿(ㄐㄧˋ ㄙㄨˋ) to lodge (at another's house)
寄養(ㄐㄧˋ ㄧㄤˇ) to send a child to another family for temporary care

寅 1134 ㄧㄣˊ yín
1. the third of the Twelve Terrestrial Branches(地支) 2. a horary sign (for the period from 3 to 5 a.m.)
寅吃卯糧(ㄧㄣˊ ㄔ ㄇㄠˇ ㄌㄧㄤˊ) unable to make both ends meet
寅時(ㄧㄣˊ ㄕˊ)the period of the day from 3 a.m. to 5 a.m.

寇 1135 ㄎㄡˋ kòu
1. bandits; robbers 2. to invade; to plunder 3. a Chinese family name

九畫

富 1136 ㄈㄨˋ fù
rich; wealthy; affluent; abundant; plentiful
富麗堂皇 (ㄈㄨˋ ㄌㄧˋ ㄊㄤˊ ㄏㄨㄤˊ) majestic; grand; splendid
富貴 (ㄈㄨˋ ㄍㄨㄟˋ) wealth and high position
富豪 (ㄈㄨˋ ㄏㄠˊ) a man of wealth and influence
富家子 (ㄈㄨˋ ㄐㄧㄚ ㄗˇ) children of a wealthy family
富強 (ㄈㄨˋ ㄑㄧㄤˊ) (said of a state) wealthy and powerful
富商(ㄈㄨˋ ㄕㄤ)a wealthy merchant
富庶(ㄈㄨˋ ㄕㄨˋ)(said of land) plentiful and populous
富足(ㄈㄨˋ ㄗㄨˊ)well-off; well-to-do
富有(ㄈㄨˋ ㄧㄡˇ) ①to abound in ②rich; wealthy
富翁(ㄈㄨˋ ㄨㄥ)a rich man
富於 (ㄈㄨˋ ㄩˊ) rich in (imagination, etc.)
富裕(ㄈㄨˋ ㄩˋ)rich; wealthy

寐 1137 ㄇㄟˋ mèi
a sound sleep; to doze; to drowse; to sleep

寒 1138 ㄏㄢˊ hán
1. cold; chilly; wintry 2. poor
寒門(ㄏㄢˊ ㄇㄣˊ)a poor family
寒帶(ㄏㄢˊ ㄉㄞˋ)the Frigid Zone
寒冷(ㄏㄢˊ ㄌㄥˇ)cold; chilly; chilling
寒流(ㄏㄢˊ ㄌㄧㄡˊ)a cold current
寒假(ㄏㄢˊ ㄐㄧㄚˋ)the winter vacation
寒暄(ㄏㄢˊ ㄒㄩㄢ)to exchange a few words of greeting with(somebody)
寒顫(ㄏㄢˊ ㄓㄢˋ)to tremble with cold
寒酸(ㄏㄢˊ ㄙㄨㄢ)① poverty ② unpresentable (dress, gifts, etc.)
寒意(ㄏㄢˊ ㄧˋ)a nip (or chill) in the air
寒夜(ㄏㄢˊ ㄧㄝˋ)a chilly night

寓 1139 ㄩˋ yù
1.to live temporarily; to dwell 2.to consign
寓所(ㄩˋ ㄙㄨㄛˇ)one's residence
寓意(ㄩˋ ㄧˋ)a moral (of a fable)
寓言(ㄩˋ ㄧㄢˊ)a fable

十畫

寘 1140 ㄓˋ zhì
1. to put; to place 2. to discard 3. to make or cause 4. full

十一畫

寞 1141 ㄇㄛˋ mò
still; silent; quiet; lonely

察 1142 ㄔㄚˊ chá
to examine; to observe; to investigate
察看(ㄔㄚˊ ㄎㄢˋ)to observe
察勘(ㄔㄚˊ ㄎㄢ)to survey
察核(ㄔㄚˊ ㄏㄜˊ)to investigate a case and then decide what to do
察覺(ㄔㄚˊ ㄐㄩㄝˊ)to be conscious of

寧 1143 ㄋㄧㄥˊ níng
1. peace; repose; serenity 2. would rather; had rather 3. could there be
寧可(ㄋㄧㄥˊ ㄎㄜˇ)would rather
寧靜(ㄋㄧㄥˊ ㄐㄧㄥˋ)quiet; tranquil

寧死不屈(ㄋㄧˊㄥ ㄙˇ ㄅㄨˋ ㄑㄩ)would rather die than submit
寧願(ㄋㄧˊㄥ ㄩㄢˋ)would rather

寡 1144 ㄍㄨㄚˇ guǎ
1. widowed 2. lonely; solitary 3. little; few; rare
寡婦(ㄍㄨㄚˇ ㄈㄨˋ)a widow
寡斷(ㄍㄨㄚˇ ㄉㄨㄢˋ) irresolute; indecisive
寡頭政治(ㄍㄨㄚˇ ㄊㄡˊ ㄓㄥˋ ㄓˋ)oligarchy
寡廉鮮恥(ㄍㄨㄚˇ ㄌㄧㄢˊ ㄒㄧㄢˇ ㄔˇ)having no sense of morality
寡情(ㄍㄨㄚˇ ㄑㄧㄥˊ)cold-hearted
寡人(ㄍㄨㄚˇ ㄖㄣˊ) (the royal) we
寡言(ㄍㄨㄚˇ ㄧㄢˊ)taciturn

寢 1145 ㄑㄧㄣˇ qǐn
1. to sleep; to rest 2. a tomb 3. a residence 4. stop; end
寢具(ㄑㄧㄣˇ ㄐㄩˋ)bedding
寢室(ㄑㄧㄣˇ ㄕˋ)a bedroom

寤 1146 ㄨˋ wù
to awake from a sound sleep

寥 1147 ㄌㄧㄠˊ liáo
1. few; not many 2. deserted; desolate; empty
寥寥無幾(ㄌㄧㄠˊ ㄌㄧㄠˊ ㄨˊ ㄐㄧˇ)few

實 1148 ㄕˊ shí
1. real; true; actual 2. practically 3. honest; sincere 4. concrete; tangible 5. fact; reality 6. fruit; seed
實地調查(ㄕˊ ㄉㄧˋ ㄉㄧㄠˋ ㄔㄚˊ)an on-the-spot investigation
實例(ㄕˊ ㄌㄧˋ)a living example
實力相當 (ㄕˊ ㄌㄧˋ ㄒㄧㄤ ㄉㄤ) to match each other in strength
實況轉播 (ㄕˊ ㄎㄨㄤˋ ㄓㄨㄢˇ ㄅㄛ) a live broadcast
實話實說 (ㄕˊ ㄏㄨㄚˋ ㄕˊ ㄕㄨㄛ) to tell the truth
實惠(ㄕˊ ㄏㄨㄟˋ)a real benefit
實際 (ㄕˊ ㄐㄧˋ) ①actual; real; concrete ②practical; realistic
實際工資 (ㄕˊ ㄐㄧˋ ㄍㄨㄥ ㄗ) real wages
實際經驗(ㄕˊ ㄐㄧˋ ㄐㄧㄥ ㄧㄢˋ) practical experience
實際情況 (ㄕˊ ㄐㄧˋ ㄑㄧㄥˊ ㄎㄨㄤˋ) the actual situation
實價(ㄕˊ ㄐㄧㄚˋ)an actual price
實踐(ㄕˊ ㄐㄧㄢˋ)to put in practice
實情(ㄕˊ ㄑㄧㄥˊ)the actual situation
實習(ㄕˊ ㄒㄧˊ)to practice what one has been taught
實習生(ㄕˊ ㄒㄧˊ ㄕㄥ)a trainee
實習醫生(ㄕˊ ㄒㄧˊ ㄧ ㄕㄥ)an intern(e)
實現(ㄕˊ ㄒㄧㄢˋ)to realize (a plan, etc.)
實行(ㄕˊ ㄒㄧㄥˊ)to practice
實質(ㄕˊ ㄓˊ)essence; substance
實施(ㄕˊ ㄕ)to implement
實事求是(ㄕˊ ㄕˋ ㄑㄧㄡˊ ㄕˋ)to make conscientious efforts to do things
實收(ㄕˊ ㄕㄡ)net receipts
實(實在)在(ㄕˊ (ㄕˊ ㄗㄞˋ) ㄗㄞˋ)①really; truly ②real; concrete ③well-done
實驗(ㄕˊ ㄧㄢˋ)an experiment; a test
實驗劇場(ㄕˊ ㄧㄢˋ ㄐㄩˋ ㄔㄤˇ)an experimental theater
實驗室(ㄕˊ ㄧㄢˋ ㄕˋ)a laboratory
實驗員 (ㄕˊ ㄧㄢˋ ㄩㄢˊ) a laboratory technician
實物教學 (ㄕˊ ㄨˋ ㄐㄧㄠˋ ㄒㄩㄝˊ) object teaching
實用(ㄕˊ ㄩㄥˋ)practical; useful

寨 1149 ㄓㄞˋ zhài
a stockade
寨子(ㄓㄞˋ ·ㄗ)a stockaded village

十二畫

審 1150 ㄕㄣˇ shěn
1. to examine; to investigate 2. to appreciate 3. cautious 4. really
審判(ㄕㄣˇ ㄆㄢˋ)①to try (a case or person in a law court) ②a trial
審美觀念(ㄕㄣˇ ㄇㄟˇ ㄍㄨㄢ ㄋㄧㄢˋ) esthetic sense
審定(ㄕㄣˇ ㄉㄧㄥˋ)to authorize (a publication, etc.)
審訂 (ㄕㄣˇ ㄉㄧㄥˋ) to examine and revise
審核 (ㄕㄣˇ ㄏㄜˊ) to examine and consider
審計(ㄕㄣˇ ㄐㄧˋ)to audit
審查 or 審察(ㄕㄣˇ ㄔㄚˊ)to review
審慎(ㄕㄣˇ ㄕㄣˋ)cautious; careful
審議(ㄕㄣˇ ㄧˋ)deliberation
審問(ㄕㄣˇ ㄨㄣˋ)or 審訊(ㄕㄣˇ ㄒㄩㄣˋ) to interrogate a prisoner
審閱(ㄕㄣˇ ㄩㄝˋ)to examine

寫 1151 ㄒㄧㄝˇ xiě
to write; to sketch; to draw; to represent
寫稿(ㄒㄧㄝˇ ㄍㄠˇ)to write for (or contribute to) a magazine, etc.
寫照(ㄒㄧㄝˇ ㄓㄠˋ)a representation
寫眞(ㄒㄧㄝˇ ㄓㄣ)to draw a portrait
寫實(ㄒㄧㄝˇ ㄕˊ)realistic
寫實主義(ㄒㄧㄝˇ ㄕˊ ㄓㄨˇ ㄧˋ)realism
寫生(ㄒㄧㄝˇ ㄕㄥ)to sketch
寫字(ㄒㄧㄝˇ ㄗˋ)to write
寫作(ㄒㄧㄝˇ ㄗㄨㄛˋ)writing

寬 1152 ㄎㄨㄢ kuān
1. broad; wide 2. tolerant; forgiving 3. to loosen 4. well-off

〔宀部〕

寬待(ㄎㄨㄢ ㄉㄞˋ)to treat generously
寬度(ㄎㄨㄢ ㄉㄨˋ)width; breadth
寬廣(ㄎㄨㄢ ㄍㄨㄤˇ)vast; extensive
寬闊(ㄎㄨㄢ ㄎㄨㄛˋ)roomy; wide
寬宏大量(ㄎㄨㄢ ㄏㄨㄥˊ ㄉㄚˋ ㄌㄧㄤˋ) benignant; broad-minded
寬限(ㄎㄨㄢ ㄒㄧㄢˋ)① to extend a time limit ② a moratorium
寬敞(ㄎㄨㄢ ㄔㄤˇ)spacious; roomy
寬恕(ㄎㄨㄢ ㄕㄨˋ)to forgive
寬容(ㄎㄨㄢ ㄖㄨㄥˊ)to pardon
寬衣解帶(ㄎㄨㄢ ㄧ ㄐㄧㄝˇ ㄉㄞˋ) to undress
寬裕(ㄎㄨㄢ ㄩˋ)well-off

寮 1153
ㄌㄧㄠˊ liáo
1. a colleague 2. a hut; a cottage

十三畫

寰 1154
ㄏㄨㄢˊ huán
a large domain; a vast space
寰球(ㄏㄨㄢˊ ㄑㄧㄡˊ)the world

十六畫

寵 1155
ㄔㄨㄥˇ chǒng
1. a concubine 2. to favor 3. favor or love (especially of the emperor)
寵壞(ㄔㄨㄥˇ ㄏㄨㄞˋ)to spoil (a child)
寵愛(ㄔㄨㄥˇ ㄞˋ)to patronize
寵兒(ㄔㄨㄥˇ ㄦˊ)a favored person

十七畫

寶 1156
(寳) ㄅㄠˇ bǎo
1. treasure 2. precious; valuable 3. respectable; honorable
寶貝(ㄅㄠˇ ㄅㄟˋ)a cherished thing
寶寶(ㄅㄠˇ ·ㄅㄠ)baby
寶刀未老(ㄅㄠˇ ㄉㄠ ㄨㄟˋ ㄌㄠˇ)old but still vigorous in mind and body
寶貴(ㄅㄠˇ ㄍㄨㄟˋ)valuable; precious
寶石(ㄅㄠˇ ㄕˊ)a gem; a jewel
寶藏(ㄅㄠˇ ㄗㄤˋ)a treasury
寶座(ㄅㄠˇ ㄗㄨㄛˋ)the throne
寶物(ㄅㄠˇ ㄨˋ)a treasure

寸部 ㄘㄨㄣˋ cùn

寸 1157
ㄘㄨㄣˋ cùn
1. a measure of length (equal to about 1/10 foot) 2. small; tiny
寸步不離(ㄘㄨㄣˋ ㄅㄨˋ ㄅㄨˋ ㄌㄧˊ) to tag; to follow closely
寸步難行(ㄘㄨㄣˋ ㄅㄨˋ ㄋㄢˊ ㄒㄧㄥˊ) hard to walk even an inch
寸草不留(ㄘㄨㄣˋ ㄘㄠˇ ㄅㄨˋ ㄌㄧㄡˊ) to leave not even a blade of grass

三畫

寺 1158
ㄙˋ sì
a temple; a monastery; a shrine; a mosque
寺院(ㄙˋ ㄩㄢˋ)temples

六畫

封 1159
ㄈㄥ fēng
1. a numerary adjunct for letters 2. to install as a feudal lord or a nobleman 3. to seal 4. an envelope
封閉(ㄈㄥ ㄅㄧˋ)to seal
封面 (ㄈㄥ ㄇㄧㄢˋ) the cover (of a book)
封條(ㄈㄥ ㄊㄧㄠˊ)a sealing tape
封建制度(ㄈㄥ ㄐㄧㄢˋ ㄓˋ ㄉㄨˋ)feudalism
封殺(ㄈㄥ ㄕㄚ)(baseball) to shut out
封鎖(ㄈㄥ ㄙㄨㄛˇ)to blockade(a place or region)
封鎖新聞(ㄈㄥ ㄙㄨㄛˇ ㄒㄧㄣ ㄨㄣˊ)to suppress news
封印(ㄈㄥ ㄧㄣˋ)a seal

七畫

射 1160
ㄕㄜˋ shè
(動詞語音 ㄕˊ shí)
(音律名 ㄧˋ yì)
(於"僕射"等 ㄧㄝˋ yè)
1. to shoot 2. to send out (light, heat, etc.) 3. archery
射門 (ㄕㄜˋ ㄇㄣˊ) (in soccer, etc.) to shoot or kick the ball toward the goal
射獵(ㄕㄜˋ ㄌㄧㄝˋ)hunting
射擊(ㄕㄜˋ ㄐㄧ)to shoot; shooting
射箭(ㄕㄜˋ ㄐㄧㄢˋ)to shoot an arrow
射線(ㄕㄜˋ ㄒㄧㄢˋ) (physics) a ray
射中(ㄕㄜˋ ㄓㄨㄥˋ)to hit the target
射程(ㄕㄜˋ ㄔㄥˊ)a range (of the projectile)

八畫

專 1161
ㄓㄨㄢ zhuān
1. to concentrate; to focus 2. to monopolize 3. to specialize 4. exclusive; special
專賣(ㄓㄨㄢ ㄇㄞˋ)a monopoly
專賣局 (ㄓㄨㄢ ㄇㄞˋ ㄐㄩˊ) a monopoly

bureau

專門(ㄓㄨㄢ ㄇㄣˊ) ①a specialty; a special field ②exclusively

專題報導(ㄓㄨㄢ ㄊㄧˊ ㄅㄠˋ ㄉㄠˇ) a report on a special topic

專題演講(ㄓㄨㄢ ㄊㄧˊ ㄧㄢˇ ㄐㄧㄤˇ) a lecture on a special topic

專欄(ㄓㄨㄢ ㄌㄢˊ)a special column (in a newspaper or magazine)

專利(ㄓㄨㄢ ㄌㄧˋ)a patent

專利品(ㄓㄨㄢ ㄌㄧˋ ㄆㄧㄣˇ) a patent article

專利連鎖店(ㄓㄨㄢ ㄌㄧˋ ㄌㄧㄢˊ ㄙㄨㄛˇ ㄉㄧㄢˋ)a franchise chain

專利權(ㄓㄨㄢ ㄌㄧˋ ㄑㄩㄢˊ) a patent right

專攻(ㄓㄨㄢ ㄍㄨㄥ)to specialize in

專科學校(ㄓㄨㄢ ㄎㄜ ㄒㄩㄝˊ ㄒㄧㄠˋ) a junior college

專款(ㄓㄨㄢ ㄎㄨㄢˇ)the fund designated for a specific use

專函(ㄓㄨㄢ ㄏㄢˊ) a letter written for a specific purpose

專機(ㄓㄨㄢ ㄐㄧ) a plane designated for a special use

專家(ㄓㄨㄢ ㄐㄧㄚ)an expert

專線(ㄓㄨㄢ ㄒㄧㄢˋ)a special telephone line

專職(ㄓㄨㄢ ㄓˊ)full-time

專制(ㄓㄨㄢ ㄓˋ)tyrannical

專制政體(ㄓㄨㄢ ㄓˋ ㄓㄥˋ ㄊㄧˇ) autocracy

專政(ㄓㄨㄢ ㄓㄥˋ)dictatorship

專注(ㄓㄨㄢ ㄓㄨˋ) to devote one's mind to

專車(ㄓㄨㄢ ㄔㄜ) a train or bus run for a particular purpose

專差(ㄓㄨㄢ ㄔㄞ)a special messenger

專長(ㄓㄨㄢ ㄔㄤˊ)a special skill

專程(ㄓㄨㄢ ㄔㄥˊ)a special trip

專人(ㄓㄨㄢ ㄖㄣˊ)a person specially assigned for a task

專任(ㄓㄨㄢ ㄖㄣˋ)full time

專才(ㄓㄨㄢ ㄘㄞˊ)a specialist

專案(ㄓㄨㄢ ㄢˋ)a special case (to be dealt with separately)

專業(ㄓㄨㄢ ㄧㄝˋ)①a special field of study ② a specialized trade

專業化(ㄓㄨㄢ ㄧㄝˋ ㄏㄨㄚˋ) specialization

專業知識(ㄓㄨㄢ ㄧㄝˋ ㄓ ㄕˋ) professional knowledge

專業人員(ㄓㄨㄢ ㄧㄝˋ ㄖㄣˊ ㄩㄢˊ) the personnel in a specific field

專有名詞(ㄓㄨㄢ ㄧㄡˇ ㄇㄧㄥˊ ㄘˊ) a proper noun

專員(ㄓㄨㄢ ㄩㄢˊ) a specialist in the government

專用電話(ㄓㄨㄢ ㄩㄥˋ ㄉㄧㄢˋ ㄏㄨㄚˋ)a telephone for special use

將 1162
1. ㄐㄧㄤ jiāng

1. going to; about to 2. used with a noun functioning as a direct object 3. to nourish

將來(ㄐㄧㄤ ㄌㄞˊ)the future

將就(ㄐㄧㄤ ㄐㄧㄡˋ)to make do with something not good enough

將近(ㄐㄧㄤ ㄐㄧㄣˋ)approximately

將軍(ㄐㄧㄤ ㄐㄩㄣ)a general

將要(ㄐㄧㄤ ㄧㄠˋ)going to or about to (do something)

將 1162
2. ㄐㄧㄤˋ jiàng

1. a general; an admiral 2. to lead (soldiers)

將士(ㄐㄧㄤˋ ㄕˋ)officers and men

將帥(ㄐㄧㄤˋ ㄕㄨㄞˋ)a general

將才(ㄐㄧㄤˋ ㄘㄞˊ)the talent as a field commander

尉 1163
1. ㄨㄟˋ wèi

1. a company-grade military officer 2. (in former times) a grade of military official

尉官(ㄨㄟˋ ㄍㄨㄢ)a junior officer

尉 1163
2. ㄩˋ yù

as in 尉遲—a double family name

九畫

尊 1164
ㄗㄨㄣ zūn

1. to respect; to esteem 2. honorable; respectable

尊卑(ㄗㄨㄣ ㄅㄟ)① seniors and juniors ② superiors and inferiors

尊命(ㄗㄨㄣ ㄇㄧㄥˋ)(courteously) your order

尊貴(ㄗㄨㄣ ㄍㄨㄟˋ)respectable

尊敬(ㄗㄨㄣ ㄐㄧㄥˋ)to respect

尊姓大名(ㄗㄨㄣ ㄒㄧㄥˋ ㄉㄚˋ ㄇㄧㄥˊ)(courteously) your name

尊長(ㄗㄨㄣ ㄓㄤˇ)an elder

尊重(ㄗㄨㄣ ㄓㄨㄥˋ)to respect

尊稱(ㄗㄨㄣ ㄔㄥ)a title of respect

尊嚴(ㄗㄨㄣ ㄧㄢˊ)dignity

尋 1165
1. ㄒㄩㄣˊ xún

1. a measure of length in former times (roughly equivalent to eight feet) 2. to seek; to search

尋寶(ㄒㄩㄣˊ ㄅㄠˇ)treasure hunt

尋訪(ㄒㄩㄣˊ ㄈㄤˇ)to make inquiries about

尋短見(ㄒㄩㄣˊ ㄉㄨㄢˇ ㄐㄧㄢˋ)to commit suicide

尋開心(ㄒㄩㄣˊ ㄎㄞ ㄒㄧㄣ)to joke

尋求(ㄒㄩㄣˊ ㄑㄧㄡˊ)to seek

尋釁(ㄒㄩㄣˊ ㄒㄧㄣˋ)to provoke

尋找(ㄒㄩㄣˊ ㄓㄠˇ)to seek for

尋常(ㄒㄩㄣˊ ㄔㄤˊ)usual; ordinary

尋人啓事(ㄒㄩㄣˊ ㄖㄣˊ ㄑㄧˇ ㄕˋ)a notice in a missing person column

尋 1165
2. ㄒㄧㄣˊ xín

〔小部〕

to beg; to entreat

十一畫

對 1166 ㄉㄨㄟˋ duì

1. right; correct 2. parallel; opposing 3. a pair; a couple 4. to check 5. to; as to 6. to be directed at

對白(ㄉㄨㄟˋ ㄅㄞˊ)dialogue
對保(ㄉㄨㄟˋ ㄅㄠˇ)to confirm or verify a guaranty
對半(ㄉㄨㄟˋ ㄅㄢˋ)a half; one half
對比(ㄉㄨㄟˋ ㄅㄧˇ)contrast; correlation
對不起(ㄉㄨㄟˋ ˙ㄅㄨ ㄑㄧˇ) ①to let a person down②I apologize.
對面(ㄉㄨㄟˋ ㄇㄧㄢˋ) on the opposite side
對方(ㄉㄨㄟˋ ㄈㄤ)the other side
對付(ㄉㄨㄟˋ ㄈㄨˋ)to deal with
對待(ㄉㄨㄟˋ ㄉㄞˋ) to treat (a person kindly, cruelly, etc.)
對調(ㄉㄨㄟˋ ㄉㄧㄠˋ)to exchange positions
對內(ㄉㄨㄟˋ ㄋㄟˋ) for domestic or internal (use, etc.)
對立(ㄉㄨㄟˋ ㄌㄧˋ) to be opposed to each other
對聯(ㄉㄨㄟˋ ㄌㄧㄢˊ)a Chinese couplet
對口相聲(ㄉㄨㄟˋ ㄎㄡˇ ㄒㄧㄤ ˙ㄕㄥ)the Chinese comic dialogue
對抗(ㄉㄨㄟˋ ㄎㄤˋ) to be opposed to each other
對號(ㄉㄨㄟˋ ㄏㄠˋ) to check the number
對話(ㄉㄨㄟˋ ㄏㄨㄚˋ)a dialogue
對換(ㄉㄨㄟˋ ㄏㄨㄢˋ)to exchange
對角線(ㄉㄨㄟˋ ㄐㄧㄠˇ ㄒㄧㄢˋ) a diagonal
對講機(ㄉㄨㄟˋ ㄐㄧㄤˇ ㄐㄧ) an interphone
對象(ㄉㄨㄟˋ ㄒㄧㄤˋ) the object (of an action)
對質(ㄉㄨㄟˋ ㄓˋ)to face each other and exchange questions
對折(ㄉㄨㄟˋ ㄓㄜˊ)a 50% discount
對照(ㄉㄨㄟˋ ㄓㄠˋ)to contrast
對照表(ㄉㄨㄟˋ ㄓㄠˋ ㄅㄧㄠˇ)a comparative table
對準(ㄉㄨㄟˋ ㄓㄨㄣˇ)to aim at
對稱(ㄉㄨㄟˋ ㄔㄣˋ)symmetry
對手(ㄉㄨㄟˋ ㄕㄡˇ)an opponent
對策(ㄉㄨㄟˋ ㄘㄜˋ)a counterplot
對應(ㄉㄨㄟˋ ㄧㄥˋ)homologous
對味兒(ㄉㄨㄟˋ ㄨㄜˋㄦ)to one's taste
對外(ㄉㄨㄟˋ ㄨㄞˋ)for foreign or overseas (consumption, use, etc.)
對外貿易(ㄉㄨㄟˋ ㄨㄞˋ ㄇㄠˋ ㄧˋ) foreign trade
對於(ㄉㄨㄟˋ ㄩˊ)to; as to

十三畫

導 1167 ㄉㄠˋ dào (語音 ㄉㄠˇ dǎo)

to guide; to lead; to direct

導播(ㄉㄠˇ ㄅㄛ)(TV) a director
導彈(ㄉㄠˇ ㄉㄢˋ)a guided missile
導電(ㄉㄠˇ ㄉㄧㄢˋ)electric conduction
導體(ㄉㄠˇ ㄊㄧˇ)an electric conductor
導論(ㄉㄠˇ ㄌㄨㄣˋ)an introduction
導航(ㄉㄠˇ ㄏㄤˊ)to navigate
導火線(ㄉㄠˇ ㄏㄨㄛˇ ㄒㄧㄢˋ) the direct cause (of an event)
導致(ㄉㄠˇ ㄓˋ) to cause something to happen
導師(ㄉㄠˇ ㄕ)a tutor
導熱(ㄉㄠˇ ㄖㄜˋ)heat conduction
導遊(ㄉㄠˇ ㄧㄡˊ)a tourist guide
導演(ㄉㄠˇ ㄧㄢˇ)the director

小部
ㄒㄧㄠˇ xiao

小 1168 ㄒㄧㄠˇ xiǎo

1. small; little; tiny 2. minor 3. young; junior 4. humble; mean; lowly 5. light; slight; unimportant; trivial

小班(ㄒㄧㄠˇ ㄅㄢ)the lowest of the three grades of kindergarten children
小本經營(ㄒㄧㄠˇ ㄅㄣˇ ㄐㄧㄥ ㄧㄥˊ) (business) to run or operate with a small capital
小標題(ㄒㄧㄠˇ ㄅㄧㄠ ㄊㄧˊ) a subheading
小便(ㄒㄧㄠˇ ㄅㄧㄢˋ)urine; urination
小朋友(ㄒㄧㄠˇ ㄆㄥˊ ˙ㄧㄡ)children
小便宜(ㄒㄧㄠˇ ㄆㄧㄢˊ ˙ㄧ)a small advantage
小品文(ㄒㄧㄠˇ ㄆㄧㄣˇ ㄨㄣˊ)an essay
小舖子(ㄒㄧㄠˇ ㄆㄨˋ ˙ㄗ)a small store
小買賣(ㄒㄧㄠˇ ㄇㄞˇ ㄇㄞˋ)or小生意(ㄒㄧㄠˇ ㄕㄥ ˙ㄧ)small business
小麥(ㄒㄧㄠˇ ㄇㄞˋ)wheat
小貓(ㄒㄧㄠˇ ㄇㄠ)a kitten
小米(ㄒㄧㄠˇ ㄇㄧˇ)millet
小名(ㄒㄧㄠˇ ㄇㄧㄥˊ) one's childhood name
小費(ㄒㄧㄠˇ ㄈㄟˋ)a tip
小販(ㄒㄧㄠˇ ㄈㄢˋ)stall holders
小腹(ㄒㄧㄠˇ ㄈㄨˋ)the lower abdomen
小刀(ㄒㄧㄠˇ ㄉㄠ)a pocket knife
小道消息(ㄒㄧㄠˇ ㄉㄠˋ ㄒㄧㄠ ˙ㄒㄧ) hearsay
小調(ㄒㄧㄠˇ ㄉㄧㄠˋ)folk songs; ballads
小電影(ㄒㄧㄠˇ ㄉㄧㄢˋ ㄧㄥˇ) (slang) a porno film
小動作(ㄒㄧㄠˇ ㄉㄨㄥˋ ㄗㄨㄛˋ) little tricks
小偷(ㄒㄧㄠˇ ㄊㄡ)a thief; a burglar
小題大做(ㄒㄧㄠˇ ㄊㄧˊ ㄉㄚˋ ㄗㄨㄛˋ)to make much of a trifle
小提琴(ㄒㄧㄠˇ ㄊㄧˊ ㄑㄧㄣˊ)a violin

小艇(ㄒㄧㄠˇ ㄊㄧㄥˇ)a small boat
小腿(ㄒㄧㄠˇ ㄊㄨㄟˇ)the calf (of the leg)
小妞兒(ㄒㄧㄠˇ ㄋㄧㄡㄦ)a young girl
小牛肉(ㄒㄧㄠˇ ㄋㄧㄡˊ ㄖㄡˋ)veal
小年夜(ㄒㄧㄠˇ ㄋㄧㄢˊ ㄧㄝˋ)the night before Lunar New Year's Eve
小女(ㄒㄧㄠˇ ㄋㄩˇ)my daughter (a self-depreciatory term)
小喇叭(ㄒㄧㄠˇ ㄌㄚˇ ˙ㄅㄚ)a trumpet
小老婆(ㄒㄧㄠˇ ㄌㄠˇ ˙ㄆㄛ)a concubine
小兩口子(ㄒㄧㄠˇ ㄌㄧㄤˇ ㄎㄡˇ ˙ㄗ) a young couple
小狗(ㄒㄧㄠˇ ㄍㄡˇ)a puppy
小姑獨處(ㄒㄧㄠˇ ㄍㄨ ㄉㄨˊ ㄔㄨˇ) to remain a spinster
小過(ㄒㄧㄠˇ ㄍㄨㄛˋ)a minor mistake
小開(ㄒㄧㄠˇ ㄎㄞ)a businessman's son
小口徑(ㄒㄧㄠˇ ㄎㄡˇ ㄐㄧㄥˋ)(said of gun barrels) small-bore
小看(ㄒㄧㄠˇ ㄎㄢˋ)to think little of
小康(ㄒㄧㄠˇ ㄎㄤ) (said of a family) well-to-do
小孩(ㄒㄧㄠˇ ㄏㄞˊ)a child
小號(ㄒㄧㄠˇ ㄏㄠˋ)small size
小花樣(ㄒㄧㄠˇ ㄏㄨㄚ ㄧㄤˋ) a little stunt
小夥子(ㄒㄧㄠˇ ㄏㄨㄛˇ ˙ㄗ) a young fellow
小鷄(ㄒㄧㄠˇ ㄐㄧ)a chick
小家庭(ㄒㄧㄠˇ ㄐㄧㄚ ㄊㄧㄥˊ) a small family
小姐(ㄒㄧㄠˇ ㄐㄧㄝˇ) a young (unmarried) lady
小舅子(ㄒㄧㄠˇ ㄐㄧㄡˋ ˙ㄗ) a brother-in-law (one's wife's younger brother)
小器 or 小氣(ㄒㄧㄠˇ ㄑㄧˋ)niggardly
小氣鬼(ㄒㄧㄠˇ ㄑㄧˋ ㄍㄨㄟˇ)a niggard
小寫(ㄒㄧㄠˇ ㄒㄧㄝˇ)a lowercase letter (of the Roman alphabet)
小心火燭(ㄒㄧㄠˇ ㄒㄧㄣ ㄏㄨㄛˇ ㄓㄨˊ) Guard against fire!
小心輕放(ㄒㄧㄠˇ ㄒㄧㄣ ㄑㄧㄥ ㄈㄤˋ) Handle with care!
小心眼兒(ㄒㄧㄠˇ ㄒㄧㄣ ㄧㄚˇㄦ) narrow-minded
小型電腦(ㄒㄧㄠˇ ㄒㄧㄥˊ ㄉㄧㄢˋ ㄋㄠˇ) a minicomputer
小型企業(ㄒㄧㄠˇ ㄒㄧㄥˊ ㄑㄧˋ ㄧㄝˋ) a small enterprise
小學(ㄒㄧㄠˇ ㄒㄩㄝˊ)a primary school
小指(ㄒㄧㄠˇ ㄓˇ)the little finger
小吃(ㄒㄧㄠˇ ㄔ)a snack
小吃館(ㄒㄧㄠˇ ㄔ ㄍㄨㄢˇ) a small restaurant
小丑(ㄒㄧㄠˇ ㄔㄡˇ)a clown
小時(ㄒㄧㄠˇ ㄕˊ)an hour
小時候(ㄒㄧㄠˇ ㄕˊ ˙ㄏㄡ)in childhood
小聲(ㄒㄧㄠˇ ㄕㄥ)to speak low
小數點(ㄒㄧㄠˇ ㄕㄨˋ ㄉㄧㄢˇ)the decimal point
小說(ㄒㄧㄠˇ ㄕㄨㄛ)a novel; fiction
小人(ㄒㄧㄠˇ ㄖㄣˊ) a mean person
小組討論(ㄒㄧㄠˇ ㄗㄨˇ ㄊㄠˇ ㄌㄨㄣˋ) a group discussion
小册子(ㄒㄧㄠˇ ㄘㄜˋ ˙ㄗ) a pamphlet or brochure
小聰明(ㄒㄧㄠˇ ㄘㄨㄥ ˙ㄇㄧㄥ) clever or smart in a small way
小蘇打(ㄒㄧㄠˇ ㄙㄨ ㄉㄚˇ)sodium bicarbonate
小兒(ㄒㄧㄠˇ ㄦˊ)① an infant ② my son
小兒痲痺症(ㄒㄧㄠˇ ㄦˊ ㄇㄚˊ ㄅㄧˋ ㄓㄥˋ) poliomyelitis
小兒科(ㄒㄧㄠˇ ㄦˊ ㄎㄜ)pediatrics
小耳朵(ㄒㄧㄠˇ ㄦˇ ˙ㄉㄨㄛ)(slang) DBS (Direct Broadcasting Satellite)
小姨子(ㄒㄧㄠˇ ㄧˊ ˙ㄗ)a sister-in-law (one's wife's younger sister)
小意思(ㄒㄧㄠˇ ㄧˋ ˙ㄙ)①a trifle ②a small token of regard (such as a gift)
小夜曲(ㄒㄧㄠˇ ㄧㄝˋ ㄑㄩˇ)a serenade
小玩藝兒(ㄒㄧㄠˇ ㄨㄢˊ ㄧㄜˋㄦ)a small toy or plaything

一畫

少 1169
1. ㄕㄠˇ shǎo
1. small or little (in number, quantity, or duration) 2. missing; absent; wanting; lost 3. to stop; to quit
少不了(ㄕㄠˇ ˙ㄅㄨ ㄌㄧㄠˇ) indispensable
少量(ㄕㄠˇ ㄌㄧㄤˋ)a small amount
少管閒事(ㄕㄠˇ ㄍㄨㄢˇ ㄒㄧㄢˊ ㄕˋ)Mind your own business.
少許(ㄕㄠˇ ㄒㄩˇ)a little bit
少數(ㄕㄠˇ ㄕㄨˋ)① a few; a small number (of) ② minority
少數民族(ㄕㄠˇ ㄕㄨˋ ㄇㄧㄣˊ ㄗㄨˊ) a minority ethnic group
少有(ㄕㄠˇ ㄧㄡˇ)rare; scarce

少 1169
2. ㄕㄠˋ shào
young; youthful; junior; juvenile
少不更事(ㄕㄠˋ ㄅㄨˋ ㄍㄥ ㄕˋ) young and inexperienced
少婦(ㄕㄠˋ ㄈㄨˋ)a young woman
少年(ㄕㄠˋ ㄋㄧㄢˊ)a juvenile; a youth
少年犯罪(ㄕㄠˋ ㄋㄧㄢˊ ㄈㄢˋ ㄗㄨㄟˋ) juvenile delinquency
少年讀物(ㄕㄠˋ ㄋㄧㄢˊ ㄉㄨˊ ㄨˋ) juvenile books
少女(ㄕㄠˋ ㄋㄩˇ)a young girl
少將(ㄕㄠˋ ㄐㄧㄤˋ)major general (in the army, air force and marine corps); rear admiral (in the navy)
少校(ㄕㄠˋ ㄒㄧㄠˋ)major (in the army, air force and marine corps); lieutenant commander (in the navy)
少爺(ㄕㄠˋ ˙ㄧㄝ)a young master (of a rich family); a young lord
少尉(ㄕㄠˋ ㄨㄟˋ)second lieutenant (in the army, air force or marine corps); ensign (in the navy)

〔尢·尸部〕

三畫

尖 1170 ㄐㄧㄢ jiān
sharp; acute; pointed; keen
尖端(ㄐㄧㄢ ㄉㄨㄢ) a pointed end or head
尖端科學(ㄐㄧㄢ ㄉㄨㄢ ㄎㄜ ㄒㄩㄝˊ) the frontiers of science
尖銳(ㄐㄧㄢ ㄖㄨㄟˋ)①sharp-pointed ② penetrating ③ shrill; piercing
尖酸刻薄 (ㄐㄧㄢ ㄙㄨㄢ ㄎㄜˋ ㄅㄛˊ) merciless; unforgiving

五畫

尙 1171 ㄕㄤˋ shàng
1. yet; still 2. to uphold; to honor; to esteem
尙可(ㄕㄤˋ ㄎㄜˇ)acceptable
尙祈(ㄕㄤˋ ㄑㄧˊ)or尙希(ㄕㄤˋ ㄒㄧ)I hope.... 或 I pray....
尙且(ㄕㄤˋ ㄑㄧㄝˇ)① yet; still ② even
尙有可爲(ㄕㄤˋ ㄧㄡˇ ㄎㄜˇ ㄨㄟˊ) still retrievable
尙武精神(ㄕㄤˋ ㄨˇ ㄐㄧㄥ ㄕㄣˊ)martial spirit

九畫

尞 1172 ㄌㄧㄠˊ liáo
a Chinese family name

十畫

尟 1173 (尠) ㄒㄧㄢˇ xiǎn
few; rare

尢部 ㄨㄤ wāng

一畫

尤 1174 ㄧㄡˊ yóu
1. to reproach; to blame 2. a mistake 3. especially 4. outstanding 5. a Chinese family name
尤其(ㄧㄡˊ ㄑㄧˊ)particularly
尤物(ㄧㄡˊ ㄨˋ)① an uncommon person ② a woman of extraordinary beauty

四畫

尨 1175 1. ㄆㄤˊ páng
1. a shaggy dog 2. blended; variegated
尨大(ㄆㄤˊ ㄉㄚˋ)giant

尨 1175 2. ㄇㄥˊ méng
disorderly; confused

尬 1176 ㄍㄚˋ gà
embarrassed; ill at ease

九畫

就 1177 ㄐㄧㄡˋ jiù
1. to receive 2. to undergo 3. to assume 4. to follow 5. to come or go to 6. to suit; to fit 7. forthwith; right away 8. exactly; precisely 9. namely 10. even if
就範(ㄐㄧㄡˋ ㄈㄢˋ)to be subdued
就地解決(ㄐㄧㄡˋ ㄉㄧˋ ㄐㄧㄝˇ ㄐㄩㄝˊ) to solve (a problem) right on the spot
就地取材 (ㄐㄧㄡˋ ㄉㄧˋ ㄑㄩˇ ㄘㄞˊ) to acquire necessary material locally
就近(ㄐㄧㄡˋ ㄐㄧㄣˋ)at the nearest convenient place
就寢(ㄐㄧㄡˋ ㄑㄧㄣˇ)to go to bed
就緒(ㄐㄧㄡˋ ㄒㄩˋ)to be in order
就學(ㄐㄧㄡˋ ㄒㄩㄝˊ)to receive schooling
就職(ㄐㄧㄡˋ ㄓˊ)to assume office; to be sworn into office
就是(ㄐㄧㄡˋ ㄕˋ)① exactly ② that is ③ even though
就任(ㄐㄧㄡˋ ㄖㄣˋ)to take office
就算(ㄐㄧㄡˋ ㄙㄨㄢˋ)even though
就醫(ㄐㄧㄡˋ ㄧ)to receive or undergo medical treatment
就業(ㄐㄧㄡˋ ㄧㄝˋ)to get employment
就業輔導 (ㄐㄧㄡˋ ㄧㄝˋ ㄈㄨˇ ㄉㄠˇ) placement or appointment service
就要(ㄐㄧㄡˋ ㄧㄠˋ)to be about to
就位(ㄐㄧㄡˋ ㄨㄟˋ)to take one's seat

十四畫

尷 1178 ㄍㄢ gān
as in 尷尬—embarrassed; ill at ease

尸部 ㄕ shī

尸 1179 ㄕ shī
1. a corpse 2. to preside; to direct
尸位素餐(ㄕ ㄨㄟˋ ㄙㄨˋ ㄘㄢ)to neglect the duties of an office while taking the pay

一畫

尺 1180
1. ㄔˇ chǐ
1. a unit in Chinese linear measurement, equivalent to ⅓ meter 2. a ruler; a rule
尺碼(ㄔˇ ㄇㄚˇ)measure; size
尺度(ㄔˇ ㄉㄨˋ)measure; a scale
尺寸(ㄔˇ ㄘㄨㄣˋ)a small quantity

尺 1180
2. ㄔˊ chí
as in 尺寸—measurements; size

尹 1181
ㄧㄣˇ yǐn
1. to govern; to rule 2. a Chinese family name

二畫

尻 1182
ㄎㄠ kāo
the sacrum

尼 1183
ㄋㄧˊ ní
as in 尼姑—a nun
尼泊爾(ㄋㄧˊ ㄅㄛˊ ㄦˇ)Nepal
尼羅河 (ㄋㄧˊ ㄌㄨㄛˊ ㄏㄜˊ) the Nile River
尼龍(ㄋㄧˊ ㄌㄨㄥˊ)(textile) nylon
尼姑庵(ㄋㄧˊ ㄍㄨ ㄢ)a nunnery
尼古丁(ㄋㄧˊ ㄍㄨˇ ㄉㄧㄥ)nicotine

四畫

尾 1184
ㄨㄟˇ wěi
1. the tail; the rear; the stern (of a ship) 2. last; final 3. remaining
尾巴(ㄨㄟˇ ·ㄅㄚ)a tail
尾端 (ㄨㄟˇ ㄉㄨㄢ) the tail (of something)
尾款 (ㄨㄟˇ ㄎㄨㄢˇ) the remaining sum to be paid upon the completion of a transaction
尾聲 (ㄨㄟˇ ㄕㄥ) ①(music) a coda ②an epilog ③an end
尾隨 (ㄨㄟˇ ㄙㄨㄟˊ) to follow close behind
尾牙(ㄨㄟˇ ㄧㄚˊ)a year-end dinner given by a shop owner

尿 1185
ㄋㄧㄠˋ niào
urine; to urinate
尿布(ㄋㄧㄠˋ ㄅㄨˋ)a napkin
尿盆(ㄋㄧㄠˋ ㄆㄣˊ)a chamber pot
尿道(ㄋㄧㄠˋ ㄉㄠˋ)a urethra
尿道炎(ㄋㄧㄠˋ ㄉㄠˋ ㄧㄢˊ)urethritis
尿毒症(ㄋㄧㄠˋ ㄉㄨˊ ㄓㄥˋ)uremia
尿牀 (ㄋㄧㄠˋ ㄔㄨㄤˊ) (said of a child) to wet the bed
尿失禁 (ㄋㄧㄠˋ ㄕ ㄐㄧㄣˋ) urinary incontinence
尿酸(ㄋㄧㄠˋ ㄙㄨㄢ)uric acid

局 1186
ㄐㄩˊ jú
1. an office; a bureau 2. a situation 3. an inning 4. a game
局部(ㄐㄩˊ ㄅㄨˋ)partial; local
局部麻醉(ㄐㄩˊ ㄅㄨˋ ㄇㄚˊ ㄗㄨㄟˋ)local anesthesia
局面(ㄐㄩˊ ㄇㄧㄢˋ)a situation
局限(ㄐㄩˊ ㄒㄧㄢˋ)to limit
局勢(ㄐㄩˊ ㄕˋ)a situation
局外人(ㄐㄩˊ ㄨㄞˋ ㄖㄣˊ)an outsider

屁 1187
ㄆㄧˋ pì
1. a fart 2. as in 屁股—the hip
屁話(ㄆㄧˋ ㄏㄨㄚˋ)Baloney!

五畫

居 1188
ㄐㄩ jū
1. to dwell; to reside; to inhabit 2. to stay put; to be at a standstill
居民(ㄐㄩ ㄇㄧㄣˊ) residents or inhabitants
居留(ㄐㄩ ㄌㄧㄡˊ)to reside
居留權 (ㄐㄩ ㄌㄧㄡˊ ㄑㄩㄢˊ) the right of permanent residence (in a foreign country)
居留證 (ㄐㄩ ㄌㄧㄡˊ ㄓㄥˋ) a residence permit
居高臨下(ㄐㄩ ㄍㄠ ㄌㄧㄣˊ ㄒㄧㄚˋ)to overlook
居功(ㄐㄩ ㄍㄨㄥ)to take credit (for a success, etc.)
居家 (ㄐㄩ ㄐㄧㄚ) to lead one's life at home
居心 (ㄐㄩ ㄒㄧㄣ) to harbor (evil) intentions
居心不良 (ㄐㄩ ㄒㄧㄣ ㄅㄨˋ ㄌㄧㄤˊ) to harbor evil intentions
居住(ㄐㄩ ㄓㄨˋ)to inhabit
居中 (ㄐㄩ ㄓㄨㄥ) situated in the middle
居中調停(ㄐㄩ ㄓㄨㄥ ㄊㄧㄠˊ ㄊㄧㄥˊ)to mediate (between two quarreling parties)
居然(ㄐㄩ ㄖㄢˊ)incredibly
居所(ㄐㄩ ㄙㄨㄛˇ)a residence
居安思危(ㄐㄩ ㄢ ㄙ ㄨㄟˊ)to think of the time of peril at the time of peace

屆 1189
ㄐㄧㄝˋ jiè
1. a numerary adjunct for periodic terms or events 2. (said of an appointed date) to arrive 3. as in 屆滿—(said of a term) to expire
屆期(ㄐㄧㄝˋ ㄑㄧˊ)to arrive
屆時(ㄐㄧㄝˋ ㄕˊ)at the appointed time

屈 1190
ㄑㄩ qū
1. to bend; to bow 2. to humiliate 3. wrong; injustice 4. in the wrong 5. to be in an uncomfortable position 6. a Chinese family name
屈服 (ㄑㄩ ㄈㄨˊ) to submit (to power, etc.)
屈就(ㄑㄩ ㄐㄧㄡˋ)to accept a job too humble for one's position or ability
屈膝(ㄑㄩ ㄒㄧ)to kneel down

屈指可數(ㄑㄩ ㄓˇ ㄎㄜˇ ㄕㄨˋ)very few
屈辱(ㄑㄩ ㄖㄨˋ)to suffer an insult, humiliation, or disgrace
屈從(ㄑㄩ ㄘㄨㄥˊ)to submit to
屈原(ㄑㄩ ㄩㄢˊ)Chü Yüan, a patriotic poet

〔尸部〕

屄 1191
ㄅㄧ bī
the vagina

六畫

屋 1192
ㄨ wū
a house; a room; a shelter
屋頂(ㄨ ㄉㄧㄥˇ)a roof
屋漏偏遭連夜雨(ㄨ ㄌㄡˋ ㄆㄧㄢ ㄗㄠ ㄌㄧㄢˊ ㄧㄝˋ ㄩˇ)an added misfortune
屋脊(ㄨ ㄐㄧˇ)the ridge of a roof
屋主(ㄨ ㄓㄨˇ)the owner of a house
屋子(ㄨ ·ㄗ)a house; a room
屋簷(ㄨ ㄧㄢˊ)the eaves

屍 1193
ㄕ shī
a corpse; a carcass
屍體(ㄕ ㄊㄧˇ)a corpse
屍骨(ㄕ ㄍㄨˇ)the skeleton of a corpse 〔亦作「尸骸」〕

屎 1194
ㄕˇ shǐ
excrement

七畫

展 1195
ㄓㄢˇ zhǎn
1. to open 2. to stretch; to extend 3. to unfold; to unroll 4. to expand; to dilate 5. to prolong 6. to visit
展覽(ㄓㄢˇ ㄌㄢˇ)to exhibit
展覽會(ㄓㄢˇ ㄌㄢˇ ㄏㄨㄟˋ)an exhibition
展開(ㄓㄢˇ ㄎㄞ)to spread out
展現(ㄓㄢˇ ㄒㄧㄢˋ) to present before one's eyes
展轉(ㄓㄢˇ ㄓㄨㄢˇ)indirectly
展翅(ㄓㄢˇ ㄔˋ) to spread the wings; to fly
展示(ㄓㄢˇ ㄕˋ)to show; to display
展示會(ㄓㄢˇ ㄕˋ ㄏㄨㄟˋ)an exhibition
展望(ㄓㄢˇ ㄨㄤˋ) the prospects of an undertaking

屐 1196
ㄐㄧ jī
wooden shoes; clogs; pattens

屑 1197
ㄒㄧㄝˋ xiè
1. chips; crumbs; bits; trifles 2. to care; to mind

八畫

屏 1198
1. ㄆㄧㄥˊ píng
1. a shield; a screen 2. to shield; to guard
屏風(ㄆㄧㄥˊ ㄈㄥ)a screen
屏障(ㄆㄧㄥˊ ㄓㄤˋ)a barrier

屏 1198
2. ㄅㄧㄥˇ bǐng
to reject; to discard; to abandon
屏氣(ㄅㄧㄥˇ ㄑㄧˋ)or屏息(ㄅㄧㄥˇ ㄒㄧˊ) to hold one's breath
屏棄(ㄅㄧㄥˇ ㄑㄧˋ)to discard
屏除(ㄅㄧㄥˇ ㄔㄨˊ)to get rid of

屜 1199
(屉) ㄊㄧˋ tì
a drawer

屙 1200
ㄜ ē
to discharge excrement or urine
屙屎(ㄜ ㄕˇ)to move the bowels

九畫

屠 1201
ㄊㄨˊ tú
to slaughter; to butcher; to massacre
屠夫(ㄊㄨˊ ㄈㄨ)a butcher
屠刀(ㄊㄨˊ ㄉㄠ)a butcher's knife
屠殺 (ㄊㄨˊ ㄕㄚ)to massacre
屠宰(ㄊㄨˊ ㄗㄞˇ)to butcher
屠宰場 (ㄊㄨˊ ㄗㄞˇ ㄔㄤˇ) a slaughterhouse
屠宰稅(ㄊㄨˊ ㄗㄞˇ ㄕㄨㄟˋ)slaughter tax (levied on slaughtered animals)

十一畫

屢 1202
ㄌㄩˇ lǚ
frequently; repeatedly; often; time after time; again and again
屢見不鮮 (ㄌㄩˇ ㄐㄧㄢˋ ㄅㄨˋ ㄒㄧㄢ) not rare; nothing new
屢試不爽(ㄌㄩˇ ㄕˋ ㄅㄨˋ ㄕㄨㄤˇ)to have the same result or reaction
屢次(ㄌㄩˇ ㄘˋ)frequently

屣 1203
ㄒㄧˇ xǐ
shoes; sandals

十二畫

層 1204
ㄘㄥˊ céng
a layer; a stratum; a story (of a building)
層出不窮 (ㄘㄥˊ ㄔㄨ ㄅㄨˋ ㄑㄩㄥˊ) to happen again and again
層次 (ㄘㄥˊ ㄘˋ) order (of importance or priority)

履 1205
ㄌㄩˇ lǚ
1. shoes 2. to step on; to tread on
履歷表(ㄌㄩˇ ㄌㄧˋ ㄅㄧㄠˇ)a biographic sketch
履行(ㄌㄩˇ ㄒㄧㄥˊ)to fulfill or carry out (a promise, pledge, etc.); to perform

(a duty)
履約(ㄌㄩˇ ㄩㄝ) to keep or fulfill an agreement

十四畫

屨 1206 ㄐㄩˋ jù
sandals; shoes made of coarse material

十八畫

屬 1207 1. ㄕㄨˇ shǔ
1. a category; a class; a kind 2. to belong to; to be subordinate to
屬地(ㄕㄨˇ ㄉㄧˋ)a territory
屬國(ㄕㄨˇ ㄍㄨㄛˊ)a vassal state
屬下(ㄕㄨˇ ㄒㄧㄚˋ)one's subordinate
屬性(ㄕㄨˇ ㄒㄧㄥˋ)an attribute
屬實(ㄕㄨˇ ㄕˊ)true
屬於(ㄕㄨˇ ㄩˊ)to belong to

屬 1207 2. ㄓㄨˇ zhǔ
1. to compose (a piece of writing) 2. to instruct; to direct
屬目(ㄓㄨˇ ㄇㄨˋ)to look at eagerly
屬託(ㄓㄨˇ ㄊㄨㄛ)to ask somebody to do something

屮部 ㄔㄜˋ chè

一畫

屯 1208 ㄊㄨㄣˊ tún
1. to station (an army) 2. to stockpile
屯積(ㄊㄨㄣˊ ㄐㄧ)to hoard up
屯聚(ㄊㄨㄣˊ ㄐㄩˋ)to assemble
屯紮(ㄊㄨㄣˊ ㄓㄚ)to encamp

山部 ㄕㄢ shān

山 1209 ㄕㄢ shān
a mountain; a hill
山撥鼠(ㄕㄢ ㄅㄛ ㄕㄨˇ)a marmot
山崩(ㄕㄢ ㄅㄥ)a landslide; a landslip
山坡(ㄕㄢ ㄆㄛ)a hillside
山脈(ㄕㄢ ㄇㄞˋ)mountains
山頂(ㄕㄢ ㄉㄧㄥˇ)a mountaintop
山洞(ㄕㄢ ㄉㄨㄥˋ) a cave; a tunnel; a grotto
山嵐(ㄕㄢ ㄌㄢˊ) clouds and mists in the mountains
山路(ㄕㄢ ㄌㄨˋ)a mountain path
山歌(ㄕㄢ ㄍㄜ)a kind of folk songs
山溝(ㄕㄢ ㄍㄡ)a gully; a ravine
山谷(ㄕㄢ ㄍㄨˇ)a valley; a dale
山河(ㄕㄢ ㄏㄜˊ) mountains and rivers —the territory of a nation
山雞(ㄕㄢ ㄐㄧ)a pheasant
山脚(ㄕㄢ ㄐㄧㄠˇ) the foot of a mountain
山丘(ㄕㄢ ㄑㄧㄡ)mountains and hills
山區(ㄕㄢ ㄑㄩ)a mountain area
山泉(ㄕㄢ ㄑㄩㄢˊ)a mountain spring
山莊(ㄕㄢ ㄓㄨㄤ)a country house, or villa, built in the mountains
山水畫(ㄕㄢ ㄕㄨㄟˇ ㄏㄨㄚˋ)a landscape painting
山崖(ㄕㄢ ㄧㄞˊ)a cliff
山腰 (ㄕㄢ ㄧㄠ) the mid-slope of a mountain
山羊(ㄕㄢ ㄧㄤˊ)a goat
山芋(ㄕㄢ ㄩˋ)sweet potatoes
山岳 or 山嶽(ㄕㄢ ㄩㄝˋ)mountains

三畫

屹 1210 ㄧˋ yì
(said of a mountain, building, etc.) to rise high; to stand erect or majestical
屹立(ㄧˋ ㄌㄧˋ)to stand erect
屹然(ㄧˋ ㄖㄢˊ)firm and erect

屺 1211 ㄑㄧˇ qǐ
a bare mountain or hill

四畫

岔 1212 ㄔㄚˋ chà
1. to branch; to fork 2. a branching point; a fork
岔路(ㄔㄚˋ ㄌㄨˋ)a diverging road
岔開(ㄔㄚˋ ㄎㄞ)① to branch off ② to change (the subject of conversation)
岔兒(ㄔㄚˋㄦ)a trouble

岌 1213 ㄐㄧˊ jí
1. (said of a peak) rising high above others 2. perilous; hazardous
岌岌可危 (ㄐㄧˊ ㄐㄧˊ ㄎㄜˇ ㄨㄟ) in a very critical situation

岐 1214 (歧) ㄑㄧˊ qí
to diverge; to branch

岑 1215 ㄘㄣˊ cén
1. a relatively high, pointed hill 2. as in 岑寂—silent; still; quiet

五畫

〔山部〕

岡 1216
(崗) ㄍㄤ gāng
(又讀 ㄍㄤˇ gǎng)
the ridge (of a hill or mountain)

岫 1217
ㄒㄧㄡˋ xiù 「peak
1. a cavern; a cave 2. a mountain

岬 1218
ㄐㄧㄚˇ jiǎ
as in 岬角—a cape; a promontory

岭 1219
ㄌㄧㄥˊ líng 「remote
(said of mountains) waste and

岱 1220
ㄉㄞˋ dài
Mt. Tai (in Shantung Province, one of the Five Sacred Mountains)

岳 1221
ㄩㄝˋ yuè
1. a great mountain 2. the parents of one's wife 3. a Chinese family name
岳母(ㄩㄝˋ ㄇㄨˇ)one's mother-in-law
岳父(ㄩㄝˋ ㄈㄨˋ)one's father-in-law

岷 1222
ㄇㄧㄣˊ mín 「Mt. Min
(in Szechwan) 1. the Min River 2.

岸 1223
ㄢˋ àn 「2. majestic 3. proud
1. a shore; a bank; a beach; a coast

岩 1224
ㄧㄢˊ yán
1. a large rock 2. a mountain
岩壁(ㄧㄢˊ ㄅㄧˋ)a cliff
岩洞(ㄧㄢˊ ㄉㄨㄥˋ)a cave; a grotto
岩漿(ㄧㄢˊ ㄐㄧㄤ)(geology) lava
岩石(ㄧㄢˊ ㄕˊ)a rock; a crag
岩岸(ㄧㄢˊ ㄢˋ)a rocky coast

六畫

峋 1225
ㄒㄩㄣˊ xún
irregular stretches of mountains

峒 1226
1. ㄊㄨㄥˊ tóng
Mt. Kungtung—name of a mountain
└in Kansu Province

峒 1226
2. ㄉㄨㄥˋ dòng
name of a tribe in Kwangsi and
└Kweichow

峙 1227
ㄓˋ zhì
to stand erect like a mountain

七畫

峨 1228
ㄜˊ é
lofty

峭 1229
ㄑㄧㄠˋ qiào 「stern
1. steep; precipitous 2. harsh; sharp;
峭壁(ㄑㄧㄠˋ ㄅㄧˋ)a cliff
峭直(ㄑㄧㄠˋ ㄓˊ)stern; strict

峯 1230
ㄈㄥ fēng
1. a peak; a summit 2. a hump
峯巒(ㄈㄥ ㄌㄨㄢˊ)peaks and ridges

峴 1231
ㄒㄧㄢˋ xiàn 「a steep hill
1. a mountain in Hupeh Province 2.

島 1232
ㄉㄠˇ dǎo
an island; an isle
島國(ㄉㄠˇ ㄍㄨㄛˊ)an island nation
島嶼(ㄉㄠˇ ㄩˇ)islands

峻 1233
ㄐㄩㄣˋ jùn 「rigorous
1. high; lofty 2. steep 3. severe; harsh;
峻法(ㄐㄩㄣˋ ㄈㄚˇ)severe law
峻嶺(ㄐㄩㄣˋ ㄌㄧㄥˇ)a lofty range (of mountains)
峻峭(ㄐㄩㄣˋ ㄑㄧㄠˋ)precipitous

峽 1234
ㄒㄧㄚˊ xiá
1. a gorge 2. an isthmus 3. straits
峽谷(ㄒㄧㄚˊ ㄍㄨˇ)a valley
峽灣(ㄒㄧㄚˊ ㄨㄢ)a fiord

峪 1235
ㄩˋ yù
a valley; a ravine

八畫

崇 1236
ㄔㄨㄥˊ chóng
1. to honor; to respect; to revere; to adore 2. high; noble; dignified
崇拜(ㄔㄨㄥˊ ㄅㄞˋ)to adore
崇高(ㄔㄨㄥˊ ㄍㄠ)lofty; sublime
崇敬(ㄔㄨㄥˊ ㄐㄧㄥˋ)to honor
崇尚(ㄔㄨㄥˊ ㄕㄤˋ)to uphold
崇洋(ㄔㄨㄥˊ ㄧㄤˊ)to admire everything of foreign (especially western) origin

崎 1237
1. ㄑㄧ qī
rugged; uneven; rough
崎嶇 (ㄑㄧ ㄑㄩ) (said of terrain) un-
└even; rolling; rough

崎 1237
2. ㄑㄧˊ qí
the banks of a winding river

崑 1238
ㄎㄨㄣ kūn
1. as in 崑崙山—the Kunlun Mountains 2. Kunshan, name of a county and mountain in Kiangsu

崑玉(ㄎㄨㄣ ㄩˋ)a polite term used to address the brothers of other people

崔 1239
ㄘㄨㄟ cuī
1. a Chinese family name 2. high and steep

崖 1240
ㄧㄞˊ yái
1. a cliff; a precipice 2. the brink; the verge 3. precipitous; forbidding

崗 1241
(岡) ㄍㄤ gāng
(又讀 ㄍㄤˇ gǎng)
1. the place where a sentry is posted; a post 2. a position
崗哨(ㄍㄤ ㄕㄠˋ)a sentry
崗位(ㄍㄤˇ ㄨㄟˋ)one's post; one's duty

崙 1242
ㄌㄨㄣˊ lún
the Kunlun Mountains

崛 1243
ㄐㄩㄝˊ jué
as in 崛起—to rise abruptly

崢 1244
ㄓㄥ zhēng
1. lofty 2. outstanding; distinguished 3. steep; perilous 4. harsh; severe
崢嶸(ㄓㄥ ㄖㄨㄥˊ) (said of a person) outstanding

崤 1245
ㄧㄠˊ yáo
Mt. Yao, name of a mountain in Honan

崧 1246
ㄙㄨㄥ sōng
1. a high mountain 2. lofty

崩 1247
ㄅㄥ bēng
1. to collapse; to disintegrate; to fall 2. (said of an emperor) to die
崩塌(ㄅㄥ ㄊㄚ)to collapse
崩坍(ㄅㄥ ㄊㄢ)to crumble
崩潰(ㄅㄥ ㄎㄨㄟˋ)to break down
崩陷(ㄅㄥ ㄒㄧㄢˋ)to subside

崍 1248
ㄌㄞˊ lái
Mt. Lai—name of a mountain in Szechwan

崌 1249
ㄐㄩ jū
1. Mount Chü in Szechwan 2. Mt. Chülai (崌崍山) in Szechwan

崡 1250
ㄏㄢˊ hán
name of a checkpoint during the Chin and Han dynasties, located in what is Honan today

崦 1251
ㄧㄢ yān
Mt. Yen— name of a mountain in Kansu

九畫

崴 1252
ㄨㄟ wēi
lofty

嵑 1253
ㄐㄧㄝˊ jié
lofty (mountains)

崽 1254
ㄗㄞˇ zǎi
1. a son 2. a young animal; a whelp

嵇 1255
ㄐㄧ jī
name of a mountain in Honan

嵋 1256
ㄇㄟˊ méi
Mount Omei, a Buddhist resort in Szechwan

嵌 1257
ㄑㄧㄢ qiān
to inlay; to set in
嵌金(ㄑㄧㄢ ㄐㄧㄣ)to inlay with gold

嵐 1258
ㄌㄢˊ lán
mountain vapor; mist

嵎 1259
ㄩˊ yú
a curved place in the mountains; a corner of a hill

崿 1260
ㄜˋ è
a cliff; a precipice

十畫

嵩 1261
(崧) ㄙㄨㄥ sōng
1. Mountain Sung, the highest and central peak of the Five Sacred Mountains, situated in Honan 2. lofty

嵬 1262
ㄨㄟˊ wéi
(said of a mountain) high and uneven

嵊 1263
ㄕㄥˋ shèng
name of a county in Chekiang

嵯 1264
ㄘㄨㄛˊ cuó
(said of mountains) high and steep; precipitous

十一畫

嶇 1265
ㄑㄩ qū
rugged; uneven; irregular

嶂 1266
ㄓㄤˋ zhàng
a precipitous mountain

嶄 1267
ㄓㄢˇ zhǎn
1. (said of a mountain) high and steep 2. towering (above) 3. new
嶄新(ㄓㄢˇ ㄒㄧㄣ)brand-new

〔巛部〕

十二畫

嶙 1268
ㄌㄧㄣˊ lín
(said of mountains) rugged
嶙峋(ㄌㄧㄣˊ ㄒㄩㄣˊ) (said of a person) upright

嶒 1269
ㄘㄥˊ céng
steep; lofty

嶓 1270
ㄅㄛ bō
name of a mountain in Shensi

嶝 1271
ㄉㄥˋ dèng
a path leading up a mountain

嶠 1272
ㄐㄧㄠˋ jiào
(又讀 ㄑㄧㄠˊ qiáo)
a high pointed mountain

嶢 1273
ㄧㄠˊ yáo
(said of mountains) high or tall

嶔 1274
ㄑㄧㄣ qīn
(said of a mountain) lofty
嶔崎磊落(ㄑㄧㄣ ㄑㄧˊ ㄌㄟˇ ㄌㄨㄛˋ) (said of a person) honest and upright

十三畫

嶧 1275
ㄧˋ yì
peaks rising one upon another

嶮 1276
(險) ㄒㄧㄢˇ xiǎn
steep; precipitous; lofty

十四畫

嶸 1277
ㄖㄨㄥˊ róng
(said of mountains) lofty 參看「崢嶸」

嶺 1278
ㄌㄧㄥˇ lǐng
1. the ridge of a mountain 2. a mountain

嶼 1279
ㄩˇ yǔ
an islet; an island

嶽 1280
ㄩㄝˋ yuè
a high mountain

十七畫

巇 1281
ㄒㄧ xī
1. a crack 2. (said of a mountain path) hazardous precipitous

巉 1282
ㄔㄢˊ chán

巋 1283
ㄎㄨㄟ kuī
1. grand and secure; stately and lasting 2. rows after rows of small hills

十八畫

巍 1284
ㄨㄟˊ wéi
as in 巍巍—towering; lofty; majestic
巍然聳立 (ㄨㄟˊ ㄖㄢˊ ㄙㄨㄥˇ ㄌㄧˋ) to stand out majestically

十九畫

巒 1285
ㄌㄨㄢˊ luán
a pointed hill

巔 1286
ㄉㄧㄢ diān
1. the summit of a mountain 2. a treetop
巔峯狀態(ㄉㄧㄢ ㄈㄥ ㄓㄨㄤˋ ㄊㄞˋ) (said of athletes, etc.) in peak condition

二十畫

巖 1287
(岩) ㄧㄢˊ yán
1. a rock; a crag 2. as in 巖穴—a cave
巖洞(ㄧㄢˊ ㄉㄨㄥˋ)a mountain cave

巘 1288
ㄧㄢˇ yǎn
a peak; a hilltop

巛部
ㄔㄨㄢ chuān

川 1289
ㄔㄨㄢ chuān
1. a river; a stream 2. a flow; a constant flow 3. (cooking) to boil with water 4. Szechwan Province
川流不息(ㄔㄨㄢ ㄌㄧㄡˊ ㄅㄨˋ ㄒㄧˊ)an incessant flow; continuous

三畫

州 1290
ㄓㄡ zhōu
1. *chou,* an administrative district in ancient China 2. (Chou Dynasty) a region with 2,500 families 3. (in old China) a county 4. a state (in the USA) 5. an islet; a sand bar
州長(ㄓㄡ ㄓㄤˇ)a governor

四畫

巡 1291
(廵) ㄒㄩㄣˊ xún
1. to patrol; to inspect; to cruise 2. a round (of drinks) 3. a policeman
巡邏(ㄒㄩㄣˊ ㄌㄨㄛˊ)to patrol
巡邏車(ㄒㄩㄣˊ ㄌㄨㄛˊ ㄔㄜ)a squad car
巡航(ㄒㄩㄣˊ ㄏㄤˊ)to cruise; a cruise
巡迴(ㄒㄩㄣˊ ㄏㄨㄟˊ)to go the rounds
巡迴劇團(ㄒㄩㄣˊ ㄏㄨㄟˊ ㄐㄩˋ ㄊㄨㄢˊ) an itinerant theatrical troupe
巡警(ㄒㄩㄣˊ ㄐㄧㄥˇ) a policeman; a patrolman
巡緝(ㄒㄩㄣˊ ㄑㄧˋ)to patrol to arrest thieves and smugglers
巡視(ㄒㄩㄣˊ ㄕˋ) (said of ranking officials) to inspect
巡弋飛彈(ㄒㄩㄣˊ ㄧˋ ㄈㄟ ㄉㄢˋ) a cruise missile
巡洋艦(ㄒㄩㄣˊ ㄧㄤˊ ㄐㄧㄢˋ)a cruiser

八畫

巢 1292
ㄔㄠˊ cháo
1. living quarters in the trees 2. a bird's nest 3. a haunt; a den; a hideout (for bandits, etc.)
巢穴(ㄔㄠˊ ㄒㄩㄝˋ)a haunt

工部
ㄍㄨㄥ gōng

工 1293
ㄍㄨㄥ gōng
1. a laborer; a worker 2. a shift 3. work 4. a day's work 5. a building project 6. a defense work 7. fine; delicate 8. to be skilled in
工本費(ㄍㄨㄥ ㄅㄣˇ ㄈㄟˋ)the net cost of a product
工夫(ㄍㄨㄥ ˙ㄈㄨ)① time; leisure ② skill; workmanship
工地(ㄍㄨㄥ ㄉㄧˋ)a building site
工讀生(ㄍㄨㄥ ㄉㄨˊ ㄕㄥ) a worker-student
工頭(ㄍㄨㄥ ㄊㄡˊ) a foreman (of workers)
工會(ㄍㄨㄥ ㄏㄨㄟˋ)a trade union
工匠(ㄍㄨㄥ ㄐㄧㄤˋ)a craftsman
工具(ㄍㄨㄥ ㄐㄩˋ)tools; implements
工具箱(ㄍㄨㄥ ㄐㄩˋ ㄒㄧㄤ)a toolbox
工具書(ㄍㄨㄥ ㄐㄩˋ ㄕㄨ)reference books
工錢(ㄍㄨㄥ ㄑㄧㄢˊ)wages
工整(ㄍㄨㄥ ㄓㄥˇ)neat (style, etc.)
工廠(ㄍㄨㄥ ㄔㄤˇ)a factory
工廠庫存(ㄍㄨㄥ ㄔㄤˇ ㄎㄨˋ ㄘㄨㄣˊ)factory stock
工程(ㄍㄨㄥ ㄔㄥˊ)a building project
工程師(ㄍㄨㄥ ㄔㄥˊ ㄕ)an engineer
工時(ㄍㄨㄥ ㄕˊ)a man-hour
工商業(ㄍㄨㄥ ㄕㄤ ㄧㄝˋ)industry and commerce
工人(ㄍㄨㄥ ㄖㄣˊ)a laborer
工人階級(ㄍㄨㄥ ㄖㄣˊ ㄐㄧㄝ ㄐㄧˊ) labor class
工資(ㄍㄨㄥ ㄗ)wages
工作(ㄍㄨㄥ ㄗㄨㄛˋ) ①to work ②one's job or duty
工作服(ㄍㄨㄥ ㄗㄨㄛˋ ㄈㄨˊ) working clothes
工作天(ㄍㄨㄥ ㄗㄨㄛˋ ㄊㄧㄢ) a man-day
工作人員(ㄍㄨㄥ ㄗㄨㄛˋ ㄖㄣˊ ㄩㄢˊ) workers
工藝品(ㄍㄨㄥ ㄧˋ ㄆㄧㄣˇ)handicrafts
工業(ㄍㄨㄥ ㄧㄝˋ)industry
工業革命(ㄍㄨㄥ ㄧㄝˋ ㄍㄜˊ ㄇㄧㄥˋ) Industrial Revolution
工業化(ㄍㄨㄥ ㄧㄝˋ ㄏㄨㄚˋ) industrialization
工業酒精(ㄍㄨㄥ ㄧㄝˋ ㄐㄧㄡˇ ㄐㄧㄥ) industrial alcohol
工業區(ㄍㄨㄥ ㄧㄝˋ ㄑㄩ) an industrial zone
工業學校(ㄍㄨㄥ ㄧㄝˋ ㄒㄩㄝˊ ㄒㄧㄠˋ) technical schools
工業用水(ㄍㄨㄥ ㄧㄝˋ ㄩㄥˋ ㄕㄨㄟˇ) industrial water
工友(ㄍㄨㄥ ㄧㄡˇ)an office errand man

二畫

左 1294
ㄗㄨㄛˇ zuǒ
1. the left side 2. the east side 3. improper 4. supporting (documents, etc.) 5. to be demoted 6. inconvenience 7. mistaken 8. unduly stubborn 9. to disobey
左邊(ㄗㄨㄛˇ ㄅㄧㄢ)the left side
左派(ㄗㄨㄛˇ ㄆㄞˋ)a radical
左撇子(ㄗㄨㄛˇ ㄆㄧㄝˇ ˙ㄗ) a left-handed person
左鄰右舍(ㄗㄨㄛˇ ㄌㄧㄣˊ ㄧㄡˋ ㄕㄜˋ) neighbors
左輪鎗(ㄗㄨㄛˇ ㄌㄨㄣˊ ㄑㄧㄤ) a revolver
左轉(ㄗㄨㄛˇ ㄓㄨㄢˇ)to turn left
左思右想(ㄗㄨㄛˇ ㄙ ㄧㄡˋ ㄒㄧㄤˇ) to ponder; to muse
左右(ㄗㄨㄛˇ ㄧㄡˋ)① nearby ② to sway
左右逢源(ㄗㄨㄛˇ ㄧㄡˋ ㄈㄥˊ ㄩㄢˊ)to get help from all sides
左右手(ㄗㄨㄛˇ ㄧㄡˋ ㄕㄡˇ)top aides
左右爲難(ㄗㄨㄛˇ ㄧㄡˋ ㄨㄟˊ ㄋㄢˊ) to be in a dilemma

巧 1295
ㄑㄧㄠˇ qiǎo
1. clever; witty 2. artful; skillful 3. a stunt 4. pretty; cute 5. coincidence; opportune
巧辯(ㄑㄧㄠˇ ㄅㄧㄢˋ) a plausible argument
巧妙(ㄑㄧㄠˇ ㄇㄧㄠˋ)ingenious

巧立名目(ㄑㄧㄠˇ ㄌㄧˋ ㄇㄧㄥˊ ㄇㄨˋ) to fabricate various excuses
巧克力糖(ㄑㄧㄠˇ ㄎㄜˋ ㄌㄧˋ ㄊㄤˊ)chocolate
巧合(ㄑㄧㄠˇ ㄏㄜˊ)a coincidence
巧遇(ㄑㄧㄠˇ ㄩˋ)a chance encounter

巨 1296 (鉅) ㄐㄩˋ jù
1. great; big 2. very
巨擘(ㄐㄩˋ ㄅㄛˋ) the foremost figure (in a field)
巨大(ㄐㄩˋ ㄉㄚˋ)gigantic
巨款(ㄐㄩˋ ㄎㄨㄢˇ) a huge sum of money
巨細靡遺(ㄐㄩˋ ㄒㄧˋ ㄇㄧˇ ㄧˊ) not to leave out any detail
巨著(ㄐㄩˋ ㄓㄨˋ)a great book
巨人(ㄐㄩˋ ㄖㄣˊ)a giant
巨子(ㄐㄩˋ ㄗˇ)a business tycoon
巨額(ㄐㄩˋ ㄜˊ)a great deal of

四畫

巫 1297 ㄨˊ wú (語音 ㄨ wū)
1. a wizard or witch 2. witchcraft; sorcery 3. a Chinese family name
巫婆(ㄨˊ ㄆㄛˊ)a witch
巫覡(ㄨˊ ㄒㄧˊ)sorcerers
巫師(ㄨˊ ㄕ)a wizard
巫術(ㄨˊ ㄕㄨˋ)sorcery

七畫

差 1298 1. ㄔㄚ chā
1. errors; mistakes 2. difference; discrepancy 3. (mathematics) difference
差別(ㄔㄚ ㄅㄧㄝˊ)difference
差價(ㄔㄚ ㄐㄧㄚˋ)price differences
差距(ㄔㄚ ㄐㄩˋ)gap; difference
差強人意(ㄔㄚ ㄑㄧㄤˊ ㄖㄣˊ ㄧˋ)barely satisfactory
差錯(ㄔㄚ ㄘㄨㄛˋ)errors; mistakes
差額(ㄔㄚ ㄜˊ)the difference between two amounts
差異(ㄔㄚ ㄧˋ)discrepancy

差 1298 2. ㄔㄚˋ chà
1. to differ 2. wrong 3. to want; to fall short of 4. not up to standard
差不多(ㄔㄚˋ ㄅㄨˋ ㄉㄨㄛ)① with little difference ② nearly
差點兒(ㄔㄚˋ ㄉㄧㄚˇㄦ)almost; nearly
差勁(ㄔㄚˋ ㄐㄧㄣˋ)disappointing

差 1298 3. ㄔㄞ chāi
1. a messenger 2. to dispatch 3. one's duty or job 4. an errand
差遣(ㄔㄞ ㄑㄧㄢˇ) to send (a person on an errand, etc.)
差事(ㄔㄞ ㄕˋ)a job
差使(ㄔㄞ ㄕˋ)an official messenger

差 1298 4. ㄘ cī
uneven; irregular

己部 ㄐㄧˇ jǐ

己 1299 ㄐㄧˇ jǐ
1. self; oneself 2. the sixth of the Ten Celestial Stems (天干)
己任(ㄐㄧˇ ㄖㄣˋ)one's duty
己所不欲，勿施於人(ㄐㄧˇ ㄙㄨㄛˇ ㄅㄨˋ ㄩˋ, ㄨˋ ㄕ ㄩˊ ㄖㄣˊ)Do not do to others what you don't want to be done to you.

已 1300 ㄧˇ yǐ
1. to cease; to stop 2. to finish; to complete 3. already 4. used to indicate the past 5. excessive 6. a final particle to add emphasis
已故(ㄧˇ ㄍㄨˋ)the deceased
已開發國家(ㄧˇ ㄎㄞ ㄈㄚ ㄍㄨㄛˊ ㄐㄧㄚ)a developed country
已經(ㄧˇ ㄐㄧㄥ)already
已然(ㄧˇ ㄖㄢˊ)to be already so
已往(ㄧˇ ㄨㄤˇ)before; in the past

巳 1301 ㄙˋ sì
1. the sixth of the Twelve Terrestrial Branches (地支) 2. 9 to 11 a.m.

一畫

巴 1302 ㄅㄚ bā
1. name of an ancient state which occupied today's eastern Szechwan 2. a crust formed as a result of heat or dryness 3. to expect 4. used with parts of human body (such as chin, etc.) 5. a final particle implying closeness or adhesion 6. to be close to 7. (physics) a bar: 毫巴 a millibar 8. a Chinese family name
巴不得(ㄅㄚ ·ㄅㄨ ·ㄉㄜ)can't wait to...
巴樂(ㄅㄚ ㄌㄜˋ)a guava
巴黎(ㄅㄚ ㄌㄧˊ)Paris
巴結(ㄅㄚ ·ㄐㄧㄝ)to flatter
巴西(ㄅㄚ ㄒㄧ)Brazil
巴掌(ㄅㄚ ·ㄓㄤ)a slap
巴士(ㄅㄚ ㄕˋ)a bus
巴士海峽(ㄅㄚ ㄕˋ ㄏㄞˇ ㄒㄧㄚˊ) the Bashi Channel
巴望(ㄅㄚ ㄨㄤˋ)to hope for anxiously

六畫

巷 1303
ㄒㄧㄤˋ xiàng
as is 巷道—a lane; an alley
巷口(ㄒㄧㄤˋ ㄎㄡˇ)an entrance to a lane
巷戰(ㄒㄧㄤˋ ㄓㄢˋ)street fighting
巷子(ㄒㄧㄤˋ ·ㄗ)a lane; an alley
巷議(ㄒㄧㄤˋ ㄧˋ)local rumors

九畫

巽 1304
ㄒㄩㄣˋ xùn
1. subservient; submissive; mild; bland
2. the 5th of the Eight Diagrams

巾部
ㄐㄧㄣ jīn

巾 1305
ㄐㄧㄣ jīn ⌈headgear
1. a napkin, kerchief or towel 2. a
巾幗英雄 (ㄐㄧㄣ ㄍㄨㄛˊ ㄧㄥ ㄒㄩㄥˊ) a heroine

二畫

市 1306
ㄕˋ shì ⌈3. to buy or sell
1. a marketplace; a market 2. a city
市面(ㄕˋ ㄇㄧㄢˋ)market conditions
市民(ㄕˋ ㄇㄧㄣˊ)citizens
市民文化 (ㄕˋ ㄇㄧㄣˊ ㄨㄣˊ ㄏㄨㄚˋ) civic
市內(ㄕˋ ㄋㄟˋ)in the city ⌊culture
市立(ㄕˋ ㄌㄧˋ)municipal
市儈(ㄕˋ ㄎㄨㄞˋ)a crafty businessman
市價(ㄕˋ ㄐㄧㄚˋ)the current price
市郊(ㄕˋ ㄐㄧㄠ)suburbia
市區(ㄕˋ ㄑㄩ)the downtown area
市鎮(ㄕˋ ㄓㄣˋ)towns
市長(ㄕˋ ㄓㄤˇ)the mayor of a city
市政府 (ㄕˋ ㄓㄥˋ ㄈㄨˇ) a city govern-
市場(ㄕˋ ㄔㄤˇ)market ⌊ment
市場分析(ㄕˋ ㄔㄤˇ ㄈㄣ ㄒㄧ)market analysis
市場調查 (ㄕˋ ㄔㄤˇ ㄉㄧㄠˋ ㄔㄚˊ) market research ⌈city
市容 (ㄕˋ ㄖㄨㄥˊ) the appearance of a
市議會(ㄕˋ ㄧˋ ㄏㄨㄟˋ)a city council

布 1307
ㄅㄨˋ bù
1. cloth; textiles 2. to declare, announce or proclaim 3. to display; to spread out ⌈textiles
布帛 (ㄅㄨˋ ㄅㄛˊ) (collectively) cloth or
布匹 or 布疋(ㄅㄨˋ ㄆㄧˇ)dry goods
布袋 (ㄅㄨˋ ㄉㄞˋ) a calico sack (for grains, etc.) ⌈puppet show
布袋戲 (ㄅㄨˋ ㄉㄞˋ ㄒㄧˋ) a kind of
布道(ㄅㄨˋ ㄉㄠˋ)to evangelize
布店(ㄅㄨˋ ㄉㄧㄢˋ)a drapery store
布丁(ㄅㄨˋ ㄉㄧㄥ)a pudding ⌈board
布告欄 (ㄅㄨˋ ㄍㄠˋ ㄌㄢˊ) a bulletin
布穀鳥(ㄅㄨˋ ㄍㄨˇ ㄋㄧㄠˇ)a cuckoo
布景(ㄅㄨˋ ㄐㄧㄥˇ) (in stage shows) sets
布局(ㄅㄨˋ ㄐㄩˊ)overall arrangement
布置(ㄅㄨˋ ㄓˋ)to decorate
布施(ㄅㄨˋ ㄕ)donation

三畫

帆 1308
1. (帆) ㄈㄢˊ fán
1. a sail (of a boat) 2. a boat
帆船(ㄈㄢˊ ㄔㄨㄢˊ)a sailboat

帆 1308
2. (帆) ㄈㄢ fān
as in 帆布—canvas; sailcloth

四畫

希 1309
ㄒㄧ xī
1. rare; precious 2. to hope; to expect 3. to come to a stop gradually 4. to become silent 5. very;
希臘(ㄒㄧ ㄌㄚˋ)Greece; Greek ⌊much
希罕(ㄒㄧ ㄏㄢˇ)rare; uncommon
希奇(ㄒㄧ ㄑㄧˊ)strange; rare
希有(ㄒㄧ ㄧㄡˇ)very rare
希有之事(ㄒㄧ ㄧㄡˇ ㄓ ㄕˋ)a rarity
希望(ㄒㄧ ㄨㄤˋ)a hope; to hope

五畫

帔 1310
ㄆㄟˋ pèi
a cape (usually worn by a woman)

帑 1311
ㄊㄤˇ tǎng ⌈money
1. a treasury 2. public funds or

帕 1312
ㄆㄚˋ pà
1. a turban 2. to wrap and bind 3. a handkerchief 4. a veil 5. a curtain
⌊made of cloth

帖 1313
1. ㄊㄧㄝ tiē
1. submissive or obedient 2. proper

帖 1313
2. ㄊㄧㄝˇ tiě
1. an invitation card 2. a label; a document 3. a copybook (of calligraphy) 4. a medical prescription
帖子(ㄊㄧㄝˇ ·ㄗ)an invitation card

帖 1313
3. ㄊㄧㄝˋ tiè

1. to write on silk 2. to engrave characters of famous calligraphers on stone

巾部

帗 1314
ㄈㄨˊ fú
(in ancient China) a multicolored prop used in dancing rituals

帘 1315
ㄌㄧㄢˊ lián
1. a flag sign of a winehouse or tavern 2. a door or window screen
帘子(ㄌㄧㄢˊ •ㄗ)a screen for a door or a window

帙 1316
ㄓˋ zhì
a book wrapper or casing

帚 1317
ㄓㄡˇ zhǒu
a broom; a besom

帛 1318
ㄅㄛˊ bó
(collectively) silk fabrics

六畫

帥 1319
ㄕㄨㄞˋ shuài
(又讀 ㄕㄨㄛˋ shuò)
1. the commanding general 2. to command; to lead 3. to follow or comply (with instruction or orders) 4. (slang) dashing
帥領(ㄕㄨㄞˋ ㄌㄧㄥˇ)to command

帝 1320
ㄉㄧˋ dì
1. the emperor 2. a deified being 3. Heaven (as a divine being) 4. imperial
帝國(ㄉㄧˋ ㄍㄨㄛˊ)an empire
帝國主義(ㄉㄧˋ ㄍㄨㄛˊ ㄓㄨˇ ㄧˋ)imperialism
帝位(ㄉㄧˋ ㄨㄟˋ)the emperor's throne
帝王(ㄉㄧˋ ㄨㄤˊ)the emperor

七畫

帨 1321
ㄕㄨㄟˋ shuì
a kerchief; a handkerchief

師 1322
ㄕ shī
1. a division in the Chinese army 2. an army 3. a model 4. a teacher 5. to teach 6. to pattern after another 7. a specialist (especially of medicine, etc.)
師表(ㄕ ㄅㄧㄠˇ)a paragon worthy of emulation
師母(ㄕ ㄇㄨˇ) the wife of one's teacher
師法(ㄕ ㄈㄚˇ) ①to imitate ②methods taught by one's teacher
師範大學(ㄕ ㄈㄢˋ ㄉㄚˋ ㄒㄩㄝˊ) a normal university
師傅(ㄕ ㄈㄨˋ)a polite term of address for an artisan as a carpenter, etc.
師父(ㄕ •ㄈㄨ)①teachers ②a respectful term of address for monks, etc.
師心自用(ㄕ ㄒㄧㄣ ㄗˋ ㄩㄥˋ) conceited
師長(ㄕ ㄓㄤˇ)one's teachers
師丈(ㄕ ㄓㄤˋ) the husband of one's teacher
師生(ㄕ ㄕㄥ)teachers and students
師資(ㄕ ㄗ) the qualifications of a teacher

席 1323
ㄒㄧˊ xí
1. a mat 2. a feast 3. a seat; to take a seat 4. to rely on 5. (rarely) a sail 6. a Chinese family name
席不暇暖(ㄒㄧˊ ㄅㄨˋ ㄒㄧㄚˊ ㄋㄨㄢˇ) very busy
席地而坐(ㄒㄧˊ ㄉㄧˋ ㄦˊ ㄗㄨㄛˋ) to sit on the ground
席捲(ㄒㄧˊ ㄐㄩㄢˇ)to take away everything
席次(ㄒㄧˊ ㄘˋ)the order of seats
席位(ㄒㄧˊ ㄨㄟˋ)a seat (in a legislative assembly, etc.)

八畫

帳 1324
ㄓㄤˋ zhàng
1. a canopy above the bed 2. a tent 3. a curtain or screen; a mosquito net 4. a scroll (sent as a gift for a wedding, etc.) 5. same as賬—accounts
帳簿(ㄓㄤˋ ㄅㄨˋ)an account book
帳篷(ㄓㄤˋ ㄆㄥˊ)a tent
帳目(ㄓㄤˋ ㄇㄨˋ)accounts
帳房(ㄓㄤˋ ㄈㄤˊ)a cashier
帳單(ㄓㄤˋ ㄉㄢ)a bill
帳款(ㄓㄤˋ ㄎㄨㄢˇ) funds on account; credit
帳戶(ㄓㄤˋ ㄏㄨˋ)a bank account
帳子(ㄓㄤˋ •ㄗ)a mosquito net

帶 1325
ㄉㄞˋ dài
1. a girdle; a belt; a band; a ribbon 2. to wear (a smile, sword, etc.) 3. to take or bring along 4. to lead (the way, etc.) 5. a climatic zone
帶兵(ㄉㄞˋ ㄅㄧㄥ)to lead troops
帶隊(ㄉㄞˋ ㄉㄨㄟˋ)to lead a group
帶頭(ㄉㄞˋ ㄊㄡˊ)to pioneer
帶領(ㄉㄞˋ ㄌㄧㄥˇ) to lead (an army, etc.)
帶路(ㄉㄞˋ ㄌㄨˋ)to lead the way
帶回(ㄉㄞˋ ㄏㄨㄟˊ)to bring back
帶勁(ㄉㄞˋ ㄐㄧㄣˋ)① energetic ② interesting; exciting
帶去(ㄉㄞˋ •ㄑㄩ)to bring away
帶信兒(ㄉㄞˋ ㄒㄧㄣˋㄦ)to take a message
帶孝(ㄉㄞˋ ㄒㄧㄠˋ)to wear mourning
帶傷(ㄉㄞˋ ㄕㄤ)to get injured
帶上(ㄉㄞˋ •ㄕㄤ)①to present to you ② in addition to
帶子(ㄉㄞˋ •ㄗ)a ribbon; laces (of shoes, etc.)

帶魚(ㄉㄞˋ ㄩˊ)ribbonfish

帷 1326
ㄨㄟˊ wéi
a curtain; a screen; a tent
帷幔(ㄨㄟˊ ㄇㄢˋ) screens; cloth partitions
帷幕(ㄨㄟˊ ㄇㄨˋ)a tent
帷幄(ㄨㄟˊ ㄨㄛˋ)a military tent

常 1327
ㄔㄤˊ cháng
1. common; ordinary; normal 2. long; lasting; permanent (jobs, etc.) 3. often; frequently; regularly 4. ordinarily; usually 5. a principle
常備軍(ㄔㄤˊ ㄅㄟˋ ㄐㄩㄣ)the standing army
常態(ㄔㄤˊ ㄊㄞˋ)a normal manner
常年(ㄔㄤˊ ㄋㄧㄢˊ)throughout the year
常理(ㄔㄤˊ ㄌㄧˇ)convention
常例(ㄔㄤˊ ㄌㄧˋ)an ordinary way
常規(ㄔㄤˊ ㄍㄨㄟ)ordinary rules
常軌(ㄔㄤˊ ㄍㄨㄟˇ)the ordinary course of events
常客(ㄔㄤˊ ㄎㄜˋ)a frequent guest
常久(ㄔㄤˊ ㄐㄧㄡˇ)for a long time
常見(ㄔㄤˊ ㄐㄧㄢˋ)to see or to be seen frequently
常青(ㄔㄤˊ ㄑㄧㄥ)evergreen
常情(ㄔㄤˊ ㄑㄧㄥˊ)man's natural reaction under certain circumstances
常去(ㄔㄤˊ ㄑㄩˋ)to go often
常常(ㄔㄤˊ ㄔㄤˊ)often; frequently
常春藤(ㄔㄤˊ ㄔㄨㄣ ㄊㄥˊ)ivy
常識(ㄔㄤˊ ㄕˋ)① general knowledge ② common sense
常人(ㄔㄤˊ ㄖㄣˊ)ordinary people
常任(ㄔㄤˊ ㄖㄣˋ)standing (members of a committee, etc.)
常有(ㄔㄤˊ ㄧㄡˇ)usually; often
常用(ㄔㄤˊ ㄩㄥˋ)used often

九畫

幅 1328
ㄈㄨˊ fú
1. the breadth of cloth or paper 2. a border 3. a numerary adjunct for pictures, scrolls, etc.
幅度(ㄈㄨˊ ㄉㄨˋ)(said of prices, etc.) the rate of rise or fall
幅員(ㄈㄨˊ ㄩㄢˊ)the territory

帽 1329
ㄇㄠˋ mào
1. a hat; a headwear 2. a cap (of a screw, etc.)
帽帶(ㄇㄠˋ ㄉㄞˋ)hat strings
帽架(ㄇㄠˋ ㄐㄧㄚˋ)a hatrack
帽舌(ㄇㄠˋ ㄕㄜˊ)a visor
帽子(ㄇㄠˋ ·ㄗ)a hat
帽簷(ㄇㄠˋ ㄧㄢˊ)the brim of a hat

幀 1330
ㄓㄥˋ zhèng
1. a numerary adjunct (for paintings, photos, etc.) 2. one of a pair—as of scrolls

幃 1331
ㄨㄟˊ wéi
1. a curtain 2. a perfume bag

幄 1332
ㄨㄛˋ wò
a big tent

十畫

幌 1333
ㄏㄨㄤˇ huǎng
a curtain; a cloth screen; a strip of cloth
幌子(ㄏㄨㄤˇ ·ㄗ)a facade

十一畫

幔 1334
ㄇㄢˋ màn
1. a curtain; a screen 2. a tent

幕 1335
ㄇㄨˋ mù
1. a screen; a curtain 2. a tent 3. an advisor; staffs 4. an act 5. to cover
幕僚(ㄇㄨˋ ㄌㄧㄠˊ)staffs; advisors
幕後(ㄇㄨˋ ㄏㄡˋ)backstage
幕後新聞(ㄇㄨˋ ㄏㄡˋ ㄒㄧㄣ ㄨㄣˊ)inside story
幕後人物(ㄇㄨˋ ㄏㄡˋ ㄖㄣˊ ㄨˋ)string-pullers
幕後操縱(ㄇㄨˋ ㄏㄡˋ ㄘㄠ ㄗㄨㄥˋ)to pull strings behind the scenes

幗 1336
ㄍㄨㄛˊ guó
a woman's headdress

幘 1337
ㄗㄜˊ zé
a turban; a headdress

幛 1338
ㄓㄤˋ zhàng
a scroll of silk or cloth embroidered with appropriate wording sent as a gift for a wedding, funeral, etc.

十二畫

幟 1339
ㄓˋ zhì
1. a flag; a pennant; a pennon 2. a mark; a sign

幞 1340
ㄆㄨˊ pú
a turban; a headdress; a scarf

幡 1341
ㄈㄢ fān
1. as in 幡幟—a flag; a pennant; a streamer 2. sudden; suddenly

幢 1342
ㄔㄨㄤˊ chuáng

〔巾部〕

1. a curtain for a carriage 2. a numerary adjunct for buildings of more than one story 3. flags, pennants, streamers, etc. 4. flickering

〔干部〕

幣 1343
ㄅㄧˋ bì
1. currency; money 2. a present; an offering
幣値(ㄅㄧˋ ㄓˊ)the purchasing power of a currency
幣値波動 (ㄅㄧˋ ㄓˊ ㄅㄛ ㄉㄨㄥˋ) currency fluctuations
幣制(ㄅㄧˋ ㄓˋ)a currency system

十四畫

幬 1344
1. ㄔㄡˊ chóu
a curtain; a canopy

幬 1344
2. ㄉㄠˋ dào
to cover

幫 1345
(帮) ㄅㄤ bāng
1. to help; to assist 2. a gang; a group 3. the sides of a shoe
幫派(ㄅㄤ ㄆㄞˋ)a faction
幫浦(ㄅㄤ ㄆㄨˇ)a pump
幫忙(ㄅㄤ ㄇㄤˊ)help; to help
幫倒忙(ㄅㄤ ㄉㄠˋ ㄇㄤˊ)to cause trouble while trying to help
幫會(ㄅㄤ ㄏㄨㄟˋ)an underworld gang
幫腔 (ㄅㄤ ㄑㄧㄤ) to give verbal support to a person
幫兇 (ㄅㄤ ㄒㄩㄥ) an accomplice in a crime
幫助(ㄅㄤ ㄓㄨˋ)to help; help
幫手(ㄅㄤ ㄕㄡˇ)an assistant

幪 1346
ㄇㄥˊ méng
a cover; a screen; to cover

十五畫

㡡 1347
ㄔㄨˊ chú
a bed-screen or mosquito net that looks like a small cabinet

干 部
ㄍㄢ gān

干 1348
ㄍㄢ gān
1. to invade 2. to jam (radio-broadcasts, etc.) 3. to involve 4. to seek 5. the bank (of a river, etc.) 6. a shield 7. (how) many or much 8. the Celestial Stems
干貝(ㄍㄢ ㄅㄟˋ)a dried scallop
干戈(ㄍㄢ ㄍㄜ)warfare
干係(ㄍㄢ ㄒㄧˋ)involvement
干休(ㄍㄢ ㄒㄧㄡ)to give up
干政(ㄍㄢ ㄓㄥˋ)to interfere in politics
干涉(ㄍㄢ ㄕㄜˋ)or 干擾(ㄍㄢ ㄖㄠˇ)or 干與(ㄍㄢ ㄩˋ)to interfere

二畫

平 1349
ㄆㄧㄥˊ píng
1. level; even 2. equal; equality 3. peaceful 4. to conquer 5. to control 6. (said of prices) to go back to normal after sharp rises 7. (sports) to make the same score 8. to pacify
平白 (無故) (ㄆㄧㄥˊ ㄅㄞˊ (ㄨˊ ㄍㄨˋ)) without reason or cause
平輩(ㄆㄧㄥˊ ㄅㄟˋ)of the same generation
平平(ㄆㄧㄥˊ ㄆㄧㄥˊ)average; so-so
平平安安(ㄆㄧㄥˊ ㄆㄧㄥˊ ㄢ ㄢ)without any accident
平(平穩)穩(ㄆㄧㄥˊ (ㄆㄧㄥˊ ㄨㄣˇ) ㄨㄣˇ) sure and steady
平面(ㄆㄧㄥˊ ㄇㄧㄢˋ)a plane surface
平民(ㄆㄧㄥˊ ㄇㄧㄣˊ)a commoner
平凡(ㄆㄧㄥˊ ㄈㄢˊ)ordinary
平反(ㄆㄧㄥˊ ㄈㄢˇ)to reverse or redress a miscarriage of justice
平分(ㄆㄧㄥˊ ㄈㄣ)to divide equally
平分秋色 (ㄆㄧㄥˊ ㄈㄣ ㄑㄧㄡ ㄙㄜˋ) to equal each other in (scores, etc.)
平方(ㄆㄧㄥˊ ㄈㄤ)a square
平房(ㄆㄧㄥˊ ㄈㄤˊ)a bungalow
平淡(ㄆㄧㄥˊ ㄉㄢˋ)nothing particular
平等(ㄆㄧㄥˊ ㄉㄥˇ)equality; equal
平定 (ㄆㄧㄥˊ ㄉㄧㄥˋ) to quell (rebellions, etc.)
平坦 (ㄆㄧㄥˊ ㄊㄢˇ) even and smooth (roads, etc.)
平添 (ㄆㄧㄥˊ ㄊㄧㄢ) to add something unexpectedly
平亂 (ㄆㄧㄥˊ ㄌㄨㄢˋ) to suppress a revolt
平空(ㄆㄧㄥˊ ㄎㄨㄥ)to fabricate
平衡(ㄆㄧㄥˊ ㄏㄥˊ)equilibrium
平衡力(ㄆㄧㄥˊ ㄏㄥˊ ㄌㄧˋ)equilibrant
平價(ㄆㄧㄥˊ ㄐㄧㄚˋ)a fair price
平交道 (ㄆㄧㄥˊ ㄐㄧㄠ ㄉㄠˋ) a level crossing
平靜(ㄆㄧㄥˊ ㄐㄧㄥˋ)quiet; calm
平劇(ㄆㄧㄥˊ ㄐㄩˋ)Peiping opera
平均(ㄆㄧㄥˊ ㄐㄩㄣ)the average
平均年齡(ㄆㄧㄥˊ ㄐㄩㄣ ㄋㄧㄢˊ ㄌㄧㄥˊ) composite life
平均壽命(ㄆㄧㄥˊ ㄐㄩㄣ ㄕㄡˋ ㄇㄧㄥˋ) mean life
平均數(ㄆㄧㄥˊ ㄐㄩㄣ ㄕㄨˋ)an average
平息 (ㄆㄧㄥˊ ㄒㄧˊ)(said of an uprising, waves, etc.) to quell
平信(ㄆㄧㄥˊ ㄒㄧㄣˋ)ordinary mail

平行(ㄆㄧㄥˊ ㄒㄧㄥˊ)parallel
平裝(ㄆㄧㄥˊ ㄓㄨㄤ)paperback
平常(ㄆㄧㄥˊ ㄔㄤˊ) ①as usual ②normal
平時(ㄆㄧㄥˊ ㄕˊ)ordinarily
平手(ㄆㄧㄥˊ ㄕㄡˇ)to come out with even scores as one's opponent
平生(ㄆㄧㄥˊ ㄕㄥ)in all one's life
平日(ㄆㄧㄥˊ ㄖˋ)on usual days
平安(ㄆㄧㄥˊ ㄢ)safe and sound
平易近人(ㄆㄧㄥˊ ㄧˋ ㄐㄧㄣˋ ㄖㄣˊ)easy to get along with
平原(ㄆㄧㄥˊ ㄩㄢˊ)a steppe
平庸(ㄆㄧㄥˊ ㄩㄥ)commonplace

三畫

年 1350
ㄋㄧㄢˊ nián
1. a year 2. one's age 3. a Chinese family name
年表(ㄋㄧㄢˊ ㄅㄧㄠˇ)a chronicle
年譜(ㄋㄧㄢˊ ㄆㄨˇ)a biography arranged in chronological order
年邁(ㄋㄧㄢˊ ㄇㄞˋ) or 年老(ㄋㄧㄢˊ ㄌㄠˇ)to get old; aged
年分or年份(ㄋㄧㄢˊ ·ㄈㄣ)age; time; a particular year
年俸(ㄋㄧㄢˊ ㄈㄥˋ) or 年薪(ㄋㄧㄢˊ ㄒㄧㄣ)an annual salary
年代(ㄋㄧㄢˊ ㄉㄞˋ)an age, era, etc.
年底(ㄋㄧㄢˊ ㄉㄧˇ)the end of a year
年度決算 (ㄋㄧㄢˊ ㄉㄨˋ ㄐㄩㄝˊ ㄙㄨㄢˋ) (accounting) annual closing
年利(ㄋㄧㄢˊ ㄌㄧˋ)or 年息(ㄋㄧㄢˊ ㄒㄧˊ) annual interest (rate)
年曆(ㄋㄧㄢˊ ㄌㄧˋ)a calendar with the whole year printed on one sheet
年齡(ㄋㄧㄢˊ ㄌㄧㄥˊ)age
年輪(ㄋㄧㄢˊ ㄌㄨㄣˊ)annual rings (indicating the age of a tree)
年高德劭 (ㄋㄧㄢˊ ㄍㄠ ㄉㄜˊ ㄕㄠˋ) advanced in years and virtue
年華(ㄋㄧㄢˊ ㄏㄨㄚˊ)time; years; age
年級(ㄋㄧㄢˊ ㄐㄧˊ) (in school) a grade
年紀(ㄋㄧㄢˊ ㄐㄧˋ)years; age
年久失修(ㄋㄧㄢˊ ㄐㄧㄡˇ ㄕ ㄒㄧㄡ)in a dilapidated condition
年鑑(ㄋㄧㄢˊ ㄐㄧㄢˋ)an almanac
年金(ㄋㄧㄢˊ ㄐㄧㄣ)an annuity
年輕(ㄋㄧㄢˊ ㄑㄧㄥ)young; youth
年限(ㄋㄧㄢˊ ㄒㄧㄢˋ)a service life
年長(ㄋㄧㄢˊ ㄓㄤˇ)old or aged; older
年終(ㄋㄧㄢˊ ㄓㄨㄥ)the end of the year
年初(ㄋㄧㄢˊ ㄔㄨ)the beginning of the year
年少(ㄋㄧㄢˊ ㄕㄠˋ)young
年資(ㄋㄧㄢˊ ㄗ)the years one spends in an endeavor or job
年資制度 (ㄋㄧㄢˊ ㄗ ㄓˋ ㄉㄨˋ) seniority system

五畫

幷 1351
1. (併) ㄅㄧㄥˋ bìng
1. on a level with; even; equal 2. and; also; or; at the same time

幷 1351
2. ㄅㄧㄥ bīng
Pingchou, one of the ancient Chinese administrative divisions, consisting of parts of today's Hopeh, Shansi, etc.

幸 1352
ㄒㄧㄥˋ xìng
1. well-being and happiness 2. fortunately; luckily 3. to feel happy about 4. an imperial tour or progress
幸免於難 (ㄒㄧㄥˋ ㄇㄧㄢˇ ㄩˊ ㄋㄢˋ) to have a narrow escape from (death, etc.)
幸福(ㄒㄧㄥˋ ㄈㄨˊ)bliss
幸虧(ㄒㄧㄥˋ ㄎㄨㄟ) or 幸好(ㄒㄧㄥˋ ㄏㄠˇ)luckily; fortunately; thanks to
幸災樂禍(ㄒㄧㄥˋ ㄗㄞ ㄌㄜˋ ㄏㄨㄛˋ)to rejoice in the calamity of others
幸運(ㄒㄧㄥˋ ㄩㄣˋ)① good luck ② lucky

十畫

幹 1353
ㄍㄢˋ gàn
1. the trunk (of a tree or of a human body) 2. the main part of anything 3. capabilities; talents; capable 4. to do; to manage 5. (slang) to kill
幹部(ㄍㄢˋ ㄅㄨˋ)a cadre
幹麼 (ㄍㄢˋ ㄇㄚˊ) ①Why? ②What (do you do)?
幹道(ㄍㄢˋ ㄉㄠˋ)or 幹線(ㄍㄢˋ ㄒㄧㄢˋ) a trunk line; a main line
幹練 (ㄍㄢˋ ㄌㄧㄢˋ) capable and experienced
幹活兒(ㄍㄢˋ ㄏㄨㄛˊㄦ)to do a job
幹勁兒(ㄍㄢˋ ㄐㄧㄣˋㄦ)vigor

幺部
ㄧㄠ yāo

幺 1354
(么) ㄧㄠ yāo
1. tiny; small; insignificant 2. the youngest son or daughter of a family 3. one on dice 4. alone
幺麼(ㄧㄠ ㄇㄛˊ)tiny; minute
幺麼小醜 (ㄧㄠ ㄇㄛˊ ㄒㄧㄠˇ ㄔㄡˇ) a petty skunk; a despicable wretch
幺兒(ㄧㄠ ㄦˊ)the youngest son

一畫

幻 1355
ㄏㄨㄢˋ huàn

1. illusion; hallucination; fantasy 2. illusory; unreal; deceptive
幻滅(ㄏㄨㄢˋ ㄇㄧㄝˋ)disillusionment
幻燈片(ㄏㄨㄢˋ ㄉㄥ ㄆㄧㄢˋ)a slide
幻燈機(ㄏㄨㄢˋ ㄉㄥ ㄐㄧ)a slide projector
幻景(ㄏㄨㄢˋ ㄐㄧㄥˇ)fata morgana
幻境(ㄏㄨㄢˋ ㄐㄧㄥˋ)a dreamland
幻覺(ㄏㄨㄢˋ ㄐㄩㄝˊ)a fantasm
幻想(ㄏㄨㄢˋ ㄒㄧㄤˇ)to daydream
幻想曲(ㄏㄨㄢˋ ㄒㄧㄤˇ ㄑㄩˇ)a fantasia
幻象(ㄏㄨㄢˋ ㄒㄧㄤˋ)a phantasm
幻影(ㄏㄨㄢˋ ㄧㄥˇ)an unreal and visionary image

〔幺部〕

一畫

幼 1356 ㄧㄡˋ yòu
1. young; delicate 2. to take care of the young
幼苗(ㄧㄡˋ ㄇㄧㄠˊ)a tender seedling
幼童(ㄧㄡˋ ㄊㄨㄥˊ)a young child
幼小(ㄧㄡˋ ㄒㄧㄠˇ)young and small
幼稚(ㄧㄡˋ ㄓˋ)immature
幼稚園(ㄧㄡˋ ㄓˋ ㄩㄢˊ)a kindergarten
幼蟲(ㄧㄡˋ ㄔㄨㄥˊ)a larva
幼兒(ㄧㄡˋ ㄦˊ)an infant
幼兒期(ㄧㄡˋ ㄦˊ ㄑㄧˊ)infancy
幼芽(ㄧㄡˋ ㄧㄚˊ)young buds

六畫

幽 1357 ㄧㄡ yōu
1. dark; gloomy 2. lonely; secluded 3. quiet; tranquil 4. profound 5. hidden 6. to imprison
幽默(ㄧㄡ ㄇㄛˋ)humorous; humor
幽冥(ㄧㄡ ㄇㄧㄥˊ)(Buddhism) hell
幽浮(ㄧㄡ ㄈㄨˊ) UFO (unidentified flying object)
幽靈(ㄧㄡ ㄌㄧㄥˊ)a ghost
幽魂(ㄧㄡ ㄏㄨㄣˊ)a ghost
幽靜(ㄧㄡ ㄐㄧㄥˋ)tranquil
幽閑(ㄧㄡ ㄒㄧㄢˊ)leisurely and carefree
幽思(ㄧㄡ ㄙ)sober musing

九畫

幾 1358 1. ㄐㄧˇ jǐ
1. how many; how much 2. a few; several; some 3. which; when
幾分(ㄐㄧˇ ㄈㄣ)a bit; somewhat
幾度(ㄐㄧˇ ㄉㄨˋ)several times
幾天(ㄐㄧˇ ㄊㄧㄢ)several days
幾年(ㄐㄧˇ ㄋㄧㄢˊ)several years
幾何學(ㄐㄧˇ ㄏㄜˊ ㄒㄩㄝˊ)geometry
幾回(ㄐㄧˇ ㄏㄨㄟˊ) or 幾次(ㄐㄧˇ ㄘˋ) ① several times ② how many times
幾許(ㄐㄧˇ ㄒㄩˇ)how many; how much
幾時(ㄐㄧˇ ㄕˊ)what time; when

幾 1358 2. ㄐㄧ jī
1. small; minute; tiny; slight 2. nearly; almost
幾乎(ㄐㄧ ㄏㄨ)almost; nearly

广部 ㄧㄢˇ yǎn

二畫

庀 1359 ㄆㄧˇ pǐ
to prepare; to provide; to arrange

三畫

庄 1360 (莊) ㄓㄨㄤ zhuāng
1. a farmhouse 2. a marketplace 3. a banker (in gambling games) 4. a cottage

四畫

庇 1361 ㄅㄧˋ bì
to hide; to conceal; to harbor; to protect
庇護所(ㄅㄧˋ ㄏㄨˋ ㄙㄨㄛˇ)an asylum
庇蔭(ㄅㄧˋ ㄧㄣˋ)to shelter

庋 1362 ㄐㄧˇ jǐ
1. a cupboard; a closet 2. to put into the proper place; to put away

序 1363 ㄒㄩˋ xù
1. a preface; a foreword; an introduction 2. the sequence of things; order
序幕(ㄒㄩˋ ㄇㄨˋ)the prelude
序論(ㄒㄩˋ ㄌㄨㄣˋ)an introduction
序曲(ㄒㄩˋ ㄑㄩˇ)a prelude
序言(ㄒㄩˋ ㄧㄢˊ)a preface

五畫

底 1364 ㄉㄧˇ dǐ
1. underside; base; bottom; basis; foundation 2. the end; the last part
底片(ㄉㄧˇ ㄆㄧㄢˋ)(photography) a negative
底稿(ㄉㄧˇ ㄍㄠˇ)a manuscript
底價(ㄉㄧˇ ㄐㄧㄚˋ)the minimum price
底細(ㄉㄧˇ ㄒㄧˋ)the unknown background (of a person)
底下(ㄉㄧˇ ·ㄒㄧㄚ)the underside
底線(ㄉㄧˇ ㄒㄧㄢˋ)the base line

底薪(ㄉㄧˇ ㄒㄧㄣ)base pay
底子(ㄉㄧˇ ·ㄗ)foundation; basis
底座(ㄉㄧˇ ㄗㄨㄛˋ)a base; a stand
底層(ㄉㄧˇ ㄘㄥˊ) the bottom layer

庖 1365 ㄆㄠˊ páo
the kitchen; the cuisine
庖丁(ㄆㄠˊ ㄉㄧㄥ)a cook
庖廚(ㄆㄠˊ ㄔㄨˊ)a kitchen

店 1366 ㄉㄧㄢˋ diàn
1. a shop; a store 2. an inn; a hotel
店鋪(ㄉㄧㄢˋ ㄆㄨˋ)a store; a shop
店面(ㄉㄧㄢˋ ㄇㄧㄢˋ)a shop front
店員(ㄉㄧㄢˋ ㄩㄢˊ)a shop clerk

庚 1367 ㄍㄥ gēng
1. the seventh of the Ten Celestial Stems (天干) 2. the age (of a person)

府 1368 ㄈㄨˇ fǔ
1. a mansion 2. a government agency; a government office 3. a prefecture 4. your home 5. a treasury
府邸(ㄈㄨˇ ㄉㄧˇ)a mansion
府庫 (ㄈㄨˇ ㄎㄨˋ) a treasury for public funds
府上(ㄈㄨˇ ·ㄕㄤ)① your native place ② your home ③ your family

六畫

度 1369 1. ㄉㄨˋ dù
1. an instrument for measuring length 2. a kilowatt-hour 3. a unit of measurement for angles, temperature, etc.; a degree 4. (number of) times 5. a system 6. a manner 7. to pass 8. consideration; careful thought
度量(ㄉㄨˋ ㄌㄧㄤˋ)the capacity for forgiveness
度量衡 (ㄉㄨˋ ㄌㄧㄤˋ ㄏㄥˊ) weights and measures
度假 (ㄉㄨˋ ㄐㄧㄚˋ) to spend one's holidays
度數(ㄉㄨˋ ㄕㄨˋ)a reading (of a barometer, thermometer, etc.)
度日如年(ㄉㄨˋ ㄖˋ ㄖㄨˊ ㄋㄧㄢˊ)to pass days as if they were years

度 1369 2. ㄉㄨㄛˊ duó
to consider; to measure; to infer

庠 1370 ㄒㄧㄤˊ xiáng
a school during the Chou Dynasty

庥 1371 ㄒㄧㄡ xiū
to shelter; to protect

七畫

座 1372 ㄗㄨㄛˋ zuò
a seat; a stand
座標 or 坐標 (ㄗㄨㄛˋ ㄅㄧㄠ)(mathematics) coordinates
座談會(ㄗㄨㄛˋ ㄊㄢˊ ㄏㄨㄟˋ)a discussion meeting
座落(ㄗㄨㄛˋ ㄌㄨㄛˋ)a site or locality
座右銘 (ㄗㄨㄛˋ ㄧㄡˋ ㄇㄧㄥˊ) a motto
座無虛席(ㄗㄨㄛˋ ㄨˊ ㄒㄩ ㄒㄧˊ)There is standing room only.
座位(ㄗㄨㄛˋ ㄨㄟˋ)a seat

庫 1373 ㄎㄨˋ kù
1. a storehouse; a warehouse 2. a treasury
庫房(ㄎㄨˋ ㄈㄤˊ)a storehouse
庫存(ㄎㄨˋ ㄘㄨㄣˊ)a stock; reserve

庭 1374 ㄊㄧㄥˊ tíng
1. a hall 2. a yard 3. the imperial court 4. a court of justice
庭上(ㄊㄧㄥˊ ㄕㄤˋ)in court (of justice)
庭園(ㄊㄧㄥˊ ㄩㄢˊ)a garden
庭院(ㄊㄧㄥˊ ㄩㄢˋ)a courtyard

八畫

庵 1375 ㄢ ān
1. a hut; a cottage 2. a nunnery
庵寺(ㄢ ㄙˋ)① a nunnery ② a temple

庶 1376 ㄕㄨˋ shù
1. born of a concubine 2. numerous; various 3. general; common 4. the common people 5. almost; nearly
庶民(ㄕㄨˋ ㄇㄧㄣˊ)the common people
庶幾(ㄕㄨˋ ㄐㄧ) ①almost; nearly ② probably; maybe
庶出(ㄕㄨˋ ㄔㄨ)the offspring of a concubine
庶務(ㄕㄨˋ ㄨˋ)general affairs

康 1377 ㄎㄤ kāng
1. healthy 2. peaceful 3. abundant 4. level, even and smooth (road, etc.)
康復(ㄎㄤ ㄈㄨˋ)recovery (from illness)
康樂 (ㄎㄤ ㄌㄜˋ) (wholesome) recreation
康健(ㄎㄤ ㄐㄧㄢˋ)healthy

庸 1378 ㄩㄥ yōng (又讀 ㄩㄥˊ yóng)
1. common 2. stupid 3. a hired laborer 4. to require 5. to reward 6. an interrogative (as how, etc.)
庸民(ㄩㄥ ㄇㄧㄣˊ)the masses
庸(庸碌)碌(ㄩㄥ (ㄩㄥ ㄌㄨˋ)ㄌㄨˋ)mediocre; common
庸人自擾 (ㄩㄥ ㄖㄣˊ ㄗˋ ㄖㄠˇ) (literally)

Stupid people create trouble for themselves.
庸才 (ㄩㄥ ㄘㄞˊ) a man of mediocre ability
庸俗(ㄩㄥ ㄙㄨˊ)vulgar
庸醫(ㄩㄥ ㄧ)a quack

〔广部〕

庹 1379
ㄊㄨㄛˇ tuǒ
the distance between one's two middle fingertips when one outstretches one's arms

九畫

庾 1380
ㄩˇ yǔ
1. an enclosed place for storing grain 2. a unit of an ancient measure of capacity, equivalent to 16 decaliters

廁 1381
1. ㄘㄜˋ cè
a toilet, lavatory or latrine
廁所(ㄘㄜˋ ㄙㄨㄛˇ)a toilet

廁 1381
2. ㄘˋ cì
to mingle with; to be a member of

廁 1381
3. ㄙˋ sì
used only in 茅廁—a latrine, lavatory, etc.

廂 1382
ㄒㄧㄤ xiāng
1. a side room 2. a box in the theater 3. the vicinity of a city
廂房(ㄒㄧㄤ ㄈㄤˊ)a side room

十畫

廈 1383
ㄒㄧㄚˋ xià
(語音 ㄕㄚˋ shà)
a tall building; an edifice

廉 1384
ㄌㄧㄢˊ lián
1. incorrupt; upright 2. inexpensive 3. to inspect
廉明 (ㄌㄧㄢˊ ㄇㄧㄥˊ) (said of officials) incorruptible and intelligent
廉吏(ㄌㄧㄢˊ ㄌㄧˋ)an incorrupt official
廉價(ㄌㄧㄢˊ ㄐㄧㄚˋ)a low price
廉價品 (ㄌㄧㄢˊ ㄐㄧㄚˋ ㄆㄧㄣˇ) a bargain
廉節(ㄌㄧㄢˊ ㄐㄧㄝˊ)frugal; thrifty
廉潔(ㄌㄧㄢˊ ㄐㄧㄝˊ)incorrupt
廉恥(ㄌㄧㄢˊ ㄔˇ)the integrity of character and a sense of honor
廉售(ㄌㄧㄢˊ ㄕㄡˋ)to sell at a low price
廉讓 (ㄌㄧㄢˊ ㄖㄤˋ) to sell (property) at a low price

廊 1385
ㄌㄤˊ láng
a portico; a corridor; a hallway
廊下(ㄌㄤˊ ㄒㄧㄚˋ)a corridor

廋 1386
ㄙㄡ sōu
1. to conceal; to hide 2. to search

十一畫

廄 1387
ㄐㄧㄡˋ jiù
a stable

廖 1388
ㄌㄧㄠˋ liào
a Chinese family name

廑 1389
ㄐㄧㄣˇ jǐn
1. a hut; a cottage 2. eager

廓 1390
ㄎㄨㄛˋ kuò
1. open; wide 2. empty
廓清(ㄎㄨㄛˋ ㄑㄧㄥ)to wipe out

廕 1391
ㄧㄣˋ yìn
as in 廕庇—to shelter; to harbor; to protect

十二畫

廚 1392
ㄔㄨˊ chú
1. a kitchen 2. a closet; a cupboard
廚房(ㄔㄨˊ ㄈㄤˊ)a kitchen
廚櫃(ㄔㄨˊ ㄍㄨㄟˋ)a cupboard
廚具(ㄔㄨˊ ㄐㄩˋ)kitchen utensils
廚師(ㄔㄨˊ ㄕ)a chef; a cook

廛 1393
ㄔㄢˊ chán
1. living space for one family in ancient times 2. a store; a shop

廝 1394
ㄙ sī
1. a servant 2. a fellow; a guy 3. each other
廝殺(ㄙ ㄕㄚ)to fight at close quarters (with weapons)
廝守(ㄙ ㄕㄡˇ)to wait upon each other

廟 1395
ㄇㄧㄠˋ miào
a temple; a shrine
廟堂(ㄇㄧㄠˋ ㄊㄤˊ) the court (of a monarch)
廟宇(ㄇㄧㄠˋ ㄩˇ)a temple; a shrine

廠 1396
ㄔㄤˇ chǎng
a factory; a plant; a workshop
廠棚(ㄔㄤˇ ㄆㄥˊ)a crude factory building
廠房(ㄔㄤˇ ㄈㄤˊ)a factory building
廠址(ㄔㄤˇ ㄓˇ)a factory site
廠長(ㄔㄤˇ ㄓㄤˇ)a factory manager
廠商(ㄔㄤˇ ㄕㄤ)manufacturers

廡 1397
ㄨˇ wǔ

1. small rooms around a main building 2. (said of vegetation) dense or luxuriant

廢 1398 ㄈㄟˋ **fèi**

1. to give up; to abandon 2. to reject 3. useless; disused 4. disabled

廢掉(ㄈㄟˋ ㄉㄧㄠˋ)to abolish
廢鐵(ㄈㄟˋ ㄊㄧㄝˇ)scrap iron
廢料(ㄈㄟˋ ㄌㄧㄠˋ)useless materials
廢話(ㄈㄟˋ ㄏㄨㄚˋ)rubbish; nonsense
廢氣(ㄈㄟˋ ㄑㄧˋ)waste gas
廢棄(ㄈㄟˋ ㄑㄧˋ)to scrap; to discard
廢墟(ㄈㄟˋ ㄒㄩ) ruins (of a city, castle, etc.)
廢止(ㄈㄟˋ ㄓˇ) or 廢除(ㄈㄟˋ ㄔㄨˊ)to abolish; to cancel
廢紙(ㄈㄟˋ ㄓˇ)wastepaper
廢置不用(ㄈㄟˋ ㄓˋ ㄅㄨˊ ㄩㄥˋ)to put aside as useless
廢水(ㄈㄟˋ ㄕㄨㄟˇ)wastewater
廢物(ㄈㄟˋ ㄨˋ)① rubbish; scrap ② a good-for-nothing
廢物利用(ㄈㄟˋ ㄨˋ ㄌㄧˋ ㄩㄥˋ)the utilization of waste material

廣 1399 ㄍㄨㄤˇ **guǎng**

1. wide; broad 2. to stretch; to extend 3. Kwangtung or Kwangsi

廣播(ㄍㄨㄤˇ ㄅㄛ)to broadcast
廣播電臺(ㄍㄨㄤˇ ㄅㄛ ㄉㄧㄢˋ ㄊㄞˊ) a radio station
廣播節目(ㄍㄨㄤˇ ㄅㄛ ㄐㄧㄝˊ ㄇㄨˋ) a radio program
廣播劇(ㄍㄨㄤˇ ㄅㄛ ㄐㄩˋ) a radio drama
廣播員(ㄍㄨㄤˇ ㄅㄛ ㄩㄢˊ) a radio announcer
廣博(ㄍㄨㄤˇ ㄅㄛˊ)wide; extensive
廣泛(ㄍㄨㄤˇ ㄈㄢˋ)widespread
廣大(ㄍㄨㄤˇ ㄉㄚˋ)vast
廣大無邊(ㄍㄨㄤˇ ㄉㄚˋ ㄨˊ ㄅㄧㄢ) boundless
廣告(ㄍㄨㄤˇ ㄍㄠˋ)advertisement
廣告牌(ㄍㄨㄤˇ ㄍㄠˋ ㄆㄞˊ)a billboard
廣告片(ㄍㄨㄤˇ ㄍㄠˋ ㄆㄧㄢˋ) an advertising film
廣告費(ㄍㄨㄤˇ ㄍㄠˋ ㄈㄟˋ)advertising expenses
廣告欄(ㄍㄨㄤˇ ㄍㄠˋ ㄌㄢˊ) the ad column
廣告公司(ㄍㄨㄤˇ ㄍㄠˋ ㄍㄨㄥ ㄙ) an advertising agency
廣告客戶(ㄍㄨㄤˇ ㄍㄠˋ ㄎㄜˋ ㄏㄨˋ) an advertiser
廣告業(ㄍㄨㄤˇ ㄍㄠˋ ㄧㄝˋ)advertising
廣闊(ㄍㄨㄤˇ ㄎㄨㄛˋ)wide; vast
廣結善緣(ㄍㄨㄤˇ ㄐㄧㄝˊ ㄕㄢˋ ㄩㄢˊ)to make friends all around
廣場(ㄍㄨㄤˇ ㄔㄤˇ) a square (in a city); a plaza
廣義(ㄍㄨㄤˇ ㄧˋ) the wider sense (of a term)

十三畫

廨 1400 ㄒㄧㄝˋ **xiè**

a public office; a government building

廩 1401 ㄌㄧㄣˇ **lǐn**

1. a granary 2. to supply (foodstuffs) 3. to stockpile

廩倉(ㄌㄧㄣˇ ㄘㄤ)a public granary

十六畫

廬 1402 ㄌㄨˊ **lú**

1. a thatched cottage 2. Mt. Lu (in Kiangsi)

廬舍(ㄌㄨˊ ㄕㄜˋ)a cottage; a hut
廬山眞面目 (ㄌㄨˊ ㄕㄢ ㄓㄣ ㄇㄧㄢˋ ㄇㄨˋ)the real appearance (of a thing or person in disguise)

龐 1403 ㄆㄤˊ **páng**

1. disorderly; confused 2. huge 3. a face 4. a Chinese family name

龐大(ㄆㄤˊ ㄉㄚˋ)immense; huge
龐然大物 (ㄆㄤˊ ㄖㄢˊ ㄉㄚˋ ㄨˋ) a huge object
龐雜(ㄆㄤˊ ㄗㄚˊ)disorderly

十八畫

廱 1404 ㄩㄥ **yōng**

1. harmonious 2. an imperial university

二十二畫

廳 1405 ㄊㄧㄥ **tīng**

1. a central or main room of a house 2. a hall 3. a government agency

廳堂(ㄊㄧㄥ ㄊㄤˊ)a hall

廴部
ㄧㄣˇ **yǐn**

四畫

延 1406 ㄧㄢˊ **yán**

1. to extend; to spread 2. to delay; to postpone 3. to prolong 4. to invite 5. to procrastinate

延聘(ㄧㄢˊ ㄆㄧㄣˋ)to invite the service of
延(年益)壽 (ㄧㄢˊ (ㄋㄧㄢˊ ㄧˋ) ㄕㄡˋ) to lengthen one's life
延攬(ㄧㄢˊ ㄌㄢˇ)to recruit the service of (talented men)
延擱(ㄧㄢˊ ㄍㄜ)to procrastinate
延緩(ㄧㄢˊ ㄏㄨㄢˇ)to postpone
延期(ㄧㄢˊ ㄑㄧˊ)to be postponed

延期付款 (ㄧㄢˊ ㄑㄧˊ ㄈㄨˋ ㄎㄨㄢˇ) deferred payment (D/P)
延請(ㄧㄢˊ ㄑㄧㄥˇ)to invite
延續(ㄧㄢˊ ㄒㄩˋ)to continue
延遲(ㄧㄢˊ ㄔˊ)to delay
延長(ㄧㄢˊ ㄔㄤˊ)to lengthen
延長線 (ㄧㄢˊ ㄔㄤˊ ㄒㄧㄢˋ) an extension
延燒(ㄧㄢˊ ㄕㄠ)(said of fire) to spread
延伸(ㄧㄢˊ ㄕㄣ)to stretch
延誤 (ㄧㄢˊ ㄨˋ) to fail because of procrastination

〔廾·弋部〕

廷 1407
ㄊㄧㄥˊ tíng
the imperial court; the court
廷議(ㄊㄧㄥˊ ㄧˋ)a court discussion

六畫

建 1408
ㄐㄧㄢˋ jiàn
1. to establish; to build; to construct 2. to bring up; to propose; to suggest
建立(ㄐㄧㄢˋ ㄌㄧˋ)to establish
建國(ㄐㄧㄢˋ ㄍㄨㄛˊ)to build up a country
建交 (ㄐㄧㄢˋ ㄐㄧㄠ) to establish diplomatic relations
建築(ㄐㄧㄢˋ ㄓㄨˊ)to build
建築師(ㄐㄧㄢˋ ㄓㄨˊ ㄕ)an architect
建築物(ㄐㄧㄢˋ ㄓㄨˊ ㄨˋ)a building
建設(ㄐㄧㄢˋ ㄕㄜˋ)to construct
建樹(ㄐㄧㄢˋ ㄕㄨˋ)an achievement
建造(ㄐㄧㄢˋ ㄗㄠˋ)to construct
建議(ㄐㄧㄢˋ ㄧˋ)to suggest

廾部
ㄍㄨㄥˇ gong

一畫

廿 1409
ㄋㄧㄢˋ niàn
twenty

二畫

弁 1410
ㄅㄧㄢˋ biàn
1.a conical cap worn on ceremonious occasions in ancient times 2. in the Ching Dynasty low-ranking military officers
弁言(ㄅㄧㄢˋ ㄧㄢˊ)a preface

四畫

弄 1411
ㄋㄨㄥˋ nòng
(讀音 ㄌㄨㄥˋ lòng)
1.to play with; to sport with 2.to mock 3. to handle; to perform
弄飯(ㄋㄨㄥˋ ㄈㄢˋ)to prepare a meal
弄糊塗(ㄋㄨㄥˋ ㄏㄨˊ ㄊㄨˊ)to puzzle
弄壞(ㄋㄨㄥˋ ㄏㄨㄞˋ)to spoil
弄假成眞 (ㄋㄨㄥˋ ㄐㄧㄚˇ ㄔㄥˊ ㄓㄣ) to turn simulation into reality unintentionally
弄僵(ㄋㄨㄥˋ ㄐㄧㄤ)to bring to a deadlock
弄巧成拙(ㄋㄨㄥˋ ㄑㄧㄠˇ ㄔㄥˊ ㄓㄨㄛˊ) to bungle an ingenious scheme
弄清(ㄋㄨㄥˋ ㄑㄧㄥ)to make clear
弄權 (ㄋㄨㄥˋ ㄑㄩㄢˊ) to abuse one's power
弄糟(ㄋㄨㄥˋ ㄗㄠ)to mess up
弄髒(ㄋㄨㄥˋ ㄗㄤ)to stain
弄錯(ㄋㄨㄥˋ ㄘㄨㄛˋ)to commit an error

六畫

弇 1412
ㄧㄢˇ yǎn
1. a narrow-necked container 2. to cover 3. profound

弈 1413
ㄧˋ yì
as in 弈棋—the "go" game

十二畫

弊 1414
ㄅㄧˋ bì
1. bad; undesirable 2. dishonesty 3. exhausted; tired; worn-out 4. harm
弊病(ㄅㄧˋ ㄅㄧㄥˋ) or 弊端 (ㄅㄧˋ ㄉㄨㄢ)corrupt practices
弊害(ㄅㄧˋ ㄏㄞˋ)harm; damage
弊帚自珍(ㄅㄧˋ ㄓㄡˇ ㄗˋ ㄓㄣ)One loves something of little value simply because it is his own.

弋部
ㄧˋ yì

弋 1415
ㄧˋ yì
1.to catch; to take 2.to shoot with arrow and bow

三畫

式 1416
ㄕˋ shì
1. fashion; style; form 2. a pattern; a type 3. a system 4. a ceremony
式樣(ㄕˋ ㄧㄤˋ)a style

十畫

弒 1417
ㄕˋ shì
to kill or murder one's superior, senior, etc.
弒君(ㄕˋ ㄐㄩㄣ)regicide

弓部
ㄍㄨㄥ gōng

弓 1418
ㄍㄨㄥ gōng
1. a bow 2. bent; arching; arched
弓箭(ㄍㄨㄥ ㄐㄧㄢˋ)bow and arrow
弓箭手(ㄍㄨㄥ ㄐㄧㄢˋ ㄕㄡˇ)an archer
弓弦(ㄍㄨㄥ ㄒㄧㄢˊ)a bowstring

一畫

引 1419
ㄧㄣˇ yǐn
1. to pull; to attract 2. to guide 3. to introduce 4. to quote 5. to retire 6. a unit of length (=33 ⅓ meters) 7. to cause; to make
引爆(ㄧㄣˇ ㄅㄠˋ)to ignite
引導(ㄧㄣˇ ㄉㄠˇ)to guide; to lead
引退(ㄧㄣˇ ㄊㄨㄟˋ)to retire; to resign
引狼入室(ㄧㄣˇ ㄌㄤˊ ㄖㄨˋ ㄕˋ)to bring in a troublemaker
引力(ㄧㄣˇ ㄌㄧˋ)gravitation
引領而望(ㄧㄣˇ ㄌㄧㄥˇ ㄦˊ ㄨㄤˋ) to long for
引號(ㄧㄣˇ ㄏㄠˋ)a quotation mark
引吭高歌(ㄧㄣˇ ㄏㄤˊ ㄍㄠ ㄍㄜ)to sing aloud
引薦(ㄧㄣˇ ㄐㄧㄢˋ)to recommend
引進(ㄧㄣˇ ㄐㄧㄣˋ)① to recommend ② to introduce from elsewhere
引經據典(ㄧㄣˇ ㄐㄧㄥ ㄐㄩˋ ㄉㄧㄢˇ)①to quote from classics ② pedantic
引起(ㄧㄣˇ ㄑㄧˇ)to cause
引擎(ㄧㄣˇ ㄑㄧㄥˊ)an engine
引出(ㄧㄣˇ ㄔㄨ)to draw forth
引申(ㄧㄣˇ ㄕㄣ)to expound
引人注目(ㄧㄣˇ ㄖㄣˊ ㄓㄨˋ ㄇㄨˋ) noticeable
引人入勝(ㄧㄣˇ ㄖㄣˊ ㄖㄨˋ ㄕㄥˋ) (said of books) absorbing
引以為戒(ㄧㄣˇ ㄧˇ ㄨㄟˊ ㄐㄧㄝˋ)to learn a lesson (from a previous error)
引誘(ㄧㄣˇ ㄧㄡˋ)to lure; to seduce
引言(ㄧㄣˇ ㄧㄢˊ)a foreword
引文(ㄧㄣˇ ㄨㄣˊ)a quotation
引用(ㄧㄣˇ ㄩㄥˋ)to quote

弔 1420
(吊) ㄉㄧㄠˋ diào
1. to condole; to console 2. to mourn 3. to hang; to suspend; suspended
弔燈(ㄉㄧㄠˋ ㄉㄥ) a low-hanging ceiling lamp
弔祭(ㄉㄧㄠˋ ㄐㄧˋ)to mourn over (somebody's death)
弔橋(ㄉㄧㄠˋ ㄑㄧㄠˊ)①a suspension bridge ②a drawbridge over the moat
弔銷(ㄉㄧㄠˋ ㄒㄧㄠ)to withdraw
弔銷執照 (ㄉㄧㄠˋ ㄒㄧㄠ ㄓˊ ㄓㄠˋ) to withdraw a license
弔牀(ㄉㄧㄠˋ ㄔㄨㄤˊ)a hammock
弔扇(ㄉㄧㄠˋ ㄕㄢˋ)a ceiling fan
弔死(ㄉㄧㄠˋ ㄙˇ)to hang (a criminal)
弔喪(ㄉㄧㄠˋ ㄙㄤ)or弔唁(ㄉㄧㄠˋ ㄧㄢˋ) to condole
弔兒郎當 (ㄉㄧㄠˋ ㄦ ㄌㄤˊ ㄉㄤ) to act irreverently
弔胃口(ㄉㄧㄠˋ ㄨㄟˋ ㄎㄡˇ)to tantalize

二畫

弗 1421
ㄈㄨˊ fú
not: 弗如 not as good as

弘 1422
ㄏㄨㄥˊ hóng
1. great; magnanimous; capacious 2. to enlarge; to broaden
弘大(ㄏㄨㄥˊ ㄉㄚˋ)great; immense
弘量(ㄏㄨㄥˊ ㄌㄧㄤˋ)generous
弘揚(ㄏㄨㄥˊ ㄧㄤˊ)to promote
弘願(ㄏㄨㄥˊ ㄩㄢˋ)great ambition

三畫

弛 1423
ㄕˇ shǐ (又讀 ㄔˊ chí)
to unstring; to relax; to neglect
弛緩(ㄕˇ ㄏㄨㄢˇ)to relax

四畫

弟 1424
1. ㄉㄧˋ dì
1. as in弟弟—a younger brother 2. a junior
弟兄(ㄉㄧˋ ㄒㄩㄥ)brothers
弟子(ㄉㄧˋ ㄗˇ)a disciple

弟 1424
2. (悌) ㄊㄧˋ tì
to show brotherly love

五畫

弦 1425
ㄒㄧㄢˊ xián
1. strings (of musical instruments, etc.) 2. the chord of an arc 3. the first or last quarter of a lunar month
弦外之音 (ㄒㄧㄢˊ ㄨㄞˋ ㄓ ㄧㄣ) overtones; implied meaning
弦樂隊 (ㄒㄧㄢˊ ㄩㄝˋ ㄉㄨㄟˋ) a string orchestra (or band)
弦樂器 (ㄒㄧㄢˊ ㄩㄝˋ ㄑㄧˋ) a stringed instrument

弧 1426
ㄏㄨˊ hú
1. a wooden bow 2. a segment of a circle
弧度(ㄏㄨˊ ㄉㄨˋ)circular measure
弧形(ㄏㄨˊ ㄒㄧㄥˊ)an arc; a curve

〔弓部〕

弨 1427 ㄔㄠ chāo
a bow

弩 1428 ㄋㄨˇ nǔ
as in 弩弓—a crossbow
弩手(ㄋㄨˇ ㄕㄡˇ)an archer

六畫

弭 1429 ㄇㄧˇ mǐ
1. to stop; to end 2. the ends of a bow
弭亂(ㄇㄧˇ ㄌㄨㄢˋ)to stop disturbance of a civil war

弮 1430 ㄑㄩㄢ quān
a bowstring

七畫

弰 1431 ㄕㄠ shāo
the ends of a bow

弱 1432 ㄖㄨㄛˋ ruò
1. weak; fragile; feeble 2. inferior 3. young 4. a little less than
弱點(ㄖㄨㄛˋ ㄉㄧㄢˇ)a weakness
弱者(ㄖㄨㄛˋ ㄓㄜˇ) the weak and the timid
弱視(ㄖㄨㄛˋ ㄕˋ)amblyopia
弱勢團體(ㄖㄨㄛˋ ㄕˋ ㄊㄨㄢˊ ㄊㄧˇ) an underprivileged group

八畫

張 1433 ㄓㄤ zhāng
1. to open; to stretch; to extend 2. to display 3. a sheet (of paper); a leaf (of a book) 4. a Chinese family name
張貼(ㄓㄤ ㄊㄧㄝ) to paste up (labels, posters, etc.)
張力(ㄓㄤ ㄌㄧˋ)tensile strength
張羅(ㄓㄤ ㄌㄨㄛˊ)①to raise funds ②to serve guests ③to take care of
張冠李戴(ㄓㄤ ㄍㄨㄢ ㄌㄧˇ ㄉㄞˋ)a mistake in identification
張開(ㄓㄤ ㄎㄞ)to open
張口結舌(ㄓㄤ ㄎㄡˇ ㄐㄧㄝˊ ㄕㄜˊ) agape and tongue-tied
張惶失措(ㄓㄤ ㄏㄨㄤˊ ㄕ ㄘㄨㄛˋ)to lose composure
張揚(ㄓㄤ ㄧㄤˊ)to make widely known
張望(ㄓㄤ ㄨㄤˋ)to look around

強 1434 1. (强、彊) ㄑㄧㄤˊ qiáng
1. strong; powerful; vigorous 2. better 3. violent
強暴(ㄑㄧㄤˊ ㄅㄠˋ)rape
強大(ㄑㄧㄤˊ ㄉㄚˋ)powerful and strong
強盜(ㄑㄧㄤˊ ㄉㄠˋ)a robber
強敵(ㄑㄧㄤˊ ㄉㄧˊ)a powerful foe
強調(ㄑㄧㄤˊ ㄉㄧㄠˋ)to emphasize
強度(ㄑㄧㄤˊ ㄉㄨˋ)intensity
強力膠(ㄑㄧㄤˊ ㄌㄧˋ ㄐㄧㄠ)glue
強烈(ㄑㄧㄤˊ ㄌㄧㄝˋ)violent; strong
強國(ㄑㄧㄤˊ ㄍㄨㄛˊ)a powerful country
強悍(ㄑㄧㄤˊ ㄏㄢˋ)fierce; truculent
強化(ㄑㄧㄤˊ ㄏㄨㄚˋ)to strengthen
強加(ㄑㄧㄤˊ ㄐㄧㄚ)to impose
強姦(ㄑㄧㄤˊ ㄐㄧㄢ)to rape
強勁(ㄑㄧㄤˊ ㄐㄧㄥˋ)powerful
強權(ㄑㄧㄤˊ ㄑㄩㄢˊ)brute force
強心劑(ㄑㄧㄤˊ ㄒㄧㄣ ㄐㄧˋ) a heart stimulant
強行(ㄑㄧㄤˊ ㄒㄧㄥˊ)to force
強壯(ㄑㄧㄤˊ ㄓㄨㄤˋ)vigorous
強盛(ㄑㄧㄤˊ ㄕㄥˋ)(said of a nation, etc.) strong and prosperous
強人(ㄑㄧㄤˊ ㄖㄣˊ)a powerful person
強硬(ㄑㄧㄤˊ ㄧㄥˋ)strong; tough; stiff

強 1434 2. (强、彊) ㄑㄧㄤˇ qiǎng
1. to force 2. to make an effort
強逼(ㄑㄧㄤˇ ㄅㄧ) or 強迫(ㄑㄧㄤˇ ㄆㄛˋ) to force (one to do something)
強辯(ㄑㄧㄤˇ ㄅㄧㄢˋ)to obstinately stick to false reasoning
強迫降落(ㄑㄧㄤˇ ㄆㄛˋ ㄐㄧㄤˋ ㄌㄨㄛˋ) a forced landing
強記(ㄑㄧㄤˇ ㄐㄧˋ) to force oneself to memorize
強求(ㄑㄧㄤˇ ㄑㄧㄡˊ)to demand
強取(ㄑㄧㄤˇ ㄑㄩˇ)to take by force
強制(ㄑㄧㄤˇ ㄓˋ)forcible; to force
強佔(ㄑㄧㄤˇ ㄓㄢˋ)to occupy forcibly
強人所難(ㄑㄧㄤˇ ㄖㄣˊ ㄙㄨㄛˇ ㄋㄢˊ) to impose a difficult task on someone
強詞奪理(ㄑㄧㄤˇ ㄘˊ ㄉㄨㄛˊ ㄌㄧˇ) to argue irrationally
強顏歡笑(ㄑㄧㄤˇ ㄧㄢˊ ㄏㄨㄢ ㄒㄧㄠˋ) to force a smile

強 1434 3. (强、彊) ㄐㄧㄤˋ jiàng
inflexible; obstinate; stubborn
強脾氣(ㄐㄧㄤˋ ㄆㄧˊ ˙ㄑㄧ)an obstinate disposition

九畫

弼 1435 ㄅㄧˋ bì
1. a device for regulating bows 2. to correct 3. to assist; to aid

十畫

彀 1436 ㄍㄡˋ gòu
1. to draw a bow to the full 2. a trap; a snare 3. sufficient

十二畫

彈 1437
1. ㄉㄢˋ dàn
a pellet; a bullet; a bomb
彈道飛彈(ㄉㄢˋ ㄉㄠˋ ㄈㄟ ㄉㄢˋ)a ballistic missile
彈弓(ㄉㄢˋ ㄍㄨㄥ)a slingshot
彈殼(ㄉㄢˋ ㄎㄜˊ) an empty cartridge case
彈匣(ㄉㄢˋ ㄒㄧㄚˊ)(military) a magazine
彈子房(ㄉㄢˋ ·ㄗ ㄈㄤˊ)a billiard room
彈藥庫(ㄉㄢˋ ㄧㄠˋ ㄎㄨˋ) an ammunition depot
彈丸之地(ㄉㄢˋ ㄨㄢˊ ㄓ ㄉㄧˋ) a very small piece of land

彈 1437
2. ㄊㄢˊ tán
1. to rebound 2. to play (a stringed instrument sounded by snapping action) 3. to impeach
彈鋼琴(ㄊㄢˊ ㄍㄤ ㄑㄧㄣˊ)to play the piano
彈劾(ㄊㄢˊ ㄏㄜˊ)to impeach
彈劾權(ㄊㄢˊ ㄏㄜˊ ㄑㄩㄢˊ)the power to impeach
彈簧(ㄊㄢˊ ㄏㄨㄤˊ)a spring
彈簧墊(ㄊㄢˊ ㄏㄨㄤˊ ㄉㄧㄢˋ)a trampoline
彈性(ㄊㄢˊ ㄒㄧㄥˋ)elasticity
彈奏(ㄊㄢˊ ㄗㄡˋ)to play (a stringed musical instrument)

彆 1438
ㄅㄧㄝˋ biè
awkward
彆扭(ㄅㄧㄝˋ ㄋㄧㄡˇ) awkward; refractory

十四畫

彌 1439
ㄇㄧˊ mí
1. to fill; to complete 2. more
彌補(ㄇㄧˊ ㄅㄨˇ)to supplement
彌漫(ㄇㄧˊ ㄇㄢˋ)to fill the air
彌撒(ㄇㄧˊ ㄙㄚ)(Catholic) a Mass
彌月(ㄇㄧˊ ㄩㄝˋ)the completion of the first month after birth of a child

十九畫

彎 1440
ㄨㄢ wān
to bend; to curve
彎曲(ㄨㄢ ㄑㄩ)bent; curved
彎彎曲曲(ㄨㄢ ㄨㄢ ㄑㄩ ㄑㄩ)having many bends or curves

彐部 ㄐㄧˋ jì

五畫

彔 1441
ㄌㄨˋ lù
1. to carve wood 2. an abbreviated form of 祿

六畫

彖 1442
ㄊㄨㄢˋ tuàn
1. a chapter of generalization on divination in the *Book of Changes* 2. a hog; a hedgehog

八畫

彗 1443
ㄏㄨㄟˋ huì
1. a broom 2. as in 彗星—a comet 3. to expose to sunlight

九畫

彘 1444
ㄓˋ zhì
a hog; a pig; a swine

十畫

彙 1445
ㄏㄨㄟˋ huì
1. a category 2. to classify 3. to collect (materials, data, etc.)
彙編(ㄏㄨㄟˋ ㄅㄧㄢ)to edit
彙集(ㄏㄨㄟˋ ㄐㄧˊ)to collect

十五畫

彝 1446
(彜) ㄧˊ yí
1. a vessel for wine 2. laws or regulations 3. normal nature 4. regular 5. the vessels used in ceremonies at temples, etc., such as tripods, etc.

彡部 ㄕㄢ shān

四畫

彤 1447
ㄊㄨㄥˊ tóng
red; vermilion: 彤雲 red clouds

形 1448
(形) ㄒㄧㄥˊ xíng
1. a form; a shape; a figure 2. a complexion 3. a terrain 4. to describe 5. in comparison 6. to show
形態(ㄒㄧㄥˊ ㄊㄞˋ)a form
形體(ㄒㄧㄥˊ ㄊㄧˇ) the human body

which has a form or shape
形同虛設(ㄒㄧㄥˊ ㄊㄨㄥˊ ㄒㄩ ㄕㄜˋ)to exist in name only
形骸 (ㄒㄧㄥˊ ㄏㄞˊ) one's body or skeleton
形跡 or 形迹(ㄒㄧㄥˊ ㄐㄧ)one's behavior or conduct
形跡可疑(ㄒㄧㄥˊ ㄐㄧ ㄎㄜˇ ㄧˊ)behavior or a manner that arouses suspicion
形象 (ㄒㄧㄥˊ ㄒㄧㄤˋ) a form; an appearance
形狀 (ㄒㄧㄥˊ ㄓㄨㄤˋ) the form or shape of a thing
形成(ㄒㄧㄥˊ ㄔㄥˊ)to form; to take shape
形式(ㄒㄧㄥˊ ㄕˋ)① formality ② style
形式上(ㄒㄧㄥˊ ㄕˋ ·ㄕㄤ)nominally
形容(ㄒㄧㄥˊ ㄖㄨㄥˊ)to describe
形容詞(ㄒㄧㄥˊ ㄖㄨㄥˊ ㄘˊ)an adjective
形蹤 (ㄒㄧㄥˊ ㄗㄨㄥ) the traces of a person
形似(ㄒㄧㄥˊ ㄙˋ)to resemble
形而上學(ㄒㄧㄥˊ ㄦˊ ㄕㄤˋ ㄒㄩㄝˊ)metaphysics
形影相隨 (ㄒㄧㄥˊ ㄧㄥˇ ㄒㄧㄤ ㄙㄨㄟˊ) very intimate

[彳部]

六畫

彥 1449
ㄧㄢˋ yàn
a man of ability and virtue; an erudite scholar

七畫

彧 1450
ㄩˋ yù
refined, learned and accomplished; abundant

八畫

彫 1451
(雕) ㄉㄧㄠ diāo
1. to tattoo; to carve; to engrave 2. to wither; emaciated 3. to adorn or decorate

彩 1452
ㄘㄞˇ cǎi
1. colors; variegated colors 2. special feats or stunts in Chinese operas 3. ornamental; brilliant 4. prize money
彩排(ㄘㄞˇ ㄆㄞˊ)a dress rehearsal
彩票(ㄘㄞˇ ㄆㄧㄠˋ)a lottery ticket
彩帶 (ㄘㄞˇ ㄉㄞˋ) a colored ribbon (or streamer)
彩繪(ㄘㄞˇ ㄏㄨㄟˋ)a colored drawing or pattern
彩虹(ㄘㄞˇ ㄏㄨㄥˊ)a rainbow
彩色(ㄘㄞˇ ㄙㄜˋ)color (film, etc.)
彩色電視 (ㄘㄞˇ ㄙㄜˋ ㄉㄧㄢˋ ㄕˋ) color television
彩色軟片 (ㄘㄞˇ ㄙㄜˋ ㄖㄨㄢˇ ㄆㄧㄢˋ) color film

彬 1453
ㄅㄧㄣ bīn
intelligent, refined and gentle
彬彬有禮 (ㄅㄧㄣ ㄅㄧㄣ ㄧㄡˇ ㄌㄧˇ) refined and courteous; suave

彪 1454
ㄅㄧㄠ biāo
1. a tiger cub 2. stripes or streaks on the skin of a tiger 3. tall and big; outstanding
彪炳 (ㄅㄧㄠ ㄅㄧㄥˇ) splendid (achievements, etc.)
彪形大漢 (ㄅㄧㄠ ㄒㄧㄥˊ ㄉㄚˋ ㄏㄢˋ) a whale of a man

九畫

彭 1455
ㄆㄥˊ péng
1. a Chinese family name 2. big 3. longevity 4. proud

十一畫

彰 1456
ㄓㄤ zhāng
1. ornamental; colorful 2. evident; obvious 3. to manifest; to display
彰顯(ㄓㄤ ㄒㄧㄢˇ)to manifest

十二畫

影 1457
ㄧㄥˇ yǐng
1. a shadow; an image 2. a trace 3. to copy and imitate 4. to hide 5. a sundial
影本(ㄧㄥˇ ㄅㄣˇ)a facsimile edition
影片(ㄧㄥˇ ㄆㄧㄢˋ)movies
影評(ㄧㄥˇ ㄆㄧㄥˊ)film criticism
影迷(ㄧㄥˇ ㄇㄧˊ)a movie fan
影碟片(ㄧㄥˇ ㄉㄧㄝˊ ㄆㄧㄢˋ)a videodisk
影壇(ㄧㄥˇ ㄊㄢˊ)moviedom
影集(ㄧㄥˇ ㄐㄧˊ)a miniseries
影劇界 (ㄧㄥˇ ㄐㄩˋ ㄐㄧㄝˋ) the entertainment world
影響(ㄧㄥˇ ㄒㄧㄤˇ)influence; effect
影像(ㄧㄥˇ ㄒㄧㄤˋ)an image
影星(ㄧㄥˇ ㄒㄧㄥ)a movie star
影展(ㄧㄥˇ ㄓㄢˇ)a film festival
影射(ㄧㄥˇ ㄕㄜˋ)to hint by association
影子(ㄧㄥˇ ·ㄗ)a shadow
影印 (ㄧㄥˇ ㄧㄣˋ) ①photogravure ②to xerox
影印本 (ㄧㄥˇ ㄧㄣˋ ㄅㄣˇ) a photolithographic edition

彳部
ㄔˋ chì

彳 1458
ㄔˋ chì
1. short steps or paces 2. a step

taken with the left foot 3. a phonetic sign for "ch"

四畫

彷 1459
1. ㄆㄤˊ páng
hesitating; unsettled
彷徨(ㄆㄤˊ ㄏㄨㄤˊ) to hesitate; undecided

彷 1459
2. ㄈㄤˇ fǎng
like; similar to; to resemble
彷彿(ㄈㄤˇ ㄈㄨˊ)to seem; as if

役 1460
ㄧˋ yì
1. military service 2. to guard the frontier 3. to dispatch 4. to employ as a servant 5. to serve; a servant 6. to do; to undertake
役男(ㄧˋ ㄋㄢˊ)the male citizens between 18 and 45 who are eligible for military service

五畫

彼 1461
ㄅㄧˇ bǐ
1. that; those 2. the other; another 3. there
彼此(ㄅㄧˇ ㄘˇ)each other
彼此之間(ㄅㄧˇ ㄘˇ ㄓ ㄐㄧㄢ)between two persons or parties
彼一時此一時(ㄅㄧˇ ㄧˋ ㄕˊ ㄘˇ ㄧˋ ㄕˊ) Different times call for different actions.

往 1462
1. ㄨㄤˇ wǎng
1. to go toward; to depart; to be bound for 2. formerly; past; bygone
往返(ㄨㄤˇ ㄈㄢˇ)to make a round trip
往年(ㄨㄤˇ ㄋㄧㄢˊ)in the years past
往來(ㄨㄤˇ ㄌㄞˊ)to go and return
往後(ㄨㄤˇ ㄏㄡˋ) ①backward ②in the future
往昔(ㄨㄤˇ ㄒㄧˊ)in the past
往常(ㄨㄤˇ ㄔㄤˊ)usually; used to
往事 (ㄨㄤˇ ㄕˋ) things that have come to pass
往日(ㄨㄤˇ ㄖˋ)in the past
往往(ㄨㄤˇ ㄨㄤˇ)usually; often
往往如此(ㄨㄤˇ ㄨㄤˇ ㄖㄨˊ ㄘˇ)usually like that

往 1462
2. ㄨㄤˋ wàng
an adverb indicating time or direction
往好處想 (ㄨㄤˋ ㄏㄠˇ ㄔㄨˋ ㄒㄧㄤˇ) to think of the better possibilities of a situation, etc.
往前看(ㄨㄤˋ ㄑㄧㄢˊ ㄎㄢˋ) to look forward
往下說(ㄨㄤˋ ㄒㄧㄚˋ ㄕㄨㄛ)to talk on 或 Go ahead.

征 1463
ㄓㄥ zhēng
1. to journey far away 2. to attack; to conquer 3. to levy taxes 4. to snatch
征伐(ㄓㄥ ㄈㄚˊ)to battle
征服(ㄓㄥ ㄈㄨˊ)to conquer
征討(ㄓㄥ ㄊㄠˇ)to subjugate
征收 (ㄓㄥ ㄕㄡ) to levy and collect (taxes)

徂 1464
ㄘㄨˊ cú
1. the preposition "to" 2. to die 3. past

彿 1465
ㄈㄨˊ fú
like; similar to; as if

六畫

待 1466
1. ㄉㄞˋ dài
1. to treat; to entertain 2. to await; to wait for 3. need 4. until
待命(ㄉㄞˋ ㄇㄧㄥˋ)to await orders
待客(ㄉㄞˋ ㄎㄜˋ)to entertain guests
待價而沽(ㄉㄞˋ ㄐㄧㄚˋ ㄦˊ ㄍㄨ) to wait for the right (favorable) price to sell
待續(ㄉㄞˋ ㄒㄩˋ)to be continued
待查(ㄉㄞˋ ㄔㄚˊ)yet to be investigated
待人接物(ㄉㄞˋ ㄖㄣˊ ㄐㄧㄝ ㄨˋ)the way one treats people
待字閨中(ㄉㄞˋ ㄗˋ ㄍㄨㄟ ㄓㄨㄥ)(said of a young woman) not betrothed yet
待遇(ㄉㄞˋ ㄩˋ)salary

待 1466
2. ㄉㄞ dāi
1. to stay 2. later
待不住 (ㄉㄞ ·ㄅㄨ ㄓㄨˋ) can't or won't stay long
待一會兒(ㄉㄞ ㄧˋ ㄏㄨㄜˇㄦ)just a little while

徇 1467
1. (殉) ㄒㄩㄣˋ xùn
1. to display 2. to issue orders in the army 3. to follow 4. quick 5. to die for a cause
徇難(ㄒㄩㄣˋ ㄋㄢˋ) to die for one's country

徇 1467
2. ㄒㄩㄣˊ xún
1. pervading 2. to profit
徇私(ㄒㄩㄣˊ ㄙ)nepotism
徇私舞弊 (ㄒㄩㄣˊ ㄙ ㄨˇ ㄅㄧˋ) to play favoritism and commit irregularities

很 1468
ㄏㄣˇ hěn
1. very; quite 2. fierce 3. disobedient 4. quarrel

徉 1469
ㄧㄤˊ yáng
1. to stray; to roam 2. hesitating; unsettled

徊 1470
ㄏㄨㄞˊ huái
(又讀 ㄏㄨㄟˊ huí)

〔彳部〕

〔彳部〕

1. hesitating; indecisive 2. to walk around

律 1471
ㄌㄩˋ lǜ

1. a law; a rule; a regulation 2. to bind by law; to discipline 3. a form in Chinese poetry— a stanza of eight lines

律令(ㄌㄩˋ ㄌㄧㄥˋ)orders given according to law
律己(ㄌㄩˋ ㄐㄧˇ)self-restraint
律師(ㄌㄩˋ ㄕ)a lawyer
律師事務所(ㄌㄩˋ ㄕ ㄕˋ ㄨˋ ㄙㄨㄛˇ) a lawyer's office

後 1472
ㄏㄡˋ hòu

1. behind; at the back of 2. afterwards; to come after 3. descendants; posterity 4. an auxiliary to indicate "then" or "afterwards"

後備軍人 (ㄏㄡˋ ㄅㄟˋ ㄐㄩㄣ ㄖㄣˊ) military reservists
後半生(ㄏㄡˋ ㄅㄢˋ ㄕㄥ)the latter half of one's life
後補(ㄏㄡˋ ㄅㄨˇ)to replenish
後排(ㄏㄡˋ ㄆㄞˊ)a back row
後門(ㄏㄡˋ ㄇㄣˊ)the back door
後面(ㄏㄡˋ •ㄇㄧㄢ)behind
後代(ㄏㄡˋ ㄉㄞˋ)descendants
後盾(ㄏㄡˋ ㄉㄨㄣˋ)a support(er)
後臺(ㄏㄡˋ ㄊㄞˊ)① a backstage ② (usually in politics) one's backing
後頭(ㄏㄡˋ •ㄊㄡ)① behind ② days to come
後天 (ㄏㄡˋ ㄊㄧㄢ) the day after tomorrow
後退(ㄏㄡˋ ㄊㄨㄟˋ)to withdraw
後年(ㄏㄡˋ ㄋㄧㄢˊ)the year after next
後來(ㄏㄡˋ ㄌㄞˊ)then; afterwards
後路(ㄏㄡˋ ㄌㄨˋ)a road for retreat
後顧之憂 (ㄏㄡˋ ㄍㄨˋ ㄓ ㄧㄡ) the worries behind
後果(ㄏㄡˋ ㄍㄨㄛˇ)consequences
後悔(ㄏㄡˋ ㄏㄨㄟˇ)to regret; remorse
後會有期 (ㄏㄡˋ ㄏㄨㄟˋ ㄧㄡˇ ㄑㄧˊ) See you again.
後患無窮 (ㄏㄡˋ ㄏㄨㄢˋ ㄨˊ ㄑㄩㄥˊ) an endless flow of disastrous aftermath
後記(ㄏㄡˋ ㄐㄧˋ)a postscript
後期 (ㄏㄡˋ ㄑㄧˊ) the latter part of an era
後勤(ㄏㄡˋ ㄑㄧㄣˊ)logistic service in the rear
後現代主義 (ㄏㄡˋ ㄒㄧㄢˋ ㄉㄞˋ ㄓㄨˇ ㄧˋ) postmodernism
後序(ㄏㄡˋ ㄒㄩˋ)an epilogue
後者(ㄏㄡˋ ㄓㄜˇ)the latter
後世(ㄏㄡˋ ㄕˋ)descendants
後坐力(ㄏㄡˋ ㄗㄨㄛˋ ㄌㄧˋ)recoil
後遺症(ㄏㄡˋ ㄧˊ ㄓㄥˋ)aftereffect
後裔(ㄏㄡˋ ㄧˋ)descendants
後援(ㄏㄡˋ ㄩㄢˊ)support
後院(ㄏㄡˋ ㄩㄢˋ)a backyard

七畫

徐 1473
ㄒㄩˊ xú

1. slow; calm 2. a Chinese family name

徐步(ㄒㄩˊ ㄅㄨˋ)to walk slowly
徐緩(ㄒㄩˊ ㄏㄨㄢˇ)unhurriedly
徐徐(ㄒㄩˊ ㄒㄩˊ)slowly

徑 1474
ㄐㄧㄥˋ jìng

1. a shortcut 2. a diameter 3. to decide and proceed (to do something, etc.) without getting orders, etc.

徑自(ㄐㄧㄥˋ ㄗˋ)without leave
徑賽(ㄐㄧㄥˋ ㄙㄞˋ) (sports) track events

徒 1475
ㄊㄨˊ tú

1. disciples; followers; pupils 2. a crowd; a gang 3. to go on foot 4. a punishment 5. only; in vain 6. empty, as empty-handed 7. foot soldiers

徒步(ㄊㄨˊ ㄅㄨˋ)to go on foot
徒步區(ㄊㄨˊ ㄅㄨˋ ㄑㄩ)a walking area
徒弟(ㄊㄨˊ ㄉㄧˋ)a disciple
徒勞無功(ㄊㄨˊ ㄌㄠˊ ㄨˊ ㄍㄨㄥ)to labor in vain
徒刑(ㄊㄨˊ ㄒㄧㄥˊ)a prison term
徒手(ㄊㄨˊ ㄕㄡˇ)barehanded; unarmed
徒增(ㄊㄨˊ ㄗㄥ)to increase (cost, etc.) without gaining advantage of any kind
徒擁虛名 (ㄊㄨˊ ㄩㄥˇ ㄒㄩ ㄇㄧㄥˊ) to have an undeserved reputation

八畫

得 1476
1. ㄉㄜˊ dé

1. to get; to obtain; to effect; to win 2. complacent 3. agreement; harmony 4. can; may; to be able to 5. All right! 或 That's enough!

得標(ㄉㄜˊ ㄅㄧㄠ) (in an open tender) to win the contract
得不到(ㄉㄜˊ •ㄅㄨ ㄉㄠˋ)cannot get
得不償失 (ㄉㄜˊ ㄅㄨˋ ㄔㄤˊ ㄕ) not worth the effort
得票(ㄉㄜˊ ㄆㄧㄠˋ)to gain votes
得分(ㄉㄜˊ ㄈㄣ)to score
得到(ㄉㄜˊ ㄉㄠˋ)to succeed in getting
得當(ㄉㄜˊ ㄉㄤˋ)appropriate
得體(ㄉㄜˊ ㄊㄧˇ)proper (behavior, etc.)
得天獨厚 (ㄉㄜˊ ㄊㄧㄢ ㄉㄨˊ ㄏㄡˋ) to be endowed by nature
得力(ㄉㄜˊ ㄌㄧˋ)①capable(assistants, etc.) ② to get help from
得空兒(ㄉㄜˊ ㄎㄨㄥˋㄦ)at leisure
得救(ㄉㄜˊ ㄐㄧㄡˋ)to be saved
得獎(ㄉㄜˊ ㄐㄧㄤˇ)to win a prize

得閒(ㄉㄜˊ ㄒㄧㄢˊ) to get leisure or find leisure for
得心應手(ㄉㄜˊ ㄒㄧㄣ ㄧㄥˋ ㄕㄡˇ) to show facility
得知(ㄉㄜˊ ㄓ)to have learned
得志(ㄉㄜˊ ㄓˋ)to have one's ambition fulfilled
得逞(ㄉㄜˊ ㄔㄥˇ)to succeed
得寵(ㄉㄜˊ ㄔㄨㄥˇ)to be favored
得失(ㄉㄜˊ ㄕ)gain and loss
得勢(ㄉㄜˊ ㄕˋ) to be in a powerful position
得勝(ㄉㄜˊ ㄕㄥˋ)to win
得罪(ㄉㄜˊ ㄗㄨㄟˋ) ①to offend ②to violate the law
得宜(ㄉㄜˊ ㄧˊ)appropriate
得意(ㄉㄜˊ ㄧˋ)to be very satisfied
得意忘形(ㄉㄜˊ ㄧˋ ㄨㄤˋ ㄒㄧㄥˊ) to be carried away by one's success

得 1476
2. ㄉㄟˇ děi
1.must; should; ought to 2.to need; to take

得 1476
3. ˙ㄉㄜ de
an adverbial expletive

徘 1477
ㄆㄞˊ pái
1.hesitating; irresolute; indecisive 2. to walk to and fro; to move around
徘徊(ㄆㄞˊ ㄏㄨㄞˊ)① to linger ②hesitating ③to fluctuate

徜 1478
ㄔㄤˊ cháng
going to and fro; lingering; loitering
徜徉(ㄔㄤˊ ㄧㄤˊ)lingering

徙 1479
ㄒㄧˇ xǐ
1. to move one's abode; to migrate; to shift 2. to be exiled
徙居(ㄒㄧˇ ㄐㄩ)to migrate
徙移(ㄒㄧˇ ㄧˊ)to move

從 1480
1. (从) ㄘㄨㄥˊ cóng
1. from; by; whence; through 2. to undertake; to manage; to engage in 3. to listen to; to obey 4. a follower
從不(ㄘㄨㄥˊ ㄅㄨˋ)never
從旁(ㄘㄨㄥˊ ㄆㄤˊ)from the side
從頭至尾(ㄘㄨㄥˊ ㄊㄡˊ ㄓˋ ㄨㄟˇ)from beginning to end
從天而降(ㄘㄨㄥˊ ㄊㄧㄢ ㄦˊ ㄐㄧㄤˋ)very unexpectedly
從來(ㄘㄨㄥˊ ㄌㄞˊ)from the beginning
從略(ㄘㄨㄥˊ ㄌㄩㄝˋ)to omit
從寬(ㄘㄨㄥˊ ㄎㄨㄢ)to be lenient
從簡(ㄘㄨㄥˊ ㄐㄧㄢˇ)(said of ceremonies) to be simple
從今以後(ㄘㄨㄥˊ ㄐㄧㄣ ㄧˇ ㄏㄡˋ) from now on
從軍(ㄘㄨㄥˊ ㄐㄩㄣ)to enlist oneself in military service
從前(ㄘㄨㄥˊ ㄑㄧㄢˊ)once upon a time
從小(ㄘㄨㄥˊ ㄒㄧㄠˇ) from one's childhood
從新做人(ㄘㄨㄥˊ ㄒㄧㄣ ㄗㄨㄛˋ ㄖㄣˊ) (said of a criminal, etc.)to start one's life anew
從政(ㄘㄨㄥˊ ㄓㄥˋ) to become a government official
從中(ㄘㄨㄥˊ ㄓㄨㄥ) in the process (of doing something)
從長計議(ㄘㄨㄥˊ ㄔㄤˊ ㄐㄧˋ ㄧˋ)to take time to make careful deliberations
從事(ㄘㄨㄥˊ ㄕˋ)to be engaged in
從屬(ㄘㄨㄥˊ ㄕㄨˇ)subordinate
從早到晚(ㄘㄨㄥˊ ㄗㄠˇ ㄉㄠˋ ㄨㄢˇ)from morning till night
從速辦理(ㄘㄨㄥˊ ㄙㄨˋ ㄅㄢˋ ㄌㄧˇ) to expedite the execution
從未(ㄘㄨㄥˊ ㄨㄟˋ)to have never

從 1480
2. (从) ㄗㄨㄥˋ zòng
1. entourage; an attendant; a servant 2. the relation other than one's direct blood relatives 3. as in 從犯—an accessory 4. vice or deputy

從 1480
3. ㄘㄨㄥ cōng
1. lax; easy 2. plentiful; abundant 3. to urge; to persuade strongly
從容(ㄘㄨㄥ ㄖㄨㄥˊ)unhurried
從容不迫(ㄘㄨㄥ ㄖㄨㄥˊ ㄅㄨˋ ㄆㄛˋ)in an unhurried or leisurely manner

從 1480
4. (縱) ㄗㄨㄥ zōng
from north to south

徠 1481
ㄌㄞˊ lái
the ancient version of 來

御 1482
ㄩˋ yù
1.to drive a chariot or carriage 2.a driver; an attendant 3. to resist; to keep out 4. to control; to manage; to tame (a shrew) 5. imperial 6. to wait on; to set before, as food
御花園(ㄩˋ ㄏㄨㄚ ㄩㄢˊ)an imperial garden
御旨(ㄩˋ ㄓˇ)an imperial decree
御者(ㄩˋ ㄓㄜˇ)an attendant
御膳房(ㄩˋ ㄕㄢˋ ㄈㄤˊ) the imperial kitchen
御賜(ㄩˋ ㄙˋ)bestowed by the emperor
御醫(ㄩˋ ㄧ)the emperor's physician
御宴(ㄩˋ ㄧㄢˋ)a royal feast

九畫

徧 1483
ㄅㄧㄢˋ biàn
(語音 ㄆㄧㄢˋ piàn)
1.everywhere; all over 2.the whole

〔彳部〕

(world, etc.)
偏佈(ㄅㄧㄢ ㄅㄨˋ)everywhere
偏地(ㄅㄧㄢ ㄉㄧˋ)everywhere
偏體鱗傷 (ㄅㄧㄢ ㄊㄧˇ ㄌㄧㄣˊ ㄕㄤ) to suffer injuries all over one's body
偏及(ㄅㄧㄢ ㄐㄧˊ)all over

徨 1484 ㄏㄨㄤˊ huáng

1. agitated; alarmed 2. irresolute
徨徨(ㄏㄨㄤˊ ㄏㄨㄤˊ) alarmed and anxious

復 1485 ㄈㄨˋ fù

1. to return; to come back 2. to answer; to reply 3. to repeat; again 4. to recover; a recovery 5. to return to a normal or original state
復命 (ㄈㄨˋ ㄇㄧㄥˋ) to report to a superior or elder after completing an assigned mission
復發 (ㄈㄨˋ ㄈㄚ) (said of illness) to relapse
復電(ㄈㄨˋ ㄉㄧㄢˋ)to cable a reply
復古(ㄈㄨˋ ㄍㄨˇ)to revive old customs, etc.
復刊(ㄈㄨˋ ㄎㄢ)to resume publication
復合(ㄈㄨˋ ㄏㄜˊ)to reunite
復函 (ㄈㄨˋ ㄏㄢˊ) to write a letter in reply
復活(ㄈㄨˋ ㄏㄨㄛˊ)to revive
復活節(ㄈㄨˋ ㄏㄨㄛˊ ㄐㄧㄝˊ)Easter
復健(ㄈㄨˋ ㄐㄧㄢˋ)rehabilitation
復健中心 (ㄈㄨˋ ㄐㄧㄢˋ ㄓㄨㄥ ㄒㄧㄣ) a rehabilitation center
復習 (ㄈㄨˋ ㄒㄧˊ) to review lessons learned 亦作「複習」
復興(ㄈㄨˋ ㄒㄧㄥ)a revival; a return to prosperity renaissance; to revive
復學(ㄈㄨˋ ㄒㄩㄝˊ)to go back to school
復職(ㄈㄨˋ ㄓˊ)to reinstate an official to his former position
復診(ㄈㄨˋ ㄓㄣˇ)visits to a doctor, hospital, etc. after the first visit for the treatment of the same disease
復查(ㄈㄨˋ ㄔㄚˊ)to check; to reexamine
復仇(ㄈㄨˋ ㄔㄡˊ)to avenge
復出(ㄈㄨˋ ㄔㄨ)to come out again
復審(ㄈㄨˋ ㄕㄣˇ)①to reexamine ② (law) to review a case
復甦 (ㄈㄨˋ ㄙㄨ) (said of vegetation) to come to life again
復原 (ㄈㄨˋ ㄩㄢˊ) to return to the original state

循 1486 ㄒㄩㄣˊ xún

1. to follow 2. to procrastinate 3. in orderly fashion 4. to inspect
循名責實(ㄒㄩㄣˊ ㄇㄧㄥˊ ㄗㄜˊ ㄕˊ)to do things in a pragmatic manner
循理(ㄒㄩㄣˊ ㄌㄧˇ)in accordance with reason, rules, or common practices
循例(ㄒㄩㄣˊ ㄌㄧˋ)according to rules
循規蹈矩 (ㄒㄩㄣˊ ㄍㄨㄟ ㄉㄠˋ ㄐㄩˇ) to observe all rules and regulations
循環(ㄒㄩㄣˊ ㄏㄨㄢˊ)to circulate
循環賽 (ㄒㄩㄣˊ ㄏㄨㄢˊ ㄙㄞˋ) a round robin
循序漸進(ㄒㄩㄣˊ ㄒㄩˋ ㄐㄧㄢˋ ㄐㄧㄣˋ) to follow in proper sequence and make gradual progress

十畫

徬 1487 ㄆㄤˊ páng

anxious, agitated and indecisive
徬徨(ㄆㄤˊ ㄏㄨㄤˊ)to be anxious, agitated and not knowing what to do

徭 1488 ㄧㄠˊ yáo

compulsory labor service; conscript labor
徭役(ㄧㄠˊ ㄧˋ)compulsory labor service

徯 1489 ㄒㄧ xī

1. to wait for; to expect 2. as in 徯徑—a narrow path; a shortcut

微 1490 ㄨㄟˊ wéi (又讀 ㄨㄟ wēi)

1. small; trifling; little; slight 2. low; mean; humble 3. a polite expression for "I, my, me" 4. weak; feeble 5. subtle 6. obscure 7. concealed 8. to spy 9. if not
微波爐 (ㄨㄟˊ ㄅㄛ ㄌㄨˊ) a microwave oven
微薄(ㄨㄟˊ ㄅㄛˊ)low; trifling
微不足道(ㄨㄟˊ ㄅㄨˋ ㄗㄨˊ ㄉㄠˋ)insignificant
微妙(ㄨㄟˊ ㄇㄧㄠˋ)delicate (relations)
微風(ㄨㄟˊ ㄈㄥ)a breeze
微電腦 (ㄨㄟˊ ㄉㄧㄢˋ ㄋㄠˇ) a microcomputer
微量(ㄨㄟˊ ㄌㄧㄤˋ)trace; micro
微乎其微(ㄨㄟˊ ㄏㄨ ㄑㄧˊ ㄨㄟˊ) an iota; very little
微積分(ㄨㄟˊ ㄐㄧ ㄈㄣ)calculus
微血管(ㄨㄟˊ ㄒㄧㄝˇ ㄍㄨㄢˇ) (anatomy) capillaries
微小(ㄨㄟˊ ㄒㄧㄠˇ)diminutive
微笑(ㄨㄟˊ ㄒㄧㄠˋ)to smile
微震(ㄨㄟˊ ㄓㄣˋ)an earthquake of low intensity
微處理機 (ㄨㄟˊ ㄔㄨˇ ㄌㄧˇ ㄐㄧ) (computer) a microprocessor
微生物(ㄨㄟˊ ㄕㄥ ㄨˋ)microbes
微弱(ㄨㄟˊ ㄖㄨㄛˋ)weak or feeble

十二畫

徵 1491 1. ㄓㄥ zhēng

1. to summon 2. to levy or raise (taxes) 3. to call to arms 4. to ask

5. to request 6. to prove 7. signs
徵兵制(ㄓㄥ ㄅㄧㄥ ㄓˋ)the conscription system
徵聘(ㄓㄥ ㄆㄧㄣˋ)to solicit a competent person for a vacancy
徵募(ㄓㄥ ㄇㄨˋ)to enlist and hire
徵候(ㄓㄥ ㄏㄡˋ) symptoms, signs, or indications 「group
徵候群(ㄓㄥ ㄏㄡˋ ㄑㄩㄣˊ)a symptom
徵求(ㄓㄥ ㄑㄧㄡˊ)to seek; to solicit (answers, etc.)
徵求意見(ㄓㄥ ㄑㄧㄡˊ ㄧˋ ㄐㄧㄢˋ) to ask for opinions 「information office
徵信所(ㄓㄥ ㄒㄧㄣˋ ㄙㄨㄛˇ) a credit
徵召(ㄓㄥ ㄓㄠˋ)to draft the capable and virtuous for public service
徵兆(ㄓㄥ ㄓㄠˋ)a symptom
徵收(ㄓㄥ ㄕㄡ) to collect (taxes, duty, etc.) 「taxes
徵稅(ㄓㄥ ㄕㄨㄟˋ) to levy and collect
徵文(ㄓㄥ ㄨㄣˊ)to solicit writings publicly (as in a contest, etc.)

徵 1491 2. ㄓˇ zhǐ 「Chinese scale
one of the five musical notes in

徹 1492 ㄔㄜˋ chè
1. penetrating; discerning 2. to remove 3. a tax in tithe 4. to manage; to cultivate (farms) 5. to destroy 6. to deprive; to take away
徹底(ㄔㄜˋ ㄉㄧˇ)thorough; exhaustive
徹頭徹尾(ㄔㄜˋ ㄊㄡˊ ㄔㄜˋ ㄨㄟˇ)thoroughly; thorough
徹夜(ㄔㄜˋ ㄧㄝˋ)all through the night
徹悟(ㄔㄜˋ ㄨˋ)to understand thoroughly

德 1493 ㄉㄜˊ dé
1. morality; virtues 2. favor; kindness 3. behavior; conduct 4. to feel grateful 5. Germany; German
德高望重(ㄉㄜˊ ㄍㄠ ㄨㄤˋ ㄓㄨㄥˋ) (said of a person) of virtue and prestige
德國(ㄉㄜˊ ㄍㄨㄛˊ)Germany
德國麻疹(ㄉㄜˊ ㄍㄨㄛˊ ㄇㄚˊ ㄓㄣˇ)German measles
德行(ㄉㄜˊ ㄒㄧㄥˋ)mannerisms
德澤(ㄉㄜˊ ㄗㄜˊ)the kindness and charity extended to the people
德育(ㄉㄜˊ ㄩˋ)moral education

十三畫

徼 1494 1. ㄐㄧㄠˋ jiào 「trip
1. frontiers 2. to take an inspection

徼 1494 2. (僥) ㄐㄧㄠˇ jiǎo
to be lucky; fortunate
徼幸(ㄐㄧㄠˇ ㄒㄧㄥˋ)lucky

徼 1494 3. ㄧㄠ yāo
1. to pray for 2. to shade; to hide

十四畫

徽 1495 ㄏㄨㄟ huī
1. honorable 2. a flag-sign 3. an emblem; a badge 4. Anhwei
徽章(ㄏㄨㄟ ㄓㄤ)a badge

心部 ㄒㄧㄣ xīn

心 1496 ㄒㄧㄣ xīn
1. the heart 2. the mind 3. conscience; moral nature 4. intention; idea 5. the core; the middle 6. one of the 28 constellations
心病(ㄒㄧㄣ ㄅㄧㄥˋ)mental disorder
心不在焉(ㄒㄧㄣ ㄅㄨˋ ㄗㄞˋ ㄧㄢ) absent-minded 「fully contented
心滿意足(ㄒㄧㄣ ㄇㄢˇ ㄧˋ ㄗㄨˊ) to be
心目中(ㄒㄧㄣ ㄇㄨˋ ㄓㄨㄥ)in one's heart or mind
心煩(ㄒㄧㄣ ㄈㄢˊ)annoyed 「upset
心煩意亂(ㄒㄧㄣ ㄈㄢˊ ㄧˋ ㄌㄨㄢˋ) to be
心浮氣躁(ㄒㄧㄣ ㄈㄨˊ ㄑㄧˋ ㄗㄠˋ) to be unsettled and short-tempered
心服(ㄒㄧㄣ ㄈㄨˊ) to submit sincerely and willingly 「convinced
心服口服(ㄒㄧㄣ ㄈㄨˊ ㄎㄡˇ ㄈㄨˊ) fully
心腹(ㄒㄧㄣ ㄈㄨˋ)a trusted subordinate
心得(ㄒㄧㄣ ㄉㄜˊ)what one gains from intense study, meditation, etc.
心地光明(ㄒㄧㄣ ㄉㄧˋ ㄍㄨㄤ ㄇㄧㄥˊ) upright
心地善良(ㄒㄧㄣ ㄉㄧˋ ㄕㄢˋ ㄌㄧㄤˊ) kind-hearted 「cardiogram
心電圖(ㄒㄧㄣ ㄉㄧㄢˋ ㄊㄨˊ) an electro-
心電感應(ㄒㄧㄣ ㄉㄧㄢˋ ㄍㄢˇ ㄧㄥˋ) telepathy 「ested in something
心動(ㄒㄧㄣ ㄉㄨㄥˋ) to become inter-
心態(ㄒㄧㄣ ㄊㄞˋ)mentality
心頭(ㄒㄧㄣ ㄊㄡˊ)the mind
心疼(ㄒㄧㄣ ㄊㄥˊ)the heart bleeds (over financial loss, etc.)
心跳(ㄒㄧㄣ ㄊㄧㄠˋ)heartbeat
心理(ㄒㄧㄣ ㄌㄧˇ)psychology
心理分析(ㄒㄧㄣ ㄌㄧˇ ㄈㄣ ㄒㄧ) psychoanalysis
心理輔導(ㄒㄧㄣ ㄌㄧˇ ㄈㄨˇ ㄉㄠˇ)psychological counseling
心理建設(ㄒㄧㄣ ㄌㄧˇ ㄐㄧㄢˋ ㄕㄜˋ)

〔心部〕

mental readjustment
心理學(ㄒㄧㄣ ㄌㄧˇ ㄒㄩㄝˊ)psychology
心理作用 (ㄒㄧㄣ ㄌㄧˇ ㄗㄨㄛˋ ㄩㄥˋ) mental reaction
心理測驗(ㄒㄧㄣ ㄌㄧˇ ㄘㄜˋ ㄧㄢˋ)a mental test
心裏話(ㄒㄧㄣ ·ㄌㄧ ㄏㄨㄚˋ)one's inner most thoughts and feelings
心靈(ㄒㄧㄣ ㄌㄧㄥˊ)mind; spirit
心領(ㄒㄧㄣ ㄌㄧㄥˇ)to appreciate
心領神會 (ㄒㄧㄣ ㄌㄧㄥˇ ㄕㄣˊ ㄏㄨㄟˋ) to understand without being told
心律 (ㄒㄧㄣ ㄌㄩˋ) (medicine) the rhythm of the heart
心高氣傲 (ㄒㄧㄣ ㄍㄠ ㄑㄧˋ ㄠˋ) proud and arrogant
心甘情願 (ㄒㄧㄣ ㄍㄢ ㄑㄧㄥˊ ㄩㄢˋ) to be totally willing; willingly
心口如一 (ㄒㄧㄣ ㄎㄡˇ ㄖㄨˊ ㄧ) to speak one's mind frankly
心灰意冷(ㄒㄧㄣ ㄏㄨㄟ ㄧˋ ㄌㄥˇ)to feel discouraged and hopeless
心慌(ㄒㄧㄣ ㄏㄨㄤ)panicky
心肌 (ㄒㄧㄣ ㄐㄧ) (anatomy) cardiac muscle
心機(ㄒㄧㄣ ㄐㄧ)craftiness
心跡(ㄒㄧㄣ ㄐㄧ)real intentions
心急(ㄒㄧㄣ ㄐㄧˊ)impatient
心焦(ㄒㄧㄣ ㄐㄧㄠ)anxious
心驚膽戰 (ㄒㄧㄣ ㄐㄧㄥ ㄉㄢˇ ㄓㄢˋ) shuddering and terrified
心境(ㄒㄧㄣ ㄐㄧㄥˋ)a mood
心怯(ㄒㄧㄣ ㄑㄧㄝˋ)timid; timorous
心情(ㄒㄧㄣ ㄑㄧㄥˊ)a mood
心細(ㄒㄧㄣ ㄒㄧˋ)cautious; careful
心虛(ㄒㄧㄣ ㄒㄩ)a guilty conscience
心血(ㄒㄧㄣ ㄒㄩㄝˋ)energy; painstaking care (or efforts)
心血來潮 (ㄒㄧㄣ ㄒㄩㄝˋ ㄌㄞˊ ㄔㄠˊ) to have a brainstorm
心懸兩地 (ㄒㄧㄣ ㄒㄩㄢˊ ㄌㄧㄤˇ ㄉㄧˋ) divided attention
心胸 (ㄒㄧㄣ ㄒㄩㄥ) capacity for tolerance
心直口快 (ㄒㄧㄣ ㄓˊ ㄎㄡˇ ㄎㄨㄞˋ) honest and outspoken
心智(ㄒㄧㄣ ㄓˋ)mentality
心照不宣(ㄒㄧㄣ ㄓㄠˋ ㄅㄨˋ ㄒㄩㄢ)a tacit understanding or agreement
心中有數 (ㄒㄧㄣ ㄓㄨㄥ ㄧㄡˇ ㄕㄨˋ) to know fairly well
心腸 (ㄒㄧㄣ ㄔㄤˊ) ①heart ②sympathies
心室(ㄒㄧㄣ ㄕˋ)ventricles
心事(ㄒㄧㄣ ㄕˋ)secrets in one's mind
心神不定 (ㄒㄧㄣ ㄕㄣˊ ㄅㄨˋ ㄉㄧㄥˋ) a confused state of mind
心聲(ㄒㄧㄣ ㄕㄥ)the heart's desire; intentions; thoughts
心軟(ㄒㄧㄣ ㄖㄨㄢˇ)kind-hearted
心臟 (ㄒㄧㄣ ㄗㄤˋ) the heart (as an organ)
心臟病 (ㄒㄧㄣ ㄗㄤˋ ㄅㄧㄥˋ) heart disease
心臟病發作 (ㄒㄧㄣ ㄗㄤˋ ㄅㄧㄥˋ ㄈㄚ ㄗㄨㄛˋ)a heart attack
心臟移植 (ㄒㄧㄣ ㄗㄤˋ ㄧˊ ㄓˊ) heart transplantation
心思 (ㄒㄧㄣ ㄙ) ①ideas ②intentions ③a mood
心碎(ㄒㄧㄣ ㄙㄨㄟˋ)heartbroken
心算(ㄒㄧㄣ ㄙㄨㄢˋ)mental arithmetic
心安理得 (ㄒㄧㄣ ㄢ ㄌㄧˇ ㄉㄜˊ) to feel at ease and justified
心儀 (ㄒㄧㄣ ㄧˊ) admiration in one's mind for another
心意(ㄒㄧㄣ ㄧˋ)① ideas ② regard
心有餘悸 (ㄒㄧㄣ ㄧㄡˇ ㄩˊ ㄐㄧˋ) to have a lingering fear
心眼(兒) (ㄒㄧㄣ ㄧㄢˇ(ㄦ)) ① one's intention; conscience ② mind
心無旁騖 (ㄒㄧㄣ ㄨˊ ㄆㄤˊ ㄨˋ) without distraction
心悅誠服 (ㄒㄧㄣ ㄩㄝˋ ㄔㄥˊ ㄈㄨˊ)to concede willingly
心猿意馬(ㄒㄧㄣ ㄩㄢˊ ㄧˋ ㄇㄚˇ)indecision
心願 (ㄒㄧㄣ ㄩㄢˋ) a wish (usually a long cherished one)

一畫

必 1497
ㄅㄧˋ bì
1. must; necessarily 2. an emphatic particle
必備條件(ㄅㄧˋ ㄅㄟˋ ㄊㄧㄠˊ ㄐㄧㄢˋ)the requisitions (for)
必定(ㄅㄧˋ ㄉㄧㄥˋ)must
必讀(ㄅㄧˋ ㄉㄨˊ)a must for reading
必恭必敬 (ㄅㄧˋ ㄍㄨㄥ ㄅㄧˋ ㄐㄧㄥˋ) showing great respect
必修科(ㄅㄧˋ ㄒㄧㄡ ㄎㄜ)an obligatory course
必需(ㄅㄧˋ ㄒㄩ)what is indispensable
必須(ㄅㄧˋ ㄒㄩ)must; to have to
必需品(ㄅㄧˋ ㄒㄩ ㄆㄧㄣˇ)daily necessities
必勝(ㄅㄧˋ ㄕㄥˋ)will most certainly win
必然(ㄅㄧˋ ㄖㄢˊ)inevitable
必要(ㄅㄧˋ ㄧㄠˋ)necessary

二畫

忉 1498
ㄉㄠ dāo
grieved; distressed

三畫

忌 1499
ㄐㄧˋ jì
1. jealous; to envy 2. to fear; a fear (usually superstitious) 3. to shun 4. taboo 5. death anniversaries of one's parents or grandparents
忌妒(ㄐㄧˋ ㄉㄨˋ)envy

忌口(ㄐㄧˋ ㄎㄡˇ)to be on a diet
忌恨(ㄐㄧˋ ㄏㄣˋ)jealousy
忌諱(ㄐㄧˋ ㄏㄨㄟˋ) things which one does not like others to do or say
忌辰(ㄐㄧˋ ㄔㄣˊ)or 忌日(ㄐㄧˋ ㄖˋ)death anniversaries of one's parents, etc.

忍 1500 ㄖㄣˇ rěn
1. to endure; to tolerate 2. merciless; truculence 3. to forbear; to repress
忍不住(ㄖㄣˇ ·ㄅㄨ ㄓㄨˋ) cannot stand it any more
忍痛(ㄖㄣˇ ㄊㄨㄥˋ) to bear pain with dignity reluctantly
忍耐(ㄖㄣˇ ㄋㄞˋ)to persevere
忍氣吞聲(ㄖㄣˇ ㄑㄧˋ ㄊㄨㄣ ㄕㄥ) to restrain one's temper and say nothing
忍住(ㄖㄣˇ ㄓㄨˋ)to restrain the manifestation of feelings by the force of will
忍受(ㄖㄣˇ ㄕㄡˋ)to endure; to bear
忍無可忍(ㄖㄣˇ ㄨˊ ㄎㄜˇ ㄖㄣˇ)can not stand any longer

忒 1501 1. ㄊㄜ tē
a word descriptive of sound

忒 1501 2. ㄊㄜˋ tè
1. excessive; too; very 2. to change 3. to err

忐 1502 ㄊㄢˇ tǎn
1. timid; apprehensive 2. indecisive; vacillating
忐忑(ㄊㄢˇ ㄊㄜˋ) ①indecisive ②apprehensive ③a fidget

忑 1503 ㄊㄜˋ tè
1. nervous; apprehensive 2. indecisive

志 1504 ㄓˋ zhì
1. to make up one's mind to pursue some object 2. will; purpose 3. ambition; interest 4. annals
志得意滿(ㄓˋ ㄉㄜˊ ㄧˋ ㄇㄢˇ)fully satisfied or contented
志同道合(ㄓˋ ㄊㄨㄥˊ ㄉㄠˋ ㄏㄜˊ)to share the same ambition and purpose
志氣(ㄓˋ ㄑㄧˋ)ambition; will
志趣(ㄓˋ ㄑㄩˋ)inclination
志向(ㄓˋ ㄒㄧㄤˋ)purpose; ambition
志在千里(ㄓˋ ㄗㄞˋ ㄑㄧㄢ ㄌㄧˇ) cherishing a great ambition
志願(ㄓˋ ㄩㄢˋ) ①to volunteer ②an ideal
志願兵(ㄓˋ ㄩㄢˋ ㄅㄧㄥ)volunteers

忘 1505 1. ㄨㄤˋ wàng
1. to forget 2. to omit; to miss (a line, etc.) 3. to neglect; to overlook
忘本(ㄨㄤˋ ㄅㄣˇ)ungrateful
忘不了(ㄨㄤˋ ·ㄅㄨ ㄌㄧㄠˇ) cannot forget
忘掉(ㄨㄤˋ ㄉㄧㄠˋ)to forget
忘了(ㄨㄤˋ ·ㄌㄜ)to forget
忘記(ㄨㄤˋ ㄐㄧˋ) to forget
忘情(ㄨㄤˋ ㄑㄧㄥˊ)to be unmoved
忘卻(ㄨㄤˋ ㄑㄩㄝˋ)to forget
忘恩負義(ㄨㄤˋ ㄣ ㄈㄨˋ ㄧˋ)ungrateful
忘憂草(ㄨㄤˋ ㄧㄡ ㄘㄠˇ)day lily
忘我 (ㄨㄤˋ ㄨㄛˇ) oblivious of self-existence

忘 1505 2. 讀音 ㄨㄤˊ wáng
忘八 (ㄨㄤˊ ·ㄅㄚ) ①a tortoise ②a cuckold

忙 1506 ㄇㄤˊ máng
1. busy; short of time; fully occupied 2. hurried; in haste; hurry
忙不過來(ㄇㄤˊ ·ㄅㄨ ㄍㄨㄛˋ ㄌㄞˊ) very busy
忙(忙碌)碌(ㄇㄤˊ(ㄇㄤˊ ㄌㄨˋ) ㄌㄨˋ)① busy ②hurriedly
忙得很(ㄇㄤˊ ·ㄉㄜ ㄏㄣˇ)very busy
忙亂(ㄇㄤˊ ㄌㄨㄢˋ)busy and flurried
忙中有錯 (ㄇㄤˊ ㄓㄨㄥ ㄧㄡˇ ㄘㄨㄛˋ) Errors are likely to occur in haste.
忙甚麼(ㄇㄤˊ ㄕㄜˊ ·ㄇㄜ)What (are you) busy about?

忖 1507 ㄘㄨㄣˇ cǔn
to surmise; to consider; to presume; to suppose
忖度(ㄘㄨㄣˇ ㄉㄨㄛˋ)to suppose
忖思(ㄘㄨㄣˇ ㄙ)to imagine

四畫

忡 1508 ㄔㄨㄥ chōng
worried; anxious; uneasy; sad

忤 1509 ㄨˇ wǔ
1. recalcitrant; disobedient 2. a blunder; a mistake; wrong
忤逆 (ㄨˇ ㄋㄧˋ) disobedient to one's parents

快 1510 ㄎㄨㄞˋ kuài
1. quickly; fast 2. nearly; near 3. to hurry up 4. ingenious 5. sharp (blades, etc.); keen 6. pleasant; happy 7. straightforward
快報(ㄎㄨㄞˋ ㄅㄠˋ)a dispatch
快跑(ㄎㄨㄞˋ ㄆㄠˇ)Go quick!
快慢(ㄎㄨㄞˋ ㄇㄢˋ)speed
快門(ㄎㄨㄞˋ ㄇㄣˊ)a camera shutter
快遞(ㄎㄨㄞˋ ㄉㄧˋ)express delivery
快點兒(ㄎㄨㄞˋ ㄉㄧㄚˇㄦ)Be quick!
快電(ㄎㄨㄞˋ ㄉㄧㄢˋ)an urgent cable
快艇(ㄎㄨㄞˋ ㄊㄧㄥˇ)a motorboat
快樂(ㄎㄨㄞˋ ㄌㄜˋ)happy; joy
快來(ㄎㄨㄞˋ ㄌㄞˊ)Come quick!
快乾(ㄎㄨㄞˋ ㄍㄢ)quick-drying
快感(ㄎㄨㄞˋ ㄍㄢˇ)a pleasant feeling
快鍋(ㄎㄨㄞˋ ㄍㄨㄛ)a pressure cooker

〔心部〕

快捷(ㄎㄨㄞˋ ㄐㄧㄝˊ)speedy; fast
快些(ㄎㄨㄞˋ ˙ㄒㄧㄝ)Hurry!
快照(ㄎㄨㄞˋ ㄓㄠˋ)a snapshot
快車(ㄎㄨㄞˋ ㄔㄜ)an express train
快車道(ㄎㄨㄞˋ ㄔㄜ ㄉㄠˋ)a speedway
快手快脚(ㄎㄨㄞˋ ㄕㄡˇ ㄎㄨㄞˋ ㄐㄧㄠˇ) to do things quickly
快說(ㄎㄨㄞˋ ㄕㄨㄛ)Speak up!
快走(ㄎㄨㄞˋ ㄗㄡˇ)Hurry, let's go.
快餐 (ㄎㄨㄞˋ ㄘㄢ) a quick meal; a snack
快速(ㄎㄨㄞˋ ㄙㄨˋ)fast; quick

忮 1511 ㄓˋ zhì
jealous; jealousy; to dislike

忭 1512 ㄅㄧㄢˋ biàn
overjoyed; pleased; delighted

忱 1513 ㄔㄣˊ chén
1. sincere; sincerity 2. to rely on
忱悃(ㄔㄣˊ ㄎㄨㄣˇ)genuine feelings

忸 1514 ㄋㄧㄡˇ niǔ (讀音 ㄋㄩˋ nǜ)
1. to be accustomed to; to be inclined to (evils, etc.) 2. bashful; ashamed
忸怩(ㄋㄧㄡˇ ㄋㄧˊ)blush; ashamed

忻 1515 (欣) ㄒㄧㄣ xīn
happy; joy; delight

忪 1516 1. ㄓㄨㄥ zhōng
1. agitated 2. frightened

忪 1516 2. ㄙㄨㄥ sōng
參看「惺忪」

忠 1517 ㄓㄨㄥ zhōng
1. faithful; loyal; sincere; patriotic 2. devoted; honest (advice, etc.)
忠烈(ㄓㄨㄥ ㄌㄧㄝˋ)patriotism
忠烈祠(ㄓㄨㄥ ㄌㄧㄝˋ ㄘˊ)a martyrs' shrine
忠良(ㄓㄨㄥ ㄌㄧㄤˊ)virtuous persons
忠告(ㄓㄨㄥ ㄍㄠˋ)sincere advice
忠厚(ㄓㄨㄥ ㄏㄡˋ)kind and big-hearted
忠心(ㄓㄨㄥ ㄒㄧㄣ)loyalty
忠心耿耿 (ㄓㄨㄥ ㄒㄧㄣ ㄍㄥˇ ㄍㄥˇ) loyal, faithful and true
忠貞(ㄓㄨㄥ ㄓㄣ)patriotic
忠誠(ㄓㄨㄥ ㄔㄥˊ)loyal; faithful
忠實(ㄓㄨㄥ ㄕˊ)reliable (reports, etc.)
忠言逆耳 (ㄓㄨㄥ ㄧㄢˊ ㄋㄧˋ ㄦˇ) Truth seldom sounds pleasant.

念 1518 ㄋㄧㄢˋ niàn
1. to think of; to miss 2. to read out aloud 3. to study; to attend school 4. twenty
念頭(ㄋㄧㄢˋ ˙ㄊㄡ)an idea; a thought
念念不忘 (ㄋㄧㄢˋ ㄋㄧㄢˋ ㄅㄨˋ ㄨㄤˋ) to bear in mind constantly
念念有詞 (ㄋㄧㄢˋ ㄋㄧㄢˋ ㄧㄡˇ ㄘˊ) to mumble; to mutter
念舊 (ㄋㄧㄢˋ ㄐㄧㄡˋ) to remember old friends
念經 (ㄋㄧㄢˋ ㄐㄧㄥ) to chant or intone (Buddhist) scriptures
念咒 (ㄋㄧㄢˋ ㄓㄡˋ) to chant or intone charms
念珠(ㄋㄧㄢˋ ㄓㄨ)a Buddhist rosary
念書(ㄋㄧㄢˋ ㄕㄨ)to study

忽 1519 ㄏㄨ hū
1. suddenly; abruptly; unexpectedly 2. to disregard; to neglect 3. to forget 4. a Chinese family name
忽明忽滅 (ㄏㄨ ㄇㄧㄥˊ ㄏㄨ ㄇㄧㄝˋ) flickering
忽地(ㄏㄨ ㄉㄧˋ)suddenly
忽冷忽熱 (ㄏㄨ ㄌㄥˇ ㄏㄨ ㄖㄜˋ) now hot, now cold—abrupt changes of temperature
忽略(ㄏㄨ ㄌㄩㄝˋ)to neglect
忽視(ㄏㄨ ㄕˋ)to disregard
忽然(ㄏㄨ ㄖㄢˊ)suddenly

忿 1520 ㄈㄣˋ fèn
1. anger; fury 2. complaining; hatred
忿忿不平(ㄈㄣˋ ㄈㄣˋ ㄅㄨˋ ㄆㄧㄥˊ) indignant and disturbed
忿怒(ㄈㄣˋ ㄋㄨˋ)wrath; fury
忿恨(ㄈㄣˋ ㄏㄣˋ)fury; indignation

忞 1521 ㄇㄧㄣˊ mín
to strive for improvement or progress

忝 1522 ㄊㄧㄢˇ tiǎn
1. ashamed; to disgrace 2. a depreciatory expression referring to oneself 3. to be unworthy of the honor
忝不知恥(ㄊㄧㄢˇ ㄅㄨˋ ㄓ ㄔˇ)shameless

五畫

怍 1523 ㄗㄨㄛˋ zuò
1. shame 2. to change color; to blush
怍色(ㄗㄨㄛˋ ㄙㄜˋ)ashamed

怏 1524 ㄧㄤˋ yàng
discontented; disheartened; dispirited

怖 1525 ㄅㄨˋ bù
1. terrified; frightened 2. to frighten; to threaten

怕 1526 ㄆㄚˋ pà

1. to fear; afraid; frightened 2. maybe; perhaps; I am afraid....
怕老婆(ㄆㄚˋ ㄌㄠˇ ˙ㄆㄛ)henpecked
怕冷(ㄆㄚˋ ㄌㄥˇ)to dread cold
怕羞(ㄆㄚˋ ㄒㄧㄡ)shy; bashful
怕事(ㄆㄚˋ ㄕˋ)to be timid and overcautious
怕甚麼(ㄆㄚˋ ㄕㄜˊ ˙ㄇㄜ)What are you afraid of?
怕生(ㄆㄚˋ ㄕㄥ)(said of a child) to be shy with strangers
怕熱(ㄆㄚˋ ㄖㄜˋ)to dislike heat
怕人(ㄆㄚˋ ㄖㄣˊ)horrible
怕死(ㄆㄚˋ ㄙˇ)afraid of death
怕癢(ㄆㄚˋ ㄧㄤˇ)to be afraid of tickling

怙 1527 ㄏㄨˋ hù
1. to rely on; to presume on 2. one's father
怙惡不悛(ㄏㄨˋ ㄜˋ ㄅㄨˋ ㄑㄩㄢ) incorrigible (criminals)

怛 1528 ㄉㄚˊ dá
1. grieved; distressed 2. surprised; shocked 3. (obsolete) striving and toiling

怦 1529 ㄆㄥ pēng
eager; anxious; impulsive
怦怦(ㄆㄥ ㄆㄥ)with quick beating; pit-a-pat
怦然(ㄆㄥ ㄖㄢˊ)with a sudden shock

怡 1530 ㄧˊ yí
1. harmony; on good terms 2. pleasure; joy
怡然自得(ㄧˊ ㄖㄢˊ ㄗˋ ㄉㄜˊ) to have found one's inner peace
怡悅(ㄧˊ ㄩㄝˋ)to find joy in

性 1531 ㄒㄧㄥˋ xìng
1. nature; natural property; temper 2. a quality or property 3. sex
性別(ㄒㄧㄥˋ ㄅㄧㄝˊ) the sex of a person —male or female
性變態(ㄒㄧㄥˋ ㄅㄧㄢˋ ㄊㄞˋ)sex perversion
性病(ㄒㄧㄥˋ ㄅㄧㄥˋ)venereal diseases —VD
性命(ㄒㄧㄥˋ ㄇㄧㄥˋ)a person's life
性命交關(ㄒㄧㄥˋ ㄇㄧㄥˋ ㄐㄧㄠ ㄍㄨㄢ) a matter of life and death
性犯罪 (ㄒㄧㄥˋ ㄈㄢˋ ㄗㄨㄟˋ) sexual offense
性能 (ㄒㄧㄥˋ ㄋㄥˊ) qualities and capabilities of machinery
性冷感症(ㄒㄧㄥˋ ㄌㄥˇ ㄍㄢˇ ㄓㄥˋ)frigidity
性格(ㄒㄧㄥˋ ㄍㄜˊ)personality
性感(ㄒㄧㄥˋ ㄍㄢˇ)sexy
性荷爾蒙(ㄒㄧㄥˋ ㄏㄜˊ ㄦˇ ㄇㄥˊ) (physiology) sex hormone
性急(ㄒㄧㄥˋ ㄐㄧˊ)impatient
性交(ㄒㄧㄥˋ ㄐㄧㄠ)sexual intercourse
性教育 (ㄒㄧㄥˋ ㄐㄧㄠˋ ㄩˋ) sex education
性器(官)(ㄒㄧㄥˋ ㄑㄧˋ(ㄍㄨㄢ))genitals
性情(ㄒㄧㄥˋ ˙ㄑㄧㄥ)disposition
性向(ㄒㄧㄥˋ ㄒㄧㄤˋ)disposition
性向測驗 (ㄒㄧㄥˋ ㄒㄧㄤˋ ㄘㄜˋ ㄧㄢˋ) aptitude test
性行為 (ㄒㄧㄥˋ ㄒㄧㄥˊ ㄨㄟˊ) sexual behavior
性質(ㄒㄧㄥˋ ㄓˋ)characteristics
性子(ㄒㄧㄥˋ ˙ㄗ)a temper
性騷擾 (ㄒㄧㄥˋ ㄙㄠ ㄖㄠˇ) sexual harassment
性無能(ㄒㄧㄥˋ ㄨˊ ㄋㄥˊ)impotence
性慾(ㄒㄧㄥˋ ㄩˋ)sexual desire
性慾衝動(ㄒㄧㄥˋ ㄩˋ ㄔㄨㄥ ㄉㄨㄥˋ)sexual impulse

怩 1532 ㄋㄧˊ ní
1. shy and bashful; coyly 2. to look embarrassed

怫 1533 1. ㄈㄨˊ fú
depressed and discontented

怫 1533 2. ㄈㄟˋ fèi
angry; annoyed; indignant

怯 1534 ㄑㄧㄝˋ qiè (語音 ㄑㄩㄝˋ què)
1. cowardly 2. socially timid
怯懦(ㄑㄧㄝˋ ㄋㄨㄛˋ)cowardice
怯場(ㄑㄧㄝˋ ㄔㄤˇ)stage fright
怯弱(ㄑㄧㄝˋ ㄖㄨㄛˋ)cowardice

怪 1535 ㄍㄨㄞˋ guài
1. strange; queer; odd 2. to be surprised at 3. a ghost; a monster 4. uncanny; weird 5. rather; very (interesting, tired, etc.) 6. to blame
怪不得 (ㄍㄨㄞˋ ˙ㄅㄨ ˙ㄉㄜ) ①No wonder! ② cannot put the blame on
怪癖(ㄍㄨㄞˋ ㄆㄧˇ)strange hobbies
怪僻(ㄍㄨㄞˋ ㄆㄧˋ)eccentric
怪模怪樣 (ㄍㄨㄞˋ ˙ㄇㄨ ㄍㄨㄞˋ ㄧㄤˋ) queer appearance and manner
怪談(ㄍㄨㄞˋ ㄊㄢˊ)weird talks
怪裡怪氣 (ㄍㄨㄞˋ ˙ㄌㄧ ㄍㄨㄞˋ ㄑㄧˋ) eccentric; strange; queer
怪手(ㄍㄨㄞˋ ㄕㄡˇ)an excavator
怪獸(ㄍㄨㄞˋ ㄕㄡˋ)a monster
怪人(ㄍㄨㄞˋ ㄖㄣˊ)a peculiar person
怪哉(ㄍㄨㄞˋ ㄗㄞ)How strange!
怪物(ㄍㄨㄞˋ ㄨˋ)a monster

怳 1536 (恍) ㄏㄨㄤˇ huǎng
1. despondent; dejected 2. wild; mad

怔 1537 ㄓㄥ zhēng
terrified; stunned; scared
怔忪(ㄓㄥ ㄓㄨㄥ)frightened

〔心部〕

〔心部〕

怜 1538
1. (伶) ㄌㄧㄥˊ líng
(often said of a child, young girl, etc.) agile, nimble, or bright; cute and pleasing 「ble
怜悧or伶俐 (ㄌㄧㄥˊ ㄌㄧˋ) agile; nim-
怜牙悧齒(ㄌㄧㄥˊ ㄧㄚˊ ㄌㄧˋ ㄔˇ)to have a glib tongue

怜 1538
2. ㄌㄧㄢˊ lián 「pity
an abbreviated form of 憐—to pity;

怓 1539
ㄋㄠˊ náo
confusion; confused; wild

怗 1540
ㄊㄧㄝ tiē 「quiet
1. observant; submissive 2. peaceful;

怵 1541
ㄔㄨˋ chù 「induce
1. scared; frightened 2. to entice; to
怵目驚心 (ㄔㄨˋ ㄇㄨˋ ㄐㄧㄥ ㄒㄧㄣ) frightening; shocking

怎 1542
1. ㄗㄣˇ zěn
why; how; what
怎奈(ㄗㄣˇ ㄋㄞˋ)but alas 「me?)
怎能(ㄗㄣˇ ㄋㄥˊ) how can (he do this to
怎敢(ㄗㄣˇ ㄍㄢˇ)How can one dare?
怎樣(ㄗㄣˇ ㄧㄤˋ)In what way?

怎 1542
2. ㄗㄜˇ zě
Why? 或How? 或What? 「What?
怎麼 (ㄗㄜˇ ·ㄇㄜ) Why? 或 How? 或
怎麼辦 (ㄗㄜˇ ·ㄇㄜ ㄅㄢˋ) What should (I, etc.) do?
怎麼會(ㄗㄜˇ ·ㄇㄜ ㄏㄨㄟˋ)How could this be possible?
怎麼行(ㄗㄜˇ ·ㄇㄜ ㄒㄧㄥˊ)How could it be possible? 「you say?
怎麼說(ㄗㄜˇ ·ㄇㄜ ㄕㄨㄛ)What do

怒 1543
ㄋㄨˋ nù
1. temper; anger; furious 2. to put forth with vigor (as plants, etc.); to sprout 3. forceful and vigorous
怒目相視(ㄋㄨˋ ㄇㄨˋ ㄒㄧㄤ ㄕˋ)to look black at each other
怒髮衝冠(ㄋㄨˋ ㄈㄚˇ ㄔㄨㄥ ㄍㄨㄢ)to bristle with anger
怒放 (ㄋㄨˋ ㄈㄤˋ) ①in full bloom ②(figuratively) wild with joy 「ing
怒號(ㄋㄨˋ ㄏㄠˊ) (said of winds) howl-
怒吼(ㄋㄨˋ ㄏㄡˇ)to roar 「fury
怒氣 (ㄋㄨˋ ㄑㄧˋ) anger; wrath; rage;
怒氣沖沖 (ㄋㄨˋ ㄑㄧˋ ㄔㄨㄥ ㄔㄨㄥ) furious; angry
怒容滿面 (ㄋㄨˋ ㄖㄨㄥˊ ㄇㄢˇ ㄇㄧㄢˋ) flushed with rage

思 1544
ㄙ sī
1. to think; to consider 2. to remember; to think of 3. to mourn; to grieve 4. to admire 5. to pine for
思念 (ㄙ ㄋㄧㄢˋ) to remember (friends,
思量(ㄙ ㄌㄧㄤˊ)to consider 「etc.)
思慮(ㄙ ㄌㄩˋ)to think carefully
思考(ㄙ ㄎㄠˇ)to ponder
思考力 (ㄙ ㄎㄠˇ ㄌㄧˋ) the power to think, analyze and speculate
思前想後 (ㄙ ㄑㄧㄢˊ ㄒㄧㄤˇ ㄏㄡˋ) to ponder over (a matter, problem, etc.)
思鄉病(ㄙ ㄒㄧㄤ ㄅㄧㄥˋ) homesickness
思想(ㄙ ㄒㄧㄤˇ)thought; ideas
思想落伍 (ㄙ ㄒㄧㄤˇ ㄌㄨㄛˋ ㄨˇ) old-fashioned in thinking
思想家(ㄙ ㄒㄧㄤˇ ㄐㄧㄚ)a thinker
思想戰(ㄙ ㄒㄧㄤˇ ㄓㄢˋ) ideological warfare 「of thought
思想自由(ㄙ ㄒㄧㄤˇ ㄗˋ ㄧㄡˊ) freedom
思緒(ㄙ ㄒㄩˋ) or 思路(ㄙ ㄌㄨˋ)the paths of one's thought
思索(ㄙ ㄙㄨㄛˇ)to ponder over
思維 or 思惟(ㄙ ㄨㄟˊ)thought

怠 1545
ㄉㄞˋ dài
1. idle; remiss; lax 2. to treat coldly
怠慢(ㄉㄞˋ ㄇㄢˋ)to neglect a guest
怠惰(ㄉㄞˋ ㄉㄨㄛˋ)idle and lazy

急 1546
ㄐㄧˊ jí
1. quick; quickly 2. urgent; hurried 3. anxious; very eager; worried
急迫(ㄐㄧˊ ㄆㄛˋ)urgent
急忙(ㄐㄧˊ ㄇㄤˊ)hurriedly
急電(ㄐㄧˊ ㄉㄧㄢˋ)to call urgently
急湍(ㄐㄧˊ ㄊㄨㄢ)a swift flow of water
急難(ㄐㄧˊ ㄋㄢˋ)a crisis
急流(ㄐㄧˊ ㄌㄧㄡˊ)swift currents
急急忙忙(ㄐㄧˊ ·ㄐㄧ ㄇㄤˊ ㄇㄤˊ)in great haste
急救(ㄐㄧˊ ㄐㄧㄡˋ)first-aid 「kit
急救箱(ㄐㄧˊ ㄐㄧㄡˋ ㄒㄧㄤ)a first-aid
急件(ㄐㄧˊ ㄐㄧㄢˋ)an urgent document
急進派(ㄐㄧˊ ㄐㄧㄣˋ ㄆㄞˋ)a radical faction
急進份子(ㄐㄧˊ ㄐㄧㄣˋ ㄈㄣˋ ㄗˇ) a radical 「advances, etc.)
急遽(ㄐㄧˊ ㄐㄩˋ)quick (falls, rises,
急起直追 (ㄐㄧˊ ㄑㄧˇ ㄓˊ ㄓㄨㄟ) to try to catch up in great haste 「etc.)
急切(ㄐㄧˊ ㄑㄧㄝˋ) anxiously (awaiting,
急性闌尾炎 (ㄐㄧˊ ㄒㄧㄥˋ ㄌㄢˊ ㄨㄟˇ ㄧㄢˊ)acute appendicitis 亦作「急性盲腸炎」
急性子 (ㄐㄧˊ ㄒㄧㄥˋ ·ㄗ) quick-tempered

急需(ㄐㄧˊ ㄒㄩ)to need urgently
急智(ㄐㄧˊ ㄓˋ)quick-witted
急診(ㄐㄧˊ ㄓㄣˇ) (medicine) an emergency case
急轉直下(ㄐㄧˊ ㄓㄨㄢˇ ㄓˊ ㄒㄧㄚˋ) rapid deterioration of a situation
急轉彎(ㄐㄧˊ ㄓㄨㄢˇ ㄨㄢ) a hairpin turn
急事(ㄐㄧˊ ㄕˋ)an urgent matter
急如星火(ㄐㄧˊ ㄖㄨˊ ㄒㄧㄥ ㄏㄨㄛˇ) extremely urgent
急躁(ㄐㄧˊ ㄗㄠˋ)rash and impatient
急促(ㄐㄧˊ ㄘㄨˋ)urgently
急速(ㄐㄧˊ ㄙㄨˋ)hurriedly; hastily
急於(ㄐㄧˊ ㄩˊ)to be anxious to (finish the task, etc.)
急用(ㄐㄧˊ ㄩㄥˋ)(for) urgent use

怨 1547 ㄩㄢˋ yuàn
1. hatred; resentment; to resent 2. to complain; to blame; to impute
怨不得(ㄩㄢˋ ·ㄅㄨ ·ㄉㄜ)cannot blame
怨天尤人(ㄩㄢˋ ㄊㄧㄢ ㄧㄡˊ ㄖㄣˊ) to be neurotically dissatisfied
怨恨(ㄩㄢˋ ㄏㄣˋ)enmity; animus
怨氣(ㄩㄢˋ ㄑㄧˋ)complaints
怨聲載道(ㄩㄢˋ ㄕㄥ ㄗㄞˋ ㄉㄠˋ)Complaints can be heard everywhere.
怨偶(ㄩㄢˋ ㄡˇ)a couple at loggerheads
怨尤(ㄩㄢˋ ㄧㄡˊ)complaining
怨言(ㄩㄢˋ ㄧㄢˊ)complaints

您 1548 ㄊㄢ tān
a polite version of "他"

怱 1549 (悤、匆) ㄘㄨㄥ cōng
hasty; hastily; hurriedly
怱忙(ㄘㄨㄥ ㄇㄤˊ)hurriedly
怱促(ㄘㄨㄥ ㄘㄨˋ)hastily
怱怱(ㄘㄨㄥ ㄘㄨㄥ)hurriedly

六畫

恂 1550 ㄒㄩㄣˊ xún
1. to trust 2. sincere 3. suddenly 4. afraid

恆 1551 (恒) ㄏㄥˊ héng
1. constant; regular; persevering 2. lasting; continual; continually
恆河沙數(ㄏㄥˊ ㄏㄜˊ ㄕㄚ ㄕㄨˋ) innumerable; countless
恆久(ㄏㄥˊ ㄐㄧㄡˇ)lasting; enduring
恆心(ㄏㄥˊ ㄒㄧㄣ)perseverance
恆星(ㄏㄥˊ ㄒㄧㄥ)fixed stars
恆齒(ㄏㄥˊ ㄔˇ) (anatomy) permanent teeth
恆產(ㄏㄥˊ ㄔㄢˇ)real estate
恆溫器(ㄏㄥˊ ㄨㄣ ㄑㄧˋ)a thermostat
恆溫層(ㄏㄥˊ ㄨㄣ ㄘㄥˊ) the stratosphere

恃 1552 ㄕˋ shì
to rely on; to depend on; to presume upon
恃寵(ㄕˋ ㄔㄨㄥˇ) to presume on being a favorite
恃才傲物(ㄕˋ ㄘㄞˊ ㄠˋ ㄨˋ)to be arrogant because of one's talents or ability

恌 1553 ㄊㄧㄠ tiāo
frivolous

恓 1554 ㄒㄧ xī
frightened and worried

恍 1555 ㄏㄨㄤˇ huǎng
1. absent-minded; unconscious 2. all of a sudden; suddenly 3. seem; as if
恍(恍惚)惚(ㄏㄨㄤˇ(ㄏㄨㄤˇㄏㄨ)ㄏㄨ) ① unconscious ② faintly
恍然大悟(ㄏㄨㄤˇ ㄖㄢˊ ㄉㄚˋ ㄨˋ)to come to understand suddenly
恍如(ㄏㄨㄤˇ ㄖㄨˊ)as if

恟 1556 ㄒㄩㄥ xiōng
1. afraid; frightened 2. noisy

恢 1557 ㄏㄨㄟ huī
1. great; immense 2. to recover; to restore
恢復(ㄏㄨㄟ ㄈㄨˋ)to recover
恢復健康(ㄏㄨㄟ ㄈㄨˋ ㄐㄧㄢˋ ㄎㄤ)to recover from illness
恢復秩序(ㄏㄨㄟ ㄈㄨˋ ㄓˋ ㄒㄩˋ) to restore order
恢復自由(ㄏㄨㄟ ㄈㄨˋ ㄗˋ ㄧㄡˊ) to regain freedom
恢復元氣(ㄏㄨㄟ ㄈㄨˋ ㄩㄢˊ ㄑㄧˋ) to recover energy or strength
恢復原狀(ㄏㄨㄟ ㄈㄨˋ ㄩㄢˊ ㄓㄨㄤˋ)to restore the original condition

恨 1558 ㄏㄣˋ hèn
1. to hate; hatred; hate 2. to regret
恨不得(ㄏㄣˋ ·ㄅㄨ ·ㄉㄜ) to wish that one could (do something which is not proper to do)
恨透了(ㄏㄣˋ ㄊㄡˋ ·ㄌㄜ)to detest
恨入骨髓(ㄏㄣˋ ㄖㄨˋ ㄍㄨˇ ㄙㄨㄟˇ)to hate to the marrow

恤 1559 (卹) ㄒㄩˋ xù
1. to relieve 2. to sympathize
恤貧(ㄒㄩˋ ㄆㄧㄣˊ)to give relief to the poor
恤孤(ㄒㄩˋ ㄍㄨ)to relieve orphans
恤養金(ㄒㄩˋ ㄧㄤˇ ㄐㄧㄣ)a pension

恪 1560 ㄎㄜˋ kè
(又讀 ㄑㄩㄝˋ què)

〔心部〕

respectful; reverent

恪守 (ㄎㄜˋ ㄕㄡˇ) to observe (rules) strictly

恪遵(ㄎㄜˋ ㄗㄨㄣ)to obey or follow (orders, rules, etc.) with respect

〔心部〕

恫 1561 1. ㄊㄨㄥ tōng

pain

恫瘝在抱(ㄊㄨㄥ ㄍㄨㄢ ㄗㄞˋ ㄅㄠˋ)to show intimate concern over the people's hardships

恫 1561 2. ㄉㄨㄥˋ dòng

to threaten or scare loudly

恫嚇(ㄉㄨㄥˋ ㄏㄜˋ)to threaten

恇 1562 ㄎㄨㄤ kuāng

afraid; timid; timorous; fearful

恬 1563 ㄊㄧㄢˊ tián

quiet; peaceful; undisturbed

恬謐(ㄊㄧㄢˊ ㄇㄧˋ)tranquil; quiet

恬澹 or 恬淡(ㄊㄧㄢˊ ㄉㄢˋ)indifferent to worldly gain; contented

恬靜(ㄊㄧㄢˊ ㄐㄧㄥˋ)undisturbed

恰 1564 ㄑㄧㄚˋ qià

proper; appropriate; suitable

恰到好處(ㄑㄧㄚˋ ㄉㄠˋ ㄏㄠˇ ㄔㄨˋ)neither too much nor too little; just right

恰當(ㄑㄧㄚˋ ㄉㄤˋ)appropriate

恰好(ㄑㄧㄚˋ ㄏㄠˇ)just; exactly

恰巧(ㄑㄧㄚˋ ㄑㄧㄠˇ)by coincidence

恰值(ㄑㄧㄚˋ ㄓˊ)just at the time of

恰如(ㄑㄧㄚˋ ㄖㄨˊ)or 恰似(ㄑㄧㄚˋ ㄙˋ) just like; just as if; just as though

恊 1565 ㄒㄧㄝˊ xié

1.to intimidate 2.fearful and timid 3. same as "協"

恁 1566 ㄖㄣˋ rèn

1. this; such; so; that 2. how; what

恐 1567 ㄎㄨㄥˇ kǒng

1. to fear; to dread 2. I am afraid....

恐怖(ㄎㄨㄥˇ ㄅㄨˋ)terror

恐怖分子 (ㄎㄨㄥˇ ㄅㄨˋ ㄈㄣˋ ㄗˇ) terrorists

恐怕(ㄎㄨㄥˇ ㄆㄚˋ)I'm afraid that....

恐龍(ㄎㄨㄥˇ ㄌㄨㄥˊ)a dinosaur

恐嚇(ㄎㄨㄥˇ ㄏㄜˋ)to threaten

恐嚇信(ㄎㄨㄥˇ ㄏㄜˋ ㄒㄧㄣˋ)a blackmailing letter

恐慌(ㄎㄨㄥˇ ㄏㄨㄤ) (economic) depression or crises

恐懼(ㄎㄨㄥˇ ㄐㄩˋ)fear; dread; fright

恕 1568 ㄕㄨˋ shù

1. to forgive 2. Excuse me. 3. benevolence

恕不奉陪 (ㄕㄨˋ ㄅㄨˋ ㄈㄥˋ ㄆㄟˊ) I am sorry but I cannot keep you company.

恕道(ㄕㄨˋ ㄉㄠˋ)magnanimity

恕罪(ㄕㄨˋ ㄗㄨㄟˋ)to forgive a fault

恚 1569 ㄏㄨㄟˋ huì

to rage; to anger

恝 1570 ㄐㄧㄚˊ jiá

indifferent; unworried; unconcerned

恙 1571 ㄧㄤˋ yàng

1. disease 2. worry

恣 1572 1. ㄗˋ zì

to throw off restraint; to dissipate; to debauch

恣情(ㄗˋ ㄑㄧㄥˊ)to give rein to passion

恣意(ㄗˋ ㄧˋ)unbridled; willful

恣意妄爲 (ㄗˋ ㄧˋ ㄨㄤˋ ㄨㄟˊ) to act as one pleases

恣 1572 2. ㄘ cī

恣睢(ㄘ ㄙㄨㄟ)carefree; unbridled

恩 1573 ㄣ ēn

favor; grace; gratitude; kindness; benevolence

恩典(ㄣ ㄉㄧㄢˇ)a favor

恩惠(ㄣ ㄏㄨㄟˋ)a kind act

恩將仇報 (ㄣ ㄐㄧㄤ ㄔㄡˊ ㄅㄠˋ) to return evil for good

恩情(ㄣ ㄑㄧㄥˊ)loving-kindness

恩准(ㄣ ㄓㄨㄣˇ)to grant graciously

恩師(ㄣ ㄕ)a teacher to whom one is greatly indebted

恩人(ㄣ ㄖㄣˊ)or 恩公(ㄣ ㄍㄨㄥ)a benefactor

恩賜(ㄣ ㄙˋ)① a gift of grace from the emperor ② to bestow (favors)

恩愛 (ㄣ ㄞˋ) (said of a married couple) mutual affection

恩愛夫妻(ㄣ ㄞˋ ㄈㄨ ㄑㄧ)a devoted couple

恩怨(ㄣ ㄩㄢˋ)resentment; grievance

恧 1574 ㄋㄩˋ nǜ

ashamed

息 1575 ㄒㄧˊ xí

1. a breath 2. news; tidings 3. to stop; to end 4. interest (on money) 5.a son 6.to rest

息怒(ㄒㄧˊ ㄋㄨˋ)to let one's anger cool off

息跡(ㄒㄧˊ ㄐㄧ)to live in retirement

息息相關(ㄒㄧˊ ㄒㄧˊ ㄒㄧㄤ ㄍㄨㄢ)to be closely bound up

息事寧人(ㄒㄧˊ ㄕˋ ㄋㄧㄥˊ ㄖㄣˊ)to settle disputes and bring about peace

恭 1576 ㄍㄨㄥ gōng

respectful; reverent; deferential

恭讀(ㄍㄨㄥ ㄉㄨˊ)to read respectfully

恭賀(ㄍㄨㄥ ㄏㄜˋ)to congratulate
恭賀新禧(ㄍㄨㄥ ㄏㄜˋ ㄒㄧㄣ ㄒㄧˇ) Happy New Year.
恭候(ㄍㄨㄥ ㄏㄡˋ)to await respectfully
恭謹(ㄍㄨㄥ ㄐㄧㄣˇ)respectfully serious
恭(恭敬)敬(ㄍㄨㄥ (ㄍㄨㄥ ㄐㄧㄥˋ) ㄐㄧㄥˋ)respectful; reverent
恭請(ㄍㄨㄥ ㄑㄧㄥˇ)to invite respectfully
恭喜(ㄍㄨㄥ ㄒㄧˇ)Congratulations!
恭祝(ㄍㄨㄥ ㄓㄨˋ)I, or we, congratulate you upon....
恭順(ㄍㄨㄥ ㄕㄨㄣˋ)obedient
恭迎(ㄍㄨㄥ ㄧㄥˊ)to welcome respectfully
恭維(ㄍㄨㄥ ㄨㄟˊ)to praise; to flatter

恥 1577 (耻) ㄔˇ chǐ
shame; disgrace; humiliation; to feel ashamed
恥笑(ㄔˇ ㄒㄧㄠˋ)to laugh at
恥辱(ㄔˇ ㄖㄨˋ)shame; disgrace

恉 1578 ㄓˇ zhǐ
same as旨—purport; meaning; intention

七畫

悃 1579 ㄎㄨㄣˇ kǔn
as in 悃誠—honest; sincere

悁 1580 1. ㄐㄩㄢˋ juàn
impatient; irritable

悁 1580 2. ㄐㄩㄢ juān
indignant; angry

悄 1581 ㄑㄧㄠˇ qiǎo
quiet
悄悄地(ㄑㄧㄠˇ ㄑㄧㄠˇ ·ㄉㄜ)secretly
悄然(ㄑㄧㄠˇ ㄖㄢˊ)①quietly ②sorrowfully

悅 1582 ㄩㄝˋ yuè
to delight; to gratify; to please
悅目(ㄩㄝˋ ㄇㄨˋ)pleasant to the eye
悅耳(ㄩㄝˋ ㄦˇ)pleasant to the ear

悌 1583 ㄊㄧˋ tì
to show brotherly love; love and respect for one's elder brother

悔 1584 ㄏㄨㄟˇ huǐ
to regret; to repent; remorse
悔改(ㄏㄨㄟˇ ㄍㄞˇ)to repent of (a sin)
悔過(ㄏㄨㄟˇ ㄍㄨㄛˋ)to be repentant
悔恨(ㄏㄨㄟˇ ㄏㄣˋ)to regret
悔悟(ㄏㄨㄟˇ ㄨˋ)to repent

悒 1585 ㄧˋ yì
troubled in the mind; unhappy
悒悶(ㄧˋ ㄇㄣˋ)depressed
悒鬱(ㄧˋ ㄩˋ)melancholy

悍 1586 ㄏㄢˋ hàn
1. fierce; cruel 2. brave; audacious 3. stubborn
悍婦(ㄏㄢˋ ㄈㄨˋ)a virago
悍然(ㄏㄢˋ ㄖㄢˊ)outrageously

悚 1587 ㄙㄨㄥˇ sǒng
fearful; terrified; frightened
悚慄(ㄙㄨㄥˇ ㄌㄧˋ)to tremble with fear
悚然(ㄙㄨㄥˇ ㄖㄢˊ)terror-stricken

悛 1588 ㄑㄩㄢ quān
to repent; to reform

悖 1589 ㄅㄟˋ bèi
to go against; to revolt against; contrary to
悖德(ㄅㄟˋ ㄉㄜˊ)to be immoral
悖逆(ㄅㄟˋ ㄋㄧˋ)to revolt; to rebel
悖理(ㄅㄟˋ ㄌㄧˇ)unreasonable
悖禮(ㄅㄟˋ ㄌㄧˇ)contrary to etiquette

悟 1590 ㄨˋ wù
to become aware of; to realize; to comprehend
悟道(ㄨˋ ㄉㄠˋ) (Buddhism) to awake to Truth
悟性(ㄨˋ ㄒㄧㄥˋ)the power of understanding

悝 1591 1. ㄌㄧˇ lǐ
sad; grieved; worried

悝 1591 2. ㄎㄨㄟ kuī
to ridicule

悠 1592 ㄧㄡ yōu
1. far; long; vast 2. sad; meditative 3. gentle; slow; soft 4. to swing
悠久(ㄧㄡ ㄐㄧㄡˇ)long in time
悠閒(ㄧㄡ ㄒㄧㄢˊ)leisurely
悠然(ㄧㄡ ㄖㄢˊ)unhurriedly
悠悠蕩蕩(ㄧㄡ ㄧㄡ ㄉㄤˋ ㄉㄤˋ)drifting gently
悠遠(ㄧㄡ ㄩㄢˇ)distant

悉 1593 ㄒㄧ xī
1. to know 2. all; whole; total; entire
悉心(ㄒㄧ ㄒㄧㄣ) with one's whole heart
悉數(ㄒㄧ ㄕㄨˋ)all; the entire sum (of money)

患 1594 ㄏㄨㄢˋ huàn
1. suffering; adversity 2. trouble; worry 3. to be worried about
患病(ㄏㄨㄢˋ ㄅㄧㄥˋ)to fall ill
患部(ㄏㄨㄢˋ ㄅㄨˋ)(said of wounds or

〔心部〕

skin diseases) the infected part
患難(ㄏㄨㄢˋ ㄋㄢˋ)suffering
患難之交(ㄏㄨㄢˋ ㄋㄢˋ ㄓ ㄐㄧㄠ) the friendship cemented in adversity
患者(ㄏㄨㄢˋ ㄓㄜˇ)a patient

悤 1595 (匆) ㄘㄨㄥ cōng
excited; hurried; agitated

您 1596 ㄋㄧㄣˊ nín
a deferential form of "你"

八畫

悱 1597 ㄈㄟˇ fěi
1. inarticulate; unable to give vent to one's emotion 2. sorrowful
悱惻(ㄈㄟˇ ㄘㄜˋ)sorrowful

悵 1598 ㄔㄤˋ chàng
disappointed; frustrated; dissatisfied; sorry
悵惘(ㄔㄤˋ ㄨㄤˇ)depressed

悸 1599 ㄐㄧˋ jì
1. palpitation of the heart 2. fear
悸動(ㄐㄧˋ ㄉㄨㄥˋ) to palpitate with terror

悻 1600 ㄒㄧㄥˋ xìng
angry; indignant; enraged
悻悻(然)(ㄒㄧㄥˋ ㄒㄧㄥˋ (ㄖㄢˊ)) angry

悴 1601 ㄘㄨㄟˋ cuì
1. haggard; worn-out; tired out 2. worried; sad

悼 1602 ㄉㄠˋ dào
to mourn (for or over); to lament; to regret; to grieve
悼念(ㄉㄠˋ ㄋㄧㄢˋ)to mourn
悼傷(ㄉㄠˋ ㄕㄤ)to remember (the deceased) with sorrow

悾 1603 ㄎㄨㄥ kōng
sincere; candid

悽 1604 ㄑㄧ qī
1. grieved; sorrowful 2. pathetic; grievous
悽涼(ㄑㄧ ㄌㄧㄤˊ)dreary; desolate
悽苦(ㄑㄧ ㄎㄨˇ)suffering tragically
悽悽惶惶(ㄑㄧ ㄑㄧ ㄏㄨㄤˊ ㄏㄨㄤˊ) hurriedly; hastily
悽切(ㄑㄧ ㄑㄧㄝˋ) or 悽楚(ㄑㄧ ㄔㄨˇ) pathetic; grievous
悽愴(ㄑㄧ ㄔㄨㄤˋ)saddening
悽慘(ㄑㄧ ㄘㄢˇ)tragic

惆 1605 ㄔㄡˊ chóu
1. regretful; melancholy 2. disappointed
惆悵(ㄔㄡˊ ㄔㄤˋ)rueful; regretful

情 1606 ㄑㄧㄥˊ qíng
1. feelings; emotions 2. detail; situation 3. love; affection 4. nature
情報(ㄑㄧㄥˊ ㄅㄠˋ)information; intelligence reports
情報網(ㄑㄧㄥˊ ㄅㄠˋ ㄨㄤˇ)an intelligence network
情報員(ㄑㄧㄥˊ ㄅㄠˋ ㄩㄢˊ)an intelligence agent
情不自禁(ㄑㄧㄥˊ ㄅㄨˋ ㄗˋ ㄐㄧㄣ)to be seized with an impulse
情面(ㄑㄧㄥˊ ˙ㄇㄧㄢ)face (self-respect, good name, reputation)
情分(ㄑㄧㄥˊ ˙ㄈㄣ) ①friendship ②good intentions
情竇初開(ㄑㄧㄥˊ ㄉㄡˋ ㄔㄨ ㄎㄞ)(said of girls) to reach puberty
情敵(ㄑㄧㄥˊ ㄉㄧˊ)a rival in a love affair
情調(ㄑㄧㄥˊ ㄉㄧㄠˋ)an atmosphere
情投意合(ㄑㄧㄥˊ ㄊㄡˊ ㄧˋ ㄏㄜˊ)to be congenial
情理(ㄑㄧㄥˊ ㄌㄧˇ)reason; common sense
情理難容(ㄑㄧㄥˊ ㄌㄧˇ ㄋㄢˊ ㄖㄨㄥˊ)contrary to reason or common sense
情侶(ㄑㄧㄥˊ ㄌㄩˇ)lovers
情歌(ㄑㄧㄥˊ ㄍㄜ)a love song
情感(ㄑㄧㄥˊ ㄍㄢˇ)emotions; feelings
情況(ㄑㄧㄥˊ ㄎㄨㄤˋ)a situation
情話(ㄑㄧㄥˊ ㄏㄨㄚˋ)whispers of love
情懷(ㄑㄧㄥˊ ㄏㄨㄞˊ)a mood; feelings
情節(ㄑㄧㄥˊ ㄐㄧㄝˊ)a plot (of a play, novel, etc.)
情景(ㄑㄧㄥˊ ㄐㄧㄥˇ)a scene; a sight
情境(ㄑㄧㄥˊ ㄐㄧㄥˋ)circumstances
情趣(ㄑㄧㄥˊ ㄑㄩˋ)sentiment; interest
情形(ㄑㄧㄥˊ ㄒㄧㄥˊ)a situation
情緒(ㄑㄧㄥˊ ㄒㄩˋ)emotions
情場失意(ㄑㄧㄥˊ ㄔㄤˇ ㄕ ㄧˋ)frustrated in love; jilted
情詩(ㄑㄧㄥˊ ㄕ)amatory poems; love poems
情史(ㄑㄧㄥˊ ㄕˇ)a love story
情勢(ㄑㄧㄥˊ ㄕˋ)a situation
情殺(ㄑㄧㄥˊ ㄕㄚ)murder caused by love entanglement
情書(ㄑㄧㄥˊ ㄕㄨ)a love letter
情人(ㄑㄧㄥˊ ㄖㄣˊ)a lover
情人節(ㄑㄧㄥˊ ㄖㄣˊ ㄐㄧㄝˊ)St. Valentine's Day
情操(ㄑㄧㄥˊ ㄘㄠ)noble thoughts and feelings
情愫(ㄑㄧㄥˊ ㄙㄨˋ)innermost feelings
情誼(ㄑㄧㄥˊ ㄧˋ)friendship
情意(ㄑㄧㄥˊ ㄧˋ)feeling; affection
情由(ㄑㄧㄥˊ ㄧㄡˊ)reason; cause
情有可原(ㄑㄧㄥˊ ㄧㄡˇ ㄎㄜˇ ㄩㄢˊ)pardonable; excusable
情慾(ㄑㄧㄥˊ ㄩˋ)lust; eroticism

情願(ㄑㄧㄥˊ ㄩㄢˋ) ①to be willing ②would rather

惇 1607
ㄉㄨㄣ dūn

sincere; kind; generous

惇誨(ㄉㄨㄣ ㄏㄨㄟˋ) to teach kindly

惋 1608
ㄨㄢˋ wàn

1. to regret 2. to be alarmed

惋惜(ㄨㄢˋ ㄒㄧ) to regret

惕 1609
ㄊㄧˋ tì

1. cautious; careful; prudent; watch-out 2. afraid 3. anxious

惕厲(ㄊㄧˋ ㄌㄧˋ) to exercise caution and discipline

惓 1610
ㄑㄩㄢˊ quán

sincere; candid

惘 1611
ㄨㄤˇ wǎng

dejected; frustrated; discouraged

惘然(ㄨㄤˇ ㄖㄢˊ) at a loss

惚 1612
ㄏㄨ hū

absent-minded; entranced

惙 1613
ㄔㄨㄛˋ chuò

melancholy; doleful; mournful

惛 1614
ㄏㄨㄣ hūn

1. confused 2. senile

惛懵(ㄏㄨㄣ ㄇㄥˊ) dim-eyed

惛惛(ㄏㄨㄣ ㄏㄨㄣ) ①confused in mind ②entranced

惝 1615
ㄊㄤˇ tǎng

(又讀 ㄔㄤˇ chǎng)

dispirited; disheartened; discouraged; dejected

惦 1616
ㄉㄧㄢˋ diàn

to remember; to bear in mind; to miss; to be concerned about

惦念(ㄉㄧㄢˋ ㄋㄧㄢˋ) to miss (a friend or beloved one)

惦記(ㄉㄧㄢˋ ㄐㄧˋ) to feel concern about someone far away

惜 1617
ㄒㄧˊ xí

1. to pity; to sympathize; to regret 2. to have a high opinion of (something) 3. to spare; to grudge

惜別(ㄒㄧˊ ㄅㄧㄝˊ) to say good-bye

惜福(ㄒㄧˊ ㄈㄨˊ) to refrain from leading an excessively comfortable life

惟 1618
(唯) ㄨㄟˊ wéi

1. to think; to meditate 2. only; alone 3. but; however

惟命是從(ㄨㄟˊ ㄇㄧㄥˋ ㄕˋ ㄘㄨㄥˊ) to be slavishly obedient

惟獨(ㄨㄟˊ ㄉㄨˊ) only; alone

惟利是圖(ㄨㄟˊ ㄌㄧˋ ㄕˋ ㄊㄨˊ) interested only in material gain

惟恐(ㄨㄟˊ ㄎㄨㄥˇ) for fear that

惟心論(ㄨㄟˊ ㄒㄧㄣ ㄌㄨㄣˋ) spiritualism; idealism

惟一(ㄨㄟˊ ㄧ) the only one

惟物論(ㄨㄟˊ ㄨˋ ㄌㄨㄣˋ) materialism

悶 1619
1. ㄇㄣˋ mèn

melancholy; depressed; bored; in low spirits

悶悶不樂(ㄇㄣˋ ˙ㄇㄣ ㄅㄨˋ ㄌㄜˋ) sulky; unhappy; depressed

悶葫蘆(ㄇㄣˋ ㄏㄨˊ ˙ㄌㄨ) something difficult to understand; a riddle

悶氣(ㄇㄣˋ ㄑㄧˋ) the sulks; pent-up sorrow or resentment

悶 1619
2. ㄇㄣ mēn

1. (said of weather, rooms, etc.) oppressive 2. (said of a sound) muffled 3. to shut oneself indoors 4. to cover the tea pot for a while when one makes tea with boiling water

悶得慌(ㄇㄣ ˙ㄉㄜ ˙ㄏㄨㄤ) very stuffy

悶着(ㄇㄣ ˙ㄓㄜ) ① to refrain from speaking out ② being stewed

悶聲不響(ㄇㄣ ㄕㄥ ㄅㄨˋ ㄒㄧㄤˇ) to remain quiet; to remain silent

悶熱(ㄇㄣ ㄖㄜˋ) sticky; humid

悶死(ㄇㄣ ㄙˇ) to die of suffocation

惄 1620
ㄋㄧˋ nì

pensive; worried

惑 1621
ㄏㄨㄛˋ huò

1. to confuse; to perplex; to delude 2. to doubt; to suspect

惑衆(ㄏㄨㄛˋ ㄓㄨㄥˋ) to confuse the people

悲 1622
ㄅㄟ bēi

1. sad; sorrowful; mournful 2. to lament; to deplore; to mourn

悲憫(ㄅㄟ ㄇㄧㄣˇ) to pity

悲憤(ㄅㄟ ㄈㄣˋ) to lament and resent (an injustice)

悲悼(ㄅㄟ ㄉㄠˋ) to mourn

悲歎(ㄅㄟ ㄊㄢˋ) to sigh over

悲天憫人(ㄅㄟ ㄊㄧㄢ ㄇㄧㄣˇ ㄖㄣˊ) to be concerned over the destiny of mankind

悲慟(ㄅㄟ ㄊㄨㄥˋ) to weep loudly for sorrow

悲憐(ㄅㄟ ㄌㄧㄢˊ) to take pity on

悲歌(ㄅㄟ ㄍㄜ) an elegy

悲觀(ㄅㄟ ㄍㄨㄢ) pessimistic

悲觀主義(ㄅㄟ ㄍㄨㄢ ㄓㄨˇ ㄧˋ) pessimism

悲歡離合(ㄅㄟ ㄏㄨㄢ ㄌㄧˊ ㄏㄜˊ) the

〔心部〕

sorrow of parting and the joy of union in life
悲劇(ㄅㄟ ㄐㄩˋ)a tragedy
悲喜交集(ㄅㄟ ㄒㄧˇ ㄐㄧㄠ ㄐㄧˊ)intermingling of sorrow and joy
悲喜劇(ㄅㄟ ㄒㄧˇ ㄐㄩˋ)a tragicomedy
悲傷(ㄅㄟ ㄕㄤ)sad; sorrowful
悲慘(ㄅㄟ ㄘㄢˇ)miserable
悲哀(ㄅㄟ ㄞ)mournful; woeful

惠 1623 ㄏㄨㄟˋ huì

1. to benefit; benefit; to favor; a favor 2. kind; benevolent 3. gentle and yielding
惠臨(ㄏㄨㄟˋ ㄌㄧㄣˊ)(honorific expression) to favor with one's presence
惠顧(ㄏㄨㄟˋ ㄍㄨˋ)to patronize (my business establishment)
惠鑒(ㄏㄨㄟˋ ㄐㄧㄢˋ)for your gracious perusal
惠存(ㄏㄨㄟˋ ㄘㄨㄣˊ) to be so kind as to keep (my gift)
惠賜(ㄏㄨㄟˋ ㄙˋ)to be kind enough to give (me something)

惡 1624 1. ㄜˋ è

1. bad; evil; wicked 2. fierce; ferocious
惡霸(ㄜˋ ㄅㄚˋ)a local bandit leader
惡報(ㄜˋ ㄅㄠˋ)retribution
惡魔(ㄜˋ ㄇㄛˊ)the devil
惡夢(ㄜˋ ㄇㄥˋ)a nightmare
惡模惡樣(ㄜˋ ㄇㄛˊ ㄜˋ ㄧㄤˋ)a fierce or ferocious appearance
惡毒(ㄜˋ ㄉㄨˊ)malicious
惡念(ㄜˋ ㄋㄧㄢˋ)evil intentions
惡劣(ㄜˋ ㄌㄧㄝˋ)① of very poor quality, very inferior ② rude ③ vile
惡劣環境(ㄜˋ ㄌㄧㄝˋ ㄏㄨㄢˊ ㄐㄧㄥˋ) adverse circumstances
惡劣氣候(ㄜˋ ㄌㄧㄝˋ ㄑㄧˋ ㄏㄡˋ)vile weather
惡劣手段(ㄜˋ ㄌㄧㄝˋ ㄕㄡˇ ㄉㄨㄢˋ)mean tricks
惡果(ㄜˋ ㄍㄨㄛˇ)disastrous effect
惡貫滿盈(ㄜˋ ㄍㄨㄢˋ ㄇㄢˇ ㄧㄥˊ)to come to the end of a criminal career
惡棍(ㄜˋ ㄍㄨㄣˋ)a villain; a rascal
惡耗(ㄜˋ ㄏㄠˋ)news of death or disaster
惡化(ㄜˋ ㄏㄨㄚˋ)to degenerate
惡犬(ㄜˋ ㄑㄩㄢˇ)a fierce dog
惡習(ㄜˋ ㄒㄧˊ)a bad habit
惡行(ㄜˋ ㄒㄧㄥˊ)an evil deed
惡性(ㄜˋ ㄒㄧㄥˋ)malignant
惡性倒閉(ㄜˋ ㄒㄧㄥˋ ㄉㄠˇ ㄅㄧˋ)fraudulent insolvency
惡性循環(ㄜˋ ㄒㄧㄥˋ ㄒㄩㄣˊ ㄏㄨㄢˊ)a vicious circle
惡性腫瘤(ㄜˋ ㄒㄧㄥˋ ㄓㄨㄥˇ ㄌㄧㄡˊ)a malignant tumor
惡兆(ㄜˋ ㄓㄠˋ)an ill omen
惡臭(ㄜˋ ㄔㄡˋ)an offensive odor
惡勢力(ㄜˋ ㄕˋ ㄌㄧˋ)vicious power
惡作劇(ㄜˋ ㄗㄨㄛˋ ㄐㄩˋ)mischief
惡意(ㄜˋ ㄧˋ)sinister motives
惡有惡報(ㄜˋ ㄧㄡˇ ㄜˋ ㄅㄠˋ)Evil will be recompensed with evil.
惡言(ㄜˋ ㄧㄢˊ)abusing language
惡語中傷(ㄜˋ ㄩˇ ㄓㄨㄥ ㄕㄤ)to calumniate
惡運(ㄜˋ ㄩㄣˋ)bad luck

惡 1624 2. ㄜˇ ě

to disgust; to sicken; to scorn
惡心(ㄜˇ ˙ㄒㄧㄣ)disgusting

惡 1624 3. ㄨˋ wù

to hate; to detest; to dislike; to abhor; to loathe

惡 1624 4. ㄨ wū

1. how; where 2. O; oh; ah

九畫

惰 1625 ㄉㄨㄛˋ duò

lazy; idle; indolent
惰懈(ㄉㄨㄛˋ ㄒㄧㄝˋ)to be negligent
惰性(ㄉㄨㄛˋ ㄒㄧㄥˋ)laziness

惱 1626 ㄋㄠˇ nǎo

1. to anger; to annoy; to irritate 2. angered; offended; vexed
惱怒(ㄋㄠˇ ㄋㄨˋ)angry; irritated
惱火(ㄋㄠˇ ㄏㄨㄛˇ)annoyed
惱羞成怒(ㄋㄠˇ ㄒㄧㄡ ㄔㄥˊ ㄋㄨˋ)to be moved to anger by the feeling of shame
惱人(ㄋㄠˇ ㄖㄣˊ)irritating

惴 1627 ㄓㄨㄟˋ zhuì

worried; afraid; anxious; apprehensive
惴慄(ㄓㄨㄟˋ ㄌㄧˋ)to shudder

惵 1628 ㄉㄧㄝˊ dié

afraid; fearful; terrified

惲 1629 ㄩㄣˋ yùn

to plan; to consider; to deliberate

惶 1630 ㄏㄨㄤˊ huáng

1. afraid; fearful; apprehensive 2. anxious; uneasy 3. flurried; hurried
惶恐(ㄏㄨㄤˊ ㄎㄨㄥˇ)fearful; afraid
惶惶(ㄏㄨㄤˊ ㄏㄨㄤˊ)anxious; uneasy
惶遽(ㄏㄨㄤˊ ㄐㄩˋ)scared

愒 1631 ㄎㄞˋ kài

to idle away (time)

愐 1632
ㄇㄧㄢˇ miǎn
1. to remember; to give thought to 2. shy
愐靦(ㄇㄧㄢˇ ·ㄊㄧㄢ)bashful; shy
愐懷(ㄇㄧㄢˇ ㄏㄨㄞˊ)to remember

愕 1633
ㄜˋ è
startled; astonished; amazed
愕然(ㄜˋ ㄖㄢˊ)astonished

愣 1634
ㄌㄥˋ lèng
1. dumbfounded 2. reckless 3. outspoken
愣頭愣腦(ㄌㄥˋ ㄊㄡˊ ㄌㄥˋ ㄋㄠˇ)① rash; reckless ② stupid-looking
愣住了(ㄌㄥˋ ㄓㄨˋ ·ㄌㄜ)to be taken aback

惸 1635
ㄑㄩㄥˊ qióng
1. worried; distressed 2. brotherless; friendless

惺 1636
1. ㄒㄧㄥ xīng
1. clever; intelligent 2. indecisive
惺惺作態(ㄒㄧㄥ ㄒㄧㄥ ㄗㄨㄛˋ ㄊㄞˋ)to simulate (innocence, etc.)
惺忪(ㄒㄧㄥ ㄙㄨㄥ)(said of eyes) not yet fully open on waking up

惺 1636
2. ㄒㄧㄥˇ xǐng
to become aware of; to awake from ignorance

愀 1637
ㄑㄧㄠˇ qiǎo
1. anxious-looking 2. to show a sudden change of expression
愀然(ㄑㄧㄠˇ ㄖㄢˊ)showing a sudden change of expression

惻 1638
ㄘㄜˋ cè
to feel anguish
惻隱之心(ㄘㄜˋ ㄧㄣˇ ㄓ ㄒㄧㄣ)natural compassion; innate mercy

愎 1639
ㄅㄧˋ bì
perverse; self-willed; obstinate; stubborn

愉 1640
ㄩˊ yú
happy; contented; pleased
愉快(ㄩˊ ㄎㄨㄞˋ)cheerful; happy
愉悅(ㄩˊ ㄩㄝˋ)joyful; glad; happy

愔 1641
ㄧㄣ yīn
peaceful; composed; serene

愊 1642
ㄅㄧˋ bì
1. sincere; honest 2. melancholy; depressed

愜 1643
ㄑㄧㄝˋ qiè
as in 愜意—cheerful; satisfied; contented

想 1644
ㄒㄧㄤˇ xiǎng
1. to think 2. to hope 3. to plan 4. to miss 5. would like to
想必(是)(ㄒㄧㄤˇ ㄅㄧˋ(ㄕˋ))presumably
想不到(ㄒㄧㄤˇ ·ㄅㄨ ㄉㄠˋ)unexpectedly
想不通(ㄒㄧㄤˇ ·ㄅㄨ ㄊㄨㄥ)can't figure it out
想不開(ㄒㄧㄤˇ ·ㄅㄨ ㄎㄞ)to take some misfortune too seriously
想法子(ㄒㄧㄤˇ ㄈㄚˊ ·ㄗ) to devise means
想法(ㄒㄧㄤˇ ㄈㄚˇ)an idea
想得開(ㄒㄧㄤˇ ·ㄉㄜ ㄎㄞ)to try to look on the bright side of things
想到(ㄒㄧㄤˇ ㄉㄠˋ)to think of
想當然(ㄒㄧㄤˇ ㄉㄤ ㄖㄢˊ)presumably
想通(ㄒㄧㄤˇ ㄊㄨㄥ)to straighten out one's thinking
想念(ㄒㄧㄤˇ ㄋㄧㄢˋ)to miss (something or someone)
想來想去(ㄒㄧㄤˇ ㄌㄞˊ ㄒㄧㄤˇ ㄑㄩˋ)to turn (a matter) over and over in one's mind; to ponder
想開了(ㄒㄧㄤˇ ㄎㄞ ·ㄌㄜ)to have succeeded in getting over misfortune
想家(ㄒㄧㄤˇ ㄐㄧㄚ)homesick
想起(ㄒㄧㄤˇ ㄑㄧˇ)to think of
想想看(ㄒㄧㄤˇ ㄒㄧㄤˇ ㄎㄢˋ)to think about it
想像(ㄒㄧㄤˇ ㄒㄧㄤˋ)to imagine
想像力(ㄒㄧㄤˇ ㄒㄧㄤˋ ㄌㄧˋ)imagination
想入非非(ㄒㄧㄤˇ ㄖㄨˋ ㄈㄟ ㄈㄟ)to let one's imagination run wild; to build castles in the air

惹 1645
ㄖㄜˇ rě
to provoke; to rouse; to induce; to attract; to offend; to incur
惹不起(ㄖㄜˇ ·ㄅㄨ ㄑㄧˇ)too powerful to be offended
惹麻煩(ㄖㄜˇ ㄇㄚˊ ㄈㄢˊ)to excite trouble
惹禍(ㄖㄜˇ ㄏㄨㄛˋ)to bring disaster
惹起(ㄖㄜˇ ㄑㄧˇ)to incite; to incur
惹事(ㄖㄜˇ ㄕˋ)to create trouble
惹是(生)非(ㄖㄜˇ ㄕˋ(ㄕㄥ)ㄈㄟ)to provoke a dispute
惹人注目(ㄖㄜˇ ㄖㄣˊ ㄓㄨˋ ㄇㄨˋ) to attract attention

愁 1646
ㄔㄡˊ chóu
1. sad; worried; melancholy 2. depressing; saddening 3. to worry about 4. sorrow; woe
愁眉不展(ㄔㄡˊ ㄇㄟˊ ㄅㄨˋ ㄓㄢˇ)to wear a sad expression
愁眉苦臉(ㄔㄡˊ ㄇㄟˊ ㄎㄨˇ ㄌㄧㄢˇ)a distressed expression
愁悶(ㄔㄡˊ ㄇㄣˋ)distressed
愁緒(ㄔㄡˊ ㄒㄩˋ)a sad mood

〔心部〕

愍 1647
ㄇㄧㄣˇ mǐn
to pity; to commiserate
愍恤(ㄇㄧㄣˇ ㄒㄩˋ)to feel pity

愆 1648
ㄑㄧㄢ qiān
1. a fault 2. to lose 3. a malignant disease
愆過(ㄑㄧㄢ ㄍㄨㄛˋ)a mistake
愆期(ㄑㄧㄢ ㄑㄧˊ) to fall behind schedule

愈 1649
ㄩˋ yù
1. to recover (from illness); to heal 亦作「癒」 2. even more
愈加(ㄩˋ ㄐㄧㄚ)increasingly; more and more
愈甚(ㄩˋ ㄕㄣˋ)to become intense

意 1650
ㄧˋ yì
1. a thought; an idea; sentiments 2. intention; inclination 3. expectations 4. meaning 5. a hint; suggestion
意大利(ㄧˋ ㄉㄚˋ ㄌㄧˋ)Italy
意圖(ㄧˋ ㄊㄨˊ)intention
意念(ㄧˋ ㄋㄧㄢˋ)an idea
意料(ㄧˋ ㄌㄧㄠˋ)expectations
意會(ㄧˋ ㄏㄨㄟˋ)to sense
意見(ㄧˋ ㄐㄧㄢˋ)an opinion; an idea
意見箱(ㄧˋ ㄐㄧㄢˋ ㄒㄧㄤ)a suggestion box
意氣之爭(ㄧˋ ㄑㄧˋ ㄓ ㄓㄥ)to quarrel over a matter of emotion
意氣用事(ㄧˋ ㄑㄧˋ ㄩㄥˋ ㄕˋ)to act on impulse
意下如何(ㄧˋ ㄒㄧㄚˋ ㄖㄨˊ ㄏㄜˊ)How about it?
意想不到(ㄧˋ ㄒㄧㄤˇ ㄅㄨˋ ㄉㄠˋ)unexpectedly
意向(ㄧˋ ㄒㄧㄤˋ)intentions
意象(ㄧˋ ㄒㄧㄤˋ)an image
意旨(ㄧˋ ㄓˇ)intent; meaning
意志(ㄧˋ ㄓˋ)volition; will
意志消沉(ㄧˋ ㄓˋ ㄒㄧㄠ ㄔㄣˊ)pessimistic; depressed
意中人(ㄧˋ ㄓㄨㄥ ㄖㄣˊ)the man, or lady, of one's heart
意識(ㄧˋ ㄕˋ)consciousness
意識到(ㄧˋ ㄕˋ ㄉㄠˋ)to be conscious of
意識形態(ㄧˋ ㄕˋ ㄒㄧㄥˊ ㄊㄞˋ)ideology
意思(ㄧˋ ·ㄙ)① meaning ② wish ③ fun
意義(ㄧˋ ㄧˋ)meaning; significance
意譯(ㄧˋ ㄧˋ)paraphrase
意外(ㄧˋ ㄨㄞˋ)① unexpected② an accident
意外保險(ㄧˋ ㄨㄞˋ ㄅㄠˇ ㄒㄧㄢˇ)accident insurance
意外事件(ㄧˋ ㄨㄞˋ ㄕˋ ㄐㄧㄢˋ)an accident
意味(ㄧˋ ㄨㄟˋ)to portend
意欲(ㄧˋ ㄩˋ)to want to do something
意願(ㄧˋ ㄩㄢˋ)inclination; wish

愚 1651
ㄩˊ yú
1. stupid; foolish 2. to fool 3. (courteous self-reference) I; me
愚笨(ㄩˊ ㄅㄣˋ)stupid; foolish
愚昧(ㄩˊ ㄇㄟˋ)stupid; ignorant
愚民政策(ㄩˊ ㄇㄧㄣˊ ㄓㄥˋ ㄘㄜˋ)obscurantism
愚鈍(ㄩˊ ㄉㄨㄣˋ) (in mind) dull
愚弄(ㄩˊ ㄋㄨㄥˋ)to make a fool of somebody
愚見(ㄩˊ ㄐㄧㄢˋ)my humble opinion
愚蠢(ㄩˊ ㄔㄨㄣˇ)stupid; dull
愚人節(ㄩˊ ㄖㄣˊ ㄐㄧㄝˊ)All Fools' Day

感 1652
ㄍㄢˇ gǎn
1. to find; to feel; to sense 2. to affect, move, or touch 3. sensation; emotion 4. to be grateful
感冒(ㄍㄢˇ ㄇㄠˋ)① a cold ② to catch a cold
感到(ㄍㄢˇ ㄉㄠˋ)to feel; to sense
感動(ㄍㄢˇ ㄉㄨㄥˋ)(mentally) to move, affect, or touch
感歎(ㄍㄢˇ ㄊㄢˋ)to exclaim
感歎號(ㄍㄢˇ ㄊㄢˋ ㄏㄠˋ)the exclamation mark
感官(ㄍㄢˇ ㄍㄨㄢ)①the senses ②a sensory organ
感光(ㄍㄢˇ ㄍㄨㄤ)to be exposed to light
感光紙(ㄍㄢˇ ㄍㄨㄤ ㄓˇ)sensitized or sensitive paper
感慨(ㄍㄢˇ ㄎㄞˇ)regrets
感化(ㄍㄢˇ ㄏㄨㄚˋ) to influence (a person) by personal examples of moral uprightness
感化院(ㄍㄢˇ ㄏㄨㄚˋ ㄩㄢˋ)a reformatory
感激(ㄍㄢˇ ㄐㄧ)to feel grateful
感覺(ㄍㄢˇ ㄐㄩㄝˊ)① sense; feeling ② to sense; to become aware of
感覺器官(ㄍㄢˇ ㄐㄩㄝˊ ㄑㄧˋ ㄍㄨㄢ)sensory organs
感覺神經(ㄍㄢˇ ㄐㄩㄝˊ ㄕㄣˊ ㄐㄧㄥ)sensory nerves
感情(ㄍㄢˇ ㄑㄧㄥˊ)feelings; affection
感情衝動(ㄍㄢˇ ㄑㄧㄥˊ ㄔㄨㄥ ㄉㄨㄥˋ) impulsiveness
感情用事(ㄍㄢˇ ㄑㄧㄥˊ ㄩㄥˋ ㄕˋ)swayed by one's feelings
感謝(ㄍㄢˇ ㄒㄧㄝˋ)to thank
感想(ㄍㄢˇ ㄒㄧㄤˇ)mental reaction
感性(ㄍㄢˇ ㄒㄧㄥˋ)perceptual
感觸(ㄍㄢˇ ㄔㄨˋ)mental reaction
感受(ㄍㄢˇ ㄕㄡˋ)to feel
感傷(ㄍㄢˇ ㄕㄤ)sentimentality
感染(ㄍㄢˇ ㄖㄢˇ)to affect
感恩(ㄍㄢˇ ㄣ)to be grateful
感恩圖報(ㄍㄢˇ ㄣ ㄊㄨˊ ㄅㄠˋ)to feel grateful for a kind act and plan to repay it
感恩節(ㄍㄢˇ ㄣ ㄐㄧㄝˊ)Thanksgiving Day
感應(ㄍㄢˇ ㄧㄥˋ)①to feel and respond

②(physics) induction
感應器(ㄍㄢˇ ㄧㄥˋ ㄑㄧˋ)an induction machine

愛 1653
ㄞˋ ài
1. to love; to be fond of 2. love; affection 3. to be apt to
愛不釋手(ㄞˋ ㄅㄨˋ ㄕˋ ㄕㄡˇ)to fondle admiringly
愛莫能助(ㄞˋ ㄇㄛˋ ㄋㄥˊ ㄓㄨˋ)desirous but unable to help
愛美(ㄞˋ ㄇㄟˇ)to be fond of making up
愛面子(ㄞˋ ㄇㄧㄢˋ ·ㄗ)to be sensitive about one's reputation
愛慕(ㄞˋ ㄇㄨˋ)to adore
愛撫(ㄞˋ ㄈㄨˇ)to caress
愛戴(ㄞˋ ㄉㄞˋ)to love and support
愛女(ㄞˋ ㄋㄩˇ)a beloved daughter
愛國(ㄞˋ ㄍㄨㄛˊ)patriotic
愛國心(ㄞˋ ㄍㄨㄛˊ ㄒㄧㄣ)patriotism
愛克司光(ㄞˋ ㄎㄜˋ ㄙ ㄍㄨㄤ)X ray
愛好(ㄞˋ ㄏㄠˋ)to be interested in, or to love (sport, art, etc.)
愛好者(ㄞˋ ㄏㄠˋ ㄓㄜˇ)a lover (of art, sports, etc.)
愛護(ㄞˋ ㄏㄨˋ)to give kind protection to
愛情(ㄞˋ ㄑㄧㄥˊ)love (between man and woman)
愛惜(ㄞˋ ㄒㄧˊ)to cherish
愛心(ㄞˋ ㄒㄧㄣ)compassion
愛虛榮(ㄞˋ ㄒㄩ ㄖㄨㄥˊ)vainglorious
愛神(ㄞˋ ㄕㄣˊ)Cupid
愛人(ㄞˋ ㄖㄣˊ)a lover
愛滋病(ㄞˋ ㄗ ㄅㄧㄥˋ) AIDS (acquired immune deficiency syndrome)
愛滋病毒(ㄞˋ ㄗ ㄅㄧㄥˋ ㄉㄨˊ)AIDS virus
愛子(ㄞˋ ㄗˇ)a beloved son
愛財若命(ㄞˋ ㄘㄞˊ ㄖㄨㄛˋ ㄇㄧㄥˋ)very stingy; miserly
愛斯基摩人(ㄞˋ ㄙ ㄐㄧ ㄇㄛˊ ㄖㄣˊ)the Eskimos
愛爾蘭(ㄞˋ ㄦˇ ㄌㄢˊ)Ireland
愛屋及烏(ㄞˋ ㄨ ㄐㄧˊ ㄨ) Love me, love my dog.

十畫

愧 1654
(媿) ㄎㄨㄟˋ kuì
ashamed; shameful; abashed
愧不敢當(ㄎㄨㄟˋ ㄅㄨˋ ㄍㄢˇ ㄉㄤ)do not deserve (a gift, etc.)
愧疚(ㄎㄨㄟˋ ㄐㄧㄡˋ)to feel the discomfort of shame

愴 1655
ㄔㄨㄤˋ chuàng
as in 愴然—broken-hearted; sad

愫 1656
ㄙㄨˋ sù
sincerity; honesty

慍 1657
ㄩㄣˋ yùn
angry; indignant; displeased; irritated; vexed
慍怒(ㄩㄣˋ ㄋㄨˋ)angry; irritated
慍色(ㄩㄣˋ ㄙㄜˋ)an angry appearance

愷 1658
(凱) ㄎㄞˇ kǎi
joyful; good; kind; gentle
愷悌(ㄎㄞˇ ㄊㄧˋ)friendly
愷切(ㄎㄞˇ ㄑㄧㄝˋ)gently and sincerely

愾 1659
ㄎㄞˋ kài
enmity; hatred; anger; wrath

慄 1660
ㄌㄧˋ lì
to shudder; to tremble

慎 1661
ㄕㄣˋ shèn
cautious; careful; scrupulous; prudent
慎密(ㄕㄣˋ ㄇㄧˋ)meticulous
慎重(ㄕㄣˋ ㄓㄨㄥˋ)cautious; careful
慎重其事(ㄕㄣˋ ㄓㄨㄥˋ ㄑㄧˊ ㄕˋ)to do something in a serious manner
慎思明辨(ㄕㄣˋ ㄙ ㄇㄧㄥˊ ㄅㄧㄢˋ) to think carefully and clearly

慊 1662
1. ㄑㄧㄢˋ qiàn
to resent

慊 1662
2. ㄑㄧㄝˋ qiè
contented; gratified; pleased; satisfied

慌 1663
ㄏㄨㄤ huāng
to lose self-possession; confused
慌忙(ㄏㄨㄤ ㄇㄤˊ)hurry-scurry
慌亂(ㄏㄨㄤ ㄌㄨㄢˋ)in a hurry and confusion
慌(慌張)張(ㄏㄨㄤ(·ㄏㄨㄤㄓㄤ)ㄓㄤ) flustered; lacking self-possession

慆 1664
ㄊㄠ tāo
1. fleeting 2. for an extended period 3. delighted 4. doubtful 5. to hide

慉 1665
ㄒㄩˋ xù
to bring up; to raise

慈 1666
ㄘˊ cí
1. kind; benevolent; merciful 2. of one's mother; maternal
慈悲(ㄘˊ ㄅㄟ)pity; mercy
慈祥(ㄘˊ ㄒㄧㄤˊ)kind; benign
慈善機構(ㄘˊ ㄕㄢˋ ㄐㄧ ㄍㄡˋ)a charity organization
慈善家(ㄘˊ ㄕㄢˋ ㄐㄧㄚ)a philanthropist
慈善捐款(ㄘˊ ㄕㄢˋ ㄐㄩㄢ ㄎㄨㄢˇ)a charity contribution
慈善事業(ㄘˊ ㄕㄢˋ ㄕˋ ㄧㄝˋ)a charitable enterprise
慈烏反哺(ㄘˊ ㄨ ㄈㄢˇ ㄅㄨˇ)filial piety

〔心部〕

〔心部〕

慂 1667
ㄩㄥˇ yǒng
to persuade; to urge

態 1668
ㄊㄞˋ tài
1. an attitude; a position 2. a manner; deportment 3. a situation; a condition 4. (physics) state of matter
態度(ㄊㄞˋ ㄉㄨˋ)① an attitude; a position ② a manner

慇 1669
ㄧㄣ yīn
1. mournful; sorrowful 2. regardful; respectful
慇懃(ㄧㄣ ㄑㄧㄣˊ)polite; courteous

慁 1670
(㥵) ㄏㄨㄣˋ hùn
1. to upset 2. to disgrace 3. to worry

愬 1671
(訴) ㄙㄨˋ sù
to tell; to complain

愿 1672
ㄩㄢˋ yuàn
sincere; honest; faithful; virtuous

十一畫

慘 1673
ㄘㄢˇ cǎn
1. miserable; tragic 2. cruel; brutal 3. dark; gloomy 4. disastrously
慘敗(ㄘㄢˇ ㄅㄞˋ)crushing defeat
慘不忍睹(ㄘㄢˇ ㄅㄨˋ ㄖㄣˇ ㄉㄨˇ)so tragic that one cannot bear to look at it
慘澹經營(ㄘㄢˇ ㄉㄢˋ ㄐㄧㄥ ㄧㄥˊ)to build up a business from scratch
慘痛(ㄘㄢˇ ㄊㄨㄥˋ)bitter; very painful; agonizing
慘叫(ㄘㄢˇ ㄐㄧㄠˋ)to give a bloodcurdling scream
慘絕人寰(ㄘㄢˇ ㄐㄩㄝˊ ㄖㄣˊ ㄏㄨㄢˊ) bloodcurdling (atrocities)
慘兮兮的(ㄘㄢˇ ㄒㄧ ㄒㄧ ·ㄉㄜ)sad-looking
慘狀(ㄘㄢˇ ㄓㄨㄤˋ)a pitiful sight
慘重(ㄘㄢˇ ㄓㄨㄥˋ)disastrous
慘遭橫禍(ㄘㄢˇ ㄗㄠ ㄏㄥˋ ㄏㄨㄛˋ)to meet a tragic accident
慘死(ㄘㄢˇ ㄙˇ)to meet a violent death
慘案(ㄘㄢˇ ㄢˋ)a cruel murder case
慘無人道(ㄘㄢˇ ㄨˊ ㄖㄣˊ ㄉㄠˋ)brutal; cold-blooded

慢 1674
ㄇㄢˋ màn
1. slow; sluggish 2. negligent 3. haughty; arrogant 4. to postpone
慢跑(ㄇㄢˋ ㄆㄠˇ)to jog; jogging
慢(慢)來(ㄇㄢˋ(·ㄇㄢ) ㄌㄞˊ)Don't rush! Take your time.
慢點兒(ㄇㄢˋ ㄉㄧㄚˇㄦ)Be slower!
慢動作(ㄇㄢˋ ㄉㄨㄥˋ ㄗㄨㄛˋ) slow motion
慢條斯理(ㄇㄢˋ ㄊㄧㄠˊ ㄙ ㄌㄧˇ)unhurried; without haste
慢吞吞(ㄇㄢˋ ㄊㄨㄣ ㄊㄨㄣ)irritatingly slow
慢工出細活(ㄇㄢˋ ㄍㄨㄥ ㄔㄨ ㄒㄧˋ ㄏㄨㄛˊ)Fine products come from slow work.
慢火(ㄇㄢˋ ㄏㄨㄛˇ) a slow fire in cooking
慢鏡頭(ㄇㄢˋ ㄐㄧㄥˋ ㄊㄡˊ)slow motion in the movies
慢些(ㄇㄢˋ ·ㄒㄧㄝ)slower than
慢性病(ㄇㄢˋ ㄒㄧㄥˋ ㄅㄧㄥˋ)a chronic disease
慢性子(ㄇㄢˋ ㄒㄧㄥˋ ·ㄗ)① a slowpoke ② not active in doing things
慢著(ㄇㄢˋ ·ㄓㄜ)Wait a minute!
慢車道(ㄇㄢˋ ㄔㄜ ㄉㄠˋ)slow-traffic lanes
慢走(ㄇㄢˋ ㄗㄡˇ)① Don't go yet! ② (polite formula) Good-bye! 或Take care.

慣 1675
ㄍㄨㄢˋ guàn
1. habitual; customary 2. to spoil (a child) 3. to be used to
慣例(ㄍㄨㄢˋ ㄌㄧˋ)usual practice
慣壞(ㄍㄨㄢˋ ㄏㄨㄞˋ)to spoil (a child)
慣竊(ㄍㄨㄢˋ ㄑㄧㄝˋ)a habitual thief
慣行犯(ㄍㄨㄢˋ ㄒㄧㄥˊ ㄈㄢˋ)a habitual criminal
慣性(ㄍㄨㄢˋ ㄒㄧㄥˋ)(physics) inertia
慣常(ㄍㄨㄢˋ ㄔㄤˊ)customary; usual
慣於(ㄍㄨㄢˋ ㄩˊ)used to
慣用(ㄍㄨㄢˋ ㄩㄥˋ)in common use
慣用伎倆(ㄍㄨㄢˋ ㄩㄥˋ ㄐㄧˋ ㄌㄧㄤˇ)customary tactics; old tricks

慥 1676
ㄗㄠˋ zào
(又讀 ㄘㄠˋ cào)
sincere; kindhearted

慟 1677
ㄊㄨㄥˋ tòng
extreme grief
慟哭(ㄊㄨㄥˋ ㄎㄨ)to weep bitterly

慨 1678
ㄎㄞˇ kǎi
(又讀 ㄎㄞˋ kài)
1. to sigh emotionally 2. generous
慨歎(ㄎㄞˇ ㄊㄢˋ)to lament with sighs

慷 1679
ㄎㄤ kāng
(又讀 ㄎㄤˇ kǎng)
1. ardent 2. generous; unselfish
慷他人之慨(ㄎㄤ ㄊㄚ ㄖㄣˊ ㄓ ㄎㄞˇ)to be generous at the expense of others
慷慨(ㄎㄤ ㄎㄞˇ)generous
慷慨解囊(ㄎㄤ ㄎㄞˇ ㄐㄧㄝˇ ㄋㄤˊ)to

make generous contributions (of funds)

慳 1680
ㄑㄧㄢ qiān
1. as in慳吝—stingy; niggardly 2. deficient

慵 1681
ㄩㄥ yōng
(又讀 ㄩㄥˊ yóng)
indolent; lazy; idle
慵懶(ㄩㄥ ㄌㄢˇ)lazy; idle

慴 1682
ㄓㄜˊ zhé
fearful; terrified; frightened

慪 1683
ㄡˋ òu
1. same as 嘔—to irritate 2. to be stingy about something
慪氣(ㄡˋ ㄑㄧˋ)to become exasperated

憀 1684
ㄌㄧㄠˊ liáo
1. to depend 2. disappointed 3. easy to understand 4. for the time being

慝 1685
ㄊㄜˋ tè
an evil idea; evil; vice; iniquity

慤 1686
ㄑㄩㄝˋ què
honest; prudent

慫 1687
ㄙㄨㄥˇ sǒng
as in 慫慂—to instigate; to incite

慚 1688
(慙) ㄘㄢˊ cán
ashamed; mortified; humiliated
慚愧(ㄘㄢˊ ㄎㄨㄟˋ)ashamed
慚色(ㄘㄢˊ ㄙㄜˋ)a shamefaced look

慧 1689
ㄏㄨㄟˋ huì
intelligent; bright; wise
慧根(ㄏㄨㄟˋ ㄍㄣ)(Buddhism) the root of wisdom that can lead one to truth
慧黠(ㄏㄨㄟˋ ㄒㄧㄚˊ)shrewd; astute
慧星(ㄏㄨㄟˋ ㄒㄧㄥ)a comet
慧眼識英雄(ㄏㄨㄟˋ ㄧㄢˇ ㄕˋ ㄧㄥ ㄒㄩㄥˊ) Discerning eyes can tell greatness from mediocrity.

慰 1690
ㄨㄟˋ wèi
to console; to comfort; to soothe
慰勞(ㄨㄟˋ ㄌㄠˋ)to entertain and cheer (sometimes by means of material gifts)
慰留(ㄨㄟˋ ㄌㄧㄡˊ)to try to retain (a person intending to resign) in office
慰藉(ㄨㄟˋ ㄐㄧㄝˋ)to console
慰問(ㄨㄟˋ ㄨㄣˋ)to show sympathy by making inquiries
慰問金(ㄨㄟˋ ㄨㄣˋ ㄐㄧㄣ)money sent to express one's gratitude

慼 1691
(慽) ㄑㄧ qī
1. as in慼慼—mournful; woeful 2. ashamed
慼容(ㄑㄧ ㄖㄨㄥˊ)a sad look

慾 1692
ㄩˋ yù
desire; appetite; passion; lust; greed
慾念(ㄩˋ ㄋㄧㄢˋ)desire
慾令智昏(ㄩˋ ㄌㄧㄥˋ ㄓˋ ㄏㄨㄣ)Greed can benumb reason.
慾火(ㄩˋ ㄏㄨㄛˇ)the fire of lust
慾望(ㄩˋ ㄨㄤˋ)desire; a longing

慕 1693
ㄇㄨˋ mù
1. to yearn for 2. to adore; to admire
慕名(ㄇㄨˋ ㄇㄧㄥˊ)①eager for fame ② to admire another's reputation
慕名而來(ㄇㄨˋ ㄇㄧㄥˊ ㄦˊ ㄌㄞˊ)to visit a stranger far away because of his or her reputation as a hero, great beauty, etc.

憂 1694
ㄧㄡ yōu
1. sad; mournful 2. anxiety 3. to worry about; anxious
憂勞成疾(ㄧㄡ ㄌㄠˊ ㄔㄥˊ ㄐㄧˊ)to lose one's health because of care
憂慮(ㄧㄡ ㄌㄩˋ)worried; anxious
憂國憂民(ㄧㄡ ㄍㄨㄛˊ ㄧㄡ ㄇㄧㄣˊ)to be concerned about fate of the nation
憂心忡忡(ㄧㄡ ㄒㄧㄣ ㄔㄨㄥ ㄔㄨㄥ) care-ridden
憂心如焚(ㄧㄡ ㄒㄧㄣ ㄖㄨˊ ㄈㄣˊ)very anxious
憂愁(ㄧㄡ ㄔㄡˊ)melancholy
憂傷(ㄧㄡ ㄕㄤ)worried and grieved
憂悒(ㄧㄡ ㄧˋ)depressed
憂鬱(ㄧㄡ ㄩˋ)melancholy
憂鬱症(ㄧㄡ ㄩˋ ㄓㄥˋ)hypochondria

慮 1695
ㄌㄩˋ lǜ
1. to consider 2. anxious about
慮及(ㄌㄩˋ ㄐㄧˊ)to have taken into account

慶 1696
ㄑㄧㄥˋ qìng
1. festivity; blessing 2. to celebrate; to congratulate
慶典(ㄑㄧㄥˋ ㄉㄧㄢˇ)national festivities and celebration ceremonies
慶功宴(ㄑㄧㄥˋ ㄍㄨㄥ ㄧㄢˋ)a dinner party in celebration of triumph
慶賀(ㄑㄧㄥˋ ㄏㄜˋ)to celebrate
慶幸(ㄑㄧㄥˋ ㄒㄧㄥˋ)to congratulate or rejoice oneself
慶祝(ㄑㄧㄥˋ ㄓㄨˋ)to celebrate
慶生會(ㄑㄧㄥˋ ㄕㄥ ㄏㄨㄟˋ)a birthday

〔心部〕

party

十二畫

〔心部〕

憍 1697
ㄐㄧㄠ jiao
self-conceited; arrogant

憐 1698
ㄌㄧㄢˊ lián
1. to sympathize; to pity 2. to feel tender regard for 3. touching
憐憫(ㄌㄧㄢˊ ㄇㄧㄣˇ)to pity
憐惜(ㄌㄧㄢˊ ㄒㄧˊ)to fell tender regard for
憐香惜玉(ㄌㄧㄢˊ ㄒㄧㄤ ㄒㄧˊ ㄩˋ)to have a tender heart for the fair sex
憐愛(ㄌㄧㄢˊ ㄞˋ)to have tender regard for

憎 1699
ㄗㄥ zēng
to hate; to loathe; to abhor
憎恨(ㄗㄥ ㄏㄣˋ)to hate
憎惡(ㄗㄥ ㄨˋ)to loathe

憔 1700
ㄑㄧㄠˊ qiáo
emaciated; haggard; worn
憔悴(ㄑㄧㄠˊ ㄘㄨㄟˋ)to have a worn look

憚 1701
ㄉㄢˋ dàn
to fear; to shirk; to dread
憚煩(ㄉㄢˋ ㄈㄢˊ)afraid of trouble

憧 1702
ㄔㄨㄥ chōng
1. indecisive; irresolute 2. to yearn; to aspire
憧憬(ㄔㄨㄥ ㄐㄧㄥˇ)to imagine something or a place with yearning

憬 1703
ㄐㄧㄥˇ jǐng
to realize; to come to understand; to awake
憬悟(ㄐㄧㄥˇ ㄨˋ)to become aware of

憒 1704
ㄎㄨㄟˋ kuì
muddleheaded; confused in one's mind
憒亂(ㄎㄨㄟˋ ㄌㄨㄢˋ)at a loss

憫 1705
ㄇㄧㄣˇ mǐn
1. to pity; to commiserate 2. to sorrow; to grieve

憮 1706
ㄨˇ wǔ
regretful; disappointed

憭 1707
1. ㄌㄧㄠˊ liáo
severe; inclement

憭 1707
2. ㄌㄧㄠˇ liǎo
clear; intelligible

憦 1708
ㄌㄠˋ lào
to regret; to feel remorse

憯 1709
(慘) ㄘㄢˇ cǎn
sad; sorrowful; grieved

憑 1710
ㄆㄧㄥˊ píng
1. to rely upon 2. to lean on 3. to base on 4. a basis; proof; evidence 5. no matter (what, how, etc.)
憑本事(ㄆㄧㄥˊ ㄅㄣˇ ·ㄕ)by virtue of sheer competence or talent
憑票入座(ㄆㄧㄥˊ ㄆㄧㄠˋ ㄖㄨˋ ㄗㄨㄛˋ) admission by ticket
憑弔(ㄆㄧㄥˊ ㄉㄧㄠˋ)to pay homage to (the deceased)
憑良心(ㄆㄧㄥˊ ㄌㄧㄤˊ ㄒㄧㄣ)as one's conscience dictates
憑空(ㄆㄧㄥˊ ㄎㄨㄥ)without substantial proof
憑藉(ㄆㄧㄥˊ ㄐㄧㄝˋ)①by means of ② to rely on
憑據(ㄆㄧㄥˊ ㄐㄩˋ)a basis (for belief or supposition); proof
憑仗(ㄆㄧㄥˊ ㄓㄤˋ)to rely upon
憑證(ㄆㄧㄥˊ ㄓㄥˋ)evidence
憑恃(ㄆㄧㄥˊ ㄕˋ)to rely upon
憑甚麼(ㄆㄧㄥˊ ㄕㄜˊ ·ㄇㄜ)on what ground

憋 1711
ㄅㄧㄝ biē
1. to suppress inner feelings with efforts 2. to feel oppressed
憋不住(ㄅㄧㄝ ·ㄅㄨ ㄓㄨˋ)cannot help (speaking out something)
憋氣(ㄅㄧㄝ ㄑㄧˋ)to suffer breathing obstruction

憊 1712
ㄅㄟˋ bèi
as in 憊倦—tired; exhausted; weary

憩 1713
(憇) ㄑㄧˋ qì
to rest; to repose
憩歇(ㄑㄧˋ ㄒㄧㄝ)to take a rest

憙 1714
ㄒㄧˇ xǐ
happy; glad; delighted; pleased; joyful

憝 1715
ㄉㄨㄟˋ duì
1. wicked or vicious persons 2. to hate

憖 1716
ㄧㄣˋ yìn
1. willing 2. cautious

憨 1717
ㄏㄢ hān
1. silly; foolish 2. naive
憨態(ㄏㄢ ㄊㄞˋ)①naive; straightforward ②a silly appearance
憨厚(ㄏㄢ ㄏㄡˋ)simple and honest
憨笑(ㄏㄢ ㄒㄧㄠˋ)to giggle
憨直(ㄏㄢ ㄓˊ)honest and straightforward

憲 1718
ㄒㄧㄢˋ xiàn
1. law; a constitution 2. intelligent

3. a reference to superiors
憲兵(ㄒㄧㄢˋ ㄅㄧㄥ)gendarmes
憲法(ㄒㄧㄢˋ ㄈㄚˇ)constitution (of a national government)
憲綱(ㄒㄧㄢˋ ㄍㄤ)legal provisions
憲章(ㄒㄧㄢˋ ㄓㄤ)a charter
憲政(ㄒㄧㄢˋ ㄓㄥˋ)constitutional government

十三畫

憤 1719 ㄈㄣˋ fèn
to resent; indignant; indignation; angry
憤憤不平(ㄈㄣˋ ㄈㄣˋ ㄅㄨˋ ㄆㄧㄥˊ)resentful or indignant because of injustice
憤怒(ㄈㄣˋ ㄋㄨˋ)anger; wrath
憤慨(ㄈㄣˋ ㄎㄞˇ)indignation
憤恨(ㄈㄣˋ ㄏㄣˋ)resentment
憤世嫉俗(ㄈㄣˋ ㄕˋ ㄐㄧˊ ㄙㄨˊ)cynical

憶 1720 ㄧˋ yì
to remember; to recall; to recollect
憶及(ㄧˋ ㄐㄧˊ)to recollect
憶舊(ㄧˋ ㄐㄧㄡˋ)to recollect the past
憶起(ㄧˋ ㄑㄧˇ)to remember

憾 1721 ㄏㄢˋ hàn
regret; remorse; dissatisfaction
憾事(ㄏㄢˋ ㄕˋ)a regrettable thing

憺 1722 ㄉㄢˋ dàn
1. content and stable 2. to fear

懂 1723 ㄉㄨㄥˇ dǒng
to understand; to comprehend; to know
懂不懂(ㄉㄨㄥˇ ·ㄅㄨ ㄉㄨㄥˇ)Do you understand?
懂得(ㄉㄨㄥˇ ·ㄉㄜ)to understand
懂事(ㄉㄨㄥˇ ㄕˋ)(said of the young) familiar with human affairs

懆 1724 ㄘㄠˇ cǎo
anxious; uneasy; apprehensive

懈 1725 ㄒㄧㄝˋ xiè
negligent; remiss; relaxed; inattentive
懈怠(ㄒㄧㄝˋ ㄉㄞˋ)to neglect

懊 1726 ㄠˋ ào
to regret; to resent; regretful; remorseful
懊惱(ㄠˋ ㄋㄠˇ)upset
懊悔(ㄠˋ ㄏㄨㄟˇ)regretful

懍 1727 ㄌㄧㄣˇ lǐn
1. awe-struck 2. inspiring awe
懍懍(ㄌㄧㄣˇ ㄌㄧㄣˇ)fearful

懌 1728 ㄧˋ yì
delighted; pleased; happy; glad

應 1729 1. ㄧㄥ yīng
should; ought to; need
應否(ㄧㄥ ㄈㄡˇ)should or should not
應付利息(ㄧㄥ ㄈㄨˋ ㄌㄧˋ ㄒㄧˊ)interest payable
應付項目(ㄧㄥ ㄈㄨˋ ㄒㄧㄤˋ ㄇㄨˋ)payables
應負之責(ㄧㄥ ㄈㄨˋ ㄓ ㄗㄜˊ)inescapable responsibility
應付帳款(ㄧㄥ ㄈㄨˋ ㄓㄤˋ ㄎㄨㄢˇ)account payable
應得(ㄧㄥ ㄉㄜˊ)deserved
應該(ㄧㄥ ㄍㄞ)ought to; should
應計工資(ㄧㄥ ㄐㄧˋ ㄍㄨㄥ ㄗ)accrued wages
應屆畢業生(ㄧㄥ ㄐㄧㄝˋ ㄅㄧˋ ㄧㄝˋ ㄕㄥ)graduating students or pupils
應行事項(ㄧㄥ ㄒㄧㄥˊ ㄕˋ ㄒㄧㄤˋ)things that should be done
應收票據(ㄧㄥ ㄕㄡ ㄆㄧㄠˋ ㄐㄩˋ)(accounting) bills receivable
應收利息(ㄧㄥ ㄕㄡ ㄌㄧˋ ㄒㄧˊ)interest accrued
應收項目(ㄧㄥ ㄕㄡ ㄒㄧㄤˋ ㄇㄨˋ)receivables
應收帳款(ㄧㄥ ㄕㄡ ㄓㄤˋ ㄎㄨㄢˇ)account receivable
應有(ㄧㄥ ㄧㄡˇ)due; deserved
應有盡有(ㄧㄥ ㄧㄡˇ ㄐㄧㄣˋ ㄧㄡˇ)Nothing is wanting.

應 1729 2. ㄧㄥˋ yìng
1. to respond to; to answer; to echo 2. to comply with 3. to deal with; to cope with 4. to assent to
應變(ㄧㄥˋ ㄅㄧㄢˋ)to prepare oneself for change
應變措施(ㄧㄥˋ ㄅㄧㄢˋ ㄘㄨㄛˋ ㄕ)an emergency measure
應聘(ㄧㄥˋ ㄆㄧㄣˋ)to accept an offer of employment
應門(ㄧㄥˋ ㄇㄣˊ)① to keep the gate ② to answer the door
應付(ㄧㄥˋ ㄈㄨˋ)to deal with
應答(ㄧㄥˋ ㄉㄚˊ)to reply; to answer
應對(ㄧㄥˋ ㄉㄨㄟˋ)①to answer questions ② repartee
應對如流(ㄧㄥˋ ㄉㄨㄟˋ ㄖㄨˊ ㄌㄧㄡˊ)to answer questions fluently
應考(ㄧㄥˋ ㄎㄠˇ)to participate in an examination
應急(ㄧㄥˋ ㄐㄧˊ)for use in time of emergency
應急措施(ㄧㄥˋ ㄐㄧˊ ㄘㄨㄛˋ ㄕ)an emergency measure
應接不暇(ㄧㄥˋ ㄐㄧㄝ ㄅㄨˋ ㄒㄧㄚˊ)too busy to make proper response to
應景兒(ㄧㄥˋ ㄐㄧㄥˇㄦ)to do something

appropriate on the occasion
應召女郎(ㄧㄥˋ ㄓㄠ ㄋㄩˇ ㄌㄤˊ)a call girl
應召站(ㄧㄥˋ ㄓㄠ ㄓㄢˋ)a call girl center
應召入伍(ㄧㄥˋ ㄓㄠ ㄖㄨˋ ㄨˇ)to be drafted (for military service)
應徵(ㄧㄥˋ ㄓㄥ)①to respond to a want ad ②to be recruited
應酬(ㄧㄥˋ ㄔㄡˊ)social appointments
應時(ㄧㄥˋ ㄕˊ)to meet the current requirements
應聲蟲(ㄧㄥˋ ㄕㄥ ㄔㄨㄥˊ)a yes-man
應邀(ㄧㄥˋ ㄧㄠ)on invitation
應驗(ㄧㄥˋ ㄧㄢˋ)to come true, or to be fulfilled
應允(ㄧㄥˋ ㄩㄣˇ)to assent
應運而生(ㄧㄥˋ ㄩㄣˋ ㄦˊ ㄕㄥ)to rise because of a demand, opportunity, etc.
應用(ㄧㄥˋ ㄩㄥˋ)①to utilize; to make use of ②for practical application
應用科學(ㄧㄥˋ ㄩㄥˋ ㄎㄜ ㄒㄩㄝˊ) applied science
應用程式(ㄧㄥˋ ㄩㄥˋ ㄔㄥˊ ㄕˋ) (computer) an application; program
應用文(ㄧㄥˋ ㄩㄥˋ ㄨㄣˊ)practical writing

〔心部〕

懃 1730
ㄑㄧㄣˊ qín
cordial; hearty

懇 1731
ㄎㄣˇ kěn
cordial; sincere; earnest
懇談(ㄎㄣˇ ㄊㄢˊ)to talk in a sincere manner
懇切(ㄎㄣˇ ㄑㄧㄝˋ)very sincere; earnest
懇求(ㄎㄣˇ ㄑㄧㄡˊ)to entreat
懇親會(ㄎㄣˇ ㄑㄧㄣ ㄏㄨㄟˋ) PTA (parent-teacher association or meeting)
懇請(ㄎㄣˇ ㄑㄧㄥˇ)to implore
懇准(ㄎㄣˇ ㄓㄨㄣˇ)to beg your kind permission
懇辭 (ㄎㄣˇ ㄘˊ)to decline (an offer) earnestly

懋 1732
ㄇㄠˋ mào
1. majestic; great 2. trade 3. to encourage

十四畫

懥 1733
ㄓˋ zhì
enraged; indignant; angry; resentful

懦 1734
ㄋㄨㄛˋ nuò
as in 懦弱—timid; cowardly; weak
懦夫(ㄋㄨㄛˋ ㄈㄨ)a coward

懕 1735
(懨) ㄧㄢ yān
1. sickly; in poor health 2. peaceful; tranquil

懣 1736
ㄇㄣˋ mèn
resentful; sullen; sulky

懟 1737
ㄉㄨㄟˋ duì
to resent; to hate; rancor

十五畫

懲 1738
ㄔㄥˊ chéng
(又讀 ㄔㄥˇ chěng)
1. to punish; to chastise; to reprimand 2. to stop
懲罰(ㄔㄥˊ ㄈㄚˊ)to punish
懲戒(ㄔㄥˊ ㄐㄧㄝˋ)to reprimand
懲治(ㄔㄥˊ ㄓˋ)to remedy by punishment
懲一警百(ㄔㄥˊ ㄧ ㄐㄧㄥˇ ㄅㄞˇ)to punish one person as a warning to a hundred others

十六畫

懷 1739
ㄏㄨㄞˊ huái
1. bosom 2. to hold 3. to recollect 4. to conceive (a child)
懷抱(ㄏㄨㄞˊ ㄅㄠˋ)an embrace
懷錶(ㄏㄨㄞˊ ㄅㄧㄠˇ)a pocket watch
懷胎(ㄏㄨㄞˊ ㄊㄞ) or 懷孕 (ㄏㄨㄞˊ ㄩㄣˋ)to become pregnant
懷念(ㄏㄨㄞˊ ㄋㄧㄢˋ)to remember with longing
懷鬼胎(ㄏㄨㄞˊ ㄍㄨㄟˇ ㄊㄞ)to conceive mischief
懷恨(ㄏㄨㄞˊ ㄏㄣˋ)to bear a grudge
懷舊(ㄏㄨㄞˊ ㄐㄧㄡˋ)to yearn for the past
懷鄉(ㄏㄨㄞˊ ㄒㄧㄤ)homesick
懷中(ㄏㄨㄞˊ ㄓㄨㄥ)in the arms
懷春(ㄏㄨㄞˊ ㄔㄨㄣ) (usually said of young girls) to begin to think of love
懷柔政策(ㄏㄨㄞˊ ㄖㄡˊ ㄓㄥˋ ㄘㄜˋ)conciliationism; a conciliatory policy
懷才不遇(ㄏㄨㄞˊ ㄘㄞˊ ㄅㄨˋ ㄩˋ)to have talent but no opportunity to use it
懷疑(ㄏㄨㄞˊ ㄧˊ)to suspect

懶 1740
ㄌㄢˇ lǎn
lazy; indolent; idle; inactive; listless
懶惰(ㄌㄢˇ ㄉㄨㄛˋ)lazy; idle
懶惰成性(ㄌㄢˇ ㄉㄨㄛˋ ㄔㄥˊ ㄒㄧㄥˋ)to be habitually lazy
懶骨頭(ㄌㄢˇ ㄍㄨˇ ・ㄊㄡ)lazybones
懶蟲(ㄌㄢˇ ㄔㄨㄥˊ) (abusive) lazybones
懶散(ㄌㄢˇ ㄙㄢˋ)indolent; inactive
懶洋洋(ㄌㄢˇ ㄧㄤˊ ・ㄧㄤ)indolent
懶於(ㄌㄢˇ ㄩˊ)not enthusiastic about something

懵 1741
1. (懞) ㄇㄥˊ méng
ignorant: 懵懵無知 quite ignorant

懵 1741
2. ㄇㄥˇ měng

muddleheaded; confused
懵懂(ㄇㄥˇ ㄉㄨㄥˇ)①muddleheaded ②dull-witted

懸 1742
ㄒㄩㄢˊ xuán
1. to hang or be hanged or hung; to suspend or be suspended 2. to be in suspension; unsettled; unsolved 3. unfounded; unsupported 4. far apart 5. to be concerned for
懸浮(ㄒㄩㄢˊ ㄈㄨˊ)(physics) suspension
懸樑自盡(ㄒㄩㄢˊ ㄌㄧㄤˊ ㄗˋ ㄐㄧㄣˋ)to commit suicide by hanging
懸掛(ㄒㄩㄢˊ ㄍㄨㄚˋ)to suspend
懸空(ㄒㄩㄢˊ ㄎㄨㄥ)to be suspended (or hung) in the air
懸壺濟世(ㄒㄩㄢˊ ㄏㄨˊ ㄐㄧˋ ㄕˋ)to practice medicine or pharmacy
懸旗(ㄒㄩㄢˊ ㄑㄧˊ)to hang a flag
懸賞(ㄒㄩㄢˊ ㄕㄤˇ)to offer a prize, or reward
懸殊(ㄒㄩㄢˊ ㄕㄨ)very different
懸在空中(ㄒㄩㄢˊ ㄗㄞˋ ㄎㄨㄥ ㄓㄨㄥ) to suspend or be suspended in midair
懸案(ㄒㄩㄢˊ ㄢˋ)an unsettled case
懸而未決(ㄒㄩㄢˊ ㄦˊ ㄨㄟˋ ㄐㄩㄝˊ)suspense; in suspense
懸疑(ㄒㄩㄢˊ ㄧˊ)suspense
懸崖(ㄒㄩㄢˊ ㄧㄞˊ)a precipice
懸崖勒馬(ㄒㄩㄢˊ ㄧㄞˊ ㄌㄜˋ ㄇㄚˇ)to stop just before committing a serious blunder

十七畫

懺 1743
ㄔㄢˋ chàn
to confess one's sin; to repent
懺悔(ㄔㄢˋ ㄏㄨㄟˇ)to feel or show repentance
懺悔錄(ㄔㄢˋ ㄏㄨㄟˇ ㄌㄨˋ)confessions

十八畫

懼 1744
ㄐㄩˋ jù
1. to fear; to dread; to be afraid of 2. to frighten
懼怕(ㄐㄩˋ ㄆㄚˋ)to fear; to dread; to be afraid of
懼內(ㄐㄩˋ ㄋㄟˋ)henpecked
懼高症(ㄐㄩˋ ㄍㄠ ㄓㄥˋ)acrophobia

懾 1745
ㄓㄜˊ zhé
fearful; awe-struck
懾服(ㄓㄜˊ ㄈㄨˊ)to submit because of fear

懿 1746
(懿) ㄧˋ yì
1. virtuous; fine; good; exemplary 2. having to do with womanly virtue
懿德(ㄧˋ ㄉㄜˊ)fine virtue
懿行(ㄧˋ ㄒㄧㄥˊ)a virtuous deed
懿言(ㄧˋ ㄧㄢˊ)fine words

懽 1747
(歡) ㄏㄨㄢ huān
happy; glad; joyous

十九畫

戀 1748
ㄌㄧㄢˋ liàn
1. to love (one of the other sex); to be in love 2. to feel a persistent attachment (for a thing)
戀母情結(ㄌㄧㄢˋ ㄇㄨˇ ㄑㄧㄥˊ ㄐㄧㄝˊ) Oedipus complex
戀父情結(ㄌㄧㄢˋ ㄈㄨˋ ㄑㄧㄥˊ ㄐㄧㄝˊ) Electra complex
戀舊(ㄌㄧㄢˋ ㄐㄧㄡˋ)to yearn for the past
戀情(ㄌㄧㄢˋ ㄑㄧㄥˊ)love between man and woman
戀棧(ㄌㄧㄢˋ ㄓㄢˋ)reluctant to give up a position one is holding
戀人(ㄌㄧㄢˋ ㄖㄣˊ)a lover
戀愛(ㄌㄧㄢˋ ㄞˋ)a romantic attachment

二十畫

戄 1749
ㄐㄩㄝˊ jué
1. respectful 2. awe-struck

二十四畫

戇 1750
ㄓㄨㄤˋ zhuàng
simple-minded

戈部
ㄍㄜ gē

〔戈部〕

戈 1751
ㄍㄜ gē
1. a spear; a lance 2. a Chinese family name
戈壁(ㄍㄜ ㄅㄧˋ)Mongolian for "desert"
戈壁大沙漠(ㄍㄜ ㄅㄧˋ ㄉㄚˋ ㄕㄚ ㄇㄛˋ) the Gobi Desert

一畫

戊 1752
ㄨˋ wù
the fifth of the Ten Celestial Stems

戉 1753
ㄩㄝ yuè
a large ax 亦作「鉞」

二畫

戌 1754
ㄒㄩ xū

〔戈部〕

the eleventh of the Twelve Terrestrial Branches
戌時(ㄒㄩ ㄕˊ)7-9 p.m.

戍 1755
ㄕㄨˋ shù
to guard; to defend
戍邊(ㄕㄨˋ ㄅㄧㄢ)to guard the border or the frontier
戍守(ㄕㄨˋ ㄕㄡˇ)to be stationed as garrison troops at (a fortified place, etc.)
戍人(ㄕㄨˋ ㄖㄣˊ)or 戍卒(ㄕㄨˋ ㄗㄨˊ) garrison soldiers

戎 1756
ㄖㄨㄥˊ róng
1. war; fighting 2. arms; the apparatus of war 3. military affairs; army 4. barbarians to the west
戎馬倥傯(ㄖㄨㄥˊ ㄇㄚˇ ㄎㄨㄥˇ ㄗㄨㄥˇ) to have a hectic military career
戎馬生涯(ㄖㄨㄥˊ ㄇㄚˇ ㄕㄥ ㄧㄚˊ) an army life; a military career
戎裝(ㄖㄨㄥˊ ㄓㄨㄤ)military dress

三畫

成 1757
ㄔㄥˊ chéng
1. settled; to accomplish; to succeed; to complete 2. to achieve 3. to become 4. acceptable; all right 5. able; capable 6. one tenth
成敗(ㄔㄥˊ ㄅㄞˋ)success or failure
成本(ㄔㄥˊ ㄅㄣˇ) (commerce) cost
成本會計(ㄔㄥˊ ㄅㄣˇ ㄎㄨㄞˋ ㄐㄧˋ)cost accounting
成品(ㄔㄥˊ ㄆㄧㄣˇ)finished products
成名(ㄔㄥˊ ㄇㄧㄥˊ)to achieve fame
成佛(ㄔㄥˊ ㄈㄛˊ)to become a Buddha
成分(ㄔㄥˊ ㄈㄣˋ)①an ingredient; a component; composition ②a factor
成對(ㄔㄥˊ ㄉㄨㄟˋ) to form a pair
成天(ㄔㄥˊ ㄊㄧㄢ)the whole day
成年(ㄔㄥˊ ㄋㄧㄢˊ)to reach adulthood
成年累月(ㄔㄥˊ ㄋㄧㄢˊ ㄌㄟˇ ㄩㄝˋ)year after year and month after month
成立(ㄔㄥˊ ㄌㄧˋ)to establish; to set up
成果(ㄔㄥˊ ㄍㄨㄛˇ)achievements
成規(ㄔㄥˊ ㄍㄨㄟ)an established practice, rule or regulation; a rut
成功(ㄔㄥˊ ㄍㄨㄥ)success
成何體統(ㄔㄥˊ ㄏㄜˊ ㄊㄧˇ ㄊㄨㄥˇ)What a scandal!
成婚(ㄔㄥˊ ㄏㄨㄣ)to get married
成績(ㄔㄥˊ ㄐㄧ)records established or set; results; a showing
成績單(ㄔㄥˊ ㄐㄧ ㄉㄢ)a report card
成家(ㄔㄥˊ ㄐㄧㄚ) (said of men reaching adulthood) to get married
成家立業(ㄔㄥˊ ㄐㄧㄚ ㄌㄧˋ ㄧㄝˋ) (said of men reaching adulthood) to get married and start a career
成交(ㄔㄥˊ ㄐㄧㄠ)the consummation of a business transaction
成就(ㄔㄥˊ ㄐㄧㄡˋ)an achievement; an accomplishment
成就感(ㄔㄥˊ ㄐㄧㄡˋ ㄍㄢˇ)a sense of fulfillment
成見(ㄔㄥˊ ㄐㄧㄢˋ)a prejudice; a bias
成器(ㄔㄥˊ ㄑㄧˋ)to become a useful person
成千累萬(ㄔㄥˊ ㄑㄧㄢ ㄌㄟˇ ㄨㄢˋ)countless; numerous
成親(ㄔㄥˊ ㄑㄧㄣ)to get married
成全(ㄔㄥˊ ㄑㄩㄢˊ)to help (others) accomplish something
成羣(ㄔㄥˊ ㄑㄩㄣˊ)in groups; swarms
成羣結隊(ㄔㄥˊ ㄑㄩㄣˊ ㄐㄧㄝˊ ㄉㄨㄟˋ)to gather in groups
成效(ㄔㄥˊ ㄒㄧㄠˋ)result; effect; efficacy
成效卓著(ㄔㄥˊ ㄒㄧㄠˋ ㄓㄨㄛˊ ㄓㄨˋ)The achievement is outstanding.
成行(ㄔㄥˊ ㄒㄧㄥˊ)to embark on a journey
成形(ㄔㄥˊ ㄒㄧㄥˊ)to take shape
成性(ㄔㄥˊ ㄒㄧㄥˋ)to become habitual
成長(ㄔㄥˊ ㄓㄤˇ)to grow up; growth
成事(ㄔㄥˊ ㄕˋ)to succeed in doing something
成事在天(ㄔㄥˊ ㄕˋ ㄗㄞˋ ㄊㄧㄢ)(Man proposes but) God disposes.
成熟(ㄔㄥˊ ㄕㄡˊ)to mature; to ripen
成雙(ㄔㄥˊ ㄕㄨㄤ)to form a pair
成人(ㄔㄥˊ ㄖㄣˊ)an adult; a grownup
成人教育(ㄔㄥˊ ㄖㄣˊ ㄐㄧㄠˋ ㄩˋ)adult education
成仁取義(ㄔㄥˊ ㄖㄣˊ ㄑㄩˇ ㄧˋ)to die to preserve one's principle intact
成人之美(ㄔㄥˊ ㄖㄣˊ ㄓ ㄇㄟˇ)to help fulfill another's cherished hopes
成災(ㄔㄥˊ ㄗㄞ)to cause disaster
成材(ㄔㄥˊ ㄘㄞˊ)to become a useful person
成衣(ㄔㄥˊ ㄧ)ready-made clothes
成藥(ㄔㄥˊ ㄧㄠˋ)patent medicine
成因(ㄔㄥˊ ㄧㄣ)a contributing factor
成樣(ㄔㄥˊ ㄧㄤˋ)to perpetuate as a model
成爲(ㄔㄥˊ ㄨㄟˊ)to become; to turn into
成爲泡影(ㄔㄥˊ ㄨㄟˊ ㄆㄠˋ ㄧㄥˇ)to end in naught; to come to nothing
成文(ㄔㄥˊ ㄨㄣˊ)existing writings
成文法(ㄔㄥˊ ㄨㄣˊ ㄈㄚˇ)written law
成語(ㄔㄥˊ ㄩˇ)an idiom; a phrase
成員(ㄔㄥˊ ㄩㄢˊ)a member

戒 1758
ㄐㄧㄝˋ jiè
1. to warn; to caution 2. to abstain from 3. to guard against; to avoid 4. Buddhist monastic discipline

戒備(ㄐㄧㄝˋ ㄅㄟˋ)on guard (against natural disasters, etc.); on the alert
戒備森嚴(ㄐㄧㄝˋ ㄅㄟˋ ㄙㄣ ㄧㄢˊ)to be heavily guarded
戒掉(ㄐㄧㄝˋ ㄉㄧㄠˋ)to abstain or give up (a bad habit) 「gambling
戒賭(ㄐㄧㄝˋ ㄉㄨˇ) to abstain from
戒條(ㄐㄧㄝˋ ㄊㄧㄠˊ) or 戒律 (ㄐㄧㄝˋ ㄌㄩˋ)commandments; don'ts
戒酒(ㄐㄧㄝˋ ㄐㄧㄡˇ)to abstain from alcohol 「lance
戒心(ㄐㄧㄝˋ ㄒㄧㄣ)watchfulness; vigi-
戒指(ㄐㄧㄝˋ ㄓˇ)a ring (on a finger)
戒除(ㄐㄧㄝˋ ㄔㄨˊ)to give up
戒煙(ㄐㄧㄝˋ ㄧㄢ)to give up smoking
戒嚴(ㄐㄧㄝˋ ㄧㄢˊ)to proclaim martial law

我 1759
ㄨㄛˇ wǒ (讀音 ㄜˇ ě)
1. I; me; my 2. we; our; us 3. self
我們(ㄨㄛˇ ·ㄇㄣ)we; us
我們的(ㄨㄛˇ ·ㄇㄣ ·ㄉㄜ)our; ours
我方(ㄨㄛˇ ㄈㄤ)our side; we
我國(ㄨㄛˇ ㄍㄨㄛˊ)our country
我行我素(ㄨㄛˇ ㄒㄧㄥˊ ㄨㄛˇ ㄙㄨˋ)to act according to one's will regardless of others' opinions

四畫

或 1760
ㄏㄨㄛˋ huò 「ably 3. or
1. a certain; some 2. perhaps; prob-
或許(ㄏㄨㄛˋ ㄒㄩˇ)perhaps; probably; maybe
或者(ㄏㄨㄛˋ ㄓㄜˇ)or; perhaps
或是(ㄏㄨㄛˋ ㄕˋ)① perhaps ② or

戕 1761
ㄑㄧㄤˊ qiáng 「injurious
1. to slay; to kill; to destroy 2. to be
戕害(ㄑㄧㄤˊ ㄏㄞˋ)to slay

戔 1762
ㄐㄧㄢ jiān
small; little; tiny

七畫

戚 1763
ㄑㄧ qī
1. relatives by marriage 2. sad; mournful; woeful 3. a battle-ax
戚戚(ㄑㄧ ㄑㄧ)① woeful; mournful ② moved; affected; touched

戛 1764
(戞) ㄐㄧㄚˊ jiá
1. a lance 2. natural principles 3. to tap; to strike
戛戛(ㄐㄧㄚˊ ㄐㄧㄚˊ)difficult

八畫

戟 1765
(戦) ㄐㄧˇ jǐ 「halberd
a two-pronged spear or lance; a

九畫

戡 1766
ㄎㄢ kān
1. to subdue; to suppress; to put down 2. to kill; to slay 「lion
戡亂(ㄎㄢ ㄌㄨㄢˋ)to suppress a rebel-

戢 1767
ㄐㄧˊ jí 「to cease
1. to put away or store up 2. to fold;

戥 1768
ㄉㄥˇ děng 「jewels, etc.
a small steelyard for weighing gold,

十畫

戩 1769
ㄐㄧㄢˇ jiǎn
1. to exterminate 2. blessing 3. full; complete; entirely

截 1770
ㄐㄧㄝˊ jié
1. to cut; to section; to truncate 2. a slice; a division; a section 3. to detain; to withhold 4. to keep; to set in order 5. to stop; to close; to end; to intercept
截面(ㄐㄧㄝˊ ㄇㄧㄢˋ)a section
截斷(ㄐㄧㄝˊ ㄉㄨㄢˋ)to disrupt
截稿(ㄐㄧㄝˊ ㄍㄠˇ)the deadline for the editor of a newspaper to send the last news copy to the composition room
截擊(ㄐㄧㄝˊ ㄐㄧˊ)to intercept
截角(ㄐㄧㄝˊ ㄐㄧㄠˇ)to cut off or tear off a corner (of an envelope, a ticket, etc.); to truncate; truncated
截肢(ㄐㄧㄝˊ ㄓ)amputation
截止(ㄐㄧㄝˊ ㄓˇ)to come to an end
截長補短(ㄐㄧㄝˊ ㄔㄤˊ ㄅㄨˇ ㄉㄨㄢˇ)to even up scarcity and superabundance
截然(ㄐㄧㄝˊ ㄖㄢˊ)distinctly; markedly

戧 1771
1. ㄑㄧㄤ qiāng
1. to be broken off; to clash 2. against; in an opposite direction

戧 1771
2. ㄑㄧㄤˋ qiàng
to support; to prop up; to shore up

十一畫

戮 1772
ㄌㄨˋ lù 「2. to unite or join
1. to slay; to massacre; to slaughter
戮力同心(ㄌㄨˋ ㄌㄧˋ ㄊㄨㄥˊ ㄒㄧㄣ)to join forces and work for a common cause

〔戈部〕

〔戶部〕

十二畫

戰 1773 ㄓㄢˋ zhàn

1. war; warfare; fighting; battle 2. to contest; to fight; to contend 3. to shudder; to shiver; to tremble

戰敗(ㄓㄢˋ ㄅㄞˋ)to be defeated
戰備(ㄓㄢˋ ㄅㄟˋ)war preparations
戰馬(ㄓㄢˋ ㄇㄚˇ)a war-horse
戰犯(ㄓㄢˋ ㄈㄢˋ)a war criminal
戰俘(ㄓㄢˋ ㄈㄨˊ)prisoners of war
戰鬥(ㄓㄢˋ ㄉㄡˋ)to fight; to combat
戰鬥力(ㄓㄢˋ ㄉㄡˋ ㄌㄧˋ)fighting capability; combat strength
戰鬥機(ㄓㄢˋ ㄉㄡˋ ㄐㄧ)a fighter plane
戰地(ㄓㄢˋ ㄉㄧˋ)a battlefield
戰慄(ㄓㄢˋ ㄌㄧˋ)to shiver; to tremble
戰利品(ㄓㄢˋ ㄌㄧˋ ㄆㄧㄣˇ)a war trophy
戰略(ㄓㄢˋ ㄌㄩㄝˋ)strategy
戰歌(ㄓㄢˋ ㄍㄜ)a battle song
戰鼓(ㄓㄢˋ ㄍㄨˇ)battle drums
戰果(ㄓㄢˋ ㄍㄨㄛˇ)war results
戰況(ㄓㄢˋ ㄎㄨㄤˋ)the war situation
戰壕(ㄓㄢˋ ㄏㄠˊ)a trench
戰火(ㄓㄢˋ ㄏㄨㄛˇ)flames of war
戰績(ㄓㄢˋ ㄐㄧ)battle achievements
戰績輝煌(ㄓㄢˋ ㄐㄧ ㄏㄨㄟ ㄏㄨㄤˊ)brilliant combat performances
戰艦(ㄓㄢˋ ㄐㄧㄢˋ)a warship
戰局(ㄓㄢˋ ㄐㄩˊ)the war situation
戰區(ㄓㄢˋ ㄑㄩ)a war zone or area
戰線(ㄓㄢˋ ㄒㄧㄢˋ)a battle line
戰戰兢兢(ㄓㄢˋ ㄓㄢˋ ㄐㄧㄥ ㄐㄧㄥ)trembling with fear; very cautious
戰爭(ㄓㄢˋ ㄓㄥ)war
戰車(ㄓㄢˋ ㄔㄜ)a tank
戰場(ㄓㄢˋ ㄔㄤˇ)a battlefield
戰時(ㄓㄢˋ ㄕˊ)wartime
戰士(ㄓㄢˋ ㄕˋ)a warrior
戰勝(ㄓㄢˋ ㄕㄥˋ)to win a victory
戰術(ㄓㄢˋ ㄕㄨˋ)tactics; the art of war
戰死(ㄓㄢˋ ㄙˇ)to die in battle
戰役(ㄓㄢˋ ㄧˋ)a battle
戰友(ㄓㄢˋ ㄧㄡˇ)a comrade in arms

十三畫

戲 1774 1. (戱) ㄒㄧˋ xì

1. to play; to toy; to sport 2. to jest; to have fun; to make fun 3. a drama; a play; a show 4. a game

戲班(ㄒㄧˋ ㄅㄢ)a dramatic troupe
戲迷(ㄒㄧˋ ㄇㄧˊ)a drama fan
戲目(ㄒㄧˋ ㄇㄨˋ)a theatrical program
戲法(兒)(ㄒㄧˋ ㄈㄚˇ(ㄦ))a trick
戲臺(ㄒㄧˋ ㄊㄞˊ)a stage (for plays)
戲弄(ㄒㄧˋ ㄋㄨㄥˋ)to play a trick on; to tease
戲謔(ㄒㄧˋ ㄋㄩㄝˋ)a joke
戲劇(ㄒㄧˋ ㄐㄩˋ)drama; the theater
戲劇化(ㄒㄧˋ ㄐㄩˋ ㄏㄨㄚˋ)to dramatize
戲劇家(ㄒㄧˋ ㄐㄩˋ ㄐㄧㄚ)a playwright; a dramatist
戲裝(ㄒㄧˋ ㄓㄨㄤ)theatrical (or stage) costume
戲水(ㄒㄧˋ ㄕㄨㄟˇ)to play with water
戲子(ㄒㄧˋ ㄗˇ)a dramatic player
戲言(ㄒㄧˋ ㄧㄢˊ)a joke; a witticism
戲園子(ㄒㄧˋ ㄩㄢˊ ·ㄗ)a playhouse; a theater
戲院(ㄒㄧˋ ㄩㄢˋ)a theater; a movie house

戲 1774 2. ㄏㄨ hū

alas; oh; o; ah

十四畫

戴 1775 ㄉㄞˋ dài

1. to wear on the head, the nose, the ear, or the hand; to put on 2. to support; to sustain; to bear 3. a Chinese family name 4. to respect; to honor

戴綠帽(ㄉㄞˋ ㄌㄩˋ ㄇㄠˋ)to be a cuckold
戴高帽(ㄉㄞˋ ㄍㄠ ㄇㄠˋ)to flatter
戴罪立功(ㄉㄞˋ ㄗㄨㄟˋ ㄌㄧˋ ㄍㄨㄥ)to redeem oneself by good services
戴眼鏡(ㄉㄞˋ ㄧㄢˇ ㄐㄧㄥˋ)to wear glasses or spectacles

戳 1776 ㄔㄨㄛ chuō

1. to jab; to poke; to pierce 2. a chop; a stamp; a seal

戳記(ㄔㄨㄛ ㄐㄧˋ)a stamp; a seal
戳穿(ㄔㄨㄛ ㄔㄨㄢ)to puncture
戳印(ㄔㄨㄛ ㄧㄣˋ)to stamp; a stamp

戶部 ㄏㄨˋ hù

戶 1777 ㄏㄨˋ hù

1. a door 2. a household; a family

戶頭(ㄏㄨˋ ㄊㄡˊ)a bank account
戶內(ㄏㄨˋ ㄋㄟˋ)indoor; indoors
戶內運動(ㄏㄨˋ ㄋㄟˋ ㄩㄣˋ ㄉㄨㄥˋ)indoor games
戶口(ㄏㄨˋ ㄎㄡˇ)households
戶口普查(ㄏㄨˋ ㄎㄡˇ ㄆㄨˇ ㄔㄚˊ)a census
戶口名簿(ㄏㄨˋ ㄎㄡˇ ㄇㄧㄥˊ ㄅㄨˋ)a household identification book
戶口謄本(ㄏㄨˋ ㄎㄡˇ ㄊㄥˊ ㄅㄣˇ)a transcript of one's household register

戶籍(ㄏㄨˋ ㄐㄧˊ)a domicile
戶長(ㄏㄨˋ ㄓㄤˇ)the household head
戶外(ㄏㄨˋ ㄨㄞˋ)outdoor
戶外運動(ㄏㄨˋ ㄨㄞˋ ㄩㄣˋ ㄉㄨㄥˋ)outdoor games

一畫

戹 1778 (厄) ㄜˋ è
narrow; straits; difficult

四畫

戾 1779 ㄌㄧˋ lì
1. perverse; recalcitrant; irregular; abnormal 2. atrocity; atrocious; violence; violent 3. to come to; up to

戽 1780 ㄏㄨˋ hù
a pail; a bucket

房 1781 ㄈㄤˊ fáng
1. a house; a building 2. a room; a chamber 3. a compartmentalized structure 4. a wife; a concubine
房地產(ㄈㄤˊ ㄉㄧˋ ㄔㄢˇ)real estates
房東(ㄈㄤˊ ㄉㄨㄥ)the landlord or landlady (of a house)
房客(ㄈㄤˊ ㄎㄜˋ)the tenant (of a house)
房間(ㄈㄤˊ ㄐㄧㄢ)a room; a chamber
房事(ㄈㄤˊ ㄕˋ)sexual activity
房舍(ㄈㄤˊ ㄕㄜˋ)a house
房子(ㄈㄤˊ ・ㄗ)a house; a building
房租(ㄈㄤˊ ㄗㄨ)a house rental
房屋(ㄈㄤˊ ㄨ)a house; a building
房屋稅(ㄈㄤˊ ㄨ ㄕㄨㄟˋ)the building tax

所 1782 ㄙㄨㄛˇ suǒ
1. a place; a location; a position 2. a building; an office 3. that which
所費不貲(ㄙㄨㄛˇ ㄈㄟˋ ㄅㄨˋ ㄗ)to have spent a fortune
所得(ㄙㄨㄛˇ ㄉㄜˊ)income
所得稅(ㄙㄨㄛˇ ㄉㄜˊ ㄕㄨㄟˋ)income tax
所見所聞(ㄙㄨㄛˇ ㄐㄧㄢˋ ㄙㄨㄛˇ ㄨㄣˊ) what one has seen and heard
所向無敵(ㄙㄨㄛˇ ㄒㄧㄤˋ ㄨˊ ㄉㄧˊ)undefeatable
所學(ㄙㄨㄛˇ ㄒㄩㄝˊ)one's specialty
所長①(ㄙㄨㄛˇ ㄓㄤˇ) the head or director of an office ②(ㄙㄨㄛˇ ㄔㄤˊ) one's specialty; what one excels in
所屬(ㄙㄨㄛˇ ㄕㄨˇ)subordinates
所在(ㄙㄨㄛˇ ㄗㄞˋ)① where one dwells ② a place; a location; a position
所作所爲(ㄙㄨㄛˇ ㄗㄨㄛˋ ㄙㄨㄛˇ ㄨㄟˊ) actions; behavior; conduct
所以(ㄙㄨㄛˇ ㄧˇ)therefore; so
所有(ㄙㄨㄛˇ ㄧㄡˇ)①what one owns; belongings ② to own ③ all; every
所有權(ㄙㄨㄛˇ ㄧㄡˇ ㄑㄩㄢˊ)ownership
所有權狀(ㄙㄨㄛˇ ㄧㄡˇ ㄑㄩㄢˊ ㄓㄨㄤˋ) an ownership certificate
所謂(ㄙㄨㄛˇ ㄨㄟˋ)so-called
所願(ㄙㄨㄛˇ ㄩㄢˋ)one's wishes

五畫

扁 1783 1. ㄅㄧㄢˇ biǎn
1. flat 2. a tablet
扁平(ㄅㄧㄢˇ ㄆㄧㄥˊ)thin and flat
扁擔(ㄅㄧㄢˇ ・ㄉㄢ)a flat carrying pole or shouldering pole
扁桃腺(ㄅㄧㄢˇ ㄊㄠˊ ㄒㄧㄢˋ)the tonsils

扁 1783 2. ㄆㄧㄢ piān
small
扁舟(ㄆㄧㄢ ㄓㄡ)a small boat; a skiff

扃 1784 1. ㄐㄩㄥ jiōng
a bolt; to bolt (doors); to shut a door

扃 1784 2. ㄐㄩㄥˇ jiǒng
perceiving; discerning

六畫

扆 1785 ㄧˇ yǐ
a screen decorated with a design in hatchets placed behind the emperor in the imperial audience chamber

扇 1786 1. ㄕㄢˋ shàn
1.a fan 2.a numerary auxiliary for door or gate leaves
扇形(ㄕㄢˋ ㄒㄧㄥˊ)fan-shaped; a sector (of a circle)
扇子(ㄕㄢˋ ・ㄗ)a fan

扇 1786 2. (搧) ㄕㄢ shān
to fan; to instigate; to incite
扇動(ㄕㄢ ㄉㄨㄥˋ)to incite; to instigate
扇惑(ㄕㄢ ㄏㄨㄛˋ)to instigate and mislead

七畫

扈 1787 ㄏㄨˋ hù
1. to follow as escort or retinue 2. insolent; impertinent

八畫

扉 1788 ㄈㄟ fēi
a door leaf
扉頁(ㄈㄟ ㄧㄝˋ)a flyleaf; a title page

〔戶部〕

〔手部〕

手部
ㄕㄡˇ shǒu

手 1789
ㄕㄡˇ shǒu
1. hand; of the hand; having to do with the hand 2. to have in one's hand; to hold 3. a skilled person; a person 4. action 5. personally
手背(ㄕㄡˇ ㄅㄟˋ)the back of the hand
手臂(ㄕㄡˇ ㄅㄟˋ)the arm from the wrist up
手錶(ㄕㄡˇ ㄅㄧㄠˇ)a wrist watch
手邊(ㄕㄡˇ ㄅㄧㄢ)at hand; handy
手帕(ㄕㄡˇ ㄆㄚˋ)a handkerchief
手忙脚亂(ㄕㄡˇ ㄇㄤˊ ㄐㄧㄠˇ ㄌㄨㄢˋ)to be in a flurry; to be flustered
手法(ㄕㄡˇ ㄈㄚˇ)workmanship
手風琴(ㄕㄡˇ ㄈㄥ ㄑㄧㄣˊ)an accordion
手到擒來(ㄕㄡˇ ㄉㄠˋ ㄑㄧㄣˊ ㄌㄞˊ)to capture an enemy easily
手電筒(ㄕㄡˇ ㄉㄧㄢˋ ㄊㄨㄥˇ)a flashlight
手段(ㄕㄡˇ ㄉㄨㄢˋ)①the means (as opposed to the end) ②a devious way of dealing with people
手套(ㄕㄡˇ ㄊㄠˋ)gloves; gauntlets; mittens
手頭緊(ㄕㄡˇ ㄊㄡˊ ㄐㄧㄣˇ)short of cash (or money)
手提(ㄕㄡˇ ㄊㄧˊ)portable
手提箱(ㄕㄡˇ ㄊㄧˊ ㄒㄧㄤ)a suitcase
手提行李(ㄕㄡˇ ㄊㄧˊ ㄒㄧㄥˊ ㄌㄧˇ)carried baggage
手推車(ㄕㄡˇ ㄊㄨㄟ ㄔㄜ)a handcart
手榴彈(ㄕㄡˇ ㄌㄧㄡˊ ㄉㄢˋ)a hand grenade
手稿(ㄕㄡˇ ㄍㄠˇ)manuscript
手工(ㄕㄡˇ ㄍㄨㄥ)handwork; handiwork
手工藝(ㄕㄡˇ ㄍㄨㄥ ㄧˋ)handicrafts; handiwork
手工藝品(ㄕㄡˇ ㄍㄨㄥ ㄧˋ ㄆㄧㄣˇ)handicraft articles; fancy works
手工業(ㄕㄡˇ ㄍㄨㄥ ㄧㄝˋ)a manual trade
手銬(ㄕㄡˇ ㄎㄠˋ)handcuffs
手脚(ㄕㄡˇ ㄐㄧㄠˇ)① hand and foot ② motion; action ③ tricks; juggles
手巾(ㄕㄡˇ ㄐㄧㄣ)a towel
手絹兒(ㄕㄡˇ ㄐㄩㄢˋㄦ)a handkerchief
手氣(ㄕㄡˇ ㄑㄧˋ)(gambling) luck
手巧(ㄕㄡˇ ㄑㄧㄠˇ)dexterous; skillful
手球(ㄕㄡˇ ㄑㄧㄡˊ)(sports) handball
手鎗(ㄕㄡˇ ㄑㄧㄤ)a pistol; a gun
手下(ㄕㄡˇ ㄒㄧㄚˋ) subordinates
手下敗將(ㄕㄡˇ ㄒㄧㄚˋ ㄅㄞˋ ㄐㄧㄤˋ)one who has suffered defeat at (my, your, etc.) hands
手下留情(ㄕㄡˇ ㄒㄧㄚˋ ㄌㄧㄡˊ ㄑㄧㄥˊ) to show lenien cy or mercy
手心(ㄕㄡˇ ㄒㄧㄣ) the center of the palm—(figuratively) control
手續(ㄕㄡˇ ㄒㄩˋ)procedures; red tape
手續費(ㄕㄡˇ ㄒㄩˋ ㄈㄟˋ)service charges
手指頭(ㄕㄡˇ ㄓˇ ·ㄊㄡ)①fingertips ②fingers
手指(ㄕㄡˇ ㄓˇ)a finger
手掌(ㄕㄡˇ ㄓㄤˇ)the palm (of the hand)
手杖(ㄕㄡˇ ㄓㄤˋ)a cane; a walking stick
手鐲(ㄕㄡˇ ㄓㄨㄛˊ)a bracelet
手抄本(ㄕㄡˇ ㄔㄠ ㄅㄣˇ)a hand-copied book; a hand-written copy
手勢(ㄕㄡˇ ㄕˋ)a gesture; a sign; to sign
手煞車(ㄕㄡˇ ㄕㄚˇ ㄔㄜ)a hand brake
手術(ㄕㄡˇ ㄕㄨˋ)a surgical operation
手術刀(ㄕㄡˇ ㄕㄨˋ ㄉㄠ)a scalpel
手術台(ㄕㄡˇ ㄕㄨˋ ㄊㄞˊ)an operation table
手術室(ㄕㄡˇ ㄕㄨˋ ㄕˋ)an operation room
手足(ㄕㄡˇ ㄗㄨˊ)brothers
手足情深(ㄕㄡˇ ㄗㄨˊ ㄑㄧㄥˊ ㄕㄣ)The love between brothers is deep.
手足之情(ㄕㄡˇ ㄗㄨˊ ㄓ ㄑㄧㄥˊ)brotherly affection
手足無措(ㄕㄡˇ ㄗㄨˊ ㄨˊ ㄘㄨㄛˋ)to be at a loss what to do
手册(ㄕㄡˇ ㄘㄜˋ)a handbook; a manual
手藝(ㄕㄡˇ ㄧˋ)handicraft
手淫(ㄕㄡˇ ㄧㄣˊ) masturbation
手舞足蹈(ㄕㄡˇ ㄨˇ ㄗㄨˊ ㄉㄠˇ)to wave the arms and stamp the feet for joy
手腕(ㄕㄡˇ ㄨㄢˋ)① the wrist ②ability; tricks; skill; tact
手紋(ㄕㄡˇ ㄨㄣˊ)the lines on the palm
手語(ㄕㄡˇ ㄩˇ)dactylology; sign language

才 1790
ㄘㄞˊ cái
1. natural abilities; a gift; talent; a mental faculty 2. a gifted person; a talented person; a brilliant man; a talent 3. people of a certain type 4. certainly; indeed 5. just; just now
才能(ㄘㄞˊ ㄋㄥˊ)talent; abilities; a gift
才女(ㄘㄞˊ ㄋㄩˇ)a talented woman
才幹(ㄘㄞˊ ㄍㄢˋ)talent or ability to get things done; competence
才華(ㄘㄞˊ ㄏㄨㄚˊ)brilliance (of mind); a gift; talent
才氣(ㄘㄞˊ ㄑㄧˋ)talent; brilliance
才情(ㄘㄞˊ ㄑㄧㄥˊ) brilliant expression of emotions (in a writing)
才學 (ㄘㄞˊ ㄒㄩㄝˊ) intelligence and scholarship
才智(ㄘㄞˊ ㄓˋ)intelligence; brilliance
才疏學淺(ㄘㄞˊ ㄕㄨ ㄒㄩㄝˊ ㄑㄧㄢˇ) untalented and unlearned
才子(ㄘㄞˊ ㄗˇ)a talented person
才子佳人 (ㄘㄞˊ ㄗˇ ㄐㄧㄚ ㄖㄣˊ) an ideal couple

一畫

扎 1791
1. ㄓㄚ zhā
to pierce; to prick
扎實(ㄓㄚ •ㄕ)solid; firm

扎 1791
2. ㄓㄚˊ zhá
to struggle; to strive
扎營(ㄓㄚˊ ㄧㄥˊ)to pitch a tent; to encamp

二畫

扑 1792
ㄆㄨ pū
to beat; to strike

扒 1793
1. ㄅㄚ bā
1. to claw; to strip 2. to rake 3. to climb; to scale
扒皮(ㄅㄚ ㄆㄧˊ)to peel off the skin

扒 1793
2. ㄆㄚˊ pá
1. to gather up; to rake up 2. to stew; to braise 3. to scratch; to claw
扒手(ㄆㄚˊ ㄕㄡˇ)a pickpocket

打 1794
1. ㄉㄚˇ dǎ
1. to strike; to beat 2. to attack; to fight 3. to smash 4. to make, do, get, fetch, play, buy, etc. (depending on the object) 5. from; to; toward
打靶(ㄉㄚˇ ㄅㄚˇ)target practice
打敗(ㄉㄚˇ ㄅㄞˋ)① to defeat; to beat; to worst ② to be defeated
打包(ㄉㄚˇ ㄅㄠ)to pack
打包票(ㄉㄚˇ ㄅㄠ ㄆㄧㄠˋ)to vouch for
打抱不平(ㄉㄚˇ ㄅㄠˋ ㄅㄨˋ ㄆㄧㄥˊ)to help the victims of injustice
打扮(ㄉㄚˇ ㄅㄢˋ)to make up
打不破(ㄉㄚˇ •ㄅㄨ ㄆㄛˋ)unbreakable
打不倒(ㄉㄚˇ •ㄅㄨ ㄉㄠˇ)unconquerable
打不過(ㄉㄚˇ •ㄅㄨ ㄍㄨㄛˋ)to be no fighting match for
打破(ㄉㄚˇ ㄆㄛˋ)to smash to pieces; to break
打拍子(ㄉㄚˇ ㄆㄞ •ㄗ)to beat time
打牌(ㄉㄚˇ ㄆㄞˊ)to play a card game, mahjong, etc.
打噴嚏(ㄉㄚˇ ㄆㄣ ㄊㄧˋ)to sneeze
打屁股(ㄉㄚˇ ㄆㄧˋ •ㄍㄨ)spanking
打麻將(ㄉㄚˇ ㄇㄚˊ ㄐㄧㄤˋ)to play mahjong
打馬虎眼(ㄉㄚˇ ㄇㄚˇ •ㄏㄨ ㄧㄢˇ)to exploit others' carelessness
打罵(ㄉㄚˇ ㄇㄚˋ)to beat and scold
打發(ㄉㄚˇ •ㄈㄚ)① to dispatch ② to fire; to dismiss ③ to spend (time)
打翻(ㄉㄚˇ ㄈㄢ)to overturn; to tip over
打打鬧鬧(ㄉㄚˇ •ㄉㄚ ㄋㄠˋ ㄋㄠˋ)to fight in jest or for fun; boisterous
打倒(ㄉㄚˇ ㄉㄠˇ)to knock down
打鬥(ㄉㄚˇ ㄉㄡˋ)a fight; a skirmish
打蛋(ㄉㄚˇ ㄉㄢˋ)to beat or stir eggs
打蛋機(ㄉㄚˇ ㄉㄢˋ ㄐㄧ)an egg beater
打彈子(ㄉㄚˇ ㄉㄢˋ •ㄗ)to play billiards
打地鋪(ㄉㄚˇ ㄉㄧˋ •ㄆㄨ)to make a bed on the floor or the ground
打點(ㄉㄚˇ ㄉㄧㄢˇ)① to examine and put in order ② to bribe
打點滴(ㄉㄚˇ ㄉㄧㄢˇ ㄉㄧ)to administer intravenous drip
打電報(ㄉㄚˇ ㄉㄧㄢˋ ㄅㄠˋ)to telegraph; to cable
打電話(ㄉㄚˇ ㄉㄧㄢˋ ㄏㄨㄚˋ)to make a telephone call; to telephone
打賭(ㄉㄚˇ ㄉㄨˇ)to make a bet
打哆嗦(ㄉㄚˇ ㄉㄨㄛ •ㄙㄨㄛ)to tremble
打盹兒(ㄉㄚˇ ㄉㄨㄜˇㄦ)to doze; to take a nap
打對臺(ㄉㄚˇ ㄉㄨㄟˋ ㄊㄞˊ)to compete in business
打斷(ㄉㄚˇ ㄉㄨㄢˋ)①to break ② to interrupt; to cut short
打探(ㄉㄚˇ ㄊㄢˋ)to find out
打聽(ㄉㄚˇ •ㄊㄧㄥ)to inquire
打退堂鼓(ㄉㄚˇ ㄊㄨㄟˋ ㄊㄤˊ ㄍㄨˇ)to give up halfway; to back out
打鬧(ㄉㄚˇ ㄋㄠˋ)to quarrel and fight noisily
打蠟(ㄉㄚˇ ㄌㄚˋ)to wax
打雷(ㄉㄚˇ ㄌㄟˊ)to thunder
打撈(ㄉㄚˇ ㄌㄠ)to salvage (sunken ships)
打獵(ㄉㄚˇ ㄌㄧㄝˋ)to go hunting
打領帶(ㄉㄚˇ ㄌㄧㄥˇ ㄉㄞˋ)to tie a necktie
打嗝兒(ㄉㄚˇ ㄍㄜˊㄦ)to hiccough
打鼓(ㄉㄚˇ ㄍㄨˇ)to beat a drum
打滾兒(ㄉㄚˇ ㄍㄨㄜˇㄦ)to roll about
打官腔(ㄉㄚˇ ㄍㄨㄢ ㄑㄧㄤ)bureaucratic jargon
打官司(ㄉㄚˇ ㄍㄨㄢ •ㄙ)to have a lawsuit
打工(ㄉㄚˇ ㄍㄨㄥ)to do odd jobs as distinct from a regular employment
打卡鐘(ㄉㄚˇ ㄎㄚˇ ㄓㄨㄥ)a time clock
打瞌睡(ㄉㄚˇ ㄎㄜ ㄕㄨㄟˋ)to doze
打開(ㄉㄚˇ ㄎㄞ)① to open ② to turn on
打垮(ㄉㄚˇ ㄎㄨㄚˇ)to strike down
打孔(ㄉㄚˇ ㄎㄨㄥˇ)to drill a hole
打孔機(ㄉㄚˇ ㄎㄨㄥˇ ㄐㄧ)a perforator
打哈欠(ㄉㄚˇ ㄏㄚ •ㄑㄧㄢ)to yawn
打鼾(ㄉㄚˇ ㄏㄢ)to snore
打火機(ㄉㄚˇ ㄏㄨㄛˇ ㄐㄧ)a lighter
打擊(ㄉㄚˇ ㄐㄧˊ)to deal a blow upon; to give a blow to
打擊率(ㄉㄚˇ ㄐㄧˊ ㄌㄩˋ)a batting average

〔手部〕

〔手部〕

打擊手(ㄉㄚˇ ㄐㄧˊ ㄕㄡˇ)a batter
打擊樂器(ㄉㄚˇ ㄐㄧˊ ㄩㄝˋ ㄑㄧˋ)a percussion instrument
打架(ㄉㄚˇ ㄐㄧㄚˋ)to have a brawl, a blow, a row or a fight
打劫(ㄉㄚˇ ㄐㄧㄝˊ)to plunder; to loot
打結(ㄉㄚˇ ㄐㄧㄝˊ)to tie a knot
打交道(ㄉㄚˇ ㄐㄧㄠ ㄉㄠˋ)to have intercourse; to associate with
打攪(ㄉㄚˇ ㄐㄧㄠˇ)to bother; to disturb
打起精神(ㄉㄚˇ ㄑㄧˇ ㄐㄧㄥ ㄕㄣˊ)to cheer up; to pluck up spirits
打氣(ㄉㄚˇ ㄑㄧˋ)① to inflate ② (figuratively) to invigorate or encourage
打氣筒(ㄉㄚˇ ㄑㄧˋ ㄊㄨㄥˇ)an air pump
打橋牌(ㄉㄚˇ ㄑㄧㄠˊ ㄆㄞˊ)to play a bridge game
打球(ㄉㄚˇ ㄑㄧㄡˊ)to play a ball game
打趣(ㄉㄚˇ ㄑㄩˋ)to tease; to poke fun
打拳(ㄉㄚˇ ㄑㄩㄢˊ)to practice boxing
打群架(ㄉㄚˇ ㄑㄩㄣˊ ㄐㄧㄚˋ)to engage in a gang fight
打消(ㄉㄚˇ ㄒㄧㄠ)to give up (an intention, etc.)
打小報告(ㄉㄚˇ ㄒㄧㄠˇ ㄅㄠˋ ㄍㄠˋ)to inform secretly on a colleague, etc.
打信號(ㄉㄚˇ ㄒㄧㄣˋ ㄏㄠˋ)to signal
打知名度(ㄉㄚˇ ㄓ ㄇㄧㄥˊ ㄉㄨˋ)to seek publicity
打招呼(ㄉㄚˇ ㄓㄠ ˙ㄏㄨ)to say hello
打照面(ㄉㄚˇ ㄓㄠˋ ㄇㄧㄢˋ)to meet face to face
打顫(ㄉㄚˇ ㄓㄢˋ)or 打冷顫(ㄉㄚˇ ㄌㄥˇ ㄓㄢˋ)to shudder
打針(ㄉㄚˇ ㄓㄣ)to give or receive an injection
打仗(ㄉㄚˇ ㄓㄤˋ)to fight
打住(ㄉㄚˇ ㄓㄨˋ)Hold! 或 Stop it!
打中(ㄉㄚˇ ㄓㄨㄥˋ)to hit the mark
打中要害(ㄉㄚˇ ㄓㄨㄥˋ ㄧㄠˋ ㄏㄞˋ)to hit the vital spot
打赤膊(ㄉㄚˇ ㄔˋ ㄅㄛˊ)to bare the upper body
打赤脚(ㄉㄚˇ ㄔˋ ㄐㄧㄠˇ)to go barefoot (barefooted)
打岔(ㄉㄚˇ ㄔㄚˋ)to interrupt another's speech
打成平手(ㄉㄚˇ ㄔㄥˊ ㄆㄧㄥˊ ㄕㄡˇ)to fight to a standoff; to fight to a draw
打成一片(ㄉㄚˇ ㄔㄥˊ ㄧˊ ㄆㄧㄢˋ)to combine into a whole
打手心(ㄉㄚˇ ㄕㄡˇ ㄒㄧㄣ)to beat the palm (of a child as a punishment)
打手勢(ㄉㄚˇ ㄕㄡˇ ㄕˋ)to gesticulate
打傷(ㄉㄚˇ ㄕㄤ)to wound or injure by beating
打水漂兒(ㄉㄚˇ ㄕㄨㄟˇ ㄆㄧㄠㄦ)to make ducks and drakes
打擾(ㄉㄚˇ ㄖㄠˇ)to disturb; to bother
打字(ㄉㄚˇ ㄗˋ)to type
打字機(ㄉㄚˇ ㄗˋ ㄐㄧ)a typewriter
打字員(ㄉㄚˇ ㄗˋ ㄩㄢˊ)a typist
打雜兒(ㄉㄚˇ ㄗㄚˊㄦ)to drudge
打坐(ㄉㄚˇ ㄗㄨㄛˋ)(said of a Buddhist) to sit in meditation
打草稿(ㄉㄚˇ ㄘㄠˇ ㄍㄠˇ)to prepare a draft
打草驚蛇(ㄉㄚˇ ㄘㄠˇ ㄐㄧㄥ ㄕㄜˊ)to cause undesired agitation
打死(ㄉㄚˇ ㄙˇ)to beat to death
打掃(ㄉㄚˇ ㄙㄠˇ)to clean (a room, house, etc.)
打傘(ㄉㄚˇ ㄙㄢˇ)to use an umbrella
打散(ㄉㄚˇ ㄙㄢˋ)to break up; to scatter
打碎(ㄉㄚˇ ㄙㄨㄟˋ)to smash to pieces
打算(ㄉㄚˇ ㄙㄨㄢˋ)① to plan; to intend; to prepare ② a plan; intention
打暗號(ㄉㄚˇ ㄢˋ ㄏㄠˋ)to hint
打耳光(ㄉㄚˇ ㄦˇ ㄍㄨㄤ)to box somebody's ears
打牙祭(ㄉㄚˇ ㄧㄚˊ ㄐㄧˋ)to have a rare sumptuous meal
打游擊(ㄉㄚˇ ㄧㄡˊ ㄐㄧˊ)to engage in guerrilla warfare
打油詩(ㄉㄚˇ ㄧㄡˊ ㄕ)doggerel; ragged verse
打烊(ㄉㄚˇ ㄧㄤˋ)to close the store for the night
打魚(ㄉㄚˇ ㄩˊ)to catch fish with nets
打圓場(ㄉㄚˇ ㄩㄢˊ ㄔㄤˇ)to mediate a dispute

打 1794
2. ㄉㄚˊ dá
a dozen

扔 1795
ㄖㄥ rēng
1. to throw; to hurl 2. to abandon; to discard
扔掉(ㄖㄥ ㄉㄧㄠˋ)to throw away
扔開(ㄖㄥ ㄎㄞ)to dismiss from consideration
扔下(ㄖㄥ ˙ㄒㄧㄚ)to throw down

三畫

扞 1796
ㄏㄢˋ hàn
1. to resist; to oppose; to obstruct 2. to defend; to guard; to withstand
扞衛(ㄏㄢˋ ㄨㄟˋ)to defend; to guard

扣 1797
ㄎㄡˋ kòu
1. to tap; to strike; to rap; to pull 2. to fasten; to button; to buckle 3. to detain; to confine 4. to deduct 5. a button; a hook; a buckle 6. to impound; to withhold 7. to cover on top
扣扳機(ㄎㄡˋ ㄅㄢ ㄐㄧ)to pull the trigger
扣帽子(ㄎㄡˋ ㄇㄠˋ ˙ㄗ)to put a label on someone
扣門(ㄎㄡˋ ㄇㄣˊ)to knock at a door
扣籃(ㄎㄡˋ ㄌㄢˊ)(basketball) to dunk
扣留(ㄎㄡˋ ㄌㄧㄡˊ)to keep in custody
扣緊(ㄎㄡˋ ㄐㄧㄣˇ)to button tightly

扣住(ㄎㄡˋ ㄓㄨˋ)held or fastened (by a button, hook, etc.); to hook
扣除(ㄎㄡˋ ㄔㄨˊ)to deduct
扣人心絃(ㄎㄡˋ ㄖㄣˊ ㄒㄧㄣ ㄒㄧㄢˊ) (said of music, writing, etc.) very touching
扣子(ㄎㄡˋ •ㄗ)a button; a buckle
扣問(ㄎㄡˋ ㄨㄣˋ)to stop and ask

扛 1798 ㄎㄤˊ káng
to lift (especially when only a single person is involved)
扛在肩上(ㄎㄤˊ ㄗㄞˋ ㄐㄧㄢ •ㄕㄤ)to carry on the shoulder; to shoulder

托 1799 ㄊㄨㄛ tuō
1. to hold, or lift, on the palm 2. to entrust; to charge; to consign; to rely 3. a tray; a pad
托病(ㄊㄨㄛ ㄅㄧㄥˋ)on the pretext of sickness
托盤(ㄊㄨㄛ ㄆㄢˊ)a tray
托夢(ㄊㄨㄛ ㄇㄥˋ)(said of a spirit or deity) to convey a message to a mortal through his dream
托福測驗(ㄊㄨㄛ ㄈㄨˊ ㄘㄜˋ ㄧㄢˋ)Test of English as a Foreign Language (TOEFL)
托付(ㄊㄨㄛ ㄈㄨˋ)to entrust; to charge; to consign
托辣斯(ㄊㄨㄛ ㄌㄚˋ ㄙ)a trust
托管(ㄊㄨㄛ ㄍㄨㄢˇ)trusteeship
托辭(ㄊㄨㄛ ㄘˊ)① to make excuses ② a pretext; an excuse
托兒所(ㄊㄨㄛ ㄦˊ ㄙㄨㄛˇ)a nursery school

扦 1800 ㄑㄧㄢ qiān
1. to pierce; to penetrate; to pick 2. a pick

扠 1801 ㄔㄚ chā
a harpoon
扠腰(ㄔㄚ ㄧㄠ)akimbo

四畫

扭 1802 ㄋㄧㄡˇ niǔ
1. to wrench; to twist; to turn; to wring 2. to seize; to grasp
扭打(ㄋㄧㄡˇ ㄉㄚˇ)to have a grapple or to grapple with somebody
扭斷(ㄋㄧㄡˇ ㄉㄨㄢˋ)to dislocate (the bones) by twisting or wrenching
扭揑(ㄋㄧㄡˇ ㄋㄧㄝ)① to mince ② to do things in an unmanly way
扭乾(ㄋㄧㄡˇ ㄍㄢ)to wring (a towel, clothes, etc.) dry
扭曲(ㄋㄧㄡˇ ㄑㄩ)to twist
扭轉(ㄋㄧㄡˇ ㄓㄨㄢˇ)to wring; to wrench; to twist
扭傷(ㄋㄧㄡˇ ㄕㄤ)a sprain; a wrench
扭腰(ㄋㄧㄡˇ ㄧㄠ)to twist the hip or the waist

扮 1803 ㄅㄢˋ bàn
to dress up; to disguise; to play
扮鬼臉(ㄅㄢˋ ㄍㄨㄟˇ ㄌㄧㄢˇ) to make faces
扮相(ㄅㄢˋ ㄒㄧㄤˋ)the stage appearance or makeup (of an actor or actress)
扮演(ㄅㄢˋ ㄧㄢˇ)to play or act (a part or role)

扶 1804 ㄈㄨˊ fú
1. to support; to prop up; to aid; to help; to shield; to shelter; to harbor; to protect 2. to lean upon
扶梯(ㄈㄨˊ ㄊㄧ)a flight of stairs with a handrail or balustrade
扶靈(ㄈㄨˊ ㄌㄧㄥˊ)to escort a casket or coffin
扶輪社(ㄈㄨˊ ㄌㄨㄣˊ ㄕㄜˋ)Rotary Club
扶植(ㄈㄨˊ ㄓˊ)to help grow or develop
扶助(ㄈㄨˊ ㄓㄨˋ)to aid; to help
扶持(ㄈㄨˊ ㄔˊ)to support
扶手(ㄈㄨˊ •ㄕㄡ)a handrail (of a staircase) or any support to be held by the hand
扶搖直上(ㄈㄨˊ ㄧㄠˊ ㄓˊ ㄕㄤˋ)to rise (in a career) very fast as if to be lifted by a cyclone
扶養(ㄈㄨˊ ㄧㄤˇ)to provide with means of livelihood

扯 1805 ㄔㄜˇ chě
1. to tear 2. to pull; to drag; to haul; to strain 3. to lump 4. to talk nonsense; to lie; to prevaricate; to digress
扯破(ㄔㄜˇ ㄆㄛˋ)to tear to pieces or shreds
扯淡(ㄔㄜˇ ㄉㄢˋ)to talk nonsense
扯後腿(ㄔㄜˇ ㄏㄡˋ ㄊㄨㄟˇ)to hinder someone from action
扯謊(ㄔㄜˇ ㄏㄨㄤˇ)to tell a lie; to lie
扯住(ㄔㄜˇ ㄓㄨˋ)to grasp firmly

扳 1806 ㄅㄢ bān
1. to pull 2. to count (on one's fingers)
扳倒(ㄅㄢ ㄉㄠˇ)to pull down
扳機(ㄅㄢ ㄐㄧ)a trigger
扳手(ㄅㄢ ㄕㄡˇ)① a spanner; a wrench ② a lever (on a machine)

扱 1807 1. ㄒㄧ xī
1. to gather; to collect 2. to kneel and bow with both hands touching the ground or the floor

扱 1807 2. ㄔㄚ chā
to insert

批 1808 ㄆㄧ pī
1. to comment; to judge; to criticize

2. a whole batch (of things or people); a large quantity or number 3. to slap

批判(ㄆㄧ ㄆㄢˋ)to appraise; to judge

批評(ㄆㄧ ㄆㄧㄥˊ)to criticize; criticism; comment

批評家(ㄆㄧ ㄆㄧㄥˊ ㄐㄧㄚ)a critic

批發(ㄆㄧ ㄈㄚ)wholesale 「price

批發價(ㄆㄧ ㄈㄚ ㄐㄧㄚˋ)a wholesale

批發商(ㄆㄧ ㄈㄚ ㄕㄤ)a wholesaler

批鬥(ㄆㄧ ㄉㄡˋ) to criticize and denounce someone 「papers)

批改(ㄆㄧ ㄍㄞˇ)to correct (students'

批准(ㄆㄧ ㄓㄨㄣˇ)to give official approval or permission for

批示(ㄆㄧ ㄕˋ)to instruct or direct

批閱(ㄆㄧ ㄩㄝˋ)to read (a message from a subordinate) and write down comments or instructions

找 1809 ㄓㄠˇ zhǎo

1. to seek; to look for; to search for; to find 2. to return (change)

找徧or找遍(ㄓㄠˇ ㄅㄧㄢˋ)to have searched or looked everywhere

找麻煩(ㄓㄠˇ ㄇㄚˊ ·ㄈㄢ)①to ask for trouble ②to pick on somebody

找對象(ㄓㄠˇ ㄉㄨㄟˋ ㄒㄧㄤˋ)to look for a partner in marriage

找錢(ㄓㄠˇ ㄑㄧㄢˊ)to give change

找尋(ㄓㄠˇ ㄒㄩㄣˊ)to search for; to look for 「quarrels)

找碴兒(ㄓㄠˇ ㄔㄚˊㄦ)to pick (up)

找人(ㄓㄠˇ ㄖㄣˊ)to look for someone

抃 1810 ㄅㄧㄢˋ biàn

to clap hands; to cheer

技 1811 ㄐㄧˋ jì 「ability; tricks)

skill; ingenuity; dexterity; special

技能(ㄐㄧˋ ㄋㄥˊ)skill; technical ability

技工(ㄐㄧˋ ㄍㄨㄥ)a skilled worker

技巧(ㄐㄧˋ ㄑㄧㄠˇ)skill 「cian

技師(ㄐㄧˋ ㄕ)an engineer or a techni-

技術(ㄐㄧˋ ㄕㄨˋ)techniques; technology

技術密集(ㄐㄧˋ ㄕㄨˋ ㄇㄧˋ ㄐㄧˊ) technology-intensive

技術犯規(ㄐㄧˋ ㄕㄨˋ ㄈㄢˋ ㄍㄨㄟ)a technical foul

技術服務(ㄐㄧˋ ㄕㄨˋ ㄈㄨˊ ㄨˋ)technical service 「nical cooperation

技術合作(ㄐㄧˋ ㄕㄨˋ ㄏㄜˊ ㄗㄨㄛˋ)tech-

技術轉讓(ㄐㄧˋ ㄕㄨˋ ㄓㄨㄢˇ ㄖㄤˋ)technology transfer

技術水準(ㄐㄧˋ ㄕㄨˋ ㄕㄨㄟˇ ㄓㄨㄣˇ) technological standards

技術(人)員(ㄐㄧˋ ㄕㄨˋ (ㄖㄣˊ) ㄩㄢˊ) technicians; technical personnel

技藝(ㄐㄧˋ ㄧˋ)skill; art; craft

抄 1812 ㄔㄠ chāo

1. to copy; to transcribe; transcription; to plagiarize 2. to confiscate 3. to seize; to take 「transcript

抄本(ㄔㄠ ㄅㄣˇ)a handwritten copy; a

抄錄(ㄔㄠ ㄌㄨˋ)or 抄寫(ㄔㄠ ㄒㄧㄝˇ) to copy by hand

抄獲(ㄔㄠ ㄏㄨㄛˋ) to discover by searching; to ferret out

抄近路(ㄔㄠ ㄐㄧㄣˋ ㄌㄨˋ)to take a shortcut 「off

抄襲(ㄔㄠ ㄒㄧˊ)to plagiarize; to copy

抄寫員(ㄔㄠ ㄒㄧㄝˇ ㄩㄢˊ)a copyist

抉 1813 ㄐㄩㄝˊ jué 「gouge; to dig

1.to choose; to pick; to select 2.to

抉擇(ㄐㄩㄝˊ ㄗㄜˊ)choice; to choose

抆 1814 ㄨㄣˇ wěn

to wipe

抒 1815 ㄕㄨ shū

1. to give expression to; to express 2. to relieve; to ease; to lighten; to unburden 「give expression to

抒發(ㄕㄨ ㄈㄚ)to express; to voice; to

抒懷(ㄕㄨ ㄏㄨㄞˊ)to relieve the heart of emotions 「ings

抒情(ㄕㄨ ㄑㄧㄥˊ)to express one's feel-

抒情詩(ㄕㄨ ㄑㄧㄥˊ ㄕ)a lyric; a lyric poem; lyric poetry 「ing

抒情文(ㄕㄨ ㄑㄧㄥˊ ㄨㄣˊ)lyrical writ-

抓 1816 ㄓㄨㄚ zhuā

1. to scratch 2. to grasp; to seize; to take; to snatch 3. to arrest

抓破(ㄓㄨㄚ ㄆㄛˋ)to injure skin by scratching 「bling party

抓賭(ㄓㄨㄚ ㄉㄨˇ)to break up a gam-

抓緊(ㄓㄨㄚ ㄐㄧㄣˇ)to grasp firmly

抓舉(ㄓㄨㄚ ㄐㄩˇ) (weightlifting) a snatch

抓取(ㄓㄨㄚ ㄑㄩˇ)to take by grasping

抓住(ㄓㄨㄚ ㄓㄨˋ)to grasp; to grip

抓賊(ㄓㄨㄚ ㄗㄟˊ)to catch a thief

抓癢(ㄓㄨㄚ ㄧㄤˇ)to scratch an itchy

抔 1817 ㄆㄡˊ póu ⌊part

to scoop up with both hands

把 1818 1. ㄅㄚˇ bǎ

1. a handle; a hold 2. to take 3. to hold 4. to guard; to watch over; to keep under surveillance 5. a bundle; a grasp; a handful 6. around; about; approximately; more or less 7.

sworn

把柄(ㄅㄚˇ ㄅㄧㄥˇ)a hold (on somebody)

把風(ㄅㄚˇ ㄈㄥ)a person posted as a lookout, especially, in a robbery or other criminal acts

把關(ㄅㄚˇ ㄍㄨㄢ)①to guard a pass ②to check on

把戲(ㄅㄚˇ ㄒㄧˋ)① acrobatic performances as juggling, etc. ② a trick or scheme

把持(ㄅㄚˇ ㄔˊ)to monopolize

把持不定(ㄅㄚˇ ㄔˊ ㄅㄨˋ ㄉㄧㄥˋ)vacillating; undecided

把守(ㄅㄚˇ ㄕㄡˇ)to watch over

把手(ㄅㄚˇ ㄕㄡˇ)a handle

把握(ㄅㄚˇ ㄨㄛˋ)①something one holds in hand ②confident; sure

把玩(ㄅㄚˇ ㄨㄢˊ)to keep at hand for appreciation; to fondle

把 1818
2. ㄅㄚˋ **bà**

a handle

把手(ㄅㄚˋ ㄕㄡˇ)a handle

投 1819
ㄊㄡˊ **tóu**

1. to throw; to pitch; to toss 2. to present as a gift 3. to lodge; to stay 4. to head (west, etc.) 5. agreeable; congenial; harmonious; to fit in with 6. to join; to submit to 7. to project; to cast 8. to deliver (mail, etc.); to send (letters, etc.)

投保(ㄊㄡˊ ㄅㄠˇ)to take out an insurance policy

投保人(ㄊㄡˊ ㄅㄠˇ ㄖㄣˊ)a policyholder

投奔(ㄊㄡˊ ㄅㄣ)to flee (to freedom)

投幣孔(ㄊㄡˊ ㄅㄧˋ ㄎㄨㄥˇ)a coin slot

投標(ㄊㄡˊ ㄅㄧㄠ)to bid in a public tender

投票(ㄊㄡˊ ㄆㄧㄠˋ)to cast a vote; to ballot

投票權(ㄊㄡˊ ㄆㄧㄠˋ ㄑㄩㄢˊ)the ballot

投票箱(ㄊㄡˊ ㄆㄧㄠˋ ㄒㄧㄤ)a ballot box

投票人(ㄊㄡˊ ㄆㄧㄠˋ ㄖㄣˊ)a voter

投票所(ㄊㄡˊ ㄆㄧㄠˋ ㄙㄨㄛˇ)a polling place; polls

投彈(ㄊㄡˊ ㄉㄢˋ)to drop a bomb

投敵(ㄊㄡˊ ㄉㄧˊ)to defect to the enemy

投遞(ㄊㄡˊ ㄉㄧˋ) to send or deliver (letters, etc.)

投桃報李(ㄊㄡˊ ㄊㄠˊ ㄅㄠˋ ㄌㄧˇ) to return a favor with a favor

投籃(ㄊㄡˊ ㄌㄢˊ)(basketball) to shoot

投稿(ㄊㄡˊ ㄍㄠˇ) to contribute an article

投考(ㄊㄡˊ ㄎㄠˇ)to take an entrance examination of a school

投靠(ㄊㄡˊ ㄎㄠˋ)to go and seek refuge with somebody

投機(ㄊㄡˊ ㄐㄧ)to speculate

投機分子(ㄊㄡˊ ㄐㄧ ㄈㄣˋ ㄗˇ)an opportunist; a speculator

投機事業(ㄊㄡˊ ㄐㄧ ㄕˋ ㄧㄝˋ)speculative business

投進去(ㄊㄡˊ ㄐㄧㄣˋ ㄑㄩˋ)to throw in

投其所好(ㄊㄡˊ ㄑㄧˊ ㄙㄨㄛˇ ㄏㄠˋ) to cater to another's pleasure

投下(ㄊㄡˊ ㄒㄧㄚˋ)①to throw down; to drop ②to invest (capital)

投效(ㄊㄡˊ ㄒㄧㄠˋ)to offer one's services to

投降(ㄊㄡˊ ㄒㄧㄤˊ)to surrender

投擲(ㄊㄡˊ ㄓˋ)to throw (a discus, etc.)

投炸彈(ㄊㄡˊ ㄓㄚˋ ㄉㄢˋ)to throw bombs

投射(ㄊㄡˊ ㄕㄜˋ)to project; to shoot

投手(ㄊㄡˊ ㄕㄡˇ)(baseball) a pitcher

投身(ㄊㄡˊ ㄕㄣ)to find employment or shelter

投書(ㄊㄡˊ ㄕㄨ)to send a letter to (a newspaper editor, etc.)

投入(ㄊㄡˊ ㄖㄨˋ)①to throw in ②to join (the army, revolutionaries, etc.)

投資(ㄊㄡˊ ㄗ)to invest; investment

投資公司(ㄊㄡˊ ㄗ ㄍㄨㄥ ㄙ)an investment company

投宿(ㄊㄡˊ ㄙㄨˋ)to stay or check in (at a hotel, etc.) for the night

投案(ㄊㄡˊ ㄢˋ)to appear before court in answer to summons

投郵(ㄊㄡˊ ㄧㄡˊ)to mail

投影(ㄊㄡˊ ㄧㄥˇ)①(mathematics) projection ②(art) cast shadow

投緣(ㄊㄡˊ ㄩㄢˊ)to be on intimate terms at once

抗 1820
ㄎㄤˋ **kàng**

1. to resist; to oppose 2. to reject; to refute; to rebuke; to defy 3. high and virtuous 4. to raise; to set up 5. to hide; to conceal; to screen; to secrete

抗暴(ㄎㄤˋ ㄅㄠˋ)to oppose tyranny

抗命(ㄎㄤˋ ㄇㄧㄥˋ)to disobey orders

抗敵(ㄎㄤˋ ㄉㄧˊ)to resist enemy troops

抗體(ㄎㄤˋ ㄊㄧˇ)an antibody

抗衡(ㄎㄤˋ ㄏㄥˊ)to compete

抗拒(ㄎㄤˋ ㄐㄩˋ)to resist; to oppose

抗爭(ㄎㄤˋ ㄓㄥ)to contend; to oppose

抗生素(ㄎㄤˋ ㄕㄥ ㄙㄨˋ)antibiotics

抗熱(ㄎㄤˋ ㄖㄜˋ)heat-resistant

抗議(ㄎㄤˋ ㄧˋ)to protest

抖 1821
ㄉㄡˇ **dǒu**

1. to shiver; to tremble 2. to shake; to jerk 3. to rouse 4. (colloquial) to make good; to become well-to-do

抖動(ㄉㄡˇ ㄉㄨㄥˋ)to shake; to tremble

抖擻精神(ㄉㄡˇ ㄙㄡˇ ㄐㄧㄥ ㄕㄣˊ)to muster one's energies

折 1822
1. ㄓㄜˊ **zhé**

1. to break; to snap 2. to bend; to

humble; to bow 3. to judge; to decide a course 4. to sell, barter or exchange 5. a discount in the price 6. to fold 7. to tear into halves; to destroy 8. to submit to; to be willing

〔手部〕

折磨(ㄓㄜˊ ㄇㄛˊ)trials and afflictions
折服(ㄓㄜˊ ㄈㄨˊ)to submit
折斷(ㄓㄜˊ ㄉㄨㄢˋ)to snap; to break
折扣(ㄓㄜˊ ㄎㄡˋ)a discount in the price
折合(ㄓㄜˊ ㄏㄜˊ)(said of two currencies, etc.) equivalent to
折回(ㄓㄜˊ ㄏㄨㄟˊ) to turn back (half way)
折價(ㄓㄜˊ ㄐㄧㄚˋ)(said of an article used in repaying a debt, etc.) equivalent to
折舊(ㄓㄜˊ ㄐㄧㄡˋ)depreciation (especially said of machinery in use)
折現(ㄓㄜˊ ㄒㄧㄢˋ)to convert into cash
折衷(ㄓㄜˊ ㄓㄨㄥ)to compromise
折煞(ㄓㄜˊ ·ㄕㄚ)to break one's luck
折射(ㄓㄜˊ ㄕㄜˋ)refraction; to refract
折扇(ㄓㄜˊ ㄕㄢˋ)a folding fan
折算(ㄓㄜˊ ㄙㄨㄢˋ)calculated at
折損(ㄓㄜˊ ㄙㄨㄣˇ)to damage

折 1822
2. ㄕㄜˊ shé

1. to lose money; to fail in business 2. to break; to snap

折 1822
3. ㄓㄜ zhē

1. to turn upside down; to fall head over heels 2. to pour all out
折騰(ㄓㄜ ·ㄊㄥ)①to turn upside down ②to squander; to waste ③to toss about

抑 1823
ㄧˋ yì

1. to press down; to repress 2. to restrain; to force to (do, perform, etc.) 3. to bend or lower (one's head) 4. or; or if; still; else; either; then 5. but; an opening particle of an expression 6. an exclamatory, roughly equivalent to "oh," or "alas" 7. to stop
抑或(ㄧˋ ㄏㄨㄛˋ)besides; moreover; or
抑止(ㄧˋ ㄓˇ)to restrain; to check
抑制(ㄧˋ ㄓˋ)to repress; to restrain
抑遏(ㄧˋ ㄜˋ)to curb; to restrain
抑揚頓挫(ㄧˋ ㄧㄤˊ ㄉㄨㄣˋ ㄘㄨㄛˋ)melodious

扼 1824
(搤) ㄜˋ è

1. to repress; to restrain; to control 2. to clutch; to grasp; to grip 3. to hold and defend (a city, etc.)
扼制(ㄜˋ ㄓˋ)to repress
扼殺(ㄜˋ ㄕㄚ)to strangle
扼守(ㄜˋ ㄕㄡˇ)to hold and defend (a strategic position)
扼要(ㄜˋ ㄧㄠˋ)in summary
扼腕(ㄜˋ ㄨㄢˋ)(literally) to seize one's wrist—① regret ② anger ③ excitement

承 1825
ㄔㄥˊ chéng

1. to receive; to inherit; to succeed (another in a task, etc.) 2. to undertake; to make it one's responsibility 3. by (order of) 4. to continue; to carry on 5. to hold; to contain; to support; to bear 6. to confess 7. obliged; with thanks 8. to please; to flatter
承包(ㄔㄥˊ ㄅㄠ)to undertake to do a job; to contract
承包商(ㄔㄥˊ ㄅㄠ ㄕㄤ)a contractor
承辦(ㄔㄥˊ ㄅㄢˋ)to handle (a case); to be responsible for (a task)
承辦人員(ㄔㄥˊ ㄅㄢˋ ㄖㄣˊ ㄩㄢˊ)officials concerned (in a task)
承蒙(ㄔㄥˊ ㄇㄥˊ)to be obliged to
承命(ㄔㄥˊ ㄇㄧㄥˋ)to accept instructions
承擔(ㄔㄥˊ ㄉㄢ)to shoulder or to take (the responsibility, task, etc.)
承諾(ㄔㄥˊ ㄋㄨㄛˋ)to promise; to agree
承攬 (ㄔㄥˊ ㄌㄢˇ) to take full charge (usually under contract)
承購(ㄔㄥˊ ㄍㄡˋ)to act as a purchasing agent
承接(ㄔㄥˊ ㄐㄧㄝ)to receive and carry on; to succeed to
承襲(ㄔㄥˊ ㄒㄧˊ)to inherit (a title, etc.)
承銷 (ㄔㄥˊ ㄒㄧㄠ) consignment-in (or inward)
承受(ㄔㄥˊ ㄕㄡˋ)to accept; to bear
承認(ㄔㄥˊ ㄖㄣˋ)to confess; to admit
承載(ㄔㄥˊ ㄗㄞˋ)to bear the weight of
承造(ㄔㄥˊ ㄗㄠˋ)to manufacture or build something for someone else
承租(ㄔㄥˊ ㄗㄨ)to rent

五畫

抱 1826
ㄅㄠˋ bào

1. to embrace; to enfold; to hold in the arms 2. to harbor; to cherish 3. to adopt 4. aspirations; ambition
抱病(ㄅㄠˋ ㄅㄧㄥˋ) indisposed; sick or ill
抱不平(ㄅㄠˋ ㄅㄨˋ ㄆㄧㄥˊ)indignant at injustice
抱佛脚(ㄅㄠˋ ㄈㄛˊ ㄐㄧㄠˇ) (literally) to clasp Buddha's feet—a last-minute rush
抱負(ㄅㄠˋ ㄈㄨˋ)aspirations; ambition
抱頭鼠竄(ㄅㄠˋ ㄊㄡˊ ㄕㄨˇ ㄘㄨㄢˋ)to flee ignominiously
抱憾(ㄅㄠˋ ㄏㄢˋ)to deplore; to regret
抱緊(ㄅㄠˋ ㄐㄧㄣˇ)to hold tightly in one's arms
抱歉(ㄅㄠˋ ㄑㄧㄢˋ)to feel sorry about; to regret

抱屈(ㄅㄠˋ ㄑㄩ)to bear a grudge
抱着(ㄅㄠˋ ·ㄓㄜ)to embrace
抱住(ㄅㄠˋ ㄓㄨˋ)to hold in one's arms
抱怨(ㄅㄠˋ ㄩㄢˋ)to complain

抨 1827
ㄆㄥ pēng
to impeach; to censure; to attack or to assail by words
抨擊(ㄆㄥ ㄐㄧˊ)to attack or assail by words; to criticize

披 1828
ㄆㄧ pī
(又讀 ㄆㄟ pēi)
1. to open (a book, scroll, etc.); to unroll 2. to spread out; to disperse 3. to thumb through or read casually 4. to throw on (a garment, etc.); to wear untidily
披風(ㄆㄧ ㄈㄥ)a cape
披頭(ㄆㄧ ㄊㄡˊ)the Beatles—a British vocal group popular in the mid-1960's
披頭散髮(ㄆㄧ ㄊㄡˊ ㄙㄢˋ ㄈㄚˇ) with hair in disarray
披露 (ㄆㄧ ㄌㄨˋ) to reveal; to make known
披肩(ㄆㄧ ㄐㄧㄢ)a shawl
披荊斬棘(ㄆㄧ ㄐㄧㄥ ㄓㄢˇ ㄐㄧˊ)to cultivate land as a pioneer
披星戴月(ㄆㄧ ㄒㄧㄥ ㄉㄞˋ ㄩㄝˋ)①to travel by night ②to toil night and day
披閱(ㄆㄧ ㄩㄝˋ)to read

抵 1829
ㄉㄧˇ dǐ
1. to resist; to oppose 2. to prop; to sustain 3. to offset; to balance 4. to substitute 5. to offer as collateral 6. to arrive at; to reach (a place) 7. to go against; to offend against (the law and regulations)
抵命(ㄉㄧˇ ㄇㄧㄥˋ)a life for a life
抵達(ㄉㄧˇ ㄉㄚˊ)to arrive at (a place)
抵擋(ㄉㄧˇ ㄉㄤˇ)to resist; to sustain
抵賴(ㄉㄧˇ ㄌㄞˋ)to deny mistakes or crimes one has committed
抵抗(ㄉㄧˇ ㄎㄤˋ)to resist; to oppose; to fight against (an enemy, etc.)
抵抗力(ㄉㄧˇ ㄎㄤˋ ㄌㄧˋ)the force or power of resistance
抵借(ㄉㄧˇ ㄐㄧㄝˋ)to pledge against a loan
抵銷(ㄉㄧˇ ㄒㄧㄠ)to offset
抵制(ㄉㄧˇ ㄓˋ)① to resist ② to boycott
抵制外國貨(ㄉㄧˇ ㄓˋ ㄨㄞˋ ㄍㄨㄛˊ ㄏㄨㄛˋ)to boycott foreign goods
抵債(ㄉㄧˇ ㄓㄞˋ) to pay a debt with goods or by labor
抵償(ㄉㄧˇ ㄔㄤˊ)to compensate
抵觸 (ㄉㄧˇ ㄔㄨˋ) in contravention of (the law or regulations)
抵死(ㄉㄧˇ ㄙˇ)①to persist ②excessive
抵押(ㄉㄧˇ ㄧㄚ)to mortgage
抵押品(ㄉㄧˇ ㄧㄚ ㄆㄧㄣˇ)collateral
抵押人(ㄉㄧˇ ㄧㄚ ㄖㄣˊ)a mortgagor
抵禦(ㄉㄧˇ ㄩˋ)to resist; to withstand
抵禦外侮(ㄉㄧˇ ㄩˋ ㄨㄞˋ ㄨˇ)to resist foreign aggression

抹 1830
1. ㄇㄛˇ mǒ
1. to wipe; to rub; to mop 2. to smear; to apply to 3. to obliterate; to blot out
抹布(ㄇㄛˇ ㄅㄨˋ)a cleaning rag
抹片(ㄇㄛˇ ㄆㄧㄢˋ) a smear (for microscopic examination)
抹淚(ㄇㄛˇ ㄌㄟˋ) to wipe away one's tears
抹乾(ㄇㄛˇ ㄍㄢ)to wipe dry
抹黑(ㄇㄛˇ ㄏㄟ) (informal) to blacken someone's name
抹去(ㄇㄛˇ ㄑㄩˋ)or 抹掉(ㄇㄛˇ ㄉㄧㄠˋ) to wipe out; to obliterate
抹煞(ㄇㄛˇ ㄕㄚˋ)purposely fail to mention (one's merits, etc.)

抹 1830
2. ㄇㄛˋ mò
1. to plaster 2. a tight undergarment 3. to turn

抽 1831
ㄔㄡ chōu
1. to draw out; to pull out or open; to take out 2. to sprout; to put forth shoots; to bud 3. to rid; to take away 4. to whip; to lash 5. to smoke (cigarettes, etc.) 6. to shrink
抽風機(ㄔㄡ ㄈㄥ ㄐㄧ)an exhaust fan
抽打(ㄔㄡ ㄉㄚˇ)to lash; to whip
抽刀 (ㄔㄡ ㄉㄠ) to draw a knife or blade
抽調(ㄔㄡ ㄉㄧㄠˋ)to transfer (personnel or material)
抽屜(ㄔㄡ ·ㄊㄧ)a drawer
抽考(ㄔㄡ ㄎㄠˇ)an unannounced quiz or test
抽空兒(ㄔㄡ ㄎㄨㄥˋㄦ)to find time (to do something)
抽筋 (ㄔㄡ ㄐㄧㄣ) to be seized by spasms or cramps
抽獎(ㄔㄡ ㄐㄧㄤˇ)to draw a lottery or raffle
抽泣(ㄔㄡ ㄑㄧˋ)to sob
抽籤(ㄔㄡ ㄑㄧㄢ) to draw (or cast) lots
抽取(ㄔㄡ ㄑㄩˇ)to charge or collect a certain percentage of a sum
抽象(ㄔㄡ ㄒㄧㄤˋ)abstract
抽象名詞(ㄔㄡ ㄒㄧㄤˋ ㄇㄧㄥˊ ㄘˊ) abstract nouns
抽象畫 (ㄔㄡ ㄒㄧㄤˋ ㄏㄨㄚˋ) abstract painting
抽查(ㄔㄡ ㄔㄚˊ)to investigate, survey or test a part of a group
抽出(ㄔㄡ ㄔㄨ)to draw out
抽身(ㄔㄡ ㄕㄣ)to get away (while one is fully occupied)
抽水(ㄔㄡ ㄕㄨㄟˇ)to pump water
抽水馬桶(ㄔㄡ ㄕㄨㄟˇ ㄇㄚˇ ㄊㄨㄥˇ)a

flush toilet
抽稅(ㄔㄡ ㄕㄨㄟˋ)to levy taxes
抽油煙機(ㄔㄡ ㄧㄡˊ ㄧㄢ ㄐㄧ)a suction fan
抽烟 or 抽煙(ㄔㄡ ㄧㄢ)to smoke
抽樣(ㄔㄡ ㄧㄤˋ)a sample; sampling
抽樣調查(ㄔㄡ ㄧㄤˋ ㄉㄧㄠˋ ㄔㄚˊ)sampling

〔手部〕

押 1832
ㄧㄚ yā
1. to mortgage; to pawn; to pledge; to obtain loans against securities 2. to detain or imprison (temporarily) 3. to escort 4. a signature
押解(ㄧㄚ ㄐㄧㄝˋ)to transfer or deport (suspects, prisoners, goods, etc.) from one place to another under escort or guard
押金(ㄧㄚ ㄐㄧㄣ)a cash pledge; a deposit
押歲錢(ㄧㄚ ㄙㄨㄟˋ ㄑㄧㄢˊ) money given to children by elders on the Lunar New Year's Eve
押韻(ㄧㄚ ㄩㄣˋ)to rhyme

拄 1833
ㄓㄨˇ zhǔ
1. a post; a prop 2. to lean on (a stick, etc.) 3. to ridicule; to make sarcastic remarks
拄杖(ㄓㄨˇ ㄓㄤˋ)a crutch, staff or stick

拂 1834
1. ㄈㄨˊ fú
1. to brush; to shake; to whisk 2. to dust; a duster 3. to oppose; to disobey 4. to expel; to drive away
拂面(ㄈㄨˊ ㄇㄧㄢˋ) (said of breezes, leaves, etc.) to brush or caress the face lightly or gently
拂逆(ㄈㄨˊ ㄋㄧˋ)① disagreeable ② disastrous
拂曉(ㄈㄨˊ ㄒㄧㄠˇ)daybreak; dawn
拂袖而去(ㄈㄨˊ ㄒㄧㄡˋ ㄦˊ ㄑㄩˋ)to leave in displeasure or anger
拂塵(ㄈㄨˊ ㄔㄣˊ)① to shake off dust ② a duster made of long animal hairs
拂意(ㄈㄨˊ ㄧˋ)to run counter to one's ideas; to feel thwarted

拂 1834
2. (弼) ㄅㄧˋ bì
1. to aid; to assist 2. to make correct or right
拂士(ㄅㄧˋ ㄕˋ)a wise counselor

拇 1835
ㄇㄨˇ mǔ
1. the thumb 2. the big toe
拇指(ㄇㄨˇ ㄓˇ)the thumb

拈 1836
ㄋㄧㄢˊ nián
1. to take or hold with fingers 2. to draw (lots)
拈花惹草(ㄋㄧㄢˊ ㄏㄨㄚ ㄖㄜˇ ㄘㄠˇ) to fool around with women
拈香(ㄋㄧㄢˊ ㄒㄧㄤ)to offer incense
拈鬚(ㄋㄧㄢˊ ㄒㄩ)to finger one's beard

拆 1837
ㄔㄞ chāi
(讀音 ㄔㄜˋ chè)
1. to split; to break; to rip open 2. to take down; to tear down (a house, etc.); to destroy; to dismantle 3. to analyze; to scrutinize
拆封(ㄔㄞ ㄈㄥ)to break up a seal
拆開(ㄔㄞ ㄎㄞ)to take apart
拆夥(ㄔㄞ ㄏㄨㄛˇ)to part company
拆毀(ㄔㄞ ㄏㄨㄟˇ)to damage
拆卸(ㄔㄞ ㄒㄧㄝˋ)to take apart a large cargo
拆線(ㄔㄞ ㄒㄧㄢˋ) (medicine) to take out stitches
拆信(ㄔㄞ ㄒㄧㄣˋ)to open a letter
拆除(ㄔㄞ ㄔㄨˊ)to dismantle and get rid of
拆穿(ㄔㄞ ㄔㄨㄢ)to expose
拆散(ㄔㄞ ㄙㄢˋ)to break up or split apart (a family, etc.)

拉 1838
1. ㄌㄚ lā
1. to pull; to drag; to hold; to seize; to draw 2. to discharge (especially stool, urine, etc.) 3. to lengthen; to elongate 4. to play
拉拔(ㄌㄚ ·ㄅㄚ) to help (a protégé) advance
拉票(ㄌㄚ ㄆㄧㄠˋ)to solicit votes; to canvass
拉平(ㄌㄚ ㄆㄧㄥˊ)to even up; to end up in a draw
拉買賣(ㄌㄚ ㄇㄞˇ ·ㄇㄞ)to solicit business
拉麵(ㄌㄚ ㄇㄧㄢˋ)noodles made by pulling the dough instead of cutting it by knife
拉倒(ㄌㄚ ㄉㄠˇ) Never mind. 或 Let's forget it.
拉丁美洲(ㄌㄚ ㄉㄧㄥ ㄇㄟˇ ㄓㄡ)Latin America
拉丁文(ㄌㄚ ㄉㄧㄥ ㄨㄣˊ)Latin (language)
拉肚子(ㄌㄚ ㄉㄨˋ ·ㄗ)to suffer from diarrhea; to have loose bowels
拉尿(ㄌㄚ ㄋㄧㄠˋ)to urinate
拉拉隊(ㄌㄚ ㄌㄚ ㄉㄨㄟˋ)a cheering squad
拉鍊(ㄌㄚ ㄌㄧㄢˋ)a zipper
拉攏(ㄌㄚ ·ㄌㄨㄥ)to befriend another person with a view to winning him over
拉關係(ㄌㄚ ㄍㄨㄢ ·ㄒㄧ)to seek special help from somebody by elaborating on one's relationship with him
拉廣告(ㄌㄚ ㄍㄨㄤˇ ㄍㄠˋ)to solicit advertisements from business firms
拉開(ㄌㄚ ·ㄎㄞ)to pull apart
拉緊(ㄌㄚ ㄐㄧㄣˇ) ①to draw or pull tight ② to hang on firmly

拉近(ㄌㄚ ㄐㄧㄣˋ)to draw close or near
拉鋸戰(ㄌㄚ ㄐㄩˋ ㄓㄢˋ)a seesaw battle; stalemate
拉下臉來(ㄌㄚ ㄒㄧㄚˋ ㄌㄧㄢˇ ·ㄌㄞ)to make a long face; to look mean
拉下水(ㄌㄚ ㄒㄧㄚˋ ㄕㄨㄟˇ) to drag someone into the mire
拉住(ㄌㄚ ㄓㄨˋ)to hold on firmly
拉扯(ㄌㄚ ㄔㄜˇ)①to pull and drag ② to implicate or involve
拉屎(ㄌㄚ ㄕˇ)to go to stool
拉生意(ㄌㄚ ㄕㄥ·ㄧ)to solicit business
拉斯維加斯(ㄌㄚ ㄙ ㄨㄟˊ ㄐㄧㄚ ㄙ) Las Vegas, a gambling resort in Nevada, U.S.A.

拉 1838
2. ㄌㄚˊ lá
拉遢(ㄌㄚˊ ·ㄊㄚ) dirty; untidy

拊 1839
ㄈㄨˇ fǔ
1. to touch with hand lightly or tenderly; to pat 2. to indulge 3. to slap; to tap 4. the handle of a vessel or utensil
拊掌(ㄈㄨˇ ㄓㄤˇ)or 拊手(ㄈㄨˇ ㄕㄡˇ)to clap hands

拋 1840
(抛) ㄆㄠ pāo
1. to throw; to cast; to hurl 2. to abandon; to reject; to give up 3. to cast aside; to leave behind
拋錨 (ㄆㄠ ㄇㄠˊ) ①to cast anchor ②to break down
拋棄(ㄆㄠ ㄑㄧˋ)to abandon; to throw away; to give up
拋擲(ㄆㄠ ㄓˊ)to cast; to throw
拋出(ㄆㄠ ㄔㄨ)to throw out
拋售(ㄆㄠ ㄕㄡˋ)to dump large stocks of merchandise in the market in order to force down prices and relieve shortage of supply
拋物線(ㄆㄠ ㄨˋ ㄒㄧㄢˋ)a parabola

拌 1841
1. ㄅㄢˋ bàn
to mix
拌麵(ㄅㄢˋ ㄇㄧㄢˋ)noodles served with soy sauce, sesame butter, etc.
拌嘴(ㄅㄢˋ ㄗㄨㄟˇ)to quarrel
拌勻(ㄅㄢˋ ㄩㄣˊ)to mix evenly

拌 1841
2. ㄆㄢˋ pàn
to throw away; to abandon

拐 1842
ㄍㄨㄞˇ guǎi
1. to kidnap; to abduct 2. to turn or change direction 3. to swindle 4. same as 柺—a staff for an old person; a cane
拐騙(ㄍㄨㄞˇ ㄆㄧㄢˋ) ①to abduct; to kidnap ②to swindle
拐孩子(ㄍㄨㄞˇ ㄏㄞˊ ·ㄗ)to kidnap a child
拐杖(ㄍㄨㄞˇ ㄓㄤˋ)a staff; a stick
拐彎抹角兒 (ㄍㄨㄞˇ ㄨㄢ ㄇㄛˇ ㄐㄧㄠˇㄦ)a roundabout way of talking

拑 1843
ㄑㄧㄢˊ qián
to hold; to grasp

拍 1844
ㄆㄞ pāi (讀音 ㄆㄛˋ pò)
1. to strike with the hand; to slap; to clap; to pat; to swat 2. the time or beat of a piece of music 3. to fawn; to flatter
拍掌(ㄆㄞ ㄓㄤˇ)to clap hands
拍片(ㄆㄞ ㄆㄧㄢˋ)to shoot a film
拍馬屁(ㄆㄞ ㄇㄚˇ ㄆㄧˋ)to flatter
拍賣(ㄆㄞ ㄇㄞˋ)to auction off; an auction
拍賣行(ㄆㄞ ㄇㄞˋ ㄏㄤˊ)an auction company
拍打(ㄆㄞ ·ㄉㄚ)to pat; to slap or tap lightly
拍電影(ㄆㄞ ㄉㄧㄢˋ ㄧㄥˇ)to shoot a film
拍擊(ㄆㄞ ㄐㄧˊ)to strike; to slap
拍球(ㄆㄞ ㄑㄧㄡˊ)to bounce a ball
拍照(ㄆㄞ ㄓㄠˋ)to take a picture
拍桌子(ㄆㄞ ㄓㄨㄛ ·ㄗ)to pound the table—a gesture of anger, etc.
拍攝(ㄆㄞ ㄕㄜˋ)to take (a picture)
拍手(ㄆㄞ ㄕㄡˇ)to clap hands
拍子(ㄆㄞ ·ㄗ) (music) time; rhythm
拍案叫絕(ㄆㄞ ㄢˋ ㄐㄧㄠˋ ㄐㄩㄝˊ) to show extreme surprise by pounding the table

拎 1845
ㄌㄧㄥ līng
to haul; to take; to carry; to lift

拒 1846
ㄐㄩˋ jù
1. to defend; to ward off; to resist 2. to refuse; to reject
拒捕(ㄐㄩˋ ㄅㄨˇ)to resist arrest
拒付(ㄐㄩˋ ㄈㄨˋ)to refuse to pay
拒繳(ㄐㄩˋ ㄐㄧㄠˇ)to refuse to pay
拒絕(ㄐㄩˋ ㄐㄩㄝˊ)to refuse
拒絕來往(ㄐㄩˋ ㄐㄩㄝˊ ㄌㄞˊ ㄨㄤˇ)to sever intercourse or relations
拒絕往來戶 (ㄐㄩˋ ㄐㄩㄝˊ ㄨㄤˇ ㄌㄞˊ ㄏㄨˋ)a dishonored account

拓 1847
1. ㄊㄨㄛˋ tuò
1. to expand; to aggrandize; to open up (new frontiers, etc.); to develop 2. to push with hands
拓荒(ㄊㄨㄛˋ ㄏㄨㄤ)to open up virgin soil
拓展(ㄊㄨㄛˋ ㄓㄢˇ)to expand (business, etc.)

拓 1847
2. (搨) ㄊㄚˋ tà
to copy characters from an ancient

〔手部〕

tablet or tomb by rubbing over a paper placed on its surface
拓本(ㄊㄚˋ ㄅㄣˇ)a stone rubbing

〔手部〕

拔 1848
ㄅㄚˊ bá
1. to pull out; to uproot 2. to promote (another to a higher position, etc.) 3. to stand out; outstanding; remarkable 4. to attack and take (a city); to capture
拔毛(ㄅㄚˊ ㄇㄠˊ)to pluck out hairs
拔得頭籌(ㄅㄚˊ ㄉㄜˊ ㄊㄡˊ ㄔㄡˊ)to become the first to do something
拔刀相助(ㄅㄚˊ ㄉㄠ ㄒㄧㄤ ㄓㄨˋ)to help another for the sake of justice
拔腿(ㄅㄚˊ ㄊㄨㄟˇ)to take to one's heels
拔河(ㄅㄚˊ ㄏㄜˊ)a tug of war
拔擢(ㄅㄚˊ ㄓㄨㄛˊ)to promote; to raise
拔除(ㄅㄚˊ ㄔㄨˊ)to uproot; to eradicate
拔草(ㄅㄚˊ ㄘㄠˇ)to weed
拔牙(ㄅㄚˊ ㄧㄚˊ)to extract a tooth

拗 1849
1. ㄠˇ ǎo
to bend or twist so as to break

拗 1849
2. ㄠˋ ào
(又讀 ㄧㄠˋ yào)
(語音 ㄋㄧㄡˋ niù)
1. obstinate; stubborn; unmanageable; recalcitrant 2. hard to pronounce; awkward-sounding
拗不過(ㄋㄧㄡˋ ·ㄅㄨ ㄍㄨㄛˋ)to be unable to dissuade
拗口(ㄧㄠˋ ㄎㄡˇ)to twist the tongue

拗 1849
3. ㄩˋ yù
to restrain; to repress; to curb; to suppress

拖 1850
(拕) ㄊㄨㄛ tuō
1. to drag along, after or out 2. to procrastinate; to drag out; to delay 3. to involve; to implicate
拖把(ㄊㄨㄛ ·ㄅㄚ)a mop
拖拉(ㄊㄨㄛ ㄌㄚ)dilatory
拖累(ㄊㄨㄛ ㄌㄟˇ)① to involve or implicate ② a drag; a burden
拖垮(ㄊㄨㄛ ㄎㄨㄚˇ)to be worn down
拖欠(ㄊㄨㄛ ㄑㄧㄢˋ)to owe and delay payment for a long time; arrears
拖鞋(ㄊㄨㄛ ㄒㄧㄝˊ)slippers
拖車(ㄊㄨㄛ ㄔㄜ)a trailer
拖船(ㄊㄨㄛ ㄔㄨㄢˊ)a tugboat
拖時間(ㄊㄨㄛ ㄕˊ ㄐㄧㄢ)to stall for time; to delay
拖曳(ㄊㄨㄛ ㄧˋ)to drag; to pull; to tow
拖曳機(ㄊㄨㄛ ㄧˋ ㄐㄧ)a tractor
拖油瓶(ㄊㄨㄛ ㄧㄡˊ ㄆㄧㄥˊ)a woman's children by previous marriage
拖延(ㄊㄨㄛ ㄧㄢˊ)to delay
拖網(ㄊㄨㄛ ㄨㄤˇ)a trawl; a dragnet

拙 1851
ㄓㄨㄛˊ zhuó
1. stupid; crude; poor (works, etc.); slow and clumsy 2. a conventional term referring to oneself
拙劣(ㄓㄨㄛˊ ㄌㄧㄝˋ)clumsy and inferior
拙見(ㄓㄨㄛˊ ㄐㄧㄢˋ)my humble idea or view (used in polite conversation)

拘 1852
ㄐㄩ jū
1. to apprehend; to detain; to arrest 2. inflexible; to adhere rigidly to (conventions, etc.) 3. confined; restricted
拘捕(ㄐㄩ ㄅㄨˇ)to detain or arrest (a suspect); to take in
拘票(ㄐㄩ ㄆㄧㄠˋ)a warrant for arrest
拘拿(ㄐㄩ ㄋㄚˊ)to arrest
拘泥(ㄐㄩ ㄋㄧˋ)to be tied down by conventions
拘泥小節(ㄐㄩ ㄋㄧˋ ㄒㄧㄠˇ ㄐㄧㄝˊ)to be tied down by trifles
拘留(ㄐㄩ ㄌㄧㄡˊ)to detain; detention
拘留所(ㄐㄩ ㄌㄧㄡˊ ㄙㄨㄛˇ)a detention house to keep criminal suspects pending a court decision
拘謹(ㄐㄩ ㄐㄧㄣˇ)restrained and cautious—implying social timidity
拘禁(ㄐㄩ ㄐㄧㄣˋ)to detain; to imprison
拘束(ㄐㄩ ㄕㄨˋ)① to restrain ② timid and awkward
拘押(ㄐㄩ ㄧㄚ)to take into custody

拚 1853
ㄆㄢˋ pàn
1. to go all out 2. at the risk of; to disregard 3. to reject
拚命(ㄆㄢˋ ㄇㄧㄥˋ)to risk one's life

抿 1854
ㄇㄧㄣˇ mǐn
1. to smooth (hair); to stroke; to caress 2. to purse up (lips); to contract; to tuck 3. to sip; a sip
抿嘴笑(ㄇㄧㄣˇ ㄗㄨㄟˇ ㄒㄧㄠˋ)to smile with mouth closed

招 1855
ㄓㄠ zhāo
1. to beckon with one's hand; to summon 2. to raise (an army, capital, etc.); to recruit 3. to confess; to admit 4. a poster; a notice; a signboard 5. to cause; to effect; to incite; to incur; to invite 6. to entice; to induce 7. to welcome; to receive 8. to infect; to be infectious
招標(ㄓㄠ ㄅㄧㄠ)to invite to a tender (or bids, or public bidding)
招牌(ㄓㄠ ㄆㄞˊ)the signboard of a store or any other business concern

招聘(ㄓㄠ ㄆㄧㄣˋ)to advertise for office vacancies
招募(ㄓㄠ ㄇㄨˋ)to enlist troops (usually mercenaries)
招待(ㄓㄠ ㄉㄞˋ)① to receive ② reception ③ a receptionist
招待會(ㄓㄠ ㄉㄞˋ ㄏㄨㄟˋ)a reception
招待券(ㄓㄠ ㄉㄞˋ ㄑㄩㄢˋ)a free ticket
招待室(ㄓㄠ ㄉㄞˋ ㄕˋ)a reception room
招待所(ㄓㄠ ㄉㄞˋ ㄙㄨㄛˇ)a guest house
招待員(ㄓㄠ ㄉㄞˋ ㄩㄢˊ)a receptionist
招貼(ㄓㄠ ㄊㄧㄝ)posters; notices
招徠(ㄓㄠ ㄌㄞˊ)to solicit customers; to canvass
招攬(ㄓㄠ ㄌㄢˇ)①to collect ②to solicit customers
招領(ㄓㄠ ㄌㄧㄥˇ)a public request to call for lost-and-found
招供(ㄓㄠ ㄍㄨㄥ)① to confess (to a crime, etc.) ② a confession (by a criminal)
招考(ㄓㄠ ㄎㄠˇ)to advertise for employees or students through competitive examinations
招呼(ㄓㄠ ㄏㄨ) ①to beckon ②to receive
招呼站(ㄓㄠ ㄏㄨ ㄓㄢˋ)a designated bus or taxi stop
招集(ㄓㄠ ㄐㄧˊ)to gather together
招致(ㄓㄠ ㄓˋ)to bring about; to incur
招收(ㄓㄠ ㄕㄡ)to advertise for students, apprentices, etc.
招手兒(ㄓㄠ ㄕㄡˇㄦ)to beckon with the hand
招生(ㄓㄠ ㄕㄥ)to enroll students
招數(ㄓㄠ ㄕㄨˋ)a scheme; a trick
招惹(ㄓㄠ ㄖㄜˇ)to incur
招認(ㄓㄠ ㄖㄣˋ)① confession ② to confess (to a certain crime, etc.)
招租(ㄓㄠ ㄗㄨ)(said of a house) for rent
招財進寶(ㄓㄠ ㄘㄞˊ ㄐㄧㄣˋ ㄅㄠˇ)to bring in wealth and riches
招搖(ㄓㄠ ㄧㄠˊ)to swagger with full pomp
招引(ㄓㄠ ㄧㄣˇ) to invite (troubles, etc.)
招怨(ㄓㄠ ㄩㄢˋ)to inspire hatred

拜 1856
ㄅㄞˋ bài

1. to do obeisance; to salute; to pay respects to 2. to appoint (as a government official); an appointment 3. to visit; to call on or at

拜拜(ㄅㄞˋ ·ㄅㄞ)a worshipping festival in Taiwan
拜別(ㄅㄞˋ ㄅㄧㄝˊ)to say good-bye or farewell
拜訪(ㄅㄞˋ ㄈㄤˇ)to visit; to call on
拜倒(ㄅㄞˋ ㄉㄠˇ)to prostrate oneself
拜託(ㄅㄞˋ ㄊㄨㄛ)a polite expression in asking another to do something for oneself
拜年(ㄅㄞˋ ㄋㄧㄢˊ)to call on another and offer New Year's greetings
拜會(ㄅㄞˋ ㄏㄨㄟˋ)to visit; to call on
拜官(ㄅㄞˋ ㄍㄨㄢ)to be appointed to a public office
拜見(ㄅㄞˋ ㄐㄧㄢˋ)to visit, or call on (an elder or superior)
拜金主義(ㄅㄞˋ ㄐㄧㄣ ㄓㄨˇ ㄧˋ)mammonism
拜謝(ㄅㄞˋ ㄒㄧㄝˋ) to express one's thanks
拜壽(ㄅㄞˋ ㄕㄡˋ)to congratulate one on his birthday
拜謁(ㄅㄞˋ ㄧㄝˋ)to pay a courtesy call

六畫

拭 1857
ㄕˋ shì

1. to wipe; to rub (eyes, etc.) 2. to dust; to clean

拭目以待(ㄕˋ ㄇㄨˋ ㄧˇ ㄉㄞˋ)to wait for the result anxiously
拭淚(ㄕˋ ㄌㄟˋ)to wipe tears

拮 1858
ㄐㄧㄝˊ jié

laboring hard; occupied

拮据(ㄐㄧㄝˊ ㄐㄩ)in financial straits

拯 1859
ㄓㄥˇ zhěng

1. to save; to deliver 2. to raise; to lift up

拯救(ㄓㄥˇ ㄐㄧㄡˋ)① deliverance ② to save; to rescue; to deliver

括 1860
ㄎㄨㄛˋ kuò
(又讀 ㄍㄨㄚ guā)

1. to include; to embrace 2. to seek; to search for 3. to come; to arrive 4. to bound; to tie 5. to restrain

括號(ㄎㄨㄛˋ ㄏㄠˋ)(mathematics) the sign of aggregation
括弧(ㄎㄨㄛˋ ㄏㄨˊ)parentheses; braces; brackets —( ) ; { } ; 〔 〕

拱 1861
ㄍㄨㄥˇ gǒng

1. to fold hands before the breast when making a bow; to salute 2. to encircle with the hands 3. to surround 4. (architecture) arched (doors, windows, etc.) 5. to raise up (in the middle); to hump up; to arch

拱門(ㄍㄨㄥˇ ㄇㄣˊ)an arched door
拱橋(ㄍㄨㄥˇ ㄑㄧㄠˊ)an arch bridge
拱手讓人(ㄍㄨㄥˇ ㄕㄡˇ ㄖㄤˋ ㄖㄣˊ)to give up something to others without putting up a fight

拴 1862
ㄕㄨㄢ shuān

1. to tie up; to fasten 2. to drive a wedge between two parties

拴著(ㄕㄨㄢ ·ㄓㄜ)tied up; fastened
拴上(ㄕㄨㄢ ·ㄕㄤ)to fasten (the door, window, etc.)

〔手部〕

攢 1863
ㄗㄢˇ zǎn
(又讀 ㄗㄚˊ zá)
a torture device in old China consisting of several contractible wooden sticks, in between which the fingers of a suspect were placed and pressed to extort confessions

拾 1864
1. ㄕˊ shí
1. to pick up; to collect 2. to put away 3. a formal form of the figure "ten" used to prevent fraud in a document or check
拾荒(ㄕˊ ㄏㄨㄤ)to glean and collect scraps (to eke out an existence)
拾金不昧(ㄕˊ ㄐㄧㄣ ㄅㄨˋ ㄇㄟˋ)to pick up a piece of lost gold and return it to the owner
拾起(ㄕˊ ·ㄑㄧ)to pick up
拾取(ㄕˊ ㄑㄩˇ)to collect; to pick up
拾人牙慧((ㄕˊ ㄖㄣˊ ㄧㄚˊ ㄏㄨㄟˋ)to plagiarize
拾穗(ㄕˊ ㄙㄨㄟˋ)to glean

拾 1864
2. ㄕㄜˋ shè
to go up; to ascend

拾 1864
3. ㄕ shī
拾翻(ㄕ ·ㄈㄢ)to turn upside down

持 1865
ㄔˊ chí
1. to hold; to grasp 2. to maintain; to support; to keep; to uphold 3. to manage; to preside 4. a tie or stalemate
持票人(ㄔˊ ㄆㄧㄠˋ ㄖㄣˊ)a check holder
持平(ㄔˊ ㄆㄧㄥˊ)fair and unbiased
持刀(ㄔˊ ㄉㄠ)to hold a knife
持家(ㄔˊ ㄐㄧㄚ)to run one's home
持久(ㄔˊ ㄐㄧㄡˇ)lasting; durable
持槍(ㄔˊ ㄑㄧㄤ)to hold a gun
持續(ㄔˊ ㄒㄩˋ)continuous; incessant
持之以恆(ㄔˊ ㄓ ㄧˇ ㄏㄥˊ)to persevere
持重(ㄔˊ ㄓㄨㄥˋ)① to act cautiously and carefully ② dignified
持有(ㄔˊ ㄧㄡˇ)to hold

按 1866
ㄢˋ àn
1. to place the hand on; to press, control, etc. with one's hand 2. to examine 3. to stop; to halt; to repress 4. to impeach; to censure 5. according to; in (good order); as 6. to follow (a map, river, etc.) 7. a note
按部就班(ㄢˋ ㄅㄨˋ ㄐㄧㄡˋ ㄅㄢ)(to do things) in good order
按摩(ㄢˋ ㄇㄛˊ)① massage ② to massage
按摩師(ㄢˋ ㄇㄛˊ ㄕ)a masseur
按捺(ㄢˋ ㄋㄚˋ)to restrain, repress or hold back (one's anger, etc.)
按鈕(ㄢˋ ㄋㄧㄡˇ)a push button
按例(ㄢˋ ㄌㄧˋ)according to precedents
按鈴(ㄢˋ ㄌㄧㄥˊ)to ring the bell
按期(ㄢˋ ㄑㄧˊ)according to the dates, periods, etc. agreed upon or specified
按照(ㄢˋ ㄓㄠˋ)according to
按住(ㄢˋ ㄓㄨˋ)to repress or restrain
按時(ㄢˋ ㄕˊ)① on time ② regularly
按日(ㄢˋ ㄖˋ)daily; every day
按月(ㄢˋ ㄩㄝˋ)monthly; by the month

指 1867
1. ㄓˇ zhǐ
1. the finger 2. to point; to direct 3. to indicate; to refer to; to mean 4. the number of people 5. intentions 6. the main theme 7. to hope 8. to depend on
指標(ㄓˇ ㄅㄧㄠ)①(mathematics) characteristic ② an index sign; a target
指派(ㄓˇ ㄆㄞˋ)to appoint; to assign
指明(ㄓˇ ㄇㄧㄥˊ)to point out
指名(ㄓˇ ㄇㄧㄥˊ)to mention by name
指導(ㄓˇ ㄉㄠˇ)to instruct; to guide
指導員(ㄓˇ ㄉㄠˇ ㄩㄢˊ)a supervisor
指點(ㄓˇ ㄉㄧㄢˇ)to teach; to advise
指定(ㄓˇ ㄉㄧㄥˋ)to appoint
指南(ㄓˇ ㄋㄢˊ)a guidebook
指南針(ㄓˇ ㄋㄢˊ ㄓㄣ)a compass
指令(ㄓˇ ㄌㄧㄥˋ)a directive; an order
指控(ㄓˇ ㄎㄨㄥˋ)to accuse
指揮(ㄓˇ ㄏㄨㄟ)to conduct or direct (an orchestra, etc.) 「a conductor)
指揮棒(ㄓˇ ㄏㄨㄟ ㄅㄤˋ)the baton (for
指揮官(ㄓˇ ㄏㄨㄟ ㄍㄨㄢ)the commanding officer; the commander
指教(ㄓˇ ㄐㄧㄠˋ)(a polite expression) your advice or counsel
指向(ㄓˇ ㄒㄧㄤˋ)to point to; to direct to
指指點點(ㄓˇ ·ㄓ ㄉㄧㄢˇ ㄉㄧㄢˇ)① gesticulating ② to point; to point out
指摘(ㄓˇ ㄓㄜˊ)to blame
指針(ㄓˇ ㄓㄣ)①a guide; a manual ② an index
指正(ㄓˇ ㄓㄥˋ)to correct
指證(ㄓˇ ㄓㄥˋ)to produce evidence (in court, etc.); to prove
指使(ㄓˇ ㄕˇ)to hire or entice another to do a task for oneself
指示(ㄓˇ ㄕˋ)to direct; to instruct
指數(ㄓˇ ㄕㄨˋ)index; exponent
指日可待(ㄓˇ ㄖˋ ㄎㄜˇ ㄉㄞˋ)can be expected very shortly or soon
指認(ㄓˇ ㄖㄣˋ)to identify (a suspect, a lost item, etc.) from a group
指責(ㄓˇ ㄗㄜˊ)to accuse; to censure
指桑罵槐(ㄓˇ ㄙㄤ ㄇㄚˋ ㄏㄨㄞˊ)to scold somebody indirectly

指引(ㄓˇ ㄧㄣˇ)to direct; to guide
指紋(ㄓˇ ㄨㄣˊ)a fingerprint
指望(ㄓˇ ㄨㄤˋ)to hope for; to expect

指 1867
2. ㄓˊ zhí
指頭(ㄓˊ ·ㄊㄡ)fingers

指 1867
3. ㄓ zhī
指甲(ㄓ ·ㄐㄧㄚ)a fingernail
指甲刀(ㄓ ·ㄐㄧㄚ ㄉㄠ)nailclippers
指甲油(ㄓ ·ㄐㄧㄚ ㄧㄡˊ)fingernail polish

挑 1868
1. ㄊㄧㄠ tiāo
1. to carry things with a pole on one's shoulder; to shoulder 2. to select; to choose; to pick 3. to pick by pitchfork
挑夫(ㄊㄧㄠ ㄈㄨ)a coolie; a bearer
挑大梁(ㄊㄧㄠ ㄉㄚˋ ㄌㄧㄤˊ)to play the leading role
挑剔(ㄊㄧㄠ ·ㄊㄧ)to nitpick
挑揀(ㄊㄧㄠ ㄐㄧㄢˇ)to pick; to select
挑取(ㄊㄧㄠ ㄑㄩˇ)to pick; to choose
挑選(ㄊㄧㄠ ㄒㄩㄢˇ)to select; to choose
挑錯(ㄊㄧㄠ ㄘㄨㄛˋ)to find fault

挑 1868
2. ㄊㄧㄠˇ tiǎo
1. to stir; to provoke; to arouse 2. to dally; to make a pass at; to seduce
挑撥(ㄊㄧㄠˇ ㄅㄛ)to provoke or arouse
挑撥離間(ㄊㄧㄠˇ ㄅㄛ ㄌㄧˊ ㄐㄧㄢˋ)to stir up ill will or bad feelings
挑逗(ㄊㄧㄠˇ ㄉㄡˋ)to seduce
挑動(ㄊㄧㄠˇ ㄉㄨㄥˋ)to arouse
挑弄是非(ㄊㄧㄠˇ ㄋㄨㄥˋ ㄕˋ ㄈㄟ)to arouse ill will between two parties
挑釁(ㄊㄧㄠˇ ㄒㄧㄣˋ)to provoke
挑戰(ㄊㄧㄠˇ ㄓㄢˋ)to challenge to a duel; a challenge
挑戰書(ㄊㄧㄠˇ ㄓㄢˋ ㄕㄨ)a cartel
挑唆(ㄊㄧㄠˇ ㄙㄨㄛ)to stir up something with mischievous intentions

挑 1868
3. ㄊㄠ tāo
light and frivolous

拽 1869
1. ㄓㄨㄞ zhuāi
to fling; to hurl

拽 1869
2. ㄓㄨㄞˋ zhuài
to pull; to drag

拽 1869
3. ㄧㄝˋ yè
(又讀 ㄧˋ yì)
1. to trail; to drag after 2. to pull or drag

挖 1870
ㄨㄚ wā
1. to scoop out; to dig out 2. to engrave with a knife; to cut or gouge
挖煤(ㄨㄚ ㄇㄟˊ)to mine for coal
挖洞(ㄨㄚ ㄉㄨㄥˋ)to make a hole
挖泥機(ㄨㄚ ㄋㄧˊ ㄐㄧ)a dredger
挖泥船(ㄨㄚ ㄋㄧˊ ㄔㄨㄢˊ) a suction dredger (a boat)
挖苦(ㄨㄚ ㄎㄨˇ)①to ridicule ②a dig
挖空(ㄨㄚ ㄎㄨㄥ)to hollow
挖空心思(ㄨㄚ ㄎㄨㄥ ㄒㄧㄣ ㄙ)to cudgel (or rack) one's brains
挖角(ㄨㄚ ㄐㄧㄠˇ) to lure away the employees of another company by making attractive offers
挖井(ㄨㄚ ㄐㄧㄥˇ)to dig a well
挖掘(ㄨㄚ ㄐㄩㄝˊ)to dig; to excavate
挖耳朵(ㄨㄚ ㄦˇ ·ㄉㄨㄛ)to pick ears

拷 1871
ㄎㄠˇ kǎo
to flog, whip, torture, etc.(in order to get a confession, etc.)
拷貝(ㄎㄠˇ ㄅㄟˋ)a copy
拷打(ㄎㄠˇ ㄉㄚˇ)to flog or whip
拷問(ㄎㄠˇ ㄨㄣˋ)to extort information, confessions, etc. by means of torture

挓 1872
ㄓㄚ zhā
挓挱(ㄓㄚ ·ㄕㄚ)widespread; open 亦作「扎煞」

拳 1873
ㄑㄩㄢˊ quán
1. a fist 2. sparring feats; various forms of boxing 3. strength
拳打脚踢(ㄑㄩㄢˊ ㄉㄚˇ ㄐㄧㄠˇ ㄊㄧ)to cuff and kick; to beat up
拳頭(ㄑㄩㄢˊ ·ㄊㄡ)a fist
拳擊(ㄑㄩㄢˊ ㄐㄧˊ)boxing
拳擊手(ㄑㄩㄢˊ ㄐㄧˊ ㄕㄡˇ)a boxer
拳擊手套(ㄑㄩㄢˊ ㄐㄧˊ ㄕㄡˇ ㄊㄠˋ) boxing gloves
拳拳服膺(ㄑㄩㄢˊ ㄑㄩㄢˊ ㄈㄨˊ ㄧㄥ)to adhere to faithfully
拳術(ㄑㄩㄢˊ ㄕㄨˋ)the boxing art
拳賽(ㄑㄩㄢˊ ㄙㄞˋ)a boxing match
拳王(ㄑㄩㄢˊ ㄨㄤˊ)a boxing champion

拿 1874
(拏) ㄋㄚˊ ná
1. to hold in one's hand; to grasp; to take 2. to arrest; to apprehend; to capture 3. to use; to employ (a method, device, etc.) 4. with; in
拿不定主意(ㄋㄚˊ ㄅㄨˋ ㄉㄧㄥˋ ㄓㄨˇ ㄧˋ) cannot make up one's mind
拿不穩(ㄋㄚˊ ·ㄅㄨ ㄨㄣˇ)cannot hold it steadily
拿定主意(ㄋㄚˊ ㄉㄧㄥˋ ㄓㄨˇ ㄧˋ)to make

〔手部〕

up one's mind
拿揑(ㄋㄚˊ ·ㄋㄧㄝ)deliberately make things difficult for others
拿去(ㄋㄚˊ ·ㄑㄩ)Take it away.
拿主意(ㄋㄚˊ ㄓㄨˇ ㄧˋ)to make a decision
拿出(ㄋㄚˊ ㄔㄨ)to take out
拿手(ㄋㄚˊ ㄕㄡˇ)to be particularly good or dexterous at
拿穩(ㄋㄚˊ ㄨㄣˇ)to hold steadily

〔手部〕

挈 1875
ㄑㄧㄝˋ qiè
1. to lead 2. to rise above; to raise
挈領(ㄑㄧㄝˋ ㄌㄧㄥˇ)to present the main points

七畫

挨 1876
ㄞ āi (又讀 ㄞˊ ái)
1. (to stay) near, next to, close to; to lean to 2. to suffer (from cold, hunger, etc.) 3. to wait; to delay; to put off 4. according to order
挨罵(ㄞ ㄇㄚˋ)to be blamed
挨門挨戶(ㄞ ㄇㄣˊ ㄞ ㄏㄨˋ)to go from door to door
挨打(ㄞ ㄉㄚˇ)to suffer a beating
挨戶推銷(ㄞ ㄏㄨˋ ㄊㄨㄟ ㄒㄧㄠ)door-to-door selling
挨近(ㄞ ㄐㄧㄣˋ)near to; to be close to
挨揍(ㄞ ㄗㄡˋ)to take a beating
挨餓(ㄞ ㄜˋ)to suffer from hunger or starvation

挪 1877
ㄋㄨㄛˊ nuó
to move; to shift; to transfer
挪動(ㄋㄨㄛˊ ㄉㄨㄥˋ)to move
挪借(ㄋㄨㄛˊ ㄐㄧㄝˋ)to borrow from the public funds
挪移(ㄋㄨㄛˊ ㄧˊ)to move
挪用(ㄋㄨㄛˊ ㄩㄥˋ)to use money for a purpose not originally intended
挪用公款(ㄋㄨㄛˊ ㄩㄥˋ ㄍㄨㄥ ㄎㄨㄢˇ) to embezzle public money

挱 1878
ㄙㄨㄛ suō
to touch; to feel with hands

挫 1879
ㄘㄨㄛˋ cuò
1. to defeat; to frustrate 2. to damp 3. to humiliate; to treat harshly
挫敗(ㄘㄨㄛˋ ㄅㄞˋ)a setback
挫折(ㄘㄨㄛˋ ㄓㄜˊ)a setback; defeat; failure

振 1880
1. ㄓㄣˋ zhèn
1. to arouse to action; to raise; to rise 2. to pull up; to save; to relieve 3. to shake; to flap as wings 4. to restore order rapidly
振筆直書(ㄓㄣˋ ㄅㄧˇ ㄓˊ ㄕㄨ)to write rapidly
振奮(ㄓㄣˋ ㄈㄣˋ)to arouse to action
振幅(ㄓㄣˋ ㄈㄨˊ)(physics) amplitude
振盪(ㄓㄣˋ ㄉㄤˋ)①(physics) vibration ②(electricity) oscillation
振動(ㄓㄣˋ ㄉㄨㄥˋ)(physics)to vibrate
振起(ㄓㄣˋ ㄑㄧˇ)to get aroused
振興(ㄓㄣˋ ㄒㄧㄥ)to prosper
振翅(ㄓㄣˋ ㄔˋ)to flap (wings)
振作(ㄓㄣˋ ㄗㄨㄛˋ)to arouse (oneself)

振 1880
2. ㄓㄣ zhēn
benevolent and generous

挼 1881
ㄋㄨㄛˊ nuó
(語音ㄖㄨㄛˊ ruó)
1. to rub; to stroke 2. to crumple (paper into a ball, etc.)

挹 1882
ㄧˋ yì
1. to decant liquids, especially wine 2. to retreat
挹注(ㄧˋ ㄓㄨˋ)to supplement

挽 1883
ㄨㄢˇ wǎn
1. to draw (a bow, etc.); to pull 2. to restore 3. to seize 4. to roll up (sleeves, etc.)
挽留(ㄨㄢˇ ㄌㄧㄡˊ)to request to stay
挽回(ㄨㄢˇ ㄏㄨㄟˊ)to retrieve
挽回大局(ㄨㄢˇ ㄏㄨㄟˊ ㄉㄚˋ ㄐㄩˊ)to save the general situation from worsening
挽救(ㄨㄢˇ ㄐㄧㄡˋ)to save(a situation, etc.)
挽手(ㄨㄢˇ ㄕㄡˇ)to hold hands

挺 1884
ㄊㄧㄥˇ tǐng
1. to stand straight (or upright); to square; to straighten; rigid 2. to pull up 3. unyielding; unbending; tough 4. outstanding; remarkable; eminent; prominent 5. to thrust forward (as one's breast) 6. to sustain; to endure; to pull through; to stand; to hold out 7. very; pretty
挺拔(ㄊㄧㄥˇ ㄅㄚˊ)independent, outstanding and eminent
挺立(ㄊㄧㄥˇ ㄌㄧˋ)to stand upright
挺好(ㄊㄧㄥˇ ㄏㄠˇ)quite good
挺胸(ㄊㄧㄥˇ ㄒㄩㄥ)to thrust out one's chest
挺直(ㄊㄧㄥˇ ㄓˊ)straight and upright; erect
挺身(ㄊㄧㄥˇ ㄕㄣ)to straighten one's back
挺身而出(ㄊㄧㄥˇ ㄕㄣ ㄦˊ ㄔㄨ)to thrust oneself out to face a challenge
挺而走險(ㄊㄧㄥˇ ㄦˊ ㄗㄡˇ ㄒㄧㄢˇ)to risk danger in desperation

捃 1885
ㄐㄩㄣˋ jùn
to pick up; to gather; to collect

捆 1886
ㄎㄨㄣˇ kǔn
1. to bind; to tie up 2. a bundle
捆綁(ㄎㄨㄣˇ ㄅㄤˇ)to bind
捆起來(ㄎㄨㄣˇ ㄑㄧˇ •ㄌㄞ)to tie up

捋 1887
1. ㄌㄜˋ lè
to pluck; to gather in the fingers
捋虎鬚(ㄌㄜˋ ㄏㄨˇ ㄒㄩ)to offend the powerful

捋 1887
2. ㄌㄩˇ lǚ
to stroke (one's beard, etc.)
捋鬍鬚(ㄌㄩˇ ㄏㄨˊ ㄒㄩ)to stroke one's beard

捋 1887
3. ㄌㄨㄛ luō
1. to rub one's palm along (something long) 2. to squeeze with hands

捉 1888
ㄓㄨㄛ zhuō
1. to seize; to grasp; to catch; to hold 2. to apprehend; to arrest
捉摸不定(ㄓㄨㄛ ㄇㄛ ㄅㄨˋ ㄉㄧㄥˋ)unfathomable; unpredictable
捉迷藏(ㄓㄨㄛ ㄇㄧˊ ㄘㄤˊ)to play hide-and-seek; hide-and-seek
捉拿(ㄓㄨㄛ ㄋㄚˊ)to apprehend; to arrest
捉弄(ㄓㄨㄛ ㄌㄨㄥˋ)to play a joke (or trick) on (somebody)
捉姦(ㄓㄨㄛ ㄐㄧㄢ)to catch a person in the act of adultery (usually by the wronged husband or wife)
捉襟見肘(ㄓㄨㄛ ㄐㄧㄣ ㄒㄧㄢˋ ㄓㄡˇ) in financial straits
捉住(ㄓㄨㄛ ㄓㄨˋ)to catch; to seize
捉賊(ㄓㄨㄛ ㄗㄟˊ)to catch thieves

挾 1889
ㄒㄧㄝˊ xié
(又讀 ㄒㄧㄚˊ xiá)
1. to clasp or hold under the arm 2. to embrace; to bosom 3. to presume upon (one's influence, advantage, etc.) 4. to extort; to blackmail
挾帶(ㄒㄧㄝˊ ㄉㄞˋ)to carry under arms
挾持(ㄒㄧㄝˊ ㄔˊ) to hold someone under duress

捍 1890
ㄏㄢˋ hàn
to defend; to guard; to ward off
捍衛(ㄏㄢˋ ㄨㄟˋ)to defend; to protect

捌 1891
ㄅㄚ bā
1. an elaborate form of eight (八)—used in checks or accounts to prevent fraud 2. to pull apart; to break 亦作「扒」

捕 1892
ㄅㄨˇ bǔ
1. to arrest; to apprehend; to catch; to seize 2. (formerly) a policeman
捕風捉影(ㄅㄨˇ ㄈㄥ ㄓㄨㄛ ㄧㄥˇ)talks that are not substantiated by any evidence or proof
捕頭(ㄅㄨˇ ㄊㄡˊ) (formerly)a head constable
捕獲(ㄅㄨˇ ㄏㄨㄛˋ)to arrest; to catch
捕捉(ㄅㄨˇ ㄓㄨㄛ)to hunt down
捕食(ㄅㄨˇ ㄕˊ)to prey on
捕殺(ㄅㄨˇ ㄕㄚ)to catch and kill
捕手(ㄅㄨˇ ㄕㄡˇ) (baseball) a catcher
捕鼠器(ㄅㄨˇ ㄕㄨˇ ㄑㄧˋ)a mousetrap
捕蠅紙(ㄅㄨˇ ㄧㄥˊ ㄓˇ)a flypaper
捕魚(ㄅㄨˇ ㄩˊ)to catch fish; to fish
捕魚權(ㄅㄨˇ ㄩˊ ㄑㄩㄢˊ)fishing right

捐 1893
ㄐㄩㄢ juān
1. tax; duty; charge; dues 2. to donate; to contribute; to subscribe 3. to buy or purchase (an official rank) 4. to give up (one's life for a cause, etc.) 5. to remove
捐款 (ㄐㄩㄢ ㄎㄨㄢˇ) to donate money
捐棄(ㄐㄩㄢ ㄑㄧˋ)to reject
捐棄成見(ㄐㄩㄢ ㄑㄧˋ ㄔㄥˊ ㄐㄧㄢˋ)to cast away all prejudices
捐錢(ㄐㄩㄢ ㄑㄧㄢˊ)to donate money
捐血(ㄐㄩㄢ ㄒㄧㄝˇ)to donate blood
捐獻(ㄐㄩㄢ ㄒㄧㄢˋ)to contribute
捐助(ㄐㄩㄢ ㄓㄨˋ)to contribute
捐貲(ㄐㄩㄢ ㄗ)to donate one's property
捐贈(ㄐㄩㄢ ㄗㄥˋ)to donate or contribute

捎 1894
1. ㄕㄠ shāo
1. to carry; to take or bring along at one's convenience 2. to brush over lightly 3. to wipe out

捎 1894
2. ㄕㄠˋ shào
1. (said of colors, etc.) to fade; to discolor 2. to sprinkle water 3. to watch secretly; to spy on

捏 1895
(揑) ㄋㄧㄝ niē
1. to knead; to pinch; to squeeze or press with fingers 2. to mold (mud, etc.) 3. to fabricate; to trump up
捏手捏脚(ㄋㄧㄝ ㄕㄡˇ ㄋㄧㄝ ㄐㄧㄠˇ) stealthily
捏造(ㄋㄧㄝ ㄗㄠˋ)to fabricate (evidence, etc.)
捏造罪名(ㄋㄧㄝ ㄗㄠˋ ㄗㄨㄟˋ ㄇㄧㄥˊ)to fabricate an accusation
捏塑(ㄋㄧㄝ ㄙㄨˋ)to mold (mud) into a statue, etc.

〔手部〕

〔手部〕

掮 1896
ㄐㄩˊ jú
a receptacle for earth

八畫

捨 1897
(舍) ㄕㄜˇ shě
1. to reject; to give up; to abandon; to relinquish; to renounce; to part with; to forsake; to let go 2. to give alms; to give to charity
捨本逐末(ㄕㄜˇ ㄅㄣˇ ㄓㄨˊ ㄇㄛˋ)to concentrate on details but forget the main purpose or objective
捨不得(ㄕㄜˇ ㄅㄨˋ ·ㄉㄜ)reluctant to give up, let go, etc.
捨命(ㄕㄜˇ ㄇㄧㄥˋ)to give up one's life
捨得(ㄕㄜˇ ·ㄉㄜ)to be willing to part with (a person, thing, etc.)
捨己爲人(ㄕㄜˇ ㄐㄧˇ ㄨㄟˋ ㄖㄣˊ)to give up one's own interests for the sake of others
捨近求遠(ㄕㄜˇ ㄐㄧㄣˋ ㄑㄧㄡˊ ㄩㄢˇ)to reject what is near at hand and seek for what is far away
捨棄(ㄕㄜˇ ㄑㄧˋ)to give up or renounce
捨生取義(ㄕㄜˇ ㄕㄥ ㄑㄩˇ ㄧˋ)to give up one's life for righteousness

捧 1898
ㄆㄥˇ pěng
1. to hold something in both hands 2. to boost; to flatter; to treat as a VIP 3. to support, cheer or render assistance by one's presence
捧腹(ㄆㄥˇ ㄈㄨˋ)to hold one's sides with laughter
捧場(ㄆㄥˇ ㄔㄤˇ)to render support or assistance, by one's presence, endorsement, etc.

捩 1899
ㄌㄧㄝˋ liè
1. to twist with hands 2. to rip or tear apart

捭 1900
ㄅㄞˇ bǎi
1. to open; to spread out 2. to strike with both hands

捫 1901
ㄇㄣˊ mén
1. to feel or touch with hands 2. to search (in one's pocket, etc.)
捫心自問 (ㄇㄣˊ ㄒㄧㄣ ㄗˋ ㄨㄣˋ) to examine oneself; introspection

据 1902
1. ㄐㄩ jū
as in 拮据—stiff joints in the hand, used most often to describe financial stringency or short of money

据 1902
2. ㄐㄩˋ jù
1. same as 據—according to 2. same as 倨—arrogant; haughty

捱 1903
ㄞˊ ái
1. to suffer; to endure 2. to procrastinate; to put off 3. to rub (shoulders) 4. to come close to
捱過(ㄞˊ ㄍㄨㄛˋ)to weather, or to survive (a crisis, an ordeal, etc.)

抻 1904
ㄔㄣ chēn
1. to stretch; to lengthen (as in making noodles, etc.) 2. to drag out

捺 1905
ㄋㄚˋ nà
1. to press hard with hands; to press down 2. a downstroke slanting toward the right in Chinese calligraphy 3. to repress; to restrain 4. to stitch

捽 1906
ㄗㄨˊ zú
(語音 ㄗㄨㄛˊ zuó)
1. to hold with hands; to seize; to grasp 2. to pull up 3. to go against; to contradict; to be in conflict with

捲 1907
ㄐㄩㄢˇ juǎn
1. to roll up; a roll 2. to curl (hair, etc.); curly (hair) 3. to sweep off
捲髮(ㄐㄩㄢˇ ㄈㄚˇ)curly hair
捲土重來 (ㄐㄩㄢˇ ㄊㄨˇ ㄔㄨㄥˊ ㄌㄞˊ) to stage a comeback; resurgence
捲筒(ㄐㄩㄢˇ ㄊㄨㄥˇ)a reel
捲筒紙(ㄐㄩㄢˇ ㄊㄨㄥˇ ㄓˇ)a web
捲繞(ㄐㄩㄢˇ ㄖㄠˋ)to wind
捲入(ㄐㄩㄢˇ ㄖㄨˋ)to be drawn into

捻 1908
1. ㄋㄧㄢˇ niǎn
1. to nip with fingers 2. the "Nien Bandits" 3. to twist 4. to follow up 5. something made by twisting
捻燈(ㄋㄧㄢˇ ㄉㄥ)to turn up the wick of a lamp

捻 1908
2. ㄋㄧㄝ niē
to pinch or knead with the fingers

捷 1909
(㨗) ㄐㄧㄝˊ jié
1. to win; to triumph; the prizes of a victory 2. swift; quick; rapid; agile
捷報(ㄐㄧㄝˊ ㄅㄠˋ)a report of success in an examination
捷徑(ㄐㄧㄝˊ ㄐㄧㄥˋ)a shortcut; a snap course
捷足先登(ㄐㄧㄝˊ ㄗㄨˊ ㄒㄧㄢ ㄉㄥ)The first prize will go to the nimblest.
捷運系統(ㄐㄧㄝˊ ㄩㄣˋ ㄒㄧˋ ㄊㄨㄥˇ) a rapid transit system

掂 1910
ㄉㄧㄢ diān
to estimate the weight of something by weighing it with hands

掀 1911
ㄒㄧㄢ xiān
1. to lift with the hands; to raise 2. to stir; to stir up; to cause; to rise
掀不開(ㄒㄧㄢ ·ㄅㄨ ㄎㄞ)cannot lift (a lid, a cover, etc.)
掀開(ㄒㄧㄢ ㄎㄞ)to cause; to open
掀起(ㄒㄧㄢ ㄑㄧˇ)to stir up (a movement, etc.)

掃 1912
1. (埽) ㄙㄠˇ sǎo
1. to sweep with a broom; to clear away; to clean 2. to wipe out; to weed out; to exterminate; to mop up 3. sweepingly; totally 4. to paint (the eyebrows, etc.) 5. to pass over to examine
掃平 (ㄙㄠˇ ㄆㄧㄥˊ) or 掃清 (ㄙㄠˇ ㄑㄧㄥ)to put down; to suppress
掃描(ㄙㄠˇ ㄇㄧㄠˊ) (electricity) scanning
掃描器(ㄙㄠˇ ㄇㄧㄠˊ ㄑㄧˋ)a scanner
掃墓(ㄙㄠˇ ㄇㄨˋ) (literally) to sweep the tomb—to pay respects to one's ancestor at his grave
掃蕩(ㄙㄠˇ ㄉㄤˋ)a mop-up operation
掃地(ㄙㄠˇ ㄉㄧˋ)① to sweep the floor ② (said of reputation) to soil
掃雷艇 (ㄙㄠˇ ㄌㄟˊ ㄊㄧㄥˇ) a minesweeper
掃黑 (ㄙㄠˇ ㄏㄟ) to crack down on crime
掃黃(ㄙㄠˇ ㄏㄨㄤˊ)to crack down on pornography
掃興(ㄙㄠˇ ㄒㄧㄥˋ)① to spoil pleasure ② to feel disappointed
掃除(ㄙㄠˇ ㄔㄨˊ)① to sweep up; to clean ② to eliminate
掃射(ㄙㄠˇ ㄕㄜˋ) to strafe (with machine gun fire)

掃 1912
2. (埽) ㄙㄠˋ sào
a broom
掃帚(ㄙㄠˋ ·ㄓㄡ)or 掃把(ㄙㄠˋ ㄅㄚˇ)a broom
掃帚星 (ㄙㄠˋ ·ㄓㄡ ㄒㄧㄥ) ①(astronomy) a comet ② any person who brings bad luck; a jinx

授 1913
ㄕㄡˋ shòu
1. to give; to hand over to; to confer (a degree, prize, etc.) 2. to teach; to tutor 3. to give up (one's life, etc.)
授徒(ㄕㄡˋ ㄊㄨˊ)to teach students or pupils
授課(ㄕㄡˋ ㄎㄜˋ)to teach
授獎(ㄕㄡˋ ㄐㄧㄤˇ)to award a prize
授精(ㄕㄡˋ ㄐㄧㄥ)to inseminate
授旗(ㄕㄡˋ ㄑㄧˊ)to give the national flag to a sports team leaving for competitions abroad, etc.
授權(ㄕㄡˋ ㄑㄩㄢˊ)① to authorize; to delegate powers ② to license
授勳(ㄕㄡˋ ㄒㄩㄣ)to confer orders
授意(ㄕㄡˋ ㄧˋ)to intimate; to inspire
授業(ㄕㄡˋ ㄧㄝˋ)to teach; to tutor
授與(ㄕㄡˋ ㄩˇ)to confer; to give

掇 1914
ㄉㄨㄛˊ duó
1. to collect; to gather 2. to plagiarize; to pirate 3. to select; to pluck
掇拾(ㄉㄨㄛˊ ㄕˊ)to collect; to select

掄 1915
1. ㄌㄨㄣˊ lún
to select; to choose
掄選(ㄌㄨㄣˊ ㄒㄩㄢˇ)to select (competent persons, etc.)
掄才(ㄌㄨㄣˊ ㄘㄞˊ)to select men of ability

掄 1915
2. ㄌㄨㄣ lūn
1. to turn or spin with hands or arms; to swing 2. to brandish; to wave 3. to squander

掎 1916
ㄐㄧˇ jǐ
to draw aside; to drag; to pull

掏 1917
ㄊㄠ tāo
1. to take out; to pull out 2. to dig; to scoop out 3. to steal from somebody's pocket
掏錢(ㄊㄠ ㄑㄧㄢˊ) to take out money; to spend money
掏耳朵 (ㄊㄠ ㄦˇ ·ㄉㄨㄛ) to pick or clean ears
掏腰包(ㄊㄠ ㄧㄠ ㄅㄠ) (colloquial) to spend one's own money

掐 1918
ㄑㄧㄚ qiā
1. to dig the nail into 2. to cut with fingernails; to nip; to pinch; to give a pinch 3. to hold; to grasp; to clutch
掐喉嚨(ㄑㄧㄚ ㄏㄡˊ ㄌㄨㄥˊ)to choke
掐住(ㄑㄧㄚ ㄓㄨˋ)to seize; to grasp; to hold
掐死(ㄑㄧㄚ ㄙˇ)to choke to death by strangling with hands

掊 1919
1. ㄆㄡˇ pǒu
to attack; to strike; to cut; to cudgel; to break;

掊 1919
2. ㄆㄡˊ póu
to exact; to collect (taxes)

掉 1920
ㄉㄧㄠˋ diào
1. to turn 2. to fall; to drop; to shed 3. to lose 4. to fall behind; to lag behind 5. to change; to substitute 6. to move; to shake; to wag 7. used as an adverbial particle after verbs expressing conditions of fulfillment
掉包兒 (ㄉㄧㄠˋ ㄅㄠㄦ) to substitute stealthily one thing for another
掉頭(ㄉㄧㄠˋ ㄊㄡˊ)① to turn one's head (and walk away) ② to turn back
掉頭就走(ㄉㄧㄠˋ ㄊㄡˊ ㄐㄧㄡˋ ㄗㄡˇ)to

〔手部〕

手部

turn one's head and walk away
掉淚(ㄉㄧㄠˋ ㄌㄟˋ)to come to tears
掉換(ㄉㄧㄠˋ ㄏㄨㄢˋ)to change; to exchange
掉下來(ㄉㄧㄠˋ ㄒㄧㄚˋ ·ㄌㄞ) to fall down
掉轉(ㄉㄧㄠˋ ㄓㄨㄢˇ)to turn back
掉色(ㄉㄧㄠˋ ㄙㄜˋ)to discolor; to fade
掉以輕心(ㄉㄧㄠˋ ㄧˇ ㄑㄧㄥ ㄒㄧㄣ)to lower one's guard

排 1921 ㄆㄞˊ **pái**

1. a row; a line; a rank 2. to arrange; to put in order 3. (military) a platoon 4. to clear out 5. to reject; to expel; to exclude 6. to rehearse 7. a raft 8. to push
排班(ㄆㄞˊ ㄅㄢ)to arrange turns of work
排版(ㄆㄞˊ ㄅㄢˇ) (printing) to set type; typesetting
排比(ㄆㄞˊ ㄅㄧˋ)to arrange in order
排便(ㄆㄞˊ ㄅㄧㄢˋ)defecation
排名(ㄆㄞˊ ㄇㄧㄥˊ)to list names according to the order of seniority or position
排檔(ㄆㄞˊ ㄉㄤˇ)a gear
排隊(ㄆㄞˊ ㄉㄨㄟˋ)to line up
排他性(ㄆㄞˊ ㄊㄚ ㄒㄧㄥˋ)exclusiveness
排頭(ㄆㄞˊ ·ㄊㄡ)to stand first in the line; a file leader
排尿(ㄆㄞˊ ㄋㄧㄠˋ)to urinate; to micturate
排列(ㄆㄞˊ ㄌㄧㄝˋ)to arrange in series, rows, etc.
排練(ㄆㄞˊ ㄌㄧㄢˋ) to rehearse for a show; rehearsal
排卵(ㄆㄞˊ ㄌㄨㄢˇ)(biology) to ovulate
排骨(ㄆㄞˊ ·ㄍㄨ)ribs of animals
排課(ㄆㄞˊ ㄎㄜˋ)to work out a teaching schedule (at a school)
排開(ㄆㄞˊ ㄎㄞ)to spread out
排行(ㄆㄞˊ ㄏㄤˊ)one's seniority among brothers and sisters
排擠(ㄆㄞˊ ㄐㄧˇ)to expel somebody out of an inner circle or clique, etc.
排解(ㄆㄞˊ ㄐㄧㄝˇ)to resolve (disputes)
排解糾紛(ㄆㄞˊ ㄐㄧㄝˇ ㄐㄧㄡ ㄈㄣ)to reconcile a dispute
排氣管(ㄆㄞˊ ㄑㄧˋ ㄍㄨㄢˇ) an exhaust pipe
排球(ㄆㄞˊ ㄑㄧㄡˊ)volleyball
排遣(ㄆㄞˊ ㄑㄧㄢˇ) (said of a disappointed person) to find comfort in
排戲(ㄆㄞˊ ㄒㄧˋ)to rehearse for a show
排泄(ㄆㄞˊ ㄒㄧㄝˋ)to excrete
排泄器官(ㄆㄞˊ ㄒㄧㄝˋ ㄑㄧˋ ㄍㄨㄢ) excretory organs
排泄物(ㄆㄞˊ ㄒㄧㄝˋ ㄨˋ)excreta; excrement
排斥(ㄆㄞˊ ㄔˋ)to expel; to repel
排場(ㄆㄞˊ ㄔㄤˇ) ostentation and extravagance
排除(ㄆㄞˊ ㄔㄨˊ) to get rid of; to remove
排除障礙(ㄆㄞˊ ㄔㄨˊ ㄓㄤˋ ㄞˋ)to remove an obstacle
排除異己(ㄆㄞˊ ㄔㄨˊ ㄧˋ ㄐㄧˇ)to expel "outsiders"
排除萬難(ㄆㄞˊ ㄔㄨˊ ㄨㄢˋ ㄋㄢˊ)to overcome all difficulties
排山倒海(ㄆㄞˊ ㄕㄢ ㄉㄠˇ ㄏㄞˇ)overwhelming or sweeping
排水(ㄆㄞˊ ㄕㄨㄟˇ) to drain water; drainage
排水量(ㄆㄞˊ ㄕㄨㄟˇ ㄌㄧㄤˋ) ①the volume of water displacement ②displacement (of a ship)
排水溝(ㄆㄞˊ ㄕㄨㄟˇ ㄍㄡ) a discharge ditch
排水管(ㄆㄞˊ ㄕㄨㄟˇ ㄍㄨㄢˇ)a drainpipe
排水工程(ㄆㄞˊ ㄕㄨㄟˇ ㄍㄨㄥ ㄔㄥˊ) drainage works
排水口(ㄆㄞˊ ㄕㄨㄟˇ ㄎㄡˇ) a drainage outlet
排水系統(ㄆㄞˊ ㄕㄨㄟˇ ㄒㄧˋ ㄊㄨㄥˇ)a drainage system
排演(ㄆㄞˊ ㄧㄢˇ)to rehearse for a show
排印(ㄆㄞˊ ㄧㄣˋ)to set type and print
排外(ㄆㄞˊ ㄨㄞˋ)antiforeign

掘 1922 ㄐㄩㄝˊ **jué**

to dig; to excavate; to make a hole or cave
掘洞(ㄐㄩㄝˊ ㄉㄨㄥˋ)to dig a hole
掘井(ㄐㄩㄝˊ ㄐㄧㄥˇ)to dig a well
掘穿(ㄐㄩㄝˊ ㄔㄨㄢ)to dig through

掖 1923 1. ㄧˋ **yì** (語音 ㄧㄝˋ **yè**)

1. to support another; to extend a helping hand; to promote 2. armpits 3. side; by the side 4. side apartments in the palace

掖 1923 2. ㄧㄝ **yē**

1. to conceal; to tuck away; to hide 2. to fold; to roll up (part of one's clothing)

拼 1924 (拚) ㄆㄧㄣ **pīn**

1. to join together; to incorporate; to put together; to make a whole 2. to spell (a word) 3. to risk
拼盤(ㄆㄧㄣ ㄆㄢˊ)assorted cold dishes
拼命(ㄆㄧㄣ ㄇㄧㄥˋ)①to risk one's life ②exerting the utmost strength
拼法(ㄆㄧㄣ ㄈㄚˇ)spelling
拼湊(ㄆㄧㄣ ㄘㄡˋ)to put bits together to make a whole

掙 1925 1. ㄓㄥ **zhēng**

1. to make efforts; to strive 2. to get free from
掙脫(ㄓㄥ ㄊㄨㄛ)to break away with force
掙開(ㄓㄥ ㄎㄞ)to get free with effort
掙扎(ㄓㄥ ㄓㄚˊ)to struggle

掙 1925 2. ㄓㄥˋ **zhèng**

1. to struggle (for one's life, etc.) 2. to earn (money, etc.)
掙錢(ㄓㄥˋ ㄑㄧㄢˊ)to earn money

擹 1926
ㄕㄢˋ shàn
easy; smooth; suave; comfortable

掠 1927
ㄌㄩㄝˋ lüè
1. to take by force; to rob; to plunder; to pillage 2. to brush; to pass lightly on the side; to sweep past 3. to whip; to flog
掠奪(ㄌㄩㄝˋ ㄉㄨㄛˊ)to seize or rob by force
掠過(ㄌㄩㄝˋ ㄍㄨㄛˋ)to skim over
掠食(ㄌㄩㄝˋ ㄕˊ)to hunt for food
掠影浮光(ㄌㄩㄝˋ ㄧㄥˇ ㄈㄨˊ ㄍㄨㄤ) superficial

掛 1928
(挂) ㄍㄨㄚˋ guà
1. to hang up; to suspend 2. to ring off 3. to worry; to think of; anxious 4. with one's name registered or listed; recorded 5. to hitch
掛名(ㄍㄨㄚˋ ㄇㄧㄥˊ)in name only
掛圖(ㄍㄨㄚˋ ㄊㄨˊ)a wall chart or map
掛念(ㄍㄨㄚˋ ㄋㄧㄢˋ) or 掛懷(ㄍㄨㄚˋ ㄏㄨㄞˊ)to be anxious about
掛鉤(ㄍㄨㄚˋ ㄍㄡ)a hook for hanging clothes, etc.
掛號(ㄍㄨㄚˋ ㄏㄠˋ)①registered (mail, etc.) ②to register (at the outpatient department of a hospital)
掛號信(ㄍㄨㄚˋ ㄏㄠˋ ㄒㄧㄣˋ)a registered letter
掛號處(ㄍㄨㄚˋ ㄏㄠˋ ㄔㄨˋ)a register office (of a hospital)
掛賬(ㄍㄨㄚˋ ㄓㄤˋ) (to buy) on credit
掛鐘(ㄍㄨㄚˋ ㄓㄨㄥ)a wall clock
掛失(ㄍㄨㄚˋ ㄕ)to report the loss (of a check, etc.) to the bank to prevent the bearer from cashing it
掛帥(ㄍㄨㄚˋ ㄕㄨㄞˋ)to be appointed commander-in-chief
掛彩(ㄍㄨㄚˋ ㄘㄞˇ)to get wounded in action
掛一漏萬(ㄍㄨㄚˋ ㄧ ㄌㄡˋ ㄨㄢˋ)totally incomplete or inadequate

採 1929
ㄘㄞˇ cǎi
1. to pluck (flowers, etc.); to gather; to collect 2. to select; to adopt
採買(ㄘㄞˇ ㄇㄞˇ)to pick and buy
採訪(ㄘㄞˇ ㄈㄤˇ)to cover (a news item or story); to interview
採訪部(ㄘㄞˇ ㄈㄤˇ ㄅㄨˋ)the city desk
採訪記者(ㄘㄞˇ ㄈㄤˇ ㄐㄧˋ ㄓㄜˇ)a news reporter
採訪新聞(ㄘㄞˇ ㄈㄤˇ ㄒㄧㄣ ㄨㄣˊ)to cover a news item
採納(ㄘㄞˇ ㄋㄚˋ)to accept or adopt
採購(ㄘㄞˇ ㄍㄡˋ)to purchase
採購團(ㄘㄞˇ ㄍㄡˋ ㄊㄨㄢˊ)a purchase mission
採光(ㄘㄞˇ ㄍㄨㄤ)lighting
採鑛(ㄘㄞˇ ㄎㄨㄤˋ)to mine
採花賊(ㄘㄞˇ ㄏㄨㄚ ㄗㄟˊ)a rapist
採集(ㄘㄞˇ ㄐㄧˊ)to gather; to collect
採取(ㄘㄞˇ ㄑㄩˇ)to take or adopt
採取主動(ㄘㄞˇ ㄑㄩˇ ㄓㄨˇ ㄉㄨㄥˋ) to take the initiative
採信(ㄘㄞˇ ㄒㄧㄣˋ)to believe; to accept as true
採茶(ㄘㄞˇ ㄔㄚˊ)to pick tea leaves
採藥(ㄘㄞˇ ㄧㄠˋ) to gather herbs of medicinal value
採用(ㄘㄞˇ ㄩㄥˋ)to adopt

探 1930
1. ㄊㄢˋ tàn
1. to find; to search; to locate; to prospect 2. to watch; to spy; a spy; a detective; to investigate; a secret agent 3. to try; to venture 4. to stick out 5. to explore 6. to visit; to inquire about
探病(ㄊㄢˋ ㄅㄧㄥˋ)to visit the sick
探訪(ㄊㄢˋ ㄈㄤˇ)to investigate
探討(ㄊㄢˋ ㄊㄠˇ)to investigate
探頭探腦(ㄊㄢˋ ㄊㄡˊ ㄊㄢˋ ㄋㄠˇ)to act stealthily
探聽(ㄊㄢˋ ㄊㄧㄥ)to investigate secretly
探囊取物(ㄊㄢˋ ㄋㄤˊ ㄑㄩˇ ㄨˋ)as easy as taking things out of one's own pocket
探戈(ㄊㄢˋ ㄍㄜ) (dancing) tango
探勘(ㄊㄢˋ ㄎㄢ) to prospect
探究(ㄊㄢˋ ㄐㄧㄡˋ) to investigate; to probe
探監(ㄊㄢˋ ㄐㄧㄢ)to visit a prisoner
探求(ㄊㄢˋ ㄑㄧㄡˊ)to seek; to search for
探親(ㄊㄢˋ ㄑㄧㄣ)to visit one's relatives
探險(ㄊㄢˋ ㄒㄧㄢˇ) to undertake an exploratory trip; exploration
探險隊(ㄊㄢˋ ㄒㄧㄢˇ ㄉㄨㄟˋ)an expedition team; an exploration party
探險家(ㄊㄢˋ ㄒㄧㄢˇ ㄐㄧㄚ)an explorer
探詢(ㄊㄢˋ ㄒㄩㄣˊ)to make inquiries
探照燈(ㄊㄢˋ ㄓㄠˋ ㄉㄥ)a searchlight
探針(ㄊㄢˋ ㄓㄣ)a probe
探視(ㄊㄢˋ ㄕˋ)to visit (a patient, etc.)
探子(ㄊㄢˋ •ㄗ)a spy; a detective
探測(ㄊㄢˋ ㄘㄜˋ)to survey; to sound
探索(ㄊㄢˋ ㄙㄨㄛˇ)to probe; to search for; to look into; to seek; to find out
探問(ㄊㄢˋ ㄨㄣˋ) to inquire about or after
探望(ㄊㄢˋ ㄨㄤˋ)①to visit ②to look about

探 1930
2. ㄊㄢ tān
to try; to tempt; to test

控 1931
ㄎㄨㄥˋ kòng
1. to accuse; to charge; to sue 2. to control; control 3. to draw (a bow)
控告(ㄎㄨㄥˋ ㄍㄠˋ)to sue somebody in court; to accuse
控告人(ㄎㄨㄥˋ ㄍㄠˋ ㄖㄣˊ) an accusant; an accuser

〔手部〕

控股權(ㄎㄨㄥˋ ㄍㄨˇ ㄑㄩㄢˊ)controlling interests

控制(ㄎㄨㄥˋ ㄓˋ)to control; control; to dominate

控訴(ㄎㄨㄥˋ ㄙㄨˋ)① to appeal to a higher court ② to accuse before an authorioy

接 1932
ㄐㄧㄝ jiē

1. to receive; to accept; to take with the hand 2. to welcome; to meet 3. to join; to connect 4. to graft 5. to come close to; to make contact with 6. to succeed to

接班(ㄐㄧㄝ ㄅㄢ)to relieve another in work

接風酒(ㄐㄧㄝ ㄈㄥ ㄐㄧㄡˇ)a welcome feast

接待(ㄐㄧㄝ ㄉㄞˋ)to receive (a guest); reception

接待室(ㄐㄧㄝ ㄉㄞˋ ㄕˋ) a reception room

接待員(ㄐㄧㄝ ㄉㄞˋ ㄩㄢˊ)a receptionist

接頭(ㄐㄧㄝ ㄊㄡˊ)① to get in touch with ② a joint

接替(ㄐㄧㄝ ㄊㄧˋ)to relieve; to succeed

接通(ㄐㄧㄝ ㄊㄨㄥ)to put through

接納(ㄐㄧㄝ ㄋㄚˋ) to accept (a proposal, etc.)

接力賽跑(ㄐㄧㄝ ㄌㄧˋ ㄙㄞˋ ㄆㄠˇ)a relay race

接連不斷(ㄐㄧㄝ ㄌㄧㄢˊ ㄅㄨˋ ㄉㄨㄢˋ) continuously

接骨(ㄐㄧㄝ ㄍㄨˇ)to unite a fractured bone; to set broken bones

接管(ㄐㄧㄝ ㄍㄨㄢˇ)to take over (the management of)

接合(ㄐㄧㄝ ㄏㄜˊ)to connect; to assemble

接濟(ㄐㄧㄝ ㄐㄧˋ)to give financial or material assistance to

接見(ㄐㄧㄝ ㄐㄧㄢˋ) to grant an audience to

接近(ㄐㄧㄝ ㄒㄧㄣˋ)to draw near

接洽(ㄐㄧㄝ ㄒㄧㄚˋ)to contact, discuss or negotiate

接線生(ㄐㄧㄝ ㄒㄧㄢˋ ㄕㄥ)a switchboard operator

接續(ㄐㄧㄝ ㄒㄩˋ)to continue

接枝(ㄐㄧㄝ ㄓ)(botany) to graft

接著(ㄐㄧㄝ ˙ㄓㄜ)① shortly afterwards; then ② to follow; to add

接住(ㄐㄧㄝ ㄓㄨˋ) to catch (a flying object)

接踵而至(ㄐㄧㄝ ㄓㄨㄥˇ ㄦˊ ㄓˋ)to come in quick succession

接觸(ㄐㄧㄝ ㄔㄨˋ)to make contact with

接觸不良 (ㄐㄧㄝ ㄔㄨˋ ㄅㄨˋ ㄌㄧㄤˊ) loose or poor contact

接收 (ㄐㄧㄝ ㄕㄡ) to take over; to receive

接手(ㄐㄧㄝ ㄕㄡˇ)to carry on the task of the predecessor

接受(ㄐㄧㄝ ㄕㄡˋ)to accept

接生(ㄐㄧㄝ ㄕㄥ)to assist in childbirth; to practice midwifery

接任 (ㄐㄧㄝ ㄖㄣˋ) to take over an office; to succeed

接壤(ㄐㄧㄝ ㄖㄤˇ)adjoining boundary

接送(ㄐㄧㄝ ㄙㄨㄥˋ)to receive and send off (guests or visitors)

接二連三(ㄐㄧㄝ ㄦˋ ㄌㄧㄢˊ ㄙㄢ)one after another

接吻(ㄐㄧㄝ ㄨㄣˇ)to kiss; a kiss

推 1933
ㄊㄨㄟ tuī

1. to push; to shove 2. to look into; to find out; to ponder; to infer; to deduce 3. to shirk; to shift (responsibility, etc.); to refuse 4. to elect; to recommend; to praise; to esteem 5. to move along; to change in succession (as seasons) 6. to extend

推波助瀾(ㄊㄨㄟ ㄅㄛ ㄓㄨˋ ㄌㄢˊ)to add fuel to the fire

推本溯源(ㄊㄨㄟ ㄅㄣˇ ㄙㄨˋ ㄩㄢˊ)to trace the origins

推病(ㄊㄨㄟ ㄅㄧㄥˋ)to feign sickness

推派代表(ㄊㄨㄟ ㄆㄞ ㄉㄞˋ ㄅㄧㄠˇ)to elect representatives (to present a petition, etc.)

推翻(ㄊㄨㄟ ㄈㄢ)to overthrow (a government, etc.)

推倒(ㄊㄨㄟ ㄉㄠˇ)to overturn

推定(ㄊㄨㄟ ㄉㄧㄥˋ)to infer; to deduce

推斷(ㄊㄨㄟ ㄉㄨㄢˋ)to infer

推動(ㄊㄨㄟ ㄉㄨㄥˋ)to push (a sales project, etc.)

推土機(ㄊㄨㄟ ㄊㄨˇ ㄐㄧ)a bulldozer

推託(ㄊㄨㄟ ㄊㄨㄛ)to make excuses

推拿(ㄊㄨㄟ ㄋㄚˊ)to fix a dislocated bone by massage

推理(ㄊㄨㄟ ㄌㄧˇ)to reason (out); reasoning

推理小說(ㄊㄨㄟ ㄌㄧˇ ㄒㄧㄠˇ ㄕㄨㄛ) detective stories

推論(ㄊㄨㄟ ㄌㄨㄣˋ)inference; to infer

推廣(ㄊㄨㄟ ㄍㄨㄤˇ)to propagate; to extend

推己及人(ㄊㄨㄟ ㄐㄧˇ ㄐㄧˊ ㄖㄣˊ)to put oneself in another's position

推薦(ㄊㄨㄟ ㄐㄧㄢˋ)to recommend

推薦信(ㄊㄨㄟ ㄐㄧㄢˋ ㄒㄧㄣˋ)a letter of recommendation

推進(ㄊㄨㄟ ㄐㄧㄣˋ)to push forward

推進器(ㄊㄨㄟ ㄐㄧㄣˋ ㄑㄧˋ)a propeller

推舉(ㄊㄨㄟ ㄐㄩˇ)to elect (to an office, etc.); to recommend for a post

推敲(ㄊㄨㄟ ㄑㄧㄠ)to weigh or consider words in writing

推卸(ㄊㄨㄟ ㄒㄧㄝˋ) to be irresponsible

推卸責任(ㄊㄨㄟ ㄒㄧㄝˋ ㄗㄜˊ ㄖㄣˋ)to shirk one's responsibility

推銷(ㄊㄨㄟ ㄒㄧㄠ)to promote sales; to sell

推銷員(ㄊㄨㄟ ㄒㄧㄠ ㄩㄢˊ)a salesman or saleswoman

推心置腹 (ㄊㄨㄟ ㄒㄧㄣ ㄓˋ ㄈㄨˋ)to

treat others with the utmost sincerity
推想(ㄊㄨㄟ ㄒㄧㄤˇ)to infer; to deduce
推行(ㄊㄨㄟ ㄒㄧㄥˊ) to promote (a cause, movement, etc.)
推許(ㄊㄨㄟ ㄒㄩˇ)to praise; to approve
推選(ㄊㄨㄟ ㄒㄩㄢˇ)to elect
推陳出新(ㄊㄨㄟ ㄔㄣˊ ㄔㄨ ㄒㄧㄣ)to find new ways of doing things from old theories
推出(ㄊㄨㄟ ㄔㄨ)① to push out ② to present (a picture, a show, etc.)
推崇(ㄊㄨㄟ ㄔㄨㄥˊ)to respect; to praise highly
推事(ㄊㄨㄟ ㄕˋ) (court) a judge
推辭(ㄊㄨㄟ ㄘˊ)to decline (an offer, invitation, etc.); to reject
推測(ㄊㄨㄟ ㄘㄜˋ)to infer; to deduce
推三阻四(ㄊㄨㄟ ㄙㄢ ㄗㄨˇ ㄙˋ) to make numerous excuses
推算(ㄊㄨㄟ ㄙㄨㄢˋ)to calculate
推移(ㄊㄨㄟ ㄧˊ)changes
推諉(ㄊㄨㄟ ㄨㄟˇ)to make excuses

措 1934
ㄘㄨㄛˋ cuò
1. to place 2. to collect; to arrange; to manage; to handle 3. to abandon; to renounce 4. to make preparation for an undertaking; to make plans
措施(ㄘㄨㄛˋ ㄕ)a (political, financial, etc.) measure; a step
措手不及(ㄘㄨㄛˋ ㄕㄡˇ ㄅㄨˋ ㄐㄧˊ)to be caught unawares or unprepared
措辭(ㄘㄨㄛˋ ㄘˊ)wording (of a letter, diplomatic note, etc.); diction

掩 1935
ㄧㄢˇ yǎn
1. to cover; to hide; to conceal; to cover up 2. to shut; to close 3. to mount a surprise attack
掩蔽(ㄧㄢˇ ㄅㄧˋ)to cover; to conceal
掩埋(ㄧㄢˇ ㄇㄞˊ)to bury
掩門(ㄧㄢˇ ㄇㄣˊ)to close the door
掩面而泣(ㄧㄢˇ ㄇㄧㄢˋ ㄦˊ ㄑㄧˋ)to cover one's face and weep
掩蓋(ㄧㄢˇ ㄍㄞˋ)to cover up; to conceal
掩口(ㄧㄢˇ ㄎㄡˇ)to cover one's mouth with one's hand
掩護(ㄧㄢˇ ㄏㄨˋ) ①to cover (friendly troops on a special assignment) ② camouflage
掩飾(ㄧㄢˇ ㄕˋ)to cover; to conceal
掩人耳目(ㄧㄢˇ ㄖㄣˊ ㄦˇ ㄇㄨˋ)to deceive others
掩藏(ㄧㄢˇ ㄘㄤˊ)to hide; to conceal
掩耳盜鈴 (ㄧㄢˇ ㄦˇ ㄉㄠˋ ㄌㄧㄥˊ) to deceive oneself

掮 1936
ㄑㄧㄢˊ qián
to bear a load on the shoulder
掮客(ㄑㄧㄢˊ ㄎㄜˋ)a broker

掬 1937
ㄐㄩˊ jú
1. to hold in both hands 2. (classifier) a double handful of

捶 1938
ㄔㄨㄟˊ chuí
1. to beat; to thrash; to pound 2. a stick for beating
捶打(ㄔㄨㄟˊ ㄉㄚˇ)to beat; to thump
捶胸頓足(ㄔㄨㄟˊ ㄒㄩㄥ ㄉㄨㄣˋ ㄗㄨˊ) to beat one's breast and stamp one's feet—in deep grief

掫 1939
ㄗㄡ zōu
to be on the night watch

掌 1940
ㄓㄤˇ zhǎng
1. the palm of the hand; the sole of the foot; paws of an animal 2. to slap with one's hand; to smack 3. to have charge of; to supervise; to control 4. to stand; to bear
掌舵(ㄓㄤˇ ㄉㄨㄛˋ)to steer a ship
掌理(ㄓㄤˇ ㄌㄧˇ)to supervise or manage
掌管(ㄓㄤˇ ㄍㄨㄢˇ)to take charge of
掌權(ㄓㄤˇ ㄑㄩㄢˊ)to be in power or authority
掌心(ㄓㄤˇ ㄒㄧㄣ) the center of the palm
掌政(ㄓㄤˇ ㄓㄥˋ)to head a government
掌上明珠 (ㄓㄤˇ ㄕㄤˋ ㄇㄧㄥˊ ㄓㄨ) a beloved daughter
掌聲(ㄓㄤˇ ㄕㄥ)clapping; applause
掌聲如雷(ㄓㄤˇ ㄕㄥ ㄖㄨˊ ㄌㄟˊ)thunderous applause
掌握(ㄓㄤˇ ㄨㄛˋ)in one's grasp

掣 1941
ㄔㄜˋ chè
1. to pull; to drag; to draw 2. to hinder 3. to snatch away
掣後腿(ㄔㄜˋ ㄏㄡˋ ㄊㄨㄟˇ)to hinder
掣肘(ㄔㄜˋ ㄓㄡˇ)to impede another from doing work; a handicap

掰 1942
ㄅㄞ bāi
to pull apart with hands
掰開(ㄅㄞ ㄎㄞ) to pull apart with hands

掔 1943
(牽) ㄑㄧㄢ qiān
1. thick; firm; substantial 2. to drag along; to pull 3. to lead

九畫

揀 1944
ㄐㄧㄢˇ jiǎn
1. to select; to choose; to pick 2. to pick up (something another has left behind, etc.)
揀選(ㄐㄧㄢˇ ㄒㄩㄢˇ)to choose; to select

〔手部〕

〔手部〕

揄 1945
ㄩˊ yú
1. to draw out; to scoop out (grain from a mortar) 2. to praise; to show the merits of 3. to hang

揆 1946
ㄎㄨㄟˊ kuí
1. to survey and weigh; to consider; to investigate; to estimate 2. a premier; a prime minister 3. important affairs; events 4. principles; reasons

掾 1947
ㄩㄢˋ yuàn
a general term referring to public officials in ancient China

揉 1948
ㄖㄡˊ róu
1. to rub; to knead 2. to crumple by hand 3. to massage 4. to subdue; to make smooth or peaceful 5. mixed-up; confused

揉合(ㄖㄡˊ ㄏㄜˊ)to combine; to blend
揉搓(ㄖㄡˊ ㄘㄨㄛ)to rub; to massage
揉眼睛(ㄖㄡˊ ㄧㄢˇ ·ㄐㄧㄥ)to rub eyes

描 1949
ㄇㄧㄠˊ miáo
1. to trace; to draw; to sketch 2. to describe; to depict

描摹(ㄇㄧㄠˊ ㄇㄛˊ)to imitate (an old painting, etc.); to copy
描圖(ㄇㄧㄠˊ ㄊㄨˊ)tracing
描繪(ㄇㄧㄠˊ ㄏㄨㄟˋ)to paint; to sketch
描寫(ㄇㄧㄠˊ ㄒㄧㄝˇ)to describe
描述(ㄇㄧㄠˊ ㄕㄨˋ)to describe

揍 1950
ㄗㄡˋ zòu
1. to beat; to slug (somebody); to hit hard 2. to break (a glass, etc.); to smash

揍人(ㄗㄡˋ ㄖㄣˊ)to slug a person

提 1951
1. ㄊㄧˊ tí
1. to lift by hand; to pull up 2. to cause to rise or happen 3. to mention; to bring forward; to suggest 4. to obtain; to make delivery; to draw out 5. to manage; to control

提拔(ㄊㄧˊ ㄅㄚˊ)to promote (a person)
提筆(ㄊㄧˊ ㄅㄧˇ) to lift one's pen—to write
提名(ㄊㄧˊ ㄇㄧㄥˊ)to nominate
提防(ㄊㄧˊ ㄈㄤˊ)to be cautious
提袋(ㄊㄧˊ ㄉㄞˋ)a handbag
提到(ㄊㄧˊ ㄉㄠˋ)to mention
提鍊(ㄊㄧˊ ㄌㄧㄢˋ)to refine
提高(ㄊㄧˊ ㄍㄠ)to lift (morale, etc.); to raise (prices, etc.)
提高警覺(ㄊㄧˊ ㄍㄠ ㄐㄧㄥˇ ㄐㄩㄝˊ)to be on the ball
提綱挈領(ㄊㄧˊ ㄍㄤ ㄑㄧㄝˋ ㄌㄧㄥˇ)to mention the main points
提供(ㄊㄧˊ ㄍㄨㄥ)to offer; to provide
提款(ㄊㄧˊ ㄎㄨㄢˇ)to draw money from a bank
提款單(ㄊㄧˊ ㄎㄨㄢˇ ㄉㄢ)a withdrawal slip
提(貨)單(ㄊㄧˊ (ㄏㄨㄛˋ) ㄉㄢ)a bill of lading (B/L)
提及(ㄊㄧˊ ㄐㄧˊ)to mention
提起(ㄊㄧˊ ㄑㄧˇ)to mention
提起公訴 (ㄊㄧˊ ㄑㄧˇ ㄍㄨㄥ ㄙㄨˋ) to indict; to arraign
提起精神 (ㄊㄧˊ ㄑㄧˇ ㄐㄧㄥ ㄕㄣˊ) to cheer up
提挈(ㄊㄧˊ ㄑㄧㄝˋ)① to help ② to carry
提前(ㄊㄧˊ ㄑㄧㄢˊ)① to give precedence or priority to ②(to complete a task, etc.) ahead of schedule
提前交貨(ㄊㄧˊ ㄑㄧㄢˊ ㄐㄧㄠ ㄏㄨㄛˋ) advance delivery
提親(ㄊㄧˊ ㄑㄧㄣ)a matchmaking
提琴(ㄊㄧˊ ㄑㄧㄣˊ)a violin
提請(ㄊㄧˊ ㄑㄧㄥˇ)to submit something (for approval, etc.)
提攜(ㄊㄧˊ ㄒㄧ)help; assistance; to help; to aid
提心吊膽(ㄊㄧˊ ㄒㄧㄣ ㄉㄧㄠˋ ㄉㄢˇ)to be scared
提醒(ㄊㄧˊ ㄒㄧㄥˇ)to remind
提倡(ㄊㄧˊ ㄔㄤˋ) to promote (a cause, etc.)
提出(ㄊㄧˊ ㄔㄨ) to raise (a question, etc.)
提示(ㄊㄧˊ ㄕˋ)to hint; a hint
提神(ㄊㄧˊ ㄕㄣˊ)① to be cautious or vigilant; to watch out ② to arouse
提升(ㄊㄧˊ ㄕㄥ)to promote
提早(ㄊㄧˊ ㄗㄠˇ)to advance to an earlier hour or date
提案(ㄊㄧˊ ㄢˋ)a proposal
提議(ㄊㄧˊ ㄧˋ)to propose
提要(ㄊㄧˊ ㄧㄠˋ)① to bring forth the main points ② the main points

提 1951
2. ㄉㄧ dī
to hold or take in hand

揕 1952
ㄓㄣˋ zhèn
to strike; to stab; to thrust

揖 1953
ㄧ yī
1. to bow with hands folding in front 2. to yield politely; to defer to

揖別(ㄧ ㄅㄧㄝˊ)to bid adieu

插 1954
(揷) ㄔㄚ chā
1. to insert; to put in; to stick into 2. to interpose; to get a word in edgeways 3. to plant 4. to take part in

插播廣告 (ㄔㄚ ㄅㄛ ㄍㄨㄤˇ ㄍㄠˋ) a spot announcement; a commercial

break
插播新聞(ㄔㄚ ㄅㄛ ㄒㄧㄣ ㄨㄣˊ) spot ⌈news⌉
插隊(ㄔㄚ ㄉㄨㄟˋ)to cut in; to push in
插頭(ㄔㄚ ·ㄊㄡ)a plug
插圖(ㄔㄚ ㄊㄨˊ)illustrations or plates
插花(ㄔㄚ ㄏㄨㄚ)flower arrangement
插畫(ㄔㄚ ㄏㄨㄚˋ)illustrations
插曲(ㄔㄚ ㄑㄩˇ)①a musical interlude ②an episode
插枝(ㄔㄚ ㄓ) (botany) a cutting
插翅難飛(ㄔㄚ ㄔˋ ㄋㄢˊ ㄈㄟ)completely surrounded
插手(ㄔㄚ ㄕㄡˇ)to take part in; to meddle
插入(ㄔㄚ ㄖㄨˋ)to insert
插座(ㄔㄚ ㄗㄨㄛˋ)an outlet
插嘴(ㄔㄚ ㄗㄨㄟˇ)to interrupt a narration, conversation, etc.
插秧(ㄔㄚ ㄧㄤ)to transplant rice seedlings

揚 1955
ㄧㄤˊ yáng

1. to raise 2. (said of flames) blazing 3. to wave; to flutter 4. to praise; to acclaim 5. to display; to expose; to make evident 6. high or raised (voice, cry, etc.) 7. to scatter; to spread 8. to stir; to get excited
揚眉吐氣(ㄧㄤˊ ㄇㄟˊ ㄊㄨˇ ㄑㄧˋ)to feel proud and elated after one suddenly comes to fame, wealth or good luck
揚名(ㄧㄤˊ ㄇㄧㄥˊ)to become famous
揚名天下(ㄧㄤˊ ㄇㄧㄥˊ ㄊㄧㄢ ㄒㄧㄚˋ)to be known throughout the land
揚帆(ㄧㄤˊ ㄈㄢˊ)to set sail
揚棄(ㄧㄤˊ ㄑㄧˋ)to discard; to renounce
揚琴(ㄧㄤˊ ㄑㄧㄣˊ)a dulcimer
揚長而去(ㄧㄤˊ ㄔㄤˊ ㄦˊ ㄑㄩˋ)to stride away without looking back
揚言(ㄧㄤˊ ㄧㄢˊ)to spread words
揚揚得意(ㄧㄤˊ ㄧㄤˊ ㄉㄜˊ ㄧˋ)to be smug and complacent

揜 1956
(掩) ㄧㄢˇ yǎn

1. to rob; to take by force 2. to cover up; to conceal 3. to shut

揠 1957
ㄧㄚˋ yà

to pull up or out
揠苗助長(ㄧㄚˋ ㄇㄧㄠˊ ㄓㄨˋ ㄓㄤˇ) (literally) to pull up the seedling hoping to make it grow faster—a stupid and self-defeating effort

換 1958
ㄏㄨㄢˋ huàn

to exchange; to change; to alter; to substitute
換邊(ㄏㄨㄢˋ ㄅㄧㄢ) (sports) to change sides
換擋(ㄏㄨㄢˋ ㄉㄤˇ)to shift gears
換湯不換藥(ㄏㄨㄢˋ ㄊㄤ ㄅㄨˋ ㄏㄨㄢˋ ㄧㄠˋ)a change in form but not in content
換換口味(ㄏㄨㄢˋ ·ㄏㄨㄢ ㄎㄡˇ ·ㄨㄟ)to have a change in diet, etc.
換季(ㄏㄨㄢˋ ㄐㄧˋ)the change of seasons
換氣(ㄏㄨㄢˋ ㄑㄧˋ)to take breath (in swimming)
換取(ㄏㄨㄢˋ ㄑㄩˇ)to change; to exchange
換血(ㄏㄨㄢˋ ㄒㄧㄝˇ)blood exchange transfusion
換新(ㄏㄨㄢˋ ㄒㄧㄣ)to change something for a new one
換人(ㄏㄨㄢˋ ㄖㄣˊ) substitution (of players)
換算(ㄏㄨㄢˋ ㄙㄨㄢˋ)to convert (one system of measurement into another)
換算表(ㄏㄨㄢˋ ㄙㄨㄢˋ ㄅㄧㄠˇ)a conversion table
換牙(ㄏㄨㄢˋ ㄧㄚˊ) (said of a child) to grow permanent teeth
換言之(ㄏㄨㄢˋ ㄧㄢˊ ㄓ)in other words

握 1959
ㄨㄛˋ wò

1. to hold fast; to grasp 2. a handful
握別(ㄨㄛˋ ㄅㄧㄝˊ)to part
握緊(ㄨㄛˋ ㄐㄧㄣˇ)to grasp firmly
握拳(ㄨㄛˋ ㄑㄩㄢˊ)to make a fist
握手(ㄨㄛˋ ㄕㄡˇ)to shake hands
握手言歡(ㄨㄛˋ ㄕㄡˇ ㄧㄢˊ ㄏㄨㄢ) to hold hands and converse cheerfully

揣 1960
ㄔㄨㄞˇ chuǎi

1. to measure; to weigh; to estimate; to calculate; to reckon 2. to try; to probe (for possibilities); to put out a feeler
揣摩(ㄔㄨㄞˇ ㄇㄛˊ)①to study ②to assume; to speculate; to guess
揣度(ㄔㄨㄞˇ ㄉㄨㄛˋ)to speculate
揣測(ㄔㄨㄞˇ ㄘㄜˋ)to conjecture

揩 1961
ㄎㄞ kāi

to wipe; to scrub; to rub; to dust; to clean
揩乾淨(ㄎㄞ ㄍㄢ ·ㄐㄧㄥ)to wipe clean
揩油(ㄎㄞ ㄧㄡˊ)to make some (usually small) outside gains not included in a deal

揪 1962
(揫) ㄐㄧㄡ jiū

1. to clutch; to grasp with one's hand 2. to pull; to drag 3. to pick on
揪心(ㄐㄧㄡ ㄒㄧㄣ)anxious; nervous
揪出(ㄐㄧㄡ ㄔㄨ)to ferret out
揪耳朵(ㄐㄧㄡ ㄦˇ ·ㄉㄨㄛ)to hold (another) by the ear

揮 1963
ㄏㄨㄟ huī

1. to wield (a sword, pen, etc.); to move; to shake; to wave; to brandish; to make a light or rapid stroke 2. to

〔手部〕

conduct; to direct (troop movements, a concert, a course of action, etc.) 3. to wipe away (sweat, tears, etc.) 4. to scatter; to sprinkle 5. to squander (money, etc.) 6. to swing (fists)

〔手部〕

揮發(ㄏㄨㄟ ㄈㄚ)to volatilize
揮發油(ㄏㄨㄟ ㄈㄚ ㄧㄡˊ)benzine
揮刀(ㄏㄨㄟ ㄉㄠ)to wield a sword
揮動(ㄏㄨㄟ ㄉㄨㄥˋ)to wield (a sword, etc.); to swing (fists, etc.)
揮淚(ㄏㄨㄟ ㄌㄟˋ)to shed tears
揮霍(ㄏㄨㄟ ㄏㄨㄛˋ)to spend freely
揮霍無度 (ㄏㄨㄟ ㄏㄨㄛˋ ㄨˊ ㄉㄨˋ) to squander money
揮金如土(ㄏㄨㄟ ㄐㄧㄣ ㄖㄨˊ ㄊㄨˇ)to squander money like dirt
揮拳(ㄏㄨㄟ ㄑㄩㄢˊ)to swing fists—to strike somebody
揮手(ㄏㄨㄟ ㄕㄡˇ)to wave one's hand (in greeting or bidding farewell)
揮灑(ㄏㄨㄟ ㄙㄚˇ)to write or paint freely
揮舞(ㄏㄨㄟ ㄨˇ)to wave; to wield

揭 1964 ㄐㄧㄝ jiē
1. to lift up or off; to raise high 2. to unveil, uncover or unearth; to expose 3. to announce; to publicize
揭幕(ㄐㄧㄝ ㄇㄨˋ)to raise or lift the curtain(of a meeting, exhibition, etc.); to unveil—to inaugurate
揭幕禮(ㄐㄧㄝ ㄇㄨˋ ㄌㄧˇ)an opening ceremony
揭發(ㄐㄧㄝ ㄈㄚ)to expose
揭露(ㄐㄧㄝ ㄌㄨˋ)to uncover or expose
揭開(ㄐㄧㄝ ㄎㄞ)to uncover
揭曉(ㄐㄧㄝ ㄒㄧㄠˇ)to make public; to announce
揭櫫(ㄐㄧㄝ ㄓㄨ)to announce
揭穿(ㄐㄧㄝ ㄔㄨㄢ)to expose
揭瘡疤(ㄐㄧㄝ ㄔㄨㄤ ㄅㄚ)to reopen old wounds (in order to put someone to shame)
揭人陰私 (ㄐㄧㄝ ㄖㄣˊ ㄧㄣ ㄙ)to expose another person's secrets

援 1965 ㄩㄢˊ yuán
1. to lead 2. to take hold of; to pull by hand 3. to aid; to help; to reinforce; to rescue 4. to invoke (a law, precedent, etc.)
援兵(ㄩㄢˊ ㄅㄧㄥ)reinforcements
援救(ㄩㄢˊ ㄐㄧㄡˋ)to rescue
援軍(ㄩㄢˊ ㄐㄩㄣ)(military) reinforcements
援助(ㄩㄢˊ ㄓㄨˋ)to aid; aid; to help
援手(ㄩㄢˊ ㄕㄡˇ)to extend a helping hand
援引(ㄩㄢˊ ㄧㄣˇ)to cite(a precedent) as proof, etc.
援用(ㄩㄢˊ ㄩㄥˋ)to invoke or quote

揲 1966 ㄕㄜˊ shé
to sort out divining stalks

揸 1967 ㄓㄚ zhā
to pick up with fingers; to grasp by hand

揶 1968 ㄧㄝˊ yé
to jeer at; to ridicule; to play a joke on
揶揄(ㄧㄝˊ ㄩˊ)to ridicule; to jeer at

揝 1969 1.(攥) ㄗㄨㄢˋ zuàn
to hold or seize with the hand; to grip; to clench; to grasp

揝 1969 2.(攢) ㄗㄢˇ zǎn
to save (money); to hoard
揝錢(ㄗㄢˇ ㄑㄧㄢˊ)to save money

揹 1970 (背) ㄅㄟ bēi
to carry on the back; to shoulder (a load, responsibility, etc.)
揹黑鍋(ㄅㄟ ㄏㄟ ㄍㄨㄛ)to be made the scapegoat for somebody

揎 1971 ㄒㄩㄢ xuān
1. to pull up the sleeves and show the arms 2. to fight with bare hands

十畫

搉 1972 ㄑㄩㄝˋ què
1. to knock; to strike 2. to discuss; to negotiate; to consult

搊 1973 ㄔㄡ chōu
1. to pluck stringed instruments with fingers 2. to tighten 3. to hold and support

搋 1974 ㄔㄨㄞ chuāi
1. to conceal something in the bosom 2. to knead (dough); to rub

損 1975 ㄙㄨㄣˇ sǔn
1. to detract; to damage; to injure; to destroy; harm; damage 2. to lose; loss 3. to reduce; to decrease 4. weak; emaciated 5. to ridicule; to jeer at 6. wicked and mean; cruel
損害(ㄙㄨㄣˇ ㄏㄞˋ)to injure; damages or losses
損耗(ㄙㄨㄣˇ ㄏㄠˋ) to deplete; to exhaust (supply)
損壞(ㄙㄨㄣˇ ㄏㄨㄞˋ)to damage
損失(ㄙㄨㄣˇ ㄕ)losses; casualties
損傷(ㄙㄨㄣˇ ㄕㄤ)losses; casualties
損人(ㄙㄨㄣˇ ㄖㄣˊ)to ridicule others
損人利己(ㄙㄨㄣˇ ㄖㄣˊ ㄌㄧˋ ㄐㄧˇ)to profit oneself at the expense of

others
損益(ㄙㄨㄣˇ ㄧˋ)profit and loss
損益表(ㄙㄨㄣˇ ㄧˋ ㄅㄧㄠˇ) an income statement
損友(ㄙㄨㄣˇ ㄧㄡˇ)an injurious friend

搆 1976
ㄍㄡˋ gòu
1. to pull; to drag 2. to reach 3. to implicate 4. to make (war, peace, etc.); to bring (a disaster, etc.); to incur (animosity, etc.) 5. to compose
搆和(ㄍㄡˋ ㄏㄜˊ)to make or negotiate for peace

搏 1977
ㄅㄛˊ bó
1. to pounce on (or at); to spring upon 2. to grasp; to catch; to arrest; to seize 3. to strike; to box; to engage in a hand-to-hand combat
搏鬪(ㄅㄛˊ ㄉㄡˋ)to battle; to fight

搔 1978
ㄙㄠ sāo
1. to scratch lightly 2. to irritate; to annoy
搔頭(ㄙㄠ ㄊㄡˊ) or 搔首(ㄙㄠ ㄕㄡˇ)to scratch one's head (in perplexity, etc.)
搔著癢處(ㄙㄠ ·ㄓㄠ ㄧㄤˇ ㄔㄨˋ)to say something exactly to the point
搔首弄姿(ㄙㄠ ㄕㄡˇ ㄋㄨㄥˋ ㄗ)to flirt
搔擾(ㄙㄠ ㄖㄠˇ)to annoy; to harass
搔癢(ㄙㄠ ㄧㄤˇ)to scratch the itching place

搾 1979
ㄓㄚˋ zhà
to press (for juice or oil); to extract; to squeeze; to wring
搾果汁 (ㄓㄚˋ ㄍㄨㄛˇ ㄓ) to press or squeeze fruit for juice
搾取(ㄓㄚˋ ㄑㄩˇ)①to extract ② to extort
搾汁機(ㄓㄚˋ ㄓ ㄐㄧ)a juicer
搾菜(ㄓㄚˋ ㄘㄞˋ)a kind of salted vegetable root

搓 1980
ㄘㄨㄛ cuō
1. to rub hands; to rub between the hands 2. to scrub 3. to twist (a thread, etc.) between the hands
搓麻將(ㄘㄨㄛ ㄇㄚˊ ㄐㄧㄤˋ) to play mah-jong
搓手(ㄘㄨㄛ ㄕㄡˇ)to rub one's hands together
搓揉(ㄘㄨㄛ ㄖㄡˊ)to rub; to massage
搓作一團(ㄘㄨㄛ ㄗㄨㄛˋ ㄧˋ ㄊㄨㄢˊ) to roll or crumble (a sheet of paper, etc.) into a ball
搓碎(ㄘㄨㄛ ㄙㄨㄟˋ)to rub into powder or bits

搽 1981
ㄔㄚˊ chá
to rub on (ointment, etc.); to smear; to anoint; to paint
搽藥(ㄔㄚˊ ㄧㄠˋ)to rub on some external medicine, ointment, etc.

搗 1982
ㄉㄠˇ dǎo
1. to thresh (grains); to hull or unhusk 2. to beat; to pound 3. to drive; to attack 4. to sabotage
搗蛋(ㄉㄠˇ ㄉㄢˋ)to make trouble
搗亂(ㄉㄠˇ ㄌㄨㄢˋ)to cause disturbance
搗鬼(ㄉㄠˇ ㄍㄨㄟˇ)to play tricks
搗毀(ㄉㄠˇ ㄏㄨㄟˇ)to smash
搗碎(ㄉㄠˇ ㄙㄨㄟˋ)to pound to pieces

搖 1983
ㄧㄠˊ yáo
1. to wag; to shake; to wave; to rock 2. (said of one's confidence, determination, etc.) to sway, wobble, shake 3. to scull; to row (a boat, etc.) 4. to agitate; to incite; to annoy
搖擺(ㄧㄠˊ ㄅㄞˇ)to swing to and fro; to oscillate; to vacillate
搖盪(ㄧㄠˊ ㄉㄤˋ)to sway; to swing
搖動(ㄧㄠˊ ㄉㄨㄥˋ)to shake; to rock
搖頭(ㄧㄠˊ ㄊㄡˊ)to shake one's head—in disapproval or out of sympathy
搖籃(ㄧㄠˊ ㄌㄢˊ)a cradle
搖籃曲(ㄧㄠˊ ㄌㄢˊ ㄑㄩˇ)a lullaby
搖滾樂(ㄧㄠˊ ㄍㄨㄣˇ ㄩㄝˋ)rock'n'roll; rock music
搖晃(ㄧㄠˊ ·ㄏㄨㄤ)to shake(a bottle, etc.)
搖船(ㄧㄠˊ ㄔㄨㄢˊ)to row a boat
搖手(ㄧㄠˊ ㄕㄡˇ)to wave one's hand
搖椅(ㄧㄠˊ ㄧˇ)a rocking chair
搖曳(ㄧㄠˊ ㄧˋ) ①wavering gently ② (said of light) flickering
搖搖晃晃(ㄧㄠˊ ㄧㄠˊ ㄏㄨㄤˋ ㄏㄨㄤˋ)faltering
搖搖欲墜(ㄧㄠˊ ㄧㄠˊ ㄩˋ ㄓㄨㄟˋ)shaky

搢 1984
ㄐㄧㄣˋ jìn
1. to stick into 2. to shake
搢紳(ㄐㄧㄣˋ ㄕㄣ)the gentry

搘 1985
ㄓ zhī
to support; to prop up

搥 1986
ㄔㄨㄟˊ chuí
to pound; to beat; to strike with a stick or fist
搥背(ㄔㄨㄟˊ ㄅㄟˋ)to massage the back by pounding with fists
搥打(ㄔㄨㄟˊ ㄉㄚˇ)to pound with fists
搥胸頓足(ㄔㄨㄟˊ ㄒㄩㄥ ㄉㄨㄣˋ ㄗㄨˊ) to beat the breast and stamp the feet—in deep grief

搜 1987
ㄙㄡ sōu
1. to search; to seek 2. to inquire into; to investigate
搜捕(ㄙㄡ ㄅㄨˇ)to hunt for (a fugitive)

〔手部〕

〔手部〕

搜羅(ㄙㄡ ㄌㄨㄛˊ)to seek and invite (men of ability, etc.)
搜購(ㄙㄡ ㄍㄡˋ)to collect or select for purchase
搜括(ㄙㄡ ㄍㄨㄚ)①to search ②to extort
搜集(ㄙㄡ ㄐㄧˊ)to collect
搜救(ㄙㄡ ㄐㄧㄡˋ)to search for and rescue
搜尋(ㄙㄡ ㄒㄩㄣˊ)to search for
搜查(ㄙㄡ ㄔㄚˊ) to search (a house, a person, etc.)
搜身(ㄙㄡ ㄕㄣ)to frisk
搜索(ㄙㄡ ㄙㄨㄛˇ)to search; to reconnoiter

搭 1988
ㄉㄚ dā
1. to attach to; to join together; to add to 2. to hang over 3. to raise; to build (a shed, etc.); to put up; to pitch (a tent, etc.) 4. to travel by; to take (a passage on a bus, train, boat, etc.) 5. to help; to rescue 6. a short garment 7. a cover; to cover
搭便車(ㄉㄚ ㄅㄧㄢˋ ㄔㄜ)to hitchhike
搭便車者(ㄉㄚ ㄅㄧㄢˋ ㄔㄜ ㄓㄜˇ) a hitchhiker
搭配(ㄉㄚ ㄆㄟˋ)to match (colors, etc.)
搭擋(ㄉㄚ ·ㄉㄤ)a partner
搭機(ㄉㄚ ㄐㄧ)to board an airplane
搭救(ㄉㄚ ㄐㄧㄡˋ)to rescue; to help
搭腔(ㄉㄚ ㄑㄧㄤ)to answer; to respond
搭車(ㄉㄚ ㄔㄜ)to take a car, bus or train
搭乘(ㄉㄚ ㄔㄥˊ)to travel by (ship, air, bus, etc.)
搭船(ㄉㄚ ㄔㄨㄢˊ)to board a ship
搭訕(ㄉㄚ ㄕㄢˋ)to converse heedlessly
搭載(ㄉㄚ ㄗㄞˋ)to carry (passengers)

搶 1989
1. ㄑㄧㄤˇ qiǎng
1. to take by force; to snatch; to rob; to loot 2. to do something in haste, as in an emergency; to rush 3. to oppose 4. to try to beat others in a performance
搶奪(ㄑㄧㄤˇ ㄉㄨㄛˊ)to rob; to loot
搶購(ㄑㄧㄤˇ ㄍㄡˋ)panic buying
搶光(ㄑㄧㄤˇ ㄍㄨㄤ)to take away by force everything that is movable
搶劫(ㄑㄧㄤˇ ㄐㄧㄝˊ)to rob; robbery
搶救(ㄑㄧㄤˇ ㄐㄧㄡˋ)to make emergency rescue
搶鏡頭(ㄑㄧㄤˇ ㄐㄧㄥˋ ㄊㄡˊ)to steal the show; to outshine others
搶修 (ㄑㄧㄤˇ ㄒㄧㄡ) to race against time in making a repair job
搶先(ㄑㄧㄤˇ ㄒㄧㄢ)to rush ahead
搶時間(ㄑㄧㄤˇ ㄕˊ ㄐㄧㄢ) to race against time
搶收(ㄑㄧㄤˇ ㄕㄡ)to rush in the harvest
搶手貨(ㄑㄧㄤˇ ㄕㄡˇ ㄏㄨㄛˋ)a commodity in great demand

搶 1989
2. ㄑㄧㄤ qiāng
1. head (winds); adverse 2. to strike; to hit; to knock

搦 1990
ㄋㄨㄛˋ nuò
1. to hold; to seize 2. to challenge 3. to incite 4. to suppress; to restrain

搧 1991
(扇) ㄕㄢ shān
1. to fan 2. to stir up; to incite 3. to slap on the face
搧風(ㄕㄢ ㄈㄥ)to fan
搧動(ㄕㄢ ㄉㄨㄥˋ)to stir up; to incite
搧火(ㄕㄢ ㄏㄨㄛˇ)to fan a fire

搨 1992
(拓) ㄊㄚˋ tà
1. to take a rubbing of an inscription on stone, etc. 2. to make an exact copy with paper and a writing brush
搨本(ㄊㄚˋ ㄅㄣˇ)a rubbing from a stone tablet or bronze vessel

搬 1993
ㄅㄢ bān
1. to move; to transport 2. to present
搬東西(ㄅㄢ ㄉㄨㄥ ·ㄒㄧ)to move things
搬動(ㄅㄢ ㄉㄨㄥˋ)to move; to shift
搬弄是非(ㄅㄢ ㄋㄨㄥˋ ㄕˋ ㄈㄟ)to stir up or incite trouble between people
搬家(ㄅㄢ ㄐㄧㄚ)to move from one dwelling to another
搬救兵(ㄅㄢ ㄐㄧㄡˋ ㄅㄧㄥ)to ask for help
搬移(ㄅㄢ ㄧˊ)or搬遷(ㄅㄢ ㄑㄧㄢ)to move
搬運(ㄅㄢ ㄩㄣˋ)to move; to transport
搬運費(ㄅㄢ ㄩㄣˋ ㄈㄟˋ)freight
搬運工人(ㄅㄢ ㄩㄣˋ ㄍㄨㄥ ㄖㄣˊ)a porter; a docker
搬運公司(ㄅㄢ ㄩㄣˋ ㄍㄨㄥ ㄙ)a transportation company

搪 1994
ㄊㄤˊ táng
1. to ward off; to keep out 2. to parry
搪瓷(ㄊㄤˊ ㄘˊ)enamel
搪塞(ㄊㄤˊ ㄙㄜˋ)to parry something

搐 1995
ㄔㄨˋ chù
spasm; cramp; convulsions; to shake involuntarily; to twitch

搯 1996
(掏) ㄊㄠ tāo
to pull out; to take out (money, cigarettes, etc.)

摁 1997
ㄣˋ èn
1. to press (a doorbell, etc.) 2. to delay or hold

搵 1998
ㄨㄣˋ wèn
1. to wipe off (tears) 2. to press with fingers

搠 1999
ㄕㄨㄛˋ shuò
1. to thrust (at one's enemy) 2. to smear; to daub

摀 2000
ㄨˇ wǔ
1. to cover; to conceal; to hide 2. to put into an airtight container (in cooking)
摀著耳朵(ㄨˇ ·ㄓㄜ ㄦˇ ·ㄉㄨㄛ)to cover one's ears

搌 2001
ㄓㄢˇ zhǎn
1. to bind 2. to wipe; to mop
搌布(ㄓㄢˇ ㄅㄨˋ)a mopping cloth

搴 2002
ㄑㄧㄢ qiān
to pull or pluck up

搞 2003
ㄍㄠˇ gǎo
1. to stir up; to cause trouble 2. to do; to carry on; to be engaged in 3. to get; to secure 4. to set up; to start; to organize
搞鬼(ㄍㄠˇ ㄍㄨㄟˇ) (said of a person) to cause trouble or pull legs in secret
搞垮(ㄍㄠˇ ㄎㄨㄚˇ)to overthrow
搞花樣(ㄍㄠˇ ㄏㄨㄚ ㄧㄤˋ)to play tricks; to cheat
搞清楚(ㄍㄠˇ ㄑㄧㄥ ·ㄔㄨ)to make clear

十一畫

摘 2004
ㄓㄞ zhāi
(讀音 ㄓㄜˊ zhé)
1. to take off (one's hat, etc.); to pluck; to pick 2. to choose; to select 3. to jot down (notes) 4. to expose; to unveil (a conspiracy, etc.)
摘錄(ㄓㄞ ㄌㄨˋ)an excerpt
摘花(ㄓㄞ ㄏㄨㄚ)to pluck flowers
摘取(ㄓㄞ ㄑㄩˇ)to select; to pick
摘下(ㄓㄞ ㄒㄧㄚˋ)to pick off (flowers, etc.)
摘除(ㄓㄞ ㄔㄨˊ)to excise
摘要(ㄓㄞ ㄧㄠˋ)to summarize

摑 2005
ㄍㄨㄛˊ guó
to slap another on his face; to smack

摜 2006
ㄍㄨㄢˋ guàn
1. to throw to the ground 2. to be accustomed or used to

摟 2007
1. ㄌㄡˊ lóu
to drag; to pull; to drag away

摟 2007
2. ㄌㄡ lōu
1. to hold up; to tuck up 2. to squeeze or extort (money, etc.) 3. to gather up; to collect; to rake together

摟 2007
3. ㄌㄡˇ lǒu
to hold in the arms; to embrace; to hug
摟抱(ㄌㄡˇ ㄅㄠˋ)to hold in the arms

摒 2008
ㄅㄧㄥˋ bìng
1. to get rid of; to expel 2. to arrange in order
摒棄(ㄅㄧㄥˋ ㄑㄧˋ)to abandon
摒除(ㄅㄧㄥˋ ㄔㄨˊ) to get rid of; to remove

摛 2009
ㄔ chī
1. (said of fame, news, etc.) to spread 2. to brandish (a pen) 3. to be known widely

摔 2010
ㄕㄨㄞ shuāi
1. to throw to the ground; to fling; to break 2. to get rid of; to shake off (a tail, etc.) 3. to fall down; to tumble; to lose one's balance
摔破(ㄕㄨㄞ ㄆㄛˋ)to break something by dashing it on the ground
摔倒(ㄕㄨㄞ ㄉㄠˇ)to fall down
摔跤(ㄕㄨㄞ ㄐㄧㄠ)to fall down
摔角(ㄕㄨㄞ ㄐㄧㄠˇ)wrestling
摔傷(ㄕㄨㄞ ㄕㄤ)to get hurt in a fall
摔死(ㄕㄨㄞ ㄙˇ)to fall to death

摭 2011
ㄓˊ zhí
to pick up from the ground; to take up; to collect
摭取(ㄓˊ ㄑㄩˇ)to pick up
摭拾(ㄓˊ ㄕˊ)to pick; to collect

摧 2012
ㄘㄨㄟ cuī
1. to break; to smash; to destroy; to injure; to harm 2. to damp 3. to cause to cease; to extinguish 4. to be sad and sorrowful; to grieve
摧毀(ㄘㄨㄟ ㄏㄨㄟˇ)to destroy
摧殘(ㄘㄨㄟ ㄘㄢˊ)to destroy

摶 2013
ㄊㄨㄢˊ tuán
1. to roll round with the hand; to knead 2. to rely on 3. to take or follow (a trail, etc.)

摳 2014
ㄎㄡ kōu
1. to raise 2. to grope for 3. to inquire into; to delve into 4. to dig with fingers 5. to be stingy

摎 2015
ㄐㄧㄡ jiū
entwined—as branches of a tree

〔手部〕

〔手部〕

摺 2016
ㄓㄜˊ zhé
1. to fold (paper, etc.); to plait 2. a folder; a folded brochure 3. curved and winding 4. to pull and break
摺疊(ㄓㄜˊ ㄉㄧㄝˊ)to fold up
摺痕(ㄓㄜˊ ㄏㄣˊ)a fold
摺角(ㄓㄜˊ ㄐㄧㄠˇ)to dog-ear
摺裙(ㄓㄜˊ ㄑㄩㄣˊ)a plaited skirt
摺尺(ㄓㄜˊ ㄔˇ)a folding ruler
摺床(ㄓㄜˊ ㄔㄨㄤˊ)a folding bed
摺扇(ㄓㄜˊ ㄕㄢˋ)a folding fan

摸 2017
ㄇㄛ mō
(又讀 ㄇㄠ māo)
1. to caress 2. to grope 3. to try to find out 4. to seek after
摸不清(ㄇㄛ ˙ㄅㄨ ㄑㄧㄥ)do not understand; not quite sure
摸黑兒(ㄇㄛ ㄏㄜㄦ)to do something in the dark
摸彩(ㄇㄛ ㄘㄞˇ)to draw lots to determine the prize winners in a lottery
摸索(ㄇㄛ ㄙㄨㄛˇ) to grope (in the dark, etc.)
摸魚(ㄇㄛ ㄩˊ)to idle

摽 2018
1. ㄅㄧㄠ biāo
1. to motion (somebody) to go out 2. to strike 3. high; lofty 4. sometimes used in place of 標—to glorify, etc. 5. the razor of a sword 6. to abandon

摽 2018
2. ㄆㄧㄠˇ piǎo
1. to fall; falling 2. to lock together

搴 2019
(扦) ㄑㄧㄢ qiān
1. to stick into 2. anything of the similar shape 3. to trim feet (a special Chinese bathhouse service)

摴 2020
ㄕㄨ shū
comfortable; easy

撂 2021
ㄌㄧㄠˋ liào
1. to put down 2. to leave behind
撂下(ㄌㄧㄠˋ ˙ㄒㄧㄚ)①to put down; to lay down ②to leave behind

摩 2022
ㄇㄛˊ mó
1. to scour; to rub 2. friction 3. to feel with the hand 4. to learn from long and constant study
摩登(ㄇㄛˊ ㄉㄥ)modern
摩天樓(ㄇㄛˊ ㄊㄧㄢ ㄌㄡˊ)skyscrapers
摩托車(ㄇㄛˊ ㄊㄨㄛ ㄔㄜ)a motorcycle
摩羯座(ㄇㄛˊ ㄐㄧㄝˊ ㄗㄨㄛˋ) (astronomy) Capricornus
摩拳擦掌(ㄇㄛˊ ㄑㄩㄢˊ ㄘㄚ ㄓㄤˇ)to get ready for a fight
摩擦(ㄇㄛˊ ㄘㄚ)to chafe; to scour
摩擦力(ㄇㄛˊ ㄘㄚ ㄌㄧˋ)frictional force
摩擦聲(ㄇㄛˊ ㄘㄚ ㄕㄥ) (phonetics) fricatives
摩擦生熱(ㄇㄛˊ ㄘㄚ ㄕㄥ ㄖㄜˋ)Friction generates heat.
摩抄or摩挲(ㄇㄛˊ ㄙㄨㄛ) to caress, touch, rub, etc. with the hand

摹 2023
ㄇㄛˊ mó
1. to copy; to make an exact copy 2. to imitate
摹本(ㄇㄛˊ ㄅㄣˇ)a facsimile
摹仿(ㄇㄛˊ ㄈㄤˇ)to imitate
摹擬(ㄇㄛˊ ㄋㄧˇ)to simulate

摯 2024
ㄓˋ zhì
sincere; cordial
摯友(ㄓˋ ㄧㄡˇ)a bosom friend

揅 2025
(研) ㄧㄢˊ yán
1. to grind 2. to study thoroughly

十二畫

撅 2026
ㄐㄩㄝ juē
1. to break; to snap 2. to stick up; to protrude
撅嘴(ㄐㄩㄝ ㄗㄨㄟˇ)to pout

撐 2027
(撑) ㄔㄥ chēng
1. to prop; to support 2. to burst 3. to pole (a raft) 4. to maintain 5. to open
撐破(ㄔㄥ ㄆㄛˋ)to burst
撐竿跳(ㄔㄥ ㄍㄢ ㄊㄧㄠˋ)the pole vault
撐開(ㄔㄥ ㄎㄞ)to prop open
撐住(ㄔㄥ ㄓㄨˋ)to prop from under
撐場面(ㄔㄥ ㄔㄤˇ ㄇㄧㄢˋ) to keep up appearances
撐傘(ㄔㄥ ㄙㄢˇ)to prop open an umbrella
撐腰(ㄔㄥ ㄧㄠ)to stand by someone

撈 2028
ㄌㄠ lāo
(讀音 ㄌㄠˊ láo)
1. to pull or drag out of the water 2. to fish up
撈本兒(ㄌㄠ ㄅㄣˇㄦ)to win back money (lost in gambling)
撈起(ㄌㄠ ㄑㄧˇ)to recover from water, the riverbed, the sea bottom, etc.
撈魚(ㄌㄠ ㄩˊ)to catch fish by a net, a bucket, etc.

撒 2029
1. ㄙㄚ sā
1. to relax; to ease 2. to loosen; to unleash 3. to exhibit; to display
撒旦(ㄙㄚ ㄉㄢˋ)Satan
撒尿(ㄙㄚ ㄋㄧㄠˋ)to urinate
撒謊(ㄙㄚ ㄏㄨㄤˇ)to tell a lie; to lie

撒嬌(ㄙㄚ ㄐㄧㄠ)to show pettishness, as a spoilt child
撒手(ㄙㄚ ㄕㄡˇ)① to relax the hold or grasp ② to neglect a responsibility
撒手西歸(ㄙㄚ ㄕㄡˇ ㄒㄧ ㄍㄨㄟ)to die
撒野(ㄙㄚ ㄧㄝˇ)to act boorishly

撒 2029
2. ㄙㄚˇ sǎ
to scatter; to sprinkle; to disperse
撒種(ㄙㄚˇ ㄓㄨㄥˇ)to sow seeds
撒水(ㄙㄚˇ ㄕㄨㄟˇ)to sprinkle water
撒水車(ㄙㄚˇ ㄕㄨㄟˇ ㄔㄜ)a truck sprayer
撒鹽(ㄙㄚˇ ㄧㄢˊ)to sprinkle salt

撤 2030
ㄔㄜˋ chè
to remove; to withdraw; to take back
撤保(ㄔㄜˋ ㄅㄠˇ)to withdraw a guaranty
撤兵(ㄔㄜˋ ㄅㄧㄥ)to withdraw troops
撤退(ㄔㄜˋ ㄊㄨㄟˋ)to withdraw
撤離(ㄔㄜˋ ㄌㄧˊ)to move away
撤回(ㄔㄜˋ ㄏㄨㄟˊ)to take back
撤銷(ㄔㄜˋ ㄒㄧㄠ)to abolish
撤走(ㄔㄜˋ ㄗㄡˇ)to withdraw

撥 2031
ㄅㄛ bō
1. to remove 2. to transfer 3. to poke 4. to issue 5. to set aside
撥付(ㄅㄛ ㄈㄨˋ)to make payment
撥電話號碼(ㄅㄛ ㄉㄧㄢˋ ㄏㄨㄚˋ ㄏㄠˋ ㄇㄚˇ)to dial a telephone number
撥動(ㄅㄛ ㄉㄨㄥˋ)to turn (a switch)
撥浪鼓(ㄅㄛ ㄌㄤˋ ㄍㄨˇ)a rattle drum
撥弄(ㄅㄛ ㄌㄨㄥˋ)①to toy with ②to stir up (disputes)
撥弄是非(ㄅㄛ ㄌㄨㄥˋ ㄕˋ ㄈㄟ)to stir up (disputes)
撥開(ㄅㄛ ㄎㄞ)to push aside
撥款(ㄅㄛ ㄎㄨㄢˇ)to issue funds
撥雲見日(ㄅㄛ ㄩㄣˊ ㄐㄧㄢˋ ㄖˋ)to give up sin in favor of virtue
撥用(ㄅㄛ ㄩㄥˋ)to appropriate

撳 2032
ㄑㄧㄣˋ qìn
to press with the hand

撏 2033
ㄒㄩㄣˊ xún
to take; to pick; to pluck

撇 2034
1. ㄆㄧㄝ piē
1. to cast away 2. to skim
撇開(ㄆㄧㄝ ㄎㄞ)to set aside
撇棄(ㄆㄧㄝ ㄑㄧˋ)to cast away
撇清(ㄆㄧㄝ ㄑㄧㄥ)to pretend innocence
撇下不管(ㄆㄧㄝ ㄒㄧㄚˋ ㄅㄨˋ ㄍㄨㄢˇ)① to disregard ② to desert

撇 2034
2. ㄆㄧㄝˇ piě
1. (calligraphy) a stroke made in the lower left direction 2. as in 撇嘴—to purse the mouth

撓 2035
ㄋㄠˊ náo
1. to bend; to subjugate 2. to obstruct 3. to scratch
撓頭(ㄋㄠˊ ㄊㄡˊ)to scratch one's head
撓屈(ㄋㄠˊ ㄑㄩ)to submit

撙 2036
ㄗㄨㄣˇ zǔn
1. to comply with 2. to economize; to save

撚 2037
ㄋㄧㄢˇ niǎn
to twist with fingers; to toy with
撚香(ㄋㄧㄢˇ ㄒㄧㄤ)to burn joss sticks in worship
撚鬚(ㄋㄧㄢˇ ㄒㄩ) to toy with one's beard

撕 2038
ㄙ sī
as in 撕破—to tear; to rip
撕票(ㄙ ㄆㄧㄠˋ)to kill a hostage
撕打(ㄙ ㄉㄚˇ)to beat up; to maul
撕掉(ㄙ ㄉㄧㄠˋ)to tear off
撕開(ㄙ ㄎㄞ)to tear open
撕毀(ㄙ ㄏㄨㄟˇ)to destroy by tearing
撕碎(ㄙ ㄙㄨㄟˋ)to tear or rip to pieces

撞 2039
ㄓㄨㄤˋ zhuàng
1. to bump; to run into; to collide; to dash 2. to meet by chance
撞破(ㄓㄨㄤˋ ㄆㄛˋ)to hurt by bumping
撞騙(ㄓㄨㄤˋ ㄆㄧㄢˋ)to swindle
撞倒(ㄓㄨㄤˋ ㄉㄠˇ)to knock down by bumping
撞鬼(ㄓㄨㄤˋ ㄍㄨㄟˇ) to encounter a ghost
撞開(ㄓㄨㄤˋ ㄎㄞ)to burst open
撞壞(ㄓㄨㄤˋ ㄏㄨㄞˋ)to damage by bumping
撞擊(ㄓㄨㄤˋ ㄐㄧˊ)to ram; to dash
撞見(ㄓㄨㄤˋ ㄐㄧㄢˋ)to run into
撞球(ㄓㄨㄤˋ ㄑㄧㄡˊ)billiards
撞球場(ㄓㄨㄤˋ ㄑㄧㄡˊ ㄔㄤˇ)a billiard room
撞傷(ㄓㄨㄤˋ ㄕㄤ) to injure by bumping (as in car accidents)
撞入 (ㄓㄨㄤˋ ㄖㄨˋ) or 撞進 (ㄓㄨㄤˋ ㄐㄧㄣˋ)to thrust into; to burst into
撞死(ㄓㄨㄤˋ ㄙˇ)to kill by bumping (as in car accidents)

撟 2040
1. (矯) ㄐㄧㄠˇ jiǎo
to put right; to set right

撟 2040
2. ㄐㄧㄠˋ jiào
to raise; to lift up

〔手部〕

〔手部〕

撦 2041 (扯) ㄔㄜˇ chě
to tear

撫 2042 ㄈㄨˇ fǔ
1. to stroke; to touch 2. to soothe 3. to bring up
撫摸(ㄈㄨˇ ㄇㄛ)to pass one's hand over
撫弄(ㄈㄨˇ ㄋㄨㄥˋ)to fondle
撫卹(ㄈㄨˇ ㄒㄩˋ)to relieve
撫卹金(ㄈㄨˇ ㄒㄩˋ ㄐㄧㄣ)a pension
撫養(ㄈㄨˇ ㄧㄤˇ)or 撫育 (ㄈㄨˇ ㄩˋ)to bring up
撫慰(ㄈㄨˇ ㄨㄟˋ)to soothe

播 2043 ㄅㄛˋ bò (語音 ㄅㄛ bō)
1. to sow 2. to spread 3. to move 4. to cast away
播報(ㄅㄛˋ ㄅㄠˋ)to broadcast
播放(ㄅㄛˋ ㄈㄤˋ) to broadcast (news, etc.) on the air
播遷(ㄅㄛˋ ㄑㄧㄢ)to live a wandering life
播種(ㄅㄛˋ ㄓㄨㄥˇ)to sow seed
播種機(ㄅㄛˋ ㄓㄨㄥˇ ㄐㄧ)a sowing machine
播送(ㄅㄛˋ ㄙㄨㄥˋ)to transmit by radio
播音(ㄅㄛˋ ㄧㄣ)to make broadcasts
播音員(ㄅㄛˋ ㄧㄣ ㄩㄢˊ)a broadcaster

撩 2044 1. ㄌㄧㄠˊ liáo
1. to provoke; to excite; to stir up 2. disorderly; confused
撩動肝火 (ㄌㄧㄠˊ ㄉㄨㄥˋ ㄍㄢ ㄏㄨㄛˇ) to stir up anger
撩亂(ㄌㄧㄠˊ ㄌㄨㄢˋ)confused; disorderly
撩人(ㄌㄧㄠˊ ㄖㄣˊ)to make one excited

撩 2044 2. ㄌㄧㄠ liāo
1. to raise; to hold up 2. to sprinkle

撬 2045 1. ㄑㄧㄠˋ qiào
to pry; to prize
撬門(ㄑㄧㄠˋ ㄇㄣˊ)to pry a door open
撬開(ㄑㄧㄠˋ ㄎㄞ)to open by prying

撬 2045 2. ㄑㄧㄠ qiāo
to raise; to lift

撲 2046 ㄆㄨ pū
1. to beat; to strike 2. to dash; to smash 3. to throw oneself on 4. to flap; to flutter
撲鼻(ㄆㄨ ㄅㄧˊ)to come suddenly into one's nostrils (as a strong smell)
撲滿(ㄆㄨ ㄇㄢˇ)a savings box
撲滅(ㄆㄨ ㄇㄧㄝˋ)to extinguish
撲粉(ㄆㄨ ㄈㄣˇ)to powder(one's face)
撲通(ㄆㄨ ㄊㄨㄥ)a plop; a splash
撲過來(ㄆㄨ ㄍㄨㄛˋ ·ㄌㄞ)to come in a dash
撲克(ㄆㄨ ·ㄎㄜ) poker (a gambling game)
撲克牌(ㄆㄨ ·ㄎㄜ ㄆㄞˊ)playing cards
撲空(ㄆㄨ ㄎㄨㄥ)to do a thing in vain
撲救(ㄆㄨ ㄐㄧㄡˋ)to fight (a fire)
撲食(ㄆㄨ ㄕˊ)to seize for prey
撲殺(ㄆㄨ ㄕㄚ)to kill
撲朔迷離(ㄆㄨ ㄕㄨㄛˋ ㄇㄧˊ ㄌㄧˊ)vague or ambiguous

撰 2047 ㄓㄨㄢˋ zhuàn
to write; to compose
撰稿(ㄓㄨㄢˋ ㄍㄠˇ)to prepare manuscripts
撰稿人(ㄓㄨㄢˋ ㄍㄠˇ ㄖㄣˊ)a copywriter
撰寫(ㄓㄨㄢˋ ㄒㄧㄝˇ)to write
撰述(ㄓㄨㄢˋ ㄕㄨˋ)to narrate
撰文(ㄓㄨㄢˋ ㄨㄣˊ)to compose

撮 2048 1. ㄘㄨㄛ cuō (又讀 ㄘㄨㄛˋ cuò)
1. to take with fingers 2. to gather 3. to extract 4. a pinch of
撮弄(ㄘㄨㄛ ㄋㄨㄥˋ)① to juggle ② to instigate ③ to make fun of
撮合(ㄘㄨㄛ ㄏㄜˊ)to make a match

撮 2048 2. ㄗㄨㄛˇ zuǒ
a tuft (of hair, grass, etc.)

撝 2049 ㄏㄨㄟ huī
1. to wave; to brandish 2. modest; humble

撣 2050 (撢) ㄉㄢˇ dǎn
1. to dust; to whisk 2. a duster
撣灰(ㄉㄢˇ ㄏㄨㄟ)to dust
撣子(ㄉㄢˇ ·ㄗ)a duster

十三畫

撻 2051 ㄊㄚˋ tà
to strike; to chastise; to flog; to whip

撼 2052 ㄏㄢˋ hàn
to shake; to rock; to jolt; to joggle
撼天動地(ㄏㄢˋ ㄊㄧㄢ ㄉㄨㄥˋ ㄉㄧˋ)to cause a great sensation

撾 2053 ㄓㄨㄚ zhuā
to beat; to strike

擂 2054 1. ㄌㄟˊ léi
1. to grind; to pestle 2. to beat; to hit
擂鼓(ㄌㄟˊ ㄍㄨˇ)to beat a drum

擂 2054 2. ㄌㄟˋ lèi

as in擂臺—a platform for contests in martial arts

2055 **擄** ㄌㄨˇ lǔ (又讀 ㄌㄨㄛˇ luǒ)
to capture; to take captive
擄掠(ㄌㄨˇ ㄌㄩㄝˋ)to plunder; to rob
擄獲(ㄌㄨˇ ㄏㄨㄛˋ)to capture
擄人勒贖(ㄌㄨˇ ㄖㄣˊ ㄌㄜˋ ㄕㄨˊ)to kidnap a person for ransom

2056 **擁** ㄩㄥˇ yǒng (又讀 ㄩㄥ yōng)
1. to embrace; to hold 2. to possess 3. to crowd 4. to support
擁抱(ㄩㄥˇ ㄅㄠˋ)to embrace
擁戴(ㄩㄥˇ ㄉㄞˋ)to support a leader
擁護(ㄩㄥˇ ㄏㄨˋ)to advocate
擁擠(ㄩㄥˇ ㄐㄧˇ)crowded; packed
擁入(ㄩㄥˇ ㄖㄨˋ)to crowd into
擁塞(ㄩㄥˇ ㄙㄜˋ)to clog or be clogged
擁有(ㄩㄥˇ ㄧㄡˇ)to possess; to own

2057 **擅** ㄕㄢˋ shàn
1. arbitrary 2. to monopolize 3. to be good at
擅美(ㄕㄢˋ ㄇㄟˇ)to get all (the) credit
擅離職守(ㄕㄢˋ ㄌㄧˊ ㄓˊ ㄕㄡˇ)to leave one's post without permission
擅改(ㄕㄢˋ ㄍㄞˇ)to revise without authorization
擅長(ㄕㄢˋ ㄔㄤˊ)to be good at
擅自(ㄕㄢˋ ㄗˋ)to do something without authorization presumptuously
擅自行動(ㄕㄢˋ ㄗˋ ㄒㄧㄥˊ ㄉㄨㄥˋ)to act presumptuously
擅自作主(ㄕㄢˋ ㄗˋ ㄗㄨㄛˋ ㄓㄨˇ)to take an unauthorized action
擅用(ㄕㄢˋ ㄩㄥˋ)to use without permission

2058 **操** ㄘㄠ cāo
1. to handle 2. to grasp 3. to drill 4. to speak
操勞(ㄘㄠ ㄌㄠˊ)to take care
操勞過度(ㄘㄠ ㄌㄠˊ ㄍㄨㄛˋ ㄉㄨˋ)to be excessively loaded with cares
操練(ㄘㄠ ㄌㄧㄢˋ)to drill; to practice
操槍(ㄘㄠ ㄑㄧㄤ)rifle drill
操心(ㄘㄠ ㄒㄧㄣ)to worry about
操行(ㄘㄠ ㄒㄧㄥˋ) conduct (in the moral sense)
操之過急(ㄘㄠ ㄓ ㄍㄨㄛˋ ㄐㄧˊ) to be too eager for success
操場(ㄘㄠ ㄔㄤˇ)a playground
操守(ㄘㄠ ㄕㄡˇ)moral fortitude
操作(ㄘㄠ ㄗㄨㄛˋ)to operate
操縱(ㄘㄠ ㄗㄨㄥˋ)to control

2059 **擔** 1. (担) ㄉㄢ dān
to shoulder; to take upon oneself
擔保(ㄉㄢ ㄅㄠˇ)to guarantee
擔保人(ㄉㄢ ㄅㄠˇ ㄖㄣˊ)a guarantor
擔風險(ㄉㄢ ㄈㄥ ㄒㄧㄢˇ)to run a risk
擔負(ㄉㄢ ㄈㄨˋ)to assume a responsibility upon oneself
擔當(ㄉㄢ ㄉㄤ)to take(responsibility) upon oneself
擔擱(ㄉㄢ ㄍㄜ)to delay
擔架(ㄉㄢ ㄐㄧㄚˋ)a stretcher
擔心(ㄉㄢ ㄒㄧㄣ)to feel anxious
擔任(ㄉㄢ ㄖㄣˋ)to hold the post of
擔憂(ㄉㄢ ㄧㄡ)to be anxious

2059 **擔** 2. ㄉㄢˋ dàn
1. a load; a burden 2. as in扁擔—a carrying pole 3. a unit of weight or capacity
擔子(ㄉㄢˋ ·ㄗ)a burden upon the shoulder

2060 **擇** ㄗㄜˊ zé (又讀 ㄓㄞˊ zhái)
to select; to choose; to pick out
擇期(ㄗㄜˊ ㄑㄧˊ)to select a good time or day (for a wedding, etc.)
擇善固執(ㄗㄜˊ ㄕㄢˋ ㄍㄨˋ ㄓˊ)to choose what is good and stick to it
擇偶(ㄗㄜˊ ㄡˇ)to select a spouse
擇友(ㄗㄜˊ ㄧㄡˇ)to choose friends

2061 **擋** 1. ㄉㄤˋ dàng
used in the combination of 摒擋—to arrange in order; to pack up for traveling

2061 **擋** 2. ㄉㄤˇ dǎng
1. to obstruct; to impede; to stop 2. a fender; a blind 3. a gear
擋風玻璃(ㄉㄤˇ ㄈㄥ ㄅㄛ ·ㄌㄧ)a windshield
擋路(ㄉㄤˇ ㄌㄨˋ)to obstruct traffic
擋箭牌(ㄉㄤˇ ㄐㄧㄢˋ ㄆㄞˊ)① a shield ② an excuse
擋住(ㄉㄤˇ ㄓㄨˋ)to block; to impede
擋雨(ㄉㄤˇ ㄩˇ)to keep off the rain

2062 **擒** ㄑㄧㄣˊ qín
to arrest; to capture
擒拿(ㄑㄧㄣˊ ㄋㄚˊ)to arrest
擒拿術(ㄑㄧㄣˊ ㄋㄚˊ ㄕㄨˋ)arrest technique
擒獲(ㄑㄧㄣˊ ㄏㄨㄛˋ)to capture

2063 **據** (据) ㄐㄩˋ jù
1. according to 2. to depend on 3. to occupy 4. proof; evidence
據點(ㄐㄩˋ ㄉㄧㄢˇ)a base(for activities)
據理力爭(ㄐㄩˋ ㄌㄧˇ ㄌㄧˋ ㄓㄥ)to argue vigorously on the basis of sound reason or justice
據稱(ㄐㄩˋ ㄔㄥ)according to reports or assertions
據傳(ㄐㄩˋ ㄔㄨㄢˊ)the story goes that

〔手部〕

據實(ㄐㄩˋ ㄕˊ)according to the fact
據說(ㄐㄩˋ ㄕㄨㄛ)It is said that....
據我所知(ㄐㄩˋ ㄨㄛˇ ㄙㄨㄛˇ ㄓ)as far as I know
據爲己有(ㄐㄩˋ ㄨㄟˊ ㄐㄧˇ ㄧㄡˇ)to take possession (of what does not belong to oneself)

擗 2064
ㄆㄧˋ pì
to beat the breast

擀 2065
ㄍㄢˇ gǎn
1. to stretch out with a rolling pin 2. to polish; to shine
擀麪(ㄍㄢˇ ㄇㄧㄢˋ)to roll dough

擐 2066
ㄏㄨㄢˋ huàn
to put on; to wear

撿 2067
ㄐㄧㄢˇ jiǎn
to pick up; to collect
撿破爛的(ㄐㄧㄢˇ ㄆㄛˋ ㄌㄢˋ ・ㄉㄜ)a rag picker
撿起來(ㄐㄧㄢˇ ㄑㄧˇ ・ㄌㄞ)to pick up
撿柴(ㄐㄧㄢˇ ㄔㄞˊ)to collect firewood

擓 2068
ㄎㄨㄞˇ kuǎi
1. to scratch (lightly) 2. to carry on the arm

擊 2069
ㄐㄧˊ jí
to beat; to strike; to attack
擊敗(ㄐㄧˊ ㄅㄞˋ)to defeat; to beat
擊斃(ㄐㄧˊ ㄅㄧˋ)to shoot to death
擊倒(ㄐㄧˊ ㄉㄠˇ)to knock down
擊退(ㄐㄧˊ ㄊㄨㄟˋ)to beat back
擊落(ㄐㄧˊ ㄌㄨㄛˋ)to shoot down
擊潰(ㄐㄧˊ ㄎㄨㄟˋ)to rout (the enemy troops)
擊中目標(ㄐㄧˊ ㄓㄨㄥˋ ㄇㄨˋ ㄅㄧㄠ)to hit the target
擊中要害(ㄐㄧˊ ㄓㄨㄥˋ ㄧㄠˋ ㄏㄞˋ)to hit somebody's vital point
擊沉(ㄐㄧˊ ㄔㄣˊ) to sink (vessels by bombing, etc.)

擎 2070
ㄑㄧㄥˊ qíng
to lift; to support

擘 2071
ㄅㄛˋ bò
1. the thumb 2. an outstanding person 3. to split; to tear apart

十四畫

擠 2072
ㄐㄧˇ jǐ
1. to push; to jostle 2. to squeeze; to press 3. to crowd; to cram
擠滿(ㄐㄧˇ ㄇㄢˇ)to pack (a place, car, etc.) to capacity
擠兌(ㄐㄧˇ ㄉㄨㄟˋ)a run on a bank
擠奶(ㄐㄧˇ ㄋㄞˇ)to milk a cow
擠壓(ㄐㄧˇ ㄧㄚ)extruding

擡 2073
(抬) ㄊㄞˊ tái
to lift; to raise; to carry
擡頭(ㄊㄞˊ ㄊㄡˊ)①to raise one's head ②a bank's salutation for a client
擡高身價(ㄊㄞˊ ㄍㄠ ㄕㄣ ㄐㄧㄚˋ)to raise oneself in others' esteem
擡高物價(ㄊㄞˊ ㄍㄠ ㄨˋ ㄐㄧㄚˋ)to raise commodity prices
擡槓(ㄊㄞˊ ㄍㄤˋ)to argue for the sake of arguing
擡舉(ㄊㄞˊ ㄐㄩˇ)to do a good favor

擢 2074
ㄓㄨㄛˊ zhuó
1. to extract; to select 2. to promote; to raise (in rank)
擢升(ㄓㄨㄛˊ ㄕㄥ)to promote

擣 2075
(搗) ㄉㄠˇ dǎo
1. to pound; to beat 2. to attack 3. to harass; to disturb
擣米(ㄉㄠˇ ㄇㄧˇ)to hull rice in a mortar
擣藥(ㄉㄠˇ ㄧㄠˋ)to mix drugs by pounding in a mortar

擬 2076
ㄋㄧˇ nǐ
1. to plan; to intend 2. to draft 3. to imitate
擬定(ㄋㄧˇ ㄉㄧㄥˋ)to draft
擬稿(ㄋㄧˇ ㄍㄠˇ)to prepare manuscripts or write copies (for publication)
擬古(ㄋㄧˇ ㄍㄨˇ) to imitate classical models
擬人法(ㄋㄧˇ ㄖㄣˊ ㄈㄚˇ)(rhetoric) personification

擯 2077
ㄅㄧㄣˋ bìn
1. to expel; to oust; to get rid of; to discard 2. same as 儐—an usher
擯棄(ㄅㄧㄣˋ ㄑㄧˋ)to discard
擯斥(ㄅㄧㄣˋ ㄔˋ)to reject; to expel
擯除(ㄅㄧㄣˋ ㄔㄨˊ)to eliminate

擦 2078
ㄘㄚ cā
1. to wipe; to scrub; to polish 2. to spread on 3. to rub; to scratch 4. to brush; to shave
擦玻璃(ㄘㄚ ㄅㄛ ・ㄌㄧ)to wipe glass
擦皮鞋(ㄘㄚ ㄆㄧˊ ㄒㄧㄝˊ)to shine shoes
擦地板 (ㄘㄚ ㄉㄧˋ ㄅㄢˇ) to mop the floor
擦乾(ㄘㄚ ㄍㄢ)to wipe dry
擦乾淨(ㄘㄚ ㄍㄢ ・ㄐㄧㄥ)to wipe clean
擦汗(ㄘㄚ ㄏㄢˋ)to wipe off sweat
擦拭(ㄘㄚ ㄕˋ)to clean; to cleanse
擦身而過(ㄘㄚ ㄕㄣ ㄦˊ ㄍㄨㄛˋ)to brush past somebody
擦傷(ㄘㄚ ㄕㄤ)a scratch
擦子(ㄘㄚ ・ㄗ)a rubber; an eraser

擱 2079 ㄍㄜ gē
1. to lay; to leave; to put 2. to file 3. to delay
擱淺(ㄍㄜ ㄑㄧㄢˇ)to get stranded
擱下(ㄍㄜ ·ㄒㄧㄚ)to put aside
擱置(ㄍㄜ ㄓˋ)to shelve (a plan, etc.)

擭 2080 ㄏㄨㄛˋ huò
1. a trap; a snare 2. to catch; to seize

擤 2081 ㄒㄧㄥˇ xǐng
to blow (the nose)
擤鼻涕(ㄒㄧㄥˇ ㄅㄧˊ ㄊㄧˋ)to blow the nose

擰 2082 1. ㄋㄧㄥˊ níng
to twist; to pinch; to wring

擰 2082 2. ㄋㄧㄥˇ nǐng
1. to wrench; to twist 2. wrong; mistaken 3. to differ; to disagree

擰 2082 3. ㄋㄧㄥˋ nìng
determined; dogged; stubborn

擪 2083 ㄧㄝˋ yè
to press with a finger

十五畫

擲 2084 ㄓˊ zhí
to throw; to cast
擲標槍(ㄓˊ ㄅㄧㄠ ㄑㄧㄤ)(sports) ① javelin throw ② to throw the javelin
擲鐵餅(ㄓˊ ㄊㄧㄝˇ ㄅㄧㄥˇ)(sports) discus throw
擲鉛球(ㄓˊ ㄑㄧㄢ ㄑㄧㄡˊ)(sports) shot put
擲骰子(ㄓˊ ㄕㄞˇ ·ㄗ)to cast dice

擷 2085 ㄒㄧㄝˊ xié (又讀 ㄐㄧㄝˊ jié)
to pick; to collect; to gather
擷取精華(ㄒㄧㄝˊ ㄑㄩˇ ㄐㄧㄥ ㄏㄨㄚˊ)to pick the best

擴 2086 ㄎㄨㄛˋ kuò
to enlarge; to magnify; to expand; to extend
擴大(ㄎㄨㄛˋ ㄉㄚˋ)to magnify
擴建(ㄎㄨㄛˋ ㄐㄧㄢˋ) to extend (a factory, mine, etc.)
擴軍 (ㄎㄨㄛˋ ㄐㄩㄣ) armament expansion
擴展(ㄎㄨㄛˋ ㄓㄢˇ)to expand
擴張(ㄎㄨㄛˋ ㄓㄤ)to stretch
擴充(ㄎㄨㄛˋ ㄔㄨㄥ)to enlarge
擴散(ㄎㄨㄛˋ ㄙㄢˋ)① (physics) to diffuse ② to scatter about
擴音器(ㄎㄨㄛˋ ㄧㄣ ㄑㄧˋ)a megaphone

擺 2087 ㄅㄞˇ bǎi
1. to arrange; to display; to place; to put 2. to wave; to swing 3. a pendulum 4. to assume; to put on
擺佈 (ㄅㄞˇ ㄅㄨˋ) to manage or handle (a person)
擺平(ㄅㄞˇ ㄆㄧㄥˊ) to put down something securely
擺動(ㄅㄞˇ ㄉㄨㄥˋ)to flicker
擺攤兒(ㄅㄞˇ ㄊㄚ ㄦ)to set up a (vending) stand
擺脫(ㄅㄞˇ ㄊㄨㄛ) to shake off (a tailer)
擺弄(ㄅㄞˇ ㄋㄨㄥˋ)① to toy with ② to make fun of
擺闊 (ㄅㄞˇ ㄎㄨㄛˋ) to show off one's wealth
擺架子(ㄅㄞˇ ㄐㄧㄚˋ ·ㄗ)to be arrogant
擺酒席 (ㄅㄞˇ ㄐㄧㄡˇ ㄒㄧˊ) to give a banquet
擺設(ㄅㄞˇ ㄕㄜˋ)to furnish and decorate (a room)
擺烏龍(ㄅㄞˇ ㄨ ㄌㄨㄥˊ) to talk irresponsibly

擾 2088 ㄖㄠˇ rǎo
1. to disturb; to agitate; to harass; to trouble 2. to trespass on somebody's hospitality 3. disorder
擾亂(ㄖㄠˇ ㄌㄨㄢˋ)to disturb
擾亂治安(ㄖㄠˇ ㄌㄨㄢˋ ㄓˋ ㄢ)to disturb peace and order

擿 2089 ㄊㄧˋ tì
1. to instigate; to incite 2. to expose

擻 2090 ㄙㄡˇ sǒu
to shake; to quake

攄 2091 ㄕㄨ shū
to make known; to vent

攆 2092 ㄋㄧㄢˇ niǎn
1. to expel; to oust; to drive 2. to catch up
攆出去(ㄋㄧㄢˇ ㄔㄨ ·ㄑㄩ) to throw (someone) out
攆走(ㄋㄧㄢˇ ㄗㄡˇ)to dismiss

攀 2093 ㄆㄢ pān
1. to hold to; to climb; to hang on 2. to involve
攀附(ㄆㄢ ㄈㄨˋ)to hang on or to attach oneself to (power, glory, etc.)
攀登(ㄆㄢ ㄉㄥ)to climb; to scale
攀折(ㄆㄢ ㄓㄜˊ)to injure (a plant) by picking or breaking

十六畫

攏 2094 1. ㄌㄨㄥˇ lǒng
1. to gather; to collect 2. to lean 3. to approach; to reach 4. to add up; to sum up 5. to comb (hair)

〔手部〕

攏 2094
2. ㄌㄨㄥˊ lóng
a special fingering in playing the lute

十七畫

攔 2095
ㄌㄢˊ lán
to impede; to obstruct; to hinder; to block
攔路(ㄌㄢˊ ㄌㄨˋ)to block the way
攔截(ㄌㄢˊ ㄐㄧㄝˊ)to intercept
攔住(ㄌㄢˊ ·ㄓㄨ)to obstruct
攔車(ㄌㄢˊ ㄔㄜ)to stop a vehicle
攔阻(ㄌㄢˊ ㄗㄨˇ)to impede

攖 2096
ㄧㄥ yīng
1. to offend; to irritate 2. to disturb; to stir up

攘 2097
1. ㄖㄤˇ rǎng
confused; disorderly
攘攘(ㄖㄤˇ ㄖㄤˇ)in a state of confusion

攘 2097
2. ㄖㄤˊ ráng
1. to take by force 2. to eliminate; to repel; to resist 3. to shake
攘奪(ㄖㄤˊ ㄉㄨㄛˊ)to take by force
攘除(ㄖㄤˊ ㄔㄨˊ)to eliminate

攙 2098
ㄔㄢ chān
1. to lead (a person) by the hand 2. to mix; to blend
攙扶(ㄔㄢ ㄈㄨˊ) to lead (a person) by the hand
攙合 or 攙和(ㄔㄢ ㄏㄜˊ)to mix
攙雜(ㄔㄢ ㄗㄚˊ)to make impure

十八畫

攛 2099
ㄘㄨㄢ cuān
1. to throw; to fling 2. to urge; to persuade 3. to do in a hurry

攜 2100
(擕、携、攜) ㄒㄧㄝˊ xié
(讀音 ㄒㄧ xī)
1. to carry 2. to help
攜帶(ㄒㄧㄝˊ ㄉㄞˋ)to carry with oneself
攜眷(ㄒㄧㄝˊ ㄐㄩㄢˋ)to take one's family along
攜手(ㄒㄧㄝˊ ㄕㄡˇ)to cooperate

攝 2101
ㄕㄜˋ shè
1. to absorb 2. to take a photograph of 3. to regulate 4. to represent
攝護腺(ㄕㄜˋ ㄏㄨˋ ㄒㄧㄢˋ)the prostate
攝取(ㄕㄜˋ ㄑㄩˇ)to absorb
攝政(ㄕㄜˋ ㄓㄥˋ)to serve as regent
攝氏寒暑表(ㄕㄜˋ ㄕˋ ㄏㄢˊ ㄕㄨˇ ㄅㄧㄠˇ) a centigrade thermometer
攝影(ㄕㄜˋ ㄧㄥˇ)photography
攝影棚(ㄕㄜˋ ㄧㄥˇ ㄆㄥˊ) a (movie) studio
攝影機(ㄕㄜˋ ㄧㄥˇ ㄐㄧ)a camera

十九畫

攢 2102
1. ㄗㄢˇ zǎn
to hoard; to save; to accumulate
攢錢(ㄗㄢˇ ㄑㄧㄢˊ)to hoard money

攢 2102
2. ㄘㄨㄢˊ cuán
to bring together; to gather; to assemble
攢眉蹙額(ㄘㄨㄢˊ ㄇㄟˊ ㄘㄨˋ ㄜˊ)to knit the brows

攤 2103
ㄊㄢ tān
1. to spread; to open 2. to divide equally 3. a booth; a stall 4. a collection of liquid
攤牌(ㄊㄢ ㄆㄞˊ)a showdown
攤販(ㄊㄢ ㄈㄢˋ)a stallkeeper
攤開(ㄊㄢ ㄎㄞ)to spread out
攤還(ㄊㄢ ㄏㄨㄢˊ)to amortize
攤子(ㄊㄢ ·ㄗ)a stand; a stall
攤位(ㄊㄢ ㄨㄟˋ)a stall or booth (especially a fixed one in a market)

攞 2104
ㄌㄨㄛ luō
to tuck; to pull

攧 2105
ㄉㄧㄢ diān
to stumble; to fall

攣 2106
ㄌㄩㄢˊ luán
1. tangled; entwined 2. crooked 3. contraction
攣縮(ㄌㄨㄢˊ ㄙㄨㄛ)a spasm

二十畫

攩 2107
ㄉㄤˇ dǎng
1. to hinder; to block 2. a faction

攪 2108
1. ㄐㄧㄠˇ jiǎo
1. to stir; to mix 2. to disturb; to annoy
攪拌(ㄐㄧㄠˇ ㄅㄢˋ)to mix
攪拌器(ㄐㄧㄠˇ ㄅㄢˋ ㄑㄧˋ)a mixer
攪動(ㄐㄧㄠˇ ㄉㄨㄥˋ)to mix; to stir
攪亂(ㄐㄧㄠˇ ㄌㄨㄢˋ)to disturb
攪和(ㄐㄧㄠˇ ·ㄏㄜ)to confuse
攪局(ㄐㄧㄠˇ ㄐㄩˊ)to disturb

攪 2108
2. (搞) ㄍㄠˇ gǎo
to do; to manage; to handle

攫 2109
ㄐㄩㄝˊ jué
to seize; to take hold of; to snatch; to catch
攫取(ㄐㄩㄝˊ ㄑㄩˇ)to seize

攥 2110 (揝) ㄗㄨㄢˋ zuàn
to grasp; to grip; to clutch

二十一畫

攬 2111 (擥) ㄌㄢˇ lǎn
1. to be in full possession of 2. to take into one's arms 3. to make a selective collection of 4. to undertake 5. to grasp 6. to round up
攬鏡自照(ㄌㄢˇ ㄐㄧㄥˋ ㄗˋ ㄓㄠˋ)to hold a mirror to watch one's own reflection
攬權(ㄌㄢˇ ㄑㄩㄢˊ)to grasp full authority

二十二畫

攮 2112 ㄋㄤˇ nǎng
to thrust; to stab

支部 ㄓ zhī

支 2113 ㄓ zhī
1. to pay 2. to support 3. to put up 4. to raise 5. to put somebody off 6. a branch 7. a term for indicating amount or number 8. (textile) count 9. as in 地支, the Terrestrial Branches used in calculation with the Celestial Stems (天干)
支部(ㄓ ㄅㄨˋ)branch headquarters
支派(ㄓ ㄆㄞˋ)① a branch ② to send
支配(ㄓ ㄆㄟˋ)to dominate
支票(ㄓ ㄆㄧㄠˋ)a cheque or check
支票簿(ㄓ ㄆㄧㄠˋ ㄅㄨˋ)a checkbook
支付(ㄓ ㄈㄨˋ)to defray
支離破碎(ㄓ ㄌㄧˊ ㄆㄛˋ ㄙㄨㄟˋ) completely disintegrated
支流(ㄓ ㄌㄧㄡˊ)a tributary (of a river)
支架(ㄓ ㄐㄧㄚˋ)a support; a stand
支氣管(ㄓ ㄑㄧˋ ㄍㄨㄢˇ)bronchi
支氣管炎(ㄓ ㄑㄧˋ ㄍㄨㄢˇ ㄧㄢˊ)bronchitis
支線(ㄓ ㄒㄧㄢˋ)a branch line
支柱(ㄓ ㄓㄨˋ)a prop; a support
支持(ㄓ ㄔˊ)to support
支撐(ㄓ ㄔㄥ)to support
支出(ㄓ ㄔㄨ)expenditure
支使(ㄓ ㄕˇ)to order about
支吾其詞(ㄓ ˙ㄨ ㄑㄧˊ ㄘˊ)to speak ambiguously
支援(ㄓ ㄩㄢˊ)to aid; to support
支用(ㄓ ㄩㄥˋ)to disburse

八畫

攲 2114 ㄑㄧ qī
to incline; to lean; to slant

攴部 ㄆㄨ pū

二畫

收 2115 ㄕㄡ shōu
1. to gather; to collect 2. to contain 3. to receive 4. to end 5. to retrieve; to take back
收報機(ㄕㄡ ㄅㄠˋ ㄐㄧ) a telegraph receiver
收盤(ㄕㄡ ㄆㄢˊ)the closing quotation (of a stock) for the day
收票員(ㄕㄡ ㄆㄧㄠˋ ㄩㄢˊ)a ticket collector
收買(ㄕㄡ ㄇㄞˇ)① to bribe ② to win (people's hearts, etc. by less than honorable means)
收發(ㄕㄡ ㄈㄚ)to receive and send out (official papers, etc.)
收費(ㄕㄡ ㄈㄟˋ)to charge
收費站(ㄕㄡ ㄈㄟˋ ㄓㄢˋ)a toll station
收到(ㄕㄡ ㄉㄠˋ)to receive
收攤(ㄕㄡ ㄊㄢ)to pack up the stall
收聽(ㄕㄡ ㄊㄧㄥ)to listen to (the radio)
收留(ㄕㄡ ㄌㄧㄡˊ)to give shelter to
收斂(ㄕㄡ ㄌㄧㄢˇ)to become less flagrant in behavior
收錄(ㄕㄡ ㄌㄨˋ) to include (in a list, etc.)
收割(ㄕㄡ ㄍㄜ)to harvest
收購(ㄕㄡ ㄍㄡˋ)to buy up
收工(ㄕㄡ ㄍㄨㄥ) to end the day's work
收看(ㄕㄡ ㄎㄢˋ)to watch (television)
收款人(ㄕㄡ ㄎㄨㄢˇ ㄖㄣˊ)a payee
收款員(ㄕㄡ ㄎㄨㄢˇ ㄩㄢˊ)a receiving teller
收穫(ㄕㄡ ㄏㄨㄛˋ)①fruits (of efforts); gains ②to reap; to reward
收貨(ㄕㄡ ㄏㄨㄛˋ)to receive delivered goods
收貨人(ㄕㄡ ㄏㄨㄛˋ ㄖㄣˊ)a consignee
收回(ㄕㄡ ㄏㄨㄟˊ)to retrieve
收賄(ㄕㄡ ㄏㄨㄟˋ)bribery
收集(ㄕㄡ ㄐㄧˊ)to collect
收件人(ㄕㄡ ㄐㄧㄢˋ ㄖㄣˊ)a consignee
收據(ㄕㄡ ㄐㄩˋ)a receipt
收起(ㄕㄡ ㄑㄧˇ)to pack up
收訖(ㄕㄡ ㄑㄧˋ)received
收錢(ㄕㄡ ㄑㄧㄢˊ)to collect payments

〔支・攴部〕

〔攴部〕

收下(ㄕㄡ ·ㄒㄧㄚ)to receive
收支(ㄕㄡ ㄓ)income and expenditure
收場(ㄕㄡ ㄔㄤˇ)① the conclusion ② to end up
收成(ㄕㄡ ㄔㄥˊ)harvest
收拾(ㄕㄡ ·ㄕ)① to put (things) in order ② to manage
收入(ㄕㄡ ㄖㄨˋ)income
收容(ㄕㄡ ㄖㄨㄥˊ)to give shelter to
收藏(ㄕㄡ ㄘㄤˊ)to collect and keep
收藏家(ㄕㄡ ㄘㄤˊ ㄐㄧㄚ)a collector
收縮(ㄕㄡ ㄙㄨㄛ)to shrink
收押(ㄕㄡ ㄧㄚ)to detain
收音機(ㄕㄡ ㄧㄣ ㄐㄧ)a radio
收銀機(ㄕㄡ ㄧㄣˊ ㄐㄧ)a cash register
收養(ㄕㄡ ㄧㄤˇ)to adopt

三畫

攸 2116
ㄧㄡ yōu

1. distant 2. fast 3. same as 所—the place where 4. to concern
攸關(ㄧㄡ ㄍㄨㄢ)to concern(life, etc.)

改 2117
ㄍㄞˇ gǎi

1. to change; to transform; to convert; to alter; to modify 2. to correct 3. to revise 4. to switch over to
改版(ㄍㄞˇ ㄅㄢˇ)to make a revision
改編(ㄍㄞˇ ㄅㄧㄢ)(said of a movie, etc.) adapted from (a novel, etc.)
改變(ㄍㄞˇ ㄅㄧㄢˋ)to change; to alter
改變主意(ㄍㄞˇ ㄅㄧㄢˋ ㄓㄨˇ ㄧˋ) to change one's mind
改道(ㄍㄞˇ ㄉㄠˋ)to change one's route
改動(ㄍㄞˇ ㄉㄨㄥˋ)to change
改天(ㄍㄞˇ ㄊㄧㄢ)some other day
改良(ㄍㄞˇ ㄌㄧㄤˊ)to improve
改革(ㄍㄞˇ ㄍㄜˊ)to reform
改過(ㄍㄞˇ ㄍㄨㄛˋ)to correct one's mistakes
改過自新(ㄍㄞˇ ㄍㄨㄛˋ ㄗˋ ㄒㄧㄣ) to turn over a new leaf
改觀(ㄍㄞˇ ㄍㄨㄢ) to assume a new look
改行(ㄍㄞˇ ㄏㄤˊ)to change one's trade, profession or career
改換(ㄍㄞˇ ㄏㄨㄢˋ)to replace
改嫁(ㄍㄞˇ ㄐㄧㄚˋ)(said of a woman) to remarry
改建(ㄍㄞˇ ㄐㄧㄢˋ)to rebuild
改進(ㄍㄞˇ ㄐㄧㄣˋ)to improve
改期(ㄍㄞˇ ㄑㄧˊ)to postpone a scheduled event
改邪歸正(ㄍㄞˇ ㄒㄧㄝˊ ㄍㄨㄟ ㄓㄥˋ)to turn over a new leaf
改寫(ㄍㄞˇ ㄒㄧㄝˇ)to rewrite
改選(ㄍㄞˇ ㄒㄩㄢˇ) to hold a new election
改制(ㄍㄞˇ ㄓˋ)to change a system
改正(ㄍㄞˇ ㄓㄥˋ)to correct
改裝(ㄍㄞˇ ㄓㄨㄤ)to convert (a vehicle, etc.) for a new use; to refit
改朝換代(ㄍㄞˇ ㄔㄠˊ ㄏㄨㄢˋ ㄉㄞˋ)the change of regime
改善(ㄍㄞˇ ㄕㄢˋ)to improve
改日(ㄍㄞˇ ㄖˋ)some other time
改造(ㄍㄞˇ ㄗㄠˋ)to remodel
改組(ㄍㄞˇ ㄗㄨˇ)to reorganize
改作文(ㄍㄞˇ ㄗㄨㄛˋ ㄨㄣˊ)to correct compositions (for students)
改錯(ㄍㄞˇ ㄘㄨㄛˋ)to correct mistakes

攻 2118
ㄍㄨㄥ gōng

1. to attack 2. to accuse; to charge 3. to apply oneself to; to study
攻破(ㄍㄨㄥ ㄆㄛˋ)to breach
攻打(ㄍㄨㄥ ㄉㄚˇ)to attack
攻讀(ㄍㄨㄥ ㄉㄨˊ)to apply oneself diligently to study
攻擊(ㄍㄨㄥ ㄐㄧˊ)to attack
攻下(ㄍㄨㄥ ㄒㄧㄚˋ) to succeed in capturing (a city, etc.) by attack
攻陷 (ㄍㄨㄥ ㄒㄧㄢˋ) to succeed in capturing (a city, etc.)by attack
攻佔(ㄍㄨㄥ ㄓㄢˋ)to attack and occupy
攻勢(ㄍㄨㄥ ㄕˋ)the offensive
攻無不克(ㄍㄨㄥ ㄨˊ ㄅㄨˋ ㄎㄜˋ)all-conquering; invincible

四畫

放 2119
ㄈㄤˋ fàng

1. to release 2. to put; to place 3. to put in 4. to indulge
放榜(ㄈㄤˋ ㄅㄤˇ)to publish the result of a competitive examination
放屁(ㄈㄤˋ ㄆㄧˋ)① to let out gas ② Nonsense!
放馬後砲 (ㄈㄤˋ ㄇㄚˇ ㄏㄡˋ ㄆㄠˋ) to second-guess
放風箏(ㄈㄤˋ ㄈㄥ ㄓㄥ)to fly a kite
放大(ㄈㄤˋ ㄉㄚˋ)to magnify
放大鏡(ㄈㄤˋ ㄉㄚˋ ㄐㄧㄥˋ)a magnifying glass
放蕩(ㄈㄤˋ ㄉㄤˋ)debauched
放高利貸(ㄈㄤˋ ㄍㄠ ㄌㄧˋ ㄉㄞˋ)to lend money at high interest
放過(ㄈㄤˋ ㄍㄨㄛˋ)to let go
放開(ㄈㄤˋ ㄎㄞ) to loosen (a grasp, etc.)
放寬(ㄈㄤˋ ㄎㄨㄢ)to ease or relax (restrictions, etc.); to liberalize
放款(ㄈㄤˋ ㄎㄨㄢˇ)to loan
放火(ㄈㄤˋ ㄏㄨㄛˇ)to set fire
放假(ㄈㄤˋ ㄐㄧㄚˋ)to have or give a holiday or vacation
放棄(ㄈㄤˋ ㄑㄧˋ) to give up
放晴(ㄈㄤˋ ㄑㄧㄥˊ) (said of the weather)

to clear up
放下(ㄈㄤˋ ˙ㄒㄧㄚ)to put down
放心(ㄈㄤˋ ㄒㄧㄣ)to be free from anxiety
放學(ㄈㄤˋ ㄒㄩㄝˊ)to return home from school at the end of the day's classes
放置(ㄈㄤˋ ㄓˋ)to place
放逐(ㄈㄤˋ ㄓㄨˊ)to banish
放射(ㄈㄤˋ ㄕㄜˋ)to radiate
放射線(ㄈㄤˋ ㄕㄜˋ ㄒㄧㄢˋ)radioactive rays
放手(ㄈㄤˋ ㄕㄡˇ)①to let go ②to have a free hand
放手去做(ㄈㄤˋ ㄕㄡˇ ㄑㄩˋ ㄗㄨㄛˋ)to act without considering consequences
放生(ㄈㄤˋ ㄕㄥ)to free or release a captured animal (out of pity)
放聲大哭(ㄈㄤˋ ㄕㄥ ㄉㄚˋ ㄎㄨ)to cry loudly
放水(ㄈㄤˋ ㄕㄨㄟˇ)①to let water out ②to throw a game
放任(ㄈㄤˋ ㄖㄣˋ)to let (a person) do as he pleases
放走(ㄈㄤˋ ㄗㄡˇ)to let go
放縱(ㄈㄤˋ ㄗㄨㄥˋ) to dissipate; to indulge
放肆(ㄈㄤˋ ㄙˋ)to take liberties
放鬆(ㄈㄤˋ ㄙㄨㄥ)to relax
放眼(ㄈㄤˋ ㄧㄢˇ)to scan widely
放映 (ㄈㄤˋ ㄧㄥˋ) to project (on the screen); to show
放映室(ㄈㄤˋ ㄧㄥˋ ㄕˋ)a projection room

攽 2120
ㄅㄧㄣ bīn

1. to divide 2. to reduce

五畫

政 2121
ㄓㄥˋ zhèng

1. government 2. politics; political affairs 3. administration; management
政變(ㄓㄥˋ ㄅㄧㄢˋ)a coup
政府(ㄓㄥˋ ㄈㄨˇ)a government
政府機關(ㄓㄥˋ ㄈㄨˇ ㄐㄧ ㄍㄨㄢ)a government agency
政黨(ㄓㄥˋ ㄉㄤˇ)a political party
政體(ㄓㄥˋ ㄊㄧˇ)a polity
政令(ㄓㄥˋ ㄌㄧㄥˋ)a government order (or decree)
政論(ㄓㄥˋ ㄌㄨㄣˋ)articles, statements or comments about politics
政客(ㄓㄥˋ ㄎㄜˋ)a politician who places personal gain above public interests
政績(ㄓㄥˋ ㄐㄧ)administrative achievements
政界(ㄓㄥˋ ㄐㄧㄝˋ)political circles
政見(ㄓㄥˋ ㄐㄧㄢˋ)political views
政見發表會 (ㄓㄥˋ ㄐㄧㄢˋ ㄈㄚ ㄅㄧㄠˇ ㄏㄨㄟˋ)a show and tell
政局(ㄓㄥˋ ㄐㄩˊ) the political situation or scene
政權(ㄓㄥˋ ㄑㄩㄢˊ)regime
政治(ㄓㄥˋ ㄓˋ)politics
政治庇護(ㄓㄥˋ ㄓˋ ㄅㄧˋ ㄏㄨˋ)political asylum
政治犯(ㄓㄥˋ ㄓˋ ㄈㄢˋ) a political criminal
政治活動(ㄓㄥˋ ㄓˋ ㄏㄨㄛˊ ㄉㄨㄥˋ)political activities
政治家(ㄓㄥˋ ㄓˋ ㄐㄧㄚ)a statesman
政治學(ㄓㄥˋ ㄓˋ ㄒㄩㄝˊ)politics
政策(ㄓㄥˋ ㄘㄜˋ)a policy
政要(ㄓㄥˋ ㄧㄠˋ)government VIPs
政務(ㄓㄥˋ ㄨˋ)affairs of the government

故 2122
ㄍㄨˋ gù

1. former; past; antique; ancient 2. intentional; on purpose 3. cause; reason 4. to die 5. an incident; an event 6. hence; therefore 7. a friend; an acquaintance
故步自封(ㄍㄨˋ ㄅㄨˋ ㄗˋ ㄈㄥ)very conservative
故都(ㄍㄨˋ ㄉㄨ)a former capital
故態復萌(ㄍㄨˋ ㄊㄞˋ ㄈㄨˋ ㄇㄥˊ)The old (bad) attitude is back.
故弄玄虛(ㄍㄨˋ ㄋㄨㄥˋ ㄒㄩㄢˊ ㄒㄩ)to puzzle people intentionally
故里(ㄍㄨˋ ㄌㄧˇ)one's hometown
故國(ㄍㄨˋ ㄍㄨㄛˊ)① one's fatherland ② one's hometown
故宮博物院(ㄍㄨˋ ㄍㄨㄥ ㄅㄛˊ ㄨˋ ㄩㄢˋ) National Palace Museum
故伎(ㄍㄨˋ ㄐㄧˋ)old tactics
故交(ㄍㄨˋ ㄐㄧㄠ)or 故友(ㄍㄨˋ ㄧㄡˇ) an old friend
故居(ㄍㄨˋ ㄐㄩ)one's former residence
故鄉(ㄍㄨˋ ㄒㄧㄤ)one's hometown
故障(ㄍㄨˋ ㄓㄤˋ)a bug or breakdown (of a machine)
故事(ㄍㄨˋ ˙ㄕ)a story
故意(ㄍㄨˋ ㄧˋ)on purpose

六畫

效 2123
(効) ㄒㄧㄠˋ xiào

1. to imitate; to mimic 2. effect; efficacy 3. to devote 4. to offer
效命(ㄒㄧㄠˋ ㄇㄧㄥˋ)to pursue an end at the cost of one's life
效法(ㄒㄧㄠˋ ㄈㄚˇ)to take as a model; to imitate
效能(ㄒㄧㄠˋ ㄋㄥˊ)effect
效勞(ㄒㄧㄠˋ ㄌㄠˊ)to render service
效力(ㄒㄧㄠˋ ㄌㄧˋ)to render service
效率(ㄒㄧㄠˋ ㄌㄩˋ)efficiency
效果(ㄒㄧㄠˋ ㄍㄨㄛˇ)effect; result
效忠(ㄒㄧㄠˋ ㄓㄨㄥ)to be loyal to
效用(ㄒㄧㄠˋ ㄩㄥˋ)utility

敉 2124
ㄇㄧˇ mǐ

to stabilize; to quiet; to pacify; to soothe

〔攴部〕

敉平(ㄇㄧˇ ㄆㄧㄥˊ)to subjugate

七畫

敍 2125 (敘、叙) ㄒㄩˋ xù
1. to narrate; to describe 2. to chat 3. to arrange in order 4. to assess
敍別(ㄒㄩˋ ㄅㄧㄝˊ) to get together for talk before a separation
敍舊(ㄒㄩˋ ㄐㄧㄡˋ)to talk about the old days
敍事詩(ㄒㄩˋ ㄕˋ ㄕ)a narrative poem
敍事文(ㄒㄩˋ ㄕˋ ㄨㄣˊ)a narration
敍述(ㄒㄩˋ ㄕㄨˋ)to narrate
敍說(ㄒㄩˋ ㄕㄨㄛ)to tell; to narrate
敍言(ㄒㄩˋ ㄧㄢˊ)a perface

教 2126 1. ㄐㄧㄠˋ jiào
1. a religion 2. an order; a directive 3. to educate 4. to incite; to urge 5. to instruct; to advise 6. to have; to let
教派(ㄐㄧㄠˋ ㄆㄞˋ)religious sects
教法(ㄐㄧㄠˋ ㄈㄚˇ)teaching methods
教父(ㄐㄧㄠˋ ㄈㄨˋ)godfather
教導(ㄐㄧㄠˋ ㄉㄠˇ)to instruct
教堂(ㄐㄧㄠˋ ㄊㄤˊ)a church
教條(ㄐㄧㄠˋ ㄊㄧㄠˊ)a doctrine
教廷(ㄐㄧㄠˋ ㄊㄧㄥˊ)the Vatican
教徒(ㄐㄧㄠˋ ㄊㄨˊ)a (religious) believer or follower
教練(ㄐㄧㄠˋ ㄌㄧㄢˋ)a coach
教官(ㄐㄧㄠˋ ㄍㄨㄢ)a drillmaster
教科書(ㄐㄧㄠˋ ㄎㄜ ㄕㄨ)the textbook
教化(ㄐㄧㄠˋ ㄏㄨㄚˋ) to civilize the masses by education
教誨(ㄐㄧㄠˋ ㄏㄨㄟˋ) to teach and admonish
教會(ㄐㄧㄠˋ ㄏㄨㄟˋ)the church
教會學校(ㄐㄧㄠˋ ㄏㄨㄟˋ ㄒㄩㄝˊ ㄒㄧㄠˋ) a missionary school
教皇(ㄐㄧㄠˋ ㄏㄨㄤˊ)the Pope
教學(ㄐㄧㄠˋ ㄒㄩㄝˊ) ①instruction ② teaching and learning
教學法(ㄐㄧㄠˋ ㄒㄩㄝˊ ㄈㄚˇ)pedagogy
教訓(ㄐㄧㄠˋ ㄒㄩㄣˋ)a lesson
教職(ㄐㄧㄠˋ ㄓˊ) the occupation of teaching
教職員(ㄐㄧㄠˋ ㄓˊ ㄩㄢˊ)the teaching and administrative staff of a school
教師(ㄐㄧㄠˋ ㄕ)a teacher
教師節(ㄐㄧㄠˋ ㄕ ㄐㄧㄝˊ) Teacher's Day
教士(ㄐㄧㄠˋ ㄕˋ)a preacher
教室(ㄐㄧㄠˋ ㄕˋ)a classroom
教授(ㄐㄧㄠˋ ㄕㄡˋ)a professor
教材(ㄐㄧㄠˋ ㄘㄞˊ)teaching materials
教唆(ㄐㄧㄠˋ ㄙㄨㄛ)to instigate
教義(ㄐㄧㄠˋ ㄧˋ)a creed
教務處(ㄐㄧㄠˋ ㄨˋ ㄔㄨˋ)the office of the dean of studies
教育(ㄐㄧㄠˋ ㄩˋ)①to educate ②education
教育部(ㄐㄧㄠˋ ㄩˋ ㄅㄨˋ) Ministry of Education
教育部長(ㄐㄧㄠˋ ㄩˋ ㄅㄨˋ ㄓㄤˇ)a minister of education
教育費(ㄐㄧㄠˋ ㄩˋ ㄈㄟˋ)an education bill
教育方針(ㄐㄧㄠˋ ㄩˋ ㄈㄤ ㄓㄣ)a policy for education
教育基金(ㄐㄧㄠˋ ㄩˋ ㄐㄧ ㄐㄧㄣ)educational funds
教育界(ㄐㄧㄠˋ ㄩˋ ㄐㄧㄝˋ) educational circles
教育心理學 (ㄐㄧㄠˋ ㄩˋ ㄒㄧㄣ ㄌㄧˇ ㄒㄩㄝˊ)educational psychology
教育制度 (ㄐㄧㄠˋ ㄩˋ ㄓˋ ㄉㄨˋ) the educational system
教育程度(ㄐㄧㄠˋ ㄩˋ ㄔㄥˊ ㄉㄨˋ)educational attainments
教員(ㄐㄧㄠˋ ㄩㄢˊ)a teacher

教 2126 2. ㄐㄧㄠ jiāo
to teach; to guide
教法(ㄐㄧㄠ ㄈㄚˇ)teaching methods
教壞(ㄐㄧㄠ ㄏㄨㄞˋ)to misguide
教書(ㄐㄧㄠ ㄕㄨ)to teach

敏 2127 ㄇㄧㄣˇ mǐn
1. quick; smart; nimble; sensitive 2. diligent; earnest
敏感(ㄇㄧㄣˇ ㄍㄢˇ)sensitive
敏捷(ㄇㄧㄣˇ ㄐㄧㄝˊ)agile; quick
敏銳(ㄇㄧㄣˇ ㄖㄨㄟˋ)keen; sharp

救 2128 ㄐㄧㄡˋ jiù
to save; to relieve; to rescue; to aid; to help
救兵(ㄐㄧㄡˋ ㄅㄧㄥ)reinforcements
救命(ㄐㄧㄡˋ ㄇㄧㄥˋ)① to save one's life ② Help!
救命恩人(ㄐㄧㄡˋ ㄇㄧㄥˋ ㄣ ㄖㄣˊ)the savior of one's life
救護車(ㄐㄧㄡˋ ㄏㄨˋ ㄔㄜ)an ambulance
救活(ㄐㄧㄡˋ ㄏㄨㄛˊ)to resuscitate
救火(ㄐㄧㄡˋ ㄏㄨㄛˇ)① to try to extinguish a fire ② firefighting
救火隊(ㄐㄧㄡˋ ㄏㄨㄛˇ ㄉㄨㄟˋ)a fire brigade
救急(ㄐㄧㄡˋ ㄐㄧˊ)to apply first aid
救濟(ㄐㄧㄡˋ ㄐㄧˋ)to succor
救濟金(ㄐㄧㄡˋ ㄐㄧˋ ㄐㄧㄣ) relief funds
救濟院(ㄐㄧㄡˋ ㄐㄧˋ ㄩㄢˋ)a poorhouse
救星(ㄐㄧㄡˋ ㄒㄧㄥ)a savior
救助(ㄐㄧㄡˋ ㄓㄨˋ)to help (persons)
救世(ㄐㄧㄡˋ ㄕˋ)to save mankind
救世主(ㄐㄧㄡˋ ㄕˋ ㄓㄨˇ)the Savior
救生艇(ㄐㄧㄡˋ ㄕㄥ ㄊㄧㄥˇ)a lifeboat
救生圈(ㄐㄧㄡˋ ㄕㄥ ㄑㄩㄢ)a life buoy

救生衣(ㄐㄧㄡˋ ㄕㄥ ㄧ)a life jacket
救生員(ㄐㄧㄡˋ ㄕㄥ ㄩㄢˊ)a lifeguard
救災(ㄐㄧㄡˋ ㄗㄞ)to relieve victims of a disaster
救援(ㄐㄧㄡˋ ㄩㄢˊ)to help or aid (the distressed)
救援投手(ㄐㄧㄡˋ ㄩㄢˊ ㄊㄡˊ ㄕㄡˇ)(baseball) a relief pitcher

敕 2129
(勅) ㄔˋ chì
1. an imperial order 2. cautious 3. to warn
敕令(ㄔˋ ㄌㄧㄥˋ)a rescript
敕書(ㄔˋ ㄕㄨ)an imperial letter

敖 2130
1. ㄠˊ áo
leisurely; idle
敖遊(ㄠˊ ㄧㄡˊ)to travel or wander idly

敖 2130
2. (傲) ㄠˋ ào
1. proud; haughty 2. to make fun of

敗 2131
ㄅㄞˋ bài
1. to defeat or be defeated; to fail 2. to decline; to decay 3. to spoil or be spoiled
敗北(ㄅㄞˋ ㄅㄟˇ)to suffer defeat
敗筆(ㄅㄞˋ ㄅㄧˇ)a faulty expression in writing
敗敵(ㄅㄞˋ ㄉㄧˊ)to defeat the enemy
敗類(ㄅㄞˋ ㄌㄟˋ)the dregs of society
敗露(ㄅㄞˋ ㄌㄨˋ)(said of a crime, plot, etc.) to fail and be exposed
敗壞(ㄅㄞˋ ㄏㄨㄞˋ)to ruin or be ruined
敗績(ㄅㄞˋ ㄐㄧ)a defeat
敗家子(ㄅㄞˋ ㄐㄧㄚ ㄗˇ)a wastrel
敗興而歸(ㄅㄞˋ ㄒㄧㄥˋ ㄦˊ ㄍㄨㄟ)to come back disappointed

敔 2132
ㄩˇ yǔ
an ancient musical instrument

八畫

敝 2133
ㄅㄧˋ bì
1. broken; tattered 2. exhausted 3. (a self-depreciatory term) my, or our
敝屣(ㄅㄧˋ ㄒㄧˇ)worn-out shoes—useless things
敝帚自珍(ㄅㄧˋ ㄓㄡˇ ㄗˋ ㄓㄣ)Everyone values things of his own.

敞 2134
ㄔㄤˇ chǎng
1. open; uncovered 2. spacious; broad
敞篷車(ㄔㄤˇ ㄆㄥˊ ㄔㄜ)an open coach
敞開(ㄔㄤˇ ㄎㄞ)to open; to unfold

敠 2135
ㄉㄨㄛˊ duó
1. to weigh (a thing) in the hand 2. to weigh and consider (a matter)

敢 2136
ㄍㄢˇ gǎn
1. to dare 2. to be sure 3. courageous 4. to venture
敢情(ㄍㄢˇ ˙ㄑㄧㄥ)①of course ②originally
敢死隊(ㄍㄢˇ ㄙˇ ㄉㄨㄟˋ)a suicide squad
敢問(ㄍㄢˇ ㄨㄣˋ)I venture to ask....
敢於(ㄍㄢˇ ㄩˊ)to dare to

散 2137
1. ㄙㄢˋ sàn
1. to scatter 2. to end; to be over 3. to disseminate
散播(ㄙㄢˋ ㄅㄛˋ)to disseminate
散佈(ㄙㄢˋ ㄅㄨˋ)①to scatter ②to spread
散步(ㄙㄢˋ ㄅㄨˋ)to take a walk
散漫(ㄙㄢˋ ㄇㄢˋ)disorganized
散發(ㄙㄢˋ ㄈㄚ)① to send out ② to distribute; to issue
散落(ㄙㄢˋ ㄌㄨㄛˋ)to be scattered
散亂(ㄙㄢˋ ㄌㄨㄢˋ)in disorder
散開(ㄙㄢˋ ㄎㄞ)to disperse
散心(ㄙㄢˋ ㄒㄧㄣ)to have some recreation
散場(ㄙㄢˋ ㄔㄤˇ)(said of a show, a meeting, etc.) to be over
散熱(ㄙㄢˋ ㄖㄜˋ)to dissipate heat
散熱器(ㄙㄢˋ ㄖㄜˋ ㄑㄧˋ)a radiator

散 2137
2. ㄙㄢˇ sǎn
1. loose; loosened 2. idle; leisurely 3. powdered medicine
散彈(ㄙㄢˇ ㄉㄢˋ)a grapeshot; a pellet
散記(ㄙㄢˇ ㄐㄧˋ)random notes
散裝(ㄙㄢˇ ㄓㄨㄤ)loose; bulk
散文(ㄙㄢˇ ㄨㄣˊ)prose

敦 2138
1. ㄉㄨㄣ dūn
1. honest; sincere 2. to deepen (relations, etc.) 3. to urge; to press
敦聘(ㄉㄨㄣ ㄆㄧㄣˋ)to cordially invite
敦睦(ㄉㄨㄣ ㄇㄨˋ)to have cordial and friendly ties
敦厚(ㄉㄨㄣ ㄏㄡˋ)sincere
敦請(ㄉㄨㄣ ㄑㄧㄥˇ)to invite cordially
敦促(ㄉㄨㄣ ㄘㄨˋ)to urge earnestly

敦 2138
2. ㄉㄨㄟˋ duì
a sort of container

九畫

敬 2139
ㄐㄧㄥˋ jìng
1. to respect; to esteem 2. to offer
敬陪末座(ㄐㄧㄥˋ ㄆㄟˊ ㄇㄛˋ ㄗㄨㄛˋ)to sit below the salt
敬佩(ㄐㄧㄥˋ ㄆㄟˋ)to admire

〔攴部〕

敬奉(ㄐㄧㄥˋ ㄈㄥˋ)①to receive respectfully ②to present (or offer) respectfully
敬老尊賢(ㄐㄧㄥˋ ㄌㄠˇ ㄗㄨㄣ ㄒㄧㄢˊ)to revere the aged and honor the wise and honor
敬禮(ㄐㄧㄥˋ ㄌㄧˇ)to salute
敬告(ㄐㄧㄥˋ ㄍㄠˋ)to tell respectfully
敬賀(ㄐㄧㄥˋ ㄏㄜˋ)to congratulate with respect
敬候(ㄐㄧㄥˋ ㄏㄡˋ)to await respectfully
敬酒(ㄐㄧㄥˋ ㄐㄧㄡˇ)to toast
敬請指教(ㄐㄧㄥˋ ㄑㄧㄥˇ ㄓˇ ㄐㄧㄠˋ) I humbly request your advice.
敬謝不敏(ㄐㄧㄥˋ ㄒㄧㄝˋ ㄅㄨˋ ㄇㄧㄣˇ)to decline a request politely
敬稱(ㄐㄧㄥˋ ㄔㄥ)an honorific appellation
敬呈 (ㄐㄧㄥˋ ㄔㄥˊ) to present with respect
敬贈(ㄐㄧㄥˋ ㄗㄥˋ)to present respectfully
敬愛(ㄐㄧㄥˋ ㄞˋ)to respect and love
敬意(ㄐㄧㄥˋ ㄧˋ)respects; regards
敬業樂羣(ㄐㄧㄥˋ ㄧㄝˋ ㄧㄠˋ ㄑㄩㄣˊ)to respect work and enjoy company
敬仰(ㄐㄧㄥˋ ㄧㄤˇ)to esteem
敬畏(ㄐㄧㄥˋ ㄨㄟˋ)to venerate

十畫

敲 2140
ㄑㄧㄠ qiāo

1. to rap; to strike; to beat; to knock 2. as in 敲扑—a truncheon 3. to blackmail; to overcharge
敲破(ㄑㄧㄠ ㄆㄛˋ)to smash
敲門(ㄑㄧㄠ ㄇㄣˊ)to knock at the door
敲打(ㄑㄧㄠ ㄉㄚˇ)to knock; to beat
敲鑼(ㄑㄧㄠ ㄌㄨㄛˊ)to beat a gong
敲擊(ㄑㄧㄠ ㄐㄧˊ)to beat; to knock
敲敲打打(ㄑㄧㄠ ·ㄑㄧㄠ ㄉㄚˇ ㄉㄚˇ)to beat drums, gongs, etc. continually
敲詐(ㄑㄧㄠ ㄓㄚˋ)to blackmail
敲竹槓(ㄑㄧㄠ ㄓㄨˊ ㄍㄤˋ)to fleece
敲鐘(ㄑㄧㄠ ㄓㄨㄥ)to toll a bell
敲碎(ㄑㄧㄠ ㄙㄨㄟˋ)to knock or beat to pieces

十一畫

敵 2141
ㄉㄧˊ dí

1. an enemy 2. to resist 3. to match; to equal
敵對(ㄉㄧˊ ㄉㄨㄟˋ)to turn against
敵機(ㄉㄧˊ ㄐㄧ)an enemy plane
敵艦(ㄉㄧˊ ㄐㄧㄢˋ)an enemy warship
敵軍(ㄉㄧˊ ㄐㄩㄣ)enemy troops
敵情(ㄉㄧˊ ㄑㄧㄥˊ)the enemy's situation
敵視(ㄉㄧˊ ㄕˋ)to regard with hostility
敵手(ㄉㄧˊ ㄕㄡˇ)an opponent of equal strength
敵人(ㄉㄧˊ ㄖㄣˊ)an enemy; a foe
敵意(ㄉㄧˊ ㄧˋ)hostility

敷 2142
ㄈㄨ fū

1. to apply or spread over (a surface); to paint 2. to suffice; to be enough 3. to state; to explain
敷藥(ㄈㄨ ㄧㄠˋ)to salve
敷衍(ㄈㄨ ㄧㄢˇ)①to act in a perfunctory manner ②to deal with a person insincerely

數 2143
1. ㄕㄨˋ shù

1. number; amount 2. (mathematics) numbers 3. several; a few 4. a plan; an idea 5. destiny 6. art
數目(ㄕㄨˋ ㄇㄨˋ)number; sum
數量(ㄕㄨˋ ㄌㄧㄤˋ)quantity; amount
數據(ㄕㄨˋ ㄐㄩˋ)data
數學(ㄕㄨˋ ㄒㄩㄝˊ)mathematics
數字(ㄕㄨˋ ㄗˋ)a figure; a digit
數額(ㄕㄨˋ ㄜˊ)amount; sum

數 2143
2. ㄕㄨˇ shǔ

1. to count; to enumerate 2. to count (as best, etc.)
數不淸(ㄕㄨˇ ·ㄅㄨ ㄑㄧㄥ)countless
數典忘祖 (ㄕㄨˇ ㄉㄧㄢˇ ㄨㄤˋ ㄗㄨˇ) ungrateful
數落(ㄕㄨˇ ·ㄌㄨㄛ)to blame
數錢(ㄕㄨˇ ㄑㄧㄢˊ)to count money
數數兒(ㄕㄨˇ ㄕㄨˋㄦ)to count
數一數二(ㄕㄨˇ ㄧ ㄕㄨˇ ㄦˋ)one of the best

數 2143
3. ㄕㄨㄛˋ shuò

often; frequently

敺 2144
1. (驅) ㄑㄩ qū

to drive away; to expel

敺 2144
2. (毆) ㄡ ōu

to beat; to assault physically

十二畫

整 2145
ㄓㄥˇ zhěng

1. orderly; neat; tidy 2. sharp 3. whole; entire 4. to adjust; to arrange
整批(ㄓㄥˇ ㄆㄧ)batch
整頓(ㄓㄥˇ ㄉㄨㄣˋ) to put to right a poorly managed organization, firm, etc.
整套(ㄓㄥˇ ㄊㄠˋ)the whole set
整體(ㄓㄥˇ ㄊㄧˇ)the whole
整體規劃(ㄓㄥˇ ㄊㄧˇ ㄍㄨㄟ ㄏㄨㄚˋ)corporate planning

整天(ㄓㄥˇ ㄊㄧㄢ)all day long
整理(ㄓㄥˇ ㄌㄧˇ)to put in order
整流器(ㄓㄥˇ ㄌㄧㄡˊ ㄑㄧˋ)(physics) ①a rectifier ②a commutator
整個(兒)(ㄓㄥˇ ㄍㄜˋ(ㄦ))entirely
整合(ㄓㄥˇ ㄏㄜˊ)(geology) conformity
整潔(ㄓㄥˇ ㄐㄧㄝˊ)neat and clean
整齊(ㄓㄥˇ ㄑㄧˊ)neat; tidy
整齊劃一(ㄓㄥˇ ㄑㄧˊ ㄏㄨㄚˋ ㄧ)neat and uniform
整修(ㄓㄥˇ ㄒㄧㄡ)to rebuild
整形(ㄓㄥˇ ㄒㄧㄥˊ)orthopedics
整形手術(ㄓㄥˇ ㄒㄧㄥˊ ㄕㄡˇ ㄕㄨˋ)plastic operation
整治(ㄓㄥˇ ㄓˋ)to adjust and repair
整裝(ㄓㄥˇ ㄓㄨㄤ)to dress up
整飭(ㄓㄥˇ ㄔˋ) ①orderly ②to set to order
整除(ㄓㄥˇ ㄔㄨˊ)to divide exactly
整數(ㄓㄥˇ ㄕㄨˋ)an integer
整日(ㄓㄥˇ ㄖˋ)all day long
整人(ㄓㄥˇ ㄖㄣˊ)to fix somebody
整容(ㄓㄥˇ ㄖㄨㄥˊ)to improve one's looks by plastic surgery
整容醫生(ㄓㄥˇ ㄖㄨㄥˊ ㄧ ㄕㄥ)a plastic surgeon
整夜(ㄓㄥˇ ㄧㄝˋ)the whole night

十三畫

斁 2146
1. ㄧˋ yì
to dislike; to be tired; to be weary of

斁 2146
2. ㄉㄨˋ dù
to corrupt; to spoil

斂 2147
ㄌㄧㄢˋ liàn
1. to contract 2. to restrain 3. to collect
斂財(ㄌㄧㄢˋ ㄘㄞˊ)to collect wealth illegally or immorally

十四畫

斃 2148
ㄅㄧˋ bì
1. decline; destruction 2. to fall; to prostrate 3. dead 4. to shoot
斃命(ㄅㄧˋ ㄇㄧㄥˋ)to get killed

十六畫

斆 2149
ㄒㄧㄠˋ xiào
1. to teach 2. to be awakened; to realize

文部 ㄨㄣˊ wén

文 2150
1. ㄨㄣˊ wén
1. a composition 2. language 3. literature 4. elegant; polite 5. civilian or civil (as opposed to military)
文筆(ㄨㄣˊ ㄅㄧˇ)literary talent
文憑(ㄨㄣˊ ㄆㄧㄥˊ)a diploma
文盲(ㄨㄣˊ ㄇㄤˊ)an illiterate
文明(ㄨㄣˊ ㄇㄧㄥˊ)civilization
文旦(ㄨㄣˊ ㄉㄢˋ)a shaddock
文牘(ㄨㄣˊ ㄉㄨˊ)documents
文壇(ㄨㄣˊ ㄊㄢˊ)the literary circles
文體(ㄨㄣˊ ㄊㄧˇ)literary style
文稿(ㄨㄣˊ ㄍㄠˇ)a manuscript
文告(ㄨㄣˊ ㄍㄠˋ)a public notice
文豪(ㄨㄣˊ ㄏㄠˊ)a great writer
文化(ㄨㄣˊ ㄏㄨㄚˋ)culture; civilization
文化交流(ㄨㄣˊ ㄏㄨㄚˋ ㄐㄧㄠ ㄌㄧㄡˊ) cultural exchange
文化事業(ㄨㄣˊ ㄏㄨㄚˋ ㄕˋ ㄧㄝˋ)cultural enterprises
文火(ㄨㄣˊ ㄏㄨㄛˇ)a slow fire (in cooking)
文件(ㄨㄣˊ ㄐㄧㄢˋ)documents
文靜(ㄨㄣˊ ㄐㄧㄥˋ)gracefully quiet
文具(ㄨㄣˊ ㄐㄩˋ)stationery
文獻(ㄨㄣˊ ㄒㄧㄢˋ)records
文學(ㄨㄣˊ ㄒㄩㄝˊ)literature
文學批評(ㄨㄣˊ ㄒㄩㄝˊ ㄆㄧ ㄆㄧㄥˊ) literary criticism
文學作品(ㄨㄣˊ ㄒㄩㄝˊ ㄗㄨㄛˋ ㄆㄧㄣˇ) literary works
文學院(ㄨㄣˊ ㄒㄩㄝˊ ㄩㄢˋ)a college of liberal arts
文選(ㄨㄣˊ ㄒㄩㄢˇ)an anthology
文職(ㄨㄣˊ ㄓˊ)a civil post
文質彬彬(ㄨㄣˊ ㄓˊ ㄅㄧㄣ ㄅㄧㄣ)elegant and refined in manner
文摘(ㄨㄣˊ ㄓㄞ)a digest
文章(ㄨㄣˊ ㄓㄤ)a composition
文抄公(ㄨㄣˊ ㄔㄠ ㄍㄨㄥ)a plagiarist
文書(ㄨㄣˊ ㄕㄨ)①documents ② an office clerk
文人(ㄨㄣˊ ㄖㄣˊ)a man with a civilian background
文字(ㄨㄣˊ ㄗˋ)a letter; a character
文字學(ㄨㄣˊ ㄗˋ ㄒㄩㄝˊ)etymology
文字處理機(ㄨㄣˊ ㄗˋ ㄔㄨˇ ㄌㄧˇ ㄐㄧ)a word processor
文字獄(ㄨㄣˊ ㄗˋ ㄩˋ)literary persecution
文辭(ㄨㄣˊ ㄘˊ)phraseology
文案(ㄨㄣˊ ㄢˋ)a business communication which requires some action
文藝(ㄨㄣˊ ㄧˋ)literature (as one of the fine arts); belles-lettres
文藝復興(ㄨㄣˊ ㄧˋ ㄈㄨˋ ㄒㄧㄥ)the Renaissance
文雅(ㄨㄣˊ ㄧㄚˇ)graceful; refined; polished
文言(文)(ㄨㄣˊ ㄧㄢˊ (ㄨㄣˊ))classical

〔文部〕

Chinese
文物(ㄨㄣˊ ㄨˋ)cultural artifacts
文物制度(ㄨㄣˊ ㄨˋ ㄓˋ ㄉㄨˋ)cultural products and social institutions

〔斗部〕

文 2150
2. ㄨㄣˋ wèn
to cover up; to conceal; to gloss over
文過飾非(ㄨㄣˋ ㄍㄨㄛˋ ㄕˋ ㄈㄟ)to cover up one's fault by clever use of words in writing

八畫

斌 2151
ㄅㄧㄣ bīn
equally fine in external accomplishments and internal qualities

斐 2152
ㄈㄟˇ fěi
1. elegant; beautiful 2. a Chinese family name
斐然成章(ㄈㄟˇ ㄖㄢˊ ㄔㄥˊ ㄓㄤ)beautifully composed

斑 2153
ㄅㄢ bān
1. speckles; spots; mottles 2. mottled; variegated; motley
斑白(ㄅㄢ ㄅㄛˊ)(said of hair) gray
斑駁(ㄅㄢ ㄅㄛˊ)motley (in color)
斑馬(ㄅㄢ ㄇㄚˇ)a zebra
斑馬線(ㄅㄢ ㄇㄚˇ ㄒㄧㄢˋ)a zebra crossing
斑點(ㄅㄢ ㄉㄧㄢˇ)specks; spots
斑鳩(ㄅㄢ ㄐㄧㄡ)the ringdove
斑疹(ㄅㄢ ㄓㄣˇ)maculae
斑紋(ㄅㄢ ㄨㄣˊ)stripes; striped

九畫

斒 2154
ㄅㄢ bān
1. variegated; motley 2. gorgeous; resplendent

十七畫

斕 2155
ㄌㄢˊ lán
multicolored

斗部
ㄉㄡˇ dǒu

斗 2156
ㄉㄡˇ dǒu
1. Chinese peck (a unit of dry measure for grain) 2. a large container for wine 3. one of the 28 constellations
斗篷(ㄉㄡˇ ·ㄆㄥ)a cape
斗膽(ㄉㄡˇ ㄉㄢˇ)to make bold
斗笠(ㄉㄡˇ ㄌㄧˋ)a broad-brimmed rain hat (usually worn by farmers)
斗量(ㄉㄡˇ ㄌㄧㄤˊ)to measure with a peck

六畫

料 2157
ㄌㄧㄠˋ liào
1. to reckon; to estimate 2. to infer; to anticipate 3. to consider; to calculate 4. to handle 5. material 6. makings; stuff
料到(ㄌㄧㄠˋ ㄉㄠˋ)to foresee
料理(ㄌㄧㄠˋ ㄌㄧˇ)to manage
料想(ㄌㄧㄠˋ ㄒㄧㄤˇ)to expect
料中(ㄌㄧㄠˋ ㄓㄨㄥˋ)to guess correctly
料子(ㄌㄧㄠˋ ·ㄗ)cloth; material

七畫

斛 2158
ㄏㄨˊ hú
a dry measure 10 or 5 times that of 斗

斜 2159
ㄒㄧㄝˊ xié
inclined; sloping; slanting; leaning; diagonal
斜坡(ㄒㄧㄝˊ ㄆㄛ)a slope
斜度(ㄒㄧㄝˊ ㄉㄨˋ)gradient
斜體字(ㄒㄧㄝˊ ㄊㄧˇ ㄗˋ)italics
斜線(ㄒㄧㄝˊ ㄒㄧㄢˋ)an oblique line
斜視(ㄒㄧㄝˊ ㄕˋ)①strabismus; squint ② to look askance
斜眼(ㄒㄧㄝˊ ㄧㄢˇ)(medicine) strabismus
斜陽(ㄒㄧㄝˊ ㄧㄤˊ)the setting sun
斜紋布(ㄒㄧㄝˊ ㄨㄣˊ ㄅㄨˋ)(textile) twill; drill

八畫

斝 2160
ㄐㄧㄚˇ jiǎ
(archeology) a jade wine cup

九畫

斟 2161
ㄓㄣ zhēn
1. to fill a cup with (tea or wine) 2. to consider
斟酒(ㄓㄣ ㄐㄧㄡˇ)to pour wine or liquor into a cup or glass
斟酌(ㄓㄣ ㄓㄨㄛˊ)to consider

十畫

斡 2162
ㄨㄛˋ wò
to revolve; to turn; to rotate
斡旋(ㄨㄛˋ ㄒㄩㄢˊ)to mediate

斠 2163
ㄐㄧㄠˋ jiào
a leveling stick (used for measuring the volume of grain, etc.)

斤部
ㄐㄧㄣ jīn

斤 2164
ㄐㄧㄣ jīn
1. catty 2. an ax 3. discerning
斤兩(ㄐㄧㄣ ㄌㄧㄤˇ)weight
斤斤計較(ㄐㄧㄣ ㄐㄧㄣ ㄐㄧˋ ㄐㄧㄠˋ)to be calculating

一畫

斥 2165
ㄔˋ chì
1. to accuse; to blame 2. to expel; to banish 3. to survey; to observe
斥罵(ㄔˋ ㄇㄚˋ)to scold
斥喝(ㄔˋ ㄏㄜˋ)to scold
斥責(ㄔˋ ㄗㄜˊ)to reprimand

四畫

斧 2166
ㄈㄨˇ fǔ
1. a hatchet; an ax 2. to chop; to cut; 3. to trim
斧頭(ㄈㄨˇ ·ㄊㄡ)an ax(e)

五畫

斫 2167
ㄓㄨㄛˊ zhuó
to chop or cut (wood)

七畫

斬 2168
ㄓㄢˇ zhǎn
1. to cut 2. to kill; to behead
斬釘截鐵(ㄓㄢˇ ㄉㄧㄥ ㄐㄧㄝˊ ㄊㄧㄝˇ)to act with determination and courage
斬新(ㄓㄢˇ ㄒㄧㄣ)brand-new
斬首(ㄓㄢˇ ㄕㄡˇ)to behead
斬草除根(ㄓㄢˇ ㄘㄠˇ ㄔㄨˊ ㄍㄣ)to eliminate the cause of trouble completely

八畫

斲 2169
ㄓㄨㄛˊ zhuó
to cut; to pare

斯 2170
ㄙ sī
1. this; these; such; here 2. a connecting particle—then; thus 3. to tear
斯磨(ㄙ ㄇㄛˊ)to grind
斯文(ㄙ ·ㄨㄣ)cultured; elegant

九畫

新 2171
ㄒㄧㄣ xīn
1. new; fresh 2. beginning 3. modern; recent 4. the prefix "neo"
新版(ㄒㄧㄣ ㄅㄢˇ)the new edition
新編(ㄒㄧㄣ ㄅㄧㄢ)a new version
新兵(ㄒㄧㄣ ㄅㄧㄥ)recruits
新發明(ㄒㄧㄣ ㄈㄚ ㄇㄧㄥˊ)a new invention
新房(ㄒㄧㄣ ㄈㄤˊ)①a bridal chamber② a new house
新臺幣(ㄒㄧㄣ ㄊㄞˊ ㄅㄧˋ)New Taiwan Dollar (NT$)
新年(ㄒㄧㄣ ㄋㄧㄢˊ)New Year
新娘(ㄒㄧㄣ ㄋㄧㄤˊ)a bride
新郎(ㄒㄧㄣ ㄌㄤˊ)a bridegroom
新貴(ㄒㄧㄣ ㄍㄨㄟˋ)a new VIP
新婚(ㄒㄧㄣ ㄏㄨㄣ)newly married
新紀元(ㄒㄧㄣ ㄐㄧˋ ㄩㄢˊ)a new era
新加坡(ㄒㄧㄣ ㄐㄧㄚ ㄆㄛ)Singapore
新近(ㄒㄧㄣ ㄐㄧㄣˋ)recently
新進(人員)(ㄒㄧㄣ ㄐㄧㄣˋ (ㄖㄣˊ ㄩㄢˊ)) new employees of an organization
新居(ㄒㄧㄣ ㄐㄩ)a new residence
新奇(ㄒㄧㄣ ㄑㄧˊ)novel; new
新氣象(ㄒㄧㄣ ㄑㄧˋ ㄒㄧㄤˋ)a pervasive new spirit
新鮮(ㄒㄧㄣ ·ㄒㄧㄢ)① fresh ② new
新興(ㄒㄧㄣ ㄒㄧㄥ)newly risen
新型(ㄒㄧㄣ ㄒㄧㄥˊ)a new type
新潮流(ㄒㄧㄣ ㄔㄠˊ ㄌㄧㄡˊ)a new trend
新陳代謝(ㄒㄧㄣ ㄔㄣˊ ㄉㄞˋ ㄒㄧㄝˋ) (biology) metabolism
新出土(ㄒㄧㄣ ㄔㄨ ㄊㄨˇ)newly dug out or unearthed
新出爐(ㄒㄧㄣ ㄔㄨ ㄌㄨˊ)newly produced
新式(ㄒㄧㄣ ㄕˋ)of a new style
新手(ㄒㄧㄣ ㄕㄡˇ)a greenhorn
新生(ㄒㄧㄣ ㄕㄥ)① newborn ② a new student ③ a new life; regeneration
新生地(ㄒㄧㄣ ㄕㄥ ㄉㄧˋ)tidal land
新人(ㄒㄧㄣ ㄖㄣˊ)new employees
新任(ㄒㄧㄣ ㄖㄣˋ)newly appointed
新英格蘭(ㄒㄧㄣ ㄧㄥ ㄍㄜˊ ㄌㄢˊ)New England
新穎(ㄒㄧㄣ ㄧㄥˇ)novel; new
新聞(ㄒㄧㄣ ㄨㄣˊ)news
新聞媒體(ㄒㄧㄣ ㄨㄣˊ ㄇㄟˊ ㄊㄧˇ)news media
新聞稿(ㄒㄧㄣ ㄨㄣˊ ㄍㄠˇ)a press release
新聞廣播(ㄒㄧㄣ ㄨㄣˊ ㄍㄨㄤˇ ㄅㄛ)a news broadcast; a newscast
新聞記者(ㄒㄧㄣ ㄨㄣˊ ㄐㄧˋ ㄓㄜˇ)a journalist
新聞人物(ㄒㄧㄣ ㄨㄣˊ ㄖㄣˊ ㄨˋ)people in the news
新聞自由(ㄒㄧㄣ ㄨㄣˊ ㄗˋ ㄧㄡˊ)freedom of the press
新約全書(ㄒㄧㄣ ㄩㄝ ㄑㄩㄢˊ ㄕㄨ)the

〔斤部〕

New Testament
新月(ㄒㄧㄣ ㄩㄝˋ)a crescent moon

十一畫

〔方部〕

斲 2172 (斵) ㄓㄨㄛˊ zhuó
to chop; to hew

十四畫

斷 2173 ㄉㄨㄢˋ duàn
1. to cut apart 2. to give up 3. to judge; to decide 4. to break; broken 5. absolutely; certainly
斷編殘簡(ㄉㄨㄢˋ ㄅㄧㄢ ㄘㄢˊ ㄐㄧㄢˇ) fragmentary works (of a writer)
斷電(ㄉㄨㄢˋ ㄉㄧㄢˋ)a blackout
斷定(ㄉㄨㄢˋ ㄉㄧㄥˋ)to conclude
斷斷續續(ㄉㄨㄢˋ ㄉㄨㄢˋ ㄒㄩˋ ㄒㄩˋ) intermittent
斷頭臺(ㄉㄨㄢˋ ㄊㄡˊ ㄊㄞˊ)a guillotine
斷奶(ㄉㄨㄢˋ ㄋㄞˇ)to wean
斷糧(ㄉㄨㄢˋ ㄌㄧㄤˊ)to run out of food supply
斷交(ㄉㄨㄢˋ ㄐㄧㄠ)to sever diplomatic relations
斷句(ㄉㄨㄢˋ ㄐㄩˋ)to punctuate
斷絕(ㄉㄨㄢˋ ㄐㄩㄝˊ)to break off
斷絕邦交(ㄉㄨㄢˋ ㄐㄩㄝˊ ㄅㄤ ㄐㄧㄠ)to sever diplomatic ties
斷絕關係(ㄉㄨㄢˋ ㄐㄩㄝˊ ㄍㄨㄢ ˙ㄒㄧ) to sever relations
斷氣(ㄉㄨㄢˋ ㄑㄧˋ)to breathe one's last
斷袖之癖(ㄉㄨㄢˋ ㄒㄧㄡˋ ㄓ ㄆㄧˋ) male homosexuality
斷章取義(ㄉㄨㄢˋ ㄓㄤ ㄑㄩˇ ㄧˋ)to interpret a thing out of context
斷水(ㄉㄨㄢˋ ㄕㄨㄟˇ)to cut off water supply
斷然(ㄉㄨㄢˋ ㄖㄢˊ)absolutely
斷層(ㄉㄨㄢˋ ㄘㄥˊ)(geology) a fault
斷送(ㄉㄨㄢˋ ㄙㄨㄥˋ)to lose for good
斷言(ㄉㄨㄢˋ ㄧㄢˊ)to say with certainty
斷語(ㄉㄨㄢˋ ㄩˇ)a conclusion

方部 ㄈㄤ fāng

方 2174 ㄈㄤ fāng
1. square; rectangular 2. honest 3. an area; a place 4. a prescription 5. a direction 6. occultism 7. just now 8. (mathematics) power 9. (classifier) short for square meter or cubic meter 10. side; party 11. a method 12. an aspect 13. one side 14. a Chinese family name
方便(ㄈㄤ ㄅㄧㄢˋ)① convenient② to do somebody a favor
方面(ㄈㄤ ㄇㄧㄢˋ)① a direction; a field ②(on the one, or other) hand
方法(ㄈㄤ ㄈㄚˇ)a method
方糖(ㄈㄤ ㄊㄤˊ)cube sugar
方略(ㄈㄤ ㄌㄩㄝˋ)a general plan
方格紙(ㄈㄤ ㄍㄜˊ ㄓˇ)graph paper
方根(ㄈㄤ ㄍㄣ)(mathematics) a root
方括號(ㄈㄤ ㄍㄨㄚ ㄏㄠˋ)square brackets [ ]
方向(ㄈㄤ ㄒㄧㄤˋ)a direction
方向盤(ㄈㄤ ㄒㄧㄤˋ ㄆㄢˊ)a steering wheel
方興未艾(ㄈㄤ ㄒㄧㄥ ㄨㄟˋ ㄞˋ)to be still growing
方形(ㄈㄤ ㄒㄧㄥˊ)a rectangle
方針(ㄈㄤ ㄓㄣ)a policy
方程式(ㄈㄤ ㄔㄥˊ ㄕˋ)an equation
方式(ㄈㄤ ㄕˋ)a manner; a way
方才(ㄈㄤ ㄘㄞˊ)just now
方案(ㄈㄤ ㄢˋ)a plan; a project
方言(ㄈㄤ ㄧㄢˊ)a dialect
方位(ㄈㄤ ㄨㄟˋ)a direction

四畫

於 2175 1. ㄩˊ yú
1. in; on; at; by; from 2. than; then; to 3. compared with
於今(ㄩˊ ㄐㄧㄣ)now; at present
於是(ㄩˊ ㄕˋ)thus; thereafter
於是乎(ㄩˊ ㄕˋ ㄏㄨ)then; so
於事無補(ㄩˊ ㄕˋ ㄨˊ ㄅㄨˇ)It doesn't help the situation.

於 2175 2. ㄨ wū
an interjection roughly equivalent to hurrah, bravo, alas, etc.
於乎 or 於戲(ㄨ ㄏㄨ)Ah!

五畫

施 2176 ㄕ shī
1. to act; to do 2. to give (alms, etc.) 3. to apply 4. a Chinese family name
施肥(ㄕ ㄈㄟˊ)to apply fertilizers
施工(ㄕ ㄍㄨㄥ)to start building
施工中(ㄕ ㄍㄨㄥ ㄓㄨㄥ)abuilding
施救(ㄕ ㄐㄧㄡˋ)to rescue and resuscitate
施洗(ㄕ ㄒㄧˇ)to baptize
施行細則(ㄕ ㄒㄧㄥˊ ㄒㄧˋ ㄗㄜˊ)bylaws
施展(ㄕ ㄓㄢˇ)to display (one's skill, etc.)
施政(ㄕ ㄓㄥˋ)to govern
施捨(ㄕ ㄕㄜˇ)to give to charity
施恩(ㄕ ㄣ)to give favors to others

施與(ㄕ ㄩˇ)to give to charity
施用(ㄕ ㄩㄥˋ)to use; to employ

斿 2177
ㄧㄡˊ yóu
1. to swim 2. to rove about freely 3. ornaments hanging down from banners

六畫

旁 2178
1.(㫄) ㄆㄤˊ páng
1. side (branches, doors, ways, etc.); the side 2. nearby 3. other; else
旁白(ㄆㄤˊ ㄅㄞˊ)(drama) aside
旁邊(ㄆㄤˊ ㄅㄧㄢ)①the side; by the side of ② nearby
旁聽(ㄆㄤˊ ㄊㄧㄥ)to sit at a class in the capacity as an auditor, etc.
旁聽生(ㄆㄤˊ ㄊㄧㄥ ㄕㄥ)an auditor
旁觀(ㄆㄤˊ ㄍㄨㄢ)to look on
旁觀者(ㄆㄤˊ ㄍㄨㄢ ㄓㄜˇ)an onlooker
旁敲側擊(ㄆㄤˊ ㄑㄧㄠ ㄘㄜˋ ㄐㄧˊ)to enlighten by indirect approach
旁系親屬(ㄆㄤˊ ㄒㄧˋ ㄑㄧㄣ ㄕㄨˇ)collateral relatives
旁證(ㄆㄤˊ ㄓㄥˋ)indirect evidence
旁人(ㄆㄤˊ ㄖㄣˊ)the others
旁若無人(ㄆㄤˊ ㄖㄨㄛˋ ㄨˊ ㄖㄣˊ)to act as if there weren't any bystanders

旁 2178
2. ㄅㄤˋ bàng
旁午(ㄅㄤˋ ㄨˇ)① busy ② crisscross

旂 2179
ㄑㄧˊ qí
a flag or streamer attached with small bells

旃 2180
ㄓㄢ zhān
1. a flag or banner with a bent staff 2. an auxiliary particle used like 之 or 焉 to give force to the verb 3. woolen fabrics

旆 2181
ㄆㄟˋ pèi
a general name for flags, banners, etc.

旄 2182
1. ㄇㄠˊ máo
a kind of ancient flag with the oxtails set up at the top of its staff

旄 2182
2. (耄) ㄇㄠˋ mào
old

旅 2183
ㄌㄩˇ lǚ
1. to travel; to lodge 2. a traveler; a passenger 3. a multitude 4. (military) troops 5. to do things together
旅費(ㄌㄩˇ ㄈㄟˋ)traveling expenses
旅店(ㄌㄩˇ ㄉㄧㄢˋ)a tavern; an inn
旅途(ㄌㄩˇ ㄊㄨˊ)during one's trip
旅館(ㄌㄩˇ ㄍㄨㄢˇ)or 旅社(ㄌㄩˇ ㄕㄜˋ)a hotel
旅客(ㄌㄩˇ ㄎㄜˋ)a traveler
旅行(ㄌㄩˇ ㄒㄧㄥˊ)to travel
旅行團(ㄌㄩˇ ㄒㄧㄥˊ ㄊㄨㄢˊ)a tourist group
旅行支票(ㄌㄩˇ ㄒㄧㄥˊ ㄓ ㄆㄧㄠˋ)a traveler's check
旅行社(ㄌㄩˇ ㄒㄧㄥˊ ㄕㄜˋ)a travel agency
旅程(ㄌㄩˇ ㄔㄥˊ) the route a traveler takes from one place to another
旅遊(ㄌㄩˇ ㄧㄡˊ)a tour; tourism

七畫

旋 2184
1. ㄒㄩㄢˊ xuán
1. to return 2. to revolve; to circle 3. a moment; soon 4. to urinate
旋律(ㄒㄩㄢˊ ㄌㄩˋ)melody
旋即(ㄒㄩㄢˊ ㄐㄧˊ)forthwith
旋轉(ㄒㄩㄢˊ ㄓㄨㄢˇ)to turn round and round
旋轉門(ㄒㄩㄢˊ ㄓㄨㄢˇ ㄇㄣˊ)a revolving door
旋繞(ㄒㄩㄢˊ ㄖㄠˋ)to orbit

旋 2184
2. ㄒㄩㄢˋ xuàn
1. to whirl 2. as soon as 3. to heat wine
旋風(ㄒㄩㄢˋ ㄈㄥ)a whirlwind

旌 2185
ㄐㄧㄥ jīng
1. a kind of flag, etc. ornamented with feathers 2. to make manifest
旌旗(ㄐㄧㄥ ㄑㄧˊ)a general name for flags and banners
旌旗蔽空(ㄐㄧㄥ ㄑㄧˊ ㄅㄧˋ ㄎㄨㄥ)a very large army

旎 2186
ㄋㄧˇ nǐ
1. tender; charming 2. the fluttering of flags

族 2187
ㄗㄨˊ zú
1. a tribe; a family 2. a race (of people) 3. a class or group of things with common features
族譜(ㄗㄨˊ ㄆㄨˇ)the pedigree of a clan
族群(ㄗㄨˊ ㄑㄩㄣˊ)an ethnic group
族長(ㄗㄨˊ ㄓㄤˇ)the oldest of the highest generation in a clan
族人(ㄗㄨˊ ㄖㄣˊ)fellow clansmen

八畫

旐 2188
ㄓㄠˋ zhào
(in the ancient times) a flag with tortoises and snakes emblazoned on it

九畫

〔方部〕

〔无・日部〕

旒 2189 ㄌㄧㄡˊ liú
a colored streamer hung on a flag

十畫

旗 2190 ㄑㄧˊ qí
1. a flag; a banner 2. a sign; an insignia; an emblem 3. an administrative division of Mongolia(蒙古) and Tsinghai (青海) 4. the Manchus
旗袍(ㄑㄧˊ ㄆㄠˊ)chi-pao
旗杆 or 旗竿(ㄑㄧˊ ㄍㄢ)a flagstaff
旗鼓相當(ㄑㄧˊ ㄍㄨˇ ㄒㄧㄤ ㄉㄤ)of approximately equal ability, etc.
旗開得勝(ㄑㄧˊ ㄎㄞ ㄉㄜˊ ㄕㄥˋ)to win in the first battle, game or match
旗幟(ㄑㄧˊ ㄓˋ)flags, streamers, etc.
旗魚(ㄑㄧˊ ㄩˊ)spearfish

旖 2191 ㄧˇ yǐ
1. romantic; tender 2. charming; graceful 3. the fluttering of flags
旖旎風光(ㄧˇ ㄋㄧˇ ㄈㄥ ㄍㄨㄤ)a romantic or charming sight

十四畫

旛 2192 ㄈㄢ fān
1. a general name of flags or streamers 2. a silk (usually rectangular) pennant for hanging

十五畫

旝 2193 ㄎㄨㄞˋ kuài
a flag used by a general

十六畫

旟 2194 ㄩˊ yú
1. a military flag or standard 2. (said of flags) fluttering

无部
ㄨˊ wú

无 2195 ㄨˊ wú
the ancient form of 無—not; no; negative; without
无妄之災(ㄨˊ ㄨㄤˋ ㄓ ㄗㄞ)an unexpected trouble or bad break

一畫

旡 2196 ㄐㄧˋ jì
to choke in eating

七畫

既 2197 (旣) ㄐㄧˋ jì
1. since; as 2. already 3. all 4. to finish
既得利益(ㄐㄧˋ ㄉㄜˊ ㄌㄧˋ ㄧˋ)vested interests
既定(ㄐㄧˋ ㄉㄧㄥˋ)already decided
既成事實(ㄐㄧˋ ㄔㄥˊ ㄕˋ ㄕˊ)an accomplished fact
既然(ㄐㄧˋ ㄖㄢˊ)since (it is so)
既然如此(ㄐㄧˋ ㄖㄢˊ ㄖㄨˊ ㄘˇ)since it is so
既往不咎(ㄐㄧˋ ㄨㄤˇ ㄅㄨˋ ㄐㄧㄡˋ)No postmortems.

日部
ㄖˋ rì

日 2198 ㄖˋ rì
1. the sun 2. a day 3. daily 4. Japan; Japanese 5. time 6. daytime
日薄西山(ㄖˋ ㄅㄛˊ ㄒㄧ ㄕㄢ)approaching one's grave; old age
日報(ㄖˋ ㄅㄠˋ)a daily newspaper
日本(ㄖˋ ㄅㄣˇ)Japan
日偏蝕(ㄖˋ ㄆㄧㄢ ㄕˊ)(astronomy) the partial eclipse of the sun
日復一日(ㄖˋ ㄈㄨˋ ㄧˊ ㄖˋ)day after day
日曆(ㄖˋ ㄌㄧˋ)a calendar
日晷(ㄖˋ ㄍㄨㄟˇ)a sundial
日光(ㄖˋ ㄍㄨㄤ)sunshine
日光燈(ㄖˋ ㄍㄨㄤ ㄉㄥ)a fluorescent lamp
日光浴(ㄖˋ ㄍㄨㄤ ㄩˋ)sunbath
日後(ㄖˋ ㄏㄡˋ)in future
日積月累(ㄖˋ ㄐㄧ ㄩㄝˋ ㄌㄟˇ) gradual accumulation over a long time
日記(ㄖˋ ㄐㄧˋ)a diary
日間(ㄖˋ ㄐㄧㄢ)at daytime
日漸(ㄖˋ ㄐㄧㄢˋ)with each passing day
日期(ㄖˋ ㄑㄧˊ)date
日前(ㄖˋ ㄑㄧㄢˊ)a few days ago
日趨(ㄖˋ ㄑㄩ)gradually
日薪(ㄖˋ ㄒㄧㄣ)day wages
日新月異(ㄖˋ ㄒㄧㄣ ㄩㄝˋ ㄧˋ)continuous improvement; ever newer
日行一善(ㄖˋ ㄒㄧㄥˊ ㄧˊ ㄕㄢˋ)to do one good deed a day
日誌(ㄖˋ ㄓˋ)a daily record
日常(ㄖˋ ㄔㄤˊ)daily; usually
日常生活(ㄖˋ ㄔㄤˊ ㄕㄥ ㄏㄨㄛˊ)daily life
日出(ㄖˋ ㄔㄨ)sunrise
日蝕(ㄖˋ ㄕˊ)solar eclipse
日子(ㄖˋ ・ㄗ)① time ② living

日以繼夜(ㄖˋ ㄧˇ ㄐㄧˋ ㄧˋ ㄧㄝˋ)day and night; continuously or incessantly
日夜(ㄖˋ ㄧㄝˋ)day and night
日有進步(ㄖˋ ㄧㄡˇ ㄐㄧㄣˋ ㄅㄨˋ)progressing constantly
日語(ㄖˋ ㄩˇ)the Japanese language
日月如梭(ㄖˋ ㄩㄝˋ ㄖㄨˊ ㄙㄨㄛ)How fast time flies!
日暈(ㄖˋ ㄩㄣˋ)coronas
日用品(ㄖˋ ㄩㄥˋ ㄆㄧㄣˇ)daily necessities

一畫

旦 2199 ㄉㄢˋ dàn
1. daybreak; dawn 2. day; morning 3. a female role in Chinese opera
旦角or旦脚(ㄉㄢˋ ㄐㄩㄝˊ)a female role in Chinese opera
旦夕之間(ㄉㄢˋ ㄒㄧˋ ㄓ ㄐㄧㄢ)a very short time

二畫

旨 2200 ㄓˇ zhǐ
1. a purpose; will 2. an imperial decree 3. good; excellent 4. tasty
旨趣(ㄓˇ ㄑㄩˋ)purposes and intentions
旨意(ㄓˇ ㄧˋ)will; intention

早 2201 ㄗㄠˇ zǎo
1. early; previous 2. morning 3. ago; before 4. Good morning!
早班(ㄗㄠˇ ㄅㄢ)the morning shift
早到(ㄗㄠˇ ㄉㄠˋ)to arrive early
早點兒(ㄗㄠˇ ㄉㄧㄚˇㄦ)earlier
早婚(ㄗㄠˇ ㄏㄨㄣ)early marriage
早期(ㄗㄠˇ ㄑㄧˊ)the early stage
早起(ㄗㄠˇ ㄑㄧˇ)to get up early
早先(ㄗㄠˇ ㄒㄧㄢ)some time ago
早產(ㄗㄠˇ ㄔㄢˇ)premature birth
早晨(ㄗㄠˇ ㄔㄣˊ)morning; dawn
早場(ㄗㄠˇ ㄔㄤˇ)a morning show (at a cinema, theater, etc.)
早熟(ㄗㄠˇ ㄕㄡˊ)(said of a person) to reach puberty early
早上(ㄗㄠˇ ·ㄕㄤ)early in the morning
早操(ㄗㄠˇ ㄘㄠ)morning calisthenics
早餐(ㄗㄠˇ ㄘㄢ)breakfast
早安(ㄗㄠˇ ㄢ)Good morning!
早已(ㄗㄠˇ ㄧˇ)to have already...
早晚(ㄗㄠˇ ㄨㄢˇ)sooner or later

旬 2202 ㄒㄩㄣˊ xún
1. a period of ten days 2. a period of ten years (usually used to indicate a person's age) 3. widespread; throughout 4. to tour; to inspect
旬日(ㄒㄩㄣˊ ㄖˋ)ten days

旭 2203 ㄒㄩˋ xù
1. brightness or radiance of daybreak 2. the rising sun 3. proud, smug or complacent
旭日(ㄒㄩˋ ㄖˋ)the rising sun

旮 2204 ㄍㄚ gā
a corner

旯 2205 ㄌㄚˊ lá
a corner

三畫

旰 2206 ㄍㄢˋ gàn
evening; late
旰食宵衣(ㄍㄢˋ ㄕˊ ㄒㄧㄠ ㄧ)too busy

旱 2207 ㄏㄢˋ hàn
1. drought; dry 2. (by) land route (as opposed to waterway)
旱田(ㄏㄢˋ ㄊㄧㄢˊ)dry farmland
旱潦(ㄏㄢˋ ㄌㄠˋ)droughts and floods
旱季(ㄏㄢˋ ㄐㄧˋ)a dry season
旱象(ㄏㄢˋ ㄒㄧㄤˋ)the signs of drought
旱災(ㄏㄢˋ ㄗㄞ)a drought

四畫

旺 2208 ㄨㄤˋ wàng
1. prosperous; to prosper; to flourish 2. vigorous; prolific; productive 3. (said of light, fires, etc.) brilliant
旺季(ㄨㄤˋ ㄐㄧˋ)a busy season
旺盛(ㄨㄤˋ ㄕㄥˋ)prosperous

旻 2209 ㄇㄧㄣˊ mín
autumn

昂 2210 ㄤˊ áng
1. to raise 2. straightforward 3. high 4. expensive
昂貴(ㄤˊ ㄍㄨㄟˋ)expensive; costly
昂首闊步(ㄤˊ ㄕㄡˇ ㄎㄨㄛˋ ㄅㄨˋ)to stride proudly ahead
昂然(ㄤˊ ㄖㄢˊ)haughtily
昂揚(ㄤˊ ㄧㄤˊ)high-spirited

昃 2211 ㄗㄜˋ zè
after noon; afternoon

昆 2212 ㄎㄨㄣ kūn
1. an elder brother 2. descendants 3. multitudes 4. together
昆仲(ㄎㄨㄣ ㄓㄨㄥˋ)brothers
昆蟲(ㄎㄨㄣ ㄔㄨㄥˊ)insects

〔日部〕

昆蟲學(ㄎㄨㄣ ㄔㄨㄥˊ ㄒㄩㄝˊ)entomology

〔日部〕

昇 2213
ㄕㄥ shēng
1. to ascend 2. peace; peaceful
昇格(ㄕㄥ ㄍㄜˊ)to elevate status
昇華(ㄕㄥ ㄏㄨㄚˊ)①(chemistry) to sublime ② the rising of things to a higher level
昇級(ㄕㄥ ㄐㄧˊ)to advance to the higher class
昇降(ㄕㄥ ㄐㄧㄤˋ)promotion and demotion

昉 2214
ㄈㄤˇ fǎng
1. dawn; daybreak 2. beginning

昊 2215
ㄏㄠˋ hào
1. summer time 2. the sky; the heavens
昊天罔極(ㄏㄠˋ ㄊㄧㄢ ㄨㄤˇ ㄐㄧˊ)(said of parental love) as vast as the boundless heavens

昌 2216
ㄔㄤ chāng
1. proper; good; straight (talk) 2. prosperous; to glorify 3. light
昌明(ㄔㄤ ㄇㄧㄥˊ)① to expound and elaborate ② flourishing ③ bright
昌盛(ㄔㄤ ㄕㄥˋ)① prosperous ② glory

明 2217
ㄇㄧㄥˊ míng
1. light; bright; brilliant 2. clear; to understand; obvious 3. clever 4. the seeing faculty 5. daybreak 6. to state; to show 7. next (day or year) 8. the Ming Dynasty (1368-1644 A.D.) 9. honest
明白(ㄇㄧㄥˊ ˙ㄅㄞ)to understand
明辨是非(ㄇㄧㄥˊ ㄅㄧㄢˋ ㄕˋ ㄈㄟ)to know distinctly what is right and what is wrong
明媒正娶(ㄇㄧㄥˊ ㄇㄟˊ ㄓㄥˋ ㄑㄩˇ)a formal wedding or marriage
明明(ㄇㄧㄥˊ ㄇㄧㄥˊ)obviously; plainly
明明白白(ㄇㄧㄥˊ ˙ㄇㄧㄥ ㄅㄞˊ ㄅㄞˊ)clear; clearly; obviously; evidently
明目張膽(ㄇㄧㄥˊ ㄇㄨˋ ㄓㄤ ㄉㄢˇ)(to do some unlawful acts) openly
明天(ㄇㄧㄥˊ ㄊㄧㄢ)tomorrow
明年(ㄇㄧㄥˊ ㄋㄧㄢˊ)next year
明理(ㄇㄧㄥˊ ㄌㄧˇ)reasonable
明瞭(ㄇㄧㄥˊ ㄌㄧㄠˇ)to understand
明亮(ㄇㄧㄥˊ ㄌㄧㄤˋ)will-illuminated
明確(ㄇㄧㄥˊ ㄑㄩㄝˋ)unequivocal
明蝦(ㄇㄧㄥˊ ㄒㄧㄚ)a prawn
明顯(ㄇㄧㄥˊ ㄒㄧㄢˇ)obvious
明信片(ㄇㄧㄥˊ ㄒㄧㄣˋ ㄆㄧㄢˋ)a post card
明星(ㄇㄧㄥˊ ㄒㄧㄥ)a movie star
明知故犯(ㄇㄧㄥˊ ㄓ ㄍㄨˋ ㄈㄢˋ)to commit a mistake, etc. intentionally
明知故問(ㄇㄧㄥˊ ㄓ ㄍㄨˋ ㄨㄣˋ)to ask about something one already knows
明智(ㄇㄧㄥˊ ㄓˋ)sensible; wise
明智之舉(ㄇㄧㄥˊ ㄓˋ ㄓ ㄐㄩˇ)an intelligent or sensible act
明爭暗鬭(ㄇㄧㄥˊ ㄓㄥ ㄢˋ ㄉㄡˋ)to fight overtly and covertly
明察(ㄇㄧㄥˊ ㄔㄚˊ)to be sharp and perspicacious
明察秋毫(ㄇㄧㄥˊ ㄔㄚˊ ㄑㄧㄡ ㄏㄠˊ)sharp discerning intelligence
明查暗訪(ㄇㄧㄥˊ ㄔㄚˊ ㄢˋ ㄈㄤˇ)to investigate openly and secretly
明處(ㄇㄧㄥˊ ㄔㄨˋ)in public
明示(ㄇㄧㄥˊ ㄕˋ)clear indication
明說(ㄇㄧㄥˊ ㄕㄨㄛ)to speak up
明日(ㄇㄧㄥˊ ㄖˋ)tomorrow
明暗(ㄇㄧㄥˊ ㄢˋ)brightness and darkness
明眼人(ㄇㄧㄥˊ ㄧㄢˇ ㄖㄣˊ)a man of clear mind and high intelligence
明文規定(ㄇㄧㄥˊ ㄨㄣˊ ㄍㄨㄟ ㄉㄧㄥˋ)clearly stipulated in laws, etc.; in black and white

昏 2218
ㄏㄨㄣ hūn
1. dusk; dark 2. confused; muddled 3. dizzy
昏迷(ㄏㄨㄣ ㄇㄧˊ)in a coma
昏倒(ㄏㄨㄣ ㄉㄠˇ)to faint
昏花(ㄏㄨㄣ ㄏㄨㄚ)poor of vision
昏昏沉沉(ㄏㄨㄣ ㄏㄨㄣ ㄔㄣˊ ㄔㄣˊ)dizzy and sleepy; slumberous
昏昏欲睡(ㄏㄨㄣ ㄏㄨㄣ ㄩˋ ㄕㄨㄟˋ)drowsy; sleepy
昏厥(ㄏㄨㄣ ㄐㄩㄝˊ)to faint
昏眩(ㄏㄨㄣ ㄒㄩㄢˋ)dizzy; faint
昏睡(ㄏㄨㄣ ㄕㄨㄟˋ)lethargic sleep
昏暗(ㄏㄨㄣ ㄢˋ)dim; dusky

易 2219
ㄧˋ yì
1. to exchange; to barter 2. to change (places, etc.) 3. easy 4. amiable 5. the *Book of Changes*
易名(ㄧˋ ㄇㄧㄥˊ)to change one's names
易開罐(ㄧˋ ㄎㄞ ㄍㄨㄢˋ)a ring-pull can
易經(ㄧˋ ㄐㄧㄥ)the *Book of Changes*
易主(ㄧˋ ㄓㄨˇ)to change owners or masters
易燃貨物(ㄧˋ ㄖㄢˊ ㄏㄨㄛˋ ㄨˋ)inflammable cargo
易燃物(ㄧˋ ㄖㄢˊ ㄨˋ)inflammables
易如反掌(ㄧˋ ㄖㄨˊ ㄈㄢˇ ㄓㄤˇ)as easy as turning over the palm of one's hand
易言之(ㄧˋ ㄧㄢˊ ㄓ)in other words

昔 2220
ㄒㄧˊ xí
1. bygone; of old; formerly; ancient 2. a night; an evening 3. the end
昔日(ㄒㄧˊ ㄖˋ)in former days
昔人(ㄒㄧˊ ㄖㄣˊ)the ancient people

昕 2221
ㄒㄧㄣ xīn
daybreak; dawn

昀 2222
ㄩㄣˊ yún
1. daybreak; sunrise; dawn 2. sunshine

五畫

星 2223
ㄒㄧㄥ xīng
1. stars, planets, satellites, etc. 2. a spark 3. droplets; very tiny 4. name of one of the 28 constellations 5. a movie star 6. nocturnal
星斗(ㄒㄧㄥ ㄉㄡˇ)heavenly bodies
星探(ㄒㄧㄥ ㄊㄢˋ)a talent scout in the movie industry
星光(ㄒㄧㄥ ㄍㄨㄤ)starlight
星號(ㄒㄧㄥ ㄏㄠˋ)an asterisk(☆)
星期(ㄒㄧㄥ ㄑㄧˊ)week
星期六(ㄒㄧㄥ ㄑㄧˊ ㄌㄧㄡˋ)Saturday
星期日(ㄒㄧㄥ ㄑㄧˊ ㄖˋ) or 星期天(ㄒㄧㄥ ㄑㄧˊ ㄊㄧㄢ)Sunday
星期四(ㄒㄧㄥ ㄑㄧˊ ㄙˋ)Thursday
星期三(ㄒㄧㄥ ㄑㄧˊ ㄙㄢ)Wednesday
星期二(ㄒㄧㄥ ㄑㄧˊ ㄦˋ)Tuesday
星期一(ㄒㄧㄥ ㄑㄧˊ ㄧ)Monday
星期五(ㄒㄧㄥ ㄑㄧˊ ㄨˇ)Friday
星球(ㄒㄧㄥ ㄑㄧㄡˊ)planets; stars
星系(ㄒㄧㄥ ㄒㄧˋ) (astronomy) a galaxy
星宿(ㄒㄧㄥ ㄒㄧㄡˋ) planets or stars in heaven
星形(ㄒㄧㄥ ㄒㄧㄥˊ)a star-polygon
星星(ㄒㄧㄥ ·ㄒㄧㄥ)stars
星辰(ㄒㄧㄥ ㄔㄣˊ)stars
星座(ㄒㄧㄥ ㄗㄨㄛˋ) (astronomy) a constellation
星夜(ㄒㄧㄥ ㄧㄝˋ)a starlit night

映 2224
ㄧㄥˋ yìng
1. to mirror; to reflect; a reflection 2. to project (slides, pictures, etc.) 3. to shine; to blind
映象(ㄧㄥˋ ㄒㄧㄤˋ)image
映照(ㄧㄥˋ ㄓㄠˋ)to shine and reflect
映射(ㄧㄥˋ ㄕㄜˋ)to shine upon

春 2225
ㄔㄨㄣ chūn
1. spring, the first of the four seasons 2. sensuality; pornographic 3. alive; vitality 4. joyful 5. youth
春分(ㄔㄨㄣ ㄈㄣ)the vernal equinox, about March 21
春風(ㄔㄨㄣ ㄈㄥ)①spring breezes ②happy smiles
春風滿面(ㄔㄨㄣ ㄈㄥ ㄇㄢˇ ㄇㄧㄢˋ)a cheerful look
春風化雨(ㄔㄨㄣ ㄈㄥ ㄏㄨㄚˋ ㄩˇ)salutary influence of education
春天(ㄔㄨㄣ ㄊㄧㄢ)spring; springtime
春雷(ㄔㄨㄣ ㄌㄟˊ)spring thunder
春聯(ㄔㄨㄣ ㄌㄧㄢˊ)New Year's couplets
春耕(ㄔㄨㄣ ㄍㄥ)spring cultivation
春光明媚(ㄔㄨㄣ ㄍㄨㄤ ㄇㄧㄥˊ ㄇㄟˋ)a sunlit and enchanting scene of spring
春宮圖(ㄔㄨㄣ ㄍㄨㄥ ㄊㄨˊ)pornographic drawings
春花秋月(ㄔㄨㄣ ㄏㄨㄚ ㄑㄧㄡ ㄩㄝˋ) the best things at the best time
春季(ㄔㄨㄣ ㄐㄧˋ)spring
春假(ㄔㄨㄣ ㄐㄧㄚˋ)spring holidays
春節(ㄔㄨㄣ ㄐㄧㄝˊ)the Lunar New Year Festival
春捲(ㄔㄨㄣ ㄐㄩㄢˇ)spring rolls
春宵(ㄔㄨㄣ ㄒㄧㄠ)a wedding night
春裝(ㄔㄨㄣ ㄓㄨㄤ)spring clothes
春色(ㄔㄨㄣ ㄙㄜˋ)spring scenery
春藥(ㄔㄨㄣ ㄧㄠˋ)aphrodisiac
春雨(ㄔㄨㄣ ㄩˇ)spring rains

昧 2226
ㄇㄟˋ mèi
1. obscure; dark 2. to hide; to pocket 3. to ignore (one's conscience, etc.) 4. blind; ignorant 5. to faint; fainting
昧良心(ㄇㄟˋ ㄌㄧㄤˊ ㄒㄧㄣ) to ignore one's conscience
昧心錢 (ㄇㄟˋ ㄒㄧㄣ ㄑㄧㄢˊ) money obtained by dishonest or evil means
昧於事理(ㄇㄟˋ ㄩˊ ㄕˋ ㄌㄧˇ)to be ignorant of good reason, etc.

昨 2227
ㄗㄨㄛˊ zuó
yesterday; lately; past
昨天(ㄗㄨㄛˊ ㄊㄧㄢ)yesterday
昨晚(ㄗㄨㄛˊ ㄨㄢˇ)last night

昭 2228
ㄓㄠ zhāo
1. bright; luminous 2. evident; obvious 3. to show; to display
昭告(ㄓㄠ ㄍㄠˋ)to declare to the public
昭顯(ㄓㄠ ㄒㄧㄢˇ)eminent; evident
昭彰(ㄓㄠ ㄓㄤ)prominent
昭示(ㄓㄠ ㄕˋ)to declare officially
昭然若揭(ㄓㄠ ㄖㄢˊ ㄖㄨㄛˋ ㄐㄧㄝ) very obvious

是 2229
ㄕˋ shì
1. yes; right; positive 2. the verb to be (for all persons and numbers) 3. this, that, or which
是非(ㄕˋ ㄈㄟ)① right or wrong ②gossip ③discord
是非顛倒(ㄕˋ ㄈㄟ ㄉㄧㄢ ㄉㄠˋ)to confound right and wrong
是非題(ㄕˋ ㄈㄟ ㄊㄧˊ)a true-or-false problem
是非之地(ㄕˋ ㄈㄟ ㄓ ㄉㄧˋ)a place where one is apt to get into trouble

〔日部〕

是否(ㄕˋ ㄈㄡˇ)Is it...? 或 Are you...?
是的(ㄕˋ ˙ㄉㄜ)yes; right; correct
是故(ㄕˋ ㄍㄨˋ)therefore
是是非非(ㄕˋ ㄕˋ ㄈㄟ ㄈㄟ)gossip(s); scandal(s)

〔日部〕

昱 2230 ㄩˋ yù
1. sunshine; shining; dazzling 2. tomorrow

昴 2231 ㄇㄠˇ mǎo
name of a star, one of the 28 constellations

昶 2232 ㄔㄤˇ chǎng
1. a long day 2. comfortable and easy

昫 2233 ㄒㄩˇ xǔ
the warmth of the rising sun

昳 2234 1. ㄉㄧㄝˊ dié
the setting sun

昳 2234 2. ㄧˋ yì
bright: 昳麗 radiantly beautiful

昝 2235 ㄗㄢˇ zǎn
a Chinese family name

昪 2236 ㄅㄧㄢˋ biàn
1. happy; joyful 2. sunshine 3. light; bright

昺 2237 (昞) ㄅㄧㄥˇ bǐng
bright; glorious; brilliant; radiant

昜 2238 (陽) ㄧㄤˊ yáng
bright; glorious

六畫

晏 2239 ㄧㄢˋ yàn
1. clear (sky, sea, water, etc.) 2. late 3. quiet
晏然(ㄧㄢˋ ㄖㄢˊ)or晏如(ㄧㄢˋ ㄖㄨˊ) peaceful and easy

時 2240 (旹) ㄕˊ shí
1. a season 2. an era; an age; a period 3. time 4. hours 5. frequently 6. fashionable 7. proper and adequate 8. opportunity 9. seasonable 10. now...now...; sometimes...sometimes...
時弊(ㄕˊ ㄅㄧˋ)current failings
時評(ㄕˊ ㄆㄧㄥˊ)news commentaries
時髦(ㄕˊ ㄇㄠˊ)fashionable
時代(ㄕˊ ㄉㄞˋ)an era; an epoch
時態(ㄕˊ ㄊㄞˋ)(grammar) tense
時來運轉(ㄕˊ ㄌㄞˊ ㄩㄣˋ ㄓㄨㄢˇ)to get a break (after a long period of bad luck)
時令(ㄕˊ ㄌㄧㄥˋ)seasons
時光(ㄕˊ ㄍㄨㄤ)time
時刻(ㄕˊ ㄎㄜˋ)time; hour
時刻表(ㄕˊ ㄎㄜˋ ㄅㄧㄠˇ)a timetable
時候(ㄕˊ ㄏㄡˋ)time; moment
時機(ㄕˊ ㄐㄧ)opportunity
時機成熟(ㄕˊ ㄐㄧ ㄔㄥˊ ㄕㄡˊ)The right time has come.
時價(ㄕˊ ㄐㄧㄚˋ)current prices
時節(ㄕˊ ㄐㄧㄝˊ)season
時間(ㄕˊ ㄐㄧㄢ)time
時局(ㄕˊ ㄐㄩˊ)the national situation
時期(ㄕˊ ㄑㄧˊ)times; a period
時下(ㄕˊ ㄒㄧㄚˋ)nowadays
時效(ㄕˊ ㄒㄧㄠˋ)(law) prescription
時限(ㄕˊ ㄒㄧㄢˋ)a deadline
時值(ㄕˊ ㄓˊ)the time being...
時針(ㄕˊ ㄓㄣ)the hour hand of a clock or watch
時裝(ㄕˊ ㄓㄨㄤ)fashionable dresses
時裝展覽(ㄕˊ ㄓㄨㄤ ㄓㄢˇ ㄌㄢˇ)a fashion show
時鐘(ㄕˊ ㄓㄨㄥ)a clock
時差(ㄕˊ ㄔㄚ)the time difference of two places located on different longitudes or time zones
時常(ㄕˊ ㄔㄤˊ)frequently
時時(ㄕˊ ㄕˊ)continually
時時刻刻(ㄕˊ ㄕˊ ㄎㄜˋ ㄎㄜˋ)continuously; constantly; always
時事(ㄕˊ ㄕˋ)current events
時勢(ㄕˊ ㄕˋ)the trend of times
時尙(ㄕˊ ㄕㄤˋ)a fad
時速(ㄕˊ ㄙㄨˋ)speed per hour
時而(ㄕˊ ㄦˊ)sometimes
時務(ㄕˊ ㄨˋ)circumstances of the time

晉 2241 (晋) ㄐㄧㄣˋ jìn
1. to advance; to increase; to flourish 2. Tsin (a state during the Epoch of Spring and Autumn) 3. another name for Shansi Province 4. the Tsin Dynasty (265-420 A. D.)
晉見(ㄐㄧㄣˋ ㄐㄧㄢˋ)or晉謁(ㄐㄧㄣˋ ㄧㄝˋ)to call on (a superior)
晉升(ㄐㄧㄣˋ ㄕㄥ)to rise in rank

晃 2242 1. ㄏㄨㄤˇ huǎng
1. brightness 2. dazzling; glaring 3. a flash; to flash past

晃 2242 2. ㄏㄨㄤˋ huàng
to rock; to sway; to shake
晃蕩(ㄏㄨㄤˋ ㄉㄤˋ)to sway
晃動(ㄏㄨㄤˋ ㄉㄨㄥˋ)to rock; to sway

晁 2243 ㄔㄠˊ cháo
1. an ancient form of 朝 2. a Chinese family name

晌 2244
ㄕㄤˇ shǎng
1. high noon 2. a certain duration or interval of time 3. (Northeast China dialect) a day's work
晌午 (ㄕㄤˇ ·ㄏㄨㄛ) (colloquial) high noon

七畫

晟 2245
ㄕㄥˋ shèng
(又讀 ㄔㄥˊ chéng)
the brightness of the sun; light; splendor

晚 2246
ㄨㄢˇ wǎn
1. evening; night 2. late 3. drawing toward the end 4. younger; junior
晚輩(ㄨㄢˇ ㄅㄟˋ)one's juniors
晚報(ㄨㄢˇ ㄅㄠˋ)an evening paper
晚班(ㄨㄢˇ ㄅㄢ)the night shift
晚飯(ㄨㄢˇ ㄈㄢˋ)or晚餐(ㄨㄢˇ ㄘㄢ)dinner; supper
晚禱(ㄨㄢˇ ㄉㄠˇ)evening prayers
晚到(ㄨㄢˇ ㄉㄠˋ)to arrive late
晚年(ㄨㄢˇ ㄋㄧㄢˊ)old age
晚禮服(ㄨㄢˇ ㄌㄧˇ ㄈㄨˊ)formal evening dress
晚會(ㄨㄢˇ ㄏㄨㄟˋ)a night party
晚婚(ㄨㄢˇ ㄏㄨㄣ)late marriage
晚間(ㄨㄢˇ ㄐㄧㄢ)evening; night
晚景(ㄨㄢˇ ㄐㄧㄥˇ)① scenes at sunset ② circumstances in one's old age
晚期(ㄨㄢˇ ㄑㄧˊ)the later period
晚起(ㄨㄢˇ ㄑㄧˇ)to get up late
晚霞(ㄨㄢˇ ㄒㄧㄚˊ)sunset clouds
晚場(ㄨㄢˇ ㄔㄤˇ)an evening show
晚上(ㄨㄢˇ ·ㄕㄤ)in the evening
晚安(ㄨㄢˇ ㄢ)Good evening! 或 Good night!
晚宴(ㄨㄢˇ ㄧㄢˋ)a dinner party

晝 2247
ㄓㄡˋ zhòu
day; daytime; daylight
晝寢(ㄓㄡˋ ㄑㄧㄣˇ)to take a nap
晝夜(ㄓㄡˋ ㄧㄝˋ)day and night

晞 2248
ㄒㄧ xī
1. to dry in the sun; dry 2. sunshine at daybreak

晡 2249
ㄅㄨ bū
afternoon

晤 2250
ㄨˋ wù
1. to meet; to see face to face 2. enlightened; wise
晤面(ㄨˋ ㄇㄧㄢˋ)to meet
晤談(ㄨˋ ㄊㄢˊ)to converse
晤商(ㄨˋ ㄕㄤ)a face-to-face negotiation

晦 2251
ㄏㄨㄟˋ huì
1. the last day of every month in the lunar calendar 2. night; dark 3. obscure; indistinguishable 4. bad luck
晦氣(ㄏㄨㄟˋ ㄑㄧˋ)bad luck
晦澀(ㄏㄨㄟˋ ㄙㄜˋ)hard to understand
晦暗(ㄏㄨㄟˋ ㄢˋ)dark; gloomy

晧 2252
ㄏㄠˋ hào
1. daybreak 2. bright and brilliant

晨 2253
ㄔㄣˊ chén
morning; daybreak
晨光(ㄔㄣˊ ㄍㄨㄤ)daybreak
晨昏顛倒(ㄔㄣˊ ㄏㄨㄣ ㄉㄧㄢ ㄉㄠˋ) confused
晨曦(ㄔㄣˊ ㄒㄧ)daybreak

八畫

晬 2254
ㄗㄨㄟˋ zuì
1. the first birth anniversary of a child 2. anniversary

普 2255
ㄆㄨˇ pǔ
universal; widespread; general; everywhere; all
普徧 or 普遍(ㄆㄨˇ ㄅㄧㄢˋ)universal
普徧性(ㄆㄨˇ ㄅㄧㄢˋ ㄒㄧㄥˋ)universality
普天之下(ㄆㄨˇ ㄊㄧㄢ ㄓ ㄒㄧㄚˋ)all over the world
普通(ㄆㄨˇ ㄊㄨㄥ)common
普通話(ㄆㄨˇ ㄊㄨㄥ ㄏㄨㄚˋ)Mandarin; common speech (of the chinese language)
普及(ㄆㄨˇ ㄐㄧˊ)available to all
普選(ㄆㄨˇ ㄒㄩㄢˇ)general elections

景 2256
1. ㄐㄧㄥˇ jǐng
1. scenery; views 2. prospects; situations 3. background scenes 4. big and strong 5. great 6. high 7. bright and luminous 8. to respect
景觀(ㄐㄧㄥˇ ㄍㄨㄢ)landscape
景氣(ㄐㄧㄥˇ ㄑㄧˋ)booming; prosperity
景象(ㄐㄧㄥˇ ㄒㄧㄤˋ)outlooks; sights
景行(ㄐㄧㄥˇ ㄒㄧㄥˋ)high virtues
景致 or 景緻(ㄐㄧㄥˇ ㄓˋ)scenes; views
景色(ㄐㄧㄥˇ ㄙㄜˋ)scenery; views
景仰(ㄐㄧㄥˇ ㄧㄤˇ)to look up to
景物(ㄐㄧㄥˇ ㄨˋ)scenery

景 2256
2. (影) ㄧㄥˇ yǐng
shadow; reflection; image

晰 2257
ㄒㄧ xī
clear; clearly; distinct

〔日部〕

〔日部〕

晳 2258
ㄒㄧ xī
1. (said of one's skin) fair; white 2. to discriminate; to distinguish

晴 2259
ㄑㄧㄥˊ qíng
1. (said of the weather) fine; clear; not raining 2. when the rain stops
晴天(ㄑㄧㄥˊ ㄊㄧㄢ)a cloudless day
晴朗(ㄑㄧㄥˊ ㄌㄤˇ)(said of the sky) fine and cloudless
晴雨表(ㄑㄧㄥˊ ㄩˇ ㄅㄧㄠˇ)a barometer

晶 2260
ㄐㄧㄥ jīng
1. crystal 2. bright; clear; glittering
晶片(ㄐㄧㄥ ㄆㄧㄢˋ)a chip
晶體(ㄐㄧㄥ ㄊㄧˇ)(radio) crystal
晶瑩(ㄐㄧㄥ ㄧㄥˊ)sparkling

晷 2261
ㄍㄨㄟˇ guǐ
1. shadows caused by the sun 2. a sundial 3. time
晷刻(ㄍㄨㄟˇ ㄎㄜˋ)time

智 2262
ㄓˋ zhì
1. clever; wise; wit 2. prudence
智謀(ㄓˋ ㄇㄡˊ)tactics; strategy
智囊團(ㄓˋ ㄋㄤˊ ㄊㄨㄢˊ)a brain trust
智能(ㄓˋ ㄋㄥˊ)knowledge and ability
智能不足(ㄓˋ ㄋㄥˊ ㄅㄨˋ ㄗㄨˊ)mental retardation
智力(ㄓˋ ㄌㄧˋ)intelligence
智力商數(ㄓˋ ㄌㄧˋ ㄕㄤ ㄕㄨˋ)or 智商(ㄓˋ ㄕㄤ)intelligence quotient (I.Q.)
智力測驗(ㄓˋ ㄌㄧˋ ㄘㄜˋ ㄧㄢˋ)an intelligence test; an IQ test
智慧(ㄓˋ ㄏㄨㄟˋ)wisdom
智慧財產權 (ㄓˋ ㄏㄨㄟˋ ㄘㄞˊ ㄔㄢˇ ㄑㄩㄢˊ)intellectual property rights
智者(ㄓˋ ㄓㄜˇ)a wise man
智育(ㄓˋ ㄩˋ)education that aims at cultivating one's intelligence
智勇雙全(ㄓˋ ㄩㄥˇ ㄕㄨㄤ ㄑㄩㄢˊ)both intelligent and brave

晾 2263
ㄌㄧㄤˋ liàng
1. to dry in the air; to air 2. to dry in the sun
晾乾(ㄌㄧㄤˋ ㄍㄢ)to dry in the air
晾衣服(ㄌㄧㄤˋ ㄧ ˙ㄈㄨ)to hang clothes in the wind to dry
晾衣繩(ㄌㄧㄤˋ ㄧ ㄕㄥˊ)a clothesline

九畫

暄 2264
ㄒㄩㄢ xuān
1. comfortable and genial (climates); warm 2. (dialect) fluffy
暄暖(ㄒㄩㄢ ㄋㄨㄢˇ)warm and comfortable

暇 2265
ㄒㄧㄚˋ xià
(又讀 ㄒㄧㄚˊ xiá)
leisure; free time; spare time
暇時(ㄒㄧㄚˋ ㄕˊ)leisure; spare time

暉 2266
ㄏㄨㄟ huī
1. the sunshine 2. bright; radiant

暈 2267
1. ㄩㄣ yūn
1. to faint; to swoon 2. giddy and dizzy 3. (usually used sarcastically) to do things without a purpose
暈倒(ㄩㄣ ㄉㄠˇ)to faint and fall
暈頭轉向(ㄩㄣ ˙ㄊㄡ ㄓㄨㄢˇ ㄒㄧㄤˋ)so confused that one doesn't know what to do, say, etc.
暈過去(ㄩㄣ ˙ㄍㄨㄛ ˙ㄑㄩ)to faint
暈厥(ㄩㄣ ㄐㄩㄝˊ)to faint

暈 2267
2. ㄩㄣˋ yùn
1. (meteorology) a halo; vapors; a mist 2. dazzled; to feel faint or dizzy
暈飛機(ㄩㄣˋ ㄈㄟ ㄐㄧ)airsick
暈車(ㄩㄣˋ ㄔㄜ)to be bussick
暈船(ㄩㄣˋ ㄔㄨㄢˊ)to be seasick

暑 2268
ㄕㄨˇ shǔ
1. hot; heat 2. midsummer; summer
暑假(ㄕㄨˇ ㄐㄧㄚˋ)summer vacation
暑期班(ㄕㄨˇ ㄑㄧˊ ㄅㄢ)a summer class or school
暑熱(ㄕㄨˇ ㄖㄜˋ)the scorching heat
暑溽(ㄕㄨˇ ㄖㄨˋ)hot and steamy

暗 2269
ㄢˋ àn
1. dim; dark; obscure 2. stupid; ignorant 3. secret; stealthy 4. hidden
暗房(ㄢˋ ㄈㄤˊ)(photography) a darkroom
暗訪(ㄢˋ ㄈㄤˇ)to make secret inquiries
暗地裏(ㄢˋ ㄉㄧˋ ˙ㄌㄧ)secretly
暗流(ㄢˋ ㄌㄧㄡˊ)a subterranean flow
暗號(ㄢˋ ㄏㄠˋ)a secret mark, sign, signal or password
暗礁(ㄢˋ ㄐㄧㄠ)a submerged reef
暗箭傷人 (ㄢˋ ㄐㄧㄢˋ ㄕㄤ ㄖㄣˊ) to stab somebody in the back
暗想(ㄢˋ ㄒㄧㄤˇ) to turn over in one's mind
暗中(ㄢˋ ㄓㄨㄥ)in secret
暗示(ㄢˋ ㄕˋ)①to hint ②a hint
暗室(ㄢˋ ㄕˋ)a dark room for detaining rebellious prisoners
暗殺(ㄢˋ ㄕㄚ)to assassinate
暗自(ㄢˋ ㄗˋ)secretly
暗藏(ㄢˋ ㄘㄤˊ)to hide; to conceal

暗色(ㄢˋ ㄙㄜˋ)dark colors
暗算(ㄢˋ ㄙㄨㄢˋ)to plot in secret
暗語(ㄢˋ ㄩˇ)a code word

暖 2270 (煖) ㄋㄨㄢˇ nuǎn
warm, genial (weather)
暖房(ㄋㄨㄢˇ ㄈㄤˊ)a greenhouse
暖流(ㄋㄨㄢˇ ㄌㄧㄡˊ) (geography) warm ocean currents
暖爐(ㄋㄨㄢˇ ㄌㄨˊ)a brazier
暖和(ㄋㄨㄢˇ ˙ㄏㄨㄛ)① warm ② to warm up
暖氣(ㄋㄨㄢˇ ㄑㄧˋ)warm vapor
暖氣爐(ㄋㄨㄢˇ ㄑㄧˋ ㄌㄨˊ)a gas heater
暖氣裝置 (ㄋㄨㄢˇ ㄑㄧˋ ㄓㄨㄤ ㄓˋ) a heater

暌 2271 ㄎㄨㄟˊ kuí
1. in opposition 2. to separate; to part
暌違(ㄎㄨㄟˊ ㄨㄟˊ) (said of friends) separated; parted; separation

十畫

暝 2272 1. ㄇㄧㄥˊ míng
as in 暝曚—obscure; dark

暝 2272 2. ㄇㄧㄥˋ mìng
night

暢 2273 ㄔㄤˋ chàng
1. smoothly; fluently 2. easily accessible 3. to one's heart's content 4. expanding 5. luxuriant 6. without restraint 7. very
暢談(ㄔㄤˋ ㄊㄢˊ)to talk to one's heart's content
暢通(ㄔㄤˋ ㄊㄨㄥ)unblocked
暢快(ㄔㄤˋ ㄎㄨㄞˋ)spiritually elevated
暢銷(ㄔㄤˋ ㄒㄧㄠ)a booming sale
暢銷書(ㄔㄤˋ ㄒㄧㄠ ㄕㄨ)a best seller
暢行無阻(ㄔㄤˋ ㄒㄧㄥˊ ㄨˊ ㄗㄨˇ)to meet no obstacle wherever one goes
暢所欲言(ㄔㄤˋ ㄙㄨㄛˇ ㄩˋ ㄧㄢˊ)to talk to one's heart's content
暢飲(ㄔㄤˋ ㄧㄣˇ)to drink to one's heart's content

十一畫

暮 2274 ㄇㄨˋ mù
1. sunset; evening; dusk 2. closing (years); ending
暮年(ㄇㄨˋ ㄋㄧㄢˊ)old age
暮氣(ㄇㄨˋ ㄑㄧˋ)lifelessness
暮氣沉沉(ㄇㄨˋ ㄑㄧˋ ㄔㄣˊ ㄔㄣˊ) (said of atmosphere) gloomy
暮春(ㄇㄨˋ ㄔㄨㄣ)late spring
暮色(ㄇㄨˋ ㄙㄜˋ)dusk; twilight

暫 2275 ㄓㄢˋ zhàn (讀音 ㄗㄢˋ zàn)
1. temporarily 2. suddenly
暫定(ㄓㄢˋ ㄉㄧㄥˋ) (said of time) tentatively set on, at, etc.
暫停(ㄓㄢˋ ㄊㄧㄥˊ)to stop, halt or suspend temporarily
暫緩(ㄓㄢˋ ㄏㄨㄢˇ) to postpone for a while
暫且(ㄓㄢˋ ㄑㄧㄝˇ)for the time being
暫時(ㄓㄢˋ ㄕˊ)temporarily

暴 2276 1. ㄅㄠˋ bào
1. cruel; fierce; violent 2. sudden 3. short-tempered; hot-tempered
暴斃(ㄅㄠˋ ㄅㄧˋ)to meet a sudden death
暴民(ㄅㄠˋ ㄇㄧㄣˊ)mobs or mobsters
暴發(ㄅㄠˋ ㄈㄚ)① a violent eruption; a sudden flareup ② to break out
暴發戶(ㄅㄠˋ ㄈㄚ ㄏㄨˋ)an upstart
暴風(雨)(ㄅㄠˋ ㄈㄥ(ㄩˇ))a storm
暴跌(ㄅㄠˋ ㄉㄧㄝ) (said of prices) to slump
暴動(ㄅㄠˋ ㄉㄨㄥˋ)a riot
暴殄天物(ㄅㄠˋ ㄊㄧㄢˇ ㄊㄧㄢ ㄨˋ)a reckless waste of grains, etc.
暴徒(ㄅㄠˋ ㄊㄨˊ)a mob
暴力(ㄅㄠˋ ㄌㄧˋ)violence
暴利(ㄅㄠˋ ㄌㄧˋ)sudden huge profits
暴亂(ㄅㄠˋ ㄌㄨㄢˋ)a rebellion
暴君(ㄅㄠˋ ㄐㄩㄣ)a tyrant; a despot
暴行(ㄅㄠˋ ㄒㄧㄥˊ)atrocities
暴漲(ㄅㄠˋ ㄓㄤˇ)to skyrocket
暴政(ㄅㄠˋ ㄓㄥˋ)tyrannical rule
暴躁(ㄅㄠˋ ㄗㄠˋ)irritable
暴飲暴食(ㄅㄠˋ ㄧㄣˇ ㄅㄠˋ ㄕˊ)to eat and drink excessively

暴 2276 2. (曝) ㄆㄨˋ pù
to expose

暵 2277 ㄏㄢˋ hàn
to expose to sunshine; to dry; to be scorched up

暱 2278 (昵) ㄋㄧˋ nì
intimate; close
暱愛 (ㄋㄧˋ ㄞˋ) love or affection (between opposite sexes)

十二畫

暹 2279 ㄒㄧㄢ xiān
(said of the sun) to rise

曇 2280 ㄊㄢˊ tán
clouds
曇花一現(ㄊㄢˊ ㄏㄨㄚ ㄧˊ ㄒㄧㄢˋ) (said

〔日部〕

of glory, favorable situation, etc.) to appear and then quickly disappear

暨 2281 ㄐㄧˋ jì 「to; till」
1. and 2. to reach; to attain 3. up

〔日部〕

曆 2282 ㄌㄧˋ lì 「calculate; to count」
1. a calendar 2. an era; an age 3. to
曆法(ㄌㄧˋ ㄈㄚˇ) a calendar
曆書(ㄌㄧˋ ㄕㄨ) an almanac

曄 2283 ㄧㄝˋ yè 「thriving」
1. bright; radiant 2. prosperous;

曈 2284 ㄊㄨㄥˊ tóng
twilight before sunrise

曉 2285 ㄒㄧㄠˇ xiǎo
1. daybreak 2. to explain 3. to know
曉得(ㄒㄧㄠˇ ·ㄉㄜ) to know
曉以大義(ㄒㄧㄠˇ ㄧˇ ㄉㄚˋ ㄧˋ) (to persuade someone to follow the right path) by telling him what is right
曉諭(ㄒㄧㄠˇ ㄩˋ) to explain

曀 2286 ㄧˋ yì
dim; obscure; cloudy

曌 2287 ㄓㄠˋ zhào 「as her name」
same as 照, coined by 武則天 and used

暾 2288 ㄊㄨㄣ tūn
sunrise

十三畫

曖 2289 ㄞˋ ài 「vague」
1. dim; indistinct 2. ambiguous;
曖昧(ㄞˋ ㄇㄟˋ) ① ambiguous ② a secret impropriety

曏 2290 ㄒㄧㄤˋ xiàng 「time」
1. a period of time 2. once upon a

十四畫

曙 2291 ㄕㄨˋ shù
dawn; daybreak
曙光(ㄕㄨˋ ㄍㄨㄤ) light at dawn

曚 2292 ㄇㄥˊ méng
as in 曚曨—dim; obscure

曜 2293 ㄧㄠˋ yào (又讀 ㄩㄝˋ yuè) 「glisten」
1. daylight; sunshine 2. to shine; to

曛 2294 ㄒㄩㄣ xūn 「the setting sun」
1. twilight; dusk 2. the dim glow of

十五畫

曠 2295 ㄎㄨㄤˋ kuàng
1. wide; broad; vast 2. free from worries and petty ideas 3. to neglect
曠廢(ㄎㄨㄤˋ ㄈㄟˋ) to neglect
曠達(ㄎㄨㄤˋ ㄉㄚˊ) broad-minded
曠工(ㄎㄨㄤˋ ㄍㄨㄥ) to neglect work
曠課(ㄎㄨㄤˋ ㄎㄜˋ) to play truant
曠職(ㄎㄨㄤˋ ㄓˊ) to be absent from the office without leave
曠野(ㄎㄨㄤˋ ㄧㄝˇ) wild plains

曝 2296 ㄆㄨˋ pù
to expose to sunlight; to sun
曝露(ㄆㄨˋ ㄌㄨˋ) to expose oneself to the weather 亦作「暴露」 「sure」
曝光(ㄆㄨˋ ㄍㄨㄤ) (photography) expo-
曝曬(ㄆㄨˋ ㄕㄞˋ) to sun

十六畫

曦 2297 ㄒㄧ xī
sunshine; sunlight

曨 2298 (朧) ㄌㄨㄥˊ lóng
1. vague; dim 2. bright

十七畫

曩 2299 ㄋㄤˇ nǎng
past; former
曩昔(ㄋㄤˇ ㄒㄧˊ) or 曩時(ㄋㄤˇ ㄕˊ) in the past; in former times

十九畫

曬 2300 (晒) ㄕㄞˋ shài 「sun」
to expose to sunlight; to dry in the
曬太陽(ㄕㄞˋ ㄊㄞˋ ·ㄧㄤ) to be exposed to the sun
曬圖(ㄕㄞˋ ㄊㄨˊ) to make a blueprint; a blueprint 亦作「曬藍圖」
曬乾(ㄕㄞˋ ㄍㄢ) to dry in the sun
曬黑(ㄕㄞˋ ㄏㄟ) (said of skin) darkened by overexposure to the sun

曰部 ㄩㄝ yuē

曰 2301 ㄩㄝ yuē
1. (an archaic usage) to say 2. to call; to name

二畫

曲 2302 1. ㄑㄩ qū
1. bent; crooked; twisted; winding 2. obscure 3. wrong; unjustifiable
曲棍球(ㄑㄩ ㄍㄨㄣˋ ㄑㄧㄡˊ)hockey
曲解(ㄑㄩ ㄐㄧㄝˇ)to misinterpret
曲線(ㄑㄩ ㄒㄧㄢˋ)curved line; curve
曲直(ㄑㄩ ㄓˊ)right and wrong
曲折(ㄑㄩ ㄓㄜˊ)① bends; curves ② complications of an affair
曲尺(ㄑㄩ ㄔˇ)a (carpenter's) square

曲 2302 2. ㄑㄩˇ qǔ
1. a type of verse for singing, which emerged in the Southern Sung (南宋) and Kin (金) dynasties and became popular in the Yüan Dynasty 2. a piece of music; a song
曲調(ㄑㄩˇ ㄉㄧㄠˋ)tunes; melodies
曲高和寡 (ㄑㄩˇ ㄍㄠ ㄏㄜˋ ㄍㄨㄚˇ) caviare to the general

曳 2303 ㄧˋ yì(語音 ㄧㄝˋ yè)
to haul; to tug; to drag; to trail
曳引機(ㄧˋ ㄧㄣˇ ㄐㄧ)a tractor

三畫

更 2304 1. ㄍㄥ gēng
1. the watches of the night 2. a night watchman 3. to change; to alter 4. to experience 5. to alternate
更名(ㄍㄥ ㄇㄧㄥˊ)to change one's name
更夫(ㄍㄥ ㄈㄨ)a night watchman
更訂(ㄍㄥ ㄉㄧㄥˋ)to revise
更動(ㄍㄥ ㄉㄨㄥˋ)to shift
更替(ㄍㄥ ㄊㄧˋ)to alternate
更年期(ㄍㄥ ㄋㄧㄢˊ ㄑㄧˊ) (physiology) menopause; male menopause
更漏(ㄍㄥ ㄌㄡˋ)a sandglass
更改(ㄍㄥ ㄍㄞˇ)to alter
更換(ㄍㄥ ㄏㄨㄢˋ)to replace
更新(ㄍㄥ ㄒㄧㄣ)to renew
更正(ㄍㄥ ㄓㄥˋ)to correct
更衣(ㄍㄥ ㄧ)to change clothes
更衣室(ㄍㄥ ㄧ ㄕˋ)a dressing room

更 2304 2. ㄍㄥˋ gèng
more; further; to a greater degree
更妙(ㄍㄥˋ ㄇㄧㄠˋ)still better
更好(ㄍㄥˋ ㄏㄠˇ)better
更加(ㄍㄥˋ ㄐㄧㄚ)even more
更勝一籌(ㄍㄥˋ ㄕㄥˋ ㄧˋ ㄔㄡˊ)even better
更有甚者(ㄍㄥˋ ㄧㄡˇ ㄕㄣˋ ㄓㄜˇ)what is more

五畫

曷 2305 ㄏㄜˊ hé
1. what 2. why not 3. how
曷故(ㄏㄜˊ ㄍㄨˋ)why; what for

六畫

書 2306 ㄕㄨ shū
1. writings; a book 2. to write 3. a letter 4. a document; a certificate 5. the style of the calligraphy; script
書包(ㄕㄨ ㄅㄠ)a satchel; a schoolbag
書評(ㄕㄨ ㄆㄧㄥˊ)a book review
書眉(ㄕㄨ ㄇㄟˊ)the upper margin of a book page
書面(ㄕㄨ ㄇㄧㄢˋ)written form of communication
書面答覆(ㄕㄨ ㄇㄧㄢˋ ㄉㄚˊ ㄈㄨˋ)a written reply; an answer in writing
書名(ㄕㄨ ㄇㄧㄥˊ)the title of a book
書目(ㄕㄨ ㄇㄨˋ)a book catalogue
書法(ㄕㄨ ㄈㄚˇ)calligraphy
書法家(ㄕㄨ ㄈㄚˇ ㄐㄧㄚ)a calligraphic master
書房(ㄕㄨ ㄈㄤˊ)a study
書獃子(ㄕㄨ ㄉㄞ ˙ㄗ)a bookworm
書單(ㄕㄨ ㄉㄢ)a booklist
書店(ㄕㄨ ㄉㄧㄢˋ) or 書坊(ㄕㄨ ㄈㄤ) or 書局(ㄕㄨ ㄐㄩˊ)a bookstore
書套(ㄕㄨ ㄊㄠˋ)a slipcase
書攤(ㄕㄨ ㄊㄢ)a bookstall
書櫃(ㄕㄨ ㄍㄨㄟˋ)a bookcase
書刊(ㄕㄨ ㄎㄢ)books and magazines
書函(ㄕㄨ ㄏㄢˊ)a letter
書籍(ㄕㄨ ㄐㄧˊ)books
書記官(ㄕㄨ ㄐㄧˋ ㄍㄨㄢ)a clerk of a law court
書夾(ㄕㄨ ㄐㄧㄚˊ)bookends
書架(ㄕㄨ ㄐㄧㄚˋ)a bookshelf
書卷氣(ㄕㄨ ㄐㄩㄢˋ ㄑㄧˋ)bookishness
書籤(ㄕㄨ ㄑㄧㄢ)a bookmark
書寫(ㄕㄨ ㄒㄧㄝˇ)to write
書信(ㄕㄨ ㄒㄧㄣˋ)letters
書香門第(ㄕㄨ ㄒㄧㄤ ㄇㄣˊ ㄉㄧˋ)a literary family
書札(ㄕㄨ ㄓㄚˊ)letters
書桌(ㄕㄨ ㄓㄨㄛ)a desk
書生(ㄕㄨ ㄕㄥ)a student
書頁(ㄕㄨ ㄧㄝˋ)a page

七畫

〔日部〕

曹 2307
ㄘㄠˊ cáo 「ily name
1. a plural particle 2. a Chinese fam-

曼 2308
ㄇㄢˋ màn
(又讀 ㄨㄢˋ wàn)
1. graceful 2. long; vast; prolonged
曼陀林(ㄇㄢˋ ㄊㄨㄛˊ ㄌㄧㄣˊ) (music) a
曼谷(ㄇㄢˋ ㄍㄨˇ)Bangkok ⌊mandolin

八畫

曾 2309
1. ㄗㄥ zēng
1. older or younger by three generations 2. a Chinese family name
曾祖母 (ㄗㄥ ㄗㄨˇ ㄇㄨˇ) one's great-grandmother 「grandfather
曾祖父(ㄗㄥ ㄗㄨˇ ㄈㄨˋ)one's great-
曾孫 (ㄗㄥ ㄙㄨㄣ) one's great-grandchild 「granddaughter
曾孫女 (ㄗㄥ ㄙㄨㄣ ㄋㄩˇ) one's great-

曾 2309
2. ㄘㄥˊ céng
ever; once 「short time ago
曾幾何時 (ㄘㄥˊ ㄐㄧˇ ㄏㄜˊ ㄕˊ) only a
曾經(ㄘㄥˊ ㄐㄧㄥ)to have already

替 2310
ㄊㄧˋ tì
1. to substitute 2. to decay 3. to neglect 4. for; on behalf of
替代(ㄊㄧˋ ㄉㄞˋ)to substitute
替代物(ㄊㄧˋ ㄉㄞˋ ㄨˋ)a substitute
替換(ㄊㄧˋ ㄏㄨㄢˋ)to replace
替身(ㄊㄧˋ ㄕㄣ)an understudy
替身演員(ㄊㄧˋ ㄕㄣ ㄧㄢˇ ㄩㄢˊ)a stunt man
替死鬼(ㄊㄧˋ ㄙˇ ㄍㄨㄟˇ)a scapegoat

最 2311
ㄗㄨㄟˋ zuì
extreme; superlative
最大(ㄗㄨㄟˋ ㄉㄚˋ)the biggest
最低(ㄗㄨㄟˋ ㄉㄧ)the lowest
最低工資 (ㄗㄨㄟˋ ㄉㄧ ㄍㄨㄥ ㄗ) the minimum wage 「bottom price
最低價(ㄗㄨㄟˋ ㄉㄧ ㄐㄧㄚˋ) floor price;
最低限度(ㄗㄨㄟˋ ㄉㄧ ㄒㄧㄢˋ ㄉㄨˋ)① the lowest limit ② at least
最多(ㄗㄨㄟˋ ㄉㄨㄛ)at most
最短(ㄗㄨㄟˋ ㄉㄨㄢˇ)the shortest
最高(ㄗㄨㄟˋ ㄍㄠ)the highest
最高法院(ㄗㄨㄟˋ ㄍㄠ ㄈㄚˇ ㄩㄢˋ)the Supreme Court
最高峯(ㄗㄨㄟˋ ㄍㄠ ㄈㄥ)the summit
最高當局(ㄗㄨㄟˋ ㄍㄠ ㄉㄤ ㄐㄩˊ)the highest authorities
最高級(ㄗㄨㄟˋ ㄍㄠ ㄐㄧˊ) ①the highest; the summit ②(linguistics) the superlative degree 「better
最好 (ㄗㄨㄟˋ ㄏㄠˇ) ①the best ②had
最後(ㄗㄨㄟˋ ㄏㄡˋ)the last; the final
最後通牒(ㄗㄨㄟˋ ㄏㄡˋ ㄊㄨㄥ ㄉㄧㄝˊ) an ultimatum 「final victory
最後勝利(ㄗㄨㄟˋ ㄏㄡˋ ㄕㄥˋ ㄌㄧˋ)the
最佳(ㄗㄨㄟˋ ㄐㄧㄚ)the best
最近(ㄗㄨㄟˋ ㄐㄧㄣˋ)recently
最小(ㄗㄨㄟˋ ㄒㄧㄠˇ)the smallest
最先(ㄗㄨㄟˋ ㄒㄧㄢ)① the first ② at first; in the beginning
最新(ㄗㄨㄟˋ ㄒㄧㄣ)the newest
最終(ㄗㄨㄟˋ ㄓㄨㄥ)the final 「first
最初(ㄗㄨㄟˋ ㄔㄨ) ① the first ② at
最少(ㄗㄨㄟˋ ㄕㄠˇ)the least

九畫

會 2312
1. ㄏㄨㄟˋ huì
1. to meet 2. to assemble; to gather 3. a meeting; a conference 4. an association 5. a private banking cooperative 6. to be able to 7. to comprehend 8. shall; will 9. a capital
會面(ㄏㄨㄟˋ ㄇㄧㄢˋ) to meet face to
會費(ㄏㄨㄟˋ ㄈㄟˋ)dues ⌊face
會談(ㄏㄨㄟˋ ㄊㄢˊ)talks
會同(ㄏㄨㄟˋ ㄊㄨㄥˊ)together with
會客(ㄏㄨㄟˋ ㄎㄜˋ)to receive callers (or visitors) 「ing hours
會客時間(ㄏㄨㄟˋ ㄎㄜˋ ㄕˊ ㄐㄧㄢ) visit-
會客室(ㄏㄨㄟˋ ㄎㄜˋ ㄕˋ)a reception
會合(ㄏㄨㄟˋ ㄏㄜˊ)to meet ⌊room
會話(ㄏㄨㄟˋ ㄏㄨㄚˋ)a conversation
會見(ㄏㄨㄟˋ ㄐㄧㄢˋ)to meet (a person)
會診(ㄏㄨㄟˋ ㄓㄣˇ) (medicine) the consultation of doctors
會長(ㄏㄨㄟˋ ㄓㄤˇ)the president of an association or organization
會場(ㄏㄨㄟˋ ㄔㄤˇ)the site of a confer-
會商(ㄏㄨㄟˋ ㄕㄤ)to negotiate ⌊ence
會議(ㄏㄨㄟˋ ㄧˋ)a conference
會議記錄(ㄏㄨㄟˋ ㄧˋ ㄐㄧˋ ㄌㄨˋ)minutes
會員(ㄏㄨㄟˋ ㄩㄢˊ)a member of an association, society, etc.
會員國(ㄏㄨㄟˋ ㄩㄢˊ ㄍㄨㄛˊ)a member
⌊nation (or state)

會 2312
2. ㄏㄨㄟˇ huǐ
a brief period of time; a moment

會 2312
3. ㄎㄨㄞˋ kuài
to add; to compute 「accountant
會計(ㄎㄨㄞˋ ㄐㄧˋ)①accounting ②an
會計年度(ㄎㄨㄞˋ ㄐㄧˋ ㄋㄧㄢˊ ㄉㄨˋ) a fiscal year
會計科目(ㄎㄨㄞˋ ㄐㄧˋ ㄎㄜ ㄇㄨˋ)an accounting item

會計學(ㄎㄨㄞ ㄐㄧˋ ㄒㄩㄝˊ)accounting
會計師(ㄎㄨㄞ ㄐㄧˋ ㄕ)C.A.(a chartered accountant)

會 2312
4. ㄍㄨㄟˋ guì
會稽(ㄍㄨㄟˋ ㄐㄧ) Kueichi, Chekiang Province

十畫

朅 2313
ㄑㄧㄝˋ qiè
to depart; to go; to leave

月 部
ㄩㄝ yue

月 2314
ㄩㄝˋ yuè
1. the moon 2. the month
月報(ㄩㄝˋ ㄅㄠˋ)① a monthly report ② a monthly journal
月餅(ㄩㄝˋ ㄅㄧˇㄥ)a moon cake
月票(ㄩㄝˋ ㄆㄧㄠˋ)a monthly ticket
月臺(ㄩㄝˋ ㄊㄞˊ)a platform
月臺票(ㄩㄝˋ ㄊㄞˊ ㄆㄧㄠˋ)a platform ticket
月老(ㄩㄝˋ ㄌㄠˇ)a matchmaker
月曆(ㄩㄝˋ ㄌㄧˋ)a calendar, each page of which is a table of the days of a month
月亮(ㄩㄝˋ ·ㄌㄧㄤ)the moon
月桂(ㄩㄝˋ ㄍㄨㄟˋ)a laurel
月光(ㄩㄝˋ ㄍㄨㄤ)moonlight
月刊(ㄩㄝˋ ㄎㄢ)a monthly
月經(ㄩㄝˋ ㄐㄧㄥ)menses; periods
月經周期(ㄩㄝˋ ㄐㄧㄥ ㄓㄡ ㄑㄧˊ)menstrual cycles
月球(ㄩㄝˋ ㄑㄧㄡˊ)the moon
月薪(ㄩㄝˋ ㄒㄧㄣ)a monthly salary
月終(ㄩㄝˋ ㄓㄨㄥ) or 月底(ㄩㄝˋ ㄉㄧˇ) the end of a month
月初 (ㄩㄝˋ ㄔㄨ) the beginning of a month
月色(ㄩㄝˋ ㄙㄜˋ)moonlight
月夜(ㄩㄝˋ ㄧㄝˋ)a moonlight night

二畫

有 2315
1. ㄧㄡˇ yǒu
to have; to be present; to exist; there is
有備無患(ㄧㄡˇ ㄅㄟˋ ㄨˊ ㄏㄨㄢˋ)There is no danger when there is preparedness.
有辦法(ㄧㄡˇ ㄅㄢˋ ㄈㄚˇ) to have a way to solve some problem
有本領(ㄧㄡˇ ㄅㄣˇ ㄌㄧㄥˇ)capable
有憑有據(ㄧㄡˇ ㄆㄧㄥˊ ㄧㄡˇ ㄐㄩˋ)well-founded
有眉目(ㄧㄡˇ ㄇㄟˊ ㄇㄨˋ)about to materialize
有毛病(ㄧㄡˇ ㄇㄠˊ ·ㄅㄧㄥ)① sick; ill ② something wrong
有名(望)(ㄧㄡˇ ㄇㄧㄥˊ (ㄨㄤˋ))famous
有名無實(ㄧㄡˇ ㄇㄧㄥˊ ㄨˊ ㄕˊ)to exist only in name
有目共睹(ㄧㄡˇ ㄇㄨˋ ㄍㄨㄥˋ ㄉㄨˇ)to be obvious to all
有夫之婦(ㄧㄡˇ ㄈㄨ ㄓ ㄈㄨˋ)a married woman
有福氣(ㄧㄡˇ ㄈㄨˊ ·ㄑㄧ)to be blessed or favored by fortune
有待(ㄧㄡˇ ㄉㄞˋ)to require (investigation, etc.)
有道理(ㄧㄡˇ ㄉㄠˋ ㄌㄧˇ)reasonable
有點兒(ㄧㄡˇ ㄉㄧㄚˇㄦ)somewhat
有毒(ㄧㄡˇ ㄉㄨˊ)poisonous
有頭緒(ㄧㄡˇ ㄊㄡˊ ㄒㄩˋ)to have found the clue
有頭無尾(ㄧㄡˇ ㄊㄡˊ ㄨˊ ㄨㄟˇ)to quit doing something halfway
有條不紊(ㄧㄡˇ ㄊㄧㄠˊ ㄅㄨˋ ㄨㄣˇ)orderly
有條有理(ㄧㄡˇ ㄊㄧㄠˊ ㄧㄡˇ ㄌㄧˇ)logical; orderly
有賴(ㄧㄡˇ ㄌㄞˋ)to depend on
有勞(ㄧㄡˇ ㄌㄠˊ)to have troubled
有禮(ㄧㄡˇ ㄌㄧˇ)polite; courteous
有理(ㄧㄡˇ ㄌㄧˇ) ① reasonable ② justified
有利可圖(ㄧㄡˇ ㄌㄧˋ ㄎㄜˇ ㄊㄨˊ)(said of material profit) profitable
有力證據(ㄧㄡˇ ㄌㄧˋ ㄓㄥˋ ㄐㄩˋ)convincing proof
有骨氣(ㄧㄡˇ ㄍㄨˇ ㄑㄧˋ)adhering to moral principles
有關(ㄧㄡˇ ㄍㄨㄢ)to concern
有功(ㄧㄡˇ ㄍㄨㄥ)to make contributions to
有口皆碑 (ㄧㄡˇ ㄎㄡˇ ㄐㄧㄝ ㄅㄟ) praised by all
有口無心(ㄧㄡˇ ㄎㄡˇ ㄨˊ ㄒㄧㄣ)to say what one does not mean
有虧職守(ㄧㄡˇ ㄎㄨㄟ ㄓˊ ㄕㄡˇ)to have neglected one's duty
有空(ㄧㄡˇ ㄎㄨㄥˋ)to have time
有何不可 (ㄧㄡˇ ㄏㄜˊ ㄅㄨˋ ㄎㄜˇ) Why not?
有害(ㄧㄡˇ ㄏㄞˋ)harmful
有害無益(ㄧㄡˇ ㄏㄞˋ ㄨˊ ㄧˋ) not helpful but harmful
有恆(ㄧㄡˇ ㄏㄥˊ)persistent
有機體(ㄧㄡˇ ㄐㄧ ㄊㄧˇ)an organism
有機可乘(ㄧㄡˇ ㄐㄧ ㄎㄜˇ ㄔㄥˊ)to have loopholes to exploit
有計畫(ㄧㄡˇ ㄐㄧˋ ㄏㄨㄚˋ)in a planned way; according to plan
有價證券 (ㄧㄡˇ ㄐㄧㄚˋ ㄓㄥˋ ㄑㄩㄢˋ) securities
有教無類(ㄧㄡˇ ㄐㄧㄠˋ ㄨˊ ㄌㄟˋ)to provide education for all people without discrimination
有見識(ㄧㄡˇ ㄐㄧㄢˋ ㄕˋ)farsighted

(月部)

有鑒於此(ㄧㄡˇ ㄐㄧㄢˋ ㄩˊ ㄘˇ)in view of this
有經驗(ㄧㄡˇ ㄐㄧㄥ ㄧㄢˋ)experienced
有其父必有其子(ㄧㄡˇ ㄑㄧˊ ㄈㄨˋ ㄅㄧˋ ㄧㄡˇ ㄑㄧˊ ㄗˇ)Like father, like son.
有期徒刑(ㄧㄡˇ ㄑㄧˊ ㄊㄨˊ ㄒㄧㄥˊ)(law) imprisonment for a definite term
有起色(ㄧㄡˇ ㄑㄧˇ ㄙㄜˋ)to show signs of a rise, imprisonment, etc.
有求必應(ㄧㄡˇ ㄑㄧㄡˊ ㄅㄧˋ ㄧㄥˋ) to respond to every plea
有錢(ㄧㄡˇ ㄑㄧㄢˊ)rich; wealthy
有錢能使鬼推磨(ㄧㄡˇ ㄑㄧㄢˊ ㄋㄥˊ ㄕˇ ㄍㄨㄟˇ ㄊㄨㄟ ㄇㄛˊ)Money can work miracles.
有趣(ㄧㄡˇ ㄑㄩˋ)interesting
有喜(ㄧㄡˇ ㄒㄧˇ)pregnant
有隙可乘(ㄧㄡˇ ㄒㄧˋ ㄎㄜˇ ㄔㄥˊ)There is a flaw or chance for attack.
有些(ㄧㄡˇ ㄒㄧㄝ)① some; a few ② somewhat
有效(ㄧㄡˇ ㄒㄧㄠˋ)effective
有線電視(ㄧㄡˇ ㄒㄧㄢˋ ㄉㄧㄢˋ ㄕˋ)cable television
有限(ㄧㄡˇ ㄒㄧㄢˋ)limited
有限公司(ㄧㄡˇ ㄒㄧㄢˋ ㄍㄨㄥ ㄙ)a limited company
有心人(ㄧㄡˇ ㄒㄧㄣ ㄖㄣˊ)a person who has a mind to do something useful
有形(ㄧㄡˇ ㄒㄧㄥˊ)visible; concrete
有學問(ㄧㄡˇ ㄒㄩㄝˊ ㄨㄣˋ)learned
有志竟成(ㄧㄡˇ ㄓˋ ㄐㄧㄥˋ ㄔㄥˊ)Where there is a will, there is a way.
有朝一日(ㄧㄡˇ ㄓㄠ ㄧˊ ㄖˋ)some day in the future
有助於(ㄧㄡˇ ㄓㄨˋ ㄩˊ)to conduce to
有著落(ㄧㄡˇ ㄓㄨㄛˊ ㄌㄨㄛˋ)to have found reliable (financial) support
有出入(ㄧㄡˇ ㄔㄨ ㄖㄨˋ)to disagree
有時(ㄧㄡˇ ㄕˊ)sometimes
有史以來(ㄧㄡˇ ㄕˇ ㄧˇ ㄌㄞˊ) since the dawn of history
有始有終(ㄧㄡˇ ㄕˇ ㄧㄡˇ ㄓㄨㄥ)not to give up halfway
有事(ㄧㄡˇ ㄕˋ)① to be busy ② to meet with an accident
有識之士(ㄧㄡˇ ㄕˋ ㄓ ㄕˋ) farsighted people
有生之年(ㄧㄡˇ ㄕㄥ ㄓ ㄋㄧㄢˊ) for the rest of one's life
有生以來(ㄧㄡˇ ㄕㄥ ㄧˇ ㄌㄞˊ)since one's birth
有人(ㄧㄡˇ ㄖㄣˊ)some people
有如(ㄧㄡˇ ㄖㄨˊ)as if
有增無減(ㄧㄡˇ ㄗㄥ ㄨˊ ㄐㄧㄢˇ) to increase steadily
有作爲(ㄧㄡˇ ㄗㄨㄛˋ ㄨㄟˊ) capable of outstanding achievements
有罪(ㄧㄡˇ ㄗㄨㄟˋ)guilty; sinful
有色人種(ㄧㄡˇ ㄙㄜˋ ㄖㄣˊ ㄓㄨㄥˇ)colored races
有礙觀瞻(ㄧㄡˇ ㄞˋ ㄍㄨㄢ ㄓㄢ)to be an eyesore
有案可查(ㄧㄡˇ ㄢˋ ㄎㄜˇ ㄔㄚˊ)to be on record
有一次(ㄧㄡˇ ㄧˊ ㄘˋ)once
有益(ㄧㄡˇ ㄧˋ)profitable
有意見(ㄧㄡˇ ㄧˋ ㄐㄧㄢˋ)to have reservations
有意思(ㄧㄡˇ ㄧˋ ·ㄙ)interesting
有意義的(ㄧㄡˇ ㄧˋ ㄧˋ ·ㄉㄜ)meaningful
有言在先(ㄧㄡˇ ㄧㄢˊ ㄗㄞˋ ㄒㄧㄢ) to have said previously
有眼無珠(ㄧㄡˇ ㄧㄢˇ ㄨˊ ㄓㄨ) to lack discerning power
有氧舞蹈(ㄧㄡˇ ㄧㄤˇ ㄨˇ ㄉㄠˋ) aerobic dancing
有爲(ㄧㄡˇ ㄨㄟˊ) capable of great achievements
有問必答(ㄧㄡˇ ㄨㄣˋ ㄅㄧˋ ㄉㄚˊ) to answer all questions asked
有問題(ㄧㄡˇ ㄨㄣˋ ㄊㄧˊ)unreliable
有緣(ㄧㄡˇ ㄩㄢˊ)linked by ties of fate
有勇無謀(ㄧㄡˇ ㄩㄥˇ ㄨˊ ㄇㄡˊ)to be foolhardy
有用(ㄧㄡˇ ㄩㄥˋ)useful; practical

有 2315
2. ㄧㄡˋ yòu
same as 又—again

四畫

朋 2316
ㄆㄥˊ péng
1. a friend; a companion 2. a group; a clique
朋比爲奸(ㄆㄥˊ ㄅㄧˋ ㄨㄟˊ ㄐㄧㄢ) to gang up for evildoings
朋黨(ㄆㄥˊ ㄉㄤˇ)a faction
朋友(ㄆㄥˊ ㄧㄡˇ)a friend

服 2317
1. ㄈㄨˊ fú
1. clothes; dress 2. mourning 3. to wear (clothes) 4. to obey; to be convinced 5. to serve 6. to take (medicine) 7. to be accustomed to
服服帖帖(ㄈㄨˊ ·ㄈㄨ ㄊㄧㄝ ㄊㄧㄝ) obedient; docile
服毒(ㄈㄨˊ ㄉㄨˊ)to take poison
服氣(ㄈㄨˊ ㄑㄧˋ)to submit willingly
服刑(ㄈㄨˊ ㄒㄧㄥˊ)to serve a prison term
服裝(ㄈㄨˊ ㄓㄨㄤ)costumes; dress
服裝設計(ㄈㄨˊ ㄓㄨㄤ ㄕㄜˋ ㄐㄧˋ)dress designing
服飾(ㄈㄨˊ ㄕˋ)costume and accessories
服侍(ㄈㄨˊ ·ㄕ)to wait upon
服輸(ㄈㄨˊ ㄕㄨ)to concede defeat
服從(ㄈㄨˊ ㄘㄨㄥˊ)to obey
服喪(ㄈㄨˊ ㄙㄤ)to remain in mourning
服役(ㄈㄨˊ ㄧˋ)① to undergo hard labor ② to undergo military service
服務(ㄈㄨˊ ㄨˋ)① service ② to work as an employee

服務臺(ㄈㄨˊ ㄨˋ ㄊㄞˊ)a service desk
服務員(ㄈㄨˊ ㄨˋ ㄩㄢˊ) an attendant; a steward
服用(ㄈㄨˊ ㄩㄥˋ) to take (medicine, etc.)

服 2317
2. ㄈㄨˋ fù
(Chinese medicine) a dose: 一服藥 a dose of medicine

五畫

朏 2318
ㄈㄟˇ fěi
the light of a crescent moon

六畫

朔 2319
ㄕㄨㄛˋ shuò
1. to begin 2. north 3. the first day of the month of the lunar calendar
朔望(ㄕㄨㄛˋ ㄨㄤˋ)the first and the 15th days of the lunar month

朕 2320
ㄓㄣˋ zhèn
1. the royal "we" (used exclusively by the emperor or king to mean "I") 2. as in 朕兆—omens; signs

朓 2321
ㄊㄧㄠˋ tiào
at the end of a lunar month when the moon is setting in the west

七畫

朗 2322
ㄌㄤˇ lǎng
1. bright; clear 2. resonant; sonorous; sonorously
朗誦(ㄌㄤˇ ㄙㄨㄥˋ)to read aloud

望 2323
ㄨㄤˋ wàng
1. to view; to watch 2. to hope 3. the 15th day of each month of the lunar calendar 4. reputation 5. to visit
望梅止渴(ㄨㄤˋ ㄇㄟˊ ㄓˇ ㄎㄜˇ)to console oneself with false hopes
望塵莫及(ㄨㄤˋ ㄔㄣˊ ㄇㄛˋ ㄐㄧˊ)to be left far behind
望子成龍(ㄨㄤˋ ㄗˇ ㄔㄥˊ ㄌㄨㄥˊ)to hope one's children will have a bright future
望族(ㄨㄤˋ ㄗㄨˊ)a family of renown
望眼欲穿 (ㄨㄤˋ ㄧㄢˇ ㄩˋ ㄔㄨㄢ) to aspire earnestly
望遠鏡(ㄨㄤˋ ㄩㄢˇ ㄐㄧㄥˋ)a telescope

八畫

朝 2324
1. ㄓㄠ zhāo
1. morning 2. a day
朝不保夕(ㄓㄠ ㄅㄨˋ ㄅㄠˇ ㄒㄧ)precarious
朝令夕改(ㄓㄠ ㄌㄧㄥˋ ㄒㄧˋ ㄍㄞˇ)to change rules very frequently
朝露(ㄓㄠ ㄌㄨˋ)morning dew—a symbol of transience
朝會(ㄓㄠ ㄏㄨㄟˋ) a morning rally (in schools)
朝氣(ㄓㄠ ㄑㄧˋ)fresh spirit
朝氣蓬勃(ㄓㄠ ㄑㄧˋ ㄆㄥˊ ㄅㄛˊ) full of youthful spirit; full of vigor and vitality
朝秦暮楚(ㄓㄠ ㄑㄧㄣˊ ㄇㄨˋ ㄔㄨˇ)to be fickle or capricious
朝夕(ㄓㄠ ㄒㄧˋ)constantly
朝朝暮暮(ㄓㄠ ㄓㄠ ㄇㄨˋ ㄇㄨˋ)every day; always
朝三暮四(ㄓㄠ ㄙㄢ ㄇㄨˋ ㄙˋ)to be inconsistent
朝陽(ㄓㄠ ㄧㄤˊ)the morning sun

朝 2324
2. ㄔㄠˊ cháo
1. an imperial court 2. a dynasty 3. to go to imperial court 4. to face
朝拜(ㄔㄠˊ ㄅㄞˋ)to worship
朝代(ㄔㄠˊ ㄉㄞˋ)a dynasty
朝廷(ㄔㄠˊ ㄊㄧㄥˊ)the court

期 2325
1. ㄑㄧˊ qí (又讀 ㄑㄧ qī)
1. periods 2. a designated time 3. to expect; to hope
期票(ㄑㄧˊ ㄆㄧㄠˋ)a time draft; a promissory note
期末考試(ㄑㄧˊ ㄇㄛˋ ㄎㄠˇ ㄕˋ)the terminal examination
期滿(ㄑㄧˊ ㄇㄢˇ)The term (or period) has expired.
期待(ㄑㄧˊ ㄉㄞˋ)to expect
期刊(ㄑㄧˊ ㄎㄢ)a periodical
期貨(ㄑㄧˊ ㄏㄨㄛˋ) (economics) futures
期貨交易(ㄑㄧˊ ㄏㄨㄛˋ ㄐㄧㄠ ㄧˋ)forward transaction
期貨市場(ㄑㄧˊ ㄏㄨㄛˋ ㄕˋ ㄔㄤˇ)futures market
期間(ㄑㄧˊ ㄐㄧㄢ)a period; a term
期期艾艾(ㄑㄧˊ ㄑㄧˊ ㄞˋ ㄞˋ)stammering
期限(ㄑㄧˊ ㄒㄧㄢˋ)a deadline
期許(ㄑㄧˊ ㄒㄩˇ)expectation
期中報告 (ㄑㄧˊ ㄓㄨㄥ ㄅㄠˋ ㄍㄠˋ) (accounting) an interim report
期中考試(ㄑㄧˊ ㄓㄨㄥ ㄎㄠˇ ㄕˋ)a midterm examination
期望(ㄑㄧˊ ㄨㄤˋ)to expect; to hope

期 2325
2. (朞) ㄐㄧ jī
one year: 期年 a complete year
期服(ㄐㄧ ㄈㄨˊ)one-year mourning

十畫

朢 2326
ㄨㄤˋ wàng
the original form of 望—the 15th day of each month of the lunar calendar

〔月部〕

〔木部〕

十二畫

朣 2327 ㄊㄨㄥˊ tóng
the rising moon

十四畫

朦 2328 ㄇㄥˊ méng
1. the state of the moon just before setting 2. dim; vague 3. to deceive
朦朧(ㄇㄥˊ ㄌㄨㄥˊ)dim; vague

十六畫

朧 2329 ㄌㄨㄥˊ lóng
the moon's brightness

木部 ㄇㄨˋ mù

木 2330 ㄇㄨˋ mù
1. a tree 2. wood; timber 3. wooden 4. honest 5. benumbed 6. a coffin
木板(ㄇㄨˋ ㄅㄢˇ)planks; boards
木筏(ㄇㄨˋ ㄈㄚˊ)a wooden raft
木頭(ㄇㄨˋ ·ㄊㄡ)wood; timber
木頭人兒(ㄇㄨˋ ·ㄊㄡ ㄖㄜˊㄦ)a stupid fellow
木炭(ㄇㄨˋ ㄊㄢˋ)charcoal
木訥(ㄇㄨˋ ㄋㄜˋ)honest and slow-witted
木乃伊(ㄇㄨˋ ㄋㄞˇ ㄧ)a mummy
木瓜(ㄇㄨˋ ㄍㄨㄚ)a papaya
木棍(ㄇㄨˋ ㄍㄨㄣˋ)a wooden club
木工(ㄇㄨˋ ㄍㄨㄥ)a carpenter
木屐(ㄇㄨˋ ㄐㄧ)clogs; pattens
木匠(ㄇㄨˋ ㄐㄧㄤˋ)a carpenter
木琴(ㄇㄨˋ ㄑㄧㄣˊ)a xylophone
木箱(ㄇㄨˋ ㄒㄧㄤ)a wooden box
木星(ㄇㄨˋ ㄒㄧㄥ)the planet Jupiter
木樁(ㄇㄨˋ ㄓㄨㄤ)a wooden post
木柴(ㄇㄨˋ ㄔㄞˊ)firewood
木栓(ㄇㄨˋ ㄕㄨㄢ)a cork
木材(ㄇㄨˋ ㄘㄞˊ)lumber; timber
木偶(ㄇㄨˋ ㄡˇ)a puppet
木偶戲(ㄇㄨˋ ㄡˇ ㄒㄧˋ)a puppet show
木已成舟(ㄇㄨˋ ㄧˇ ㄔㄥˊ ㄓㄡ)It is an accomplished fact.
木屋(ㄇㄨˋ ㄨ)a log cabin

一畫

未 2331 ㄨㄟˋ wèi
1. not yet 2. not 3. the eighth of the Twelve Terrestrial Branches 4. 1:00-3:00 p.m.
未必(ㄨㄟˋ ㄅㄧˋ)not always
未卜先知(ㄨㄟˋ ㄅㄨˇ ㄒㄧㄢ ㄓ)to foresee accurately
未定(ㄨㄟˋ ㄉㄧㄥˋ)uncertain
未能(ㄨㄟˋ ㄋㄥˊ)to fail to; cannot
未來(ㄨㄟˋ ㄌㄞˊ)in the future
未開發(ㄨㄟˋ ㄎㄞ ㄈㄚ)undeveloped
未婚(ㄨㄟˋ ㄏㄨㄣ)unmarried
未婚夫(ㄨㄟˋ ㄏㄨㄣ ㄈㄨ)one's fiancé
未婚妻(ㄨㄟˋ ㄏㄨㄣ ㄑㄧ)one's fiancée
未經(ㄨㄟˋ ㄐㄧㄥ)to have not yet
未嘗不可(ㄨㄟˋ ㄔㄤˊ ㄅㄨˋ ㄎㄜˇ)It is not necessarily impossible.
未成年(ㄨㄟˋ ㄔㄥˊ ㄋㄧㄢˊ)minor
未曾(ㄨㄟˋ ㄘㄥˊ)never before
未遂(ㄨㄟˋ ㄙㄨㄟˋ) attempted without success
未完(ㄨㄟˋ ㄨㄢˊ)unfinished
未雨綢繆(ㄨㄟˋ ㄩˇ ㄔㄡˊ ㄇㄡˊ)to take precautions before it is too late

末 2332 ㄇㄛˋ mò
1. last; final 2. late; recent 3. trivial 4. the end 5. the four limbs
末班(ㄇㄛˋ ㄅㄢ)the last scheduled bus, train, ship, or airplane in a day
末代(ㄇㄛˋ ㄉㄞˋ) or 末世 (ㄇㄛˋ ㄕˋ)the last reign (of a dynasty)
末年(ㄇㄛˋ ㄋㄧㄢˊ)the declining years of one's life, a dynasty, etc.
末了(ㄇㄛˋ ㄌㄧㄠˇ)the end
末路窮途(ㄇㄛˋ ㄌㄨˋ ㄑㄩㄥˊ ㄊㄨˊ)to be at one's wits' end
末日(ㄇㄛˋ ㄖˋ)① the last day ②(Christianity) Doomsday
末葉(ㄇㄛˋ ㄧㄝˋ)the latter part of a century
末尾(ㄇㄛˋ ㄨㄟˇ)the end

本 2333 ㄅㄣˇ běn
1. the root of a plant 2. the root; the origin 3. original 4. a book; a copy 5. capital 6. our; this 7. according to 8. the starting point
本班(ㄅㄣˇ ㄅㄢ)this class, etc.
本部(ㄅㄣˇ ㄅㄨˋ)headquarters
本埠(ㄅㄣˇ ㄅㄨˋ)the local area
本票(ㄅㄣˇ ㄆㄧㄠˋ)a bank check
本末倒置(ㄅㄣˇ ㄇㄛˋ ㄉㄠˋ ㄓˋ)to mistake the means for the end
本名(ㄅㄣˇ ㄇㄧㄥˊ)one's formal name
本分(ㄅㄣˇ ㄈㄣˋ)one's duty
本地(ㄅㄣˇ ㄉㄧˋ)the local area
本地人(ㄅㄣˇ ㄉㄧˋ ㄖㄣˊ)a native
本土(ㄅㄣˇ ㄊㄨˇ)the mainland
本土文化(ㄅㄣˇ ㄊㄨˇ ㄨㄣˊ ㄏㄨㄚˋ)indigenous culture
本能(ㄅㄣˇ ㄋㄥˊ)instinct

本來(ㄅㄣˇ ㄌㄞˊ)originally
本壘(ㄅㄣˇ ㄌㄟˇ)(baseball)home base
本利(ㄅㄣˇ ㄌㄧˋ) or 本息 (ㄅㄣˇ ㄒㄧˊ) principal and interest
本領(ㄅㄣˇ ㄌㄧㄥˇ)ability; skill
本國(ㄅㄣˇ ㄍㄨㄛˊ)one's home country
本行(ㄅㄣˇ ㄏㄤˊ)one's trade
本屆(ㄅㄣˇ ㄐㄧㄝˋ)this year's
本金(ㄅㄣˇ ㄐㄧㄣ)principal
本期(ㄅㄣˇ ㄑㄧˊ)this term
本錢(ㄅㄣˇ ㄑㄧㄢˊ)capital
本校(ㄅㄣˇ ㄒㄧㄠˋ)our school
本性(ㄅㄣˇ ㄒㄧㄥˋ)the real nature
本性難移(ㄅㄣˇ ㄒㄧㄥˋ ㄋㄢˊ ㄧˊ)One's nature cannot be altered.
本質(ㄅㄣˇ ㄓˊ)essential qualities
本旨(ㄅㄣˇ ㄓˇ)the real meaning
本着(ㄅㄣˇ •ㄓㄜ)in accordance with
本週(ㄅㄣˇ ㄓㄡ)this week
本初子午線 (ㄅㄣˇ ㄔㄨ ㄗˇ ㄨˇ ㄒㄧㄢˋ) the prime meridian
本事(ㄅㄣˇ •ㄕ) ability; skill; talent
本身(ㄅㄣˇ ㄕㄣ)oneself; itself
本人(ㄅㄣˇ ㄖㄣˊ)① I; me ② himself; herself; yourself ③ personally
本子(ㄅㄣˇ •ㄗ)a notebook
本色(ㄅㄣˇ ㄙㄜˋ)① the original color ② the real look
本案(ㄅㄣˇ ㄢˋ)this case
本意(ㄅㄣˇ ㄧˋ)the original intention
本位主義(ㄅㄣˇ ㄨㄟˋ ㄓㄨˇ ㄧˋ)selfish departmentalism
本月(ㄅㄣˇ ㄩㄝˋ)this month
本源(ㄅㄣˇ ㄩㄢˊ)the ultimate source

札 2334
ㄓㄚˊ zhá
1. (in ancient China) a thin wooden tablet for writing 2. a letter 3. (in ancient China) documents to a subordinate
札記 (ㄓㄚˊ ㄐㄧˋ) a notebook in which one records his comments on the book he is reading

朮 2335
ㄓㄨˊ zhú
Podophyllum versipelle, a plant used in herbal medicine

二畫

朱 2336
ㄓㄨ zhū
1. red; vermilion 2. a Chinese family name
朱門(ㄓㄨ ㄇㄣˊ) rich and influential families
朱紅(ㄓㄨ ㄏㄨㄥˊ)bright red
朱漆(ㄓㄨ ㄑㄧ)red paint; red lacquer
朱砂 or 硃砂(ㄓㄨ ㄕㄚ)cinnabar

朴 2337
1. ㄆㄛˋ pò
as in 朴硝—saltpeter

朴 2337
2. (樸) ㄆㄨˊ pú
1. (said of clothing, etc.) simple 2. a kind of oak (*Quercus dentata*)

朽 2338
ㄒㄧㄡˇ xiǔ
1. to rot; to decay 2. old and useless
朽敗(ㄒㄧㄡˇ ㄅㄞˋ)decayed and rotten
朽木(ㄒㄧㄡˇ ㄇㄨˋ)① rotten wood ② a good-for-nothing
朽壞(ㄒㄧㄡˇ ㄏㄨㄞˋ)to decay

朶 2339
(朵) ㄉㄨㄛˇ duǒ
1. a flower; a cluster of flowers; a bud 2. a lobe of the ear
朶頤(ㄉㄨㄛˇ ㄧˊ)the movement of the jaw in eating—the palate

三畫

李 2340
ㄌㄧˇ lǐ
1. plums 2. a Chinese family name
李白(ㄌㄧˇ ㄅㄛˊ)Li Po
李子(ㄌㄧˇ •ㄗ)plums

杉 2341
ㄕㄢ shān
the various species of fir and pine
杉木(ㄕㄢ ㄇㄨˋ)fir wood

杈 2342
1. ㄔㄚ chā
1. the branches of a tree 2. a fish-fork 3. any fork-like object 4. a kind of weapon in ancient China

杈 2342
2. ㄔㄚˋ chà
杈子(ㄔㄚˋ ㄗˇ)a cheval-de-frise

杌 2343
ㄨˋ wù
1. a tree without a branch 2. a square stool 3. worried and anxious
杌隉(ㄨˋ ㄋㄧㄝˋ)unquiet; uneasy

杏 2344
ㄒㄧㄥˋ xìng
1. an apricot 2. almonds—apricot kernels 3. apricot flowers
杏壇(ㄒㄧㄥˋ ㄊㄢˊ)(in a broad sense) the teaching profession
杏花(ㄒㄧㄥˋ ㄏㄨㄚ)apricot blossoms
杏仁兒(ㄒㄧㄥˋ ㄖㄜˊㄦ)almonds
杏仁兒粉(ㄒㄧㄥˋ ㄖㄜˊㄦ ㄈㄣˇ)almond powder

杓 2345
1. ㄅㄧㄠ biāo
name of a constellation—the handle of the Dipper

杓 2345
2. (勺) ㄕㄠˊ sháo
a container, as a cup, ladle, etc.
杓子(ㄕㄠˊ •ㄗ)a wooden ladle

〔木部〕

〔木部〕

材 2346 ㄘㄞˊ cái
1. materials—especially timber—for building houses, etc. 2. material in its broadest sense 3. properties of a substance 4. ability 5. a coffin
材料(ㄘㄞˊ ㄌㄧㄠˋ)① materials—for all building purposes ② ingredients of a preparation (of food, etc.)
材幹(ㄘㄞˊ ㄍㄢˋ)talent; ability

村 2347 (邨) ㄘㄨㄣ cūn
1. a village; the countryside; a hamlet 2. vulgar; coarse 3. naive; simple-minded
村夫(ㄘㄨㄣ ㄈㄨ)a villager
村婦(ㄘㄨㄣ ㄈㄨˋ)a vulgar woman
村落(ㄘㄨㄣ ㄌㄨㄛˋ)a village
村姑(ㄘㄨㄣ ㄍㄨ)a country girl
村長(ㄘㄨㄣ ㄓㄤˇ)the village chief
村莊(ㄘㄨㄣ ㄓㄨㄤ)a village

杖 2348 ㄓㄤˋ zhàng
1. a stick; a cane 2. (an old punishment) to beat with a cane 3. to presume on (one's connections, etc.)
杖擊(ㄓㄤˋ ㄐㄧˊ) to hit or beat with a cane

杜 2349 ㄉㄨˋ dù
1. to plug (a hole, leak, etc.); to stop; to prevent 2. to restrict; to impede 3. to fabricate 4. a Chinese family name
杜絕(ㄉㄨˋ ㄐㄩㄝˊ)① to eradicate ② to cut off (relations with) ③ irrevocable (contracts, title deeds, etc.)
杜鵑(ㄉㄨˋ ㄐㄩㄢ)a cuckoo
杜鵑花(ㄉㄨˋ ㄐㄩㄢ ㄏㄨㄚ)azaleas
杜撰(ㄉㄨˋ ㄓㄨㄢˋ)to fabricate (a story, etc.)

杞 2350 ㄑㄧˇ qǐ
1. a species of willow 2. a medlar 3. Chi, name of a state in the Chou Dynasty in today's Honan Province
杞人憂天(ㄑㄧˇ ㄖㄣˊ ㄧㄡ ㄊㄧㄢ)A man entertains imaginary or groundless fears.

束 2351 ㄕㄨˋ shù
1. to bind 2. a bunch 3. to control; to restrain
束縛(ㄕㄨˋ ㄈㄨˊ)restraint
束脩(ㄕㄨˋ ㄒㄧㄡ)tuition
束手就擒(ㄕㄨˋ ㄕㄡˇ ㄐㄧㄡˋ ㄑㄧㄣˊ)to put up no fight and allow oneself to be caught
束手無策(ㄕㄨˋ ㄕㄡˇ ㄨˊ ㄘㄜˋ) at the end of one's rope

杠 2352 ㄍㄤ gāng
1. a flag pole 2. a bridge

杆 2353 ㄍㄢ gān
1. a wooden pole 2. rod, a unit of measurement which equals to 5.5 yards 3. a wooden fence

杙 2354 ㄧˋ yì
a tiny wooden post; a boundary mark or fence

四畫

杪 2355 ㄇㄧㄠˇ miǎo
1. the tip of a small branch 2. the end (of a period)

杭 2356 ㄏㄤˊ háng
1. Hangchow 2. same as 航 —to sail; to navigate

杯 2357 ㄅㄟ bēi
a cup; a tumbler; a glass; a goblet
杯葛(ㄅㄟ ㄍㄜˊ)a boycott
杯弓蛇影 (ㄅㄟ ㄍㄨㄥ ㄕㄜˊ ㄧㄥˇ) a false alarm; extremely suspicious
杯中物(ㄅㄟ ㄓㄨㄥ ㄨˋ)wine
杯水車薪 (ㄅㄟ ㄕㄨㄟˇ ㄔㄜ ㄒㄧㄣ) an utterly inadequate measure

杲 2358 ㄍㄠˇ gǎo
1. bright—as the shining sun 2. high

杳 2359 ㄧㄠˇ yǎo
1. deep and expansive 2. quiet; silent
杳然(ㄧㄠˇ ㄖㄢˊ)lonely
杳無音信 (ㄧㄠˇ ㄨˊ ㄧㄣ ㄒㄧㄣˋ) without any news of someone for a long time

東 2360 ㄉㄨㄥ dōng
1. the east; eastern 2. to travel eastward 3. the host; the master
東半球(ㄉㄨㄥ ㄅㄢˋ ㄑㄧㄡˊ)the Eastern Hemisphere
東奔西走(ㄉㄨㄥ ㄅㄣ ㄒㄧ ㄗㄡˇ)to run about busily
東邊(ㄉㄨㄥ ㄅㄧㄢ)on the east
東拼西湊(ㄉㄨㄥ ㄆㄧㄣ ㄒㄧ ㄘㄡˋ) to patch up from bits
東方(ㄉㄨㄥ ㄈㄤ)① the east ② Oriental
東風(ㄉㄨㄥ ㄈㄥ)an east wind
東南(ㄉㄨㄥ ㄋㄢˊ)southeast
東南西北 (ㄉㄨㄥ ㄋㄢˊ ㄒㄧ ㄅㄟˇ) all directions
東南亞 (ㄉㄨㄥ ㄋㄢˊ ㄧㄚˇ) Southeast Asia
東家(ㄉㄨㄥ ·ㄐㄧㄚ)the owner of a company or shop
東經(ㄉㄨㄥ ㄐㄧㄥ)longitude east of Greenwich
東京(ㄉㄨㄥ ㄐㄧㄥ)Tokyo
東西 ①(ㄉㄨㄥ ㄒㄧ)from east to west ②(ㄉㄨㄥ ·ㄒㄧ)things
東張西望 (ㄉㄨㄥ ㄓㄤ ㄒㄧ ㄨㄤˋ) to look about furtively
東窗事發 (ㄉㄨㄥ ㄔㄨㄤ ㄕˋ ㄈㄚ) to

come to light
東施效顰(ㄉㄨㄥ ㄕ ㄒㄧㄠˋ ㄆㄧㄣˊ) to imitate awkwardly
東山再起(ㄉㄨㄥ ㄕㄢ ㄗㄞˋ ㄑㄧˇ) to stage a comeback
東洋(ㄉㄨㄥ ㄧㄤˊ)Japan

杵 2361
ㄔㄨˇ chǔ
1. a pestle 2. to poke

枇 2362
ㄆㄧˊ pí
as in 枇杷—loquats
枇杷膏(ㄆㄧˊ ·ㄆㄚ ㄍㄠ) condensed loquat extract

杷 2363
·ㄆㄚ pa
loquats

杼 2364
ㄓㄨˋ zhù
the shuttle of a loom

板 2365
ㄅㄢˇ bǎn
1. a board; a plank 2. a slab 3. printing blocks 4. rigid; stern
板凳(ㄅㄢˇ ㄉㄥˋ)a wooden stool
板畫(ㄅㄢˇ ㄏㄨㄚˋ)a woodcut
板起面孔(ㄅㄢˇ·ㄑㄧ ㄇㄧㄢˋ ㄎㄨㄥˇ) to make a long face
板球(ㄅㄢˇ ㄑㄧㄡˊ)(sports) cricket
板著臉(ㄅㄢˇ·ㄓㄜ ㄌㄧㄢˇ)to pull a long face
板子(ㄅㄢˇ ·ㄗ)① a flogging board ② a printing block
板擦兒(ㄅㄢˇ ㄘㄚ ㄦ)a wiper or an eraser (for a blackboard, etc.)

松 2366
ㄙㄨㄥ sōng
pines; firs
松柏節操(ㄙㄨㄥ ㄅㄛˊ ㄐㄧㄝˊ ㄘㄠ)honest and virtuous conduct
松果(ㄙㄨㄥ ㄍㄨㄛˇ)a strobile
松鶴遐齡(ㄙㄨㄥ ㄏㄜˋ ㄒㄧㄚˊ ㄌㄧㄥˊ) longevity
松節油(ㄙㄨㄥ ㄐㄧㄝˊ ㄧㄡˊ)turpentine
松香油(ㄙㄨㄥ ㄒㄧㄤ ㄧㄡˊ)rosin oil
松鼠(ㄙㄨㄥ ㄕㄨˇ)the squirrel
松樹(ㄙㄨㄥ ㄕㄨˋ)a pine

枏 2367
(楠) ㄋㄢˊ nán
Machilus nanmu, a variety of evergreen tree, commonly known as cedar

枉 2368
ㄨㄤˇ wǎng
1. to waste; in vain 2. crooked 3. to wrong; oppression 4. (in polite language) to request another to deign or condescend to
枉法(ㄨㄤˇ ㄈㄚˇ)to abuse law
枉費(ㄨㄤˇ ㄈㄟˋ)to try in vain
枉費工夫(ㄨㄤˇ ㄈㄟˋ ㄍㄨㄥ ·ㄈㄨ)to spend time and work in vain
枉然(ㄨㄤˇ ㄖㄢˊ)useless; in vain

枌 2369
ㄈㄣˊ fén
a variety of elm with small seeds and white bark

枋 2370
ㄈㄤ fāng
sandalwood

析 2371
ㄒㄧ xī
1. to split; to divide; to separate 2. to interpret; to explain; to analyze
析疑(ㄒㄧ ㄧˊ)to explain a doubt

枒 2372
ㄧㄚˊ yá
1. the felloe of a wheel 2. disorderly growth of twigs

枕 2373
1. ㄓㄣˇ zhěn
a pillow
枕邊人(ㄓㄣˇ ㄅㄧㄢ ㄖㄣˊ)wife
枕畔(ㄓㄣˇ ㄆㄢˋ)beside the pillow
枕木(ㄓㄣˇ ㄇㄨˋ)railroad ties
枕套(ㄓㄣˇ ㄊㄠˋ)a pillowcase
枕頭(ㄓㄣˇ ·ㄊㄡ)a pillow
枕巾(ㄓㄣˇ ㄐㄧㄣ)a pillow cover
枕席難安(ㄓㄣˇ ㄒㄧˊ ㄋㄢˊ ㄢ)cannot sleep—very worried and anxious

枕 2373
2. ㄓㄣˋ zhèn
to use something as a pillow; to pillow
枕戈待旦(ㄓㄣˋ ㄍㄜ ㄉㄞˋ ㄉㄢˋ)to be on the alert

枘 2374
ㄖㄨㄟˋ ruì
a wooden handle

林 2375
ㄌㄧㄣˊ lín
1. a forest; a grove 2. a collection of books, etc. 3. many; numerous 4. a Chinese family name
林木(ㄌㄧㄣˊ ㄇㄨˋ)a forest; woods
林地(ㄌㄧㄣˊ ㄉㄧˋ)forest land
林立(ㄌㄧㄣˊ ㄌㄧˋ)a great many
林區(ㄌㄧㄣˊ ㄑㄩ)a forest zone
林場(ㄌㄧㄣˊ ㄔㄤˇ)① wooded land; a forest ② a logging station
林子(ㄌㄧㄣˊ ·ㄗ)a clump of trees
林業(ㄌㄧㄣˊ ㄧㄝˋ)the forestry industry
林蔭大道(ㄌㄧㄣˊ ㄧㄣˋ ㄉㄚˋ ㄉㄠˋ) an avenue; a boulevard

枝 2376
1. ㄓ zhī
1. the branches of a tree; a branch 2. limbs 3. to branch off
枝頭(ㄓ ㄊㄡˊ)on the branch
枝幹(ㄓ ㄍㄢˋ) the trunk and the branches
枝節(ㄓ ㄐㄧㄝˊ)branches and knots—minor matters

〔木部〕

〔木部〕

枝椏(ㄓ ㄧㄚ)branches 亦作「枝丫」
枝葉扶疏(ㄓ ㄧㄝ ㄈㄨˊ ㄕㄨ) (said of trees) luxuriant

枝 2376
2. ㄑㄧˊ qí
枝指(ㄑㄧˊ ㄓˇ)an additional finger

果 2377
ㄍㄨㄛˇ guǒ
1. the fruit of a plant 2. result; fruit 3. surely; really; truly 4. to stuff; to fill 5. to succeed
果皮(ㄍㄨㄛˇ ㄆㄧˊ)peel
果腹(ㄍㄨㄛˇ ㄈㄨˋ)to feed on
果斷(ㄍㄨㄛˇ ㄉㄨㄢˋ)resolute
果糖(ㄍㄨㄛˇ ㄊㄤˊ)levulose
果核(ㄍㄨㄛˇ ㄏㄜˊ)a kernel
果決(ㄍㄨㄛˇ ㄐㄩㄝˊ)daring and determined
果汁(ㄍㄨㄛˇ ㄓ)fruit juice
果汁機(ㄍㄨㄛˇ ㄓ ㄐㄧ)a juicer
果眞(ㄍㄨㄛˇ ㄓㄣ)really; if really
果實(ㄍㄨㄛˇ ㄕˊ)fruit
果肉(ㄍㄨㄛˇ ㄖㄡˋ)pulp
果然(ㄍㄨㄛˇ ㄖㄢˊ) exactly as one expected
果仁(ㄍㄨㄛˇ ㄖㄣˊ)a kernel
果子醬(ㄍㄨㄛˇ ·ㄗ ㄐㄧㄤˋ)fruit jam
果蠅(ㄍㄨㄛˇ ㄧㄥˊ)a fruit fly
果園兒(ㄍㄨㄛˇ ㄩㄚˊㄦ)an orchard

枚 2378
ㄇㄟˊ méi
1. the stalk 2. a numerary auxiliary (used in connection with coins, fruits, stamps, bombs, etc.)
枚舉(ㄇㄟˊ ㄐㄩˇ)to enumerate

杰 2379
(傑) ㄐㄧㄝˊ jié
a hero; an outstanding person

五畫

枯 2380
ㄎㄨ kū
1. withered; dry 2. dried wood 3. ill health; emaciated
枯槁(ㄎㄨ ㄍㄠˇ)(said of a person's appearance) haggard
枯黃(ㄎㄨ ㄏㄨㄤˊ)withered and yellow
枯竭(ㄎㄨ ㄐㄧㄝˊ)(said of source of supply) exhausted; dried up
枯井(ㄎㄨ ㄐㄧㄥˇ)a dried-up well
枯燥(ㄎㄨ ㄗㄠˋ)dull
枯燥無味(ㄎㄨ ㄗㄠˋ ㄨˊ ㄨㄟˋ)monotonous
枯死(ㄎㄨ ㄙˇ)to wither
枯葉(ㄎㄨ ㄧㄝˋ)dried leaves
枯萎(ㄎㄨ ㄨㄟ)withered

枳 2381
ㄓˇ zhǐ
1. a trifoliate orange 2. a variety of orange with a very thick skin

枴 2382
(柺、拐) ㄍㄨㄞˇ guǎi
a staff for an old person; a cane
枴杖(ㄍㄨㄞˇ ㄓㄤˋ)a cane

枵 2383
ㄒㄧㄠ xiāo
empty
枵腹從公(ㄒㄧㄠ ㄈㄨˋ ㄘㄨㄥˊ ㄍㄨㄥ)to do one's duty even with an empty stomach

枲 2384
ㄒㄧˇ xǐ
the male nettle-hemp

架 2385
ㄐㄧㄚˋ jià
1. a rack; a frame 2. to prop up; to support 3. a framework 4. to fabricate 5. to lay something on 6. a quarrel
架起(ㄐㄧㄚˋ ㄑㄧˇ)to set up
架式(ㄐㄧㄚˋ ㄕˋ)a style; a manner
架勢(ㄐㄧㄚˋ ㄕˋ)a posture
架設(ㄐㄧㄚˋ ㄕㄜˋ) to build over something
架子(ㄐㄧㄚˋ ·ㄗ) ①a rack; a frame ② an outline

枷 2386
ㄐㄧㄚ jiā
a cangue; a pillory—worn by prisoners in former times
枷鎖(ㄐㄧㄚ ㄙㄨㄛˇ)shackles

柿 2387
ㄕˋ shì
the persimmon
柿子(ㄕˋ ·ㄗ)the persimmon fruit

枸 2388
1. ㄍㄡˇ gǒu
a medlar
枸杞 (ㄍㄡˇ ㄑㄧˇ) *Lycium chinense*, a Chinese wolfberry

枸 2388
2. ㄍㄡ gōu
枸橘(ㄍㄡ ㄐㄩˊ)a large acid orange

枸 2388
3. ㄐㄩˇ jǔ
枸櫞(ㄐㄩˇ ㄩㄢˊ) *citrus medica*, a citron

枹 2389
ㄈㄨ fū(又讀 ㄈㄨˊ fú)
a drumstick

柒 2390
ㄑㄧ qī
another form of 七 (seven), used in writing checks, etc. to prevent fraud

枻 2391
ㄧˋ yì
1. a rowing sweep 2. an instrument for correcting a bow

柎 2392
ㄈㄨ fū
the calyx of a flower

柄 2393
ㄅㄧㄥˇ bǐng
(又讀 ㄅㄧㄥˋ bìng)
1. the handle of something 2. authority 3. to control 4. a handle

柏 2394
讀音 ㄅㄛˊ bó
(語音 ㄅㄞˇ bǎi)
1. a cypress 2. a Chinese family name
柏樹(ㄅㄛˊ ㄕㄨˋ)the cypress
柏油(ㄅㄛˊ ㄧㄡˊ)asphalt

某 2395
ㄇㄡˇ mǒu
1. a certain person or thing 2. formerly used in place of "I"
某某(ㄇㄡˇ ㄇㄡˇ)a certain person
某年(ㄇㄡˇ ㄋㄧㄢˊ)a certain year
某些(ㄇㄡˇ ㄒㄧㄝ) certain (things, people, etc.)
某種(ㄇㄡˇ ㄓㄨㄥˇ) certain (reasons, results, etc.)
某處(ㄇㄡˇ ㄔㄨˋ) a certain place; somewhere
某時(ㄇㄡˇ ㄕˊ)sometime
某日(ㄇㄡˇ ㄖˋ)a certain day
某人(ㄇㄡˇ ㄖㄣˊ)a certain person
某月(ㄇㄡˇ ㄩㄝˋ)a certain month

染 2396
ㄖㄢˇ rǎn
1. to dye 2. to pollute 3. to get infected 4. to have an affair with 5. (in Chinese painting and calligraphy) to make strokes
染病(ㄖㄢˇ ㄅㄧㄥˋ)to fall ill
染料(ㄖㄢˇ ㄌㄧㄠˋ)dyestuff; dye
染指(ㄖㄢˇ ㄓˇ)to encroach on
染色(ㄖㄢˇ ㄙㄜˋ)to dye
染色體 (ㄖㄢˇ ㄙㄜˋ ㄊㄧˇ) (genetics) a chromosome

柔 2397
ㄖㄡˊ róu
1. soft and tender 2. amiable; pliant 3. the new grass budding in spring
柔道(ㄖㄡˊ ㄉㄠˋ)judo
柔和(ㄖㄡˊ ㄏㄜˊ)soft; tender
柔情(ㄖㄡˊ ㄑㄧㄥˊ)the tender feelings of a lover
柔腸寸斷(ㄖㄡˊ ㄔㄤˊ ㄘㄨㄣˋ ㄉㄨㄢˋ) brokenhearted
柔順(ㄖㄡˊ ㄕㄨㄣˋ)gentle and yielding
柔弱(ㄖㄡˊ ㄖㄨㄛˋ)weak (physique)
柔軟(ㄖㄡˊ ㄖㄨㄢˇ)soft; lithe
柔軟體操 (ㄖㄡˊ ㄖㄨㄢˇ ㄊㄧˇ ㄘㄠ) calisthenics

柑 2398
ㄍㄢ gān
a mandarin orange
柑橘(ㄍㄢ ㄐㄩˊ)①oranges and tangerines ②citruses

柳 2399
ㄌㄧㄡˇ liǔ
1. a willow tree 2. name of one of the 28 Constellations 3. (figuratively) a singsong house 4. a tumor; a swelling 5. a Chinese family name
柳條(ㄌㄧㄡˇ ㄊㄧㄠˊ)a withe
柳絮(ㄌㄧㄡˇ ㄒㄩˋ)willow catkins
柳橙(ㄌㄧㄡˇ ㄔㄥˊ)an orange
柳暗花明(ㄌㄧㄡˇ ㄢˋ ㄏㄨㄚ ㄇㄧㄥˊ)an enchanting sight in springtime
柳葉兒(ㄌㄧㄡˇ ㄧㄜˋㄦ)willow leaves
柳腰(ㄌㄧㄡˇ ㄧㄠ)a slender waist

柘 2400
ㄓㄜˋ zhè
1. *Cudrania tricuspidata,* a thorny tree about 15 feet high whose leaves can be used in place of mulberry leaves in feeding silkworms and whose bark contains a yellow dye 2. sugarcane

柙 2401
ㄒㄧㄚˊ xiá
1. a cage or a pen for wild beasts, especially the fierce ones 2. a scabbard

柚 2402
ㄧㄡˋ yòu
1. a pumelo or pomelo 2. a teak; a teak tree
柚木 (ㄧㄡˋ ㄇㄨˋ) ①a teak (tree) ②teak; teakwood

柜 2403
ㄐㄩˇ jǔ
1. a tree of the willow family 2. same as 櫸

柞 2404
ㄗㄨㄛˋ zuò
Xylosma congesta, an evergreen thorny tree with small leaves, fine and sturdy wood; an oak
柞蠶(ㄗㄨㄛˋ ㄘㄢˊ)tussah silkworms

柝 2405
ㄊㄨㄛˋ tuò
a watchman's rattle; a knocker

柢 2406
ㄉㄧˇ dǐ
the root; the foundation; the base

柩 2407
ㄐㄧㄡˋ jiù
a coffin with a corpse in it

柯 2408
ㄎㄜ kē
1. *Pasania cuspidata,* a tall evergreen tree 2. the handle of an ax 3. the stalk or the trunk of a plant 4. a Chinese family name
柯達(ㄎㄜ ㄉㄚˊ)Kodak, a brand name

柱 2409
ㄓㄨˋ zhù
1. a pillar; a post 2. a cylinder 3. to support 4. to stab; to pierce
柱頭(ㄓㄨˋ ㄊㄡˊ) (botany)a stigma
柱廊(ㄓㄨˋ ㄌㄤˊ)a colonnade
柱子(ㄓㄨˋ ·ㄗ)a pillar; a post

〔木部〕

〔木部〕

柬 2410 ㄐㄧㄢˇ jiǎn
1. a letter; an invitation or visiting card 2. to select; to pick
柬帖(ㄐㄧㄢˇ ㄊㄧㄝˇ)an invitation card

查 2411 1. ㄔㄚˊ chá
1. to investigate; to check 2. (used at the beginning of the official correspondence) It appears....或 It seems.... 3. a wooden raft
查票(ㄔㄚˊ ㄆㄧㄠˋ)to check tickets
查明(ㄔㄚˊ ㄇㄧㄥˊ)to examine to the last detail
查看(ㄔㄚˊ ㄎㄢˋ)to examine
查核(ㄔㄚˊ ㄏㄜˊ)to investigate
查號台(ㄔㄚˊ ㄏㄠˋ ㄊㄞˊ)directory information
查獲(ㄔㄚˊ ㄏㄨㄛˋ)to ferret out
查訖(ㄔㄚˊ ㄑㄧˋ)checked
查詢(ㄔㄚˊ ㄒㄩㄣˊ)to inquire
查賬 or 查帳(ㄔㄚˊ ㄓㄤˋ)to audit
查證(ㄔㄚˊ ㄓㄥˋ)to check
查出(ㄔㄚˊ ㄔㄨ)to find out
查字典(ㄔㄚˊ ㄗˋ ㄉㄧㄢˇ)to look it up in a dictionary
查驗(ㄔㄚˊ ㄧㄢˋ)to investigate
查問(ㄔㄚˊ ㄨㄣˋ) or 查訊 (ㄔㄚˊ ㄒㄩㄣˋ) to make inquiry
查閱(ㄔㄚˊ ㄩㄝˋ) to consult (a book, etc.)

查 2411 2. ㄓㄚ zhā
a Chinese family name

柰 2412 ㄋㄞˋ nài
1. an apple tree 2. how 3. Then what? 4. sometimes used with a negative—(no) way out of a dilemma 5. to endure

柴 2413 ㄔㄞˊ chái
1. firewood; brushwood; fagots 2. thin; emaciated
柴米油鹽(ㄔㄞˊ ㄇㄧˇ ㄧㄡˊ ㄧㄢˊ) daily necessities
柴火(ㄔㄞˊ ㄏㄨㄛˇ)firewood
柴油(ㄔㄞˊ ㄧㄡˊ)diesel oil
柴魚(ㄔㄞˊ ㄩˊ)dried bonito

柷 2414 ㄓㄨˋ zhù
an ancient instrument made of wood which is played at the start of an orchestra

柮 2415 ㄉㄨㄛˋ duò
firewood

柵 2416 ㄓㄚˋ zhà
a fence of bamboos or wood; a palisade
柵欄兒(ㄓㄚˋ •ㄌㄚㄦ)a fence

柶 2417 ㄙˋ sì
a dagger-shaped ritual vessel in ancient China, made of horn

柁 2418 1.(舵) ㄉㄨㄛˋ duò
the rudder or helm of a ship; a rudder

柁 2418 2. ㄊㄨㄛˊ tuó
large tie beams; girders

枰 2419 ㄆㄧㄥˊ píng
1. a chessboard 2. a chess game

枱 2420 ㄊㄞˊ tái
1. same as 檯—a desk or table 2. an ancient unit of measurement

六畫

栓 2421 ㄕㄨㄢ shuān
1. a peg 2. a bolt 3. a cork

栻 2422 ㄕˋ shì
1. name of a kind of tree 2. a wooden object used in divination

栖 2423 (棲) ㄑㄧ qī (又讀 ㄒㄧ xī)
1. (said of birds) to roost; to perch 2. to settle; to live; to stay
栖栖皇皇 (ㄑㄧ ㄑㄧ ㄏㄨㄤˊ ㄏㄨㄤˊ) vexed; rushing about

栝 2424 ㄍㄨㄚ guā
1. same as 檜—a Chinese juniper 2. the pointed end of an arrow

栩 2425 ㄒㄩˇ xǔ
1. a species of oak 2. glad; pleased
栩栩如生(ㄒㄩˇ ㄒㄩˇ ㄖㄨˊ ㄕㄥ) (said of a portrait, etc.) lifelike

栗 2426 ㄌㄧˋ lì
1. a chestnut tree 2. firm; durable 3. respectfu; fearful 4. to tremble 5. dignified; majestic
栗子(ㄌㄧˋ •ㄗ)chestnuts

株 2427 ㄓㄨ zhū
1. a tree; a numerary auxiliary for counting trees or similar things 2. roots that grow above the ground
株連(ㄓㄨ ㄌㄧㄢˊ)to involve others in a crime one committed

核 2428 ㄏㄜˊ hé
1. a kernel 2. to examine; to check

3. a nucleus; nuclear 4. a hard lump
核爆(ㄏㄜˊ ㄅㄠˋ)a nuclear explosion
核(子)分裂(ㄏㄜˊ(ㄗˇ)ㄈㄣ ㄌㄧㄝˋ) nuclear fission
核對(ㄏㄜˊ ㄉㄨㄟˋ)to verify
核桃(ㄏㄜˊ ·ㄊㄠ)a walnut
核能(ㄏㄜˊ ㄋㄥˊ)nuclear energy
核能電廠(ㄏㄜˊ ㄋㄥˊ ㄉㄧㄢˋ ㄔㄤˇ) a nuclear power station
核計(ㄏㄜˊ ㄐㄧˋ)to examine and calculate
核心(ㄏㄜˊ ㄒㄧㄣ) the core (of a matter, etc.)
核准(ㄏㄜˊ ㄓㄨㄣˇ)to approve
核仁(ㄏㄜˊ ㄖㄣˊ)the kernel
核子(ㄏㄜˊ ㄗˇ)a nucleus
核子戰爭(ㄏㄜˊ ㄗˇ ㄓㄢˋ ㄓㄥ) nuclear war
核子試爆(ㄏㄜˊ ㄗˇ ㄕˋ ㄅㄠˋ) a nuclear test
核子武器(ㄏㄜˊ ㄗˇ ㄨˇ ㄑㄧˋ)nuclear weapons
核算(ㄏㄜˊ ㄙㄨㄢˋ) to examine and calculate

校 2429
1. ㄒㄧㄠˋ xiào
1. a school 2. fieldgrade (officers)
校服(ㄒㄧㄠˋ ㄈㄨˊ)school uniform
校隊(ㄒㄧㄠˋ ㄉㄨㄟˋ)the school team
校歌(ㄒㄧㄠˋ ㄍㄜ)a school song
校規(ㄒㄧㄠˋ ㄍㄨㄟ)school discipline
校刊(ㄒㄧㄠˋ ㄎㄢ)a school bulletin
校警(ㄒㄧㄠˋ ㄐㄧㄥˇ)the police guards of a school
校慶(ㄒㄧㄠˋ ㄑㄧㄥˋ) anniversary celebrations of a school
校訓(ㄒㄧㄠˋ ㄒㄩㄣˋ)a school motto
校長(ㄒㄧㄠˋ ㄓㄤˇ)a principal
校車(ㄒㄧㄠˋ ㄔㄜ)a school bus
校醫(ㄒㄧㄠˋ ㄧ)a school doctor
校友 (ㄒㄧㄠˋ ㄧㄡˇ) an alumnus or alumna
校譽(ㄒㄧㄠˋ ㄩˋ)the reputation or prestige of a school or college
校園(ㄒㄧㄠˋ ㄩㄢˊ)the campus

校 2429
2. ㄐㄧㄠˋ jiào
1. to compare 2. to proofread; proofs 3. to revise (books, etc.); to collate
校訂(ㄐㄧㄠˋ ㄉㄧㄥˋ)to revise
校對(ㄐㄧㄠˋ ㄉㄨㄟˋ)① to proofread ② a proofreader
校勘(ㄐㄧㄠˋ ㄎㄢ)to collate
校閱(ㄐㄧㄠˋ ㄩㄝˋ)to examine

栲 2430
ㄎㄠˇ kǎo
(botany) *Castanopsis hystrix*

根 2431
ㄍㄣ gēn
1. the root of a plant 2. a base; a foundation 3. the beginning, cause, or source of something 4. (mathematics) the root of a number 5. (chemistry) radical 6. a piece (of string, rope, etc.); a (stick, spear or thing of slender shape)
根本(ㄍㄣ ㄅㄣˇ)① a root; a foundation; a basis ② at all; basically
根部(ㄍㄣ ㄅㄨˋ)the root of a plant
根號(ㄍㄣ ㄏㄠˋ)the radical sign
根基(ㄍㄣ ㄐㄧ)foundation
根據(ㄍㄣ ㄐㄩˋ) ①a basis ②in accordance with
根絕(ㄍㄣ ㄐㄩㄝˊ)to exterminate completely
根治(ㄍㄣ ㄓˋ) to cure (a disease) for good
根除(ㄍㄣ ㄔㄨˊ)thoroughly to do away with
根深蒂固 (ㄍㄣ ㄕㄣ ㄉㄧˋ ㄍㄨˋ) deep-rooted
根源(ㄍㄣ ㄩㄢˊ)or根由(ㄍㄣ ㄧㄡˊ) the cause, source or origin of something

桁 2432
1. ㄏㄥˊ héng
the purlins of a roof

桁 2432
2. ㄏㄤˊ háng
a big wooden collar (for punishing a criminal)

桁 2432
3. ㄏㄤˋ hàng
a rack for hanging clothes

格 2433
ㄍㄜˊ gé
1. to correct; to adjust or regulate 2. to reach 3. to influence 4. to fight 5. to obstruct 6. to study thoroughly 7. a standard; a form 8. a frame 9. squares formed by crossed lines
格鬥(ㄍㄜˊ ㄉㄡˋ)a brawl
格調(ㄍㄜˊ ㄉㄧㄠˋ)personality
格格不入(ㄍㄜˊ ㄍㄜˊ ㄅㄨˋ ㄖㄨˋ)totally incompatible with
格局(ㄍㄜˊ ㄐㄩˊ)style; setup
格式(ㄍㄜˊ ㄕˋ)form; patterns
格子(ㄍㄜˊ ·ㄗ)a trellis; a lattice
格言(ㄍㄜˊ ㄧㄢˊ)a proverb
格外(ㄍㄜˊ ㄨㄞˋ)exceptionally

桀 2434
ㄐㄧㄝˊ jié
1. ferocious and cruel 2. name of the last ruler of the Hsia Dynasty 3. same as 傑, outstanding and brave
桀驁不馴(ㄐㄧㄝˊ ㄠˋ ㄅㄨˋ ㄒㄩㄣˊ) obstinate and unruly; wild and intractable

案 2435
ㄢˋ àn
1. a narrow, long table 2. according to 3. a legal case 4. to press亦作「按」
案發(ㄢˋ ㄈㄚ)a crime or conspiracy coming to the open
案件(ㄢˋ ㄐㄧㄢˋ)a legal case
案情(ㄢˋ ㄑㄧㄥˊ) the ins and outs of a crime

〔木部〕

〔木部〕

案子(ㄢˋ ˙ㄗ)a legal case; a crime
案由(ㄢˋ ㄧㄡˊ)a brief; a summary

桌 2436 (棹) ㄓㄨㄛ zhuō
1. a table; a desk 2. dishes for guests around the table—usually consisting of 20 courses 3. a tableful of guests (10 to 12 persons at a round table)
桌布(ㄓㄨㄛ ㄅㄨˋ)a tablecloth
桌燈(ㄓㄨㄛ ㄉㄥ)a desk lamp
桌球(ㄓㄨㄛ ㄑㄧㄡˊ)table tennis
桌子(ㄓㄨㄛ ˙ㄗ)a table; a desk

桑 2437 ㄙㄤ sāng
the mulberry tree
桑葚(ㄙㄤ ㄕㄣˋ)a mulberry
桑蠶(ㄙㄤ ㄘㄢˊ)a silkworm
桑葉(ㄙㄤ ㄧㄝˋ)mulberry leaves

栽 2438 ㄗㄞ zāi
1. to plant 2. to care; to assist 3. to fall; to fail 4. young trees, saplings, cuttings for planting
栽培(ㄗㄞ ㄆㄟˊ)① to plant and cultivate; to tend ② to educate people
栽植(ㄗㄞ ㄓˊ)or 栽種(ㄗㄞ ㄓㄨㄥˋ)to plant; to grow
栽贓(ㄗㄞ ㄗㄤ)to place stolen goods in somebody's place with the intention of incriminating him

桂 2439 ㄍㄨㄟˋ guì
1. cassia or cinnamon 2. a short name of Kwangsi Province
桂花(ㄍㄨㄟˋ ㄏㄨㄚ)sweet osmanthus
桂圓(ㄍㄨㄟˋ ㄩㄢˊ)①a longan ②dried longan

桃 2440 ㄊㄠˊ táo
1. a peach 2. a Chinese family name
桃李滿門(ㄊㄠˊ ㄌㄧˇ ㄇㄢˇ ㄇㄣˊ)to have many pupils
桃花(ㄊㄠˊ ㄏㄨㄚ)the peach blossom
桃花心木(ㄊㄠˊ ㄏㄨㄚ ㄒㄧㄣ ㄇㄨˋ) mahogany
桃花運(ㄊㄠˊ ㄏㄨㄚ ㄩㄣˋ)luck in love
桃紅(ㄊㄠˊ ㄏㄨㄥˊ)pink; light red
桃樹(ㄊㄠˊ ㄕㄨˋ)a peach tree
桃色(ㄊㄠˊ ㄙㄜˋ)peach color
桃色新聞(ㄊㄠˊ ㄙㄜˋ ㄒㄧㄣ ㄨㄣˊ)news of illicit love

桄 2441 ㄍㄨㄤˋ guàng
1. a crossbeam 2. a reel

桅 2442 ㄨㄟˊ wéi
the mast of a ship
桅竿(ㄨㄟˊ ㄍㄢ)the mast of a boat
桅檣(ㄨㄟˊ ㄑㄧㄤˊ)a mast

框 2443 ㄎㄨㄤˋ kuàng (又讀 ㄎㄨㄤ kuāng)
1. a door frame 2. a frame; to frame 3. the skeleton (of a lantern, etc.)

桎 2444 ㄓˋ zhì
1. fetters; shackles; to fetter 2. to suffocate
桎梏(ㄓˋ ㄍㄨˋ)shackles

桐 2445 ㄊㄨㄥˊ tóng
a paulownia
桐樹(ㄊㄨㄥˊ ㄕㄨˋ)a tung tree
桐油(ㄊㄨㄥˊ ㄧㄡˊ) wood oil obtained from the seeds of a paulownia

桓 2446 ㄏㄨㄢˊ huán
1. a tree with leaves like a willow and white bark 2. effectively

桔 2447 1. ㄐㄧㄝˊ jié
a well sweep
桔梗(ㄐㄧㄝˊ ㄍㄥˇ)*Platycodon grandiflorum*, a Chinese bellflower

桔 2447 2. ㄐㄩˊ jú
an abbreviated form of 橘, a mandarin orange or tangerine

桚 2448 (拶) ㄗㄚˊ zá (又讀 ㄗㄢˇ zǎn)
to press; to squeeze

桕 2449 ㄐㄧㄡˋ jiù
the tallow tree (*Sapium sebiferum*)

栱 2450 ㄍㄨㄥˇ gǒng
a big peg or stake; a post; a prop

七畫

桴 2451 ㄈㄨˊ fú
1.the ridge pole on a roof 2. a drumstick 3. a raft

桫 2452 ㄙㄨㄛ suō
a horse chestnut (*Stewartia pseudocamellia*)

梧 2453 ㄨˊ wú
1. a firmiana (*Firmiana platanifolia*) 2. a support; a prop 3. to support
梧桐(ㄨˊ ㄊㄨㄥˊ)a firmiana
梧鼠技窮(ㄨˊ ㄕㄨˇ ㄐㄧˋ ㄑㄩㄥˊ)at one's wits' end

桶 2454 ㄊㄨㄥˇ tǒng

a bucket; a tub; a pail; a barrel; a cask

桷 2455
ㄐㄩㄝˊ jué
1. a rafter 2. (botany) *Malus toringo*

梁 2456
ㄌㄧㄤˊ liáng
1. a bridge 2. beams of a house 3. a ridge 4. a Chinese family name
梁上君子 or 樑上君子(ㄌㄧㄤˊ ㄕㄤˋ ㄐㄩㄣ ㄗˇ) (literally) gentlemen up on the beams—burglars

梃 2457
ㄊㄧㄥˇ tǐng
1. a stick; a cane 2. a stalk; a stem 3. straight and strong

梅 2458
ㄇㄟˊ méi
1. plums; prunes 2. a Chinese family name
梅毒(ㄇㄟˊ ㄉㄨˊ) syphilis
梅花(ㄇㄟˊ ㄏㄨㄚ) plum blossoms
梅花鹿(ㄇㄟˊ ㄏㄨㄚ ㄌㄨˋ) a sika deer; a spotted deer
梅雨(ㄇㄟˊ ㄩˇ) the rainy season in early summer when plums are ripening

梓 2459
ㄗˇ zǐ
1. *Catalpa ovata,* a tall, stately tree with palm-shaped leaves and yellow flowers in summer 2. one's native place or hometown 3. to make furniture 4. printing blocks

梏 2460
1. ㄍㄨˋ gù
1. hand-shackles 2. to imprison

梏 2460
2. ㄐㄩㄝˊ jué
1. great 2. straightforward; upright

梔 2461
(栀) ㄓ zhī
a gardenia
梔子花(ㄓ ·ㄗ ㄏㄨㄚ) Cape jasmine

梗 2462
ㄍㄥˇ gěng
1. the branch or stem of a plant 2. to pierce with a thorn 3. a summary 4. to block 5. stiff 6. fierce and fearless 7. an ailment 8. to straighten 9. honest
梗概(ㄍㄥˇ ㄍㄞˋ) a summary
梗直(ㄍㄥˇ ㄓˊ) outspoken
梗塞(ㄍㄥˇ ㄙㄜˋ) to block

條 2463
ㄊㄧㄠˊ tiáo
1. an article, section, clause, etc. of an agreement, pact, treaty, law, etc. 2. in good order 3. a numerary adjunct for something narrow and long, as roads, fish, ropes, dogs, snakes, etc. 4. stripes
條理(ㄊㄧㄠˊ ㄌㄧˇ) ① logical ② orderly
條例(ㄊㄧㄠˊ ㄌㄧˋ) rules, regulations, or laws
條款(ㄊㄧㄠˊ ㄎㄨㄢˇ) an article of laws
條件(ㄊㄧㄠˊ ㄐㄧㄢˋ) conditions
條文(ㄊㄧㄠˊ ㄨㄣˊ) the text of a treaty, regulation, law, etc.
條紋(ㄊㄧㄠˊ ㄨㄣˊ) stripes
條約(ㄊㄧㄠˊ ㄩㄝ) a treaty

梟 2464
ㄒㄧㄠ xiāo
1. an owl 2. a smuggler of narcotics, etc. 3. brave and unscrupulous
梟雄(ㄒㄧㄠ ㄒㄩㄥˊ) an unscrupulous, brave and capable person

梵 2465
ㄈㄢˋ fàn
1. clean and pure 2. Sanskrit 3. a Brahman 4. anything pertaining to Buddhism
梵諦崗(ㄈㄢˋ ㄉㄧˋ ㄍㄤ) the Vatican
梵文(ㄈㄢˋ ㄨㄣˊ) the written Sanskrit
梵語(ㄈㄢˋ ㄩˇ) the spoken Sanskrit

梯 2466
ㄊㄧ tī
1. a ladder; steps; stairs 2. something to lean or depend on 3. terraced 4. private; intimate 5. a phase
梯隊(ㄊㄧ ㄉㄨㄟˋ) echelon
梯田(ㄊㄧ ㄊㄧㄢˊ) terraced paddies on a slope
梯形(ㄊㄧ ㄒㄧㄥˊ) (geometry) trapezoid
梯次(ㄊㄧ ㄘˋ) phases (in the induction of military draftees)

械 2467
ㄒㄧㄝˋ xiè
(又讀 ㄐㄧㄝˋ jiè)
1. weapons 2. implements; machinery; machines 3. shackles; fetters 4. to arrest and put in prison

棁 2468
ㄓㄨㄛˊ zhuó
1. a joist 2. a club or cane

梠 2469
ㄌㄩˇ lǚ
a small beam supporting the rafters at the eaves

梢 2470
ㄕㄠ shāo
1. the tip of a branch or things of similar shape 2. the end of something—the result, etc. 3. the rudder

梭 2471
ㄙㄨㄛ suō
1. a weaver's shuttle 2. to move to and fro 3. swift
梭巡(ㄙㄨㄛ ㄒㄩㄣˊ) to patrol to and fro

梆 2472
ㄅㄤ bāng
a watchman's rattle made of wood or bamboo

〔木部〕

〔木部〕

梳 2473 (梳) ㄕㄨ shū
1. a comb; a coarse comb 2. to comb
梳理(ㄕㄨ ㄌㄧˇ)combing
梳洗(ㄕㄨ ㄒㄧˇ)to comb one's hair and wash up
梳粧臺(ㄕㄨ ㄓㄨㄤ ㄊㄞˊ) a dressing table
梳子(ㄕㄨ ·ㄗ)a comb

桿 2474 ㄍㄢˇ gǎn
a wooden pole, cane, stick, or club
桿菌(ㄍㄢˇ ㄐㄩㄣˋ)a bacillus

八畫

棃 2475 (梨) ㄌㄧˊ lí
1. a pear 2. Chinese opera
棃樹(ㄌㄧˊ ㄕㄨˋ)the pear tree
棃園子弟(ㄌㄧˊ ㄩㄢˊ ㄗˇ ㄉㄧˋ) operatic players

棄 2476 (弃) ㄑㄧˋ qì
1. to discard 2. to abandon 3. to forget 4. to throw away one's own life
棄權(ㄑㄧˋ ㄑㄩㄢˊ) (in voting) to abstain
棄置(ㄑㄧˋ ㄓˋ)to cast aside
棄暗投明(ㄑㄧˋ ㄢˋ ㄊㄡˊ ㄇㄧㄥˊ)to renounce a bad cause and join the camp of justice
棄嬰(ㄑㄧˋ ㄧㄥ)an abandoned infant; a foundling

棉 2477 ㄇㄧㄢˊ mián
as in 棉花—cotton
棉被(ㄇㄧㄢˊ ㄅㄟˋ)a cotton quilt
棉布(ㄇㄧㄢˊ ㄅㄨˋ)a cotton cloth
棉田(ㄇㄧㄢˊ ㄊㄧㄢˊ)cotton fields
棉褲(ㄇㄧㄢˊ ㄎㄨˋ)cotton-padded trousers
棉絮(ㄇㄧㄢˊ ㄒㄩˋ)fluffed cotton
棉織品(ㄇㄧㄢˊ ㄓ ㄆㄧㄣˇ)cotton goods
棉紗(ㄇㄧㄢˊ ㄕㄚ)cotton yarn
棉襖 (ㄇㄧㄢˊ ㄠˇ) a cotton-padded Chinese jacket

棋 2478 (棊、碁) ㄑㄧˊ qí
1. any piece used in the game of chess 2. chess or other similar games
棋盤(ㄑㄧˊ ㄆㄢˊ)a chessboard
棋逢敵手(ㄑㄧˊ ㄈㄥˊ ㄉㄧˊ ㄕㄡˇ) to be well-matched in a contest
棋手(ㄑㄧˊ ㄕㄡˇ)a high-graded chess player
棋子(ㄑㄧˊ ㄗˇ)chess pieces
棋王(ㄑㄧˊ ㄨㄤˊ)a chess champion

棍 2479 ㄍㄨㄣˋ gùn
1. a club; a stick 2. a rascal; a villain
棍棒(ㄍㄨㄣˋ ㄅㄤˋ)clubs; sticks
棍子(ㄍㄨㄣˋ ·ㄗ)a club, stick, etc.

棒 2480 ㄅㄤˋ bàng
1. a club; a stick 2. to hit with a club 3. good; strong; wonderful
棒棒糖(ㄅㄤˋ ·ㄅㄤ ㄊㄤˊ)a lollipop
棒球(ㄅㄤˋ ㄑㄧㄡˊ)baseball
棒球場 (ㄅㄤˋ ㄑㄧㄡˊ ㄔㄤˇ) a baseball stadium

棗 2481 ㄗㄠˇ zǎo
jujube (*Zizyphus vulgaris*), commonly called date
棗泥(ㄗㄠˇ ㄋㄧˊ)jujube paste
棗紅(ㄗㄠˇ ㄏㄨㄥˊ)purplish red
棗仁(ㄗㄠˇ ㄖㄣˊ)kernels of the date

棘 2482 ㄐㄧˊ jí
1. buckthorns; thorny brambles 2. urgent
棘手(ㄐㄧˊ ㄕㄡˇ)difficult to handle

棖 2483 ㄔㄥˊ chéng
1. doorposts 2. to stop 3. to touch

棧 2484 ㄓㄢˋ zhàn
1. a storehouse 2. a tavern; an inn 3. a road made along a cliff
棧道 (ㄓㄢˋ ㄉㄠˋ) a log-formed road along a steep cliff

棟 2485 ㄉㄨㄥˋ dòng
the main beam of a house
棟梁 or 棟樑(ㄉㄨㄥˋ ㄌㄧㄤˊ) ①the ridgepole and beams ②(figuratively) a man of great ability

棚 2486 ㄆㄥˊ péng
a tent; a shed; an awning; a mat awning

棣 2487 ㄉㄧˋ dì
1. a mountain tree, as a cherry, etc. 2. same as 弟—a kid brother

棠 2488 ㄊㄤˊ táng
the sweet pear tree; the wild plum

棨 2489 ㄑㄧˇ qǐ
(in ancient China) a tally or wooden pass used by a messenger as his credentials in passing through a guarded gate, checkpoint, etc.

棻 2490 ㄈㄣ fēn
a kind of fragrant tree used to produce perfume by burning it

棐 2491 ㄈㄟˇ fěi
1. a species of yew found in North China 2. bamboo products 3. to assist

棼 2492 ㄈㄣˊ fén

1. beams on the roof of a house 2. a kind of linen 3. confused; disarrayed

森 2493
ㄙㄣ sēn
1. luxuriant vegetation or luxuriant growth of trees 2. dark and obscure; severe 3. serene; majestic
森巴舞(ㄙㄣ ㄅㄚ ㄨˇ)samba
森林(ㄙㄣ ㄌㄧˊㄣ)forest
森林浴(ㄙㄣ ㄌㄧˊㄣ ㄩˋ)a green shower
森羅萬象(ㄙㄣ ㄌㄨㄛˊ ㄨㄢˋ ㄒㄧㄤˋ)the phenomena of the universe
森嚴(ㄙㄣ ㄧㄢˊ)stern and severe

椒 2494
ㄐㄧㄠ jiāo
1. pepper 2. mountaintops
椒粉(ㄐㄧㄠ ㄈㄣˇ)pepper

棫 2495
ㄩˋ yù
a thorny shrub with yellow flowers and dark fruit

棬 2496
ㄑㄩㄢ quān
a wooden bowl

棲 2497
ㄑㄧ qī (又讀 ㄒㄧ xī)
1. to rest; to stay; to perch; to settle 2. the place one stays
棲居(ㄑㄧ ㄐㄩ)to dwell; to live
棲息(ㄑㄧ ㄒㄧˊ)to rest; to stay
棲身(ㄑㄧ ㄕㄣ)to stay; to dwell

棺 2498
ㄍㄨㄢ guān
a coffin (usually made of wood in China)
棺木(ㄍㄨㄢ ㄇㄨˋ)a coffin 亦作「棺材」

棵 2499
ㄎㄜ kē
a numerary adjunct for trees

植 2500
ㄓˊ zhí
1. to plant; to set up; to erect 2. plants; vegetation
植樹節(ㄓˊ ㄕㄨˋ ㄐㄧㄝˊ)Arbor Day
植物(ㄓˊ ㄨˋ)plants
植物標本(ㄓˊ ㄨˋ ㄅㄧㄠ ㄅㄣˇ)a herbarium; a botanical specimen
植物學(ㄓˊ ㄨˋ ㄒㄩㄝˊ)botany
植物學家(ㄓˊ ㄨˋ ㄒㄩㄝˊ ㄐㄧㄚ) a botanist
植物人(ㄓˊ ㄨˋ ㄖㄣˊ)a vegetable
植物油(ㄓˊ ㄨˋ ㄧㄡˊ)vegetable oil
植物園(ㄓˊ ㄨˋ ㄩㄢˊ)a botanical garden

椎 2501
ㄓㄨㄟ zhuī
(又讀 ㄔㄨㄟˊ chuí)
1. a hammer; a mallet 2. to beat; to hammer 3. a vertebra
椎心泣血(ㄓㄨㄟ ㄒㄧㄣ ㄑㄧˋ ㄒㄧㄝˇ) deep sorrow; extreme grief

棹 2502
1. (桌) ㄓㄨㄛ zhuō
a table

棹 2502
2. (櫂) ㄓㄠˋ zhào
1. an oar or scull 2. a boat

椅 2503
ㄧˇ yǐ
1. as in 椅子—a chair; a bench 2. *Idesia polycarpa*
椅背(ㄧˇ ㄅㄟˋ)the back of a chair
椅墊子(ㄧˇ ㄉㄧㄢˋ ·ㄗ)a chair cushion
椅套(ㄧˇ ㄊㄠˋ)chair covers

椁 2504
(槨) ㄍㄨㄛˇ guǒ
an outer coffin

椏 2505
ㄧㄚ yā
the forking branch of a tree

椓 2506
ㄓㄨㄛˊ zhuó
1. to strike; to hammer 2. (an ancient punishment) to castrate; castration 3. to slander; to injury

棕 2507
(椶) ㄗㄨㄥ zōng
as in 棕櫚樹—the palm tree
棕色(ㄗㄨㄥ ㄙㄜˋ)brown

九畫

椹 2508
ㄓㄣ zhēn
as in 椹板—a chopping board

椳 2509
ㄨㄟ wēi
sockets which hold doors in place

椷 2510
1. ㄐㄧㄢ jiān
1. a wooden box or chest 2. same as 緘—a letter

椷 2510
2. ㄒㄧㄢˊ xián
a goblet

椽 2511
ㄔㄨㄢˊ chuán
a beam; a rafter

椰 2512
ㄧㄝˊ yé
a coconut; a coconut palm; a coconut tree
椰子(ㄧㄝˊ ·ㄗ)a coconut

椿 2513
ㄔㄨㄣ chūn
1. one's father 2. *Cedrela sinensis*
椿萱(ㄔㄨㄣ ㄒㄩㄢ)one's parents

楂 2514
ㄓㄚ zhā
1. a species of hawthorn 2. a wooden raft

〔木部〕

〔木部〕

楓 2515
ㄈㄥ fēng
as in 楓樹—a maple

楊 2516
ㄧㄤˊ yáng
1. a poplar 2. a willow 3. a Chinese family name
楊桃(ㄧㄤˊ ㄊㄠˊ)a carambola
楊柳(ㄧㄤˊ ㄌㄧㄡˇ)a willow

楔 2517
ㄒㄧㄝˋ xiè
1. to wedge 2. a gatepost 3. a wedge
楔子(ㄒㄧㄝˋ ·ㄗ)a preface

楙 2518
ㄇㄠˋ mào
1. (said of vegetation) luxuriant; lush 2. name of a plant

楛 2519
1. ㄏㄨˋ hù
the arrow-thorn (name of a plant)

楛 2519
2. ㄎㄨˇ kǔ
crude and easy to break

楞 2520
1. ㄌㄥˊ léng
1. angular 2. an edge 3. Ceylon

楞 2520
2. (愣) ㄌㄥˋ lèng
stupid; imbecile; rude

楡 2521
ㄩˊ yú
an elm

楝 2522
ㄌㄧㄢˋ liàn
a kind of tree (*Melia azedarach*); chinaberry

楢 2523
ㄧㄡˊ yóu
a kind of tree (*Quercus glandulifera*)

楰 2524
ㄩˊ yú
Yü (name of a plant)

楚 2525
ㄔㄨˇ chǔ
1. name of a powerful feudal state which existed 740-330 B. C. 2. clear; neat 3. distress; suffering
楚囚對立(ㄔㄨˇ ㄑㄧㄡˊ ㄉㄨㄟˋ ㄌㄧˋ)to lament a common misery
楚楚動人(ㄔㄨˇ ㄔㄨˇ ㄉㄨㄥˋ ㄖㄣˊ)(said of a young woman)lovingly pathetic

業 2526
ㄧㄝˋ yè
1. work; occupations; professions 2. estate; property 3. already
業績(ㄧㄝˋ ㄐㄧ)the track record
業障(ㄧㄝˋ ㄓㄤˋ)karma
業主(ㄧㄝˋ ㄓㄨˇ)the proprietor
業務(ㄧㄝˋ ㄨˋ)official functions
業務會議(ㄧㄝˋ ㄨˋ ㄏㄨㄟˋ ㄧˋ)a business meeting; a business conference
業餘(ㄧㄝˋ ㄩˊ)amateur

楣 2527
ㄇㄟˊ méi
the lintel (over a door)

楨 2528
ㄓㄣ zhēn
(又讀 ㄓㄥ zhēng)
1. sturdy wood 2. posts at ends of walls

楫 2529
ㄐㄧˊ jí
1. an oar 2. a boat

楬 2530
ㄐㄧㄝˊ jié
a signpost

極 2531
ㄐㄧˊ jí
1. to exhaust 2. extreme; extremely 3. poles 4. to reach; to arrive at
極品(ㄐㄧˊ ㄆㄧㄣˇ)a thing of the highest grade
極大(ㄐㄧˊ ㄉㄚˋ)maximum
極地(ㄐㄧˊ ㄉㄧˋ)the polar regions
極度(ㄐㄧˊ ㄉㄨˋ)extremely
極端(ㄐㄧˊ ㄉㄨㄢ)extremely
極樂世界(ㄐㄧˊ ㄌㄜˋ ㄕˋ ㄐㄧㄝˋ)(Buddhism) Paradise; Pure Land
極力(ㄐㄧˊ ㄌㄧˋ)to make every effort
極好(ㄐㄧˊ ㄏㄠˇ)extremely good
極壞(ㄐㄧˊ ㄏㄨㄞˋ)the worst
極其(ㄐㄧˊ ㄑㄧˊ)very; exceedingly
極圈(ㄐㄧˊ ㄑㄩㄢ)the polar circles
極權國家(ㄐㄧˊ ㄑㄩㄢˊ ㄍㄨㄛˊ ㄐㄧㄚ)a dictatorial nation
極限(ㄐㄧˊ ㄒㄧㄢˋ)(mathematics) limit
極刑(ㄐㄧˊ ㄒㄧㄥˊ)death penalty

楮 2532
ㄔㄨˇ chǔ
paper mulberry

楷 2533
ㄎㄞˇ kǎi
1. regular; standard 2. a model; a norm 3. (calligraphy) standard script
楷模 (ㄎㄞˇ ㄇㄛˊ) a model (for imitation)
楷書 (ㄎㄞˇ ㄕㄨ) standard script of handwriting

楸 2534
ㄑㄧㄡ qiū
Chinese catalpa (*Mallotus japonicus*)

楹 2535
ㄧㄥˊ yíng
a pillar; a column

楯 2536
ㄕㄨㄣˇ shǔn
1. the horizontal bar of a railing 2. same as 盾—a shield used in battle

梗 2537
ㄆㄧㄢˊ pián
a kind of tree

十畫

榕 2538
ㄖㄨㄥˊ róng
a banyan tree

榔 2539
ㄌㄤˊ láng
1. a betel palm 2. a betel nut
榔頭(ㄌㄤˊ ·ㄊㄡ)a hammer

榛 2540
ㄓㄣ zhēn
a hazel

榦 2541
1. (幹) ㄍㄢˋ gàn
1. a tree trunk 2. posts, or supports, at ends of walls

榦 2541
2. (幹) ㄏㄢˊ hán
railings around a well

穀 2542
ㄍㄨˇ gǔ
a kind of tree (*Broussonetia papyrifera*)

槔 2543
ㄍㄠ gāo
a well sweep

榭 2544
ㄒㄧㄝˋ xiè
a pavilion; an arbor; a kiosk

榫 2545
ㄙㄨㄣˇ sǔn
tenon and mortise

榨 2546
ㄓㄚˋ zhà
to squeeze or press (for juice)
榨取(ㄓㄚˋ ㄑㄩˇ)to squeeze

榜 2547
1. ㄅㄤˇ bǎng
a publicly posted roll of successful examinees
榜首(ㄅㄤˇ ㄕㄡˇ)the top candidate of an examination
榜樣(ㄅㄤˇ ㄧㄤˋ)an example

榜 2547
2. ㄅㄥˋ bèng
1. to oar 2. a whip; a rod

榱 2548
ㄘㄨㄟ cuī
a rafter

榻 2549
ㄊㄚˋ tà
a couch; a bed

榴 2550
ㄌㄧㄡˊ liú
a pomegranate

榮 2551
ㄖㄨㄥˊ róng
1. glory; honor 2. luxuriant; lush; teeming
榮民(ㄖㄨㄥˊ ㄇㄧㄣˊ)veterans
榮枯(ㄖㄨㄥˊ ㄎㄨ)vicissitudes
榮華富貴(ㄖㄨㄥˊ ㄏㄨㄚˊ ㄈㄨˋ ㄍㄨㄟˋ) honor and wealth
榮獲(ㄖㄨㄥˊ ㄏㄨㄛˋ)to win the honor
榮幸(ㄖㄨㄥˊ ㄒㄧㄥˋ)to have the honor of
榮辱(ㄖㄨㄥˊ ㄖㄨˋ)honor and dishonor
榮耀(ㄖㄨㄥˊ ㄧㄠˋ)glory; honor
榮譽(ㄖㄨㄥˊ ㄩˋ)honor

槃 2552
(盤) ㄆㄢˊ pán
1. a wooden tray 2. great
槃根錯節 (ㄆㄢˊ ㄍㄣ ㄘㄨㄛˋ ㄐㄧㄝˊ) very complicated

槊 2553
ㄕㄨㄛˋ shuò
a spear; a lance

槁 2554
(槀) ㄍㄠˇ gǎo
withered; dead; rotten
槁木死灰(ㄍㄠˇ ㄇㄨˋ ㄙˇ ㄏㄨㄟ)a person utterly without vitality

構 2555
ㄍㄡˋ gòu
to frame; to form; to build; to establish
構圖(ㄍㄡˋ ㄊㄨˊ) composition (in drawing)
構想(ㄍㄡˋ ㄒㄧㄤˇ)a conception
構成(ㄍㄡˋ ㄔㄥˊ)to constitute
構造(ㄍㄡˋ ㄗㄠˋ)construction
構思(ㄍㄡˋ ㄙ)to plot; a plot

槌 2556
ㄔㄨㄟˊ chuí
a hammer

槍 2557
ㄑㄧㄤ qiāng
1. a spear; a lance 2. a pistol; a gun
槍斃(ㄑㄧㄤ ㄅㄧˋ) or 槍決(ㄑㄧㄤ ㄐㄩㄝˊ)to execute by shooting
槍炮(ㄑㄧㄤ ㄆㄠˋ)firearms; guns
槍法(ㄑㄧㄤ ㄈㄚˇ)marksmanship
槍彈(ㄑㄧㄤ ㄉㄢˋ)a shell; a bullet
槍膛(ㄑㄧㄤ ㄊㄤˊ)a bore
槍托(ㄑㄧㄤ ㄊㄨㄛ)the gun stock
槍林彈雨(ㄑㄧㄤ ㄌㄧㄣˊ ㄉㄢˋ ㄩˇ)a fierce battle
槍桿(ㄑㄧㄤ ㄍㄢˇ)a rifle; arms
槍口(ㄑㄧㄤ ㄎㄡˇ) a muzzle (of a rifle, pistol, etc.)
槍械(ㄑㄧㄤ ㄒㄧㄝˋ)weapons
槍枝(ㄑㄧㄤ ㄓ)rifles
槍枝管制(ㄑㄧㄤ ㄓ ㄍㄨㄢˇ ㄓˋ)gun control
槍戰(ㄑㄧㄤ ㄓㄢˋ)a gun battle

槍殺(ㄑㄧㄤ ㄕㄚ)to shoot
槍手(ㄑㄧㄤ ·ㄕㄡ) a substitute examinee
槍傷(ㄑㄧㄤ ㄕㄤ)bullet wounds
槍聲(ㄑㄧㄤ ㄕㄥ)a shot

〔木部〕

槐 2558 ㄏㄨㄞˊ huái
a locust tree (*Sophora japonica*) similar to the ash

槎 2559 ㄔㄚˊ chá
1. a raft 2. to hew; to chop; to cut

槓 2560 ㄍㄤˋ gàng
1. a lever; a carrying pole 2. (sports) a bar 3. to sharpen (a knife) 4. to argue; to dispute 5. to cross out
槓桿(ㄍㄤˋ ㄍㄢˇ)a lever; a pry

榷 2561 ㄑㄩㄝˋ què
1. to monopolize 2. to levy taxes

榧 2562 ㄈㄟˇ fěi
a species of yew

榾 2563 ㄍㄨˇ gǔ
chopped pieces of wood

槅 2564 ㄍㄜˊ gé
a semicircular wooden collar at the end of the shafts of a large carriage

十一畫

槥 2565 ㄏㄨㄟˋ huì
a small coffin

槭 2566 ㄗㄨˊ zú
a kind of maple (*Acer palmatum*)

槱 2567 ㄧㄡˇ yǒu
1. an ancient rite of building fires in worship 2. to supply firewood for building fires

概 2568 (槩) ㄍㄞˋ gài
1. general; overall 2. categorically 3. the manner of carrying oneself
概不賒欠(ㄍㄞˋ ㄅㄨˋ ㄕㄜ ㄑㄧㄢˋ) No chits.
概念(ㄍㄞˋ ㄋㄧㄢˋ)a concept
概論(ㄍㄞˋ ㄌㄨㄣˋ)an outline
概略(ㄍㄞˋ ㄌㄩㄝˋ)a summary
概觀(ㄍㄞˋ ㄍㄨㄢ)a general view
概括(ㄍㄞˋ ㄎㄨㄛˋ)to generalize; to summarize
概要(ㄍㄞˋ ㄧㄠˋ)a summary

槧 2569 ㄑㄧㄢˋ qiàn
1. a wooden tablet for writing 2. an edition, or version, of a book 3. a letter

槳 2570 ㄐㄧㄤˇ jiǎng
an oar

樂 2571 1. ㄩㄝˋ yuè
1. music 2. a Chinese family name
樂譜(ㄩㄝˋ ㄆㄨˇ)musical notes
樂隊(ㄩㄝˋ ㄉㄨㄟˋ)an orchestra
樂團(ㄩㄝˋ ㄊㄨㄢˊ)① a philharmonic society ② a philharmonic orchestra
樂器(ㄩㄝˋ ㄑㄧˋ)a musical instrument
樂曲(ㄩㄝˋ ㄑㄩˇ)a piece of music
樂章(ㄩㄝˋ ㄓㄤ)a movement (of a symphony, sonata, etc.)
樂師(ㄩㄝˋ ㄕ)musicians

樂 2571 2. ㄌㄜˋ lè
1. happy; glad; joyful 2. pleasant; enjoyable; comfortable
樂不思蜀(ㄌㄜˋ ㄅㄨˋ ㄙ ㄕㄨˇ)too happy to think of home
樂不可支(ㄌㄜˋ ·ㄅㄨ ㄎㄜˇ ㄓ)to be overwhelmed with joy
樂天知命 (ㄌㄜˋ ㄊㄧㄢ ㄓ ㄇㄧㄥˋ) happy-go-lucky
樂土(ㄌㄜˋ ㄊㄨˇ)a land of comfort; a paradise
樂觀(ㄌㄜˋ ㄍㄨㄢ)optimistic
樂捐(ㄌㄜˋ ㄐㄩㄢ)to donate voluntarily
樂趣(ㄌㄜˋ ㄑㄩˋ)delight; fun
樂善好施(ㄌㄜˋ ㄕㄢˋ ㄏㄠˋ ㄕ)charitable; benevolent
樂子(ㄌㄜˋ ·ㄗ)joy; fun
樂此不疲(ㄌㄜˋ ㄘˇ ㄅㄨˋ ㄆㄧˊ)to delight in a thing and never get tired of it
樂意(ㄌㄜˋ ㄧˋ)① willing ② pleased
樂於(ㄌㄜˋ ㄩˊ)to like or love (doing something)
樂園(ㄌㄜˋ ㄩㄢˊ)a paradise; Eden

樂 2571 3. ㄧㄠˋ yào
to love; to be fond of; to delight in
樂羣(ㄧㄠˋ ㄑㄩㄣˊ)fond of company and learning from one's friends

槲 2572 ㄏㄨˊ hú
a species of oak (*Quercus dentata*)

槿 2573 ㄐㄧㄣˇ jǐn
1. a hibiscus 2. as in 朝槿—morning-glories

槽 2574 ㄘㄠˊ cáo
1. a manger 2. a trough; a flume; a chute

樁 2575 ㄓㄨㄤ zhuāng
1. a stake; a post; a pile 2. a numerary auxiliary for affairs or matters

樅 2576 ㄘㄨㄥ cōng
a fir; a fir tree (*Abies firma*)

樟 2577 ㄓㄤ zhāng
as in 樟木—a camphor tree
樟腦(ㄓㄤ ㄋㄠˇ)camphor
樟腦丸(ㄓㄤ ㄋㄠˇ ㄨㄢˊ)a mothball

樗 2578 ㄕㄨ shū
Ailanthus altissima

樊 2579 ㄈㄢˊ fán
1. a bird cage 2. disorderly; confused 3. a Chinese family name
樊籠(ㄈㄢˊ ㄌㄨㄥˊ)the place or condition of confinement

樓 2580 ㄌㄡˊ lóu
a building of two stories or more; a tower
樓頂(ㄌㄡˊ ㄉㄧㄥˇ) the top of a tall building
樓梯(ㄌㄡˊ ㄊㄧ)a staircase
樓下(ㄌㄡˊ ㄒㄧㄚˋ)downstairs
樓上(ㄌㄡˊ ㄕㄤˋ)upstairs

標 2581 ㄅㄧㄠ biāo
1. to indicate; to mark 2. a mark; a sign; a label 3. to bid
標本(ㄅㄧㄠ ㄅㄣˇ)a specimen
標榜(ㄅㄧㄠ ㄅㄤˇ)① to glorify ② to declare ③ to boost
標明(ㄅㄧㄠ ㄇㄧㄥˊ)to label
標的(ㄅㄧㄠ ㄉㄧˋ)a target
標點(ㄅㄧㄠ ㄉㄧㄢˇ)punctuation
標點符號(ㄅㄧㄠ ㄉㄧㄢˇ ㄈㄨˊ ㄏㄠˋ)a punctuation mark
標題(ㄅㄧㄠ ㄊㄧˊ)a headline
標竿(ㄅㄧㄠ ㄍㄢ)a guidepost
標記(ㄅㄧㄠ ㄐㄧˋ)a mark
標價(ㄅㄧㄠ ㄐㄧㄚˋ)the tag price
標籤(ㄅㄧㄠ ㄑㄧㄢ)a label; a tag
標槍(ㄅㄧㄠ ㄑㄧㄤ)a lance
標新立異(ㄅㄧㄠ ㄒㄧㄣ ㄌㄧˋ ㄧˋ)to try to be fanciful; to try to be original
標致 or 標緻(ㄅㄧㄠ ㄓˋ)(said of females) good-looking
標誌(ㄅㄧㄠ ㄓˋ)a mark; a sign
標準(ㄅㄧㄠ ㄓㄨㄣˇ)a standard
標售(ㄅㄧㄠ ㄕㄡˋ)to sell by tender
標語(ㄅㄧㄠ ㄩˇ)a slogan; a motto

樛 2582 ㄐㄧㄡ jiū
1. drooping branches 2. twisted; distorted

樞 2583 ㄕㄨ shū
1. a hinge; a pivot 2. a kind of tree
樞紐(ㄕㄨ ㄋㄧㄡˇ)the vital point

模 2584 1. ㄇㄛˊ mó
1. a model; a norm 2. to imitate; to copy
模範(ㄇㄛˊ ㄈㄢˋ)an example
模範生(ㄇㄛˊ ㄈㄢˋ ㄕㄥ) a model student
模仿(ㄇㄛˊ ㄈㄤˇ)to imitate; to copy
模特兒(ㄇㄛˊ ㄊㄜˋ ㄦˊ)a model
模擬(ㄇㄛˊ ㄋㄧˇ)to simulate
模稜兩可(ㄇㄛˊ ㄌㄥˊ ㄌㄧㄤˇ ㄎㄜˇ)equivocal; ambiguous
模糊(ㄇㄛˊ ˙ㄏㄨ)①vague; ambiguous ② to obscure; to blur
模型(ㄇㄛˊ ㄒㄧㄥˊ)a miniature
模式(ㄇㄛˊ ㄕˋ)a pattern

模 2584 2. ㄇㄨˊ mú
a mold; a form; a matrix
模樣(ㄇㄨˊ ㄧㄤˋ)appearances

樣 2585 ㄧㄤˋ yàng
1. appearances; looks 2. a style; a pattern; a mode; a form 3. a sort; a kind; a variety 4. a sample
樣板(ㄧㄤˋ ㄅㄢˇ) ①a sample plate ②a templet ③a model; a prototype; an example
樣本(ㄧㄤˋ ㄅㄣˇ) or 樣品(ㄧㄤˋ ㄆㄧㄣˇ)a sample
樣張(ㄧㄤˋ ㄓㄤ)a specimen sheet
樣式(ㄧㄤˋ ㄕˋ)style; patterns

樠 2586 ㄇㄢˊ mán
a kind of tree

十二畫

樸 2587 ㄆㄨˊ pú
1. (said of dress, clothing, literary style, etc.) plain; simple 2. the substance of things; things in the rough 3. honest; sincere; simple
樸(樸實)實(ㄆㄨˊ(˙ㄆㄨ ㄕˊ)ㄕˊ) ①(said of dresses, style, etc.) simple; plain ②honest
樸質(ㄆㄨˊ ㄓˊ)unadorned
樸素(ㄆㄨˊ ㄙㄨˋ)(said of dresses, etc.) simple and plain

樵 2588 ㄑㄧㄠˊ qiáo
1. firewood; fuel 2. to gather fuel or firewood 3. a woodcutter 4. to burn 5. a tower; a lookout
樵夫(ㄑㄧㄠˊ ㄈㄨ)a woodcutter

樺 2589 ㄏㄨㄚˋ huà
a birch

樨 2590 ㄒㄧ xī
a cassia tree

〔木部〕

橄 2591
ㄍㄢˇ gǎn
an olive: 橄欖油 olive oil
橄欖(ㄍㄢˇ ㄌㄢˇ)olives
橄欖球(ㄍㄢˇ ㄌㄢˇ ㄑㄧㄡˊ)rugby

樾 2592
ㄩㄝˋ yuè
the shade of trees

樽 2593
ㄗㄨㄣ zūn
1. a wine vessel 2. (said of vegetation) luxuriant

橐 2594
ㄊㄨㄛˊ tuó
a bag or sack

樹 2595
ㄕㄨˋ shù
1. trees 2. to plant 3. to erect; to establish
樹皮(ㄕㄨˋ ㄆㄧˊ)bark
樹木(ㄕㄨˋ ㄇㄨˋ)trees
樹敵(ㄕㄨˋ ㄉㄧˊ)to make enemy
樹立(ㄕㄨˋ ㄌㄧˋ)to establish
樹林(ㄕㄨˋ ㄌㄧㄣˊ)a forest
樹幹(ㄕㄨˋ ㄍㄢˋ)the trunk of a tree
樹根(ㄕㄨˋ ㄍㄣ)the root of a tree
樹枝(ㄕㄨˋ ㄓ)branches of a tree
樹脂(ㄕㄨˋ ㄓ)resin
樹梢(ㄕㄨˋ ㄕㄠ)the tip of a tree
樹葉(ㄕㄨˋ ㄧㄝˋ)the leaves of a tree
樹蔭(ㄕㄨˋ ㄧㄣˋ)the shade of a tree
樹影(ㄕㄨˋ ㄧㄥˇ)the shadow of a tree

橇 2596
ㄘㄨㄟˋ cuì
(又讀 ㄑㄧㄠ qiāo)
a sleigh

橈 2597
ㄋㄠˊ náo
1. crooked or bent wood 2. to enfeeble; to weaken; to sap 3. to disperse; to scatter 4. to wrong or be wronged

橋 2598
ㄑㄧㄠˊ qiáo
1. a bridge 2. beams of a structure 3. tall; high; elevated
橋牌(ㄑㄧㄠˊ ㄆㄞˊ)(card games) bridge
橋墩(ㄑㄧㄠˊ ㄉㄨㄣ)the buttresses of a bridge
橋頭(ㄑㄧㄠˊ ㄊㄡˊ)either end of a bridge
橋梁(ㄑㄧㄠˊ ㄌㄧㄤˊ)any material which forms the span of a bridge

橙 2599
ㄔㄥˊ chéng
(語音 ㄔㄣˊ chén)
the orange
橙黃色 (ㄔㄥˊ ㄏㄨㄤˊ ㄙㄜˋ) orange (color)

橘 2600
ㄐㄩˊ jú
the mandarin orange; a tangerine
橘黃(ㄐㄩˊ ㄏㄨㄤˊ)an orange color
橘紅(ㄐㄩˊ ㄏㄨㄥˊ)tangerine (color)
橘子汁(ㄐㄩˊ ·ㄗ ㄓ)orange juice

橡 2601
ㄒㄧㄤˋ xiàng
an acorn
橡皮(ㄒㄧㄤˋ ㄆㄧˊ) ①a rubber; an eraser ②rubber
橡皮筋(ㄒㄧㄤˋ ㄆㄧˊ ㄐㄧㄣ) rubber bands
橡膠(ㄒㄧㄤˋ ㄐㄧㄠ)rubber
橡樹(ㄒㄧㄤˋ ㄕㄨˋ)an oak

橢 2602
ㄊㄨㄛˇ tuǒ
oval; oblong; elliptical
橢圓(ㄊㄨㄛˇ ㄩㄢˊ) (mathematics) an ellipse

橦 2603
ㄊㄨㄥˊ tóng
a species of tree grown in Yunnan (雲南) whose flowers are used to make a kind of cloth

槰 2604
ㄇㄤˇ mǎng
a mango

機 2605
ㄐㄧ jī
1. mechanics; machinery 2. opportune; opportunity 3. a crucial point; a pivot 4. cunning 5. an airplane
機密(ㄐㄧ ㄇㄧˋ)secret; classified
機密文件(ㄐㄧ ㄇㄧˋ ㄨㄣˊ ㄐㄧㄢˋ)secret or confidential documents
機房(ㄐㄧ ㄈㄤˊ)an engine room
機動(ㄐㄧ ㄉㄨㄥˋ)mobile
機動性(ㄐㄧ ㄉㄨㄥˋ ㄒㄧㄥˋ)(military) mobility
機能(ㄐㄧ ㄋㄥˊ)functions
機靈(ㄐㄧ ㄌㄧㄥˊ)clever; smart
機率(ㄐㄧ ㄌㄩˋ)the probability
機構(ㄐㄧ ㄍㄡˋ)an organization
機關(ㄐㄧ ㄍㄨㄢ)①an institution ②a stratagem
機關槍(ㄐㄧ ㄍㄨㄢ ㄑㄧㄤ) a machine gun
機會(ㄐㄧ ㄏㄨㄟˋ)opportunity
機件(ㄐㄧ ㄐㄧㄢˋ)machine parts
機件失靈(ㄐㄧ ㄐㄧㄢˋ ㄕ ㄌㄧㄥˊ)engine failure
機警(ㄐㄧ ㄐㄧㄥˇ)alertness
機器(ㄐㄧ ㄑㄧˋ)machinery
機器人(ㄐㄧ ㄑㄧˋ ㄖㄣˊ)a robot
機器維修(ㄐㄧ ㄑㄧˋ ㄨㄟˊ ㄒㄧㄡ) machine maintenance
機巧(ㄐㄧ ㄑㄧㄠˇ)tact; clever
機械(ㄐㄧ ㄒㄧㄝˋ) ①a machine; machinery ②mechanical
機械化(ㄐㄧ ㄒㄧㄝˋ ㄏㄨㄚˋ) mechanization
機械設備 (ㄐㄧ ㄒㄧㄝˋ ㄕㄜˋ ㄅㄟˋ) mechanical equipment
機型(ㄐㄧ ㄒㄧㄥˊ) the model (of a machine)

機智(ㄐㄧ ㄓˋ)quick wit
機長(ㄐㄧ ㄓㄤˇ)an aircraft (or crew) 「commander」
機車(ㄐㄧ ㄔㄜ)motorcycles
機場(ㄐㄧ ㄔㄤˇ)an airport
機床(ㄐㄧ ㄔㄨㄤˊ)a machine tool
機身(ㄐㄧ ㄕㄣ)the fuselage
機座(ㄐㄧ ㄗㄨㄛˋ)machine base
機艙(ㄐㄧ ㄘㄤ)the cockpit of a small airplane; the cabin of an airliner
機翼(ㄐㄧ ㄧˋ)wings of an airplane
機要秘書(ㄐㄧ ㄧㄠˋ ㄇㄧˋ ㄕㄨ)a confidential secretary
機油(ㄐㄧ ㄧㄡˊ)lubricating oil
機遇(ㄐㄧ ㄩˋ)chance; opportunity
機緣(ㄐㄧ ㄩㄢˊ)chance and opportunity

橫 2606
1. ㄏㄥˊ héng
1. horizontal; lateral 2. east to west or vice versa 3. sideways 4. to traverse 5. unrestrainedly
橫列(ㄏㄥˊ ㄌㄧㄝˋ)to arrange in a horizontal line
橫膈膜(ㄏㄥˊ ㄍㄜˊ ㄇㄛˊ)the diaphragm
橫亙(ㄏㄥˊ ㄍㄣˋ)crosswise
橫貫公路(ㄏㄥˊ ㄍㄨㄢˋ ㄍㄨㄥ ㄌㄨˋ)any highway that runs from east to west
橫跨(ㄏㄥˊ ㄎㄨㄚˋ)to stretch across
橫寫(ㄏㄥˊ ㄒㄧㄝˇ)to write horizontally
橫行(ㄏㄥˊ ㄒㄧㄥˊ) to move sideways—as crabs
橫行霸道(ㄏㄥˊ ㄒㄧㄥˊ ㄅㄚˋ ㄉㄠˋ)to 「bully; to terrorize」
橫衝直撞(ㄏㄥˊ ㄔㄨㄥ ㄓˊ ㄓㄨㄤˋ) (said of a bull, car, etc.) to bump
橫生枝節(ㄏㄥˊ ㄕㄥ ㄓ ㄐㄧㄝˊ) new problems that come unexpectedly
橫坐標(ㄏㄥˊ ㄗㄨㄛˋ ㄅㄧㄠ) (mathematics) an abscissa
橫財(ㄏㄥˊ ㄘㄞˊ)illegal gains
橫掃(ㄏㄥˊ ㄙㄠˇ)to roll back

橫 2606
2. ㄏㄥˋ hèng
1. cross-grained; perverse 2. presumptuous and unreasonable 3. unexpected; uncalled for 4. violent
橫禍(ㄏㄥˋ ㄏㄨㄛˋ)unexpected misfortune or disaster
橫事(ㄏㄥˋ ㄕˋ)a bad accident
橫死(ㄏㄥˋ ㄙˇ)a violent death

十三畫

檀 2607
ㄊㄢˊ tán
sandalwood
檀香 (ㄊㄢˊ ㄒㄧㄤ) incense made of 「sandalwood」

檄 2608
ㄒㄧˊ xí
a summons to arms in ancient times

檐 2609
(簷) ㄧㄢˊ yán
1. eaves of a house 2. the brim

檔 2610
ㄉㄤˇ dǎng
(又讀 ㄉㄤˋ dàng)
1. an abbreviation for 檔案 (files) 2. pigeonholes 3. a wooden crosspiece, as the rung of a ladder, etc.
檔案(ㄉㄤˇ ㄢˋ)official files

檉 2611
ㄔㄥ chēng
a tamarisk

檜 2612
ㄎㄨㄞˋ kuài
(又讀 ㄍㄨㄟˋ guì)
the Chinese juniper or cypress
檜木(ㄎㄨㄞˋ ㄇㄨˋ)timber of a Chinese cypress or juniper

檎 2613
ㄑㄧㄣˊ qín
a small red apple (*Malus asiatica*)

檟 2614
ㄐㄧㄚˇ jiǎ
1. an ancient version of 茶, tea 2. a small evergreen shrub (*Mallotus japonicus*)

檢 2615
ㄐㄧㄢˇ jiǎn
1. a book label 2. to sort 3. to inspect 4. to discuss thoroughly 5. a pattern 6. to restrict
檢點(ㄐㄧㄢˇ ㄉㄧㄢˇ)to behave (oneself)
檢定(ㄐㄧㄢˇ ㄉㄧㄥˋ)inspection
檢討(ㄐㄧㄢˇ ㄊㄠˇ)to make self-examination
檢舉(ㄐㄧㄢˇ ㄐㄩˇ)to inform the authorities of an unlawful act, plot, etc.
檢查(ㄐㄧㄢˇ ㄔㄚˊ)to examine
檢察官(ㄐㄧㄢˇ ㄔㄚˊ ㄍㄨㄢ)a court prosecutor
檢查人員(ㄐㄧㄢˇ ㄔㄚˊ ㄖㄣˊ ㄩㄢˊ)an 「inspector」
檢疫(ㄐㄧㄢˇ ㄧˋ)quarantine
檢驗(ㄐㄧㄢˇ ㄧㄢˋ)inspection
檢閱(ㄐㄧㄢˇ ㄩㄝˋ)to inspect (troops)

檣 2616
ㄑㄧㄤˊ qiáng
the mast of a ship

檁 2617
ㄌㄧㄣˇ lǐn
a crossbeam in a house

檥 2618
ㄧˇ yǐ
to moor a boat to the bank

檝 2619
(楫) ㄐㄧˊ jí
an oar or paddle

〔木部〕

〔木部〕

十四畫

檸 2620 ㄋㄧㄥˊ níng
as in 檸檬—lemon
檸檬酸(ㄋㄧㄥˊ ㄇㄥˊ ㄙㄨㄢ)citric acid

檬 2621 ㄇㄥˊ méng
1. a kind of locust or acacia 2. lemon

檮 2622 ㄊㄠˊ táo
ignorant and stupid; a blockhead

檻 2623 1. ㄐㄧㄢˋ jiàn
railings; bars, as window or door bars

檻 2623 2. ㄎㄢˇ kǎn
a doorsill; a threshold

櫃 2624 ㄍㄨㄟˋ guì
1. a cabinet; a wardrobe 2. a shop counter
櫃臺(ㄍㄨㄟˋ ㄊㄞˊ) the counter in a store

檯 2625 (枱) ㄊㄞˊ tái
a table: 檯燈 a table lamp

檳 2626 ㄅㄧㄣ bīn
as in 檳榔—the areca (nut); the betel (nut)

櫂 2627 (棹) ㄓㄠˋ zhào
1. an oar; a paddle 2. to row 3. a general name of boat
櫂歌(ㄓㄠˋ ㄍㄜ)a boat-song

十五畫

櫚 2628 ㄌㄩˊ lǘ
a palm; the Chinese coir palm

櫟 2629 ㄌㄧˋ lì
the chestnut-leaved oak

櫓 2630 (艣) ㄌㄨˇ lǔ
1. an oar; a scull; a sweep 2. (in ancient warfare) a big shield
櫓夫(ㄌㄨˇ ㄈㄨ)an oarsman

櫛 2631 ㄐㄧㄝˊ jié
1. a comb 2. to comb the hair 3. to delete
櫛風沐雨(ㄐㄧㄝˊ ㄈㄥ ㄇㄨˋ ㄩˇ) hard-working

櫝 2632 ㄉㄨˊ dú
1. a closet; a cabinet 2. a coffin 3. a scabbard 4. to hide; to conceal

櫥 2633 (橱) ㄔㄨˊ chú
a cabinet; a cupboard, etc.
櫥櫃(ㄔㄨˊ ㄍㄨㄟˋ)a closet; a cabinet
櫥窗(ㄔㄨˊ ㄔㄨㄤ)a showcase

十六畫

櫪 2634 ㄌㄧˋ lì
1. a stable; a manger 2. *Quercus serrata*

櫬 2635 ㄔㄣˋ chèn
1. a coffin 2. a tung tree

櫨 2636 ㄌㄨˊ lú
the square peck-shaped box half way up a staff or mast

櫳 2637 (櫳) ㄌㄨㄥˊ lóng
1. window with bars 2. a cage for animals

櫱 2638 ㄋㄧㄝˋ niè
sprouts grown from the stump of a tree

櫫 2639 ㄓㄨ zhū
a wooden peg; a post; a stalk or stick

十七畫

櫺 2640 ㄌㄧㄥˊ líng
1. carved or patterned window railings, sills 2. the wooden planks which join eaves with a house

欄 2641 ㄌㄢˊ lán
1. a railing; a balustrade; a fence 2. a pen for domesticated animals
欄杆(ㄌㄢˊ ㄍㄢ)a balustrade

櫻 2642 ㄧㄥ yīng
the cherry; the cherry blossoms
櫻桃(ㄧㄥ ㄊㄠˊ)cherries
櫻草(ㄧㄥ ㄘㄠˇ)a primrose

欅 2643 ㄐㄩˇ jǔ
a kind of elm, with fine-grained wood (*Zelkova serrata*)

欃 2644 ㄔㄢˊ chán
1. sandalwood 2. a comet

欂 2645 ㄅㄛˊ bó
欂櫨(ㄅㄛˊ ㄌㄨˊ)a square wooden block at the top of a column

檃 2646 ㄧㄣˇ yǐn
1. to straighten bent wood (by heat, etc.) 2. to correct or adjust

十八畫

權 2647
ㄑㄩㄢˊ quán
1. to weigh (the significance, etc.) 2. power; authority 3. expediency; alternative 4. temporarily
權柄(ㄑㄩㄢˊ ㄅㄧㄥˇ)power
權利(ㄑㄩㄢˊ ㄌㄧˋ)rights
權力(ㄑㄩㄢˊ ㄌㄧˋ)power; authority
權貴(ㄑㄩㄢˊ ㄍㄨㄟˋ)influential figures
權衡(ㄑㄩㄢˊ ㄏㄥˊ)to assess
權限(ㄑㄩㄢˊ ㄒㄧㄢˋ)limitation of power or authority
權宜之計(ㄑㄩㄢˊ ㄧˊ ㄓ ㄐㄧˋ)an expedient; a makeshift
權益(ㄑㄩㄢˊ ㄧˋ)rights and interests
權威(ㄑㄩㄢˊ ㄨㄟ)an authority (in certain sphere of knowledge)

十九畫

欒 2648
ㄌㄨㄢˊ luán
Koelreuteria paniculata, name of a small tree with tiny leaves and yellow flowers

二十一畫

欖 2649
ㄌㄢˇ lǎn
the olive

欠部
ㄑㄧㄢˋ qiàn

欠 2650
ㄑㄧㄢˋ qiàn
1. to owe 2. lacking 3. to raise slightly (a part of the body) 4. to yawn
欠錢(ㄑㄧㄢˋ ㄑㄧㄢˊ)①to owe money ②to be short of money
欠缺(ㄑㄧㄢˋ ㄑㄩㄝ)deficient
欠債(ㄑㄧㄢˋ ㄓㄞˋ)to be in debt
欠稅(ㄑㄧㄢˋ ㄕㄨㄟˋ)tax arrears
欠資郵票 (ㄑㄧㄢˋ ㄗ ㄧㄡˊ ㄆㄧㄠˋ) a postage-due stamp

二畫

次 2651
ㄘˋ cì
1. secondary 2. inferior; lower 3. vice or deputy (ministers, etc.) 4. a place 5. to stop at a place 6. by; at (the feast, table, etc.) 7. a grade 8. (chemistry) the prefix "hypo" 9. time (each occasion of a recurring action)
次等(ㄘˋ ㄉㄥˇ)of the second grade
次第(ㄘˋ ㄉㄧˋ)in order
次年(ㄘˋ ㄋㄧㄢˊ)the next year
次序(ㄘˋ ㄒㄩˋ)order, sequence, etc.
次數(ㄘˋ ㄕㄨˋ)the number of times
次日(ㄘˋ ㄖˋ)the next day
次要(ㄘˋ ㄧㄠˋ)secondary
次於(ㄘˋ ㄩˊ)inferior to...

四畫

欣 2652
ㄒㄧㄣ xīn
glad; gladly; joyful; joyfully; delighted; happy
欣喜若狂(ㄒㄧㄣ ㄒㄧˇ ㄖㄨㄛˋ ㄎㄨㄤˊ) to be beside oneself with joy
欣羨(ㄒㄧㄣ ㄒㄧㄢˋ) to admire or envy
欣欣向榮(ㄒㄧㄣ ㄒㄧㄣ ㄒㄧㄤˋ ㄖㄨㄥˊ) (said of business, etc.) prospering
欣賞(ㄒㄧㄣ ㄕㄤˇ)to appreciate
欣慰(ㄒㄧㄣ ㄨㄟˋ)comforted

六畫

欬 2653
1. (咳) ㄎㄜˊ ké
1. to cough 2. the sound of laughing

欬 2653
2. ㄎㄞˋ kài
asthma and coughing

七畫

欲 2654
ㄩˋ yù
1. to desire; to intend; to want 2. about to; on the point of
欲罷不能(ㄩˋ ㄅㄚˋ ㄅㄨˋ ㄋㄥˊ)unable to stop even if one wants to
欲速不達 (ㄩˋ ㄙㄨˋ ㄅㄨˋ ㄉㄚˊ) Haste makes waste.
欲望(ㄩˋ ㄨㄤˋ)desires

欸 2655
1. ㄞˇ ǎi
1. the sound of answering 2. sighs 3. the sound of rowing a boat

欸 2655
2. ㄟˋ èi
an exclamation indicating promise or affirmation

欷 2656
ㄒㄧ xī
as in 歔欷—to sob

八畫

款 2657
(欵) ㄎㄨㄢˇ kuǎn
1. sincerely 2. an item, etc. (in a contract, treaty, etc.) 3. to treat well 4. slowly 5. to knock (at a door) 6. money 7. empty (words, etc.)
款待 (ㄎㄨㄢˇ ㄉㄞˋ) to entertain with courtesy and warmth
款款 (ㄎㄨㄢˇ ㄎㄨㄢˇ) ①sincerely ②slowly

款項(ㄎㄨㄢˇ ㄒㄧㄤˋ)a sum of money
款式(ㄎㄨㄢˇ ㄕˋ)styles; patterns
款子(ㄎㄨㄢˇ ·ㄗ)a sum of money
款額(ㄎㄨㄢˇ ㄜˊ)the amount of money involved

〔欠部〕

欽 2658
ㄑㄧㄣ qīn
1. to respect; respectful; to admire 2. a term used to address a monarch in ancient China—Your Majesty
欽佩(ㄑㄧㄣ ㄆㄟˋ)to admire
欽賜(ㄑㄧㄣ ㄙˋ)granted or bestowed by the emperor
欽仰(ㄑㄧㄣ ㄧㄤˇ)to look up to

欺 2659
ㄑㄧ qī
1. to cheat; to deceive 2. to disregard the dictates of one's own conscience 3. to insult; to bully
欺騙(ㄑㄧ ㄆㄧㄢˋ)to cheat
欺瞞(ㄑㄧ ㄇㄢˊ)to deceive
欺負(ㄑㄧ ·ㄈㄨ)to bully
欺凌(ㄑㄧ ㄌㄧㄥˊ)to mistreat
欺詐(ㄑㄧ ㄓㄚˋ)to defraud
欺人太甚(ㄑㄧ ㄖㄣˊ ㄊㄞˋ ㄕㄣˋ)It's really too much!
欺壓(ㄑㄧ ㄧㄚ)to cheat and oppress
欺侮(ㄑㄧ ㄨˇ)to bully

欻 2660
1. ㄏㄨ hū
sudden; suddenly; abruptly

欻 2660
2. ㄔㄨㄚ chuā
descriptive of the sound

欿 2661
ㄎㄢˇ kǎn
1. discontented with oneself 2. sad and gloomy

欹 2662
(猗) ㄧ yī
an interjection of pleasure —Bravo! 或 Good!

九畫

歇 2663
ㄒㄧㄝ xiē
1. to rest 2. to sleep 3. to stop 4. to lodge
歇息(ㄒㄧㄝ ㄒㄧˊ)to take a rest
歇斯的里(ㄒㄧㄝ ㄙ ㄉㄧˋ ㄌㄧˇ)hysteria
歇業(ㄒㄧㄝ ㄧㄝˋ)to close shop

歆 2664
ㄒㄧㄣ xīn
1. (said of gods, etc.) to accept offerings, etc. 2. to admire 3. to move
歆慕 or 欣慕(ㄒㄧㄣ ㄇㄨˋ)to cherish
歆羨(ㄒㄧㄣ ㄒㄧㄢˋ)to admire

歃 2665
ㄕㄚˋ shà
to smear the mouth with blood of an animal in oath-taking

十畫

歉 2666
ㄑㄧㄢˋ qiàn
1. insufficient 2. a poor crop 3. to regret; sorry 4. an apology
歉收(ㄑㄧㄢˋ ㄕㄡ)a bad harvest
歉意(ㄑㄧㄢˋ ㄧˋ)regrets; apologies

歌 2667
ㄍㄜ gē
1. to sing 2. to praise 3. a song 4. poems with rhythms and rhymes suitable for use as lyrics in songs
歌譜(ㄍㄜ ㄆㄨˇ)music scores
歌劇(ㄍㄜ ㄐㄩˋ)operas
歌曲(ㄍㄜ ㄑㄩˇ)a song; a tune
歌星(ㄍㄜ ㄒㄧㄥ)a singing star
歌唱(ㄍㄜ ㄔㄤˋ)to sing
歌唱家(ㄍㄜ ㄔㄤˋ ㄐㄧㄚ)a vocalist
歌手(ㄍㄜ ㄕㄡˇ)a songster
歌聲(ㄍㄜ ㄕㄥ)the singing voice
歌詞(ㄍㄜ ㄘˊ)words of a song
歌頌(ㄍㄜ ㄙㄨㄥˋ)to sing praises
歌謠(ㄍㄜ ㄧㄠˊ)a ballad
歌舞劇(ㄍㄜ ㄨˇ ㄐㄩˋ)a musical
歌詠(ㄍㄜ ㄩㄥˇ)to eulogize

十一畫

歎 2668
(嘆) ㄊㄢˋ tàn
to sigh in lamentation; to exclaim
歎氣(ㄊㄢˋ ㄑㄧˋ)to sigh
歎息 (ㄊㄢˋ ㄒㄧˊ) ① to lament ② to exclaim ③a sigh
歎爲觀止 (ㄊㄢˋ ㄨㄟˊ ㄍㄨㄢ ㄓˇ)an unrivaled sight

歐 2669
ㄡ ōu
1. Europe; European 2. same as 嘔—to vomit 3. same as 毆—to beat 4. same as 謳—to sing 5. ohm, the SI unit of electrical resistance
歐美 (ㄡ ㄇㄟˇ) Europe and America —the West; Western
歐化(ㄡ ㄏㄨㄚˋ)Europeanization
歐洲(ㄡ ㄓㄡ)Europe
歐洲共同體(ㄡ ㄓㄡ ㄍㄨㄥˋ ㄊㄨㄥˊ ㄊㄧˇ)European Community(EC)
歐亞(ㄡ ㄧㄚˇ)Europe and Asia

歔 2670
ㄏㄨ hū
to blow; to exhale

歙 2671
ㄧㄣˇ yǐn
the ancient version of 飲— to drink

十二畫

歙 2672
1. ㄒㄧˋ xì
to suck; to inhale

歙 2672
2. ㄕㄜˋ shè
name of a county in Anhwei Province

歔 2673
ㄒㄩ xū
1. to exhale from the nose 2. to sob
歔欷(ㄒㄩ ㄒㄧ)to sob

歗 2674
(嘯) ㄒㄧㄠˋ xiào
1. to scream or whistle 2. to groan

十三畫

歕 2675
(噴) ㄆㄣ pēn
1. to spurt; to blow 2. to snort; to puff

歜 2676
ㄔㄨˋ chù
furious; wrathful

斂 2677
ㄌㄧㄢˋ liàn
1. to collect 2. to hold together 3. to deduct 4. to desire

十四畫

歟 2678
ㄩˊ yú
a final particle indicating doubt, surprise, etc.

十五畫

歠 2679
ㄔㄨㄛˋ chuò
to drink; to sip; to suck

十八畫

歡 2680
ㄏㄨㄢ huān
1. pleased; glad 2. joys 3. a lover 4. active and energetic; quick
歡騰(ㄏㄨㄢ ㄊㄥˊ)jubilation
歡樂(ㄏㄨㄢ ㄌㄜˋ)joy; happiness
歡呼(ㄏㄨㄢ ㄏㄨ)to hurrah
歡聚(ㄏㄨㄢ ㄐㄩˋ)a happy reunion
歡喜(ㄏㄨㄢ ㄒㄧˇ)joyful; happy
歡笑(ㄏㄨㄢ ㄒㄧㄠˋ)great joy
歡心(ㄏㄨㄢ ㄒㄧㄣ)(to win another's) favor or heart; love
歡欣鼓舞(ㄏㄨㄢ ㄒㄧㄣ ㄍㄨˇ ㄨˇ)to be overjoyed; very pleased
歡送(ㄏㄨㄢ ㄙㄨㄥˋ)to send off
歡迎(ㄏㄨㄢ ㄧㄥˊ)to welcome
歡娛(ㄏㄨㄢ ㄩˊ)joy and pleasure
歡悅(ㄏㄨㄢ ㄩㄝˋ)joy and happiness; very pleased

止部
ㄓˇ zhǐ

〔止部〕

止 2681
ㄓˇ zhǐ
1. to stop; to still 2. to stay 3. deportment 4. to detain 5. to prohibit 6. to arrive at 7. still; calm 8. only
止步(ㄓˇ ㄅㄨˋ)to go no further
止付(ㄓˇ ㄈㄨˋ)to stop payment
止痛(ㄓˇ ㄊㄨㄥˋ)to kill pain
止痛藥(ㄓˇ ㄊㄨㄥˋ ㄧㄠˋ)the anodyne
止咳(ㄓˇ ㄎㄜˊ)to stop coughing
止渴(ㄓˇ ㄎㄜˇ)to quench thirst
止血(ㄓˇ ㄒㄧㄝˇ)to stop bleeding
止瀉(ㄓˇ ㄒㄧㄝˋ)to stop diarrhea
止住(ㄓˇ ㄓㄨˋ)to stop; to desist
止癢(ㄓˇ ㄧㄤˇ)to stop itching

一畫

正 2682
1. ㄓㄥˋ zhèng
1. the obverse side 2. appropriate 3. formal 4. to correct 5. pure 6. honest and virtuous 7. the person in charge 8. to mete out punishment for a criminal 9. original (texts, etc.) 10. just; right 11. positively 12. main 13. punctually 14. unbiased
正比(ㄓㄥˋ ㄅㄧˇ)direct proportion
正派(ㄓㄥˋ ㄆㄞˋ)virtuous
正門(ㄓㄥˋ ㄇㄣˊ)the main entrance
正面(ㄓㄥˋ ㄇㄧㄢˋ)①the obverse side ② directly
正法(ㄓㄥˋ ㄈㄚˇ)to execute
正方形(ㄓㄥˋ ㄈㄤ ㄒㄧㄥˊ)a square
正負(ㄓㄥˋ ㄈㄨˋ)positive and negative
正當①(ㄓㄥˋ ㄉㄤ) just at that time ② (ㄓㄥˋ ㄉㄤˋ) proper; appropriate
正途(ㄓㄥˋ ㄊㄨˊ)the proper way
正統(ㄓㄥˋ ㄊㄨㄥˇ)orthodox
正軌(ㄓㄥˋ ㄍㄨㄟˇ)the proper way
正好(ㄓㄥˋ ㄏㄠˇ)exactly right
正襟危坐(ㄓㄥˋ ㄐㄧㄣ ㄨㄟˊ ㄗㄨㄛˋ)to sit upright and look straight ahead
正經(ㄓㄥˋ ㄐㄧㄥ) (said of manners, conduct, etc.) serious
正巧(ㄓㄥˋ ㄑㄧㄠˇ)exactly when...
正確(ㄓㄥˋ ㄑㄩㄝˋ)accurate
正直(ㄓㄥˋ ㄓˊ)upright and honest
正値(ㄓㄥˋ ㄓˊ)just at that time
正中(ㄓㄥˋ ㄓㄨㄥ)right in the center
正中下懷(ㄓㄥˋ ㄓㄨㄥˋ ㄒㄧㄚˋ ㄏㄨㄞˊ) exactly as one wishes or hopes for
正常(ㄓㄥˋ ㄔㄤˊ)normal

〔止部〕

正是(ㄓㄥˋ ㄕˋ)yes, exactly so
正式(ㄓㄥˋ ㄕˋ)formal
正事(ㄓㄥˋ ㄕˋ)① one's duty ② serious business
正視(ㄓㄥˋ ㄕˋ) to look straight in the eye
正人君子(ㄓㄥˋ ㄖㄣˊ ㄐㄩㄣ ㄗˇ) a gentleman
正在(ㄓㄥˋ ㄗㄞˋ)used before a verb to form a progressive tense
正宗(ㄓㄥˋ ㄗㄨㄥ)orthodox
正義(ㄓㄥˋ ㄧˋ)righteousness
正義感(ㄓㄥˋ ㄧˋ ㄍㄢˇ)the sense of justice or righteousness
正業(ㄓㄥˋ ㄧㄝˋ)one's main job
正午(ㄓㄥˋ ㄨˇ)high noon; noon
正文(ㄓㄥˋ ㄨㄣˊ)text

正 2682
2. ㄓㄥ zhēng
the first in the lunar calendar
正月(ㄓㄥ ㄩㄝˋ)the first month of the lunar year

二畫

此 2683
ㄘˇ cǐ
1. this; these 2. such; thus 3. if so; in this case 4. here
此等(ㄘˇ ㄉㄥˇ)this kind; such
此地(ㄘˇ ㄉㄧˋ)this place; here
此刻(ㄘˇ ㄎㄜˋ)at present
此後(ㄘˇ ㄏㄡˋ)from now on
此舉(ㄘˇ ㄐㄩˇ)this action
此起彼落(ㄘˇ ㄑㄧˇ ㄅㄧˇ ㄌㄨㄛˋ)continuously
此處(ㄘˇ ㄔㄨˋ)this place; here
此事(ㄘˇ ㄕˋ)this matter
此人(ㄘˇ ㄖㄣˊ)this man
此外(ㄘˇ ㄨㄞˋ)besides

三畫

步 2684
ㄅㄨˋ bù
1. a pace; a step 2. to walk; on foot 3. situation 4. banks of rivers, etc. 5. fortune; doom 6. a unit of length in ancient China of about 5.5 feet
步兵(ㄅㄨˋ ㄅㄧㄥ)foot soldiers
步步(ㄅㄨˋ ㄅㄨˋ)① step by step ② gradually; progressively
步步高陞(ㄅㄨˋ ㄅㄨˋ ㄍㄠ ㄕㄥ) to attain eminence step by step
步步爲營(ㄅㄨˋ ㄅㄨˋ ㄨㄟˊ ㄧㄥˊ)to move carefully every step on the way
步伐(ㄅㄨˋ ㄈㄚˊ)steps or paces
步法(ㄅㄨˋ ㄈㄚˇ) (dancing) footwork
步道(ㄅㄨˋ ㄉㄠˋ)a footpath
步調(ㄅㄨˋ ㄉㄧㄠˋ)marching order
步隊(ㄅㄨˋ ㄉㄨㄟˋ)infantry
步槍(ㄅㄨˋ ㄑㄧㄤ)a rifle
步行(ㄅㄨˋ ㄒㄧㄥˊ)to walk
步驟(ㄅㄨˋ ㄗㄡˋ)procedure of doing something

四畫

歧 2685
ㄑㄧˊ qí
1. a forked road 2. forked; strayed 3. anything that goes astray
歧途(ㄑㄧˊ ㄊㄨˊ)the road of evil
歧見(ㄑㄧˊ ㄐㄧㄢˋ)conflicting ideas
歧視(ㄑㄧˊ ㄕˋ)discrimination

武 2686
ㄨˇ wǔ
1. force; military 2. warlike; martial 3. footprints; steps 4. the length of half a pace 5. the string of an ancient hat 6. to inherit
武打片(ㄨˇ ㄉㄚˇ ㄆㄧㄢˋ)Kung-fu movies
武斷(ㄨˇ ㄉㄨㄢˋ)to decide arbitrarily
武力(ㄨˇ ㄌㄧˋ)military might
武力鎮壓(ㄨˇ ㄌㄧˋ ㄓㄣˋ ㄧㄚ)armed suppression
武器(ㄨˇ ㄑㄧˋ)weapons; arms
武俠小說(ㄨˇ ㄒㄧㄚˊ ㄒㄧㄠˇ ㄕㄨㄛ) a novel of swordsmen
武裝(ㄨˇ ㄓㄨㄤ)armed; to arm
武裝部隊 (ㄨˇ ㄓㄨㄤ ㄅㄨˋ ㄉㄨㄟˋ) armed forces
武裝侵略 (ㄨˇ ㄓㄨㄤ ㄑㄧㄣ ㄌㄩㄝˋ) armed aggression
武士(ㄨˇ ㄕˋ)① a warrior ② a knight
武術(ㄨˇ ㄕㄨˋ)martial arts
武藝(ㄨˇ ㄧˋ)fighting skills

五畫

歪 2687
ㄨㄞ wāi
1. askew; crooked 2. depraved 3. to lie down on one side for a brief nap 4. to shirk one's responsibility and try to involve others
歪風(ㄨㄞ ㄈㄥ)an unhealthy trend
歪打正著(ㄨㄞ ㄉㄚˇ ㄓㄥˋ ㄓㄠˊ)to hit the mark by a fluke
歪念頭(ㄨㄞ ㄋㄧㄢˋ ·ㄊㄡ)or歪主意(ㄨㄞ ㄓㄨˇ ㄧˋ)evil ideas; crooked ideas
歪七扭八(ㄨㄞ ㄑㄧ ㄋㄧㄡˇ ㄅㄚ)aslant; askew
歪曲事實(ㄨㄞ ㄑㄩ ㄕˋ ㄕˊ)to twist or distort facts
歪斜(ㄨㄞ ㄒㄧㄝˊ)crooked

九畫

歲 2688
ㄙㄨㄟˋ suì
1. a year; age (of a person) 2. harvest
歲暮(ㄙㄨㄟˋ ㄇㄨˋ)① the late season of a year ② the closing years of one's life
歲出(ㄙㄨㄟˋ ㄔㄨ)annual expenditures
歲收(ㄙㄨㄟˋ ㄕㄡ)the annual income
歲數(ㄙㄨㄟˋ ㄕㄨˋ)age; years
歲入(ㄙㄨㄟˋ ㄖㄨˋ)the annual income
歲月(ㄙㄨㄟˋ ㄩㄝˋ)time

十二畫

歷 2689
ㄌㄧˋ lì
1. to pass; to elapse 2. to experience 3. things that had come to pass 4. what has taken place 5. through; throughout 6. as in 歷時—to last (a certain period of time)
歷代(ㄌㄧˋ ㄉㄞˋ)successive generations
歷年(ㄌㄧˋ ㄋㄧㄢˊ)through the years
歷來(ㄌㄧˋ ㄌㄞˊ)hitherto; till now
歷歷在目(ㄌㄧˋ ㄌㄧˋ ㄗㄞˋ ㄇㄨˋ)vividly
歷練(ㄌㄧˋ ㄌㄧㄢˋ)to practice and experience
歷屆(ㄌㄧˋ ㄐㄧㄝˋ)successive previous
歷久不衰 (ㄌㄧˋ ㄐㄧㄡˇ ㄅㄨˋ ㄕㄨㄞ) long-lasting
歷經(ㄌㄧˋ ㄐㄧㄥ)to have undergone many times
歷險(ㄌㄧˋ ㄒㄧㄢˇ)to have had a narrow escape
歷程(ㄌㄧˋ ㄔㄥˊ)process
歷史(ㄌㄧˋ ㄕˇ)history
歷史家(ㄌㄧˋ ㄕˇ ㄐㄧㄚ)a historian

十四畫

歸 2690
ㄍㄨㄟ guī
1. to come back; to return 2. to return (something to its owner) 3. (said of a woman) to marry 4. to pledge allegiance to 5. to belong; to attribute 6. to turn over to
歸附(ㄍㄨㄟ ㄈㄨˋ)to pledge allegiance to
歸檔(ㄍㄨㄟ ㄉㄤˇ)to file away
歸隊(ㄍㄨㄟ ㄉㄨㄟˋ)to rejoin the group
歸天(ㄍㄨㄟ ㄊㄧㄢ) or 歸西 (ㄍㄨㄟ ㄒㄧ)to pass away
歸途(ㄍㄨㄟ ㄊㄨˊ)on the way home
歸納(ㄍㄨㄟ ㄋㄚˋ)to induct
歸納法(ㄍㄨㄟ ㄋㄚˋ ㄈㄚˇ)induction
歸類(ㄍㄨㄟ ㄌㄟˋ)to classify
歸功於(ㄍㄨㄟ ㄍㄨㄥ ㄩˊ) to attribute the success to
歸還(ㄍㄨㄟ ㄏㄨㄢˊ)to return
歸結(ㄍㄨㄟ ㄐㄧㄝˊ)to sum up
歸咎(ㄍㄨㄟ ㄐㄧㄡˋ)to impute
歸期 (ㄍㄨㄟ ㄑㄧˊ) the date of one's return
歸心似箭(ㄍㄨㄟ ㄒㄧㄣ ㄙˋ ㄐㄧㄢˋ)to be anxious or eager to return home
歸降(ㄍㄨㄟ ㄒㄧㄤˊ)to surrender
歸向(ㄍㄨㄟ ㄒㄧㄤˋ)to incline to
歸屬(ㄍㄨㄟ ㄕㄨˇ)to belong
歸順(ㄍㄨㄟ ㄕㄨㄣˋ)to submit
歸入(ㄍㄨㄟ ㄖㄨˋ)to classify
歸罪(ㄍㄨㄟ ㄗㄨㄟˋ)to lay the blame on another
歸宿(ㄍㄨㄟ ㄙㄨˋ) (said of a woman) marriage
歸案(ㄍㄨㄟ ㄢˋ)to arrest a criminal and bring him to court for prosecution
歸隱(ㄍㄨㄟ ㄧㄣˇ)to retire
歸於(ㄍㄨㄟ ㄩˊ)① to be attributed to ② to result in

歹部 ㄉㄞ dai

歹 2691
1. ㄉㄞˇ dǎi
bad; wicked; evil; crooked; depraved; vicious
歹徒(ㄉㄞˇ ㄊㄨˊ)ruffians
歹念(ㄉㄞˇ ㄋㄧㄢˋ)evil thoughts
歹意(ㄉㄞˇ ㄧˋ)malicious intent

歹 2691
2. (歺) ㄜˋ è
(now rarely) the remains of a person

二畫

死 2692
ㄙˇ sǐ
1. to die; death 2. very; extremely 3. condemned (persons whose lives are numbered, as criminals on the death row) 4. inanimate; lifeless 5. persevering 6. unchangeable (regulations, etc.) 7. impassable; closed
死板(ㄙˇ ㄅㄢˇ)rigid (regulations)
死不認錯(ㄙˇ ㄅㄨˋ ㄖㄣˋ ㄘㄨㄛˋ)stubbornly refuse to admit one's guilt or mistake
死得其所(ㄙˇ ㄉㄜˊ ㄑㄧˊ ㄙㄨㄛˇ)to die a worthy death
死黨(ㄙˇ ㄉㄤˇ) sworn followers
死讀書(ㄙˇ ㄉㄨˊ ㄕㄨ)to study mechanically
死對頭(ㄙˇ ㄉㄨㄟˋ ·ㄊㄡ) bitter opponents
死腦筋 (ㄙˇ ㄋㄠˇ ㄐㄧㄣ) a one-track mind
死裏逃生(ㄙˇ ㄌㄧˇ ㄊㄠˊ ㄕㄥ) to escape death by a narrow margin
死路(ㄙˇ ㄌㄨˋ) ①a blind alley; a dead end ②a fatal route
死路一條(ㄙˇ ㄌㄨˋ ㄧˋ ㄊㄧㄠˊ) no way out; doomed

〔歹部〕

〔歹部〕

死後(ㄙˇ ㄏㄡˋ)after death
死火山(ㄙˇ ㄏㄨㄛˇ ㄕㄢ) an extinct volcano
死灰復燃 (ㄙˇ ㄏㄨㄟ ㄈㄨˋ ㄖㄢˊ) rejuvenated
死寂(ㄙˇ ㄐㄧˊ)deathly stillness
死結 (ㄙˇ ㄐㄧㄝˊ) ①a fast knot ②an impasse
死角(ㄙˇ ㄐㄧㄠˇ)the defiladed space
死期(ㄙˇ ㄑㄧˊ)the time of death
死氣沉沉(ㄙˇ ㄑㄧˋ ㄔㄣˊ ㄔㄣˊ)lifeless air
死囚(ㄙˇ ㄑㄧㄡˊ)a death convict
死心(ㄙˇ ㄒㄧㄣ) to give up one's hope for good
死心塌地(ㄙˇ ㄒㄧㄣ ㄊㄚ ㄉㄧˋ)wholeheartedly
死心眼兒 (ㄙˇ ㄒㄧㄣ ㄧㄢˇㄦ) obstinate and simpleminded
死巷(ㄙˇ ㄒㄧㄤˋ)a dead-end alley
死刑(ㄙˇ ㄒㄧㄥˊ)a death penalty
死訊 (ㄙˇ ㄒㄩㄣˋ) news of someone's death
死者(ㄙˇ ㄓㄜˇ)the dead
死傷(ㄙˇ ㄕㄤ)casualties
死人(ㄙˇ ㄖㄣˊ)a dead person
死而復甦(ㄙˇ ㄦˊ ㄈㄨˋ ㄙㄨ)to wake up from death; to resurrect
死因(ㄙˇ ㄧㄣ)the cause of death
死亡(ㄙˇ ㄨㄤˊ)to die; death
死亡率(ㄙˇ ㄨㄤˊ ㄌㄩˋ)death rate
死亡證書(ㄙˇ ㄨㄤˊ ㄓㄥˋ ㄕㄨ) a death certificate
死於非命(ㄙˇ ㄩˊ ㄈㄟ ㄇㄧㄥˋ) to die an unnatural death

四畫

歿 2693
(殁) ㄇㄛˋ mò
to die; death
歿世不忘(ㄇㄛˋ ㄕˋ ㄅㄨˋ ㄨㄤˋ)shall never forget

殀 2694
ㄧㄠˇ yǎo
1.to die young or untimely 2.to be aggrieved

五畫

殆 2695
ㄉㄞˋ dài
1. precarious 2. tired 3. afraid 4. nearly; almost 5. only; merely
殆已無望(ㄉㄞˋ ㄧˇ ㄨˊ ㄨㄤˋ)nearly hopeless

殄 2696
ㄊㄧㄢˇ tiǎn
1. to end; to terminate 2. to exterminate; to extirpate 3. to waste
殄滅(ㄊㄧㄢˇ ㄇㄧㄝˋ)to extirpate

殃 2697
ㄧㄤ yāng
1. disaster; misfortune 2. the return of the spirit of the deceased
殃及無辜(ㄧㄤ ㄐㄧˊ ㄨˊ ㄍㄨ)Trouble involves the innocent people.

殂 2698
ㄘㄨˊ cú
to die; dead; death

六畫

殉 2699
ㄒㄩㄣˋ xùn
1. to die for a cause 2. (originally) to be buried with the dead (usually said of slaves, concubines, etc.)
殉道者(ㄒㄩㄣˋ ㄉㄠˋ ㄓㄜˇ)a martyr
殉國(ㄒㄩㄣˋ ㄍㄨㄛˊ)to die for one's country
殉情(ㄒㄩㄣˋ ㄑㄧㄥˊ)to die for love
殉職(ㄒㄩㄣˋ ㄓˊ)to die on one's job

殊 2700
ㄕㄨ shū
1. different; special 2. outstanding 3. extremely; very 4. really; indeed 5. still; yet 6. exceed; over
殊死戰 (ㄕㄨ ㄙˇ ㄓㄢˋ) a life-or-death battle
殊異(ㄕㄨ ㄧˋ)extraordinary

七畫

殍 2701
ㄆㄧㄠˇ piǎo
1. to starve to death 2. a person who died from starvation 亦作「莩」

八畫

殖 2702
ㄓˊ zhí
1. to prosper 2. to plant 3. to become wealthy 4. to colonize
殖民(ㄓˊ ㄇㄧㄣˊ)to colonize
殖民地(ㄓˊ ㄇㄧㄣˊ ㄉㄧˋ)a colony

殘 2703
ㄘㄢˊ cán
1. to destroy; to spoil 2. to wither 3. cruel and fierce 4. disfigured 5. residues 6. incomplete 7. to kill
殘暴(ㄘㄢˊ ㄅㄠˋ)cruelty; cold-blooded
殘破(ㄘㄢˊ ㄆㄛˋ)① damaged ② not complete; deficient
殘廢(ㄘㄢˊ ㄈㄟˋ)crippled or disabled
殘留(ㄘㄢˊ ㄌㄧㄡˊ)to remain
殘酷(ㄘㄢˊ ㄎㄨˋ)cruelty
殘骸(ㄘㄢˊ ㄏㄞˊ)① incomplete remains ② the wreckage
殘害(ㄘㄢˊ ㄏㄞˋ)to oppress cruelly
殘局(ㄘㄢˊ ㄐㄩˊ)the aftermath of war, revolution or great upheaval
殘缺(ㄘㄢˊ ㄑㄩㄝ)fragmentary
殘殺(ㄘㄢˊ ㄕㄚ)to massacre
殘忍(ㄘㄢˊ ㄖㄣˇ)cruelty
殘存(ㄘㄢˊ ㄘㄨㄣˊ)surviving
殘而不廢(ㄘㄢˊ ㄦˊ ㄅㄨˋ ㄈㄟˋ)crippled but leading an active life

殘餘(ㄘㄢˊ ㄩˊ)remains

九畫

殛 2704 ㄐㄧˊ jí
to put to death

十畫

殞 2705 ㄩㄣˇ yǔn
1. to die; to perish 2. same as 隕—to fall
殞落(ㄩㄣˇ ㄌㄨㄛˋ)to fall
殞石(ㄩㄣˇ ㄕˊ)a meteorite

十一畫

殣 2706 ㄐㄧㄣˇ jǐn
1. to starve to death 2. to bury

殤 2707 ㄕㄤ shāng
1. to die prematurely 2. national mourning

殢 2708 ㄊㄧˋ tì
greatly distressed

十二畫

殪 2709 ㄧˋ yì
1. to die 2. to kill

殫 2710 ㄉㄢ dān
to use up; to exhaust
殫精竭慮(ㄉㄢ ㄐㄧㄥ ㄐㄧㄝˊ ㄌㄩˋ) to devote one's entire energy and thought

十三畫

殭 2711 ㄐㄧㄤ jiāng
dead and stiff
殭屍(ㄐㄧㄤ ㄕ)a vampire
殭硬(ㄐㄧㄤ ㄧㄥˋ)stiff

殮 2712 ㄌㄧㄢˋ liàn
to prepare a body for the coffin; to encoffin
殮埋(ㄌㄧㄢˋ ㄇㄞˊ) or 殮葬(ㄌㄧㄢˋ ㄗㄤˋ)to shroud and bury

十四畫

殯 2713 ㄅㄧㄣˋ bìn
1. to lay a coffin in a memorial hall 2. to carry to the grave
殯儀館(ㄅㄧㄣˋ ㄧˊ ㄍㄨㄢˇ) a funeral parlor

十七畫

殲 2714 ㄐㄧㄢ jiān
to annihilate; to exterminate; to destroy
殲滅(ㄐㄧㄢ ㄇㄧㄝˋ)to exterminate
殲敵(ㄐㄧㄢ ㄉㄧˊ)to destroy the enemy

殳部 ㄕㄨ shū

殳 2715 ㄕㄨ shū
a halberd

五畫

段 2716 ㄉㄨㄢˋ duàn
1. a section; a paragraph 2. a stage 3. a Chinese family name
段落(ㄉㄨㄢˋ ㄌㄨㄛˋ)① end (of a paragraph, etc.) ② a paragraph

六畫

殷 2717 1. ㄧㄣ yīn
1. abundant; flourishing 2. polite; hospitable 3. mournful 4. eager 5. an alternative name for the latter half of the Shang(商) Dynasty
殷切(ㄧㄣ ㄑㄧㄝˋ)ardent; eager
殷勤(ㄧㄣ ㄑㄧㄣˊ)courteous

殷 2717 2. ㄧㄢ yān
as in 殷紅—dark red

七畫

殺 2718 1. ㄕㄚ shā
1. to kill; to put to death 2. extremely 3. to weaken 4. to fight
殺敵(ㄕㄚ ㄉㄧˊ)to fight the enemy
殺戮(ㄕㄚ ㄌㄨˋ)to kill; to slay
殺害(ㄕㄚ ㄏㄞˋ)to murder; to kill
殺價(ㄕㄚ ㄐㄧㄚˋ)to reduce prices
殺菌(ㄕㄚ ㄐㄩㄣˋ)to disinfect
殺青(ㄕㄚ ㄑㄧㄥ) (said of films, books, etc.) to be completed
殺手(ㄕㄚ ㄕㄡˇ)a killer
殺身之禍(ㄕㄚ ㄕㄣ ㄓ ㄏㄨㄛˋ)a fatal disaster
殺傷(ㄕㄚ ㄕㄤ)to inflict wounds upon
殺生(ㄕㄚ ㄕㄥ)killing
殺人(ㄕㄚ ㄖㄣˊ)to kill a person
殺人犯(ㄕㄚ ㄖㄣˊ ㄈㄢˋ)a murderer
殺人未遂(ㄕㄚ ㄖㄣˊ ㄨㄟˋ ㄙㄨㄟˋ)an attempted murder

〔毋部〕

殺 2718
2. ㄕㄞˋ shài 「abate
to degrade; to decline; to diminish; to」

八畫

殼 2719
(殸、売) ㄑㄩㄝˋ què
(又讀 ㄎㄜˊ ké)
(語音 ㄑㄧㄠˋ qiào)
shells; husks; coverings

殽 2720
ㄧㄠˊ yáo
1. confusion; disorder; mess 2. dishes

九畫

殿 2721
ㄉㄧㄢˋ diàn
1. a palace; a temple 2. the rear
殿堂(ㄉㄧㄢˋ ㄊㄤˊ)or殿宇(ㄉㄧㄢˋ ㄩˇ)
a palace 「Highness
殿下(ㄉㄧㄢˋ ㄒㄧㄚˋ)Your, His, or Her」

毀 2722
ㄏㄨㄟˇ huǐ
1. to destroy; to ruin 2. to slander; to abuse; to revile; to defame
毀謗(ㄏㄨㄟˇ ㄅㄤˋ)to slander
毀滅(ㄏㄨㄟˇ ㄇㄧㄝˋ)to ruin
毀壞(ㄏㄨㄟˇ ㄏㄨㄞˋ)to destroy
毀容(ㄏㄨㄟˇ ㄖㄨㄥˊ)to disfigure
毀損(ㄏㄨㄟˇ ㄙㄨㄣˇ)to damage
毀約(ㄏㄨㄟˇ ㄩㄝ)to break one's promise

十一畫

毅 2723
ㄧˋ yì
firm; resolute; endurance; fortitude
毅力(ㄧˋ ㄌㄧˋ)perseverance
毅然(ㄧˋ ㄖㄢˊ)firmly

毆 2724
ㄡ ōu
to beat; to hit; a blow
毆打(ㄡ ㄉㄚˇ)to fisticuff
毆傷(ㄡ ㄕㄤ)to injure by beating

毋部 ㄨˊ wú

毋 2725
ㄨˊ wú
(imperative) do not; no
毋寧(ㄨˊ ㄋㄧㄥˊ)rather... (than)
毋需(ㄨˊ ㄒㄩ)do not need
毋庸(ㄨˊ ㄩㄥ)need not

一畫

母 2726
ㄇㄨˇ mǔ
1. one's mother 2. mother—(figuratively) the origin 3. female
母馬(ㄇㄨˇ ㄇㄚˇ)a mare
母牛(ㄇㄨˇ ㄋㄧㄡˊ)a cow
母老虎(ㄇㄨˇ ㄌㄠˇ ㄏㄨˇ)a shrew
母鹿(ㄇㄨˇ ㄌㄨˋ)a roe deer
母狗(ㄇㄨˇ ㄍㄡˇ)a bitch
母雞(ㄇㄨˇ ㄐㄧ)a hen
母姊會(ㄇㄨˇ ㄐㄧㄝˇ ㄏㄨㄟˋ) a mother-sister conference; PTA (Parent-Teacher Association)
母親(ㄇㄨˇ ㄑㄧㄣ)mother
母親節(ㄇㄨˇ ㄑㄧㄣ ㄐㄧㄝˊ)Mother's Day, on the second Sunday in May
母系社會(ㄇㄨˇ ㄒㄧˋ ㄕㄜˋ ㄏㄨㄟˋ) a matriarchal society
母校(ㄇㄨˇ ㄒㄧㄠˋ)one's alma mater
母性(ㄇㄨˇ ㄒㄧㄥˋ)maternity
母豬(ㄇㄨˇ ㄓㄨ)a sow
母獅(ㄇㄨˇ ㄕ)a lioness
母愛(ㄇㄨˇ ㄞˋ)mother love
母音(ㄇㄨˇ ㄧㄣ)a vowel
母語(ㄇㄨˇ ㄩˇ)one's native language

三畫

每 2727
ㄇㄟˇ měi
every; each; per
每每(ㄇㄟˇ ㄇㄟˇ)repeatedly; often
每逢(ㄇㄟˇ ㄈㄥˊ)whenever
每當(ㄇㄟˇ ㄉㄤ)whenever; every time
每天(ㄇㄟˇ ㄊㄧㄢ)every day; daily
每年(ㄇㄟˇ ㄋㄧㄢˊ)every year; annually
每隔(ㄇㄟˇ ㄍㄜˊ)every (three hours, five days, two feet, etc.)
每況愈下(ㄇㄟˇ ㄎㄨㄤˋ ㄩˋ ㄒㄧㄚˋ)getting worse and worse
每人(ㄇㄟˇ ㄖㄣˊ)everybody; each one
每次(ㄇㄟˇ ㄘˋ)every time; each time
每月(ㄇㄟˇ ㄩㄝˋ) each month; every month; monthly

毐 2728
ㄞˇ ǎi
adulterous

四畫

毒 2729
ㄉㄨˊ dú
1. poison; toxins 2. poisonous; noxious 3. to poison 「cotics
毒品(ㄉㄨˊ ㄆㄧㄣˇ)narcotic drugs; nar-」
毒罵(ㄉㄨˊ ㄇㄚˋ)to revile
毒打(ㄉㄨˊ ㄉㄚˇ)to beat cruelly
毒計(ㄉㄨˊ ㄐㄧˋ)a malicious scheme

毒氣(ㄉㄨˊ ㄑㄧˋ)poisonous gas
毒氣彈(ㄉㄨˊ ㄑㄧˋ ㄉㄢˋ)a gas bomb
毒性(ㄉㄨˊ ㄒㄧㄥˋ)toxicity
毒蟲(ㄉㄨˊ ㄔㄨㄥˊ)a poisonous insect
毒殺(ㄉㄨˊ ㄕㄚ)to poison to death
毒蛇(ㄉㄨˊ ㄕㄜˊ)a venomous snake
毒死(ㄉㄨˊ ㄙˇ)to poison to death
毒素(ㄉㄨˊ ㄙㄨˋ)toxins
毒藥(ㄉㄨˊ ㄧㄠˋ)poisonous drugs; poison
毒物(ㄉㄨˊ ㄨˋ)poisonous substance

九畫

毓 2730 ㄩˋ yù
1. to bring up; to rear; to nurture; to nurse 2. to grow

比部 ㄅㄧˇ bǐ

比 2731 1. ㄅㄧˇ bǐ
1. to compare with 2. to liken; to compare to 3. to compete 4. than 5. to
比不上(ㄅㄧˇ ·ㄅㄨ ㄕㄤˋ) to be inferior to
比目魚(ㄅㄧˇ ㄇㄨˋ ㄩˊ)a flatfish; a sole
比方說(ㄅㄧˇ ·ㄈㄤ ㄕㄨㄛ) for example; for instance
比對(ㄅㄧˇ ㄉㄨㄟˋ) to compare and check
比擬(ㄅㄧˇ ㄋㄧˇ) to liken; to compare to
比例(ㄅㄧˇ ㄌㄧˋ)ratio; proportion
比例尺(ㄅㄧˇ ㄌㄧˋ ㄔˇ)scale (of a map, model, etc.)
比率(ㄅㄧˇ ㄌㄩˋ)ratio; proportion
比基尼泳裝(ㄅㄧˇ ㄐㄧ ㄋㄧˊ ㄩㄥˇ ㄓㄨㄤ) bikini
比價(ㄅㄧˇ ㄐㄧㄚˋ)to compare prices or bids
比較(ㄅㄧˇ ㄐㄧㄠˋ)to compare
比值(ㄅㄧˇ ㄓˊ)specific value; ratio
比照(ㄅㄧˇ ㄓㄠˋ)according to
比重(ㄅㄧˇ ㄓㄨㄥˋ)specific gravity
比試(ㄅㄧˇ ·ㄕ) have a competition
比如(ㄅㄧˇ ㄖㄨˊ)such as; like
比賽(ㄅㄧˇ ㄙㄞˋ)a contest; a match
比喻 (ㄅㄧˇ ㄩˋ) ① a metaphor ② to compare to

比 2731 2. ㄅㄧˋ bì
1. close; near; neighboring 2. to stand side by side
比比皆是 (ㄅㄧˋ ㄅㄧˋ ㄐㄧㄝ ㄕˋ) very common
比鄰(ㄅㄧˋ ㄌㄧㄣˊ)close neighbors
比肩(ㄅㄧˋ ㄐㄧㄢ)side by side

五畫

毖 2732 ㄅㄧˋ bì
1. cautious; caution; to guard against; judicious 2. (said of springs) flowing

毗 2733 ㄆㄧˊ pí
1. to assist 2. to adjoin
毗連 (ㄆㄧˊ ㄌㄧㄢˊ) (said of lands) to adjoin each other; adjacent to

十三畫

毚 2734 ㄔㄢˊ chán
1. cunning; crafty 2. greedy

毛部 ㄇㄠˊ máo

毛 2735 ㄇㄠˊ máo
1. hair; fur; feathers; down 2. vegetation 3. ten cents; a dime 4. gross; untouched; unpolished 5. panic-stricken; scared; flurried 6. very young; little
毛玻璃(ㄇㄠˊ ㄅㄛ ·ㄌㄧ)frosted glass
毛筆(ㄇㄠˊ ㄅㄧˇ)a writing brush
毛病(ㄇㄠˊ ㄅㄧㄥˋ)① fault; defects ② trouble ③ disease; illness
毛毛蟲(ㄇㄠˊ ·ㄇㄠ ㄔㄨㄥˊ) a caterpillar
毛毛雨(ㄇㄠˊ ·ㄇㄠ ㄩˇ)drizzle
毛髮(ㄇㄠˊ ㄈㄚˇ)body hairs and hair
毛豆(ㄇㄠˊ ㄉㄡˋ)green soybeans
毛毯(ㄇㄠˊ ㄊㄢˇ)a woolen blanket
毛利(ㄇㄠˊ ㄌㄧˋ)gross profit
毛料(ㄇㄠˊ ㄌㄧㄠˋ)woolen material
毛骨悚然(ㄇㄠˊ ㄍㄨˇ ㄙㄨㄥˇ ㄖㄢˊ)to shudder with fear
毛巾(ㄇㄠˊ ㄐㄧㄣ)a towel
毛線衣(ㄇㄠˊ ㄒㄧㄢˋ ㄧ) a sweater; wool
毛織品(ㄇㄠˊ ㄓ ㄆㄧㄣˇ) woolen textiles
毛茸茸 (ㄇㄠˊ ㄖㄨㄥˊ ㄖㄨㄥˊ) hairy; downy
毛躁 (ㄇㄠˊ ·ㄗㄠ) ① irritable ② rash and restless
毛遂自薦(ㄇㄠˊ ㄙㄨㄟˋ ㄗˋ ㄐㄧㄢˋ)to recommend oneself
毛衣(ㄇㄠˊ ㄧ)woolen sweaters; sweaters
毛襪(ㄇㄠˊ ㄨㄚˋ)woolen stockings

六畫

毧 2736 ㄖㄨㄥˊ róng
1. fine hair; down 2. felt
毧帽(ㄖㄨㄥˊ ㄇㄠˋ)a felt cap or hat
毧鞋(ㄖㄨㄥˊ ㄒㄧㄝˊ)felt shoes

〔氏部〕

七畫

毫 2737 ㄏㄠˊ háo
1. fine hair 2. a measure of length 3. a writing brush 4. a dime 5. a measure of weight
毫不(ㄏㄠˊ ㄅㄨˋ) not at all; not in the least
毫不相干(ㄏㄠˊ ·ㄅㄨ ㄒㄧㄤ ㄍㄢ) totally unrelated
毫不在乎 (ㄏㄠˊ ·ㄅㄨ ㄗㄞˋ ·ㄏㄨ) completely unperturbed
毫末(ㄏㄠˊ ㄇㄛˋ)minute elements
毫米(ㄏㄠˊ ㄇㄧˇ)millimeter (mm.)
毫克(ㄏㄠˊ ㄎㄜˋ)milligram (mg.)
毫升(ㄏㄠˊ ㄕㄥ)milliliter (ml.)
毫無(ㄏㄠˊ ㄨˊ)not at all
毫無疑問(ㄏㄠˊ ㄨˊ ㄧˊ ㄨㄣˋ) There is no doubt.

毬 2738 ㄑㄧㄡˊ qiú
a ball; a sphere

八畫

毯 2739 ㄊㄢˇ tǎn
a rug; a carpet; a blanket

毳 2740 ㄘㄨㄟˋ cuì
fine feathers or fur

九畫

毽 2741 ㄐㄧㄢˋ jiàn
as in 毽子—a shuttlecock

十一畫

氂 2742 ㄌㄧˊ lí
(又讀 ㄇㄠˊ máo)
1. a horse tail 2. long hair; thick hair 3. a yak
氂牛(ㄇㄠˊ ㄋㄧㄡˊ)a yak 亦作「犛牛」

十二畫

氅 2743 ㄔㄤˇ chǎng
a garment woven of down

氄 2744 ㄖㄨㄥˇ rǒng
1. fine hair 2. fine; soft

十三畫

氈 2745 (毡、氊) ㄓㄢ zhān
1. felt 2. a blanket
氈帽(ㄓㄢ ㄇㄠˋ)a felt cap or hat

氏部 ㄕˋ shì

氏 2746 1. ㄕˋ shì
1. family name; surname 2. a character placed after a married woman's maiden name; née 3. the title of a government position in former times
氏族(ㄕˋ ㄗㄨˊ)a family; a clan

氏 2746 2. ㄓ zhī
name of an ancient barbarian tribe

一畫

氐 2747 1. ㄉㄧ dī
1. name of an ancient barbarian tribe to the west 2. same as 低—low

氐 2747 2. ㄉㄧˇ dǐ
1. foundation 2. same as 抵—on the whole

民 2748 ㄇㄧㄣˊ mín
1. the people; the subject; the populace; the public 2. civilians
民法(ㄇㄧㄣˊ ㄈㄚˇ)the civil law
民房(ㄇㄧㄣˊ ㄈㄤˊ)a civilian house
民歌(ㄇㄧㄣˊ ㄍㄜ)a folk song; a ballad
民航(ㄇㄧㄣˊ ㄏㄤˊ)civil aviation
民航機(ㄇㄧㄣˊ ㄏㄤˊ ㄐㄧ)an airliner
民航局(ㄇㄧㄣˊ ㄏㄤˊ ㄐㄩˊ) Civil Aeronautics Administration (CAA)
民間(ㄇㄧㄣˊ ㄐㄧㄢ)among the people
民間故事(ㄇㄧㄣˊ ㄐㄧㄢ ㄍㄨˋ ·ㄕ)folktales
民情(ㄇㄧㄣˊ ㄑㄧㄥˊ)the condition of the people
民權(ㄇㄧㄣˊ ㄑㄩㄢˊ)people's rights
民心(ㄇㄧㄣˊ ㄒㄧㄣ)popular sentiments
民選(ㄇㄧㄣˊ ㄒㄩㄢˇ)popularly elected
民主(ㄇㄧㄣˊ ㄓㄨˇ)democracy
民主黨(ㄇㄧㄣˊ ㄓㄨˇ ㄉㄤˇ) Democratic Party (of the United States)
民主政治(ㄇㄧㄣˊ ㄓㄨˇ ㄓㄥˋ ㄓˋ)democracy
民衆(ㄇㄧㄣˊ ㄓㄨㄥˋ)the people
民生(ㄇㄧㄣˊ ㄕㄥ) the people's livelihood
民生物資(ㄇㄧㄣˊ ㄕㄥ ㄨˋ ㄗ) daily necessities
民族(ㄇㄧㄣˊ ㄗㄨˊ)a nation; a people
民族性 (ㄇㄧㄣˊ ㄗㄨˊ ㄒㄧㄥˋ) national character
民族意識(ㄇㄧㄣˊ ㄗㄨˊ ㄧˋ ㄕˋ)national consciousness
民族英雄 (ㄇㄧㄣˊ ㄗㄨˊ ㄧㄥ ㄒㄩㄥˊ) a

national hero
民族舞蹈(ㄇㄧㄣˊ ㄗㄨˊ ㄨˇ ㄉㄠˋ) race dance
民俗(ㄇㄧㄣˊ ㄙㄨˊ)folkways
民意(ㄇㄧㄣˊ ㄧˋ)public opinion
民意代表(ㄇㄧㄣˊ ㄧˋ ㄉㄞˋ ㄅㄧㄠˇ)people's representatives
民意機關(ㄇㄧㄣˊ ㄧˋ ㄐㄧ ㄍㄨㄢ) the people's representative body
民意測驗(ㄇㄧㄣˊ ㄧˋ ㄘㄜˋ ㄧㄢˋ)a poll
民謠(ㄇㄧㄣˊ ㄧㄠˊ)a folk song
民營(ㄇㄧㄣˊ ㄧㄥˊ)privately owned
民運(ㄇㄧㄣˊ ㄩㄣˋ) democratic movement

四畫

氓 2749
1. (甿) ㄇㄥˊ méng
the people; the populace

氓 2749
2. ㄇㄤˊ máng
a rascal; a vagabond

气 部
ㄑㄧˋ qì

二畫

氖 2750
ㄋㄞˇ nǎi
neon

四畫

氛 2751
ㄈㄣ fēn
air; atmosphere; prevailing mood

五畫

氟 2752
ㄈㄨˊ fú
fluorine

六畫

氣 2753
ㄑㄧˋ qì
1. air; gas; vapor; the atmosphere 2. breath 3. spirit; morale 4. influence 5. bearing; manner 6. smells; odors 7. to be angry; to be indignant; rage; anger 8. to provoke; to goad; to make angry; to annoy 9. weather
氣魄(ㄑㄧˋ ㄆㄛˋ)spirit; vigor
氣派(ㄑㄧˋ ·ㄆㄞ)a dignified air
氣泡(ㄑㄧˋ ㄆㄠˋ)air bubbles
氣氛(ㄑㄧˋ ㄈㄣ)atmosphere; mood
氣忿 or 氣憤(ㄑㄧˋ ㄈㄣˋ)to be angry
氣墊(ㄑㄧˋ ㄉㄧㄢˋ) an air cushion (or mattress)
氣度(ㄑㄧˋ ㄉㄨˋ)① spirit; air ② capacity for tolerance
氣體(ㄑㄧˋ ㄊㄧˇ)gas; vapor
氣團(ㄑㄧˋ ㄊㄨㄢˊ)a mass of cold or hot air
氣筒(ㄑㄧˋ ㄊㄨㄥˇ)an air pump
氣餒(ㄑㄧˋ ㄋㄟˇ)discouraged
氣惱(ㄑㄧˋ ㄋㄠˇ)to be sulky
氣流(ㄑㄧˋ ㄌㄧㄡˊ)an air current
氣量大(ㄑㄧˋ ㄌㄧㄤˋ ㄉㄚˋ)magnanimous
氣量小 (ㄑㄧˋ ㄌㄧㄤˋ ㄒㄧㄠˇ) narrow-minded
氣概 (ㄑㄧˋ ㄍㄞˋ) spirit; air; bearing; manner
氣管(ㄑㄧˋ ㄍㄨㄢˇ)trachea; windpipe
氣管炎(ㄑㄧˋ ㄍㄨㄢˇ ㄧㄢˊ)tracheitis
氣功(ㄑㄧˋ ㄍㄨㄥ)a system of deep breathing exercises
氣候(ㄑㄧˋ ㄏㄡˋ)climate; weather
氣節(ㄑㄧˋ ㄐㄧㄝˊ)moral principle
氣絕(ㄑㄧˋ ㄐㄩㄝˊ)to breathe one's last
氣球(ㄑㄧˋ ㄑㄧㄡˊ)a balloon
氣槍(ㄑㄧˋ ㄑㄧㄤ)an air gun
氣息(ㄑㄧˋ ㄒㄧˊ)breath
氣象 (ㄑㄧˋ ㄒㄧㄤˋ) meteorology; weather
氣象報告(ㄑㄧˋ ㄒㄧㄤˋ ㄅㄠˋ ㄍㄠˋ)or 氣象預報(ㄑㄧˋ ㄒㄧㄤˋ ㄩˋ ㄅㄠˋ)a weather forecast
氣象臺(ㄑㄧˋ ㄒㄧㄤˋ ㄊㄞˊ) a weather station
氣象局 (ㄑㄧˋ ㄒㄧㄤˋ ㄐㄩˊ) a weather bureau
氣象學(ㄑㄧˋ ㄒㄧㄤˋ ㄒㄩㄝˊ)meteorology
氣質(ㄑㄧˋ ㄓˋ) dispositions; temperament
氣喘(ㄑㄧˋ ㄔㄨㄢˇ)① to pant ② asthma
氣窗(ㄑㄧˋ ㄔㄨㄤ)a transom
氣沖沖(ㄑㄧˋ ㄔㄨㄥ ㄔㄨㄥ)furious
氣勢(ㄑㄧˋ ㄕˋ)vehemence; fervor
氣色(ㄑㄧˋ ㄙㄜˋ)complexion; color
氣壓(ㄑㄧˋ ㄧㄚ)air pressure
氣壓計(ㄑㄧˋ ㄧㄚ ㄐㄧˋ)a barometer
氣味(ㄑㄧˋ ㄨㄟˋ)smacks; smells; odors
氣溫(ㄑㄧˋ ㄨㄣ)the temperature
氣宇軒昂(ㄑㄧˋ ㄩˇ ㄒㄩㄢ ㄤˊ)dignified

氤 2754
ㄧㄣ yīn
the spirit of harmony (between heaven and earth)
氤氳(ㄧㄣ ㄩㄣ)① the spirit of harmony (between heaven and earth) ② misty; cloudy; dense; thick

氧 2755
ㄧㄤˇ yǎng
oxygen
氧化(ㄧㄤˇ ㄏㄨㄚˋ)to oxidize or be oxidized; oxidation
氧化鐵(ㄧㄤˇ ㄏㄨㄚˋ ㄊㄧㄝˇ)ferric oxide

氧化物(ㄧㄤˇ ㄏㄨㄚˋ ㄨˋ)the oxide

氦 2756 ㄏㄞˋ hài
helium

〔水部〕

七畫

氫 2757 ㄑㄧㄥ qīng
hydrogen
氫彈(ㄑㄧㄥ ㄉㄢˋ)hydrogen bombs

八畫

氯 2758 ㄌㄩˋ lǜ
chlorine
氯化鈉(ㄌㄩˋ ㄏㄨㄚˋ ㄋㄚˋ)sodium chloride
氯氣(ㄌㄩˋ ㄑㄧˋ)chlorine

氮 2759 ㄉㄢˋ dàn
nitrogen
氮肥(ㄉㄢˋ ㄈㄟˊ)nitrogenous fertilizers

十畫

氳 2760 ㄩㄣ yūn
the atmosphere of harmony; the spirit of prosperity or vigor

水部 ㄕㄨㄟˇ shuǐ

水 2761 ㄕㄨㄟˇ shuǐ
1. water 2. a general term for seas, lakes, rivers, etc. 3. liquid; juice 4. flood disaster; flood
水壩(ㄕㄨㄟˇ ㄅㄚˋ)a dam
水表(ㄕㄨㄟˇ ㄅㄧㄠˇ)a water meter
水濱(ㄕㄨㄟˇ ㄅㄧㄣ) or 水邊(ㄕㄨㄟˇ ㄅㄧㄢ)the waterside; the shore
水波(ㄕㄨㄟˇ ㄅㄛ)ripples of water
水盆(ㄕㄨㄟˇ ㄆㄣˊ) a basin
水瓢(ㄕㄨㄟˇ ㄆㄧㄠˊ) a dipper; a water ladle
水平(ㄕㄨㄟˇ ㄆㄧㄥˊ)horizontal
水瓶座(ㄕㄨㄟˇ ㄆㄧㄥˊ ㄗㄨㄛˋ) (astrology) Aquarius
水門(ㄕㄨㄟˇ ㄇㄣˊ) a floodgate; a water gate
水蜜桃 (ㄕㄨㄟˇ ㄇㄧˋ ㄊㄠˊ) a honey peach
水面(ㄕㄨㄟˇ ㄇㄧㄢˋ)the water surface
水母(ㄕㄨㄟˇ ㄇㄨˇ)a jellyfish
水分(ㄕㄨㄟˇ ㄈㄣˋ)moisture; dampness
水道(ㄕㄨㄟˇ ㄉㄠˋ)a waterway
水稻(ㄕㄨㄟˇ ㄉㄠˋ)aquatic rice
水痘(ㄕㄨㄟˇ ㄉㄡˋ)chicken pox; varicella
水滴(ㄕㄨㄟˇ ㄉㄧ)water drops
水底(ㄕㄨㄟˇ ㄉㄧˇ) at the bottom of water
水電費(ㄕㄨㄟˇ ㄉㄧㄢˋ ㄈㄟˋ)charges for water and electricity
水塔(ㄕㄨㄟˇ ㄊㄚˇ)a water tower
水獺(ㄕㄨㄟˇ ㄊㄚˇ)an otter
水田(ㄕㄨㄟˇ ㄊㄧㄢˊ)the rice field
水土保持 (ㄕㄨㄟˇ ㄊㄨˇ ㄅㄠˇ ㄔˊ) soil conservation
水土不服(ㄕㄨㄟˇ ㄊㄨˇ ㄅㄨˋ ㄈㄨˊ)one's system disagreeing with a new natural environment
水桶(ㄕㄨㄟˇ ㄊㄨㄥˇ)a bucket; a pail
水泥(ㄕㄨㄟˇ ㄋㄧˊ)cement
水鳥(ㄕㄨㄟˇ ㄋㄧㄠˇ)waterfowls
水牛(ㄕㄨㄟˇ ㄋㄧㄡˊ)a water buffalo
水雷(ㄕㄨㄟˇ ㄌㄟˊ)a mine (against the ship)
水利(ㄕㄨㄟˇ ㄌㄧˋ)water conservancy
水力發電廠(ㄕㄨㄟˇ ㄌㄧˋ ㄈㄚ ㄉㄧㄢˋ ㄔㄤˇ)a hydraulic power plant
水利工程 (ㄕㄨㄟˇ ㄌㄧˋ ㄍㄨㄥ ㄔㄥˊ) hydraulic engineering
水流(ㄕㄨㄟˇ ㄌㄧㄡˊ)water current
水量(ㄕㄨㄟˇ ㄌㄧㄤˋ)water volume
水路(ㄕㄨㄟˇ ㄌㄨˋ)① a waterway ② (by) water
水陸兩用(ㄕㄨㄟˇ ㄌㄨˋ ㄌㄧㄤˇ ㄩㄥˋ) amphibious
水落石出(ㄕㄨㄟˇ ㄌㄨㄛˋ ㄕˊ ㄔㄨ)The truth comes into light eventually.
水輪(ㄕㄨㄟˇ ㄌㄨㄣˊ)a water wheel
水龍頭(ㄕㄨㄟˇ ㄌㄨㄥˊ ㄊㄡˊ)a faucet
水溝(ㄕㄨㄟˇ ㄍㄡ)a ditch; a drain
水缸(ㄕㄨㄟˇ ㄍㄤ)a large pottery jug for holding water
水果(ㄕㄨㄟˇ ㄍㄨㄛˇ)fruit
水管(ㄕㄨㄟˇ ㄍㄨㄢˇ)a water pipe
水庫(ㄕㄨㄟˇ ㄎㄨˋ)a reservoir
水壺(ㄕㄨㄟˇ ㄏㄨˊ)a canteen
水花(ㄕㄨㄟˇ ㄏㄨㄚ)foam; froth; spray
水患(ㄕㄨㄟˇ ㄏㄨㄢˋ)flood disaster
水餃兒(ㄕㄨㄟˇ ㄐㄧㄠˇㄦ)Chinese ravioli; boiled dumplings
水晶(ㄕㄨㄟˇ ㄐㄧㄥ)crystal; crystallized quartz
水晶球(ㄕㄨㄟˇ ㄐㄧㄥ ㄑㄧㄡˊ)a crystal ball
水井(ㄕㄨㄟˇ ㄐㄧㄥˇ)a well
水球(ㄕㄨㄟˇ ㄑㄧㄡˊ) (sports) water polo
水禽(ㄕㄨㄟˇ ㄑㄧㄣˊ)waterfowls
水槍(ㄕㄨㄟˇ ㄑㄧㄤ)a squirt gun
水仙花(ㄕㄨㄟˇ ㄒㄧㄢ ㄏㄨㄚ)a narcissus; a daffodil
水箱(ㄕㄨㄟˇ ㄒㄧㄤ)a water tank
水星(ㄕㄨㄟˇ ㄒㄧㄥ)the planet Mercury

水質(ㄕㄨㄟˇ ㄓˊ)properties of particular specimens of water
水蛭(ㄕㄨㄟˇ ㄓˊ)a leech
水閘(ㄕㄨㄟˇ ㄓㄚˊ)a floodgate; a water gate
水蒸氣(ㄕㄨㄟˇ ㄓㄥ ㄑㄧˋ)steam; vapor
水準(ㄕㄨㄟˇ ㄓㄨㄣˇ)a standard; a level
水腫(ㄕㄨㄟˇ ㄓㄨㄥˇ)dropsy
水池(ㄕㄨㄟˇ ㄔˊ)a pool; a pond
水車(ㄕㄨㄟˇ ㄔㄜ)① a water wheel ② a watercart; a water wagon
水廠(ㄕㄨㄟˇ ㄔㄤˇ)waterworks
水勢(ㄕㄨㄟˇ ㄕˋ)the flow of the water
水蛇(ㄕㄨㄟˇ ㄕㄜˊ)a water snake
水手(ㄕㄨㄟˇ ㄕㄡˇ)a sailor; a mariner
水深(ㄕㄨㄟˇ ㄕㄣ)the depth of water
水上芭蕾舞(ㄕㄨㄟˇ ㄕㄤˋ ㄅㄚ ㄌㄟˇ ㄨˇ) water ballet
水上人家(ㄕㄨㄟˇ ㄕㄤˋ ㄖㄣˊ ㄐㄧㄚ) boat dwellers
水生植物(ㄕㄨㄟˇ ㄕㄥ ㄓˊ ㄨˋ) the aquatic plants
水溶性(ㄕㄨㄟˇ ㄖㄨㄥˊ ㄒㄧㄥˋ)water soluble; solubility
水災(ㄕㄨㄟˇ ㄗㄞ)flood disaster; floods
水族館(ㄕㄨㄟˇ ㄗㄨˊ ㄍㄨㄢˇ) an aquarium
水彩(ㄕㄨㄟˇ ㄘㄞˇ)watercolor
水彩畫(ㄕㄨㄟˇ ㄘㄞˇ ㄏㄨㄚˋ) a watercolor painting
水槽(ㄕㄨㄟˇ ㄘㄠˊ) a water trough; a water tank
水草(ㄕㄨㄟˇ ㄘㄠˇ)waterweeds
水壓(ㄕㄨㄟˇ ㄧㄚ)water pressure
水銀(ㄕㄨㄟˇ ㄧㄣˊ) mercury (an element)
水銀燈(ㄕㄨㄟˇ ㄧㄣˊ ㄉㄥ) a mercury lamp
水汚染(ㄕㄨㄟˇ ㄨ ㄖㄢˇ)water pollution
水位(ㄕㄨㄟˇ ㄨㄟˋ)the water stage
水文(ㄕㄨㄟˇ ㄨㄣˊ)hydrology
水源(ㄕㄨㄟˇ ㄩㄢˊ) ①the riverhead ②a source of water
水運(ㄕㄨㄟˇ ㄩㄣˋ) transportation by water

一畫

永 2762
ㄩㄥˇ **yǒng**
long in time; everlasting; eternal; permanent
永別(ㄩㄥˇ ㄅㄧㄝˊ) to part for good; to die
永不(ㄩㄥˇ ㄅㄨˋ)will never
永恒(ㄩㄥˇ ㄏㄥˊ)eternity; eternal
永久(ㄩㄥˇ ㄐㄧㄡˇ)permanent; perpetual; eternal
永久地址(ㄩㄥˇ ㄐㄧㄡˇ ㄉㄧˋ ㄓˇ) a permanent address
永誌不忘(ㄩㄥˇ ㄓˋ ㄅㄨˋ ㄨㄤˋ)to bear in mind forever
永垂不朽(ㄩㄥˇ ㄔㄨㄟˊ ㄅㄨˋ ㄒㄧㄡˇ)to be remembered forever by posterity
永生(ㄩㄥˇ ㄕㄥ)① for ever ② eternal life
永存(ㄩㄥˇ ㄘㄨㄣˊ)to remain forever
永遠(ㄩㄥˇ ㄩㄢˇ)forever; eternally

二畫

氽 2763
1. ㄊㄨㄣˇ **tǔn**
the action of water moving or pushing an object

氽 2763
2. ㄘㄨㄢ **cuān**
(cooking) to boil (food)

氾 2764
ㄈㄢˋ **fàn**
1. to spread; to fill everywhere 2. extensive; vast; boundless 3. floating
氾濫(ㄈㄢˋ ㄌㄢˋ)to overflow

汁 2765
ㄓ **zhī**
juice; the natural fluid; sap

汀 2766
ㄊㄧㄥ **tīng**
1. a low, level land along a river; beach 2. a shoal

求 2767
ㄑㄧㄡˊ **qiú**
1. to solicit; to ask for; to pray for; to beg 2. demand 3. to seek 4. to covet; to desire
求和(ㄑㄧㄡˊ ㄏㄜˊ)to seek peace with an enemy
求婚(ㄑㄧㄡˊ ㄏㄨㄣ) or 求親(ㄑㄧㄡˊ ㄑㄧㄣ)to propose (to a woman)
求教(ㄑㄧㄡˊ ㄐㄧㄠˋ)to seek instruction
求救(ㄑㄧㄡˊ ㄐㄧㄡˋ) to seek relief; to ask for rescue
求見(ㄑㄧㄡˊ ㄐㄧㄢˋ) to seek an interview
求籤(ㄑㄧㄡˊ ㄑㄧㄢ)to seek divine guidance by drawing lots
求情(ㄑㄧㄡˊ ㄑㄧㄥˊ) to ask for mercy or leniency
求全(ㄑㄧㄡˊ ㄑㄩㄢˊ) to seek a satisfactory result
求學(ㄑㄧㄡˊ ㄒㄩㄝˊ)to receive education; to study
求知(ㄑㄧㄡˊ ㄓ)to seek knowledge
求知慾(ㄑㄧㄡˊ ㄓ ㄩˋ)a thirst (or craving) for knowledge
求職(ㄑㄧㄡˊ ㄓˊ)positions wanted
求證(ㄑㄧㄡˊ ㄓㄥˋ)to seek verification or confirmation
求助(ㄑㄧㄡˊ ㄓㄨˋ)to resort to; to seek help
求神問卜(ㄑㄧㄡˊ ㄕㄣˊ ㄨㄣˋ ㄅㄨˇ)to seek divine advice
求生(ㄑㄧㄡˊ ㄕㄥ)to seek to survive
求饒(ㄑㄧㄡˊ ㄖㄠˊ)to ask for forgiveness
求人(ㄑㄧㄡˊ ㄖㄣˊ)to ask for help
求才(ㄑㄧㄡˊ ㄘㄞˊ)positions vacant
求愛(ㄑㄧㄡˊ ㄞˋ)to woo; to court

求偶(ㄑㄧㄡˊ ㄡˇ)to seek a spouse
求雨(ㄑㄧㄡˊ ㄩˇ)to pray for rain
求援(ㄑㄧㄡˊ ㄩㄢˊ)to ask for help

〔水部〕

三畫

汊 2768
ㄔㄚˋ chà
a branching stream

汎 2769
ㄈㄢˋ fàn
1. afloat; to float 2. extensive; widespread
汎論(ㄈㄢˋ ㄌㄨㄣˋ)general discussion
汎舟(ㄈㄢˋ ㄓㄡ)to row a boat; boating

汕 2770
ㄕㄢˋ shàn
a basket for catching fish

汐 2771
ㄒㄧˋ xì
the flow of the tide at night

汗 2772
1. ㄏㄢˋ hàn
sweat; perspiration
汗毛(ㄏㄢˋ ㄇㄠˊ)down
汗流浹背(ㄏㄢˋ ㄌㄧㄡˊ ㄐㄧㄚˊ ㄅㄟˋ) to perspire all over
汗腺(ㄏㄢˋ ㄒㄧㄢˋ)a sweat gland
汗衫(ㄏㄢˋ ㄕㄢ)a T-shirt
汗如雨下 (ㄏㄢˋ ㄖㄨˊ ㄩˇ ㄒㄧㄚˋ) to sweat profusely
汗顏(ㄏㄢˋ ㄧㄢˊ)to perspire from embarrassment or shame

汗 2772
2. ㄏㄢˊ hán
as in 可汗—a khan

池 2773
ㄔˊ chí
1. a pond; a pool; a moat 2. an enclosed space with raised sides
池塘(ㄔˊ ㄊㄤˊ)a pond
池沼(ㄔˊ ㄓㄠˇ)ponds and swamps
池水(ㄔˊ ㄕㄨㄟˇ)pond water
池子(ㄔˊ ·ㄗ)a pond
池鹽(ㄔˊ ㄧㄢˊ)lake salt
池魚之殃(ㄔˊ ㄩˊ ㄓ ㄧㄤ)disasters suffered by outsiders or innocent people

汜 2774
ㄙˋ sì
a stream that branches and afterwards merges again

汝 2775
ㄖㄨˇ rǔ
you; thou; thee; thy

江 2776
ㄐㄧㄤ jiāng
1. a large river 2. the Yangtze River 3. a Chinese family name
江畔(ㄐㄧㄤ ㄆㄢˋ)the river bank
江輪(ㄐㄧㄤ ㄌㄨㄣˊ)a river steamship
江湖(ㄐㄧㄤ ㄏㄨˊ)wandering; vagrant
江洋大盜 (ㄐㄧㄤ ㄧㄤˊ ㄉㄚˋ ㄉㄠˋ) a notorious bandit leader

汛 2777
ㄒㄩㄣˋ xùn
1. to sprinkle 2. abundant water; a flood 3. menses; menstruation
汛期(ㄒㄩㄣˋ ㄑㄧˊ) (irrigation) the flood season

汞 2778
ㄍㄨㄥˇ gǒng
(又讀 ㄏㄨㄥˋ hòng)
mercury (an element)

汚 2779
(汙、污) ㄨ wū
1. dirty; filthy 2. to stain; to mar; to insult; to slander 3. corrupt
汚衊(ㄨ ㄇㄧㄝˋ)to libel; to slander
汚點(ㄨ ㄉㄧㄢˇ)a blot; a stain
汚泥(ㄨ ㄋㄧˊ)mud
汚垢(ㄨ ㄍㄡˋ)dirt; filth
汚穢(ㄨ ㄏㄨㄟˋ)dirty; filthy
汚濁(ㄨ ㄓㄨㄛˊ)muddy; dirty; foul
汚水(ㄨ ㄕㄨㄟˇ)sewage; filthy water
汚水處理(ㄨ ㄕㄨㄟˇ ㄔㄨˇ ㄌㄧˇ)sewage disposal
汚染(ㄨ ㄖㄢˇ)to stain; to pollute; pollution
汚辱(ㄨ ㄖㄨˋ)① to insult ② to rape
汚損(ㄨ ㄙㄨㄣˇ)to stain and damage

四畫

汨 2780
ㄇㄧˋ mì
name of a river in Hunan Province

汩 2781
1. ㄍㄨˇ gǔ
1. to dredge (a channel, etc.) 2. confused; disorderly 3. the sound of waves
汩沒(ㄍㄨˇ ㄇㄛˋ)to decline

汩 2781
2. ㄩˋ yù
rapid; fleeting

汭 2782
ㄖㄨㄟˋ ruì
a bend in a stream

汰 2783
ㄊㄞˋ tài
1. excessive 2. to sift; to eliminate; to remove
汰揀(ㄊㄞˋ ㄐㄧㄢˇ)to wash and polish

汪 2784
ㄨㄤ wāng
1. (said of water) deep and extensive 2. a puddle 3. (said of liquid) to soak; to collect; to accumulate
汪洋大海(ㄨㄤ ㄧㄤˊ ㄉㄚˋ ㄏㄞˇ)the vast expanse of the sea or ocean

汪汪(ㄨㄤ ㄨㄤ) ① (said of water) deep and extense ②the barking of dogs

汲 2785 ㄐㄧˊ jí
to draw water or liquid
汲汲(ㄐㄧˊ ㄐㄧˊ)anxious; avid
汲取(ㄐㄧˊ ㄑㄩˇ)to draw; to derive
汲水(ㄐㄧˊ ㄕㄨㄟˇ)to draw water

決 2786 (决) ㄐㄩㄝˊ jué
1. to decide; to conclude; to judge 2. (said of a dike) to burst; to break 3. certain; sure; definite 4. to put someone to death; to execute a person
決不(ㄐㄩㄝˊ ㄅㄨˋ)never
決鬥(ㄐㄩㄝˊ ㄉㄡˋ) a duel; to fight a duel
決定(ㄐㄩㄝˊ ㄉㄧㄥˋ) to determine; to decide
決定權 (ㄐㄩㄝˊ ㄉㄧㄥˋ ㄑㄩㄢˊ) the power to make decisions
決定性的(ㄐㄩㄝˊ ㄉㄧㄥˋ ㄒㄧㄥˋ ·ㄉㄜ) decisive
決斷(ㄐㄩㄝˊ ㄉㄨㄢˋ)to decide
決堤(ㄐㄩㄝˊ ㄊㄧˊ)the collapse of a dyke or an embankment
決裂(ㄐㄩㄝˊ ㄌㄧㄝˋ)①to burst open ② to break
決心(ㄐㄩㄝˊ ㄒㄧㄣ) to make up one's mind
決選(ㄐㄩㄝˊ ㄒㄩㄢˇ)a runoff election
決戰(ㄐㄩㄝˊ ㄓㄢˋ)a decisive battle
決策(ㄐㄩㄝˊ ㄘㄜˋ)an adopted policy
決賽(ㄐㄩㄝˊ ㄙㄞˋ) the final (of a contest, race, etc.)
決算(ㄐㄩㄝˊ ㄙㄨㄢˋ) a final financial statement
決議(ㄐㄩㄝˊ ㄧˋ)a resolution (reached at a meeting); a decision; to decide
決無(ㄐㄩㄝˊ ㄨˊ)never; by no means

汶 2787 ㄨㄣˋ wèn
name of a river in Shantung

汴 2788 ㄅㄧㄢˋ biàn
1. an alternative name for Honan 2. the ancient name of a river in Honan

汾 2789 ㄈㄣˊ fén
name of a tributary of the Yellow River

沁 2790 ㄑㄧㄣˋ qìn
to soak; to seep; to percolate; to permeate; to ooze; to exude
沁人心脾(ㄑㄧㄣˋ ㄖㄣˊ ㄒㄧㄣ ㄆㄧˊ)to affect people deeply
沁入(ㄑㄧㄣˋ ㄖㄨˋ)to soak into

沂 2791 ㄧˊ yí
names of four rivers originating in Shantung

沅 2792 ㄩㄢˊ yuán
name of a river flowing through Hunan

沃 2793 ㄨㄛˋ wò
1. to irrigate 2. (said of land) fertile
沃土(ㄨㄛˋ ㄊㄨˇ)fertile land

汽 2794 ㄑㄧˋ qì
gas; steam; vapor
汽笛(ㄑㄧˋ ㄉㄧˊ)a steam whistle; a siren
汽艇(ㄑㄧˋ ㄊㄧㄥˇ)a steam launch
汽缸(ㄑㄧˋ ㄍㄤ)cylinders
汽車(ㄑㄧˋ ㄔㄜ)an automobile
汽車電影院 (ㄑㄧˋ ㄔㄜ ㄉㄧㄢˋ ㄧㄥˇ ㄩㄢˋ)a drive-in theater
汽車旅館 (ㄑㄧˋ ㄔㄜ ㄌㄩˇ ㄍㄨㄢˇ) a motel
汽車工業 (ㄑㄧˋ ㄔㄜ ㄍㄨㄥ ㄧㄝˋ) the auto industry
汽車險 (ㄑㄧˋ ㄔㄜ ㄒㄧㄢˇ)automobile insurance
汽船(ㄑㄧˋ ㄔㄨㄢˊ)a steamship
汽水(ㄑㄧˋ ㄕㄨㄟˇ)soda water
汽油(ㄑㄧˋ ㄧㄡˊ)gasoline; gas
汽油彈 (ㄑㄧˋ ㄧㄡˊ ㄉㄢˋ) a napalm bomb

沇 2795 ㄧㄢˇ yǎn
flowing and engulfing; overflowing and brimming

沆 2796 1. ㄏㄤˊ háng
to ferry; a ferry

沆 2796 2. ㄏㄤˋ hàng
1. a vast expanse of water 2. mist; fog 3. flowing
沆瀣一氣(ㄏㄤˋ ㄒㄧㄝˋ ㄧˊ ㄑㄧˋ)(to talk, think, etc.) in the same vein

沌 2797 ㄉㄨㄣˋ dùn
turbid; unclear; chaotic

沈 2798 1. (沉) ㄔㄣˊ chén
1. to sink; to be drawn deep into; to submerge; to set 2. to indulge in; to be addicted to 3. (said of sleep) deep; sound; fast 4. persistent and lasting 5. delaying; postponement 6. heavy (in weight) 7. latent; hidden 8. to straighten (one's face) 9. to retain (one's composure)
沈不住氣 (ㄔㄣˊ ·ㄅㄨ ㄓㄨˋ ㄑㄧˋ) to be rash
沈沒(ㄔㄣˊ ㄇㄛˋ)to sink
沈默(ㄔㄣˊ ㄇㄛˋ)silence; silent
沈默寡言(ㄔㄣˊ ㄇㄛˋ ㄍㄨㄚˇ ㄧㄢˊ)taciturn; reticent
沈默是金(ㄔㄣˊ ㄇㄛˋ ㄕˋ ㄐㄧㄣ)Silence is golden.

〔水部〕

〔水部〕

沈悶(ㄔㄣˊ ㄇㄣˋ) ①depressed ②dull and heavy (atmosphere)
沈迷(ㄔㄣˊ ㄇㄧˊ)to indulge in
沈湎(ㄔㄣˊ ㄇㄧㄢˇ)to be abandoned to
沈得住氣 (ㄔㄣˊ ·ㄉㄜ ㄓㄨˋ ㄑㄧˋ) to retain one's composure
沈澱(ㄔㄣˊ ㄉㄧㄢˋ)to precipitate
沈澱物(ㄔㄣˊ ㄉㄧㄢˋ ㄨˋ)sediment
沈痛(ㄔㄣˊ ㄊㄨㄥˋ)to be deeply grieved
沈溺(ㄔㄣˊ ㄋㄧˋ)to be imbibed or to indulge in (vices, etc.)
沈淪(ㄔㄣˊ ㄌㄨㄣˊ) to down and perish (in water, sins, etc.)
沈寂(ㄔㄣˊ ㄐㄧˊ)quiet; silent
沈靜(ㄔㄣˊ ㄐㄧㄥˋ)calm; quiet; placid
沈香木(ㄔㄣˊ ㄒㄧㄤ ㄇㄨˋ)aloeswood
沈住氣(ㄔㄣˊ ㄓㄨˋ ㄑㄧˋ)to remain calm
沈著(ㄔㄣˊ ㄓㄨㄛˊ)calm and steady
沈重(ㄔㄣˊ ㄓㄨㄥˋ)heavy (at heart)
沈船(ㄔㄣˊ ㄔㄨㄢˊ)a shipwreck
沈睡(ㄔㄣˊ ㄕㄨㄟˋ)sound sleep
沈醉(ㄔㄣˊ ㄗㄨㄟˋ)① dead-drunk ② to become intoxicated
沈思(ㄔㄣˊ ㄙ)to meditate
沈魚落雁(ㄔㄣˊ ㄩˊ ㄌㄨㄛˋ ㄧㄢˋ) (said of women) extremely beautiful
沈冤(ㄔㄣˊ ㄩㄢ)a grievous wrong

沈 2798
2. ㄕㄣˇ shěn
a Chinese family name

沐 2799
ㄇㄨˋ mù
1. to shampoo; to wash; to bathe; to cleanse 2. a holiday; a leave; to take a leave 3. to receive favor
沐浴(ㄇㄨˋ ㄩˋ)to bathe

沔 2800
ㄇㄧㄢˇ miǎn
overflowing (water); a flood

沖 2801
(冲) ㄔㄨㄥ chōng
1. to wash away; to wash with running water; to rinse; to flush 2. to soar; to rise rapidly or shoot up 3. to pour water (to powder, etc.); to make beverages, etc.; to infuse 4. empty; void 5. to dash against; to clash with 6. childhood 7. to neutralize; to make void
沖淡(ㄔㄨㄥ ㄉㄢˋ)①to dilute with water, etc. ②to play down
沖開水(ㄔㄨㄥ ㄎㄞ ㄕㄨㄟˇ)to pour boiled water on
沖積物 (ㄔㄨㄥ ㄐㄧ ㄨˋ) sediment; deposit
沖擊(ㄔㄨㄥ ㄐㄧˊ)(said of waves or floods) to lash or pound against
沖洗(ㄔㄨㄥ ㄒㄧˇ)to flush
沖茶(ㄔㄨㄥ ㄔㄚˊ)to make tea
沖刷(ㄔㄨㄥ ㄕㄨㄚ)erosion; to scour
沖散(ㄔㄨㄥ ㄙㄢˋ) to disperse by the use of force

沙 2802
ㄕㄚ shā
1. sand; tiny gravel or pebbles 2. the land around water; a beach; a sandbank; a desert 3. to pick, select, sort or sift 4. (said of fruit, especially melons) overripe 5. (said of the human voice) hoarse 6. sandy—not glossy or smooth; granular 7. a kind of clay for making utensils, vessels, etc.
沙包(ㄕㄚ ㄅㄠ)sandbags
沙漠(ㄕㄚ ㄇㄛˋ)a desert
沙漠之舟(ㄕㄚ ㄇㄛˋ ㄓ ㄓㄡ)the ship of the desert—the camel
沙彌(ㄕㄚ ㄇㄧˊ)a Buddhist novice
沙發(ㄕㄚ ㄈㄚ)a sofa
沙丁魚(ㄕㄚ ㄉㄧㄥ ㄩˊ)a sardine
沙灘(ㄕㄚ ㄊㄢ)a sandy beach
沙糖(ㄕㄚ ㄊㄤˊ)crystal sugar
沙拉(ㄕㄚ ㄌㄚ)salad
沙拉醬(ㄕㄚ ㄌㄚ ㄐㄧㄤˋ)salad dressing
沙拉油(ㄕㄚ ㄌㄚ ㄧㄡˊ)salad oil
沙漏(ㄕㄚ ㄌㄡˋ)an hourglass
沙礫(ㄕㄚ ㄌㄧˋ)pebbles; gravel; grit
沙龍(ㄕㄚ ㄌㄨㄥˊ)a salon
沙鍋(ㄕㄚ ㄍㄨㄛ)an earthenware cooking pot
沙坑(ㄕㄚ ㄎㄥ)a sand pit
沙金(ㄕㄚ ㄐㄧㄣ)alluvial gold
沙丘(ㄕㄚ ㄑㄧㄡ)a sand hill
沙紙(ㄕㄚ ㄓˇ)sandpaper; emery paper
沙洲(ㄕㄚ ㄓㄡ)a shoal; a sand bar
沙場(ㄕㄚ ㄔㄤˇ)a battlefield
沙石(ㄕㄚ ㄕˊ)① gravel ② sandstone
沙士(ㄕㄚ ㄕˋ)sarsaparilla
沙沙(ㄕㄚ ㄕㄚ)to rustle; a rustle
沙鷗(ㄕㄚ ㄡ)a sea gull
沙啞 (ㄕㄚ ㄧㄚˇ) (said of the voice) hoarse
沙文主義(ㄕㄚ ㄨㄣˊ ㄓㄨˇ ㄧˋ) chauvinism

沒 2803
1. ㄇㄛˋ mò
1. to sink; to submerge 2. to overflow 3. to disappear 4. to go into oblivion 5. none; exhausted 6. eliminated 7. finished; completed 8. to take property away from another; to confiscate 9. to die; dead
沒沒無聞(ㄇㄛˋ ㄇㄛˋ ㄨˊ ㄨㄣˊ) (said of a person) unknown; nameless
沒落(ㄇㄛˋ ㄌㄨㄛˋ)the fall or decline
沒齒難忘(ㄇㄛˋ ㄔˇ ㄋㄢˊ ㄨㄤˋ)to remember (a favor) as long as one lives
沒收(ㄇㄛˋ ㄕㄡ)to confiscate

沒 2803
2. ㄇㄟˊ méi
1. none; nothing; no 2. not yet; negative

沒大沒小 (ㄇㄟˊ ㄉㄚˋ ㄇㄟˊ ㄒㄧㄠˇ) ill-mannered or rude to one's elders
沒道理(ㄇㄟˊ ㄉㄠˋ ㄌㄧˇ) unreasonable; not justified
沒多少(ㄇㄟˊ ㄉㄨㄛ ㄕㄠˇ) not much; not many
沒頭腦(ㄇㄟˊ ㄊㄡˊ ㄋㄠˇ)stupid; ignorant
沒來(ㄇㄟˊ ㄌㄞˊ)to have not come
沒臉(ㄇㄟˊ ㄌㄧㄢˇ)too ashamed to (do a thing)
沒良心 (ㄇㄟˊ ㄌㄧㄤˊ ·ㄒㄧㄣ)without conscience
沒骨氣 (ㄇㄟˊ ㄍㄨˇ ㄑㄧˋ) chicken-hearted; spineless
沒規矩(ㄇㄟˊ ㄍㄨㄟ ·ㄐㄩ)not observing proper rules or manners; improper
沒關係(ㄇㄟˊ ㄍㄨㄢ ·ㄒㄧ)It does not matter.
沒見識(ㄇㄟˊ ㄐㄧㄢˋ ·ㄕ)inexperienced and ignorant
沒精打彩 (ㄇㄟˊ ㄐㄧㄥ ㄉㄚˇ ㄘㄞˇ)dispirited
沒趣兒(ㄇㄟˊ ㄑㄩㄜˋㄦ)uninteresting
沒想到(ㄇㄟˊ ㄒㄧㄤˇ ㄉㄠˋ)unexpectedly
沒指望(ㄇㄟˊ ㄓˇ ㄨㄤˋ)hopeless
沒志氣(ㄇㄟˊ ㄓˋ·ㄑㄧ) (said of a person) without ambition
沒轍(ㄇㄟˊ ㄓㄜˊ)Nothing can be done about it.
沒出息(ㄇㄟˊ ㄔㄨ ·ㄒㄧ)(said of persons) not promising; useless
沒事(ㄇㄟˊ ㄕˋ)nothing wrong; all right; O.K.
沒事找事(ㄇㄟˊ ㄕˋ ㄓㄠˇ ㄕˋ) to ask for trouble
沒甚麼(ㄇㄟˊ ㄕㄜˊ ·ㄇㄜ)① Nothing! 或 Never mind! ②not important
沒錯兒(ㄇㄟˊ ㄘㄨㄛˋㄦ)①I'm quite sure. ② can't go wrong
沒意思(ㄇㄟˊ ㄧˋ ·ㄙ)weary; bored
沒有(ㄇㄟˊ ㄧㄡˇ)no; not
沒胃口 (ㄇㄟˊ ㄨㄟˋ ㄎㄡˇ) to have lost one's appetite
沒用(ㄇㄟˊ ㄩㄥˋ)useless; of no use

沚 2804
ㄓˇ zhǐ
a sandy islet in a stream; a small sandbank

沏 2805
1. ㄑㄧ qī
1. to infuse 2. (said of the flowing water) rapidly; turbulently
沏茶(ㄑㄧ ㄔㄚˊ)to make tea

沏 2805
2. ㄑㄩ qū
to drench with water

沓 2806
ㄊㄚˋ tà
1. repeated; reiterated 2. crowded together; joined or connected; piled up 3. lax 4. talkative
沓雜 (ㄊㄚˋ ㄗㄚˊ) crowded and mixed; confused

沛 2807
ㄆㄟˋ pèi
1. copious; abundance; full of; much 2. quickly; rapidly; sudden 3. to fall prostrate 4. to reserve water for irrigation 5. tall; high; great

五畫

沫 2808
ㄇㄛˋ mò
1. tiny bubbles on the surface of water; froth; suds; lather 2. saliva

沬 2809
ㄇㄟˋ mèi
1. dusk 2. name of a river 3. (in ancient China) name of a town in the state of Wei, in today's Honan Province

沮 2810
1. ㄐㄩ jū
1. name of a river in Shantung Province; name of a river in Shansi Province 2. a Chinese family name

沮 2810
2. ㄐㄩˇ jǔ
1. to stop; to abate 2. to lose; to be defeated 3. to spoil; to injure; to destroy or damage
沮喪 (ㄐㄩˇ ㄙㄤˋ) discouraged and disappointed

沮 2810
3. ㄐㄩˋ jù
damp, low-lying land; marshy

沭 2811
ㄕㄨˋ shù
a river in Shantung Province

沱 2812
ㄊㄨㄛˊ tuó
1. waterways; rivers; streams 2. continuous heavy rains

沴 2813
ㄌㄧˋ lì
1. miasmas; foul and poisonous air 2. dislocation
沴氣(ㄌㄧˋ ㄑㄧˋ)miasmas

沸 2814
ㄈㄟˋ fèi
1. boiling (water, etc.) 2. to gush; bubbling up
沸點(ㄈㄟˋ ㄉㄧㄢˇ)the boiling point
沸騰(ㄈㄟˋ ㄊㄥˊ)boiling—when liquid turns to steam
沸水(ㄈㄟˋ ㄕㄨㄟˇ)boiling water

油 2815
ㄧㄡˊ yóu
1. a general name for oil, fat, grease, either animal or vegetable 2. anything in liquid form which is inflammable, as petroleum, gasoline, etc. 3. to oil 4. to varnish; to paint 5. greasy 6. sly; sleeky; polished and over-experienced 7. luxuriant; prospering; flourishing
油墨(ㄧㄡˊ ㄇㄛˋ)printing ink
油門(ㄧㄡˊ ㄇㄣˊ)an accelerator

〔水部〕

油豆腐(ㄧㄡˊ ㄉㄡˋ ·ㄈㄨ)fried bean curd
油燈(ㄧㄡˊ ㄉㄥ)an oil lamp
油頭粉面 (ㄧㄡˊ ㄊㄡˊ ㄈㄣˇ ㄇㄧㄢˋ) descriptive of a frivolous youngster
油條 (ㄧㄡˊ ㄊㄧㄠˊ) fritters of twisted dough—a Chinese specialty usually for breakfast
油田(ㄧㄡˊ ㄊㄧㄢˊ)an oil field
油桶(ㄧㄡˊ ㄊㄨㄥˇ)an oil drum
油膩(ㄧㄡˊ ㄋㄧˋ)(said of food) fatty
油輪(ㄧㄡˊ ㄌㄨㄣˊ)an oil tanker
油管(ㄧㄡˊ ㄍㄨㄢˇ)oil pipes; oil pipelines
油畫(ㄧㄡˊ ㄏㄨㄚˋ)oil paintings
油井(ㄧㄡˊ ㄐㄧㄥˇ)an oil well
油漆(ㄧㄡˊ ㄑㄧ)paint; varnish
油腔滑調 (ㄧㄡˊ ㄑㄧㄤ ㄏㄨㄚˊ ㄉㄧㄠˋ) oily and fishy
油箱(ㄧㄡˊ ㄒㄧㄤ)a fuel tank
油脂(ㄧㄡˊ ㄓ)①(chemistry) olein ② oil and grease; fats
油紙(ㄧㄡˊ ㄓˇ)oilpaper
油廠(ㄧㄡˊ ㄔㄤˇ)an oil refinery
油商(ㄧㄡˊ ㄕㄤ)an oil dealer
油彩(ㄧㄡˊ ㄘㄞˇ)greasepaint; paint
油層(ㄧㄡˊ ㄘㄥˊ)an oil reservoir
油煙(ㄧㄡˊ ㄧㄢ)lampblack
油印(ㄧㄡˊ ㄧㄣˋ)to mimeograph
油污(ㄧㄡˊ ㄨ)greasy dirt
油位錶(ㄧㄡˊ ㄨㄟˋ ㄅㄧㄠˇ) a fuel level gauge

河 2816 ㄏㄜˊ hé
1. a general name for rivers, streams, and waterways 2. Ho, the Yellow River in northern China, 2,700 miles long
河邊(ㄏㄜˊ ㄅㄧㄢ)the riverside
河濱(ㄏㄜˊ ㄅㄧㄣ) or 河畔 (ㄏㄜˊ ㄆㄢˋ) the riverbanks
河馬(ㄏㄜˊ ㄇㄚˇ) a hippopotamus, or a hippo
河道(ㄏㄜˊ ㄉㄠˋ)the course of a river
河隄 or 河堤(ㄏㄜˊ ㄊㄧˊ)embankments; dikes
河豚(ㄏㄜˊ ㄊㄨㄣˊ)the globefish
河流(ㄏㄜˊ ㄌㄧㄡˊ)streams, waterways, rivers or channels of water
河谷(ㄏㄜˊ ㄍㄨˇ)a river valley
河口(ㄏㄜˊ ㄎㄡˇ)a river mouth
河牀(ㄏㄜˊ ㄔㄨㄤˊ)the riverbed
河山(ㄏㄜˊ ㄕㄢ)rivers and mountains —the territory of a country
河岸(ㄏㄜˊ ㄢˋ)the riverbank

沼 2817 ㄓㄠˇ zhǎo
a lake; a pond; a pool; a marsh
沼氣(ㄓㄠˇ ㄑㄧˋ)marsh gas; methane
沼澤(ㄓㄠˇ ㄗㄜˊ)a marsh; a swamp

沽 2818 ㄍㄨ gū
1. to buy 2. to sell 3. crude; inferior (quality) 4. (now rare) negligent
沽名釣譽 (ㄍㄨ ㄇㄧㄥˊ ㄉㄧㄠˋ ㄩˋ) to seek publicity

治 2819 ㄓˋ zhì (動詞讀音 ㄔˊ chí)
1. to administer; to control; to govern; to manage; to rule 2. to regulate; to harness (a river) 3. the seat of the local government 4. to treat (a disease); to cure 5. to study; to research 6. to punish 7. peaceful and orderly
治本(ㄓˋ ㄅㄣˇ)to deal with (or cure) a trouble, etc. at the source
治標(ㄓˋ ㄅㄧㄠ)to cope with the symptoms only (as opposed to 治本)
治病(ㄓˋ ㄅㄧㄥˋ)to treat a disease
治理(ㄓˋ ㄌㄧˇ)① to administer; to manage; to govern ② to harness
治療(ㄓˋ ㄌㄧㄠˊ)to treat or cure (a disease)
治國(ㄓˋ ㄍㄨㄛˊ)to govern a nation
治好了(ㄓˋ ㄏㄠˇ ·ㄌㄜ)(said of a disease) cured
治水(ㄓˋ ㄕㄨㄟˇ)flood control
治罪(ㄓˋ ㄗㄨㄟˋ)to bring to justice
治喪(ㄓˋ ㄙㄤ)to manage a funeral
治安(ㄓˋ ㄢ)public security
治安機關 (ㄓˋ ㄢ ㄐㄧ ㄍㄨㄢ) the public-security organization
治癒(ㄓˋ ㄩˋ) to succeed in curing a disease

沾 2820 ㄓㄢ zhān
1. to moisten; to wet 2. to tinge; to stain; to contaminate 3. to be imbued with; to be infected with 4. to benefit from 5. to touch
沾邊(ㄓㄢ ㄅㄧㄢ)① to touch on (or upon) only lightly ② to be relevant
沾光(ㄓㄢ ㄍㄨㄤ)to benefit from the support or influence of someone
沾襟(ㄓㄢ ㄐㄧㄣ)to moisten sleeves with tears
沾沾自喜(ㄓㄢ ㄓㄢ ㄗˋ ㄒㄧˇ)smug and complacent
沾濕(ㄓㄢ ㄕ) ①to make wet ② steeped in
沾水(ㄓㄢ ㄕㄨㄟˇ)to soak in water
沾染(ㄓㄢ ㄖㄢˇ)to be steeped in

況 2821 (况) ㄎㄨㄤˋ kuàng
1. moreover; in addition; not to mention... 2. to compare; comparative 3. situations; conditions; circumstances 4. to visit; to call on
況且(ㄎㄨㄤˋ ㄑㄧㄝˇ)moreover; besides

況味(ㄎㄨㄤˋ ㄨㄟˋ) ①situations ②flavor

洞 2822
ㄐㄩㄥˇ jiǒng
1. (said of water) clear and deep 2. far and wide

沿 2823
1. ㄧㄢˊ yán
1. to follow; to go along; along 2. to hand down; to continue 3. continuous
沿途(ㄧㄢˊ ㄊㄨˊ) along the way
沿路(ㄧㄢˊ ㄌㄨˋ) along the road
沿革(ㄧㄢˊ ㄍㄜˊ) successive changes
沿河(ㄧㄢˊ ㄏㄜˊ) along the river
沿海(ㄧㄢˊ ㄏㄞˇ) ① along the coast ② offshore
沿襲(ㄧㄢˊ ㄒㄧˊ) to follow the old or traditional (practices, customs, etc.)
沿線(ㄧㄢˊ ㄒㄧㄢˋ) along a railway or highway
沿著(ㄧㄢˊ ·ㄓㄜ) to go along...
沿岸(ㄧㄢˊ ㄢˋ) along the coast of...
沿用(ㄧㄢˊ ㄩㄥˋ) to continue following the old practices, customs, etc.

沿 2823
2. ㄧㄢˋ yàn
the edge of something; the brim

泄 2824
1. ㄒㄧㄝˋ xiè
1. to leak out; to reveal 2. to vent 3. to scatter; to disperse
泄憤(ㄒㄧㄝˋ ㄈㄣˋ) to vent one's anger
泄露(ㄒㄧㄝˋ ㄌㄨˋ) to leak out (information, secrets, etc.)

泄 2824
2. ㄧˋ yì
1. mild and easy 2. many; crowded
泄沓(ㄧˋ ㄊㄚˋ) ①garrulous and disorderly ② easygoing

泆 2825
ㄧˋ yì
1. dissipated and licentious; libertine 2. flooding

泐 2826
ㄌㄜˋ lè
1. rocks splitting 2. to write letters 3. to carve

泊 2827
ㄅㄛˊ bó (又讀 ㄆㄛˋ pò)
1. to stay; to anchor a ship; to moor 2. to drift 3. tranquil and quiet 4. a lake; a body of water
泊船(ㄅㄛˊ ㄔㄨㄢˊ) to moor a boat

泅 2828
ㄑㄧㄡˊ qiú
to swim
泅渡(ㄑㄧㄡˊ ㄉㄨˋ) to swim across

泌 2829
1. ㄅㄧˋ bì
1. swift and easy gushing of water 2. name of a river in Honan Province

泌 2829
2. ㄇㄧˋ mì
to seep out; to excrete; to secrete
泌尿科(ㄇㄧˋ ㄋㄧㄠˋ ㄎㄜ) the urological department
泌尿器官(ㄇㄧˋ ㄋㄧㄠˋ ㄑㄧˋ ㄍㄨㄢ) (physiology) urinary organs

泔 2830
ㄍㄢ gān
1. the water from washing rice 2. a way of cooking 3. (said of food) stale

泓 2831
ㄏㄨㄥˊ hóng
1. clear, deep water; limpid water 2. the ancient name of a stream in Honan Province

法 2832
1. (灋) ㄈㄚˇ fǎ
1. an institution 2. law; regulations; rules; the statutes; legal 3. methods; ways of doing things 4. to pattern or model after; to emulate 5. (Buddhism) the "way"—doctrines, etc. 6. tricks; magic arts 7. expert or standard (calligraphy, painting, etc.) 8. penalty; punishment
法辦(ㄈㄚˇ ㄅㄢˋ) to bring (someone) to justice
法典(ㄈㄚˇ ㄉㄧㄢˇ) a code of laws
法定(ㄈㄚˇ ㄉㄧㄥˋ) stipulated by law; legal
法定代理人 (ㄈㄚˇ ㄉㄧㄥˋ ㄉㄞˋ ㄌㄧˇ ㄖㄣˊ) a legal representative
法定年齡 (ㄈㄚˇ ㄉㄧㄥˋ ㄋㄧㄢˊ ㄌㄧㄥˊ) legal age
法條(ㄈㄚˇ ㄊㄧㄠˊ) items or articles of law
法庭(ㄈㄚˇ ㄊㄧㄥˊ) a law court
法統(ㄈㄚˇ ㄊㄨㄥˇ) the system of justice
法令 (ㄈㄚˇ ㄌㄧㄥˋ) a general term for laws and regulations
法律(ㄈㄚˇ ㄌㄩˋ) laws
法律顧問(ㄈㄚˇ ㄌㄩˋ ㄍㄨˋ ㄨㄣˋ) a legal advisor
法律系 (ㄈㄚˇ ㄌㄩˋ ㄒㄧˋ) the Department of Law (at a university)
法律行爲 (ㄈㄚˇ ㄌㄩˋ ㄒㄧㄥˊ ㄨㄟˊ) a legal act
法律制裁 (ㄈㄚˇ ㄌㄩˋ ㄓˋ ㄘㄞˊ) legal sanctions
法規(ㄈㄚˇ ㄍㄨㄟ) laws and regulations
法官(ㄈㄚˇ ㄍㄨㄢ) a judge (at court)
法紀(ㄈㄚˇ ㄐㄧˋ) law and discipline
法警(ㄈㄚˇ ㄐㄧㄥˇ) the judicial police
法學(ㄈㄚˇ ㄒㄩㄝˊ) the science of law
法學家 (ㄈㄚˇ ㄒㄩㄝˊ ㄐㄧㄚ) a jurist
法治(ㄈㄚˇ ㄓˋ) rule of law
法制(ㄈㄚˇ ㄓˋ) the legal system
法術(ㄈㄚˇ ㄕㄨˋ) the black art
法則(ㄈㄚˇ ㄗㄜˊ) a way or method
法案(ㄈㄚˇ ㄢˋ) a bill which has been passed by parliament; a law

水部

法醫 (ㄈㄚˇ ㄧ) an expert in forensic medicine employed by a court of law, such as a coroner

法網 (ㄈㄚˇ ㄨㄤˇ) the dragnet or the arms of law

法院(ㄈㄚˇ ㄩㄢˋ) a court of justice; a court of law

法 2832
2. ㄈㄚˊ fá

法子(ㄈㄚˊ ·ㄗ)a method; a way

法 2832
3. ㄈㄚ fā

a way, especially used in 沒法兒"No way out."

法 2832
4. ㄈㄚˋ fà

1. the Frank 2. France; French

法蘭絨(ㄈㄚˋ ㄌㄢˊ ㄖㄨㄥˊ)flannel

法郎(ㄈㄚˋ ㄌㄤˊ)(a monetary unit of France) franc

法國(ㄈㄚˋ ㄍㄨㄛˊ)France

法西斯主義(ㄈㄚˋ ㄒㄧ ㄙ ㄓㄨˇ ㄧˋ)Fascism

法文(ㄈㄚˋ ㄨㄣˊ)the French language

法語(ㄈㄚˋ ㄩˇ)French

泗 2833
ㄙˋ sì

1. snivel; nasal mucus 2. name of a river

泖 2834
ㄇㄠˇ mǎo

1. still waters 2. name of a river in Kiangsu Province

泚 2835
ㄘˇ cǐ

1. clear waters 2. bright and brilliant 3. sweating

泝 2836
ㄙㄨˋ sù

same as 溯—to go upstream or to trace up to the source

泝源 (ㄙㄨˋ ㄩㄢˊ) to trace up to the source

泠 2837
ㄌㄧㄥˊ líng

1. clear sounds 2. mild and comfortable 3. same as 伶—a drama performer; an actor; an actress

泠泠(ㄌㄧㄥˊ ㄌㄧㄥˊ) ①gurgling sound ②cool

泛 2838
ㄈㄢˋ fàn

1. to float; to drift 2. not exact or precise; not practical 3. not sincere; not intimate 4. generally (speaking); as a whole; pan-: 泛美 Pan-American 5. to be suffused with

泛泛(ㄈㄢˋ ㄈㄢˋ)① not close or intimate ② in generalities ③ to float

泛泛之交(ㄈㄢˋ ㄈㄢˋ ㄓ ㄐㄧㄠ)a nodding acquaintance

泛濫成災(ㄈㄢˋ ㄌㄢˋ ㄔㄥˊ ㄗㄞ)a disaster caused by flooding waters

泛論(ㄈㄢˋ ㄌㄨㄣˋ)to discuss generally

泛指(ㄈㄢˋ ㄓˇ)to generally indicate

泛舟(ㄈㄢˋ ㄓㄡ)to row a boat; boating

泛稱(ㄈㄢˋ ㄔㄥ)generally called...

波 2839
ㄅㄛ bō (又讀 ㄆㄛ pō)

1. waves; breakers 2. to undulate; undulation; to fluctuate; fluctuations 3. to affect; to involve; to implicate

波段(ㄅㄛ ㄉㄨㄢˋ)a wave band

波動(ㄅㄛ ㄉㄨㄥˋ)① undulation ②(said of prices) fluctuations

波濤(ㄅㄛ ㄊㄠ)billows; breakers

波蘭(ㄅㄛ ㄌㄢˊ)Poland

波浪(ㄅㄛ ㄌㄤˋ)billows; waves

波及(ㄅㄛ ㄐㄧˊ) ①to affect; to involve ②(said of a fire) to engulf; to spread to

波折(ㄅㄛ ㄓㄜˊ) twists and turns of a matter

波斯貓(ㄅㄛ ㄙ ㄇㄠ)a Persian cat

波斯菊(ㄅㄛ ㄙ ㄐㄩˊ)coreopsis

波斯灣(ㄅㄛ ㄙ ㄨㄢ)the Persian Gulf

泣 2840
ㄑㄧˋ qì

to weep; to come to tears without crying

泣別(ㄑㄧˋ ㄅㄧㄝˊ)to part in tears

泡 2841
1. ㄆㄠˋ pào

1. bubbles; suds; froth; foam 2. a blister 3. to steep; to soak; to dip; to infuse (tea, etc.) 4. (slang) to fool around (especially with women)

泡泡糖(ㄆㄠˋ ·ㄆㄠ ㄊㄤˊ)bubble gum

泡沫(ㄆㄠˋ ㄇㄛˋ)suds; foam

泡茶(ㄆㄠˋ ㄔㄚˊ)to infuse tea; to make tea

泡菜(ㄆㄠˋ ㄘㄞˋ)vegetables preserved in salted water; Chinese pickles

泡影(ㄆㄠˋ ㄧㄥˇ)the shadow of bubbles—unreality; pie in the sky

泡 2841
2. ㄆㄠ pāo

1. loose and soft; spongy 2. an amount of excrement or urine

泥 2842
1. ㄋㄧˊ ní

1. mud; mire; earth; soil; clay 2. to paste; to plaster 3. mashed vegetables or fruit; paste

泥巴(ㄋㄧˊ ㄅㄚ)mud; mire; earth; clay

泥炭(ㄋㄧˊ ㄊㄢˋ)peat 亦作「泥煤」

泥塘(ㄋㄧˊ ㄊㄤˊ)a pond of mire

泥土(ㄋㄧˊ ㄊㄨˇ)mud; clay; earth; soil

泥淖(ㄋㄧˊ ㄋㄠˋ)mud; quagmires

泥濘(ㄋㄧˊ ㄋㄧㄥˋ)muddy

泥坑(ㄋㄧˊ ㄎㄥ)a mud pit

泥漿(ㄋㄧˊ ㄐㄧㄤ)mire

泥鰍(ㄋㄧˊ ·ㄑㄧㄡ)a loach; a mudfish

泥沼(ㄋㄧˊ ㄓㄠˇ)mire; swamp

泥沙(ㄋㄧˊ ㄕㄚ)mud and sand; silt

泥水匠(ㄋㄧˊ ㄕㄨㄟˇ ㄐㄧㄤˋ) a bricklayer
泥塑(ㄋㄧˊ ㄙㄨˋ)a clay sculpture
泥娃娃(ㄋㄧˊ ㄨㄚˊ ·ㄨㄚ)a clay doll

泥 2842
2. ㄋㄧˋ nì
1. to be tied down by conventions, old practices; very conservative 2. to request with sweet words 3. inapplicable

泮 2843
ㄆㄢˋ pàn
1. (in ancient China) an institution of higher learning 2. (now rarely) to dissolve; to melt

泯 2844
ㄇㄧㄣˇ mǐn
to destroy; to eliminate; to vanish
泯滅(ㄇㄧㄣˇ ㄇㄧㄝˋ) or 泯沒(ㄇㄧㄣˇ ㄇㄛˋ)to vanish without a trace

注 2845
ㄓㄨˋ zhù
1. to pour (liquid) 2. to concentrate; to engross; preoccupation 3. same as 註—to annotate 4. stakes (in gambling)
注目(ㄓㄨˋ ㄇㄨˋ)to look attentively
注目禮 (ㄓㄨˋ ㄇㄨˋ ㄌㄧˇ) (military) parade salute
注定 (ㄓㄨˋ ㄉㄧㄥˋ) to be doomed; to be destined
注銷(ㄓㄨˋ ㄒㄧㄠ)to make void; to nullify
注重 (ㄓㄨˋ ㄓㄨㄥˋ) to attach great importance to
注視(ㄓㄨˋ ㄕˋ)to look attentively
注射(ㄓㄨˋ ㄕㄜˋ)to inject; injection
注射器(ㄓㄨˋ ㄕㄜˋ ㄑㄧˋ)a syringe
注入(ㄓㄨˋ ㄖㄨˋ)to pour into
注意(ㄓㄨˋ ㄧˋ)to pay attention to
注意力(ㄓㄨˋ ㄧˋ ㄌㄧˋ)attention
注音符號(ㄓㄨˋ ㄧㄣ ㄈㄨˊ ㄏㄠˋ) the National Phonetic Symbols (for Mandarin)

泱 2846
ㄧㄤ yāng
1. great; profound 2. (said of clouds) turbulent
泱泱大國 (ㄧㄤ ㄧㄤ ㄉㄚˋ ㄍㄨㄛˊ) a great country

泳 2847
ㄩㄥˇ yǒng
1. to swim 2. types or methods of swimming

泉 2848
ㄑㄩㄢˊ quán
1. a spring; a fountain 2. money (archaic) 3. a Chinese family name
泉下(ㄑㄩㄢˊ ㄒㄧㄚˋ)Hades
泉水(ㄑㄩㄢˊ ㄕㄨㄟˇ)spring water
泉源 (ㄑㄩㄢˊ ㄩㄢˊ) a fountainhead; a source

泰 2849
ㄊㄞˋ tài
1. great; big 2. quiet; calm; peace; ease 3. Thailand 4. good luck 5. same as 太—very; much; too
泰斗(ㄊㄞˋ ㄉㄡˇ)a leading authority (in certain field or discipline)
泰國(ㄊㄞˋ ㄍㄨㄛˊ)Thailand
泰然(自若)(ㄊㄞˋ ㄖㄢˊ(ㄗˋ ㄖㄨㄛˋ)) unperturbed; unagitated

六畫

洄 2850
ㄏㄨㄟˊ huí
(said of water) whirling
洄瀾(ㄏㄨㄟˊ ㄌㄢˊ)eddies

洎 2851
ㄐㄧˋ jì
1. until; till; up to 2. soup; meat broth 3. to soak; to drench

洑 2852
ㄈㄨˊ fú
1. a whirlpool; a vortex 2. an undercurrent

洌 2853
ㄌㄧㄝˋ liè
(said of liquid) clear and transparent

洋 2854
ㄧㄤˊ yáng
1. an ocean 2. foreign; Western; Occidental 3. imported
洋房(ㄧㄤˊ ㄈㄤˊ)a Western-style house
洋流(ㄧㄤˊ ㄌㄧㄡˊ)the marine current
洋行(ㄧㄤˊ ㄏㄤˊ)a foreign business firm
洋化(ㄧㄤˊ ㄏㄨㄚˋ)to be westernized
洋酒(ㄧㄤˊ ㄐㄧㄡˇ) imported wine and spirits
洋相 (ㄧㄤˊ ㄒㄧㄤˋ) to make an exhibition of oneself
洋裝(ㄧㄤˊ ㄓㄨㄤ)Western dress
洋人 (ㄧㄤˊ ㄖㄣˊ) a Westerner; a foreigner
洋葱(ㄧㄤˊ ㄘㄨㄥ)an onion
洋傘(ㄧㄤˊ ㄙㄢˇ)a Western-style umbrella
洋溢(ㄧㄤˊ ㄧˋ) to be filled or fraught with
洋娃娃(ㄧㄤˊ ㄨㄚˊ ·ㄨㄚ)a doll
洋文(ㄧㄤˊ ㄨㄣˊ)a foreign language
洋芋(ㄧㄤˊ ㄩˋ)a potato

洒 2855
1. ㄙㄚˇ sǎ
1. I; me 2. to pour; to sprinkle
洒掃(ㄙㄚˇ ㄙㄠˇ)to clean up 亦作「灑掃」

洒 2855
2. ㄒㄧㄢˇ xiǎn
1. respectful 2. deep 3. alarmed; surprised

洒 2855
3. ㄒㄧˇ xǐ
same as 洗—to wash

洗 2856
1. ㄒㄧˇ xǐ
1. to wash; to rinse; to cleanse; to clean; to clear 2. to baptize
洗不清(ㄒㄧˇ ·ㄅㄨ ㄑㄧㄥ)unable to

〔水部〕

〔水部〕

vindicate oneself
洗牌(ㄒㄧˇ ㄆㄞˊ)a shuffle; to shuffle playing cards or mah-jong pieces
洗滌(ㄒㄧˇ ㄉㄧˊ)to wash; to cleanse
洗頭(髮)(ㄒㄧˇ ㄊㄡˊ(ㄈㄚˇ))to shampoo
洗腦(ㄒㄧˇ ㄋㄠˇ)to brainwash
洗禮(ㄒㄧˇ ㄌㄧˇ)① to baptize or be baptized; baptism ② a severe test
洗臉(ㄒㄧˇ ㄌㄧㄢˇ)to wash one's face
洗煉(ㄒㄧˇ ㄌㄧㄢˋ)(said of literary writings) refined; polished; elegant
洗刼(ㄒㄧˇ ㄐㄧㄝˊ)to sack everything
洗脚(ㄒㄧˇ ㄐㄧㄠˇ)to wash one's feet
洗淨(ㄒㄧˇ ㄐㄧㄥˋ)to wash something until it's clean
洗錢(ㄒㄧˇ ㄑㄧㄢˊ)laundering money
洗心革面(ㄒㄧˇ ㄒㄧㄣ ㄍㄜˊ ㄇㄧㄢˋ) to reform oneself; to reform
洗雪(ㄒㄧˇ ㄒㄩㄝˇ)to cleanse (both literally and figuratively)
洗濯(ㄒㄧˇ ㄓㄨㄛˊ)to wash; to rinse
洗腸(ㄒㄧˇ ㄔㄤˊ)to purge the bowels
洗手(ㄒㄧˇ ㄕㄡˇ)to wash one's hands
洗手不幹(ㄒㄧˇ ㄕㄡˇ ㄅㄨˋ ㄍㄢˋ)to quit committing crimes
洗手間(ㄒㄧˇ ㄕㄡˇ ㄐㄧㄢ) a toilet; a rest room; a lavatory
洗刷(ㄒㄧˇ ㄕㄨㄚ)a scrub; to scrub
洗澡(ㄒㄧˇ ㄗㄠˇ)to take a bath
洗澡盆(ㄒㄧˇ ㄗㄠˇ ㄆㄣˊ)a bathtub
洗耳恭聽(ㄒㄧˇ ㄦˇ ㄍㄨㄥ ㄊㄧㄥ) to listen respectfully
洗衣服(ㄒㄧˇ ㄧ ·ㄈㄨ)to wash clothes
洗衣店(ㄒㄧˇ ㄧ ㄉㄧㄢˋ)a laundry shop
洗衣機(ㄒㄧˇ ㄧ ㄐㄧ) a washing machine
洗碗機(ㄒㄧˇ ㄨㄢˇ ㄐㄧ)a dishwasher

洗 2856
2. ㄒㄧㄢˇ xiǎn
a Chinese family name

洙 2857
ㄓㄨ zhū
(又讀 ㄕㄨ shū)
name of a river in Shantung

洟 2858
ㄧˊ yí
nasal mucus; snivel

洞 2859
ㄉㄨㄥˋ dòng
1. a cave; a hole 2. to penetrate; to see through
洞房花燭夜 (ㄉㄨㄥˋ ㄈㄤˊ ㄏㄨㄚ ㄓㄨˊ ㄧㄝˋ)wedding night
洞窟(ㄉㄨㄥˋ ㄎㄨ)a cave; a cavern
洞悉(ㄉㄨㄥˋ ㄒㄧ)to see clearly and understand thoroughly
洞簫(ㄉㄨㄥˋ ㄒㄧㄠ)a kind of flute
洞穴(ㄉㄨㄥˋ ㄒㄩㄝˊ)a cave; a cavern
洞察(ㄉㄨㄥˋ ㄔㄚˊ)to see and understand clearly

洛 2860
ㄌㄨㄛˋ luò
name of a river
洛陽紙貴 (ㄌㄨㄛˋ ㄧㄤˊ ㄓˇ ㄍㄨㄟˋ) to become a best seller

津 2861
ㄐㄧㄣ jīn
1. a ferry 2. juicy; tasty 3. saliva 4. to sweat; to perspire
津貼 (ㄐㄧㄣ ㄊㄧㄝ) an allowance; a subsidy
津津樂道 (ㄐㄧㄣ ㄐㄧㄣ ㄌㄜˋ ㄉㄠˋ) to talk with great relish
津津有味 (ㄐㄧㄣ ㄐㄧㄣ ㄧㄡˇ ㄨㄟˋ) very tasty
津要(ㄐㄧㄣ ㄧㄠˋ) key places or locations

洧 2862
ㄨㄟˇ wěi
name of a river in Honan

洫 2863
ㄒㄩˋ xù
a ditch; a moat

洩 2864
ㄒㄧㄝˋ xiè
to drain; to vent; to let out; to dissipate; to leak out
洩忿 or 洩憤(ㄒㄧㄝˋ ㄈㄣˋ)to give vent to one's anger
洩底(ㄒㄧㄝˋ ㄉㄧˇ)to disclose a secret
洩漏(ㄒㄧㄝˋ ㄌㄡˋ)to make known
洩漏秘密(ㄒㄧㄝˋ ㄌㄡˋ ㄇㄧˋ ㄇㄧˋ)to disclose a secret
洩漏天機(ㄒㄧㄝˋ ㄌㄡˋ ㄊㄧㄢ ㄐㄧ)to disclose a divine secret
洩露(ㄒㄧㄝˋ ㄌㄨˋ)to disclose; to reveal
洩恨(ㄒㄧㄝˋ ㄏㄣˋ)to vent one's grudge
洩洪(ㄒㄧㄝˋ ㄏㄨㄥˊ)to let water flow out from the reservoir
洩氣(ㄒㄧㄝˋ ㄑㄧˋ)①to lose strength, momentum, etc. ② discouraging

洪 2865
ㄏㄨㄥˊ hóng
1. great; immense; magnificent 2. floods; turbulent waters; torrents
洪福齊天 (ㄏㄨㄥˊ ㄈㄨˊ ㄑㄧˊ ㄊㄧㄢ) great happiness
洪大 (ㄏㄨㄥˊ ㄉㄚˋ) great; massive; immense
洪流(ㄏㄨㄥˊ ㄌㄧㄡˊ) ① a torrent ② a powerful current
洪亮(ㄏㄨㄥˊ ㄌㄧㄤˋ)loud and clear; sonorous
洪爐(ㄏㄨㄥˊ ㄌㄨˊ)a large furnace
洪荒(ㄏㄨㄥˊ ㄏㄨㄤ)primitive; chaotic
洪鐘(ㄏㄨㄥˊ ㄓㄨㄥ)a large bell
洪水(ㄏㄨㄥˊ ㄕㄨㄟˇ)a flood; a deluge
洪儒(ㄏㄨㄥˊ ㄖㄨˊ)a great scholar

洱 2866
ㄦˇ ěr
1.name of a lake in Yunnan 2.

name of a river in Yunnan

洳 2867 ㄖㄨˋ rù
damp; moist; oozy

洲 2868 ㄓㄡ zhōu
1. an island in a river 2. a continent

洮 2869 1. ㄊㄠˊ táo
name of a river in Kansu

洮 2869 2. ㄧㄠˊ yáo
name of a lake in Kiangsu

洵 2870 ㄒㄩㄣˊ xún
true; real; truly; really; certainly

洶 2871 ㄒㄩㄥ xiōng
1. unquiet; restless; turbulent; tumultuous 2. noisy; uproarious; clamorous
洶洶(ㄒㄩㄥ ㄒㄩㄥ)tumultuous
洶湧or 洶涌(ㄒㄩㄥ ㄩㄥˇ)(said of water) tumultuous; turbulent
洶湧澎湃(ㄒㄩㄥㄩㄥˇㄆㄥ ㄆㄞˋ) surging; turbulent

洽 2872 ㄒㄧㄚˊ xiá (又讀 ㄑㄧㄚˋ qià)
1. to spread; to diffuse 2. harmony; agreement 3. to negotiate; to consult
洽談(ㄒㄧㄚˊ ㄊㄢˊ)to discuss or consult (problems) together
洽商(ㄒㄧㄚˊ ㄕㄤ)to discuss

活 2873 ㄏㄨㄛˊ huó
1. to live; to survive; to be alive 2. to save the life of 3. active; lively; vivacious 4. movable; mobile; flexible 5. work
活寶(ㄏㄨㄛˊ ㄅㄠˇ)a lively person
活潑(ㄏㄨㄛˊ ㄆㄛ)active; lively
活埋(ㄏㄨㄛˊ ㄇㄞˊ)to bury alive
活命(ㄏㄨㄛˊ ㄇㄧㄥˋ) ① to survive; to live ② life
活佛 (ㄏㄨㄛˊ ㄈㄛˊ)(Lamaism) a Buddha incarnate
活的(ㄏㄨㄛˊ ·ㄉㄜ)living; live; alive
活動(ㄏㄨㄛˊ ㄉㄨㄥˋ)activities
活力(ㄏㄨㄛˊ ㄌㄧˋ)vitality; vigor
活該(ㄏㄨㄛˊ ㄍㄞ)It serves you (him, them) right.
活活的(ㄏㄨㄛˊ ㄏㄨㄛˊ ·ㄉㄜ)alive; live
活火山(ㄏㄨㄛˊ ㄏㄨㄛˇ ㄕㄢ)an active volcano
活結(ㄏㄨㄛˊ ㄐㄧㄝˊ)a slipknot
活期(ㄏㄨㄛˊ ㄑㄧˊ)due on demand
活期存款(ㄏㄨㄛˊ ㄑㄧˊ ㄘㄨㄣˊ ㄎㄨㄢˇ)a demand deposit
活性碳(ㄏㄨㄛˊ ㄒㄧㄥˋ ㄊㄢˋ)active carbon
活受罪 (ㄏㄨㄛˊ ㄕㄡˋ ㄗㄨㄟˋ) to suffer greatly
活生生(ㄏㄨㄛˊ ㄕㄥ ㄕㄥ) very much alive
活水(ㄏㄨㄛˊ ㄕㄨㄟˇ)flowing water
活塞(ㄏㄨㄛˊ ㄙㄜˋ)a piston
活兒(ㄏㄨㄛˊㄦ)jobs; work; labor
活頁or 活葉 (ㄏㄨㄛˊ ㄧㄝˋ) loose or detachable leaves (of notebooks, etc.)
活躍 (ㄏㄨㄛˊ ㄩㄝˋ) or (ㄏㄨㄛˊ ㄧㄠˋ) active; actively
活用(ㄏㄨㄛˊ ㄩㄥˋ) to use or apply knowledge with imagination or ingenuity

派 2874 ㄆㄞˋ pài
1. a tributary; a branch 2. a division; a school (of philosophy, art, etc.); a party 3. a faction 4. to assign; to dispatch; to send
派別(ㄆㄞˋ ㄅㄧㄝˊ) ①factions ②schools (of thought)
派兵(ㄆㄞˋ ㄅㄧㄥ)to send troops
派代表(ㄆㄞˋ ㄉㄞˋ ㄅㄧㄠˇ)to send a delegate
派對(ㄆㄞˋ ㄉㄨㄟˋ)a party
派頭(ㄆㄞˋ ㄊㄡˊ)manner; air
派遣(ㄆㄞˋ ㄑㄧㄢˇ)to dispatch
派系 (ㄆㄞˋ ㄒㄧˋ) factions (within a political party, etc.)
派出所(ㄆㄞˋ ㄔㄨ ㄙㄨㄛˇ)a police station

流 2875 ㄌㄧㄡˊ liú
1. to flow; to discharge 2. to wander; to stray 3. a branch; a division 4. a class; a rank 5. unsettled; unfixed; mobile
流弊 (ㄌㄧㄡˊ ㄅㄧˋ) long accumulated evil effect
流派(ㄌㄧㄡˊ ㄆㄞˋ)branches; divisions
流氓(ㄌㄧㄡˊ ㄇㄤˊ)a hoodlum
流放(ㄌㄧㄡˊ ㄈㄤˋ)to exile; to banish
流彈(ㄌㄧㄡˊ ㄉㄢˋ)a stray bullet
流毒(ㄌㄧㄡˊ ㄉㄨˊ)detrimental effect
流動(ㄌㄧㄡˊ ㄉㄨㄥˋ)① to be in flowing motion ② on the move ③ mobile
流動性(ㄌㄧㄡˊ ㄉㄨㄥˋ ㄒㄧㄥˋ)mobility
流動人口 (ㄌㄧㄡˊ ㄉㄨㄥˋ ㄖㄣˊ ㄎㄡˇ) transient population or residents
流動資本(ㄌㄧㄡˊ ㄉㄨㄥˋ ㄗ ㄅㄣˇ) floating capital
流體(ㄌㄧㄡˊ ㄊㄧˇ)fluid
流通(ㄌㄧㄡˊ ㄊㄨㄥ)in circulation
流年不利 (ㄌㄧㄡˊ ㄋㄧㄢˊ ㄅㄨˋ ㄌㄧˋ) to have a year of ill luck
流淚(ㄌㄧㄡˊ ㄌㄟˋ)to shed tears
流覽(ㄌㄧㄡˊ ㄌㄢˇ)① to take a comprehensive look ② to skim over
流浪(ㄌㄧㄡˊ ㄌㄤˋ)to wander about
流浪漢(ㄌㄧㄡˊ ㄌㄤˋ ㄏㄢˋ)a vagabond
流離失所(ㄌㄧㄡˊ ㄌㄧˊ ㄕ ㄙㄨㄛˇ) homeless and wandering from place to

place
流利(ㄌㄧㄡˊ ㄌㄧˋ) flowing smoothly; fluent
流里流氣(ㄌㄧㄡˊ ·ㄌㄧ ㄌㄧㄡˊ ㄑㄧˋ)rascally
流連(ㄌㄧㄡˊ ㄌㄧㄢˊ)reluctant to leave
流量(ㄌㄧㄡˊ ㄌㄧㄤˋ)(hydrology) flow capacity
流露(ㄌㄧㄡˊ ㄌㄨˋ)to reveal unknowingly
流落(ㄌㄧㄡˊ ㄌㄨㄛˋ)to become an outcast in a strange land
流寇(ㄌㄧㄡˊ ㄎㄡˋ)wandering bandits
流汗(ㄌㄧㄡˊ ㄏㄢˋ)to perspire; to sweat
流血(ㄌㄧㄡˊ ㄒㄧㄝˇ) to shed blood; to bleed
流線型(ㄌㄧㄡˊ ㄒㄧㄢˋ ㄒㄧㄥˊ)streamlined
流星(ㄌㄧㄡˊ ㄒㄧㄥ) (astronomy) a meteor
流行(ㄌㄧㄡˊ ㄒㄧㄥˊ)①to be in fashion; to be popular ②(said of a contagious disease) to spread
流行病(ㄌㄧㄡˊ ㄒㄧㄥˊ ㄅㄧㄥˋ) an epidemic (disease)
流行性感冒(ㄌㄧㄡˊ ㄒㄧㄥˊ ㄒㄧㄥˋ ㄍㄢˇ ㄇㄠˋ)influenza; flu
流質(ㄌㄧㄡˊ ㄓˋ)liquid
流產(ㄌㄧㄡˊ ㄔㄢˇ)① to have a miscarriage; abortion ② to prove abortive
流暢(ㄌㄧㄡˊ ㄔㄤˋ)fluent; smooth
流程(ㄌㄧㄡˊ ㄔㄥˊ)technological process
流傳(ㄌㄧㄡˊ ㄔㄨㄢˊ)to spread
流失(ㄌㄧㄡˊ ㄕ)to run off
流逝(ㄌㄧㄡˊ ㄕˋ)to pass
流沙(ㄌㄧㄡˊ ㄕㄚ)the quicksand
流水(ㄌㄧㄡˊ ㄕㄨㄟˇ) flowing water; current
流水賬 (ㄌㄧㄡˊ ㄕㄨㄟˇ ㄓㄤˋ)running account
流竄(ㄌㄧㄡˊ ㄘㄨㄢˋ)(said of bandits or rebel troops) to roam about
流蘇(ㄌㄧㄡˊ ㄙㄨ)tassels (of flags)
流俗(ㄌㄧㄡˊ ㄙㄨˊ)popular customs
流速(ㄌㄧㄡˊ ㄙㄨˋ)the speed of current
流言(ㄌㄧㄡˊ ㄧㄢˊ)groundless statement
流鶯(ㄌㄧㄡˊ ㄧㄥ)a streetwalker
流亡(ㄌㄧㄡˊ ㄨㄤˊ)to be exiled
流亡政府(ㄌㄧㄡˊ ㄨㄤˊ ㄓㄥˋ ㄈㄨˇ) a government in exile
流於形式(ㄌㄧㄡˊ ㄩˊ ㄒㄧㄥˊ ㄕˋ)to have become a matter of formality
流域(ㄌㄧㄡˊ ㄩˋ)drainage area

洏 2876
ㄦˊ **ér**
1. tearful; weeping 2. to cook food thoroughly

洸 2877
ㄍㄨㄤ **guāng**
1. name of a river in Shantung 2. (said of water) to glitter 3. cavalierly; bravely; to be martial-looking

七畫

浙 2878
ㄓㄜˋ **zhè**
1. Chekiang 2. name of a river

浚 2879
ㄐㄩㄣˋ **jùn**
1. to dredge 2. deep
浚泥船(ㄐㄩㄣˋ ㄋㄧˊ ㄔㄨㄢˊ)a dredger

浜 2880
ㄅㄤ **bāng**
a small stream

浡 2881
ㄅㄛˊ **bó**
to rise; excited
浡然 (ㄅㄛˊ ㄖㄢˊ) ①rising ②flourishingly

浣 2882
ㄏㄨㄢˇ **huǎn**
(又讀 ㄨㄢˇ **wǎn**)
1. to wash; to rinse 2. ten days; any of the three ten-day divisions of a month
浣熊(ㄏㄨㄢˇ ㄒㄩㄥˊ)a racoon

浩 2883
ㄏㄠˋ **hào**
1. massive; great; vast 2. much; many
浩渺(ㄏㄠˋ ㄇㄧㄠˇ)vast
浩繁(ㄏㄠˋ ㄈㄢˊ)① many; numerous ② (said of duties, etc.) heavy
浩浩蕩蕩(ㄏㄠˋ ㄏㄠˋ ㄉㄤˋ ㄉㄤˋ)(said of an army in march) moving in an imposing manner
浩瀚(ㄏㄠˋ ㄏㄢˋ)huge quantities; vast
浩劫(ㄏㄠˋ ㄐㄧㄝˊ)great disaster
浩氣長存 (ㄏㄠˋ ㄑㄧˋ ㄔㄤˊ ㄘㄨㄣˊ) imperishable noble spirit
浩然(ㄏㄠˋ ㄖㄢˊ)great; overwhelming

浥 2884
ㄧˋ **yì**
1. wet; moist 2. to moisten

浦 2885
ㄆㄨˇ **pǔ**
1. the shore; the beach; the riverside 2. a Chinese family name

浬 2886
ㄌㄧˇ **lǐ**
(a unit of distance used chiefly in navigation) a nautical mile; a geographic mile; a sea mile

浪 2887
1. ㄌㄤˋ **làng**
1. waves; billows; breakers 2. dissolute; debauched; unrestrained; rash
浪漫(ㄌㄤˋ ㄇㄢˋ) ①dissolute ②romantic
浪漫主義(ㄌㄤˋ ㄇㄢˋ ㄓㄨˇ ㄧˋ) romanticism
浪費(ㄌㄤˋ ㄈㄟˋ)to waste; to lavish

浪花（ㄌㄤˋ ㄏㄨㄚ）spray of breaking waves
浪迹天涯（ㄌㄤˋ ㄐㄧ ㄊㄧㄢ ㄧㄚˊ）to wander about far away from home
浪潮（ㄌㄤˋ ㄔㄠˊ）① tide; waves ②(figuratively) tide; tendency
浪人（ㄌㄤˋ ㄖㄣˊ）a vagrant
浪子（ㄌㄤˋ ㄗˇ）a prodigal
浪遊（ㄌㄤˋ ㄧㄡˊ）to roam for pleasure

浪 2887
2. ㄌㄤˊ láng
flowing; fluent

浭 2888
ㄍㄥ gēng
name of a river in Hopeh

浴 2889
ㄩˋ yù
1. to bathe; to wash 2. a bath
浴盆（ㄩˋ ㄆㄣˊ）a bath; a bathtub
浴巾（ㄩˋ ㄐㄧㄣ）a bath towel
浴池（ㄩˋ ㄔˊ）a bath pool
浴室（ㄩˋ ㄕˋ）a bathroom
浴衣（ㄩˋ ㄧ）a bathrobe

浮 2890
ㄈㄨˊ fú（又讀 ㄈㄡˊ fóu）
1. to float; to waft 2. to overflow; to exceed 3. empty; superficial; unsubstantial; unfounded; groundless
浮報（ㄈㄨˊ ㄅㄠˋ）to report more than the actual amount spent
浮標（ㄈㄨˊ ㄅㄧㄠ）a buoy
浮冰（ㄈㄨˊ ㄅㄧㄥ）floating ice
浮萍（ㄈㄨˊ ㄆㄧㄥˊ）duckweed
浮面（ㄈㄨˊ ㄇㄧㄢˋ）the surface
浮雕（ㄈㄨˊ ㄉㄧㄠ）(sculpture) relief
浮動（ㄈㄨˊ ㄉㄨㄥˋ）to float; to drift
浮屠 or 浮圖（ㄈㄨˊ ㄊㄨˊ）① Buddha ② a pagoda; a stupa
浮筒（ㄈㄨˊ ㄊㄨㄥˇ）a float; a buoy
浮力（ㄈㄨˊ ㄌㄧˋ）(physics) buoyancy
浮誇（ㄈㄨˊ ㄎㄨㄚ）boastfully vain
浮華（ㄈㄨˊ ㄏㄨㄚˊ）vanity
浮現（ㄈㄨˊ ㄒㄧㄢˋ）(said of memories, etc.) to rise before one's mind
浮腫（ㄈㄨˊ ㄓㄨㄥˇ）swollen
浮沈（ㄈㄨˊ ㄔㄣˊ）① rise and fall; vicissitudes ② to follow the trend
浮屍（ㄈㄨˊ ㄕ）a floating corpse
浮世繪（ㄈㄨˊ ㄕˋ ㄏㄨㄟˋ）a (Japanese) woodcut
浮生若夢（ㄈㄨˊ ㄕㄥ ㄖㄨㄛˋ ㄇㄥˋ）Life is like a dream.
浮躁（ㄈㄨˊ ㄗㄠˋ）restless; impatient; rash
浮游生物（ㄈㄨˊ ㄧㄡˊ ㄕㄥ ㄨˋ）plankton
浮雲（ㄈㄨˊ ㄩㄣˊ）floating clouds

海 2891
ㄏㄞˇ hǎi
1. the sea; the ocean 2. a great number of people or things coming together—(figuratively) a huge gathering 3. an area; a field 4. great; unlimited
海拔（ㄏㄞˇ ㄅㄚˊ）the elevation or height above sea level
海豹（ㄏㄞˇ ㄅㄠˋ）a seal
海報（ㄏㄞˇ ㄅㄠˋ）a poster
海邊（ㄏㄞˇ ㄅㄧㄢ）the seashore
海濱（ㄏㄞˇ ㄅㄧㄣ）the seashore
海平面（ㄏㄞˇ ㄆㄧㄥˊ ㄇㄧㄢˋ）sea level
海埔新生地（ㄏㄞˇ ㄆㄨˇ ㄒㄧㄣ ㄕㄥ ㄉㄧˋ）the tidal land
海馬（ㄏㄞˇ ㄇㄚˇ）① hippocampus ② a sea horse
海綿（ㄏㄞˇ ㄇㄧㄢˊ）sponge
海綿墊（ㄏㄞˇ ㄇㄧㄢˊ ㄉㄧㄢˋ）a foam-rubber cushion
海面（ㄏㄞˇ ㄇㄧㄢˋ）the sea surface
海防（ㄏㄞˇ ㄈㄤˊ）coastal defense
海防部隊（ㄏㄞˇ ㄈㄤˊ ㄅㄨˋ ㄉㄨㄟˋ）coastal defense forces
海風（ㄏㄞˇ ㄈㄥ）a sea wind
海帶（ㄏㄞˇ ㄉㄞˋ）kelp; a sea tangle
海島（ㄏㄞˇ ㄉㄠˇ）an island (in the sea)
海盜（ㄏㄞˇ ㄉㄠˋ）a pirate; a sea rover
海膽（ㄏㄞˇ ㄉㄢˇ）a sea urchin
海底（ㄏㄞˇ ㄉㄧˇ）the bed or bottom of the sea
海底電纜（ㄏㄞˇ ㄉㄧˇ ㄉㄧㄢˋ ㄌㄢˇ）a submarine cable
海釣（ㄏㄞˇ ㄉㄧㄠˋ）offshore angling
海獺（ㄏㄞˇ ㄊㄚˇ）a sea otter; a beaver
海濤（ㄏㄞˇ ㄊㄠ）sea waves; billows
海灘（ㄏㄞˇ ㄊㄢ）the seashore; the beach
海塘（ㄏㄞˇ ㄊㄤˊ）or 海堤（ㄏㄞˇ ㄊㄧˊ）sea wall
海豚（ㄏㄞˇ ㄊㄨㄣˊ）a dolphin
海南島（ㄏㄞˇ ㄋㄢˊ ㄉㄠˇ）Hainan (an island off South China)
海難（ㄏㄞˇ ㄋㄢˋ）a wreck
海鳥（ㄏㄞˇ ㄋㄧㄠˇ）a seafowl; a seabird
海浪（ㄏㄞˇ ㄌㄤˋ）seas; sea waves
海狸（ㄏㄞˇ ㄌㄧˊ）a beaver
海里（ㄏㄞˇ ㄌㄧˇ）nautical mile, a unit of distance used chiefly in navigation
海流（ㄏㄞˇ ㄌㄧㄡˊ）the ocean current
海量（ㄏㄞˇ ㄌㄧㄤˋ）① a mind with the broadness of the sea ② great capacity for alcoholic drinks
海洛因（ㄏㄞˇ ㄌㄨㄛˋ ㄧㄣ）heroin
海狗（ㄏㄞˇ ㄍㄡˇ）a seal
海港（ㄏㄞˇ ㄍㄤˇ）a seaport; a harbor
海龜（ㄏㄞˇ ㄍㄨㄟ）a green turtle
海關（ㄏㄞˇ ㄍㄨㄢ）the customs
海闊天空（ㄏㄞˇ ㄎㄨㄛˋ ㄊㄧㄢ ㄎㄨㄥ）endlessly vast; boundless
海岬（ㄏㄞˇ ㄐㄧㄚˇ）a cape
海角天涯（ㄏㄞˇ ㄐㄧㄠˇ ㄊㄧㄢ ㄧㄚˊ）the

〔水部〕

farthest end of the earth
海景(ㄏㄞˇ ㄐㄧㄥˇ)the seascape
海軍(ㄏㄞˇ ㄐㄩㄣ)the navy; naval
海軍陸戰隊(ㄏㄞˇ ㄐㄩㄣ ㄌㄨˋ ㄓㄢˋ ㄉㄨㄟˋ)the Marine Corps
海軍官校(ㄏㄞˇ ㄐㄩㄣ ㄍㄨㄢ ㄒㄧㄠˋ) a naval academy
海權(ㄏㄞˇ ㄑㄩㄢˊ)sea power
海峽(ㄏㄞˇ ㄒㄧㄚˊ)straits; a channel
海嘯(ㄏㄞˇ ㄒㄧㄠˋ)a tidal wave
海鮮(ㄏㄞˇ ㄒㄧㄢ)fresh seafood
海星(ㄏㄞˇ ㄒㄧㄥ)a starfish
海蜇(ㄏㄞˇ ㄓㄜˊ)a jellyfish
海產(ㄏㄞˇ ㄔㄢˇ) marine products; seafood
海獅(ㄏㄞˇ ㄕ)a sea lion
海誓山盟(ㄏㄞˇ ㄕˋ ㄕㄢ ㄇㄥˊ)to vow eternal love
海市蜃樓(ㄏㄞˇ ㄕˋ ㄕㄣˋ ㄌㄡˊ)a mirage
海參(ㄏㄞˇ ㄕㄣ) a trepang; a sea cucumber
海水污染(ㄏㄞˇ ㄕㄨㄟˇ ㄨ ㄖㄢˇ) sea water pollution
海水浴(ㄏㄞˇ ㄕㄨㄟˇ ㄩˋ)sea bathing
海藻(ㄏㄞˇ ㄗㄠˇ)seaweed
海葬(ㄏㄞˇ ㄗㄤˋ)burial at sea
海鷗(ㄏㄞˇ ㄡ)a sea gull
海岸(ㄏㄞˇ ㄢˋ)the coast
海岸線(ㄏㄞˇ ㄢˋ ㄒㄧㄢˋ)the coastal line
海洋(ㄏㄞˇ ㄧㄤˊ) seas and oceans; the ocean
海洋生物(ㄏㄞˇ ㄧㄤˊ ㄕㄥ ㄨˋ) a marine organism
海洋資源(ㄏㄞˇ ㄧㄤˊ ㄗ ㄩㄢˊ) marine resources
海外(ㄏㄞˇ ㄨㄞˋ)overseas; abroad
海灣(ㄏㄞˇ ㄨㄢ)a bay; a gulf
海王星(ㄏㄞˇ ㄨㄤˊ ㄒㄧㄥ) the planet Neptune
海域(ㄏㄞˇ ㄩˋ)a sea area
海運(ㄏㄞˇ ㄩㄣˋ)marine transportation

浸 2892
ㄐㄧㄣˋ jìn
1. to dip; to immerse; to soak; to permeate; to percolate 2. gradual; gradually
浸泡(ㄐㄧㄣˋ ㄆㄠˋ)to soak
浸透(ㄐㄧㄣˋ ㄊㄡˋ)soaked through
浸濕(ㄐㄧㄣˋ ㄕ)to soak
浸水(ㄐㄧㄣˋ ㄕㄨㄟˇ) to immerse or dip in water
浸入(ㄐㄧㄣˋ ㄖㄨˋ)to permeate
浸漬(ㄐㄧㄣˋ ㄗˋ)to soak or be soaked

浼 2893
ㄇㄟˇ měi
1. to stain; to soil; to contaminate; to defile 2. full of water 3. to entrust

涇 2894
ㄐㄧㄥ jīng
name of a river in Shensi (陝西)
涇渭分明(ㄐㄧㄥ ㄨㄟˋ ㄈㄣ ㄇㄧㄥˊ)to be entirely different

涅 2895
(湼) ㄋㄧㄝˋ niè
1. to blacken; to dye black 2. to block up
涅槃(ㄋㄧㄝˋ ㄆㄢˊ)Nirvana

涉 2896
ㄕㄜˋ shè
1. to wade 2. to cross 3. to experience 4. to involve; to entangle; to implicate
涉獵(ㄕㄜˋ ㄌㄧㄝˋ)to study haphazardly
涉及(ㄕㄜˋ ㄐㄧˊ)to involve; to relate to
涉嫌(ㄕㄜˋ ㄒㄧㄢˊ)to come under suspicion
涉險(ㄕㄜˋ ㄒㄧㄢˇ)to be engaged in an adventure
涉世(ㄕㄜˋ ㄕˋ)to make one's way through the world
涉世未深(ㄕㄜˋ ㄕˋ ㄨㄟˋ ㄕㄣ)inexperienced in affairs of the world
涉足(ㄕㄜˋ ㄗㄨˊ)to set foot in

消 2897
ㄒㄧㄠ xiāo
1. to vanish; to disappear; to die out 2. to disperse; to eliminate; to remove; to alleviate; to allay; to extinguish 3. to need; to take
消磨(ㄒㄧㄠ ㄇㄛˊ)to while away (time)
消磨時間(ㄒㄧㄠ ㄇㄛˊ ㄕˊ ㄐㄧㄢ)to kill time
消弭(ㄒㄧㄠ ㄇㄧˇ)to put an end to
消滅(ㄒㄧㄠ ㄇㄧㄝˋ)to annihilate
消費(ㄒㄧㄠ ㄈㄟˋ) consumption; to consume
消費品(ㄒㄧㄠ ㄈㄟˋ ㄆㄧㄣˇ)consumer goods
消費合作社(ㄒㄧㄠ ㄈㄟˋ ㄏㄜˊ ㄗㄨㄛˋ ㄕㄜˋ)a consumers' cooperative
消費者(ㄒㄧㄠ ㄈㄟˋ ㄓㄜˇ)a consumer
消費者聯盟(ㄒㄧㄠ ㄈㄟˋ ㄓㄜˇ ㄌㄧㄢˊ ㄇㄥˊ)a consumers' union
消防(ㄒㄧㄠ ㄈㄤˊ)fire fighting
消防隊(ㄒㄧㄠ ㄈㄤˊ ㄉㄨㄟˋ) a fire brigade
消防隊員(ㄒㄧㄠ ㄈㄤˊ ㄉㄨㄟˋ ㄩㄢˊ) a fireman
消防車(ㄒㄧㄠ ㄈㄤˊ ㄔㄜ) a fire engine
消防栓(ㄒㄧㄠ ㄈㄤˊ ㄕㄨㄢ)a fireplug
消防雲梯車(ㄒㄧㄠ ㄈㄤˊ ㄩㄣˊ ㄊㄧ ㄔㄜ)a ladder truck
消毒(ㄒㄧㄠ ㄉㄨˊ)to disinfect
消毒水(ㄒㄧㄠ ㄉㄨˊ ㄕㄨㄟˇ) antiseptic solution
消耗(ㄒㄧㄠ ㄏㄠˋ) to consume, expend, exhaust
消耗品(ㄒㄧㄠ ㄏㄠˋ ㄆㄧㄣˇ) expendables; consumables
消化(ㄒㄧㄠ ㄏㄨㄚˋ) to digest (food); digestion
消化不良(ㄒㄧㄠ ㄏㄨㄚˋ ㄅㄨˋ ㄌㄧㄤˊ)indigestion; dyspepsia
消化器官(ㄒㄧㄠ ㄏㄨㄚˋ ㄑㄧˋ ㄍㄨㄢ) the digestive organs
消化系統(ㄒㄧㄠ ㄏㄨㄚˋ ㄒㄧˋ ㄊㄨㄥˇ)

the digestive apparatus or system
消極(ㄒㄧㄠ ㄐㄧˊ)negative; pessimistic
消減(ㄒㄧㄠ ㄐㄧㄢˇ)to decrease
消氣(ㄒㄧㄠ ㄑㄧˋ) to allay one's anger
消遣(ㄒㄧㄠ ㄑㄧㄢˇ)pastimes
消息(ㄒㄧㄠ ·ㄒㄧ)news; information
消息靈通(ㄒㄧㄠ ·ㄒㄧ ㄌㄧㄥˊ ㄊㄨㄥ) well-informed
消長(ㄒㄧㄠ ㄓㄤˇ)rise and fall
消腫(ㄒㄧㄠ ㄓㄨㄥˇ) to remove or reduce a swelling
消沈(ㄒㄧㄠ ㄔㄣˊ)depressed; dejected
消除(ㄒㄧㄠ ㄔㄨˊ)to eliminate; to get rid of
消失(ㄒㄧㄠ ㄕ)to vanish; to disappear
消逝(ㄒㄧㄠ ㄕˋ) to die away; to vanish
消受(ㄒㄧㄠ ㄕㄡˋ)① to endure ②to enjoy
消瘦(ㄒㄧㄠ ㄕㄡˋ)skinny
消暑(ㄒㄧㄠ ㄕㄨˇ) to relieve summer heat
消災(ㄒㄧㄠ ㄗㄞ)to prevent or forestall calamities
消散(ㄒㄧㄠ ㄙㄢˋ) to scatter and disappear
消炎(ㄒㄧㄠ ㄧㄢˊ) to reduce or eliminate inflammation
消音器(ㄒㄧㄠ ㄧㄣ ㄑㄧˋ)a muffler

涑 2898
ㄙㄨˋ sù
name of a tributary of the Yellow River

涓 2899
ㄐㄩㄢ juān
a small stream; a rivulet; a brook
涓涓(ㄐㄩㄢ ㄐㄩㄢ) trickles; a small stream

涎 2900
ㄒㄧㄢˊ xián
saliva
涎皮賴臉(ㄒㄧㄢˊ ㄆㄧˊ ㄌㄞˋ ㄌㄧㄢˇ) shameless; brazen
涎沫(ㄒㄧㄢˊ ㄇㄛˋ)saliva

涔 2901
ㄘㄣˊ cén
1. a puddle 2. tearful

涕 2902
ㄊㄧˋ tì
1. tears 2. snivel
涕淚(ㄊㄧˋ ㄌㄟˋ)tears
涕泣(ㄊㄧˋ ㄑㄧˋ)to weep; to cry

洚 2903
ㄐㄧㄤˋ jiàng
a flood

涖 2904
ㄌㄧˋ lì
1. to arrive 2. the murmur of flowing water
涖臨(ㄌㄧˋ ㄌㄧㄣˊ)to be present

浞 2905
ㄓㄨㄛˊ zhuó
to soak

浯 2906
ㄨˊ wú
name of a river in Shantung

涌 2907
ㄩㄥˇ yǒng
to rise; to spring; to gush out; to pour out; to surge
涌出(ㄩㄥˇ ㄔㄨ)to gush out

八畫

涯 2908
ㄧㄚˊ yá
1. water's edge; waterfront; a bank 2. a limit 3. faraway places
涯岸(ㄧㄚˊ ㄢˋ)the edge; the limit

液 2909
ㄧㄝˋ yè (讀音 ㄧˋ yì)
liquid; juices; secretions; sap
液態(ㄧㄝˋ ㄊㄞˋ) (physics) the liquid state
液體(ㄧㄝˋ ㄊㄧˇ)liquid
液化(ㄧㄝˋ ㄏㄨㄚˋ)liquefaction
液化天然氣(ㄧㄝˋ ㄏㄨㄚˋ ㄊㄧㄢ ㄖㄢˊ ㄑㄧˋ)liquefied natural gas

涪 2910
ㄈㄨˊ fú
1. name of a river in Szechwan Province 2. name of an old administrative district

涵 2911
ㄏㄢˊ hán
1. wet, damp and marshy 2. to contain 3. lenient and broad-minded
涵洞(ㄏㄢˊ ㄉㄨㄥˋ)a culvert
涵管(ㄏㄢˊ ㄍㄨㄢˇ)a drainage pipe
涵養(ㄏㄢˊ ㄧㄤˇ) ①capability to be kind, patient, lenient, tolerant or broadminded under all circumstances ② to cherish and nourish

涸 2912
ㄏㄜˊ hé (語音 ㄏㄠˋ hào)
drying up; dried-up; exhausted

涿 2913
ㄓㄨㄛ zhuō
1. to drip; to trickle 2. old and current names of counties, rivers, mountains in various places

淀 2914
ㄉㄧㄢˋ diàn
shallow water

淄 2915
ㄗ zī
1. black 2. name of a river in Shantung Province

涼 2916
ㄌㄧㄤˊ liáng
1. cool; chilly; cold 2. thin 3. discouraged; disappointed
涼拌(ㄌㄧㄤˊ ㄅㄢˋ)(said of food) cold and dressed with sauce
涼風(ㄌㄧㄤˊ ㄈㄥ) a cool breeze
涼亭(ㄌㄧㄤˊ ㄊㄧㄥˊ) a wayside pavilion

〔水部〕

〔水部〕

涼快(ㄌㄧㄤˊ ㄎㄨㄞˋ)cool and comfortable
涼蓆(ㄌㄧㄤˊ ㄒㄧˊ) a sleeping mat used in summer
涼鞋(ㄌㄧㄤˊ ㄒㄧㄝˊ) sandals; summer shoes
涼水(ㄌㄧㄤˊ ㄕㄨㄟˇ)cold water
涼爽(ㄌㄧㄤˊ ㄕㄨㄤˇ) cool and comfortable
涼颼颼的(ㄌㄧㄤˊ ㄙㄡ ㄙㄡ ˙ㄉㄜ)chilly

淅 2917 ㄒㄧ xī
water for washing rice; to wash rice
淅米(ㄒㄧ ㄇㄧˇ)to wash rice

淆 2918 ㄧㄠˊ yáo
confused and disorderly; mixed
淆雜(ㄧㄠˊ ㄗㄚˊ)mixed; miscellaneous

洴 2919 ㄆㄧㄥˊ píng
1. the sound of silk, etc. floating in the wind 2. to wash; to bleach

淌 2920 ㄊㄤˇ tǎng
to flow down; to trickle; to drip
淌眼淚(ㄊㄤˇ ㄧㄢˇ ㄌㄟˋ)to shed tears; to be in tears

淖 2921 ㄋㄠˋ nào
slush; mud
淖濘(ㄋㄠˋ ㄋㄧㄥˋ)slushy mud

淑 2922 ㄕㄨˊ shú
1. good; pure; virtuous 2. (said of women) beautiful or charming 3. clear
淑女(ㄕㄨˊ ㄋㄩˇ)ladies
淑媛(ㄕㄨˊ ㄩㄢˋ)ladies

淒 2923 ㄑㄧ qī
1. cloudy and rainy 2. cold and chilly 3. sorrow; sorrowful; miserable; desolate
淒迷(ㄑㄧ ㄇㄧˊ) (said of sights) cheerless
淒冷(ㄑㄧ ㄌㄥˇ)desolate; bleak
淒厲(ㄑㄧ ㄌㄧˋ)① sad and sorrowful ② bleak and harsh
淒涼(ㄑㄧ ㄌㄧㄤˊ) desolate and sorrowful
淒淒(ㄑㄧ ㄑㄧ)chilly
淒慘(ㄑㄧ ㄘㄢˇ)heartbreaking

淋 2924 1. ㄌㄧㄣˊ lín
1. to soak with water; to drip 2. gonorrhea
淋巴(ㄌㄧㄣˊ ㄅㄚ)lymph
淋巴腺(ㄌㄧㄣˊ ㄅㄚ ㄒㄧㄢˋ)lymphatic glands
淋病(ㄌㄧㄣˊ ㄅㄧㄥˋ)gonorrhea
淋漓(ㄌㄧㄣˊ ㄌㄧˊ)dripping wet
淋漓盡致(ㄌㄧㄣˊ ㄌㄧˊ ㄐㄧㄣˋ ㄓˋ) (to narrate, describe, etc.) thoroughly
淋濕(ㄌㄧㄣˊ ㄕ)to be soaked, splashed wet (by rain, etc.)
淋雨(ㄌㄧㄣˊ ㄩˇ)to get wet in the rain
淋浴(ㄌㄧㄣˊ ㄩˋ)a shower

淋 2924 2. ㄌㄧㄣˋ lìn
to filter; to strain

淘 2925 ㄊㄠˊ táo
1. to wash (especially rice); to wash in a sieve 2. to dredge; to scour 3. to eliminate the inferior (by exams, contests, etc.)
淘米(ㄊㄠˊ ㄇㄧˇ)to wash rice
淘汰(ㄊㄠˊ ㄊㄞˋ)① to eliminate inferior contestants, goods, etc. ② elimination
淘汰賽(ㄊㄠˊ ㄊㄞˋ ㄙㄞˋ)elimination series
淘金者(ㄊㄠˊ ㄐㄧㄣ ㄓㄜˇ)a gold digger
淘氣(ㄊㄠˊ ㄑㄧˋ)naughty
淘氣鬼(ㄊㄠˊ ㄑㄧˋ ㄍㄨㄟˇ) a mischievous imp

淚 2926 (泪) ㄌㄟˋ lèi
tears
淚痕(ㄌㄟˋ ㄏㄣˊ)traces of tears
淚腺(ㄌㄟˋ ㄒㄧㄢˋ)a lachrymal gland
淚珠(ㄌㄟˋ ㄓㄨ)teardrops
淚如雨下(ㄌㄟˋ ㄖㄨˊ ㄩˇ ㄒㄧㄚˋ) The tears come down like rain.
淚眼(ㄌㄟˋ ㄧㄢˇ)teary eyes
淚眼模糊(ㄌㄟˋ ㄧㄢˇ ㄇㄛˊ ㄏㄨˊ)eyes blurred by tears
淚汪汪的(ㄌㄟˋ ㄨㄤ ㄨㄤ ˙ㄉㄜ)tearful

淝 2927 ㄈㄟˊ féi
name of a river in Anhwei Province

淙 2928 ㄘㄨㄥˊ cóng
the sound of flowing water; water flowing
淙淙(ㄘㄨㄥˊ ㄘㄨㄥˊ)the gurgling sound of flowing water—especially a creek

淟 2929 ㄊㄧㄢˇ tiǎn
turbid; muddy

淞 2930 ㄙㄨㄥ sōng
name of a river in Kiangsu Province

淡 2931 ㄉㄢˋ dàn
1. weak or thin (tea, coffee, etc.) 2. tasteless; without enough salt; insipid 3. off-season—when business is poor; dull; slack 4. light (in color); slight 5. without worldly desires
淡薄(ㄉㄢˋ ㄅㄛˊ)① thin; weak ② to become indifferent
淡泊(ㄉㄢˋ ㄅㄛˊ)to lead a tranquil life without worldly desires

淡泊名利(ㄉㄢˋ ㄅㄛˊ ㄇㄧㄥˊ ㄌㄧˋ)to be indifferent to fame and wealth
淡墨(ㄉㄢˋ ㄇㄛˋ)light ink
淡化(ㄉㄢˋ ㄏㄨㄚˋ)①desalination ②to water down
淡季(ㄉㄢˋ ㄐㄧˋ)slack seasons
淡色(ㄉㄢˋ ㄙㄜˋ)a light color
淡掃娥眉(ㄉㄢˋ ㄙㄠˇ ㄜˊ ㄇㄟˊ)(said of a woman) to apply a light make-up
淡雅(ㄉㄢˋ ㄧㄚˇ)(said of attire, decoration, etc.) light, simple but graceful or elegant
淡忘(ㄉㄢˋ ㄨㄤˋ)to fade from one's memory
淡月(ㄉㄢˋ ㄩㄝˋ)a slack month

淤 2932
ㄩ yū
1. muddy sediment; mud; sediment 2. stalemated; blocked; to silt up
淤泥(ㄩ ㄋㄧˊ)silt
淤積(ㄩ ㄐㄧ)to silt up; to clog up
淤血(ㄩ ㄒㄧㄝˇ)blood clot
淤沙(ㄩ ㄕㄚ)silt
淤塞(ㄩ ㄙㄜˋ)to silt up; to block

淦 2933
ㄍㄢˋ gàn
water leaking into a boat

渌 2934
ㄌㄨˋ lù
1. clear water 2. to drip; to strain

淩 2935
(凌) ㄌㄧㄥˊ líng
1. to pass; to traverse; to cross 2. to intrude; to insult or bully

淪 2936
ㄌㄨㄣˊ lún
1. to sink into oblivion, ruin, etc.; to fall; engulfed or lost; submerged 2. ripples; eddying water
淪落(ㄌㄨㄣˊ ㄌㄨㄛˋ)to get lost (in a strange land, etc.)
淪陷(ㄌㄨㄣˊ ㄒㄧㄢˋ) (said of a territory) occupied by the enemy
淪喪(ㄌㄨㄣˊ ㄙㄤˋ)to be lost or ruined
淪亡(ㄌㄨㄣˊ ㄨㄤˊ)lost or ruined

淨 2937
ㄐㄧㄥˋ jìng
1. clean; pure; to cleanse; to purify 2. empty; vain 3. a role in Chinese opera with a heavily painted face 4. completely; totally 5. only; merely 6. net (income, profit, etc.)
淨土(ㄐㄧㄥˋ ㄊㄨˇ) *sukhavati*; the land of the pure—the land of Buddha
淨利(ㄐㄧㄥˋ ㄌㄧˋ)net profit
淨化(ㄐㄧㄥˋ ㄏㄨㄚˋ)to purify
淨價(ㄐㄧㄥˋ ㄐㄧㄚˋ)a net price
淨值(ㄐㄧㄥˋ ㄓˊ)net value
淨賺(ㄐㄧㄥˋ ㄓㄨㄢˋ)net earnings
淨重(ㄐㄧㄥˋ ㄓㄨㄥˋ)net weight
淨身(ㄐㄧㄥˋ ㄕㄣ) to castrate; castration

淬 2938
ㄘㄨㄟˋ cuì
1. to temper iron or steel for making swords, etc. (also used figuratively) 2. to dip into water; to soak; to dye
淬勉(ㄘㄨㄟˋ ㄇㄧㄢˇ)to persuade
淬勵(ㄘㄨㄟˋ ㄌㄧˋ) to arouse to action; to encourage

淮 2939
ㄏㄨㄞˊ huái
name of a river flowing from West China into the Gulf of Pohai

淫 2940
ㄧㄣˊ yín
1. licentious; lewd; lascivious; libidinous; dissolute 2. obscene; pornographic 3. to seduce; to debauch; to tempt; temptation 4. things related to sexual desire and behavior
淫蕩(ㄧㄣˊ ㄉㄤˋ) (especially said of women) lewd and libidinous
淫亂(ㄧㄣˊ ㄌㄨㄢˋ)debauchery
淫威(ㄧㄣˊ ㄨㄟ) ① imposing or awe-inspiring power ② excessive use of powers and punishments
淫慾(ㄧㄣˊ ㄩˋ) wanton desires; sexual desire

淳 2941
ㄔㄨㄣˊ chún
1. pure; clean; simple; sincere; honest 2. a couple or pair (of chariots) 3. big; great
淳樸(ㄔㄨㄣˊ ㄆㄨˊ)sincere and simple (villagers, etc.); honest
淳厚(ㄔㄨㄣˊ ㄏㄡˋ)simple and sincere

淵 2942
ㄩㄢ yuān
1. deep waters; a gulf; an abyss 2. profound (learning); depth; profundity; erudition; extensive
淵博(ㄩㄢ ㄅㄛˊ) (said of learning) erudite
淵藪(ㄩㄢ ㄙㄡˇ)the place where things or persons flock together—a haunt or hotbed
淵源(ㄩㄢ ㄩㄢˊ)the source

深 2943
ㄕㄣ shēn
1. deep; depth 2. profound; mysterious; difficult; abstruse 3. close; intimate 4. very; extremely
深不可測(ㄕㄣ ㄅㄨˋ ㄎㄜˇ ㄘㄜˋ)immeasurable depth or profundity
深謀遠慮(ㄕㄣ ㄇㄡˊ ㄩㄢˇ ㄌㄩˋ)to think and plan far ahead
深度(ㄕㄣ ㄉㄨˋ) ① depth ② profundity
深談(ㄕㄣ ㄊㄢˊ)intimate talks
深藍(ㄕㄣ ㄌㄢˊ)dark blue
深感(ㄕㄣ ㄍㄢˇ)to feel keenly
深更半夜 (ㄕㄣ ㄍㄥ ㄅㄢˋ ㄧㄝˋ) deep in

〔水部〕

〔水部〕

the night
深刻(ㄕㄣ ㄎㄜˋ)①deeply meaningful ②penetrating (views, etc.)
深厚(ㄕㄣ ㄏㄡˋ)long and close (friendship, relationship, etc.)
深呼吸(ㄕㄣ ㄏㄨ ㄒㄧ)a deep breath
深交(ㄕㄣ ㄐㄧㄠ)long, intimate friendship
深究(ㄕㄣ ㄐㄧㄡˋ)to study, deliberate, search or delve into something deeply
深居簡出(ㄕㄣ ㄐㄩ ㄐㄧㄢˇ ㄔㄨ) to lead a secluded life
深切(ㄕㄣ ㄑㄧㄝˋ)deeply; sincerely
深秋(ㄕㄣ ㄑㄧㄡ)late fall; late autumn
深淺(ㄕㄣ ㄑㄧㄢˇ)①deep or shallow; depth ②(said of colors) deep or light
深情(ㄕㄣ ㄑㄧㄥˊ) deep affection or love
深信不疑(ㄕㄣ ㄒㄧㄣˋ ㄅㄨˋ ㄧˊ) to believe without a shadow of doubt
深省(ㄕㄣ ㄒㄧㄥˇ) to understand after soul-searching
深知(ㄕㄣ ㄓ)to know thoroughly
深仇大恨(ㄕㄣ ㄔㄡˊ ㄉㄚˋ ㄏㄣˋ)a deep-seated hatred
深沈(ㄕㄣ ㄔㄣˊ)①dark ②(said of a person) reserved; impenetrable
深長(ㄕㄣ ㄔㄤˊ)profound
深處(ㄕㄣ ㄔㄨˋ)the deep, inner or obscure part
深山(ㄕㄣ ㄕㄢ)deep in the mountain
深入(ㄕㄣ ㄖㄨˋ)(to research, study, delve, etc.) deeply or thoroughly into something
深入人心(ㄕㄣ ㄖㄨˋ ㄖㄣˊ ㄒㄧㄣ) to impress deeply upon everyone's mind
深造(ㄕㄣ ㄗㄠˋ) to pursue advanced study
深藏不露(ㄕㄣ ㄘㄤˊ ㄅㄨˋ ㄌㄡˋ) Real knowledge is not showy.
深思(ㄕㄣ ㄙ)deep thought
深思熟慮(ㄕㄣ ㄙ ㄕㄨˊ ㄌㄩˋ)careful deliberation
深邃(ㄕㄣ ㄙㄨㄟˋ)deep and far
深奧(ㄕㄣ ㄠˋ)deep; abstruse; profound
深恩(ㄕㄣ ㄣ)great favors
深夜(ㄕㄣ ㄧㄝˋ)deep in the night
深淵(ㄕㄣ ㄩㄢ)an abyss
深遠(ㄕㄣ ㄩㄢˇ)deep and far(in meaning, significance, etc.)

淶 2944
ㄌㄞˊ lái
name of a river in Hopeh Province

混 2945
1. ㄏㄨㄣˋ hùn
1. disorderly; confused 2. to mix; mixed; to mingle or blend 3. to fool around; just to get along 4. to do things at random or without purpose
混沌(ㄏㄨㄣˋ ㄉㄨㄣˋ) ①the chaotic world in prehistoric times ②ignorant and dumb
混沌初開(ㄏㄨㄣˋ ㄉㄨㄣˋ ㄔㄨ ㄎㄞ)at the dawn of civilization
混凝土(ㄏㄨㄣˋ ㄋㄧㄥˊ ㄊㄨˇ)concrete
混亂(ㄏㄨㄣˋ ㄌㄨㄢˋ)confusion; chaos
混合(ㄏㄨㄣˋ ㄏㄜˊ)to mix together
混合雙打(ㄏㄨㄣˋ ㄏㄜˊ ㄕㄨㄤ ㄉㄚˇ) mixed doubles
混合物(ㄏㄨㄣˋ ㄏㄜˊ ㄨˋ)a mixture; a blend
混混(ㄏㄨㄣˋ ㄏㄨㄣˋ)a hoodlum
混進(ㄏㄨㄣˋ ㄐㄧㄣˋ)to infiltrate
混血(ㄏㄨㄣˋ ㄒㄧㄝˋ)hybridization
混血兒(ㄏㄨㄣˋ ㄒㄧㄝˇ ㄦˊ) a human hybrid
混戰(ㄏㄨㄣˋ ㄓㄢˋ) a melee; a wild battle
混帳 or 混賬(ㄏㄨㄣˋ ㄓㄤˋ)That good-for-nothing!
混日子(ㄏㄨㄣˋ ㄖˋ ˙ㄗ) just to make a living
混入(ㄏㄨㄣˋ ㄖㄨˋ)to mix oneself inside a body of people, an organization
混雜(ㄏㄨㄣˋ ㄗㄚˊ)①to blend ②motley
混爲一談(ㄏㄨㄣˋ ㄨㄟˊ ㄧˋ ㄊㄢˊ)to confuse something with something else

混 2945
2. (渾) ㄏㄨㄣˊ hún
turbid; muddy; not clear
混蛋(ㄏㄨㄣˊ ㄉㄢˋ)Bloody fool!
混濁(ㄏㄨㄣˊ ㄓㄨㄛˊ)turbid; not clean or pure
混水摸魚(ㄏㄨㄣˊ ㄕㄨㄟˇ ㄇㄛ ㄩˊ)to fish in troubled waters

混 2945
3. ㄏㄨㄣˇ hǔn
confused and not distinguishable
混亂(ㄏㄨㄣˇ ㄌㄨㄢˋ)confusion; disorder; chaos
混淆(ㄏㄨㄣˇ ㄧㄠˊ)mixed, confused and indistinguishable
混淆視聽(ㄏㄨㄣˇ ㄧㄠˊ ㄕˋ ㄊㄧㄥ)to confuse public opinion

清 2946
ㄑㄧㄥ qīng
1. pure; clean; clear 2. brief; scarce 3. virtuous; honest 4. to arrange; to place in order 5. to conclude; to terminate; to repay (debts); to settle 6. clear, simple and easily understandable 7. Ching Dynasty (1644-1911) 8. to clean
清白(ㄑㄧㄥ ㄅㄞˊ) (said of a person's character, family background, etc.) clean
清貧(ㄑㄧㄥ ㄆㄧㄣˊ)poor and virtuous
清風明月(ㄑㄧㄥ ㄈㄥ ㄇㄧㄥˊ ㄩㄝˋ)(literally) the soothing wind and the bright moon—aloof
清福(ㄑㄧㄥ ㄈㄨˊ)an easy and carefree life
清道夫(ㄑㄧㄥ ㄉㄠˋ ㄈㄨ)a scavenger
清單(ㄑㄧㄥ ㄉㄢ)a statement of ac-

count

清淡(ㄑㄧㄥ ㄉㄢˋ) ① not enthusiastic; calm ② dull or sluggish (markets); slack

清點(ㄑㄧㄥ ㄉㄧㄢˇ)to check

清燉(ㄑㄧㄥ ㄉㄨㄣˋ) to stew or steam meat without seasoning

清湯(ㄑㄧㄥ ㄊㄤ) consommé; clear soup

清理(ㄑㄧㄥ ㄌㄧˇ) ① to settle (accounts, etc.) ② to arrange

清流(ㄑㄧㄥ ㄌㄧㄡˊ) ① a clear stream ② virtuous scholars

清廉(ㄑㄧㄥ ㄌㄧㄢˊ) clean, honest and capable (officials, etc.)

清涼(ㄑㄧㄥ ㄌㄧㄤˊ)refreshing (weather, water, etc.); nice and cool

清涼飲料(ㄑㄧㄥ ㄌㄧㄤˊ ㄧㄣˇ ㄌㄧㄠˋ)a cold drink; a cooler

清高(ㄑㄧㄥ ㄍㄠ) morally lofty or upright

清寒(ㄑㄧㄥ ㄏㄢˊ)poor but clean and honest

清潔(ㄑㄧㄥ ㄐㄧㄝˊ)clean; sanitary

清潔隊(ㄑㄧㄥ ㄐㄧㄝˊ ㄉㄨㄟˋ) a cleaning squad

清潔工人(ㄑㄧㄥ ㄐㄧㄝˊ ㄍㄨㄥ ㄖㄣˊ) sanitation workers

清潔劑(ㄑㄧㄥ ㄐㄧㄝˊ ㄐㄧˋ)a detergent

清教徒(ㄑㄧㄥ ㄐㄧㄠˋ ㄊㄨˊ)the Puritans

清酒(ㄑㄧㄥ ㄐㄧㄡˇ)sake

清淨(ㄑㄧㄥ ㄐㄧㄥˋ)clean and pure

清靜(ㄑㄧㄥ ㄐㄧㄥˋ)quiet

清癯(ㄑㄧㄥ ㄑㄩˊ)thin but healthy

清泉(ㄑㄧㄥ ㄑㄩㄢˊ) a crystal-clear fountain

清晰(ㄑㄧㄥ ㄒㄧ) ①loud and clear ② clearly

清洗(ㄑㄧㄥ ㄒㄧˇ)to wash clean

清秀(ㄑㄧㄥ ㄒㄧㄡˋ)good-looking

清閒(ㄑㄧㄥ ㄒㄧㄢˊ)at leisure

清新(ㄑㄧㄥ ㄒㄧㄣ)refreshing

清心寡慾(ㄑㄧㄥ ㄒㄧㄣ ㄍㄨㄚˇ ㄩˋ) to purge one's mind of desires and ambitions

清香(ㄑㄧㄥ ㄒㄧㄤ)mild fragrance

清醒(ㄑㄧㄥ ㄒㄧㄥˇ)① wide awake ② clear-minded; sober

清眞寺(ㄑㄧㄥ ㄓㄣ ㄙˋ)a mosque

清賬(ㄑㄧㄥ ㄓㄤˋ) to pay off all one's debts

清蒸(ㄑㄧㄥ ㄓㄥ) (cooking) to steam; steamed

清濁不分(ㄑㄧㄥ ㄓㄨㄛˊ ㄅㄨˋ ㄈㄣ)to be unable to distinguish the clear from the muddy

清茶(ㄑㄧㄥ ㄔㄚˊ)green tea

清查(ㄑㄧㄥ ㄔㄚˊ)a thorough checkup

清澈(ㄑㄧㄥ ㄔㄜˋ)crystal-clear; limpid (water)

清朝(ㄑㄧㄥ ㄔㄠˊ)the Ching or Manchu Dynasty (1644-1911)

清晨(ㄑㄧㄥ ㄔㄣˊ) early in the morning; dawn

清償(ㄑㄧㄥ ㄔㄤˊ) to pay off all one's debts

清場(ㄑㄧㄥ ㄔㄤˇ) (said of movie theaters) to have every moviegoer out before the next show starts

清唱(ㄑㄧㄥ ㄔㄤˋ)to sing Chinese opera without wearing costume or makeup

清除(ㄑㄧㄥ ㄔㄨˊ) ①to eliminate, rid of, clear away, liquidate, purge, or remove ②to clean or tidy up (a house)

清楚(ㄑㄧㄥ ㄔㄨˇ) ①clear ②to know thoroughly

清瘦(ㄑㄧㄥ ㄕㄡˋ)thin and lean

清水(ㄑㄧㄥ ㄕㄨㄟˇ) clear (or fresh) water

清爽(ㄑㄧㄥ ㄕㄨㄤˇ) ①sober ②quiet and comfortable

清早(ㄑㄧㄥ ㄗㄠˇ)early in the morning; dawn

清脆(ㄑㄧㄥ ㄘㄨㄟˋ)clear and crisp (note, sound, etc.); sharp and loud

清算(ㄑㄧㄥ ㄙㄨㄢˋ) ①to liquidate ② to purge

清一色(ㄑㄧㄥ ㄧˊ ㄙㄜˋ) uniformly; homogeneous

清幽(ㄑㄧㄥ ㄧㄡ)quiet and secluded

清樣(ㄑㄧㄥ ㄧㄤˋ)final proofs

淺 2947
ㄑㄧㄢˇ qiǎn

1. shallow; superficial 2. easy; simple 3. (color) light 4. (said of land) narrow and small

淺薄(ㄑㄧㄢˇ ㄅㄛˊ)superficial; shallow

淺灘(ㄑㄧㄢˇ ㄊㄢ)a shoal

淺陋(ㄑㄧㄢˇ ㄌㄡˋ)vulgar; crude

淺海(ㄑㄧㄢˇ ㄏㄞˇ)a shallow sea

淺見(ㄑㄧㄢˇ ㄐㄧㄢˋ)① a shortsighted view ②(a polite expression) my shallow view

淺近(ㄑㄧㄢˇ ㄐㄧㄣˋ) easy to understand

淺顯(ㄑㄧㄢˇ ㄒㄧㄢˇ) obvious; easily understandable

淺色(ㄑㄧㄢˇ ㄙㄜˋ)light colors

淹 2948
ㄧㄢ yān

1. to submerge; to drown; to soak; to steep in; to flood 2. to delay; to procrastinate 3. to stay; to be stranded

淹沒(ㄧㄢ ㄇㄛˋ)drowned; submerged

淹死(ㄧㄢ ㄙˇ)drowned

添 2949
ㄊㄧㄢ tiān

1. to add to; to increase; to replenish (stock, etc.) 2. to have a baby

添兵(ㄊㄧㄢ ㄅㄧㄥ)to reinforce

添補(ㄊㄧㄢ ㄅㄨˇ)to make complete

添飯(ㄊㄧㄢ ㄈㄢˋ)to have another helping (or bowl) of rice

添丁(ㄊㄧㄢ ㄉㄧㄥ)to beget a son

添購(ㄊㄧㄢ ㄍㄡˋ)to purchase

〔水部〕

添加 (ㄊㄧㄢ ㄐㄧㄚ) to add to; to increase
添枝加葉 (ㄊㄧㄢ ㄓ ㄐㄧㄚ ㄧㄝˋ) to blow up or embellish a story, report, etc.
添置(ㄊㄧㄢ ㄓˋ) to purchase additionally
添油加醋(ㄊㄧㄢ ㄧㄡˊ ㄐㄧㄚ ㄘㄨˋ) (literally) to add oil and vinegar—to embellish or blow up a story or report with something which is usually not true

涴 2950 ㄨㄛˋ wò
to stain; to soil

淇 2951 ㄑㄧˊ qí
name of a river in Honan

涮 2952 ㄕㄨㄢˋ shuàn
1. to rinse (a container, etc.) 2. to boil in a chafing pot 3. to cheat with lies
涮羊肉(ㄕㄨㄢˋ ㄧㄤˊ ㄖㄡˋ) mutton cooked in a chafing pot

淴 2953 ㄏㄨ hū
the sound of flowing waters

淼 2954 ㄇㄧㄠˇ miǎo
(said of water) extensive or overwhelming

九畫

渙 2955 ㄏㄨㄢˋ huàn
1. scattered; dispersed 2. name of a river
渙發(ㄏㄨㄢˋ ㄈㄚ)high-spirited
渙然(ㄏㄨㄢˋ ㄖㄢˊ)scattered; dispersed
渙散 (ㄏㄨㄢˋ ㄙㄢˋ) lacking concentration

渚 2956 ㄓㄨˇ zhǔ
a sand bar in river

渟 2957 ㄊㄧㄥˊ tíng
1. (said of water) not flowing; still 2. (said of water) clear

渝 2958 ㄩˊ yú
1. to change one's mind 2. another name of Chungking

減 2959 ㄐㄧㄢˇ jiǎn
to decrease; to reduce; to lessen; to diminish; to subtract; to deduct
減半(ㄐㄧㄢˇ ㄅㄢˋ)to reduce to a half
減免(ㄐㄧㄢˇ ㄇㄧㄢˇ) to reduce or remit (taxation, etc.)
減法(ㄐㄧㄢˇㄈㄚˇ) (arithmetic) subtraction
減肥(ㄐㄧㄢˇ ㄈㄟˊ)to lose weight
減俸 (ㄐㄧㄢˇ ㄈㄥˋ) or 減薪 (ㄐㄧㄢˇ ㄒㄧㄣ)a pay cut; a salary reduction
減低(ㄐㄧㄢˇ ㄉㄧ)to decrease; to reduce
減退(ㄐㄧㄢˇ ㄊㄨㄟˋ)to reduce; to fall
減號(ㄐㄧㄢˇ ㄏㄠˋ)the minus sign (—)
減緩(ㄐㄧㄢˇ ㄏㄨㄢˇ)to retard; to slow down
減價(ㄐㄧㄢˇ ㄐㄧㄚˋ)to cut down prices
減輕(ㄐㄧㄢˇ ㄑㄧㄥ)to lighten; to lessen
減息(ㄐㄧㄢˇ ㄒㄧˊ)to lower interest rate
減刑 (ㄐㄧㄢˇ ㄒㄧㄥˊ) to commute a sentence
減產(ㄐㄧㄢˇ ㄔㄢˇ) to cut production or output
減少(ㄐㄧㄢˇ ㄕㄠˇ)to decrease; to diminish
減稅 (ㄐㄧㄢˇ ㄕㄨㄟˋ) to reduce, cut, or lower taxes
減弱 (ㄐㄧㄢˇ ㄖㄨㄛˋ) to weaken; to subside
減速 (ㄐㄧㄢˇ ㄙㄨˋ) to slow down; to decelerate

渡 2960 ㄉㄨˋ dù
1. to cross (a river or ocean) 2. a ferry
渡輪(ㄉㄨˋ ㄌㄨㄣˊ)a ferry steamer
渡過難關 (ㄉㄨˋ ㄍㄨㄛˋ ㄋㄢˊ ㄍㄨㄢ) to tide over a difficulty
渡口(ㄉㄨˋ ㄎㄡˇ)a ferry
渡假 (ㄉㄨˋ ㄐㄧㄚˋ) to spend one's holidays
渡船(ㄉㄨˋ ㄔㄨㄢˊ)a ferryboat

渣 2961 ㄓㄚ zhā
dregs; lees; grounds; sediment
渣滓(ㄓㄚ ㄗˇ)dregs; lees

渠 2962 ㄑㄩˊ qú
1. a drain; a channel; a ditch 2. great; deep 3. he; she
渠道(ㄑㄩˊ ㄉㄠˋ)an irrigation ditch

渤 2963 ㄅㄛˊ bó
(said of water) swelling or rising
渤海(ㄅㄛˊ ㄏㄞˇ)Pohai, a gulf of the Yellow Sea

渥 2964 ㄨㄛˋ wò
1. to dye 2. great (kindness)

渦 2965 1. ㄨㄛ wō
a whirlpool; an eddy
渦輪機(ㄨㄛ ㄌㄨㄣˊ ㄐㄧ)a turbine

渦 2965 2. ㄍㄨㄛ guō
name of a river

渭 2966 ㄨㄟˋ wèi
name of a river

港 2967
ㄍㄤˇ gǎng
1. a harbor; a seaport 2. a bay; a gulf 3. short for Hongkong
港幣(ㄍㄤˇ ㄅㄧˋ)Hongkong currency
港口(ㄍㄤˇ ㄎㄡˇ)a harbor; a seaport; a port
港澳(ㄍㄤˇ ㄠˋ)Hongkong and Macao
港務局 (ㄍㄤˇ ㄨˋ ㄐㄩˊ) the harbor bureau
港灣(ㄍㄤˇ ㄨㄢ) ①a harbor ②a bay; a gulf

渲 2968
ㄒㄩㄢˋ xuàn
to color with paint
渲染(ㄒㄩㄢˋ ㄖㄢˇ) ①to color with paint ②to play up

測 2969
ㄘㄜˋ cè
to measure; to survey
測定(ㄘㄜˋ ㄉㄧㄥˋ)to determine
測度(ㄘㄜˋ ㄉㄨㄛˋ)to infer; to speculate
測量(ㄘㄜˋ ㄌㄧㄤˊ)① geodetic survey ② to survey
測量員(ㄘㄜˋ ㄌㄧㄤˊ ㄩㄢˊ)a surveyor
測謊(ㄘㄜˋ ㄏㄨㄤˇ)a polygraph test
測謊器(ㄘㄜˋ ㄏㄨㄤˇ ㄑㄧˋ)a lie detector
測驗(ㄘㄜˋ ㄧㄢˋ)① to test; to examine ② a quiz or test

渴 2970
ㄎㄜˇ kě
1. thirsty 2. to long; to crave; to pine
渴慕(ㄎㄜˇ ㄇㄨˋ)to long for
渴死(ㄎㄜˇ ㄙˇ)extremely thirsty
渴望(ㄎㄜˇ ㄨㄤˋ) to long for; to be thirsty for

湃 2971
ㄆㄞˋ pài
billowy; turbulent

湣 2972
ㄇㄧㄣˇ mǐn
mixed; confused

渺 2973
ㄇㄧㄠˇ miǎo
1. endlessly long or vast; far 2. tiny; infinitesimal 3. indistinct; blurred
渺茫(ㄇㄧㄠˇ ㄇㄤˊ)① endlessly vast ② remote and vague
渺渺(ㄇㄧㄠˇ ㄇㄧㄠˇ)blurred; indistinct
渺小(ㄇㄧㄠˇ ㄒㄧㄠˇ)very small; tiny
渺無人跡(ㄇㄧㄠˇ ㄨˊ ㄖㄣˊ ㄐㄧ) remote and uninhabited

游 2974
ㄧㄡˊ yóu
1. to swim; to float; to waft; to drift 2. same as 遊—to wander about 3. part of a river 4. a Chinese family name
游民(ㄧㄡˊ ㄇㄧㄣˊ)idle people; idlers
游牧(ㄧㄡˊ ㄇㄨˋ)nomadic
游牧民族 (ㄧㄡˊ ㄇㄨˋ ㄇㄧㄣˊ ㄗㄨˊ) nomadic people; nomads
游蕩(ㄧㄡˊ ㄉㄤˋ)to loaf; loafing
游動(ㄧㄡˊ ㄉㄨㄥˋ)to move about
游離 (ㄧㄡˊ ㄌㄧˊ) (said of a radical, valence, nucleus, etc., in chemistry) free
游擊 (ㄧㄡˊ ㄐㄧˊ) ①a military rank in former times ②a guerrilla attack
游擊隊 (ㄧㄡˊ ㄐㄧˊ ㄉㄨㄟˋ) a guerrilla band
游擊戰(ㄧㄡˊ ㄐㄧˊ ㄓㄢˋ) a guerrilla warfare
游擊手 (ㄧㄡˊ ㄐㄧˊ ㄕㄡˇ) (baseball) a shortstop
游俠 (ㄧㄡˊ ㄒㄧㄚˊ) a traveling swordsman
游手好閒(ㄧㄡˊ ㄕㄡˇ ㄏㄠˋ ㄒㄧㄢˊ)loitering about and doing nothing; loafing
游說(ㄧㄡˊ ㄕㄨㄟˋ)to lobby
游刃有餘 (ㄧㄡˊ ㄖㄣˋ ㄧㄡˇ ㄩˊ) highly competent
游資(ㄧㄡˊ ㄗ)idle capital; idle money
游子(ㄧㄡˊ ㄗˇ) ①an ion ②a wandering son
游移不定 (ㄧㄡˊ ㄧˊ ㄅㄨˋ ㄉㄧㄥˋ) undecided; wavering
游泳(ㄧㄡˊ ㄩㄥˇ)swimming
游泳池(ㄧㄡˊ ㄩㄥˇ ㄔˊ)a swimming pool
游泳衣(ㄧㄡˊ ㄩㄥˇ ㄧ)a swimming suit

渾 2975
1. ㄏㄨㄣˊ hún
1. entire; complete 2. to blend; to merge 3. muddy; turbid
渾厚(ㄏㄨㄣˊ ㄏㄡˋ) (said of one's character) simple and honest
渾渾噩噩(ㄏㄨㄣˊ ㄏㄨㄣˊ ㄜˋ ㄜˋ) ①simple and honest ② ignorant
渾球(ㄏㄨㄣˊ ㄑㄧㄡˊ)a zany
渾身(ㄏㄨㄣˊ ㄕㄣ)one's entire body
渾身解數 (ㄏㄨㄣˊ ㄕㄣ ㄐㄧㄝˇ ㄕㄨˋ) every means of solution
渾然 (ㄏㄨㄣˊ ㄖㄢˊ) ①completely ② without leaving a trace
渾然一體 (ㄏㄨㄣˊ ㄖㄢˊ ㄧˋ ㄊㄧˇ) a unified entity
渾圓(ㄏㄨㄣˊ ㄩㄢˊ)① tactful; sophisticated ② a sphere ③ perfectly round

渾 2975
2. ㄏㄨㄣˋ hùn
chaotic; confused; messy
渾沌(ㄏㄨㄣˋ ㄉㄨㄣˋ)chaos; confusion; mess
渾沌初開(ㄏㄨㄣˋ ㄉㄨㄣˋ ㄔㄨ ㄎㄞ) when the universe was taking shape

湄 2976
ㄇㄟˊ méi
shore; bank; the margin (of the water)

湊 2977
(凑)ㄘㄡˋ còu
1.to put together 2.to raise (fund)

〔水部〕

3. to happen by chance 4. to move close to; to press near
湊合(ㄘㄡˋ •ㄏㄜ)①to manage to collect or gather together ②to make do with what is available
湊集(ㄘㄡˋ ㄐㄧˊ)to scrape together
湊近(ㄘㄡˋ ㄐㄧㄣˋ)to get near
湊齊(ㄘㄡˋ ㄑㄧˊ)to manage to line up enough people for a game
湊巧(ㄘㄡˋ ㄑㄧㄠˇ) by chance; by coincidence
湊熱鬧(ㄘㄡˋ ㄖㄜˋ •ㄋㄠ)to take part in merriment
湊在一起(ㄘㄡˋ ㄗㄞˋ ㄧˋ ㄑㄧˇ) ①to put together ②(said of people) to gang up
湊足(ㄘㄡˋ ㄗㄨˊ)to manage to raise enough money for a purpose

水部

湎 2978 ㄇㄧㄢˇ miǎn
1. drunk 2. unaware 3. changing

湍 2979 ㄊㄨㄢ tuān
rapidly flowing
湍急(ㄊㄨㄢ ㄐㄧˊ) (said of water) swift; rapid

湓 2980 ㄆㄣˊ pén
name of a river in Kiangsi

湔 2981 ㄐㄧㄢ jiān
to wash
湔雪(ㄐㄧㄢ ㄒㄩㄝˇ)to wipe away (disgrace, etc.)

湜 2982 ㄕˊ shí
(said of water) transparent

湧 2983 ㄩㄥˇ yǒng
1. to gush; to pour 2. to rise
湧進(ㄩㄥˇ ㄐㄧㄣˋ)to swarm into
湧泉(ㄩㄥˇ ㄑㄩㄢˊ)a fountain; a spring
湧出(ㄩㄥˇ ㄔㄨ) to well out; to spring out

湖 2984 ㄏㄨˊ hú
1. a lake 2. a Chinese family name
湖泊(ㄏㄨˊ ㄅㄛˊ)lakes
湖邊(ㄏㄨˊ ㄅㄧㄢ) or 湖畔 (ㄏㄨˊ ㄆㄢˋ) beside the lake
湖光山色 (ㄏㄨˊ ㄍㄨㄤ ㄕㄢ ㄙㄜˋ) the natural beauty of lakes and mountains
湖心(ㄏㄨˊ ㄒㄧㄣ)the middle of a lake
湖水(ㄏㄨˊ ㄕㄨㄟˇ)lake water

湘 2985 ㄒㄧㄤ xiāng
1. name of a river flowing through Hunan 2. an alternative name of Hunan
湘繡 (ㄒㄧㄤ ㄒㄧㄡˋ) Hunan-style embroideries

湛 2986 ㄓㄢˋ zhàn
1. dewy 2. deep; profound 3. same as 沈—to sink
湛藍(ㄓㄢˋ ㄌㄢˊ)dark blue; azure

湮 2987 ㄧㄣ yīn
1. to bury 2. to block 3. long (in time)
湮沒(ㄧㄣ ㄇㄛˋ)to bury or be buried
湮滅(ㄧㄣ ㄇㄧㄝˋ)to bury; to destroy (evidence)

湫 2988 1. ㄐㄧㄡ jiū
1. name of a river in Kansu Province 2. a small pond

湫 2988 2. ㄐㄧㄠˇ jiǎo
damp and narrow

湯 2989 1. ㄊㄤ tāng
1. hot water 2. soup; broth 3. a Chinese family name
湯麪(ㄊㄤ ㄇㄧㄢˋ)noodles with soup
湯匙(ㄊㄤ ㄔˊ)a spoon
湯勺(ㄊㄤ ㄕㄠˊ)a soup ladle
湯圓(ㄊㄤ ㄩㄢˊ)balls of glutinous rice

湯 2989 2. ㄕㄤ shāng
(said of water) flowing

湟 2990 ㄏㄨㄤˊ huáng
1. a mean, dirty place 2. name of a river

渫 2991 ㄒㄧㄝˋ xiè
to remove; to eliminate

湲 2992 ㄩㄢˊ yuán
(said of water) flowing

湑 2993 ㄒㄩˇ xǔ
luxuriant; rich

湢 2994 ㄅㄧˋ bì
1. a bathroom 2. neat; orderly

渨 2995 ㄨㄟ wēi
a bend on a river

渰 2996 ㄧㄢˇ yǎn
(said of clouds) forming or rising

湉 2997 ㄊㄧㄢˊ tián
to flow placidly

十畫

溫 2998 (温) ㄨㄣ wēn

10036

台北市中正區
重慶南路一段66-1號10樓

遠東圖書公司　收

廣　告　回　信
北區郵政管理局
北台字第2287號

免　貼　郵　票

姓名：

地址：

遠東讀者意見卡

● 凡寄回本意見卡之讀者，即可獲得本公司提供之圖書85折優待卡。
● 隨時提供本公司之最新目錄。

1 姓名：________ 性別：□男 □女 年齡：____

地址：________

電話：(　　)________

2 職業：□軍 □公 □教 □工商 □其他 ____
□學生（就讀學校）：________

3 教育程度：
□高中以下（含高中） □大專 □研究所

4 購買書名：________

購買地點：________

5 購買動機：
□報紙廣告 □廣告信函 □師長介紹
□親友推薦 □逛書店 □其他

6 現所擁有辭典名稱：________

7 對我們的建議：________

____

____

1. warm; mild; lukewarm; to warm 2. to review; to revise 3. temperature 4. a Chinese family name
溫飽 (ㄨㄣ ㄅㄠˇ) adequately fed and clothed
溫帶(ㄨㄣ ㄉㄞˋ)the Temperate Zone
溫帶氣候(ㄨㄣ ㄉㄞˋ ㄑㄧˋ ㄏㄡˋ)temperate climate
溫度(ㄨㄣ ㄉㄨˋ)temperature
溫度計(ㄨㄣ ㄉㄨˋ ㄐㄧˋ)a thermometer
溫暖(ㄨㄣ ㄋㄨㄢˇ)warm; warmth
溫故知新(ㄨㄣ ㄍㄨˋ ㄓ ㄒㄧㄣ)to learn new things by reviewing old things
溫開水(ㄨㄣ ㄎㄞ ㄕㄨㄟˇ)lukewarm boiled water
溫和(ㄨㄣ ㄏㄜˊ)gentle; mild; temperate
溫酒(ㄨㄣ ㄐㄧㄡˇ)to heat wine
溫情 (ㄨㄣ ㄑㄧㄥˊ) kindness; warmheartedness
溫泉(ㄨㄣ ㄑㄩㄢˊ)a hot spring
溫習(ㄨㄣ ㄒㄧˊ)to review (what has been learned)
溫馨(ㄨㄣ ㄒㄧㄣ)warm and fragrant
溫馴(ㄨㄣ ㄒㄩㄣˊ) easily controlled; meek
溫差 (ㄨㄣ ㄔㄚ) difference in temperature
溫牀(ㄨㄣ ㄔㄨㄤˊ)a hotbed
溫室(ㄨㄣ ㄕˋ)a greenhouse
溫水(ㄨㄣ ㄕㄨㄟˇ)lukewarm water
溫順(ㄨㄣ ㄕㄨㄣˋ)gentle; good-natured
溫柔(ㄨㄣ ㄖㄡˊ)warm and tender
溫存(ㄨㄣ ㄘㄨㄣˊ) tender; loving; caressing

源 2999
ㄩㄢˊ yuán
a source; a head (of a stream)
源頭(ㄩㄢˊ ㄊㄡˊ)a head or a source (of a stream)
源流(ㄩㄢˊ ㄌㄧㄡˊ)full particulars
源源不絕 (ㄩㄢˊ ㄩㄢˊ ㄅㄨˋ ㄐㄩㄝˊ) to continue without end

溘 3000
ㄎㄜˋ kè
sudden; abrupt; unexpected

溟 3001
ㄇㄧㄥˊ míng
1. drizzle 2. vast; boundless 3. the sea; the ocean

溝 3002
ㄍㄡ gōu
1. a ditch; a waterway; a moat 2. a groove; a rut
溝通(ㄍㄡ ㄊㄨㄥ) to bring about an unobstructed interflow of (feelings, ideas, etc.)
溝壑(ㄍㄡ ㄏㄨㄛˋ) a valley, gorge, or canyon
溝渠(ㄍㄡ ㄑㄩˊ)a ditch; a drain

溜 3003
1. ㄌㄧㄡˋ liù
1. rapids 2. a row; a column 3. surroundings; neighborhood
溜溜(ㄌㄧㄡˋ ·ㄌㄧㄡ)to take a stroll

溜 3003
2. ㄌㄧㄡ liū
1. to go secretly and quietly 2. to slip; to slide
溜冰(ㄌㄧㄡ ㄅㄧㄥ)to skate; skating
溜冰鞋(ㄌㄧㄡ ㄅㄧㄥ ㄒㄧㄝˊ) a pair of skates
溜冰場(ㄌㄧㄡ ㄅㄧㄥ ㄔㄤˇ) a skating rink
溜之大吉(ㄌㄧㄡ ㄓ ㄉㄚˋ ㄐㄧˊ)to leave stealthily
溜走(ㄌㄧㄡ ㄗㄡˇ)to leave stealthily

準 3004
ㄓㄨㄣˇ zhǔn
1. level; even 2. a rule; a criterion; a standard; accurate; accuracy 3. to aim; to sight 4. would-be (bride, son-in-law, etc.); to-be 5. (law) quasi- 6. certainly
準備(ㄓㄨㄣˇ ㄅㄟˋ) ①to prepare ②to plan
準確(ㄓㄨㄣˇ ㄑㄩㄝˋ)correct; accurate
準時(ㄓㄨㄣˇ ㄕˊ)punctual; punctually
準繩(ㄓㄨㄣˇ ㄕㄥˊ)① (carpenter's) marking line ②a criterion; a standard
準則(ㄓㄨㄣˇ ㄗㄜˊ)a rule

溢 3005
ㄧˋ yì
1. to flow over; to brim over 2. excessive
溢出(ㄧˋ ㄔㄨ) to brim over; to flow over

溥 3006
ㄆㄨˇ pǔ
1. great; wide; vast 2. universal
溥天同慶(ㄆㄨˇ ㄊㄧㄢ ㄊㄨㄥˊ ㄑㄧㄥˋ) universally celebrated
溥天之下(ㄆㄨˇ ㄊㄧㄢ ㄓ ㄒㄧㄚˋ) everywhere under the sun

溧 3007
ㄌㄧˋ lì
name of a river flowing through Anhwei and Kiangsu

溯 3008
ㄙㄨˋ sù
1. to go upstream; to go against a stream 2. to trace; to recall
溯自(ㄙㄨˋ ㄗˋ)ever since
溯源(ㄙㄨˋ ㄩㄢˊ) to trace back to the source

溪 3009
ㄒㄧ xī (又讀 ㄑㄧ qī)
a mountain stream
溪流(ㄒㄧ ㄌㄧㄡˊ) a (mountain) stream; a brook
溪谷(ㄒㄧ ㄍㄨˇ)a valley; a dale

溲 3010
ㄙㄡ sōu
1. to urinate 2. to immerse; to soak; to drench

溴 3011
ㄒㄧㄡˋ xiù
bromine

〔水部〕

〔水部〕

溷 3012 ㄏㄨㄣˋ hùn
1. dirty 2. messy

溺 3013 1. ㄋㄧˋ nì
1. to drown 2. to indulge
溺死(ㄋㄧˋ ㄙˇ)or 溺斃(ㄋㄧˋ ㄅㄧˋ)to be drowned
溺愛(ㄋㄧˋ ㄞˋ) to lavish one's love upon (a child); to pamper

溺 3013 2. ㄋㄧㄠˋ niào
to urinate
溺牀(ㄋㄧㄠˋ ㄔㄨㄤˊ)to wet the bed

溶 3014 ㄖㄨㄥˊ róng
1. to dissolve; to melt 2. (said of rivers) having much water
溶點(ㄖㄨㄥˊ ㄉㄧㄢˇ)the melting point
溶化(ㄖㄨㄥˊ ㄏㄨㄚˋ)to dissolve; to melt
溶劑(ㄖㄨㄥˊ ㄐㄧˋ)a dissolvent; a solvent
溶解(ㄖㄨㄥˊ ㄐㄧㄝˇ)to dissolve; to melt
溶入(ㄖㄨㄥˊ ㄖㄨˋ)to dissolve into
溶液(ㄖㄨㄥˊ ㄧˋ)(chemistry) solution

溽 3015 ㄖㄨˋ rù
moist; humid
溽暑 (ㄖㄨˋ ㄕㄨˇ) sweltering summer weather

滁 3016 ㄔㄨˊ chú
name of a tributary of the Yangtze River

滃 3017 ㄨㄥˇ wěng
(said of rivers and clouds) swelling or rising

滂 3018 ㄆㄤ pāng
torrential; overwhelming
滂沱(ㄆㄤ ㄊㄨㄛˊ) (said of rain) torrential

滄 3019 ㄘㄤ cāng
blue; azure; green
滄茫(ㄘㄤ ㄇㄤˊ)endlessly vast
滄海(ㄘㄤ ㄏㄞˇ)the blue sea
滄海桑田 (ㄘㄤ ㄏㄞˇ ㄙㄤ ㄊㄧㄢˊ) the vicissitudes of life
滄海一粟 (ㄘㄤ ㄏㄞˇ ㄧˊ ㄙㄨˋ) a grain in the boundless sea—infinitely small

滅 3020 ㄇㄧㄝˋ miè
1. to destroy; to ruin; to wipe out; to exterminate 2. to put out; to extinguish; to go out
滅頂(ㄇㄧㄝˋ ㄉㄧㄥˇ)to be drowned
滅口(ㄇㄧㄝˋ ㄎㄡˇ)to kill a person to prevent him from disclosing a secret
滅火器(ㄇㄧㄝˋ ㄏㄨㄛˇ ㄑㄧˋ)a fire extinguisher
滅絕(ㄇㄧㄝˋ ㄐㄩㄝˊ)to exterminate
滅種 (ㄇㄧㄝˋ ㄓㄨㄥˇ) to commit genocide
滅亡 (ㄇㄧㄝˋ ㄨㄤˊ) to perish; to be doomed

滇 3021 ㄉㄧㄢ diān
(又讀 ㄊㄧㄢˊ tián)
an alternative name of Yünnan

滋 3022 ㄗ zī
1. to grow 2. to increase; to multiply 3. to nourish 4. to give rise to 5. to spurt out 6. juice; sap
滋補 (ㄗ ㄅㄨˇ) to nourish; nutritious; tonic
滋長(ㄗ ㄓㄤˇ)to grow; to thrive
滋事(ㄗ ㄕˋ)to create trouble
滋生 (ㄗ ㄕㄥ) to reproduce in large numbers
滋擾 (ㄗ ㄖㄠˇ) to disturb peace and order
滋潤 (ㄗ ㄖㄨㄣˋ) ①to freshen ②to moisten
滋養(ㄗ ㄧㄤˇ)to nourish
滋味(ㄗ ㄨㄟˋ)taste; flavor

滑 3023 ㄏㄨㄚˊ huá
1. to slip; to slide; to glide 2. smooth; slippery 3. insincere; dishonest; cunning
滑冰(ㄏㄨㄚˊ ㄅㄧㄥ)to skate
滑倒(ㄏㄨㄚˊ ㄉㄠˇ)to slip and fall
滑動(ㄏㄨㄚˊ ㄉㄨㄥˋ) (physics) to slide
滑梯(ㄏㄨㄚˊ ㄊㄧ)a slideway
滑壘 (ㄏㄨㄚˊ ㄌㄟˇ) (baseball) base sliding
滑輪 (ㄏㄨㄚˊ ㄌㄨㄣˊ) ①a roller ②a pulley
滑稽 (ㄏㄨㄚˊ ㄐㄧ) or (ㄍㄨˇ ㄐㄧ) ludicrous; funny
滑翔(ㄏㄨㄚˊ ㄒㄧㄤˊ)to glide
滑翔翼(ㄏㄨㄚˊ ㄒㄧㄤˊ ㄧˋ)a hang glider
滑行(ㄏㄨㄚˊ ㄒㄧㄥˊ)to slide; to coast
滑雪(ㄏㄨㄚˊ ㄒㄩㄝˇ)to ski
滑鼠(ㄏㄨㄚˊ ㄕㄨˇ) (computer) a mouse
滑水(ㄏㄨㄚˊ ㄕㄨㄟˇ)water skiing

滔 3024 ㄊㄠ tāo
1. fluent 2. to fill; to prevail
滔滔(ㄊㄠ ㄊㄠ)flowing smoothly; fluent
滔滔不絕(ㄊㄠ ㄊㄠ ㄅㄨˋ ㄐㄩㄝˊ)talking fluently and endlessly
滔天大罪(ㄊㄠㄊㄧㄢㄉㄚˋㄗㄨㄟˋ)heinous crimes

滓 3025 ㄗˇ zǐ
dregs; lees; sediment

滎 3026 ㄧㄥˊ yíng
(said of waves) rising

洼 3027
ㄍㄨㄟˋ guì
name of a river

滕 3028
ㄊㄥˊ téng
name of a state during the Spring and Autumn Age

十一畫

滬 3029
ㄏㄨˋ hù
an alternative name of Shanghai

滌 3030
ㄉㄧˊ dí
1. to wash; to cleanse 2. to sweep
滌除(ㄉㄧˊ ㄔㄨˊ)to wash off

滯 3031
ㄓˋ zhì
at a standstill; stagnant; impeded; blocked; stationary
滯留(ㄓˋ ㄌㄧㄡˊ)①to remain at a standstill ②to loiter; to detain
滯銷(ㄓˋ ㄒㄧㄠ)sales slump
滯礙(ㄓˋ ㄞˋ)to obstruct; to impede

滲 3032
ㄕㄣˋ shèn
to permeate; to percolate; to infiltrate; to seep; to ooze
滲透(ㄕㄣˋ ㄊㄡˋ)to infiltrate
滲出(ㄕㄣˋ ㄔㄨ)to seep out
滲入(ㄕㄣˋ ㄖㄨˋ) to permeate; to seep into

滴 3033
ㄉㄧ dī
1. water drops 2. to drip
滴滴答答(ㄉㄧ ㄉㄧ ㄉㄚ ㄉㄚ)to ticktack; ticktack
滴管(ㄉㄧ ㄍㄨㄢˇ) a medicine dropper; a pipette
滴下(ㄉㄧ ㄒㄧㄚˋ)to drip

滹 3034
ㄏㄨ hū
name of a river flowing through Hopeh

滸 3035
ㄏㄨˇ hǔ
waterside; shore

滾 3036
(滚) ㄍㄨㄣˇ gǔn
1. to turn round and round; to roll; to rotate 2. boiling
滾邊(ㄍㄨㄣˇ ㄅㄧㄢ) an embroidered hem
滾蛋(ㄍㄨㄣˇ ㄉㄢˋ)Get out! 或 Go to hell!
滾動(ㄍㄨㄣˇ ㄉㄨㄥˋ)to roll; to trundle
滾燙(ㄍㄨㄣˇ ㄊㄤˋ)boiling; steaming hot
滾瓜爛熟 (ㄍㄨㄣˇ ㄍㄨㄚ ㄌㄢˋ ㄕㄨˊ) learned very thoroughly
滾開(ㄍㄨㄣˇ ·ㄎㄞ)Get away! 或 Get out!
滾出去(ㄍㄨㄣˇ ㄔㄨ ·ㄑㄩ) ①to roll out ②Get out!
滾水(ㄍㄨㄣˇ ㄕㄨㄟˇ)boiling water

滿 3037
ㄇㄢˇ mǎn
1. full; filled 2. plentiful; abundant 3. proud; haughty 4. to expire 5. completely; entirely; perfectly 6. Manchu
滿不在乎(ㄇㄢˇ ·ㄅㄨ ㄗㄞˋ ·ㄏㄨ)completely unperturbed
滿門(ㄇㄢˇ ㄇㄣˊ)the whole family
滿面笑容(ㄇㄢˇ ㄇㄧㄢˋ ㄒㄧㄠˋ ㄖㄨㄥˊ) looking happy and cheerful; all smiles
滿面春風 (ㄇㄢˇ ㄇㄧㄢˋ ㄔㄨㄣ ㄈㄥ) looking happy and cheerful
滿目瘡痍(ㄇㄢˇ ㄇㄨˋ ㄔㄨㄤ ㄧˊ) Misery and suffering greets the eye everywhere.
滿分 (ㄇㄢˇ ㄈㄣ) a perfect score; full marks
滿腹狐疑 (ㄇㄢˇ ㄈㄨˋ ㄏㄨˊ ㄧˊ) to be filled with suspicion
滿腹經綸 (ㄇㄢˇ ㄈㄨˋ ㄐㄧㄥ ㄌㄨㄣˊ) very erudite
滿頭大汗 (ㄇㄢˇ ㄊㄡˊ ㄉㄚˋ ㄏㄢˋ) with one's brow beaded with perspiration
滿腦子(ㄇㄢˇ ㄋㄠˇ ·ㄗ)to have one's mind stuffed with
滿壘(ㄇㄢˇ ㄌㄟˇ)bases loaded; full base
滿臉通紅 (ㄇㄢˇ ㄌㄧㄢˇ ㄊㄨㄥ ㄏㄨㄥˊ) The face reddens all over.
滿口胡說 (ㄇㄢˇ ㄎㄡˇ ㄏㄨˊ ㄕㄨㄛ) to talk irresponsibly; Nonsense!
滿懷 (ㄇㄢˇ ㄏㄨㄞˊ) a heart full of (enthusiasm, sorrow, etc.)
滿街(ㄇㄢˇ ㄐㄧㄝ)all over the street
滿腔熱血(ㄇㄢˇ ㄑㄧㄤ ㄖㄜˋ ㄒㄧㄝˇ) full of patriotic fervor
滿心歡喜(ㄇㄢˇ ㄒㄧㄣ ㄏㄨㄢ ㄒㄧˇ) to be filled with joy
滿城風雨 (ㄇㄢˇ ㄔㄥˊ ㄈㄥ ㄩˇ) widespread excitement over a scandal, an incident, etc.
滿身(ㄇㄢˇ ㄕㄣ)the whole body
滿載而歸 (ㄇㄢˇ ㄗㄞˋ ㄦˊ ㄍㄨㄟ) to return home fully laden with riches, gifts, etc.
滿足 (ㄇㄢˇ ㄗㄨˊ) to satisfy or be satisfied
滿座(ㄇㄢˇ ㄗㄨㄛˋ)all the audience
滿嘴(ㄇㄢˇ ㄗㄨㄟˇ)to have a mouthful of (food, honeyed words, etc.)
滿意(ㄇㄢˇ ㄧˋ)satisfied; content
滿月(ㄇㄢˇ ㄩㄝˋ) (of a baby) to be one month old

漁 3038
ㄩˊ yú
1. to fish 2. to seek; to pursue 3. to seize; to acquire forcibly
漁民(ㄩˊ ㄇㄧㄣˊ)fishermen
漁夫(ㄩˊ ㄈㄨ)a fisherman

〔水部〕

漁利(ㄩˊ ㄌㄧˋ)to seek profits or gains by unethical means
漁港(ㄩˊ ㄍㄤˇ)a fishing harbor
漁火(ㄩˊ ㄏㄨㄛˇ)lights on fishing boats
漁獲量(ㄩˊ ㄏㄨㄛˋ ㄌㄧㄤˋ)a catch
漁會(ㄩˊ ㄏㄨㄟˋ) a fishermen's association
漁具(ㄩˊ ㄐㄩˋ)a fishing outfit
漁場(ㄩˊ ㄔㄤˇ)fishing grounds
漁唱(ㄩˊ ㄔㄤˋ)fishermen's songs
漁船(ㄩˊ ㄔㄨㄢˊ)a fishing boat
漁村(ㄩˊ ㄘㄨㄣ)a fishing village
漁業(ㄩˊ ㄧㄝˋ)fishery
漁網(ㄩˊ ㄨㄤˇ)a fishing net
漁翁(ㄩˊ ㄨㄥ) or 漁父 (ㄩˊ ㄈㄨˇ)an old fisherman

〔水部〕

漈 3039 ㄐㄧˋ jì
shore; waterside

漉 3040 ㄌㄨˋ lù
1. to remove sediment by filtering 2. wet; dripping

漂 3041 1. ㄆㄧㄠ piāo
to drift; to float; to be tossed about
漂泊(ㄆㄧㄠ ㄅㄛˊ)to drift; to wander
漂浮(ㄆㄧㄠ ㄈㄨˊ)to drift; to float
漂蕩(ㄆㄧㄠ ㄉㄤˋ)to wander
漂流(ㄆㄧㄠ ㄌㄧㄡˊ)to drift
漂零(ㄆㄧㄠ ㄌㄧㄥˊ)to live a lone wandering life

漂 3041 2. ㄆㄧㄠˇ piǎo
to bleach
漂白(ㄆㄧㄠˇ ㄅㄞˊ)to bleach
漂白劑(ㄆㄧㄠˇ ㄅㄞˊ ㄐㄧˋ)a bleaching agent

漂 3041 3. ㄆㄧㄠˋ piào
pretty; nice; sleek
漂亮(ㄆㄧㄠˋ ·ㄌㄧㄤ)①pretty; handsome ② wise in worldly ways

漆 3042 1. ㄑㄧ qī
1. a varnish tree; a lacquer tree 2. varnish; lacquer 3. to varnish; to lacquer; to paint
漆器(ㄑㄧ ㄑㄧˋ)lacquer wares

漆 3042 2. ㄑㄩˋ qù
pitch-black
漆黑 (ㄑㄩˋ ㄏㄟ) pitch-black; coal black; raven

漏 3043 ㄌㄡˋ lòu
1. to divulge; to disclose 2. leak; to leak 3. to slip or omit unintentionally; to neglect 4. a water clock; an hourglass
漏斗(ㄌㄡˋ ㄉㄡˇ)a funnel
漏掉 (ㄌㄡˋ ㄉㄧㄠˋ) to be missing or left out
漏電(ㄌㄡˋ ㄉㄧㄢˋ)electric leakage
漏洞(ㄌㄡˋ ㄉㄨㄥˋ) a shortcoming; a loophole
漏接 (ㄌㄡˋ ㄐㄧㄝ) (baseball) passed ball
漏氣(ㄌㄡˋ ㄑㄧˋ) (said of air) to leak out
漏水(ㄌㄡˋ ㄕㄨㄟˇ)leaking
漏稅(ㄌㄡˋ ㄕㄨㄟˋ)tax evasion
漏夜(ㄌㄡˋ ㄧㄝˋ)in the dead of night

漓 3044 ㄌㄧˊ lí
1. dripping wet 2. thin

漑 3045 ㄍㄞˋ gài
1. to water; to irrigate 2. to wash
漑田(ㄍㄞˋ ㄊㄧㄢˊ)to irrigate fields

漚 3046 1. ㄡ ōu
foam; bubbles; froth

漚 3046 2. ㄡˋ òu
to soak

演 3047 ㄧㄢˇ yǎn
1. to perform for entertainment; to act; to play 2. to expound 3. to exercise; to practice 4. to evolve; to develop
演變 (ㄧㄢˇ ㄅㄧㄢˋ) to develop and change
演練(ㄧㄢˇ ㄌㄧㄢˋ)drill
演化 (ㄧㄢˇ ㄏㄨㄚˋ) to develop and change
演技(ㄧㄢˇ ㄐㄧˋ)acting
演進(ㄧㄢˇ ㄐㄧㄣˋ)to evolve; to develop
演講(ㄧㄢˇ ㄐㄧㄤˇ)to deliver a speech
演講比賽 (ㄧㄢˇ ㄐㄧㄤˇ ㄅㄧˇ ㄙㄞˋ) an oratorical contest
演習(ㄧㄢˇ ㄒㄧˊ)military exercises
演戲(ㄧㄢˇ ㄒㄧˋ)to playact
演唱(ㄧㄢˇ ㄔㄤˋ)to sing onstage
演出(ㄧㄢˇ ㄔㄨ)to perform
演說(ㄧㄢˇ ㄕㄨㄛ)to give a speech
演說家(ㄧㄢˇ ㄕㄨㄛ ㄐㄧㄚ)an orator
演奏(ㄧㄢˇ ㄗㄡˋ) (said of musicians) to perform
演奏會 (ㄧㄢˇ ㄗㄡˋ ㄏㄨㄟˋ) a concert; a recital
演員(ㄧㄢˇ ㄩㄢˊ)an actor or actress

漕 3048 ㄘㄠˊ cáo
to transport grain by water
漕運(ㄘㄠˊ ㄩㄣˋ)to transport grain to the capital by water

漠 3049 ㄇㄛˋ mò
1. a desert 2. indifferent; unconcerned 3. quiet; silent
漠不關心(ㄇㄛˋ ·ㄅㄨ ㄍㄨㄢ ㄒㄧㄣ)to pay no attention at all
漠視(ㄇㄛˋ ㄕˋ)①to despise ②to ignore

③ to consider unimportant

漣 3050
ㄌㄧㄢˊ lián
1. ripples 2. weeping
漣漪(ㄌㄧㄢˊ ㄧ)ripples

漪 3051
ㄧ yī
ripples

漩 3052
ㄒㄩㄢˊ xuán
(又讀 ㄒㄩㄢˋ xuàn)
a whirlpool
漩渦(ㄒㄩㄢˊ ㄨㄛ) ①a whirlpool ②a quarrel

漢 3053
ㄏㄢˋ hàn
1. of the Han Dynasty (206 B.C.-220 A.D.) 2. of the Chinese people or language 3. a man; a fellow
漢堡(ㄏㄢˋ ㄅㄠˇ)a hamburger
漢化(ㄏㄢˋ ㄏㄨㄚˋ)sinicized
漢學(ㄏㄢˋ ㄒㄩㄝˊ)Sinology
漢學家(ㄏㄢˋ ㄒㄩㄝˊ ㄐㄧㄚ)a Sinologue or Sinologist
漢城(ㄏㄢˋ ㄔㄥˊ)Seoul, capital of South Korea
漢字(ㄏㄢˋ ㄗˋ)the Chinese characters
漢子(ㄏㄢˋ ·ㄗ)① a man ② a husband
漢英詞典 (ㄏㄢˋ ㄧㄥ ㄘˊ ㄉㄧㄢˇ) a Chinese-English dictionary
漢語(ㄏㄢˋ ㄩˇ)the Chinese language

漫 3054
1. ㄇㄢˋ màn
1. overflowing 2. uncontrolled; uninhibited 3. reckless; wild 4. unsystematic; aimless 5. to spread or extend over 6. all over the place; everywhere
漫步(ㄇㄢˋ ㄅㄨˋ)to ramble; to stroll
漫不經心(ㄇㄢˋ ·ㄅㄨ ㄐㄧㄥ ㄒㄧㄣ) heedless; inattentive
漫罵(ㄇㄢˋ ㄇㄚˋ) to abuse or slander with abandon
漫漫(ㄇㄢˋ ㄇㄢˋ)unrestrained; uninhibited
漫談(ㄇㄢˋ ㄊㄢˊ)casual comments
漫畫(ㄇㄢˋ ㄏㄨㄚˋ) a cartoon; a caricature
漫畫家(ㄇㄢˋ ㄏㄨㄚˋ ㄐㄧㄚ) a cartoonist; a caricaturist
漫長(ㄇㄢˋ ㄔㄤˊ)endless; infinite
漫遊(ㄇㄢˋ ㄧㄡˊ)to tour without a serious purpose
漫無邊際(ㄇㄢˋ ㄨˊ ㄅㄧㄢ ㄐㄧˋ)boundless
漫無止境(ㄇㄢˋ ㄨˊ ㄓˇ ㄐㄧㄥˋ)extending or continuing endlessly

漫 3054
2. ㄇㄢˊ mán
(said of an expanse of water) vast or endless
漫漫長夜 (ㄇㄢˊ ㄇㄢˊ ㄔㄤˊ ㄧㄝˋ)a long, long night which seems to have no end
漫天大謊(ㄇㄢˊ ㄊㄧㄢ ㄉㄚˋ ㄏㄨㄤˇ)a monstrous lie

漬 3055
ㄗˋ zì
1. to soak 2. to dye 3. to be caked with

漯 3056
ㄊㄚˋ tà
name of a river flowing through Shantung

漱 3057
ㄕㄨˋ shù
(讀音 ㄙㄡˋ sòu)
1. to rinse; to gargle 2. to wash
漱口(ㄕㄨˋ ㄎㄡˇ)to rinse the mouth
漱口杯(ㄕㄨˋ ㄎㄡˇ ㄅㄟ)a mouth washing cup; a mug

漵 3058
ㄒㄩˋ xù
name of a river in Hunan

漳 3059
ㄓㄤ zhāng
1. name of a river in Fukien 2. name of a river in Honan

漲 3060
1. ㄓㄤˋ zhàng
to swell; to expand
漲潮(ㄓㄤˋ ㄔㄠˊ) (said of the tide) to flow

漲 3060
2. ㄓㄤˇ zhǎng
to go up or rise (as prices, water, etc.)
漲幅(ㄓㄤˇ ㄈㄨˊ)the rate of increase
漲價(ㄓㄤˇ ㄐㄧㄚˋ) to register a price hike

漾 3061
ㄧㄤˋ yàng
1. to ripple 2. to brim over 3. to throw up; to vomit

漸 3062
1. ㄐㄧㄢˋ jiàn
gradually; little by little; by degrees
漸減(ㄐㄧㄢˋ ㄐㄧㄢˇ) to decrease gradually
漸漸(ㄐㄧㄢˋ ㄐㄧㄢˋ) gradually; little by little
漸進(ㄐㄧㄢˋ ㄐㄧㄣˋ)to advance little by little
漸入佳境(ㄐㄧㄢˋ ㄖㄨˋ ㄐㄧㄚ ㄐㄧㄥˋ)to get better and better
漸次(ㄐㄧㄢˋ ㄘˋ)gradually

漸 3062
2. ㄐㄧㄢ jiān
1. to soak; to permeate 2. (said of the territory) to reach
漸染(ㄐㄧㄢ ㄖㄢˇ)to soak; to imbue

漶 3063
ㄏㄨㄢˋ huàn
to wear out beyond recognition

滷 3064
ㄌㄨˇ lǔ

〔水部〕

1. gravy; broth; sauce 2. salty; salted
滷蛋(ㄌㄨˇ ㄉㄢˋ)a marinated egg
滷汁(ㄌㄨˇ ㄓ)marinade
滷味(ㄌㄨˇ ㄨㄟˋ) pot-stewed fowl, etc. served cold

〔水部〕

滺 3065
ㄧㄡ yōu
(said of water) flowing

漦 3066
ㄌㄧˊ lí
1. saliva; spittle 2. flowing down-stream

漿 3067
ㄐㄧㄤ jiāng
1. thick fluid; starch 2. to starch
漿果(ㄐㄧㄤ ㄍㄨㄛˇ)a berry
漿糊(ㄐㄧㄤ ·ㄏㄨ)paste

潁 3068
ㄧㄥˇ yǐng
name of a river and a place in Anhwei

潦 3069
ㄌㄧㄠˊ liáo
deep and clear

十二畫

漭 3070
ㄇㄤˇ mǎng
vast; expansive

潔 3071
ㄐㄧㄝˊ jié
1. clean; spotless; pure; stainless; immaculate 2. to clean; to keep clean
潔白(ㄐㄧㄝˊ ㄅㄞˊ)immaculate; spotless
潔癖(ㄐㄧㄝˊ ㄆㄧˇ)mysophobia
潔淨(ㄐㄧㄝˊ ㄐㄧㄥˋ)clean; untarnished

潑 3072
ㄆㄛ pō
1. to pour; to sprinkle; to spill 2. ferocious; fierce; spiteful; villainous
潑墨山水(ㄆㄛ ㄇㄛˋ ㄕㄢ ㄕㄨㄟˇ) splash-ink landscape
潑婦(ㄆㄛ ㄈㄨˋ)a virago; a shrew
潑辣(ㄆㄛ ·ㄌㄚ)fierce; ferocious
潑冷水(ㄆㄛ ㄌㄥˇ ㄕㄨㄟˇ) to dampen the enthusiasm of

潛 3073
ㄑㄧㄢˊ qián
1. to hide; to conceal 2. to dive 3. hidden; secret; latent
潛伏(ㄑㄧㄢˊ ㄈㄨˊ)①to be in hiding ② latent
潛伏期(ㄑㄧㄢˊ ㄈㄨˊ ㄑㄧˊ) an incubation period
潛逃(ㄑㄧㄢˊ ㄊㄠˊ)to flee secretly
潛艇(ㄑㄧㄢˊ ㄊㄧㄥˇ)a submarine
潛能(ㄑㄧㄢˊ ㄋㄥˊ)potentiality
潛力(ㄑㄧㄢˊ ㄌㄧˋ)potential
潛水(ㄑㄧㄢˊ ㄕㄨㄟˇ)to dive
潛水夫(ㄑㄧㄢˊ ㄕㄨㄟˇ ㄈㄨ)a diver
潛水艇(ㄑㄧㄢˊ ㄕㄨㄟˇ ㄊㄧㄥˇ)a submarine
潛水衣(ㄑㄧㄢˊ ㄕㄨㄟˇ ㄧ)a diving suit
潛入(ㄑㄧㄢˊ ㄖㄨˋ)① to slip in ② to dive into (water)
潛在(ㄑㄧㄢˊ ㄗㄞˋ)latent
潛移默化 (ㄑㄧㄢˊ ㄧˊ ㄇㄛˋ ㄏㄨㄚˋ) to change and influence unobtrusively and imperceptibly
潛意識(ㄑㄧㄢˊ ㄧˋ ㄕˋ)subconsciousness

潘 3074
ㄆㄢ pān
1. a Chinese family name 2. water in which rice has been washed

潟 3075
ㄒㄧˋ xì
saline land
潟湖(ㄒㄧˋ ㄏㄨˊ) (geography) a lagoon

潞 3076
ㄌㄨˋ lù
name of several rivers in Northern China

潢 3077
ㄏㄨㄤˊ huáng
a lake or a pond

澗 3078
ㄐㄧㄢˋ jiàn
a mountain stream
澗壑(ㄐㄧㄢˋ ㄏㄨㄛˋ)a valley; a ravine

潦 3079
1. (澇) ㄌㄠˋ lào
to flood; floods

潦 3079
2. ㄌㄠˇ lǎo
a puddle

潦 3079
3. ㄌㄧㄠˊ liáo
1. disheartened; disappointed 2. without care
潦倒(ㄌㄧㄠˊ ㄉㄠˇ)disappointed
潦草(ㄌㄧㄠˊ ㄘㄠˇ)(said of handwriting) hasty and careless; illegible

潤 3080
ㄖㄨㄣˋ rùn
1. moist; glossy; fresh 2. to moisten; to freshen 3. to enrich; to benefit 4. to embellish
潤滑(ㄖㄨㄣˋ ㄏㄨㄚˊ)①to lubricate ② smooth
潤滑油(ㄖㄨㄣˋ ㄏㄨㄚˊ ㄧㄡˊ)lubricating oil
潤飾(ㄖㄨㄣˋ ㄕˋ) to embellish or polish a writing
潤澤(ㄖㄨㄣˋ ㄗㄜˊ) ①moist and glossy ②to moisten

潭 3081
ㄊㄢˊ tán
1. deep water; a deep pool 2. deep; profound

潮 3082
ㄔㄠˊ cháo
1. the tide 2. damp; moist; wet 3. (now rarely, said of gold, silver, etc.)

inferior in skill or fineness
潮流 (ㄔㄠˊ ㄌㄧㄡˊ) ①tides ②a current; a trend
潮汐(ㄔㄠˊ ㄒㄧˋ)tides
潮濕(ㄔㄠˊ ㄕ)humid; damp
潮水(ㄔㄠˊ ㄕㄨㄟˇ)the tide

潯 3083
ㄒㄩㄣˊ xún
a steep bank by the stream

潼 3084
ㄊㄨㄥˊ tóng
high and lofty

潺 3085
ㄔㄢˊ chán
the sound of water flowing
潺潺(ㄔㄢˊ ㄔㄢˊ) the gurgling of water flowing

潸 3086
ㄕㄢ shān
tears flowing; to weep
潸然(ㄕㄢ ㄖㄢˊ)tears falling

潰 3087
ㄎㄨㄟˋ kuì
1. a river overflowing its banks 2. broken up; scattered 3. (military) defeated 4. (said of a dike or dam) to burst and scattered
潰敗 (ㄎㄨㄟˋ ㄅㄞˋ) (military) defeated and scattered
潰不成軍 (ㄎㄨㄟˋ ·ㄅㄨ ㄔㄥˊ ㄐㄩㄣ) completely routed
潰爛(ㄎㄨㄟˋ ㄌㄢˋ)bursting of an abscess; inflamed; inflammation
潰決(ㄎㄨㄟˋ ㄐㄩㄝˊ)floods overflowing or breaking up levees, embankments, etc.
潰瘍(ㄎㄨㄟˋ ㄧㄤˊ)an ulcer

3088
澄 ㄔㄥˊ chéng
(語音 ㄉㄥˋ dèng)
1. clear and still (water) 2. to purify water by letting the impurities settle down to the bottom 3. to pacify
澄清事實(ㄔㄥˊ ㄑㄧㄥ ㄕˋ ㄕˊ) to clarify some facts
澄澈(ㄔㄥˊ ㄔㄜˋ)crystal clear

澈 3089
ㄔㄜˋ chè
1. thoroughly; completely 2. clear water 3. to understand
澈底 (ㄔㄜˋ ㄉㄧˇ) thoroughly; completely
澈頭澈尾(ㄔㄜˋ ㄊㄡˊ ㄔㄜˋ ㄨㄟˇ)out and out; thoroughly
澈查(ㄔㄜˋ ㄔㄚˊ) to investigate thoroughly
澈悟(ㄔㄜˋ ㄨˋ)to realize completely

澎 3090
1. ㄆㄥ pēng
the roaring of colliding billows
澎湃(ㄆㄥ ㄆㄞˋ)the roaring of billows; to surge

澎 3090
2. ㄆㄥˊ péng
as in 澎湖—the Penghus, or the Pescadores, in the Taiwan Straits

澍 3091
ㄕㄨˋ shù
1. seasonal rains 2. (said of plants, etc.) saturated with rainwater

澆 3092
ㄐㄧㄠ jiāo
1. to water (plants, flowers, etc.) 2. to sprinkle water on 3. ungrateful
澆冷水(ㄐㄧㄠ ㄌㄥˇ ㄕㄨㄟˇ)to discourage
澆花(ㄐㄧㄠ ㄏㄨㄚ)to water flowers

潲 3093
ㄕㄠˋ shào
(said of rain) to fall slantwise

澇 3094
ㄌㄠˋ lào
1. (said of farm crops) to rot in the field owing to floods 2. floods

潙 3095
ㄍㄨㄟ guī
name of a river in Yung-chi County (永濟縣), Shansi Province

澌 3096
ㄙ sī
1. to exhaust; to drain out 2. the sound of breaking

澉 3097
ㄍㄢˇ gǎn
to wash

澔 3098
ㄏㄠˋ hào
radiance of gems

澂 3099
ㄔㄥˊ chéng
same as 澄—clear and still water

十三畫

澠 3100
1. ㄕㄥˊ shéng
name of a river in Shantung Province

澠 3100
2. ㄇㄧㄣˇ mǐn
name of a river and a county in Honan Province

澥 3101
ㄒㄧㄝˋ xiè
1. a blocked stream 2. to stop the flow of water

澡 3102
ㄗㄠˇ zǎo
to wash; to bathe
澡盆(ㄗㄠˇ ㄆㄣˊ)a bathtub
澡堂(ㄗㄠˇ ㄊㄤˊ)a bathhouse

澧 3103
ㄌㄧˇ lǐ
a fountain; a spring

〔水部〕

〔水部〕

澮 3104
ㄎㄨㄞˋ kuài

ditches on farmland

澨 3105
ㄕˋ shì

the waterside; the waterfront

澤 3106
ㄗㄜˊ zé

1. a marsh 2. grace; favors 3. brilliance; luster 4. to benefit

澤被天下(ㄗㄜˊ ㄅㄟˋ ㄊㄧㄢ ㄒㄧㄚˋ)Benefits spread to all people.

澤國(ㄗㄜˊ ㄍㄨㄛˊ)a marsh

澱 3107
ㄉㄧㄢˋ diàn

1. sediment; dregs 2. indigo

澱粉(ㄉㄧㄢˋ ㄈㄣˇ)starch

澳 3108
ㄠˋ ào

1. deep waters—where seagoing vessels can moor 2. name of various places (see below)

澳門(ㄠˋ ㄇㄣˊ)Macao

澳大利亞(ㄠˋ ㄉㄚˋ ㄌㄧˋ ㄧㄚˇ) or 澳洲(ㄠˋ ㄓㄡ)Australia

澼 3109
ㄆㄧˋ pì

to wash; to launder

澹 3110
1. ㄉㄢˋ dàn

quiet and tranquil

澹泊名利(ㄉㄢˋ ㄅㄛˊ ㄇㄧㄥˊ ㄌㄧˋ)to be indifferent toward fame and wealth

澹 3110
2. ㄊㄢˊ tán

澹臺(ㄊㄢˊ ㄊㄞˊ)a double-surname

澶 3111
ㄔㄢˊ chán

(said of the water) placid, calm and tranquil

激 3112
ㄐㄧ jī

1. to stir up; to arouse 2. sudden; great 3. heated (debate, etc.); fierce 4. abnormal; unusual; drastic 5. to turn back the current—as a dike

激發(ㄐㄧ ㄈㄚ)to arouse

激盪(ㄐㄧ ㄉㄤˋ)turmoil; stirring

激動(ㄐㄧ ㄉㄨㄥˋ)stimulated

激怒(ㄐㄧ ㄋㄨˋ)to irritate

激勵(ㄐㄧ ㄌㄧˋ)to impel

激烈(ㄐㄧ ㄌㄧㄝˋ) heated (debates, battles, etc.)

激流(ㄐㄧ ㄌㄧㄡˊ)rapids

激進分子(ㄐㄧ ㄐㄧㄣˋ ㄈㄣˋ ㄗˇ)radicals

激將法 (ㄐㄧ ㄐㄧㄤˋ ㄈㄚˇ) urging or prodding somebody by derision, etc.

激起(ㄐㄧ ㄑㄧˇ)to arouse

激情(ㄐㄧ ㄑㄧㄥˊ)fervor; ardor

激戰(ㄐㄧ ㄓㄢˋ)a fierce combat

激昂(ㄐㄧ ㄤˊ)high-spirited

濁 3113
ㄓㄨㄛˊ zhuó

1. (said of water) turbid 2. (said of the world) tumultuous, evil, corrupt 3. name of a constellation

濁流(ㄓㄨㄛˊ ㄌㄧㄡˊ)a turbid stream

濁水(ㄓㄨㄛˊ ㄕㄨㄟˇ)turbid or muddy water

濁音(ㄓㄨㄛˊ ㄧㄣ)a voiced sound

濂 3114
ㄌㄧㄢˊ lián

name of a river in Hunan Province

濃 3115
ㄋㄨㄥˊ nóng

1. (said of drinks, etc.) strong 2. (said of colors) deep; dark 3. dense 4. (said of a smell) strong; heavy

濃密(ㄋㄨㄥˊ ㄇㄧˋ)(said of the growth of hair, etc.) thick

濃淡(ㄋㄨㄥˊ ㄉㄢˋ)①(said of drinks) strong or weak ②(said of make-up) heavy or light

濃度(ㄋㄨㄥˊ ㄉㄨˋ)①(chemistry) concentration ②density

濃湯(ㄋㄨㄥˊ ㄊㄤ)thick soup

濃厚(ㄋㄨㄥˊ ㄏㄡˋ)(said of feelings, interest, etc.) deep; great

濃妝(ㄋㄨㄥˊ ㄓㄨㄤ)gorgeously dressed

濃縮(ㄋㄨㄥˊ ㄙㄨㄛ)to condense

濃煙(ㄋㄨㄥˊ ㄧㄢ)thick smoke

濃霧(ㄋㄨㄥˊ ㄨˋ)heavy fog

濊 3116
1. ㄏㄨㄟˋ huì

water plentiful

濊 3116
2. ㄨㄟˋ wèi

1. deep and expansive 2. dirty

凜 3117
ㄌㄧㄣˇ lǐn

1. desolate; deserted 2. cold; chilly

凜冽(ㄌㄧㄣˇ ㄌㄧㄝˋ)ice-cold

凜然(ㄌㄧㄣˇ ㄖㄢˊ)awe-inspiring

澣 3118
(浣) ㄏㄨㄢˇ huǎn

(又讀 ㄨㄢˇ wǎn)

1. to wash 2. (Tang Dynasty) ten days

十四畫

濘 3119
1. ㄋㄧㄥˋ nìng

muddy; miry

濘 3119
2. ㄋㄥˋ nèng

pasty; soft and mashy

濘泥(ㄋㄥˋ ㄋㄧˊ)mire; mud

濛 3120
ㄇㄥˊ méng
misty; drizzly
濛濛細雨(ㄇㄥˊ ㄇㄥˊ ㄒㄧˋ ㄩˇ)drizzle

澀 3121
(澁) ㄙㄜˋ sè
1. rough; harsh 2. a slightly bitter taste that numbs the tongue—as some unripened fruits 3. (said of writing, etc.) difficult

濠 3122
ㄏㄠˊ háo
a moat; a trench or ditch
濠溝(ㄏㄠˊ ㄍㄡ)a trench

濟 3123
1. ㄐㄧˋ jì
1. to relieve; to aid 2. to cross a stream 3. to succeed 4. to benefit; benefits 5. a ford
濟貧(ㄐㄧˋ ㄆㄧㄣˊ)to aid the poor
濟困扶危(ㄐㄧˋ ㄎㄨㄣˋ ㄈㄨˊ ㄨㄟˊ)philanthropic
濟急(ㄐㄧˋ ㄐㄧˊ)to aid the people in urgent need
濟世(ㄐㄧˋ ㄕˋ)to benefit the world
濟弱扶傾(ㄐㄧˋ ㄖㄨㄛˋ ㄈㄨˊ ㄑㄧㄥ) to help the weak and aid the needy

濟 3123
2. ㄐㄧˇ jǐ
1. various; varied; numerous 2. elegant and dignified 3. name of various counties and a river
濟濟一堂(ㄐㄧˇ ㄐㄧˇ ㄧˋ ㄊㄤˊ)to gather together or congregate in this hall

濤 3124
ㄊㄠˊ táo
(又讀 ㄊㄠ tāo)
a big wave; a billow; a heavy swell

濡 3125
ㄖㄨˊ rú
1. to moisten; to wet 2. to procrastinate 3. smooth 4. to tolerate

濫 3126
ㄌㄢˋ làn
1. to overflow 2. to do things without plans 3. to give way to unbridled license 4. to abuse (one's power, influence, etc.) 5. false; not true 6. superfluous expressions
濫伐(ㄌㄢˋ ㄈㄚˊ) excessive felling of trees
濫殺(ㄌㄢˋ ㄕㄚ)to kill indiscriminately
濫觴(ㄌㄢˋ ㄕㄤ)the very origin or source (of a practice, etc.)
濫用職權(ㄌㄢˋ ㄩㄥˋ ㄓˊ ㄑㄩㄢˊ) to misuse one's powers
濫用藥物 (ㄌㄢˋ ㄩㄥˋ ㄧㄠˋ ㄨˋ) drug abuse

濯 3127
ㄓㄨㄛˊ zhuó
1. to wash 2. to eliminate vices 3. magnificent

濮 3128
ㄆㄨˊ pú
name of an ancient barbarian tribe

濬 3129
ㄐㄩㄣˋ jùn
1. to dig (a well, etc.) 2. deep; profound

濰 3130
ㄨㄟˊ wéi
name of a river in Shantung Province

濱 3131
ㄅㄧㄣ bīn
1. water's edge; to border on 2. same as 瀕—near at hand 3. (military) a low, level seacoast
濱海地區 (ㄅㄧㄣ ㄏㄞˇ ㄉㄧˋ ㄑㄩ) the coastal region
濱近(ㄅㄧㄣ ㄐㄧㄣˋ)close to

濩 3132
ㄏㄨㄛˋ huò
1. turbulent water 2. (now rarely) to cook; to boil

濕 3133
(溼) ㄕ shī
damp; moist; wet; humid; to get wet
濕度(ㄕ ㄉㄨˋ)humidity
濕氣(ㄕ ㄑㄧˋ)humidity
濕疹(ㄕ ㄓㄣˇ)eczema
濕潤(ㄕ ㄖㄨㄣˋ)damp; to moisten

十五畫

濺 3134
ㄐㄧㄢˋ jiàn
to splash; to sprinkle; to spray; to spill
濺落(ㄐㄧㄢˋ ㄌㄨㄛˋ)to splash down

濼 3135
1. ㄌㄨㄛˋ luò
name of a stream in Shantung Province

濼 3135
2. ㄅㄛˊ bó
a lake

瀆 3136
ㄉㄨˊ dú
1. a ditch 2. a river 3. to desecrate 4. to annoy
瀆職(ㄉㄨˊ ㄓˊ)malfeasance

濾 3137
ㄌㄩˋ lǜ
to filter; to strain out
濾過性病毒(ㄌㄩˋ ㄍㄨㄛˋ ㄒㄧㄥˋ ㄅㄧㄥˋ ㄉㄨˊ)virus
濾水池 (ㄌㄩˋ ㄕㄨㄟˇ ㄔˊ)a depositing reservoir

瀑 3138
1. ㄆㄨˋ pù
as in 瀑布—a waterfall; a cascade; a cataract

瀑 3138
2. ㄅㄠˋ bào

〔水部〕

〔水部〕

a pouring rain which comes all of a sudden
瀉 3139 ㄒㄧㄝˋ xiè
1. water flowing down 2. diarrhea
瀉肚(子)(ㄒㄧㄝˋ ㄉㄨˋ (•ㄗ))diarrhea
瀉藥(ㄒㄧㄝˋ ㄧㄠˋ)cathartics
瀋 3140 ㄕㄣˇ shěn
1. juice; fluid; liquid; water 2. short for Shenyang (Mukden), capital of Liaoning Province
瀏 3141 ㄌㄧㄡˊ liú
1. (said of water) bright and clear 2. a cool wind 3. to get away secretly
瀏覽(ㄌㄧㄡˊ ㄌㄢˇ) to glance over; to skim through
瀅 3142 ㄧㄥˊ yíng
(said of water) clear; bright and clear; glossy
瀍 3143 ㄔㄢˊ chán
name of a river in Honan
瀁 3144 ㄧㄤˇ yǎng
1. water in motion 2. to move a boat in water 3. ripples; waves

十六畫

瀘 3145 ㄌㄨˊ lú
1. name of a river in Yunnan Province 2. name of a river in Szechwan Province
瀕 3146 ㄅㄧㄣ bīn
1.near; close to; to border 2.water's edge
瀕臨(ㄅㄧㄣ ㄌㄧㄣˊ)on the brink of
瀕死(ㄅㄧㄣ ㄙˇ)or 瀕於死亡 (ㄅㄧㄣ ㄩˊ ㄙˇ ㄨㄤˊ)on the brink of death
瀚 3147 ㄏㄢˋ hàn
vast; expansive
瀝 3148 ㄌㄧˋ lì
1. to drip; to trickle 2. remaining drops of wine 3. to strain liquids
瀝青(ㄌㄧˋ ㄑㄧㄥ)asphalt
瀟 3149 ㄒㄧㄠ xiāo
1. the roar of a strong wind 2. name of a stream in Hunan
瀟瀟(ㄒㄧㄠ ㄒㄧㄠ)the roar of gusts
瀟灑 or 瀟洒 (ㄒㄧㄠ ㄙㄚˇ) (usually said of a man's manner) casual and elegant
瀛 3150 ㄧㄥˊ yíng
1.the sea; the ocean 2.within the lake
瀨 3151 ㄌㄞˋ lài
1. a torrent 2. water flowing over shallows
瀧 3152 1. ㄌㄨㄥˊ lóng
1. raining; rainy 2. wet; soaked; saturated 3. a swift current
瀧 3152 2. ㄕㄨㄤ shuāng
name of a river in Hunan
瀣 3153 ㄒㄧㄝˋ xiè
mist; vapor
瀦 3154 ㄓㄨ zhū
a pool; a pond
瀦留(ㄓㄨ ㄌㄧㄡˊ)retention
瀠 3155 ㄧㄥˊ yíng
瀠洄(ㄧㄥˊ ㄏㄨㄟˊ)the whirling of water

十七畫

瀰 3156 ㄇㄧˊ mí
(said of water) brimming; overflowing
瀰漫(ㄇㄧˊ ㄇㄢˋ)to permeate
瀹 3157 ㄩㄝˋ yuè
1. to cook or to boil with soup 2. to soak 3. to clear the courses of rivers
瀾 3158 1. ㄌㄢˊ lán
a great wave; a huge billow
瀾 3158 2. ㄌㄢˋ làn
1. overflowing 2. thin rice paste
瀾漫(ㄌㄢˋ ㄇㄢˋ)① overflowing ② dripping wet ③ sprightly; carefree
瀲 3159 ㄌㄧㄢˋ liàn
1. (said of water) overflowing 2. the edge of a large body of water

十八畫

灉 3160 ㄩㄥ yōng
the flowing back of flooding waters
灃 3161 ㄈㄥ fēng
name of a river in Shensi Province
灌 3162 ㄍㄨㄢˋ guàn
1. to water; to fill; to pour (on, into, at) 2. to offer a libation 3. shrubs
灌迷湯(ㄍㄨㄢˋ ㄇㄧˊ ㄊㄤ)to flatter
灌溉(ㄍㄨㄢˋ ㄍㄞˋ)to irrigate

灌注(ㄍㄨㄢˋ ㄓㄨˋ)to pour into
灌腸(ㄍㄨㄢˋ ㄔㄤˊ)to give an enema or clyster
灌唱片(ㄍㄨㄢˋ ㄔㄤˋ ㄆㄧㄢˋ) to cut a record
灌輸(ㄍㄨㄢˋ ㄕㄨ)to impart (knowledge to someone)
灌水(ㄍㄨㄢˋ ㄕㄨㄟˇ)to pour water into something
灌醉(ㄍㄨㄢˋ ㄗㄨㄟˋ)to force someone to drink until he is drunk

十九畫

灑 3163 (洒) ㄙㄚˇ sǎ
1. to splash; to spill; to sprinkle (liquids) 2. to wash
灑脫(ㄙㄚˇ ㄊㄨㄛ)casual and carefree
灑汗(ㄙㄚˇ ㄏㄢˋ)to perspire
灑水(ㄙㄚˇ ㄕㄨㄟˇ)to spill water
灑水車(ㄙㄚˇ ㄕㄨㄟˇ ㄔㄜ) a sprinkler truck
灑灑(ㄙㄚˇㄙㄚˇ)continuously;incessantly

灘 3164 ㄊㄢ tān
a beach; a sandbank; a shoal
灘頭陣地(ㄊㄢ ㄊㄡˊ ㄓㄣˋ ㄉㄧˋ)a beachhead

二十一畫

灝 3165 ㄏㄠˋ hào
bean soup

灞 3166 ㄅㄚˋ bà
name of a river in Shensi

二十二畫

灣 3167 ㄨㄢ wān
1. a bay; a gulf; a cove 2. the bend of a stream

二十三畫

灤 3168 ㄌㄨㄢˊ luán
as in 灤河—name of a river in northern China

二十四畫

灨 3169 ㄍㄢˋ gàn
the Kan River in Kiangsi (江西) Province

二十八畫

灩 3170 (灧) ㄧㄢˋ yàn
overflowing; inundating

火部 ㄏㄨㄛˇ huǒ

〔火部〕

火 3171 ㄏㄨㄛˇ huǒ
1. fire; flames 2. fury; anger; temper 3. urgency; urgent; imminent; pressing
火把(ㄏㄨㄛˇ ㄅㄚˇ)a torch
火併(ㄏㄨㄛˇ ㄅㄧㄥˋ)an intramural fight
火苗兒(ㄏㄨㄛˇ ㄇㄧㄠˊㄦ)flames
火腿(ㄏㄨㄛˇ ㄊㄨㄟˇ)Chinese ham
火腿三明治(ㄏㄨㄛˇ ㄊㄨㄟˇ ㄙㄢ ㄇㄧㄥˊ ㄓˋ)a ham sandwich
火力發電廠(ㄏㄨㄛˇ ㄌㄧˋ ㄈㄚ ㄉㄧㄢˋ ㄔㄤˇ)a thermoelectric plant
火爐子(ㄏㄨㄛˇ ㄌㄨˊ ·ㄗ)a stove
火鍋(ㄏㄨㄛˇ ㄍㄨㄛ)a chafing dish
火坑(ㄏㄨㄛˇ ㄎㄥ)prostitution
火海(ㄏㄨㄛˇ ㄏㄞˇ)a conflagration
火候(ㄏㄨㄛˇ ㄏㄡˋ)the time used in cooking a certain food
火花(ㄏㄨㄛˇ ㄏㄨㄚ)sparks
火雞(ㄏㄨㄛˇ ㄐㄧ)a turkey
火箭(ㄏㄨㄛˇ ㄐㄧㄢˋ)a rocket
火警(警報) (ㄏㄨㄛˇ ㄐㄧㄥˇ (ㄐㄧㄥˇ ㄅㄠˋ))a fire alarm
火氣(ㄏㄨㄛˇ ㄑㄧˋ)(Chinese medicine) internal heat (as a cause of disease)
火星(ㄏㄨㄛˇ ㄒㄧㄥ)① the planet Mars ② sparks
火燭(ㄏㄨㄛˇ ㄓㄨˊ)candlelight
火種(ㄏㄨㄛˇ ㄓㄨㄥˇ)tinder
火車(ㄏㄨㄛˇ ㄔㄜ)a train
火車票 (ㄏㄨㄛˇ ㄔㄜ ㄆㄧㄠˋ) train tickets
火車站 (ㄏㄨㄛˇ ㄔㄜ ㄓㄢˋ) a railway station
火車時間表 (ㄏㄨㄛˇ ㄔㄜ ㄕˊ ㄐㄧㄢ ㄅㄧㄠˇ)a train schedule
火柴(ㄏㄨㄛˇ ㄔㄞˊ)a match
火勢(ㄏㄨㄛˇ ㄕˋ)the intensity and scope of a fire
火山(ㄏㄨㄛˇ ㄕㄢ)a volcano
火山爆發(ㄏㄨㄛˇ ㄕㄢ ㄅㄠˋ ㄈㄚ) a volcanic eruption
火傷(ㄏㄨㄛˇ ㄕㄤ)a blister caused by burning
火上加油(ㄏㄨㄛˇ ㄕㄤˋ ㄐㄧㄚ ㄧㄡˊ) to make things worse
火災(ㄏㄨㄛˇ ㄗㄞ)a fire disaster
火(災保)險(ㄏㄨㄛˇ (ㄗㄞ ㄅㄠˇ) ㄒㄧㄢˇ) fire insurance
火葬(ㄏㄨㄛˇ ㄗㄤˋ)to cremate
火速(ㄏㄨㄛˇ ㄙㄨˋ)urgently; imminent
火藥(ㄏㄨㄛˇ ㄧㄠˋ)gunpowder
火燄(ㄏㄨㄛˇ ㄧㄢˋ)flames

〔火部〕

二畫

灰 3172 ㄏㄨㄟ huī
1. ashes; dust 2. lime 3. gray (color) 4. disappointed or discouraged
灰燼(ㄏㄨㄟ ㄐㄧㄣˋ)ashes; ember
灰心(ㄏㄨㄟ ㄒㄧㄣ)disappointed
灰塵(ㄏㄨㄟ ㄔㄣˊ)dust
灰色(ㄏㄨㄟ ㄙㄜˋ)gray color
灰暗(ㄏㄨㄟ ㄢˋ)gloomy

三畫

灸 3173 ㄐㄧㄡˇ jiǔ
(Chinese medicine) to cauterize by burning moxa; moxa cautery

灼 3174 ㄓㄨㄛˊ zhuó
1. to burn; to cauterize 2. bright; clear 3. flowers in full bloom
灼見(ㄓㄨㄛˊ ㄐㄧㄢˋ)clear views
灼傷(ㄓㄨㄛˊ ㄕㄤ)burn

災 3175 (灾、菑、烖) ㄗㄞ zāi
a disaster; a calamity; a catastrophe
災民(ㄗㄞ ㄇㄧㄣˊ)refugees created by disasters
災難(ㄗㄞ ㄋㄢˋ)disasters
災害(ㄗㄞ ㄏㄞˋ)disasters
災情(ㄗㄞ ㄑㄧㄥˊ)the extent of a disaster or calamity
災區(ㄗㄞ ㄑㄩ)the afflicted area

四畫

炎 3176 ㄧㄢˊ yán
1. burning; hot; sultry 2. to blaze; to flame; to flare up 3. inflammation
炎熱(ㄧㄢˊ ㄖㄜˋ) (said of weather) very hot
炎炎(ㄧㄢˊ ㄧㄢˊ)very hot

炊 3177 ㄔㄨㄟ chuī
to cook
炊具(ㄔㄨㄟ ㄐㄩˋ)cooking utensils
炊事(ㄔㄨㄟ ㄕˋ)cooking

炕 3178 ㄎㄤˋ kàng
1. dry; to dry 2. hot 3. *kang*, as in 炕牀— a brick bed warmed by a fire underneath (in North China)

炖 3179 ㄉㄨㄣˋ dùn
fire burning intensely

炘 3180 ㄒㄧㄣ xīn
1. brilliant and bright 2. to scorch; scorching hot

炙 3181 ㄓˋ zhì
to burn; to broil; to heat
炙手可熱(ㄓˋ ㄕㄡˇ ㄎㄜˇ ㄖㄜˋ)very influential and powerful

炒 3182 ㄔㄠˇ chǎo
to fry; to stir-fry
炒麵(ㄔㄠˇ ㄇㄧㄢˋ)fried noodles
炒飯(ㄔㄠˇ ㄈㄢˋ)fried rice
炒蛋(ㄔㄠˇ ㄉㄢˋ)scrambled eggs
炒地皮(ㄔㄠˇ ㄉㄧˋ ㄆㄧˊ)to engage in land speculation
炒股票(ㄔㄠˇ ㄍㄨˇ ㄆㄧㄠˋ)(colloquial) to manipulate stock trading
炒菜(ㄔㄠˇ ㄘㄞˋ)to fry vegetables
炒魷魚 (ㄔㄠˇ ㄧㄡˊ ㄩˊ) (slang) to be fired

五畫

炫 3183 ㄒㄩㄢˋ xuàn
1. to show off 2. dazzling; bright
炫耀(ㄒㄩㄢˋ ㄧㄠˋ)to show off

炬 3184 ㄐㄩˋ jù
1. a torch 2. fire

炮 3185 1. ㄆㄠˊ páo
to refine medicinal herbs
炮製(ㄆㄠˊ ㄓˋ)to refine or decoct (herbal medicine)

炮 3185 2. (砲) ㄆㄠˋ pào
a big gun, cannon, etc.

炮 3185 3. (炰) ㄅㄠ bāo
1. to roast or bake 2. to dry by heat

炯 3186 (烱) ㄐㄩㄥˇ jiǒng
bright; brightness; clear
炯炯(ㄐㄩㄥˇ ㄐㄩㄥˇ) clear and bright (eyes, etc.)

炳 3187 ㄅㄧㄥˇ bǐng
bright; luminous

炷 3188 ㄓㄨˋ zhù
1. the wick (of a candle, lamp, etc.) 2. a stick (of incense, etc.) 3. to cauterize

炸 3189 1. ㄓㄚˋ zhà
1. to explode; to burst 2. to get mad
炸彈(ㄓㄚˋ ㄉㄢˋ)bombs
炸燬(ㄓㄚˋ ㄏㄨㄟˇ)to destroy by bombing or explosion
炸傷(ㄓㄚˋ ㄕㄤ)to be injured in bomb-

ing or explosion
炸藥(ㄓㄚˋ ㄧㄠˋ)dynamite

炸 3189
2. ㄓㄚˊ zhá
to fry in oil or fat; to deep-fry
炸雞(ㄓㄚˊ ㄐㄧ)fried chicken

炭 3190
ㄊㄢˋ tàn
1. charcoal 2. coal 3. (chemistry) C「—carbon」
炭筆(ㄊㄢˋ ㄅㄧˇ)charcoal for drawing
炭水化合物(ㄊㄢˋ ㄕㄨㄟˇ ㄏㄨㄚˋ ㄏㄜˊ ㄨˋ)carbohydrate
炭酸(ㄊㄢˋ ㄙㄨㄢ)carbonic acid

炤 3191
ㄓㄠˋ zhào
formerly interchangeable with 照—「to shine」

為 3192
1. ㄨㄟˊ wéi
simplified form of 爲—to be; to do; to「make」

為 3192
2. ㄨㄟˋ wèi
simplified form of 爲—for

六畫

烏 3193
ㄨ wū
1. a crow, raven or rook 2. dark color 3. how; what; when 4. Alas!
烏梅(ㄨ ㄇㄟˊ)dried plums
烏托邦(ㄨ ㄊㄨㄛ ㄅㄤ)① utopia—an ideal place or state ② *Utopia*
烏龍茶(ㄨ ㄌㄨㄥˊ ㄔㄚˊ)oolong (tea)
烏龜(ㄨ ㄍㄨㄟ)① a turtle; a tortoise ② a cuckold
烏黑(ㄨ ㄏㄟ)raven black (hair)
烏賊(ㄨ ㄗㄟˊ)the cuttlefish
烏鴉(ㄨ ㄧㄚ)a crow; a raven
烏烟瘴氣(ㄨ ㄧㄢ ㄓㄤˋ ㄑㄧˋ)(said of air) heavily polluted
烏魚子(ㄨ ㄩˊ ㄗˇ)mullet's roe

烈 3194
ㄌㄧㄝˋ liè
1. fiery; acute 2. honest and virtuous; chaste 3. merits; achievements
烈酒(ㄌㄧㄝˋ ㄐㄧㄡˇ)strong drink
烈士(ㄌㄧㄝˋ ㄕˋ)martyrs
烈日當空(ㄌㄧㄝˋ ㄖˋ ㄉㄤ ㄎㄨㄥ)the scorching sun high up in the sky
烈焰(ㄌㄧㄝˋ ㄧㄢˋ)blazing flames

烝 3195
ㄓㄥ zhēng
1. to rise—as steam 2. many; numerous 3. lewdness, etc. among the older generation 4. to steam 亦作「蒸」
烝民(ㄓㄥ ㄇㄧㄣˊ)the people

烊 3196
ㄧㄤˊ yáng
to smelt; to melt

烘 3197
ㄏㄨㄥ hōng
1. as in 烘烤—to bake; to roast 2. to dry or warm near a fire
烘托(ㄏㄨㄥ ㄊㄨㄛ)(said of painting) to make conspicuous by contrast
烘乾(ㄏㄨㄥ ㄍㄢ) to dry beside or over a fire
烘乾機(ㄏㄨㄥ ㄍㄢ ㄐㄧ) a clothing「dryer」

烤 3198
ㄎㄠˇ kǎo
1. to roast; to bake; to toast 2. to warm by a fire 3. scorching
烤麵包機(ㄎㄠˇ ㄇㄧㄢˋ ㄅㄠ ㄐㄧ) a toaster
烤箱(ㄎㄠˇ ㄒㄧㄤ)an oven for baking
烤肉(ㄎㄠˇ ㄖㄡˋ) ①to barbecue ②bar-「becue」
烤鴨(ㄎㄠˇ ㄧㄚ)roasted duck

烟 3199
ㄧㄢ yān
simplified form of 煙

烙 3200
ㄌㄠˋ lào
(讀音 ㄌㄨㄛˋ luò)
1. to burn 2. to brand; to iron 3. to bake in a pan
烙鐵(ㄌㄠˋ ㄊㄧㄝˇ)a branding iron
烙印(ㄌㄠˋ ㄧㄣˋ)to brand; a brand

七畫

烽 3201
ㄈㄥ fēng
(in ancient China) a tall structure (on a city wall, etc.) where fire was made to signal enemy invasion or presence of bandits
烽火連年(ㄈㄥ ㄏㄨㄛˇ ㄌㄧㄢˊ ㄋㄧㄢˊ) continuous wars

烹 3202
ㄆㄥ pēng
1. to cook; to boil; to decoct 2. (cooking) to add bean sauce and dressing after frying
烹調(ㄆㄥ ㄊㄧㄠˊ)cooking
烹飪(ㄆㄥ ㄖㄣˋ)to cook; cooking

焄 3203
ㄒㄩㄣ xūn
1. rising flames or fumes 2. aroma

焉 3204
ㄧㄢ yān
1. an interrogative—how, why, when, etc. 2. a pronoun—it 3. an adverb—there; here 4. a conjunctive—and so; so that 5. a final particle indicating numerous senses
焉能(ㄧㄢ ㄋㄥˊ) How can (one do it)?
焉知非福(ㄧㄢ ㄓ ㄈㄟ ㄈㄨˊ) How could you know it is not a blessing?

〔火部〕

〔火部〕

烺 3205 ㄌㄤˇ lǎng
(said of fire) bright

烷 3206 ㄨㄢˊ wán
1. fire 2. alkane

烯 3207 ㄒㄧ xī
1. the color of fire 2. alkene

八畫

焙 3208 ㄅㄟˋ bèi
to dry or heat near a fire; to toast; to bake
焙乾(ㄅㄟˋ ㄍㄢ)to dry by fire

焮 3209 ㄒㄧㄣˋ xìn
to burn; to heat; to cauterize

焯 3210 ㄓㄨㄛˊ zhuó
1. same as 灼—to burn 2. bright and brilliant

焚 3211 ㄈㄣˊ fén
to burn; to set fire to
焚化(ㄈㄣˊ ㄏㄨㄚˋ)to cremate
焚化爐(ㄈㄣˊ ㄏㄨㄚˋ ㄌㄨˊ) an incinerator
焚毀(ㄈㄣˊ ㄏㄨㄟˇ)to burn up
焚香膜拜(ㄈㄣˊ ㄒㄧㄤ ㄇㄛˊ ㄅㄞˋ)to worship at temples
焚燒(ㄈㄣˊ ㄕㄠ)to burn

焱 3212 (燄) ㄧㄢˋ yàn
flames

焦 3213 ㄐㄧㄠ jiāo
1. scorched or burned; charred 2. the smell or stench of things burned 3. worried and anxious
焦煤(ㄐㄧㄠ ㄇㄟˊ)coke
焦點(ㄐㄧㄠ ㄉㄧㄢˇ)focus
焦慮(ㄐㄧㄠ ㄌㄩˋ) deeply worried and anxious
焦急(ㄐㄧㄠ ㄐㄧˊ)very anxious
焦距(ㄐㄧㄠ ㄐㄩˋ) (physics) focus
焦油(ㄐㄧㄠ ㄧㄡˊ)tar

無 3214 ㄨˊ wú
1. negative; not; no; none 2. without; to lack 3. no matter what (or how)
無病呻吟(ㄨˊ ㄅㄧㄥˋ ㄕㄣ ㄧㄣˊ)to groan for no reason
無明火(ㄨˊ ㄇㄧㄥˊ ㄏㄨㄛˇ)fury
無名小卒 (ㄨˊ ㄇㄧㄥˊ ㄒㄧㄠˇ ㄗㄨˊ) a nobody; an unimportant person
無名指(ㄨˊ ㄇㄧㄥˊ ㄓˇ)the ring finger
無名英雄(ㄨˊ ㄇㄧㄥˊ ㄧㄥ ㄒㄩㄥˊ) an unsung hero
無法(ㄨˊ ㄈㄚˇ)unable; incapable
無法形容(ㄨˊ ㄈㄚˇ ㄒㄧㄥˊ ㄖㄨㄥˊ)beyond description
無法無天(ㄨˊ ㄈㄚˇ ㄨˊ ㄊㄧㄢ) to be totally devoid of conscience and respect for law
無分軒輊(ㄨˊ ㄈㄣ ㄒㄩㄢ ㄓˋ) well-matched
無妨(ㄨˊ ㄈㄤˊ)doesn't matter
無風不起浪(ㄨˊ ㄈㄥ ㄅㄨˋ ㄑㄧˇ ㄌㄤˋ) There must be a cause or reason for this.
無敵(ㄨˊ ㄉㄧˊ)matchless
無地自容(ㄨˊ ㄉㄧˋ ㄗˋ ㄖㄨㄥˊ)extremely embarrassed or ashamed
無端(ㄨˊ ㄉㄨㄢ) without cause or reason
無動於衷(ㄨˊ ㄉㄨㄥˋ ㄩˊ ㄓㄨㄥ)① unmoved ② to remain firm
無條件投降(ㄨˊ ㄊㄧㄠˊ ㄐㄧㄢˋ ㄊㄡˊ ㄒㄧㄤˊ)unconditional surrender
無痛分娩法 (ㄨˊ ㄊㄨㄥˋ ㄈㄣ ㄇㄧㄢˇ ㄈㄚˇ)painless delivery
無奈(ㄨˊ ㄋㄞˋ)having no alternative
無能(ㄨˊ ㄋㄥˊ)incompetent
無能爲力(ㄨˊ ㄋㄥˊ ㄨㄟˊ ㄌㄧˋ)unable to help; powerless
無寧(ㄨˊ ㄋㄧㄥˊ)to prefer; rather...
無賴(ㄨˊ ㄌㄞˋ)a villain; a rascal
無理(ㄨˊ ㄌㄧˇ)unreasonable
無理取鬧(ㄨˊ ㄌㄧˇ ㄑㄩˇ ㄋㄠˋ)to make trouble out of nothing
無利可圖(ㄨˊ ㄌㄧˋ ㄎㄜˇ ㄊㄨˊ)profitless
無聊(ㄨˊ ㄌㄧㄠˊ)① boring ② nonsensical
無路可走 (ㄨˊ ㄌㄨˋ ㄎㄜˇ ㄗㄡˇ) no way out
無論(ㄨˊ ㄌㄨㄣˋ)no matter
無論如何(ㄨˊ ㄌㄨㄣˋ ㄖㄨˊ ㄏㄜˊ)no matter what; anyway; in any case
無辜(ㄨˊ ㄍㄨ)innocent
無故(ㄨˊ ㄍㄨˋ)without cause or reason
無關(ㄨˊ ㄍㄨㄢ)irrelevant
無關痛癢(ㄨˊ ㄍㄨㄢ ㄊㄨㄥˋ ㄧㄤˇ) of no concern or consequence
無關緊要 (ㄨˊ ㄍㄨㄢ ㄐㄧㄣˇ ㄧㄠˋ) not important
無可奈何(ㄨˊ ㄎㄜˇ ㄋㄞˋ ㄏㄜˊ) having no alternative
無可厚非(ㄨˊ ㄎㄜˇ ㄏㄡˋ ㄈㄟ)no serious mistakes committed
無可救藥 (ㄨˊ ㄎㄜˇ ㄐㄧㄡˋ ㄧㄠˋ) incorrigible; incurable
無可置疑(ㄨˊ ㄎㄜˇ ㄓˋ ㄧˊ)beyond doubt
無愧(ㄨˊ ㄎㄨㄟˋ)with a clear conscience
無害(ㄨˊ ㄏㄞˋ)harmless
無後(ㄨˊ ㄏㄡˋ)without posterity
無花果(ㄨˊ ㄏㄨㄚ ㄍㄨㄛˇ)the fig
無稽之談(ㄨˊ ㄐㄧ ㄓ ㄊㄢˊ)groundless utterances
無機物(ㄨˊ ㄐㄧ ㄨˋ)inorganic matters; inorganic substances
無幾(ㄨˊ ㄐㄧˇ)① not much; not many; little ② not long afterwards; shortly
無記名投票 (ㄨˊ ㄐㄧˋ ㄇㄧㄥˊ ㄊㄡˊ

ㄆㄧㄠˋ)secret ballot
無計可施(ㄨˊ ㄐㄧˋ ㄎㄜˇ ㄕ) at the end of one's rope
無濟於事(ㄨˊ ㄐㄧˋ ㄩˊ ㄕˋ) won't help the matter
無家可歸(ㄨˊ ㄐㄧㄚ ㄎㄜˇ ㄍㄨㄟ)homeless
無價之寶(ㄨˊ ㄐㄧㄚˋ ㄓ ㄅㄠˇ)a priceless treasure
無間(ㄨˊ ㄐㄧㄢˋ)①nonstop; continuous ②close and intimate
無精打采(ㄨˊ ㄐㄧㄥ ㄉㄚˇ ㄘㄞˇ)listless; indifferent; low-spirited
無拘(無)束(ㄨˊ ㄐㄩ (ㄨˊ) ㄕㄨˋ)unconstrained; carefree
無期徒刑(ㄨˊ ㄑㄧˊ ㄊㄨˊ ㄒㄧㄥˊ) life imprisonment
無牽無掛(ㄨˊ ㄑㄧㄢ ㄨˊ ㄍㄨㄚˋ)to have no cares
無情(ㄨˊ ㄑㄧㄥˊ)heartless
無權(ㄨˊ ㄑㄩㄢˊ)to have no right
無窮(ㄨˊ ㄑㄩㄥˊ)endless
無息貸款(ㄨˊ ㄒㄧˊ ㄉㄞˋ ㄎㄨㄢˇ) an interest-free loan
無隙可乘(ㄨˊ ㄒㄧˋ ㄎㄜˇ ㄔㄥˊ)to have no loophole to exploit
無瑕(ㄨˊ ㄒㄧㄚˊ)without blemish, defect or fault—perfect
無暇(ㄨˊ ㄒㄧㄚˊ)to have no time
無懈可擊(ㄨˊ ㄒㄧㄝˋ ㄎㄜˇ ㄐㄧˊ)flawless; unimpeachable
無效(ㄨˊ ㄒㄧㄠˋ)①ineffective ②invalid
無限(ㄨˊ ㄒㄧㄢˋ)limitless
無線電(ㄨˊ ㄒㄧㄢˋ ㄉㄧㄢˋ) radio; wireless
無線電話(ㄨˊ ㄒㄧㄢˋ ㄉㄧㄢˋ ㄏㄨㄚˋ) radiophone
無線電傳眞(ㄨˊ ㄒㄧㄢˋ ㄉㄧㄢˋ ㄔㄨㄢˊ ㄓㄣ)fax (facsimile)
無心(ㄨˊ ㄒㄧㄣ) ①unintentional ②in no mood
無形中(ㄨˊ ㄒㄧㄥˊ ㄓㄨㄥ) imperceptibly; insidiously; unknowingly
無性(ㄨˊ ㄒㄧㄥˋ)(biology)asexual
無須(ㄨˊ ㄒㄩ)unnecessary
無知(ㄨˊ ㄓ)ignorant
無照(ㄨˊ ㄓㄠˋ)without a license
無中生有(ㄨˊ ㄓㄨㄥ ㄕㄥ ㄧㄡˇ)to fabricate
無恥(ㄨˊ ㄔˇ)shameless
無產階級(ㄨˊ ㄔㄢˇ ㄐㄧㄝ ㄐㄧˊ)the proletarian class
無常(ㄨˊ ㄔㄤˊ)capricious
無時無刻(ㄨˊ ㄕˊ ㄨˊ ㄎㄜˋ)always; constantly
無視(ㄨˊ ㄕˋ)to pay no attention to
無神論(ㄨˊ ㄕㄣˊ ㄌㄨㄣˋ)atheism
無生物(ㄨˊ ㄕㄥ ㄨˋ)a nonliving matter
無數(ㄨˊ ㄕㄨˋ)countless
無雙(ㄨˊ ㄕㄨㄤ)matchless
無足輕重(ㄨˊ ㄗㄨˊ ㄑㄧㄥ ㄓㄨㄥˋ)of little significance
無罪(ㄨˊ ㄗㄨㄟˋ)guiltless
無私(ㄨˊ ㄙ)unselfish
無所不至(ㄨˊ ㄙㄨㄛˇ ㄅㄨˋ ㄓˋ)① present everywhere ② very thorough
無所不在(ㄨˊ ㄙㄨㄛˇ ㄅㄨˋ ㄗㄞˋ)omnipresent; ubiquitous
無所不能(ㄨˊ ㄙㄨㄛˇ ㄅㄨˋ ㄋㄥˊ)omnipotence; almighty
無所不知(ㄨˊ ㄙㄨㄛˇ ㄅㄨˋ ㄓ)omniscient; omniscience
無所事事(ㄨˊ ㄙㄨㄛˇ ㄕˋ ㄕˋ)to idle away one's time
無所適從(ㄨˊ ㄙㄨㄛˇ ㄕˋ ㄘㄨㄥˊ)don't know where to turn to; indecisive
無所謂(ㄨˊ ㄙㄨㄛˇ ㄨㄟˋ)don't mind—one way or the other; do not care
無依無靠(ㄨˊ ㄧ ㄨˊ ㄎㄠˋ) completely helpless
無益(ㄨˊ ㄧˋ)useless; without benefit
無異(ㄨˊ ㄧˋ)not different from
無意中(ㄨˊ ㄧˋ ㄓㄨㄥ)unexpectedly; accidentally
無意識(ㄨˊ ㄧˋ ㄕˋ) (psychology) unconsciousness
無業遊民(ㄨˊ ㄧㄝˋ ㄧㄡˊ ㄇㄧㄣˊ) a vagrant
無憂無慮(ㄨˊ ㄧㄡ ㄨˊ ㄌㄩˋ)carefree
無恙(ㄨˊ ㄧㄤˋ)to feel well
無影無踪(ㄨˊ ㄧㄥˇ ㄨˊ ㄗㄨㄥ)(to vanish or disappear) without a trace
無誤(ㄨˊ ㄨˋ)verified and found correct
無微不至(ㄨˊ ㄨㄟˊ ㄅㄨˋ ㄓˋ)down to the very last detail
無爲而治(ㄨˊ ㄨㄟˊ ㄦˊ ㄓˋ)(literally) to govern by doing nothing
無畏(ㄨˊ ㄨㄟˋ)dauntless
無往不利(ㄨˊ ㄨㄤˇ ㄅㄨˋ ㄌㄧˋ) lucky in every endeavor
無望(ㄨˊ ㄨㄤˋ) ①hopeless ②do not expect that...
無妄之災(ㄨˊ ㄨㄤˋ ㄓ ㄗㄞ)unexpected misfortunes
無虞匱乏(ㄨˊ ㄩˊ ㄎㄨㄟˋ ㄈㄚˊ)no fear of deficiency
無與倫比(ㄨˊ ㄩˇ ㄌㄨㄣˊ ㄅㄧˇ) beyond comparison
無緣(ㄨˊ ㄩㄢˊ)① no opportunity ② an inexplicable animosity toward somebody
無緣無故(ㄨˊ ㄩㄢˊ ㄨˊ ㄍㄨˋ)without cause or reason
無庸置疑(ㄨˊ ㄩㄥ ㄓˋ ㄧˊ)unquestionable
無用(ㄨˊ ㄩㄥˋ)useless; of no use

然 3215
ㄖㄢˊ rán

1. yes; most certainly; right 2. however; but; still; nevertheless 3. really; if so 4. same as 燃— to burn
然後(ㄖㄢˊ ㄏㄡˋ)then; afterward
然而(ㄖㄢˊ ㄦˊ)however

焰 3216
(燄) ㄧㄢˋ yàn
(又讀 ㄧㄢˊ yán)

1. flames; blazes 2. glowing; brilliant

〔火部〕

九畫

煌 3217 ㄏㄨㄤˊ huáng
bright and brilliant

煉 3218 ㄌㄧㄢˋ liàn
1. to smelt; to refine; to condense (milk); to temper (a metal) with fire 2. (Chinese medicine) to keep herbs, etc. boiling for a long time 3. to train; to form character by hardship
煉鋼(ㄌㄧㄢˋ ㄍㄤ)steelmaking
煉鋼廠(ㄌㄧㄢˋ ㄍㄤ ㄔㄤˇ)a steel refinery
煉製(ㄌㄧㄢˋ ㄓˋ)to refine
煉乳(ㄌㄧㄢˋ ㄖㄨˇ)condensed milk
煉油(ㄌㄧㄢˋ ㄧㄡˊ)① oil refining ② to extract oil by heat
煉油廠(ㄌㄧㄢˋ ㄧㄡˊ ㄔㄤˇ)an oil refinery
煉獄(ㄌㄧㄢˋ ㄩˋ)the purgatory

煒 3219 ㄨㄟˇ wěi
1. dark red 2. glowing; bright

煖 3220 (暖) ㄋㄨㄢˇ nuǎn
warm; to warm; genial (weather)

煜 3221 ㄩˋ yù
1. bright and brilliant 2. flames or blazes 3. to illuminate; to shine

煙 3222 (烟) ㄧㄢ yān
1. smoke; fumes 2. tobacco; a smoke; a cigarette 3. mist; vapor 4. opium
煙煤(ㄧㄢ ㄇㄟˊ)soft coal
煙斗(ㄧㄢ ㄉㄡˇ)a pipe (for smoking)
煙蒂(ㄧㄢ ㄉㄧˋ)a cigarette butt
煙毒(ㄧㄢ ㄉㄨˊ)the poisoning effect of opium-smoking
煙毒勒戒所(ㄧㄢ ㄉㄨˊ ㄌㄜˋ ㄐㄧㄝˋ ㄙㄨㄛˇ)a drug rehabilitation center
煙花(柳)巷(ㄧㄢ ㄏㄨㄚ (ㄌㄧㄡˇ) ㄒㄧㄤˋ)a zone where brothels are located
煙火(ㄧㄢ ㄏㄨㄛˇ)fireworks
煙灰缸(ㄧㄢ ㄏㄨㄟ ㄍㄤ)an ashtray
煙槍(ㄧㄢ ㄑㄧㄤ)a chain smoker
煙消雲散(ㄧㄢ ㄒㄧㄠ ㄩㄣˊ ㄙㄢˋ)to vanish like mist and smoke—to disappear
煙嘴兒(ㄧㄢ ㄗㄨㄟˇㄦ)a cigarette holder
煙草 or 菸草(ㄧㄢ ㄘㄠˇ)tobacco
煙囪(ㄧㄢ ㄘㄨㄥ)a chimney
煙癮(ㄧㄢ ㄧㄣˇ) ①opium or tobacco addiction ② a craving for tobacco
煙霧(ㄧㄢ ㄨˋ)smoke; mist

煤 3223 ㄇㄟˊ méi
1. coal; charcoal; coke 2. carbon; soot
煤炭(ㄇㄟˊ ㄊㄢˋ)coal
煤田(ㄇㄟˊ ㄊㄧㄢˊ)a coal field
煤坑(ㄇㄟˊ ㄎㄥ)a coal pit
煤礦(ㄇㄟˊ ㄎㄨㄤˋ) ①a coal mine ②a coal shaft
煤礦工人(ㄇㄟˊ ㄎㄨㄤˋ ㄍㄨㄥ ㄖㄣˊ) a coal miner
煤氣(ㄇㄟˊ ㄑㄧˋ) gas (for lighting or heating); coal gas
煤氣中毒(ㄇㄟˊ ㄑㄧˋ ㄓㄨㄥˋ ㄉㄨˊ) gas poisoning
煤球(ㄇㄟˊ ㄑㄧㄡˊ)coal balls
煤層(ㄇㄟˊ ㄘㄥˊ)a coal bed
煤油(ㄇㄟˊ ㄧㄡˊ)kerosene
煤油燈(ㄇㄟˊ ㄧㄡˊ ㄉㄥ) a kerosene lamp

煥 3224 ㄏㄨㄢˋ huàn
1. bright; brilliant; lustrous; luminous 2. (said of an appearance) shining
煥然一新 (ㄏㄨㄢˋ ㄖㄢˊ ㄧˋ ㄒㄧㄣ) brand-new

煨 3225 ㄨㄟ wēi
to bake; to stew; to simmer; to burn in ashes

煩 3226 ㄈㄢˊ fán
1. to vex; to annoy; to worry 2. annoying 3. to trouble 4. superfluous and confusing
煩悶(ㄈㄢˊ ㄇㄣˋ)annoyed; depressed
煩惱(ㄈㄢˊ ㄋㄠˇ)worried
煩請(ㄈㄢˊ ㄑㄧㄥˇ)Would you mind...? 或 Please be so kind as to....
煩心(ㄈㄢˊ ㄒㄧㄣ)to trouble or worry the mind
煩雜(ㄈㄢˊ ㄗㄚˊ)petty and varied
煩躁(ㄈㄢˊ ㄗㄠˋ)agitated
煩瑣(ㄈㄢˊ ㄙㄨㄛˇ)petty and multitudinous
煩文縟節(ㄈㄢˊ ㄨㄣˊ ㄖㄨˋ ㄐㄧㄝˊ)petty formalities; red tape

煬 3227 1. ㄧㄤˊ yáng
same as 烊—to smelt or melt (metals)

煬 3227 2. ㄧㄤˋ yàng
1. (said of fire) roaring or blazing 2. to put before the fire

煮 3228 (煑) ㄓㄨˇ zhǔ
to cook; to boil; to stew; to decoct
煮沸(ㄓㄨˇ ㄈㄟˋ)to boil; to heat water or soup until it boils
煮飯(ㄓㄨˇ ㄈㄢˋ)to cook meals
煮豆燃萁(ㄓㄨˇ ㄉㄡˋ ㄖㄢˊ ㄑㄧˊ) the conflict among brothers
煮粥(ㄓㄨˇ ㄓㄡ)to cook congee

煮熟(ㄓㄨˇ ㄕㄡˊ)to cook thoroughly
煮菜(ㄓㄨˇ ㄘㄞˋ) to prepare food or dishes

煎 3229 ㄐㄧㄢ jiān
1. to fry in fat or oil 2. to decoct 3. (figuratively) to torment; to kill
煎餅(ㄐㄧㄢ ˙ㄅㄧㄥ)pancakes
煎蛋(ㄐㄧㄢ ㄉㄢˋ)① to fry eggs ② fried eggs
煎熬(ㄐㄧㄢ ㄠˊ)to torture
煎藥(ㄐㄧㄢ ㄧㄠˋ)to make a decoction of herbal medicines
煎魚(ㄐㄧㄢ ㄩˊ)to fry fish

煞 3230 1. ㄕㄚˋ shà
1. a fierce god; a malignant deity; a goblin 2. very; much; extremely 3. to bring to an end; to conclude
煞費苦心(ㄕㄚˋ ㄈㄟˋ ㄎㄨˇ ㄒㄧㄣ)to have made painstaking effort
煞風景 (ㄕㄚˋ ㄈㄥ ㄐㄧㄥˇ) to spoil pleasure

煞 3230 2. ㄕㄚ shā
1. to tighten; to bind 2. to offset; to reduce 3. an auxiliary particle in old usage 4. to brake; to stop
煞車(ㄕㄚ ㄔㄜ)to brake

煦 3231 ㄒㄩˇ xǔ
1. warm and cozy 2. favors; kindness

照 3232 ㄓㄠˋ zhào
1. to shine upon; to light or illumine 2. a certificate or license 3. according to; in accordance with 4. to compare, collate, survey, etc. 5. to photograph; to take a picture 6. to look after 7. to notify or proclaim 8. sunshine 9. a picture
照辦(ㄓㄠˋ ㄅㄢˋ)to take actions, etc. accordingly; to act upon
照本宣科(ㄓㄠˋ ㄅㄣˇ ㄒㄩㄢ ㄎㄜ)to repeat what the book says
照片(ㄓㄠˋ ㄆㄧㄢˋ)a photograph
照明(ㄓㄠˋ ㄇㄧㄥˊ)(said of photography, etc.) lighting
照明設備(ㄓㄠˋ ㄇㄧㄥˊ ㄕㄜˋ ㄅㄟˋ) illuminating equipment
照例(ㄓㄠˋ ㄌㄧˋ)as a rule
照料(ㄓㄠˋ ㄌㄧㄠˋ)to look after
照顧(ㄓㄠˋ ㄍㄨˋ)① to look after; to take care of ② to patronize
照舊(ㄓㄠˋ ㄐㄧㄡˋ)as usual
照鏡子(ㄓㄠˋ ㄐㄧㄥˋ ˙ㄗ)to see oneself in the mirror
照相(ㄓㄠˋ ㄒㄧㄤˋ)to take a picture or photograph
照相館(ㄓㄠˋ ㄒㄧㄤˋ ㄍㄨㄢˇ)a photo-studio
照相機(ㄓㄠˋ ㄒㄧㄤˋ ㄐㄧ)a camera
照准(ㄓㄠˋ ㄓㄨㄣˇ) to approve (a request); to grant
照常(ㄓㄠˋ ㄔㄤˊ)as usual
照射 (ㄓㄠˋ ㄕㄜˋ) to illuminate; to radiate
照收(ㄓㄠˋ ㄕㄡ)① to duly receive ② to accept accordingly
照算(ㄓㄠˋ ㄙㄨㄢˋ)to charge without discount, etc.
照耀(ㄓㄠˋ ㄧㄠˋ)to shine
照樣(ㄓㄠˋ ㄧㄤˋ)① to pattern after; to copy ② as usual
照應(ㄓㄠˋ ㄧㄥˋ)to take care of

煢 3233 ㄑㄩㄥˊ qióng
to be all alone; solitary

十畫

熙 3234 ㄒㄧ xī
1. bright and brilliant; glorious 2. expansive; spacious 3. flourishing; prosperous 4. peaceful and happy
熙來攘往(ㄒㄧ ㄌㄞˊ ㄖㄤˇ ㄨㄤˇ)the hustle and bustle of large crowds
熙熙攘攘(ㄒㄧ ㄒㄧ ㄖㄤ ㄖㄤˇ)crowded and noisy

熊 3235 ㄒㄩㄥˊ xióng
1. a bear 2. shining bright 3. a Chinese family name
熊貓(ㄒㄩㄥˊ ㄇㄠ)a panda
熊心豹膽(ㄒㄩㄥˊ ㄒㄧㄣ ㄅㄠˋ ㄉㄢˇ)tremendous bravery or courage
熊熊大火(ㄒㄩㄥˊ ㄒㄩㄥˊ ㄉㄚˋ ㄏㄨㄛˇ)a blazing fire

熏 3236 (燻) ㄒㄩㄣ xūn
1. smoke; to smoke; to burn; smoked (meat, fish, etc.) 2. (said of smell) to assail nostrils 3. warm; mild 4. to move or touch 5. same as 曛 or 薰 6. to scent; to fumigate
熏陶(ㄒㄩㄣ ㄊㄠˊ)to influence
熏肉(ㄒㄩㄣ ㄖㄡˋ)smoked meat
熏染(ㄒㄩㄣ ㄖㄢˇ)to influence
熏魚(ㄒㄩㄣ ㄩˊ)smoked fish

熄 3237 ㄒㄧˊ xí
1. as in 熄滅—to extinguish (a fire); to put out (a light) 2. to quash; to destroy; to obliterate
熄燈(ㄒㄧˊ ㄉㄥ)to turn or switch off the light
熄火(ㄒㄧˊ ㄏㄨㄛˇ)① to stop the fire (in the boiler)—to stop operation ② to turn off the lamp

熗 3238 ㄑㄧㄤˋ qiàng
1. a way of cooking in which foods (especially bivalves and some vegeta-

bles) are eaten right after being brought to a boil 2. to fry something quickly in hot oil, then cook it with sauce and water 3. same as 嗆—to choke with smoke, etc.

〔火部〕

煽 3239 ㄕㄢ shān
1. to stir up; to instigate; to incite; to fan 2. flaming; blazing; to flame
煽動(ㄕㄢ ㄉㄨㄥˋ)to incite; to stir up (a strike, uprising, etc.)
煽火(ㄕㄢ ㄏㄨㄛˇ)to fan the flame
煽惑(ㄕㄢ ㄏㄨㄛˋ)to rouse with words or lies

熔 3240 (鎔) ㄖㄨㄥˊ róng
to smelt; to weld or fuse metals; to melt
熔點(ㄖㄨㄥˊ ㄉㄧㄢˇ)a melting point
熔度(ㄖㄨㄥˊ ㄉㄨˋ)fusibility
熔爐(ㄖㄨㄥˊ ㄌㄨˊ)a smelting furnace
熔化(ㄖㄨㄥˊ ㄏㄨㄚˋ)to smelt; to melt
熔接(ㄖㄨㄥˊ ㄐㄧㄝ)to weld
熔解(ㄖㄨㄥˊ ㄐㄧㄝˇ)to melt
熔鑄(ㄖㄨㄥˊ ㄓㄨˋ)founding; casting
熔岩(ㄖㄨㄥˊ ㄧㄢˊ)lava

熒 3241 ㄧㄥˊ yíng
1. bright; shining 2. glittering 3. to doubt; to suspect
熒光(ㄧㄥˊ ㄍㄨㄤ) (physics) fluorescence; fluorescent light

十一畫

熠 3242 ㄧˋ yì
bright and brilliant; luminous

熟 3243 ㄕㄨˊ shú (讀音 ㄕㄡˊ shóu)
1. cooked or well-done 2. ripe (fruit); to ripen 3. very familiar; experienced 4. careful or painstaking (survey, inspection, etc.) 5. deep or sound (sleep)
熟面孔(ㄕㄨˊ ㄇㄧㄢˋ ㄎㄨㄥˇ)a familiar face
熟讀(ㄕㄨˊ ㄉㄨˊ)to memorize by rote
熟能生巧(ㄕㄨˊ ㄋㄥˊ ㄕㄥ ㄑㄧㄠˇ)Practice makes perfect.
熟練(ㄕㄨˊ ㄌㄧㄢˋ)skilled
熟客(ㄕㄨˊ ㄎㄜˋ)a frequent visitor
熟記(ㄕㄨˊ ㄐㄧˋ)to learn by heart
熟悉(ㄕㄨˊ ㄒㄧ)very familiar with
熟知(ㄕㄨˊ ㄓ)to be well versed in
熟食(ㄕㄨˊ ㄕˊ)cooked food
熟識(ㄕㄨˊ ㄕˋ)very familiar with
熟睡(ㄕㄨˊ ㄕㄨㄟˋ)a sound sleep
熟人(ㄕㄨˊ ㄖㄣˊ)an old acquaintance
熟諳(ㄕㄨˊ ㄢ)well-experienced

熬 3244 1. ㄠˊ áo
1. to extract (oil, etc.) by applying heat 2. to cook; to stew or simmer 3. to sustain
熬湯(ㄠˊ ㄊㄤ) to stew or simmer (meat) for broth by simmering
熬粥(ㄠˊ ㄓㄡ)to cook congee or gruel
熬出頭(ㄠˊ ㄔㄨ ㄊㄡˊ) to have gone through all sorts of ordeal
熬夜(ㄠˊ ㄧㄝˋ) to work (or gamble) until deep into the night
熬藥(ㄠˊ ㄧㄠˋ)to decoct medicinal herbs

熬 3244 2. ㄠ āo
1. to cook; to stew 2. to be worn down by worries, cares; dejected

熱 3245 ㄖㄜˋ rè
1. hot; heated; burning; to heat 2. fever 3. zealous; enthusiastic
熱病(ㄖㄜˋ ㄅㄧㄥˋ)fever
熱門(ㄖㄜˋ ㄇㄣˊ)something very much in vogue
熱帶(ㄖㄜˋ ㄉㄞˋ)the tropics
熱帶植物(ㄖㄜˋ ㄉㄞˋ ㄓˊ ㄨˋ) tropical plants
熱帶魚(ㄖㄜˋ ㄉㄞˋ ㄩˊ)tropical fish
熱度(ㄖㄜˋ ㄉㄨˋ)① heat; temperature ② enthusiasm
熱湯(ㄖㄜˋ ㄊㄤ)hot soup
熱鬧(ㄖㄜˋ ˙ㄋㄠ)noisy; hustle and bustle
熱能(ㄖㄜˋ ㄋㄥˊ)thermal energy
熱烈(ㄖㄜˋ ㄌㄧㄝˋ)fervent; fiery; enthusiastic
熱戀(ㄖㄜˋ ㄌㄧㄢˋ)to be passionately in love
熱量(ㄖㄜˋ ㄌㄧㄤˋ)calories
熱絡(ㄖㄜˋ ㄌㄨㄛˋ)very intimate
熱狗(ㄖㄜˋ ㄍㄡˇ)a hot dog
熱氣(ㄖㄜˋ ㄑㄧˋ)hot vapor; heat
熱情(ㄖㄜˋ ㄑㄧㄥˊ)passion; ardor
熱心(ㄖㄜˋ ㄒㄧㄣ)zealous
熱脹冷縮(ㄖㄜˋ ㄓㄤˋ ㄌㄥˇ ㄙㄨㄛ)to expand when hot and to shrink when cold
熱忱(ㄖㄜˋ ㄔㄣˊ)sincerity; earnest
熱身運動(ㄖㄜˋ ㄕㄣ ㄩㄣˋ ㄉㄨㄥˋ) warm-up exercise
熱水瓶(ㄖㄜˋ ㄕㄨㄟˇ ㄆㄧㄥˊ)a thermos (bottle); a thermos flask
熱水器 (ㄖㄜˋ ㄕㄨㄟˇ ㄑㄧˋ) a water heater
熱愛 (ㄖㄜˋ ㄞˋ) to love passionately; deep attachment
熱飲(ㄖㄜˋ ㄧㄣˇ)hot drinks

熰 3246 (槱) ㄧㄡˇ yǒu
to burn piled firewood

熨 3247 1. ㄩㄣˋ yùn

to iron (clothes or cloth)
熨斗(ㄩㄣ ㄉㄡˇ)an iron

熨 3247
2. ㄩˋ yù
to settle (matters)

麃 3248
ㄅㄧㄠ biāo
1. to cultivate fields 2. valiant; vigorous

十二畫

熾 3249
ㄔˋ chì
1. vigorous; energetic 2. burning hot; flaming
熾熱(ㄔˋ ㄖㄜˋ)intensely hot

燈 3250
ㄉㄥ dēng
1. a lamp; a lantern 2. a valve; a tube
燈泡兒(ㄉㄥ ㄆㄠˋㄦ)a light bulb
燈謎(ㄉㄥ ㄇㄧˊ)lantern riddles
燈塔(ㄉㄥ ㄊㄚˇ)a lighthouse
燈籠褲(ㄉㄥ ㄌㄨㄥˊ ㄎㄨˋ)knickerbockers
燈籠(ㄉㄥ •ㄌㄨㄥ)a lantern
燈光(ㄉㄥ ㄍㄨㄤ)illumination
燈火(ㄉㄥ ㄏㄨㄛˇ)lights; illumination
燈油(ㄉㄥ ㄧㄡˊ)lamp oil

燃 3251
ㄖㄢˊ rán
to burn; to ignite; to light
燃放(ㄖㄢˊ ㄈㄤˋ) to set off (fireworks, etc.)
燃料(ㄖㄢˊ ㄌㄧㄠˋ)fuel
燃燒(ㄖㄢˊ ㄕㄠ)to burn

燎 3252
1. ㄌㄧㄠˋ liào
1. to set fire to 2. to be brilliant
燎原 (ㄌㄧㄠˋ ㄩㄢˊ)to set the prairie ablaze

燎 3252
2. ㄌㄧㄠˇ liǎo
to singe

燉 3253
1. ㄉㄨㄣˋ dùn
1. to stew; to simmer 2. to warm
燉雞(ㄉㄨㄣˋ ㄐㄧ)stewed chicken

燉 3253
2. ㄉㄨㄣ dūn
Tunhwang, Kansu

燒 3254
ㄕㄠ shāo
1. to burn 2. to roast; to stew 3. to boil; to heat 4. to run a fever; to have a temperature 5. a fever
燒杯(ㄕㄠ ㄅㄟ)a beaker
燒餅(ㄕㄠ ㄅㄧㄥˇ)a sesame seed cake
燒烤(ㄕㄠ ㄎㄠˇ)to roast
燒燬(ㄕㄠ ㄏㄨㄟˇ)to burn down
燒焦(ㄕㄠ ㄐㄧㄠ)to scorch
燒香(ㄕㄠ ㄒㄧㄤ)to burn joss sticks in worship
燒水(ㄕㄠ ㄕㄨㄟˇ)to boil water
燒死(ㄕㄠ ㄙˇ)to burn to death

燐 3255
(磷) ㄌㄧㄣˊ lín
phosphorus
燐火(ㄌㄧㄣˊ ㄏㄨㄛˇ)a jack-o'-lantern
燐灰石(ㄌㄧㄣˊ ㄏㄨㄟ ㄕˊ)apatite

燔 3256
ㄈㄢˊ fán
1. roast meat for offering 2. to burn; to roast

熹 3257
(燨) ㄒㄧ xī
1. faint sunlight; dawn 2. giving out faint light
熹微(ㄒㄧ ㄨㄟˊ) (said of morning sunlight) dim; pale

燕 3258
1. ㄧㄢˋ yàn
1. a swallow 2. comfort; ease 3. to enjoy
燕麥片(ㄧㄢˋ ㄇㄞˋ ㄆㄧㄢˋ)oatmeal
燕好(ㄧㄢˋ ㄏㄠˇ) (said of husband and wife) very fond of each other
燕子(ㄧㄢˋ •ㄗ)a swallow
燕爾新婚(ㄧㄢˋ ㄦˇ ㄒㄧㄣ ㄏㄨㄣ)marital happiness; conjugal bliss
燕尾服(ㄧㄢˋ ㄨㄟˇ ㄈㄨˊ) a swallowtail; a tailcoat

燕 3258
2. ㄧㄢ yān
a state in what is Hopeh (河北) today during the Epoch of Warring States

燙 3259
ㄊㄤˋ tàng
1. to scald; to burn 2. to heat; to warm 3. very hot 4. to iron
燙髮(ㄊㄤˋ ㄈㄚˇ)to have a permanent wave
燙金(ㄊㄤˋ ㄐㄧㄣ)bronzing
燙手(ㄊㄤˋ ㄕㄡˇ)① to scald one's hand ② difficult to handle
燙傷(ㄊㄤˋ ㄕㄤ)a burn; a scald
燙衣服(ㄊㄤˋ ㄧ •ㄈㄨ)to iron clothes

燊 3260
ㄕㄣ shēn
vigorous

燋 3261
1. ㄐㄧㄠ jiāo
1. a torch 2. same as 焦—to scorch

燋 3261
2.(憔) ㄑㄧㄠˊ qiáo
haggard; worn; emaciated

燜 3262
ㄇㄣˋ mèn
(又讀 ㄇㄣ mēn)
to cook in a casserole

燁 3263
ㄧㄝˋ yè
blazing; splendid; glorious

〔火部〕

〔火部〕

十三畫

營 3264
ㄧㄥˊ yíng
1. military barracks; a camp 2. a battalion 3. to manage
營利(ㄧㄥˊ ㄌㄧˋ)to engage in making 「profit」
營利事業所得稅(ㄧㄥˊ ㄌㄧˋ ㄕˋ ㄧㄝˋ ㄙㄨㄛˇ ㄉㄜˊ ㄕㄨㄟˋ)business profit tax
營火(ㄧㄥˊ ㄏㄨㄛˇ)a campfire
營救(ㄧㄥˊ ㄐㄧㄡˋ)to rescue
營造(ㄧㄥˊ ㄗㄠˋ)to construct
營造商(ㄧㄥˊ ㄗㄠˋ ㄕㄤ) a (building) contractor
營私舞弊(ㄧㄥˊ ㄙ ㄨˇ ㄅㄧˋ)to practice graft
營業(ㄧㄥˊ ㄧㄝˋ)business operation
營業執照(ㄧㄥˊ ㄧㄝˋ ㄓˊ ㄓㄠˋ)a business license
營業時間(ㄧㄥˊ ㄧㄝˋ ㄕˊ ㄐㄧㄢ)business hours
營業稅(ㄧㄥˊ ㄧㄝˋ ㄕㄨㄟˋ)business tax
營養(ㄧㄥˊ ㄧㄤˇ)nutrition
營養不良(ㄧㄥˊ ㄧㄤˇ ㄅㄨˋ ㄌㄧㄤˊ)malnutrition

燧 3265
ㄙㄨㄟˋ suì
1. a flint 2. a beacon

燠 3266
1. ㄩˋ yù
warm

燠 3266
2. ㄠˋ ào
as in 燠熱—very hot; sweltering

燠 3266
3. ㄧㄡ yōu
as in 燠休—to comfort or to soothe (the distressed or afflicted)

燦 3267
ㄘㄢˋ càn
bright; brilliant; resplendent
燦爛(ㄘㄢˋ ㄌㄢˋ)resplendent

燬 3268
ㄏㄨㄟˇ huǐ
1. fire; a blaze 2. to burn down

燥 3269
ㄗㄠˋ zào
1. arid; dry; parched 2. impatient; 「restless」
燥熱(ㄗㄠˋ ㄖㄜˋ)dry and hot

燴 3270
ㄏㄨㄟˋ huì
1. to put (a variety of materials) together and cook; to braise 2. to serve (noodles, rice, etc.) with a topping of meat, vegetables, etc., in 「gravy」

燭 3271
ㄓㄨˊ zhú
1. a candle 2. to illuminate; to shine 「upon」
燭臺(ㄓㄨˊ ㄊㄞˊ)a candlestick
燭光(ㄓㄨˊ ㄍㄨㄤ)candlelight
燭芯(ㄓㄨˊ ㄒㄧㄣ)candlewick

燮 3272
ㄒㄧㄝˋ xiè
to blend; to harmonize; harmonious

十四畫

燹 3273
ㄒㄧㄢˇ xiǎn
1. fires set off by troops or shells 2. 「outdoor fire」

燾 3274
ㄊㄠ tāo
(又讀 ㄉㄠˋ dào)
1. to illuminate extensively 2. to cover like a canopy

燼 3275
ㄐㄧㄣˋ jìn
1. embers; ashes; cinders 2. victims 「of disasters」

燿 3276
ㄧㄠˋ yào
same as 耀—to shine brilliantly

十五畫

爆 3277
ㄅㄠˋ bào
1. to explode; to burst; to crack; to pop 2. to quick-boil; to quick-fry
爆破(ㄅㄠˋ ㄆㄛˋ)to demolish by explosives; demolition
爆米花(ㄅㄠˋ ㄇㄧˇ ㄏㄨㄚ)popcorn
爆發(ㄅㄠˋ ㄈㄚ)①to explode; to blow up ②to break out; to erupt
爆裂(ㄅㄠˋ ㄌㄧㄝˋ)to burst; to erupt
爆炸(ㄅㄠˋ ㄓㄚˋ)to explode
爆炸物(ㄅㄠˋ ㄓㄚˋ ㄨˋ)an explosive
爆竹(ㄅㄠˋ ㄓㄨˊ)firecrackers

爍 3278
ㄕㄨㄛˋ shuò
1. to glitter; to glisten; to sparkle 2. 「to melt」

爇 3279
ㄖㄨㄛˋ ruò
(又讀 ㄖㄜˋ rè)
to burn

十六畫

爐 3280
ㄌㄨˊ lú
a stove; an oven; a furnace; a fire- 「place; a hearth」
爐火純青(ㄌㄨˊ ㄏㄨㄛˇ ㄔㄨㄣˊ ㄑㄧㄥ) The skill is mature.
爐子(ㄌㄨˊ ·ㄗ)a stove; a fireplace
爐竈(ㄌㄨˊ ㄗㄠˋ)a cooking stove

十七畫

爛 3281
ㄌㄢˋ làn
1. overripe; rotten 2. well cooked 3. bright; brilliant 4. to scald; to burn 5. worn-out 6. dissolute; messy
爛漫(ㄌㄢˋ ㄇㄢˋ)naive
爛攤子(ㄌㄢˋ ㄊㄢ •ㄗ)a shambles
爛貨(ㄌㄢˋ ㄏㄨㄛˋ) goods of poor quality
爛醉如泥(ㄌㄢˋ ㄗㄨㄟˋ ㄖㄨˊ ㄋㄧˊ)dead drunk; drunk as a lord

十八畫

爝 3282
ㄐㄩㄝˊ jué
a torch

二十五畫

爨 3283
ㄘㄨㄢˋ cuàn
1. to cook 2. a cooking stove

爪部
ㄓㄠˇ zhao

爪 3284
1. ㄓㄠˇ zhǎo
1. a nail 2. a claw; a talon
爪牙 (ㄓㄠˇ ㄧㄚˊ) nails and teeth —retainers; lackeys; cat's-paws
爪印(ㄓㄠˇ ㄧㄣˋ)a trace

爪 3284
2. ㄓㄨㄚˇ zhuǎ
a claw
爪子(ㄓㄨㄚˇ •ㄗ)a claw; a paw; a talon

四畫

爬 3285
ㄆㄚˊ pá
1. to creep 2. to climb 3. to scratch 4. to lie face downwards
爬起來(ㄆㄚˊ ㄑㄧˇ ㄌㄞˊ)to get up
爬牆(ㄆㄚˊ ㄑㄧㄤˊ)to climb a fence; to scale a wall
爬行(ㄆㄚˊ ㄒㄧㄥˊ)to crawl
爬蟲(ㄆㄚˊ ㄔㄨㄥˊ)a reptile
爬山(ㄆㄚˊ ㄕㄢ)to climb mountains

爭 3286
ㄓㄥ zhēng
1. to contend; to struggle 2. to fight; to dispute 3. short of; to lack 4. same as 怎—how; why
爭霸(ㄓㄥ ㄅㄚˋ) to contend (or struggle) for hegemony
爭霸戰(ㄓㄥ ㄅㄚˋ ㄓㄢˋ)a struggle for power
爭辯(ㄓㄥ ㄅㄧㄢˋ)to argue
爭名奪利(ㄓㄥ ㄇㄧㄥˊ ㄉㄨㄛˊ ㄌㄧˋ)to struggle for fame and wealth
爭奪(ㄓㄥ ㄉㄨㄛˊ)to struggle for
爭端(ㄓㄥ ㄉㄨㄢ)the cause of dispute, quarrel, or fight
爭論(ㄓㄥ ㄌㄨㄣˋ)to dispute
爭氣(ㄓㄥ ㄑㄧˋ)don't let down
爭取(ㄓㄥ ㄑㄩˇ)to try to get
爭取時間(ㄓㄥ ㄑㄩˇ ㄕˊ ㄐㄧㄢ)to act quickly
爭先恐後(ㄓㄥ ㄒㄧㄢ ㄎㄨㄥˇ ㄏㄡˋ) anxious to be ahead of others
爭執(ㄓㄥ ㄓˊ)to contest
爭吵(ㄓㄥ ㄔㄠˇ)to quarrel
爭議(ㄓㄥ ㄧˋ)to dispute

五畫

爰 3287
ㄩㄢˊ yuán
thereupon; therefore; accordingly

八畫

爲 3288
1. (為) ㄨㄟˊ wéi
1. to do; to act 2. to manage; to handle; to govern 3. to serve as 4. to become 5. to be
爲憑(ㄨㄟˊ ㄆㄧㄥˊ)to use as proof
爲非作歹(ㄨㄟˊ ㄈㄟ ㄗㄨㄛˋ ㄉㄞˇ)to do evil; to perpetrate outrages
爲頭(ㄨㄟˊ ㄊㄡˊ)or 爲首(ㄨㄟˊ ㄕㄡˇ)① to be the head or leader ② led by
爲難(ㄨㄟˊ ㄋㄢˊ)① awkward; troubled ② to make things difficult (for another)
爲患(ㄨㄟˊ ㄏㄨㄢˋ)or 爲害(ㄨㄟˊ ㄏㄞˋ) to be a cause of trouble
爲期(ㄨㄟˊ ㄑㄧˊ)to serve as the date (for an occasion) or deadline
爲期不遠(ㄨㄟˊ ㄑㄧˊ ㄅㄨˋ ㄩㄢˇ) in the near future; soon
爲止(ㄨㄟˊ ㄓˇ) ①until; till; up to ② no further
爲證(ㄨㄟˊ ㄓㄥˋ)to serve as proof
爲主(ㄨㄟˊ ㄓㄨˇ)mainly
爲時過早(ㄨㄟˊ ㄕˊ ㄍㄨㄛˋ ㄗㄠˇ)earlier than is expected; too early
爲人(ㄨㄟˊ ㄖㄣˊ)one's personality, character or temperament
爲人師表(ㄨㄟˊ ㄖㄣˊ ㄕ ㄅㄧㄠˇ)to be a model of virtue for others
爲所欲爲(ㄨㄟˊ ㄙㄨㄛˇ ㄩˋ ㄨㄟˊ)to do as one pleases
爲伍(ㄨㄟˊ ㄨˇ) to associate or mix (with)

爲 3288
2. (為) ㄨㄟˋ wèi
for; for the good of; for the sake of
爲民除害(ㄨㄟˋ ㄇㄧㄣˊ ㄔㄨˊ ㄏㄞˋ)to remove the evils from the people

爲了(ㄨㄟˋ ·ㄌㄜ)for the sake of
爲何(ㄨㄟˋ ㄏㄜˊ)What for? 或 Why?
爲虎添翼(ㄨㄟˋ ㄏㄨˇ ㄊㄧㄢ ㄧˋ)to help a villain do evil
爲…起見(ㄨㄟˋ…ㄑㄧˇ ㄐㄧㄢˋ) for the purpose of...
爲甚麼(ㄨㄟˋ ㄕㄜˊ ·ㄇㄜ)Why?
爲此(ㄨㄟˋ ㄘˇ)for this reason

十四畫

爵 3289 ㄐㄩㄝˊ jué
1. a title of nobility; peerage 2. an ancient wine pitcher with three legs and a loop handle
爵士音樂(ㄐㄩㄝˊ ㄕˋ ㄧㄣ ㄩㄝˋ) jazz; jazz music
爵位(ㄐㄩㄝˊ ㄨㄟˋ)a degree of nobility

父部 ㄈㄨˋ fù

父 3290 1. ㄈㄨˋ fù
1. father 2. a male relative of an elder generation 3. to do father's duties
父母(ㄈㄨˋ ㄇㄨˇ)parents
父母官(ㄈㄨˋ ㄇㄨˇ ㄍㄨㄢ)a local official
父老(ㄈㄨˋ ㄌㄠˇ)elders
父親(ㄈㄨˋ ㄑㄧㄣ)father
父親節 (ㄈㄨˋ ㄑㄧㄣ ㄐㄧㄝˊ) Father's Day (falling on August 8)
父系制度(ㄈㄨˋ ㄒㄧˋ ㄓˋ ㄉㄨˋ)patriarchy
父子(ㄈㄨˋ ㄗˇ)father and son

父 3290 2. ㄈㄨˇ fǔ
a respectful term for an elderly man in ancient times

四畫

爸 3291 ㄅㄚˋ bà
as in 爸爸—father; papa

六畫

爹 3292 ㄉㄧㄝ diē
father
爹娘(ㄉㄧㄝ ㄋㄧㄤˊ)parents

九畫

爺 3293 ㄧㄝˊ yé
1. father 2. master; sir 3. god
爺兒倆(ㄧㄜˊㄦ ㄌㄧㄚˇ)father and son; father and daughter
爺爺(ㄧㄝˊ ·ㄧㄝ)grandfather; grandpa

爻部 ㄧㄠˊ yáo

爻 3294 ㄧㄠˊ yáo (讀音 ㄒㄧㄠˊ xiáo)
single and divided lines in eight groups of three lines each as specified in the *Book of Changes*

七畫

爽 3295 ㄕㄨㄤˇ shuǎng
1. refreshing; agreeable; pleasant 2. to feel well 3. frank; open-hearted 4. to fail; to miss 5. to be in error
爽朗(ㄕㄨㄤˇ ㄌㄤˇ)open-minded
爽口(ㄕㄨㄤˇ ㄎㄡˇ)tasty
爽快(ㄕㄨㄤˇ ㄎㄨㄞˋ)① frank; open-hearted ② comfortable
爽直(ㄕㄨㄤˇ ㄓˊ)outspoken
爽身粉(ㄕㄨㄤˇ ㄕㄣ ㄈㄣˇ)talcum powder
爽約(ㄕㄨㄤˇ ㄩㄝ)to fail to keep a promise; to break an appointment

十畫

爾 3296 ㄦˇ ěr
1. you; thou 2. that; this; those; these; such; so 3. after adjectives 4. only
爾等(ㄦˇ ㄉㄥˇ)you all
爾後(ㄦˇ ㄏㄡˋ)thereafter
爾虞我詐(ㄦˇ ㄩˊ ㄨㄛˇ ㄓㄚˋ)each trying to cheat the other

爿部 ㄑㄧㄤˊ qiáng

四畫

牀 3297 (床) ㄔㄨㄤˊ chuáng
1. a bed; a couch 2. the ground under a body of water
牀鋪(ㄔㄨㄤˊ ㄆㄨˋ)a bed and bedding
牀單(ㄔㄨㄤˊ ㄉㄢ)a bedsheet
牀墊(ㄔㄨㄤˊ ㄉㄧㄢˋ)a mattress
牀罩(ㄔㄨㄤˊ ㄓㄠˋ)a bedspread
牀上(ㄔㄨㄤˊ ·ㄕㄤ)on a bed
牀位(ㄔㄨㄤˊ ㄨㄟˋ)berths or bunks (in a ship or on a train)

五畫

牁 3298 ㄍㄜ gē
a stake to which a boat may be moored

六畫

牂 3299 ㄗㄤ zāng
a ewe

十三畫

牆 3300 (墻) ㄑㄧㄤˊ qiáng
a wall; a fence
牆壁(ㄑㄧㄤˊ ㄅㄧˋ)a wall
牆角(ㄑㄧㄤˊ ㄐㄧㄠˇ)a corner between two walls

片部 ㄆㄧㄢˋ piàn

片 3301 1. ㄆㄧㄢˋ piàn
a piece; a slice; a fragment; a chip
片面(ㄆㄧㄢˋ ㄇㄧㄢˋ) ①unilateral ②unfair
片面之詞(ㄆㄧㄢˋ ㄇㄧㄢˋ ㄓ ㄘˊ) one-sided remarks
片名(ㄆㄧㄢˋ ㄇㄧㄥˊ)title of a motion picture
片段(ㄆㄧㄢˋ ㄉㄨㄢˋ)fragments
片刻(ㄆㄧㄢˋ ㄎㄜˋ)a moment
片假名(ㄆㄧㄢˋ ㄐㄧㄚˇ ㄇㄧㄥˊ)katakana

片 3301 2. ㄆㄧㄢ piān
1. a photograph 2. a phonograph record

四畫

版 3302 ㄅㄢˇ bǎn
1. household registers 2. printing plate 3. edition 4. supporting boards used in building walls
版本(ㄅㄢˇ ㄅㄣˇ)edition
版面(ㄅㄢˇ ㄇㄧㄢˋ)① space of a whole page ② layout of a printed sheet
版圖(ㄅㄢˇ ㄊㄨˊ)territory
版刻(ㄅㄢˇ ㄎㄜˋ)carving; engraving
版畫 (ㄅㄢˇ ㄏㄨㄚˋ) a picture printed from an engraved or etched plate
版權(ㄅㄢˇ ㄑㄩㄢˊ)copyright
版權所有(ㄅㄢˇ ㄑㄩㄢˊ ㄙㄨㄛˇ ㄧㄡˇ)All rights reserved.
版稅(ㄅㄢˇ ㄕㄨㄟˋ)royalties (on books)

八畫

牌 3303 ㄆㄞˊ pái
1. a bulletin board 2. a tablet; a signboard; a plate 3. a card; a tag; a label 4. a trademark; a brand
牌局(ㄆㄞˊ ㄐㄩˊ)a gambling game
牌照(ㄆㄞˊ ㄓㄠˋ)a license
牌子(ㄆㄞˊ ·ㄗ)①a card; a tag; a label ②a brand
牌位(ㄆㄞˊ ㄨㄟˋ) an ancestral tablet; a memorial tablet

九畫

牒 3304 ㄉㄧㄝˊ dié
1. official documents 2. certificates 3. records of a family pedigree

十畫

牓 3305 (榜) ㄅㄤˇ bǎng
1. a tablet 2. a public notice

十一畫

牖 3306 ㄧㄡˇ yǒu
1. a window 2. to guide; to educate

十五畫

牘 3307 ㄉㄨˊ dú
1. a wooden writing tablet 2. documents; letters 3. a hollow pole used to strike the ground to mark the beat of music in ancient times
牘箋(ㄉㄨˊ ㄐㄧㄢ)letters

牙部 ㄧㄚˊ yá

牙 3308 ㄧㄚˊ yá
1. teeth 2. to bite 3. ivory articles 4. a broker
牙疼(ㄧㄚˊ ㄊㄥˊ) or 牙痛(ㄧㄚˊ ㄊㄨㄥˋ) toothache
牙膏(ㄧㄚˊ ㄍㄠ)toothpaste
牙根(ㄧㄚˊ ㄍㄣ)base of the teeth
牙科(ㄧㄚˊ ㄎㄜ)dentistry
牙籤(ㄧㄚˊ ㄑㄧㄢ)a toothpick
牙線(ㄧㄚˊ ㄒㄧㄢˋ)dental floss
牙周病(ㄧㄚˊ ㄓㄡ ㄅㄧㄥˋ)periodontosis
牙齒(ㄧㄚˊ ㄔˇ)a tooth or teeth
牙牀(ㄧㄚˊ ㄔㄨㄤˊ)teethridge
牙刷(ㄧㄚˊ ㄕㄨㄚ)a toothbrush
牙醫(ㄧㄚˊ ㄧ)a dentist
牙齦(ㄧㄚˊ ㄧㄣˊ)gums

〔片・牙部〕

〔牛部〕

八畫

牚 3309
(撐) ㄔㄥ chēng
to prop; to support

牛部
ㄋㄧㄡˊ niú

牛 3310
ㄋㄧㄡˊ niú
1. an ox; cattle; a cow; a bull 2. a Chinese family name 3. (said of a person) stubborn; headstrong
牛排(ㄋㄧㄡˊ ㄆㄞˊ)steak; beefsteak
牛脾氣(ㄋㄧㄡˊ ㄆㄧˊ ㄑㄧˋ)stubbornness
牛皮紙(ㄋㄧㄡˊ ㄆㄧˊ ㄓˇ)kraft paper
牛痘(ㄋㄧㄡˊ ㄉㄡˋ)cowpox; vaccinia
牛奶(ㄋㄧㄡˊ ㄋㄞˇ)(cow's) milk
牛奶糖(ㄋㄧㄡˊ ㄋㄞˇ ㄊㄤˊ)toffee; taffy
牛腩(ㄋㄧㄡˊ ㄋㄢˇ)sirloin
牛郎(ㄋㄧㄡˊ ㄌㄤˊ)a cowboy
牛角(ㄋㄧㄡˊ ㄐㄧㄠˇ)horns of cattle
牛筋(ㄋㄧㄡˊ ㄐㄧㄣ)a cattle tendon
牛舍 (ㄋㄧㄡˊ ㄕㄜˋ) or 牛棚 (ㄋㄧㄡˊ ㄆㄥˊ)a cattle pen, shed, or yard
牛肉(ㄋㄧㄡˊ ㄖㄡˋ)beef
牛肉麪(ㄋㄧㄡˊ ㄖㄡˋ ㄇㄧㄢˋ) noodles served with stewed beef
牛肉乾(ㄋㄧㄡˊ ㄖㄡˋ ㄍㄢ) dried beef roast
牛仔(ㄋㄧㄡˊ ㄗㄞˇ)a cowboy
牛仔褲(ㄋㄧㄡˊ ㄗㄞˇ ㄎㄨˋ)blue jeans
牛油(ㄋㄧㄡˊ ㄧㄡˊ)butter
牛飲(ㄋㄧㄡˊ ㄧㄣˇ)to drink heavily
牛蛙(ㄋㄧㄡˊ ㄨㄚ)a bullfrog
牛瘟(ㄋㄧㄡˊ ㄨㄣ)rinderpest

二畫

牝 3311
ㄆㄧㄣˋ pìn
female of an animal

牟 3312
ㄇㄡˊ móu
1. to seek 2. to bellow(or low)
牟利(ㄇㄡˊ ㄌㄧˋ)to seek profits
牟取(ㄇㄡˊ ㄑㄩˇ)to seek; to obtain

三畫

牡 3313
ㄇㄨˇ mǔ
(又讀 ㄇㄡˇ mǒu)
a male animal
牡丹(ㄇㄨˇ ㄉㄢ)a peony
牡蠣(ㄇㄨˇ ㄌㄧˋ)an oyster

牠 3314
ㄊㄚ tā
(讀音 ㄊㄨㄛ tuō)
(又讀 ㄊㄜ tē)
it

牢 3315
ㄌㄠˊ láo
1. a cage 2. a jail 3. stable; firm 4. worried; concerned 5. sacrifice
牢不可破(ㄌㄠˊ ㄅㄨˋ ㄎㄜˇ ㄆㄛˋ)impregnable; invulnerable; very secure
牢籠(ㄌㄠˊ ㄌㄨㄥˊ)a cage; a prison
牢固(ㄌㄠˊ ㄍㄨˋ)secure; firm
牢靠(ㄌㄠˊ ㄎㄠˋ)dependable
牢記(ㄌㄠˊ ㄐㄧˋ)to keep firmly in mind
牢騷(ㄌㄠˊ ㄙㄠ)complaint
牢獄(ㄌㄠˊ ㄩˋ)a jail; a prison

四畫

牧 3316
ㄇㄨˋ mù
1. to pasture; to shepherd 2. pasture 3. to govern 4. a magistrate
牧童(ㄇㄨˋ ㄊㄨㄥˊ)a shepherd boy
牧場(ㄇㄨˋ ㄔㄤˇ)a pasture
牧師(ㄇㄨˋ ㄕ)a preacher
牧草(ㄇㄨˋ ㄘㄠˇ)herbage; pasture
牧羊(ㄇㄨˋ ㄧㄤˊ)to tend sheep
牧羊犬(ㄇㄨˋ ㄧㄤˊ ㄑㄩㄢˇ)a collie
牧羊人(ㄇㄨˋ ㄧㄤˊ ㄖㄣˊ)a shepherd

物 3317
ㄨˋ wù
1. a thing; matter; a being 2. content; substance 3. the physical world; nature 4. other people
物品(ㄨˋ ㄆㄧㄣˇ)things; articles
物美價廉(ㄨˋ ㄇㄟˇ ㄐㄧㄚˋ ㄌㄧㄢˊ) (said of merchandise) excellent quality and reasonable price
物體(ㄨˋ ㄊㄧˇ)(physics) a body
物理(ㄨˋ ㄌㄧˇ)physics
物理學(ㄨˋ ㄌㄧˇ ㄒㄩㄝˊ)physics
物歸原主(ㄨˋ ㄍㄨㄟ ㄩㄢˊ ㄓㄨˇ)Things return to their proper owners.
物價(ㄨˋ ㄐㄧㄚˋ)commodity prices
物價指數(ㄨˋ ㄐㄧㄚˋ ㄓˇ ㄕㄨˋ)a price index
物質(ㄨˋ ㄓˊ)(physics) matter
物證(ㄨˋ ㄓㄥˋ)material evidence
物色(ㄨˋ ㄙㄜˋ)to seek; to scout for
物以類聚(ㄨˋ ㄧˇ ㄌㄟˋ ㄐㄩˋ)Birds of a feather flock together.

五畫

牯 3318
ㄍㄨˇ gǔ
1. a cow 2. a castrated bull

牲 3319
ㄕㄥ shēng
as in 牲口 or 牲畜—livestock

牴 3320
ㄉㄧˇ dǐ
to gore
牴觸(ㄉㄧˇ ㄔㄨˋ)to conflict

六畫

特 3321
ㄊㄜˋ tè
1. special; particular; outstanding 2. just; merely; only 3. a bull
特別(ㄊㄜˋ ㄅㄧㄝˊ)① special; peculiar; particular ② especially; particularly
特(別)快車(ㄊㄜˋ (ㄅㄧㄝˊ) ㄎㄨㄞˋ ㄔㄜ) a special express
特派記者(ㄊㄜˋ ㄆㄞˋ ㄐㄧˋ ㄓㄜˇ) an accredited journalist
特派員(ㄊㄜˋ ㄆㄞˋ ㄩㄢˊ)a correspondent
特大號(ㄊㄜˋ ㄉㄚˋ ㄏㄠˋ)king-size; extra large size
特地(ㄊㄜˋ ㄉㄧˋ)on purpose
特點(ㄊㄜˋ ㄉㄧㄢˇ) special features; characteristics
特定(ㄊㄜˋ ㄉㄧㄥˋ) ①specially designated ② specific; specified; given
特例(ㄊㄜˋ ㄌㄧˋ)a special case
特刊(ㄊㄜˋ ㄎㄢ)the extra edition
特技(ㄊㄜˋ ㄐㄧˋ)aerobatics
特價(ㄊㄜˋ ㄐㄧㄚˋ)a bargain price
特獎(ㄊㄜˋ ㄐㄧㄤˇ)a grand prize
特權(ㄊㄜˋ ㄑㄩㄢˊ)privileges
特寫(ㄊㄜˋ ㄒㄧㄝˇ)a close-up
特效藥(ㄊㄜˋ ㄒㄧㄠˋ ㄧㄠˋ)a specific
特性(ㄊㄜˋ ㄒㄧㄥˋ) characteristics; distinctive features
特質(ㄊㄜˋ ㄓˋ)characteristics
特製(ㄊㄜˋ ㄓˋ)manufactured with a special process or extra care
特徵(ㄊㄜˋ ㄓㄥ)distinctive features
特准(ㄊㄜˋ ㄓㄨㄣˇ)a special permit
特種部隊(ㄊㄜˋ ㄓㄨㄥˇ ㄅㄨˋ ㄉㄨㄟˋ)special forces
特產(ㄊㄜˋ ㄔㄢˇ)unique or special products (of a place)
特長(ㄊㄜˋ ㄔㄤˊ)a special skill
特赦(ㄊㄜˋ ㄕㄜˋ)an amnesty
特殊(ㄊㄜˋ ㄕㄨ)special; unusual
特殊技能(ㄊㄜˋ ㄕㄨ ㄐㄧˋ ㄋㄥˊ)a technical skill
特色(ㄊㄜˋ ㄙㄜˋ)unique features
特約(ㄊㄜˋ ㄩㄝ)specially or exclusively engaged
特約診所(ㄊㄜˋ ㄩㄝ ㄓㄣˇ ㄙㄨㄛˇ) a clinic exclusively engaged by an organization

牷 3322
ㄑㄩㄢˊ quán
1. an ox of one color 2. (said of a sacrifice) intact

牸 3323
ㄗˋ zì
1. female animals 2. a cow

七畫

牽 3324
ㄑㄧㄢ qiān
1. to drag; to pull; to haul 2. to involve 3. to restrain
牽牛花(ㄑㄧㄢ ㄋㄧㄡˊ ㄏㄨㄚ)morning glory
牽連(ㄑㄧㄢ ㄌㄧㄢˊ)to involve (in trouble); to implicate
牽掛(ㄑㄧㄢ ㄍㄨㄚˋ)to worry about
牽強(ㄑㄧㄢ ㄑㄧㄤˇ) (said of an interpretation, etc.) unnatural; far-fetched
牽強附會(ㄑㄧㄢ ㄑㄧㄤˇ ㄈㄨˋ ㄏㄨㄟˋ)to distort the meaning
牽制(ㄑㄧㄢ ㄓˋ)to restrain
牽扯(ㄑㄧㄢ ㄔㄜˇ)to involve
牽涉(ㄑㄧㄢ ㄕㄜˋ)to involve
牽手(ㄑㄧㄢ ㄕㄡˇ)① to lead by the hand ② one's wife
牽引機(ㄑㄧㄢ ㄧㄣˇ ㄐㄧ)a tractor

牾 3325
ㄨˇ wǔ
1. to oppose 2. to gore

八畫

犂 3326
(犁) ㄌㄧˊ lí
1. to till; to plough 2. a plough
犂田(ㄌㄧˊ ㄊㄧㄢˊ)to plough (or plow) a field

犀 3327
ㄒㄧ xī
1. (said of armor, weapons, etc.) sharp-edged and hard 2. a rhinoceros
犀牛(ㄒㄧ ㄋㄧㄡˊ)the rhinoceros
犀利(ㄒㄧ ㄌㄧˋ)trenchant

犄 3328
ㄐㄧ jī
as in 犄角—a horn

犉 3329
ㄖㄨㄣˊ rún
1. an ox with yellow hair and a black mouth 2. an ox seven feet tall

犇 3330
ㄅㄣ bēn
an ancient variant of 奔—to run away; to be in a hurry

九畫

犍 3331
ㄐㄧㄢ jiān
a castrated bull

十畫

〔牛部〕

犒 3332 ㄎㄠˋ kào
to reward (soldiers, laborers, etc.)
犒賞(ㄎㄠˋ ㄕㄤˇ)to reward with money or gifts

犖 3333 ㄌㄨㄛˋ luò
1. a spotted ox 2. of many colors

十一畫

犛 3334 ㄌㄧˊ lí
1. a black ox 2. as in 犛牛—a yak

十五畫

犢 3335 ㄉㄨˊ dú
a calf

十六畫

犧 3336 ㄒㄧ xī
1. a beast of a uniform color for sacrifice 2. to sacrifice
犧牲(ㄒㄧ ㄕㄥ)to sacrifice
犧牲品(ㄒㄧ ㄕㄥ ㄆㄧㄣˇ)a sacrificial lamb

犨 3337 ㄔㄡ chōu
the panting of an ox

犬部 ㄑㄩㄢˇ quǎn

犬 3338 ㄑㄩㄢˇ quǎn
a dog; a canine
犬馬之勞(ㄑㄩㄢˇ ㄇㄚˇ ㄓ ㄌㄠˊ)one's own service (a self-depreciatory term)
犬子 (ㄑㄩㄢˇ ㄗˇ) my son (a self-depreciatory term)

一畫

犮 3339 ㄅㄛˊ bó
the way a dog walks

二畫

犯 3340 ㄈㄢˋ fàn
1. to violate; to offend; to break (regulations or laws) 2. to commit (crimes, etc.) 3. to invade; to attack 4. a criminal 5. to revert to
犯病(ㄈㄢˋ ㄅㄧㄥˋ)to have a relapse
犯不著(ㄈㄢˋ ˙ㄅㄨ ㄓㄠˊ)not worthwhile
犯法(ㄈㄢˋ ㄈㄚˇ)to break the law
犯規(ㄈㄢˋ ㄍㄨㄟ) (sports) to commit a foul
犯忌諱(ㄈㄢˋ ㄐㄧˋ ㄏㄨㄟˋ)to violate a taboo
犯人(ㄈㄢˋ ㄖㄣˊ)a prisoner
犯罪(ㄈㄢˋ ㄗㄨㄟˋ) (to commit) a crime
犯錯(ㄈㄢˋ ㄘㄨㄛˋ)to make a mistake

三畫

犴 3341 ㄢˋ àn
1. a prison; a jail 2. a species of dog with black mouth and nose

四畫

狀 3342 ㄓㄨㄤˋ zhuàng
1. appearance; shape 2. condition; situation 3. written appeal 4. a certificate 5. to describe; to narrate
狀態(ㄓㄨㄤˋ ㄊㄞˋ)situation; state; condition
狀況(ㄓㄨㄤˋ ㄎㄨㄤˋ)situation
狀元(ㄓㄨㄤˋ ㄩㄢˊ)① the top successful candidate in the imperial examination ② the very best

狂 3343 ㄎㄨㄤˊ kuáng
1. crazy; mad 2. violent 3. unrestrained; wild 4. haughty
狂奔(ㄎㄨㄤˊ ㄅㄣ)to run about madly
狂飆(ㄎㄨㄤˊ ㄅㄧㄠ)a hurricane
狂風暴雨(ㄎㄨㄤˊ ㄈㄥ ㄅㄠˋ ㄩˇ)a violent storm
狂瀾(ㄎㄨㄤˊ ㄌㄢˊ)① violent waves ② violent disturbances
狂亂(ㄎㄨㄤˊ ㄌㄨㄢˋ)wild; mad
狂歡(ㄎㄨㄤˊ ㄏㄨㄢ)to rejoice with wild excitement
狂犬病(ㄎㄨㄤˊ ㄑㄩㄢˇ ㄅㄧㄥˋ)rabies; hydrophobia
狂想曲(ㄎㄨㄤˊ ㄒㄧㄤˇ ㄑㄩˇ) (music) a rhapsody
狂熱(ㄎㄨㄤˊ ㄖㄜˋ)feverish; unreasonably enthusiastic
狂人(ㄎㄨㄤˊ ㄖㄣˊ)① a lunatic ② an extremely conceited fellow
狂傲(ㄎㄨㄤˊ ㄠˋ)unreasonably haughty
狂妄(ㄎㄨㄤˊ ㄨㄤˋ)① irrational; crazy ② extremely conceited

狄 3344 ㄉㄧˊ dí
1. name of a barbarian tribe to the north of ancient China 2. a Chinese family name
狄斯耐樂園(ㄉㄧˊ ㄙ ㄋㄞˋ ㄌㄜˋ ㄩㄢˊ) Disneyland, U. S. A.

狁 3345 ㄩㄣˇ yǔn
name of a barbarian tribe to the north of ancient China

狃 3346
ㄋㄧㄡˇ niŭ
1. to covet 2. to be accustomed to 3. to hold the post of 4. greedy

五畫

狎 3347
ㄒㄧㄚˊ xiá
to show familiarity, intimacy, or disrespect
狎侮(ㄒㄧㄚˊ ㄨˇ)to treat with disrespect

狗 3348
ㄍㄡˇ gǒu
1. a dog 2. (figuratively) a lackey; a footman 3. damned; cursed
狗屁(ㄍㄡˇ ㄆㄧˋ)Nonsense!
狗腿子(ㄍㄡˇ ㄊㄨㄟˇ ·ㄗ)a hired thug; a henchman
狗熊(ㄍㄡˇ ㄒㄩㄥˊ)a bear
狗屎(ㄍㄡˇ ㄕˇ)(literally) dog's droppings—utterly worthless
狗窩(ㄍㄡˇ ㄨㄛ)a kennel; a doghouse

狐 3349
ㄏㄨˊ hú
as in 狐狸—the fox
狐狸狗(ㄏㄨˊ ·ㄌㄧ ㄍㄡˇ)a spitz
狐狸精(ㄏㄨˊ ·ㄌㄧ ㄐㄧㄥ)an enchantress
狐羣狗黨(ㄏㄨˊ ㄑㄩㄣˊ ㄍㄡˇ ㄉㄤˇ) a gang of scoundrels
狐臭(ㄏㄨˊ ㄔㄡˋ)an armpit odor
狐疑(ㄏㄨˊ ㄧˊ) suspicious; doubt; suspicion

狒 3350
ㄈㄟˋ fèi
the baboon

狙 3351
ㄐㄩ jū
1. a monkey; an ape 2. to lie in ambush
狙擊(ㄐㄩ ㄐㄧˊ)to attack by surprise
狙擊手(ㄐㄩ ㄐㄧˊ ㄕㄡˇ)a sniper

六畫

狠 3352
ㄏㄣˇ hěn
1. vicious; cruel 2. severe(ly); extreme(ly)
狠毒(ㄏㄣˇ ㄉㄨˊ)atrocious; cruel
狠心(ㄏㄣˇ ㄒㄧㄣ)pitiless; cruel

狡 3353
ㄐㄧㄠˇ jiǎo
1. cunning; crafty 2. suspicion; to suspect
狡辯(ㄐㄧㄠˇ ㄅㄧㄢˋ)to defend oneself in a devious way
狡猾(ㄐㄧㄠˇ ㄏㄨㄚˊ)cunning; crafty

狩 3354
ㄕㄡˋ shòu
1. to hunt in winter 2. an imperial tour
狩獵(ㄕㄡˋ ㄌㄧㄝˋ)hunting

七畫

狴 3355
ㄅㄧˋ bì
1. a legendary beast looking like a tiger 2. a prison

狼 3356
ㄌㄤˊ láng
1. the wolf 2. cruel and heartless 3. name of a constellation
狼狽(ㄌㄤˊ ㄅㄟˋ)① in a difficult position ② embarrassed
狼狽不堪(ㄌㄤˊ ㄅㄟˋ ㄅㄨˋ ㄎㄢ)to be in great distress or embarrassment
狼狽為奸 (ㄌㄤˊ ㄅㄟˋ ㄨㄟˊ ㄐㄧㄢ) to gang up with somebody
狼吞虎嚥(ㄌㄤˊ ㄊㄨㄣ ㄏㄨˇ ㄧㄢˋ) to gobble up; to wolf down
狼狗(ㄌㄤˊ ㄍㄡˇ)①a German shepherd ②a wolfhound

狽 3357
ㄅㄟˋ bèi
a kind of wolf with shorter forelegs

狷 3358
ㄐㄩㄢˋ juàn
1. rash; quick-tempered 2. honest and straightforward
狷介(ㄐㄩㄢˋ ㄐㄧㄝˋ)upright

狸 3359
(貍) ㄌㄧˊ lí
1. a fox 2. a racoon dog
狸貓(ㄌㄧˊ ㄇㄠ)a kind of wild cat

狹 3360
ㄒㄧㄚˊ xiá
narrow; narrow-minded
狹小(ㄒㄧㄚˊ ㄒㄧㄠˇ)(said of rooms, etc.) narrow and small
狹心症(ㄒㄧㄚˊ ㄒㄧㄣ ㄓㄥˋ)angina pectoris
狹窄(ㄒㄧㄚˊ ㄓㄞˇ)narrow; cramped
狹長(ㄒㄧㄚˊ ㄔㄤˊ)long and narrow
狹隘(ㄒㄧㄚˊ ㄞˋ)narrow-minded; narrow
狹義(ㄒㄧㄚˊ ㄧˋ)the narrow sense

狺 3361
ㄧㄣˊ yín
the snarling of dogs

八畫

猖 3362
ㄔㄤ chāng
wild; mad; impudent; unruly; reckless
猖獗(ㄔㄤ ㄐㄩㄝˊ)rampant
猖狂(ㄔㄤ ㄎㄨㄤˊ)wild; unrestrained

猗 3363
1. ㄧ yī
1. an exclamation indicating admiration 2. an adverbial particle

猗 3363
2. ㄜˇ ě
gentle, soft and pliant

〔犬部〕

〔犬部〕

猊 3364 ㄋㄧˊ ní
1. the lion 2. a wild beast or wild horse

猙 3365 ㄓㄥ zhēng
fierce-looking; hideous; repulsive
猙獰(ㄓㄥ ㄋㄧㄥˊ)fierce-looking

猛 3366 ㄇㄥˇ mĕng
1. bold; brave; fierce; violent 2. sudden and quick (strikes, thrusts, etc.) 3. severe; strict; stringent
猛烈(ㄇㄥˇ ㄌㄧㄝˋ)fierce
猛攻(ㄇㄥˇ ㄍㄨㄥ) to attack in full force
猛火(ㄇㄥˇ ㄏㄨㄛˇ)a raging fire
猛追(ㄇㄥˇ ㄓㄨㄟ)to be in hot pursuit of
猛獸(ㄇㄥˇ ㄕㄡˋ)fierce wild beasts
猛然(ㄇㄥˇ ㄖㄢˊ)abruptly

猜 3367 ㄘㄞ cāi
1. to guess; to suspect 2. cruel and suspicious
猜謎(ㄘㄞ ㄇㄧˊ) ①to solve riddles ②to guess
猜忌(ㄘㄞ ㄐㄧˋ)to be jealous aud suspicious
猜拳(ㄘㄞ ㄑㄩㄢˊ) to play the finger-guessing game
猜想(ㄘㄞ ㄒㄧㄤˇ)to guess
猜著(ㄘㄞ ㄓㄠˊ)or 猜中(ㄘㄞ ㄓㄨㄥˋ) to guess correctly
猜測(ㄘㄞ ㄘㄜˋ)to guess
猜疑(ㄘㄞ ㄧˊ)to suspect; to doubt

猓 3368 ㄍㄨㄛˇ guǒ
name of a tribe spread over Yunnan, Kweichow and Szechwan provinces

猝 3369 ㄘㄨˋ cù
sudden; abrupt; hurried; unexpected
猝然(ㄘㄨˋ ㄖㄢˊ)suddenly

猋 3370 ㄅㄧㄠ biāo
1. same as 飆—a storm, gale or hurricane 2. (said of dogs) running fast 3. swift; quick; rapid

九畫

猢 3371 ㄏㄨˊ hú
as in 猢猻—a monkey

猥 3372 ㄨㄟˇ wĕi
1. vulgar; wanton; low 2. many; varied 3. the bark of a dog
猥褻(ㄨㄟˇ ㄒㄧㄝˋ)obscenity

猶 3373 ㄧㄡˊ yóu
1. like; similar to; as if 2. still; yet; even 3. strategy; plot
猶太教(ㄧㄡˊ ㄊㄞˋ ㄐㄧㄠˋ)Judaism
猶太人(ㄧㄡˊ ㄊㄞˋ ㄖㄣˊ)Jews
猶如(ㄧㄡˊ ㄖㄨˊ)just like
猶自(ㄧㄡˊ ㄗˋ)still
猶有餘悸(ㄧㄡˊ ㄧㄡˇ ㄩˊ ㄐㄧˋ) Even now I am scared.
猶豫(ㄧㄡˊ ㄩˋ)to hesitate

猩 3374 ㄒㄧㄥ xīng
1. scarlet; red 2. a yellow-haired ape
猩紅熱 (ㄒㄧㄥ ㄏㄨㄥˊ ㄖㄜˋ) scarlet fever
猩猩(ㄒㄧㄥ ㄒㄧㄥ)a chimpanzee

猱 3375 ㄋㄠˊ náo
1. a yellow-haired monkey 2. to scratch

猴 3376 ㄏㄡˊ hóu
1.the monkey 2.naughty or impish (child)
猴急(ㄏㄡˊ ㄐㄧˊ)very impatient

猷 3377 ㄧㄡˊ yóu
1. a plan; a program 2. a way or path 3. to paint 4. similar to

十畫

猺 3378 (傜) ㄧㄠˊ yáo
1. a jackal 2. the Yao tribe in Yunnan, Hunan, Kwangsi and Kwangtung

猿 3379 (猨) ㄩㄢˊ yuán
an ape; a gibbon
猿類(ㄩㄢˊ ㄌㄟˋ)anthropoid
猿猴(ㄩㄢˊ ㄏㄡˊ)apes and monkeys

獅 3380 ㄕ shī
the lion
獅子頭(ㄕ ·ㄗ ㄊㄡˊ)stewed meatballs
獅子狗(ㄕ ·ㄗ ㄍㄡˇ)a poodle
獅子會(ㄕ ·ㄗ ㄏㄨㄟˋ)International Association of Lions Clubs 亦作「國際獅子會」
獅子座(ㄕ ·ㄗ ㄗㄨㄛˋ) (astronomy) Leo

猾 3381 ㄏㄨㄚˊ huá
cunning; shrewd; crafty

猻 3382 ㄙㄨㄣ sūn
a monkey

獃 3383 (呆) ㄉㄞ dāi (又讀 ㄞˊ ái)
1.stupid; silly; foolish 2.maladroit; awkward 3. to stay

獃板(ㄉㄞ ㄅㄢˇ)dull and mechanical
獃子(ㄉㄞ ˙ㄗ)an idiot; a stupid person

獄 3384
ㄩˋ yù
1. jail; prison 2. a lawsuit
獄吏(ㄩˋ ㄌㄧˋ)a jailer
獄卒(ㄩˋ ㄗㄨˊ)jailers

十一畫

獒 3385
ㄠˊ áo
a large fierce dog; a mastiff

獏 3386
ㄇㄨˊ mú
Mu, name of a tribe in Hopu, Kwangtung Province 亦作「獏猺」

獐 3387
ㄓㄤ zhāng
the roe deer; the hornless river deer
獐頭鼠目(ㄓㄤ ㄊㄡˊ ㄕㄨˇ ㄇㄨˋ)facial features suggesting cunning and meanness

十二畫

獠 3388
ㄌㄧㄠˊ liáo
1. (said of one's looks) fierce 2. nocturnal hunting 3. a monster

獞 3389
(僮) ㄊㄨㄥˊ tóng
Tung, name of a primitive tribe in Kwangtung and Kwangsi

獗 3390
ㄐㄩㄝˊ jué
unruly; lawless and wild; rampant

十三畫

獨 3391
ㄉㄨˊ dú
1. alone; solitary; single 2. only 3. to monopolize 4. to be old and without a son 5. how; Is it possible?
獨白(ㄉㄨˊ ㄅㄞˊ)soliloquy
獨木舟(ㄉㄨˊ ㄇㄨˋ ㄓㄡ)a canoe
獨到(ㄉㄨˊ ㄉㄠˋ)original
獨到之處(ㄉㄨˊ ㄉㄠˋ ㄓ ㄔㄨˋ)originality (of ideas); special merits
獨當一面(ㄉㄨˊ ㄉㄤ ㄧˊ ㄇㄧㄢˋ)to handle a major task unaided
獨攬大權(ㄉㄨˊ ㄌㄢˇ ㄉㄚˋ ㄑㄩㄢˊ) to grasp at authority by oneself
獨立(ㄉㄨˊ ㄌㄧˋ)independent
獨立國協 (ㄉㄨˊ ㄌㄧˋ ㄍㄨㄛˊ ㄒㄧㄝˊ) Commonwealth of Independent States
獨立宣言(ㄉㄨˊ ㄌㄧˋ ㄒㄩㄢ ㄧㄢˊ) the Declaration of Independence of the U.S.A.
獨家新聞(ㄉㄨˊ ㄐㄧㄚ ㄒㄧㄣ ㄨㄣˊ) an exclusive news report; a scoop
獨脚戲(ㄉㄨˊ ㄐㄧㄠˇ ㄒㄧˋ) a one-man show
獨角獸(ㄉㄨˊ ㄐㄧㄠˇ ㄕㄡˋ) a unicorn (a legendary animal)
獨居(ㄉㄨˊ ㄐㄩ)to live alone
獨具慧眼(ㄉㄨˊ ㄐㄩˋ ㄏㄨㄟˋ ㄧㄢˇ) to have a remarkable view
獨占or獨佔 (ㄉㄨˊ ㄓㄢˋ) to monopolize; monopoly
獨占鰲頭(ㄉㄨˊ ㄓㄢˋ ㄠˊ ㄊㄡˊ) to be the champion
獨唱(ㄉㄨˊ ㄔㄤˋ)singing solo
獨創(ㄉㄨˊ ㄔㄨㄤˋ)(literally) to create all by oneself—unique
獨生女(ㄉㄨˊ ㄕㄥ ㄋㄩˇ)the only daughter
獨子(ㄉㄨˊ ㄗˇ)the only son
獨自(ㄉㄨˊ ㄗˋ)personally
獨奏(ㄉㄨˊ ㄗㄡˋ)(music) a solo performance
獨裁(ㄉㄨˊ ㄘㄞˊ)dictatorial
獨一無二(ㄉㄨˊ ㄧ ㄨˊ ㄦˋ)or 獨特(ㄉㄨˊ ㄊㄜˋ)unique

獪 3392
ㄎㄨㄞˋ kuài
cunning; artful; crafty

獬 3393
ㄒㄧㄝˋ xiè
1. a Pekingese dog 2. a mythical animal which was supposed to know the difference between right and wrong

十四畫

獲 3394
ㄏㄨㄛˋ huò
1. to get; to obtain; to catch 2. can; able 3. a slave-girl
獲得(ㄏㄨㄛˋ ㄉㄜˊ)to obtain
獲救(ㄏㄨㄛˋ ㄐㄧㄡˋ)to be rescued
獲勝(ㄏㄨㄛˋ ㄕㄥˋ)to triumph
獲益(ㄏㄨㄛˋ ㄧˋ)to get profit

獮 3395
ㄒㄧㄢˇ xiǎn
1. to hunt; to kill 2. autumn hunting by ancient emperors

獯 3396
ㄒㄩㄣ xūn
name of a northern barbarian tribe in ancient China

獰 3397
ㄋㄧㄥˊ níng
an awe-inspiring look; a fierce appearance

十五畫

獵 3398
ㄌㄧㄝˋ liè
to hunt; to chase; field sports
獵獲(ㄌㄧㄝˋ ㄏㄨㄛˋ)to bag; to catch in hunting
獵槍(ㄌㄧㄝˋ ㄑㄧㄤ)a hunting gun

〔犬部〕

獵犬(ㄌㄧㄝˋ ㄑㄩㄢˇ) or 獵狗(ㄌㄧㄝˋ ㄍㄡˇ)a hunting dog
獵裝(ㄌㄧㄝˋ ㄓㄨㄤ)hunting dress
獵人(ㄌㄧㄝˋ ㄖㄣˊ)a hunter
獵鷹(ㄌㄧㄝˋ ㄧㄥ)a falcon
獵物(ㄌㄧㄝˋ ㄨˋ)game; a quarry

〔玄·玉部〕

獷 3399 ㄍㄨㄤˇ guǎng
fierce and rude; uncivilized

獸 3400 ㄕㄡˋ shòu
1. a beast or animal 2. bestial
獸皮(ㄕㄡˋ ㄆㄧˊ)animal skin
獸行(ㄕㄡˋ ㄒㄧㄥˊ)atrocities
獸性(ㄕㄡˋ ㄒㄧㄥˋ) ① bestiality ② animal passions
獸醫(ㄕㄡˋ ㄧ)a veterinarian
獸慾(ㄕㄡˋ ㄩˋ)carnal desire

十六畫

獺 3401 ㄊㄚˇ tǎ
an otter

獻 3402 ㄒㄧㄢˋ xiàn
1. to present; to offer; to donate 2. to display 3. to flatter or cater to
獻禮(ㄒㄧㄢˋ ㄌㄧˇ)to present a gift
獻花(ㄒㄧㄢˋ ㄏㄨㄚ)to lay a wreath
獻計(ㄒㄧㄢˋ ㄐㄧˋ)to offer advice for adoption
獻醜(ㄒㄧㄢˋ ㄔㄡˇ)to show my poor skill or talent (a polite expression)
獻殷勤(ㄒㄧㄢˋ ㄧㄣ ㄑㄧㄣˊ)to flatter

十七畫

獼 3403 ㄇㄧˊ mí
as in 獼猴—a rhesus monkey

十九畫

玀 3404 ㄌㄨㄛˊ luó
a primitive tribe

二十畫

玁 3405 (獫)ㄒㄧㄢˇ xiǎn
a dog with a long snout or muzzle

玄部 ㄒㄩㄢˊ xuán

玄 3406 ㄒㄩㄢˊ xuán
1. occult or mystic 2. dark or black 3. deep and profound 4. silent and meditative 5. pretending
玄妙(ㄒㄩㄢˊ ㄇㄧㄠˋ)mysterious
玄關(ㄒㄩㄢˊ ㄍㄨㄢ)① the door of a house ② a vestibule
玄機(ㄒㄩㄢˊ ㄐㄧ)(Taoism) the profound and mysterious truth
玄學(ㄒㄩㄢˊ ㄒㄩㄝˊ)metaphysics

六畫

率 3407 1. ㄕㄨㄞˋ shuài
1. to lead (troops, etc.) 2. to follow 3. rash and hasty 4. in general 5. straightforward 6. (said of men) dashing
率同(ㄕㄨㄞˋ ㄊㄨㄥˊ)to lead all the others in (visiting, etc.)
率領(ㄕㄨㄞˋ ㄌㄧㄥˇ) to lead (troops, etc.)
率先(ㄕㄨㄞˋ ㄒㄧㄢ)to be the first
率直(ㄕㄨㄞˋ ㄓˊ)or 率眞(ㄕㄨㄞˋ ㄓㄣ) candid; frank
率衆(ㄕㄨㄞˋ ㄓㄨㄥˋ)to lead a crowd
率師(ㄕㄨㄞˋ ㄕ)to lead troops

率 3407 2. ㄌㄩˋ lǜ
1. (mathematics) ratio 2. a suffix used to indicate a rate 3. to calculate

玉部 ㄩˋ yù

玉 3408 ㄩˋ yù
1. a precious stone—especially jade 2. a polite expression for "your" 3. a designation of things belonging to a girl or young woman 4. (said of a person, especially a woman) pure
玉佩(ㄩˋ ㄆㄟˋ)jade pendants on a girdle
玉米(ㄩˋ ㄇㄧˇ)Indian corn; maize
玉蘭花(ㄩˋ ㄌㄢˊ ㄏㄨㄚ)magnolia blossoms
玉器(ㄩˋ ㄑㄧˋ)jade articles
玉璽(ㄩˋ ㄒㄧˇ)the imperial seal
玉照(ㄩˋ ㄓㄠˋ)your photograph or picture
玉鐲(ㄩˋ ㄓㄨㄛˊ)a jade bracelet
玉手(ㄩˋ ㄕㄡˇ)fair hands
玉蜀黍(ㄩˋ ㄕㄨˇ ㄕㄨˇ)Indian corn; maize
玉液瓊漿(ㄩˋ ㄧㄝˋ ㄑㄩㄥˊ ㄐㄧㄤ) top-quality wine

王 3409 1. ㄨㄤˊ wáng

1. a king; a ruler 2. a prince, the highest rank of nobility 3. great; of a tremendous size 4. the strongest or most powerful 5. a salutation of respect 6. an audience with the ruler or emperor 7. a Chinese family name
王八(ㄨㄤˊ ·ㄅㄚ)① a turtle; a tortoise ② a cuckold
王牌(ㄨㄤˊ ㄆㄞˊ)a trump card
王妃(ㄨㄤˊ ㄈㄟ)a prince's concubine
王國(ㄨㄤˊ ㄍㄨㄛˊ)a kingdom
王冠(ㄨㄤˊ ㄍㄨㄢ)a crown
王宮(ㄨㄤˊ ㄍㄨㄥ)a royal palace
王后(ㄨㄤˊ ㄏㄡˋ)the queen
王權(ㄨㄤˊ ㄑㄩㄢˊ)imperial powers
王朝(ㄨㄤˊ ㄔㄠˊ)a dynasty
王儲(ㄨㄤˊ ㄔㄨˊ)a crown prince
王室(ㄨㄤˊ ㄕˋ)the royal family
王子(ㄨㄤˊ ㄗˇ)a prince
王位(ㄨㄤˊ ㄨㄟˋ)the throne

王 3409
2. ㄨㄤˋ wàng
to rule; to govern
王天下(ㄨㄤˋ ㄊㄧㄢ ㄒㄧㄚˋ)to rule over the empire

二畫

玎 3410
ㄉㄧㄥ dīng
the jingling or tinkling sound
玎璫(ㄉㄧㄥ ㄉㄤ)ding-dong; the jingling or tinkling sound

三畫

玕 3411
ㄍㄢ gān
a kind of inferior gem

玖 3412
ㄐㄧㄡˇ jiǔ
1. a black jade stone 2. an elaborate form of 九, nine, used in checks, etc. to prevent fraud

四畫

玫 3413
ㄇㄟˊ méi
1. the rose 2. another name of black mica—a sparkling red gem
玫瑰(ㄇㄟˊ ·ㄍㄨㄟ)the rose

玦 3414
ㄐㄩㄝˊ jué
a jade ring with a small segment cut off

玩 3415
1. ㄨㄢˊ wán
1. to play with; to play; to toy with 2. to amuse oneself with
玩兒命(ㄨㄚˊㄦ ㄇㄧㄥˋ)to do daredevil tricks
玩把戲(ㄨㄢˊ ㄅㄚˇ ㄒㄧˋ)to juggle
玩票(ㄨㄢˊ ㄆㄧㄠˋ)to do a payless job
玩弄(ㄨㄢˊ ㄋㄨㄥˋ)to toy with
玩火自焚(ㄨㄢˊ ㄏㄨㄛˇ ㄗˋ ㄈㄣˊ)Whoever plays with fire will get burnt.
玩具(ㄨㄢˊ ㄐㄩˋ)toys
玩笑(ㄨㄢˊ ㄒㄧㄠˋ)jokes
玩賞(ㄨㄢˊ ㄕㄤˇ)to appreciate the beauty of something
玩耍(ㄨㄢˊ ㄕㄨㄚˇ)to play
玩偶(ㄨㄢˊ ㄡˇ)dolls
玩意兒or玩藝兒(ㄨㄢˊ ㄧˋㄦ)①toys ②a thing
玩物(ㄨㄢˊ ㄨˋ)a plaything

玩 3415
2. ㄨㄢˋ wàn
1. to joke; to take things lightly; to toy with 2. something to amuse oneself—as antiques, etc.
玩弄(ㄨㄢˋ ㄌㄨㄥˋ)to fool
玩世不恭(ㄨㄢˋ ㄕˋ ㄅㄨˋ ㄍㄨㄥ)to disdain worldly affairs
玩味(ㄨㄢˋ ㄨㄟˋ)to ponder

玨 3416
(珏) ㄐㄩㄝˊ jué
two pieces of jade fastened together

玠 3417
ㄐㄧㄝˋ jiè
a large jade tablet

五畫

玲 3418
ㄌㄧㄥˊ líng
the tinkling of jade pendants
玲瓏(ㄌㄧㄥˊ ㄌㄨㄥˊ)① cute; fine ② bright ③ tinkling of jades
玲瓏剔透 (ㄌㄧㄥˊ ㄌㄨㄥˊ ㄊㄧ ㄊㄡˋ) exquisitely carved

玷 3419
ㄉㄧㄢˋ diàn
1. a stain; a spot 2. to disgrace
玷汙(ㄉㄧㄢˋ ㄨ)a stain (in one's reputation, etc.)

玳 3420
ㄉㄞˋ dài
the tortoise shell
玳瑁(ㄉㄞˋ ㄇㄟˋ)a hawksbill turtle

珉 3421
ㄇㄧㄣˊ mín
a stone resembling jade

珂 3422
ㄎㄜ kē
1. a stone resembling jade 2. a decorative article on a bridle 3. a kind of cowry

玼 3423
ㄘˇ cǐ
1. a blemish; a flaw 2. brilliant

珊 3424
ㄕㄢ shān

〔玉部〕

〔玉部〕

1. coral 2. the tinkling of pendants
珊瑚礁(ㄕㄢ ㄏㄨˊ ㄐㄧㄠ)coral reefs

珍 3425 ㄓㄣ zhēn
1. precious; rare 2. treasures; valuables 3. delicacies; dainties
珍品(ㄓㄣ ㄆㄧㄣˇ)delicacies
珍貴(ㄓㄣ ㄍㄨㄟˋ)precious
珍禽異獸(ㄓㄣ ㄑㄧㄣˊ ㄧˋ ㄕㄡˋ)rare birds and animals
珍惜(ㄓㄣ ㄒㄧˊ)to treasure
珍羞or珍饈 (ㄓㄣ ㄒㄧㄡ) rare delicacies
珍珠(ㄓㄣ ㄓㄨ)pearls
珍重(ㄓㄣ ㄓㄨㄥˋ)to take good care of (yourself)
珍藏(ㄓㄣ ㄘㄤˊ) to keep something as a treasure

玻 3426 ㄅㄛ bō
as in 玻璃—glass
玻璃杯(ㄅㄛ ·ㄌㄧ ㄅㄟ)a glass; a tumbler
玻璃瓶(ㄅㄛ ·ㄌㄧ ㄆㄧㄥˊ)a glass bottle
玻璃圈(ㄅㄛ ·ㄌㄧ ㄑㄩㄢ) (slang) the gay circle
玻璃窗(ㄅㄛ ·ㄌㄧ ㄔㄨㄤ)a glass window

珀 3427 ㄆㄛˋ pò
amber

珈 3428 ㄐㄧㄚ jiā
a kind of jewelry

六畫

珙 3429 ㄍㄨㄥˇ gǒng
a large piece of jadestone

珥 3430 ㄦˇ ěr
1. an ear ornament of pearl or jade 2. to stick

珞 3431 ㄌㄨㄛˋ luò
jade ornaments for the neck

珠 3432 ㄓㄨ zhū
1. a pearl 2. a bead; a drop 3. the pupil of the eye
珠寶(ㄓㄨ ㄅㄠˇ)jewelry
珠聯璧合 (ㄓㄨ ㄌㄧㄢˊ ㄅㄧˋ ㄏㄜˊ) an excellent match
珠光寶氣(ㄓㄨ ㄍㄨㄤ ㄅㄠˇ ㄑㄧˋ) to be richly bejeweled
珠算(ㄓㄨ ㄙㄨㄢˋ) calculation with an abacus

珩 3433 ㄏㄥˊ héng
the top gem of the pendants from a girdle

班 3434 ㄅㄢ bān
1. a grade; a seat 2. a class; a group 3. a squad (of soldiers) 4. to distribute 5. to return 6. same as 斑—variegated 7. of equal rank, same generation, etc. 8. a shift 9. scheduled runs (of the bus, etc.)
班底(ㄅㄢ ㄉㄧˇ)ordinary members of a theatrical troupe
班機(ㄅㄢ ㄐㄧ)an airliner on the scheduled flight
班級(ㄅㄢ ㄐㄧˊ)a grade; a class
班長(ㄅㄢ ㄓㄤˇ) (in school) the leader of a class
班車(ㄅㄢ ㄔㄜ)a regular bus
班次(ㄅㄢ ㄘˋ) the flight number of an airliner

珪 3435 (圭) ㄍㄨㄟ guī
a jade tablet worn by feudal princes as a symbol of authority

珣 3436 ㄒㄩㄣˊ xún
name of a kind of jade

珮 3437 (佩) ㄆㄟˋ pèi
jade pendants

琉 3438 ㄌㄧㄡˊ liú
1. a glossy and bright stone 2. glazed
琉璃 (ㄌㄧㄡˊ ㄌㄧˊ) ①glass ②porcelain ③colored glaze
琉璃瓦(ㄌㄧㄡˊ ㄌㄧˊ ㄨㄚˇ)glazed tiles
琉球(ㄌㄧㄡˊ ㄑㄧㄡˊ)Ryukyu

七畫

現 3439 ㄒㄧㄢˋ xiàn
1. to appear; to reveal 2. current; now 3. in time of need 4. cash 5. available 6. actual
現代(ㄒㄧㄢˋ ㄉㄞˋ)modern
現代化(ㄒㄧㄢˋ ㄉㄞˋ ㄏㄨㄚˋ)to modernize
現款(ㄒㄧㄢˋ ㄎㄨㄢˇ) or 現金 (ㄒㄧㄢˋ ㄐㄧㄣ)cash
現貨(ㄒㄧㄢˋ ㄏㄨㄛˋ)goods on hand
現階段(ㄒㄧㄢˋ ㄐㄧㄝ ㄉㄨㄢˋ)the present stage
現今(ㄒㄧㄢˋ ㄐㄧㄣ)nowadays
現金交易 (ㄒㄧㄢˋ ㄐㄧㄣ ㄐㄧㄠ ㄧˋ) cash transactions
現象(ㄒㄧㄢˋ ㄒㄧㄤˋ)phenomena
現行(ㄒㄧㄢˋ ㄒㄧㄥˊ)existing
現行費率(ㄒㄧㄢˋ ㄒㄧㄥˊ ㄈㄟˋ ㄌㄩˋ)the prevailing rate
現行犯(ㄒㄧㄢˋ ㄒㄧㄥˊ ㄈㄢˋ)a person in the very act of committing the offense
現職(ㄒㄧㄢˋ ㄓˊ)the present job
現狀(ㄒㄧㄢˋ ㄓㄨㄤˋ)things as they are
現場(ㄒㄧㄢˋ ㄔㄤˇ)the scene (of an incident)

現成(ㄒㄧㄢˋ ㄔㄥˊ)at hand
現實(ㄒㄧㄢˋ ㄕˊ) ①reality ②real; actual
現身說法(ㄒㄧㄢˋ ㄕㄣ ㄕㄨㄛ ㄈㄚˇ)to give a demonstration in person
現任(ㄒㄧㄢˋ ㄖㄣˋ)present (job, etc.)
現在(ㄒㄧㄢˋ ㄗㄞˋ)now
現役軍人(ㄒㄧㄢˋ ㄧˋ ㄐㄩㄣ ㄖㄣˊ)military personnel on active service
現有(ㄒㄧㄢˋ ㄧㄡˇ)available

球 3440 ㄑㄧㄡˊ qiú
1. a ball or anything shaped like a ball 2. the globe; the earth
球拍(ㄑㄧㄡˊ ㄆㄞ)rackets etc.)
球門(ㄑㄧㄡˊ ㄇㄣˊ)the goal (in football,
球迷(ㄑㄧㄡˊ ㄇㄧˊ)fans of ball games
球隊(ㄑㄧㄡˊ ㄉㄨㄟˋ)teams for playing ball games
球僮(ㄑㄧㄡˊ ㄊㄨㄥˊ)a caddy
球鞋(ㄑㄧㄡˊ ㄒㄧㄝˊ)sneakers
球形(ㄑㄧㄡˊ ㄒㄧㄥˊ)spherical
球賽(ㄑㄧㄡˊ ㄙㄞˋ)a ball game
球員(ㄑㄧㄡˊ ㄩㄢˊ)a ballplayer

理 3441 ㄌㄧˇ lǐ
1. reason; logic; truth 2. doctrine; theory 3. to arrange 4. to operate; to manage 5. to respond 6. texture (in wood, etc.) 7. name of a religious sect
理賠(ㄌㄧˇ ㄆㄟˊ) (insurance) adjustment
理髮(ㄌㄧˇ ㄈㄚˇ)to have a haircut
理髮廳(ㄌㄧˇ ㄈㄚˇ ㄊㄧㄥ) a barbershop
理髮師(ㄌㄧˇ ㄈㄚˇ ㄕ)a barber
理當(ㄌㄧˇ ㄉㄤ)ought to
理念(ㄌㄧˇ ㄋㄧㄢˋ)an idea
理論(ㄌㄧˇ ㄌㄨㄣˋ) ① theory ② to argue
理虧(ㄌㄧˇ ㄎㄨㄟ)to be on the wrong side
理會(ㄌㄧˇ ㄏㄨㄟˋ)to pay attention to
理家(ㄌㄧˇ ㄐㄧㄚ)to housekeep
理解(ㄌㄧˇ ㄐㄧㄝˇ)to comprehend
理解力(ㄌㄧˇ ㄐㄧㄝˇ ㄌㄧˋ)the faculty of comprehension
理想(ㄌㄧˇ ㄒㄧㄤˇ)ideal
理性(ㄌㄧˇ ㄒㄧㄥˋ)rationality
理智(ㄌㄧˇ ㄓˋ)intellect
理財(ㄌㄧˇ ㄘㄞˊ) to manage or administer finances
理睬(ㄌㄧˇ ㄘㄞˇ)to care
理所當然(ㄌㄧˇ ㄙㄨㄛˇ ㄉㄤ ㄖㄢˊ)as a matter of course; naturally
理由(ㄌㄧˇ ㄧㄡˊ)reasons
理應(ㄌㄧˇ ㄧㄥ)obliged to

琅 3442 ㄌㄤˊ láng
1. a kind of stone resembling jade 2. spotless
琅璫入獄(ㄌㄤˊ ㄉㄤ ㄖㄨˋ ㄩˋ)to be put in jail clanking with manacles

琊 3443 ㄧㄝˊ yé
used in 琅琊, ancient name of the eastern portion of Shantung (山東)

八畫

琖 3444 (盞) ㄓㄢˇ zhǎn
a jade wine-cup or chalice

琛 3445 ㄔㄣ chēn
treasures; jewelry or valuables

琢 3446 ㄓㄨㄛˊ zhuó
1. to cut, chisel or polish jade, gems 2. to improve (literary works)
琢磨(ㄓㄨㄛˊ ㄇㄛˊ)① to cut and polish ② to mold (oneself)

琚 3447 ㄐㄩ jū
a gem worn at the girdle-pendant

琤 3448 ㄔㄥ chēng
a tinkling sound—descriptive of jangling, twanging, or gurgling (of flowing water)

琦 3449 ㄑㄧˊ qí
1. a kind of jade 2. same as 奇—strange 3. outstanding

琨 3450 ㄎㄨㄣ kūn
fine rocks next to jade in quality

琪 3451 ㄑㄧˊ qí
a piece of jade; a jadelike precious stone

琥 3452 ㄏㄨˇ hǔ
1. a jade ornament in the shape of a tiger 2. amber
琥珀(ㄏㄨˇ ㄆㄛˋ)amber

琺 3453 ㄈㄚˋ fà
as in 琺瑯(質)—enamel; enamelware

琬 3454 ㄨㄢˇ wǎn
1. a kind of jade tablet slightly tapering at the top 2. the virtue of a gentleman

琮 3455 ㄘㄨㄥˊ cóng
an octagonal jade piece with a round hole in the center

琴 3456 ㄑㄧㄣˊ qín
1. *chin*, a Chinese fretted instrument with seven or five strings somewhat similar to the zither 2. a musical instrument—especially stringed, as the piano, the violin, etc.

〔玉部〕

琴鍵(ㄑㄧㄣˊ ㄐㄧㄢˋ)a key
琴弦(ㄑㄧㄣˊ ㄒㄧㄢˊ)the string of a stringed instrument
琴師(ㄑㄧㄣˊ ㄕ)a pianist
琴瑟和鳴(ㄑㄧㄣˊ ㄙㄜˋ ㄏㄜˊ ㄇㄧㄥˊ) marital harmony; conjugal bliss

〔玉部〕

琵 3457 ㄆㄧˊ pí
the four-stringed guitar or the balloon-guitar
琵琶(ㄆㄧˊ ·ㄆㄚ)*pi-pa*—a short-necked fretted lute of Chinese origin

琶 3458 ㄆㄚˊ pá (語音 ·ㄆㄚ pa)
a four-stringed guitar or balloon-guitar

琳 3459 ㄌㄧㄣˊ lín
a fine piece of jade; a gem
琳琅滿目(ㄌㄧㄣˊ ㄌㄤˊ ㄇㄢˇ ㄇㄨˋ)a vast array of beautiful and fine things

琰 3460 ㄧㄢˇ yǎn
the glitter of gems

琯 3461 ㄍㄨㄢˇ guǎn
1. a jade tube used as an instrument in ancient times 2. to polish precious metals or stones

九畫

瑟 3462 ㄙㄜˋ sè
1. *se*, a large horizontal musical instrument, about nine feet long, originally with 50 strings which was later reduced to 25 with movable bridges for tuning 2. varied and many 3. majestic 4. pure and clean 5. same as 索—solitary
瑟縮(ㄙㄜˋ ㄙㄨㄛ)① stiff and numb—as from cold ② to shrink—as from fear

瑁 3463 1. ㄇㄟˋ mèi
a tortoise shell

瑁 3463 2. ㄇㄠˋ mào
a very precious piece of jade worn by ancient emperors to match tablets borne by the nobles

瑋 3464 ㄨㄟˇ wěi
1. a kind of jade 2. rare; precious; splendorous

瑄 3465 ㄒㄩㄢ xuān
an ornamental piece of jade about 6.5 inches in diameter

瑑 3466 ㄓㄨㄢˋ zhuàn
engraving on a jade tablet

瑕 3467 ㄒㄧㄚˊ xiá
1. a flaw, spot, or blemish in a piece of jade 2. a fault, error, or flaw
瑕疵(ㄒㄧㄚˊ ㄘ)defects

瑙 3468 ㄋㄠˇ nǎo
agate; cornelian

瑛 3469 ㄧㄥ yīng
1. the glitter or sheen of jade 2. a crystal

瑜 3470 ㄩˊ yú
1. a perfect gem 2. the brilliancy of jade 3. excellences; virtues 4. yoga
瑜伽(ㄩˊ ㄑㄧㄝˊ) or 瑜珈 (ㄩˊ ㄐㄧㄚ) yoga

瑞 3471 ㄖㄨㄟˋ ruì
1. good omen 2. lucky; fortunate 3. a jade tablet given to feudal princes on their investiture, as a sign of authority and rank
瑞典(ㄖㄨㄟˋ ㄉㄧㄢˇ)Sweden
瑞士(ㄖㄨㄟˋ ㄕˋ)Switzerland
瑞雲(ㄖㄨㄟˋ ㄩㄣˊ)auspicious clouds

瑚 3472 ㄏㄨˊ hú
coral

琿 3473 ㄏㄨㄣˊ hún
a kind of precious jade

瑗 3474 ㄩㄢˋ yuàn
1. a huge ring of fine jade 2. name of a kind of jade

瑀 3475 ㄩˇ yǔ
a jadelike stone

十畫

瑩 3476 ㄧㄥˊ yíng
1. the luster of jade 2. a jadelike pebble 3. smooth and glossy 4. transparent 5. (said of a person) bright and clever
瑩潤(ㄧㄥˊ ㄖㄨㄣˋ)clear and lustrous

瑤 3477 ㄧㄠˊ yáo
1. a precious jade or stone 2. clean, pure and white 3. valuable
瑤池(ㄧㄠˊ ㄔˊ)a fairyland

瑣 3478 ㄙㄨㄛˇ suǒ
1. trifles; petty 2. troublesome 3. a jade chain 4. a palace gate
瑣屑(ㄙㄨㄛˇ ㄒㄧㄝˋ)petty; unimportant
瑣事(ㄙㄨㄛˇ ㄕˋ)trifles
瑣碎(ㄙㄨㄛˇ ㄙㄨㄟˋ)trifling

琊 3479
(琅) ㄌㄤˊ láng
a stone resembling jade, pure and white

瑰 3480
ㄍㄨㄟ guī
1. fabulous; great 2. a kind of jasper
瑰寶(ㄍㄨㄟ ㄅㄠˇ)a treasure; a gem
瑰麗(ㄍㄨㄟ ㄌㄧˋ)magnificent

瑱 3481
1. ㄊㄧㄢˋ tiàn
earplugs of jade

瑱 3481
2. ㄓㄣˋ zhèn
to weight; to press

瑪 3482
ㄇㄚˇ mǎ
as in 瑪瑙—agate; cornelian

瑳 3483
ㄘㄨㄛˇ cuǒ
1. the luster and purity of jade 2. bright and flourishing 3. the brilliant white appearance of the teeth

瑲 3484
ㄑㄧㄤ qiāng
the tinkling of jade pendants

瑨 3485
ㄐㄧㄣˋ jìn
a fine piece of jade

十一畫

瑽 3486
ㄘㄨㄥ cōng
the tinkling of metal ornaments and jade pendants

瑾 3487
ㄐㄧㄣˇ jǐn
fine jade: 瑾瑜 a fine piece of jade

璀 3488
ㄘㄨㄟˇ cuǐ
the luster or glitter of jade and gems
璀璨(ㄘㄨㄟˇ ㄘㄢˋ)the brilliancy and luster of pearls and precious stones

璇 3489
ㄒㄩㄢˊ xuán
1. fine jade 2. name of a constellation

璃 3490
ㄌㄧˊ lí
glass; a glassy substance

璉 3491
ㄌㄧㄢˊ lián
a vessel used to hold grain offerings for the imperial sacrifice

璈 3492
ㄠˊ áo
name of an ancient musical instrument

璋 3493
ㄓㄤ zhāng
a jade tablet

璁 3494
ㄘㄨㄥ cōng
a jadelike stone

十二畫

璟 3495
ㄐㄧㄥˇ jǐng
the luster of jade

璘 3496
ㄌㄧㄣˊ lín
the brilliance of jade

璜 3497
ㄏㄨㄤˊ huáng
an ancient jade ornament, semicircular in shape, hung up as a tinkling pendant

璞 3498
ㄆㄨˊ pú
1. an uncarved or unpolished jade or gem 2. (figuratively) natural

璣 3499
ㄐㄧ jī
1. pearls, jade, etc. which are not quite circular 2. as in 璇璣 or 璿璣—an ancient astronomical instrument

璠 3500
ㄈㄢˊ fán
a piece of precious jade

璐 3501
ㄌㄨˋ lù
fine jade

十三畫

璦 3502
ㄞˋ ài
fine jade

璧 3503
ㄅㄧˋ bì
1. a round and flat piece of jade with a circular hole in it 2. a general name of all kinds of jade, jade-wares and ornaments
璧合(ㄅㄧˋ ㄏㄜˊ)a perfect match
璧人(ㄅㄧˋ ㄖㄣˊ)a fine-looking person
璧玉(ㄅㄧˋ ㄩˋ)a round and flat piece of jade with a circular hole in it

環 3504
ㄏㄨㄢˊ huán
1. a ring; a bracelet 2. earrings for women; earornaments 3. around; to surround 4. a link
環保(ㄏㄨㄢˊ ㄅㄠˇ)short for 環境保護
環抱(ㄏㄨㄢˊ ㄅㄠˋ)to encircle
環島(ㄏㄨㄢˊ ㄉㄠˇ)around-the-island
環顧四週(ㄏㄨㄢˊ ㄍㄨˋ ㄙˋ ㄓㄡ)to look around
環節(ㄏㄨㄢˊ ㄐㄧㄝˊ)a segment; a link
環節動物(ㄏㄨㄢˊ ㄐㄧㄝˊ ㄉㄨㄥˋ ㄨˋ)the annulata

環境(ㄏㄨㄢˊ ㄐㄧㄥˋ)surroundings
環境保護(ㄏㄨㄢˊ ㄐㄧㄥˋ ㄅㄠˇ ㄏㄨˋ) environmental protection
環境評價(ㄏㄨㄢˊ ㄐㄧㄥˋ ㄆㄧㄥˊ ㄐㄧㄚˋ) environmental assessment
環境污染(ㄏㄨㄢˊ ㄐㄧㄥˋ ㄨ ㄖㄢˇ)environmental pollution
環境衛生(ㄏㄨㄢˊ ㄐㄧㄥˋ ㄨㄟˋ ㄕㄥ) environmental sanitation
環球(ㄏㄨㄢˊ ㄑㄧㄡˊ)universal
環繞(ㄏㄨㄢˊ ㄖㄠˋ)to circle
環遊世界(ㄏㄨㄢˊ ㄧㄡˊ ㄕˋ ㄐㄧㄝˋ) to take a round-the-world tour

璨 3505 ㄘㄢˋ càn
bright and brilliant; lustrous and luminous

璫 3506 ㄉㄤ dāng
1. richly ornamented 2. pearls for filling up ear punctures to prevent the holes from closing 3. ancient headgear

璩 3507 ㄑㄩˊ qú
1. a ringed ornament—earrings, rings for fingers 2. a Chinese family name

十四畫

璽 3508 ㄒㄧˇ xǐ
1. the seal of an emperor or a king 2. the national emblem

璵 3509 ㄩˊ yú
fine jade

璿 3510 ㄒㄩㄢˊ xuán
fine jade

璺 3511 ㄨㄣˋ wèn
a crack in jade (or on glassware or earthenware)

十五畫

瓊 3512 ㄑㄩㄥˊ qióng
1. fine jade or agate 2. excellent; fabulous
瓊蔴(ㄑㄩㄥˊ ㄇㄚˊ)sisal
瓊樓玉宇(ㄑㄩㄥˊ ㄌㄡˊ ㄩˋ ㄩˇ)a magnificent building
瓊漿(ㄑㄩㄥˊ ㄐㄧㄤ)good wine

十六畫

瓏 3513 ㄌㄨㄥˊ lóng
1. a clear and crisp sound 2. dry; parched 3. the rumbling of cart 4. the tinkling of metals or jades 5. dusky

瓌 3514 ㄍㄨㄟ guī
1. same as 瑰, a kind of jasper 2. extraordinary; fabulous or admirable

十七畫

瓔 3515 ㄧㄥ yīng
a necklace of precious stones

瓜 部
ㄍㄨㄚ guā

瓜 3516 ㄍㄨㄚ guā
melons, gourds, cucumbers, etc.
瓜分(ㄍㄨㄚ ㄈㄣ)to apportion
瓜田李下(ㄍㄨㄚ ㄊㄧㄢˊ ㄌㄧˇ ㄒㄧㄚˋ)a position that invites suspicion
瓜葛(ㄍㄨㄚ ㄍㄜˊ)involved
瓜子兒(ㄍㄨㄚ ㄗㄜˇㄦ)melon seeds

五畫

瓞 3517 ㄉㄧㄝˊ dié
a kind of small melons

六畫

瓠 3518 ㄏㄨˋ hù
a gourd; a calabash

十一畫

瓢 3519 ㄆㄧㄠˊ piáo
a ladle
瓢蟲(ㄆㄧㄠˊ ㄔㄨㄥˊ)a ladybug

十四畫

瓣 3520 ㄅㄢˋ bàn
1. petals (of a flower) 2. sections (as of oranges) 3. a valve; a lamella 4. fragments; pieces

十七畫

瓤 3521 ㄖㄤˊ ráng
1. the pulp of a fruit 2. the interior part of certain things

瓦 3522 1. ㄨㄚˇ wǎ

1. earthenware; pottery 2. a tile 3. watt, the SI unit of power
瓦礫(ㄨㄚˇ ㄌㄧˋ)rubble
瓦解(ㄨㄚˇ ㄐㄧㄝˇ)to disintegrate
瓦斯(ㄨㄚˇ ㄙ)gas
瓦斯筒(ㄨㄚˇ ㄙ ㄊㄨㄥˇ)a gas cylinder

瓦 3522 2. ㄨㄚˋ wà
to cover a roof with tiles; to tile

五畫

瓴 3523 ㄌㄧㄥˊ líng
1. the concave channels of tiling 2. a bottle with a handle

六畫

瓷 3524 ㄘˊ cí
porcelain; chinaware
瓷土(ㄘˊ ㄊㄨˇ)kaolin(e)
瓷器(ㄘˊ ㄑㄧˋ)chinaware
瓷磚(ㄘˊ ㄓㄨㄢ)small porcelain tiles

八畫

瓿 3525 ㄆㄡˇ pǒu
a jar; a pot

瓶 3526 (甁、缾) ㄆㄧㄥˊ píng
a bottle; a pitcher; a jug; a vase
瓶頸(ㄆㄧㄥˊ ㄐㄧㄥˇ)a bottleneck
瓶裝(ㄆㄧㄥˊ ㄓㄨㄤ)bottled
瓶塞兒(ㄆㄧㄥˊ ㄙㄚㄦ)a cork

九畫

甄 3527 ㄓㄣ zhēn
1. a potter's wheel 2. to make pottery ware 3. to examine; to discern 4. to grade (competence, etc.) by examinations 5. to make clear
甄選(ㄓㄣ ㄒㄩㄢˇ)to select
甄用(ㄓㄣ ㄩㄥˋ) to employ by an examination

甃 3528 ㄓㄡˋ zhòu
1. a tile 2. to build a well 3. to construct with bricks

十一畫

甌 3529 ㄡ ōu
1. a cup; a bowl 2. a Chinese family name

甎 3530 (磚、塼) ㄓㄨㄢ zhuān
brick
甎窰(ㄓㄨㄢ ㄧㄠˊ)a brick kiln

甍 3531 ㄇㄥˊ méng
rafters

十二畫

甑 3532 ㄗㄥˋ zèng
earthenware for cooking

十三畫

甕 3533 ㄨㄥˋ wèng
a jar; a jug; a pot; an urn
甕中之鼈(ㄨㄥˋ ㄓㄨㄥ ㄓ ㄅㄧㄝ)something that can be caught easily

甓 3534 ㄆㄧˋ pì
a brick; a tile

十六畫

甗 3535 ㄧㄢˇ yǎn
an ancient double boiler

甘部 ㄍㄢ gān

甘 3536 ㄍㄢ gān
1. tasty; luscious; delicious 2. sweet 3. willing 4. to enjoy 5. pleasant; pleasing 6. a Chinese family name
甘拜下風(ㄍㄢ ㄅㄞˋ ㄒㄧㄚˋ ㄈㄥ)to admit defeat willingly
甘美(ㄍㄢ ㄇㄟˇ)delicious; tasty
甘藍菜(ㄍㄢ ㄌㄢˊ ㄘㄞˋ)a cabbage
甘霖(ㄍㄢ ㄌㄧㄣˊ)a timely rain
甘露(ㄍㄢ ㄌㄨˋ)sweet dew
甘苦(ㄍㄢ ㄎㄨˇ)happiness and suffering
甘泉(ㄍㄢ ㄑㄩㄢˊ)a fresh spring
甘心(ㄍㄢ ㄒㄧㄣ)willingly; willing
甘蔗(ㄍㄢ ㄓㄜˋ)sugarcane
甘薯(ㄍㄢ ㄕㄨˇ)sweet potatoes
甘草(ㄍㄢ ㄘㄠˇ)licorice
甘於(ㄍㄢ ㄩˊ)to be willing to
甘願(ㄍㄢ ㄩㄢˋ)willingly

四畫

甚 3537 1. ㄕㄣˋ shèn
1. to a great extent; very 2. more than
甚囂塵上(ㄕㄣˋ ㄒㄧㄠ ㄔㄣˊ ㄕㄤˋ)widely reported or speculated
甚至(於)(ㄕㄣˋ ㄓˋ (ㄩˊ))even

〔甘部〕

甚爲不解(ㄕㄣˋ ㄨㄟˊ ㄅㄨˋ ㄐㄧㄝˇ)much perplexed; completely at a loss
甚於(ㄕㄣˋ ㄩˊ)(to be worse, harder, better, etc.) than...

〔生部〕

甚 3537
2. (什) ㄕㄜˊ shé
what
甚麼(ㄕㄜˊ ·ㄇㄜ)what
甚麼話(ㄕㄜˊ ·ㄇㄜ ㄏㄨㄚˋ)What nonsense! 或 Bosh!
甚麼事(ㄕㄜˊ ·ㄇㄜ ㄕˋ)① What's the matter? ② no matter what
甚麼樣(ㄕㄜˊ ·ㄇㄜ ㄧㄤˋ)What kind? 或 What sort?

六畫

甜 3538
ㄊㄧㄢˊ tián
1. sweet; luscious 2. agreeable; pleasant
甜美(ㄊㄧㄢˊ ㄇㄟˇ)① sweet ② pleasant
甜蜜(ㄊㄧㄢˊ ㄇㄧˋ)honeyed
甜點(ㄊㄧㄢˊ ㄉㄧㄢˇ)sweet; dessert
甜頭(ㄊㄧㄢˊ ·ㄊㄡ)good; benefit
甜心(ㄊㄧㄢˊ ㄒㄧㄣ)a sweetheart
甜食(ㄊㄧㄢˊ ㄕˊ)sweet food; sweetmeats
甜言蜜語(ㄊㄧㄢˊ ㄧㄢˊ ㄇㄧˋ ㄩˇ)honeyed words
甜味(ㄊㄧㄢˊ ㄨㄟˋ)sweet taste

生部
ㄕㄥ shēng

生 3539
ㄕㄥ shēng
1. to live; life; living; livelihood; alive 2. to be born; to come into being; to come into existence 3. to breed; to bear; to beget; to produce; to create; to give rise to; to cause 4. uncooked; raw; unripe; crude 5. unfamiliar; strange; unknown 6. savage; untamed; barbarian 7. a pupil; a student 8. the male character type in Chinese opera 9. creatures
生病(ㄕㄥ ㄅㄧㄥˋ)to get sick; to fall ill
生怕(ㄕㄥ ㄆㄚˋ)very anxious
生啤酒(ㄕㄥ ㄆㄧˊ ㄐㄧㄡˇ)draught beer
生平(ㄕㄥ ㄆㄧㄥˊ) ①one's brief biographical sketch ②in the course of life
生命(ㄕㄥ ㄇㄧㄥˋ)life
生命力(ㄕㄥ ㄇㄧㄥˋ ㄌㄧˋ)vitality
生命線(ㄕㄥ ㄇㄧㄥˋ ㄒㄧㄢˋ)a lifeline (in a figurative sense)
生髮油(ㄕㄥ ㄈㄚˇ ㄧㄡˊ)hair tonic
生動(ㄕㄥ ㄉㄨㄥˋ)vivid; lively; lifelike
生態(ㄕㄥ ㄊㄞˋ)ecology; the relations and interactions between organisms and their environment, including other organisms
生鐵(ㄕㄥ ㄊㄧㄝˇ)crude iron
生來(ㄕㄥ ㄌㄞˊ)by nature; inborn
生老病死(ㄕㄥ ㄌㄠˇ ㄅㄧㄥˋ ㄙˇ)(Buddhism) birth, age, disease, and death —the four miseries, or sufferings in the course of human life
生冷(ㄕㄥ ㄌㄥˇ) (said of food) uncooked and cold
生理(ㄕㄥ ㄌㄧˇ)physiology
生力軍(ㄕㄥ ㄌㄧˋ ㄐㄩㄣ)a vital new force
生利息(ㄕㄥ ㄌㄧˋ ·ㄒㄧ)to bear interest
生路(ㄕㄥ ㄌㄨˋ)a way to make a living
生龍活虎(ㄕㄥ ㄌㄨㄥˊ ㄏㄨㄛˊ ㄏㄨˇ) (like) a live dragon or a live tiger —full of vigor and vitality
生花妙筆(ㄕㄥ ㄏㄨㄚ ㄇㄧㄠˋ ㄅㄧˇ) admirable writing skill
生活(ㄕㄥ ㄏㄨㄛˊ)① life ② to live
生活費(ㄕㄥ ㄏㄨㄛˊ ㄈㄟˋ)living expenses
生活方式(ㄕㄥ ㄏㄨㄛˊ ㄈㄤ ㄕˋ)the ways of living
生活水準(ㄕㄥ ㄏㄨㄛˊ ㄕㄨㄟˇ ㄓㄨㄣˇ) the standard of living
生火(ㄕㄥ ㄏㄨㄛˇ)to make a fire
生還(ㄕㄥ ㄏㄨㄢˊ)to survive
生還者(ㄕㄥ ㄏㄨㄢˊ ㄓㄜˇ)a survivor
生機(ㄕㄥ ㄐㄧ)①the chance of survival ② vitality
生計(ㄕㄥ ㄐㄧˋ)livelihood; living
生薑(ㄕㄥ ㄐㄧㄤ)green ginger
生氣(ㄕㄥ ㄑㄧˋ) ①vitality ②to get angry
生氣蓬勃(ㄕㄥ ㄑㄧˋ ㄆㄥˊ ㄅㄛˊ) vigorous; active; lively
生前(ㄕㄥ ㄑㄧㄢˊ)during one's lifetime
生擒(ㄕㄥ ㄑㄧㄣˊ) to take (a prisoner) alive
生效(ㄕㄥ ㄒㄧㄠˋ) to be effective or valid
生銹(ㄕㄥ ㄒㄧㄡˋ)to rust
生性(ㄕㄥ ㄒㄧㄥˋ)natural disposition; nature
生殖(ㄕㄥ ㄓˊ) (biology) reproduction
生殖器(ㄕㄥ ㄓˊ ㄑㄧˋ) reproductive organs; genitals
生長(ㄕㄥ ㄓㄤˇ)to grow; to develop; growth
生吃(ㄕㄥ ㄔ)to eat (something) raw
生產(ㄕㄥ ㄔㄢˇ)① to produce; production ② to give birth to; childbirth
生產力(ㄕㄥ ㄔㄢˇ ㄌㄧˋ)productivity
生產技術(ㄕㄥ ㄔㄢˇ ㄐㄧˋ ㄕㄨˋ)production technique
生產線(ㄕㄥ ㄔㄢˇ ㄒㄧㄢˋ) production line
生產成本(ㄕㄥ ㄔㄢˇ ㄔㄥˊ ㄅㄣˇ)production cost
生辰(ㄕㄥ ㄔㄣˊ)birthday
生石灰(ㄕㄥ ㄕˊ ㄏㄨㄟ)quicklime
生事(ㄕㄥ ㄕˋ)to create trouble
生手(ㄕㄥ ㄕㄡˇ)a beginner

生身父母(ㄕㄥ ㄕㄣ ㄈㄨˋ ㄇㄨˇ) real parents
生生不息(ㄕㄥ ㄕㄥ ㄅㄨˋ ㄒㄧˊ) to multiply endlessly
生疏(ㄕㄥ ㄕㄨ)unfamiliar
生水(ㄕㄥ ㄕㄨㄟˇ)unboiled water
生日(ㄕㄥ ㄖˋ)birthday
生字(ㄕㄥ ㄗˋ)a new word
生財有道(ㄕㄥ ㄘㄞ ㄧㄡˇ ㄉㄠˋ)to be expert in making money
生菜(ㄕㄥ ㄘㄞˋ)raw vegetables; salad
生存(ㄕㄥ ㄘㄨㄣˊ)to survive; survival; existence
生存競爭(ㄕㄥ ㄘㄨㄣˊ ㄐㄧㄥˋ ㄓㄥ)the struggle for existence
生死關頭(ㄕㄥ ㄙˇ ㄍㄨㄢ ㄊㄡˊ)a life-and-death crisis
生死之交(ㄕㄥ ㄙˇ ㄓ ㄐㄧㄠ) deep friendship
生澀(ㄕㄥ ㄙㄜˋ)(said of a piece of writing) difficult to read or understand
生兒育女(ㄕㄥ ㄦˊ ㄩˋ ㄋㄩˇ)to give birth to children and rear them
生意(ㄕㄥ ㄧˋ)business; trade
生涯(ㄕㄥ ㄧㄚˊ)a career; a life
生厭(ㄕㄥ ㄧㄢˋ)to become bored or tired of something
生硬(ㄕㄥ ㄧㄥˋ)awkward; stiff
生物(ㄕㄥ ㄨˋ)① a living thing; an organism ② biology
生物圈(ㄕㄥ ㄨˋ ㄑㄩㄢ)the biosphere
生物學(ㄕㄥ ㄨˋ ㄒㄩㄝˊ)biology
生育(ㄕㄥ ㄩˋ)to give birth to

五畫

甡 3540 ㄕㄣ shēn
1. numerous; many 2. crowded

六畫

產 3541 ㄔㄢˇ chǎn
1. to bear (offspring); to lay (eggs) 2. to produce; to bring about
產品(ㄔㄢˇ ㄆㄧㄣˇ)products
產房(ㄔㄢˇ ㄈㄤˊ)a lying-in room; a maternity room
產婦(ㄔㄢˇ ㄈㄨˋ)a lying-in woman
產地(ㄔㄢˇ ㄉㄧˋ)a producing center
產量(ㄔㄢˇ ㄌㄧㄤˋ)production; output
產卵(ㄔㄢˇ ㄌㄨㄢˇ)to lay eggs; to spawn
產科(ㄔㄢˇ ㄎㄜ)obstetrics
產科醫生(ㄔㄢˇ ㄎㄜ ㄧ ㄕㄥ)an obstetrician
產科醫院(ㄔㄢˇ ㄎㄜ ㄧ ㄩㄢˋ) a lying-in hospital
產後(ㄔㄢˇ ㄏㄡˋ)after childbirth; postnatal
產假(ㄔㄢˇ ㄐㄧㄚˋ)maternity leave
產前(ㄔㄢˇ ㄑㄧㄢˊ)before childbirth; prenatal
產權(ㄔㄢˇ ㄑㄩㄢˊ)ownership (of real estate)
產銷(ㄔㄢˇ ㄒㄧㄠ)production and marketing
產生(ㄔㄢˇ ㄕㄥ)to produce
產額(ㄔㄢˇ ㄜˊ)output
產業(ㄔㄢˇ ㄧㄝˋ) ①property; estate ② industry
產物(ㄔㄢˇ ㄨˋ)products; outcomes

七畫

甥 3542 ㄕㄥ shēng
1. a nephew (son of a sister) 2. a son-in-law who assumes one's own name and lives under one's own roof
甥女(ㄕㄥ ㄋㄩˇ) a niece (daughter of a sister)

甦 3543 ㄙㄨ sū
to come back to life; to rise from the dead; to revive; to resurrect; to regain consciousness
甦醒(ㄙㄨ ㄒㄧㄥˇ)to come back to life; to revive; to come to

甤 3544 ㄖㄨㄟˊ ruí
(plants) drooping with fruit

用部
ㄩㄥˋ yòng

用 3545 ㄩㄥˋ yòng
1. to use; to employ 2. to exert 3. use 4. effect 5. finance 6. to need; need 7. to eat; to drink
用不著(ㄩㄥˋ ˙ㄅㄨ ㄓㄠˊ)① to have no use for ② it is unnecessary to
用品(ㄩㄥˋ ㄆㄧㄣˇ)articles for use
用法(ㄩㄥˋ ㄈㄚˇ)the way to use a thing
用飯(ㄩㄥˋ ㄈㄢˋ)to have a meal
用地(ㄩㄥˋ ㄉㄧˋ)land for a specific use
用途(ㄩㄥˋ ㄊㄨˊ)a purpose; use
用力(ㄩㄥˋ ㄌㄧˋ)to exert oneself
用光(ㄩㄥˋ ㄍㄨㄤ)to use up; to run out of
用功(ㄩㄥˋ ㄍㄨㄥ)to study hard
用戶(ㄩㄥˋ ㄏㄨˋ)a user; a consumer
用盡(ㄩㄥˋ ㄐㄧㄣˋ)to exhaust (strength, etc.)
用盡方法(ㄩㄥˋ ㄐㄧㄣˋ ㄈㄤ ㄈㄚˇ) to exhaust one's wits
用具(ㄩㄥˋ ㄐㄩˋ)a tool; an appliance
用心(ㄩㄥˋ ㄒㄧㄣ)to pay attention
用心良苦(ㄩㄥˋ ㄒㄧㄣ ㄌㄧㄤˊ ㄎㄨˇ) well-intentioned but little understood
用刑(ㄩㄥˋ ㄒㄧㄥˊ)to torture

〔田部〕

用處(ㄩㄥˋ ㄔㄨˋ)use
用人(ㄩㄥˋ ㄖㄣˊ)to employ people
用意(ㄩㄥˋ ㄧˋ)an intention; a purpose
用完(ㄩㄥˋ ㄨㄢˊ)to use up; to exhaust
用語(ㄩㄥˋ ㄩˇ)terminology; phraseology

甩 3546 ㄕㄨㄞˇ shuǎi
1. to throw away; to discard; to cast away 2. to leave (somebody) behind 3. to swing
甩不掉(ㄕㄨㄞˇ ·ㄅㄨ ㄉㄧㄠˋ) cannot get rid of

二畫

甫 3547 ㄈㄨˇ fǔ
1. (euphemism) a man 2. (euphemism) father 3. then and only then 4. just; immediately after; a short while ago 5. barely

甬 3548 ㄩㄥˇ yǒng
1. a measure of capacity (equal to 10 斗) 2. alternative name of Ningpo, Chekiang
甬道(ㄩㄥˇ ㄉㄠˋ)the central path in a hall

四畫

甭 3549 ㄅㄥˊ béng
unnecessary; do not have to

七畫

甯 3550 1. ㄋㄧㄥˋ nìng
a Chinese family name

甯 3550 2. ㄋㄧㄥˊ níng
same as 寧—peaceful; rather

田部 ㄊㄧㄢˊ tián

田 3551 ㄊㄧㄢˊ tián
1. agricultural land; cultivated land; a field; a rice field; farmland; cropland 2. to hunt game 3. a Chinese family name
田賦(ㄊㄧㄢˊ ㄈㄨˋ)taxes on agricultural land
田地(ㄊㄧㄢˊ ㄉㄧˋ)agricultural land
田螺(ㄊㄧㄢˊ ㄌㄨㄛˊ)a mud snail
田埂(ㄊㄧㄢˊ ㄍㄥˇ)ridges between plots of farmland
田鷄(ㄊㄧㄢˊ ㄐㄧ)a frog
田間(ㄊㄧㄢˊ ㄐㄧㄢ)in the field
田徑賽(ㄊㄧㄢˊ ㄐㄧㄥˋ ㄙㄞˋ)track and field events
田莊(ㄊㄧㄢˊ ㄓㄨㄤ)a farmhouse
田產(ㄊㄧㄢˊ ㄔㄢˇ)real estate
田賽(ㄊㄧㄢˊ ㄙㄞˋ) field sports; field events
田野(ㄊㄧㄢˊ ㄧㄝˇ) fields; cultivated lands
田園(ㄊㄧㄢˊ ㄩㄢˊ)fields and gardens
田園詩人(ㄊㄧㄢˊ ㄩㄢˊ ㄕ ㄖㄣˊ)a pastoral poet

由 3552 ㄧㄡˊ yóu
1. reason; cause; a source; derivation 2. from: 鋼是由鐵製成的。Steel is made from iron. 3. up to (someone to make a decision) 4. by; through
由不得(ㄧㄡˊ ·ㄅㄨ ·ㄉㄜ)involuntarily
由來(ㄧㄡˊ ㄌㄞˊ)derivation; a source
由來已久(ㄧㄡˊ ㄌㄞˊ ㄧˇ ㄐㄧㄡˇ)It has been so for quite some time.
由簡而繁(ㄧㄡˊ ㄐㄧㄢˇ ㄦˊ ㄈㄢˊ)to go from the simple to the complex
由衷(ㄧㄡˊ ㄓㄨㄥ)from the depth of one's heart
由此(ㄧㄡˊ ㄘˇ)hence; from this; therefore
由此可見(ㄧㄡˊ ㄘˇ ㄎㄜˇ ㄐㄧㄢˋ)thus it can be seen
由於(ㄧㄡˊ ㄩˊ)because of; owing to

甲 3553 ㄐㄧㄚˇ jiǎ
1. the first of the Ten Celestial Stems 2. armor; shell; crust 3. most outstanding 4. a measure of land in Taiwan (equal to 0.97 hectare)
甲板(ㄐㄧㄚˇ ㄅㄢˇ)the deck (of a ship)
甲苯(ㄐㄧㄚˇ ㄅㄣˇ)toluene, or methylbenzene
甲等(ㄐㄧㄚˇ ㄉㄥˇ)grade-A
甲骨文(ㄐㄧㄚˇ ㄍㄨˇ ㄨㄣˊ)oracle-bone scriptures
甲狀腺 (ㄐㄧㄚˇ ㄓㄨㄤˋ ㄒㄧㄢˋ)thyroid
甲狀腺素(ㄐㄧㄚˇ ㄓㄨㄤˋ ㄒㄧㄢˋ ㄙㄨˋ) thyroxine; thyroiodine
甲醇(ㄐㄧㄚˇ ㄔㄨㄣˊ)methyl alcohol or methanol
甲蟲(ㄐㄧㄚˇ ㄔㄨㄥˊ)a beetle
甲烷(ㄐㄧㄚˇ ㄨㄢˊ)methane

申 3554 ㄕㄣ shēn
1. the ninth of the Twelve Terrestrial Branches 2. to appeal; to plead 3. to state; to set forth; to explain; to explicate 4. to extend; to expand 5. to inculcate (especially repeatedly)
申報(ㄕㄣ ㄅㄠˋ)to declare
申辯(ㄕㄣ ㄅㄧㄢˋ)to argue
申覆(ㄕㄣ ㄈㄨˋ)to reply to a superior
申討(ㄕㄣ ㄊㄠˇ)openly condemn; to denounce

申告(ㄕㄣ ㄍㄠˋ)to file a complaint (in a court of law)
申誡(ㄕㄣ ㄐㄧㄝˋ)to rebuke; to reprimand
申請(ㄕㄣ ㄑㄧㄥˇ) to request or to apply (to some authorities for something); application; request
申請書(ㄕㄣ ㄑㄧㄥˇ ㄕㄨ)an application form
申請人(ㄕㄣ ㄑㄧㄥˇ ㄖㄣˊ) an applicant
申斥(ㄕㄣ ㄔˋ)to reprimand; to rebuke
申時(ㄕㄣ ㄕˊ)3-5 p.m.
申訴(ㄕㄣ ㄙㄨˋ)to present one's case (in a law court, etc.); to appeal
申冤(ㄕㄣ ㄩㄢ)to appeal for justice regarding a false charge

二畫

男 3555 ㄋㄢˊ nán
1. a human male; a man; a boy; a son 2. a baron
男儐相(ㄋㄢˊ ㄅㄧㄣ ㄒㄧㄤˋ)a best man (at a wedding)
男朋友(ㄋㄢˊ ㄆㄥˊ ㄧㄡˇ)a boyfriend
男低音(ㄋㄢˊ ㄉㄧ ㄧㄣ)(music) bass
男女平等(ㄋㄢˊ ㄋㄩˇ ㄆㄧㄥˊ ㄉㄥˇ)equal rights for both sexes
男高音(ㄋㄢˊ ㄍㄠ ㄧㄣ)(music) tenor
男性(ㄋㄢˊ ㄒㄧㄥˋ)the male sex
男性荷爾蒙(ㄋㄢˊ ㄒㄧㄥˋ ㄏㄜˊ ㄦˇ ㄇㄥˊ)(biochemistry) androgen
男裝(ㄋㄢˊ ㄓㄨㄤ) male costume
男中音(ㄋㄢˊ ㄓㄨㄥ ㄧㄣ)(music) baritone, or barytone
男生(ㄋㄢˊ ㄕㄥ)a boy student
男子(ㄋㄢˊ ㄗˇ) or 男人(ㄋㄢˊ ㄖㄣˊ)a man
男子漢(ㄋㄢˊ ㄗˇ ㄏㄢˋ)a manly man
男廁所(ㄋㄢˊ ㄘㄜˋ ㄙㄨㄛˇ)men's room

甸 3556 ㄉㄧㄢˋ diàn
1. suburbs or outskirts of the capital 2. to govern; to rule 3. farm crops

町 3557 1. ㄊㄧㄥˇ tǐng
the boundary between agricultural land

町 3557 2. ㄉㄧㄥ dīng
(in Japan) a street; a city block

三畫

甿 3558 ㄇㄥˊ méng
farming population

畀 3559 ㄅㄧˋ bì
to confer; to bestow; to give to

四畫

界 3560 ㄐㄧㄝˋ jiè
1. a boundary 2. to limit; to demarcate; to define; to delimit 3. world
界碑(ㄐㄧㄝˋ ㄅㄟ)a landmark; a boundary stone
界限(ㄐㄧㄝˋ ㄒㄧㄢˋ)outer limits; a border
界線(ㄐㄧㄝˋ ㄒㄧㄢˋ) a boundary; a borderline
界石(ㄐㄧㄝˋ ㄕˊ) a boundary stone; a landmark
界外球(ㄐㄧㄝˋ ㄨㄞˋ ㄑㄧㄡˊ) (sports) out-of-bounds

畏 3561 ㄨㄟˋ wèi
1. to stand in awe of; to fear; to dread; to be afraid of; to be scared of 2. to revere; to respect
畏途(ㄨㄟˋ ㄊㄨˊ) ①a difficult path deserving fear ②a task shirked by everybody
畏光(ㄨㄟˋ ㄍㄨㄤ) (medicine) photophobia
畏懼(ㄨㄟˋ ㄐㄩˋ) to dread; to be scared of; to fear
畏首畏尾(ㄨㄟˋ ㄕㄡˇ ㄨㄟˋ ㄨㄟˇ)to have too many fears
畏罪自殺(ㄨㄟˋ ㄗㄨㄟˋ ㄗˋ ㄕㄚ)to kill oneself from fear of punishment
畏縮(ㄨㄟˋ ㄙㄨㄛ)to shrink; to recoil

畋 3562 ㄊㄧㄢˊ tián
1. to cultivate land 2. to hunt game
畋獵(ㄊㄧㄢˊ ㄌㄧㄝˋ)hunting

畎 3563 ㄑㄩㄢˇ quǎn
1. an irrigation ditch 2. a valley; a dale; a canyon
畎畝(ㄑㄩㄢˇ ㄇㄨˇ)the fields

五畫

畔 3564 ㄆㄢˋ pàn
1. a boundary between fields 2. a side; a bank 3. same as 叛—to rebel; to betray

畛 3565 ㄓㄣˇ zhěn
1. footpaths between fields; dikes along watercourses in fields 2. a boundary; limits

畚 3566 ㄅㄣˇ běn
a bamboo basket for carrying earth
畚箕(ㄅㄣˇ ㄐㄧ)a bamboo basket for carrying earth or dirt

畜 3567 1. ㄔㄨˋ chù
1. a dumb creature; an animal 2. livestock
畜生(ㄔㄨˋ ㄕㄥ)① dumb creatures; animals ② a beast (a reviling term)

〔田部〕

畜 3567
2. ㄒㄩˋ xù
to rear or raise (livestock or children)
畜牧(ㄒㄩˋ ㄇㄨˋ)animal husbandry

畝 3568
ㄇㄨˇ mǔ
mu, a Chinese land measure (equal to 733 ½ square yards)

留 3569
(畱) ㄌㄧㄡˊ liú
1. to remain; to stay; to be at a standstill 2. to ask somebody to stay 3. to detain; to obstruct; to keep; to delay 4. to leave 5. to preserve; to reserve
留名(ㄌㄧㄡˊ ㄇㄧㄥˊ)to leave behind a good reputation
留念(ㄌㄧㄡˊ ㄋㄧㄢˋ)as a keepsake or souvenir
留連(ㄌㄧㄡˊ ㄌㄧㄢˊ)reluctant to leave
留連忘返(ㄌㄧㄡˊ ㄌㄧㄢˊ ㄨㄤˋ ㄈㄢˇ)so enchanted as to forget about home
留戀(ㄌㄧㄡˊ ㄌㄧㄢˋ)reluctant to part with
留級(ㄌㄧㄡˊ ㄐㄧˊ) to repeat the year's work
留下(ㄌㄧㄡˊ ㄒㄧㄚˋ)①to leave ②to detain ③ to remain; to stay
留心(ㄌㄧㄡˊ ㄒㄧㄣ)to pay attention
留學(ㄌㄧㄡˊ ㄒㄩㄝˊ)to study abroad
留學生(ㄌㄧㄡˊ ㄒㄩㄝˊ ㄕㄥ)a student studying abroad
留職停薪 (ㄌㄧㄡˊ ㄓˊ ㄊㄧㄥˊ ㄒㄧㄣ) leave without pay
留滯(ㄌㄧㄡˊ ㄓˋ) to remain at a standstill
留住(ㄌㄧㄡˊ ·ㄓㄨ)to succeed in making someone stay
留守(ㄌㄧㄡˊ ㄕㄡˇ)(said of troops) to remain stationed at a camp in the rear
留神(ㄌㄧㄡˊ ㄕㄣˊ)to pay attention; to be careful
留任(ㄌㄧㄡˊ ㄖㄣˋ)to stay in a position for another term
留宿(ㄌㄧㄡˊ ㄙㄨˋ)to keep (a guest) overnight
留意(ㄌㄧㄡˊ ㄧˋ)to pay attention; to be careful; to be cautious
留一手(ㄌㄧㄡˊ ㄧˋ ㄕㄡˇ)to hold back a trick or two
留言(ㄌㄧㄡˊ ㄧㄢˊ)to leave a message
留影(ㄌㄧㄡˊ ㄧㄥˇ)to have a picture taken as a souvenir

六畫

畦 3570
ㄒㄧ xī (語音 ㄑㄧˊ qí)
1. land of 50 *mu*(畝) 2. a plot, piece, or parcel of land 3. a farmer
畦徑(ㄒㄧ ㄐㄧㄥˋ) ①a bypath ②a way; a method

畤 3571
ㄓˋ zhì
a place for worshiping Heaven, Earth, and the five sage kings in ancient times

略 3572
(畧) ㄌㄩㄝˋ lüè
1. approximate; rough; brief 2. slight; small in extent 3. to scheme; to plan 4. strategy 5. to invade; to seize 6. to omit; to leave out 7. to survey the boundaries
略奪(ㄌㄩㄝˋ ㄉㄨㄛˊ)to rob; to take by force
略同(ㄌㄩㄝˋ ㄊㄨㄥˊ)about the same; similar
略去(ㄌㄩㄝˋ ㄑㄩˋ)to omit; to leave out
略知一二(ㄌㄩㄝˋ ㄓ ㄧ ㄦˋ)to know or understand just a little
略勝一籌(ㄌㄩㄝˋ ㄕㄥˋ ㄧˋ ㄔㄡˊ)slightly better
略有所聞(ㄌㄩㄝˋ ㄧㄡˇ ㄙㄨㄛˇ ㄨㄣˊ)to have heard something (about it)

畢 3573
ㄅㄧˋ bì
1. to complete; to finish; to end 2. whole; total; complete 3. a Chinese family name
畢竟(ㄅㄧˋ ㄐㄧㄥˋ)after all
畢生(ㄅㄧˋ ㄕㄥ)in one's whole life
畢業(ㄅㄧˋ ㄧㄝˋ)to be graduated; to graduate; graduation
畢業典禮(ㄅㄧˋ ㄧㄝˋ ㄉㄧㄢˇ ㄌㄧˇ)commencement exercises
畢業論文(ㄅㄧˋ ㄧㄝˋ ㄌㄨㄣˋ ㄨㄣˊ) a thesis
畢業考試(ㄅㄧˋ ㄧㄝˋ ㄎㄠˇ ㄕˋ)a graduation examination
畢業證書 (ㄅㄧˋ ㄧㄝˋ ㄓㄥˋ ㄕㄨ) a diploma
畢業生(ㄅㄧˋ ㄧㄝˋ ㄕㄥ)a graduate

異 3574
(異) ㄧˋ yì
1. different; difference 2. peculiar; extraordinary; unusual; strange; uncommon 3. foreign; unfamiliar; unknown 4. to marvel; to wonder 5. to separate
異邦(ㄧˋ ㄅㄤ)a foreign country
異地(ㄧˋ ㄉㄧˋ)a foreign land
異端邪說 (ㄧˋ ㄉㄨㄢ ㄒㄧㄝˊ ㄕㄨㄛ) heretical beliefs; heresy
異體字(ㄧˋ ㄊㄧˇ ㄗˋ)a variant form of a Chinese character
異類(ㄧˋ ㄌㄟˋ)①those of a different class or kind ② nonhuman
異口同聲(ㄧˋ ㄎㄡˇ ㄊㄨㄥˊ ㄕㄥ)The same thing is said by different mouths.
異己(ㄧˋ ㄐㄧˇ)those who differ from or disagree with oneself; a dissident
異教徒(ㄧˋ ㄐㄧㄠˋ ㄊㄨˊ)a heathen; a pagan
異鄉(ㄧˋ ㄒㄧㄤ)a strange land
異想天開 (ㄧˋ ㄒㄧㄤˇ ㄊㄧㄢ ㄎㄞ) to

have fantastic notions
異性戀(丨ˋ ㄒ丨ㄥˋ ㄌ丨ㄢˋ) heterosexuality
異常(丨ˋ ㄔㄤˊ)extraordinary; unusual
異族(丨ˋ ㄗㄨˊ)a different tribe or race
異議(丨ˋ 丨ˋ)dissent; objections
異議分子(丨ˋ 丨ˋ ㄈㄣˋ ㄗˇ)a dissident
異樣(丨ˋ 丨ㄤˋ)unusual; extraordinary
異味(丨ˋ ㄨㄟˋ)① extraordinarily pleasant flavor ② uncommon smell
異聞(丨ˋ ㄨㄣˊ)unusual news
異域(丨ˋ ㄩˋ)a foreign land

七畫

番 3575
1. ㄈㄢ fān
1. to take turns 2. order in series 3. a time 4. a kind of; a sort of 5. barbarians
番號(ㄈㄢ ㄏㄠˋ)a numerical designation of a military unit
番茄(ㄈㄢ ㄑ丨ㄝˊ)a tomato
番茄醬 (ㄈㄢ ㄑ丨ㄝˊ ㄐ丨ㄤˋ) tomato ketchup
番茄汁(ㄈㄢ ㄑ丨ㄝˊ ㄓ)tomato juice
番石榴(ㄈㄢ ㄕˊ •ㄌ丨ㄡ)a guava
番薯(ㄈㄢ ㄕㄨˇ)a sweet potato

番 3575
2. ㄆㄢ pān
a county in Kwangtung
番禺(ㄆㄢ ㄩˊ)a county in Kwangtung (廣東)

番 3575
3. ㄅㄛ bō
martial-like

畬 3576
ㄩˊ yú
land cultivated for two or three years

畲 3577
ㄕㄜ shē
1. name of a backward people in southern China 2. to cultivate land by first setting fire to it

畫 3578
ㄏㄨㄚˋ huà
1. to paint or draw (a picture); a painting; a drawing 2. to mark off; to delimit 3. to plan; to design; a plan 4. a stroke in a Chinese character
畫報(ㄏㄨㄚˋ ㄅㄠˋ)a pictorial
畫板(ㄏㄨㄚˋ ㄅㄢˇ)a drawing board
畫筆(ㄏㄨㄚˋ ㄅ丨ˇ)a painting brush
畫布(ㄏㄨㄚˋ ㄅㄨˋ) a canvas (for painting)
畫眉(ㄏㄨㄚˋ ㄇㄟˊ)①to blacken eyebrows ②the thrush
畫眉鳥(ㄏㄨㄚˋ ㄇㄟˊ ㄋ丨ㄠˇ)the thrush
畫面(ㄏㄨㄚˋ ㄇ丨ㄢˋ)the full length and breadth of a picture
畫地自限(ㄏㄨㄚˋ ㄉ丨ˋ ㄗˋ ㄒ丨ㄢˋ)to try to limit oneself
畫圖(ㄏㄨㄚˋ ㄊㄨˊ)to paint pictures; to draw pictures
畫廊(ㄏㄨㄚˋ ㄌㄤˊ) a gallery (for paintings)
畫刊(ㄏㄨㄚˋ ㄎㄢ)a pictorial magazine
畫框(ㄏㄨㄚˋ ㄎㄨㄤ)a picture frame
畫畫兒(ㄏㄨㄚˋ ㄏㄨㄚˋㄦ)to paint pictures; to draw pictures
畫家(ㄏㄨㄚˋ ㄐ丨ㄚ)a painter; an artist
畫架(ㄏㄨㄚˋ ㄐ丨ㄚˋ)an easel
畫具(ㄏㄨㄚˋ ㄐㄩˋ)painting tools
畫像(ㄏㄨㄚˋ ㄒ丨ㄤˋ)① to paint a portrait ② a portrait
畫展(ㄏㄨㄚˋ ㄓㄢˇ)an art exhibition; a painting exhibition
畫室(ㄏㄨㄚˋ ㄕˋ)an artist's studio
畫冊(ㄏㄨㄚˋ ㄘㄜˋ)a picture or painting album
畫押(ㄏㄨㄚˋ 丨ㄚ)to sign a contract or agreement

畯 3579
ㄐㄩㄣˋ jùn
1. the official in charge of farmland in ancient times 2. rustic; crude

八畫

畹 3580
ㄨㄢˇ wǎn
a measure of land equaling 12 or 30 *mu*(畝)

畸 3581
ㄐ丨 jī
1. fields with irregular boundaries 2. malformed; misshapen; deformity 3. fractional remainders
畸角兒(ㄐ丨 ㄐ丨ㄠˇㄦ)a corner
畸形(ㄐ丨 ㄒ丨ㄥˊ) malformation; deformity

當 3582
1. ㄉㄤ dāng
1. to undertake or assume (responsibilities, etc.); to accept 2. to face: 他當著我的面扯了個謊。He told me a lie to my face. 3. equal; well-matched 4. the very same (place, year, day, etc.) 5. ought to; should; must 6. just at (a time or a place) 7. to work as; to serve as
當班(ㄉㄤ ㄅㄢ)to be on duty by turns
當兵(ㄉㄤ ㄅ丨ㄥ)to serve in the army
當面(ㄉㄤ ㄇ丨ㄢˋ)right in one's face
當代(ㄉㄤ ㄉㄞˋ)in the present age
當道(ㄉㄤ ㄉㄠˋ)to be in power
當地(ㄉㄤ ㄉ丨ˋ)this place; local
當頭棒喝(ㄉㄤ ㄊㄡˊ ㄅㄤˋ ㄏㄜˋ)to arouse a person from stupidity by drastic means
當天(ㄉㄤ ㄊ丨ㄢ)on the same day
當年(ㄉㄤ ㄋ丨ㄢˊ)① that year ② bygone years
當歸鴨(ㄉㄤ ㄍㄨㄟ 丨ㄚ)a dish of

〔田部〕

duck seasoned with ligusticum
當機立斷(ㄉㄤ ㄐㄧ ㄌㄧˋ ㄉㄨㄢˋ) to make quick decisions in the face of problems
當家(ㄉㄤ ㄐㄧㄚ)to housekeep
當街(ㄉㄤ ㄐㄧㄝ)in the street
當今(ㄉㄤ ㄐㄧㄣ)the present time
當局(ㄉㄤ ㄐㄩˊ)the authorities
當前(ㄉㄤ ㄑㄧㄢˊ)① before one ② present; current
當權(ㄉㄤ ㄑㄩㄢˊ)to exercise authority; to be in power
當心(ㄉㄤ ㄒㄧㄣ)to be careful; to be cautious
當心扒手 (ㄉㄤ ㄒㄧㄣ ㄆㄚˊ ㄕㄡˇ) Watch out for pickpockets!
當選(ㄉㄤ ㄒㄩㄢˇ)to get elected; to be elected
當之無愧 (ㄉㄤ ㄓ ㄨˊ ㄎㄨㄟˋ) fully deserve (a title, an honor, etc.)
當中(ㄉㄤ ㄓㄨㄥ)right in the middle
當衆(ㄉㄤ ㄓㄨㄥˋ)in the presence of all
當衆宣佈(ㄉㄤ ㄓㄨㄥˋ ㄒㄩㄢ ㄅㄨˋ)to announce before a crowd
當差(ㄉㄤ ㄔㄞ)to be on duty
當場(ㄉㄤ ㄔㄤˇ)on the spot
當場出醜(ㄉㄤ ㄔㄤˇ ㄔㄨ ㄔㄡˇ)to suffer embarrassment right before a crowd
當初(ㄉㄤ ㄔㄨ)at first; in the beginning
當時(ㄉㄤ ㄕˊ) ①at that time; then ② at the very moment
當事人(ㄉㄤ ㄕˋ ㄖㄣˊ) the party concerned
當日(ㄉㄤ ㄖˋ)on the same day
當然(ㄉㄤ ㄖㄢˊ)of course; naturally
當仁不讓(ㄉㄤ ㄖㄣˊ ㄅㄨˋ ㄖㄤˋ)to yield to nobody when one is doing what is right
當務之急(ㄉㄤ ㄨˋ ㄓ ㄐㄧˊ)a business or task of the greatest urgency at present
當晚(ㄉㄤ ㄨㄢˇ)on the same night

當 3582
2. ㄉㄤˋ dàng
1. proper; appropriate 2. to pawn; to mortgage; to pledge 3. to take as; to regard as; to consider as
當鋪(ㄉㄤˋ ㄆㄨˋ)a pawnbroker's shop
當眞(ㄉㄤˋ ㄓㄣ)to be serious; no joking
當作 or 當做 (ㄉㄤˋ ㄗㄨㄛˋ) to regard as

當 3582
3. ㄉㄤˇ dǎng
to mistake something for another
當是(ㄉㄤˇ ㄕˋ)to think that...

十畫

畿 3583
ㄐㄧ jī(又讀 ㄑㄧˊ qí)
areas near the capital; the royal domain

十四畫

疆 3584
ㄐㄧㄤ jiāng
1. the boundary; the border; the frontier 2. a limit
疆土(ㄐㄧㄤ ㄊㄨˇ)territory
疆界(ㄐㄧㄤ ㄐㄧㄝˋ)borders; frontiers
疆域(ㄐㄧㄤ ㄩˋ)territory

疇 3585
ㄔㄡˊ chóu
1. agricultural land; fields 2. who 3. formerly; previously 4. a class; a category; a rank

十七畫

疊 3586
(叠) ㄉㄧㄝˊ dié
1. to fold up 2. to pile up 3. to repeat; to duplicate 4. a stack of (bank notes)
疊羅漢(ㄉㄧㄝˊ ㄌㄨㄛˊ ㄏㄢˋ) (sports) pyramid
疊句(ㄉㄧㄝˊ ㄐㄩˋ)a refrain
疊起(ㄉㄧㄝˊ ㄑㄧˇ) ①to fold up ②to pile up
疊韻(ㄉㄧㄝˊ ㄩㄣˋ)two words of the same rhyme

疋部 〔疋部〕
ㄆㄧˇ pǐ

疋 3587
ㄆㄧˇ pǐ
a roll (of cloth); a bolt (of cloth)

六畫

疏 3588
(疎, 或疏, 七畫)
1. ㄕㄨ shū
1. thin; sparse; few 2. unfamiliar; distant; unfriendly 3. careless; neglectful 4. to channel; to remove obstructions 5. coarse
疏密(ㄕㄨ ㄇㄧˋ)①looseness and density ② neglect and watchfulness
疏導(ㄕㄨ ㄉㄠˇ) ①to channel ②to enlighten
疏通(ㄕㄨ ㄊㄨㄥ)①to clean or dredge (a waterway) ②to improve (relations, etc.)
疏漏(ㄕㄨ ㄌㄡˋ)careless omissions; slips
疏(疏落)落(ㄕㄨ(ㄕㄨ ㄌㄨㄛˋ)ㄌㄨㄛˋ) sparse; few
疏忽(ㄕㄨ ㄏㄨ)carelessness; careless
疏濬(ㄕㄨ ㄐㄩㄣˋ)to clean or dredge (waterways)

疏失(ㄕㄨ ㄕ)remiss; at fault; negligent
疏散(ㄕㄨ ㄙㄢˋ)to disperse; dispersion
疏鬆(ㄕㄨ ㄙㄨㄥ)① loose ② puffy
疏而不漏(ㄕㄨ ㄦˊ ㄅㄨˋ ㄌㄡˋ) (said of the meshes of justice) to be loose but never miss
疏於防範(ㄕㄨ ㄩˊ ㄈㄤˊ ㄈㄢˋ)to fail to take precautions
疏於職守(ㄕㄨ ㄩˊ ㄓˊ ㄕㄡˇ)to neglect one's duty
疏遠(ㄕㄨ ㄩㄢˇ) (said of relations) not close

疏 3588
2. ㄕㄨˋ shù
1. to present point by point 2. to explicate; to annotate

九畫

疑 3589
ㄧˊ yí
1. doubtful; dubious; skeptical; doubt; to doubt; to question 2. suspicious; to suspect 3. strange; incomprehensible; mysterious; questionable 4. sham; dummy; false
疑點(ㄧˊ ㄉㄧㄢˇ) ①a doubtful or questionable point ② a suspicious point
疑難(ㄧˊ ㄋㄢˊ) a question; a problem
疑慮(ㄧˊ ㄌㄩˋ) apprehension; anxiety
疑惑(ㄧˊ ㄏㄨㄛˋ)to doubt; to suspect
疑心(ㄧˊ ㄒㄧㄣ)① to doubt ② suspicion
疑神疑鬼(ㄧˊ ㄕㄣˊ ㄧˊ ㄍㄨㄟˇ)to have unnecessary suspicions
疑似(ㄧˊ ㄙˋ)could be; suspected to be
疑案(ㄧˊ ㄢˋ)an unsettled case
疑問(ㄧˊ ㄨㄣˋ) a question; doubt; uncertainty
疑問句(ㄧˊ ㄨㄣˋ ㄐㄩˋ) an interrogative sentence
疑雲(ㄧˊ ㄩㄣˊ)clouds of suspicion or misgivings (darkening one's mind)

疐 3590
ㄓˋ zhì
to suffer a fall; to fall; to stumble

疒部
ㄔㄨㄤˊ chuáng

二畫

疔 3591
ㄉㄧㄥ dīng
a boil; a carbuncle

三畫

疙 3592
ㄍㄜ gē
a wart; a pustule; a pimple
疙瘩(ㄍㄜ ·ㄉㄚ)①a wart; a pimple ② a round lump

疚 3593
ㄐㄧㄡˋ jiù
1. prolonged illness 2. mental discomfort 3. a guilty conscience

疝 3594
ㄕㄢˋ shàn
hernia
疝氣(ㄕㄢˋ ㄑㄧˋ)hernia

四畫

疤 3595
ㄅㄚ bā
1. a scar 2. a birthmark
疤痕(ㄅㄚ ㄏㄣˊ)a scar

疥 3596
ㄐㄧㄝˋ jiè
scabies
疥瘡(ㄐㄧㄝˋ ㄔㄨㄤ)sores from scabies

疫 3597
ㄧˋ yì
an epidemic; a plague; a pestilence
疫病傳染(ㄧˋ ㄅㄧㄥˋ ㄔㄨㄢˊ ㄖㄢˇ)contagion
疫苗(ㄧˋ ㄇㄧㄠˊ)vaccine

疣 3598
ㄧㄡˊ yóu
a wart; a papule

五畫

疲 3599
ㄆㄧˊ pí
weary; tired; fatigued; exhausted
疲憊(ㄆㄧˊ ㄅㄟˋ)fatigued; tired; weary
疲憊不堪(ㄆㄧˊ ㄅㄟˋ ㄅㄨˋ ㄎㄢ)extremely tired
疲乏(ㄆㄧˊ ㄈㄚˊ)tired; weary; exhausted
疲勞(ㄆㄧˊ ㄌㄠˊ)fatigue; exhaustion
疲勞轟炸(ㄆㄧˊ ㄌㄠˊ ㄏㄨㄥ ㄓㄚˋ)harassing air raids
疲倦(ㄆㄧˊ ㄐㄩㄢˋ)weary; tired; fatigued
疲於奔命(ㄆㄧˊ ㄩˊ ㄅㄣ ㄇㄧㄥˋ)wearied of coping with many problems at the same time

疳 3600
ㄍㄢ gān
1.a kind of infantile disease caused by digestive trouble or malnutrition 2. a kind of infectious venereal disease

疸 3601
ㄉㄢˇ dǎn
jaundice

疴 3602
(痾) ㄜ ē
(又讀 ㄎㄜ kē)
sickness; disease

疹 3603
ㄓㄣˇ zhěn

〔疒部〕

rashes
疹子(ㄓㄣˇ ·ㄗ)measles; carbuncles

疽 3604
ㄐㄩ jū
ulcer

疼 3605
ㄊㄥˊ téng
1. to ache; to hurt; pain; sore 2. to dote on; to be fond of (a child)
疼愛(ㄊㄥˊ ㄞˋ)to be fond of (a child)

疾 3606
ㄐㄧˊ jí
1. disease; suffering 2. to hate; to detest 3. swift; rapid; quick; fast
疾病(ㄐㄧˊ ㄅㄧㄥˋ)diseases
疾苦(ㄐㄧˊ ㄎㄨˇ)suffering (especially under an oppressive government)
疾駛(ㄐㄧˊ ㄕˇ) or 疾馳 (ㄐㄧˊ ㄔˊ) to move swiftly

病 3607
ㄅㄧㄥˋ bìng
1. illness; disease; ailment 2. to be ill 3. blemish; fault 4. to injure; to harm 5. to worry 6. to hate 7. to insult
病變 (ㄅㄧㄥˋ ㄅㄧㄢˋ) pathological changes
病魔 (ㄅㄧㄥˋ ㄇㄛˊ) the demon of ill health
病沒or病歿(ㄅㄧㄥˋ ㄇㄛˋ)to die of illness
病發(ㄅㄧㄥˋ ㄈㄚ)to fall ill
病房(ㄅㄧㄥˋ ㄈㄤˊ)a sickroom; a ward
病倒(ㄅㄧㄥˋ ㄉㄠˇ)to fall ill
病毒(ㄅㄧㄥˋ ㄉㄨˊ)viruses
病態(ㄅㄧㄥˋ ㄊㄞˋ) morbid (or abnormal) state
病痛(ㄅㄧㄥˋ ㄊㄨㄥˋ)slight illness; indisposition
病歷(ㄅㄧㄥˋ ㄌㄧˋ)case history
病假(ㄅㄧㄥˋ ㄐㄧㄚˋ)sick leave
病菌(ㄅㄧㄥˋ ㄐㄩㄣˋ) germs; bacteria; viruses
病情(ㄅㄧㄥˋ ㄑㄧㄥˊ)the condition of a patient
病症(ㄅㄧㄥˋ ㄓㄥˋ)a disease; an ailment
病重(ㄅㄧㄥˋ ㄓㄨㄥˋ)seriously ill
病牀(ㄅㄧㄥˋ ㄔㄨㄤˊ)a sickbed
病蟲害(ㄅㄧㄥˋ ㄔㄨㄥˊ ㄏㄞˋ)blight
病人(ㄅㄧㄥˋ ㄖㄣˊ)a sick man; a patient
病入膏肓(ㄅㄧㄥˋ ㄖㄨˋ ㄍㄠ ㄏㄨㄤ) so advanced in one's disease as to be past remedy
病容(ㄅㄧㄥˋ ㄖㄨㄥˊ)a sickly look
病死(ㄅㄧㄥˋ ㄙˇ)to die of an illness
病因(ㄅㄧㄥˋ ㄧㄣ)the cause of a disease; the origin of a disease
病危(ㄅㄧㄥˋ ㄨㄟ)dying of an illness
病愈 or 病癒 (ㄅㄧㄥˋ ㄩˋ) to recover from illness
病原體(ㄅㄧㄥˋ ㄩㄢˊ ㄊㄧˇ)viruses

症 3608
ㄓㄥˋ zhèng
1. disease; an ailment 2. symptoms or manifestations of a disease
症候(ㄓㄥˋ ㄏㄡˋ) or 症狀 (ㄓㄥˋ ㄓㄨㄤˋ) symptoms or manifestations of a disease

痃 3609
ㄒㄧㄢˊ xián
(pathology) bubo

痀 3610
ㄐㄩ jū
a hunchback; a humpback
痀僂(ㄐㄩ ㄌㄡˊ) or 痀瘻(ㄐㄩ ㄌㄩˊ) hunchback

痂 3611
ㄐㄧㄚ jiā
scab over a sore

疱 3612
(皰) ㄆㄠˋ pào
acne
疱疹(ㄆㄠˋ ㄓㄣˇ)① a bleb ② herpes

痁 3613
ㄉㄧㄢˋ diàn
chronic malaria

痄 3614
ㄓㄚˋ zhà
scrofulous swellings and sores
痄腮(ㄓㄚˋ ㄙㄞ)mumps

疵 3615
ㄘ cī (又讀 ㄘˊ cí)
a defect; a flaw; a mistake

六畫

痌 3616
ㄊㄨㄥ tōng
aching; painful
痌瘝(ㄊㄨㄥ ㄍㄨㄢ)suffering; disease

痍 3617
ㄧˊ yí
a wound; a bruise; a sore

痊 3618
ㄑㄩㄢˊ quán
healed; cured; recovery
痊愈or痊癒(ㄑㄩㄢˊ ㄩˋ)to have recovered from illness

痏 3619
ㄨㄟˇ wěi
a mark on the skin; a scar

痕 3620
ㄏㄣˊ hén
a mark; a scar; a trace
痕跡(ㄏㄣˊ ㄐㄧ)a trace

痔 3621
ㄓˋ zhì
piles; hemorrhoids

痔瘡(ㄓˋ ㄔㄨㄤ)piles; hemorrhoids

七畫

痛 3622 ㄊㄨㄥˋ tòng
1. painful; aching 2. sorrowful; sad; bitter; poignant; bitterly 3. heartily; to one's heart's content
痛不欲生(ㄊㄨㄥˋ ˙ㄅㄨ ㄩˋ ㄕㄥ)to grieve to the extent of wishing to die
痛罵(ㄊㄨㄥˋ ㄇㄚˋ)to berate; to revile
痛打(ㄊㄨㄥˋ ㄉㄚˇ)to beat soundly
痛定思痛(ㄊㄨㄥˋ ㄉㄧㄥˋ ㄙ ㄊㄨㄥˋ)to recall the past with pangs in the heart
痛改前非(ㄊㄨㄥˋ ㄍㄞˇ ㄑㄧㄢˊ ㄈㄟ)to repent past mistakes
痛哭(ㄊㄨㄥˋ ㄎㄨ)to weep bitterly
痛哭流涕(ㄊㄨㄥˋ ㄎㄨ ㄌㄧㄡˊ ㄊㄧˋ)to shed tears in bitter sorrow
痛苦(ㄊㄨㄥˋ ㄎㄨˇ)painful; pain; anguish
痛快(ㄊㄨㄥˋ ˙ㄎㄨㄞ)① very happy; delighted ② straightforward
痛恨(ㄊㄨㄥˋ ㄏㄣˋ)to hate deeply
痛擊(ㄊㄨㄥˋ ㄐㄧˊ)to give a hard blow
痛惜(ㄊㄨㄥˋ ㄒㄧˊ)to regret deeply
痛心(ㄊㄨㄥˋ ㄒㄧㄣ)heartbroken; very sorry
痛心疾首(ㄊㄨㄥˋ ㄒㄧㄣ ㄐㄧˊ ㄕㄡˇ)to hate deeply; to feel bitter about...
痛斥(ㄊㄨㄥˋ ㄔˋ)to scold severely
痛處(ㄊㄨㄥˋ ㄔㄨˋ)a sore spot
痛責(ㄊㄨㄥˋ ㄗㄜˊ)to scold severely
痛毆(ㄊㄨㄥˋ ㄡ)to beat savagely
痛飲(ㄊㄨㄥˋ ㄧㄣˇ) to drink to one's heart's content
痛惡(ㄊㄨㄥˋ ㄨˋ)to hate bitterly

痘 3623 ㄉㄡˋ dòu
smallpox 亦作「天花」

痙 3624 ㄐㄧㄥˋ jìng
spasm; convulsions
痙攣(ㄐㄧㄥˋ ㄌㄩㄢˊ)convulsions; spasm

痢 3625 ㄌㄧˋ lì
dysentery; diarrhea
痢疾(ㄌㄧˋ ㄐㄧˊ)dysentery; diarrhea

痧 3626 ㄕㄚ shā
1. cholera 2. measles

痣 3627 ㄓˋ zhì
moles; nevus

痠 3628 ㄙㄨㄢ suān
muscular pains
痠痛(ㄙㄨㄢ ㄊㄨㄥˋ)(said of bones, muscles, etc.) to ache

痡 3629 ㄆㄨ pū
a disease; an ailment

痞 3630 ㄆㄧˇ pǐ
1. dyspepsia; a spleen infection 2. a ruffian; a scoundrel
痞棍(ㄆㄧˇ ㄍㄨㄣˋ)or痞子(ㄆㄧˇ ˙ㄗ)a rascal; a scoundrel

痤 3631 ㄘㄨㄛˊ cuó
1. a boil or carbuncle on the face 2. minor swelling; an abscess

八畫

痰 3632 ㄊㄢˊ tán
phlegm; expectoration; sputum
痰盂(ㄊㄢˊ ㄩˊ)a spittoon

痱 3633 (疿) ㄈㄟˋ fèi
heat rashes; heat spots; prickly heat
痱子(ㄈㄟˋ ˙ㄗ)heat rashes
痱子粉(ㄈㄟˋ ˙ㄗ ㄈㄣˇ)talcum powder; baby powder

痳 3634 (淋) ㄌㄧㄣˊ lín
gonorrhea

痲 3635 ㄇㄚˊ má
1. measles 2. leprosy 3. to stupefy; to benumb; to anesthetize; to paralyze 4. a pockmark
痲痹(ㄇㄚˊ ㄅㄧˋ)paralysis; palsy
痲瘋(ㄇㄚˊ ㄈㄥ)leprosy
痲疹(ㄇㄚˊ ㄓㄣˇ)measles

痺 3636 ㄅㄧˋ bì
paralysis

痼 3637 ㄍㄨˋ gù
a chronic disease
痼疾(ㄍㄨˋ ㄐㄧˊ)an incurable chronic disease

瘀 3638 ㄩ yū
a hematoma
瘀膿(ㄩ ㄋㄨㄥˊ)pus
瘀血(ㄩ ㄒㄧㄝˇ)a hematoma
瘀傷(ㄩ ㄕㄤ)a contusion

痿 3639 ㄨㄟˇ wěi
paralysis; impotent

瘁 3640 ㄘㄨㄟˋ cuì
1. disease; illness 2. overfatigued; toil

〔疒部〕

〔疒部〕

痴 3641
ㄔ chī
the simplified form of "癡" 參看「癡」

九畫

瘍 3642
ㄧㄤˊ yáng
skin diseases or infections; sores; an ulcer

瘋 3643
ㄈㄥ fēng
insane; crazy; mad; mentally deranged; lunatic; wild
瘋瘋癲癲(ㄈㄥ ·ㄈㄥ ㄉㄧㄢ ㄉㄧㄢ)insane; mentally deranged
瘋狗(ㄈㄥ ㄍㄡˇ)a mad dog
瘋狂(ㄈㄥ ㄎㄨㄤˊ)crazy; mad; insane
瘋人(ㄈㄥ ㄖㄣˊ) or 瘋子(ㄈㄥ ·ㄗ) a lunatic; a madman

瘓 3644
ㄏㄨㄢˋ huàn
paralysis

瘖 3645
ㄧㄣ yīn
dumb; mute
瘖啞(ㄧㄣ ㄧㄚˇ)dumb; mute

瘌 3646
ㄌㄚˋ là
favus
瘌痢(ㄌㄚˋ ㄌㄧˋ)favus
瘌痢頭(ㄌㄚˋ ㄌㄧˋ ㄊㄡˊ)a head made bald by favus

瘉 3647
ㄩˋ yù
1. same as 愈—healed; cured 2. ill; sick

瘧 3648
ㄋㄩㄝˋ nüè
malaria
瘧疾(ㄋㄩㄝˋ ㄐㄧˊ)malaria

十畫

瘝 3649
ㄍㄨㄢ guān
sick; ill; ailing

瘟 3650
ㄨㄣ wēn
an epidemic; a plague; a pestilence
瘟疫(ㄨㄣ ㄧˋ)an epidemic; a plague

瘡 3651
ㄔㄨㄤ chuāng
1. an ulcer; a sore; a boil 2. a wound
瘡疤(ㄔㄨㄤ ㄅㄚ)wound scars
瘡痍(ㄔㄨㄤ ㄧˊ)an ulcer; a sore

瘦 3652
ㄕㄡˋ shòu
thin; lean; slim; meager; scrawny; emaciated
瘦馬(ㄕㄡˋ ㄇㄚˇ)a lean horse
瘦小(ㄕㄡˋ ㄒㄧㄠˇ)thin and small
瘦肉(ㄕㄡˋ ㄖㄡˋ)lean meat
瘦弱(ㄕㄡˋ ㄖㄨㄛˋ)thin and weak

瘠 3653
ㄐㄧˊ jí
1. thin; lean; meager; emaciated 2. (said of land) sterile, infertile, or unproductive; barren
瘠地(ㄐㄧˊ ㄉㄧˋ)sterile, or unproductive land

瘢 3654
ㄅㄢ bān
a scar; a freckle

瘥 3655
1. ㄔㄞˋ chài
cured; healed; recovered

瘥 3655
2. ㄘㄨㄛˊ cuó
sick; ill; ailing; affliction

瘩 3656
·ㄉㄚ da (又讀 ㄉㄚˊ dá)
a boil; a pimple; a wart

瘞 3657
ㄧˋ yì
to bury

瘤 3658
(癅) ㄌㄧㄡˊ liú
a tumor; a swelling; a lump

十一畫

瘴 3659
ㄓㄤˋ zhàng
miasma; swamp vapor
瘴氣(ㄓㄤˋ ㄑㄧˋ) miasma; pestilential vapor

瘳 3660
ㄔㄡ chōu
1. cured; healed 2. to harm; to hurt

瘵 3661
ㄓㄞˋ zhài
1. tuberculosis 2. distress

瘻 3662
1. ㄌㄩˊ lǘ
a hunchback; a humpback

瘻 3662
2. ㄌㄡˋ lòu
goiter; scrofula
瘻管(ㄌㄡˋ ㄍㄨㄢˇ) (medicine) a fistula

瘸 3663
ㄑㄩㄝˊ qué
1. a cripple 2. to be lame
瘸子(ㄑㄩㄝˊ ㄗˇ)a lame man; a cripple

瘼 3664
ㄇㄛˋ mò
1. disease; illness; an ailment 2. suffering; hardship; privation

十二畫

療 3665 ㄌㄧㄠˊ liáo 「heal
to treat (a disease); to relieve; to
療法(ㄌㄧㄠˊ ㄈㄚˇ)a cure; a therapy
療效(ㄌㄧㄠˊ ㄒㄧㄠˋ)curative effect
療養(ㄌㄧㄠˊ ㄧㄤˇ)to recuperate; to convalesce
療養院(ㄌㄧㄠˊ ㄧㄤˇ ㄩㄢˋ)a sanatorium

癃 3666 ㄌㄨㄥˊ lóng 「anuria
1. humping of the back in old age 2.

癌 3667 ㄧㄢˊ yán (又讀 ㄞˊ ái)
cancer
癌細胞(ㄧㄢˊ ㄒㄧˋ ㄅㄠ)cancer cells

癆 3668 ㄌㄠˊ láo
tuberculosis; consumption
癆病(ㄌㄠˊ ㄅㄧㄥˋ)tuberculosis; consumption

癇 3669 ㄒㄧㄢˊ xián
epilepsy

癉 3670 ㄉㄢˋ dàn
1. to hate bitterly; to detest 2. illness caused by over-exhaustion; distress

癍 3671 ㄅㄢ bān
unhealthy marks on the skin; a blotch

十三畫

癖 3672 ㄆㄧˇ pǐ
1. chronic swelling of the spleen 2. addiction; a habitual inclination

癘 3673 ㄌㄧˋ lì 「tilence
1. an ulcer 2. pestilential vapor; pes-

癒 3674 (瘉) ㄩˋ yù
healed; cured

十四畫

癟 3675 (癟) ㄅㄧㄝˇ biě
flat; sunken; not full
癟子(ㄅㄧㄝˇ •ㄗ)a setback; a blow
癟三(ㄅㄧㄝˇ ㄙㄢ)a bum; a tramp

癡 3676 (痴) ㄔ chī
1. idiotic; silly; foolish; stupid; senseless; crazy; insane 2. to besot
癡迷(ㄔ ㄇㄧˊ)infatuated; besotted
癡情(ㄔ ㄑㄧㄥˊ) blind love; blind passion
癡心(ㄔ ㄒㄧㄣ)blind passion
癡心妄想(ㄔ ㄒㄧㄣ ㄨㄤˋ ㄒㄧㄤˇ) silly and fantastic notions
癡人(ㄔ ㄖㄣˊ)an idiot; a fool

十五畫

癢 3677 (痒) ㄧㄤˇ yǎng
to itch; to tickle

癤 3678 1. ㄐㄧㄝˊ jié
a small sore; a pimple

癤 3678 2. ㄐㄧㄝ jiē
a gnarl

癥 3679 ㄓㄥ zhēng
obstruction of the bowels
癥結(ㄓㄥ ㄐㄧㄝˊ)① obstruction of the bowels ② a difficult point (of a problem)

十六畫

癩 3680 ㄌㄞˋ lài
1. leprosy 2. favus; scabies 3. bad
癩蝦蟆(ㄌㄞˋ ㄏㄚˊ •ㄇㄚ)the toad
癩癬(ㄌㄞˋ ㄒㄩㄢˇ)favus; ringworm

十七畫

癭 3681 ㄧㄥˇ yǐng 「a gnarl
1. a reddish swelling on the neck 2.

癮 3682 ㄧㄣˇ yǐn
1. addiction; a habitual craving 2. strong interest (in a sport or pastime)
癮君子(ㄧㄣˇ ㄐㄩㄣ ㄗˇ)a heavy smoker

癬 3683 ㄒㄩㄢˇ xuǎn (讀音 ㄒㄧㄢˇ xiǎn)
ringworm; tetter
癬疥(ㄒㄩㄢˇ ㄐㄧㄝˋ)a skin disease

十八畫

癰 3684 ㄩㄥ yōng
a carbuncle
癰腫(ㄩㄥ ㄓㄨㄥˇ)an abscess

癯 3685 ㄑㄩˊ qú
emaciated; thin; lean

十九畫

癲 3686 ㄉㄧㄢ diān
mentally deranged; insane; mad; crazy; lunatic
癲癇(ㄉㄧㄢ ㄒㄧㄢˊ)epilepsy

〔疒部〕

〔癶部〕

癱 3687
ㄊㄢ tān
paralysis
癱瘓(ㄊㄢ ㄏㄨㄢˋ)paralyzed; standstill
癱軟(ㄊㄢ ㄖㄨㄢˇ)(said of arms, legs, etc.)weak and limp

癶部 ㄅㄛ bō

四畫

癸 3688
ㄍㄨㄟˇ guǐ
the last of the Ten Celestial Stems

七畫

登 3689
ㄉㄥ dēng
1. to ascend; to climb; to rise 2. to record; to register; to enter 3. to take; to employ 4. to board 5. to step on; to tread
登門拜訪(ㄉㄥ ㄇㄣˊ ㄅㄞˋ ㄈㄤˇ)to visit
登峯造極(ㄉㄥ ㄈㄥ ㄗㄠˋ ㄐㄧˊ)to reach the summit of achievement
登徒子(ㄉㄥ ㄊㄨˊ ㄗˇ) a lecher; a debauchee
登錄(ㄉㄥ ㄌㄨˋ)to register
登陸(ㄉㄥ ㄌㄨˋ)to go ashore; to land
登陸戰(ㄉㄥ ㄌㄨˋ ㄓㄢˋ)landing operations
登革熱(ㄉㄥ ㄍㄜˊ ㄖㄜˋ)dengue fever
登高一呼(ㄉㄥ ㄍㄠ ㄧˋ ㄏㄨ)to rally for a just cause
登機(ㄉㄥ ㄐㄧ)to board a plane
登機門(ㄉㄥ ㄐㄧ ㄇㄣˊ)a boarding gate
登機證(ㄉㄥ ㄐㄧ ㄓㄥˋ)a boarding pass
登記(ㄉㄥ ㄐㄧˋ)to register; to check in
登船(ㄉㄥ ㄔㄨㄢˊ)to take a boat
登山(ㄉㄥ ㄕㄢ)to climb a mountain
登山隊(ㄉㄥ ㄕㄢ ㄉㄨㄟˋ)a mountaineering party
登載(ㄉㄥ ㄗㄞˇ)to publish (a news story)

發 3690
ㄈㄚ fā
1. to shoot; to launch 2. to issue; to publish 3. to begin; to start; to initiate; to originate 4. to reveal; to disclose; to uncover 5. to become; to come to be 6. to utter; to express; to speak 7. to set off; to set out 8. to illuminate; to help out
發白(ㄈㄚ ㄅㄞˊ)to turn pale
發包(ㄈㄚ ㄅㄠ)to contract with a contractor for a construction program
發報機(ㄈㄚ ㄅㄠˋ ㄐㄧ)a telegraph transmitter
發表(ㄈㄚ ㄅㄧㄠˇ) to make (a statement); to announce; to deliver (a speech)
發布 or 發佈(ㄈㄚ ㄅㄨˋ)to announce
發排(ㄈㄚ ㄆㄞˊ)to send (manuscripts) to the composing room
發胖(ㄈㄚ ㄆㄤˋ) to put on (or gain) weight
發脾氣(ㄈㄚ ㄆㄧˊ ·ㄑㄧ)to lose one's temper
發票(ㄈㄚ ㄆㄧㄠˋ)an invoice
發票金額 (ㄈㄚ ㄆㄧㄠˋ ㄐㄧㄣ ㄜˊ) invoice amount
發麻(ㄈㄚ ㄇㄚˊ)numb; benumbed
發霉(ㄈㄚ ㄇㄟˊ)to get mildewed; to mildew
發毛(ㄈㄚ ㄇㄠˊ)to feel a shudder
發明(ㄈㄚ ㄇㄧㄥˊ)① to invent ② an invention
發明家(ㄈㄚ ㄇㄧㄥˊ ㄐㄧㄚ)an inventor
發粉(ㄈㄚ ㄈㄣˇ)baking powder
發憤圖強(ㄈㄚ ㄈㄣˋ ㄊㄨˊ ㄑㄧㄤˊ)(said of a nation) to strive for progress with determination 亦作「發奮圖強」
發放(ㄈㄚ ㄈㄤˋ)①to issue ②to dispose of
發瘋(ㄈㄚ ㄈㄥ)to go mad
發福(ㄈㄚ ㄈㄨˊ) (jocularly) to become fat
發達(ㄈㄚ ㄉㄚˊ)to develop
發獃or發呆(ㄈㄚ ㄉㄞ)to look absent-minded
發抖(ㄈㄚ ㄉㄡˇ)to tremble; to shiver
發電(ㄈㄚ ㄉㄧㄢˋ)① to generate electric power ② to send a telegram
發電廠(ㄈㄚ ㄉㄧㄢˋ ㄔㄤˇ)a power plant
發電機(ㄈㄚ ㄉㄧㄢˋ ㄐㄧ)a generator
發動(ㄈㄚ ㄉㄨㄥˋ)to start; to launch
發條(ㄈㄚ ㄊㄧㄠˊ)a spring
發怒(ㄈㄚ ㄋㄨˋ)to become angry
發牢騷(ㄈㄚ ㄌㄠˊ ·ㄙㄠ)to grumble
發亮(ㄈㄚ ㄌㄧㄤˋ)to shine; to glitter
發光(ㄈㄚ ㄍㄨㄤ)to shine; to glitter
發狂(ㄈㄚ ㄎㄨㄤˊ)to go crazy
發號施令(ㄈㄚ ㄏㄠˋ ㄕ ㄌㄧㄥˋ)to give commands
發狠(ㄈㄚ ㄏㄣˇ)to make a tremendous effort
發火(ㄈㄚ ㄏㄨㄛˇ)to become angry
發揮(ㄈㄚ ㄏㄨㄟ)to bring (skill, talent, etc.) into full play
發昏 (ㄈㄚ ㄏㄨㄣ)①to faint ②to lose one's head
發慌(ㄈㄚ ㄏㄨㄤ)to lose one's composure
發迹(ㄈㄚ ㄐㄧ)to rise (in business, career, etc.)
發酒瘋(ㄈㄚ ㄐㄧㄡˇ ㄈㄥ)to get drunk and behave irrationally
發覺 (ㄈㄚ ㄐㄩㄝˊ) to discover; to find
發起(ㄈㄚ ㄑㄧˇ)to initiate; to start

發起人(ㄈㄚ ㄑㄧˇ ㄖㄣˊ)an originator
發球(ㄈㄚ ㄑㄧㄡˊ) to serve a ball (in tennis, handball, etc.)
發泄or發洩(ㄈㄚ ㄒㄧㄝˋ)to give vent to
發酵(ㄈㄚ ㄒㄧㄠˋ)to ferment; fermentation
發酵乳(ㄈㄚ ㄒㄧㄠˋ ㄖㄨˇ)ferment milk; yogurt
發現(ㄈㄚ ㄒㄧㄢˋ) to discover; to find; discovery
發祥地(ㄈㄚ ㄒㄧㄤˊ ㄉㄧˋ)the place of a thing's beginning
發餉(ㄈㄚ ㄒㄧㄤˇ)to issue pay
發行(ㄈㄚ ㄒㄧㄥˊ) (said of currency, bonds, books, etc.) to issue; to publish; to distribute
發行量(ㄈㄚ ㄒㄧㄥˊ ㄌㄧㄤˋ)the volume of circulation
發行人(ㄈㄚ ㄒㄧㄥˊ ㄖㄣˊ)a publisher
發展(ㄈㄚ ㄓㄢˇ) to develop; development
發愁(ㄈㄚ ㄔㄡˊ)to worry; to be anxious
發出(ㄈㄚ ㄔㄨ)to send forth
發誓(ㄈㄚ ㄕˋ)to vow; to swear
發射(ㄈㄚ ㄕㄜˋ)to launch; to shoot
發燒(ㄈㄚ ㄕㄠ)to have a fever
發售(ㄈㄚ ㄕㄡˋ)to go on sale
發神經(ㄈㄚ ㄕㄣˊ ㄐㄧㄥ)to go crazy
發聲(ㄈㄚ ㄕㄥ)to give off sound
發生(ㄈㄚ ㄕㄥ)to happen; to occur
發生衝突(ㄈㄚ ㄕㄥ ㄔㄨㄥ ㄊㄨˊ) to have a conflict
發熱(ㄈㄚ ㄖㄜˋ)to have a temperature
發人深省 (ㄈㄚ ㄖㄣˊ ㄕㄣ ㄒㄧㄥˇ) to stimulate deep thought
發作(ㄈㄚ ㄗㄨㄛˋ)①to show effect; to break out ②to have a fit (of anger)
發慈悲(ㄈㄚ ㄘˊ ㄅㄟ)to show mercy or pity
發財(ㄈㄚ ㄘㄞˊ)to become rich
發喪(ㄈㄚ ㄙㄤ) to inform relatives and friends of a death
發酸(ㄈㄚ ㄙㄨㄢ)to become sour; to sour
發芽(ㄈㄚ ㄧㄚˊ)to sprout
發炎(ㄈㄚ ㄧㄢˊ)to become inflamed
發言(ㄈㄚ ㄧㄢˊ)to speak
發言權 (ㄈㄚ ㄧㄢˊ ㄑㄩㄢˊ) right of speaking
發言人(ㄈㄚ ㄧㄢˊ ㄖㄣˊ)a spokesman
發音(ㄈㄚ ㄧㄣ)pronunciation
發揚(ㄈㄚ ㄧㄤˊ)to exalt; to enhance
發揚光大 (ㄈㄚ ㄧㄤˊ ㄍㄨㄤ ㄉㄚˋ) to enhance and glorify
發癢(ㄈㄚ ㄧㄤˇ)to itch
發問(ㄈㄚ ㄨㄣˋ)to ask questions
發育(ㄈㄚ ㄩˋ)to grow up; to develop
發育不良 (ㄈㄚ ㄩˋ ㄅㄨˋ ㄌㄧㄤˊ) maldevelopment

發源(ㄈㄚ ㄩㄢˊ)an origin; a source
發源地(ㄈㄚ ㄩㄢˊ ㄉㄧˋ)(said of rivers, etc.) the place of origin

九畫

3691
凳 (櫈) ㄉㄥˋ dèng
a stool
凳子(ㄉㄥˋ •ㄗ)a stool

白部 ㄅㄛˊ bó

3692
白 ㄅㄞˊ bái
(讀音 ㄅㄛˊ bó)
1. white; clear; bright; clean; pure; plain 2. empty; blank 3. in vain; for nothing 4. free of charge; gratis 5. the spoken part in an opera, etc. 6. to state; to explain 7. a Chinese family name
白白地(ㄅㄞˊ ㄅㄞˊ •ㄉㄜ)in vain
白跑一趟(ㄅㄞˊ ㄆㄠˇ ㄧˊ ㄊㄤˋ)to make a futile trip
白葡萄酒(ㄅㄞˊ ㄆㄨˊ•ㄊㄠ ㄐㄧㄡˇ)sherry
白螞蟻(ㄅㄞˊ ㄇㄚˇ ㄧˇ) or 白蟻 (ㄅㄞˊ ㄧˇ) a termite
白忙(ㄅㄞˊ ㄇㄤˊ)to busy oneself to no purpose
白茫茫(ㄅㄞˊ ㄇㄤˊ ㄇㄤˊ)showing a vast expanse of whiteness
白米(ㄅㄞˊ ㄇㄧˇ)white polished rice
白髮蒼蒼(ㄅㄞˊ ㄈㄚˇ ㄘㄤ ㄘㄤ)hoary-headed
白費(ㄅㄞˊ ㄈㄟˋ)to waste
白費心機(ㄅㄞˊ ㄈㄟˋ ㄒㄧㄣ ㄐㄧ)to scheme in vain
白飯(ㄅㄞˊ ㄈㄢˋ)cooked white rice
白搭(ㄅㄞˊ ㄉㄚ)in vain
白帶(ㄅㄞˊ ㄉㄞˋ) (medicine) leucorrhea; white flow
白頭偕老(ㄅㄞˊ ㄊㄡˊ ㄒㄧㄝˊ ㄌㄠˇ) (said of a married couple) to stick to each other to the end of their lives
白糖(ㄅㄞˊ ㄊㄤˊ)white sugar; refined sugar
白天(ㄅㄞˊ ㄊㄧㄢ)daytime
白內障(ㄅㄞˊ ㄋㄟˋ ㄓㄤˋ) (medicine) cataract
白蘭地(ㄅㄞˊ ㄌㄢˊ ㄉㄧˋ)brandy
白領階級(ㄅㄞˊ ㄌㄧㄥˇ ㄐㄧㄝ ㄐㄧˊ)the white-collar class
白鷺(ㄅㄞˊ ㄌㄨˋ)an egret
白宮(ㄅㄞˊ ㄍㄨㄥ)the White House, Washington D.C.
白開水(ㄅㄞˊ ㄎㄞ ㄕㄨㄟˇ)boiled water
白喉(ㄅㄞˊ ㄏㄡˊ)diphtheria
白話詩(ㄅㄞˊ ㄏㄨㄚˋ ㄕ)verses in vernacular Chinese

〔白部〕

白話文(ㄅㄞˊ ㄏㄨㄚˋ ㄨㄣˊ) writings in vernacular Chinese
白金(ㄅㄞˊ ㄐㄧㄣ) ① platinum ② silver
白淨(ㄅㄞˊ ·ㄐㄧㄥ) perfectly clean; immaculate
白駒過隙(ㄅㄞˊ ㄐㄩ ㄍㄨㄛˋ ㄒㄧˋ) the swiftness of the lapse of time
白皙(ㄅㄞˊ ㄒㄧ) white-skinned
白血病(ㄅㄞˊ ㄒㄧㄝˇ ㄅㄧㄥˋ) leukemia
白血球(ㄅㄞˊ ㄒㄧㄝˇ ㄑㄧㄡˊ) white blood cells; leucocytes
白熊(ㄅㄞˊ ㄒㄩㄥˊ) a polar bear
白晝(ㄅㄞˊ ㄓㄡˋ) broad daylight
白種人(ㄅㄞˊ ㄓㄨㄥˇ ㄖㄣˊ) the white people
白吃(ㄅㄞˊ ㄔ) to eat without payment
白癡(ㄅㄞˊ ㄔ) an idiot
白首(ㄅㄞˊ ㄕㄡˇ) a hoary head—the old age
白手起家(ㄅㄞˊ ㄕㄡˇ ㄑㄧˇ ㄐㄧㄚ) to rise in life by one's own efforts
白說(ㄅㄞˊ ㄕㄨㄛ) to waste one's breath
白日夢(ㄅㄞˊ ㄖˋ ㄇㄥˋ) a daydream
白熱化(ㄅㄞˊ ㄖㄜˋ ㄏㄨㄚˋ) (said of a contest, movement, etc.) to reach the white-hot point
白菜(ㄅㄞˊ ㄘㄞˋ) ① *Brassica pekinensis*, Chinese cabbage ② white rape
白醋(ㄅㄞˊ ㄘㄨˋ) plain vinegar
白色(ㄅㄞˊ ㄙㄜˋ) white
白衣天使(ㄅㄞˊ ㄧ ㄊㄧㄢ ㄕˇ) angels in white—nurses
白眼(ㄅㄞˊ ㄧㄢˇ) disdain; contempt
白銀(ㄅㄞˊ ㄧㄣˊ) silver
白楊(ㄅㄞˊ ㄧㄤˊ) a poplar; an aspen
白雲(ㄅㄞˊ ㄩㄣˊ) white clouds

一畫

百 3693 ㄅㄞˇ bǎi (讀音 ㄅㄛˊ bó)
1. hundred 2. many; numerous 3. all
百倍(ㄅㄞˇ ㄅㄟˋ) one hundred times
百般(ㄅㄞˇ ㄅㄢ) all sorts; every kind
百弊叢生(ㄅㄞˇ ㄅㄧˋ ㄘㄨㄥˊ ㄕㄥ) All the ill effects appear.
百步穿楊(ㄅㄞˇ ㄅㄨˋ ㄔㄨㄢ ㄧㄤˊ) (archery) superior marksmanship
百米賽跑(ㄅㄞˇ ㄇㄧˇ ㄙㄞˋ ㄆㄠˇ) the 100-meter dash
百發百中(ㄅㄞˇ ㄈㄚ ㄅㄞˇ ㄓㄨㄥˋ) to hit the target at every shot
百分比(ㄅㄞˇ ㄈㄣ ㄅㄧˇ) a percentage
百分之百(ㄅㄞˇ ㄈㄣ ㄓ ㄅㄞˇ) a hundred percent
百聽不厭(ㄅㄞˇ ㄊㄧㄥ ㄅㄨˋ ㄧㄢˋ) worth hearing a hundred times
百年紀念(ㄅㄞˇ ㄋㄧㄢˊ ㄐㄧˋ ㄋㄧㄢˋ) the centennial, or centenary
百感交集(ㄅㄞˇ ㄍㄢˇ ㄐㄧㄠ ㄐㄧˊ) Lots of emotions crowd into the heart.
百科全書(ㄅㄞˇ ㄎㄜ ㄑㄩㄢˊ ㄕㄨ) an encyclopedia
百孔千瘡(ㄅㄞˇ ㄎㄨㄥˇ ㄑㄧㄢ ㄔㄨㄤ) in very bad shape
百合花(ㄅㄞˇ ㄏㄜˊ ㄏㄨㄚ) the lily
百貨公司(ㄅㄞˇ ㄏㄨㄛˋ ㄍㄨㄥ ㄙ) a department store
百姓(ㄅㄞˇ ㄒㄧㄥˋ) the common people
百折不撓(ㄅㄞˇ ㄓㄜˊ ㄅㄨˋ ㄋㄠˊ) unflinching despite repeated setbacks
百褶裙(ㄅㄞˇ ㄓㄜˊ ㄑㄩㄣˊ) a pleated skirt
百戰百勝(ㄅㄞˇ ㄓㄢˋ ㄅㄞˇ ㄕㄥˋ) victorious in every battle
百尺竿頭，更進一步(ㄅㄞˇ ㄔˇ ㄍㄢ ㄊㄡˊ, ㄍㄥˋ ㄐㄧㄣˋ ㄧ ㄅㄨˋ) to make still further progress
百日(ㄅㄞˇ ㄖˋ) the hundredth day after one's death
百日咳(ㄅㄞˇ ㄖˋ ㄎㄜˊ) whooping cough
百依百順(ㄅㄞˇ ㄧ ㄅㄞˇ ㄕㄨㄣˋ) to yield to all the wishes (of a child, etc.)
百葉窗(ㄅㄞˇ ㄧㄝˋ ㄔㄨㄤ) Venetian blinds
百無禁忌(ㄅㄞˇ ㄨˊ ㄐㄧㄣˋ ㄐㄧˋ) There are no taboos or restrictions at all.
百萬(ㄅㄞˇ ㄨㄢˋ) a million
百萬富翁(ㄅㄞˇ ㄨㄢˋ ㄈㄨˋ ㄨㄥ) a millionaire
百聞不如一見(ㄅㄞˇ ㄨㄣˊ ㄅㄨˋ ㄖㄨˊ ㄧˊ ㄐㄧㄢˋ) Seeing is believing.

二畫

皁 3694 (皂) ㄗㄠˋ zào
1. black 2. menial labor 3. a menial; a lictor 4. soap
皁白不分(ㄗㄠˋ ㄅㄞˊ ㄅㄨˋ ㄈㄣ) to fail to distinguish between right and wrong

皀 3695 ㄗㄠˋ zào
soap
皀化劑(ㄗㄠˋ ㄏㄨㄚˋ ㄐㄧˋ) saponifier

三畫

的 3696 1. ㄉㄧˋ dì
1. clear; manifest 2. a target; a goal

的 3696 2. ㄉㄧˊ dí
accurate; exact; proper
的確(ㄉㄧˊ ㄑㄩㄝˋ) certainly; surely

的 3696 3. ·ㄉㄜ de
1. a bound subordinate particle translatable by "'s" or with terms interchanged by "of" 2. by "-ly" 3. by an adjectival ending, a prepositional phrase, or a relative

四畫

皆 3697
ㄐㄧㄝ jiē
all; every; entire
皆大歡喜 (ㄐㄧㄝ ㄉㄚˋ ㄏㄨㄢ ㄒㄧˇ) Everybody is satisfied.
皆可(ㄐㄧㄝ ㄎㄜˇ)all acceptable

皇 3698
ㄏㄨㄤˊ huáng
1. imperial; royal 2. an emperor 3. beautiful; brilliant 4. uneasy; anxious 5. a term of respect for an ancestor
皇帝(ㄏㄨㄤˊ ㄉㄧˋ)an emperor
皇太后(ㄏㄨㄤˊ ㄊㄞˋ ㄏㄡˋ)the empress dowager
皇太子 (ㄏㄨㄤˊ ㄊㄞˋ ㄗˇ) or 皇儲(ㄏㄨㄤˊ ㄔㄨˇ)the crown prince
皇天后土(ㄏㄨㄤˊ ㄊㄧㄢ ㄏㄡˋ ㄊㄨˇ) Heaven and Earth
皇冠(ㄏㄨㄤˊ ㄍㄨㄢ)an imperial crown
皇宮(ㄏㄨㄤˊ ㄍㄨㄥ)an imperial palace
皇后(ㄏㄨㄤˊ ㄏㄡˋ)an empress
皇室(ㄏㄨㄤˊ ㄕˋ)the imperial household

皈 3699
ㄍㄨㄟ guī
to follow
皈依 (ㄍㄨㄟ ㄧ)to be converted to (Buddhism)

五畫

皋 3700
(臯) ㄍㄠ gāo
1. a marsh; a swamp 2. a shore
皋隰(ㄍㄠ ㄒㄧˊ)a swamp; a marsh

六畫

皎 3701
ㄐㄧㄠˇ jiǎo
1. white; clean 2. bright; lustrous; brilliant
皎潔(ㄐㄧㄠˇ ㄐㄧㄝˊ)brightly clean

七畫

皓 3702
ㄏㄠˋ hào
white and bright
皓齒(ㄏㄠˋ ㄔˇ)white teeth; sparkling teeth

皖 3703
ㄨㄢˇ wǎn
1. name of an ancient state in what is today's Anhwei 2. an alternative name of Anhwei

皕 3704
ㄅㄧˋ bì
two hundred

八畫

皙 3705
ㄒㄧ xī
1. white skin 2. a kind of dates

十畫

皚 3706
ㄞˊ ái
pure white; white and clean; brightly white

皜 3707
ㄏㄠˋ hào
white; bright

十二畫

皤 3708
ㄆㄛˊ pó
1. (said of an old man) hoary-headed 2. white 3. a vast belly

皮部 ㄆㄧˊ pí

皮 3709
ㄆㄧˊ pí
1. skin; fur; hide; leather; rind; peltry; bark 2. a thin sheet 3. naughty
皮包(ㄆㄧˊ ㄅㄠ)a handbag or purse
皮包骨(ㄆㄧˊ ㄅㄠ ㄍㄨˇ)skinny
皮筏(ㄆㄧˊ ㄈㄚˊ)a kayak
皮膚(ㄆㄧˊ ㄈㄨ)skin
皮膚病(ㄆㄧˊ ㄈㄨ ㄅㄧㄥˋ)skin disease
皮膚科(ㄆㄧˊ ㄈㄨ ㄎㄜ)dermatology
皮膚癌(ㄆㄧˊ ㄈㄨ ㄧㄢˊ)skin cancer
皮帶(ㄆㄧˊ ㄉㄞˋ)a leather belt
皮蛋(ㄆㄧˊ ㄉㄢˋ)duck's eggs preserved in lime
皮革(ㄆㄧˊ ㄍㄜˊ)leather
皮貨(ㄆㄧˊ ㄏㄨㄛˋ)furs
皮夾子(ㄆㄧˊ ㄐㄧㄚˊ ·ㄗ)a wallet
皮球(ㄆㄧˊ ㄑㄧㄡˊ)a rubber ball
皮鞋(ㄆㄧˊ ㄒㄧㄝˊ)leather shoes
皮箱(ㄆㄧˊ ㄒㄧㄤ)a suitcase
皮靴(ㄆㄧˊ ㄒㄩㄝ)leather boots
皮尺(ㄆㄧˊ ㄔˇ)a tape measure; a tape
皮衣(ㄆㄧˊ ㄧ)fur clothing
皮影戲(ㄆㄧˊ ㄧㄥˇ ㄒㄧˋ) the shadow show

五畫

皰 3710
(疱) ㄆㄠˋ pào
pimples

七畫

皴 3711
ㄘㄨㄣ cūn
1. (said of the skin) to crack or chap

from cold 2. (Chinese painting) a technique of representing irregular surfaces

〔皿部〕

九畫

皸 3712 ㄐㄩㄣ jūn
(said of the skin) to crack or chap from cold or dryness

十畫

皺 3713 ㄓㄡˋ zhòu
1. wrinkles; creases; folds; rumples 2. to wrinkle; to fold; to contract; to crease; to crumple
皺眉頭(ㄓㄡˋ ㄇㄟˊ ·ㄊㄡ)to frown; to knit the brows
皺紋(ㄓㄡˋ ㄨㄣˊ)wrinkles; creases
皺紋紙(ㄓㄡˋ ㄨㄣˊ ㄓˇ)crepe paper

皿部 ㄇㄧㄣˇ mǐn

皿 3714 ㄇㄧㄣˇ mǐn (又讀 ㄇㄧㄥˇ mǐng)
a shallow container (such as a dish, plate, saucer, etc.)

三畫

盂 3715 ㄩˊ yú
1. a basin; a broad-mouthed receptacle for holding liquid; a jar 2. a party for hunting

四畫

盅 3716 ㄓㄨㄥ zhōng
a small cup

盆 3717 ㄆㄣˊ pén
a bowl; a basin; a tub
盆地(ㄆㄣˊ ㄉㄧˋ) (geology) a basin
盆栽(ㄆㄣˊ ㄗㄞ)① a potted plant; a bonsai 亦作「盆景」② to plant in a pot

盈 3718 ㄧㄥˊ yíng
to fill; to become full
盈利(ㄧㄥˊ ㄌㄧˋ)profit; gains
盈虧(ㄧㄥˊ ㄎㄨㄟ)profits and losses
盈盈(ㄧㄥˊ ㄧㄥˊ)easy and graceful
盈餘(ㄧㄥˊ ㄩˊ)a surplus; profit
盈餘表(ㄧㄥˊ ㄩˊ ㄅㄧㄠˇ) (accounting) a statement of surplus

盃 3719 (杯) ㄅㄟ bēi
a cup; a tumbler

五畫

益 3720 ㄧˋ yì
1. to increase; to add to; to augment 2. in a higher degree; to a greater extent; more 3. benefit; profit; advantage
益智(ㄧˋ ㄓˋ)to grow in intelligence or wisdom
益處(ㄧˋ ㄔㄨˋ) advantages; benefit; profit
益友(ㄧˋ ㄧㄡˇ)helpful friends

盍 3721 ㄏㄜˊ hé
1. what 2. why not 3. to get together

盎 3722 ㄤˋ àng
1. a basin; a pot; a bowl 2. abundant; plentiful; rich
盎然(ㄤˋ ㄖㄢˊ)abundant; full; exuberant
盎斯(ㄤˋ ㄙ)an ounce 亦作「盎司」

盌 3723 ㄨㄢˇ wǎn
same as 碗—a bowl

六畫

盒 3724 ㄏㄜˊ hé
a small box; a case

盔 3725 ㄎㄨㄟ kuī
1. a helmet 2. a basin; a pot
盔甲(ㄎㄨㄟ ㄐㄧㄚˇ)helmets and mail; armor

七畫

盛 3726 1. ㄕㄥˋ shèng
1. abundant; rich; exuberant; flourishing; prosperous 2. to rage
盛名(ㄕㄥˋ ㄇㄧㄥˊ)great reputation
盛名之累(ㄕㄥˋ ㄇㄧㄥˊ ㄓ ㄌㄟˋ)the trouble of being a famous personality
盛大(ㄕㄥˋ ㄉㄚˋ)grand; magnificent; majestic
盛典(ㄕㄥˋ ㄉㄧㄢˇ)a grand occasion
盛怒(ㄕㄥˋ ㄋㄨˋ)in great anger; wrath
盛開(ㄕㄥˋ ㄎㄞ)in full bloom
盛況空前(ㄕㄥˋ ㄎㄨㄤˋ ㄎㄨㄥ ㄑㄧㄢˊ) unprecedented in grandeur, festivity
盛會(ㄕㄥˋ ㄏㄨㄟˋ)a grand gathering
盛極一時(ㄕㄥˋ ㄐㄧˊ ㄧˋ ㄕˊ) to be in vogue for a time
盛舉(ㄕㄥˋ ㄐㄩˇ)a great undertaking

盛氣凌人(ㄕㄥˋ ㄑㄧˋ ㄌㄧㄥˊ ㄖㄣˊ)to treat others rudely through arrogance
盛情難卻(ㄕㄥˋ ㄑㄧㄥˊ ㄋㄢˊ ㄑㄩㄝˋ)It is hard to turn down the offer made with such warm-heartedness.
盛行(ㄕㄥˋ ㄒㄧㄥˊ)to be popular or in vogue
盛裝(ㄕㄥˋ ㄓㄨㄤ)in full dress
盛產(ㄕㄥˋ ㄔㄢˇ)to abound in
盛事(ㄕㄥˋ ㄕˋ)a grand affair or occasion
盛宴(ㄕㄥˋ ㄧㄢˋ)a grand banquet

盛 3726
2. ㄔㄥˊ chéng
1. to take (loose material) into a bowl or basin 2. to hold; to contain

盜 3727
ㄉㄠˋ dào
to steal; to rob; to misappropriate
盜版(ㄉㄠˋ ㄅㄢˇ)a pirated edition
盜匪(ㄉㄠˋ ㄈㄟˇ)robbers; bandits; brigands
盜壘(ㄉㄠˋ ㄌㄟˇ) base stealing (as of baseball)
盜錄(ㄉㄠˋ ㄌㄨˋ)to pirate (records, etc.)
盜汗(ㄉㄠˋ ㄏㄢˋ) (pathology) night sweats
盜取(ㄉㄠˋ ㄑㄩˇ)to take unlawfully
盜賊(ㄉㄠˋ ㄗㄜˊ)a thief; a robber
盜用(ㄉㄠˋ ㄩㄥˋ)to embezzle; to usurp

八畫

盞 3728
ㄓㄢˇ zhǎn
1. a small shallow container; a small cup 2. a numerical adjunct denoting lamps

盟 3729
ㄇㄥˊ méng
1. a covenant; an oath; a vow; to covenant; to ally 2. a Mongol league
盟國(ㄇㄥˊ ㄍㄨㄛˊ)allied powers; allies
盟軍(ㄇㄥˊ ㄐㄩㄣ)allied troops
盟主(ㄇㄥˊ ㄓㄨˇ)the leader of an alliance
盟友(ㄇㄥˊ ㄧㄡˇ)an ally
盟約(ㄇㄥˊ ㄩㄝ)a treaty of alliance

九畫

盡 3730
ㄐㄧㄣˋ jìn
1. to exhaust; to use up 2. to put to the best use 3. to complete; to finish; to accomplish 4. all; entirely; totally; completely; wholly 5. the utmost
盡頭(ㄐㄧㄣˋ ㄊㄡˊ) the extremity; the end
盡力(ㄐㄧㄣˋ ㄌㄧˋ)to make efforts
盡力而爲(ㄐㄧㄣˋ ㄌㄧˋ ㄦˊ ㄨㄟˊ)to do one's best
盡量(ㄐㄧㄣˋ ㄌㄧㄤˋ)as much as possible
盡情(ㄐㄧㄣˋ ㄑㄧㄥˊ)to one's heart's content
盡心(ㄐㄧㄣˋ ㄒㄧㄣ)to devote all one's energies
盡興(ㄐㄧㄣˋ ㄒㄧㄥˋ)to enjoy to one's heart's content
盡職(ㄐㄧㄣˋ ㄓˊ)to do one's duty
盡善盡美(ㄐㄧㄣˋ ㄕㄢˋ ㄐㄧㄣˋ ㄇㄟˇ)perfectly satisfactory
盡瘁(ㄐㄧㄣˋ ㄘㄨㄟˋ) to exhaust one's mental energy

監 3731
1. ㄐㄧㄢ jiān
1. to supervise; to superintend; to oversee; to direct; to inspect 2. to confine; to keep in custody; to imprison
監督(ㄐㄧㄢ ㄉㄨ)to supervise
監聽(ㄐㄧㄢ ㄊㄧㄥ)to monitor
監管(ㄐㄧㄢ ㄍㄨㄢˇ)to take charge of
監工(ㄐㄧㄢ ㄍㄨㄥ)a superintendent or supervisor of a construction project
監考(ㄐㄧㄢ ㄎㄠˇ) to proctor or invigilate an examination
監護人(ㄐㄧㄢ ㄏㄨˋ ㄖㄣˊ)a guardian (of a minor)
監禁(ㄐㄧㄢ ㄐㄧㄣˋ)①to confine ② custody
監察(ㄐㄧㄢ ㄔㄚˊ)to supervise
監視(ㄐㄧㄢ ㄕˋ)①to keep a watchful eye on; to watch ②to monitor
監視器(ㄐㄧㄢ ㄕˋ ㄑㄧˋ) a watchdog; a monitor
監守自盜(ㄐㄢ ㄕㄡˇ ㄗˋ ㄉㄠˋ)embezzlement
監獄(ㄐㄧㄢ ㄩˋ)a prison; a jail

監 3731
2. ㄐㄧㄢˋ jiàn
1. an official position in former times 2. a government establishment (such as a school) in former times 3. a eunuch

十畫

盤 3732
ㄆㄢˊ pán
1. a tray; a plate; a dish 2. twisted; entangled; entwined; intricate; winding; to entangle; to entwine 3. to investigate; to interrogate 4. (said of a chess match, etc.) a round
盤腿(ㄆㄢˊ ㄊㄨㄟˇ)to sit with the legs crossed
盤尼西林(ㄆㄢˊ ㄋㄧˊ ㄒㄧ ㄌㄧㄣˊ)penicillin
盤據(ㄆㄢˊ ㄐㄩˋ)to occupy and hold a place
盤旋(ㄆㄢˊ ㄒㄩㄢˊ)to circle; to hover around
盤查(ㄆㄢˊ ㄔㄚˊ)to question; to interrogate and search
盤纏(ㄆㄢˊ ·ㄔㄢ)traveling expenses
盤石(ㄆㄢˊ ㄕˊ)a huge circular stone
盤算(ㄆㄢˊ ·ㄙㄨㄢ)to figure
盤問(ㄆㄢˊ ㄨㄣˋ)to interrogate closely

〔皿 部〕

十一畫

盥 3733 ㄍㄨㄢˋ guàn
1. to wash one's hands 2. to wash
盥洗(ㄍㄨㄢˋ ㄒㄧˇ)to wash oneself
盥洗室(ㄍㄨㄢˋ ㄒㄧˇ ㄕˋ)a washroom; a restroom; a lavatory

〔目部〕

盦 3734 ㄢ ān
1. the lid of a caldron 2. a Buddhist cloister for nuns 亦作「庵」

盧 3735 ㄌㄨˊ lú
1. black 2. a Chinese family name

十二畫

盩 3736 ㄓㄡ zhōu
the turn of a mountain range

盪 3737 ㄉㄤˋ dàng
1. to toss about; to swing 2. to wash
盪盪(ㄉㄤˋ ㄉㄤˋ)vast; extensive
盪秋千(ㄉㄤˋ ㄑㄧㄡ ㄑㄧㄢ)to swing (in a swing)
盪漾(ㄉㄤˋ ㄧㄤˋ) to be gently tossed about

十四畫

盬 3738 ㄍㄨˇ gǔ
1. a salt pit 2. incompact 3. leisure 4. to drink by sucking

目部 ㄇㄨˋ mù

目 3739 ㄇㄨˋ mù
1. the eye 2. to look; to regard; to see 3. a table of contents; a category
目標(ㄇㄨˋ ㄅㄧㄠ)① an objective; a target; to target ② an aim; a goal
目不暇給(ㄇㄨˋ ㄅㄨˋ ㄒㄧㄚˊ ㄐㄧˇ)So many things come into sight that the eyes are kept fully occupied.
目不轉睛(ㄇㄨˋ ㄅㄨˋ ㄓㄨㄢˇ ㄐㄧㄥ)to gaze steadily
目瞪口呆(ㄇㄨˋ ㄉㄥˋ ㄎㄡˇ ㄉㄞ)dumbfounded
目的(ㄇㄨˋ ㄉㄧˋ)a purpose
目的地(ㄇㄨˋ ㄉㄧˋ ㄉㄧˋ)a destination
目睹(ㄇㄨˋ ㄉㄨˇ)to witness
目錄(ㄇㄨˋ ㄌㄨˋ)a catalogue
目光(ㄇㄨˋ ㄍㄨㄤ)insight; vision; sight
目擊(ㄇㄨˋ ㄐㄧˊ)to witness
目前(ㄇㄨˋ ㄑㄧㄢˊ)now; the present
目眩(ㄇㄨˋ ㄒㄩㄢˋ)dazzled
目次(ㄇㄨˋ ㄘˋ)a table of contents
目測(ㄇㄨˋ ㄘㄜˋ)to measure distance with the eyes
目送(ㄇㄨˋ ㄙㄨㄥˋ)to gaze after
目無法紀(ㄇㄨˋ ㄨˊ ㄈㄚˇ ㄐㄧˋ) to disregard all laws and regulations

二畫

盯 3740 ㄉㄧㄥ dīng
to stare at; to gaze at; to fix one's eyes on; to keep a close watch
盯梢(ㄉㄧㄥ ㄕㄠ)to shadow somebody; to tail somebody

三畫

盱 3741 ㄒㄩ xū
1. to open the eyes wide 2. worried; uneasy; anxious
盱衡(ㄒㄩ ㄏㄥˊ) ①to look with eyes wide open②to make a general survey

盲 3742 ㄇㄤˊ máng
1. blind; to blind 2. deluded
盲目(ㄇㄤˊ ㄇㄨˋ)blind
盲腸(ㄇㄤˊ ㄔㄤˊ)the vermiform appendix
盲腸炎(ㄇㄤˊ ㄔㄤˊ ㄧㄢˊ)appendicitis
盲人(ㄇㄤˊ ㄖㄣˊ)a blind person
盲從(ㄇㄤˊ ㄘㄨㄥˊ)to follow blindly

直 3743 ㄓˊ zhí
1. straight; to straighten 2. upright and honest; fair; unbiased 3. vertical; longitudinal; from top to bottom 4. outspoken; frank; straightforward 5. directly; firsthand 6. continuous; uninterrupted 7. stiff; numb 8. just; simply; only; merely
直達(ㄓˊ ㄉㄚˊ)to go nonstop to; through
直達班機(ㄓˊ ㄉㄚˊ ㄅㄢ ㄐㄧ)a direct flight
直達車(ㄓˊ ㄉㄚˊ ㄔㄜ)a nonstop express
直到(ㄓˊ ㄉㄠˋ)① till; until ② up to
直挺挺(ㄓˊ ㄊㄧㄥˇ ㄊㄧㄥˇ)stiff; stiffly
直立(ㄓˊ ㄌㄧˋ)to stand erect
直流電(ㄓˊ ㄌㄧㄡˊ ㄉㄧㄢˋ)direct current; D.C.
直接(ㄓˊ ㄐㄧㄝ)direct; directly
直截了當 (ㄓˊ ㄐㄧㄝˊ ㄌㄧㄠˇ ㄉㄤˋ) straightforward; flatly
直徑(ㄓˊ ㄐㄧㄥˋ)a diameter
直覺(ㄓˊ ㄐㄩㄝˊ)intuition
直線(ㄓˊ ㄒㄧㄢˋ)a straight line
直性子(ㄓˊ ㄒㄧㄥˋ ˙ㄗ)honest; frank
直腸(ㄓˊ ㄔㄤˊ)the rectum

直昇機(ㄓˊ ㄕㄥ ㄐㄧ)a helicopter
直率(ㄓˊ ㄕㄨㄞˋ)frank
直爽(ㄓˊ ㄕㄨㄤˇ)straightforward
直譯(ㄓˊ ㄧˋ)literal translation
直言不諱(ㄓˊ ㄧㄢˊ ㄅㄨˋ ㄏㄨㄟˋ) to speak plainly and frankly

四畫

相 3744
1. ㄒㄧㄤ xiāng
1. each other; one another; mutually; reciprocal 2. substance
相比(ㄒㄧㄤ ㄅㄧˇ)to compare with each other
相配(ㄒㄧㄤ ㄆㄟˋ)to match well
相撲(ㄒㄧㄤ ㄆㄨ)to wrestle with each other
相煩(ㄒㄧㄤ ㄈㄢˊ)to ask for a favor
相反(ㄒㄧㄤ ㄈㄢˇ)contrary
相仿(ㄒㄧㄤ ㄈㄤˇ)alike; similar
相逢(ㄒㄧㄤ ㄈㄥˊ)to meet each other
相符(ㄒㄧㄤ ㄈㄨˊ)to tally; to match
相輔相成(ㄒㄧㄤ ㄈㄨˇ ㄒㄧㄤ ㄔㄥˊ)to complement each other
相當(ㄒㄧㄤ ㄉㄤ)① to balance; equivalent; to match ② considerable
相等(ㄒㄧㄤ ㄉㄥˇ)equal; equivalent
相抵(ㄒㄧㄤ ㄉㄧˇ)to offset
相對(ㄒㄧㄤ ㄉㄨㄟˋ)① corresponding ② relative ③ opposite; face to face
相提並論(ㄒㄧㄤ ㄊㄧˊ ㄅㄧㄥˋ ㄌㄨㄣˋ) mentioned and discussed as related things
相同(ㄒㄧㄤ ㄊㄨㄥˊ)the same
相連(ㄒㄧㄤ ㄌㄧㄢˊ)connected; joined
相隔(ㄒㄧㄤ ㄍㄜˊ)to be separated by
相告(ㄒㄧㄤ ㄍㄠˋ)to tell
相干 (ㄒㄧㄤ ㄍㄢ) or 相關 (ㄒㄧㄤ ㄍㄨㄢ)related; connected
相互(ㄒㄧㄤ ㄏㄨˋ)mutually; mutual
相會(ㄒㄧㄤ ㄏㄨㄟˋ)to meet each other
相繼(ㄒㄧㄤ ㄐㄧˋ)in succession
相見恨晚(ㄒㄧㄤ ㄐㄧㄢˋ ㄏㄣˋ ㄨㄢˇ)to regret having not met earlier
相距(ㄒㄧㄤ ㄐㄩˋ)away from
相聚(ㄒㄧㄤ ㄐㄩˋ)to meet together
相求(ㄒㄧㄤ ㄑㄧㄡˊ)to ask for a favor
相勸(ㄒㄧㄤ ㄑㄩㄢˋ)to persuade
相信(ㄒㄧㄤ ㄒㄧㄣˋ)to believe; to have faith in
相像(ㄒㄧㄤ ㄒㄧㄤˋ)to resemble; to be similar; to be alike
相形見絀(ㄒㄧㄤ ㄒㄧㄥˊ ㄐㄧㄢˋ ㄔㄨˋ) found to be inferior by comparison
相形之下(ㄒㄧㄤ ㄒㄧㄥˊ ㄓ ㄒㄧㄚˋ)by comparison
相知(ㄒㄧㄤ ㄓ)to know each other well
相助(ㄒㄧㄤ ㄓㄨˋ)to help
相撞(ㄒㄧㄤ ㄓㄨㄤˋ)to collide with each other
相差(ㄒㄧㄤ ㄔㄚˋ)to differ
相稱(ㄒㄧㄤ ㄔㄣˋ)to fit each other
相處(ㄒㄧㄤ ㄔㄨˇ)to spend time together
相視(ㄒㄧㄤ ㄕˋ)to look at each other
相識(ㄒㄧㄤ ㄕˋ)to know each other
相左(ㄒㄧㄤ ㄗㄨㄛˇ)to disagree; to differ
相思(ㄒㄧㄤ ㄙ)to miss each other
相思病(ㄒㄧㄤ ㄙ ㄅㄧㄥˋ)lovesickness
相似(ㄒㄧㄤ ㄙˋ)alike; similar
相愛(ㄒㄧㄤ ㄞˋ)to love each other
相安無事(ㄒㄧㄤ ㄢ ㄨˊ ㄕˋ)at peace with each other
相依為命(ㄒㄧㄤ ㄧ ㄨㄟˊ ㄇㄧㄥˋ)to rely upon each other for life
相遇(ㄒㄧㄤ ㄩˋ)to meet each other
相約(ㄒㄧㄤ ㄩㄝ)to make an appointment

相 3744
2. ㄒㄧㄤˋ xiàng
1. to examine; to study; to read 2. a countenance; facial features 3. the prime minister (in feudal times) 4. to assist; to help
相片(ㄒㄧㄤˋ ㄆㄧㄢˋ)a photograph; a photo
相貌(ㄒㄧㄤˋ ㄇㄠˋ)a countenance
相夫教子(ㄒㄧㄤˋ ㄈㄨ ㄐㄧㄠˋ ㄗˇ)to help the husband and teach the children—the duty of a wife
相機(ㄒㄧㄤˋ ㄐㄧ)a camera
相親(ㄒㄧㄤˋ ㄑㄧㄣ)an interview prior to marriage
相紙(ㄒㄧㄤˋ ㄓˇ) (photography) printing paper; photographic paper
相士(ㄒㄧㄤˋ ㄕˋ)a fortune-teller
相聲(ㄒㄧㄤˋ ㄕㄥ)a Chinese comic dialogue; a cross talk
相册(ㄒㄧㄤˋ ㄘㄜˋ)a photo album

盻 3745
ㄒㄧˋ xì
to look in anger

盼 3746
ㄆㄢˋ pàn
1. to look 2. (descriptive of the black and white of the eyes) well defined 3. to hope; to look for; to expect
盼念(ㄆㄢˋ ㄋㄧㄢˋ)to long for
盼望(ㄆㄢˋ ㄨㄤˋ)to hope; to wish

眄 3747
ㄇㄧㄢˇ miǎn
1. to look askance; to ogle 2. to look

眇 3748
ㄇㄧㄠˇ miǎo
1. tiny; fine; small; unimportant 2. blind in one eye

〔目部〕

眇小(ㄇㄧㄠˇ ㄒㄧㄠˇ)very small; tiny; insignificant

〔目部〕

眈 3749 ㄉㄢ dān

to look downward

眈眈(ㄉㄢ ㄉㄢ)staring

眊 3750 ㄇㄠˋ mào

1. dim-sighted; eyes not seeing very clearly; dull and mixed-up 2. same as 耄—aged

盹 3751 ㄉㄨㄣˇ dǔn

to doze

盹兒(ㄉㄨㄜˇㄦ)a doze; a nap

盾 3752 ㄕㄨㄣˇ shǔn (又讀 ㄉㄨㄣˋ dùn)

1. a shield; a buckler 2. a guilder, a monetary unit in Holland

盾牌(ㄉㄨㄣˋ ㄆㄞˊ)a shield

省 3753 1. ㄕㄥˇ shěng

1. a province; provincial 2. economical; frugal; to economize 3. to save; to omit; to reduce; to avoid

省得(ㄕㄥˇ ·ㄉㄜ)① lest ② to avoid

省道(ㄕㄥˇ ㄉㄠˋ)a provincial highway

省力(ㄕㄥˇ ㄌㄧˋ)to save energy or labor

省略(ㄕㄥˇ ㄌㄩㄝˋ)to omit; to abridge

省略符號(ㄕㄥˇ ㄌㄩㄝˋ ㄈㄨˊ ㄏㄠˋ)an ellipsis (...); an apostrophe(')

省錢(ㄕㄥˇ ㄑㄧㄢˊ)to save money; economical

省卻(ㄕㄥˇ ㄑㄩㄝˋ)to avoid (trouble, etc.); to save

省下(ㄕㄥˇ ㄒㄧㄚˋ)to save (money)

省政府(ㄕㄥˇ ㄓㄥˋ ㄈㄨˇ)the provincial government

省主席(ㄕㄥˇ ㄓㄨˇ ㄒㄧˊ)the governor of a province

省吃儉用(ㄕㄥˇ ㄔ ㄐㄧㄢˇ ㄩㄥˋ)frugal and thrifty

省時(ㄕㄥˇ ㄕˊ)to save time; timesaving

省事(ㄕㄥˇ ㄕˋ)① to save trouble ② easy

省議會(ㄕㄥˇ ㄧˋ ㄏㄨㄟˋ)the provincial assembly

省議員 (ㄕㄥˇ ㄧˋ ㄩㄢˊ) a provincial assemblyman

省 3753 2. ㄒㄧㄥˇ xǐng

1. to examine (oneself, etc.); to reflect; to introspect; to consider 2. to understand; to know 3. to visit (one's seniors, etc.) 4. to test; an examination 5. memory

省親(ㄒㄧㄥˇ ㄑㄧㄣ)to visit one's senior relatives—especially parents

省察(ㄒㄧㄥˇ ㄔㄚˊ)to examine

省悟(ㄒㄧㄥˇ ㄨˋ)to realize

眉 3754 ㄇㄟˊ méi

1. eyebrows 2. the side 3. the top margin of a printed page in a book

眉筆(ㄇㄟˊ ㄅㄧˇ)an eyebrow pencil

眉批(ㄇㄟˊ ㄆㄧ) the running comment on the upper margin of a printed page in a book

眉毛(ㄇㄟˊ ·ㄇㄠ)the eyebrows

眉目傳情(ㄇㄟˊ ㄇㄨˋ ㄔㄨㄢˊ ㄑㄧㄥˊ)to converse with eyes

眉飛色舞(ㄇㄟˊ ㄈㄟ ㄙㄜˋ ㄨˇ)to be beside oneself with joy

眉來眼去(ㄇㄟˊ ㄌㄞˊ ㄧㄢˇ ㄑㄩˋ) (between a man and a woman) to converse with eyes

眉開眼笑(ㄇㄟˊ ㄎㄞ ㄧㄢˇ ㄒㄧㄠˋ) very happy

眉睫(ㄇㄟˊ ㄐㄧㄝˊ)very urgent

眉清目秀(ㄇㄟˊ ㄑㄧㄥ ㄇㄨˋ ㄒㄧㄡˋ) good-looking

眉梢(ㄇㄟˊ ㄕㄠ)the ends of the eyebrows

眉宇(ㄇㄟˊ ㄩˇ) ①a facial appearance ② the forehead

看 3755 1. ㄎㄢˋ kàn

1. to see; to look at; to observe; to watch; to look in the direction of; to read 2. to examine; to consider; to think 3. to visit; to call on 4. to depend on

看病(ㄎㄢˋ ㄅㄧㄥˋ)① to see a doctor ② to examine the patient

看不慣(ㄎㄢˋ ·ㄅㄨ ㄍㄨㄢˋ)to detest; to disdain

看不起(ㄎㄢˋ ·ㄅㄨ ㄑㄧˇ)to look down upon; to despise

看不出(ㄎㄢˋ ·ㄅㄨ ㄔㄨ)unable to perceive, detect, foresee, etc.

看不上眼(ㄎㄢˋ ·ㄅㄨ ㄕㄤˋ ㄧㄢˇ)① not to one's taste ② to detest

看破紅塵(ㄎㄢˋ ㄆㄛˋ ㄏㄨㄥˊ ㄔㄣˊ)to see through the vanity of life

看法(ㄎㄢˋ ㄈㄚˇ)an opinion; a viewpoint

看風水(ㄎㄢˋ ㄈㄥ ㄕㄨㄟˇ) to practice geomancy

看得起(ㄎㄢˋ ·ㄉㄜ ㄑㄧˇ)to think highly of

看待(ㄎㄢˋ ㄉㄞˋ)to treat; treatment

看到(ㄎㄢˋ ㄉㄠˋ)to catch sight of; to see

看臺(ㄎㄢˋ ㄊㄞˊ) (sports) a deck or stand for observers or spectators

看頭(ㄎㄢˋ ㄊㄡˊ)that which is worth seeing or reading

看來(ㄎㄢˋ ㄌㄞˊ)it looks as if; evidently

看個夠(ㄎㄢˋ ·ㄍㄜ ㄍㄡˋ)to see or watch to one's heart's content

看過(ㄎㄢˋ ㄍㄨㄛˋ)① to take a look at ② to make a perusal of

看看(ㄎㄢˋ ·ㄎㄢ)① to take a look at ② to examine and survey

看見(ㄎㄢˋ ·ㄐㄧㄢ)to see

看齊(ㄎㄢˋ ㄑㄧˊ)①(military) to dress: 向右看齊! Eyes right! ② to follow the example of

看輕(ㄎㄢ ㄑㄧㄥ)to despise
看情形(ㄎㄢ ㄑㄧㄥˊ ·ㄒㄧㄥ)depending on circumstances
看戲(ㄎㄢ ㄒㄧˋ)to watch a show
看著辦(ㄎㄢ ·ㄓㄜ ㄅㄢˋ)to see what happens and act accordingly
看重(ㄎㄢˋ ㄓㄨㄥˋ)to esteem; to respect
看成(ㄎㄢˋ ㄔㄥˊ)to regard as
看出(ㄎㄢˋ ㄔㄨ)to make out; to see
看穿(ㄎㄢˋ ㄔㄨㄢ)to see through
看書(ㄎㄢˋ ㄕㄨ)to read a book
看熱鬧(ㄎㄢˋ ㄖㄜˋ·ㄋㄠ)to go where the crowds are (for fun or excitement)
看作(ㄎㄢˋ ㄗㄨㄛˋ)to regard as
看錯(ㄎㄢˋ ㄘㄨㄛˋ)to mistake someone or something for another
看醫生(ㄎㄢˋ ㄧ ㄕㄥ)to consult a doctor or physician
看樣子(ㄎㄢˋ ㄧㄤˋ ·ㄗ)it seems

看 3755
2. ㄎㄢ kān
1. to watch; to mind; to look after 2. to guard
看門(ㄎㄢ ㄇㄣˊ)to watch or guard the door
看管(ㄎㄢ ㄍㄨㄢˇ)① to take into custody; to guard ② a custodian
看護(ㄎㄢ ㄏㄨˋ)① to nurse; to take care ② a nurse (in hospital)
看家(ㄎㄢ ㄐㄧㄚ)to stay at home and look after the house
看家本領(ㄎㄢ ㄐㄧㄚ ㄅㄣˇ ㄌㄧㄥˇ) one's specialty or special skill
看守(ㄎㄢ ㄕㄡˇ)to watch or guard
看守所(ㄎㄢ ㄕㄡˇ ㄙㄨㄛˇ)a detention house for prisoners awaiting trials

五畫

眙 3756
1. ㄔˋ chì
1. to stare; to look in the face 2. to look in astonishment; to look with the eyes wide open

眙 3756
2. ㄧˊ yí
as in 盱眙—name of a county

眣 3757
ㄉㄧㄝˊ dié
squinting eyes

眛 3758
ㄇㄟˋ mèi
dim-sighted; poor-visioned
眛良心(ㄇㄟˋ ㄌㄧㄤˊ ·ㄒㄧㄣ)to disregard one's conscience
眛於(ㄇㄟˋ ㄩˊ)blind to

眠 3759
ㄇㄧㄢˊ mián
1. to sleep; sleep 2. to hibernate; hibernation

眩 3760
ㄒㄩㄢˋ xuàn
1. to confuse; to dazzle 2. dizzy; giddy; confused vision
眩惑(ㄒㄩㄢˋ ㄏㄨㄛˋ)to confuse and cheat (the people); to mislead
眩耀(ㄒㄩㄢˋ ㄧㄠˋ)dazzling; to dazzle

眨 3761
ㄓㄚˇ zhǎ
to wink; to blink

眞 3762
(真) ㄓㄣ zhēn
1. true; real; factual; genuine; actual; substantial; really; truly 2. the highest sincerity one is capable of
眞憑實據(ㄓㄣ ㄆㄧㄥˊ ㄕˊ ㄐㄩˋ)concrete proof and genuine evidence
眞面目(ㄓㄣ ㄇㄧㄢˋ ㄇㄨˋ)(literally) the real face—true colors; true character
眞諦(ㄓㄣ ㄉㄧˋ)the real meaning
眞理(ㄓㄣ ㄌㄧˇ)①truth ②righteousness
眞工夫(ㄓㄣ ㄍㄨㄥ ·ㄈㄨ)a true skill or accomplishment
眞空(ㄓㄣ ㄎㄨㄥ)vacuum
眞空管(ㄓㄣ ㄎㄨㄥ ㄍㄨㄢˇ) a vacuum tube
眞空吸塵器 (ㄓㄣ ㄎㄨㄥ ㄒㄧ ㄔㄣˊ ㄑㄧˋ)a vacuum cleaner
眞話(ㄓㄣ ㄏㄨㄚˋ)the truth
眞假(ㄓㄣ ㄐㄧㄚˇ)true and false
眞切(ㄓㄣ ㄑㄧㄝˋ)true and concise
眞槍實彈(ㄓㄣ ㄑㄧㄤ ㄕˊ ㄉㄢˋ)real guns and bullets
眞情(ㄓㄣ ㄑㄧㄥˊ)① actual happenings ② real affections
眞心(ㄓㄣ ㄒㄧㄣ)from the bottom of one's heart; sincere; sincerity
眞心話(ㄓㄣ ㄒㄧㄣ ㄏㄨㄚˋ)sincere talks
眞相(ㄓㄣ ㄒㄧㄤˋ)the truth
眞相大白(ㄓㄣ ㄒㄧㄤˋ ㄉㄚˋ ㄅㄞˊ)The truth is out.
眞知灼見(ㄓㄣ ㄓ ㄓㄨㄛˊ ㄐㄧㄢˋ) correct and penetrating views
眞摯(ㄓㄣ ㄓˋ)sincere; faithful
眞正(ㄓㄣ ㄓㄥˋ)actual; real
眞珠(ㄓㄣ ㄓㄨ)natural pearls
眞誠(ㄓㄣ ㄔㄥˊ)sincere; genuine; true
眞實(ㄓㄣ ㄕˊ)actual; true; truth; real
眞善美(ㄓㄣ ㄕㄢˋ ㄇㄟˇ)truth, goodness and beauty
眞材實料(ㄓㄣ ㄘㄞˊ ㄕˊ ㄌㄧㄠˋ)genuine material and solid substance
眞才實學(ㄓㄣ ㄘㄞˊ ㄕˊ ㄒㄩㄝˊ)solid learning
眞愛(ㄓㄣ ㄞˋ)true love
眞僞(ㄓㄣ ㄨㄟˋ)true and false

眚 3763
ㄕㄥˇ shěng
1. an eye-ailment or disease 2. a blunder; a fault; a mistake; an error

3. corruption 4. to reduce; to save (the trouble, etc.) 5. calamity

〔目部〕

眥 3764 (眦) ㄗˋ zì
eye sockets

六畫

眯 3765 ㄇㄧˇ mǐ
1. a foreign body getting into the eye 2. to close one's eyes into narrow slits

眱 3766 ㄧˊ yí
to stare at someone for a long time without talking

眶 3767 ㄎㄨㄤˋ kuàng
the socket of the eye; the rim of the eye

眸 3768 ㄇㄡˊ móu
the pupil of the eye—the eyes

眼 3769 ㄧㄢˇ yǎn
1. the eye 2. a look; a glance 3. a tiny hole; an opening; an orifice; an aperture 4. a key point
眼皮(ㄧㄢˇ ㄆㄧˊ)eyelids
眼明手快(ㄧㄢˇ ㄇㄧㄥˊ ㄕㄡˇ ㄎㄨㄞˋ)to see things clearly and act speedily
眼福(ㄧㄢˇ ㄈㄨˊ)a feast to the eye
眼淚(ㄧㄢˇ ㄌㄟˋ)tears
眼力(ㄧㄢˇ ㄌㄧˋ)eyesight; vision
眼高手低(ㄧㄢˇ ㄍㄠ ㄕㄡˇ ㄉㄧ)to have great aims but poor abilities
眼光(ㄧㄢˇ ㄍㄨㄤ)sight; vision—discerning ability
眼光遠大(ㄧㄢˇ ㄍㄨㄤ ㄩㄢˇ ㄉㄚˋ)far-sighted
眼科(ㄧㄢˇ ㄎㄜ)ophthalmology
眼科醫生(ㄧㄢˇ ㄎㄜ ㄧ ㄕㄥ)an ophthalmologist
眼眶(ㄧㄢˇ ㄎㄨㄤˋ)an eye socket
眼花撩亂(ㄧㄢˇ ㄏㄨㄚ ㄌㄧㄠˊ ㄌㄨㄢˋ)to dazzle the eyes
眼紅(ㄧㄢˇ ㄏㄨㄥˊ)①red-eyed ②covetous; envious ③ angry
眼界(ㄧㄢˇ ㄐㄧㄝˋ)one's field of vision
眼尖(ㄧㄢˇ ㄐㄧㄢ)sharp-eyed
眼瞼(ㄧㄢˇ ㄐㄧㄢˇ)eyelids
眼鏡(ㄧㄢˇ ㄐㄧㄥˋ)glasses; spectacles
眼鏡蛇(ㄧㄢˇ ㄐㄧㄥˋ ㄕㄜˊ)a cobra
眼睛(ㄧㄢˇ ·ㄐㄧㄥ)the eyes
眼球(ㄧㄢˇ ㄑㄧㄡˊ)or 眼珠(ㄧㄢˇ ㄓㄨ) eyeballs
眼前(ㄧㄢˇ ㄑㄧㄢˊ)① right before one's eyes ② at this moment; now
眼睜睜(ㄧㄢˇ ㄓㄥ ㄓㄥ)to watch helplessly
眼中釘(ㄧㄢˇ ㄓㄨㄥ ㄉㄧㄥ)(literally) a thorn in the eye—an eyesore
眼神(ㄧㄢˇ ㄕㄣˊ)expression of the eyes
眼熟(ㄧㄢˇ ㄕㄨˊ)to seem to know
眼色(ㄧㄢˇ ㄙㄜˋ)the expression of one's eyes
眼藥水(ㄧㄢˇ ㄧㄠˋ ㄕㄨㄟˇ)eyewash; eyedrops
眼窩(ㄧㄢˇ ㄨㄛ)an eye socket

眺 3770 ㄊㄧㄠˋ tiào
to look far away; to take a look at faraway things
眺望(ㄊㄧㄠˋ ㄨㄤˋ)to look far away

眵 3771 ㄔ chī
caking of eye secretions; secretions

眾 3772 (衆) ㄓㄨㄥˋ zhòng
1. many; numerous 2. a crowd; a multitude; all; the masses 3. public or popular (opinion, views, etc.)
眾叛親離(ㄓㄨㄥˋ ㄆㄢˋ ㄑㄧㄣ ㄌㄧˊ)to be utterly isolated
眾目睽睽(ㄓㄨㄥˋ ㄇㄨˋ ㄎㄨㄟˊ ㄎㄨㄟˊ) the glare of the public
眾多(ㄓㄨㄥˋ ㄉㄨㄛ)numerous
眾口一詞(ㄓㄨㄥˋ ㄎㄡˇ ㄧˋ ㄘˊ) (said of many persons) to speak out with one voice
眾生(ㄓㄨㄥˋ ㄕㄥ)all living creatures
眾說紛紜(ㄓㄨㄥˋ ㄕㄨㄛ ㄈㄣ ㄩㄣˊ) Opinions vary.
眾人(ㄓㄨㄥˋ ㄖㄣˊ) many people; all people
眾所週知(ㄓㄨㄥˋ ㄙㄨㄛˇ ㄓㄡ ㄓ)universally known
眾望所歸(ㄓㄨㄥˋ ㄨㄤˋ ㄙㄨㄛˇ ㄍㄨㄟ) to enjoy public confidence

眷 3773 ㄐㄩㄢˋ juàn
1. to look back—to regard; to care for; to concern 2. to admire; to love 3. relatives; dependents
眷戀(ㄐㄩㄢˋ ㄌㄧㄢˋ)to admire
眷顧(ㄐㄩㄢˋ ㄍㄨˋ)to care for; to concern
眷屬(ㄐㄩㄢˋ ㄕㄨˇ)dependents; family

七畫

睇 3774 ㄉㄧˋ dì
1. to take a casual look at 2. to look sideways; to look askance; to cast a sidelong glance

睏 3775 ㄎㄨㄣˋ kùn
drowsy; sleepy

着 3776 ㄓㄨㄛˊ zhuó; ㄓㄠˊ zháo; ㄓㄠ zhāo; ·ㄓㄜ zhe
same as 著

八畫

睛 3777
ㄐㄧㄥ jīng
1. the pupil of the eye 2. eyes

睞 3778
ㄌㄞˋ lài
1. to look at; to glance 2. to squint; cockeyed

睡 3779
ㄕㄨㄟˋ shuì
to sleep; to rest with eyes closed
睡美人(ㄕㄨㄟˋ ㄇㄟˇ ㄖㄣˊ)a sleeping beauty
睡眠(ㄕㄨㄟˋ ㄇㄧㄢˊ)sleep
睡袋(ㄕㄨㄟˋ ㄉㄞˋ)a sleeping bag
睡蓮(ㄕㄨㄟˋ ㄌㄧㄢˊ)a water lily
睡覺(ㄕㄨㄟˋ ㄐㄧㄠˋ)to sleep; to go to bed
睡醒(ㄕㄨㄟˋ ㄒㄧㄥˇ)to wake up from sleep
睡著(ㄕㄨㄟˋ ㄓㄠˊ)to have fallen asleep
睡衣(ㄕㄨㄟˋ ㄧ)pajamas
睡意(ㄕㄨㄟˋ ㄧˋ)sleepiness; drowsiness
睡眼朦朧(ㄕㄨㄟˋ ㄧㄢˇ ㄇㄥˊ ㄌㄨㄥˊ) sleepy-eyed
睡眼惺忪(ㄕㄨㄟˋ ㄧㄢˇ ㄒㄧㄥ ㄙㄨㄥ)to have a drowsy look
睡午覺(ㄕㄨㄟˋ ㄨˇ ㄐㄧㄠˋ)to take an afternoon nap

睢 3780
ㄙㄨㄟ suī
1. to raise one's eyes 2. freely or without thought of others; at random

睜 3781
ㄓㄥ zhēng
to open the eyes
睜開眼睛說瞎話(ㄓㄥ ㄎㄞ ㄧㄢˇ ㄐㄧㄥ ㄕㄨㄛ ㄒㄧㄚ ㄏㄨㄚˋ) to tell a barefaced lie

睥 3782
ㄅㄧˋ bì
1. to look askance; a scornful look 2. battlements atop city walls
睥睨(ㄅㄧˋ ㄋㄧˋ)to look askance—an expression of disdain

睨 3783
ㄋㄧˋ nì
1. to look askance—an expression of disdain or arrogance 2. to slant

睦 3784
ㄇㄨˋ mù
friendly; amiable; to befriend; to be on friendly terms
睦鄰(ㄇㄨˋ ㄌㄧㄣˊ)to remain on friendly terms with the neighbors

睫 3785
ㄐㄧㄝˊ jié
1. eyelashes 2. to blink; to wink
睫毛(ㄐㄧㄝˊ ㄇㄠˊ)eyelashes

睬 3786
ㄘㄞˇ cǎi
1. to look; to watch 2. to notice; to pay attention to

督 3787
ㄉㄨ dū
1. to oversee; to superintend; to supervise 2. to reprove; to censure 3. a marshal; a general 4. a viceroy or governor-general
督導(ㄉㄨ ㄉㄠˇ)to direct and supervise
督工(ㄉㄨ ㄍㄨㄥ)an overseer
督學(ㄉㄨ ㄒㄩㄝˊ)an inspector of educational establishments
督察(ㄉㄨ ㄔㄚˊ)an inspector
督促(ㄉㄨ ㄘㄨˋ)to urge; to press

睪 3788
(睾) ㄍㄠ gāo
1. the marsh 亦作「皐」 2. high; lofty 3. the testicle, or testis
睪丸(ㄍㄠ ㄨㄢˊ)the testicle, or testis

睠 3789
ㄐㄩㄢˋ juàn
1. to look back 2. same as 眷—to care for

九畫

睹 3790
(覩) ㄉㄨˇ dǔ
to witness; to see; to look at; to observe; to gaze at
睹物思人(ㄉㄨˇ ㄨˋ ㄙ ㄖㄣˊ)to see the things one is reminded of the owner

睽 3791
ㄎㄨㄟˊ kuí
1. separated 亦作「暌」 2. in opposition 3. to squint 4. to stare at 5. unusual; strange
睽睽(ㄎㄨㄟˊ ㄎㄨㄟˊ)to stare; staring

瞅 3792
ㄔㄡˇ chǒu
to look at; to see; to gaze
瞅見(ㄔㄡˇ ㄐㄧㄢˋ)to see

瞄 3793
ㄇㄧㄠˊ miáo
to aim at; to take aim; to look at attentively

睿 3794
ㄖㄨㄟˋ ruì
1. to understand thoroughly; quick or keen of perception 2. wise and clever; astute and discreet; perspicacious 3. the profoundest (learning)
睿智(ㄖㄨㄟˋ ㄓˋ)superior intelligence

瞀 3795
ㄇㄠˋ mào
(又讀 ㄇㄡˋ mòu)
1. dim-sighted; nearsighted; indistinct vision 2. illiterate; ignorant; feebleminded 3. confused; confusion

十畫

〔目部〕

〔目部〕

瞋 3796
ㄔㄣ chēn
1. angry; anger亦作「嗔」2. to open the eyes
瞋怒(ㄔㄣ ㄋㄨˋ)to be beside oneself with anger

瞎 3797
ㄒㄧㄚ xiā
1. blind; blindly 2. reckless; heedless; rash; (to do things, etc.) without purpose or reason; at random; groundlessly 3. (dialect) to become tangled (said of thread, etc.)
瞎掰(ㄒㄧㄚ ㄅㄞ)to make a futile effort
瞎了眼睛(ㄒㄧㄚ ˙ㄌㄜ ㄧㄢˇ ˙ㄐㄧㄥ)① Blind fool! ② to become blind
瞎話(ㄒㄧㄚ ㄏㄨㄚˋ)lies
瞎扯(ㄒㄧㄚ ㄔㄜˇ)to talk recklessly
瞎說(ㄒㄧㄚ ㄕㄨㄛ)to speak groundlessly
瞎子(ㄒㄧㄚ ˙ㄗ)a blind man
瞎子摸象(ㄒㄧㄚ ˙ㄗ ㄇㄛ ㄒㄧㄤˋ)unable to learn the whole picture

瞍 3798
ㄙㄡˇ sǒu
to have eyes without pupils; blind

瞑 3799
1. ㄇㄧㄥˊ míng
(又讀 ㄇㄧㄥˇ mǐng)
to close the eyes
瞑目(ㄇㄧㄥˊ ㄇㄨˋ)① to close the eyes ② to die without regret or in peace

瞑 3799
2. ㄇㄧㄢˋ miàn
to throw into a state of confusion

瞌 3800
ㄎㄜ kē
to be tired and to doze off
瞌睡(ㄎㄜ ㄕㄨㄟˋ)to doze off while sitting

瞇 3801
ㄇㄧ mī
1. to keep one's eyes half closed; to narrow the eyes 2. to take a nap

十一畫

瞞 3802
ㄇㄢˊ mán
1. to hide the truth; to fool others by lying; to deceive 2. dim-sighted; poor vision
瞞騙(ㄇㄢˊ ㄆㄧㄢˋ)to deceive and lie
瞞天過海(ㄇㄢˊ ㄊㄧㄢ ㄍㄨㄛˋ ㄏㄞˇ) very clever and daring in deceiving others

瞟 3803
ㄆㄧㄠˇ piǎo
to look askance at

瞠 3804
ㄔㄥ chēng
to look straight at; to stare at
瞠目結舌(ㄔㄥ ㄇㄨˋ ㄐㄧㄝˊ ㄕㄜˊ) amazed and speechless

瞢 3805
ㄇㄥˊ méng
1. dim-sighted; poor vision 2. not bright; obscure 3. ashamed 4. grief
瞢然(ㄇㄥˊ ㄖㄢˊ)dark and obscure

瞖 3806
ㄧˋ yì
cataract

十二畫

瞬 3807
ㄕㄨㄣˋ shùn
1. to blink, wink or twinkle 2. a very short time; in the twinkling of an eye
瞬間(ㄕㄨㄣˋ ㄐㄧㄢ)in an instant
瞬息萬變(ㄕㄨㄣˋ ㄒㄧˊ ㄨㄢˋ ㄅㄧㄢˋ) many changes within a short time

瞰 3808
ㄎㄢˋ kàn
1. to watch; to look far away 2. to overlook (from a high ground)

瞳 3809
ㄊㄨㄥˊ tóng
1. the pupil of the eye 2. stupid; ignorant
瞳孔(ㄊㄨㄥˊ ㄎㄨㄥˇ)the pupil of the eye

瞪 3810
ㄉㄥˋ dèng
to stare at; to open (one's eyes) wide; to glare at
瞪眼(ㄉㄥˋ ㄧㄢˇ)① to stare at angrily ② to look straight ahead

瞭 3811
1. ㄌㄧㄠˇ liǎo
1. to understand 2. clear and bright
瞭解(ㄌㄧㄠˇ ㄐㄧㄝˇ)to comprehend; to understand
瞭然(ㄌㄧㄠˇ ㄖㄢˊ)clear and evident
瞭如指掌(ㄌㄧㄠˇ ㄖㄨˊ ㄓˇ ㄓㄤˇ)to know or understand thoroughly

瞭 3811
2. ㄌㄧㄠˋ liào
to look down from a higher place
瞭望(ㄌㄧㄠˋ ㄨㄤˋ)to look down from a higher place
瞭望臺(ㄌㄧㄠˋ ㄨㄤˋ ㄊㄞˊ)a watchtower

瞶 3812
ㄍㄨㄟˋ guì
1. a blind man 2. stupid; ignorant

瞧 3813
ㄑㄧㄠˊ qiáo
1. to see; to look at 2. to steal a glance; to glance quickly
瞧不起(ㄑㄧㄠˊ ˙ㄅㄨ ㄑㄧˇ)to despise
瞧得起(ㄑㄧㄠˊ ˙ㄉㄜ ㄑㄧˇ)to esteem or respect
瞧見(ㄑㄧㄠˊ ㄐㄧㄢˋ)to see
瞧一瞧(ㄑㄧㄠˊ ˙ㄧ ˙ㄑㄧㄠ)to take a look

瞵 3814
ㄌㄧㄣˊ lín
1. to look at; to stare at 2. (said of eyes) clear and bright

瞥 3815
ㄆㄧㄝ piē
to have a casual and short glance; to catch a glimpse of
瞥見(ㄆㄧㄝ ㄐㄧㄢˋ)to catch sight of

十三畫

瞻 3816
ㄓㄢ zhān
1. to look; to look up 2. to regard respectfully; to reverence
瞻仰(ㄓㄢ ㄧㄤˇ)① to look up respectfully ② to look up to
瞻望(ㄓㄢ ㄨㄤˋ)to adore; to worship

瞼 3817
ㄐㄧㄢˇ jiǎn
the eyelids

瞽 3818
ㄍㄨˇ gǔ
1. blind 2. (in ancient China) blind musicians 3. having no discerning ability

瞿 3819
1. ㄑㄩ qū
(又讀 ㄑㄩˊ qú)
a Chinese family name

瞿 3819
2. ㄐㄩˋ jù
1. shocked or scared 2. (said of hawks and falcons) to look around

十四畫

矇 3820
1. ㄇㄥˊ méng
1. blind 2. (figuratively) ignorant; stupid and obstinate
矇蔽(ㄇㄥˊ ㄅㄧˋ)to hide the truth from a superior
矇矓(ㄇㄥˊ ㄌㄨㄥˊ)hazy

矇 3820
2. ㄇㄥ mēng
1. to deceive; to cheat 2. lucky
矇騙(ㄇㄥ ㄆㄧㄢˋ)to deceive and cheat

十五畫

矍 3821
ㄐㄩㄝˊ jué
1. to watch in fright; scared 2. old but healthy
矍然(ㄐㄩㄝˊ ㄖㄢˊ)looking around in fear

十六畫

矓 3822
ㄌㄨㄥˊ lóng
hazy; blurred

十九畫

矗 3823
ㄔㄨˋ chù
1. rising sharply; steep 2. lofty; upright; straight 3. luxuriant growth
矗立(ㄔㄨˋ ㄌㄧˋ)rising up steeply

二十畫

矙 3824
ㄎㄢˋ kàn
1. to watch; to spy 2. to overlook; to look downward

二十一畫

矚 3825
ㄓㄨˇ zhǔ
to watch; to observe or gaze at carefully or steadily; to pay attention
矚目(ㄓㄨˇ ㄇㄨˋ)to be the focus of attention

矛部
ㄇㄠˊ máo

矛 3826
ㄇㄠˊ máo
a lance; a spear
矛盾(ㄇㄠˊ ㄉㄨㄣˋ)to contradict

四畫

矜 3827
1. ㄐㄧㄣ jīn
1. to feel sorry for; to pity; to commiserate with; to be sympathetic with; to compassionate 2. to brag; to boast 3. self-esteem; self-control; self-discipline 4. to emulate
矜持(ㄐㄧㄣ ㄔˊ)to carry oneself with dignity and reserve

矜 3827
2. ㄍㄨㄢ guān
a widower 亦作「鰥」

七畫

矞 3828
ㄩˋ yù
1. bright and brilliant; charming 2. nature bursting into life 3. clouds of many hues

矢部
ㄕˇ shǐ

〔矢部〕

矢 3829 ㄕˇ shǐ
1.an arrow; a dart 2.to vow; to take an oath; to pledge 3.to display 4.straightforward
矢口否認(ㄕˇ ㄎㄡˇ ㄈㄡˇ ㄖㄣˋ)to deny flatly
矢志不移(ㄕˇ ㄓˋ ㄅㄨˋ ㄧˊ)to swear that one will stick to something

二畫

矣 3830 ㄧˇ yǐ
1. a final particle denoting the perfect tense 2. an auxiliary denoting determination

三畫

知 3831 1. ㄓ zhī
1. knowledge 2. to know; to understand; to feel; to recognize; to be aware of 3. to acquaint; to be familiar with; to befriend 4. to control; to operate; to direct 5. to wait on
知名(ㄓ ㄇㄧˊ)well-known
知名度(ㄓ ㄇㄧˊ ㄉㄨˋ)name recognition
知道(ㄓ ㄉㄠˋ)to know
知己(ㄓ ㄐㄧˇ)a close or intimate friend
知覺(ㄓ ㄐㄩㄝˊ)① consciousness ② perception
知曉(ㄓ ㄒㄧㄠˇ)to know; to be aware of
知心(ㄓ ㄒㄧㄣ)bosom (friends)
知心話(ㄓ ㄒㄧㄣ ㄏㄨㄚˋ)intimate talks or words
知恥(ㄓ ㄔˇ)to have a sense of shame
知識(ㄓ ㄕˋ)knowledge; learning
知識分子(ㄓ ㄕˋ ㄈㄣˋ ㄗˇ)intellectuals
知足(ㄓ ㄗㄨˊ)to be content with what one has had
知音(ㄓ ㄧㄣ)①a close or intimate friend ② one who is well versed in music

知 3831 2. (智) ㄓˋ zhì
the learned; the wise; brains
知能(ㄓˋ ㄋㄥˊ)intellectual capacity

四畫

矧 3832 ㄕㄣˇ shěn
1. still more 2. also 3. gums

矦 3833 (侯) ㄏㄡˊ hóu
1. the second of the five grades of the nobility; a marquis 2. a bull's-eye 3. beautiful 4. an opening particle—but

五畫

矩 3834 ㄐㄩˇ jǔ
1. a carpenter's square 2. a rule; a regulation; a pattern 3. to carve
矩形(ㄐㄩˇ ㄒㄧㄥˊ)a rectangle; rectangular
矩陣(ㄐㄩˇ ㄓㄣˋ)(mathematics) a matrix

七畫

矬 3835 ㄘㄨㄛˊ cuó
short; dwarf
矬子(ㄘㄨㄛˊ ·ㄗ)a dwarf; a shortie

短 3836 ㄉㄨㄢˇ duǎn
1. short; brief 2. to be deficient; to want; to lack; to owe 3. shortcomings; faults; mistakes
短波(ㄉㄨㄢˇ ㄅㄛ)shortwave
短兵相接(ㄉㄨㄢˇ ㄅㄧㄥ ㄒㄧㄤ ㄐㄧㄝ)(military) to fight at close quarters
短跑(ㄉㄨㄢˇ ㄆㄠˇ)a short-distance race
短篇小說(ㄉㄨㄢˇ ㄆㄧㄢ ㄒㄧㄠˇ ㄕㄨㄛ)short stories
短片(ㄉㄨㄢˇ ㄆㄧㄢˋ)a short (film)
短評(ㄉㄨㄢˇ ㄆㄧㄥˊ)a brief commentary
短命(ㄉㄨㄢˇ ㄇㄧㄥˋ)to die early
短打(ㄉㄨㄢˇ ㄉㄚˇ)(baseball) to bunt; a bunt
短路(ㄉㄨㄢˇ ㄌㄨˋ)(electricity) short circuit
短褲(ㄉㄨㄢˇ ㄎㄨˋ)knee pants; shorts
短劍(ㄉㄨㄢˇ ㄐㄧㄢˋ)a dagger
短期(ㄉㄨㄢˇ ㄑㄧˊ)short-term
短缺(ㄉㄨㄢˇ ㄑㄩㄝ)deficient; to fall short; shortage
短小(ㄉㄨㄢˇ ㄒㄧㄠˇ)short and small
短暫(ㄉㄨㄢˇ ㄓㄢˋ)transient; brief; a short period
短程(ㄉㄨㄢˇ ㄔㄥˊ)short distance
短處(ㄉㄨㄢˇ ㄔㄨˋ)shortcomings
短視(ㄉㄨㄢˇ ㄕˋ)shortsighted
短促(ㄉㄨㄢˇ ㄘㄨˋ)(said of time) short
短襪(ㄉㄨㄢˇ ㄨㄚˋ)socks

八畫

矮 3837 ㄞˇ ǎi
1. a short person; a dwarf 2. short; low; low-ranking
矮胖(ㄞˇ ㄆㄤˋ)short and fat
矮小(ㄞˇ ㄒㄧㄠˇ)short-statured

十二畫

矯 3838 ㄐㄧㄠˇ jiǎo
1.to straighten; to correct; to rectify 2.to falsify; to forge; to fake; to pre-

tend 3. strong and powerful; vigorous; brave
矯捷(ㄐㄧㄠˇ ㄐㄧㄝˊ)agile
矯健(ㄐㄧㄠˇ ㄐㄧㄢˋ)strong and vigorous
矯情(ㄐㄧㄠˇ ㄑㄧㄥˊ)to be affectedly unconventional
矯正(ㄐㄧㄠˇ ㄓㄥˋ)to correct or rectify
矯揉造作(ㄐㄧㄠˇ ㄖㄡˊ ㄗㄠˋ ㄗㄨㄛˋ)affectation

矰 3839
ㄗㄥ zēng
an arrow, dart, etc. attached to a silk cord or string for shooting birds, etc.

十四畫

矱 3840
ㄏㄨㄛˋ huò
a measure; a criterion

石部 ㄕˊ shí

石 3841
1. ㄕˊ shí
1. rocks; stones; minerals, etc. 2. a calculus, as a kidney calculus 3. stone tablets 4. medicines 5. barren, as a barren woman 6. name of an ancient musical instrument 7. a Chinese family name
石碑(ㄕˊ ㄅㄟ)a stone tablet; a stele
石斑魚(ㄕˊ ㄅㄢ ㄩˊ)a spotted grouper
石版畫(ㄕˊ ㄅㄢˇ ㄏㄨㄚˋ)a lithograph
石壁(ㄕˊ ㄅㄧˋ)a stone wall
石破天驚(ㄕˊ ㄆㄛˋ ㄊㄧㄢ ㄐㄧㄥ)world-shaking
石墨(ㄕˊ ㄇㄛˋ)graphite
石綿瓦(ㄕˊ ㄇㄧㄢˊ ㄨㄚˇ)an asbestos tile
石雕(ㄕˊ ㄉㄧㄠ)stone carving
石頭(ㄕˊ ·ㄊㄡ)stone; rock
石膏(ㄕˊ ㄍㄠ)gypsum; plaster
石膏像(ㄕˊ ㄍㄠ ㄒㄧㄤˋ)a plaster bust
石刻(ㄕˊ ㄎㄜˋ)stone engraving
石窟(ㄕˊ ㄎㄨ)a grotto
石塊(ㄕˊ ㄎㄨㄞˋ)a piece of stone or rock
石化工業(ㄕˊ ㄏㄨㄚˋ ㄍㄨㄥ ㄧㄝˋ)the petrochemical industries
石灰(ㄕˊ ㄏㄨㄟ)lime
石灰岩(ㄕˊ ㄏㄨㄟ ㄧㄢˊ)limestone
石階(ㄕˊ ㄐㄧㄝ)stone steps
石匠(ㄕˊ ·ㄐㄧㄤ)a stonemason
石器時代(ㄕˊ ㄑㄧˋ ㄕˊ ㄉㄞˋ)the Stone Age
石像(ㄕˊ ㄒㄧㄤˋ)a statue or bust of stone
石柱(ㄕˊ ㄓㄨˋ)a stone pillar
石沈大海(ㄕˊ ㄔㄣˊ ㄉㄚˋ ㄏㄞˇ)completely without information or response
石子(ㄕˊ ㄗˇ)pieces of stone; pebbles
石子路(ㄕˊ ㄗˇ ㄌㄨˋ)a graveled path
石油(ㄕˊ ㄧㄡˊ)crude oil; petroleum
石油工業(ㄕˊ ㄧㄡˊ ㄍㄨㄥ ㄧㄝˋ)petroleum industry
石英(ㄕˊ ㄧㄥ)quartz

石 3841
2. ㄉㄢˋ dàn
1. a dry measure for grains roughly equivalent to 120-160 pounds; picul 2. a weight measure equivalent to about 110 pounds

三畫

矽 3842
ㄒㄧˋ xì
silicon (Si)
矽谷(ㄒㄧˋ ㄍㄨˇ)Silicon Valley in California

矻 3843
ㄎㄨˋ kù
1. stone 2. diligent; industrious 3. very tired

四畫

砉 3844
ㄏㄨㄛˋ huò
a splitting sound; a cracking sound

砂 3845
ㄕㄚ shā
1. sand; coarse sand; gravel 2. coarse —not smooth 3. infinitesimal
砂布(ㄕㄚ ㄅㄨˋ)emery cloth
砂糖(ㄕㄚ ㄊㄤˊ)crude sugar
砂土(ㄕㄚ ㄊㄨˇ)sandy soil
砂礫(ㄕㄚ ㄌㄧˋ)gravel; pebbles
砂質(ㄕㄚ ㄓˊ)sandy
砂紙(ㄕㄚ ㄓˇ)sandpaper; emery paper
砂眼(ㄕㄚ ㄧㄢˇ)(medicine) trachoma

砌 3846
ㄑㄧˋ qì
1. to lay (bricks, etc.); to pave; to raise in layers; to build 2. steps
砌牆(ㄑㄧˋ ㄑㄧㄤˊ)to build a wall

砍 3847
ㄎㄢˇ kǎn
1. to chop; to hack; to fell (trees, etc.); to cut down 2. to throw at
砍伐(ㄎㄢˇ ㄈㄚˊ)to fell (trees, etc.)
砍斷(ㄎㄢˇ ㄉㄨㄢˋ)to break apart by chopping; to cut something in two
砍頭(ㄎㄢˇ ㄊㄡˊ)to behead
砍柴(ㄎㄢˇ ㄔㄞˊ)to chop or cut firewood
砍傷(ㄎㄢˇ ㄕㄤ)to wound by hacking or cutting

砒 3848
ㄆㄧ pī
arsenic
砒霜(ㄆㄧ ㄕㄨㄤ)arsenic trioxide (As_2O_3)

〔石部〕

〔石部〕

五畫

砥 3849 ㄉㄧˇ dǐ (又讀 ㄓˇ zhǐ)
1. a whetstone; a grindstone 2. to discipline; to polish
砥礪(ㄉㄧˇ ㄌㄧˋ)to discipline and polish
砥柱(ㄉㄧˇ ㄓㄨˋ)an indomitable person

砧 3850 ㄓㄣ zhēn
1. a rock with a flat top on which the laundry is beaten and washed; an anvil 2. an ancient instrument for torture
砧板(ㄓㄣ ㄅㄢˇ)a chopping block

砭 3851 ㄅㄧㄢ biān
1. a stone probe; a stone needle used in acupuncture in ancient China 2. to advise or exhort; to admonish 3. to pierce

砰 3852 ㄆㄥ pēng
1. the sound of crashing stones 2. Bang! 或 a loud sound; deafening
砰然(ㄆㄥ ㄖㄢˊ)loud; deafening

砝 3853 ㄈㄚˊ fá
standard weights used in scales; steelyard weights
砝碼(兒)(ㄈㄚˊ ㄇㄚˇ(ㄦ)) standard weights used in scales; steelyard weights

破 3854 ㄆㄛˋ pò
1. to break 2. dilapidated; ruined; destroyed 3. to defeat; to beat (the enemy); to capture (enemy territory) 4. to expose; exposed; to lay bare; (to see) through 5. to spend (money, etc.) 6. to solve or break (a murder case, etc.); to analyze 7. to come to an end 8. paltry
破冰船(ㄆㄛˋ ㄅㄧㄥ ㄔㄨㄢˊ)an ice breaker
破布(ㄆㄛˋ ㄅㄨˋ)rags
破破爛爛(ㄆㄛˋ•ㄆㄛ ㄌㄢˋ ㄌㄢˋ)tattered
破門而入(ㄆㄛˋ ㄇㄣˊ ㄦˊ ㄖㄨˋ)to break into a house
破滅(ㄆㄛˋ ㄇㄧㄝˋ)to come to nil
破廟(ㄆㄛˋ ㄇㄧㄠˋ)a dilapidated temple
破費(ㄆㄛˋ •ㄈㄟ)to spend money
破釜沈舟(ㄆㄛˋ ㄈㄨˇ ㄔㄣˊ ㄓㄡ)determined
破涕爲笑(ㄆㄛˋ ㄊㄧˋ ㄨㄟˊ ㄒㄧㄠˋ)to break into laughter while still crying
破天荒(ㄆㄛˋ ㄊㄧㄢ ㄏㄨㄤ)never before—for the first time; unprecedented
破土典禮(ㄆㄛˋ ㄊㄨˇ ㄉㄧㄢˇ ㄌㄧˇ)a ground-breaking ceremony
破爛兒(ㄆㄛˋ ㄌㄚˋㄦ)rags and rubbish
破例(ㄆㄛˋ ㄌㄧˋ)to make an exception
破裂(ㄆㄛˋ ㄌㄧㄝˋ)① to break off ② broken
破口大罵(ㄆㄛˋ ㄎㄡˇ ㄉㄚˋ ㄇㄚˋ)to abuse freely and loudly
破獲(ㄆㄛˋ ㄏㄨㄛˋ)to break (into a secret hideout) and capture (criminals, loots, etc.)
破壞(ㄆㄛˋ ㄏㄨㄞˋ)to ruin; to destroy
破紀錄(ㄆㄛˋ ㄐㄧˋ ㄌㄨˋ)to break a record
破戒(ㄆㄛˋ ㄐㄧㄝˋ)(usually said of monks, nuns, etc.) to break the rules
破舊(ㄆㄛˋ ㄐㄧㄡˋ)shabby; worn-out
破鏡重圓(ㄆㄛˋ ㄐㄧㄥˋ ㄔㄨㄥˊ ㄩㄢˊ) (said of a divorced or separated couple) reunion and reconciliation
破曉(ㄆㄛˋ ㄒㄧㄠˇ)daybreak; dawn
破折號(ㄆㄛˋ ㄓㄜˊ ㄏㄠˋ)a dash
破綻(ㄆㄛˋ •ㄓㄢ)a slip, flaw or weak point
破產(ㄆㄛˋ ㄔㄢˇ) bankruptcy; to go bankrupt
破除迷信(ㄆㄛˋ ㄔㄨˊ ㄇㄧˊ ㄒㄧㄣˋ)to get rid of superstition
破傷風(ㄆㄛˋ ㄕㄤ ㄈㄥ)tetanus
破財(ㄆㄛˋ ㄘㄞˊ)to lose money
破碎(ㄆㄛˋ ㄙㄨㄟˋ)broken (heart, hope, etc.)
破損(ㄆㄛˋ ㄙㄨㄣˇ)broken or damaged; ruined
破案(ㄆㄛˋ ㄢˋ)to break a criminal case

砷 3855 ㄕㄣ shēn
arsenic

砸 3856 ㄗㄚˊ zá
1. to crash and break; to squash; to smash; to knock; to pound 2. to ruin; to fail; to be bungled 3. to mash; to beat to a pulp
砸飯碗(ㄗㄚˊ ㄈㄢˋ ㄨㄢˇ) to lose one's job
砸爛(ㄗㄚˊ ㄌㄢˋ)to crush to a mash
砸碎(ㄗㄚˊ ㄙㄨㄟˋ)to break to pieces

砮 3857 ㄋㄨˇ nǔ
flint arrowheads

砦 3858 ㄓㄞˋ zhài
a stockade; a military outpost

砲 3859 ㄆㄠˋ pào
a simplified form of 礮—artillery
砲艦(ㄆㄠˋ ㄐㄧㄢˋ)a gunboat

六畫

硃 3860 ㄓㄨ zhū
1. vermilion 2. imperial (the signature and instructions of an emperor

were written in red)
硃砂(ㄓㄨ ㄕㄚ)cinnabar
硃砂痣(ㄓㄨ ㄕㄚ ㄓˋ)a red mole

硌 3861
ㄍㄜˋ gè
damage or injuries caused by being squeezed or pressed on a rough surface

硒 3862
ㄒㄧ xī
selenium (Se)

硫 3863
ㄌㄧㄡˊ liú
sulphur or sulfur
硫磺(ㄌㄧㄡˊ ㄏㄨㄤˊ)sulphur or sulfur
硫酸(ㄌㄧㄡˊ ㄙㄨㄢ)sulfuric acid

研 3864
(研) ㄧㄢˊ yán
1. to go to the very source; to study; to investigate; to research; to examine; to search into carefully 2. to grind; to powder
研磨(ㄧㄢˊ ㄇㄛˊ)to grind
研討(ㄧㄢˊ ㄊㄠˇ)to study and discuss
研討會(ㄧㄢˊ ㄊㄠˇ ㄏㄨㄟˋ)a workshop; a seminar
研究(ㄧㄢˊ ㄐㄧㄡˋ)to study and research
研究補助金(ㄧㄢˊ ㄐㄧㄡˋ ㄅㄨˇ ㄓㄨˋ ㄐㄧㄣ)research grants funds
研究費(ㄧㄢˊ ㄐㄧㄡˋ ㄈㄟˋ)research funds
研究計畫(ㄧㄢˊ ㄐㄧㄡˋ ㄐㄧˋ ㄏㄨㄚˋ)a research project
研究室(ㄧㄢˊ ㄐㄧㄡˋ ㄕˋ)a research laboratory
研究生(ㄧㄢˊ ㄐㄧㄡˋ ㄕㄥ)a graduate student
研究所(ㄧㄢˊ ㄐㄧㄡˋ ㄙㄨㄛˇ)a graduate school
研究員(ㄧㄢˊ ㄐㄧㄡˋ ㄩㄢˊ)a researcher
研習(ㄧㄢˊ ㄒㄧˊ)to research and study
研習會(ㄧㄢˊ ㄒㄧˊ ㄏㄨㄟˋ)a study meeting or conference

七畫

硜 3865
ㄎㄥ kēng
the sound of pebbles or stones rubbing or knocking together

硬 3866
ㄧㄥˋ yìng
1. hard; stiff; solid; firm 2. stiff; rigid; inflexible; obstinate; very insistent; unyielding 3. to harden; to solidify; to stiffen 4. by force; to manage to do something in a forced manner 5. (said of quality) good 6. able (person)
硬幫幫(ㄧㄥˋ ㄅㄤ ㄅㄤ)hard and firm
硬逼(ㄧㄥˋ ㄅㄧ)to compel or force
硬幣(ㄧㄥˋ ㄅㄧˋ)coins; specie
硬拼(ㄧㄥˋ ㄆㄧㄣ)to fight recklessly
硬度(ㄧㄥˋ ㄉㄨˋ)hardness
硬體(ㄧㄥˋ ㄊㄧˇ)(computers) hardware
硬朗(ㄧㄥˋ ·ㄌㄤ)(said of the aged) sturdy and strong
硬漢(ㄧㄥˋ ㄏㄢˋ)a hardened man
硬化(ㄧㄥˋ ㄏㄨㄚˋ)① to harden ② sclerosis; cirrhosis
硬性規定(ㄧㄥˋ ㄒㄧㄥˋ ㄍㄨㄟ ㄉㄧㄥˋ) rigid and inflexible ruling
硬著頭皮(ㄧㄥˋ ·ㄓㄜ ㄊㄡˊ ㄆㄧˊ)to force oneself to
硬仗(ㄧㄥˋ ㄓㄤˋ)a showdown battle
硬要(ㄧㄥˋ ㄧㄠˋ)to want or demand insistently

硝 3867
ㄒㄧㄠ xiāo
1. niter; saltpeter 2. to tan leather
硝酸(ㄒㄧㄠ ㄙㄨㄢ)nitric acid
硝酸鹽(ㄒㄧㄠ ㄙㄨㄢ ㄧㄢˊ)nitrate

硯 3868
ㄧㄢˋ yàn
an inkstone
硯臺(ㄧㄢˋ ㄊㄞˊ)an ink-slab; an ink-stone

硭 3869
ㄇㄤˊ máng
sodium sulphate

确 3870
ㄑㄩㄝˋ què
1. hard stone 2. (said of land) barren; unproductive

八畫

硎 3871
ㄒㄧㄥˊ xíng
a whetstone; a grindstone

硼 3872
1. ㄆㄥˊ péng
1. (chemistry) boron 2. borax
硼砂(ㄆㄥˊ ㄕㄚ)borax
硼酸(ㄆㄥˊ ㄙㄨㄢ)boric acid

硼 3872
2. ㄆㄥ pēng
the sound of splashing

碌 3873
ㄌㄨˋ lù
1. mediocre; common 2. busy; occupied 3. a kind of stone roller

碑 3874
ㄅㄟ bēi
a stone tablet
碑銘(ㄅㄟ ㄇㄧㄥˊ)a part of an inscription on a tablet, usually in rhyme
碑碣(ㄅㄟ ㄐㄧㄝˊ)stone tablets
碑文(ㄅㄟ ㄨㄣˊ)an inscription on a tablet

碎 3875
ㄙㄨㄟˋ suì
1. broken; smashed; torn; to break to pieces; to smash 2. trivial; unimpor-

〔石部〕

tant; trifling 3. garrulous; gabby
碎步兒(ㄙㄨㄟˋ ㄅㄨˋ ㄦ)short quick steps
碎片(ㄙㄨㄟˋ ㄆㄧㄢˋ)fragments; splinters
碎裂(ㄙㄨㄟˋ ㄌㄧㄝˋ)torn or broken to pieces
碎石子(ㄙㄨㄟˋ ㄕˊ ㄗˇ)gravel; macadam

〔石部〕

碉 3876 ㄉㄧㄠ diāo
a stone chamber
碉堡(ㄉㄧㄠ ㄅㄠˇ)a fort; a pillbox

碓 3877 ㄉㄨㄟˋ duì
a pestle (for husking grain)

碇 3878 ㄉㄧㄥˋ dìng
an anchor (for a ship)

碰 3879 (掽) ㄆㄥˋ pèng
1. to collide; to hit; to touch; to bump 2. to meet unexpectedly; to run into 3. to take one's chance
碰壁(ㄆㄥˋ ㄅㄧˋ)① to meet rejection ② to encounter difficulties
碰面(ㄆㄥˋ ㄇㄧㄢˋ)or碰頭(ㄆㄥˋ ㄊㄡˊ) to meet
碰到(ㄆㄥˋ ㄉㄠˋ)① to meet someone unexpectedly ② to touch something
碰釘子(ㄆㄥˋ ㄉㄧㄥ ·ㄗ)to meet rejection
碰見(ㄆㄥˋ ㄐㄧㄢˋ)to run into
碰巧(ㄆㄥˋ ㄑㄧㄠˇ)by coincidence
碰撞(ㄆㄥˋ ㄓㄨㄤˋ)to hit; to run into
碰運氣(ㄆㄥˋ ㄩㄣˋ ·ㄑㄧ)to try one's luck

碚 3880 ㄅㄟˋ bèi
1. as in 蝦蟆碚—a place in Hupeh 2. as in 碚礧—a bud

碘 3881 ㄉㄧㄢˇ diǎn
iodine
碘酒(ㄉㄧㄢˇ ㄐㄧㄡˇ)iodine tincture

碏 3882 ㄑㄩㄝˋ què
(said of stone) many-colored

碡 3883 ㄉㄨˊ dú
a kind of stone roller

碁 3884 (棋)ㄑㄧˊ qí
1. any Oriental game played on a checkered board, like Chinese chess, *go,* etc. 2. any piece used in the game of chess

碍 3885 ㄞˋ ài
a simplified form of 礙—to obstruct; to hinder

碗 3886 (盌、椀) ㄨㄢˇ wǎn
a bowl (especially a small one)
碗櫃(ㄨㄢˇ ㄍㄨㄟˋ)a cupboard
碗筷(ㄨㄢˇ ㄎㄨㄞˋ)bowls and chopsticks

九畫

碧 3887 ㄅㄧˋ bì
1. green; blue; verdant; emerald green 2. jasper; emerald
碧綠(ㄅㄧˋ ㄌㄩˋ)verdant; emerald green
碧草如茵(ㄅㄧˋ ㄘㄠˇ ㄖㄨˊ ㄧㄣ)a carpet of green grass
碧玉(ㄅㄧˋ ㄩˋ)jasper; emerald

碣 3888 ㄐㄧㄝˊ jié
a stone tablet (especially one with a round outline)

碩 3889 ㄕˊ shí (語音 ㄕㄨㄛˋ shuò)
great; large
碩果僅存(ㄕˊ ㄍㄨㄛˇ ㄐㄧㄣˇ ㄘㄨㄣˊ)the only remaining of the great
碩士(ㄕㄨㄛˋ ㄕˋ)a holder of the master's degree

碳 3890 ㄊㄢˋ tàn
carbon 亦作「炭」
碳水化合物(ㄊㄢˋ ㄕㄨㄟˇ ㄏㄨㄚˋ ㄏㄜˊ ㄨˋ)carbohydrate
碳酸(ㄊㄢˋ ㄙㄨㄢ)carbonic acid

碴 3891 ㄔㄚˊ chá
1. chips, fragments or splinters (of glass, china, etc.) 2. to be cut (by broken glass, china, etc.)

碟 3892 ㄉㄧㄝˊ dié
a dish or plate (especially a small one)
碟式煞車器(ㄉㄧㄝˊ ㄕˋ ㄕㄚ ㄔㄜ ㄑㄧˋ) a disc brake rotor
碟影片(ㄉㄧㄝˊ ㄧㄥˇ ㄆㄧㄢˋ)a videodisc
碟影機(ㄉㄧㄝˊ ㄧㄥˇ ㄐㄧ)a videodisc player

十畫

確 3893 ㄑㄩㄝˋ què
1. sure; certain; secure; real; true; valid 2. firm; firmly
確保(ㄑㄩㄝˋ ㄅㄠˇ)to secure; to insure
確定(ㄑㄩㄝˋ ㄉㄧㄥˋ)① to decide ② certain; sure
確立(ㄑㄩㄝˋ ㄌㄧˋ)to establish firmly
確切(ㄑㄩㄝˋ ㄑㄧㄝˋ)valid; right; accurate; exact; precise
確信(ㄑㄩㄝˋ ㄒㄧㄣˋ)to be convinced
確知(ㄑㄩㄝˋ ㄓ)to know for sure
確實(ㄑㄩㄝˋ ㄕˊ)real; true; certain

確認(ㄑㄩㄝˋ ㄖㄣˋ)to certify
確鑿(ㄑㄩㄝˋ ㄗㄨㄛˋ)accurate; precise

碾 3894
ㄋㄧㄢˇ niǎn
1.a stone roller 2.to mill; to roll; to crush
碾米(ㄋㄧㄢˇ ㄇㄧˇ)to husk rice
碾米廠(ㄋㄧㄢˇ ㄇㄧˇ ㄔㄤˇ)a rice-husking mill
碾碎(ㄋㄧㄢˇ ㄙㄨㄟˋ)to pulverize

碼 3895
ㄇㄚˇ mǎ
1. yard (a measure of length) 2. a symbol; a code; a sign or thing indicating number
碼頭(ㄇㄚˇ·ㄊㄡ)a dock
碼頭工人(ㄇㄚˇ ·ㄊㄡ ㄍㄨㄥ ㄖㄣˊ)a stevedore

磁 3896
ㄘˊ cí
1.magnetic; magnetism 2.porcelain; china
磁(碟)片(ㄘˊ (ㄉㄧㄝˊ) ㄆㄧㄢˋ)(computers) a diskette; a floppy disc
磁帶(ㄘˊ ㄉㄞˋ)a magnetic tape
磁頭(ㄘˊ ㄊㄡˊ)a magnetic head
磁鐵(ㄘˊ ㄊㄧㄝˇ)a magnet
磁力(ㄘˊ ㄌㄧˋ)magnetic force
磁器(ㄘˊ ㄑㄧˋ)porcelain
磁場(ㄘˊ ㄔㄤˇ)the magnetic field

磋 3897
ㄘㄨㄛ cuō
to file; to polish (jade, stone, horn, etc.)
磋商(ㄘㄨㄛ ㄕㄤ)to exchange views

磅 3898
1. ㄅㄤˋ bàng
1. a pound 2. scales 3. to weigh
磅秤(ㄅㄤˋ ㄔㄥˋ)scales giving the weight in avoirdupois

磅 3898
2. ㄆㄤ pāng
the noise of stone crashing
磅礴(ㄆㄤ ㄅㄛˊ)boundless; majestic; extensive; filling all space

磔 3899
ㄓㄜˊ zhé
1.to dismember a human being (an ancient punishment) 2.(Chinese calligraphy) a downward stroke sliding to the right

磕 3900
ㄎㄜ kē
to strike; to bump; to collide; to knock
磕頭(ㄎㄜ ㄊㄡˊ)to kowtow

磊 3901
ㄌㄟˇ lěi
1. a heap of stones 2. great; massive
磊落(ㄌㄟˇ ㄌㄨㄛˋ)open-hearted

磒 3902
ㄩㄣˇ yǔn
to fall down
磒石(ㄩㄣˇ ㄕˊ)a meteor

磐 3903
ㄆㄢˊ pán
1. a massive rock 2. to linger around 3. to league together
磐石(ㄆㄢˊ ㄕˊ)a massive rock

十一畫

磨 3904
1. ㄇㄛˊ mó
1. to dawdle; to waste time; to while away 2. to rub; to grind; to polish; to wear 3. sufferings; obstacles
磨滅(ㄇㄛˊ ㄇㄧㄝˋ)to wear out
磨刀石(ㄇㄛˊ ㄉㄠ ㄕˊ)a whetstone
磨難(ㄇㄛˊ ㄋㄢˋ)sufferings
磨鍊(ㄇㄛˊ ㄌㄧㄢˋ)① to forge or temper (metal) ② to train; to harden
磨拳擦掌(ㄇㄛˊ ㄑㄩㄢˊ ㄘㄚ ㄓㄤˇ)saber-rattling
磨石子地(ㄇㄛˊ ㄕˊ ·ㄗ ㄉㄧˋ)terrazzo floor
磨擦(ㄇㄛˊ ㄘㄚ)① to rub ② friction
磨蹭(ㄇㄛˊ ·ㄘㄥ)to be tardy
磨損(ㄇㄛˊ ㄙㄨㄣˇ)wear and tear
磨牙(ㄇㄛˊ ㄧㄚˊ)to grind one's teeth

磨 3904
2. ㄇㄛˋ mò
1.a mill 2.to turn around 3.to grind (grain, etc.)
磨坊(ㄇㄛˋ ㄈㄤˊ)a mill

磬 3905
ㄑㄧㄥˋ qìng
a kind of musical instrument (made by hollowing out a hard sonorous stone, etc.); a musical stone

磧 3906
ㄑㄧˋ qì
1. gravel and sand in shallow waters 2.a desert

磚 3907
ㄓㄨㄢ zhuān
bricks 亦作「甎」

十二畫

磯 3908
ㄐㄧ jī
1. a rocky cliff on the water's edge; water-surrounded rocks 2.rocks that water pounds against; stones in a river, interrupting and fretting the current

磴 3909
ㄉㄥˋ dèng
steps on rock

磷 3910
1. ㄌㄧㄣˊ lín
1.phosphorus 亦作「燐」 2.water flowing between stones

磷 3910
2. ㄌㄧㄣˋ lìn

thin (as opposed to thick)

礦 3911
ㄏㄨㄤˊ huáng
sulfur; brimstone

磽 3912
ㄑㄧㄠ qiāo
hard barren land; poor in soil
磽薄(ㄑㄧㄠ ㄅㄛˊ)hard and barren

礁 3913
ㄐㄧㄠ jiāo
a reef

十三畫

礎 3914
ㄔㄨˇ chǔ
a plinth
礎石(ㄔㄨˇ ㄕˊ)the stone base of a column

十四畫

礙 3915
(碍) ㄞˋ ài
1. to obstruct; to hinder; to be in the way 2. harmful; detrimental
礙事(ㄞˋ ㄕˋ)to be an obstacle to work
礙手礙脚(ㄞˋ ㄕㄡˇ ㄞˋ ㄐㄧㄠˇ)to be very much in the way
礙眼(ㄞˋ ㄧㄢˇ)unpleasant to the eye
礙於情面(ㄞˋ ㄩˊ ㄑㄧㄥˊ ㄇㄧㄢˋ)for fear of hurting somebody's feelings

十五畫

礫 3916
ㄌㄧˋ lì
gravel; a pebble; shingle
礫石(ㄌㄧˋ ㄕˊ)gravel; a pebble

礪 3917
ㄌㄧˋ lì
1. a whetstone 2. to sharpen (a knife)

礬 3918
ㄈㄢˊ fán
alum; vitriol
礬土(ㄈㄢˊ ㄊㄨˇ)alumina

礦 3919
(鑛) ㄎㄨㄤˋ kuàng
1. a mineral; ore 2. mining 3. a mine—(figuratively) a rich source
礦工(ㄎㄨㄤˋ ㄍㄨㄥ)a miner
礦坑(ㄎㄨㄤˋ ㄎㄥ)a mining shaft; a pit
礦泉水(ㄎㄨㄤˋ ㄑㄩㄢˊ ㄕㄨㄟˇ)mineral water
礦產(ㄎㄨㄤˋ ㄔㄢˇ)mineral resources
礦藏(ㄎㄨㄤˋ ㄘㄤˊ)mineral reserves
礦物(ㄎㄨㄤˋ ㄨˋ)a mineral

十六畫

礮 3920
(砲) ㄆㄠˋ pào
1. a catapult 2. an artillery piece; a cannon; a gun
礮兵(ㄆㄠˋ ㄅㄧㄥ) an artilleryman; a gunner
礮彈(ㄆㄠˋ ㄉㄢˋ)a cannon ball or shot
礮臺(ㄆㄠˋ ㄊㄞˊ)a gun emplacement
礮艇(ㄆㄠˋ ㄊㄧㄥˇ)a gunboat
礮火(ㄆㄠˋ ㄏㄨㄛˇ)artillery fire; gunfire
礮灰(ㄆㄠˋ ㄏㄨㄟ)cannon fodder
礮轟(ㄆㄠˋ ㄏㄨㄥ)① to bombard with artillery fire; to cannonade ②concentrated verbal attacks
礮擊(ㄆㄠˋ ㄐㄧˊ)a cannonade
礮聲(ㄆㄠˋ ㄕㄥ) the thunder of cannonade

礱 3921
ㄌㄨㄥˊ lóng
1. to grind 2. a kind of mill

十七畫

礴 3922
ㄅㄛˊ bó
filling all space; extensive

示部
ㄕˋ shì

示 3923
ㄕˋ shì
1. to show; to indicate 2. to make known; to notify; a notice 3. to instruct 4. to demonstrate
示範(ㄕˋ ㄈㄢˋ)① to set an example ② to demonstrate
示範表演(ㄕˋ ㄈㄢˋ ㄅㄧㄠˇ ㄧㄢˇ)demonstration (of a skill)
示警(ㄕˋ ㄐㄧㄥˇ)to give a warning
示衆(ㄕˋ ㄓㄨㄥˋ)to exhibit to the public
示弱(ㄕˋ ㄖㄨㄛˋ)to show weakness
示愛(ㄕˋ ㄞˋ)to show one's tender feeling to one of the opposite sex
示意(ㄕˋ ㄧˋ)to indicate one's wish or intention
示威(ㄕˋ ㄨㄟ)to demonstrate (by a mass meeting or parade)
示威遊行(ㄕˋ ㄨㄟ ㄧㄡˊ ㄒㄧㄥˊ)demonstration

二畫

礽 3924
ㄖㄥˊ réng
a blessing; happiness; bliss

三畫

社 3925
ㄕㄜˋ shè
1.the god of land 2.an association; an organization; a corporation; an

agency 3. society; a community
社評(ㄕㄜˋ ㄆㄧㄥˊ)or社論(ㄕㄜˋ ㄌㄨㄣˋ) an editorial
社團(ㄕㄜˋ ㄊㄨㄢˊ)an association
社會(ㄕㄜˋ ㄏㄨㄟˋ)society; community
社會福利(ㄕㄜˋ ㄏㄨㄟˋ ㄈㄨˊ ㄌㄧˋ)social welfare
社會地位(ㄕㄜˋ ㄏㄨㄟˋ ㄉㄧˋ ㄨㄟˋ)social status
社會局(ㄕㄜˋ ㄏㄨㄟˋ ㄐㄩˊ)the bureau of social affairs
社會新聞(ㄕㄜˋ ㄏㄨㄟˋ ㄒㄧㄣ ㄨㄣˊ) human interest stories or crime stories
社會學(ㄕㄜˋ ㄏㄨㄟˋ ㄒㄩㄝˊ)sociology
社會主義(ㄕㄜˋ ㄏㄨㄟˋ ㄓㄨˇ ㄧˋ)socialism
社會問題(ㄕㄜˋ ㄏㄨㄟˋ ㄨㄣˋ ㄊㄧˊ)a social problem
社稷(ㄕㄜˋ ㄐㄧˋ)the god of land and the god of grain—a country
社交(ㄕㄜˋ ㄐㄧㄠ)social intercourse
社交舞(ㄕㄜˋ ㄐㄧㄠ ㄨˇ)social dancing
社區(ㄕㄜˋ ㄑㄩ)a community
社長(ㄕㄜˋ ㄓㄤˇ)the president or director (of an association, newspaper, etc.)
社員(ㄕㄜˋ ㄩㄢˊ)a member

祁 3926 ㄑㄧˊ qí
vigorous; thriving; to be large

祀 3927 ㄙˋ sì
to worship; to offer sacrifices to
祀典(ㄙˋ ㄉㄧㄢˇ)religious rites or services; rites of offering sacrifices

四畫

祆 3928 ㄒㄧㄢ xiān
Ormazd, the supreme deity in Zoroastrianism

祅 3929 ㄧㄠ yāo
1. calamity due to terrestrial disturbances 2. bizarre

祇 3930 1. ㄑㄧˊ qí
1. the god of the earth 2. peace; serenity

祇 3930 2. (只、衹) ㄓˇ zhǐ (原讀 ㄓ zhī)
only; merely
祇得(ㄓˇ ㄉㄟˇ)or 祇好(ㄓˇ ㄏㄠˇ)to have no alternative or other choice
祇要(ㄓˇ ㄧㄠˋ)only if

祈 3931 ㄑㄧˊ qí
1.to pray 2.to beg; to entreat; to beseech; to request respectfully
祈福(ㄑㄧˊ ㄈㄨˊ)to pray for blessings
祈禱(ㄑㄧˊ ㄉㄠˇ)to pray
祈求(ㄑㄧˊ ㄑㄧㄡˊ)to pray for
祈雨(ㄑㄧˊ ㄩˇ)to pray for rain

祉 3932 ㄓˇ zhǐ
happiness; blessings; blessedness; welfare

五畫

祐 3933 ㄧㄡˋ yòu
divine help

祓 3934 ㄈㄨˊ fú
1.as in 祓除—to exorcise 2.to cleanse; to clean

祔 3935 ㄈㄨˋ fù
1. to enshrine in the ancestral temple 2. to bury in the family tomb

祕 3936 (秘) ㄇㄧˋ mì (又讀 ㄅㄧˋ bì)
secret; confidential; hidden; unknown; mysterious
祕密(ㄇㄧˋ ㄇㄧˋ)a secret
祕密文件(ㄇㄧˋ ㄇㄧˋ ㄨㄣˊ ㄐㄧㄢˋ)a secret document
祕方(ㄇㄧˋ ㄈㄤ)a secret recipe
祕訣(ㄇㄧˋ ㄐㄩㄝˊ)a knack; the key (to the solution of a problem)
祕書(ㄇㄧˋ ㄕㄨ)a secretary

祖 3937 ㄗㄨˇ zǔ
1. one's grandfather or grandmother 2. ancestors; forebears 3. a founder; an originator 4. to follow the example of; to imitate
祖母(ㄗㄨˇ ㄇㄨˇ)one's grandmother
祖墳(ㄗㄨˇ ㄈㄣˊ)an ancestral grave
祖父(ㄗㄨˇ ㄈㄨˋ)one's grandfather
祖國(ㄗㄨˇ ㄍㄨㄛˊ)one's fatherland
祖籍(ㄗㄨˇ ㄐㄧˊ)one's ancestral home
祖先(ㄗㄨˇ ㄒㄧㄢ)ancestors
祖產(ㄗㄨˇ ㄔㄢˇ)ancestral estate
祖傳(ㄗㄨˇ ㄔㄨㄢˊ)inherited from one's ancestors
祖宗(ㄗㄨˇ ㄗㄨㄥ)ancestors

祗 3938 ㄓ zhī
1.to respect; to revere 2.only; but; just 亦作「祇」

祜 3939 ㄏㄨˋ hù
a blessing

祛 3940 ㄑㄩ qū
to dispel; to expel; to remove
祛災(ㄑㄩ ㄗㄞ)to dispel disasters

〔示部〕

祚 3941
ㄗㄨㄛˋ zuò
1. a blessing 2. the throne 3. the year

祝 3942
ㄓㄨˋ zhù
1. to wish someone happiness 2. to congratulate 3. to celebrate

祝福(ㄓㄨˋ ㄈㄨˊ) to bless
祝賀(ㄓㄨˋ ㄏㄜˋ)congratulations
祝壽(ㄓㄨˋ ㄕㄡˋ)to celebrate someone's birthday
祝融(ㄓㄨˋ ㄖㄨㄥˊ)the god of fire

神 3943
ㄕㄣˊ shén
1. gods; deities; immortals 2. soul; mind; spirit 3. appearances; looks 4. supernatural; mysterious 5. smart

神秘(ㄕㄣˊ ㄇㄧˋ)mysterious
神明(ㄕㄣˊ ㄇㄧㄥˊ)the gods; deities
神父(ㄕㄣˊ ㄈㄨˋ)a Catholic father
神殿(ㄕㄣˊ ㄉㄧㄢˋ)a sanctuary
神態(ㄕㄣˊ ㄊㄞˋ)appearances
神通廣大(ㄕㄣˊ ㄊㄨㄥ ㄍㄨㄤˇ ㄉㄚˋ) possessing marvelous abilities
神童(ㄕㄣˊ ㄊㄨㄥˊ)a child prodigy
神力(ㄕㄣˊ ㄌㄧˋ)divine power
神話(ㄕㄣˊ ㄏㄨㄚˋ)a myth
神交(ㄕㄣˊ ㄐㄧㄠ)spiritual communication
神經(ㄕㄣˊ ㄐㄧㄥ)nerve
神經病(ㄕㄣˊ ㄐㄧㄥ ㄅㄧㄥˋ)① neurosis; mental disorder ② a neurotic
神經質(ㄕㄣˊ ㄐㄧㄥ ㄓˊ)a nervous temperament
神經錯亂(ㄕㄣˊ ㄐㄧㄥ ㄘㄨㄛˋ ㄌㄨㄢˋ) mental disorder
神奇(ㄕㄣˊ ㄑㄧˊ)marvelous
神氣(ㄕㄣˊ ˙ㄑㄧ)dignified
神氣活現(ㄕㄣˊ ˙ㄑㄧ ㄏㄨㄛˊ ㄒㄧㄢˋ)very cocky; as proud as a peacock
神槍手(ㄕㄣˊ ㄑㄧㄤ ㄕㄡˇ)a sharpshooter
神情(ㄕㄣˊ ㄑㄧㄥˊ)a facial expression
神效(ㄕㄣˊ ㄒㄧㄠˋ)marvelous effect
神仙(ㄕㄣˊ ㄒㄧㄢ)an immortal
神像(ㄕㄣˊ ㄒㄧㄤˋ)the picture or the statue of a god or the Buddha
神學(ㄕㄣˊ ㄒㄩㄝˊ)theology
神職人員(ㄕㄣˊ ㄓˊ ㄖㄣˊ ㄩㄢˊ)the clergy
神智(ㄕㄣˊ ㄓˋ)① mind ② intelligence
神智不清(ㄕㄣˊ ㄓˋ ㄅㄨˋ ㄑㄧㄥ)muddleheaded
神聖(ㄕㄣˊ ㄕㄥˋ)holy; sacred
神采奕奕(ㄕㄣˊ ㄘㄞˇ ㄧˋ ㄧˋ)in high spirits
神似(ㄕㄣˊ ㄙˋ)lifelike
神色(ㄕㄣˊ ㄙㄜˋ)an expression
神速(ㄕㄣˊ ㄙㄨˋ)marvelously fast
神醫(ㄕㄣˊ ㄧ)a great doctor
神遊(ㄕㄣˊ ㄧㄡˊ)to tour (a place) by imagination
神韻(ㄕㄣˊ ㄩㄣˋ)(said of a person) an impression; an air
神勇(ㄕㄣˊ ㄩㄥˇ)extraordinarily brave

祠 3944
ㄘˊ cí
1. a temple; a shrine 2. the spring worship

祟 3945
ㄙㄨㄟˋ suì
1. the evil influence of gods or demons 2. (said of ghosts or evil spirits) to haunt; to afflict

六畫

祥 3946
ㄒㄧㄤˊ xiáng
auspicious; propitious; favorable

祥兆(ㄒㄧㄤˊ ㄓㄠˋ)a good omen
祥瑞(ㄒㄧㄤˊ ㄖㄨㄟˋ)a good omen

祧 3947
ㄊㄧㄠ tiāo
1. an ancestral temple (especially of distant ancestors) 2. to be or become heir to

票 3948
ㄆㄧㄠˋ piào
1. a bill; a note 2. a ticket 3. a ballot 4. a hostage 5. amateur performance

票面(ㄆㄧㄠˋ ㄇㄧㄢˋ)the face value of a note, bond, etc.
票面價值(ㄆㄧㄠˋ ㄇㄧㄢˋ ㄐㄧㄚˋ ㄓˊ) face value
票房(ㄆㄧㄠˋ ㄈㄤˊ)a box office
票亭(ㄆㄧㄠˋ ㄊㄧㄥˊ)ticket stands
票根(ㄆㄧㄠˋ ㄍㄣ)a ticket stub
票價(ㄆㄧㄠˋ ㄐㄧㄚˋ)the price of a ticket
票據(ㄆㄧㄠˋ ㄐㄩˋ)negotiable instruments; bills; notes; vouchers; receipts
票箱(ㄆㄧㄠˋ ㄒㄧㄤ)a ballot box
票選(ㄆㄧㄠˋ ㄒㄩㄢˇ)to elect by casting ballots
票數(ㄆㄧㄠˋ ㄕㄨˋ)the number of votes
票額(ㄆㄧㄠˋ ㄜˊ)face value

祭 3949
ㄐㄧˋ jì
1. to worship; to offer sacrifices to 2. to wield

祭品(ㄐㄧˋ ㄆㄧㄣˇ)offerings
祭典(ㄐㄧˋ ㄉㄧㄢˇ)services or ceremonies of offering sacrifices
祭奠(ㄐㄧˋ ㄉㄧㄢˋ)to offer sacrifices to the spirit of a deceased person
祭壇(ㄐㄧˋ ㄊㄢˊ)an altar
祭祖(ㄐㄧˋ ㄗㄨˇ)to perform rites in honor of ancestors
祭祀(ㄐㄧˋ ㄙˋ)to worship
祭文(ㄐㄧˋ ㄨㄣˊ)an elegiac address

七畫

祲 3950 ㄐㄧㄣ jīn
1. ominous or sinister spirits 2. vigorous

八畫

祺 3951 ㄑㄧˊ qí
1. lucky; propitious 2. peaceful; serene

祿 3952 ㄌㄨˋ lù
1. happiness; prosperity 2. official pay; salary
祿位(ㄌㄨˋ ㄨㄟˋ)official salary and rank

祼 3953 ㄍㄨㄢˋ guàn
to pour out a libation

禁 3954 1. ㄐㄧㄣˋ jìn
1. to prohibit; to forbid; to ban 2. to confine; to imprison; to detain 3. secret 4. a royal residence
禁閉(ㄐㄧㄣˋ ㄅㄧˋ)to imprison; to confine
禁品(ㄐㄧㄣˋ ㄆㄧㄣˇ)contraband
禁地(ㄐㄧㄣˋ ㄉㄧˋ)a forbidden ground
禁令(ㄐㄧㄣˋ ㄌㄧㄥˋ)a ban
禁菓(ㄐㄧㄣˋ ㄍㄨㄛˇ)the forbidden fruit
禁忌(ㄐㄧㄣˋ ㄐㄧˋ)① a taboo; to taboo ② to abstain from
禁區(ㄐㄧㄣˋ ㄑㄩ)a forbidden region
禁止(ㄐㄧㄣˋ ㄓˇ)to forbid
禁止停車(ㄐㄧㄣˋ ㄓˇ ㄊㄧㄥˊ ㄔㄜ)No parking.
禁止吸煙(ㄐㄧㄣˋ ㄓˇ ㄒㄧ ㄧㄢ)No smoking.
禁止招貼(ㄐㄧㄣˋ ㄓˇ ㄓㄠ ㄊㄧㄝ)Post no bills.
禁止入內(ㄐㄧㄣˋ ㄓˇ ㄖㄨˋ ㄋㄟˋ)No admittance.
禁食(ㄐㄧㄣˋ ㄕˊ)fast; to fast
禁書(ㄐㄧㄣˋ ㄕㄨ)banned books
禁煙(ㄐㄧㄣˋ ㄧㄢ)to prohibit opium

禁 3954 2. ㄐㄧㄣ jīn
to endure; to bear; to withstand; to stand
禁不起(ㄐㄧㄣ ˙ㄅㄨ ㄑㄧˇ)unable to endure
禁不住(ㄐㄧㄣ ˙ㄅㄨ ㄓㄨˋ)① unable to endure ② can not help
禁得起(ㄐㄧㄣ ˙ㄉㄜ ㄑㄧˇ) or 禁得住(ㄐㄧㄣ ˙ㄉㄜ ㄓㄨˋ)able to endure

九畫

禍 3955 ㄏㄨㄛˋ huò
1. calamity; disaster 2. to harm; to injure; to do evil to 3. to punish
禍端(ㄏㄨㄛˋ ㄉㄨㄢ) or 禍根(ㄏㄨㄛˋ ㄍㄣ)the cause of a misfortune or disaster
禍亂(ㄏㄨㄛˋ ㄌㄨㄢˋ)disturbances; disastrous disorder
禍害(ㄏㄨㄛˋ ㄏㄞˋ)harm; injury; evil
禍首(ㄏㄨㄛˋ ㄕㄡˇ)a chief culprit
禍從口出(ㄏㄨㄛˋ ㄘㄨㄥˊ ㄎㄡˇ ㄔㄨ)Careless talks may land one in trouble.

福 3956 ㄈㄨˊ fú
happiness; good fortune; good luck; a blessing; bliss
福庇(ㄈㄨˊ ㄅㄧˋ) or 福蔭(ㄈㄨˊ ㄧㄣˋ)(a complimentary phrase) your fortunate protection
福利(ㄈㄨˊ ㄌㄧˋ)welfare
福祿壽(ㄈㄨˊ ㄌㄨˋ ㄕㄡˋ)happiness, wealth, and longevity
福氣(ㄈㄨˊ ˙ㄑㄧ)good luck
福相(ㄈㄨˊ ㄒㄧㄤˋ)a countenance of good luck
福星高照(ㄈㄨˊ ㄒㄧㄥ ㄍㄠ ㄓㄠˋ)to ride the high tide of good luck
福澤(ㄈㄨˊ ㄗㄜˊ)good fortune
福音(ㄈㄨˊ ㄧㄣ)the gospel

禋 3957 ㄧㄣ yīn
1. to worship with sincerity and reverence 2. to offer sacrifices to Heaven

禊 3958 ㄒㄧˋ xì
semiannual exorcism performed at the water's edge in ancient times

禔 3959 ㄊㄧˊ tí
happiness; good fortune; good luck; blessings

禎 3960 ㄓㄣ zhēn
auspicious; a good omen

禕 3961 ㄧ yī
excellent

禘 3962 ㄉㄧˋ dì
imperial sacrifice made once every five years

十畫

禡 3963 ㄇㄚˋ mà
sacrifice to the god of war offered by troops on the eve of a battle

禛 3964 ㄓㄣ zhēn
to be blessed because of one's sincerity

十一畫

禦 3965 ㄩˋ yù
to guard against; to take precautions against
禦敵(ㄩˋ ㄉㄧˊ)to guard against the

〔内·禾部〕

enemy 「cold
禦寒(ㄩˋ ㄏㄢˊ)to protect oneself from

禩 3966
ㄙˋ sì 「rifices
same as 祀—to worship; to offer sac-

十二畫

禧 3967
ㄒㄧ xī (又讀 ㄒㄧˇ xǐ)
happiness; blessings; auspiciousness

禪 3968
1. ㄔㄢˊ chán
1. Zen Buddhism 2. meditation
禪房(ㄔㄢˊ ㄈㄤˊ)a hermitage
禪寺(ㄔㄢˊ ㄙˋ)a Buddhist temple
禪悟(ㄔㄢˊ ㄨˋ)to realize truth through meditation

禪 3968
2. ㄕㄢˋ shàn
as in 禪讓—to abdicate (the throne)

禨 3969
ㄐㄧ jī
to seek blessings from ghosts

十三畫

禮 3970
ㄌㄧˇ lǐ
1. courtesy; propriety 2. rites; ceremony 3. a gift
禮拜(ㄌㄧˇ ㄅㄞˋ)① church service; worship ② a week
禮拜天(ㄌㄧˇ ㄅㄞˋ ㄊㄧㄢ)or 禮拜日(ㄌㄧˇ ㄅㄞˋ ㄖˋ)Sunday 亦作「星期天」
禮砲(ㄌㄧˇ ㄆㄠˋ)a gun salute; a salvo
禮品(ㄌㄧˇ ㄆㄧㄣˇ)a gift
禮聘(ㄌㄧˇ ㄆㄧㄣˋ)to cordially invite the service of 「cap
禮帽(ㄌㄧˇ ㄇㄠˋ)a ceremonial hat or
禮貌(ㄌㄧˇ ㄇㄠˋ)politeness; etiquette
禮法(ㄌㄧˇ ㄈㄚˇ)decorum
禮服(ㄌㄧˇ ㄈㄨˊ)ceremonial dress
禮堂(ㄌㄧˇ ㄊㄤˊ)an auditorium
禮節(ㄌㄧˇ ㄐㄧㄝˊ)etiquette
禮教(ㄌㄧˇ ㄐㄧㄠˋ)ethical education
禮金(ㄌㄧˇ ㄐㄧㄣ)a cash gift
禮券(ㄌㄧˇ ㄑㄩㄢˋ)gift coupons
禮讓(ㄌㄧˇ ㄖㄤˋ)to make way humbly or modestly
禮讚(ㄌㄧˇ ㄗㄢˋ)to idolize; to glorify
禮俗(ㄌㄧˇ ㄙㄨˊ)manners and custom (of a people)
禮儀(ㄌㄧˇ ㄧˊ)etiquette
禮物(ㄌㄧˇ ㄨˋ)a gift; a present
禮遇(ㄌㄧˇ ㄩˋ)to treat with courtesy

十四畫

禰 3971
1. ㄋㄧˇ nǐ 「tablet is kept
the shrine where one's father's sacred

禰 3971
2. ㄇㄧˊ mí
a Chinese family name

禱 3972
ㄉㄠˇ dǎo 「entreat
to pray; to beseech; to plead; to
禱告(ㄉㄠˇ ㄍㄠˋ)to pray

十七畫

禳 3973
ㄖㄤˊ ráng
1. a form of sacrifice performed for exorcism 2. to exorcise

禴 3974
ㄩㄝˋ yuè
a kind of annual sacrifice

内部
ㄖㄡˊ róu

四畫

禹 3975
ㄩˇ yǔ
Yü, the legendary founder of the Hsia (夏) Dynasty (21st-16th century B.C.)

禺 3976
1. ㄩˊ yú
name of a mountain in Chekiang

禺 3976
2. ㄩˋ yù
a monkey

八畫

禽 3977
ㄑㄧㄣˊ qín 「capture
1. birds; fowls 2. same as 擒—to
禽鳥(ㄑㄧㄣˊ ㄋㄧㄠˇ)birds; fowls
禽獸(ㄑㄧㄣˊ ㄕㄡˋ)① dumb creatures ② birds and beasts

禾部
ㄏㄜˊ hé

禾 3978
ㄏㄜˊ hé 「crop
1. grains still on the stalk 2. the rice
禾苗(ㄏㄜˊ ㄇㄧㄠˊ)rice seedlings
禾稈(ㄏㄜˊ ㄍㄢˇ)the stalk of a rice plant

二畫

禿 3979
(秃) ㄊㄨ tū
bald; bare
禿頭(ㄊㄨ ㄊㄡˊ)a bald head
禿山(ㄊㄨ ㄕㄢ)a bare hill

秀 3980
ㄒㄧㄡˋ xiù
1. brilliant; excellent 2. elegant; graceful 3. (said of grain crops) to put forth new flowers or ears
秀氣(ㄒㄧㄡˋ ·ㄑㄧ) or 秀雅(ㄒㄧㄡˋ ㄧㄚˇ) fine; elegant; graceful
秀色可餐(ㄒㄧㄡˋ ㄙㄜˋ ㄎㄜˇ ㄘㄢ) (said of a woman) very attractive
秀外慧中(ㄒㄧㄡˋ ㄨㄞˋ ㄏㄨㄟˋ ㄓㄨㄥ) beautiful and intelligent

私 3981
ㄙ sī
1. private; personal; person-to-person 2. secret; clandestine 3. to have illicit relations or an affair with 4. contraband 5. prejudice; biased; to favor 6. selfish; selfishly 7. reproductive organs of both sexes
私奔(ㄙ ㄅㄣ)to elope
私房錢(ㄙ ㄈㄤˊ ㄑㄧㄢˊ)private savings
私底下(ㄙ ㄉㄧˇ ·ㄒㄧㄚ)privately
私通(ㄙ ㄊㄨㄥ)① to collaborate with enemy forces or a foreign country ② adultery
私立(ㄙ ㄌㄧˋ) (usually said of schools, hospitals, etc.) established and operated by private funds
私利(ㄙ ㄌㄧˋ)private interests
私家偵探(ㄙ ㄐㄧㄚ ㄓㄣ ㄊㄢˋ)a private detective
私交(ㄙ ㄐㄧㄠ)personal friendship
私酒(ㄙ ㄐㄧㄡˇ)bootleg
私下(ㄙ ㄒㄧㄚˋ)privately
私心(ㄙ ㄒㄧㄣ)selfishness
私刑(ㄙ ㄒㄧㄥˊ)lynching
私章(ㄙ ㄓㄤ)a personal seal
私產(ㄙ ㄔㄢˇ)private property
私處(ㄙ ㄔㄨˋ)private parts; reproductive organs of both sexes
私事(ㄙ ㄕˋ)personal affairs
私生活(ㄙ ㄕㄥ ㄏㄨㄛˊ)one's private life
私生子(ㄙ ㄕㄥ ㄗˇ)an illegitimate child
私人(ㄙ ㄖㄣˊ)individual; private
私人秘書(ㄙ ㄖㄣˊ ㄇㄧˋ ㄕㄨ)a private secretary
私自(ㄙ ㄗˋ)privately
私藏(ㄙ ㄘㄤˊ)① private collection ② to keep something against the law
私有(ㄙ ㄧㄡˇ)privately-owned
私有土地(ㄙ ㄧㄡˇ ㄊㄨˇ ㄉㄧˋ)privately-owned land; private land
私有財產(ㄙ ㄧㄡˇ ㄘㄞˊ ㄔㄢˇ)private property or possessions
私營(ㄙ ㄧㄥˊ)privately-operated
私慾(ㄙ ㄩˋ) ① personal or selfish desires ② greediness

三畫

秉 3982
ㄅㄧㄥˇ bǐng
1. to hold in hand 2. to take charge of; to rule 3. authority 4. an ancient grain measure; a measure for liquid
秉公辦理(ㄅㄧㄥˇ ㄍㄨㄥ ㄅㄢˋ ㄌㄧˇ)to handle a matter impartially
秉性 or 稟性(ㄅㄧㄥˇ ㄒㄧㄥˋ)nature
秉持(ㄅㄧㄥˇ ㄔˊ)to hold on to or to adhere to (one's principles, etc.)

四畫

秋 3983
(烁) ㄑㄧㄡ qiū
1. autumn; fall 2. time; a period 3. a season 4. a year 5. ripening of grains; a harvest
秋天(ㄑㄧㄡ ㄊㄧㄢ)autumn; fall
秋老虎(ㄑㄧㄡ ㄌㄠˇ ㄏㄨˇ)scorching heat in early autumn
秋高氣爽(ㄑㄧㄡ ㄍㄠ ㄑㄧˋ ㄕㄨㄤˇ)the clear and crisp autumn climate
秋海棠(ㄑㄧㄡ ㄏㄞˇ ㄊㄤˊ) (botany) a begonia
秋季(ㄑㄧㄡ ㄐㄧˋ)autumn (season)
秋收(ㄑㄧㄡ ㄕㄡ)the autumn harvest
秋色(ㄑㄧㄡ ㄙㄜˋ)autumn scenes

科 3984
ㄎㄜ kē
1. a department 2. a section 3. a class; a variety; a family (of plants or animals) 4. rules; laws 5. the action in Chinese opera 6. a subject in the civil service examination of former times 7. a branch of academic or vocational studies 8. to levy (taxes, etc.); to fine someone
科班出身(ㄎㄜ ㄅㄢ ㄔㄨ ㄕㄣ)having received professional training for what one is doing
科目(ㄎㄜ ㄇㄨˋ)subjects, courses, classifications of academic studies
科幻小說(ㄎㄜ ㄏㄨㄢˋ ㄒㄧㄠˇ ㄕㄨㄛ) science fiction
科技(ㄎㄜ ㄐㄧˋ)science and technology
科學(ㄎㄜ ㄒㄩㄝˊ)science
科學方法(ㄎㄜ ㄒㄩㄝˊ ㄈㄤ ㄈㄚˇ)scientific methods
科學化(ㄎㄜ ㄒㄩㄝˊ ㄏㄨㄚˋ)to scientize
科學家(ㄎㄜ ㄒㄩㄝˊ ㄐㄧㄚ)scientists
科以罰金(ㄎㄜ ㄧˇ ㄈㄚˊ ㄐㄧㄣ)to impose a fine on someone

〔禾部〕

〔禾部〕

秒 3985
ㄇㄧㄠˇ miǎo
1. (said of time or a degree) a second 2. the beard of grain
秒針(ㄇㄧㄠˇ ㄓㄣ)the second hand

秕 3986
ㄅㄧˇ bǐ
1. husks; grains not fully grown; blasted grains 2. mean; no good; not qualified or competent
秕糠(ㄅㄧˇ ㄎㄤ)worthless stuff

种 3987
ㄔㄨㄥˊ chóng
1. naive 2. a simplified form of 種

秔 3988
(稉、粳) ㄍㄥ gēng
(語音 ㄐㄧㄥ jīng)
non-glutinous rice

五畫

秦 3989
ㄑㄧㄣˊ qín
1. the feudal state of Chin (879-221 B.C.) in the Chou Dynasty, which later unified the whole country under the Chin Dynasty (221-206 B.C.) 2. another name of Shensi Province 3. a Chinese family name
秦樓楚館(ㄑㄧㄣˊ ㄌㄡˊ ㄔㄨˇ ㄍㄨㄢˇ) brothels

租 3990
ㄗㄨ zū
1. to rent; to lease; to hire 2. rent; rental 3. taxes; to tax
租費(ㄗㄨ ㄈㄟˋ)royalties
租賃(ㄗㄨ ㄌㄧㄣˋ)to rent (a house, etc.); to lease
租戶(ㄗㄨ ㄏㄨˋ)a tenant
租價(ㄗㄨ ㄐㄧㄚˋ)rent or rental
租界(ㄗㄨ ㄐㄧㄝˋ)a foreign settlement or concession
租借地(ㄗㄨ ㄐㄧㄝˋ ㄉㄧˋ)leased territory
租金(ㄗㄨ ㄐㄧㄣ)rent or rental
租契(ㄗㄨ ㄑㄧˋ)a lease or rental agreement
租售(ㄗㄨ ㄕㄡˋ)for rent or sale
租約(ㄗㄨ ㄩㄝ)a lease
租用(ㄗㄨ ㄩㄥˋ)to rent for use

秧 3991
ㄧㄤ yāng
1. rice seedlings 2. tree saplings; very young plants for transplanting 3. fry
秧苗(ㄧㄤ ㄇㄧㄠˊ)rice seedlings

秤 3992
1. ㄔㄥˋ chèng
1. a weighing scale; a balance 2. to weigh with a scale, etc.
秤錘(ㄔㄥˋ ㄔㄨㄟˊ)the weight used with a steelyard

秤 3992
2. ㄆㄧㄥˊ píng
scales for measuring weight

秩 3993
ㄓˋ zhì
1. order; orderly 2. official ranks 3. official salaries 4. a decade
秩序(ㄓˋ ㄒㄩˋ)① order ② arrangement
秩序井然(ㄓˋ ㄒㄩˋ ㄐㄧㄥˇ ㄖㄢˊ)in perfect or apple-pie order

秣 3994
ㄇㄛˋ mò
1. horse feed; fodder 2. to feed a horse

秭 3995
ㄗˇ zǐ
one trillion—1,000,000,000,000

秬 3996
ㄐㄩˋ jù
the black millet

秫 3997
ㄕㄨˊ shú
a glutinous variety of millet; kaoliang

六畫

移 3998
ㄧˊ yí
1. to change; to alter 2. to shift; to move 3. to forward; to transmit 4. to give; to endow
移民(ㄧˊ ㄇㄧㄣˊ)① to immigrate; immigration ② an immigrant
移民政策(ㄧˊ ㄇㄧㄣˊ ㄓㄥˋ ㄘㄜˋ)an immigration policy
移動(ㄧˊ ㄉㄨㄥˋ)to move
移開(ㄧˊ ㄎㄞ)to move away
移花接木(ㄧˊ ㄏㄨㄚ ㄐㄧㄝ ㄇㄨˋ)to cheat by sleight of hand
移交(ㄧˊ ㄐㄧㄠ)to turn over
移居(ㄧˊ ㄐㄩ)to move to another town, country, etc. for settlement
移情別戀(ㄧˊ ㄑㄧㄥˊ ㄅㄧㄝˊ ㄌㄧㄢˋ)to shift one's love to another person
移植(ㄧˊ ㄓˊ)① to transplant ② grafting; transplanting
移轉(ㄧˊ ㄓㄨㄢˇ)to transfer (certain rights, holdings, etc.)

七畫

稍 3999
ㄕㄠ shāo
1. slightly; a little; slight 2. somewhat; rather 3. gradually
稍後(ㄕㄠ ㄏㄡˋ)shortly afterward; soon afterward
稍候(ㄕㄠ ㄏㄡˋ)to wait for a while (or moment) 亦作「稍等」
稍加(ㄕㄠ ㄐㄧㄚ)slightly more; to make some addition

稍息(ㄕㄠ ㄒㄧˊ)At ease!
稍縱即逝(ㄕㄠ ㄗㄨㄥˋ ㄐㄧˊ ㄕˋ)transient; fleeting
稍有更動(ㄕㄠ ㄧㄡˇ ㄍㄥ ㄉㄨㄥˋ)some slight changes
稍微(ㄕㄠ ㄨㄟ)or稍許(ㄕㄠ ㄒㄩˇ) slightly; a little; a bit; rather

稀 4000 ㄒㄧ xī
1. thin (liquids, etc.); watery; diluted 2. rare; scarce 3. scattered; sparse 4. open; loose (as texture)
稀薄(ㄒㄧ ㄅㄛˊ)(said of air) thin or rare
稀飯(ㄒㄧ ㄈㄢˋ)congee; gruel
稀客(ㄒㄧ ㄎㄜˋ)a guest who seldom comes to visit
稀罕(ㄒㄧ ㄏㄢˇ)① rare; rarity; scarce ② to care
稀奇(ㄒㄧ ㄑㄧˊ)①strange; rare ②to care
稀釋(ㄒㄧ ㄕˋ)to dilute (liquids)
稀少(ㄒㄧ ㄕㄠˇ)few; little; scarce; rare; sparse
稀疏(ㄒㄧ ㄕㄨ)scattered or dispersed; thin; sparse

稅 4001 ㄕㄨㄟˋ shuì
taxes; duties on commodities
稅法(ㄕㄨㄟˋ ㄈㄚˇ)tax law
稅單(ㄕㄨㄟˋ ㄉㄢ)① a transit pass for imports; a tax invoice ② a tax form
稅率(ㄕㄨㄟˋ ㄌㄩˋ)tax rates
稅款(ㄕㄨㄟˋ ㄎㄨㄢˇ)tax money
稅金(ㄕㄨㄟˋ ㄐㄧㄣ)tax money
稅捐稽徵處(ㄕㄨㄟˋ ㄐㄩㄢ ㄐㄧ ㄓㄥ ㄔㄨˋ)a tax collection office
稅收(ㄕㄨㄟˋ ㄕㄡ)tax revenue
稅額扣減(ㄕㄨㄟˋ ㄜˊ ㄎㄡˋ ㄐㄧㄢˇ)tax deduction
稅務機關(ㄕㄨㄟˋ ㄨˋ ㄐㄧ ㄍㄨㄢ)tax offices
稅務人員(ㄕㄨㄟˋ ㄨˋ ㄖㄣˊ ㄩㄢˊ)revenue officers; tax collectors

稊 4002 ㄊㄧˊ tí
darnels; tares

稈 4003 ㄍㄢˇ gǎn
the stalk of grain; straw

稂 4004 ㄌㄤˊ láng
weeds or grass which are particularly harmful to the growth of rice seedlings

程 4005 ㄔㄥˊ chéng
1. a form; a pattern 2. degree; extent 3. a schedule; an agenda; order 4. a course 5. to measure; to assess 6. a journey; a road 7. distance
程度(ㄔㄥˊ ㄉㄨˋ)① degree; extent ② standard
程序(ㄔㄥˊ ㄒㄩˋ)procedures
程式(ㄔㄥˊ ㄕˋ)(computers) a program
程式設計(ㄔㄥˊ ㄕˋ ㄕㄜˋ ㄐㄧˋ)programing

稌 4006 ㄊㄨˊ tú
(glutinous) rice

八畫

稟 4007 ㄅㄧㄥˇ bǐng
1. to report to a superior or one's seniors; to petition; to appeal 2. to receive commands; at the behest of 3. one's natural endowments or gifts
稟報(ㄅㄧㄥˇ ㄅㄠˋ)or稟告(ㄅㄧㄥˇ ㄍㄠˋ) to report to a superior
稟明(ㄅㄧㄥˇ ㄇㄧㄥˊ)to explain to a superior or elder
稟性(ㄅㄧㄥˇ ㄒㄧㄥˋ)a natural disposition or temperament

稔 4008 ㄖㄣˇ rěn
1. the ripening of paddy or rice; a harvest 2. a year 3. used to; often 4. to accumulate; to hoard 5. to be familiar with somebody

稚 4009 (穉) ㄓˋ zhì
small; delicate; immature; childish
稚齡(ㄓˋ ㄌㄧㄥˊ)tender age (or years)
稚氣(ㄓˋ ㄑㄧˋ)childishness
稚子(ㄓˋ ㄗˇ)young children

稜 4010 ㄌㄥˊ léng
1. a corner; an angle; an edge 2. a square piece of wood 3. an awe-inspiring air
稜角(ㄌㄥˊ ㄐㄧㄠˇ)an angle
稜鏡(ㄌㄥˊ ㄐㄧㄥˋ)a prism

稗 4011 ㄅㄞˋ bài
1. barnyard grass 2. small; little 3. novels, etc.
稗官野史(ㄅㄞˋ ㄍㄨㄢ ㄧㄝˇ ㄕˇ)unofficial historical writings

稠 4012 ㄔㄡˊ chóu
1. dense; closely crowded together 2. (said of liquids) thick; viscous
稠密(ㄔㄡˊ ㄇㄧˋ)crowded; dense

稞 4013 ㄎㄜ kē
wheat or barley

九畫

種 4014 1. ㄓㄨㄥˇ zhǒng
1. seeds of grain 2. races (of human beings) 3. descendants; posterity 4. a species; a kind or sort 5. guts

〔禾部〕

〔禾部〕

種類(ㄓㄨㄥˇ ㄌㄟˋ)a sort, kind, variety or class

種種(ㄓㄨㄥˇ ㄓㄨㄥˇ)① various kinds ② short-cropped hair

種子(ㄓㄨㄥˇ ㄗˇ)a seed

種族(ㄓㄨㄥˇ ㄗㄨˊ)(said of people) a race, or tribe

種族歧視(ㄓㄨㄥˇ ㄗㄨˊ ㄑㄧˊ ㄕˋ)racial discrimination

種 4014
2. ㄓㄨㄥˋ zhòng

1. to plant; to sow 2. to vaccinate

種田(ㄓㄨㄥˋ ㄊㄧㄢˊ)to farm

種瓜得瓜，種豆得豆(ㄓㄨㄥˋ ㄍㄨㄚ ㄉㄜˊ ㄍㄨㄚ，ㄓㄨㄥˋ ㄉㄡˋ ㄉㄜˊ ㄉㄡˋ) One reaps what he sows.

種花(ㄓㄨㄥˋ ㄏㄨㄚ)to raise, grow or cultivate flowers

種植(ㄓㄨㄥˋ ㄓˊ)to plant

種菜(ㄓㄨㄥˋ ㄘㄞˋ)to grow vegetables

稱 4015
1. ㄔㄥ chēng

1. to weigh; to measure weight 2. to claim; to report; to declare 3. to call; to name; a name; an appellation 4. to offer as an excuse (as illness) 5. to say; to tell 6. to praise 7. to take up (arms, etc.)

稱霸(ㄔㄥ ㄅㄚˋ)to hold an undisputed position of strength

稱病(ㄔㄥ ㄅㄧㄥˋ)to offer illness as an excuse

稱道(ㄔㄥ ㄉㄠˋ)to praise or acclaim

稱號(ㄔㄥ ㄏㄠˋ)an appellation; a title

稱呼(ㄔㄥ ㄏㄨ)a name by which one addresses another; to name

稱許(ㄔㄥ ㄒㄩˇ)to approve and praise

稱兄道弟(ㄔㄥ ㄒㄩㄥ ㄉㄠˋ ㄉㄧˋ)on first-name terms; very intimate

稱雄(ㄔㄥ ㄒㄩㄥˊ)to claim leadership

稱讚(ㄔㄥ ㄗㄢˋ)to praise

稱頌(ㄔㄥ ㄙㄨㄥˋ)to praise; to extol

稱謂(ㄔㄥ ㄨㄟˋ)name or appellation of a person or thing

稱 4015
2. ㄔㄥˋ chèng

1. a steelyard; a weighing machine 2. fit; proper; suitable; well-matched 3. symmetrical; to be equal to

稱職(ㄔㄥˋ ㄓˊ)equal to the job one is doing

稱 4015
3. ㄔㄣˋ chèn

fit; suitable; in accordance with

稱心(ㄔㄣˋ ㄒㄧㄣ)to have something as one's wish

稱心如意(ㄔㄣˋ ㄒㄧㄣ ㄖㄨˊ ㄧˋ)very gratifying and satisfactory

稭 4016
ㄐㄧㄝ jiē

the stalk of corn, hemp, etc.

稨 4017
ㄅㄧㄢˇ biǎn

a lentil

十畫

穀 4018
ㄍㄨˇ gǔ

1. grain; corn; cereals 2. lucky; happy 3. to live; while alive

穀類(ㄍㄨˇ ㄌㄟˋ)cereals

穀子(ㄍㄨˇ ·ㄗ)millet

穀倉(ㄍㄨˇ ㄘㄤ)a granary

穀物(ㄍㄨˇ ㄨˋ)cereals; grain

稿 4019
(稾) ㄍㄠˇ gǎo

1. a manuscript; a sketch 2. a pattern or copy book for drawing 3. straw; a stalk of grain

稿費(ㄍㄠˇ ㄈㄟˋ)fees paid to the contributor of a published article

稿件(ㄍㄠˇ ㄐㄧㄢˋ)① contribution to a publication ② manuscripts

稿紙(ㄍㄠˇ ㄓˇ)manuscript or draft paper

稿子(ㄍㄠˇ ·ㄗ)①manuscripts; drafts② plans in one's mind

稷 4020
ㄐㄧˋ jì

panicled millet

稼 4021
ㄐㄧㄚˋ jià

1. to farm, plant, sow or cultivate 2. grain; crops

稼穡(ㄐㄧㄚˋ ㄙㄜˋ)farming

稻 4022
ㄉㄠˋ dào

as in 稻米—paddy or rice

稻田(ㄉㄠˋ ㄊㄧㄢˊ)a rice field

稻子(ㄉㄠˋ ·ㄗ)unhulled rice

稻草(ㄉㄠˋ ㄘㄠˇ)rice straw

稻草堆(ㄉㄠˋ ㄘㄠˇ ㄉㄨㄟ)a straw stack

稻草人(ㄉㄠˋ ㄘㄠˇ ㄖㄣˊ)a scarecrow

稻穗(ㄉㄠˋ ㄙㄨㄟˋ)the ear or spike of the rice plant

稽 4023
1. ㄐㄧ jī

1. to investigate; to inspect; to verify 2. to stay; to delay

稽考(ㄐㄧ ㄎㄠˇ)to verify

稽核(ㄐㄧ ㄏㄜˊ)to examine and audit

稽查or稽察(ㄐㄧ ㄔㄚˊ)to examine and investigate

稽 4023
2. ㄑㄧˇ qǐ

to kowtow; to bow to the ground

稽首(ㄑㄧˇ ㄕㄡˇ)to kowtow—an expression of great respect

稹 4024
ㄓㄣˇ zhěn

1. circumspect 2. (said of roots) entwined

十一畫

穈 4025
ㄇㄣˊ mén
large-grained millet with red seedlings

穌 4026
ㄙㄨ sū
1. to mow grass 2. to revive; to come to

穎 4027
(頴) ㄧㄥˇ yǐng
1. outstanding; remarkable; talented; distinguished 2. a sharp point of an awl 3. the point of a writing brush 4. the ears of grain hanging down with their own weight
穎慧(ㄧㄥˇ ㄏㄨㄟˋ)clever; bright
穎秀(ㄧㄥˇ ㄒㄧㄡˋ)outstandingly talented

穆 4028
ㄇㄨˋ mù
1. peaceful; serene 2. respectful 3. profound 4. majestic; solemn 5. the right side of an ancestral shrine
穆然(ㄇㄨˋ ㄖㄢˊ)peaceful and respectful

積 4029
ㄐㄧ jī
1. to accumulate; to store up; to amass 2. long (time); old; deep-rooted 3. (mathematics) product
積弊(ㄐㄧ ㄅㄧˋ)deep-rooted evils or corrupt ways
積分(ㄐㄧ ㄈㄣ)① accumulated points ② integral calculus
積德(ㄐㄧ ㄉㄜˊ)to make it a point to do good deeds whenever possible
積體電路(ㄐㄧ ㄊㄧˇ ㄉㄧㄢˋ ㄌㄨˋ)integrated circuit (IC)
積勞成疾(ㄐㄧ ㄌㄠˊ ㄔㄥˊ ㄐㄧˊ)to fall sick from persistent overwork
積極(ㄐㄧ ㄐㄧˊ)positive(ly)
積聚(ㄐㄧ ㄐㄩˋ)to accumulate
積欠(ㄐㄧ ㄑㄧㄢˋ)accumulated debts
積蓄(ㄐㄧ ㄒㄩˋ)savings
積雪(ㄐㄧ ㄒㄩㄝˇ)accumulated snow
積少成多(ㄐㄧ ㄕㄠˇ ㄔㄥˊ ㄉㄨㄛ)Many feathers make a bed.
積水(ㄐㄧ ㄕㄨㄟˇ)to accumulate water
積存(ㄐㄧ ㄘㄨㄣˊ)to save; to store; to lay up (or in)
積壓(ㄐㄧ ㄧㄚ)to neglect handling official papers, legal cases, etc.

穄 4030
ㄐㄧˋ jì
same as 稷—panicled millet

十二畫

穗 4031
ㄙㄨㄟˋ suì
1. fruits or grains in a cluster grown at the tip of a stem or stalk 2. the ear of grain 3. another name of Canton 4. a candle snuff; a candlewick

十三畫

穡 4032
ㄙㄜˋ sè
1. to harvest grain; to reap 2. same as 嗇—thrifty; stingy

穢 4033
ㄏㄨㄟˋ huì
1. vile; wicked 2. dirty 3. obscene (ways or conduct) 4. ugly and abominable 5. weeds on a farm
穢氣(ㄏㄨㄟˋ ㄑㄧˋ)foul air
穢物(ㄏㄨㄟˋ ㄨˋ)filth

穠 4034
ㄋㄨㄥˊ nóng
luxuriant growth of plants
穠纖合度(ㄋㄨㄥˊ ㄒㄧㄢ ㄏㄜˊ ㄉㄨˋ)(said of a girl's figure) well-proportioned

十四畫

穩 4035
ㄨㄣˇ wěn
1. stable; firm 2. certain 3. secure; security
穩當(ㄨㄣˇ ·ㄉㄤ)proper and secure
穩定(ㄨㄣˇ ㄉㄧㄥˋ)stable; steady
穩固(ㄨㄣˇ ㄍㄨˋ)stable and firm
穩紮穩打(ㄨㄣˇ ㄓㄚˊ ㄨㄣˇ ㄉㄚˇ)to do things steadily without hurrying
穩重(ㄨㄣˇ ㄓㄨㄥˋ)steady, calm, and dignified

穫 4036
ㄏㄨㄛˋ huò
to reap or harvest; to cut grain

十七畫

穰 4037
ㄖㄤˊ ráng
1. crowded 2. confusing 3. stalks of cereal grasses 4. luxuriant

穴部
ㄒㄩㄝˋ xuè

穴 4038
ㄒㄩㄝˋ xuè
1. a cave; a den; a hole 2. points in the human body where acupuncture can be applied 3. (Chinese boxing) points in the human body where nerve centers are supposed to be located, a strike at which may cause paralysis or even death
穴道(ㄒㄩㄝˋ ㄉㄠˋ)① see 穴 2. and 3. ② an underground channel

二畫

〔穴部〕

究 4039 ㄐㄧㄡˋ jiù (又讀 ㄐㄧㄡ jiū)
1. to study; to investigate exhaustively 2. finally 3. actually

究竟(ㄐㄧㄡˋ ㄐㄧㄥˋ)① the outcome ② after all; finally ③ actually

究查(ㄐㄧㄡˋ ㄔㄚˊ)to investigate

三畫

穸 4040 ㄒㄧˋ xì
1. a tomb or grave 2. the dead of night

穹 4041 ㄑㄩㄥ qiōng (又讀 ㄑㄩㄥˊ qióng)
1. high and vast 2. arched; vaulted 3. deep and spacious 4. the sky

穹蒼(ㄑㄩㄥ ㄘㄤ)the sky

空 4042 1. ㄎㄨㄥ kōng
1. empty; hollow; void 2. to empty; to exhaust 3. fictitious; unreal 4. vain and useless; ineffective 5. high and vast 6. the sky 7. (Buddhism) sunyata; empty 8. merely; only

空泛(ㄎㄨㄥ ㄈㄢˋ)not practical

空防(ㄎㄨㄥ ㄈㄤˊ)air defense

空腹(ㄎㄨㄥ ㄈㄨˋ)on an empty stomach

空檔(ㄎㄨㄥ ㄉㄤˋ)(machinery) a neutral gear

空洞(ㄎㄨㄥ ㄉㄨㄥˋ)(said of writings, etc.) empty

空頭支票(ㄎㄨㄥ ㄊㄡˊ ㄓ ㄆㄧㄠˋ)① a rubber check ② an empty promise

空談(ㄎㄨㄥ ㄊㄢˊ)empty talks

空調設備(ㄎㄨㄥ ㄊㄧㄠˊ ㄕㄜˋ ㄅㄟˋ)an air conditioner

空難(ㄎㄨㄥ ㄋㄢˋ)a plane crash

空曠(ㄎㄨㄥ ㄎㄨㄤˋ)expansive

空歡喜(ㄎㄨㄥ ㄏㄨㄢ ㄒㄧˇ)joy that ends in disappointment

空間(ㄎㄨㄥ ㄐㄧㄢ)space

空降部隊(ㄎㄨㄥ ㄐㄧㄤˋ ㄅㄨˋ ㄉㄨㄟˋ) airborne troops

空軍(ㄎㄨㄥ ㄐㄩㄣ)the air force

空氣(ㄎㄨㄥ ㄑㄧˋ)air or atmosphere

空氣調節(ㄎㄨㄥ ㄑㄧˋ ㄊㄧㄠˊ ㄐㄧㄝˊ) air conditioning

空氣污染(ㄎㄨㄥ ㄑㄧˋ ㄨ ㄖㄢˇ)air pollution

空前(ㄎㄨㄥ ㄑㄧㄢˊ)unprecedented

空襲(ㄎㄨㄥ ㄒㄧˊ)an air attack

空襲警報(ㄎㄨㄥ ㄒㄧˊ ㄐㄧㄥˇ ㄅㄠˋ)an air-raid alarm

空心(ㄎㄨㄥ ㄒㄧㄣ)hollow

空心菜(ㄎㄨㄥ ㄒㄧㄣ ㄘㄞˋ)a water convolvulus 亦作「蕹菜」

空想(ㄎㄨㄥ ㄒㄧㄤˇ)an impractical thought or idea

空虛(ㄎㄨㄥ ㄒㄩ)empty

空戰(ㄎㄨㄥ ㄓㄢˋ)an air battle

空中(ㄎㄨㄥ ㄓㄨㄥ)in the air

空中巴士(ㄎㄨㄥ ㄓㄨㄥ ㄅㄚ ㄕˋ)an air bus

空中飛人(ㄎㄨㄥ ㄓㄨㄥ ㄈㄟ ㄖㄣˊ) a trapeze show

空中大學(ㄎㄨㄥ ㄓㄨㄥ ㄉㄚˋ ㄒㄩㄝˊ) an open university

空中纜車(ㄎㄨㄥ ㄓㄨㄥ ㄌㄢˇ ㄔㄜ) a cable car

空中小姐(ㄎㄨㄥ ㄓㄨㄥ ㄒㄧㄠˇ ㄐㄧㄝˇ) a stewardess

空中少爺(ㄎㄨㄥ ㄓㄨㄥ ㄕㄠˋ ㄧㄝˊ)(informal) a male flight attendant

空城計(ㄎㄨㄥ ㄔㄥˊ ㄐㄧˋ)a bluff

空手(ㄎㄨㄥ ㄕㄡˇ)empty-handed

空手道(ㄎㄨㄥ ㄕㄡˇ ㄉㄠˋ)karate

空運(ㄎㄨㄥ ㄩㄣˋ)air transportation

空 4042 2. ㄎㄨㄥˋ kòng
1. leisure 2. blank (space); vacant 3. spacious—implying a sense of awe 4. an opportunity 5. wanting

空白(ㄎㄨㄥˋ ㄅㄞˊ)a blank in a paper or form

空白支票(ㄎㄨㄥˋ ㄅㄞˊ ㄓ ㄆㄧㄠˋ) a blank check

空房(ㄎㄨㄥˋ ㄈㄤˊ)an unoccupied house or room

空檔(ㄎㄨㄥˋ ㄉㄤˋ)spare time

空地(ㄎㄨㄥˋ ㄉㄧˋ)a vacant area

空格兒(ㄎㄨㄥˋ ㄍㄜˊㄦ)the blank in a form (for filling)

空缺(ㄎㄨㄥˋ ㄑㄩㄝ)a vacant position

空隙(ㄎㄨㄥˋ ㄒㄧˋ)a loophole

空閒(ㄎㄨㄥˋ ㄒㄧㄢˊ)leisure

空位(ㄎㄨㄥˋ ㄨㄟˋ)an unoccupied seat

四畫

穿 4043 ㄔㄨㄢ chuān
1. to wear (clothes, shoes, etc.) 2. to pierce through; to thread 3. to cross (a street, etc.) 4. to see through; to bare (a secret, etc.)

穿戴(ㄔㄨㄢ ㄉㄞˋ)to wear (clothes, ornaments, etc.)

穿透(ㄔㄨㄢ ㄊㄡˋ)to penetrate

穿廊(ㄔㄨㄢ ㄌㄤˊ)a corridor

穿過去(ㄔㄨㄢ·ㄍㄨㄛ ·ㄑㄩ)to penetrate

穿孔(ㄔㄨㄢ ㄎㄨㄥˇ)to punch

穿孔機(ㄔㄨㄢ ㄎㄨㄥˇ ㄐㄧ)a punch

穿鞋(ㄔㄨㄢ ㄒㄧㄝˊ)to put on shoes

穿針引線(ㄔㄨㄢ ㄓㄣ ㄧㄣˇ ㄒㄧㄢˋ)to serve as a go-between

穿著(ㄔㄨㄢ ㄓㄨㄛˊ)attire; dress

穿插(ㄔㄨㄢ ㄔㄚ)the insertion of an episode or interlude

穿山甲(ㄔㄨㄢ ㄕㄢ ㄐㄧㄚˇ) *Manis pentadactyla,* the pangolin
穿鑿附會(ㄔㄨㄢ ㄗㄨㄛˋ ㄈㄨˋ ㄏㄨㄟˋ) to offer far-fetched explanations
穿梭(ㄔㄨㄢ ㄙㄨㄛ)busy comings and goings of people
穿越(ㄔㄨㄢ ㄩㄝ)to pass through

突 4044 ㄊㄨˊ tú

1. abrupt; unexpected; suddenly 2. to offend; to go against 3. to break through (enemy encirclement) 4. to project or jut out 5. a chimney
突變(ㄊㄨˊ ㄅㄧㄢˋ)mutation
突破(ㄊㄨˊ ㄆㄛˋ)to break (old records, etc.)
突飛猛進(ㄊㄨˊ ㄈㄟ ㄇㄥˇ ㄐㄧㄣˋ)to progress rapidly
突擊隊(ㄊㄨˊ ㄐㄧˊ ㄉㄨㄟˋ)shock troops
突擊檢查(ㄊㄨˊ ㄐㄧˊ ㄐㄧㄢˇ ㄔㄚˊ)to make a search without prior notice or announcement
突襲(ㄊㄨˊ ㄒㄧˊ)surprise attack
突出(ㄊㄨˊ ㄔㄨ)outstanding
突然(ㄊㄨˊ ㄖㄢˊ)suddenly
突兀(ㄊㄨˊ ㄨˋ)suddenly

窀 4045 ㄓㄨㄣ zhūn

a pit for the coffin

五畫

窅 4046 ㄧㄠˇ yǎo

1. far and deep; mysterious 2. sad

窈 4047 ㄧㄠˇ yǎo

1. deep; obscure; secluded 2. tranquil
窈窕(ㄧㄠˇ ㄊㄧㄠˇ)(said of young women) attractive and charming

窄 4048 ㄓㄞˇ zhǎi (又讀 ㄗㄜˊ zé)

1. narrow; tight 2. narrow-minded
窄小(ㄓㄞˇ ㄒㄧㄠˇ)narrow and small

窆 4049 ㄅㄧㄢˋ biǎn

to put the coffin in the grave; to bury

六畫

窒 4050 ㄓˋ zhì

to block; to stop up; to obstruct; to stuff up
窒息(ㄓˋ ㄒㄧˊ)to suffocate
窒礙(ㄓˋ ㄞˋ)an obstacle

窕 4051 ㄊㄧㄠˇ tiǎo

1. slender 2. charming and attractive 3. beautiful; wonderful; good

七畫

窖 4052 ㄐㄧㄠˋ jiào

1. a cellar; a vault; a pit 2. to store things in a cellar, etc.

窗 4053 (窓、窻、牕) ㄔㄨㄤ chuāng

1. a window; a skylight 2. a place where one studies
窗臺(ㄔㄨㄤ ㄊㄞˊ)a window sill
窗簾 or 窗帘(ㄔㄨㄤ ㄌㄧㄢˊ)a window curtain
窗口(ㄔㄨㄤ ㄎㄡˇ)①a window ②a wicket
窗戶(ㄔㄨㄤ ·ㄏㄨ)a window

窘 4054 ㄐㄩㄥˇ jiǒng

1. hard-pressed; poverty-stricken 2. to embarrass 3. afflicted; distressed
窘迫(ㄐㄩㄥˇ ㄆㄛˋ)hard-pressed
窘態(ㄐㄩㄥˇ ㄊㄞˋ)an embarrassed look
窘境(ㄐㄩㄥˇ ㄐㄧㄥˋ)a predicament

八畫

窟 4055 ㄎㄨ kū

1. a hole 2. to dig the ground and build underground living quarters
窟窿(ㄎㄨ ·ㄌㄨㄥ)holes

窠 4056 ㄎㄜ kē

1. a den; a burrow 2. a nest 3. a hole 4. a dwelling for people
窠臼(ㄎㄜ ㄐㄧㄡˋ)a stereotype

九畫

窩 4057 ㄨㄛ wō

1. a cave; a nest 2. an apartment; a house 3. to hide (a criminal, etc.) 4. to bend; to crease 5. a litter; a brood 6. to block 7. a pit
窩囊(ㄨㄛ ·ㄋㄤ)good-for-nothing; useless (person)
窩藏(ㄨㄛ ㄘㄤˊ)to harbor (outlaws)

窪 4058 ㄨㄚ wā

1. deep; hollow 2. a pit; a hole; a hollow
窪地(ㄨㄚ ㄉㄧˋ)marsh land

窨 4059 1. ㄧㄣˋ yìn

a cellar; an underground storeroom

窨 4059 2. ㄒㄩㄣ xūn

to add aroma to tea by mixing it with jasmine

窬 4060 ㄩˊ yú

〔穴部〕

1. a hole in the wall; a small door or window 2. to climb over a wall

十畫

〔立部〕

窮 4061 ㄑㄩㄥˊ qióng
1. poor; destitute 2. to exhaust 3. distress; affliction 4. the extreme; the farthest 5. thoroughly
窮忙(ㄑㄩㄥˊ ㄇㄤˊ)to be busy for nothing
窮途(末路)(ㄑㄩㄥˊ ㄊㄨˊ(ㄇㄛˋ ㄌㄨˋ)) extremely distressed or difficult state
窮光蛋(ㄑㄩㄥˊ ㄍㄨㄤ ㄉㄢˋ)a penniless vagrant
窮困(ㄑㄩㄥˊ ㄎㄨㄣˋ) or 窮苦(ㄑㄩㄥˊ ㄎㄨˇ)poverty-stricken
窮困潦倒(ㄑㄩㄥˊ ㄎㄨㄣˋ ㄌㄧㄠˇ ㄉㄠˇ)to be penniless and frustrated
窮鄉僻壤(ㄑㄩㄥˊ ㄒㄧㄤ ㄆㄧˋ ㄖㄤˇ) remote areas
窮追不捨(ㄑㄩㄥˊ ㄓㄨㄟ ㄅㄨˋ ㄕㄜˇ)to pursue relentlessly
窮日子(ㄑㄩㄥˊ ㄖˋ·ㄗ)poverty-stricken days
窮人(ㄑㄩㄥˊ ㄖㄣˊ)the poor

窰 4062 (窯) ㄧㄠˊ yáo
1. a kiln; a brick furnace 2. pottery 3. a pit in a coal mine 4. a cave—for human dwelling 5. a brothel
窰子(ㄧㄠˊ·ㄗ)①a brothel ②a prostitute

窳 4063 ㄩˇ yǔ
1. crude 2. lazy 3. weak 4. bad; mean

十一畫

窺 4064 ㄎㄨㄟ kuī
to watch or see in secret; to spy
窺見(ㄎㄨㄟ ㄐㄧㄢˋ)to get a glimpse of
窺視(ㄎㄨㄟ ㄕˋ)to watch secretly
窺測(ㄎㄨㄟ ㄘㄜˋ)to watch and assess (a situation, etc.)

窶 4065 ㄐㄩˋ jù
impoverished; straitened; destitute

十二畫

窾 4066 ㄎㄨㄢˇ kuǎn
1. a hollow; an opening 2. empty; hollow

窿 4067 ㄌㄨㄥˊ lóng
a hole; a cavity

十三畫

竄 4068 ㄘㄨㄢˋ cuàn
1. to escape; to flee 2. to change or alter (the wording) 3. to banish
竄逃(ㄘㄨㄢˋ ㄊㄠˊ)to flee in disorder
竄改(ㄘㄨㄢˋ ㄍㄞˇ)to interpolate

竅 4069 ㄑㄧㄠˋ qiào
1. a hole 2. apertures 3. the crux, key points, gist of a matter; a knack
竅門(ㄑㄧㄠˋ ㄇㄣˊ)the secret of doing something successfully

十五畫

竇 4070 ㄉㄡˋ dòu
1. a hole; a cavity 2. a corrupt practice

十六畫

竈 4071 (灶) ㄗㄠˋ zào
1. a kitchen 2. a cooking stove or furnace
竈神(ㄗㄠˋ ㄕㄣˊ) or 竈王爺(ㄗㄠˋ ㄨㄤˊ ㄧㄝˊ)the god of the kitchen

十七畫

竊 4072 ㄑㄧㄝˋ qiè
1. to steal; to burglarize 2. a thief; a burglar 3. to usurp 4. stealthy 5. a self-derogatory way of saying "I"
竊盜罪(ㄑㄧㄝˋ ㄉㄠˋ ㄗㄨㄟˋ)larceny
竊聽(ㄑㄧㄝˋ ㄊㄧㄥ)to eavesdrop
竊聽器(ㄑㄧㄝˋ ㄊㄧㄥ ㄑㄧˋ)a bugging device
竊竊私語(ㄑㄧㄝˋ ㄑㄧㄝˋ ㄙ ㄩˇ)to whisper
竊取(ㄑㄧㄝˋ ㄑㄩˇ)to steal
竊笑(ㄑㄧㄝˋ ㄒㄧㄠˋ)to laugh in secret
竊賊(ㄑㄧㄝˋ ㄗㄟˊ)a thief; a burglar
竊案(ㄑㄧㄝˋ ㄢˋ)a theft case

立部 ㄌㄧˋ ㄅㄨˋ

立 4073 ㄌㄧˋ lì
1. to stand 2. to establish; to found 3. to stand on one's own feet; to live 4. immediately; at once
立碑(ㄌㄧˋ ㄅㄟ)to erect a monument
立法(ㄌㄧˋ ㄈㄚˇ)to legislate
立法委員(ㄌㄧˋ ㄈㄚˇ ㄨㄟˇ ㄩㄢˊ)a legislator
立法院(ㄌㄧˋ ㄈㄚˇ ㄩㄢˋ)Legislative Yuan
立方(ㄌㄧˋ ㄈㄤ)(mathematics) cube
立定(ㄌㄧˋ ㄉㄧㄥˋ)(word of command) Halt!

立體(ㄌㄧˋ ㄊㄧˇ)① a solid body; a solid ② three-dimensional
立體停車場(ㄌㄧˋ ㄊㄧˇ ㄊㄧㄥˊ ㄔㄜ ㄔㄤˊ)a multistory parking garage
立竿見影(ㄌㄧˋ ㄍㄢ ㄐㄧㄢˋ ㄧㄥˇ)The outcome may be known immediately.
立功(ㄌㄧˋ ㄍㄨㄥ)to render distinguished service
立刻(ㄌㄧˋ ㄎㄜˋ)or 立即(ㄌㄧˋ ㄐㄧˊ)at once; immediately
立脚點(ㄌㄧˋ ㄐㄧㄠˇ ㄉㄧㄢˇ)or 立足點(ㄌㄧˋ ㄗㄨˊ ㄉㄧㄢˇ)a footing; a foothold
立契(ㄌㄧˋ ㄑㄧˋ)to make a contract
立志(ㄌㄧˋ ㄓˋ)to set an object of pursuit
立正(ㄌㄧˋ ㄓㄥˋ)Attention!
立錐之地(ㄌㄧˋ ㄓㄨㄟ ㄓ ㄉㄧˋ)very small space
立場(ㄌㄧˋ ㄔㄤˇ)an attitude
立誓(ㄌㄧˋ ㄕˋ)to swear
立嗣(ㄌㄧˋ ㄙˋ)to adopt an heir
立案(ㄌㄧˋ ㄢˋ)to accredit
立遺囑(ㄌㄧˋ ㄧˊ ㄓㄨˇ)to make one's will

五畫

站 4074 ㄓㄢˋ zhàn
1. to stand 2. a station; a stop
站不住脚(ㄓㄢˋ ˙ㄅㄨ ㄓㄨˋ ㄐㄧㄠˇ)unable to hold one's position
站票(ㄓㄢˋ ㄆㄧㄠˋ)an SRO (standing room only) ticket
站立(ㄓㄢˋ ㄌㄧˋ)to stand
站崗(ㄓㄢˋ ㄍㄤˇ)to stand sentry
站起來(ㄓㄢˋ ㄑㄧˇ ˙ㄌㄞ)to stand up
站長(ㄓㄢˋ ㄓㄤˇ)the head of a station
站住(ㄓㄢˋ ˙ㄓㄨ)(word of command) Halt! 或 to stop; to stand
站穩(ㄓㄢˋ ㄨㄣˇ)to stand firm

竚 4075 (佇) ㄓㄨˋ zhù
to stand for a long time
竚候(ㄓㄨˋ ㄏㄡˋ)to stand and wait

竝 4076 (並) ㄅㄧㄥˋ bìng
1. also; and 2. to combine; to join

六畫

竟 4077 ㄐㄧㄥˋ jìng
1. to terminate; to finish 2. rather unexpectedly
竟敢(ㄐㄧㄥˋ ㄍㄢˇ)to have the audacity
竟然(ㄐㄧㄥˋ ㄖㄢˊ)somewhat to one's surprise

章 4078 ㄓㄤ zhāng
1. a chapter 2. a system; a statute 3. an emblem; a seal; a stamp 4. to make known 5. a pattern
章回小說(ㄓㄤ ㄏㄨㄟˊ ㄒㄧㄠˇ ㄕㄨㄛ)a serial novel
章節(ㄓㄤ ㄐㄧㄝˊ)chapters and sections (of a piece of writing)
章程(ㄓㄤ ㄔㄥˊ)① a set of regulation ② a solution; a way
章魚(ㄓㄤ ㄩˊ)an octopus

七畫

童 4079 ㄊㄨㄥˊ tóng
1. a child; a minor; a virgin 2. (said of land, etc.) bare; barren
童年(ㄊㄨㄥˊ ㄋㄧㄢˊ)childhood
童工(ㄊㄨㄥˊ ㄍㄨㄥ)a child laborer
童話(ㄊㄨㄥˊ ㄏㄨㄚˋ)fairy tales
童貞(ㄊㄨㄥˊ ㄓㄣ)virginity
童裝(ㄊㄨㄥˊ ㄓㄨㄤ)children's garments
童子軍(ㄊㄨㄥˊ ㄗˇ ㄐㄩㄣ)a boy scout
童謠(ㄊㄨㄥˊ ㄧㄠˊ)nursery songs

竣 4080 ㄐㄩㄣˋ jùn
accomplished; completed
竣工(ㄐㄩㄣˋ ㄍㄨㄥ)(said of a construction project) to be completed

竦 4081 ㄙㄨㄥˇ sǒng
1. respectful 2. awed
竦然(ㄙㄨㄥˇ ㄖㄢˊ)fearful

九畫

竭 4082 ㄐㄧㄝˊ jié
1. to devote, or put forth (efforts, etc.) 2. to exhaust; to use up
竭力(ㄐㄧㄝˊ ㄌㄧˋ)to do one's best
竭盡(ㄐㄧㄝˊ ㄐㄧㄣˋ)to exhaust
竭誠(ㄐㄧㄝˊ ㄔㄥˊ)wholeheartedly

端 4083 ㄉㄨㄢ duān
1. an extreme; an end 2. a beginning 3. correct; proper; upright 4. leads; a clue 5. to carry carefully 6. cause
端倪(ㄉㄨㄢ ㄋㄧˊ)a clue; signs
端詳(ㄉㄨㄢ ㄒㄧㄤˊ)① to scrutinize ② details
端正(ㄉㄨㄢ ㄓㄥˋ)① correct; proper ② to correct
端莊(ㄉㄨㄢ ㄓㄨㄤ)dignified
端坐(ㄉㄨㄢ ㄗㄨㄛˋ)to sit properly
端午節(ㄉㄨㄢ ㄨˇ ㄐㄧㄝˊ)the Dragon-Boat Festival

十五畫

競 4084 ㄐㄧㄥˋ jìng
to compete; to vie

〔立部〕

競技(ㄐㄧㄥˋ ㄐㄧˋ)a race; a contest
競選(ㄐㄧㄥˋ ㄒㄩㄢˇ)to campaign
競爭(ㄐㄧㄥˋ ㄓㄥ)to compete
競賽(ㄐㄧㄥˋ ㄙㄞˋ)a race; a contest

〔竹部〕

竹部
ㄓㄨˊ zhú

竹 4085
ㄓㄨˊ zhú
1. bamboo 2. slips of bamboo for writing
竹筏(ㄓㄨˊ ㄈㄚˊ)a bamboo raft
竹籃(ㄓㄨˊ ㄌㄢˊ)a bamboo basket
竹籠(ㄓㄨˊ ㄌㄨㄥˊ)a bamboo cage
竹竿(ㄓㄨˊ ㄍㄢ)a bamboo pole
竹簡(ㄓㄨˊ ㄐㄧㄢˇ)slips of bamboo for writing
竹製品(ㄓㄨˊ ㄓˋ ㄆㄧㄣˇ)bamboo articles
竹筍(ㄓㄨˊ ㄙㄨㄣˇ)bamboo shoots

二畫

竺 4086
ㄓㄨˊ zhú
ancient name of India

三畫

竽 4087
ㄩˊ yú
a kind of musical instrument with 36 reeds

竿 4088
ㄍㄢ gān
1. a bamboo pole; a bamboo rod 2. slips of bamboo for writing

四畫

笆 4089
ㄅㄚ bā
a bamboo fence

笊 4090
ㄓㄠˋ zhào
a bamboo skimmer

笏 4091
ㄏㄨˋ hù
a tablet held by a civil official during an audience with the monarch

笈 4092
ㄐㄧˊ jí
a bamboo bookcase

笑 4093
ㄒㄧㄠˋ xiào
1. to laugh; to smile; to giggle; to titter 2. to ridicule; to deride
笑柄(ㄒㄧㄠˋ ㄅㄧㄥˇ)a joke
笑面虎(ㄒㄧㄠˋ ㄇㄧㄢˋ ㄏㄨˇ)a treacherous fellow
笑裏藏刀(ㄒㄧㄠˋ ㄌㄧˇ ㄘㄤˊ ㄉㄠ)very treacherous
笑臉(ㄒㄧㄠˋ ㄌㄧㄢˇ)a smiling face
笑口常開(ㄒㄧㄠˋ ㄎㄡˇ ㄔㄤˊ ㄎㄞ)grinning all the time
笑話(ㄒㄧㄠˋ ㄏㄨㄚˋ)① a joke ② a ridiculous error
笑話百出(ㄒㄧㄠˋ ㄏㄨㄚˋ ㄅㄞˇ ㄔㄨ)to make many ridiculous mistakes
笑聲(ㄒㄧㄠˋ ㄕㄥ)sound of laughter
笑容(ㄒㄧㄠˋ ㄖㄨㄥˊ)a smile
笑容可掬(ㄒㄧㄠˋ ㄖㄨㄥˊ ㄎㄜˇ ㄐㄩ)to show pleasant smiles
笑渦(ㄒㄧㄠˋ ㄨㄛ)dimples appearing with a smile

五畫

笙 4094
ㄕㄥ shēng
a kind of panpipe with 13 reeds
笙歌(ㄕㄥ ㄍㄜ)music and songs

笠 4095
ㄌㄧˋ lì
1. a bamboo hat 2. a bamboo shade or covering

笛 4096
ㄉㄧˊ dí
as in 笛子—a flute

笨 4097
ㄅㄣˋ bèn
1. stupid; dull 2. clumsy; awkward
笨蛋(ㄅㄣˋ ㄉㄢˋ)a fool
笨頭笨腦(ㄅㄣˋ ㄊㄡˊ ㄅㄣˋ ㄋㄠˇ)stupid; muddleheaded
笨拙(ㄅㄣˋ ㄓㄨㄛˊ)unskilled
笨重(ㄅㄣˋ ㄓㄨㄥˋ)cumbersome
笨手笨脚(ㄅㄣˋ ㄕㄡˇ ㄅㄣˋ ㄐㄧㄠˇ)acting clumsily

笞 4098
ㄔ chī
1. a bamboo whip 2. to whip; to flog

笥 4099
ㄙˋ sì
a bamboo box or chest

笫 4100
ㄗˇ zǐ
a bed

符 4101
ㄈㄨˊ fú
1. a tally carried for identification, as a warrant, etc. 2. an auspicious omen 3. a charm; a talisman 4. to tally; to match; to accord 5. a symbol; a sign
符合(ㄈㄨˊ ㄏㄜˊ)to tally
符號(ㄈㄨˊ ㄏㄠˋ)a symbol; a sign
符咒(ㄈㄨˊ ㄓㄡˋ)an amulet

第 4102
ㄉㄧˋ dì

1. sequence; order 2. rank; grade; degree 3. a mansion; a residence
第六感(ㄉㄧˋ ㄌㄧㄡˋ ㄍㄢˇ)extrasensory perception (ESP)
第三者(ㄉㄧˋ ㄙㄢ ㄓㄜˇ)a third party
第三世界(ㄉㄧˋ ㄙㄢ ㄕˋ ㄐㄧㄝˋ)the third world
第一流(ㄉㄧˋ ㄧ ㄌㄧㄡˊ)first-rate
第一手資料(ㄉㄧˋ ㄧ ㄕㄡˇ ㄗ ㄌㄧㄠˋ)the firsthand material
第一次(ㄉㄧˋ ㄧ ㄘˋ)the first time

笳 4103
ㄐㄧㄚ jiā
a reed leaf whistle; the Tartar pipe

笯 4104
ㄋㄨˊ nú
a bird cage

笴 4105
ㄍㄜˇ gě
the stem of an arrow

笤 4106
ㄊㄧㄠˊ tiáo
a bamboo broom

笮 4107
1. ㄗㄜˊ zé
1. pressing 2. boards laid across rafters 3. an arrow bag

笮 4107
2. ㄓㄚˋ zhà
1. a kind of liquor container 2. to squeeze

笵 4108
ㄈㄢˋ fàn
1. a bamboo form 2. same as範—a model

六畫

筆 4109
ㄅㄧˇ bǐ
1. a writing brush; a pen; a pencil 2. writer's skill or style 3. to write 4. a stroke; a touch 5. a unit of amount 6. (formerly) prose
筆名(ㄅㄧˇ ㄇㄧㄥˊ)a pen name
筆法(ㄅㄧˇ ㄈㄚˇ)① a calligraphic style ② a writing style
筆鋒(ㄅㄧˇ ㄈㄥ)① a penpoint ② forcefulness of writing
筆挺(ㄅㄧˇ ㄊㄧㄥˇ)(said of dress) smooth ironed
筆筒(ㄅㄧˇ ㄊㄨㄥˇ)or 筆架(ㄅㄧˇ ㄐㄧㄚˋ) a tubular penrack
筆畫(ㄅㄧˇ ㄏㄨㄚˋ)the number of strokes (in a character)
筆跡(ㄅㄧˇ ㄐㄧ)one's handwriting
筆記(ㄅㄧˇ ㄐㄧˋ)notes taken (of lectures, speeches, etc.)
筆記簿(ㄅㄧˇ ㄐㄧˋ ㄅㄨˋ)a notebook
筆直(ㄅㄧˇ ㄓˊ)perfectly straight
筆試(ㄅㄧˇ ㄕˋ)a written examination
筆友(ㄅㄧˇ ㄧㄡˇ)pen pals
筆誤(ㄅㄧˇ ㄨˋ)a slip of the pen

笻 4110
ㄑㄩㄥˊ qióng
a kind of bamboo (commonly used to make walking sticks)

筌 4111
ㄑㄩㄢˊ quán
a bamboo fish trap

筍 4112
(笋) ㄙㄨㄣˇ sǔn
bamboo shoots or sprouts

等 4113
ㄉㄥˇ děng
1. rank; grade 2. same; equal 3. to wait 4. when; till 5. and so on; etc.; and the like 6. common
等待(ㄉㄥˇ ㄉㄞˋ)to wait for
等到(ㄉㄥˇ ㄉㄠˋ)by the time; when
等等(ㄉㄥˇ ㄉㄥˇ)et cetera; etc.
等高線(ㄉㄥˇ ㄍㄠ ㄒㄧㄢˋ)a contour line
等號(ㄉㄥˇ ㄏㄠˋ)the equal mark or sign 〔(二)〕
等候(ㄉㄥˇ ㄏㄡˋ)to wait
等級(ㄉㄥˇ ㄐㄧˊ)grade; rank
等價(ㄉㄥˇ ㄐㄧㄚˋ)equal in value or prices
等距離(ㄉㄥˇ ㄐㄩˋ ㄌㄧˊ)equal distance
等閒視之(ㄉㄥˇ ㄒㄧㄢˊ ㄕˋ ㄓ)to regard it as of no importance
等人(ㄉㄥˇ ㄖㄣˊ)① to wait for someone ② and others
等速度(ㄉㄥˇ ㄙㄨˋ ㄉㄨˋ)uniform velocity
等一會兒(ㄉㄥˇ ㄧˋ ㄏㄨㄜˇㄦ)to wait a little while
等於(ㄉㄥˇ ㄩˊ)to be equal to

筏 4114
ㄈㄚˊ fá
a raft

筑 4115
ㄓㄨˊ zhú
a kind of ancient string instrument with five strings, thirteen strings, or twenty-one strings

筐 4116
ㄎㄨㄤ kuāng
a rectangular chest or box woven from bamboo strips (or wicker); a shallow basket

筒 4117
ㄊㄨㄥˇ tǒng
(又讀 ㄊㄨㄥˊ tóng)
a tube; a pipe; a cylinder

筋 4118
ㄐㄧㄣ jīn
1. tendons; sinews; muscles 2. veins that stand out under the skin 3. plant fibers resembling a tendon
筋疲力竭(ㄐㄧㄣ ㄆㄧˊ ㄌㄧˋ ㄐㄧㄝˊ)to be completely exhausted

〔竹部〕

筋斗(ㄐㄧㄣ ㄉㄡˇ)a somersault 亦作「跟頭」
筋骨(ㄐㄧㄣ ㄍㄨˇ)① physique; build (of one's body) ② strength

〔竹部〕

答 4119
1. ㄉㄚˊ dá
1. to answer; to reply 2. to reciprocate; to return
答辯(ㄉㄚˊ ㄅㄧㄢˋ)to reply (to a verbal attack)
答覆(ㄉㄚˊ ㄈㄨˋ)a reply
答錄機(ㄉㄚˊ ㄌㄨˋ ㄐㄧ)an answering machine
答話(ㄉㄚˊ ㄏㄨㄚˋ)to reply orally
答謝(ㄉㄚˊ ㄒㄧㄝˋ)to convey one's thanks
答案(ㄉㄚˊ ㄢˋ)answers

答 4119
2. ㄉㄚ dā
a variant of 答(ㄉㄚˊ) used only in some phrases
答應(ㄉㄚ ㄧㄥˋ)①to promise ②an answer

筈 4120
ㄍㄨㄚ guā
the end of an arrow

筓 4121
(笄) ㄐㄧ jī
a hairpin for fastening the hair (used by women in former times)
筓年(ㄐㄧ ㄋㄧㄢˊ)(said of a woman) the beginning of maturity at 15

策 4122
ㄘㄜˋ cè
1. a whip 2. expository writings on government affairs 3. orders of appointment 4. a plan; a scheme 5. to whip; to urge
策動(ㄘㄜˋ ㄉㄨㄥˋ)to machinate
策略(ㄘㄜˋ ㄌㄩㄝˋ)a stratagem
策畫(ㄘㄜˋ ㄏㄨㄚˋ)to plan

筊 4123
ㄐㄧㄠˇ jiǎo
1. a rope made of bamboo strips 2. a kind of bamboo device used in divination

七畫

筠 4124
ㄩㄣˊ yún
the skin of the bamboo

筥 4125
ㄐㄩˇ jǔ
a round bamboo basket for holding rice

筦 4126
ㄍㄨㄢˇ guǎn
1. same as 管—a pipe; a tube 2. a key 3. to be in charge 4. wind instruments made of bamboo (such as flutes, etc.)

筩 4127
ㄊㄨㄥˊ tóng
1. a bamboo pipe 2. a hook for fishing

筮 4128
ㄕˋ shì
to divine by means of the stalks of the milfoil

筯 4129
ㄓㄨˋ zhù
1. chopsticks 2. tongs

筱 4130
ㄒㄧㄠˇ xiǎo
1. little slender bamboo 2. little; small

筲 4131
ㄕㄠ shāo
a basket for holding cooked rice

筴 4132
1. ㄘㄜˋ cè
1. the milfoil used for divination in ancient times 2. same as 策

筴 4132
2. ㄐㄧㄚˊ jiá
tongs

筳 4133
ㄊㄧㄥˊ tíng
little slender bamboo

筵 4134
ㄧㄢˊ yán
1. a bamboo mat 2. as in 筵席—a feast; a banquet

算 4135
ㄙㄨㄢˋ suàn
1. an ancient device for working with numbers 2. a scheme

筷 4136
ㄎㄨㄞˋ kuài
chopsticks

筧 4137
ㄐㄧㄢˇ jiǎn
a bamboo water pipe

八畫

箋 4138
(牋) ㄐㄧㄢ jiān
1. a commentary; a note 2. fancy note paper, letter paper, or stationery 3. letters; correspondence

箏 4139
ㄓㄥ zhēng
1. a plucked stringed instrument in some ways similar to the zither 2. a kite

箑 4140
ㄕㄚˋ shà
(又讀 ㄐㄧㄝˊ jié)
a fan

箍 4141
ㄍㄨ gū
1. a hoop 2. to bind round; to hoop
箍桶店(ㄍㄨ ㄊㄨㄥˇ ㄉㄧㄢˋ)a coopery

箔 4142
ㄅㄛˊ bó

1. foil; gilt 2. a curtain 3. a frame for raising silkworms 4. paper tinsel burnt as offerings to the dead

箕 4143 ㄐㄧ jī
1. a winnowing basket 2. a dustpan 3. nonspiral lines on a fingertip
箕踞(ㄐㄧ ㄐㄩˋ)(said of a person) to sit with legs sprawled out

算 4144 ㄙㄨㄢˋ suàn
1. to count; to calculate 2. to plan; to scheme 3. to guess; to foretell 4. to regard; to consider 5. to be of importance; to matter
算盤(ㄙㄨㄢˋ ㄆㄢˊ)an abacus
算命(ㄙㄨㄢˋ ㄇㄧㄥˋ) or 算卦(ㄙㄨㄢˋ ㄍㄨㄚˋ)to tell one's fortune
算命先生(ㄙㄨㄢˋ ㄇㄧㄥˋ ㄒㄧㄢ ·ㄕㄥ)a fortuneteller
算了(ㄙㄨㄢˋ ·ㄌㄜ)Forget about it.
算計(ㄙㄨㄢˋ ㄐㄧˋ)to plot against someone
算賬(ㄙㄨㄢˋ ㄓㄤˋ)①to settle an account ②to get even (with a person)
算術(ㄙㄨㄢˋ ㄕㄨˋ)arithmetic

箠 4145 ㄔㄨㄟˊ chuí
1. a whip (for goading horses) 2. whipping or flogging (as a punishment)

箅 4146 ㄅㄧˋ bì
a bamboo grid for steaming food

箜 4147 ㄎㄨㄥ kōng
a kind of ancient plucked stringed instrument

箝 4148 ㄑㄧㄢˊ qián
1. tongs; pincers; tweezers 2. to tweezer
箝制(ㄑㄧㄢˊ ㄓˋ)to use pressure upon
箝子(ㄑㄧㄢˊ ·ㄗ)tongs; tweezers

管 4149 ㄍㄨㄢˇ guǎn
1. a tube; a pipe 2. a wind instrument 3. to control; to manage 4. to pay attention to 5. to provide 6. to guarantee 7. to meddle in; to interfere in 8. a key
管道(ㄍㄨㄢˇ ㄉㄠˋ)a channel (for communication, etc.)
管理(ㄍㄨㄢˇ ㄌㄧˇ)to manage
管理費(ㄍㄨㄢˇ ㄌㄧˇ ㄈㄟˋ)administrative expenses
管理人員培訓(ㄍㄨㄢˇ ㄌㄧˇ ㄖㄣˊ ㄩㄢˊ ㄆㄟˊ ㄒㄩㄣˋ)management training
管理員(ㄍㄨㄢˇ ㄌㄧˇ ㄩㄢˊ)a keeper
管家(ㄍㄨㄢˇ ·ㄐㄧㄚ)a housekeeper
管教(ㄍㄨㄢˇ ·ㄐㄧㄠ)to direct and teach (children, students, etc.)
管轄(ㄍㄨㄢˇ ㄒㄧㄚˊ)to have control over
管閒事(ㄍㄨㄢˇ ㄒㄧㄢˊ ㄕˋ) to meddle
管絃樂(ㄍㄨㄢˇ ㄒㄧㄢˊ ㄩㄝˋ)orchestral music
管制(ㄍㄨㄢˇ ㄓˋ)to control
管束(ㄍㄨㄢˇ ㄕㄨˋ)to restrain
管樂器(ㄍㄨㄢˇ ㄩㄝˋ ㄑㄧˋ)wind instruments
管用(ㄍㄨㄢˇ ㄩㄥˋ)useful; to work

劄 4150 ㄓㄚˊ zhá
1. correspondence; letters 2. (in former times) written directives or instructions to a lower government agency

箙 4151 ㄈㄨˊ fú
a quiver

箇 4152 ㄍㄜˋ gè
same as 個—a numerary adjunct for practically everything
箇中秘密(ㄍㄜˋ ㄓㄨㄥ ㄇㄧˋ ㄇㄧˋ)the inside story

九畫

箬 4153 (篛) ㄖㄨㄛˋ ruò
1. the bamboo cuticle 2. a kind of bamboo with broad leaves which are often used to make various coverings

箱 4154 ㄒㄧㄤ xiāng
1. a box; a chest; a trunk 2. the box or body of a carriage

箭 4155 ㄐㄧㄢˋ jiàn
1. an arrow 2. a sign which is like an arrow
箭靶(ㄐㄧㄢˋ ㄅㄚˇ)a target for archery
箭筒(ㄐㄧㄢˋ ㄊㄨㄥˇ)a quiver
箭鏃(ㄐㄧㄢˋ ㄘㄨˊ)an arrowhead

箯 4156 ㄅㄧㄢ biān
a bamboo sedan chair

箸 4157 ㄓㄨˋ zhù
chopsticks

箴 4158 ㄓㄣ zhēn
1. a probe; a needle 2. to warn; to admonish
箴言(ㄓㄣ ㄧㄢˊ)admonitions

節 4159 ㄐㄧㄝˊ jié
1. a knot; a joint 2. a passage; a paragraph 3. principles; integrity; fidelity 4. a festival; a holiday 5. seasons 6. (music) beats; rhythm 7. to restrain 8. to economize

竹部

節拍(ㄐㄧㄝˊ ㄆㄞ)(music) beats
節目(ㄐㄧㄝˊ ㄇㄨˋ)a program
節令(ㄐㄧㄝˊ ㄌㄧㄥˋ)festivals
節錄(ㄐㄧㄝˊ ㄌㄨˋ)to excerpt
節骨眼(ㄐㄧㄝˊ ㄍㄨˇ ㄧㄢˇ)a critical moment
節儉(ㄐㄧㄝˊ ㄐㄧㄢˇ)to be frugal
節制(ㄐㄧㄝˊ ㄓˋ)to restrict
節制生育(ㄐㄧㄝˊ ㄓˋ ㄕㄥ ㄩˋ)to practice birth control; birth control
節省(ㄐㄧㄝˊ ㄕㄥˇ)to economize
節日(ㄐㄧㄝˊ ㄖˋ)a festival; a holiday
節外生枝(ㄐㄧㄝˊ ㄨㄞˋ ㄕㄥ ㄓ)to bring about extra complications
節約(ㄐㄧㄝˊ ㄩㄝ)to economize

篁 4160 ㄏㄨㄤˊ huáng
bamboo; a bamboo bush; a clump of bamboos

範 4161 ㄈㄢˋ fàn
1. a model; an example 2. range; limits 3. to observe the proper rules
範本(ㄈㄢˋ ㄅㄣˇ)a copy or copybook (for calligraphy, etc.)
範例(ㄈㄢˋ ㄌㄧˋ)an example
範疇(ㄈㄢˋ ㄔㄡˊ)category
範圍(ㄈㄢˋ ㄨㄟˊ)range; scope

篇 4162 ㄆㄧㄢ piān
1. a numerary adjunct for compositions, etc. 2. a chapter; a section 3. a page 4. books; volumes
篇目(ㄆㄧㄢ ㄇㄨˋ)titles; headings
篇幅(ㄆㄧㄢ ㄈㄨˊ)space (of a periodical or newspaper)

篆 4163 ㄓㄨㄢˋ zhuàn
1. the seal type, an ancient calligraphic style 2. a seal
篆刻(ㄓㄨㄢˋ ㄎㄜˋ)to cut a seal in the seal type

篋 4164 ㄑㄧㄝˋ qiè
a chest; a box; a trunk

篌 4165 ㄏㄡˊ hóu
a kind of ancient musical instrument like a lute

十畫

築 4166 ㄓㄨˊ zhú
1. to build 2. a house; a room
築堤(ㄓㄨˊ ㄊㄧˊ)to build a dike
築路(ㄓㄨˊ ㄌㄨˋ)to build roads
築巢(ㄓㄨˊ ㄔㄠˊ)to build a nest

篝 4167 ㄍㄡ gōu
a basket; a cage

篚 4168 ㄈㄟˇ fěi
a square bamboo basket

篡 4169 ㄘㄨㄢˋ cuàn
to seize (power, the throne, etc.); to usurp
篡改(ㄘㄨㄢˋ ㄍㄞˇ)to tamper (with a document, etc.)
篡位(ㄘㄨㄢˋ ㄨㄟˋ)to seize the throne

篤 4170 ㄉㄨˇ dǔ
1. deep; much; great; profound 2. dangerous; serious 3. generous 4. to consolidate; to make solid 5. to limit
篤定(ㄉㄨˇ ㄉㄧㄥˋ)(informally) very confident; assured
篤信(ㄉㄨˇ ㄒㄧㄣˋ)to have sincere faith in
篤學(ㄉㄨˇ ㄒㄩㄝˊ)to study diligently
篤實(ㄉㄨˇ ㄕˊ)sincere; honest

篙 4171 ㄍㄠ gāo
the pole for punting a boat; a boat pole

篩 4172 ㄕㄞ shāi
1. a sieve; a screen; a sifter; a strainer 2. to sieve; to screen; to sift
篩選(ㄕㄞ ㄒㄩㄢˇ)sieving
篩子(ㄕㄞ ˙ㄗ)a sieve; a sifter

篦 4173 ㄅㄧˋ bì
a comb (especially a fine-toothed one)

篪 4174 (箎) ㄔˊ chí
a kind of bamboo flute 亦作「篪」

篨 4175 ㄔㄨˊ chú
1. a coarse bamboo mat 2. an ugly bloated mass

箾 4176 ㄕㄠ shāo
a bamboo tube for holding chopsticks

篘 4177 ㄔㄡ chōu
1. a wine filter 2. to filter wine

篛 4178 ㄖㄨㄛˋ ruò
same as箬—a kind of broad-leaved bamboo

簑 4179 ㄙㄨㄛ suō
same as蓑—a coir raincoat (or cape)

十一畫

篠 4180 ㄒㄧㄠˇ xiǎo
1. a variety of bamboo with thin and short stems 2. a bamboo basket

篳 4181 ㄅㄧˋ bì

bamboo, wicker, etc. which can be used to make baskets, bags, etc.
篳路藍縷(ㄅㄧˋ ㄌㄨˋ ㄌㄢˊ ㄌㄩˇ) the hard life of pioneers

篼 4182
ㄉㄡ dōu
a mountain sedan chair made of bamboo

篾 4183
(篾) ㄇㄧㄝˋ miè
1. a thin and long strip of bamboo for making baskets, etc. 2. name of a variety of bamboo
篾席(ㄇㄧㄝˋ ㄒㄧˊ) a bamboo bed mat

篷 4184
ㄆㄥˊ péng
1. a covering; an awning; a tent 2. a sail; a boat
篷布(ㄆㄥˊ ㄅㄨˋ) a tarpaulin
篷車(ㄆㄥˊ ㄔㄜ) a wagon

簌 4185
ㄙㄨˋ sù
(said of flower petals) falling in great quantities
簌簌(ㄙㄨˋ ㄙㄨˋ) luxuriant growth (of vegetation)

簏 4186
ㄌㄨˋ lù
a bamboo trunk

簇 4187
ㄘㄨˋ cù
1. a cluster; a crowd; crowded 2. an arrowhead 3. a framework on which silkworms spin 4. to crowd together
簇新(ㄘㄨˋ ㄒㄧㄣ) brand-new
簇擁(ㄘㄨˋ ㄩㄥˇ) attended by a crowd

簃 4188
ㄧˊ yí
a small house attached to a pavilion

簀 4189
ㄗㄜˊ zé
1. a bamboo bed mat 2. to be densely collected together

簋 4190
ㄍㄨㄟˇ guǐ
a bronze vessel for holding food in ancient times

簉 4191
ㄗㄠˋ zào
1. deputy; a deputy; an attendant 2. an escorting vehicle 3. a concubine

篹 4192
1. ㄓㄨㄢˋ zhuàn
same as 撰—to collect, edit or write

篹 4192
2. ㄙㄨㄢˇ suǎn
(又讀 ㄗㄨㄢˇ zuǎn)
a splint basket; a bamboo basket

簍 4193
ㄌㄡˇ lǒu
a basket made by weaving bamboo slats, wickers or twigs

篰 4194
ㄅㄨˋ bù
1. a bamboo basket 2. same as 簿—books, volumes, or letters

箾 4195
ㄕㄠ shāo
1. the tail of a helm 2. to flutter in the wind

簰 4196
ㄆㄞˊ pái
a raft; a bamboo raft

篲 4197
ㄏㄨㄟˋ huì
a bamboo broom

十二畫

簞 4198
ㄉㄢ dān
a kind of round bamboo ware for holding cooked rice
簞瓢屢空(ㄉㄢ ㄆㄧㄠˊ ㄌㄩˇ ㄎㄨㄥ) stark poverty

簟 4199
ㄉㄧㄢˋ diàn
a bamboo mat

簡 4200
(简) ㄐㄧㄢˇ jiǎn
1. brief; terse; simple 2. (in ancient China) a slip of bamboo for writing 3. a letter; a note 4. to treat coolly 5. to designate (an official) 6. a Chinese family name
簡報(ㄐㄧㄢˇ ㄅㄠˋ) a briefing
簡便(ㄐㄧㄢˇ ㄅㄧㄢˋ) simple and convenient
簡樸(ㄐㄧㄢˇ ㄆㄨˊ) plain
簡譜(ㄐㄧㄢˇ ㄆㄨˇ) numbered musical notation
簡明(ㄐㄧㄢˇ ㄇㄧㄥˊ) concise
簡單(ㄐㄧㄢˇ ㄉㄢ) simple; brief
簡短(ㄐㄧㄢˇ ㄉㄨㄢˇ) brief
簡體字(ㄐㄧㄢˇ ㄊㄧˇ ㄗˋ) an abbreviated or simplified form of a character, such as 体 for 體
簡圖(ㄐㄧㄢˇ ㄊㄨˊ) a sketch
簡陋(ㄐㄧㄢˇ ㄌㄡˋ) simple and crude
簡略(ㄐㄧㄢˇ ㄌㄩㄝˋ) brief; sketchy
簡化(ㄐㄧㄢˇ ㄏㄨㄚˋ) to simplify
簡潔(ㄐㄧㄢˇ ㄐㄧㄝˊ) (said of a piece of writing) succinct
簡介(ㄐㄧㄢˇ ㄐㄧㄝˋ) a synopsis
簡直(ㄐㄧㄢˇ ㄓˊ) simply
簡章(ㄐㄧㄢˇ ㄓㄤ) a brief and concise statement of regulations, etc.
簡稱(ㄐㄧㄢˇ ㄔㄥ) to be called or known as...for short
簡而言之(ㄐㄧㄢˇ ㄦˊ ㄧㄢˊ ㄓ) in short; briefly; in a word
簡易(ㄐㄧㄢˇ ㄧˋ) simple; easy

〔竹部〕

〔竹部〕

簡要(ㄐㄧㄢˇ ㄧㄠˋ)brief and to the point
簡約(ㄐㄧㄢˇ ㄩㄝ)brief; terse

簣 4201
ㄎㄨㄟˋ kuì
a bamboo basket for carrying earth

簦 4202
ㄉㄥ dēng
a kind of umbrella used in ancient China

簠 4203
ㄈㄨˇ fǔ
a square vessel for containing the cooked grain at sacrifices or feasts

簨 4204
ㄙㄨㄣˇ sǔn
a beam for hanging bells or chime stone

簪 4205
ㄗㄢ zān
(又讀 ㄗㄣ zēn)
1. a clasp for clipping the cap and hair together 2. a hairpin for women 3. to stick (in the hair, etc.); to wear

簧 4206
ㄏㄨㄤˊ huáng
1. as in 簧片—a reed 2. a reed organ 3. a spring or catch in a machine

簙 4207
ㄅㄛˊ bó
a kind of chess game

簫 4208
ㄒㄧㄠ xiāo
a vertical flute of bamboo

十三畫

簷 4209
ㄧㄢˊ yán
1. the eaves of a house 2. the edge or brim of anything sloping downward—as that of a hat, umbrella, etc.

簸 4210
1. ㄅㄛˇ bǒ
to winnow; to sift (especially rice)

簸 4210
2. ㄅㄛˋ bò
as in 簸箕—a winnow

簽 4211
ㄑㄧㄢ qiān
1. to sign one's name 2. bamboo slips used for drawing lots or divination 3. a label
簽名(ㄑㄧㄢ ㄇㄧㄥˊ)to sign
簽到(ㄑㄧㄢ ㄉㄠˋ)to sign on an attendance book of an office or factory
簽訂(ㄑㄧㄢ ㄉㄧㄥˋ)to conclude and sign (a treaty, etc.)
簽證(ㄑㄧㄢ ㄓㄥˋ)a visa; to visa
簽收(ㄑㄧㄢ ㄕㄡ)to sign after receiving something
簽署(ㄑㄧㄢ ㄕㄨˋ)to sign or initial (a document)
簽字(ㄑㄧㄢ ㄗˋ)to sign
簽字筆(ㄑㄧㄢ ㄗˋ ㄅㄧˇ)a felt-tip pen
簽約(ㄑㄧㄢ ㄩㄝ)to sign a contract, treaty, etc.

簾 4212
ㄌㄧㄢˊ lián
1. blinds; a curtain 2. a flag as a shop sign

簴 4213
(虡) ㄐㄩˋ jù
pillars beside the crossbeam for hanging bells or drums

簿 4214
ㄅㄨˋ bù
1. books 2. to record; to register
簿記(ㄅㄨˋ ㄐㄧˋ)bookkeeping

簳 4215
ㄍㄢˇ gǎn
young bamboo

籀 4216
(籒) ㄓㄡˋ zhòu
1. a type of Chinese calligraphy, also known as 大篆—the large seal 2. to deduce

十四畫

籃 4217
ㄌㄢˊ lán
a basket: 籃球 basketball
籃球賽(ㄌㄢˊ ㄑㄧㄡˊ ㄙㄞˋ)a basketball game

籌 4218
ㄔㄡˊ chóu
1. chips, tallies, etc. for calculating purposes 2. to prepare 3. to raise (money) 4. to assess or estimate
籌備(ㄔㄡˊ ㄅㄟˋ)to arrange
籌辦(ㄔㄡˊ ㄅㄢˋ)to plan and sponsor
籌碼(ㄔㄡˊ ㄇㄚˇ)chips (in gambling)
籌募(ㄔㄡˊ ㄇㄨˋ)to raise (funds)
籌款(ㄔㄡˊ ㄎㄨㄢˇ)to procure money; to raise funds
籌劃(ㄔㄡˊ ㄏㄨㄚˋ)to deliberate and plan
籌資活動(ㄔㄡˊ ㄗ ㄏㄨㄛˊ ㄉㄨㄥˋ)financing activity

籍 4219
ㄐㄧˊ jí
1. books; volumes 2. a record of population 3. one's hometown
籍貫(ㄐㄧˊ ㄍㄨㄢˋ)one's hometown

十五畫

籐 4220
ㄊㄥˊ téng
same as 藤—vines; canes; climbing plants; rattans
籐椅(ㄊㄥˊ ㄧˇ)a rattan armchair

十六畫

籙 4221 ㄌㄨˋ lù
1. lists or registers 2. a Taoist amulet or charm

籜 4222 ㄊㄨㄛˋ tuò
the shell of bamboo shoots

籟 4223 ㄌㄞˋ lài
1. a kind of pipe 2. unspecified sounds

籠 4224 ㄌㄨㄥˊ lóng
(又讀 ㄌㄨㄥˇ lǒng)
1. a cage; a coop 2. a bamboo food steamer 3. to include; to encompass
籠統(ㄌㄨㄥˊ ㄊㄨㄥˇ)general
籠絡(ㄌㄨㄥˊ ㄌㄨㄛˋ)to befriend another with a view to winning him over
籠罩(ㄌㄨㄥˊ ㄓㄠˋ)to permeate
籠子(ㄌㄨㄥˊ ・ㄗ)a cage; a coop

籞 4225 ㄩˋ yù
a fenced place in a pond for keeping fish

十七畫

籤 4226 (籖) ㄑㄧㄢ qiān
1. a slip of bamboo engraved with signs to be used in gambling or divination; a lot 2. a label 3. a small sharp-pointed stick

籥 4227 ㄩㄝˋ yuè
1. a short flute or pipe used in ancient China 2. a key

籧 4228 1. ㄑㄩˊ qú
a crude bamboo mat

籧 4228 2. ㄐㄩˇ jǔ
a vessel for raising silkworms

十九畫

籩 4229 ㄅㄧㄢ biān
a bamboo container for food, also used to hold fruit or dried meat, etc. in sacrifices

籬 4230 ㄌㄧˊ lí
as in 籬笆—a bamboo fence

籮 4231 ㄌㄨㄛˊ luó
1. a bamboo basket with a square or rectangular bottom and a round top 2. a piece of sievelike ware with a broad edge made of bamboo
籮筐(ㄌㄨㄛˊ ㄎㄨㄤ)a large basket

二十六畫

籲 4232 ㄩˋ yù
to appeal; to request; to beseech
籲請(ㄩˋ ㄑㄧㄥˇ)to request

米部 ㄇㄧˇ mǐ

米 4233 ㄇㄧˇ mǐ
1. uncooked rice 2. a husked seed 3. meter (the fundamental unit of length in the metric system)
米飯(ㄇㄧˇ ㄈㄢˋ)rice; cooked rice
米粉(ㄇㄧˇ ㄈㄣˇ)①rice flour ②thin noodles made of rice flour
米糠(ㄇㄧˇ ㄎㄤ)rice bran
米酒(ㄇㄧˇ ㄐㄧㄡˇ)rice wine
米食(ㄇㄧˇ ㄕˊ)a rice diet

三畫

籽 4234 ㄗˇ zǐ
seeds of plants

四畫

粉 4235 ㄈㄣˇ fěn
1. flour 2. powder 3. white (color) 4. to plaster 5. to make up
粉筆(ㄈㄣˇ ㄅㄧˇ)chalk
粉撲兒(ㄈㄣˇ ㄆㄨㄦ)a powder puff
粉紅(ㄈㄣˇ ㄏㄨㄥˊ)pink
粉牆(ㄈㄣˇ ㄑㄧㄤˊ)to plaster a wall
粉飾(ㄈㄣˇ ㄕˋ)①to whitewash ②to make up
粉刷(ㄈㄣˇ ㄕㄨㄚ)to plaster or whitewash (a wall, etc.)
粉刺(ㄈㄣˇ ㄘˋ)pimples; acne
粉絲(ㄈㄣˇ ㄙ)bean flour noodles
粉碎(ㄈㄣˇ ㄙㄨㄟˋ)① to shatter ② broken into pieces

五畫

粗 4236 ㄘㄨ cū
1. thick; bulky; big 2. coarse; rough; crude 3. gruff; husky 4. rude; vulgar 5. brief; sketchy
粗暴(ㄘㄨ ㄅㄠˋ)rude; rough
粗鄙(ㄘㄨ ㄅㄧˇ)vulgar; crude
粗布(ㄘㄨ ㄅㄨˋ)coarse fabric
粗魯(ㄘㄨ ㄌㄨˇ)rude; rough
粗略(ㄘㄨ ㄌㄩㄝˋ)sketchy
粗獷(ㄘㄨ ㄍㄨㄤˇ)bold and uncon-

〔米部〕

strained 「or coolie
粗活(ㄘㄨ ㄏㄨㄛˊ)work of a laborer
粗具規模(ㄘㄨ ㄐㄩˋ ㄍㄨㄟ ㄇㄛˊ)(said of an undertaking) having begun to take shape

〔米部〕

粗心(ㄘㄨ ㄒㄧㄣ)careless (in work)
粗心大意(ㄘㄨ ㄒㄧㄣ ㄉㄚˋ ㄧˋ)thoughtless; inadvertency
粗重(ㄘㄨ ㄓㄨㄥˋ)work that needs more muscles than brains
粗茶淡飯(ㄘㄨ ㄔㄚˊ ㄉㄢˋ ㄈㄢˋ)simple food; plain fare
粗人(ㄘㄨ ㄖㄣˊ)① a person of little education ② an unrefined person
粗糙(ㄘㄨ ㄘㄠ)rough
粗俗(ㄘㄨ ㄙㄨˊ)coarse; vulgar

粒 4237 ㄌㄧˋ lì
1. a grain (of rice, etc.) 2. to get grain to eat 3. a pill; a bead

粕 4238 ㄆㄛˋ pò
the lees; dregs; sediment of liquor

粘 4239 (黏) ㄋㄧㄢˊ nián
to paste up; to attach to; to glue
粘貼(ㄋㄧㄢˊ ㄊㄧㄝ)to paste

六畫

粟 4240 ㄙㄨˋ sù
1. grain; paddy 2. millet 3. goose flesh; goose pimples; goose bumps
粟米(ㄙㄨˋ ㄇㄧˇ)millet; grain

粢 4241 1. ㄗ zī 「2. the grain
1. the millet to be offered in sacrifice

粢 4241 (餈) 2. ㄘˊ cí
rice cakes

粥 4242 ㄓㄨˋ zhù
(語音 ㄓㄡ zhōu)
congee; rice gruel
粥少僧多(ㄓㄡ ㄕㄠˇ ㄙㄥ ㄉㄨㄛ)not enough for circulation or distribution

粵 4243 ㄩㄝˋ yuè
1. Kwangtung Province 2. Kwangtung and Kwangsi Provinces
粵劇(ㄩㄝˋ ㄐㄩˋ)Canton opera

粧 4244 (妝) ㄓㄨㄤ zhuāng
1. toilet; to adorn 2. woman's personal adornments 3. a bride's trousseau 4. to disguise or pretend
粧扮(ㄓㄨㄤ ㄅㄢˋ)to doll up
粧奩(ㄓㄨㄤ ㄌㄧㄢˊ)a dowry

七畫

粲 4245 ㄘㄢˋ càn
1. bright and clear; radiant 2. beautiful; splendid; excellent 3. smiling; laughing 4. well-polished rice
粲然一笑(ㄘㄢˋ ㄖㄢˊ ㄧˊ ㄒㄧㄠˋ)to give a beaming smile

粱 4246 ㄌㄧㄤˊ liáng
maize; grain; sorghum

粮 4247 (糧) ㄌㄧㄤˊ liáng
provisions; food; grain; rations

粳 4248 (秔、稉) ㄍㄥ gēng
(語音 ㄐㄧㄥ jīng)
nonglutinous rice

八畫

精 4249 ㄐㄧㄥ jīng
1. unmixed rice 2. the essence; the essentials 3. energy; spirits 4. the male sperm 5. exquisite 6. dedicated; intensive 7. very; extremely 8. keen; smart 9. to specialize in 10. a goblin; a demon
精疲力竭(ㄐㄧㄥ ㄆㄧˊ ㄌㄧˋ ㄐㄧㄝˊ) exhausted
精品(ㄐㄧㄥ ㄆㄧㄣˇ)an exquisite article
精美(ㄐㄧㄥ ㄇㄟˇ)exquisite
精密(ㄐㄧㄥ ㄇㄧˋ)precise; accurate
精明(ㄐㄧㄥ ㄇㄧㄥˊ)clever
精打細算(ㄐㄧㄥ ㄉㄚˇ ㄒㄧˋ ㄙㄨㄢˋ)calculate carefully and budget strictly
精讀(ㄐㄧㄥ ㄉㄨˊ)intensive reading
精挑細選(ㄐㄧㄥ ㄊㄧㄠ ㄒㄧˋ ㄒㄩㄢˇ) very choosy
精通(ㄐㄧㄥ ㄊㄨㄥ)good at
精力(ㄐㄧㄥ ㄌㄧˋ)vitality; energy
精煉(ㄐㄧㄥ ㄌㄧㄢˋ)to rectify
精良(ㄐㄧㄥ ㄌㄧㄤˊ)exguisite; fine
精靈(ㄐㄧㄥ ㄌㄧㄥˊ)an elf
精華(ㄐㄧㄥ ㄏㄨㄚˊ)the essence
精簡(ㄐㄧㄥ ㄐㄧㄢˇ)to simplify
精巧(ㄐㄧㄥ ㄑㄧㄠˇ)exquisite
精確(ㄐㄧㄥ ㄑㄩㄝˋ)precise
精細(ㄐㄧㄥ ㄒㄧˋ)fine (materials, etc.)
精心(ㄐㄧㄥ ㄒㄧㄣ)elaborate
精選(ㄐㄧㄥ ㄒㄩㄢˇ)to select
精緻(ㄐㄧㄥ ㄓˋ)fine; exquisite
精湛(ㄐㄧㄥ ㄓㄢˋ)exquisite; perfect
精裝本(ㄐㄧㄥ ㄓㄨㄤ ㄅㄣˇ) (said of books) a deluxe edition
精神(ㄐㄧㄥ ㄕㄣˊ)① one's spirit ② live-

ly; vigorous ③ mental 「asylum
精神病院(ㄐㄧㄥ ㄕㄣˊ ㄅㄧㄥˋ ㄩㄢˋ)an
精神分裂症(ㄐㄧㄥ ㄕㄣˊ ㄈㄣ ㄌㄧㄝˋ ㄓㄥˋ)schizophrenia
精神恍惚(ㄐㄧㄥ ㄕㄣˊ ㄏㄨㄤˇ ㄏㄨ)absent-minded 「disorder
精神失常(ㄐㄧㄥ ㄕㄣˊ ㄕ ㄔㄤˊ)mental
精神文明(ㄐㄧㄥ ㄕㄣˊ ㄨㄣˊ ㄇㄧㄥˊ)spiritual civilization
精子(ㄐㄧㄥ ㄗˇ)spermatozoa 亦作「精蟲」
精彩(ㄐㄧㄥ ㄘㄞˇ)① the highlight or climax (of a play, etc.) ② Bravo!
精粹(ㄐㄧㄥ ㄘㄨㄟˋ)the best part of anything
精髓(ㄐㄧㄥ ㄙㄨㄟˇ)the marrow
精益求精(ㄐㄧㄥ ㄧˋ ㄑㄧㄡˊ ㄐㄧㄥ)to try for the best
精液(ㄐㄧㄥ ㄧㄝˋ)sperm; semen
精鹽(ㄐㄧㄥ ㄧㄢˊ)refined salt

粹 4250 ㄘㄨㄟˋ cuì
1. pure; unmixed 2. the essence; the best

粺 4251 ㄅㄞˋ bài
polished rice

九畫

糊 4252 ㄏㄨˊ hú
1. paste 2. to paste 3. scorched 4. not clear; confused; ambiguous
糊塗(ㄏㄨˊ ㄊㄨˊ)① confused ② stupid
糊塗蟲(ㄏㄨˊ ㄊㄨˊ ㄔㄨㄥˊ)a bungler
糊牆(ㄏㄨˊ ㄑㄧㄤˊ)to wallpaper

糉 4253 (粽) ㄗㄨㄥˋ zòng
glutinous rice tamale—made by wrapping the rice in broad leaves of reeds and boiled for a few hours—usually with other ingredients, such as dates, meat, oysters, beans, etc.
糉子 or 粽子(ㄗㄨㄥˋ ·ㄗ)glutinous rice dumplings; rice tamale

粿 4254 ㄖㄡˇ rǒu
to mix; mixed
粿合(ㄖㄡˇ ㄏㄜˊ)to mix together

十畫

糗 4255 ㄑㄧㄡˇ qiǔ
parched grain, rice, etc.; dry food; dry rations

糒 4256 ㄅㄟˋ bèi
parched rice—as a dry food for a journey in the days of old

糕 4257 (餻) ㄍㄠ gāo
cakes; pastries; steamed dumplings
糕餅(ㄍㄠ ㄅㄧㄥˇ)cakes and biscuits
糕餅店(ㄍㄠ ㄅㄧㄥˇ ㄉㄧㄢˋ)a pastry shop

糖 4258 ㄊㄤˊ táng
sugar
糖分(ㄊㄤˊ ㄈㄣˋ)sugar content
糖尿病(ㄊㄤˊ ㄋㄧㄠˋ ㄅㄧㄥˋ)diabetes
糖果(ㄊㄤˊ ㄍㄨㄛˇ)candy; sweets
糖漿(ㄊㄤˊ ㄐㄧㄤ)syrup; molasses
糖廠(ㄊㄤˊ ㄔㄤˇ)a sugar refinery
糖水(ㄊㄤˊ ㄕㄨㄟˇ)sugar solution

十一畫

糜 4259 ㄇㄧˊ mí
1. congee 2. rotten; corrupted 3. to waste
糜爛(ㄇㄧˊ ㄌㄢˋ)rotten; corrupt; debauchery

糞 4260 ㄈㄣˋ fèn
1. night soil; manure; dung 2. to fertilize the land 3. to sweep
糞便(ㄈㄣˋ ㄅㄧㄢˋ)excrement
糞堆(ㄈㄣˋ ㄉㄨㄟ)a dunghill
糞土(ㄈㄣˋ ㄊㄨˇ) something of little value

糙 4261 ㄘㄠ cāo
1. unpolished: 糙米 unpolished rice 2. rough; rude; rash

糝 4262 ㄙㄢˇ sǎn
1. a grain of rice 2. mixing rice with broth

糟 4263 ㄗㄠ zāo
1. dregs of wine 2. to soak food items (as fish, etc.) in wine or wine sediment 3. (said of a plan, etc.) to become a mess 4. decayed; rotten 5. not sturdy 6. lousy
糟蹋(ㄗㄠ ·ㄊㄚ)① to waste (talent, etc. on trifles) ② to insult
糟糕(ㄗㄠ ㄍㄠ)Too bad!

糠 4264 ㄎㄤ kāng
1. husks of rice; rice bran or chaff 2. of inferior quality 3. spongy

糢 4265 (模) ㄇㄛˊ mó
as in 糢糊—blurred; indistinct

糨 4266 (糡) ㄐㄧㄤˋ jiàng
1. paste; to paste together; starched; to starch 2. thick
糨糊(ㄐㄧㄤˋ ·ㄏㄨ)paste; glue

十二畫

〔米部〕

〔糸部〕

糧 4267
(粮) ㄌㄧㄤˊ liáng
1. grain; food 2. farm or land taxes
糧餉(ㄌㄧㄤˊ ㄒㄧㄤˇ) army provisions and payroll
糧食(ㄌㄧㄤˊ ㄕˊ)foodstuffs
糧倉(ㄌㄧㄤˊ ㄘㄤ)a granary

十三畫

檗 4268
ㄅㄛˊ bó
half-cooked rice; parboiled rice

十四畫

糯 4269
(穤、稬) ㄋㄨㄛˋ nuò
glutinous rice
糯米(ㄋㄨㄛˋ ㄇㄧˇ)polished glutinous rice

糰 4270
ㄊㄨㄢˊ tuán
round dumplings made from wheat or glutinous rice flour

十五畫

糲 4271
ㄌㄧˋ lì
1. unpolished rice 2. coarse; rough

十六畫

糴 4272
ㄉㄧˊ dí
to buy grain

十七畫

糵 4273
(糱) ㄋㄧㄝˋ niè
yeast, leaven or barm for making liquors

十九畫

糶 4274
ㄊㄧㄠˋ tiào
to sell grain

糸部
ㄇㄧˋ mì

一畫

系 4275
ㄒㄧˋ xì
1. a system; a line; a connecting link 2. lineage; a genealogy 3. (politics) a clique 4. (in a college or a university) a department or school 5. to relate to; to bear on 6. to be
系統(ㄒㄧˋ ㄊㄨㄥˇ)a system
系列(ㄒㄧˋ ㄌㄧㄝˋ)① a line or lineage ② a row; a series
系主任(ㄒㄧˋ ㄓㄨˇ ㄖㄣˋ)the head of a department (in a college)

糺 4276
ㄐㄧㄡˇ jiǔ
(又讀 ㄐㄧㄡ jiū)
to collaborate; to band together

二畫

糾 4277
ㄐㄧㄡ jiū
(又讀ㄐㄧㄡˇ jiǔ)
1. to supervise; to inspect 2. to correct; to discipline 3. to collaborate; to entangle; to involve
糾紛(ㄐㄧㄡ ㄈㄣ)disputes
糾葛(ㄐㄧㄡ ㄍㄜˊ)a dispute
糾結(ㄐㄧㄡ ㄐㄧㄝˊ)to collaborate
糾正(ㄐㄧㄡ ㄓㄥˋ)to correct
糾察隊(ㄐㄧㄡ ㄔㄚˊ ㄉㄨㄟˋ)a disciplinary patrol
糾纏(ㄐㄧㄡ ㄔㄢˊ)to tangle

三畫

紀 4278
ㄐㄧˋ jì
1. annals; chronicles 2. a period of 12 years 3. a century 4. to put in order 5. institutions; discipline 6. the age of a person 7. a geological period 8. a Chinese family name
紀念(ㄐㄧˋ ㄋㄧㄢˋ)to commemorate
紀念碑(ㄐㄧˋ ㄋㄧㄢˋ ㄅㄟ)a monument
紀念品(ㄐㄧˋ ㄋㄧㄢˋ ㄆㄧㄣˇ)a souvenir
紀念館(ㄐㄧˋ ㄋㄧㄢˋ ㄍㄨㄢˇ)a memorial hall
紀念日(ㄐㄧˋ ㄋㄧㄢˋ ㄖˋ)an anniversary
紀念册(ㄐㄧˋ ㄋㄧㄢˋ ㄘㄜˋ)an autograph book
紀錄(ㄐㄧˋ ㄌㄨˋ)①a record; to take notes ② a recorder
紀錄片(ㄐㄧˋ ㄌㄨˋ ㄆㄧㄢˋ)a documentary film
紀律(ㄐㄧˋ ㄌㄩˋ)discipline
紀元(ㄐㄧˋ ㄩㄢˊ)the beginning of a new era
紀元後(ㄐㄧˋ ㄩㄢˊ ㄏㄡˋ)A.D. (anno Domini)
紀元前(ㄐㄧˋ ㄩㄢˊ ㄑㄧㄢˊ)B.C. (before Christ)

紂 4279
ㄓㄡˋ zhòu
1. the last emperor of the Yin Dynasty, whose name stands for tyranny 2. the crupper of a saddle

紃 4280
ㄒㄩㄣˊ xún
a cord

紆 4281
ㄩ yū
1. to wind; to twist 2. a knot in one's heart
紆廻(ㄩ ㄏㄨㄟˊ) winding (roads) 亦作「迂廻」
紆尊降貴(ㄩ ㄗㄨㄣ ㄐㄧㄤˋ ㄍㄨㄟˋ) to condescend

約 4282
ㄩㄝ yuē
1. a contract 2. brief(ly); simply 3. about; around; approximately 4. a date; an appointment; to date 5. poor; poverty 6. to bind; to restrain 7. vague(ly)
約莫(ㄩㄝ ㄇㄛˋ) approximately
約分(ㄩㄝ ㄈㄣ) (mathematics) reduction; to reduce a fraction
約定(ㄩㄝ ㄉㄧㄥˋ) to agree upon
約略(ㄩㄝ ㄌㄩㄝˋ) approximate
約會(ㄩㄝ ㄏㄨㄟˋ) an appointment; a date
約計(ㄩㄝ ㄐㄧˋ) a rough estimate
約請(ㄩㄝ ㄑㄧㄥˇ) to invite
約束(ㄩㄝ ㄕㄨˋ) to restrain

紅 4283
1. ㄏㄨㄥˊ hóng
1. red; rosy 2. to blush 3. (said of players) very popular
紅包(ㄏㄨㄥˊ ㄅㄠ) a red paper bag containing money as a gift
紅寶石(ㄏㄨㄥˊ ㄅㄠˇ ㄕˊ) a ruby
紅粉佳人(ㄏㄨㄥˊ ㄈㄣˇ ㄐㄧㄚ ㄖㄣˊ) a young beauty
紅豆(ㄏㄨㄥˊ ㄉㄡˋ) the red bean—a love pea 亦作「相思子」
紅糖(ㄏㄨㄥˊ ㄊㄤˊ) brown sugar
紅土(ㄏㄨㄥˊ ㄊㄨˇ) red clay
紅娘(ㄏㄨㄥˊ ㄋㄧㄤˊ) a nonprofit-making woman go-between for lovers
紅利(ㄏㄨㄥˊ ㄌㄧˋ) a net profit
紅臉(ㄏㄨㄥˊ ㄌㄧㄢˇ) shame faced
紅蘿蔔(ㄏㄨㄥˊ ㄌㄨㄛˊ ˙ㄅㄛ) a radish
紅綠燈(ㄏㄨㄥˊ ㄌㄩˋ ㄉㄥ) red and green lights; traffic lights
紅血球(ㄏㄨㄥˊ ㄒㄧㄝˇ ㄑㄧㄡˊ) red blood cells
紅磚(ㄏㄨㄥˊ ㄓㄨㄢ) red bricks
紅茶(ㄏㄨㄥˊ ㄔㄚˊ) black tea
紅塵(ㄏㄨㄥˊ ㄔㄣˊ) the world of mortals
紅十字會(ㄏㄨㄥˊ ㄕˊ ㄗˋ ㄏㄨㄟˋ) Red Cross Society
紅人(ㄏㄨㄥˊ ㄖㄣˊ) the trusted lieutenant of the boss
紅潤(ㄏㄨㄥˊ ㄖㄨㄣˋ) (said of the skin, cheeks, etc.) tender and rosy
紅色(ㄏㄨㄥˊ ㄙㄜˋ) red color
紅衣主教(ㄏㄨㄥˊ ㄧ ㄓㄨˇ ㄐㄧㄠˋ) (Roman Catholicism) a cardinal
紅藥水(ㄏㄨㄥˊ ㄧㄠˋ ㄕㄨㄟˇ) mercurochrome
紅外線(ㄏㄨㄥˊ ㄨㄞˋ ㄒㄧㄢˋ) infrared rays
紅暈(ㄏㄨㄥˊ ㄩㄣˋ) a blush; a flush
紅運當頭(ㄏㄨㄥˊ ㄩㄣˋ ㄉㄤ ㄊㄡˊ) Lucky star shines bright.

紅 4283
2. ㄍㄨㄥ gōng
work; working

紇 4284
1. ㄏㄜˊ hé
1. silk of an inferior quality 2. name of a barbarian tribe, ancestors of the Huns (匈奴)

紇 4284
2. ㄍㄜ gē
a knot made of a rope or string

紈 4285
ㄨㄢˊ wán
processed fine and light silk
紈袴子弟(ㄨㄢˊ ㄎㄨˋ ㄗˇ ㄉㄧˋ) a good-for-nothing young man from a wealthy family

紉 4286
ㄖㄣˋ rèn
1. to sew 2. to wear 3. to feel deeply 4. to thread a needle

四畫

紋 4287
ㄨㄣˊ wén
1. stripes; lines; streaks; veins 2. ripples (of water) 3. (finger) prints 4. wrinkles (on the face) 5. to tattoo
紋理(ㄨㄣˊ ㄌㄧˇ) lines; stripes
紋身(ㄨㄣˊ ㄕㄣ) tattoo

納 4288
ㄋㄚˋ nà
1. to receive; to accept 2. to offer as tribute 3. to enjoy 4. to repress; to restrain 5. to patch old clothes
納悶(ㄋㄚˋ ㄇㄣˋ) to wonder
納妾(ㄋㄚˋ ㄑㄧㄝˋ) or 納寵(ㄋㄚˋ ㄔㄨㄥˇ) to take a concubine
納稅(ㄋㄚˋ ㄕㄨㄟˋ) to pay taxes
納稅人(ㄋㄚˋ ㄕㄨㄟˋ ㄖㄣˊ) the taxpayer
納入(ㄋㄚˋ ㄖㄨˋ) to bring into

紐 4289
ㄋㄧㄡˇ niǔ
1. a knot; a tie; a cord 2. a hold (of a vessel) or handle 3. a button
紐扣(ㄋㄧㄡˇ ㄎㄡˋ) a button
紐西蘭(ㄋㄧㄡˇ ㄒㄧ ㄌㄢˊ) New Zealand
紐約(ㄋㄧㄡˇ ㄩㄝ) New York

純 4290
ㄔㄨㄣˊ chún
1. pure; net (profits, etc.) 2. sincere; faithful 3. completely; purely
純樸(ㄔㄨㄣˊ ㄆㄨˊ) simple and sincere
純毛(ㄔㄨㄣˊ ㄇㄠˊ) 100% wool

〔糸部〕

〔糸部〕

純度(ㄔㄨㄣˊ ㄉㄨˋ)purity
純利(ㄔㄨㄣˊ ㄌㄧˋ)net profits
純良(ㄔㄨㄣˊ ㄌㄧㄤˊ)kind; honest
純潔(ㄔㄨㄣˊ ㄐㄧㄝˊ)innocent; pure and clean
純金(ㄔㄨㄣˊ ㄐㄧㄣ)pure gold
純眞(ㄔㄨㄣˊ ㄓㄣ)unsophisticated
純正(ㄔㄨㄣˊ ㄓㄥˋ)① pure and unadulterated ② honest; sincere
純種(ㄔㄨㄣˊ ㄓㄨㄥˇ)purebred
純熟(ㄔㄨㄣˊ ㄕㄨˊ)very skillful
純粹(ㄔㄨㄣˊ ㄘㄨㄟˋ)entirely
純文學(ㄔㄨㄣˊ ㄨㄣˊ ㄒㄩㄝˊ)belles-lettres

紓 4291
ㄕㄨ shū
1.to relax; to mitigate 2.to free from; to remove (causes of difficulties, poverty,etc.)
紓憂(ㄕㄨ ㄧㄡ)to remove worries

紕 4292
1. ㄆㄧ pī
1.errors; mistakes 2.(said of cloth, etc.) to become unwoven
紕漏(ㄆㄧ ㄌㄡˋ)errors or mistakes

紕 4292
2. ㄆㄧˊ pí
hem ornaments

紘 4293
ㄏㄨㄥˊ hóng
1. a hat string fastened under the chin 2. vast; spacious

紗 4294
ㄕㄚ shā
1.gauze; thin silk or cloth 2.yarn, as cotton yarn
紗布(ㄕㄚ ㄅㄨˋ)a bandage
紗帳(ㄕㄚ ㄓㄤˋ)a mosquito net
紗廠(ㄕㄚ ㄔㄤˇ)a textile mill
紗窗(ㄕㄚ ㄔㄨㄤ)a window screen

紙 4295
ㄓˇ zhǐ
paper
紙板(ㄓˇ ㄅㄢˇ)cardboard
紙幣(ㄓˇ ㄅㄧˋ)paper money
紙老虎(ㄓˇ ㄌㄠˇ ㄏㄨˇ)a paper tiger
紙盒(ㄓˇ ㄏㄜˊ)a carton
紙婚(ㄓˇ ㄏㄨㄣ)the first wedding anniversary
紙漿(ㄓˇ ㄐㄧㄤ)paper pulp
紙張(ㄓˇ ㄓㄤ)sheets of paper
紙上談兵(ㄓˇ ㄕㄤˋ ㄊㄢˊ ㄅㄧㄥ)impractical schemes
紙醉金迷(ㄓˇ ㄗㄨㄟˋ ㄐㄧㄣ ㄇㄧˊ)to indulge in a wanton life
紙業(ㄓˇ ㄧㄝˋ)the paper industry or enterprise

紜 4296
ㄩㄣˊ yún
confusing; disorderly

紝 4297
(絍) ㄖㄣˋ rèn
(又讀 ㄖㄣˊ rén)
to lay the warp; to weave

級 4298
ㄐㄧˊ jí
1. a grade; a class (at school) 2. a level; a degree 3.a step(of a flight of steps)
級別(ㄐㄧˊ ㄅㄧㄝˊ)ranks; grades
級會(ㄐㄧˊ ㄏㄨㄟˋ)a class meeting (at school)
級任導師(ㄐㄧˊ ㄖㄣˋ ㄉㄠˇ ㄕ)a home room teacher

紛 4299
ㄈㄣ fēn
1.confused; disorderly 2.numerous; many; varied
紛紛(ㄈㄣ ㄈㄣ)(said of people moving) in droves
紛亂(ㄈㄣ ㄌㄨㄢˋ)disorderly
紛歧(ㄈㄣ ㄑㄧˊ)greatly divided (in opinions)
紛至沓來(ㄈㄣ ㄓˋ ㄊㄚˋ ㄌㄞˊ)to come in continuous succession
紛爭(ㄈㄣ ㄓㄥ)a dispute
紛擾(ㄈㄣ ㄖㄠˇ)to disturb
紛雜(ㄈㄣ ㄗㄚˊ)numerous and disorderly
紛紜(ㄈㄣ ㄩㄣˊ)(said of opinions) widely divided

紡 4300
ㄈㄤˇ fǎng
1.to reel; to spin 2.reeled pongee (a kind of thin silk)
紡織廠(ㄈㄤˇ ㄓ ㄔㄤˇ)a textile mill
紡織業(ㄈㄤˇ ㄓ ㄧㄝˋ)the textile industry
紡紗(ㄈㄤˇ ㄕㄚ)to spin cotton, etc. into yarn
紡紗機(ㄈㄤˇ ㄕㄚ ㄐㄧ)a jenny

紊 4301
ㄨㄣˋ wèn
confused; tangled; disorderly
紊亂(ㄨㄣˋ ㄌㄨㄢˋ)confused; chaotic

素 4302
ㄙㄨˋ sù
1.pure white silk 2.white (color) 3.plain; simple 4.mourning 5.vegetable food 6.heretofore 7.usually; generally 8. matter; elements
素不相識(ㄙㄨˋ ㄅㄨˋ ㄒㄧㄤ ㄕˋ)to have never met or seen before
素昧平生(ㄙㄨˋ ㄇㄟˋ ㄆㄧㄥˊ ㄕㄥ)to be a total stranger
素描(ㄙㄨˋ ㄇㄧㄠˊ)a sketch
素來(ㄙㄨˋ ㄌㄞˊ)heretofore
素質(ㄙㄨˋ ㄓˊ)① one's natural talent ② white
素稱(ㄙㄨˋ ㄔㄥ)usually called
素食(ㄙㄨˋ ㄕˊ)vegetables; a vegetarian diet

素菜(ㄙㄨˋ ㄘㄞˋ)vegetarian dishes; vegetable food
素衣(ㄙㄨˋ ㄧ)plain clothes
素雅(ㄙㄨˋ ㄧㄚˇ)simple but elegant; unadorned and in good taste
素友(ㄙㄨˋ ㄧㄡˇ)an old friend
素筵(ㄙㄨˋ ㄧㄢˊ)a vegetarian feast
素仰(ㄙㄨˋ ㄧㄤˇ)to have always looked up to or admired

索 4303
1. ㄙㄨㄛˇ suǒ
1. a thick rope 2. lonely; solitary 3. to search or inquire into 4. to exhaust 5. to tighten; to twist 6. rules 7. to demand 8. to need
索賠(ㄙㄨㄛˇ ㄆㄟˊ)to demand compensation
索賠人(ㄙㄨㄛˇ ㄆㄟˊ ㄖㄣˊ)a claimant
索價(ㄙㄨㄛˇ ㄐㄧㄚˋ) to quote a price
索居(ㄙㄨㄛˇ ㄐㄩ)to live alone
索取(ㄙㄨㄛˇ ㄑㄩˇ)① to ask for ② to exact; to extort
索然無味(ㄙㄨㄛˇ ㄖㄢˊ ㄨˊ ㄨㄟˋ)not interesting; tasteless
索引(ㄙㄨㄛˇ ㄧㄣˇ)the index
索閱(ㄙㄨㄛˇ ㄩㄝˋ)to ask for (a book, certificate, etc.) for reference

索 4303
2. ㄙㄨㄛˊ suó
to decide to go ahead and do something without any more consideration; may as well; simply
索性(ㄙㄨㄛˊ ˙ㄒㄧㄥ)directly; might as well

五畫

紮 4304
1. (紥) ㄓㄚˊ zhá
1. to bind, tie or fasten; to make a bundle 2. to station; to post
紮營(ㄓㄚˊ ㄧㄥˊ)to encamp

紮 4304
2. (紥) ㄗㄚ zā
to bind; to tie; to fasten
紮緊(ㄗㄚ ㄐㄧㄣˇ)to tighten

絇 4305
ㄑㄩˊ qú
ornaments for the frontal part of shoes

紫 4306
ㄗˇ zǐ
1. purple; violet 2. a Chinese family name
紫羅蘭(ㄗˇ ㄌㄨㄛˊ ㄌㄢˊ) (botany) the violet
紫(水)晶(ㄗˇ(ㄕㄨㄟˇ)ㄐㄧㄥ)amethyst
紫菜(ㄗˇ ㄘㄞˋ) (botany) laver
紫色(ㄗˇ ㄙㄜˋ)purple; violet
紫藥水(ㄗˇ ㄧㄠˋ ㄕㄨㄟˇ)gentian violet solution
紫外線(ㄗˇ ㄨㄞˋ ㄒㄧㄢˋ)ultraviolet rays

累 4307
1. ㄌㄟˇ lěi
1. to accumulate through a length of time 2. to pile up 3. repeatedly
累犯(ㄌㄟˇ ㄈㄢˋ)a repeated lawbreaker; a recidivist
累年(ㄌㄟˇ ㄋㄧㄢˊ)in consecutive years; year after year 亦作「累歲」
累累(ㄌㄟˇ ㄌㄟˇ)innumerable; countless
累積(ㄌㄟˇ ㄐㄧ)to accumulate
累計(ㄌㄟˇ ㄐㄧˋ)to include previous figures in the calculation
累進稅(ㄌㄟˇ ㄐㄧㄣˋ ㄕㄨㄟˋ)progressive taxation
累增(ㄌㄟˇ ㄗㄥ)to increase progressively
累次(ㄌㄟˇ ㄘˋ)repeatedly

累 4307
2. ㄌㄟˋ lèi
1. to involve; to implicate 2. to be in debt 3. tired; weary 4. (said of eyes) to strain 5. a family burden
累倒了(ㄌㄟˋ ㄉㄠˇ ˙ㄌㄜ)to become sick owing to hard work
累了(ㄌㄟˋ ˙ㄌㄜ)tired
累及無辜(ㄌㄟˋ ㄐㄧˊ ㄨˊ ㄍㄨ)to involve the innocent

累 4307
3. ㄌㄟˊ léi
1. as in 累贅—a nuisance 2. to fasten; to bind

紬 4308
1. (綢) ㄔㄡˊ chóu
a kind of silk fabric

紬 4308
2. ㄔㄡ chōu
1. to draw out 2. to collect and edit

細 4309
ㄒㄧˋ xì
1. tiny; small 2. thin; slender 3. fine 4. trifling; detailed 5. precise
細胞(ㄒㄧˋ ㄅㄠ)a cell
細胞膜(ㄒㄧˋ ㄅㄠ ㄇㄛˊ)the cell membrace
細胞核(ㄒㄧˋ ㄅㄠ ㄏㄜˊ)the cell nucleus
細胞質(ㄒㄧˋ ㄅㄠ ㄓˊ)cellularity; cytoplasm
細胞組織(ㄒㄧˋ ㄅㄠ ㄗㄨˇ ㄓ)cellular tissue
細部(ㄒㄧˋ ㄅㄨˋ)details (of a drawing); minute parts
細毛(ㄒㄧˋ ㄇㄠˊ)fine, soft fur
細密(ㄒㄧˋ ㄇㄧˋ)circumspective
細目(ㄒㄧˋ ㄇㄨˋ)detailed items
細讀(ㄒㄧˋ ㄉㄨˊ)to read carefully
細膩(ㄒㄧˋ ㄋㄧˋ)fine and delicate
細故(ㄒㄧˋ ㄍㄨˋ)trifling matter or cause (which leads to a dispute, etc.)
細節(ㄒㄧˋ ㄐㄧㄝˊ)detail
細菌(ㄒㄧˋ ㄐㄩㄣˋ)bacteria; germs

〔糸部〕

細小(ㄒㄧˋ ㄒㄧㄠˇ)tiny; little; petty
細心(ㄒㄧˋ ㄒㄧㄣ)careful; attentive
細緻(ㄒㄧˋ ㄓˋ)① exquisite ② meticulous
細長(ㄒㄧˋ ㄔㄤˊ)slender
細紗(ㄒㄧˋ ㄕㄚ)(textile) spun yarn
細說(ㄒㄧˋ ㄕㄨㄛ)or 細述(ㄒㄧˋ ㄕㄨˋ) to give a detailed account
細則(ㄒㄧˋ ㄗㄜˊ)bylaws
細微(ㄒㄧˋ ㄨㄟˊ)tiny; minute
細雨(ㄒㄧˋ ㄩˇ)drizzle

〔糸部〕

紱 4310 ㄈㄨˊ fú

1. ribbons, strands, or sashes 2. ceremonial dress worn during sacrificial rituals
紱冕(ㄈㄨˊ ㄇㄧㄢˇ)a high-ranking official

紳 4311 ㄕㄣ shēn

1. the middle class as a group or individuals; the gentry; a gentleman 2. a sash; a girdle 3. to tie
紳士(ㄕㄣ ㄕˋ)a gentleman

紹 4312 ㄕㄠˋ shào

1. to bring together; to connect or join 2. to hand down; to continue
紹興酒(ㄕㄠˋ ㄒㄧㄥ ㄐㄧㄡˇ)the Shaohsing wine

紼 4313 ㄈㄨˊ fú

1. a large rope 2. the cord or rope attached to a bier or coffin

紾 4314 ㄓㄣˇ zhěn

1. turns or twists; to turn or twist 2. to switch

絀 4315 ㄔㄨˋ chù

1. to sew 2. to bend 3. to degrade 4. deficient; wanting 5. red; a deep red color

紵 4316 ㄓㄨˋ zhù

boehmeria; ramie; linen; sackcloth

紺 4317 ㄍㄢˋ gàn

a reddish dark color; a deep purple color

絃 4318 ㄒㄧㄢˊ xián

1. the string of a musical instrument; a cord 2. first and last quarters of the moon
絃外之音(ㄒㄧㄢˊ ㄨㄞˋ ㄓ ㄧㄣ)overtones; implied meaning
絃樂(ㄒㄧㄢˊ ㄩㄝˋ)string music
絃樂隊(ㄒㄧㄢˊ ㄩㄝˋ ㄉㄨㄟˋ)a string band

終 4319 ㄓㄨㄥ zhōng

1. the end; the conclusion 2. death; to die or pass away 3. finally; at last 4. whole; all; entire
終點(ㄓㄨㄥ ㄉㄧㄢˇ)① the terminus; a destination ②(sports) finish
終端機(ㄓㄨㄥ ㄉㄨㄢ ㄐㄧ)a terminal
終年(ㄓㄨㄥ ㄋㄧㄢˊ)the whole year
終老(ㄓㄨㄥ ㄌㄠˇ)until death
終了(ㄓㄨㄥ ㄌㄧㄠˇ)to end
終歸(ㄓㄨㄥ ㄍㄨㄟ)① to end or conclude ② finally; at last
終極(ㄓㄨㄥ ㄐㄧˊ)the finality or end
終究(ㄓㄨㄥ ㄐㄧㄡˋ)after all
終其一生(ㄓㄨㄥ ㄑㄧˊ ㄧˋ ㄕㄥ)throughout one's life
終須(ㄓㄨㄥ ㄒㄩ)to have to...in the end
終止(ㄓㄨㄥ ㄓˇ)to stop; to end
終站(ㄓㄨㄥ ㄓㄢˋ)the terminal stop or station
終身伴侶(ㄓㄨㄥ ㄕㄣ ㄅㄢˋ ㄌㄩˇ)a life company—wife or husband
終身雇用(ㄓㄨㄥ ㄕㄣ ㄍㄨˋ ㄩㄥˋ) permanent employment
終身職(ㄓㄨㄥ ㄕㄣ ㄓˊ)a lifetime job
終生(ㄓㄨㄥ ㄕㄥ)the whole life
終日(ㄓㄨㄥ ㄖˋ)throughout the day
終於(ㄓㄨㄥ ㄩˊ)finally; at last

組 4320 ㄗㄨˇ zǔ

1. a group; a team; a section; a department; an organization; a union 2. to organize; to arrange; to unite; to form 3. tassels; a fringe; a girdle
組閣(ㄗㄨˇ ㄍㄜˊ)(government) to form a cabinet
組合(ㄗㄨˇ ㄏㄜˊ)① to unite ② a company; a union
組曲(ㄗㄨˇ ㄑㄩˇ)(music) a suite
組織(ㄗㄨˇ ㄓ)① to organize ② an organization ③ (biology) tissue
組長(ㄗㄨˇ ㄓㄤˇ)the chief of a department or section in a government agency
組成(ㄗㄨˇ ㄔㄥˊ)to form; to compose; to constitute

絆 4321 ㄅㄢˋ bàn

1. shackles; fetters 2. to stumble; to trip over; to trip
絆倒(ㄅㄢˋ ㄉㄠˇ)to trip over
絆脚石(ㄅㄢˋ ㄐㄧㄠˇ ㄕˊ)a stumbling block

絅 4322 ㄐㄩㄥˇ jiǒng

an overall with no lining; a dust coat

紽 4323 ㄊㄨㄛˊ tuó

a strand of silk; braiding

紩 4324 ㄓˋ zhì

to sew

絁 4325
ㄕ shī
a kind of coarse silk fabric

六畫

結 4326
1. ㄐㄧㄝˊ jié
1. to tie; to knot 2. a knot 3. to unite; to join 4. to congeal 5. to form; to constitute 6. to bear fruit; a result 7. to pay (as an account, etc.) 8. a node
結拜(ㄐㄧㄝˊ ㄅㄞˋ) sworn (brothers, or sisters)
結伴(ㄐㄧㄝˊ ㄅㄢˋ) to accompany
結冰(ㄐㄧㄝˊ ㄅㄧㄥ) to freeze
結盟(ㄐㄧㄝˊ ㄇㄥˊ) to ally with
結論(ㄐㄧㄝˊ ㄌㄨㄣˋ) the conclusion
結構(ㄐㄧㄝˊ ㄍㄡˋ) structure
結果(ㄐㄧㄝˊ ㄍㄨㄛˇ) ① (said of plants) to bear fruit ② the result ③ finally
結合(ㄐㄧㄝˊ ㄏㄜˊ) ① to combine with ② to marry
結核病(ㄐㄧㄝˊ ㄏㄜˊ ㄅㄧㄥˋ) tuberculosis
結夥(ㄐㄧㄝˊ ㄏㄨㄛˇ) to gang up
結滙(ㄐㄧㄝˊ ㄏㄨㄟˋ) foreign exchange settlement
結滙證明書(ㄐㄧㄝˊ ㄏㄨㄟˋ ㄓㄥˋ ㄇㄧㄥˊ ㄕㄨ) exchange settlement certificate
結婚(ㄐㄧㄝˊ ㄏㄨㄣ) to get married
結婚證書(ㄐㄧㄝˊ ㄏㄨㄣ ㄓㄥˋ ㄕㄨ) a marriage certificate
結交(ㄐㄧㄝˊ ㄐㄧㄠ) to befriend
結局(ㄐㄧㄝˊ ㄐㄩˊ) the outcome
結帳 or 結賬(ㄐㄧㄝˊ ㄓㄤˋ) to settle accounts; to pay up
結石(ㄐㄧㄝˊ ㄕˊ) (pathology) stone; calculus
結識(ㄐㄧㄝˊ ㄕˋ) to strike up an acquaintance with
結束(ㄐㄧㄝˊ ㄕㄨˋ) to end
結紮(ㄐㄧㄝˊ ㄗㄚ) (medicine) ligation; to ligature
結存(ㄐㄧㄝˊ ㄘㄨㄣˊ) the credit balance
結算(ㄐㄧㄝˊ ㄙㄨㄢˋ) to settle accounts
結算日(ㄐㄧㄝˊ ㄙㄨㄢˋ ㄖˋ) the account day
結案(ㄐㄧㄝˊ ㄢˋ) to conclude a case
結業(ㄐㄧㄝˊ ㄧㄝˋ) to graduate
結尾(ㄐㄧㄝˊ ㄨㄟˇ) the conclusion
結餘(ㄐㄧㄝˊ ㄩˊ) a cash surplus
結緣(ㄐㄧㄝˊ ㄩㄢˊ) to associate on good terms
結怨(ㄐㄧㄝˊ ㄩㄢˋ) to arouse ill will or dislike

結 4326
2. ㄐㄧㄝ jiē
1. to stutter; to stammer 2. tough; strong; durable 3. to bear (fruit); to form (seed)
結巴(ㄐㄧㄝ ˙ㄅㄚ) to stammer
結實(ㄐㄧㄝ ˙ㄕ) ① tough; durable; solid ② strong; sturdy

絓 4327
ㄍㄨㄚˋ guà
obstructed; hindered
絓礙(ㄍㄨㄚˋ ㄞˋ) an obstacle

絕 4328
ㄐㄩㄝˊ jué
1. to sever; to break off; to cut 2. to renounce; to decline 3. to run out of 4. without match; peerless 5. isolated; to separate 6. to discontinue; to terminate 7. without posterity; heirless 8. extremely; utmost 9. to destroy 10. leaving no leeway 11. a poem of four lines
絕版(ㄐㄩㄝˊ ㄅㄢˇ) out-of-print (books)
絕筆(ㄐㄩㄝˊ ㄅㄧˇ) one's last writing (before death)
絕不(ㄐㄩㄝˊ ㄅㄨˋ) never
絕品(ㄐㄩㄝˊ ㄆㄧㄣˇ) an exquisite article
絕妙(ㄐㄩㄝˊ ㄇㄧㄠˋ) extremely good or wonderful
絕代佳人(ㄐㄩㄝˊ ㄉㄞˋ ㄐㄧㄚ ㄖㄣˊ) a matchless beauty
絕地(ㄐㄩㄝˊ ㄉㄧˋ) ① extremely dangerous spots ② a dead end
絕頂(ㄐㄩㄝˊ ㄉㄧㄥˇ) extremely
絕頂聰明(ㄐㄩㄝˊ ㄉㄧㄥˇ ㄘㄨㄥ ˙ㄇㄧㄥ) extremely clever
絕對(ㄐㄩㄝˊ ㄉㄨㄟˋ) absolute(ly)
絕對服從(ㄐㄩㄝˊ ㄉㄨㄟˋ ㄈㄨˊ ㄘㄨㄥˊ) absolute obedience
絕路(ㄐㄩㄝˊ ㄌㄨˋ) a road of no return (with retreat cut off)
絕口(ㄐㄩㄝˊ ㄎㄡˇ) ① never to mention again ② to stop talking about
絕後(ㄐㄩㄝˊ ㄏㄡˋ) heirless
絕迹(ㄐㄩㄝˊ ㄐㄧ) to vanish completely
絕交(ㄐㄩㄝˊ ㄐㄧㄠ) to cut off or sever friendship
絕招(ㄐㄩㄝˊ ㄓㄠ) ① unique skill ② an unexpected tricky move
絕症(ㄐㄩㄝˊ ㄓㄥˋ) an incurable disease
絕種(ㄐㄩㄝˊ ㄓㄨㄥˇ) extinction
絕處逢生(ㄐㄩㄝˊ ㄔㄨˋ ㄈㄥˊ ㄕㄥ) to survive a crisis
絕食(ㄐㄩㄝˊ ㄕˊ) to fast
絕嗣(ㄐㄩㄝˊ ㄙˋ) without posterity
絕無僅有(ㄐㄩㄝˊ ㄨˊ ㄐㄧㄣˇ ㄧㄡˇ) very rare; unique
絕望(ㄐㄩㄝˊ ㄨㄤˋ) hopeless; desperate
絕緣(ㄐㄩㄝˊ ㄩㄢˊ) to insulate
絕緣體(ㄐㄩㄝˊ ㄩㄢˊ ㄊㄧˇ) an insulator

絏 4329
(紲) ㄒㄧㄝˋ xiè
1. reins; ropes for leading animals 2. to bind; fetters; bonds

〔糸部〕

〔糸部〕

絞 4330 ㄐㄧㄠˇ jiǎo
1. to twist 2. to hang (a criminal) 3. rudeness 4. to mix up
絞痛(ㄐㄧㄠˇ ㄊㄨㄥˋ)an acute pain caused by appendicitis, etc.
絞緊(ㄐㄧㄠˇ ㄐㄧㄣˇ)to twist tight
絞盡腦汁(ㄐㄧㄠˇ ㄐㄧㄣˋ ㄋㄠˇ ㄓ)to cudgel one's brains
絞刑(ㄐㄧㄠˇ ㄒㄧㄥˊ)death by hanging
絞肉機(ㄐㄧㄠˇ ㄖㄡˋ ㄐㄧ) a meat mincer

絡 4331 1. ㄌㄨㄛˋ luò
1. to wrap around; to encompass 2. a net; a web 3. a cellulose structure in fruits, as melons 4. to unite; connected 5. a halter 6. (said of blood vessels) capillaries 7. to unreel silk 8. cotton fiber 9. hemp
絡腮鬍子(ㄌㄨㄛˋ ㄙㄞ ㄏㄨˊ ˙ㄗ) whiskers
絡繹不絕(ㄌㄨㄛˋ ㄧˋ ㄅㄨˋ ㄐㄩㄝˊ) (said of people) to come one after another

絡 4331 2. ㄌㄠˋ lào
a web or net

絢 4332 ㄒㄩㄢˋ xuàn
as in 絢爛—bright and brilliant
絢麗(ㄒㄩㄢˋ ㄌㄧˋ)gorgeous

給 4333 1. ㄐㄧˇ jǐ
1. to provide; to supply 2. to award 3. sufficiency; affluence 4. glib; eloquent
給水(ㄐㄧˇ ㄕㄨㄟˇ)a water supply
給與(ㄐㄧˇ ㄩˇ)or(ㄍㄟˇ ㄩˇ)to give

給 4333 2. ㄍㄟˇ gěi
1. to give 2. for; for the benefit of 3. to let; to allow 4. used to indicate a passive meaning or voice 5. used after a verb to indicate "giving"
給付(ㄍㄟˇ ㄈㄨˋ)or(ㄐㄧˇ ㄈㄨˋ)to pay

絨 4334 ㄖㄨㄥˊ róng
1. fine wool; woolen; velvety; velvet 2. any kind of woolen goods or fabric with a felt-like surface 3. fine; furry
絨布(ㄖㄨㄥˊ ㄅㄨˋ)flannel
絨毛(ㄖㄨㄥˊ ㄇㄠˊ)down
絨褲(ㄖㄨㄥˊ ㄎㄨˋ)sweat pants

絪 4335 ㄧㄣ yīn
misty; foggy; cloudy

絰 4336 ㄉㄧㄝˊ dié
a hemp hat worn in mourning for one's parents

統 4337 ㄊㄨㄥˇ tǒng
1. to govern; to rule; to control 2. to unify; to unite 3. wholly; totally; completely; generally; all 4. succession; consecutive generations
統領(ㄊㄨㄥˇ ㄌㄧㄥˇ)a commanding officer
統計(ㄊㄨㄥˇ ㄐㄧˋ)①statistics ②to count
統計學(ㄊㄨㄥˇ ㄐㄧˋ ㄒㄩㄝˊ)statistics
統治(ㄊㄨㄥˇ ㄓˋ)to rule; to govern
統治者(ㄊㄨㄥˇ ㄓˋ ㄓㄜˇ)the ruler
統稱(ㄊㄨㄥˇ ㄔㄥ)known together as
統帥(ㄊㄨㄥˇ ㄕㄨㄞˋ)the commander in chief
統一(ㄊㄨㄥˇ ㄧ)to unify
統一發票(ㄊㄨㄥˇ ㄧ ㄈㄚ ㄆㄧㄠˋ)a uniform invoice
統御 or 統馭(ㄊㄨㄥˇ ㄩˋ)to reign

絳 4338 ㄐㄧㄤˋ jiàng
crimson; a deep red color

絲 4339 ㄙ sī
1. silk 2. very fine thread, fiber, etc. as those making a spider's web 3. a general name of silk fabrics or goods 4. strings of musical instruments 5. a trace 6. 1/100,000 of a tael
絲帶(ㄙ ㄉㄞˋ)silk ribbons
絲瓜(ㄙ ㄍㄨㄚ)the sponge gourd
絲毫(ㄙ ㄏㄠˊ)the tiniest
絲織品(ㄙ ㄓ ㄆㄧㄣˇ)silk goods
絲竹(ㄙ ㄓㄨˊ)music
絲綢(ㄙ ㄔㄡˊ)silk cloth
絲絨(ㄙ ㄖㄨㄥˊ)velvet
絲襪(ㄙ ㄨㄚˋ)silk stockings

絮 4340 ㄒㄩˋ xù
1. raw, coarse, old, waste cotton or silk 2. wooly; fluffy 3. catkins and similar blossoms 4. padding; cushioning 5. (said of chatter, writing, etc.) windy 6. to wad with cotton
絮叨(ㄒㄩˋ ㄉㄠ)to talk endlessly
絮絮不休(ㄒㄩˋ ㄒㄩˋ ㄅㄨˋ ㄒㄧㄡ)to din; to chatter

絜 4341 1. ㄐㄧㄝˊ jié
clean; pure

絜 4341 2. ㄒㄧㄝˊ xié
1. to assess; to ascertain; to measure 2. to restrain; to regulate

七畫

絛 4342 (縧) ㄊㄠ tāo
a silk band, sash, or ribbon

絹 4343
ㄐㄩㄢˋ juàn
1. a kind of thick, loosely-woven raw silk fabric 2. a handkerchief
絹扇(ㄐㄩㄢˋ ㄕㄢˋ)a fan made with silk

絺 4344
ㄔ chī
a kind of fine hemp cloth; linen

綁 4345
ㄅㄤˇ bǎng
to tie; to bind; to fasten
綁票(ㄅㄤˇ ㄆㄧㄠˋ)kidnaping
綁匪(ㄅㄤˇ ㄈㄟˇ)a kidnaper
綁腿(ㄅㄤˇ ㄊㄨㄟˇ)leggings; gaiters
綁架(ㄅㄤˇ ㄐㄧㄚˋ)to kidnap for ransoms
綁緊(ㄅㄤˇ ㄐㄧㄣˇ)to bind or fasten tight

綃 4346
ㄒㄧㄠ xiāo
1. a fabric made of raw silk 2. raw silk

綈 4347
ㄊㄧˊ tí
a glossy thick silk fabric

綆 4348
ㄍㄥˇ gěng
a rope for drawing up water (from a well, stream, etc.)

綏 4349
ㄙㄨㄟ suī
(又讀 ㄙㄨㄟˊ suí)
1. to repose; to pacify 2. to retreat 3. a strap to help one mount a carriage, etc. 4. a banner; a flag
綏靖(ㄙㄨㄟ ㄐㄧㄥˋ)to pacify

經 4350
ㄐㄧㄥ jīng
1. classic books; religious scriptures 2. things running lengthwise 3. common ways, rules, etc. 4. to plan; to arrange; to manage 5. menses 6. human arteries, etc. 7. as a result; after 8. to pass through 9. to endure 10. longitude
經脈(ㄐㄧㄥ ㄇㄞˋ)blood vessels
經費(ㄐㄧㄥ ㄈㄟˋ)a budget; funds
經典(ㄐㄧㄥ ㄉㄧㄢˇ)① religious scriptures ② Chinese classics
經年累月(ㄐㄧㄥ ㄋㄧㄢˊ ㄌㄟˇ ㄩㄝˋ)for months and years
經理(ㄐㄧㄥ ㄌㄧˇ)a manager
經歷(ㄐㄧㄥ ㄌㄧˋ)① one's past experiences ② to undergo; to go through
經過(ㄐㄧㄥ ㄍㄨㄛˋ)① to pass by or through ② after; through
經濟(ㄐㄧㄥ ㄐㄧˋ)economy
經濟命脈(ㄐㄧㄥ ㄐㄧˋ ㄇㄧㄥˋ ㄇㄞˋ)the economic lifeline
經濟基礎(ㄐㄧㄥ ㄐㄧˋ ㄐㄧ ㄔㄨˇ)an economic base; an economic basis
經濟起飛(ㄐㄧㄥ ㄐㄧˋ ㄑㄧˇ ㄈㄟ)economic take-off
經濟學(ㄐㄧㄥ ㄐㄧˋ ㄒㄩㄝˊ)economics
經濟學家(ㄐㄧㄥ ㄐㄧˋ ㄒㄩㄝˊ ㄐㄧㄚ)an economist
經濟成長(ㄐㄧㄥ ㄐㄧˋ ㄔㄥˊ ㄓㄤˇ)economic growth
經濟作物(ㄐㄧㄥ ㄐㄧˋ ㄗㄨㄛˋ ㄨˋ)the industrial crop
經紀人(ㄐㄧㄥ ㄐㄧˋ ㄖㄣˊ)a broker; an agent
經久耐用(ㄐㄧㄥ ㄐㄧㄡˇ ㄋㄞˋ ㄩㄥˋ)(said of goods) durable; sturdy
經銷(ㄐㄧㄥ ㄒㄧㄠ)to sell as a consignee
經常(ㄐㄧㄥ ㄔㄤˊ)frequently
經手(ㄐㄧㄥ ㄕㄡˇ)to handle
經商(ㄐㄧㄥ ㄕㄤ)to engage in commercial activities
經由(ㄐㄧㄥ ㄧㄡˊ)by (a person); through or via (a place)
經驗(ㄐㄧㄥ ㄧㄢˋ)experience
經營(ㄐㄧㄥ ㄧㄥˊ)to operate or manage or carry on (a shop, etc.)
經緯(ㄐㄧㄥ ㄨㄟˇ)①longitude and latitude ② main points of something

綑 4351
(捆) ㄎㄨㄣˇ kǔn
1. a bundle; to tie up 2. to weave
綑綁(ㄎㄨㄣˇ ㄅㄤˇ)to tie up
綑緊(ㄎㄨㄣˇ ㄐㄧㄣˇ)to bind tight

綖 4352
ㄧㄢˊ yán
the hanging flap in front and at the back of a hat in ancient times

八畫

綜 4353
ㄗㄨㄥˋ zòng
1. to sum up 2. in view of 3. to arrange 4. synthesis; synthetic 5. to inquire or examine into
綜覽(ㄗㄨㄥˋ ㄌㄢˇ)to view generally
綜括(ㄗㄨㄥˋ ㄍㄨㄚ)to sum up
綜觀(ㄗㄨㄥˋ ㄍㄨㄢ)to view the whole situation
綜合(ㄗㄨㄥˋ ㄏㄜˊ)to synthesize
綜合報導(ㄗㄨㄥˋ ㄏㄜˊ ㄅㄠˋ ㄉㄠˇ)a comprehensive dispatch
綜合險保險(ㄗㄨㄥˋ ㄏㄜˊ ㄒㄧㄢˇ ㄅㄠˇ ㄒㄧㄢˇ)all risks insurance
綜合所得稅(ㄗㄨㄥˋ ㄏㄜˊ ㄙㄨㄛˇ ㄉㄜˊ ㄕㄨㄟˋ)consolidated income tax
綜藝節目(ㄗㄨㄥˋ ㄧˋ ㄐㄧㄝˊ ㄇㄨˋ)a variety show

綠 4354
1. ㄌㄩˋ lǜ
1. green (color) 2. chlorine, which is now written as 氯

〔糸部〕

〔糸部〕

綠寶石(ㄌㄩˋ ㄅㄠˇ ㄕˊ)emerald
綠帽子(ㄌㄩˋ ㄇㄠˋ •ㄗ)(literally)a green hat—the sign of a cuckold
綠豆(ㄌㄩˋ ㄉㄡˋ)the green beans
綠燈(ㄌㄩˋ ㄉㄥ)(transportation) the green light
綠卡(ㄌㄩˋ ㄎㄚˇ)a green card
綠洲(ㄌㄩˋ ㄓㄡ)an oasis
綠茶(ㄌㄩˋ ㄔㄚˊ)green tea
綠藻(ㄌㄩˋ ㄗㄠˇ)algae; chlorella
綠蔭(ㄌㄩˋ ㄧㄣˋ)a green shade

綠 4354 2. 讀音 ㄌㄨˋ lù
綠林好漢(ㄌㄨˋ ㄌㄧㄣˊ ㄏㄠˇ ㄏㄢˋ)① heroes of the greenwood ② brigands

綢 4355 ㄔㄡˊ chóu
1. a general name of all silk fabrics 2. fine and delicate
綢緞(ㄔㄡˊ ㄉㄨㄢˋ)a general name of silk goods

綣 4356 ㄑㄩㄢˇ quǎn
to make tender love

綬 4357 ㄕㄡˋ shòu
silk ribbons attached to an official seal or medal — (figuratively) an office seal

維 4358 ㄨㄟˊ wéi
1. to tie; to hold fast; to secure 2. to maintain; to safeguard 3. to unite; to hold together 4. long and slender—as fibers 5. an initial particle—only, but, etc. 6. a pattern or rule
維妙維肖(ㄨㄟˊ ㄇㄧㄠˋ ㄨㄟˊ ㄒㄧㄠˋ) remarkably true to life
維他命(ㄨㄟˊ ㄊㄚ ㄇㄧㄥˋ)vitamins
維納斯(ㄨㄟˊ ㄋㄚˋ ㄙ)Venus
維護(ㄨㄟˊ ㄏㄨˋ)to safeguard
維繫(ㄨㄟˊ ㄒㄧˋ)to maintain
維修(ㄨㄟˊ ㄒㄧㄡ)to keep in (good) repair; to service; to maintain
維持(ㄨㄟˊ ㄔˊ)to maintain; to keep
維持現狀(ㄨㄟˊ ㄔˊ ㄒㄧㄢˋ ㄓㄨㄤˋ)to maintain the present condition
維持秩序(ㄨㄟˊ ㄔˊ ㄓˋ ㄒㄩˋ)to keep order
維持治安(ㄨㄟˊ ㄔˊ ㄓˋ ㄢ)to maintain public order
維也納(ㄨㄟˊ ㄧㄝˇ ㄋㄚˋ)Vienna

綰 4359 ㄨㄢˇ wǎn
to string together; to bind up, as the hair; to coil up

綱 4360 ㄍㄤ gāng
1. the large rope of a net, round which it is netted, and by which it is drawn 2. an outline 3. a principle
綱領(ㄍㄤ ㄌㄧㄥˇ)an outline
綱紀(ㄍㄤ ㄐㄧˋ)a principle
綱要(ㄍㄤ ㄧㄠˋ)main points

網 4361 ㄨㄤˇ wǎng
1. a net; a network; a web 2. (figuratively) the dragnet 3. to collect
網膜(ㄨㄤˇ ㄇㄛˊ)a retina
網路(ㄨㄤˇ ㄌㄨˋ)a network
網路瀏覽器(ㄨㄤˇ ㄌㄨˋ ㄌㄧㄡˊ ㄌㄢˇ ㄑㄧˋ) (computer) a browser
網羅(ㄨㄤˇ ㄌㄨㄛˊ)to collect
網開一面(ㄨㄤˇ ㄎㄞ ㄧˊ ㄇㄧㄢˋ)to leave one side of the net open—to give a wrongdoer a way out
網際網路(ㄨㄤˇ ㄐㄧˋ ㄨㄤˇ ㄌㄨˋ)an internet
網球(ㄨㄤˇ ㄑㄧㄡˊ)tennis
網球拍(ㄨㄤˇ ㄑㄧㄡˊ ㄆㄞ)a racket
網球場(ㄨㄤˇ ㄑㄧㄡˊ ㄔㄤˇ)a tennis court
網子(ㄨㄤˇ •ㄗ)a net

綴 4362 ㄓㄨㄟˋ zhuì
1. to put together; to combine; to compose 2. to mend clothes; to patch up; to sew 3. to decorate; to stud
綴補(ㄓㄨㄟˋ ㄅㄨˇ)to patch up (clothes)

綵 4363 ㄘㄞˇ cǎi
1. varicolored silk 2. varicolored; motley
綵球(ㄘㄞˇ ㄑㄧㄡˊ)a ball wound up from varicolored silk

綹 4364 ㄌㄧㄡˇ liǔ
a tuft; a lock; a skein (of yarn)

綸 4365 1. ㄌㄨㄣˊ lún
1. a fishing line 2. a green silk cord

綸 4365 2. ㄍㄨㄢ guān
a kind of ancient cap

綺 4366 ㄑㄧˇ qǐ
1. beautiful; magnificent; resplendent 2. twilled silk cloth
綺麗(ㄑㄧˇ ㄌㄧˋ)beautiful; fair
綺想(ㄑㄧˇ ㄒㄧㄤˇ) or 綺思(ㄑㄧˇ ㄙ) beautiful thoughts (in literature)

綻 4367 ㄓㄢˋ zhàn
1. a ripped seam; a crack 2. a flaw or defect (in a scheme, etc.)

綽 4368 ㄔㄨㄛˋ chuò
1. spacious; roomy 2. delicate
綽號(ㄔㄨㄛˋ ㄏㄠˋ)a nickname
綽綽有餘(ㄔㄨㄛˋ ㄔㄨㄛˋ ㄧㄡˇ ㄩˊ)It's more than enough.

綾 4369
ㄌㄧㄥˊ líng
very fine silk cloth; damask silk

緇 4370
ㄗ zī
1. black 2. black silk

緅 4371
ㄗㄡ zōu
1. bluish red; a puce color 2. light red

綿 4372
(緜) ㄇㄧㄢˊ mián
1. cotton 2. everlasting; endless 3. weak
綿薄(ㄇㄧㄢˊ ㄅㄛˊ)(a polite expression) my feeble strength
綿綿(ㄇㄧㄢˊ ㄇㄧㄢˊ)continuous
綿絮(ㄇㄧㄢˊ ㄒㄩˋ)cotton
棉紙(ㄇㄧㄢˊ ㄓˇ)tissue paper
綿延(ㄇㄧㄢˊ ㄧㄢˊ)to extend very long
綿羊(ㄇㄧㄢˊ ㄧㄤˊ)sheep

綦 4373
ㄑㄧˊ qí
1. very; exceedingly 2. dark gray 3. shoelaces

綮 4374
1. (棨) ㄑㄧˇ qǐ
a sheath for a lance head

綮 4374
2. ㄑㄧㄥˋ qìng
as in 肯綮—the main point; the gist

緊 4375
ㄐㄧㄣˇ jǐn
1. tight; firm; fast; secure; taut; tense; close 2. urgent; critical; pressing
緊繃(ㄐㄧㄣˇ ˙ㄅㄥ)to stretch taut
緊逼(ㄐㄧㄣˇ ㄅㄧ)to press hard
緊迫(ㄐㄧㄣˇ ㄆㄛˋ)urgent; pressing
緊密(ㄐㄧㄣˇ ㄇㄧˋ)compact and orderly
緊鄰(ㄐㄧㄣˇ ㄌㄧㄣˊ)a close neighbor
緊急(ㄐㄧㄣˇ ㄐㄧˊ)urgent; critical
緊緊(ㄐㄧㄣˇ ㄐㄧㄣˇ)tightly; closely
緊張(ㄐㄧㄣˇ ㄓㄤ)tense; nervous
緊湊(ㄐㄧㄣˇ ㄘㄡˋ)①compact ②(said of an entertainment program, a composition, etc.) one climax after another
緊縮(ㄐㄧㄣˇ ㄙㄨㄛ)to retrench
緊要關頭(ㄐㄧㄣˇ ㄧㄠˋ ㄍㄨㄢ ㄊㄡˊ)a critical moment
緊握(ㄐㄧㄣˇ ㄨㄛˋ)to grasp firmly

緋 4376
ㄈㄟ fēi
scarlet; crimson
緋紅(ㄈㄟ ㄏㄨㄥˊ)scarlet; crimson
緋聞(ㄈㄟ ㄨㄣˊ)sexy news 亦作「桃色新聞」

緌 4377
ㄖㄨㄟˊ ruí
ornamental strings on a hat

綫 4378
(線) ㄒㄧㄢˋ xiàn
1. a line 2. threads
綫索(ㄒㄧㄢˋ ㄙㄨㄛˇ)a clue

九畫

緒 4379
ㄒㄩˋ xù
1. the end of a thread or string 2. a clue 3. a beginning 4. a task; a cause; an enterprise 5. a mental or emotional state; mood 6. remnants; remains; leftovers
緒論(ㄒㄩˋ ㄌㄨㄣˋ)a preface
緒言(ㄒㄩˋ ㄧㄢˊ)a preface; a foreword

緘 4380
ㄐㄧㄢ jiān
1. to seal; to close 2. a letter
緘默(ㄐㄧㄢ ㄇㄛˋ)to keep silence

線 4381
(綫) ㄒㄧㄢˋ xiàn
1. a line 2. threads 3. wires
線條(ㄒㄧㄢˋ ㄊㄧㄠˊ)lines; streaks
線路(ㄒㄧㄢˋ ㄌㄨˋ)(electricity) a circuit
線圈(ㄒㄧㄢˋ ㄑㄩㄢ)a coil
線裝書(ㄒㄧㄢˋ ㄓㄨㄤ ㄕㄨ)a book bound in the traditional Chinese style
線索(ㄒㄧㄢˋ ㄙㄨㄛˇ)a clue; a lead

緞 4382
ㄉㄨㄢˋ duàn
satin
緞帶(ㄉㄨㄢˋ ㄉㄞˋ)a satin ribbon

緝 4383
1. ㄑㄧˋ qì
1. to order the arrest of; to arrest; to capture 2. to twist and join (cords) 3. to continue 4. to hem clothing
緝捕(ㄑㄧˋ ㄅㄨˇ)to search and arrest
緝拿(ㄑㄧˋ ㄋㄚˊ)to arrest; to apprehend
緝私(ㄑㄧˋ ㄙ)to arrest smugglers

緝 4383
2. ㄑㄧ qī
to sew in close and straight stitches

緗 4384
ㄒㄧㄤ xiāng
light-yellow silk

締 4385
ㄉㄧˋ dì
to connect; to join; to unite
締盟(ㄉㄧˋ ㄇㄥˊ)to form an alliance
締結(ㄉㄧˋ ㄐㄧㄝˊ)to conclude (treaties, agreements, etc.)
締交(ㄉㄧˋ ㄐㄧㄠ)to establish diplomatic ties or friendship
締造(ㄉㄧˋ ㄗㄠˋ)to construct
締約(ㄉㄧˋ ㄩㄝ)to conclude a treaty

〔糸部〕

緡 4386 (緍) ㄇㄧㄣˊ mín
1. a fishing line 2. cords for stringing up coins

緦 4387 ㄙ sī
1. fine jute cloth 2. to spin jute thread or yarn

緣 4388 ㄩㄢˊ yuán
1. a cause; a reason 2. to go along; to follow 3. a hem; a margin; an edge; a fringe 4. relationship by fate; predestined relationship
緣分(ㄩㄢˊ ㄈㄣˋ)relationship by fate
緣故(ㄩㄢˊ ㄍㄨˋ)a cause; a reason
緣起(ㄩㄢˊ ㄑㄧˇ)origins
緣由(ㄩㄢˊ ㄧㄡˊ)a cause; a reason

編 4389 ㄅㄧㄢ biān
1. to knit; to weave 2. to put together; to organize; to form; to arrange 3. to fabricate; to make up; to invent 4. to compile; to edit 5. (part of) a book; a volume
編排(ㄅㄧㄢ ㄆㄞˊ)to arrange in order
編目(ㄅㄧㄢ ㄇㄨˋ)to prepare or compile a catalogue
編導(ㄅㄧㄢ ㄉㄠˇ)① to write and direct (a play, film, etc.) ② a director
編號(ㄅㄧㄢ ㄏㄠˋ)① to number ② a serial number
編輯(ㄅㄧㄢ ㄐㄧˊ)① to edit; to compile ② an editor
編輯部(ㄅㄧㄢ ㄐㄧˊ ㄅㄨˋ)an editorial department
編劇(ㄅㄧㄢ ㄐㄩˋ)① to write a play ② a playwright
編織(ㄅㄧㄢ ㄓ)to knit
編者(ㄅㄧㄢ ㄓㄜˇ)an editor
編著(ㄅㄧㄢ ㄓㄨˋ)to edit; to compile
編審(ㄅㄧㄢ ㄕㄣˇ)to edit and screen (textbooks, etc.)
編造(ㄅㄧㄢ ㄗㄠˋ)to fabricate
編纂(ㄅㄧㄢ ㄗㄨㄢˇ)to compile
編譯(ㄅㄧㄢ ㄧˋ)to translate and compile
編舞(ㄅㄧㄢ ㄨˇ)to choreograph

緩 4390 ㄏㄨㄢˇ huǎn
1. slow; gradual; tardy; leisurely; unhurried 2. to delay; to slacken; to put off; to postpone; to defer 3. to revive; to refresh
緩兵之計(ㄏㄨㄢˇ ㄅㄧㄥ ㄓ ㄐㄧˋ)delaying tactics
緩慢(ㄏㄨㄢˇ ㄇㄢˋ)slow
緩和(ㄏㄨㄢˇ ㄏㄜˊ)① to relax ② calm
緩緩(ㄏㄨㄢˇ ㄏㄨㄢˇ)slowly
緩刑(ㄏㄨㄢˇ ㄒㄧㄥˊ)to suspend a sentence
緩衝(ㄏㄨㄢˇ ㄔㄨㄥ)to serve as a buffer; to buffer

緲 4391 ㄇㄧㄠˇ miǎo
distant; far and dim—unsubstantial

緬 4392 ㄇㄧㄢˇ miǎn
1. distant; far; remote 2. to think of something or somebody in the past
緬靦(ㄇㄧㄢˇ ㄊㄧㄢˇ)shy; bashful
緬懷(ㄇㄧㄢˇ ㄏㄨㄞˊ)to think of

緯 4393 ㄨㄟˇ wěi
1. the woof 2. parallels showing latitude on a map
緯度(ㄨㄟˇ ㄉㄨˋ)degrees of latitude

緱 4394 ㄍㄡ gōu
cord binding on the hilt of a sword

練 4395 ㄌㄧㄢˋ liàn
1. to practice; to train; to exercise 2. skilled; experienced 3. to soften and whiten raw silk by boiling
練兵(ㄌㄧㄢˋ ㄅㄧㄥ)to train troops
練達(ㄌㄧㄢˋ ㄉㄚˊ)experienced; sophisticated
練球(ㄌㄧㄢˋ ㄑㄧㄡˊ)to practice a ball game
練習(ㄌㄧㄢˋ ㄒㄧˊ)① to train; to practice (so as to gain skill) ②exercises
練習題(ㄌㄧㄢˋ ㄒㄧˊ ㄊㄧˊ)exercises

緹 4396 ㄊㄧˊ tí
1. reddish yellow silk 2. reddish yellow soil 3. reddish; red

緻 4397 ㄓˋ zhì
fine; close; dense; delicate

緶 4398 ㄅㄧㄢˋ biàn
1. a narrow strip of woven material (such as the hem of a straw hat) 2. to sew up a hem

緙 4399 ㄎㄜˋ kè
the woof of a woven item

緜 4400 (綿) ㄇㄧㄢˊ mián
1. soft; downy 2. enduring

十畫

縈 4401 ㄧㄥˊ yíng
1. to coil; to entwine; to wind around and around; to twine; to round 2. to entangle; to preoccupy
縈繞(ㄧㄥˊ ㄖㄠˋ)to linger; to encircle

縣 4402 1. ㄒㄧㄢˋ xiàn
a county; a prefecture
縣政府(ㄒㄧㄢˋ ㄓㄥˋ ㄈㄨˇ)a county government
縣議會(ㄒㄧㄢˋ ㄧˋ ㄏㄨㄟˋ)a county council

縣 4402
2. (懸) ㄒㄩㄢˊ xuán
to hang

縠 4403
ㄏㄨˊ hú
crepe

縋 4404
ㄓㄨㄟˋ zhuì
to hang by a rope; to let down by a rope

縐 4405
ㄓㄡˋ zhòu
1. crepe; crape 2. wrinkled; creased; crinkled

縑 4406
ㄐㄧㄢ jiān
a kind of fine silk

縗 4407
ㄘㄨㄟ cuī
a piece of sackcloth worn on the breast in mourning

縛 4408
ㄈㄨˊ fú
to bind; to tie
縛鷄之力(ㄈㄨˊ ㄐㄧ ㄓ ㄌㄧˋ)very limited strength
縛手縛脚(ㄈㄨˊ ㄕㄡˇ ㄈㄨˊ ㄐㄧㄠˇ)unable to act freely

縉 4409
ㄐㄧㄣˋ jìn
red silk
縉紳(ㄐㄧㄣˋ ㄕㄣ)a ranking government official

縕 4410
ㄩㄣˋ yùn
1. loose hemp; old yarn 2. confused; chaotic

縞 4411
ㄍㄠˇ gǎo
plain white raw silk
縞素(ㄍㄠˇ ㄙㄨˋ)① plain white clothes worn in mourning ② white silk

縝 4412
ㄓㄣˇ zhěn
fine; close; minute
縝密(ㄓㄣˇ ㄇㄧˋ)fine; minute

縟 4413
ㄖㄨˋ rù
1. rich ornament 2. excessive formality or ceremony

縢 4414
ㄊㄥˊ téng
1. to bind; to tie; to restrict; to restrain 2. a band

縊 4415
ㄧˋ yì
to strangle; to hang
縊死(ㄧˋ ㄙˇ)to hang oneself

十一畫

縫 4416
1. ㄈㄥˊ féng
1. to sew; to stitch 2. to suture
縫補(ㄈㄥˊ ㄅㄨˇ)to mend (clothes, etc.)
縫合(ㄈㄥˊ ㄏㄜˊ)(medicine) to join by sewing
縫紉(ㄈㄥˊ ㄖㄣˋ)sewing
縫紉機(ㄈㄥˊ ㄖㄣˋ ㄐㄧ)a sewing machine

縫 4416
2. ㄈㄥˋ fèng
1. a suture 2. a crack; an opening
縫隙(ㄈㄥˋ ㄒㄧˋ)a crack; a crevice

縭 4417
ㄌㄧˊ lí
1. a bridal veil; a bride's sash 2. to tie; to bind

縱 4418
1. ㄗㄨㄥˋ zòng
1. to allow to move or work freely; to let go; to let fly 2. to indulge; indulgence 3. even if; although
縱觀(ㄗㄨㄥˋ ㄍㄨㄢ)to take a free, wide look
縱火(ㄗㄨㄥˋ ㄏㄨㄛˇ)to commit arson
縱情(ㄗㄨㄥˋ ㄑㄧㄥˊ)to do as one pleases
縱使(ㄗㄨㄥˋ ㄕˇ)or 縱然(ㄗㄨㄥˋ ㄖㄢˊ) even if; even though
縱身(ㄗㄨㄥˋ ㄕㄣ)to let the body move (upward, forward, etc.) with full force
縱容(ㄗㄨㄥˋ ㄖㄨㄥˊ)to pass over indulgently

縱 4418
2. ㄗㄨㄥ zōng
vertical; longitudinal
縱隊(ㄗㄨㄥ ㄉㄨㄟˋ)column (as opposed to rank) of troops
縱貫(ㄗㄨㄥ ㄍㄨㄢˋ)to run lengthwise through
縱橫(ㄗㄨㄥ ㄏㄥˊ)①the horizontal and the vertical ②to roam about without opposition

縮 4419
ㄙㄨㄛ suō
(讀音 ㄙㄨˋ sù)
1. to contract; to shorten; to reduce; to decrease; to shrink 2. to draw back; to recoil; to wince 3. to bind
縮短(ㄙㄨㄛ ㄉㄨㄢˇ)to shorten
縮頭縮腦(ㄙㄨㄛ ㄊㄡˊ ㄙㄨㄛ ㄋㄠˇ)to cower or shrink from fear
縮回(ㄙㄨㄛ ㄏㄨㄟˊ)to draw back
縮減(ㄙㄨㄛ ㄐㄧㄢˇ)to reduce; to lessen
縮寫(ㄙㄨㄛ ㄒㄧㄝˇ)abbreviation
縮水(ㄙㄨㄛ ㄕㄨㄟˇ) to shrink after washing
縮影(ㄙㄨㄛ ㄧㄥˇ)a miniature; an epitome

縵 4420
ㄇㄢˋ màn
1. plain silk 2. plain; unadorned 3. slow

縲 4421
ㄌㄟˊ léi
black rope (for a criminal)

〔糸部〕

〔糸部〕

縴 4422
ㄑㄧㄢˋ qiàn
a towrope; a towline

縷 4423
ㄌㄩˇ lǚ
1. a thread; yarn 2. a wisp; a strand; a lock 3. detailed; in detail
縷縷(ㄌㄩˇ ㄌㄩˇ)continuous; endlessly

縹 4424
ㄆㄧㄠˇ piǎo
1. light-blue silk 2. light blue 3. dim; misty; indistinct
縹緲(ㄆㄧㄠˇ ㄇㄧㄠˇ)distant and dim

總 4425
ㄗㄨㄥˇ zǒng
1. to gather; to collect; to assemble; to unite 2. always 3. all; general; overall; complete; total 4. chief; principal; central 5. at any rate
總編輯(ㄗㄨㄥˇ ㄅㄧㄢ ㄐㄧˊ)an editor-in-chief
總部(ㄗㄨㄥˇ ㄅㄨˋ)headquarters
總評(ㄗㄨㄥˇ ㄆㄧㄥˊ)general comment
總平均(ㄗㄨㄥˇ ㄆㄧㄥˊ ㄐㄩㄣ)an overall average
總代理(ㄗㄨㄥˇ ㄉㄞˋ ㄌㄧˇ)(business) a general agent
總督(ㄗㄨㄥˇ ㄉㄨ)a viceroy
總動員(ㄗㄨㄥˇ ㄉㄨㄥˋ ㄩㄢˊ)general mobilization
總統(ㄗㄨㄥˇ ㄊㄨㄥˇ)the president (of a state)
總統府(ㄗㄨㄥˇ ㄊㄨㄥˇ ㄈㄨˇ)the presidential office
總理(ㄗㄨㄥˇ ㄌㄧˇ)a prime minister
總論(ㄗㄨㄥˇ ㄌㄨㄣˋ)general discussion
總綱(ㄗㄨㄥˇ ㄍㄤ)general principles
總括(ㄗㄨㄥˇ ㄍㄨㄚ)to sum up
總歸(ㄗㄨㄥˇ ㄍㄨㄟ)anyhow; eventually; after all
總共(ㄗㄨㄥˇ ㄍㄨㄥˋ)altogether; in all
總和(ㄗㄨㄥˇ ㄏㄜˊ)the total
總行(ㄗㄨㄥˇ ㄏㄤˊ)a head office (of a business firm)
總機(ㄗㄨㄥˇ ㄐㄧ)a telephone switchboard
總計(ㄗㄨㄥˇ ㄐㄧˋ)the total
總結(ㄗㄨㄥˇ ㄐㄧㄝˊ)conclusion
總經理(ㄗㄨㄥˇ ㄐㄧㄥ ㄌㄧˇ)a general manager
總局(ㄗㄨㄥˇ ㄐㄩˊ)the head office
總之(ㄗㄨㄥˇ ㄓ)or 總而言之(ㄗㄨㄥˇ ㄦˊ ㄧㄢˊ ㄓ)in short; in brief
總值(ㄗㄨㄥˇ ㄓˊ)total value
總主筆(ㄗㄨㄥˇ ㄓㄨˇ ㄅㄧˇ)a chief editorial writer
總是(ㄗㄨㄥˇ ㄕˋ)always
總數(ㄗㄨㄥˇ ㄕㄨˋ)the total amount
總裁(ㄗㄨㄥˇ ㄘㄞˊ)a director general, president or governor (of a bank, political party, etc.)
總司令(ㄗㄨㄥˇ ㄙ ㄌㄧㄥˋ)commander in chief
總算(ㄗㄨㄥˇ ㄙㄨㄢˋ)at long last; finally
總額(ㄗㄨㄥˇ ㄜˊ)the total amount
總務(ㄗㄨㄥˇ ㄨˋ)general affairs

縶 4426
ㄓˊ zhí
1. to tie; to bind; to connect 2. to imprison 3. a bridle

縻 4427
ㄇㄧˊ mí
to tie; to fasten; to connect

繁 4428
1.(緐) ㄈㄢˊ fán
1. many; numerous; abundant; prolific 2. complex; complicated; intricate
繁茂(ㄈㄢˊ ㄇㄠˋ)lush or luxuriant
繁忙(ㄈㄢˊ ㄇㄤˊ)very busy
繁複(ㄈㄢˊ ㄈㄨˋ)complex
繁多(ㄈㄢˊ ㄉㄨㄛ)many; numerous
繁華(ㄈㄢˊ ㄏㄨㄚˊ)① extravagant ② prosperous
繁星(ㄈㄢˊ ㄒㄧㄥ)numerous stars
繁殖(ㄈㄢˊ ㄓˊ)to multiply by reproduction
繁重(ㄈㄢˊ ㄓㄨㄥˋ)heavy
繁榮(ㄈㄢˊ ㄖㄨㄥˊ)prosperous
繁雜(ㄈㄢˊ ㄗㄚˊ)complicated; complex
繁瑣(ㄈㄢˊ ㄙㄨㄛˇ)minute and complicated
繁文縟節(ㄈㄢˊ ㄨㄣˊ ㄖㄨˋ ㄐㄧㄝˊ)excessive ceremony

繁 4428
2. ㄆㄛˊ pó
a Chinese family name

繄 4429
ㄧ yī
1. a phrase-initial particle (in archaic Chinese) 2. a verb functioning like the verb "to be" (in archaic Chinese) 3. alas

繇 4430
1. ㄧㄡˊ yóu
1. same as 由—through; via; by way of 2. same as 悠—to be in a leisurely manner and satisfied with oneself

繇 4430
2. (徭) ㄧㄠˊ yáo
1. labor service 2. luxuriant

績 4431
ㄐㄧ jī
1. to spin; to twist 2. merit; achievements; exploits; meritorious labor
績效(ㄐㄧ ㄒㄧㄠˋ) results; effects; achievements

繅 4432
ㄙㄠ sāo
to draw or unwind (silk from cocoons)

繃 4433
1. (綳) ㄅㄥ bēng
to bind

繃帶(ㄅㄥ ㄉㄞˋ)a bandage

繃 4433
2. (綳) ㄅㄥˇ běng
1. taut; tense 2. to endure or bear
繃著臉(ㄅㄥˇ ·ㄓㄜ ㄌㄧㄢˇ)to pull a long face

繃 4433
3. (綳) ㄅㄥˋ bèng
to break open; to burst open; to split open; to crack

繆 4434
1. ㄇㄡˊ móu
precautions; preparations

繆 4434
2. ㄇㄧㄠˋ miào
a Chinese family name

繆 4434
3. ㄇㄧㄡˋ miù
erroneous; preposterous; absurd; false; an error; a mistake 亦作「謬」
繆誤(ㄇㄧㄡˋ ㄨˋ)an error; a mistake

繆 4434
4. (穆) ㄇㄨˋ mù
1. beautiful 2. harmonious 3. silent

縧 4435
(絛) ㄊㄠ tāo
ribbon; flat silk cord

十二畫

繒 4436
1. ㄗㄥ zēng
silk; siik fabrics

繒 4436
2. ㄗㄥˋ zèng
繒綳(ㄗㄥˋ ㄅㄥˇ)to fasten tight

織 4437
ㄓ zhī
to weave; to knit
織布(ㄓ ㄅㄨˋ)to weave cloth
織布機(ㄓ ㄅㄨˋ ㄐㄧ)a loom
織物(ㄓ ㄨˋ)fabric; cloth; textiles

繕 4438
ㄕㄢˋ shàn
1. to mend; to repair 2. to copy; to transcribe
繕寫(ㄕㄢˋ ㄒㄧㄝˇ)to transcribe

繚 4439
ㄌㄧㄠˊ liáo
to wind round
繚繞(ㄌㄧㄠˊ ㄖㄠˋ)winding round and round

繖 4440
ㄙㄢˇ sǎn
an umbrella; a parasol; a canopy

繙 4441
ㄈㄢ fān
1. to translate; to interpret 2. (said of a flag, etc.) to flutter; to fly

繞 4442
ㄖㄠˋ rào
1. to go around; to make a detour 2. to march round; to circle
繞道(ㄖㄠˋ ㄉㄠˋ)or 繞路(ㄖㄠˋ ㄌㄨˋ)to make a detour; to detour
繞口令兒(ㄖㄠˋ ㄎㄡˇ ㄌㄧㄥˋㄦ)a tongue twister
繞圈子(ㄖㄠˋ ㄑㄩㄢ ·ㄗ)① to go round and round ② to beat around the bush

繢 4443
(繪) ㄏㄨㄟˋ huì
to draw; to make a sketch of

繡 4444
(綉) ㄒㄧㄡˋ xiù
1. to embroider 2. embroidery
繡花(ㄒㄧㄡˋ ㄏㄨㄚ)embroidery; to embroider
繡花鞋(ㄒㄧㄡˋ ㄏㄨㄚ ㄒㄧㄝˊ)embroidered shoes
繡球(ㄒㄧㄡˋ ㄑㄧㄡˊ)a ball of rolled silk

十三畫

繩 4445
ㄕㄥˊ shéng
1. a rope; a cord; a line 2. to restrain 3. to rectify; to correct
繩之以法(ㄕㄥˊ ㄓ ㄧˇ ㄈㄚˇ)to prosecute according to the law
繩子(ㄕㄥˊ ·ㄗ)a rope; a line; a cord
繩索(ㄕㄥˊ ㄙㄨㄛˇ)ropes; cords

繪 4446
ㄏㄨㄟˋ huì
to draw (pictures)
繪圖(ㄏㄨㄟˋ ㄊㄨˊ)① to draw pictures ② to prepare (engineering) drawings
繪圖員(ㄏㄨㄟˋ ㄊㄨˊ ㄩㄢˊ)a draftsman (of an engineering firm)
繪畫(ㄏㄨㄟˋ ㄏㄨㄚˋ)painting; drawing
繪聲繪影(ㄏㄨㄟˋ ㄕㄥ ㄏㄨㄟˋ ㄧㄥˇ)to give a very vivid description

繮 4447
(韁) ㄐㄧㄤ jiāng
(又讀 ㄍㄤ gāng)
reins; a bridle; a halter
繮繩(ㄐㄧㄤ ㄕㄥˊ)reins; a bridle; a halter

繯 4448
ㄏㄨㄢˊ huán
1. a noose 2. to hang (to death)

繳 4449
1. ㄐㄧㄠˇ jiǎo
1. to surrender (articles); to submit 2. to pay (taxes, tuition, etc.)
繳費(ㄐㄧㄠˇ ㄈㄟˋ)to pay fees
繳納(ㄐㄧㄠˇ ㄋㄚˋ)to pay (taxes, tuition, etc.)
繳卷(ㄐㄧㄠˇ ㄐㄩㄢˋ)to hand in examination papers
繳械(ㄐㄧㄠˇ ㄒㄧㄝˋ)to surrender arms
繳稅(ㄐㄧㄠˇ ㄕㄨㄟˋ)to pay taxes

〔糸部〕

繳 4449
2. ㄓㄨㄛˊ zhuó
a string made of raw silk fastened to the arrow

繨 4450
•ㄉㄚ da (又讀 ㄉㄚˊ dá)
a knot (of a rope)

繹 4451
ㄧˋ yì
1. to draw silk 2. continuous; uninterrupted 3. to infer; to deduce

繫 4452
1. ㄒㄧˋ xì
to connect; to link; to join
繫念(ㄒㄧˋ ㄋㄧㄢˋ)to be anxious about

繫 4452
2. ㄐㄧˋ jì
to bind; to tie; to hang up

繭 4453
ㄐㄧㄢˇ jiǎn
1. cocoons; a chrysalis 2. a callus

繰 4454
1. ㄗㄠˇ zǎo
a kind of silk

繰 4454
2. ㄙㄠ sāo
to draw silk from cocoons

十四畫

辮 4455
ㄅㄧㄢˋ biàn
a braid; a plait; a pigtail; a queue

纂 4456
ㄗㄨㄢˇ zuǎn
1. a kind of red cloth 2. to compile; to collect
纂修(ㄗㄨㄢˇ ㄒㄧㄡ)to compile; to edit

繻 4457
ㄒㄩ xū
1. fine gauze 2. pieces of silk used as credentials

繽 4458
ㄅㄧㄣ bīn
1. abundant; plentiful; thriving 2. disorderly; confused
繽紛(ㄅㄧㄣ ㄈㄣ)①flourishing ②disorderly

繼 4459
ㄐㄧˋ jì
1. to continue; to carry on 2. then; afterwards 3. to follow; to inherit; to succeed to
繼母(ㄐㄧˋ ㄇㄨˇ)a stepmother
繼父(ㄐㄧˋ ㄈㄨˋ)a stepfather
繼續(ㄐㄧˋ ㄒㄩˋ)to continue; to go on
繼承(ㄐㄧˋ ㄔㄥˊ)to inherit; to succeed to
繼承人(ㄐㄧˋ ㄔㄥˊ ㄖㄣˊ)an heir; a successor
繼任(ㄐㄧˋ ㄖㄣˋ)to succeed to an office
繼位(ㄐㄧˋ ㄨㄟˋ)to succeed to the throne

繾 4460
ㄑㄧㄢˇ qiǎn
entangled
繾綣(ㄑㄧㄢˇ ㄑㄩㄢˇ)entangled

纁 4461
ㄒㄩㄣ xūn
light red

十五畫

纈 4462
ㄒㄧㄝˊ xié
1. to tie a knot 2. silk with patterns or designs woven into it

纊 4463
ㄎㄨㄤˋ kuàng
cotton

續 4464
ㄒㄩˋ xù
1. to continue; to extend; to renew 2. to add; to supply more
續聘(ㄒㄩˋ ㄆㄧㄣˋ)to continue to employ
續集(ㄒㄩˋ ㄐㄧˊ)the sequel
續借(ㄒㄩˋ ㄐㄧㄝˋ)to renew (a library book)
續絃(ㄒㄩˋ ㄒㄧㄢˊ)(said of a man) to remarry after the death of his wife
續約(ㄒㄩˋ ㄩㄝ)to renew a contract

纏 4465
ㄔㄢˊ chán
1. to wind round; to twine round; to bind; to wrap; to tangle 2. to bother persistently 3. to pester; to worry 4. to deal with
纏綿(ㄔㄢˊ ㄇㄧㄢˊ)tenderly attached to each other; affectionate
纏綿悱惻(ㄔㄢˊ ㄇㄧㄢˊ ㄈㄟˇ ㄘㄜˋ)very pathetic
纏身(ㄔㄢˊ ㄕㄣ)to be delayed
纏繞(ㄔㄢˊ ㄖㄠˋ)①to wind round ②to bother persistently

纍 4466
ㄌㄟˊ léi
1. strung together 2. a heavy rope 3. to tie; to bind; to twine around; to wind round

纇 4467
ㄌㄟˋ lèi
1. a knot on a thread 2. a flaw

十六畫

纑 4468
ㄌㄨˊ lú
1. thread 2. to soften hemp, etc. by boiling

十七畫

纔 4469
ㄘㄞˊ cái
1. just now; just then 2. only 3. not until; for the first time; then and only

then ⌈arrived
纔來(ㄘㄞˊ ㄌㄞˊ)to have just come or

纓 4470
ㄧㄥ yīng
1. chin straps for holding a hat 2. a tassel 3. leaves of turnips

纕 4471
1. ㄒㄧㄤ xiāng
to wear

纕 4471
2. ㄖㄤˊ ráng
same as 攘—to roll up one's sleeve ⌊to show the arm

纖 4472
ㄒㄧㄢ xiān
tiny; minute; fine; delicate; slender
纖毛(ㄒㄧㄢ ㄇㄠˊ)cilia
纖細(ㄒㄧㄢ ㄒㄧˋ)fine; tiny; minute
纖瘦(ㄒㄧㄢ ㄕㄡˋ)delicate and slender
纖弱(ㄒㄧㄢ ㄖㄨㄛˋ)fragile; delicate
纖維(ㄒㄧㄢ ㄨㄟˊ)fiber

十八畫

纛 4473
ㄉㄠˋ dào (又讀 ㄉㄨˊ dú)
a banner; a streamer

十九畫

纘 4474
ㄗㄨㄢˇ zuǎn
to continue; to carry on; to keep up

二十一畫

纜 4475
ㄌㄢˇ lǎn (又讀 ㄌㄢˋ làn)
a hawser; a cable
纜車(ㄌㄢˇ ㄔㄜ)a cable car
纜繩(ㄌㄢˇ ㄕㄥˊ)cordage

缶 部
ㄈㄡˇ fǒu

缶 4476
ㄈㄡˇ fǒu
a crock with a narrow opening

三畫

缸 4477
ㄍㄤ gāng
a cistern; a crock

四畫

缺 4478
ㄑㄩㄝ quē
1.deficient; lacking; short; incomplete; defective 2. a vacancy; an opening
缺乏(ㄑㄩㄝ ㄈㄚˊ)to lack
缺德(ㄑㄩㄝ ㄉㄜˊ)mischievous
缺點(ㄑㄩㄝ ㄉㄧㄢˇ)a defect; a flaw
缺課(ㄑㄩㄝ ㄎㄜˋ)to be absent from
缺口(ㄑㄩㄝ ㄎㄡˇ)an opening ⌊class
缺憾(ㄑㄩㄝ ㄏㄢˋ)a flaw
缺席(ㄑㄩㄝ ㄒㄧˊ)to be absent
缺席率(ㄑㄩㄝ ㄒㄧˊ ㄌㄩˋ)absence rate
缺陷(ㄑㄩㄝ ㄒㄧㄢˋ)a defect
缺少(ㄑㄩㄝ ㄕㄠˇ)to be short of; to lack ⌈be filled
缺額(ㄑㄩㄝ ㄜˊ)vacancies waiting to
缺氧(ㄑㄩㄝ ㄧㄤˇ)oxygen deficit

八畫

缾 4479
ㄆㄧㄥˊ píng
a bottle; a pitcher, etc. 亦作「瓶」

十畫

罃 4480
ㄧㄥ yīng
a long-necked bottle

十一畫

罄 4481
ㄑㄧㄥˋ qìng
to exhaust; to use up; to empty

罅 4482
ㄒㄧㄚˋ xià ⌈flaw
a crack; a rift; a cleft; a fissure; a

十二畫

罇 4483
ㄗㄨㄣ zūn
same as 尊、樽—a goblet; a bottle

罈 4484
(罎) ㄊㄢˊ tán
an earthenware jar or jug for wine

十三畫

罋 4485
ㄨㄥˋ wèng
same as 甕—an earthen jar

十四畫

罌 4486
ㄧㄥ yīng
a jar with a small mouth
罌粟(ㄧㄥ ㄙㄨˋ)an opium poppy

十五畫

罍 4487
ㄌㄟˊ léi
an earthenware wine jar

十六畫

罎 4488 (罈) ㄊㄢˊ tán
an earthenware jar or jug for wine

罏 4489 ㄌㄨˊ lú
an earthen stand for wine jars

十八畫

罐 4490 ㄍㄨㄢˋ guàn
a vessel; a container; a jar; a jug; a can
罐頭(ㄍㄨㄢˋ ˙ㄊㄡ)canned goods

〔网部〕

网 部
ㄨㄤ wang

三畫

罔 4491 ㄨㄤˇ wǎng
1. to libel; to slander; to deceive 2. not straight; crooked 3. not
罔顧人道(ㄨㄤˇ ㄍㄨˋ ㄖㄣˊ ㄉㄠˋ)against humanity; inhuman
罔極(ㄨㄤˇ ㄐㄧˊ)①infinite ②to transgress

罕 4492 ㄏㄢˇ hǎn
rare; few; seldom
罕見(ㄏㄢˇ ㄐㄧㄢˋ)rarely found; rare

四畫

罘 4493 ㄈㄨˊ fú
(又讀 ㄈㄡˊ fóu)
a net for catching rabbits or hares

五畫

罡 4494 ㄍㄤ gāng
the Taoist name of the Dipper

罟 4495 ㄍㄨˇ gǔ
a net

罝 4496 ㄐㄩ jū
a net for catching rabbits or hares

六畫

罣 4497 ㄍㄨㄚˋ guà
1. hindrance; obstruction 2. a sieve 3. to be concerned; to be worried
罣念(ㄍㄨㄚˋ ㄋㄧㄢˋ)to be concerned; to be worried

八畫

罩 4498 ㄓㄠˋ zhào
1. a bamboo basket for catching fish 2. to coop; to cover; to wrap 3. a cover; a shade 4. a mantle; a cloak
罩不住(ㄓㄠˋ ˙ㄅㄨ ㄓㄨˋ) (informal) unable to control a situation

罪 4499 ㄗㄨㄟˋ zuì
1. sin; crime; fault; vice; evil; guilt 2. suffering; pain
罪名(ㄗㄨㄟˋ ㄇㄧㄥˊ)a charge
罪犯(ㄗㄨㄟˋ ㄈㄢˋ)a criminal; an offender
罪大惡極(ㄗㄨㄟˋ ㄉㄚˋ ㄜˋ ㄐㄧˊ)a heinous crime
罪孽(ㄗㄨㄟˋ ㄋㄧㄝˋ)sin
罪魁禍首(ㄗㄨㄟˋ ㄎㄨㄟˊ ㄏㄨㄛˋ ㄕㄡˇ)a chief offender
罪行(ㄗㄨㄟˋ ㄒㄧㄥˊ)criminal acts
罪證(ㄗㄨㄟˋ ㄓㄥˋ)proof of a crime
罪人(ㄗㄨㄟˋ ㄖㄣˊ)a criminal
罪惡(ㄗㄨㄟˋ ㄜˋ)sin; crime; vice
罪有應得(ㄗㄨㄟˋ ㄧㄡˇ ㄧㄥ ㄉㄜˊ)The punishment is well deserved.

置 4500 ㄓˋ zhì
1. to put; to place 2. to establish; to set 3. to procure; to purchase
置信(ㄓˋ ㄒㄧㄣˋ)to believe
置之不理(ㄓˋ ㄓ ㄅㄨˋ ㄌㄧˇ)to ignore
置之度外(ㄓˋ ㄓ ㄉㄨˋ ㄨㄞˋ)to give no thought to
置產(ㄓˋ ㄔㄢˇ)to buy an estate
置身事外(ㄓˋ ㄕㄣ ㄕˋ ㄨㄞˋ)to stay away from an affair
置疑(ㄓˋ ㄧˊ)doubt

九畫

罰 4501 ㄈㄚˊ fá
to punish; to penalize; to fine
罰款(ㄈㄚˊ ㄎㄨㄢˇ)a fine; to fine
罰金(ㄈㄚˊ ㄐㄧㄣ)to impose a fine; a fine
罰球(ㄈㄚˊ ㄑㄧㄡˊ) (basketball) a penalty shot

署 4502 1. ㄕㄨˇ shǔ
a public office

署 4502 2. ㄕㄨˋ shù
1. to arrange 2. to write down; to put down 3. to be a deputy
署名(ㄕㄨˋ ㄇㄧㄥˊ)to sign one's name

罳 4503 ㄙ sī
a screen with meshes or holes

十畫

罵 4504 ㄇㄚˋ mà
to call names; to swear; to curse; to revile
罵人(ㄇㄚˋ ㄖㄣˊ)to scold

罷 4505 1. ㄅㄚˋ bà
to cease; to stop; to finish; to be done with
罷免(ㄅㄚˋ ㄇㄧㄢˇ)to recall (officials by the people)
罷工(ㄅㄚˋ ㄍㄨㄥ)to strike; a strike
罷課(ㄅㄚˋ ㄎㄜˋ)to boycott classes
罷休(ㄅㄚˋ ㄒㄧㄡ)to cease; to stop

罷 4505 2. ˙ㄅㄚ ba
same as 吧—a sentence-final particle

罷 4505 3. ㄆㄧˊ pí
tired; exhausted; weary

十一畫

罹 4506 ㄌㄧˊ lí
1. sorrow; grief 2. to meet (disaster, misfortune, etc.); to be stricken by
罹難(ㄌㄧˊ ㄋㄢˋ)to fall victim to a disaster

十二畫

罽 4507 ㄐㄧˋ jì
1. a kind of woolen fabric 2. a fishing net

十四畫

羆 4508 ㄆㄧˊ pí
a kind of bear (*Ursus arctos*)

羅 4509 ㄌㄨㄛˊ luó
1. thin, light silk 2. a net; a snare 3. to arrange over a wide space 4. a Chinese family name
羅盤(ㄌㄨㄛˊ ㄆㄢˊ)a compass
羅馬人(ㄌㄨㄛˊ ㄇㄚˇ ㄖㄣˊ)a Roman
羅浮宮(ㄌㄨㄛˊ ㄈㄨˊ ㄍㄨㄥ)Louvre, a national museum in Paris
羅宋湯(ㄌㄨㄛˊ ㄙㄨㄥˋ ㄊㄤ)Russian beef soup

十七畫

羇 4510 ㄐㄧ jī
to lodge at somebody's house

十九畫

羈 4511 ㄐㄧ jī
1. a bridle 2. to confine; to restrain; to bind 3. to lodge at another's house 參看「羇」
羈絆(ㄐㄧ ㄅㄢˋ)to restrain
羈留(ㄐㄧ ㄌㄧㄡˊ)to detain (an offender)
羈押(ㄐㄧ ㄧㄚ)to detain (an offender)

羊部
ㄧㄤˊ yáng

羊 4512 ㄧㄤˊ yáng
a sheep; a goat
羊毛(ㄧㄤˊ ㄇㄠˊ)wool
羊毛衫(ㄧㄤˊ ㄇㄠˊ ㄕㄢ)a woolen sweater
羊癲風(ㄧㄤˊ ㄉㄧㄢ ㄈㄥ)epilepsy
羊齒植物(ㄧㄤˊ ㄔˇ ㄓˊ ㄨˋ)ferns
羊腸小徑(ㄧㄤˊ ㄔㄤˊ ㄒㄧㄠˇ ㄐㄧㄥˋ)a narrow, winding path
羊水(ㄧㄤˊ ㄕㄨㄟˇ)amniotic fluid
羊肉(ㄧㄤˊ ㄖㄡˋ)mutton
羊入虎口(ㄧㄤˊ ㄖㄨˋ ㄏㄨˇ ㄎㄡˇ)a hopelessly perilous situation

芈 4513 ㄇㄧㄝ miē (讀音 ㄇㄧˇ mǐ)
the bleating of a sheep or goat

二畫

羌 4514 (羗、羌) ㄑㄧㄤ qiāng
name of an ancient tribe in West China

三畫

美 4515 ㄇㄟˇ měi
1. beautiful; pretty; fine; fair 2. good; excellent; exquisite; nice 3. to be pleased with oneself 4. to praise
美不勝收(ㄇㄟˇ ˙ㄅㄨ ㄕㄥ ㄕㄡ)too many beautiful or excellent things to be fully appreciated
美貌(ㄇㄟˇ ㄇㄠˋ)beauty
美滿(ㄇㄟˇ ㄇㄢˇ)happy; sweet
美夢(ㄇㄟˇ ㄇㄥˋ)a beautiful dream
美妙(ㄇㄟˇ ㄇㄧㄠˋ)exquisite
美名(ㄇㄟˇ ㄇㄧㄥˊ)a good reputation
美德(ㄇㄟˇ ㄉㄜˊ)virtue
美女(ㄇㄟˇ ㄋㄩˇ)a beauty

〔羊部〕

美麗(ㄇㄟˇ ㄌㄧˋ)beautiful; pretty; fair
美輪美奐(ㄇㄟˇ ㄌㄨㄣˊ ㄇㄟˇ ㄏㄨㄢˋ) splendid and magnificent
美感(ㄇㄟˇ ㄍㄢˇ)the sense of beauty
美國(ㄇㄟˇ ㄍㄨㄛˊ)America; the United States; the United States of America
美觀(ㄇㄟˇ ㄍㄨㄢ)pleasant to the eye
美工(ㄇㄟˇ ㄍㄨㄥ)art designing
美好(ㄇㄟˇ ㄏㄠˇ)exquisite; fine
美化(ㄇㄟˇ ㄏㄨㄚˋ)to beautify
美酒(ㄇㄟˇ ㄐㄧㄡˇ)good wine
美金(ㄇㄟˇ ㄐㄧㄣ)or 美元(ㄇㄟˇ ㄩㄢˊ) the (American) dollar
美學(ㄇㄟˇ ㄒㄩㄝˊ)esthetics; aesthetics
美洲(ㄇㄟˇ ㄓㄡ)the Americas
美中不足(ㄇㄟˇ ㄓㄨㄥ ㄅㄨˋ ㄗㄨˊ)a flaw that mars perfection
美術(ㄇㄟˇ ㄕㄨˋ)the fine arts
美術館(ㄇㄟˇ ㄕㄨˋ ㄍㄨㄢˇ)an art museum (or gallery)
美術設計(ㄇㄟˇ ㄕㄨˋ ㄕㄜˋ ㄐㄧˋ)artistic design
美人(ㄇㄟˇ ㄖㄣˊ)a beauty; a belle
美人魚(ㄇㄟˇ ㄖㄣˊ ㄩˊ)a mermaid
美容院(ㄇㄟˇ ㄖㄨㄥˊ ㄩㄢˋ)a beauty parlor
美意(ㄇㄟˇ ㄧˋ)a kind intention; goodwill
美豔(ㄇㄟˇ ㄧㄢˋ)beautiful and voluptuous
美味(ㄇㄟˇ ㄨㄟˋ)delicious; tasty
美玉(ㄇㄟˇ ㄩˋ)fine jade
美育(ㄇㄟˇ ㄩˋ)esthetic education
美譽(ㄇㄟˇ ㄩˋ)honor; fame; glory
美元升值(ㄇㄟˇ ㄩㄢˊ ㄕㄥ ㄓˊ)appreciation of the dollar

羑 4516 ㄧㄡˇ yǒu
to guide to goodness

羗 4517 ㄑㄧㄤ qiāng
same as 羌—an ancient people in West China

四畫

羔 4518 ㄍㄠ gāo
a lamb
羔羊(ㄍㄠ ㄧㄤˊ)a lamb

羖 4519 ㄍㄨˇ gǔ
a black ram

羓 4520 ㄅㄚ bā
salted meat

羒 4521 ㄈㄣˊ fén
a white ram

五畫

羝 4522 ㄉㄧ dī
a ram; a he-goat

羚 4523 ㄌㄧㄥˊ líng
an antelope

羞 4524 ㄒㄧㄡ xiū
1. ashamed; abashed 2. shy; bashful 3. to disgrace; to insult; to shame
羞答答(ㄒㄧㄡ ㄉㄚ ㄉㄚ)shy; bashful
羞愧(ㄒㄧㄡ ㄎㄨㄟˋ)disgraced; shamed
羞怯(ㄒㄧㄡ ㄑㄧㄝˋ)or(ㄒㄧㄡ ㄑㄩㄝˋ) shy and nervous
羞恥(ㄒㄧㄡ ㄔˇ)a sense of shame
羞辱(ㄒㄧㄡ ㄖㄨˇ)to shame; to insult
羞澀(ㄒㄧㄡ ㄙㄜˋ)to act awkwardly because of shame

六畫

羢 4525 ㄖㄨㄥˊ róng
fine wool

七畫

羣 4526 (群) ㄑㄩㄣˊ qún
a group; a multitude; a host; a crowd; a large number; a flock; a herd
羣島(ㄑㄩㄣˊ ㄉㄠˇ)an archipelago
羣體(ㄑㄩㄣˊ ㄊㄧˇ)a colony (of corals, etc.)
羣龍無首(ㄑㄩㄣˊ ㄌㄨㄥˊ ㄨˊ ㄕㄡˇ)leaderless
羣集(ㄑㄩㄣˊ ㄐㄧˊ)to swarm; to crowd
羣居(ㄑㄩㄣˊ ㄐㄩ)to live as a group
羣情(ㄑㄩㄣˊ ㄑㄧㄥˊ)popular feeling
羣衆(ㄑㄩㄣˊ ㄓㄨㄥˋ)a crowd; a mob
羣衆運動(ㄑㄩㄣˊ ㄓㄨㄥˋ ㄩㄣˋ ㄉㄨㄥˋ) (sociology)mass movement

羨 4527 ㄒㄧㄢˋ xiàn
to envy; to covet
羨慕(ㄒㄧㄢˋ ㄇㄨˋ)to envy; to covet

義 4528 ㄧˋ yì
1. justice; righteousness 2. generosity; charity; philanthropy; chivalry 3. meaning; connotations 4. unreal; artificial; false
義賣(ㄧˋ ㄇㄞˋ)a charity sale; a bazaar
義父(ㄧˋ ㄈㄨˋ)a foster father
義大利 or 意大利(ㄧˋ ㄉㄚˋ ㄌㄧˋ)Italy
義大利脆餅(ㄧˋ ㄉㄚˋ ㄌㄧˋ ㄘㄨㄟˋ ㄅㄧㄥˇ) a pizza
義工(ㄧˋ ㄍㄨㄥ)a volunteer worker

義氣(ㄧˋ ˙ㄑㄧ)① spirit of justice or righteousness ② loyalty to friends
義行(ㄧˋ ㄒㄧㄥˊ)an act of justice
義肢(ㄧˋ ㄓ)artificial limbs
義正辭嚴(ㄧˋ ㄓㄥˋ ㄘˊ ㄧㄢˊ)speaking sternly and forcefully in the cause of justice
義演(ㄧˋ ㄧㄢˇ)a charity performance
義無反顧(ㄧˋ ㄨˊ ㄈㄢˇ ㄍㄨˋ)to pursue justice without ever turning back
義務(ㄧˋ ㄨˋ)duty; obligation

九畫

羯 4529 ㄐㄧㄝˊ jié
1. a castrated ram 2. name of an ancient barbarian people

十畫

羲 4530 ㄒㄧ xī
Fu Hsi(伏羲), a legendary ruler who introduced houses

十二畫

羴 4531 ㄕㄢ shān
same as羶—the odor of a sheep or goat

十三畫

羶 4532 (羴) ㄕㄢ shān
the odor of a sheep or goat

羹 4533 ㄍㄥ gēng
thick soup; broth

羸 4534 ㄌㄟˊ léi
1. lean; emaciated 2. weak; feeble 3. to entangle; to bind
羸弱(ㄌㄟˊ ㄖㄨㄛˋ)emaciated and weak

十五畫

羼 4535 ㄔㄢˋ chàn
to mix; to interpolate

羽部 ㄩˇ yǔ

羽 4536 ㄩˇ yǔ
1. feathers; plumes 2. wings of a bird 3. one of the five notes in the Chinese musical scale
羽毛(ㄩˇ ㄇㄠˊ)feathers; plumes; down
羽毛球(ㄩˇ ㄇㄠˊ ㄑㄧㄡˊ)badminton
羽翼(ㄩˇ ㄧˋ)assistants; helpers

三畫

羿 4537 ㄧˋ yì
Yi, name of a legendary archer

四畫

翁 4538 ㄨㄥ wēng
1. the father 2. the father-in-law 3. an old man 4. a title of respect 5. a Chinese family name
翁姑(ㄨㄥ ㄍㄨ)a woman's parents-in-law

翅 4539 ㄔˋ chì
1. wings 2. fins
翅膀(ㄔˋ ㄅㄤˇ)wings

翃 4540 ㄏㄨㄥˊ hóng
(said of insects) flying

五畫

翊 4541 ㄧˋ yì
1. flying 2. to assist; to help 3. respectful

翎 4542 ㄌㄧㄥˊ líng
feathers; plumes

翌 4543 ㄧˋ yì
tomorrow
翌日(ㄧˋ ㄖˋ)tomorrow

習 4544 ㄒㄧˊ xí
1. to learn; to familiarize oneself with; to receive training in 2. habit; custom; practice 3. to follow; to repeat 4. a Chinese family name
習題(ㄒㄧˊ ㄊㄧˊ)exercises
習慣(ㄒㄧˊ ㄍㄨㄢˋ)habit; custom
習性(ㄒㄧˊ ㄒㄧㄥˋ)temperament; dispositions
習作(ㄒㄧˊ ㄗㄨㄛˋ)to learn to do
習俗(ㄒㄧˊ ㄙㄨˊ)custom; practice
習以爲常(ㄒㄧˊ ㄧˇ ㄨㄟˊ ㄔㄤˊ)having been accustomed to it

六畫

翔 4545 ㄒㄧㄤˊ xiáng
1. to soar 2. same as詳—detailed

翕 4546 ㄒㄧˋ xì
1. to fold; to close 2. to gather; to draw together

〔羽部〕

〔羽部〕

八畫

翟 4547
1. ㄓㄞˊ zhái
(讀音 ㄓㄜˊ zhé)
a Chinese family name

翟 4547
2. ㄉㄧˊ dí
a kind of pheasant with long tail feathers

翠 4548
ㄘㄨㄟˋ cuì
1. bluish green 2. green jade 3. a kingfisher
翠綠(ㄘㄨㄟˋ ㄌㄩˋ) emerald; bluish green
翠玉(ㄘㄨㄟˋ ㄩˋ) emerald; blue jade

翣 4549
ㄕㄚˋ shà
feathers adorning a coffin

翡 4550
ㄈㄟˇ fěi
1. a kingfisher 2. emerald
翡翠(ㄈㄟˇ ㄘㄨㄟˋ) ① a kingfisher or halcyon ② emerald

九畫

翦 4551
ㄐㄧㄢˇ jiǎn
same as 剪—to trim; to clip; to cut with scissors

翥 4552
ㄓㄨˋ zhù
to take off; to soar

翬 4553
ㄏㄨㄟ huī
1. to fly 2. a multicolored pheasant

翩 4554
ㄆㄧㄢ piān
to fly swiftly
翩翩(ㄆㄧㄢ ㄆㄧㄢ) ① to fly swiftly ② elegant
翩躚(ㄆㄧㄢ ㄒㄧㄢ) flying or dancing gracefully

翫 4555
ㄨㄢˋ wàn
1. careless or casual due to familiarity 2. to play
翫味(ㄨㄢˋ ㄨㄟˋ) appreciation

十畫

翱 4556
ㄠˊ áo
same as 翺—to soar

翮 4557
ㄏㄜˊ hé
the shaft of a feather

翰 4558
ㄏㄢˋ hàn
1. a white horse 2. a long and hard feather 3. a piece of writing
翰林(ㄏㄢˋ ㄌㄧㄣˊ) the literary circles

十一畫

翳 4559
ㄧˋ yì (又讀 ㄧ yī)
1. to screen; to conceal 2. the haziness of objects due to weakened vision 3. the chariot cover made of feathers 4. the film over a diseased eye

翼 4560
ㄧˋ yì
1. wings 2. fins 3. to assist; to help 4. to protect; to patronize; to harbor
翼蔽(ㄧˋ ㄅㄧˋ) to cover

十二畫

翹 4561
1. ㄑㄧㄠˊ qiáo
1. long tail feathers 2. to raise 3. outstanding ability
翹楚(ㄑㄧㄠˊ ㄔㄨˇ) a man of outstanding ability

翹 4561
2. ㄑㄧㄠˋ qiào
to project upward; to stick up; to turn upward
翹辮子(ㄑㄧㄠˋ ㄅㄧㄢˋ ·ㄗ) to die

翻 4562
ㄈㄢ fān
1. to fly; to flutter 2. to turn; to upset; to capsize 3. to rummage 4. to translate 5. to fall out; to break up
翻騰(ㄈㄢ ·ㄊㄥ) ① to throw into disorder ② to turn over and over
翻天覆地(ㄈㄢ ㄊㄧㄢ ㄈㄨˋ ㄉㄧˋ) to turn everything upside down
翻臉(ㄈㄢ ㄌㄧㄢˇ) to show displeasure
翻臉無情(ㄈㄢ ㄌㄧㄢˇ ㄨˊ ㄑㄧㄥˊ) to turn against a friend and show him no mercy
翻跟頭(ㄈㄢ ㄍㄣ ·ㄊㄡ) or 翻筋斗(ㄈㄢ ㄐㄧㄣ ㄉㄡˇ) to turn a somersault
翻滾(ㄈㄢ ㄍㄨㄣˇ) to roll; to toss
翻供(ㄈㄢ ㄍㄨㄥ) to withdraw a confession
翻開(ㄈㄢ ㄎㄞ) to turn open
翻修(ㄈㄢ ㄒㄧㄡ) to rebuild
翻新(ㄈㄢ ㄒㄧㄣ) to overhaul
翻車(ㄈㄢ ㄔㄜ) (said of a vehicle) to overturn
翻船(ㄈㄢ ㄔㄨㄢˊ) (said of a boat) to capsize
翻山越嶺(ㄈㄢ ㄕㄢ ㄩㄝˋ ㄌㄧㄥˇ) to travel over mountains and valleys
翻身(ㄈㄢ ㄕㄣ) ① to turn the body over ② to rise from poverty to affluence
翻案(ㄈㄢ ㄢˋ) to reverse a previous verdict
翻譯(ㄈㄢ ㄧˋ) to translate; to interpret
翻譯本(ㄈㄢ ㄧˋ ㄅㄣˇ) a translation

翻譯者(ㄈㄢ ㄧˋ ㄓㄜˇ)a translator
翻閱(ㄈㄢ ㄩㄝˋ)to browse; to look over

翶 4563
(翺) ㄠˊ áo
1. to soar; to fly 2. to roam; to wander
翶翔(ㄠˊ ㄒㄧㄤˊ)① to soar; to fly ② to roam

十三畫

翾 4564
ㄒㄩㄢ xuān
to flit

翽 4565
ㄏㄨㄟˋ huì
sounds of wings flapping

十四畫

翿 4566
ㄉㄠˋ dào (又讀 ㄊㄠˊ táo)
a kind of streamer or screen adorned with feathers carried by dancers

耀 4567
ㄧㄠˋ yào (又讀 ㄩㄝˋ yuè)
1. to shine; to dazzle 2. to show off
耀眼(ㄧㄠˋ ㄧㄢˇ)dazzling; to dazzle
耀武揚威(ㄧㄠˋ ㄨˇ ㄧㄤˊ ㄨㄟ)bluff and bluster

老 部
ㄌㄠˇ lǎo

老 4568
ㄌㄠˇ lǎo
1. old; aged 2. always 3. the youngest 4. very 5. a particle indicating ordinal numbers to designate order of birth 6. parents 7. a particle used before a man's family name to indicate familiarity and friendship 8. (said of meat, etc.) tough; overcooked 9. to treat with the reverence to the aged
老伴兒(ㄌㄠˇ ㄅㄚˋㄦ)one's dear old companion—one's spouse in old age
老伯(ㄌㄠˇ ㄅㄛˊ)(respectful address) uncle
老鴇(ㄌㄠˇ ㄅㄠˇ)a procuress
老板 or 老闆(ㄌㄠˇ ㄅㄢˇ)a boss
老半天(ㄌㄠˇ ㄅㄢˋ ㄊㄧㄢ)quite a while
老本(ㄌㄠˇ ㄅㄣˇ)a principal
老兵(ㄌㄠˇ ㄅㄧㄥ)an old soldier
老婆(ㄌㄠˇ ·ㄆㄛ)(vulgar usage) wife
老牌(ㄌㄠˇ ㄆㄞˊ)or 老牌子(ㄌㄠˇ ㄆㄞˊ ·ㄗ) an old brand
老朋友(ㄌㄠˇ ㄆㄥˊ ·ㄧㄡ)an old friend
老媽子(ㄌㄠˇ ㄇㄚ ·ㄗ)a housemaid
老邁(ㄌㄠˇ ㄇㄞˋ)senile and weak
老毛病(ㄌㄠˇ ㄇㄠˊ ·ㄅㄧㄥ)① an old ailment ② an old weakness
老謀深算(ㄌㄠˇ ㄇㄡˊ ㄕㄣ ㄙㄨㄢˋ)experienced and astute
老夫老妻(ㄌㄠˇ ㄈㄨ ㄌㄠˇ ㄑㄧ)an old couple
老婦(人)(ㄌㄠˇ ㄈㄨˋ (ㄖㄣˊ))an old woman
老大(ㄌㄠˇ ㄉㄚˋ)① old ② the eldest child ③ the leader of a gang
老旦(ㄌㄠˇ ㄉㄢˋ)the role of an old female in Chinese opera
老當益壯(ㄌㄠˇ ㄉㄤ ㄧˋ ㄓㄨㄤˋ)to gain vigor with age
老調重彈(ㄌㄠˇ ㄉㄧㄠˋ ㄔㄨㄥˊ ㄊㄢˊ)to play the same old tune
老掉牙(ㄌㄠˇ ㄉㄧㄠˋ ㄧㄚˊ)very old; old-fashioned
老太婆(ㄌㄠˇ ㄊㄞˋ ㄆㄛˊ)an old woman
老太太(ㄌㄠˇ ㄊㄞˋ ·ㄊㄞ)an old lady
老太爺(ㄌㄠˇ ㄊㄞˋ ㄧㄝˊ)①(in addressing an aged man) venerable sir ② an old gentleman
老饕(ㄌㄠˇ ㄊㄠ)a glutton
老天爺(ㄌㄠˇ ㄊㄧㄢ ㄧㄝˊ)Heaven
老年(ㄌㄠˇ ㄋㄧㄢˊ)old age; old life
老年性痴呆症(ㄌㄠˇ ㄋㄧㄢˊ ㄒㄧㄥˋ ㄔ ㄉㄞ ㄓㄥˋ)(pathology) senile dementia
老年人(ㄌㄠˇ ㄋㄧㄢˊ ㄖㄣˊ)the aged; the old people
老練(ㄌㄠˇ ㄌㄧㄢˋ)experienced; skilled
老骨頭(ㄌㄠˇ ㄍㄨˇ ·ㄊㄡ)the life of an old person
老規矩(ㄌㄠˇ ㄍㄨㄟ ·ㄐㄩ)old rules; old practices
老公(ㄌㄠˇ ㄍㄨㄥ)one's husband (a vulgar usage)
老糊塗(ㄌㄠˇ ㄏㄨˊ ·ㄊㄨ)a dotard
老虎(ㄌㄠˇ ㄏㄨˇ)a tiger
老花眼(ㄌㄠˇ ㄏㄨㄚ ㄧㄢˇ)presbyopia亦作「老光」
老家(ㄌㄠˇ ㄐㄧㄚ)one's original home
老交情(ㄌㄠˇ ㄐㄧㄠ ·ㄑㄧㄥ)old friendship
老酒(ㄌㄠˇ ㄐㄧㄡˇ)old wine
老舊(ㄌㄠˇ ㄐㄧㄡˋ)old-style
老奸巨猾(ㄌㄠˇ ㄐㄧㄢ ㄐㄩˋ ㄏㄨㄚˊ) shrewd and crafty
老氣(ㄌㄠˇ ·ㄑㄧ)old-fashioned
老千(ㄌㄠˇ ㄑㄧㄢ)a swindler
老先生(ㄌㄠˇ ㄒㄧㄢ ·ㄕㄥ)an old gentleman
老成(ㄌㄠˇ ㄔㄥˊ)sophisticated; experienced
老師(ㄌㄠˇ ㄕ)a teacher
老實(ㄌㄠˇ ㄕˊ)honest; truthful
老式(ㄌㄠˇ ㄕˋ)old-fashioned
老少咸宜(ㄌㄠˇ ㄕㄠˋ ㄒㄧㄢˊ ㄧˊ)suitable for both the old and the young
老手(ㄌㄠˇ ㄕㄡˇ)an old hand
老生常談(ㄌㄠˇ ㄕㄥ ㄔㄤˊ ㄊㄢˊ)a threadbare argument or talk

老鼠(ㄌㄠˇ ㄕㄨˇ)a rat; a mouse
老人(ㄌㄠˇ ㄖㄣˊ)an old person
老弱(ㄌㄠˇ ㄖㄨㄛˋ)the old and weak
老早(ㄌㄠˇ ㄗㄠˇ)①very early②long ago
老祖宗(ㄌㄠˇ ㄗㄨˇ ㄗㄨㄥ)ancestors; forefathers
老爺(ㄌㄠˇ ·ㄧㄝ)① sir ② an old man
老么(ㄌㄠˇ ㄧㄠ)the youngest child of a family
老油條(ㄌㄠˇ ㄧㄡˊ ㄊㄧㄠˊ)a sleeky fellow
老友(ㄌㄠˇ ㄧㄡˇ)an old friend
老眼昏花(ㄌㄠˇ ㄧㄢˇ ㄏㄨㄣ ㄏㄨㄚ)the blurred vision of an old person
老鷹(ㄌㄠˇ ㄧㄥ)the eagle
老外(ㄌㄠˇ ㄨㄞˋ)(slang) a foreigner
老頑固(ㄌㄠˇ ㄨㄢˊ ㄍㄨˋ)a stubborn person
老翁(ㄌㄠˇ ㄨㄥ)an old man
老遠(ㄌㄠˇ ㄩㄢˇ)a very long way

考 4569
(攷) ㄎㄠˇ kǎo
1. one's deceased father 2. to test; to examine 3. to check; to investigate; to study
考妣(ㄎㄠˇ ㄅㄧˇ)one's deceased father and mother
考題(ㄎㄠˇ ㄊㄧˊ)questions on examination papers
考慮(ㄎㄠˇ ㄌㄩˋ)to consider; to think over
考古學家(ㄎㄠˇ ㄍㄨˇ ㄒㄩㄝˊ ㄐㄧㄚ)an archeologist
考覈 or 考核(ㄎㄠˇ ㄏㄜˊ)to evaluate
考績(ㄎㄠˇ ㄐㄧ)to grade the service
考究(ㄎㄠˇ ㄐㄧㄡˋ)①elaborate ②tasteful
考據(ㄎㄠˇ ㄐㄩˋ)to search for proofs (in textual research)
考卷(ㄎㄠˇ ㄐㄩㄢˋ) an examination paper
考區(ㄎㄠˇ ㄑㄩ)an examination district
考取(ㄎㄠˇ ㄑㄩˇ)to pass an examination
考證(ㄎㄠˇ ㄓㄥˋ)to try to verify a point
考察(ㄎㄠˇ ㄔㄚˊ)to inspect
考察團(ㄎㄠˇ ㄔㄚˊ ㄊㄨㄢˊ)an investigation team
考場(ㄎㄠˇ ㄔㄤˇ)an examination hall or site
考試(ㄎㄠˇ ㄕˋ)an examination; a test
考生(ㄎㄠˇ ㄕㄥ)an examinee
考驗(ㄎㄠˇ ㄧㄢˋ)① to test ② a test

四畫

耄 4570
ㄇㄠˋ mào
1. in an extremely old age; in one's eighties or nineties 2. confused
耄耋(ㄇㄠˋ ㄉㄧㄝˊ)aged

耆 4571
1. ㄑㄧˊ qí
to be in one's sixties; old
耆碩(ㄑㄧˊ ㄕˊ)a respected old person

耆 4571
2. ㄓˇ zhǐ
as in 耆定—to bring into effect

耆 4571
3. ㄕˋ shì
as in 耆欲—sensory pleasures

五畫

者 4572
ㄓㄜˇ zhě
1. those who; he who 2. a particle combining with some words to form adverbials

耇 4573
(耉) ㄍㄡˇ gǒu
old age; the wizened face of age

六畫

耋 4574
ㄉㄧㄝˊ dié
octogenarians; in one's eighties

而部
ㄦˊ ér

而 4575
ㄦˊ ér
1. accordingly; otherwise 2. and yet; but; nevertheless 3. you 4. on the condition that; supposing that; if 5. and; also
而立之年(ㄦˊ ㄌㄧˋ ㄓ ㄋㄧㄢˊ)30 years old
而後(ㄦˊ ㄏㄡˋ)then; afterwards
而今(ㄦˊ ㄐㄧㄣ)now
而且(ㄦˊ ㄑㄧㄝˇ)① and ② moreover
而已(ㄦˊ ㄧˇ)merely; only

三畫

耐 4576
ㄋㄞˋ nài
to bear; to endure; to stand; to resist
耐煩(ㄋㄞˋ ㄈㄢˊ)patient
耐勞(ㄋㄞˋ ㄌㄠˊ)able to endure hard work
耐力(ㄋㄞˋ ㄌㄧˋ)endurance
耐寒(ㄋㄞˋ ㄏㄢˊ)able to endure cold
耐火(ㄋㄞˋ ㄏㄨㄛˇ)fireproof
耐久(ㄋㄞˋ ㄐㄧㄡˇ)durable
耐心(ㄋㄞˋ ㄒㄧㄣ)patience
耐性(ㄋㄞˋ ㄒㄧㄥˋ)perseverance; patience
耐熱(ㄋㄞˋ ㄖㄜˋ)heatproof
耐人尋味(ㄋㄞˋ ㄖㄣˊ ㄒㄩㄣˊ ㄨㄟˋ)intriguing
耐用(ㄋㄞˋ ㄩㄥˋ)durable

耍 4577
ㄕㄨㄚˇ shuǎ
to play; to sport
耍(無)賴(ㄕㄨㄚˇ (ㄨˊ) ㄌㄞˋ)to be perverse; to act shamelessly
耍流氓(ㄕㄨㄚˇ ㄌㄧㄡˊ ㄇㄤˊ)to behave like a hooligan
耍嘴皮子(ㄕㄨㄚˇ ㄗㄨㄟˇ ㄆㄧˊ ·ㄗ)to show off one's joking talent; to brag
耍威風(ㄕㄨㄚˇ ㄨㄟ ㄈㄥ)to make a show of authority

耑 4578
1. ㄉㄨㄢ duān
same as 端—an end; a tip; a point

耑 4578
2. ㄓㄨㄢ zhuān
same as 專—for a particular person, occasion, purpose, etc.

耒部
ㄌㄟˇ lei

耒 4579
ㄌㄟˇ lěi
the wooden handle of a plough
耒耜(ㄌㄟˇ ㄙˋ)ploughs

三畫

耔 4580
ㄗˇ zǐ
to hoe up earth around a plant

四畫

耙 4581
ㄆㄚˊ pá (又讀 ㄅㄚˋ bà)
1. a harrow; a drag 2. to rake
耙子(ㄆㄚˊ ·ㄗ)a harrow

耕 4582
ㄍㄥ gēng
(語音 ㄐㄧㄥ jīng)
to till; to plough; to cultivate
耕地(ㄍㄥ ㄉㄧˋ)cultivated land
耕田(ㄍㄥ ㄊㄧㄢˊ)to till land
耕種(ㄍㄥ ㄓㄨㄥˋ)cultivation
耕作(ㄍㄥ ㄗㄨㄛˋ)to cultivate land and grow crops
耕耘(ㄍㄥ ㄩㄣˊ)to cultivate

耘 4583
ㄩㄣˊ yún
to weed

耗 4584
ㄏㄠˋ hào
1. to expend; to use up; to waste; to squander; to consume 2. news; a report
耗費(ㄏㄠˋ ㄈㄟˋ)to expend; to squander
耗盡(ㄏㄠˋ ㄐㄧㄣˋ)to exhaust
耗損(ㄏㄠˋ ㄙㄨㄣˇ)to diminish by expending

五畫

耜 4585
ㄙˋ sì
a plough

七畫

耡 4586
ㄔㄨˊ chú
same as 鋤—to hoe; a hoe

九畫

耦 4587
ㄡˇ ǒu
1. to plough side by side 2. even (numbers); in pairs 3. a spouse; a mate

十畫

耨 4588
ㄋㄡˋ nòu
1. a hoe 2. to weed; to hoe

十五畫

耰 4589
ㄧㄡ yōu
1. to draw earth over newly-sown grain; to cover the seed 2. a kind of hoe

耳部
ㄦˇ er

耳 4590
ㄦˇ ěr
1. ears 2. (a phrase-final particle) ⌈only; merely⌉
耳鼻喉科(ㄦˇ ㄅㄧˊ ㄏㄡˊ ㄎㄜ)otorhinolaryngology
耳鳴(ㄦˇ ㄇㄧㄥˊ)buzzing in the ears
耳目衆多(ㄦˇ ㄇㄨˋ ㄓㄨㄥˋ ㄉㄨㄛ)There are many spies.
耳目一新(ㄦˇ ㄇㄨˋ ㄧˋ ㄒㄧㄣ)to have a completely new impression
耳朵(ㄦˇ ·ㄉㄨㄛ)ears
耳聾(ㄦˇ ㄌㄨㄥˊ)deaf
耳科(ㄦˇ ㄎㄜ)otology
耳環(ㄦˇ ㄏㄨㄢˊ)earrings
耳機(ㄦˇ ㄐㄧ)an earphone
耳熟能詳(ㄦˇ ㄕㄨˊ ㄋㄥˊ ㄒㄧㄤˊ)so frequently heard about that it can be told

〔耒・耳部〕

耳濡目染(ㄦˇ ㄖㄨˇ ㄇㄨˋ ㄖㄢˇ)thoroughly imbued with what one frequently hears and sees
耳塞(ㄦˇ ㄙㄞ)an earplug
耳聞(ㄦˇ ㄨㄣˊ)to hear
耳語(ㄦˇ ㄩˇ)to whisper into another's ear; whispers

〔耳部〕

三畫

耶 4591
1. ㄧㄝˊ yé
a phrase-final particle for a question

耶 4591
2. ㄧㄝ yē
transliteration of English names
耶誕卡(ㄧㄝ ㄉㄢˋ ㄎㄚˇ)a Christmas card
耶誕節(ㄧㄝ ㄉㄢˋ ㄐㄧㄝˊ)Christmas
耶誕樹(ㄧㄝ ㄉㄢˋ ㄕㄨˋ)a Christmas tree
耶穌基督(ㄧㄝ ㄙㄨ ㄐㄧ ㄉㄨ)Jesus Christ

耷 4592
ㄉㄚ dā
big ears

四畫

耽 4593
ㄉㄢ dān
1. to indulge in; to be addicted to 2. delightful and enduring 3. (said of ears) large and drooping 4. negligent
耽溺(ㄉㄢ ㄋㄧˋ)to indulge in
耽擱(ㄉㄢ ㄍㄜ)① to stay ② to delay
耽誤(ㄉㄢ ㄨˋ)to delay; to hold up

耿 4594
ㄍㄥˇ gěng
1. bright 2. upright; incorruptible 3. a Chinese family name
耿耿(ㄍㄥˇ ㄍㄥˇ)① bright ② concerned
耿耿於懷(ㄍㄥˇ ㄍㄥˇ ㄩˊ ㄏㄨㄞˊ)to keep something anxiously in one's mind
耿直(ㄍㄥˇ ㄓˊ)honest; upright

聃 4595
(聃) ㄉㄢ dān
1. another name of Lao-tzu(老子) 2. a deformed ear

耻 4596
ㄔˇ chǐ
same as 恥—shame

五畫

聆 4597
ㄌㄧㄥˊ líng
to listen; to hear
聆聽(ㄌㄧㄥˊ ㄊㄧㄥ)to listen to

聊 4598
ㄌㄧㄠˊ liáo
1. somehow; somewhat; a little 2. to rely; to depend 3. to chat; a chat 4. interest 5. for the time being
聊天(ㄌㄧㄠˊ ㄊㄧㄢ)to chat; a chat
聊勝於無(ㄌㄧㄠˊ ㄕㄥˋ ㄩˊ ㄨˊ)at least better than nothing

六畫

聒 4599
ㄍㄨㄚ guā
clamorous; uproarious
聒絮(ㄍㄨㄚ ㄒㄩˋ) to keep talking noisily
聒噪(ㄍㄨㄚ ㄗㄠˋ)to be noisy

七畫

聖 4600
ㄕㄥˋ shèng
1. a sage 2. sacred; holy
聖誕(ㄕㄥˋ ㄉㄢˋ)Christmas
聖誕老人(ㄕㄥˋ ㄉㄢˋ ㄌㄠˇ ㄖㄣˊ)Santa Claus
聖誕卡(ㄕㄥˋ ㄉㄢˋ ㄎㄚˇ)a Christmas card
聖誕節(ㄕㄥˋ ㄉㄢˋ ㄐㄧㄝˊ)Christmastide
聖誕樹(ㄕㄥˋ ㄉㄢˋ ㄕㄨˋ)a Christmas tree
聖地(ㄕㄥˋ ㄉㄧˋ)a holy ground
聖徒(ㄕㄥˋ ㄊㄨˊ)an apostle; a saint
聖潔(ㄕㄥˋ ㄐㄧㄝˊ)holy and immaculate
聖經(ㄕㄥˋ ㄐㄧㄥ)the Bible
聖賢(ㄕㄥˋ ㄒㄧㄢˊ)sages and virtuous men
聖人(ㄕㄥˋ ㄖㄣˊ)a sage; a saint

聘 4601
1. ㄆㄧㄣˋ pìn
1. to invite for service; to employ; to engage 2. to be betrothed; to be engaged 3. to pay respect by sending an envoy 4. to ask; to inquire
聘金(ㄆㄧㄣˋ ㄐㄧㄣ)money paid (to the parents of the prospective bride) at a betrothal
聘請(ㄆㄧㄣˋ ㄑㄧㄥˇ)to engage
聘書(ㄆㄧㄣˋ ㄕㄨ)the formal letter of employment
聘用(ㄆㄧㄣˋ ㄩㄥˋ)to employ; to engage

聘 4601
2. ㄆㄧㄥˋ pìng
to give (a daughter) in marriage; to marry

八畫

聚 4602
ㄐㄩˋ jù
to come or put together; to gather; to assemble; to collect
聚賭(ㄐㄩˋ ㄉㄨˇ)to assemble for gambling
聚落(ㄐㄩˋ ㄌㄨㄛˋ)a village; a town
聚會(ㄐㄩˋ ㄏㄨㄟˋ)to assemble; to gather
聚集(ㄐㄩˋ ㄐㄧˊ)to gather; to assemble
聚精會神(ㄐㄩˋ ㄐㄧㄥ ㄏㄨㄟˋ ㄕㄣˊ)to concentrate oneself
聚居(ㄐㄩˋ ㄐㄩ)to live together

聚首(ㄐㄩˋ ㄕㄡˇ)to get together; to meet
聚餐(ㄐㄩˋ ㄘㄢ)to get together for luncheon or dinner

聞 4603
1. ㄨㄣˊ wén
1. to hear; to have heard 2. to learn; learning; to understand 3. to convey, forward or transmit (a message, etc.) 4. to smell 5. to make known
聞名(ㄨㄣˊ ㄇㄧㄥˊ)famous; distinguished
聞名天下(ㄨㄣˊ ㄇㄧㄥˊ ㄊㄧㄢ ㄒㄧㄚˋ)world-famous

聞 4603
2. ㄨㄣˋ wèn
reputation
聞達(ㄨㄣˋ ㄉㄚˊ)illustrious; eminent

十一畫

聯 4604
ㄌㄧㄢˊ lián
1. to unite; to ally; to connect; to join; to make an alliance with 2. allied (forces, etc.); joint (effort, etc.); mutual (guaranties, etc.) 3. a couplet
聯播(ㄌㄧㄢˊ ㄅㄛ)a radio hookup
聯邦(ㄌㄧㄢˊ ㄅㄤ)a federal union
聯袂(ㄌㄧㄢˊ ㄇㄟˋ)side by side; together
聯盟(ㄌㄧㄢˊ ㄇㄥˊ)an alliance; a union
聯名(ㄌㄧㄢˊ ㄇㄧㄥˊ)to sign together
聯絡(ㄌㄧㄢˊ ㄌㄨㄛˋ)to keep in contact
聯貫(ㄌㄧㄢˊ ㄍㄨㄢˋ)connection; links
聯合(ㄌㄧㄢˊ ㄏㄜˊ)to unite
聯合國(ㄌㄧㄢˊ ㄏㄜˊ ㄍㄨㄛˊ)United Nations
聯合簽署(ㄌㄧㄢˊ ㄏㄜˊ ㄑㄧㄢ ㄕㄨˋ)joint signature
聯合採購(ㄌㄧㄢˊ ㄏㄜˊ ㄘㄞˇ ㄍㄡˋ)joint buying
聯歡會(ㄌㄧㄢˊ ㄏㄨㄢ ㄏㄨㄟˋ)a get-together
聯結(ㄌㄧㄢˊ ㄐㄧㄝˊ)to form an alliance
聯繫(ㄌㄧㄢˊ ㄒㄧˋ)① to unite ② to get in touch with
聯想(ㄌㄧㄢˊ ㄒㄧㄤˇ)to associate
聯手(ㄌㄧㄢˊ ㄕㄡˇ)to join hands (with someone); to gang up
聯誼活動(ㄌㄧㄢˊ ㄧˊ ㄏㄨㄛˊ ㄉㄨㄥˋ)activities for promoting fellowship
聯營(ㄌㄧㄢˊ ㄧㄥˊ)joint operation; a pool

聰 4605
ㄘㄨㄥ cōng
1. clever; astute; bright; quick of apprehension 2. with a good faculty of hearing
聰明(ㄘㄨㄥ ㄇㄧㄥˊ)clever; bright; intelligent
聰穎(ㄘㄨㄥ ㄧㄥˇ)clever and bright

聲 4606
ㄕㄥ shēng
1. sound; voice; a tone 2. music 3. language; a tongue 4. reputation; fame 5. to make known
聲波(ㄕㄥ ㄅㄛ)sound waves
聲名狼藉(ㄕㄥ ㄇㄧㄥˊ ㄌㄤˊ ㄐㄧˊ)a notorious reputation
聲明(ㄕㄥ ㄇㄧㄥˊ)to announce; to declare
聲帶(ㄕㄥ ㄉㄞˋ)the vocal cords
聲調(ㄕㄥ ㄉㄧㄠˋ)a tone (of a voice), as a severe tone
聲東擊西(ㄕㄥ ㄉㄨㄥ ㄐㄧˊ ㄒㄧ)feigning tactics
聲淚俱下(ㄕㄥ ㄌㄟˋ ㄐㄩˋ ㄒㄧㄚˋ)to cry while speaking
聲息(ㄕㄥ ㄒㄧˊ)① sound ② news
聲響(ㄕㄥ ㄒㄧㄤˇ)sound; noise
聲張(ㄕㄥ ㄓㄤ)to make known
聲稱(ㄕㄥ ㄔㄥ)to assert; to declare
聲勢(ㄕㄥ ㄕˋ)influence; fame
聲嘶力竭(ㄕㄥ ㄙ ㄌㄧˋ ㄐㄧㄝˊ) The voice gets husky as a result of exhaustion.
聲音(ㄕㄥ ㄧㄣ)a sound; a voice
聲望(ㄕㄥ ㄨㄤˋ)fame; reputation
聲樂(ㄕㄥ ㄩㄝˋ)vocal music
聲樂家(ㄕㄥ ㄩㄝˋ ㄐㄧㄚ)a vocalist
聲援(ㄕㄥ ㄩㄢˊ)to give moral support

聳 4607
ㄙㄨㄥˇ sǒng
1. to alarm; to alert; to warn; to be sensational 2. to rise up; to stretch up erect or at full length 3. to be born deaf 4. to urge; to egg on
聳動(ㄙㄨㄥˇ ㄉㄨㄥˋ)to urge
聳立(ㄙㄨㄥˇ ㄌㄧˋ)to tower aloft
聳然(ㄙㄨㄥˇ ㄖㄢˊ)cliffy
聳恿(ㄙㄨㄥˇ ㄩㄥˇ)to urge; to egg on

聱 4608
ㄠˊ áo
1. hard to read or understand—too many big words and a tortuous style 2. perverse; unruly 3. lying and winding, as snakes, old trees, etc.

十二畫

職 4609
ㄓˊ zhí
1. a profession or a vocation; a career 2. a post; a position 3. an office; official duties 4. to govern; to direct; to manage 5. used in place of "I" in documents to a superior 6. only; particularly
職等(ㄓˊ ㄉㄥˇ)official rank
職權(ㄓˊ ㄑㄩㄢˊ)authority for exercising or discharging one's duties
職銜(ㄓˊ ㄒㄧㄢˊ)the official title of a person
職稱(ㄓˊ ㄔㄥ)the name of a position one holds

〔耳部〕

職責(ㄓˊ ㄗㄜˊ)one's position and responsibility; charge
職業(ㄓˊ ㄧㄝˋ)a profession; a vocation
職業婦女(ㄓˊ ㄧㄝˋ ㄈㄨˋ ㄋㄩˇ)career women
職業教育(ㄓˊ ㄧㄝˋ ㄐㄧㄠˋ ㄩˋ)vocational education
職業學校(ㄓˊ ㄧㄝˋ ㄒㄩㄝˊ ㄒㄧㄠˋ)a vocational school
職務(ㄓˊ ㄨˋ)one's official duties
職位(ㄓˊ ㄨㄟˋ)one's position in an office
職員(ㄓˊ ㄩㄢˊ)staff members or employees of a company, office, etc.

〔聿部〕

聵 4610 ㄎㄨㄟˋ kuì
1. deaf; hard of hearing 2. stupid and unreasonable

聶 4611 ㄋㄧㄝˋ niè
1. to whisper into another's ear 2. a Chinese family name

十六畫

聽 4612 1. ㄊㄧㄥ tīng
1. to hear; to listen 2. to obey; to follow 3. to wait for 4. a hall
聽命(ㄊㄧㄥ ㄇㄧㄥˋ)to follow orders
聽筒(ㄊㄧㄥ ㄊㄨㄥˇ)a telephone receiver
聽力(ㄊㄧㄥ ㄌㄧˋ)the sense of hearing
聽候(ㄊㄧㄥ ㄏㄡˋ)to wait for
聽話(ㄊㄧㄥ ㄏㄨㄚˋ)to obey; obedient
聽見(ㄊㄧㄥ ㄐㄧㄢˋ)to hear
聽覺(ㄊㄧㄥ ㄐㄩㄝˊ)the sense of hearing
聽起來(ㄊㄧㄥ ·ㄑㄧ ·ㄌㄞ)to sound
聽取(ㄊㄧㄥ ㄑㄩˇ)to listen (with due attention)
聽寫(ㄊㄧㄥ ㄒㄧㄝˇ)dictation; to dictate
聽診器(ㄊㄧㄥ ㄓㄣˇ ㄑㄧˋ)a stethoscope
聽衆(ㄊㄧㄥ ㄓㄨㄥˋ)an audience; listeners
聽說(ㄊㄧㄥ ㄕㄨㄛ)It is said that....
聽從(ㄊㄧㄥ ㄘㄨㄥˊ)to listen to (another's advice, etc.)
聽而不聞(ㄊㄧㄥ ㄦˊ ㄅㄨˋ ㄨㄣˊ)to turn a deaf ear to

聽 4612 2. ㄊㄧㄥˋ tìng
1.to let 2.to comply with; to submit to 3.to manage; to govern; to rule 4.to judge and decide
聽便(ㄊㄧㄥˋ ㄅㄧㄢˋ)to suit one's convenience
聽天由命(ㄊㄧㄥˋ ㄊㄧㄢ ㄧㄡˊ ㄇㄧㄥˋ)to submit to the will of Heaven and one's fate

聾 4613 ㄌㄨㄥˊ lóng
1. deaf; hard of hearing 2. deaf—stupid and ignorant
聾子(ㄌㄨㄥˊ ·ㄗ)a deaf person
聾啞學校(ㄌㄨㄥˊ ㄧㄚˇ ㄒㄩㄝˊ ㄒㄧㄠˋ)a school for deaf-mutes

聿部 ㄩˋ yù

聿 4614 ㄩˋ yù
1. a writing instrument—a pen, a writing brush, etc. 2. a particle, used in introducing a phrase or sentence 3. agile and quick; nimble

七畫

肄 4615 ㄧˋ yì
1.to study; to learn; to practice 2.to toil; to work hard 3.remnants; leftovers 4. fresh twigs
肄業(ㄧˋ ㄧㄝˋ)to learn

肆 4616 ㄙˋ sì
1. to let loose; to indulge in; to behave without restraint 2. a shop; a marketplace; a place to display goods 3.to exhibit; to display 4.to execute a criminal and expose his corpse in the market 5.to extend; to expand 6.to assault; to attack suddenly 7.to use to the utmost; to exhaust 8.an elaborate form of 四 (four) to prevent forgery
肆虐(ㄙˋ ㄋㄩㄝˋ)① to indulge in atrocities ② reckless and oppressive
肆意(ㄙˋ ㄧˋ)at will; indulgently
肆無忌憚(ㄙˋ ㄨˊ ㄐㄧˋ ㄉㄢˋ)indulgent and reckless

肅 4617 ㄙㄨˋ sù
1. respectful; reverential; to pay respects; to salute 2. solemn; serious; majestic; awe-inspiring 3. to usher in 4. neat and quiet 5. to withdraw; to shrink (as in cold weather, etc.)
肅穆(ㄙㄨˋ ㄇㄨˋ)① solemn ② peaceful
肅立(ㄙㄨˋ ㄌㄧˋ)to stand upright as a mark of respect
肅靜(ㄙㄨˋ ㄐㄧㄥˋ)a solemn silence
肅然起敬(ㄙㄨˋ ㄖㄢˊ ㄑㄧˇ ㄐㄧㄥˋ)great respect rising in one's heart

八畫

肇 4618 ㄓㄠˋ zhào
1.to begin; to start; to commence 2.

to found; to devise 3. to incur (misfortune, etc.) 4. to adjust; to make right
肇禍(ㄓㄠˋ ㄏㄨㄛˋ)to incur or court misfortune
肇始(ㄓㄠˋ ㄕˇ)to begin
肇事(ㄓㄠˋ ㄕˋ)to stir up trouble or disturbances

肉部
ㄖㄨˋ rù

肉 4619
ㄖㄡˋ ròu (讀音 ㄖㄨˋ rù)
1. flesh 2. physical; carnal 3. meat of animals; meat or pulp of fruits, etc. 4. flesh and blood—dearest, as one's children 5. slow-motion
肉包子(ㄖㄡˋ ㄅㄠ ·ㄗ)meat dumplings
肉麻(ㄖㄡˋ ㄇㄚˊ)a creepy feeling
肉體(ㄖㄡˋ ㄊㄧˇ)flesh and blood
肉醬(ㄖㄡˋ ㄐㄧㄤˋ)mashed meat cooked with soybean sauce; meat pulp
肉絲兒(ㄖㄡˋ ㄙㄜㄦ)shredded meat
肉鬆(ㄖㄡˋ ㄙㄨㄥ)fried shredded meat
肉眼(ㄖㄡˋ ㄧㄢˇ)the naked eye
肉丸子(ㄖㄡˋ ㄨㄢˊ ·ㄗ)meatballs
肉慾(ㄖㄡˋ ㄩˋ)carnal desire

一畫

肊 4620
ㄧˋ yì
1. breastbone 2. same as 臆—one's mind, heart, disposition, feelings, or views

二畫

肋 4621
ㄌㄟˋ lèi (讀音 ㄌㄜˋ lè)
the ribs; the sides
肋骨(ㄌㄟˋ ㄍㄨˇ)the ribs

肌 4622
ㄐㄧ jī
1. tissue; muscles; flesh 2. the skin
肌膚(ㄐㄧ ㄈㄨ)the skin and flesh
肌膚之親(ㄐㄧ ㄈㄨ ㄓ ㄑㄧㄣ)intimacy arising from sexual intercourse
肌肉(ㄐㄧ ㄖㄡˋ)muscles

三畫

肖 4623
ㄒㄧㄠˋ xiào
to resemble; to be like; alike; similar
肖像(ㄒㄧㄠˋ ㄒㄧㄤˋ)a portrait

肘 4624
ㄓㄡˇ zhǒu
1. the elbow 2. to catch one by the elbow

肓 4625
ㄏㄨㄤ huāng
the vitals; the region between the heart and the diaphragm

肚 4626
1. ㄉㄨˋ dù
the belly; the abdomen; the bowels
肚量(ㄉㄨˋ ㄌㄧㄤˋ)capacity for tolerance and forgiveness
肚臍(眼)(ㄉㄨˋ ㄑㄧˊ (ㄧㄢˇ))the navel; the belly button
肚子(ㄉㄨˋ ·ㄗ)the belly; the abdomen
肚子疼(ㄉㄨˋ ·ㄗ ㄊㄥˊ)bellyache

肚 4626
2. ㄉㄨˇ dǔ
the stomach
肚子(ㄉㄨˇ ·ㄗ)tripe

肛 4627
ㄍㄤ gāng
the anus

肝 4628
ㄍㄢ gān
the liver
肝病(ㄍㄢ ㄅㄧㄥˋ)a liver ailment
肝腸寸斷(ㄍㄢ ㄔㄤˊ ㄘㄨㄣˋ ㄉㄨㄢˋ) heartbroken; deep sorrow
肝臟(ㄍㄢ ㄗㄤˋ)the liver
肝炎(ㄍㄢ ㄧㄢˊ)hepatitis
肝癌(ㄍㄢ ㄧㄢˊ)cancer of the liver
肝硬化(ㄍㄢ ㄧㄥˋ ㄏㄨㄚˋ)cirrhosis of liver

肐 4629
(胳) ㄍㄜ gē
the arm — from the armpit to the wrist
肐膊(ㄍㄜ ·ㄅㄛ)the arm
肐肢窩(ㄍㄜ ·ㄓ ㄨㄛ)the armpit

肜 4630
ㄖㄨㄥˊ róng
an ancient sacrificial ritual lasting two successive days

四畫

股 4631
ㄍㄨˇ gǔ
1. the thigh; the haunches; the hips 2. a department; a section 3. shares; stock 4. a puff; a blast (of hot air) 5. a bunch or band (of bandits)
股票(ㄍㄨˇ ㄆㄧㄠˋ)stocks
股票交易所(ㄍㄨˇ ㄆㄧㄠˋ ㄐㄧㄠ ㄧˋ ㄙㄨㄛˇ)a stock exchange
股票經紀人(ㄍㄨˇ ㄆㄧㄠˋ ㄐㄧㄥ ㄐㄧˋ ㄖㄣˊ)a stock broker
股票市場(ㄍㄨˇ ㄆㄧㄠˋ ㄕˋ ㄔㄤˇ)the stock market
股份 or 股分(ㄍㄨˇ ㄈㄣˋ) shares or stock
股份有限公司(ㄍㄨˇ ㄈㄣˋ ㄧㄡˇ ㄒㄧㄢˋ ㄍㄨㄥ ㄙ)a limited liability company
股東(ㄍㄨˇ ㄉㄨㄥ)a stockholder

〔肉部〕

股市(ㄍㄨˇ ㄕˋ)the stock market

〔肉部〕

肢 4632
ㄓ zhī
1. the four limbs of a person 2. the legs of an animal 3. the wings or feet of a bird
肢體(ㄓ ㄊㄧˇ)the body

肥 4633
ㄈㄟˊ féi
1. fat; plump; portly; obese; corpulent 2. fat (of meat) 3. sufficiency; affluence; plenty 4. fertile 5. to fertilize (land) 6. fertilizers 7. baggy
肥胖(ㄈㄟˊ ㄆㄤˋ)fat; obese
肥料(ㄈㄟˊ ㄌㄧㄠˋ)fertilizers; manure
肥肉(ㄈㄟˊ ㄖㄡˋ)fat meat
肥皂(ㄈㄟˊ ㄗㄠˋ)soap
肥皂粉(ㄈㄟˊ ㄗㄠˋ ㄈㄣˇ)detergent powder
肥沃(ㄈㄟˊ ㄨㄛˋ)fertile (land)

肩 4634
ㄐㄧㄢ jiān
1. shoulders 2. to shoulder (responsibility, etc.); to sustain 3. to employ; to appoint
肩膀(ㄐㄧㄢ ㄅㄤˇ)the shoulder
肩負(ㄐㄧㄢ ㄈㄨˋ)to undertake
肩胛骨(ㄐㄧㄢ ㄐㄧㄚˇ ㄍㄨˇ)the scapula

肪 4635
ㄈㄤˊ fáng
(又讀 ㄈㄤ fāng)
fat

肫 4636
ㄓㄨㄣ zhūn
1. sincere; earnest 2. the gizzard of a fowl

肯 4637
(肎、肻) ㄎㄣˇ kěn
(又讀 ㄎㄥˇ kěng)
to be willing; to approve of; to consent to; to permit; to agree
肯定(ㄎㄣˇ ㄉㄧㄥˋ)positive; sure

肱 4638
ㄍㄨㄥ gōng
the forearm

育 4639
ㄩˋ yù
1. to produce; to give birth to; to breed 2. to raise; to bring up; to nourish; to nurse 3. to educate
育種(ㄩˋ ㄓㄨㄥˇ)breeding
育幼院(ㄩˋ ㄧㄡˋ ㄩㄢˋ)a nursery school

肴 4640
ㄧㄠˊ yáo
cooked food, especially meat and fish; dishes

肸 4641
ㄒㄧˋ xì
1. to spread out; dispersed 2. diligent

五畫

肺 4642
ㄈㄟˋ fèi
the lungs
肺病(ㄈㄟˋ ㄅㄧㄥˋ)tuberculosis
肺部(ㄈㄟˋ ㄅㄨˋ)lungs
肺腑之言(ㄈㄟˋ ㄈㄨˇ ㄓ ㄧㄢˊ)words from the bottom of one's heart
肺癆(ㄈㄟˋ ㄌㄠˊ)tuberculosis
肺結核(ㄈㄟˋ ㄐㄧㄝˊ ㄏㄜˊ)pulmonary phthisis
肺臟(ㄈㄟˋ ㄗㄤˋ)the lungs
肺炎(ㄈㄟˋ ㄧㄢˊ)pneumonia
肺癌(ㄈㄟˋ ㄧㄢˊ)lung cancer

胥 4643
ㄒㄩ xū
1. all; together 2. to wait for 3. to assist; to serve as an advisory role 4. to survey; to inspect 5. to keep away from; separated 6. a final particle 7. mutual

胃 4644
ㄨㄟˋ wèi
the stomach; the gizzard (of birds and fowls)
胃病(ㄨㄟˋ ㄅㄧㄥˋ)a stomach ailment
胃痛(ㄨㄟˋ ㄊㄨㄥˋ)a stomach pain or ache
胃口(ㄨㄟˋ ㄎㄡˇ)appetite
胃潰瘍(ㄨㄟˋ ㄎㄨㄟˋ ㄧˊ ㄤˊ)a gastric ulcer
胃鏡(ㄨㄟˋ ㄐㄧㄥˋ)a gastroscope
胃下垂(ㄨㄟˋ ㄒㄧㄚˋ ㄔㄨㄟˊ)gastroptosis
胃腸(ㄨㄟˋ ㄔㄤˊ)the stomach and intestines
胃癌(ㄨㄟˋ ㄧㄢˊ)a gastric carcinoma

胄 4645
ㄓㄡˋ zhòu
1. descendants; posterity; offspring 2. the eldest (son, etc.)

背 4646
1. ㄅㄟˋ bèi
1. the back 2. the reverse side; the back side 3. to cast away; to turn one's back on; to give up 4. to go against; to rebel 5. to remember by rote; to commit to memory in detail
背包(ㄅㄟˋ ㄅㄠ)a knapsack
背部(ㄅㄟˋ ㄅㄨˋ)the back (of a man or an animal, etc.)
背叛(ㄅㄟˋ ㄆㄢˋ)to rebel; to betray
背面(ㄅㄟˋ ㄇㄧㄢˋ)the reverse side
背負(ㄅㄟˋ ㄈㄨˋ)to carry on the back
背道而馳(ㄅㄟˋ ㄉㄠˋ ㄦˊ ㄔˊ)to proceed in opposite directions
背離(ㄅㄟˋ ㄌㄧˊ)to deviate from
背後(ㄅㄟˋ ㄏㄡˋ)behind one's back
背景(ㄅㄟˋ ㄐㄧㄥˇ)background
背棄(ㄅㄟˋ ㄑㄧˋ)to betray
背心(ㄅㄟˋ ㄒㄧㄣ)a vest; a waistcoat
背信(ㄅㄟˋ ㄒㄧㄣˋ)to break one's word or promise

背誦(ㄅㄟˋ ㄙㄨㄥˋ)to recite
背影(ㄅㄟˋ ㄧㄥˇ)the sight of one's back

背 4646
2. ㄅㄟ bēi
to bear or shoulder (a load, burden, etc.); to carry on the back
背黑鍋(ㄅㄟ ㄏㄟ ㄍㄨㄛ)to take the blame for another person
背著(ㄅㄟ ·ㄓㄜ)to carry on the back

胎 4647
ㄊㄞ tāi
1. a fetus; an embryo 2. an unpolished, semiprocessed molding of something
胎盤(ㄊㄞ ㄆㄢˊ)the placenta
胎動(ㄊㄞ ㄉㄨㄥˋ)the quickening of the womb
胎記(ㄊㄞ ㄐㄧˋ)a birthmark
胎兒(ㄊㄞ ㄦˊ)a fetus
胎位(ㄊㄞ ㄨㄟˋ)the position of a fetus

胖 4648
1. ㄆㄤˋ pàng
obese; fat; corpulent
胖子(ㄆㄤˋ·ㄗ)a fat or corpulent person; a fatty

胖 4648
2. ㄆㄢˊ pán
comfortable

胙 4649
ㄗㄨㄛˋ zuò
1. flesh, meat offered in sacrifices 2. blessings from Heaven

胛 4650
ㄐㄧㄚˇ jiǎ
the shoulder; the shoulder blade

胚 4651
ㄆㄟ pēi
1. a three-month-old fetus; three months of pregnancy 2. things in the embryonic stage; unfinished moldings 3. the tender sprouts of plants
胚胎(ㄆㄟ ㄊㄞ)an embryo
胚芽(ㄆㄟ ㄧㄚˊ)a sprout
胚芽米(ㄆㄟ ㄧㄚˊ ㄇㄧˇ)germinated rice

胞 4652
ㄅㄠ bāo
1. the placenta 2. children of the same parents
胞兄弟(ㄅㄠ ㄒㄩㄥ ㄉㄧˋ)brothers by the same parents

胠 4653
ㄑㄩ qū
1. to open 2. the armpit 3. (in ancient warfare) the right flank of an army

胡 4654
ㄏㄨˊ hú
1. to blunder; reckless; wildly; disorderly 2. stupidly; blindly; confusedly 3. (in ancient China) a general name of the northern tribes (北狄) 4. (an interrogative particle) How? 或 Why? 或 When? 5. (now rarely) long and lasting 6. a Chinese family name
胡塗(ㄏㄨˊ ㄊㄨˊ)confused
胡同兒(ㄏㄨˊ ㄊㄨㄥˋㄦ)a lane 亦作「衚衕兒」
胡鬧(ㄏㄨˊ ㄋㄠˋ)reckless, irresponsible words or actions
胡來(ㄏㄨˊ ㄌㄞˊ)to proceed recklessly and without thought
胡蘿蔔(ㄏㄨˊ ㄌㄨㄛˊ ·ㄅㄛ)the carrot
胡瓜(ㄏㄨˊ ㄍㄨㄚ)a cucumber
胡椒(ㄏㄨˊ ㄐㄧㄠ)pepper
胡攪(ㄏㄨˊ ㄐㄧㄠˇ)to cause confusion or a disturbance recklessly
胡扯(ㄏㄨˊ ㄔㄜˇ)① random talk ② wild talk; lies
胡說(ㄏㄨˊ ㄕㄨㄛ)Nonsense!
胡說八道(ㄏㄨˊ ㄕㄨㄛ ㄅㄚˊ ㄉㄠˋ)to talk nonsense
胡作非爲(ㄏㄨˊ ㄗㄨㄛˋ ㄈㄟ ㄨㄟˊ)to do as one pleases
胡思亂想(ㄏㄨˊ ㄙ ㄌㄨㄢˋ ㄒㄧㄤˇ)to daydream
胡言亂語(ㄏㄨˊ ㄧㄢˊ ㄌㄨㄢˋ ㄩˇ)to talk nonsense; to gibber

胤 4655
ㄧㄣˋ yìn
long successions of descendants; posterity

朐 4656
ㄑㄩˊ qú
1. dried meat strips 2. far; faraway

胗 4657
1. ㄓㄣ zhēn
the gizzard of a fowl 亦作「肫」

胗 4657
2. ㄓㄣˇ zhěn
pustules; a rash; measles 亦作「疹」

胝 4658
ㄓ zhī
calluses on hands or feet

六畫

胭 4659
(臙) ㄧㄢ yān
1. cosmetics, especially referring to rouge and face powder 2. the throat 亦作「咽」
胭脂(ㄧㄢ ㄓ)rouge

胯 4660
ㄎㄨㄚˋ kuà
space between the legs; the groin
胯部(ㄎㄨㄚˋ ㄅㄨˋ)the crotch

胰 4661
ㄧˊ yí
the pancreas
胰島素(ㄧˊ ㄉㄠˇ ㄙㄨˋ)(medicine) insulin; pancreatin
胰臟(ㄧˊ ㄗㄤˋ)the pancreas

胱 4662
ㄍㄨㄤ guāng

〔肉部〕

the bladder

胴 4663 ㄉㄨㄥˋ dòng
1. the large intestine 2. the trunk; the body
胴體(ㄉㄨㄥˋ ㄊㄧˇ)the trunk; the body

胸 4664 (胷) ㄒㄩㄥ xiōng
1. the chest; the breast; the bosom; the bust; the thorax 2. one's ambition or aspiration 3. the mind (as narrow-minded, etc.); one's capacity
胸部(ㄒㄩㄥ ㄅㄨˋ)the chest
胸膛(ㄒㄩㄥ ㄊㄤˊ)the breast or bosom
胸口(ㄒㄩㄥ ㄎㄡˇ)the middle of the chest
胸懷(ㄒㄩㄥ ㄏㄨㄞˊ)ambition or aspiration; mind
胸腔(ㄒㄩㄥ ㄑㄧㄤ)the thoracic cavity
胸針(ㄒㄩㄥ ㄓㄣ)a brooch
胸圍(ㄒㄩㄥ ㄨㄟˊ)the measurement around the bust

脁 4665 ㄊㄧㄠˋ tiào
sacrificial rites

能 4666 ㄋㄥˊ néng
1. can; to be able to 2. capability; talent; competence 3. energy, as atomic energy
能耐(ㄋㄥˊ ㄋㄞˋ)skill; ability
能力(ㄋㄥˊ ㄌㄧˋ)ability; capability
能量(ㄋㄥˊ ㄌㄧㄤˋ)(physics) energy
能夠(ㄋㄥˊ ㄍㄡˋ)able to; can
能幹(ㄋㄥˊ ㄍㄢˋ)capable; able
能見度(ㄋㄥˊ ㄐㄧㄢˋ ㄉㄨˋ)visibility
能屈能伸(ㄋㄥˊ ㄑㄩ ㄋㄥˊ ㄕㄣ)adaptable
能源(ㄋㄥˊ ㄩㄢˊ)energy resources; energy
能源需求(ㄋㄥˊ ㄩㄢˊ ㄒㄩ ㄑㄧㄡˊ)energy demand
能源危機(ㄋㄥˊ ㄩㄢˊ ㄨㄟˊ ㄐㄧ)the energy crisis

胾 4667 ㄗˋ zì
meat cuts; minced meat

脂 4668 ㄓ zhī
1. the fat of animals; grease; lard; tallow 2. the gum or sap of trees; resin 3. to anoint; to grease; to lubricate 4. cosmetics
脂粉(ㄓ ㄈㄣˇ)rouge and face powder—cosmetics
脂肪(ㄓ ㄈㄤˊ)the fat of animals or plants

脆 4669 (脃) ㄘㄨㄟˋ cuì
1. brittle; fragile; hard but easily broken (as glass, porcelain, etc.) 2. crisp 3. light; shallow; thin 4. (said of the operation, etc. of something) easy, quick and convenient; neat
脆弱(ㄘㄨㄟˋ ㄖㄨㄛˋ)weak; fragile; delicate

脅 4670 ㄒㄧㄝˊ xié
1. the sides of the trunk from armpits to ribs; the flank 2. to threaten with force; to force 3. to shrug (shoulders); to shrink
脅迫(ㄒㄧㄝˊ ㄆㄛˋ)to threaten with force
脅持(ㄒㄧㄝˊ ㄔˊ)to hold somebody by violence

脈 4671 (衇、脉) ㄇㄛˋ mò (又讀 ㄇㄞˋ mài)
1. the blood vessels; the veins or arteries; the circulation system 2. the pulse 3. a mountain range 4. things that are related and form a system of some kind 5. stems of a leaf
脈搏(ㄇㄛˋ ㄅㄛˊ)the pulse; pulsation
脈絡(ㄇㄛˋ ㄌㄨㄛˋ)things that are related and form a system of their own

脊 4672 ㄐㄧˇ jǐ (又讀 ㄐㄧˊ jí)
1. the spine; the spinal column 2. the ridge
脊椎(ㄐㄧˇ ㄓㄨㄟ)the vertebrae
脊椎骨(ㄐㄧˇ ㄓㄨㄟ ㄍㄨˇ)a vertebra; the spine
脊髓(ㄐㄧˇ ㄙㄨㄟˇ)the spinal cord

胹 4673 ㄦˊ ér
cooked; well-done

胳 4674 ㄍㄜ gē
the arms; the armpits 亦作「肐」
胳臂(ㄍㄜ ㄅㄟˋ)the upper arm
胳肢窩(ㄍㄜ ㄓ ㄨㄛ)the armpit

七畫

脘 4675 ㄍㄨㄢˇ guǎn
the inside of the stomach—the gastric cavity; a duct in the body

脛 4676 ㄐㄧㄥˋ jìng
the calf; the part of a leg between the knee and ankle; the shank

脣 4677 (唇) ㄔㄨㄣˊ chún
the lips; the labia
脣膏(ㄔㄨㄣˊ ㄍㄠ)lips
脣舌(ㄔㄨㄣˊ ㄕㄜˊ)spoken words

脩 4678 ㄒㄧㄡ xiū
1. to do, act restore, regulate, cultivate, etc. 亦作「修」 2. dried meat 3. salary for a teacher in ancient times

脫 4679 ㄊㄨㄛ tuō

1. to strip; to undress; to take off 2. to abandon; to renounce; to cast off 3. to leave; to escape from; to get out of 4. to omit; omission; to miss out 5. to slip off 6. if; in case; perhaps
脫帽(ㄊㄨㄛ ㄇㄠˋ)to take off one's hat
脫胎換骨(ㄊㄨㄛ ㄊㄞ ㄏㄨㄢˋ ㄍㄨˇ)① to disembody (and become immortal) ② to change oneself in side out
脫逃(ㄊㄨㄛ ㄊㄠˊ)to escape from
脫離(ㄊㄨㄛ ㄌㄧˊ)to break away
脫離現實(ㄊㄨㄛ ㄌㄧˊ ㄒㄧㄢˋ ㄕˊ)to be divorced from reality
脫落(ㄊㄨㄛ ㄌㄨㄛˋ)to drop
脫軌(ㄊㄨㄛ ㄍㄨㄟˇ)to derail
脫光(ㄊㄨㄛ ㄍㄨㄤ)to strip nude
脫口而出(ㄊㄨㄛ ㄎㄡˇ ㄦˊ ㄔㄨ)to slip out of one's lips
脫節(ㄊㄨㄛ ㄐㄧㄝˊ)disconnected
脫臼(ㄊㄨㄛ ㄐㄧㄡˋ)to luxate
脫下(ㄊㄨㄛ ㄒㄧㄚˋ)to take off
脫鞋(ㄊㄨㄛ ㄒㄧㄝˊ)to remove shoes
脫險(ㄊㄨㄛ ㄒㄧㄢˇ)to escape from danger
脫售(ㄊㄨㄛ ㄕㄡˋ)to sell out [from
脫身(ㄊㄨㄛ ㄕㄣ)to leave; to get away
脫水(ㄊㄨㄛ ㄕㄨㄟˇ)to dehydrate
脫水機(ㄊㄨㄛ ㄕㄨㄟˇ ㄐㄧ)a hydroextractor; a whizzer
脫罪(ㄊㄨㄛ ㄗㄨㄟˋ)to exonerate someone from a charge
脫俗(ㄊㄨㄛ ㄙㄨˊ)to free oneself from worldly ways
脫衣舞(ㄊㄨㄛ ㄧ ㄨˇ)a striptease
脫穎而出(ㄊㄨㄛ ㄧㄥˇ ㄦˊ ㄔㄨ)to pale others by showing one's ability and talents

脯 4680
1. ㄈㄨˇ fǔ
1. dried and seasoned meat 2. preserved fruits

脯 4680
2. ㄆㄨˊ pú
flesh or meat in the general area of the chest or breast

脬 4681
ㄆㄠ pāo
the bladder

脰 4682
ㄉㄡˋ dòu
the neck

脞 4683
ㄘㄨㄛˇ cuǒ
tiny; petty; little pieces

脤 4684
ㄕㄣˋ shèn
1. raw meat for a sacrifice 2. the buttocks; the bottom

脖 4685
ㄅㄛˊ bó
the neck

脗 4686
ㄨㄣˇ wěn
1. to kiss; a kiss 亦作「吻」 2. to join together; to match; to tally 3. the lips
脗合(ㄨㄣˇ ㄏㄜˊ)to match; to tally

脚 4687
(腳) ㄐㄧㄠˇ jiǎo
1. the foot or feet 2. the base or foundation of anything

八畫

脹 4688
ㄓㄤˋ zhàng
1. full-stomached; glutted 2. swelling of the skin 3. to expand; expansion
脹氣(ㄓㄤˋ ㄑㄧˋ)(medicine) flatulence

胼 4689
(骿) ㄆㄧㄢˊ pián
calluses
胼手胝足(ㄆㄧㄢˊ ㄕㄡˇ ㄓ ㄗㄨˊ)calluses on the hands and feet—to toil or work hard

腆 4690
ㄊㄧㄢˇ tiǎn
1. prosperous; affluence 2. good; virtuous 3. protruding (as the belly, etc.) 4. bashful; to blush

腋 4691
ㄧㄝˋ yè (讀音 ㄧˋ yì)
the armpits; the part under the fore-legs of animals
腋毛(ㄧㄝˋ ㄇㄠˊ)armpit hair
腋下(ㄧㄝˋ ㄒㄧㄚˋ)the armpits
腋窩(ㄧㄝˋ ㄨㄛ)the armpits

腌 4692
1. ㄤ āng (又讀 ㄚ ā)
unclean; dirty; filthy
腌臢(ㄤ ㄗㄤ)unclean; dirty

腌 4692
2. (醃) ㄧㄢ yān
to salt; to pickle

脺 4693
(膵) ㄘㄨㄟˋ cuì
the pancreas

腎 4694
ㄕㄣˋ shèn
1. the kidneys 2. the testicles
腎上腺(ㄕㄣˋ ㄕㄤˋ ㄒㄧㄢˋ)adrenals
腎臟(ㄕㄣˋ ㄗㄤˋ)the kidneys

腐 4695
ㄈㄨˇ fǔ
1. to decay; to rot; rotten; putrid; to disintegrate; stale 2. corrupt; evil; worthless 3. old; worn-out; useless or worthless 4. to castrate; castration (as a punishment in ancient China)

〔肉部〕

5. short for 豆腐—bean curd
腐敗(ㄈㄨˇ ㄅㄞˋ)① corrupt and rotten ② decayed; to decay
腐爛(ㄈㄨˇ ㄌㄢˋ)to rot or decay
腐朽(ㄈㄨˇ ㄒㄧㄡˇ)decayed; rotten
腐蝕(ㄈㄨˇ ㄕˊ)① to erode; erosion ② to etch

腑 4696 ㄈㄨˇ fǔ
the bowels; the entrails; the viscera

腔 4697 ㄑㄧㄤ qiāng
1. the cavity—especially referring to the chest and belly 2. a cavity in any vessel 3. a tune 4. an accent of one's pronunciation; a tone of one's voice 5. a manner
腔調(ㄑㄧㄤ ㄉㄧㄠˋ)①a tune ②an accent

腕 4698 ㄨㄢˋ wàn
the wrist

脾 4699 ㄆㄧˊ pí
1. the spleen 2. a temper; a disposition
脾氣(ㄆㄧˊ ˙ㄑㄧ)a temper or disposition
脾臟(ㄆㄧˊ ㄗㄤˋ)the spleen

腊 4700 1. ㄒㄧˊ xí
1. dried meat 2. very; extremely

腊 4700 2. ㄌㄚˋ là
an abbreviated form of 臘
腊梅(ㄌㄚˋ ㄇㄟˊ)plum flowers

腓 4701 ㄈㄟˊ féi
the calf (of the leg)

九畫

腠 4702 ㄘㄡˋ còu
the texture of muscle

腥 4703 ㄒㄧㄥ xīng
1. raw, undressed meat 2. an offensive smell, especially of fish or blood
腥味兒(ㄒㄧㄥ ㄨㄜˋㄦ)an offensive smell of fish, etc.

腦 4704 ㄋㄠˇ nǎo
the brain
腦袋(ㄋㄠˇ ˙ㄉㄞ)the head
腦力(ㄋㄠˇ ㄌㄧˋ)brains
腦海(ㄋㄠˇ ㄏㄞˇ)the mind
腦筋(ㄋㄠˇ ㄐㄧㄣ)brains; mentality
腦震盪(ㄋㄠˇ ㄓㄣˋ ㄉㄤˋ)brain concussion
腦神經(ㄋㄠˇ ㄕㄣˊ ㄐㄧㄥ)cranial nerves
腦子(ㄋㄠˇ ˙ㄗ)① the brain ② brains
腦溢血(ㄋㄠˇ ㄧˋ ㄒㄧㄝˇ)a stroke; apoplexy

腫 4705 ㄓㄨㄥˇ zhǒng
to swell; a swelling; a boil
腫瘤(ㄓㄨㄥˇ ㄌㄧㄡˊ)(medicine) a tumor
腫脹(ㄓㄨㄥˇ ㄓㄤˋ)to swell; swelling

腰 4706 ㄧㄠ yāo
1. the midriff; the waist 2. the kidneys 3. the middle of something; the waist portion of a region
腰包(ㄧㄠ ㄅㄠ)① a purse; a wallet ② one's money
腰部(ㄧㄠ ㄅㄨˋ)the waist
腰帶(ㄧㄠ ㄉㄞˋ)a girdle; a waistband
腰纏萬貫(ㄧㄠ ㄔㄢˊ ㄨㄢˋ ㄍㄨㄢˋ)very rich
腰身(ㄧㄠ ㄕㄣ)the waist
腰酸背疼(ㄧㄠ ㄙㄨㄢ ㄅㄟˋ ㄊㄥˊ)a sore waist and an aching back
腰圍(ㄧㄠ ㄨㄟˊ)the waist; the waistline

腳 4707 (脚) ㄐㄧㄠˇ jiǎo (讀音 ㄐㄩㄝˊ jué)
1. the feet 2. the leg or base of something
腳步(ㄐㄧㄠˇ ㄅㄨˋ)steps; paces
腳踏車(ㄐㄧㄠˇ ㄊㄚˋ ㄔㄜ)a bicycle
腳踏實地(ㄐㄧㄠˇ ㄊㄚˋ ㄕˊ ㄉㄧˋ)to do a job honestly and with dedication
腳跟(ㄐㄧㄠˇ ㄍㄣ)the heel of the foot
腳尖兒(ㄐㄧㄠˇ ㄐㄧㄚㄦ)tiptoe
腳趾(ㄐㄧㄠˇ ㄓˇ)toes
腳掌(ㄐㄧㄠˇ ㄓㄤˇ)the sole (of the foot)
腳印兒(ㄐㄧㄠˇ ㄧㄜˋㄦ)footprints

腱 4708 ㄐㄧㄢˋ jiàn
(anatomy) tendon

腴 4709 ㄩˊ yú
1. fat 2. plump and soft 3. fertile 4. intestines of dogs and hogs 5. rich

腸 4710 ㄔㄤˊ cháng
the intestines; the bowels
腸子(ㄔㄤˊ ˙ㄗ)the intestines
腸癌(ㄔㄤˊ ㄧㄢˊ)bowel cancer

腹 4711 ㄈㄨˋ fù
1. the belly; under the chest; the abdomen 2. the front part 3. the inside; inner
腹背受敵(ㄈㄨˋ ㄅㄟˋ ㄕㄡˋ ㄉㄧˊ)to be attacked from front and rear
腹部(ㄈㄨˋ ㄅㄨˋ)the abdomen; the belly
腹痛(ㄈㄨˋ ㄊㄨㄥˋ)bellyache
腹瀉(ㄈㄨˋ ㄒㄧㄝˋ)diarrhea

腩 4712 ㄋㄢˇ nǎn
tender beef

腺 4713 ㄒㄧㄢˋ xiàn
a gland
腺體(ㄒㄧㄢˋ ㄊㄧˇ)a gland

腼 4714 (靦)ㄇㄧㄢˇ miǎn
1. shy; bashful 2. (said of girls) quiet and graceful
腼腆(ㄇㄧㄢˇ ㄊㄧㄢˇ)bashful; shy

腭 4715 (齶)ㄜˋ è
the roof of the mouth; the palate

腮 4716 (顋) ㄙㄞ sāi
the cheeks
腮幫子(ㄙㄞ ㄅㄤ •ㄗ)(colloquial) the cheek

十畫

腿 4717 ㄊㄨㄟˇ tuǐ
the legs and the thighs

膀 4718 1. ㄅㄤˇ bǎng
the upper arms

膀 4718 2. ㄆㄤˊ páng
the bladder
膀胱(ㄆㄤˊ ㄍㄨㄤ)the bladder

膀 4718 3. ㄅㄤˋ bàng
to make passes at (used in the phrase 吊膀子)

膂 4719 ㄌㄩˇ lǚ
1. the spinal column; the backbone 2. one's physical strength

膈 4720 ㄍㄜˊ gé
the diaphragm

膏 4721 1. ㄍㄠ gāo
1. fat; grease 2. ointment 3. fertile 4. the region just below the heart 5. grace; favors 6. sweet 7. (Chinese medicine) a paste-like preparation for external use 8. plaster 9. (food and fruit) cooked to a very thick or pasty form
膏壤(ㄍㄠ ㄖㄤˇ)fertile land
膏澤(ㄍㄠ ㄗㄜˊ)good grace
膏藥(ㄍㄠ ㄧㄠˋ)medicated plaster attached to pieces of cloth or paper

膏 4721 2. ㄍㄠˋ gào
1. to lubricate; to grease; to make smooth or glossy 2. to enrich; to freshen

膆 4722 ㄙㄨˋ sù
1. the crop of a bird or fowl 2. fat

膊 4723 ㄅㄛˊ bó
the shoulders; the upper arms

十一畫

膚 4724 ㄈㄨ fū
1. the skin; the surface 2. skin-deep; shallow; superficial 3. (now rarely) great, as achievements or merit
膚淺(ㄈㄨ ㄑㄧㄢˇ)shallow; skin-deep
膚色(ㄈㄨ ㄙㄜˋ)color of the skin

膜 4725 1. ㄇㄛˋ mò (又讀 ㄇㄛˊ mó)
1. membrane 2. a thin film; a thin coating

膜 4725 2. ㄇㄛˊ mó
to kneel and worship
膜拜(ㄇㄛˊ ㄅㄞˋ)to kneel and worship

膝 4726 ㄒㄧ xī
the knee
膝蓋(ㄒㄧ ㄍㄞˋ)the knee

滕 4727 ㄊㄥˊ téng
name of a state in the Epoch of Spring and Autumn in today's Shantung Province

膠 4728 ㄐㄧㄠ jiāo
1. glue; gum 2. resin; sap 3. anything sticky 4. rubber; plastics 5. to stick on or together; to adhere 6. stubborn; obstinate
膠布(ㄐㄧㄠ ㄅㄨˋ)rubber cloth
膠帶(ㄐㄧㄠ ㄉㄞˋ)an adhesive tape
膠鞋(ㄐㄧㄠ ㄒㄧㄝˊ)rubber shoes
膠質(ㄐㄧㄠ ㄓˊ)gluey; glue
膠著(ㄐㄧㄠ ㄓㄨㄛˊ)stalemated
膠水(ㄐㄧㄠ ㄕㄨㄟˇ)glue; size

膛 4729 ㄊㄤˊ táng
1. the breast; the chest 2. a cavity 3. the chamber of a firearm

膣 4730 ㄓˋ zhì
the vagina

十二畫

膨 4731 ㄆㄥˊ péng
to expand; to swell; to inflate
膨脹(ㄆㄥˊ ㄓㄤˋ)expansion

〔肉部〕

〔肉部〕

膩 4732
ㄋㄧˋ nì
1.fatty or greasy (food) 2.smooth 3.dirty 4.bored; tired; weary 5. intimate
膩人(ㄋㄧˋ ㄖㄣˊ)boring

膳 4733
(饍) ㄕㄢˋ shàn
meals; food; provisions
膳食(ㄕㄢˋ ㄕˊ)meat; victuals
膳宿(ㄕㄢˋ ㄙㄨˋ)food and lodging

膰 4734
ㄈㄢˊ fán
cooked meat for sacrifice or offering

十三畫

膿 4735
ㄋㄨㄥˊ nóng
pus or purulent matter
膿包(ㄋㄨㄥˊ ㄅㄠ)a pustule

膽 4736
(胆) ㄉㄢˇ dǎn
1. the gall 2. courage; bravery; audacity 3.the internal parts, etc. of a vessel 4.the tube of a tire, basketball, etc.
膽大心細(ㄉㄢˇ ㄉㄚˋ ㄒㄧㄣ ㄒㄧˋ)brave but cautious
膽大妄爲(ㄉㄢˇ ㄉㄚˋ ㄨㄤˋ ㄨㄟˊ)audacious and reckless
膽量(ㄉㄢˇ ㄌㄧㄤˋ)courage; bravery
膽固醇(ㄉㄢˇ ㄍㄨˋ ㄔㄨㄣˊ)cholesterol; cholesterin
膽小(ㄉㄢˇ ㄒㄧㄠˇ)timid; cowardly
膽小鬼(ㄉㄢˇ ㄒㄧㄠˇ ㄍㄨㄟˇ)a coward
膽識(ㄉㄢˇ ㄕˋ)courage and wisdom
膽子(ㄉㄢˇ ·ㄗ)courage; bravery

膾 4737
ㄎㄨㄞˋ kuài
minced meat
膾炙人口(ㄎㄨㄞˋ ㄓˋ ㄖㄣˊ ㄎㄡˇ)to be on everybody's lips

膺 4738
ㄧㄥ yīng
1. the breast of a person 2. (now rarely) a belt across the breast of a horse 3. to receive; to be given (a responsibility, etc.); to undertake; to shoulder; to bear; to sustain
膺選(ㄧㄥ ㄒㄩㄢˇ)to be elected

臀 4739
ㄊㄨㄣˊ tún
1. the buttocks; the behind; the bottom; the rump 2. (now rarely) the bottom of a ware or vessel
臀部(ㄊㄨㄣˊ ㄅㄨˋ)the buttocks

臂 4740
ㄅㄧˋ bì(又讀 ㄅㄟˋ bèi)
the arms (of a human being or a tool, machine, etc.)
臂膀(ㄅㄧˋ ㄅㄤˇ)the arm

臃 4741
ㄩㄥˇ yǒng
(又讀 ㄩㄥ yōng)
1. to swell; a swelling 2. fat and clumsy
臃腫(ㄩㄥˇ ㄓㄨㄥˇ)fat and clumsy

臆 4742
ㄧˋ yì
1. one's breast, heart, thoughts, etc. 2. one's personal views or feelings
臆測(ㄧˋ ㄘㄜˋ)to guess; speculation

臉 4743
ㄌㄧㄢˇ liǎn
the face (used both in its physical and figurative senses)
臉盆(ㄌㄧㄢˇ ㄆㄣˊ)a washing basin
臉皮厚(ㄌㄧㄢˇ ㄆㄧˊ ㄏㄡˋ)shameless
臉孔(ㄌㄧㄢˇ ㄎㄨㄥˇ)the face
臉紅(ㄌㄧㄢˇ ㄏㄨㄥˊ)a blush; to blush
臉頰(ㄌㄧㄢˇ ㄐㄧㄚˊ)cheeks
臉色(ㄌㄧㄢˇ ㄙㄜˋ)① facial expression ② a complexion

臊 4744
1. ㄙㄠ sāo
a bad odor or smell, as that of decaying fish, meat, fox, sheep, etc.

臊 4744
2. ㄙㄠˋ sào
1. ashamed; bashful 2. minced meat

臌 4745
ㄍㄨˇ gǔ
to expand; to swell; swollen
臌脹(ㄍㄨˇ ㄓㄤˋ)expansion; to expand

賸 4746
(剩) ㄕㄥˋ shèng
See "賸 5805" under the radical "貝".

膻 4747
(羶) ㄕㄢ shān
the bad odor of sheep, deer, etc.

十四畫

臏 4748
(髕) ㄅㄧㄣˋ bìn
1. the kneecap 2. the punishment of removing kneecaps in ancient times

臍 4749
ㄑㄧˊ qí
1. the navel; the umbilicus 2. the underside of a crab
臍帶(ㄑㄧˊ ㄉㄞˋ)the umbilical cord

十五畫

臘 4750
ㄌㄚˋ là
1. sacrifice at the end of the lunar year 2.the end of the lunar year 3. salted and smoked meat, fish, chicken, etc.

臘肉(ㄌㄚˋ ㄖㄡˋ)salted and dried meat
臘月(ㄌㄚˋ ㄩㄝˋ)the 12th moon of the lunar year

臕 4751 (膘) ㄅㄧㄠ biāo
fat

十六畫

臚 4752 ㄌㄨˊ lú
1. to display; to exhibit; to arrange in order 2. the belly 3. the skin 4. to forward; to convey; to announce

臙 4753 (胭) ㄧㄢ yān
rouge, face powder or cosmetics

十七畫

臝 4754 (裸) ㄌㄨㄛˇ luǒ
to bare; nude

十八畫

臟 4755 ㄗㄤˋ zàng
a general name of all the internal organs in the chest and abdomen; the viscera
臟腑(ㄗㄤˋ ㄈㄨˇ)viscera; entrails

十九畫

臠 4756 ㄌㄨㄢˊ luán
1. meat chops or cuts 2. lean; thin

臢 4757 ㄗㄤ zāng (又讀 ㄗㄚ zā)
dirty; filthy

臡 4758 ㄋㄧˊ ní
pickled, minced meat

臣部 ㄔㄣˊ chén

臣 4759 ㄔㄣˊ chén
1. a subject; a vassal 2. to subjugate; to conquer 3. a term for "I" used by officials when addressing the king or emperor 4. (in ancient China) a polite term for "I" 5. a minister; an official; a statesman
臣服(ㄔㄣˊ ㄈㄨˊ)to be conquered or subjugated

一畫

𦣝 4760 (頤) ㄧˊ yí
the cheeks

二畫

臥 4761 ㄨㄛˋ wò
1. to lie down; to rest; to sleep 2. to lay or place across; to lie across
臥病(ㄨㄛˋ ㄅㄧㄥˋ)bedridden on account of illness
臥房(ㄨㄛˋ ㄈㄤˊ)a bedroom
臥倒(ㄨㄛˋ ㄉㄠˇ)to lie down

八畫

臧 4762 ㄗㄤ zāng
1. good; right; generous 2. a slave; a servant 3. stolen goods or loots 亦作「贓」
臧否(ㄗㄤ ㄆㄧˇ)right or wrong

十一畫

臨 4763 ㄌㄧㄣˊ lín
1. to look down from above—preside over 2. to approach; to descend; to come to; to reach; to visit 3. on the point of; near to; during; at; whilst; while 4. to copy; to imitate 5. temporary; provisional
臨別(ㄌㄧㄣˊ ㄅㄧㄝˊ)on departure
臨盆(ㄌㄧㄣˊ ㄆㄣˊ)parturition; childbirth
臨頭(ㄌㄧㄣˊ ㄊㄡˊ)(said of disasters) descending
臨界點(ㄌㄧㄣˊ ㄐㄧㄝˋ ㄉㄧㄢˇ)(physics) a critical point
臨近(ㄌㄧㄣˊ ㄐㄧㄣˋ)close to
臨行(ㄌㄧㄣˊ ㄒㄧㄥˊ)or 臨走(ㄌㄧㄣˊ ㄗㄡˇ)on the point of departure
臨終(ㄌㄧㄣˊ ㄓㄨㄥ)or 臨死(ㄌㄧㄣˊ ㄙˇ)at one's deathbed
臨牀(ㄌㄧㄣˊ ㄔㄨㄤˊ)clinical
臨時(ㄌㄧㄣˊ ㄕˊ)temporary
臨時班機(ㄌㄧㄣˊ ㄕˊ ㄅㄢ ㄐㄧ)an extra flight
臨時演員(ㄌㄧㄣˊ ㄕˊ ㄧㄢˇ ㄩㄢˊ)an extra
臨睡(ㄌㄧㄣˊ ㄕㄨㄟˋ)before sleep
臨危(ㄌㄧㄣˊ ㄨㄟˊ)in face of great danger or emergency

自部 ㄗˋ zì

自 4764 ㄗˋ zì
1. self; personal; private; in person;

〔臣・自部〕

〔自部〕

personally 2.from 3.natural; naturally
自白(ㄗˋ ㄅㄞˊ)confession
自卑(ㄗˋ ㄅㄟ)to slight oneself; to despise oneself
自卑感(ㄗˋ ㄅㄟ ㄍㄢˇ)inferiority complex
自備(ㄗˋ ㄅㄟˋ)self-provided
自閉症(ㄗˋ ㄅㄧˋ ㄓㄥˋ)(psychiatry) autism
自不量力(ㄗˋ ㄅㄨˋ ㄌㄧㄤˋ ㄌㄧˋ)to do something beyond one's ability
自滿(ㄗˋ ㄇㄢˇ)complacency
自命不凡(ㄗˋ ㄇㄧㄥˋ ㄅㄨˋ ㄈㄢˊ)or 自負(ㄗˋ ㄈㄨˋ)conceited
自費(ㄗˋ ㄈㄟˋ)to pay one's own expenses
自大(ㄗˋ ㄉㄚˋ)conceited
自動(ㄗˋ ㄉㄨㄥˋ)①voluntary ②automatic
自動排檔(ㄗˋ ㄉㄨㄥˋ ㄆㄞˊ ㄉㄤˇ)automatic transmission
自動販賣機(ㄗˋ ㄉㄨㄥˋ ㄈㄢˋ ㄇㄞˋ ㄐㄧ)a vending machine
自動扶梯(ㄗˋ ㄉㄨㄥˋ ㄈㄨˊ ㄊㄧ)an escalator
自動櫃員機(ㄗˋ ㄉㄨㄥˋ ㄍㄨㄟˋ ㄩㄢˊ ㄐㄧ)an automated-teller machine
自動化(ㄗˋ ㄉㄨㄥˋ ㄏㄨㄚˋ)automation
自動存物箱(ㄗˋ ㄉㄨㄥˋ ㄘㄨㄣˊ ㄨˋ ㄒㄧㄤ)a coin locker
自討苦吃(ㄗˋ ㄊㄠˇ ㄎㄨˇ ㄔ)to ask for trouble
自投羅網(ㄗˋ ㄊㄡˊ ㄌㄨㄛˊ ㄨㄤˇ)to walk right into a trap
自來水(ㄗˋ ㄌㄞˊ ㄕㄨㄟˇ)running water
自來水筆(ㄗˋ ㄌㄞˊ ㄕㄨㄟˇ ㄅㄧˇ)a fountain pen
自來水廠(ㄗˋ ㄌㄞˊ ㄕㄨㄟˇ ㄔㄤˇ)a waterworks
自立(ㄗˋ ㄌㄧˋ)independent
自力更生(ㄗˋ ㄌㄧˋ ㄍㄥ ㄕㄥ)to achieve self-renewal with one's own effort
自戀(ㄗˋ ㄌㄧㄢˋ)narcissism
自告奮勇(ㄗˋ ㄍㄠˋ ㄈㄣˋ ㄩㄥˇ)to volunteer
自甘墮落(ㄗˋ ㄍㄢ ㄉㄨㄛˋ ㄌㄨㄛˋ)to abandon oneself to wanton ways
自誇(ㄗˋ ㄎㄨㄚ)to brag; to boast
自豪(ㄗˋ ㄏㄠˊ)to feel proud of
自畫像(ㄗˋ ㄏㄨㄚˋ ㄒㄧㄤˋ)a self-portrait
自己(ㄗˋ ㄐㄧˇ)self; oneself
自給自足(ㄗˋ ㄐㄧˇ ㄗˋ ㄗㄨˊ)self-sufficiency
自救(ㄗˋ ㄐㄧㄡˋ)self-salvation
自盡(ㄗˋ ㄐㄧㄣˋ)to commit suicide
自覺(ㄗˋ ㄐㄩㄝˊ)to feel something concerning oneself; aware
自欺(ㄗˋ ㄑㄧ)to deceive oneself
自欺欺人(ㄗˋ ㄑㄧ ㄑㄧ ㄖㄣˊ)to deceive oneself and others as well
自取其辱(ㄗˋ ㄑㄩˇ ㄑㄧˊ ㄖㄨˋ)to ask for an insult
自習(ㄗˋ ㄒㄧˊ)to learn and practice by oneself
自修(ㄗˋ ㄒㄧㄡ)to learn and practice by oneself
自新(ㄗˋ ㄒㄧㄣ)self-renewal
自信(ㄗˋ ㄒㄧㄣˋ)self-confidence
自相矛盾(ㄗˋ ㄒㄧㄤ ㄇㄠˊ ㄉㄨㄣˋ)self-contradictory
自行車(ㄗˋ ㄒㄧㄥˊ ㄔㄜ)a bicycle; a bike
自省(ㄗˋ ㄒㄧㄥˇ)self-examination
自許(ㄗˋ ㄒㄩˇ)to regard oneself as
自尋煩惱(ㄗˋ ㄒㄩㄣˊ ㄈㄢˊ ㄋㄠˇ)to look for trouble oneself
自知之明(ㄗˋ ㄓ ㄓ ㄇㄧㄥˊ)to know oneself
自治(ㄗˋ ㄓˋ)autonomy
自治區(ㄗˋ ㄓˋ ㄑㄩ)an autonomous region
自主(ㄗˋ ㄓㄨˇ)independent
自主關稅(ㄗˋ ㄓㄨˇ ㄍㄨㄢ ㄕㄨㄟˋ)autonomous tariff
自助(ㄗˋ ㄓㄨˋ)self-help
自助洗衣店(ㄗˋ ㄓㄨˋ ㄒㄧˇ ㄧ ㄉㄧㄢˋ)a launderette
自助餐(ㄗˋ ㄓㄨˋ ㄘㄢ)a buffet lunch or supper
自助餐廳(ㄗˋ ㄓㄨˋ ㄘㄢ ㄊㄧㄥ)a cafeteria
自轉(ㄗˋ ㄓㄨㄢˋ)(astronomy) rotation
自傳(ㄗˋ ㄓㄨㄢˋ)an autobiography
自重(ㄗˋ ㄓㄨㄥˋ)self-respect
自稱(ㄗˋ ㄔㄥ)to claim
自食其力(ㄗˋ ㄕˊ ㄑㄧˊ ㄌㄧˋ)to live by one's own exertion
自殺(ㄗˋ ㄕㄚ)to commit suicide; suicide
自首(ㄗˋ ㄕㄡˇ)to give oneself up to the law
自身(ㄗˋ ㄕㄣ)oneself
自述(ㄗˋ ㄕㄨˋ)to narrate one's own story or experience
自然(ㄗˋ ㄖㄢˊ)① nature; natural world ② natural; naturally
自然風險(ㄗˋ ㄖㄢˊ ㄈㄥ ㄒㄧㄢˇ)natural risk
自然科學(ㄗˋ ㄖㄢˊ ㄎㄜ ㄒㄩㄝˊ)natural sciences
自然現象(ㄗˋ ㄖㄢˊ ㄒㄧㄢˋ ㄒㄧㄤˋ)a natural phenomenon
自然而然(ㄗˋ ㄖㄢˊ ㄦˊ ㄖㄢˊ)a matter of course
自認(ㄗˋ ㄖㄣˋ)to believe
自責(ㄗˋ ㄗㄜˊ)to blame oneself
自在(ㄗˋ ㄗㄞˋ)comfortable; at ease
自足(ㄗˋ ㄗㄨˊ)self-sufficient
自作孽(ㄗˋ ㄗㄨㄛˋ ㄋㄧㄝˋ)to bring disaster to oneself
自作聰明(ㄗˋ ㄗㄨㄛˋ ㄘㄨㄥ ㄇㄧㄥˊ)to act as if one were an expert
自尊(ㄗˋ ㄗㄨㄣ)self-respect
自尊心(ㄗˋ ㄗㄨㄣ ㄒㄧㄣ)a sense of self-respect
自裁(ㄗˋ ㄘㄞˊ)to commit suicide
自慚形穢(ㄗˋ ㄘㄢˊ ㄒㄧㄥˊ ㄏㄨㄟˋ)to feel inferior to others
自從(ㄗˋ ㄘㄨㄥˊ)since then; ever since
自私(自利)(ㄗˋ ㄙ (ㄗˋ ㄌㄧˋ))selfish; selfishness
自愛(ㄗˋ ㄞˋ)self-respect
自以爲是(ㄗˋ ㄧˇ ㄨㄟˊ ㄕˋ)self-approbation

自縊(ㄗˋ ㄧˋ)to hang oneself
自由(ㄗˋ ㄧㄡˊ)freedom; liberty
自由女神像(ㄗˋ ㄧㄡˊ ㄋㄩˇ ㄕㄣˊ ㄒㄧㄤˋ) the Statue of Liberty in New York harbor
自由自在(ㄗˋ ㄧㄡˊ ㄗˋ ㄗㄞˋ)carefree
自言自語(ㄗˋ ㄧㄢˊ ㄗˋ ㄩˇ)to talk to oneself
自我(ㄗˋ ㄨㄛˇ)self; ego
自衞(ㄗˋ ㄨㄟˋ)self-defense
自問(ㄗˋ ㄨㄣˋ)to ask oneself
自圓其說(ㄗˋ ㄩㄢˊ ㄑㄧˊ ㄕㄨㄛ)to explain oneself away
自願(ㄗˋ ㄩㄢˋ)voluntary
自怨自艾(ㄗˋ ㄩㄢˋ ㄗˋ ㄧˋ)to blame and censure oneself

四畫

臬 4765 ㄋㄧㄝˋ niè
1. a rule; a law; an institution 2. a doorpost

臭 4766 1. ㄔㄡˋ chòu
1. stinking; smelly 2. notorious; flagrant; disreputable 3. very; much; soundly; sternly 4. (said of friendship, love, etc.) to cool off 5. foul and petty; worthless 6. an odor; a stench
臭皮囊(ㄔㄡˋ ㄆㄧˊ ㄋㄤˊ)the human body
臭罵(ㄔㄡˋ ㄇㄚˋ)a stern scolding
臭美(ㄔㄡˋ ㄇㄟˇ)presumptuous
臭氧層(ㄔㄡˋ ㄧㄤˇ ㄘㄥˊ)the ozonosphere
臭味相投(ㄔㄡˋ ㄨㄟˋ ㄒㄧㄤ ㄊㄡˊ)birds of the same feather

臭 4766 2. ㄒㄧㄡˋ xiù
1. scent; smells; odors 2. to smell

六畫

臯 4767 (臯、皐) ㄍㄠ gāo
1. a lake or pool 2. the bank or shore 3. to utter a long, wailing sound

十畫

臲 4768 ㄋㄧㄝˋ niè
jumpy; jittery; worried

至部 ㄓˋ zhì

至 4769 ㄓˋ zhì
1. to arrive at; to reach (a destination) 2. very; extremely; to indicate the superlative degree—the most
至多(ㄓˋ ㄉㄨㄛ)at (the) most
至理名言(ㄓˋ ㄌㄧˇ ㄇㄧㄥˊ ㄧㄢˊ)a proverb of lasting value
至高無上(ㄓˋ ㄍㄠ ㄨˊ ㄕㄤˋ)the highest
至交(ㄓˋ ㄐㄧㄠ)one's closest friend
至今(ㄓˋ ㄐㄧㄣ)until now; so far
至親(ㄓˋ ㄑㄧㄣ)the closest relative
至少(ㄓˋ ㄕㄠˇ)at least; the least
至善(ㄓˋ ㄕㄢˋ)the highest level of virtue
至聖先師(ㄓˋ ㄕㄥˋ ㄒㄧㄢ ㄕ)the greatest sage and teacher—Confucius
至死不渝(ㄓˋ ㄙˇ ㄅㄨˋ ㄩˊ)to remain faithful until death
至友(ㄓˋ ㄧㄡˇ)the closest friend
至於(ㄓˋ ㄩˊ)as to

三畫

致 4770 (致) ㄓˋ zhì
1. to send; to present; to convey; to transmit; to extend (thanks, etc.) 2. to cause to come; to cause (injury, death, etc.) 3. to achieve; to attain; to amass (fortune) 4. one's principle, interest, hobby, etc. 5. to bring about; to occasion or result in 6. to retire; to resign
致命(ㄓˋ ㄇㄧㄥˋ)fatal; fatality
致富(ㄓˋ ㄈㄨˋ)to become rich
致力(ㄓˋ ㄌㄧˋ)to devote or dedicate oneself to
致敬(ㄓˋ ㄐㄧㄥˋ)to pay respects
致謝(ㄓˋ ㄒㄧㄝˋ)to offer thanks; to thank
致辭(ㄓˋ ㄘˊ)to address
致意(ㄓˋ ㄧˋ)to convey one's best wishes or regards

八畫

臺 4771 (台) ㄊㄞˊ tái
1. a lookout; a tower; an observatory 2. a terrace; an elevated platform; a stage; a stand 3. a title of respect 4. short for Taiwan
臺階(ㄊㄞˊ ㄐㄧㄝ)brick or stone steps
臺下(ㄊㄞˊ ㄒㄧㄚˋ)off the stage
臺上(ㄊㄞˊ ㄕㄤˋ)on the stage
臺詞(ㄊㄞˊ ㄘˊ)actor's lines
臺灣(ㄊㄞˊ ㄨㄢ)Taiwan (Formosa)
臺灣海峽(ㄊㄞˊ ㄨㄢ ㄏㄞˇ ㄒㄧㄚˊ) Taiwan Strait

十畫

臻 4772 ㄓㄣ zhēn
1. the utmost; the best 2. to arrive at; to reach

〔至部〕

臼部
ㄐㄧㄡˋ jiù

〔臼部〕

臼 4773 ㄐㄧㄡˋ jiù
1. a mortar for unhusking rice 2. a socket at a bone joint

一畫

臼 4774 (掬) ㄐㄩˊ jú
to hold or take in both hands

二畫

臾 4775 ㄩˊ yú
1. a moment; an instant; a little while; a short time 2. a Chinese family name

三畫

臿 4776 ㄔㄚ chā
1. a kind of farming instrument 2. same as 插—to insert; to drive in

四畫

舁 4777 ㄩˊ yú
to lift; to raise; to carry

舀 4778 ㄧㄠˇ yǎo (讀音 ㄎㄨㄞˇ kuǎi)
to ladle out (water): 她舀出一碗湯來。She ladled out a bowl of soup.

五畫

舂 4779 ㄔㄨㄥ chōng
1. to thresh (grain in order to remove the husk) 2. to pound
舂米(ㄔㄨㄥ ㄇㄧˇ)to husk rice by pounding

六畫

舄 4780 (舃) ㄒㄧˋ xì
shoes; slippers

七畫

舅 4781 ㄐㄧㄡˋ jiù
1.a maternal uncle (one's mother's brother) 2.a brother-in-law (one's wife's brother) 3. a woman's father-in-law 4. a man's father-in-law
舅媽(ㄐㄧㄡˋ ㄇㄚ)a maternal aunt
舅父(ㄐㄧㄡˋ ㄈㄨˋ)a maternal uncle
舅子(ㄐㄧㄡˋ ˙ㄗ)a brother-in-law

與 4782 1. ㄩˇ yǔ
1. and; with; together with 2. to give; to impart
與其…不如(ㄩˇ ㄑㄧˊ…ㄅㄨˋ ㄖㄨˊ)It's better to...than.... 或 rather...than...
與衆不同(ㄩˇ ㄓㄨㄥˋ ㄅㄨˋ ㄊㄨㄥˊ)different from other people; extraordinary
與世長辭(ㄩˇ ㄕˋ ㄔㄤˊ ㄘˊ)to pass away
與日俱增(ㄩˇ ㄖˋ ㄐㄩˋ ㄗㄥ)ever increasing

與 4782 2. ㄩˋ yù
to take part in; to participate in
與會(ㄩˋ ㄏㄨㄟˋ)to participate in a conference

與 4782 3. ㄩˊ yú
same as 歟—one of the interrogative particles

九畫

興 4783 1. ㄒㄧㄥ xīng
1. to rise; to thrive; to prosper; to flourish 2. to happen; to take place; to occur 3. to start; to begin; to launch; to initiate; to establish; to found; to open
興奮(ㄒㄧㄥ ㄈㄣˋ)excited; stimulated
興奮劑(ㄒㄧㄥ ㄈㄣˋ ㄐㄧˋ)a stimulant
興風作浪(ㄒㄧㄥ ㄈㄥ ㄗㄨㄛˋ ㄌㄤˋ)to cause unrest
興隆(ㄒㄧㄥ ㄌㄨㄥˊ)prosperous; thriving
興建(ㄒㄧㄥ ㄐㄧㄢˋ)to establish
興亡(ㄒㄧㄥ ㄨㄤˊ)rise and fall
興旺(ㄒㄧㄥ ㄨㄤˋ)prosperous; flourishing

興 4783 2. ㄒㄧㄥˋ xìng
1. cheerful; happy; gay; merry 2. interest; enthusiasm; eagerness; willingness
興高采烈(ㄒㄧㄥˋ ㄍㄠ ㄘㄞˇ ㄌㄧㄝˋ)cheerful
興趣(ㄒㄧㄥˋ ㄑㄩˋ)interest
興致勃勃(ㄒㄧㄥˋ ㄓˋ ㄅㄛˊ ㄅㄛˊ) very much interested
興沖沖(ㄒㄧㄥˋ ㄔㄨㄥ ㄔㄨㄥ)cheerful

十畫

舉 4784 (擧) ㄐㄩˇ jǔ
1. to lift; to raise 2. to recommend; to commend; to praise 3. entire; all; whole 4. manner; deportment 5. to give birth to a child
舉辦(ㄐㄩˇ ㄅㄢˋ)to sponsor, organize, or initiate

舉步(ㄐㄩˇ ㄅㄨˋ)to take strides
舉動(ㄐㄩˇ ㄉㄨㄥˋ)deportment; conduct
舉例(ㄐㄩˇ ㄌㄧˋ)to give examples
舉起(ㄐㄩˇ ㄑㄧˇ)to lift; to raise
舉行(ㄐㄩˇ ㄒㄧㄥˊ)to hold
舉止(ㄐㄩˇ ㄓˇ)deportment; conduct
舉證(ㄐㄩˇ ㄓㄥˋ)to give proof or evidence
舉重(ㄐㄩˇ ㄓㄨㄥˋ)weightlifting
舉世(ㄐㄩˇ ㄕˋ)all the world
舉世聞名(ㄐㄩˇ ㄕˋ ㄨㄣˊ ㄇㄧㄥˊ)world-renowned
舉手(ㄐㄩˇ ㄕㄡˇ)to raise one's hand
舉手之勞(ㄐㄩˇ ㄕㄡˇ ㄓ ㄌㄠˊ)little effort

十二畫

舊 4785 ㄐㄧㄡˋ jiù
1. old; past; former 2. ancient; antique 3. longstanding
舊金山(ㄐㄧㄡˋ ㄐㄧㄣ ㄕㄢ)San Francisco
舊居(ㄐㄧㄡˋ ㄐㄩ)a former residence
舊情(ㄐㄧㄡˋ ㄑㄧㄥˊ)former friendship or affection
舊址(ㄐㄧㄡˋ ㄓˇ)a former site; a former address
舊賬(ㄐㄧㄡˋ ㄓㄤˋ)old debts; old bills
舊式(ㄐㄧㄡˋ ㄕˋ)out-of-date
舊書攤(ㄐㄧㄡˋ ㄕㄨ ㄊㄢ)a secondhand bookstand
舊日(ㄐㄧㄡˋ ㄖˋ)bygone days
舊業(ㄐㄧㄡˋ ㄧㄝˋ)a former profession
舊雨新知(ㄐㄧㄡˋ ㄩˇ ㄒㄧㄣ ㄓ)old friends and new acquaintances
舊約全書(ㄐㄧㄡˋ ㄩㄝ ㄑㄩㄢˊ ㄕㄨ)the Old Testament

舌部
ㄕㄜˊ shé

舌 4786 ㄕㄜˊ shé
the tongue
舌頭(ㄕㄜˊ ·ㄊㄡ)the tongue
舌根(ㄕㄜˊ ㄍㄣ)the root of the tongue
舌尖(ㄕㄜˊ ㄐㄧㄢ)the tip of the tongue

二畫

舍 4787 1. ㄕㄜˋ shè
1. a house 2. an inn 3. to halt; to stop; to rest 4. a self-depreciatory possessive pronoun for the first person singular in formal speech
舍利子(ㄕㄜˋ ㄌㄧˋ ㄗˇ)(Buddhism) holy relics
舍下(ㄕㄜˋ ㄒㄧㄚˋ)my humble house; my home

舍 4787 2. ㄕㄜˇ shě
same as 捨—to throw away

四畫

舐 4788 ㄕˋ shì
to lick
舐犢情深(ㄕˋ ㄉㄨˊ ㄑㄧㄥˊ ㄕㄣ)very affectionate toward one's children (like a cow caressing her calves with the tongue)

六畫

舒 4789 ㄕㄨ shū
1. to unfold; to stretch; to open; to relax 2. slow; unhurried; leisurely
舒服(ㄕㄨ ㄈㄨˊ)comfortable; comfort
舒坦(ㄕㄨ ·ㄊㄢ)in good health; happy
舒緩(ㄕㄨ ㄏㄨㄢˇ)leisurely; relaxed
舒展(ㄕㄨ ㄓㄢˇ)to stretch
舒暢(ㄕㄨ ㄔㄤˋ)pleasant
舒適(ㄕㄨ ㄕˋ)comfortable

八畫

舔 4790 ㄊㄧㄢˇ tiǎn
to lick; to taste

九畫

舖 4791 (鋪) ㄆㄨˋ pù
a shop; a store

十畫

舘 4792 (館) ㄍㄨㄢˇ guǎn
a mansion; a building

舛部
ㄔㄨㄢ chuan

舛 4793 ㄔㄨㄢˇ chuǎn
1. chaotic; disorderly; messy; confused; mixed up 2. to run counter to; to disobey; to oppose; to deviate from 3. mishap sufferings; setbacks

六畫

舜 4794 ㄕㄨㄣˋ shùn

〔舌・舛部〕

Shun, a legendary ruler said to have ruled ancient China around 2200 B.C.

七畫

〔舛部〕

舝 4795 (轄) ㄒㄧㄚˊ xiá
a linchpin

八畫

舞 4796 ㄨˇ wǔ
1. to dance; to prance 2. to brandish; to wave 3. to stir up; to agitate
舞伴(ㄨˇ ㄅㄢˋ)a dancing partner
舞弊(ㄨˇ ㄅㄧˋ)to bribe
舞步(ㄨˇ ㄅㄨˋ)a dance step
舞蹈(ㄨˇ ㄉㄠˋ)① dancing ② a dance
舞動(ㄨˇ ㄉㄨㄥˋ)① to dance ② to brandish
舞臺(ㄨˇ ㄊㄞˊ)a stage (in a theater)
舞臺監督(ㄨˇ ㄊㄞˊ ㄐㄧㄢ ㄉㄨ)a stage manager
舞臺劇(ㄨˇ ㄊㄞˊ ㄐㄩˋ)a stage play
舞廳(ㄨˇ ㄊㄧㄥ)a dance hall
舞女(ㄨˇ ㄋㄩˇ)a dancing girl
舞龍(ㄨˇ ㄌㄨㄥˊ)a dragon dance
舞會(ㄨˇ ㄏㄨㄟˋ)a dancing party; a dance; a ball
舞劍(ㄨˇ ㄐㄧㄢˋ)to perform swordplay
舞曲(ㄨˇ ㄑㄩˇ)dance music
舞獅(ㄨˇ ㄕ)a lion dance

舟 部
ㄓㄡ zhōu

舟 4797 ㄓㄡ zhōu
a boat; a ship; a vessel
舟楫(ㄓㄡ ㄐㄧˊ)ships; vessels
舟車勞頓(ㄓㄡ ㄔㄜ ㄌㄠˊ ㄉㄨㄣˋ) exhausted from a long travel

二畫

舠 4798 ㄉㄠ dāo
a knife-shaped boat

三畫

舢 4799 ㄕㄢ shān
a sampan
舢板 or 舢舨(ㄕㄢ ㄅㄢˇ)a sampan

舡 4800 ㄒㄧㄤ xiāng
a ship; a boat

四畫

航 4801 ㄏㄤˊ háng
1. a ship; a boat; a vessel 2. to navigate
航空(ㄏㄤˊ ㄎㄨㄥ)aviation; aeronautics
航空母艦(ㄏㄤˊ ㄎㄨㄥ ㄇㄨˇ ㄐㄧㄢˋ)an aircraft carrier
航空公司(ㄏㄤˊ ㄎㄨㄥ ㄍㄨㄥ ㄙ)an airline
航空信(ㄏㄤˊ ㄎㄨㄥ ㄒㄧㄣˋ)airmail
航空站(ㄏㄤˊ ㄎㄨㄥ ㄓㄢˋ)an air station
航空郵包(ㄏㄤˊ ㄎㄨㄥ ㄧㄡˊ ㄅㄠ)an air post parcel
航海(ㄏㄤˊ ㄏㄞˇ)a voyage
航線(ㄏㄤˊ ㄒㄧㄢˋ)routes (of an airline or shipping company)
航行(ㄏㄤˊ ㄒㄧㄥˊ)to sail
航運(ㄏㄤˊ ㄩㄣˋ)shipping

般 4802 1. ㄅㄢ bān
1. kind; sort; class 2. same as 搬—to carry; to move 3. same as 班—to return; to call back

般 4802 2. ㄆㄢˊ pán
1. to linger 2. comfort 3. a leather bag

般 4802 3. ㄅㄛ bō
(Buddhism) intelligence
般若(ㄅㄛ ㄖㄜˇ)(Buddhism) *prajna*, wisdom

舫 4803 ㄈㄤˇ fǎng
1. two boats lashed side by side 2. boats; ships

舨 4804 ㄅㄢˇ bǎn
as in 舢舨—a sampan

五畫

舲 4805 ㄌㄧㄥˊ líng
a small boat with portholes

舳 4806 ㄓㄨˊ zhú (又讀 ㄓㄡˊ zhóu)
the stern (of a ship)

舴 4807 ㄗㄜˊ zé
a small boat

舵 4808 ㄉㄨㄛˋ duò
a rudder; a helm
舵手(ㄉㄨㄛˋ ㄕㄡˇ)a helmsman; a steersman

舶 4809 ㄅㄛˊ bó
an ocean-going ship
舶來品(ㄅㄛˊ ㄌㄞˊ ㄆㄧㄣˇ)imported goods

舷 4810
ㄒㄧㄢˊ xián
bulwarks (of a ship); the gunwale or gunnel

舸 4811
ㄍㄜˇ gě
a large boat

船 4812
ㄔㄨㄢˊ chuán
a ship; a boat; a vessel; a craft
船期(ㄔㄨㄢˊ ㄑㄧˊ)a shipping schedule
船舷(ㄔㄨㄢˊ ㄒㄧㄢˊ)bulwarks
船隻(ㄔㄨㄢˊ ㄓ)ships; boats
船長(ㄔㄨㄢˊ ㄓㄤˇ)the captain or skipper (of a boat)
船上交貨(ㄔㄨㄢˊ ㄕㄤˋ ㄐㄧㄠ ㄏㄨㄛˋ) free on board; F.O.B.
船艙(ㄔㄨㄢˊ ㄘㄤ)the hold or cabin (of a boat)
船隖 or 船塢(ㄔㄨㄢˊ ㄨˋ)a dock
船員(ㄔㄨㄢˊ ㄩㄢˊ)the crew (of a ship)

七畫

艇 4813
ㄊㄧㄥˇ tǐng
a long, narrow boat

艄 4814
ㄕㄠ shāo
1. the stern (of a boat) 2. a rudder; a helm

八畫

艋 4815
ㄇㄥˇ měng
a small boat

十畫

艘 4816
ㄙㄠ sāo
a numerary adjunct for ships

艙 4817
ㄘㄤ cāng
the hold or cabin (of a ship)

十二畫

艟 4818
ㄊㄨㄥˊ tóng
as in 艨艟—an ancient warship

十三畫

艤 4819
ㄧˇ yǐ
to moor (a boat) to the bank

十四畫

艦 4820
ㄐㄧㄢˋ jiàn
a warship; a man-of-war; a naval vessel
艦隊(ㄐㄧㄢˋ ㄉㄨㄟˋ)a fleet

艨 4821
ㄇㄥˊ méng
as in 艨艟—an ancient warship

十六畫

艫 4822
ㄌㄨˊ lú
the bow or prow (of a boat)

艮部 ㄍㄣ gèn

艮 4823
1. ㄍㄣˋ gèn
one of the Eight Diagrams for divination

艮 4823
2. ㄍㄣˇ gěn
1. (said of food) tough; leathery 2. straightforward; outspoken; blunt 3. (said of clothing) simple 4. (said of one's personality) honest; upright

一畫

良 4824
ㄌㄧㄤˊ liáng
1. good; fine; desirable 2. very 3. instinctive; inborn; innate
良伴(ㄌㄧㄤˊ ㄅㄢˋ)a good companion
良田(ㄌㄧㄤˊ ㄊㄧㄢˊ)fertile fields
良好(ㄌㄧㄤˊ ㄏㄠˇ)good; fine
良機(ㄌㄧㄤˊ ㄐㄧ)a good chance
良久(ㄌㄧㄤˊ ㄐㄧㄡˇ)for a very long time
良心(ㄌㄧㄤˊ ㄒㄧㄣ)conscience
良師益友(ㄌㄧㄤˊ ㄕ ㄧˋ ㄧㄡˇ)good teachers and helpful friends
良醫(ㄌㄧㄤˊ ㄧ)an able physician; a good doctor
良莠不齊(ㄌㄧㄤˊ ㄧㄡˇ ㄅㄨˋ ㄑㄧˊ)some good, some bad

十一畫

艱 4825
ㄐㄧㄢ jiān
1. difficult; hard; trying 2. mourning for one's parents
艱難(ㄐㄧㄢ ㄋㄢˊ)difficulty
艱苦(ㄐㄧㄢ ㄎㄨˇ)trying; hard
艱鉅(ㄐㄧㄢ ㄐㄩˋ)hard; difficult
艱險(ㄐㄧㄢ ㄒㄧㄢˇ)difficult and dangerous
艱深(ㄐㄧㄢ ㄕㄣ)abstruse; difficult

色部 ㄙㄜˋ sè

〔艸部〕

色 4826 ㄙㄜˋ sè (語音 ㄕㄞˇ shǎi)
1. a color; a tinge; a tint; a hue 2. facial expression; a look; an appearance 3. sensuality; lust; lewdness 4. worldly things 5. a kind; a sort
色盲(ㄙㄜˋ ㄇㄤˊ)color blindness
色迷(ㄙㄜˋ ㄇㄧˊ)a sensualist
色膽包天(ㄙㄜˋ ㄉㄢˇ ㄅㄠ ㄊㄧㄢ) extremely daring in lewdness
色調(ㄙㄜˋ ㄉㄧㄠˋ)a shade of color
色狼(ㄙㄜˋ ㄌㄤˊ)(slang) a wolf—a lecherous person
色情(ㄙㄜˋ ㄑㄧㄥˊ)sexual passion
色紙(ㄙㄜˋ ㄓˇ)colored paper
色澤(ㄙㄜˋ ㄗㄜˊ)a tinge; a color
色彩(ㄙㄜˋ ㄘㄞˇ)a color; a hue
色彩鮮明(ㄙㄜˋ ㄘㄞˇ ㄒㄧㄢ ㄇㄧㄥˊ) bright-colored
色素(ㄙㄜˋ ㄙㄨˋ)pigment

五畫

艴 4827 ㄈㄨˊ fú
to look angry

十八畫

艷 4828 (豔) ㄧㄢˋ yàn
beautiful

艸部 ㄘㄠˇ cǎo

艸 4829 ㄘㄠˇ cǎo
grass; straw; weeds

二畫

艾 4830 ㄞˋ ài
1. moxa 2. fine; fair; beautiful; good 3. old 4. to end; to cease; to stop
艾酒(ㄞˋ ㄐㄧㄡˇ)moxa wine
艾艾(ㄞˋ ㄞˋ)stammering; stuttering

艿 4831 ㄋㄞˇ nǎi
a kind of vegetable

三畫

芃 4832 ㄆㄥˊ péng
growing luxuriantly; lush

芄 4833 ㄨㄢˊ wán
Metaplexis japonica

芊 4834 ㄑㄧㄢ qiān
(said of grass) lush; green

芋 4835 ㄩˋ yù
a taro

芍 4836 ㄕㄠˊ sháo (讀音 ㄕㄨㄛˋ shuò)
Paeonia, a peony
芍藥(ㄕㄠˊ ㄧㄠˋ)a Chinese herbaceous peony

芎 4837 ㄑㄩㄥ qiōng (讀音 ㄑㄩㄥˊ qióng)
a kind of herb (*Cnidium officinale*)

芒 4838 ㄇㄤˊ máng
1. *Miscanthus sinensis*, a kind of grass whose leaves can be used to make sandals 2. a sharp point 3. (botany) an awn; an arista; beards of wheat 4. rays (of stars)
芒果(ㄇㄤˊ ㄍㄨㄛˇ)a mango
芒刺在背(ㄇㄤˊ ㄘˋ ㄗㄞˋ ㄅㄟˋ)ill at ease; deeply worried

四畫

芙 4839 ㄈㄨˊ fú
as in 芙蓉—a hibiscus

芝 4840 ㄓ zhī
1. a kind of purplish fungus symbolizing nobility 2. a kind of fragrant herb
芝麻(ㄓ ㄇㄚˊ)sesame
芝加哥(ㄓ ㄐㄧㄚ ㄍㄜ)Chicago

芟 4841 ㄕㄢ shān
1. to mow 2. to eliminate 3. a scythe

芡 4842 ㄑㄧㄢˋ qiàn
(botany) Gorgon euryale (*Euryale ferox*)
芡粉(ㄑㄧㄢˋ ㄈㄣˇ)a kind of starch

芣 4843 ㄈㄡˊ fóu
a plantain

芥 4844 ㄐㄧㄝˋ jiè
1. a mustard plant 2. tiny
芥末(ㄐㄧㄝˋ ·ㄇㄛ)ground mustard
芥蒂(ㄐㄧㄝˋ ㄉㄧˋ)① a grudge ② a barrier which mars friendship
芥菜(ㄐㄧㄝˋ ㄘㄞˋ)a mustard plant

芧 4845
ㄒㄩˋ xù
a kind of chestnut oak

芩 4846
ㄑㄧㄣˊ qín
Phragmites japonica, a kind of herb whose root is medicinal

芫 4847
ㄩㄢˊ yuán
Daphne genkwa, a kind of poisonous plant
芫荽(ㄩㄢˊ ㄙㄨㄟ)parsley

芬 4848
ㄈㄣ fēn
fragrance; aroma; a sweet smell; perfume
芬芳(ㄈㄣ ㄈㄤ)fragrant

芚 4849
ㄊㄨㄣˊ tún
a kind of vegetable

芭 4850
ㄅㄚ bā
1. a fragrant plant 2. a plantain; a palmetto
芭蕾舞(ㄅㄚ ㄌㄟˇ ㄨˇ)ballet
芭蕉(ㄅㄚ ㄐㄧㄠ)a plantain

芯 4851
1. ㄒㄧㄣ xīn
pith of rushes

芯 4851
2. ㄒㄧㄣˋ xìn
the central part of an object

芮 4852
ㄖㄨㄟˋ ruì
1. small; tiny 2. name of an ancient state in what is Shansi today

芰 4853
ㄐㄧˋ jì
a water caltrop

花 4854
ㄏㄨㄚ huā
1. a flower; a blossom 2. a flowering plant 3. a prostitute; prostitution 4. as in 天花—smallpox 5. varicolored 6. fireworks 7. to spend; to expend
花白(ㄏㄨㄚ ㄅㄞˊ) (said of hair) gray
花瓣(ㄏㄨㄚ ㄅㄢˋ)the petal
花邊(ㄏㄨㄚ ㄅㄧㄢ)lace; an embroidered hem (of a garment)
花邊新聞(ㄏㄨㄚ ㄅㄧㄢ ㄒㄧㄣ ㄨㄣˊ)a sidebar
花布(ㄏㄨㄚ ㄅㄨˋ)calico
花盆(ㄏㄨㄚ ㄆㄣˊ)a flower pot
花棚(ㄏㄨㄚ ㄆㄥˊ) or 花架(ㄏㄨㄚ ㄐㄧㄚˋ)a flower stand
花瓶(ㄏㄨㄚ ㄆㄧㄥˊ)a vase
花圃(ㄏㄨㄚ ㄆㄨˇ)a flower bed
花費(ㄏㄨㄚ ㄈㄟˋ)to spend
花粉(ㄏㄨㄚ ㄈㄣˇ)pollen
花旦(ㄏㄨㄚ ㄉㄢˋ)the vivacious female role in Chinese opera
花天酒地(ㄏㄨㄚ ㄊㄧㄢ ㄐㄧㄡˇ ㄉㄧˋ)to lead a life of debauchery
花童(ㄏㄨㄚ ㄊㄨㄥˊ)a bridal page
花蕾(ㄏㄨㄚ ㄌㄟˇ)a flower bud
花籃(ㄏㄨㄚ ㄌㄢˊ)a flower basket
花柳病(ㄏㄨㄚ ㄌㄧㄡˇ ㄅㄧㄥˋ)a venereal disease; V.D.
花岡岩(ㄏㄨㄚ ㄍㄤ ㄧㄢˊ)granite
花冠(ㄏㄨㄚ ㄍㄨㄢ)a corolla
花花綠綠(ㄏㄨㄚ ㄏㄨㄚ ㄌㄩˋ ㄌㄩˋ) varicolored; brightly colored; colorful
花花公子(ㄏㄨㄚ ㄏㄨㄚ ㄍㄨㄥ ㄗˇ)a playboy
花卉(ㄏㄨㄚ ㄏㄨㄟˋ)flowering plants
花甲(ㄏㄨㄚ ㄐㄧㄚˇ) (said of a person) 60 years old
花酒(ㄏㄨㄚ ㄐㄧㄡˇ)a drinking party with prostitutes attending
花捲兒(ㄏㄨㄚ ㄐㄩㄚˇㄦ)a steamed roll
花錢(ㄏㄨㄚ ㄑㄧㄢˊ)to spend money
花槍(ㄏㄨㄚ ㄑㄧㄤ)① a kind of spear ② a trick
花圈(ㄏㄨㄚ ㄑㄩㄢ)a wreath
花香(ㄏㄨㄚ ㄒㄧㄤ)fragrance of a flower
花絮(ㄏㄨㄚ ㄒㄩˋ)small episodes of human interest
花招兒(ㄏㄨㄚ ㄓㄠㄦ)a sly trick
花燭之夜(ㄏㄨㄚ ㄓㄨˊ ㄓ ㄧㄝˋ)the wedding night
花癡(ㄏㄨㄚ ㄔ)a nymphomaniac
花車(ㄏㄨㄚ ㄔㄜ)a float; a decorated vehicle in parade
花市(ㄏㄨㄚ ㄕˋ)a flower market
花式溜冰(ㄏㄨㄚ ㄕˋ ㄌㄧㄡ ㄅㄧㄥ)figure skating
花生米(ㄏㄨㄚ ㄕㄥ ㄇㄧˇ)a peanut
花生醬(ㄏㄨㄚ ㄕㄥ ㄐㄧㄤˋ)peanut butter
花束(ㄏㄨㄚ ㄕㄨˋ)a bouquet
花蕊(ㄏㄨㄚ ㄖㄨㄟˇ) (botany) pistils and stamens
花容月貌(ㄏㄨㄚ ㄖㄨㄥˊ ㄩㄝˋ ㄇㄠˋ) (said of a woman) fair as a flower and the moon
花色(ㄏㄨㄚ ㄙㄜˋ)varieties; kinds
花萼(ㄏㄨㄚ ㄜˋ) (botany) a calyx
花椰菜(ㄏㄨㄚ ㄧㄝˊ ㄘㄞˋ)a cauliflower
花言巧語(ㄏㄨㄚ ㄧㄢˊ ㄑㄧㄠˇ ㄩˇ)honeyed words
花樣(ㄏㄨㄚ ㄧㄤˋ)a pattern; a style
花紋(ㄏㄨㄚ ㄨㄣˊ)a decorative design or pattern
花園(ㄏㄨㄚ ㄩㄢˊ)a garden

芳 4855
ㄈㄤ fāng
1. fragrant; aromatic 2. your (used commonly in addressing a young lady) 3. virtuous; honorable; good

芳馥(ㄈㄤ ㄈㄨˋ)fragrant
芳齡(ㄈㄤ ㄌㄧㄥˊ)age (of a young lady)
芳心(ㄈㄤ ㄒㄧㄣ)the affection, or heart (of a young lady)
芳香(ㄈㄤ ㄒㄧㄤ)fragrance; aroma

〔艸部〕

芷 4856 ㄓˇ zhǐ
angelica

芸 4857 ㄩㄣˊ yún
1. a strong-scented herb; rue 2. same as 耘—to weed
芸芸衆生(ㄩㄣˊ ㄩㄣˊ ㄓㄨㄥˋ ㄕㄥ)all living things

芹 4858 ㄑㄧㄣˊ qín
as in 芹菜—celery

芼 4859 ㄇㄠˋ mào
1. to choose; to select 2. green vegetables; greens

芽 4860 ㄧㄚˊ yá
a sprout; a shoot; a bud
芽胞(ㄧㄚˊ ㄅㄠ)(botany) spores

芾 4861 1. ㄈㄟˋ fèi
small; little; tiny

芾 4861 2. ㄈㄨˊ fú
lush; luxuriant

芻 4862 ㄔㄨˊ chú
1. to cut grass; to mow 2. hay; fodder 3. to feed (livestock) 4. animals that feed on grass
芻糧(ㄔㄨˊ ㄌㄧㄤˊ)fodder for horses and food for men

五畫

苑 4863 1. ㄩㄢˋ yuàn
1. a garden; a park 2. a gathering place
苑囿(ㄩㄢˋ ㄧㄡˋ)a park; a garden

苑 4863 2. ㄩㄢ yuān
a Chinese family name

苒 4864 ㄖㄢˇ rǎn
(said of flowers and grass) lush or delicate

苓 4865 ㄌㄧㄥˊ líng
1. a variety of fungus 2. tuckahoe 3. licorice, or liquorice 亦作「甘草」

苔 4866 1. ㄊㄞˊ tái
moss; lichen: 苔蘚 moss and lichen

苔 4866 2. ㄊㄞ tāi
as in 舌苔—fur (on the tongue)

苕 4867 ㄊㄧㄠˊ tiáo
a plant much used for making brooms
苕帚(ㄊㄧㄠˊ ㄓㄡˇ)a broom

苗 4868 ㄇㄧㄠˊ miáo
1. a sprout 2. descendants; posterity 3. (said of children) peevish or disobedient 4. the Miao tribe in southwestern China 5. summer hunting
苗圃(ㄇㄧㄠˊ ㄆㄨˇ)a seedbed
苗頭(ㄇㄧㄠˊ ·ㄊㄡ)the first sign of success
苗條(ㄇㄧㄠˊ ㄊㄧㄠˊ)(said of a woman) slim
苗裔(ㄇㄧㄠˊ ㄧˋ)descendants

苛 4869 ㄎㄜ kē
harsh; severe; rigorous; caustic
苛刻(ㄎㄜ ㄎㄜˋ)harsh; pitiless
苛求(ㄎㄜ ㄑㄧㄡˊ)to be very exacting
苛政(ㄎㄜ ㄓㄥˋ)despotic rule
苛責(ㄎㄜ ㄗㄜˊ)to rebuke

苜 4870 ㄇㄨˋ mù
as in 苜蓿—clover

苞 4871 ㄅㄠ bāo
1. a variety of rush 2. a bract 3. to wrap 4. seeds with the germ ready to burst

苡 4872 ㄧˇ yǐ
a kind of plant whose grains are used as food or medicine

若 4873 1. ㄖㄨㄛˋ ruò
1. if; suppose; supposing; assuming 2. you 3. similar to; like
若非(ㄖㄨㄛˋ ㄈㄟ)unless; if not
若干(ㄖㄨㄛˋ ㄍㄢ)some; several
若即若離(ㄖㄨㄛˋ ㄐㄧˊ ㄖㄨㄛˋ ㄌㄧˊ)to keep at arm's length
若是(ㄖㄨㄛˋ ㄕˋ)if; suppose
若要(ㄖㄨㄛˋ ㄧㄠˋ)if...has (have) to...
若隱若現(ㄖㄨㄛˋ ㄧㄣˇ ㄖㄨㄛˋ ㄒㄧㄢˋ)half-hidden
若無其事(ㄖㄨㄛˋ ㄨˊ ㄑㄧˊ ㄕˋ)as if nothing had happened

若 4873 2. ㄖㄜˇ rě
as in 般若(ㄅㄛ ㄖㄜˇ)—a transliteration of a Sanskrit word

苦 4874 ㄎㄨˇ kǔ
1. bitter 2. painful; hard; miserable 3. earnest; diligent 4. to feel miserable about
苦不堪言(ㄎㄨˇ ㄅㄨˋ ㄎㄢ ㄧㄢˊ)painful or miserable beyond description
苦悶(ㄎㄨˇ ㄇㄣˋ)bored; depressed
苦惱(ㄎㄨˇ ㄋㄠˇ)misery; distress

苦難(ㄎㄨˇ ㄋㄢˋ)suffering; hardship
苦力(ㄎㄨˇ ㄌㄧˋ)a coolie; a laborer
苦幹(ㄎㄨˇ ㄍㄢˋ)to make a strenuous effort
苦瓜(ㄎㄨˇ ㄍㄨㄚ)a bitter gourd
苦海無邊(ㄎㄨˇ ㄏㄞˇ ㄨˊ ㄅㄧㄢ)boundless hardship
苦笑(ㄎㄨˇ ㄒㄧㄠˋ)a forced smile
苦心(ㄎㄨˇ ㄒㄧㄣ)great pains taken for something
苦刑(ㄎㄨˇ ㄒㄧㄥˊ)torture
苦學(ㄎㄨˇ ㄒㄩㄝˊ)to study or learn under adversity
苦主(ㄎㄨˇ ㄓㄨˇ)a victim of robbery or theft
苦衷(ㄎㄨˇ ㄓㄨㄥ)a reason for doing something not easily understood by others
苦中作樂(ㄎㄨˇ ㄓㄨㄥ ㄗㄨㄛˋ ㄌㄜˋ)to enjoy in adversity
苦楚(ㄎㄨˇ ㄔㄨˇ)pain; suffering
苦肉計(ㄎㄨˇ ㄖㄡˋ ㄐㄧˋ)acting the underdog to win sympathy
苦役(ㄎㄨˇ ㄧˋ)hard labor; drudgery
苦味(ㄎㄨˇ ㄨㄟˋ)a bitter taste

苧 4875
ㄓㄨˋ zhù
as in 苧麻—ramie; China grass

苫 4876
ㄕㄢ shān
to thatch

英 4877
ㄧㄥ yīng
1. a flower; a leaf 2. surpassing; outstanding 3. fine; handsome 4. English; British 5. a hero; an outstanding person
英鎊(ㄧㄥ ㄅㄤˋ)the pound sterling 亦作「英磅」
英明(ㄧㄥ ㄇㄧㄥˊ)(said of leaders) intelligent; sagacious
英名(ㄧㄥ ㄇㄧㄥˊ)fame; renown
英畝(ㄧㄥ ㄇㄨˇ)acre
英年(ㄧㄥ ㄋㄧㄢˊ)years of youthful vigor
英里(ㄧㄥ ㄌㄧˇ)mile
英國(ㄧㄥ ㄍㄨㄛˊ) Great Britain; Britain; the United Kingdom; England
英國人(ㄧㄥ ㄍㄨㄛˊ ㄖㄣˊ)an Englishman; a Briton; the English; the British
英俊(ㄧㄥ ㄐㄩㄣˋ)handsome
英雄(ㄧㄥ ㄒㄩㄥˊ)a hero
英制(ㄧㄥ ㄓˋ)the British system (of measurement)
英尺(ㄧㄥ ㄔˇ)foot
英才(ㄧㄥ ㄘㄞˊ)a person of outstanding ability or talent
英寸(ㄧㄥ ㄘㄨㄣˋ)inch
英文(ㄧㄥ ㄨㄣˊ)English; the (written) English language
英語(ㄧㄥ ㄩˇ)the (spoken) English language; English
英勇(ㄧㄥ ㄩㄥˇ)brave; courageous

苴 4878
1. ㄐㄩ jū
1. to pack 2. a female plant of common hemp

苴 4878
2. ㄔㄚˊ chá
1. grass floating in the water; water plants 2. withered grass

苶 4879
ㄋㄧㄝˊ nié
exhausting; tired

苯 4880
ㄅㄣˇ běn
benzene
苯胺(ㄅㄣˇ ㄢ)aniline, or phenylamine

苹 4881
ㄆㄧㄥˊ píng
1. a kind of herb 2. same as 萍—duckweed 3. celery

茈 4882
1. ㄗˇ zǐ
a kind of herb

茈 4882
2. ㄔㄞˊ chái
Bupleurum, a kind of herb medicine 亦作「柴胡」

苻 4883
ㄈㄨˊ fú
a kind of herb

苾 4884
ㄅㄧˋ bì
fragrant

茁 4885
ㄓㄨㄛˊ zhuó
1. sprouting; growing 2. as in 茁壯—strong; sturdy; vigorous

茂 4886
ㄇㄠˋ mào
(又讀 ㄇㄡˋ mòu)
1. exuberant; lush; luxuriant; flourishing 2. fine; fair; excellent
茂密(ㄇㄠˋ ㄇㄧˋ)growing densely
茂盛(ㄇㄠˋ ㄕㄥˋ)luxuriant

范 4887
ㄈㄢˋ fàn
1. the bee 2. a Chinese family name

茄 4888
ㄑㄧㄝˊ qié
an eggplant; an aubergine

茅 4889
ㄇㄠˊ máo
1. couch grass 2. a Chinese family name
茅房(ㄇㄠˊ ㄈㄤˊ)① a thatched house ② a latrine
茅草(ㄇㄠˊ ㄘㄠˇ)thatch; straw
茅廁(ㄇㄠˊ ·ㄙ)a latrine
茅塞頓開(ㄇㄠˊ ㄙㄜˋ ㄉㄨㄣˋ ㄎㄞ)to

〔艸部〕

come to an understanding all of a sudden
茅屋(ㄇㄠˊ ㄨ)a thatched house

〔艸部〕

茆 4890
ㄇㄠˊ máo
1. *Brasenia schreberi* 2. same as 茅 「couch grass」

茌 4891
ㄔˊ chí
as in 茌平—name of a county in 「Shantung」

苙 4892
ㄌㄧˋ lì
1. a pigsty; a pigpen 2. a kind of 「medicinal herb」

苣 4893
ㄐㄩˋ jù
as in 萵苣—lettuce

苺 4894
(莓) ㄇㄟˊ méi
berries

茀 4895
ㄈㄨˊ fú
1. weedy 2. a rank growth of weeds obstructing the way—an obstacle 3. luck; fortune

茇 4896
ㄅㄚˊ bá
1. a grass root 2. to halt in the open country, amid the grass

茉 4897
ㄇㄛˋ mò
as in 茉莉—white jasmine

苟 4898
ㄍㄡˇ gǒu
1. against principle; illicit; improper 2. careless 3. if
苟同(ㄍㄡˇ ㄊㄨㄥˊ)to agree without giving serious thought
苟活(ㄍㄡˇ ㄏㄨㄛˊ)to live at the expense of one's principle or honor
苟且偷安(ㄍㄡˇ ㄑㄧㄝˇ ㄊㄡ ㄢ)to enjoy ease against one's principle or with a false sense of security
苟全(ㄍㄡˇ ㄑㄩㄢˊ)to manage barely to survive
苟延殘喘(ㄍㄡˇ ㄧㄢˊ ㄘㄢˊ ㄔㄨㄢˇ)to prolong one's life only temporarily

苤 4899
ㄆㄧㄝˇ piě
(讀音 ㄆㄧˇ pǐ)
luxuriant flora or vegetation

苽 4900
(菰) ㄍㄨ gū
Zizania latifolia

苢 4901
(苡) ㄧˇ yǐ
Coix agrestis

六畫

茗 4902
ㄇㄧㄥˊ míng
(又讀 ㄇㄧㄥˇ mǐng)
tea; a tea plant: 茗具 a tea set

荔 4903
ㄌㄧˋ lì
as in 荔枝—a lichee

茼 4904
ㄊㄨㄥˊ tóng
a kind of green vegetable

茨 4905
ㄘˊ cí
1. to thatch; a thatched house 2. *Tribulus terrestris*, a kind of thorny plant 3. to fill with earth

茫 4906
ㄇㄤˊ máng
1. vast; boundless 2. vague; uncer-「tain」
茫然(ㄇㄤˊ ㄖㄢˊ)vague; uncertain
茫然自失(ㄇㄤˊ ㄖㄢˊ ㄗˋ ㄕ)stupefied; dazed; bewildered
茫無頭緒(ㄇㄤˊ ㄨˊ ㄊㄡˊ ㄒㄩˋ)not knowing where or how to start

茯 4907
ㄈㄨˊ fú
tuckahoe

茱 4908
ㄓㄨ zhū
as in 茱萸—a dogwood

茲 4909
1. ㄗ zī
1. this 2. now; here; at present 3. 「year」
茲事體大(ㄗ ㄕˋ ㄊㄧˇ ㄉㄚˋ)This is a serious matter.

茲 4909
2. ㄘˊ cí
a form used in "龜茲"

茴 4910
ㄏㄨㄟˊ huí
as in 茴香—fennel; aniseed

茵 4911
ㄧㄣ yīn
as in 茵席—a cushion; a mat; a carpet

茶 4912
ㄔㄚˊ chá
tea: 茶杯 a teacup
茶房(ㄔㄚˊ ㄈㄤˊ)a waiter
茶袋(ㄔㄚˊ ㄉㄞˋ)a tea bag
茶道(ㄔㄚˊ ㄉㄠˋ)the tea ceremony
茶點(ㄔㄚˊ ㄉㄧㄢˇ)refreshments
茶樓(ㄔㄚˊ ㄌㄡˊ)a tearoom
茶壺(ㄔㄚˊ ㄏㄨˊ)a teapot
茶花(ㄔㄚˊ ㄏㄨㄚ)a camellia
茶會(ㄔㄚˊ ㄏㄨㄟˋ)a tea party
茶具(ㄔㄚˊ ㄐㄩˋ)tea utensils
茶室(ㄔㄚˊ ㄕˋ)a brothel
茶葉(ㄔㄚˊ ㄧㄝˋ)tea leaves

茶園(ㄔㄚˊ ㄩㄢˊ)a tea plantation

茸 4913 ㄖㄨㄥˊ róng
1. soft, fine hair; down 2. fluffy; downy; soft 3. untidy; messy; confused; disorderly 4. luxuriant; lush

茹 4914 ㄖㄨˊ rú (又讀 ㄖㄨˋ rù)
1. entangled roots 2. to eat; to taste; to mouth 3. (figuratively) to experience 4. stinking
茹素(ㄖㄨˊ ㄙㄨˋ)to be a vegetarian

荀 4915 ㄒㄩㄣˊ xún
1. name of an ancient state 2. a kind of herb 3. a Chinese family name

荄 4916 ㄍㄞ gāi
roots of grass

草 4917 ㄘㄠˇ cǎo
1. grass; straw; a herb; a weed 2. coarse; crude 3. a draft (of writing); to draft 4. the script type of Chinese calligraphy
草本植物(ㄘㄠˇ ㄅㄣˇ ㄓˊ ㄨˋ)herbage
草皮(ㄘㄠˇ ㄆㄧˊ)a young grass cover
草坪(ㄘㄠˇ ㄆㄧㄥˊ)a lawn; meadow
草莓(ㄘㄠˇ ㄇㄟˊ)a strawberry
草帽(ㄘㄠˇ ㄇㄠˋ)a straw hat
草莽(ㄘㄠˇ ㄇㄤˇ)the wilderness
草地(ㄘㄠˇ ㄉㄧˋ)meadow; pasture
草堆(ㄘㄠˇ ㄉㄨㄟ)a haystack
草圖(ㄘㄠˇ ㄊㄨˊ)a draft
草擬(ㄘㄠˇ ㄋㄧˇ)to draft (documents)
草料(ㄘㄠˇ ㄌㄧㄠˋ)fodder; hay
草稿(ㄘㄠˇ ㄍㄠˇ)a rough draft
草菇(ㄘㄠˇ ㄍㄨ)a mushroom
草裙舞(ㄘㄠˇ ㄑㄩㄣˊ ㄨˇ)a hula-hula
草創(ㄘㄠˇ ㄔㄨㄤˋ)the beginning or initial period (of a project)
草率(ㄘㄠˇ ㄕㄨㄞˋ)careless
草草了事(ㄘㄠˇ ㄘㄠˇ ㄌㄧㄠˇ ㄕˋ)to dispose of a thing carelessly
草叢(ㄘㄠˇ ㄘㄨㄥˊ)a thick growth of grass
草案(ㄘㄠˇ ㄢˋ)a draft plan
草藥(ㄘㄠˇ ㄧㄠˋ)herb medicine
草原(ㄘㄠˇ ㄩㄢˊ)a steppe

荏 4918 ㄖㄣˇ rěn
1. *Perilla frutescens*, whose seeds are birds' feed 2. soft; weak; fragile
荏苒(ㄖㄣˇ ㄖㄢˇ)(said of time) to elapse imperceptibly; to slip by

荑 4919 1. ㄊㄧˊ tí
sprouts

荑 4919 2. ㄧˊ yí
to weed; to mow

荒 4920 ㄏㄨㄤ huāng
1. uncultivated; desolate; wild; waste 2. absurd; ridiculous 3. famine; scarcity; deficiency 4. to neglect
荒僻(ㄏㄨㄤ ㄆㄧˋ)desolate and remote
荒謬(ㄏㄨㄤ ㄇㄧㄡˋ)ridiculous
荒廢(ㄏㄨㄤ ㄈㄟˋ)to neglect
荒島(ㄏㄨㄤ ㄉㄠˇ)an uninhabited island
荒地(ㄏㄨㄤ ㄉㄧˋ)waste land
荒唐(ㄏㄨㄤ ㄊㄤˊ)absurd
荒年(ㄏㄨㄤ ㄋㄧㄢˊ)a year of famine
荒涼(ㄏㄨㄤ ㄌㄧㄤˊ)desolate
荒瘠(ㄏㄨㄤ ㄐㄧˊ)barren land
荒郊(ㄏㄨㄤ ㄐㄧㄠ)a desolate area
荒腔走調(ㄏㄨㄤ ㄑㄧㄤ ㄗㄡˇ ㄉㄧㄠˋ)out of tune
荒草(ㄏㄨㄤ ㄘㄠˇ)weeds
荒淫(ㄏㄨㄤ ㄧㄣˊ)profligate
荒蕪(ㄏㄨㄤ ㄨˊ)desolation

茛 4921 ㄍㄣˋ gèn
Rhus toxicodendron, a kind of poisonous vine

茜 4922 ㄑㄧㄢˋ qiàn
madder

茭 4923 ㄐㄧㄠ jiāo
Zizania latifolia, a kind of edible aquatic grass

荃 4924 ㄑㄩㄢˊ quán
1. a fragrant herb 2. fine cloth

荇 4925 ㄒㄧㄥˋ xìng
Nymphoides peltatum, a kind of vegetable

荐 4926 (薦) ㄐㄧㄢˋ jiàn
1. repeatedly; again and again 2. to recommend 3. a straw mattress

七畫

荷 4927 1. ㄏㄜˊ hé
a lotus; a water lily
荷包(ㄏㄜˊ ㄅㄠ)a purse
荷包蛋(ㄏㄜˊ ㄅㄠ ㄉㄢˋ)fried eggs
荷花(ㄏㄜˊ ㄏㄨㄚ)a lotus flower
荷爾蒙(ㄏㄜˊ ㄦˇ ㄇㄥˊ)hormone
荷葉(ㄏㄜˊ ㄧㄝˋ)lotus leaves

荷 4927 2. ㄏㄜˋ hè
1. a load; a burden 2. to bear; to carry; to shoulder 3. to receive

〔艸部〕

荽 4928
ㄙㄨㄟ suī
as in 芫荽—parsley

莅 4929
(蒞) ㄌㄧˋ lì
as in 莅臨—to arrive; to be present

荻 4930
ㄉㄧˊ dí
1. *Anaphalis yedoensis* 2. *Miscanthus sacchariflorus*, a kind of reed

荼 4931
ㄊㄨˊ tú
1. *Sonchus oleraceus*, a kind of bitter-tasting vegetable; sow thistle 亦作「苦菜」 2. to harm; to poison
荼毒(ㄊㄨˊ ㄉㄨˊ)harm; poison

莕 4932
ㄒㄧㄥˋ xìng
Nymphoides peltatum, a kind of water plant

莊 4933
ㄓㄨㄤ zhuāng
1. solemn; dignified 2. a large farmhouse; a manor house 3. a village 4. a market; a bank 5. a Chinese family name
莊家(ㄓㄨㄤ ˙ㄐㄧㄚ)① a farmhouse ② the banker (in gambling games)
莊稼(ㄓㄨㄤ ˙ㄐㄧㄚ)①farming ② crops; harvests
莊稼漢(ㄓㄨㄤ ˙ㄐㄧㄚ ㄏㄢˋ)a farmer
莊重(ㄓㄨㄤ ㄓㄨㄥˋ)dignified
莊嚴(ㄓㄨㄤ ㄧㄢˊ)solemn

莒 4934
ㄐㄩˇ jǔ
1. taros 2. name of an ancient state 3. name of a county in Shantung

莓 4935
ㄇㄟˊ méi
1. berries 2. moss; lichen

莖 4936
ㄐㄧㄥ jīng
a stalk; a stem

莘 4937
ㄕㄣ shēn
(又讀 ㄒㄧㄣ xīn)
1. long 2. numerous 3. *Asarum sieboldi* 4. a Chinese family name
莘莘學子(ㄕㄣ ㄕㄣ ㄒㄩㄝˊ ㄗˇ)students in large numbers

莞 4938
1. ㄨㄢˇ wǎn
as in 莞爾—smiling

莞 4938
2. ㄍㄨㄢˇ guǎn
as in 東莞—a county in Kwangtung

莞 4938
3. ㄍㄨㄢ guān
Scirpus lacustris, a kind of aquatic herb

莠 4939
ㄧㄡˇ yǒu
(又讀 ㄧㄡˋ yòu)
1. foxtail (a kind of weed) 亦作「狗尾草」 2. bad; ugly; undesirable

莢 4940
ㄐㄧㄚˊ jiá
as in 莢果—a pod

莧 4941
ㄒㄧㄢˋ xiàn
an amaranth

莩 4942
1. ㄈㄨˊ fú
membrane in stems of rushes or reeds

莩 4942
2. (殍) ㄆㄧㄠˇ piǎo
the corpse of a person who was starved to death

莪 4943
ㄜˊ é
Artemisia, a kind of plant

莫 4944
1. ㄇㄛˋ mò
1. not 2. a Chinese family name
莫不(ㄇㄛˋ ㄅㄨˋ)there is no one that does not
莫名(ㄇㄛˋ ㄇㄧㄥˊ)inexpressible
莫名其妙(ㄇㄛˋ ㄇㄧㄥˊ ㄑㄧˊ ㄇㄧㄠˋ)incomprehensible; mysterious
莫非(ㄇㄛˋ ㄈㄟ)Can it be that...?
莫道(ㄇㄛˋ ㄉㄠˋ)Don't say....
莫逆之交(ㄇㄛˋ ㄋㄧˋ ㄓ ㄐㄧㄠ)close friendship; bosom friends
莫須有(ㄇㄛˋ ㄒㄩ ㄧㄡˇ)a trumped-up charge; false accusation
莫衷一是(ㄇㄛˋ ㄓㄨㄥ ㄧˊ ㄕˋ)There is no agreement of opinion at all.
莫測高深(ㄇㄛˋ ㄘㄜˋ ㄍㄠ ㄕㄣ)unfathomable; inscrutable

莫 4944
2. (暮) ㄇㄨˋ mù
evening; dusk

莆 4945
1. ㄈㄨˇ fǔ
a kind of legendary tree with small leaves

莆 4945
2. ㄆㄨˊ pú
as in 莆田—a county in Fukien(福建)

莉 4946
ㄌㄧˋ lì
as in 茉莉—white jasmine

莽 4947
(莾) ㄇㄤˇ mǎng
1. bushy; weedy 2. *Illicium anisatum*, a poisonous bushy plant 3. rude; uncultured; impolite; reckless
莽漢(ㄇㄤˇ ㄏㄢˋ)a rude fellow
莽撞(ㄇㄤˇ ㄓㄨㄤˋ)rude; rough

莎 4948
1. ㄙㄨㄛ suō 「herb
Cyperus rotundus, a kind of medicinal
莎 4948
2. ㄕㄚ shā
a kind of insect 「Shakespeare
莎士比亞(ㄕㄚ ㄕˋ ㄅㄧˇ ㄧㄚˋ)William
挲 4949
ㄙㄨㄛ suō
(語音 ㄘㄨㄛ cuō)
to rub hands together
荸 4950
ㄅㄧˊ bí (又讀 ㄅㄛˊ bó)
as in 荸薺—a water chestnut
茝 4951
ㄔㄞˇ chǎi
angelica 亦作「白芷」
莝 4952
ㄘㄨㄛˋ cuò
1. to chop straw or hay for animals
2. chopped straw or hay
莨 4953
ㄌㄤˊ láng
Scopolia japonica, a kind of herb
荳 4954
(豆) ㄉㄡˋ dòu
beans, peas, etc.; legumes
荳蔻年華(ㄉㄡˋ ㄎㄡˋ ㄋㄧㄢˊ ㄏㄨㄚˊ)(said of girls) the age of 13 or 14 in ancient China

八畫

菟 4955
ㄊㄨˋ tù
as in 菟絲子—(botany) a dodder
菀 4956
ㄨㄢˇ wǎn 「nant; clogged
1. exuberant; luxuriant; lush 2. stag-
菅 4957
ㄐㄧㄢ jiān
Themeda triandra, a coarse grass (used for making brushes, brooms, └ etc.)
菊 4958
ㄐㄩˊ jú
as in 菊花—a chrysanthemum
菌 4959
ㄐㄩㄣˋ jùn
1. fungi; mushrooms 2. bacteria
棻 4960
ㄈㄣ fēn
a kind of wood burnt for perfume
菑 4961
1. (葘) ㄗ zī
1. land under cultivation for one year
2. to weed grass
菑 4961
2. (葘、災) ㄗㄞ zāi
misfortune; disaster; calamity
菔 4962
ㄈㄨˊ fú
(botany) turnip
菖 4963
ㄔㄤ chāng
as in 菖蒲—a sweet flag; a calamus
菜 4964
ㄘㄞˋ cài
1. vegetables; greens 2. food eaten with rice or alcoholic drinks 3. a dish; a course
菜圃(ㄘㄞˋ ㄆㄨˇ) or 菜園(ㄘㄞˋ ㄩㄢˊ)a vegetable garden or field
菜單兒(ㄘㄞˋ ㄉㄚㄦ)a menu
菜刀(ㄘㄞˋ ㄉㄠ)a kitchen knife
菜豆(ㄘㄞˋ ㄉㄡˋ)kidney beans
菜攤兒(ㄘㄞˋ ㄊㄚㄦ)a vegetable vendor's stall
菜農(ㄘㄞˋ ㄋㄨㄥˊ)a vegetable grower
菜市場(ㄘㄞˋ ㄕˋ ㄔㄤˇ)a vegetable market; a food market
菜籽 or 菜子(ㄘㄞˋ ㄗˇ)① vegetable └ seeds ② rapeseed
菠 4965
ㄅㄛ bō
as in 菠(薐)菜—spinach
菠蘿(ㄅㄛ ㄌㄨㄛˊ)a pineapple 亦作「鳳梨」
華 4966
1. ㄏㄨㄚˊ huá
1. Cathay; China 2. splendid; majestic; colorful 3. prosperous
華髮(ㄏㄨㄚˊ ㄈㄚˇ)gray hair
華府(ㄏㄨㄚˊ ㄈㄨˇ)Washington D.C.
華麗(ㄏㄨㄚˊ ㄌㄧˋ)magnificent
華貴(ㄏㄨㄚˊ ㄍㄨㄟˋ)luxurious
華僑(ㄏㄨㄚˊ ㄑㄧㄠˊ)overseas Chinese
華夏(ㄏㄨㄚˊ ㄒㄧㄚˋ)Cathay
華氏寒暑表(ㄏㄨㄚˊ ㄕˋ ㄏㄢˊ ㄕㄨˇ ㄅㄧㄠˇ)a Fahrenheit thermometer
華而不實(ㄏㄨㄚˊ ㄦˊ ㄅㄨˋ ㄕˊ)impressive merely in appearance
華爾茲舞(ㄏㄨㄚˊ ㄦˇ ㄗ ㄨˇ)waltz
華裔(ㄏㄨㄚˊ ㄧˋ)foreign citizens of Chinese origin 「Chinese
華語(ㄏㄨㄚˊ ㄩˇ)the Chinese language;
華 4966
2. (花) ㄏㄨㄚ huā
flowers
華 4966
3. ㄏㄨㄚˋ huà
luster; brilliancy; glory; splendor
菇 4967
ㄍㄨ gū
mushrooms; a fungus
菰 4968
ㄍㄨ gū

〔艸部〕

1. *Zizania latifolia*, an aquatic grass, the stalk of which is eaten as vegetable 亦作「茭白」 2. same as 菇—mushrooms

艸部

菁 4969 ㄐㄧㄥ jīng
1. the flower of the leek 2. the rape turnip 3. luxuriant; lush
菁華(ㄐㄧㄥ ㄏㄨㄚˊ)essence 亦作「精華」

菲 4970 1. ㄈㄟˇ fěi
1. an edible vegetable—a kind of radish 2. thin; trifling; meager 3. frugal; sparing
菲薄(ㄈㄟˇ ㄅㄛˊ)① to slight ② humble; poor ③ frugal; thrifty
菲酌(ㄈㄟˇ ㄓㄨㄛˊ)(a polite expression) my poor feast

菲 4970 2. ㄈㄟ fēi
1. fragrant 2. as in 菲律賓—the Philippines 3. luxuriant

菸 4971 ㄧㄢ yān
a tobacco leaf
菸酒(ㄧㄢ ㄐㄧㄡˇ)tobacco and alcoholic drinks
菸草(ㄧㄢ ㄘㄠˇ)tobacco

菹 4972 ㄐㄩ jū
1. salted or pickled vegetables 2. a pond or lake with a lot of weeds 3. to mince human flesh and bones

菽 4973 ㄕㄨˊ shú
the general term for beans, peas, etc.

萁 4974 ㄑㄧˊ qí
the stalks of beans

萃 4975 ㄘㄨㄟˋ cuì
1. a thick or dense growth of grass 2. a group; a set 3. to gather; to meet; to congregate
萃取(ㄘㄨㄟˋ ㄑㄩˇ)extraction

萄 4976 ㄊㄠˊ táo
as in 葡萄—grapes

萇 4977 ㄔㄤˊ cháng
the fruit of *Averrhoa carambola*

菿 4978 ㄉㄠˋ dào
tall grass

萊 4979 ㄌㄞˊ lái
1. fields lying fallow 2. wild weeds 3. to weed
萊菔(ㄌㄞˊ ㄈㄨˊ)turnips 亦作「蘿蔔」
萊因河(ㄌㄞˊ ㄧㄣ ㄏㄜˊ)the Rhine River

萋 4980 ㄑㄧ qī
1. luxuriant foliage; a dense growth of grass 2. many; crowded

萌 4981 ㄇㄥˊ méng
1. to bud; to sprout; to germinate; to shoot forth 2. to harbor (a thought) 3. the beginning; initiation; initial
萌生(ㄇㄥˊ ㄕㄥ)to produce; to conceive
萌芽(ㄇㄥˊ ㄧㄚˊ)to sprout

萍 4982 ㄆㄧㄥˊ píng
1. duckweed 2. moving about rootlessly; traveling or wandering
萍水相逢(ㄆㄧㄥˊ ㄕㄨㄟˇ ㄒㄧㄤ ㄈㄥˊ)to meet by accident

萎 4983 ㄨㄟ wēi
1. to wither 2. ill; sick 3. to fall; to decline
萎靡不振(ㄨㄟ ㄇㄧˇ ㄅㄨˋ ㄓㄣˋ)unable to pick oneself up; despondent
萎謝(ㄨㄟ ㄒㄧㄝˋ)(said of flowers) to wither
萎縮(ㄨㄟ ㄙㄨㄛ)to shrink back

菡 4984 ㄏㄢˋ hàn
another name of water lily or lotus flower

萏 4985 ㄉㄢˋ dàn
as in 菡萏—another name of water lily

菩 4986 ㄆㄨˊ pú
1. a fragrant herb 2. the sacred tree of the Buddhists
菩提(ㄆㄨˊ ㄊㄧˊ)bodhi—the illuminated or enlightened mind
菩提樹(ㄆㄨˊ ㄊㄧˊ ㄕㄨˋ)① a peepul tree ②(Buddhism) a bo tree
菩薩(ㄆㄨˊ ㄙㄚˋ)Bodhisattva
菩薩心腸(ㄆㄨˊ ㄙㄚˋ ㄒㄧㄣ ㄔㄤˊ)kind-hearted

菱 4987 ㄌㄧㄥˊ líng
as in 菱角—a water chestnut
菱形(ㄌㄧㄥˊ ㄒㄧㄥˊ)rhombic

菴 4988 1. (庵) ㄢ ān
1. a small round hut 2. a small Buddhist nunnery or monastery; a temple

菴 4988 2. ㄢˋ àn
luxuriant; prosperous

萆 4989 ㄅㄧˋ bì
a herb with long hard roots

菉 4990 ㄌㄩˋ lǜ (又讀 ㄌㄨˋ lù)
1. a kind of grass 2. green

菉豆(ㄌㄨˋ ㄉㄡˋ)the green beans; green gram; mung bean 亦作「綠豆」

萢 4991 ㄅㄠˋ bào

to hatch (eggs); to incubate

萢窩(ㄅㄠˋ ㄨㄛ)to sit on the nest to hatch eggs

菏 4992 ㄍㄜ gē

name of a tributary of the Chi River in ancient times

堇 4993 ㄐㄧㄣˇ jǐn

Viola verecunda, a violet

荆 4994 (荊) ㄐㄧㄥ jīng

1. a thorn 2. a cane for punishment used in ancient China 3. (a polite expression) my wife

荆棘(ㄐㄧㄥ ㄐㄧˊ)①thorns; thorny ② a difficult situation

菓 4995 ㄍㄨㄛˇ guǒ

fruits and nuts

九畫

萬 4996 (万) ㄨㄢˋ wàn

1. ten thousand 2. all; omni- 3. a very great number; myriad 4. very; extremely; absolutely

萬般(ㄨㄢˋ ㄅㄢ)① all; every; various ② extremely

萬不得已(ㄨㄢˋ ㄅㄨˋ ㄉㄜˊ ㄧˇ)to have no alternative

萬民(ㄨㄢˋ ㄇㄧㄣˊ)all the people

萬分(ㄨㄢˋ ㄈㄣ)very; extremely

萬難(ㄨㄢˋ ㄋㄢˊ)extremely difficult

萬能(ㄨㄢˋ ㄋㄥˊ)almighty

萬年曆(ㄨㄢˋ ㄋㄧㄢˊ ㄌㄧˋ)a calendar designed for use in many years

萬年青(ㄨㄢˋ ㄋㄧㄢˊ ㄑㄧㄥ)a Chinese evergreen

萬念俱灰(ㄨㄢˋ ㄋㄧㄢˋ ㄐㄩˋ ㄏㄨㄟ) completely discouraged

萬籟俱寂(ㄨㄢˋ ㄌㄞˋ ㄐㄩˋ ㄐㄧˋ)All is still.

萬里長城(ㄨㄢˋ ㄌㄧˇ ㄔㄤˊ ㄔㄥˊ)the Great Wall (of China)

萬古流芳(ㄨㄢˋ ㄍㄨˇ ㄌㄧㄡˊ ㄈㄤ)a good name that will last forever

萬國音標(ㄨㄢˋ ㄍㄨㄛˊ ㄧㄣ ㄅㄧㄠ) International Phonetic Alphabet (IPA) 亦作「國際音標」

萬花筒(ㄨㄢˋ ㄏㄨㄚ ㄊㄨㄥˇ)a kaleidoscope

萬劫不復(ㄨㄢˋ ㄐㄧㄝˊ ㄅㄨˋ ㄈㄨˋ)never to be recovered or restored

萬全(ㄨㄢˋ ㄑㄩㄢˊ)failure-proof

萬象更新(ㄨㄢˋ ㄒㄧㄤˋ ㄍㄥ ㄒㄧㄣ)a new year—as all things change from old to new

萬幸(ㄨㄢˋ ㄒㄧㄥˋ)extremely lucky

萬衆一心(ㄨㄢˋ ㄓㄨㄥˋ ㄧˋ ㄒㄧㄣ)with one aspiration in their hearts; solidarity

萬事通(ㄨㄢˋ ㄕˋ ㄊㄨㄥ)a jack-of-all-trades

萬紫千紅(ㄨㄢˋ ㄗˇ ㄑㄧㄢ ㄏㄨㄥˊ)(said of flowers) a vast display of dazzling colors

萬歲(ㄨㄢˋ ㄙㄨㄟˋ)(a slogan) Long live the....

萬惡(ㄨㄢˋ ㄜˋ)all the evils

萬一(ㄨㄢˋ ㄧ)① if by any chance ② something not anticipated or happening accidentally

萬有引力(ㄨㄢˋ ㄧㄡˇ ㄧㄣˇ ㄌㄧˋ)gravitation

萬無一失(ㄨㄢˋ ㄨˊ ㄧˋ ㄕ)not the least mishap or mistake

萬物之靈(ㄨㄢˋ ㄨˋ ㄓ ㄌㄧㄥˊ)man—the wisest of all creatures

萱 4997 ㄒㄩㄢ xuān

a daylily (*Hemerocallis fulva*) whose edible dried flowers are known as 金針菜

萱堂(ㄒㄩㄢ ㄊㄤˊ)one's mother

萵 4998 ㄨㄛ wō

as in 萵苣—a lettuce

萼 4999 ㄜˋ è

the calyx

落 5000 1. ㄌㄨㄛˋ luò

1. to fall; to decline; to wither; weakened; fallen 2. to lose 3. few and far-spaced; to stand apart; loose and scattered 4. a village; a hamlet 5. to put (pen to paper) 6. to settle down 7. a pile; a heap

落榜(ㄌㄨㄛˋ ㄅㄤˇ)to flunk a competitive examination for a school admission

落寞(ㄌㄨㄛˋ ㄇㄛˋ)lonely

落髮(ㄌㄨㄛˋ ㄈㄚˇ)to shave off one's hair—to become a monk or nun

落得(ㄌㄨㄛˋ ㄉㄜˊ)to result in

落地窗(ㄌㄨㄛˋ ㄉㄧˋ ㄔㄨㄤ)a French window

落湯雞(ㄌㄨㄛˋ ㄊㄤ ㄐㄧ)dripping wet

落魄(ㄌㄨㄛˋ ㄊㄨㄛˋ)jobless and listless

落難(ㄌㄨㄛˋ ㄋㄢˋ)to encounter difficulty, disaster, calamity, etc.

落淚(ㄌㄨㄛˋ ㄌㄟˋ)to shed tears

落空(ㄌㄨㄛˋ ㄎㄨㄥ)to come to nothing

落後(ㄌㄨㄛˋ ㄏㄡˋ)to fall behind

落後地區(ㄌㄨㄛˋ ㄏㄡˋ ㄉㄧˋ ㄑㄩ)underdeveloped areas

落花生(ㄌㄨㄛˋ ㄏㄨㄚ ㄕㄥ)a peanut

落荒而逃(ㄌㄨㄛˋ ㄏㄨㄤ ㄦˊ ㄊㄠˊ)to

take to the wilds—to turn tail
落脚(ㄌㄨㄛˋ ㄐㄧㄠˇ)to stay at
落井下石(ㄌㄨㄛˋ ㄐㄧㄥˇ ㄒㄧㄚˋ ㄕˊ)to beat a person when he's already down
落選(ㄌㄨㄛˋ ㄒㄩㄢˇ)unable to make the list; to fail in an election
落差(ㄌㄨㄛˋ ㄔㄚ)the drop in elevation
落成(ㄌㄨㄛˋ ㄔㄥˊ)completion (of a new building, etc.)
落實(ㄌㄨㄛˋ ㄕˊ)①practicable ②to carry out
落水(ㄌㄨㄛˋ ㄕㄨㄟˇ)to fall into water
落日(ㄌㄨㄛˋ ㄖˋ)the setting sun
落葉(ㄌㄨㄛˋ ㄧㄝˋ)fallen leaves
落伍(ㄌㄨㄛˋ ㄨˇ)outdated
落網(ㄌㄨㄛˋ ㄨㄤˇ)(said of a criminal) to be captured

落 5000
2. ㄌㄠˋ lào
1. to fall or drop (in prices, etc.) 2. (said of a bird, etc.) to land; to perch 3. to get 4. a net income; a surplus 5. to place
落價(ㄌㄠˋ ㄐㄧㄚˋ)to come down in prices

落 5000
3. ㄌㄚˋ là
1. to leave behind 2. to fall behind 3. to miss; to omit

葉 5001
1. ㄧㄝˋ yè
1. a leaf; a petal (of a flower) 2. a leaf or two pages (of a book) 3. a period; an era or epoch 4. something light and tiny—as a small boat in a lake 5. a Chinese family name
葉綠素(ㄧㄝˋ ㄌㄩˋ ㄙㄨˋ)chlorophyll
葉黃素(ㄧㄝˋ ㄏㄨㄤˊ ㄙㄨˋ)xanthophyll
葉尖(ㄧㄝˋ ㄐㄧㄢ)the apex (of a leaf)
葉子(ㄧㄝˋ ·ㄗ)leaves

葉 5001
2. ㄕㄜˋ shè
used in names of places

葑 5002
ㄈㄥ fēng
same as 蕪菁—the rape-turnip

著 5003
1. ㄓㄨˋ zhù
1. obvious; famous 2. to write; to author 3. writings; a literary work 4. to set forth; to make known
著述(ㄓㄨˋ ㄕㄨˋ)① to write ② writings; a literary work
著作(ㄓㄨˋ ㄗㄨㄛˋ)① to write ② writings; a literary work
著作權(ㄓㄨˋ ㄗㄨㄛˋ ㄑㄩㄢˊ)copyright

著 5003
2. (着) ㄓㄨㄛˊ zhuó
1. to wear (garments, etc.) 2. a move (on the chessboard, in action, plans, etc.) 3. to apply (color, etc.); to start (an assignment, etc.)
著陸(ㄓㄨㄛˊ ㄌㄨˋ)to land
著落(ㄓㄨㄛˊ ㄌㄨㄛˋ)whereabouts
著想(ㄓㄨㄛˊ ㄒㄧㄤˇ)for the sake of
著重(ㄓㄨㄛˊ ㄓㄨㄥˋ)to emphasize
著實(ㄓㄨㄛˊ ㄕˊ)really
著手(ㄓㄨㄛˊ ㄕㄡˇ)to start doing something
著色(ㄓㄨㄛˊ ㄙㄜˋ)to color

著 5003
3. (着) ㄓㄠˊ zháo
1. right to the point 2. to catch (fire, cold, etc.) 3. to make a move or take action; to use
著魔(ㄓㄠˊ ㄇㄛˊ)to be bewitched
著迷(ㄓㄠˊ ㄇㄧˊ)to be fascinated
著火(ㄓㄠˊ ㄏㄨㄛˇ)to catch fire
著眼(ㄓㄠˊ ㄧㄢˇ)or(ㄓㄨㄛˊ ㄧㄢˇ)to direct one's attention to

著 5003
4. (着) ㄓㄠ zhāo
1. to bear; to take 2. a plan; a method
著涼(ㄓㄠ ㄌㄧㄤˊ)to catch cold
著慌(ㄓㄠ ㄏㄨㄤ)or 著急(ㄓㄠ ㄐㄧˊ) anxious or worried

著 5003
5. (着) ·ㄓㄜ zhe
an adverbial particle

葚 5004
ㄕㄣˋ shèn
the mulberry

葛 5005
1. ㄍㄜˊ gé
dolichos (*Pueraria thunbergiana*), a creeping, edible bean whose fibers can be made into linen-like cloth and whose roots are used in herbal medicine

葛 5005
2. ㄍㄜˇ gě
a Chinese family name

葡 5006
ㄆㄨˊ pú
1. a grape; a vine 2. short for Portugal
葡萄(ㄆㄨˊ ㄊㄠˊ)grapes
葡萄糖(ㄆㄨˊ ㄊㄠˊ ㄊㄤˊ)glucose
葡萄乾(ㄆㄨˊ ㄊㄠˊ ㄍㄢ)raisins
葡萄酒(ㄆㄨˊ ㄊㄠˊ ㄐㄧㄡˇ)wine; grape wine
葡萄牙(ㄆㄨˊ ㄊㄠˊ ㄧㄚˊ)Portugal
葡萄柚(ㄆㄨˊ ㄊㄠˊ ㄧㄡˋ)a grapefruit

葠 5007
(蓡、參) ㄕㄣ shēn
1. ginseng 2. one of the 28 constellations

董 5008
ㄉㄨㄥˇ dǒng
1. to supervise; to oversee; to rectify;

to correct 2.short for directors (as a board of directors, etc.) 3. a Chinese family name
董事(ㄉㄨㄥˇ ㄕˋ)a director (on the board of a school, company, etc.)
董事會(ㄉㄨㄥˇ ㄕˋ ㄏㄨㄟˋ)a meeting of board of directors ⌈director
董事長(ㄉㄨㄥˇ ㄕˋ ㄓㄤˇ)a board

葦 5009
ㄨㄟˇ wěi
a reed

葼 5010
ㄗㄨㄥ zōng
1. small twigs 2. a kind of grass

葩 5011
ㄆㄚ pā
1. flowers 2. as in 奇葩—a wonderful ⌈work

葫 5012
ㄏㄨˊ hú
as in 葫蘆—a bottle gourd; a calabash

葬 5013
ㄗㄤˋ zàng
to bury, inter or consign to a grave
葬禮(ㄗㄤˋ ㄌㄧˇ)a funeral service
葬送(ㄗㄤˋ ㄙㄨㄥˋ)to bury or waste (one's talent, future, hopes, etc.)
葬儀隊(ㄗㄤˋ ㄧˊ ㄉㄨㄟˋ)a funeral cor- ⌊tege

葭 5014
ㄐㄧㄚ jiā
1. a reed; a bulrush 2. a flute

菙 5015
ㄔㄨㄟˊ chuí
a bramble; a thorn

葳 5016
ㄨㄟ wēi ⌈various plants
1. luxuriant; flourishing 2. used for

葵 5017
ㄎㄨㄟˊ kuí
as in 葵花—a sunflower ⌈seeds
葵花子(ㄎㄨㄟˊ ㄏㄨㄚ ·ㄗ)sunflower
葵花油(ㄎㄨㄟˊ ㄏㄨㄚ ㄧㄡˊ)sunflower ⌊oil

葷 5018
1. ㄏㄨㄣ hūn
1. a meat and fish diet; meat-eating (as opposed to what vegetarians are practicing) 2.strong smelling foods or spices—such as onions, leeks, etc.
葷菜 (ㄏㄨㄣ ㄘㄞˋ) dishes containing ⌊meat or fish

葷 5018
2. ㄒㄩㄣ xūn ⌈China
name of a barbaric tribe in ancient

葸 5019
ㄒㄧˇ xǐ ⌈displeased look
1. scared; timid 2. not pleasant; a

葺 5020
ㄑㄧˋ qì
1. to repair 2. thatched 3. to pile up
葺補(ㄑㄧˋ ㄅㄨˇ)to repair and mend

葽 5021
ㄧㄠ yāo
1. *Polygala japonica,* a variety of grass 2. a dense or luxuriant growth of grass or weeds

葆 5022
ㄅㄠˇ bǎo
1. reserved; hidden; not easily revealed 2. a dense or luxuriant growth of vegetation 3. to protect; ⌊protection

葒 5023
ㄏㄨㄥˊ hóng
Polygonum orientale

萸 5024
ㄩˊ yú
dogwood

萹 5025
1. ㄆㄧㄢ piān
a variety of weed or grass with narrow thick blades

萹 5025
2. (稨) ㄅㄧㄢˇ biǎn
a kind of bean

葖 5026
ㄊㄨˊ tú
(botany) a turnip

葱 5027
(蔥) ㄘㄨㄥ cōng
1. scallions; onions 2. bright green
葱綠(ㄘㄨㄥ ㄌㄩˋ)a fresh, bright green

蒂 5028
(蔕) ㄉㄧˋ dì
1. a peduncle or footstalk of a flower or fruit; a stem 2. a (cigaret) butt

葢 5029
(蓋) ㄍㄞˋ gài
to cover, build, etc.

葯 5030
ㄧㄠˋ yào
(讀音 ㄩㄝˋ yuè)
1. (botany) an angelica 2. to wrap up 亦作「約」 3. a simplified form as 藥—medicine

葅 5031
(菹) ㄐㄩ jū
1. pickled vegetable or meat 2. a marshland covered with reeds

韮 5032
(韭) ㄐㄧㄡˇ jiǔ
as in 韮菜—fragrant-flowered garlic; (Chinese) chives
韮黃(ㄐㄧㄡˇ ㄏㄨㄤˊ)tender chives

十畫

蒐 5033
ㄙㄡ sōu
1. to gather; to collect 2. to hunt or

search for; hunting 3. (botany) *Rubia cordifolia*, madder
蒐集(ㄙㄡ ㄐㄧˊ)to collect or gather 亦作「搜集」

〔艸部〕

蒙 5034 ㄇㄥˊ méng
1. to cover; to wrap 2. naive 3. ignorant; stupid 4. to cheat; to deceive 5. to bear; to take; to suffer 6. short for Mongolia
蒙蔽(ㄇㄥˊ ㄅㄧˋ)to deceive
蒙騙(ㄇㄥˊ ㄆㄧㄢˋ)to fool with the intention to cheat
蒙昧(ㄇㄥˊ ㄇㄟˋ)ignorant and stupid
蒙面盜(ㄇㄥˊ ㄇㄧㄢˋ ㄉㄠˋ)a masked bandit, robber or burglar
蒙太奇(ㄇㄥˊ ㄊㄞˋ ㄑㄧˊ)(movie) montage
蒙難(ㄇㄥˊ ㄋㄢˋ)to suffer disaster
蒙古(ㄇㄥˊ ㄍㄨˇ)Mongolia; Mongolian
蒙古大夫(ㄇㄥˊ ㄍㄨˇ ㄉㄞˋ ·ㄈㄨ)a medical quack
蒙混(ㄇㄥˊ ·ㄏㄨㄣ)to hoodwink
蒙羞(ㄇㄥˊ ㄒㄧㄡ)to suffer shame
蒙在鼓裡(ㄇㄥˊ ㄗㄞˋ ㄍㄨˇ ·ㄌㄧ)to be deceived
蒙恩(ㄇㄥˊ ㄣ)to receive favors

蒜 5035 ㄙㄨㄢˋ suàn
garlic: 蒜泥 mashed garlic
蒜頭兒(ㄙㄨㄢˋ ㄊㄡˊㄦ)the garlic head

蒯 5036 ㄎㄨㄞˇ kuǎi
(又讀 ㄎㄨㄞ kuāi)
Scirpus cyperinus Kunth var. concolor Makino, a rush, from which many things are weaved

蒱 5037 ㄆㄨˊ pú
an ancient dice game

蒲 5038 ㄆㄨˊ pú
1. various kinds of rush from which mats, bags, etc. are made; vines of the rushes 2. a Chinese family name
蒲公英(ㄆㄨˊ ㄍㄨㄥ ㄧㄥ)the dandelion

蒸 5039 ㄓㄥ zhēng
1. steam; to steam 2. to evaporate 3. twigs or slender branches as fuel 4. crowded; crowds; the masses
蒸發(ㄓㄥ ㄈㄚ)to evaporate
蒸餾(ㄓㄥ ㄌㄧㄡˋ)to distill
蒸餾水(ㄓㄥ ㄌㄧㄡˋ ㄕㄨㄟˇ)distilled water
蒸籠(ㄓㄥ ㄌㄨㄥˊ)a tight basket and sieve of bamboo for steaming food
蒸餃(ㄓㄥ ㄐㄧㄠˇ)steamed ravioli
蒸汽 or 蒸氣(ㄓㄥ ㄑㄧˋ)vapor
蒸汽機(ㄓㄥ ㄑㄧˋ ㄐㄧ)a steam engine

蒹 5040 ㄐㄧㄢ jiān
a kind of reed with a pithy stem

蒺 5041 ㄐㄧˊ jí
as in 蒺藜—the caltrop, or caltrap

蒼 5042 ㄘㄤ cāng
1. green; deep green or blue 2. gray (hair); hoary 3. old 4. the masses
蒼白(ㄘㄤ ㄅㄞˊ)pale; pallid
蒼天(ㄘㄤ ㄊㄧㄢ)the heavens
蒼老(ㄘㄤ ㄌㄠˇ)(said of people) hoary and old
蒼生(ㄘㄤ ㄕㄥ)the masses
蒼蠅(ㄘㄤ ·ㄧㄥ)the fly
蒼蠅拍子(ㄘㄤ ·ㄧㄥ ㄆㄞ ·ㄗ)a flyflap

蒿 5043 ㄏㄠ hāo
1. plants of the mugwort or artemisia family 2. rising vapor
蒿子(ㄏㄠ ·ㄗ)(botany) the mugwort or artemisia

蓀 5044 ㄙㄨㄣ sūn
a kind of aromatic grass

蓁 5045 ㄓㄣ zhēn
1. luxuriant 2. a wild pepper

蓄 5046 ㄒㄩˋ xù
1. to collect; to store; to save up; to reserve 2. to cultivate (long hair or a beard); to grow 3. to raise; to rear; to breed 4. to wait; to expect
蓄髮(ㄒㄩˋ ㄈㄚˇ)to grow or cultivate long hair
蓄電池(ㄒㄩˋ ㄉㄧㄢˋ ㄔˊ)a storage battery or accumulator
蓄水池(ㄒㄩˋ ㄕㄨㄟˇ ㄔˊ)a reservoir
蓄意(ㄒㄩˋ ㄧˋ)premeditated (murder, etc.)

蓆 5047 ㄒㄧˊ xí
a mat, especially a straw mat

蓉 5048 ㄖㄨㄥˊ róng
as in 芙蓉—the hibiscus

蓋 5049 1.(盖、葢) ㄍㄞˋ gài
1. to cover; to hide 2. a lid; a covering 3. to build; to construct 4. to affix (a seal) 5. (an initial particle) now; then; but 6. (a particle indicating doubt) for; perhaps; possibly 7. to surpass 8. to brag; to boast
蓋圖章(ㄍㄞˋ ㄊㄨˊ ·ㄓㄤ)or 蓋印(ㄍㄞˋ ㄧㄣˋ)to affix the seal
蓋仙(ㄍㄞˋ ㄒㄧㄢ)a brag
蓋世(ㄍㄞˋ ㄕˋ)without a match
蓋上(ㄍㄞˋ ·ㄕㄤ)to cover

蓋子(ㄍㄞ ·ㄗ)a lid; a cover

蓋 5049 2. ㄍㄜˇ gě
a Chinese family name

蓋 5049 3. (盍) ㄏㄜˊ hé
Why not? 或 Would it not be better to...?

蓐 5050 ㄖㄨˋ rù
matting; a bed mat

蓑 5051 ㄙㄨㄛ suō
a raincoat or cloak of straw, rushes, coir, etc.
蓑衣(ㄙㄨㄛ ㄧ)a coir raincoat

蓓 5052 ㄅㄟˋ bèi
as in 蓓蕾—a flower bud; a bud

蒔 5053 ㄕˊ shí
1. to plant; to cultivate 2. a kind of spice

蒨 5054 ㄑㄧㄢˋ qiàn
1. a luxuriant growth (of grass or vegetation) 2. red; crimson

蒻 5055 ㄖㄨㄛˋ ruò
1. a water plant; a wild arum 2. a rush mat

蓊 5056 ㄨㄥˇ wěng
(said of vegetation) luxuriant; flourishing; lush
蓊鬱(ㄨㄥˇ ㄩˋ)the lush or luxuriant growth of vegetation

蓍 5057 ㄕ shī
milfoil, the stalks of which were used in divination in ancient times

蓇 5058 ㄍㄨˇ gǔ
a follicle

蒓 5059 (蓴) ㄔㄨㄣˊ chún
Brasenia schreberi, water shield

蒞 5060 (莅) ㄌㄧˋ lì
to arrive

蓖 5061 ㄅㄧˋ bì
(botany) the castor-oil plant

蒭 5062 (芻) ㄔㄨˊ chú
1. to cut grass 2. hay; fodder

十一畫

蓬 5063 ㄆㄥˊ péng
1. *Erigeron acer*, a species of raspberry 2. tangled 3. disheveled (hair) 4. flourishing; prospering
蓬勃(ㄆㄥˊ ㄅㄛˊ)vigorously
蓬門(ㄆㄥˊ ㄇㄣˊ)①houses of the poor ②my humble house
蓬髮(ㄆㄥˊ ㄈㄚˇ)or 蓬首(ㄆㄥˊ ㄕㄡˇ)disheveled hair
蓬頭垢面(ㄆㄥˊ ㄊㄡˊ ㄍㄡˋ ㄇㄧㄢˋ)very untidy in appearance
蓬萊仙境(ㄆㄥˊ ㄌㄞˊ ㄒㄧㄢ ㄐㄧㄥˋ)a fairyland; a paradise
蓬鬆(ㄆㄥˊ ㄙㄨㄥ)very loose

蓮 5064 ㄌㄧㄢˊ lián
1. the lotus, or water lily 2. (Buddhism) the "clean" land — Buddhist Paradise
蓮步(ㄌㄧㄢˊ ㄅㄨˋ)ladylike steps
蓮蓬頭(ㄌㄧㄢˊ ·ㄆㄥ ㄊㄡˊ)a finely perforated nozzle for a shower bath
蓮花(ㄌㄧㄢˊ ㄏㄨㄚ)lotus blossoms or water lilies
蓮子(ㄌㄧㄢˊ ㄗˇ)lotus seeds
蓮藕(ㄌㄧㄢˊ ㄡˇ)the lotus root
蓮霧(ㄌㄧㄢˊ ㄨˋ)the wax apple

蔻 5065 ㄎㄡˋ kòu
cardamon seeds
蔻丹(ㄎㄡˋ ㄉㄢ)red nail polish (a transliteration of the trade name "Cutex")

蓼 5066 1. ㄌㄧㄠˇ liǎo
the smartweed

蓼 5066 2. ㄌㄨˋ lù
(said of vegetation) luxuriant; high

蓿 5067 ㄙㄨˋ sù (又讀 ㄒㄩˋ xù)
clover; lucerne

蔑 5068 (衊) ㄇㄧㄝˋ miè
1. to disdain; to slight; to despise; to neglect 2. without; none 3. to cast away 4. tiny; small
蔑視(ㄇㄧㄝˋ ㄕˋ)to disdain; to disregard (rules, etc.)

蔓 5069 1. ㄇㄢˋ màn
plants with creeping tendrils or vines
蔓草(ㄇㄢˋ ㄘㄠˇ)creeping weeds
蔓延(ㄇㄢˋ ㄧㄢˊ)to spread; to creep

蔓 5069 2. ㄨㄢˋ wàn
a tendril; a creeper

蔓 5069 3. ㄇㄢˊ mán
as in 蔓菁—the rape turnip

蔕 5070 (蒂) ㄉㄧˋ dì
a peduncle or footstalk of a flower or fruit

〔艸部〕

〔艸部〕

蔗 5071 ㄓㄜˋ zhè
sugarcane: 蔗糖 sugar from sugarcane

蔚 5072 1. ㄨㄟˋ wèi
1. (said of vegetation) luxuriant 2. *Artemisia japonica*
蔚藍(ㄨㄟˋ ㄌㄢˊ) sky-blue
蔚爲奇觀(ㄨㄟˋ ㄨㄟˊ ㄑㄧˊ ㄍㄨㄢ) to present a magnificent sight

蔚 5072 2. ㄩˋ yù
name of a county in Hopeh Province

蔡 5073 ㄘㄞˋ cài
1. a large turtle or tortoise (whose shell was used in divination in ancient China) 2. name of an ancient state in the Epoch of Spring and Autumn 3. a Chinese family name

蔣 5074 ㄐㄧㄤˇ jiǎng
a Chinese family name

蔥 5075 (葱) ㄘㄨㄥ cōng
scallions; onions

蔦 5076 ㄋㄧㄠˇ niǎo
Ribes ambiguum, a kind of creeping plant; mistletoe

蔬 5077 ㄕㄨ shū
1. vegetables; greens 2. a vegetarian diet; vegetable food
蔬果(ㄕㄨ ㄍㄨㄛˇ) vegetables and fruit
蔬菜(ㄕㄨ ㄘㄞˋ) vegetables; greens

蓴 5078 (蒓) ㄔㄨㄣˊ chún
Brasenia schreberi, water shield

蓽 5079 (篳) ㄅㄧˋ bì
1. bamboo or wicker for making baskets, etc. 2. *Piper longum*, a kind of herb growing among bamboos, used in Chinese medicine
蓽路襤褸(ㄅㄧˋ ㄌㄨˋ ㄌㄢˊ ㄌㄩˇ) the hard life of pioneers

蔌 5080 ㄙㄨˋ sù
vegetables
蔌蔌(ㄙㄨˋ ㄙㄨˋ) the heaving of high winds

蔔 5081 ㄅㄛˊ bó
(語音 ·ㄅㄛ bo)
as in蘿蔔—a common name for such edible roots as turnips, carrots, radishes

蔞 5082 ㄌㄡˊ lóu
a kind of artemisia whose tender leaves are edible

蔫 5083 1. ㄋㄧㄢ niān
1. (said of plants) fading or withering 2. spiritless; ennui; listless 3. calm and quiet

蔫 5083 2. ㄧㄢ yān
stale; rotting or decaying

蔭 5084 ㄧㄣˋ yìn
1. the shade of trees; shade 2. to shelter; to protect 3. (with) the support or blessing of
蔭庇(ㄧㄣˋ ㄅㄧˋ) to protect

蔯 5085 ㄔㄣˊ chén
a variety of artemisia

蔟 5086 ㄘㄨˋ cù
1. a cluster 亦作「簇」 2. a frame on which silkworms spin

蓰 5087 ㄒㄧˇ xǐ
1. a variety of grass 2. five times of anything

蔴 5088 (痲) ㄇㄚˊ má
1. hemp 2. sesame; sesamum

十二畫

蔽 5089 ㄅㄧˋ bì
1. to cover; to cover up 2. to hide; to shelter 3. to screen; to separate
蔽風雨(ㄅㄧˋ ㄈㄥ ㄩˇ) to shelter from the wind and rain
蔽護(ㄅㄧˋ ㄏㄨˋ) to protect
蔽塞(ㄅㄧˋ ㄙㄜˋ) to block up

蕃 5090 1. ㄈㄢˊ fán
1. (said of vegetation) luxuriant; flourishing 2. to increase; to multiply 3. numerous; plentiful
蕃衍(ㄈㄢˊ ㄧㄢˇ) to increase or multiply in large numbers

蕃 5090 2. (番) ㄈㄢ fān
barbarians (as opposed to native Chinese); foreign; uncivilized
蕃茄(ㄈㄢ ㄑㄧㄝˊ) a tomato
蕃茄醬(ㄈㄢ ㄑㄧㄝˊ ㄐㄧㄤˋ) tomato catsup; tomato paste
蕃茄汁(ㄈㄢ ㄑㄧㄝˊ ㄓ) tomato juice
蕃薯(ㄈㄢ ㄕㄨˇ) a sweet potato

蕆 5091 ㄔㄢˇ chǎn
to complete; to finish

蕉 5092 ㄐㄧㄠ jiāo
1. the banana 2. the plantain

蕉農(ㄐㄧㄠ ㄋㄨㄥˊ)banana growers
蕉園(ㄐㄧㄠ ㄩㄢˊ)a banana plantation

蕊 5093
ㄖㄨㄟˇ ruǐ
1. a flower bud; an unopened flower 2. the stamens or pistils of a flower

蕎 5094
ㄑㄧㄠˊ qiáo
as in 蕎麥—buckwheat

蕕 5095
ㄧㄡˊ yóu
Caryopteris divaricata, a water plant with a foul smell that lasts very long —usually used figuratively to indicate an evil person

蕘 5096
ㄖㄠˊ ráo
1. grass or rushes, etc. used for fuel 2. *Wikstroemia japonica,* a kind of shrub about three feet tall with yellow flowers, whose bark is used for making paper 3. firewood-gatherers 4. the turnip

蕙 5097
ㄏㄨㄟˋ huì
1. a species of fragrant grass with red flowers and black seeds in early fall 2. a species of fragrant orchid
蕙質蘭心(ㄏㄨㄟˋ ㄓˊ ㄌㄢˊ ㄒㄧㄣ)(said of a lady) beautiful and intelligent

蕡 5098
ㄈㄣˊ fén
1. the seeds of hemp 2. (said of fruit) large and abundant

蕞 5099
ㄗㄨㄟˋ zuì
very small; tiny
蕞爾小國(ㄗㄨㄟˋ ㄦˇ ㄒㄧㄠˇ ㄍㄨㄛˊ)a very small state

蕢 5100
ㄎㄨㄟˋ kuì
1. a straw basket 2. a vegetable with a red stalk

蕨 5101
ㄐㄩㄝˊ jué
the bracken

蕭 5102
ㄒㄧㄠ xiāo
1. a common variety of artemisia; oxtail-southernwood 2. reverent; respectful 3. quiet; lonely; desolate 4. a Chinese family name
蕭條(ㄒㄧㄠ ㄊㄧㄠˊ)(said of business) sluggish; depressed; slack
蕭規曹隨(ㄒㄧㄠ ㄍㄨㄟ ㄘㄠˊ ㄙㄨㄟˊ)to follow suit
蕭灑(ㄒㄧㄠ ㄙㄚˇ)elegant (in one's appearance and manner)
蕭颯(ㄒㄧㄠ ㄙㄚˋ)cool and soothing winds of autumn
蕭瑟(ㄒㄧㄠ ㄙㄜˋ)chilly, desolate, deserted, lonely, etc.

蕤 5103
ㄖㄨㄟˊ ruí
1. drooping leaves, flowers or fruits 2. a shrub about three feet tall with narrow leaves and white flowers

蕩 5104
ㄉㄤˋ dàng
1. a pond; a pool 2. to cleanse; to wash away 3. to shake; to oscillate; unsettled 4. dissipated; wanton; debauched 5. agitated; disturbed 6. vast; large; magnificent
蕩婦(ㄉㄤˋ ㄈㄨˋ)a woman of loose morals
蕩氣迴腸(ㄉㄤˋ ㄑㄧˋ ㄏㄨㄟˊ ㄔㄤˊ)(said of music or writing) very touching
蕩鞦韆(ㄉㄤˋ ㄑㄧㄡ ㄑㄧㄢ)to swing on a swing
蕩然無存(ㄉㄤˋ ㄖㄢˊ ㄨˊ ㄘㄨㄣˊ)to have nothing left
蕩漾(ㄉㄤˋ ㄧㄤˋ)① moving, as in ripples ② to ripple

蕁 5105
ㄒㄩㄣˊ xún
as in 蕁麻—an urtica
蕁麻疹(ㄒㄩㄣˊ ㄇㄚˊ ㄓㄣˇ)(pathology) nettle rash; urticaria 亦作「風疹」

蕈 5106
ㄒㄩㄣˋ xùn
1. a mushroom; fungus 2. mold, or mildew

蕪 5107
ㄨˊ wú
1. a luxuriant growth of weeds 2. decayed or rotten vegetation 3. confused; mixed-up; in disorder 4. waste; neglected, as land
蕪菁(ㄨˊ ㄐㄧㄥ)the turnip
蕪雜(ㄨˊ ㄗㄚˊ)disorderly and confusing

蕖 5108
ㄑㄩˊ qú
1. a taro 2. as in 芙蕖—a lotus flower

蕝 5109
ㄐㄩㄝˊ jué
as in 茅蕝—to designate an assigned position in practicing a court ceremony

蕓 5110
ㄩㄣˊ yún
as in 蕓薹—rape 亦作「油菜」

十三畫

薄 5111
1. ㄅㄛˊ bó
(語音 ㄅㄠˊ báo)
1. thin; light; slight 2. to despise; to slight 3. barren; not fertile 4. to cover; to shut 5. a screen 6. a patch of grass 7. to close in; to press near 8. an initial particle—ah; so; now 9. frivolous
薄命(ㄅㄛˊ ㄇㄧㄥˋ)① ill-fated ② short-lived

〔艸部〕

〔艸部〕

薄暮(ㄅㄛˊ ㄇㄨˋ)around sunset; dusk
薄暮之年(ㄅㄛˊ ㄇㄨˋ ㄓ ㄋㄧㄢˊ)old-age; approaching one's grave
薄利多銷(ㄅㄛˊ ㄌㄧˋ ㄉㄨㄛ ㄒㄧㄠ)to cut down the profit margin in order to sell more—commercial tactics
薄海騰歡(ㄅㄛˊ ㄏㄞˇ ㄊㄥˊ ㄏㄨㄢ)cheers from all over the country
薄情(ㄅㄛˊ ㄑㄧㄥˊ)heartless; ungrateful
薄弱(ㄅㄛˊ ㄖㄨㄛˋ)weak; fragile

薄 5111
2. ㄅㄛˋ bò
as in 薄荷—peppermint
薄荷精(ㄅㄛˊ ·ㄏㄜ ㄐㄧㄥ)menthol

薅 5112
ㄏㄠ hāo
to weed (rice fields, etc.); to root out; to pick off; to clear away

蕷 5113
ㄩˋ yù
as in 薯蕷—the Chinese yam

蕾 5114
ㄌㄟˇ lěi
as in蓓蕾—a flower bud; an unopened flower

薆 5115
ㄞˋ ài
1. a luxuriant growth of vegetation 2. to cover; to hide; to conceal

薇 5116
ㄨㄟˊ wéi
1. *Osmunda regalis*, a kind of fern; thorn-ferns 2. used with other characters for a variety of plants

薈 5117
ㄏㄨㄟˋ huì
1. a luxuriant growth of vegetation 2. to cover or conceal
薈萃(ㄏㄨㄟˋ ㄘㄨㄟˋ)(said of distinguished people) to gather

薊 5118
ㄐㄧˋ jì
Cirsium, a family of thorny plants

薌 5119
ㄒㄧㄤ xiāng
1. the smell of rice grains 2. aromatic; spicy 3. incense used for fumigation

薏 5120
ㄧˋ yì
1. the heart of a lotus seed 2. pearl barley, used for cooking congee with rice or in herbal medicine

薐 5121
ㄌㄥˊ léng
old name of spinach

薑 5122
ㄐㄧㄤ jiāng
ginger
薑汁(ㄐㄧㄤ ㄓ)ginger juice

薔 5123
ㄑㄧㄤˊ qiáng
as in 薔薇—the roses

薙 5124
ㄊㄧˋ tì
1. to weed 2. to cut (hair); to shave (hair)
薙髮(ㄊㄧˋ ㄈㄚˇ)to cut hair

薛 5125
ㄒㄩㄝ xuē
1. a kind of marsh grass 2. a Chinese family name

薤 5126
ㄒㄧㄝˋ xiè
Allium bakeri, a vegetable roughly resembling a leek with tiny purple flowers in summer whose scaly stalks are edible when tender

薦 5127
ㄐㄧㄢˋ jiàn
1. to recommend; to offer; to present 2. fodder for animals; grass 3. a straw mat 4. food and dishes 5. to repeat; repeatedly
薦舉(ㄐㄧㄢˋ ㄐㄩˇ)or 薦引(ㄐㄧㄢˋ ㄧㄣˇ) to introduce

薨 5128
ㄏㄨㄥ hōng
1. the death of a feudal lord 2. the loud buzzing of insects in flight

薪 5129
ㄒㄧㄣ xīn
1. firewood; fuel; fagots 2. salary; pay
薪俸(ㄒㄧㄣ ㄈㄥˋ) or 薪水 (ㄒㄧㄣ ㄕㄨㄟˇ)one's salary or pay; wages
薪水階級(ㄒㄧㄣ ㄕㄨㄟˇ ㄐㄧㄝ ㄐㄧˊ) the white-collar workers

蕺 5130
ㄐㄧˊ jí
Houttuynia cordata, a smelly but edible vegetable with light yellow flowers in summer 亦作「蕺菜」

薜 5131
1. ㄅㄛˋ bò
Chinese angelica; angelica radix亦作「當歸」

薜 5131
2. ㄅㄧˋ bì
Ficus pumila, a climbing fig

十四畫

薩 5132
ㄙㄚˋ sà
a general name of Buddhist gods or immortals; Buddha

薯 5133
ㄕㄨˇ shǔ
a yam; a potato
薯條(ㄕㄨˇ ㄊㄧㄠˊ)French fries

薰 5134
ㄒㄩㄣ xūn
1. to cauterize 2. to perfume; to embalm 3. to smoke; to fumigate 4. warm 5. *Coumarouna odorata*, a medical herb with a strong smell
薰陶(ㄒㄩㄣ ㄊㄠˊ)to mold a person's character, etc. through the influence of education, etc.; to edify
薰染(ㄒㄩㄣ ㄖㄢˇ)to be influenced and contaminated by one's surroundings

薺 5135
1. ㄐㄧˋ jì
Capsella bursa-pastoris, a kind of vegetable; shepherd's-purse

薺 5135
2. ㄑㄧˊ qí
1. the caltrop 2. a water chestnut

藉 5136
1. ㄐㄧㄝˋ jiè
1. a mat, pad, or cushion of grass 2. to rely on; to lean on; by means of 3. on the excuse or pretext of
藉故(ㄐㄧㄝˋ ㄍㄨˋ)to avail oneself of a certain excuse
藉口(ㄐㄧㄝˋ ㄎㄡˇ)an excuse

藉 5136
2. ㄐㄧˊ jí
disorder; confusion

藍 5137
ㄌㄢˊ lán
1. blue; indigo 2. an indigo plant
藍寶石(ㄌㄢˊ ㄅㄠˇ ㄕˊ)sapphire
藍本(ㄌㄢˊ ㄅㄣˇ)a blueprint
藍圖(ㄌㄢˊ ㄊㄨˊ)a blueprint; an outline of a project
藍領階級(ㄌㄢˊ ㄌㄧㄥˇ ㄐㄧㄝ ㄐㄧˊ) blue-collar

藎 5138
ㄐㄧㄣˋ jìn
1. *Arthraxon hispidus*, a kind of weed whose stalk is used as a yellow dye 2. faithfulness

藏 5139
1. ㄘㄤˊ cáng
1. to hide; to conceal 2. to store; to save; to hoard
藏匿(ㄘㄤˊ ㄋㄧˋ)to hide; to conceal
藏拙(ㄘㄤˊ ㄓㄨㄛˊ)to keep one's weaknesses unexposed
藏書(ㄘㄤˊ ㄕㄨ)① to collect books ② a book collection
藏書家(ㄘㄤˊ ㄕㄨ ㄐㄧㄚ)a book collector; a bibliophile

藏 5139
2. ㄗㄤˋ zàng
1. Tibet; Tibetans 2. a storage; a warehouse; a depository
藏青(ㄗㄤˋ ㄑㄧㄥ)indigo blue

藐 5140
ㄇㄧㄠˇ miǎo
1. to slight; to despise; to belittle 2. small; petite; petty
藐小(ㄇㄧㄠˇ ㄒㄧㄠˇ)small; petty
藐視(ㄇㄧㄠˇ ㄕˋ)to disdain; to look down upon

薳 5141
ㄨㄟˇ wěi
1. polygala, a herb 2. a Chinese family name

十五畫

藕 5142
ㄡˇ ǒu
rhizomes, or rootstocks of the lotus
藕粉(ㄡˇ ㄈㄣˇ)starch extracted from the rhizomes of lotuses
藕斷絲連(ㄡˇ ㄉㄨㄢˋ ㄙ ㄌㄧㄢˊ)The ties are severed but not completely.

藜 5143
ㄌㄧˊ lí
pigweeds; lamb's-quarters
藜藿(ㄌㄧˊ ㄏㄨㄛˋ)coarse food

藝 5144
ㄧˋ yì
art; skill; talent; craft; dexterity
藝名(ㄧˋ ㄇㄧㄥˊ)a stage name, or a screen name (of an entertainer)
藝高膽大(ㄧˋ ㄍㄠ ㄉㄢˇ ㄉㄚˋ)The talented or skilled are generally bold.
藝妓(ㄧˋ ㄐㄧˋ)a geisha girl
藝術(ㄧˋ ㄕㄨˋ)art
藝術品(ㄧˋ ㄕㄨˋ ㄆㄧㄣˇ)a work of art
藝術家(ㄧˋ ㄕㄨˋ ㄐㄧㄚ)an artist
藝術字(ㄧˋ ㄕㄨˋ ㄗˋ) (printed or written) characters in a fancy style
藝人(ㄧˋ ㄖㄣˊ)an entertainer
藝苑(ㄧˋ ㄩㄢˋ)an artistic or literary salon; an art gallery

藟 5145
ㄌㄟˇ lěi
1. a variety of climbing plant 2. to wind; to entwine 3. same as 蕾—a flower bud

藫 5146
ㄊㄢˊ tán
algae 亦作「石衣」or「水苔」

藤 5147
ㄊㄥˊ téng
a rattan; a vine
藤條(ㄊㄥˊ ㄊㄧㄠˊ)a rattan
藤椅(ㄊㄥˊ ㄧˇ)a rattan chair

藥 5148
ㄧㄠˋ yào
(讀音 ㄩㄝˋ yuè)
1. medicine; remedy; a drug; pharmaceuticals 2. to kill with poison
藥片(ㄧㄠˋ ㄆㄧㄢˋ)a tablet of medicine

〔艸部〕

艸部

藥品(ㄧㄠˋ ㄆㄧㄣˇ)pharmaceutical products; drugs
藥粉(ㄧㄠˋ ㄈㄣˇ)medicinal powder
藥單(ㄧㄠˋ ㄉㄢ)or 藥方(ㄧㄠˋ ㄈㄤ)a (medicinal) prescription
藥(理)學(ㄧㄠˋ(ㄌㄧˇ) ㄒㄩㄝˊ) pharmacology
藥力(ㄧㄠˋ ㄌㄧˋ)the potency of a drug
藥量(ㄧㄠˋ ㄌㄧㄤˋ)dosage
藥膏(ㄧㄠˋ ㄍㄠ)ointment; salve
藥罐子(ㄧㄠˋ ㄍㄨㄢˋ ˙ㄗ) one who is perennially ill
藥劑師(ㄧㄠˋ ㄐㄧˋ ㄕ)a pharmacist
藥局(ㄧㄠˋ ㄐㄩˊ)or藥房(ㄧㄠˋ ㄈㄤˊ)a druggist's store; a pharmacy
藥性(ㄧㄠˋ ㄒㄧㄥˋ)the nature of a drug
藥針(ㄧㄠˋ ㄓㄣ)an injection syringe
藥廠(ㄧㄠˋ ㄔㄤˇ)a pharmaceutical factory
藥水(ㄧㄠˋ ㄕㄨㄟˇ)liquid medicine
藥皂(ㄧㄠˋ ㄗㄠˋ)medicated soap
藥材(ㄧㄠˋ ㄘㄞˊ)medicinal herbs
藥丸(ㄧㄠˋ ㄨㄢˊ)a pill
藥用(ㄧㄠˋ ㄩㄥˋ)for medical use

藩 5149 ㄈㄢ fán
a fence; a hedge; a boundary; a frontier; a barrier
藩籬(ㄈㄢ ㄌㄧˊ)① a fence; a hedge ② anything acting as a hedge
藩屬(ㄈㄢ ㄕㄨˇ)a vassal state

藪 5150 ㄙㄡˇ sǒu
1. a shallow lake overgrown with wild plants 2. an assembling place 3. same as 搜—to search

藭 5151 ㄑㄩㄥˊ qióng
as in 芎藭—*Cnidium officinale,* a kind of medicinal herb

十六畫

藺 5152 ㄌㄧㄣˋ lìn
a variety of rush used in making mats

蘑 5153 ㄇㄛˊ mó
a variety of edible mushroom

蘄 5154 ㄑㄧˊ qí
1. ligusticum; levisticum亦作「當歸」or「山蘄」 2. same as 祈—to beg; to seek

藹 5155 ㄞˇ ǎi
1. exuberant; luxuriant; lush 2. gentle; kind; friendly 3. gloomy; dim

藻 5156 ㄗㄠˇ zǎo
1. algae; pondweeds 2. diction; wording; language
藻類(ㄗㄠˇ ㄌㄟˋ)algae
藻飾(ㄗㄠˇ ㄕˋ)① literary decorativeness ② to polish writings

藿 5157 ㄏㄨㄛˋ huò
leaves of a legume; bean sprouts
藿羹(ㄏㄨㄛˋ ㄍㄥ)coarse food

蘀 5158 ㄊㄨㄛˋ tuò
fallen leaves and barks; withered leaves

蘅 5159 ㄏㄥˊ héng
Asarum blumei, a fragrant plant

蘆 5160 ㄌㄨˊ lú
1. reeds; rushes 2. gourds
蘆薈(ㄌㄨˊ ㄏㄨㄟˋ)aloes
蘆筍(ㄌㄨˊ ㄙㄨㄣˇ) (botany) asparagus
蘆葦(ㄌㄨˊ ㄨㄟˇ)reeds

孽 5161 (孼) ㄋㄧㄝˋ niè
1. the son of a concubine 2. sin; evil 3. calamity
孽障(ㄋㄧㄝˋ ㄓㄤˋ)retribution for past evil

蘇 5162 ㄙㄨ sū
1. purple perilla 亦作「紫蘇」 2. to revive; to resurrect 3. to awake 4. to rest 5. short for Soviet Russia 6. short for Kiangsu Province or Soochow 7. a Chinese family name
蘇打(ㄙㄨ ㄉㄚˇ)soda
蘇醒(ㄙㄨ ㄒㄧㄥˇ)to regain consciousness; to awaken

蘊 5163 (薀) ㄩㄣˋ yùn
1. to collect; to gather 2. to store; to have in store 3. deep; profound 4. sweltering; sultry
蘊釀(ㄩㄣˋ ㄋㄧㄤˋ)to brew
蘊涵(ㄩㄣˋ ㄏㄢˊ)to contain
蘊藏(ㄩㄣˋ ㄘㄤˊ)to be rich in
蘊藏量(ㄩㄣˋ ㄘㄤˊ ㄌㄧㄤˋ)(said of minerals) deposit

蘋 5164 1. ㄆㄧㄣˊ pín
duckweeds

蘋 5164 2. ㄆㄧㄥˊ píng
as in 蘋果—an apple
蘋果酒(ㄆㄧㄥˊ ㄍㄨㄛˇ ㄐㄧㄡˇ)applejack
蘋果汁(ㄆㄧㄥˊ ㄍㄨㄛˇ ㄓ)apple juice

藷 5165 (薯) ㄕㄨˇ shǔ
a sweet potato

蘢 5166 ㄌㄨㄥˊ lóng
a kind of tall grass
蘢蔥(ㄌㄨㄥˊ ㄘㄨㄥ)(said of vegeta-

tion) luxuriant and beautiful; verdant

十七畫

蘧 5167
ㄑㄩˊ qú
1. pleasantly surprised 2. a Chinese family name

蘗 5168
ㄅㄛˋ bò
a cork tree (*Phellodendron*)

蘖 5169
(櫱) ㄋㄧㄝˋ niè
sprouts and shoots from the stump of a felled tree

蘚 5170
ㄒㄧㄢˇ xiǎn
as in 蘚苔—(botany) moss; lichen

蘩 5171
ㄈㄢˊ fán
Artemisia stelleriana, a kind of herb; white southernwood 亦作「白蒿」

蘭 5172
ㄌㄢˊ lán
as in 蘭花—an orchid
蘭閨(ㄌㄢˊ ㄍㄨㄟ)a boudoir
蘭科(ㄌㄢˊ ㄎㄜ)the orchid family
蘭訊(ㄌㄢˊ ㄒㄩㄣˋ)your letters

蘞 5173
ㄌㄧㄢˊ lián
a variety of vine; a convolvulus

十九畫

蘸 5174
ㄓㄢˋ zhàn
as in 蘸濕—to dip in ink
蘸筆(ㄓㄢˋ ㄅㄧˇ)to dip a writing brush

蘺 5175
ㄌㄧˊ lí
a kind of fragrant herb

蘼 5176
ㄇㄧˊ mí
a kind of fragrant herb

蘿 5177
ㄌㄨㄛˊ luó
1. a kind of creeping plant 2. as in 蘿蔔—a radish; a turnip
蘿蔔乾兒(ㄌㄨㄛˊ ˙ㄅㄛ ㄍㄚㄦ)a dried radish or turnip
蘿蔔糕(ㄌㄨㄛˊ ˙ㄅㄛ ㄍㄠ)turnip pudding

虀 5178
ㄐㄧ jī
minced pickles

二十一畫

虆 5179
ㄌㄟˊ léi
1. grass that creeps and spread fast and luxuriantly 2. a basket for carrying earth

虍部
ㄏㄨ hū

〔虍部〕

二畫

虎 5180
ㄏㄨˇ hǔ
1. a tiger 2. fierce; savage; brave; vigorous
虎皮(ㄏㄨˇ ㄆㄧˊ)a tiger skin
虎頭蛇尾(ㄏㄨˇ ㄊㄡˊ ㄕㄜˊ ㄨㄟˇ)to start doing something with vigor but fail to see it through
虎口(ㄏㄨˇ ㄎㄡˇ)a tiger's mouth—a dangerous place
虎口餘生(ㄏㄨˇ ㄎㄡˇ ㄩˊ ㄕㄥ)to survive a dangerous experience
虎倀(ㄏㄨˇ ㄔㄤ)an accomplice
虎視眈眈(ㄏㄨˇ ㄕˋ ㄉㄢ ㄉㄢ)to gaze with the cruel greed of a tiger
虎威(ㄏㄨˇ ㄨㄟ)the frightful appearance of a tiger

三畫

虐 5181
ㄋㄩㄝˋ nüè
1. cruel; ferocious 2. to tyrannize over
虐待(ㄋㄩㄝˋ ㄉㄞˋ)to maltreat
虐待狂(ㄋㄩㄝˋ ㄉㄞˋ ㄎㄨㄤˊ)sadism

四畫

虔 5182
ㄑㄧㄢˊ qián
reverence; reverent; respectful; pious
虔誠(ㄑㄧㄢˊ ㄔㄥˊ)sincerity; pious

五畫

處 5183
1. ㄔㄨˋ chù
1. a place; a spot; a location; a locality 2. a department in a government agency 3. a special quality
處處(ㄔㄨˋ ㄔㄨˋ)everywhere
處所(ㄔㄨˋ ㄙㄨㄛˇ)a place; a locality

處 5183
2. ㄔㄨˇ chǔ
1. to place oneself in; to be faced with; to live in 2. to get along 3. to manage; to handle 4. to sentence; to punish 5. to dwell; to live
處罰(ㄔㄨˇ ㄈㄚˊ)to punish
處分(ㄔㄨˇ ㄈㄣˋ)to take action against; to punish
處方(ㄔㄨˇ ㄈㄤ)to prescribe
處女(ㄔㄨˇ ㄋㄩˇ)a virgin
處女膜(ㄔㄨˇ ㄋㄩˇ ㄇㄛˊ)the hymen
處女作(ㄔㄨˇ ㄋㄩˇ ㄗㄨㄛˋ)a maiden

work
處理(ㄔㄨˇ ㄌㄧˇ)to deal with
處境(ㄔㄨˇ ㄐㄧㄥˋ)the circumstances one faces
處決(ㄔㄨˇ ㄐㄩㄝˊ)to execute (an offender)
處心積慮(ㄔㄨˇ ㄒㄧㄣ ㄐㄧ ㄌㄩˋ)to have in mind for a long time
處刑(ㄔㄨˇ ㄒㄧㄥˊ)to punish; to execute
處之泰然(ㄔㄨˇ ㄓ ㄊㄞˋ ㄖㄢˊ)to be unmoved; to maintain composure
處置(ㄔㄨˇ ㄓˋ)to punish
處世(ㄔㄨˇ ㄕˋ)to conduct oneself in life
處事(ㄔㄨˇ ㄕˋ)to deal with affairs
處死(ㄔㄨˇ ㄙˇ)to put to death

〔虍部〕

虖 5184 ㄏㄨ hū
to cry; to shout; to howl; to roar

六畫

虛 5185 ㄒㄩ xū
1. empty; hollow; unoccupied 2. unreal; false; unfounded; 3. weak; feeble 4. abstract; shapeless
虛名(ㄒㄩ ㄇㄧㄥˊ)a reputation unsupported by facts
虛浮(ㄒㄩ ㄈㄨˊ)impractical
虛度(ㄒㄩ ㄉㄨˋ)to pass (time) fruitlessly; to fritter away
虛脫(ㄒㄩ ㄊㄨㄛ)(medicine) collapse
虛擬(ㄒㄩ ㄋㄧˇ)to assume
虛構(ㄒㄩ ㄍㄡˋ)made-up; fictitious
虛空(ㄒㄩ ㄎㄨㄥ)empty; hollow
虛懷若谷(ㄒㄩ ㄏㄨㄞˊ ㄖㄨㄛˋ ㄍㄨˇ)to be open-minded
虛幻(ㄒㄩ ㄏㄨㄢˋ)illusory; unreal
虛假(ㄒㄩ ㄐㄧㄚˇ)false; dishonest
虛驚(ㄒㄩ ㄐㄧㄥ)a false alarm
虛情假意(ㄒㄩ ㄑㄧㄥˊ ㄐㄧㄚˇ ㄧˋ)hypocrisy
虛線(ㄒㄩ ㄒㄧㄢˋ)a dotted line
虛張聲勢(ㄒㄩ ㄓㄤ ㄕㄥ ㄕˋ)to make a deceptive show of power
虛實(ㄒㄩ ㄕˊ)① true or false ② the actual situation
虛設(ㄒㄩ ㄕㄜˋ)to exist in name only
虛弱(ㄒㄩ ㄖㄨㄛˋ)debility; weak
虛榮(ㄒㄩ ㄖㄨㄥˊ)vanity
虛榮心(ㄒㄩ ㄖㄨㄥˊ ㄒㄧㄣ)vainglory
虛造(ㄒㄩ ㄗㄠˋ)to fabricate
虛有其表(ㄒㄩ ㄧㄡˇ ㄑㄧˊ ㄅㄧㄠˇ)impressive only in appearance
虛掩(ㄒㄩ ㄧㄢˇ)with the door left unlocked or unlatched
虛無(ㄒㄩ ㄨˊ)emptiness
虛無飄渺(ㄒㄩ ㄨˊ ㄆㄧㄠ ㄇㄧㄠˇ)purely imaginary
虛僞(ㄒㄩ ㄨㄟˋ)hypocritical

七畫

虞 5186 ㄩˊ yú
1. anxieties; worries 2. to expect; to anticipate 3. to deceive; to cheat

虜 5187 ㄌㄨˇ lǔ
(又讀 ㄌㄨㄛˇ luǒ)
1. a captive; a prisoner 2. to take prisoner; to capture alive
虜獲(ㄌㄨˇ ㄏㄨㄛˋ)to capture

號 5188 1. ㄏㄠˋ hào
1. a designation; a title 2. sizes 3. orders; a command; a call 4. number 5. a mark; a sign; a signal 6. a store; a shop 7. a bugle 8. date
號碼(ㄏㄠˋ ㄇㄚˇ)a number
號令(ㄏㄠˋ ㄌㄧㄥˋ)a command
號角(ㄏㄠˋ ㄐㄧㄠˇ)a bugle; a horn
號誌(ㄏㄠˋ ㄓˋ)a signal; a sign
號召(ㄏㄠˋ ㄓㄠˋ)a call (to the public for an action)
號稱(ㄏㄠˋ ㄔㄥ)to claim; to profess
號手(ㄏㄠˋ ㄕㄡˇ)a bugler
號子(ㄏㄠˋ ·ㄗ)(slang) a stock exchange
號外(ㄏㄠˋ ㄨㄞˋ)an extra (issue of a newspaper)

號 5188 2. ㄏㄠˊ háo
to cry; to shout; to howl; to wail
號咷 or 號啕(ㄏㄠˊ ㄊㄠˊ)to burst out crying; to weep aloud

八畫

虡 5189 ㄐㄩˋ jù
1. a post in the framework for a bell 2. a small table with long legs placed beside a bed

九畫

虢 5190 ㄍㄨㄛˊ guó
name of an ancient feudal state

十一畫

虧 5191 ㄎㄨㄟ kuī
1. to lose; to damage; to have a deficit 2. to lack; to want; short; deficient 3. to treat unfairly; to be unfair to 4. fortunately; luckily; thanks to 5. used in a mocking sense 6. the waning of the moon; to wane
虧本(ㄎㄨㄟ ㄅㄣˇ)to suffer losses in business
虧待(ㄎㄨㄟ ㄉㄞˋ)to treat (someone) shabbily

虧空(ㄎㄨㄟ ㄎㄨㄥ)a loss; a deficit
虧欠(ㄎㄨㄟ ㄑㄧㄢˋ)① a deficit ② to owe
虧心事(ㄎㄨㄟ ㄒㄧㄣ ㄕˋ)something which gives one a guilty conscience
虧損(ㄎㄨㄟ ㄙㄨㄣˇ)a deficit

虫部 ㄏㄨㄟˇ huǐ

一畫

虬 5192 (虯) ㄑㄧㄡˊ qiú
a young dragon

二畫

虯 5193 (虬) ㄑㄧㄡˊ qiú
as in 虯龍—a young dragon

虱 5194 (蝨) ㄕ shī
a louse
虱目魚(ㄕ ㄇㄨˋ ㄩˊ)milkfish

三畫

虹 5195 ㄏㄨㄥˊ hóng (語音 ㄍㄤˋ gàng)
a rainbow
虹霓(ㄏㄨㄥˊ ㄋㄧˊ)a rainbow and its reflection
虹吸管(ㄏㄨㄥˊ ㄒㄧ ㄍㄨㄢˇ)a siphon

虺 5196 1. ㄏㄨㄟˇ huǐ
a species of venomous snake
虺蜮(ㄏㄨㄟˇ ㄩˋ)vicious people

虺 5196 2. ㄏㄨㄟ huī
1. diseased; sick; ill 2. discouraged

虼 5197 ㄍㄜˋ gè
a flea

虻 5198 ㄇㄥˊ méng
a gadfly

四畫

蚌 5199 ㄅㄤˋ bàng
an oyster: 蚌殼 an oyster shell
蚌珠(ㄅㄤˋ ㄓㄨ)a pearl

蚊 5200 (蟁) ㄨㄣˊ wén
a mosquito; a gnat
蚊香(ㄨㄣˊ ㄒㄧㄤ)mosquito incense
蚊帳(ㄨㄣˊ ㄓㄤˋ)a mosquito net

蚪 5201 ㄉㄡˇ dǒu
as in 蝌蚪—a tadpole

蚋 5202 (蜹) ㄖㄨㄟˋ ruì
a gnat

蚍 5203 ㄆㄧˊ pí
a large ant; a species of big ant

蚓 5204 ㄧㄣˇ yǐn
as in 蚯蚓—an earthworm

蚜 5205 ㄧㄚˊ yá
as in 蚜蟲—a plant louse; an aphid

蚣 5206 ㄍㄨㄥ gōng
as in 蜈蚣—a centipede

蚤 5207 ㄗㄠˇ zǎo
a flea

蚨 5208 ㄈㄨˊ fú
1. a kind of water beetle 2. as in 青蚨—another name of money or cash

蚩 5209 ㄔ chī
1. a kind of worm 2. ignorant; stupid 3. to laugh 4. ugly

蚇 5210 ㄔˇ chǐ
an inchworm; a measuring worm; a looper

五畫

蚯 5211 ㄑㄧㄡ qiū
as in 蚯蚓—an earthworm

蚰 5212 ㄧㄡˊ yóu
a millipede; a milleped

蚱 5213 ㄓㄚˋ zhà
as in 蚱蜢—a locust; a grasshopper

蚶 5214 ㄏㄢ hān
Arca inflata, a kind of clam

蛀 5215 ㄓㄨˋ zhù
1. worms that eat into wood or books 2. (said of worms) to eat into
蛀牙(ㄓㄨˋ ㄧㄚˊ)decayed teeth

蛄 5216 ㄍㄨ gū
a mole cricket

〔虫部〕

蛆 5217
ㄑㄩ qū
a maggot

蛇 5218
1. (虵) ㄕㄜˊ shé
a snake; a serpent
蛇蛻(ㄕㄜˊ ㄊㄨㄟˋ)the slough of a snake
蛇蠍(ㄕㄜˊ ㄒㄧㄝ)snakes and scorpions—things to be dreaded
蛇行(ㄕㄜˊ ㄒㄧㄥˊ)① to take a zigzag course ② to creep along

蛇 5218
2. ㄧˊ yí
1. complacent 2. to pretend cordiality

蛉 5219
ㄌㄧㄥˊ líng
1. as in 蜻蛉—*Libellulidae,* a variety of dragonfly 2. as in 螟蛉—the larva of *Chilo simplex,* a kind of harmful insect; the mulberry insect

蛋 5220
ㄉㄢˋ dàn
1. an egg 2. a fellow
蛋白(ㄉㄢˋ ㄅㄞˊ)or蛋清(ㄉㄢˋ ㄑㄧㄥ) the white of an egg; egg white
蛋白質(ㄉㄢˋ ㄅㄞˊ ㄓˊ)protein
蛋糕(ㄉㄢˋ ㄍㄠ)cake
蛋殼(ㄉㄢˋ ㄎㄜˊ)the eggshell
蛋黃(ㄉㄢˋ ㄏㄨㄤˊ)yolk
蛋捲(ㄉㄢˋ ㄐㄩㄢˇ)an egg roll

六畫

蛙 5221
ㄨㄚ wā
a frog
蛙人(ㄨㄚ ㄖㄣˊ)a frogman
蛙泳(ㄨㄚ ㄩㄥˇ) (swimming) the breaststroke

蛔 5222
ㄏㄨㄟˊ huí
an ascarid; a roundworm

蛛 5223
ㄓㄨ zhū
a spider
蛛絲馬跡(ㄓㄨ ㄙ ㄇㄚˇ ㄐㄧ)clues; leads

蛟 5224
ㄐㄧㄠ jiāo
1. flood dragon, a mythical creature capable of invoking storms and floods 2. a shark

蛤 5225
1. ㄍㄜˊ gé
a clam
蛤蜊(ㄍㄜˊ ㄌㄧˊ)or 蛤蠣(ㄍㄜˊ ㄌㄧˋ) *Mactra veneriformis,* a kind of bivalve

蛤 5225
2. ㄏㄚˊ há
as in 蛤蟆 or 蝦蟆—a toad

蛩 5226
ㄑㄩㄥˊ qióng
1. a locust 2. a cricket

蛭 5227
ㄓˋ zhì
a leech

蛐 5228
1. ㄑㄩ qū
a cricket 亦作「蛐蛐兒」

蛐 5228
2. ㄑㄩˊ qú
as in 蛐蟮—an earthworm

蚰 5229
ㄎㄨㄣ kūn
insects

七畫

蛺 5230
ㄐㄧㄚˊ jiá
butterflies

蛸 5231
1. ㄒㄧㄠ xiāo
as in 螵蛸—mantis's egg capsule

蛸 5231
2. ㄕㄠ shāo
a variety of spider

蛹 5232
ㄩㄥˇ yǒng
a chrysalis; a pupa
蛹化(ㄩㄥˇ ㄏㄨㄚˋ)pupation

蛻 5233
ㄕㄨㄟˋ shuì
(又讀 ㄊㄨㄟˋ tuì)
1. to slough; to exuviate 2. exuviae; a slough
蛻皮(ㄕㄨㄟˋ ㄆㄧˊ)to exuviate; to slough

蛾 5234
ㄜˊ é
a moth
蛾眉月(ㄜˊ ㄇㄟˊ ㄩㄝˋ)the crescent moon

蜀 5235
ㄕㄨˇ shǔ
1. Shu, an ancient kingdom in what is Szechwan today 2. an alternative name of Szechwan (四川)

蜂 5236
ㄈㄥ fēng
a bee; a wasp
蜂蜜(ㄈㄥ ㄇㄧˋ)honey
蜂王(ㄈㄥ ㄨㄤˊ)a queen bee
蜂擁而上(ㄈㄥ ㄩㄥˇ ㄦˊ ㄕㄤˋ)to close in a swarm

蜃 5237
ㄕㄣˋ shèn
clams

蜆 5238
ㄒㄧㄢˇ xiǎn

Corbicula leana, a variety of bivalve

蜇 5239 ㄓㄜˊ zhé
1. as in 海蜇—jellyfish 2. to sting

蜊 5240 ㄌㄧˊ lí
as in 蛤蜊—a kind of bivalve

蜓 5241 ㄊㄧㄥˊ tíng
as in 蜻蜓—a dragonfly

蜒 5242 ㄧㄢˊ yán
1. as in 蚰蜒—a millipede 2. as in 蜿蜒—to stretch for miles

蜈 5243 ㄨˊ wú
as in 蜈蚣—a centipede

蜉 5244 ㄈㄨˊ fú
an ephemera; an ephemerid; a mayfly

蜍 5245 ㄔㄨˊ chú
as in 蟾蜍—a toad

蜋 5246 1. ㄌㄤˊ láng
1. as in 螳蜋 or 螳螂—a mantis 2. a cicada

蜋 5246 2. ㄌㄧㄤˊ liáng
as in 蜣蜋—the dung beetle

蜑 5247 ㄉㄢˋ dàn
the boat people in the coastal areas of Fukien (福建) and Kwangtung (廣東)

八畫

蜥 5248 ㄒㄧ xī
as in 蜥蜴—a lizard

蜘 5249 ㄓ zhī
as in 蜘蛛—a spider

蜚 5250 1. ㄈㄟˇ fěi
a cockroach

蜚 5250 2.(飛) ㄈㄟ fēi
to fly

蜚聲國際(ㄈㄟ ㄕㄥ ㄍㄨㄛˊ ㄐㄧˋ) world-renowned; internationally famous

蜜 5251 ㄇㄧˋ mì
1. honey; nectar (in a flower) 2. sweet; syrupy; honeyed

蜜蜂(ㄇㄧˋ ㄈㄥ) a honeybee; a bee
蜜餞(ㄇㄧˋ ㄐㄧㄢˋ) candied fruit
蜜月(ㄇㄧˋ ㄩㄝˋ) a honeymoon

蜡 5252 ㄓㄚˋ zhà
year-end sacrifice of the Chou Dynasty

蝂 5253 ㄅㄢˇ bǎn
as in 蝜蝂—a kind of small insect which can move things many times its weight

蜢 5254 ㄇㄥˇ měng
as in 蚱蜢—a grasshopper

蜣 5255 ㄑㄧㄤ qiāng
a dung beetle

蝄 5256 ㄨㄤˇ wǎng
a kind of monster

蜩 5257 ㄊㄧㄠˊ tiáo
cicadas

蜮 5258 ㄩˋ yù
a fabulous tortoise-like creature, the sand cast out of whose mouth is believed deadly to humans

蜴 5259 ㄧˋ yì
as in 蜥蜴—a lizard

蜷 5260 ㄑㄩㄢˊ quán
to wriggle; to be coiled

蜷伏(ㄑㄩㄢˊ ㄈㄨˊ) to curl up
蜷曲(ㄑㄩㄢˊ ㄑㄩ) wriggly; twisted

蜻 5261 ㄑㄧㄥ qīng
a dragonfly

蜾 5262 ㄍㄨㄛˇ guǒ
a kind of wasp; the sphex

蜿 5263 ㄨㄢ wān
to creep; to wriggle; to wind up

蝀 5264 ㄉㄨㄥ dōng
(又讀 ㄉㄨㄥˋ dòng)
as in 蝃蝀—a rainbow

蜨 5265 ㄉㄧㄝˊ dié
a butterfly

蜺 5266 ㄋㄧˊ ní
the reflection of a rainbow

蜹 5267 ㄖㄨㄟˋ ruì
a gnat

九畫

〔虫部〕

〔虫部〕

蝙 5268
ㄅㄧㄢ biān
(又讀 ㄅㄧㄢˇ biǎn)
as in 蝙蝠—a bat

蝌 5269
ㄎㄜ kē
as in 蝌蚪—a tadpole

蝕 5270
ㄕˊ shí
1. to eclipse; an eclipse 2. to erode; to eat up slowly

蝗 5271
ㄏㄨㄤˊ huáng
as in 蝗蟲—a locust

蝘 5272
ㄧㄢˇ yǎn
1. a variety of cicada 2. a gecko

蝎 5273
ㄒㄧㄝ xiē
a scorpion

蝟 5274
ㄨㄟˋ wèi
a hedgehog

蝠 5275
ㄈㄨˊ fú
as in 蝙蝠—a bat

蝡 5276
ㄖㄨㄢˇ ruǎn
to wriggle

蝣 5277
ㄧㄡˊ yóu
as in 蜉蝣—an ephemera; a mayfly

蝤 5278
ㄑㄧㄡˊ qiú
1. the chrysalis of a kind of beetle 2. an ephemera; a mayfly

蝥 5279
ㄇㄠˊ máo
a kind of noxious insect that feeds on the roots of rice plants

蝦 5280
1. ㄒㄧㄚ xiā
a shrimp
蝦米(ㄒㄧㄚ ㄇㄧˇ)dried shrimps

蝦 5280
2. ㄏㄚˊ há
as in 蝦蟆—a toad

蝜 5281
ㄈㄨˋ fù
a kind of small insect which can move things many times its weight

蝨 5282
(虱) ㄕ shī
a louse

蝮 5283
ㄈㄨˋ fù
a viper

蝱 5284
(虻) ㄇㄥˊ méng
a gadfly

蝴 5285
ㄏㄨˊ hú
as in 蝴蝶—a butterfly

蝶 5286
(蜨) ㄉㄧㄝˊ dié
a butterfly

蝸 5287
ㄍㄨㄚ guā
as in 蝸牛—a snail

蝍 5288
ㄐㄧㄝˊ jié
1. a cricket 2. a centipede 3. a dragonfly

蝯 5289
(猿) ㄩㄢˊ yuán
a monkey

十畫

螗 5290
ㄊㄤˊ táng
a kind of cicada

螃 5291
ㄆㄤˊ páng
as in 螃蟹—a crab

螄 5292
ㄙ sī
a kind of mollusk with spiral shell

螈 5293
ㄩㄢˊ yuán
1. a kind of amphibious reptile; a salamander 2. a kind of silkworm

融 5294
ㄖㄨㄥˊ róng
1. very bright 2. to melt 3. to melt into; to harmonize 4. cheerful
融合or融和(ㄖㄨㄥˊ ㄏㄜˊ)to blend; to fuse
融化(ㄖㄨㄥˊ ㄏㄨㄚˋ)to melt; to fuse; to thaw
融洽(ㄖㄨㄥˊ ㄑㄧㄚˋ)harmonious

螓 5295
ㄑㄧㄣˊ qín
a kind of small cicada

螞 5296
ㄇㄚˇ mǎ
1. an ant 2. a kind of leech

螟 5297
ㄇㄧㄥˊ míng
the larva of *Chilo simplex*, a kind of moth
螟蛉子(ㄇㄧㄥˊ ㄌㄧㄥˊ ㄗˇ)an adopted son

螢 5298
ㄧㄥˊ yíng
as in 螢火蟲—a firefly; a glowworm
螢光(ㄧㄥˊ ㄍㄨㄤ)fluorescence
螢光幕(ㄧㄥˊ ㄍㄨㄤ ㄇㄨˋ)a screen

蟁 5299 (蚊) ㄨㄣˊ wén
a mosquito

螂 5300 ㄌㄤˊ láng
same as 蜋

十一畫

螫 5301 ㄓㄜ zhē (又讀 ㄕˋ shì)
1. a poisonous insect; a scorpion 2. to sting

螬 5302 ㄘㄠˊ cáo
a grub (the larva of a beetle)

螭 5303 ㄔ chī
a hornless dragon
螭魅 or 魑魅 (ㄔ ㄇㄟˋ) a man-eating goblin

螮 5304 (蝃) ㄉㄧˋ dì
a rainbow

螯 5305 ㄠˊ áo
nippers (of crabs, etc.)

螳 5306 ㄊㄤˊ táng
as in 螳螂—a mantis
螳臂當車 (ㄊㄤˊ ㄅㄧˋ ㄉㄤ ㄐㄩ) brave but rash attempts to do what is far beyond one's ability

螺 5307 ㄌㄨㄛˊ luó
1. a spiral shell; a conch 2. an alias of wine cups 3. a spiral
螺旋 (ㄌㄨㄛˊ ㄒㄩㄢˊ) a screw; a spiral
螺旋扳手 (ㄌㄨㄛˊ ㄒㄩㄢˊ ㄅㄢ ㄕㄡˇ) a spanner
螺旋槳 (ㄌㄨㄛˊ ㄒㄩㄢˊ ㄐㄧㄤˇ) a propeller; a screw
螺絲母 (ㄌㄨㄛˊ ·ㄙ ㄇㄨˇ) a nut (to go with a screw)
螺絲釘 (ㄌㄨㄛˊ ·ㄙ ㄉㄧㄥ) a male screw; an external screw; a screw
螺絲起子 (ㄌㄨㄛˊ ·ㄙ ㄑㄧˇ ·ㄗ) a screwdriver
螺絲鉗 (ㄌㄨㄛˊ ·ㄙ ㄑㄧㄢˊ) a wrench

螻 5308 ㄌㄡˊ lóu
a mole cricket

螽 5309 ㄓㄨㄥ zhōng
a katydid; a long-horned grasshopper; a locust

螿 5310 ㄐㄧㄤ jiāng
a kind of cicada

蟀 5311 ㄕㄨㄞˋ shuài (讀音 ㄕㄨㄛˋ shuò)
as in 蟋蟀—a cricket

蟄 5312 ㄓˊ zhí (語音 ㄓㄜˊ zhé)
to hibernate; hibernation
蟄居 (ㄓˊ ㄐㄩ) to live in seclusion; to cloister (oneself in)

蟆 5313 ㄇㄚˊ má (語音 ·ㄇㄚ ma)
as in 蝦蟆—a toad

蟈 5314 ㄍㄨㄛ guō
1. a frog 2. a mole cricket

蟋 5315 ㄒㄧ xī
as in 蟋蟀—a cricket (insect)

蟑 5316 ㄓㄤ zhāng
as in 蟑螂—a cockroach; a roach

蟊 5317 ㄇㄠˊ máo
insects that are injurious to crops
蟊賊 (ㄇㄠˊ ㄗㄜˊ) ① insects that eat the roots of grain plants ② persons that are injurious to society; vermin

十二畫

蟥 5318 ㄏㄨㄤˊ huáng
as in 螞蟥—a horseleech

蟒 5319 ㄇㄤˇ mǎng
1. as in 蟒蛇—a python; a boa 2. ceremonial robes worn by mandarins, or the embroidered patterns on such robes

蟠 5320 ㄆㄢˊ pán
1. to coil; to curl up 2. to occupy
蟠踞 (ㄆㄢˊ ㄐㄩˋ) to occupy

蟢 5321 ㄒㄧˇ xǐ
a kind of long-bodied and long-legged spider

蟣 5322 ㄐㄧˇ jǐ
1. larvae of lice 2. leeches

蟪 5323 ㄏㄨㄟˋ huì
a kind of bright-colored cicada

蟬 5324 ㄔㄢˊ chán
1. a cicada 2. continuous; uninterrupted
蟬聯 (ㄔㄢˊ ㄌㄧㄢˊ) ① to keep on without

〔虫部〕

〔虫部〕

interruption ②to stay on a position for another term

蟲 5325 ㄔㄨㄥˊ chóng
insects; worms

蟟 5326 ㄌㄧㄠˇ liǎo
as in 蛁蟟—*Pomponia maculaticollis,* a kind of cicada

蟮 5327 ㄕㄢˋ shàn
an earthworm

十三畫

蟹 5328 (蠏) ㄒㄧㄝˋ xiè
a crab
蟹黃(ㄒㄧㄝˋ ㄏㄨㄤˊ)crab spawn
蟹行(ㄒㄧㄝˋ ㄒㄧㄥˊ)to go sideways

蟶 5329 ㄔㄥ chēng
a razor clam; a razor shell

蟺 5330 (蟮) ㄕㄢˋ shàn
an earthworm

蟻 5331 ㄧˇ yǐ
an ant
蟻酸(ㄧˇ ㄙㄨㄢ)formic acid

蟾 5332 ㄔㄢˊ chán
a toad (especially the one supposed to live on the moon)
蟾蜍(ㄔㄢˊ ㄔㄨˊ)a toad

蠅 5333 ㄧㄥˊ yíng
a fly
蠅頭微利(ㄧㄥˊ ㄊㄡˊ ㄨㄟˊ ㄌㄧˋ)petty profits

蠆 5334 ㄔㄞˋ chài
a kind of scorpion

蠍 5335 ㄒㄧㄝ xiē
a scorpion

蠃 5336 ㄌㄨㄛˇ luǒ
the solitary wasp

十四畫

蠐 5337 ㄑㄧˊ qí
a grub (a kind of larva)

蠑 5338 ㄖㄨㄥˊ róng
1. a kind of mollusk 2. a kind of reptile

蠓 5339 ㄇㄥˇ měng
a kind of gnat; a midge; a biting midge

蠔 5340 ㄏㄠˊ háo
an oyster 亦作「牡蠣」
蠔油(ㄏㄠˊ ㄧㄡˊ)oyster sauce

蠕 5341 ㄖㄨㄢˇ ruǎn
as in 蠕動—to wriggle; to squirm

蠖 5342 ㄏㄨㄛˋ huò
a measuring worm; a looper
蠖屈(ㄏㄨㄛˋ ㄑㄩ)to humble onesel[f] temporarily (as a looper loops itsel[f] momentarily)

十五畫

蠟 5343 ㄌㄚˋ là
1. wax 2. a candle
蠟板(ㄌㄚˋ ㄅㄢˇ)a stencil plate
蠟筆(ㄌㄚˋ ㄅㄧˇ)a crayon
蠟像(ㄌㄚˋ ㄒㄧㄤˋ)a wax figure; a wax work
蠟燭(ㄌㄚˋ ㄓㄨˊ)a candle

蠡 5344 1. ㄌㄧˇ lǐ
1. a wood-boring insect 2. (said of insects) to bore or eat wood 3. worm-eaten

蠡 5344 2. ㄌㄧˊ lí
1. a calabash 2. a calabash shel[l] serving as a dipper; a dipper
蠡測(ㄌㄧˊ ㄘㄜˋ)to be very naive (like one trying to measure the ocean with a calabash)

蠢 5345 (惷) ㄔㄨㄣˇ chǔn
1. to wriggle; to squirm 2. stupid; foolish; dull; silly
蠢動(ㄔㄨㄣˇ ㄉㄨㄥˋ)①to wriggle; to squirm ②(said of enemy troops, etc.) to move busily in preparation for action
蠢才 or 蠢材(ㄔㄨㄣˇ ㄘㄞˊ)a fool; an idiot

蠣 5346 ㄌㄧˋ lì
an oyster 亦作「牡蠣」

十六畫

蠨 5347 ㄒㄧㄠ xiāo
Teraguatha, a kind of spider with long legs 亦作「喜蛛」

十七畫

蠱 5348 ㄍㄨˇ gǔ
1. poison; venom; harm 2. to bewitch; to enchant
蠱惑(ㄍㄨˇ ㄏㄨㄛˋ)to confuse by magic or witchcraft; to put under a spell

蠲 5349
ㄐㄩㄢ juān
1. a millipede 2. clean; pure 3. to clean; to wash; to cleanse 4. to remit or remove (taxes, sentences, etc.)

蠭 5350
(蜂) ㄈㄥ fēng
a bee; a wasp

十八畫

蠶 5351
ㄘㄢ cán
a silkworm
蠶豆(ㄘㄢ ㄉㄡˋ)a horse bean
蠶繭(ㄘㄢ ㄐㄧㄢˇ)the cocoon of the silkworm
蠶絲(ㄘㄢ ㄙ)natural silk; silk
蠶蛾(ㄘㄢ ㄜˊ)a silkworm moth

蠵 5352
ㄒㄧ xī
a kind of large-sized turtle

蠹 5353
(蠧) ㄉㄨˋ dù
1. a moth 2. moth-eaten; worm-eaten 3. an insect that eats up the resources —(figuratively) an embezzler

十九畫

蠻 5354
ㄇㄢˊ mán
1. barbarous; savage; barbarians in the south 2. quite; pretty; very; fairly
蠻不講理(ㄇㄢˊ ·ㄅㄨ ㄐㄧㄤˇ ㄌㄧˇ)savage; rude; brutal; unreasonable
蠻幹(ㄇㄢˊ ㄍㄢˋ)to go ahead without considering the consequences

二十畫

蠼 5355
ㄐㄩㄝˊ jué
1. a female monkey 亦作「玃」 2. a black insect with six legs, capable of ejecting poison for self-defense

血部
ㄒㄩㄝˋ xuè

血 5356
ㄒㄩㄝˋ xuè
(語音 ㄒㄧㄝˇ xiě)
1. blood; blood relationship 2. the menses
血本(ㄒㄧㄝˇ ㄅㄣˇ)the net cost; the original capital
血糖(ㄒㄧㄝˇ ㄊㄤˊ)blood sugar
血統(ㄒㄧㄝˇ ㄊㄨㄥˇ)blood relationship
血濃於水(ㄒㄧㄝˇ ㄋㄨㄥˊ ㄩˊ ㄕㄨㄟˇ) Blood is thicker than water.
血淚(ㄒㄧㄝˇ ㄌㄟˋ)tears and blood —extreme sorrow
血管(ㄒㄧㄝˇ ㄍㄨㄢˇ)blood vessels
血口噴人(ㄒㄧㄝˇ ㄎㄡˇ ㄆㄣ ㄖㄣˊ)to make false accusations against others
血庫(ㄒㄧㄝˇ ㄎㄨˋ)a blood bank
血海深仇(ㄒㄧㄝˇ ㄏㄞˇ ㄕㄣ ㄔㄡˊ)a blood feud
血汗(ㄒㄧㄝˇ ㄏㄢˋ)blood and sweat —hard toil
血汗錢(ㄒㄧㄝˇ ㄏㄢˋ ㄑㄧㄢˊ)money earned by very hard work or toil
血跡(ㄒㄧㄝˇ ㄐㄧ)bloodstained; bloodstains
血漿(ㄒㄧㄝˇ ㄐㄧㄤ)blood plasma
血氣(ㄒㄧㄝˇ ㄑㄧˋ)① one's temperament, disposition, etc. ② vigor ③ courageous and upright
血氣方剛(ㄒㄧㄝˇ ㄑㄧˋ ㄈㄤ ㄍㄤ)(said of youths) hot-tempered; easily excited
血球(ㄒㄧㄝˇ ㄑㄧㄡˊ)blood corpuscles; blood cells
血清(ㄒㄧㄝˇ ㄑㄧㄥ)serum
血型(ㄒㄧㄝˇ ㄒㄧㄥˊ)a blood type; a blood group
血型鑑定(ㄒㄧㄝˇ ㄒㄧㄥˊ ㄐㄧㄢˋ ㄉㄧㄥˋ) blood grouping
血戰(ㄒㄧㄝˇ ㄓㄢˋ)a fierce or bloody battle
血水(ㄒㄧㄝˇ ㄕㄨㄟˇ)blood
血案(ㄒㄧㄝˇ ㄢˋ)a bloody incident; a murder case
血壓(ㄒㄧㄝˇ ㄧㄚ)blood pressure
血液(ㄒㄧㄝˇ ㄧㄝˋ)the blood
血液循環(ㄒㄧㄝˇ ㄧㄝˋ ㄒㄩㄣˊ ㄏㄨㄢˊ) blood circulation
血友症(ㄒㄧㄝˇ ㄧㄡˇ ㄓㄥˋ)or 血友病(ㄒㄧㄝˇ ㄧㄡˇ ㄅㄧㄥˋ)hemophilia
血緣(ㄒㄧㄝˇ ㄩㄢˊ)blood relationship

四畫

衄 5357
ㄋㄩˋ nǜ
(又讀 ㄋㄧㄡˋ niù)
1. nose bleeding; a bleeding nose 2. to be defeated or given a bloody nose

六畫

衆 5358
(眾) ㄓㄨㄥˋ zhòng
1. a multitude; the crowd; the people 2. many; numerous 3. all

十五畫

衊 5359
ㄇㄧㄝˋ miè
1. to stain with blood 2. to slander; to trump up a charge; to smear

〔行部〕

行部
ㄒㄧㄥˊ xíng

行 5360
1. ㄒㄧㄥˊ xíng
1. to walk; to go on foot 2. to move; to travel 3. to do; to work 4. to publish 5. to be current; to prevail 6. able; capable 7. all right 8. baggage for travel 9. a road; a path 10. ready to...; immediately; soon
行不通(ㄒㄧㄥˊ ·ㄅㄨ ㄊㄨㄥ)① unable to pass ② won't do ③ impracticable
行騙(ㄒㄧㄥˊ ㄆㄧㄢˋ)to cheat; to swindle
行動電話(ㄒㄧㄥˊ ㄉㄨㄥˋ ㄉㄧㄢˋ ㄏㄨㄚˋ) a cellular phone
行動自如(ㄒㄧㄥˊ ㄉㄨㄥˋ ㄗˋ ㄖㄨˊ)to move freely
行囊(ㄒㄧㄥˊ ㄋㄤˊ)one's baggage and money for travel
行樂(ㄒㄧㄥˊ ㄌㄜˋ)to make merry
行禮(ㄒㄧㄥˊ ㄌㄧˇ)① to salute ②to undergo a ceremony
行李(ㄒㄧㄥˊ ㄌㄧˇ) or 行裝 (ㄒㄧㄥˊ ㄓㄨㄤ)baggage
行賄(ㄒㄧㄥˊ ㄏㄨㄟˋ)to bribe; to offer a bribe
行進(ㄒㄧㄥˊ ㄐㄧㄣˋ)to move forward; to march
行軍(ㄒㄧㄥˊ ㄐㄩㄣ)①the movement of an army ②the deployment of military forces
行軍牀(ㄒㄧㄥˊ ㄐㄩㄣ ㄔㄨㄤˊ)a cot
行期(ㄒㄧㄥˊ ㄑㄧˊ)the date of departure
行乞(ㄒㄧㄥˊ ㄑㄧˇ)to beg; to be a beggar
行竊(ㄒㄧㄥˊ ㄑㄧㄝˋ)to steal
行銷(ㄒㄧㄥˊ ㄒㄧㄠ)to sell
行險(ㄒㄧㄥˊ ㄒㄧㄢˇ)to take great risks
行星(ㄒㄧㄥˊ ㄒㄧㄥ)the planets
行刑(ㄒㄧㄥˊ ㄒㄧㄥˊ)① to execute (criminals); execution ② to torture (prisoners)
行兇(ㄒㄧㄥˊ ㄒㄩㄥ)to commit killing
行政(ㄒㄧㄥˊ ㄓㄥˋ)① government; administration of public affairs ② the executive branch of a government
行政區域(ㄒㄧㄥˊ ㄓㄥˋ ㄑㄩ ㄩˋ)an administrative district
行政權(ㄒㄧㄥˊ ㄓㄥˋ ㄑㄩㄢˊ)administrative power; executive authority
行政人員(ㄒㄧㄥˊ ㄓㄥˋ ㄖㄣˊ ㄩㄢˊ)an administrator
行車時間表(ㄒㄧㄥˊ ㄔㄜ ㄕˊ ㄐㄧㄢ ㄅㄧㄠˇ)schedules or timetables of trains
行程表(ㄒㄧㄥˊ ㄔㄥˊ ㄅㄧㄠˇ)an itinerary
行使(ㄒㄧㄥˊ ㄕˇ)to exercise (powers, etc.); to employ
行事(ㄒㄧㄥˊ ㄕˋ)① to proceed; to do something planned ② conduct or behavior ③ to deal with people
行事曆(ㄒㄧㄥˊ ㄕˋ ㄌㄧˋ)a calendar
行善(ㄒㄧㄥˊ ㄕㄢˋ)to do good deeds
行人(ㄒㄧㄥˊ ㄖㄣˊ)pedestrians; passers by
行人道(ㄒㄧㄥˊ ㄖㄣˊ ㄉㄠˋ)sidewalks of a street
行蹤 or 行踪(ㄒㄧㄥˊ ㄗㄨㄥ)tracks or whereabouts of a person
行刺(ㄒㄧㄥˊ ㄘˋ)to assassinate
行色匆匆(ㄒㄧㄥˊ ㄙㄜˋ ㄘㄨㄥ ㄘㄨㄥ)in a hurry to leave
行醫(ㄒㄧㄥˊ ㄧ)to practice medicine
行爲(ㄒㄧㄥˊ ㄨㄟˊ)①behavior ② (law) acts

行 5360
2. ㄒㄧㄥˋ xìng
one's conduct or behavior
行狀(ㄒㄧㄥˋ ㄓㄨㄤˋ)a brief biography of the deceased
行誼(ㄒㄧㄥˋ ㄧˋ)conduct and virtues

行 5360
3. ㄏㄤˊ háng
1. a row; a line; a series 2. a business firm; a company 3. a trade; a line; a profession 4. order of brothers (and sisters) according to seniority 5. a generation
行列(ㄏㄤˊ ㄌㄧㄝˋ)the rank and file
行規(ㄏㄤˊ ㄍㄨㄟ)guild regulations
行號(ㄏㄤˊ ㄏㄠˋ)shops; stores
行家(ㄏㄤˊ ·ㄐㄧㄚ)a professional; an expert
行情(ㄏㄤˊ ㄑㄧㄥˊ)① market prices of certain commodities ② general standing of a person in terms of finance, influence, popularity, etc.
行業(ㄏㄤˊ ㄧㄝˋ)a trade; an occupation

三畫

衍 5361
ㄧㄢˇ yǎn
1. to overflow; to spread out 2. ample 3. (said of fields) level; plane and even 4. a lake; a marsh 5. a slope 6. superfluous 7. a bamboo box
衍繹(ㄧㄢˇ ㄧˋ)to expound or elaborate

五畫

衒 5362
ㄒㄩㄢˋ xuàn
1. to brag; to boast; to show off 2. to recommend oneself

術 5363
1. ㄕㄨˋ shù
1. a skill; a feat 2. a way or method to do something
術科(ㄕㄨˋ ㄎㄜ)courses offered in school for vocational training or learning of skills, as practical mechanics, etc.

術士(ㄕㄨˋ ㄕˋ)① one who practices occult arts ② scholars
術語(ㄕㄨˋ ㄩˇ)technical terms

術 5363
2. ㄙㄨㄟˋ suì
an administrative district in ancient China in the suburbs of a city

六畫

衕 5364
ㄊㄨㄥˋ tòng
a lane; an alley

衖 5365
ㄌㄨㄥˋ lòng
a lane; an alley

街 5366
ㄐㄧㄝ jiē
a street; a road in a city
街坊(ㄐㄧㄝ ·ㄈㄤ)① neighbors ② neighborhood
街道(ㄐㄧㄝ ㄉㄠˋ)streets; roads in a city or town
街燈(ㄐㄧㄝ ㄉㄥ)street lights
街頭廣告(ㄐㄧㄝ ㄊㄡˊ ㄍㄨㄤˇ ㄍㄠˋ)outdoor advertising
街頭巷尾(ㄐㄧㄝ ㄊㄡˊ ㄒㄧㄤˋ ㄨㄟˇ)throughout the city
街談巷議(ㄐㄧㄝ ㄊㄢˊ ㄒㄧㄤˋ ㄧˋ)the talk of the town; street rumors

七畫

衙 5367
ㄧㄚˊ yá
a government office
衙門(ㄧㄚˊ ·ㄇㄣ)"*yamen*"—a government office in feudal China

九畫

衝 5368
1. ㄔㄨㄥ chōng
1. to rush; to thrust 2. to charge forward; to hit with force 3. a thoroughfare; a strategic place 4. to offend
衝鋒陷陣(ㄔㄨㄥ ㄈㄥ ㄒㄧㄢˋ ㄓㄣˋ)to charge ahead and take enemy positions
衝動(ㄔㄨㄥ ㄉㄨㄥˋ)①an impulse; a sudden urge ② to get excited
衝突(ㄔㄨㄥ ㄊㄨˊ)a conflict; a clash
衝勁(ㄔㄨㄥ ㄐㄧㄣˋ)aggressiveness
衝進(ㄔㄨㄥ ㄐㄧㄣˋ)to burst in; to rush in
衝撞(ㄔㄨㄥ ㄓㄨㄤˋ)① to collide ②to offend
衝出(ㄔㄨㄥ ㄔㄨ)to rush out; to dash out

衝 5368
2. ㄔㄨㄥˋ chòng
1. to head or go (south, north, etc.) 2. strong (smell) 3. brave and fierce 4. to take a nap 5. for (your, his, etc.) sake 6. to direct (one's attack, etc.) toward

衚 5369
ㄏㄨˊ hú
as in 衚衕—a lane; an alley

衛 5370
(衞) ㄨㄟˋ wèi
to guard or protect; to stand guard over

十畫

衞 5371
(衛) ㄨㄟˋ wèi
1. to guard; to protect; to defend 2. a keeper; a bodyguard; a guard
衞兵(ㄨㄟˋ ㄅㄧㄥ)(military) guard
衞冕(ㄨㄟˋ ㄇㄧㄢˇ)to defend a title
衞隊(ㄨㄟˋ ㄉㄨㄟˋ)bodyguards; guard units
衞星(ㄨㄟˋ ㄒㄧㄥ)satellites
衞生(ㄨㄟˋ ㄕㄥ)sanitation; public health
衞生局(ㄨㄟˋ ㄕㄥ ㄐㄩˊ)the bureau of public health
衞生學(ㄨㄟˋ ㄕㄥ ㄒㄩㄝˊ)hygiene
衞生紙(ㄨㄟˋ ㄕㄥ ㄓˇ)tissue paper
衞生設備(ㄨㄟˋ ㄕㄥ ㄕㄜˋ ㄅㄟˋ)sanitary facilities
衞生所(ㄨㄟˋ ㄕㄥ ㄙㄨㄛˇ)a public health clinic

衡 5372
ㄏㄥˊ héng
1. to weigh; to measure; to assess; to consider 2. horizontal 3. railings 4. a beam 5. the beam of a steelyard
衡量(ㄏㄥˊ ㄌㄧㄤˊ)to weigh; to measure; to consider

十八畫

衢 5373
ㄑㄩˊ qú
a thoroughfare; a highway junction

衣部
ㄧ yī

衣 5374
1. ㄧ yī
1. clothing; dress 2. a coating; a covering 3. skin or peel of fruits
衣鉢(ㄧ ㄅㄛ)teaching, skill, etc. handed down from a master to his pupil
衣服(ㄧ ·ㄈㄨ)clothes; clothing; dress
衣領(ㄧ ㄌㄧㄥˇ)a collar
衣架(ㄧ ㄐㄧㄚˋ)a rack for clothes
衣櫥(ㄧ ㄔㄨˊ)a wardrobe
衣食住行(ㄧ ㄕˊ ㄓㄨˋ ㄒㄧㄥˊ)food, clothing, housing and transportation —the four essential requirements of

〔衣部〕

the people
衣裳(丨·ㄕㄤ)clothes; garments; clothing

衣 5374
2. ㄧˋ yì
to clothe; to wear; to dress
衣錦還鄉(ㄧˋ ㄐㄧㄣˇ ㄏㄨㄢˊ ㄒㄧㄤ)to return home in glory

〔衣部〕

三畫

表 5375
ㄅㄧㄠˇ biǎo
1. outside; external; apparent; appearance 2. to manifest; to show 3. relatives on the side of one's mother's sisters or brothers; relatives on the side of one's father's sisters 4. a report to the emperor 5. a table; a schedule; a chart
表白(ㄅㄧㄠˇ ㄅㄞˊ)to express or state clearly
表皮(ㄅㄧㄠˇ ㄆㄧˊ)① the epidermis ② the cuticle (of plants)
表面(ㄅㄧㄠˇ ㄇㄧㄢˋ)on the surface; externally
表明(ㄅㄧㄠˇ ㄇㄧㄥˊ)to indicate or state clearly
表達(ㄅㄧㄠˇ ㄉㄚˊ)to express; to make known
表裏不一(ㄅㄧㄠˇ ㄌㄧˇ ㄅㄨˋ ㄧ)to think in one way and behave in another
表格(ㄅㄧㄠˇ ㄍㄜˊ)a form (for filling); a table
表姊妹(ㄅㄧㄠˇ ㄐㄧㄝˇ ㄇㄟˋ)female first cousins
表決(ㄅㄧㄠˇ ㄐㄩㄝˊ)to vote; to put to the vote
表決權(ㄅㄧㄠˇ ㄐㄩㄝˊ ㄑㄩㄢˊ)the right of voting
表情(ㄅㄧㄠˇ ㄑㄧㄥˊ)facial expression
表兄弟(ㄅㄧㄠˇ ㄒㄩㄥ ㄉㄧˋ)male first cousins
表彰(ㄅㄧㄠˇ ㄓㄤ)to honor; to cite
表示(ㄅㄧㄠˇ ㄕˋ)to express; to show
表率(ㄅㄧㄠˇ ㄕㄨㄞˋ)an example
表層(ㄅㄧㄠˇ ㄘㄥˊ)a surface layer
表演(ㄅㄧㄠˇ ㄧㄢˇ)to perform; a performance; a show
表揚(ㄅㄧㄠˇ ㄧㄤˊ)to praise in public

衫 5376
ㄕㄢ shān
a shirt; a garment; a gown

衩 5377
ㄔㄚˋ chà
slits on the lower part of a gown for freedom of movement

四畫

衰 5378
1. ㄕㄨㄞ shuāi
1. to decline; failing (health, etc.) 2. declining (nations, etc.)
衰老(ㄕㄨㄞ ㄌㄠˇ)senile; senility
衰落(ㄕㄨㄞ ㄌㄨㄛˋ)the decline and fall
衰竭(ㄕㄨㄞ ㄐㄧㄝˊ)exhaustion

衰 5378
2. ㄘㄨㄟ cuī
1. order or series — from the top downward 2. mourning garments (of hemp, etc.)

袂 5379
ㄇㄟˋ mèi
sleeves

衲 5380
ㄋㄚˋ nà
1. to sew; to mend; to patch 2. the robe of a monk 3. a monk

衵 5381
ㄋㄧˋ nì
a woman's underwear

衷 5382
ㄓㄨㄥ zhōng
1. the bottom of one's heart; sincere 2. good and virtuous 3. proper; appropriate 4. undergarments
衷情(ㄓㄨㄥ ㄑㄧㄥˊ)the feelings or affection in one's heart
衷心(ㄓㄨㄥ ㄒㄧㄣ)heartfelt; cordial
衷心感謝(ㄓㄨㄥ ㄒㄧㄣ ㄍㄢˇ ㄒㄧㄝˋ)to thank sincerely

衺 5383
(邪) ㄒㄧㄝˊ xié
evil

衽 5384
(袵) ㄖㄣˋ rèn
1. the lapel or collar of a garment 2. sleeves 3. to arrange (one's lapel, etc.) 4. a sleeping mat

衾 5385
ㄑㄧㄣ qīn
(又讀 ㄑㄧㄣˊ qín)
1. a large coverlet or quilt 2. garments or dress for the deceased

衿 5386
ㄐㄧㄣ jīn
1. the front of a Chinese gown 2. the lapel of a Chinese dress—worn by the literati in former days

袁 5387
ㄩㄢˊ yuán
the graceful look of a flowing robe

衮 5388
(袞) ㄍㄨㄣˇ gǔn
1. the imperial robe with embroidered dragons 2. robes of very high officials

五畫

袈 5389
ㄐㄧㄚ jiā
the cassock or robe of a Buddhist monk

袖 5390 ㄒㄧㄡˋ xiù
1. the sleeve 2. to hide or put things in sleeves
袖扣(ㄒㄧㄡˋ ㄎㄡˋ)cuff links
袖珍本(ㄒㄧㄡˋ ㄓㄣ ㄅㄣˇ)a pocket edition; a pocket book

袋 5391 ㄉㄞˋ dài
a bag; a sack; a pocket; a pouch
袋鼠(ㄉㄞˋ ㄕㄨˇ)the kangaroo

袍 5392 ㄆㄠˊ páo
a long gown; a robe
袍澤(ㄆㄠˊ ㄗㄜˊ)one's buddies in the army

袒 5393 ㄊㄢˇ tǎn
1. to bare; to strip; bared 2. to protect
袒露(ㄊㄢˇ ㄌㄨˋ)to expose
袒護(ㄊㄢˇ ㄏㄨˋ)to shield; to protect

袜 5394 1. ㄇㄛˋ mò
a stomacher

袜 5394 2. ㄨㄚˋ wà
a simplified form of 襪

袤 5395 ㄇㄠˋ mào
(又讀 ㄇㄡˋ mòu)
length; lengthwise—from north to south (as opposed to 廣)

袪 5396 ㄑㄩ qū
1. cuffs; sleeves 2. to raise the sleeves 3. to relieve

被 5397 1. ㄅㄟˋ bèi
1. bedding; a quilt 2. to cover 3. to spread 4. placed before verbs to show a passive voice 5. because of
被騙(ㄅㄟˋ ㄆㄧㄢˋ)to be swindled
被俘(ㄅㄟˋ ㄈㄨˊ)to be captured
被單兒(ㄅㄟˋ ㄉㄚㄦ)a bedsheet
被動(ㄅㄟˋ ㄉㄨㄥˋ)passive; to act on order
被套(ㄅㄟˋ ㄊㄠˋ)ticking
被虐待狂(ㄅㄟˋ ㄋㄩㄝˋ ㄉㄞˋ ㄎㄨㄤˊ) masochism
被告(ㄅㄟˋ ㄍㄠˋ)the accused; the defendant
被害(ㄅㄟˋ ㄏㄞˋ)to be killed
被搶(ㄅㄟˋ ㄑㄧㄤˇ)to be robbed
被褥(ㄅㄟˋ ㄖㄨˋ)coverlets and mattresses
被子(ㄅㄟˋ ·ㄗ)a quilt

被 5397 2.(披) ㄆㄧ pī
1. to put on or throw on (garments, etc.) without buttoning up 2. to open 3. to disperse or spread out 4. to read desultorily or to thumb through

袞 5398 (衮) ㄍㄨㄣˇ gǔn
the ceremonial dress of the emperor or very high officials

六畫

袴 5399 (絝、褲) ㄎㄨˋ kù
trousers; drawers; breeches; pants; panties

袱 5400 ㄈㄨˊ fú
as in 包袱—a bundle wrapped in cloth

袷 5401 1. ㄐㄧㄚˊ jiá
garments with linings

袷 5401 2. ㄐㄧㄝˊ jié
the lapel or collar of robes

裁 5402 ㄘㄞˊ cái
1. to cut paper, cloth, etc. with a knife or scissors 2. to diminish; to reduce 3. to delete 4. to consider; to discern; to decide; to judge 5. a form; a style 6. sanctions 7. to weight; to measure 8. to kill
裁兵(ㄘㄞˊ ㄅㄧㄥ)to reduce the number of troops
裁判(ㄘㄞˊ ㄆㄢˋ)① a judge; a referee; an umpire ② a verdict by law
裁縫①(ㄘㄞˊ ㄈㄥˊ)to tailor; to make dress ②(ㄘㄞˊ ·ㄈㄥ)a tailor
裁定(ㄘㄞˊ ㄉㄧㄥˋ)(law) a court decision on the legality of a case
裁減(ㄘㄞˊ ㄐㄧㄢˇ)to reduce; reduction
裁決(ㄘㄞˊ ㄐㄩㄝˊ)①to judge and decide ② a ruling; a judgment
裁決書(ㄘㄞˊ ㄐㄩㄝˊ ㄕㄨ)an award
裁軍(ㄘㄞˊ ㄐㄩㄣ)disarmament
裁撤(ㄘㄞˊ ㄔㄜˋ)to abolish
裁處(ㄘㄞˊ ㄔㄨˇ)to make an arrangement or decision after due consideration
裁員(ㄘㄞˊ ㄩㄢˊ)to lay off workers

裂 5403 ㄌㄧㄝˋ liè
1. to crack; a crack 2. to split or divide up (profits, etc.); to sever
裂縫(ㄌㄧㄝˋ ㄈㄥˋ)a crack or cleavage
裂開(ㄌㄧㄝˋ ㄎㄞ)to split; break apart
裂口(ㄌㄧㄝˋ ㄎㄡˇ)a crack; a chink
裂痕(ㄌㄧㄝˋ ㄏㄣˊ)①a chasm (in friendship, etc.)② a fissure; a split
裂紋(ㄌㄧㄝˋ ㄨㄣˊ)crackle

裉 5404 ㄎㄣˋ kèn
the seams below the sleeves in a garment

〔衣部〕

衽 5405 (衽) ㄖㄣˋ rèn
1. lapels; collars 2. sleeves 3. bedding

七畫

裊 5406 ㄋㄧㄠˇ niǎo
1. curling up (as smoke, etc.); wavering gently 2. around; all around, as sound of music or voices of spring

裋 5407 ㄕㄨˋ shù
cotton clothes of a boy servant

裙 5408 ㄑㄩㄣˊ qún
a skirt; a petticoat; an apron
裙帶關係(ㄑㄩㄣˊ ㄉㄞˋ ㄍㄨㄢ ㄒㄧˋ) apron-string influence or relationship
裙釵(ㄑㄩㄣˊ ㄔㄞ) petticoats and hairpins—women

裎 5409 ㄔㄥˊ chéng
bare or nude; naked; to bare

裏 5410 1. (裡) ㄌㄧˇ lǐ
1. within; inside 2. used to indicate time of day, night, a season, etc. 3. the lining of a dress or clothes
裏裏外外(ㄌㄧˇ ·ㄌㄧ ㄨㄞˋ ㄨㄞˋ) inside and out
裏應外合(ㄌㄧˇ ㄧㄥˋ ㄨㄞˋ ㄏㄜˊ) the joining of forces within and without

裏 5410 2. ·ㄌㄧ li
used after 這 and 那 to mean "here" and "there" respectively

裒 5411 ㄆㄡˊ póu
1. to collect; to gather; to scrape together 2. to reduce; to deduct

裔 5412 ㄧˋ yì
1. descendants; posterity 2. the hem of a garment, robe, etc. 3. remote or border regions

裕 5413 ㄩˋ yù
1. abundance; affluent; plenty 2. tolerant; lenient 3. generous; magnanimous 4. slowly; to take time
裕後光前(ㄩˋ ㄏㄡˋ ㄍㄨㄤ ㄑㄧㄢˊ) to enrich one's posterity and honor one's ancestors
裕如(ㄩˋ ㄖㄨˊ) ①affluent; rich ②to take it easy

裘 5414 ㄑㄧㄡˊ qiú
furs; any garments, robes, etc. of fur
裘馬輕肥(ㄑㄧㄡˊ ㄇㄚˇ ㄑㄧㄥ ㄈㄟˊ) wealthy; affluent

補 5415 ㄅㄨˇ bǔ
1. to repair; to mend 2. to add to; to supply 3. addenda; supplements 4. nutritious; nutrient 5. rich foods 6. to nourish 7. to make up; to subsidize 8. to appoint to or fill a post 9. to be of help
補票(ㄅㄨˇ ㄆㄧㄠˋ) to buy one's ticket after one gets on a bus, a train, etc.
補品(ㄅㄨˇ ㄆㄧㄣˇ) foods or medicines of highly nutritious value; tonics
補發(ㄅㄨˇ ㄈㄚ) to issue or distribute behind schedule
補靪 or 補釘(ㄅㄨˇ·ㄉㄧㄥ) patches (of a garment, etc.)
補考(ㄅㄨˇ ㄎㄠˇ) a make-up test
補給(ㄅㄨˇ ㄐㄧˇ) (military) provisions
補給站(ㄅㄨˇ ㄐㄧˇ ㄓㄢˋ) a supply depot
補救(ㄅㄨˇ ㄐㄧㄡˋ) to save the situation
補缺(ㄅㄨˇ ㄑㄩㄝ) to fill a vacancy
補習班(ㄅㄨˇ ㄒㄧˊ ㄅㄢ) a class for supplementary schooling
補血(ㄅㄨˇ ㄒㄧㄝˇ) to nourish the blood
補選(ㄅㄨˇ ㄒㄩㄢˇ) by-election
補助(ㄅㄨˇ ㄓㄨˋ) to subsidize
補助費(ㄅㄨˇ ㄓㄨˋ ㄈㄟˋ) a subsidy
補助金(ㄅㄨˇ ㄓㄨˋ ㄐㄧㄣ) a grant
補償(ㄅㄨˇ ㄔㄤˊ) to compensate; compensation
補足(ㄅㄨˇ ㄗㄨˊ) to make up a deficit
補牙(ㄅㄨˇ ㄧㄚˊ) to fill a tooth cavity
補藥(ㄅㄨˇ ㄧㄠˋ) tonics

裝 5416 ㄓㄨㄤ zhuāng
1. to fill in or up; to load 2. to pretend 3. to adorn; to dress or make up 4. to disguise 5. to store; to keep 6. to install (machines, equipment etc.) 7. clothes and personal effects
裝備(ㄓㄨㄤ ㄅㄟˋ) equipment
裝扮(ㄓㄨㄤ ㄅㄢˋ) ① to disguise ② adornment; make-up; attire
裝配(ㄓㄨㄤ ㄆㄟˋ) to assemble (a machine)
裝配工廠(ㄓㄨㄤ ㄆㄟˋ ㄍㄨㄥ ㄔㄤˇ) an assembly plant
裝配線(ㄓㄨㄤ ㄆㄟˋ ㄒㄧㄢˋ) an assembly line
裝滿(ㄓㄨㄤ ㄇㄢˇ) to fill up
裝模作樣(ㄓㄨㄤ ㄇㄨˊ ㄗㄨㄛˋ ㄧㄤˋ) to act affectedly; to be pretentious
裝訂(ㄓㄨㄤ ㄉㄧㄥˋ) to bind pages into a volume or book; binding
裝貨(ㄓㄨㄤ ㄏㄨㄛˋ) to load goods
裝潢(ㄓㄨㄤ ㄏㄨㄤˊ) ① to mount a painting ② to decorate (a room, shop, etc.); decoration
裝甲部隊(ㄓㄨㄤ ㄐㄧㄚˇ ㄅㄨˋ ㄉㄨㄟˋ)

armored troops
裝甲車(ㄓㄨㄤ ㄐㄧㄚˇ ㄔㄜ)an armored vehicle
裝卸(ㄓㄨㄤ ㄒㄧㄝˋ)to load and unload
裝修(ㄓㄨㄤ ㄒㄧㄡ)to decorate and repair
裝箱(ㄓㄨㄤ ㄒㄧㄤ)to pack in a box
裝飾品(ㄓㄨㄤ ㄕˋ ㄆㄧㄣˇ)an ornamental item
裝設(ㄓㄨㄤ ㄕㄜˋ)to install; to equip
裝子彈(ㄓㄨㄤ ㄗˇ ㄉㄢˋ)to load a gun

裟 5417 ㄕㄚ shā
a cassock or robe of a Buddhist monk

裛 5418 ㄧˋ yì
1.to wrap and bind 2.damp; dripping; wet 3. a book bag

裌 5419 (袷) ㄐㄧㄚˊ jiá
a lined garment or dress

八畫

裸 5420 ㄌㄨㄛˇ luǒ
bare; nude; naked
裸體(ㄌㄨㄛˇ ㄊㄧˇ)nude; naked

裰 5421 ㄉㄨㄛˊ duó
to darn; to mend; to patch (clothing)

裨 5422 1. ㄅㄧˋ bì
1. to aid; to supplement 2. to benefit

裨 5422 2. ㄆㄧˊ pí
1. small; petty 2. subordinate

裯 5423 ㄔㄡˊ chóu
a bed sheet

裱 5424 ㄅㄧㄠˇ biǎo
1. to mount (paintings, calligraphy, etc.) 2. a scarf
裱褙(ㄅㄧㄠˇ ㄅㄟˋ)to mount (paintings, etc.)
裱糊匠(ㄅㄧㄠˇ ㄏㄨˊ ㄐㄧㄤˋ)a mounting craftsman

裳 5425 ㄔㄤˊ cháng
(語音 ·ㄕㄤ shang as in 衣裳)
dress; garments; clothing

裴 5426 ㄆㄟˊ péi
the look of a flowing gown

裹 5427 ㄍㄨㄛˇ guǒ
1. to tie up; to wrap or bind 2. things wrapped, as a parcel 3.to surround; to encompass 4. to close in and force obedience
裹脅(ㄍㄨㄛˇ ㄒㄧㄝˊ)duress; to force to join
裹足不前(ㄍㄨㄛˇ ㄗㄨˊ ㄅㄨˋ ㄑㄧㄢˊ)to be afraid to move ahead; to hesitate to move forward

裼 5428 ㄒㄧˊ xí
1. to take off one's top garment 2. (in ancient China) a wrapper or outer garment worn over a fur

製 5429 ㄓˋ zhì
1.to produce; to make 2.to compose (writings, literature, etc.) 3. to cut out garments and make them 4. a form; a model; a pattern
製版(ㄓˋ ㄅㄢˇ)to make a printing plate
製片廠(ㄓˋ ㄆㄧㄢˋ ㄔㄤˇ)a movie studio
製品(ㄓˋ ㄆㄧㄣˇ)products; manufactures
製革(ㄓˋ ㄍㄜˊ)tanning
製造(ㄓˋ ㄗㄠˋ)to make; to produce
製作(ㄓˋ ㄗㄨㄛˋ)to make; to produce
製作人(ㄓˋ ㄗㄨㄛˋ ㄖㄣˊ)a producer

裾 5430 ㄐㄩ jū
the overlap of a robe; the hinder part of a garment; the lapel of a coat

褂 5431 ㄍㄨㄚˋ guà
an overcoat; a robe or gown; a jacket

九畫

複 5432 ㄈㄨˋ fù
1. double; overlapping 2. complex (concepts, etc.); compound (interest, etc.) 3. to repeat; to reiterate 4. a lined garment, dress, etc.
複利(ㄈㄨˋ ㄌㄧˋ)compound interest
複決權(ㄈㄨˋ ㄐㄩㄝˊ ㄑㄩㄢˊ)a referendum
複製品(ㄈㄨˋ ㄓˋ ㄆㄧㄣˇ)a reproduction (of the original article); a replica
複查(ㄈㄨˋ ㄔㄚˊ)to reinvestigate
複雜(ㄈㄨˋ ㄗㄚˊ)complex; complicated

褊 5433 ㄅㄧㄢˇ biǎn
1. narrow; small; petty 2. small size clothes 3. narrow minded
褊急(ㄅㄧㄢˇ ㄐㄧˊ)easily irritated

褌 5434 ㄎㄨㄣ kūn
trousers; drawers; short pants

褐 5435 ㄏㄜˊ hé
1. coarse woolen cloth; rough cloth 2. the poor or destitute 3. brown

〔衣部〕

褐炭(ㄏㄜˊ ㄊㄢˋ)brown coal, or lignite
褐色(ㄏㄜˊ ㄙㄜˋ)(color) brown

褓 5436
ㄅㄠˇ bǎo
1. swaddling bands; swaddling clothes 2. as in 襁褓—infancy
褓母(ㄅㄠˇ ㄇㄨˇ)a nurse; a baby-sitter

〔衣部〕

褘 5437
ㄏㄨㄟ huī
ceremonial gowns of a queen

褙 5438
ㄅㄟˋ bèi
to mount (paintings, or calligraphic works)

褚 5439
ㄔㄨˇ chǔ
1. a bag 2. to stuff a lined garment with cotton 3. to reserve; to save

褕 5440
ㄩˊ yú
1. beautiful or pretty (dresses, etc.) 2. a loose garment or cloak

褒 5441
(襃) ㄅㄠ bāo
1. to praise; to cite 2. big; great

十畫

褥 5442
ㄖㄨˋ rù
bedding; quilts or coverlets; a mattress; cushion; bedclothes

褦 5443
1. ㄋㄞˋ nài
1. ignorant; stupid; naive 2. a palm leaf hat worn in summer for shading the sun or rain
褦襶(ㄋㄞˋ ㄉㄞˋ)ignorant; naive

褦 5443
2. ㄌㄜ lē
untidily dressed
褦襶(ㄌㄜ ·ㄌㄜ)untidily dressed

褪 5444
ㄊㄨㄣˋ tùn
1. to take off one's clothing 2. to fall off; to fade, as color 3. to retreat; to move backward
褪色(ㄊㄨㄣˋ ㄙㄜˋ)color fading

褫 5445
ㄔˇ chǐ
1. to strip off; to deprive of 2. to undress forcibly
褫奪公權(ㄔˇ ㄉㄨㄛˊ ㄍㄨㄥ ㄑㄩㄢˊ)to deprive one of one's civil rights

褰 5446
ㄑㄧㄢ qiān
1. to lift or raise (one's dress, etc.) 2. trousers; pants 3. to shrink

褡 5447
ㄉㄚ dā
1. a kerchief hung at the waist 2. a purse; a tiny sack 3. worn clothes

褟 5448
ㄊㄚ tā
1. the lace-trimmed hem of a dress lace of a dress 2. a singlet

褲 5449
(袴) ㄎㄨˋ kù
drawers; trousers; pants
褲襪(ㄎㄨˋ ㄨㄚˋ)pantyhose

十一畫

褵 5450
(縭) ㄌㄧˊ lí
a bridal veil

褶 5451
1. ㄉㄧㄝˊ dié
a lined garment or dress

褶 5451
2. ㄓㄜˊ zhé
to fold; pleated
褶裙(ㄓㄜˊ ㄑㄩㄣˊ)a pleated skirt

褸 5452
ㄌㄩˇ lǚ
1. the collar or lapel of a garment 2. (said of clothes) tattered; in rags

襃 5453
(褒) ㄅㄠ bāo
1. to praise; to cite; to commend; a citation 2. big; great
襃貶(ㄅㄠ ㄅㄧㄢˇ)①to praise and disparage; criticisms ②to disparage; unfavorable criticisms
襃揚(ㄅㄠ ㄧㄤˊ)to cite; to commend; a citation

繈 5454
(襁) ㄑㄧㄤˇ qiǎng
swaddling clothes for an infant; a broad bandage for carrying an infant on the back

襄 5455
ㄒㄧㄤ xiāng
1. to assist 2. to achieve; to accomplish 3. to rise 4. high 5. to remove
襄理(ㄒㄧㄤ ㄌㄧˇ)①to help manage, arrange, etc. ②an assistant manager (of a bank)

褻 5456
(褻) ㄒㄧㄝˋ xiè
1. underwear; clothes worn in one's bedroom 2. dirty; filthy 3. to slight; to look down upon
褻瀆(ㄒㄧㄝˋ ㄉㄨˊ)① to slight; to abuse ② to bother others with trifles, etc.
褻衣(ㄒㄧㄝˋ ㄧ)undies; underwear

褳 5457
ㄌㄧㄢˊ lián
used in the phrase 褡褳—a pouch worn at the girdle

十二畫

襉 5458
ㄐㄧㄢˇ jiǎn
the pleats of a skirt

十三畫

襞 5459
ㄅㄧˋ bì
to fold clothes

襠 5460
ㄉㄤ dāng
the crotch or bottom of a pair of trousers, drawers or panties

襟 5461
ㄐㄧㄣ jīn
1. the lapel of a garment or robe 2. aspiration; ambition; the mental outlook 3. (said of waters) to converge 4. the husbands of one's sisters
襟懷(ㄐㄧㄣ ㄏㄨㄞˊ)one's feelings, ambitions, bosom, (breadth of) mind, etc.

襖 5462
ㄠˇ ǎo
a coat; a jacket or top garment padded with cotton or lined with fur

襜 5463
ㄔㄢ chān
1. the lower front of a robe, gown, etc. 2. clean and neat 3. shaking or vibrating; flapping, as of curtains

十四畫

襤 5464
ㄌㄢˊ lán
1. ragged garments; clothes without a hem 2. shabbily dressed
襤褸(ㄌㄢˊ ㄌㄩˇ) (said of clothes) tattered; in rags; ragged; shabby

襦 5465
ㄖㄨˊ rú
1. a short coat; a short top garment 2. the neckwear for babies 3. very fine silk fabric

十五畫

襪 5466
(袜) ㄨㄚˋ wà
stockings; socks
襪帶(ㄨㄚˋ ㄉㄞˋ)garters
襪子(ㄨㄚˋ ·ㄗ)stockings; socks

襬 5467
ㄅㄞˇ bǎi
the lower part of a Chinese long gown

十六畫

襯 5468
ㄔㄣˋ chèn
1. inner garments 2. to provide a background; to bring to the fore 3. a lining; a liner 4. to line
襯托(ㄔㄣˋ ㄊㄨㄛ)to set off; to embellish
襯裙(ㄔㄣˋ ㄑㄩㄣˊ)a petticoat
襯衫(ㄔㄣˋ ㄕㄢ)a shirt

襲 5469
ㄒㄧˊ xí
1. to put on; to wear 2. a set (of dress) 3. repeated; double 4. hereditary; to inherit 5. to attack by surprise 6. to plagiarize 7. to enter (a town, etc.) 8. to conform to
襲擊(ㄒㄧˊ ㄐㄧˊ)to make a raid

十七畫

襴 5470
ㄌㄢˊ lán
a one-piece garment

十八畫

襶 5471
1. ㄉㄞˋ dài
參看「褦襶(ㄋㄞˋ ㄉㄞˋ)」

襶 5471
2. ·ㄉㄜ de
參看「褦襶(ㄌㄜ ·ㄉㄜ)」

十九畫

襻 5472
ㄆㄢˋ pàn
1. a loop for a button 2. to tie or fasten with a rope, string, etc.

襾部
ㄧㄚˋ yà

西 5473
ㄒㄧ xī
1. west; the west; western 2. Western; the West; European; American; Occidental; foreign
西北(ㄒㄧ ㄅㄟˇ)northwest
西半球(ㄒㄧ ㄅㄢˋ ㄑㄧㄡˊ)the Western Hemisphere
西部(ㄒㄧ ㄅㄨˋ)the western part (of a territory); the West
西南(ㄒㄧ ㄋㄢˊ)southwest
西瓜(ㄒㄧ ㄍㄨㄚ) watermelons
西行(ㄒㄧ ㄒㄧㄥˊ)to go west
西裝(ㄒㄧ ㄓㄨㄤ)Western-style clothes
西式(ㄒㄧ ㄕˋ)Western-style
西沙羣島(ㄒㄧ ㄕㄚ ㄑㄩㄣˊ ㄉㄠˇ)Hsi-sha Chuntao (the Paracel Islands)
西藏(ㄒㄧ ㄗㄤˋ)① Tibet ② Tibetan
西餐(ㄒㄧ ㄘㄢ)Western food

三畫

〔見部〕

要 5474
1. ㄧㄠˋ yào
1. necessary; necessity 2. must; should 3. to want; to demand 4. to summarize; a summary 5. will; shall —to indicate the future tense 6. brief 7. if; in case
要不是(ㄧㄠˋ ·ㄅㄨ ㄕˋ)If it were not「for....或But for....」
要面子(ㄧㄠˋ ㄇㄧㄢˋ·ㄗ)to be anxious to keep up honor
要命(ㄧㄠˋ ㄇㄧㄥˋ)①very; awfully ② too much to endure; an awful nuisance
要犯(ㄧㄠˋ ㄈㄢˋ)an important or dangerous criminal
要飯的(ㄧㄠˋ ㄈㄢˋ ·ㄉㄜ)a beggar
要點(ㄧㄠˋ ㄉㄧㄢˇ)the main points
要害(ㄧㄠˋ ㄏㄞˋ)①fatal points in a human body ②strategic points
要件(ㄧㄠˋ ㄐㄧㄢˋ)①an important document ②a prerequisite
要訣(ㄧㄠˋ ㄐㄩㄝˊ)the secret of doing「something」
要職(ㄧㄠˋ ㄓˊ)an important post
要旨(ㄧㄠˋ ㄓˇ)key points; themes
要衝(ㄧㄠˋ ㄔㄨㄥ)a strategic position
要事(ㄧㄠˋ ㄕˋ)an important matter
要人(ㄧㄠˋ ㄖㄣˊ)a VIP; a person in the Who's Who; a prominent figure
要素(ㄧㄠˋ ㄙㄨˋ)essentials
要聞(ㄧㄠˋ ㄨㄣˊ)important news items

要 5474
2. ㄧㄠ yāo
1. to invite 2. to engage; to date 3. to ask for 4. to coerce; to force; to threaten 5. to stop 6. to censure
要求(ㄧㄠ ㄑㄧㄡˊ)to demand; to request
要挾(ㄧㄠ ㄒㄧㄝˊ)to blackmail

六畫

覃 5475
1. ㄊㄢˊ tán
1. to spread to; to involve 2. deep and vast; profound
覃思(ㄊㄢˊ ㄙ)deep in thought

覃 5475
2. ㄑㄧㄣˊ qín
a Chinese family name

十二畫

覆 5476
ㄈㄨˋ fù
1. to pour out 2. to topple; to upset 3. a reply; to reply 4. to defeat 5. to investigate; to examine carefully 6. to cover 7. to repeat; a second time; again 8. to hide
覆沒(ㄈㄨˋ ㄇㄛˋ)(said of an army) wiped out
覆核(ㄈㄨˋ ㄏㄜˊ)to reexamine; to re-「study」
覆信(ㄈㄨˋ ㄒㄧㄣˋ)①a letter in reply ② to reply a letter
覆轍(ㄈㄨˋ ㄔㄜˋ)(literally) the rut of an overturned cart—the lesson of a failure
覆審(ㄈㄨˋ ㄕㄣˇ)a retrial of a case
覆水難收(ㄈㄨˋ ㄕㄨㄟˇ ㄋㄢˊ ㄕㄡ)There is no use crying over spilt milk.

十三畫

覈 5477
(核) ㄏㄜˊ hé
1. to test; to examine 2. deep; deeply 3. the stone (of a fruit)
覈實(ㄏㄜˊ ㄕˊ)to examine the fact or「truth」

覇 5478
(霸) ㄅㄚˋ bà
1. the strong; the fierce ones 2. the head of nobility 3. to stand out; outstanding 4. hegemony

十七畫

覊 5479
(羈) ㄐㄧ jī
to travel; to be on a tour or trip

十九畫

覉 5480
(羈) ㄐㄧ jī
1. a halter 2. restriction; restraint 3. to live in another house; to stay in a place other than one's hometown

見部
ㄐㄧㄢˋ jiàn

見 5481
1. ㄐㄧㄢˋ jiàn
1. to see; to understand 2. to visit; to meet 3. to receive (visitors, etc.)
見不得人(ㄐㄧㄢˋ ·ㄅㄨ ·ㄉㄜ ㄖㄣˊ)too ashamed to show up in public
見面(ㄐㄧㄢˋ ㄇㄧㄢˋ)to come face to face
見分曉(ㄐㄧㄢˋ ㄈㄣ ㄒㄧㄠˇ)(said of results) to become known
見到(ㄐㄧㄢˋ ㄉㄠˋ)to meet; to see
見地(ㄐㄧㄢˋ ㄉㄧˋ)one's views, beliefs or ideas; insight
見多識廣(ㄐㄧㄢˋ ㄉㄨㄛ ㄕˊ ㄍㄨㄤˇ) experienced and knowledgeable
見諒(ㄐㄧㄢˋ ㄌㄧㄤˋ)to pardon me
見過世面(ㄐㄧㄢˋ ㄍㄨㄛˋ ㄕˋ ㄇㄧㄢˋ) experienced
見機行事(ㄐㄧㄢˋ ㄐㄧ ㄒㄧㄥˊ ㄕˋ)to act as the circumstances dictate
見解(ㄐㄧㄢˋ ㄐㄧㄝˇ)one's views, ideas

or observations about something
見教(ㄐㄧㄢˋ ㄐㄧㄠˋ)(a polite expression) your exhortations or teachings
見錢眼開(ㄐㄧㄢˋ ㄑㄧㄢˊ ㄧㄢˇ ㄎㄞ) greedy; avaricious
見習(ㄐㄧㄢˋ ㄒㄧˊ)apprenticeship
見效(ㄐㄧㄢˋ ㄒㄧㄠˋ)effective
見證(ㄐㄧㄢˋ ㄓㄥˋ)to bear witness
見識(ㄐㄧㄢˋ ㄕˊ)①knowledge and experience; scope ②to experience (something new)
見仁見知(ㄐㄧㄢˋ ㄖㄣˊ ㄐㄧㄢˋ ㄓˋ)to have different views or opinions
見死不救(ㄐㄧㄢˋ ㄙˇ ㄅㄨˋ ㄐㄧㄡˋ)to see someone in mortal danger without lifting a finger to save him
見異思遷(ㄐㄧㄢˋ ㄧˋ ㄙ ㄑㄧㄢ)unstable; unfaithful
見義勇爲(ㄐㄧㄢˋ ㄧˋ ㄩㄥˇ ㄨㄟˊ)to act heroically
見外(ㄐㄧㄢˋ ㄨㄞˋ)to treat as an outsider
見聞(ㄐㄧㄢˋ ㄨㄣˊ)what one has seen and heard—experience; knowledge

見 5481
2. (現) ㄒㄧㄢˋ xiàn
1.to appear; to be visible 2.to introduce

四畫

規 5482
ㄍㄨㄟ guī
1. regulations; laws; rules; customs or usages 2. a pair of compasses 3. to plan; to scheme 4. to advise so as to correct; to admonish
規避(ㄍㄨㄟ ㄅㄧˋ)to evade; to avoid
規模(ㄍㄨㄟ ㄇㄛˊ)scale; scope
規範(ㄍㄨㄟ ㄈㄢˋ)a norm; a standard
規定(ㄍㄨㄟ ㄉㄧㄥˋ)to rule; to specify
規律(ㄍㄨㄟ ㄌㄩˋ)regular; regularity
規格(ㄍㄨㄟ ㄍㄜˊ)specifications (of a manufactured item); standards
規畫(ㄍㄨㄟ ㄏㄨㄚˋ)to map out or draw up (a plan)
規矩(ㄍㄨㄟ ㄐㄩˇ)① rules ② gentlemanlike
規勸(ㄍㄨㄟ ㄑㄩㄢˋ)to admonish
規章(ㄍㄨㄟ ㄓㄤ)rules; regulations
規則(ㄍㄨㄟ ㄗㄜˊ)a rule or regulation

覓 5483
(覔) ㄇㄧˋ mì
to seek; to search or look for

五畫

覘 5484
ㄓㄢ zhān
to spy on; to see; to observe; to inspect; to investigate secretly

視 5485
ㄕˋ shì
1.to look at; to observe; to inspect; to see; to watch 2.to consider or regard as; to take it for 3.to compare; to be equivalent to
視聽教育(ㄕˋ ㄊㄧㄥ ㄐㄧㄠˋ ㄩˋ)audio-visual education
視力(ㄕˋ ㄌㄧˋ)the visual faculty; eyesight
視力表(ㄕˋ ㄌㄧˋ ㄅㄧㄠˇ)an eye chart
視覺(ㄕˋ ㄐㄩㄝˊ)vision
視線(ㄕˋ ㄒㄧㄢˋ)eyesight
視察(ㄕˋ ㄔㄚˊ)to inspect
視若無睹(ㄕˋ ㄖㄨㄛˋ ㄨˊ ㄉㄨˇ)to be undisturbed by what one has seen
視而不見(ㄕˋ ㄦˊ ㄅㄨˋ ㄐㄧㄢˋ) (literally) to look but see nothing—to ignore
視野(ㄕˋ ㄧㄝˇ)the field of vision

七畫

覡 5486
ㄒㄧˊ xí
a wizard

八畫

靦 5487
(靦) ㄊㄧㄢˇ tiǎn
ashamed

九畫

覦 5488
ㄩˊ yú
a strong desire for possession; to covet

覩 5489
(睹) ㄉㄨˇ dǔ
to see; to gaze at; to observe; to witness

親 5490
1. ㄑㄧㄣ qīn
1. parents 2. relatives 3. to love; intimate; near to; dear 4. personally; personal; in person; self 5. to kiss
親密(ㄑㄧㄣ ㄇㄧˋ)intimate; intimacy; close
親暱(ㄑㄧㄣ ㄋㄧˋ)intimate
親臨(ㄑㄧㄣ ㄌㄧㄣˊ)to arrive personally
親口(ㄑㄧㄣ ㄎㄡˇ) (said of words, etc.) right from one's own mouth
親和力(ㄑㄧㄣ ㄏㄜˊ ㄌㄧˋ)affability; amiability
親近(ㄑㄧㄣ ㄐㄧㄣˋ)to be near to or intimate with
親戚(ㄑㄧㄣ ㄑㄧ)relatives
親切(ㄑㄧㄣ ㄑㄧㄝˋ)intimately; kind
親信(ㄑㄧㄣ ㄒㄧㄣˋ)a confidant
親手(ㄑㄧㄣ ㄕㄡˇ)personally
親善(ㄑㄧㄣ ㄕㄢˋ)friendship or goodwill
親屬(ㄑㄧㄣ ㄕㄨˇ)relatives; family members
親熱(ㄑㄧㄣ ㄖㄜˋ)very intimate

〔見部〕

〔角部〕

親子關係(ㄑㄧㄣ ㄗˇ ㄍㄨㄢ ㄒㄧˋ) parent-child relations
親自(ㄑㄧㄣ ㄗˋ) personally
親嘴(ㄑㄧㄣ ㄗㄨㄟˇ) or 親吻 (ㄑㄧㄣ ㄨㄣˇ) to kiss
親愛(ㄑㄧㄣ ㄞˋ) love; affection; dear
親友(ㄑㄧㄣ ㄧㄡˇ) friends and relatives
親眼看見(ㄑㄧㄣ ㄧㄢˇ ㄎㄢˋ ㄐㄧㄢˋ) to witness

親 5490
2. ㄑㄧㄥˋ qìng
relatives by marriage
親家(ㄑㄧㄥˋ ·ㄐㄧㄚ) parents of the married couple
親家母(ㄑㄧㄥˋ ·ㄐㄧㄚ ㄇㄨˇ) mother of one's daughter-in-law or son-in-law
親家公(ㄑㄧㄥˋ ·ㄐㄧㄚ ㄍㄨㄥ) father of one's daughter-in-law or son-in-law

十畫

覬 5491
ㄐㄧˋ jì
as in覬覦—to covet; to desire something belonging to others

覯 5492
ㄍㄡˋ gòu
to meet

十一畫

覲 5493
ㄐㄧㄣˇ jǐn
(又讀 ㄐㄧㄣˋ jìn)
to have an audience with a chief of state

覷 5494
(覰、覻) ㄑㄩˋ qù
to spy on; to watch; to look; to gaze

十二畫

覶 5495
(覼) ㄌㄨㄛˊ luó
to see carefully

十三畫

覺 5496
1. ㄐㄩㄝˊ jué
1. to wake up from sleep 2. senses 3. to be conscious of; to sense 4. to awaken; to realize; to discover 5. to tell; to feel 6. high, large, and straight
覺得(ㄐㄩㄝˊ ·ㄉㄜ) ①to realize; to sense ②to feel ③to think
覺醒(ㄐㄩㄝˊ ㄒㄧㄥˇ) to wake up
覺悟(ㄐㄩㄝˊ ㄨˋ) to become aware; to realize

覺 5496
2. ㄐㄧㄠˋ jiào
a sleep; a nap

十四畫

覽 5497
ㄌㄢˇ lǎn
1. to look at; to sightsee 2. to read 3. to listen to (what others say)
覽勝(ㄌㄢˇ ㄕㄥˋ) to tour a resort

十五畫

覿 5498
ㄉㄧˊ dí
to meet; to see each other

十八畫

觀 5499
1. ㄍㄨㄢ guān
1. to see; to observe; to behold; to view; to take a view of; to look; to inspect 2. sights; views 3. to display 4. a point of view; a conception
觀摩(ㄍㄨㄢ ㄇㄛˊ) to emulate the good points of others
觀點(ㄍㄨㄢ ㄉㄧㄢˇ) a point of view
觀念(ㄍㄨㄢ ㄋㄧㄢˋ) a conception; an idea
觀禮(ㄍㄨㄢ ㄌㄧˇ) to attend a celebration or ceremony
觀光(ㄍㄨㄢ ㄍㄨㄤ) sightseeing
觀光團(ㄍㄨㄢ ㄍㄨㄤ ㄊㄨㄢˊ) a tourist group
觀光客(ㄍㄨㄢ ㄍㄨㄤ ㄎㄜˋ) a tourist
觀光簽證(ㄍㄨㄢ ㄍㄨㄤ ㄑㄧㄢ ㄓㄥˋ) a tourist visa
觀光事業(ㄍㄨㄢ ㄍㄨㄤ ㄕˋ ㄧㄝˋ) tourism
觀看(ㄍㄨㄢ ㄎㄢˋ) to look at; to see
觀衆(ㄍㄨㄢ ㄓㄨㄥˋ) the audience
觀察(ㄍㄨㄢ ㄔㄚˊ) to observe; to watch
觀賞(ㄍㄨㄢ ㄕㄤˇ) to see and enjoy
觀測(ㄍㄨㄢ ㄘㄜˋ) to observe and survey
觀音(ㄍㄨㄢ ㄧㄣ) the Goddess of Mercy
觀望(ㄍㄨㄢ ㄨㄤˋ) a wait-and-see attitude

觀 5499
2. ㄍㄨㄢˋ guàn
a Taoist temple or shrine

角部
ㄐㄩㄝˊ jué

角 5500
1. ㄐㄧㄠˇ jiǎo
1. the horn of an animal 2. a direction; a corner 3. an angle 4. a tenth of a dollar; a 10-cent piece 5. something in the shape of a horn 6. a cape; a promontory
角膜(ㄐㄧㄠˇ ㄇㄛˊ) (anatomy) cornea

角膜炎(ㄐㄧㄠˇ ㄇㄛˊ ㄧㄢˊ)keratitis
角度(ㄐㄧㄠˇ ㄉㄨˋ)an angle
角質(ㄐㄧㄠˇ ㄓˋ)horny; corneous

角 5500
2. (讀音) ㄐㄩㄝˊ jué
1. to compete; to contest; to wrestle 2. a corner 3. a dramatic role; a character 4. one of the five musical notes in ancient Chinese music
角力(ㄐㄩㄝˊ ㄌㄧˋ)to wrestle; wrestling
角落(ㄐㄩㄝˊ ㄌㄨㄛˋ)a corner
角逐(ㄐㄩㄝˊ ㄓㄨˊ)to contest (for a post, etc.)
角色(ㄐㄩㄝˊ ㄙㄜˋ)a role; a character

角 5500
3. ㄌㄨˋ lù
角里(ㄌㄨˋ ㄌㄧˇ)name of a place southwest of Soochow, Kiangsu Province

二畫

觔 5501
ㄐㄧㄣ jīn
1. sinews or muscular strength 亦作「筋」 2. a catty, equivalent to 1.10231 pounds
觔斗(ㄐㄧㄣ ㄉㄡˇ)a somersault

四畫

觖 5502
ㄐㄩㄝˊ jué
dissatisfied; discontented; not satisfactory

五畫

觚 5503
ㄍㄨ gū
1. an ancient wine vessel; a beaker or goblet 2. a corner; an angle; angular 3. a rule 4. a square 5. correspondence or a file, etc.

觝 5504
ㄉㄧˇ dǐ
to butt; to resist; to push

六畫

解 5505
1. ㄐㄧㄝˇ jiě
1. to unfasten 2. to solve (difficult problems, etc.) 3. to explain; to clarify; explanation 4. to understand 5. ideas; views 6. to break up, separate or disperse 7. to take off (clothing, etc.) 8. to relieve; to alleviate (pain, etc.) 9. to cut apart; to dissect 10. to dissolve 11. to discharge (water, etc.)
解剖(ㄐㄧㄝˇ ㄆㄡˇ)①anatomization ② to analyze; analysis
解聘(ㄐㄧㄝˇ ㄆㄧㄣˋ)to relieve one of his duties
解悶兒(ㄐㄧㄝˇ ㄇㄜˋㄦ)to kill time
解放(ㄐㄧㄝˇ ㄈㄤˋ)to liberate
解答(ㄐㄧㄝˇ ㄉㄚˊ)to answer or explain
解毒(ㄐㄧㄝˇ ㄉㄨˊ)to detoxify
解凍(ㄐㄧㄝˇ ㄉㄨㄥˋ)to thaw
解體(ㄐㄧㄝˇ ㄊㄧˇ)disintegration
解脫(ㄐㄧㄝˇ ㄊㄨㄛ)to free oneself from worldly worries
解囊(ㄐㄧㄝˇ ㄋㄤˊ)to contribute money to charities
解雇(ㄐㄧㄝˇ ㄍㄨˋ)to get fired; to fire
解雇通知書(ㄐㄧㄝˇ ㄍㄨˋ ㄊㄨㄥ ㄓ ㄕㄨ)a dismissal notice
解渴(ㄐㄧㄝˇ ㄎㄜˇ)to quench thirst
解開(ㄐㄧㄝˇ ㄎㄞ)to untie; to unbind
解惑(ㄐㄧㄝˇ ㄏㄨㄛˋ)to remove doubts
解救(ㄐㄧㄝˇ ㄐㄧㄡˋ)to rescue
解決(ㄐㄧㄝˇ ㄐㄩㄝˊ)to settle (a dispute, fight, etc.); to solve (a problem)
解除(ㄐㄧㄝˇ ㄔㄨˊ)to annul or cancel
解除武裝(ㄐㄧㄝˇ ㄔㄨˊ ㄨˇ ㄓㄨㄤ)to disarm
解釋(ㄐㄧㄝˇ ㄕˋ)to explain; explanation
解說(ㄐㄧㄝˇ ㄕㄨㄛ)to explain
解散(ㄐㄧㄝˇ ㄙㄢˋ)to dismiss (a group of soldiers in drill)
解憂(ㄐㄧㄝˇ ㄧㄡ)to alleviate sorrow
解圍(ㄐㄧㄝˇ ㄨㄟˊ)to resolve difficulties for others
解約(ㄐㄧㄝˇ ㄩㄝ)to annul a contract or agreement
解約金(ㄐㄧㄝˇ ㄩㄝ ㄐㄧㄣ)cancellation money
解約書(ㄐㄧㄝˇ ㄩㄝ ㄕㄨ)letter of cancellation

解 5505
2. ㄐㄧㄝˋ jiè
to escort (prisoners, goods, etc.) from one place to another; to forward

解 5505
3. ㄒㄧㄝˋ xiè
a Chinese family name

觥 5506
ㄍㄨㄥ gōng
1. a wine vessel made of horn in ancient times 2. big; great
觥籌交錯(ㄍㄨㄥ ㄔㄡˊ ㄐㄧㄠ ㄘㄨㄛˋ)to drink together noisily in a large party

七畫

觫 5507
ㄙㄨˋ sù
to shrink and tremble in fear

八畫

觭 5508
ㄐㄧ jī
1. (said of horns of an animal) one turning up and one turning down 2. to obtain; to get 3. odd (as contrasted to even) 亦作「奇」

〔言部〕

九畫

飍 5509 ㄅㄧˋ bì
1. a chilly wind 2. water emerging from ground

十畫

觳 5510 1. ㄏㄨˊ hú
1. a measure for volume in ancient times 2. to shrink and tremble in fear

觳 5510 2. ㄑㄩㄝˋ què
1. barren, unproductive (land) 2. simple and crude

十一畫

觴 5511 ㄕㄤ shāng
1. a general name of all sorts of wine vessels 2. to offer drinks to others

十三畫

觸 5512 ㄔㄨˋ chù
1. to touch; to contact 2. (said of an animal) to ram with the horn; to ram; to butt 3. to move or touch emotionally 4. to offend; to infuriate

觸媒(劑)(ㄔㄨˋ ㄇㄟˊ(ㄐㄧˋ))a catalyst
觸目驚心(ㄔㄨˋ ㄇㄨˋ ㄐㄧㄥ ㄒㄧㄣ) frightening
觸犯(ㄔㄨˋ ㄈㄢˋ)①to offend ②to violate
觸電(ㄔㄨˋ ㄉㄧㄢˋ)an electric shock
觸怒(ㄔㄨˋ ㄋㄨˋ)to infuriate
觸類旁通(ㄔㄨˋ ㄌㄟˋ ㄆㄤˊ ㄊㄨㄥ)to draw an analogy
觸角(ㄔㄨˋ ㄐㄧㄠˇ)feelers; tentacles; antennae
觸景生情(ㄔㄨˋ ㄐㄧㄥˇ ㄕㄥ ㄑㄧㄥˊ)The scene or circumstance arouses a sense (of joy, sorrow, etc.).
觸覺(ㄔㄨˋ ㄐㄩㄝˊ)the sense of touch

十八畫

觿 5513 ㄒㄧ xī
a bodkin made of ivory, horn, etc. used for undoing knots

言部
ㄧㄢˊ yán

言 5514 ㄧㄢˊ yán
1. speech; words 2. to say; to talk; to speak; to mean; to express 3. a language; a dialect; a tongue

言不由衷(ㄧㄢˊ ㄅㄨˋ ㄧㄡˊ ㄓㄨㄥ)not speaking one's mind
言談(ㄧㄢˊ ㄊㄢˊ)conversation
言聽計從(ㄧㄢˊ ㄊㄧㄥ ㄐㄧˋ ㄘㄨㄥˊ)to have full confidence in someone
言論(ㄧㄢˊ ㄌㄨㄣˋ)①open discussion ② speech
言論自由(ㄧㄢˊ ㄌㄨㄣˋ ㄗˋ ㄧㄡˊ)free- of speech
言歸正傳(ㄧㄢˊ ㄍㄨㄟ ㄓㄥˋ ㄓㄨㄢˋ) Let's go back to the main topic.
言和(ㄧㄢˊ ㄏㄜˊ)to make peace
言行(ㄧㄢˊ ㄒㄧㄥˊ)words and deeds
言詞or言辭(ㄧㄢˊ ㄘˊ)words or expressions
言而有信(ㄧㄢˊ ㄦˊ ㄧㄡˇ ㄒㄧㄣˋ)to be as good as one's word
言外之意(ㄧㄢˊ ㄨㄞˋ ㄓ ㄧˋ)overtones
言語(ㄧㄢˊ ㄩˇ)spoken language
言語無味(ㄧㄢˊ ㄩˇ ㄨˊ ㄨㄟˋ)insipid talk

二畫

計 5515 ㄐㄧˋ jì
1. a scheme; a plot; a trick; a coup; a trap; a ruse 2. a plan; a program; to discuss or plan 3. to calculate; to count 4. a mechanical measuring device

計謀(ㄐㄧˋ ㄇㄡˊ)a scheme; to scheme
計分(ㄐㄧˋ ㄈㄣ)to count scores
計畫 or 計劃(ㄐㄧˋ ㄏㄨㄚˋ)a plan
計較(ㄐㄧˋ ㄐㄧㄠˇ)or(ㄐㄧˋ ㄐㄧㄠˋ)①to dispute ②to mind; to care
計程車(ㄐㄧˋ ㄔㄥˊ ㄔㄜ)a taxi
計策(ㄐㄧˋ ㄘㄜˋ)a scheme; a device
計算(ㄐㄧˋ ㄙㄨㄢˋ)to calculate; calculation; to count
計算機(ㄐㄧˋ ㄙㄨㄢˋ ㄐㄧ)a calculating machine; a computer

訂 5516 ㄉㄧㄥˋ dìng
1. to draw up or conclude (a contract, treaty, agreement, etc.) 2. to subscribe to (a magazine, newspaper, etc.) 3. to edit; to collate; to revise; to make corrections 4. to arrange; to settle; to fix 5. to make reservations (in a hotel, restaurant, etc.)

訂報(ㄉㄧㄥˋ ㄅㄠˋ)to subscribe to a newspaper
訂房間(ㄉㄧㄥˋ ㄈㄤˊ ㄐㄧㄢ)to make room reservations
訂定(ㄉㄧㄥˋ ㄉㄧㄥˋ)to fix or arrange beforehand
訂立(ㄉㄧㄥˋ ㄌㄧˋ)to conclude or sign (a contract, agreement, treaty, etc.)
訂購(ㄉㄧㄥˋ ㄍㄡˋ)to order (a product) in advance
訂戶(ㄉㄧㄥˋ ㄏㄨˋ)a subscriber (to a newspaper, etc.)
訂貨(ㄉㄧㄥˋ ㄏㄨㄛˋ)to place an order

for goods
訂婚(ㄉㄧㄥˋ ㄏㄨㄣ)to engage or betroth
訂金(ㄉㄧㄥˋ ㄐㄧㄣ)deposit
訂正(ㄉㄧㄥˋ ㄓㄥˋ)to revise; to correct
訂閱(ㄉㄧㄥˋ ㄩㄝˋ)to subscribe to (a publication); subscription

訆 5517 ㄐㄧㄠˋ jiào
1. to call in a loud voice; to yell or scream 2. to tell a falsehood; to talk wildly

訃 5518 ㄈㄨˋ fù
a notice announcing the death of a person; an obituary
訃聞(ㄈㄨˋ ㄨㄣˊ)an obituary notice

訇 5519 ㄏㄨㄥ hōng
loudly; stentorian

三畫

討 5520 ㄊㄠˇ tǎo
1. to quell (an uprising or rebellion); to punish; to suppress; to put down 2. to denounce; to condemn 3. to marry (a wife or concubine) 4. to demand; to beg for; to get 5. to study; to examine into; to research
討伐(ㄊㄠˇ ㄈㄚˊ)to quell (an uprising, a rebellion, etc.)
討飯(ㄊㄠˇ ㄈㄢˋ)to beg for food; to be a beggar
討論(ㄊㄠˇ ㄌㄨㄣˋ)to discuss; discussion
討好(ㄊㄠˇ ㄏㄠˇ)to curry favor
討價還價(ㄊㄠˇ ㄐㄧㄚˋ ㄏㄨㄢˊ ㄐㄧㄚˋ)to bargain
討教(ㄊㄠˇ ㄐㄧㄠˋ)(a polite expression) May I ask for your advice?
討救兵(ㄊㄠˇ ㄐㄧㄡˋ ㄅㄧㄥ)to seek help
討債(ㄊㄠˇ ㄓㄞˋ)to demand repayment of a loan
討生活(ㄊㄠˇ ㄕㄥ ㄏㄨㄛˊ)to make a living
討人喜歡(ㄊㄠˇ ㄖㄣˊ ㄒㄧˇ ·ㄏㄨㄢ)likable; cute
討厭(ㄊㄠˇ ㄧㄢˋ)troublesome; disgusting

訐 5521 ㄐㄧㄝˊ jié
1. to pry into or expose another's secret 2. to accuse or charge; to defame; to malign (a person)

訊 5522 ㄒㄩㄣˋ xùn
1. to ask; to inquire; to question 2. information; news 3. to put on trial; to question in court; to interrogate; interrogation
訊息(ㄒㄩㄣˋ ㄒㄧˊ)news; information
訊問(ㄒㄩㄣˋ ㄨㄣˋ)to interrogate

訌 5523 ㄏㄨㄥˊ hóng
confusion; discord; strife; quarrel

訓 5524 ㄒㄩㄣˋ xùn
1. to lecture; to instruct; to teach; to exhort; to admonish 2. (to serve as) a lesson 3. an old proverb
訓導(ㄒㄩㄣˋ ㄉㄠˋ)to teach and guide
訓練(ㄒㄩㄣˋ ㄌㄧㄢˋ)to drill; to train; training
訓話(ㄒㄩㄣˋ ㄏㄨㄚˋ)to lecture; to exhort
訓誡(ㄒㄩㄣˋ ㄐㄧㄝˋ)to exhort and warn
訓斥(ㄒㄩㄣˋ ㄔˋ)to reprimand; to rebuke
訓示(ㄒㄩㄣˋ ㄕˋ)instructions

訕 5525 ㄕㄢˋ shàn
1. to laugh or sneer at 2. to slander; to abuse 3. embarrassed; awkward; shamefaced
訕笑(ㄕㄢˋ ㄒㄧㄠˋ)to laugh or sneer at

訖 5526 ㄑㄧˋ qì
1. to come to an end; to conclude; cleared or settled 2. until; up to亦作「迄」

託 5527 ㄊㄨㄛ tuō
1. to commission; to entrust to; to charge with; to rely on 2. to ask; to request 3. to consign; consignment 4. to use as an excuse or pretext 5. to send (messages, etc.) indirectly
託病(ㄊㄨㄛ ㄅㄧㄥˋ)on the pretext of being ill
託付(ㄊㄨㄛ ㄈㄨˋ)to entrust to
託兒所(ㄊㄨㄛ ㄦˊ ㄙㄨㄛˇ) a public nursery
託運(ㄊㄨㄛ ㄩㄣˋ)to consign for shipment
託運行李(ㄊㄨㄛ ㄩㄣˋ ㄒㄧㄥˊ ㄌㄧˇ) checked baggage

記 5528 ㄐㄧˋ jì
1. to remember; to call to mind; to bear or keep in mind 2. to record; to register 3. a book recording persons or things, anecdotes, etc. 4. seals or chops; a sign; a mark
記名投票(ㄐㄧˋ ㄇㄧㄥˊ ㄊㄡˊ ㄆㄧㄠˋ)to vote with signed ballot
記分(ㄐㄧˋ ㄈㄣ)①to record scores or points ②to register a student's mark
記分員(ㄐㄧˋ ㄈㄣ ㄩㄢˊ)a scorekeeper
記得(ㄐㄧˋ ·ㄉㄜ)to remember
記牢(ㄐㄧˋ ㄌㄠˊ)to commit to memory firmly
記錄(ㄐㄧˋ ㄌㄨˋ) ①to record ② a record亦作「紀錄」
記掛(ㄐㄧˋ ㄍㄨㄚˋ)to remember and be anxious about
記過(ㄐㄧˋ ㄍㄨㄛˋ)to record a demerit
記功(ㄐㄧˋ ㄍㄨㄥ)to record a merit

〔言部〕

〔言部〕

記號(ㄐㄧˋ ㄏㄠˋ)a mark; a sign
記恨(ㄐㄧˋ ㄏㄣˋ)to bear a grudge
記性(ㄐㄧˋ ·ㄒㄧㄥ)memory
記敍文(ㄐㄧˋ ㄒㄩˋ ㄨㄣˊ)narrative writing
記者(ㄐㄧˋ ㄓㄜˇ)a reporter
記者招待會(ㄐㄧˋ ㄓㄜˇ ㄓㄠ ㄉㄞˋ ㄏㄨㄟˋ)a press conference
記賬(ㄐㄧˋ ㄓㄤˋ)to buy or sell on credit
記仇(ㄐㄧˋ ㄔㄡˊ)to bear a grudge
記事册(ㄐㄧˋ ㄕˋ ㄘㄜˋ)an agenda
記述(ㄐㄧˋ ㄕㄨˋ)to record and narrate
記入(ㄐㄧˋ ㄖㄨˋ)to enter... in
記載(ㄐㄧˋ ㄗㄞˇ)to record; an account
記憶(ㄐㄧˋ ㄧˋ)memory or recollection
記憶力(ㄐㄧˋ ㄧˋ ㄌㄧˋ)the faculty of memory or recollection
記憶庫(ㄐㄧˋ ㄧˋ ㄎㄨˋ)(computer) a memory bank

訑 5529
1. ㄧˊ yí
overbearing; self-satisfaction; assuming

訑 5529
2. ㄊㄨㄛˊ tuó
to cheat

訒 5530
ㄖㄣˋ rèn
difficult to speak out; cautious in speech

訏 5531
ㄒㄩ xū
1. boasts; braggings 2. big; great 3. to sigh

四畫

訟 5532
ㄙㄨㄥˋ sòng
1. a lawsuit; litigation; to bring a dispute to court 2. to argue over the right and wrong of something; to dispute; to demand justice 3. publicly; in public
訟案(ㄙㄨㄥˋ ㄢˋ)a case at law

訛 5533
ㄜˊ é
1. rumors 2. errors; erroneous; wrong 3. to extort; to swindle; to deceive; to bluff 4. to move about 5. to change or transform
訛傳(ㄜˊ ㄔㄨㄢˊ)false rumors

訝 5534
ㄧㄚˋ yà
surprised or to express surprise; to wonder

訢 5535
ㄒㄧㄣ xīn
joy; delight; happy

訣 5536
ㄐㄩㄝˊ jué
1. to part; to separate 2. sorcery; an esoteric or occult art 3. a way or formula of doing something; the secret or knack of doing things
訣別(ㄐㄩㄝˊ ㄅㄧㄝˊ)to part forever
訣竅(ㄐㄩㄝˊ ㄑㄧㄠˋ)the secret or knack of doing something

訥 5537
ㄋㄜˋ nè (又讀 ㄋㄚˋ nà)
slow of speech; to stammer

訩 5538
ㄒㄩㄥ xiōng
1. (said of a crowd) noisy; loudly arguing 2. litigation; to be engaged in a lawsuit 3. disorders; miseries

訪 5539
ㄈㄤˇ fǎng
1. to visit; to call on 2. to inquire of or to look for; to find out
訪客(ㄈㄤˇ ㄎㄜˋ)a visitor; a caller
訪查(ㄈㄤˇ ㄔㄚˊ)to inquire about and investigate
訪問(ㄈㄤˇ ㄨㄣˋ)to visit
訪問團(ㄈㄤˇ ㄨㄣˋ ㄊㄨㄢˊ)a visiting mission

設 5540
ㄕㄜˋ shè
1. to lay out; to display 2. to establish; to set up; to found 3. to furnish; to provide 4. to arrange; to plan or devise 5. supposing that; what if; in case of
設備(ㄕㄜˋ ㄅㄟˋ)equipment; installations
設法(ㄕㄜˋ ㄈㄚˇ)to try
設立(ㄕㄜˋ ㄌㄧˋ)to establish; to set up
設計(ㄕㄜˋ ㄐㄧˋ)①to map out a plan, scheme or coup ②to devise
設計權(ㄕㄜˋ ㄐㄧˋ ㄑㄩㄢˊ)design rights
設想(ㄕㄜˋ ㄒㄧㄤˇ)to think; to imagine
設置(ㄕㄜˋ ㄓˋ)to establish; to set up
設施(ㄕㄜˋ ㄕ)(administrative) measures; installations
設身處地(ㄕㄜˋ ㄕㄣ ㄔㄨˇ ㄉㄧˋ)to put oneself in another's position
設宴(ㄕㄜˋ ㄧㄢˋ)to throw a banquet

許 5541
ㄒㄩˇ xǔ
1. to promise; to approve; to permit 2. to praise; to commend 3. (said of a young girl) to be betrothed; to promise to marry 4. to expect 5. perhaps; maybe 6. about; a little more than 7. a Chinese family name
許配(ㄒㄩˇ ㄆㄟˋ)(said of a girl) to betroth
許多(ㄒㄩˇ ㄉㄨㄛ)many; numerous
許可(ㄒㄩˇ ㄎㄜˇ)to approve
許可證(ㄒㄩˇ ㄎㄜˇ ㄓㄥˋ)a permit; a license
許久(ㄒㄩˇ ㄐㄧㄡˇ)for quite some time
許願(ㄒㄩˇ ㄩㄢˋ)① to make a vow (to a god) ② to promise somebody a reward

五畫

訴 5542 ㄙㄨˋ sù

1. to tell; to inform 2. to accuse; to file a complaint; to charge 3. to appeal; to petition 4. to resort to

訴苦(ㄙㄨˋ ㄎㄨˇ)to complain about one's grievances

訴諸武力(ㄙㄨˋ ㄓㄨ ㄨˇ ㄌㄧˋ)to resort to force

訴訟(ㄙㄨˋ ㄙㄨㄥˋ)a lawsuit

訶 5543 ㄏㄜ hē

to scold or blame in a loud voice

訶護(ㄏㄜ ㄏㄨˋ)divine protection

診 5544 ㄓㄣˇ zhěn (又讀 ㄓㄣ zhēn)

1. to examine (diseases, ailments, etc.); to diagnose 2. to tell; to report

診脈(ㄓㄣˇ ㄇㄞˋ)to feel the pulse

診斷(ㄓㄣˇ ㄉㄨㄢˋ)to diagnose (a disease)

診斷書(ㄓㄣˇ ㄉㄨㄢˋ ㄕㄨ)a written diagnosis

診療(ㄓㄣˇ ㄌㄧㄠˊ)or 診治(ㄓㄣˇ ㄓˋ)to diagnose and treat

診所(ㄓㄣˇ ㄙㄨㄛˇ)a clinic

註 5545 ㄓㄨˋ zhù

1. an explanatory note; a footnote; a commentary or remark; annotations 2. to register; to record or list

註明(ㄓㄨˋ ㄇㄧㄥˊ)to explain or state clearly in writing

註定(ㄓㄨˋ ㄉㄧㄥˋ)destined

註解(ㄓㄨˋ ㄐㄧㄝˇ)explanatory notes or commentaries; definition

註脚(ㄓㄨˋ ㄐㄧㄠˇ)footnotes

註銷(ㄓㄨˋ ㄒㄧㄠ)to cancel

註釋(ㄓㄨˋ ㄕˋ)explanatory notes

註册(ㄓㄨˋ ㄘㄜˋ)to register; registration

註册商標(ㄓㄨˋ ㄘㄜˋ ㄕㄤ ㄅㄧㄠ)a registered trademark

訾 5546 (訿) ㄗˇ zǐ

1. to slander; to traduce; to attack 2. faults; blemishes 3. to measure 4. to consider 5. to estimate 6. poor (food); meager

訾議(ㄗˇ ㄧˋ)unfavorable criticism

詁 5547 ㄍㄨˇ gǔ

1. explanatory notes or commentaries 2. to transcribe the classics in everyday language

詆 5548 ㄉㄧˇ dǐ

to censure; to slander; to defame

詆毀(ㄉㄧˇ ㄏㄨㄟˇ)to defame; to slander

詈 5549 ㄌㄧˋ lì

to scold, berate, upbraid, revile, or vituperate

詠 5550 (咏) ㄩㄥˇ yǒng

1. to sing; to chant; to hum 2. the chirping of birds

詠歎(ㄩㄥˇ ㄊㄢˋ)to sigh (usually in admiration)

詎 5551 ㄐㄩˋ jù

an interjection indicating surprise

詎料(ㄐㄩˋ ㄌㄧㄠˋ)unexpectedly

詐 5552 ㄓㄚˋ zhà

1. deceitful; false; fake; fraudulent; crafty; artful; cunning 2. to deceive; to cheat; to lie; to swindle; to pretend; to feign 3. to trick into; to bluff somebody into giving information

詐騙(ㄓㄚˋ ㄆㄧㄢˋ)to swindle

詐欺(ㄓㄚˋ ㄑㄧ)fraud; imposture; cheating

詐術(ㄓㄚˋ ㄕㄨˋ)fraud; cheating; chicanery; guile

詐財(ㄓㄚˋ ㄘㄞˊ)to cheat for money

詒 5553 ㄧˊ yí

1. words as a gift usually given on parting 2. to hand down to posterity

詔 5554 ㄓㄠˋ zhào

1. to proclaim; to announce 2. to instruct; to teach and direct; to coach 3. an imperial decree or mandate; an edict

詔令(ㄓㄠˋ ㄌㄧㄥˋ)an imperial decree or edict

評 5555 ㄆㄧㄥˊ píng

1. to comment; to criticize; to review 2. comments; reviews 3. to judge; a decision after comparison, etc. by a group, as judges in a beauty contest

評判(ㄆㄧㄥˊ ㄆㄢˋ)to criticize

評分(ㄆㄧㄥˊ ㄈㄣ)marks or points given by a judge

評定(ㄆㄧㄥˊ ㄉㄧㄥˋ)to evaluate

評斷(ㄆㄧㄥˊ ㄉㄨㄢˋ)to decide

評理(ㄆㄧㄥˊ ㄌㄧˇ)to ask a third party to judge which side is right

評量(ㄆㄧㄥˊ ㄌㄧㄤˊ)to weigh; to evaluate

評論(ㄆㄧㄥˊ ㄌㄨㄣˋ)to comment; to review

評論家(ㄆㄧㄥˊ ㄌㄨㄣˋ ㄐㄧㄚ)a commentator; a critic

評價(ㄆㄧㄥˊ ㄐㄧㄚˋ)to estimate

評註(ㄆㄧㄥˊ ㄓㄨˋ)critical notes

評議(ㄆㄧㄥˊ ㄧˋ)to discuss or judge the right or wrong of something

評語(ㄆㄧㄥˊ ㄩˇ)comments

詖 5556 ㄅㄧˋ bì

1. unfair; erroneous; wrong 2. to argue; to debate

詖辭(ㄅㄧˋ ㄘˊ)one-sided words

詛 5557
ㄗㄨˇ zǔ
1. to curse; to imprecate 2. to vow; to pledge; to take an oath
詛咒(ㄗㄨˇ ㄓㄡˋ)to curse

詞 5558
ㄘˊ cí
1. words; phrases; statements; speech; expressions 2. a part of speech in grammar 3. to talk, speak or tell 4. (Chinese literature) *tzu*, a form of poetry characterized by lines of irregular length
詞不達意(ㄘˊ ·ㄅㄨ ㄉㄚˊ ㄧˋ)The language cannot convey the ideas intended.
詞典(ㄘˊ ㄉㄧㄢˇ)a dictionary 亦作「辭典」
詞彙(ㄘˊ ㄏㄨㄟˋ)a vocabulary
詞句(ㄘˊ ㄐㄩˋ)expressions
詞曲(ㄘˊ ㄑㄩˇ)poems and songs
詞藻(ㄘˊ ㄗㄠˇ)ornate terms or expressions
詞語(ㄘˊ ㄩˇ)words and expressions; terms

詘 5559
ㄑㄩ qū
1. to bend; to crouch 2. to yield (to another's views, etc.); to submit 3. short

訿 5560
(訾) ㄗˇ zǐ
to defame or slander, etc.

証 5561
(證) ㄓㄥˋ zhèng
evidence; proof; a certificate; to certify

六畫

詣 5562
ㄧˋ yì
1. to go (to a place); to arrive 2. to visit; to call on 3. achievements; attainments

詡 5563
ㄒㄩˇ xǔ
1. to boast; to brag; to exaggerate 2. popular; to make widely known

詢 5564
ㄒㄩㄣˊ xún
1. to inquire; to ask 2. to deliberate and plan 3. truely; honesty
詢察(ㄒㄩㄣˊ ㄔㄚˊ)to investigate and inquire
詢問(ㄒㄩㄣˊ ㄨㄣˋ)to inquire; to ask
詢問處(ㄒㄩㄣˊ ㄨㄣˋ ㄔㄨˋ)an information desk

試 5565
ㄕˋ shì
1. to try; to test; to experiment; a trial; a test 2. to use 3. to examine; examination 4. to sound out; to put up a trial balloon 5. to compare
試飛(ㄕˋ ㄈㄟ)a test flight; a trial flight
試探(ㄕˋ ㄊㄢˋ)to test
試題(ㄕˋ ㄊㄧˊ)questions in a test or examination
試圖(ㄕˋ ㄊㄨˊ)to attempt; to try
試管(ㄕˋ ㄍㄨㄢˇ)a test tube
試管嬰兒(ㄕˋ ㄍㄨㄢˇ ㄧㄥ ㄦˊ)a test-tube baby
試卷(ㄕˋ ㄐㄩㄢˋ)a test paper
試想(ㄕˋ ㄒㄧㄤˇ)to think it over
試車(ㄕˋ ㄔㄜ)a trial run of a vehicle
試穿(ㄕˋ ㄔㄨㄢ)to try on (a garment shoes, etc.)
試一試(ㄕˋ ·ㄧ ·ㄕ)to try
試驗(ㄕˋ ㄧㄢˋ)an experiment; to experiment
試映(ㄕˋ ㄧㄥˋ)a preview (of a movie)
試用(ㄕˋ ㄩㄥˋ)to use on a trial basis

詩 5566
ㄕ shī
1. poetry; poems; poetic 2. anything of quality as an offspring of pure imagination 3. short for *The Book of Odes* edited by Confucius
詩篇(ㄕ ㄆㄧㄢ)poems
詩壇(ㄕ ㄊㄢˊ)the circle of poets
詩歌(ㄕ ㄍㄜ)poetry
詩集(ㄕ ㄐㄧˊ)a collection of poems
詩經(ㄕ ㄐㄧㄥ)*The Book of Odes*
詩句(ㄕ ㄐㄩˋ)a stanza or line in a poem
詩情畫意(ㄕ ㄑㄧㄥˊ ㄏㄨㄚˋ ㄧˋ)(said of a landscape) idyllic
詩學(ㄕ ㄒㄩㄝˊ)poetics
詩人(ㄕ ㄖㄣˊ)a poet
詩意(ㄕ ㄧˋ)the poetic quality

詫 5567
ㄔㄚˋ chà
1. surprised; to wonder 2. to boast 3. to cheat; to deceive 4. to inform
詫異(ㄔㄚˋ ㄧˋ)to be surprised

詬 5568
ㄍㄡˋ gòu
1. to insult; to shame 2. to berate; to vituperate; to abuse
詬病(ㄍㄡˋ ㄅㄧㄥˋ)to criticize

詭 5569
ㄍㄨㄟˇ guǐ
1. to cheat; to deceive; to feign; to defraud 2. strange; rare; odd; peculiar; uncanny; weird 3. cunning; shrewd; stealthy 4. to urge oneself; to consider as one's responsibility 5. to go against; to defy; to contradict
詭辯(ㄍㄨㄟˇ ㄅㄧㄢˋ)sophistry
詭計(ㄍㄨㄟˇ ㄐㄧˋ)a trick
詭計多端(ㄍㄨㄟˇ ㄐㄧˋ ㄉㄨㄛ ㄉㄨㄢ) very tricky or crafty
詭詐(ㄍㄨㄟˇ ㄓㄚˋ)tricky
詭異(ㄍㄨㄟˇ ㄧˋ)strange; odd

詮 5570
ㄑㄩㄢˊ quán

1. to explain; to expound 2. the truth or core of something 3. to weigh; to assess; to rate; to appraise
詮釋(ㄑㄩㄢ ㄕˋ)to interpret; to explain

詰 5571 ㄐㄧㄝˊ jié
1. to question; to interrogate 2. to punish 3. to prohibit; to restrain
詰屈聱牙(ㄐㄧㄝˊ ㄑㄩ ㄠˊ ㄧㄚˊ)(said of writings) hard and difficult to read
詰問(ㄐㄧㄝˊ ㄨㄣˋ)to demand an explanation angrily

話 5572 ㄏㄨㄚˋ huà
1. a speech, talk or conversation; words; sayings 2. to speak; to talk; to converse; to say 3. language
話別(ㄏㄨㄚˋ ㄅㄧㄝˊ)to bid farewell
話題(ㄏㄨㄚˋ ㄊㄧˊ)the topic of conversation or discussion
話筒(ㄏㄨㄚˋ ㄊㄨㄥˇ)a telephone transmitter
話家常(ㄏㄨㄚˋ ㄐㄧㄚ ㄔㄤˊ)to chitchat
話劇(ㄏㄨㄚˋ ㄐㄩˋ)a play or drama
話中有話(ㄏㄨㄚˋ ㄓㄨㄥ ㄧㄡˇ ㄏㄨㄚˋ) overtones in conversation

該 5573 ㄍㄞ gāi
1. should; ought to; obliged to 2. fated to; preordained 3. to owe 4. that; the said (person, place, matter, etc.) 5. to be somebody's turn to do something 6. to deserve 7. inclusive; complete
該罵(ㄍㄞ ㄇㄚˋ)to deserve a scolding
該打(ㄍㄞ ㄉㄚˇ)to deserve a flogging or spanking
該當(ㄍㄞ ㄉㄤ)ought to; should
該死(ㄍㄞ ㄙˇ)Go to hell! 或 Confounded!

詳 5574 ㄒㄧㄤˊ xiáng
1. complete; detailed; details; particulars; minute 2. to know; to know the details 3. please see...for details 4. to explain; to interpret
詳談(ㄒㄧㄤˊ ㄊㄢˊ)to speak in detail
詳解(ㄒㄧㄤˊ ㄐㄧㄝˇ)to explain in detail
詳盡(ㄒㄧㄤˊ ㄐㄧㄣˋ)detailed and complete
詳情(ㄒㄧㄤˊ ㄑㄧㄥˊ)details of an event, incident, etc.
詳細(ㄒㄧㄤˊ ·ㄒㄧ)in every detail and particular
詳註(ㄒㄧㄤˊ ㄓㄨˋ)copious (explanatory) notes
詳實(ㄒㄧㄤˊ ㄕˊ)detailed and accurate

詹 5575 ㄓㄢ zhān
1. to talk too much; verbosity 2. to reach 3. a Chinese family name

詼 5576 ㄏㄨㄟ huī
1. funny; humorous 2. to ridicule; to joke
詼諧(ㄏㄨㄟ ㄒㄧㄝˊ)funny; humorous

誄 5577 ㄌㄟˇ lěi
1. writings eulogizing a dead person; a speech, an ode, etc. in praise of the dead 2. to eulogize in prayer 3. to confer a posthumous title 4. to pray for the dead

誅 5578 ㄓㄨ zhū
1. to kill; to execute; execution; to put to death 2. to punish 3. to weed out; to exterminate

誇 5579 ㄎㄨㄚ kuā
1. to exaggerate; to boast; to brag 2. big; great 3. to show off; to flaunt 4. to praise
誇大(ㄎㄨㄚ ㄉㄚˋ)to exaggerate
誇大其詞(ㄎㄨㄚ ㄉㄚˋ ㄑㄧˊ ㄘˊ)to exaggerate
誇口(ㄎㄨㄚ ㄎㄡˇ)to boast; to brag
誇獎(ㄎㄨㄚ ㄐㄧㄤˇ)to praise
誇張(ㄎㄨㄚ ㄓㄤ)to exaggerate
誇讚(ㄎㄨㄚ ㄗㄢˋ)to praise; to extol
誇耀(ㄎㄨㄚ ㄧㄠˋ)to flaunt; to show off

詵 5580 ㄕㄣ shēn
1. to ask; to question 2. to address; to speak to 3. many; numerous

誆 5581 ㄎㄨㄤ kuāng
to lie; to cheat; to deceive; to hoax

詿 5582 ㄍㄨㄚˋ guà
1. an error; a mistake 2. to cheat; to deceive

七畫

認 5583 ㄖㄣˋ rèn
1. to recognize; to understand; to know; to make out; to identify 2. to admit; to acknowledge; to own 3. to accept; to resign oneself to 4. to enter into a certain relationship with; to adopt 5. to promise to do something; to subscribe
認明(ㄖㄣˋ ㄇㄧㄥˊ)to recognize
認命(ㄖㄣˋ ㄇㄧㄥˋ)to resign oneself to destiny
認定(ㄖㄣˋ ㄉㄧㄥˋ)to believe firmly
認同(ㄖㄣˋ ㄊㄨㄥˊ)to identify; identification
認同卡(ㄖㄣˋ ㄊㄨㄥˊ ㄎㄚˇ)an affinity card
認領(ㄖㄣˋ ㄌㄧㄥˇ)to identify and claim (a child, a lost article, etc.)
認股(ㄖㄣˋ ㄍㄨˇ)to become a shareholder
認可(ㄖㄣˋ ㄎㄜˇ)to approve
認清(ㄖㄣˋ ㄑㄧㄥ)to identify clearly

〔言部〕

〔言部〕

認知(ㄖㄣˋ ㄓ)cognition
認眞(ㄖㄣˋ ㄓㄣ)to be serious
認賬 or 認帳 (ㄖㄣˋ ㄓㄤˋ)① to acknowledge a debt ②to admit a mistake
認屍(ㄖㄣˋ ㄕ)to identify (dead) bodies
認識(ㄖㄣˋ ㄕˋ)to recognize; to know
認輸(ㄖㄣˋ ㄕㄨ)to concede defeat
認罪(ㄖㄣˋ ㄗㄨㄟˋ)to acknowledge a fault
認錯(ㄖㄣˋ ㄘㄨㄛˋ)to admit a fault
認爲(ㄖㄣˋ ㄨㄟˊ)to think that...; to consider that...

誌 5584 ㄓˋ zhì

1. to write down; to put down; to record 2. a record

誌慶(ㄓˋ ㄑㄧㄥˋ)or 誌喜(ㄓˋ ㄒㄧˇ)to offer congratulations

誑 5585 ㄎㄨㄤˊ kuáng (又讀 ㄍㄨㄤˋ guàng)

to deceive; to delude

誑言(ㄎㄨㄤˊ ㄧㄢˊ)a lie; wild talk

誓 5586 ㄕˋ shì

1. to pledge; to vow; to swear; a vow; an oath 2. to take an oath

誓不兩立(ㄕˋ •ㄅㄨ ㄌㄧㄤˇ ㄌㄧˋ)to vow to fight till oneself or the other party falls
誓詞(ㄕˋ ㄘˊ)an oath; a pledge
誓言(ㄕˋ ㄧㄢˊ)a solemn pledge; a vow

誕 5587 ㄉㄢˋ dàn

1. birth 2. preposterous; absurd 3. an initial particle

誕辰(ㄉㄢˋ ㄔㄣˊ)birthday
誕生(ㄉㄢˋ ㄕㄥ)birth

誘 5588 ㄧㄡˋ yòu

1. to guide; to lead 2. to decoy; to tempt; to allure; to lure; to captivate; to entice

誘騙(ㄧㄡˋ ㄆㄧㄢˋ)to induce by deceit
誘導(ㄧㄡˋ ㄉㄠˇ)to guide; to induce
誘拐(ㄧㄡˋ ㄍㄨㄞˇ)to seduce; to entice
誘惑(ㄧㄡˋ ㄏㄨㄛˋ)to entice; to lure
誘餌(ㄧㄡˋ ㄦˇ)①a bait ②a shill

誚 5589 ㄑㄧㄠˋ qiào

to blame; to reproach; to censure

誡 5590 ㄐㄧㄝˋ jiè

1. to warn; to admonish 2. a commandment

語 5591 1. ㄩˇ yǔ

1. language; speech 2. a word; a sentence; an expression 3. a saying; a proverb 4. a sign; a signal 5. to speak; to say; to talk

語病(ㄩˇ ㄅㄧㄥˋ)illogical use of words
語法(ㄩˇ ㄈㄚˇ)wording; grammar
語調(ㄩˇ ㄉㄧㄠˋ)the tone of one's speech; intonation
語態(ㄩˇ ㄊㄞˋ)(grammar) voice
語錄(ㄩˇ ㄌㄨˋ)quotations
語彙(ㄩˇ ㄏㄨㄟˋ)vocabulary
語氣(ㄩˇ ㄑㄧˋ)① (grammar) mood ② the tone (of one's speech)
語助詞(ㄩˇ ㄓㄨˋ ㄘˊ)an auxiliary
語重心長(ㄩˇ ㄓㄨㄥˋ ㄒㄧㄣ ㄔㄤˊ)One's words are serious and (one's) heart is thoughtful.
語意(ㄩˇ ㄧˋ)the meaning (of a word, phrase, sentence, etc.)
語焉不詳(ㄩˇ ㄧㄢ ㄅㄨˋ ㄒㄧㄤˊ)The statement is too brief to be clear.
語言(ㄩˇ ㄧㄢˊ)a language; speech
語言學(ㄩˇ ㄧㄢˊ ㄒㄩㄝˊ)linguistics; philology
語言實驗室(ㄩˇ ㄧㄢˊ ㄕˊ ㄧㄢˋ ㄕˋ)a language laboratory
語音學(ㄩˇ ㄧㄣ ㄒㄩㄝˊ)phonetics
語無倫次(ㄩˇ ㄨˊ ㄌㄨㄣˊ ㄘˋ)to talk incoherently
語文(ㄩˇ ㄨㄣˊ)language and literature

語 5591 2. ㄩˋ yù

to tell; to inform; to admonish

誠 5592 ㄔㄥˊ chéng

1. sincere; honest; cordial; sincerity 2. true; real; truly; indeed; actually

誠服(ㄔㄥˊ ㄈㄨˊ)to obey willingly
誠懇(ㄔㄥˊ ㄎㄣˇ)sincere
誠心(ㄔㄥˊ ㄒㄧㄣ)sincerity
誠心誠意(ㄔㄥˊ ㄒㄧㄣ ㄔㄥˊ ㄧˋ)earnestly and sincerely
誠摯(ㄔㄥˊ ㄓˋ)sincere
誠實(ㄔㄥˊ ㄕˊ)honest; upright
誠然(ㄔㄥˊ ㄖㄢˊ)certainly; surely
誠意(ㄔㄥˊ ㄧˋ)sincerity; good faith

誣 5593 ㄨˊ wú (語音 ㄨ wū)

to accuse falsely; to bring a false charge against

誣衊(ㄨˊ ㄇㄧㄝˋ)to slander; to libel
誣賴(ㄨˊ ㄌㄞˋ)to slander
誣告(ㄨˊ ㄍㄠˋ)to accuse falsely
誣陷(ㄨˊ ㄒㄧㄢˋ)to incriminate falsely

誤 5594 ㄨˋ wù

1. to err; a mistake; an error 2. to harm; to suffer; to injure 3. to delay 4. to miss 5. by mistake; by accident

誤導(ㄨˋ ㄉㄠˇ)to mislead

誤點(ㄨˋ ㄉㄧㄢˇ)(said of trains, etc.) to be behind time
誤會(ㄨˋ ㄏㄨㄟˋ)to misunderstand
誤解(ㄨˋ ㄐㄧㄝˇ)to misunderstand
誤信(ㄨˋ ㄒㄧㄣˋ)to misplace one's confidence
誤差(ㄨˋ ㄔㄚ)(mathematics) an error
誤事(ㄨˋ ㄕˋ)to bungle matters
誤認(ㄨˋ ㄖㄣˋ)to identify incorrectly
誤入歧途(ㄨˋ ㄖㄨˋ ㄑㄧˊ ㄊㄨˊ)to go astray (morally)

誥 5595 ㄍㄠˋ gào
1. to grant; to confer; to bestow 2. to admonish 3. a written admonition; an imperial mandate
誥命(ㄍㄠˋ ㄇㄧㄥˋ)a monarch's orders of conferment of titles

誦 5596 ㄙㄨㄥˋ sòng
1. to recite; to intone; to chant 2. poetry; poems; songs
誦經(ㄙㄨㄥˋ ㄐㄧㄥ)to recite passages from scriptures

誨 5597 ㄏㄨㄟˋ huì
(又讀 ㄏㄨㄟˇ huǐ)
1. to teach; to instruct 2. instructions 3. to admonish 4. to induce
誨人不倦(ㄏㄨㄟˋ ㄖㄣˊ ㄅㄨˋ ㄐㄩㄢˋ)to teach without weariness

說 5598 1. ㄕㄨㄛ shuō
1. to speak; to talk; to utter; to say 2. to explain; to clarify 3. a description; a narration; a statement 4. a theory 5. to scold; to talk to; a talking-to; a scolding
說不定(ㄕㄨㄛ ·ㄅㄨ ㄉㄧㄥˋ)maybe; perhaps
說不出口(ㄕㄨㄛ ·ㄅㄨ ㄔㄨ ㄎㄡˇ)unutterable
說破(ㄕㄨㄛ ㄆㄛˋ)to unravel or expose by some remarks
說媒(ㄕㄨㄛ ㄇㄟˊ)to propose a marriage as a matchmaker
說夢話(ㄕㄨㄛ ㄇㄥˋ ㄏㄨㄚˋ)①to talk in one's sleep ②to talk nonsense
說明(ㄕㄨㄛ ㄇㄧㄥˊ)to explain; to clarify
說明書(ㄕㄨㄛ ㄇㄧㄥˊ ㄕㄨ)a written explanation
說法(ㄕㄨㄛ ㄈㄚˇ)①to preach Buddhism ②a statement; a version
說風涼話(ㄕㄨㄛ ㄈㄥ ㄌㄧㄤˊ ㄏㄨㄚˋ)to talk like an unconcerned person
說大話(ㄕㄨㄛ ㄉㄚˋ ㄏㄨㄚˋ)to brag; to boast
說得過去(ㄕㄨㄛ ·ㄉㄜ ㄍㄨㄛˋ ·ㄑㄩ)acceptable
說到(ㄕㄨㄛ ㄉㄠˋ)to speak of; to mention
說來話長(ㄕㄨㄛ ㄌㄞˊ ㄏㄨㄚˋ ㄔㄤˊ)It is a long story....
說過(ㄕㄨㄛ ㄍㄨㄛˋ)to have said or mentioned
說好(ㄕㄨㄛ ㄏㄠˇ)to complete negotiations
說話(ㄕㄨㄛ ㄏㄨㄚˋ)to speak; to talk; to say
說謊(ㄕㄨㄛ ㄏㄨㄤˇ)to tell a lie; to lie
說謊者(ㄕㄨㄛ ㄏㄨㄤˇ ㄓㄜˇ)a liar
說教(ㄕㄨㄛ ㄐㄧㄠˋ)to preach
說起(ㄕㄨㄛ ㄑㄧˇ)①to start talking about ② with reference to; as for
說情(ㄕㄨㄛ ㄑㄧㄥˊ)to intercede
說笑話(ㄕㄨㄛ ㄒㄧㄠˋ ㄏㄨㄚˋ)to tell jokes
說閒話(ㄕㄨㄛ ㄒㄧㄢˊ ㄏㄨㄚˋ)to gossip
說出(ㄕㄨㄛ ㄔㄨ)to speak out
說穿(ㄕㄨㄛ ㄔㄨㄢ)to unravel or expose by some remarks
說書(ㄕㄨㄛ ㄕㄨ)to tell stories
說辭(ㄕㄨㄛ ㄘˊ)excuses; pretexts

說 5598 2. ㄕㄨㄟˋ shuì
to persuade; to influence
說服(ㄕㄨㄟˋ ㄈㄨˊ)to persuade; to convince

說 5598 3. (悅) ㄩㄝˋ yuè
to delight; to please

誒 5599 ㄝˋ ề
an exclamation of affirmation

八畫

課 5600 ㄎㄜˋ kè
1. a class meeting 2. a course (of study) 3. a lesson 4. to impose; to levy; tax 5. a session at divination 6. a suboffice or bureau 7. to supervise
課本(ㄎㄜˋ ㄅㄣˇ)a textbook
課表(ㄎㄜˋ ㄅㄧㄠˇ)school timetable
課堂(ㄎㄜˋ ㄊㄤˊ)a classroom
課題(ㄎㄜˋ ㄊㄧˊ)a theme
課程(ㄎㄜˋ ㄔㄥˊ)a curriculum
課程表(ㄎㄜˋ ㄔㄥˊ ㄅㄧㄠˇ)a school schedule
課稅(ㄎㄜˋ ㄕㄨㄟˋ)to levy taxes
課業(ㄎㄜˋ ㄧㄝˋ)schoolwork; lessons
課外活動(ㄎㄜˋ ㄨㄞˋ ㄏㄨㄛˊ ㄉㄨㄥˋ)extracurricular activities
課文(ㄎㄜˋ ㄨㄣˊ)the text or contents of a lesson
課餘(ㄎㄜˋ ㄩˊ)after school or class

誰 5601 ㄕㄟˊ shéi
(讀音 ㄕㄨㄟˊ shuí)
1. who 2. anyone; someone
誰知道(ㄕㄟˊ ㄓ ㄉㄠˋ)Who knows?
誰是誰非(ㄕㄟˊ ㄕˋ ㄕㄟˊ ㄈㄟ)Who is right and who is wrong?

〔言部〕

〔言部〕

誶 5602
ㄙㄨㄟˋ suì
to reproach; to scold; to upbraid

誹 5603
ㄈㄟˇ fěi
to attack; to condemn; to slander
誹謗(ㄈㄟˇ ㄅㄤˋ)to libel; to slander

誼 5604
ㄧˋ yì
(又讀 ㄧˊ yí)
1. friendship 2. same as 義—justice; righteousness

調 5605
1. ㄊㄧㄠˊ tiáo
1. to mix; to blend 2. to regulate; to adjust 3. balance; regular 4. to make fun of; to tease 5. to mediate
調配(ㄊㄧㄠˊ ㄆㄟˋ)①to mix ②to coordinate
調皮(ㄊㄧㄠˊ ㄆㄧˊ)naughty
調皮搗蛋(ㄊㄧㄠˊ ㄆㄧˊ ㄉㄠˇ ㄉㄢˋ)making troubles
調頻(ㄊㄧㄠˊ ㄆㄧㄣˊ)(electricity) frequency modulation(FM)
調幅(ㄊㄧㄠˊ ㄈㄨˊ)(radio) amplitude modulation (AM)
調停(ㄊㄧㄠˊ ㄊㄧㄥˊ)to mediate
調理(ㄊㄧㄠˊ ㄌㄧˇ)to nurse impaired health
調羹(ㄊㄧㄠˊ ㄍㄥ)a spoon
調侃(ㄊㄧㄠˊ ㄎㄢˇ)to scoff; to mock
調和(ㄊㄧㄠˊ ㄏㄜˊ)①to mix; to blend ②to harmonize
調劑(ㄊㄧㄠˊ ㄐㄧˋ)①to prepare drugs or medicines ②to adjust
調節(ㄊㄧㄠˊ ㄐㄧㄝˊ)①to regulate ②to moderate
調解(ㄊㄧㄠˊ ㄐㄧㄝˇ)to mediate
調情(ㄊㄧㄠˊ ㄑㄧㄥˊ)to flirt
調戲(ㄊㄧㄠˊ ㄒㄧˋ)to flirt with (women)
調整(ㄊㄧㄠˊ ㄓㄥˇ)to adjust
調人(ㄊㄧㄠˊ ㄖㄣˊ)a mediator
調色(ㄊㄧㄠˊ ㄙㄜˋ)to mix colors
調色板(ㄊㄧㄠˊ ㄙㄜˋ ㄅㄢˇ)a palette
調音(ㄊㄧㄠˊ ㄧㄣ)(music) tuning
調養(ㄊㄧㄠˊ ㄧㄤˇ)to nurse one's health
調味(ㄊㄧㄠˊ ㄨㄟˋ)to season foods
調味品(ㄊㄧㄠˊ ㄨㄟˋ ㄆㄧㄣˇ)seasoning; spice
調勻(ㄊㄧㄠˊ ㄩㄣˊ)to mix evenly

調 5605
2. ㄉㄧㄠˋ diào
1. to transfer; to move; to shift; to change 2. to collect; to mobilize 3. a tune; a melody; an accent; a tone
調包(ㄉㄧㄠˋ ㄅㄠ)to substitute an inferior thing in secret
調派(ㄉㄧㄠˋ ㄆㄞˋ)to assign
調度(ㄉㄧㄠˋ ㄉㄨˋ)①to dispatch; to manage ②a dispatcher
調動(ㄉㄧㄠˋ ㄉㄨㄥˋ)to transfer
調頭寸(ㄉㄧㄠˋ ㄊㄡˊ ㄘㄨㄣˋ)to scrape up enough cash
調換(ㄉㄧㄠˋ ㄏㄨㄢˋ)to exchange
調職(ㄉㄧㄠˋ ㄓˊ)to transfer to a new post
調查(ㄉㄧㄠˋ ㄔㄚˊ)to investigate
調任(ㄉㄧㄠˋ ㄖㄣˋ)to transfer to a new post
調子(ㄉㄧㄠˋ ·ㄗ)a tune; a melody; a tone
調走(ㄉㄧㄠˋ ㄗㄡˇ)to send away

諂 5606
ㄔㄢˇ chǎn
to flatter; to cringe; to fawn
諂媚(ㄔㄢˇ ㄇㄟˋ)to flatter; to toady; flattery

諄 5607
ㄓㄨㄣ zhūn
patient or earnest (in explaining teaching, etc.)
諄諄教誨(ㄓㄨㄣ ㄓㄨㄣ ㄐㄧㄠˋ ㄏㄨㄟˋ) to teach and admonish with patience

談 5608
ㄊㄢˊ tán
1. to talk; to converse; to chat 2. what is said or talked about; a talk gossip
談判(ㄊㄢˊ ㄆㄢˋ)negotiation; to negotiate
談天(ㄊㄢˊ ㄊㄧㄢ)to chat idly
談天說地(ㄊㄢˊ ㄊㄧㄢ ㄕㄨㄛ ㄉㄧˋ)to chat about all sorts of subjects
談吐(ㄊㄢˊ ㄊㄨˇ)the way a person talks
談論(ㄊㄢˊ ㄌㄨㄣˋ)to discuss
談話(ㄊㄢˊ ㄏㄨㄚˋ)conversation; a talk
談情說愛(ㄊㄢˊ ㄑㄧㄥˊ ㄕㄨㄛ ㄞˋ)(said of a couple in love) to chat intimately
談笑風生(ㄊㄢˊ ㄒㄧㄠˋ ㄈㄥ ㄕㄥ)to talk cheerfully and humorously
談心(ㄊㄢˊ ㄒㄧㄣ)to have a tête-à-tête

諉 5609
ㄨㄟˇ wěi
to shirk; to evade; to pass the buck

請 5610
ㄑㄧㄥˇ qǐng
1. to request; to ask; to beg; to beseech; to entreat 2. please 3. to hire; to seek the service of; to engage
請便(ㄑㄧㄥˇ ㄅㄧㄢˋ)as you please
請帖(ㄑㄧㄥˇ ㄊㄧㄝ) or 請柬(ㄑㄧㄥˇ ㄐㄧㄢˇ)an invitation card
請客(ㄑㄧㄥˇ ㄎㄜˋ)to invite guests
請假(ㄑㄧㄥˇ ㄐㄧㄚˋ)to ask for leave of absence
請教(ㄑㄧㄥˇ ㄐㄧㄠˋ)to consult
請求(ㄑㄧㄥˇ ㄑㄧㄡˊ)to request; to ask
請示(ㄑㄧㄥˇ ㄕˋ)to ask for instructions
請坐(ㄑㄧㄥˇ ㄗㄨㄛˋ)Please have a seat.
請罪(ㄑㄧㄥˇ ㄗㄨㄟˋ)①to ask for pun-

ishment ② to appeal for leniency
請辭(ㄑㄧㄥˇ ㄘˊ)to request permission to resign
請勿(ㄑㄧㄥˇ ㄨˋ)please don't
請問(ㄑㄧㄥˇ ㄨㄣˋ)May I ask you...?
請願(ㄑㄧㄥˇ ㄩㄢˋ)to petition

諍 5611 ㄓㄥ zhēng
1. to expostulate; to remonstrate; to criticize somebody's faults frankly; to admonish 2. to dispute; to compete; to vie 亦作「爭」
諍言(ㄓㄥ ㄧㄢˊ)a remonstrance

諏 5612 ㄗㄡ zōu
1. to confer 2. to consult; to seek the advice of

諑 5613 ㄓㄨㄛˊ zhuó
rumors

諒 5614 1. ㄌㄧㄤˋ liàng
1. honest; sincere 2. to forgive; to excuse 3. to conjecture; to guess; to infer 4. stubborn
諒解(ㄌㄧㄤˋ ㄐㄧㄝˇ)to forgive

諒 5614 2. ㄌㄧㄤˊ liáng
諒陰(ㄌㄧㄤˊ ㄢ)imperial mourning

論 5615 1. ㄌㄨㄣˋ lùn
1. to discuss; to comment on; to appraise; to evaluate; to talk about 2. to debate; to dispute; to argue 3. a theory; a system of thoughts; an essay 4. to mention; to regard; to consider 5. by; in terms of
論調(ㄌㄨㄣˋ ㄉㄧㄠˋ)the tone or argument
論點(ㄌㄨㄣˋ ㄉㄧㄢˇ)an issue
論斷(ㄌㄨㄣˋ ㄉㄨㄢˋ)to discuss and judge
論壇(ㄌㄨㄣˋ ㄊㄢˊ)the world of criticism
論理(ㄌㄨㄣˋ ㄌㄧˇ)to reason
論及(ㄌㄨㄣˋ ㄐㄧˊ)to touch upon
論戰(ㄌㄨㄣˋ ㄓㄢˋ)controversy; debate
論政(ㄌㄨㄣˋ ㄓㄥˋ)to discuss politics
論證(ㄌㄨㄣˋ ㄓㄥˋ)proof
論述(ㄌㄨㄣˋ ㄕㄨˋ)to discuss
論說文(ㄌㄨㄣˋ ㄕㄨㄛ ㄨㄣˊ)an argumentative treatise
論文(ㄌㄨㄣˋ ㄨㄣˊ)a treatise; a thesis

論 5615 2. ㄌㄨㄣˊ lún
an alternative of 論(ㄌㄨㄣˋ) for some phrases
論語(ㄌㄨㄣˊ ㄩˇ)*The Analects of Confucius*, one of the *Four Books*

諗 5616 ㄕㄣˇ shěn
1. to think of 2. to let know; to tell; to announce 3. to remonstrate 4. to hide; to conceal

諆 5617 ㄑㄧ qī
to cheat

九畫

諡 5618 (謚) ㄕˋ shì
a posthumous title

諭 5619 ㄩˋ yù
1. to notify or inform by a directive, edict, etc.; to instruct; to tell 2. a decree; an edict; an instruction; a command
諭示(ㄩˋ ㄕˋ)to notify or announce by an edict or decree

諼 5620 ㄒㄩㄢ xuān
1. to deceive; to fail in promise or appointment 2. to forget

諵 5621 ㄋㄢˊ nán
to chatter; to gabble

諛 5622 ㄩˊ yú
to flatter; to toady
諛辭(ㄩˊ ㄘˊ)flattering words

諜 5623 ㄉㄧㄝˊ dié
1. glib; garrulous; voluble 亦作「喋」 2. spying; espionage
諜報(ㄉㄧㄝˊ ㄅㄠˋ)a spy's report

諞 5624 1. ㄆㄧㄢˊ pián
to quibble

諞 5624 2. ㄆㄧㄢˇ piǎn
to boast; to show off

諠 5625 (喧) ㄒㄩㄢ xuān
to bawl; to shout
諠譁(ㄒㄩㄢ ㄏㄨㄚˊ)turmoil; a hubbub

諢 5626 ㄏㄨㄣˋ hùn
ridicule; derision; a joke; a jest
諢名(ㄏㄨㄣˋ ㄇㄧㄥˊ)a nickname

諤 5627 ㄜˋ è
honest speech; frank comments

諦 5628 ㄉㄧˋ dì
1. attentive; careful 2. (Buddhism) truth; true meaning
諦聽(ㄉㄧˋ ㄊㄧㄥ)to listen attentively

諧 5629 ㄒㄧㄝˊ xié
1. harmonious; congruous; in har-

〔言部〕

mony; in accord 2. to come to an agreement; to settle 3. to joke; to jest; funny; humorous
諧和(ㄒㄧㄝˊ ㄏㄜˊ)harmony
諧星(ㄒㄧㄝˊ ㄒㄧㄥ)a comedian

〔言部〕

諫 5630 ㄐㄧㄢˋ jiàn
to admonish; to remonstrate
諫言(ㄐㄧㄢˋ ㄧㄢˊ)admonition

諮 5631 ㄗ zī
1. to inquire; to confer; to consult 2. an official communication between offices of the same level
諮詢(ㄗ ㄒㄩㄣˊ)to inquire and consult
諮商(ㄗ ㄕㄤ)(psychology) counseling

諱 5632 ㄏㄨㄟˋ huì
1. to conceal; to hide 2. to shun; to avoid; taboo 3. name of a deceased elder member of the family
諱言(ㄏㄨㄟˋ ㄧㄢˊ)to avoid mentioning something

諳 5633 ㄢ ān
familiar with; skilled in; versed in

諝 5634 ㄒㄩˇ xǔ
1. wisdom; sagacity 2. a clever idea; a stratagem

諶 5635 ㄔㄣˊ chén
1. sincere; honest; candid 2. a Chinese family name

諷 5636 ㄈㄥˋ fèng
1. to recite; to chant 2. to satirize; to mock; to ridicule 3. to admonish in a roundabout way
諷刺(ㄈㄥˋ ㄘˋ)① to satirize ② irony
諷刺畫(ㄈㄥˋ ㄘˋ ㄏㄨㄚˋ)a caricature

諸 5637 ㄓㄨ zhū
1. all; various 2. a contraction of 之乎 or 之於 (as prepositions — in, to, from, etc.)
諸多(ㄓㄨ ㄉㄨㄛ)many; numerous; a lot of
諸侯(ㄓㄨ ㄏㄡˊ)the feudal princes
諸如(ㄓㄨ ㄖㄨˊ)such as
諸如此類(ㄓㄨ ㄖㄨˊ ㄘˇ ㄌㄟˋ)various things like this
諸位(ㄓㄨ ㄨㄟˋ)Ladies and Gentlemen

諺 5638 ㄧㄢˋ yàn
a proverb; an aphorism; a saying; a saw; an adage
諺語(ㄧㄢˋ ㄩˇ)a proverb

諾 5639 ㄋㄨㄛˋ nuò
1. to assent 2. to promise; to pledge
諾貝爾獎(ㄋㄨㄛˋ ㄅㄟˋ ㄦˇ ㄐㄧㄤˇ)Nobel prizes
諾言(ㄋㄨㄛˋ ㄧㄢˊ)a promise; a pledge

謀 5640 ㄇㄡˊ móu
1. to scheme; to plan; to plot; to design; to devise 2. a scheme; a stratagem; a plan; a conspiracy 3. astute; resourceful 4. to consult 5. to seek; to try to get
謀面(ㄇㄡˊ ㄇㄧㄢˋ)to meet each other
謀反(ㄇㄡˊ ㄈㄢˇ)to plot a revolt
謀利(ㄇㄡˊ ㄌㄧˋ)to seek profit
謀略(ㄇㄡˊ ㄌㄩㄝˋ)a strategy; a plot
謀害(ㄇㄡˊ ㄏㄞˋ)to plot against someone
謀求(ㄇㄡˊ ㄑㄧㄡˊ)to try to get; to seek
謀職(ㄇㄡˊ ㄓˊ)to hunt for a job
謀殺(ㄇㄡˊ ㄕㄚ)to murder
謀生(ㄇㄡˊ ㄕㄥ)to make a living

謁 5641 ㄧㄝˋ yè
to have an audience with; to see a superior
謁見(ㄧㄝˋ ㄐㄧㄢˋ)to have an audience with

謂 5642 ㄨㄟˋ wèi
1. to tell; to say 2. to name; to call; to designate 3. to think; to be of the opinion; to assume 4. meaning; sense

諲 5643 ㄧㄣ yīn
to respect; to venerate

諰 5644 ㄒㄧˇ xǐ
1. to speak frankly 2. apprehensive

諴 5645 ㄒㄧㄢˊ xián
1. in harmony 2. sincerity; honesty

諟 5646 ㄕˋ shì
1. yes; to be 亦作「是」 2. to examine and correct

謔 5647 ㄋㄩㄝˋ nüè
1. to jest; to joke; to banter; to tease 2. to ridicule; to satirize

十畫

謎 5648 ㄇㄧˊ mí (又讀 ㄇㄟˋ mèi)
a riddle; a puzzle; a conundrum; an enigma; a mystery
謎底(ㄇㄧˊ ㄉㄧˇ)an answer to a riddle
謎語(ㄇㄧˊ ㄩˇ)a riddle; a conundrum

謄 5649 ㄊㄥˊ téng
to transcribe; to copy
謄本(ㄊㄥˊ ㄅㄣˇ)a transcript; a copy
謄寫(ㄊㄥˊ ㄒㄧㄝˇ)to copy; to transcribe

謊 5650
ㄏㄨㄤˇ huǎng
a lie; to lie
謊話(ㄏㄨㄤˇ ㄏㄨㄚˋ) or 謊言(ㄏㄨㄤˇ ㄧㄢˊ) a lie

謅 5651
ㄗㄡ zōu
to talk nonsense

謇 5652
ㄐㄧㄢˇ jiǎn
1. to stutter; to stammer 2. to speak out boldly
謇謇(ㄐㄧㄢˇ ㄐㄧㄢˇ) faithful; loyal

謏 5653
ㄒㄧㄠˇ xiǎo
1. small; little 2. to induce

謐 5654
ㄇㄧˋ mì
silent; quiet; serene; still
謐靜(ㄇㄧˋ ㄐㄧㄥˋ) quiet; tranquil

謗 5655
ㄅㄤˋ bàng
to slander; to libel; to condemn
謗言(ㄅㄤˋ ㄧㄢˊ) a libel; a slander

謙 5656
ㄑㄧㄢ qiān
modest; humble; retiring; self-effacing
謙卑(ㄑㄧㄢ ㄅㄟ) humble; modest
謙恭(ㄑㄧㄢ ㄍㄨㄥ) respectful
謙和(ㄑㄧㄢ ㄏㄜˊ) modest and good-natured
謙虛(ㄑㄧㄢ ㄒㄩ) modest; self-effacing
謙遜(ㄑㄧㄢ ㄒㄩㄣˋ) humble; modest
謙讓(ㄑㄧㄢ ㄖㄤˋ) to yield from modesty

講 5657
ㄐㄧㄤˇ jiǎng
1. to speak; to talk; to say 2. to pay particular attention to; to be particular about; to be elaborate about 3. to explain; to explicate 4. as far as something is concerned; as to; when it comes to; as regards 5. to have recourse to
講評(ㄐㄧㄤˇ ㄆㄧㄥˊ) to review (a literary work, a game, etc., especially in speech)
講道(ㄐㄧㄤˇ ㄉㄠˋ) to preach
講臺(ㄐㄧㄤˇ ㄊㄞˊ) a platform; a dais; a podium; a rostrum
講題(ㄐㄧㄤˇ ㄊㄧˊ) the topic
講理(ㄐㄧㄤˇ ㄌㄧˇ) to reason
講稿(ㄐㄧㄤˇ ㄍㄠˇ) lecture notes
講課(ㄐㄧㄤˇ ㄎㄜˋ) to teach; to lecture
講和(ㄐㄧㄤˇ ㄏㄜˊ) to make peace
講話(ㄐㄧㄤˇ ㄏㄨㄚˋ) to talk; to speak
講價(ㄐㄧㄤˇ ㄐㄧㄚˋ) to haggle over prices
講解(ㄐㄧㄤˇ ㄐㄧㄝˇ) to explain discuss and
講究(ㄐㄧㄤˇ ㄐㄧㄡˋ) ① to be particular or elaborate (about something) ② tasteful
講求(ㄐㄧㄤˇ ㄑㄧㄡˊ) to strive for
講習(ㄐㄧㄤˇ ㄒㄧˊ) short-term training or instruction
講笑話(ㄐㄧㄤˇ ㄒㄧㄠˋ ·ㄏㄨㄚ) to tell jokes
講師(ㄐㄧㄤˇ ㄕ) a lecturer; an instructor
講授(ㄐㄧㄤˇ ㄕㄡˋ) to teach
講述(ㄐㄧㄤˇ ㄕㄨˋ) to explain and discuss (subjects, problems, etc.)
講座(ㄐㄧㄤˇ ㄗㄨㄛˋ) a lectureship
講義(ㄐㄧㄤˇ ㄧˋ) teacher's handouts at school
講演(ㄐㄧㄤˇ ㄧㄢˇ) a speech

謝 5658
ㄒㄧㄝˋ xiè
1. to thank 2. to decline 3. to fade; to wither 4. a Chinese family name
謝幕(ㄒㄧㄝˋ ㄇㄨˋ) a curtain call
謝天謝地(ㄒㄧㄝˋ ㄊㄧㄢ ㄒㄧㄝˋ ㄉㄧˋ) Thank God!
謝禮(ㄒㄧㄝˋ ㄌㄧˇ) a gift sent as a token of gratitude
謝客(ㄒㄧㄝˋ ㄎㄜˋ) to decline to see visitors
謝絕(ㄒㄧㄝˋ ㄐㄩㄝˊ) to decline
謝絕參觀(ㄒㄧㄝˋ ㄐㄩㄝˊ ㄘㄢ ㄍㄨㄢ) No visitors allowed.
謝謝(ㄒㄧㄝˋ ·ㄒㄧㄝ) Thank you. 或 Thanks.
謝罪(ㄒㄧㄝˋ ㄗㄨㄟˋ) to apologize
謝意(ㄒㄧㄝˋ ㄧˋ) gratitude; appreciation

謠 5659
ㄧㄠˊ yáo
1. rumor 2. a ballad; a folk song; a song
謠傳(ㄧㄠˊ ㄔㄨㄢˊ) according to rumor
謠言(ㄧㄠˊ ㄧㄢˊ) unfounded report; rumor

謖 5660
ㄙㄨˋ sù
1. folded; closed 2. to rise; to raise

謟 5661
ㄊㄠ tāo
confusing; uncertain

謚 5662
ㄕˋ shì
to confer posthumous titles 亦作「諡」

十一畫

謾 5663
1. ㄇㄢˋ màn
1. to scorn; to disdain 2. disrespectful; rude
謾罵(ㄇㄢˋ ㄇㄚˋ) to fling abuse

謾 5663
2. ㄇㄢˊ mán
to deceive

謷 5664
ㄠˊ áo
1. to slander; to revile; to abuse 2. massive and great

謦 5665
ㄑㄧㄥˋ qìng

〔言部〕

to cough slightly

謦欬(ㄑㄧㄥˇ ㄎㄞˋ)talking and laughing

謨 5666
ㄇㄛˊ mó

1. a plan; a course of action 2. to have no; without; to lack

謫 5667
ㄓㄜˊ zhé

1. to censure; to reproach 2. to punish; to penalize 3. one's fault 4. to exile; to banish(an official)to a distant place

謫居(ㄓㄜˊ ㄐㄩ)to live in exile

謬 5668
ㄇㄧㄡˋ miù
(又讀 ㄋㄧㄡˋ niù)

1. incorrect; wrong; erroneous; mistaken 2. absurd; unreasonable

謬論(ㄇㄧㄡˋ ㄌㄨㄣˋ)an absurd statement

謬誤(ㄇㄧㄡˋ ㄨˋ)an error; fallacy

謳 5669
ㄡ ōu

to sing; to chant

謳歌(ㄡ ㄍㄜ)to glorify

謹 5670
ㄐㄧㄣˇ jǐn

1. cautious; prudent; careful; attentive 2. sincerely; reverent; respectful

謹防(ㄐㄧㄣˇ ㄈㄤˊ)to guard carefully against

謹防扒手(ㄐㄧㄣˇ ㄈㄤˊ ㄆㄚˊ ㄕㄡˇ)Beware of pickpockets!

謹防假冒(ㄐㄧㄣˇ ㄈㄤˊ ㄐㄧㄚˇ ㄇㄠˋ)Beware of imitations!

謹記(ㄐㄧㄣˇ ㄐㄧˋ)to remember with reverence

謹守(ㄐㄧㄣˇ ㄕㄡˇ)to follow faithfully

謹慎(ㄐㄧㄣˇ ㄕㄣˋ)prudent; cautious

謹上(ㄐㄧㄣˇ ㄕㄤˋ)humbly yours

謰 5671
ㄌㄧㄢˊ lián

to talk vaguely

十二畫

譏 5672
ㄐㄧ jī

1. to ridicule; to jeer; to sneer 2. to inspect

譏諷(ㄐㄧ ㄈㄥˋ)to ridicule; to deride

譏笑(ㄐㄧ ㄒㄧㄠˋ)to laugh at; to ridicule

譁 5673
ㄏㄨㄚˊ huá

noise; tumult; hubbub; clamor; uproar

譁衆取寵(ㄏㄨㄚˊ ㄓㄨㄥˋ ㄑㄩˇ ㄔㄨㄥˇ)to practice demagogy

譁然(ㄏㄨㄚˊ ㄖㄢˊ)uproarious

證 5674
ㄓㄥˋ zhèng

1. to give evidence; to bear testimony; to prove; to testify; to confirm; to certify 2. evidence; proof; testimony 3. a certificate; a card 4. a symptom; indication

證明(ㄓㄥˋ ㄇㄧㄥˊ)or證實(ㄓㄥˋ ㄕˊ)to prove; to testify; to certify

證明書(ㄓㄥˋ ㄇㄧㄥˊ ㄕㄨ)a certificate

證婚人(ㄓㄥˋ ㄏㄨㄣ ㄖㄣˊ)a witness at a wedding

證件(ㄓㄥˋ ㄐㄧㄢˋ)papers or documents supporting a claim

證據(ㄓㄥˋ ㄐㄩˋ)testimony; evidence

證劵(ㄓㄥˋ ㄑㄩㄢˋ)securities (bills, bonds, etc.); stocks and bonds

證劵交易所(ㄓㄥˋ ㄑㄩㄢˋ ㄐㄧㄠ ㄧˋ ㄙㄨㄛˇ)the stock exchange

證劵市場(ㄓㄥˋ ㄑㄩㄢˋ ㄕˋ ㄔㄤˇ)the stock market

證書(ㄓㄥˋ ㄕㄨ)a certificate

證人(ㄓㄥˋ ㄖㄣˊ)a witness

證詞(ㄓㄥˋ ㄘˊ)testimony given at a court of law

證物(ㄓㄥˋ ㄨˋ)physical evidence

譎 5675
ㄐㄩㄝˊ jué

1. to cheat; to deceive; to swindle 2. wily; artful; crafty; cunning; tricky

譎詭(ㄐㄩㄝˊ ㄍㄨㄟˇ)unpredictable

譖 5676
ㄗㄣˋ zèn

to slander; to charge falsely

識 5677
1. ㄕˋ shì

1. to know; to recognize; to discern 2. an opinion; a view 3. knowledge

識別(ㄕˋ ㄅㄧㄝˊ)① to discern ② identification

識別證(ㄕˋ ㄅㄧㄝˊ ㄓㄥˋ)an I.D. card

識破(ㄕˋ ㄆㄛˋ)to see through

識貨(ㄕˋ ㄏㄨㄛˋ)to appreciate

識見(ㄕˋ ㄐㄧㄢˋ)insight

識趣(ㄕˋ ㄑㄩˋ)to have tact; tactful

識相(ㄕˋ ㄒㄧㄤˋ)to know one's own limitations

識字(ㄕˋ ㄗˋ)able to read; literate

識 5677
2. (誌) ㄓˋ zhì

1. to record; to remember, etc. 2. a mark; a sign

譙 5678
1. ㄑㄧㄠˊ qiáo

1. a tower 2. a Chinese family name

譙 5678
2. (誚) ㄑㄧㄠˋ qiào

to scold; to blame

譚 5679
ㄊㄢˊ tán

1. same as 談—to talk 2. a Chinese family name

譊 5680 ㄋㄠˊ náo
to argue; to dispute; to wrangle; to clamor

譜 5681 ㄆㄨˇ pǔ
1. a register; a record; a table; a list 2. (music) a score 3. to compose (a song) 4. a general idea; a rough picture; something to count on 5. a manual; a guide
譜曲(ㄆㄨˇ ㄑㄩˇ)to compose a song

譌 5682 (訛) ㄜˊ é
false; erroneous

十三畫

議 5683 ㄧˋ yì
1. to discuss; to argue; to debate; to negotiate; to talk over 2. an opinion; a view 3. to criticize; to comment; criticism; comment 4. argumentative writing; argumentation; an essay
議定(ㄧˋ ㄉㄧㄥˋ)to arrive at a decision after discussion or negotiation
議題(ㄧˋ ㄊㄧˊ)a topic for discussion
議論(ㄧˋ ㄌㄨㄣˋ)①argument ②comments ③to discuss
議和(ㄧˋ ㄏㄜˊ)to negotiate peace
議會(ㄧˋ ㄏㄨㄟˋ)a parliament; an assembly
議會政治(ㄧˋ ㄏㄨㄟˋ ㄓㄥˋ ㄓˋ)parliamentary politics
議價(ㄧˋ ㄐㄧㄚˋ)to negotiate over the price
議決(ㄧˋ ㄐㄩㄝˊ)to pass a resolution
議決案(ㄧˋ ㄐㄩㄝˊ ㄢˋ)a resolution (at a meeting)
議程(ㄧˋ ㄔㄥˊ)agenda
議處(ㄧˋ ㄔㄨˇ)to take disciplinary action against (derelict officials, etc.)
議案(ㄧˋ ㄢˋ)a bill; a proposal
議員(ㄧˋ ㄩㄢˊ)an assemblyman
議院(ㄧˋ ㄩㄢˋ)parliament; a legislature

譟 5684 ㄗㄠˋ zào
1. noise of a crowd; (said of a crowd) to shout noisily 2. to slander; to abuse

警 5685 ㄐㄧㄥˇ jǐng
1. to guard; to keep watch 2. to warn; to alert 3. an alarm 4. quick; alert; agile 5. the police
警備司令部(ㄐㄧㄥˇ ㄅㄟˋ ㄙ ㄌㄧㄥˋ ㄅㄨˋ)garrison headquarters
警報(ㄐㄧㄥˇ ㄅㄠˋ)an alert; an alarm
警報器(ㄐㄧㄥˇ ㄅㄠˋ ㄑㄧˋ)a siren
警笛(ㄐㄧㄥˇ ㄉㄧˊ)a police whistle
警探(ㄐㄧㄥˇ ㄊㄢˋ)a police detective
警惕(ㄐㄧㄥˇ ㄊㄧˋ)①to be alert; to be watchful ②a warning
警鈴(ㄐㄧㄥˇ ㄌㄧㄥˊ)a warning bell
警告(ㄐㄧㄥˇ ㄍㄠˋ)①to warn ②a warning
警官(ㄐㄧㄥˇ ㄍㄨㄢ)a police officer
警官學校(ㄐㄧㄥˇ ㄍㄨㄢ ㄒㄩㄝˊ ㄒㄧㄠˋ)a police academy
警戒(ㄐㄧㄥˇ ㄐㄧㄝˋ)①to be on the alert ②to warn and admonish
警戒線(ㄐㄧㄥˇ ㄐㄧㄝˋ ㄒㄧㄢˋ)①a cordon (of sentinels, forts, etc.) ②a danger line or mark
警句(ㄐㄧㄥˇ ㄐㄩˋ)or 警語(ㄐㄧㄥˇ ㄩˇ)an epigram
警覺(ㄐㄧㄥˇ ㄐㄩㄝˊ)alert; watchful
警犬(ㄐㄧㄥˇ ㄑㄩㄢˇ)a police dog
警長(ㄐㄧㄥˇ ㄓㄤˇ)a police chief
警政(ㄐㄧㄥˇ ㄓㄥˋ)police administration
警察(ㄐㄧㄥˇ ㄔㄚˊ)cops; the police
警察分局(ㄐㄧㄥˇ ㄔㄚˊ ㄈㄣ ㄐㄩˊ)police precinct headquarters
警察局(ㄐㄧㄥˇ ㄔㄚˊ ㄐㄩˊ)county (or city) police headquarters
警察學校(ㄐㄧㄥˇ ㄔㄚˊ ㄒㄩㄝˊ ㄒㄧㄠˋ)a police school
警車(ㄐㄧㄥˇ ㄔㄜ)a police car
警務處(ㄐㄧㄥˇ ㄨˋ ㄔㄨˋ)a provincial department of the police
警衛(ㄐㄧㄥˇ ㄨㄟˋ)①to guard ②a guard
警員(ㄐㄧㄥˇ ㄩㄢˊ)a policeman; a cop

譬 5686 ㄆㄧˋ pì
1. to liken; to compare 2. a simile; an example 3. to tell 4. to understand
譬如(ㄆㄧˋ ㄖㄨˊ)for instance; for example

譯 5687 ㄧˋ yì
to translate; translation
譯本(ㄧˋ ㄅㄣˇ)a translated version (of a book); a translation
譯名(ㄧˋ ㄇㄧㄥˊ)a translated name
譯者(ㄧˋ ㄓㄜˇ)a translator
譯音(ㄧˋ ㄧㄣ)a transliteration
譯文(ㄧˋ ㄨㄣˊ)translated texts

十四畫

護 5688 ㄏㄨˋ hù
1. to protect; to guard; to defend; to shield 2. to take sides; to be partial to
護短(ㄏㄨˋ ㄉㄨㄢˇ)to side with a disputant who is in the wrong
護理(ㄏㄨˋ ㄌㄧˇ)nursing
護航(ㄏㄨˋ ㄏㄤˊ)to escort another vessel
護花使者(ㄏㄨˋ ㄏㄨㄚ ㄕˇ ㄓㄜˇ)a

〔言部〕

〔言部〕

woman's escort
護駕(ㄏㄨˋ ㄐㄧㄚˋ)to guard the emperor
護照(ㄏㄨˋ ㄓㄠˋ)a passport
護士(ㄏㄨˋ ㄕˋ)a nurse
護送(ㄏㄨˋ ㄙㄨㄥˋ)to escort; to convoy
護衛(ㄏㄨˋ ㄨㄟˋ)to guard; to escort

譴 5689 ㄑㄧㄢˇ qiǎn
1. to reproach; to reprimand; to upbraid 2. punishment
譴責(ㄑㄧㄢˇ ㄗㄜˊ)to reproach; to blame

譽 5690 ㄩˋ yù
1. fame; honor; glory 2. to praise; to eulogize
譽滿全球(ㄩˋ ㄇㄢˇ ㄑㄩㄢˊ ㄑㄧㄡˊ) world-famous

十五畫

譾 5691 ㄐㄧㄢˇ jiǎn
(mentally) shallow

讀 5692 1. ㄉㄨˊ dú
1. to read 2. to attend school; to go to school, college, etc. 3. to study
讀本(ㄉㄨˊ ㄅㄣˇ)a reader (for a language course, etc.)
讀者(ㄉㄨˊ ㄓㄜˇ)the reader
讀書(ㄉㄨˊ ㄕㄨ)①to read books②to study
讀音(ㄉㄨˊ ㄧㄣ)pronunciation (of a word)
讀物(ㄉㄨˊ ㄨˋ)reading

讀 5692 2. ㄉㄡˋ dòu
pauses in a sentence

讅 5693 ㄕㄣˇ shěn
to know; to be aware

讁 5694 (謫) ㄓㄜˊ zhé
to punish; to blame

十六畫

變 5695 ㄅㄧㄢˋ biàn
1. to change; to alter 2. to turn into; to become 3. extraordinary; uncommon 4. an accident; misfortune; tragedy 5. changeable
變本加厲(ㄅㄧㄢˋ ㄅㄣˇ ㄐㄧㄚ ㄌㄧˋ)to get worse
變賣(ㄅㄧㄢˋ ㄇㄞˋ)to sell (possessions) to meet an immediate financial need
變動(ㄅㄧㄢˋ ㄉㄨㄥˋ)① to change ② a change; alteration ③ variation
變態(ㄅㄧㄢˋ ㄊㄞˋ)abnormality
變通(ㄅㄧㄢˋ ㄊㄨㄥ)to be flexible
變臉(ㄅㄧㄢˋ ㄌㄧㄢˇ)to turn hostile
變亂(ㄅㄧㄢˋ ㄌㄨㄢˋ)rebellion; revolt
變革(ㄅㄧㄢˋ ㄍㄜˊ)to change or reform
變更(ㄅㄧㄢˋ ㄍㄥ)to change; to alter
變故(ㄅㄧㄢˋ ㄍㄨˋ)an accident
變卦(ㄅㄧㄢˋ ㄍㄨㄚˋ)to change one's mind
變化(ㄅㄧㄢˋ ㄏㄨㄚˋ)① to transform ② to change ③ a change; changeable
變化多端(ㄅㄧㄢˋ ㄏㄨㄚˋ ㄉㄨㄛ ㄉㄨㄢ) changeable
變換(ㄅㄧㄢˋ ㄏㄨㄢˋ)①to convert ②to change; to vary
變幻莫測(ㄅㄧㄢˋ ㄏㄨㄢˋ ㄇㄛˋ ㄘㄜˋ)to metamorphose in an unpredictable way
變節(ㄅㄧㄢˋ ㄐㄧㄝˊ)①to desert a cause or principle ②to reform
變局(ㄅㄧㄢˋ ㄐㄩˊ)a critical situation
變遷(ㄅㄧㄢˋ ㄑㄧㄢ)evolution; change
變心(ㄅㄧㄢˋ ㄒㄧㄣ)to jilt a lover
變相(ㄅㄧㄢˋ ㄒㄧㄤˋ)disguised; in disguise
變形(ㄅㄧㄢˋ ㄒㄧㄥˊ)to transfigure
變質(ㄅㄧㄢˋ ㄓˊ)① to change in quality or objectives ② to deteriorate
變成(ㄅㄧㄢˋ ㄔㄥˊ)to become
變速(ㄅㄧㄢˋ ㄙㄨˋ)to change in speed; gearshift
變壓器(ㄅㄧㄢˋ ㄧㄚ ㄑㄧˋ)a transformer

讌 5696 ㄧㄢˋ yàn
as in 讌饗—a feast; a banquet

讎 5697 (讐) ㄔㄡˊ chóu
1. an enemy; a rival; a foe 2. to collate; to compare 3. to toast 4. an answer
讎視(ㄔㄡˊ ㄕˋ)to regard with hostility

十七畫

讕 5698 ㄌㄢˊ lán
to abuse; to revile; to slander; to libel

讒 5699 ㄔㄢˊ chán
to misrepresent; to slander; to calumniate; to defame
讒言(ㄔㄢˊ ㄧㄢˊ)malicious or slanderous talk

讓 5700 ㄖㄤˋ ràng
1. to give way; to make concession; to back down; to yield; to give ground 2. to allow; to let; to permit 3. to turn over; to transfer; to surrender; to cede 4. by 5. to step aside; to make way; to let by
讓步(ㄖㄤˋ ㄅㄨˋ)to make a concession
讓渡(ㄖㄤˋ ㄉㄨˋ)to turn over
讓路(ㄖㄤˋ ㄌㄨˋ)to make way
讓開(ㄖㄤˋ ㄎㄞ)to make way
讓座(ㄖㄤˋ ㄗㄨㄛˋ)to yield a seat

讓位(ㄖㄤˋ ㄨㄟˋ)to yield to

讖 5701
ㄔㄣˋ chèn
1. a prophecy; an omen 2. books ⌈about omens⌉

十八畫

讙 5702
ㄏㄨㄢ huān
1. to be noisy; to clamor 2. same as 歡—to rejoice

十九畫

讚 5703
ㄗㄢˋ zàn
1. to commend; to eulogize; to praise; to applaud; to laud 2. same as 贊
讚美(ㄗㄢˋ ㄇㄟˇ)① to praise; to glorify ② laud; praise
讚歎(ㄗㄢˋ ㄊㄢˋ)to sing the praises of
讚許(ㄗㄢˋ ㄒㄩˇ)to speak favorably of
讚賞(ㄗㄢˋ ㄕㄤˇ)to praise; to commend
讚揚(ㄗㄢˋ ㄧㄤˊ)to glorify

二十畫

讞 5704
ㄧㄢˋ yàn
to judge at a court of law

讜 5705
ㄉㄤˇ dǎng
to speak out boldly; (said of advice or comment) honest; unbiased; straightforward
讜論(ㄉㄤˇ ㄌㄨㄣˋ)outspoken state⌈ments⌉

谷部
ㄍㄨˇ gǔ

谷 5706
1. ㄍㄨˇ gǔ
1. a valley; a waterway between two mountains; a ravine 2. a hollow; a pit 3. a dilemma; a difficult situation; a predicament

谷 5706
2. ㄩˋ yù
a Chinese family name

十畫

豁 5707
1. ㄏㄨㄛ huō
1. a crack; a break; a breach 2. to crack; to break open; to split 3. to give up; to sacrifice
豁出去(ㄏㄨㄛ ·ㄔㄨ ㄑㄩˋ)to forge ahead in disregard of the consequence

豁 5707
2. ㄏㄨㄛˋ huò
1. to open up; clear 2. to exempt from (duties, etc.)
豁免(ㄏㄨㄛˋ ㄇㄧㄢˇ)to exempt from (taxes, military service, etc.)
豁達(ㄏㄨㄛˋ ㄉㄚˊ)① open and clear ② open-minded
豁然開朗(ㄏㄨㄛˋ ㄖㄢˊ ㄎㄞ ㄌㄤˇ)to become clear or visible all of a sud⌊den⌋

豁 5707
3. ㄏㄜˋ hè
bright and spacious
豁亮(ㄏㄜˋ ·ㄌㄧㄤ)bright and spacious

豁 5707
4. ㄏㄨㄚˊ huá
to play a finger-guessing game

谿 5708
ㄒㄧ xī
to squabble; to quarrel; to brawl

谿 5709
ㄒㄧ xī
1. a valley; a gorge 2. a stream; a creek; a brook 亦作「溪」
谿谷(ㄒㄧ ㄍㄨˇ)a valley
谿壑(ㄒㄧ ㄏㄨㄛˋ)a ravine

豆部
ㄉㄡˋ dòu

豆 5710
ㄉㄡˋ dòu
1. beans and peas collectively 2. a vessel of wood for containing flesh, sauces, etc. at sacrifices and feasts
豆腐(ㄉㄡˋ ·ㄈㄨ)bean curd; tofu
豆腐乳(ㄉㄡˋ ·ㄈㄨ ㄖㄨˇ)soybean cheese
豆蔻年華(ㄉㄡˋ ㄎㄡˋ ㄋㄧㄢˊ ㄏㄨㄚˊ)(said of girls) in their teens
豆漿(ㄉㄡˋ ㄐㄧㄤ)soybean milk
豆豉(ㄉㄡˋ ㄔˇ)or(ㄉㄡˋ ㄕˋ)fermented and seasoned soybeans
豆沙(ㄉㄡˋ ㄕㄚ)mashed beans (usually used as stuffing for dumplings)
豆芽(ㄉㄡˋ ㄧㄚˊ)bean sprouts as a vegetable

三畫

豇 5711
ㄐㄧㄤ jiāng
a cowpea

豈 5712
1. ㄑㄧˇ qǐ
an interrogative particle implying a conflicting or dissenting view or answer—how; what

豈能(ㄑㄧˇ ㄋㄥˊ)How can...?
豈敢(ㄑㄧˇ ㄍㄢˇ)How dare I...?
豈止(ㄑㄧˇ ㄓˇ)much more than...
豈有此理(ㄑㄧˇ ㄧㄡˇ ㄘˇ ㄌㄧˇ)totally unreasonable

豈 5712
2. ㄎㄞˇ kǎi
happy; delighted; jubilant; harmonious

四畫

豉 5713
ㄔˇ chǐ (讀音 ㄕˋ shì)
fermented beans; pickled black beans 亦作「豆豉」

六畫

登 5714
ㄉㄥ dēng
vessels for food used in ancient times

豊 5715
ㄌㄧˇ lǐ
a kind of ritual vessel in ancient times

八畫

豌 5716
ㄨㄢ wān
peas; garden peas
豌豆(ㄨㄢ ㄉㄡˋ)garden peas

豎 5717
ㄕㄨˋ shù
1. to erect; to stand 2. upright; vertical 3. boys who have not come of age; a young servant 4. petty officers in the palace 5. a downward, perpendicular stroke in calligraphy
豎笛(ㄕㄨˋ ㄉㄧˊ)a clarinet
豎立(ㄕㄨˋ ㄌㄧˋ)to erect
豎琴(ㄕㄨˋ ㄑㄧㄣˊ)the harp

十畫

豏 5718
ㄒㄧㄢˋ xiàn
half-grown beans

十一畫

豐 5719
ㄈㄥ fēng
1. abundant; luxuriant; copious; fruitful; plentiful; plenty; thick; big 2. a crop; a harvest
豐沛(ㄈㄥ ㄆㄟˋ)copious or plentiful (rainfall, etc.)
豐滿(ㄈㄥ ㄇㄢˇ)① rich ② plump
豐富(ㄈㄥ ㄈㄨˋ)abundant; rich
豐年(ㄈㄥ ㄋㄧㄢˊ)a plentiful year
豐功偉績(ㄈㄥ ㄍㄨㄥ ㄨㄟˇ ㄐㄧ)great achievements
豐厚(ㄈㄥ ㄏㄡˋ)plentiful or rich
豐碩(ㄈㄥ ㄕˋ)rich; plenty
豐收(ㄈㄥ ㄕㄡ)a rich harvest
豐盛(ㄈㄥ ㄕㄥˋ)flourishing; luxuriant
豐饒(ㄈㄥ ㄖㄠˊ)plentiful; fertile
豐衣足食(ㄈㄥ ㄧ ㄗㄨˊ ㄕˊ)well-fed and well-clad
豐腴(ㄈㄥ ㄩˊ)plump
豐裕(ㄈㄥ ㄩˋ)abundance; plentiful

十七畫

艷 5720
ㄧㄢˋ yàn
same as 豔

二十一畫

豔 5721
(艷) ㄧㄢˋ yàn
1. plump; voluptuous 2. beautiful and captivating (literary writings, etc.) 3. gorgeous; colorful; gaudy 4. anything pertaining to love, as a love story, love song, etc.; amorous 5. a beauty 6. radiant 7. to admire
豔麗(ㄧㄢˋ ㄌㄧˋ)radiantly beautiful; charming
豔陽天(ㄧㄢˋ ㄧㄤˊ ㄊㄧㄢ)charming, bright springtime
豔舞(ㄧㄢˋ ㄨˇ)striptease
豔遇(ㄧㄢˋ ㄩˋ)an encounter with a beautiful woman

豕部
ㄕˇ shǐ

豕 5722
ㄕˇ shǐ
a swine; a pig; a hog

四畫

豚 5723
ㄊㄨㄣˊ tún
1. a small pig 2. a Chinese family name

豝 5724
ㄅㄚ bā
a female pig; a sow

五畫

象 5725
ㄒㄧㄤˋ xiàng
1. an elephant 2. a portrait 3. a phenomenon; an image 4. ivory
象棋(ㄒㄧㄤˋ ㄑㄧˊ)Chinese chess
象限(ㄒㄧㄤˋ ㄒㄧㄢˋ)a quadrant
象形文字(ㄒㄧㄤˋ ㄒㄧㄥˊ ㄨㄣˊ ㄗˋ)a pictograph
象徵(ㄒㄧㄤˋ ㄓㄥ)①to symbolize ②a symbol
象牙(ㄒㄧㄤˋ ㄧㄚˊ)ivory

象牙塔(ㄒㄧㄤˋ ㄧㄚˊ ㄊㄚˇ)the ivory tower

甤 5726
(蕤) ㄖㄨㄟˊ ruí
1.hat sashes hanging down 2.luxuriant vegetation

六畫

豢 5727
ㄏㄨㄢˋ huàn
1. to feed animals with grains 2. to tempt or entice people with profit or gains 3. domesticated animals

豢養(ㄏㄨㄢˋ ㄧㄤˇ)to feed

七畫

豪 5728
ㄏㄠˊ háo
1.a person outstanding in intelligence or talent; a heroic person 2. a leader; a ringleader 3. a proclivity to the use of force, bullying ways, etc. 4. tiny; fine hair 亦作「毫」

豪邁(ㄏㄠˊ ㄇㄞˋ)straightforward and carefree

豪門(ㄏㄠˊ ㄇㄣˊ)a rich and powerful family

豪放(ㄏㄠˊ ㄈㄤˋ)vigorous and unrestrained

豪賭(ㄏㄠˊ ㄉㄨˇ)to gamble with big stakes

豪華(ㄏㄠˊ ㄏㄨㄚˊ)luxurious

豪傑(ㄏㄠˊ ㄐㄧㄝˊ)a man of outstanding talent, intelligence and courage

豪氣(ㄏㄠˊ ㄑㄧˋ)undaunted spirit

豪情(ㄏㄠˊ ㄑㄧㄥˊ)lofty sentiments

豪爽(ㄏㄠˊ ㄕㄨㄤˇ)bold and generous; chivalrous

豪飲(ㄏㄠˊ ㄧㄣˇ)to drink like a fish

豪雨(ㄏㄠˊ ㄩˇ)to rain cats and dogs

豪語(ㄏㄠˊ ㄩˇ)big talk; promise

豨 5729
ㄒㄧ xī
a pig; a hog

九畫

豫 5730
ㄩˋ yù
1.comfort; to be at ease 2.same as 預— to get ready or prepared; beforehand 3.to travel; to make an excursion or a trip 4. to cheat; to lie 5. to hesitate 6. short for Honan(河南) 7. happy; delighted; pleased

豭 5731
ㄐㄧㄚ jiā
a male pig; a boar

豬 5732
ㄓㄨ zhū
1.a pig; a hog; a swine 2.a pig-headed person

豬排(ㄓㄨ ㄆㄞˊ)a pork chop

豬肚(ㄓㄨ ㄉㄨˇ)pig's tripe

豬肝(ㄓㄨ ㄍㄢ)pig's liver

豬叫(ㄓㄨ ㄐㄧㄠˋ)grunting of hogs

豬圈(ㄓㄨ ㄐㄩㄢˋ)a pigsty; a pigpen

豬肉(ㄓㄨ ㄖㄡˋ)pork

豬油(ㄓㄨ ㄧㄡˊ)lard

十畫

豳 5733
ㄅㄧㄣ bīn
Pin, name of a state in the Chou Dynasty

豸部
ㄓˋ zhì

豸 5734
ㄓˋ zhì
insects without feet or legs

三畫

豹 5735
ㄅㄠˋ bào
1.a leopard; a panther 2.a Chinese family name

豺 5736
ㄔㄞˊ chái
1.*Canis hodophilax*, a ravenous beast, akin to the wolf 2.wickedly cunning; cruel

豺狼(ㄔㄞˊ ㄌㄤˊ)ravenous and cruel beasts—mean and wicked persons

豻 5737
ㄏㄢˋ hàn
1. a kind of wild dog 2. a lockup

五畫

貂 5738
ㄉㄧㄠ diāo
the sable; the marten; the mink

貂皮(ㄉㄧㄠ ㄆㄧˊ)sable skin or fur; mink

貂皮大衣(ㄉㄧㄠ ㄆㄧˊ ㄉㄚˋ ㄧ)a mink (coat)

六畫

貅 5739
ㄒㄧㄡ xiū
1. a kind of animal like a tiger 2. a fierce and courageous soldier

貉 5740
1. ㄏㄠˊ háo
(又讀 ㄏㄜˊ hé)
a badger; a racoon dog; a foxlike animal nocturnal in habit

貉 5740
2. (貊) ㄇㄛˋ mò
1. (in ancient China) the name of a

northern barbarian tribe 2. quiet

七畫

〔貝部〕

貌 5741 ㄇㄠˋ mào
1. a facial appearance; features 2. a general appearance; a manner; form; bearing 3. to appear or pretend to be like 4. a ceremonious manner
貌美(ㄇㄠˋ ㄇㄟˇ)(said of a woman) beautiful
貌合神離(ㄇㄠˋ ㄏㄜˊ ㄕㄣˊ ㄌㄧˊ)to appear united outwardly but divided at heart

貍 5742 ㄌㄧˊ lí
Nyctereutus procynoides, a foxlike animal

九畫

貓 5743 (猫) ㄇㄠ māo
the cat
貓頭鷹(ㄇㄠ ㄊㄡˊ ㄧㄥ)the owl
貓叫(ㄇㄠ ㄐㄧㄠˋ)the meowing of a cat
貓熊(ㄇㄠ ㄒㄩㄥˊ)(animal) a panda

十畫

貔 5744 ㄆㄧˊ pí
a fierce animal of the panther family

十一畫

貘 5745 ㄇㄛˋ mò
1. the panther; the leopard 2. the tapir

十八畫

貛 5746 (獾) ㄏㄨㄢ huān
1. a he-wolf 2. a wild boar 3. a badger

貝部 ㄅㄟˋ bèi

貝 5747 ㄅㄟˋ bèi
1. shells; cowries (used in ancient China as currency) 2. precious; treasure; valuable 3. (physics) bel
貝類(ㄅㄟˋ ㄌㄟˋ)shellfish
貝殼(ㄅㄟˋ ㄎㄜˊ)seashells; shells

二畫

負 5748 ㄈㄨˋ fù
1. defeated; beaten; to lose; to fail; defeat 2. to bear; to sustain; to carry on the back; to shoulder 3. to take refuge in 4. to be proud and complacent 5. to owe 6. negative; minus 7. to turn one's back on 8. to let (someone) down; to disappoint
負擔(ㄈㄨˋ ㄉㄢ)①a burden ②to support (a family, etc.)
負荷(ㄈㄨˋ ㄏㄜˋ)① to bear or sustain ② the load (of electricity, etc.)
負號(ㄈㄨˋ ㄏㄠˋ)the negative sign(−)
負荆請罪(ㄈㄨˋ ㄐㄧㄥ ㄑㄧㄥˇ ㄗㄨㄟˋ)to apologize
負氣(ㄈㄨˋ ㄑㄧˋ)sullen; morose
負心(ㄈㄨˋ ㄒㄧㄣ)heartless
負債(ㄈㄨˋ ㄓㄞˋ)to be in debt; to owe
負傷(ㄈㄨˋ ㄕㄤ)to be wounded
負數(ㄈㄨˋ ㄕㄨˋ)a negative number
負責(ㄈㄨˋ ㄗㄜˊ)to be responsible

貞 5749 ㄓㄣ zhēn (又讀 ㄓㄥ zhēng)
1. chastity of a woman 2. pure; virtuous 3. to be incorruptible; to be correctly firm 4. devotion; dedication 5. to divine
貞潔(ㄓㄣ ㄐㄧㄝˊ)chaste and pure
貞節(ㄓㄣ ㄐㄧㄝˊ)(said of a woman) chastity; purity; virtue
貞操(ㄓㄣ ㄘㄠ)a woman's chastity or virginity

三畫

貢 5750 ㄍㄨㄥˋ gòng
1. the tribute from a vassal state; to offer tribute 2. to recommend (a person to an office, etc.); to submit 3. (in ancient China) land tax 4. to contribute; to offer
貢品(ㄍㄨㄥˋ ㄆㄧㄣˇ)items offered as tribute
貢獻(ㄍㄨㄥˋ ㄒㄧㄢˋ)to contribute; contribution

財 5751 ㄘㄞˊ cái
wealth; riches; money
財寶(ㄘㄞˊ ㄅㄠˇ)money and jewels
財閥(ㄘㄞˊ ㄈㄚˊ)a financial tycoon
財富(ㄘㄞˊ ㄈㄨˋ)wealth or fortune; riches
財團(ㄘㄞˊ ㄊㄨㄢˊ)a consortium
財團法人(ㄘㄞˊ ㄊㄨㄢˊ ㄈㄚˇ ㄖㄣˊ)a juridical person
財力(ㄘㄞˊ ㄌㄧˋ)financial resources
財經(ㄘㄞˊ ㄐㄧㄥ)finance and economy
財政(ㄘㄞˊ ㄓㄥˋ)finance
財政部(ㄘㄞˊ ㄓㄥˋ ㄅㄨˋ)Ministry of Finance
財政年度(ㄘㄞˊ ㄓㄥˋ ㄋㄧㄢˊ ㄉㄨˋ)the fiscal year
財政危機(ㄘㄞˊ ㄓㄥˋ ㄨㄟˊ ㄐㄧ)a financial crisis

財主(ㄘㄞˊ ㄓㄨˇ)a wealthy man
財產(ㄘㄞˊ ㄔㄢˇ)property
財神爺(ㄘㄞˊ ㄕㄣˊ ㄧㄝˊ)the God of Wealth; Mammon
財物(ㄘㄞˊ ㄨˋ)property; belongings
財務(ㄘㄞˊ ㄨˋ)finance; financial affairs
財務報告(ㄘㄞˊ ㄨˋ ㄅㄠˋ ㄍㄠˋ)a financial report
財務調查(ㄘㄞˊ ㄨˋ ㄉㄧㄠˋ ㄔㄚˊ)financial investigation
財務管理(ㄘㄞˊ ㄨˋ ㄍㄨㄢˇ ㄌㄧˇ)financial management
財源(ㄘㄞˊ ㄩㄢˊ)a source of finances
財源滾滾(ㄘㄞˊ ㄩㄢˊ ㄍㄨㄣˇ ㄍㄨㄣˇ) profits pouring in from all sides

貤 5752 1. ㄧˋ yì
1. to pile one upon another; to superimpose 2. to extend; to prolong

貤 5752 2. ㄧˊ yí
to move; to remove; to turn

四畫

貧 5753 ㄆㄧㄣˊ pín
1. poverty; poor; destitute; impoverished 2. deficiency; deficient; lack 3. long, repetitious or superfluous 4. garrulous
貧民(ㄆㄧㄣˊ ㄇㄧㄣˊ)poor people
貧民窟(ㄆㄧㄣˊ ㄇㄧㄣˊ ㄎㄨ)a slum area
貧乏(ㄆㄧㄣˊ ㄈㄚˊ)wanting; deficient
貧富懸殊(ㄆㄧㄣˊ ㄈㄨˋ ㄒㄩㄢˊ ㄕㄨ) extreme disparity between the rich and the poor
貧苦(ㄆㄧㄣˊ ㄎㄨˇ)poverty and hardship; poor
貧困(ㄆㄧㄣˊ ㄎㄨㄣˋ)impoverished; poor
貧瘠(ㄆㄧㄣˊ ㄐㄧˊ)(said of land) poor and barren
貧賤(ㄆㄧㄣˊ ㄐㄧㄢˋ)in humble and destitute circumstances
貧窮(ㄆㄧㄣˊ ㄑㄩㄥˊ)poverty; poor
貧血(ㄆㄧㄣˊ ㄒㄧㄝˇ)anaemia; anaemic

貨 5754 ㄏㄨㄛˋ huò
1. commodities; goods; products; freight; cargo 2. money; currency; property 3. to bribe; bribery 4. to sell 5. used as a term of reviling with an abusive suffix
貨幣(ㄏㄨㄛˋ ㄅㄧˋ)currency; money
貨品(ㄏㄨㄛˋ ㄆㄧㄣˇ)commodities; goods
貨櫃(ㄏㄨㄛˋ ㄍㄨㄟˋ)a container
貨款(ㄏㄨㄛˋ ㄎㄨㄢˇ)money for buying or selling goods; payment for goods
貨車(ㄏㄨㄛˋ ㄔㄜ)a freight car
貨船(ㄏㄨㄛˋ ㄔㄨㄢˊ)a freighter
貨艙(ㄏㄨㄛˋ ㄘㄤ)the hold of a freighter
貨色(ㄏㄨㄛˋ ㄙㄜˋ)kinds, material or quality of goods; stock in trade; stuff
貨物(ㄏㄨㄛˋ ㄨˋ)commodities; goods
貨運(ㄏㄨㄛˋ ㄩㄣˋ)transportation service

販 5755 ㄈㄢˋ fàn
1. to buy and sell; to deal in; to trade in 2. to carry about for sale; to peddle 3. a seller of goods; a peddler; a monger
販賣(ㄈㄢˋ ㄇㄞˋ)to deal in; to sell
販賣部(ㄈㄢˋ ㄇㄞˋ ㄅㄨˋ)a store
販毒(ㄈㄢˋ ㄉㄨˊ)to deal in narcotics

貪 5756 ㄊㄢ tān
1. to desire for more than one's rightful share 2. to hope or wish for
貪得無饜(ㄊㄢ ㄉㄜˊ ㄨˊ ㄧㄢˋ)never satisfied with what one has got
貪圖(ㄊㄢ ㄊㄨˊ)to desire or long for
貪念(ㄊㄢ ㄋㄧㄢˋ)covetous thoughts
貪婪(ㄊㄢ ㄌㄢˊ)covetousness; greed
貪官汚吏(ㄊㄢ ㄍㄨㄢ ㄨ ㄌㄧˋ)corrupt officials
貪心(ㄊㄢ ㄒㄧㄣ)greed; cupidity
貪吃(ㄊㄢ ㄔ)gluttonous; piggish
貪生怕死(ㄊㄢ ㄕㄥ ㄆㄚˋ ㄙˇ)cowardly
貪汚(ㄊㄢ ㄨ)corruption; graft
貪玩(ㄊㄢ ㄨㄢˊ)to be fond of playing or fooling around

貫 5757 ㄍㄨㄢˋ guàn
1. a thread for stringing holed copper coins; to string on a thread 2. a string of 1,000 holed copper coins 3. to pierce through; to pass through 4. to be linked together 5. to hit the target 6. one's native place
貫通(ㄍㄨㄢˋ ㄊㄨㄥ)① to have a thorough understanding ② to link up
貫徹(ㄍㄨㄢˋ ㄔㄜˋ)thoroughly
貫徹始終(ㄍㄨㄢˋ ㄔㄜˋ ㄕˇ ㄓㄨㄥ)to remain consistent from the start to the very end

責 5758 ㄗㄜˊ zé
1. one's duty, responsibility, obligation, etc. 2. to demand; to be strict with 3. to punish; punishment 4. to censure; to reprimand; to blame
責備(ㄗㄜˊ ㄅㄟˋ)to reproach
責罵(ㄗㄜˊ ㄇㄚˋ)to blame; to scold
責難(ㄗㄜˊ ㄋㄢˋ)to upbraid; to censure
責怪(ㄗㄜˊ ㄍㄨㄞˋ)to blame
責任(ㄗㄜˊ ㄖㄣˋ)duty; responsibility; an obligation
責任感(ㄗㄜˊ ㄖㄣˋ ㄍㄢˇ)a sense of responsibility

〔貝部〕

責無旁貸(ㄗㄜˊ ㄨˊ ㄆㄤˊ ㄉㄞˋ)duty-bound

五畫

〔貝部〕

貯 5759 ㄓㄨˇ zhǔ
to store up; to hoard; to save up; to deposit
貯備(ㄓㄨˇ ㄅㄟˋ)to store up or hoard for future needs
貯蓄(ㄓㄨˇ ㄒㄩˋ)to store up; to hoard
貯藏(ㄓㄨˇ ㄘㄤˊ)to store up
貯藏室(ㄓㄨˇ ㄘㄤˊ ㄕˋ)a storage room
貯存(ㄓㄨˇ ㄘㄨㄣˊ)to store up

貰 5760 ㄕˋ shì
1. to lend or loan; to lease 2. pardon; to pardon; to forgive 3. to sell (or buy) on credit

貲 5761 ㄗ zī
1. property; wealth; riches; money 2. to count; to measure 3. a fine
貲財(ㄗ ㄘㄞˊ)wealth; money; valuables

貳 5762 ㄦˋ èr
1. (in ancient China) a deputy 2. to suspect 3. changeable 4. an elaborate form of "two" (used in writing checks, etc. to prevent forgery) 5. to repeat 6. doubleness
貳心(ㄦˋ ㄒㄧㄣ)a rebellious mind

貴 5763 ㄍㄨㄟˋ guì
1. high-placed; high-ranking; honorable; distinguished 2. expensive; costly; high-priced 3. to esteem; to treat with respect 4. to treasure; to value highly 5. valuable; precious 6. a polite expression referring to another person—you or your 7. short for Kweichow Province (貴州省)
貴賓 (ㄍㄨㄟˋ ㄅㄧㄣ) distinguished guests
貴賓室(ㄍㄨㄟˋ ㄅㄧㄣ ㄕˋ)a VIP room
貴婦(ㄍㄨㄟˋ ㄈㄨˋ)a noblewoman
貴庚(ㄍㄨㄟˋ ㄍㄥ)How old are you?
貴國(ㄍㄨㄟˋ ㄍㄨㄛˊ)your country
貴客(ㄍㄨㄟˋ ㄎㄜˋ)the guest of honor
貴姓(ㄍㄨㄟˋ ㄒㄧㄥˋ)May I know your distinguished name?
貴重(ㄍㄨㄟˋ ㄓㄨㄥˋ)precious; valuable
貴人(ㄍㄨㄟˋ ㄖㄣˊ)a distinguished, high-ranking person
貴族(ㄍㄨㄟˋ ㄗㄨˊ)the nobility

貶 5764 ㄅㄧㄢˇ biǎn
1. to reduce or lower (prices, etc.); to devalue 2. to degrade; to reduce 3. to disparage; to condemn; to censure 4. to dismiss; to send away
貶低(ㄅㄧㄢˇ ㄉㄧ)to depreciate
貶值(ㄅㄧㄢˇ ㄓˊ)to devalue or debase (especially referring to a currency)
貶損(ㄅㄧㄢˇ ㄙㄨㄣˇ)to criticize
貶抑(ㄅㄧㄢˇ ㄧˋ)to debase; to devalue

買 5765 ㄇㄞˇ mǎi
1. to buy; to purchase 2. to win over (usually with a promise of favors in return)
買不起(ㄇㄞˇ ˙ㄅㄨ ㄑㄧˇ)cannot afford it—too expensive
買賣(ㄇㄞˇ ˙ㄇㄞ)trade
買方(ㄇㄞˇ ㄈㄤ)or 買主(ㄇㄞˇ ㄓㄨˇ)the buyer
買通(ㄇㄞˇ ㄊㄨㄥ)to offer bribes to facilitate one's operations
買空賣空(ㄇㄞˇ ㄎㄨㄥ ㄇㄞˋ ㄎㄨㄥ)to speculate (on the stock, etc. markets)
買進(ㄇㄞˇ ㄐㄧㄣˋ)to buy
買醉(ㄇㄞˇ ㄗㄨㄟˋ)to buy drinks

貸 5766 ㄉㄞˋ dài
1. to loan; to lend or borrow; a loan 2. the credit side in bookkeeping 3. to pardon; to be lenient 4. to shift (responsibility); to shirk
貸方(ㄉㄞˋ ㄈㄤ)the credit (or creditor side) in bookkeeping or an account
貸款(ㄉㄞˋ ㄎㄨㄢˇ)a loan (of money)
貸款利率(ㄉㄞˋ ㄎㄨㄢˇ ㄌㄧˋ ㄌㄩˋ)the lending rate

貺 5767 ㄎㄨㄤˋ kuàng
1. to give or bestow; to confer 2. (a polite expression) to be favored with

費 5768 1. ㄈㄟˋ fèi
1. expenditure; expenses; fees; dues; charges 2. to waste; wasteful 3. to consume; to use; to spend; to cost; to expend 4. a Chinese family name
費力(ㄈㄟˋ ㄌㄧˋ)①taking a lot of exertion ②difficult (tasks)
費解(ㄈㄟˋ ㄐㄧㄝˇ)difficult to understand
費盡心機(ㄈㄟˋ ㄐㄧㄣˋ ㄒㄧㄣ ㄐㄧ)to exhaust all mental efforts
費心(ㄈㄟˋ ㄒㄧㄣ)or 費神(ㄈㄟˋ ㄕㄣˊ) requiring mental exertion
費時(ㄈㄟˋ ㄕˊ)time-consuming
費事(ㄈㄟˋ ㄕˋ)requiring a lot of trouble to accomplish
費用(ㄈㄟˋ ㄩㄥˋ)expenses; costs

費 5768 2. ㄅㄧˋ bì
name of a town in the Epoch of Spring and Autumn in today's 費縣, Shantung Province (山東省)

貼 5769 ㄊㄧㄝ tiē
1. to paste; to stick; to glue 2. to

keep close to 3. to make up the deficiency; to subsidize; subsidies; an allowance 4. proper; appropriate; comfortable 5. attached to
貼補(ㄊㄧㄝ ㄅㄨˇ)to make up a deficiency
貼近(ㄊㄧㄝ ㄐㄧㄣˋ)nearby; close to
貼切(ㄊㄧㄝ ㄑㄧㄝˋ)proper or appropriate
貼現(ㄊㄧㄝ ㄒㄧㄢˋ)(banking) discount
貼現率(ㄊㄧㄝ ㄒㄧㄢˋ ㄌㄩˋ)the discount rate
貼現收益(ㄊㄧㄝ ㄒㄧㄢˋ ㄕㄡ ㄧˋ)discount income
貼心(ㄊㄧㄝ ㄒㄧㄣ)intimate; close
貼身(ㄊㄧㄝ ㄕㄣ)①personal servants ② closely attached, as undergarments, etc.

貽 5770 ㄧˊ yí
1. to give to; to present to 2. to hand down; to transmit; to pass on to; to bequeath; to leave behind
貽害(ㄧˊ ㄏㄞˋ)to bring harm or trouble to another
貽笑大方(ㄧˊ ㄒㄧㄠˋ ㄉㄚˋ ㄈㄤ)to become a laughingstock

賀 5771 ㄏㄜˋ hè
1. to congratulate; to send a present in congratulation 2. a Chinese family name
賀電(ㄏㄜˋ ㄉㄧㄢˋ)a congratulatory cable or telegram
賀年(ㄏㄜˋ ㄋㄧㄢˊ)New Year's greetings
賀年片(ㄏㄜˋ ㄋㄧㄢˊ ㄆㄧㄢˋ)New Year's greeting cards
賀禮(ㄏㄜˋ ㄌㄧˇ)a congratulatory present
賀函(ㄏㄜˋ ㄏㄢˊ)a letter of congratulation
賀喜(ㄏㄜˋ ㄒㄧˇ)to congratulate
賀詞(ㄏㄜˋ ㄘˊ)congratulations

貿 5772 ㄇㄠˋ mào
1. to trade; to barter 2. mixed 3. rashly
貿然(ㄇㄠˋ ㄖㄢˊ)rashly; blindly
貿易(ㄇㄠˋ ㄧˋ)trade; to trade
貿易平衡(ㄇㄠˋ ㄧˋ ㄆㄧㄥˊ ㄏㄥˊ)the balance of trade
貿易逆差(ㄇㄠˋ ㄧˋ ㄋㄧˋ ㄔㄚ)trade deficit
貿易公司(ㄇㄠˋ ㄧˋ ㄍㄨㄥ ㄙ)a trading company or firm
貿易協定(ㄇㄠˋ ㄧˋ ㄒㄧㄝˊ ㄉㄧㄥˋ)a trade agreement
貿易中心(ㄇㄠˋ ㄧˋ ㄓㄨㄥ ㄒㄧㄣ)a trading center
貿易商(ㄇㄠˋ ㄧˋ ㄕㄤ)a trader

賁 5773 1. ㄅㄧˋ bì
1. to adorn; ornamental 2. bright; luminous

賁 5773 2. ㄅㄣ bēn
1. to forge ahead 2. energetic; strenuous

賁 5773 3. ㄈㄣˊ fén
large; great

六畫

賃 5774 ㄌㄧㄣˋ lìn
1. to rent; to hire 2. a hireling
賃屋(ㄌㄧㄣˋ ㄨ)to rent a house

賂 5775 ㄌㄨˋ lù
1. to send a gift 2. to bribe

賄 5776 ㄏㄨㄟˋ huì (又讀 ㄏㄨㄟˇ huǐ)
1. to bribe; bribery 2. money; wealth
賄買(ㄏㄨㄟˋ ㄇㄞˇ)to buy over; to suborn
賄賂(ㄏㄨㄟˋ ㄌㄨˋ)to bribe; bribery
賄選(ㄏㄨㄟˋ ㄒㄩㄢˇ)to try to win in an election by means of bribery

資 5777 ㄗ zī
1. money; wealth; property; capital 2. expenses; fees; charges 3. natural endowments or gifts 4. to avail of 5. to aid or help; to assist; to subsidize; to support 6. to supply; to provide 7. one's qualifications, position, or record of service 8. to trust to
資本(ㄗ ㄅㄣˇ)capital
資本家(ㄗ ㄅㄣˇ ㄐㄧㄚ)a capitalist
資本主義(ㄗ ㄅㄣˇ ㄓㄨˇ ㄧˋ)capitalism
資方(ㄗ ㄈㄤ)the management (of a shop, factory, etc.); capital
資歷(ㄗ ㄌㄧˋ)qualifications and experiences (of an applicant, etc.)
資料(ㄗ ㄌㄧㄠˋ)data
資料庫(ㄗ ㄌㄧㄠˋ ㄎㄨˋ)(computers) data base
資料處理(ㄗ ㄌㄧㄠˋ ㄔㄨˇ ㄌㄧˇ)information processing
資格(ㄗ ㄍㄜˊ)qualifications, requirements, or seniority of a person
資金(ㄗ ㄐㄧㄣ)funds; capital
資遣(ㄗ ㄑㄧㄢˇ)to dismiss (employees) with severance pay
資訊(ㄗ ㄒㄩㄣˋ)information
資質(ㄗ ㄓˊ)one's natural gifts or endowments
資助(ㄗ ㄓㄨˋ)to help another with money
資產(ㄗ ㄔㄢˇ)①property ②(accounting) assets
資產負債表(ㄗ ㄔㄢˇ ㄈㄨˋ ㄓㄞˋ ㄅㄧㄠˇ)a balance sheet
資深(ㄗ ㄕㄣ)senior; seniority

〔貝部〕

〔貝部〕

資優生(ㄗ ㄧㄡ ㄕㄥ)a bright student
資源(ㄗ ㄩㄢˊ)resources

賅 5778
ㄍㄞ gāi
provided for; all-inclusive; included in; nothing left out

賈 5779
1. ㄐㄧㄚˇ jiǎ
a Chinese family name

賈 5779
2. ㄍㄨˇ gǔ
1. a merchant; a businessman 2. to buy; to trade
賈利(ㄍㄨˇ ㄌㄧˋ)to make profit

賊 5780
ㄗㄟˊ zéi (讀音 ㄗㄜˊ zé)
1. a thief; a burglar; a robber; a bandit 2. rebels; traitors 3. to harm 4. to kill 5. pests on the farm 6. a term of reviling 7. clever; cunning
賊頭賊腦(ㄗㄟˊ ㄊㄡˊ ㄗㄟˊ ㄋㄠˇ)to act suspiciously; thief-like; a mean look
賊性(ㄗㄟˊ ㄒㄧㄥˋ)an evil mind
賊船(ㄗㄟˊ ㄔㄨㄢˊ)a pirate ship

賉 5781
ㄒㄩˋ xù
1. sympathy; pity 2. to give alms or compensation
賉孤(ㄒㄩˋ ㄍㄨ)to help orphans

賍 5782
ㄗㄤ zāng
stolen goods or property; loot

七畫

賑 5783
ㄓㄣˋ zhèn
1. to relieve or give aid to the distressed; to support 2. rich; wealthy
賑濟(ㄓㄣˋ ㄐㄧˋ)to relieve or give aid to the distressed
賑災(ㄓㄣˋ ㄗㄞ)to relieve the afflicted area

賒 5784
ㄕㄜ shē
1. to buy or sell on credit 2. distant; faraway 3. slow; slowly 4. to put off or postpone 5. luxurious or extravagant
賒欠(ㄕㄜ ㄑㄧㄢˋ)to buy on credit
賒賬(ㄕㄜ ㄓㄤˋ)to buy on account or credit

賓 5785
(賔) ㄅㄧㄣ bīn
1. a guest; a visitor 2. to treat as a guest 3. to obey; to follow instructions; to submit
賓果(ㄅㄧㄣ ㄍㄨㄛˇ)bingo
賓館(ㄅㄧㄣ ㄍㄨㄢˇ)a guesthouse
賓客(ㄅㄧㄣ ㄎㄜˋ)guests and visitors
賓至如歸(ㄅㄧㄣ ㄓˋ ㄖㄨˊ ㄍㄨㄟ)to feel at home in a place
賓主盡歡(ㄅㄧㄣ ㄓㄨˇ ㄐㄧㄣˋ ㄏㄨㄢ) Both the guests and the host are having a great time.

賕 5786
ㄑㄧㄡˊ qiú
to bribe

八畫

賚 5787
ㄌㄞˋ lài
to bestow; to confer

賙 5788
ㄓㄡ zhōu
to give; to aid; to relieve
賙濟(ㄓㄡ ㄐㄧˋ)to relieve the needy

賜 5789
ㄙˋ sì (語音 ㄘˋ cì)
1. to bestow or confer on an inferior; to grant 2. favors; benefits 3. to order; to appoint
賜福(ㄙˋ ㄈㄨˊ)to bless
賜教(ㄙˋ ㄐㄧㄠˋ)(a polite expression) your instructions; your advice
賜予 or 賜與(ㄙˋ ㄩˇ)to bestow or confer upon; to grant (approval, etc.)

賞 5790
ㄕㄤˇ shǎng
1. to reward; to award; to bestow; to grant; to give to an inferior 2. a reward; an award 3. to appreciate; to enjoy; to admire 4. (a polite expression) to be given the honor of...
賞罰(ㄕㄤˇ ㄈㄚˊ)to reward and punish
賞罰分明(ㄕㄤˇ ㄈㄚˊ ㄈㄣ ㄇㄧㄥˊ)to confer reward and inflict punishment impartially
賞臉(ㄕㄤˇ ㄌㄧㄢˇ)to favor me with your presence
賞金(ㄕㄤˇ ㄐㄧㄣ)reward money
賞心悅目(ㄕㄤˇ ㄒㄧㄣ ㄩㄝˋ ㄇㄨˋ)beautiful and restful
賞識(ㄕㄤˇ ㄕˋ)to appreciate the virtues in a person or thing
賞賜(ㄕㄤˇ ㄘˋ)or(ㄕㄤˇ ㄙˋ)to bestow money or presents on an inferior or junior
賞玩(ㄕㄤˇ ㄨㄢˊ)to delight in
賞月(ㄕㄤˇ ㄩㄝˋ)to enjoy moonlight

賠 5791
ㄆㄟˊ péi
1. to compensate or indemnify; to make up for a loss due to one's fault; to pay for 2. to offer (an apology) 3. to lose money
賠本(ㄆㄟˊ ㄅㄣˇ)to lose money in business
賠不是(ㄆㄟˊ ㄅㄨˋ ·ㄕ)to apologize
賠禮(ㄆㄟˊ ㄌㄧˇ)to apologize
賠款(ㄆㄟˊ ㄎㄨㄢˇ)an indemnity
賠錢(ㄆㄟˊ ㄑㄧㄢˊ)to lose money in business
賠償(ㄆㄟˊ ㄔㄤˊ)reparation; compensation
賠償損失(ㄆㄟˊ ㄔㄤˊ ㄙㄨㄣˇ ㄕ)to indemnify

賠罪(ㄆㄟˊ ㄗㄨㄟˋ)to apologize

賡 5792 ㄍㄥ gēng
to continue; to carry on

賢 5793 ㄒㄧㄢˊ xián
1. capable; able; versatile; talented 2. good; worthy; virtuous 3. to admire; to praise; to esteem 4. a term of respectful address to another

賢明(ㄒㄧㄢˊ ㄇㄧㄥˊ)capable and virtuous
賢達(ㄒㄧㄢˊ ㄉㄚˊ)wise and virtuous
賢內助(ㄒㄧㄢˊ ㄋㄟˋ ㄓㄨˋ)a good wife
賢能(ㄒㄧㄢˊ ㄋㄥˊ)talented and virtuous
賢良(ㄒㄧㄢˊ ㄌㄧㄤˊ)virtuous
賢慧(ㄒㄧㄢˊ ㄏㄨㄟˋ)(usually said of women) virtuous and intelligent
賢妻良母(ㄒㄧㄢˊ ㄑㄧ ㄌㄧㄤˊ ㄇㄨˇ)a dutiful wife and loving mother
賢淑(ㄒㄧㄢˊ ㄕㄨˊ)(usually said of women) virtuous and understanding

賣 5794 ㄇㄞˋ mài
1. to sell 2. to betray; to harm another in order to benefit oneself 3. to show off; to flaunt

賣命(ㄇㄞˋ ㄇㄧㄥˋ)① to work oneself to the bone for somebody ② to die (unworthily) for
賣方(ㄇㄞˋ ㄈㄤ)the seller
賣力(ㄇㄞˋ ㄌㄧˋ)to work hard willingly
賣弄(ㄇㄞˋ ㄌㄨㄥˋ)to flaunt; to show off
賣弄風情(ㄇㄞˋ ㄌㄨㄥˋ ㄈㄥ ㄑㄧㄥˊ)to flirt and coquet
賣國賊(ㄇㄞˋ ㄍㄨㄛˊ ㄗㄟˊ)a traitor
賣唱(ㄇㄞˋ ㄔㄤˋ)to live on singing
賣春(ㄇㄞˋ ㄔㄨㄣ)prostitution
賣身(ㄇㄞˋ ㄕㄣ)to sell oneself as a slave
賣座(ㄇㄞˋ ㄗㄨㄛˋ)(said of a theater, etc.) to draw large audiences
賣藝(ㄇㄞˋ ㄧˋ)to earn a living by entertaining others with one's skills or stunts
賣淫(ㄇㄞˋ ㄧㄣˊ)to earn a living as a prostitute
賣完(ㄇㄞˋ ㄨㄢˊ)or 賣光(ㄇㄞˋ ㄍㄨㄤ) sold out

賤 5795 ㄐㄧㄢˋ jiàn
1. cheap; inexpensive; low cost 2. lowly; humble; inferior in position 3. low-down; base; ignoble; despicable 4. to slight; to look down on 5. my, a self-derogatory expression

賤內(ㄐㄧㄢˋ ㄋㄟˋ)my humble wife
賤價(ㄐㄧㄢˋ ㄐㄧㄚˋ)a low price
賤人(ㄐㄧㄢˋ ㄖㄣˊ)a slut or tramp
賤業(ㄐㄧㄢˋ ㄧㄝˋ)a lowly or mean occupation

賦 5796 ㄈㄨˋ fù
1. a tax; revenue 2. troops; the army; military levies 3. to bestow; to give 4. natural endowments or gifts 5. to spread; to diffuse 6. to compose (especially poems) 7. one of the Chinese literary forms akin to poetry

賦閒(ㄈㄨˋ ㄒㄧㄢˊ)to be out of employment
賦詩(ㄈㄨˋ ㄕ)to compose or sing poems
賦稅(ㄈㄨˋ ㄕㄨㄟˋ)farm tax and excise tax
賦予(ㄈㄨˋ ㄩˇ)to give; to bestow

質 5797 1. ㄓˊ zhí
1. matters; substances; elements 2. one's disposition or temperament; qualities 3. simple; plain 4. to question 5. to confront

質樸(ㄓˊ ㄆㄨˊ)simple and unadorned
質地(ㄓˊ ㄉㄧˋ)quality of something
質料(ㄓˊ ㄌㄧㄠˋ)quality; raw materials
質量(ㄓˊ ㄌㄧㄤˋ)① (physics) mass ② quality
質詢(ㄓˊ ㄒㄩㄣˊ)to interpellate
質子(ㄓˊ ㄗˇ)(physics) a proton
質疑(ㄓˊ ㄧˊ)to question; to query
質問(ㄓˊ ㄨㄣˋ)to interrogate

質 5797 2. ㄓˋ zhì
1. to pawn 2. a pledge; a hostage

質押(ㄓˋ ㄧㄚ)to mortgage

賬 5798 (帳) ㄓㄤˋ zhàng
1. accounts 2. debts 3. credits; loans; bills

賬簿(ㄓㄤˋ ㄅㄨˋ)accounts; account books
賬目(ㄓㄤˋ ㄇㄨˋ)accounts
賬單(ㄓㄤˋ ㄉㄢ)bills; invoices

九畫

賭 5799 ㄉㄨˇ dǔ
1. to gamble; to bet; to wager 2. to compete 3. to swear

賭博(ㄉㄨˇ ㄅㄛˊ)to gamble; gambling
賭本(ㄉㄨˇ ㄅㄣˇ)money to gamble with
賭徒(ㄉㄨˇ ㄊㄨˊ)a gambler
賭局(ㄉㄨˇ ㄐㄩˊ)a gambling game
賭具(ㄉㄨˇ ㄐㄩˋ)things used in gambling—as cards, dice, mah-jong, etc.
賭氣(ㄉㄨˇ ㄑㄧˋ)to do something out of spite (or in a rage)
賭債(ㄉㄨˇ ㄓㄞˋ)a gambling debt
賭注(ㄉㄨˇ ㄓㄨˋ)stakes
賭場(ㄉㄨˇ ㄔㄤˇ)a gambling joint
賭輸(ㄉㄨˇ ㄕㄨ)to lose in gambling

〔貝部〕

賴 5800 ㄌㄞˋ lài
1. to rely on; to depend on 2. to accuse without grounds or evidence 3. to repudiate (a debt); to disavow; to deny something which one has said or done 4. to postpone or procrastinate intentionally 5. no good; poor; bad 6. lazy 7. a Chinese family name
賴不掉(ㄌㄞˋ ˙ㄅㄨ ㄉㄧㄠˋ)cannot be denied
賴皮(ㄌㄞˋ ㄆㄧˊ)shameless
賴賬(ㄌㄞˋ ㄓㄤˋ)to repudiate accounts
賴以爲生(ㄌㄞˋ ㄧˇ ㄨㄟˊ ㄕㄥ)to rely on something or someone for a living

十畫

賺 5801 ㄓㄨㄢˋ zhuàn
1. to earn; to make money; to gain 2. to cheat; to deceive
賺錢(ㄓㄨㄢˋ ㄑㄧㄢˊ)to earn money; to make a profit

賻 5802 ㄈㄨˋ fù
to help another with money in financing a funeral

購 5803 ㄍㄡˋ gòu
to buy; to purchase
購買(ㄍㄡˋ ㄇㄞˇ)to buy
購買力(ㄍㄡˋ ㄇㄞˇ ㄌㄧˋ)purchasing power
購置(ㄍㄡˋ ㄓˋ)to purchase; to buy
購物(ㄍㄡˋ ㄨˋ)to go shopping

賽 5804 ㄙㄞˋ sài
1. to compete; to contest; to rival; to contend for superiority 2. a race; a tournament; a match; a game 3. to surpass
賽跑(ㄙㄞˋ ㄆㄠˇ)to run a race on foot
賽馬(ㄙㄞˋ ㄇㄚˇ)to race horses; a horse race
賽馬場(ㄙㄞˋ ㄇㄚˇ ㄔㄤˇ)a race course (or ground)
賽車(ㄙㄞˋ ㄔㄜ)a car race; to race cars

賸 5805 (剩) ㄕㄥˋ shèng
1. a surplus; an overplus 2. remnants; remains; residues 3. superfluous
賸下(ㄕㄥˋ ㄒㄧㄚˋ)to leave behind
賸餘(ㄕㄥˋ ㄩˊ)to leave in surplus

十一畫

贄 5806 ㄓˋ zhì
1. presents given at the first meeting 2. gifts to a superior

贅 5807 ㄓㄨㄟˋ zhuì
1. useless; superfluous; redundant 2. repetition; to repeat; repetitious 3. to follow around, as children 4. to be burdensome 5. to pawn things for money 6. to meet; to congregate 7. a son-in-law who takes the place of a son in his wife's parental family which is lacking for an heir
贅瘤(ㄓㄨㄟˋ ㄌㄧㄡˊ)a wen
贅述(ㄓㄨㄟˋ ㄕㄨˋ)redundance
贅言(ㄓㄨㄟˋ ㄧㄢˊ)verbosity

十二畫

贗 5808 (贋) ㄧㄢˋ yàn
a counterfeit; a sham; a fake; bogus; spurious; forged
贗品(ㄧㄢˋ ㄆㄧㄣˇ)a counterfeit

贈 5809 ㄗㄥˋ zèng
to send (gifts); to confer or bestow (titles); to give
贈品(ㄗㄥˋ ㄆㄧㄣˇ)a gift; a present
贈送(ㄗㄥˋ ㄙㄨㄥˋ)to present; to give
贈與(ㄗㄥˋ ㄩˇ)to present; to give
贈閱(ㄗㄥˋ ㄩㄝˋ)(said of publications) given free of charge

賾 5810 ㄗㄜˊ zé
deep; profound; abstruse

贊 5811 ㄗㄢˋ zàn
1. to assist; to aid; to help; to support; to back 2. to praise; to commend; to exalt; to glorify; to extol; to eulogize
贊不絕口(ㄗㄢˋ ˙ㄅㄨ ㄐㄩㄝˊ ㄎㄡˇ)to praise profusely
贊美(ㄗㄢˋ ㄇㄟˇ)to praise; to glorify
贊歎(ㄗㄢˋ ㄊㄢˋ)to exclaim in praise
贊同(ㄗㄢˋ ㄊㄨㄥˊ)to agree; to endorse
贊許(ㄗㄢˋ ㄒㄩˇ)to approve of
贊助(ㄗㄢˋ ㄓㄨˋ)to sponsor
贊助人(ㄗㄢˋ ㄓㄨˋ ㄖㄣˊ)a patron; a sponsor
贊成(ㄗㄢˋ ㄔㄥˊ)to agree to
贊賞(ㄗㄢˋ ㄕㄤˇ)to commend; to praise
贊揚(ㄗㄢˋ ㄧㄤˊ)to exalt; to glorify

贇 5812 ㄩㄣ yūn
fine; pleasant; agreeable

十三畫

贍 5813 ㄕㄢˋ shàn
1. to provide; to supply 2. adequate; abundance; plenty
贍養(ㄕㄢˋ ㄧㄤˇ)to support
贍養費(ㄕㄢˋ ㄧㄤˇ ㄈㄟˋ)alimony

贏 5814 ㄧㄥˊ yíng
1. to win; to beat 2. gains; profits
贏得(ㄧㄥˊ ㄉㄜˊ)to win
贏家(ㄧㄥˊ ㄐㄧㄚ)the winner

十四畫

贓 5815 ㄗㄤ zāng
1. bribes; to bribe 2. stolen goods; loot; booty; plunder; spoils
贓款(ㄗㄤ ㄎㄨㄢˇ)money acquired illicitly
贓物(ㄗㄤ ㄨˋ)stolen goods

贐 5816 ㄐㄧㄣˋ jìn
a farewell present

贒 5817 (賢) ㄒㄧㄢˊ xián
wise; sagacious

十五畫

贖 5818 ㄕㄨˊ shú
1. to redeem; to ransom 2. (now rarely) to buy 3. to atone for; to expiate
贖款(ㄕㄨˊ ㄎㄨㄢˇ)a ransom
贖回(ㄕㄨˊ ㄏㄨㄟˊ)to redeem; to ransom
贖金(ㄕㄨˊ ㄐㄧㄣ)a ransom
贖罪(ㄕㄨˊ ㄗㄨㄟˋ)to atone for a sin

贗 5819 (贋) ㄧㄢˋ yàn
counterfeit; bogus

十七畫

贛 5820 ㄍㄢˋ gàn
1. an alternative name of Kiangsi Province 2. a river in Kiangsi Province 3. a county in Kiangsi Province

赤 部 ㄔˋ chì

赤 5821 ㄔˋ chì
1. red 2. bare; naked 3. sincere; loyal; single-hearted
赤膊(ㄔˋ ㄅㄛˊ)naked to the waist
赤貧(ㄔˋ ㄆㄧㄣˊ)extreme poverty
赤道(ㄔˋ ㄉㄠˋ)the equator
赤膽(ㄔˋ ㄉㄢˇ)sincere loyalty
赤裸裸(ㄔˋ ㄌㄨㄛˇ ㄌㄨㄛˇ)naked
赤脚(ㄔˋ ㄐㄧㄠˇ)①bare feet ②barefooted
赤誠(ㄔˋ ㄔㄥˊ)sincerity; loyal
赤手空拳(ㄔˋ ㄕㄡˇ ㄎㄨㄥ ㄑㄩㄢˊ)① bare hands ② barehanded
赤子之心(ㄔˋ ㄗˇ ㄓ ㄒㄧㄣ)(literally) a child's heart—man's natural kindness
赤字(ㄔˋ ㄗˋ)a deficit; a loss

四畫

赦 5822 ㄕㄜˋ shè
to pardon; to excuse; to forgive; to amnesty; an amnesty
赦免(ㄕㄜˋ ㄇㄧㄢˇ)to pardon (an offender)
赦罪(ㄕㄜˋ ㄗㄨㄟˋ)to pardon (a criminal)

五畫

赧 5823 ㄋㄢˇ nǎn
to turn red from shame or embarrassment; to blush
赧然(ㄋㄢˇ ㄖㄢˊ)ashamed; blushing

七畫

赫 5824 ㄏㄜˋ hè
1. bright; glowing 2. brilliant; glorious 3. angry; indignant
赫赫(ㄏㄜˋ ㄏㄜˋ)brilliant
赫赫有名(ㄏㄜˋ ㄏㄜˋ ㄧㄡˇ ㄇㄧㄥˊ)illustrious
赫然(ㄏㄜˋ ㄖㄢˊ)① looking angry ② astonishing

九畫

赭 5825 ㄓㄜˇ zhě
1. red 2. ocher

赬 5826 ㄔㄥ chēng
red

走 部 ㄗㄡˇ zǒu

走 5827 ㄗㄡˇ zǒu
1. to walk; to go on foot 2. to run; to go swiftly 3. to go; to travel 4. to leave; to go away; to depart 5. to let out or lose (unintentionally); to leak out 6. to visit
走避(ㄗㄡˇ ㄅㄧˋ)to run away from
走遍(ㄗㄡˇ ㄅㄧㄢˋ)to travel all over (an area)
走不開(ㄗㄡˇ ·ㄅㄨ ㄎㄞ)not able to leave
走馬看花(ㄗㄡˇ ㄇㄚˇ ㄎㄢˋ ㄏㄨㄚ)to examine a thing hurriedly
走訪(ㄗㄡˇ ㄈㄤˇ)to visit
走道(ㄗㄡˇ ㄉㄠˋ)①a pavement ②an

〔赤·走部〕

aisle

走動(ㄗㄡˇ ㄉㄨㄥˋ)to take a walk

走投無路(ㄗㄡˇ ㄊㄡˊ ㄨˊ ㄌㄨˋ)to have no one to turn to

走來走去(ㄗㄡˇ ㄌㄞˊ ㄗㄡˇ ㄑㄩˋ)to walk back and forth

走漏(ㄗㄡˇ ㄌㄡˋ)(said of secrets, plots, etc.) to leak

走廊(ㄗㄡˇ ㄌㄤˊ)a corridor

走路(ㄗㄡˇ ㄌㄨˋ)to walk; to go on foot

走開(ㄗㄡˇ ㄎㄞ)Get out of the way!

走後門(ㄗㄡˇ ㄏㄡˋ ㄇㄣˊ)to secure advantages through pull or influence

走火(ㄗㄡˇ ㄏㄨㄛˇ)①(said of firearms) to go off accidentally ②(electricity) a short circuit

走向(ㄗㄡˇ ㄒㄧㄤˋ)the trend

走著瞧(ㄗㄡˇ ˙ㄓㄜ ㄑㄧㄠˊ)to wait and see

走失(ㄗㄡˇ ㄕ)to get lost

走走(ㄗㄡˇ ˙ㄗㄡ)to take a walk

走私(ㄗㄡˇ ㄙ)to smuggle; smuggling

走散(ㄗㄡˇ ㄙㄢˋ)to get separated from other travelers

走樣(ㄗㄡˇ ㄧㄤˋ)to get out of shape

走運(ㄗㄡˇ ㄩㄣˋ)to be enjoying good luck

二畫

赳 5828 ㄐㄧㄡˇ jiǔ
(又讀 ㄐㄧㄡ jiū)
valiant; gallant

赴 5829 ㄈㄨˋ fù
to go to; to proceed to

赴湯蹈火(ㄈㄨˋ ㄊㄤ ㄉㄠˇ ㄏㄨㄛˇ)to defy all difficulties and dangers

赴會(ㄈㄨˋ ㄏㄨㄟˋ)to go to a meeting

赴宴(ㄈㄨˋ ㄧㄢˋ)to go to a banquet

赴約(ㄈㄨˋ ㄩㄝ)to leave for an engagement

三畫

起 5830 ㄑㄧˇ qǐ
1. to begin; to start 2. to rise; to get up; to stand up; to go up 3. to happen; to take place 4. to unfold; to uncover 5. to build; to establish 6. a numerary adjunct for incidents

起泡(ㄑㄧˇ ㄆㄠˋ)①to get blisters ②to form bubbles

起碼(ㄑㄧˇ ㄇㄚˇ)at least

起飛(ㄑㄧˇ ㄈㄟ)to take off; a takeoff

起伏(ㄑㄧˇ ㄈㄨˊ)①to undulate ②ups and downs

起點(ㄑㄧˇ ㄉㄧㄢˇ)a starting point

起動(ㄑㄧˇ ㄉㄨㄥˋ)to start

起頭(ㄑㄧˇ ㄊㄡˊ)①the origin ②at first

起跳(ㄑㄧˇ ㄊㄧㄠˋ)(sports) to take off

起來(ㄑㄧˇ ㄌㄞˊ)to stand up; to rise

起立(ㄑㄧˇ ㄌㄧˋ)to stand up

起火(ㄑㄧˇ ㄏㄨㄛˇ)to catch fire

起鬨(ㄑㄧˇ ㄏㄨㄥˋ)to create disturbances

起勁(ㄑㄧˇ ㄐㄧㄣˋ)(said of actions, performances, etc.) showing much zeal

起居(ㄑㄧˇ ㄐㄩ)one's everyday life at home

起訖(ㄑㄧˇ ㄑㄧˋ)the beginning and the end

起先(ㄑㄧˇ ㄒㄧㄢ)at first

起重機(ㄑㄧˇ ㄓㄨㄥˋ ㄐㄧ)a crane

起初(ㄑㄧˇ ㄔㄨ)at first

起牀(ㄑㄧˇ ㄔㄨㄤˊ)to get up; to rise

起身(ㄑㄧˇ ㄕㄣ)①to start on a journey ②to get up

起草(ㄑㄧˇ ㄘㄠˇ)to prepare a draft

起死回生(ㄑㄧˇ ㄙˇ ㄏㄨㄟˊ ㄕㄥ)to revive the dead

起色(ㄑㄧˇ ㄙㄜˋ)a sign of improvement

起訴(ㄑㄧˇ ㄙㄨˋ)to indict; to sue

起疑(ㄑㄧˇ ㄧˊ)to begin to suspect

起眼(ㄑㄧˇ ㄧㄢˇ)to attract attention

起因(ㄑㄧˇ ㄧㄣ)a cause

起源(ㄑㄧˇ ㄩㄢˊ)the origin; the source

赸 5831 ㄕㄢˋ shàn
to try to conceal embarrassment

五畫

趁 5832 (趂) ㄔㄣˋ chèn
1.to take advantage of; to avail oneself of 2. while

趁火打劫(ㄔㄣˋ ㄏㄨㄛˇ ㄉㄚˇ ㄐㄧㄝˊ)to try to profit from another's misfortune

趁機會(ㄔㄣˋ ㄐㄧ ㄏㄨㄟˋ)to take advantage of an opportunity

趁人之危(ㄔㄣˋ ㄖㄣˊ ㄓ ㄨㄟˊ)to take advantage of others' perilous states

趁早(ㄔㄣˋ ㄗㄠˇ)as early as possible

趄 5833 ㄐㄩ jū
as in 趑趄—to falter

超 5834 ㄔㄠ chāo
1. to jump over; to leap over; to fly across 2. to be more than; to exceed 3. to be better than; to excel; to surpass 4. to rise above 5. to overtake

超脫(ㄔㄠ ㄊㄨㄛ)to transcend worldliness

超齡(ㄔㄠ ㄌㄧㄥˊ)to be over the specified age

超過(ㄔㄠ ㄍㄨㄛˋ)①to exceed; to be more than ②to excel; to surpass

超級(ㄔㄠ ㄐㄧˊ)super

超級明星(ㄔㄠ ㄐㄧˊ ㄇㄧㄥˊ ㄒㄧㄥ)a superstar

超級市場(ㄔㄠ ㄐㄧˊ ㄕˋ ㄔㄤˇ)a supermarket
超前(ㄔㄠ ㄑㄧㄢˊ)to overtake
超群(ㄔㄠ ㄑㄩㄣˊ)preeminent; surpassing
超現實主義(ㄔㄠ ㄒㄧㄢˋ ㄕˊ ㄓㄨˇ ㄧˋ)surrealism
超支(ㄔㄠ ㄓ)to overspend; to overdraw
超重(ㄔㄠ ㄓㄨㄥˋ)① an overload ② overweight
超車(ㄔㄠ ㄔㄜ)to overtake a car
超出(ㄔㄠ ㄔㄨ)to exceed; to surpass
超然(ㄔㄠ ㄖㄢˊ)①transcendent ② detached; unprejudiced
超人(ㄔㄠ ㄖㄣˊ)a superman
超自然(ㄔㄠ ㄗˋ ㄖㄢˊ)supernatural
超載(ㄔㄠ ㄗㄞˋ)overloading; to overload
超速(ㄔㄠ ㄙㄨˋ)speeding
超額貸款(ㄔㄠ ㄜˊ ㄉㄞˋ ㄎㄨㄢˇ)overloan
超音波(ㄔㄠ ㄧㄣ ㄅㄛ)supersonic waves
超音速(ㄔㄠ ㄧㄣ ㄙㄨˋ)supersonic speed
超越(ㄔㄠ ㄩㄝˋ)to excel; to surpass

越 5835 ㄩㄝˋ yuè
1. to go beyond; to transgress 2. to skip; to climb over; to cross over; to go across 3. even more; the more 4. name of an ancient state
越南(ㄩㄝˋ ㄋㄢˊ)Vietnam
越過(ㄩㄝˋ ㄍㄨㄛˋ)①to exceed ②to cross
越軌(ㄩㄝˋ ㄍㄨㄟˇ)to go beyond what is proper
越級(ㄩㄝˋ ㄐㄧˊ)to skip grades in promotion, etc.
越界(ㄩㄝˋ ㄐㄧㄝˋ)to go beyond the boundary
越權(ㄩㄝˋ ㄑㄩㄢˊ)to act without authorization
越野賽跑(ㄩㄝˋ ㄧㄝˇ ㄙㄞˋ ㄆㄠˇ)a cross-country race
越獄(ㄩㄝˋ ㄩˋ)to break jail; a jailbreak

六畫

趑 5836 ㄗ zī
to falter

趔 5837 ㄌㄧㄝˋ liè
1. falling behind; not progressing 2. unskillful; awkward

七畫

趙 5838 ㄓㄠˋ zhào
1. name of an ancient feudal state 2. a Chinese family name

趕 5839 ㄍㄢˇ gǎn
1. to pursue; to catch up with; to overtake; to keep up with 2. to drive; to expel 3. to hurry; to rush; to hasten 4. to try to catch; to make a dash for; to rush for
趕不上(ㄍㄢˇ ˙ㄅㄨ ㄕㄤˋ)① unable to catch up with ② inferior to
趕忙(ㄍㄢˇ ㄇㄤˊ)with haste; hurriedly
趕路(ㄍㄢˇ ㄌㄨˋ)to walk hurriedly
趕快(ㄍㄢˇ ㄎㄨㄞˋ)to make haste; to hurry
趕緊(ㄍㄢˇ ㄐㄧㄣˇ)to hurry; quickly
趕盡殺絕(ㄍㄢˇ ㄐㄧㄣˋ ㄕㄚ ㄐㄩㄝˊ)to injure and oppress to the extreme
趕著(ㄍㄢˇ ˙ㄓㄜ)① hurrying ② catching up
趕車(ㄍㄢˇ ㄔㄜ)to catch a bus or train
趕出去(ㄍㄢˇ ㄔㄨ ˙ㄑㄩ)to drive out; to expel
趕時髦(ㄍㄢˇ ㄕˊ ㄇㄠˊ)to follow the fashion
趕上(ㄍㄢˇ ˙ㄕㄤ)①to catch up with ② to be in time for

八畫

趣 5840 1. ㄑㄩˋ qù
interest; fun; interesting; funny
趣事(ㄑㄩˋ ㄕˋ)an interesting episode
趣味(ㄑㄩˋ ㄨㄟˋ)fun; interest; taste
趣聞(ㄑㄩˋ ㄨㄣˊ)an amusing report

趣 5840 2. (促) ㄘㄨˋ cù
to hasten

趟 5841 ㄊㄤˋ tàng
an auxiliary noun for verbs meaning "to walk," "to journey," etc.

十畫

趨 5842 ㄑㄩ qū
1. to go quickly; to hasten; to hurry 2. to be inclined; to tend; to follow
趨吉避凶(ㄑㄩ ㄐㄧˊ ㄅㄧˋ ㄒㄩㄥ)to pursue good fortune and shun the course of calamity
趨向(ㄑㄩ ㄒㄧㄤˋ)① a tendency ② to tend to; to incline to
趨之若鶩(ㄑㄩ ㄓ ㄖㄨㄛˋ ㄨˋ)to go after in a swarm
趨勢(ㄑㄩ ㄕˋ)a trend; a tendency
趨炎附勢(ㄑㄩ ㄧㄢˊ ㄈㄨˋ ㄕˋ)to hang on men of influence

十九畫

趲 5843 ㄗㄢˇ zǎn
1. to hurry; to hasten; to rush through 2. to urge 3. to save (money)

〔足部〕

足部
ㄗㄨˊ zú

足 5844
1. ㄗㄨˊ zú
1. the foot; the leg 2. the base (of an object) 3. sufficient; enough; adequate; full
足不出戶(ㄗㄨˊ ·ㄅㄨ ㄔㄨ ㄏㄨˋ)to refrain from stepping outside the house
足夠(ㄗㄨˊ ㄍㄡˋ)enough; sufficient
足跟(ㄗㄨˊ ㄍㄣ)the heel
足迹(ㄗㄨˊ ㄐㄧ)footprints
足見(ㄗㄨˊ ㄐㄧㄢˋ)from this it is clear that
足球(ㄗㄨˊ ㄑㄧㄡˊ)football; soccer
足球隊(ㄗㄨˊ ㄑㄧㄡˊ ㄉㄨㄟˋ)a football team
足智多謀(ㄗㄨˊ ㄓˋ ㄉㄨㄛ ㄇㄡˊ)wise and resourceful
足足(ㄗㄨˊ ㄗㄨˊ)full; no less than
足以(ㄗㄨˊ ㄧˇ)sufficient to; enough to

足 5844
2. ㄐㄩˋ jù
overly modest or humble

二畫

趴 5845
ㄆㄚ pā
1. to prostrate oneself; to lie face downwards 2. to bend over
趴下(ㄆㄚ ·ㄒㄧㄚ)to prostrate oneself
趴著(ㄆㄚ ·ㄓㄜ)lying flat on the ground; prostrate

三畫

趵 5846
ㄅㄠˋ bào
to jump; to leap

四畫

趾 5847
ㄓˇ zhǐ
1. a toe 2. a foot 3. footprints; tracks
趾高氣揚(ㄓˇ ㄍㄠ ㄑㄧˋ ㄧㄤˊ)elated and proud; smug
趾甲(ㄓˇ ㄐㄧㄚˇ)a toenail

趺 5848
ㄈㄨ fū
the back of the foot

跂 5849
1. ㄑㄧˊ qí
1. an extra toe 2. (said of insects) crawling

跂 5849
2. ㄑㄧˋ qì
to stand on tiptoe
跂望 or 企望(ㄑㄧˋ ㄨㄤˋ)to look forward with eagerness

趿 5850
1. ㄙㄚˋ sà
to pick up with the foot

趿 5850
2. ㄊㄚ tā
to wear (shoes) in a casual way

五畫

跋 5851
ㄅㄚˊ bá
1. to travel 2. a postscript 3. to trample
跋扈(ㄅㄚˊ ㄏㄨˋ)to be rampant in defiance of authority
跋涉(ㄅㄚˊ ㄕㄜˋ)to travel over land and water; to trudge; to trek

跌 5852
ㄉㄧㄝˊ dié
1. to fall; to drop 2. to stamp 3. a fall
跌倒(ㄉㄧㄝˊ ㄉㄠˇ)to fall down
跌跌撞撞(ㄉㄧㄝˊ ㄉㄧㄝˊ ㄓㄨㄤˋ ㄓㄨㄤˋ) to walk unsteadily
跌落(ㄉㄧㄝˊ ㄌㄨㄛˋ)to go down; to fall
跌價(ㄉㄧㄝˊ ㄐㄧㄚˋ)to cut a price

跎 5853
ㄊㄨㄛˊ tuó
1. to miss one's footing; to stumble 2. to miss the opportunity; to waste time

跑 5854
ㄆㄠˇ pǎo
1. to run 2. to run away; to flee
跑步(ㄆㄠˇ ㄅㄨˋ)to run; on the double
跑馬場(ㄆㄠˇ ㄇㄚˇ ㄔㄤˇ)a racecourse (for horse racing); a racetrack
跑道(ㄆㄠˇ ㄉㄠˋ)① a track ② a runway
跑堂(ㄆㄠˇ ㄊㄤˊ)a waiter
跑腿(ㄆㄠˇ ㄊㄨㄟˇ)to run errands
跑壘(ㄆㄠˇ ㄌㄟˇ) (baseball) base running
跑龍套(ㄆㄠˇ ㄌㄨㄥˊ ㄊㄠˋ)to play an insignificant role
跑車(ㄆㄠˇ ㄔㄜ)a racer; a sports car

跖 5855
ㄓˊ zhí
1. the sole (of the foot) 2. name of a notorious robber

跗 5856
ㄈㄨ fū
the instep: 跗骨 the tarsus; the tarsal bone

跚 5857
ㄕㄢ shān
to walk unsteadily; to stagger

跛 5858
1. ㄅㄛˇ bǒ
lame; crippled: 跛子 a cripple

跛 5858
2. ㄅㄧˋ bì
to lean; to be partial

距 5859 ㄐㄩˋ jù
1. a bird's spur 2. as in 距離—distance

六畫

跨 5860 ㄎㄨㄚˋ kuà
1. to take a stride; to stride 2. to sit astride on; to straddle; to ride 3. to cut across; to go beyond; to extend across
跨年度(ㄎㄨㄚˋ ㄋㄧㄢˊ ㄉㄨˋ)to go beyond the year
跨國公司(ㄎㄨㄚˋ ㄍㄨㄛˊ ㄍㄨㄥ ㄙ)a transnational company
跨海(ㄎㄨㄚˋ ㄏㄞˇ)to cross the sea
跨越(ㄎㄨㄚˋ ㄩㄝˋ)to stride over (a ditch, etc.)

趼 5861 (䟰) ㄐㄧㄢˇ jiǎn
the callous skin or blisters on hands or feet

跟 5862 ㄍㄣ gēn
1. the heel 2. to follow 3. to attend upon 4. and
跟班(ㄍㄣ ㄅㄢ)an attendant (especially of an official)
跟進(ㄍㄣ ㄐㄧㄣˋ)to follow suit
跟前(ㄍㄣ ㄑㄧㄢˊ)the front, side, or presence (of a person)
跟著(ㄍㄣ ·ㄓㄜ)following
跟蹤(ㄍㄣ ㄗㄨㄥ)to keep track of
跟隨(ㄍㄣ ㄙㄨㄟˊ)to follow

跡 5863 (迹) ㄐㄧ jī
traces; tracks; relics; a print

跮 5864 ㄔˋ chì
to walk back and forth

跴 5865 (踩) ㄘㄞˇ cǎi
1. to trample; to tread on 2. to chase; to pursue
跴扁(ㄘㄞˇ ㄅㄧㄢˇ)to trample (an object) flat

跣 5866 ㄒㄧㄢˇ xiǎn
as in 跣足—barefooted

跪 5867 ㄍㄨㄟˋ guì
to kneel
跪拜(ㄍㄨㄟˋ ㄅㄞˋ)to kowtow
跪倒(ㄍㄨㄟˋ ㄉㄠˇ)to go on one's knees
跪下(ㄍㄨㄟˋ ·ㄒㄧㄚ)to kneel down
跪謝(ㄍㄨㄟˋ ㄒㄧㄝˋ)to express thanks on one's knees

跫 5868 ㄑㄩㄥˊ qióng
the sound of steps; footsteps
跫音(ㄑㄩㄥˊ ㄧㄣ)the sound of steps

跬 5869 ㄎㄨㄟˇ kuǐ
half a pace

跲 5870 ㄐㄧㄚˊ jiá
to stumble

路 5871 ㄌㄨˋ lù
1. a way; a road; a path 2. a sort; a kind; a gang 3. a way; means 4. directions; courses
路標(ㄌㄨˋ ㄅㄧㄠ)a road sign; a signpost
路旁(ㄌㄨˋ ㄆㄤˊ)the roadside
路面(ㄌㄨˋ ㄇㄧㄢˋ)a road surface
路燈(ㄌㄨˋ ㄉㄥ)a street lamp
路途(ㄌㄨˋ ㄊㄨˊ)way; a road
路過(ㄌㄨˋ ㄍㄨㄛˋ)to pass by or through (a place)
路口(ㄌㄨˋ ㄎㄡˇ)a street intersection
路基(ㄌㄨˋ ㄐㄧ)a road base
路肩(ㄌㄨˋ ㄐㄧㄢ)the shoulder of the road
路徑(ㄌㄨˋ ㄐㄧㄥˋ)a way; a route
路線(ㄌㄨˋ ㄒㄧㄢˋ)a route; a course
路障(ㄌㄨˋ ㄓㄤˋ)a roadblock
路程(ㄌㄨˋ ㄔㄥˊ)distance to be traveled
路上(ㄌㄨˋ ·ㄕㄤ)on the way
路人(ㄌㄨˋ ㄖㄣˊ)①a wayfarer ②a stranger

跳 5872 ㄊㄧㄠˋ tiào
1. to jump; to leap; to bounce; to spring 2. to throb; to pulsate; to beat 3. to skip (over); to make omissions
跳票(ㄊㄧㄠˋ ㄆㄧㄠˋ)a bounced check
跳動(ㄊㄧㄠˋ ㄉㄨㄥˋ)to throb; to pulsate
跳梁小醜(ㄊㄧㄠˋ ㄌㄧㄤˊ ㄒㄧㄠˇ ㄔㄡˇ)petty thieves
跳高(ㄊㄧㄠˋ ㄍㄠ)(sports) high jump (in track and field)
跳過(ㄊㄧㄠˋ ㄍㄨㄛˋ)to jump over or across
跳級(ㄊㄧㄠˋ ㄐㄧˊ)(education) to skip a grade
跳脚(ㄊㄧㄠˋ ㄐㄧㄠˇ)to stamp one's foot
跳棋(ㄊㄧㄠˋ ㄑㄧˊ)Chinese checkers
跳牆(ㄊㄧㄠˋ ㄑㄧㄤˊ)to jump over a fence
跳繩(ㄊㄧㄠˋ ㄕㄥˊ)rope jumping
跳水(ㄊㄧㄠˋ ㄕㄨㄟˇ)to dive
跳蚤(ㄊㄧㄠˋ ㄗㄠˇ)a flea
跳槽(ㄊㄧㄠˋ ㄘㄠˊ)to abandon one occupation in favor of another
跳傘(ㄊㄧㄠˋ ㄙㄢˇ)to parachute
跳舞(ㄊㄧㄠˋ ㄨˇ)to dance; dancing
跳躍(ㄊㄧㄠˋ ㄩㄝˋ)to jump; to leap; to hop
跳遠(ㄊㄧㄠˋ ㄩㄢˇ)(sports) the broad jump

跺 5873 ㄉㄨㄛˋ duò
to stamp the feet

踋 5874
ㄓㄨㄞˇ zhuǎi
waddling

跤 5875
ㄐㄧㄠ jiāo
a stumble; a fall

〔足部〕

七畫

跼 5876
ㄐㄩˊ jú
1. bent 2. contracted; cramped; confined
跼促 or 侷促(ㄐㄩˊ ㄘㄨˋ)① narrow-minded ② uneasy

跽 5877
ㄐㄧˋ jì
to kneel for a long time

踉 5878
1. ㄌㄤˊ láng
(又讀 ㄌㄧㄤˊ liáng)
to jump about; to hop about

踉 5878
2. ㄌㄧㄤˋ liàng
to walk unsteadily; to limp
踉蹌(ㄌㄧㄤˋ ㄑㄧㄤˋ)limping; walking unsteadily

踅 5879
1. ㄔˋ chì
to go on one leg

踅 5879
2. ㄒㄩㄝˊ xué
to loiter around; to hang about

踊 5880
ㄩㄥˇ yǒng
1. to jump; to leap 2. to rise 3. the shoes worn by the person whose feet were cut off as a form of punishment
踊躍 or 踴躍(ㄩㄥˇ ㄩㄝˋ)① joyful; happy ② glad to do something

八畫

踐 5881
ㄐㄧㄢˋ jiàn
1. to tread upon; to trample 2. to fulfill; to carry out; to perform 3. to ascend; to occupy
踐踏(ㄐㄧㄢˋ ㄊㄚˋ)to trample

踠 5882
ㄨㄢˇ wǎn
a crooked leg

踏 5883
ㄊㄚˋ tà
1. to step upon; to tread upon; to trample 2. to go to the spot (to make an investigation or survey)
踏板(ㄊㄚˋ ㄅㄢˇ)a pedal; a treadle
踏脚石(ㄊㄚˋ ㄐㄧㄠˇ ㄕˊ)a steppingstone
踏青(ㄊㄚˋ ㄑㄧㄥ)a spring outing
踏實(ㄊㄚˋ ㄕˊ)practical

踝 5884
ㄏㄨㄞˊ huái
an ankle

踞 5885
ㄐㄩˋ jù
1. to squat; to crouch 2. to occupy

踟 5886
ㄔˊ chí
to hesitate
踟躕 or 踟躇(ㄔˊ ㄔㄨˊ) ① linked together ② to hesitate ③ a comb

踡 5887
ㄑㄩㄢˊ quán
coiled; curled; drawn together; not stretched
踡伏(ㄑㄩㄢˊ ㄈㄨˊ)(said of a snake, etc.) to coil up

踢 5888
ㄊㄧ tī
1. to kick 2. to play (football)
踢躂舞(ㄊㄧ ㄊㄚˋ ㄨˇ)tap dance
踢開(ㄊㄧ ㄎㄞ)①to kick open (a door) ②to kick (something) out of the way

踣 5889
ㄅㄛˊ bó
1. to stumble and fall 2. dead; stiff

踥 5890
ㄑㄧㄝˋ qiè
to walk; to be in motion

踧 5891
1. ㄘㄨˋ cù
reverent and nervous

踧 5891
2. ㄉㄧˊ dí
level and easy

踖 5892
ㄐㄧˊ jí
to trample; to tread upon

踔 5893
ㄓㄨㄛˊ zhuó
1. to go across; to go beyond 2. very high; very far

踩 5894
(跴) ㄘㄞˇ cǎi
to tread upon; to trample; to step upon
踩高蹺(ㄘㄞˇ ㄍㄠ ㄑㄧㄠ)to walk on stilts

踦 5895
1. ㄐㄧˇ jǐ
1. the shin 2. to lean against

踦 5895
2. ㄧˇ yǐ
to touch; to pierce

踪 5896
(蹤) ㄗㄨㄥ zōng
a footprint; traces; tracks

九畫

踰 5897 ㄩˊ yú
1. same as 逾—to pass over; to cross; to go beyond; to transgress; to exceed 2. excessive; overly
踰矩(ㄩˊ ㄐㄩˇ) to transgress the bounds of correctness
踰越(ㄩˊ ㄩㄝˋ) to go beyond

踱 5898 ㄉㄨㄛˋ duò
as in 踱步—to stroll; to walk slowly

踵 5899 ㄓㄨㄥˇ zhǒng
1. the heel 2. to follow 3. to call personally at; to go personally to

踽 5900 ㄐㄩˇ jǔ
as in 踽踽—to walk alone

蹀 5901 ㄉㄧㄝˊ dié
to stamp one's foot

蹁 5902 ㄆㄧㄢˊ pián
walking unsteadily; limping

蹂 5903 ㄖㄡˊ róu
1. to tread upon; to trample 2. to tread out grain
蹂躪(ㄖㄡˊ ㄌㄧㄣˋ) ①to trample ②to devastate

蹄 5904 (蹏) ㄊㄧˊ tí
1. (zoology) a hoof 2. the feet of beasts
蹄膀(ㄊㄧˊ ˙ㄆㄤ) (dialect) the uppermost part of legs of pork
蹄筋(ㄊㄧˊ ㄐㄧㄣ) the tendon of Achilles
蹄子(ㄊㄧˊ ˙ㄗ) hoofs

踹 5905 ㄔㄨㄞˋ chuài
1. to kick 2. to tread; to trample; to stamp 3. to spoil

踳 5906 ㄔㄨㄣˇ chǔn
incongruous; disorderly

十畫

蹈 5907 ㄉㄠˋ dào
1. to tread; to step; to stamp one's foot 2. to follow; to pursue
蹈義(ㄉㄠˋ ㄧˋ) to die for a cause

蹇 5908 ㄐㄧㄢˇ jiǎn
1. lame; crippled 2. slow 3. difficult; hard 4. haughty

蹉 5909 ㄘㄨㄛ cuō
a failure; a miss
蹉跎(ㄘㄨㄛ ㄊㄨㄛˊ) to waste time

蹊 5910 ㄒㄧ xī
1. a path; a footpath 2. to trample; to tread
蹊徑(ㄒㄧ ㄐㄧㄥˋ) a narrow path
蹊蹺(ㄒㄧ ㄑㄧㄠ) extraordinary

蹋 5911 ㄊㄚˋ tà
to tread on

蹌 5912 1. ㄑㄧㄤ qiāng
walking rapidly

蹌 5912 2. ㄑㄧㄤˋ qiàng
walking unsteadily; limping

蹐 5913 ㄐㄧˊ jí
to walk daintily; to walk with small steps

蹏 5914 ㄊㄧˊ tí
same as 蹄—hoofs

十一畫

蹣 5915 ㄇㄢˊ mán
1. to jump over 2. to limp
蹣跚(ㄇㄢˊ ㄕㄢ) to walk haltingly

蹕 5916 ㄅㄧˋ bì
1. to clear (the emperor's route) of traffic 2. an imperial carriage

蹙 5917 (蹴) ㄘㄨˋ cù
1. to contract; to draw together 2. urgent 3. sad; sorrowful
蹙眉(ㄘㄨˋ ㄇㄟˊ) to knit the brows; to frown

蹚 5918 ㄊㄤ tāng
1. to tread on; to tread 2. to walk through mud or water; to wade
蹚渾水(ㄊㄤ ㄏㄨㄣˊ ㄕㄨㄟˇ) (literally) to tread on muddy water—to associate with wicked people

蹤 5919 (踪) ㄗㄨㄥ zōng
1. a footprint; a vestige 2. to follow the tracks of; to trail
蹤跡(ㄗㄨㄥ ㄐㄧ) ①a track ②to keep track
蹤影(ㄗㄨㄥ ㄧㄥˇ) traces; a vestige

蹠 5920 ㄓˊ zhí
1. to tread on 2. the sole (of the foot)

蹡 5921 1. ㄑㄧㄤ qiāng
walking; in motion

蹡 5921 2. ㄑㄧㄤˋ qiàng
to limp

〔足部〕

蹢 5922
1. ㄓˊ zhí
to falter; to hesitate

蹢 5922
2. ㄉㄧˊ dí
a hoof

蹦 5923
ㄅㄥˋ bèng
to skip; to caper; to trip; to jump

蹧 5924
ㄗㄠ zāo
as in 蹧蹋—to spoil; to ruin

蹟 5925
(跡) ㄐㄧ jī
footprints; traces

蹔 5926
ㄓㄢˋ zhàn
same as 暫 — temporary; fleeting; ephemeral

蹙 5927
ㄘㄨˋ cù
same as 蹴—to contract or draw together

十二畫

蹲 5928
ㄉㄨㄣ dūn
(讀音 ㄘㄨㄣˊ cún)
1. to squat; to crouch 2. to stay

蹩 5929
(蹳) ㄅㄧㄝˊ bié
to limp
蹩脚(ㄅㄧㄝˊ ㄐㄧㄠˇ)①lame ②inferior in quality
蹩脚貨(ㄅㄧㄝˊ ㄐㄧㄠˇ ㄏㄨㄛˋ)inferior goods

蹬 5930
ㄉㄥˋ dèng
1. to tread on; to step on 2. deprived of power or influence

蹭 5931
ㄘㄥˋ cèng
1. deprived of power 2. to stroll 3. to protract

蹯 5932
ㄈㄢˊ fán
paws

蹴 5933
(蹵) ㄘㄨˋ cù
1. to tread on 2. to kick 3. respectful

蹶 5934
1. ㄐㄩㄝˊ jué
1. to tread 2. to stumble and fall 3. to overturn 4. to frustrate

蹶 5934
2. ㄐㄩㄝˇ juě
to kick backward

蹺 5935
ㄑㄧㄠ qiāo
1. same as 蹻—to raise one's feet 2. on tiptoe 3. stilts
蹺家(ㄑㄧㄠ ㄐㄧㄚ)(slang) to run away from home
蹺蹺板(ㄑㄧㄠ ㄑㄧㄠ ㄅㄢˇ)a teeter-board

蹻 5936
1. ㄑㄧㄠ qiāo
1. same as 蹺—to raise one's feet 2. stilts (高蹻)

蹻 5936
2. ㄐㄧㄠˇ jiǎo
1. strong; brave 2. haughty; overbearing

蹼 5937
ㄆㄨˊ pú
webs on the feet of waterfowls

蹵 5938
(蹴) ㄘㄨˋ cù
1. to tread 2. to kick

蹳 5939
ㄅㄧㄝˊ bié
same as 蹩—to limp

蹰 5940
ㄔㄨˊ chú
same as 躕—to hesitate to advance

十三畫

躄 5941
(躃) ㄅㄧˋ bì
having both legs disabled; crippled in both legs

躁 5942
ㄗㄠˋ zào
1. irritable 2. restless 3. rashness
躁急(ㄗㄠˋ ㄐㄧˊ)impatient
躁進(ㄗㄠˋ ㄐㄧㄣˋ)impatient to rise in the world

躅 5943
ㄓㄨˊ zhú
to falter; to hesitate

躇 5944
ㄔㄨˊ chú
to hesitate

躉 5945
ㄉㄨㄣˇ dǔn
1. a whole batch or amount 2. to buy or sell wholesale
躉船(ㄉㄨㄣˇ ㄔㄨㄢˊ)a lighter (for loading or unloading larger ships)
躉售(ㄉㄨㄣˇ ㄕㄡˋ)to sell wholesale

躂 5946
ㄊㄚˋ tà
to stumble; to slip

躃 5947
ㄅㄧˋ bì
same as 躄—crippled in both legs

十四畫

躊 5948
ㄔㄡˊ chóu
1. hesitant 2. complacent; confident

躊躇(ㄔㄡˊ ㄔㄨˊ)①to hesitate ②complacent

躋 5949 ㄐㄧ jī
to go up; to rise; to ascend

躍 5950 ㄩㄝˋ yuè (語音 ㄧㄠˋ yào)
to jump; to leap; to bound; to spring
躍馬(ㄩㄝˋ ㄇㄚˇ)to let a horse gallop
躍進(ㄩㄝˋ ㄐㄧㄣˋ)①to leap forward ②to make rapid progress
躍躍欲試(ㄩㄝˋ ㄩㄝˋ ㄩˋ ㄕˋ)eager to do something

十五畫

躐 5951 ㄌㄧㄝˋ liè
to transgress; to overstep

躑 5952 ㄓˊ zhí
to falter; to hesitate
躑躅(ㄓˊ ㄓㄨˊ)①to falter; to hesitate ②(botany) an azalea

躓 5953 ㄓˋ zhì
1. to stumble 2. to be frustrated

躕 5954 (蹰) ㄔㄨˊ chú
to falter; to hesitate

十六畫

躚 5955 ㄒㄧㄢ xiān
to turn round and round

十七畫

躞 5956 ㄒㄧㄝˋ xiè
1. walking; proceeding 2. a pin or rod for rolling a scroll; an axis

十八畫

躡 5957 ㄋㄧㄝˋ niè
1. to tread on 2. to follow 3. to walk lightly
躡手躡脚(ㄋㄧㄝˋ ㄕㄡˇ ㄋㄧㄝˋ ㄐㄧㄠˇ) walking stealthily

躥 5958 ㄘㄨㄢ cuān
1. to leap; to jump 2. (said of someone) to get promoted 3. to spurt out

二十畫

躪 5959 ㄌㄧㄣˋ lìn
to trample; to devastate; to overrun; to lay a place waste

身部 ㄕㄣ shēn

〔身部〕

身 5960 1. ㄕㄣ shēn
1. a body; a trunk 2. one's own person; oneself 3. a child in the womb 4. in person; personally
身敗名裂(ㄕㄣ ㄅㄞˋ ㄇㄧㄥˊ ㄌㄧㄝˋ)to lose both one's fortune and honor
身不由主(ㄕㄣ ·ㄅㄨ ㄧㄡˊ ㄓㄨˇ)unable to act according to one's own will
身分(ㄕㄣ ㄈㄣˋ)one's status or position
身分證(ㄕㄣ ㄈㄣˋ ㄓㄥˋ)a citizenship card; an identity card; an ID card
身體檢查(ㄕㄣ ㄊㄧˇ ㄐㄧㄢˇ ㄔㄚˊ)a physical examination
身歷聲(ㄕㄣ ㄌㄧˋ ㄕㄥ)stereophonic; high fidelity
身高(ㄕㄣ ㄍㄠ)stature; height
身家調查(ㄕㄣ ㄐㄧㄚ ㄉㄧㄠˋ ㄔㄚˊ)the investigation of one's family background
身家清白(ㄕㄣ ㄐㄧㄚ ㄑㄧㄥ ㄅㄞˊ)of respectable descent or parentage
身價(ㄕㄣ ㄐㄧㄚˋ)one's social position or prestige
身教(ㄕㄣ ㄐㄧㄠˋ)to teach by personal example
身經百戰(ㄕㄣ ㄐㄧㄥ ㄅㄞˇ ㄓㄢˋ)to have gone through numerous battles
身心健康(ㄕㄣ ㄒㄧㄣ ㄐㄧㄢˋ ㄎㄤ) sound in body and mind
身心愉快(ㄕㄣ ㄒㄧㄣ ㄩˊ ㄎㄨㄞˋ)feeling well both physically and mentally
身世(ㄕㄣ ㄕˋ)experiences in one's lifetime
身手(ㄕㄣ ㄕㄡˇ)agility; dexterity; artistic skill
身材(ㄕㄣ ㄘㄞˊ)physique; physical build; figure
身外之物(ㄕㄣ ㄨㄞˋ ㄓ ㄨˋ) (literally) things that are not part of one's body —money; material wealth
身孕(ㄕㄣ ㄩㄣˋ)pregnancy

身 5960 2. ㄐㄩㄢ juān
as in 身毒—an ancient name of India

三畫

躬 5961 ㄍㄨㄥ gōng
1. the body; the person 2. in person; personally 3. to bend (the body)
躬逢其盛(ㄍㄨㄥ ㄈㄥˊ ㄑㄧˊ ㄕㄥˋ)to be personally present at the gala occasion

〔車部〕

四畫

軚 5962
(耽) ㄉㄢ dān
to delay (unintentionally)
軚擱(ㄉㄢ ㄍㄜ)to delay (unintentionally)
軚心(ㄉㄢ ㄒㄧㄣ)or 軚憂(ㄉㄢ ㄧㄡ) to be worried
軚誤(ㄉㄢ ㄨˋ)①to mismanage (a thing) by an improper delay ②to take more (time) than justified

六畫

躲 5963
ㄉㄨㄛˇ duǒ
1. to avoid; to escape 2. to hide
躲避(ㄉㄨㄛˇ ㄅㄧˋ)to dodge; to shun
躲債(ㄉㄨㄛˇ ㄓㄞˋ)to avoid a creditor
躲雨(ㄉㄨㄛˇ ㄩˇ)to take shelter from the rain

八畫

躺 5964
ㄊㄤˇ tǎng
to be in a lying position; to lie down
躺椅(ㄊㄤˇ ㄧˇ)a couch; a deck chair

十一畫

軀 5965
ㄑㄩ qū
1. the body; the trunk 2. a child in the womb
軀體(ㄑㄩ ㄊㄧˇ)the body

車部 ㄐㄩ jū

車 5966
1. ㄐㄩ jū
name of a chessman in a kind of Chinese chess known as 象棋

車 5966
2. ㄐㄩ jū
(語音 ㄔㄜ chē)
1. a vehicle 2. a wheeled machine 3. to carry in a cart 4. to shape (things) on a lathe; to lathe; to turn 5. to lift water by a waterwheel
車馬(ㄐㄩ ㄇㄚˇ)or(ㄔㄜ ㄇㄚˇ)vehicles and horses
車牌(ㄔㄜ ㄆㄞˊ)the license plate (on a vehicle)
車票(ㄔㄜ ㄆㄧㄠˋ)a train or bus ticket
車馬費(ㄔㄜ ㄇㄚˇ ㄈㄟˋ)transportation allowances
車門(ㄔㄜ ㄇㄣˊ)doors of a vehicle
車費(ㄔㄜ ㄈㄟˋ)or車錢(ㄔㄜ ㄑㄧㄢˊ)a fare
車夫(ㄔㄜ ㄈㄨ)a cabman; a driver
車道(ㄔㄜ ㄉㄠˋ)roads for vehicular traffic
車燈(ㄔㄜ ㄉㄥ)the headlight (or headlamp) of an automobile or a motorcycle or bicycle
車輛(ㄔㄜ ㄌㄧㄤˋ)vehicles; rolling stock
車輪(ㄔㄜ ㄌㄨㄣˊ)wheels of a vehicle
車庫(ㄔㄜ ㄎㄨˋ)a garage; a vehicle barn
車行(ㄔㄜ ㄏㄤˊ)①a vehicle dealer's shop ②a taxi company
車禍(ㄔㄜ ㄏㄨㄛˋ)an automobile or a train accident; a traffic accident
車廂(ㄔㄜ ㄒㄧㄤ)cars (of a train); railway carriages; compartments
車站(ㄔㄜ ㄓㄢˋ)①a railway station ②a bus station; a bus stop
車長(ㄔㄜ ㄓㄤˇ)a train master
車掌(ㄔㄜ ㄓㄤˇ)a bus conductress or conductor
車牀(ㄔㄜ ㄔㄨㄤˊ)a lathe
車速(ㄔㄜ ㄙㄨˋ)the speed of a motor vehicle

車 5966
3. ㄔㄜ chē
a Chinese family name

一畫

軋 5967
1. ㄧㄚˋ yà
to crush; to grind
軋軋(ㄧㄚˋ ㄧㄚˋ)the creaking sound of a machine in operation

軋 5967
2. ㄍㄚˊ gá
(in the Wu dialect) 1. to crowd 2. to make friends 3. to check
軋頭寸(ㄍㄚˊ ㄊㄡˊ ㄘㄨㄣˋ)(informal) to scramble for cash to meet a payment

二畫

軌 5968
ㄍㄨㄟˇ guǐ
1. the space between the right and the left wheels of a vehicle 2. a track; a path 3. an orbit 4. a rule; a regulation 5. to follow; to obey
軌道(ㄍㄨㄟˇ ㄉㄠˋ)①a railway track ②an orbit ③laws and conventions ④a course; a track

軍 5969
ㄐㄩㄣ jūn
1. the military; forces 2. corps (as a military unit) 3. an armed service
軍備(ㄐㄩㄣ ㄅㄟˋ)armaments; arms
軍民(ㄐㄩㄣ ㄇㄧㄣˊ)soldiers and civilians
軍閥(ㄐㄩㄣ ㄈㄚˊ)the warlord
軍法(ㄐㄩㄣ ㄈㄚˇ)military law

軍法審判(ㄐㄩㄣ ㄈㄚˇ ㄕㄣˇ ㄆㄢˋ) courts-martial
軍費(ㄐㄩㄣ ㄈㄟˋ)military expenses
軍方(ㄐㄩㄣ ㄈㄤ)the military authorities
軍服(ㄐㄩㄣ ㄈㄨˊ)(military) uniform
軍隊(ㄐㄩㄣ ㄉㄨㄟˋ)troops; the armed forces
軍禮(ㄐㄩㄣ ㄌㄧˇ)military rites; a military salute
軍令如山(ㄐㄩㄣ ㄌㄧㄥˋ ㄖㄨˊ ㄕㄢ)Military orders cannot be disobeyed or revoked.
軍歌(ㄐㄩㄣ ㄍㄜ)a war song; a martial chant
軍港(ㄐㄩㄣ ㄍㄤˇ)a naval harbor
軍國主義(ㄐㄩㄣ ㄍㄨㄛˊ ㄓㄨˇ ㄧˋ)militarism
軍官(ㄐㄩㄣ ㄍㄨㄢ)(military) an officer
軍功(ㄐㄩㄣ ㄍㄨㄥ)military achievements
軍號(ㄐㄩㄣ ㄏㄠˋ)a bugle
軍火(ㄐㄩㄣ ㄏㄨㄛˇ)arms; munitions
軍火庫(ㄐㄩㄣ ㄏㄨㄛˇ ㄎㄨˋ)an arsenal
軍機(ㄐㄩㄣ ㄐㄧ)①a military secret ②a military aircraft
軍紀(ㄐㄩㄣ ㄐㄧˋ)military discipline
軍艦(ㄐㄩㄣ ㄐㄧㄢˋ)a warship
軍警(ㄐㄩㄣ ㄐㄧㄥˇ)the military and the police
軍眷(ㄐㄩㄣ ㄐㄩㄢˋ)a soldier's dependants
軍旗(ㄐㄩㄣ ㄑㄧˊ)military banners
軍區(ㄐㄩㄣ ㄑㄩ)military region
軍械(ㄐㄩㄣ ㄒㄧㄝˋ)military equipment
軍校學生(ㄐㄩㄣ ㄒㄧㄠˋ ㄒㄩㄝˊ ㄕㄥ)a military cadet
軍銜(ㄐㄩㄣ ㄒㄧㄢˊ)military rank
軍心(ㄐㄩㄣ ㄒㄧㄣ)the morale of the troops
軍訓(ㄐㄩㄣ ㄒㄩㄣˋ)military training
軍政府(ㄐㄩㄣ ㄓㄥˋ ㄈㄨˇ)a military government
軍裝(ㄐㄩㄣ ㄓㄨㄤ)military uniform
軍種(ㄐㄩㄣ ㄓㄨㄥˇ)the armed services; branches of the armed forces
軍事(ㄐㄩㄣ ㄕˋ)military affairs
軍事地區(ㄐㄩㄣ ㄕˋ ㄉㄧˋ ㄑㄩ)a military area
軍事化(ㄐㄩㄣ ㄕˋ ㄏㄨㄚˋ)to militarize; militarization
軍事基地(ㄐㄩㄣ ㄕˋ ㄐㄧ ㄉㄧˋ)a military base
軍事行動(ㄐㄩㄣ ㄕˋ ㄒㄧㄥˊ ㄉㄨㄥˋ)military action
軍事訓練(ㄐㄩㄣ ㄕˋ ㄒㄩㄣˋ ㄌㄧㄢˋ)military training
軍事演習(ㄐㄩㄣ ㄕˋ ㄧㄢˇ ㄒㄧˊ)military maneuvers
軍人(ㄐㄩㄣ ㄖㄣˊ)a soldier; a serviceman
軍營(ㄐㄩㄣ ㄧㄥˊ)a military camp
軍樂(ㄐㄩㄣ ㄩㄝˋ)a martial tune
軍樂隊(ㄐㄩㄣ ㄩㄝˋ ㄉㄨㄟˋ)a military band
軍援(ㄐㄩㄣ ㄩㄢˊ)military aid
軍用車(ㄐㄩㄣ ㄩㄥˋ ㄔㄜ)a military vehicle

三畫

軒 5970 ㄒㄩㄢ xuān

1. a carriage formerly used by high officials 2. the high front of a carriage 3. a balcony; a porch 4. a window 5. open; wide 6. high; lofty 7. smiling; laughing 8. a studio

軒然大波(ㄒㄩㄢ ㄖㄢˊ ㄉㄚˋ ㄅㄛ)(literally) towering waves—a great stir
軒昂(ㄒㄩㄢ ㄤˊ)high; lofty; dignified

軔 5971 ㄖㄣˋ rèn

1. a skid (for checking the motion of a vehicle) 2. to block 3. a measure of length equaling to 8 cubits

軏 5972 ㄩㄝˋ yuè

a crossbar at the end of the poles of a cart

四畫

軛 5973 ㄜˋ è

a yoke

軟 5974 (輭) ㄖㄨㄢˇ ruǎn

1. soft; tender 2. gentle; mild 3. weak; feeble ; cowardly 4. poor in quality, ability, etc. 5. easily moved or influenced

軟片(ㄖㄨㄢˇ ㄆㄧㄢˋ)(photographic) film
軟體(ㄖㄨㄢˇ ㄊㄧˇ)software
軟膏(ㄖㄨㄢˇ ㄍㄠ)ointment
軟管(ㄖㄨㄢˇ ㄍㄨㄢˇ)hose
軟化(ㄖㄨㄢˇ ㄏㄨㄚˋ)to soften; to conciliate
軟禁(ㄖㄨㄢˇ ㄐㄧㄣˋ)to put under house arrest
軟心腸(ㄖㄨㄢˇ ㄒㄧㄣ ㄔㄤˊ)soft-hearted
軟性(ㄖㄨㄢˇ ㄒㄧㄥˋ)soft; mild; gentle
軟性磁碟片(ㄖㄨㄢˇ ㄒㄧㄥˋ ㄘˊ ㄉㄧㄝˊ ㄆㄧㄢˋ)a diskette
軟弱(ㄖㄨㄢˇ ㄖㄨㄛˋ)weak; feeble

五畫

軫 5975 ㄓㄣˇ zhěn

the wooden bumper at the rear of a cart

軫悼(ㄓㄣˇ ㄉㄠˋ)to mourn deeply

軨 5976 ㄌㄧㄥˊ líng

1. the framework on a carriage 2. the wheels of a carriage

〔車部〕

軸 5977 ㄓㄡˊ zhóu (讀音 ㄓㄨˊ zhú)
1. an axis; an axle 2. (said of mounted paintings or calligraphic works) a scroll
軸心(ㄓㄡˊ ㄒㄧㄣ)an axis

軺 5978 ㄧㄠˊ yáo
a kind of light carriage

軹 5979 ㄓˇ zhǐ
the ends of an axle

軻 5980 ㄎㄜ kē
a kind of ancient carts

軼 5981 ㄧˋ yì
1. to excel; to surpass 2. to be scattered
軼事(ㄧˋ ㄕˋ)an anecdote

軲 5982 ㄍㄨ gū
1. a wheel 2. to turn; to revolve

六畫

較 5983 ㄐㄧㄠˋ jiào (又讀 ㄐㄧㄠˇ jiǎo)
1. to compare 2. more or less 3. clear; obvious; marked 4. to dispute 5. fairly; quite; relatively
較量(ㄐㄧㄠˋ ㄌㄧㄤˋ)to compare (strength, etc.) in a contest

軾 5984 ㄕˋ shì
the horizontal front bar on a cart or carriage

輅 5985 ㄌㄨˋ lù
1. a heavy carriage 2. the horizontal front bar on a cart or carriage

輈 5986 ㄓㄡ zhōu
the shaft or pole (of a cart or carriage)

載 5987 1. ㄗㄞˋ zài
1. to carry (loads); to load 2. to record; to publish 3. to fill
載歌載舞(ㄗㄞˋ ㄍㄜ ㄗㄞˋ ㄨˇ)to sing and dance at the same time
載重量(ㄗㄞˋ ㄓㄨㄥˋ ㄌㄧㄤˋ)loading capacity; deadweight capacity
載運(ㄗㄞˋ ㄩㄣˋ)to transport; to carry

載 5987 2. ㄗㄞˇ zǎi
a year

輊 5988 ㄓˋ zhì
the low rear of a chariot, etc.

七畫

輒 5989 (輙) ㄓㄜˊ zhé
1. arbitrary; dictatorial 2. then 3. always

輓 5990 ㄨㄢˇ wǎn
1. to draw or pull (a cart) 2. to mourn 3. late 亦作「晚」
輓聯(ㄨㄢˇ ㄌㄧㄢˊ)funeral scrolls
輓歌(ㄨㄢˇ ㄍㄜ)a funeral hymn; a dirge; an elegy

輔 5991 ㄈㄨˇ fǔ
1. human cheeks 2. protective bars on both sides of a cart 3. to assist
輔導(ㄈㄨˇ ㄉㄠˇ)to assist and guide
輔助(ㄈㄨˇ ㄓㄨˋ)to assist; assistance

輕 5992 ㄑㄧㄥ qīng
1. light 2. simple; easy 3. gentle; soft; gently; softly 4. mean; unimportant 5. frivolous; reckless 6. to slight; to neglect
輕薄(ㄑㄧㄥ ㄅㄛˊ)① frivolous ② disrespectful; irreverent ③ to insult
輕便(ㄑㄧㄥ ㄅㄧㄢˋ)handy; light
輕蔑(ㄑㄧㄥ ㄇㄧㄝˋ)to despise; to disdain
輕描淡寫(ㄑㄧㄥ ㄇㄧㄠˊ ㄉㄢˋ ㄒㄧㄝˇ)to describe in a light, moderate tone
輕敵(ㄑㄧㄥ ㄉㄧˊ)to underestimate the enemy
輕利(ㄑㄧㄥ ㄌㄧˋ)①to think little of material gain ② light and sharp
輕工業(ㄑㄧㄥ ㄍㄨㄥ ㄧㄝˋ)light industry
輕舉妄動(ㄑㄧㄥ ㄐㄩˇ ㄨㄤˋ ㄉㄨㄥˋ)to act rashly and blindly
輕取(ㄑㄧㄥ ㄑㄩˇ)to beat easily
輕信(ㄑㄧㄥ ㄒㄧㄣˋ)gullible; credulous
輕視(ㄑㄧㄥ ㄕˋ)or 輕看(ㄑㄧㄥ ㄎㄢˋ) to think little of; to slight
輕傷(ㄑㄧㄥ ㄕㄤ)a slight injury
輕生(ㄑㄧㄥ ㄕㄥ)to commit suicide
輕率(ㄑㄧㄥ ㄕㄨㄞˋ)① to make light of; to ignore ② careless
輕柔(ㄑㄧㄥ ㄖㄡˊ)soft; gentle
輕脆(ㄑㄧㄥ ㄘㄨㄟˋ)light and fragile; flimsy; frail
輕鬆(ㄑㄧㄥ ㄙㄨㄥ)①to lighten ② easy
輕易(ㄑㄧㄥ ㄧˋ)easy; effortless
輕言(ㄑㄧㄥ ㄧㄢˊ)to speak lightly
輕音樂(ㄑㄧㄥ ㄧㄣ ㄩㄝˋ)light music
輕微(ㄑㄧㄥ ㄨㄟˊ)light; slight; little

八畫

輜 5993
ㄗ zī
1. a curtained carriage 2. a wagon for supplies
輜重(ㄗ ㄓㄨㄥˋ)①luggage ② military supplies

輗 5994
ㄋㄧˊ ní
the crossbar at the ends of carriage poles

輘 5995
ㄌㄧㄥˊ líng
run over by a vehicle

輛 5996
ㄌㄧㄤˋ liàng
a numerary adjunct for vehicles

輝 5997
ㄏㄨㄟ huī
brightness; splendor; light
輝煌(ㄏㄨㄟ ㄏㄨㄤˊ)magnificent; glorious
輝映(ㄏㄨㄟ ㄧㄥˋ)to emit and reflect light

輞 5998
ㄨㄤˇ wǎng
the rim of a wheel; a felly; a felloe

輟 5999
ㄔㄨㄛˋ chuò
to stop; to halt; to suspend; to cease
輟學(ㄔㄨㄛˋ ㄒㄩㄝˊ)to drop out of school

輦 6000
ㄋㄧㄢˇ niǎn
1. a handcart 2. the king's carriage

輧 6001
ㄆㄧㄥˊ píng
a curtained carriage (for women)

輩 6002
ㄅㄟˋ bèi
1. rank; a grade 2. a generation
輩分(ㄅㄟˋ ·ㄈㄣ)difference in seniority
輩出(ㄅㄟˋ ㄔㄨ)to come out in succession

輪 6003
ㄌㄨㄣˊ lún
1. a wheel 2. to alternate 3. majestic 4. to take turns; by turns
輪班(ㄌㄨㄣˊ ㄅㄢ)to take turns; in shifts; in relays
輪盤賭(ㄌㄨㄣˊ ㄆㄢˊ ㄉㄨˇ)roulette
輪胎(ㄌㄨㄣˊ ㄊㄞ)the tire (of a wheel)
輪流(ㄌㄨㄣˊ ㄌㄧㄡˊ)to take turns; by turns
輪廓(ㄌㄨㄣˊ ㄎㄨㄛˋ)an outline; a silhouette
輪機(ㄌㄨㄣˊ ㄐㄧ)①a turbine ②a motorship engine; an engine
輪休(ㄌㄨㄣˊ ㄒㄧㄡ)to rest by turns
輪值(ㄌㄨㄣˊ ㄓˊ)to go on duty in turn
輪船(ㄌㄨㄣˊ ㄔㄨㄢˊ)a steamship; a steamer
輪子(ㄌㄨㄣˊ ·ㄗ)a wheel
輪椅(ㄌㄨㄣˊ ㄧˇ)a wheelchair

輬 6004
ㄌㄧㄤˊ liáng
1. a hearse 2. a sleeping carriage

輒 6005
ㄓㄜˊ zhé
same as 輙—then; in that case

九畫

輯 6006
ㄐㄧˊ jí
1. friendly 2. to collect; to gather; to compile

輳 6007
ㄘㄡˋ còu
to converge (as spokes of a wheel do at the hub)

輶 6008
ㄧㄡˊ yóu
1. light 2. a light carriage

輸 6009
ㄕㄨ shū
1. to transport; to convey 2. to hand in; to donate; to submit 3. to be beaten; to lose (a game, etc.)
輸不起(ㄕㄨ ·ㄅㄨ ㄑㄧˇ)①to lack sportsmanship ②cannot afford to lose
輸家(ㄕㄨ ㄐㄧㄚ)the loser
輸出(ㄕㄨ ㄔㄨ)① export (of goods); to export ②(computers) output
輸入(ㄕㄨ ㄖㄨˋ)① import (of goods); to import ②(computers) input
輸贏(ㄕㄨ ㄧㄥˊ)losses and gains (in gambling, etc.)

輻 6010
ㄈㄨˊ fú
spokes (of a wheel)
輻射(ㄈㄨˊ ㄕㄜˋ)to radiate; radiation
輻射能(ㄈㄨˊ ㄕㄜˋ ㄋㄥˊ)radiant energy
輻射線(ㄈㄨˊ ㄕㄜˋ ㄒㄧㄢˋ)radiant rays
輻射塵(ㄈㄨˊ ㄕㄜˋ ㄔㄣˊ)atomic fallout; radioactive dust

輮 6011
ㄖㄡˊ róu
1. the rim (of a wheel) 2. to trample

輭 6012
ㄖㄨㄢˇ ruǎn
same as 軟—soft; mild; gentle

輹 6013
ㄈㄨˋ fù
pieces of wood holding the axle underneath a cart

十畫

輾 6014
1. ㄓㄢˇ zhǎn
to turn over; to roll over
輾轉(ㄓㄢˇ ㄓㄨㄢˇ)① to roll about ② to take a roundabout course

〔車部〕

〔車部〕

輾 6014
2. ㄋㄧㄢˇ niǎn
same as 碾—to grind; to crush; to run over
輾斃(ㄋㄧㄢˇ ㄅㄧˋ)to be run over by a vehicle and got killed

輿 6015
ㄩˊ yú
1. a carriage; a vehicle 2. a sedan chair 3. the land; the earth 4. all; general 5. to carry; to transport
輿論(ㄩˊ ㄌㄨㄣˋ)public opinion

轂 6016
1. ㄍㄨˇ gǔ
the hub (of a wheel)

轂 6016
2. ㄍㄨ gū
as in 轂轆—a wheel

轄 6017
ㄒㄧㄚˊ xiá
1. a linchpin 2. to govern; to manage 3. the noise of wheels
轄區(ㄒㄧㄚˊ ㄑㄩ)an area under the jurisdiction (of a magistrate, etc.)

轅 6018
ㄩㄢˊ yuán
1. shafts (of a cart or carriage) 2. the magistrate's office or residence; the yamen 3. a Chinese family name

轀 6019
ㄨㄣ wēn
1. a hearse 2. a sleeping carriage

十一畫

轉 6020
1. ㄓㄨㄢˇ zhuǎn
1. to turn 2. to take a turn 3. to transport 4. indirect; roundabout 5. to roll 6. to move
轉播(ㄓㄨㄢˇ ㄅㄛˋ)to relay a broadcast or telecast
轉播站(ㄓㄨㄢˇ ㄅㄛˋ ㄓㄢˋ)a relay station
轉變(ㄓㄨㄢˇ ㄅㄧㄢˋ)①to undergo changes ②a change (of attitude, thinking, etc.)
轉遞(ㄓㄨㄢˇ ㄉㄧˋ)to send through another person
轉動(ㄓㄨㄢˇ ㄉㄨㄥˋ)①to revolve ②to move
轉託(ㄓㄨㄢˇ ㄊㄨㄛ)to request through another person
轉念(ㄓㄨㄢˇ ㄋㄧㄢˋ)to change one's mind
轉捩點(ㄓㄨㄢˇ ㄌㄧㄝˋ ㄉㄧㄢˇ)a turning point
轉換(ㄓㄨㄢˇ ㄏㄨㄢˋ)transition; to switch
轉角(ㄓㄨㄢˇ ㄐㄧㄠˇ)a corner of a building; a corner of the street
轉徙(ㄓㄨㄢˇ ㄒㄧˇ)to migrate from place to place
轉向(ㄓㄨㄢˇ ㄒㄧㄤˋ)to change directions
轉學(ㄓㄨㄢˇ ㄒㄩㄝˊ)to transfer to another school
轉學生(ㄓㄨㄢˇ ㄒㄩㄝˊ ㄕㄥ)a transfer student
轉賬(ㄓㄨㄢˇ ㄓㄤˋ)to transfer accounts (in banking)
轉車(ㄓㄨㄢˇ ㄔㄜ)to change trains or buses
轉世(ㄓㄨㄢˇ ㄕˋ)(said of the soul) to transmigrate into another body
轉守爲攻(ㄓㄨㄢˇ ㄕㄡˇ ㄨㄟˊ ㄍㄨㄥ)to change from the defensive to the offensive
轉讓(ㄓㄨㄢˇ ㄖㄤˋ)to transfer (ownership, title, etc.)
轉載(ㄓㄨㄢˇ ㄗㄞˋ)to reprint (articles published in another publication)
轉移視線(ㄓㄨㄢˇ ㄧˊ ㄕˋ ㄒㄧㄢˋ)①to turn the gaze ②to divert public attention
轉業(ㄓㄨㄢˇ ㄧㄝˋ)to change one's trade
轉眼(ㄓㄨㄢˇ ㄧㄢˇ)a very brief period of time; in the twinkling of an eye
轉危爲安(ㄓㄨㄢˇ ㄨㄟˊ ㄨㄟˊ ㄢ)①to become safe; to avert a danger ②(said of a gravely ill patient) out of danger
轉彎(ㄓㄨㄢˇ ㄨㄢ)to take a turn; to turn in another direction
轉運港(ㄓㄨㄢˇ ㄩㄣˋ ㄍㄤˇ)a transit port

轉 6020
2. ㄓㄨㄢˋ zhuàn
to turn round and round; to rotate
轉門(ㄓㄨㄢˋ ㄇㄣˊ)a turnstile
轉臺(ㄓㄨㄢˋ ㄊㄞˊ)a revolving stage

轆 6021
ㄌㄨˋ lù
1. a wheel 2. a capstan
轆轤(ㄌㄨˋ ㄌㄨˊ)① a capstan ② a pulley for drawing water from a well

轇 6022
ㄐㄧㄡ jiū
1. a dispute 2. deep and vast 3. disorder

十二畫

轍 6023
ㄔㄜˋ chè (語音 ㄓㄜˊ zhé)
ruts; wheel tracks

轎 6024
ㄐㄧㄠˋ jiào
a chair; a sedan chair; a palankeen
轎夫(ㄐㄧㄠˋ ㄈㄨ)sedan chair bearers
轎車(ㄐㄧㄠˋ ㄔㄜ)a sedan (a kind of automobile)

轔 6025
ㄌㄧㄣˊ lín
1. noise of wheels; the rumble of vehicles 2. the threshold 3. wheels

十三畫

轘 6026
ㄏㄨㄢˋ huàn

to tear (an offender) asunder between vehicles (a form of ancient punishment)

轕 6027
ㄍㄜˊ gé
1. a dispute 2. deep and vast 3. disorder

轙 6028
ㄧˇ yǐ
1. rings on the yokes 2. to wait

轗 6029
ㄎㄢˇ kǎn
(said of vehicles) to proceed with difficulty

十四畫

轟 6030
ㄏㄨㄥ hōng
1. noise of a number of vehicles 2. noise; an uproar 3. grand; magnificent 4. to bombard; to blast
轟動(ㄏㄨㄥ ㄉㄨㄥˋ)① to cause an uproar ② to excite (the public)
轟隆(ㄏㄨㄥ ㄌㄨㄥˊ)a thundering sound
轟炸(ㄏㄨㄥ ㄓㄚˋ)to bomb
轟炸機(ㄏㄨㄥ ㄓㄚˋ ㄐㄧ)a bomber
轟然(ㄏㄨㄥ ㄖㄢˊ)with a deafening sound

轝 6031
ㄩˊ yú
same as 輿—a carriage; a sedan chair

轞 6032
ㄒㄧㄢˋ xiàn
1. noise of wheels 2. sealed carts for transporting criminals

十五畫

轢 6033
ㄌㄧˋ lì
1. (said of a wheel) to run over 2. to oppress; to bully

轡 6034
ㄆㄟˋ pèi
reins; a bridle

十六畫

轤 6035
ㄌㄨˊ lú
1. a pulley for drawing water 2. a windlass; a capstan

轣 6036
ㄌㄧˋ lì
1. a pulley for drawing water 2. rails for vehicles

辛部
ㄒㄧㄣ xīn

辛 6037
ㄒㄧㄣ xīn
1. the eighth of the Ten Celestial Stems 2. bitter; acrid 3. hard; toilsome; laborious
辛辣(ㄒㄧㄣ ㄌㄚˋ)pungent; hot; bitter
辛勞(ㄒㄧㄣ ㄌㄠˊ)great care; pains
辛勤(ㄒㄧㄣ ㄑㄧㄣˊ)hard-working
辛辛苦苦(ㄒㄧㄣ ㄒㄧㄣ ㄎㄨˇ ㄎㄨˇ) laboriously
辛酸(ㄒㄧㄣ ㄙㄨㄢ)the bitters of life

五畫

辜 6038
ㄍㄨ gū
1. sin; crime; guilt 2. to be negligent in an obligation; to fail
辜負(ㄍㄨ ㄈㄨˋ)to fail to live up to (another's expectation, etc.)

六畫

辟 6039
1. (避) ㄅㄧˋ bì
1. a monarch 2. to summon; to call 3. to govern; to take the law (to people) 4. to avoid; to escape

辟 6039
2. ㄆㄧˋ pì
same as 僻—remote; inaccessible

辠 6040
ㄗㄨㄟˋ zuì
same as 罪—sin; crime; guilt

七畫

辣 6041
ㄌㄚˋ là
1. pungent; hot 2. (said of smell or taste) to burn 3. vicious
辣椒(ㄌㄚˋ ㄐㄧㄠ)capsicum
辣醬(ㄌㄚˋ ㄐㄧㄤˋ)paste of pungent condiment
辣手(ㄌㄚˋ ㄕㄡˇ)① cruel means; drastic means ② a ruthless person
辣味(ㄌㄚˋ ㄨㄟˋ)peppery taste

九畫

辦 6042
ㄅㄢˋ bàn
1. to manage; to deal with 2. to try and punish 3. to purchase
辦不到(ㄅㄢˋ ˙ㄅㄨ ㄉㄠˋ)unable to accomplish
辦法(ㄅㄢˋ ㄈㄚˇ)means; schemes; ways
辦理(ㄅㄢˋ ㄌㄧˇ)to handle; to manage
辦公(ㄅㄢˋ ㄍㄨㄥ)to do office work
辦公時間(ㄅㄢˋ ㄍㄨㄥ ㄕˊ ㄐㄧㄢ)office hours
辦公室(ㄅㄢˋ ㄍㄨㄥ ㄕˋ)an office
辦公室自動化(ㄅㄢˋ ㄍㄨㄥ ㄕˋ ㄗˋ ㄉㄨㄥˋ ㄏㄨㄚˋ)office automation
辦交涉(ㄅㄢˋ ㄐㄧㄠ ㄕㄜˋ)to negotiate

〔辰・辵部〕

辦事員(ㄅㄢˋ ㄕˋ ㄩㄢˊ)a low-ranking staff member
辦案(ㄅㄢˋ ㄢˋ)to handle a (legal case)

辨 6043 ㄅㄧㄢˋ biàn
1. to distinguish 2. to identify
辨別(ㄅㄧㄢˋ ㄅㄧㄝˊ) to distinguish between
辨明是非(ㄅㄧㄢˋ ㄇㄧㄥˊ ㄕˋ ㄈㄟ)to distinguish right from wrong
辨正(ㄅㄧㄢˋ ㄓㄥˋ)to identify and correct (errors)

十二畫

辭 6044 ㄘˊ cí
1. language; words; a phrase; an expression 2. to refuse 3. to leave; to bid adieu 4. to resign
辭典(ㄘˊ ㄉㄧㄢˇ)a dictionary; a lexicon
辭彙(ㄘˊ ㄏㄨㄟˋ)vocabulary
辭謝(ㄘˊ ㄒㄧㄝˋ)to decline with thanks
辭行(ㄘˊ ㄒㄧㄥˊ)to say goodbye to
辭職(ㄘˊ ㄓˊ)to resign from one's post
辭呈(ㄘˊ ㄔㄥˊ)a resignation

十三畫

辮 6045 ㄅㄧㄢˋ biàn
1. to plait; to braid 2. a queue; a pigtail
辮子(ㄅㄧㄢˋ ・ㄗ)① a queue ② a mistake that may be exploited by an opponent

十四畫

辯 6046 ㄅㄧㄢˋ biàn
1. to debate; to argue; to dispute 2. to use specious arguments
辯駁(ㄅㄧㄢˋ ㄅㄛˊ)to defend and refute
辯白(ㄅㄧㄢˋ ㄅㄞˊ)to defend oneself verbally
辯論(ㄅㄧㄢˋ ㄌㄨㄣˋ)to debate; a debate
辯護人(ㄅㄧㄢˋ ㄏㄨˋ ㄖㄣˊ)defense counsel; an advocate
辯證法(ㄅㄧㄢˋ ㄓㄥˋ ㄈㄚˇ)dialectic
辯才(ㄅㄧㄢˋ ㄘㄞˊ)ability as a debater; eloquence

辰部 ㄔㄣˊ chén

辰 6047 ㄔㄣˊ chén
1. the fifth of the Twelve Terrestrial Branches (地支) 2. 7:00-9:00 in the morning 3. a time 4. a heavenly body—the sun, the moon and stars

三畫

辱 6048 ㄖㄨˋ rù (又讀 ㄖㄨˇ rǔ)
1. disgrace 2. to disgrace 3. to condescend 4. undeservingly
辱罵(ㄖㄨˋ ㄇㄚˋ)to abuse and insult

六畫

農 6049 ㄋㄨㄥˊ nóng
1. agriculture 2. to farm 3. a farmer
農民(ㄋㄨㄥˊ ㄇㄧㄣˊ)farmers; peasants
農夫(ㄋㄨㄥˊ ㄈㄨ)a farmer
農婦(ㄋㄨㄥˊ ㄈㄨˋ)a farm woman
農貸(ㄋㄨㄥˊ ㄉㄞˋ)an agricultural loan
農地(ㄋㄨㄥˊ ㄉㄧˋ)farmland; agricultural land
農會(ㄋㄨㄥˊ ㄏㄨㄟˋ)a farmers' association
農具(ㄋㄨㄥˊ ㄐㄩˋ)farm tools
農產物(ㄋㄨㄥˊ ㄔㄢˇ ㄨˋ)farm products
農場(ㄋㄨㄥˊ ㄔㄤˇ)a farm
農舍(ㄋㄨㄥˊ ㄕㄜˋ)a farmhouse
農村(ㄋㄨㄥˊ ㄘㄨㄣ)a farm village
農業(ㄋㄨㄥˊ ㄧㄝˋ)agriculture; farming
農業機械(ㄋㄨㄥˊ ㄧㄝˋ ㄐㄧ ㄒㄧㄝˋ)farm machinery
農業學校(ㄋㄨㄥˊ ㄧㄝˋ ㄒㄩㄝˊ ㄒㄧㄠˋ) a vocational school of agriculture

辵部 ㄔㄨㄛˋ chuò

三畫

迂 6050 ㄩ yū
1. impractical; pedantic 2. roundabout; indirect; circuitous
迂迴(ㄩ ㄏㄨㄟˊ)① twisty; circuitous (road) ②(military) detouring tactics
迂見(ㄩ ㄐㄧㄢˋ)an impractical opinion

迄 6051 ㄑㄧˋ qì
up to; down to; so far; till
迄今(ㄑㄧˋ ㄐㄧㄣ)up to now; to this day

迅 6052 ㄒㄩㄣˋ xùn
swift; rapid; sudden

巡 6053 (廵) ㄒㄩㄣˊ xún
參看「巡」, under the radical 巛 P.147

迆 6054
1. (迤) ㄧˇ yǐ
1. to proceed in a winding way 2. joined 「winding; meandering
迆邐(ㄧˇ ㄌㄧˇ) ①joined together ②」

迆 6054
2. ㄧˊ yí
meandering; winding

四畫

迎 6055
1. ㄧㄥˊ yíng
to receive; to greet; to meet
迎頭趕上(ㄧㄥˊ ㄊㄡˊ ㄍㄢˇ ㄕㄤˋ) to try hard to catch up
迎合(ㄧㄥˊ ㄏㄜˊ) to cater to
迎擊(ㄧㄥˊ ㄐㄧˊ) to meet and attack
迎接(ㄧㄥˊ ㄐㄧㄝ) to receive; to greet
迎戰(ㄧㄥˊ ㄓㄢˋ) to meet (an approaching enemy) head-on
迎刃而解(ㄧㄥˊ ㄖㄣˋ ㄦˊ ㄐㄧㄝˇ) (said of a difficult problem) to be solved neatly

迎 6055
2. ㄧㄥˋ yìng
to go out in person to meet (a visitor)

近 6056
ㄐㄧㄣˋ jìn
1. near or close (in space) 2. near or close (in time); immediate 3. near or close (in abstract relation); intimate 4. to approach; to approximate
近代(ㄐㄧㄣˋ ㄉㄞˋ) modern times
近代史(ㄐㄧㄣˋ ㄉㄞˋ ㄕˇ) modern history
近來(ㄐㄧㄣˋ ㄌㄞˊ) or 近日(ㄐㄧㄣˋ ㄖˋ) recently; lately
近鄰(ㄐㄧㄣˋ ㄌㄧㄣˊ) a close neighbor
近況(ㄐㄧㄣˋ ㄎㄨㄤˋ) a recent situation
近郊(ㄐㄧㄣˋ ㄐㄧㄠ) suburbs; outskirts
近親(ㄐㄧㄣˋ ㄑㄧㄣ) close relatives
近處(ㄐㄧㄣˋ ㄔㄨˋ) places nearby
近視(ㄐㄧㄣˋ ㄕˋ) nearsightedness; myopia
近似(ㄐㄧㄣˋ ㄙˋ) similar to; resembling
近因(ㄐㄧㄣˋ ㄧㄣ) an immediate cause

迓 6057
ㄧㄚˋ yà
to go out to meet or receive

返 6058
ㄈㄢˇ fǎn
1. to go back; to come back; to return 2. to send back; to give back
返老還童(ㄈㄢˇ ㄌㄠˇ ㄏㄨㄢˊ ㄊㄨㄥˊ) to regain youth
返國(ㄈㄢˇ ㄍㄨㄛˊ) to return from abroad
返校(ㄈㄢˇ ㄒㄧㄠˋ) to return to school

迕 6059
ㄨˋ wù
1. to meet 2. to oppose; to disobey

迍 6060
ㄓㄨㄣ zhūn
a difficult position

迒 6061
ㄏㄤˊ háng
1. animal tracks 2. a path; a road

五畫

迢 6062
ㄊㄧㄠˊ tiáo
far; distant; remote
迢遞(ㄊㄧㄠˊ ㄉㄧˋ) far-off; faraway
迢迢(ㄊㄧㄠˊ ㄊㄧㄠˊ) far and remote

迤 6063
ㄧˇ yǐ
same as 迆—connected; to proceed in a winding way

迥 6064
(逈) ㄐㄩㄥˇ jiǒng
1. faraway 2. widely different
迥異(ㄐㄩㄥˇ ㄧˋ) a great difference

迦 6065
ㄐㄧㄚ jiā
a character used in transliterating foreign (especially Sanskrit) sounds

迨 6066
ㄉㄞˋ dài
until; by the time when; to wait till

迪 6067
(廸) ㄉㄧˊ dí
1. to advance; to progress 2. to enlighten; to teach
迪吉(ㄉㄧˊ ㄐㄧˊ) lucky; prosperous; going well

迫 6068
(廹) ㄆㄛˋ pò
1. to press; to compel 2. pressing; urgent 3. distressed; pressed
迫令(ㄆㄛˋ ㄌㄧㄥˋ) to order or demand forcibly
迫害(ㄆㄛˋ ㄏㄞˋ) to persecute
迫擊砲(ㄆㄛˋ ㄐㄧˊ ㄆㄠˋ) a mortar
迫近(ㄆㄛˋ ㄐㄧㄣˋ) ① to press near; to close in ② imminent

迭 6069
ㄉㄧㄝˊ dié
1. to alternate 2. repeatedly; frequently 3. as in 不迭—to stop

述 6070
ㄕㄨˋ shù
1. to give an account of 2. to follow (precedents); to carry forward; to continue (another's work)
述職(ㄕㄨˋ ㄓˊ) to report in person the performance of one's official duties

迮 6071
ㄗㄜˊ zé
1. pressing; urgent 2. hurried; helter-skelter

〔辵部〕

〔辵部〕

六畫

迴 6072 (廻) ㄏㄨㄟˊ huí

1. to turn; to rotate; to revolve 2. to zigzag 3. same as 回—to return

迴廊(ㄏㄨㄟˊ ㄌㄤˊ)a winding corridor

迴旋(ㄏㄨㄟˊ ㄒㄩㄢˊ)to turn round and round

迴紋針(ㄏㄨㄟˊ ㄨㄣˊ ㄓㄣ)a paper clip

迷 6073 ㄇㄧˊ mí

1. indistinct; vague 2. to bewitch; to fascinate 3. a fan; a fiend

迷你(ㄇㄧˊ ㄋㄧˇ)mini

迷你電腦(ㄇㄧˊ ㄋㄧˇ ㄉㄧㄢˋ ㄋㄠˇ)a minicomputer

迷你裙(ㄇㄧˊ ㄋㄧˇ ㄑㄩㄣˊ)a miniskirt

迷戀(ㄇㄧˊ ㄌㄧㄢˋ)to be in blind love with

迷路(ㄇㄧˊ ㄌㄨˋ)to go astray; to get lost

迷航(ㄇㄧˊ ㄏㄤˊ)(said of a plane, ship, etc.) to drift off course

迷糊(ㄇㄧˊ ·ㄏㄨ)muddleheaded

迷惑(ㄇㄧˊ ㄏㄨㄛˋ)① to misguide ② confused; puzzled

迷幻藥(ㄇㄧˊ ㄏㄨㄢˋ ㄧㄠˋ)a hallucinogenic

迷信(ㄇㄧˊ ㄒㄧㄣˋ)superstition

迷失(ㄇㄧˊ ㄕ)to get lost

迷人(ㄇㄧˊ ㄖㄣˊ)charming; fascinating

迷罔 or 迷惘(ㄇㄧˊ ㄨㄤˇ)bemused

迹 6074 (跡) ㄐㄧ jī

footprints; traces; tracks

追 6075 ㄓㄨㄟ zhuī

1. to chase; to pursue 2. to drive; to expel 3. to demand insistently 4. to retrieve

追兵(ㄓㄨㄟ ㄅㄧㄥ)troops in pursuit

追到(ㄓㄨㄟ ㄉㄠˋ)to catch up with

追悼(ㄓㄨㄟ ㄉㄠˋ)to commemorate (the dead)

追趕(ㄓㄨㄟ ㄍㄢˇ)to pursue; to chase

追悔(ㄓㄨㄟ ㄏㄨㄟˇ)to regret afterward

追擊(ㄓㄨㄟ ㄐㄧˊ)to chase and attack

追加預算(ㄓㄨㄟ ㄐㄧㄚ ㄩˋ ㄙㄨㄢˋ)an additional budget

追究(ㄓㄨㄟ ㄐㄧㄡˋ)to investigate (a fault, etc.) and punish (the guilty)

追求(ㄓㄨㄟ ㄑㄧㄡˊ)①to seek; to pursue ②to court (a woman)

追尋(ㄓㄨㄟ ㄒㄩㄣˊ)to seek; to pursue

追逐(ㄓㄨㄟ ㄓㄨˊ)to chase; to pursue

追蹤(ㄓㄨㄟ ㄗㄨㄥ)to trace; to trail

追溯(ㄓㄨㄟ ㄙㄨˋ)to trace the origin of

追隨(ㄓㄨㄟ ㄙㄨㄟˊ)to follow

退 6076 ㄊㄨㄟˋ tuì

1. to retreat; to withdraw 2. to recoil; to shrink 3. to retire 4. to send back

退保(ㄊㄨㄟˋ ㄅㄠˇ)①to return a bond; to cease to be a guarantor ②to return an insurance policy

退保金額(ㄊㄨㄟˋ ㄅㄠˇ ㄐㄧㄣ ㄜˊ)surrender value

退步(ㄊㄨㄟˋ ㄅㄨˋ)①to fall backwards ②to retreat

退票(ㄊㄨㄟˋ ㄆㄧㄠˋ)(said of checks) to be dishonored; to bounce

退敵(ㄊㄨㄟˋ ㄉㄧˊ)to repel the enemy

退款(ㄊㄨㄟˋ ㄎㄨㄢˇ)to reimburse

退後(ㄊㄨㄟˋ ㄏㄡˋ)to fall backward

退化(ㄊㄨㄟˋ ㄏㄨㄚˋ)to degenerate

退貨(ㄊㄨㄟˋ ㄏㄨㄛˋ)to return goods already purchased

退換(ㄊㄨㄟˋ ㄏㄨㄢˋ)to return (merchandise) in exchange for another

退席(ㄊㄨㄟˋ ㄒㄧˊ)to retire from a banquet before it is finished

退休(ㄊㄨㄟˋ ㄒㄧㄡ)to retire from active life

退休金(ㄊㄨㄟˋ ㄒㄧㄡ ㄐㄧㄣ)a retiring allowance; a pension

退學(ㄊㄨㄟˋ ㄒㄩㄝˊ)to withdraw from a school

退職(ㄊㄨㄟˋ ㄓˊ)to resign from office

退燒(ㄊㄨㄟˋ ㄕㄠ) or 退熱(ㄊㄨㄟˋ ㄖㄜˋ) to reduce fever

退稅(ㄊㄨㄟˋ ㄕㄨㄟˋ)(economics) a tax rebate

退讓(ㄊㄨㄟˋ ㄖㄤˋ)to make a concession

退租(ㄊㄨㄟˋ ㄗㄨ)to terminate a lease contract

退縮(ㄊㄨㄟˋ ㄙㄨㄛ)to shrink

退隱(ㄊㄨㄟˋ ㄧㄣˇ)to retire from public life

退伍軍人(ㄊㄨㄟˋ ㄨˇ ㄐㄩㄣ ㄖㄣˊ)a retired soldier

送 6077 ㄙㄨㄥˋ sòng

1. to send; to deliver 2. to present 3. to see someone off

送報生(ㄙㄨㄥˋ ㄅㄠˋ ㄕㄥ)a newsboy

送別(ㄙㄨㄥˋ ㄅㄧㄝˊ) or 送行(ㄙㄨㄥˋ ㄒㄧㄥˊ)to see someone off

送別會(ㄙㄨㄥˋ ㄅㄧㄝˊ ㄏㄨㄟˋ)a farewell party

送達(ㄙㄨㄥˋ ㄉㄚˊ)①to deliver to ②(law) to serve (a writ on a person)

送禮(ㄙㄨㄥˋ ㄌㄧˇ)to give presents

送貨(ㄙㄨㄥˋ ㄏㄨㄛˋ)to deliver goods

送貨員(ㄙㄨㄥˋ ㄏㄨㄛˋ ㄩㄢˊ)a deliveryman

送信(ㄙㄨㄥˋ ㄒㄧㄣˋ)to deliver letters

适 6078 ㄍㄨㄚ guā

quick; fast; swift

逃 6079 ㄊㄠˊ táo
1. to run away; to flee; to escape 2. to dodge; to evade; to avoid
逃避(ㄊㄠˊ ㄅㄧˋ)to run away from
逃避兵役(ㄊㄠˊ ㄅㄧˋ ㄅㄧㄥ ㄧˋ)to dodge the draft
逃兵(ㄊㄠˊ ㄅㄧㄥ)a fugitive soldier
逃跑(ㄊㄠˊ ㄆㄠˇ)or 逃走(ㄊㄠˊ ㄗㄡˇ)to run away; to flee; to escape
逃命(ㄊㄠˊ ㄇㄧㄥˋ)to flee for one's life
逃犯(ㄊㄠˊ ㄈㄢˋ)a fugitive from the law; a jailbreaker; a wanted criminal
逃脫(ㄊㄠˊ ㄊㄨㄛ)to escape from
逃難(ㄊㄠˊ ㄋㄢˋ)to seek refuge from calamities
逃匿(ㄊㄠˊ ㄋㄧˋ)to flee to a hiding place
逃婚(ㄊㄠˊ ㄏㄨㄣ)to run away so as to avoid a marriage
逃家(ㄊㄠˊ ㄐㄧㄚ)to run away from home
逃學(ㄊㄠˊ ㄒㄩㄝˊ)to play truant
逃債(ㄊㄠˊ ㄓㄞˋ)to run away from the creditor
逃稅(ㄊㄠˊ ㄕㄨㄟˋ)to avoid tax payment
逃散(ㄊㄠˊ ㄙㄢˋ)to flee in all directions
逃亡(ㄊㄠˊ ㄨㄤˊ)to run away
逃亡者(ㄊㄠˊ ㄨㄤˊ ㄓㄜˇ)a fugitive

逅 6080 ㄏㄡˋ hòu
(又讀 ㄍㄡˋ gòu)
to meet unexpectedly

逆 6081 ㄋㄧˋ nì
1. to meet 2. to oppose 3. beforehand; in advance 4. inverse
逆風(ㄋㄧˋ ㄈㄥ)① a head wind ② against the wind
逆來順受(ㄋㄧˋ ㄌㄞˊ ㄕㄨㄣˋ ㄕㄡˋ)to accept adversity philosophically
逆流(ㄋㄧˋ ㄌㄧㄡˊ)① an adverse current ② against the current
逆境(ㄋㄧˋ ㄐㄧㄥˋ)adverse circumstances
逆向(ㄋㄧˋ ㄒㄧㄤˋ)in the opposite direction
逆差(ㄋㄧˋ ㄔㄚ)(commerce) an adverse balance of trade; a deficit
逆子(ㄋㄧˋ ㄗˇ)an undutiful son

迻 6082 ㄧˊ yí
to transfer; to translate

逄 6083 ㄆㄤˊ páng
a Chinese family name

迥 6084 (逈) ㄐㄩㄥˇ jiǒng
far

迺 6085 (乃) ㄋㄞˇ nǎi
a conjunctive and disjunctive particle with a variety of meanings

七畫

逍 6086 ㄒㄧㄠ xiāo
1. to wander in a leisurely manner 2. free and unfettered; at ease
逍遙法外(ㄒㄧㄠ ㄧㄠˊ ㄈㄚˇ ㄨㄞˋ)to remain out of the law's reach; to get off scot-free
逍遙自在(ㄒㄧㄠ ㄧㄠˊ ㄗˋ ㄗㄞˋ)to enjoy leisure without restraint; carefree

逝 6087 ㄕˋ shì
1. to pass; to be gone 2. to die
逝世(ㄕˋ ㄕˋ)to pass away; to die

逋 6088 ㄅㄨ bū
1. to flee; to abscond 2. to neglect

透 6089 ㄊㄡˋ tòu
1. to pass through; to penetrate 2. to let out 3. thorough 4. to appear
透闢(ㄊㄡˋ ㄆㄧˋ)revealing; penetrating
透明(ㄊㄡˋ ㄇㄧㄥˊ)transparent
透頂(ㄊㄡˋ ㄉㄧㄥˇ)in the extreme
透露(ㄊㄡˋ ㄌㄨˋ)(said of something) to come to light; to reveal; to let out
透過(ㄊㄡˋ ㄍㄨㄛˋ)① to pass through ② through the intermediary of
透光(ㄊㄡˋ ㄍㄨㄤ)① diaphaneity ② to let the light pass through
透鏡(ㄊㄡˋ ㄐㄧㄥˋ)lenses
透氣(ㄊㄡˋ ㄑㄧˋ)① to let air through ② to relax from strain
透支(ㄊㄡˋ ㄓ)to overdraw; to spend more than the budgeted fund
透徹(ㄊㄡˋ ㄔㄜˋ)thorough; thoroughly

逐 6090 ㄓㄨˊ zhú
1. to chase; to pursue 2. to drive off; to banish 3. little by little
逐步(ㄓㄨˊ ㄅㄨˋ)step by step
逐退(ㄓㄨˊ ㄊㄨㄟˋ)to drive back
逐利(ㄓㄨˊ ㄌㄧˋ)to pursue material gains
逐字(ㄓㄨˊ ㄗˋ)word by word

逑 6091 ㄑㄧㄡˊ qiú
1. to pair; to match; to marry 2. to collect; to draw together; to gather together 3. a mate

逕 6092 ㄐㄧㄥˋ jìng
1. a path 2. direct
逕行(ㄐㄧㄥˋ ㄒㄧㄥˊ)to do something directly

〔辵部〕

〔辵部〕

途 6093 ㄊㄨˊ tú
a way; a road
途經(ㄊㄨˊ ㄐㄧㄥ)to pass through (a place)
途中(ㄊㄨˊ ㄓㄨㄥ)on the way; en route

逖 6094 ㄊㄧˋ tì
far; distant

逗 6095 ㄉㄡˋ dòu
1. to stay 2. to stir; to rouse 3. funny 4. a slight pause in reading
逗點(ㄉㄡˋ ㄉㄧㄢˇ)or 逗號(ㄉㄡˋ ㄏㄠˋ)a comma(，)
逗留(ㄉㄡˋ ㄌㄧㄡˊ)to stay; to stop over
逗趣(ㄉㄡˋ ㄑㄩˋ)to entertain (with jokes, etc.)
逗人(ㄉㄡˋ ㄖㄣˊ)to tease; to tickle

這 6096 1. ㄓㄜˋ zhè
1. this (a pronoun) 2. this (a demonstrative adjective); such
這般(ㄓㄜˋ ㄅㄢ)such; like this
這邊(ㄓㄜˋ ㄅㄧㄢ)① this side; here ② this side; our side
這裏(ㄓㄜˋ ·ㄌㄧ)here; this place
這些(ㄓㄜˋ ㄒㄧㄝ)these
這種(ㄓㄜˋ ㄓㄨㄥˇ)this kind; such kind
這次(ㄓㄜˋ ㄘˋ)this time
這兒(ㄓㄜˋㄦ)① here ② now; then

這 6096 2. ㄓㄟˋ zhèi
this or that (an emphatic demonstrative adjective)
這邊兒(ㄓㄟˋ ㄅㄧㄚㄦ)over here; on this side
這個(ㄓㄟˋ ·ㄍㄜ)this one

通 6097 ㄊㄨㄥ tōng
1. to go, move, or flow unobstructed 2. to communicate 3. to lead to 4. to understand thoroughly 5. to let through 6. smooth; fluent 7. open; passable 8. all; general; overall 9. thorough 10. common; popular 11. (said of a sentence) well-constructed
通報(ㄊㄨㄥ ㄅㄠˋ)to notify
通病(ㄊㄨㄥ ㄅㄧㄥˋ)common ills; common deficiencies; common faults
通盤計畫(ㄊㄨㄥ ㄆㄢˊ ㄐㄧˋ ㄏㄨㄚˋ)an overall plan
通謀(ㄊㄨㄥ ㄇㄡˊ)to conspire
通風(ㄊㄨㄥ ㄈㄥ)to let the wind through; ventilation
通達事理(ㄊㄨㄥ ㄉㄚˊ ㄕˋ ㄌㄧˇ)to understand ways of doing business
通道(ㄊㄨㄥ ㄉㄠˋ)a passage; a way
通敵(ㄊㄨㄥ ㄉㄧˊ)to collaborate with the enemy secretly
通例(ㄊㄨㄥ ㄌㄧˋ)a common practice
通力合作(ㄊㄨㄥ ㄌㄧˋ ㄏㄜˊ ㄗㄨㄛˋ)make a concerted effort
通令(ㄊㄨㄥ ㄌㄧㄥˋ)to issue circular orders
通告(ㄊㄨㄥ ㄍㄠˋ)①to notify ② a public notice
通函(ㄊㄨㄥ ㄏㄢˊ)a circular letter
通航(ㄊㄨㄥ ㄏㄤˊ)air or sea navigation
通話(ㄊㄨㄥ ㄏㄨㄚˋ)to communicate by telephone or radio
通貨(ㄊㄨㄥ ㄏㄨㄛˋ)currency
通貨膨脹(ㄊㄨㄥ ㄏㄨㄛˋ ㄆㄥˊ ㄓㄤˋ)(economics) inflation
通貨緊縮(ㄊㄨㄥ ㄏㄨㄛˋ ㄐㄧㄣˇ ㄙㄨㄛ)(economics) deflation
通姦(ㄊㄨㄥ ㄐㄧㄢ)adultery
通緝(ㄊㄨㄥ ㄑㄧˋ)to order the arrest (of a criminal) by circular orders
通緝犯(ㄊㄨㄥ ㄑㄧˋ ㄈㄢˋ)a criminal wanted by the law
通衢(ㄊㄨㄥ ㄑㄩˊ)a highway; a thoroughfare
通宵達旦(ㄊㄨㄥ ㄒㄧㄠ ㄉㄚˊ ㄉㄢˋ)all night long; till daybreak
通心粉(ㄊㄨㄥ ㄒㄧㄣ ㄈㄣˇ)macaroni
通信(ㄊㄨㄥ ㄒㄧㄣˋ)in correspondence with
通信處(ㄊㄨㄥ ㄒㄧㄣˋ ㄔㄨˋ)a mailing address
通行證(ㄊㄨㄥ ㄒㄧㄥˊ ㄓㄥˋ)a safe conduct
通學(ㄊㄨㄥ ㄒㄩㄝˊ)to attend a school by taking daily trips; to commute
通訊(ㄊㄨㄥ ㄒㄩㄣˋ)correspondence
通訊錄(ㄊㄨㄥ ㄒㄩㄣˋ ㄌㄨˋ)an address book
通訊社(ㄊㄨㄥ ㄒㄩㄣˋ ㄕㄜˋ)a news agency
通知(ㄊㄨㄥ ㄓ)to inform; to notify
通知單(ㄊㄨㄥ ㄓ ㄉㄢ)a notification
通車(ㄊㄨㄥ ㄔㄜ)(said of roads, etc.) to be open (to vehicular traffic)
通常(ㄊㄨㄥ ㄔㄤˊ)normally; usually
通商(ㄊㄨㄥ ㄕㄤ)to have commercial intercourse; to trade
通商口岸(ㄊㄨㄥ ㄕㄤ ㄎㄡˇ ㄢˋ)or 通商港(ㄊㄨㄥ ㄕㄤ ㄍㄤˇ)a trading port; a commercial port
通融(ㄊㄨㄥ ㄖㄨㄥˊ)①departure from principles for convenience; compromise ② to accommodate somebody with a short-term loan
通才(ㄊㄨㄥ ㄘㄞˊ)an all-round talent
通郵(ㄊㄨㄥ ㄧㄡˊ)postal communication

逛 6098 ㄍㄨㄤˋ guàng
to stroll; to roam; to ramble
逛街(ㄍㄨㄤˋ ㄐㄧㄝ)to go window-shopping

逞 6099 ㄔㄥˇ chěng
1. to indulge in (pleasures, etc.) 2.

to use up 3. to display 4. fast; speedy 5. to presume on
逞能(ㄔㄥˇ ㄋㄥˊ)to display or show off one's ability, feat, etc.; boastful
逞強(ㄔㄥˇ ㄑㄧㄤˊ)to parade one's superiority
逞兇(ㄔㄥˇ ㄒㄩㄥ)to resort to violence
逞勇(ㄔㄥˇ ㄩㄥˇ)to display one's bravery

速 6100 ㄙㄨˋ sù
1. quick; speed; speedy; prompt 2. to invite
速讀(ㄙㄨˋ ㄉㄨˊ)speed-reading
速度限制(ㄙㄨˋ ㄉㄨˋ ㄒㄧㄢˋ ㄓˋ)the speed limit
速率(ㄙㄨˋ ㄌㄩˋ)speed
速記(ㄙㄨˋ ㄐㄧˋ)speedwriting; shorthand
速記員(ㄙㄨˋ ㄐㄧˋ ㄩㄢˊ)a stenographer
速寫(ㄙㄨˋ ㄒㄧㄝˇ)(painting) to sketch; a sketch
速成(ㄙㄨˋ ㄔㄥˊ)to attain goals within a short time
速食(ㄙㄨˋ ㄕˊ)fast food
速食麵(ㄙㄨˋ ㄕˊ ㄇㄧㄢˋ)instant noodles
速食店(ㄙㄨˋ ㄕˊ ㄉㄧㄢˋ)a fast-food restaurant

造 6101 ㄗㄠˋ zào
1. to create; to make 2. to manufacture 3. to make up; to invent 4. to build 5. to arrive at 6. (law) a party concerned in the suit 7. an era; a period
造幣廠(ㄗㄠˋ ㄅㄧˋ ㄔㄤˇ)a mint
造反(ㄗㄠˋ ㄈㄢˇ)to rebel; revolt
造訪(ㄗㄠˋ ㄈㄤˇ)to call on
造福人羣(ㄗㄠˋ ㄈㄨˊ ㄖㄣˊ ㄑㄩㄣˊ)to do good deeds to benefit mankind
造孽(ㄗㄠˋ ㄋㄧㄝˋ)to do evil things
造林(ㄗㄠˋ ㄌㄧㄣˊ)afforestation; reforestation
造化弄人(ㄗㄠˋ ㄏㄨㄚˋ ㄋㄨㄥˋ ㄖㄣˊ)to be a sport of fate
造就人才(ㄗㄠˋ ㄐㄧㄡˋ ㄖㄣˊ ㄘㄞˊ)to make useful citizens through education
造紙廠(ㄗㄠˋ ㄓˇ ㄔㄤˇ)a paper mill
造船廠(ㄗㄠˋ ㄔㄨㄢˊ ㄔㄤˇ)a ship-building yard
造字(ㄗㄠˋ ㄗˋ)to coin words
造作(ㄗㄠˋ ㄗㄨㄛˋ)①to make ②affectations; pretentious; artificial
造詣(ㄗㄠˋ ㄧˋ)①one's scholastic attainment, depth or profundity ②to call on
造謠(ㄗㄠˋ ㄧㄠˊ)to start a rumor

逡 6102 ㄑㄩㄣ qūn
to withdraw; to retreat
逡巡(ㄑㄩㄣ ㄒㄩㄣˊ)to hesitate; to waver

逢 6103 ㄈㄥˊ féng
1. to meet; to come across 2. to happen; to fall in with 3. to talk or act in order to please (a superior, etc.)
逢凶化吉(ㄈㄥˊ ㄒㄩㄥ ㄏㄨㄚˋ ㄐㄧˊ)to turn bad luck into good fortune
逢迎(ㄈㄥˊ ㄧㄥˊ)①to receive (guests, visitors, etc.) ②to talk and act in order to please; to flatter

連 6104 ㄌㄧㄢˊ lián
1. to connect; to join; to unite 2. in succession 3. a company (of soldiers) 4. together with 5. even; and; including
連本帶利(ㄌㄧㄢˊ ㄅㄣˇ ㄉㄞˋ ㄌㄧˋ)both capital and interest
連忙(ㄌㄧㄢˊ ㄇㄤˊ)promptly; quickly
連緜不絕(ㄌㄧㄢˊ ㄇㄧㄢˊ ㄅㄨˋ ㄐㄩㄝˊ)in endless succession; continuously
連帶責任(ㄌㄧㄢˊ ㄉㄞˋ ㄗㄜˊ ㄖㄣˋ)joint responsibility
連同(ㄌㄧㄢˊ ㄊㄨㄥˊ)together with
連年(ㄌㄧㄢˊ ㄋㄧㄢˊ)for successive years
連累(ㄌㄧㄢˊ ˙ㄌㄟ)to involve
連絡(ㄌㄧㄢˊ ㄌㄨㄛˋ)liaison; to make contact with
連絡官(ㄌㄧㄢˊ ㄌㄨㄛˋ ㄍㄨㄢ)a liaison officer
連貫性(ㄌㄧㄢˊ ㄍㄨㄢˋ ㄒㄧㄥˋ)continuity; coherence
連環圖畫(ㄌㄧㄢˊ ㄏㄨㄢˊ ㄊㄨˊ ㄏㄨㄚˋ)a pictorial story in series
連接(ㄌㄧㄢˊ ㄐㄧㄝ)①continuously ②to adjoin
連接不斷(ㄌㄧㄢˊ ㄐㄧㄝ ㄅㄨˋ ㄉㄨㄢˋ)continuously
連襟(ㄌㄧㄢˊ ㄐㄧㄣ)a mutual reference among husbands of sisters
連繫(ㄌㄧㄢˊ ㄒㄧˋ)to keep in contact
連續(ㄌㄧㄢˊ ㄒㄩˋ)successive; continuous
連續劇(ㄌㄧㄢˊ ㄒㄩˋ ㄐㄩˋ)(television) a soap opera; a drama series
連長(ㄌㄧㄢˊ ㄓㄤˇ)a company commander
連署(ㄌㄧㄢˊ ㄕㄨˋ)to sign jointly
連日(ㄌㄧㄢˊ ㄖˋ)for days in a row
連任(ㄌㄧㄢˊ ㄖㄣˋ)to continue in one's office for another term
連載(ㄌㄧㄢˊ ㄗㄞˇ)to publish serially in a newspaper or magazine
連鎖反應(ㄌㄧㄢˊ ㄙㄨㄛˇ ㄈㄢˇ ㄧㄥˋ)a chain reaction
連鎖店(ㄌㄧㄢˊ ㄙㄨㄛˇ ㄉㄧㄢˋ)a chain store
連夜(ㄌㄧㄢˊ ㄧㄝˋ)all through the night

逌 6105 ㄧㄡˊ yóu
pleased; smiling; complacent

〔辵部〕

〔辵部〕

八畫

迸 6106 (迸) ㄅㄥˋ bèng
1. to scatter; to explode 2. to crack; to spit out; to burst forth
迸裂(ㄅㄥˋ ㄌㄧㄝˋ)to crack; to split

逮 6107 1. ㄉㄞˋ dài
1. to reach 2. to be after; to hunt; to chase and make arrest
逮捕(ㄉㄞˋ ㄅㄨˇ)to make arrest

逮 6107 2. ㄉㄞˇ dǎi
to capture; to catch
逮住(ㄉㄞˇ ˙ㄓㄨ)to catch (a thief, a ball, etc.)

週 6108 ㄓㄡ zhōu
1. a week; a period 2. a cycle; a revolution; to revolve
週報(ㄓㄡ ㄅㄠˋ)a weekly paper
週末(ㄓㄡ ㄇㄛˋ)a weekend
週密(ㄓㄡ ㄇㄧˋ)careful; thorough
週年紀念(ㄓㄡ ㄋㄧㄢˊ ㄐㄧˋ ㄋㄧㄢˋ)commemoration of an anniversary
週率(ㄓㄡ ㄌㄩˋ)a frequency
週刊(ㄓㄡ ㄎㄢ)a weekly periodical
週會(ㄓㄡ ㄏㄨㄟˋ)a weekly meeting
週期(ㄓㄡ ㄑㄧˊ)a period; a cycle
週知(ㄓㄡ ㄓ)known to all
週而復始(ㄓㄡ ㄦˊ ㄈㄨˋ ㄕˇ)to repeat the cycle all over again

進 6109 ㄐㄧㄣˋ jìn
1. to go ahead; to advance 2. to improve; improvement 3. to recommend 4. to offer (advice, presents, etc.) 5. a generation 6. income 7. rooms in a house divided by a courtyard 8. to enter 9. to eat; to take
進逼(ㄐㄧㄣˋ ㄅㄧ)to close in
進步(ㄐㄧㄣˋ ㄅㄨˋ)to improve; to progress; improvement; progress
進度(ㄐㄧㄣˋ ㄉㄨˋ)(said of work) degree of progress
進退兩難(ㄐㄧㄣˋ ㄊㄨㄟˋ ㄌㄧㄤˇ ㄋㄢˊ) difficult either to proceed or retreat; in a dilemma
進攻(ㄐㄧㄣˋ ㄍㄨㄥ)to attack; attack
進口港(ㄐㄧㄣˋ ㄎㄡˇ ㄍㄤˇ)a port of entry
進口貨(ㄐㄧㄣˋ ㄎㄡˇ ㄏㄨㄛˋ)imported goods
進口商(ㄐㄧㄣˋ ㄎㄡˇ ㄕㄤ)an importer
進化(ㄐㄧㄣˋ ㄏㄨㄚˋ)to evolve; evolution
進化論(ㄐㄧㄣˋ ㄏㄨㄚˋ ㄌㄨㄣˋ)the theory of evolution
進軍(ㄐㄧㄣˋ ㄐㄩㄣ)to march (troops to war); to advance (with armed forces) ②to advance
進取(ㄐㄧㄣˋ ㄑㄩˇ)①to be aggressive
進取心(ㄐㄧㄣˋ ㄑㄩˇ ㄒㄧㄣ)enterprising spirit
進修(ㄐㄧㄣˋ ㄒㄧㄡ)to advance in study
進行曲(ㄐㄧㄣˋ ㄒㄧㄥˊ ㄑㄩˇ)(music) a march
進展(ㄐㄧㄣˋ ㄓㄢˇ)progress; headway
進場(ㄐㄧㄣˋ ㄔㄤˇ)to get into an examination room, a theater, etc.
進出口商(ㄐㄧㄣˋ ㄔㄨ ㄎㄡˇ ㄕㄤ)an importer-exporter
進食(ㄐㄧㄣˋ ㄕˊ)to eat; to take food
進入(ㄐㄧㄣˋ ㄖㄨˋ)to enter; to get in
進一步(ㄐㄧㄣˋ ㄧˊ ㄅㄨˋ)to take one step ahead; to move further ahead
進言(ㄐㄧㄣˋ ㄧㄢˊ)to offer advice

逵 6110 ㄎㄨㄟˊ kuí
a thoroughfare

逶 6111 ㄨㄟ wēi
winding; curved; tortuous (road, way)
逶迤(ㄨㄟ ㄧˊ)①to wind; winding (river, road, etc.) ② long; distant

逸 6112 ㄧˋ yì
1. to flee; to escape 2. to go beyond 3. to live in retirement 4. ease; leisure 5. to let loose; to let go 6. a fault 7. quick; rapid 8. lost 9. superior; outstanding
逸品(ㄧˋ ㄆㄧㄣˇ)a superior piece of artistic work
逸樂(ㄧˋ ㄌㄜˋ)enjoyment of an easy life
逸想(ㄧˋ ㄒㄧㄤˇ)idealistic thoughts
逸興(ㄧˋ ㄒㄧㄥˋ)refined interest or taste
逸事 or 軼事(ㄧˋ ㄕˋ)an anecdote

逭 6113 ㄏㄨㄢˋ huàn
to run away or escape from

逯 6114 ㄌㄨˋ lù
to go away suddenly for no particular reason

九畫

踰 6115 ㄩˊ yú
1. to exceed; more than; over 2. to transgress 3. added; even more
逾分(ㄩˊ ㄈㄣˋ)① to exceed propriety; to overdo something ② exorbitant
逾恆(ㄩˊ ㄏㄥˊ)to go beyond the common or regular practice
逾期(ㄩˊ ㄑㄧˊ)to exceed a time limit
逾限(ㄩˊ ㄒㄧㄢˋ)to exceed the limit

逼 6116 ㄅㄧ bī (又讀 ㄅㄧˋ bì)

1.to press; to compel 2.to close in; to draw near 3.to importune 4.narrow; strait
逼不得已(ㄅㄧ ˙ㄅㄨ ㄉㄜˊ ㄧˇ)to be compelled or forced to; can't help but
逼迫(ㄅㄧ ㄆㄛˋ)to compel; to force
逼供(ㄅㄧ ㄍㄨㄥ)to force a confession
逼債(ㄅㄧ ㄓㄞˋ)to press for payment of debts
逼眞(ㄅㄧ ㄓㄣ)lifelike; almost real; verisimilitude
逼視(ㄅㄧ ㄕˋ)to stare at sternly
逼人太甚(ㄅㄧ ㄖㄣˊ ㄊㄞˋ ㄕㄣˋ)to push someone too hard

遁 6117 ㄉㄨㄣˋ dùn
1.to run away; to escape 2.to conceal oneself; to retire
遁迹(ㄉㄨㄣˋ ㄐㄧ)to retire from public life; to live like a hermit
遁迹山林(ㄉㄨㄣˋ ㄐㄧ ㄕㄢ ㄌㄧㄣˊ)to retire to the mountains; to retire from official life
遁世(ㄉㄨㄣˋ ㄕˋ)to lead the life of a recluse
遁辭(ㄉㄨㄣˋ ㄘˊ)an excuse; a pretext

遂 6118 ㄙㄨㄟˋ suì (又讀 ㄙㄨㄟˊ suí)
1.to have one's will; to fulfill 2.successful; to succeed 3.to proceed to 4.then; consequently; thereupon 5. to flee; to escape
遂願(ㄙㄨㄟˋ ㄩㄢˋ)to have one's wish fulfilled

遄 6119 ㄔㄨㄢˊ chuán
1.swiftly; quickly; to hurry 2.coming and going frequently and swiftly

遇 6120 ㄩˋ yù
1. to meet; to come across 2. to treat; treatment 3. opportunity; luck 4. meeting of minds 5. to rival; to match with
遇敵(ㄩˋ ㄉㄧˊ)to encounter the enemy
遇難(ㄩˋ ㄋㄢˋ)①to get killed in an accident ②to be murdered by enemy troops, rebels, etc.
遇害(ㄩˋ ㄏㄞˋ)to be murdered
遇救(ㄩˋ ㄐㄧㄡˋ)to be rescued
遇見(ㄩˋ ˙ㄐㄧㄢ)to meet with
遇險(ㄩˋ ㄒㄧㄢˇ)to meet with danger
遇人不淑(ㄩˋ ㄖㄣˊ ㄅㄨˋ ㄕㄨˊ)to have married a bad husband

遊 6121 ㄧㄡˊ yóu
1.to travel 2.to roam 3.to make friends 4.freely wield (a sword), move (one's eyes), stretch (one's sight), etc.
遊民(ㄧㄡˊ ㄇㄧㄣˊ)a vagrant; a vagabond
遊牧民族(ㄧㄡˊ ㄇㄨˋ ㄇㄧㄣˊ ㄗㄨˊ)a nomadic people or tribe
遊蕩(ㄧㄡˊ ㄉㄤˋ)to fool around
遊艇(ㄧㄡˊ ㄊㄧㄥˇ)a yacht; a pleasure boat
遊樂(ㄧㄡˊ ㄌㄜˋ)to make merry
遊樂場(ㄧㄡˊ ㄌㄜˋ ㄔㄤˇ)an amusement park
遊覽(ㄧㄡˊ ㄌㄢˇ)to tour; sightseeing
遊覽車(ㄧㄡˊ ㄌㄢˇ ㄔㄜ)a bus or train for tourists or sightseers
遊客(ㄧㄡˊ ㄎㄜˋ)a traveler; a tourist
遊客止步(ㄧㄡˊ ㄎㄜˋ ㄓˇ ㄅㄨˋ)No trespassing.
遊記(ㄧㄡˊ ㄐㄧˋ)a travel sketch
遊憩(ㄧㄡˊ ㄑㄧˋ)to play and rest
遊戲人間(ㄧㄡˊ ㄒㄧˋ ㄖㄣˊ ㄐㄧㄢ)to take nothing serious in life
遊行示威(ㄧㄡˊ ㄒㄧㄥˊ ㄕˋ ㄨㄟ)to demonstrate (in protest); demonstration
遊手好閒(ㄧㄡˊ ㄕㄡˇ ㄏㄠˋ ㄒㄧㄢˊ)to idle about
遊說(ㄧㄡˊ ㄕㄨㄟˋ)to lobby; to canvass
遊刃有餘(ㄧㄡˊ ㄖㄣˋ ㄧㄡˇ ㄩˊ)to handle a difficult task with great ease
遊子(ㄧㄡˊ ㄗˇ)a traveler; a wanderer
遊蹤(ㄧㄡˊ ㄗㄨㄥ)the whereabouts of a traveler
遊玩(ㄧㄡˊ ㄨㄢˊ)to play; to recreate
遊園會(ㄧㄡˊ ㄩㄢˊ ㄏㄨㄟˋ)a garden party

運 6122 ㄩㄣˋ yùn
1.to move 2.to transport 3.to utilize 4. one's luck or fortune
運費(ㄩㄣˋ ㄈㄟˋ)a freight charge
運動(ㄩㄣˋ ㄉㄨㄥˋ)①sports ②movement ③ a social movement
運動會(ㄩㄣˋ ㄉㄨㄥˋ ㄏㄨㄟˋ)an athletic meet
運動精神(ㄩㄣˋ ㄉㄨㄥˋ ㄐㄧㄥ ㄕㄣˊ)sportsmanship
運動場(ㄩㄣˋ ㄉㄨㄥˋ ㄔㄤˇ)a playground
運動傷害(ㄩㄣˋ ㄉㄨㄥˋ ㄕㄤ ㄏㄞˋ)sports injuries
運動員(ㄩㄣˋ ㄉㄨㄥˋ ㄩㄢˊ)an athlete
運球(ㄩㄣˋ ㄑㄧㄡˊ)to dribble balls
運銷(ㄩㄣˋ ㄒㄧㄠ)shipping and marketing
運行(ㄩㄣˋ ㄒㄧㄥˊ)to move in an orbit
運輸(ㄩㄣˋ ㄕㄨ)transportation; to transport
運輸工具(ㄩㄣˋ ㄕㄨ ㄍㄨㄥ ㄐㄩˋ)means of transportation
運輸機(ㄩㄣˋ ㄕㄨ ㄐㄧ)a cargo plane
運輸業(ㄩㄣˋ ㄕㄨ ㄧㄝˋ)forwarding business
運輸業者(ㄩㄣˋ ㄕㄨ ㄧㄝˋ ㄓㄜˇ)forwarder
運送(ㄩㄣˋ ㄙㄨㄥˋ)to transport
運用(ㄩㄣˋ ㄩㄥˋ)to make use of

〔辵部〕

6123
遍 ㄅㄧㄢˋ biàn
(語音 ㄆㄧㄢˋ piàn)
1. a time 2. everywhere; all over
遍布(ㄅㄧㄢˋ ㄅㄨˋ)all over
遍地(ㄅㄧㄢˋ ㄉㄧˋ)everywhere
遍體鱗傷(ㄅㄧㄢˋ ㄊㄧˇ ㄌㄧㄣˊ ㄕㄤ)with wounds all over the body

6124
過 1. ㄍㄨㄛˋ guò
(又讀 ㄍㄨㄛ guō)
1. to pass; to pass through or by 2. across; through; over 3. to spend (time) 4. after; past 5. to go beyond the ordinary limits 6. too much 7. a mistake; a demerit 8. a particle indicating the past perfect tense 9. contagious 10. to visit 11. to transfer 12. to die; death 13. to arrive
過半(ㄍㄨㄛˋ ㄅㄢˋ)more than half
過半數(ㄍㄨㄛˋ ㄅㄢˋ ㄕㄨˋ)over half of the number; the majority
過磅(ㄍㄨㄛˋ ㄅㄤˋ)to weigh
過門(ㄍㄨㄛˋ ㄇㄣˊ)①to pass the door ②(said of girls) to get married
過敏(ㄍㄨㄛˋ ㄇㄧㄣˇ)(medicine) allergy
過目(ㄍㄨㄛˋ ㄇㄨˋ)to take a look; to read; to go over
過分(ㄍㄨㄛˋ ㄈㄣˋ)to go beyond the normal or proper limits; to overdo
過當(ㄍㄨㄛˋ ㄉㄤˋ)beyond the proper limits; improper; inappropriate
過渡時期(ㄍㄨㄛˋ ㄉㄨˋ ㄕˊ ㄑㄧˊ)a transitional stage or period
過多(ㄍㄨㄛˋ ㄉㄨㄛ)too many or much
過來人(ㄍㄨㄛˋ ㄌㄞˊ ㄖㄣˊ)a person who has had the experience of something in question
過量(ㄍㄨㄛˋ ㄌㄧㄤˋ)an overdose; to go beyond the limits
過路(ㄍㄨㄛˋ ㄌㄨˋ)to pass by; in transit
過慮(ㄍㄨㄛˋ ㄌㄩˋ)to be worrying too much
過濾(ㄍㄨㄛˋ ㄌㄩˋ)to filter; to filtrate
過濾器(ㄍㄨㄛˋ ㄌㄩˋ ㄑㄧˋ)a filter
過客(ㄍㄨㄛˋ ㄎㄜˋ)a traveler; a passer-by
過後(ㄍㄨㄛˋ ㄏㄡˋ)later; afterward
過戶(ㄍㄨㄛˋ ㄏㄨˋ)to transfer the ownership (of bonds, stocks, or property) from one person to another
過活(ㄍㄨㄛˋ ㄏㄨㄛˊ)to make a living
過激(ㄍㄨㄛˋ ㄐㄧ)too violent
過急(ㄍㄨㄛˋ ㄐㄧˊ)too hasty
過獎(ㄍㄨㄛˋ ㄐㄧㄤˇ)①to overpraise; to flatter ②(a polite expression) I don't deserve your praise.
過境登機證(ㄍㄨㄛˋ ㄐㄧㄥˋ ㄉㄥ ㄐㄧ ㄓㄥˋ)a transit boarding pass
過境旅客(ㄍㄨㄛˋ ㄐㄧㄥˋ ㄌㄩˇ ㄎㄜˋ)a transit visitor
過境簽証(ㄍㄨㄛˋ ㄐㄧㄥˋ ㄑㄧㄢ ㄓㄥˋ)a transit visa
過期(ㄍㄨㄛˋ ㄑㄧˊ)to have passed the deadline
過謙(ㄍㄨㄛˋ ㄑㄧㄢ)to be too modest
過去(ㄍㄨㄛˋ ㄑㄩˋ)① in the past ②to go over ③to pass ④to die
過程(ㄍㄨㄛˋ ㄔㄥˊ)(in) the process
過失(ㄍㄨㄛˋ ㄕ)errors committed unintentionally; faults
過時(ㄍㄨㄛˋ ㄕˊ)old-fashioned; outdated
過生日(ㄍㄨㄛˋ ㄕㄥ ㄖˋ) to celebrate a birthday
過剩(ㄍㄨㄛˋ ㄕㄥˋ)a surplus
過意不去(ㄍㄨㄛˋ ㄧˋ ㄅㄨˋ ㄑㄩˋ)① very much obliged ②to feel sorry
過癮(ㄍㄨㄛˋ ㄧㄣˇ)①to do something to one's heart's content ②to satisfy the urge of an addiction
過問(ㄍㄨㄛˋ ㄨㄣˋ)①to ask about ②to interfere with ③to care
過於(ㄍㄨㄛˋ ㄩˊ)too much; excessive
過譽(ㄍㄨㄛˋ ㄩˋ)excessive praise; to acclaim excessively

6124
過 2. ㄍㄨㄛ guō
a Chinese family name

6125
遏 ㄜˋ è
1. to curb 2. to cause one's own extinction; to extinguish
遏止(ㄜˋ ㄓˇ)to hold back; to stop
遏制(ㄜˋ ㄓˋ)to restrain; to stop

6126
遑 ㄏㄨㄤˊ huáng
1. hurry; to hurry 2. disturbed anxious 3. leisurely 4. not to
遑論其他(ㄏㄨㄤˊ ㄌㄨㄣˋ ㄑㄧˊ ㄊㄚ)not to mention the others
遑急(ㄏㄨㄤˊ ㄐㄧˊ)scared and in a hurry

6127
遐 ㄒㄧㄚˊ xiá
1. distant; far 2. a long time 3. advanced in years 4. to die down; to vanish 5. to abandon; to cast off 6. Why not? 或How? 或What?
遐齡(ㄒㄧㄚˊ ㄌㄧㄥˊ)longevity; a long life
遐想(ㄒㄧㄚˊ ㄒㄧㄤˇ)wild and fanciful thoughts; reverie; a daydream

6128
遒 ㄑㄧㄡˊ qiú
1. strong; forceful; powerful 2. to come to an end 3. to gather
遒勁(ㄑㄧㄡˊ ㄐㄧㄥˋ)①(said of calligraphy) forceful ②strong; sturdy

6129
道 ㄉㄠˋ dào
1. a road; a path 2. the "way" (in the metaphysical sense) 3. a way; a method 4. Taoism; a Taoist 5. to

say 6. a theory; a doctrine 7. to govern; to lead 8. to think 9. a skill; an art; a craft

道白(ㄉㄠˋ ㄅㄞˊ)spoken lines in Chinese opera (as distinct from the singing parts)

道破(ㄉㄠˋ ㄆㄛˋ)to expose or reveal some secret in utterance

道德(ㄉㄠˋ ㄉㄜˊ)morality; morals; ethics

道地(ㄉㄠˋ ㄉㄧˋ)genuine; real

道聽塗說(ㄉㄠˋ ㄊㄧㄥ ㄊㄨˊ ㄕㄨㄛ)rumor; hearsay

道理(ㄉㄠˋ ㄌㄧˇ)reason; rationality

道路(ㄉㄠˋ ㄌㄨˋ)a road

道觀(ㄉㄠˋ ㄍㄨㄢˋ)a Taoist temple

道賀(ㄉㄠˋ ㄏㄜˋ)to congratulate

道教(ㄉㄠˋ ㄐㄧㄠˋ)(religion) Taoism

道具(ㄉㄠˋ ㄐㄩˋ)stage properties

道歉(ㄉㄠˋ ㄑㄧㄢˋ)to apologize

道謝(ㄉㄠˋ ㄒㄧㄝˋ)to thank

道士(ㄉㄠˋ ㄕˋ)a Taoist priest

道義(ㄉㄠˋ ㄧˋ)morals; morality

達 6130
1. ㄉㄚˊ dá

1. intelligent; understanding 2. prominent; successful 3. to reach; to arrive at 4. to inform; to tell 5. open-minded

達到(ㄉㄚˊ ㄉㄠˋ)to reach (a decision); to achieve (a goal, etc.)

達旦(ㄉㄚˊ ㄉㄢˋ)(to work) until dawn or throughout the night

達官貴人(ㄉㄚˊ ㄍㄨㄢ ㄍㄨㄟˋ ㄖㄣˊ)prominent officials and eminent personages

達成(ㄉㄚˊ ㄔㄥˊ)to succeed in (a mission, etc.); to reach (an agreement)

達 6130
2. ㄊㄚˋ tà

loose and impudent

違 6131
ㄨㄟˊ wéi

1. to defy; to disobey 2. to be separated 3. to avoid 4. evil; fault

違法(ㄨㄟˊ ㄈㄚˇ)to be against the law

違反(ㄨㄟˊ ㄈㄢˇ)to contradict

違犯(ㄨㄟˊ ㄈㄢˋ)to violate (a rule or law)

違禮(ㄨㄟˊ ㄌㄧˇ)to go against accepted etiquette

違例(ㄨㄟˊ ㄌㄧˋ)contrary to precedents

違令(ㄨㄟˊ ㄌㄧㄥˋ)to disobey orders

違規(ㄨㄟˊ ㄍㄨㄟ)to be against regulations

違規轉彎(ㄨㄟˊ ㄍㄨㄟ ㄓㄨㄢˇ ㄨㄢ)improper turns

違規超車(ㄨㄟˊ ㄍㄨㄟ ㄔㄠ ㄔㄜ)illegal passing

違抗(ㄨㄟˊ ㄎㄤˋ)to defy and oppose; to disobey

違和(ㄨㄟˊ ㄏㄜˊ)to be indisposed; ill

違禁品(ㄨㄟˊ ㄐㄧㄣˋ ㄆㄧㄣˇ)forbidden goods and articles

違警(ㄨㄟˊ ㄐㄧㄥˇ)to break a police regulation

違警罰法(ㄨㄟˊ ㄐㄧㄥˇ ㄈㄚˊ ㄈㄚˇ)The Law for the Punishment of Police Offenses

違憲(ㄨㄟˊ ㄒㄧㄢˋ)to violate the Constitution

違心之論(ㄨㄟˊ ㄒㄧㄣ ㄓ ㄌㄨㄣˋ)insincere utterances, comments, etc.

違章建築(ㄨㄟˊ ㄓㄤ ㄐㄧㄢˋ ㄓㄨˊ)or 違建(ㄨㄟˊ ㄐㄧㄢˋ)illegal construction

違約(ㄨㄟˊ ㄩㄝ)to break a contract or agreement

違約金(ㄨㄟˊ ㄩㄝ ㄐㄧㄣ)a forfeit or penalty

十畫

遜 6132
ㄒㄩㄣˋ xùn
(又讀 ㄙㄨㄣˋ sùn)

1. obedient 2. to resign; resigning; to abdicate 3. humble; modest 4. inferior to

遜色(ㄒㄩㄣˋ ㄙㄜˋ)inferior to

遜位(ㄒㄩㄣˋ ㄨㄟˋ)to abdicate; abdication

遘 6133
ㄍㄡˋ gòu

to meet; to come across; to encounter

遙 6134
ㄧㄠˊ yáo

distant; far; remote

遙控飛機(ㄧㄠˊ ㄎㄨㄥˋ ㄈㄟ ㄐㄧ)a remote-control aircraft

遙控開關(ㄧㄠˊ ㄎㄨㄥˋ ㄎㄞ ㄍㄨㄢ)a teleswitch

遙遙領先(ㄧㄠˊ ㄧㄠˊ ㄌㄧㄥˇ ㄒㄧㄢ)to be far ahead

遙遙無期(ㄧㄠˊ ㄧㄠˊ ㄨˊ ㄑㄧˊ)in the indefinite future

遙望(ㄧㄠˊ ㄨㄤˋ)to take a distant look

遛 6135
1. ㄌㄧㄡˊ liú

to hang around; to linger at a place

遛 6135
2. ㄌㄧㄡˋ liù

to stroll; to walk slowly; to roam

遛馬(ㄌㄧㄡˋ ㄇㄚˇ)to walk a horse

遛達(ㄌㄧㄡˋ ·ㄉㄚ)to take a walk

遝 6136
ㄊㄚˋ tà

numerous; many; a large number of

遞 6137
ㄉㄧˋ dì

1. to forward; to hand or pass over to 2. to substitute; to alternate

遞補(ㄉㄧˋ ㄅㄨˇ)to fill a vacancy

遞加(ㄉㄧˋ ㄐㄧㄚ)progressive increase

遞解出境(ㄉㄧˋ ㄐㄧㄝˇ ㄔㄨ ㄐㄧㄥˋ)to deport; deportation

遞交(ㄉㄧˋ ㄐㄧㄠ)to hand over

〔辵部〕

遞送(ㄉㄧˋ ㄙㄨㄥˋ)to deliver (a letter, etc.)

遠 6138
1. ㄩㄢˇ yuǎn

1. far; distant; remote 2. deep; profound 3. to keep at a distance; to keep away

遠播(ㄩㄢˇ ㄅㄛˋ)to spread far and wide (as fame, etc.)
遠別(ㄩㄢˇ ㄅㄧㄝˊ)①to separate for a journey to a distant land ②to part for a long time
遠方(ㄩㄢˇ ㄈㄤ)a distant place; remote places
遠道(ㄩㄢˇ ㄉㄠˋ)faraway; distant; afar
遠東(ㄩㄢˇ ㄉㄨㄥ)the Far East
遠眺(ㄩㄢˇ ㄊㄧㄠˋ)to take a distant look
遠離塵囂(ㄩㄢˇ ㄌㄧˊ ㄔㄣˊ ㄒㄧㄠ)far from the madding crowd
遠慮(ㄩㄢˇ ㄌㄩˋ)to worry and plan far ahead; advance planning
遠航(ㄩㄢˇ ㄏㄤˊ)to sail to distant places
遠交近攻(ㄩㄢˇ ㄐㄧㄠ ㄐㄧㄣˋ ㄍㄨㄥ)to make friends with distant countries and attack the neighboring ones
遠見(ㄩㄢˇ ㄐㄧㄢˋ)foresight; prescience
遠近(ㄩㄢˇ ㄐㄧㄣˋ)①far and near ②remote or close (relatives, etc.) ③distance
遠親不如近鄰(ㄩㄢˇ ㄑㄧㄣ ㄅㄨˋ ㄖㄨˊ ㄐㄧㄣˋ ㄌㄧㄣˊ)Distant relatives are not as helpful as close neighbors.
遠征(ㄩㄢˇ ㄓㄥ)an expedition
遠程(ㄩㄢˇ ㄔㄥˊ)long-range
遠處(ㄩㄢˇ ㄔㄨˋ)distant; distant places
遠水不救近火(ㄩㄢˇ ㄕㄨㄟˇ ㄅㄨˋ ㄐㄧㄡˋ ㄐㄧㄣˋ ㄏㄨㄛˇ)Water from afar cannot quench a nearby fire.
遠走高飛(ㄩㄢˇ ㄗㄡˇ ㄍㄠ ㄈㄟ)to go far away
遠足(ㄩㄢˇ ㄗㄨˊ)an excursion
遠遊(ㄩㄢˇ ㄧㄡˊ)to travel far away
遠因(ㄩㄢˇ ㄧㄣ)remote causes
遠洋(ㄩㄢˇ ㄧㄤˊ)①an ocean ②oceanic
遠洋漁業(ㄩㄢˇ ㄧㄤˊ ㄩˊ ㄧㄝˋ) pelagic fishery

遠 6138
2. ㄩㄢˋ yuàn

to keep at a distance; to keep away from; to avoid

遠小人(ㄩㄢˋ ㄒㄧㄠˇ ㄖㄣˊ)to keep away from mean persons

遡 6139
(溯) ㄙㄨˋ sù

1.to trace back to a source 2.to go against a stream

遢 6140
ㄊㄚˋ tà

untidy; slipshod; careless or negligent

遣 6141
ㄑㄧㄢˇ qiǎn

1. to dispatch; to send 2. to kill (time); to forget (one's sorrow); to divert 3. to banish; to drive away 4. to release

遣悶(ㄑㄧㄢˇ ㄇㄣˋ)to kill time
遣返(ㄑㄧㄢˇ ㄈㄢˇ)to send back
遣散(ㄑㄧㄢˇ ㄙㄢˋ)to disband; to lay off (employees)
遣散費(ㄑㄧㄢˇ ㄙㄢˋ ㄈㄟˋ)severance pay
遣送(ㄑㄧㄢˇ ㄙㄨㄥˋ)to send away; to deport

十一畫

遭 6142
ㄗㄠ zāo

1. to meet with; to suffer 2. times of binding or turning around, as with a rope 3. a time; a turn

遭難(ㄗㄠ ㄋㄢˋ)to meet with difficulty, misfortune, or death
遭劫(ㄗㄠ ㄐㄧㄝˊ)to meet with disaster
遭遇(ㄗㄠ ㄩˋ)①to meet with; to encounter ②vicissitudes in one's life

遨 6143
ㄠˊ áo

to travel for pleasure; to ramble

遨遊(ㄠˊ ㄧㄡˊ)to ramble; to travel

適 6144
1. ㄕˋ shì

1. to go; to reach 2. just right; exactly; fit 3. comfortable 4. (said of a girl) to marry 5. to follow 6. only 7. by chance 8. just now

適得其反(ㄕˋ ㄉㄜˊ ㄑㄧˊ ㄈㄢˇ)to get exactly the opposite
適度(ㄕˋ ㄉㄨˋ)appropriate; within limits
適齡(ㄕˋ ㄌㄧㄥˊ)suitable or right age
適可而止(ㄕˋ ㄎㄜˇ ㄦˊ ㄓˇ)to stop at the right moment or point
適合(ㄕˋ ㄏㄜˊ)suitable for; to fit
適者生存(ㄕˋ ㄓㄜˇ ㄕㄥ ㄘㄨㄣˊ)the survival of the fittest
適時(ㄕˋ ㄕˊ)at the right time
適宜(ㄕˋ ㄧˊ)fit; suitable; proper
適意(ㄕˋ ㄧˋ)comfortable; agreeable
適應(ㄕˋ ㄧㄥˋ)to adapt; adaptation (to environment, etc.); to adjust
適用(ㄕˋ ㄩㄥˋ)suitable for use; (said of a law, etc.) to apply; applicable

適 6144
2. (嫡) ㄉㄧˊ dí

legal (wife, as opposed to concubines, etc.); sons born of one's legal wife

遮 6145
ㄓㄜ zhē

1.to hide; to cover 2.to intercept; to block

遮蔽(ㄓㄜ ㄅㄧˋ)to cover; to screen
遮蔽物(ㄓㄜ ㄅㄧˋ ㄨˋ)a cover; a shelter
遮瞞(ㄓㄜ ㄇㄢˊ)to hide the truth
遮風(ㄓㄜ ㄈㄥ)to shield from wind
遮斷(ㄓㄜ ㄉㄨㄢˋ)to block from view
遮住(ㄓㄜ ·ㄓㄨ)to cover; to block

遮蔭(ㄓㄜ ㄧㄣ)to shade 「sunlight
遮陽(ㄓㄜ ㄧㄤ)to protect from the
遮陽傘(ㄓㄜ ㄧㄤˊ ㄙㄢˇ)a parasol

遯 6146 ㄉㄨㄣˋ dùn
1. to escape; to run off 2. to cheat

十二畫

遲 6147 1. ㄔˊ chí
1. late 2. slow; tardy 3. to delay 4. (said of a person) dull; stupid
遲暮(ㄔˊ ㄇㄨˋ)to be advanced in years
遲到(ㄔˊ ㄉㄠˋ)to come late; to be late
遲鈍(ㄔˊ ㄉㄨㄣˋ)① stupid ② awkward
遲早(ㄔˊ ㄗㄠˇ)sooner or later
遲疑(ㄔˊ ㄧˊ)to hesitate; hesitancy
遲延(ㄔˊ ㄧㄢˊ)to delay; delay
遲誤(ㄔˊ ㄨˋ)to spoil a matter because of procrastination

遲 6147 2. ㄓˋ zhì
to wait

遴 6148 ㄌㄧㄣˊ lín
to choose or select carefully
遴選(ㄌㄧㄣˊ ㄒㄩㄢˇ)to choose (a person)

遵 6149 ㄗㄨㄣ zūn
1. to follow 2. to observe (rules, etc.); to abide by (laws, etc.)
遵辦(ㄗㄨㄣ ㄅㄢˋ)to execute according to instructions
遵命(ㄗㄨㄣ ㄇㄧㄥˋ)to obey orders
遵循(ㄗㄨㄣ ㄒㄩㄣˊ)① to follow; to obey; to go by ② to hesitate
遵照(ㄗㄨㄣ ㄓㄠˋ)to follow; to observe
遵守(ㄗㄨㄣ ㄕㄡˇ)to observe; to abide by

遶 6150 ㄖㄠˋ rào
to surround

遷 6151 ㄑㄧㄢ qiān
1. to move; to remove 2. to change 3. (said of officials, etc.) to get transferred 4. to be banished
遷調(ㄑㄧㄢ ㄉㄧㄠˋ)to get transferred to another post
遷怒(ㄑㄧㄢ ㄋㄨˋ)① to blame a person for one's own blunder, failure, etc. ② to shift or transfer one's anger from one person to another
遷就(ㄑㄧㄢ ㄐㄧㄡˋ)to compromise; to accommodate 「residence
遷居(ㄑㄧㄢ ㄐㄩ)to move into a new
遷徙流離(ㄑㄧㄢ ㄒㄧˇ ㄌㄧㄡˊ ㄌㄧˊ) homeless and wandering from place to place

選 6152 ㄒㄩㄢˇ xuǎn
1. to select; to choose; choice 2. to elect; elections 「designate
選派(ㄒㄩㄢˇ ㄆㄞˋ)to nominate; to
選票(ㄒㄩㄢˇ ㄆㄧㄠˋ) a ballot
選美(ㄒㄩㄢˇ ㄇㄟˇ)a beauty contest
選美大會(ㄒㄩㄢˇ ㄇㄟˇ ㄉㄚˋ ㄏㄨㄟˋ)a beauty pageant
選民(ㄒㄩㄢˇ ㄇㄧㄣˊ)the eligible voters among the citizenry; constituency
選定(ㄒㄩㄢˇ ㄉㄧㄥˋ)to decide on a selection
選讀(ㄒㄩㄢˇ ㄉㄨˊ)to take an elective course in a college 「purchase
選購(ㄒㄩㄢˇ ㄍㄡˋ)to select and make
選課(ㄒㄩㄢˇ ㄎㄜˋ)to take courses in a college 「erary works
選集(ㄒㄩㄢˇ ㄐㄧˊ)a collection of lit-
選舉(ㄒㄩㄢˇ ㄐㄩˇ)to elect; to vote; elections 「electoral
選(舉)區(ㄒㄩㄢˇ(ㄐㄩˇ) ㄑㄩ)an district
選舉權(ㄒㄩㄢˇ ㄐㄩˇ ㄑㄩㄢˊ)the right to vote
選舉人(ㄒㄩㄢˇ ㄐㄩˇ ㄖㄣˊ)a voter
選修(ㄒㄩㄢˇ ㄒㄧㄡ)to take as an elective course
選賢與能(ㄒㄩㄢˇ ㄒㄧㄢˊ ㄩˇ ㄋㄥˊ)to pick the good and select the capable for public posts
選擇(ㄒㄩㄢˇ ㄗㄜˊ)a choice; to choose
選擇題(ㄒㄩㄢˇ ㄗㄜˊ ㄊㄧˊ)a multiple-choice question

遹 6153 ㄩˋ yù
1. to follow; to comply with 2. to avoid; to shun

遺 6154 1. ㄧˊ yí
1. to lose; lost 2. things lost 3. to miss; an omission due to negligence 4. to forget 5. to leave over 6. remnants; leftovers 7. to abandon; to desert 8. anything left behind by the deceased; to bequeath; to hand down
遺風(ㄧˊ ㄈㄥ)a custom left by a preceding generation or dynasty
遺腹子(ㄧˊ ㄈㄨˋ ㄗˇ)a posthumous child
遺漏(ㄧˊ ㄌㄡˋ)to omit; an omission
遺留(ㄧˊ ㄌㄧㄡˊ)to leave behind either intentionally or unintentionally
遺孤(ㄧˊ ㄍㄨ)orphans
遺骸(ㄧˊ ㄏㄞˊ)one's remains
遺憾(ㄧˊ ㄏㄢˋ)to regret; regrettable
遺恨(ㄧˊ ㄏㄣˋ)to regret; regret
遺跡(ㄧˊ ㄐㄧ)relics; vestiges; traces
遺教(ㄧˊ ㄐㄧㄠˋ)teachings of a dead person
遺精(ㄧˊ ㄐㄧㄥ)nocturnal emission
遺棄(ㄧˊ ㄑㄧˋ)①(law) to desert one's legal dependents ② to cast away
遺像(ㄧˊ ㄒㄧㄤˋ)the portrait of a dead person

〔辵部〕

〔辵部〕

遺職(ㄧˊ ㄓˊ)①a vacated position ②a position made vacant by the departure or death of the original holder
遺址(ㄧˊ ㄓˇ)the old site of some building or a city which no longer exists
遺志(ㄧˊ ㄓˋ)the ideal or wish not carried out before one's death; the behest of a dying person
遺囑(ㄧˊ ㄓㄨˇ)① the will of a dead person ② instructions of a dying person
遺著(ㄧˊ ㄓㄨˋ)a posthumous book
遺產(ㄧˊ ㄔㄢˇ)① property left behind by a deceased person ② a legacy
遺傳(ㄧˊ ㄔㄨㄢˊ)to inherit; hereditary; heredity
遺傳性(ㄧˊ ㄔㄨㄢˊ ㄒㄧㄥˋ)heredity; hereditary
遺傳學(ㄧˊ ㄔㄨㄢˊ ㄒㄩㄝˊ)genetics
遺失(ㄧˊ ㄕ)to lose; lost
遺書(ㄧˊ ㄕㄨ)①letters written by a suicide ②ancient books scattered or lost ③manuscripts published posthumously
遺孀(ㄧˊ ㄕㄨㄤ)a widow
遺贈(ㄧˊ ㄗㄥˋ)a legacy; to bequeath
遺族(ㄧˊ ㄗㄨˊ)survivors of a deceased person's family
遺愛(ㄧˊ ㄞˋ)the love or benevolence left behind by a dead person
遺言(ㄧˊ ㄧㄢˊ)instructions, words, etc. of a dying person; a will
遺物(ㄧˊ ㄨˋ)things left behind by a dead person; relics of the deceased
遺忘(ㄧˊ ㄨㄤˋ)to forget; to neglect

遺 6154
2. ㄨㄟˋ wèi

1. to send or present as a gift 2. to be left to; to be laid upon

遼 6155
ㄌㄧㄠˊ liáo

1. distant; far 2. the Liao River in Manchuria
遼闊or遼廓(ㄌㄧㄠˊ ㄎㄨㄛˋ)vast; distant

十三畫

避 6156
ㄅㄧˋ bì

1. to avoid; to shun 2. to prevent; to keep away; to repel
避不見面(ㄅㄧˋ ·ㄅㄨ ㄐㄧㄢˋ ㄇㄧㄢˋ)to avoid meeting someone
避不作答(ㄅㄧˋ ·ㄅㄨ ㄗㄨㄛˋ ㄉㄚˊ)to parry a question
避免(ㄅㄧˋ ㄇㄧㄢˇ)to avoid; to forestall; to prevent something from happening
避風(ㄅㄧˋ ㄈㄥ)① to hide from trouble ② to seek shelter against a strong wind
避難(ㄅㄧˋ ㄋㄢˋ)to escape a calamity; to avoid disaster; to take refuge
避難所(ㄅㄧˋ ㄋㄢˋ ㄙㄨㄛˇ)a refuge; a haven
避雷針(ㄅㄧˋ ㄌㄟˊ ㄓㄣ)a lightning arrester; a lightning rod
避開(ㄅㄧˋ ㄎㄞ)to get out of the way
避寒(ㄅㄧˋ ㄏㄢˊ)to go to a winter resort; to escape the cold
避邪(ㄅㄧˋ ㄒㄧㄝˊ)to avoid evil spirits
避嫌(ㄅㄧˋ ㄒㄧㄢˊ)to avoid suspicion
避重就輕(ㄅㄧˋ ㄓㄨㄥˋ ㄐㄧㄡˋ ㄑㄧㄥ)① to take the easier way out ② to dwell on the minor points but avoid touching the core of a matter
避暑(ㄅㄧˋ ㄕㄨˇ)to run away from summer heat
避暑勝地(ㄅㄧˋ ㄕㄨˇ ㄕㄥˋ ㄉㄧˋ)a summer resort
避妊(ㄅㄧˋ ㄖㄣˋ)or避孕(ㄅㄧˋ ㄩㄣˋ)to avoid pregnancy; contraception
避雨(ㄅㄧˋ ㄩˇ)to find shelter against rain
避孕藥(ㄅㄧˋ ㄩㄣˋ ㄧㄠˋ)contraceptives

遽 6157
ㄐㄩˋ jù

1. suddenly; abruptly 2. agitated; agitation 3. a stagecoach
遽然(ㄐㄩˋ ㄖㄢˊ)suddenly

邀 6158
ㄧㄠ yāo

1. to invite; to ask; to request 2. to intercept 3. (now rarely) to weigh or measure
邀天之倖(ㄧㄠ ㄊㄧㄢ ㄓ ㄒㄧㄥˋ)to be very lucky or fortunate
邀功(ㄧㄠ ㄍㄨㄥ)to take credit for the deeds achieved by someone else
邀功圖賞(ㄧㄠ ㄍㄨㄥ ㄊㄨˊ ㄕㄤˇ)to strive for achievements for the sake of a reward
邀集(ㄧㄠ ㄐㄧˊ)to invite to a gathering
邀請(ㄧㄠ ㄑㄧㄥˇ)to invite; invitation
邀宴(ㄧㄠ ㄧㄢˋ)① to invite to a feast ② an invitation to a dinner party

邁 6159
ㄇㄞˋ mài

1. to surpass or exceed 2. to stride; to step 3. to go on a long journey 4. old (age) 5. to pass
邁步(ㄇㄞˋ ㄅㄨˋ)to stride; to take a step
邁進(ㄇㄞˋ ㄐㄧㄣˋ)to forge ahead
邁向(ㄇㄞˋ ㄒㄧㄤˋ)to march toward

邂 6160
ㄒㄧㄝˋ xiè

to meet without a prior engagement; to meet by chance
邂逅(ㄒㄧㄝˋ ㄍㄡˋ)to meet by chance

還 6161
1. ㄏㄨㄢˊ huán

1. to return; to come back; return 2. to repay; to pay back
還報(ㄏㄨㄢˊ ㄅㄠˋ)to repay; to pay back

還本(ㄏㄨㄢˊ ㄅㄣˇ)to pay the principal (as upon the maturity of bonds, loans, etc.)
還禮(ㄏㄨㄢˊ ㄌㄧˇ)①to return a salute ②to send a present in return
還口(ㄏㄨㄢˊ ㄎㄡˇ)to retort; to talk back again
還魂(ㄏㄨㄢˊ ㄏㄨㄣˊ)to come to life again
還擊(ㄏㄨㄢˊ ㄐㄧˊ)to fight back
還價(ㄏㄨㄢˊ ㄐㄧㄚˋ)to haggle over a price
還清(ㄏㄨㄢˊ ㄑㄧㄥ)to settle an account
還鄉(ㄏㄨㄢˊ ㄒㄧㄤ)to return to one's hometown
還債(ㄏㄨㄢˊ ㄓㄞˋ)to repay a debt
還賬(ㄏㄨㄢˊ ㄓㄤˋ)to pay a bill or debt
還手(ㄏㄨㄢˊ ㄕㄡˇ)to strike back
還嘴(ㄏㄨㄢˊ ㄗㄨㄟˇ)to talk back
還俗(ㄏㄨㄢˊ ㄙㄨˊ)(said of a monk or nun) to return to secular life
還我河山(ㄏㄨㄢˊ ㄨㄛˇ ㄏㄜˊ ㄕㄢ)(a slogan) Let's restore our lost land!
還原(ㄏㄨㄢˊ ㄩㄢˊ)①to return to normal or original status ②(chemistry) reduction
還原作用(ㄏㄨㄢˊ ㄩㄢˊ ㄗㄨㄛˋ ㄩㄥˋ)a reducing process
還願(ㄏㄨㄢˊ ㄩㄢˋ)to fulfill a vow—to thank a god or goddess for answering one's prayers

還 6161
2. (旋) ㄒㄩㄢˊ xuán
to revolve; to turn back

還 6161
3. ㄏㄞˊ hái
1. yet; still 2. passably; fairly; quite 3. also 4. even 5. at the same time 6. or 7. had better
還好(ㄏㄞˊ ㄏㄠˇ)①passable ②fortunately
還是(ㄏㄞˊ ㄕˋ)①still ②again ③had better ④or (showing doubt)
還在(ㄏㄞˊ ㄗㄞˋ)①still here ②still (working, etc.)
還早(ㄏㄞˊ ㄗㄠˇ)still early
還有(ㄏㄞˊ ㄧㄡˇ) furthermore; in addition

邅 6162
ㄓㄢ zhān
very difficult to proceed

十四畫

邇 6163
ㄦˇ ěr
1. lately; recently 2. near or close to
邇來(ㄦˇ ㄌㄞˊ)lately; recently

邃 6164
ㄙㄨㄟˋ suì
1. deep; far 2. profound; depth (of learning); abyss (of one's mind)

邈 6165
ㄇㄧㄠˇ miǎo
1. distant; remote 2. same as 藐—to slight; to look down upon
邈邈(ㄇㄧㄠˇ ㄇㄧㄠˇ)distant; remote
邈視(ㄇㄧㄠˇ ㄕˋ)to look down upon
邈然(ㄇㄧㄠˇ ㄖㄢˊ)distant; remote

十五畫

邊 6166
ㄅㄧㄢ biān
1. an edge; a verge; a margin 2. a side 3. a hem 4. the border of a nation's territory; a boundary 5. limits; bounds 6. nearby; near to
邊防(ㄅㄧㄢ ㄈㄤˊ)frontier defense
邊幅(ㄅㄧㄢ ㄈㄨˊ)①the appearance of a person; attire ②the margin (of a piece of cloth, etc.)
邊患(ㄅㄧㄢ ㄏㄨㄢˋ)trouble along the national border or frontier, as caused by foreign invasion, etc.
邊際效用(ㄅㄧㄢ ㄐㄧˋ ㄒㄧㄠˋ ㄩㄥˋ) (economics) marginal utility
邊疆(ㄅㄧㄢ ㄐㄧㄤ)a borderland; a frontier
邊疆民族(ㄅㄧㄢ ㄐㄧㄤ ㄇㄧㄣˊ ㄗㄨˊ) tribes living on the borderland
邊境(ㄅㄧㄢ ㄐㄧㄥˋ)the frontier
邊政(ㄅㄧㄢ ㄓㄥˋ)frontier administration
邊陲(ㄅㄧㄢ ㄔㄨㄟˊ)a border; a borderland
邊緣(ㄅㄧㄢ ㄩㄢˊ)the edge; the verge
邊遠地區(ㄅㄧㄢ ㄩㄢˇ ㄉㄧˋ ㄑㄩ)an outlying district

十九畫

邏 6167
ㄌㄨㄛˊ luó
to patrol; to inspect
邏輯(ㄌㄨㄛˊ ㄐㄧˊ)logic

邐 6168
ㄌㄧˇ lǐ
continuous and meandering (as mountains, roads, etc.)

邑部 ì yì

邑 6169
ㄧˋ yì
1. a town 2. a political district in ancient China 3. a county 4. a state 5. a capital city 6. same as 悒—sad or melancholy

三畫

〔邑部〕

邙 6170
ㄇㄤˊ máng
name of a hill near Loyang in Honan Province

邛 6171
ㄑㄩㄥˊ qióng
1. a hill; the heights 2. illness; an ailment

邕 6172
ㄩㄥ yōng
harmony; peaceful; harmonious

四畫

邠 6173
ㄅㄧㄣ bīn
name of an ancient state in today's Shensi Province

那 6174
1. ㄋㄚˋ nà
1. that; those 2. then; in that case
那麼(ㄋㄚˋ ·ㄇㄜ) ① so; that; in that way ② then; such being the case ③ about; or so
那個(ㄋㄚˋ ·ㄍㄜ) ① that one ② embarrassing ③ funny ④ too much, too far, too hot, etc.
那些(ㄋㄚˋ ㄒㄧㄝ) those

那 6174
2. ㄋㄟˋ nèi
combined form of 那一 (that+one), often used to indicate emphasis or contempt
那邊(ㄋㄟˋ ㄅㄧㄢ) that way or side; over there; there

那 6174
3. (哪) ㄋㄚˇ nǎ
an interrogative particle—Who? Which? What? Where?
那怕(ㄋㄚˇ ㄆㄚˋ) ① what to be afraid of ② even if
那能(ㄋㄚˇ ㄋㄥˊ) How can one...? 或 How could one...?
那堪(ㄋㄚˇ ㄎㄢ) How can one stand or suffer...?
那知(ㄋㄚˇ ㄓ) Who could have known...?
那有(ㄋㄚˇ ㄧㄡˇ) How can there be...?

那 6174
4. ㄋㄟˇ něi
an interrogative particle—which+one
那邊(ㄋㄟˇ ㄅㄧㄢ) or 那邊兒 (ㄋㄟˇ ㄅㄧㄚㄦ) which way or direction
那年(ㄋㄟˇ ㄋㄧㄢˊ) what year; which year

那 6174
5. ㄋㄚ nā
a Chinese family name

邦 6175
ㄅㄤ bāng
1. a state; a country; a nation 2. a manor given to a nobleman by the emperor in feudal China
邦土(ㄅㄤ ㄊㄨˇ) a nation's territory
邦交(ㄅㄤ ㄐㄧㄠ) international relations; diplomatic relations or ties

邪 6176
1. ㄒㄧㄝˊ xié
1. evil; wicked; vicious 2. pertaining to sorcery or demonism
邪魔(ㄒㄧㄝˊ ㄇㄛˊ) demons; devils
邪念(ㄒㄧㄝˊ ㄋㄧㄢˋ) evil thoughts or intentions
邪教(ㄒㄧㄝˊ ㄐㄧㄠˋ) paganism; heathendom
邪行 ①(ㄒㄧㄝˊ ㄒㄧㄥˊ) evil ways; wicked conduct ②(ㄒㄧㄝˊ ·ㄒㄧㄥ) very strange
邪術(ㄒㄧㄝˊ ㄕㄨˋ) sorcery; voodooism
邪說(ㄒㄧㄝˊ ㄕㄨㄛ) heresy; perverted views
邪惡(ㄒㄧㄝˊ ㄜˋ) evil and wicked
邪淫(ㄒㄧㄝˊ ㄧㄣˊ) licentiousness; lustful

邪 6176
2. ㄧㄝˊ yé
1. to answer in unison 2. same as 耶—an ending particle

邢 6177
(邢) ㄒㄧㄥˊ xíng
a Chinese family name

邨 6178
ㄘㄨㄣ cūn
1. same as 村—a village; the countryside 2. coarse; vulgar

五畫

邵 6179
ㄕㄠˋ shào
1. advanced, as age 2. a Chinese family name

邯 6180
ㄏㄢˊ hán
1. name of a river in Chinghai 2. a hill in Hopeh

邰 6181
ㄊㄞˊ tái
a Chinese family name

邱 6182
ㄑㄧㄡ qiū
same as 丘—a hill
邱比特(ㄑㄧㄡ ㄅㄧˇ ㄊㄜˋ) Cupid

邲 6183
ㄅㄧˋ bì
good-looking

邳 6184
ㄆㄟˊ péi
joyful; jubilant

邶 6185
ㄅㄟˋ bèi
name of an ancient state in today's Honan Province

邴 6186
ㄅㄧㄥˇ bǐng
joyful; jubilant

邸 6187
ㄉㄧˇ dǐ
the residence of a prince or the nobil-

ity; the residence of a high official
邸第(ㄉㄧˇ ㄉㄧˋ)residences of lords and the nobility

六畫

郁 6188
ㄩˋ yù
adorned; colorfully ornamented; beautiful; refined
郁馥(ㄩˋ ㄈㄨˋ)fragrant; aromatic
郁烈(ㄩˋ ㄌㄧㄝˋ)permeated with strong aroma

邢 6189
(邢) ㄒㄧㄥˊ xíng
a Chinese family name

郅 6190
ㄓˋ zhì
very; extremely

郇 6191
ㄒㄩㄣˊ xún
as in 郇厨—a sumptuous feast

郊 6192
ㄐㄧㄠ jiāo
1. suburbs of a city 2. a ceremony for offering sacrifices to Heaven and Earth
郊區(ㄐㄧㄠ ㄑㄩ)suburban districts; suburbs; outskirts; a suburban area
郊遊(ㄐㄧㄠ ㄧㄡˊ)an outing; an excursion
郊外(ㄐㄧㄠ ㄨㄞˋ)suburbs

郃 6193
ㄍㄜˊ gé
a Chinese family name

邽 6194
ㄍㄨㄟ guī
a Chinese family name

邾 6195
ㄓㄨ zhū
name of an ancient state in today's Shantung Province

七畫

郛 6196
ㄈㄨˊ fú
the outer city; the suburbs

郜 6197
ㄍㄠˋ gào
a Chinese family name

郝 6198
ㄏㄠˇ hǎo
(讀音 ㄏㄜˋ hè)
a Chinese family name

郎 6199
(郎) ㄌㄤˊ láng
1. an official rank in ancient times 2. a man 3. the husband; the beau
郎中(ㄌㄤˊ ㄓㄨㄥ)①an official rank in ancient China ②a physician ③a card shark

郟 6200
ㄐㄧㄚˊ jiá
a Chinese family name

郡 6201
ㄐㄩㄣˋ jùn
a political division in ancient China; a prefecture; a county
郡守(ㄐㄩㄣˋ ㄕㄡˇ)the magistrate of a prefecture

郢 6202
ㄧㄥˇ yǐng
name of the capital of the state of Chu(楚)
郢書燕說(ㄧㄥˇ ㄕㄨ ㄧㄢ ㄕㄨㄛ)distorted interpretation

郗 6203
ㄔ chī
a Chinese family name

郤 6204
ㄒㄧˋ xì
name of an area in the ancient state of Tsin(晉)

郕 6205
ㄔㄥˊ chéng
name of an ancient state in today's Shantung Province

八畫

部 6206
ㄅㄨˋ bù
1. a department; a section 2. a cabinet ministry 3. a volume
部門(ㄅㄨˋ ㄇㄣˊ)a section; a department
部分(ㄅㄨˋ ·ㄈㄣ)a portion; a part
部隊(ㄅㄨˋ ㄉㄨㄟˋ)troops; a military unit
部落(ㄅㄨˋ ㄌㄨㄛˋ)a tribe
部下(ㄅㄨˋ ㄒㄧㄚˋ)or部屬(ㄅㄨˋ ㄕㄨˇ) subordinates
部首(ㄅㄨˋ ㄕㄡˇ)radicals of Chinese characters
部署(ㄅㄨˋ ㄕㄨˇ)to make preparations or arrangements

郫 6207
ㄆㄧˊ pí
name of a county in Szechwan

郭 6208
ㄍㄨㄛ guō
1. as in 城郭—a town 2. the outer wall of a city 3. the outer part of anything 4. a Chinese family name

郯 6209
ㄊㄢˊ tán
a Chinese family name

郴 6210
ㄔㄣ chēn
a Chinese family name

郪 6211
ㄑㄧ qī
name of a stream in Szechwan Province

郲 6212
ㄌㄞˊ lái
name of a place in Honan Province

〔邑部〕

〔邑部〕

郵 6213 ㄧㄡˊ yóu

1. a post office 2. postal 3. to deliver mails, letters, etc.

郵包(ㄧㄡˊ ㄅㄠ)a postal parcel
郵票(ㄧㄡˊ ㄆㄧㄠˋ)postal stamps
郵費(ㄧㄡˊ ㄈㄟˋ)postal charges; postage
郵費免付(ㄧㄡˊ ㄈㄟˋ ㄇㄧㄢˇ ㄈㄨˋ)post-free
郵費已付(ㄧㄡˊ ㄈㄟˋ ㄧˇ ㄈㄨˋ)postpaid
郵袋(ㄧㄡˊ ㄉㄞˋ)a mailbag
郵遞(ㄧㄡˊ ㄉㄧˋ)to send by mail
郵遞區號(ㄧㄡˊ ㄉㄧˋ ㄑㄩ ㄏㄠˋ)zip code
郵筒(ㄧㄡˊ ㄊㄨㄥˇ)a pillar box; a post-box
郵購(ㄧㄡˊ ㄍㄡˋ)①mail order ②to buy by mail order
郵滙(ㄧㄡˊ ㄏㄨㄟˋ)to send money by mail
郵寄(ㄧㄡˊ ㄐㄧˋ)to send by mail; to mail
郵簡(ㄧㄡˊ ㄐㄧㄢˇ)an air letter
郵件(ㄧㄡˊ ㄐㄧㄢˋ)mail matter; postal items
郵局(ㄧㄡˊ ㄐㄩˊ)a post office
郵區(ㄧㄡˊ ㄑㄩ)a postal district
郵箱(ㄧㄡˊ ㄒㄧㄤ)a postbox; a mailbox
郵政(ㄧㄡˊ ㄓㄥˋ)postal affairs
郵政劃撥帳戶(ㄧㄡˊ ㄓㄥˋ ㄏㄨㄚˋ ㄅㄛ ㄓㄤˋ ㄏㄨˋ)a postal transfer account
郵政匯款(ㄧㄡˊ ㄓㄥˋ ㄏㄨㄟˋ ㄎㄨㄢˇ)postal remittance
郵政信箱(ㄧㄡˊ ㄓㄥˋ ㄒㄧㄣˋ ㄒㄧㄤ)a post-office box (P.O.B.)
郵政儲金(ㄧㄡˊ ㄓㄥˋ ㄔㄨˊ ㄐㄧㄣ)savings deposits in a department of the post office
郵政總局(ㄧㄡˊ ㄓㄥˋ ㄗㄨㄥˇ ㄐㄩˊ)the Directorate General of Posts
郵差(ㄧㄡˊ ㄔㄞ)a mailman; a postman
郵戳兒(ㄧㄡˊ ㄔㄨㄛㄦ)a postmark
郵船(ㄧㄡˊ ㄔㄨㄢˊ)①a luxurious passenger liner ②a mailboat
郵資(ㄧㄡˊ ㄗ)postage
郵資不足(ㄧㄡˊ ㄗ ㄅㄨˋ ㄗㄨˊ)underpaid postage
郵資已付(ㄧㄡˊ ㄗ ㄧˇ ㄈㄨˋ)postage paid
郵務(ㄧㄡˊ ㄨˋ)postal administration

九畫

都 6214 1. ㄉㄨ dū

1. a city; a metropolis 2. the capital of a nation 3. beautiful; elegant; fine

都會(ㄉㄨ ㄏㄨㄟˋ)a big city; a metropolis
都市(ㄉㄨ ㄕˋ)a city; a metropolis
都市化(ㄉㄨ ㄕˋ ㄏㄨㄚˋ)to urbanize; urbanization; urbanized
都市計畫(ㄉㄨ ㄕˋ ㄐㄧˋ ㄏㄨㄚˋ)an urban renewal plan; an urban development plan

都 6214 2. ㄉㄡ dōu

1. all; altogether 2. even 3. already

郿 6215 ㄇㄟˊ méi

Mei, a county in Shensi

鄂 6216 ㄜˋ è

1. the edge; the verge; the brink; the brim 2. short for Hupeh Province 3. startled; surprised 4. blunt; honest

鄆 6217 ㄩㄣˋ yùn

a Chinese family name

郾 6218 ㄧㄢˇ yǎn

name of a county in Honan Province

鄄 6219 ㄐㄩㄢˋ juàn

name of a county in Shantung Province

十畫

鄗 6220 ㄏㄠˋ hào

name of a town in ancient China in today's Hupeh Province

鄉 6221 1. ㄒㄧㄤ xiāng

1. a village; the country, as contrasted with a city or town 2. rural 3. a small administrative unit comprising several villages 4. one's native place or birthplace

鄉民(ㄒㄧㄤ ㄇㄧㄣˊ)villagers; countryfolk
鄉土(ㄒㄧㄤ ㄊㄨˇ)① one's hometown ② local geography and history
鄉土藝術(ㄒㄧㄤ ㄊㄨˇ ㄧˋ ㄕㄨˋ)local art
鄉里(ㄒㄧㄤ ㄌㄧˇ)the village where one resides or grew up
鄉居(ㄒㄧㄤ ㄐㄩ)to live in the countryside
鄉親(ㄒㄧㄤ ㄑㄧㄣ)①people hailing from the same area ② local people
鄉下(ㄒㄧㄤ ·ㄒㄧㄚ)countryside; a rural area
鄉下人(ㄒㄧㄤ ·ㄒㄧㄚ ㄖㄣˊ)villagers; countryfolk
鄉愁(ㄒㄧㄤ ㄔㄡˊ)or 鄉思(ㄒㄧㄤ ㄙ) homesickness; nostalgia
鄉紳(ㄒㄧㄤ ㄕㄣ)the country gentry
鄉村(ㄒㄧㄤ ㄘㄨㄣ)a village
鄉野(ㄒㄧㄤ ㄧㄝˇ)rural; pastoral
鄉音(ㄒㄧㄤ ㄧㄣ)one's native accent
鄉愿(ㄒㄧㄤ ㄩㄢˋ)a hypocrite or an impostor in the countryside

鄉 6221 2.(嚮) ㄒㄧㄤˋ xiàng

1. to incline toward; to direct to 2. to guide; to approach

鄒 6222
ㄗㄡ zōu
a Chinese family name

鄔 6223
ㄨ wū
a Chinese family name

十一畫

鄙 6224
ㄅㄧˇ bǐ
(又讀 ㄅㄧˋ bì)
1. mean; base 2. superficial 3. remote 4. to despise
鄙夫(ㄅㄧˇ ㄈㄨ) a mean fellow
鄙賤(ㄅㄧˇ ㄐㄧㄢˋ) lowly; mean; base
鄙視(ㄅㄧˇ ㄕˋ) to despise; to disdain
鄙意(ㄅㄧˇ ㄧˋ) or 鄙見(ㄅㄧˇ ㄐㄧㄢˋ) my humble opinion

鄢 6225
ㄧㄢ yān
a Chinese family name

鄘 6226
ㄩㄥ yōng
name of an ancient state in what is today's Honan

鄜 6227
ㄈㄨ fū
name of a county in Shensi

鄞 6228
ㄧㄣˊ yín
name of a county in Chekiang

鄣 6229
ㄓㄤ zhāng
name of an ancient state in what is today's Shantung

十二畫

鄧 6230
ㄉㄥˋ dèng
a Chinese family name

鄭 6231
ㄓㄥˋ zhèng
1. solemn; formal; serious 2. a Chinese family name
鄭重其事(ㄓㄥˋ ㄓㄨㄥˋ ㄑㄧˊ ㄕˋ) ①to treat it with seriousness ②very careful

鄯 6232
ㄕㄢˋ shàn
name of a region in Chinese Turkestan

鄰 6233
(隣) ㄌㄧㄣˊ lín
1. neighboring 2. neighborhood 3. a neighbor
鄰國(ㄌㄧㄣˊ ㄍㄨㄛˊ) a neighboring country
鄰近(ㄌㄧㄣˊ ㄐㄧㄣˋ) ①located nearby ②neighborhood
鄰居(ㄌㄧㄣˊ ㄐㄩ) neighbors

鄱 6234
ㄆㄛˊ pó
Poyang, name of a county in Kiangsi

鄲 6235
ㄉㄢ dān
used in Hantan (邯鄲)—name of a county in Hopeh

鄦 6236
ㄒㄩˇ xǔ
name of an ancient state in what is today's Honan

十三畫

鄴 6237
ㄧㄝˋ yè
a Chinese family name

鄶 6238
ㄎㄨㄞˋ kuài
name of an ancient state in what is today's Honan

十四畫

鄹 6239
ㄗㄡ zōu
name of the birthplace of Confucius in what is today's Chüfu (曲阜), Shantung

十五畫

鄺 6240
ㄎㄨㄤˋ kuàng
a Chinese family name

十七畫

酃 6241
ㄌㄧㄥˊ líng
name of a lake in Hunan whose water is used to brew wine

十八畫

酆 6242
ㄈㄥ fēng
a Chinese family name

十九畫

酈 6243
ㄌㄧˋ lì
a Chinese family name

酇 6244
ㄗㄢˋ zàn
name of a feudal state in the Han Dynasty

酉部
ㄧㄡˇ you

〔酉部〕

〔酉部〕

酉 6245 ㄧㄡˇ yǒu
1. the tenth of the Twelve Terrestrial Branches 2. 5:00-7:00 p.m.

二畫

酊 6246 ㄉㄧㄥˇ dǐng
intoxicated; drunk

酋 6247 ㄑㄧㄡˊ qiú
the chief of a clan or tribe; a chieftain
酋長(ㄑㄧㄡˊ ㄓㄤˇ)①a chieftain; the chief of a tribe ②a sheik(h); an emir

三畫

酌 6248 ㄓㄨㄛˊ zhuó
1. to drink 2. to pour (wine) 3. to weigh and consider
酌量(ㄓㄨㄛˊ ㄌㄧㄤˋ)to weigh and consider
酌加(ㄓㄨㄛˊ ㄐㄧㄚ)to make considered additions
酌情(ㄓㄨㄛˊ ㄑㄧㄥˊ)to take circumstances into consideration; to make allowance

配 6249 ㄆㄟˋ pèi
1. to join in marriage 2. to mate 3. to match 4. to suit; to be a match for 5. to dispense (medicines); to prepare (according to a demand); to distribute (according to a plan) 6. to exile 7. a spouse 8. subordinate; supplementary 9. to deserve
配備(ㄆㄟˋ ㄅㄟˋ)①an outfit ②to fit out
配不上(ㄆㄟˋ ·ㄅㄨ ㄕㄤˋ)to be no match for
配方(ㄆㄟˋ ㄈㄤ)to dispense prescriptions
配套(ㄆㄟˋ ㄊㄠˋ)to form a complete set
配合(ㄆㄟˋ ㄏㄜˊ)to be adapted to; to match; to cooperate with
配貨(ㄆㄟˋ ㄏㄨㄛˋ)to prepare goods for delivery according to an order
配給(ㄆㄟˋ ㄐㄧˇ)①to distribute in rations; to allocate ②allocation
配件(ㄆㄟˋ ㄐㄧㄢˋ)accessories
配角(ㄆㄟˋ ㄐㄩㄝˊ)①to appear with another leading player; to costar ②a supporting role; a minor role
配置(ㄆㄟˋ ㄓˋ)to station (troops)
配製(ㄆㄟˋ ㄓˋ)to prepare or concoct according to a recipe or prescription
配色(ㄆㄟˋ ㄙㄜˋ)to blend colors; to match colors
配偶(ㄆㄟˋ ㄡˇ)a spouse; a mate
配藥(ㄆㄟˋ ㄧㄠˋ)to dispense medicines
配鑰匙(ㄆㄟˋ ㄧㄠˋ ·ㄕ)to duplicate keys
配眼鏡(ㄆㄟˋ ㄧㄢˇ ·ㄐㄧㄥ)to get the right lenses for one's eyeglasses

酒 6250 ㄐㄧㄡˇ jiǔ
alcoholic drinks (brewed or distilled) wine; liquor; spirits
酒吧(ㄐㄧㄡˇ ㄅㄚ)a bar
酒德(ㄐㄧㄡˇ ㄉㄜˊ) or 酒品(ㄐㄧㄡˇ ㄆㄧㄣˇ)decorum in drinking
酒樓(ㄐㄧㄡˇ ㄌㄡˊ)a tavern; a bar
酒量(ㄐㄧㄡˇ ㄌㄧㄤˋ)one's capacity for drinking
酒客(ㄐㄧㄡˇ ㄎㄜˋ)a drinker
酒後失態(ㄐㄧㄡˇ ㄏㄡˋ ㄕ ㄊㄞˋ)to act ludicrously when drunk
酒後失言(ㄐㄧㄡˇ ㄏㄡˋ ㄕ ㄧㄢˊ)to say something wrong when drunk
酒壺(ㄐㄧㄡˇ ㄏㄨˊ)a wine pot or jar
酒會(ㄐㄧㄡˇ ㄏㄨㄟˋ)a cocktail party
酒家(ㄐㄧㄡˇ ㄐㄧㄚ)a tavern; a wineshop
酒精(ㄐㄧㄡˇ ㄐㄧㄥ)alcohol
酒精中毒(ㄐㄧㄡˇ ㄐㄧㄥ ㄓㄨㄥˋ ㄉㄨˊ) chronic alcoholism
酒席(ㄐㄧㄡˇ ㄒㄧˊ)a banquet; a feast
酒興(ㄐㄧㄡˇ ㄒㄧㄥˋ)elation from drinking
酒廠(ㄐㄧㄡˇ ㄔㄤˇ)a brewery; a winery
酒肉朋友(ㄐㄧㄡˇ ㄖㄡˋ ㄆㄥˊ ㄧㄡˇ) friends in one's revels (not in one's need)
酒醉(ㄐㄧㄡˇ ㄗㄨㄟˋ)drunk; intoxicated
酒醉飯飽(ㄐㄧㄡˇ ㄗㄨㄟˋ ㄈㄢˋ ㄅㄠˇ)having drunk and eaten to one's heart's content
酒色之徒(ㄐㄧㄡˇ ㄙㄜˋ ㄓ ㄊㄨˊ)a libertine; a debauchee
酒色財氣(ㄐㄧㄡˇ ㄙㄜˋ ㄘㄞˊ ㄑㄧˋ)wine, women, wealth, and power—four main temptations to a man
酒癮(ㄐㄧㄡˇ ㄧㄣˇ)addiction to alcohol
酒窩兒(ㄐㄧㄡˇ ㄨㄛㄦ)dimples on one's cheeks

四畫

酖 6251 1. ㄉㄢ dān
addicted to alcoholic drinks

酖 6251 2. ㄓㄣˋ zhèn
poisonous wine: 酖毒 poison

酗 6252 ㄒㄩˋ xù
to lose one's temper when drunk
酗酒(ㄒㄩˋ ㄐㄧㄡˇ)to indulge in excessive drinking

五畫

酢 6253 ㄗㄨㄛˋ zuò
(said of a guest) to toast the host

酣 6254 ㄏㄢ hān
1. to enjoy intoxicants; to drink wine 2. to one's heart's content; as much as one wants; without inhibition
酣眠(ㄏㄢ ㄇㄧㄢˊ) or 酣睡(ㄏㄢ ㄕㄨㄟˋ) to sleep soundly
酣戰(ㄏㄢ ㄓㄢˋ) to fight a fierce battle
酣飲(ㄏㄢ ㄧㄣˇ) to drink as much as one can

酤 6255 ㄍㄨ gū
to sell or buy alcoholic drinks

酥 6256 ㄙㄨ sū
1. brittle; frail; fragile 2. crunchy; crisp 3. lustrous
酥餅(ㄙㄨ ㄅㄧㄥˇ) a kind of crisp biscuit
酥糖(ㄙㄨ ㄊㄤˊ) crunchy candy
酥軟(ㄙㄨ ㄖㄨㄢˇ) lacking strength; feeble

六畫

酩 6257 ㄇㄧㄥˇ mǐng (又讀 ㄇㄧㄥˊ míng)
drunk; intoxicated
酩酊(ㄇㄧㄥˇ ㄉㄧㄥˇ) intoxicated; drunk

酪 6258 ㄌㄠˋ lào (讀音 ㄌㄨㄛˋ luò)
1. alcoholic drinks 2. animal milk 3. cheese 4. fruit jam

酯 6259 ㄓˇ zhǐ
esters

酬 6260 ㄔㄡˊ chóu
1. to toast; to offer a cup of spirits, as in 獻酬 2. to reward; to requite
酬勞(ㄔㄡˊ ㄌㄠˊ) to reward services
酬金(ㄔㄡˊ ㄐㄧㄣ) a cash reward; a bounty
酬酢(ㄔㄡˊ ㄗㄨㄛˋ) ①social intercourse ②to exchange toasts

酮 6261 ㄊㄨㄥˊ tóng
ketone

七畫

酲 6262 ㄔㄥˊ chéng
hangover after heavy drinking

酵 6263 ㄒㄧㄠˋ xiào
as in 酵母—yeast; leaven
酵母菌(ㄒㄧㄠˋ ㄇㄨˇ ㄐㄩㄣˋ) a yeast fungus
酵素(ㄒㄧㄠˋ ㄙㄨˋ) an enzyme

酷 6264 ㄎㄨˋ kù
1. (said of intoxicants) strong 2. (said of fragrance) very stimulating 3. cruel; brutal 4. exceedingly
酷吏(ㄎㄨˋ ㄌㄧˋ) a cruel official
酷寒(ㄎㄨˋ ㄏㄢˊ) severe cold
酷刑(ㄎㄨˋ ㄒㄧㄥˊ) to torture; torture
酷熱(ㄎㄨˋ ㄖㄜˋ) torturing heat
酷似(ㄎㄨˋ ㄙˋ) to resemble very closely

酸 6265 ㄙㄨㄢ suān
1. sour 2. stale 3. sad; grieved 4. aching; a tingle; an ache 5. jealous 6. stingy 7. (chemistry) acid
酸葡萄(ㄙㄨㄢ ㄆㄨˊ ·ㄊㄠ) sour grapes —something scorned because it cannot be had
酸梅(ㄙㄨㄢ ㄇㄟˊ) sour plums
酸甜苦辣(ㄙㄨㄢ ㄊㄧㄢˊ ㄎㄨˇ ㄌㄚˋ) sour, sweet, bitter, and hot—the sweets and bitters (of life)
酸牛奶(ㄙㄨㄢ ㄋㄧㄡˊ ㄋㄞˇ) yoghurt; sour milk
酸辣湯(ㄙㄨㄢ ㄌㄚˋ ㄊㄤ) a kind of soup seasoned with vinegar and pepper
酸性(ㄙㄨㄢ ㄒㄧㄥˋ) acidity
酸菜(ㄙㄨㄢ ㄘㄞˋ) pickled vegetables
酸味(ㄙㄨㄢ ㄨㄟˋ) a sour taste

酹 6266 ㄌㄟˋ lèi
to make a libation

酺 6267 ㄆㄨˊ pú
to drink in company

酴 6268 ㄊㄨˊ tú
1. a distiller's grain or yeast 2. wine brewed for the second time

八畫

醃 6269 ㄧㄢ yān
to pickle; to salt
醃肉(ㄧㄢ ㄖㄡˋ) salted pork; salted meat
醃菜(ㄧㄢ ㄘㄞˋ) pickled vegetables

醅 6270 ㄆㄟ pēi
unstrained wine

醇 6271 ㄔㄨㄣˊ chún
1. rich wine; strong wine 2. pure; unadulterated 3. ethyl alcohol
醇美(ㄔㄨㄣˊ ㄇㄟˇ) pure and fair

〔酉部〕

醇厚(ㄔㄨㄣˊ ㄏㄡˋ)① mellow ②gentle and kind

醉 6272 ㄗㄨㄟˋ zuì
1. drunk; intoxicated 2. infatuated; charmed
醉態(ㄗㄨㄟˋ ㄊㄞˋ)the state of being drunk
醉鬼(ㄗㄨㄟˋ ㄍㄨㄟˇ)a drunkard
醉心(ㄗㄨㄟˋ ㄒㄧㄣ)infatuated with (a pursuit)
醉醺醺(ㄗㄨㄟˋ ㄒㄩㄣ ㄒㄩㄣ)sottish; drunk
醉生夢死(ㄗㄨㄟˋ ㄕㄥ ㄇㄥˋ ㄙˇ)to live a befuddled life
醉意(ㄗㄨㄟˋ ㄧˋ)slightly drunk

醊 6273 ㄔㄨㄛˋ chuò
to pour wine in a libation

醋 6274 ㄘㄨˋ cù
vinegar
醋勁兒(ㄘㄨˋ ㄐㄧㄣˋㄦ)jealousy
醋酸(ㄘㄨˋ ㄙㄨㄢ)acetic acid

醁 6275 ㄌㄨˋ lù
a kind of green-colored wine

九畫

醒 6276 ㄒㄧㄥˇ xǐng
1. to recover from (drunkenness, a stupor, etc.) 2. to awake; to wake up 3. to be clear or cool in mind
醒酒(ㄒㄧㄥˇ ㄐㄧㄡˇ)to sober up from drunkenness
醒世(ㄒㄧㄥˇ ㄕˋ)to rouse the public from mental slumber
醒悟(ㄒㄧㄥˇ ㄨˋ)to awake (from errors, illusions, etc.); to come to realize

醍 6277 ㄊㄧˊ tí
1. cream (of milk) 2. a kind of red-dish wine

醐 6278 ㄏㄨˊ hú
as in 醍醐—clarified butter (a symbol of Buddhist truth or wisdom)

十畫

醜 6279 ㄔㄡˇ chǒu
1. ugly 2. abominable 3. shameful 4. to compare
醜八怪(ㄔㄡˇ ㄅㄚ ㄍㄨㄞˋ)a very ugly fellow
醜名(ㄔㄡˇ ㄇㄧㄥˊ)bad reputation; dishonor
醜態百出(ㄔㄡˇ ㄊㄞˋ ㄅㄞˇ ㄔㄨ)to show all sorts of disgraceful behavior
醜化(ㄔㄡˇ ㄏㄨㄚˋ)to smear; to uglify
醜事(ㄔㄡˇ ㄕˋ)a disgraceful affair
醜惡(ㄔㄡˇ ㄜˋ)ugly; repulsive; hideous
醜聞(ㄔㄡˇ ㄨㄣˊ)scandal

醞 6280 ㄩㄣˋ yùn
1. to brew; to ferment 2. preliminary informal discussion; to deliberate on
醞釀(ㄩㄣˋ ㄋㄧㄤˋ)①to brew (wine or liquor) ②(said of a storm, disturbance, etc.) to begin to form; to brew

醚 6281 ㄇㄧˊ mí
ether

醛 6282 ㄑㄩㄢˊ quán
aldehyde

醣 6283 ㄊㄤˊ táng
carbohydrate

醢 6284 ㄏㄞˇ hǎi
minced and hashed meat

十一畫

醫 6285 ㄧ yī
1. to cure or treat (diseases) 2. a doctor; a physician; a surgeon 3. medical science; medical service
醫德(ㄧ ㄉㄜˊ)medical ethics
醫療(ㄧ ㄌㄧㄠˊ)to cure or treat (a disease); medical treatment
醫科(ㄧ ㄎㄜ)the department of medicine (at a university)
醫學(ㄧ ㄒㄩㄝˊ)medical science
醫師(ㄧ ㄕ)or醫生(ㄧ ㄕㄥ)a physician; a surgeon; a doctor
醫術(ㄧ ㄕㄨˋ)medical skill; the art of healing
醫藥(ㄧ ㄧㄠˋ)healing drugs; medicines
醫藥費(ㄧ ㄧㄠˋ ㄈㄟˋ)a hospital bill; a doctor's fee; medical expenses
醫院(ㄧ ㄩㄢˋ)a hospital

醨 6286 ㄌㄧˊ lí
weak wine or liquor

醪 6287 ㄌㄠˊ láo
1. unstrained wine or liquor 2. mellow wine

醬 6288 ㄐㄧㄤˋ jiàng
1. soybean sauce; soy 2. food in the form of paste; jam
醬油(ㄐㄧㄤˋ ㄧㄡˊ)soybean sauce; soy; soy sauce

醯 6289 ㄒㄧ xī
vinegar; pickle; acid

十二畫

醭 6290 ㄅㄨˊ bú (又讀 ㄆㄨˊ pú)
white specks of mildew

醮 6291 ㄐㄧㄠˋ jiào
1. religious service 2. wedding

醱 6292 ㄆㄛˋ pò
to brew for the second time: 醱酵 to ferment

十三畫

醴 6293 ㄌㄧˇ lǐ
1. sweet wine 2. the sweet water from a spring

醲 6294 ㄋㄨㄥˊ nóng
1. strong wine; rich wine 2. thick; dense; saturated 亦作「濃」
醲郁(ㄋㄨㄥˊ ㄩˋ) (said of wine) rich; having more body

醵 6295 ㄐㄩˋ jù
to pool money (for a feast, etc.)

十四畫

醺 6296 ㄒㄩㄣ xūn
drunk; intoxicated; tipsy

十七畫

釀 6297 ㄋㄧㄤˋ niàng
1. to brew; to ferment 2. to take shape or form slowly 3. wine
釀蜜(ㄋㄧㄤˋ ㄇㄧˋ) (said of bees) to make honey
釀酒(ㄋㄧㄤˋ ㄐㄧㄡˇ) to brew wine
釀成(ㄋㄧㄤˋ ㄔㄥˊ) to form gradually
釀造(ㄋㄧㄤˋ ㄗㄠˋ) to brew

醽 6298 ㄌㄧㄥˊ líng
a kind of wine

醾 6299 ㄇㄧˊ mí
as in 酴醾—wine brewed for the second time

十八畫

釁 6300 ㄒㄧㄣˋ xìn
1. to anoint (drums, bells, etc.) with blood in worship 2. to anoint (the body) 3. a rift (between people)
釁端(ㄒㄧㄣˋ ㄉㄨㄢ) the cause of a fight

二十畫

釅 6301 ㄧㄢˋ yàn
strong (beverages)

釆部 ㄅㄧㄢˋ biàn

〔釆·里部〕

一畫

采 6302 1. ㄘㄞˇ cǎi
1. to gather; to collect 2. to pick; to select 3. bright colors
采集(ㄘㄞˇ ㄐㄧˊ) to gather or collect (materials, etc.)

采 6302 2. ㄘㄞˋ cài
as in 采邑—a fief; vassalage

五畫

釉 6303 ㄧㄡˋ yòu
glaze

十三畫

釋 6304 ㄕˋ shì
1. to explain; to interpret 2. to set free 3. to relieve 4. to disperse; to dispel 5. of Buddha or Buddhism
釋放(ㄕˋ ㄈㄤˋ) to set free; to release
釋去重負(ㄕˋ ㄑㄩˋ ㄓㄨㄥˋ ㄈㄨˋ) to be relieved of a heavy responsibility
釋嫌(ㄕˋ ㄒㄧㄢˊ) to dispel suspicion
釋疑(ㄕˋ ㄧˊ) to dispel doubt; to settle uncertainties
釋義(ㄕˋ ㄧˋ) expatiation; interpretation; to explain

里部 ㄌㄧˇ lǐ

里 6305 ㄌㄧˇ lǐ
1. a neighborhood, or community, of 25 families (in ancient times); a neighborhood; a village 2. *li* (a unit of linear measure about one third of a mile)
里巷(ㄌㄧˇ ㄒㄧㄤˋ) streets
里程(ㄌㄧˇ ㄔㄥˊ) ①mileage ②the course of development; course
里程碑(ㄌㄧˇ ㄔㄥˊ ㄅㄟ) a milestone; a milepost

二畫

重 6306 1. ㄓㄨㄥˋ zhòng
1. heavy 2. to weigh; weight 3. difficult 4. serious 5. severe 6. impor-

tant 7. to value; to emphasize
重辦(ㄓㄨㄥˋ ㄅㄢˋ)to punish severely
重病(ㄓㄨㄥˋ ㄅㄧㄥˋ)a serious illness
重砲(ㄓㄨㄥˋ ㄆㄠˋ)heavy artillery
重犯(ㄓㄨㄥˋ ㄈㄢˋ)an important criminal
重負(ㄓㄨㄥˋ ㄈㄨˋ)a heavy burden; a heavy load
重點(ㄓㄨㄥˋ ㄉㄧㄢˇ)the point or center of emphasis
重聽(ㄓㄨㄥˋ ㄊㄧㄥ)weak in hearing
重力(ㄓㄨㄥˋ ㄌㄧˋ)gravity
重量(ㄓㄨㄥˋ ㄌㄧㄤˋ)weight
重量級(ㄓㄨㄥˋ ㄌㄧㄤˋ ㄐㄧˊ)(boxing) heavyweight
重工業(ㄓㄨㄥˋ ㄍㄨㄥ ㄧㄝˋ)heavy industry
重轟炸機(ㄓㄨㄥˋ ㄏㄨㄥ ㄓㄚˋ ㄐㄧ) a heavy bomber
重金屬(ㄓㄨㄥˋ ㄐㄧㄣ ㄕㄨˇ)heavy metals
重心(ㄓㄨㄥˋ ㄒㄧㄣ)the center of gravity
重刑(ㄓㄨㄥˋ ㄒㄧㄥˊ)severe punishment
重鎮(ㄓㄨㄥˋ ㄓㄣˋ)① key positions (in military operations); an important city ② a key figure
重酬(ㄓㄨㄥˋ ㄔㄡˊ)a handsome reward
重創①(ㄓㄨㄥˋ ㄔㄨㄤ) a serious wound ②(ㄓㄨㄥˋ ㄔㄨㄤˋ) to inflict a severe blow on (the enemy)
重視(ㄓㄨㄥˋ ㄕˋ)to pay much attention to
重賞(ㄓㄨㄥˋ ㄕㄤˇ)to reward generously
重任(ㄓㄨㄥˋ ㄖㄣˋ)an important mission
重罪(ㄓㄨㄥˋ ㄗㄨㄟˋ)a serious offense or crime
重義輕利(ㄓㄨㄥˋ ㄧˋ ㄑㄧㄥ ㄌㄧˋ)to value justice above material gains
重要人物(ㄓㄨㄥˋ ㄧㄠˋ ㄖㄣˊ ㄨˋ)an important figure
重音(ㄓㄨㄥˋ ㄧㄣ)(phonetics) accent; stress
重用(ㄓㄨㄥˋ ㄩㄥˋ)to give (someone) an important assignment

重 6306
2. ㄔㄨㄥˊ chóng

1. to pile one upon another 2. to repeat; to duplicate 3. layers 4. double; manifold 5. numerous; countless
重複(ㄔㄨㄥˊ ㄈㄨˋ)①to repeat ②to duplicate
重疊(ㄔㄨㄥˊ ㄉㄧㄝˊ)to pile one upon another
重來(ㄔㄨㄥˊ ㄌㄞˊ)to do a thing over again
重婚(ㄔㄨㄥˊ ㄏㄨㄣ)bigamy; to commit bigamy
重建(ㄔㄨㄥˊ ㄐㄧㄢˋ)to rebuild; to reconstruct
重修舊好(ㄔㄨㄥˊ ㄒㄧㄡ ㄐㄧㄡˋ ㄏㄠˇ)to renew friendly relations; to patch up
重新(ㄔㄨㄥˊ ㄒㄧㄣ)anew; afresh
重整旗鼓(ㄔㄨㄥˊ ㄓㄥˇ ㄑㄧˊ ㄍㄨˇ)to rearm
重遊(ㄔㄨㄥˊ ㄧㄡˊ)to revisit
重演(ㄔㄨㄥˊ ㄧㄢˇ)to repeat the performance of
重洋(ㄔㄨㄥˊ ㄧㄤˊ)the ocean

四畫

野 6307
ㄧㄝˇ yě

1. the countryside 2. the people (as opposed to the government) 3. wild; undomesticated; coarse; barbarous; rude
野蠻(ㄧㄝˇ ㄇㄢˊ)①barbarous ②unreasonable; brutal
野蠻人(ㄧㄝˇ ㄇㄢˊ ㄖㄣˊ)barbarians; savages
野孩子(ㄧㄝˇ ㄏㄞˊ •ㄗ)an urchin; a street urchin
野花(ㄧㄝˇ ㄏㄨㄚ)①a wild flower ②a harlot
野火(ㄧㄝˇ ㄏㄨㄛˇ)will-o'-the-wisp
野心(ㄧㄝˇ ㄒㄧㄣ)①ambition; careerism (especially of the objectionable kind) ② greediness
野心勃勃(ㄧㄝˇ ㄒㄧㄣ ㄅㄛˊ ㄅㄛˊ)full of ambition
野性(ㄧㄝˇ ㄒㄧㄥˋ)jungle instincts
野戰醫院(ㄧㄝˇ ㄓㄢˋ ㄧ ㄩㄢˋ)field hospitals
野豬(ㄧㄝˇ ㄓㄨ)a boar
野獸(ㄧㄝˇ ㄕㄡˋ)a wild beast; a brute
野生(ㄧㄝˇ ㄕㄥ)wild; undomesticated
野人(ㄧㄝˇ ㄖㄣˊ)①a rustic ②a barbarian
野草(ㄧㄝˇ ㄘㄠˇ)a weed
野餐(ㄧㄝˇ ㄘㄢ)a picnic; a barbecue
野營(ㄧㄝˇ ㄧㄥˊ)outdoor camping
野外(ㄧㄝˇ ㄨㄞˋ)the outdoors; the open
野外旅行(ㄧㄝˇ ㄨㄞˋ ㄌㄩˇ ㄒㄧㄥˊ)an outing; an excursion

五畫

量 6308
1. ㄌㄧㄤˊ liáng

to measure
量度(ㄌㄧㄤˊ ㄉㄨㄛˋ)to measure; to estimate

量 6308
2. ㄌㄧㄤˋ liàng

1. quantity 2. capacity 3. to estimate
量力而爲(ㄌㄧㄤˋ ㄌㄧˋ ㄦˊ ㄨㄟˊ)to estimate one's strength before acting
量入爲出(ㄌㄧㄤˋ ㄖㄨˋ ㄨㄟˊ ㄔㄨ)to regulate one's expenses according to one's income
量詞(ㄌㄧㄤˋ ㄘˊ)a classifier(as 個, 隻, 次)

十一畫

釐 6309
1. ㄌㄧˊ lí

1. a unit of linear measure equal to $^{1}/_{1000}$ of the Chinese foot 2. a unit of weight equal to $^{1}/_{1000}$ of the tael 3.

to manage; to arrange 4.to revise; to correct 5. same as 嫠—a widow
釐米(ㄌㄧˊ ㄇㄧˇ)centimeter
釐定(ㄌㄧˊ ㄉㄧㄥˋ)to formulate (rules, etc.)

釐 6309
2. ㄒㄧ xī
a blessing; happiness; bliss

金部
ㄐㄧㄣ jīn

金 6310
ㄐㄧㄣ jīn
1. gold 2. metal 3. money; wealth 4. weapons; arms 5. precious; excellent; fine 6. golden 7. durable
金本位制(ㄐㄧㄣ ㄅㄣˇ ㄨㄟˋ ㄓˋ)gold monometallism
金榜題名(ㄐㄧㄣ ㄅㄤˇ ㄊㄧˊ ㄇㄧㄥˊ)to emerge successful from a competitive examination
金幣(ㄐㄧㄣ ㄅㄧˋ)gold coins
金牌(ㄐㄧㄣ ㄆㄞˊ)a gold medal
金髮女郎(ㄐㄧㄣ ㄈㄚˇ ㄋㄩˇ ㄌㄤˊ)a blonde
金店(ㄐㄧㄣ ㄉㄧㄢˋ)a jeweler's shop; a goldsmith's shop
金鋼鑽(ㄐㄧㄣ ㄍㄤ ㄗㄨㄢˋ)①a diamond drill ② diamond
金光黨(ㄐㄧㄣ ㄍㄨㄤ ㄉㄤˇ)swindlers
金科玉律(ㄐㄧㄣ ㄎㄜ ㄩˋ ㄌㄩˋ)the golden rule
金庫(ㄐㄧㄣ ㄎㄨˋ)coffers; a treasury
金塊(ㄐㄧㄣ ㄎㄨㄞˋ)gold bullion; a gold ingot
金婚(ㄐㄧㄣ ㄏㄨㄣ)a golden wedding; the 50th wedding anniversary
金黃色(ㄐㄧㄣ ㄏㄨㄤˊ ㄙㄜˋ)bright yellow; golden
金價(ㄐㄧㄣ ㄐㄧㄚˋ)the price of gold
金匠(ㄐㄧㄣ ㄐㄧㄤˋ)a goldsmith
金橘(ㄐㄧㄣ ㄐㄩˊ) (botany) a cumquat
金器(ㄐㄧㄣ ㄑㄧˋ)a gold vessel
金錢(ㄐㄧㄣ ㄑㄧㄢˊ)money; cash; wealth
金錢豹(ㄐㄧㄣ ㄑㄧㄢˊ ㄅㄠˋ)a spotted leopard
金錢萬能(ㄐㄧㄣ ㄑㄧㄢˊ ㄨㄢˋ ㄋㄥˊ) Money is almighty.
金像獎(ㄐㄧㄣ ㄒㄧㄤˋ ㄐㄧㄤˇ)an Oscar award
金星(ㄐㄧㄣ ㄒㄧㄥ) (astronomy) Venus
金針菜(ㄐㄧㄣ ㄓㄣ ㄘㄞˋ)a day lily
金屬(ㄐㄧㄣ ㄕㄨˇ)metals
金屬探測器(ㄐㄧㄣ ㄕㄨˇ ㄊㄢˋ ㄘㄜˋ ㄑㄧˋ)a metal detector
金融(ㄐㄧㄣ ㄖㄨㄥˊ)finance; banking
金融卡(ㄐㄧㄣ ㄖㄨㄥˊ ㄎㄚˇ)a fiscard
金融機關(ㄐㄧㄣ ㄖㄨㄥˊ ㄐㄧ ㄍㄨㄢ)a financial organization; a banking agency
金融界(ㄐㄧㄣ ㄖㄨㄥˊ ㄐㄧㄝˋ)the financial world; financial circles
金融中心(ㄐㄧㄣ ㄖㄨㄥˊ ㄓㄨㄥ ㄒㄧㄣ) a banking center
金融市場(ㄐㄧㄣ ㄖㄨㄥˊ ㄕˋ ㄔㄤˇ)a financial market
金字塔(ㄐㄧㄣ ㄗˋ ㄊㄚˇ)a pyramid
金子(ㄐㄧㄣ ˙ㄗ)gold
金絲雀(ㄐㄧㄣ ㄙ ㄑㄩㄝˋ)a canary
金色(ㄐㄧㄣ ㄙㄜˋ)golden
金額(ㄐㄧㄣ ㄜˊ)the amount of money
金銀財寶(ㄐㄧㄣ ㄧㄣˊ ㄘㄞˊ ㄅㄠˇ) treasures
金魚(ㄐㄧㄣ ㄩˊ)goldfish
金魚缸(ㄐㄧㄣ ㄩˊ ㄍㄤ)a goldfish basin
金玉良言(ㄐㄧㄣ ㄩˋ ㄌㄧㄤˊ ㄧㄢˊ)a wise saying

一畫

釔 6311
ㄧˇ yǐ
yttrium

釓 6312
ㄍㄚˊ gá
gadolinium

二畫

釘 6313
1. ㄉㄧㄥ dīng
1. nails 2. to look steadily
釘鞋(ㄉㄧㄥ ㄒㄧㄝˊ)boots with nailed soles; shoes with spikes
釘鎚(ㄉㄧㄥ ㄔㄨㄟˊ)a hammer
釘梢(ㄉㄧㄥ ㄕㄠ)to tail; to shadow; to trail

釘 6313
2. ㄉㄧㄥˋ dìng
to fasten (with nails, etc.)
釘鈕扣(ㄉㄧㄥˋ ㄋㄧㄡˇ ㄎㄡˋ)to sew buttons on
釘書(ㄉㄧㄥˋ ㄕㄨ)to bind books
釘書機(ㄉㄧㄥˋ ㄕㄨ ㄐㄧ)a stapler

釜 6314
ㄈㄨˇ fǔ
1.a cauldron; a kettle 2.an ancient unit of capacity
釜底抽薪(ㄈㄨˇ ㄉㄧˇ ㄔㄡ ㄒㄧㄣ)to remove the ultimate cause of trouble

釗 6315
ㄓㄠ zhāo
to encourage

針 6316
(鍼) ㄓㄣ zhēn
1. a needle; a pin; a probe 2. a stitch
針砭(ㄓㄣ ㄅㄧㄢ) ① acupuncture ② remonstrance
針對(ㄓㄣ ㄉㄨㄟˋ)①to aim directly at

②in accordance with
針灸(ㄓㄣ ㄐㄧㄡˇ)acupuncture and moxibustion
針線(ㄓㄣ ㄒㄧㄢˋ) ① a needle and thread ② needlework
針線包(ㄓㄣ ㄒㄧㄢˋ ㄅㄠ)a sewing kit
針織(ㄓㄣ ㄓ)knitting
針織品(ㄓㄣ ㄓ ㄆㄧㄣˇ)knit goods; knitwear
針葉樹(ㄓㄣ ㄧㄝˋ ㄕㄨˋ)conifers

〔金部〕

釙 6317
ㄆㄨˊ pú
polonium

釕 6318
ㄌㄧㄠˇ liǎo
ruthenium

三畫

釩 6319
ㄈㄢˊ fán
vanadium

釣 6320
ㄉㄧㄠˋ diào
1. to fish (with a hook and line); to angle 2. to tempt 3. a fishhook
釣鈎(ㄉㄧㄠˋ ㄍㄡ)a fishhook
釣竿(ㄉㄧㄠˋ ㄍㄢ)a fishing rod
釣線(ㄉㄧㄠˋ ㄒㄧㄢˋ)a fishing twine; a fishing line
釣餌(ㄉㄧㄠˋ ㄦˇ)a bait
釣魚(ㄉㄧㄠˋ ㄩˊ)to fish; to angle

釷 6321
ㄊㄨˇ tǔ
thorium

釹 6322
ㄋㄩˇ nǚ
neodymium, a rare-earth metallic chemical element found in cerite and various other rare minerals

釦 6323
ㄎㄡˋ kòu
buttons (on garments)

釧 6324
ㄔㄨㄢˋ chuàn
a bracelet; an armlet

釵 6325
ㄔㄞ chāi
a kind of hairpin

釤 6326
ㄕㄢˋ shàn
samarium

四畫

鈧 6327
ㄎㄤˋ kàng
scandium

鈥 6328
ㄏㄨㄛˇ huǒ
holmium

鈀 6329
ㄅㄚˇ bǎ
palladium

鈦 6330
ㄊㄞˋ tài
titanium

鈔 6331
ㄔㄠ chāo
("鈔票"又讀 ㄔㄠˋ chào)
1. to copy; to transcribe 2. bank notes: 鈔票 bank notes; paper money

鈇 6332
ㄈㄨ fū
an ax; a hatchet
鈇鉞(ㄈㄨ ㄩㄝˋ)punishment of crimes

鈉 6333
ㄋㄚˋ nà
sodium; natrium: 鈉玻璃 soda glass

鈍 6334
ㄉㄨㄣˋ dùn
blunt; dull; obtuse: 鈍角 an obtuse angle

鈐 6335
ㄑㄧㄢˊ qián
1. a latch; a lock 2. a seal; a stamp

鈕 6336
ㄋㄧㄡˇ niǔ
buttons: 鈕孔 a buttonhole

鈞 6337
ㄐㄩㄣ jūn
1.a unit of weight (equal to 30 catties) in former times 2. (in addressing a superior in a letter) you; your
鈞座(ㄐㄩㄣ ㄗㄨㄛˋ)your excellency; your honor
鈞安(ㄐㄩㄣ ㄢ)May you enjoy peace. —a form of complimentary close in a letter to a superior

鈣 6338
ㄍㄞˋ gài
calcium: 鈣片 a calcium tablet 鈣質 calcium content

鈎 6339
(鉤) ㄍㄡ gōu
a hook; to hook

五畫

鈸 6340
ㄅㄚˊ bá
(又讀 ㄅㄛˊ bó)
cymbals

鈴 6341
ㄌㄧㄥˊ líng
(jingling) bells: 鈴聲 the tinkle of bells

鈿 6342
ㄉㄧㄢˋ diàn
(又讀 ㄊㄧㄢˊ tián)
filigree: 鈿合 a filigree case

鉀 6343
ㄐㄧㄚˇ jiǎ
potassium

鉧 6344
ㄇㄨˇ mǔ
an iron

鉅 6345
ㄐㄩˋ jù
1. great 亦作「巨」 2. steel
鉅子(ㄐㄩˋ ㄗˇ)a great man; a tycoon

鉉 6346
ㄒㄩㄢˋ xuàn
a device for carrying a tripod

鉋 6347
(鑤) ㄅㄠˋ bào
1. to plane (wood) 2. a plane (for carpentry)
鉋花(ㄅㄠˋ ·ㄏㄨㄚ)shavings

鉏 6348
1. ㄔㄨˊ chú
1. a hoe 2. to hoe 3. to eliminate

鉏 6348
2. ㄐㄩˇ jǔ
discordant; disharmonious

鉑 6349
ㄅㄛˊ bó
1. a thin sheet of metal; foil 亦作「箔」 2. platinum

鉗 6350
ㄑㄧㄢˊ qián
1. pincers; tongs 2. chains put around a prisoner's neck 3. to hold with tongs, etc.
鉗制 or 箝制(ㄑㄧㄢˊ ㄓˋ)to keep under control with force
鉗制輿論(ㄑㄧㄢˊ ㄓˋ ㄩˊ ㄌㄨㄣˋ)to muzzle public opinion
鉗子(ㄑㄧㄢˊ ·ㄗ)pincers; tongs

鉛 6351
ㄑㄧㄢ qiān
lead (a metal)
鉛筆(ㄑㄧㄢ ㄅㄧˇ)a pencil
鉛筆畫(ㄑㄧㄢ ㄅㄧˇ ㄏㄨㄚˋ)pencil drawings
鉛粉(ㄑㄧㄢ ㄈㄣˇ)white lead; ceruse
鉛管(ㄑㄧㄢ ㄍㄨㄢˇ)a lead pipe
鉛球(ㄑㄧㄢ ㄑㄧㄡˊ)a shot (thrown in the shot put)
鉛字(ㄑㄧㄢ ㄗˋ)lead type (in printing)

鉞 6352
ㄩㄝˋ yuè
a large ax

鉢 6353
(鉢、盋) ㄅㄛ bō
1. an earthenware basin or bowl 2. a Buddhist priest's rice bowl

鉤 6354
(鈎) ㄍㄡ gōu
1. a hook 2. to hook 3. to probe; to investigate 4. to entice; to lure
鉤毛衣(ㄍㄡ ㄇㄠˊ ㄧ)to crochet a wool sweater
鉤爪(ㄍㄡ ㄓㄠˇ)talons
鉤引 or 勾引(ㄍㄡ ㄧㄣˇ)to entice

鉦 6355
ㄓㄥ zhēng
a kind of gong (used by marching troops in ancient times)

鈺 6356
ㄩˋ yù
a hard variety of gold

鈾 6357
ㄧㄡˊ yóu
uranium

鈷 6358
1. ㄍㄨ gū
cobalt

鈷 6358
2. ㄍㄨˇ gǔ
an iron

鉈 6359
ㄊㄚ tā
thallium

鈰 6360
ㄕˋ shì
cerium

鉍 6361
ㄅㄧˋ bì
bismuth

鈹 6362
ㄆㄧˊ pí
beryllium

鉬 6363
ㄇㄨˋ mù
molybdenum

鉭 6364
ㄉㄢˋ dàn
tantalum

鈳 6365
ㄎㄜ kē
columbium

鈘 6366
ㄧˇ yǐ
illinium

鉮 6367
ㄕㄣ shēn
arsonium

六畫

銀 6368
ㄧㄣˊ yín
1. silver 2. money; wealth 3. silvery
銀幣(ㄧㄣˊ ㄅㄧˋ)a silver coin; silver
銀牌(ㄧㄣˊ ㄆㄞˊ)a silver medal
銀樓(ㄧㄣˊ ㄌㄡˊ)a jeweler's shop

〔金部〕

銀礦(ㄧㄣˊ ㄎㄨㄤˋ)①silver ore ②a silver mine
銀河(ㄧㄣˊ ㄏㄜˊ)the Milky Way
銀河系(ㄧㄣˊ ㄏㄜˊ ㄒㄧˋ)the Galaxy
銀行(ㄧㄣˊ ㄏㄤˊ)a bank
銀行本票(ㄧㄣˊ ㄏㄤˊ ㄅㄣˇ ㄆㄧㄠˋ)promissory notes
銀行倒閉(ㄧㄣˊ ㄏㄤˊ ㄉㄠˇ ㄅㄧˋ)bank failure
銀行貼現率(ㄧㄣˊ ㄏㄤˊ ㄊㄧㄝ ㄒㄧㄢˋ ㄌㄩˋ)bank discount rate
銀行利率(ㄧㄣˊ ㄏㄤˊ ㄌㄧˋ ㄌㄩˋ)the bank rate
銀行連線制度(ㄧㄣˊ ㄏㄤˊ ㄌㄧㄢˊ ㄒㄧㄢˋ ㄓˋ ㄉㄨˋ)on-line banking system
銀行擠兌(ㄧㄣˊ ㄏㄤˊ ㄐㄧˇ ㄉㄨㄟˋ)bank runs
銀行家(ㄧㄣˊ ㄏㄤˊ ㄐㄧㄚ)a banker
銀行信貸(ㄧㄣˊ ㄏㄤˊ ㄒㄧㄣˋ ㄉㄞˋ)bank credit
銀行存款(ㄧㄣˊ ㄏㄤˊ ㄘㄨㄣˊ ㄎㄨㄢˇ)a bank deposit
銀行存摺(ㄧㄣˊ ㄏㄤˊ ㄘㄨㄣˊ ㄓㄜˊ)a bankbook; a passbook
銀婚(ㄧㄣˊ ㄏㄨㄣ)a silver wedding; the 25th wedding anniversary
銀器(ㄧㄣˊ ㄑㄧˋ)silverware
銀色(ㄧㄣˊ ㄙㄜˋ)silvery
銀元 or 銀圓(ㄧㄣˊ ㄩㄢˊ)silver dollar

鉸 6369
ㄐㄧㄠˇ jiǎo
1. scissors; shears 2. hinges 3. to shear
鉸鏈(ㄐㄧㄠˇ ㄌㄧㄢˋ)hinges

銃 6370
ㄔㄨㄥˋ chòng
1. firearms 2. a joint of the metal head to the handle of an ax

銅 6371
ㄊㄨㄥˊ tóng
copper; bronze; brass
銅板(ㄊㄨㄥˊ ㄅㄢˇ) or 銅幣 (ㄊㄨㄥˊ ㄅㄧˋ)a copper coin
銅版紙(ㄊㄨㄥˊ ㄅㄢˇ ㄓˇ)art printing paper
銅牌(ㄊㄨㄥˊ ㄆㄞˊ)a bronze medal
銅鑼(ㄊㄨㄥˊ ㄌㄨㄛˊ)a copper gong
銅器(ㄊㄨㄥˊ ㄑㄧˋ)bronze utensils
銅像(ㄊㄨㄥˊ ㄒㄧㄤˋ)a bronze image; a bronze statue

銑 6372
ㄒㄧㄢˇ xiǎn
1. shiny metal 2. pig iron

銓 6373
ㄑㄩㄢˊ quán
1. to weigh 2. to evaluate qualifications in selecting officials
銓敘(ㄑㄩㄢˊ ㄒㄩˋ)to select and appoint officials

銖 6374
ㄓㄨ zhū
1. an ancient unit of weight (equal to 1/48th, or by other interpretations 1/24th, of a tael) 2. blunt; dull; obtuse

銘 6375
ㄇㄧㄥˊ míng
1. to engrave; to inscribe; to imprint 2. inscriptions
銘記在心(ㄇㄧㄥˊ ㄐㄧˋ ㄗㄞˋ ㄒㄧㄣ)to imprint on one's mind
銘謝(ㄇㄧㄥˊ ㄒㄧㄝˋ)to show gratefulness
銘文(ㄇㄧㄥˊ ㄨㄣˊ)an inscription

銚 6376
1. ㄧㄠˊ yáo
1. a kind of farm tool 2. a Chinese family name

銚 6376
2. ㄉㄧㄠˋ diào
1. a small pot with a handle 2. a brass cymbal

銛 6377
ㄒㄧㄢ xiān
as in 銛利—sharp; keen-edged

銜 6378
ㄒㄧㄢˊ xián
1. a bit (in a horse's mouth) 2. the title (of an official) 3. to hold in the mouth 4. to harbor; to cherish 5. to follow (orders)
銜環結草(ㄒㄧㄢˊ ㄏㄨㄢˊ ㄐㄧㄝˊ ㄘㄠˇ)to repay a kindness
銜接(ㄒㄧㄢˊ ㄐㄧㄝ)to adjoin

銍 6379
ㄓˋ zhì
a sickle

銬 6380
ㄎㄠˋ kào
manacles; handcuffs

銥 6381
ㄧˇ yǐ
iridium

鉺 6382
ㄦˇ ěr
erbium

銠 6383
ㄌㄠˇ lǎo
rhodium

銪 6384
ㄧㄡˇ yǒu
europium

鉿 6385
ㄏㄜˊ hé
hafnium

銦 6386
ㄧㄣ yīn
indium

銫 6387
ㄙㄜˋ sè
caesium

銩 6388
ㄉㄧㄡ diū

thulium

鉻 6389 ㄍㄜˋ gè
chromium

鉫 6390 ㄖㄨˊ rú
rubidium

七畫

銳 6391 ㄖㄨㄟˋ ruì
1. sharp; acute; keen 2. quick-witted; intelligent; clever 3. energetic; vigorous
銳不可當(ㄖㄨㄟˋ ·ㄅㄨ ㄎㄜˇ ㄉㄤ)too sharp to resist
銳利(ㄖㄨㄟˋ ㄌㄧˋ)sharp; pointed
銳減(ㄖㄨㄟˋ ㄐㄧㄢˇ)to decline sharply
銳氣(ㄖㄨㄟˋ ㄑㄧˋ)dash; vigor

銷 6392 ㄒㄧㄠ xiāo
1. to melt 2. to be marketed; to be circulated; to sell 3. to vanish; to dispel; to cancel 亦作「消」 4. pig iron
銷路(ㄒㄧㄠ ㄌㄨˋ)a sale; a market
銷毀(ㄒㄧㄠ ㄏㄨㄟˇ)to destroy
銷魂(ㄒㄧㄠ ㄏㄨㄣˊ)enraptured
銷假(ㄒㄧㄠ ㄐㄧㄚˋ)to begin work anew after a leave of absence or vacation
銷售(ㄒㄧㄠ ㄕㄡˋ)to sell (goods)
銷售部門(ㄒㄧㄠ ㄕㄡˋ ㄅㄨˋ ㄇㄣˊ)a marketing department
銷售量(ㄒㄧㄠ ㄕㄡˋ ㄌㄧㄤˋ)sales volume
銷聲匿跡(ㄒㄧㄠ ㄕㄥ ㄋㄧˋ ㄐㄧ)to vanish without leaving any trace behind
銷案(ㄒㄧㄠ ㄢˋ)to close a case

銻 6393 ㄊㄧˋ tì
antimony

鋱 6394 ㄊㄜˋ tè
terbium

鋇 6395 ㄅㄟˋ bèi
barium

鋰 6396 ㄌㄧˇ lǐ
lithium

鋯 6397 ㄍㄠˋ gào
zirconium

鋨 6398 ㄜˊ é
osmium

鋁 6399 ㄌㄩˇ lǚ
aluminium; aluminum
鋁箔(ㄌㄩˇ ㄅㄛˊ)aluminium foil

鋃 6400 ㄌㄤˊ láng
1. chains for prisoners 2. the tolling of a bell
鋃鐺入獄(ㄌㄤˊ ㄉㄤ ㄖㄨˋ ㄩˋ)to be shackled and imprisoned; to be jailed

鋅 6401 ㄒㄧㄣ xīn
zinc: 鋅版 zincotype; zincograph

鋌 6402 ㄊㄧㄥˇ tǐng
to rush
鋌而走險(ㄊㄧㄥˇ ㄦˊ ㄗㄡˇ ㄒㄧㄢˇ)to be forced to break the law

鋏 6403 ㄐㄧㄚˊ jiá
1. pincers; tongs 2. a sword 3. a hilt

鋒 6404 ㄈㄥ fēng
1. sharp point (as the tip of a lance, pencil, etc.) 2. the vanguard; the van
鋒芒(ㄈㄥ ㄇㄤˊ)sharp point
鋒芒畢露(ㄈㄥ ㄇㄤˊ ㄅㄧˋ ㄌㄨˋ)to show one's intelligence, ability, knowledge, etc. to the full extent
鋒面(ㄈㄥ ㄇㄧㄢˋ)(meteorology) frontal surface; a front
鋒利(ㄈㄥ ㄌㄧˋ)sharp-pointed; sharp

鋦 6405 ㄐㄩ jū
1. a kind of nail for mending crockery 2. curium 亦作「鋸」

鋙 6406 ㄩˇ yǔ
1. discordant; disharmonious 2. a kind of musical instrument

鋤 6407 ㄔㄨˊ chú
1. a hoe 亦作「鉏」 2. to hoe
鋤頭(ㄔㄨˊ ·ㄊㄡ)a hoe

鋩 6408 ㄇㄤˊ máng
the point of a knife

銼 6409 ㄘㄨㄛˋ cuò
1. a kind of widemouthed cauldron used in ancient China 2. a file (a steel tool) 3. to file
銼刀(ㄘㄨㄛˋ ㄉㄠ)a file (a steel tool)

鋪 6410 1. ㄆㄨ pū
to lay in order; to spread; to arrange; to pave
鋪路(ㄆㄨ ㄌㄨˋ)to surface a road
鋪蓋(ㄆㄨ ·ㄍㄞ)bedding
鋪敘(ㄆㄨ ㄒㄩˋ)to state in detail
鋪張浪費(ㄆㄨ ㄓㄤ ㄌㄤˋ ㄈㄟˋ)extravagant and wasteful

〔金部〕

〔金部〕

鋪陳(ㄆㄨ ㄔㄣˊ)to state in detail
鋪牀(ㄆㄨ ㄔㄨㄤˊ)to make the bed
鋪設(ㄆㄨ ㄕㄜˋ)to lay in order

鋪 6410
2.(舖) ㄆㄨˋ pù
a store; a shop; a grocery
鋪子(ㄆㄨˋ ˙ㄗ)shops; stores
鋪位(ㄆㄨˋ ㄨㄟˋ)a bunk

銲 6411
(釬) ㄏㄢˋ hàn
to solder; to weld
銲工(ㄏㄢˋ ㄍㄨㄥ)a welder
銲接(ㄏㄢˋ ㄐㄧㄝ)to weld

銹 6412
(鏽) ㄒㄧㄡˋ xiù
rust: 銹斑 rust stains

八畫

鋸 6413
1. ㄐㄩˋ jù
1. a saw 2. to saw; to cut with a saw: 鋸開to saw asunder 3.to amputate
鋸木(ㄐㄩˋ ㄇㄨˋ)to saw wood
鋸齒(ㄐㄩˋ ㄔˇ)teeth of a saw
鋸子(ㄐㄩˋ ˙ㄗ)a saw

鋸 6413
2. ㄐㄩ jū
1.a kind of nail for mending crockery 2.to mend (crockery) 3.curium 亦作「鋦」

鋼 6414
ㄍㄤ gāng
steel: 鋼板 a steel plate
鋼筆(ㄍㄤ ㄅㄧˇ)a fountain pen
鋼鐵(ㄍㄤ ㄊㄧㄝˇ)steel; steel and iron
鋼管(ㄍㄤ ㄍㄨㄢˇ)a steel pipe
鋼盔(ㄍㄤ ㄎㄨㄟ)a steel helmet; a helmet
鋼筋(ㄍㄤ ㄐㄧㄣ)steel bars; steel rods
鋼筋水泥(ㄍㄤ ㄐㄧㄣ ㄕㄨㄟˇ ㄋㄧˊ)reinforced concrete
鋼琴(ㄍㄤ ㄑㄧㄣˊ)a piano
鋼琴家(ㄍㄤ ㄑㄧㄣˊ ㄐㄧㄚ)a pianist
鋼琴協奏曲(ㄍㄤ ㄑㄧㄣˊ ㄒㄧㄝˊ ㄗㄡˋ ㄑㄩˇ)a piano concerto
鋼絲(ㄍㄤ ㄙ)steel wire

釓 6415
ㄍㄚˊ gá
gadolinium

錸 6416
ㄌㄞˊ lái
rhenium

錒 6417
ㄚ ā
actinium

錄 6418
ㄌㄨˋ lù
1. to take down; to copy; to record 2. to accept (applicants) 3. a record
錄放影機(ㄌㄨˋ ㄈㄤˋ ㄧㄥˇ ㄐㄧ)a videocassette recorder (VCR)
錄取(ㄌㄨˋ ㄑㄩˇ)to accept (applicants after screening, examinations, etc.)
錄音(ㄌㄨˋ ㄧㄣ)to record
錄音帶(ㄌㄨˋ ㄧㄣ ㄉㄞˋ)a recording tape
錄音機(ㄌㄨˋ ㄧㄣ ㄐㄧ)a tape recorder
錄影帶(ㄌㄨˋ ㄧㄥˇ ㄉㄞˋ)a videotape
錄影機(ㄌㄨˋ ㄧㄥˇ ㄐㄧ)a videorecorder
錄用(ㄌㄨˋ ㄩㄥˋ)to accept for employment

鉶 6419
ㄒㄧㄥˊ xíng
a kind of receptacle for food in ancient times

錐 6420
ㄓㄨㄟ zhuī
1. an awl 2. to pierce; to bore; to drill; to make a hole 3. conical
錐形(ㄓㄨㄟ ㄒㄧㄥˊ)a taper; a cone

錘 6421
ㄔㄨㄟˊ chuí
1. a weight on a steelyard 2. an ancient unit of weight 3. a kind of ancient weapon 4. to hammer; to pound 5. a hammer
錘子(ㄔㄨㄟˊ ˙ㄗ)a hammer

錙 6422
ㄗ zī
an ancient unit of weight (said to equal 8 taels)
錙銖必較(ㄗ ㄓㄨ ㄅㄧˋ ㄐㄧㄠˋ)to be particular even about a trifling amount

錚 6423
ㄓㄥ zhēng
1. a clang of metal 2. gongs
錚錚(ㄓㄥ ㄓㄥ)a clang of metal

錠 6424
ㄉㄧㄥˋ dìng
1.a kind of ancient utensil 2.ingots of gold or silver 3.a spindle 4.a (medical) tablet
錠劑(ㄉㄧㄥˋ ㄐㄧˋ)medicine in tablet form

錡 6425
ㄑㄧˊ qí
1. a tripod 2. a kind of chisel

錢 6426
ㄑㄧㄢˊ qián
1. money; cash 2. a unit of weight (equal to 1/10th of a tael) 3. a Chinese family name
錢包(ㄑㄧㄢˊ ㄅㄠ)a wallet; a purse
錢幣(ㄑㄧㄢˊ ㄅㄧˋ)① coin ② currency
錢櫃(ㄑㄧㄢˊ ㄍㄨㄟˋ)a cash box
錢財(ㄑㄧㄢˊ ㄘㄞˊ)wealth; riches

錦 6427
ㄐㄧㄣˇ jǐn
1. brocade; tapestry 2. brilliant and beautiful 3. glorious

錦標(ㄐㄧㄣˇ ㄅㄧㄠ)a championship (in a tournament)
錦標賽(ㄐㄧㄣˇ ㄅㄧㄠ ㄙㄞˋ)a sports tournament
錦囊妙計(ㄐㄧㄣˇ ㄋㄤˊ ㄇㄧㄠˋ ㄐㄧˋ)a clever scheme yet to be revealed
錦旗(ㄐㄧㄣˇ ㄑㄧˊ)an embroidered flag
錦繡前程(ㄐㄧㄣˇ ㄒㄧㄡˋ ㄑㄧㄢˊ ㄔㄥˊ)a glorious or promising future

錫 6428 ㄒㄧˊ xí
1. tin 2. to bestow...on; to confer...on
錫箔(ㄒㄧˊ ㄅㄛˊ)tinfoil; tinfoil paper

錕 6429 ㄎㄨㄣ kūn
used in "錕鋙", name of a precious sword

錮 6430 ㄍㄨˋ gù
1.to run metal into cracks 2.to confine; to keep in custody; to imprison 3. sturdy; secure
錮疾(ㄍㄨˋ ㄐㄧˊ)a chronic complaint, disease or ailment

錯 6431 ㄘㄨㄛˋ cuò
1. wrong; mistaken; erroneous 2. a mistake; an error; a fault 3.disorderly; irregular; complicated 4. a grindstone 5. prudent; cautious
錯別字(ㄘㄨㄛˋ ㄅㄧㄝˊ ㄗˋ)characters wrongly written or mispronounced
錯落(ㄘㄨㄛˋ ㄌㄨㄛˋ)disorderly
錯亂(ㄘㄨㄛˋ ㄌㄨㄢˋ)disorderly; confused
錯過(ㄘㄨㄛˋ ㄍㄨㄛˋ)to miss
錯怪(ㄘㄨㄛˋ ㄍㄨㄞˋ)to blame unjustly or wrongly
錯開(ㄘㄨㄛˋ ㄎㄞ)to stagger
錯覺(ㄘㄨㄛˋ ㄐㄩㄝˊ)hallucination; illusion
錯處(ㄘㄨㄛˋ ㄔㄨˋ)an error; a mistake
錯字(ㄘㄨㄛˋ ㄗˋ)misspelling; a misprint
錯綜複雜(ㄘㄨㄛˋ ㄗㄨㄥˋ ㄈㄨˋ ㄗㄚˊ)very complicated
錯愕(ㄘㄨㄛˋ ㄜˋ)startled; astonished
錯誤(ㄘㄨㄛˋ ㄨˋ)an error; a mistake
錯誤百出(ㄘㄨㄛˋ ㄨˋ ㄅㄞˇ ㄔㄨ)full of mistakes

錳 6432 ㄇㄥˇ měng
manganese

錶 6433 ㄅㄧㄠˇ biǎo
a watch (a timepiece)
錶帶(ㄅㄧㄠˇ ㄉㄞˋ)a watchband

錛 6434 ㄅㄣ bēn
an adz; an adze

九畫

鍊 6435 ㄌㄧㄢˋ liàn
1. to smelt; to refine; to forge; to temper 2. to polish 3. a chain
鍊丹(ㄌㄧㄢˋ ㄉㄢ)to practice alchemy
鍊鋼(ㄌㄧㄢˋ ㄍㄤ)to refine steel
鍊乳(ㄌㄧㄢˋ ㄖㄨˇ)condensed milk
鍊子(ㄌㄧㄢˋ ˙ㄗ)a chain

錨 6436 ㄇㄠˊ máo
1. to anchor 2. an anchor: 拋錨 to cast (or drop) anchor 起錨 to weigh anchor

鍋 6437 ㄍㄨㄛ guō
a cooking pot; a pan; a boiler; a caldron
鍋貼兒(ㄍㄨㄛ ㄊㄧㄝ ㄦ)lightly fried dumpling
鍋爐(ㄍㄨㄛ ㄌㄨˊ)a boiler
鍋子(ㄍㄨㄛ ˙ㄗ)a cooking pot; a pan

鍍 6438 ㄉㄨˋ dù
to plate; to gilt
鍍金(ㄉㄨˋ ㄐㄧㄣ)to plate with gold

鍔 6439 ㄜˋ è
1.the edge of a knife 2.lofty; towering

鍘 6440 ㄓㄚˊ zhá
1. a long knife hinged at one end for cutting hay 2. to cut up with a hay cutter
鍘刀(ㄓㄚˊ ㄉㄠ)a fodder chopper

鍛 6441 (煅) ㄉㄨㄢˋ duàn
1. to smelt; to refine 2. to forge
鍛鍊(ㄉㄨㄢˋ ㄌㄧㄢˋ)①to forge (metal); to temper ② to train

鍥 6442 ㄑㄧㄝˋ qiè
to carve
鍥而不舍(ㄑㄧㄝˋ ㄦˊ ㄅㄨˋ ㄕㄜˇ)to carve without rest—to make steady efforts

鍪 6443 ㄇㄡˊ móu
1.a kind of cooking pot 2.a kind of metal helmet

鍫 6444 (鍬) ㄑㄧㄠ qiāo
a shovel; a spade

鍰 6445 ㄏㄨㄢˊ huán
1. an ancient unit of weight 2. money; cash: 罰鍰 to fine or to be fined cash

鍵 6446 ㄐㄧㄢˋ jiàn
key (to a door or on a musical instrument, etc.)
鍵盤(ㄐㄧㄢˋ ㄆㄢˊ)a keyboard (on a piano, typewriter, etc.)

〔金部〕

鍵盤樂器(ㄐㄧㄢˋ ㄆㄢˊ ㄩㄝˋ ㄑㄧˋ)a keyed instrument

鍼 6447 ㄓㄣ zhēn
a needle; a pin; a probe 亦作「針」
鍼言 or 箴言(ㄓㄣ ㄧㄢˊ)maxims

鍾 6448 ㄓㄨㄥ zhōng
1. a kind of wine container 2. to concentrate; to accumulate 3. a Chinese family name
鍾情(ㄓㄨㄥ ㄑㄧㄥˊ)to fall in love
鍾愛(ㄓㄨㄥ ㄞˋ)to cherish; to dote on

鎂 6449 ㄇㄟˇ měi
magnesium
鎂光燈(ㄇㄟˇ ㄍㄨㄤ ㄉㄥ)a magnesium light

鍺 6450 ㄓㄜˇ zhě
germanium

鍶 6451 ㄙ sī
strontium

鎃 6452 ㄆㄞˋ pài
protoactinium

鍇 6453 ㄎㄞˇ kǎi
refined iron

鍬 6454 ㄑㄧㄠ qiāo
a spade; a shovel 亦作「鍫」

十畫

鎖 6455 (鏁) ㄙㄨㄛˇ suǒ
1. a lock 2. fetters; chains 3. to lock 4. to confine 5. to lockstitch
鎖眉(ㄙㄨㄛˇ ㄇㄟˊ)to frown
鎖門(ㄙㄨㄛˇ ㄇㄣˊ)to lock a door
鎖匠(ㄙㄨㄛˇ ㄐㄧㄤˋ)a locksmith
鎖鑰(ㄙㄨㄛˇ ㄧㄠˋ)a key (to a door)

鎡 6456 ㄗ zī
a hoe; a mattock

鎊 6457 ㄅㄤˋ bàng
pound sterling

鎋 6458 (轄) ㄒㄧㄚˊ xiá
a linchpin

鎔 6459 (熔) ㄖㄨㄥˊ róng
1. to melt; to smelt; to fuse 2. a mold 3. a kind of spear
鎔點(ㄖㄨㄥˊ ㄉㄧㄢˇ)the melting point
鎔爐(ㄖㄨㄥˊ ㄌㄨˊ)a smelting furnace
鎔鑄(ㄖㄨㄥˊ ㄓㄨˋ)to cast (metal)

鎗 6460 (槍) ㄑㄧㄤ qiāng
rifles firearms; small arms; guns; pistols;
鎗斃(ㄑㄧㄤ ㄅㄧˋ)execution by shooting
鎗礮(ㄑㄧㄤ ㄆㄠˋ)rifles and artillery pieces
鎗彈(ㄑㄧㄤ ㄉㄢˋ)bullets
鎗林彈雨(ㄑㄧㄤ ㄌㄧㄣˊ ㄉㄢˋ ㄩˇ)a hail of bullets
鎗口(ㄑㄧㄤ ㄎㄡˇ)the muzzle of a gun
鎗決(ㄑㄧㄤ ㄐㄩㄝˊ)to execute by shooting
鎗戰(ㄑㄧㄤ ㄓㄢˋ)gun battle
鎗手(ㄑㄧㄤ ㄕㄡˇ)a gunman

鎚 6461 ㄔㄨㄟˊ chuí
1. to hammer 2. a hammer 3. an ancient weapon
鎚子(ㄔㄨㄟˊ ·ㄗ)a hammer

鎛 6462 ㄅㄛˊ bó
1. a kind of ancient bell 2. a variety of hoe

鎧 6463 ㄎㄞˇ kǎi
armor (worn by a warrior)
鎧甲(ㄎㄞˇ ㄐㄧㄚˇ)armor; a coat of mail

鎬 6464 1. ㄏㄠˋ hào
1. bright 2. an ancient place name (the first capital of the Chou Dynasty)

鎬 6464 2. ㄍㄠˇ gǎo
a kind of hoe

鎮 6465 ㄓㄣˋ zhèn
1. to subdue; to suppress; to quell; to put down 2. to cool with water or ice 3. weight (for pressing down) 4. whole 5. a town; a township 6. a garrison post
鎮暴(ㄓㄣˋ ㄅㄠˋ)riot control
鎮暴部隊(ㄓㄣˋ ㄅㄠˋ ㄅㄨˋ ㄉㄨㄟˋ)riot-control forces
鎮定(ㄓㄣˋ ㄉㄧㄥˋ)self-composed; calm
鎮公所(ㄓㄣˋ ㄍㄨㄥ ㄙㄨㄛˇ)a town hall
鎮靜(ㄓㄣˋ ㄐㄧㄥˋ)self-composed; calm; cool
鎮長(ㄓㄣˋ ㄓㄤˇ)the town master
鎮守(ㄓㄣˋ ㄕㄡˇ)to garrison
鎮壓(ㄓㄣˋ ㄧㄚ)to suppress

鎰 6466 ㄧˋ yì
an ancient unit of weight

鎳 6467 ㄋㄧㄝˋ niè
nickel: 鎳幣 nickel coins

鎢 6468
ㄨˋ wù
tungsten; wolfram
鎢絲(ㄨ ㄙ)a tungsten filament

鎉 6469
ㄊㄚˋ tà
thallium

鎌 6470
(鐮) ㄌㄧㄢˊ lián
a sickle

鎷 6471
ㄇㄚˇ mǎ
masurium

鎘 6472
ㄍㄜˊ gé
cadmium

鎵 6473
ㄐㄧㄚ jiā
gallium

十一畫

鏃 6474
ㄗㄨˊ zú
as in 箭鏃—an arrowhead

鏇 6475
ㄒㄩㄢˋ xuàn
1. a kind of wine heater 2. a kind of metal tray 3. to pare with a knife

鎩 6476
ㄕㄚ shā
1. a lance 2. to shed (feathers)
鎩羽(ㄕㄚ ㄩˇ)① having shed feathers ② discouraged; crestfallen

鏦 6477
ㄘㄨㄥ cōng
1. a spear 2. to pierce with a spear 3. the clang of metal

鏈 6478
ㄌㄧㄢˋ liàn
a chain
鏈黴素(ㄌㄧㄢˋ ㄇㄟˊ ㄙㄨˋ)streptomycin
鏈球(ㄌㄧㄢˋ ㄑㄧㄡˊ) (sports) a hammer
鏈子(ㄌㄧㄢˋ ·ㄗ)a chain

鏊 6479
ㄠˊ áo
a kind of round, flat plate for baking; a griddle

鏑 6480
ㄉㄧˊ dí
1. an arrowhead 2. dysprosium

鏖 6481
ㄠˊ áo
to fight hard
鏖戰(ㄠˊ ㄓㄢˋ) to engage in hard fighting

鏗 6482
ㄎㄥ kēng
1. the clang of metal; clatter 2. the twang of a string 3. to strike; to smash
鏗鏘(ㄎㄥ ㄑㄧㄤ)①a tinkle ②(figuratively) sonorous and forceful

鏘 6483
ㄑㄧㄤ qiāng
a tinkle; a clang

鏹 6484
1. ㄑㄧㄤˇ qiǎng
money; wealth

鏹 6484
2. ㄑㄧㄤ qiāng
corrosive

鏜 6485
1. ㄊㄤ tāng
1. the noise of drums or gongs 2. a small gong

鏜 6485
2. ㄊㄤˊ táng
(machinery) boring

鏝 6486
(墁) ㄇㄢˋ màn
a trowel

鏟 6487
ㄔㄢˇ chǎn
1. a shovel; a scoop 2. to shovel; to scoop
鏟除(ㄔㄢˇ ㄔㄨˊ)to eliminate; to uproot
鏟子(ㄔㄢˇ ·ㄗ)a shovel; a scoop

鏡 6488
ㄐㄧㄥˋ jìng
1. a mirror 2. lenses; spectacles; glasses 3. to mirror 4. to take warning (from a past failure)
鏡片(ㄐㄧㄥˋ ㄆㄧㄢˋ)a lens
鏡頭(ㄐㄧㄥˋ ㄊㄡˊ)①the lens of a camera ②a scene captured by the camera
鏡子(ㄐㄧㄥˋ ·ㄗ)a mirror

鏢 6489
ㄅㄧㄠ biāo
1. a javelin; a dart; a harpoon; a dart-like weapon 2. an escort; a guard; a bodyguard
鏢鎗(ㄅㄧㄠ ㄑㄧㄤ)a javelin

鏤 6490
ㄌㄡˋ lòu
to engrave; to carve
鏤空(ㄌㄡˋ ㄎㄨㄥ)to hollow out

鏨 6491
ㄗㄢˋ zàn
1. a chisel 2. to chisel; to engrave; to carve

鏁 6492
(鎖) ㄙㄨㄛˇ suǒ
a lock; to lock

十二畫

鐘 6493
ㄓㄨㄥ zhōng
1. a bell (which tolls as distinct from that which jingles) 2. a clock 3.

time as measured in hours and minutes 4. a Chinese family name
鐘擺(ㄓㄨㄥ ㄅㄞˇ)a pendulum
鐘錶or鐘表(ㄓㄨㄥ ㄅㄧㄠˇ)timepieces; clocks and watches
鐘錶店(ㄓㄨㄥ ㄅㄧㄠˇ ㄉㄧㄢˋ)a watchmaker's shop
鐘點費(ㄓㄨㄥ ㄉㄧㄢˇ ㄈㄟˋ)remuneration for teaching paid by the hour
鐘頭(ㄓㄨㄥ ㄊㄡˊ)an hour
鐘樓(ㄓㄨㄥ ㄌㄡˊ)a bell tower; a belfry
鐘聲(ㄓㄨㄥ ㄕㄥ)the toll of a bell

〔金部〕

鐃 6494 ㄋㄠˊ náo
1. a kind of bell used in the army in ancient times 2. cymbals
鐃鈸(ㄋㄠˊ ㄅㄚˊ)cymbals

鐐 6495 ㄌㄧㄠˊ liáo (又讀 ㄌㄧㄠˋ liào)
shackles; fetters
鐐銬(ㄌㄧㄠˊ ㄎㄠˋ)fetters; manacles

鐙 6496 1. ㄉㄥˋ dèng
a stirrup

鐙 6496 2. ㄉㄥ dēng
1. same as 燈—a lamp 2. a kind of cooking vessel in ancient times

鏽 6497 (銹) ㄒㄧㄡˋ xiù
rust; to rust

鐧 6498 1. ㄐㄧㄢˇ jiǎn
a kind of ancient weapon; a mace

鐧 6498 2. ㄐㄧㄢˋ jiàn
protective metal on the axis of a wheel

鐠 6499 ㄆㄨˇ pǔ
praseodymium

鐂 6500 ㄌㄧㄡˊ liú
lutecium

十三畫

鐲 6501 ㄓㄨㄛˊ zhuó
1. a kind of bell used in the army in ancient times 2. a bracelet; an armlet
鐲子(ㄓㄨㄛˊ ·ㄗ)a bracelet; an armlet

鐫 6502 ㄐㄩㄢ juān
1. to carve; to engrave 2. (said of an official) to be demoted
鐫刻(ㄐㄩㄢ ㄎㄜˋ)to engrave; to carve

鐮 6503 ㄌㄧㄢˊ lián
a sickle
鐮刀(ㄌㄧㄢˊ ㄉㄠ)a sickle

鐵 6504 ㄊㄧㄝˇ tiě
1. iron 2. firm; indisputable; unyielding (like iron) 3. cruel; merciless; unfeeling 4. arms; weapons
鐵餅(ㄊㄧㄝˇ ㄅㄧㄥˇ)a discus
鐵馬(ㄊㄧㄝˇ ㄇㄚˇ)① strong cavalry ② (colloquial) a bicycle
鐵門(ㄊㄧㄝˇ ㄇㄣˊ)a metal security door
鐵面無私(ㄊㄧㄝˇ ㄇㄧㄢˋ ㄨˊ ㄙ)inflexibly just and fair
鐵幕(ㄊㄧㄝˇ ㄇㄨˋ)the Iron Curtain
鐵釘(ㄊㄧㄝˇ ㄉㄧㄥ)iron nails
鐵定(ㄊㄧㄝˇ ㄉㄧㄥˋ)definitely; ironclad
鐵鏈(ㄊㄧㄝˇ ㄌㄧㄢˋ)an iron chain
鐵路(ㄊㄧㄝˇ ㄌㄨˋ)a railroad; a railway
鐵路局(ㄊㄧㄝˇ ㄌㄨˋ ㄐㄩˊ)Railway Administration
鐵軌(ㄊㄧㄝˇ ㄍㄨㄟˇ)iron rails (of a railway)
鐵公鷄(ㄊㄧㄝˇ ㄍㄨㄥ ㄐㄧ)an iron cock—a stingy person
鐵甲(ㄊㄧㄝˇ ㄐㄧㄚˇ)steel armor
鐵匠(ㄊㄧㄝˇ ·ㄐㄧㄤ)a blacksmith
鐵青(ㄊㄧㄝˇ ㄑㄧㄥ)livid; bluish black
鐵銹(ㄊㄧㄝˇ ㄒㄧㄡˋ)rust
鐵證(ㄊㄧㄝˇ ㄓㄥˋ)proof strong as iron
鐵證如山(ㄊㄧㄝˇ ㄓㄥˋ ㄖㄨˊ ㄕㄢ)irrefutable, decisive evidence
鐵鎚(ㄊㄧㄝˇ ㄔㄨㄟˊ)an iron hammer
鐵窗(ㄊㄧㄝˇ ㄔㄨㄤ)①a window with metal gratings ②a prison
鐵石心腸(ㄊㄧㄝˇ ㄕˊ ㄒㄧㄣ ㄔㄤˊ)a cold heart
鐵砂(ㄊㄧㄝˇ ㄕㄚ)iron ore
鐵樹(ㄊㄧㄝˇ ㄕㄨˋ)a cycad 亦作「鳳尾蕉」
鐵人(ㄊㄧㄝˇ ㄖㄣˊ)① an iron man ② a man of great physical strength
鐵絲(ㄊㄧㄝˇ ㄙ)iron wire
鐵絲網(ㄊㄧㄝˇ ㄙ ㄨㄤˇ)wire netting
鐵腕(ㄊㄧㄝˇ ㄨㄢˋ)iron hand; iron fist

鐶 6505 ㄏㄨㄢˊ huán
a ring

鐸 6506 ㄉㄨㄛˊ duó
1. a large bell 2. a Chinese family name

鐺 6507 1. ㄉㄤ dāng
1. the sound of striking a gong 2. shackles

鐺 6507 2. ㄔㄥ chēng
1. a kind of wine heater 2. a cauldron-like vessel with legs 3. a pan for frying; a shallow pot

鐳 6508 ㄌㄟˊ léi
1. radium 2. a pot; a jar

鐿 6509 ㄧˋ yì
ytterbium

十四畫

鑊 6510 ㄏㄨㄛˋ huò
a cauldron for cooking (used mostly in ancient times)

鑄 6511 ㄓㄨˋ zhù
1. to melt or cast metal; to coin; to mint 2. to make or commit (blunders, etc.) 3. to educate and influence (a person)
鑄幣廠(ㄓㄨˋ ㄅㄧˋ ㄔㄤˇ)a mint
鑄成大錯(ㄓㄨˋ ㄔㄥˊ ㄉㄚˋ ㄘㄨㄛˋ)to make a gross error
鑄造(ㄓㄨˋ ㄗㄠˋ)①to educate ②to melt or cast (metal) ③to mint (coins)

鑑 6512 ㄐㄧㄢˋ jiàn
1. a mirror 2. to mirror; to reflect; to shine 3. to study or examine; to scrutinize 4. an example serving as a rule or warning
鑑別(ㄐㄧㄢˋ ㄅㄧㄝˊ)to distinguish
鑑定(ㄐㄧㄢˋ ㄉㄧㄥˋ)to examine and determine
鑑賞(ㄐㄧㄢˋ ㄕㄤˇ)to examine and appreciate
鑑賞家(ㄐㄧㄢˋ ㄕㄤˇ ㄐㄧㄚ)a connoisseur
鑑往知來(ㄐㄧㄢˋ ㄨㄤˇ ㄓ ㄌㄞˊ)to foresee the future by reviewing the past

鑒 6513 (鑑) ㄐㄧㄢˋ jiàn
to examine, etc.
鑒察(ㄐㄧㄢˋ ㄔㄚˊ)to examine and study

十五畫

鑠 6514 ㄕㄨㄛˋ shuò
1. to melt metals with fire or heat; to smelt 2. to wear off 3. shining; lustrous 4. powerful

鑕 6515 ㄓˋ zhì
an ancient Chinese version of a guillotine

鑛 6516 (礦) ㄎㄨㄤˋ kuàng
a mine or mineral
鑛山(ㄎㄨㄤˋ ㄕㄢ)a mine

鑞 6517 ㄌㄚˋ là
an alloy of tin and lead for welding

鑣 6518 ㄅㄧㄠ biāo
1. a bit for a horse 2. said of a horse 3. a dart-like projectile thrown by hand as a weapon 亦作「鏢」

十六畫

鑪 6519 ㄌㄨˊ lú
1. a stove, an oven, a furnace, etc. 亦作「爐」 2. (chemistry) rutherfordium

鑫 6520 ㄒㄧㄣ xīn
a word of no definite meaning, used only in names, with a connotation of prosperity or good profit

十七畫

鑰 6521 ㄧㄠˋ yào (讀音 ㄩㄝˋ yuè)
1. a key 2. a lock
鑰匙(ㄧㄠˋ ˙ㄕ)a key

鑲 6522 ㄒㄧㄤ xiāng
1. to fill in (a tooth, etc.); to mount; to inlay; to set (jewels, etc.) 2. to edge; to border; to hem; bordered 3. name of an ancient weapon
鑲邊(ㄒㄧㄤ ㄅㄧㄢ)to edge or hem
鑲嵌(ㄒㄧㄤ ㄑㄧㄢ)to inlay

十八畫

鑷 6523 ㄋㄧㄝˋ niè
1. tweezers; pincers; forceps 2. to pull out; to nip
鑷子(ㄋㄧㄝˋ ˙ㄗ)a pair of tweezers

十九畫

鑼 6524 ㄌㄨㄛˊ luó
a gong
鑼鼓(ㄌㄨㄛˊ ㄍㄨˇ)gongs and drums
鑼鼓喧天(ㄌㄨㄛˊ ㄍㄨˇ ㄒㄩㄢ ㄊㄧㄢ)noisy celebration of a festival or carnival

鑽 6525 1. ㄗㄨㄢ zuān
1. to pierce; to drill; to bore; to dig through; to penetrate 2. to go through 3. to gain (profit, a position, etc.) through special favor, contact, relations, etc. 4. to study intensively; to dig into
鑽探(ㄗㄨㄢ ㄊㄢˋ)to prospect
鑽牛角尖(ㄗㄨㄢ ㄋㄧㄡˊ ㄐㄧㄠˇ ㄐㄧㄢ)to get oneself into a dead-end alley through sheer stubbornness
鑽研(ㄗㄨㄢ ㄧㄢˊ)to dig into

〔金部〕

〔長部〕

鑽營(ㄗㄨㄢ ㄧㄥˊ)to seek advantage for oneself by all means

鑽 6525
2. ㄗㄨㄢˇ zuǎn
(又讀ㄗㄨㄢ zuān)
to bore or pierce a hole
鑽孔(ㄗㄨㄢˇ ㄎㄨㄥˇ)to make a hole
鑽孔機(ㄗㄨㄢˇ ㄎㄨㄥˇ ㄐㄧ)a drilling machine

鑽 6525
3. ㄗㄨㄢˋ zuàn
1. a gimlet; an awl or auger; a borer; a drill 2. a diamond; a jewel
鑽戒(ㄗㄨㄢˋ ㄐㄧㄝˋ)a diamond ring
鑽石(ㄗㄨㄢˋ ㄕˊ)a diamond

鑾 6526
ㄌㄨㄢˊ luán
1. bells around the neck of a horse; bells hung on the imperial chariot 2. the imperial carriage

二十畫

鑿 6527
1. ㄗㄨㄛˋ zuò
1. an instrument for boring wood 2. to bore or pierce through; to chisel 3. real; true; actual; authentic; conclusive 4. to polish rice 5. to make a forced interpretation of text
鑿鑿(ㄗㄨㄛˋ ㄗㄨㄛˋ) ① real ②with certainty

鑿 6527
2. ㄗㄠˊ záo
1. to chisel or dig; to bore or pierce through 2. a chisel
鑿洞(ㄗㄠˊ ㄉㄨㄥˋ)to bore or drill a hole

長部
ㄔㄤˊ cháng

長 6528
1. ㄔㄤˊ cháng
1. long; length 2. a forte; strong points 3. to be good at; to excel
長袍(ㄔㄤˊ ㄆㄠˊ)a long gown; a robe
長跑(ㄔㄤˊ ㄆㄠˇ)a long-distance foot race
長篇大論(ㄔㄤˊ ㄆㄧㄢ ㄉㄚˋ ㄌㄨㄣˋ)a lengthy comment
長篇小說(ㄔㄤˊ ㄆㄧㄢ ㄒㄧㄠˇ ㄕㄨㄛ) a novel
長方形(ㄔㄤˊ ㄈㄤ ㄒㄧㄥˊ)a rectangle
長笛(ㄔㄤˊ ㄉㄧˊ)a flute
長度(ㄔㄤˊ ㄉㄨˋ)length
長途(ㄔㄤˊ ㄊㄨˊ)a long distance
長途跋涉(ㄔㄤˊ ㄊㄨˊ ㄅㄚˊ ㄕㄜˋ)to travel a long distance
長途電話(ㄔㄤˊ ㄊㄨˊ ㄉㄧㄢˋ ㄏㄨㄚˋ)a long-distance (telephone) call
長統襪(ㄔㄤˊ ㄊㄨㄥˇ ㄨㄚˋ)stockings
長廊(ㄔㄤˊ ㄌㄤˊ)a roofed corridor or passage
長褲(ㄔㄤˊ ㄎㄨˋ)a pair of trousers (as distinct from panties or shorts)
長話短說(ㄔㄤˊ ㄏㄨㄚˋ ㄉㄨㄢˇ ㄕㄨㄛ) to make a long story short
長久(ㄔㄤˊ ㄐㄧㄡˇ)permanent
長江(ㄔㄤˊ ㄐㄧㄤ)the Yangtze River
長頸鹿(ㄔㄤˊ ㄐㄧㄥˇ ㄌㄨˋ)a giraffe
長期(ㄔㄤˊ ㄑㄧˊ)① a long time ② long-term; long-range
長驅直入(ㄔㄤˊ ㄑㄩ ㄓˊ ㄖㄨˋ)to march in without opposition
長相廝守(ㄔㄤˊ ㄒㄧㄤ ㄙ ㄕㄡˇ)to keep each other company for life
長吁短歎(ㄔㄤˊ ㄒㄩ ㄉㄨㄢˇ ㄊㄢˋ)to sigh incessantly
長城(ㄔㄤˊ ㄔㄥˊ)the Great Wall
長程(ㄔㄤˊ ㄔㄥˊ)long-range; long-distance
長程飛彈(ㄔㄤˊ ㄔㄥˊ ㄈㄟ ㄉㄢˋ)a long-range missile
長處(ㄔㄤˊ ㄔㄨˋ)merits; advantages
長時間(ㄔㄤˊ ㄕˊ ㄐㄧㄢ)a long time
長舌(ㄔㄤˊ ㄕㄜˊ)to be fond of gossip
長壽(ㄔㄤˊ ㄕㄡˋ)or長命(ㄔㄤˊ ㄇㄧㄥˋ) longevity; a long life
長足進步(ㄔㄤˊ ㄗㄨˊ ㄐㄧㄣˋ ㄅㄨˋ) marked progress
長存(ㄔㄤˊ ㄘㄨㄣˊ)to exist forever
長夜漫漫(ㄔㄤˊ ㄧㄝˋ ㄇㄢˋ ㄇㄢˋ)the long, long night
長遠(ㄔㄤˊ ㄩㄢˇ)for a long time; long-range; long-term

長 6528
2. ㄓㄤˇ zhǎng
1. senior; old 2. the eldest 3. a head; a chief; a leader; a commander; a chairman 4. to grow 5. to increase; to advance 6. to look; to appear
長輩(ㄓㄤˇ ㄅㄟˋ)the senior generation
長大(ㄓㄤˇ ㄉㄚˋ)to grow up
長女(ㄓㄤˇ ㄋㄩˇ)the eldest daughter
長老(ㄓㄤˇ ㄌㄠˇ)①seniors or oldsters ②a presbyter
長官(ㄓㄤˇ ㄍㄨㄢ)one's superior in office, etc.
長見識(ㄓㄤˇ ㄐㄧㄢˋ·ㄕ)to increase one's knowledge or to gain experience
長進(ㄓㄤˇ ㄐㄧㄣˋ)to make progress
長相兒(ㄓㄤˇ ㄒㄧㄤˋㄦ)one's looks or appearances
長兄(ㄓㄤˇ ㄒㄩㄥ)one's eldest brother
長者(ㄓㄤˇ ㄓㄜˇ)a senior; an elder
長成(ㄓㄤˇ ㄔㄥˊ)①to grow to manhood ②to grow into
長子(ㄓㄤˇ ㄗˇ)or長男(ㄓㄤˇ ㄋㄢˊ)the eldest son
長幼(ㄓㄤˇ ㄧㄡˋ)young and old

長幼有序(ㄓㄤˇ ㄧㄡˋ ㄧㄡˇ ㄒㄩˋ)respect for seniority

長 6528
3. ㄓㄤˋ zhàng
a surplus; a remainder
長物(ㄓㄤˋ ㄨˋ)property; belongings

門部 ㄇㄣˊ men

門 6529
ㄇㄣˊ mén
1. a door; a gateway; an opening 2. a family; a clan 3. a sect; a school; a gang 4. a class; a category 5. the key; the turning point 6. a piece of (artillery); a (cannon) 7. gate-keeping
門把(ㄇㄣˊ ㄅㄚˇ)a doorknob
門牌(ㄇㄣˊ ㄆㄞˊ)a doorplate, indicating the exact address of a residence
門派(ㄇㄣˊ ㄆㄞˋ)a sect
門票(ㄇㄣˊ ㄆㄧㄠˋ)an entrance ticket
門面(ㄇㄣˊ ㄇㄧㄢˋ)the front of a store
門房(ㄇㄣˊ ㄈㄤˊ)a gatekeeper
門縫(ㄇㄣˊ ㄈㄥˋ)crevices or cracks in the door
門當戶對(ㄇㄣˊ ㄉㄤ ㄏㄨˋ ㄉㄨㄟˋ)families of equal standing
門第(ㄇㄣˊ ㄉㄧˋ)family standing or reputation
門庭若市(ㄇㄣˊ ㄊㄧㄥˊ ㄖㄨㄛˋ ㄕˋ)(said of a store) doing booming business
門徒(ㄇㄣˊ ㄊㄨˊ)one's students, pupils, followers, or disciples
門簾(ㄇㄣˊ ㄌㄧㄢˊ)a door curtain or screen
門鈴(ㄇㄣˊ ㄌㄧㄥˊ)the doorbell
門路(ㄇㄣˊ ㄌㄨˋ)one's means of approach, contacts, connections, etc.
門口(ㄇㄣˊ ㄎㄡˇ)a gate; a doorway
門戶(ㄇㄣˊ ㄏㄨˋ)①a family ②a strategic position
門禁(ㄇㄣˊ ㄐㄧㄣˋ)a checkpoint at the gate
門下(ㄇㄣˊ ㄒㄧㄚˋ)or 門生(ㄇㄣˊ ㄕㄥ) pupils or disciples
門診(ㄇㄣˊ ㄓㄣˇ)to treat patients at the OPD; the outpatient service
門診部(ㄇㄣˊ ㄓㄣˇ ㄅㄨˋ)the outpatient department (OPD)
門窗(ㄇㄣˊ ㄔㄨㄤ)doors and windows
門市部(ㄇㄣˊ ㄕˋ ㄅㄨˋ)a retail department
門神(ㄇㄣˊ ㄕㄣˊ)the door-god—said to guard the household against evil spirits
門閂(ㄇㄣˊ ㄕㄨㄢ)a latch; a door bolt
門牙(ㄇㄣˊ ㄧㄚˊ)front teeth
門外(ㄇㄣˊ ㄨㄞˋ)outside the door

一畫

閂 6530
ㄕㄨㄢ shuān
1. to fasten with a bolt or latch 2. the latch of a door

二畫

閃 6531
ㄕㄢˇ shǎn
1. to flash; a flash, as of lightning; a very brief glimpse 2. to dodge; to evade; to avoid 3. to twist, strain or sprain (one's back, etc.) 4. to cast away; to leave behind
閃避(ㄕㄢˇ ㄅㄧˋ)to dodge quickly
閃電(ㄕㄢˇ ㄉㄧㄢˋ)①to lighten ②lightning
閃躲(ㄕㄢˇ ㄉㄨㄛˇ)to dodge; to evade
閃光(ㄕㄢˇ ㄍㄨㄤ)sparks; a flash
閃光燈(ㄕㄢˇ ㄍㄨㄤ ㄉㄥ)a flashlight; a blinker
閃開(ㄕㄢˇ ㄎㄞ)to avoid (a hit, collision, etc.)
閃現(ㄕㄢˇ ㄒㄧㄢˋ)a flicker; a flash
閃失(ㄕㄢˇ ㄕ)errors or mistakes
閃閃(ㄕㄢˇ ㄕㄢˇ)flickering
閃閃發光(ㄕㄢˇ ㄕㄢˇ ㄈㄚ ㄍㄨㄤ) sparkling
閃爍(ㄕㄢˇ ㄕㄨㄛˋ)to twinkle; twinkling
閃爍其詞(ㄕㄢˇ ㄕㄨㄛˋ ㄑㄧˊ ㄘˊ)to speak evasively
閃腰(ㄕㄢˇ ㄧㄠ)to strain a muscle on the waist
閃耀(ㄕㄢˇ ㄧㄠˋ)to glint; to twinkle

三畫

閉 6532
ㄅㄧˋ bì
1. to close; to shut 2. (said of a conference, etc.) to conclude; to end 3. to block up; to stop; to obstruct 4. to restrain
閉門羹(ㄅㄧˋ ㄇㄣˊ ㄍㄥ)to treat someone to a closed door
閉幕(ㄅㄧˋ ㄇㄨˋ)(said of shows, meetings, etc.) to close or conclude
閉目養神(ㄅㄧˋ ㄇㄨˋ ㄧㄤˇ ㄕㄣˊ)to close the eyes and give the mind a brief rest
閉路電視(ㄅㄧˋ ㄌㄨˋ ㄉㄧㄢˋ ㄕˋ)closed-circuit television
閉會(ㄅㄧˋ ㄏㄨㄟˋ)to close a meeting

四畫

開 6533
ㄎㄞ kāi
1. to open 2. to drive 3. to begin; to start 4. to reveal; to disclose 5. to state; to explain 6. to found; to expand 7. to eliminate 8. to divide into 9. to write down; to list 10. to

〔門部〕

undo; to unfold; to wind off 11. a carat 12. to run (a shop or business)

開辦(ㄎㄞ ㄅㄢˋ)to start or open (a shop, school, business, etc.)

開盤(ㄎㄞ ㄆㄢˊ)(said of a market) the opening quotation

開闢(ㄎㄞ ㄆㄧˋ)to open up or develop (a new market, farm plot, etc.); to start

開票(ㄎㄞ ㄆㄧㄠˋ)to count ballots or votes

開門(ㄎㄞ ㄇㄣˊ)to open the door

開門見山(ㄎㄞ ㄇㄣˊ ㄐㄧㄢˋ ㄕㄢ)to talk or write right to the point

開明(ㄎㄞ ㄇㄧㄥˊ)enlightened; open-minded

開幕(ㄎㄞ ㄇㄨˋ)① to raise the curtain ② to open; to begin a meeting

開幕典禮(ㄎㄞ ㄇㄨˋ ㄉㄧㄢˇ ㄌㄧˇ)inauguration

開發(ㄎㄞ ㄈㄚ)to develop; developed

開發票(ㄎㄞ ㄈㄚ ㄆㄧㄠˋ)to write an invoice

開飯(ㄎㄞ ㄈㄢˋ)to prepare food for a meal; to serve a meal

開放(ㄎㄞ ㄈㄤˋ)to open (to trade, traffic, etc.); to be open

開刀(ㄎㄞ ㄉㄠ)to operate on (a patient); an operation

開導(ㄎㄞ ㄉㄠˇ)to educate and enlighten; to explain and make (someone) understand

開燈(ㄎㄞ ㄉㄥ)to turn on the light

開店(ㄎㄞ ㄉㄧㄢˋ)to open a shop; to run a store

開端(ㄎㄞ ㄉㄨㄢ)the beginning or start

開動(ㄎㄞ ㄉㄨㄥˋ)to start; to set in motion

開天闢地(ㄎㄞ ㄊㄧㄢ ㄆㄧˋ ㄉㄧˋ)creation of the world

開天窗(ㄎㄞ ㄊㄧㄢ ㄔㄨㄤ)① to open up a skylight ② open space in a newspaper

開庭(ㄎㄞ ㄊㄧㄥˊ)to start a court trial

開拓(ㄎㄞ ㄊㄨㄛˋ)to open up, enlarge or expand (new frontiers, territory, etc.)

開通(ㄎㄞ ㄊㄨㄥ)liberal; enlightened

開朗(ㄎㄞ ㄌㄤˇ) broad-minded and outspoken

開路(ㄎㄞ ㄌㄨˋ)to pioneer

開路先鋒(ㄎㄞ ㄌㄨˋ ㄒㄧㄢ ㄈㄥ)a pioneer

開關(ㄎㄞ ㄍㄨㄢ)a switch or similar device to put on or shut off an electric current, etc.

開罐器(ㄎㄞ ㄍㄨㄢˋ ㄑㄧˋ)a can opener

開工(ㄎㄞ ㄍㄨㄥ)to go into operation

開課(ㄎㄞ ㄎㄜˋ)to lecture on a new subject in the curriculum

開口(ㄎㄞ ㄎㄡˇ)to open one's mouth; to speak

開墾(ㄎㄞ ㄎㄣˇ)to open up wasteland for farming

開闊(ㄎㄞ ㄎㄨㄛˋ)① spacious; open; wide ② tolerant; broad-minded

開快車(ㄎㄞ ㄎㄨㄞˋ ㄔㄜ)(said of a car, etc.) to speed; speeding

開航(ㄎㄞ ㄏㄤˊ)to open up for navigation

開戶(ㄎㄞ ㄏㄨˋ)to open a bank account

開花(ㄎㄞ ㄏㄨㄚ)to flower; to blossom

開火(ㄎㄞ ㄏㄨㄛˇ)to open fire

開懷(ㄎㄞ ㄏㄨㄞˊ)joyful; jubilant; happy

開會(ㄎㄞ ㄏㄨㄟˋ)to hold a meeting

開價(ㄎㄞ ㄐㄧㄚˋ)to ask for a price

開啓(ㄎㄞ ㄑㄧˇ)to open

開槍(ㄎㄞ ㄑㄧㄤ)to shoot; to fire

開銷(ㄎㄞ ·ㄒㄧㄠ)expenses

開心(ㄎㄞ ㄒㄧㄣ)happy

開心果(ㄎㄞ ㄒㄧㄣ ㄍㄨㄛˇ)a pistachio

開學(ㄎㄞ ㄒㄩㄝˊ)The school starts.

開支(ㄎㄞ ㄓ)expenses; (an) expenditure

開支票(ㄎㄞ ㄓ ㄆㄧㄠˋ)to write a check

開展(ㄎㄞ ㄓㄢˇ)to expand

開戰(ㄎㄞ ㄓㄢˋ)to declare war

開張(ㄎㄞ ㄓㄤ)to open a shop

開車(ㄎㄞ ㄔㄜ)to drive a car

開場(ㄎㄞ ㄔㄤˇ)the beginning of a show or anything

開場白(ㄎㄞ ㄔㄤˇ ㄅㄞˊ)the opening words

開誠布公(ㄎㄞ ㄔㄥˊ ㄅㄨˋ ㄍㄨㄥ)to be honest, frank, sincere and just

開除(ㄎㄞ ㄔㄨˊ)to dismiss; to fire

開創(ㄎㄞ ㄔㄨㄤˋ)to found

開始(ㄎㄞ ㄕˇ)to begin; to start

開市(ㄎㄞ ㄕˋ)to start trading

開釋(ㄎㄞ ㄕˋ)to release (a prisoner, etc.)

開設(ㄎㄞ ㄕㄜˋ)to establish; to set up

開水(ㄎㄞ ㄕㄨㄟˇ)boiled water

開採(ㄎㄞ ㄘㄞˇ)to excavate; to mine

開鎖(ㄎㄞ ㄙㄨㄛˇ)to pick a lock; to unlock

開恩(ㄎㄞ ㄣ)to have mercy on

開業(ㄎㄞ ㄧㄝˋ)to start practicing (law, medicine, etc.)

開眼界(ㄎㄞ ㄧㄢˇ ㄐㄧㄝˋ)to expand one's experience and horizon

開胃(ㄎㄞ ㄨㄟˋ)appetizing

開玩笑(ㄎㄞ ㄨㄢˊ ㄒㄧㄠˋ)to play a joke; to joke

開源節流(ㄎㄞ ㄩㄢˊ ㄐㄧㄝˊ ㄌㄧㄡˊ)to open more sources of income and cut down expenses

間 6534
1. ㄐㄧㄢ jiān

1. between two things; the space between; among 2. a numerical adjunct for rooms 3. within a definite time or space

間架(ㄐㄧㄢ ㄐㄧㄚˋ)the framework of a house

間 6534
2.(閒) ㄐㄧㄢˋ jiàn
1. a crevice; a leak; space in between 2. to divide; a division of a house; to separate 3. to put a space between; to drive a wedge between; to part friends 4. to change; to substitute 5. to block up 6. occasionally
間諜(ㄐㄧㄢˋ ㄉㄧㄝˊ)a spy; a secret agent
間斷(ㄐㄧㄢˋ ㄉㄨㄢˋ)suspended; interrupted
間隔(ㄐㄧㄢˋ ㄍㄜˊ)separated
間接(ㄐㄧㄢˋ ㄐㄧㄝ)indirect; indirectly
間隙(ㄐㄧㄢˋ ㄒㄧˋ)①a crevice ②animosity
間歇(ㄐㄧㄢˋ ㄒㄧㄝ)①intermittent ②short intervals or stops; a pause
間奏曲(ㄐㄧㄢˋ ㄗㄡˋ ㄑㄩˇ)(music) an intermezzo

閎 6535
ㄏㄨㄥˊ hóng
1. a gate or barrier across a lane 2. big; large 3. spacious inside
閎達 or 宏達(ㄏㄨㄥˊ ㄉㄚˊ)intelligent and broad-minded

閏 6536
ㄖㄨㄣˋ rùn
1. with surplus or leftover 2. usurped; deputy or substitute 3. extra, inserted between others, as a day, or a month; to intercalate
閏年(ㄖㄨㄣˋ ㄋㄧㄢˊ)a leap year
閏月(ㄖㄨㄣˋ ㄩㄝˋ)an intercalary moon or month

閑 6537
ㄒㄧㄢˊ xián
1. a fence; a bar; a barrier 2. to defend 3. big 4. familiar with; accustomed to; well-versed in 5. same as 閒—leisure 6. laws or regulations 7. a stable
閑居(ㄒㄧㄢˊ ㄐㄩ)to lead a quiet life
閑暇(ㄒㄧㄢˊ ㄒㄧㄚˊ)leisure; spare time
閑書or閒書(ㄒㄧㄢˊ ㄕㄨ)books for killing time, as novels, etc.

閒 6538
1. ㄒㄧㄢˊ xián
1. quiet; tranquil; calm; placid 2. leisure; spare time
閒蕩(ㄒㄧㄢˊ ㄉㄤˋ)to saunter; to stroll
閒談(ㄒㄧㄢˊ ㄊㄢˊ)idle talk; to chat
閒聊(ㄒㄧㄢˊ ㄌㄧㄠˊ)to chat; to gossip
閒逛(ㄒㄧㄢˊ ㄍㄨㄤˋ)to saunter; to stroll
閒工夫(ㄒㄧㄢˊ ㄍㄨㄥ ·ㄈㄨ)leisure; spare time
閒話(ㄒㄧㄢˊ ㄏㄨㄚˋ)random or idle talk; gossip
閒錢(ㄒㄧㄢˊ ㄑㄧㄢˊ)spare money
閒情逸致(ㄒㄧㄢˊ ㄑㄧㄥˊ ㄧˋ ㄓˋ)a peaceful and comfortable mood
閒暇(ㄒㄧㄢˊ ㄒㄧㄚˊ)unoccupied; leisure
閒置(ㄒㄧㄢˊ ㄓˋ)to leave unused
閒置成本(ㄒㄧㄢˊ ㄓˋ ㄔㄥˊ ㄅㄣˇ)idle cost
閒事(ㄒㄧㄢˊ ㄕˋ)matters not of one's concern
閒書(ㄒㄧㄢˊ ㄕㄨ)books for killing time, as novels, etc.
閒人(ㄒㄧㄢˊ ㄖㄣˊ)idlers; persons with nothing to do
閒言閒語(ㄒㄧㄢˊ ㄧㄢˊ ㄒㄧㄢˊ ㄩˇ)sarcastic remarks or complaints; gossips

閒 6538
2. ㄐㄧㄢ jiān
same as 間(ㄐㄧㄢ)

閒 6538
3. ㄐㄧㄢˋ jiàn
same as 間(ㄐㄧㄢˋ)—to separate
閒隔(ㄐㄧㄢˋ ㄍㄜˊ)to be separated in time and space

閔 6539
ㄇㄧㄣˇ mǐn
1. to mourn; to pity; to commiserate or be sympathetic with; to condole 2. to urge; to encourage 3. trouble; distress 4. to be grieved

五畫

閘 6540
ㄓㄚˊ zhá
1. a floodgate; a lock; a sluice 2. a brake; a device on a vehicle for halting its motion 3. a switch or similar devices
閘門(ㄓㄚˊ ㄇㄣˊ)a floodgate

閟 6541
ㄅㄧˋ bì
1. to close the door 2. to shut; to repress 3. deep; obscure; solemn

六畫

閣 6542
ㄍㄜˊ gé
1. a room; a chamber; a pavilion 2. an attic; a place for storing something not frequently in use 3. a cabinet 4. a boudoir
閣樓(ㄍㄜˊ ㄌㄡˊ)an attic; a garret
閣揆(ㄍㄜˊ ㄎㄨㄟˊ)the premier; the prime minister
閣員(ㄍㄜˊ ㄩㄢˊ)cabinet ministers

閡 6543
ㄏㄜˊ hé
1. to block or separate; to obstruct 2. to prevent; to shut out

閤 6544
1. ㄍㄜˊ gé
1. a small side door 2. same as 閣—a chamber, pavilion, etc.

閤 6544
2.(闔) ㄏㄜˊ hé
1. to close (doors) 2. whole; all

門部

閤府(ㄏㄜˊ ㄈㄨˇ) your whole family

閥 6545
ㄈㄚˊ fá
1. a threshold; a doorsill 2. an influential person, family, or clique; a bloc: 門閥 a powerful family 3. a valve: 安全閥 a safety valve

閨 6546
ㄍㄨㄟ guī
1. a small door 2. the women's apartment 3. feminine
閨房(ㄍㄨㄟ ㄈㄤˊ) the private quarters of a house where women live; a boudoir
閨秀(ㄍㄨㄟ ㄒㄧㄡˋ) a well-educated girl brought up in a good family

閩 6547
ㄇㄧㄣˇ mǐn
(又讀 ㄇㄧㄣˊ mín)
1. another name for Fukien Province 2. name of a river and an ancient tribe in today's Fukien Province
閩南語(ㄇㄧㄣˇ ㄋㄢˊ ㄩˇ) the southern Fukien dialect

七畫

閫 6548
ㄎㄨㄣˇ kǔn
1. same as 梱—a threshold 2. apartments or quarters for ladies 3. feminine

閬 6549
ㄌㄤˇ lǎng
(又讀 ㄌㄤˋ làng)
1. a high door 2. high; tall; big 3. clear; bright 4. open and spacious

閭 6550
ㄌㄩˊ lǘ
1. a community of 25 families in ancient China—a community or neighborhood 2. the gate of a village 3. to meet; to gather together
閭里(ㄌㄩˊ ㄌㄧˇ) alleys or lanes—① one's neighbors ② one's native village

閱 6551
ㄩㄝˋ yuè
1. to read; to go over (examination papers) 2. to review; to inspect; to examine; to observe 3. to experience 4. to pass
閱兵(ㄩㄝˋ ㄅㄧㄥ) to inspect or review troops
閱讀(ㄩㄝˋ ㄉㄨˊ) or 閱覽(ㄩㄝˋ ㄌㄢˇ) to read
閱覽室(ㄩㄝˋ ㄌㄢˇ ㄕˋ) a reading room
閱歷(ㄩㄝˋ ㄌㄧˋ) experience; background
閱卷(ㄩㄝˋ ㄐㄩㄢˋ) to grade examination papers

八畫

閻 6552
ㄧㄢˊ yán
1. a village gate; the gate of a lane 2. a Chinese family name
閻羅王(ㄧㄢˊ ㄌㄨㄛˊ ㄨㄤˊ) the Ruler of Hades; the Chinese Pluto

閶 6553
ㄔㄤ chāng
1. the gate of heaven 2. the front gate of a palace

閼 6554
1. ㄜˋ è
1. to block up; to stop up 2. anything used to block up a flow
閼塞(ㄜˋ ㄙㄜˋ) to block up

閼 6554
2. ㄧㄢ yān
the formal wife of the chieftain of the Huns (匈奴) in the Han Dynasty

閹 6555
ㄧㄢ yān
1. to castrate 2. a eunuch
閹割(ㄧㄢ ㄍㄜ) to castrate or spay

閽 6556
ㄏㄨㄣ hūn
1. a door or gate; a palace gate 2. a gatekeeper

閾 6557
ㄩˋ yù
1. a doorsill; a threshold 2. separated 3. confined

九畫

闃 6558
ㄑㄩˋ qù
quiet; without people around
闃寂(ㄑㄩˋ ㄐㄧˊ) still; quiet

闇 6559
ㄢˋ àn
1. to shut the door 2. dark; obscure; obscurity 3. evening; night 4. lunar or solar eclipses 5. stupid and dull

闈 6560
ㄨㄟˊ wéi
1. the side doors of a palace 2. the living quarters of the queen and the imperial concubines 3. ladies' living quarters; private quarters 4. (formerly) a hall where the civil service examination took place

闉 6561
ㄧㄣ yīn
1. curved; bent 2. the gate of the city wall

闊 6562
ㄎㄨㄛˋ kuò
1. broad; wide; width 2. separated; widely apart 3. rich; wealthy
闊別(ㄎㄨㄛˋ ㄅㄧㄝˊ) separated for a long time
闊步(ㄎㄨㄛˋ ㄅㄨˋ) to walk with big strides

闊氣(ㄎㄨㄛˋ ·ㄑㄧ)lavish
闊綽(ㄎㄨㄛˋ ㄔㄨㄛˋ)extravagant

闋 6563
ㄑㄩㄝˋ què
1. to close or shut the door after finishing something 2. to be at rest 3. to end 4. the expiry of the period of mourning 5. a numerical adjunct for songs 6. empty; blank

闌 6564
ㄌㄢˊ lán
1. a door curtain or screen 2. a fence 3. to block up; to cut off 4. the end of (a year, etc.); late (in the night, etc.) 5. weakened; withered
闌干(ㄌㄢˊ ㄍㄢ)a fence; banisters
闌珊(ㄌㄢˊ ㄕㄢ)withered; declining
闌尾(ㄌㄢˊ ㄨㄟˇ)(anatomy) the appendix 亦作「盲腸」
闌尾炎(ㄌㄢˊ ㄨㄟˇ ㄧㄢˊ)appendicitis 亦作「盲腸炎」

闆 6565
ㄅㄢˇ bǎn
the boss; the owner

闍 6566
1. ㄉㄨ dū
a tower over a city wall

闍 6566
2. ㄕㄜˊ shé
as in 阿闍梨—a Buddhist high priest

十畫

闐 6567
ㄊㄧㄢˊ tián
to fill; to fill to the brim; to be full of

闑 6568
ㄋㄧㄝˋ niè
the wood bars on both sides of the central door

闒 6569
ㄊㄚˋ tà
1. the upstairs door 2. the sound of bells and drums 3. mean

闓 6570
ㄎㄞˇ kǎi
1. to open 2. peaceful; harmonious

闔 6571
ㄏㄜˊ hé
1. a leaf of a door 2. to shut or close 3. all; the whole 4. Why? 或 Why not?
闔第光臨(ㄏㄜˊ ㄉㄧˋ ㄍㄨㄤ ㄌㄧㄣˊ) Please come with your whole family.
闔家(ㄏㄜˊ ㄐㄧㄚ)the whole family

闕 6572
1. ㄑㄩㄝˋ què
1. a watchtower outside the palace gate in ancient China 2. a palace

闕 6572
2. ㄑㄩㄝ quē
1. faults; errors; mistakes; defects 2. to lack; deficient; deficiency
闕失(ㄑㄩㄝ ㄕ)a mistake; an error

闖 6573
1. ㄔㄨㄤˇ chuǎng
1. to rush in all of a sudden; to intrude into 2. to be trained by experience; to hew out one's way 3. to cause (a disaster, etc.)
闖關(ㄔㄨㄤˇ ㄍㄨㄢ)to run a blockade
闖空門(ㄔㄨㄤˇ ㄎㄨㄥ ㄇㄣˊ)to break into a home or building when the occupants are absent
闖禍(ㄔㄨㄤˇ ㄏㄨㄛˋ)to get into trouble
闖紅燈(ㄔㄨㄤˇ ㄏㄨㄥˊ ㄉㄥ)to run through a red light

闖 6573
2. ㄔㄨㄤˋ chuàng
1. to cause (a disaster) 2. to hit

十一畫

關 6574
ㄍㄨㄢ guān
1. to shut; to close 2. a frontier pass or checkpoint 3. the bar across the door 4. a customs house; a customs barrier 5. a key point; a turning point 6. related; relationship; to involve; to concern 7. to negotiate; to go between 8. to draw (money or pay) 9. a Chinese family name
關閉(ㄍㄨㄢ ㄅㄧˋ)to close
關門(ㄍㄨㄢ ㄇㄣˊ)① to close the door ② to close a shop
關島(ㄍㄨㄢ ㄉㄠˇ)Guam
關頭(ㄍㄨㄢ ㄊㄡˊ)a key point
關聯(ㄍㄨㄢ ㄌㄧㄢˊ)related; connected
關卡(ㄍㄨㄢ ㄎㄚˇ)a customs station or barrier
關懷(ㄍㄨㄢ ㄏㄨㄞˊ)to be concerned about; concern
關節(ㄍㄨㄢ ㄐㄧㄝˊ)joints in the human body
關鍵(ㄍㄨㄢ ㄐㄧㄢˋ)a key point
關切(ㄍㄨㄢ ㄑㄧㄝˋ) to be concerned about
關係(ㄍㄨㄢ ㄒㄧˋ)relation; relationship
關係代名詞(ㄍㄨㄢ ㄒㄧˋ ㄉㄞˋ ㄇㄧㄥˊ ㄘˊ)relative pronouns
關心(ㄍㄨㄢ ㄒㄧㄣ)to be concerned about
關照(ㄍㄨㄢ ㄓㄠˋ)①to notify ②to take care of
關注(ㄍㄨㄢ ㄓㄨˋ)to be concerned about
關說(ㄍㄨㄢ ㄕㄨㄛ)to lobby illegally, usually by pedaling one's influence
關稅(ㄍㄨㄢ ㄕㄨㄟˋ)customs duty
關稅壁壘(ㄍㄨㄢ ㄕㄨㄟˋ ㄅㄧˋ ㄌㄟˇ)tariff barrier
關稅及貿易總協定(ㄍㄨㄢ ㄕㄨㄟˋ ㄐㄧˊ ㄇㄠˋ ㄧˋ ㄗㄨㄥˇ ㄒㄧㄝˊ ㄉㄧㄥˋ) the General Agreement on Tariffs

〔門部〕

and Trade (GATT)
關愛(ㄍㄨㄢ ㄞˋ)to express solicitude for the well-being of someone
關於(ㄍㄨㄢ ㄩˊ)concerning; regarding

〔阜部〕

闚 6575
ㄎㄨㄟ kuī
1. same as 窺—to steal a glance; to peep; to spy 2. to tempt with material gain

十二畫

闞 6576
1. ㄎㄢˋ kàn
(又讀 ㄎㄢˇ kǎn)
to steal a glance; to peep; to spy

闞 6576
2. ㄏㄢˇ hǎn
1. roaring (of a tiger); growling 2. brave

闠 6577
ㄏㄨㄟˋ huì
the gate of a market

闡 6578
ㄔㄢˇ chǎn
1. to make clear; to elaborate; to elucidate; to expound 2. evident; clear
闡明(ㄔㄢˇ ㄇㄧㄥˊ)to elucidate; to clarify
闡釋(ㄔㄢˇ ㄕˋ)to explain
闡述(ㄔㄢˇ ㄕㄨˋ)to expound
闡揚(ㄔㄢˇ ㄧㄤˊ)to expound and propagate

十三畫

闢 6579
ㄆㄧˋ pì
1. to open up; to develop 2. to rid; to do away with 3. to refute
闢謠(ㄆㄧˋ ㄧㄠˊ)to refute rumors

闤 6580
ㄏㄨㄢˊ huán
a wall around a marketplace

闥 6581
ㄊㄚˋ tà
1. a door; a small door; a wicket gate 2. the space between the door and the screen; inside the door 3. fast

阜部
ㄈㄨˋ fù

阜 6582
ㄈㄨˋ fù
1. a mound; a small hill 2. the continent; the mainland 3. flourishing; abundant; numerous

三畫

阡 6583
ㄑㄧㄢ qiān
1. paths on farms; a footpath between fields, running north and south 2. the path leading to a grave
阡陌縱橫(ㄑㄧㄢ ㄇㄛˋ ㄗㄨㄥ ㄏㄥˊ) crisscross paths on farmland

阢 6584
ㄨˋ wù
uneasy; apprehensive: 阢隉 uneasy; jittery

四畫

阬 6585
(坑) ㄎㄥ kēng
a pit; a shaft

阨 6586
ㄜˋ è
1. a strategic position 2. a precarious position 3. to block up or obstruct 4. destitute; poverty-stricken; difficulty
阨塞(ㄜˋ ㄙㄞˋ)a strategic place or position

阪 6587
ㄅㄢˇ bǎn
1. the slope of a hill; a hillside 2. a hillside farm field

阮 6588
ㄖㄨㄢˇ ruǎn
1. name of an ancient state in today's Kansu Province 2. an ancient musical instrument 3. a Chinese family name
阮囊羞澀(ㄖㄨㄢˇ ㄋㄤˊ ㄒㄧㄡ ㄙㄜˋ) short of cash; poor

阱 6589
ㄐㄧㄥˇ jǐng
a trap; a snare

防 6590
ㄈㄤˊ fáng
1. to defend; defense 2. to prepare for; to take precautions; to prevent
防波堤(ㄈㄤˊ ㄅㄛ ㄊㄧˊ)a breakwater
防備(ㄈㄤˊ ㄅㄟˋ)to guard against
防範(ㄈㄤˊ ㄈㄢˋ)to be alert against
防風林(ㄈㄤˊ ㄈㄥ ㄌㄧㄣˊ)a windbreak
防腐劑(ㄈㄤˊ ㄈㄨˇ ㄐㄧˋ)antiseptic
防盜(ㄈㄤˊ ㄉㄠˋ)prevention of burglary
防彈(ㄈㄤˊ ㄉㄢˋ)bulletproof
防彈背心(ㄈㄤˊ ㄉㄢˋ ㄅㄟˋ ㄒㄧㄣ)a bulletproof vest
防毒面具(ㄈㄤˊ ㄉㄨˊ ㄇㄧㄢˋ ㄐㄩˋ) a gasmask
防癆(ㄈㄤˊ ㄌㄠˊ)tuberculosis prevention
防拷貝保護(ㄈㄤˊ ㄎㄠˇ ㄅㄟˋ ㄅㄠˇ ㄏㄨˋ) copy protection
防空洞(ㄈㄤˊ ㄎㄨㄥ ㄉㄨㄥˋ)an air-raid or bomb shelter
防空警報(ㄈㄤˊ ㄎㄨㄥ ㄐㄧㄥˇ ㄅㄠˋ)an

air defense warning
防護(ㄈㄤˊ ㄏㄨˋ)to protect or safeguard
防火(ㄈㄤˊ ㄏㄨㄛˇ)fireproof
防火設備(ㄈㄤˊ ㄏㄨㄛˇ ㄕㄜˋ ㄅㄟˋ)fire-fighting facilities
防患未然(ㄈㄤˊ ㄏㄨㄢˋ ㄨㄟˋ ㄖㄢˊ)to take precautions against a calamity
防洪(ㄈㄤˊ ㄏㄨㄥˊ)flood control
防銹(ㄈㄤˊ ㄒㄧㄡˋ)antirust
防止(ㄈㄤˊ ㄓˇ)to prevent
防治(ㄈㄤˊ ㄓˋ)prevention and treatment (of diseases)
防震(ㄈㄤˊ ㄓㄣˋ)shock-resistant
防潮(ㄈㄤˊ ㄔㄠˊ)moistureproof
防守(ㄈㄤˊ ㄕㄡˇ)to defend; to guard
防身(ㄈㄤˊ ㄕㄣ)to guard personal safety; self-protection
防身術(ㄈㄤˊ ㄕㄣ ㄕㄨˋ)the science (or art) of self-defense
防水(ㄈㄤˊ ㄕㄨㄟˇ)waterproof
防災(ㄈㄤˊ ㄗㄞ)to take precautions against natural calamities
防疫(ㄈㄤˊ ㄧˋ)to guard against or prevent an epidemic
防衛(ㄈㄤˊ ㄨㄟˋ)or防禦(ㄈㄤˊ ㄩˋ)to defend; to guard

阯 6591 (址) ㄓˇ zhǐ
a site; an address

五畫

阻 6592 ㄗㄨˇ zǔ
1. to prevent; to stop; to prohibit or proscribe 2. to separate; separated 3. to hinder; to obstruct; to oppose; to impede; to detain; to blockade 4. difficulty; to suffer 5. to rely on 6. a strategic pass
阻擋(ㄗㄨˇ ㄉㄤˇ)to stop
阻撓(ㄗㄨˇ ㄋㄠˊ)to obstruct; to thwart
阻力(ㄗㄨˇ ㄌㄧˋ)the force of resistance
阻隔(ㄗㄨˇ ㄍㄜˊ)to be separated
阻擊(ㄗㄨˇ ㄐㄧˊ)to block; to check
阻止(ㄗㄨˇ ㄓˇ)to stop or prevent
阻塞(ㄗㄨˇ ㄙㄜˋ)to block up
阻礙(ㄗㄨˇ ㄞˋ)an obstacle or hindrance; to obstruct; obstruction

阼 6593 ㄗㄨㄛˋ zuò
1. the main steps 2. the throne

阿 6594 1. ㄜ ē
1. to favor; to toady; to assent; to pander to; to play up to 2. to rely on 3. a riverbank 4. the corner or edge 5. a pillar 6. slender and beautiful 7. to discharge (night soil, urine, etc.)
阿彌陀佛(ㄜ ㄇㄧˊ ㄊㄨㄛˊ ㄈㄛˊ)Amitabha, the Buddha of infinite qualities
阿諛(ㄜ ㄩˊ)to flatter

阿 6594 2. ㄚˋ à (又讀 ㄚ ā)
1. an initial particle; a prefix to a name or a term of address 2. a word often used in transliterations
阿們(ㄚˋ ㄇㄣˊ)Amen
阿拉(ㄚˋ ㄌㄚ)①(Mohammedan) Allah ②(Ningpo dialect) me; I
阿拉伯(ㄚˋ ㄌㄚ ㄅㄛˊ)①Arabia ②Arab
阿拉伯數字(ㄚˋ ㄌㄚ ㄅㄛˊ ㄕㄨˋ ㄗˋ) Arabic numerals
阿斯匹靈(ㄚˋ ㄙ ㄆㄧ ㄌㄧㄥˊ)aspirin
阿爾卑斯山(ㄚˋ ㄦˇ ㄅㄟ ㄙ ㄕㄢ)the Alps
阿姨(ㄚˋ ㄧˊ)an aunt, one's mother's sister

陀 6595 ㄊㄨㄛˊ tuó
craggy; rugged terrain: 陀螺 a top

陂 6596 1. ㄆㄧˊ pí
1. a reservoir; a water pond 2. a hillside

陂 6596 2. ㄆㄛ pō
steep and craggy

附 6597 ㄈㄨˋ fù
1. to rely on; to be dependent on; to attach to; to adhere to 2. to attach; to enclose; to send along with; to append; enclosed 3. near or close to 4. to add to; to increase 5. (said of an evil spirit) to be possessed by
附表(ㄈㄨˋ ㄅㄧㄠˇ)supporting schedules (or statements)
附帶(ㄈㄨˋ ㄉㄞˋ)①supplementary ②to attach
附錄(ㄈㄨˋ ㄌㄨˋ)an appendix or annex
附和(ㄈㄨˋ ㄏㄜˋ)to agree without conviction
附加(ㄈㄨˋ ㄐㄧㄚ)to add to
附件(ㄈㄨˋ ㄐㄧㄢˋ)an enclosure
附近(ㄈㄨˋ ㄐㄧㄣˋ)around; nearby
附註(ㄈㄨˋ ㄓㄨˋ)remarks; notes
附著(ㄈㄨˋ ㄓㄨㄛˊ)to adhere to
附著力(ㄈㄨˋ ㄓㄨㄛˊ ㄌㄧˋ)adhesion; adhesive force
附設(ㄈㄨˋ ㄕㄜˋ)to have as an attached institution
附屬(ㄈㄨˋ ㄕㄨˇ)accessory; subordinate
附屬品(ㄈㄨˋ ㄕㄨˇ ㄆㄧㄣˇ)accessory items or articles
附議(ㄈㄨˋ ㄧˋ)to second a motion
附庸(ㄈㄨˋ ㄩㄥ)subordinate; a puppet

阸 6598 (阨) ㄜˋ è
difficulty

六畫

〔阜部〕

〔阜部〕

陋 6599 ㄌㄡˋ lòu

1. narrow and small 2. ugly 3. vile; low; mean; humble 4. ignorant; crude; simple-minded 5. poor (performances, knowledge, etc.); inferior; superficial; shallow 6. stingy; tight-fisted

陋室(ㄌㄡˋ ㄕˋ)a crude abode; a humble room

陋俗(ㄌㄡˋ ㄙㄨˊ)vile customs; vulgar customs

陌 6600 ㄇㄛˋ mò

paths in the rice field

陌路(ㄇㄛˋ ㄌㄨˋ)a stranger

陌生(ㄇㄛˋ ㄕㄥ)unfamiliar; strange

陌生人(ㄇㄛˋ ㄕㄥ ㄖㄣˊ)a stranger

降 6601 1. ㄐㄧㄤˋ jiàng

1. to descend 2. to lower 3. to condescend; to deign 4. to drop; to decline 5. to surrender

降低(ㄐㄧㄤˋ ㄉㄧ)to lower; to fall; to drop

降臨(ㄐㄧㄤˋ ㄌㄧㄣˊ)to come down; to fall

降落(ㄐㄧㄤˋ ㄌㄨㄛˋ)to land; landing

降落傘(ㄐㄧㄤˋ ㄌㄨㄛˋ ㄙㄢˇ)a parachute

降級(ㄐㄧㄤˋ ㄐㄧˊ)to degrade

降旗(ㄐㄧㄤˋ ㄑㄧˊ)to lower the flag

降生(ㄐㄧㄤˋ ㄕㄥ)to be born into the world

降雨量(ㄐㄧㄤˋ ㄩˇ ㄌㄧㄤˋ)rainfall

降 6601 2. ㄒㄧㄤˊ xiáng

1. to surrender; to submit to 2. to bring to terms; to conquer

降服(ㄒㄧㄤˊ ㄈㄨˊ)to surrender and give allegiance to the new master

限 6602 ㄒㄧㄢˋ xiàn

1. a boundary; a line 2. a doorsill or threshold 3. limits; restriction; to limit or restrict 4. to specify; to fix

限定(ㄒㄧㄢˋ ㄉㄧㄥˋ)to limit

限度(ㄒㄧㄢˋ ㄉㄨˋ)limits; limitation

限量(ㄒㄧㄢˋ ㄌㄧㄤˋ)limits; limitation

限制(ㄒㄧㄢˋ ㄓˋ)limits; limitations

限時(ㄒㄧㄢˋ ㄕˊ)to set a time limit or deadline

限時專送(ㄒㄧㄢˋ ㄕˊ ㄓㄨㄢ ㄙㄨㄥˋ) prompt delivery

限額(ㄒㄧㄢˋ ㄜˊ)a quota

陔 6603 ㄍㄞ gāi

1. steps; grades 2. ridges between plots of farm land

七畫

陘 6604 ㄒㄧㄥˊ xíng

defile; a gorge; a deep valley

陛 6605 ㄅㄧˋ bì

wide and high steps in the palace; the steps to the throne

陛下(ㄅㄧˋ ㄒㄧㄚˋ)Your Majesty

陞 6606 ㄕㄥ shēng

to ascend; to promote; to hoist; to rise; to elevate

陟 6607 ㄓˋ zhì

1. to mount; to ascend 2. to advance; to elevate; to promote

陡 6608 ㄉㄡˇ dǒu

1. suddenly; abruptly 2. steep; precipitous

陡坡(ㄉㄡˇ ㄆㄛ)a steep slope

陡峭(ㄉㄡˇ ㄑㄧㄠˋ)steep; precipitous

院 6609 ㄩㄢˋ yuàn

1. a courtyard; a yard 2. a designation for certain government offices and public places

院長(ㄩㄢˋ ㄓㄤˇ)the dean of a college or court of law

院子(ㄩㄢˋ ·ㄗ)a yard; a courtyard

陣 6610 ㄓㄣˋ zhèn

1. a column or row of troops; the army 2. to battle; battle array (or formation) 3. anything that occurs in a certain duration or spell of time (as rain, wind, business, etc.)

陣地(ㄓㄣˋ ㄉㄧˋ)a (military) position

陣痛(ㄓㄣˋ ㄊㄨㄥˋ)labor pangs

陣脚(ㄓㄣˋ ㄐㄧㄠˇ)①a front line ② position

陣線(ㄓㄣˋ ㄒㄧㄢˋ)line of battle

陣容(ㄓㄣˋ ㄖㄨㄥˊ)① the appearance of a military deployment ② the cast of a movie

陣營(ㄓㄣˋ ㄧㄥˊ)a camp; an encampment

陣亡(ㄓㄣˋ ㄨㄤˊ)to be killed in action

陣雨(ㄓㄣˋ ㄩˇ)occasional drizzle; showers

除 6611 ㄔㄨˊ chú

1. (mathematics) to divide; division; divisible 2. to remove; to rid of; to wipe out 3. to be appointed to an official rank or office 4. to subtract; to deduct 5. aside from; besides; except; unless 6. to change or turn, as a new year

除弊(ㄔㄨˊ ㄅㄧˋ)to remove evil practices or abuses

除名(ㄔㄨˊ ㄇㄧㄥˊ)to dismiss

除法(ㄔㄨˊ ㄈㄚˇ)(mathematics) division

除非(ㄔㄨˊ ㄈㄟ)unless
除掉(ㄔㄨˊ ㄉㄧㄠˋ)to remove; to get rid of
除了(ㄔㄨˊ ˙ㄌㄜ)except that; except
除害(ㄔㄨˊ ㄏㄞˋ)to get rid of evils, bad habits or practices or evil persons
除舊布新(ㄔㄨˊ ㄐㄧㄡˋ ㄅㄨˋ ㄒㄧㄣ)to replace the old with the new
除去(ㄔㄨˊ ㄑㄩˋ)to remove; to except
除夕(ㄔㄨˊ ㄒㄧˋ)Lunar New Year's Eve
除臭劑(ㄔㄨˊ ㄔㄡˋ ㄐㄧˋ)deodorants
除濕機(ㄔㄨˊ ㄕ ㄐㄧ)a dehumidifier
除此之外(ㄔㄨˊ ㄘˇ ㄓ ㄨㄞˋ)besides this (or these); in addition
除草(ㄔㄨˊ ㄘㄠˇ)to weed (in farming)
除外(ㄔㄨˊ ㄨㄞˋ)except; to except

陝 6612 ㄕㄢˇ shǎn
short for Shensi Province

八畫

陪 6613 ㄆㄟˊ péi
1. to accompany; to keep company 2. same as 賠 — to make up for; to compensate 3. to assist
陪伴(ㄆㄟˊ ㄅㄢˋ)to keep company
陪同(ㄆㄟˊ ㄊㄨㄥˊ)to accompany
陪禮(ㄆㄟˊ ㄌㄧˇ)to apologize
陪客(ㄆㄟˊ ˙ㄎㄜ)guests invited to keep the guest of honor company
陪產假(ㄆㄟˊ ㄔㄢˇ ㄐㄧㄚˋ)a paternity leave
陪襯(ㄆㄟˊ ㄔㄣˋ)to serve as a prop
陪審團(ㄆㄟˊ ㄕㄣˇ ㄊㄨㄢˊ)the jury
陪葬(ㄆㄟˊ ㄗㄤˋ)to bury (a person or things) along with the deceased

陬 6614 ㄗㄡ zōu
1. a corner; a nook 2. foothills 3. a frontier village where people live together 4. the first month of the lunar year

陰 6615 1. ㄧㄣ yīn
1. negative (as opposite to positive, as electricity) 2. feminine; female 3. cloudy; dark 4. shady 5. secret 6. the back side 7. the north side of a mountain 8. the south side of a stream 9. reproductive organs of both sexes 10. Hades; hell 11. cunning and crafty 12. to injure another in a clandestine manner 13. time
陰部(ㄧㄣ ㄅㄨˋ)(said of the human body) the private part
陰霾(ㄧㄣ ㄇㄞˊ)haze; thin mist
陰毛(ㄧㄣ ㄇㄠˊ)pubes
陰謀(ㄧㄣ ㄇㄡˊ)a conspiracy; a plot
陰謀詭計(ㄧㄣ ㄇㄡˊ ㄍㄨㄟˇ ㄐㄧˋ)dark schemes and tricks
陰府(ㄧㄣ ㄈㄨˇ)or陰曹地府(ㄧㄣ ㄘㄠˊ ㄉㄧˋ ㄈㄨˇ)the nether world; Hades
陰德(ㄧㄣ ㄉㄜˊ)one's unpublicized good deeds
陰道(ㄧㄣ ㄉㄠˋ)the vagina
陰天(ㄧㄣ ㄊㄧㄢ)a cloudy day
陰冷(ㄧㄣ ㄌㄥˇ)gloomy and cold
陰曆(ㄧㄣ ㄌㄧˋ)the lunar calendar
陰涼(ㄧㄣ ㄌㄧㄤˊ)shady and cool
陰溝(ㄧㄣ ㄍㄡ)a covered drain
陰魂(ㄧㄣ ㄏㄨㄣˊ)the spirits of the dead
陰間(ㄧㄣ ㄐㄧㄢ)Hades
陰莖(ㄧㄣ ㄐㄧㄥ)the penis
陰險(ㄧㄣ ㄒㄧㄢˇ)cunning; crafty
陰性(ㄧㄣ ㄒㄧㄥˋ)① negative ② female
陰沈(ㄧㄣ ㄔㄣˊ)gloomy (sky)
陰錯陽差(ㄧㄣ ㄘㄨㄛˋ ㄧㄤˊ ㄔㄚ)due to all sorts of accidental mishaps
陰森森(ㄧㄣ ㄙㄣ ㄙㄣ)gloomy; weird
陰暗(ㄧㄣ ㄢˋ)dim; dark (light)
陰陽(ㄧㄣ ㄧㄤˊ)*yin* (shade) *and yang*
陰陽怪氣(ㄧㄣ ㄧㄤˊ ㄍㄨㄞˋ ㄑㄧˋ)eccentric; queer
陰影(ㄧㄣ ㄧㄥˇ)shades; shadows
陰雨(ㄧㄣ ㄩˇ)cloudy and rainy
陰鬱(ㄧㄣ ㄩˋ)gloomy; dismal

陰 6615 2. (蔭) ㄧㄣˋ yìn
shaded by trees

陲 6616 ㄔㄨㄟˊ chuí
a border; a frontier

陳 6617 1. ㄔㄣˊ chén
1. a Chinese family name 2. to arrange; to display; to spread out 3. to tell, state, or narrate; to explain 4. old; preserved for a long time
陳腐(ㄔㄣˊ ㄈㄨˇ)old or hackneyed (expressions, etc.); stale (food or fruit)
陳年(ㄔㄣˊ ㄋㄧㄢˊ)of many years' standing
陳列(ㄔㄣˊ ㄌㄧㄝˋ)to arrange and display
陳迹(ㄔㄣˊ ㄐㄧ)relics; vestiges
陳舊(ㄔㄣˊ ㄐㄧㄡˋ)old; worn-out
陳腔濫調(ㄔㄣˊ ㄑㄧㄤ ㄌㄢˋ ㄉㄧㄠˋ)clichés; corny statements
陳情(ㄔㄣˊ ㄑㄧㄥˊ)to give a full statement or account of a situation, etc.
陳請(ㄔㄣˊ ㄑㄧㄥˇ)to state and plead
陳屍(ㄔㄣˊ ㄕ)to expose a corpse
陳設(ㄔㄣˊ ㄕㄜˋ)to display; to furnish
陳述(ㄔㄣˊ ㄕㄨˋ)to tell; to narrate

陳 6617 2. (陣) ㄓㄣˋ zhèn
tactical deployment of troops

〔阜部〕

陴 6618 ㄆㄧˊ pí
a parapet on a city wall

陵 6619 ㄌㄧㄥˊ líng
1. a high mound 2. the tomb of an emperor; a mausoleum 3. to offend; to insult; to outrage; to abuse 4. to usurp 5. to climb; to scale
陵墓(ㄌㄧㄥˊ ㄇㄨˋ)a tomb; a grave
陵寢(ㄌㄧㄥˊ ㄑㄧㄣˇ)the tomb of an emperor or king; a mausoleum

陶 6620 1. ㄊㄠˊ táo
1. pottery or earthenware 2. happy; joyful 3. to move and influence a person 4. a Chinese family name
陶土(ㄊㄠˊ ㄊㄨˇ)pot earth; pottery clay
陶器(ㄊㄠˊ ㄑㄧˋ)pottery; earthenware
陶然(ㄊㄠˊ ㄖㄢˊ)happy; cheerful
陶醉(ㄊㄠˊ ㄗㄨㄟˋ)very happy
陶瓷(ㄊㄠˊ ㄘˊ)pottery and porcelain
陶冶(ㄊㄠˊ ㄧㄝˇ)to cultivate or shape (taste, character, etc.)
陶冶性情(ㄊㄠˊ ㄧㄝˇ ㄒㄧㄥˋ ㄑㄧㄥˊ)to shape or cleanse one's spirit

陶 6620 2. ㄧㄠˊ yáo
as in 皐陶—name of a person in ancient China

陷 6621 ㄒㄧㄢˋ xiàn
1. to sink; to fall; to submerge 2. to frame (up); to harm another with trumped-up charges 3. to entrap; to beguile 4. to fall; to capture (a city, etc.) 5. a defect
陷溺(ㄒㄧㄢˋ ㄋㄧˋ)to sink
陷落(ㄒㄧㄢˋ ㄌㄨㄛˋ)to be lost to the enemy
陷害(ㄒㄧㄢˋ ㄏㄞˋ)to frame; to snare
陷阱(ㄒㄧㄢˋ ㄐㄧㄥˇ)a trap; a snare
陷入(ㄒㄧㄢˋ ㄖㄨˋ)to sink into
陷入絕境(ㄒㄧㄢˋ ㄖㄨˋ ㄐㄩㄝˊ ㄐㄧㄥˋ)to get into extreme difficulty

陸 6622 ㄌㄨˋ lù
1. land; the shore; a continent 2. by way of land; land transportation 3. an elaborate form of 六 (six) used in documents or checks to prevent forgery 4. a Chinese family name
陸地(ㄌㄨˋ ㄉㄧˋ)land
陸路(ㄌㄨˋ ㄌㄨˋ)by land
陸海空三軍(ㄌㄨˋ ㄏㄞˇ ㄎㄨㄥ ㄙㄢ ㄐㄩㄣ)the armed forces
陸軍(ㄌㄨˋ ㄐㄩㄣ)the army
陸軍軍官學校(ㄌㄨˋ ㄐㄩㄣ ㄐㄩㄣ ㄍㄨㄢ ㄒㄩㄝˊ ㄒㄧㄠˋ)Military Academy
陸橋(ㄌㄨˋ ㄑㄧㄠˊ)an overpass
陸續(ㄌㄨˋ ㄒㄩˋ)continuous
陸運(ㄌㄨˋ ㄩㄣˋ)land transportation

九畫

陽 6623 ㄧㄤˊ yáng
1. positive (electricity, etc.) 2. male; masculine 3. the sun; solar; sunlight 4. the north of a stream 5. the south of a hill 6. bright; brilliant 7. the male genitals 8. pertaining to this world, as opposed to Hades
陽臺(ㄧㄤˊ ㄊㄞˊ)a veranda or balcony
陽曆(ㄧㄤˊ ㄌㄧˋ)the solar calendar
陽剛(ㄧㄤˊ ㄍㄤ)tough, strong, positive, stern, etc. in character
陽光(ㄧㄤˊ ㄍㄨㄤ)sunshine; sunlight
陽間(ㄧㄤˊ ㄐㄧㄢ)the world of the living
陽具(ㄧㄤˊ ㄐㄩˋ)the male reproductive organ
陽性(ㄧㄤˊ ㄒㄧㄥˋ)① positive (electricity, etc.) ② the male sex; masculinity
陽性反應(ㄧㄤˊ ㄒㄧㄥˋ ㄈㄢˇ ㄧㄥˋ)positive reaction
陽傘(ㄧㄤˊ ㄙㄢˇ)a parasol; an umbrella

陻 6624 (堙) ㄧㄣ yīn
1. a mound 2. to bury 3. to dam (a stream); to block up

隃 6625 ㄩˊ yú
to exceed 亦作「逾」

隄 6626 (堤) ㄊㄧˊ tí (又讀 ㄉㄧ dī)
a dike, levee or embankment
隄防(ㄊㄧˊ ㄈㄤˊ) or 隄岸 (ㄊㄧˊ ㄢˋ)a dike, levee or embankment

隅 6627 ㄩˊ yú
1. a corner; a nook 2. an angle 3. an out-of-the-way place; a recess
隅角(ㄩˊ ㄐㄧㄠˇ)(geometry) a solid angle

隆 6628 ㄌㄨㄥˊ lóng
1. prosperous; flourishing; brisk (business, etc.); booming 2. lofty; eminent; glorious 3. abundant; ample; generous 4. the rumble (of thunder, artillery fire, etc.)
隆冬(ㄌㄨㄥˊ ㄉㄨㄥ)(in) the depth of winter
隆替(ㄌㄨㄥˊ ㄊㄧˋ)the rise and fall
隆隆(ㄌㄨㄥˊ ㄌㄨㄥˊ) (said of sound) roaring, booming or rumbling
隆起(ㄌㄨㄥˊ ㄑㄧˇ)to rise up
隆重(ㄌㄨㄥˊ ㄓㄨㄥˋ)impressive, grand and solemn
隆恩(ㄌㄨㄥˊ ㄣ)great kindness, favor or grace

隈 6629 ㄨㄟ wēi
1. a river bend 2. a mountain recess

隉 6630 ㄋㄧㄝˋ niè
as in 阢隉—precarious; dangerous

隋 6631 ㄙㄨㄟˊ suí
name of a dynasty (581-618)

隊 6632 ㄉㄨㄟˋ duì
1. a group; a team; a batch 2. the troops

隊形(ㄉㄨㄟˋ ㄒㄧㄥˊ)formation
隊長(ㄉㄨㄟˋ ㄓㄤˇ)the team leader
隊伍(ㄉㄨㄟˋ ㄨˇ)① troops in ranks and files ② a line of (people)
隊員(ㄉㄨㄟˋ ㄩㄢˊ)members of a team or group

階 6633 ㄐㄧㄝ jiē
1. a way leading to the main hall 2. a flight of steps or stairs 3. a grade or a rank 4. to rely on

階段(ㄐㄧㄝ ㄉㄨㄢˋ)a stage or phase
階梯(ㄐㄧㄝ ㄊㄧ)a flight of stairs or steps
階級(ㄐㄧㄝ ㄐㄧˊ)a rank; a class (of people)
階級鬥爭(ㄐㄧㄝ ㄐㄧˊ ㄉㄡˋ ㄓㄥ)a class struggle
階下囚(ㄐㄧㄝ ㄒㄧㄚˋ ㄑㄧㄡˊ)a prisoner; a captive
階層(ㄐㄧㄝ ㄘㄥˊ)a class of people

十畫

隔 6634 ㄍㄜˊ gé
1. to separate; to divide 2. blocked; to obstruct 3. at a distance from

隔壁(ㄍㄜˊ ㄅㄧˋ)next door
隔膜(ㄍㄜˊ ㄇㄛˊ)the diaphragm
隔年(ㄍㄜˊ ㄋㄧㄢˊ)in the following year
隔離(ㄍㄜˊ ㄌㄧˊ)to separate; to isolate
隔開(ㄍㄜˊ ㄎㄞ)to separate
隔閡(ㄍㄜˊ ㄏㄜˊ)no meeting of minds
隔間(ㄍㄜˊ ㄐㄧㄢ)a partition
隔絕(ㄍㄜˊ ㄐㄩㄝˊ)to separate
隔牆有耳(ㄍㄜˊ ㄑㄧㄤˊ ㄧㄡˇ ㄦˇ)It's difficult to keep a secret.
隔靴搔癢(ㄍㄜˊ ㄒㄩㄝ ㄙㄠ ㄧㄤˇ)not to the point
隔熱(ㄍㄜˊ ㄖㄜˋ)(construction) heat insulation
隔岸觀火(ㄍㄜˊ ㄢˋ ㄍㄨㄢ ㄏㄨㄛˇ)to be indifferent; to show no concern
隔音(ㄍㄜˊ ㄧㄣ)soundproof

隕 6635 ㄩㄣˇ yǔn
1. to fall 2. to die

隕落(ㄩㄣˇ ㄌㄨㄛˋ)to fall from the sky or outer space
隕石(ㄩㄣˇ ㄕˊ)a meteorite

隖 6636 ㄨˋ wù
1. a parapet; a low wall 2. a structure sloping toward the middle on all sides, as a dock

隘 6637 ㄞˋ ài
1. a strategic pass; a strategic point 2. narrow 3. urgent 4. destitute

隘口(ㄞˋ ㄎㄡˇ)a (mountain) pass

隙 6638 (隟) ㄒㄧˋ xì
1. a crack; a crevice 2. a dispute; a quarrel; a complaint 3. spare time; leisure 4. an opportunity; a loophole

隙罅(ㄒㄧˋ ㄒㄧㄚˋ)a crack, crevice, or fissure

隗 6639 ㄨㄟˇ wěi
1. high; lofty 2. a Chinese family name

十一畫

際 6640 ㄐㄧˋ jì
1. (to occur) at the time or on the occasion of 2. a border or boundary; an edge 3. by the side of; beside 4. in the middle; between; among 5. opportunity; fortune or luck

際遇(ㄐㄧˋ ㄩˋ)① opportunity ② what one has experienced in one's life

障 6641 ㄓㄤˋ zhàng
1. to separate; to screen; a barrier; a screen 2. a dike; an embankment 3. to defend; to guard; to shield 4. to guarantee 5. to hinder; to obstruct

障礙(ㄓㄤˋ ㄞˋ)①obstacles ②a handicap
障眼法(ㄓㄤˋ ㄧㄢˇ ㄈㄚˇ)①legerdemain ②a cover-up

十二畫

隤 6642 (穨) ㄊㄨㄟˊ tuí
1. to fall in ruins; to collapse 2. (said of horses) tired and jaded

隣 6643 (鄰) ㄌㄧㄣˊ lín
1. a neighbor 2. neighboring; nearby

十三畫

隨 6644 ㄙㄨㄟˊ suí
1. to follow; to trace 2. to submit to; to comply with 3. to let (it go, it be, etc.) 4. to accompany 5. to resemble; to look like

隨筆(ㄙㄨㄟˊ ㄅㄧˇ)literary rambles

〔阜部〕

〔隶部〕

隨便(ㄙㄨㄟˊ ㄅㄧㄢˋ)①as you like ② casual; careless
隨同(ㄙㄨㄟˊ ㄊㄨㄥˊ)to follow or accompany
隨口(ㄙㄨㄟˊ ㄎㄡˇ)to slip out of one's tongue without much thought
隨和(ㄙㄨㄟˊ ·ㄏㄜ)easygoing; amiable
隨後(ㄙㄨㄟˊ ㄏㄡˋ)immediately afterward
隨機應變(ㄙㄨㄟˊ ㄐㄧ ㄧㄥˋ ㄅㄧㄢˋ)to adapt oneself quickly to the changing circumstances
隨即(ㄙㄨㄟˊ ㄐㄧˊ)right away; promptly
隨心所欲(ㄙㄨㄟˊ ㄒㄧㄣ ㄙㄨㄛˇ ㄩˋ)to do anything one's heart dictates
隨行(ㄙㄨㄟˊ ㄒㄧㄥˊ)to follow or accompany someone on a trip
隨着(ㄙㄨㄟˊ ·ㄓㄜ)along with
隨時(ㄙㄨㄟˊ ㄕˊ)at all times; anytime
隨時隨地(ㄙㄨㄟˊ ㄕˊ ㄙㄨㄟˊ ㄉㄧˋ)at all times and places
隨手(ㄙㄨㄟˊ ㄕㄡˇ)at hand; readily
隨身(ㄙㄨㄟˊ ㄕㄣ)to carry something with one
隨身聽(ㄙㄨㄟˊ ㄕㄣ ㄊㄧㄥ)a walkman
隨從(ㄙㄨㄟˊ ㄗㄨㄥˋ)aides; attendants
隨俗(ㄙㄨㄟˊ ㄙㄨˊ)to act according to the prevailing customs or practices
隨意(ㄙㄨㄟˊ ㄧˋ)according to your wish
隨遇而安(ㄙㄨㄟˊ ㄩˋ ㄦˊ ㄢ)to feel at ease under all circumstances

隧 6645 ㄙㄨㄟˋ suì
1. an underground passage; a tunnel: 隧道 a tunnel 2. to go round and round

隩 6646 ㄩˋ yù (又讀 ㄠˋ ào)
1. a bend of a stream; a cove 2. warm 3. inhabitable land

險 6647 ㄒㄧㄢˇ xiǎn
1. dangerous; danger 2. obstructed; difficult 3. a strategic pass 4. mean and crafty; cunning 5. nearly; almost
險灘(ㄒㄧㄢˇ ㄊㄢ)a dangerous shoal; rapids
險境(ㄒㄧㄢˇ ㄐㄧㄥˋ)a dangerous situation
險象環生(ㄒㄧㄢˇ ㄒㄧㄤˋ ㄏㄨㄢˊ ㄕㄥ) dangers lurking on all sides
險勝(ㄒㄧㄢˇ ㄕㄥˋ)to win by a narrow margin
險阻(ㄒㄧㄢˇ ㄗㄨˇ)hazardous
險惡(ㄒㄧㄢˇ ㄜˋ)dangerous; perilous
險要(ㄒㄧㄢˇ ㄧㄠˋ)(said of a place) strategic and capable of being easily defended

十四畫

隱 6648 ㄧㄣˇ yǐn
1. hidden; mysterious 2. dark; obscure 3. to retire; to live like a hermit 4. painful; grievous 5. a riddle 6. destitute; poor 7. to examine and study
隱蔽(ㄧㄣˇ ㄅㄧˋ)to conceal
隱瞞(ㄧㄣˇ ㄇㄢˊ)to hide the truth
隱秘(ㄧㄣˇ ㄇㄧˋ)①to conceal ②a secret
隱退(ㄧㄣˇ ㄊㄨㄟˋ)to retire; retirement
隱疾(ㄧㄣˇ ㄐㄧˊ)ailments beneath one's garment
隱居(ㄧㄣˇ ㄐㄩ)to retire from public life
隱情(ㄧㄣˇ ㄑㄧㄥˊ)secrets
隱形眼鏡(ㄧㄣˇ ㄒㄧㄥˊ ㄧㄢˇ ㄐㄧㄥˋ)contact lenses
隱士(ㄧㄣˇ ㄕˋ)a retired scholar; a recluse
隱藏(ㄧㄣˇ ㄘㄤˊ)to hide; to conceal
隱私(ㄧㄣˇ ㄙ)one's secrets
隱憂(ㄧㄣˇ ㄧㄡ)hidden or latent worries
隱隱作痛(ㄧㄣˇ ㄧㄣˇ ㄗㄨㄛˋ ㄊㄨㄥˋ)to feel dull pain
隱喻(ㄧㄣˇ ㄩˋ)a metaphor
隱約(ㄧㄣˇ ㄩㄝ)indistinct; obscure

隰 6649 ㄒㄧˊ xí
1. low, marshy land 2. newly opened farmland

隮 6650 ㄐㄧ jī
1. to rise up; to ascend 2. a rainbow 3. to fall; to topple

十五畫

隳 6651 ㄏㄨㄟ huī
to destroy; to ruin; to break

十六畫

隴 6652 ㄌㄨㄥˇ lǒng
1. another name of Kansu (甘肅) Province 2. a mound 亦作「壟」 3. prosperous
隴畝(ㄌㄨㄥˇ ㄇㄨˇ)a rural community; the farm

隶部
ㄉㄞˋ dài

九畫

隸 6653 ㄌㄧˋ lì
1. to be subordinate to; inferior; to belong or attach to 2. slaves; servants; underlings 3. a type of Chinese calligraphy 4. to practice
隸屬(ㄌㄧˋ ㄕㄨˇ)to be attached to

隹部
ㄓㄨㄟ zhuī

隹 6654
ㄓㄨㄟ zhuī
a general name of short-tailed birds, such as pigeons

二畫

隻 6655
ㄓ zhī
1. a numerary adjunct for a hen, pigeon, bird, ox, goat, hand, foot, etc. 2. single; alone; one of a pair 3. odd (number)
隻身(ㄓ ㄕㄣ) alone; all by oneself

隼 6656
ㄓㄨㄣˇ zhǔn
(又讀 ㄙㄨㄣˇ sǔn)
1. an aquiline nose 2. a hawk; a falcon

三畫

雀 6657
ㄑㄩㄝˋ què
(語音 ㄑㄧㄠˇ qiǎo)
1. a general name of small birds, as sparrows, chickadees, etc. 2. freckled
雀斑(ㄑㄩㄝˋ ㄅㄢ) freckles
雀屏中選(ㄑㄩㄝˋ ㄆㄧㄥˊ ㄓㄨㄥˋ ㄒㄩㄢˇ) to be selected as someone's son-in-law
雀躍(ㄑㄩㄝˋ ㄩㄝˋ) to jump up with joy

四畫

雄 6658
ㄒㄩㄥˊ xióng
1. male; masculine; virile 2. a person or state having great power and influence 3. heroic; brave; strong 4. to win; to triumph; victory 5. to scold others with insulting words
雄辯(ㄒㄩㄥˊ ㄅㄧㄢˋ) eloquence
雄風(ㄒㄩㄥˊ ㄈㄥ) an awe-inspiring air
雄厚(ㄒㄩㄥˊ ㄏㄡˋ) ample; plentiful; rich
雄渾(ㄒㄩㄥˊ ㄏㄨㄣˊ) powerful; grand
雄赳赳(ㄒㄩㄥˊ ㄐㄧㄡ ㄐㄧㄡ) imposing
雄心(ㄒㄩㄥˊ ㄒㄧㄣ) ambition
雄心勃勃(ㄒㄩㄥˊ ㄒㄧㄣ ㄅㄛˊ ㄅㄛˊ) very ambitious
雄壯(ㄒㄩㄥˊ ㄓㄨㄤˋ) majestic; virile
雄才大略(ㄒㄩㄥˊ ㄘㄞˊ ㄉㄚˋ ㄌㄩㄝˋ) (said of a ruler) extremely capable
雄偉(ㄒㄩㄥˊ ㄨㄟˇ) grandeur; majestic

雁 6659
(鴈) ㄧㄢˋ yàn
the wild goose
雁行(ㄧㄢˋ ㄏㄤˊ) to walk like flying wild geese, one after another

雅 6660
ㄧㄚˇ yǎ
1. refined; polished; sophisticated 2. elegant; graceful 3. often; frequently 4. name of an ancient musical instrument 5. friendship; acquaintance
雅痞(ㄧㄚˇ ㄆㄧˇ) Yuppie or Yuppy
雅量(ㄧㄚˇ ㄌㄧㄤˋ) broad-mindedness
雅觀(ㄧㄚˇ ㄍㄨㄢ) graceful and elegant in appearance
雅興(ㄧㄚˇ ㄒㄧㄥˋ) enthusiasm in refined pursuits
雅致(ㄧㄚˇ ㄓˋ) ①refined tastes ②fine; delicate; elegant
雅俗(ㄧㄚˇ ㄙㄨˊ) the refined and the vulgar
雅俗共賞(ㄧㄚˇ ㄙㄨˊ ㄍㄨㄥˋ ㄕㄤˇ) to appeal to both the sophisticated and the simpleminded

集 6661
ㄐㄧˊ jí
1. to assemble; to collect; to gather together; to concentrate 2. a collection of works by one or more authors; to compile; to edit 3. achievements 4. a fair
集體(ㄐㄧˊ ㄊㄧˇ) collective
集團(ㄐㄧˊ ㄊㄨㄢˊ) a bloc; a faction
集團結婚(ㄐㄧˊ ㄊㄨㄢˊ ㄐㄧㄝˊ ㄏㄨㄣ) a mass wedding
集合(ㄐㄧˊ ㄏㄜˊ) to assemble
集會(ㄐㄧˊ ㄏㄨㄟˋ) a meeting
集結(ㄐㄧˊ ㄐㄧㄝˊ) to concentrate (troops)
集錦(ㄐㄧˊ ㄐㄧㄣˇ) a hodgepodge
集訓(ㄐㄧˊ ㄒㄩㄣˋ) a camp training
集中(ㄐㄧˊ ㄓㄨㄥ) ①to concentrate ②to gather
集中營(ㄐㄧˊ ㄓㄨㄥ ㄧㄥˊ) a concentration camp
集資(ㄐㄧˊ ㄗ) to raise funds
集郵(ㄐㄧˊ ㄧㄡˊ) stamp collection
集郵簿(ㄐㄧˊ ㄧㄡˊ ㄅㄨˋ) a stamp album

雇 6662
ㄍㄨˋ gù
to employ or hire
雇工(ㄍㄨˋ ㄍㄨㄥ) a hired laborer
雇主(ㄍㄨˋ ㄓㄨˇ) the employer

五畫

雍 6663
ㄩㄥ yōng
1. harmonious; harmony; peaceful; union 2. name of various places or states throughout the dynasties 3. to block up; to obstruct
雍容華貴(ㄩㄥ ㄖㄨㄥˊ ㄏㄨㄚˊ ㄍㄨㄟˋ)

(said of a woman) graceful and poised; regal

雉 6664
ㄓˋ zhì
1. a pheasant 2. a unit of volume measure in ancient China (about 30' square by 10')

〔隹部〕

雊 6665
ㄍㄡˋ gòu
the crow of a male pheasant

雌 6666
ㄘ cī
1. female; feminine; womanlike; soft (voice, etc.) 2. weak; retiring 3. the vanquished 4. to scold 5. to expose or show (the teeth) 亦作「齜」
雌性(ㄘ ㄒㄧㄥˋ)female
雌雄(ㄘ ㄒㄩㄥˊ)the female and the male
雌雄莫辨(ㄘ ㄒㄩㄥˊ ㄇㄛˋ ㄅㄧㄢˋ)unable to distinguish the sex identity
雌雄同體(ㄘ ㄒㄩㄥˊ ㄊㄨㄥˊ ㄊㄧˇ)hermaphrodite

雋 6667
1. ㄐㄩㄣˋ jùn
1. good-looking 2. outstanding; talented

雋 6667
2. ㄐㄩㄢˋ juàn
1. fat meat 2. meaningful
雋永(ㄐㄩㄢˋ ㄩㄥˇ)meaningful

雎 6668
ㄐㄩ jū
a kind of waterfowl (雎鳩) which observes fidelity in sex life, probably the osprey

六畫

雒 6669
ㄌㄨㄛˋ luò
1. a black horse with white mane 2. to brand 3. an owl

八畫

雕 6670
ㄉㄧㄠ diāo
1. to engrave; to carve or cut, as in sculpture 2. an eagle; a hawk 3. to exhaust; to weaken
雕刻(ㄉㄧㄠ ㄎㄜˋ)sculpture; to engrave
雕像(ㄉㄧㄠ ㄒㄧㄤˋ) ① a sculptured statue ② portrayal of a person
雕琢(ㄉㄧㄠ ㄓㄨㄛˊ)① to cut and polish (gems) ② to polish a piece of writing
雕蟲小技(ㄉㄧㄠ ㄔㄨㄥˊ ㄒㄧㄠˇ ㄐㄧˋ)a petty skill or craft
雕塑(ㄉㄧㄠ ㄙㄨˋ)sculpture; to cut wood or clay for a statue or idol

雔 6671
ㄔㄡˊ chóu
a pair of birds

九畫

雖 6672
ㄙㄨㄟ suī
(又讀 ㄙㄨㄟˊ suí)
1. although; even though; even if 2. to push away; to dismiss 3. only
雖然(ㄙㄨㄟ ㄖㄢˊ)even though

十畫

雙 6673
ㄕㄨㄤ shuāng
1. a pair; a brace; a couple; persons or things that come in pairs 2. two; both; even (as distinct from odd)
雙倍(ㄕㄨㄤ ㄅㄟˋ)double; twofold
雙胞胎(ㄕㄨㄤ ㄅㄠ ㄊㄞ)twins
雙邊貿易(ㄕㄨㄤ ㄅㄧㄢ ㄇㄠˋ ㄧˋ)bilateral trade
雙邊會談(ㄕㄨㄤ ㄅㄧㄢ ㄏㄨㄟˋ ㄊㄢˊ) bilateral talks
雙面(ㄕㄨㄤ ㄇㄧㄢˋ)two-sided
雙方(ㄕㄨㄤ ㄈㄤ)both parties or sides
雙打(ㄕㄨㄤ ㄉㄚˇ)to play in doubles (as tennis); doubles
雙筒顯微鏡(ㄕㄨㄤ ㄊㄨㄥˇ ㄒㄧㄢˇ ㄨㄟ ㄐㄧㄥˋ)a binocular microscope
雙掛號(ㄕㄨㄤ ㄍㄨㄚˋ ㄏㄠˋ)registered mail with return receipt
雙關語(ㄕㄨㄤ ㄍㄨㄢ ㄩˇ)a double entendre; a pun
雙號(ㄕㄨㄤ ㄏㄠˋ)an even number
雙簧管(ㄕㄨㄤ ㄏㄨㄤˊ ㄍㄨㄢˇ) (music) an oboe
雙黃線(ㄕㄨㄤ ㄏㄨㄤˊ ㄒㄧㄢˋ)a double yellow line
雙親(ㄕㄨㄤ ㄑㄧㄣ)one's parents
雙喜臨門(ㄕㄨㄤ ㄒㄧˇ ㄌㄧㄣˊ ㄇㄣˊ)to have simultaneously two happy events in a family
雙向溝通(ㄕㄨㄤ ㄒㄧㄤˋ ㄍㄡ ㄊㄨㄥ) two-way communication
雙週刊(ㄕㄨㄤ ㄓㄡ ㄎㄢ)a fortnightly
雙重國籍(ㄕㄨㄤ ㄔㄨㄥˊ ㄍㄨㄛˊ ㄐㄧˊ) dual nationality
雙重人格(ㄕㄨㄤ ㄔㄨㄥˊ ㄖㄣˊ ㄍㄜˊ)a dual personality
雙數(ㄕㄨㄤ ㄕㄨˋ)an even number 亦作「偶數」
雙雙對對(ㄕㄨㄤ ㄕㄨㄤ ㄉㄨㄟˋ ㄉㄨㄟˋ)in pairs and couples
雙人房(ㄕㄨㄤ ㄖㄣˊ ㄈㄤˊ)a double room
雙人牀(ㄕㄨㄤ ㄖㄣˊ ㄔㄨㄤˊ)a double bed
雙子星(ㄕㄨㄤ ㄗˇ ㄒㄧㄥ) (astronomy) Gemini
雙層(ㄕㄨㄤ ㄘㄥˊ)double layers; double decks
雙層大客車(ㄕㄨㄤ ㄘㄥˊ ㄉㄚˋ ㄎㄜˋ ㄔㄜ)a double-decker
雙氧水(ㄕㄨㄤ ㄧㄤˇ ㄕㄨㄟˇ)hydrogen peroxide
雙月刊(ㄕㄨㄤ ㄩㄝˋ ㄎㄢ)a bimonthly

雛 6674 ㄔㄨˊ chú

1. a chick 2. a very young bird—a fledgling 3. a small kid or toddler

雛鳳(ㄔㄨˊ ㄈㄥˋ)bright and promising children
雛妓(ㄔㄨˊ ㄐㄧˋ)a very young prostitute
雛菊(ㄔㄨˊ ㄐㄩˊ)a daisy
雛形(ㄔㄨˊ ㄒㄧㄥˊ)a miniature form; a scaled-down model of anything

雜 6675 ㄗㄚˊ zá

1. to mix; to blend; mixed; blended 2. miscellaneous 3. motley; medley 4. petty and numerous

雜牌(ㄗㄚˊ ㄆㄞˊ)a less known and inferior brand
雜費(ㄗㄚˊ ㄈㄟˋ)miscellaneous expenses
雜談(ㄗㄚˊ ㄊㄢˊ)a chat; a rambling talk
雜糧(ㄗㄚˊ ㄌㄧㄤˊ)miscellaneous grain crops
雜亂無章(ㄗㄚˊ ㄌㄨㄢˋ ㄨˊ ㄓㄤ)motley; disorderly
雜感(ㄗㄚˊ ㄍㄢˇ)rambling observations; random thoughts
雜貨(ㄗㄚˊ ㄏㄨㄛˋ)groceries; sundry goods
雜貨店(ㄗㄚˊ ㄏㄨㄛˋ ㄉㄧㄢˋ)a grocery
雜燴(ㄗㄚˊ ㄏㄨㄟˋ)a dish of mixed food items
雜記(ㄗㄚˊ ㄐㄧˋ)a miscellany; miscellaneous notes; random notes; jottings
雜技(ㄗㄚˊ ㄐㄧˋ)a variety of juggling skills; a vaudeville; an acrobatic feat
雜項支出(ㄗㄚˊ ㄒㄧㄤˋ ㄓ ㄔㄨ)miscellaneous expenditure
雜質(ㄗㄚˊ ㄓˊ)impurities
雜誌(ㄗㄚˊ ㄓˋ)a magazine
雜耍(ㄗㄚˊ ㄕㄨㄚˇ)juggler's feats
雜稅(ㄗㄚˊ ㄕㄨㄟˋ)miscellaneous taxes
雜草(ㄗㄚˊ ㄘㄠˇ)weeds
雜色(ㄗㄚˊ ㄙㄜˋ)motley; parti-colored
雜碎(ㄗㄚˊ ·ㄙㄨㄟ)①complicated and trifling ②the internal organs of cattle or lambs as a dish
雜役(ㄗㄚˊ ㄧˋ)odd jobs; chores
雜音(ㄗㄚˊ ㄧㄣ)noises

巂 6676 ㄙㄨㄟˇ suǐ

name of an old town in today's Szechwan Province

雞 6677 (鷄) ㄐㄧ jī

a chicken; a hen; a cock; a fowl

雞皮疙瘩(ㄐㄧ ㄆㄧˊ ㄍㄜ ·ㄉㄚ)goose pimples; goose flesh
雞毛撢子(ㄐㄧ ㄇㄠˊ ㄉㄢˇ ·ㄗ)a chicken-feather duster
雞蛋(ㄐㄧ ㄉㄢˋ)a hen's egg
雞腿(ㄐㄧ ㄊㄨㄟˇ)drumsticks (chicken's legs)
雞籠(ㄐㄧ ㄌㄨㄥˊ)a basket for fowls
雞叫(ㄐㄧ ㄐㄧㄠˋ)(said of a cock) to crow; (said of a hen) to cackle
雞姦(ㄐㄧ ㄐㄧㄢ)sodomy; to bugger
雞犬相聞(ㄐㄧ ㄑㄩㄢˇ ㄒㄧㄤ ㄨㄣˊ)to live nearby or in the neighborhood
雞肉(ㄐㄧ ㄖㄡˋ)chicken (as food)
雞窩(ㄐㄧ ㄨㄛ)a chicken coop
雞尾酒(ㄐㄧ ㄨㄟˇ ㄐㄧㄡˇ)cocktail

雝 6678 ㄩㄥ yōng

harmonious; peaceful

十一畫

離 6679 ㄌㄧˊ lí

1. to leave; to separate; separation 2. to defy; to go against 3. distant from; apart from 4. to run into; to meet with 5. (said of light) bright

離不開(ㄌㄧˊ ·ㄅㄨ ㄎㄞ)①cannot do without; unable to separate from ②cannot get away—too busy
離譜(ㄌㄧˊ ㄆㄨˇ)too far away from what is normal or acceptable
離題(ㄌㄧˊ ㄊㄧˊ)to depart from the topic
離開(ㄌㄧˊ ㄎㄞ)to leave; to depart; to keep away from
離合器(ㄌㄧˊ ㄏㄜˊ ㄑㄧˋ)the clutch (of a motorcycle)
離恨(ㄌㄧˊ ㄏㄣˋ)parting grief
離婚(ㄌㄧˊ ㄏㄨㄣ)to divorce; a divorce
離間(ㄌㄧˊ ㄐㄧㄢˋ)to drive a wedge between; to sow discord
離奇(ㄌㄧˊ ㄑㄧˊ)odd; fantastic; strange
離去(ㄌㄧˊ ㄑㄩˋ)to leave; to go away
離席(ㄌㄧˊ ㄒㄧˊ)to leave or withdraw a dinner party
離心力(ㄌㄧˊ ㄒㄧㄣ ㄌㄧˋ)①centrifugal force ②factors which give rise to disloyalty
離鄉背井(ㄌㄧˊ ㄒㄧㄤ ㄅㄟˋ ㄐㄧㄥˇ)to travel to a distant land; to stay far away from home
離職(ㄌㄧˊ ㄓˊ)①to resign from one's office ②to retire from one's office

難 6680 1. ㄋㄢˊ nán

1. difficult; not easy; hard 2. unable; not in a position to 3. unpleasant

難保(ㄋㄢˊ ㄅㄠˇ)①difficult to judge; unable to guarantee ②difficult to hold; hard to guard or keep
難免(ㄋㄢˊ ㄇㄧㄢˇ)can hardly avoid; inescapable
難分難捨(ㄋㄢˊ ㄈㄣ ㄋㄢˊ ㄕㄜˇ)(said of a couple in love) very reluctant to separate

〔隹部〕

〔雨部〕

難道(ㄋㄢˊ ㄉㄠˋ)Is it possible...? 或 Do you really mean to say...?
難逃法網(ㄋㄢˊ ㄊㄠˊ ㄈㄚˇ ㄨㄤˇ)It's hard to escape the dragnet of law. 或 Crime does not pay.
難題(ㄋㄢˊ ㄊㄧˊ)a hard nut to crack; a tough problem
難聽(ㄋㄢˊ ㄊㄧㄥ)① unpleasant to hear ② offensive ③ scandalous
難過(ㄋㄢˊ ㄍㄨㄛˋ)①to feel sorry ② hard to endure
難怪(ㄋㄢˊ ㄍㄨㄞˋ)①cannot hold responsible for ②no wonder that
難關(ㄋㄢˊ ㄍㄨㄢ)an impasse; an obstacle difficult to overcome; a crisis
難堪(ㄋㄢˊ ㄎㄢ)①to embarrass; embarrassment ②intolerable
難纏(ㄋㄢˊ ㄔㄢˊ)hard to deal with
難處 ①(ㄋㄢˊ ㄔㄨˇ)hard to get along with ②(ㄋㄢˊ ·ㄔㄨ)difficult points; problems
難受(ㄋㄢˊ ㄕㄡˋ)① to feel sorry ② unbearable ③ to suffer pain
難說(ㄋㄢˊ ㄕㄨㄛ)① hard to say or predict ② difficult to speak out ③ not easy to express with words
難以相信(ㄋㄢˊ ㄧˇ ㄒㄧㄤ ㄒㄧㄣˋ)incredible
難以爲繼(ㄋㄢˊ ㄧˇ ㄨㄟˊ ㄐㄧˋ)difficult to continue
難言之隱(ㄋㄢˊ ㄧㄢˊ ㄓ ㄧㄣˇ)secrets or problems one doesn't want to reveal
難聞(ㄋㄢˊ ㄨㄣˊ)stinking; malodorous
難忘(ㄋㄢˊ ㄨㄤˋ)difficult to forget; unforgettable

難 6680
2. ㄋㄢˋ nàn
1. disaster; misfortune 2. to rebuke; to reprove 3. to discountenance
難民(ㄋㄢˋ ㄇㄧㄣˊ)refugees
難民收容所(ㄋㄢˋ ㄇㄧㄣˊ ㄕㄡ ㄖㄨㄥˊ ㄙㄨㄛˇ)a haven or shelter for refugees; a refugee camp or center

雨部
ㄩˇ yǔ

雨 6681
1. ㄩˇ yǔ
rain; rainy: 雨天 a rainy day
雨量(ㄩˇ ㄌㄧㄤˋ) (meteorology) the amount of rainfall; rainfall
雨量計(ㄩˇ ㄌㄧㄤˋ ㄐㄧˋ)a rain gauge
雨露(ㄩˇ ㄌㄨˋ)favors and kindness
雨後春筍(ㄩˇ ㄏㄡˋ ㄔㄨㄣ ㄙㄨㄣˇ)to mushroom like bamboo shoots after rain
雨季(ㄩˇ ㄐㄧˋ)the rainy season; the monsoon
雨具(ㄩˇ ㄐㄩˋ)things for wet weather
雨鞋(ㄩˇ ㄒㄧㄝˊ)rainshoes; galoshes
雨傘(ㄩˇ ㄙㄢˇ)an umbrella
雨衣(ㄩˇ ㄧ)a raincoat

雨 6681
2. ㄩˋ yù
to rain down; to pour down

三畫

雩 6682
1. ㄩˊ yú
to pray for rain; the sacrifice for the rain god

雩 6682
2. ㄩˋ yù
the rainbow

雪 6683
1. ㄒㄩㄝˇ xuě
1. snow 2. to clean; to wash or wipe away
雪崩(ㄒㄩㄝˇ ㄅㄥ)a snowslide
雪片(ㄒㄩㄝˇ ㄆㄧㄢˋ)snowflakes
雪地冰天(ㄒㄩㄝˇ ㄉㄧˋ ㄅㄧㄥ ㄊㄧㄢ)a land of snow and ice
雪花(ㄒㄩㄝˇ ㄏㄨㄚ)snowflakes
雪茄(ㄒㄩㄝˇ ㄐㄧㄚ)cigars
雪景(ㄒㄩㄝˇ ㄐㄧㄥˇ)a landscape of snow
雪橇(ㄒㄩㄝˇ ㄑㄧㄠ)a sled; a toboggan
雪球(ㄒㄩㄝˇ ㄑㄧㄡˊ)a snowball
雪車(ㄒㄩㄝˇ ㄔㄜ)a sledge; a sled; a sleigh
雪鋤(ㄒㄩㄝˇ ㄔㄨˊ)a snowplow
雪上加霜(ㄒㄩㄝˇ ㄕㄤˋ ㄐㄧㄚ ㄕㄨㄤ)disasters coming one after another in succession

雪 6683
2. ㄒㄩㄝˋ xuè
(又讀 ㄒㄩㄝˇ xuě)
1. snow-white; snowy 2. to avenge; to wipe out grievances
雪白(ㄒㄩㄝˋ ㄅㄞˊ)snow-white; snowy
雪亮(ㄒㄩㄝˋ ㄌㄧㄤˋ)bright as snow; shiny
雪恥(ㄒㄩㄝˋ ㄔˇ)to wipe out a shame; to avenge an insult or humiliation
雪冤(ㄒㄩㄝˋ ㄩㄢ)to wipe out grievances; to vindicate oneself

四畫

雯 6684
ㄨㄣˊ wén
the coloring on the clouds

雰 6685
ㄈㄣ fēn
mist; fog

雱 6686
ㄆㄤ pāng
snowing heavily

雲 6687
ㄩㄣˊ yún
1. clouds 2. a cloud of; a large num-

ber of 3. short for Yunnan Province
雲鬢(ㄩㄣˊ ㄅㄧㄣˋ)the hairdo of a beautiful woman—like floating clouds
雲母(ㄩㄣˊ ㄇㄨˇ) mica
雲梯(ㄩㄣˊ ㄊㄧ)a scaling ladder
雲霓(ㄩㄣˊ ㄋㄧˊ)clouds and rainbows —which give promise of rain in a drought
雲海(ㄩㄣˊ ㄏㄞˇ)a sea of clouds
雲漢(ㄩㄣˊ ㄏㄢˋ)the Milky Way
雲集(ㄩㄣˊ ㄐㄧˊ)to congregate; to gather
雲雀(ㄩㄣˊ ㄑㄩㄝˋ)a skylark
雲霞(ㄩㄣˊ ㄒㄧㄚˊ)rosy clouds
雲霄(ㄩㄣˊ ㄒㄧㄠ)the sky—very high
雲霄飛車(ㄩㄣˊ ㄒㄧㄠ ㄈㄟ ㄔㄜ)a roller coaster
雲彩(ㄩㄣˊ ˙ㄘㄞ)clouds illuminated by the rising or setting sun
雲層(ㄩㄣˊ ㄘㄥˊ)layers of clouds
雲遊(ㄩㄣˊ ㄧㄡˊ)to wander about
雲煙(ㄩㄣˊ ㄧㄢ)clouds and smog

五畫

零 6688 ㄌㄧㄥˊ líng

1. zero 2. a fraction; fractional 3. to flow down 4. a light rain; drizzle
零賣(ㄌㄧㄥˊ ㄇㄞˋ)① retail sales ② to sell by the piece or in small quantities
零分(ㄌㄧㄥˊ ㄈㄣ)①(grading examination papers) zero; no marks ②(sports) scoreless
零丁孤苦(ㄌㄧㄥˊ ㄉㄧㄥ ㄍㄨ ㄎㄨˇ)solitary; lonely
零度(ㄌㄧㄥˊ ㄉㄨˋ)zero; nought degrees
零頭(ㄌㄧㄥˊ ㄊㄡˊ)oddments
零亂(ㄌㄧㄥˊ ㄌㄨㄢˋ)disorderly; in confusion
零件(ㄌㄧㄥˊ ㄐㄧㄢˋ)spare parts
零錢(ㄌㄧㄥˊ ㄑㄧㄢˊ)small change; petty cash
零星(ㄌㄧㄥˊ ㄒㄧㄥ)①fragmented ②scattered
零食(ㄌㄧㄥˊ ㄕˊ)or零嘴(ㄌㄧㄥˊ ㄗㄨㄟˇ) snacks; refreshments
零時(ㄌㄧㄥˊ ㄕˊ)zero hour
零售(ㄌㄧㄥˊ ㄕㄡˋ)retail sales
零售店(ㄌㄧㄥˊ ㄕㄡˋ ㄉㄧㄢˋ)a retail shop
零售商(ㄌㄧㄥˊ ㄕㄡˋ ㄕㄤ)a retailer
零碎(ㄌㄧㄥˊ ㄙㄨㄟˋ)fragments; fragmentary
零用錢(ㄌㄧㄥˊ ㄩㄥˋ ㄑㄧㄢˊ)pocket money

雷 6689 ㄌㄟˊ léi

1. thunder 2. a mine (an explosive)
雷鳴(ㄌㄟˊ ㄇㄧㄥˊ)①roars of thunder ② very loud sounds; thunderous
雷達(ㄌㄟˊ ㄉㄚˊ)a radar
雷動(ㄌㄟˊ ㄉㄨㄥˋ)(said of cheers, applause, etc.) thunderous
雷霆萬鈞(ㄌㄟˊ ㄊㄧㄥˊ ㄨㄢˋ ㄐㄩㄣ)overwhelming or overpowering; extremely powerful
雷同(ㄌㄟˊ ㄊㄨㄥˊ)similar; identical
雷厲風行(ㄌㄟˊ ㄌㄧˋ ㄈㄥ ㄒㄧㄥˊ)to take drastic measures
雷管(ㄌㄟˊ ㄍㄨㄢˇ)a percussion cap
雷公(ㄌㄟˊ ㄍㄨㄥ)the thunder god
雷擊(ㄌㄟˊ ㄐㄧˊ)to be electrocuted by lightning accidentally
雷陣雨(ㄌㄟˊ ㄓㄣˋ ㄩˇ)a thundershower
雷射(ㄌㄟˊ ㄕㄜˋ)a laser
雷射唱片(ㄌㄟˊ ㄕㄜˋ ㄔㄤˋ ㄆㄧㄢˋ)a compact disc (CD)
雷射影碟(ㄌㄟˊ ㄕㄜˋ ㄧㄥˇ ㄉㄧㄝˊ)a laser disk
雷聲(ㄌㄟˊ ㄕㄥ)a thunderclap; thunder
雷雨(ㄌㄟˊ ㄩˇ)a thunderstorm

電 6690 ㄉㄧㄢˋ diàn

1. electricity; power 2. short for cable or telegram
電波(ㄉㄧㄢˋ ㄅㄛ)electric waves
電報(ㄉㄧㄢˋ ㄅㄠˋ)a cable; a telegram
電報費(ㄉㄧㄢˋ ㄅㄠˋ ㄈㄟˋ)cable charge
電報局(ㄉㄧㄢˋ ㄅㄠˋ ㄐㄩˊ)a telegraph office
電表(ㄉㄧㄢˋ ㄅㄧㄠˇ)①any meter for measuring electricity, such as an ammeter or a voltmeter ②a kilowatt-hour meter
電冰箱(ㄉㄧㄢˋ ㄅㄧㄥ ㄒㄧㄤ)a refrigerator
電瓶(ㄉㄧㄢˋ ㄆㄧㄥˊ)a storage battery
電費(ㄉㄧㄢˋ ㄈㄟˋ)a power rate; a power bill
電燈(ㄉㄧㄢˋ ㄉㄥ)electric lights or lamps
電燈泡(ㄉㄧㄢˋ ㄉㄥ ㄆㄠˋ)①an electric bulb ②(colloquial) an unwanted third party who accompanies a courting pair
電鍍(ㄉㄧㄢˋ ㄉㄨˋ)to electroplate
電動(ㄉㄧㄢˋ ㄉㄨㄥˋ)powered by electricity
電動車(ㄉㄧㄢˋ ㄉㄨㄥˋ ㄔㄜ)an electric motor car
電動玩具(ㄉㄧㄢˋ ㄉㄨㄥˋ ㄨㄢˊ ㄐㄩˋ)① a battery-powered toy ② a video game; a computer game
電臺(ㄉㄧㄢˋ ㄊㄞˊ)a radio station
電毯(ㄉㄧㄢˋ ㄊㄢˇ)an electric blanket
電梯(ㄉㄧㄢˋ ㄊㄧ)an elevator
電筒(ㄉㄧㄢˋ ㄊㄨㄥˇ)a flashlight
電腦(ㄉㄧㄢˋ ㄋㄠˇ)a computer
電腦病毒(ㄉㄧㄢˋ ㄋㄠˇ ㄅㄧㄥˋ ㄉㄨˊ) computer virus
電腦程式(ㄉㄧㄢˋ ㄋㄠˇ ㄔㄥˊ ㄕˋ)a com-

〔雨部〕

puter program

電腦擇偶(ㄉㄧㄢˋ ㄋㄠˇ ㄗㄜˊ ㄡˇ)computer dating

電腦擇偶社(ㄉㄧㄢˋ ㄋㄠˇ ㄗㄜˊ ㄡˇ ㄕㄜˋ)a computer dating agency

電纜(ㄉㄧㄢˋ ㄌㄢˇ)a cable

電力(ㄉㄧㄢˋ ㄌㄧˋ)electric power

電力公司(ㄉㄧㄢˋ ㄌㄧˋ ㄍㄨㄥ ㄙ)a power company

電流(ㄉㄧㄢˋ ㄌㄧㄡˊ)an electric current

電聯車(ㄉㄧㄢˋ ㄌㄧㄢˊ ㄔㄜ)an electric multiple unit railcar

電鈴(ㄉㄧㄢˋ ㄌㄧㄥˊ)an electric bell; a buzzer

電爐(ㄉㄧㄢˋ ㄌㄨˊ)an electric stove; a hot plate

電路(ㄉㄧㄢˋ ㄌㄨˋ)an electric circuit

電鍋(ㄉㄧㄢˋ ㄍㄨㄛ)an electric rice cooker

電工(ㄉㄧㄢˋ ㄍㄨㄥ)an electrician

電烤箱(ㄉㄧㄢˋ ㄎㄠˇ ㄒㄧㄤ)an electric oven

電銲(ㄉㄧㄢˋ ㄏㄢˋ)electric welding

電話(ㄉㄧㄢˋ ㄏㄨㄚˋ)telephone; phone

電話簿(ㄉㄧㄢˋ ㄏㄨㄚˋ ㄅㄨˋ)a telephone directory

電話分機(ㄉㄧㄢˋ ㄏㄨㄚˋ ㄈㄣ ㄐㄧ)a telephone extension

電話答錄機(ㄉㄧㄢˋ ㄏㄨㄚˋ ㄉㄚˊ ㄌㄨˋ ㄐㄧ)an answerphone

電話亭(ㄉㄧㄢˋ ㄏㄨㄚˋ ㄊㄧㄥˊ)a telephone booth

電話號碼(ㄉㄧㄢˋ ㄏㄨㄚˋ ㄏㄠˋ ㄇㄚˇ)a telephone number

電話接線生(ㄉㄧㄢˋ ㄏㄨㄚˋ ㄐㄧㄝ ㄒㄧㄢˋ ㄕㄥ)a telephone operator

電滙(ㄉㄧㄢˋ ㄏㄨㄟˋ)T/T (telegraphic transfer); wire(money)

電機工程(ㄉㄧㄢˋ ㄐㄧ ㄍㄨㄥ ㄔㄥˊ)electrical engineering

電擊(ㄉㄧㄢˋ ㄐㄧˊ)an electric shock

電解(ㄉㄧㄢˋ ㄐㄧㄝˇ)electrolysis

電解質(ㄉㄧㄢˋ ㄐㄧㄝˇ ㄓˋ)(an) electrolyte

電晶體(ㄉㄧㄢˋ ㄐㄧㄥ ㄊㄧˇ)a transistor

電氣化(ㄉㄧㄢˋ ㄑㄧˋ ㄏㄨㄚˋ)electrification; to electrify

電氣用品(ㄉㄧㄢˋ ㄑㄧˋ ㄩㄥˋ ㄆㄧㄣˇ) or 電器(ㄉㄧㄢˋ ㄑㄧˋ)electric appliances

電線(ㄉㄧㄢˋ ㄒㄧㄢˋ)electric wires

電線走火(ㄉㄧㄢˋ ㄒㄧㄢˋ ㄗㄡˇ ㄏㄨㄛˇ)a short circuit

電訊(ㄉㄧㄢˋ ㄒㄩㄣˋ)telecommunications

電池(ㄉㄧㄢˋ ㄔˊ)an electric battery

電插頭(ㄉㄧㄢˋ ㄔㄚ ㄊㄡˊ)a wire plug

電插座(ㄉㄧㄢˋ ㄔㄚ ㄗㄨㄛˋ)a wire socket

電車(ㄉㄧㄢˋ ㄔㄜ)a tramcar; a streetcar; a trolley car

電廠(ㄉㄧㄢˋ ㄔㄤˇ)a power plant

電視(ㄉㄧㄢˋ ㄕˋ)television; TV

電視頻道(ㄉㄧㄢˋ ㄕˋ ㄆㄧㄣˊ ㄉㄠˋ)television channels

電視臺(ㄉㄧㄢˋ ㄕˋ ㄊㄞˊ)a television station

電視錄影(ㄉㄧㄢˋ ㄕˋ ㄌㄨˋ ㄧㄥˇ)video recording

電視機(ㄉㄧㄢˋ ㄕˋ ㄐㄧ)a TV set

電視節目(ㄉㄧㄢˋ ㄕˋ ㄐㄧㄝˊ ㄇㄨˋ)a TV program

電視劇(ㄉㄧㄢˋ ㄕˋ ㄐㄩˋ)a teleplay

電視轉播(ㄉㄧㄢˋ ㄕˋ ㄓㄨㄢˇ ㄅㄛ)a television relay

電視採訪(ㄉㄧㄢˋ ㄕˋ ㄘㄞˇ ㄈㄤˇ)a televised interview

電視遊樂器(ㄉㄧㄢˋ ㄕˋ ㄧㄡˊ ㄌㄜˋ ㄑㄧˋ)a video game

電視影片(ㄉㄧㄢˋ ㄕˋ ㄧㄥˇ ㄆㄧㄢˋ)a telefilm

電扇(ㄉㄧㄢˋ ㄕㄢˋ)an electric fan

電熱器(ㄉㄧㄢˋ ㄖㄜˋ ㄑㄧˋ)an electric heater or radiator

電熱水器(ㄉㄧㄢˋ ㄖㄜˋ ㄕㄨㄟˇ ㄑㄧˋ)an electric water heater

電子(ㄉㄧㄢˋ ㄗˇ)an electron

電子零件(ㄉㄧㄢˋ ㄗˇ ㄌㄧㄥˊ ㄐㄧㄢˋ)electronic parts

電子工業(ㄉㄧㄢˋ ㄗˇ ㄍㄨㄥ ㄧㄝˋ)the electronic industry

電子計算機(ㄉㄧㄢˋ ㄗˇ ㄐㄧˋ ㄙㄨㄢˋ ㄐㄧ)an electronic computer

電子郵件(ㄉㄧㄢˋ ㄗˇ ㄧㄡˊ ㄐㄧㄢˋ)e-mail; electronic mail

電鑽(ㄉㄧㄢˋ ㄗㄨㄢˋ)an electric drill

電磁爐(ㄉㄧㄢˋ ㄘˊ ㄌㄨˊ)an induction cooker

電壓(ㄉㄧㄢˋ ㄧㄚ)voltage

電壓計(ㄉㄧㄢˋ ㄧㄚ ㄐㄧˋ)a voltmeter

電影(ㄉㄧㄢˋ ㄧㄥˇ)movies; motion pictures

電影明星(ㄉㄧㄢˋ ㄧㄥˇ ㄇㄧㄥˊ ㄒㄧㄥ)a movie star

電影製片廠(ㄉㄧㄢˋ ㄧㄥˇ ㄓˋ ㄆㄧㄢˋ ㄔㄤˇ)a movie studio

電影院(ㄉㄧㄢˋ ㄧㄥˇ ㄩㄢˋ)a movie theater; a cinema

電源(ㄉㄧㄢˋ ㄩㄢˊ)the source of electricity

電熨斗(ㄉㄧㄢˋ ㄩㄣˋ ㄉㄡˇ)an electric iron

雹 6691
ㄅㄠˊ báo (讀音 ㄅㄛˊ bó)

hail; a hailstone

六畫

需 6692
ㄒㄩ xū

1. to need; to require 2. provisions; needs; necessaries

需要(ㄒㄩ ㄧㄠˋ)to need or require; needs or requirements

七畫

震 6693 ㄓㄣˋ zhèn
1. to shake; to tremble 2. to excite; to shock 3. terrified
震動(ㄓㄣˋ ㄉㄨㄥˋ)①to vibrate ②to be shocked
震怒(ㄓㄣˋ ㄋㄨˋ)greatly infuriated; wrath; rage
震撼(ㄓㄣˋ ㄏㄢˋ)to shake; shaken
震驚(ㄓㄣˋ ㄐㄧㄥ)greatly surprised
震耳欲聾(ㄓㄣˋ ㄦˇ ㄩˋ ㄌㄨㄥˊ)deafening
震央(ㄓㄣˋ ㄧㄤ)an epicenter; a focus

霄 6694 ㄒㄧㄠ xiāo
1. the sky 2. night 3. to exhaust; to dissolve 4. clouds or mist
霄壤之分(ㄒㄧㄠ ㄖㄤˇ ㄓ ㄈㄣ)as far apart as heaven and earth

霆 6695 ㄊㄧㄥˊ tíng
a sudden peal of thunder; a thunderbolt

霈 6696 ㄆㄟˋ pèi
1. rains; torrential rains 2. favors; good graces
霈然(ㄆㄟˋ ㄖㄢˊ)copious; plentiful

霉 6697 ㄇㄟˊ méi
musty; moldy; mold; mildewed; mildew
霉菌(ㄇㄟˊ ㄐㄩㄣˋ)mold; mildew

八畫

霍 6698 ㄏㄨㄛˋ huò
very rapidly; in a flash; suddenly
霍亂(ㄏㄨㄛˋ ㄌㄨㄢˋ)cholera

霎 6699 ㄕㄚˋ shà
1. an instant; a very short time 2. a slight rain; drizzle
霎眼(ㄕㄚˋ ㄧㄢˇ)to wink

霏 6700 ㄈㄟ fēi
the falling of snow and rain

霑 6701 ㄓㄢ zhān
1. soaked; to become wet or damp; to moisten 2. to receive (benefits, etc.)

霓 6702 ㄋㄧˊ ní
a rainbow; a colored cloud: 霓虹燈 the neon light

霖 6703 ㄌㄧㄣˊ lín
a copious rain falling continuously; a continuous heavy rain

九畫

霜 6704 ㄕㄨㄤ shuāng
1. frost; hoarfrost 2. white and powdery—like hoarfrost 3. coolness; grave 4. virtuous; pure and clean
霜害(ㄕㄨㄤ ㄏㄞˋ)damage to farm crops caused by frost; frostbite
霜淇淋(ㄕㄨㄤ ㄑㄧˊ ㄌㄧㄣˊ)soft ice cream

霞 6705 ㄒㄧㄚˊ xiá
colored, low-hanging clouds; rosy clouds

霝 6706 ㄌㄧㄥˊ líng
1. to rain; rainfall 2. to fall

十一畫

霧 6707 ㄨˋ wù
fog; mist; vapor
霧散(ㄨˋ ㄙㄢˋ)to disperse like mist or fog

霪 6708 ㄧㄣˊ yín
to rain for a long time: 霪雨 an incessant rain

十二畫

霰 6709 ㄒㄧㄢˋ xiàn
sleet; snow and rain

霤 6710 (霤) ㄌㄧㄡˋ liù
1. the dripping of water (rain, etc.) from the eaves 2. eaves

露 6711 1. ㄌㄨˋ lù
1. dew 2. uncovered; exposed; to show 3. a cold, soothing and aromatic drink
露體(ㄌㄨˋ ㄊㄧˇ)naked; in the nude
露天(ㄌㄨˋ ㄊㄧㄢ)open air; outdoor
露骨(ㄌㄨˋ ㄍㄨˇ)without reserve or tact
露珠(ㄌㄨˋ ㄓㄨ)dewdrops
露宿(ㄌㄨˋ ㄙㄨˋ)to stay overnight in an open field
露營(ㄌㄨˋ ㄧㄥˊ)①to camp ②an open-air camping

露 6711 2. ㄌㄡˋ lòu
to appear; to emerge; to show
露面(ㄌㄡˋ ㄇㄧㄢˋ)to show up; to appear in public; to show one's face
露臉(ㄌㄡˋ ㄌㄧㄢˇ)①successful ② to appear
露出破綻(ㄌㄡˋ ㄔㄨ ㄆㄛˋ ㄓㄢˋ)to show one's slip; to belie

十三畫

霹 6712 ㄆㄧ pī
thunders; a sudden peal of thunder
霹靂(ㄆㄧ ㄌㄧˋ)a thunderbolt
霹靂舞(ㄆㄧ ㄌㄧˋ ㄨˇ)break dance

〔雨部〕

〔青部〕

霸 6713
(覇) ㄅㄚˋ bà
1.to dominate 2.a feudal lord; an oppressor 3. outstanding
霸道(ㄅㄚˋ ㄉㄠˋ)to bully around; overbearing
霸氣(ㄅㄚˋ ㄑㄧˋ)aggressiveness
霸權(ㄅㄚˋ ㄑㄩㄢˊ)the authority of a powerful feudal prince; hegemony
霸佔(ㄅㄚˋ ㄓㄢˋ)to occupy or take by force
霸業(ㄅㄚˋ ㄧㄝˋ)the achievement, career, etc. of a powerful head of feudal lords
霸王(ㄅㄚˋ ㄨㄤˊ)the leader of feudal lords

霶 6714
(滂) ㄆㄤ pāng
to rain cats and dogs

十四畫

霽 6715
ㄐㄧˋ jì
1. to stop raining; to clear up after rain or snow 2. to stop being angry
霽月(ㄐㄧˋ ㄩㄝˋ)a clear moon after rain

霾 6716
ㄇㄞˊ mái
1. cloudy; mist or foggy 2. a dust storm

十六畫

靂 6717
ㄌㄧˋ lì
as in 霹靂—a sudden peal of thunder

靄 6718
ㄞˇ ǎi
1. mild; amiable; peaceful; kind; amicable; friendly 2. cloudy; haze; mist
靄靄(ㄞˇ ㄞˇ)①luxuriant growth ②numerous ③cloudy—thick and dusky

靆 6719
ㄉㄞˋ dài
as in 靉靆, 参看「靉」

靈 6720
ㄌㄧㄥˊ líng
1. the spirit; the soul 2. a fairy 3. anything pertaining to the deceased 4. wonderful; a wonder 5. mysterious; supernatural 6. clever; with quick reflexes 7. good; excellent 8. witchcraft
靈牌(ㄌㄧㄥˊ ㄆㄞˊ)a spirit tablet
靈媒(ㄌㄧㄥˊ ㄇㄟˊ)spirit mediumship
靈敏(ㄌㄧㄥˊ ㄇㄧㄣˇ)adroitness; dexterity
靈丹妙藥(ㄌㄧㄥˊ ㄉㄢ ㄇㄧㄠˋ ㄧㄠˋ)a wonder drug
靈感(ㄌㄧㄥˊ ㄍㄢˇ)①inspiration ②the faculty of telepathy
靈骨塔(ㄌㄧㄥˊ ㄍㄨˇ ㄊㄚˇ)a pagoda-shaped ossuary
靈活(ㄌㄧㄥˊ ㄏㄨㄛˊ) quick-witted; quick-minded
靈魂(ㄌㄧㄥˊ ㄏㄨㄣˊ)the soul; the spirit
靈性(ㄌㄧㄥˊ ㄒㄧㄥˋ)intelligence
靈芝(ㄌㄧㄥˊ ㄓ)*Ganoderma lucidum*
靈車(ㄌㄧㄥˊ ㄔㄜ)a hearse
靈異(ㄌㄧㄥˊ ㄧˋ)strange; mysterious
靈藥(ㄌㄧㄥˊ ㄧㄠˋ)wonderful drugs

十七畫

靉 6721
ㄞˋ ài
靉靆(ㄞˋ ㄉㄞˋ)① cloudy ② glasses or spectacles ③ unclear; obscure

青部
ㄑㄧㄥ qīng

青 6722
ㄑㄧㄥ qīng
1. green; blue; black 2. green grass 3. not ripe 4. young; youth; youthful 5. the skin of bamboo
青梅竹馬(ㄑㄧㄥ ㄇㄟˊ ㄓㄨˊ ㄇㄚˇ)the innocent affection between a boy and a girl in their childhood
青天白日(ㄑㄧㄥ ㄊㄧㄢ ㄅㄞˊ ㄖˋ)blue sky and white sun—a fine day
青銅時代(ㄑㄧㄥ ㄊㄨㄥˊ ㄕˊ ㄉㄞˋ)the Bronze Age
青年(ㄑㄧㄥ ㄋㄧㄢˊ)youths; young people
青睞(ㄑㄧㄥ ㄌㄞˋ)a look of joy; favor
青果(ㄑㄧㄥ ㄍㄨㄛˇ)① fresh fruits ② an olive
青光眼(ㄑㄧㄥ ㄍㄨㄤ ㄧㄢˇ)glaucoma
青黃不接(ㄑㄧㄥ ㄏㄨㄤˊ ㄅㄨˋ ㄐㄧㄝ) temporary shortage
青椒(ㄑㄧㄥ ㄐㄧㄠ)green cayenne pepper
青出於藍(ㄑㄧㄥ ㄔㄨ ㄩˊ ㄌㄢˊ)to surpass one's master or teacher in learning
青春(ㄑㄧㄥ ㄔㄨㄣ)①one's youth; young adulthood ②age (in asking a youth)
青春痘(ㄑㄧㄥ ㄔㄨㄣ ㄉㄡˋ)acne
青春期(ㄑㄧㄥ ㄔㄨㄣ ㄑㄧˊ)adolescence
青史(ㄑㄧㄥ ㄕˇ)history
青少年(ㄑㄧㄥ ㄕㄠˋ ㄋㄧㄢˊ)teenagers; youngsters
青菜(ㄑㄧㄥ ㄘㄞˋ)vegetables
青草(ㄑㄧㄥ ㄘㄠˇ)green grass
青蛙(ㄑㄧㄥ ㄨㄚ)a frog
青玉(ㄑㄧㄥ ㄩˋ)a sapphire
青雲直上(ㄑㄧㄥ ㄩㄣˊ ㄓˊ ㄕㄤˋ)to soar higher and higher in one's career

五畫

靖 6723 ㄐㄧㄥˋ jìng
1. peaceful; still 2. to pacify; to quell (an uprising, etc.); to tranquilize 3. to order 4. to praise in public
靖亂(ㄐㄧㄥˋ ㄌㄨㄢˋ)to quell uprisings

七畫

靚 6724 ㄐㄧㄥˋ jìng
1.to ornament 2.still; quiet; tranquil

八畫

靜 6725 ㄐㄧㄥˋ jìng
1. still; motionless; quiet(ly); calm; tranquility; silent 2. peaceful; harmonious; serene 3. virtuous; chaste
靜默(ㄐㄧㄥˋ ㄇㄛˋ)①silence; to become silent ②to mourn in silence
靜脈(ㄐㄧㄥˋ ㄇㄞˋ)veins
靜電(ㄐㄧㄥˋ ㄉㄧㄢˋ)static electricity
靜態(ㄐㄧㄥˋ ㄊㄞˋ)a motionless state
靜觀(ㄐㄧㄥˋ ㄍㄨㄢ)to observe quietly
靜心(ㄐㄧㄥˋ ㄒㄧㄣ)to calm one's mind
靜養(ㄐㄧㄥˋ ㄧㄤˇ)to rest without disturbance; to recuperate in quiet surroundings

靛 6726 ㄉㄧㄢˋ diàn
indigo; any blue dyes; indigo color
靛藍(ㄉㄧㄢˋ ㄌㄢˊ)indigo blue

十畫

靝 6727 ㄊㄧㄢ tiān
(Taoism) the heaven

非部 ㄈㄟ fēi

非 6728 ㄈㄟ fēi
1. negative; not 2. faults; mistakes; wrong 3.to object; to refute; to blame 4. short for Africa
非賣品(ㄈㄟ ㄇㄞˋ ㄆㄧㄣˇ)items not for sale
非法(ㄈㄟ ㄈㄚˇ)illegal; unlawful; illicit
非非之想(ㄈㄟ ㄈㄟ ㄓ ㄒㄧㄤˇ)wishful thinking
非凡(ㄈㄟ ㄈㄢˊ)extraordinary
非分(ㄈㄟ ㄈㄣˋ)undeserved
非同小可(ㄈㄟ ㄊㄨㄥˊ ㄒㄧㄠˇ ㄎㄜˇ)tremendously important; very serious
非難(ㄈㄟ ㄋㄢˋ)to blame; to dispute
非禮(ㄈㄟ ㄌㄧˇ)①improper ②to assault a woman sexually
非金屬(ㄈㄟ ㄐㄧㄣ ㄕㄨˇ)nonmetals
非洲(ㄈㄟ ㄓㄡ)Africa
非正式(ㄈㄟ ㄓㄥˋ ㄕˋ)informal; unofficial
非常(ㄈㄟ ㄔㄤˊ)very; highly
非常時期(ㄈㄟ ㄔㄤˊ ㄕˊ ㄑㄧˊ)time of emergency
非常上訴(ㄈㄟ ㄔㄤˊ ㄕㄤˋ ㄙㄨˋ)an extraordinary appeal
非此不可(ㄈㄟ ㄘˇ ㄅㄨˋ ㄎㄜˇ)Nothing else will do.
非議(ㄈㄟ ㄧˋ)to censure; to dispute

七畫

靠 6729 ㄎㄠˋ kào
1.to rely on 2.to lean on 3.near to; bordering on
靠背椅(ㄎㄠˋ ㄅㄟˋ ㄧˇ)a chair with a high back
靠邊(ㄎㄠˋ ㄅㄧㄢ)to keep to the right or left side (of the road)
靠不住(ㄎㄠˋ ·ㄅㄨ ㄓㄨˋ)not dependable
靠得住(ㄎㄠˋ ·ㄉㄜ ㄓㄨˋ)dependable
靠近(ㄎㄠˋ ㄐㄧㄣˋ)①near to; in the neighborhood ②to approach; to draw nearer
靠山(ㄎㄠˋ ㄕㄢ)a person from whom one draws his influence; a supporter in high position; someone to lean on

十一畫

靡 6730 1. ㄇㄧˇ mǐ
1. to disperse; blown away by the wind 2.to lean with pressure 3.not; no; negative 4.tiny; petty; small 5. wonderful
靡靡之音(ㄇㄧˇ ㄇㄧˇ ㄓ ㄧㄣ)lewd music or songs

靡 6730 2. ㄇㄧˊ mí
1. to waste; extravagant 2. to rot
靡費(ㄇㄧˊ ㄈㄟˋ)to waste; extravagant; wasteful

面部 ㄇㄧㄢ mian

面 6731 ㄇㄧㄢˋ miàn
1. the face of a person 2. the surface; the face 3. a side; a direction; an aspect 4. extent; range 5. to face or confront; to look 6. face-to-face; personally; directly 7. (mathematics) a plane 8. to indicate something flat
面部(ㄇㄧㄢˋ ㄅㄨˋ)the face; facial
面皰(ㄇㄧㄢˋ ㄆㄠˋ)pimples; acne; com-

〔革部〕

edos
面盆(ㄇㄧㄢˋ ㄆㄣˊ)a wash basin
面皮薄(ㄇㄧㄢˋ ㄆㄧˊ ㄅㄠˊ)sensitive
面皮厚(ㄇㄧㄢˋ ㄆㄧˊ ㄏㄡˋ)shameless; brazen
面貌(ㄇㄧㄢˋ ㄇㄠˋ)appearance; face; looks
面面俱到(ㄇㄧㄢˋ ㄇㄧㄢˋ ㄐㄩˋ ㄉㄠˋ)well considered in every respect
面面相覷(ㄇㄧㄢˋ ㄇㄧㄢˋ ㄒㄧㄤ ㄑㄩˋ)to look at each other in fear, not knowing what to do
面目全非(ㄇㄧㄢˋ ㄇㄨˋ ㄑㄩㄢˊ ㄈㄟ) Everything's changed beyond recognition.
面黃肌瘦(ㄇㄧㄢˋ ㄏㄨㄤˊ ㄐㄧ ㄕㄡˋ)thin and sickly in appearance; an emaciated look
面紅耳赤(ㄇㄧㄢˋ ㄏㄨㄥˊ ㄦˇ ㄔˋ)to blush; to flush
面積(ㄇㄧㄢˋ ㄐㄧ)area
面交(ㄇㄧㄢˋ ㄐㄧㄠ)① to deliver (something) to the recipient in person ② an acquaintance
面巾(ㄇㄧㄢˋ ㄐㄧㄣ)a face towel
面具(ㄇㄧㄢˋ ㄐㄩˋ)a mask
面前(ㄇㄧㄢˋ ㄑㄧㄢˊ)before; in front of; in the presence of
面相學(ㄇㄧㄢˋ ㄒㄧㄤˋ ㄒㄩㄝˊ)physiognomy
面紙(ㄇㄧㄢˋ ㄓˇ)face tissues
面陳(ㄇㄧㄢˋ ㄔㄣˊ)to report in person
面試(ㄇㄧㄢˋ ㄕˋ)an oral quiz; an interview
面商(ㄇㄧㄢˋ ㄕㄤ)to meet in person and talk it over; to consult personally
面子(ㄇㄧㄢˋ ·ㄗ)① honor; one's face (in the figurative sense) ② the outside or facing of a garment
面色(ㄇㄧㄢˋ ㄙㄜˋ)①one's facial complexion ② facial expression
面額(ㄇㄧㄢˋ ㄜˊ) (economics) denominations
面議(ㄇㄧㄢˋ ㄧˋ)face-to-face negotiations
面謁(ㄇㄧㄢˋ ㄧㄝˋ)to call on a superior or an elder
面有難色(ㄇㄧㄢˋ ㄧㄡˇ ㄋㄢˊ ㄙㄜˋ)to look reluctant

七畫

靦 6732
1. ㄊㄧㄢˇ tiǎn
ashamed and embarrassed
靦顏(ㄊㄧㄢˇ ㄧㄢˊ)shameless

靦 6732
2. ㄇㄧㄢˇ miǎn
shy; timid
靦覥(ㄇㄧㄢˇ ㄊㄧㄢˇ)shy; timid; bashful
亦作「腼腆」

十二畫

靧 6733
ㄏㄨㄟˋ huì
to wash one's face

十四畫

靨 6734
ㄧㄝˋ yè
dimples in the face

革部
ㄍㄜˊ ge

革 6735
1. ㄍㄜˊ gé
1. hides stripped of hair; skin; leather 2. to get rid of; to eliminate 3. to change; to reform; to renovate 4. (now rarely) human skin 5. Chinese percussion musical instruments 6. armor 7. soldiers 8. one of the Eight Diagrams
革命(ㄍㄜˊ ㄇㄧㄥˋ)a revolution
革新(ㄍㄜˊ ㄒㄧㄣ)to reform
革職(ㄍㄜˊ ㄓˊ)to fire; to dismiss
革除(ㄍㄜˊ ㄔㄨˊ)① to rid ② to expel

革 6735
2. ㄐㄧˊ jí
urgent; dangerous

二畫

靪 6736
ㄉㄧㄥ dīng
1. to mend the soles of shoes 2. a patch

四畫

靳 6737
ㄐㄧㄣˋ jìn
1. ornamental trappings under the neck of a horse 2. stingy

靴 6738
ㄒㄩㄝ xuē
boots: 靴底 soles of boots

靶 6739
ㄅㄚˇ bǎ
1. the target 2. the splashboard of a chariot
靶心(ㄅㄚˇ ㄒㄧㄣ)a bull's-eye
靶場(ㄅㄚˇ ㄔㄤˇ)a firing range; a shooting range
靶子(ㄅㄚˇ ·ㄗ)a target

靷 6740
ㄧㄣˇ yǐn
the leather belts that connect a cart with the horse, etc.

靸 6741
1. ㄙㄚˇ sǎ
a child's shoes: 靸鞋 slippers

靸 6741
2. ㄊㄚ tā
to wear (shoes) in a casual way

五畫

鞅 6742
ㄧㄤˇ yǎng
(又讀 ㄧㄤ yāng)
1. a martingale; a halter 2. a horse
鞅掌(ㄧㄤˇ ㄓㄤˇ)weariness

靺 6743
ㄇㄛˋ mò
1. stockings 2. the Tungusic tribe

靼 6744
ㄉㄚˊ dá
1. as in 韃靼—the Tartars 2. soft leather

六畫

鞍 6745
ㄢ ān
a saddle; a saddle-like terrain or thing
鞍轡(ㄢ ㄆㄟˋ)saddles and reins

鞋 6746
ㄒㄧㄝˊ xié
shoes; footwear
鞋拔子(ㄒㄧㄝˊ ㄅㄚˊ ˙ㄗ)a shoehorn; a shoe lifter
鞋帶(ㄒㄧㄝˊ ㄉㄞˋ) a shoestring; a shoelace
鞋底(ㄒㄧㄝˊ ㄉㄧˇ)the sole of a shoe
鞋店(ㄒㄧㄝˊ ㄉㄧㄢˋ)a shoe shop
鞋童(ㄒㄧㄝˊ ㄊㄨㄥˊ)a shoeshine boy
鞋跟(ㄒㄧㄝˊ ㄍㄣ)the heel of a shoe
鞋匠(ㄒㄧㄝˊ ㄐㄧㄤˋ)a shoemaker; a cobbler
鞋油(ㄒㄧㄝˊ ㄧㄡˊ)shoe polish

鞏 6747
ㄍㄨㄥˇ gǒng
1. to tie or bind with thongs 2. secure; firm; strong; to guard; to secure; to strengthen
鞏固(ㄍㄨㄥˇ ㄍㄨˋ)①strong; secure ②to consolidate

七畫

鞘 6748
ㄑㄧㄠˋ qiào
a scabbard; a sheath

八畫

鞠 6749
ㄐㄩˊ jú
1. to bow; a bow (as a gesture of respect) 2. a leather ball 3. to nourish; to raise or rear 4. young; tender 5. high 6. to exhaust 7. to admonish; to warn; to caution 8. to make judicial investigation
鞠躬(ㄐㄩˊ ㄍㄨㄥ)to bow; a bow
鞠養(ㄐㄩˊ ㄧㄤˇ)to raise or rear kids

九畫

鞭 6750
ㄅㄧㄢ biān
1. a whip; a lash; to whip or lash; to flagellate; to flog 2. an ancient weapon shaped like a whip 3. a string of firecrackers
鞭辟入裏(ㄅㄧㄢ ㄅㄧˋ ㄖㄨˋ ㄌㄧˇ)deep-cutting; incisive
鞭炮(ㄅㄧㄢ ㄆㄠˋ)(a long string of) firecrackers
鞭打(ㄅㄧㄢ ㄉㄚˇ)to flog with a whip
鞭長莫及(ㄅㄧㄢ ㄔㄤˊ ㄇㄛˋ ㄐㄧˊ) beyond one's influence
鞭策(ㄅㄧㄢ ㄘㄜˋ)①a horsewhip ②to encourage

鞦 6751
ㄑㄧㄡ qiū
1. a swing 2. a crupper 3. traces
鞦韆(ㄑㄧㄡ ㄑㄧㄢ)a swing

鞧 6752
ㄑㄧㄡ qiū
a crupper

鞨 6753
ㄏㄜˊ hé
as in 靺鞨—the Tungusic tribe in ancient China

鞫 6754
ㄐㄩˊ jú
1. to question criminals 2. extreme poverty

鞬 6755
ㄐㄧㄢ jiān
1. a quiver (for arrows) on a horse 2. to store; to keep and collect

十畫

韝 6756
ㄍㄡ gōu
the armlet and glove of a falconer

鞳 6757
ㄊㄚˋ tà
the sound of bells and drums

鞴 6758
ㄅㄟˋ bèi
as in 韝鞴—a piston

鞶 6759
ㄆㄢˊ pán
a large belt

十一畫

鞺 6760
ㄊㄤˊ táng
the sound of drums

十三畫

韃 6761
ㄉㄚˊ dá
as in 韃靼—Tartars

〔韋·韭·音 部〕

韁 6762 ㄐㄧㄤ jiāng
same as 繮—reins

十五畫

韆 6763 ㄑㄧㄢ qiān
as in 鞦韆—a swing

十七畫

韉 6764 ㄐㄧㄢ jiān
saddle cloth

韋 部 ㄨㄟˊ wéi

韋 6765 ㄨㄟˊ wéi
1. tanned leather 2. a Chinese family name
韋氏音標(ㄨㄟˊ ㄕˋ ㄧㄣ ㄅㄧㄠ)phonetic symbols adopted in Webster's dictionaries

三畫

韌 6766 ㄖㄣˋ rèn
soft but tough; elastic; tenacious
韌帶(ㄖㄣˋ ㄉㄞˋ)(physiology) ligaments
韌度(ㄖㄣˋ ㄉㄨˋ)resilience
韌性(ㄖㄣˋ ㄒㄧㄥˋ)tenacity

五畫

韍 6767 ㄈㄨˊ fú
a leather garment worn during sacrificial rituals in ancient times

八畫

韓 6768 ㄏㄢˊ hán
1. a fence 2. short for the Republic of Korea
韓國(ㄏㄢˊ ㄍㄨㄛˊ)the Republic of Korea

韔 6769 ㄔㄤˋ chàng
1. a wrapper or case for bow 2. to put a bow in its case

九畫

韙 6770 ㄨㄟˇ wěi
right; proper; propriety

十畫

韜 6771 ㄊㄠ tāo
1. scabbards or sheaths for blades or swords 2. military strategy; tactics 3. to conceal 4. to idle
韜光(ㄊㄠ ㄍㄨㄤ)to conceal one's talents, gifts, etc.
韜晦(ㄊㄠ ㄏㄨㄟˋ)to hide one's true capacities or intentions

韞 6772 ㄩㄣˋ yùn
to conceal; to hide (one's talents, etc.)

韭 部 ㄐㄧㄡˇ jiǔ

韭 6773 (韮) ㄐㄧㄡˇ jiǔ
scallions; leeks; Chinese chives
韭菜(ㄐㄧㄡˇ ㄘㄞˋ)leeks or scallions

音 部 ㄧㄣ yīn

音 6774 ㄧㄣ yīn
1. sound; voice 2. tone; accent 3. a musical note 4. (usually used in correspondence) news; information
音波(ㄧㄣ ㄅㄛ)sound waves
音爆(ㄧㄣ ㄅㄠˋ)a sonic boom
音標(ㄧㄣ ㄅㄧㄠ)phonetic signs
音符(ㄧㄣ ㄈㄨˊ)(music) notes
音調(ㄧㄣ ㄉㄧㄠˋ)tone
音量(ㄧㄣ ㄌㄧㄤˋ)the volume
音階(ㄧㄣ ㄐㄧㄝ)musical scale
音節(ㄧㄣ ㄐㄧㄝˊ)a syllable
音信(ㄧㄣ ㄒㄧㄣˋ)or音訊(ㄧㄣ ㄒㄩㄣˋ) news; messages; letters
音響(ㄧㄣ ㄒㄧㄤˇ)audio
音響效果(ㄧㄣ ㄒㄧㄤˇ ㄒㄧㄠˋ ㄍㄨㄛˇ) sound effect
音質(ㄧㄣ ㄓˊ)tone quality
音色(ㄧㄣ ㄙㄜˋ)timbre; tone color
音速(ㄧㄣ ㄙㄨˋ)the speed of sound
音譯(ㄧㄣ ㄧˋ)transliteration by sound rather than meaning
音域(ㄧㄣ ㄩˋ)(music) the range
音樂(ㄧㄣ ㄩㄝˋ)music
音樂會(ㄧㄣ ㄩㄝˋ ㄏㄨㄟˋ)a concert
音樂家(ㄧㄣ ㄩㄝˋ ㄐㄧㄚ)a musician
音韻(ㄧㄣ ㄩㄣˋ)a rhyme
音韻學(ㄧㄣ ㄩㄣˋ ㄒㄩㄝˊ)phonology

四畫

韵 6775 (韻) ㄩㄣˋ yùn
1. rhyme 2. harmony

歆 6776 ㄒㄧㄣ xīn
1. to inhale; to smell 2. as in 歆羨—to envy 3. sacrificial food 4. to move; to touch 5. to admire

五畫

韶 6777 ㄕㄠˊ sháo
1. the music during the time of the sage emperor Shun(舜) 2. beautiful; excellent; harmonious 3. continuous

韶光(ㄕㄠˊ ㄍㄨㄤ) or 韶華 (ㄕㄠˊ ㄏㄨㄚˊ) ① beautiful scenes in the spring ② best years of one's life—youth

十畫

韻 6778 ㄩㄣˋ yùn
1. rhymes 2. harmony of sound 3. refined; sophisticated; polished; elegant 4. vowels: 韻母 vowel

韻律(ㄩㄣˋ ㄌㄩˋ)meter; rhythm

韻律舞(ㄩㄣˋ ㄌㄩˋ ㄨˇ)an aerobic dance

韻味(ㄩㄣˋ ㄨㄟˋ)lingering charm; lasting appeal

韻文(ㄩㄣˋ ㄨㄣˊ)a rhymed composition

十三畫

響 6779 ㄒㄧㄤˇ xiǎng
1. a report; a sound; an echo; a noise 2. (said of sound) loud or high 3. to make a sound; to sound; to ring

響亮(ㄒㄧㄤˇ ㄌㄧㄤˋ)① sonorous; stentorian ② straightforward

響聲(ㄒㄧㄤˇ ㄕㄥ)a sound; an echo; a noise

響應(ㄒㄧㄤˇ ㄧㄥˋ)to echo in support; to respond favorably

響尾蛇(ㄒㄧˇ ㄤˇ ㄨㄟˇ ㄕㄜˊ)the rattlesnake; the sidewinder

頁部 ㄧㄝˋ yè

頁 6780 ㄧㄝˋ yè
a page (in books, etc.); a sheet (of paper, etc.)

頁碼(ㄧㄝˋ ㄇㄚˇ)the page number

頁岩(ㄧㄝˋ ㄧㄢˊ)shale

二畫

頂 6781 ㄉㄧㄥˇ dǐng
1. the top of anything 2. the crown of the head 3. topmost; extremely; very 4. to carry (a weight) on one's head; to push the head against 5. to gore; to butt 6. to push up; to prop up 7. to cope with 8. to substitute 9. to equal 10. to retort; to turn down 11. used as a unit

頂峰(ㄉㄧㄥˇ ㄈㄥ)the summit

頂點(ㄉㄧㄥˇ ㄉㄧㄢˇ)the topmost

頂多(ㄉㄧㄥˇ ㄉㄨㄛ)at (the) most

頂端(ㄉㄧㄥˇ ㄉㄨㄢ)the top

頂頭上司(ㄉㄧㄥˇ ㄊㄡˊ ㄕㄤˋ ㄙ)the immediate boss

頂替(ㄉㄧㄥˇ ㄊㄧˋ)①to assume someone's name with the intent to cheat ②to represent someone

頂呱呱(ㄉㄧㄥˇ ㄍㄨㄚ ㄍㄨㄚ)the best; excellent; first-rate

頂克族(ㄉㄧㄥˇ ㄎㄜˋ ㄗㄨˊ)Dinks(Double Income and No Kids)

頂尖(ㄉㄧㄥˇ ㄐㄧㄢ)the top; the best

頂住(ㄉㄧㄥˇ ㄓㄨˋ)to support with the head

頂撞(ㄉㄧㄥˇ ㄓㄨㄤˋ)to offend or dispute with words

頂嘴(ㄉㄧㄥˇ ㄗㄨㄟˇ)to argue with a superior or an elder

頂罪(ㄉㄧㄥˇ ㄗㄨㄟˋ)to act as a fall guy

頃 6782 ㄑㄧㄥˇ qǐng
1. a moment; an instant; just; just now 2. a hundred *mu* (畝)—10,000 square meters 3. to incline

頃刻(ㄑㄧㄥˇ ㄎㄜˋ)in a short moment

頃刻之間(ㄑㄧㄥˇ ㄎㄜˋ ㄓ ㄐㄧㄢ)in an instant

三畫

項 6783 ㄒㄧㄤˋ xiàng
1. the back of the neck; the nape 2. the back of a cap or crown 3. an item; an article; a matter; a kind; a class 4. funds; a sum of money 5. (mathematics) a term

項目(ㄒㄧㄤˋ ㄇㄨˋ)an item

項鍊(ㄒㄧㄤˋ ㄌㄧㄢˋ)a necklace

順 6784 ㄕㄨㄣˋ shùn
1. to follow; to submit to; obedient 2. in the same direction as 3. agreeable; favorable 4. to arrange; to put in order 5. convenient; smooth 6. to take the opportunity to

順便(ㄕㄨㄣˋ ㄅㄧㄢˋ)at one's convenience; without taking extra trouble

〔頁部〕

順風(ㄕㄨㄣˋ ㄈㄥ)①to move with the wind ②good luck
順風轉舵(ㄕㄨㄣˋ ㄈㄥ ㄓㄨㄢˇ ㄉㄨㄛˋ) to trim one's sails; to take one's cue from changing conditions
順理成章(ㄕㄨㄣˋ ㄌㄧˇ ㄔㄥˊ ㄓㄤ)logical; as a matter of course
順利(ㄕㄨㄣˋ ㄌㄧˋ)(going) smoothly; easy (going); having no trouble
順路(ㄕㄨㄣˋ ㄌㄨˋ)in passing; while on the way
順口(ㄕㄨㄣˋ ㄎㄡˇ)①to slip out of one's tongue ②easy to speak, read or sing
順其自然(ㄕㄨㄣˋ ㄑㄧˊ ㄗˋ ㄖㄢˊ)in accordance with its natural tendency
順心(ㄕㄨㄣˋ ㄒㄧㄣ)satisfactorily
順序(ㄕㄨㄣˋ ㄒㄩˋ)according to right order
順暢(ㄕㄨㄣˋ ㄔㄤˋ)unhindered
順勢(ㄕㄨㄣˋ ㄕˋ)to take advantage of an opportunity
順手(ㄕㄨㄣˋ ㄕㄡˇ)① smooth (operation); easy (going) ②to do something without extra trouble ③handy; conveniently
順水推舟(ㄕㄨㄣˋ ㄕㄨㄟˇ ㄊㄨㄟ ㄓㄡ) to approve something that is sure to succeed
順從(ㄕㄨㄣˋ ㄘㄨㄥˊ)to obey
順延(ㄕㄨㄣˋ ㄧㄢˊ)to postpone
順眼(ㄕㄨㄣˋ ㄧㄢˇ)to please the eye
順應(ㄕㄨㄣˋ ㄧㄥˋ)to adjust
順應潮流(ㄕㄨㄣˋ ㄧㄥˋ ㄔㄠˊ ㄌㄧㄡˊ)to conform to modern trends

頇 6785 ㄏㄢ hān

as in顢頇—stupid and incompetent; foolish and slow

須 6786 ㄒㄩ xū

1. to have to; must; to need 2. necessary; proper 3. probably 4. a beard 5. a moment; a while 6. to wait for 7. to stop at 8. a Chinese family name

須知(ㄒㄩ ㄓ)①should know ②that which is essential to know—common knowledge
須臾(ㄒㄩ ㄩˊ)a short while

四畫

頌 6787 ㄙㄨㄥˋ sòng

1. to praise; to acclaim; to extol; to eulogize; to laud 2. a composition in praise of some achievements, etc.; an ode; a eulogy 3. a section in *The Book of Poetry* 詩經

頌歌(ㄙㄨㄥˋ ㄍㄜ)hymns; odes
頌詞(ㄙㄨㄥˋ ㄘˊ)a message of praise, congratulations or felicitations
頌揚(ㄙㄨㄥˋ ㄧㄤˊ)to praise; to eulogize

頎 6788 ㄑㄧˊ qí

tall (physical build)

頏 6789 ㄏㄤˊ háng

as in 頡頏—①to match; to contest; well-matched ②birds flying up and down

預 6790 (豫) ㄩˋ yù

1. beforehand; previously; in advance 2. to prepare; reserve (funds, troops, etc.) 3. to take part in

預備(ㄩˋ ㄅㄟˋ)to prepare; to get ready beforehand
預備軍官(ㄩˋ ㄅㄟˋ ㄐㄩㄣ ㄍㄨㄢ)a reserve officer
預報(ㄩˋ ㄅㄠˋ)a forecast
預謀(ㄩˋ ㄇㄡˊ)to scheme or plan beforehand
預防(ㄩˋ ㄈㄤˊ)to prevent beforehand
預防注射(ㄩˋ ㄈㄤˊ ㄓㄨˋ ㄕㄜˋ)preventive inoculation
預付(ㄩˋ ㄈㄨˋ)to pay in advance
預付款(ㄩˋ ㄈㄨˋ ㄎㄨㄢˇ)an advance payment
預定(ㄩˋ ㄉㄧㄥˋ)①to reserve (seats, rooms, etc.) ②to set (a date, etc.); to be scheduled
預訂(ㄩˋ ㄉㄧㄥˋ)to subscribe or order inadvance
預料(ㄩˋ ㄌㄧㄠˋ)to predict
預留(ㄩˋ ㄌㄧㄡˊ)to put aside for later use
預告(ㄩˋ ㄍㄠˋ)to inform or notify beforehand
預感(ㄩˋ ㄍㄢˇ)a premonition
預計(ㄩˋ ㄐㄧˋ)to estimate
預期(ㄩˋ ㄑㄧˊ)to expect
預先(ㄩˋ ㄒㄧㄢ)in advance
預支(ㄩˋ ㄓ)to draw (salary) in advance
預知(ㄩˋ ㄓ)foreknowledge
預兆(ㄩˋ ㄓㄠˋ)an omen
預祝(ㄩˋ ㄓㄨˋ)to congratulate (victory or success) beforehand
預產期(ㄩˋ ㄔㄢˇ ㄑㄧˊ)(medicine) the estimated date of childbirth (E.D.C.)
預測(ㄩˋ ㄘㄜˋ)to predict
預賽(ㄩˋ ㄙㄞˋ)a preliminary competition
預算(ㄩˋ ㄙㄨㄢˋ)a budget
預言(ㄩˋ ㄧㄢˊ) ① a prediction ②to predict
預言家(ㄩˋ ㄧㄢˊ ㄐㄧㄚ)a prophet
預演(ㄩˋ ㄧㄢˇ)a preview
預約(ㄩˋ ㄩㄝ)a preliminary agreement

頑 6791 ㄨㄢˊ wán

1. stupid; dull; ignorant 2. obstinate; stubborn 3. recalcitrant; unruly; defiant 4. to play 5. naughty or impish

頑皮(ㄨㄢˊ ㄆㄧˊ)naughty
頑童(ㄨㄢˊ ㄊㄨㄥˊ)naughty children
頑劣(ㄨㄢˊ ㄌㄧㄝˋ)stubborn and stupid

頑固(ㄨㄢˊ ㄍㄨˋ)stubborn
頑強(ㄨㄢˊ ㄑㄧㄤˊ)stubborn; obstinacy; tenacious
頑耍(ㄨㄢˊ ㄕㄨㄚˇ)to play

頒 6792 ㄅㄢ bān
1. to bestow on; to confer on 2. to proclaim; to make public 3. to distribute; to send out
頒布(ㄅㄢ ㄅㄨˋ)to proclaim or promulgate
頒發(ㄅㄢ ㄈㄚ)to bestow; to award or distribute (prizes, etc.)
頒獎(ㄅㄢ ㄐㄧㄤˇ)to hand out an award or prize

頓 6793 1. ㄉㄨㄣˋ dùn
1. to stop; to pause 2. to kowtow 3. to stamp (the foot) 4. to arrange 5. a time; a turn 6. immediately 7. to be tired
頓號(ㄉㄨㄣˋ ㄏㄠˋ)a punctuation mark "、"
頓時(ㄉㄨㄣˋ ㄕˊ)immediately; promptly
頓足(ㄉㄨㄣˋ ㄗㄨˊ)to stamp one's foot
頓挫(ㄉㄨㄣˋ ㄘㄨㄛˋ)to receive a setback
頓悟(ㄉㄨㄣˋ ㄨˋ)to realize suddenly

頓 6793 2. ㄉㄨˊ dú
as in 冒頓(ㄇㄛˋ ㄉㄨˊ)—name of a Tartar chieftain in the early Western Han Dynasty

頍 6794 ㄎㄨㄟˇ kuǐ
to raise one's head

五畫

領 6795 ㄌㄧㄥˇ lǐng
1. the neck 2. the collar 3. a piece of clothing 4. to lead; to guide 5. to receive; to get 6. to understand
領班(ㄌㄧㄥˇ ㄅㄢ)a headman; a foreman
領帶(ㄌㄧㄥˇ ㄉㄞˋ)a necktie
領帶夾(ㄌㄧㄥˇ ㄉㄞˋ ㄐㄧㄚˊ)a tie clip
領導(ㄌㄧㄥˇ ㄉㄠˇ)to lead; leadership
領隊(ㄌㄧㄥˇ ㄉㄨㄟˋ)the leader of a group
領頭(ㄌㄧㄥˇ ㄊㄡˊ)to initiate; to lead
領土(ㄌㄧㄥˇ ㄊㄨˇ)or 領地(ㄌㄧㄥˇ ㄉㄧˋ) territory
領路(ㄌㄧㄥˇ ㄌㄨˋ)to lead the way
領略(ㄌㄧㄥˇ ㄌㄩㄝˋ)to understand; to taste; to experience; to appreciate
領款(ㄌㄧㄥˇ ㄎㄨㄢˇ)to receive funds; to draw money
領空(ㄌㄧㄥˇ ㄎㄨㄥ)territorial air; an aerial domain
領海(ㄌㄧㄥˇ ㄏㄞˇ)territorial waters or seas
領航(ㄌㄧㄥˇ ㄏㄤˊ)to navigate; to pilot
領航員(ㄌㄧㄥˇ ㄏㄤˊ ㄩㄢˊ)a navigator; a pilot
領會(ㄌㄧㄥˇ ㄏㄨㄟˋ)to understand; to appreciate
領巾(ㄌㄧㄥˇ ㄐㄧㄣ)a scarf
領獎(ㄌㄧㄥˇ ㄐㄧㄤˇ)to receive an award or prize
領情(ㄌㄧㄥˇ ㄑㄧㄥˊ)to appreciate favors given
領取(ㄌㄧㄥˇ ㄑㄩˇ)to get; to receive
領袖(ㄌㄧㄥˇ ㄒㄧㄡˋ)a leader; the leading figure
領先(ㄌㄧㄥˇ ㄒㄧㄢ)①to lead; to walk ahead ②the lead; the first place or position
領薪水(ㄌㄧㄥˇ ㄒㄧㄣ ㄕㄨㄟˇ)to receive pay; to get salary
領事(ㄌㄧㄥˇ ㄕˋ) (diplomacy) a consul
領事館(ㄌㄧㄥˇ ㄕˋ ㄍㄨㄢˇ)a consulate
領事裁判權(ㄌㄧㄥˇ ㄕˋ ㄘㄞˊ ㄆㄢˋ ㄑㄩㄢˊ)consular jurisdiction
領受(ㄌㄧㄥˇ ㄕㄡˋ)to receive
領賞(ㄌㄧㄥˇ ㄕㄤˇ)to receive a reward
領養(ㄌㄧㄥˇ ㄧㄤˇ)to adopt (a child)
領悟(ㄌㄧㄥˇ ㄨˋ)to understand; to comprehend
領域(ㄌㄧㄥˇ ㄩˋ)the territory of a nation

頗 6796 1. ㄆㄛˇ pǒ
1. somewhat 2. quite; considerably
頗表同情(ㄆㄛˇ ㄅㄧㄠˇ ㄊㄨㄥˊ ㄑㄧㄥˊ) rather sympathetic
頗佳(ㄆㄛˇ ㄐㄧㄚ)rather good; fairly good
頗重(ㄆㄛˇ ㄓㄨㄥˋ)rather heavy; fairly heavy
頗為滿意(ㄆㄛˇ ㄨㄟˊ ㄇㄢˇ ㄧˋ)rather satisfied

頗 6796 2. ㄆㄛ pō
inclined to one side; unjustly

六畫

頡 6797 1. ㄐㄧㄚˊ jiá
to deduct; to omit

頡 6797 2. ㄒㄧㄝˊ xié (又讀 ㄐㄧㄝˊ jié)
to fly up
頡頏(ㄒㄧㄝˊ ㄏㄤˊ)①to match; to contest ②(said of birds) to fly high and low

頦 6798 ㄏㄞˊ hái (又讀 ㄎㄜ kē)
the chin

頫 6799 ㄈㄨˇ fǔ
to bow one's head with one's chin down

頠 6800 ㄨㄟˇ wěi
quiet; tranquil

〔頁部〕

〔頁部〕

嬃 6801
ㄒㄩ xū
a term of address for elder sisters in the state of Chu (楚) in ancient China

七畫

頤 6802
ㄧˊ yí
1. the cheeks 2. to nourish; to rear; to take care of oneself
頤指氣使(ㄧˊ ㄓˇ ㄑㄧˋ ㄕˇ)to order about
頤養(ㄧˊ ㄧㄤˇ)to nourish; to keep fit

頭 6803
1. ㄊㄡˊ tóu
1. the head 2. the top; the first 3. the chief; the boss 4. the two ends (of anything) 5. a head (of cattle, etc.) 6. an auxiliary, as a suffix
頭部(ㄊㄡˊ ㄅㄨˋ)or頭顱(ㄊㄡˊ ㄌㄨˊ)the head
頭皮(ㄊㄡˊ ㄆㄧˊ)the scalp
頭皮屑(ㄊㄡˊ ㄆㄧˊ ㄒㄧㄝˋ)dandruff
頭目(ㄊㄡˊ ㄇㄨˋ)a chief; a leader
頭髮(ㄊㄡˊ ·ㄈㄚ)hair on the head
頭等(ㄊㄡˊ ㄉㄥˇ)first class; the best quality
頭等艙(ㄊㄡˊ ㄉㄥˇ ㄘㄤ)a first-class cabin
頭胎(ㄊㄡˊ ㄊㄞ) or 頭生兒 (ㄊㄡˊ ·ㄕㄥ ㄦ)the firstborn
頭套(ㄊㄡˊ ㄊㄠˋ)an actor's headgear
頭痛(ㄊㄡˊ ㄊㄨㄥˋ)or頭疼(ㄊㄡˊ ㄊㄥˊ) a headache
頭腦(ㄊㄡˊ ㄋㄠˇ)①brains; mind ② main threads
頭腦不清(ㄊㄡˊ ㄋㄠˇ ㄅㄨˋ ㄑㄧㄥ) mixed-up; muddleheaded
頭臉(ㄊㄡˊ ㄌㄧㄢˇ)one's appearance or features
頭蓋骨(ㄊㄡˊ ㄍㄞˋ ㄍㄨˇ)(anatomy) the skull; the cranium
頭盔(ㄊㄡˊ ㄎㄨㄟ)a helmet
頭號(ㄊㄡˊ ㄏㄠˋ)①number one; principal ②the best ③the largest
頭昏(ㄊㄡˊ ㄏㄨㄣ)dizzy; giddy
頭昏腦脹(ㄊㄡˊ ㄏㄨㄣ ㄋㄠˇ ㄓㄤˋ)to feel dizzy and have a headache
頭昏眼花(ㄊㄡˊ ㄏㄨㄣ ㄧㄢˇ ㄏㄨㄚ) dizzy
頭家(ㄊㄡˊ ㄐㄧㄚ)the operator of a gambling joint
頭巾(ㄊㄡˊ ㄐㄧㄣ)a turban; a kerchief
頭獎(ㄊㄡˊ ㄐㄧㄤˇ)the first prize
頭角峥嶸(ㄊㄡˊ ㄐㄩㄝˊ ㄓㄥ ㄖㄨㄥˊ)outstanding
頭銜(ㄊㄡˊ ㄒㄧㄢˊ)the official title of a person
頭重脚輕(ㄊㄡˊ ㄓㄨㄥˋ ㄐㄧㄠˇ ㄑㄧㄥ) top-heavy
頭子(ㄊㄡˊ ·ㄗ)the leader (of bandits, etc.)
頭遭(ㄊㄡˊ ㄗㄠ) or 頭一遭(ㄊㄡˊ ㄧˋ ㄗㄠ)the first time
頭寸(ㄊㄡˊ ㄘㄨㄣˋ)cash; money supply
頭一回(ㄊㄡˊ ㄧˋ ㄏㄨㄟˊ)for the first time
頭暈(ㄊㄡˊ ㄩㄣˋ)dizzy; giddy; dizziness

頭 6803
2. ·ㄊㄡ tou
1. a suffix indicating positions or directions 2. as a suffix to certain verbs to indicate the worthiness

頰 6804
ㄐㄧㄚˊ jiá
the cheeks: 頰骨 the cheekbone

頷 6805
ㄏㄢˋ hàn
1. the chin; the jaws 2. a slight nod of the head
頷首示意(ㄏㄢˋ ㄕㄡˇ ㄕˋ ㄧˋ)to give a nod as a signal

頵 6806
ㄐㄩㄣ jūn
large-headed

頸 6807
ㄐㄧㄥˇ jǐng
the neck; the throat

頹 6808
ㄊㄨㄟˊ tuí
1. to crumble; ruined; to collapse 2. weakened; withered 3. bald 4. to descend; to cascade down
頹廢(ㄊㄨㄟˊ ㄈㄟˋ)①ruined; weakened; decadent ②low-spirited; depressed
頹勢(ㄊㄨㄟˊ ㄕˋ)a declining tendency
頹喪(ㄊㄨㄟˊ ㄙㄤˋ)beaten; ruined; discouraged

頻 6809
ㄆㄧㄣˊ pín
1. incessant; continuous; frequently 2. urgent; precarious 3. same as 顰—to knit the brows 4. frequency
頻繁(ㄆㄧㄣˊ ㄈㄢˊ)frequent; incessant; busy
頻道(ㄆㄧㄣˊ ㄉㄠˋ)(television) a channel
頻率(ㄆㄧㄣˊ ㄌㄩˋ)frequency

八畫

顆 6810
ㄎㄜ kē
a drop; a grain; a pill; a numerary adjunct (for bombs, bullets, etc.)

顇 6811
ㄘㄨㄟˋ cuì
as in 顦顇—haggard (from grief or anxiety)

九畫

額 6812
ㄜˊ é
1. the forehead 2. a fixed amount or number 3. a horizontal tablet
額頭(ㄜˊ ㄊㄡˊ)the forehead
額外(ㄜˊ ㄨㄞˋ)extra
額外費用(ㄜˊ ㄨㄞˋ ㄈㄟˋ ㄩㄥˋ)extra charge

額外收入(ㄜˊ ㄨㄞˋ ㄕㄡ ㄖㄨˋ)extra income

顋 6813 (腮) ㄙㄞ sāi
the cheeks: 顋幫子 the cheeks

題 6814 ㄊㄧˊ tí
1. the forehead 2. a sign; a signal 3. a subject; the title of a composition or speech 4. notes 5. to sign; to write 6. the end; the top
題目(ㄊㄧˊ ㄇㄨˋ)① the subject of a composition ② a question or problem
題字(ㄊㄧˊ ㄗˋ)to write on something
題材(ㄊㄧˊ ㄘㄞˊ)material constituting the main theme of an article, composition, etc.

顎 6815 ㄜˋ è
1. jaws 2. high-cheekboned
顎骨(ㄜˋ ㄍㄨˇ)the jawbones

顏 6816 ㄧㄢˊ yán
1. face(physically); countenance; features 2. reputation 3. dyes; colors 4. a Chinese family name
顏面(ㄧㄢˊ ㄇㄧㄢˋ)① honor ② countenance; face
顏料(ㄧㄢˊ ㄌㄧㄠˋ)dyestuffs; pigments
顏色(ㄧㄢˊ ㄙㄜˋ)① color ② countenance

顒 6817 ㄩㄥˊ yóng
1. severe 2. great; large 3. largeheaded

顓 6818 ㄓㄨㄢ zhuān
1. cautious 2. stupid; dull; ignorant

十畫

顗 6819 ㄧˇ yǐ
quiet; tranquil; solemn

願 6820 ㄩㄢˋ yuàn
1. to be willing 2. anything one desires; an ambition 3. a vow 4. to think
願意(ㄩㄢˋ ㄧˋ)①to be willing ②to want
願望(ㄩㄢˋ ㄨㄤˋ)one's wish or aspiration

顙 6821 ㄙㄤˇ sǎng
1. the forehead 2. to kowtow

顛 6822 ㄉㄧㄢ diān
1. the top 2. to fall; to topple 3. to jolt 4. upside down 5. mad; lunatic
顛簸(ㄉㄧㄢ ㄅㄛˇ)to shake; to joggle
顛仆(ㄉㄧㄢ ㄆㄨ)to fall down
顛覆(ㄉㄧㄢ ㄈㄨˋ)to topple; to subvert
顛倒(ㄉㄧㄢ ㄉㄠˇ)upside down; to reverse
顛倒是非(ㄉㄧㄢ ㄉㄠˇ ㄕˋ ㄈㄟ)to distort truth

類 6823 ㄌㄟˋ lèi
1. a species; a kind; a class 2. similar
類別(ㄌㄟˋ ㄅㄧㄝˊ) classification; categorization
類推(ㄌㄟˋ ㄊㄨㄟ)to reason by analogy; to draw analogies
類固醇(ㄌㄟˋ ㄍㄨˋ ㄔㄨㄣˊ)steroid
類型(ㄌㄟˋ ㄒㄧㄥˊ)a type; a category
類似(ㄌㄟˋ ㄙˋ)to resemble; similar to; like

顖 6824 ㄒㄧㄣˋ xìn
the part of the human head from the top to the forehead

十一畫

顢 6825 ㄇㄢˊ mán
careless, ignorant and stupid

十二畫

顧 6826 ㄍㄨˋ gù
1. to look at 2. to turn the head around and look 3. to attend to; to look after 4. to visit; to call on 5. however
顧不得(ㄍㄨˋ·ㄅㄨ ㄉㄜˊ)unable to take care of
顧面子(ㄍㄨˋ ㄇㄧㄢˋ ·ㄗ)①to care for one's face or reputation ②to value friendship
顧名思義(ㄍㄨˋ ㄇㄧㄥˊ ㄙ ㄧˋ)self-explanatory
顧慮(ㄍㄨˋ ㄌㄩˋ)to show concern about
顧客(ㄍㄨˋ ㄎㄜˋ)customers
顧全大局(ㄍㄨˋ ㄑㄩㄢˊ ㄉㄚˋ ㄐㄩˊ)for the sake of the country, organization, etc.
顧此失彼(ㄍㄨˋ ㄘˇ ㄕ ㄅㄧˇ)to take care of one thing and miss the other
顧影自憐(ㄍㄨˋ ㄧㄥˇ ㄗˋ ㄌㄧㄢˊ)self-glorification; narcissism
顧問(ㄍㄨˋ ㄨㄣˋ)an advisor; a consultant

纇 6827 ㄌㄟˋ lèi
1. blemish 2. fierce; recalcitrant

顥 6828 ㄏㄠˋ hào
1. bright 2. (said of hair) hoary or white 3. very great; very large

顦 6829 (憔) ㄑㄧㄠˊ qiáo
haggard
顦顇(ㄑㄧㄠˊ ㄘㄨㄟˋ)haggard as a result of grief, etc.

十三畫

〔頁部〕

〔風部〕

顫 6830 ㄔㄢˋ chàn (又讀 ㄓㄢˋ zhàn)
to tremble; to shiver; to quiver
顫抖(ㄔㄢˋ ㄉㄡˇ)to tremble; to shiver
顫動(ㄔㄢˋ ㄉㄨㄥˋ)to shake; to tremble

十四畫

顯 6831 ㄒㄧㄢˇ xiǎn
1. evident; clear 2. eminent; prominent 3. well-known; renowned 4. to expose; to display 5. a prefix referring to one's forebears
顯妣(ㄒㄧㄢˇ ㄅㄧˇ)my late mother
顯靈(ㄒㄧㄢˇ ㄌㄧㄥˊ)omens, etc. given by the soul of a dead person; a divine manifestation
顯露頭角(ㄒㄧㄢˇ ㄌㄨˋ ㄊㄡˊ ㄐㄧㄠˇ)to show one's promise
顯貴(ㄒㄧㄢˇ ㄍㄨㄟˋ)bigwigs
顯考(ㄒㄧㄢˇ ㄎㄠˇ)my late father
顯赫(ㄒㄧㄢˇ ㄏㄜˋ)outstanding; illustrious
顯現(ㄒㄧㄢˇ ㄒㄧㄢˋ)to appear; to reveal
顯像(ㄒㄧㄢˇ ㄒㄧㄤˋ)(photography) to develop
顯像電話(ㄒㄧㄢˇ ㄒㄧㄤˋ ㄉㄧㄢˋ ㄏㄨㄚˋ)a videophone
顯示(ㄒㄧㄢˇ ㄕˋ)to indicate; to show
顯而易見(ㄒㄧㄢˇ ㄦˊ ㄧˋ ㄐㄧㄢˋ)evidently; apparently
顯要(ㄒㄧㄢˇ ㄧㄠˋ)bigwigs; VIPs
顯眼(ㄒㄧㄢˇ ㄧㄢˇ)striking; eye-catching
顯微鏡(ㄒㄧㄢˇ ㄨㄟˊ ㄐㄧㄥˋ)a microscope

顬 6832 ㄖㄨˊ rú
as in 顳顬—the temple

十五畫

顰 6833 ㄆㄧㄣˊ pín
to frown; to knit one's brows
顰眉(ㄆㄧㄣˊ ㄇㄟˊ)to knit the brows

十六畫

顱 6834 ㄌㄨˊ lú
1. the skull 2. the head 3. the forehead

十八畫

顴 6835 ㄑㄩㄢˊ quán
as in 顴骨—the cheekbone

顳 6836 ㄋㄧㄝˋ niè
the temple

風部 ㄈㄥ fēng

風 6837 1. ㄈㄥ fēng
1. wind 2. education; influence 3. customs; fashion 4. a scene 5. a style; taste 6. fame 7. rumor
風波(ㄈㄥ ㄅㄛ)disputes; disturbances
風暴(ㄈㄥ ㄅㄠˋ)a storm; a windstorm
風平浪靜(ㄈㄥ ㄆㄧㄥˊ ㄌㄤˋ ㄐㄧㄥˋ)a calm and unruffled sea
風靡一時(ㄈㄥ ㄇㄧˇ ㄧˋ ㄕˊ)to become fashionable for a time
風帆(ㄈㄥ ㄈㄢˊ)a sailboat
風範(ㄈㄥ ㄈㄢˋ)① appearance ②a model
風度(ㄈㄥ ㄉㄨˋ)a manner; poise
風度翩翩(ㄈㄥ ㄉㄨˋ ㄆㄧㄢ ㄆㄧㄢ)graceful bearing
風調雨順(ㄈㄥ ㄊㄧㄠˊ ㄩˇ ㄕㄨㄣˋ)favorable weather (for raising crops)
風土人情(ㄈㄥ ㄊㄨˇ ㄖㄣˊ ㄑㄧㄥˊ)local customs and practices
風浪(ㄈㄥ ㄌㄤˋ)wind and waves at sea
風流(ㄈㄥ ㄌㄧㄡˊ)① elegant style; a refined taste ② to have a weakness for women
風流韻事(ㄈㄥ ㄌㄧㄡˊ ㄩㄣˋ ㄕˋ)a romantic affair; gaieties
風涼話(ㄈㄥ ㄌㄧㄤˊ ㄏㄨㄚˋ)irresponsible and satiric remarks
風格(ㄈㄥ ㄍㄜˊ)a style
風光(ㄈㄥ ㄍㄨㄤ) ① scenery ②glory
風寒(ㄈㄥ ㄏㄢˊ)a cold; flu; a chill
風華絕代(ㄈㄥ ㄏㄨㄚˊ ㄐㄩㄝˊ ㄉㄞˋ)unsurpassed elegance and intellectual brilliance
風化區(ㄈㄥ ㄏㄨㄚˋ ㄑㄩ)a district of loose women
風化罪(ㄈㄥ ㄏㄨㄚˋ ㄗㄨㄟˋ)an offense against public morals
風紀(ㄈㄥ ㄐㄧˋ)discipline
風景(ㄈㄥ ㄐㄧㄥˇ)scenery; a landscape
風景畫(ㄈㄥ ㄐㄧㄥˇ ㄏㄨㄚˋ)a landscape
風景區(ㄈㄥ ㄐㄧㄥˇ ㄑㄩ)scenic spots
風琴(ㄈㄥ ㄑㄧㄣˊ)an organ
風情(ㄈㄥ ㄑㄧㄥˊ)① romantic feelings ② flirtatious expressions
風趣(ㄈㄥ ㄑㄩˋ)interesting; funny
風險(ㄈㄥ ㄒㄧㄢˇ)risk; danger
風向(ㄈㄥ ㄒㄧㄤˋ)the direction of wind
風箏(ㄈㄥ ㄓㄥ)a kite
風燭殘年(ㄈㄥ ㄓㄨˊ ㄘㄢˊ ㄋㄧㄢˊ)old age; in the closing years of one's life
風潮(ㄈㄥ ㄔㄠˊ)① directions of wind and tide ② disturbance; upheaval

風塵女郎(ㄈㄥ ㄔㄣˊ ㄋㄩˇ ㄌㄤˊ)a prostitute; a call girl
風濕(ㄈㄥ ㄕ)rheumatism
風尚(ㄈㄥ ㄕㄤˋ)fashion; a custom
風聲(ㄈㄥ ㄕㄥ)news; rumor
風姿(ㄈㄥ ㄗ)looks; graceful bearing
風姿綽約(ㄈㄥ ㄗ ㄔㄨㄛˋ ㄩㄝ)(said of a woman) charming poise and graceful bearing
風災(ㄈㄥ ㄗㄞ)disaster caused by strong winds, typhoons, etc.
風采(ㄈㄥ ㄘㄞˇ)fine deportment
風騷(ㄈㄥ ㄙㄠ)① coquettish ② refinement in literary works
風俗習慣(ㄈㄥ ㄙㄨˊ ㄒㄧˊ ㄍㄨㄢˋ)customs and habits
風速(ㄈㄥ ㄙㄨˋ) wind velocity (or speed)
風物(ㄈㄥ ㄨˋ)sights; scenes; scenery
風味(ㄈㄥ ㄨㄟˋ)① the bearing and taste of a person ② elegance ③ the taste and style of food
風聞(ㄈㄥ ㄨㄣˊ)rumored; according to unconfirmed reports
風雨飄搖(ㄈㄥ ㄩˇ ㄆㄧㄠ ㄧㄠˊ)critical (times)
風雨無阻(ㄈㄥ ㄩˇ ㄨˊ ㄗㄨˇ)to take place on schedule regardless of weather changes; rain or shine
風月場中(ㄈㄥ ㄩㄝˋ ㄔㄤˊ ㄓㄨㄥ)places of sensuality
風雲人物(ㄈㄥ ㄩㄣˊ ㄖㄣˊ ㄨˋ)a heroic figure; a famed personage
風韻(ㄈㄥ ㄩㄣˋ)charms; poise and bearing

風 6837
2. ㄈㄥˋ fèng
1. to announce 2. to satirize

五畫

颯 6838
ㄙㄚˋ sà
1. the sound of wind; rustling 2. weakened; failing; declining

颱 6839
ㄊㄞˊ tái
as in 颱風—a typhoon; a hurricane

六畫

颳 6840
ㄍㄨㄚ guā
wind blowing; to blow: 颳風 wind blowing

八畫

颶 6841
ㄐㄩˋ jù
a hurricane; a gale; a cyclone
颶風(ㄐㄩˋ ㄈㄥ)a hurricane; a gale

九畫

颺 6842
ㄧㄤˊ yáng
1. blown or tossed about by the wind; to float 2. to fly or blow away 3. to scatter; to spread

十畫

颼 6843
ㄙㄡ sōu
1. blown about by wind 2. the swishing sound of a fast-flying object, as an arrow

颻 6844
ㄧㄠˋ yào
waving and drifting with the wind

十一畫

飄 6845
ㄆㄧㄠ piāo
1. to blow; to float (in the air) 2. a cyclone; a whirling wind 3. to float; to drift
飄泊(ㄆㄧㄠ ㄅㄛˊ)to drift about—with no fixed lodging place
飄飄然(ㄆㄧㄠ ㄆㄧㄠ ㄖㄢˊ)feeling slightly comfortably dizzy, as after a light drink
飄流(ㄆㄧㄠ ㄌㄧㄡˊ)① to drift; to float ② to wander aimlessly
飄零(ㄆㄧㄠ ㄌㄧㄥˊ)①(said of leaves and plants) falling and withering ② to drift about alone; wandering
飄忽不定(ㄆㄧㄠ ㄏㄨ ㄅㄨˋ ㄉㄧㄥˋ)to drift from place to place
飄雪(ㄆㄧㄠ ㄒㄩㄝˇ)snowflakes falling
飄搖(ㄆㄧㄠ ㄧㄠˊ)①to dance and toss about in the wind ②precarious; unsteady
飄揚(ㄆㄧㄠ ㄧㄤˊ)to be blown about in the wind; to flutter

十二畫

飆 6846
(飇) ㄅㄧㄠ biāo
violent winds; gales
飆車(ㄅㄧㄠ ㄔㄜ)to speed a car or a motorcycle

飛部
ㄈㄟ fei

飛 6847
ㄈㄟ fēi
1. to fly 2. quickly 3. high, as a bridge 4. to hang in the air
飛奔(ㄈㄟ ㄅㄣ)to run very fast; to fly
飛盤(ㄈㄟ ㄆㄢˊ)a Frisbee
飛彈(ㄈㄟ ㄉㄢˋ)①a stray bullet ②a missile
飛碟(ㄈㄟ ㄉㄧㄝˊ)a flying saucer; an unidentified flying object (UFO)

〔食部〕

飛騰(ㄈㄟ ㄊㄥˊ)①to fly high (as one's fortune) ②to soar (as prices)
飛來橫禍(ㄈㄟ ㄌㄞˊ ㄏㄥˊ ㄏㄨㄛˋ)sudden, unexpected calamity
飛黃騰達(ㄈㄟ ㄏㄨㄤˊ ㄊㄥˊ ㄉㄚˊ)to make rapid advances in one's career
飛機(ㄈㄟ ㄐㄧ)an airplane; a plane
飛機場(ㄈㄟ ㄐㄧ ㄔㄤˇ)an airport
飛禽走獸(ㄈㄟ ㄑㄧㄣˊ ㄗㄡˇ ㄕㄡˋ)birds and beasts
飛翔(ㄈㄟ ㄒㄧㄤˊ)to fly; to hover in the air
飛行(ㄈㄟ ㄒㄧㄥˊ)to fly; flight; flying
飛行員(ㄈㄟ ㄒㄧㄥˊ ㄩㄢˊ)the pilot of a plane
飛漲(ㄈㄟ ㄓㄤˇ)to soar rapidly; to skyrocket
飛揚(ㄈㄟ ㄧㄤˊ)to rise up and flutter, as a flag; to float in the air, as music; to fly about, as dust
飛躍(ㄈㄟ ㄩㄝˋ)by leaps and bounds

十二畫

飜 6848
(翻) ㄈㄢ fān
to turn over

食部 ㄕˊ shí

食 6849
1. ㄕˊ shí
1. to eat 2. food; meal 3. livelihood; living 4. same as 蝕—eclipse
食品(ㄕˊ ㄆㄧㄣˇ)foods; foodstuffs
食品店(ㄕˊ ㄆㄧㄣˇ ㄉㄧㄢˋ)a food store
食品加工(ㄕˊ ㄆㄧㄣˇ ㄐㄧㄚ ㄍㄨㄥ)food processing
食譜(ㄕˊ ㄆㄨˇ)a cookbook
食米(ㄕˊ ㄇㄧˇ)rice (husked)
食道癌(ㄕˊ ㄉㄠˋ ㄧㄢˊ)esophageal cancer; carcinoma esophagi
食道炎(ㄕˊ ㄉㄠˋ ㄧㄢˊ)esophagitis
食堂(ㄕˊ ㄊㄤˊ)a mess hall; a restaurant
食糧(ㄕˊ ㄌㄧㄤˊ)foodstuffs
食量(ㄕˊ ㄌㄧㄤˋ)the quantity of food one consumes
食指(ㄕˊ ㄓˇ)the index finger
食色性也(ㄕˊ ㄙㄜˋ ㄒㄧㄥˋ ㄧㄝˇ)The desire for food and sex is part of human nature.
食油(ㄕˊ ㄧㄡˊ)edible oil
食鹽(ㄕˊ ㄧㄢˊ)kitchen salt
食物(ㄕˊ ㄨˋ)eatables; foodstuffs
食物配給(ㄕˊ ㄨˋ ㄆㄟˋ ㄐㄧˇ)a ration of foodstuffs
食物過敏(ㄕˊ ㄨˋ ㄍㄨㄛˋ ㄇㄧㄣˇ)food allergy
食物中毒(ㄕˊ ㄨˋ ㄓㄨㄥˋ ㄉㄨˊ)food poisoning
食慾不振(ㄕˊ ㄩˋ ㄅㄨˋ ㄓㄣˋ)a poor appetite

食 6849
2. (飼) ㄙˋ sì
to feed

二畫

飢 6850
ㄐㄧ jī
hungry; hunger; starving; famine
飢不擇食(ㄐㄧ ㄅㄨˋ ㄗㄜˊ ㄕˊ)When one is hungry, one is not particular about what he is going to eat.
飢民(ㄐㄧ ㄇㄧㄣˊ)starved people
飢渴(ㄐㄧ ㄎㄜˇ)hungry and thirsty
飢寒交迫(ㄐㄧ ㄏㄢˊ ㄐㄧㄠ ㄆㄛˋ)to suffer from hunger and cold
飢荒(ㄐㄧ ㄏㄨㄤ)or飢饉(ㄐㄧ ㄐㄧㄣˇ) famine

飣 6851
ㄉㄧㄥˋ dìng
1. food items for the display purpose only 2. flowery language without substance

飡 6852
(餐) ㄘㄢ cān
a meal; to eat

三畫

飧 6853
(飱) ㄙㄨㄣ sūn
1. cooked food 2. supper 3. to mix cooked rice with water

四畫

飩 6854
ㄊㄨㄣˊ tún
as in 餛飩—stuffed dumplings

飪 6855
(餁) ㄖㄣˋ rèn
to cook

飭 6856
ㄔˋ chì
1. severe 2. reverent; respectful 3. to manage; to keep in order 4. to order
飭辦(ㄔˋ ㄅㄢˋ)to instruct a subordinate to do something
飭令(ㄔˋ ㄌㄧㄥˋ)to order; to instruct or direct

飲 6857
1. ㄧㄣˇ yǐn
1. to drink 2. drinks 3. to swallow (insult, anger, etc.)
飲料(ㄧㄣˇ ㄌㄧㄠˋ)beverages; drinks
飲酒(ㄧㄣˇ ㄐㄧㄡˇ)to drink wine or liquor
飲食店(ㄧㄣˇ ㄕˊ ㄉㄧㄢˋ)an eatery
飲食衛生(ㄧㄣˇ ㄕˊ ㄨㄟˋ ㄕㄥ)dietetic hygiene
飲水機(ㄧㄣˇ ㄕㄨㄟˇ ㄐㄧ)a drinking fountain

飲水思源(ㄧㄣˇ ㄕㄨㄟˇ ㄙ ㄩㄢˊ)grateful for favors received; not to forget one's origin

飲 6857 2. ㄧㄣˋ **yìn**

to make animals drink: 飲馬to water a horse

飫 6858 ㄩˋ **yù**

1. surfeited 2. to confer 3. to feast 4. to eat or drink to repletion

飯 6859 ㄈㄢˋ **fàn**

1.cooked rice 2.a meal 3.to feed 4.a profession; a means of living

飯票(ㄈㄢˋ ㄆㄧㄠˋ)①a food coupon ②(slang) a husband

飯店(ㄈㄢˋ ㄉㄧㄢˋ)①a restaurant ②a hotel

飯廳(ㄈㄢˋ ㄊㄧㄥ)a dining room

飯桶(ㄈㄢˋ ㄊㄨㄥˇ)①a tub for storing cooked rice ②a good-for-nothing

飯量(ㄈㄢˋ ㄌㄧㄤˋ)capacity for eating

飯盒(ㄈㄢˋ ㄏㄜˊ)a lunch box

飯局(ㄈㄢˋ ㄐㄩˊ)a luncheon or dinner party

飯桌(ㄈㄢˋ ㄓㄨㄛ)a dining table

飯碗(ㄈㄢˋ ㄨㄢˇ)① a rice bowl ②(slang) one's job

五畫

飼 6860 ㄙˋ **sì**

to feed; to raise (domesticated animals)

飼料(ㄙˋ ㄌㄧㄠˋ)feed; fodder; forage

飼養(ㄙˋ ㄧㄤˇ)to raise; to breed

飴 6861 ㄧˊ **yí**

1. syrup; jellylike sugar made from grains 2.delicious 3.delicacies 4. to give as a gift

飽 6862 ㄅㄠˇ **bǎo**

1. to eat to the full 2. satisfied 3. full; plump 4. fully; to the full

飽滿(ㄅㄠˇ ㄇㄢˇ)well-stacked; full; plump

飽暖(ㄅㄠˇ ㄋㄨㄢˇ)well-fed and well-clad

飽和(ㄅㄠˇ ㄏㄜˊ)saturation; saturated

飽和點(ㄅㄠˇ ㄏㄜˊ ㄉㄧㄢˇ)the saturation point

飽經風霜(ㄅㄠˇ ㄐㄧㄥ ㄈㄥ ㄕㄨㄤ)weather-beaten

飽受(ㄅㄠˇ ㄕㄡˋ)to suffer (insult, grievances, etc.) to the fullest extent

飾 6863 ㄕˋ **shì**

1.to decorate; to polish (writing) 2. decorations 3.to excuse oneself on a pretext, etc. 4.clothing and dresses 5. to whitewash 6. to play the role of

飾非(ㄕˋ ㄈㄟ)or飾過(ㄕˋ ㄍㄨㄛˋ)to hide and gloss over one's faults or mistakes

飾物(ㄕˋ ㄨˋ)adornments; decorations

六畫

餂 6864 ㄊㄧㄢˇ **tiǎn**

to entice or bait with flatteries

餃 6865 ㄐㄧㄠˇ **jiǎo**

stuffed dumplings; ravioli

餈 6866 (粢) ㄘˊ **cí**

rice cakes

餉 6867 ㄒㄧㄤˇ **xiǎng**

1.pay, provisions, etc. for the military or the police 2.to entertain with food

餉客(ㄒㄧㄤˇ ㄎㄜˋ)to entertain guests with food

餉錢(ㄒㄧㄤˇ ㄑㄧㄢˊ)a soldier's pay

養 6868 1. ㄧㄤˇ **yǎng**

1. to grow; to raise 2. to support (a family, etc.) 3. to give birth to 4. to nourish; to cultivate (one's mind, etc.) 5. to educate 6. to nurse (a wound or illness)

養病(ㄧㄤˇ ㄅㄧㄥˋ)①to convalesce; to recuperate ②convalescence

養母(ㄧㄤˇ ㄇㄨˇ)a foster mother

養父(ㄧㄤˇ ㄈㄨˋ)a foster father

養女(ㄧㄤˇ ㄋㄩˇ)a foster daughter

養老金(ㄧㄤˇ ㄌㄠˇ ㄐㄧㄣ)an old age pension

養老院(ㄧㄤˇ ㄌㄠˇ ㄩㄢˋ)a home for destitute old people

養料(ㄧㄤˇ ㄌㄧㄠˋ)nutrition; nutritious value

養家(ㄧㄤˇ ㄐㄧㄚ) or 養家活口(ㄧㄤˇ ㄐㄧㄚ ㄏㄨㄛˊ ㄎㄡˇ)to support one's family

養性(ㄧㄤˇ ㄒㄧㄥˋ)to discipline one's temperament

養殖漁業(ㄧㄤˇ ㄓˊ ㄩˊ ㄧㄝˋ)pisciculture

養珠(ㄧㄤˇ ㄓㄨ)cultured pearls

養生(ㄧㄤˇ ㄕㄥ)to preserve one's health

養生之道(ㄧㄤˇ ㄕㄥ ㄓ ㄉㄠˋ)a regimen

養子(ㄧㄤˇ ㄗˇ)a foster son

養育(ㄧㄤˇ ㄩˋ)to rear; to raise and educate

養 6868 2. ㄧㄤˋ **yàng**

to support one's parents

餌 6869 ㄦˇ **ěr**

1.to bait; to entice; bait 2.cakes 3. food 4.to eat

餁 6870 ㄖㄣˋ **rèn**

same as 飪—to cook

〔食部〕

餅 6871 (餠) ㄅㄧㄥˇ bǐng
1. cakes; biscuits; pastry 2. anything round and flat, as a disc

七畫

餐 6872 (湌) ㄘㄢ cān
1. a meal 2. to eat 3. food
餐費(ㄘㄢ ㄈㄟˋ)boarding expense
餐廳(ㄘㄢ ㄊㄧㄥ)a restaurant
餐巾(ㄘㄢ ㄐㄧㄣ)a napkin
餐具(ㄘㄢ ㄐㄩˋ)a dinner set; tableware
餐車(ㄘㄢ ㄔㄜ)a diner; a dining car

餑 6873 ㄅㄛ bō
cakes; fancy baked foods

餒 6874 ㄋㄟˇ něi
1. hungry 2. decay of fish 3. disheartened

餓 6875 ㄜˋ è
1. hungry; hunger 2. greedy; covetous 3. to starve
餓殍(ㄜˋ ㄆㄧㄠˇ)persons starved to death

餔 6876 ㄅㄨ bū
1. to eat 2. time for supper 3. sunset

餖 6877 ㄉㄡˋ dòu
food items set out for show, not to be eaten

餗 6878 ㄙㄨˋ sù
food in a caldron or tripod

餘 6879 ㄩˊ yú
1. remaining; the rest 2. a surplus; an excess 3. a balance 4. odd 5. after
餘波蕩漾(ㄩˊ ㄅㄛ ㄉㄤˋ ㄧㄤˋ)The effect (of a major event) is still being felt.
餘黨(ㄩˊ ㄉㄤˇ)remnants of an outlawed faction or disbanded gang
餘地(ㄩˊ ㄉㄧˋ)a spare space
餘年(ㄩˊ ㄋㄧㄢˊ)or餘生(ㄩˊ ㄕㄥ)the remaining years of one's life
餘力(ㄩˊ ㄌㄧˋ)energy to spare
餘糧(ㄩˊ ㄌㄧㄤˊ)surplus grain
餘可類推(ㄩˊ ㄎㄜˇ ㄌㄟˋ ㄊㄨㄟ)The rest may be inferred by analogy.
餘款(ㄩˊ ㄎㄨㄢˇ)remaining funds
餘暉(ㄩˊ ㄏㄨㄟ)twilight at sunset
餘悸(ㄩˊ ㄐㄧˋ)a lingering shock or fear
餘暇(ㄩˊ ㄒㄧㄚˊ)or 餘閒(ㄩˊ ㄒㄧㄢˊ)leisure
餘興(ㄩˊ ㄒㄧㄥˋ)an entertainment program arranged for a gathering
餘額(ㄩˊ ㄜˊ)a surplus amount
餘蔭(ㄩˊ ㄧㄣˋ)blessings left to one's children
餘味(ㄩˊ ㄨㄟˋ)pleasant memories
餘裕(ㄩˊ ㄩˋ)abundant; very well-to-do

八畫

餅 6880 (餠) ㄅㄧㄥˇ bǐng
1. cakes; biscuits; pastries: 餅乾 biscuits 2. anything roundish, as a disc

餚 6881 ㄧㄠˊ yáo
dishes and foods

餛 6882 ㄏㄨㄣˊ hún
as in 餛飩—stuffed dumplings with delicate flour wrapping; ravioli

餞 6883 ㄐㄧㄢˋ jiàn
1. a farewell dinner 2. to send off 3. to present as a gift 4. preserves
餞別(ㄐㄧㄢˋ ㄅㄧㄝˊ) or 餞行(ㄐㄧㄢˋ ㄒㄧㄥˊ)to entertain a parting friend with a feast

餡 6884 ㄒㄧㄢˋ xiàn
anything serving as stuffing for dumplings, etc.

餧 6885 ㄨㄟˋ wèi
same as 餵—to feed

館 6886 (舘) ㄍㄨㄢˇ guǎn
1. a house; a hotel 2. an official residence 3. an embassy 4. a place for cultural activities
館長(ㄍㄨㄢˇ ㄓㄤˇ)a curator; the head of a library or an institute, etc.
館子(ㄍㄨㄢˇ ·ㄗ)a restaurant

餜 6887 ㄍㄨㄛˇ guǒ
cakes, dumplings, etc.

餟 6888 ㄓㄨㄟˋ zhuì
a libation

九畫

餮 6889 ㄊㄧㄝˋ tiè
as in 饕餮—1. a legendary fierce animal 2. a greedy and gluttonous person

餱 6890 ㄏㄡˊ hóu
dry provisions

餬 6891 ㄏㄨˊ hú
1. congee; porridge; gruel 2. paste
餬口(ㄏㄨˊ ㄎㄡˇ)to make a bare living

餳 6892
ㄒㄧㄥˊ xíng
1. malt sugar 2. sticky 3. poor (eyesight)

餵 6893
(餧) ㄨㄟˋ wèi
to feed; to raise
餵奶(ㄨㄟˋ ㄋㄞˇ)to feed a baby with milk
餵養(ㄨㄟˋ ㄧㄤˇ)to raise

十畫

餿 6894
ㄙㄡ sōu
1. decayed; rotten; stale 2. lousy; foul
餿主意(ㄙㄡ ㄓㄨˇ ㄧˋ)a lousy idea

餼 6895
ㄒㄧˋ xì
1. to present as a gift 2. animals for sacrifices 3. grains; rice

餾 6896
ㄌㄧㄡˋ liù
1. to steam 2. distilled (water)

餻 6897
(糕) ㄍㄠ gāo
cakes; dumplings

餽 6898
(饋) ㄎㄨㄟˋ kuì
1. to offer food to a superior 2. to present as a gift

十一畫

饅 6899
ㄇㄢˊ mán
steamed buns; steamed bread
饅頭(ㄇㄢˊ ·ㄊㄡ)steamed dumplings

饈 6900
ㄒㄧㄡ xiū
delicious food

饉 6901
ㄐㄧㄣˇ jǐn
as in 饑饉—famine; hunger

十二畫

饋 6902
(餽) ㄎㄨㄟˋ kuì
1. to offer food to a superior 2. to present as a gift
饋贈(ㄎㄨㄟˋ ㄗㄥˋ)to present (a gift)

饌 6903
ㄓㄨㄢˋ zhuàn
1. to prepare food 2. food and drink 3. to eat and drink
饌具(ㄓㄨㄢˋ ㄐㄩˋ)food vessels

饑 6904
ㄐㄧ jī
1. a year of famine 2. hunger; hungry
饑荒(ㄐㄧ ㄏㄨㄤ)starvation; famine

饒 6905
ㄖㄠˊ ráo
1. abundant; plentiful; fertile 2. to forgive; to spare 3. lenient
饒命(ㄖㄠˊ ㄇㄧㄥˋ)to spare a life
饒舌(ㄖㄠˊ ㄕㄜˊ)loquacious; talkative
饒沃(ㄖㄠˊ ㄨㄛˋ)fertile
饒裕(ㄖㄠˊ ㄩˋ)abundance; affluence

饍 6906
(膳) ㄕㄢˋ shàn
1. a meal 2. to eat; to board

餾 6907
(餾) ㄌㄧㄡˋ liù
1. to steam 2. to distill

十三畫

饗 6908
ㄒㄧㄤˇ xiǎng
1. to dine and wine guests; to give a big party 2. a sacrificial ceremony
饗宴(ㄒㄧㄤˇ ㄧㄢˋ)a feast

饔 6909
ㄩㄥ yōng
1. cooked food 2. breakfast 3. slaughtered animals

饕 6910
ㄊㄠ tāo
1. name of a legendary ferocious animal 2. a fierce person 3. a greedy and gluttonous person

饘 6911
ㄓㄢ zhān
as in 饘粥—thick congee or porridge

十四畫

饜 6912
ㄧㄢˋ yàn
1. full-stomached; surfeited 2. to partake plentifully of

十六畫

饝 6913
(饃) ㄇㄛˊ mó
as in 饝饝—steamed dumplings

十七畫

饞 6914
ㄔㄢˊ chán
piggish; gluttonous; greedy
饞嘴(ㄔㄢˊ ㄗㄨㄟˇ)gluttonous

首部 ㄕㄡ shou

首 6915
ㄕㄡˇ shǒu

〔首部〕

〔香·馬部〕

1. the head 2. the leader 3. the first 4. a (poem, song, etc.)
首當其衝(ㄕㄡˇ ㄉㄤ ㄑㄧˊ ㄔㄨㄥ)the first to bear the brunt of
首都(ㄕㄡˇ ㄉㄨ)the (national) capital
首腦(人物)(ㄕㄡˇ ㄋㄠˇ (ㄖㄣˊ ㄨˋ))the chief; the boss; the mastermind
首領(ㄕㄡˇ ㄌㄧㄥˇ)the leader; the chief
首揆(ㄕㄡˇ ㄎㄨㄟˊ)or 首相(ㄕㄡˇ ㄒㄧㄤˋ) the premier
首屈一指(ㄕㄡˇ ㄑㄩ ㄧˋ ㄓˇ)the foremost
首席代表(ㄕㄡˇ ㄒㄧˊ ㄉㄞˋ ㄅㄧㄠˇ)the chief delegate
首席檢察官(ㄕㄡˇ ㄒㄧˊ ㄐㄧㄢˇ ㄔㄚˊ ㄍㄨㄢ)the chief procurator
首先(ㄕㄡˇ ㄒㄧㄢ)at first; first of all
首倡(ㄕㄡˇ ㄔㄤˋ)the first to advocate
首創(ㄕㄡˇ ㄔㄨㄤˋ)to found; to start
首飾(ㄕㄡˇ ㄕˋ)jewelry; ornaments
首次(ㄕㄡˇ ㄘˋ)the first time
首頁(ㄕㄡˇ ㄧㄝˋ)the first page; page number one; the title page
首要條件(ㄕㄡˇ ㄧㄠˋ ㄊㄧㄠˊ ㄐㄧㄢˋ)the number one condition; a prerequisite
首映(ㄕㄡˇ ㄧㄥˋ)the premiere (of a movie)

二畫

馗 6916 ㄎㄨㄟˊ kuí
1. a road; a path 2. as in 鍾馗—the name of a Taoist immortal, famous for catching evil spirits

八畫

馘 6917 (聝) ㄍㄨㄛˊ guó
to count the number of enemy troops one killed by the number of the left ears cut from the bodies

香 部
ㄒㄧㄤ xiāng

香 6918 ㄒㄧㄤ xiāng
1. fragrant 2. delicious 3. fair; beautiful 4. incense
香檳(ㄒㄧㄤ ㄅㄧㄣ)champagne
香片(ㄒㄧㄤ ㄆㄧㄢˋ)jasmine tea
香料(ㄒㄧㄤ ㄌㄧㄠˋ)spice; balm
香爐(ㄒㄧㄤ ㄌㄨˊ)a thurible; a censer
香菇(ㄒㄧㄤ ㄍㄨ)a kind of edible mushroom grown on wooden logs
香瓜(ㄒㄧㄤ ㄍㄨㄚ)a muskmelon
香閨(ㄒㄧㄤ ㄍㄨㄟ)a lady's chamber
香客(ㄒㄧㄤ ㄎㄜˋ)visitors to temples; pilgrims
香火(ㄒㄧㄤ ㄏㄨㄛˇ)incense burned and candles lighted in honor of a deity, an ancestor, etc.
香蕉(ㄒㄧㄤ ㄐㄧㄠ)a banana
香氣(ㄒㄧㄤ ㄑㄧˋ)a sweet smell; fragrance
香腸(ㄒㄧㄤ ㄔㄤˊ)sausage
香水(ㄒㄧㄤ ㄕㄨㄟˇ)perfume; scent
香皂(ㄒㄧㄤ ㄗㄠˋ)toilet soap
香草(ㄒㄧㄤ ㄘㄠˇ)vanilla
香煙(ㄒㄧㄤ ㄧㄢ)cigarettes
香豔(ㄒㄧㄤ ㄧㄢˋ)full of glamour; amorous
香味(ㄒㄧㄤ ㄨㄟˋ)spicy taste; aromatic flavor

九畫

馥 6919 ㄈㄨˋ fù
fragrance; aroma: 馥郁 powerfully fragrant

十一畫

馨 6920 ㄒㄧㄣ xīn
(又讀 ㄒㄧㄥ xīng)
fragrance or aroma (especially that which comes from afar)

馬 部
ㄇㄚˇ mǎ

馬 6921 ㄇㄚˇ mǎ
a horse: 馬匹 horses
馬不停蹄(ㄇㄚˇ ㄅㄨˋ ㄊㄧㄥˊ ㄊㄧˊ)to do something without stop or a single halt
馬棚(ㄇㄚˇ ㄆㄥˊ)or 馬房(ㄇㄚˇ ㄈㄤˊ)a stable
馬屁精(ㄇㄚˇ ㄆㄧˋ ㄐㄧㄥ)a flatterer; a toady
馬馬虎虎(ㄇㄚˇ ·ㄇㄚ ㄏㄨ ㄏㄨ)or 馬虎(ㄇㄚˇ ·ㄏㄨ)① careless; sloppy; slovenly ② not very good; so-so
馬夫(ㄇㄚˇ ·ㄈㄨ)a groom
馬達(ㄇㄚˇ ㄉㄚˊ)a motor
馬到成功(ㄇㄚˇ ㄉㄠˋ ㄔㄥˊ ㄍㄨㄥ)to be accomplished quickly and easily
馬蹄(ㄇㄚˇ ㄊㄧˊ)①hoofs of a horse ② a horseshoe
馬桶(ㄇㄚˇ ㄊㄨㄥˇ)a chamber pot; a close-stool
馬拉松(ㄇㄚˇ ㄌㄚ ㄙㄨㄥ)① marathon ② Marathon
馬鈴薯(ㄇㄚˇ ㄌㄧㄥˊ ㄕㄨˇ)a potato
馬路(ㄇㄚˇ ㄌㄨˋ)a street; a highway; a

road
馬克斯主義(ㄇㄚˇ ㄎㄜˋ ㄙ ㄓㄨˇ ㄧˋ) Marxism
馬口鐵(ㄇㄚˇ ㄎㄡˇ ㄊㄧㄝˇ)tinplate
馬後砲(ㄇㄚˇ ㄏㄡˋ ㄆㄠˋ)① belated action ② I-told-you-so remarks
馬球(ㄇㄚˇ ㄑㄧㄡˊ)polo
馬戲(ㄇㄚˇ ㄒㄧˋ)a circus show; a circus
馬戲團(ㄇㄚˇ ㄒㄧˋ ㄊㄨㄢˊ)a circus troupe
馬車(ㄇㄚˇ ㄔㄜ)a carriage; a coach; a landau
馬首是瞻(ㄇㄚˇ ㄕㄡˇ ㄕˋ ㄓㄢ)to look on someone as an example
馬上(ㄇㄚˇ ㄕㄤˋ)① on horseback ② right away; at once; without delay
馬嘶(ㄇㄚˇ ㄙ)to neigh; a neigh
馬鞍子(ㄇㄚˇ ㄢ ·ㄗ)a saddle

二畫

馭 6922
ㄩˋ yù
1. to drive 2. to govern; to rule; to control 3. a driver

馮 6923
1. ㄈㄥˊ féng
a Chinese family name

馮 6923
2. ㄆㄧㄥˊ píng
1. to gallop 2. by dint of; on the strength of 亦作「憑」

三畫

馱 6924
1. ㄊㄨㄛˊ tuó
to carry (a load) on the back

馱 6924
2. ㄉㄨㄛˋ duò
a load carried by a pack animal

馳 6925
ㄔˊ chí
1. to go swiftly 2. to exert 3. to spread
馳名中外(ㄔˊ ㄇㄧㄥˊ ㄓㄨㄥ ㄨㄞˋ) renowned at home and abroad
馳念(ㄔˊ ㄋㄧㄢˋ)to let one's thoughts run to (somebody or something missed)
馳驅(ㄔˊ ㄑㄩ)①to move swiftly ②to run errands ③to race horses and whip them
馳騁(ㄔˊ ㄔㄥˇ)to rush about on horseback

馴 6926
ㄒㄩㄣˊ xún
(又讀 ㄒㄩㄣˋ xùn)
1. tame 2. mild; obedient 3. gradual 4. to tame
馴服(ㄒㄩㄣˊ ㄈㄨˊ)to tame; to subdue
馴良(ㄒㄩㄣˊ ㄌㄧㄤˊ)docile; obedient
馴鹿(ㄒㄩㄣˊ ㄌㄨˋ)a reindeer
馴獸者(ㄒㄩㄣˊ ㄕㄡˋ ㄓㄜˇ) an animal tamer

馵 6927
ㄓㄨˋ zhù
a horse with the hind left leg white

四畫

駁 6928
ㄅㄛˊ bó
1. parti-colored 2. mixed; impure 3. to rebut 4. to transport; to load and unload
駁倒(ㄅㄛˊ ㄉㄠˇ)to defeat in a debate
駁回(ㄅㄛˊ ㄏㄨㄟˊ)to reject; to turn down

駃 6929
ㄐㄩㄝˊ jué
a hybrid horse

五畫

駐 6930
ㄓㄨˋ zhù
1. to halt 2. to remain temporarily; to station (troops, etc.)
駐防(ㄓㄨˋ ㄈㄤˊ)to garrison (a place)
駐軍(ㄓㄨˋ ㄐㄩㄣ)①to station troops ②an occupation force ③garrison troops
駐守(ㄓㄨˋ ㄕㄡˇ)to station troops at a place for defense purpose

駑 6931
ㄋㄨˊ nú
1. an old, worn-out horse; a jade 2. incompetent; stupid; good-for-nothing
駑馬(ㄋㄨˊ ㄇㄚˇ)an old, worn-out horse
駑鈍(ㄋㄨˊ ㄉㄨㄣˋ)incompetent; incapable

駒 6932
ㄐㄩ jū
1. a young and fleet-footed horse; a foal; a colt 2. (figuratively) the sun
駒光(ㄐㄩ ㄍㄨㄤ)or 駒隙(ㄐㄩ ㄒㄧˋ) fleeting time

駔 6933
1. ㄗㄤˇ zǎng
1. a strong horse 2. a horse broker

駔 6933
2. ㄗㄨˋ zù
a swift horse; a fine horse

駔 6933
3. ㄘㄤˇ cǎng
as in 駔子—a rascal; a mean person

駕 6934
ㄐㄧㄚˋ jià
1. to drive; to pilot 2. to excel; to surpass 3. to yoke 4. vehicles
駕機(ㄐㄧㄚˋ ㄐㄧ)to pilot a plane
駕輕就熟(ㄐㄧㄚˋ ㄑㄧㄥ ㄐㄧㄡˋ ㄕㄨˊ)to do a task with ease
駕駛執照(ㄐㄧㄚˋ ㄕˇ ㄓ ㄓㄠˋ)a driver's license

〔馬部〕

駕駛員(ㄐㄧㄚˋ ㄕˇ ㄩㄢˊ)a driver; a pilot
駕馭(ㄐㄧㄚˋ ㄩˋ)to control
駕御(ㄐㄧㄚˋ ㄩˋ)to exercise control

〔馬部〕

駘 6935 ㄊㄞˊ tái
1. a worn-out horse; a jade 2. weary; exhausted; jaded 3. incompetent

駙 6936 ㄈㄨˋ fù
1. extra horses harnessed by the side of the team 2. swift
駙馬(ㄈㄨˋ ㄇㄚˇ)imperial son-in-law

駛 6937 ㄕˇ shǐ
1. (said of vehicles) to run; (said of vessels) to sail 2. fast; fleeting

駝 6938 ㄊㄨㄛˊ tuó
1. a camel 2. hunchbacked 3. to carry on the back 4. to pay
駝背(ㄊㄨㄛˊ ㄅㄟˋ)hunchbacked
駝峯(ㄊㄨㄛˊ ㄈㄥ)the hump of a camel
駝鳥(ㄊㄨㄛˊ ㄋㄧㄠˇ)an ostrich

駟 6939 ㄙˋ sì
1. a team of four horses 2. horses 3. four

六畫

駭 6940 ㄏㄞˋ hài
1. to terrify; to frighten 2. to marvel; to wonder
駭怕(ㄏㄞˋ ㄆㄚˋ)scared; frightened

駱 6941 ㄌㄨㄛˋ luò
1. a white horse (or steed) with black mane 2. a camel

駬 6942 ㄦˇ ěr
name of a legendary swift horse

駮 6943 ㄅㄛˊ bó
1. a kind of fierce animal 2. mixed; impure 3. to refute 亦作「駁」

駢 6944 (駢) ㄆㄧㄢˊ pián
1. a pair of horses 2. to stand or lie side by side

七畫

騁 6945 ㄔㄥˇ chěng
1. to go swiftly 2. to exert 3. to give free play to
騁馳(ㄔㄥˇ ㄔˊ)to go at full speed

駿 6946 ㄐㄩㄣˋ jùn
1. a swift horse 2. great; large 3. swift 4. rigorous
駿馬(ㄐㄩㄣˋ ㄇㄚˇ)a fine horse
駿逸(ㄐㄩㄣˋ ㄧˋ)distinguished; outstanding

騂 6947 ㄒㄧㄥ xīng
red

騃 6948 ㄞˊ ái
stupid; foolish

駸 6949 ㄑㄧㄣ qīn
galloping; speeding

駻 6950 ㄏㄢˋ hàn
1. wild (horses); fierce 2. a saddle

八畫

騎 6951 ㄑㄧˊ qí
(名詞讀音 ㄐㄧˋ jì)
to ride (a horse, etc.); to sit astride on
騎兵(ㄑㄧˊ ㄅㄧㄥ)or(ㄐㄧˋ ㄅㄧㄥ)cavalry; mounted troops
騎樓(ㄑㄧˊ ㄌㄡˊ)an arcade
騎牆派(ㄑㄧˊ ㄑㄧㄤˊ ㄆㄞˋ)fence-sitters
騎士(ㄑㄧˊ ㄕˋ)a knight

騈 6952 (駢) ㄆㄧㄢˊ pián
1. a pair of horses 2. to stand, lie, or go side by side
騈體文(ㄆㄧㄢˊ ㄊㄧˇ ㄨㄣˊ)a euphuistically antithetic style of writing

騏 6953 ㄑㄧˊ qí
1. a dark-blue horse 2. a fine horse 3. dark blue

騄 6954 ㄌㄨˋ lù
name of a legendary swift horse

騅 6955 ㄓㄨㄟ zhuī
a piebald horse

騐 6956 (驗) ㄧㄢˋ yàn
to test

九畫

騖 6957 ㄨˋ wù
1. to rush; to speed 2. unrestrained; uninhibited
騖遠(ㄨˋ ㄩㄢˇ)impractically ambitious

騙 6958 ㄆㄧㄢˋ piàn
1. to cheat 2. to get by fraud
騙局(ㄆㄧㄢˋ ㄐㄩˊ)a fraud; a swindle
騙術(ㄆㄧㄢˋ ㄕㄨˋ)a trick; a stratagem

騙子(ㄆㄧㄢˋ・ㄗ)a swindler; an impostor

騣 6959 (鬃) ㄗㄨㄥ zōng
a mane

騤 6960 ㄎㄨㄟˊ kuí
(said of a horse) lively; vigorous; strong

騠 6961 ㄊㄧˊ tí
a hybrid horse produced by mating a donkey with a stallion

騞 6962 ㄏㄨㄛˋ huò
the sound of a knife cutting something

十畫

騫 6963 ㄑㄧㄢ qiān
1. to uplift 2. to soar; to rise 3. to pull up 4. frightened

騭 6964 ㄓˋ zhì
1. a stallion 2. to go up; to rise 3. predestined

騰 6965 ㄊㄥˊ téng
1. to prance; to leap 2. to go up; to soar 3. to turn over; to surrender
騰達(ㄊㄥˊ ㄉㄚˊ)to prosper; to thrive
騰貴(ㄊㄥˊ ㄍㄨㄟˋ)(said of prices) to skyrocket
騰空(ㄊㄥˊ ㄎㄨㄥ)to fly in the sky; to soar

騷 6966 ㄙㄠ sāo
1. to disturb 2. to worry 3. stinking 4. (colloquial) amorous; erotic
騷動(ㄙㄠ ㄉㄨㄥˋ)unrest; upheaval
騷亂(ㄙㄠ ㄌㄨㄢˋ)disturbance; agitation; tumult

騶 6967 ㄗㄡ zōu
1. an official in charge of driving carriages 2. a mounted escort

騮 6968 ㄌㄧㄡˊ liú
a legendary fine horse

十一畫

騾 6969 ㄌㄨㄛˊ luó
as in 騾子—①a mule ②a stubborn person

驁 6970 ㄠˊ áo
1. a fine horse 2. an untamed horse 3. proud; haughty; arrogant

驀 6971 ㄇㄛˋ mò
1. sudden 2. to mount the horse
驀地(ㄇㄛˋ ㄉㄧˋ)or驀然(ㄇㄛˋ ㄖㄢˊ) suddenly; all of a sudden

驂 6972 ㄘㄢ cān
the two outside horses of a team of three

驃 6973 ㄆㄧㄠˋ piào
1. a horse with a yellowish white color 2. valiant 3. galloping

驄 6974 ㄘㄨㄥ cōng
a horse with a bluish white color

驅 6975 ㄑㄩ qū
1. to go before others 2. to drive; to urge 3. to expel 4. to command
驅邪(ㄑㄩ ㄒㄧㄝˊ)to keep evil spirits away
驅逐(ㄑㄩ ㄓㄨˊ)to drive out; to get rid of
驅逐艦(ㄑㄩ ㄓㄨˊ ㄐㄧㄢˋ)a destroyer
驅使(ㄑㄩ ㄕˇ)to order (a person) about
驅散(ㄑㄩ ㄙㄢˋ)to disperse by force; to scatter

十二畫

驕 6976 ㄐㄧㄠ jiāo
1. disobedient 2. proud; haughty 3. severe
驕態(ㄐㄧㄠ ㄊㄞˋ)a haughty manner
驕橫(ㄐㄧㄠ ㄏㄥˋ)arrogant and high-handed
驕者必敗(ㄐㄧㄠ ㄓㄜˇ ㄅㄧˋ ㄅㄞˋ)Pride goes before a fall.
驕縱(ㄐㄧㄠ ㄗㄨㄥˋ)proud and unruly
驕傲(ㄐㄧㄠ ㄠˋ)proud; haughty
驕陽(ㄐㄧㄠ ㄧㄤˊ)the hot sunshine

驊 6977 ㄏㄨㄚˊ huá
name of a legendary fine horse

驍 6978 ㄒㄧㄠ xiāo
1. brave; valiant 2. a fine horse

驎 6979 ㄌㄧㄣˊ lín
(said of horses) piebald

驑 6980 (騮) ㄌㄧㄡˊ liú
name of a legendary fine horse

十三畫

驗 6981 (騐) ㄧㄢˋ yàn
1. to examine; to analyze 2. to produce an effect 3. to verify; to prove
驗明(ㄧㄢˋ ㄇㄧㄥˊ)to ascertain by a test
驗放(ㄧㄢˋ ㄈㄤˋ)to allow shipment of goods to pass after checking the contents
驗尿(ㄧㄢˋ ㄋㄧㄠˋ)a urine test; a urinalysis

〔馬部〕

驗關(ㄧㄢˋ ㄍㄨㄢ)customs examination
驗光(ㄧㄢˋ ㄍㄨㄤ)optometry
驗訖(ㄧㄢˋ ㄑㄧˋ)examined; checked
驗血(ㄧㄢˋ ㄒㄧㄝˇ)a blood test
驗屍(ㄧㄢˋ ㄕ)a postmortem examination
驗屍官(ㄧㄢˋ ㄕ ㄍㄨㄢ)a coroner

驚 6982 ㄐㄧㄥ jīng
1. to startle; to surprise; to frighten 2. afraid; scared 3. to marvel; to be surprised
驚動(ㄐㄧㄥ ㄉㄨㄥˋ)①to astonish ② to bother
驚濤駭浪(ㄐㄧㄥ ㄊㄠˊ ㄏㄞˋ ㄌㄤˋ)(said of the sea) mountainous waves
驚歎(ㄐㄧㄥ ㄊㄢˋ)to marvel; to exclaim
驚天地，泣鬼神(ㄐㄧㄥ ㄊㄧㄢ ㄉㄧˋ, ㄑㄧˋ ㄍㄨㄟˇ ㄕㄣˊ)to startle the universe and move the gods
驚慌(ㄐㄧㄥ ㄏㄨㄤ)to be frightened and confused
驚惶失措(ㄐㄧㄥ ㄏㄨㄤˊ ㄕ ㄘㄨㄛˋ)to lose one's head from fear
驚鴻一瞥(ㄐㄧㄥ ㄏㄨㄥˊ ㄧˋ ㄆㄧㄝ)to have a fleeting glimpse of a beauty
驚心動魄(ㄐㄧㄥ ㄒㄧㄣ ㄉㄨㄥˋ ㄆㄛˋ)heart-shaking; soul-stirring
驚醒(ㄐㄧㄥ ㄒㄧㄥˇ)to cause to wake up with a startle
驚愕(ㄐㄧㄥ ㄜˋ)to be astonished
驚疑(ㄐㄧㄥ ㄧˊ)suspicious from fear
驚異(ㄐㄧㄥ ㄧˋ)or 驚訝(ㄐㄧㄥ ㄧㄚˋ)to be surprised; to be amazed; to marvel

驛 6983 ㄧˋ yì
a station where couriers rested in former times; a courier station
驛馬車(ㄧˋ ㄇㄚˇ ㄔㄜ)a stagecoach
驛站(ㄧˋ ㄓㄢˋ)a courier station

十四畫

驟 6984 ㄗㄡˋ zòu
1. to gallop 2. swift; sudden 3. frequent
驟雨(ㄗㄡˋ ㄩˇ)a sudden rainstorm

十六畫

驢 6985 ㄌㄩˊ lǘ
an ass; a donkey
驢叫(ㄌㄩˊ ㄐㄧㄠˋ)a donkey's bray—a loud, unpleasant voice

驥 6986 ㄐㄧˋ jì
1. a very fast horse 2. a man of outstanding ability; a great man

十七畫

驤 6987 ㄒㄧㄤ xiāng
1. a horse with the right hind leg white 2. to uplift 3. galloping with a raised head

十八畫

驩 6988 (歡) ㄏㄨㄢ huān
to have joy

十九畫

驪 6989 ㄌㄧˊ lí
1. a black horse 2. to drive a carriage drawn by two horses
驪歌(ㄌㄧˊ ㄍㄜ)a song of farewell

骨部 ㄍㄨˇ gu

骨 6990 1. ㄍㄨˇ gǔ
1. a bone 2. a framework; a frame; a skeleton
骨牌(ㄍㄨˇ ㄆㄞˊ)dominoes or similar pieces used in mahjong, etc.
骨盆(ㄍㄨˇ ㄆㄣˊ)(anatomy) the pelvis
骨董(ㄍㄨˇ ㄉㄨㄥˇ)curios
骨骼 or 骨格(ㄍㄨˇ ㄍㄜˊ)a skeleton
骨科(ㄍㄨˇ ㄎㄜ)osteopathy
骨科醫生(ㄍㄨˇ ㄎㄜ ㄧ ㄕㄥ)an osteopath
骨灰(ㄍㄨˇ ㄏㄨㄟ)bone ashes
骨(關)節(ㄍㄨˇ (ㄍㄨㄢ) ㄐㄧㄝˊ)joints (of bones)
骨節痛(ㄍㄨˇ ㄐㄧㄝˊ ㄊㄨㄥˋ)gout
骨氣(ㄍㄨˇ ㄑㄧˋ)fortitude; pluck
骨相學(ㄍㄨˇ ㄒㄧㄤˋ ㄒㄩㄝˊ)phrenology
骨折(ㄍㄨˇ ㄓㄜˊ)a bone fracture
骨瘦如柴(ㄍㄨˇ ㄕㄡˋ ㄖㄨˊ ㄔㄞˊ)very skinny
骨肉(ㄍㄨˇ ㄖㄡˋ)one's own flesh and blood— blood relations
骨髓(ㄍㄨˇ ㄙㄨㄟˇ)marrow
骨癌(ㄍㄨˇ ㄧㄢˊ)cancer in the bone

骨 6990 2. ㄍㄨˊ gú
a bone (in some colloquial phrases)
骨頭(ㄍㄨˊ ·ㄊㄡ)① bone ② fortitude

骨 6990 3. ㄍㄨ gū
an alternative pronunciation of 骨(ㄍㄨˇ) used in some phrases
骨朶兒(ㄍㄨ ·ㄉㄨㄛㄦ)a bud

三畫

骭 6991
ㄍㄢˋ gàn
the shinbone

骫 6992
ㄨㄟˇ wěi
to bend; to twist

四畫

骰 6993
1. ㄕㄞˇ shǎi
dice; to dice

骰 6993
2. ㄊㄡˊ tóu
a literary pronunciation of 骰 (ㄕㄞˇ)

骯 6994
ㄤ āng
dirty; filthy; foul

五畫

骷 6995
ㄎㄨ kū
as in 骷髏—a human skeleton

六畫

骻 6996
ㄎㄨㄚˋ kuà
the waist bone

骸 6997
ㄏㄞˊ hái
1. the shinbone 2. a skeleton

骼 6998
ㄍㄜˊ gé
a bone; a skeleton

七畫

骾 6999
ㄍㄥˇ gěng
a fishbone, etc., stuck in the throat 亦作「鯁」

八畫

髀 7000
ㄅㄧˋ bì
1. buttocks 2. the hipbone; the innominate bone

髁 7001
ㄎㄜ kē
1. the hipbone 2. the kneecap

十一畫

髏 7002
ㄌㄡˊ lóu
as in 骷髏—a human skeleton

十三畫

髒 7003
ㄗㄤ zāng
dirty; filthy

髓 7004
ㄙㄨㄟˇ suǐ
marrow; pith; essence

體 7005
ㄊㄧˇ tǐ
1. the body 2. form 3. an entity 4. a style 5. substance; essence 6. theory (as opposed to practice)

體魄(ㄊㄧˇ ㄆㄛˋ)the human body as the source of strength
體面(ㄊㄧˇ ㄇㄧㄢˋ)① honor; dignity ② appearing good; looking elegant
體罰(ㄊㄧˇ ㄈㄚˊ)corporal punishment
體態(ㄊㄧˇ ㄊㄞˋ)① outward form; look ② a manner or a carriage
體貼(ㄊㄧˇ ㄊㄧㄝ)kind; considerate
體例(ㄊㄧˇ ㄌㄧˋ)general form
體諒(ㄊㄧˇ •ㄌㄧㄤ)to be considerate of
體格(ㄊㄧˇ ㄍㄜˊ)physique
體格檢查(ㄊㄧˇ ㄍㄜˊ ㄐㄧㄢˇ ㄔㄚˊ)or 體檢(ㄊㄧˇ ㄐㄧㄢˇ)a physical examination
體會(ㄊㄧˇ ㄏㄨㄟˋ)to comprehend intuitively
體積(ㄊㄧˇ ㄐㄧ)volume (of a solid)
體現(ㄊㄧˇ ㄒㄧㄢˋ)to embody
體型(ㄊㄧˇ ㄒㄧㄥˊ)(physical) build
體恤(ㄊㄧˇ ㄒㄩˋ)to be considerate of and sympathize with
體質(ㄊㄧˇ ㄓˋ)a bodily constitution
體重(ㄊㄧˇ ㄓㄨㄥˋ)body weight
體認(ㄊㄧˇ ㄖㄣˋ)to perceive intuitively
體裁(ㄊㄧˇ ㄘㄞˊ)a style (of writing)
體操(ㄊㄧˇ ㄘㄠ)gymnastics; calisthenics
體驗(ㄊㄧˇ ㄧㄢˋ)to experience firsthand
體溫(ㄊㄧˇ ㄨㄣ)body temperature
體溫計(ㄊㄧˇ ㄨㄣ ㄐㄧˋ)a clinical thermometer
體育(ㄊㄧˇ ㄩˋ)①physical education ② athletics
體育館(ㄊㄧˇ ㄩˋ ㄍㄨㄢˇ)a gymnasium
體育記者(ㄊㄧˇ ㄩˋ ㄐㄧˋ ㄓㄜˇ)a sportswriter
體育場(ㄊㄧˇ ㄩˋ ㄔㄤˇ)a stadium; a playground

髑 7006
ㄉㄨˊ dú
the human skull

十四畫

髕 7007
ㄅㄧㄣˋ bìn
the kneecap; the kneepan

高部
ㄍㄠ gāo

〔髟部〕

高 7008
ㄍㄠ gāo

1. high; tall 2. of a high level or degree; above the average 3. lofty

高朋滿座(ㄍㄠ ㄆㄥˊ ㄇㄢˇ ㄗㄨㄛˋ)All the seats are occupied by distinguished guests.
高帽(子)(ㄍㄠ ㄇㄠˋ (•ㄗ))flattery; soft soap
高明(ㄍㄠ ㄇㄧㄥˊ)① clever; wise ② an expert; a master; a qualified person
高飛遠走(ㄍㄠ ㄈㄟ ㄩㄢˇ ㄗㄡˇ)to abscond
高峯(ㄍㄠ ㄈㄥ)the peak; the summit
高風亮節(ㄍㄠ ㄈㄥ ㄌㄧㄤˋ ㄐㄧㄝˊ) noble character and incorruptible principle
高大(ㄍㄠ ㄉㄚˋ)tall and big; colossal
高檔(ㄍㄠ ㄉㄤˇ) (dialect) the top grade; superior quality
高等教育(ㄍㄠ ㄉㄥˇ ㄐㄧㄠˋ ㄩˋ)higher education
高低不平(ㄍㄠ ㄉㄧ ㄅㄨˋ ㄆㄧㄥˊ)uneven; irregular
高地(ㄍㄠ ㄉㄧˋ)high ground; uplands
高調(ㄍㄠ ㄉㄧㄠˋ)①a high-pitched note ② high-sounding (but impractical) assertions
高度(ㄍㄠ ㄉㄨˋ)① an altitude; a height; an elevation ② highly; great
高擡貴手(ㄍㄠ ㄊㄞˊ ㄍㄨㄟˋ ㄕㄡˇ) (literally) Raise your noble hands.—Please be merciful.
高談闊論(ㄍㄠ ㄊㄢˊ ㄎㄨㄛˋ ㄌㄨㄣˋ)to talk freely; to talk in a lively atmosphere
高欄(ㄍㄠ ㄌㄢˊ)the high hurdles
高利貸(ㄍㄠ ㄌㄧˋ ㄉㄞˋ)usury
高粱(ㄍㄠ ㄌㄧㄤˊ)kaoliang; sorghum
高粱酒(ㄍㄠ ㄌㄧㄤˊ ㄐㄧㄡˇ)kaoliang wine
高齡(ㄍㄠ ㄌㄧㄥˊ)advanced age
高論(ㄍㄠ ㄌㄨㄣˋ)an outstanding statement
高歌(ㄍㄠ ㄍㄜ)to sing aloud
高跟鞋(ㄍㄠ ㄍㄣ ㄒㄧㄝˊ)high-heeled shoes
高亢(ㄍㄠ ㄎㄤˋ)proud and indomitable
高空(ㄍㄠ ㄎㄨㄥ)high altitude; upper air
高空彈跳(ㄍㄠ ㄎㄨㄥ ㄊㄢˊ ㄊㄧㄠˋ) bungee jumping
高級(ㄍㄠ ㄐㄧˊ)① a high grade; a high class; superior ② advanced (courses)
高級中學(ㄍㄠ ㄐㄧˊ ㄓㄨㄥ ㄒㄩㄝˊ)or 高中(ㄍㄠ ㄓㄨㄥ)a senior high school
高價(ㄍㄠ ㄐㄧㄚˋ)a high price
高架鐵路(ㄍㄠ ㄐㄧㄚˋ ㄊㄧㄝˇ ㄌㄨˋ)an elevated railroad
高架橋(ㄍㄠ ㄐㄧㄚˋ ㄑㄧㄠˊ)a viaduct
高階層(ㄍㄠ ㄐㄧㄝ ㄘㄥˊ)high rank; top rank
高潔(ㄍㄠ ㄐㄧㄝˊ)noble and pure
高見(ㄍㄠ ㄐㄧㄢˋ)your esteemed opinion
高峻(ㄍㄠ ㄐㄩㄣˋ)precipitous; steep
高蹺(ㄍㄠ •ㄑㄧㄠ)stilts
高下(ㄍㄠ ㄒㄧㄚˋ)superiority and inferiority
高薪(ㄍㄠ ㄒㄧㄣ)high pay; a handsome salary
高興(ㄍㄠ ㄒㄧㄥˋ)glad; elated; delighted
高血壓(ㄍㄠ ㄒㄩㄝˋ ㄧㄚ)high blood pressure
高懸(ㄍㄠ ㄒㄩㄢˊ)to hang high
高瞻遠矚(ㄍㄠ ㄓㄢ ㄩㄢˇ ㄓㄨˇ)farseeing
高枕無憂(ㄍㄠ ㄓㄣˇ ㄨˊ ㄧㄡ)to sleep in peace
高超(ㄍㄠ ㄔㄠ)surpassing; outstanding
高潮(ㄍㄠ ㄔㄠˊ)①a high tide ②a climax
高射砲(ㄍㄠ ㄕㄜˋ ㄆㄠˋ)an antiaircraft gun; ack-ack
高燒(ㄍㄠ ㄕㄠ)a high fever
高手(ㄍㄠ ㄕㄡˇ)a master; an expert
高深(ㄍㄠ ㄕㄣ)recondite; profound
高尚(ㄍㄠ ㄕㄤˋ)① noble ② high-class
高陞(ㄍㄠ ㄕㄥ)to be promoted
高聲朗誦(ㄍㄠ ㄕㄥ ㄌㄤˇ ㄙㄨㄥˋ)to recite aloud
高姿態(ㄍㄠ ㄗ ㄊㄞˋ)a lofty stance
高才生(ㄍㄠ ㄘㄞˊ ㄕㄥ)a bright and excellent student
高僧(ㄍㄠ ㄙㄥ)a high-ranking monk
高速(ㄍㄠ ㄙㄨˋ)high speed
高速公路(ㄍㄠ ㄙㄨˋ ㄍㄨㄥ ㄌㄨˋ)a freeway
高聳(ㄍㄠ ㄙㄨㄥˇ)to tower; to rise high
高傲(ㄍㄠ ㄠˋ)proud; haughty
高爾夫球(ㄍㄠ ㄦˇ ㄈㄨ ㄑㄧㄡˊ)golf
高壓電線(ㄍㄠ ㄧㄚ ㄉㄧㄢˋ ㄒㄧㄢˋ) a high-tension wire
高壓政策(ㄍㄠ ㄧㄚ ㄓㄥˋ ㄘㄜˋ)a high-handed policy
高壓手段(ㄍㄠ ㄧㄚ ㄕㄡˇ ㄉㄨㄢˋ)high-handed measures
高音(ㄍㄠ ㄧㄣ)① treble ② a soprano
高原(ㄍㄠ ㄩㄢˊ)highlands; plateaus

髟部
ㄅㄧㄠ biāo

三畫

髡 7009
ㄎㄨㄣ kūn

1. an ancient punishment of shaving the hair 2. to shear trees

髢 7010
ㄊㄧˋ tì
wearing false hair

四畫

髣 7011
ㄈㄤˇ fǎng
like; similar

髥 7012
(髯) ㄖㄢˊ rán
1. whiskers 2. a heavily bearded man

髦 7013
ㄇㄠˊ máo
a children's hair style with front hair covering the forehead

五畫

髫 7014
ㄊㄧㄠˊ tiáo
1. a children's hair style with hair hanging down the forehead 2. a youngster; a child
髫年(ㄊㄧㄠˊ ㄋㄧㄢˊ)childhood; youth

髮 7015
ㄈㄚˇ fǎ
1. hair (covering human heads) 2. a hairbreadth; a hair's breadth
髮夾(ㄈㄚˇ ㄐㄧㄚˊ)a hairpin; a bobby pin
髮型(ㄈㄚˇ ㄒㄧㄥˊ)a hair style; a hairdo
髮刷(ㄈㄚˇ ㄕㄨㄚ)a hairbrush
髮油(ㄈㄚˇ ㄧㄡˊ)hair oil; pomade
髮網(ㄈㄚˇ ㄨㄤˇ)a hair net

髴 7016
ㄈㄨˊ fú
as in 髣髴—like; similar

髯 7017
(髥) ㄖㄢˊ rán
1. whiskers 2. a heavily bearded man

髭 7018
ㄗ zī
moustaches: 髭鬚 moustaches and beards

六畫

髻 7019
ㄐㄧˋ jì
a coiffure with a topknot

髹 7020
ㄒㄧㄡ xiū
a kind of dark-red paint

七畫

鬁 7021
ㄌㄧˋ lì
as in 鬎鬁—favus

髽 7022
ㄓㄨㄚ zhuā
women's headdresses in mourning

八畫

鬆 7023
ㄙㄨㄥ sōng
1. loose; lax; slack 2. to relax 3. to loosen 4. soft; light
鬆口氣(ㄙㄨㄥ ㄎㄡˇ ㄑㄧˋ)to relax for a while
鬆緊帶(ㄙㄨㄥ ㄐㄧㄣˇ ㄉㄞˋ)an elastic string, band, etc.
鬆弛(ㄙㄨㄥ ㄔˊ)relaxed
鬆手(ㄙㄨㄥ ㄕㄡˇ)to let go the hands
鬆散(ㄙㄨㄥ ㄙㄢˇ)incompact; loosely arranged

鬈 7024
ㄑㄩㄢˊ quán
1. fine hair 2. curled hair
鬈髮(ㄑㄩㄢˊ ㄈㄚˇ)crimps

鬃 7025
ㄗㄨㄥ zōng
1. the topknot of a lady's headdress 2. the mane 3. a bristle

九畫

鬎 7026
ㄌㄚˋ là
favus

鬍 7027
ㄏㄨˊ hú
beard: 鬍鬚 beard

十畫

鬑 7028
ㄌㄧㄢˊ lián
hair hanging down the temples

鬐 7029
ㄑㄧˊ qí
1. the mane 2. fins 亦作「鰭」

鬒 7030
ㄓㄣˇ zhěn
having dark, glossy hair

十一畫

鬘 7031
ㄇㄢˊ mán
(said of hair) fair

十二畫

鬚 7032
ㄒㄩ xū
1. beard; whiskers 2. whiskers (of a cat, etc.) 3. an awn
鬚眉(ㄒㄩ ㄇㄟˊ)①beard and eyebrows ②men

十三畫

鬟 7033
ㄏㄨㄢˊ huán
1. to dress the hair in a coiled knot 2. a female servant; a maid

〔髟部〕

十四畫

鬢 7034 ㄅㄧㄣˋ bìn
hair on the temples
鬢髮(ㄅㄧㄣˋ ㄈㄚˇ)hair on the temples
鬢角(ㄅㄧㄣˋ ㄐㄧㄠˇ)temples (beside the ears)

十五畫

鬣 7035 ㄌㄧㄝˋ liè
1. long beard; long whiskers 2. the mane 3. fins

鬥部 ㄉㄡˋ dòu

鬥 7036 ㄉㄡˋ dòu
same as 鬭—to struggle

四畫

鬦 7037 ㄉㄡˋ dòu
same as 鬭—to struggle

五畫

鬧 7038 ㄋㄠˋ nào
1. to disturb; to agitate 2. to have or experience (disasters, sickness, etc.) 3. noisy; uproarious; clamorous
鬧彆扭(ㄋㄠˋ ㄅㄧㄝ ·ㄋㄧㄡ)to act peevishly
鬧風潮(ㄋㄠˋ ㄈㄥ ·ㄔㄠ)to stir up a public commotion
鬧肚子(ㄋㄠˋ ㄉㄨˋ ·ㄗ)to have loose bowels
鬧亂子(ㄋㄠˋ ㄌㄨㄢˋ ·ㄗ)to start trouble
鬧飢荒(ㄋㄠˋ ㄐㄧ ·ㄏㄨㄤ)to have a famine
鬧酒(ㄋㄠˋ ㄐㄧㄡˇ)to start a drinking bout
鬧笑話(ㄋㄠˋ ㄒㄧㄠˋ ㄏㄨㄚˋ)to arouse ridicule
鬧鐘(ㄋㄠˋ ㄓㄨㄥ)an alarm clock
鬧事(ㄋㄠˋ ㄕˋ)to cause trouble or uproar
鬧市(ㄋㄠˋ ㄕˋ)a busy shopping district
鬧意見(ㄋㄠˋ ㄧˋ ㄐㄧㄢˋ)to have disputes

六畫

鬨 7039 ㄏㄨㄥˋ hòng
1. to be uproarious; uproar; clamor; noise 2. a dispute; a quarrel

八畫

鬩 7040 ㄒㄧˋ xì
to quarrel; to conflict
鬩牆(ㄒㄧˋ ㄑㄧㄤˊ)to quarrel within the family

十畫

鬪 7041 (鬭) ㄉㄡˋ dòu
to struggle

十四畫

鬭 7042 (鬥、鬦) ㄉㄡˋ dòu
to struggle; to fight; to contend; to conflict; to vie; to compete
鬭牛(ㄉㄡˋ ㄋㄧㄡˊ)a bullfight
鬭牛場(ㄉㄡˋ ㄋㄧㄡˊ ㄔㄤˇ)a bullring
鬭牛士(ㄉㄡˋ ㄋㄧㄡˊ ㄕˋ)a bullfighter
鬭弄(ㄉㄡˋ ·ㄋㄨㄥ)①to seduce; to flirt with ②to play jokes; to make fun of
鬭狠(ㄉㄡˋ ㄏㄣˇ)to compete in ferocities
鬭雞(ㄉㄡˋ ㄐㄧ)a cockfight; cockfighting
鬭趣(ㄉㄡˋ ㄑㄩˋ)to joke
鬭蟋蟀(ㄉㄡˋ ㄒㄧ ㄕㄨㄞˋ)a cricketfight
鬭志(ㄉㄡˋ ㄓˋ)the determination to compete or fight; fighting spirit
鬭智(ㄉㄡˋ ㄓˋ)a battle of wits
鬭爭(ㄉㄡˋ ㄓㄥ)struggle; conflict; strife
鬭嘴(ㄉㄡˋ ㄗㄨㄟˇ)or鬭口(ㄉㄡˋ ㄎㄡˇ) to quarrel; to wrangle
鬭毆(ㄉㄡˋ ㄡ)to have a fight; to brawl

十六畫

鬮 7043 ㄐㄧㄡ jiū
lots (to be drawn)

鬯部 ㄔㄤˋ chàng

鬯 7044 ㄔㄤˋ chàng
1. sacrificial spirits; herb-flavored spirits 2. same as 暢—unobstructed

十九畫

鬱 7045 ㄩˋ yù
1. a tulip 2. a plum (*Prunus japonica*) 3. held in check 4. luxuriant; lush
鬱金香(ㄩˋ ㄐㄧㄣ ㄒㄧㄤ)a tulip
鬱鬱寡歡(ㄩˋ ㄩˋ ㄍㄨㄚˇ ㄏㄨㄢ)to mope; to feel low

鬲部
ㄌㄧˋ lì

鬲 7046
1. ㄍㄜˊ gé
same as 隔

鬲 7046
2. ㄌㄧˋ lì
a kind of caldron

十二畫

鬻 7047
ㄩˋ yù
1. to sell 2. to bring up 3. young; childish
鬻文(ㄩˋ ㄨㄣˊ)to write for pay

鬼部
ㄍㄨㄟˇ guǐ

鬼 7048
ㄍㄨㄟˇ guǐ
1. spirits; ghosts 2. cunning; crafty 3. sinister; evil
鬼斧神工(ㄍㄨㄟˇ ㄈㄨˇ ㄕㄣˊ ㄍㄨㄥ)prodigious workmanship
鬼頭鬼腦(ㄍㄨㄟˇ ㄊㄡˊ ㄍㄨㄟˇ ㄋㄠˇ)① crafty and sinister ② hiding and peeping
鬼臉(ㄍㄨㄟˇ ㄌㄧㄢˇ)a grimace
鬼怪(ㄍㄨㄟˇ ㄍㄨㄞˋ)monsters
鬼鬼祟祟(ㄍㄨㄟˇ ㄍㄨㄟˇ ㄙㄨㄟˋ ㄙㄨㄟˋ)stealthy; furtive
鬼哭神號(ㄍㄨㄟˇ ㄎㄨ ㄕㄣˊ ㄏㄠˊ)to give dreary cries and screams
鬼話連篇(ㄍㄨㄟˇ ㄏㄨㄚˋ ㄌㄧㄢˊ ㄆㄧㄢ)to tell a whole series of lies
鬼火(ㄍㄨㄟˇ ㄏㄨㄛˇ)a jack-o'-lantern; a will-o'-the-wisp
鬼混(ㄍㄨㄟˇ ㄏㄨㄣˋ)to spend days in an idle, slovenly way
鬼神(ㄍㄨㄟˇ ㄕㄣˊ)ghosts and deities
鬼才(ㄍㄨㄟˇ ㄘㄞˊ)a genius in an unorthodox way

四畫

魁 7049
ㄎㄨㄟˊ kuí
1. the chief; the leader 2. tall; big; great
魁首(ㄎㄨㄟˊ ㄕㄡˇ)① the first on the list of successful candidates in the former civil service examination ② the leader; the chief; the head
魁梧(ㄎㄨㄟˊ ㄨˋ)tall and robust; husky

魂 7050
ㄏㄨㄣˊ hún
a soul; a spirit
魂不附體(ㄏㄨㄣˊ ·ㄅㄨ ㄈㄨˋ ㄊㄧˇ)frightened out of one's wits
魂魄(ㄏㄨㄣˊ ㄆㄛˋ)a soul

五畫

魄 7051
1. ㄆㄛˋ pò
1. (Taoism) vigor; life 2. form; body 3. the dark part of the moon

魄 7051
2. ㄊㄨㄛˋ tuò
as in 落魄—dispirited; out of luck

魅 7052
ㄇㄟˋ mèi
1. a mischievous spirit; a goblin; an elf 2. to charm; to mislead
魅力(ㄇㄟˋ ㄌㄧˋ) glamor; sexiness; attractiveness; spell; charm; charisma

八畫

魍 7053
ㄨㄤˇ wǎng
as in 魍魎—a kind of monster

魎 7054
ㄌㄧㄤˇ liǎng
a kind of monster

魏 7055
ㄨㄟˋ wèi
lofty; stately; magnificent

魊 7056
(蜮) ㄩˋ yù
a fabulous creature which supposedly hurts human beings by casting sand out of its mouth

十一畫

魑 7057
ㄔ chī
a mountain demon resembling a tiger
魑魅魍魎(ㄔ ㄇㄟˋ ㄨㄤˇ ㄌㄧㄤˇ)all sorts of monsters and goblins

魔 7058
ㄇㄛˊ mó
a wizard; a witch; a demon; a devil
魔法(ㄇㄛˊ ㄈㄚˇ)or魔術(ㄇㄛˊ ㄕㄨˋ) magic
魔力(ㄇㄛˊ ㄌㄧˋ)magic power
魔鬼(ㄇㄛˊ ㄍㄨㄟˇ)devils; evil spirits
魔術家(ㄇㄛˊ ㄕㄨˋ ㄐㄧㄚ)a magician
魔王(ㄇㄛˊ ㄨㄤˊ)the Devil; Satan; Prince of Darkness

十四畫

魘 7059 ㄧㄢˇ yǎn
a nightmare

〔魚部〕

魚部 ㄩ yu

魚 7060 ㄩˊ yú
fish
魚鰾(ㄩˊ ㄅㄧㄠˋ)the air bladder of a fish
魚苗(ㄩˊ ㄇㄧㄠˊ)or魚秧(ㄩˊ ㄧㄤ)fry (of fish)
魚販(ㄩˊ ㄈㄢˋ)a fishmonger
魚肚(ㄩˊ ㄉㄨˋ)fish maws used as food
魚塘(ㄩˊ ㄊㄤˊ)or魚池(ㄩˊ ㄔˊ)a fish pond
魚雷(ㄩˊ ㄌㄟˊ)a torpedo
魚鱗(ㄩˊ ㄌㄧㄣˊ)scales (of fish)
魚鉤(ㄩˊ ㄍㄡ)a fishhook
魚竿(ㄩˊ ㄍㄢ)a fishing rod; a fish pole
魚肝油(ㄩˊ ㄍㄢ ㄧㄡˊ)cod-liver oil
魚缸(ㄩˊ ㄍㄤ)a fish globe
魚鰭(ㄩˊ ㄑㄧˊ)fins
魚翅(ㄩˊ ㄔˋ)shark's fins
魚叉(ㄩˊ ㄔㄚ)a harpoon; a gaff; a fish spear
魚卵(ㄩˊ ㄖㄨㄢˇ)roe; spawn
魚子醬(ㄩˊ ㄗˇ ㄐㄧㄤˋ)caviar
魚鬆(ㄩˊ ㄙㄨㄥ)dried fish floss
魚餌(ㄩˊ ㄦˇ)fish bait
魚丸子(ㄩˊ ㄨㄢˊ ˙ㄗ)a fish ball; a fish cake
魚塭(ㄩˊ ㄨㄣ)a fish farm
魚網(ㄩˊ ㄨㄤˇ)a fishnet; a fishing net

三畫

魟 7061 ㄏㄨㄥ hōng
rays: 魟魚 a skate

四畫

魷 7062 ㄧㄡˊ yóu
a cuttlefish

魯 7063 ㄌㄨˇ lǔ
1. stupid; dull 2. vulgar
魯莽(ㄌㄨˇ ㄇㄤˇ)① rude; ill-mannered ② rash; careless
魯鈍(ㄌㄨˇ ㄉㄨㄣˋ)dull; slow-witted

魴 7064 ㄈㄤˊ fáng
the freshwater bream

五畫

鮎 7065 ㄋㄧㄢˊ nián
Parasilurus asotus, a kind of slippery long fish

鮑 7066 ㄅㄠˋ bào
1. an abalone 2. salted fish

鮒 7067 ㄈㄨˋ fù
a gold carp; a crucian carp

六畫

鮫 7068 ㄐㄧㄠ jiāo
a shark

鮪 7069 ㄨㄟˇ wěi
a tuna: 鮪釣 a tuna liner

鮭 7070 ㄍㄨㄟ guī
a salmon

鮮 7071 1. ㄒㄧㄢ xiān
1. fresh; new 2. delicious; tasty 3. bright; attractive
鮮明(ㄒㄧㄢ ㄇㄧㄥˊ)①sharp ②bright colored
鮮豔(ㄒㄧㄢ ㄧㄢˋ)bright-colored; resplendent
鮮味(ㄒㄧㄢ ㄨㄟˋ)fresh flavor

鮮 7071 2. ㄒㄧㄢˇ xiǎn
rare; few; seldom

鯗 7072 ㄒㄧㄤˇ xiǎng
dried and salted fish

七畫

鯀 7073 ㄍㄨㄣˇ gǔn
1. name of a kind of fish 2. father of the legendary ruler, Yü(禹)

鯇 7074 ㄏㄨㄣˋ hùn
a grass carp

鯁 7075 ㄍㄥˇ gěng
1. a fishbone stuck in the throat 2. honest; straightforward
鯁直(ㄍㄥˇ ㄓˊ)honest; straightforward

鯉 7076 ㄌㄧˇ lǐ
1. a carp 2. letters; epistles

鯊 7077 ㄕㄚ shā
a shark

八畫

鯤 7078 ㄎㄨㄣ kūn
1. a kind of legendary fish said to be thousands of miles long 2. spawn; roe

鯡 7079 ㄈㄟ fēi
a herring

鯖 7080 ㄑㄧㄥ qīng
a mackerel

鯛 7081 ㄉㄧㄠ diāo
a sea bream; a porgy; a scup

鯨 7082 ㄐㄧㄥ jīng
a whale
鯨呑蠶食(ㄐㄧㄥ ㄊㄨㄣ ㄘㄢˊ ㄕˊ) aggression by engulfing and nibbling processes

鯪 7083 ㄌㄧㄥˊ líng
1. a legendary fish 2. a dace

鯫 7084 ㄗㄡ zōu
1. a small fish 2. small

九畫

鯽 7085 ㄐㄧˋ jì
a gold carp

鰈 7086 ㄉㄧㄝˊ dié
a sole (fish)

鯿 7087 ㄅㄧㄢ biān
a freshwater bream

鰌 7088 (鰍) ㄑㄧㄡ qiū
a loach

鰒 7089 ㄈㄨˋ fù
an abalone 亦作「鮑魚」or「石決明」

鰍 7090 (鰌) ㄑㄧㄡ qiū
a loach

鰓 7091 ㄙㄞ sāi
gills (of fish)

十畫

鰥 7092 ㄍㄨㄢ guān
1. a kind of huge predatory fish 2. a widower 3. a bachelor
鰥夫(ㄍㄨㄢ ㄈㄨ)①a widower ②a bachelor
鰥寡孤獨(ㄍㄨㄢ ㄍㄨㄚˇ ㄍㄨ ㄉㄨˊ) those who have no wives, husbands, parents or children

鰜 7093 ㄐㄧㄢ jiān
a sole (fish): 鰜鰈 a couple in love

鰛 7094 ㄨㄣ wēn
a sardine

鰭 7095 ㄑㄧˊ qí
fins

鰣 7096 ㄕˊ shí
a reeves shad; a hilsa herring

鰩 7097 ㄧㄠˊ yáo
the nautilus; the ray

十一畫

鰻 7098 ㄇㄢˊ mán
an eel

鱈 7099 ㄒㄩㄝˇ xuě
a cod

鰲 7100 (鼇) ㄠˊ áo
a sea-tortoise

鰱 7101 ㄌㄧㄢˊ lián
a silver carp

鰾 7102 ㄅㄧㄠˋ biào
1. the maw of a fish; the air bladder; the swimming bladder 2. fish glue

鱅 7103 ㄩㄥˊ yóng
a bighead

鰹 7104 ㄐㄧㄢ jiān
a bonito

十二畫

鱔 7105 ㄕㄢˋ shàn
an eel; a moray eel

鱖 7106 ㄐㄩㄝˊ jué (又讀 ㄍㄨㄟˋ guì)
Mandarinfish

鱗 7107 ㄌㄧㄣˊ lín
scales (of fish)
鱗片(ㄌㄧㄣˊ ㄆㄧㄢˋ) scales (of fish)
鱗甲(ㄌㄧㄣˊ ㄐㄧㄚˇ) hard scales (of crocodiles, etc.)
鱗爪(ㄌㄧㄣˊ ㄓㄠˇ) (literally) scales and claws—minutiae; trifles

〔鳥部〕

鱗傷(ㄌㄧㄣˊ ㄕㄤ)wounds all over the body

鱘 7108 ㄒㄩㄣˊ xún
a sturgeon

十三畫

鱟 7109 ㄏㄡˋ hòu
a king crab

鱣 7110 1. ㄓㄢ zhān
Acipenser mikadoi, a kind of sturgeon

鱣 7110 2. ㄕㄢˋ shàn
an eel

十五畫

鱵 7111 ㄓㄣ zhēn
a saury

十六畫

鱸 7112 ㄌㄨˊ lú
perch; bass: 鱸魚 the sea bass

鱷 7113 ㄜˋ è
a crocodile; an alligator

二十二畫

鱻 7114 (鮮) ㄒㄧㄢ xiān
fresh; tasty

鳥部 ㄋㄧㄠˇ niao

鳥 7115 ㄋㄧㄠˇ niǎo
a bird: 鳥蛋 bird's eggs
鳥類學(ㄋㄧㄠˇ ㄌㄟˋ ㄒㄩㄝˊ)ornithology
鳥籠(ㄋㄧㄠˇ ㄌㄨㄥˊ)a birdcage
鳥瞰(ㄋㄧㄠˇ ㄎㄢˋ)to have a bird's-eye view; a bird's-eye view
鳥喙(ㄋㄧㄠˇ ㄏㄨㄟˋ)or 鳥嘴(ㄋㄧㄠˇ ㄗㄨㄟˇ)a beak; a bill
鳥盡弓藏(ㄋㄧㄠˇ ㄐㄧㄣˋ ㄍㄨㄥ ㄘㄤˊ)to discharge a worthy official in times of peace
鳥槍(ㄋㄧㄠˇ ㄑㄧㄤ)a fowling piece
鳥獸散(ㄋㄧㄠˇ ㄕㄡˋ ㄙㄢˋ)to disperse in confusion like birds or beasts
鳥園(ㄋㄧㄠˇ ㄩㄢˊ)an aviary

二畫

鳧 7116 ㄈㄨˊ fú
a wild duck

鳩 7117 ㄐㄧㄡ jiū
1. a pigeon; a dove 2. to collect; to assemble
鳩工(ㄐㄧㄡ ㄍㄨㄥ)to assemble workmen

三畫

鳲 7118 ㄕ shī
a cuckoo

鳳 7119 ㄈㄥˋ fèng
Feng—a male phoenix
鳳毛麟角(ㄈㄥˋ ㄇㄠˊ ㄌㄧㄣˊ ㄐㄧㄠˇ)rare treasures or talents; something extremely rare
鳳梨(ㄈㄥˋ ㄌㄧˊ)a pineapple
鳳凰(ㄈㄥˋ ㄏㄨㄤˊ)Feng-huang—phoenixes (鳳 being male and 凰 being female)
鳳求凰(ㄈㄥˋ ㄑㄧㄡˊ ㄏㄨㄤˊ)courtship

鳴 7120 ㄇㄧㄥˊ míng
1. (said of birds) to sing; to chirp; to warble; (said of cocks) to crow 2. the notes of birds 3. to make sounds
鳴放(ㄇㄧㄥˊ ㄈㄤˋ)the airing of views
鳴笛(ㄇㄧㄥˊ ㄉㄧˊ)to blow a whistle; to signal with a siren
鳴謝(ㄇㄧㄥˊ ㄒㄧㄝˋ)to express gratitude
鳴冤(ㄇㄧㄥˊ ㄩㄢ)to complain of unfairness; to air grievances

鳶 7121 ㄩㄢ yuān
1. a kite; a hawk 2. a kite (a toy)

四畫

鴆 7122 ㄓㄣˋ zhèn
1. a kind of venomous bird 2. poisoned wine
鴆毒(ㄓㄣˋ ㄉㄨˊ)① poison; venom ② to slander; to harm by devious means

鴇 7123 ㄅㄠˇ bǎo
1. *Otis dybowskii*, a bird resembling the wild goose 2. a prostitute 3. as in 鴇母—a procuress

鴉 7124 ㄧㄚ yā
a crow; a raven
鴉片(ㄧㄚ ㄆㄧㄢˋ)opium
鴉片煙鬼(ㄧㄚ ㄆㄧㄢˋ ㄧㄢ ㄍㄨㄟˇ)an addict to opium smoking
鴉雀無聲(ㄧㄚ ㄑㄩㄝˋ ㄨˊ ㄕㄥ)so

quiet that not a single voice can be heard

鴂 7125
(鴃) ㄐㄩㄝˊ jué
a shrike; a butcherbird

鴈 7126
ㄧㄢˋ yàn
1. same as 雁—a wild goose 2. same as 贋—bogus, forged, etc.

五畫

鴒 7127
ㄌㄧㄥˊ líng
a wagtail

鴕 7128
ㄊㄨㄛˊ tuó
as in 鴕鳥—an ostrich

鴛 7129
ㄩㄢ yuān
the male mandarin duck
鴛夢重溫(ㄩㄢ ㄇㄥˋ ㄔㄨㄥˊ ㄨㄣ)reunion of the old lovers after a long separation
鴛侶(ㄩㄢ ㄌㄩˇ)a spouse
鴛鴦(ㄩㄢ ㄧㄤ)mandarin ducks, which always live in pairs—a symbol of lovers

鴞 7130
ㄒㄧㄠ xiāo
an owl

鴟 7131
ㄔ chī
1. a kite 2. an owl 3. wine-cups

鴣 7132
ㄍㄨ gū
a kind of pigeon, as in鷓鴣—a partridge; a francolin

鴦 7133
ㄧㄤ yāng
the female mandarin duck

鴨 7134
ㄧㄚ yā
a duck
鴨蛋(ㄧㄚ ㄉㄢˋ)①a duck's egg ②(slang) scoreless; zero
鴨叫(ㄧㄚ ㄐㄧㄠˋ)quacks of the duck
鴨舌帽(ㄧㄚ ㄕㄜˊ ㄇㄠˋ)a cap with a visor

鴥 7135
ㄩˋ yù
flying rapidly; flitting

鴝 7136
ㄑㄩˊ qú
a species of myna (or mynah, minah)

六畫

鴿 7137
ㄍㄜ gē
a pigeon; a dove
鴿派(ㄍㄜ ㄆㄞˋ)the doves (persons who support a peaceful policy)

鵁 7138
ㄐㄧㄠ jiāo
Nycticorax prasinosceles, a kind of water bird

鴻 7139
ㄏㄨㄥˊ hóng
1. as in 鴻雁—a wild swan; a wild goose 2. great; huge; large
鴻博(ㄏㄨㄥˊ ㄅㄛˊ)erudite
鴻毛(ㄏㄨㄥˊ ㄇㄠˊ)swan's down—something very light or insignificant
鴻鵠(ㄏㄨㄥˊ ㄏㄨˊ)a wild swan
鴻鵠之志(ㄏㄨㄥˊ ㄏㄨˊ ㄓ ㄓˋ)great ambition
鴻禧(ㄏㄨㄥˊ ㄒㄧˇ)great felicity
鴻志(ㄏㄨㄥˊ ㄓˋ)great ambition
鴻爪(ㄏㄨㄥˊ ㄓㄠˇ)traces that one leaves behind
鴻恩(ㄏㄨㄥˊ ㄣ)great favor or kindness
鴻業(ㄏㄨㄥˊ ㄧㄝˋ)achievements of a ruler

鴳 7140
ㄧㄢˋ yàn
a species of quail

鵃 7141
ㄓㄡ zhōu
as in 鶻鵃—*Treron permagna*, a kind of pigeon

鴽 7142
ㄖㄨˊ rú
Trunix blakistoni, a kind of quail

鴷 7143
ㄌㄧㄝˋ liè
a woodpecker

鴰 7144
ㄍㄨㄚ guā
as in 老鴰—the crow

鵂 7145
ㄒㄧㄡ xiū
an owl

七畫

鵒 7146
ㄩˋ yù
as in 鸜鵒—myna (or mynah)

鵑 7147
ㄐㄩㄢ juān
as in 杜鵑—① the cuckoo ② an azalea

鵚 7148
ㄊㄨ tū
a kind of water bird

鵓 7149
ㄅㄛˊ bó
a kind of pigeon

鵌 7150
ㄊㄨˊ tú
a kind of bird which shares its nest with rats

鵜 7151
ㄊㄧˊ tí

〔鳥部〕

a pelican
鵜鴂(ㄊㄧˊ ㄐㄩㄝˊ)a cuckoo

鵝 7152 (鵞、䳘) ㄜˊ é
a goose; a gander
鵝卵石(ㄜˊ ㄌㄨㄢˇ ㄕˊ)pebbles
鵝掌(ㄜˊ ㄓㄤˇ)webbed feet of the goose
鵝絨(ㄜˊ ㄖㄨㄥˊ)down of a goose

〔鳥部〕

鵠 7153 1. ㄏㄨˊ hú
1. a swan 2. standing erect; standing quietly
鵠立(ㄏㄨˊ ㄌㄧˋ)to stand on the lookout
鵠候(ㄏㄨˊ ㄏㄡˋ)to await eagerly

鵠 7153 2. ㄍㄨˇ gǔ
as in 鵠的—a target

鵡 7154 ㄨˇ wǔ
as in 鸚鵡—a parrot

八畫

鵬 7155 ㄆㄥˊ péng
Peng, a fabulous bird supposed to be the greatest of all kinds, comparable to the roc
鵬圖(ㄆㄥˊ ㄊㄨˊ)great ambition
鵬程萬里(ㄆㄥˊ ㄔㄥˊ ㄨㄢˋ ㄌㄧˇ)(literally) a journey of 10,000 miles faced by the roc—of great promise

鵩 7156 ㄈㄨˊ fú
a buzzard; a vulture

鵪 7157 ㄢ ān
as in 鵪鶉—a quail

鵰 7158 ㄉㄧㄠ diāo
a bird of prey; a vulture 亦作「鷳」

鵾 7159 ㄎㄨㄣ kūn
a bird resembling the crane
鵾雞(ㄎㄨㄣ ㄐㄧ)①a bird resembling the crane ②a phoenix

鵲 7160 ㄑㄩㄝˋ què (又讀 ㄑㄧㄠˇ qiǎo)
a magpie
鵲起(ㄑㄩㄝˋ ㄑㄧˇ)to rise at an opportune time
鵲噪(ㄑㄩㄝˋ ㄗㄠˋ)the chattering of magpies

鵷 7161 ㄩㄢ yuān
as in 鵷雛—a bird resembling the legendary phoenix

鵮 7162 ㄑㄧㄢ qiān
1. to peck 2. to ridicule; to deride

鶉 7163 ㄔㄨㄣˊ chún
a quail
鶉衣百結(ㄔㄨㄣˊ ㄧ ㄅㄞˇ ㄐㄧㄝˊ)coarse clothes with many patches

鶄 7164 ㄐㄧㄥ jīng
Mycticorax prasinosceles, a kind of water bird

鶊 7165 ㄍㄥ gēng
as in 鶬鶊—an oriole

九畫

鶘 7166 ㄏㄨˊ hú
as in 鵜鶘—a pelican

鶖 7167 ㄑㄧㄡ qiū
a marabou, a kind of water bird

鶚 7168 ㄜˋ è
an osprey; a water hawk

鶡 7169 ㄏㄜˊ hé
1. a sort of nightingale 2. a sort of pheasant

鶩 7170 ㄨˋ wù
ducks

鶒 7171 ㄔˋ chì
a kind of water bird

鶗 7172 ㄊㄧˊ tí
as in 鶗鴂—a cuckoo

十畫

鶴 7173 ㄏㄜˋ hè (語音 ㄏㄠˊ háo)
a crane
鶴唳(ㄏㄜˋ ㄌㄧˋ)the cries of cranes
鶴立雞羣(ㄏㄜˋ ㄌㄧˋ ㄐㄧ ㄑㄩㄣˊ)(literally) a crane standing among chickens—far surpassing the others
鶴壽(ㄏㄜˋ ㄕㄡˋ)or鶴算(ㄏㄜˋ ㄙㄨㄢˋ) longevity
鶴嘴鋤(ㄏㄜˋ ㄗㄨㄟˇ ㄔㄨˊ)a mattock; a pickaxe

鶬 7174 ㄘㄤ cāng
an oriole

鶯 7175 ㄧㄥ yīng
a greenfinch; a Chinese oriole

鷀 7176 (鷥) ㄘˊ cí
as in 鸕鷀—a cormorant

鶺 7177
ㄐㄧˊ jí
a wagtail

鶻 7178
1. ㄍㄨˇ gǔ
Treron permagna, a kind of pigeon

鶻 7178
2. ㄏㄨˊ hú
a kind of bird of prey

鶼 7179
ㄐㄧㄢ jiān
a fabulous bird having only one wing so that a pair must unite in order to fly

鷁 7180
ㄧˋ yì
a fabulous sea bird
鷁首(ㄧˋ ㄕㄡˇ)the bow of a boat

鶹 7181
ㄌㄧㄡˊ liú
as in 鵂鶹—the owl

鷂 7182
ㄧㄠˋ yào
a hawk; a sparrow hawk
鷂子(ㄧㄠˋ•ㄗ)①a sparrow hawk ②a kite (a toy)

鷃 7183
ㄧㄢˋ yàn
a quail

鷇 7184
ㄎㄡˋ kòu
fledglings

鷄 7185
(雞) ㄐㄧ jī
fowls

十一畫

鷓 7186
ㄓㄜˋ zhè
as in 鷓鴣—a partridge

鷖 7187
ㄧ yī
1. a gull 2. dark blue 3. a phoenix

鷗 7188
ㄡ ōu
a gull

鷙 7189
ㄓˋ zhì
1. birds of prey 2. fierce; cruel; violent

鷟 7190
ㄓㄨㄛˊ zhuó
a kind of water bird

十二畫

鷥 7191
ㄙ sī
an egret

鷦 7192
ㄐㄧㄠ jiāo
a wren

鷯 7193
ㄌㄧㄠˊ liáo
as in 鷦鷯—a wren

鷩 7194
ㄅㄧˋ bì
a kind of pheasant

鷫 7195
ㄙㄨˋ sù
a kind of wild swan

鷲 7196
ㄐㄧㄡˋ jiù
a vulture

鷸 7197
ㄩˋ yù
a snipe
鷸蚌相爭(ㄩˋ ㄅㄤˋ ㄒㄧㄤ ㄓㄥ)a quarrel which benefits only a third party

鷺 7198
ㄌㄨˋ lù
as in 鷺鷥—an egret

十三畫

鷽 7199
ㄒㄩㄝˊ xué
a tanager
鷽鳩(ㄒㄩㄝˊ ㄐㄧㄡ)a kind of pigeon

鸀 7200
ㄕㄨˇ shǔ
a blackbird

鸂 7201
ㄒㄧ xī
a kind of water bird resembling the mandarin duck

鸇 7202
ㄓㄢ zhān
a kind of bird of prey

鷹 7203
ㄧㄥ yīng
a hawk; an eagle; a falcon
鷹鉤鼻子(ㄧㄥ ㄍㄡ ㄅㄧˊ •ㄗ)an aquiline nose
鷹架(ㄧㄥ ㄐㄧㄚˋ)a scaffold
鷹犬(ㄧㄥ ㄑㄩㄢˇ)①falcons and dogs used in hunting ②hired ruffians
鷹視(ㄧㄥ ㄕˋ)a fierce look
鷹揚(ㄧㄥ ㄧㄤˊ)powerful, or outstanding (like a soaring falcon)

十六畫

鸕 7204
ㄌㄨˊ lú
a cormorant

十七畫

〔鳥部〕

〔鹵·鹿部〕

鸚 7205 ㄧㄥ yīng
as in 鸚鵡—a parrot
鸚鵡學舌(ㄧㄥ ㄨˇ ㄒㄩㄝˊ ㄕㄜˊ)to parrot another's statement, theory, etc.

十八畫

鸛 7206 ㄍㄨㄢˋ guàn
a stork

鸜 7207 ㄑㄩˊ qú
a species of myna (or mynah)

十九畫

鸝 7208 ㄌㄧˊ lí
as in 黃鸝—a Chinese oriole

鸞 7209 ㄌㄨㄢˊ luán
1. a fabulous bird related to the phoenix 2. the bells at horses' bits
鸞鳳和鳴(ㄌㄨㄢˊ ㄈㄥˋ ㄏㄜˊ ㄇㄧㄥˊ)harmony in marriage

鹵部 ㄌㄨˇ lǔ

鹵 7210 ㄌㄨˇ lǔ
1. alkaline or saline soil 2. natural salt 3. rude; unrefined 亦作「魯」 4. to capture; to seize 亦作「擄」
鹵莽(ㄌㄨˇ ㄇㄤˇ)rude

九畫

鹹 7211 ㄒㄧㄢˊ xián
saltish; salty; briny; salted
鹹肉(ㄒㄧㄢˊ ㄖㄡˋ)salted meat
鹹菜(ㄒㄧㄢˊ ㄘㄞˋ)pickled vegetables
鹹鴨蛋(ㄒㄧㄢˊ ㄧㄚ ㄉㄢˋ)salted duck's eggs
鹹魚(ㄒㄧㄢˊ ㄩˊ)salted fish

十畫

鹺 7212 ㄘㄨㄛˊ cuó
1. briny; salty 2. salt

鹻 7213 (鹼) ㄐㄧㄢˇ jiǎn
alkali

十三畫

鹼 7214 (鹻) ㄐㄧㄢˇ jiǎn
lye; alkali
鹼金屬(ㄐㄧㄢˇ ㄐㄧㄣ ㄕㄨˇ)alkali metal
鹼性蓄電池(ㄐㄧㄢˇ ㄒㄧㄥˋ ㄒㄩˋ ㄉㄧㄢˋ ㄔˊ)an alkaline battery

十四畫

鹽 7215 1. ㄧㄢˊ yán
common salt; salt
鹽田(ㄧㄢˊ ㄊㄧㄢˊ)a salt pond
鹽湖(ㄧㄢˊ ㄏㄨˊ)salt lakes
鹽井(ㄧㄢˊ ㄐㄧㄥˇ)a salt well
鹽場(ㄧㄢˊ ㄔㄤˇ)a salt farm
鹽酸(ㄧㄢˊ ㄙㄨㄢ)hydrochloric acid

鹽 7215 2. ㄧㄢˋ yàn
1. to salt 2. to envy

鹿部 ㄌㄨˋ lù

鹿 7216 ㄌㄨˋ lù
a deer; a stag; a doe
鹿角(ㄌㄨˋ ㄐㄧㄠˇ)antlers
鹿肉(ㄌㄨˋ ㄖㄡˋ)venison
鹿死誰手(ㄌㄨˋ ㄙˇ ㄕㄟˊ ㄕㄡˇ) (literally) Who is to kill the deer?—Who will win?

二畫

麀 7217 ㄧㄡ yōu
a female deer; a doe

麂 7218 ㄐㄧˇ jǐ
Moschus chinensis, an animal resembling the deer but without antlers

四畫

麃 7219 1. ㄅㄧㄠ biāo
to till the land; to weed
麃麃(ㄅㄧㄠ ㄅㄧㄠ)having a martial appearance

麃 7219 2. (麅) ㄆㄠˊ páo
a species of roe

五畫

麈 7220 ㄓㄨˇ zhǔ
1. a kind of deer 2. to whisk; to dust

麅 7221 ㄆㄠˊ páo
a species of roe

六畫

麋 7222
ㄇㄧˊ mí
Alces machlis, a kind of deer

七畫

麐 7223
(麟) ㄌㄧㄣˊ lín
the female of a fabulous animal resembling a deer

麇 7224
(麕) ㄐㄩㄣ jūn
a species of roe deer

八畫

麑 7225
ㄋㄧˊ ní
a young deer; a fawn

麒 7226
ㄑㄧˊ qí
the male of a fabulous animal resembling the deer
麒麟(ㄑㄧˊ ㄌㄧㄣˊ)a fabulous animal resembling the deer said to appear only in time of peace and prosperity

麓 7227
ㄌㄨˋ lù
the foot of a hill or mountain

麗 7228
ㄌㄧˋ lì
1. beautiful; elegant; magnificent 2. to hang 3. same as 儷—dual; double
麗辭(ㄌㄧˋ ㄘˊ)flowery language; elegant phrases

麕 7229
ㄐㄩㄣ jūn
a species of roe
麕集(ㄐㄩㄣ ㄐㄧˊ)to flock together; to gather

十畫

麝 7230
ㄕㄜˋ shè
a musk deer
麝香(ㄕㄜˋ ㄒㄧㄤ)musk

十一畫

麞 7231
ㄓㄤ zhāng
a deer-like animal
麞頭鼠目(ㄓㄤ ㄊㄡˊ ㄕㄨˇ ㄇㄨˋ)a roe's head and a mouse's eyes—a mean physiognomy

十二畫

麟 7232
ㄌㄧㄣˊ lín
the female of a fabulous animal resembling the deer
麟麟(ㄌㄧㄣˊ ㄌㄧㄣˊ)bright; brilliant
麟兒(ㄌㄧㄣˊ ㄦˊ)a fine son

二十二畫

麤 7233
(粗) ㄘㄨ cū
coarse; rough

麥部
ㄇㄛˋ mò

麥 7234
ㄇㄞˋ mài
(讀音 ㄇㄛˋ mò)
wheat; barley; oats
麥片(ㄇㄞˋ ㄆㄧㄢˋ)oatmeal
麥苗(ㄇㄞˋ ㄇㄧㄠˊ)young wheat, barley, etc.
麥粉(ㄇㄞˋ ㄈㄣˇ)flour
麥麩(ㄇㄞˋ ㄈㄨ)wheat bran
麥克風(ㄇㄞˋ ㄎㄜˋ ㄈㄥ)a microphone
麥穗(ㄇㄞˋ ㄙㄨㄟˋ)ears of wheat, etc.
麥芽糖(ㄇㄞˋ ㄧㄚˊ ㄊㄤˊ)malt sugar

四畫

麩 7235
ㄈㄨ fū
bran

麪 7236
(麵) ㄇㄧㄢˋ miàn
1. flour 2. dough 3. noodles
麪包(ㄇㄧㄢˋ ㄅㄠ)bread
麪包店(ㄇㄧㄢˋ ㄅㄠ ㄉㄧㄢˋ)a bakery
麪包屑(ㄇㄧㄢˋ ㄅㄠ ㄒㄧㄝˋ)crumbs of bread
麪包師(ㄇㄧㄢˋ ㄅㄠ ㄕ)a baker
麪粉(ㄇㄧㄢˋ ㄈㄣˇ)flour
麪粉廠(ㄇㄧㄢˋ ㄈㄣˇ ㄔㄤˇ)a flour mill
麪條(ㄇㄧㄢˋ ㄊㄧㄠˊ)noodles; spaghetti
麪糊(ㄇㄧㄢˋ ㄏㄨˊ)flour paste
麪筋(ㄇㄧㄢˋ ㄐㄧㄣ)gluten of flour
麪食(ㄇㄧㄢˋ ㄕˊ)wheaten foods; pastry

六畫

麯 7237
(麴) ㄑㄩˊ qú
a ferment for brewing

麰 7238
ㄇㄡˊ móu
barley

八畫

麴 7239
(麯) ㄑㄩˊ qú
yeast; a ferment for brewing

〔麻·黃·黍 部〕

九畫

麵 7240
(麪) ㄇㄧㄢˋ miàn
flour; noodles

麻 部
ㄇㄚˊ má

麻 7241
ㄇㄚˊ má
1. hemp 2. sesame 3. numb 4. a tingle; to tingle 5. pockmarked 6. rough 7. pitted; spotty
麻痺(ㄇㄚˊ ㄅㄧˋ)paralysis; numbness
麻布(ㄇㄚˊ ㄅㄨˋ)hempen fabrics; linen
麻面(ㄇㄚˊ ㄇㄧㄢˋ) or 麻臉 (ㄇㄚˊ ㄌㄧㄢˇ)a pockmarked face
麻木不仁(ㄇㄚˊ ㄇㄨˋ ㄅㄨˋ ㄖㄣˊ) numbed; paralyzed
麻煩(ㄇㄚˊ •ㄈㄢ)① troublesome ② trouble ③ to bother
麻袋(ㄇㄚˊ ㄉㄞˋ)a hemp bag
麻將牌(ㄇㄚˊ ㄐㄧㄤˋ ㄆㄞˊ)mah-jong pieces
麻雀(ㄇㄚˊ ㄑㄩㄝˋ)①a sparrow②mah-jong
麻疹(ㄇㄚˊ ㄓㄣˇ) (medicine) measles
麻繩(ㄇㄚˊ ㄕㄥˊ)hemp cordage; hemp rope
麻醉(ㄇㄚˊ ㄗㄨㄟˋ)①to anesthetize ②to dope
麻醉劑(ㄇㄚˊ ㄗㄨㄟˋ ㄐㄧˋ)or 麻藥 (ㄇㄚˊ ㄧㄠˋ)①an anesthetic ②narcotics; drugs; dopes
麻油(ㄇㄚˊ ㄧㄡˊ)sesame oil

三畫

麼 7242
1. ㄇㄛˊ mó
1.tiny 2.a special particle found in dramatic dialogues

麼 7242
2.(麼、嗎) •ㄇㄚ ma
a final interrogative particle

麼 7242
3. ㄇㄚˊ má
a particle used in the phrase「幹麼」(why)

麼 7242
4. •ㄇㄜ me
a particle used in the interrogative phrase「甚麼」(what)

四畫

麾 7243
ㄏㄨㄟ huī
1. a flag; a banner; a standard 2. to command; to lead

黃 部
ㄏㄨㄤˊ huáng

黃 7244
ㄏㄨㄤˊ huáng
1. yellow 2. a Chinese family name
黃毛丫頭(ㄏㄨㄤˊ ㄇㄠˊ ㄧㄚ •ㄊㄡ)a fledgling little girl
黃蜂(ㄏㄨㄤˊ ㄈㄥ)wasps
黃豆(ㄏㄨㄤˊ ㄉㄡˋ)soybeans
黃豆芽(ㄏㄨㄤˊ ㄉㄡˋ ㄧㄚˊ)soybean sprouts
黃膽病(ㄏㄨㄤˊ ㄉㄢˇ ㄅㄧㄥˋ)or 黃疸 (ㄏㄨㄤˊ ㄉㄢˇ)jaundice; icterus
黃銅(ㄏㄨㄤˊ ㄊㄨㄥˊ)brass
黃牛(ㄏㄨㄤˊ ㄋㄧㄡˊ)①a common Chinese ox ②a scalper of tickets, etc. ③(slang) to fail to appear on an appointment; to break a promise
黃牛票(ㄏㄨㄤˊ ㄋㄧㄡˊ ㄆㄧㄠˋ)scalped tickets
黃瓜(ㄏㄨㄤˊ ㄍㄨㄚ)a cucumber
黃河流域(ㄏㄨㄤˊ ㄏㄜˊ ㄌㄧㄡˊ ㄩˋ)the Yellow River Valley
黃昏(ㄏㄨㄤˊ ㄏㄨㄣ)dusk
黃金(ㄏㄨㄤˊ ㄐㄧㄣ)gold
黃金時代(ㄏㄨㄤˊ ㄐㄧㄣ ㄕˊ ㄉㄞˋ)the golden age
黃雀(ㄏㄨㄤˊ ㄑㄩㄝˋ)a titmouse
黃泉(ㄏㄨㄤˊ ㄑㄩㄢˊ)Hades
黃線(ㄏㄨㄤˊ ㄒㄧㄢˋ)a yellow line
黃種人(ㄏㄨㄤˊ ㄓㄨㄥˇ ㄖㄣˊ)the yellow race; the Mongolian race
黃鼠狼(ㄏㄨㄤˊ ㄕㄨˇ ㄌㄤˊ)a weasel 亦作「鼬」
黃熱病(ㄏㄨㄤˊ ㄖㄜˋ ㄅㄧㄥˋ)yellow fever
黃鶯(ㄏㄨㄤˊ ㄧㄥ)an oriole
黃魚(ㄏㄨㄤˊ ㄩˊ)a yellow croaker

五畫

黈 7245
ㄊㄡˇ tǒu
1. yellow 2. to increase

十三畫

黌 7246
ㄏㄨㄥˊ hóng
a school
黌舍(ㄏㄨㄥˊ ㄕㄜˋ)a school building

黍 部
ㄕㄨˇ shǔ

黍 7247 ㄕㄨˇ shǔ
as in 黍稷—a variety of millet

三畫

黎 7248 ㄌㄧˊ lí
1. many; numerous 2. black; dark 3. the aborigines of Hainan
黎民(ㄌㄧˊ ㄇㄧㄣˊ)the multitude; the common people
黎明(ㄌㄧˊ ㄇㄧㄥˊ)dawn; daybreak

五畫

黏 7249 ㄋㄧㄢˊ nián
1. to stick 2. sticky; glutinous; gluey
黏膜(ㄋㄧㄢˊ ㄇㄛˊ)the mucous membrane
黏米(ㄋㄧㄢˊ ㄇㄧˇ)glutinous rice
黏土(ㄋㄧㄢˊ ㄊㄨˇ)clay
黏合劑(ㄋㄧㄢˊ ㄏㄜˊ ㄐㄧˋ)adhesives

黑部 ㄏㄜ hè

黑 7250 ㄏㄟ hēi
(讀音 ㄏㄜˋ hè)
1. black; dark 2. evil; sinister; gloomy
黑白分明(ㄏㄟ ㄅㄞˊ ㄈㄣ ㄇㄧㄥˊ)① right and wrong clearly distinguished ②the sharp contrast between black and white
黑斑(ㄏㄟ ㄅㄢ)dark spots; black specks
黑板(ㄏㄟ ㄅㄢˇ)a blackboard
黑板刷(ㄏㄟ ㄅㄢˇ ㄕㄨㄚ)an eraser 亦作「黑板擦」
黑名單(ㄏㄟ ㄇㄧㄥˊ ㄉㄢ)a blacklist
黑幕(ㄏㄟ ㄇㄨˋ)what is done under cover; a dark secret
黑道人物(ㄏㄟ ㄉㄠˋ ㄖㄣˊ ㄨˋ)a gangster
黑盒子(ㄏㄟ ㄏㄜˊ ˙ㄗ)a cockpit voice recorder
黑貨(ㄏㄟ ㄏㄨㄛˋ)①stolen goods; smugglers' goods ②opium
黑心(ㄏㄟ ㄒㄧㄣ)a black heart; an evil heart
黑猩猩(ㄏㄟ ㄒㄧㄥ ˙ㄒㄧㄥ)a chimpanzee
黑市(ㄏㄟ ㄕˋ)a black market
黑社會(ㄏㄟ ㄕㄜˋ ㄏㄨㄟˋ)underworld society; the underworld; gangsterdom
黑人(ㄏㄟ ㄖㄣˊ)a Negro; a black
黑棗(ㄏㄟ ㄗㄠˇ)dateplum persimmon
黑色(ㄏㄟ ㄙㄜˋ)black
黑暗(ㄏㄟ ㄢˋ)darkness; dark

三畫

黓 7251 ㄧˋ yì
black

四畫

黔 7252 ㄑㄧㄢˊ qián
1. black 2. Kweichow (an alternative name)
黔驢技窮(ㄑㄧㄢˊ ㄌㄩˊ ㄐㄧˋ ㄑㄩㄥˊ)a person who has exposed his limited ability

默 7253 ㄇㄛˋ mò
1. speechless; silent 2. quiet; still
默不作聲(ㄇㄛˋ ˙ㄅㄨ ㄗㄨㄛˋ ㄕㄥ)to keep silence
默禱(ㄇㄛˋ ㄉㄠˇ)to pray silently
默念(ㄇㄛˋ ㄋㄧㄢˋ)①to repeat (a passage, etc.) silently inside the mind ② to ponder or think
默劇(ㄇㄛˋ ㄐㄩˋ)pantomime
默契(ㄇㄛˋ ㄑㄧˋ)a tacit understanding; a secret agreement
默寫(ㄇㄛˋ ㄒㄧㄝˇ)or 默書(ㄇㄛˋ ㄕㄨ) to write from memory
默許(ㄇㄛˋ ㄒㄩˇ)tacit permission
默認(ㄇㄛˋ ㄖㄣˋ)tacit consent, confession or approval

五畫

點 7254 ㄉㄧㄢˇ diǎn
1. a dot; a spot 2. a point 3. a drop; a small amount 4. snacks 5. hours 6. to mark 7. to instruct 8. to check; to examine 9. to light 10. to pick out 11. to nod (the head) 12. to touch; to point at
點破(ㄉㄧㄢˇ ㄆㄛˋ)to unravel (a mystery, etc.); to point out
點名(ㄉㄧㄢˇ ㄇㄧㄥˊ)①to call the roll ②to mention somebody by name
點名簿(ㄉㄧㄢˇ ㄇㄧㄥˊ ㄅㄨˋ)a roll (of names)
點燈(ㄉㄧㄢˇ ㄉㄥ)to light lamps
點滴(ㄉㄧㄢˇ ㄉㄧ)①drops; a bit ② (medicine) an intravenous drip
點交(ㄉㄧㄢˇ ㄐㄧㄠ)to hand over (articles) after a checkup
點心(ㄉㄧㄢˇ ㄒㄧㄣ)snacks; refreshments
點醒(ㄉㄧㄢˇ ㄒㄧㄥˇ)to point out someone's errors and make him realize them
點綴(ㄉㄧㄢˇ ㄓㄨㄟˋ)to provide decorative accessories; to embellish
點收(ㄉㄧㄢˇ ㄕㄡ)to check and accept (articles that are handed over)

〔黑部〕

點數①(ㄉㄧㄢˇ ㄕㄨˋ) the number of points; a score ②(ㄉㄧㄢˇ ㄕㄨˇ) to count the number of articles or the amount of money
點菜(ㄉㄧㄢˇ ㄘㄞˋ)to order favorite dishes at a restaurant
點眼藥(ㄉㄧㄢˇ ㄧㄢˇ ㄧㄠˋ)to apply eye lotion

黛 7255 ㄉㄞˋ dài
1.a bluish-black material used by ancient women to blacken their eyebrows 2. a beauty

黜 7256 ㄔㄨˋ chù
1.to reject; to dispel 2.to dismiss; to degrade; to demote
黜免(ㄔㄨˋ ㄇㄧㄢˇ)to dismiss from office
黜退(ㄔㄨˋ ㄊㄨㄟˋ)to dismiss; to send away

黝 7257 ㄧㄡˇ yǒu
bluish black

六畫

黠 7258 ㄒㄧㄚˊ xiá
1.smart; clever; shrewd 2.crafty; cunning; artful; wily

黟 7259 ㄧ yī
1. ebony 2. dark; black

八畫

黥 7260 ㄑㄧㄥˊ qíng
ancient punishment of tattooing the face; branding

黧 7261 ㄌㄧˊ lí
dark yellow; sallow

黨 7262 ㄉㄤˇ dǎng
1. a party 2. relatives 3. to take sides; to associate; to be a partizan 4. as in 鄉黨—village
黨部(ㄉㄤˇ ㄅㄨˋ)the headquarters of a political party
黨派(ㄉㄤˇ ㄆㄞˋ)factions; parties; cliques
黨徒(ㄉㄤˇ ㄊㄨˊ)followers; parties and their members
黨綱(ㄉㄤˇ ㄍㄤ)the platform of a political party
黨籍(ㄉㄤˇ ㄐㄧˊ)a party affiliation
黨章(ㄉㄤˇ ㄓㄤ)the constitution of a political party
黨務(ㄉㄤˇ ㄨˋ)party affairs
黨羽(ㄉㄤˇ ㄩˇ)adherents or followers; members of a clique
黨員(ㄉㄤˇ ㄩㄢˊ)a party member; a partisan

黦 7263 ㄩˋ yù
yellowish black

黤 7264 ㄧㄢˇ yǎn
bluish black

九畫

黯 7265 ㄢˋ àn
1. very dark 2. miserable
黯然失色(ㄢˋ ㄖㄢˊ ㄕ ㄙㄜˋ)to appear very dull or poor in comparison

黮 7266 1. ㄊㄢˇ tǎn
pitch-dark; pitch-black

黮 7266 2. ㄕㄣˋ shèn
a mulberry

十一畫

黲 7267 ㄘㄢˇ cǎn
light bluish dark

黴 7268 ㄇㄟˊ méi
1. mold; mildew; must 2. germs; bacteria 3. fungi 4. dirty; dingy

十三畫

黵 7269 ㄉㄢˇ dǎn
to tattoo the face

十四畫

黶 7270 ㄧㄢˇ yǎn
black moles (on the skin)

十五畫

黷 7271 ㄉㄨˊ dú
1.to tarnish 2.to be rash about 3. to corrupt rashly
黷武(ㄉㄨˊ ㄨˇ)to use military might

黹部 ㄓˇ zhǐ

黹 7272 ㄓˇ zhǐ
embroidery; needlework

五畫

黻 7273 ㄈㄨˊ fú
1.a kind of embroidered design on ancient sacrificial robes 2.a kind of

sacrificial robes

七畫

黼 7274 ㄈㄨˇ fǔ
a kind of ancient sacrificial robes embroidered with hatchets

黽部 ㄇㄧㄣˇ mǐn

黽 7275 ㄇㄧㄣˇ mǐn
to strive; to endeavor
黽勉(ㄇㄧㄣˇ ㄇㄧㄢˇ)to strive

四畫

黿 7276 ㄩㄢˊ yuán
a kind of large turtle

五畫

鼂 7277 ㄔㄠˊ cháo
1. a kind of sea turtle 2. a Chinese family name

六畫

鼃 7278 (蛙) ㄨㄚ wā
a frog

八畫

鼅 7279 (蜘) ㄓ zhī
a spider

十一畫

鼇 7280 ㄠˊ áo
a huge sea turtle
鼇頭or鰲頭(ㄠˊ ㄊㄡˊ)the top successful candidate in a civil service examination under the former system

十二畫

鼈 7281 (鱉) ㄅㄧㄝ biē
a kind of freshwater turtle 亦作「甲魚」

鼉 7282 ㄊㄨㄛˊ tuó
a kind of water lizard (whose skin was often used to make drums)
鼉鼓(ㄊㄨㄛˊ ㄍㄨˇ)to beat the watches with drums

鼎部 ㄉㄧㄥˇ dǐng

鼎 7283 ㄉㄧㄥˇ dǐng
1. a huge tripod of bronze with two ears; a heavy three-legged caldron or sacrificial vessel 2. vigorous 3. involving three parts or things; triangular
鼎沸(ㄉㄧㄥˇ ㄈㄟˋ)tumultuous; boiling
鼎鼎大名(ㄉㄧㄥˇ ㄉㄧㄥˇ ㄉㄚˋ ㄇㄧㄥˊ) renowned; famous
鼎力(ㄉㄧㄥˇ ㄌㄧˋ)① great strength; herculean strength ② your kind effort
鼎新(ㄉㄧㄥˇ ㄒㄧㄣ)to renew
鼎盛(ㄉㄧㄥˇ ㄕㄥˋ)in a period of great prosperity; prosperous; thriving
鼎足而三(ㄉㄧㄥˇ ㄗㄨˊ ㄦˊ ㄙㄢ)divided into three rival groups

二畫

鼐 7284 ㄋㄞˋ nài
a huge tripod caldron

鼏 7285 ㄇㄧˋ mì
the cover of a tripod caldron

三畫

鼒 7286 ㄗ zī
a tripod with a small opening on the top

鼓部 ㄍㄨˇ gǔ

鼓 7287 ㄍㄨˇ gǔ
1. drums 2. to beat a drum 3. to vibrate 4. to rouse; to stir up
鼓膜(ㄍㄨˇ ㄇㄛˊ)the eardrum
鼓風爐(ㄍㄨˇ ㄈㄥ ㄌㄨˊ)a blast furnace
鼓動(ㄍㄨˇ ㄉㄨㄥˋ)to instigate; to rouse
鼓勵(ㄍㄨˇ ㄌㄧˋ)to encourage; to hearten
鼓惑(ㄍㄨˇ ㄏㄨㄛˋ)to induce to go astray
鼓起勇氣(ㄍㄨˇ ㄑㄧˇ ㄩㄥˇ ㄑㄧˋ)to pluck up courage
鼓掌(ㄍㄨˇ ㄓㄤˇ)to clap the hands; to give applause
鼓吹①(ㄍㄨˇ ㄔㄨㄟ) to advocate ②(ㄍㄨˇ ㄔㄨㄟˋ) a kind of ancient court

〔黽·鼎·鼓部〕

music
鼓手(ㄍㄨˇ ˙ㄕㄡ)a drum player; a drummer
鼓舞(ㄍㄨˇ ㄨˇ)① to rouse; to inspire ② to dance for joy; to rejoice
鼓舞士氣(ㄍㄨˇ ㄨˇ ㄕˋ ㄑㄧˋ)to enhance troop morale; to cheer up troops

五畫

鼕 7288
ㄉㄨㄥ dōng
the rattle of drums

六畫

鼗 7289
ㄊㄠˊ táo
a kind of small hand-drum with two swinging knobs (that can strike the face of the drum being twirled)

八畫

鼙 7290
ㄆㄧˊ pí
a kind of war drum

鼠 部
ㄕㄨ shu

鼠 7291
ㄕㄨˇ shǔ
a mouse; a rat
鼠輩(ㄕㄨˇ ㄅㄟˋ)a mean fellow
鼠遁(ㄕㄨˇ ㄉㄨㄣˋ)to flee helter-skelter like a rat
鼠蹊(ㄕㄨˇ ㄒㄧ)the groin
鼠疫(ㄕㄨˇ ㄧˋ)a bubonic plague; a pestilence

五畫

鼬 7292
ㄧㄡˋ yòu
as in 鼬鼠—a weasel

鼪 7293
ㄕㄥ shēng
a weasel

七畫

鼯 7294
ㄨˊ wú
a flying squirrel

九畫

鼴 7295
ㄧㄢˇ yǎn
a mole (a burrowing animal)

十畫

鼷 7296
ㄒㄧ xī
a mouse

鼹 7297
ㄧㄢˇ yǎn
a kind of insectivorous rodent

鼻 部
ㄅㄧˊ bí

鼻 7298
ㄅㄧˊ bí
1. a nose 2. before any others; first
鼻竇炎(ㄅㄧˊ ㄉㄡˋ ㄧㄢˊ)sinusitis
鼻涕(ㄅㄧˊ ㄊㄧˋ)nasal mucus or drips; snivel
鼻梁兒(ㄅㄧˊ ㄌㄧㄤˊㄦ)the bridge of the nose
鼻孔(ㄅㄧˊ ㄎㄨㄥˇ)nostrils
鼻尖(ㄅㄧˊ ㄐㄧㄢ)or 鼻頭(ㄅㄧˊ ㄊㄡˊ) the tip of the nose
鼻腔(ㄅㄧˊ ㄑㄧㄤ)the nasal cavity
鼻青臉腫(ㄅㄧˊ ㄑㄧㄥ ㄌㄧㄢˇ ㄓㄨㄥˇ)a bloody nose and a swollen face —bruised in the face
鼻血(ㄅㄧˊ ㄒㄧㄝˇ)nosebleed; nasal hemorrhage
鼻祖(ㄅㄧˊ ㄗㄨˇ)a founder; an originator
鼻炎(ㄅㄧˊ ㄧㄢˊ)nasal catarrh
鼻音(ㄅㄧˊ ㄧㄣ) (phonetics) nasal sounds

三畫

鼾 7299
ㄏㄢ hān
to snore
鼾聲如雷(ㄏㄢ ㄕㄥ ㄖㄨˊ ㄌㄟˊ)to snore terribly
鼾睡(ㄏㄢ ㄕㄨㄟˋ)a heavy sleep with snoring

五畫

齁 7300
ㄏㄡ hōu
1. snoring; snorting 2. (sickeningly) sweet or salty

十畫

齅 7301
(嗅) ㄒㄧㄡˋ xiù
to smell

十三畫

齈 7302
ㄋㄨㄥˊ nóng
a kind of nasal ailment characterized by abundance of snivel

〔龍·龜部〕

齜 7315 ㄗ zī
1. to open the mouth and show the teeth 2. uneven teeth

六畫

齦 7316 ㄧㄣˊ yín
gums (of the teeth)

齧 7317 (嚙、囓) ㄋㄧㄝˋ niè
to gnaw; to bite

齩 7318 (咬) ㄧㄠˇ yǎo
to bite: 這狗齩他一口。The dog bit him.

七畫

齪 7319 ㄔㄨㄛˋ chuò
as in 齷齪—① narrow; small ② dirty

齬 7320 ㄩˇ yǔ
as in 齟齬—① uneven teeth ② to disagree; to have discord

九畫

齷 7321 ㄨㄛˋ wò
齷齪(ㄨㄛˋ ㄔㄨㄛˋ)①narrow; small② dirty

齲 7322 ㄑㄩˇ qǔ
tooth decay
齲齒(ㄑㄩˇ ㄔˇ)a decayed tooth

齶 7323 ㄜˋ è
the roof of the mouth; the palate

十畫

齹 7324 (齤) ㄔ chī
irregular teeth; uneven teeth

龍部 ㄌㄨㄥˊ lóng

龍 7325 ㄌㄨㄥˊ lóng
1. a dragon 2. of the emperor; imperial 3. a huge extinct reptile
龍蟠虎踞(ㄌㄨㄥˊ ㄆㄢˊ ㄏㄨˇ ㄐㄩˋ)like a dragon that coils and a tiger that crouches—impressive terrain
龍鳳帖(ㄌㄨㄥˊ ㄈㄥˋ ㄊㄧㄝˇ)betrothal cards 亦作「結婚證書」
龍套(ㄌㄨㄥˊ ㄊㄠˋ)①a kind of costume in Chinese opera ②a character in such a costume in Chinese opera—a role that requires neither acting nor singing ③ a very insignificant role
龍袍(ㄌㄨㄥˊ ㄆㄠˊ)an imperial robe
龍門(ㄌㄨㄥˊ ㄇㄣˊ)fame; success
龍頭(ㄌㄨㄥˊ ㄊㄡˊ)① a faucet ② the leader of a sect, secret society, etc.
龍潭虎穴(ㄌㄨㄥˊ ㄊㄢˊ ㄏㄨˇ ㄒㄩㄝˋ) places of extreme danger
龍骨(ㄌㄨㄥˊ ㄍㄨˇ)①a keel (of a boat) ②fossiles of animals supposed to be dragons' bones
龍宮(ㄌㄨㄥˊ ㄍㄨㄥ)the palace of the sea god
龍駒(ㄌㄨㄥˊ ㄐㄩ)① a fine horse ② talented youth
龍捲風(ㄌㄨㄥˊ ㄐㄩㄢˇ ㄈㄥ)a tornado; a cyclone; a twister
龍蝦(ㄌㄨㄥˊ ㄒㄧㄚ)a lobster
龍穴 (ㄌㄨㄥˊ ㄒㄩㄝˋ) (geomancy) an ideal site for a grave
龍舟(ㄌㄨㄥˊ ㄓㄡ)a drgon boat
龍舟競渡(ㄌㄨㄥˊ ㄓㄡ ㄐㄧㄥˋ ㄉㄨˋ)a dragon-boat race
龍爭虎鬥(ㄌㄨㄥˊ ㄓㄥ ㄏㄨˇ ㄉㄡˋ)a fierce battle between giants
龍種(ㄌㄨㄥˊ ㄓㄨㄥˇ)the dragon's seed —descendants of an emperor
龍蛇混雜(ㄌㄨㄥˊ ㄕㄜˊ ㄏㄨㄣˋ ㄗㄚˊ)the wise and the unwise huddled together
龍生龍,鳳生鳳(ㄌㄨㄥˊ ㄕㄥ ㄌㄨㄥˊ, ㄈㄥˋ ㄕㄥ ㄈㄥˋ)Like father, like son.
龍顏(ㄌㄨㄥˊ ㄧㄢˊ)the noble face of the emperor
龍眼(ㄌㄨㄥˊ ㄧㄢˇ)longan

六畫

龔 7326 ㄍㄨㄥ gōng
1.reverential亦作「恭」 2.a Chinese family name

龕 7327 ㄎㄢ kān
a niche for an idol

龜部 ㄍㄨㄟ guī

龜 7328 1. ㄍㄨㄟ guī
a tortoise; a turtle
龜頭(ㄍㄨㄟ ㄊㄡˊ)the glans penis; the glans
龜甲(ㄍㄨㄟ ㄐㄧㄚˇ)tortoiseshell
龜兆(ㄍㄨㄟ ㄓㄠˋ)omens

龜筮(ㄍㄨㄟ ㄕˋ)divination

龜 7328
2. ㄐㄩㄣ jūn
as in 龜裂—chapped; cracked

龜 7328
3. ㄑㄧㄡ qiū
used in 龜茲—a country in Central Asia during the Han Dynasty

龠 部
ㄩㄝ yue

龠 7329
ㄩㄝˋ yuè
1. a kind of flute 2. a kind of measuring vessel

五畫

龢 7330
(和) ㄏㄜˊ hé
harmonious; peaceful

九畫

龥 7331
(籲) ㄩˋ yù
to call for; to make an appeal for
龥天賜福(ㄩˋ ㄊㄧㄢ ㄘˋ ㄈㄨˊ)to implore Heaven for a blessing

附錄㈠國語注音符號與聯合國華語注音符號對照表

	國語注音符號第一式				聯合國華語注音			
					一、聲母			
唇　音	ㄅ	ㄆ	ㄇ	ㄈ	b	p	m	f
舌尖音	ㄉ	ㄊ	ㄋ	ㄌ	d	t	n	l
舌根音	ㄍ	ㄎ	ㄏ		g	k	h	
舌面音	ㄐ	ㄑ	ㄒ		j	q	x	
翹舌音	ㄓ	ㄔ	ㄕ	ㄖ	zh	ch	sh	r
舌齒音	ㄗ	ㄘ	ㄙ		z	c	s	
					二、韻母			
單韻①	(ㄭ)							
單韻②	ㄧ	ㄨ	ㄩ		i	u	ü	
單韻③	ㄚ	ㄛ	ㄜ	ㄝ	ɑ	o	e	
複　韻	ㄞ	ㄟ	ㄠ	ㄡ	ɑi	ei	ɑo	ou
聲隨韻	ㄢ	ㄣ	ㄤ	ㄥ	ɑn	en	ɑng	eng
捲舌韻	ㄦ				er			
					三、結合韻母(前有聲母時用)			
齊齒呼	ㄧㄚ	ㄧㄛ	ㄧㄝ		iɑ		ie	
	ㄧㄞ	ㄧㄠ	ㄧㄡ			iɑo	iou	
	ㄧㄢ	ㄧㄣ	ㄧㄤ	ㄧㄥ	iɑn	in	iɑng	ing
合口呼	ㄨㄚ	ㄨㄛ	ㄨㄞ	ㄨㄟ	uɑ	uo	uɑi	uei
	ㄨㄢ	ㄨㄣ	ㄨㄤ	ㄨㄥ	uɑn	uen	uɑng	ueng
撮口呼	ㄩㄝ	ㄩㄢ	ㄩㄣ	ㄩㄥ	üe	üɑn	ün	iong
					四、聲　調			
陰平聲	(不加)				ˉ			
陽平聲	ˊ				ˊ			
上　聲	ˇ				ˇ			
去　聲	ˋ				ˋ			
輕　聲	˙				˙(或不加)			

※聯合國華語注音(漢語拼音)補充說明

(1)「ㄓ(知)、ㄔ(蚩)、ㄕ(詩)、ㄖ(日)、ㄗ(資)、ㄘ(雌)、ㄙ(思)」等七個音節的韻母用 i，即：知、蚩、詩、日、資、雌、思等字拼作 zhi, chi, shi, ri, zi, ci, si。

(2)韻母ㄦ寫成 er，用做韻尾的時候寫成 r。例如：「兒童」拼作 ertong，「花兒」拼作 huar。

(3)韻母ㄝ單用的時候寫成 ê。

(4) i, ia, ie, iao, iou, ian, in, iang, ing, iong 等韻母，前面沒有聲母的時候，寫成：yi(衣), ya(呀), ye(耶), yao(腰), you(憂), yan(烟), yin(因), yang(央), ying(英), yong(雍)。

(5)u, ua, uo, uai, uei, uan, uen, uang, ueng等韻母，前面沒有聲母的時候，寫成：wu(烏)，wa(蛙)，wo(窩)，wai(歪)，wei(威)，wan(彎)，wen(溫)，wang(汪)，weng(翁)。

(6)ü, üe, üan, ün等韻母，前面沒有聲母的時候，寫成：yu(迂)，yue(約)，yuan(冤)，yun(暈)；ü上兩點省略。若跟聲母 j, q, x 拼的時候，寫成：ju(居)，qu(區)，xu(虛)，ü 上兩點也省略；但是跟聲母 n, l 拼的時候，仍然寫成：nü(女)，lü(呂)。

(7) iou, uei, uen 前面加聲母的時候，寫成：iu, ui, un。例如：niu(牛)，gui(歸)，lun(論)。

(8)在給華語注音的時候，爲了使拼式簡短，ng 可以省作 ŋ。

附錄(二)二十四節氣

The Twenty-four Solar Terms

APPROXIMATE DATES		THE SOLAR TERMS		ZODIACAL POSITION OF THE SUN
Feb.	5	立 春	Spring begins	Aquarius
〃	19	雨 水	Rain water	Pisces
Mar.	5	驚 蟄	Excited insects	〃
〃	20	春 分	Vernal equinox	Aries
Apr.	5	清 明	Clear and bright	〃
〃	20	穀 雨	Grain rains	Taurus
May	5	立 夏	Summer begins	〃
〃	21	小 滿	Grain fills	Gemini
June	6	芒 種	Grain in ear	〃
〃	21	夏 至	Summer solstice	Cancer
July	7	小 暑	Slight heat	〃
〃	23	大 暑	Great heat	Leo
Aug.	7	立 秋	Autumn begins	〃
〃	23	處 暑	Limit of heat	Virgo
Sep.	8	白 露	White dew	〃
〃	23	秋 分	Autumnal equinox	Libra
Oct.	8	寒 露	Cold dew	〃
〃	23	霜 降	Hoar frost descends	Scorpio
Nov.	7	立 冬	Winter begins	〃
〃	22	小 雪	Little snow	Sagittarius
Dec.	7	大 雪	Heavy snow	〃
〃	21	冬 至	Winter solstice	Capricorn
Jan.	6	小 寒	Little cold	〃
〃	21	大 寒	Severe cold	Aquarius

國家圖書館出版品預行編目資料

遠東英漢漢英雙向辭典= Far East English-Chinese Chinese-English dictionary/ 遠東圖書公司編審委員會編輯 .--初版 .
--臺北市：遠東 .1998 [民 87]
面： 公分 含索引
ISBN 957-612-357-7 (48 K道林精裝)
ISBN 957-612-358-5 (48 K聖經精裝)
ISBN 957-612-359-3 (60 K聖經精裝)

1. 英國語言-字典，辭典-中國語言
2. 中國語言-字典，辭典-英國語言

805.131 87009379

FAR EAST ENGLISH-CHINESE CHINESE-ENGLISH DICTIONARY

遠東英漢漢英雙向辭典

1998年 8 月初版一刷

48 K聖經紙本定價新台幣560元（外埠酌加運匯費）

編輯者／遠東圖書公司編審委員會
發行人／浦家麟
印刷者／遠東圖書公司
發行所／遠東圖書公司
地址／台北市重慶南路一段66號
電話總機／(02)23118740 FAX：(02)23114184
郵政劃撥／00056691
美國發行所／U. S. 國際出版公司
U.S. INTERNATIONAL PUBLISHING INC.
39 WEST 38TH STREET
NEW YORK, N.Y. 10018, U.S.A.
登記證／局版台業字第0820號
http://www.fareast.com.tw

本／華

本辭典採用進口米黃色聖經紙精印，以護目力。